MONTGOMERY COLLEGE
ROCKVILLE CAMPUS LIBRARY
ROCKVILLE, MARYLAND

ENGLISH-RUSSIAN DICTIONARY

COMPILED BY

Professor V. K. Müller

Seventh Edition

NEW REVISED EDITION
COMPLETELY RESET

70,000 words

New York
E. P. DUTTON & CO., INC.

REF
PG
2640
M813
R 72 11590

1965

JUN 2 0 1991

AAH0697

First published in the United States, 1965,
by E. P. Dutton & Co., Inc.
All rights reserved. Printed in the U. S. A.

No part of this book may be reproduced
in any form without permission in writing
from the publishers, except by a reviewer
who wishes to quote brief passages in connection with a review written for inclusion
in a magazine, newspaper or broadcast.

Library of Congress Catalog Card Number: 58-9590
SBN 0-525-09880-1

PREFACE TO THE SEVENTH EDITION

The present edition of Professor V. K. Muller's *English-Russian Dictionary* is being published sixteen years after the publication of the first edition. During that time the vocabulary of modern English has acquired a considerable number of new words and expressions, some of which were incorporated into editions following the first one (2nd edition in 1947, 3rd edition in 1949, and 4th edition in 1953). In the present revision of the dictionary, its size, by comparison with the preceding edition, has been greatly increased. The additions have been introduced partly in the form of new entries, but more frequently as revisions of old ones, by means of greater differentiation in the meaning of individual words, along with an increase in illustrative material and phraseology.

Additions to the dictionary have come, principally, from the actual, present-day sociopolitical, conversational, and specialized vocabularies. The basic sources of such additions have been the best literary works of contemporary English, American, and Australian writers, published during the last decades, as well as contemporary periodicals. To expand the dictionary's general scientific vocabulary, a number of popular scientific periodicals and books were examined. Also utilized were the addenda to the latest editions of explanatory dictionaries published in England and America, as well as dictionaries of neologisms. Technical dictionaries, published in the Soviet Union and abroad, were consulted in order to make the special terminology introduced into the dictionary more precise.

The system of presenting material has been substantially revised in accordance with arrangements accepted in the Soviet Union in the field of linguistics and lexicography. Opinions and reviews of earlier editions have been taken into account.

The order in which different parts of speech are given in the present edition has been changed. In the predominant number of cases, nouns and adjectives are given first. The only exception are the small number of verbs of the type, "to be," "to get," "to give," "to go," "to make," "to take," etc., which are everywhere given before naming the parts of speech. As a rule, nouns are given before adjectives. In individual cases, however, adjectives, particularly those with characteristic suffixes, are given before nouns.

In arranging word meanings inside each entry, the order based on the historical principle, used heretofore, has given way to the following: first, the commonest and most generally used meanings are given; then, meanings arranged according to their implied sense; at the end of the entry are given the special meanings of words.

Greater use than before has been made of illustrations and examples, to differentiate the meanings and usage of words.

Entries of polysemantic verbs, numerals, pronouns, and, particularly, prepositions have been substantially revised and systematized. In the entries of nouns, the attributive sense in the last meaning is noted.

Compound words, whether or not written as one word, are shown in the dictionary much more widely. In doing this, the greater part of them are taken out of their family and given as individual entries.

In verb entries, a greater distinction is made between verbs governed by prepositions and those taking adverbs and prepositions. The latter groups are considerably expanded.

A great deal of work has been carried out in making more exact translations. The system of stylistic marks is applied more widely and consistently. Also indicated by marks is the field in which a given word is used.

Much attention was given to making the phonetic transcription of words more precise. For this, the latest lexicographic sources, as well as modern linguaphone courses, radio and cinema, were utilized.

All the spelling was checked with the 4th edition of *The Concise Oxford Dictionary,* Oxford University Press, 1956. The spelling of words which entered the English language from American literature is given according to *Webster's New Collegiate Dictionary,* 1953.

Lists of geographic and proper names given in the appendices to the dictionary were revised and made more accurate.

The list of most widely used English and American abbreviations, compiled by V. O. Bluvshtein, is presented in this edition in a revised form.

The revision and expansion of the dictionary were carried out by the editorial board consisting of E. B. Cherkasskaya, Docent of Moscow Pedagogical State Institute in charge of the English Department for Translations, and the following instructors of the faculty: Master of Philological Sciences V. L. Dashevskaya, Senior Instructor V. A. Kaplan, and Master of Philological Sciences, M. N. Klaz. Responsible editorial work was carried out by Docent E. B. Cherkasskaya.

The checking and expansion of the terminological part of the dictionary was done with the participation of S. N. Tager.

The Publishers request that all shortcomings noted as well as changes desired be sent to them at this address: E. P. Dutton & Co., Inc., Publishers, 201 Park Avenue South, New York, New York 10003

E. B. CHERKASSKAYA

Translated by S. Ostrofsky

BIBLIOGRAPHY

James A. H. Murray, Henry Bradley, W. A. Craigie, C. T. Onions. The Oxford
    English Dictionary vols. I—XII with Supplement and Bibliography. Oxford,
    1933
The Shorter Oxford English Dictionary, 3d ed. Oxford, 1955
The Concise Oxford Dictionary of Current English. Oxford, 1956
Chambers's Twentieth Century Dictionary, New Mid-Century Version. London,
    1955
Henry Cecil Wyld. The Universal Dictionary of the English Language. London,
    1956
Webster's New International Dictionary of the English Language. Springfield,
    Mass., 1956
Webster's New Collegiate Dictionary. Springfield, Mass., 1953
H. W. Horwill. A Dictionary of Modern American Usage. Oxford, 1952
Eric Partridge. A Dictionary of Slang and Unconventional English. London, 1953
William George Smith. The Oxford Dictionary of English Proverbs. Oxford, 1935
Daniel Jones. An English Pronouncing Dictionary, 11th ed. London, 1956
I. F. Henderson. A Dictionary of Scientific Terms. Fifth edition by J. H. Kenneth.
    New York, 1953
A. S. Hornby, E. V. Gatenby, H. Wakefield. The Advanced Learner's Dictionary
    of Current English. London, 1957
M. Reifer. Dictionary of New Words in English. Owen, 1957
American Pocket Medical Dictionary, 19th ed. Philadelphia and London, 1953
Paul C. Berg. A Dictionary of New Words in English, 2d ed. London, 1953
Russian-English Dictionary. Under the direction of Professor A. I. Smirnitsky,
    3d edition, State Publishing House of Foreign and National Dictionaries,
    Moscow, 1958
V. D. Arakin, Z. S. Vygodskaya, N. N. Ilyina. English-Russian Dictionary, 3d
    edition, State Publishing House of Foreign and National Dictionaries, Moscow,
    1955
V. O. Bluvshtein, N. N. Yershov, Y. V. Semyonov. Dictionary of English and
    American Abbreviations, 3d edition, State Publishing House of Foreign and
    National Dictionaries, Moscow, 1956
Special Dictionaries published in the U.S.S.R. during the last 25 years

USE OF THE DICTIONARY

All English words are in alphabetical order.

Each word (as well as compound words spelled with a hyphen) with all material related to it, forms an independent word article. The compound word which is spelled as two separate words, but which represents by itself a certain terminology or single unit, is also given as an independent unit.

Words of foreign derivation which retain their spelling and sometimes pronunciation, for example, *fiance, sou* and so on, are marked showing the derivation of the word (фр. —French, нем. —German, лат. —Latin, and so forth.)

The light Roman numbers indicate homonyms. The bold Arabic numbers followed by a period indicate the different parts of speech. The separate meanings of the word are marked by a light Arabic number followed by a parenthesis. In those cases where phraseology, idiom or combination of word with preposition has several meanings, translations are marked by Russian letters followed by a parenthesis: a), б), etc.

Every key English word is supplied with a grammatical abbreviation *n, a, v* and so on (see explanation of abbreviations, page 9) and a phonetic transcription.

Special terms when necessary are supplied with conventional abbreviations, (тех., Russian for "technical," воен. Russian for "military," etc.). Conversational expressions, Americanisms, etc., in all cases are marked by conventional abbreviations (such as разг. —Russian for conversational; ам. —Russian for Americanism, etc.).

After the sign ✦ phraseological units, compounds and combinations are given which do not have direct relation to the given meanings.

Irregular forms of verbs, comparative degrees of adjectives or adverbs, plurals of nouns are given in parentheses directly after grammatical abbreviations, for example,

go [gou]   *v*   (went; gone)
bad   [bæd]   *a*   (worse; worst)
mouse   [maus]   *n*   (pl. mice)

In the examples given above, the semicolon divides the past tense from the past participle. In the second case the semicolon divides the comparative from the superlative degrees.

If two forms of a verb are given which are separated by a comma, it means that both of them are used either as past tense or past participle, for example, dream [dri:m] v (dreamt, dreamed)

If only one form is given that means that the past tense and past participle are alike. In addition, each of these forms is given as an independent word in its corresponding alphabetical order with a reference to the basic word.

Derived adverbs ending with -ly, participles ending with -ing and nouns ending with -ness are given only when they have different meanings or shades of meaning, or if they are often used forms. In the latter case, all meanings are not given, only the most important ones with a reference to the principal word.

In phraseological reference the basic word is represented by the first letter of the word followed by a period. Compound words, for example *half-cock, health resort,* will be marked as h.-c., h.r. Plural of the principal word in examples will be given by two letters followed by a period, for example, hh. instead of *hands.* Plural of the compound principal word will be written in full.

If the principal word in some meaning is written with a capital letter, then before this meaning the initial capital letter will be given in parentheses followed by a period, for instance:

bull [bul] 1. n 1) Russian meaning. . . 3)
(B.) astr. Russian meaning

The sign ～ represents the basic word in examples in those cases where the derived form is given, for instance,

find . . . ～ing, ～s must be rea finding, finds

The sign ≅ means that the given Russian equivalent comes closest to the meaning of the English expression.

All words are given in the English spelling. The American variation is given as an independent word in its alphabetical order with reference to the English variation.

In a separate appendix are given:
1) List of geographical names
2) List of proper names
3) List of most used abbreviations accepted in England and the United States

PHONETIC TRANSCRIPTION

Pronunciation in this dictionary is given according to
the International Phonetical System.

Ниже даются основные сведения о звуках английского языка и их буквенном изображении.

I

а) гласные

i:—долгий и
ı—краткий, открытый и
e—э в словах э́тот, э́кий
æ—более открытый, чем э
ɑ:—долгий, глубокий а
ɔ—краткий, открытый о
ɔ:—долгий о
o—закрытый, близкий к у звук о
u—краткий у со слабым округлением губ
u:—долгий у без сильного округления губ
ʌ—краткий гласный, приближающийся к русскому а в словах: вари́ть, брани́ть.

Английский гласный ʌ почти всегда стоит под ударением
ə:—долгий гласный, несколько напоминающий немецкий ö в слове hören, но со слабым округлением губ
ə—безударный гласный, напоминающий русский безударный гласный в словах: ну́жен, водяно́й, молото́к, ко́мната

б) двугласные

eı—э^{й}	ɔı—о^{й}
ou—о^{у}	ıə—и^{а}
aı—а^{й}	ɛə—э^{а}
au—а^{у}	uə—у^{а}

в) от звука к букве

Ниже рассматриваются случаи, когда один и тот же звук имеет несколько способов буквенного выражения

[i:]

e	ee	ea	ie	ei
he	green	read	field	receive
she	tree	speak	chief	perceive
we	keep	teach	thief	conceive

[a:]

a + r	a + ss	a + st	a + sk	a + sp	a + lf	a + lm	a + nt	ea + r
car	class	past	ask	grasp	half	calm	plant	heart
farm	pass	cast	bask	clasp	calf	palm	can't	hearth
dark	grass	mast	task					

[ɔ:]

o + r	a + ll	au	aw	augh	ough	wa + r
short	all	sauce	draw	taught	thought	war
horse	call	autumn	claw	caught	brought	warm
	fall			daughter	fought	

[u:]

o	oo	ou
do	spoon	soup
who	too	group
move	fool	rouble

[ə:]

i + r	e + r	u + r	ea + r
shirt	berth	fur	learn
dirt	her	turn	earn
birth		burn	year

[ʌ]

u	o	ou	oo
but	son	young	blood
gun	love	trouble	flood
must	some	country	

[au]

ou	ow
found	how
round	now
count	down

[ou]

o	oa	ow	o + ll, ld
phone	boat	know	roll
tone	moan	slow	bold
stone	road	flow	cold

[ɔɪ]

oi	oy
boil	boy
coin	toy

[aɪ]

i	y	igh	i + gn	i + ld	i + nd
nice	sky	high	sign	child	mind
write	fly	light		wild	kind
kite	my	right		mild	bind

[eɪ]

a	ai	ay	ey	eigh
take	rain	day	they	eight
sake	plain	say	grey	freight
lame	pain	may		neighbour

[ɪə]

e + re	ea + r
here mere	ear hear fear

[ɛə]

a + re	e + re
care dare fare	there where

[uə]

oo + r	our
poor	tour

г) от буквы к звуку

Ниже рассматриваются случаи, когда данная буква выражает несколько звуков

Aa

[eɪ]	[æ]	[ɑː]	[ɔː]	[ɔ]	[ə]
make plate same	cat bag catch	farm past grass ask	tall salt walk	watch wash what	about around

Ee

[iː]	[ɪ]	[əː]	[ɪə]	[ɑː]
he meet	begin behind	her berth serve	mere here	clerk sergeant

Ii

[aɪ]	[ɪ]	[iː]	[əː]
fine bind sign	is pick ink	machine ravine	fir bird

Oo

[ou]	[ɔ]	[uː]	[ʌ]	[ɔː]
bone home	not got long	do who move	son come above	more for store

Yy

[aɪ]	[ɪ]	[j]
sky	shaky	yes
my	fully	yeast
by	kitty	yawn

Uu

[juː]	[ʌ]	[u]
tune	cut	put
fume	fuss	pull
mute	plum	full

В словах французского происхождения, сохранивших свое произношение, следующие звуки имеют носовое произношение: ɔ̃, ã, ɔ̃:, ã:

II

согласные

p—п
b—б
m—м
w—звук, образующийся с положением губ, как при б, но с маленьким отверстием между губами, как при свисте
f—ф
v—в (без голоса) ⎫ оба звука образуются при
ð (с голосом) ⎬ помощи языка, кончик которого помещается между передними зубами
s—с
z—з
t—т, произнесенное не у зубов, а у десен
d—д » » »

n—н, произнесенное не у зубов, а у десен
l—л » » »
r—звук, несколько похожий на очень твердый русский ж; произносится без вибрации кончика языка в отличие от русского р
ʃ—мягкий русский ш
ʒ—мягкий русский ж в слове вожжи
tʃ—ч
dʒ—озвонченный ч
k—к
g—г
ŋ—заднеязычный н, произнесенный задней частью спинки языка
h—простой выдох
j—й

Некоторые звуки, например, ə, d, t в транскрипции могут быть даны курсивом ə, d, t для указания факультативности их произнесения.

СПИСОК СОКРАЩЕНИЙ

Английские

a adjective имя прилагательное
adv adverb наречие
attr. attributive атрибутивное употребление

cj conjunction союз
conj. (pronoun) conjunctive союзное (местоимение)
demonstr. (pronoun) demonstrative указательное (местоимение)

emph. (pronoun) emphatic усилительное
(местоимение)
etc. et cetera и так далее

imp. imperative повелительное (наклонение)
impers. impersonal безличный
indef. (pronoun) indefinite неопределенное
(местоимение)
inf. infinitive неопределенная форма глагола
int interjection междометие
inter. (pronoun) interrogative вопроситель-
ное (местоимение)

n noun имя существительное
num. card. numeral cardinal количественное
числительное
num. ord. numeral ordinal порядковое числительное

part particle частица
pass. passive страдательный (залог)

perf. perfect перфект
pers. (pronoun) personal личное (местоимение)
pl plural множественное число
poss. (pronoun) possessive притяжательное
(местоимение)
p.p. past participle причастие прошедшего
времени
predic. predicative предикативное употребление
pref prefix приставка
prep preposition предлог
pres. p. present participle причастие
настоящего времени
pres. perf. present perfect настоящее совер-
шенное время
pron pronoun местоимение

recipr. (pronoun) reciprocal взаимное (местоимение)
refl. reflexive употребляется с возвратным
местоимением
rel. (pronoun) relative относительное (местоимение)

sing singular единственное число
sl. slang слэнг, жаргон

v verb глагол
vi verb intransitive непереходные значения
глагола
vt verb transitive переходные значения глагола

Русские

ав.—авиация
австрал.—употребительно в Австралии
авт.—автомобильное дело
ак.—акустика
амер.—американский; употребительно в
США
анат.—анатомия
англо-инд.—англо-индийское слово или выражение
антр.—антропология
араб.—арабский (язык)
арт.—артиллерия
археол.—археология
архит.—архитектура
астр.—астрономия

бакт.—бактериология
банк.—банковское дело

библ.—библейское выражение
биол.—биология
бирж.—биржевое выражение
бот.—ботаника
букв.—буквально
бухг.—бухгалтерия
б.ч.—большей частью

венг.—венгерский (язык)
вест.-инд.—употребительно в Вест-Индии
вет.—ветеринария
вм.—вместо
воен.—военное дело

г.—город
геогр.—география
геод.—геодезия

геол.—геология
геом.—геометрия
геральд.—геральдика
гидр.—гидротехника
гл.—глагол
гл. обр.—главным образом
голл.—голландский (язык)
горн.—горное дело
грам.—грамматика
греч.—греческий (язык)
груб.—грубое выражение

д.—дюйм
дет.—детское (выражение)
диал.—диалектизм
дип.—дипломатический термин
дор.—дорожное дело
др.-греч. (ист.)—древнегреческий (-ая история)
др.-евр.—древнееврейский
др.-рим. (ист.)—древнеримский (-ая история)

ед. ч.—единственное число

ж.-д.—железнодорожное дело
жив.—живопись
ж.—женский род

зоол.—зоология

инд.—индийский
и пр.—и прочее
ирл.—употребительно в Ирландии
ирон.—ироническое выражение
иск.—искусство
исп.—испанский (язык)
исп.-ам.—испано-американское слово или выражение
ист.—исторический
ит.—итальянский (язык)

канц.—канцелярское выражение
карт.—термин карточной игры
кино—кинематография
кит.—китайский (язык)
книжн.—книжный стиль
ком.—коммерческий термин
кул.—кулинария

л.—лицо
-л.—-либо
ласк.—ласкательное выражение
лат.—латинский (язык)
лес.—лесное дело
лингв.—лингвистика
лит.—употребительно в литературоведении
лог.—логика

малайск.—малайский (язык)
мат.—математика
мед.—медицина
метал.—металлургия
метеор.—метеорология
мех.—механика
мин.—минералогия
миф.—мифология
мн. ч.—множественное число

мор.—морское дело
муз.—музыка

нареч.—наречие
нем.—немецкий (язык)
неодобр.—неодобрительно
неол.—неологизм
непр.—неправильно(е употребление)
норв.—норвежский (язык)

обыкн.—обыкновенно
о-в(а)—остров(а)
оз.—озеро
ок.—около
опт.—оптика
особ.—особенно
отриц.—отрицательно
охот.—охотничий термин

палеонт.—палеонтология
парл.—парламентское выражение
п-в—полуостров
перен.—переносное значение
перс.—персидский (язык)
полигр.—полиграфия
полит.—политический термин
полит.-эк.—политическая экономия
польск.—польский (язык)
португ.—португальский (язык)
посл.—пословица
поэт.—поэтическое выражение
превосх. ст.—превосходная степень
предл.—предложение
презр.—презрительно
преим.—преимущественно
пренебр.—пренебрежительно
прибл.—приблизительно
прил.—имя прилагательное
прос.—просодия
противоп.—противоположно
психол.—психология

р.—река
радио—радиотехника
разг.—разговорное слово, выражение
распр.—в распространенном, неточном значении
редк.—редко
рез.—резиновая промышленность
рел.—религия
ритор.—риторический
рус.—русский (язык)

санскр.—санскритский (язык)
сев.—употребительно на севере Англии и в Шотландии
сканд.—скандинавский
см.—смотри
собир.—собирательно
сокр.—сокращение, сокращенно
спорт.—физкультура и спорт
ср.—сравни
сравнит. ст.—сравнительная степень
ср.-век.—в средние века, средневековый
стр.—строительное дело
страх.—страховой термин
студ.—студенческое выражение
сущ.—имя существительное
с.-х.—сельское хозяйство

театр.—театральное выражение
текст.—текстильное дело
тел.—телефония, телеграфия
телев.—телевидение
тех.—техника
тж.—также
топ.—топография
тур.—турецкий (язык)

уменьш.—уменьшительная форма
унив.—университет, -ское (выражение)
употр.—употребительно, употребляется
уст.—устаревшее слово, выражение
утверд.—утвердительный

фарм.—фармакология
физ.—физика
физиол.—физиология
филос.—философия
фин.—финансы
финск.—финский (язык)
фон.—фонетика
фото—фотография

фр.—французский (язык)

хим.—химия
хир.—хирургия

церк.—церковное выражение

шахм.—шахматы
школ.—школьное выражение
шотл.—употребительно в Шотландии
шутл.—шутливо

эвф.—эвфемизм
эк.—экономика
эл.—электротехника
электрон.—электроника
эллипт.—эллиптический оборот
этн.—этнография

южно-афр.—употребительно в Южной Африке
юр.—юридическое выражение

яп.—японский (язык)

АНГЛИЙСКИЙ АЛФАВИТ

Aa	Bb	Cc	Dd	Ee	Ff	Gg	Hh	Ii
Jj	Kk	Ll	Mm	Nn	Oo	Pp	Qq	Rr
Ss	Tt	Uu	Vv	Ww	Xx	Yy	Zz	

A

A, a I [eɪ] *n* (*pl* As, A's, Aes [eɪz])
1) *1-я буква англ. алфавита*; 2) *условное
обозначение чего-л. первого по порядку,
сортности и т. п.*; 3) *амер.* высшая отметка
за классную работу; straight A «круглое
отлично»; 4) *муз.* ля; ◇ from A to Z с начала и до конца; в совершенстве, полностью; A1 ['eɪ'wʌn] а) 1-й класс в судовом
регистре Ллойда; б) *разг.* первоклассный,
превосходный; прекрасно, превосходно
(*амер.* A No. 1 ['eɪ'pʌmbə'wʌn]).

a II [eɪ (*полная форма*); ə (*редуцированная форма*)] 1) *грам.* неопределённый член,
артикль (а — *перед согласными, кроме* h
немого, перед eu *и перед* u, *когда* u *произносится как* [ju:]; an — *перед гласными*; *напр.*:
an hour, *но* a horse; an ulcer, *но* a unity;
a eulogy; *тж.* a one); 2) = one 1, 1);
it costs a penny это стоит одно пенни;
3) *употр. перед* few, good (*или* great) many,
little; *напр.*: a few несколько, a good
(*или* great) many очень много; a little
немного *и перед счётными существительными
типа* a dozen дюжина, a score два десятка;
4) (*обыкн. после* all of, many of) = the same;
all of a size все одной и той же величины;
5) каждый; twice a day два раза в день;
10 roubles a dozen десять рублей дюжина;
6) некий; a Mr. Henry Green некий мистер
Генри Грин.

a- [ə-] *pref* (*из первоначального предлога*
on) 1) *в предикативных прилагательных и
в наречиях*; *напр.*: abed в постели; alive
живой; afoot пешком; ashore на берег
и т. п.; 2) *в выражениях типа* to go abeg-
ging нищенствовать; to go a-hunting идти
на охоту.

aard-wolf ['ɑːd,wulf] *n зоол.* земляной
волк.

ab- [æb-] *pref с отриц. значением* не-,
а-; *напр.*: abnormal ненормальный, анор-
мальный.

aba ['ɑːbə] *араб. n* ткань из верблюжьей
или козьей шерсти.

abaca [ɑːbɑːˈkɑː] *n* абака, манильская
пенька.

abaci ['æbəsaɪ] *pl от* abacus.

aback [ə'bæk] *adv* назад; сзади; задом;
◇ to stand ~ from держаться на расстоянии, в стороне от; избегать; to take (all) ~
захватить врасплох; поразить, ошеломить.

abaction [æb'ækʃən] *n юр.* крупная кража *или* угон скота.

abacus ['æbəkəs] *n* (*pl* -es [-ɪz], -ci)
1) абака; счёты; 2) *архит.* абака, верхняя
часть капители; 3) *горн.* лоток *или* корыто
для промывки золота.

Abaddon [ə'bædən] *n* 1) ад, преисподняя;
2) разрушитель; дьявол; 3) *библ.* Авадон
(*ангел бездны*).

abaft [ə'bɑːft] *мор.* **1.** *adv* на корме,
в сторону кормы, с кормы;
2. *prep* сзади, позади; ~ the beam позади
траверза.

abandon [ə'bændən] **1.** *n* непринуждённость; with ~ непринуждённо;
2. *v* 1) отказываться от; 2) покидать,
оставлять; 3) *refl.* предаваться (*страсти,
отчаянию и т. п.*; to); to ~ oneself to the
idea склоняться к мысли; ~ed to despair
предавшийся отчаянию.

abandoned [ə'bændənd] **1.** *p.p. от* abandon 2;
2. *a* 1) заброшенный, покинутый; 2) распутный; ◇ ~ call несостоявшийся разговор
по телефону.

abandonee [æ,bændə'niː] *n* страховщик,
в пользу которого остаётся застрахованный груз *или* застрахованное судно в случае аварии.

abandonment [ə'bændənmənt] *n* 1) оставление; 2) заброшенность; 3) непринуждённость; несдержанность; 4) *юр.* отказ (от
иска).

abase [ə'beɪs] *v* 1) унижать; 2) понижать
(*в чине и т. п.*).

abasement [ə'beɪsmənt] *n* 1) унижение;
2) понижение (*в чине и т. п.*).

abash [ə'bæʃ] *v* (*обыкн. pass.*) смущать,
конфузить; приводить в замешательство;
пристыдить; лишать самообладания.

abashment [ə'bæʃmənt] *n* смущение, замешательство.

abask [ə'bɑːsk] *adv* на солнце.

abate [ə'beɪt] *v* 1) ослаблять, уменьшать,
умерять; 2) снижать (*цену, налог и т. п.*);
3) делать скидку; 4) уменьшаться; ослабевать; успокаиваться; утихать (*о буре,
эпидемии и т. п.*); 5) притуплять (*остриё*);
стёсывать (*камень*); 6) *юр.* аннулировать,
отменять, прекращать; 7) *метал.* отпускать (*сталь*).

abatement [ə'beɪtmənt] *n* 1) уменьшение;
ослабление; смягчение; 2) снижение (*цены,
налога и т. п.*); 3) скидка; 4) *юр.* аннулирование, прекращение.

abat(t)is [ə'bætɪ] *n* (*pl* abat(t)is [-tɪz])
засека.

abat(t)ised [ə'bætɪst] *a* защищённый засекой.

abattoir ['æbətwɑ:] *фр. n* скотобойня.

abb [æb] *n* текст. уток.

abbacy ['æbəsɪ] *n* аббатство.

abbess ['æbɪs] *n* настоятельница монастыря.

abbey ['æbɪ] *n* аббатство, монастырь.

abbot ['æbət] *n* аббат.

abbreviate [ə'bri:vɪeɪt] *v* сокращать.

abbreviation [ə,bri:vɪ'eɪʃən] *n* 1) сокращение; 2) аббревиатура, сокращение.

ABC ['eɪbi:'si:] *n* 1) алфавит, азбука; 2) основы, начатки; ABC of chemistry основы химии; 3) железнодорожный алфавитный указатель; 4) *attr.* простой, простейший; ◇ ABC Powers (Argentina, Brazil, Chile) Аргентина, Бразилия, Чили.

ABC-book ['eɪbi:'si:buk] *n* букварь.

abdicate ['æbdɪkeɪt] *v* отрекаться; слагать полномочия; отказываться (*от права на что-л. и т. п.*).

abdication [,æbdɪ'keɪʃən] *n* отречение (*от престола*); сложение полномочий; отказ от должности.

abdomen ['æbdəmen] *n* 1) анат. брюшная полость; живот; 2) зоол. брюшко (*насекомого*).

abdominal [æb'dɔmɪnl] *a* 1) абдоминальный, брюшной; ~ cavity брюшная полость; 2) брюхоперый (*о рыбах*).

abdominous [æb'dɔmɪnəs] *a* толстый, пузатый.

abducent [æb'dju:sənt] *a* анат. отводящий (*о мышце*).

abduct [æb'dʌkt] *v* похищать, насильно или обманом увозить (*особ. женщину, ребёнка*).

abduction [æb'dʌkʃən] *n* 1) похищение (*женщины, ребёнка*); 2) анат. абдукция, отведение (*мышцы*).

abductor [æb'dʌktə] *n* 1) похититель; 2) анат. отводящая мышца, абдуктор.

abeam [ə'bi:m] *adv* мор. на траверзе.

abecedarian [,eɪbi:sɪ'deərɪən] 1. *a* 1) расположенный в алфавитном порядке; 2) азбучный, элементарный; 2. *n* амер. обучающий(ся) грамоте.

abed [ə'bed] *adv* в постели.

Abel ['eɪbəl] *n* библ. Авель.

abele [ə'bi:l] *n* тополь белый *или* серебристый.

aberdevine [,æbədə'vaɪn] *n* чечётка (*птица*).

aberrance, -cy [æ'berəns, -sɪ] *n* 1) уклонение от правильного пути; 2) биол. отклонение от нормы.

aberrant [æ'berənt] *a* 1) заблуждающийся; сбившийся с пути; 2) биол. отклоняющийся от нормы.

aberration [,æbə'reɪʃən] *n* 1) заблуждение, уклонение от правильного пути; 2) помрачение ума; 3) аберрация; отклонение; ~ of the needle отклонение магнитной стрелки; 4) тех. отклонение от стандарта.

abet [ə'bet] *v* подстрекать, поощрять, содействовать (*чему-л. дурному*).

abetment [ə'betmənt] *n* подстрекательство, поощрение, содействие (*чему-л. дурному*).

abettor [ə'betə] *n* подстрекатель, соучастник.

abeyance [ə'beɪəns] *n* 1) состояние неопределённости, неизвестности; 2) временное бездействие; 3) *юр.* временная отмена (*закона, права*); ◇ in ~ a) в состоянии неизвестности, ожидания; б) без владельца (*о наследстве*); без претендента (*о наследственном титуле*); в) временно отменённый (*о законе*).

abhor [əb'hɔ:] *v* питать отвращение; ненавидеть.

abhorrence [əb'hɔrəns] *n* 1) отвращение; 2) то, что вызывает отвращение.

abhorrent [əb'hɔrənt] *a* 1) вызывающий отвращение, отвратительный; ненавистный; претящий (*кому-л., чему-л.; to*); 2) несовместимый (*from — с*).

abidance [ə'baɪdəns] *n* 1) соблюдение (*чего-л.*); ~ by rules соблюдение правил; 2) *уст.* пребывание.

abide [ə'baɪd] *v* (abode, *редк.* abided [-ɪd]) 1) оставаться верным (*кому-л., чему-л.*); придерживаться; to ~ by smth. твёрдо держаться чего-л.; 2) ждать; 3) выносить, терпеть; he cannot ~ her он её не выносит; to ~ by the circumstances мириться с обстоятельствами; 4) *уст.* пребывать; жить.

abiding [ə'baɪdɪŋ] 1. *pres. p. om* abide; 2. *a* постоянный.

abigail ['æbɪgeɪl] *n* служанка, горничная, камеристка.

ability [ə'bɪlɪtɪ] *n* 1) способность; ловкость, умение; to the best of one's abilities по мере сил, способностей; 2) *pl* дарования, особые данные; 3) *ком.* платёжеспособность; 4) *юр.* компетенция.

abiology [,eɪbaɪ'ɔlədʒɪ] *n* учение о неживой природе.

abject ['æbdʒekt] *a* 1) жалкий, презренный; низкий; ~ fear малодушный страх; 2) униженный, несчастный; ◇ in ~ poverty в крайней нищете.

abjection [æb'dʒekʃən] *n* 1) низость; 2) приниженность; унижение.

abjuration [,æbdʒuə'reɪʃən] *n* отречение; oath of ~ амер. клятвенное отречение от прежнего подданства.

abjure [əb'dʒuə] *v* 1) отрекаться; 2) отказываться (*от требования и т. п.*); to ~ a claim отказываться от претензии, иска.

ablactation [,æblæk'teɪʃən] *n* отнятие (*ребёнка*) от груди.

ablate [æb'leɪt] *v* ампутировать.

ablation [æb'leɪʃən] *n* 1) хир. удаление; 2) геол. снос, размывание пород; таяние ледников.

ablative ['æblətɪv] *грам.* 1. *n* творительный падеж; 2. *a* творительный; ~ absolute абсолютный причастный оборот.

ablaut ['æblaut] *n* лингв. аблаут.

ablaze [ə'bleɪz] *a predic.* 1) в огне, в пламени; to be ~ пылать; 2) сверкающий; 3) возбуждённый; ~ with anger пылающий гневом.

able ['eɪbl] *a* 1) умелый, умеющий; знающий; to be ~ (*c inf.*) уметь, мочь, быть в состоянии, в силах; to be ~ to swim уме́ть пла́вать; 2) спосо́бный, тала́нт-ливый.

able-bodied ['eɪbl'bɔdɪd] *a* кре́пкий, здоро́вый; го́дный (*к вое́нной слу́жбе*); ~ seaman матро́с 1 кла́сса.

ablepsia [ə'blepsɪə] *n* ре́дк. слепота́.

ablet ['æblɪt] *n* укле́йка (*рыба*).

ablin(g)s ['eɪblɪnz] *adv* шотл. мо́жет быть, возмо́жно.

abloom [ə'bluːm] *a predic.* в цвету́.

ablush [ə'blʌʃ] *a predic.* в смуще́нии, покрасне́в.

ablution [ə'bluːʃən] *n* 1) умыва́ние; 2) (*обыкн. pl*) омове́ние; 3) *тех.* промы́вка.

ably ['eɪblɪ] *adv* уме́ло.

abnegate ['æbnɪgeɪt] *v* 1) отка́зывать себе́ в; 2) отка́зываться от; 3) отрица́ть.

abnegation [,æbnɪ'geɪʃən] *n* 1) отрица́ние; отрече́ние; 2) отка́з (*от чего́-л.*); 3) самоотрече́ние; самопоже́ртвование.

abnormal [æb'nɔːməl] *a* ненорма́льный, непра́вильный; анорма́льный; ~ psychology психопатоло́гия.

abnormality [,æbnɔː'mælɪtɪ]=abnormity.

abnormity [æb'nɔːmɪtɪ] *n* 1) непра́вильность, ненорма́льность; 2) уро́дство; 3) анома́лия.

aboard [ə'bɔːd] *adv, prep* 1) на корабле́, на борту́; в ваго́не; 2) на кора́бль, на борт; в ваго́н; to go ~ a ship сесть на кора́бль; 3) вдоль, to keep the land ~ идти́ вдоль бе́рега (*о су́дне и т. п.*); ◇ all ~! а) поса́дка зака́нчивается! (*предупрежде́ние об отправле́нии корабля́, ваго́на и т. п.*); б) поса́дка зако́нчена! (*сигна́л к отправле́нию*); to fall ~ столкну́ться (*с други́м су́дном*); б) уст. поссо́риться (with, of).

abode I [ə'boud] *n* жили́ще, местопребыва́ние; to take up one's ~ посели́ться; to make one's ~ жить (*где-л.*); ◇ without ~ то́тчас, сра́зу.

abode II [ə'boud] *past и p.p. от* abide.

abolish [ə'bɔlɪʃ] *v* отменя́ть, уничтожа́ть, упраздня́ть (*обы́чаи, учрежде́ния*).

abolishment [ə'bɔlɪʃmənt] *n* отме́на, уничтоже́ние, упраздне́ние.

abolition [,æbə'lɪʃən] *n* отме́на, уничтоже́ние (*ра́бства, торго́вли раба́ми и т. п.*); ~ of wage-slavery уничтоже́ние ра́бского наёмного труда́.

abolitionism [,æbə'lɪʃənɪzəm] *n* ист. аболициони́зм (*движе́ние в по́льзу освобожде́ния не́гров в США*).

A-bomb ['eɪ'bɔm] *n* а́томная бо́мба.

abominable [ə'bɔmɪnəbl] *a* отврати́тельный, проти́вный.

abominate [ə'bɔmɪneɪt] *v* 1) пита́ть отвраще́ние, ненави́деть; 2) разг. не люби́ть.

abomination [ə,bɔmɪ'neɪʃən] *n* 1) отвраще́ние; to hold smth. in ~ пита́ть отвраще́ние к чему́-л.; 2) что-л. отврати́тельное; ме́рзость.

aboriginal [,æbə'rɪdʒənl] **1.** *a* 1) иско́нный, коренно́й; тузе́мный; 2) первобы́тный; ме́стный (*о фло́ре, фа́уне*); ~ forests первобы́тные леса́;

2. *n* тузе́мец; коренно́й жи́тель.

aborigines [,æbə'rɪdʒɪniːz] *n pl* тузе́мцы, коренны́е жи́тели, обита́тели.

abort [ə'bɔːt] *v* 1) выки́дывать, преждевре́менно разреша́ться от бре́мени; 2) потерпе́ть неуда́чу; 3) *биол.* оста́ться недора́звитым; стать беспло́дным.

aborted [ə'bɔːtɪd] **1.** *p.p. от* abort;

2. *a* 1) рождённый до сро́ка; 2) *биол.* недора́звитый; рудимента́рный.

abortion [ə'bɔːʃən] *n* 1) преждевре́менное прекраще́ние бере́менности, вы́кидыш, або́рт; 2) уро́дец; 3) неуда́ча; 4) *биол.* наруше́ние, приостано́вка норма́льного разви́тия.

abortionist [ə'bɔːʃənɪst] *n* нелега́льно рабо́тающий акуше́р.

abortive [ə'bɔːtɪv] *a* 1) преждевре́менный (*о рода́х*); 2) неуда́вшийся, беспло́дный; an ~ scheme мертворождённый план; to render ~ сорва́ть (*попы́тку и т. п.*); 3) *биол.* недора́звитый.

abought [ə'bɔːt] *past и p.p. от* aby(e).

abound [ə'baund] *v* 1) находи́ться, быть в большо́м коли́честве; 2) име́ть в большо́м коли́честве, изоби́ловать, кише́ть (in, with); to ~ in courage облада́ть сме́лостью; the museum ~s with old pictures в музе́е мно́жество ста́рых карти́н.

about I [ə'baut] **1.** *adv* 1) круго́м, вокру́г; везде́, повсю́ду; to look ~ огляну́ться вокру́г; rumours are ~ хо́дят слу́хи; 2) неподалёку; недалеко́; he is somewhere ~ он где́-то здесь; 3) приблизи́тельно, о́коло, почти́; you are ~ right вы почти́ пра́вы; it is ~ two o'clock тепе́рь о́коло двух часо́в; 4) в обра́тном направле́нии; to face ~ оберну́ться; to face *амер. воен.* круго́м!; ~ turn! *воен.* круго́м!; 5) уст. в окру́жности; a mile ~ одна́ ми́ля в окру́жности; ◇ ~ and ~ *амер.* о́чень похо́же; одина́ково; to be ~ а) быть чем-л. за́нятым; на нога́х (*не в посте́ли*) [*ср.* 2 ◇]; в) прису́тствовать, быть в нали́чии; Mr. Jones is not ~ господи́н Джо́унз вы́шел; ~ right а) пра́вильно; б) здоро́во, основа́тельно.

2. *prep* 1) *в простра́нственном значе́нии указывает на*: а) *расположе́ние или движе́ние вокру́г чего́-л.* вокру́г, круго́м; б) *нахожде́ние вблизи́ чего́-л.* о́коло, близ; у; the forests ~ Tomsk леса́ под То́мском; в) *ме́сто соверше́ния де́йствия* по; to walk ~ the room ходи́ть по ко́мнате; 2) *во вре́менном значе́нии указывает на приблизи́тельность* о́коло; ~ nightfall к ве́черу; 3) о, об; насчёт; I'll see ~ it я позабо́чусь об э́том; he went ~ his business он пошёл по свои́м дела́м; 4): to have smth. ~ one име́ть что-л. при себе́, с собо́й; I had all the documents ~ me все докуме́нты бы́ли у меня́ с собо́й (*или* при мне, под руко́й); ◇ to be ~ to go (to speak *etc.*) собира́ться уходи́ть (говори́ть и т. п.) [*ср.* 1 ◇]; ~ one наготове; what are you ~? а) что вам ну́жно?; б) *ре́дк.* что вы де́лаете?

about II [ə'baut] *v* мор. меня́ть курс, повора́чивать на друго́й галс.

about-sledge [ə'baut,sledʒ] *n* тех. кува́лда; кузне́чный мо́лот.

above [ə'bʌv] **1.** *adv* 1) наверху́; вы́ше; 2) вы́ше, ра́ньше; as stated ~ как ска́зано вы́ше; 3) наве́рх; a staircase leading ~ ле́стница (,веду́щая) наве́рх; from ~ све́рху;

2. *prep* 1) над; ~ my head над моей головой; ~ board = above-board 2; ~ ground= above-ground 2; 2) свыше, больше; выше; ~ suspicion вне подозрений; it is ~ me это выше моего понимания; ~ measure свыше меры; 3) раньше, до (*в книге, документе и т. п.*); ◇ ~ all главным образом, в основном; больше всего;

3. *a* расположенный (написанный, упомянутый *и т. п.*) выше; the ~ facts вышеупомянутые факты;

4. *n* (the ~) вышеупомянутое.

above-board [ə'bʌv'bɔːd] **1.** *a predic.* честный, открытый, прямой;

2. *adv* честно, открыто.

above-class [ə'bʌv,klɑːs] *a* надклассовый.

above-ground [ə'bʌv,graund] **1.** *a* живущий;

2. *adv* в живых.

abracadabra [,æbrəkə'dæbrə] *n* 1) заклинание; 2) абракадабра, бессмыслица.

abrade [ə'breid] *v* 1) стирать; снашивать трением; 2) сдирать (*кожу*); 3) *тех.* шлифовать.

abranchial [əb'ræŋkiəl] *a* зоол. безжаберный.

abranchiate [əb'ræŋkieit] = abranchial.

abrasion [ə'breiʒən] *n* 1) истирание; 2) ссадина; 3) *геол.* абразия; смыв материка морской водой; 4) *тех.* шлифовка; истирание, снашивание; 5) *attr.*: ~ marks *фото* царапины (*на слое эмульсии*); 6) *attr.*: ~ testing испытание на износ.

abrasive [ə'breisiv] **1.** *a* 1) обдирающий; размывающий; 2) *тех.* шлифующий; ~ wear износ, вызываемый трением;

2. *n* абразивный и шлифовальный материал (*наждак и т. п.*).

abreast [ə'brest] *adv* 1) в ряд, рядом, на одной линии; four ~ по четыре в ряд; to keep ~ of (*или* with) не отставать от, идти в ногу с; 2) на уровне, в уровень; to keep ~ with the times идти в ногу с веком; 3) *мор.* на траверзе.

abridge [ə'bridʒ] *v* 1) сокращать; 2) ограничивать, урезывать (*права*); 3) лишать (*чего-л.*; of).

abridg(e)ment [ə'bridʒmənt] *n* 1) сокращение; 2) ограничение (*прав*); 3) сокращённый текст *или* издание; краткое изложение, конспект.

abroach [ə'brouʃ] *a predic.* открытый, откупоренный; to set a cask ~ откупоривать бочку.

abroad [ə'brɔːd] *adv* 1) за границей; за границу; from ~ из-за границы; 2) вне дома, вне своего жилища; the badger ventures ~ at dusk барсук выходит из норы в сумерки; 3) широко; повсюду; there is a rumour ~ ходит слух; to get ~ распространяться (*о слухах*); 4) *разг.* в заблуждении; to be all ~ а) заблуждаться; б) растеряться; смешаться, смутиться.

abrogate ['æbrougeit] *v* отменять, аннулировать (*закон и т. п.*).

abrogation [,æbrou'geiʃən] *n* отмена, аннулирование (*закона и т. п.*).

abrupt [ə'brʌpt] *a* 1) обрывистый, крутой; 2) внезапный; ~ discharge эл. мгно-

венный разряд; 3) резкий (*о движении, манере*); отрывистый (*о стиле*).

abruption [ə'brʌpʃən] *n* 1) разрыв, разъединение; отторжение; 2) *геол.* выход на поверхность (*пласта*).

abruptness [ə'brʌptnis] *n* 1) крутизна, обрывистость; 2) внезапность; 3) резкость (*движений*); отрывистость (*стиля*).

abscess ['æbsis] *n* 1) абсцесс, нарыв, гнойник; 2) *тех.* раковина (*в металле*).

abscissa [æb'sisə] *n* (*pl* -s [-z], -sae) *мат.* абсцисса.

abscissae [æb'sisiː] *pl от* abscissa.

abscission [æb'siʒən] *n хир.* отнятие, ампутация.

abscond [əb'skɔnd] *v* скрываться (*обыкн. с чужими деньгами*); бежать, скрываться (*от суда*).

absconder [əb'skɔndə] *n* тот, кто скрывается, укрывается (*от суда*).

absence ['æbsəns] *n* 1) отсутствие; отлучка; ~ without leave *воен.* самовольная отлучка; leave of ~ отпуск; 2) недостаток, отсутствие (of—*чего-л.*); 3) рассеянность (*особ.* ~ of mind).

absent 1. *a* ['æbsənt] 1) отсутствующий; 2) рассеянный;

2. *v* [æb'sent] *refl.* отлучиться; отсутствовать; to ~ oneself from smth. уклоняться от чего-л.

absentee [,æbsən'tiː] *n* 1) отсутствующий; 2) живущий в другом месте (*особ. о помещике, живущем вне своего имения или за границей*); 3) уклоняющийся (*от чего-л.*); не участвующий (*в чём-л.*).

absenteeism [,æbsən'tiːizəm] *n* 1) абсентеизм (*уклонение от посещения собраний и т. п.*); 2) прогул, невыход на работу без уважительных причин.

absentia [æb'senʃiə] *лат. n*: in ~ в отсутствии; заочно; to be tried in ~ *юр.* быть судимым заочно.

absently ['æbsəntli] *adv* рассеянно.

absent-minded ['æbsənt'maindid] *a* рассеянный.

absent-mindedness ['æbsənt'maindidnis] *n* рассеянность.

absinth(e) ['æbsinθ] *n* 1) полынь горькая; 2) абсент, полынная водка.

absinthium [æb'sinθiəm] =absinth(e) 1).

absolute ['æbsəluːt] *a* 1) полный; безусловный, неограниченный; 2) чистый, беспримесный; ~ alcohol чистый спирт; 3) самовластный; абсолютный; ~ monarchy абсолютная монархия; 4) *грам.* абсолютный.

absolutely ['æbsəluːtli] *adv* 1) совершенно; 2) безусловно и пр. [*см.* absolute 1), 2) и 3)]; 3) самостоятельно, независимо; transitive verb used ~ переходный глагол без прямого дополнения; 4) *разг.* да, конечно.

absoluteness ['æbsəluːtnis] *n* безусловность и пр. [*см.* absolute 1), 2) и 3)].

absolution [,æbsə'luːʃən] *n* 1) прощение; 2) *церк.* отпущение грехов; 3) *юр.* оправдание; освобождение от наказания, обязательств и т. п.

absolutism ['æbsəluːtizəm] *n полит.* абсолютизм.

absolutist ['æbsəluːtɪst] n сторонник абсолютизма.

absolve [əb'zɔlv] v 1) прощать (from— что-л.); 2) церк. отпускать (грехи; of); 3) освобождать (from— от ответственности, обязательств и т. п.).

absorb [əb'sɔːb] v 1) всасывать, впитывать, абсорбировать; поглощать (тж. перен.); ~ed in thoughts погружённый в мысли; 2) амортизировать (толчки).

absorbability [əb,sɔːbə'bɪlɪtɪ] n поглощаемость.

absorbent [əb'sɔːbənt] 1. a всасывающий; ~ cotton wool гигроскопическая вата; ~ carbon активированный уголь; 2. n всасывающее средство, поглотитель.

absorber [əb'sɔːbə] n тех. 1) поглотитель; абсорбер; 2) амортизатор.

absorbing [əb'sɔːbɪŋ] 1. pres. p. от absorb; 2. a 1) всасывающий, впитывающий; ~ capacity поглощающая способность; 2) увлекательный, захватывающий; 3. n всасывание; поглощение.

absorption [əb'sɔːpʃən] n 1) всасывание, впитывание; поглощение; абсорбция; 2) погружённость (в мысли и т. п.); 3) attr.: ~ circuit радио поглощающий контур; ~ factor коэффициент поглощения; ~ tower, ~ column хим. объёмное поглощение.

absorptive [əb'sɔːptɪv] a впитывающий, всасывающий; поглощающий; ~ power поглотительная (или абсорбирующая) способность.

absorptivity [,æbsɔːp'tɪvɪtɪ] n поглотительная (или абсорбирующая) способность.

abstain [əb'steɪn] v воздерживаться (from); to ~ from force воздерживаться от применения силы; to ~ from drinking не употреблять спиртных напитков.

abstainer [əb'steɪnə] n 1) непьющий, трезвенник (часто total ~); 2) воздержавшийся (при голосовании).

abstemious [æb'stiːmjəs] a 1) воздержанный, умеренный (особ. в пище, питье); 2) бережливый.

abstention [æb'stenʃən] n 1) воздержание (from); 2) неучастие в голосовании.

abstergent [æb'stəːdʒənt] 1. a очищающий; 2. n очищающее средство.

abstersion [æb'stəːʃən] n очищение, промывание.

abstinence ['æbstɪnəns] n 1) воздержание (from); умеренность; 2) полный отказ от употребления спиртных напитков (тж. total ~).

abstinent ['æbstɪnənt] a 1) умеренный, воздержанный; 2) трезвый, непьющий.

abstract 1. n ['æbstrækt] 1) абстракция; отвлечённое понятие; in the ~ отвлечённо, абстрактно; теоретически; 2) конспект; резюме, извлечение (из книги и т. п.); 2. a ['æbstrækt] 1) абстрактный, отвлечённый; 2) трудный для понимания; 3) разг. теоретический. 3. v [æb'strækt] 1) отнимать; 2) абстрагировать; 3) резюмировать; суммировать; 4) эвф. похищать, красть.

abstracted [æb'stræktɪd] 1. p. p. от abstract 3;

2. a 1) погружённый в мысли; рассеянный; 2) отделённый; удалённый.

abstractedly [æb'stræktɪdlɪ] adv 1) рассеянно; 2) абстрактно, отвлечённо, отдельно (from).

abstractedness [æb'stræktɪdnɪs] n 1) абстрактность, отвлечённость; 2) рассеянность.

abstraction [æb'strækʃən] n 1) абстракция, отвлечение; 2) рассеянность; 3) эвф. кража; 4) тех. отвод.

abstractiveness [æb'stræktɪvnɪs] n абстрактность, отвлечённость.

abstruse [æb'struːs] a 1) трудный для понимания; непонятный; 2) глубокий.

absurd [əb'səːd] a нелепый, абсурдный; смешной, глупый.

absurdity [əb'səːdɪtɪ] n нелепость, глупость, смехотворность.

abundance [ə'bʌndəns] n 1) изобилие, избыток (of); богатство; 2) множество; 3) хим. относительное содержание; ◇ ~ of the heart избыток чувств.

abundant [ə'bʌndənt] a обильный, изобилующий; богатый (in — чем-л.); to be ~ иметь(ся) в изобилии.

abuse 1. n [ə'bjuːs] 1) оскорбление; брань; 2) плохое обращение; 3) злоупотребление; 4) неправильное употребление;

2. v [ə'bjuːz] 1) оскорблять; ругать; поносить, бесчестить; 2) плохо обращаться (с кем-л., чем-л.); 3) злоупотреблять; 4) уст. вводить в заблуждение.

abusive [ə'bjuːsɪv] a оскорбительный, бранный; ~ language брань, ругань; ругательства.

abut [ə'bʌt] 1. n тех. торец; упор; пята; 2. v примыкать, граничить (обыкн. upon); упираться (against).

abutment [ə'bʌtmənt] n 1) межа, граница; 2) стр. контрфорс; пята свода; береговой устой (моста); 3) attr. опорный; ~ stone стр. опорный камень, пятовый камень.

abutter [ə'bʌtə] n юр. владелец прилегающего дома или участка земли.

aby(e) [ə'baɪ] v (abought) уст. платиться; искупать.

abysm [ə'bɪzəm] n поэт. бездна, пропасть; пучина.

abysmal [ə'bɪzməl] a 1) бездонный; глубокий; 2) ужасный; полный, крайний; ~ ignorance крайнее невежество.

abyss [ə'bɪs] n 1) бездна, пропасть; пучина; 2) первичный хаос.

abyssal [ə'bɪsəl] a геол. глубинный; глубоководный; ~ depth наиболее глубокая часть моря.

acacia [ə'keɪʃə] n акация.

academe [,ækə'diːm] n поэт. колледж, университет.

academic [,ækə'demɪk] 1. a 1) академический; университетский; 2) академичный; 2. n 1) учёный; 2) pl чисто теоретические, академические аргументы и т. п.

academical [,ækə'demɪkəl] 1. a академический; университетский;

2. n pl университетский плащ и берет.

academician [ə,kædə'mɪʃən] *n* академик.

academy [ə'kædəmɪ] *n* 1) академия; the A. а) Лондонская Академия Художеств; б) ежегодная выставка Лондонской Академии Художеств; 2) высшее учебное заведение; (*распр. тж.*) среднее (частное) учебное заведение; 3) специальное учебное заведение, школа; Military A. военное училище; riding ~ школа верховой езды; ~ of music музыкальная школа.

academy-figure [ə'kædəmɪ'fɪgə] *n* жив. акт (*рисунок*).

acanthi [ə'kænθaɪ] *pl om* acanthus.

acanthus [ə'kænθəs] *n* (*pl* -ses [-sɪz], -thi) 1) *бот.* акант, медвежья лапа; 2) *архит.* акант (*орнамент*).

acarpous [ə'kɑːpəs] *a бот.* не имеющий плодов.

accede [æk'siːd] *v* 1) вступать (to — в должность, во владение, в организацию); 2) примыкать, присоединяться; to ~ to an alliance примкнуть, присоединиться к союзу; 3) соглашаться (to — с чем-л.).

accelerant [æk'selərənt] *n хим.* катализатор; ускоритель.

accelerate [æk'seləreɪt] *v* ускорять(ся).

accelerating [æk'seləreɪtɪŋ] 1. *pres. p. om* accelerate;
2. *a* ускоряющий; ~ force *физ.* сила ускорения.

acceleration [æk,selə'reɪʃən] *n* ускорение (*тж. физ.*); ~ of gravity ускорение силы тяжести.

accelerator [æk'seləreɪtə] *n* 1) *тех.* ускоритель, акселератор; 2) *хим.* катализатор; 3) *воен.* многокаморное орудие.

accent 1. *n* ['æksənt] 1) ударение; 2) произношение; акцент; 3) *pl поэт.* речь, язык;
2. *v* [æk'sent] 1) делать, ставить ударение; *перен.* подчёркивать, акцентировать; 2) произносить.

accentual [æk'sentjuəl] *a* относящийся к ударению, тонический; ~ prosody тоническое стихосложение.

accentuate [æk'sentjueɪt] *v* 1) делать ударение; 2) подчёркивать, выделять; 3) ставить ударение.

accentuation [æk,sentju'eɪʃən] *n* 1) постановка ударения; 2) подчёркивание, выделение; 3) манера произношения.

accept [ək'sept] *v* 1) принимать; 2) допускать; соглашаться; признавать; 3) относиться благосклонно; 4) *ком.* акцептовать (*вексель*); ◇ to ~ persons проявлять лицеприятие; to ~ the fact примириться с фактом.

acceptability [ək,septə'bɪlɪtɪ] *n* приемлемость.

acceptable [ək'septəbl] *a* 1) приемлемый; 2) приятный, желанный.

acceptance [ək'septəns] *n* 1) принятие, приём; 2) одобрение; 3) принятое значение слова; 4) *ком.* акцепт; ~ general акцептование векселя без каких-л. оговорок; ~ qualified (*или* special) акцептование векселя с оговорками в отношении условий; 5) *attr.*: ~ flight *ав.* лётное приёмное испытание; ◇ ~ of persons лицеприятие.

acceptation [,æksep'teɪʃən] *n* принятое значение слова *или* выражения.

accepted [ək'septɪd] 1. *p.p. om* accept;
2. *a* общепринятый, распространённый.

acceptor [ək'septə] *n ком.* акцептант.

access ['ækses] *n* 1) доступ; easy of ~ доступный; 2) проход; подход; 3) приступ (*гнева, болезни*).

accessary [æk'sesərɪ] = accessory.

accessibility [æk,sesɪ'bɪlɪtɪ] *n* 1) доступность; лёгкость осмотра *или* ремонта; 2) *воен.* удобство подхода.

accessible [æk'sesəbl] *a* 1) доступный (to); достижимый; 2) поддающийся; податливый; ~ to bribery подкупной.

accession [æk'seʃən] *n* 1) прирост; прибавление; пополнение; 2) доступ; 3) вступление (*на престол; в должность*); 4) приступ (*болезни*); 5) *attr.*: ~ catalogue каталог новых приобретений;
2. *v амер.* вносить книги в каталог.

accessory [æk'sesərɪ] 1. *a* 1) добавочный; вспомогательный; второстепенный; 2) *юр.* соучаствующий;
2. *n* 1) *юр.* соучастник; ~ after the fact косвенный соучастник, укрыватель; ~ before the fact прямой соучастник; 2) (the accessories) *pl* принадлежность; арматура.

accidence ['æksɪdəns] *n* 1) *грам.* морфология; 2) элементы, основы какого-л. предмета.

accident ['æksɪdənt] 1. *n* 1) случай; случайность; by ~ случайно, нечаянно; 2) несчастный случай; катастрофа; авария; to meet with an ~ потерпеть аварию, крушение; fatal ~ несчастный случай со смертельным исходом; industrial ~ несчастный случай на производстве; 3) *астр., геол.* неровность поверхности, складка; 4) *attr.*: ~ insurance страхование от несчастных случаев; ~ prevention предупреждение несчастных случаев; техника безопасности; ~ rate *амер.* коэффициент промышленного травматизма (*количество увечий на миллион отработанных человеко-часов*); ◇ ~s will happen in the best regulated families *посл.* ≅ в семье не без урода; скандал в благородном семействе;
2. *a полигр.* акцидентный.

accidental [,æksɪ'dentl] 1. *a* 1) случайный; 2) второстепенный;
2. *n* 1) случайность; 2) несущественная черта; случайный элемент.

accidentally [,æksɪ'dentəlɪ] *adv* случайно; непредумышленно.

acclaim [ə'kleɪm] 1. *v* 1) шумно, бурно аплодировать; приветствовать; 2) провозглашать;
2. *n* шумное приветствие.

acclamation [,æklə'meɪʃən] *n* 1) шумное одобрение; carried (*или* voted) by ~ принято без голосования на основании единодушного шумного одобрения; 2) (*обыкн. pl*) приветственные возгласы.

acclimate ['æklaɪmeɪt] = acclimatize.

acclimation [,æklaɪ'meɪʃən] = acclimatization.

acclimatization [ə,klaɪmətaɪ'zeɪʃən] *n* акклиматизация.

acclimatize [ə'klaɪmətaɪz] v 1) акклиматизи́ровать; 2) refl. акклиматизи́роваться (тж. перен.).

acclivity [ə'klɪvɪtɪ] n подъём.

acclivous [ə'klaɪvəs] a поднима́ющийся усту́пами.

accolade ['ækəleɪd] n ист. аккола́да (обряд посвящения в рыцари).

accommodate [ə'kɔmədeɪt] v 1) приспоса́бливать; 2) снабжа́ть; to ~ smb. with a loan дать кому́-л. де́ньги взаймы́; 3) дава́ть прибе́жище; предоставля́ть жильё, помеще́ние; расквартиро́вывать (войска); 4) ока́зывать услу́гу; 5) примиря́ть; ула́живать (ссору); согласо́вывать.

accommodating [ə'kɔmədeɪtɪŋ] 1. pres. p. от accomodate;
2. a 1) услу́жливый; любе́зный; 2) ужи́вчивый; усту́пчивый; сгово́рчивый; in an ~ spirit в примири́тельном ду́хе; 3) приспоса́бливающийся; 4) вмеща́ющий; a hall ~ 500 people зал на 500 челове́к.

accommodation [ə‚kɔmə'deɪʃən] n 1) помеще́ние; жильё; кварти́ра; 2) прию́т, убе́жище; 3) воен. расквартирова́ние войск; 4) приспособле́ние; 5) удо́бство; удо́бства (в квартире и т. п.); 6) согласова́ние; согласова́ние; компроми́сс; 7) ссу́да; 8) физиол. аккомода́ция.

accommodation-bill [ə‚kɔmə'deɪʃənbɪl] n ком. дру́жеский ве́ксель.

accommodation-ladder [ə‚kɔmə'deɪʃənlædə] n мор. забо́ртный трап.

accommodation train [ə‚kɔmə'deɪʃəntreɪn] n амер. ме́стный пассажи́рский по́езд.

accompaniment [ə'kʌmpənɪmənt] n 1) сопровожде́ние; 2) муз. аккомпанеме́нт.

accompanist [ə'kʌmpənɪst] n аккомпаниа́тор.

accompany [ə'kʌmpənɪ] v 1) сопровожда́ть, сопу́тствовать; 2) муз. аккомпани́ровать.

accomplice [ə'kɔmplɪs] n соо́бщник, соуча́стник (преступления).

accomplish [ə'kɔmplɪʃ] v 1) соверша́ть, выполня́ть; достига́ть; доводи́ть до конца́, заверша́ть; 2) де́лать соверше́нным; соверше́нствовать; 3) достига́ть соверше́нства.

accomplished [ə'kɔmplɪʃt] 1. p.p. от accomplish;
2. a 1) совершённый, завершённый; an ~ fact совершившийся факт; 2) зако́нченный, соверше́нный; ~ violinist превосхо́дный скрипа́ч; 3) получи́вший хоро́шее образова́ние; воспи́танный; культу́рный; 4) изы́сканный (о манерах и т. п.).

accomplishment [ə'kɔmplɪʃmənt] n 1) выполне́ние; заверше́ние; 2) достиже́ние; 3) pl образо́ванность; воспита́ние; досто́инства; 4) pl вне́шний лоск; хоро́шие мане́ры; 5) благоустро́йство.

accord [ə'kɔːd] 1. n 1) согла́сие; with one ~ единоду́шно; 2) соглаше́ние; 3) соотве́тствие, гармо́ния; 4) муз. акко́рд, созву́чие; ◇ of one's own ~ доброво́льно; of its own ~ самотёком;
2. v 1) согласо́вывать(ся); соотве́тствовать, гармони́ровать; 2) предоставля́ть, жа́ловать; ока́зывать; to ~ a hearty welcome оказа́ть раду́шный приём.

accordance [ə'kɔːdəns] n согла́сие, соотве́тствие; in ~ with smth. в соотве́тствии с чем-л., согла́сно чему́-л.

accordant [ə'kɔːdənt] a 1) согла́сный; созву́чный; 2) соотве́тственный.

according [ə'kɔːdɪŋ] adv 1) = accordingly; 2): ~ as (употр. как cj) соотве́тственно; соразме́рно; смотря́ по; you will be paid ~ as you work вам запла́тят соотве́тственно тому́, как вы бу́дете рабо́тать; ~ to (употр. как prep) а) согла́сно, в соотве́тствии с; he came ~ to his promise он пришёл, как и обеща́л; б) по утвержде́нию, по слова́м, по мне́нию; ~ to him по его́ слова́м; ~ to TASS по сообще́нию ТАСС.

accordingly [ə'kɔːdɪŋlɪ] adv 1) соотве́тственно; 2) таки́м о́бразом, поэ́тому.

accordion [ə'kɔːdjən] n муз. аккордео́н; гармо́ника.

accost [ə'kɔst] 1. n приве́тствие; обраще́ние;
2. v 1) приве́тствовать; обраща́ться (к кому-л.); загова́ривать (с кем-л.); 2) пристава́ть (к кому-л.; особ. о проститутках); 3) мор. прича́ливать.

accouchement [ə'kuːʃmɑːŋ] фр. n разреше́ние от бре́мени, ро́ды.

accoucheur [‚ækuː'ʃəː] фр. n акуше́р.

accoucheuse [‚ækuː'ʃəːz] фр. n акуше́рка.

account [ə'kaunt] 1. n 1) счёт, расчёт; подсчёт; for ~ of smb. за счёт кого́-л. on ~ в счёт (чего-л.) [ср. тж. 5) и ◇]; ~ current теку́щий счёт; joint ~ о́бщий счёт; to keep ~s бухг. вести́ кни́ги; to lay (one's) ~ with smth. а) рассчи́тывать на что-л.; б) принима́ть что-л. в расчёт; to settle (или to square) ~s with smb. а) рассчи́тываться с кем-л.; б) своди́ть счёты с кем-л.; 2) отчёт; to give an ~ of smth. дава́ть отчёт в чём-л.; 3) докла́д; сообще́ние; отчёт; 4) мне́ние, оце́нка; by all ~s по о́бщим о́тзывам; to give a good ~ of oneself хорошо́ себя́ зарекомендова́ть; 5) основа́ние, причи́на; on ~ из-за, всле́дствие [ср. тж. 1) и ◇]; 6) значе́ние, ва́жность; of no ~, of small ~, амер. по ~ незначи́тельный; to make ~ of придава́ть значе́ние; 7) вы́года, по́льза; to turn to ~ использовать; извлека́ть вы́году; to turn a thing to ~ использовать что-л. в свои́х интере́сах; 8) торго́вый бала́нс; 9) attr.: ~ book конто́рская кни́га; ◇ to leave out of ~ не принима́ть во внима́ние; not to hold of much ~ быть невысо́кого мне́ния; to take into ~ принима́ть во внима́ние, в расчёт; on no ~ ни в ко́ем слу́чае; to be called to one's ~, to go to one's ~, амер. to hand in one's ~ умере́ть; to call to ~ призва́ть к отве́ту, потре́бовать объясне́ния, отчёта; the great ~ рел. день стра́шного суда́, су́дный день; on one's own ~ на свой страх и риск; самостоя́тельно; on smb.'s ~ ра́ди кого́-л. [ср. тж. 1) и 5)];
2. v 1) счита́ть за; рассма́тривать как; I ~ myself happy я счита́ю себя́ счастли́вым; 2) отчи́тываться (for—в чём-л.); отвеча́ть (for— за что-л.); 3) объясня́ть (for— что-л.); this ~s for his behaviour вот чем объясня́ется его́ поведе́ние.

accountability [ə,kauntə'bɪlɪtɪ] *n* 1) ответственность; 2) подотчётность.

accountable [ə'kauntəbl] *a* 1) ответственный (to — перед *кем-л.*; for — за *что-либо*); 2) подотчётный (*о лице*); 3) объяснимый.

accountant [ə'kauntənt] *n* 1) бухгалтер; 2) *юр.* ответчик.

account-general [ə'kaunt'dʒenərəl] *n* главный бухгалтер-эксперт.

accounting [ə'kauntɪŋ] 1. *pres. p. от* account 2;
2. *n* 1) учёт; отчётность; 2) расчёт, балансирование; 3) *attr.*: ~ cost калькуляция; ◇ there is no ~ for tastes о вкусах не спорят.

accoutre [ə'kuːtə] *v* одевать, снаряжать, экипировать.

accoutrements [ə'kuːtəmənts] *n pl воен.* личное снаряжение (*гл. обр. кожаное*).

accredit [ə'kredɪt] *v* 1) уполномочивать; аккредитовать (*дипломатического представителя*); 2) приписывать (to, with); 3) доверять; (по)верить.

accredited [ə'kredɪtɪd] 1. *p. p. от* accredit;
2. *a* 1) аккредитованный, официально признанный; 2) общепринятый.

accrete [ə'kriːt] 1. *a бот.* сросшийся;
2. *v* 1) срастаться; 2) обрастать.

accretion [æ'kriːʃən] *n* 1) разрастание; прирост; приращение; 2) срастание; сращение; 3) наращение; увеличение (*неорганических тел*); 4) *геол.* нанос земли.

accrue [ə'kruː] *v* 1) увеличиваться, накопляться; нарастать; ~d interest наросшие проценты; 2) выпадать на долю, доставаться (to—*кому-л.*); 3) происходить (from).

accumulate [ə'kjuːmjuleɪt] *v* 1) аккумулировать, накапливать; скучивать; складывать; 2) скопляться.

accumulation [ə,kjuːmjuˈleɪʃən] *n* 1) собирание; аккумуляция; 2) накопление; primitive ~ *полит.-эк.* первоначальное накопление; 3) скопление; масса, груда.

accumulative [ə'kjuːmjulətɪv] *a* 1) накопляющийся; ~ formation *геол.* аккумулятивные образования; 2) = cumulative.

accumulator [ə'kjuːmjuleɪtə] *n* 1) *эл.* аккумулятор; 2) *тех.* собирающее устройство; 3) стяжатель.

accuracy ['ækjurəsɪ] *n* 1) точность, правильность; ~ of fire *воен.* меткость, кучность стрельбы; 2) тщательность.

accurate ['ækjurɪt] *a* 1) точный, правильный; 2) тщательный; ~ within 0.001 mm с точностью до 0,001 мм; 3) меткий (*о стрельбе*); 4) калиброванный.

accurately ['ækjurɪtlɪ] *adv* точно.

accurateness ['ækjurɪtnɪs] *n* точность *и пр.* [*см.* accurate].

accursed, accurst [ə'kəːsɪd, ə'kəːst] *a* 1) проклятый; 2) ненавистный, отвратительный.

accusation [,ækjuːˈzeɪʃən] *n* 1) обвинение; 2) *юр.* обвинительный акт.

accusative [ə'kjuːzətɪv] *грам.* 1. *a* винительный;

2. *n* винительный падёж.

accusatorial [ə,kjuːzəˈtɔːrɪəl] *a юр.* обвинительный.

accusatory [ə'kjuːzətərɪ] *a* 1) = accusatorial; 2) обличительный; разоблачающий.

accuse [ə'kjuːz] *v* обвинять, предъявлять обвинение (of — в *чём-л.*).

accuser [ə'kjuːzə] *n* обвинитель.

accustom [ə'kʌstəm] *v* приучать; to ~ oneself to smth. привыкать, приучаться к чему-л.

accustomed [ə'kʌstəmd] 1. *p.p. от* accustom;
2. *a* 1) привыкший, приученный; 2) привычный, обычный.

ace [eɪs] *n* 1) очко; 2) *карт.* туз; 3) первоклассный лётчик, ас; выдающийся спортсмён *и т. п.*; the ~ of ~s *ав.* лучший ас; *перен.* лучший из лучших; ◇ within an ~ of на волосок от, чуть не; the ~ of trumps главный козырь, самый веский довод.

acerbity [ə'səːbɪtɪ] *n* 1) терпкость; 2) резкость, жёсткость.

acetate ['æsɪtɪt] *n хим.* уксуснокислая соль, ацетат.

acetic [ə'siːtɪk] *a* 1) уксусный; 2): ~ silk ацетатный, искусственный шёлк.

acetify [ə'setɪfaɪ] *v хим.* окислять(ся); обращаться в уксус.

acetous ['æsɪtəs] *a* уксусный; кислый.

acetylation [ə,setɪˈleɪʃən] *n хим.* ацетилирование.

acetylene [ə'setɪliːn] *n* 1) ацетилен; 2) *attr.* ацетиленовый; ~ welding ацетиленовая сварка.

ache [eɪk] 1. *n* боль (*особ. продолжительная, тупая*);
2. *v* 1) болеть; my head ~s у меня болит голова; 2) жаждать, страстно стремиться (к *чему-л.*).

acheless ['eɪklɪs] *a* безболезненный.

achievable [ə'tʃiːvəbl] *a* достижимый.

achieve [ə'tʃiːv] *v* 1) достигать, добиваться; to ~ one's purpose (*или* aim) достичь цели; 2) успешно выполнять; доводить до конца.

achievement [ə'tʃiːvmənt] *n* 1) достижение; 2) выполнение; 3) подвиг.

Achilles [ə'kɪliːz] *n миф.* Ахиллес.

achromatic [,ækrouˈmætɪk] *a* 1) ахроматический, бесцветный, лишённый окраски; 2) *мед.* страдающий дальтонизмом.

achromatism [ə'kroumətɪzəm] *n* ахроматизм, бесцветность.

achromatopsy [ə,kroumə'tɔpsɪ] *n мед.* ахроматопсия.

acid ['æsɪd] 1. *n* кислота;
2. *a* 1) кислый; ~ looks кислая мина; 2) едкий, язвительный; 3) *хим.* кислотный, кислый; ~ dye кислотный краситель; ~ radical кислотный радикал; ~ salt кислая соль; ~ test проба на кислую реакцию; *перен.* серьёзное испытание; ~ value коэффициент кислотности.

acidic [ə'sɪdɪk] *a* кислотный, кислый.

acidify [ə'sɪdɪfaɪ] *v хим.* 1) подкислять; 2) окислять(ся).

acidity [ə'sɪdɪtɪ] *n хим.* 1) кислотность; 2) ёдкость.

acidize ['æsɪdaɪz] *v хим.* окислять.

acidly ['æsɪdlɪ] *adv* 1) едко, с раздражением; 2) холодно, ледяным тоном.

acid-proof ['æsɪd'pruːf] *a* кислотоупорный.

acid-resisting ['æsɪdrɪ'zɪstɪŋ] = acid-proof.

acidulated [ə'sɪdjuleɪtɪd] *a* 1) кисловатый; 2) недовольный, брюзгливый.

acidulous [ə'sɪdjuləs] *a* кисловатый, подкисленный.

ack-ack ['æk'æk] *n sl.* 1) зенитное орудие; 2) стрельба зенитной артиллерии; 3) *attr.* зенитный.

ack emma [æk'emə] *sl.* 1) *см.* ante meridiem; 2) *см.* air-mechanic.

acknowledge [ək'nɒlɪdʒ] *v* 1) сознавать; признавать, допускать; 2) подтверждать; to ~ the receipt подтверждать получение; 3) быть признательным (*за что-л.*); награждать (*за услугу*).

acknowledgement [ək'nɒlɪdʒmənt] *n* 1) признание; 2) подтверждение; уведомление о получении; расписка; 3) благодарность; признательность; 4) официальное заявление.

aclinal [ə'klaɪnəl] *a* горизонтальный, без уклона.

aclinic [ə'klɪnɪk] *a*: ~ line магнитный экватор, аклиническая кривая.

acme ['ækmɪ] *греч. n* 1) высшая точка (*чего-л.*); кульминационный пункт; ~ of perfection верх совершенства; 2) *мед.* кризис (*болезни*).

acne ['æknɪ] *n* прыщ; воспаление сальной железы.

acock [ə'kɒk] *adv* набекрень.

acolyte ['ækəlaɪt] *n* 1) *церк.* прислужник; псаломщик; 2) служитель; помощник.

acorn ['eɪkɔːn] *n* 1) жёлудь; 2) *attr.* желудёвый.

acoustic [ə'kuːstɪk] *a* 1) акустический, звуковой; ~ mine акустическая мина; 2) *анат.* слуховой; ~ duct наружный слуховой проход.

acoustics [ə'kuːstɪks] *n pl (употр. как* sing) акустика.

acquaint [ə'kweɪnt] *v* 1) знакомить; to ~ oneself with smth. знакомиться с чем-л.; to get (*или* to become) ~ed with smth. познакомиться, ознакомиться с чем-л.; to be ~ed with быть знакомым с; 2) сообщать, извещать.

acquaintance [ə'kweɪntəns] *n* 1) знакомство; nodding (*или* bowing) ~ шапочное знакомство; speaking ~ знакомство, дающее право заговорить, официальное знакомство; to make the ~ of smb., to make smb.'s ~ познакомиться с кем-л.; to cultivate the ~ поддерживать знакомство (*of —* с) знакомый.

acquaintanceship [ə'kweɪntənʃɪp] *n* знакомство.

acquainted [ə'kweɪntɪd] 1. *p. p. от* acquaint; 2. *a* знакомый (with).

acquest [æ'kwest] *n* приобретение.

acquiesce [ˌækwɪ'es] *v* молча *или* неохотно соглашаться (in — на *что-л.*).

acquiescence [ˌækwɪ'esns] *n* молчаливое *или* неохотное согласие; покорность.

acquiescent [ˌækwɪ'esnt] 1. *a* молчаливо соглашающийся; не протестующий, покорный; 2. *n* послушный, покорный человек.

acquire [ə'kwaɪə] *v* 1) приобретать; 2) достигать; овладевать (*каким-л. навыком и т. п.*).

acquirement [ə'kwaɪəmənt] *n* 1) приобретение; 2) овладение; *pl* приобретённые знания, навыки (*в противоположность прирождённым способностям*).

acquisition [ˌækwɪ'zɪʃən] *n* приобретение (*тж. процесс*).

acquisitive [ə'kwɪzɪtɪv] *a* 1) стяжательный; 2) восприимчивый.

acquit [ə'kwɪt] *v* 1) оправдывать (of — в *чём-л.*); 2) освобождать (of, from — от *обязательства и т. п.*); 3) выполнить (*обязанность, обязательство*); выплатить долг; to ~ oneself of a promise исполнить обещание; 4) *refl.* вести себя; to ~ oneself well (ill) вести себя хорошо (плохо).

acquittal [ə'kwɪtl] *n* 1) *юр.* оправдание; 2) освобождение (от долга); 3) выполнение (*обязанностей и т. п.*).

acquittance [ə'kwɪtəns] *n* 1) освобождение от обязательства, долга; погашение долга; 2) расписка об уплате долга *и т. п.*

acre ['eɪkə] *n* 1) акр (≅ 0,4 *га*); 2) *pl* земли, владения; broad ~s обширное поместье; ◇ God's A. кладбище.

acreage ['eɪkərɪdʒ] *n* площадь земли в акрах.

acrid ['ækrɪd] *a* 1) острый, едкий (*на вкус, запах*); раздражающий; 2) резкий (*о характере*); язвительный.

acridity [æ'krɪdɪtɪ] *n* острота *и пр.* [*см.* acrid].

acrimonious [ˌækrɪ'mounjəs] *a* 1) жёлчный (*о характере*); язвительный, саркастический; 2) *уст.* едкий.

acrimony ['ækrɪmənɪ] *n* 1) жёлчность (*характера*); 2) *уст.* острота, едкость.

acrobat ['ækrəbæt] *n* акробат.

acrobatic [ˌækrə'bætɪk] *a* акробатический.

acrobatics [ˌækrə'bætɪks] *n pl (употр. как* sing) акробатика; aerial ~ *ав.* фигурные полёты; акробатические полёты.

acropoleis [ə'krɒpəlaɪz] *pl от* acropolis.

acropolis [ə'krɒpəlɪs] *n (pl* -ses [-sɪz], -leis) акрополь.

across [ə'krɒs] 1. *adv* 1) поперёк; 2) на ту сторону; to put ~ перевозить (*на лодке, пароме*); 3) крест-накрест; with arms ~ скрестив руки; ◇ come ~! *амер.* a) признавайся!; б) раскошеливайся!; 2. *prep* сквозь, через; ~ country напрямик; по пересечённой местности; ~ lots *амер.* напрямик; to come (*или* to run) ~ наталкиваться; (случайно) встречаться; to get ~ smb. поссориться с кем-л.; to put it ~ smb. a) наказывать кого-л.; б) сводить счёты с кем-л.; в) вводить в заблуждение.

acrostic [ə'krɒstɪk] 1. *n* акростих; 2. *a* имеющий форму акростиха.

act [ækt] 1. *n* 1) дело, поступок; акт;

~ of bravery по́двиг; ~ of God юр. стихи́йное бе́дствие; caught in the (very) ~ (of committing a crime) захва́чен на ме́сте преступле́ния; ~ of mutiny вое́нный мяте́ж; 2) зако́н, постановле́ние (парла́мента, суда́); 3) акт, докуме́нт; ~ and deed официа́льный докуме́нт, обяза́тельство; 4) акт (часть пьесы); 5) миниатю́ра, но́мер (программы варьете или представления в цирке);

2. v 1) де́йствовать, поступа́ть; вести́ себя́; to ~ up to a promise сдержа́ть обеща́ние; 2) рабо́тать, де́йствовать; the brake refused to ~ то́рмоз отказа́л; 3) влия́ть; де́йствовать (on, upon); 4) театр. игра́ть; to ~ the part of Othello игра́ть роль Оте́лло; to ~ a part игра́ть роль, притворя́ться.

acting ['æktɪŋ] 1. pres. p. om act 2; 2. n театр. 1) игра́; 2) attr. приспосо́бленный для постано́вки; ~ copy текст пье́сы с режиссёрскими указа́ниями и купю́рами; 3. a 1) исполня́ющий обя́занности; 2) де́йствующий.

actinia [æk'tɪnɪə] лат. n (pl -niae, -s [-z]) зоол. акти́ния.

actiniae [æk'tɪnɪiː] pl om actinia.

actinic [æk'tɪnɪk] a физ., хим. актини́чный; ~ rays физ. актини́ческие лучи́ (фиолетовые и ультрафиолетовые).

actinism ['æktɪnɪzəm] n физ., хим. светочувстви́тельность, актини́зм, актини́чность.

actinium [æk'tɪnɪəm] n хим. акти́ний.

action ['ækʃən] n 1) де́йствие, посту́пок; полит. а́кция; выступле́ние; overt ~ against откры́тое выступле́ние про́тив; to take prompt ~ приня́ть сро́чные ме́ры; 2) pl поведе́ние; 3) де́йствие, возде́йствие; 4) де́ятельность; ~ of the heart де́ятельность се́рдца; a man of ~ энерги́чный челове́к; to put out of ~ выводи́ть из стро́я; 5) обвине́ние, иск; суде́бный проце́сс; to bring (или to enter, to lay) an ~ against smb. возбуди́ть де́ло про́тив кого́-л.; 6) бой; in ~ в бою́; to be killed (или to fall) in ~ пасть в бою́; 7) де́йствие механи́зма; 8) attr.: ~ radius ра́диус де́йствия (самолёта и т. п.); 9) attr. боево́й; ~ spring боева́я пружи́на; ~ stations пози́ции, занима́емые пе́ред нача́лом опера́ции; ◇ ~s speak louder than words посл. ⇌ не по слова́м су́дят, а по дела́м.

actionable ['ækʃənəbl] a юр. даю́щий основа́ния для суде́бного пресле́дования.

activable ['æktɪvəbl] a поддаю́щийся активи́рованию.

activate ['æktɪveɪt] v 1) хим., биол. активи́ровать; 2) де́лать радиоакти́вным; 3) амер. воен. формирова́ть и укомплекто́вывать.

activated ['æktɪveɪtɪd] 1. p. p. om activate; 2. a активи́рованный.

active ['æktɪv] 1. a 1) акти́вный; живо́й, энерги́чный, де́ятельный; to become ~ активизи́роваться; 2) де́йствующий; 3) воен.: ~ forces постоя́нная а́рмия; ~ list спи́сок офице́рского соста́ва действи́тельной слу́жбы; ~ service боева́я слу́жба; амер. действи́тельная вое́нная слу́жба; 4) грам. действи́тельный (о залоге); ~ voice действи́-

тельный зало́г; 5) фин. проце́нтный, принося́щий проце́нты;
2. n = ~ voice [см. 1, 4)].

activity [æk'tɪvɪtɪ] n 1) де́ятельность; 2) акти́вность; эне́ргия; ~ in the world market оживле́ние на мирово́м ры́нке.

actor ['æktə] n актёр; ◇ a bad ~ амер. ненадёжный челове́к.

actress ['æktrɪs] n актри́са.

actual ['æktjuəl] a 1) факти́чески существу́ющий; действи́тельный; по́длинный; ~ speed действи́тельная ско́рость, со́бственная ско́рость; ав. путева́я ско́рость; ~ capital действи́тельный капита́л; ~ load поле́зная нагру́зка; in ~ fact в действи́тельности; the ~ position факти́ческое, существу́ющее положе́ние (дел); 2) теку́щий, совреме́нный.

actuality [,æktju'ælɪtɪ] n 1) действи́тельность; реа́льность; 2) pl существу́ющие усло́вия; фа́кты; 3) реали́зм (в искусстве).

actualize ['æktjuəlaɪz] v 1) реализова́ть; осуществля́ть; 2) воссоздава́ть реалисти́чески (в искусстве).

actually ['æktjuəlɪ] adv 1) факти́чески, на са́мом де́ле; 2) впро́чем; 3) в настоя́щее вре́мя; 4) да́же (если э́то ка́жется невероя́тным).

actuary ['æktjuərɪ] n стати́стик страхово́го о́бщества, актуа́рий.

actuate ['æktjueɪt] v 1) приводи́ть в де́йствие; 2) побужда́ть; 3) эл. возбужда́ть.

actuator ['æktʃəˌeɪtə] n тех. силово́й приво́д; руко́ятка приво́да; эл. солено́ид.

acuity [ə'kjuːɪtɪ] n 1) острота́; 2) о́стрый хара́ктер (болезни).

acumen [ə'kjuːmen] n проница́тельность, сообрази́тельность.

acuminate 1. a [ə'kjuːmɪnɪt] биол. остроконе́чный, заострённый;
2. v [ə'kjuːmɪneɪt] 1) заостря́ть; 2) придава́ть остроту́.

acute [ə'kjuːt] a 1) о́стрый; ~ angle о́стрый у́гол; 2) о́стрый, си́льный; ~ eyesight о́строе зре́ние; ~ pain о́страя боль; 3) проница́тельный, сообрази́тельный; 4) пронзи́тельный, высо́кий (о звуке).

acuteness [ə'kjuːtnɪs] n острота́ и пр. [см. acute].

ad [æd] сокр. разг. om advertisement.

adage ['ædɪdʒ] n посло́вица, погово́рка, изрече́ние.

adagio [ə'dɑːdʒɪou] n (pl -os [-ouz]) муз. ада́жио.

adamant ['ædəmənt] 1. n 1) алма́з; 2) что-л. твёрдое, несокруши́мое; will of ~ желе́зная во́ля;
2. a непрекло́нный; твёрдый, несгиба́емый; ~ to entreaties непрекло́нный к мольба́м.

adamantine [,ædə'mæntaɪn] 1. n горн. закалённая стальна́я дробь (для бурения);
2. a 1) име́ющий свойство алма́за; о́чень твёрдый; 2) несокруши́мый.

adapt [ə'dæpt] v 1) приспособля́ть, пригоня́ть, прила́живать (to, for); 2) refl. приспособля́ться, применя́ться; 3) адапти́ровать, сокраща́ть и упроща́ть; 4) переде́лывать; to ~ a novel инсцени́ровать рома́н.

adaptability [ə,dæptə'bɪlɪtɪ] *n* приспособля́емость, примени́мость.

adaptable [ə'dæptəbl] *a* легко́ приспосабливаемый.

adaptation [,ædæp'teɪʃən] *n* 1) адапта́ция, приспособле́ние; light ~ адапта́ция гла́за; ~ to the ground *воен.* примене́ние к ме́стности; 2) переде́лка; ~ of a musical composition аранжиро́вка музыка́льного произведе́ния; 3) *биол.* адапта́ция.

adapter [ə'dæptə] *n* 1) тот, кто приспоса́бливает; 2) тот, кто переде́лывает, адапти́рует литерату́рное произведе́ние; 3) *тех.* ада́птер; соедини́тельное устро́йство, перехо́дник; держа́тель; 4) *воен.* гу́сеница колёсно-гу́сеничной маши́ны.

add [æd] *v* 1) прибавля́ть, присоединя́ть; this ~s to the expense э́то увели́чивает расхо́д; ~ed to everything else к тому́ же; в дополне́ние ко всему́; 2) *мат.* скла́дывать; □ ~ in включа́ть; ~ to добавля́ть, увели́чивать; ~ together, ~ up скла́дывать, подсчи́тывать, подыто́живать; су́мму; ◇ to ~ fuel (*или* oil) to the fire (*или* to the flame) подлива́ть ма́сла в ого́нь.

addenda [ə'dendə] *pl* *от* addendum.

addendum [ə'dendəm] *лат.* *n* (*pl* -da) приложе́ние, дополне́ние (*в книге*).

adder I ['ædə] *n* 1) гадю́ка; 2) *амер.* уж.

adder II ['ædə] *n* сумми́рующее устро́йство.

Adder's tongue ['ædəztʌŋ] *n* па́поротник.

addict 1. *n* ['ædɪkt] наркома́н; cocaine ~ кокаини́ст;
2. *v* [ə'dɪkt] увлека́ться (*обыкн. дурны́м*); to ~ oneself предава́ться (to—*чему́-л.*); he is much ~ed to drink он си́льно пьёт.

addiction [ə'dɪkʃən] *n* скло́нность (к *чему́-л.*), па́губная привы́чка.

adding machine ['ædɪŋmə'ʃiːn] *n* арифмо́метр; счётная маши́на.

Addison's disease ['ædɪsnzdɪ'ziːz] *n* *мед.* бро́нзовая боле́знь.

addition [ə'dɪʃən] *n* 1) прибавле́ние, увеличе́ние, дополне́ние; in ~ to вдоба́вок, в дополне́ние к, кро́ме того́, к тому́ же; 2) *мат.* сложе́ние; 3) *хим.* при́месь.

additional [ə'dɪʃənəl] *a* доба́вочный, дополни́тельный; ~ charges накладны́е расхо́ды.

additive ['ædɪtɪv] *n* *тех.* приса́дка (к *ма́слу*); доба́вка (к *то́пливу*).

addle ['ædl] 1. *a* 1) ту́хлый, испо́рченный; ~ egg ту́хлое яйцо́, болту́н (*яйцо́*); 2) пусто́й, взба́лмошный; пу́таный;
2. *v* 1) ту́хнуть, по́ртиться (*о яйце́*); 2) пу́тать; to ~ one's head (*или* one's brain) забива́ть себе́ го́лову (*чем-л.*); лома́ть го́лову (*над чем-л.*).[1]

addle-brained ['ædlbreɪnd] *a* 1) пустоголо́вый, безмо́зглый; 2) поме́шанный.

addle-head ['ædl,hed] *n* пустоголо́вый челове́к, пуста́я башка́.

addlement ['ædlmənt] *n* пу́таница.

addle-pate ['ædl,peɪt] = addle-head.

address [ə'dres] 1. *n* 1) обраще́ние; речь; 2) а́дрес; 3) такт, ло́вкость; 4) *pl* уха́живание; to pay one's ~es to a lady уха́живать за да́мой;

2. *v* 1) адресова́ть; направля́ть; 2) обраща́ться (к *кому́-л.*), выступа́ть; to ~ a meeting выступа́ть с ре́чью на собра́нии; to ~ oneself to the audience обраща́ться к аудито́рии; 3) бра́ться, принима́ться (to—за что-л.).

addressee [,ædre'siː] *n* адреса́т.

adduce [ə'djuːs] *v* представля́ть, приводи́ть (*в ка́честве доказа́тельства*).

adduct [ə'dʌkt] *a* *анат.* приводя́щий (коне́чность к сре́дней ли́нии те́ла).

adduction [ə'dʌkʃən] *n* 1) приведе́ние (*фа́ктов, доказа́тельств*); 2) *анат.* адду́кция, приведе́ние коне́чности к сре́дней ли́нии те́ла.

adductor [ə'dʌktə] *n* *анат.* адду́ктор, приводя́щая мы́шца.

adenoids ['ædɪnɔɪdz] *n* *pl* *мед.* адено́иды.

adept ['ædept] 1. *n* 1) знато́к, экспе́рт; 2) алхи́мик;
2. *a* све́дущий.

adequacy ['ædɪkwəsɪ] *n* 1) соотве́тствие, адеква́тность; 2) доста́точность; 3) соразме́рность.

adequate ['ædɪkwɪt] *a* 1) соотве́тствующий, адеква́тный; ~ definition то́чное определе́ние; 2) доста́точный; 3) компете́нтный; отвеча́ющий тре́бованиям.

adequation [,ædɪ'kweɪʃən] *n* 1) выра́внивание; 2) эквивале́нт.

adhere [əd'hɪə] *v* 1) прилипа́ть, пристава́ть; 2) твёрдо держа́ться, приде́рживаться (*чего́-л.*; to); оставаться ве́рным (*при́нципам и т. п.*; to); 3) *уст.* соглаша́ться; to ~ to a wish разделя́ть жела́ние.

adherence [əd'hɪərəns] *n* 1) приве́рженность; ве́рность; 2) стро́гое соблюде́ние (*пра́вил, при́нципов и т. п.*); ~ to specification соблюде́ние техни́ческих усло́вий; 3) пло́тное соедине́ние; 4) *тех.* сцепле́ние.

adherent [əd'hɪərənt] 1. *n* приве́рженец; после́дователь;
2. *a* 1) вя́зкий, кле́йкий; 2) пло́тно прилега́ющий.

adherer [əd'hɪərə] = adherent 1.

adhesion [əd'hiːʒən] *n* 1) прилипа́ние; слипа́ние; 2) ве́рность (*при́нципам, па́ртии и т. п.*); 3) согла́сие; 4) *тех.* сцепле́ние (*напр., колёс локомоти́ва с ре́льсами*); тре́ние; 5) *физ.* молекуля́рное притяже́ние; 6) *мед.* спа́йка; 7) *attr.* *тех.* сцепно́й; ~ weight сцепно́й вес; ~ wheel фрикцио́нное, сцепно́е колесо́.

adhesive [əd'hiːsɪv] *a* 1) ли́пкий, кле́йкий; свя́зывающий; ~ power *тех.* си́ла сцепле́ния; ~ tape ли́пкий пла́стырь; 2) назо́йливый.

adhesiveness [əd'hiːsɪvnɪs] *n* 1) кле́йкость, ли́пкость; 2) *психол.* спосо́бность к ассоции́рованию.

ad hoc ['æd'hɔk] *лат.* *a* специа́льный, устро́енный для да́нной це́ли; ~ committee специа́льный комите́т.

adieu [ə'djuː] *фр.* 1. *int* проща́й(те)!;
2. *n* проща́ние; to make (*или* to take) one's ~ проща́ться.

adipose ['ædɪpəus] 1. *n* живо́тный жир;
2. *a* жи́рный; жирово́й; са́льный.

adiposity [,ædɪ'pɔsɪtɪ] *n* ожире́ние, ту́чность.

adit ['ædɪt] *n* 1) вход, прохо́д; 2) приближе́ние; 3) *горн.* штольня, галере́я.

adjacency [ə'dʒeɪsənsɪ] *n* 1) сосе́дство; сме́жность; 2) *pl уст.* окре́стности.

adjacent [ə'dʒeɪsənt] *a* 1) примыка́ющий, сме́жный, сосе́дний (to); ~ villages близлежа́щие дере́вни; 2) *мат.* сме́жный; ~ angle сме́жный у́гол.

adjectival [,ædʒek'taɪvəl] *a грам.* употреблённый в ка́честве прилага́тельного.

adjective ['ædʒɪktɪv] 1. *n грам.* и́мя прилага́тельное;
2. *a* 1) дополни́тельный; несамостоя́тельный, зави́симый; ~ colours дополни́тельные цвета́; 2) *грам.* име́ющий хара́ктер прилага́тельного; свя́занный с прилага́тельным.

adjoin [ə'dʒɔɪn] *v* 1) примыка́ть, прилега́ть, грани́чить; 2) соединя́ть, присоединя́ть.

adjoining [ə'dʒɔɪnɪŋ] 1. *pres. p. от* adjoin; 2. *a* прилега́ющий, примыка́ющий, сосе́дний.

adjourn [ə'dʒəːn] *v* 1) отсро́чивать, откла́дывать; 2) де́лать, объявля́ть переры́в (*в рабо́те се́ссии и т. п.*); 3) закрыва́ть (*заседа́ние*); расходи́ться; 4) переходи́ть в друго́е ме́сто, переноси́ть заседа́ние в друго́е помеще́ние; to ~ to the drawing-room *разг.* перейти́ в гости́ную (*для дальне́йшей бесе́ды*).

adjournment [ə'dʒəːnmənt] *n* 1) отсро́чка; 2) переры́в.

adjudge [ə'dʒʌdʒ] *v* 1) выноси́ть пригово́р; пригова́ривать (to— к); to ~ one guilty призна́ть кого́-л. вино́вным (of— в чём-л.); 2) присужда́ть (*пре́мию и т. п.*; to).

adjudg(e)ment [ə'dʒʌdʒmənt] *n* 1) суде́бное реше́ние; вынесе́ние пригово́ра; 2) присужде́ние (*пре́мии и т. п.*).

adjudicate [ə'dʒuːdɪkeɪt] *v* суди́ть; выноси́ть реше́ние (on, upon).

adjunct ['ædʒʌŋkt] *n* 1) помо́щник; адъю́нкт; 2) приложе́ние, дополне́ние (to); прида́ток; случа́йное сво́йство; 3) *грам.* определе́ние, обстоя́тельственное сло́во.

adjunct professor ['ædʒʌŋktprə'fesə] *n амер.* адъю́нкт-профе́ссор.

adjuration [,ædʒuə'reɪʃən] *n* 1) мольба́, заклина́ние; 2) кля́тва.

adjure [ə'dʒuə] *v* 1) моли́ть, заклина́ть; 2) приводи́ть к прися́ге.

adjust [ə'dʒʌst] *v* 1) приводи́ть в поря́док; 2) ула́живать (*спор и т. п.*); 3) приспоса́бливать, пригоня́ть, прила́живать; 4) регули́ровать; устана́вливать; пригоня́ть.

adjustable [ə'dʒʌstəbl] *a* регули́руемый, приспособля́емый; передвижно́й; ~ bookshelf подвижна́я по́лка в кни́жном шкафу́; ~ screw-wrench, ~ spanner раздвижно́й га́ечный ключ.

adjusted [ə'dʒʌstɪd] 1. *p.p. от* adjust; 2. *a* урегули́рованный, устано́вленный; вы́веренный; ~ fire *воен.* прице́льный ого́нь.

adjuster [ə'dʒʌstə] *n тех.* 1) монта́жник, сбо́рщик; устано́вщик; 2) регулиро́вщик;
3) натяжно́е приспособле́ние; натяжно́й болт (*тж.* ~ bolt).

adjusting [ə'dʒʌstɪŋ] 1. *pres. p. от* adjust; 2. *a тех.* 1) регули́рующий; устано́вочный; ~ device устано́вочное *или* регули́рующее приспособле́ние; ~ tool отве́с для вы́верки; 2) сбо́рочный; ~ shop сбо́рочная мастерска́я; сбо́рочный, монта́жный цех.

adjustment [ə'dʒʌstmənt] *n* 1) регули́рование, приспособле́ние; 2) устано́вка, сбо́рка; регулиро́вка, приго́нка; 3) *воен.* корректиро́вка; ~ in direction корректиро́вка направле́ния; ~ in range корректиро́вка да́льности; ~ of sight устано́вка прице́ла; 4) *attr.*: ~ fire *воен.* пристре́лка.

adjutage ['ædʒutɪdʒ] *n* наса́дка, наставна́я труба́; труба́ для вы́пуска воды́.

adjutancy ['ædʒutənsɪ] *n* зва́ние, до́лжность адъюта́нта.

adjutant ['ædʒutənt] *n* 1) ста́рший адъюта́нт; нача́льник строево́го отде́ла; 2) помо́щник; 3) *зоол.* инди́йский зоба́стый а́ист.

adjutant-bird ['ædʒutəntbəːd]=adjutant 3).

adjuvant ['ædʒuvənt] 1. *n* помо́щник; 2. *a* поле́зный.

admeasure [æd'meʒə] *v* отмеря́ть, устана́вливать преде́лы, грани́цы.

administer [əd'mɪnɪstə] *v* 1) управля́ть; вести́ (*дела́*); 2) снабжа́ть; ока́зывать по́мощь; 3) отправля́ть (*правосу́дие*); налага́ть (*наказа́ние*); 4): to ~ an oath to smb, to ~ smb to an oath приводи́ть кого́-л. к прися́ге, 5) назнача́ть, дава́ть (*лека́рство*); ◊ to ~ a shock наноси́ть уда́р.

administrate [əd'mɪnɪstreɪt] *v амер.* управля́ть; контроли́ровать.

administration [əd,mɪnɪs'treɪʃən] *n* 1) управле́ние (*дела́ми*); 2) администра́ция; 3) министе́рство; 4) прави́тельство; 5) отправле́ние (*правосу́дия*); 6) назначе́ние. приём (*лека́рств*).

administrative [əd'mɪnɪstrətɪv] *a* 1) администрати́вный; администрати́вно-хозя́йственный; ~ troops *воен.* администрати́вно-снабже́нческие ча́сти; 2) исполни́тельный (*о вла́сти*).

administrator [əd'mɪnɪstreɪtə] *n* 1) управля́ющий, администра́тор; 2) лицо́, выполня́ющее официа́льные обя́занности (*судья́ и т. п.*); 3) *юр.* опеку́н.

administratrices [əd'mɪnɪstreɪtrɪsiːz] *pl от* administratrix

administratrix [əd'mɪnɪstreɪtrɪks] *n* (*pl* -es [-ɪz], -ices) же́нщина-администра́тор.

admirable ['ædmərəbl] *a* замеча́тельный, восхити́тельный, превосхо́дный.

admiral ['ædmərəl] *n* 1) адмира́л; A. of the Fleet, *амер.* A. of the Navy адмира́л фло́та; 2) флагма́нский кора́бль.

admiralty ['ædmərəltɪ] *n* 1) адмиралте́йство, морско́е министе́рство (*в А́нглии*); First Lord of the A. пе́рвый лорд адмиралте́йства (*в А́нглии*); 2) *attr.*: ~ mile, ~ knot англи́йская ми́ля (= *1853,248 м*).

admiration [,ædmə'reɪʃən] *n* 1) восхище́ние; восто́рг; note of ~ восклица́тельный знак; 2) предме́т восто́рга.

admire [əd'maɪə] *v* 1) восхища́ться; приходи́ть в восто́рг; любова́ться; 2) *амер.*

разг. óчень желáть (*сделать что-л.*); I should ~ to know я óчень хотéл бы знать.

admirer [əd'maɪərə] *n* поклóнник, обожáтель.

admissible [əd'mɪsəbl] *a* 1) допустимый, приéмлемый; 2) имéющий прáво быть принятым.

admission [əd'mɪʃən] *n* 1) дóступ; вход; 2) by ticket вход по билéтам; 2) принятие; допущéние; 3) признáние (*чего-л. правильным, вéрным и т. п.*); 4) *тех.* впуск; поступлéние (*пара в цилиндр*); отсéчка (*воды, вóздуха*); 5) *attr.* вступительный; ~ fee a) вступительный взнос; б) входнáя плáта; 6) *attr. тех.*: ~ space объём наполнéния; ~ stroke ход всáсывания; ~ valve впускнóй клáпан.

admit [əd'mɪt] *v* 1) допускáть; принимáть; to be ~ted to the bar получить прáво адвокáтской прáктики в судé; 2) впускáть; 3) позволять (of); the question ~s of no delay вопрóс не тéрпит отлагáтельств; 4) допускáть, соглашáться; this, I ~, is true допускáю, что áто вéрно; 5) вмещáть (*о помещéнии*).

admittance [əd'mɪtəns] *n* 1) дóступ, вход; 2) разрешéние на вход; по ~! вход воспрещён! (*надпись*); 3) *эл.* пóлная проводимость.

admittedly [əd'mɪtɪdlɪ] *adv* 1) по óбщему признáнию *или* соглáсию; 2) предположительно.

admix [əd'mɪks] *v* примéшивать(ся); смéшивать(ся).

admixture [əd'mɪksʧə] *n* примесь.

admonish [əd'mɔnɪʃ] *v* 1) убеждáть, увещевáть, совéтовать; 2) предостерегáть (of); 3) напоминáть (of); 4) дéлать замечáние, указáние, выговор.

admonishment [əd'mɔnɪʃmənt] = admonition.

admonition [,ædmə'nɪʃən] *n* 1) увещáние; 2) предостережéние; 3) замечáние, указáние.

admonitory [əd'mɔnɪtərɪ] *a* 1) увещевáющий; 2) предостерегáющий.

ado [ə'duː] *n* 1) суетá, хлопóты; without more (*или* further) ~ без дальнéйших церемóний; 2) затруднéние; with much ~ с большими затруднéниями; ◊ much ~ about nothing мнóго шýма из ничегó.

adobe [ə'doubɪ] *n* 1) кирпич воздýшной сýшки, необожжённый кирпич, сырéц, самáн; 2) самáнная *или* глинобитная пострóйка.

adolescence [,ædou'lesns] *n* юность.

adolescent [,ædou'lesnt] 1. *a* 1) юношеский; юный; 2) *геол.*: ~ river молодáя рекá; 2. *n* юноша; дéвушка; подрóсток.

Adonis [ə'dounɪs] *n* 1) *миф.* Адóнис; 2) красáвец.

adopt [ə'dɔpt] *v* 1) усыновлять; 2) принимáть; усвáивать; присвáивать (*идеи и т. п.*); to ~ another course of action переменить тáктику; to ~ the attitude занять определённую позицию (*в чём-л.*); 3) *лингв.* заимствовать; 4) выбирáть, брать по выбору.

adoptee [,ædɔp'tiː] *n* усыновлённый, приёмыш.

adoption [ə'dɔpʃən] *n* 1) усыновлéние; 2) принятие; усвоéние; присвоéние (*идей и т. п.*); 3) выбор; 4) *лингв.* заимствование.

adoptive [ə'dɔptɪv] *a* 1) приёмный, усыновлённый; 2) восприимчивый, склóнный к усвоéнию.

adorable [ə'dɔːrəbl] *a* 1) обожáемый; 2) *разг.* прелéстный, восхитительный.

adoration [,ædɔː'reɪʃən] *n* обожáние; поклонéние.

adore [ə'dɔː] *v* обожáть; поклоняться.

adorer [ə'dɔːrə] *n* поклóнник, обожáтель.

adorn [ə'dɔːn] *v* украшáть.

adornment [ə'dɔːnmənt] *n* украшéние.

adown [ə'daun] *поэт. см.* down III, 1.

adrenal [æd'riːnəl] *анат.* 1. *a* надпóчечный; 2. *n* надпóчечная железá, надпóчечник.

adrenalin [æd'drenəlɪn] *n* адреналин.

adrift [ə'drɪft] *a predic.* по течéнию; по вóле волн; по вóле слýчая; to cut ~ пустить по течéнию; he cut himself ~ from his relatives он порвáл со своими роднými; to go ~ дрейфовáть; to turn ~ а) выгнать из дóму; остáвить на произвóл судьбы; б) уволить со слýжбы.

adroit [ə'drɔɪt] *a* 1) лóвкий, провóрный; искýсный; 2) нахóдчивый.

adroitness [ə'drɔɪtnɪs] *n* 1) лóвкость, провóрство; искýсность; 2) нахóдчивость.

adscititious [,ædsɪ'tɪʃəs] *a* дополнительный, добáвочный; ~ evidence дополнительное показáние.

adsorb [æd'sɔːb] *v хим.* адсорбировать.

adsorbent [æd'sɔːbənt] *n хим.* адсорбéнт, адсорбирующее вещество.

adsorption [æd'sɔːpʃən] *n хим.* адсóрбция.

adulate ['ædjuleɪt] *v* низкопоклóнничать; льстить, угóдничать.

adulation [,ædju'leɪʃən] *n* низкопоклóнство; низкая лесть.

adulatory ['ædjuleɪtərɪ] *a* льстивый; угóдливый.

adult ['ædʌlt] 1. *n* взрóслый, совершеннолéтний, зрéлый человéк; 2. *a* взрóслый, совершеннолéтний, зрéлый.

adulterant [ə'dʌltərənt] *n* примесь.

adulterate [ə'dʌltəreɪt] 1. *v* фальсифицировать; подмéшивать; ~d milk разбáвленное молокó; ~d facts подтасóванные фáкты; 2. *a* 1) фальсифицированный; 2) винóвный в прелюбодеянии; 3) внебрáчный; «незаконнорождённый».

adulteration [ə,dʌltə'reɪʃən] *n* фальсификáция, поддéлка; подмéшивание.

adulterer [ə'dʌltərə] *n* нарушáющий супрýжескую вéрность.

adulteress [ə'dʌltərɪs] *n* нарушáющая супрýжескую вéрность.

adultery [ə'dʌltərɪ] *n* адюльтéр, нарушéние супрýжеской вéрности, прелюбодеяние.

adumbrate ['ædʌmbreɪt] *v* 1) бéгло набросáть; дать óбщее представлéние; описать в общих чертах; 2) предвещать, предзнаменовать; 3) затемнять, бросать тень.

adumbration [ˌædʌm'breiʃən] *n* 1) набросок, эскиз; 2) смутное представление; 3) затемнение, тень.

adust [ə'dʌst] *a* 1) выжженный, сожжённый солнцем; ссохшийся от зноя; 2) загорелый; 3) жёлчный; мрачный, угрюмый.

ad valorem ['ædvə'lɔːrem] *лат.* 1. *a* соответствующий стоимости; ~ duties пошлины, взимаемые соответственно стоимости товара;
2. *adv* соответственно стоимости.

advance [əd'vɑːns] 1. *n* 1) продвижение; 2) *воен.* наступление; 3) успех, прогресс; улучшение; 4) предварение; упреждение (*тж. тех.*); in ~ вперёд, заранее; in ~ of smth. а) впереди чего-л.; б) раньше чего-л.; to be in ~ а) опередить, обогнать; б) идти вперёд, спешить (*о часах*); 5) продвижение (*по службе*); 6) повышение (*цен и т. п.*); 7) ссуда; аванс; 8) *эл.* опережение по фазе; 9) *attr.* авансовый; ~ notes *ком.* авансовые тратты; ◇ to make ~s делать авансы, предложения; идти навстречу (*в чём-л.*);
2. *v* 1) подвигаться вперёд; 2) *воен.* наступать; 3) делать успехи, развиваться; 4) продвигать(ся) (*по службе*); 5) повышать(ся) (*в цене*); the bank has ~d the rate of discount to 5% банк повысил процент учёта до пяти; 6) выдвигать (*предложение, возражение*); 7) платить авансом; 8) ссужать деньги.

advanced [əd'vɑːnst] 1. *p. p. от* advance 2;
2. *a* 1) выдвинутый вперёд; 2) передовой; ~ ideas передовые идеи; 3) успевающий (*об ученике*); 4) продвинутый; повышенного типа; ~ studies занятия *или* курс повышенного типа; ◇ ~ in years престарелый.

advance-guard [əd'vɑːnsgɑːd] *n* авангард.

advancement [əd'vɑːnsmənt] *n* 1) продвижение; 2) успех, прогресс.

advantage [əd'vɑːntɪdʒ] 1. *n* 1) преимущество (of, over — над); благоприятное положение; to gain an ~ over smb. взять над кем-л. верх; to have the ~ of smb. иметь преимущество перед кем-л.; to take ~ of smb. обмануть, перехитрить кого-л.; to take ~ of smth. воспользоваться чем-л.; to take smb. at ~ захватить кого-л. врасплох; 2) выгода, польза; to ~ выгодно, хорошо; в выгодном свете;
2. *v* давать преимущество, благоприятствовать, помогать, продвигать; приносить выгоду, пользу.

advantageous [ˌædvən'teɪdʒəs] *a* благоприятный; выгодный; полезный.

advent ['ædvənt] *n* 1) приход, прибытие; 2) (A.) *рел.* пришествие; 3) (A.) *церк.* рождественский пост.

adventitious [ˌædven'tɪʃəs] *a* 1) добавочный; 2) случайный; побочный.

adventure [əd'ventʃə] 1. *n* 1) приключение; 2) рискованное предприятие; риск; авантюра; 3) событие, переживание; 4) *уст.* горное предприятие; рудник;

2. *v* 1) рисковать; to ~ one's life рисковать жизнью; 2) отваживаться; рискнуть сказать *или* сделать (*что-л.*).

adventurer [əd'ventʃərə] *n* искатель приключений, авантюрист.

adventuress [əd'ventʃərɪs] *n* искательница приключений, авантюристка.

adventurous [əd'ventʃərəs] *a* 1) безрассудно смелый; 2) предприимчивый; 3) опасный, рискованный.

adverb ['ædvəːb] *n грам.* наречие.

adverbial [əd'vəːbjəl] *a грам.* наречный.

adversary ['ædvəsərɪ] *n* противник, враг (*чего-л.*); соперник.

adversative [əd'vəːsətɪv] *a* 1) выражающий противоположность (*о словах, терминах*); 2) *грам.* противительный.

adverse ['ædvəːs] *a* 1) враждебный; 2) неблагоприятный; вредный; ~ winds противные ветры; it is ~ to their interests это противоречит их интересам; 3) лежащий на(против).

adversity [əd'vəːsɪtɪ] *n* 1) напасти, несчастья, бедствия; 2) неблагоприятная обстановка.

advert [əd'vəːt] *v* ссылаться; упоминать; обращаться (*к чему-л.*); касаться; to ~ to other matters коснуться других вопросов.

advertence, -cy [əd'vəːtəns, -sɪ] *n* внимательное отношение, внимание.

advertise ['ædvətaɪz] *v* 1) помещать объявление; рекламировать; to ~ for smth. делать объявление о чём-л. (*в печатном органе*); 2) искать по объявлению; 3) извещать, объявлять.

advertisement [əd'vəːtɪsmənt] *n* 1) объявление; реклама; анонс; 2) *attr.* рекламный; ~ column столбец *или* отдел объявлений в газете.

advertiser ['ædvətaɪzə] *n* 1) лицо, помещающее объявление; 2) газета с объявлениями.

advertize ['ædvətaɪz] = advertise.

advice [əd'vaɪs] *n* 1) совет; 2) консультация (*юриста, врача*); 3) извещение; 4) (*обыкн. pl*) сообщение; 5) (*обыкн. pl*) *ком.* авизо (*тж.* letter of ~); 6) *уст.* мнение, суждение; 7) *attr.:* ~ boat *уст.* посыльное судно.

advisable [əd'vaɪzəbl] *a* 1) рекомендуемый; целесообразный; желательный; 2) благоразумный.

advise [əd'vaɪz] *v* 1) советовать; to ~ with smb. on (*или* about) smth. советоваться с кем-л. о чём-л.; 2) консультировать; 3) извещать, сообщать.

advised [əd'vaɪzd] 1. *p. p. от* advise; 2. *a* 1) осведомлённый; 2) обдуманный, намеренный; 3) осторожный; рассудительный.

advisedly [əd'vaɪzɪdlɪ] *adv* 1) намеренно; 2) благоразумно.

adviser [əd'vaɪzə] *n* советник; консультант; legal ~ юрисконсульт; medical ~ врач.

advisory [əd'vaɪzərɪ] *a* совещательный; консультативный.

advocacy ['ædvəkəsɪ] *n* 1) защита; 2) пропаганда (*какой-л. меры, взглядов и т. п.*).

advocate 1. *n* ['ædvəkɪt] 1) защи́тник; сторо́нник (*мнения*); 2) адвока́т (*особ. в Шотландии*); Lord A. *шотл.* генера́льный прокуро́р;
2. *v* ['ædvəkeɪt] отста́ивать; подде́рживать, пропаганди́ровать (*какую-л. меру, взгляды и т. п.*); to ~ peace вы́ступить в защи́ту ми́ра.

adynamia [,ædɪ'neɪmɪə] *n* сла́бость, поте́ря сил; физи́ческая простра́ция.

adz(e) [ædz] 1. *n тех.* тесло́; струг, ско́бель;
2. *v* теса́ть, строга́ть, обтёсывать.

aegis ['ɪ́dʒɪs] *n* 1) эги́да; 2) защи́та.

aegrotat [ɪ'ɡroutæt] *n* спра́вка о боле́зни (*англ. студента, отсутствующего на экзамене*).

Aeneas [ɪ'nɪ̄æs] *n миф.* Эне́й.

Aeolian [ɪ'ouljən] *a:* ~ harp Эо́лова а́рфа.

aeon ['ɪ̄ən] *n* 1) ве́чность; 2) *геол.* э́ра.

aerate ['eɪəreɪt] *v* 1) прове́тривать, вентили́ровать; 2) гази́ровать.

aerated water ['eɪəreɪtɪd'wɔːtə] *n* газиро́ванная вода́.

aeration [,eɪə'reɪʃən] *n* 1) прове́тривание, вентили́рование; ~ of the soil аэра́ция по́чвы; 2) гази́рование.

aerial ['eərɪəl] 1. *a* 1) возду́шный, эфи́рный; ~ acrobatics вы́сший пилота́ж; ~ ambulance санита́рный самолёт; ~ camera аэрофотоаппара́т; ~ gunner авиапулемётчик; ~ machine-gun авиапулемёт; ~ photography аэрофотосъёмка; ~ survey аэросъёмка; ~ mapping то́чная вертика́льная аэрофотосъёмка; ~ mine возду́шная ми́на; ~ navigation аэронавига́ция; ~ railway, ~ ropeway подвесна́я кана́тная доро́га; ~ reconnaissance аэроразве́дка; ~ sickness возду́шная боле́знь; ~ system радиосе́ть; ~ wire анте́нна; 2) надзе́мный; 3) нереа́льный;
2. *n* анте́нна.

aerie ['eərɪ] *n* 1) орли́ное гнездо́ (*тж. перен. о доме на неприступной скале*); 2) вы́водок (*в гнезде хищной птицы*).

aeriform ['eərɪ,fɔːm] *a* 1) возду́шный, газообра́зный; ~ body газообра́зное те́ло; 2) нереа́льный.

aerify ['eərɪfaɪ] *v* 1) превраща́ть в газообра́зное состоя́ние; 2) гази́ровать.

aerobatics ['eərou'bætɪks] *n pl* (*употр. как sing*) вы́сший пилота́ж, фигу́рные полёты.

aerobiology ['eəroubaɪ'ɔlədʒɪ] *n* аэробиоло́гия.

aerobomb ['eəroubɔm] *n* авиабо́мба.

aerocamera [,eərou'kæmərə] *n* аэрофотоаппара́т.

aerocarrier ['eərou'kærɪə] *n* авиано́сец.

aerodonetics [,eəroudə'netɪks] *n pl* (*употр. как sing*) тео́рия планери́зма, тео́рия паре́ния.

aerodrome ['eərədroum] *n* аэродро́м.

aerodynamic(al) ['eəroudaɪ'næmɪk(əl)] *a* аэродинами́ческий.

aerodynamics ['eəroudaɪ'næmɪks] *n pl* (*употр. как sing*) аэродина́мика.

aerodyne ['eəroudaɪn] *n* лета́тельный аппара́т тяжеле́е во́здуха.

aeroembolism [,eərou'embəlɪzəm] *n* кессо́нная боле́знь.

aero-engine ['eərou'endʒɪn] *n* авиацио́нный мото́р, авиамото́р.

aerofoil ['eərou,fɔɪl] *n ав.* несу́щая пове́рхность; про́филь (крыла́); крыло́, ду́жка.

aerogram ['eərou,ɡræm] *n* радиогра́мма.

aerogun ['eərou,ɡʌn] *n* авиапу́шка; авиапулемёт.

aerojet ['eərou'dʒet] *a* возду́шно-реакти́вный.

aerolite ['eərəlaɪt] *n* аэроли́т, ка́менный метеори́т.

aerology [eə'rɔlədʒɪ] *n* аэроло́гия.

aeromechanics [,eəroumɪ'kænɪks] *n pl* (*употр. как sing*) аэромеха́ника.

aerometer [eə'rɔmɪtə] *n* аэроме́тр.

aeronaut ['eərənɔːt] *n* воздухопла́ватель, аэрона́вт.

aeronautic(al) [,eərə'nɔːtɪk(əl)] *a* воздухопла́вательный; авиацио́нный.

aeronautics [,eərə'nɔːtɪks] *n pl* (*употр. как sing*) аэрона́втика.

aeronavigation ['eərou,nævɪ'ɡeɪʃn] *n* аэронавига́ция.

aerophone ['eərəfoun] *n* звукоусили́тель; усили́тель звуко́вых волн.

aerophore ['eərəfɔː] *n* аэрофо́р (*прибор, снабжающий воздухом водолазов, рабочих в шахтах и т. п.*).

aeroplane ['eərəpleɪn] *n* 1) самолёт, аэропла́н; 2) *attr.:* ~ carrier авиано́сец; ~ shed анга́р.

aeroport ['eərəpɔːt] *n* аэропо́рт.

aerostat ['eəroustæt] *n* аэроста́т; возду́шный шар.

aerostatics [,eərou'stætɪks] *n pl* (*употр. как sing*) 1) аэроста́тика; 2) воздухоплава́ние.

aerostation [,eərou'steɪʃən] *n* воздухоплава́ние.

aerotechnics [,eərou'teknɪks] *n pl* (*употр. как sing*) авиате́хника.

aery ['eərɪ] == aerie.

Aesop ['ɪ̄sɔp] *n* Эзо́п.

aesthete ['ɪ̄sθɪ̄t] *n* эсте́т.

aesthetic [ɪs'θetɪk] *a* эстети́ческий.

aesthetics [ɪs'θetɪks] *n pl* (*употр. как sing*) эсте́тика.

aestho-physiology ['ɪ̄sθoufɪzɪ'ɔlədʒɪ] *n* физиоло́гия о́рганов чувств.

aetiology [,ɪ̄tɪ'ɔlədʒɪ] *n* этиоло́гия, уче́ние о причи́нах (*особ. болезней*).

afar [ə'fɑː] *adv* 1) вдалеке́ (обы́кн. ~ off); 2) и́здали, издалека́ (*тж.* from ~).

affability [,æfə'bɪlɪtɪ] *n* приве́тливость; любе́зность, ве́жливость.

affable ['æfəbl] *a* приве́тливый; любе́зный, ве́жливый.

affair [ə'feə] *n* 1) де́ло; it is an ~ of a few days э́то вопро́с не́скольких дней; it is my ~ э́то моё де́ло; mind your own ~ э́то не су́йтесь не в своё де́ло; an ~ of honour а) де́ло че́сти; б) дуэ́ль; 2) *pl* дела́, заня́тия; a man of ~s делово́й челове́к; 3) *разг.* «исто́рия», «вещь», «шту́ка»; 4) любо́вная связь; to have an ~ with smb. быть в связи́ с кем-л.; 5) *воен.* де́ло, сты́чка.

affect I [ə'fekt] v 1) действовать (*на кого-л.*); воздействовать; влиять; 2) трогать, волновать; the news ~ed him известие взволновало его; 3) задевать, затрагивать; to ~ the interest затрагивать интересы; to ~ the character порочить репутацию; 4) поражать (*о болезни*); ~ed by cold простуженный.

affect II [ə'fekt] v 1) притворяться, делать для вида, прикидываться; to ~ ignorance отделываться незнанием; прикидываться незнающим; 2) любить (*что-л.*).

affectation [ˌæfek'teiʃən] n 1) показная любовь (*к чему-л.*); 2) аффектация, жеманство; 3) искусственность (*языка, стиля*).

affected I [ə'fektid] 1. *p. p. от* affect I; 2. *a* 1) тронутый; задетый; 2) поражённый болезнью.

affected II [ə'fektid] 1. *p.p. от* affect II; 2. *a* аффектированный, притворный; жеманный.

affection [ə'fekʃən] n 1) (*часто pl*) привязанность, любовь (towards); the object of his ~s предмет его любви; 2) болезнь; mental ~ психическое заболевание, душевная болезнь.

affectionate [ə'fekʃnit] a любящий; нежный; an ~ farewell нежное прощание.

affective [ə'fektiv] a эмоциональный.

afferent ['æfərənt] a центростремительный; ~ nerves центростремительные (*или* чувствительные) нервы.

affiance [ə'faiəns] 1. n 1) доверие (in, on — к); 2) обручение.

2. v давать обещание (*при обручении*); they were ~d они были обручены.

affiant [ə'faiənt] n юр. свидетель, дающий показание под присягой.

affidavit [ˌæfi'deivit] n юр. письменное показание под присягой; to swear (*или to* make) an ~ давать показания под присягой; to take an ~ а) снимать показания; б) *распр.* давать показания.

affiliate [ə'filieit] v 1) принимать в члены; 2) присоединять как филиал (with, to); 3) присоединяться (with — к); 4) устанавливать связи (*культурные и т. п.*); 5) *юр.* усыновлять; 6) *юр.* устанавливать отцовство; *перен.* устанавливать авторство.

affiliated societies [ə'filieitidsə'saiətiz] n pl филиалы.

affiliation [əˌfili'eiʃən] n 1) приём в члены *и пр.* [*см.* affiliate]; 2) attr.: ~ fee вступительный взнос.

affinage [ə'finidʒ] n тех. рафинирование, очистка.

affined [ə'faind] a родственный (*в каком-л. отношении*); сродный.

affinity [ə'finiti] n 1) свойство; 2) родственность, близость; родовое сходство (with, between); linguistic ~ языковое родство; 3) привлекательность; 4) влечение; 5) *хим.* сродство.

affirm [ə'fəm] v 1) утверждать; 2) подтверждать.

affirmation [ˌæfə'meiʃən] n 1) утверждение; 2) подтверждение.

affirmative [ə'fəmətiv] 1. a утвердительный;

2. n: to answer in the ~ отвечать утвердительно.

affix 1. n ['æfiks] 1) прибавление, придаток; 2) *грам.* аффикс;

2. v [ə'fiks] 1) прикреплять (to, on, upon); 2) присоединять; 3) поставить (*подпись*); приложить (*печать*); to ~ a stamp приклеить марку.

afflatus [ə'fleitəs] n 1) вдохновение; 2) божественное откровение.

afflict [ə'flikt] v огорчать; причинять боль, страдание; беспокоить, тревожить; to be ~ed with the gout страдать подагрой.

affliction [ə'flikʃən] n 1) горе, несчастье; бедствие; the bread of ~ горький хлеб; 2) огорчение, печаль.

affluence ['æfluəns] n 1) изобилие; 2) богатство; 3) наплыв, приток; стечение.

affluent ['æfluənt] 1. n 1) приток (*реки*); 2) *гидр.* подпор (*реки*);

2. a 1) изобильный; 2) богатый; 3) приливающий; притекающий.

afflux ['æflʌks] n 1) прилив, приток; 2) *мед.* прилив (*крови*).

afford [ə'fɔːd] v 1) (быть в состоянии) позволить себе (*часто* can ~ *или* be able to ~); I can't ~ it это мне не по карману; she can ~ to buy a motor-car она может купить себе автомашину; I cannot ~ the time мне некогда; 2) давать, предоставлять; приносить (*урожай, доход и т. п.*); доставлять (*удовольствие, радость*); the district ~s minerals в этом районе имеются полезные ископаемые; to ~ a basis служить опорой; to ~ cover давать укрытие; to ~ ground for давать основания для; предоставлять возможность *и т. п.*

afforest [æ'fɔrist] v засадить лесом, облесить.

afforestation [æˌfɔris'teiʃən] n лесонасаждение; облесение.

affranchise [ə'fræntʃaiz] v делать свободным, освобождать (*от рабства, обета и т. п.*).

affray [ə'frei] 1. n нарушение общественного спокойствия, скандал, драка;

2. v уст. пугать.

affreightment [ə'freitmənt] n мор. зафрахтование.

affricate ['æfrikit] n фон. аффриката.

affright [ə'frait] уст. 1. n испуг;

2. v пугать.

affront [ə'frʌnt] 1. n (публичное) оскорбление; to put an ~ upon smb., to offer an ~ to smb. нанести оскорбление кому-л.;

2. v 1) оскорблять; 2) смотреть в лицо (*опасности и т. п.*); бросать вызов.

affusion [ə'fjuːʒən] n 1) обливание; 2) опускание в купель.

Afghan ['æfgæn] 1. a афганский.

2. n 1) афганец; афганка; 2) афганский язык; 3) (а.) *амер.* вязаный шерстяной платок.

afghani [æf'gæni] n афгани (*денежная единица Афганистана*).

afield [ə'fiːld] adv 1) в поле; на поле; 2) на войне; на войну; ◇ far ~ вдалеке.

afire [ə'faiə] 1. a predic. в огне; to set ~ поджигать;

2. *adv* в ого́нь; в огне́.

aflame [ə'fleɪm] *a predic.*, *adv* в огне́.

aflat [ə'flæt] *adv* горизонта́льно; пло́ско.

afloat [ə'flout] *a predic.*, *adv* 1) на воде́; на плаву́; 2) в мо́ре; 3) на слу́жбе в вое́нном фло́те; 4) в по́лном разга́ре (*де́ятельности*); 5) в ходу́; various rumours were ~ ходи́ли ра́зные слу́хи.

afoot [ə'fut] *a predic.* пешко́м; в движе́нии; ◇ to be ~ гото́виться, затева́ться.

afore [ə'fɔː] *мор. см.* before.

afore- [ə'fɔː-] *pref* пре́жде-, вы́ше-; **aforesaid**, **aforementioned** вышеупомя́нутый, вышеизло́женный, вышеска́занный.

aforecited [ə'fɔːsaɪtɪd] *a* вышеприведённый, вышеука́занный.

aforegoing [ə'fɔːgouɪŋ] *a* предше́ствующий.

aforenamed [ə'fɔːneɪmd] *a* вышена́званный.

aforethought [ə'fɔːθɔːt] *a* преднаме́ренный, умы́шленный.

aforetime [ə'fɔːtaɪm] *adv* пре́жде, встарь, в было́е вре́мя.

afraid [ə'freɪd] *a predic.* испу́ганный; to be ~ of smth. боя́ться чего́-л.; I am ~ to wake him, I am ~ of waking him я не реша́юсь его́ буди́ть; I am ~ that I shall wake him бою́сь, как бы я его́ не разбуди́л; to make ~ пуга́ть; I'm ~ I'm late *разг.* я, ка́жется, опозда́л.

afreet ['æfriːt] *n миф.* афри́т (*могу́чий злой дух, де́мон*).

afresh [ə'freʃ] *adv* сно́ва, сы́знова.

African ['æfrɪkən] 1. *a* африка́нский; 2. *n* африка́нец; африка́нка.

Afrikan(d)er [,æfrɪ'kæn(d)ə] *n* уроже́нец Ю́жной А́фрики европе́йского происхожде́ния (*ocoб.* голла́ндец), африка́ндер.

afrit ['æfriːt] *n* = afreet.

aft [ɑːft] *adv мор.* в кормово́й ча́сти; в корме́, на корме́; по направле́нию к корме́; fore and ~ во всю длину́, от но́са к корме́.

after ['ɑːftə] 1. *prep* 1) *ука́зывает на местонахожде́ние позади́ да́нного предме́та или движе́ние вдого́нку* за, позади́; my name comes ~ yours моя́ фами́лия стои́т за ва́шей; she entered ~ her sister она́ вошла́ за свое́й сестро́й; 2) *ука́зывает на после́довательную сме́ну явле́ний или промежу́ток вре́мени, по́сле кото́рого произошло́ или произойдёт де́йствие* по́сле, за, че́рез, спустя́; day ~ day день за днём; she will come ~ supper она́ придёт по́сле у́жина; they met ~ ten years они́ встре́тились че́рез де́сять лет; ~ his arrival по́сле его́ прие́зда; 3) *ука́зывает на схо́дство с чем-л. или подража́ние чему-л.* по, с, согла́сно; ~ the same pattern по тому́ же образцу́; an etching ~ Gainsborough гравю́ра с (*карти́ны или рису́нка*) Ге́йнсборо; the latest fashion по после́дней мо́де; the boy takes ~ his father сын во всём похо́ж на отца́; each acted ~ his kind ка́ждый де́йствовал по-сво́ему; 4) *ука́зывает на внима́ние, забо́ту о ком-л.* о, за; to look ~ smb. смотре́ть за кем-л.; to ask (*или* to inquire) ~ smb. спра́шивать, справля́ться о ком-л.; 5) *выража́ет уступи́тельность* несмотря́ на; ~ all my trouble he has learnt nothing несмотря́ на все мои́

стара́ния, он ничему́ не научи́лся; ◇ ~ all в конце́ концо́в; ~ a manner не о́чень хорошо́, нева́жно; what is he ~ что ему́ ну́жно?; куда́ он гнёт?;

2. *cj* по́сле того́ как; soon ~ he arrived he began to work at school вско́ре по́сле того́, как он прие́хал, он стал рабо́тать в шко́ле;

3. *adv* 1) сза́ди, позади́; 2) позднее; пото́м, зате́м; впосле́дствии; soon ~ вско́ре по́сле э́того;

4. *a* 1) за́дний; the ~ part of the ship кормова́я часть корабля́; 2) после́дующий; in ~ years в бу́дущем.

afterbirth ['ɑːftəbəːθ] *n анат.* послед, де́тское ме́сто.

afterburning ['ɑːftə,bəːnɪŋ] *n тех.* дожига́ние то́плива.

afterclap ['ɑːftə,klæp] *n* неожи́данно после́довавшее (неприя́тное) собы́тие.

aftercrop ['ɑːftəkrɔp] *n с.-х.* второ́й урожа́й; второ́й уко́с, ота́ва.

afterdamp ['ɑːftə,dæmp] *n горн.* уду́шливый газ; га́зовая смесь, образу́ющаяся по́сле взры́ва рудни́чного га́за.

after-effect ['ɑːftərɪˌfekt] *n* после́дствие; результа́т, вы́явившийся позднее.

after-game ['ɑːftəˌgeɪm] *n* 1) попы́тка отыгра́ться; 2) сре́дства, пу́щенные в ход позднее.

afterglow ['ɑːftəglou] *n* 1) вече́рняя заря́; 2) прия́тное чу́вство, оста́вшееся по́сле чего́-л.

after-grass ['ɑːftəˌgrɑːs] *n* ота́ва, второ́й уко́с.

afterimage ['ɑːftərˌɪmɪdʒ] *n* оста́точное изображе́ние (*на экра́не электро́нно-лучево́й тру́бки*).

after-life ['ɑːftəˌlaɪf] *n* 1) загро́бная жизнь; 2) втора́я полови́на жи́зни; го́ды зре́лости; после́дующие го́ды жи́зни.

afterlight ['ɑːftəˌlaɪt] *n* 1) *театр.* за́дний свет; 2) то, что стано́вится я́сным позднее.

aftermath ['ɑːftəmæθ] *n* 1) = after-grass; 2) после́дствия.

aftermost ['ɑːftəˌmoust] *a* са́мый за́дний; после́дний.

afternoon ['ɑːftə'nuːn] *n* вре́мя по́сле полу́дня; послеобе́денное вре́мя; in the ~ по́сле полу́дня, днём; ◇ good ~! до́брый день! (*при встре́че во второ́й полови́не дня*); до свида́ния! (*при расстава́нии во второ́й полови́не дня*); in the ~ of one's life на скло́не лет; ~ farmer безде́льник, лентя́й.

afterpeak ['ɑːftəpiːk] *n мор.* ахтерпи́к.

afterpiece ['ɑːftəpiːs] *n* дивертисме́нт; пье́ска, дава́емая в заключе́ние представле́ния или конце́рта.

aftershock ['ɑːftəˌʃɔk] *n геол.* толчо́к по́сле основно́го землетрясе́ния.

aftertaste ['ɑːftəˌteɪst] *n* вкус, остаю́щийся во рту по́сле еды́, куре́ния *и т. п.*

afterthought ['ɑːftəθɔːt] *n* 1) мысль, прише́дшая в го́лову сли́шком по́здно; he had the ~ ему́ э́то то́лько пото́м пришло́ в го́лову; 2) разду́мье.

afterwards ['ɑːftəwədz] 1. *adv* впосле́дствии, пото́м, по́зже;

2. *n редк.* 1) бу́дущее; 2) бу́дущая жизнь, загро́бная жизнь.

again [ə'gen] *adv* 1) сно́ва, опя́ть; to be oneself ~ опра́виться по́сле боле́зни; 2) с друго́й стороны́; же; these ~ are more expensive но э́ти, с друго́й стороны́, доро́же; 3) кро́ме того́, к тому́ же; ◇ as much ~ ещё сто́лько же; ~ and ~ сно́ва и сно́ва, то и де́ло; now and ~ иногда́; вре́мя от вре́мени; time and ~ неоднокра́тно, то и де́ло, ча́сто; half as high ~ as smb., half ~ smb.'s height в полтора́ ра́за вы́ше, чем кто-л.; half ~ his size гора́здо кру́пнее его́.

against [ə'genst] *prep* 1) *указывает на противоположное направление или положение* про́тив; he went ~ the wind он шёл про́тив ве́тра; ~ the hair (*или* the grain) про́тив волокна́ *или* ше́рсти; *перен.* про́тив ше́рсти; 2) *указывает на опору, фон, препятствие* о, об, по, на, к; ~ a dark background на тёмном фо́не; she leaned ~ the fence она́ прислони́лась к забо́ру; a ladder standing ~ the wall ле́стница, прислонённая к стене́; to knock ~ a stone споткну́ться о ка́мень; 3) *указывает на непосредственное соседство* ря́дом, у; the house ~ the cinema дом ря́дом с кино́; 4) *указывает на столкновение или соприкосновение* на, с; to run ~ a rock наскочи́ть на скалу́; he ran ~ his brother он столкну́лся со свои́м бра́том; 5) *указывает на определённый срок* к, на; ~ the end of the month к концу́ ме́сяца; 6) *указывает на противодействие, несогласие с чем-л.* про́тив; she did it ~ my will она́ сде́лала э́то про́тив мое́й во́ли; to struggle ~ difficulties боро́ться с тру́дностями; 7) *указывает на подготовку к чему-л.* на, про; ~ a rainy day про чёрный день; to store up food ~ winter запасти́сь пи́щей на́ зиму; they took insurance policy ~ their children's education они́ застрахова́лись, чтобы обеспе́чить свои́м де́тям образова́ние; ◇ to be up ~ (it) стоя́ть пе́ред зада́чей; встре́тить тру́дности; to talk ~ time a) говори́ть с це́лью заде́ржки (*напр., ради обструкции*) *или* с це́лью вы́играть вре́мя; б) уложи́ться в устано́вленное вре́мя (*об ораторе*); to run ~ time стара́ться поби́ть ра́нее устано́вленный реко́рд; to work ~ time стара́ться ко́нчить рабо́ту к определённому вре́мени; to tell a story ~ smb. рассказа́ть про кого́-л., наговори́ть на кого́-л.

agamic [ə'gæmɪk] *a биол.* беспо́лый.

agape [ə'geɪp] *a predic.* рази́нув рот.

agaric ['ægərɪk] *n бот.* пласти́нчатый гриб.

agate ['æɡət] *n* 1) *мин.* ага́т; 2) *амер. полигр.* шрифт разме́ром в $5\frac{1}{2}$ пу́нктов.

agave [ə'geɪvɪ] *n бот.* ага́ва.

agaze [ə'geɪz] *a predic.* в изумле́нии.

age [eɪdʒ] **1.** *n* 1) во́зраст; ~ of discretion во́зраст, с кото́рого челове́к счита́ется отве́тственным за свои́ посту́пки (*14 лет*); awkward ~ перехо́дный во́зраст; middle ~ пожило́й во́зраст; сре́дний во́зраст; to be (*или* to act) one's ~ вести́ себя́ соотве́тственно во́зрасту, разу́мно; this wine lacks ~ э́то вино́ недоста́точно вы́держано; ~ of

stand *лес.* во́зраст насажде́ния; 2) совершенноле́тие (*тж.* full ~); to be of ~ быть совершенноле́тним; to be under ~ быть несовершенноле́тним; to come of ~ дости́чь совершенноле́тия; 3) ста́рость; the infirmities of ~ ста́рческие не́мощи; 4) поколе́ние; 5) век; пери́од, эпо́ха (*тж. геол.*); Middle Ages сре́дние века́; Ice A. леднико́вый пери́од; ~ of fishes дево́н; 6) (*часто pl*) *разг.* до́лгий срок; I have not seen you for ~s я не ви́дел вас це́лую ве́чность; ◇ to bear one's ~ well хорошо́ вы́глядеть для своего́ во́зраста; каза́ться моло́же свои́х лет;

2. *v* 1) старе́ть; 2) ста́рить; 3) *тех.* подверга́ть старе́нию.

aged 1. [eɪdʒd] *p.p. от* age 2;

2. *a* 1) ['eɪdʒɪd] ста́рый; пожило́й; соста́рившийся; 2) [eɪdʒd] дости́гший тако́го-то во́зраста; ~ ten десяти́ лет; 3) [eɪdʒd] ста́рческий; ◇ carefully ~ steaks хорошо́ зажа́ренные отбивны́е;

3. *n* (the ~) *pl собир.* старики́.

ageing ['eɪdʒɪŋ] **1.** *pres. p. от* age 2; **2.** *n* 1) старе́ние; 2) вызрева́ние, созрева́ние.

ageless ['eɪdʒlɪs] *a* нестаре́ющий; ве́чный.

agelong ['eɪdʒlɔŋ] *a* о́чень до́лгий, ве́чный.

agency ['eɪdʒənsɪ] *n* 1) де́йствие; де́ятельность; 2) сре́дство, посре́дство; соде́йствие, посре́дничество; by the ~, through the ~ посре́дством; 3) аге́нтство; 4) о́рган (*учреждение, организация*); 5) си́ла, фа́ктор.

agenda [ə'dʒendə] *n pl* (*иногда употр. как sing*) 1) пове́стка дня; 2) па́мятная кни́жка.

agent ['eɪdʒənt] *n* 1) де́ятель; 2) аге́нт, представи́тель, посре́дник, дове́ренное лицо́; forwarding ~ экспеди́тор; station ~ *амер.* нача́льник ста́нции; ticket ~ *амер.* касси́р биле́тной ка́ссы; road ~ *амер.* разбо́йник с большо́й доро́ги; 3) *pl* агенту́ра; 4) де́йствующая си́ла; фа́ктор; вещество́; chemical ~ хими́ческое вещество́, реакти́в; physical ~ физи́ческое те́ло.

age-old ['eɪdʒould] *a* веково́й; о́чень да́вний.

agglomerate 1. *n* [ə'glomərɪt] *тех.* агломера́т;

2. *v* [ə'gloməreɪt] собира́ть(ся); скопля́ть(ся) (*в кучу, в массу*).

agglomeration [ə,glomə'reɪʃən] *n* 1) нака́пливание; скопле́ние; 2) *тех.* агломера́ция; спека́ние, слипа́ние.

agglutinate 1. *v* [ə'glutɪneɪt] 1) скле́ивать; 2) превраща́ть(ся) в клей;

2. *a* [ə'glutɪnɪt] 1) скле́енный; 2) *лингв.* агглютинати́вный.

agglutination [ə,glutɪ'neɪʃən] *n* 1) скле́ивание; 2) *лингв.* агглютина́ция.

agglutinative [ə'glutɪnətɪv] *a* 1) скле́ивающий; 2) *лингв.* агглютинати́вный.

aggrandize [ə'grændaɪz] *v* 1) увели́чивать (*мощь, благосостояние*); 2) возвели́чивать; 3) повыша́ть (*в ранге и т. п.*); 4) преувели́чивать; приукра́шивать.

aggrandizement [ə'grændɪzmənt] n 1) увеличе́ние; расшире́ние; 2) повыше́ние.

aggravate ['ægrəveɪt] v 1) отягча́ть, усугубля́ть; ухудша́ть; 2) разг. раздража́ть, надоеда́ть; огорча́ть.

aggravating ['ægrəveɪtɪŋ] 1. pres.p. om aggravate;
2. a ухудша́ющий и пр. [см. aggravate]; ~ circumstances юр. отягча́ющие вину́ обстоя́тельства.

aggravation [,ægrə'veɪʃən] n ухудше́ние и пр. [см. aggravate].

aggregate 1. n ['ægrɪgɪt] 1) совоку́пность; in the ~ в совоку́пности; 2) агрега́т;
2. a ['ægrɪgɪt] 1) со́бранный вме́сте; о́бщий; весь; ~ membership о́бщее число́ чле́нов; the ~ forces совоку́пные си́лы; ~ capacity mex. по́лная мо́щность; 2) бот. состоя́щий из отде́льных расте́ний; 3) зоол. состоя́щий из отде́льных органи́змов; 4) геол. состоя́щий из отде́льных минера́лов;
3. v ['ægrɪgeɪt] 1) собира́ть в одно́ це́лое; собира́ться; 2) приобща́ть (to — к организа́ции); 3) разг. равня́ться, составля́ть в о́бщем (су́мму).

aggregation [,ægrɪ'geɪʃən] n 1) собира́ние; 2) агрега́т; 3) скопле́ние; ма́сса; конгломера́т; 4) си́ла сцепле́ния.

aggression [ə'greʃən] n 1) нападе́ние, агре́ссия; war of ~ агресси́вная война́; 2) вызыва́ющее поведе́ние.

aggressive [ə'gresɪv] a 1) напада́ющий; агресси́вный; 2) амер. энерги́чный, насто́йчивый.

aggressiveness [ə'gresɪvnɪs] n 1) агресси́вность; 2) вызыва́ющий о́браз де́йствий, вызыва́ющее поведе́ние.

aggressor [ə'gresə] n 1) агре́ссор; 2) напада́ющая сторона́; зачи́нщик.

aggrieve [ə'grɪːv] v обижа́ть; огорча́ть; удруча́ть.

aghast [ə'gɑːst] a predic. поражённый у́жасом; ошеломлённый.

agile ['ædʒaɪl] a прово́рный; бы́стрый; живо́й, подвижно́й (тж. перен.); ~ mind живо́й ум.

agility [ə'dʒɪlɪtɪ] n прово́рство, быстрота́, жи́вость, ло́вкость.

aging ['eɪdʒɪŋ] = ageing.

agio ['ædʒɪou] n (pl -os[-ouz]) фин. 1) а́жио, лаж; 2) биржева́я игра́.

agiotage ['ædʒətɪdʒ] n 1) ажиота́ж; 2) биржева́я игра́, спекуля́ция.

agist [ə'dʒɪst] v 1) брать чужо́й скот на вы́гон; 2) облага́ть владе́льцев луго́в и па́стбищ осо́бым нало́гом.

agitate I ['ædʒɪteɪt] v агити́ровать.

agitate II ['ædʒɪteɪt] v 1) волнова́ть; возбужда́ть; 2) трясти́; взба́лтывать; 3) mex. переме́шивать.

agitated I ['ædʒɪteɪtɪd] 1. p.p. om agitate II;
2. a взволно́ванный, возбуждённый.

agitated II ['ædʒɪteɪtɪd] p.p. om agitate I.

agitation I [,ædʒɪ'teɪʃən] n агита́ция; outdoor ~ агита́ция вне парла́мента.

agitation II [,ædʒɪ'teɪʃən] n 1) волне́ние;

трево́га; 2) mex. колеба́ние; переме́шивание.

agitator I ['ædʒɪteɪtə] n агита́тор.

agitator II ['ædʒɪteɪtə] n mex. меша́лка.

aglet ['æglət] n 1) аксельба́нт; 2) металли́ческий наконе́чник шнурка́; 3) бот. серёжка (форма соцве́тия).

aglow [ə'glou] a predic. 1) пыла́ющий; раскалённый докрасна́; 2) возбуждённый; all ~ with delight (exercise) раскрасне́вшись от удово́льствия (упражне́ний, прогу́лки).

agnail ['ægneɪl] n заусе́ница; ногтое́да, панари́ций.

agnate ['ægneɪt] 1. n ро́дственник по мужско́й ли́нии;
2. a 1) ро́дственный по отцу́; име́ющий о́бщих пре́дков по мужско́й ли́нии; 2) бли́зкий, ро́дственный.

agnation [æg'neɪʃən] n родство́ по отцу́.

agnomen [æg'noumen] n (pl -mina) распр. про́звище.

agnomina [æg'noumɪnə] pl om agnomen.

agnostic [æg'nɔstɪk] 1. n агно́стик;
2. a агности́ческий.

agnosticism [æg'nɔstɪsɪzəm] n агности́цизм.

ago [ə'gou] adv тому́ наза́д; long ~ давно́; not long ~, a while ~ неда́вно.

agog [ə'gɔg] 1. a predic. в напряжённом ожида́нии, в возбужде́нии; to be ~ (on, upon, about, with) быть без ума́ (от); вози́ться (с кем-л., чем-л.);
2. adv в напряжённом ожида́нии, в возбужде́нии; to set smb.'s curiosity ~ возбужда́ть чьё-л. любопы́тство.

a-going [ə'gouɪŋ] a predic., adv в движе́нии; to set ~ пусти́ть в ход.

agonic [æ'gɔnɪk] a не образу́ющий угла́; ~ line ли́ния нулево́го магни́тного склоне́ния.

agonistic [,ægə'nɪstɪk] a 1) атлети́ческий; 2) уча́ствующий в спорти́вном состяза́нии; 3) полеми́ческий.

agonize ['ægənaɪz] v 1) агонизи́ровать, быть в аго́нии, си́льно му́читься; 2) му́чить; 3) прилага́ть отча́янные уси́лия, стра́стно боро́ться (after).

agonizing ['ægənaɪzɪŋ] 1. pres.p. om agonize;
2. a мучи́тельный, стра́шный; ~ suspense мучи́тельная неизве́стность.

agony ['ægənɪ] n 1) аго́ния; сильне́йшая боль; ~ of death, mortal ~ предсме́ртная аго́ния; 2) страда́ние (душевное или физи́ческое); 3) взрыв, внеза́пное проявле́ние (чу́вства); 4) си́льная борьба́; 5) attr.: ~ wagon разг. санита́рная пово́зка, санита́рная маши́на; ~ column разг. газе́тный столбе́ц с объявле́ниями о ро́зыске пропа́вших родны́х и т. п.

agoraphobia [,ægərə'foubɪə] n 1) мед. боя́знь простра́нства, агорафо́бия; 2) боя́знь, стра́хи.

agrarian [ə'grɛərɪən] 1. a 1) агра́рный; ~ laws земе́льные зако́ны; 2) бот. дикорасту́щий;
2. n 1) кру́пный землевладе́лец, агра́рий; 2) сторо́нник агра́рных рефо́рм.

agree [ə'griː] v 1) соглашáться (with— с кем-л.; to— с чем-л., на что-л.); 2) услáвливаться (on, upon— о чём-л.); договáриваться (about); ~d! решенó! по рукáм!; 3) соотвéтствовать, гармонúровать, быть схóдным; 4) сходúться во взглядах; уживáться (тж. ~ together, ~ with); they ~ well онú хорошó лáдят; 5) быть по душé; 6) быть полéзным или приятным; быть подходящим; wine doesn't ~ with me винó мне врéдно; 7) согласóвывать, приводúть в порядок (счета и т. п.); 8) грам. согласóвываться; ◊ we ~ to differ мы отказáлись от попыток убедúть друг дрýга.

agreeable [ə'grɪəbl] 1. a 1) приятный; мúлый; to make oneself ~ старáться понрáвиться, угодúть; 2) разг. выражáющий соглáсие, охóтно готóвый (сделать что-л.); 3) соотвéтствующий (to); 4) приéмлемый; 2. adv = agreeably.

agreeably [ə'grɪəblɪ] adv 1) приятно; ~ surprised приятно удивлён(ный); 2) соотвéтственно.

agreement [ə'griːmənt] n 1) (взаúмное) соглáсие; ~ of opinion единомыслие; to come to an ~ прийтú к соглашéнию; 2) договóр; соглашéние; collective ~ коллектúвный договóр; ~ by piece сдéльная плáта; 3) грам. согласовáние.

agricultural [ˌægrɪ'kʌltʃʊrəl] a сельскохозяйственный, земледéльческий; ~ engineering агротéхника; ~ chemistry агрохúмия.

agriculturalist [ˌægrɪ'kʌltʃʊrəlɪst] = agriculturist.

agriculture ['ægrɪkʌltʃə] n сéльское хозяйство; земледéлие; агрономúя; Board of A. министéрство земледéлия (в Англии).

agriculturist [ˌægrɪ'kʌltʃərɪst] n 1) агронóм; 2) земледéлец.

agrimony ['ægrɪmənɪ] n бот. репéйник.

agrimotor ['ægrɪˌmoutə] n с.-х. трáктор.

agrobiological [ˌægroubaɪə'lɔdʒɪkəl] a агробиологúческий.

agrobiologist [ˌægroubaɪ'ɔlədʒɪst] n агробиóлог.

agrobiology [ˌægroubaɪ'ɔlədʒɪ] n агробиолóгия.

agronomic(al) [ˌægrə'nɔmɪk(əl)] a агрономúческий.

agronomics [ˌægrə'nɔmɪks] n pl (употр. как sing) агронóмия.

agronomist [əg'rɔnəmɪst] n агронóм.

agronomy [ə'grɔnəmɪ] n 1) = agronomics; 2) сéльское хозяйство, земледéлие.

agrostology [ˌægrə'stɔlədʒɪ] n учéние о трáвах.

agrotype [ˌægrou'taɪp] n агротúп, сорт пóчвы, испóльзуемый для сельскохозяйственных цéлей.

aground [ə'graund] 1. a predic. 1) мор. сидящий на мелú; 2) в затруднéнии; 3) без средств;
2. adv мор. на мелú; to go (или to run, to strike) ~ сесть на мель.

ague ['eɪgjuː] n пароксúзм малярúи; лихорáдочный ознóб.

ague-cake ['eɪgjuːkeɪk] n увеличéние селезёнки при хронúческой малярúи.

ague-spleen ['eɪgjuːˌspliːn] n мед. малярúйная (увеличенная) селезёнка.

aguish ['eɪgjuːɪʃ] a 1) малярúйный; подвéрженный малярúи; 2) перемежáющийся.

ah [ɑː] int ax!, a!

aha [ɑː'hɑː] int арá!

ahead [ə'hed] 1. a predic. вперёд, вперéдú; to be (или to get)~ of smb. опередúть когó-л.,
2. adv вперёд; вперéдú; full speed ~! пóлный (ход) вперёд!; to go ~ устремляться вперёд; идтú вперéдú (на состязании); go ~! a) вперёд!; б) продолжáйте!

aheap [ə'hiːp] adv в кýче.

ahem [ə'hem] int «гм».

ahorse(back) [ə'hɔːs(ˌbæk)] a predic. верхóм.

ahoy [ə'hɔɪ] int мор.: ship ~! на кораблé!, на сýдне! (оклик); all hands ~! аврáл!

aid [eɪd] 1. n 1) пóмощь; first ~ station пункт пéрвой пóмощи; 2) помóщник; 3)pl ист. сбóры, налóги; 4) pl воен. вспомогáтельные войскá; 5) pl вспомогáтельные срéдства; пособúя; training ~s учéбные пособúя; (audio-)visual ~s наглядные пособúя; ◊ ~s and appliances приспособлéния, материáльные срéдства;
2. v помогáть; спосóбствовать.

aide-de-camp ['eɪddə'kɑːŋ] фр. n (pl aides-de-camp) адъютáнт.

aide-memoire ['eɪdˌmemwɑː] фр. n пáмятная запúска.

aides-de-camp ['eɪdzdə'kɑːŋ] pl от aide-de-camp.

aid man ['eɪdmæn] n амер. санитáр.

aiglet ['æglət] = aglet.

aigrette ['eɪgret] n 1) султáн, плюмáж; эгрéт; 2) бéлая цáпля; 3) тех. пучóк лучéй.

aiguille ['eɪgwiːl] ф.р. n 1) гóрный пик, остроконéчная вершúна; 2) иглá.

ail [eɪl] 1. v 1) болéть, беспокóить; причинять страдáние; what ~s you? что вас беспокóит?; 2) чýвствовать недомогáние;
2. n редк. нездорóвье.

aileron ['eɪlərən] n (обыкн. pl) ав. 1) элерóн; 2) attr.: ~ angle ýгол отклонéния элерóна.

ailing ['eɪlɪŋ] 1. pres. p. от ail 1;
2. n нездорóвье, недомогáние;
3. a больнóй, нездорóвый.

ailment ['eɪlmənt] n нездорóвье.

aim [eɪm] 1. n 1) цель, намéрение; 2) прицéл; to take ~ прицéливаться; 3) прицéливание;
2. v 1) домогáться, стремúться (at); 2) цéлить(ся), прицéливаться (at); 3) имéть в видý; to ~ high мéтить высóко.

aiming ['eɪmɪŋ] 1. pres.p. от aim 2;
2. n прицéливание, навóдка;
3. a прицéльный; ~ circle воен. бýссоль; ~ fire прицéльный огóнь.

aimless ['eɪmlɪs] a бесцéльный.

ain't [eɪnt] сокр. 1) разг. = are not; диал. = am not, is not; have not.

air [ɛə] 1. n 1) вóздух; атмосфéра; dead ~, stale ~ спéртый, зáтхлый вóздух; to take the ~ прогуляться (ср. тж. ◊); 2) дуновéние, ветерóк; 3) внéшний вид; выражéние лицá; with a triumphant ~ с торжествующим видом; 4) *pl* аффектация, важничанье; to give oneself ~s, to put on ~s важничать, держаться высокомерно; 5) песня; ария; мелодия; ◇ to be in the ~ a) «висеть в воздухе»; находиться в неопределённом положении; б) носиться в воздухе; rumours are in the ~ носятся слухи; в) воен. быть не защищённым воздухом; to melt (*или* to vanish) into thin ~ скрыться из виду, бесследно исчезнуть; on the ~ по радио; they were off the ~ они кончили радиопередачу; to beat the ~ ≅ толочь воду в ступе; заниматься бесполезным делом; попусту стараться; to give a person the ~ *амер. sl.* уволить кого-л. со службы; hot ~ *разг.* болтовня, хвастовство; to take ~ получить огласку [*ср. тж.* 1)]; to tread (*или* to walk) upon ~ ≅ ног под собой не чуять; ликовать, радоваться;

2. *a* 1) воздушный; авиационный, самолётный; ~ fleet воздушный флот; ~ superiority, ~ supremacy превосходство в воздухе; ~ warfare война в воздухе, воздушная война; ~ fight воздушный бой; 2) пневматический;

3. *v* 1) проветривать; вентилировать; 2) сушить (*бельё*); 3) выставлять напоказ, обнародовать.

air arm ['ɛɡɑːm] *n* военно-воздушные силы.

air-balloon ['ɛəbəˌluːn] *n* воздушный шар, аэростат.

air-barrage ['ɛəˌbærɑːʒ] *n* воздушное заграждение (*аэростатами*).

air-base ['ɛəbeɪs] *n* авиабаза.

air beacon ['ɛəˈbiːkən] *n* авиамаяк.

air-bed ['ɛəbed] *n* (резиновый) надувной матрац.

air-bladder ['ɛəˌblædə] *n* плавательный пузырь.

air-blast ['ɛəblɑːst] 1. *n* 1) порыв воздуха; воздушная струя; 2) дутьё;
2. *v* нагнетать воздух.

air-boat ['ɛəˌbout] *n* лодочный гидросамолёт, летающая лодка.

airborne ['ɛəbɔːn] *a* 1) переносимый *или* перевозимый по воздуху; 2) *воен.* воздушнодесантный; 3) *predic.* оторвавшийся от земли; находящийся в воздухе; to become ~ оторваться от земли; all planes are ~ все самолёты в воздухе.

air-brake ['ɛəbreɪk] *n* *тех.* пневматический тормоз.

air-brick ['ɛəˌbrɪk] *n* 1) кирпич воздушной сушки, сырец, саман; 2) пустотелый кирпич.

air-bridge ['ɛəˌbrɪdʒ] *n* воздушный мост.

air-brush ['ɛəbrʌʃ] *n* распылитель краски, краскопульт.

air-cell ['ɛəsel] *n* *анат.* лёгочная альвеола.

air-chamber ['ɛəˌtʃeɪmbə] *n* 1) воздушная камера; 2) *мор.* воздушный ящик.

air chief-marshal ['ɛəˈtʃiːfˌmɑːʃəl] *n* главный маршал авиации.

air-commodore ['ɛəˈkɒmədɔː] *n* бригадный генерал авиации (*в Англии*).

air-condition ['ɛəkənˌdɪʃən] *v* кондиционировать воздух.

air-conditioned ['ɛəkənˈdɪʃənd] 1. *p.p. от* air-condition;
2. *a* с кондиционированным воздухом.

air-conditioning ['ɛəkənˈdɪʃəniŋ] 1. *pres. p. от* air-condition;
2. *n* кондиционирование воздуха.

air-cooled ['ɛəkuːld] *a* с воздушным охлаждением.

air-cooling ['ɛəˌkuːliŋ] *n* воздушное охлаждение.

aircraft ['ɛəkrɑːft] *n* 1) летательный аппарат; самолёт; 2) *собир.* самолёты; авиация; 3) *attr.* авиационный, авиа-; ~ observer лётчик-наблюдатель; ~ personnel личный состав воздушных сил.

aircraft carrier ['ɛəkrɑːftˌkæriə] *n* авианосец.

aircraftman ['ɛəkrɑːftmən] *n* рядовой авиации (*в Англии*).

air crew ['ɛəˌkruː] *n* экипаж самолёта *или* дирижабля.

air-cushion ['ɛəˌkuʃin] *n* 1) надувная подушка; 2) *тех.* демпфер.

air-defence ['ɛədiˌfens] *n* противовоздушная оборона, ПВО.

air-driven [ɛəˌdrivn] *a* пневматический.

airdrome ['ɛədroum] *n* *амер.* аэродром.

Airedale ['ɛədeɪl] *n* эрдельтерьер (*порода собак*).

air-exhauster ['ɛərigˌzɔːstə] *n* вытяжной вентилятор.

airfield ['ɛəfiːld] *n* аэродром.

air fire ['ɛəfaiə] *n* стрельба *или* бомбардировка с самолёта.

airfoil ['ɛəfɔil] = aerofoil.

air-frame ['ɛəˌfreim] *n* остов (*или* каркас) самолёта.

air-freighter ['ɛəˌfreitə] *n* грузовой самолёт.

air-furnace ['ɛəˌfɜːnis] *n* 1) топка с естественной тягой; 2) отражательная печь.

air-gap ['ɛəɡæp] *n* 1) зазор, просвет; 2) *эл.* воздушный зазор, междужелезное пространство; 3) *радио* искровой промежуток.

air-gas ['ɛəɡæs] *n* карбюрированный воздух, горючая смесь.

air-gauge ['ɛəɡeidʒ] *n* манометр.

air-gun ['ɛəɡʌn] *n* 1) духовое ружьё; 2) *тех.* пульверизатор.

air-hammer ['ɛəˌhæmə] *n* пневматический молот.

air hardening ['ɛəˌhɑːdniŋ] *n* *метал.* воздушная закалка.

air-highway ['ɛəˌhaiwei] *n* воздушная трасса.

air hoist ['ɛəhɔist] *n* пневматический подъёмник.

air-hole ['ɛəhoul] *n* 1) отдушина; 2) полынья (*на реке*); 3) *ав.* воздушная яма, воздушный мешок.

air-hostess ['ɛəˌhoustis] *n* стюардесса на самолёте, бортпроводница.

airily ['ɛərili] *adv* 1) воздушно, легко, грациозно; 2) легкомысленно, беззаботно.

airing ['ɛəriŋ] 1. *pres.p. от* air 3;
2. *n* 1) проветривание, вентиляция; аэрация; 2) прогулка.

air-jacket [ˈɛəˌdʒækɪt] *n* надувной спасательный нагрудник.

airless [ˈɛəlɪs] *a* 1) безветренный; душный; 2) безвоздушный.

air-lighthouse [ˈɛəˈlaɪthaus] = air beacon.

airline [ˈɛəlaɪn] *n ав.* авиалиния.

air liner [ˈɛəˌlaɪnə] *n* рейсовый самолёт, пассажирский самолёт.

air-lock [ˈɛəlɔk] *n* 1) *тех.* воздушная пробка; 2) тамбур газоубежища.

air log [ˈɛəlɔg] *n амер. воен.* альтиметр.

air mail [ˈɛəmeɪl] *n* воздушная почта, авиапочта.

airman [ˈɛəmæn] *n* 1) лётчик; 2) авиационный механик.

airmanship [ˈɛəmənʃɪp] *n* лётное искусство.

air map [ˈɛəmæp] *n* аэронавигационная карта.

air-marshal [ˈɛəˌmɑːʃəl] *n* маршал авиации.

air-mechanic [ˈɛəmɪˌkænɪk] *n* бортмеханик.

air-minded [ˈɛəˌmaɪndɪd] *a* разбирающийся в вопросах авиации.

air-monger [ˈɛəˌmʌŋgə] *n* фантазёр.

airphoto [ˈɛəˌfoutou] *n* аэрофотоснимок.

air-photography [ˈɛəfəˈtɔgrəfɪ] *n* аэрофотосъёмка.

airplane [ˈɛəpleɪn] *n* 1) самолёт, аэроплан; 2) *attr.:* ~ observer *амер.* лётчик-наблюдатель.

air-pocket [ˈɛəˌpɔkɪt] *n* 1) *ав.* воздушная яма; 2) *метал.* раковина, газовый пузырь.

air power [ˈɛəpauə] *n* могущество в воздухе, воздушная мощь.

air-powered [ˈɛəˌpauəd] *a* пневматический.

air-proof [ˈɛəpruːf] = air-tight.

air-quenching [ˈɛəˌkwentʃɪŋ] = air hardening.

air raid [ˈɛəreɪd] *n* воздушный налёт.

air-raid [ˈɛəreɪd] *a* воздушный, авиационный; ~ alarm, ~ alert воздушная тревога; A. precautions гражданская ПВО; ~ relief помощь населению, пострадавшему от воздушной бомбардировки; ~ shelter бомбоубежище.

air-route [ˈɛəruːt] *n* авиалиния, воздушная трасса.

air scout [ˈɛəˌskaut] *n* воздушный разведчик.

air scouting [ˈɛəˌskautɪŋ] *n* наблюдение за небом.

airscrew [ˈɛəskruː] *n* воздушный винт, пропеллер.

air sentry [ˈɛəˌsentrɪ] *n воен.* наблюдатель за воздухом.

air-shaft [ˈɛəʃɑːft] *n* вентиляционная шахта.

airshed [ˈɛəʃed] *n* ангар.

airship [ˈɛəʃɪp] *n* дирижабль, воздушный корабль.

airship tender [ˈɛəʃɪpˈtendə] *n мор.* плавучая база аэростатов.

air show [ˌɛəˈʃou] *n* радиопостановка.

airsick [ˈɛəsɪk] *a* страдающий воздушной болезнью.

airsickness [ˈɛəˌsɪknɪs] *n* воздушная болезнь.

air speed [ˈɛəspiːd] *n ав.* воздушная скорость, скорость самолёта.

air-speed indicator [ˈɛəˌspiːdˈɪndɪkeɪtə] *n ав.* указатель (воздушной) скорости.

air-speed meter [ˈɛəˌspiːdˈmiːtə] = air-speed indicator.

air spraying [ˈɛəspreɪɪŋ] *n* разбрызгивание с воздуха.

Air Staff [ˈɛəstɑːf] *n* штаб военно-воздушных сил.

air-stop [ˈɛəstɔp] *n* станция *или* посадочная площадка для пассажирских геликоптеров.

air strip [ˈɛəstrɪp] *n* взлётно-посадочная площадка; полевой аэродром.

air target [ˈɛəˌtɑːgɪt] *n* воздушная цель.

air-tight [ˈɛəˈtaɪt] *a* непроницаемый для воздуха, герметический.

air-to-air [ˈɛətəˈɛə] *n* 1) пересадка с одного самолёта на другой; 2) *attr.:* ~ (guided) missile (управляемый) снаряд класса «воздух-воздух».

air-to-ground [ˈɛətəˈgraund] *a:* ~ (guided) missile (управляемый) снаряд класса «воздух-земля».

air-torpedo [ˈɛətɔːˌpiːdou] *n* авиаторпеда.

air-track [ˈɛətræk] = airway 1).

air trial [ˈɛətraɪəl] *n* испытание самолёта в воздухе.

air-unit [ˈɛəˌjuːnɪt] *n* авиационная часть.

air vice-marshal [ˈɛəˈvaɪsˌmɑːʃəl] *n* вице-маршал авиации.

airway [ˈɛəweɪ] *n* 1) воздушная линия, воздушная трасса, авиалиния; 2) *горн.* вентиляционная выработка, вентиляционный штрек.

airwoman [ˈɛəˌwumən] *n* женщина-лётчик.

airworthiness [ˈɛəˌwəːðɪnɪs] *n* пригодность к полёту.

airworthy [ˈɛəˌwəːðɪ] *a* годный к полёту (*о самолёте*).

airy [ˈɛərɪ] *a* 1) воздушный, лёгкий; грациозный; 2) весёлый; 3) пустой, легкомысленный.

aisle [aɪl] *n* 1) боковой неф корабля, храма; придел; 2) крыло здания, флигель; 3) проход (*между рядами в театре, вагоне и т. п.*); 4) *тех.* пролёт цеха.

ait [eɪt] *n уст.* островок (*особ.* речной).

aitchbone [ˈeɪtʃboun] *n* 1) крестцовая кость; 2) огузок.

ajar I [əˈdʒɑː] *a predic.* приоткрытый.

ajar II [əˈdʒɑː] *adv* в разладе.

Ajax [ˈeɪdʒæks] *n* Аякс.

ajog [əˈdʒɔg] *adv* мелкой рысью.

a-kimbo [əˈkɪmbou] 1. *a predic.* подбочёнившийся;
2. *adv* подбоченясь, руки в боки.

akin [əˈkɪn] *a predic.* сродни; сродный, близкий, родственный; похожий, такой же как; pity is ~ to love жалость сродни любви.

alabaster [ˈæləbɑːstə] *n* алебастр, гипс.

alack [əˈlæk] *int уст.* увы.

alacrity [əˈlækrɪtɪ] *n* живость, готовность, рвение.

alar [ˈeɪlə] *a* 1) крылатый; 2) крыловидный.

alarm [ə'lɑːm] 1. *n* 1) боевáя тревóга, сигнáл тревóги; air-raid ~ воздýшная тревóга; false ~ лóжная тревóга; ~ for instruction учéбная тревóга; ~ of gas химúческая тревóга; to give (*или* to sound) the ~ поднять тревóгу; 2) смятéние, страх; to take ~ встревóжиться; 3) *attr.* сигнáльный, тревóжный; ~ bell набáт, набáтный кóлокол, сигнáльный звонóк; ~ blast тревóжный свистóк, гудóк;
2. *v* 1) поднять тревóгу; 2) встревóжить, взволновáть.

alarm-clock [ə'lɑːm'klɔk] *n* будúльник.

alarmist [ə'lɑːmɪst] *n* паникёр, алармúст; распространúтель тревóжных слýхов.

alarm-post [ə'lɑːmpoust] *n* мéсто сбóра войск при тревóге.

alarum [ə'lɛərəm] *n* 1) *поэт. см.* alarm 1; 2) звон будúльника; 3) механúзм бóя в будúльнике; будúльник; ◊ ~s and excursions волнéние, движéние и шум.

alas [ə'lɑːs] *int* увы!

alb [ælb] *n церк.* стихáрь.

Albanian [æl'beɪnjən] 1. *a* албáнский; 2. *n* 1) албáнец; албáнка; 2) албáнский язык.

albatross ['ælbətrɔs] *n* альбатрóс.

albeit [ɔl'biːɪt] *cj уст.* хотя; he tried, ~ without success он пытáлся, хотя и безуспéшно.

albert ['ælbət] *n* род цепóчки для часóв.

albescent [æl'besənt] *a* становящийся бéлым, белéющий.

albinism ['ælbɪnɪzəm] *n* отсýтствие пигмéнта в кóже.

albino [æl'biːnou] *n* (*pl* -os [-ouz]) альбинóс.

Albion ['ælbjən] *n поэт.* Альбиóн, Áнглия.

albugo [æl'bjuːgou] *n мед.* бельмó.

album ['ælbəm] *n* 1) альбóм; 2) кнúга автóграфов извéстных актёров, спортсмéнов *и т. п.*

albumen ['ælbjumɪn] *n* 1) (яúчный) белóк; 2) *хим., биол.* альбумúн, белóк; белкóвое веществó.

albumin [æl'bjumɪn] *n хим.* 1) альбумúн; 2) *attr.*: ~ test прóба на белóк.

albuminoid [æl'bjuːmɪnɔɪd] 1. *a* белковúдный;
2. *n pl* альбуминóиды.

albuminous [æl'bjuːmɪnəs] *a* белкóвый.

alburnum [æl'bəːnəm] *n* забóлонь.

alchemic(al) [æl'kemɪk(əl)] *a* алхимúческий.

alchemist ['ælkɪmɪst] *n* алхúмик.

alchemy ['ælkɪmɪ] *n* алхúмия.

alcohol ['ælkəhɔl] *n* 1) алкогóль, спирт; wood ~ древéсный спирт; 2) спиртные напúтки; he does not touch ~ он спиртнóго в рот не берёт; 3) *attr.* спиртовóй; ~ thermometer спиртовóй термóметр.

alcoholic [ˌælkə'hɔlɪk] 1. *a* алкогóльный; алкоголúческий;
2. *n* алкогóлик.

alcoholism ['ælkəhɔlɪzəm] *n* алкоголúзм.

alcoholometer [ˌælkəhɔ'lɔmɪtə] *n* спиртомéр.

Alcoran [ˌælkɔ'rɑːn] *n* корáн.

alcove ['ælkouv] *n* 1) алькóв, нúша; 2) бесéдка.

alder ['ɔːldə] *n* ольхá.

alderman ['ɔːldəmən] *n* ольдермéн, член городскóго управлéния, член совéта грáфства.

aldermanry ['ɔːldəmənrɪ] *n* 1) звáние ольдермéна; 2) райóн городскóго управлéния.

ale [eɪl] *n* эль, пúво; Adam's ~ *шутл.* водá.

aleak [ə'liːk] *a predic.*: the vessel is ~ сýдно имéет течь.

aleatory ['eɪlɪətərɪ] *a уст.* случáйный.

alee [ə'liː] *adv, a predic. мор.* 1) под вéтром; 2) в подвéтренную стóрону.

ale-house ['eɪlhaus] *n* пивнáя.

alembic [ə'lembɪk] *n* 1) *уст.* перегóнный куб; 2): through the ~ of fancy сквозь прúзму воображéния.

alert [ə'ləːt] 1. *n* тревóга, сигнáл тревóги; (to be) on the ~ (быть) настороже, наготóве;
2. *a* 1) бдúтельный, насторожённый; 2) живóй, провóрный;
3. *v* 1) привестú в состояние готóвности; 2) сдéлать бдúтельным.

alertness [ə'ləːtnɪs] *n* 1) бдúтельность, насторожённость; 2) жúвость, провóрство.

ale-wife ['eɪlwaif] *n* 1) содержáтельница пивнóй; 2) вид америкáнской сéльди.

Alexandrine [ˌælɪg'zændraɪn] 1. *n* алексáндрúйский стих;
2. *a* александрúйский.

alexandrite [ˌæleg'zændrɪt] *n мин.* алексáндрит.

alfalfa [æl'fælfə] *n бот.* люцéрна.

alfresco [æl'freskou] 1. *a* происходящий на открытом вóздухе; ~ lunch зáвтрак на открытом вóздухе;
2. *adv* на открытом вóздухе.

alga ['ælgə] *n* (*pl* -ae) морскáя вóдоросль.

algae ['ældʒiː] *pl от* alga.

algebra ['ældʒɪbrə] *n* áлгебра.

algebraic(al) [ˌældʒɪ'breɪk(əl)] *a* алгебрайческий.

algebraist [ˌældʒɪ'breɪɪst] *n* алгебрайст, специалúст по áлгебре.

Algerian [æl'dʒɪərɪən] 1. *a* алжúрский;
2. *n* алжúрец; алжúрка.

Algerine [ˌældʒə'riːn] = Algerian.

alias ['eɪlɪæs] 1. *n* вымышленное úмя, прóзвище, клúчка;
2. *adv* инáче (называемый); Lewis ~ Smith Льюис, он же Смит.

alibi ['ælɪbaɪ] *юр.* 1. *n* áлиби.
2. *v* предстáвить áлиби.

alidad, alidade ['ælɪdæd, -deɪd] *n тех.* алидáда.

alien ['eɪljən] 1. *n* чужестрáнец; инострáнец; проживáющий в дáнной странé пóдданный другóго госудáрства;
2. *a* 1) инострáнный; 2) чýждый, несвóйственный (to, from); it's ~ to my thoughts это чýждо мне;
3. *v поэт., юр.* отчуждáть.

alienable ['eɪljənəbl] *a* отчуждáемый.

alienate ['eɪljəneɪt] *v* 1) отчуждáть (*тж юр.*); 2) отвращáть (from); заставлять отвернýться; my sister ~d me by her behaviour поведéние сестры оттолкнýло меня от неё.

alienation [ˌeɪljə'neɪʃən] *n* 1) отдалéние, отчуждéние; ~ of affections охлаждéние (чувств); 2) *юр.* отчуждéние; 3) *мед.* умопомешáтельство (*обыкн.* mental ~).

alienee [ˌeɪljə'niː] *n* тот, в чью пóльзу отчуждáется имýщество.

alien-enemy ['eɪljən,enɪmɪ] *n* проживáющий в странé пóдданный враждéбного госудáрства.

alienism ['eɪljənɪzəm] *n* 1) положéние иностранца в чужóй странé; 2) психиатрия.

alienist ['eɪljənɪst] *n* психиáтр.

aliform ['ælɪfɔːm] *a* крылообрáзный.

alight I [ə'laɪt] *v* 1) сходить, высáживаться (out of, from—из, с; at—у); спéшиваться (from); 2) спускáться, садиться (*о птицах, насекомых*; on, upon); 3) *ав.* приземлáться.

alight II [ə'laɪt] *a predic.* 1) зажжённый; в огнé; 2) освещённый.

alighting [ə'laɪtɪŋ] 1. *pres. p. om* alight I; 2. *n ав.* 1) посáдка, приземлéние, спуск; 2) *attr.* посáдочный; ~ gear посáдочное устрóйство самолёта.

align [ə'laɪn] *v* 1) выстрáивать в линию, стáвить в ряд; вырáвнивать; to ~ the sights (of rifle) and bull's-eye прицéливаться в яблоко мишéни; to ~ the track *ж.-д.* рихтовáть путь; 2) равнáться; строиться; 3) *тех.* спрямлáть, устанáвливать (с óсью).

aligning [ə'laɪnɪŋ] 1. *pres. p. om* align; 2. *n* = alignment.

alignment [ə'laɪnmənt] *n* 1) вырáвнивание, регулирóвка, выверка; ~ of forces размежевáние сил; 2) *топогр.* визировáние чéрез нéсколько тóчек; 3) *воен.* равнéние, линия строя; 4) створ; горизонтáльная проéкция.

alike [ə'laɪk] 1. *a predic.* одинáковый; похóжий, подóбный; 2. *adv* тóчно так же, подóбно, одинáково.

aliment ['ælɪmənt] 1. *n* 1) пища; 2) содержáние (*кого-л.*); материáльная и морáльная поддéржка; 2. *v* содержáть (*кого-л.*); поддéрживать.

alimentary [ˌælɪ'mentərɪ] *a* 1) пищевóй, питáтельный; ~ products пищевые продýкты; 2) питáющий; 3): ~ canal, ~ tract пищеварительный тракт.

alimentation [ˌælɪmen'teɪʃən] *n* 1) питáние, кормлéние; 2) содержáние (*кого-л.*).

alimony ['ælɪmənɪ] *n* 1) алимéнты; 2) питáние; 3) содержáние.

aline [ə'laɪn] = align.

aliped ['ælɪped] 1. *a* крылонóгий; 2. *n* крылонóгое живóтное (*напр., летýчая мышь*).

aliquant ['ælɪkwənt] *a мат.* некрáтный.

aliquot ['ælɪkwɔt] *a мат.* крáтный.

alive [ə'laɪv] *a predic.* 1) живóй; в живых; no man ~ никтó на свéте; any man ~ любóй человéк, ктó-нибудь; 2) живóй, бóдрый; 3) чýткий (*к чему-л.*), ясно понимáющий (*что-л.*); to be fully ~ to smth. ясно понимáть что-л.; are you ~ to what is going on? вы осознаёте, что происхóдит?;

4) кишáщий (with); the river was ~ with boats рекá былá запрýженá лóдками; 5) дéйствующий, рабóтающий, на ходý; to keep ~ поддéрживать (*огóнь, интерес и т. п.*); 6) *эл.* (находящийся) под напряжéнием; ◇ ~ and kicking жив и здорóв; пóлон жизни; look ~! живéй!; man ~! *выражéние удивлéния*: man ~! I am glad to see you! бóже мой, как я рад вас видеть!

alizarin(e) [ə'lɪzərɪn] *n хим.* ализарин.

alkalescence [ˌælkə'lesns] *n хим.* слáбая щелóчность.

alkalescent [ˌælkə'lesnt] *a хим.* слáбо щелóчный.

alkali ['ælkəlaɪ] *n* (*pl* -s, -es [-z]) 1) *хим.* щéлочь; 2) *амер.* солончакóвая пóчва; 3) мéстность, изобилующая солончакáми; 4) *attr.*: ~ soils солончаки.

alkalimetric [ˌælkəlɪ'metrɪk] *a хим.* алкалиметрический.

alkalimetry [ˌælkə'lɪmɪtrɪ] *n хим.* алкалиметрия.

alkaline ['ælkəlaɪn] *a хим.* щелочнóй.

alkaloid ['ælkəlɔɪd] *n хим.* алкалóид.

all [ɔːl] *pron. indef.* 1. *как прил.* 1) весь, вся, всё, все; ~ day весь день; ~ the time всё врéмя; 2) всякий, всевозмóжный; in ~ respects во всех отношéниях; beyond ~ doubt вне всякого сомнéния; ◇ ~ in *разг.* усталый, измýченный; ~ and sundry a) каждый и всякий; б) все вмéсте и каждый в отдéльности;

2. *как нареч.* всецéло, вполнé; совершéнно; the pin was ~ gold булáвка былá целикóм из зóлота; ◇ ~ alone a) в пóлном одинóчестве; б) без всякой пóмощи, самостоятельно; ~ over a) повсюду, кругóм; over the world по всемý свéту; б) совершéнно, пóлностью; she is her mother ~ over онá вылитая мать [*ср. тж.* 3 ◇]; ~ around кругóм, со всех сторóн; ~ round a) = ~ around; б) = all-round; ~ along всё врéмя; ~ at once совершéнно внезáпно; ~ the more so тем бóлее; ~ the rage (óчень) в мóде;

3. *как сущ.* 1) все, всё; ~ agree все соглáсны; ~ is well всё в порядке; 2) цéлое; 3) всё имýщество; they lost their ~ in the fire при пожáре погибло всё их имýщество; ◇ after ~ в концé концóв; ~ told все без исключéния; in ~ пóлностью, всегó; a dozen in ~ всегó дюжина; ~ but почти, едвá не; ~ in ~ вообщé, совсéм; not at ~ a) нискóлько, ничýть; б) пожáлуйста, нé за что; once for ~ навсегдá; ~ one (совершéнно) безразлично; it is ~ over with him он человéк кóнченый [*ср. тж.* 2◇]; he is not quite ~ there он не в своём умé; у негó не все дóма.

Allah ['ælə] *n* Аллáх.

all-around ['ɔːlərɑund] *n спорт.* многобóрье.

allay [ə'leɪ] *v* 1) успокáивать (*волнéние, подозрéние, боль*); 2) уменьшáть, ослаблять.

all-clear [ɔːl'klɪə] *n* сигнáл отбóя воздýшной тревóги.

allegation [ˌæle'geɪʃən] *n* 1) заявлéние (*особ. перед судóм, трибунáлом*); 2) голослóвное утверждéние.

allege [ə'ledʒ] *v* 1) ссыла́ться (*в оправда́-
ние, в доказа́тельство*); to ~ illness ссыла́ть-
ся на боле́знь; 2) утвержда́ть (*особ. без
основа́ния*); ~d deserter подозрева́емый
в дезерти́рстве; 3) припи́сывать; delays
~d to be due to... заде́ржки, я́кобы вы́-
званные...

allegiance [ə'liːdʒəns] *n* 1) ве́рность, пре́-
данность; лоя́льность; 2) *ист.* васса́льная
зави́симость.

allegoric(al) [ˌæle'gɔrik(əl)] *a* аллегори́-
ческий, иносказа́тельный.

allegorize ['æligəraiz] *v* изобража́ть, вы́-
ска́зываться, толкова́ть аллегори́чески.

allegory ['æligəri] *n* аллего́рия; эмбле́ма.

alleluia [ˌæli'luːjə] = halleluiah.

all-embracing ['ɔːlim'breisiŋ] *a* всеобъе́м-
лющий.

allergic [ə'lədʒik] *a* 1) *физиол.* аллерги́че-
ский; 2) *predic. разг.* не переноси́щий
(*ви́да, прису́тствия*); не выноси́щий, пи-
та́ющий отвраще́ние.

allergy ['ælədʒi] *n физиол.* аллерги́я;
повы́шенная чувстви́тельность.

alleviate [ə'liːvieit] *v* облегча́ть (*боль,
страда́ния*); смягча́ть.

alleviation [əˌliːvi'eiʃən] *n* облегче́ние;
смягче́ние.

alley I ['æli] *n* 1) алле́я; 2) у́зкая у́лица
или переу́лок; 3) прохо́д ме́жду ряда́ми;
4) кегельба́н; ◇ it was up your ~ э́то бы́ло
по ва́шей ли́нии.

alley II ['æli] = ally II.

alleyway ['æli,wei] *n амер.* = alley I,
2) *и* 3).

All Fools' day ['ɔːl'fuːlzdei] *n см.* fool I,
1, 1).

all-honoured ['ɔːl,ɔnəd] *a* все́ми почита́е-
мый.

alliance [ə'laiəns] *n* 1) сою́з; алья́нс;
Holy A. *ист.* Свяще́нный Сою́з (*1815 г.*);
2) бра́чный сою́з; 3) родство́; 4) *уст.* сою́з-
ники.

allied [ə'laid] 1. *p.p. от* ally I, 2;
2. *a* 1) ро́дственный, бли́зкий; ~ sciences
сме́жные о́бласти нау́ки; 2) сою́зный;
3) сою́знический.

alligation [ˌæli'geiʃən] *n* сплав; смеше́ние.

alligator ['æligeitə] *n* 1) *зоол.* аллига́тор;
2) *тех.* щёко́вая камнедроби́лка; 3) *attr.*
из крокоди́ловой ко́жи, под крокоди́ловую
ко́жу; ~ bag портфе́ль из крокоди́ловой
ко́жи; 4) *attr. тех.*: ~ shears механи́ческие
но́жницы.

all-in-all ['ɔːlin'ɔːl] 1. *n* всё (*для кого́-л.*),
предме́т любви́, обожа́ния;
2. *a* о́чень ва́жный, реша́ющий;
3. *adv* 1) целико́м, по́лностью; 2) в це́-
лом, в о́бщем.

alliteration [əˌlitə'reiʃən] *n* аллитера́ция.

all-metal ['ɔːl'metl] *a* цельнометалли́че-
ский.

allocate ['æləkeit] *v* 1) размеща́ть, рас-
пределя́ть, назнача́ть (to); ассигнова́ть;
амер. резерви́ровать, брони́ровать (*кре́ди-
ты, снабже́ние и т. п.*); 2) локализи́ро-
вать.

allocation [ˌælə'keiʃən] *n* размеще́ние
и пр. [*см.* allocate].

allocution [ˌæləu'kjuːʃən] *n* речь, обра-
ще́ние (*в торже́ственных слу́чаях*).

allodial [ə'loudjəl] *a ист.* аллодиа́ль-
ный, свобо́дный от ле́нных пови́нностей.

allodium [ə'loudjəm] *n ист.* алло́д,
земля́, находя́щаяся в по́лной со́бствен-
ности и свобо́дная от ле́нных пови́нно-
стей.

allogamy [ə'lɔgəmi] *n бот.* аллога́мия,
чужеопыле́ние.

allopath ['æloupæθ] *n* аллопа́т.

allopathy [ə'lɔpəθi] *n* аллопа́тия.

allot [ə'lɔt] *v* 1) распределя́ть (по жре́-
бию); раздава́ть, наделя́ть; предназнача́ть;
to ~ a task возлага́ть зада́чу; to ~ credits
предоставля́ть креди́ты; 2) *воен.* вводи́ть
в соста́в; придава́ть.

allotment [ə'lɔtmənt] *n* 1) распределе́ние;
перечисле́ние (фо́ндов); ~ of bullets отво́д
кварти́р; 2) до́ля, часть; 3) небольшо́й
уча́сток, отведённый под огоро́д; наде́л;
4) *воен.* введе́ние в соста́в; прида́ча; 5)
амер. воен. вы́плата по аттеста́ту (*семье́*).

allottee [əlɔ'tiː] *n* получа́ющий земе́ль-
ный уча́сток; ме́лкий аренда́тор.

all-out ['ɔːl'aut] 1. *a* 1) по́лный; тота́ль-
ный; с примене́нием всех сил и ресу́рсов;
2) иду́щий напроло́м; реши́тельный; ~
attack реши́тельное наступле́ние;
2. *adv* 1) изо всех сил; все́ми сре́дствами;
to go ~ боро́ться изо всех сил; 2) сполна́,
вполне́, по́лностью.

all-overish [ˌɔːl'ouvəriʃ] *a разг.* чу́вст-
вующий недомога́ние.

all-overishness [ˌɔːl'ouvəriʃnis] *n* о́бщее
недомога́ние.

allow [ə'lau] *v* 1) позволя́ть, разреша́ть;
smoking is not ~ed кури́ть воспреща́ется;
2) предоставля́ть, де́лать возмо́жным;
this gate ~s access to the garden че́рез э́ти
воро́та мо́жно пройти́ в сад; 3) допуска́ть;
признава́ть; I ~ that I was wrong признаю́,
что был непра́в; I cannot ~ of such an excuse не могу́ приня́ть тако́го извине́ния;
4) принима́ть во внима́ние, учи́тывать,
де́лать ски́дку, де́лать попра́вку (for — на
что-л.); you must ~ for some mistakes
вы должны́ уче́сть не́которые оши́бки;
5) дава́ть, регуля́рно выпла́чивать; I ~
him £ 100 a year я даю́ ему́ по 100 фу́нтов
сте́рлингов в год; 6) *амер.* заявля́ть, утве́р-
жда́ть; ◇ ~ me! разреши́те! we have ~ed
for twenty people мы бы́ли гото́вы встре́-
тить, приня́ть два́дцать челове́к.

allowable [ə'lauəbl] *a* 1) допусти́мый;
2) дозво́ленный; 3) зако́нный.

allowance [ə'lauəns] 1. *n* 1) разреше́-
ние, позволе́ние; 2) допуще́ние; приня́тие;
3) приня́тие в расчёт, во внима́ние; make
~ for his age прими́те во внима́ние его́
во́зраст; 4) ски́дка; 5) но́рма вы́дачи; паёк;
at no ~ неограни́ченно; ~ of ammunition
боево́й компле́кт, запа́с боеприпа́сов; 6) (го-
дово́е, ме́сячное *и т. п.*) содержа́ние; кар-
ма́нные де́ньги; family ~ посо́бие много-
семе́йным; 7) *pl* дово́льствие; 8) *тех.* при́-
пуск; до́пуск; 9) *спорт.* фо́ра;
2. *v* назнача́ть, выдава́ть стро́го ограни́-
ченный паёк, содержа́ние.

allowedly [ə'lauɪdlɪ] *adv* 1) дозволенным образом; 2) по общему признанию.

alloy 1. *n* ['ælɔɪ] 1) сплав; 2) примесь, лигатура; 3) проба *(драгоценного металла)*; 4) [ə'lɔɪ] примесь *(чего-л. дурного к хорошему)*; happiness without ~ ничем не омрачённое счастье; 5) *attr.* легированный; ~ steel легированная сталь; ~ treated steel малолегированная сталь; 2. *v* [ə'lɔɪ] 1) сплавлять *(металлы)*; 2) подмешивать.

all-powerful [ɔːl'pauəful] *a* всемогущий.

all-purpose ['ɔːl'pəːpəs] *a* универсальный, многоцелевой.

all-red-line ['ɔːl'redlaɪn] *n* уст. британская имперская телеграфная линия; британский имперский торговый тракт.

all-red-route ['ɔːl'redruːt] = all-red-line.

all right ['ɔːl'raɪt] 1. *a predic.* в порядке; вполне удовлетворительный; he is ~ он чувствует себя хорошо; everything is ~ with your plan ваш план прошёл хорошо, всё обстоит благополучно с вашим планом; 2. *adv* вполне удовлетворительно, приемлемо; как нужно; 3. *int* хорошо!, ладно!, согласен!

all-round ['ɔːl'raund] *a* многосторонний, всесторонний, круговой; ~ man разносторонний человек; ~ price цена, включающая накладные расходы.

All-Russian ['ɔːl'rʌʃən] *a* всероссийский.

allseed ['ɔːl,siːd] *n бот.* многосемянное растение.

allspice ['ɔːlspaɪs] *n бот.* пимент, ямайский перец, душистый перец.

all-steel ['ɔːl'stiːl] *a* цельностальной.

allude [ə'luːd] *v* 1) упоминать; ссылаться (to — на); 2) намекать (to — на).

All-Union ['ɔːl'juːnjən] *a* всесоюзный.

all-up ['ɔːl,ʌp] *n ав.* общий вес (самолёта, экипажа, пассажиров, груза *и т. п.*) в воздухе, полный полётный вес.

allure [ə'ljuə] *v* 1) заманивать, завлекать; привлекать; 2) очаровывать, пленять.

allurement [ə'ljuəmənt] *n* 1) обольщение; 2) приманка; привлекательность.

alluring [ə'ljuərɪŋ] 1. *pres. p. от* allure; 2. *a* 1) соблазнительный; ~ prospects заманчивые перспективы; 2) очаровательный.

allusion [ə'luːʒən] *n* 1) упоминание; ссылка (to); 2) намёк (to).

allusive [ə'luːsɪv] *a* 1) заключающий в себе ссылку (to—на); 2) заключающий в себе намёк (to— на); иносказательный; 3) *геральд.*: ~ arms символический герб.

alluvia [ə'luːvjə] *pl от* alluvium.

alluvial [ə'luːvjəl] *a геол.* наносный, аллювиальный; ~ deposit *горн.* россыпь; ~ gold *горн.* россыпное золото.

alluvion [ə'luːvjən] *n* 1) нанос, наносная земля, намыв; 2) = alluvium.

alluvium [ə'luːvjəm] *n (pl -via, -s [-z]) геол.* 1) аллювий, аллювиальные формации; наносные образования; 2) *attr.*: ~ period четвертичный период, четвертичная система.

all-wool ['ɔːl'wul] *a* чистошерстяной.

ally I 1. *n* ['ælaɪ] союзник; ~ of moment временный союзник; 2. *v* [ə'laɪ] соединять; to ~ oneself вступать в союз, соединяться *(договором, браком*; to, with); to be allied to быть тесно связанным с, иметь общие черты с; Norwegian is nearly allied to Danish норвежский язык близок к датскому.

ally II ['ælɪ] *n* мраморный шарик *(для детской игры)*; ◇ to give smb. a fair show for an ~ честно поступать в отношении кого-л.; дать кому-л. возможность отыграться.

almanac ['ɔːlmənæk] *n* календарь, альманах.

almighty [ɔːl'maɪtɪ] 1. *a* 1) всемогущий; 2) *разг.* очень сильный; ужасный; we had an ~ row у нас произошёл ужасный скандал; 2. *n*: the A. (всемогущий) бог; 3. *adv разг.* ужасно.

almond ['aːmənd] *n* 1) миндаль; 2) *анат.* миндалевидная железа, миндалина; 3) *attr.* миндальный.

almond-eyed ['aːmənd'aɪd] *a* с миндалевидным разрезом глаз.

almond-shaped ['aːmənd,ʃeɪpt] *a* миндалевидный.

almoner ['aːmənə] *n* раздающий милостыню; Hereditary Grand A., Lord High A. ведающий раздачей милостыни при английском дворе.

almonry ['aːmənrɪ] *n* место раздачи милостыни [*см.* almoner].

almost ['ɔːlmoust] *adv* почти; едва не.

alms [aːmz] *n (pl без измен., обыкн. употр. как sing)* милостыня.

alms-deed ['aːmz,diːd] *n* благотворительный акт.

alms-house ['aːmzhaus] *n* богадельня.

almsman ['aːmzmən] *n* живущий подаянием, нищий.

alodial [ə'loudjəl] = allodial.

alodium [ə'loudjəm] = allodium.

aloe ['ælou] *n* 1) *бот.* алоэ; American ~ столетник; 2) *pl* сабур *(слабительное)*.

aloft [ə'lɔft] *adv* 1) наверху; на высоте; наверх; 2) *мор.* наверху, на марсе, на реях; ◇ to go ~ *разг.* умереть.

alone [ə'loun] 1. *a predic.* один, одинокий; he can do it ~ он может это сделать сам, без чужой помощи; ◇ to let (*или* to leave) ~ оставить в покое; let ~ не говоря уже о; 2. *adv* только, исключительно; he ~ can do it только он может это сделать.

along [ə'lɔŋ] 1. *adv* 1) вперёд; 2) по всей линии; 3) с собой; come ~! идём (вместе)!; he brought his instruments ~ он принёс с собой инструменты; □ with вместе; ◇ all ~ всё время; I knew it all ~ я это знал с самого начала; (all) ~ of *разг.* вследствие; из-за; it happened all ~ of your carelessness это произошло по вашей небрежности; right ~ *амер.* всегда; непрерывно; постоянно; 2. *n:* ~ вдоль, по; ~ the river вдоль реки; ~ the road по дороге; ~ the strike *геол.* по простиранию.

along-shore [ə'lɔŋ'ʃɔː] *adv* вдоль бе́рега.

alongside [ə'lɔŋ'saɪd] *adv* 1) бок о́ бок; ря́дом; 2) *мор.* борт о́ борт; у бо́рта; у сте́нки; 3): ~ of (*употр. как prep*) сбо́ку от, ря́дом с.

aloof [ə'luːf] 1. *a predic.* находя́щийся поо́даль, в стороне́;
2. *adv* поо́даль, в стороне́; to hold (*или* to keep, to stand) ~ (from) держа́ться в стороне́ (от); чужда́ться.

aloofness [ə'luːfnɪs] *n* отчуждённость; равноду́шие.

aloud [ə'laud] *adv* 1) гро́мко, вслух; 2) *разг.* си́льно, заме́тно; ощути́мо; it reeks ~ ужа́сно воня́ет.   С

alp [ælp] *n* 1) го́рная верши́на; 2) го́рное па́стбище в Швейца́рии.

alpaca [æl'pækə] *n* 1) *зоол.* альпака́; 2) шерсть альпака́; 3) ткань из ше́рсти альпака́.

alpenstock ['ælpɪnstɔk] *n спорт.* альпеншто́к.

alpha ['ælfə] *n* 1) а́льфа (*первая буква греческого алфавита*); 2) *астр.* гла́вная звезда́ созве́здия; ◇ A. and Omega а́льфа и оме́га, нача́ло и коне́ц; основно́е, гла́вное; ~ plus *разг.* превосхо́дный.

alphabet ['ælfəbɪt] *n* алфави́т; а́збука.

alphabetic [ˌælfə'betɪk] *a* 1) алфави́тный; 2) а́збучный.

alphabetical [ˌælfə'betɪkəl]=alphabetic 1).

alphabetically [ˌælfə'betɪkəli] *adv* в алфави́тном поря́дке.

alphabetize ['ælfəbetaɪz] *v* располага́ть в алфави́тном поря́дке.

alpha rays ['ælfəˌreɪz] *n pl физ.* а́льфа-лучи́.

Alpine ['ælpaɪn] *a* альпи́йский.

Alpinist ['ælpɪnɪst] *n* альпини́ст.

already [ɔːl'redɪ] *adv* уже́.

Alsatian [æl'seɪʃən] 1. *a* эльза́сский; 2. *n* 1) эльза́сец; 2) *ист.* должни́к (*от Alsatia — название района в квартале White Friars в Лондоне, где в XVI—XVII вв. находили себе убежище должники и преступники*); 3) восточноевропе́йская овча́рка.

also ['ɔːlsou] *adv* то́же, та́кже, к тому́ же; ◇ ~ ran *разг.* неуда́чливый уча́стник состяза́ния, неуда́чник.

alt [ælt] *n* ~ *муз.* на окта́ву вы́ше; *перен.* в припо́днятом настрое́нии.

altar ['ɔːltə] *n* 1) престо́л, алта́рь, же́ртвенник; to lead to the ~ вести́ к алтарю́, жени́ться; 2) (A.) *астр.* Алта́рь, Же́ртвенник (*созвездие южного неба*); 3) *тех.* боровко́вый поро́г.

altar-cloth ['ɔːltəklɔθ] *n церк.* напресто́льная пелена́.

altar-piece ['ɔːltəpiːs] *n церк.* запресто́льный о́браз.

alter ['ɔːltə] *v* 1) изменя́ть(ся); меня́ть (-ся); переде́лывать; to ~ one's mind переду́мать, перереши́ть; приня́ть друго́е реше́ние; 2) *амер., австрал.* холости́ть, кастри́ровать (*скот*).

alterable ['ɔːltərəbl] *a* изменя́емый.

alteration [ˌɔːltə'reɪʃən] *n* 1) измене́ние; переме́на; переде́лка, перестро́йка; 2) деформа́ция; 3) *геол.* измене́ние поро́д по

сложе́нию и соста́ву; метаморфи́ческое вытесне́ние.

alterative ['ɔːltərətɪv] 1. *a* вызыва́ющий измене́ние, переме́ну;
2. *n мед.* сре́дство, повыша́ющее обме́н веще́ств.

altercate ['ɔːltəkeɪt] *v* препира́ться, ссо́риться (with).

altercation [ˌɔːltə'keɪʃən] *n* перебра́нка, ссо́ра.

alternate 1. *n* [ɔːl'təːnɪt] *амер.* замести́тель;
2. *a* [ɔːl'təːnɪt] 1) переме́нный, перемежа́ющийся, череду́ющийся; they served ~ shifts они́ рабо́тали посме́нно; on ~ days че́рез день; ~ angle *мат.* противолежа́щий у́гол; ~ angles *мат.* вну́тренние на́крест лежа́щие углы́; 2) *амер.* запа́сный; дополни́тельный; ~ design вариа́нт прое́кта, вариа́нтный прое́кт;
3. *v* ['ɔːltəneɪt] чередова́ть(ся); сменя́ть друг дру́га.

alternating ['ɔːltəneɪtɪŋ] 1. *pres.p. от* alternate 3;
2. *a* переме́нный, перемежа́ющийся; ~ current *эл.* переме́нный ток; ~ motion *тех.* возвра́тно-поступа́тельное движе́ние.

alternation [ˌɔːltə'neɪʃən] *n* чередова́ние; ~ of day and night сме́на дня и но́чи.

alternative [ɔːl'təːnətɪv] 1. *n* альтернати́ва, вы́бор; there is no other ~ but... нет друго́го вы́бора кро́ме...;
2. *a* 1) взаимоисключа́ющий, альтернати́вный; these two plans are not necessarily ~ э́ти два пла́на отню́дь не исключа́ют друг дру́га; 2) переме́нно де́йствующий, переме́нный.

alternator [ˌɔːltə'neɪtə] *n эл.* альтерна́тор.

although [ɔːl'ðou] *cj* хотя́, е́сли бы да́же; несмотря́ на то, что.

altigraph ['æltɪɡrɑːf] *n ав.* альтигра́ф, прибо́р, регистри́рующий высоту́.

altimeter ['æltɪmiːtə] *n* алътиме́тр, высотоме́р.

altisonant [æl'tɪsənənt] *a* гро́мкий, шу́мный.

altitude ['æltɪtjuːd] *n* 1) высота́; высота́ над у́ровнем мо́ря; to grab for ~ *ав.* стара́ться набра́ть высоту́; *перен. разг.* си́льно рассерди́ться, рассвирепе́ть; to lose ~ *ав.* теря́ть высоту́; 2) *pl* высо́кие места́, высо́ты; in those ~s the air is thin на э́тих высота́х во́здух разрежён; 3) (*обыкн. pl*) возвы́шенность; *перен.* высо́кое положе́ние; 4) *attr. ав.* высо́тный; ~ control высо́тное управле́ние, высо́тный корре́ктор; руль высоты́; ~ correction попра́вка на высоту́; ~ flight высо́тный полёт; ~ gauge, ~ measurer альтиме́тр, высотоме́р.

alto ['æltou] *n* (*pl* -os [-ouz]) 1) альт (*голос и струнный инструмент*); 2) контра́льто.

alto-cumulus [ˌæltə'kjuːmjuləs] *n метеор.* высококучевы́е облака́.

altogether [ˌɔːltə'geðə] 1. *adv* 1) вполне́, всеце́ло; ~ bad соверше́нно него́дный; 2) в о́бщем, в це́лом; 3) всего́; ◇ for ~ навсегда́;

2. *n* 1): an ~ це́лое; the ~ *разг.* обнажённая моде́ль; in the ~ *разг.* в обнажённом ви́де (*о модели художника*); 2) *attr.*: ~ coal *горн.* несортиро́ванный, рядово́й у́голь.

alto-relievo ['æltourı'li:vou] *n* (*pl* -os [-ouz]) *иск.* горелье́ф.

alto-stratus ['æltou'streıtəs] *n метеор.* высокослои́стые облака́.

altruism ['æltruızəm] *n* альтруи́зм.

altruist ['æltruıst] *n* альтруи́ст.

altruistic [,æltru'ıstık] *a* альтруисти́ческий.

alum ['æləm] *n* 1) квасцы́; 2) *attr.*: ~ earth = alumina.

alumina [ə'lju:mınə] *n* о́кись алюми́ния, глинозём.

aluminium [,ælju'mınjəm] *n* алюми́ний.

aluminium sulphate [ælju:'mınjəm'sʌlfeıt] *n* серноки́слый алюми́ний, глинозём.

aluminous [ə'lju:mınəs] *a* глинозёмный; квасцо́вый.

aluminum [ə'ljumınəm] *амер.* = aluminium.

alumna [ə'lʌmnə] *лат.* (*pl* -nae) *ж. к* alumnus.

alumnae [ə'lʌmni:] *pl от* alumna.

alumni [ə'lʌmnaı] *pl от* alumnus.

alumnus [ə'lʌmnəs] *лат. n* (*pl* -ni) бы́вший пито́мец (*школы или университета*).

alveolar [æl'vıələ] *a анат., фон.* альвеоля́рный; ~ abscess *мед.* флюс.

alveolate [æl'vi:əlıt] *a* альвеоля́рный (*имеющий ячеистое строение*).

alveoli [æl'vıəlaı] *pl от* alveolus.

alveolus [æl'vıələs] *n* (*pl* -li) *анат.* альвео́ла, ячея́.

always ['ɔ:lwəz] *adv* всегда́.

am [æm (*полная форма*), əm, m (*редуцированные формы*)] *1 л. ед. ч. настоящего времени гл.* to be.

amadou ['æmədu:] *n* трут.

amain [ə'meın] *adv уст., поэт.* 1) бы́стро; сломя́ го́лову; 2) с разго́на, по ине́рции; 3) си́льно, изо все́х сил.

amalgam [ə'mælgəm] *n* 1) амальга́ма; 2) смесь.

amalgamate [ə'mælgəmeıt] *v* 1) соединя́ть(ся) со рту́тью; амальгами́ровать; 2) соединя́ть(ся); объединя́ть(ся); слива́ться.

amalgamated [ə'mælgəmeıtıd] 1. *p.p. от* amalgamate;

2. *a* соединённый, объединённый.

amalgamation [ə,mælgə'meıʃən] *n* 1) амальгама́ция, амальгами́рование; 2) смеше́ние; 3) слия́ние, объедине́ние (*учреждений, организаций и т. п.*).

amanuenses [ə,mænju'ensi:z] *pl от* amanuensis.

amanuensis [ə,mænju'ensıs] *лат. n* (*pl* -ses) ли́чный секрета́рь, пи́шущий под дикто́вку.

amaranth ['æməræ nθ] *n* 1) *бот.* щири́ца, амара́нт; 2) пурпу́рный цвет.

amaranthine [,æmə'ræ nθaın] *a* 1) неувяда́ющий; 2) пурпу́рный.

amass [ə'mæs] *v* собира́ть; накопля́ть, копи́ть.

amassment [ə'mæsmənt] *n* 1) собира́ние; 2) ку́ча, гру́да.

amateur ['æmətə:] *n* 1) люби́тель, дилета́нт; 2) *attr.* люби́тельский; ~ theatricals люби́тельский спекта́кль; ~ art худо́жественная самоде́ятельность.

amateurish [,æmə'tə:rıʃ] *a* 1) непрофессиона́льный, дилета́нтский; 2) неуме́лый; an ~ attempt нело́вкая попы́тка.

amative ['æmətıv] *a* 1) влю́бчивый; 2) любо́вный.

amatol ['æmətɔl] *n* амато́л (*взрывчатое вещество*).

amatory ['æmətərı] *a* 1) любо́вный; 2) любя́щий.

amaze [ə'meız] 1. *v* изумля́ть, поража́ть;

2. *n поэт. см.* amazement.

amazement [ə'meızmənt] *n* изумле́ние; удивле́ние.

amazing [ə'meızıŋ] 1. *pres. p. от* amaze 1;

2. *a* удиви́тельный, изуми́тельный, порази́тельный.

Amazon ['æməzən] *n* амазо́нка.

ambages [æm'beıdʒi:z] *n pl* 1) обиняки́, околи́чности; 2) оття́жки, проволо́чки.

ambassador [æm'bæsədə] *n* 1) посо́л; ~ extraordinary and plenipotentiary чрезвыча́йный и полномо́чный посо́л; ~ at large посо́л, полномо́чия кото́рого не ограни́чены террито́рией определённого госуда́рства; 2) посла́нец, ве́стник; представи́тель; to act as smb.'s ~ представля́ть кого́-л.; he acted as director's ~ at the negotiations на перегово́рах он представля́л дире́ктора.

ambassadorial [æm,bæsə'dɔ:rıəl] *a* посо́льский.

ambassadress [æm'bæsədrıs] *n* 1) жена́ посла́; 2) же́нщина-посо́л; 3) посла́нница, ве́стница; представи́тельница.

amber ['æmbə] *n* 1) янта́рь; окамене́лая смола́; 2) *attr.* янта́рный; жёлтый (*о сигнале уличного движения*)

ambergris ['æmbəgri:s] *n* се́рая а́мбра.

ambidexter ['æmbı'dekstə] 1. *n* 1) челове́к, владе́ющий одина́ково свобо́дно обе́ими рука́ми; 2) двули́чный челове́к; двуру́шник;

2. *a* 1) владе́ющий одина́ково свобо́дно обе́ими рука́ми; 2) двули́чный; двуру́шнический.

ambidexterity ['æmbıdeks'terıtı] *n* 1) одина́ковое владе́ние обе́ими рука́ми; 2) двули́чность; двуру́шничество.

ambidext(e)rous ['æmbı'dekstrəs] = ambidexter 2.

ambient ['æmbıənt] *a* окружа́ющий, обтека́ющий.

ambiguity [,æmbı'gju:ıtı] *n* 1) двусмы́сленность; 2) неопределённость, нея́сность.

ambiguous [æm'bıgjuəs] *a* 1) двусмы́сленный; 2) сомни́тельный; неопределённый, нея́сный.

ambit ['æmbıt] *n* 1) окруже́ние, окре́стность; 2) грани́цы; *перен.* сфе́ра; within the ~ of в преде́лах; 3) *архит.* откры́тое простра́нство вокру́г зда́ния.

ambition [æm'bıʃən] *n* 1) честолю́бие, амби́ция; 2) стремле́ние, цель, предме́т жела́ний; it is his ~ to become a writer его́ мечта́ стать писа́телем.

ambitious [æmˈbɪʃəs] *a* 1) честолюби́вый; 2) стремя́щийся, жа́ждущий (of); ~ of power властолюби́вый; 3) претенцио́зный.

amble [ˈæmbl] 1. *n* 1) и́ноходь; 2) лёгкая похо́дка;

2. *v* 1) идти́ и́ноходью; 2) е́хать на инохо́дце; 3) идти́ ме́лкими шага́ми *или* лёгкой похо́дкой.

ambler [ˈæmblə] *n* иноходец.

ambrosia [æmˈbrouzjə] *n* 1) *миф.*, *перен* амбро́зия, пи́ща бого́в; 2) перга́.

ambulance [ˈæmbjuləns] *n* 1) полево́й го́спиталь; санита́рный отря́д; 2) кры́тая санита́рная пово́зка; 3) автомоби́ль, каре́та ско́рой по́мощи; 4) *attr.* санита́рный; ~ airplane санита́рный самолёт; ~ airdrome *амер.* эвакуацио́нный аэродро́м; ~ car автомоби́ль ско́рой по́мощи; ~ train санита́рный по́езд; ~ transport *мор.* тра́нспортное су́дно, перевозя́щее ра́неных и больны́х.

ambulance-chaser [ˈæmbjuləns͵tʃeɪsə] *n амер. разг.* юри́ст, веду́щий дела́ лиц, пострада́вших от у́личного *или* железнодоро́жного тра́нспорта.

ambulant [ˈæmbjulənt] *a мед.* 1) перемежа́ющийся (*о боли*); 2) переходя́щий с одного́ ме́ста на друго́е (*о болезни*); ~ erysipelas блужда́ющая ро́жа; 3) не тре́бующий посте́льного режи́ма (*о болезни*); 4) предполага́ющий уси́лие самого́ больно́го (*о лечении*).

ambulatory [ˈæmbjulətərɪ] 1. *a* 1) амбулато́рный (*о больном*); 2) передвижно́й; вре́менный; 3) стра́нствующий;

2. *n* 1) галере́я для прогу́лок; кры́тая вну́тренняя галере́я монастыря́; 2) стра́нствующий челове́к; 3) амбулато́рный больно́й.

ambuscade [͵æmbəsˈkeɪd] 1. *n* заса́да; 2. *v* 1) находи́ться, сиде́ть в заса́де; 2) устра́ивать заса́ду.

ambush [ˈæmbuʃ] 1. *n* заса́да; to make (*или* to lay) an ~ устра́ивать заса́ду; to lie in ~ сиде́ть в заса́де;

2. *v* 1) = ambuscade 2; 2) напада́ть из заса́ды.

ameer [əˈmɪə] *араб. n* эми́р.

ameliorate [əˈmiːljəreɪt] *v* улучша́ть(ся).

amelioration [ə͵miːljəˈreɪʃən] *n* 1) улучше́ние; 2) мелиора́ция.

ameliorative [əˈmiːljərətɪv] *a* 1) мелиорати́вный; 2) улучша́ющий(ся).

amen [ˈɑːˈmen] *int* ами́нь; да бу́дет так!; ◇ to say ~ to smth. соглаша́ться с чем-л.; одобря́ть что-л.

amenability [ə͵miːnəˈbɪlɪtɪ] *n* 1) отве́тственность; подсу́дность; 2) подве́рженность (*заболеваниям*); 3) пода́тливость.

amenable [əˈmiːnəbl] *a* 1) отве́тственный; подсу́дный; ~ to law отве́тственный пе́ред зако́ном; 2) послу́шный, сгово́рчивый; пода́тливый; ~ to discipline подчиня́ющийся дисципли́не; 3) пода́ющийся; ~ to flattery па́дкий на лесть; 4) подве́рженный (*заболеваниям*).

amenably [əˈmiːnəblɪ] *adv* согла́сно, в соотве́тствии; ~ to the rules согла́сно пра́вилам.

amend [əˈmend] *v* 1) улучша́ть(ся); исправля́ть(ся); 2) вноси́ть попра́вки (*в законопрое́кт, предложе́ние и т. п.*).

amendable [əˈmendəbl] *a* исправи́мый.

amendment [əˈmendmənt] *n* 1) исправле́ние (*недоста́тков*); освобожде́ние (*от пороков и т. п.*); 2) попра́вка (*к резолю́ции, законопрое́кту*); 3) *уст.* улучше́ние (*в ходе боле́зни*).

amends [əˈmendz] *n pl* компенса́ция, возмеще́ние; to make ~ for smth. компенси́ровать что-л., возмеща́ть убы́тки.

amenity [əˈmiːnɪtɪ] *n* 1) прия́тность; мя́гкость; нежность; ве́жливое обхожде́ние; 2) *pl* удо́бства; 3) *pl* удово́льствия; amenities of home life пре́лести семе́йной жи́зни.

amenta [əˈmentə] *pl от* amentum.

amentia [eɪˈmenʃɪə] *n* слабоу́мие.

amentum [əˈmentəm] *лат. n* (*pl* -ta) = catkin.

amerce [əˈmɜːs] *v* 1) штрафова́ть; 2) нака́зывать (with—*чем-л.*).

amercement [əˈmɜːsmənt] *n* 1) наложе́ние штра́фа (*особ. по усмотре́нию штрафу́ющего*); 2) де́нежный штраф; 3) наказа́ние.

American [əˈmerɪkən] 1. *a* америка́нский;

2. *n* америка́нец; америка́нка.

Americanism [əˈmerɪkənɪzəm] *n* американи́зм.

Americanize [əˈmerɪkənaɪz] *v* 1) американизи́ровать; 2) употребля́ть американи́змы.

American tiger [əˈmerɪkənˈtaɪgə] *n* ягуа́р.

americium [͵æməˈrɪsɪəm] *n хим.* амери́ций, радиоакти́вный ура́новый элеме́нт.

amethyst [ˈæmɪθɪst] *n* амети́ст.

amethystine [͵æmɪˈθɪstaɪn] *a* амети́стовый.

amiability [͵eɪmjəˈbɪlɪtɪ] *n* 1) дружелю́бие; любе́зность; 2) привлека́тельность; 3) доброду́шие.

amiable [ˈeɪmjəbl] *a* 1) дружелю́бный; любе́зный; 2) доброду́шный; 3) привлека́тельный, ми́лый.

amianthus [͵æmɪˈænθəs] *n мин.* го́рный лён.

amicability [͵æmɪkəˈbɪlɪtɪ] *n* дружелю́бие.

amicable [ˈæmɪkəbl] *a* 1) дру́жеский, дружелю́бный; 2) полюбо́вный.

amid [əˈmɪd] *prep* среди́, посреди́, ме́жду; ~ cries of welcome среди́ приве́тственных во́згласов.

amides [ˈæmaɪdz] *n pl хим.* ами́ды, ами́до-гру́ппа, ами́но-гру́ппа.

amidin [ˈæmɪdɪn] *n хим.* амиди́н.

amidol [ˈæmɪdɒl] *n хим.*, *фото* амидо́л.

amidships [əˈmɪdʃɪps] *adv* 1) *мор.* в середи́не корабля́; 2) *ав.* у ми́деля.

amidst [əˈmɪdst] = amid.

amildar [ˈæmɪldɑː] *n англо-инд.* податно́й инспе́ктор.

amines [ˈæmaɪnz] = amides.

amir [əˈmɪə] = ameer.

amiss [əˈmɪs] 1. *a predic.* 1) плохо́й; непра́вильный, неве́рный; not ~ недурно́й; 2) несвоевре́менный; ◇ there is something

~ with him с ним что-то неладно; what's ~? в чём дело?;

2. *adv* 1) плохо; неправильно, неверно; неладно; to do (*или* to deal) ~ ошибаться; поступать дурно; to take ~ толковать в дурную сторону; обижаться; 2) некстати; несвоевременно; to come ~ прийти не вовремя, некстати; ◇ nothing comes ~ to him он ничего не пропустит, он со всем справится.

amity ['æmɪtɪ] *n* дружеские *или* мирные отношения.

ammeter ['æmɪtə] *n эл.* амперметр.

ammonal ['æmənəl] *n* аммонал (*взрывчатое вещество*).

ammonia [ə'mounjə] *n* 1) *хим.* аммиак; liquid ~ нашатырный спирт; 2) *разг.* нашатырный спирт.

ammoniac [ə'mouniæk] *a хим.* аммиачный.

ammonite ['æmənait] *n палеонт.* аммонит.

ammonium [ə'mounjəm] *n хим.* 1) аммоний; 2) *attr.*: ~ chloride нашатырный спирт, хлористый аммоний.

ammunition [,æmju'nɪʃən] **1.** *n* 1) боевые припасы, боеприпасы; снаряды, патроны; подрывные средства; *мор.* боезапас; 2) *attr.* артиллерийский, снарядный; ~ belt *амер.* патронная лента, патронташ; ~ box а) ящик с патронами; б) коробка для пулемётной ленты; в) ниша для огнеприпасов (*в окопе и т. п.*); ~ depot артиллерийский склад, огнесклад; ~ establishment склад боеприпасов; ~ factory снарядный завод; пороховой завод; ~ hoist *мор.* элеватор, подъёмник для снарядов; ◇ ~ boots *воен.* казённые сапоги; ~ leg *разг.* деревянная нога, протез; **2.** *v* снабжать боевыми припасами.

amnesia [æm'nɪːzjə] *n* потеря памяти.

amnesty ['æmnestɪ] **1.** *n* 1) сознательное попустительство; 2) амнистия; **2.** *v* амнистировать.

amoeba [ə'mɪːbə] *n* (*pl* -ae) *зоол.* амёба.

amoebae [ə'mɪːbɪː] *pl от* amoeba.

amok [ə'mɔk] = amuck.

among, amongst [ə'mʌŋ, ə'mʌŋst] *prep* среди, между; из числа; из среды; they quarrelled ~ themselves они перессорились; he is numbered ~ the dead его считают убитым; one ~ a thousand один из тысячи; ~ the ancient Greeks у древних греков.

amoral [æ'mɔrəl] *a* аморальный.

amorous ['æmərəs] *a* 1) влюбчивый; 2) влюблённый (of); 3) любовный; амурный; she gave him an ~ look она посмотрела на него влюблённо; ~ songs любовные песни.

amorousness ['æmərəsnɪs] *n* 1) влюбчивость; 2) влюблённость.

amorphous [ə'mɔːfəs] *a* 1) бесформенный, аморфный; 2) некристаллический.

amortization [ə,mɔːtɪ'zeɪʃən] *n* 1) погашение (долга); амортизация; 2) отчуждение имущества.

amortize [ə'mɔːtaɪz] *v* 1) погашать (долг); амортизировать; 2) отчуждать имущество.

amount [ə'maunt] **1.** *n* 1) количество; a large ~ of work много работы; 2) сумма,

итог; what is the ~ of this? сколько это составляет?; 3) значительность, важность;

2. *v* 1) доходить (*до какого-л. количества*), составлять (*сумму*); равняться; the bill ~s to £ 40 счёт составляет сумму в 40 фунтов стерлингов; 2) быть равным, равнозначащим; this ~s to a refusal это равносильно отказу; to ~ to very little, not to ~ to much быть незначительным, не иметь большого значения; what, after all, does it ~ to? что, в конце концов, это означает?

amour [ə'muə] *n* любовь; любовная связь, интрига.

amourette [,æmu'ret] *n* любовная интрижка.

amour-propre ['æmuə'prɔprə] *фр. n* самолюбие.

amperage [æm'pɛərɪdʒ] *n эл.* сила тока (в амперах).

ampere ['æmpɛə] *n физ.* ампер.

ampere meter ['æmpɛə,mɪtə] *n* амперметр.

ampere turn ['æmpɛə,tən] *n* ампер-виток.

ampersand ['æmpəsænd] *n* знак & (=and).

Amphibia [æm'fɪbɪə] *n pl зоол.* амфибии; земноводные.

amphibian [æm'fɪbɪən] **1.** *a* 1) земноводный; 2): ~ tank танк-амфибия; **2.** *n* 1) *зоол.* амфибия; 2) *ав.* самолёт-амфибия; 3) *воен.* танк-амфибия.

amphibious [æm'fɪbɪəs] *a* 1) земноводный; 2) *воен.* десантный; ~ operation (комбинированная) десантная операция; ~ tank танк-амфибия.

amphibology [,æmfɪ'bɔlədʒɪ] *n* двусмысленное выражение.

amphitheatre ['æmfɪ,θɪətə] *n* амфитеатр.

amphora ['æmfərə] *греч. n* (*pl* -rae) амфора.

amphorae ['æmfərɪ] *pl от* amphora.

ample ['æmpl] *a* 1) достаточный; обильный; 2) просторный; обширный; 3) пространный.

amplification [,æmplɪfɪ'keɪʃən] *n* 1) увеличение; расширение; the subject requires ~ вопрос требует разработки; 2) преувеличение; 3) распространение (*мысли или выражения*); 4) *эл.*, *радио* усиление; 5) *attr.*: ~ factor *радио* коэффициент усиления.

amplifier ['æmplɪfaɪə] *n* 1) *эл.*, *радио* усилитель; 2) линза позади объектива микроскопа.

amplify ['æmplɪfaɪ] *v* 1) расширять(ся); 2) распространять(ся); 3) преувеличивать; 4) *радио* усиливать.

amplitude ['æmplɪtjuːd] *n* 1) *физ.*, *астр.* амплитуда; 2) полнота; обилие; 3) широта, размах (*мысли*); 4) широта, простор; 5) дальность действия, радиус действия.

amplitude modulation ['æmplɪtjuːd,mɔdju'leɪʃn] *n радио* амплитудная модуляция.

amply ['æmplɪ] *adv* 1) обильно; полно, достаточно; 2) пространно.

ampoule, ampule ['æmpuːl, 'æmpjuːl] *n* ампула.

amputate ['æmpjuteɪt] *v* отнимать, ампутировать.

amputation [,æmpju'teɪʃən] *n* ампутация.

amputee [,æmpju'tïː] *n амер.* человéк с ампутúрованной ногóй *или* рукóй.

amuck [ə'mʌk] *малайск. adv:* to run ~ а) обезýметь; быть вне себя, нейстовствовать; б) в я́рости набрáсываться на вся́кого встрéчного.

amulet ['æmjulıt] *n* амулéт.

amuse [ə'mjuːz] *v* забавля́ть; развлекáть; you ~ me вы меня́ смешúте.

amusement [ə'mjuːzmənt] *n* развлечéние, увеселéние, забáва, весéлье.

amusing [ə'mjuːzıŋ] 1. *pres. p. om* amuse; 2. *a* забáвный, смешнóй; занимáтельный, заня́тный.

amyloid ['æmilɔid] 1. *n* амилóид; 2. *a* крахмáлистый, крахмáльный.

an I [æn (*полная форма*); ən, n (*редуцированные формы*)] *грам. неопределённый член, артикль см.* a II.

an II [æn] *cj уст.* éсли.

ana ['ɑːnə] *n* 1) сбóрник воспоминáний, выскáзываний, изречéний; 2) *pl* анекдóты, рассказы о каком-л. лицé.

anabaptist [,ænə'bæptıst] *n* анабаптúст.

anachronism [ə'nækrənızəm] *n* анахронúзм.

anaconda [,ænə'kɔndə] *n* 1) анакóнда (*змея*); 2) люба́я больша́я змея́, котóрая дýшит свою́ жéртву.

anacreontic [,ænækrɪ'ɔntık] *a лит.* анакреонтúческий.

anaemia [ə'niːmjə] *n мед.* анемúя, малокрóвие.

anaemic [ə'niːmık] *a мед.* анемúчный, малокрóвный.

anaerobia [ænɛə'roubıə] *n pl биол.* анаэрóбы.

anaesthesia [,ænïs'θïːzjə] *n* анестезúя, обезбóливание.

anaesthetic [,ænïs'θetık] 1. *a* анестезúрующий; обезбóливающий; 2. *n* анестезúрующее срéдство, наркóтик.

anaesthetize [æ'nïːsθıtaız] *v* анестезúровать, обезбóливать.

anagram ['ænəgræm] *n* анаграмма.

anal ['einəl] *a анат.* заднепрохóдный.

analects ['ænəlekts] *n pl* литературный сбóрник.

analgesic [,ænæl'dʒesık] 1. *a* болеутоля́ющий; 2. *n* болеутоля́ющее срéдство.

analogical [,ænə'lɔdʒıkəl] *a* 1) аналогúческий, оснóванный на аналóгии; 2) фигурáльный, метонимúческий.

analogous [ə'næləgəs] *a* аналогúчный; схóдный.

analogy [ə'nælədʒı] *n* аналóгия; схóдство; by ~ with, on the ~ of по аналóгии с.

analyse ['ænəlaız] *v* 1) анализúровать; 2) *хим.* разлагáть; 3) *грам.* разбирáть (*предложение*).

analyses [ə'nælïsïːz] *pl om* analysis.

analysis [ə'næləsıs] *n* (*pl* -ses) 1) анáлиз; 2) *хим.* разложéние; 3) *грам.* разбóр; sentence ~ синтаксúческий разбóр; 4) психоанáлиз; ◇ in the last ~ в конéчном счёте.

analyst ['ænəlıst] *n* 1) аналúтик; 2) лаборáнт-хúмик; 3) специалúст по психо-

анáлизу; психиáтр, пóльзующийся мéтодом психоанáлиза.

analytic(al) [,ænə'lıtık(əl)] *a* аналитúческий.

anamnesis [,ænæm'nïːsıs] *n* 1) припоминáние; 2) *мед.* анáмнез.

anamorphosis [,ænə'mxfəsıs] *n* искажённое изображéние предмéта.

ananas [ə'nɑːnəs] *n* ананáс.

anapaest ['ænəpïːst] *n лит.* анáпест.

anarchic(al) [æ'nɑːkık(əl)] *a* анархúческий.

anarchism ['ænəkızəm] *n* анархúзм.

anarchist ['ænəkıst] *n* анархúст.

anarchy ['ænəkı] *n* анáрхия.

anastomoses [,ænəstə'mousïːz] *pl om* anastomosis.

anastomosis [,ænəstə'mousıs] *n* (*pl* -ses) *анат., бот.* анастомóз.

anathema [ə'næθımə] *n* 1) анáфема, отлучéние от цéркви; 2) проклятие.

anathematize [ə'næθımətaız] *v* 1) предавáть анáфеме; 2) проклинáть.

anatomic(al) [,ænə'tɔmık(əl)] *a* анатомúческий.

anatomist [ə'nætəmıst] *n* 1) анáтом; 2) крúтик, аналúтик.

anatomize [ə'nætəmaız] *v* 1) анатомúровать; 2) анализúровать; подвергáть критúческому разбóру.

anatomy [ə'nætəmı] *n* 1) анатóмия; 2) анатомúрование; 3) анáлиз, критúческий разбóр; 4) *разг.* скелéт, «кóжа да кóсти».

anbury ['ænbərı] *n* 1) *вет.* фурýнкул, чúрей, вéред; 2) килá (*болезнь капусты*).

ancestor ['ænsıstə] *n* прéдок, прародúтель.

ancestral [æn'sestrəl] *a* наслéдственный, родовóй.

ancestry ['ænsıstrı] *n* 1) прéдки; 2) происхождéние.

anchor ['æŋkə] 1. *n* 1) я́корь; at ~ на я́коре; to be (*или* to lie, to ride) at ~ стоя́ть на я́коре; to cast (*или* to drop) ~ брóсить я́корь; to come to (an) ~ брóсить я́корь, стать на я́корь; to let go the ~ отдáть я́корь; to weigh ~ снимáться с я́коря; *перен.* возобновля́ть прéрванную рабóту; the ~ comes home я́корь не дéржит, судно дрейфýет; *перен.* предприя́тие тéрпит неудáчу; 2) я́корь спасéния, сúмвол надéжды; one's sheet ~ вéрное прибéжище, глáвная надéжда; 3) *тех.* желéзная связь, áнкер; 4) *attr.:* ~ ice дóнный лёд; ◇ to lay an ~ to windward принимáть необходúмые мéры предосторóжности;

2. *v* 1) стáвить на я́корь; 2) брóсить я́корь, стать на я́корь; 3) скрепля́ть, закрепля́ть; to ~ a tent to the ground закрепúть палáтку; 4) осéсть, остепенúться; ◇ to ~ one's hope (in, on) возлагáть надéжды (на).

anchorage ['æŋkərıdʒ] *n* 1) я́корная стоя́нка; 2) стоя́нка на я́коре; 3) *мор.* портóвый сбор; 4) закреплéние, укреплéние; 5) опóра, я́корь спасéния; нéчто надёжное; 6) *тех.* жёсткое закреплéние.

anchoress ['æŋkərıs] *n* отшéльница, затвóрница.

anchoret, anchorite ['æŋkərət, -raıt] *n* затвóрник, отшéльник, анахорéт.

anchovy [ˈæntʃəvɪ] n анчо́ус, хамса́ (рыба).

anchylosis [ˌæŋkaɪˈlousɪs] n мед., вет. анкило́з.

ancient I [ˈeɪnʃənt] 1. a 1) дре́вний; стари́нный, ста́рый; 2) анти́чный; 2. n 1) (the ~s) pl a) дре́вние наро́ды; б) анти́чные писа́тели; 2) ста́рец, старе́йшина.

ancient II [ˈeɪnʃənt] n уст. 1) зна́мя; 2) знамено́сец; 3) пра́порщик.

ancillary [ænˈsɪlərɪ] a подчинённый, служе́бный, вспомога́тельный.

ancle [ˈæŋkl] = ankle.

and [ænd (полная форма); ənd, ən, nd, n (редуци́рованные формы)] cj 1) соедини́тельный союз и; boys ~ girls ма́льчики и де́вочки; 2) в сложных словах: four ~ twenty два́дцать четы́ре; a hundred ~ twenty сто два́дцать; give-and-take policy поли́тика взаи́мных усту́пок; 3) противи́тельный союз а, но; I shall go ~ you stay here я пойду́, а ты остава́йся здесь; there are books ~ books есть кни́ги и кни́ги; 4) вместо частицы to между глаголами: try ~ do it постара́йтесь э́то сде́лать; come ~ see приходи́те посмотре́ть; ◊ miles ~ miles о́чень до́лго, бесконе́чно.

andante [ænˈdæntɪ] ит. adv, n муз. анда́нте.

andiron [ˈændaɪən] n желе́зная подста́вка для дров в ками́не.

androgyne [ænˈdrɔdʒɪn] n гермафроди́т.

androgynous [ænˈdrɔdʒɪnəs] a 1) двупо́лый; 2) соединя́ющий в себе́ противополо́жные сво́йства.

Andromache [ænˈdrɔməkɪ] n Андрома́ха.

anecdote [ˈænɪkdout] n 1) эпизо́д; 2) анекдо́т; 3) pl подро́бности о ча́стной жи́зни (обыкн. какого-л. истори́ческого лица́).

anecdotic [ˌænekˈdɔtɪk] a анекдоти́чный.

anemograph [əˈneməɡrɑːf] n метеор. анемо́граф, самопи́шущий ветроме́р.

anemometer [ˌænɪˈmɔmɪtə] n метеор. анемо́метр.

anemone [əˈnemənɪ] n бот. анемо́н, ве́треница.

anemoscope [əˈneməskoup] n метеор. анемоско́п (прибор для указания направле́ния ветра).

anent [əˈnent] prep уст. шотл. каса́тельно, относи́тельно.

aneroid [ˈænərɔɪd] n баро́метр-анеро́ид.

aneroidograph [ˌænəˈrɔɪdəɡrɑːf] n самопи́шущий баро́метр-анеро́ид.

anesthesia [ˌænɪsˈθiːzjə] = anaesthesia.

anesthetic [ˌænɪsˈθetɪk] = anaesthetic.

aneurism [ˈænjuərɪzəm] n мед. аневри́зм.

anew [əˈnjuː] adv 1) сно́ва; 2) за́ново; по-но́вому.

anfractuous [ænˈfræktjuəs] a 1) изви́листый; криво́й; спира́льный; 2) запу́танный, сло́жный.

angary [ˈæŋɡərɪ] n пра́во вою́ющей стороны́ на захва́т, испо́льзование или разруше́ние (с компенса́цией) иму́щества нейтра́льного госуда́рства.

angel [ˈeɪndʒəl] 1. n 1) а́нгел; 2) ист.

золота́я моне́та; 3) разг. театра́льный меце́на́т; 4) разг. подде́рживающий предприя́тие в фина́нсовом отноше́нии; подде́рживающий како́е-л. полити́ческое мероприя́тие; ◊ to rush in where ~s fear to tread вме́шиваться глу́по и самонаде́янно в чужи́е дела́;
2. v разг. подде́рживать (какое-л. предприя́тие).

angelic [ænˈdʒelɪk] a а́нгельский.

angelica [ænˈdʒelɪkə] n бот. ду́дник.

anger [ˈæŋɡə] 1. n гнев;
2. v вызыва́ть гнев; серди́ть, раздража́ть.

Angevin [ˈændʒɪvɪn] a ист. анжу́йский.

angina [ænˈdʒaɪnə] n анги́на; ~ pectoris грудна́я жа́ба.

angle I [ˈæŋɡl] 1. n 1) у́гол; ~ of bank ав. у́гол кре́на; у́гол виража́; ~ of dip у́гол магни́тного наклоне́ния, магни́тная широта́; ~ of dive ав. у́гол пики́рования; ~ of drift ав. у́гол сно́са; ~ of roll ав., мор. у́гол кре́на; ~ of site топ., воен. у́гол ме́ста це́ли; ~ of slope у́гол отко́са, у́гол наклона; ~ of view у́гол изображе́ния; ~ of lag у́гол отстава́ния; у́гол запа́здывания; у́гол замедле́ния; solid ~ простра́нственный у́гол; 2) то́чка зре́ния; to look at the question from all ~s рассма́тривать вопро́с со всех то́чек зре́ния; to get (или to use) a new ~ on smth. разг. усво́ить но́вую то́чку зре́ния на что-л.; 3) положе́ние, ситуа́ция; сторона́ (вопроса, дела и т. п.); 4) уго́льник; 5) attr. углово́й; ~ bar, ~ iron углово́е желе́зо; ~ brace углова́я связь, раско́с; ~ bracket консо́ль, кронште́йн;
2. v искажа́ть (рассказ, события).

angle II [ˈæŋɡl] 1. n рыболо́вный крючо́к;
2. v уди́ть ры́бу; перен. заки́дывать у́дочку; to ~ for a compliment напра́шиваться на комплиме́нт.

angler [ˈæŋɡlə] n 1) рыболо́в; 2) зоол. морско́й чёрт.

angleworm [ˈæŋɡl͵wəːm] n червя́к, наса́живаемый на рыболо́вный крючо́к как прима́нка.

Anglican [ˈæŋɡlɪkən] 1. a 1) англика́нский; 2) амер. англи́йский;
2. n лицо́ англика́нского вероисповеда́ния.

Anglicism [ˈæŋɡlɪsɪzəm] n 1) англици́зм; 2) англи́йский обы́чай; англи́йская привы́чка и т. п.

anglicist [ˈæŋɡlɪsɪst] n англи́ст.

Anglicize [ˈæŋɡlɪsaɪz] v англизи́ровать.

anglistics [æŋˈɡlɪstɪks] n pl (употр. как sing) англи́стика.

anglomania [ˌæŋɡlouˈmeɪnjə] n англома́ния.

anglophobia [ˌæŋɡlouˈfoubjə] n англофо́бия.

Anglo-Saxon [ˈæŋɡlouˈsæksən] 1. a англосаксо́нский; ~ alphabet а́збука из 23 букв (без j, q, w, существова́вшая в Англии до середи́ны XVII в.);
2. n 1) англоса́кс; 2) англосаксо́нский, древнеангли́йский язы́к.

angola [æŋ'goulə] = angora.

angora [æŋ'gɔːrə] *n* 1) ангóрская кóшка (*тж.* ~ cat); 2) ангóрская козá (*тж.* ~ goat); 3) ткань из шéрсти ангóрской козы́.

angrily ['æŋgrılı] *adv* гнéвно, сердúто.

angry ['æŋgrı] *a* 1) сердúтый, раздражённый; разгнéванный; to be ~ with smb. сердúться на когó-л.; to get ~ at smth. рассердúться из-за чегó-л.; to make smb. ~ рассердúть когó-л.; 2) воспалённый (*о ране, язве и т. п.*).

Ångström unit ['ɔŋstrəm,juːnıt] *n радио* áнгстрем.

anguine ['æŋgwın] *a* змеевúдный.

anguish ['æŋgwıʃ] *n* мýка, боль; ~ of body and mind физúческие и душéвные страдáния.

angular ['æŋgjulə] *a* 1) угóльный, углобóй; ~ point вершúна угла́; ~ motion угловóе движéние; ~ velocity угловáя скóрость; 2) угловáтый, нелóвкий; 3) худóй, костля́вый; 4) сварлúвый; 5) чóпорный.

angularity [,æŋgju'lærıtı] *n* 1) угловáтость; 2) худобá, костля́вость; 3) сварлúвость; 4) чóпорность.

anhydride [æn'haıdraıd] *n хим.* ангидрúд.

anhydrite [æn'haıdraıt] *n мин.* ангидрúт.

anhydrous [æn'haıdrəs] *a хим.* безвóдный.

anigh [ə'naı] 1. *adv* вблизú, блúзко; 2. *prep* вблизú, близ, óколо.

anil ['ænıl] *n* индúго (*кустарник и краска*).

anile ['eınaıl] *a* 1) старýшечий; 2) слабоýмный.

aniline ['ænılıːn] *n хим.* 1) анилúн; 2) *attr.* анилúновый; ~ dye анилúновый красúтель; синтетúческий красúтель.

anility [æ'nılıtı] *n* 1) стáрость, дря́хлость; 2) стáрческое слабоýмие.

animadversion [,ænımæd'vəːʃən] *n* порицáние, крúтика.

animadvert [,ænımæd'vəːt] *v* критиковáть, порицáть (on, upon).

animal ['ænıməl] 1. *n* живóтное; 2. *a* живóтный; скóтский; ~ black живóтный ýголь; ~ bones костяная́ мукá (*удобрение*); ~ breeding, ~ husbandry животновóдство; ~ traction кóнная тя́га; вью́чные перевóзки; ◇ ~ spirits жизнерáдостность, бóдрость.

animalcule [,ænı'mælkjuːl] *n* микроскопúческое живóтное.

animalism ['ænıməlızəm] *n* 1) чýвственность; 2) *филос.* анималúзм.

animate 1. *a* ['ænımıt] 1) живóй; 2) оживлённый; воодушевлённый; 2. *v* ['ænımeıt] 1) оживúть, вдохнýть жизнь; 2) оживля́ть; воодушевля́ть; вдохновля́ть.

animated ['ænımeıtıd] 1. *p.p. от* animate 2; 2. *a* оживлённый; воодушевлённый; an ~ discussion оживлённая дискýссия; ◇ ~ cartoon(s) мультипликáция.

animation [,ænı'meıʃən] *n* воодушевлéние; жúвость; оживлéние.

animism ['ænımızəm] *n филос.* анимúзм.

animosity [,ænı'mɔsıtı] *n* враждéбность, злóба.

animus ['ænıməs] *лат. n* 1) предубеждé-

ние; враждéбность; 2) *юр.* побуждéние, намéрение.

anise ['ænıs] *n* анúс (*растение из сем. зонтичных*).

aniseed ['ænısıːd] *n* анúс (*семена*).

anker ['æŋkə] *n* áнкер (*мера жидкости*).

ankle ['æŋkl] *n* лоды́жка.

ankle-joint ['æŋkl'dʒɔınt] *n анат.* Ахиллéсово сухожúлие.

anklet ['æŋklıt] *n* 1) ножнóй браслéт; 2) *pl* шаровáры (спортúвного тúпа), стя́нутые у лоды́жек.

anna ['ænə] *n* áнна (*индийская монета =* $^1/_{16}$ *рупии*).

annalist ['ænəlıst] *n* 1) хроникёр; 2) летопúсец.

annals ['ænlz] *n pl* аннáлы, лéтописи.

anneal [ə'nıːl] *v* 1) *тех.* отжигáть; прокáливать; 2) обжигáть (*стекло, керамические изделия*); 3) *перен.* закаля́ть.

annealing [ə'nıːlıŋ] 1. *pres. p. от* anneal; 2. *n тех.* óтжиг.

Annelida [ə'nelıdə] *n pl зоол.* кóльчатые чéрви, кольчецы́.

annex I [ə'neks] *v* 1) присоединя́ть; аннексúровать; 2) прилагáть; дéлать приложéние (*к книге и т. п.*).

annex II ['æneks] *n* 1) прибавлéние, приложéние, дополнéние; 2) пристрóйка, крылó, флúгель.

annexation ['ænek'seıʃən] *n* присоединéние; аннéксия.

annexe ['æneks] = annex II.

annihilate [ə'naıəleıt] *v* 1) уничтожáть, истребля́ть; 2) отменя́ть; упраздня́ть.

annihilation [ə,naıə'leıʃən] *n* 1) уничтожéние, истреблéние; 2) отмéна; упразднéние.

anniversary [,ænı'vəːsərı] 1. *n* годовщúна; юбилéй;
2. *a* ежегóдный; годовóй.

Anno Domini ['ænou'dɔmınaı] *лат.* 1.*adv* христиáнской э́ры, нóвой э́ры; 1940 AD 1940 год нáшей э́ры;
2. *n разг.* стáрость; ~ is the trouble стáрость — вот бедá.

annotate ['ænouteıt] *v* 1) аннотúровать; 2) снабжáть примечáниями.

annotation [,ænou'teıʃən] *n* 1) аннотáция; 2) примечáние.

announce [ə'nauns] *v* 1) объявля́ть; давáть знать; заявля́ть; извещáть; 2) публиковáть; 3) доклáдывать (*о посетителях, гостях*).

announcement [ə'naunsmənt] *n* объявлéние, сообщéние; извещéние.

announcer [ə'naunsə] *n* 1) объявля́ющий прогрáмму; 2) *радио* дúктор; 3) вéстник.

annoy [ə'nɔı] 1. *v* досаждáть, докучáть, надоедáть, раздражáть;
2. *n уст., поэт.* досáда, неприя́тность.

annoyance [ə'nɔıəns] *n* 1) досáда; раздражéние; неприя́тность; 2) надоедáние; приставáние.

annoyed [ə'nɔıd] 1. *p.p. от* annoy 1;
2. *a* раздражённый, раздосáдованный.

annoying [ə'nɔııŋ] 1. *pres. p. от* annoy 1;
2. *a* раздражáющий; досáдный; how ~ какáя досáда.

annual ['ænjuəl] 1. *a* ежегóдный; годовóй; ~ income годовóй дохóд; ~ ring (*или* zone) годúчный слóй (*в древесине*);
2. *n* 1) ежегóдник (*книга*); 2) иллюстрúрованный рождéственский сбóрник (*подарок к рождеству*); 3) однолéтнее растéние.
annually ['ænjuəlɪ] *adv* ежегóдно.
annuitant [ə'njuːɪtənt] *n* получáющий ежегóдную рéнту.
annuity [ə'njuːɪtɪ] *n* ежегóдная рéнта; life ~ пожúзненная рéнта.
annul [ə'nʌl] *v* аннулúровать; отменять; уничтожáть.
annular ['ænjulə] *a* кольцеобрáзный, кольцевóй.
annulate ['ænjuleɪt] *a* кóльчатый.
annulet ['ænjulet] *n* 1) колéчко; 2) *архит.* поясóк колóнны.
annulment [ə'nʌlmənt] *n* аннулúрование; отмéна; уничтожéние.
annunciate [ə'nʌnʃɪeɪt] *v* возвещáть; объявлять.
annunciation [ə,nʌnsɪ'eɪʃən] *n* 1) возвещéние; объявлéние; 2) (A.) *рел.* благовéщение.
annunciator [ə'nʌnʃɪeɪtə] *n* электрúческий сигнáльный нумерáтор.
anode ['ænoud] *n* эл. анóд.
anodyne ['ænoudaɪn] 1. *n* болеутоляющее, успокáивающее срéдство;
2. *a* болеутоляющий, успокáивающий.
anoint [ə'nɔɪnt] *v* 1) намáзывать, смáзывать (*рану и т. п.*); 2) *рел.* помáзывать.
anointment [ə'nɔɪntmənt] *n* 1) смáзывание (*раны и т. п.*); 2) *рел.* помáзание.
anomalistic [ə,nɔmə'lɪstɪk] *a астр.* аномалистúческий.
anomalous [ə'nɔmələs] *a* непрáвильный, аномáльный, ненормáльный.
anomaly [ə'nɔmǝlɪ] *n* аномáлия.
anon [ə'nɔn] *adv* 1) уст. вскóре; see you ~! *шутл.* покá!; 2) уст. тóтчас; сейчáс; ever and ~ врéмя от врéмени; то и дéло.
anonym ['ænǝnɪm] *n* 1) анонúм; 2) псевдонúм.
anonymity [,ænǝ'nɪmɪtɪ] *n* анонúмность.
anonymous [ə'nɔnɪmǝs] *a* анонúмный, безымянный.
anopheles [ə'nɔfɪliːz] *n* анóфелес, малярúйный комáр (*тж.* ~ mosquito).
anorganic [,ænɔː'gænɪk] *a* неорганúческий.
anosmia [æ'nɔsmɪǝ] *n* потéря обоняния.
another [ə'nʌðə] *pron. indef.* 1) ещё одúн; ~ cup of tea? хотúте ещё чáшку чáю?; 2) другóй; отлúчный; I don't like this book, give me ~ one мне не нрáвится эта кнúга, дáйте мне другýю; ~ place парл. другáя палáта; 3) нóвый, ещё одúн похóжий; ~ Shakespeare нóвый, новоявленный Шекспúр; ◇ (taken) one with ~ a) вмéсте (взятый); б) (взятый) в срéднем.
anourous [ə'nuːrǝs] *a зоол.* бесхвóстый.
anoxaemia, **anoxia** [,ænɔk'siːmɪǝ,ə'nɔksɪǝ] *n* недостáток кислорóда в кровú; кислорóдное голодáние.
anserine ['ænsǝraɪn] *a* 1) гусúный; 2) глýпый.

answer ['ɑːnsə] 1. *n* 1) отвéт; to know all the ~s имéть на всё готóвый отвéт; быстро реагúровать; 2) возражéние; 3) мат. решéние (*задачи*); 4) *юр.* защúта;
2. *v* 1) отвечáть, откликáться; to ~ the door (*или* the bell) открыть дверь (*на звонóк, на стук и т. п.*); to ~ the phone подойтú к телефóну; to ~ a call a) отвéтить по телефóну; б) откликнуться на зов; to ~ the name of... откликáться на *какое-л.* úмя; 2) соотвéтствовать; подходúть; to ~ the description (purpose) соотвéтствовать описáнию (цéли); 3) исполнять, удовлетворять; to ~ the helm *мор.* слýшаться руля; 4) ручáться (for — за *когó-л.*); 5) возражáть (to — на *обвинéние*); 6) удавáться; имéть успéх; the experiment has not ~ed at all óпыт не удáлся; 7) реагúровать (to); 8) служúть (*в качестве или взамéн чегó-л.*); a piece of paper on the table ~ed for a table-cloth вмéсто скáтерти на столé лежáл лист бумáги; ☐ ~ back дерзúть.
answerable ['ɑːnsǝrǝbl] *a* 1): such a question is not ~ на такóй вопрóс невозмóжно отвéтить; 2) отвéтственный; you are ~ to him for it вы отвечáете пéред ним за это; 3) соотвéтственный; to be not ~ to smth. не соотвéтствовать чемý-л.; the results were not ~ to our hopes результáты не оправдáли нáших надéжд.
an't [ɑːnt] *сокр.* 1) разг. = am not, are not; 2) диал. = is not; has not.
ant [ænt] *n* муравéй; white ~ термúт.
antacid ['ænt'æsɪd] *мед.* 1. *n* нейтрализýющее кислотý срéдство;
2. *a* нейтрализýющий кислотý.
Antaeus [æn'tiːǝs] *n миф.* Антéй.
antagonism [æn'tægǝnɪzǝm] *n* 1) антагонúзм, враждá; 2) сопротивлéние (to, against).
antagonist [æn'tægǝnɪst] *n* 1) антагонúст; сопéрник; протúвник; 2) *attr.* антагонистúческий.
antagonistic [æn,tægǝ'nɪstɪk] *a* 1) антагонистúческий; враждéбный; 2) противодéйствующий.
antagonize [æn'tægǝnaɪz] *v* 1) противодéйствовать; 2) вызывáть антагонúзм, враждý; 3) *амер.* борóться, сопротивляться.
antarctic [ænt'ɑːktɪk] *a* антарктúческий, южнополярный; A. Circle Южный полярный круг.
ant-bear ['ænt'bɛǝ] *n* муравьéд.
ante- ['æntɪ-] *pref* слýжит для выражéния предшéствования во врéмени или прострáнстве до-; пред-; antediluvian допотóпный; anteprandial предобéденный.
ant-eater ['ænt,iːtǝ] = ant-bear.
ante-bellum ['æntɪ'belǝm] *a* 1) довоéнный; 2) *амер. ист.* до граждáнской войны в США.
antecedence [,æntɪ'siːdǝns] *n* 1) предшéствование; 2) пéрвенство; приоритéт; 3) *астр.* обрáтное движéние (планéты).
antecedent [,æntɪ'siːdǝnt] 1. *n* 1) предшéствующее; 2) *pl* прóшлая жизнь, прóшлое; his ~s егó прóшлое; 3) *мат.* пéрвый член пропóрции; ~ of ratio предыдýщий член отношéния;

2. *a* 1) предшéствующий (to), предыдý-щий; 2) априóрный.

antechamber ['æntɪ,t∫eɪmbə] *n* передняя, прихóжая, вестибюль.

antedate ['æntɪ'deɪt] **1.** *n* дáта, постáв-ленная зáдним числóм (*особ. в письме*);
2. *v* 1) датировать бóлее рáнним (*или* зáдним) числóм; 2) предвосхищáть; 3) пред-шéствовать.

antediluvian ['æntɪdɪ'luːvjən] **1.** *a* до-потóпный;
2. *n* 1) глубóкий старик; 2) старомóд-ный человéк.

antelope ['æntɪloup] *n* антилóпа.

antemeridian ['æntɪmə'rɪdɪən] *a* допо-лýденный, ýтренний.

ante meridiem ['æntɪmə'rɪdɪəm] *adv* до полýдня.

antenatal ['æntɪ'neɪtl] *a* относящийся к утрóбной жизни; до рождéния.

antenna [æn'tenə] *n* (*pl* -nae) 1) *зоол.* щýпальце, ýсик; 2) *радио* антéнна.

antennae [æn'teniː] *pl от* antenna.

antenuptial ['æntɪ'nʌp∫əl] *a* добрáчный.

antepenultimate ['æntɪpɪ'nʌltɪmɪt] *a* трé-тий от концá (*о слоге*).

anteprandial ['æntɪ'prændjəl] *a* пред-обéденный.

anterior [æn'tɪərɪə] *a* 1) перéдний; 2) пред-шéствующий.

anteriority [æn,tɪərɪ'ɔrɪtɪ] *n* пéрвенство; старшинствó.

anteriorly [æn'tɪərɪəlɪ] *adv* рáньше.

ante-room ['æntɪrum] *n* передняя, приём-ная.

ant-fly ['æntflaɪ] *n* летýчий муравéй.

ant-heap ['ænthiːp] = ant-hill.

anthem ['ænθəm] **1.** *n* 1) гимн; торжéст-венная песнь; national ~ госудáрственный гимн; 2) *церк.* пéние, церкóвный хорáл;
2. *v поэт.* петь гимны; воспевáть.

anther ['ænθə] *n бот.* пыльник.

ant-hill ['ænthɪl] *n* муравéйник.

anthologist [æn'θɔlədʒɪst] *n* составитель антолóгии.

anthology [æn'θɔlədʒɪ] *n* антолóгия.

Anthony's fire ['æntənɪzfaɪə] *n уст.* антóнов огóнь.

anthracene ['ænθrəsiːn] *n хим.* антрацéн.

anthracides ['ænθrəsaɪdz] *n pl собир. горн.* тóпливо (*уголь, торф и антрацит*).

anthracite ['ænθrəsaɪt] *n* антрацит.

anthrax ['ænθræks] *n мед.* 1) карбýн-кул; 2) сибирская язва.

anthropoid ['ænθrəpɔɪd] **1.** *n* антропóид, человекообрáзная обезьяна;
2. *a* человекообрáзный.

anthropologist [,ænθrə'pɔlədʒɪst] *n* ан-трополóг.

anthropology [,ænθrə'pɔlədʒɪ] *n* антро-полóгия.

anthropometry [,ænθrə'pɔmɪtrɪ] *n* антро-помéтрия.

anthropomorphism [,ænθrəpə'mɔːfɪzəm] *n* антропоморфизм.

anthropophagi [,ænθrə'pɔfəgaɪ] *n pl* людо-éды.

anthropophagy [,ænθrə'pɔfədʒɪ] *n* людоéд-ство.

anti- ['æntɪ-] *pref* противо-, анти-.

anti-aircraft ['æntɪ'ɛəkrɑːft] **1.** *n* зе-нитная артиллéрия и пулемёты;
2. *a* противовоздýшный, зенитный.

antiaircrafter ['æntɪ'ɛəkrɑːftə] *n амер. воен.* зенитчик.

antibiosis [,æntɪbaɪ'ousɪs] *n биол.* анти-биóз.

antibiotic ['æntɪbaɪ'ɔtɪk] **1.** *n* антибиóтик;
2. *a* антибиотический; ~ treatment ле-чéние антибиóтиком.

antibody ['æntɪ,bɔdɪ] *n физиол.* антитéло.

antic ['æntɪk] **1.** *n* 1) гротéск; 2) *pl* ужим-ки, шáлости; 3) *уст.* шут, фигляр;
2. *a уст.* гротéскный; шутовскóй.

anticentre ['æntɪ,sentə] *n геол.* антипóд эпицéнтра (*землетрясéния*).

antichrist ['æntɪkraɪst] *n* антихрист.

anticipant [æn'tɪsɪpənt] **1.** *n* тот, кто ожи-дáет *и пр.* [*см.* anticipate];
2. *a* ожидáющий, предчýвствующий.

anticipate [æn'tɪsɪpeɪt] *v* 1) ожидáть, предвидеть, предвкушáть, предчýвствовать; 2) ускорять, приближáть (*наступление чего-л.*); to ~ a disaster ускóрить катастрó-фу; 3) предупреждáть, предвосхищáть; to ~ smb.'s wishes предупреждáть чьи-л. желáния; 4) дéлать (*что-л.*), говорить (*о чём-л.*) *и т. п.* рáньше врéмени; забе-гáть вперёд; to ~ payment *ком.* уплатить рáньше срóка; 5) использовать, истрá-тить зарáнее; 6) *тех.* упреждáть, опере-жáть.

anticipation [æn,tɪsɪ'peɪ∫ən] *n* ожидáние *и пр.* [*см.* anticipate]; by ~ зарáнее; впе-рёд; in ~ of smth. в ожидáнии чегó-л.; в предвидении чегó-л.; thanking you in ~ зарáнее благодáрный (*в письме*).

anticipatory [æn'tɪsɪpeɪtərɪ] *a* 1) предва-рительный; предупреждáющий; 2) преж-деврéменный; 3) *грам.* вводящий, предваря-ющий.

anticlerical ['æntɪ'klerɪkl] *a* антиклери-кáльный.

anticlimax ['æntɪ'klaɪmæks] *n* 1) падé-ние напряжéния; реáкция, упáдок; 2) *прос.* снижéние (*стиля*).

anticlinal [,æntɪ'klaɪnəl] *a геол.* антикли-нáльный.

anticline ['æntɪklaɪn] *n геол.* антикли-нáль, антиклинáльная склáдка, седлó, сед-ловина.

anticlockwise ['æntɪ'klɔkwaɪz] *adv* прó-тив часовóй стрéлки.

anticyclone ['æntɪ'saɪkloun] *n* антицик-лóн.

antidazzle ['æntɪdæzl] *a авт.* неослепляю-щий (*о свете фар*).

antidotal ['æntɪdoutl] *a* противоядный; ~ treatment *мед.* применéние противоядия.

antidote ['æntɪdout] *n* противоядие.

anti-fascist ['æntɪ'fæ∫ɪst] **1.** *n* антифа-шист;
2. *a* антифашистский.

antifebrile ['æntɪ'fiːbraɪl] *a* противолихо-рáдочный.

antifreeze ['æntɪ'friːz] *n авт.* антифриз.

antifriction [,æntɪ'frɪk∫ən] *a тех.* анти-фрикциóнный.

antigen ['æntɪdʒən] n физиол. антиге́н.

anti-icer ['æntɪ'aɪsə] n ав. антиобледени́тель.

anti-imperialistic ['æntɪɪm,pɪərɪə'lɪstɪk] a антиимпериалисти́ческий.

antijamming ['æntɪ'dʒæmɪŋ] радио 1. n устране́ние поме́х;
2. a помехоусто́йчивый.

antiknock ['æntɪ'nɔk] n авт., ав. антидетонацио́нное сре́дство.

antilogous [æn'tɪləgəs] a противоречи́вый.

antilogy [æn'tɪlədʒɪ] n противоре́чие.

antimacassar ['æntɪmə'kæsə] n салфе́точка (на спинке мягкой мебели, на столе).

antimech(anized) ['æntɪ'mek(ənaɪzd)] a амер. противота́нковый.

anti-missile ['æntɪ'mɪsaɪl] a противораке́тный.

antimony ['æntɪmənɪ] n хим. сурьма́.

antinomy [æn'tɪnəmɪ] n 1) противоре́чие в зако́не, законода́тельстве; антино́мия; 2) парадо́кс.

antipathetic [æn,tɪpə'θetɪk] a антипати́чный, внуша́ющий отвраще́ние.

antipathy [æn'tɪpəθɪ] n антипа́тия, отвраще́ние.

antipersonnel [,æntɪ,pɜ:sə'nel] a воен. противопехо́тный; оско́лочный.

antiphlogistic ['æntɪflou'dʒɪstɪk] a противовоспали́тельный.

antipodal [æn'tɪpədl] a 1) относя́щийся к антипо́дам, живу́щий или располо́женный в противополо́жном полуша́рии; 2) диаметра́льно противополо́жный.

antipodes [æn'tɪpədiːz] n pl 1) антипо́ды, жи́тели или стра́ны противополо́жных полуша́рий; 2) противополо́жности, антипо́ды.

antipoison ['æntɪ'pɔɪzn] n 1) противоя́дие; 2) attr. противоя́дный.

antipole ['æntɪ,poul] n 1) противополо́жный по́люс; 2) диаметра́льная противополо́жность.

antipyretic ['æntɪpaɪ'retɪk] 1. a жаропонижа́ющий;
2. n жаропонижа́ющее сре́дство.

antipyrin(e) [,æntɪ'paɪərɪn] n фарм. антипири́н.

antiquarian [,æntɪ'kwɛərɪən] 1. a 1) антиква́рный; 2) археологи́ческий;
2. n 1) собира́тель, люби́тель дре́вностей, антиква́р; 2) архео́лог.

antiquary ['æntɪkwərɪ] n 1) собира́тель дре́вностей, антиква́р; 2) амер. торго́вец антиква́рными веща́ми; 3) архео́лог.

antiquated ['æntɪkweɪtɪd] a 1) устаре́лый; 2) старомо́дный.

antique [æn'tiːk] 1. n 1) дре́вняя или стари́нная вещь; антиква́рная вещь; 2) произведе́ние дре́внего (особ. анти́чного) иску́сства; 3) (the ~) дре́внее (особ. анти́чное) иску́сство; анти́чный стиль; drawing from the ~ рисова́ние с анти́чных моде́лей; lover of the ~ люби́тель старины́; 4) полигр. анти́ква (шрифт).
2. a 1) дре́вний; стари́нный; 2) анти́чный; 3) старомо́дный.

antiquity [æn'tɪkwɪtɪ] n 1) дре́вность; старина́; high ~ глубо́кая дре́вность; 2) класси́ческая дре́вность, анти́чность; the nations of ~ наро́ды дре́вности; 3) (обыкн. pl) дре́вности.

antirrhinum [,æntɪ'raɪnəm] n бот. льви́ный зев.

antiscorbutic ['æntɪskɔ:'bjuːtɪk] 1. a противоцинго́тный;
2. n противоцинго́тное сре́дство.

anti-Semite [,æntɪ'semɪt] n антисеми́т.

anti-Semitic [,æntɪsɪ'mɪtɪk] a антисеми́тский.

anti-Semitism [,æntɪ'semɪtɪzəm] n антисемити́зм.

antiseptic [,æntɪ'septɪk] 1. a антисепти́ческий, противогни́лостный;
2. n антисепти́ческое сре́дство.

antiskid ['æntɪ'skɪd] a тех. нескользя́щий.

antisocial ['æntɪ'souʃəl] a 1) антиобще́ственный; 2) необщи́тельный.

anti-submarine ['æntɪ'sʌbmərɪːn] a мор. противоло́дочный; ~ bomb (сокр. a. s.bomb) глуби́нная бо́мба.

anti-tank [,æntɪ'tæŋk] a противота́нковый.

antitheses [æn'tɪθɪsiːz] pl om antithesis.

antithesis [æn'tɪθɪsɪs] n (pl -ses) 1) антите́за, противоположе́ние; 2) контра́ст, по́лная противополо́жность.

antithetic [,æntɪ'θetɪk] a антитети́ческий.

antitoxic ['æntɪ'tɔksɪk] a противоя́дный, антитокси́ческий.

antitoxin ['æntɪ'tɔksɪn] n противоя́дие, антитокси́н.

anti-trade ['æntɪ'treɪd] n антипасса́т (ветер).

antitrust [,æntɪ'trʌst] a напра́вленный про́тив тре́стов, монопо́лий и т. п., антитре́стовский.

antityphoid [,æntɪ'taɪfɔɪd] a противотифо́зный.

antiviral [,æntɪ'vaɪrəl] a противови́русный.

antiwar ['æntɪ'wɔː] a антивое́нный.

antler ['æntlə] n оле́ний рог; отро́сток оле́ньего ро́га.

antonym ['æntənɪm] n анто́ним.

anurous [ə'njuːrəs] = anourous.

anus ['eɪnəs] n анат. за́дний прохо́д.

anvil ['ænvɪl] n накова́льня; ◇ on (или upon) the ~ в рабо́те; в проце́ссе рассмотре́ния, обсужде́ния; ~ chorus амер. хор недово́льных, протесту́ющих, злобству́ющих; a good ~ does not fear the hammer посл. хоро́шая накова́льня не бои́тся мо́лота.

anxiety [æŋ'zaɪətɪ] n 1) беспоко́йство, трево́га; 2) опасе́ние, забо́та; 3) стра́стное жела́ние (for — чего-л.; тж. с inf.).

anxious ['æŋkʃəs] a 1) озабо́ченный, беспоко́ящийся (for, about — о); to be (или to feel) ~ about беспоко́иться о; 2) трево́жный, беспоко́йный (о деле, времени); 3) си́льно жела́ющий (for — чего-л.; тж. с inf.); to be ~ for success стреми́ться к успе́ху; I am ~ to see him мне о́чень хо́чется повида́ть его́; ◇ to be on the ~ seat (или bench) *амер.* сидеть как на иголках, мучиться неизвестностью.

anxiously ['æŋkʃəslɪ] *adv* 1) с тревогой, с волнением; 2) очень, сильно.

any ['enɪ] **1.** *pron. indef.* 1) какой-нибудь, сколько-нибудь (*в вопр. предл.*); никакой (*в отриц. предл.*); can you find ~ excuse? можете ли вы найти какое-л. извинение, оправдание?; have you ~ money? есть ли у вас деньги?; I did not find any mistakes я не нашёл никаких ошибок; 2) всякий, любой (*в утверд. предл.*); you can get it in ~ shop это можно достать в любом магазине; in ~ case во всяком случае; at ~ time в любое время; 3) he had little money if ~ если у него и были деньги, то очень немного, у него почти не было денег;
2. *adv* 1) нисколько; сколько-нибудь (*при сравнит. ст.*); they are not ~ the worse for it они нисколько от этого не пострадали; 2) вообще; вовсе; совсем; it did not matter ~ это не имело никакого значения.

anybody ['enɪ‚bɒdɪ] **1.** *pron. indef* 1) кто-нибудь (*в вопр. предл.*); никто (*в отриц. предл.*); I haven't seen ~ я никого не видел; 2) любой (*в утверд. предл.*);
2. *n разг.* важное, значительное лицо; is he ~? он какое-нибудь важное лицо?

anyhow ['enɪhau] *adv* 1) каким бы то ни было образом; так или иначе (*в утверд. предл.*); никак (*в отриц. предл.*); I could not get in ~ я никак не мог войти; 2) во всяком случае; что бы то ни было; you won't be late ~ во всяком случае, вы не опоздаете; 3) как-нибудь; кое-как; to do one's work ~ работать кое-как; ◊ to feel ~ чувствовать себя расстроенным, больным.

anyone ['enɪwʌn] *pron. indef.* 1) кто-нибудь (*в вопр. предл.*); никто (*в отриц. предл.*); 2) любой, всякий (*в утверд. предл.*).

anything ['enɪθɪŋ] *pron. indef.* 1) что-нибудь (*в вопр. предл.*); ничто (*в отриц. предл.*); have you lost ~? вы что-нибудь потеряли?; he hasn't found ~ он ничего не нашёл; is he ~ like his father? есть у него что-нибудь общее с отцом?, он хоть чём-нибудь похож на отца?; 2) что угодно, всё (*в утверд. предл.*); take ~ you like возьмите всё, что вам нравится; ~ but a) всё что угодно, только не; he is ~ but a coward он всё что угодно, только не трус; б) далеко не; it is ~ but clear это далеко не ясно; ~ like *разг.* а) сильно, стремительно, изо всех сил; чрезвычайно; б) ужасно; he ran like ~ он бежал изо всех сил; if ~ пожалуй, если хотите; if ~ he has little changed пожалуй, он совсем не изменился.

anyway ['enɪweɪ]= anyhow.

anywhere ['enɪwɛə] *adv* 1) где-нибудь, куда-нибудь (*в вопр. предл.*); никуда (*в отриц. предл.*); I don't want to go ~ мне никуда не хочется идти; 2) где угодно, везде, куда угодно (*в утверд. предл.*); you can get it ~ вы можете всюду это достать; ◊ ~ from... *амер.* в пределах, от... до...; the paper's circulation is ~ from 50 to 100 thousand тираж газеты колеблется от 50 до 100 тысяч.

anywise ['enɪwaɪz] *adv* каким-нибудь образом; в какой-либо степени.

aorta [eɪ'ɔːtə] *n анат.* аорта.

aortic [eɪ'ɔːtɪk] *a анат.* аортальный; ~ arches дуги аорты.

apace [ə'peɪs] *adv* быстро; ◊ ill news comes ~ *посл.* худые вести не лежат на месте.

apanage ['æpənɪdʒ] = appanage.

apart [ə'pɑːt] *adv* 1) в стороне, отдельно; to set ~ отложить; to stand ~ стоять в стороне, особняком; joking ~ шутки в сторону; без шуток; 2) врозь, порознь; в отдельности; □ ~ from не говоря уже о, кроме, не считая; ◊ to take ~ разбирать на части; to grow ~ отдаляться друг от друга.

apartheid [ə'pɑːthaɪd] *n южно-афр.* апартеид, расовая изоляция.

apartment [ə'pɑːtmənt] *n* 1) комната; *pl* квартира; 2) *амер.* квартира; walk-up ~ квартира в доме без лифта; 3) *attr.*: ~ house *амер.* многоквартирный дом.

apartness [ə'pɑːtnɪs] *n* обособленность.

apathetic(al) [‚æpə'θetɪk(əl)] *a* равнодушный, безразличный, апатичный.

apathy ['æpəθɪ] *n* апатия, безразличие.

apatite ['æpətaɪt] *n мин.* апатит.

ape [eɪp] **1.** *n* 1) (человекообразная) обезьяна; 2) обезьяна, подражатель; to act (*или* to play) the ~ а) обезьянничать, передразнивать; б) глупо вести себя; валять дурака, кривляться;
2. *v* подражать, обезьянничать.

apeak [ə'piːk] *adv* 1) *мор.* вертикально, отвесно, (о)панер; 2) *тех.* торчком, «на попа».

aperient [ə'pɪərɪənt] *мед.* **1.** *n* слабительное;
2. *a* слабительный, послабляющий.

aperture ['æpətjuə] *n* 1) отверстие; скважина; щель; 2) *стр.* проём; пролёт; ~ of a door дверной проём; 3) *опт.* апертура.

apery ['eɪpərɪ] *n* 1) обезьянничанье, подражание; 2) обезьяний питомник.

apex ['eɪpeks] *n* (*pl* -xes [-ksɪz], apices) 1) верхушка, вершина; 2) *стр.* конёк крыши; 3) *горн.* приёмная площадка уклона, брёмсберг; 4) *attr.*: ~ stone ключевой *или* замыкающий камень.

aphasia [æ'feɪzjə] *n мед.* афазия.

aphelion [æ'fiːljən] *n астр.* афелий.

aphides ['eɪfɪdiːz] *pl om* aphis.

aphis ['eɪfɪs] *n* (*pl* aphides) тля.

aphonia [æ'founjə] *n мед.* полная потеря голоса.

aphorism ['æfərɪzəm] *n* афоризм, краткое изречение.

aphoristic [‚æfə'rɪstɪk] *a* афористический.

aphrodisiac [‚æfrou'dɪzɪæk] **1.** *a* 1) сладострастный; 2) возбуждающий; обольстительный;
2. *n* средство, усиливающее половое чувство.

Aphrodite [‚æfro'daɪtɪ] *n миф.* Афродита.

aphtha ['æfθə] *n* (*pl* -ae) 1) молочница (*детская болезнь*); 2) ящур (*болезнь скота*); 3) *pl* афты, белые круглые язвочки во рту.

aphthae ['æfθiː] *pl om* aphtha.

aphyllous [ə'fɪləs] *a бот.* не имеющий листьев, безлист(вен)ный.

apian ['eɪpjən] *a* пчелиный.

apiarian [‚eɪpɪ'ɛərɪən] 1. *a* пчеловодческий; 2. *n* = apiarist.

apiarist ['eɪpjərɪst] *n* пчеловод.

apiary ['eɪpjərɪ] *n* пчельник, пасека.

apical ['æpɪkəl] *a* 1) верхушечный, вершинный; 2) *геол.* апикальный, верхушечный, вершинный.

apices ['eɪpɪsiːz] *pl от* apex.

apiculture ['eɪpɪkʌltʃə] *n* пчеловодство.

apiece [ə'piːs] *adv* 1) за штуку; поштучно; 2) за каждого, с головы; на каждого; they had five roubles ~ у каждого из них было по пяти рублей.

apis ['eɪpɪs] *n* пчела.

apish ['eɪpɪʃ] *a* 1) обезьяний; 2) обезьянничающий; 3) глупый.

a-plenty [ə'plentɪ] *adv амер.* в изобилии, в избытке.

aplomb ['æplɔːŋ] *фр. n* апломб.

apocalypse [ə'pɔkəlɪps] *n* апокалипсис.

apocarpous [‚æpɔ'kɑːpəs] *a бот.* апокарпный, раздельный.

apocope [ə'pɔkəpɪ] *греч. n лингв.* апокопа, отпадение последнего слога *или* звука в слове.

apocrypha [ə'pɔkrɪfə] *n pl* апокрифические книги.

apocryphal [ə'pɔkrɪfəl] *a* 1) апокрифический; 2) недостоверный.

apogee [ə'poudʒɪ] *n* апогей *(тж. астр.)*.

Apollo [ə'pɔlou] *n* 1) *миф.* Аполлон; 2) красавец.

apologetic(al) [ə‚pɔlə'dʒetɪk(əl)] *a* 1) извиняющийся; he was very ~ он очень извинялся; 2) примирительный; he spoke in an ~ tone он говорил примирительным тоном; 3) защитительный, апологетический.

apologetics [ə‚pɔlə'dʒetɪks] *n pl (употр. как sing)* апологетика.

apologist [ə'pɔlədʒɪst] *n* апологет, защитник.

apologize [ə'pɔlədʒaɪz] *v* 1) извиняться (for — в *чём-л.*, to — перед *кем-л.*); приносить официальные извинения; 2) *уст.* оправдываться.

apologue ['æpəlɔg] *n* нравоучительная басня.

apology [ə'pɔlədʒɪ] *n* 1) извинение; to make *(или* to offer) an *(или* one's) ~ принести извинение, извиниться; 2) защита; оправдание; 3) *разг.* нечто второразрядное, второсортное; an ~ for a painting картина, с позволения сказать; a mere ~ for a dinner отвратительный обед; какой же это обед?

apophthegm ['æpouθem] *n* краткое изречение.

apoplectic [‚æpə'plektɪk] *a* апоплексический.

apoplexy ['æpəpleksɪ] *n* удар, паралич.

apostasy [ə'pɔstəsɪ] *n* отступничество *(от своих принципов и т. п.)*; измена *(делу, партии)*.

apostate [ə'pɔstɪt] 1. *n* отступник; изменник;

2. *a* отступнический.

apostatize [ə'pɔstətaɪz] *v* отступаться *(от своих принципов и т. п.)*.

a posteriori ['eɪpɔs‚terɪ'ɔːgaɪ] *лат.* 1. *a* апостериорный; 2. *adv* апостериори.

apostle [ə'pɔsl] *n* 1) апостол; 2) поборник.

apostolic(al) [‚æpəs'tɔlɪk(əl)] *a* 1) апостольский; 2) папский.

apostrophe I [ə'pɔstrəfɪ] *n ритор.* апострофа, обращение *(в речи, поэме и т. п.)*.

apostrophe II [ə'pɔstrəfɪ] *n* апостроф *(знак')*.

apostrophize I [ə'pɔstrəfaɪz] *v ритор.* обращаться *(к кому-л. или чему-л. в речи, поэме и т. п.)*.

apostrophize II [ə'pɔstrəfaɪz] *v* ставить знак апострофа.

apothecary [ə'pɔθɪkərɪ] *n* 1) *уст., амер.* аптекарь; 2) *уст.* лекарь.

apothegm ['æpouθem] = apophthegm.

apotheoses [ə‚pɔθɪ'ousiːz] *pl от* apotheosis.

apotheosis [ə‚pɔθɪ'ousɪs] *n (pl* -oses) 1) прославление; апофеоз; 2) обожествление; 3) *церк.* канонизация.

appal [ə'pɔːl] *v* пугать; устрашать.

appalling [ə'pɔːlɪŋ] 1. *pres.p. от* appal; 2. *a* ужасный; отталкивающий; плачевный.

appallingly [ə'pɔːlɪŋlɪ] *adv* ужасно; плачевно.

appanage ['æpənɪdʒ] *n* 1) цивильный лист; 2) удел; апанаж; 3) атрибут, свойство.

apparatus [‚æpə'reɪtəs] *n (pl* -uses [-əsɪz], *тж. без измен.)* 1) прибор, инструмент; аппарат, аппаратура; машина; 2) гимнастический снаряд; 3) *собир.* органы; the degestive ~ органы пищеварения.

apparatus house [‚æpə'reɪtəs‚haus] *n* 1) аппаратная; 2) аппаратный цех.

apparel [ə'pærəl] 1. *n* 1) *уст.* платье, одежда; 2) *церк.* украшение на облачении; 3) *уст.* снаряжение;

2. *v* 1) одевать; украшать; 2) *уст.* снаряжать.

apparent [ə'pærənt] *a* 1) видимый; ~ to the naked eye видимый невооружённым глазом; to become ~ обнаруживаться, выявляться; 2) явный; очевидный, несомненный; ~ noon *астр.* истинный полдень; ~ time *астр.* истинное время; 3) кажущийся; 4) *юр.* бесспорный.

apparently [ə'pærəntlɪ] *adv* 1) явно, очевидно; 2) по-видимому.

apparition [‚æpə'rɪʃən] *n* 1) появление *(особ. неожиданное)*; 2) видение; призрак, привидение; 3) *астр.* видимость.

apparitor [ə'pærɪtɔː] *n* 1) чиновник в гражданском *или* церковном суде; ≅ судебный пристав; 2) университетский педель.

appeal [ə'piːl] 1. *n* 1) призыв, обращение (to — к); 2) воззвание; World Peace Council's ~ Обращение Всемирного Совета Мира; 3) просьба, мольба (for — о); ~ for pardon просьба о помиловании; 4) привлекательность; to make an ~ to smb. привлекать кого-л. к себе, действовать притягáтельно на когó-л.; to have ~ быть привлекáтельным, нрáвиться; 5) влечéние; 6) *юр.* апелляция; прáво апелляции; Court of A. апелляциóнный суд;

2. *v* 1) апеллировать, обращáться, прибегáть, взывáть (to — к); to ~ to the fact ссылáться на факт; to ~ to reason апеллировать к здрáвому смыслу; to ~ to arms прибегáть к оружию; 2) привлекáть, притягивать; нрáвиться; these pictures do not ~ to me эти картины не трóгают меня; 3) *юр.* подавáть апелляциóнную жáлобу; ◇ ~ to the country распустить парлáмент и назнáчить нóвые выборы; to ~ from Philip drunk to Philip sober ≃ просить об откáзе от необдýманного решéния.

appealable [ə'piːləbl] *a* могýщий быть обжáлованным, подлежáщий обжáлованию.

appealing [ə'piːlɪŋ] 1. *pres. p. от* appeal 2; 2. *a* 1) трóгательный; 2) привлекáтельный.

appear [ə'pɪə] *v* 1) покáзываться; появляться; 2) проявляться; 3) выступáть на сцéне; to ~ in the character of Othello игрáть роль Отéлло; 4) выступáть (официáльно, публично); to ~ for the defendant выступáть в судé в кáчестве защитника обвиняемого; 5) предстáть (*перед судóм*); 6) выходить, издавáться; появляться (*в печáти*); 7) казáться; strange as it may — как бы стрáнно ни показáлось; you — to forget вы, по-видимому, забывáете; 8) явствовать; it ~s from this из этого явствует.

appearance [ə'pɪərəns] *n* 1) появлéние; to put in an ~ появиться ненадóлго (*на собрáнии, вéчере и т. п.*); to make an (*или* one's) ~ покáзываться, появляться; 2) (внéшний) вид, нарýжность; 3) видимость; to all ~(s) сýдя по всемý; по-видимому; 4) выступлéние; her first ~ was a success её дебют прошёл с успéхом; 5) выход из печáти; 6) явлéние (*обыкн. загáдочное*); фенóмен; 7) призрак; ◇ to keep up (*или* to save) ~s соблюдáть приличия.

appeasable [ə'piːzəbl] *a* поклáдистый, сговóрчивый.

appease [ə'piːz] *v* 1) успокáивать; умиротворять; 2) ублажáть, потакáть; 3) облегчáть (*боль, гóре*); 4) утолять.

appeasement [ə'piːzmənt] *n* умиротворéние *и пр.* [*см.* appease].

appellant [ə'pelənt] 1. *n* апеллянт; 2. *a* 1) апеллирующий, жáлующийся; 2) *юр.* апелляциóнный.

appellate [ə'pelɪt] *a* апелляциóнный; ~ court *амер.* апелляциóнный суд.

appellation [,æpe'leɪʃən] *n* имя, назвáние.

appellative [ə'pelətɪv] 1. *n* 1) имя, назвáние; 2) *грам.* имя (существительное) нарицáтельное;
2. *a грам.* нарицáтельный.

appellee [,æpe'liː] *n* отвéтчик, обвиняемый.

append [ə'pend] *v* 1) привéшивать; присоединять; 2) прибавлять; прилагáть (*что-л. к письмý, книге и т. п.*).

appendage [ə'pendɪdʒ] *n* 1) придáток; привéсок; 2) приложéние.

appendant [ə'pendənt] 1. *n* придáток; привéсок;
2. *a* 1) принадлежáщий (*о прáве и т. п.*: to); 2) *редк.* прикреплённый; привéшенный (to).

appendices [ə'pendɪsiːz] *pl от* appendix.

appendicitis [ə,pendɪ'saɪtɪs] *n мед.* аппендицит.

appendix [ə'pendɪks] *n* (*pl* -ices) 1) добавлéние; 2) приложéние (*содержáщее библиогрáфию, статистические таблицы, примечáния и т. п.*); 3) придáток; 4) *анат.* червеобрáзный отрóсток, аппéндикс; 5) аппéндикс (*аэростáта*).

apperception [,æpæ'sepʃən] *n психол.* апперцéпция.

appertain [,æpə'teɪn] *v* принадлежáть; относиться (to — к *чемý-л.*).

appetence, -cy ['æpɪtəns, -sɪ] *n* 1) желáние (of, for, after); 2) влечéние (*особ. половóе*; for).

appetite ['æpɪtaɪt] *n* 1) аппетит; 2) инстинктивная потрéбность (*в пище, питье и т. п.*); sexual ~ половóе влечéние; 3) охóта, склóнность; an ~ for reading склóнность к чтéнию; ◇ ~ comes with eating *посл.* аппетит прихóдит во врéмя еды.

appetizer ['æpɪtaɪzə] *n* 1) что-л., возбуждáющее аппетит, придаюéщее вкус; 2) *амер.* закýска.

appetizing ['æpɪtaɪzɪŋ] *a* аппетитный, вызывáющий аппетит; вкýсный; привлекáтельный.

applaud [ə'plɔːd] *v* 1) аплодировать; 2) одобрять; he ~ed my decision он одóбрил моё решéние.

applause [ə'plɔːz] *n* 1) аплодисмéнты; рукоплескáния; there was loud ~ for the actor актёру грóмко аплодировали; 2) одобрéние.

apple ['æpl] *n* 1) яблоко; 2) яблоня; ◇ ~ of discord яблоко раздóра; ~ of the eye а) зрачóк; б) зеница óка; Adam's ~ адáмово яблоко, кадык; the rotten ~ injures its neighbours *посл.* ≃ паршивая овцá всё стáдо пóртит.

apple-cart ['æplkɑːt] *n* телéжка с яблоками; ◇ to upset smb.'s ~ расстрáивать чьи-л. плáны.

apple dumpling ['æpl,dʌmplɪŋ] *n* яблоко, запечённое в тéсте.

apple-grub ['æplgrʌb] *n* 1) червь; 2) червотóчина.

apple-jack ['æpl,dʒek] *n амер.* яблочная вóдка.

apple-pie ['æpl'paɪ] *n* яблочный пирóг; ◇ ~ order образцóвый, пóлный порядок; ~ bed кровáть, застéленная такúм óбразом, что невозмóжно вытянуть нóги (*продéлка, распространённая в англúйских шкóльных интернáтах*).

apple-quince ['æplkwɪns] = quince.

apple sauce ['æpl'sɔːs] *n разг.* 1) лесть; 2) чепухá, ерундá.

apple-tree ['æpltriː] *n* яблоня.

appliance [ə'plaɪəns] *n* 1) приспособлéние, прибóр; 2) электроприбóр; domestic electric ~s бытовы́е электроприбо́ры; 3) *редк.* примене́ние; 4) *attr.:* ~ load *эл.* бытова́я нагру́зка.

applicable ['æplɪkəbl] *a* примени́мый, приго́дный, подходя́щий (to).

applicant ['æplɪkənt] *n* 1) проси́тель; 2) претенде́нт, кандида́т.

application [ˌæplɪ'keɪʃən] *n* 1) заявле́ние; проше́ние; to put in an ~ пода́ть заявле́ние; 2) примене́ние; примени́мость; 3) прикла́дывание (*горчи́чника, пла́стыря и т. п.*); 4) употребле́ние (*лека́рства*); 5) прилежа́ние, рве́ние (*тж.* ~ to work).

application blank [ˌæplɪ'keɪʃən'blæŋk] *n* анке́та поступа́ющего на рабо́ту.

application form [ˌæplɪ'keɪʃən'fɔːm] *n* = application blank.

applied [ə'plaɪd] 1. *p. p. от* apply; 2. *a* прикладно́й.

appliqué [æ'pliːkeɪ] *фр. n* апплика́ция.

apply [ə'plaɪ] *v* 1) обраща́ться (for — за *рабо́той, по́мощью, спра́вкой, разреше́нием и т. п.;* to — к *кому́-л.*); 2) прилага́ть; 3) применя́ть; употребля́ть; to ~ brakes тормози́ть; 4) прикла́дывать; 5) *refl.* занима́ться (*чем-л.*), направля́ть своё внима́ние (*на что-л.*); 6) каса́ться, относи́ться; быть приёмлемым; this rule applies to all э́то пра́вило отно́сится ко всем; ◇ to ~ the undertakings выполня́ть обяза́тельства.

appoint [ə'pɔɪnt] *v* 1) назнача́ть, определя́ть; to ~ to a professorship назна́чить профе́ссором; he was ~ed manager его́ назна́чили управля́ющим; 2) предпи́сывать; 3) устра́ивать, приводи́ть в поря́док; 4) снаряжа́ть; обору́довать.

appointed [ə'pɔɪntɪd] 1. *p.p. от* appoint;
2. *a* 1) назна́ченный, определённый; to come at the ~ time прийти́ в назна́ченное вре́мя; 2) обору́дованный; well (badly) ~ хорошо́ (пло́хо) обору́дованный.

appointee [əpɔɪn'tiː] *n* получи́вший назначе́ние.

appointive [ə'pɔɪntɪv] *a амер.* замеща́емый по назначе́нию, а не по вы́борам (*о до́лжности*).

appointment [ə'pɔɪntmənt] *n* 1) назначе́ние, определе́ние (*на до́лжность*); 2) ме́сто, до́лжность; to hold an ~ занима́ть до́лжность; 3) свида́ние, усло́вленная встре́ча; we made an ~ for tomorrow мы усло́вились встре́титься за́втра; to keep (to break) an ~ прийти́ (не прийти́) в назна́ченное вре́мя *или* ме́сто; 4) *pl* обору́дование, обстано́вка, ме́бель.

apportion [ə'pɔːʃən] *v* распределя́ть, разделя́ть, дели́ть (*соразме́рно, пропорциона́льно*); to ~ one's time распределя́ть своё вре́мя.

apportionment [ə'pɔːʃənmənt] *n* пропорциона́льное распределе́ние.

apposite ['æpəzɪt] *a* подходя́щий, уме́стный; уда́чный; an ~ remark уме́стное замеча́ние.

apposition [ˌæpə'zɪʃən] *n* 1) присоедине́ние, прикла́дывание; ~ of seal приложе́ние печа́ти; 2) *грам.* приложе́ние.

appraisal [ə'preɪzəl] *n* оце́нка.

appraise [ə'preɪz] *v* оце́нивать, расце́нивать.

appraisement [ə'preɪzmənt] *n* оце́нка.

appraiser [ə'preɪzə] *n* оце́нщик; такса́тор.

appreciable [ə'priːʃəbl] *a* 1) заме́тный, ощути́мый; 2) поддаю́щийся оце́нке.

appreciate [ə'priːʃɪeɪt] *v* 1) оце́нивать; 2) (высоко́) цени́ть; I ~ your kindness я ценю́ ва́шу доброту́; 3) понима́ть; I ~ your difficulty я понима́ю, как вам тру́дно; я понима́ю, в чём ва́ша тру́дность; 4) принима́ть во внима́ние; to ~ the necessity учи́тывать, принима́ть во внима́ние необходи́мость; 5) ощуща́ть; различа́ть; to ~ colours различа́ть цвета́; 6) повыша́ть(ся) в це́нности.

appreciation [əˌpriːʃɪ'eɪʃən] *n* 1) оце́нка; 2) высо́кая оце́нка; 3) понима́ние; she has an ~ of art она́ хорошо́ понима́ет иску́сство; 4) определе́ние, различе́ние; 5) благоприя́тный о́тзыв; положи́тельная реце́нзия; 6) повыше́ние це́нности; ~ of capital повыше́ние сто́имости капита́ла.

apprehend [ˌæprɪ'hend] *v* 1) понима́ть, схва́тывать; 2) предчу́вствовать (*что-л. дурно́е*), ожида́ть (*несча́стья*), опаса́ться; to ~ danger боя́ться опа́сности; 3) заде́рживать, аресто́вывать.

apprehensible [ˌæprɪ'hensəbl] *a* поня́тный, постижи́мый.

apprehension [ˌæprɪ'henʃən] *n* 1) понима́ние; спосо́бность схва́тывать; quick of ~ бы́стро схва́тывающий; dull of ~ ту́го сообража́ющий; 2) представле́ние, мне́ние; 3) (*часто pl*) опасе́ние; мра́чное предчу́вствие; to be under ~ of one's life опаса́ться за свою́ жизнь; 4) задержа́ние, аре́ст; 5) *уст.* восприя́тие.

apprehensive [ˌæprɪ'hensɪv] *a* 1) поня́тливый, сообрази́тельный; 2) воспринима́ющий; 3) по́лный стра́ха, трево́ги, предчу́вствий.

apprentice [ə'prentɪs] 1. *n* 1) учени́к, подмасте́рье; to bind smb. ~ отда́ть кого́-л. в уче́ние (ремеслу́); 2) новичо́к; начина́ющий;
2. *v* отдава́ть в уче́ние; to ~ smb. (to a tailor, a shoemaker, *etc.*) отда́ть кого́-л. в уче́ние (к портно́му, сапо́жнику *и т. п.*).

apprenticeship [ə'prentɪʃɪp] *n* 1) уче́ние, учени́чество; articles of ~ усло́вия догово́ра ме́жду ученико́м и хозя́ином; 2) срок уче́ния (*в старину́ 7 лет*).

apprise I [ə'praɪz] *v* извеща́ть, информи́ровать; to ~ smb. of smth. информи́ровать кого́-л. о чём-л.

apprise II [ə'praɪz] *v уст.* оце́нивать, расце́нивать.

apprize I, II [ə'praɪz] = aprise I *и* II.

appro [æ'prou] *n* (*сокр. от* approbation, approval): on ~ *эк.* на про́бу (*с пра́вом возвраще́ния това́ра обра́тно*).

approach [ə'proutʃ] 1. *n* 1) приближе́ние; some ~ to truth не́что бли́зкое, приближа́ющееся к и́стине; 2) по́дступ, подхо́д; 3) пере́н. подхо́д; 4) *pl* ава́нсы; попы́тки; 5) (*обыкн. pl*) *воен.* апро́ш; по́дступ; 6) *ав.* захо́д на поса́дку, вы́ход на аэродро́м;

instrument ~ вывод самолёта по приборам; 7) *attr*.: ~ road подъездной путь;

2. *v* 1) приближаться, подходить; 2) приближаться, быть почти равным, похожим; 3) делать предложения, начинать переговоры; I ~ed him on the matter я обратился к нему по этому вопросу; he ~ed me for information он обратился ко мне за сведениями.

approachable [ə'prout∫əbl] *a* 1) доступный; достижимый; 2) охотно идущий навстречу (*предложениям и т. п.*).

approbate ['æproubeit] *v* амер. 1) одобрять; 2) санкционировать.

approbation [,æprə'bei∫ən] *n* 1) одобрение; on ~ см. appro; 2) санкция, согласие; by ~ с согласия.

approbatory [ə'proubətri] *a* одобрительный.

appropriate 1. *a* [ə'prouprɪit] 1) подходящий, соответствующий (to, for); 2) свойственный, присущий (to);
2. *v* [ə'prouprieit] 1) присваивать; 2) предназначать; 3) ассигновать.

appropriation [ə,proupri'ei∫ən] *n* 1) присвоение; 2) назначение, ассигнование (*на определённую цель*); ◇ A. Bill финансовый законопроект.

appropriation-in-aid [ə,proupri'ei∫ənin'eid] *n* дотация, субсидия.

approval [ə'pru:vəl] *n* 1) одобрение; благоприятное мнение; he gave his ~ to our plan он одобрил наш план; to meet with ~ получить одобрение; on ~ см. appro; 2) утверждение; санкция; 3) рассмотрение; to submit for ~ представить на рассмотрение, для оценки.

approve [ə'pru:v] *v* 1) одобрять (of); 2) утверждать (*особ. о постановлении*); санкционировать; 3) *refl.* показывать, проявлять себя; he ~d himself a good pianist он показал себя хорошим пианистом.

approved [ə'pru:vd] 1. *p.p. от* approve;
2. *a*: ~ school государственная школа для малолетних правонарушителей.

approvingly [ə'pru:viŋli] *adv* одобрительно.

approximate 1. *a* [ə'prɔksimit] 1) находящийся близко; близкий (to — к); 2) приблизительный; ~ value *мат.* приближённое значение;
2. *v* [ə'prɔksimeit] 1) приближать(ся); почти соответствовать; 2) приблизительно равняться.

approximately [ə'prɔksimitli] *adv* приблизительно, приближённо, почти; highly ~ весьма приблизительно.

approximation [ə,prɔksi'mei∫ən] *n* 1) приближение; 2) приблизительная *или* очень близкая сумма, цифра *и т. п.*; приближённое значение.

approximative [ə'prɔksimətiv] *a* приблизительный; приближённый.

appurtenance [ə'pə:tinəns] *n* 1) принадлежность; 2) придаток.

appurtenant [ə'pə:tinənt] 1. *n* 1) принадлежность; 2) придаток;
2. *a* принадлежащий; относящийся.

apricot ['eiprikɔt] *n* 1) абрикос; 2) абрикосовое дерево; 3) абрикосовый цвет.

April ['eiprəl] *n* 1) апрель; 2) *attr.* апрельский; ~ weather то дождь, то солнце; *перен.* то смех, то слёзы; ◇ ~ fool человек, одураченный 1 апреля; ~ fish первоапрельская шутка.

a priori ['eiprai'ɔːrai] *лат.* 1. *a* априорный;
2. *adv* априори.

apriority [,eiprai'ɔriti] *n* априорность.

apron ['eiprən] *n* 1) передник, фартук; 2) полость (*в экипаже*); 3) *театр.* авансцена; 4) *ав.* настил *или* площадка перед ангаром; 5) *гидр.* порог, водобой; 6) *тех.* козырёк, фартук.

apron-string ['eiprənstriŋ] *n* завязка передника; ◇ to be tied (*или* to be pinned) to one's wife's ~s ≅ быть под каблуком у жены.

apropos ['æprəpou] *фр.* 1. *a* своевременный, подходящий, уместный;
2. *adv* 1) кстати, между прочим; 2) относительно, по поводу; ~ of this по поводу этого.

apse [æps] *n* архит. апсида.

apsides [æp'saidi:z] *pl от* apsis.

apsis ['æpsis] *n* (*pl* apsides) *астр.* апсида.

apt [æpt] *a* 1) подходящий; an ~ quotation удачная цитата; 2) склонный, подверженный (*c inf.*); ~ to take fire легковоспламеняющийся; 3) способный (at — к); 4) *predic.* вероятный, возможный; склонный; he is ~ to succeed он, вероятно, будет иметь успех.

apterous ['æptərəs] *a* зоол. бескрылый.

aptitude ['æptitjuːd] *n* 1) склонность (for); 2) способность.

aptness ['æptnis] *n* 1) уместность; 2) =aptitude.

apyrous [ei'paiərəs] *a* несгораемый; огнеупорный.

aquafortis ['ækwə'fɔːtis] *n* концентрированная азотная кислота.

aquafortist ['ækwə'fɔːtist] *n* офортист.

aqualung ['ækwə,lʌŋ] *n* акваланг (*аппарат для питания водолаза, пловца и т. д. кислородом под водой*).

aquamarine [,ækwəmə'riːn] 1. *n* 1) *мин.* аквамарин; 2) зеленовато-голубой цвет;
2. *a* 1) аквамариновый; 2) зеленовато-голубой.

aquaplane ['ækwə,plein] 1. *n* акваплан;
2. *v* кататься на акваплане.

aqua regia ['ækwə'riːdʒə] *n* хим. царская водка.

aquarelle [,ækwə'rel] *n* акварель.

aquarellist [,ækwə'relist] *n* акварелист.

aquarium [ə'kwɛəriəm] *n* аквариум.

Aquarius [ə'kwɛəriəs] *n* Водолей (*созвездие и знак зодиака*).

aquatic [ə'kwætik] *a* 1) водяной; 2) водный.

aquatics [ə'kwætiks] *n pl* водный спорт.

aquatint ['ækwətint] *n* иск. акватинта.

aquation [ə'kwei∫ən] *n* хим. гидратация.

aqua-vitae ['ækwə'vaiti:] *n* водка, крепкий спиртной напиток.

aqueduct ['ækwidʌkt] *n* 1) акведук, водопровод; 2) *анат.* канал, труба, проход.

aqueous [′eɪkwɪəs] *a* 1) водяной; водянистый; ~ solution водный раствор; ~ chamber *анат.* передняя камера глаза; 2) *геол.* осадочный.

aquifer [′ækwɪfə] *n геол.* водоносный слой *или* горизонт.

aquiferous [ə′kwɪfərəs] *a геол.* водоносный.

aquiline [′ækwɪlaɪn] *a* орлиный.

Arab [′ærəb] 1. *n* 1) араб; арабка; 2) арабская лошадь; ◇ street ~ беспризорник, уличный мальчишка; 2. *a* арабский.

arabesque [,ærə′besk] 1. *n* арабеска; 2. *a* 1) арабский, мавританский; 2) фантастический, причудливый.

Arabian [ə′reɪbjən] 1. *a* арабский; ◇ ~ Nights′ Entertainments, ~ Nights сказки «Тысяча и одной ночи»; 2. *n* араб; арабка.

Arabic [′ærəbɪk] 1. *a* арабский; аравийский; ~ numerals арабские цифры; 2. *n* арабский язык.

arable [′ærəbl] 1. *a* пахотный; 2. *n* пахота; пашня.

arachnid [ə′ræknɪd] *n* паукообразное насекомое.

arachnoid [ə′ræknɔɪd] 1. *n анат.* паутинная оболочка (*мозга*); 2. *a бот.* паутинообразный.

Aramaic [,ærə′meɪɪk] *n* арамейский язык.

arbalest [′ɑːbəlest] *n ист.* арбалет, самострел.

arbalester [′ɑːbə,lestə] *n ист.* арбалетчик.

arbiter [′ɑːbɪtə] *n* 1) арбитр, третейский судья; 2) вершитель судеб.

arbitrage *n* 1) [′ɑːbɪtrɪdʒ] арбитраж, третейский суд; 2) [,ɑːbɪ′trɑːʒ] *эк.* арбитраж.

arbitral [′ɑːbɪtrəl] *a* арбитражный, третейский.

arbitrament [ɑː′bɪtrəmənt] *n* 1) арбитраж; 2) решение, принятое арбитром; авторитетное решение.

arbitrary [′ɑːbɪtrərɪ] *a* 1) произвольный; 2) капризный; 3) деспотический; 4) *мат.*: ~ constant произвольная постоянная; ◇ ~ signs and symbols условные знаки и обозначения.

arbitrate [′ɑːbɪtreɪt] *v* 1) выносить третейское решение, быть третейским судьей; 2) передавать вопрос третейскому суду.

arbitration [,ɑːbɪ′treɪʃ(ə)n] *n* третейский суд, арбитраж.

arbitrator [′ɑːbɪtreɪtə] *n* третейский судья, арбитр.

arbor I [′ɑːbɔː] *n* 1) дерево; 2) *attr.*: A. Day *амер.* весенний праздник древонасаждения.

arbor II [′ɑːbə] *n тех.* вал; ось; шпиндель; оправка.

arboraceous [,ɑːbə′reɪʃəs] *a* древовидный; древесный.

arboreal [ɑː′bɔːrɪəl] *a* 1) древесный; относящийся к дереву; 2) *зоол.* древесный; живущий на деревьях.

arboreous [ɑː′bɔːrɪəs] *a* 1) лесистый; 2) древовидный; 3) = arboreal 2).

arborescent [,ɑːbə′resnt] *a* древовидный.

arboreta [,ɑːbə′riːtə] *pl* *от* arboretum.

arboretum [,ɑːbə′riːtəm] *лат. n* (*pl* -ta) древесный питомник.

arboriculture [′ɑːbərɪkʌltʃə] *n* лесоводство; разведение деревьев.

arboriculturist [,ɑːbərɪ′kʌltʃərɪst] *n* лесовод.

arborization [,ɑːbərɪ′zeɪʃən] *n* 1) *мин.* древовидное образование в кристаллах, горных породах; 2) *анат.* древовидное разветвление нервных клеток *или* кровеносных сосудов.

arbour [′ɑːbə] *n* беседка (*из зелени*).

arbutus [ɑː′bjuːtəs] *n* земляничное дерево.

arc [ɑːk] 1. *n* 1) *мат.* дуга.; ~ of fire *воен.* сектор обстрела; 2) радуга; 3) электрическая дуга; 4) *attr.*: дуговой; ~ lamp дуговая лампа; 2. *v* *эл.* образовать дугу.

arcade [ɑː′keɪd] *n* 1) пассаж с магазинами; 2) *архит.* аркада; сводчатая галерея.

Arcadian [ɑː′keɪdjən] 1. *a* аркадский; идиллический; сельский; 2. *n* обитатель счастливой Аркадии.

arcana [ɑː′keɪnə] *pl* *от* arcanum.

arcanum [ɑː′keɪnəm] *n* (*pl* -na) 1) тайна; 2) колдовской напиток, снадобье.

arc-boutant [,ɑːbuː′tɑ̃ː] *фр. n* (*pl* arcs-boutants) *стр.* подпорная арка, арочный контрфорс.

arch I [ɑːtʃ] 1. *n* 1) арка; свод; triumphal ~ триумфальная арка; 2) дуга; прогиб; 3) радуга; 4) *attr.* арочный; сводчатый; ~ bridge арочный мост; ~ dam арочная плотина; 2. *v* 1) перекрывать сводом; придавать форму арки; 2) изгибать(ся) дугой.

arch II [ɑːtʃ] *a* 1) главный; заклятый; 2) хитрый, лукавый.

arch- [ɑːtʃ-] *pref* архи-: а) главный, старший; archbishop архиепископ; б) отъявленный, самый большой; ~-liar отъявленный лжец; arch-rogue архиплут; в) *редк.* первый, первоначальный; ~-founder основатель.

archaeological [,ɑːkɪə′lɔdʒɪkəl] *a* археологический.

archaeologist [,ɑːkɪ′ɔlədʒɪst] *n* археолог.

archaeology [,ɑːkɪ′ɔlədʒɪ] *n* археология.

archaic [ɑː′keɪɪk] *a* архаический, устарелый.

archaism [′ɑːkeɪɪzəm] *n* архаизм, устаревшее слово *или* выражение.

archaize [′ɑːkeɪaɪz] *v* 1) подражать архаическим формам; 2) употреблять архаизмы.

archangel [′ɑːk,eɪndʒəl] *n* 1) архангел; 2) *бот.* дудник тёмно-пурпуровый; white ~ глухая крапива.

archbishop [′ɑːtʃ′bɪʃəp] *n* архиепископ.

archbishopric [ɑːtʃ′bɪʃəprɪk] *n* архиепископство.

archdeacon [′ɑːtʃ′diːkən] *n* архидиакон.

archdiocese [′ɑːtʃ′daɪəsɪs] *n* епархия архиепископа.

archduchess [′ɑːtʃ′dʌtʃɪs] *n* эрцгерцогиня.

archduchy [′ɑːtʃ′dʌtʃɪ] *n* эрцгерцогство.

archduke [′ɑːtʃ′djuːk] *n* эрцгерцог.

Archean [ɑː′kiːən] *a геол.* архейский.

arched [ɑːtʃt] 1. *p. p.* *от* arch I, 2;

2. *a* 1) изо́гнутый; 2) сво́дчатый; куполови́дный; 3) а́рочный; ~ girder *стр.* а́рочная ба́лка, фе́рма; ~ bridge а́рочный мост.

arch-enemy ['ɑ:tʃ'enɪmɪ] *n* 1) закля́тый враг; 2) сатана́.

Archeozoic [,ɑ:keɪə'zouɪk] *a геол.* археозо́йский.

archer ['ɑ:tʃə] *n* 1) стрело́к из лу́ка; 2) (A.) Стреле́ц (*созвездие и знак зодиака*).

archery ['ɑ:tʃərɪ] *n* стрельба́ из лу́ка.

archetype ['ɑ:kɪtaɪp] *n* прототи́п.

arch-fiend ['ɑ:tʃ'fi:nd] *n* сатана́.

archill ['ɑ:kɪl] *n бот.* лекано́ра, рокце́лля (*лиша́йники*).

Archimedean [,ɑ:kɪ'mi:djən] *a* архиме́дов; ~ screw архиме́дов винт.

archipelago [,ɑ:kɪ'pelɪgou] *n* (*pl* -os, -oes [-ouz]) 1) архипела́г; гру́ппа острово́в; 2) (A.) Эге́йское мо́ре.

architect ['ɑ:kɪtekt] *n* 1) архите́ктор, зо́дчий; civil ~ гражда́нский архите́ктор; naval ~ корабе́льный инжене́р; 2) *перен.* творе́ц, созда́тель; ~ of one's own fortunes кузне́ц своего́ сча́стья.

architectonic [,ɑ:kɪtek'tɔnɪk] *a* 1) архитекту́рный, конструкти́вный; 2) относя́щийся к систематиза́ции нау́ки.

architectonics [,ɑ:kɪtek'tɔnɪks] *n pl* (*употр. как sing*) архитекто́ника.

architectural [,ɑ:kɪ'tektʃərəl] *a* архитекту́рный; ~ engineering строи́тельная те́хника.

architecture ['ɑ:kɪtektʃə] *n* 1) архитекту́ра; зо́дчество; 2) архитекту́рный стиль; 3) построе́ние; the ~ of a speech построе́ние ре́чи.

architrave ['ɑ:kɪtreɪv] *n архит.* архитра́в.

archival [ɑ:'kaɪvəl] *a* архи́вный.

archives ['ɑ:kaɪvz] *n pl* архи́в.

archivist ['ɑ:kɪvɪst] *n* архива́риус.

archly ['ɑ:tʃlɪ] *adv* лука́во.

archway ['ɑ:tʃweɪ] *n* 1) а́рка; 2) прохо́д под а́ркой; сво́дчатый прохо́д.

archwise ['ɑ:tʃwaɪz] *adv* в ви́де а́рки, дугообра́зно.

arcing ['ɑ:sɪŋ] 1. *pres. p. от* arc 2; 2. *n эл.* искре́ние; образова́ние *или* горе́ние дуги́.

arcs-boutants [,ɑ:bu:'tɑ:ŋ] *pl от* arc-boutant.

arctic ['ɑ:ktɪk] 1. *a* аркти́ческий, поля́рный, се́верный; 2. *n* 1) (the A.) А́рктика; 2) *pl амер.* тёплые бо́ты.

Arctic Circle ['ɑ:ktɪk'sə:kl] *n* Се́верный поля́рный круг.

arcticize ['ɑ:ktɪsaɪz] *v* приспособля́ть к рабо́те в аркти́ческих усло́виях; ~d vehicle автомаши́на, обору́дованная для рабо́ты в аркти́ческих усло́виях.

arcuate, arcuated ['ɑ:kjueɪt, 'ɑ:kjueɪtɪd] *a* аркообра́зный, дугови́дный, со́гнутый.

ardency ['ɑ:dənsɪ] *n* жар, пы́лкость, рве́ние.

ardent ['ɑ:dənt] *a* 1) горя́чий, пы́лкий, стра́стный, ре́вностный; ~ love горя́чая любо́вь; ~ desire стра́стное жела́ние; 2) горя́щий, пыла́ющий; ~ heat зной; ◇ ~ spirits спиртны́е напи́тки.

ardently ['ɑ:dəntlɪ] *adv* горячо́, пы́лко.

ardour ['ɑ:də] *n* 1) жар, рве́ние, пыл; to damp smb.'s ~ умеря́ть чей-л. пыл; 2) си́льная жара́.

arduous ['ɑ:djuəs] *a* 1) тру́дный; 2) круто́й, недосту́пный; 3) энерги́чный; ре́вностный.

are I [ɑ: (*полная форма*); ə,ət *перед гласными* (*редуци́рованные формы*)] *мн. ч.* настоя́щего времени гл. to be.

are II [ɑ:] *фр. n* ар (*мера земельной пло́щади = 100 кв. м*).

area ['ɛərɪə] *n* 1) пло́щадь, простра́нство; ~ under crop посевна́я пло́щадь; ~ of a triangle пло́щадь треуго́льника; ~ of bearing *mex.* опо́рная пове́рхность; 2) райо́н; зо́на; край; о́бласть; residential ~ жило́й райо́н; 3) *радио, телев.* зо́на; mush ~ о́бласть плохо́го радиоприёма; service ~ о́бласть уве́ренного радиоприёма; picture ~ кадр изображе́ния; 4) разма́х, сфе́ра; wide ~ of thought широ́кий кругозо́р; 5) дво́рик ни́же у́ровня у́лицы, че́рез кото́рый прохо́дят в полуподва́л.

area sketch ['ɛərɪə'sketʃ] *n топ.* кроки́.

arena [ə'ri:nə] *n* 1) аре́на; 2) ме́сто де́йствия; по́ле сраже́ния.

arenaceous [,ærə'neɪʃəs] *a* 1) песча́нистый; песча́ный; 2) содержа́щий песо́к; 3) *геол.* рассы́пчатый.

aren't [ɑ:nt] *сокр. разг.* = are not.

areometer [,ærɪ'ɔmɪtə] *n* арео́метр.

Areopagus [,ærɪ'ɔpəgəs] *греч. n* ареопа́г.

arête [æ'reɪt] *фр. n* о́стрый гре́бень горы́ (*термин альпини́стов*).

argent ['ɑ:dʒənt] 1. *a* серебри́стый; 2. *n уст., поэт., геральд.* 1) серебро́; 2) серебри́стость, белизна́.

argentic [ɑ:'dʒentɪk] *a хим.* содержа́щий серебро́; ~ chloride хлори́стое серебро́.

argentiferous [,ɑ:dʒən'tɪfərəs] *a* сребронóсный, содержа́щий серебро́ (*о руде́*).

Argentine ['ɑ:dʒəntaɪn] 1. *a* аргенти́нский; 2. *n* аргенти́нец; аргенти́нка.

argentine ['ɑ:dʒəntaɪn] *a* сере́бряный; серебри́стый.

Argentinean [,ɑ:dʒən'tɪnjən] *n* аргенти́нец; аргенти́нка.

argil ['ɑ:dʒɪl] *n* гонча́рная *или* бе́лая гли́на.

argillaceous [,ɑ:dʒɪ'leɪʃəs] *a* гли́нистый, содержа́щий гли́ну.

argilliferous [,ɑ:dʒɪ'lɪfərəs] *a* содержа́щий гли́ну.

argon ['ɑ:gɔn] *n хим.* арго́н.

Argonaut ['ɑ:gənɔ:t] *a* 1) *миф.* аргона́вт; 2) (a.) *амер.* золотоиска́тель [*ср.* forty-niner]; 3) (a.) *зоол.* кора́блик (*моллю́ск*).

argosy ['ɑ:gəsɪ] *n* 1) *ист.* большо́е торго́вое су́дно; 2) *поэт.* кора́бль.

argot ['ɑ:gou] *фр. n* арго́, жарго́н.

argue ['ɑ:gju:] *v* 1) спо́рить (with, against — с кем-л.; about — о чём-л.); аргументи́ровать; to ~ against выступа́ть про́тив; to ~ smth. away отде́латься, отговори́ться от чего́-л.; to ~ in favour of smth. приводи́ть до́воды в по́льзу чего́-л.; to ~ smth. out with smb. договори́ться с кем-л. о чём-л.; 2) обсужда́ть;

3) убеждать (into); разубеждать (out of); to ~ a man out of an opinion разубедить кого-л.; 4) доказывать; it ~s him (to be) an honest man это доказывает, что он честный человек.

argufy ['ɑːgjufaɪ] v разг. спорить ради спора.

argument ['ɑːgjumənt] n 1) довод, аргумент (for – в пользу чего-л.; against – против чего-л.); a strong ~ убедительный довод; a weak ~ слабый довод; 2) аргументация; 3) дискуссия, спор; a matter of ~ спорный вопрос; 4) краткое содержание (книги); 5) мат. аргумент, независимая переменная.

argumentation [,ɑːgjumen'teɪʃən] n 1) аргументация; 2) спор.

argumentative [,ɑːgju'mentətɪv] a 1) любящий спорить; приводящий аргументацию; 2) дискуссионный, спорный; 3) изобилующий аргументацией; 4) логичный; 5) показывающий, свидетельствующий (of – o).

Argus ['ɑːgəs] n 1) миф. Аргус; 2) бдительный, неусыпный страж.

Argus-eyed ['ɑːgəsaɪd] a бдительный; зоркий.

argute [ɑː'gjuːt] a 1) острый, проницательный; 2) пронзительный (о звуке).

aria ['ɑːrɪə] n ария.

arid ['ærɪd] a 1) сухой, засушливый; безводный; бесплодный (о почве); геол. аридный; ~ region засушливый район; 2) сухой, скучный, неинтересный.

aridity [æ'rɪdɪtɪ] n сухость и пр. [см. arid].

Aries ['ɛərɪz] n Овен (созвездие и знак зодиака).

aright [ə'raɪt] adv правильно, верно.

aril ['ærɪl] n бот. шелуха, кожура.

arioso [,ɑːrɪ'ouzou] ит. n, adv муз. ариозо.

arise [ə'raɪz] v (arose; arisen) 1) возникать, появляться; 2) проистекать, являться результатом (from – чего-л.); 3) уст., амер. доноситься (о звуках); 4) уст., амер. подниматься, вставать; 5) поэт. восставать, воскресать.

arisen [ə'rɪzn] p.p. от arise.

arista [ə'rɪstə] лат. (pl -tae) бот. ость.

aristae [ə'rɪstɪ] pl от arista.

aristocracy [,ærɪs'tɔkrəsɪ] n аристократия.

aristocrat ['ærɪstəkræt] n аристократ.

aristocratic [,ærɪstə'krætɪk] a аристократический.

Aristotelian [,ærɪstə'tiːljən] 1. a аристотелевский;
2. n последователь Аристотеля.

arithmetic 1. n [ə'rɪθmətɪk] арифметика; счёт;
2. a [,ærɪθ'metɪk] = arithmetical.

arithmetical [,ærɪθ'metɪkəl] a арифметический; ~ mean среднее арифметическое.

arithmetician [ə,rɪθmə'tɪʃən] n арифметик.

arithmometer [,ærɪθ'mɔmɪtə] n арифмометр.

ark [ɑːk] n 1) ящик, ковчег; 2) просторное судно; баржа; 3) воен. сапёрная гусенич-

ная машина; ◇ Noah's ~ Ноев ковчег (тж. как название детской игрушки); to lay hands on (или to touch) the ~ осквернить.

arm I [ɑːm] n 1) рука (от кисти до плеча); to fold in one 's ~s заключить в объятия; to fold one 's ~s сидеть сложа руки; with open ~s с распростёртыми объятиями; a child in ~s младенец; 2) передняя лапа (животного); 3) рукав; of river рукав реки; 4) ручка, подлокотник (кресла); 5) (большая) ветвь; 6) сила, власть; the ~ of the law сила закона; 7) тех. плечо (рычага); ручка, рукоятка; спица (колеса); стрела (крана); ~s of a balance коромысло весов; ◇ to keep at ~'s length держать на почтительном расстоянии.

arm II [ɑːm] 1. n 1) (обыкн. pl) оружие; small ~s стрелковое оружие; in ~s вооружённый; up in ~s a) готовый к борьбе, сопротивлению; б) охваченный восстанием; to be up in ~s against smb. нападать, жаловаться на кого-л.; to take up ~s, to appeal to ~s взяться за оружие; to lay down ~s сложить оружие; to ~s! к оружию!; under ~s вооружённый, под ружьём; 2) род войск; 3) pl война; 4) военная профессия; 5) pl герб (обыкн. coat of ~s);
2. v 1) вооружать(ся) (тж. перен.); to be ~ed with information располагать исчерпывающей информацией; 2) заряжать, взводить.

armache ['ɑːmeɪk] n боль в руке (особ. ревматическая).

armada [ɑː'mɑːdə] n армада; the Invincible A. ист. Непобедимая армада.

armadillo [,ɑːmə'dɪlou] n (pl -os [-ouz]) зоол. армадилл, броненосец.

armament ['ɑːməmənt] n 1) вооружение; 2) вооружённая сила; 3) оружие; боеприпасы; 4) attr.: ~ train артиллерийский транспорт; амер. поезд с боеприпасами; ~ factory, ~ works военный завод; 5) pl attr.: the ~s drive (или race) гонка вооружений.

armature ['ɑːmətjuə] n 1) вооружение; броня; 2) тех. арматура; 3) эл. якорь; 4) эл. броня (кабеля); 5) зоол., бот. панцирь.

armband ['ɑːmbænd] n нарукавная повязка.

arm-chair ['ɑːm'tʃɛə] n кресло (с подлокотниками).

arme blanche [,ɑːmə'blɑːnʃ] фр. n 1) холодное оружие; 2) кавалерия.

armed [ɑːmd] 1. p.p. от arm II, 2.
2. a вооружённый; усиленный, укреплённый; ~ forces вооружённые силы; ~ attack вооружённое нападение; ~ insurrection вооружённое восстание.

-armed [-ɑːmd] в сложных словах означает а) имеющий столько-то рук; опе-~-однорукий; б) имеющий такие-то руки; напр.: long-~ длиннорукий; cross-~ со скрещёнными руками.

Armenian [ɑː'miːnjən] 1. a армянский;
2. n 1) армянин; армянка; 2) армянский язык.

armful ['ɑːmful] n охапка.

arm-hole ['ɑːmhoul] n пройма.

arm-in-arm ['ɑːmɪn'ɑːm] adv под руку.

arming [ˈɑːmɪŋ] 1. *pres.p.* от arm II, 2; 2. *n* вооружéние; боевóе снаряжéние.

armistice [ˈɑːmɪstɪs] *n* прекращéние воéнных дéйствий; корóткое перемúрие.

armless I [ˈɑːmlɪs] *a* 1) безрýкий; 2) не имéющий ветвéй.

armless II [ˈɑːmlɪs] *a* безорýжный.

armlet [ˈɑːmlɪt] *n* 1) нарукáвник, повя́зка; 2) браслéт, запя́стье; 3) небольшóй морскóй залúв; рукáв рекú.

armor [ˈɑːmə] *амер.* = armour.

armored [ˈɑːməd] *амер.* = armoured.

armorial [ɑːˈmɔːrɪəl] 1. *a* геральдúческий, гéрбовый; 2. *n* гербóвник.

armory [ˈɑːmərɪ] *n* 1) герáльдика; 2) *амер.* = armoury; 3) *амер.* воéнный завóд (*обыкн. государственный*); 4) *амер.* учéбный манéж.

armour [ˈɑːmə] 1. *n* 1) вооружéние; доспéхи; лáты; пáнцирь; 2) броня́ (*корабля, танка и т. п.*); 3) бронесúлы; 4) скафáндр (*водолаза*); 5) *зоол., бот.* пáнцирь; 6) *attr.* бронёвóй; бронирóванный; 2. *v* покрывáть бронёй.

armour-bearer [ˈɑːməˌbɛərə] *n* *ист.* оружено́сец.

armour-clad [ˈɑːməˌklæd] 1. *a* броненóсный, бронирóванный; 2. *n* броненóсец.

armoured [ˈɑːməd] 1. *p. p.* от armour 2; 2. *a* бронирóванный, броненóсный; (броне)тáнковый; ~ car броневúк, бронеавтомобúль, бронемашúна; ~ forces бронесúлы; ~ train бронепóезд; ~ troops бронетáнковые войскá; ~ concrete железобетóн; ~ cow *амер. воен. sl.* сгущённое молокó.

armourer [ˈɑːmərə] *n* 1) оружéйный мáстер, оружéйник; 2) владéлец оружéйного завóда; 3) завéдующий орýжием (*полка и т. п.*).

armour-piercer [ˈɑːməˌpɪəsə] *n* бронебóйный снаря́д.

armour-piercing [ˈɑːməˌpɪəsɪŋ] *a* бронебóйный; ~ shell бронебóйный снаря́д.

armour-plate [ˈɑːməpleɪt] *n* бронево́й лист, броневáя плитá.

armour-plated [ˈɑːməpleɪtɪd] *a* бронирóванный, броненóсный.

armoury [ˈɑːmərɪ] *n* склад орýжия, арсенáл.

arm-pits [ˈɑːmpɪts] *n* *pl* подмы́шки.

arm-saw [ˈɑːmsɔː] *n* 1) ручнáя пилá; 2) ножóвка.

army [ˈɑːmɪ] *n* 1) áрмия; the Soviet A. Совéтская Áрмия; the Red A. Крáсная Áрмия; A. in the Field дéйствующая áрмия; standing ~ постоя́нная áрмия; A. at Home áрмия метропóлии; to enter (*или* to go into, to join) the ~ вступúть в áрмию, поступúть на воéнную слýжбу; 2) мнóжество; 3) *attr.* армéйский, относя́щийся к áрмии *или* принадлежáщий áрмии; ~ command командовáние áрмией; ~ commander командýющий áрмией; ~ headquarters штаб áрмии; ~ cloth сукнó армéйского образцá; ~ exchange *амер.* воéнный магазúн; ~ agent (*или* broker, contractor) поставщúк на áрмию.

army-beef [ˈɑːmɪbɪf] *n* мясны́е консéрвы (*для áрмии*).

army-list [ˈɑːmɪlɪst] *n* спúсок офицéрского состáва áрмии.

army-rank [ˈɑːmɪˌræŋk] *n* действúтельный вóинский чин (*в отличие от временного или почётного*).

army register [ˈɑːmɪˈredʒɪstə] *n* *амер.* спúсок офицéрского состáва áрмии.

arnica [ˈɑːnɪkə] *n* *бот., фарм.* áрника.

aroma [əˈroumə] *n* аромáт, прия́тный зáпах.

aromatic [ˌærouˈmætɪk] *a* аромати́ческий; благовóнный; ~ compound *хим.* соединéние аромати́ческого ря́да; ~ series *хим.* аромати́ческий ряд.

arose [əˈrouz] *past* от arise.

around [əˈraund] 1. *adv* 1) всю́ду, кругóм; 2) в окрýжности; в обхвáте; the tree measures four feet ~ дéрево имéет четы́ре фýта в обхвáте; 3) *амер.* вблизú; поблúзости; ~ here в э́том райóне; неподалёку; to hang ~ быть поблúзости; to get ~, to come ~ подойтú, приблúзиться; 2. *prep* 1) вокрýг; to walk ~ the house обойтú вокрýг дóма; 2) по; за; óколо; to walk ~ the town гуля́ть по гóроду; ~ the corner за углóм; 3) óколо, приблизúтельно; he paid ~ a hundred roubles он заплатúл óколо ста рублéй; ◇ to get ~ to doing smth. собрáться сдéлать что-л., собрáться осущ естви́ть намéрение.

around-the-clock [əˈraundðəˈklɔk] *a* круглосýточный.

arouse [əˈrauz] *v* 1) будúть; 2) просыпáться, пробуждáться (*тж. о чувствах, страсти и т. п.*); 3) пробуждáть; вызывáть, возбуждáть (*чувства, страсти, энергию*); 4) раздражáть (*кого-л.*).

arquebus [ˈɑːkwɪbəs] = harquebus.

arrack [ˈærək] *n* арáк (*спиртнóй напúток из рúса*).

arraign [əˈreɪn] *v* 1) привлекáть к судý; обвиня́ть; to ~ before the bar of public opinion привлéчь к судý обще́ственного мнéния; 2) придирáться.

arraignment [əˈreɪnmənt] *n* 1) привлечéние к судý; обвинéние; 2) придúрки.

arrange [əˈreɪndʒ] *v* 1) приводúть в поря́док, располагáть, классифицúровать; 2) устрáивать(ся); 3) сговáриваться, услáвливаться, договáриваться; to ~ with smb. about smth. договорúться с кем-л. о чём-л.; we ~d to meet at six мы условúлись встрéтиться в шесть; 4) улáживать (*спор*); приходúть к соглашéнию; 5) принимáть мéры, подготáвливать (for); 6) приспособля́ть, передéлывать (*напр., роман для сцены*); 7) *муз.* аранжúровать; 8) *тех.* монтúровать.

arrangement [əˈreɪndʒmənt] *n* 1) приведéние в поря́док, расположéние, классификáция; 2) устрóйство; 3) соглашéние; договорённость; to come to an ~ прийтú к соглашéнию; to make ~s договáриваться (*о чём-л.*); to make ~s (with smb.) услáвливаться (с кем-л.); вступáть в соглашéние (с кем-л.); 4) (*обыкн. pl*) приготовлéние, мéра, мероприя́тие, план; 5) приспособле́ние, переде́лка (для сце́ны и т. п.); 6) распр. приспособле́ние, механи́зм; 7) муз. аранжиро́вка; 8) тех. монта́ж.

arranger [ə'reɪndʒə] n муз. аранжиро́вщик.

arrant ['ærənt] a 1) настоя́щий, су́щий; отъя́вленный; ~ nonsense су́щий вздор; 2) уст. стра́нствующий.

arras ['ærəs] n гобеле́ны; шпале́ры, за́тканные фигу́рами.

array [ə'reɪ] 1. n 1) боево́й поря́док (тж. battle ~); 2) войска́; 3) ма́сса, мно́жество; 4) наря́д, одея́ние, пы́шное облаче́ние; 5) юр. спи́сок прися́жных заседа́телей; 6) эл. анте́нная решётка, сло́жная анте́нна.
2. v 1) выстра́ивать в боево́й поря́док; 2) выставля́ть про́тив (against); 3) одева́ть (in — во что-л.); украша́ть (in — чем-л.); to ~ oneself in all one's finery разоде́ться в пух и прах; 4) юр. составля́ть спи́сок прися́жных заседа́телей.

arrearage [ə'rɪərɪdʒ] n 1) отста́лость, отстава́ние; 2) оста́ток; запа́с; ~ pl долги́.

arrears [ə'rɪəz] n pl задо́лженность, недо́имка, долги́; to be in ~ име́ть задо́лженность; отстава́ть (напр., в рабо́те); ~ of rent (of wages) задо́лженность по кварти́рной пла́те (зарпла́те); ~ of work недоде́ланная часть рабо́ты.

arrest [ə'rest] 1. n 1) задержа́ние, аре́ст; наложе́ние аре́ста, запреще́ние; under ~ под аре́стом, под запреще́нием; ~ to the room дома́шний аре́ст; ~ in quarters каза́рменный аре́ст; 2) заде́ржка, остано́вка; приостано́вка; ~ of judg(e)ment отсро́чка пригово́ра; 3) тех. аррети́р, успокойтель (в прибо́рах);
2. v 1) аресто́вывать; 2) заде́рживать, остана́вливать; приостана́вливать; 3) прико́вывать (взо́ры, внима́ние); 4) выключа́ть (маши́ну, прибо́р); тормози́ть.

arrester [ə'restə] n разря́дник; громоотво́д; lightning ~ грозово́й разря́дник; 2) тех. заде́рживающее приспособле́ние, остано́в; 3) предохрани́тель.

arresting [ə'restɪŋ] 1. pres. p. от arrest 2.
2. a 1) привлека́ющий внима́ние; поража́ющий; захва́тывающий; 2) заде́рживающий; остана́вливающий; ~ device тех. остана́вливающий механи́зм; защёлка, упо́р, соба́чка.

arrière-ban ['ærɪə'bæn] фр. n ист. 1) призы́в васса́лов на войну́; 2) ополче́ние васса́лов.

arrière-pensée [,ærɪ,eəpã'seɪ] фр. n за́дняя мысль.

arris ['ærɪs] n 1) ребро́; гре́бень; о́стрый край; 2) стр. о́стрый у́гол.

arrival [ə'raɪvəl] n 1) прибы́тие; 2) новоприбы́вший; 3) шутл. новорождённый.

arrive [ə'raɪv] v 1) прибыва́ть (at, in); 2) достига́ть (at); to ~ at a conclusion приходи́ть к заключе́нию; to ~ at a decision приня́ть реше́ние; to ~ at an idea прийти́ к мы́сли; 3) наступа́ть (о вре́мени, собы́тии); 4) доби́ться успе́ха; an actor who has ~d актёр, кото́рый доби́лся успе́ха; просла́вился.

arrogance ['ærəgəns] n 1) высокоме́рие, надме́нность; 2) самонадея́нность.

arrogant ['ærəgənt] a 1) высокоме́рный, надме́нный; 2) самонадея́нный.

arrogate ['ærougeɪt] v 1) де́рзко или самонадея́нно претендова́ть, тре́бовать; 2) без основа́ния припи́сывать; 3) присва́ивать.

arrow ['ærou] n 1) стрела́; 2) стре́лка (на схе́мах или чертежа́х); 3) англи́йское прави́тельственное клеймо́; 4) воен. уст. флешь; ◇ an ~ left in one's quiver неиспо́льзованное сре́дство.

arrow-head ['ærouhed] n 1) наконе́чник, острие́ стрелы́; 2): broad ~ = arrow 3); 3) воен. строй кли́на; 4) attr.: ~ arrow эл. усло́вное обозначе́ние высо́кого напряже́ния.

arrow-headed ['ærou,hedɪd] a заострённый; клинообра́зный.

arrowroot ['ærərut] n арроуру́т (крахма́л из корне́й расте́ния).

arrowy ['æroʊɪ] a 1) стрелови́дный; 2) о́стрый; язви́тельный.

arsenal ['ɑːsɪnl] n 1) арсена́л; цейхга́уз; 2) перен. ору́жие.

arsenic хим. 1. n ['ɑːsnɪk] мышья́к;
2. a [ɑː'senɪk] мышьяко́вый.

arsenical [ɑː'senɪkəl] a = arsenic 2.

arson ['ɑːsn] n поджо́г.

art I [ɑːt] n 1) иску́сство; the Fine Arts изя́щные иску́сства; Faculty of Arts отделе́ние гуманита́рных нау́к;
2) ремесло́; industrial (или mechanical, useful) ~s ремёсла; 3) ло́вкость; 4) (обыкн. pl) хи́трость; 5) уме́ние, зна́ние; 6) attr. худо́жественный; ~ school худо́жественное учи́лище; ◇ manly ~ бокс; to have (или to be) ~ and part in быть прича́стным к чему́-л., быть соуча́стником в чём-л.; black ~ чёрная ма́гия; ~ is long, life is short посл. жизнь коротка́, иску́сство ве́чно.

art II [ɑːt] уст. 2 л. ед. ч. настоя́щего вре́мени гл. to be.

Artemis ['ɑːtəmɪs] n миф. Артеми́да.

arterial [ɑː'tɪərɪəl] a 1) анат. артериа́льный; 2) разветвля́ющийся; ~ drainage систе́ма дрена́жа с разветвля́ющимися кана́лами; 3) магистра́льный; ~ road магистра́ль, гла́вная доро́га; ~ traffic движе́ние по гла́вным у́лицам или доро́гам.

arteriosclerosis [ɑː'tɪərɪousklɪə'rousɪs] n мед. артериосклеро́з.

artery ['ɑːtərɪ] n 1) анат. арте́рия; 2) магистра́ль, гла́вный путь.

artesian [ɑː'tiːzjən] a артезиа́нский.

artful ['ɑːtful] a 1) ло́вкий, иску́сный; 2) хи́трый.

artfulness ['ɑːtfulnɪs] n 1) ло́вкость; 2) хи́трость.

arthritis [ɑː'θraɪtɪs] n мед. артри́т.

Arthurian [ɑː'θjuərɪən] a: ~ romances лит. рома́ны Арту́рова ци́кла.

artichoke ['ɑːtɪʃouk] n артишо́к; ◇ Yerusalem ~ земляна́я гру́ша.

article ['ɑːtɪkl] 1. n 1) статья́; leading ~ передова́я статья́; 2) пункт, пара́граф; the Articles of War вое́нно-суде́бный ко́декс (А́нглии и США); the Thirty-nine Articles 39 догматов англиканского вероисповедания; to be under ~s быть связанным контрактом; 3) предмет, изделие; an ~ of clothing предмет одежды; an ~ of food продукт питания; 4) предмет торговли, товар; ~s of daily necessity предметы первой необходимости; 5) *грам.* артикль, член; ◇ in the ~ of death в момент смерти;

2. *v* 1) предъявлять пункты обвинения (against — против *кого-л.*, for — в *чём-л.*); 2) излагать по пунктам; 3) отдавать по контракту в учение.

articular [ɑ:ˈtɪkjulə] *a* суставной.

articulate 1. *a* [ɑ:ˈtɪkjulɪt] 1) членораздельный; 2) ясный, отчётливый; чётко сформулированный; 3) коленчатый, суставчатый; членистый; 4) *тех.* шарнирный; 5) *амер.* уставный, действующий по уставу; 2. *v* [ɑ:ˈtɪkjuleɪt] 1) отчётливо произносить; 2) *фон.* артикулировать; 3) (*обыкн. p.p.*) *анат.* связывать, соединять(ся).

articulation [ɑ:ˌtɪkjuˈleɪʃən] *n* 1) *фон.* артикуляция; 2) *анат.* сочленение; 3) *тех.* ось шарнира, центр шарнира.

artifice [ˈɑ:tɪfɪs] *n* 1) изобретение, выдумка; 2) ловкость; 3) искусная проделка; хитрость.

artificer [ɑ:ˈtɪfɪsə] *n* 1) ремесленник; 2) слесарь; механик; 3) изобретатель; 4) *воен.* техник (*оружейный*).

artificial [ˌɑ:tɪˈfɪʃəl] 1. *a* 1) искусственный; ~ butter маргарин; ~ respiration искусственное дыхание; ~ atmosphere *тех.* кондиционированный воздух; ~ numbers *мат.* логарифмы; ~ yeaг гражданский год (*в отличие от астрономического*); 2) притворный;

2. *n* 1) искусственное удобрение; 2) *амер.* искусственный цветок.

artillerist [ɑ:ˈtɪlərɪst] *n* артиллерист.

artillery [ɑ:ˈtɪlərɪ] *n* 1) артиллерия; accompanying ~ артиллерия сопровождения, артиллерия поддержки пехоты; ~ with the army *амер.* артиллерия армии; 2) *attr.* артиллерийский; орудийный; ~ board батарейный, огневой планшет; ~ emplacement *амер.* орудийный окоп; ~ engagement артиллерийский бой; ~ mount орудийная установка; ~ range артиллерийский полигон.

artilleryman [ɑ:ˈtɪlərɪmən] *n* артиллерист.

artisan [ˌɑ:tɪˈzæn] *n* ремесленник, мастеровой.

artist [ˈɑ:tɪst] *n* 1) художник; 2) артист; 3) мастер своего дела.

artiste [ɑ:ˈtɪst] *n* 1) эстрадный артист; 2) артист (*лицо, искусное в своей профессии; тж. шутл.*).

artistic(al) [ɑ:ˈtɪstɪk(əl)] *a* артистический, художественный.

artless [ˈɑ:tlɪs] *a* 1) простой, безыскусственный; 2) простодушный; 3) неискусный.

artlessly [ˈɑ:tlɪslɪ] *adv* 1) просто, безыскусно; 2) простодушно.

arty [ˈɑ:tɪ] *a разг.* 1) с претензией на художественность (*о вещах*); 2) претендующий на тонкий (художественный) вкус (*о людях*).

arum [ˈɛərəm] *n бот.* арум, аронник.

Aryan [ˈɛərɪən] 1. *a* арийский; 2. *n* ариец; арийка.

as [æz (*полная форма*); əz, z (*редуцированные формы*)] 1. *pron. rel.* 1) какой, который; this is the same book as I lost это такая же книга, как та, что я потерял; 2) что; he was a foreigner as they perceived from his accent он был иностранец, что они заметили по его произношению;

2. *adv* 1) как; do as you are told делайте, как (вам) сказано; as per order *ком.* согласно заказу; 2) как например, some animals, as the fox and the wolf некоторые животные, как например, лиса и волк; 3) в качестве (*кого-л.*); to appear as Hamlet выступить в роли Гамлета; to work as a teacher работать преподавателем (*или в качестве преподавателя*); □ as... as... так же как; he is as tall as you are он такого же роста, как и вы; as far as а) так далеко; до; I will go as far as the station with you я провожу вас до станции; б) насколько; as far as I know насколько мне известно; as far back as 1920 ещё в 1920 году; as far back as two years ago ещё два года тому назад; as for что касается, что до; as for me — you may rely upon me что касается меня, то можете на меня положиться; as much as сколько; as much as you like сколько хотите; I thought as much я так и думал; ◇ as good as всё равно что; фактически; the work is as good as done работа фактически закончена; as well также; I can do it as well я также могу это сделать;

3. *cj* 1) когда, в то время как (*тж.* just as); he came in as I was speaking он вошёл, когда я говорил; just as I reached the door в то время как я подошёл к двери; 2) так как; I could not stay, as it was late я не мог оставаться, так как было уже поздно; 3) хотя; как ни; cunning as he is he won't deceive me как он ни хитёр, меня он не проведёт; I was glad of his help, slight as it was я был рад его помощи, хотя она была и незначительна; 4) (*с inf.*): be so good as to come будьте любезны, приходите; ◇ as if как будто; as it were так сказать; as though = as if; as to, as concerning, as concerns относительно, что касается; they inquired as to the actual reason они осведомились об истинной причине; as you were! *воен.* отставить!

asbestine [æzˈbestɪn] *a* асбестовый.

asbestos [æzˈbestɔs] *n мин.* асбест.

ascend [əˈsend] *v* 1) подниматься, всходить; 2) восходить; 3) *ав.* набирать высоту.

ascendancy [əˈsendənsɪ] *n* власть, доминирующее влияние (over).

ascendant [əˈsendənt] 1. *n* 1) влияние, преобладание, власть; 2) гороскоп; 3) *редк.* предок; ◇ his star is in the ~ его звезда восходит;

2. *a* 1) восходящий; 2) господствующий.

ascendency [əˈsendənsɪ] = ascendancy.

ascendent [əˈsendənt] = ascendant.

ascension [əˈsenʃən] *n* 1) восхождение, подъём; balloon ~ подъём на воздушном шаре; 2) *амер.* приход; ~ to power приход к власти.

ascensional [ə'senʃənl] *a* 1) восходя́щий; ~ ventilation *горн.* восходя́щая вентиля́ция; 2) подъёмный; ~ power *ав.* подъёмная си́ла; ~ rate *ав.* ско́рость набо́ра высоты́, ско́рость подъёма.

Ascension-day [ə'senʃəndeɪ] *n церк.* вознесе́ние.

Ascensiontide [ə'senʃəntaɪd] *n церк.* вре́мя от вознесе́ния до тро́ицына дня.

ascent [ə'sent] *n* 1) восхожде́ние, подъём; 2) крутизна́, круто́й склон; 3) марш ле́стницы.

ascertain [ˌæsə'teɪn] *v* устана́вливать, удостоверя́ться, выясня́ть, убежда́ться; to ~ the situation вы́яснить обстано́вку.

ascetic [ə'setɪk] **1.** *a* аскети́ческий; воздержанный; **2.** *n* аске́т; отше́льник.

asceticism [ə'setɪsɪzəm] *n* аскети́зм.

ascorbic [əs'kɔːbɪk] *a* аскорби́новый; ~ acid аскорби́новая кислота́.

Ascot ['æskət] *n* Эско́т (*место скачек и самые скачки близ Виндзора*).

ascribe [əs'kraɪb] *v* припи́сывать.

ascription [əs'krɪpʃən] *n* припи́сывание.

asepsis [æ'sepsɪs] *n* асе́птика.

aseptic [æ'septɪk] **1.** *a* асепти́ческий, стери́льный; противогни́лостный; **2.** *n* асепти́ческое сре́дство.

asexual [æ'seksjuəl] *a* беспо́лый.

ash I [æʃ] *n* 1) (*обыкн. pl*) зола́, пе́пел; to burn to ~es сжига́ть дотла́; to lay in ~es разруша́ть, сжига́ть дотла́; 2) *pl* прах, оста́нки; to turn to dust and ~es разлете́ться в прах (*о надеждах*).

ash II [æʃ] *n* я́сень; mountain ~, wild ~ ряби́на.

ashake [ə'ʃeɪk] *a predic.* дрожа́щий.

ashamed [ə'ʃeɪmd] *a predic.* пристыжённый; to be ~ of smth. стыди́ться чего́-л.; to be (*или* to feel) ~ for smb. стыди́ться за кого́-л.; he was ~ to tell the truth ему́ бы́ло сты́дно сказа́ть пра́вду.

ash-bin ['æʃbɪn] *n* 1) = ash can; 2) *тех.* зо́льник.

ash-box ['æʃbɔks] *n тех.* зо́льник; поддува́ло.

ash can ['æʃkæn] *n амер.* 1) ведро́, у́рна *или* я́щик для му́сора; 2) *воен. sl.* глуби́нная бо́мба.

ash-content ['æʃ‚kɔntent] *n хим., тех.* зо́льность.

ashen I ['æʃn] *a* 1) пе́пельного цве́та; 2) мёртвенно-бле́дный; 3) пе́пельный, из пе́пла.

ashen II ['æʃn] *a* я́сеневый.

ashet ['æʃɪt] *n шотл.* большо́е блю́до.

ash-key ['æʃkiː] *n* се́мя я́сеня.

ashlar, ashler ['æʃlə] *n стр.* 1) тёсаный ка́мень (*для облицо́вки*); 2) *attr.*: ~ facing облицо́вка из тёсаного ка́мня.

ashore [ə'ʃɔː] *adv* к бе́регу; на бе́рег; на берегу́; to come ~, to go ~ сходи́ть на бе́рег; to run ~, to be driven ~ наскочи́ть на мель.

ash-pan ['æʃpæn] *n* = ash-box.

ash-pit ['æʃpɪt] *n* 1) = ash-box; 2) *амер. ж.-д.* смотрова́я кана́ва.

ash-pot ['æʃpɔt] *n* пе́пельница.

ash-stand ['æʃstænd] = ash-tray.

ash-tray ['æʃtreɪ] *n* 1) пе́пельница; 2) *тех.* зо́льник.

Ash Wednesday ['æʃ'wenzdɪ] *n* среда́ на пе́рвой неде́ле вели́кого поста́.

ashy ['æʃɪ] *a* 1) пе́пельный; 2) бле́дный.

ashy-gray ['æʃɪ‚greɪ] = ashy.

Asiatic [ˌeɪʃɪ'ætɪk] **1.** *a* азиа́тский; **2.** *n* азиа́т; азиа́тка.

aside [ə'saɪd] **1.** *adv* 1) в сто́рону; в стороне́; to speak ~ говори́ть в сто́рону (*об актёрах*); to take (smb.) ~ отвести́ (кого́-л.) в сто́рону; to turn ~ for a moment отвле́чься на мину́ту; 2) отде́льно; в резе́рве; to put ~ отложи́ть; □ ~ from *амер.* за исключе́нием; **2.** *n* слова́, произноси́мые актёром в сто́рону.

asinine ['æsɪnaɪn] *a* осли́ный.

ask [ɑːsk] *v* 1) спра́шивать; to ~ a question задава́ть вопро́с; 2) осведомля́ться (about, after, for); to ~ after a person's health осве́домиться о чьём-л. здоро́вье; 3) (по-)проси́ть; to ~ a favour (for help) проси́ть об одолже́нии (о по́мощи); 4) (за)проси́ть; to ~ 200 guineas for a horse запроси́ть 200 гине́й за ло́шадь; 5) приглаша́ть (*разг. тж.* ~ out); 6) тре́бовать; it ~s (for) attention э́то тре́бует внима́ния; ◇ ~ me another! *разг.* не зна́ю, не спра́шивай(те) меня́!; to ~ for (trouble) *sl.* напра́шиваться на неприя́тность, лезть на рожо́н; to ~ (a horse) the question тре́бовать (от ло́шади) после́днего уси́лия (*на состяза́нии*); they were ~ed in church их имена́ бы́ли оглашены́ в це́ркви (*о вступа́ющих в брак*).

askance [əs'kæns] *adv* 1) кри́во, ко́со; 2) и́скоса; с подозре́нием; to look (*или* to view, to glance) ~ at smb. смотре́ть на кого́-л. подозри́тельно, с неодобре́нием.

askant [əs'kænt] = askance.

askew [əs'kjuː] *adv* 1) кри́во, ко́со; to hang a picture ~ пове́сить карти́ну ко́со; 2) и́скоса; to look ~ at smb. не смотре́ть кому́-л. пря́мо в лицо́.

asking ['ɑːskɪŋ] **1.** *pres. p. от* ask; **2.** *n*: for the ~ сто́ит то́лько попроси́ть; to be had for the ~ получи́ть беспла́тно; получи́ть сра́зу без затра́ты уси́лий.

aslant [ə'slɑːnt] **1.** *adv* ко́со, на́искось; **2.** *prep* поперёк.

asleep [ə'sliːp] *a predic.* 1) спя́щий; to be ~ спать; to fall ~ засну́ть; 2) тупо́й, вя́лый; 3) затёкший (*о руке́, ноге́*).

aslope [ə'sloup] **1.** *a predic.* косо́й, пока́тый; **2.** *adv* ко́со, пока́то; на скло́не; на ска́те.

a-smoke [ə'smouk] **1.** *a predic.* дымя́щийся; **2.** *adv* в дыму́.

asp I [æsp] *n* оси́на.

asp II [æsp] *n* 1) а́спид; ко́бра; 2) *поэт.* ядови́тая змея́.

asparagus [əs'pærəgəs] *n* спа́ржа.

aspect ['æspekt] *n* 1) вид; my house has a southern ~ мой дом выхо́дит на юг; 2) взгляд; выраже́ние; he has a gentle ~ у него́ доброду́шный вид; 3) аспе́кт, сторона́; to consider a question in all its ~s рассма́тривать вопро́с со всех то́чек зре́ния; 4) *грам.* вид.

aspen ['æspən] **1.** *n* = asp I;

2. *a* оси́новый; to tremble like an ~ leaf дрожа́ть как оси́новый лист.

asperity [æs'perɪtɪ] *n* 1) шерохова́тость, неро́вность; 2) суро́вость (*кли́мата*); 3) (*обыкн. pl*) тру́дность, лише́ние; the asperities of a winter campaign тру́дности зи́мней кампа́нии; 4) ре́зкость; стро́гость; to speak with ~ говори́ть ре́зко.

asperse [əs'pəːs] *v* 1) обры́згивать, кропи́ть (with); 2) позо́рить, черни́ть, клевета́ть.

aspersion [əs'pəːʃən] *n* 1) обры́згивание (with); 2) клевета́; to cast ~s on smb. клевета́ть на кого́-л.

asphalt ['æsfælt] 1. *n* асфа́льт; биту́м; 2. *v* покрыва́ть асфа́льтом, асфальти́ровать.

asphalt works ['æsfæltwəːks] *n pl* (*употр. как sing и как pl*) асфальти́рование.

asphodel ['æsfədel] *n* 1) *бот.* асфоде́ль; 2) *поэт.* жёлтый нарци́сс.

asphyxia [æs'fɪksɪə] *n мед.* уду́шье.

asphyxiant [æs'fɪksɪənt] *n* удуша́ющее отравля́ющее вещество́.

asphyxiate [æs'fɪksɪeɪt] *v* вызыва́ть уду́шье; души́ть.

asphyxy [æs'fɪksɪ] = asphyxia.

aspic I ['æspɪk] = asp II, 2).

aspic II ['æspɪk] *n* заливно́е (*блю́до*).

aspidistra [,æspɪ'dɪstrə] *n* азиа́тский ла́ндыш.

aspirant [əs'paɪərənt] 1. *n* кандида́т, претенде́нт (to, for, after); 2. *a* стремя́щийся, домога́ющийся.

aspirate 1. *n* ['æspərɪt] 1) придыха́тельный звук; 2) знак придыха́ния; 2. *v* ['æspəreɪt] 1) произноси́ть с придыха́нием; 2) *мед.* удаля́ть (*жи́дкость*) из како́й-л. по́лости.

aspiration [,æspə'reɪʃən] *n* 1) вдыха́ние; 2) стремле́ние; си́льное жела́ние; 3) *фон.* придыха́ние; 4) *мед.* удале́ние (*жи́дкости*) из по́лости; 5) *тех.* вса́сывание.

aspirator ['æspəreɪtə] *n* 1) аспира́тор; 2) (вытяжно́й) вентиля́тор, эксга́устер.

aspire [əs'paɪə] *v* 1) стреми́ться, домога́ться (to, after, at; *тж. с inf.*); 2) *уст., поэт.* поднима́ться, возвыша́ться.

aspirin ['æspərɪn] *n* аспири́н.

asquint [ə'skwɪnt] *adv* ко́со; to look ~ коси́ть (*о глаза́х*); *перен.* смотре́ть ко́со, подозри́тельно.

ass [æs] *n* осёл; ◇ to be an ~ for one's pains не получи́ть благода́рности за свои́ стара́ния; оста́ться в дурака́х; to make an ~ of oneself а) ста́вить себя́ в глу́пое положе́ние; б) валя́ть дурака́; to make an ~ of smb. поста́вить кого́-л. в глу́пое положе́ние; подшути́ть над кем-л.; to play (*или* to act) the ~ валя́ть дурака́.

assagai ['æsəgaɪ] *n* дро́тик (*у африка́нских племён*).

assail [ə'seɪl] *v* 1) напада́ть, атакова́ть; соверша́ть наси́лие; наступа́ть; ре́зко критикова́ть; I was ~ed with questions меня́ заки́дали вопро́сами; I was ~ed by doubts на меня́ напа́ли сомне́ния; я был охва́чен сомне́ниями; 2) с жа́ром набра́сываться (*на рабо́ту и т. п.*); реши́тельно, энерги́чно бра́ться за тру́дное де́ло.

assailable [ə'seɪləbl] *a* откры́тый для нападе́ния, уязви́мый.

assailant [ə'seɪlənt] *n* проти́вник, напада́ющая сторона́.

assassin [ə'sæsɪn] *n* 1) уби́йца (*обыкн. наёмный, де́йствующий из-за угла́*); 2) террори́ст.

assassinate [ə'sæsɪneɪt] *v* 1) (преда́тельски) убива́ть; 2) соверша́ть террористи́ческий акт.

assassination [ə,sæsɪ'neɪʃən] *n* 1) (преда́тельское) уби́йство; 2) террористи́ческий акт.

assault [ə'sɔːlt] 1. *n* 1) нападе́ние, ата́ка; штурм, при́ступ; ~ at (*или* of) arms во́инские упражне́ния (*рубка́, фехтова́ние и т. п.*); to take (*или* to carry) a fortress by ~ брать кре́пость шту́рмом, при́ступом; 2) напа́дки; 3) изнаси́лование; 4) *юр.* слове́сное оскорбле́ние и угро́за физи́ческим наси́лием; ~ and battery оскорбле́ние де́йствием; 5) *воен.* вы́садка деса́нта с бо́ем; 6) *attr. воен.* штурмово́й; ~ party штурмово́й отря́д; ~ team штурмова́я гру́ппа; ~ gun штурмово́е ору́дие; ~ wire *амер.* полево́й про́вод; 2. *v* 1) атакова́ть; штурмова́ть, идти́ на при́ступ; 2) напада́ть; набра́сываться (*с угро́зами и т. п.*); 3) изнаси́ловать; 4) *юр.* грози́ть физи́ческим наси́лием.

assaulter [ə'sɔːltə] *n* 1) напада́ющий, атаку́ющий; 2) *юр.* напада́ющая сторона́.

assay [ə'seɪ] 1. *n* 1) испыта́ние, ана́лиз; 2) опро́бование; про́ба мета́ллов; коли́чественный ана́лиз (*руд и мета́ллов*); mark of ~ про́бное клеймо́; 3) образе́ц для ана́лиза; 4) *уст.* попы́тка.

2. *v* 1) про́бовать, испы́тывать (*благоро́дные мета́ллы*); 2) *уст.* пыта́ться, стара́ться.

assayer [ə'seɪə] *n* проби́рщик; лабора́нт-хи́мик.

assaying [ə'seɪɪŋ] 1. *pres. p. от* assay 2; 2. *n* опро́бование, установле́ние про́бы драгоце́нных мета́ллов.

assay-number [ə'seɪ,nʌmbə] *n* показа́тель про́бы (*драгоце́нных мета́ллов*).

assegai ['æsɪgaɪ] = assagai.

assemblage [ə'semblɪdʒ] *n* 1) собра́ние, сбор; 2) скопле́ние; гру́ппа; 3) колле́кция; 4) *тех.* монта́ж, сбо́рка, соедине́ние; 5): ~ of curves *мат.* семе́йство кривы́х.

assemble [ə'sembl] *v* 1) созыва́ть; 2) собира́ть(ся); 3) *тех.* монти́ровать; to ~ a watch собра́ть часы́.

assembly [ə'semblɪ] *n* 1) собра́ние, сбор; 2) о́бщество; ассамбле́я; 3) (A.) законода́тельное собра́ние; законода́тельный о́рган (*в не́которых шта́тах США*); 4) *тех.* сбо́рка частей (*механи́зма*); 5) агрега́т; 6) *воен.* сигна́л сбо́ра; сбор, сосредото́чение; 7) *attr.* сбо́рочный; ~ line сбо́рочный конве́йер; ~ shop сбо́рочный цех; 8) *attr.*: ~ room зал для ба́лов, собра́ний.

assemblyman [ə'semblɪmən] *n амер.* член ме́стного законода́тельного о́ргана.

assent [ə'sent] 1. *n* 1) согла́сие; 2) разреше́ние, са́нкция; Royal ~ короле́вская са́нкция (*парла́ментского законопрое́кта*);

2. v 1) соглашаться (to — на *что-л.*, с *чем-л.*); изъявлять согласие (to); he ~ed to our proposal он согласился на наше предложение; he ~ed to receive the visitor он согласился принять посетителя; 2) *уст.* разрешать, санкционировать.

assentation [ˌæsən'teiʃən] n угодливость, подобострастие.

assert [ə'səːt] v 1) утверждать; заявлять; 2) доказывать; отстаивать, защищать (*свои права и т. п.*); to ~ oneself a) отстаивать свои права; быть напористым; б) предъявлять чрезмерные претензии.

assertion [ə'səːʃən] n 1) утверждение; a mere ~ голословное утверждение; 2) защита (*прав и т. п.*); 3) *мат.* формулировка.

assertive [ə'səːtiv] a 1) утвердительный; 2) догматический; 3) чрезмерно настойчивый, самоуверенный; напористый.

assess [ə'ses] v 1) определять сумму налога, штрафа *и т. п.*; 2) облагать налогом; штрафовать; 3) оценивать имущество для обложения налогом.

assessable [ə'sesəbl] a подлежащий обложению.

assessment [ə'sesmənt] n 1) обложение; сумма обложения; 2) оценка; 3) аттестация.

assessor [ə'sesə] n 1) эксперт(-консультант); 2) податной чиновник; 3) *амер.* судебный заседатель (*тж.* public ~).

asset ['æset] n 1) ценное качество; ценный вклад; good health is a great ~ хорошее здоровье — большое благо; 2) (каждая отдельная) статья (*описи, инвентаря*); 3) pl *юр.* имущество несостоятельного должника, имущество обанкротившейся фирмы; 4) (*часто* pl) *разг.* имущество; 5) pl *фин.* актив(ы); авуары; ~s and liabilities актив и пассив.

asseverate [ə'sevəreit] v 1) категорически *или* клятвенно утверждать; 2) торжественно заявлять.

asseveration [əˌsevə'reiʃən] n 1) категорическое утверждение; 2) торжественное заявление.

assiduity [ˌæsi'djuːiti] n 1) усердие, прилежание; 2) pl ухаживание.

assiduous [ə'sidjuəs] a усердный, прилежный; неутомимый.

assiduousness [ə'sidjuəsnis] n усердие, прилежание.

assign [ə'sain] **1.** v 1) назначать, определять (*срок, границы*); 2) поручать (*задание, работу*); 3) назначать, определять на должность; 4) предназначать; ассигновать; 5) закреплять (*за кем-л.*), передавать (*имущество*); 6) приписывать;
2. n *юр.* правопреемник.

assignation [ˌæsig'neiʃən] n 1) назначение; 2) передача, переуступка права *или* собственности; 3) условленная встреча; 4) тайная встреча; 5) любовное свидание; 6) ассигнация.

assignee [ˌæsi'niː] n 1) уполномоченный; представитель; 2) *юр.* правопреемник; ~ in bankruptcy куратор конкурсного управления по делам несостоятельного должника.

assignment [ə'sainmənt] n 1) назначение, должность; 2) распределение; (пред-)

назначение; 3) задание; 4) передача имущества *или* прав; 5) документ о передаче имущества *или* прав; 6) *attr.*: ~ clause условие передачи (*имущества, прав*).

assimilate [ə'simileit] v 1) уподоблять, приравнивать (to, with); 2) сравнивать (to, with); 3) ассимилировать(ся); 4) поглощать, усваивать.

assimilation [əˌsimi'leiʃən] n 1) уподобление; 2) ассимиляция; 3) усвоение.

assist [ə'sist] v 1) помогать, содействовать; 2) принимать участие (in); 3) присутствовать (at).

assistance [ə'sistəns] n помощь, содействие; to render ~ оказывать помощь.

assistant [ə'sistənt] n 1) помощник; ассистент; 2) продавец, продавщица (*тж.* shop ~); 3) *редк.* заместитель.

assize [ə'saiz] n 1) судебное разбирательство; 2) pl выездная сессия суда присяжных; 3) *ист.* твёрдо установленная цена, мера *и т. п.*

associate 1. n [ə'souʃiit] 1) товарищ, коллега; партнёр, компаньон; 2) соучастник, союзник; 3) младший член университетской корпорации, академии художеств (*противоп.* fellow); член-корреспондент (*научного общества*);
2. a [ə'souʃiit] объединённый; связанный; присоединённый; ~ societies объединённые общества; ~ editor *амер.* помощник редактора; ~ professor *амер.* адъюнкт-профессор;
3. v [ə'souʃieit] 1) соединять, связывать; 2) соединяться, ассоциироваться; 3) общаться (with) [*ср. тж.* 4)]; 4) *refl.* присоединяться, вступать; становиться партнёром (in); to ~ oneself with присоединяться к *чему-л.*, солидаризироваться с *чем-л.* [*ср. тж.* 3)].

associated [ə'souʃieitid] **1.** *p.p. от* associate 3;
2. a 1) связанный; объединённый; 2) действующий совместно; взаимодействующий; ~ arms *воен.* взаимодействующие роды войск.

association [əˌsousi'eiʃən] n 1) соединение; 2) общество, ассоциация, союз; 3) связь; ассоциация (*идей*); 4) общение, дружба, близость; 5) футбол (*тж.* ~ football); 6) *биол.* ассоциация, жизненное сообщество.

associational [əˌsousi'eiʃənəl] a ассоциативный.

associative [ə'souʃieitiv] a 1) ассоциативный; 2) связующий.

assoil [ə'sɔil] v 1) *уст.* оправдывать; 2) *церк.* отпускать грехи.

assonance ['æsənəns] n 1) ассонанс, неполная рифма (*одних гласных*); 2) созвучие.

assonant ['æsənənt] a созвучный.

assort [ə'sɔːt] v 1) сортировать, подбирать, группировать; классифицировать; 2) снабжать (*ассортиментом товаров*); 3) подходить, согласоваться, гармонировать (with); to ~ well (ill) with хорошо (плохо) гармонировать с.

assortment [ə'sɔːtmənt] n 1) выбор, ассортимент; 2) сортировка.

assuage [ə'sweɪdʒ] v 1) успокáивать (*гнев и т. п.*); смягчáть (*горе, боль*); 2) утолять (*голод*).

assuagement [ə'sweɪdʒmənt] n 1) успокоéние; смягчéние; 2) болеутоляющее срéдство.

assume [ə'sjuːm] v 1) принимáть на себя; присвáивать себé; to ~ responsibility брать на себя отвéтственность; to ~ command принимáть комáндование; to ~ control взять на себя управлéние (*чем-л.*); 2) принимáть (*характер, форму*); his illness ~d a very grave character егó болéзнь приняла óчень серьёзный харáктер; 3) напускáть на себя; притворяться; симулировать; to ~ airs напускáть на себя вáжность, вáжничать; 4) предполагáть, допускáть; let us ~ that... допýстим, что...; 5) быть самонадéянным, высокомéрным; ◇ to ~ measures принимáть мéры; to ~ the offensive перейти в наступлéние.

assumed [ə'sjuːmd] 1. *p.p. от* assume; 2. a 1) вымышленный; an ~ name вымышленное имя; 2) притвóрный; 3) допускáемый, предполагáемый.

assuming [ə'sjuːmɪŋ] 1. *pres. p. от* assume; 2. a самонадéянный; высокомéрный.

assumption [ə'sʌmpʃən] n 1) присвоéние, принятие на себя; ~ of power присвоéние влáсти; 2) вступлéние (*в должность*); 3) притвóрство; 4) предположéние; 5) высокомéрие; 6) *церк.* успéние.

assumptive [ə'sʌmptɪv] a 1) предположительный, допускáемый; 2) самонадéянный; высокомéрный.

assurance [ə'ʃuərəns] n 1) увéрение; заверéние, гарáнтия; 2) увéренность, убеждённость; to make ~ double (*или* doubly) sure для бóльшей вéрности; вдвойне застраховáться; 3) увéренность в себé; 4) самоувéренность, самонадéянность; нáглость; he had the ~ to claim he had done it himself у негó хватило нáглости заявить, что он это сдéлал сам; 5) страховáние; 6) *attr.*: ~ factor *тех.* коэффициéнт запáса.

assure [ə'ʃuə] v 1) уверять (*кого-л.*); убеждáть; 2) *refl.* убеждáться; 3) гарантировать, обеспéчивать; 4) страховáть; to ~ one's life with (*или* in) a company застраховáть жизнь в страховóм обществе.

assured [ə'ʃuəd] 1. *p.p. от* assure; 2. a 1) увéренный; 2) гарантированный, обеспéченный; success is ~ успéх обеспéчен; 3) застрахóванный; 4) самоувéренный; нáглый.

assuredly [ə'ʃuərɪdlɪ] adv конéчно, несомнéнно.

assuredness [ə'ʃuədnɪs] n 1) увéренность; 2) самоувéренность; нáглость.

assurer [ə'ʃuərə] n страховáтель; страхóвщик.

ass'y ['æsɪ] n сокр. от assembly.

Assyrian [ə'sɪrɪən] 1. a ассирийский; 2. n 1) ассириянин, ассириец; ассирийянка; 2) ассирийский язык.

astatic [eɪ'stætɪk] a физ. астатический; ~ needle астатическая магнитная стрéлка.

aster ['æstə] n áстра.

asteria [æs'tɪərɪə] n мин. корýнд.

asterisk ['æstərɪsk] 1. n 1) звёздочка; 2) *полигр.* звёздочка, знак выноски; 2. v *полигр.* отмечáть звёздочкой.

astern [əs'tən] adv мор. 1) на кормé; за кормóй; 2) позади; 2) назáд; full speed ~ пóлный (ход) назáд.

asteroid ['æstərɔɪd] 1. n 1) *астр.* астеро́ид; мáлая планéта; 2) *зоол.* морскáя звезда; 2. a звездообрáзный.

asthenia [æs'θiːnjə] n мед. астения, слáбость.

asthma ['æsmə] n áстма, приступы удýшья.

asthmatic [æs'mætɪk] 1. a 1) астматический; 2) страдáющий áстмой; 2. n астмáтик.

astigmatism [æs'tɪgmətɪzəm] n мед. астигматизм.

astir [ə'stə] 1. a predic. 1) находящийся в движéнии; 2) на ногáх, встáвший с постéли; to be early ~ быть с утрá на ногáх; 3) возбуждённый, взволнóванный; the whole town was ~ with the news весь гóрод был взволнóван нóвостью; 2. adv 1) в движéнии; 2) на ногáх; 3) в возбуждéнии.

astonish [əs'tɒnɪʃ] v удивлять, изумлять.

astonishing [əs'tɒnɪʃɪŋ] 1. *pres. p. от* astonish; 2. a удивительный, изумительный.

astonishment [əs'tɒnɪʃmənt] n удивлéние, изумлéние.

astound [əs'taund] v поражáть, изумлять.

astounding [əs'taundɪŋ] 1. *pres. p. от* astound; 2. a поразительный.

astraddle [ə'strædl] adv, a predic. широкó расстáвив нóги; верхóм (*тж. на стуле*).

astragal ['æstrəgəl] n 1) калёвка; 2) *архит.* облóм; астрагáл, ободóк вокрýг колóнны.

astragali [æs'trægəlaɪ] pl от astragalus.

astragalus [æs'trægələs] n (pl -li) *анат.* астрагáл, тарáнная кость.

astrakhan [ˌæstrə'kæn] n 1) карáкуль; 2) *attr.* карáкулевый.

astral ['æstrəl] a звёздный, астрáльный.

astray [ə'streɪ] adv: to go ~ заблудиться; *перен.* сбиться с пути; to lead ~ сбить с пути (*тж. перен.*).

astride [ə'straɪd] 1. a predic. 1) верхóм; 2) расстáвивший нóги; 2. adv 1) верхóм; 2) расстáвив нóги; 3. prep: ~ of верхóм на.

astringent [əs'trɪndʒənt] 1. a вяжущий; 2. n вяжущее срéдство.

astrolabe ['æstrouleɪb] n геод. астролябия.

astrologer [əs'trɒlədʒə] n астрóлог, звездочёт.

astrology [əs'trɒlədʒɪ] n астрология.

astronautics [ˌæstrə'nɔːtɪks] n pl (*употр. как sing*) теория межпланéтных полётов, астронáвтика.

astronomer [əs'trɒnəmə] n астронóм.

astronomic(al) [ˌæstrə'nɒmɪk(əl)] a 1) астрономический; 2) *разг.* óчень большóй.

astronomy [əs'trɒnəmɪ] n астронóмия.

astute [əs'tjuːt] a 1) хитрый; 2) проницáтельный.

asunder [ə'sʌndə] *adv* 1) пóрознь, отдéльно; далекó друг от дрýга; to rush ~ брóситься в рáзные стóроны; 2) пополáм, в кускú, на чáсти; to tear ~ разорвáть на чáсти.

asylum [ə'saɪləm] *n* 1) прию́т; убéжище; 2) сумасшéдший дом (*тж.* lunatic ~).

asymmetric [ˌæsɪ'metrɪk] *a* асимметрúчный.

asymmetry [æ'sɪmɪtrɪ] *n* асимметрúя, нарушéние симмéтрии.

asynchronous [eɪ'sɪŋkrənəs] *a* асинхрóнный, не совпадáющий во врéмени.

asyndetic [ˌæsɪn'detɪk] *a грам.* бессою́зный.

asyndeton [æ'sɪndɪtən] *n грам.* прóпуск сою́зов как риторúческая фигýра.

at [æt (*полная форма*); ət (*редуцированная форма*)] *prep* 1) *в пространств. знач*ении указывает на a) *местонахождение* в, на, у, при; at Naples в Неáполе; at a meeting на собрáнии; at a depth of six feet на глубинé шестú фýтов; at the window у окнá; at the hospital при больнúце; at home дóма; б) *движение в определённом направлении* в, к, на; to throw a stone at smb. брóсить кáмнем в когó-л.; trains arrive at the terminus every half-hour поездá прихóдят на конéчную стáнцию кáждые полчасá; 2) *во временном значении определяет момент, время действия* в, на; at six o'clock в шесть часóв; at dinner-time в обéденное врéмя, во врéмя обéда; at the end of the lesson в концé урóка; at dawn на зарé; at night нóчью; at present в настоя́щее врéмя, тепéрь; 3) *указывает на действие, занятие* за; at work a) за рабóтой; б) в дéйствии; at breakfast за зáвтраком; at one's studies за заня́тиями; what are you at now? a) чем вы зáняты тепéрь?, над чем вы рабóтаете тепéрь?; б) что вы затевáете?; he is at it again on снóва взя́лся за э́то; 4) *указывает на состояние, положение* в, на; at anchor на я́коре; at war в состоя́нии войны́; at peace в мúре; at watch на постý; at leisure на досýге; 5) *указывает на характер, способ действия; передаётся твор. падежом*: at a run бегóм; at a gulp однúм глоткóм; at a snail's pace черепá́шьим шáгом; 6) *указывает на источник* из, в; to get information at the fountain-head получáть свéдения из первоистóчника; to find out the address at the information-bureau узнáть áдрес в спрáвочном бюрó; 7) *указывает на причину*: we were sad at hearing such news мы огорчúлись, услы́шав такúе нóвости; he was shocked at what he saw он был поражён тем, что увúдел; 8) *употр. в словосочетаниях, содержащих указание на размер вознаграждения, цены* за, по; at high remuneration за большóе вознаграждéние; at three shillings a pound по три шúллинга за фунт; at a high price по высóкой ценé; ◇ at all вообщé, совсéм; at all events во вся́ком слýчае; at best в лýчшем слýчае; at ease a) спокóйно, не торопя́сь; б) *воен.* вóльно!; at first сначáла; at hand a) под рукóй; б) в ближáйшее врéмя; at least по мéньшей мéре; at (the) most сáмое бóльшее; at once срáзу; одновремéнно; at one в соглáсии; at that притóм, к томý же; at times иногдá; at no time никогдá, ни рáзу.

at-a-boy ['ætə,bɔɪ] *int амер. sl.* молодéц!

atabrine ['ætəbriːn] *n фарм.* атабрúн (*синтетический противомалярийный препарат*).

atavistic [ˌætə'vɪstɪk] *a* атавистúческий.

ataxy [ə'tæksɪ] *n мед.* атаксúя.

ate [et] *past om* eat.

atelier ['ætəlɪeɪ] *фр. n* 1) ательé; 2) пошúвочная мастерскáя.

atheism ['eɪθɪɪzəm] *n* безбóжие, атеúзм.

atheist ['eɪθɪɪst] *n* безбóжник, атеúст.

atheistic(al) [ˌeɪθɪ'ɪstɪk(əl)] *a* атеистúческий.

Athena [ə'θiːnə] *n миф.* Афúна.

athenaeum [ˌæθɪ'niːəm] *n* 1) литератýрный *или* наýчный клуб; the A. литератýрный клуб в Лóндоне; 2) библиотéка, читáльня.

Athene [ə'θiːniː] = Athena.

Athenian [ə'θiːnjən] 1. *a* афúнский; 2. *n* афиня́нин; афиня́нка.

athirst [ə'θəːst] *a predic.* 1) испы́тывающий жáжду; 2) жáждущий (for—*чего-л.*).

athlete ['æθliːt] *n* 1) спортсмéн; 2) атлéт.

athlete's foot ['æθliːts'fut] *n мед.* грибкóвое заболевáние ног; окóпная болéзнь ног.

athletic [æθ'letɪk] *a* атлетúческий; ~ field стадиóн; спортúвная площáдка.

athletics [æθ'letɪks] *n pl (употр. тж. как sing)* атлéтика; гимнáстика; спорт; track and field ~ лёгкая атлéтика.

at-home [ət'houm] *n* приём гостéй в определённые дни и часы́.

athwart [ə'θwɔːt] 1. *adv* 1) кóсо; поперёк; перпендикуля́рно; 2) прóтив; наперекóр; 2. *prep* 1) поперёк; чéрез; to run ~ a ship врéзаться в борт другóго сýдна; to throw a bridge ~ a river перебро́сить мост чéрез рéку; 2) прóтив; вопрекú; ~ his plans вопрекú егó плáнам.

atilt [ə'tɪlt] *adv, a predic.* наперевéс.

Atlantic [ət'læntɪk] *a* атлантúческий.

Atlas ['ætləs] *n миф.* Атлáнт.

atlas I ['ætləs] *n* 1) географúческий áтлас; 2) *анат.* атлáнт (*первый шейный позвонок*); 3) *архит.* атлáнт (*мужская фигура, служащая для поддержания карниза, балкона и т. п.*); 4) формáт бумáги (*писчей 26 д. × 33 д., чертёжной 26 д. × 36 д.*).

atlas II ['ætləs] *n текст.* атлáс.

atmosphere ['ætməsfɪə] *n* 1) атмосфéра; tense ~ напряжённая атмосфéра; 2) *attr.* атмосфéрный; ~ pressure атмосфéрное давлéние.

atmospheric(al) [ˌætməs'ferɪk(əl)] *a* атмосфéрный, атмосферúческий; метеорологúческий; ~ condensation атмосфéрные осáдки; ~ pressure атмосфéрное давлéние; ~ density плóтность вóздуха; ~ temperature температýра вóздуха.

atmospherics [ˌætməs'ferɪks] *n pl радио* атмосфéрные помéхи.

atoll ['ætəl] *n* атóлл, корáлловый óстров.

atom ['ætəm] *n* 1) áтом; 2) *разг.* мельчáйшая частúца; to break (*или* to smash) to ~s разбúть вдрéбезги; not an ~ of evidence ни тéни доказáтельства; 3) *attr.* áтомный; ~ bomb áтомная бóмба; ~ fission (*или* splitting) расщеплéние áтома.

atomaniac ['ætə,meɪnɪæk] *n* проповедник атомной войны.

atomic [ə'tɔmɪk] *a* атомный; ~ bomb атомная бомба; ~ energy атомная энергия; ~ heat атомная теплоёмкость; ~ number атомное порядковое число; ~ weight атомный вес; ~ pile атомный котёл, реактор; ~ control контроль над производством атомной энергии; ~ warfare атомная война.

atomicity [,ætə'mɪsɪtɪ] *n* атомность, валентность.

atomism ['ætəmɪzəm] *n* атомизм, атомистическая теория.

atomistic [,ætə'mɪstɪk] *a* 1) атомистический; 2) раздроблённый; состоящий из множества мелких частей, элементов.

atomize ['ætəmaɪz] *v* распылять; дробить.

atomizer ['ætəmaɪzə] *n* 1) пульверизатор; 2) *тех.* форсунка, распылитель, гидропульт.

atom-smasher ['ætəm'smæʃə] *n* расщепитель атомного ядра.

atom-smashing ['ætəm'smæʃɪŋ] *n разг.* расщепление атома.

atomy I ['ætəmɪ] *n* 1) атом; 2) маленькое существо.

atomy II ['ætəmɪ] *n* (*сокр. от* anatomy) 1) скелет (*анатомический препарат*); 2) *разг.* скелет, кожа да кости.

atone [ə'toun] *v* 1) заглаживать, искупать (*вину*; *обыкн.* ~ for); 2) возмещать (*обыкн.* ~ for); 3) *уст.* улаживать (*ссору*).

atonement [ə'tounmənt] *n* 1) искупление (*вины*); 2) возмещение; 3) *уст.* примирение.

atonic [æ'tɔnɪk] *a* 1) *грам.* безударный; 2) *мед.* ослабевший.

atony ['ætənɪ] *n мед.* атония.

atop [ə'tɔp] 1. *adv* на вершине, наверху; 2. *prep* поверх; над.

at par [ət'pɑː] *adv* по номинальной стоимости.

atrabilious [,ætrə'bɪljəs] *a* 1) страдающий разлитием желчи; 2) меланхолический; жёлчный.

atrip [ə'trɪp] *a predic.*, *adv*: to be ~ отделиться от грунта (*о поднимаемом якоре*).

atrocious [ə'trouʃəs] *a* 1) жестокий, зверский; 2) ужасный.

atrocity [ə'trɔsɪtɪ] *n* 1) жестокость, зверство; 2) *разг.* грубый промах, грубая бестактность.

atrophied ['ætrəfɪd] 1. *p.p. от* atrophy 2; 2. *a* 1) атрофированный; 2) истощённый, чахлый.

atrophy ['ætrəfɪ] 1. *n* 1) атрофия; 2) ослабление, истощение; 2. *v* 1) атрофироваться; 2) изнурять.

attaboy ['ætə,bɔɪ] = at-a-boy.

attach [ə'tætʃ] *v* 1) прикреплять, прикладывать; to ~ a seal to a document ставить печать на документе; скреплять документ печатью; to ~ a stamp приклеивать марку; the responsibility that ~es to that position ответственность, связанная с этим положением; 2) присоединяться; he ~ed himself to the new arrivals он присоединился к вновь прибывшим; 3) прикомандировывать; назначать; to ~ a teacher to a class

прикрепить преподавателя к классу; 4) привязывать, располагать к себе; 5) *refl.* привязываться; 6) приписывать, придавать; to ~ importance to smth. придавать значение чему-л., считать что-л. важным; he ~ed the blame to me он свалил вину на меня; 7) *юр.* налагать арест, запрещение; арестовывать.

attache [ə'tæʃeɪ] *фр. n* атташе посольства; air (military, naval) ~ авиационный (военный, морской) атташе.

attache case [ə'tæʃɪkeɪs] *n* кожаный ручной чемоданчик (*для книг, документов*).

attached [ə'tætʃt] 1. *p.p. от* attach; 2. *a* 1) привязанный; преданный (*кому-л.*); 2) прикомандированный; 3) прикреплённый.

attachment [ə'tætʃmənt] *n* 1) привязанность, преданность; 2) прикрепление; 3) *юр.* наложение ареста; foreign ~ наложение запрещения на имущество иностранца (*в Англии*); 4) *тех.* приспособление, принадлежность.

attack [ə'tæk] 1. *n* 1) атака, наступление; наступательный бой, нападение; 2) приступ болезни, припадок; 3) *pl* нападки; 4) *attr. воен.* штурмовой; ~ aviation *амер.* штурмовая авиация; ~ plane штурмовой самолёт; 2. *v* 1) атаковать, нападать; 2) поражать (*о болезни*); 3) разрушать, разъедать; acid ~s metals кислота разъедает металлы; 4) предпринимать; браться энергично (*за что-л.*), набрасываться (*на работу и т. п.*).

attackable [ə'tækəbl] *a* 1) уязвимый; 2) спорный.

attain [ə'teɪn] *v* достигнуть, добиться.

attainability [ə,teɪnə'bɪlɪtɪ] *n* достижимость.

attainable [ə'teɪnəbl] *a* достижимый.

attainder [ə'teɪndə] *n* присуждение к смерти *или* к изгнанию с лишением гражданских прав за государственную измену; Act (*или* Bill) of A. *ист.* парламентское осуждение виновного в государственной измене.

attainment [ə'teɪnmənt] *n* 1) достижение; приобретение; 2) *pl* знания, навыки; a man of varied ~s разносторонний человек.

attaint [ə'teɪnt] 1. *n* пятно, позор; 2. *v* 1) присуждать к смерти *или* к изгнанию с лишением гражданских прав [*см.* attainder]; 2) бесчестить, позорить; 3) *уст.* поражать (*о болезни*); заражать.

attar ['ætə] *n* эфирное масло (*из цветов*); ~ of roses розовое масло.

attemper [ə'tempə] *v* 1) умерять, успокаивать; 2) регулировать, приспособлять (to); 3) смешивать в соответствующих пропорциях.

attempt [ə'tempt] 1. *n* 1) попытка; проба, опыт; 2) покушение; an ~ on smb.'s life покушение на чью-л. жизнь; 2. *v* 1) пытаться, пробовать; браться; предпринимать; 2) покушаться.

attend [ə'tend] *v* 1) уделять внимание; быть внимательным (*к кому-л., чему-л.*);

you are not ~ing вы невнимательны; to ~ to smb.'s needs быть внимательным к чьим-л. нуждам; 2) заботиться, следить (to — за *чем-л.*); выполнять; to ~ to the education of one's children следить за воспитанием своих детей; your orders will be ~ed to ваши приказания, заказы будут выполнены; 3) ходить, ухаживать (*за больным*); the patient was ~ed by Dr X больного лечил доктор X; 4) прислуживать, обслуживать (on, upon); 5) сопровождать; сопутствовать; I will ~ you to the theatre я провожу вас до театра; success ~s hard work успех сопутствует упорной работе; 6) посещать; присутствовать (*на лекциях, собраниях и т. п.*); I have to ~ a meeting мне надо быть на собрании.

attendance [ə'tendəns] *n* 1) присутствие (at); посещение; your ~ is requested ваше присутствие желательно; hours of ~ служебные, присутственные часы; 2) посещаемость; 3) аудитория, публика; 4) уход, обслуживание (upon); услуги; medical ~ врачебный уход.

attendant [ə'tendənt] **1.** *n* 1) сопровождающее, обслуживающее *или* присутствующее лицо; 2) спутник; 3) слуга, служитель; **2.** *a* 1) сопровождающий, сопутствующий; ~ circumstances сопутствующие обстоятельства; 2) присутствующий; 3) обслуживающий (upon).

attention [ə'tenʃən] *n* 1) внимание; внимательность; to attract (to call) ~ привлекать (обращать чьё-л.) внимание; to pay ~ обращать внимание; to compel ~ приковывать внимание; to slip smb.'s ~ ускользнуть от чьего-л. внимания; ~! *воен.* смирно!; to stand at ~ *воен.* стоять смирно; 2) забота, заботливость; to show much ~ (to smb.) проявлять заботу (о ком-л.); 3) уход (*за больным и т. п.*); 4) обслуживание; 5) *pl* ухаживание; 6) *тех.* уход (*за машиной*).

attentive [ə'tentɪv] *a* 1) внимательный; 2) заботливый; 3) вежливый, предупредительный.

attenuate 1. *a* [ə'tenjuɪt] 1) исхудавший; худой, стройный; 2) разжиженный; **2.** *v* [ə'tenjueɪt] 1) истощать; 2) ослаблять; смягчать; 3) разжижать.

attenuation [ə,tenju'eɪʃən] *n* 1) истощение; ослабление; 2) уменьшение; 3) разжижение; 4) *физ., тех.* затухание; 5) *attr.*: ~ constant *радио* коэффициент затухания.

attest [ə'test] *v* 1) свидетельствовать; удостоверять; подтверждать; to ~ a signature засвидетельствовать подпись; 2) приводить к присяге.

attestation [,ætes'teɪʃən] *n* 1) свидетельское показание, подтверждение; 2) засвидетельствование (*документа*); 3) приведение к присяге.

attestor [ə'testə] *n юр.* свидетель.

Attic ['ætɪk] *a* 1) аттический; классический; 2) изящный, остроумный; ◇ ~ salt аттическая соль, тонкое остроумие.

attic ['ætɪk] *n* 1) мансарда; чердак; верхний, чердачный этаж (*тж.* the ~s);

2) *архит.* аттик, стенка над карнизом, завершающая фасад; ◇ to have rats in the ~ *sl.* ≅ винтиков не хватает.

atticism ['ætɪsɪzəm] *n* изящество выражения.

attic-stor(e)y ['ætɪk,stɔːrɪ] *n* чердачный этаж.

attire [ə'taɪə] **1.** *n* 1) наряд, платье; украшение; 2) *охот.* оленьи рога; **2.** *v* (*обыкн. pass. или refl.*) одевать, наряжать; simply ~d просто одетый.

attitude ['ætɪtjuːd] *n* 1) позиция; отношение (*к чему-л.*); ~ of mind склад ума; 2) поза; осанка; to strike an ~ принимать (театральную) позу; 3) *ав.* положение самолёта в воздухе.

attitudinize [,ætɪ'tjuːdɪnaɪz] *v* принимать (театральные) позы.

attorney [ə'tɜːnɪ] *n* 1) поверенный, адвокат (*звание, офиц. отменённое в 1873 г.*); ~ and counsellor-at-law адвокат; A. General генеральный атторней; министр юстиции (*в США*); district ~, circuit ~ *амер.* районный прокурор; letter (*или* warrant) of ~ доверенность; power of ~ полномочие; by ~ по доверенности, через поверенного (*не лично*).

attract [ə'trækt] *v* 1) привлекать, притягивать; 2) пленять, прельщать.

attraction [ə'trækʃən] *n* 1) притяжение, тяготение; 2) привлекательность; прелесть; 3) приманка; 4) аттракцион.

attractive [ə'træktɪv] *a* привлекательный, притягательный, заманчивый; ~ force сила притяжения.

attribute 1. *n* ['ætrɪbjuːt] 1) свойство; характерный признак, характерная черта, атрибут; 2) *грам.* определительное слово, определение; **2.** *v* [ə'trɪbjuːt] приписывать (*чему-л., кому-л.*; to); относить (*за счёт чего-л., кого-л.*; to).

attribution [,ætrɪ'bjuːʃən] *n* 1) приписывание; 2) власть, компетенция.

attributive [ə'trɪbjutɪv] **1.** *a* атрибутивный, определительный; **2.** *n* атрибут; определение.

attrition [ə'trɪʃən] *n* 1) трение; 2) изнашивание от трения, истирание; истёртость; 3) истощение, изнурение.

attune [ə'tjuːn] *v* приводить в созвучие; настраивать (*музыкальный инструмент; тж. перен.*).

aubergine ['oubəʒiːn] *фр. n* баклажан.

auburn ['ɔːbən] *a* каштанового цвета, тёмно-рыжего цвета (*обыкн. о волосах*).

auction ['ɔːkʃən] **1.** *n* аукцион, торг; to put up to (*амер.* at) ~, to sell by (*амер.* at) ~ продавать с аукциона; **2.** *v* продавать с аукциона.

auctioneer [,ɔːkʃə'nɪə] **1.** *n* аукционист; **2.** *v* продавать с аукциона, с молотка.

audacious [ɔː'deɪʃəs] *a* 1) смелый, дерзкий; 2) наглый.

audaciousness [ɔː'deɪʃəsnɪs] = audacity.

audacity [ɔː'dæsɪtɪ] *n* 1) смелость; 2) наглость.

audibility [,ɔːdɪ'bɪlɪtɪ] *n* слышимость, внятность.

audible ['ɔːdəbl] *a* слышный, внятный; слышимый.

audibly ['ɔːdəblɪ] *adv* громко, внятно; вслух; *перен.* явно.

audience ['ɔːdjəns] *n* 1) аудитория, слушатели; 2) публика; зрители; 3) слушание (*дела в суде*); 4) аудиенция (of, with —у кого-л.); to give an ~ дать аудиенцию; выслушать.

audio frequency ['ɔːdɪou'friːkwənsɪ] *n* радио звуковая частота.

audiograph ['ɔːdɪougrɑːf] *n ак.* аудиограф.

audiometer [,ɔːdɪ'ɔmɪtə] *n ак.* аудиометр.

audit ['ɔːdɪt] 1. *n* проверка, ревизия бухгалтерских книг, документов и отчётности; 2. *v* проверять отчётность, ревизовать.

audition [ɔː'dɪʃən] 1. *n* 1) слушание, выслушивание; 2) слух, чувство слуха; 3) *театр.* проба голосов; конкурс певцов; 2. *v* слушать, выслушивать.

auditor ['ɔːdɪtə] *n* 1) ревизор, (финансовый) контролёр; 2) *уст.* слушатель.

auditorial [,ɔːdɪ'tɔːrɪəl] *a* ревизионный, контрольный.

auditorium [,ɔːdɪ'tɔːrɪəm] *n* зрительный зал, аудитория.

auditory ['ɔːdɪtərɪ] 1. *a* слуховой; 2. *n редк.* аудитория, слушатели.

Augean [ɔː'dʒiːən] *a:* ~ stables авгиевы конюшни.

auger ['ɔːgə] *n* ложечное сверло, бурав; шпек (транспортёра).

aught [ɔːt] 1. *n* нечто, кое-что, что-нибудь; 2. *adv* в каком-л. отношении; в какой-л. степени; for ~ I know насколько мне известно.

augment 1. *n* ['ɔːgmənt] *грам.* приращение, аугмент. 2. *v* [ɔːg'ment] 1) увеличивать(ся), прибавлять(ся); усиливать(ся); 2) *грам.* присоединять аугмент.

augmentation [,ɔːgmen'teɪʃən] *n* увеличение, прирост, приращение.

augmentative [ɔːg'mentətɪv] *a* 1) увеличивающийся; 2) *грам.* увеличительный (*о суффиксе*).

augur ['ɔːgə] 1. *n* авгур, прорицатель; 2. *v* предсказывать, предвещать; предвидеть; to ~ well служить хорошим предзнаменованием.

augural ['ɔːgjurəl] *a* предвещающий; зловещий.

augury ['ɔːgjurɪ] *n* 1) гадание; 2) предзнаменование; 3) предсказание; 4) предчувствие.

August ['ɔːgəst] *n* 1) август; 2) *attr.* августовский.

august [ɔː'gʌst] *a* величественный, высокий.

Augustan [ɔː'gʌstən] *a:* ~ age век (*или* эпоха) Августа; *перен.* классический век литературы и искусства.

auk [ɔːk] *n* гагарка (*птица*).

aunt [ɑːnt] *n* тётя; тётка; ◇ my ~! *восклицание удивления.*

auntie ['ɑːntɪ] *n ласк.* тётушка.

Aunt Sally ['ɑːnt'sælɪ] *n* 1) народная игра, состоящая в том, чтобы с известного расстояния выбить трубку изо рта деревянной куклы; 2) мишень для нападок *или* оскорблений.

aura ['ɔːrə] *n* 1) дуновение; 2) эманация; 3) *мед.* аура, предвестник эпилептического припадка.

aural ['ɔːrəl] *a* 1) ушной; 2) слуховой; ~ impression слуховое восприятие; ~ surgeon = aurist.

aurally ['ɔːrəlɪ] *adv* устно, на слух.

aureate ['ɔːrɪɪt] *a* золотистый, позолоченный.

aurelia [ɔː'riːljə] *n* аурелия (*род медузы*).

aureola, **aureole** [ɔː'rɪələ, 'ɔːrɪoul] *n* ореол, сияние, венчик.

auric ['ɔːrɪk] *a* 1) содержащий золото; 2) *горн.* золотоносный.

auricle ['ɔːrɪkl] *n* 1) наружное ухо (*животных*); 2) *анат.* предсердие.

auricula [ɔː'rɪkjulə] *n* (*pl* -las [-ləz], -lae) *бот.* аврикула.

auriculae [ɔː'rɪkjuliː] *pl om* auricula.

auricular [ɔː'rɪkjulə] *a* 1) ушной, слуховой; 2) сказанный на ухо; тайный; 3) *анат.* относящийся к предсердию; ~ appendix сердечное ушко.

auriferous [ɔː'rɪfərəs] *a* золотоносный, золотосодержащий.

auriform ['ɔːrɪfɔːm] *a* имеющий форму уха.

Auriga [ɔː'raɪgə] *n астр.* Возничий (*созвездие*).

aurist ['ɔːrɪst] *n* специалист по ушным болезням.

aurochs ['ɔːrɔks] *n зоол.* зубр.

Aurora [ɔː'rɔːrə] *n* 1) *миф.* Аврора; 2) (а.) *поэт.* аврора, утренняя заря; ~ australis южное сияние; ~ borealis северное сияние.

auroral [ɔː'rɔːrəl] *a* 1) утренний; 2) сияющий; румяный; 3) вызванный северным *или* южным сиянием.

auscultation [,ɔːskəl'teɪʃən] *n* выслушивание (*больного*).

auspice ['ɔːspɪs] *n* 1) доброе предзнаменование; 2) (*обыкн. pl*) покровительство; under the ~s of smb. под чьим-л. покровительством.

auspicious [ɔːs'pɪʃəs] *a* благоприятный.

Aussie ['ɔːsɪ] *n разг. см.* Australian 2.

austere [ɔs'tɪə] *n* 1) строгий; 2) суровый; аскетический; 3) строгий, чистый, простой (*о стиле*); 4) терпкий (*на вкус*).

austerity [ɔs'terɪtɪ] *n* 1) строгость; 2) суровость; аскетизм; простота; 3) терпкость.

austral ['ɔːstrəl] *a* южный.

Australian [ɔs'treɪljən] 1. *a* австралийский; 2. *n* австралиец; австралийка.

Austrian ['ɔstrɪən] 1. *a* австрийский; 2. *n* австриец; австрийка.

authentic [ɔː'θentɪk] *a* подлинный, достоверный; аутентичный.

authentically [ɔː'θentɪkəlɪ] *adv* подлинно, достоверно.

authenticate [ɔː'θentɪkeɪt] *v* удостоверять, устанавливать подлинность.

authenticity [,ɔːθen'tɪsɪtɪ] *n* подлинность, достоверность.

author [ˈɔːθə] *n* 1) áвтор; писáтель; 2) творéц; создáтель; 3) винóвник; инициáтор.

authoress [ˈɔːθərɪs] *n* писáтельница.

authoritarian [ɔːˌθɔrɪˈtɛərɪən] 1. *a* авторитáрный;
2. *n* сторóнник авторитáрной влáсти.

authoritative [ɔːˈθɔrɪtətɪv] *a* 1) авторитéтный; 2) повелúтельный, влáстный.

authority [ɔːˈθɔrɪtɪ] *n* 1) власть, полномóчие (*for; тж. с inf.*); сфéра компетéнции; the ~ of Parliament власть парлáмента; a man set in ~ человéк, облечённый влáстью; 2) (*обыкн. pl* the authorities) влáсти; to apply to the authorities обратúться к властя́м; 3) авторитéт, вес, влия́ние, значéние; to carry ~ имéть влия́ние; 4) авторитéт, авторитéтный специалúст; 5) авторитéтный истóчник (*книга, докумéнт*); 6) авторитéтное утверждéние; доказáтельство; основáние; on the ~ of the press на основáнии, по утверждéнию газéт.

authorization [ˌɔːθəraɪˈzeɪʃən] *n* 1) уполномóчивание; 2) сáнкция, разрешéние; órder.

authorize [ˈɔːθəraɪz] *v* 1) уполномóчивать; поручáть; 2) санкционúровать, разрешáть; 3) опрáвдывать; объясня́ть; his conduct was ~d by the situation егó поведéние опрáвдывалось положéнием.

authorized [ˈɔːθəraɪzd] 1. *p.p. от* authorize; 2. *a* авторизóванный; ~ translation авторизóванный перевóд; Authorized Version англúйский перевóд бúблии изд. 1611 г., прúнятый в англикáнской цéркви.

authorless [ˈɔːθəlɪs] *a* анонúмный.

authorship [ˈɔːθəʃɪp] *n* áвторство; a book of doubtful ~ кнúга, áвтор котóрой тóчно не устанóвлен.

auto [ˈɔːtou] *n сокр. разг.* 1) = automatic pistol [см. automatic 1, 1)]; 2) см. automobile.

auto- [ˈɔːtou-] *pref* авто-, само-.

autobiographic [ˈɔːtouˌbaɪouˈgræfɪk] *a* автобиографúческий.

autobiography [ˌɔːtoubaɪˈɔgrəfɪ] *n* автобиогрáфия.

autobus [ˈɔːtəbʌs] *n уст.* автóбус.

autocar [ˈɔːtoukɑː] *n* автомобúль.

autochthon [ɔːˈtɔkθən] *n* (*pl* -s [-z], -es [-ɪz]) кореннóй жúтель, обитáтель.

autochthonal [ɔːˈtɔkθənəl] *a* кореннóй (*о населéнии страны́*).

autocracy [ɔːˈtɔkrəsɪ] *n* самодержáвие, автокрáтия.

autocrat [ˈɔːtəkræt] *n* 1) самодéржец, автокрáт; 2) влáстный человéк, дéспот.

autocratic [ˌɔːtəˈkrætɪk] *a* 1) самодержáвный; 2) влáстный, деспотúческий.

auto-da-fé [ˈɔːtoudɑːˈfeɪ] *португ. n* (*pl* autos-da-fé) *ист.* аутодафé.

autogamous [ɔːˈtɔgəməs] *a бот.* автогáмный, самоопыля́ющийся.

autogenesis [ˌɔːtouˈdʒenɪsɪs] *n* автогенéз, самозарождéние.

autogenous [ɔːˈtɔdʒɪnəs] *a* автогéнный; ~ welding автогéнная свáрка.

autograph [ˈɔːtəgrɑːf] 1. *n* 1) автóграф; 2) оригинáл рýкописи;
2. *v* надпúсывать автóграфы.

autographic [ˌɔːtəˈgræfɪk] *a* собственнорýчно напúсанный.

autogravure [ˌɔːtəgrəˈvjuə] *n* автогравю́ра.

autogyro [ˌɔːtouˈdʒaɪərou] *n ав.* автожúр, вертолёт.

autointoxication [ˌɔːtouɪnˌtɔksɪˈkeɪʃən] *n мед.* самоотравлéние органúзма.

automat [ˈɔːtəmæt] *n амер.* ресторáн-автомáт.

automata [ɔːˈtɔmətə] *pl от* automaton.

automatic [ˌɔːtəˈmætɪk] 1. *a* 1) автоматúческий; ~ pilot автопилóт; ~ pistol самозаря́дный пистолéт; ~ rifle автоматúческая винтóвка; Browning ~ rifle *амер.* ручнóй пулемёт Брáунинга; ~ rifleman ручнóй пулемётчик; ~ coupling *ж.-д.* автосцéпка; ~ fire непрерúвная стрельбá; ~ telephone system автоматúческая телефóнная стáнция; ~ train stop *ж.-д.* автостóп; ~ transmitter автоматúческий передáтчик; 2) машинáльный;
2. *n* 1) автоматúческий аппарáт; автомáт; 2) автоматúческое орýжие; 3) пистолéт.

automatical [ˌɔːtəˈmætɪkəl] = automatic 1.

automation [ˌɔːtəˈmeɪʃən] *n* автоматизáция.

automatism [ɔːˈtɔmətɪzəm] *n* автоматúзм; непроизвóльное движéние.

automaton [ɔːˈtɔmətən] *n* (*pl* -ta, -tons [-tənz]) автомáт.

automobile [ˈɔːtəməbiːl] 1. *n* автомобúль;
2. *a* 1) автомобúльный; ~ railway car *ж.-д.* автомотрúса; ~ transportation автотрáнспорт; ~ wagon грузовóй автомобúль, грузовúк; 2) самодвúжущийся.

automobilist [ˌɔːtəˈmɔbilɪst] *n* автомобилúст.

automobilization [ˈɔːtəˌmoubɪlaɪˈzeɪʃən] *n* моторизáция.

automotive [ˌɔːtəˈmoutɪv] *a* 1) самодвúжущийся; 2) автомобúльный; ~ industry автопромышленность.

autonomist [ɔːˈtɔnəmɪst] *n* автономúст, сторóнник автонóмии.

autonomous [ɔːˈtɔnəməs] *a* автонóмный, самоуправля́ющийся.

autonomy [ɔːˈtɔnəmɪ] *n* 1) автонóмия, самоуправлéние; 2) прáво на самоуправлéние; 3) автонóмное госудáрство; автонóмная óбласть.

autopilot [ˈɔːtəˌpaɪlət] *n* автопилóт.

autopsy [ˈɔːtəpsɪ] *n* вскрúтие (*трýпа*).

autorifle [ˈɔːtəraɪfl] *n амер.* ручнóй пулемёт.

auto-road [ˈɔːtoˌroud] *n* автострáда.

autos-da-fé [ˈɔːtouzdɑːˈfeɪ] *pl от* auto-da-fe

autostrada [ˌautouˈstrɑːdə] = auto-road.

autosuggestion [ˈɔːtouˌsədʒesʧən] *n* самовнушéние.

autotruck [ˈɔːtəˌtrʌk] *n амер.* грузовúк.

autotype [ˈɔːtotaɪp] 1. *n* автотúпия; факсимúльный отпечáток;
2. *v* дéлать автотúпный снúмок.

autumn [ˈɔːtəm] *n* 1) óсень; 2) *attr.* осéнний.

autumnal [ɔːˈtʌmnəl] *a* 1) осéнний; 2) цветýщий *или* зрéющий óсенью.

auxiliary [ɔːgˈzɪljərɪ] 1. *a* 1) вспомогáтельный; 2) добáвочный; запáсный;

2. *n* 1) помо́щник; 2) *грам.* вспомога́тельный глаго́л; 3) *pl* иностра́нные *или* сою́зные войска́; 4) *тех.* вспомога́тельное устро́йство, вспомога́тельный механи́зм.

avail [ə'veɪl] **1.** *n* по́льза; вы́года; of ~ поле́зный; of no ~ бесполе́зный; of little ~ малоприго́дный; of what ~ is it? кака́я в э́том по́льза?;
2. *v* 1) быть поле́зным, вы́годным; his efforts did not ~ him его́ уси́лия не помогли́ ему́; 2) *refl.*: to ~ oneself of по́льзоваться, воспо́льзоваться (*случаем, предложением*).

availability [ə,veɪlə'bɪlɪtɪ] *n* 1) (при)го́дность; 2) нали́чие.

available [ə'veɪləbl] *a* 1) досту́пный; име́ющийся в распоряже́нии, нали́чный; ~ surface свобо́дное простра́нство; by all ~ means все́ми досту́пными сре́дствами; all ~ funds все нали́чные сре́дства; this book is not ~ э́ту кни́гу нельзя́ доста́ть; to make ~ предоставля́ть; 2) (при)го́дный; поле́зный; 3) действи́тельный; tickets ~ for one day only биле́ты, действи́тельные то́лько на оди́н день.

avalanche ['ævəlɑːnʃ] *n* 1) лави́на, сне́жный обва́л; 2) град (*пуль, ударов*); пото́к (*писем и т. п.*).

avant-corps [ɑvɑ̃ːŋ'kɔː] *фр. n архит.* выступа́ющий фаса́д.

avarice ['ævərɪs] *n* ску́пость; жа́дность.

avaricious [,ævə'rɪʃəs] *a* скупо́й; жа́дный.

avast [ə'vɑːst] *int мор.* стой!, стоп!

avatar [,ævə'tɑː] *n инд. миф.* воплоще́ние божества́ (*преим. Вишну*).

avaunt [ə'vɔːnt] *int уст., шутл.* прочь!, вон!

ave ['ɑːvɪ] *лат.* **1.** *n* 1) проща́ние; 2) (A.) *церк.* моли́тва богоро́дице (*тж.* A. Maria, A. Mary);
2. *int* приве́т! (*обыкн. как прощание*).

avenge [ə'vendʒ] *v* мстить; to ~ oneself отомсти́ть, отплати́ть за себя́ (on — *кому-л.* for — за *что-л.*).

avengeful [ə'vendʒful] *a* мсти́тельный.

avenger [ə'vendʒə] *n* мсти́тель.

avens ['ævenz] *n бот.* гравила́т.

avenue ['ævɪnjuː] *n* 1) доро́га, алле́я к до́му (*через парк, усадьбу и т. п.*); 2) доро́га, обса́женная дере́вьями; 3) *амер.* широ́кая у́лица, проспе́кт; 4) путь, сре́дство; an ~ to wealth (to fame) путь к бога́тству (к сла́ве); to explore every ~, to leave no ~ unexplored испо́льзовать все возмо́жности; 5) *воен.* по́дступ (*тж.* ~ of approach).

aver [ə'vəː] *v* 1) утвержда́ть; 2) *юр.* дока́зывать.

average ['ævərɪdʒ] **1.** *n* 1) сре́днее число́; сре́дняя величина́; on the (*или* an) ~ в сре́днем; to strike an ~ выводи́ть сре́днее число́; below (above) the ~ ни́же (вы́ше) сре́днего; 2) *ком.* убы́ток от ава́рии су́дна; 3) распределе́ние убы́тка от ава́рии ме́жду владе́льцами (*груза, судна*).
2. *a* 1) сре́дний; ~ output сре́дняя добы́ча; ~ rate of profit *полит.-эк.* сре́дняя но́рма при́были; 2) сре́дний, обы́чный, норма́льный; ~ height сре́дний, норма́льный рост;

3. *v* 1) выводи́ть сре́днее число́; 2) в сре́днем равня́ться, составля́ть.

average adjuster ['ævərɪdʒə'dʒʌstə] *n* диспаше́р (*эксперт по определению убытков при морской аварии*).

average statement ['ævərɪdʒ'steɪtmənt] *n ком.* диспа́ша.

averment [ə'vəːmənt] *n* 1) утвержде́ние; 2) *юр.* доказа́тельство.

averruncator [,ævə'rʌŋkeɪtə] *n* садо́вые но́жницы.

averse [ə'vəːs] *a* нерасположенный, неохо́тный, пита́ющий отвраще́ние (to — к чему-л.); not ~ to a good dinner непро́чь хорошо́ пообе́дать.

aversion [ə'vəːʃən] *n* 1) отвраще́ние, антипа́тия (to); 2) неохо́та; 3) предме́т отвраще́ния; one's pet ~ *шутл.* са́мая си́льная антипа́тия.

avert [ə'vəːt] *v* 1) отводи́ть (*взгляд*; from); 2) отвлека́ть (*мысли*; from); 3) отвраща́ть, предотвраща́ть (*удар, опасность и т. п.*).

avertible [ə'vəːtəbl] *a* предотврати́мый.

aviary ['eɪvjərɪ] *n* пти́чник.

aviate ['eɪvɪeɪt] *v* 1) лета́ть на самолёте, дирижа́бле *и т. п.*; 2) управля́ть самолётом, дирижа́блем *и т. п.*

aviation [,eɪvɪ'eɪʃən] *n* 1) авиа́ция; 2) *attr.* авиацио́нный; ~ engine авиацио́нный мото́р; ~ gas *амер.* авиацио́нное горю́чее.

aviator ['eɪvɪeɪtə] *n* лётчик, авиа́тор, пило́т.

aviculture ['eɪvɪkʌltʃə] *n* птицево́дство.

avid ['ævɪd] *a* жа́дный, а́лчный (of, for).

avidity [ə'vɪdɪtɪ] *n* жа́дность, а́лчность.

aviette [,eɪvɪ'et] *n ав.* авие́тка, лёгкий самолёт.

avifauna [,eɪvɪ'fɔːnə] *n зоол.* фа́уна птиц (*данной местности*).

avigate ['ævɪgeɪt] *v воен.* води́ть самолёт по пра́вилам аэронавига́ции.

avigation [,ævɪ'geɪʃən] *n* 1) аэронавига́ция; 2) *attr.* аэронавигацио́нный; ~ instruments аэронавигацио́нные прибо́ры.

aviso [ə'vaɪzou] *n* (*pl* -os [-ouz]) 1) *ком.* авизо; 2) *мор.* посы́льное су́дно.

avocation [,ævou'keɪʃən] *n* 1) (*непр.* вм. vocation) основно́е заня́тие; призва́ние; 2) (*тж. pl*) побо́чное заня́тие; заня́тия в часы́ досу́га, развлече́ние.

avocet ['ævouset] *n* шилоклю́вка (*птица*).

avoid [ə'vɔɪd] *v* 1) избега́ть, сторони́ться; 2) уклоня́ться; 3) *юр.* уничтожа́ть, аннули́ровать.

avoidable [ə'vɔɪdəbl] *a* то, чего́ *или* тот, кого́ мо́жно избежа́ть.

avoidance [ə'vɔɪdəns] *n* 1) избежа́ние; 2) упраздне́ние, отме́на, аннули́рование; 3) вака́нсия.

avoirdupois [,ævədə'pɔɪz] *n* 1) англи́йская систе́ма мер ве́са (*для всех товаров, кроме благородных металлов, драгоценных камней и аптекарских товаров; 1 фунт = 453,9 г; тж.* ~ weight); 2) *разг.* ту́чность.

avoset ['ævouset] *n* = avocet.

avouch [ə'vautʃ] *v* 1) уверя́ть, утвержда́ть; дока́зывать; 2) руча́ться, гаранти́ровать; 3) признава́ться, сознава́ться.

avow [ə'vau] v 1) открыто признавать; 2) refl. признаваться.

avowal [ə'vauəl] n признание.

avowed [ə'vaud] 1. p.p. от avow; 2. a открыто признанный.

avowedly [ə'vauidlı] adv прямо, открыто.

avulsion [ə'vʌlʃən] n 1) отрыв, насильственное разъединение; 2) юр. перемещение участка земли к чужому владению вследствие наводнения или изменения русла реки.

avuncular [ə'vʌŋkjulə] a дядин; ◇ ~ relation шутл. ростовщик.

await [ə'weit] v 1) ждать, ожидать; 2) предстоять.

awake [ə'weik] 1. v (awoke; awoke, awaked [-t]) 1) будить; перен. тж. пробуждать (интерес, сознание); to ~ smb. to the sense of duty пробудить в ком-л. сознание долга; 2) просыпаться; перен. приступать к делу; to ~ to one's danger осознать опасность;
2. a predic. 1) бодрствующий; to be ~ бодрствовать, не спать; 2) бдительный, настороженный; to be ~ to smth. ясно понимать что-л.; ◇ wide ~ a) вполне очнувшись от сна; б) начеку, настороже; в) осмотрительный; в курсе всего происходящего; знающий, как следует поступать.

awaken [ə'weikən] = awake 1, особ. пробуждать (талант, чувство и т. п.).

awakening [ə'weikniŋ] 1. pres.p. от awaken;
2. n пробуждение; rude ~ горькое разочарование.

award [ə'wɔːd] 1. n 1) решение (судей, арбитров); 2) присуждение (награды, премии); ~ of pension назначение пенсии; 3) присуждённое наказание или премия;
2. v присуждать (что-л.); награждать (чем-л.).

aware [ə'wɛə] a predic. сознающий, знающий, осведомлённый; to be ~ of (или that) знать, сознавать, отдавать себе полный отчёт в (или в том, что); he is ~ of danger, he is ~ that there is danger он сознаёт опасность.

awash [ə'wɔʃ] a predic. 1) в уровень с поверхностью воды; 2) смытый водой; 3) качающийся на волнах.

away [ə'wei] adv 1) обозначает отдаление от данного места далеко и т.п.; ~ from home вдали от дома; he is ~ его нет дома; 2) обозначает движение, удаление прочь; to go ~ уходить; to run ~ убегать; to throw ~ отбрасывать; ~ with you! убирайся!, прочь!; ~ with it! убери(те) это прочь!; 3) обозначает исчезновение, разрушение: to boil ~ выкипать; to waste ~, to pine ~ чахнуть; to make ~ with уничтожать; убивать; устранять; to pass ~ прекратиться; умереть; 4) обозначает непрерывное действие: he worked ~ он продолжал работать; □ ~ off амер. далеко; ~ back амер. давно, тому назад; давным-давно; ◇ far and ~ a) несравненно, намного гораздо; б) несомненно; out and ~ несравненно, намного, гораздо; right ~, straight ~ немедленно, тотчас.

awe [ɔː] 1. n (благоговейный) страх, трепет, благоговение; to stand in ~ of smb. бояться кого-л.; испытывать благоговейный трепет перед кем-л.; to strike with ~ внушать благоговейный страх, благоговение; to keep (или to hold) in ~ держать в страхе;
2. v внушать страх, благоговение.

aweary [ə'wiəri] a поэт. усталый, утомлённый.

awestruk ['ɔːstrʌk] a проникнутый, охваченный благоговением, благоговейным страхом.

awful ['ɔːful] a 1) ужасный; 2) внушающий страх, благоговение; 3) внушающий глубокое уважение; величественный.

awfuliy adv 1) ['ɔːful] ужасно; 2) ['ɔːfli] разг. очень, крайне; чрезвычайно; ~ good of you очень мило с вашей стороны.

awhile [ə'wail] adv на некоторое время, ненадолго; wait ~ подождите немного.

awkward ['ɔːkwəd] a 1) неуклюжий, неловкий (о людях, движениях и т. п.); an ~ gait неуклюжая походка; ~ squad воен. необученные новобранцы; перен. новички, неопытные люди; 2) неудобный; неловкий, затруднительный; an ~ situation неловкое, щекотливое положение; 3) разг. трудный (о человеке); 4) труднопреодолимый.

awkwardness ['ɔːkwədnis] n неуклюжесть, неловкость.

awl [ɔːl] n шило.

awn [ɔːn] n ость (колоса).

awning ['ɔːniŋ] n навес, тент.

awoke [ə'wouk] past и p.p. от awake 1.

awry [ə'rai] 1. a predic. 1) кривой; 2) искажённый; a face ~ with pain лицо, искажённое болью; 3) неправильный;
2. adv 1) косо, набок; to look ~ смотреть косо, с недоверием; 2) неправильно, нехорошо; to take ~ толковать в дурную сторону; things went ~ дела пошли скверно.

ax [ɑːks] диал. см. ask.

ax(e) [æks] 1. n 1) топор; колун; 2) топор (палача); 3) (the ~) казнь, отсечение головы; 4) резкое сокращение бюджета; урезывание, снижение ассигнований; ◇ to fit (или to put) the ~ in (или on) the helve преодолеть трудность; достигнуть цели; разрешить сомнения; to hang up one's ~ а) отказаться от дел; б) отказаться от бесплодной затеи; to have an ~ (или to grind a) преследовать личные корыстные цели; б) иметь злобу (против кого-л.); to send the ~ after the helve рисковать последним; to set the ~ to smth., to lay the ~ to the root of smth. приступить к уничтожению, разрушению чего-л.;
2. v 1) работать топором; 2) сокращать (штаты); урезывать (бюджет, ассигнования).

axes I ['æksiz] pl от ax(e) 1.

axes II ['æksiːz] pl от axis.

axe-stone ['æksstoun] n мин. нефрит.

axial ['æksiəl] a осевой; по направлению оси; ~ angle угол оптических осей; ~ road воен. дорога, перпендикулярная фронту; ~ cable ав. осевая расчалка.

axil ['æksil] n бот. влагалище (листа); пазуха.

axilla [æk'sɪlə] *n* (*pl* -lae) 1) *анат.* подмышки; 2) *бот.* = axil.

axillae [æk'sɪliː] *pl от* axilla.

axillary [æk'sɪləɪ] *a* 1) *анат.* подмышечный; 2) *бот.* пазушный.

axiom ['æksɪəm] *n* аксиома.

axiomatic(al) [,æksɪə'mætɪk(əl)] *a* самоочевидный, не требующий доказательства.

axis ['æksɪs] *n* (*pl* axes) ось.

axle ['æksl] *n тех.* ось.

axle-bearing ['æksl,bɛərɪŋ] *n тех.* букса.

axle-box ['ækslbɔks] *n тех.* букса, подшипниковая коробка.

axled ['æksld] *a* осевой.

axle grease ['ækslgriːs] *n* тавот, колёсная мазь.

axle-pin ['ækslpɪn] *n тех.* чека.

axle-tree ['æksltriː] *n* колёсный вал, ось.

axunge ['æksʌndʒ] *n уст.* сало (*обыкн.* гусиное).

ay [aɪ] 1. *int* да; ~, ~! *мор.* есть!;

2. *n* (*pl* ayes [aɪz]) положительный ответ; голос «за» при голосовании; the ayes have it большинство за.

ayah ['aɪə] *n англо-инд.* няня-туземка.

aye [eɪ] 1. *adv уст. поэт.* всегда; for ~, for ever and ~ навсегда;

2. = ay.

Azerbaijanese [,ɑːzə,baɪdʒə'niːz] *n* 1) азербайджанец; азербайджанка; the ~ *pl собир.* азербайджанцы; 2) азербайджанский язык.

Azerbaijani [,ɑːzəbaɪ'dʒɑːnɪ] *n* 1) азербайджанец; азербайджанка; 2) = Azerbaijanese 2).

Azerbaijanian [,ɑːzəbaɪ'dʒɑːnɪən] 1. *a* азербайджанский;

2. *n* = Azerbaijani 1).

azimuth ['æzɪməθ] 1. *n* азимут;

2. *a* азимутальный; ~ circle *амер.* буссоль, угломерный круг; ~ deviation *воен.* боковое отклонение; ~ finder авиационный пеленгатор.

azoic [ə'zouɪk] *a* 1) безжизненный; 2) *геол.* не содержащий органических остатков.

azote [ə'zout] *n* азот.

azotic [ə'zɔtɪk] *a* азотный; азотистый; ~ acid азотная кислота.

azure ['æʒə] 1. *n* лазурь, небо;

2. *a* голубой, лазурный; ~ stone ляпис-лазурь.

B

B, b [biː] *n* (*pl* Bs, B's [biːz])1)2-я буква англ. алфавита; 2) *условное обозначение чего-л., следующего за первым по порядку, сортности и т. п.;* 3) *муз.* си; ◇ to know B from a bull's foot не знать ни аза; B flat (*сокр. от* bug) *шутл.* клоп.

baa [bɑː] 1. *n* блеяние овцы;

2. *v* блеять.

Baal ['beɪəl] *n* (*pl* Baalim) 1) *миф.* Ваал; 2) йдол.

baa-lamb ['bɑːlæm] *n* барашек.

Baalim ['beɪəlɪm] *pl от* Baal.

babbie ['bæbɪ] *диал. см.* baby.

babbit(t) ['bæbɪt] *тех.* 1. *n* баббит (*антифрикционный сплав*);

2. *v* заливать баббитом.

babble ['bæbl] 1. *n* 1) лепет; болтовня; 2) журчание;

2. *v* 1) лепетать; бормотать; болтать; 2) выболтать, проболтаться; 3) журчать.

babblement ['bæblmənt] = babble 1.

babbler ['bæblə] *n* болтун, говорун.

babe [beɪb] *n поэт. см.* baby; ◇ ~s and sucklings новички, совершенно неопытные люди; ~s in the wood наивные, доверчивые люди, простаки.

babel ['beɪbəl] *n* 1) постройка огромных размеров; 2) галдёж; смешение языков; вавилонское столпотворение; the tower of B. Вавилонская башня.

baboo ['bɑːbuː] *n англо-инд.* 1) господин (*как обращение*); 2) чиновник-индус, пишущий по-английски; 3) *attr.*: Baboo English напыщенная английская речь (чиновников-индусов).

baboon [bə'buːn] *n* бабуин (*обезьяна*).

baby ['beɪbɪ] *n* 1) ребёнок, младенец; ~'s formula детская питательная смесь; 2) детёныш (*особ. об обезьянах*); 3) *attr.* небольшой, малый; ~ elephant слонёнок; ~ grand (piano) *амер.* кабинетный рояль; ~ plane *ав.* авиетка; ~ car малолитражный автомобиль; ◇ to carry (*или* to hold) the ~ нести неприятную ответственность; to plead the ~ act уклоняться от ответственности, ссылаясь на неопытность.

baby-farmer ['beɪbɪ,fɑːmə] *n* человек, берущий (за плату) детей на воспитание.

babyhood ['beɪbɪhud] *n* младенчество.

babyish ['beɪbɪʃ] *a* детский, ребяческий.

baby-minding ['beɪbɪ,maɪndɪŋ] *n* уход за ребёнком.

baby moon ['beɪbɪ,muːn] *n разг.* искусственный спутник Земли.

baby-sitter ['beɪbɪ,sɪtə] *n амер. разг.* приходящая няня.

baccalaureate [,bækə'lɔːrɪɪt] *n* степень бакалавра.

baccarat ['bækərɑː] *n* баккара (*азартная карточная игра*).

Bacchanal ['bækənl] 1. *a* вакхический; разгульный;

2. *n* гуляка, кутила.

Bacchanalia [,bækə'neɪljə] *n* вакханалия; пьяный разгул (*в перен. значении пишется обыкн. со строчной буквы*).

Bacchant(e) ['bækənt] *n* вакханка.

Bacchic ['bækɪk] *a* вакхический.

Bacchus ['bækəs] *n миф.* Бахус, Вакх.

baccy ['bækɪ] *n* (*сокр. от* tobacco) *разг.* табачок.

bach [bætʃ] 1. *n* сокр. от bachelor I;

2. *v*: to ~ it a) *амер. sl.* жить самостоятельно; б) вести холостяцкий образ жизни.

bachelor I [ˈbætʃələ] *n* холостя́к; ◇ ~ girl одино́кая де́вушка, живу́щая самостоя́тельно.

bachelor II [ˈbætʃələ] *n* бакала́вр.

bachelorhood I [ˈbætʃələhud] *n* холостáя жизнь.

bachelorhood II [ˈbætʃələhud] *n* сте́пень бакала́вра.

bachelorship I [ˈbætʃələʃɪp] = bachelorhood I.

bachelorship II [ˈbætʃələʃɪp] = bachelorhood II.

bacilli [bəˈsɪlaɪ] *pl* от bacillus.

bacillus [bəˈsɪləs] *n* (*pl* -li) баци́лла.

back I [bæk] *n* большо́й чан.

back II [bæk] **1.** *n* 1) спина́; to turn one's ~ upon smb. отверну́ться от кого́-л., поки́нуть кого́-л.; 2) спи́нка (*стула; в одежде, выкройке*); 3) гре́бень (*волны, холма*); 4) за́дняя *или* оборо́тная сторона́, изна́нка, подкла́дка; ~ of the hand ты́льная сторона́ руки́; ~ of a ship киль су́дна; 5) корешо́к (*книги*); 6) о́бух; 7) *горн., геол.* вися́чий бок (*пласта*); кро́вля (*забоя*); потоло́к (*выработки*); 8) *спорт.* защи́тник (*в футболе*); ◇ at the ~ of one's mind созна́тельно; to be at the ~ of smth. быть та́йной причи́ной чего́-л.; behind one's ~ без ве́дома, за спино́й; to put one's ~ (into) рабо́тать с энтузиа́змом (над); to get (*или* to put, to set) smb.'s ~ up рассерди́ть кого́-л.; раздража́ть кого́-л.; to know the way one knows the ~ of one's hand ≈ знать как свои́ пять па́льцев;

2. *a* 1) за́дний; отдалённый; ~ entrance чёрный ход; ~ street глуха́я, отдалённая у́лица; to take a ~ seat стушева́ться, отойти́ на за́дний план; заня́ть скро́мное положе́ние; ~ vowel *фон.* гла́сный за́днего ря́да; ~ areas *воен.* тылы́, тыловы́е райо́ны; ~ elevation *стр., тех.* вид сза́ди, за́дний фаса́д; ~ filling *стр.* засы́пка, заду́тка; 2) запозда́лый; просро́ченный (*о платеже*); ~ pay *амер.* задо́лженность (*по заработной плате*); ~ number a) ста́рый но́мер (*газеты, журнала; тж.* ~ issue); б) отста́лый челове́к; ретрогра́д; в) что-л. устаре́вшее, утра́тившее новизну́; 3) обра́тный;

3. *v* 1) подде́рживать; подкрепля́ть; субсиди́ровать; 2) служи́ть спи́нкой; 3) служи́ть фо́ном; 4) служи́ть подкла́дкой; 5) класть на подкла́дку; 6) *амер. разг.* носи́ть на спине́; 7) дви́гать(ся) в обра́тном направле́нии, пя́тить(ся); оса́живать; отступа́ть; идти́ за́дним хо́дом; to ~ oars (*или* water) таба́нить (*грести задним ходом*); 8) снабжа́ть корешко́м (*книгу*); 9) держа́ть пари́ (*за кого-л.*); ста́вить (*на лошадь*); 10) индосси́ровать (*вексель*); 11) грани́чить, примыка́ть сза́ди (on, upon); 12) е́здить верхо́м; приуча́ть (*лошадь*) к седлу́; сади́ться в седло́; □ ~ down отступа́ться, отка́зываться от чего́-л.; ~ out уклоня́ться (of — от чего́-л.); ~ up a) подде́рживать (*особ. в играх*); б) *тех.* дава́ть за́дний ход; ◇ to ~ the wrong horse *амер.* сде́лать плохо́й вы́бор, просчита́ться, ошиби́ться в расчётах;

4. *adv* 1) наза́д, обра́тно; ~ home сно́ва

до́ма, на ро́дине; ~ and forth взад и вперёд; 2) тому́ наза́д; 3) *указывает на ответное действие*: to talk (*или* to answer) ~ возража́ть; to pay ~ отпла́чивать; to love ~ отвеча́ть взаи́мностью; □ ~ from a) в стороне́, вдалеке́ от; ~ from the road в стороне́ от доро́ги; б) *амер.* сза́ди, позади́; за (*тж.* ~ of); ◇ to go ~ from (*или* upon) one's word отказа́ться от обеща́ния.

backache [ˈbækeɪk] *n* боль в спине́, в поясни́це.

backbasket [ˈbæk͵bɑːskɪt] *n* корзи́на (*носимая за спиной*).

back-bencher [ˈbæk͵bentʃə] *n* *парл.* рядово́й член па́ртии, «заднескаме́ечник».

backbit [ˈbækbɪt] *past* от backbite.

backbite [ˈbækbaɪt] *v* (backbit; backbitten) злосло́вить за спино́й, клевета́ть.

backbitten [ˈbæk͵bɪtn] *p.p.* от backbite.

back-blocks [ˈbækblɔks] *n pl* австрал. *разг.* ме́стность, удалённая от путе́й сообще́ния.

back-blow [ˈbæk͵blou] *n* *воен.* отда́ча, отка́т ору́дия.

backboard [ˈbækbɔːd] *n* 1) деревя́нная спи́нка (*в лодке или повозке*); 2) *уст.* спиноде́ржатель (*доска для выпрямления спины*).

backbone [ˈbækboun] *n* 1) спинно́й хребе́т, позвоно́чник; 2) твёрдость хара́ктера; 3) гла́вная опо́ра; осно́ва; суть; 4) корешо́к кни́ги; ◇ to the ~ до мо́зга косте́й, наскво́зь.

back-chat [ˈbæktʃæt] = back-talk.

back-cloth [ˈbækklɔθ] *n* 1) *театр.* за́дник; 2) экра́н (*для кино, проекционного фонаря и т. п.*).

back country [ˈbækˈkʌntrɪ] *n* отдалённые от це́нтра райо́ны.

back-country [ˈbæk͵kʌntrɪ] *a* отдалённый; ~ district отдалённый се́льский райо́н.

backdoor [ˈbækˈdɔː] **1.** *n* чёрный ход; **2.** *a* та́йный, закули́сный.

back-draught [ˈbækdrɑːft] *n* 1) обра́тная тя́га; 2) за́дний ход (*двигателя*).

backdrop [ˈbækdrɔp] *n* *театр.* за́дник.

backed [bækt] **1.** *p.p.* от back II, 3; **2.** *a* име́ющий спи́нку, со спи́нкой.

back-end [ˈbæk͵end] *n* 1) за́дний коне́ц; 2) коне́ц сезо́на; по́здняя о́сень.

backer [ˈbækə] *n* тот, кто подде́рживает *и пр.* [*см.* back II, 3].

backfall [ˈbæk͵fɔːl] *n* *спорт.* паде́ние на спину (*в борьбе*).

backfiller [ˈbæk͵fɪlə] *n* *дор.* маши́на для засы́пки (*траншеей после укладки труб*).

back-fire [ˈbæk͵faɪə] **1.** *n* 1) *амер.* встре́чный пожа́р, устра́иваемый для прекраще́ния лесно́го пожа́ра; 2) разры́в патро́на в казённой ча́сти огнестре́льного ору́жия; 3) *авт.* преждевре́менный взрыв га́за в приёмном трубопрово́де *или* цили́ндре мото́ра.

2. *v* порази́ть вы́стрелом самого́ стреля́ющего; *перен.* неожи́данно привести́ к обра́тным результа́там.

backfisch [ˈbæk͵fɪʃ] *нем.* *n* де́вочка-подро́сток.

back-formation [ˈbækfɔːˈmeɪʃən] *n лингв.* обра́тное словообразова́ние; ≈ «наро́дная этимоло́гия».

backgammon [bæk'gæmən] *n* триктра́к (*игра*).

background['bækgraund] *n* 1) за́дний план, фон; to keep in the ~ держа́ться, остава́ться в тени́; 2) подоплёка; 3) предпосы́лка; 4) происхожде́ние; 5) подгото́вка, квалифика́ция; 6) музыка́льное *или* шумово́е сопровожде́ние.

backhand ['bæk'hænd] *n* уда́р сле́ва (*в те́ннисе*).

backhanded ['bæk'hændɪd] *a* 1) нанесённый ты́льной стороно́й руки́ (*об уда́ре*); 2) нейскренний *или* двусмы́сленный (*о комплиме́нте и т. п.*); 3) косо́й, с укло́ном вле́во (*о по́черке*); 4) обра́тный, противополо́жный обы́чному направле́нию.

back-haul ['bæk,hɔl] *n* обра́тный транзи́т; обра́тный груз.

backing ['bækɪŋ] 1. *pres.p. от* back II, 3; 2. *n* 1) подде́ржка *и пр.* [*см.* back II, 3]; 2) за́дний ход; враще́ние про́тив часово́й стре́лки; 3) подкла́дка (*тка́ни*); 4) *стр.* закла́дка, засы́пка; ◇ ~ and filling *амер.* колеба́ние, нереши́тельность.

backlash ['bæk,læʃ] *n* 1) *тех.* мёртвый ход; зазо́р, люфт; 2) *ав.* скольже́ние винта́.

backlog ['bæklɔg] *n* эк. 1) задо́лженность (*по сда́че гото́вой проду́кции*); невы́полненные зака́зы; 2) резе́рвы (*това́ров, материа́лов и т. п.*).

backmost ['bækmoust] *a* са́мый за́дний.

backpage ['bækpeɪdʒ] *n* ле́вая страни́ца (*кни́ги*).

backroom ['bækrum] *n разг.* 1) секре́тный отде́л, секре́тная лаборато́рия; 2) *attr.*: ~ boys засекре́ченные сотру́дники в иссле́довательском учрежде́нии.

back settlement ['bæk'setlmənt] *n амер.* отдалённое поселе́ние.

backside ['bæk'saɪd] *n* зад; за́дняя, ты́льная сторона́.

back-sight ['bæk,saɪt] *n* 1) *воен.* прице́л; цели́к; 2) *геод.* обра́тное визи́рование.

back slang ['bækslæŋ] *n* жарго́н, в кото́ром слова́ произно́сятся в обра́тном поря́дке букв (*напр.*, gip *вм.* pig).

back-slapping ['bæk,slæpɪŋ] *n* (покрови́тельственное) похло́пывание по спине́.

backslide ['bæk'slaɪd] *v* 1) отпада́ть (*от ве́ры*); 2) сно́ва впада́ть (*в е́ресь, поро́к и т. п.*).

backstage ['bæk'steɪdʒ] 1. *a* закули́сный; 2. *adv* за кули́сами.

backstairs ['bæk'stɛəz] *n pl* 1) чёрная ле́стница; 2) *attr.* та́йный, закули́сный; ~ influence та́йное влия́ние.

backstay ['bæksteɪ] *n* 1) (*обыкн. pl*) *мор.* ба́кштаг; 2) спинодержа́тель.

backstitch ['bækstɪtʃ] *n* стро́чка (*в шитье́*).

backstroke ['bæk,strouk] *n* 1) отве́тный уда́р; 2) пла́вание на спине́.

backsword ['bæk,sɔːd] *n ист.* теса́к.

back-talk ['bæktɔːk] *n разг.* де́рзкий отве́т, ре́зкое возраже́ние.

backward ['bækwəd] 1. *a* 1) обра́тный (*о движе́нии*); 2) отста́лый; ~ children у́мственно *или* физи́чески отста́лые де́ти; 3) запозда́лый; *редк.* про́шлый; 4) ме́для-

щий; неохо́тно де́лающий; 5) ро́бкий, засте́нчивый;

2. *adv* 1) наза́д; за́дом; 2) наоборо́т; за́дом наперёд; 3) в обра́тном направле́нии. обра́тно.

backwardness ['bækwədnɪs] *n* отста́лость *и пр.* [*см.* backward I].

backwards ['bækwədz] = backward 2.

backwash ['bækwɔʃ] *n* 1) вода́, отбра́сываемая колёсами *или* винто́м парохо́да, попу́тная струя́; 2) обра́тный пото́к; 3) возмущённый пото́к (*во́здуха за самолётом*).

backwater ['bæk,wɔtə] *n* 1) за́водь; за пру́женная вода́; 2) *перен.* ти́хая за́водь; 3) прили́в; 4) = backwash 1).

backwoods ['bækwudz] *n pl* лесна́я глушь.

backwoodsman ['bækwudzmən] *n* обита́тель лесно́й глуши́; *перен. разг.* пэр, кото́рый о́чень ре́дко *или* во́все не посеща́ет пала́ту ло́рдов.

bacon ['beɪkən] *n* 1) копчёная свина́я груди́нка, беко́н; ~ and eggs яи́чница с беко́ном; 2) *разг.* чи́стый вы́игрыш, чи́стая при́быль; ◇ to save one's ~ *разг.* спаса́ть свою́ шку́ру; избега́ть поте́рь; to bring home the ~ *разг.* доби́ться успе́ха.

bacteria [bæk'tɪərɪə] *pl от* bacterium

bacteriological [bæk,tɪərɪə'lɔdʒɪkəl] *a* бактериологи́ческий.

bacteriologist [bæk,tɪərɪ'ɔlədʒɪst] *n* бактерио́лог.

bacteriology [bæk,tɪərɪ'ɔlədʒɪ] *n* бактериоло́гия.

bacteriolysis [bæk,tɪərɪ'ɔlɪsɪs] *n* бактерио́лиз (*разруше́ние или растворе́ние микро́бов специфи́ческим антите́лом*).

bacterium [bæk'tɪərɪəm] *n* (*pl* -ria) бакте́рия.

baculine ['bækjulɪn] *a* па́лочный.

bad [bæd] 1. *a* (worse; worst) 1) дурно́й, плохо́й, скве́рный; she feels ~ она́ пло́хо себя́ чу́вствует; ~ name (for) дурна́я репута́ция; ~ coin фальши́вая *или* неполноце́нная моне́та; 2) испо́рченный; to go ~ испо́ртиться; сгнить; 3) развращённый, безнра́вственный; 4) вре́дный; beer is ~ for you пи́во вам вре́дно; 5) больно́й; ~ leg больна́я нога́; to be ~ заболе́ть; 6) си́льный (*о бо́ли, хо́лоде и т. п.*); гру́бый (*об оши́бке*); ◇ ~ debt безнадёжный долг; ~ egg (*или* hat, lot) *разг.* моше́нник; непу́тёвый, никуды́шный челове́к; ~ fairy злой ге́ний; ~ man *амер.* отча́янный челове́к, головоре́з;

2. *n* 1) неуда́ча, несча́стье; to take the ~ with the good сто́йко переноси́ть превра́тности судьбы́; 2) убы́ток; to the ~ в убы́тке, в убы́ток; 3) ги́бель; разоре́ние; to go to the ~ пропа́сть, поги́бнуть; сби́ться с пути́ и́стинного; ◇ from ~ to worse всё ху́же и ху́же; ≅ из огня́ да в по́лымя.

bad(e) [bæd (beɪd)] *past от* bid 2.

badge [bædʒ] *n* 1) значо́к; кока́рда; 2) си́мвол, при́знак; эмбле́ма.

badger I ['bædʒə] *n диал.* разно́счик, у́личный торго́вец.

badger II ['bædʒə] 1. *n* 1) барсу́к; to draw the ~ *охот.* вы́курить барсука́ из норы́; *перен.* заста́вить кого́-л. проговори́ться, вы́дать себя́; 2) кисть из во́лоса барсука́; 3) *амер. разг.* жи́тель шта́та Виско́нсин; **2.** *v* 1) трави́ть, изводи́ть; 2) дразни́ть.

badger-baiting ['bædʒə,beɪtɪŋ] *n* охо́та на барсуко́в.

badger-dog ['bædʒədɔg] *n* та́кса (*порода собак*).

badger-drawing ['bædʒə,drɔːɪŋ] = badger-baiting.

badger-fly ['bædʒəflaɪ] *n* иску́сственная му́ха (*рыболова*).

Badger State ['bædʒəsteɪt] *n амер. разг.* штат Виско́нсин.

badinage ['bædɪnɑːʒ] *фр. n* подшу́чивание.

bad lands ['bæd,lændz] *n pl амер.* беспло́дные зе́мли.

badly ['bædlɪ] *adv* (worse; worst) 1) ду́рно, пло́хо; 2) о́чень си́льно; ~ wounded тяжело́ ра́нен; I want it ~ мне э́то о́чень ну́жно; ◇ to be ~ off быть в затрудни́тельном положе́нии, нужда́ться.

badminton ['bædmɪntən] *n* 1) бадминто́н (*игра*); 2) напи́ток из кра́сного вина́, со́довой воды́ и са́хара.

badness ['bædnɪs] *n* него́дность *и пр.* [*см.* bad 1].

bad-tempered ['bæd'tempəd] *a* злой, раздражи́тельный.

baffle ['bæfl] **1.** *n тех.* дро́ссель; отража́тельная перегоро́дка; глуши́тель; замедли́тель тя́ги; **2.** *v* 1) расстра́ивать, опроки́дывать (*расчёты, планы*); препя́тствовать, меша́ть; to ~ pursuit ускольза́ть от пресле́дования; 2) ста́вить в тупи́к; сбива́ть с то́лку; 3) тще́тно боро́ться; 4) отводи́ть *или* изменя́ть тече́ние; ◇ to ~ all description не поддава́ться описа́нию.

baffle-board ['bæflbɔːd] *n* 1) раздели́тельная перегоро́дка; 2) *радио* звукопоглоща́ющая перегоро́дка.

baffle-plate ['bæflpleɪt] = baffle 1.

baffler ['bæflə] *n тех.* отража́тельная перегоро́дка; глуши́тель.

baffle-wall ['bæflwɔːl] = baffle-board.

baffling ['bæflɪŋ] **1.** *pres.p. om* baffle 2; **2.** *a* 1) тру́дный; a ~ problem тру́дная зада́ча; 2) неблагоприя́тный; ~ winds переме́нные, неблагоприя́тные ве́тры.

baffy ['bæfɪ] *n* клю́шка (*в гольфе*).

bag I [bæg] **1.** *n* 1) мешо́к; су́мка; чемода́н; to empty the ~ опорожни́ть мешо́к, су́мку; *перен.* рассказа́ть, вы́ложить всё; 2) ягдта́ш; добы́ча (*охотника*); to make the ~ уби́ть ди́чи бо́льше, чем други́е уча́стники охо́ты; 3) балло́н; 4) по́лость (*в горной породе*); 5) *pl* мешки́ (под глаза́ми); 6) вы́мя; 7) *pl* бога́тство; 8) *pl разг.* штаны́ (*тж.* pair of ~s); 9) дипломати́ческая по́чта; 10) *груб.* проститу́тка; ◇ in the ~ ≅ де́ло в шля́пе; де́ло ве́рное; to set one's ~ (for) *амер.* заи́грывать (с *кем-л.*); ~ and baggage a) со все́ми пожи́тками; б) соверше́нно; в) в о́бщем, в совоку́пности; ~ of bones ≅ ко́жа да ко́сти; ~ of wind *амер. разг.* болту́н, пустозво́н, хвасту́н (*ср.* windbag); late ~ почто́вый мешо́к для пи́сем, полу́ченных по́сле устано́вленного сро́ка приёма по́чты;

whole ~ of tricks a) вся́ческие ухищре́ния; б) всё без оста́тка; in the bottom of the ~ в ка́честве кра́йнего сре́дства; to give smb. the ~ to hold поки́нуть кого́-л. в беде́; улизну́ть от кого́-л.; to put smb. in a ~ взять верх над кем-л., одоле́ть кого́-л.; to bear (*или* to carry) the ~ a) распоряжа́ться деньга́ми; б) быть хозя́ином положе́ния; to make a (good) ~ of smth. захвати́ть, уничто́жить что-л.; **2.** *v* 1) класть в мешо́к; 2) уби́ть (*сто́лько-то дичи*); 3) сбить (*самолёт*); 4) собира́ть (*коллекцию и т. п.*); 5) оттопы́риваться; висе́ть мешко́м; надува́ться (*о парусах*); 6) *разг., часто шутл.* присва́ивать, брать без спро́са; 7) *школ. sl.* заявля́ть права́, крича́ть «чур»; I bag!, bags II чур я!

bag II [bæg] *v* жать серпо́м.

bagasse [bə'gæs] *n* вы́жатый са́харный тростни́к; отжа́тая свекло́вица.

bagatelle [,bægə'tel] *n* 1) пустя́к; безделу́шка; 2) род билья́рда; 3) небольшо́е музыка́льное произведе́ние лёгкого жа́нра.

bagful ['bægful] *n* (по́лный) мешо́к (*мера*).

baggage ['bægɪdʒ] *n* 1) *амер.* бага́ж; 2) *воен.* возимое иму́щество, обо́з; 3) *пренебрежительное название молодой женщины:* impudent ~ наха́лка; 4) *шутл.* озорни́ца, плуто́вка; 5) *attr.:* ~ animal вью́чное живо́тное; ~ train *воен.* возимый обо́з.

baggage car ['bægɪdʒkɑː] *n амер.* бага́жный ваго́н.

baggage-check ['bægɪdʒtʃek] *n амер.* бага́жная квита́нция.

baggage-man ['bægɪdʒmæn] *n амер.* носи́льщик.

baggage-room ['bægɪdʒrum] *n амер.* ка́мера хране́ния (багажа́).

bagged [bægd] **1.** *p.p. om* bag I, 2; **2.** *a* 1) помещённый в мешо́к; (как) в мешке́; инкапсули́рованный; 2) вися́щий мешко́м.

bagger ['bægə] *n* землечерпа́лка.

bagging ['bægɪŋ] **1.** *pres.p. om* bag I, 2; **2.** *n* мешкови́на.

baggy ['bægɪ] *a* мешкова́тый (*об одежде*); ~ skin below the eyes мешки́ под глаза́ми.

bagman ['bægmən] *n* 1) стра́нствующий торго́вец; 2) *разг.* коммивояжёр.

bagnio ['bɑːnjou] *um. n* 1) *уст.* ба́ня; 2) тюрьма́ для рабо́в (*на Востоке*); 3) публи́чный дом.

bagpipe ['bægpaɪp] *n* волы́нка (*музыка́льный инструмент*).

bagpiper ['bægpaɪpə] *n* волы́нщик.

bag-sleeve ['bægsliːv] *n* широ́кий рука́в, схва́ченный у запя́стья.

bag-wig ['bæg,wɪg] *n* пари́к с волоса́ми, со́бранными в мешо́чек (*мода XVIII в.*).

bah [bɑː] *int* ба! (*выражает пренебрежение*).

Bahadur [bə'hɑːdə] *n англо-инд.* 1) господи́н (*при обращении по фамилии к английским чиновникам*); 2) *sl.* ва́жный чино́вник, ва́жная персо́на.

baht [bɑːt] *n* бат (*денежная единица Таиланда*).

baignoire ['beɪnwɑː] *фр. n театр.* бенуа́р.

bail I [beɪl] **1.** *n* 1) залог, поручительство; to save (*или* to surrender to) one's ~ явиться в суд в назначенный срок (*о выпущенном на поруки*); to forfeit one's ~ не явиться в суд; 2) поручитель; to accept (*или* to allow, to take) ~, to admit (*или* to hold, to let) to ~ выпустить на поруки (*или* to offer) ~ найти себе поручителя; to go (*или* to be, to become) ~ for smb. поручиться за кого-л.; to justify (as) ~ под присягой подтвердить кредитоспособность поручителя; ◇ to give leg ~ *разг.* удрать; **2.** *v* брать на поруки (*кого-л.; часто* ~ out).

bail II [beɪl] *n* 1) барьер между лошадьми (*в конюшне*); 2) верхняя перекладина ворот (*в крикете*).

bail III [beɪl] *v* вычерпывать воду (*из лодки; тж.* ~ water out); to ~ out a boat вычерпывать воду из лодки; □ ~ out *ав. разг.* выбрасываться, прыгать с парашютом.

bail IV [beɪl] *n* ручка (*ведра или чайника*).

bailable ['beɪləbl] *a* допускающий выпуск на поруки (*о составе преступления*).

bailee [beɪ'liː] *n* лицо, которому переданы товары на ответственное хранение.

bailer ['beɪlə] *n* 1) ковш, черпак; *мор.* лейка; 2) человек, вычерпывающий воду из лодки.

bailey ['beɪlɪ] *n ист.* двор замка.

bailie ['beɪlɪ] *n* 1) *шотл. ист.* бальи, городской судья; 2) = alderman.

bailiff ['beɪlɪf] *n* (*в Англии*) 1) судебный пристав, бейлиф; 2) управляющий имением.

bailing I ['beɪlɪŋ] **1.** *pres. p. от* bail III; **2.** *n горн.* 1) тартание (*нефти*); 2) откачка воды (*из шахты*).

bailing II ['beɪlɪŋ] *pres.p. от* bail I, 2.

bailiwick ['beɪlɪwɪk] *n* округ *или* юрисдикция бальи *или* бейлифа.

bailment ['beɪlmənt] *n* 1) освобождение на поруки; 2) депонирование, передача имущества на хранение (*на определённых условиях*).

bailor ['beɪlə] *n* депонент, лицо, вверяющее товар *или* имущество на хранение другому.

bailsman ['beɪlzmən] *n* поручитель.

bairn [bɛən] *n шотл.* ребёнок.

bait [beɪt] **1.** *n* 1) приманка; наживка; 2) искушение; 3) отдых и кормление лошадей в пути; ◇ to jump at (*или* to rise to, to swallow) the ~ попасться на удочку; **2.** *v* 1) насаживать наживку на крючок; 2) приманивать, завлекать, искушать; 3) кормить (*лошадь, особ. в пути*); 4) получать корм (*о лошади*); 5) останавливаться в пути для отдыха и еды; 6) травить (*собаками*); 7) преследовать насмешками, изводить, не давать покоя.

baize [beɪz] *n* байка; green ~ зелёное сукно.

bake [beɪk] *v* 1) печь(ся); 2) сушить на солнце; обжигать (*кирпичи*); 3) затвердевать; 4) загорать на солнце.

bakehouse ['beɪkhaus] *n* пекарня.

baker ['beɪkə] *n* пекарь, булочник; ◇ ~'s dozen чёртова дюжина.

baker-legged ['beɪkəlegd] *a* кривоногий.

bakery ['beɪkərɪ] *n* 1) пекарня; булочная; 2) *редк.* хлебопечение.

bakestone ['beɪkstoun] *n* под (*печи*).

bakhshish ['bækʃiːʃ] = baksheesh.

baking ['beɪkɪŋ] **1.** *pres. p. от* bake; **2.** *a* палящий; ~ sun палящее солнце, палящий зной.

baking-powder ['beɪkɪŋ,paudə] *n* пекарный порошок (*заменяющий дрожжи*).

baksheesh ['bækʃiːʃ] *перс. n* бакшиш, взятка, чаевые.

Balaam ['beɪlæm] *n* 1) *библ.* Валаам; 2) ненадёжный, неверный союзник; 3) запасной материал для заполнения свободного места в газете.

Balaam-basket ['beɪlæm'bɑːskɪt] = Balaam-box.

Balaam-box ['beɪlæmbɔks] *n* ящик для запасного материала (*в редакции газеты*).

balance ['bæləns] **1.** *n* 1) весы; quick (*или* Roman) ~ безмен, пружинные весы; 2) равновесие; ~ of forces равновесие сил; ~ of power политическое равновесие (*между государствами*); to keep one's ~ сохранять равновесие; *перен.* оставаться спокойным; to lose one's ~ упасть, потерять равновесие; *перен.* выйти из себя; to be off one's ~ потерять душевное равновесие; 3) (B.) Весы (*созвездие и знак зодиака*); 4) противовес; 5) маятник; балансир (*карманных часов*); 6) *ком.* баланс, сальдо (*тж.* ~ in hand); ~ of payments платёжный баланс; ~ of trade активный баланс (*внешней торговли*); to strike a ~ подводить баланс; *перен.* подводить итоги; 7) *разг.* остаток; ◇ to be (*или* to tremble, to swing, to hang) in the ~ висеть на волоске, быть в критическом положении; the ~ of advantage lies with him на его стороне значительные преимущества; to be weighed in the ~, and found wanting не оправдать надежд; to hold the ~ распоряжаться; upon a fair ~ по зрелом размышлении; **2.** *v* 1) балансировать; сохранять равновесие, быть в равновесии; уравновешивать; 2) взвешивать, обдумывать; сопоставлять (with, against); 3) колебаться (between); 4) *ком.* подводить баланс; to ~ one's accounts подытоживать счета; the accounts don't ~ счета не сходятся.

balance-beam ['bælənsbiːm] *n* коромысло (*весов*); балансир.

balance-bridge ['bælənsbrɪdʒ] *n* подъёмный мост.

balanced ['bælənst] **1.** *p. p. от* balance 2; **2.** *a* уравновешенный; гармоничный; пропорциональный.

balance-master ['bæləns,mɑːstə] *n* эквилибрист.

balancer ['bælənsə] *n* 1) эквилибрист, балансёр; 2) *тех.* уравнитель, стабилизатор.

balance-sheet ['bælənsʃiːt] *n фин.* баланс.

balance-step ['bælənsstep] *n воен.* учебный шаг.

balance weight ['bæləns,weɪt] *n* противовес, контргруз.

balance-wheel ['bælənswiːl] *n* маятник (*карманных часов*).

balas ['bæləs] *n мин.* красный спинель.

balboa [bɑːl'bouɑː] *n* бальбоа (*денежная единица Панамы*).

balconied ['bælkənɪd] *a* с балконом, с балконами.

balcony ['bælkənɪ] *n* 1) балкон; 2) *театр.* балкон первого яруса.

bald [bɔːld] *a* 1) лысый; плешивый; as ~ as an egg (*или* as a billiard ball, as a coot) ≅ голый как колено, совершенно голый; 2) оголённый; лишённый растительности, перьев, меха; 3) неприкрытый (*о недостатках*); 4) неприкрашенный, простой, прямой; 5) убогий, бесцветный (*о стиле и т. п.*).

baldachin, baldaquin ['bɔːldəkɪn] *n* балдахин.

bald-coot ['bɔːldkuːt] *n* 1) лысуха (*птица*); 2) *разг.* лысый *или* плешивый человек.

balderdash ['bɔːldədæʃ] *n* 1) вздор, галиматья; 2) сквернословие.

bald-headed ['bɔːld'hedɪd] 1. *a* 1) лысый; плешивый; 2) с белым пятном на голове (*о животных*); 2. *adv*: to go ~ into (*или* for) smth. *sl.* идти напролом, действовать очертя голову, безрассудно; рисковать всем.

baldicoot ['bɔːldɪkuːt] *n* = bald-coot.

baldly ['bɔːldlɪ] *adv* 1) открыто; to put it ~ сказать напрямик, грубовато; 2) скудно, убого.

baldness ['bɔːldnɪs] *n* плешивость и пр. [*см.* bald].

baldric ['bɔːldrɪk] *n* перевязь (*для меча, рога*).

bale I [beɪl] 1. *n* 1) кипа (*товара*), тюк; cotton ~ кипа хлопка; 2) *pl* товар; 2. *v* укладывать в тюки, увязывать в кипы.

bale II [beɪl] *n уст., поэт.* бедствие, зло.

bale III [beɪl] = bail III.

baleen [bə'liːn] *n* китовый ус.

balefire ['beɪlfaɪə] *n* 1) сигнальный огонь; 2) костёр.

baleful ['beɪlful] *a поэт.* гибельный; зловещий; ~ look недобрый взгляд.

balk [bɔːk] 1. *n* 1) окантованное бревно, балка; брус; (the ~s) *pl* чердачное помещение; 3) невспаханная полоса земли; 4) препятствие; задержка; 5) *мор.* бимс; ◇ to make a ~ of good ground упустить удобный случай; 2. *v* 1) препятствовать, мешать, задерживать; 2) не оправдать (*надежд*); he was ~ed of his desires его надежды не оправдались; 3) пропускать, обходить; оставлять без внимания, игнорировать; 4) отказываться (*от пищи и т. п.*); 5) уклоняться (*от исполнения долга*); 6) упускать (*случай*); 7) артачиться; упираться; the horse ~ed at a leap лошадь заартачилась перед прыжком.

Balkan ['bɔːlkən] *a* балканский.

balky ['bɔːkɪ] *a* упрямый (*о животном*).

ball I [bɔːl] 1. *n* 1) шар; клубок (*шерсти*); 2) мяч; 3) удар (*мячом*); a good ~ хороший удар; 4) бейсбол; 5) пуля; *ист.* ядро; 6) подушечка пальца; 7) *вет.* пилюля; 8) *pl разг.* чепуха; to make ~s of smth. натворить дел, напутать, привести что-л. в беспорядок; ◇ ~ and socket *тех.* шаровой шарнир; ~ of the eye глазное яблоко; ~ of

the knee коленная чашка; ~ of fortune игрушка судьбы; three (golden) ~s вывеска ростовщика, дающего деньги под заклад; to have the ~ at one's feet быть господином положения; иметь шансы на успех; to strike the ~ under the line потерпеть неудачу; to take up the ~ a) вступать в разговор; б) приступать к чему-л.; to keep the ~ rolling, to keep up the ~ a) поддерживать разговор; б) продолжать делать что-л.; to catch (*или* to take) the ~ before the bound действовать слишком поспешно; the ~ is with you очередь за вами; to carry the ~ *амер. разг.* действовать активно; get on the ~! *амер. разг.* скорей!, живей!, пошевеливайся!; on the ~ *амер. разг.* расторопный; толковый;

2. *v* собирать(ся) в клубок; свивать(ся); ☐ ~ up *sl.* приводить в смущение; путать.

ball II [bɔːl] *n* бал, танцевальный вечер; to open (*или* to lead up) the ~ открывать бал; *перен.* начинать действовать, брать на себя инициативу.

ballad ['bæləd] *n лит.* баллада (*лирико-эпическая поэма народного характера, преим. относящаяся к англ. и нем. романтизму*).

ballade [bæ'lɑːd] *n лит.* баллада (*лирическая песнь, преим. средневековая романская*).

ballad-monger ['bæləd,mʌŋɡə] *n* 1) *ист.* автор *или* продавец баллад; 2) *пренебр.* рифмоплёт.

balladry ['bælədrɪ] *n уст.* народные баллады и их стиль.

ballast ['bæləst] 1. *n* 1) балласт; the ship is in ~ судно гружено балластом; 2) то, что придаёт устойчивость; mental ~ уравновешенность, устойчивость (*характера*); to lack ~, to have no ~ быть неустойчивым, неуравновешенным человеком; 2. *v* 1) грузить балластом; 2) *ж.-д.* засыпать балластом; 3) придавать устойчивость (*тж. перен.*).

ball-bearing ['bɔːl'beərɪŋ] *n тех.* шарикоподшипник.

ball-cartridge ['bɔːl,kɑːtrɪdʒ] *n воен.* боевой патрон.

ballerina [,bælə'riːnə] *n* балерина, солистка балета.

ballet ['bæleɪ] *фр. n* балет.

ballet-dancer ['bælɪ,dɑːnsə] *n* артист(ка) балета; балерина.

ballet-master ['bælɪ,mɑːstə] *n* балетмейстер.

ballistic [bə'lɪstɪk] *a* баллистический; intermediate range ~ missile баллистический снаряд среднего радиуса действия.

ballistics [bə'lɪstɪks] *n pl* (*употр. как sing*) баллистика.

ballon d'essai [bæ'lɔ̃nde'se] *фр. n* пробный шар.

balloon [bə'luːn] 1. *n* 1) воздушный шар; неуправляемый аэростат; ~ on bearings, observation ~ привязной наблюдательный аэростат; trial ~ пробный шар; 2) кружок, в который заключены слова изображённого на карикатуре персонажа; 3) *attr.*: ~ observation наблюдение с привязных аэростатов;

2. *v* 1) поднима́ться на возду́шном ша́ре; 2) раздува́ться.

balloon-car [bə'lu:nkɑ:] *n* гондо́ла аэроста́та.

balloon fabric [bə'lu:n'fæbrɪk] *n* бодрю́ш, бодрю́шная мате́рия (*для оболочки аэростата*).

balloonist [bə'lu:nɪst] *n* аэрона́вт, воздухопла́ватель.

balloon tire [bə'lu:n'taɪə] *n* балло́н (*шина*).

ballot I ['bælət] **1.** *n* 1) баллотиро́вочный шар; избира́тельный бюллете́нь; tissue ~ *амер.* избира́тельный бюллете́нь на папиро́сной бума́ге; 2) баллотиро́вка; голосова́ние (*преим. тайное*); to elect (*или* to vote) by ~, to take a ~ голосова́ть; 3) коли́чество по́данных голосо́в; 4) жере́бьёвка; ◇ Australian ~ та́йное голосова́ние; to cast a single ~ *амер.* созда́ть ви́димость единоду́шного голосова́ния;

2. *v* 1) голосова́ть (for — за; against — про́тив); 2) тяну́ть жре́бий.

ballot II ['bælət] *n* небольша́я ки́па (*весом 70—120 фунтов*).

ballot-box ['bælətbɔks] *n* избира́тельная у́рна, баллотиро́вочный я́щик; to stuff the ~ *амер.* заполня́ть избира́тельную у́рну подде́льными бюллете́нями.

ballot-paper ['bælətpeɪrə] *n* избира́тельный бюллете́нь.

ball-point pen ['bɔːlpɔɪnt'pen] *n* ша́риковая ру́чка.

ball-room ['bɔːlrum] *n* танцева́льный зал.

bally ['bælɪ] *sl.* **1.** *a выражает раздраже́ние, нетерпе́ние, радость говоря́щего*: stung by a ~ wasp уку́шен прокля́той осо́й; whose ~ fault is that? кто винова́т в э́том, чёрт возьми́?;

2. *adv* ужа́сно, стра́шно; too ~ tired чертовски уста́л.

ballyhoo ['bælɪhu:] *n* шуми́ха.

ballyrag ['bælɪræg] *v* 1) гру́бо подшу́чивать; 2) брани́ть.

balm [bɑːm] *n* бальза́м, болеутоля́ющее сре́дство.

balm-cricket ['bɑːm,krɪkɪt] *n* цика́да.

balmy ['bɑːmɪ] *a* 1) арома́тный; 2) мя́гкий, прия́тный (*о воздухе*), не́жный (*о ве́тре*); 3) бальзами́ческий; бальза́мовый, даю́щий бальза́м (*о дереве*); 4) цели́тельный; успокои́тельный; *sl.* глу́пый; he's ~ у него́ ви́нтика в голове́ не хвата́ет [*непр. вм.* barmy 2)].

balneology [,bælnɪ'ɔlədʒɪ] *n мед.* бальнеоло́гия.

baloney [bə'lounɪ] = boloney 2).

balsa ['bælsə] *n* 1) ба́льза (*дерево*); 2) *мор.* пло́тик.

balsam ['bɔːlsəm] *n* 1) бальза́м; 2) *бот.* бальзами́н (садо́вый); 3) *attr.*: ~ fir пи́хта бальзами́ческая.

balsamic [bɔːl'sæmɪk] = balmy 1) *и* 4).

baluster ['bæləstə] *n* 1) баля́сина; 2) *pl* балюстра́да.

balustrade [,bæləs'treɪd] *n* балюстра́да.

bam [bæm] *sl. сокр. от* bamboozle.

bamboo [bæm'bu:] *n* (*pl* -boos [-'bu:z]) 1) бамбу́к; 2) *attr.* бамбу́ковый.

bamboozle [bæm'bu:zl] *v sl.* обма́нывать,

мистифици́ровать; to ~ smb. out of smth. обма́ном взять что-л. у кого́-л.

ban [bæn] **1.** *n* 1) запреще́ние; under a ~ под запре́том; 2) церко́вное прокля́тие, ана́фема; 3) пригово́р об изгна́нии; объявле́ние вне зако́на; the B. of the Empire объявле́ние вне зако́на; суд обще́ственного мне́ния; 4) *pl* = banns;

2. *v* 1) налага́ть запреще́ние; 2) *уст.* проклина́ть.

banal [bə'nɑːl] *a* бана́льный.

banality [bə'nælɪtɪ] *n* бана́льность.

banana [bə'nɑːnə] *n* бана́н.

band I [bænd] **1.** *n* 1) *то, что служит связью, скрепой*: тесьма́, ле́нта; о́бод, о́бруч; поясо́к; око́лыш; faggot ~ вяза́нка хво́роста; 2) ва́лик, сте́ржень; 3) *pl* две бе́лые поло́ски, спуска́ющиеся с воротника́ (*судьи, англиканского священника*); 4) *эл.* полоса́ часто́т; *attr.* ле́нточный; ~ conveyer ле́нточный транспортёр; ~ filter ле́нточный фильтр; ~ brake ле́нточный то́рмоз;

2. *v* 1) свя́зывать; 2) *уст.* перевя́зывать.

band II [bænd] **1.** *n* 1) отря́д, гру́ппа люде́й; 2) орке́стр; string ~ стру́нный орке́стр; when the ~ begins to play *перен. разг.* когда́ положе́ние стано́вится серьёзным; 3) отря́д солда́т; 4) ба́нда; 5) ста́я; ◇ ~ wagon *амер. разг.* а) сторона́, одержа́вшая верх (*на выборах и т. п.*); б) ви́дное *или* удо́бное положе́ние; to be in (*или* to climb aboard, to get into) the ~ wagon примкну́ть к движе́нию, име́ющему ша́нсы на успе́х;

2. *v* объединя́ть(ся); собира́ться (*часто* ~ together).

bandage ['bændɪdʒ] **1.** *n* 1) бинт; перевя́зочный материа́л; 2) банда́ж; 3) повя́зка (*на глаза*);

2. *v* перевя́зывать, бинтова́ть.

bandana [bæn'dɑːnə] = bandanna.

bandanna [bæn'dænə] *n* цветно́й (носово́й) плато́к.

bandar ['bʌndə] *n англо-инд. зоол.* ре́зус.

bandar-log ['bʌndə,lɔːg] *n англо-инд. пренебр.* весь обезья́ний род; *перен. разг.* балабо́лки.

bandbox ['bændbɔks] *n* карто́нка (*для шляп, лент и т. п.*); ◇ to look as if one had just come out of a ~ быть оде́тым с иго́лочки.

bandeau ['bændou] *фр. n* (*pl* -x) 1) ле́нта для воло́с; 2) ко́жаный *или* шёлковый обо́док, подшива́емый изнутри́ к тулье́ же́нской шля́пы.

bandeaux ['bændouz] *pl от* bandeau.

banderol(e) ['bændəroul] *n* 1) вы́мпел; 2) *иск.* леге́нда (*на гравюре*); 3) *архит.* скульпту́рное украше́ние в ви́де ле́нты с на́дписью.

bandicoot ['bændɪku:t] *n зоол.* бандику́т.

band-iron ['bænd'aɪən] *n тех.* полосово́е, ши́нное *или* обру́чное желе́зо.

bandit ['bændɪt] *n* (*pl* -its [ɪts], -itti) разбо́йник, банди́т.

banditti [bæn'dɪti:] *pl* 1) *pl от* bandit; 2) ша́йка разбо́йников.

bandmaster ['bænd,mɑːstə] *n* капельме́йстер.

bandog ['bændɔg] *n* 1) цепна́я соба́ка; 2) англи́йский дог; ище́йка.

bandoleer [,bændə'lɪə] *n* *воен.* патронта́ш.

bandolero [,bɑːndə'leɪrou] *n* (*pl* -os [-ouz]) разбо́йник.

bandolier [,bændə'lɪə] = bandoleer.

bandoline ['bændolɪːn] *n* фиксату́ар.

band-saw ['bændsɔː] *n* ле́нточная пила́.

bandsman ['bændzmən] *n* оркестра́нт.

bandstand ['bændstænd] *n* эстра́да для орке́стра.

bandy I ['bændɪ] *v* 1) переки́дываться, обме́ниваться (*мячо́м; слова́ми, комплиме́нтами и т. п.*); to ~ words перебра́ниваться; 2) обсужда́ть (*тж.* ~ about); to have one's name bandied about быть предме́том то́лков; 3) распространя́ть (*слух*).

bandy II ['bændɪ] *n* *спорт.* 1) вид игры́ в хокке́й; 2) клю́шка.

bandy III ['bændɪ] *n* инди́йская пово́зка.

bandy IV ['bændɪ] *a* криво́й, изо́гнутый (*о нога́х*).

bandy-legged ['bændɪlegd] *a* кривоно́гий.

bane [beɪn] *n* 1) отра́ва; 2) *поэт.* прокля́тие; the ~ of one's life несча́стье чьей-л. жи́зни.

baneful ['beɪnful] *a* ги́бельный, губи́тельный.

banewort ['beɪn,wɔt] *n* 1) *бот.* лю́тик жгу́чий, прыщине́ц; 2) *диал.* ядови́тое расте́ние.

bang I [bæŋ] **1.** *n* уда́р, стук, звук вы́стрела, взры́ва *и т. п.*; to shut the door with a ~ гро́мко хло́пнуть две́рью; ◇ to go over with a ~ проходи́ть блестя́ще, с огро́мным успе́хом (*о представле́нии, приёме, ве́чере*);
2. *v* 1) уда́рить(ся); сту́кнуть(ся); 2) хло́пнуть (*две́рью*); с шу́мом захло́пнуться (*о две́ри; часто* ~ to); 4) гро́хнуть, ба́хнуть; the gun ~ed разда́лся вы́стрел; 5) *разг.* бить, тузи́ть; 6) *разг.* превосходи́ть; перегоня́ть; ☐ ~ off (зря) расстре́ливать (*патро́ны*);
3. *adv разг.* 1) вдруг; to go ~ вы́стрелить (*о ружье́*); 2) как раз, пря́мо; the ball hit him ~ in the eye мяч попа́л ему́ пря́мо в глаз;
4. *int* бац!

bang II [bæŋ] **1.** *n* чёлка;
2. *v* подстрига́ть во́лосы чёлкой.

bang III [bæŋ] *n* вы́сушенные ли́стья и сте́бли инди́йской конопли́; гаши́ш.

bangle ['bæŋgl] *n* брасле́т, надева́емый на запя́стье *или* щи́колотку.

bang-up ['bæŋg'ʌp] *a* первокла́ссный, превосхо́дный.

banian ['bænɪən] *n* 1) инду́с-торго́вец; 2) ма́клер; секрета́рь, управля́ющий; 3) широ́кая, свобо́дная руба́шка; хала́т; 4) = banian-tree; ◇ ~ days по́стные дни; ~ hospital ветерина́рная лече́бница.

banian-tree ['bænɪəntrɪː] *n* инди́йская смоко́вница.

banish ['bænɪʃ] *v* 1) изгоня́ть, высыла́ть; 2) прогоня́ть; 3) отгоня́ть (*мы́сли*).

banishment ['bænɪʃmənt] *n* изгна́ние, вы́сылка.

banister ['bænɪstə] *n* 1) = baluster; 2) *pl* пери́ла (*ле́стницы*).

banjo ['bændʒou] *n* (*pl* -os, -oes [ouz]) 1) *муз.* ба́нджо; 2) *тех.* коро́бка, кожу́х, ка́ртер.

bank I [bæŋk] **1.** *n* 1) вал, на́сыпь; 2) бе́рег (*особ. реки́*); 3) о́тмель, ба́нка; 4) нано́с; зано́с; ~ of snow снежный зано́с; сугро́б; ~ of clouds гряда́ облако́в; 5) *ав.* крен; 6) *горн.* за́лежь (*руды́, угля́ при откры́тых рабо́тах*); 7) *тех.* гру́ппа (*балло́нов, трансформа́торов и т. п.*);
2. *v* 1) де́лать на́сыпь; 2) образова́ть нано́сы (*о песке́, снеге́; часто* ~ up); 3) сгреба́ть (*в ку́чу*), нава́ливать; окружа́ть ва́лом; 4) запружа́ть; 5) *ав.* де́лать вира́ж; накреня́ться; 6) игра́ть шара́ от борта́, борто́в (*на билья́рде*).

bank II [bæŋk] **1.** *n* 1) банк; ~ of issue эмиссио́нный банк; 2) *карт.* банк; to break the ~ сорва́ть банк; 3) ме́сто хране́ния запа́сов; *карт.* — а) до́норский банк; б) запа́сы консерви́рованной кро́ви для перелива́ния; 4) *attr.* ба́нковый, ба́нковский; ~ holiday устано́вленные *или* дополни́тельные непрису́тственные дни для англи́йских слу́жащих; ◇ you can't put it in the ~ *амер. разг.* э́то ни к чему́, от э́того то́лку ма́ло;
2. *v* 1) класть (*де́ньги*) в банк; держа́ть (*де́ньги*) в ба́нке; откла́дывать; 2) быть банки́ром; 3) *карт.* мета́ть банк; ◇ to ~ (up)on smb. полага́ться на кого́-л.

bank III [bæŋk] *n* *ист.* 1) скамья́ (*на галере*); 2) ряд вёсел (*на галере*); 3) клавиату́ра орга́на; ~ of keys *полигр.* клавиату́ра линоти́па; 4) верста́к в не́которых ремёслах.

bankable ['bæŋkəbl] *a* *фин.* учи́тываемый.

bank-bill ['bæŋk,bɪl] *n* 1) ве́ксель, вы́данный одни́м ба́нком на друго́й; 2) *уст.* креди́тный биле́т.

bank-book ['bæŋk,buk] *n* *фин.* ба́нковая кни́жка, лицево́й счёт.

bank draft ['bæŋk,drɑːft] = bank-bill 1).

banker I ['bæŋkə] *n* 1) банки́р; 2) *карт.* банкомёт.

banker II ['bæŋkə] *n* 1) су́дно, занима́ющееся ло́влей трески́ у берего́в Ньюфа́ундленда; 2) рыба́к, занима́ющийся ло́влей трески́; 3) *диал.* землеко́п.

banket [bæŋ'ket] *n* *горн.* банке́т (*золотоно́сный конгломера́т*).

banking I ['bæŋkɪŋ] **1.** *pres. p. om* bank II,2; **2.** *n* ба́нковое де́ло.

banking II ['bæŋkɪŋ] **1.** *pres. p. om* bank I, 2; **2.** *n* *ав.* крен, вира́ж.

banking-house ['bæŋkɪŋ,haus] *n* банк.

bank locomotive ['bæŋk'loukə,moutɪv] *n* *ж.-д.* толка́ч.

bank-note ['bæŋknout] *n* креди́тный биле́т, банкно́та.

bank-rate ['bæŋkreɪt] *n* учётная ста́вка ба́нка.

bankrupt ['bæŋkrəpt] **1.** *n* банкро́т; *pacпp.* несостоя́тельный должни́к; ~ in reputation челове́к с дурно́й репута́цией; **2.** *a* 1) несостоя́тельный; to go ~ обанкро́титься; 2) лишённый (of — чего́-л.);
3. *v* сде́лать банкро́том; довести́ до банкро́тства.

bankruptcy [ˈbæŋkrəptsɪ] *n* банкро́тство; несостоя́тельность; Court of ~ ко́нкурсное управле́ние; отде́л по дела́м о несостоя́тельности.

bankseat [ˈbæŋksiːt] *n* усто́й (*моста*).

banksman [ˈbæŋksmən] *n горн.* рукоя́тчик, верхо́вый рабо́чий у ша́хты, (ста́рший) рабо́чий у у́стья ша́хты.

banner [ˈbænə] *1. n* 1) зна́мя; флаг; стяг; *перен. тж.* си́мвол; under the ~ of Мага́х, Engels, Lenin под зна́менем Ма́ркса, Э́нгельса, Ле́нина; to join (*или* to follow) the ~ of... стать под знамёна...; *перен.* стать на чью-л. сто́рону; to unfurl one's ~ *перен.* заяви́ть о свое́й програ́мме; 2) *амер.* заголо́вок кру́пными бу́квами на всю полосу́, «ша́пка»; ◇ to carry the ~ *амер. ирон.* скита́ться всю ночь, не име́я приста́нища; *2. a* (наи)лу́чший; образцо́вый; гла́вный; ~ year реко́рдный год.

banner-bearer [ˈbænə,bɛərə] *n* знамёносец.

banner-cry [ˈbænə,kraɪ] *n* боево́й клич.

bannock [ˈbænək] *n сев.* пре́сная лепёшка.

banns [bænz] *n pl* оглаше́ние в це́ркви имён вступа́ющих в брак; to ask (*или* to call, to publish) the ~ оглаша́ть имена́ вступа́ющих в брак; to forbid the ~ заяви́ть проте́ст про́тив заключе́ния бра́ка.

banquet [ˈbæŋkwit] *1. n* банке́т; пир; зва́ный обе́д; ◇ ~ of brine го́рькие слёзы; *2. v* 1) дава́ть банке́т (*в честь кого-л.*); 2) пирова́ть.

banqueter [ˈbæŋkwitə] *n* уча́стник банке́та.

banquette [bæŋˈket] *n* 1) на́сыпь; 2) *воен.* стрелко́вая ступе́нь; банке́т.

banshee [bænˈʃiː] *n ирл., шотл. миф.* дух, сто́ны кото́рого предвеща́ют смерть.

bantam [ˈbæntəm] *n* 1) бента́мка (*ме́лкая поро́да кур*); 2) *разг.* «пету́х», зади́ра, забия́ка; 3) *attr.*: ~ саr автомоби́ль «ви́ллис».

bantam-weight [ˈbæntəm,weɪt] *n спорт.* легча́йший вес, «вес петуха́».

banter [ˈbæntə] *1. n* добро́душное подшу́чивание; *2. v* добро́душно подшу́чивать, подтру́нивать, поддра́знивать.

banting [ˈbæntɪŋ] *n* лече́ние ожире́ния дие́той.

bantling [ˈbæntlɪŋ] *n* 1) ребёнок; 2) *презр.* отро́дье.

banyan [ˈbænɪən] = banian.

baobab [ˈbeɪəbæb] *n* баоба́б (*де́рево*).

bap [bæp] *n шотл.* небольшо́й карава́й хле́ба.

baptism [ˈbæptɪzəm] *n* креще́ние; ~ of blood му́ченичество; *воен.* пе́рвое ране́ние; ~ of fire боево́е креще́ние.

baptismal [bæpˈtɪzməl] *a* относя́щийся к креще́нию; ~ certificate свиде́тельство о креще́нии; ~ name и́мя, да́нное при креще́нии.

baptist [ˈbæptɪst] *n* 1) крести́тель; 2) бапти́ст.

baptist(e)ry [ˈbæptɪstərɪ] *n* баптисте́рий; купе́ль (*у бапти́стов*).

baptize [bæpˈtaɪz] *v* крести́ть; дава́ть и́мя.

bar I [bɑː] *1. n* 1) полоса́ (*мета́лла*); брусо́к; ~ of gold сли́ток зо́лота; ~ of chocolate пли́тка шокола́да; ~ of soap кусо́к мы́ла; 2) болва́нка (*мета́лла*), чу́шка (*свинца́*), штык (*ме́ди*); 3) лом (*сокр. от* crow-bar); 4) засо́в; ва́га; behind bolt and ~ под надёжным запо́ром; за решёткой; 5) заста́ва; 6) *pl* решётка; 7) прегра́да, препя́тствие; to let down the ~s устрани́ть препя́тствия, отмени́ть ограниче́ния; 8) *спорт.* пла́нка; to clear the ~ перейти́ че́рез пла́нку, взять высоту́; horizontal ~ перекла́дина; parallel ~s паралле́льные бру́сья; 9) бар, нано́с песка́ (*в у́стье реки́*); мелково́дье, о́тмель; 10) пря́жка на о́рденской ле́нте; 11) *муз.* та́ктовая черта́; такт; 12) полоса́ (*све́та, кра́ски*); *2. v* 1) запира́ть на засо́в; 2) прегражда́ть; all exits are ~red все вы́ходы закры́ты; 3) исключа́ть; отстраня́ть; запреща́ть; 4) *разг.* име́ть что-л. про́тив кого́-л., чего́-л., не люби́ть; □ ~ in запере́ть; не выпуска́ть; ~ out не впуска́ть; *3. prep* исключа́я, не счита́я; ~ none без исключе́ния.

bar II [bɑː] *n* 1) прила́вок, сто́йка; 2) бар, буфе́т, заку́сочная; небольшо́й рестора́н.

bar III [bɑː] *n* 1) барье́р, отделя́ющий суде́й от подсуди́мых; prisoner at the ~ обвиня́емый на скамье́ подсуди́мых; 2) (the ~, the B.) адвокату́ра; to be called (*или* to go) to the B. получи́ть пра́во адвока́тской пра́ктики; to be at the B. быть адвока́том; to be called within the B. получи́ть назначе́ние на до́лжность короле́вского адвока́та; to pitch smb. over the ~ *разг.* лиша́ть кого́-л. зва́ния адвока́та *или* пра́ва адвока́тской пра́ктики; 3) суд; the ~ of conscience суд со́вести; the ~ of public opinion суд обще́ственного мне́ния.

bar IV [bɑː] *n физ.* бар (*едини́ца атмосфе́рного или акусти́ческого давле́ния*).

barathea [ˌbærəˈθɪə] *n* 1) шерстяна́я мате́рия (*иногда с при́месью шёлка или бума́ги*); 2) *воен.* ки́тель.

barb I [bɑːb] *1. n* 1) *бот.* ость; 2) *зоол.* у́сики (*некоторых рыб*); колю́чка; 3) боро́дка (*пти́чьего пера́*); 4) зубе́ц, зазу́брина (*стрелы́, копья́, рыболо́вного крючка́*); 5) ко́лкость, ко́лкое замеча́ние; 6) *pl вет.* я́щур; *2. v* оснасти́ть *или* снабди́ть колю́чками и т. п.

barb II [bɑːb] *n уст.* берберийский конь.

barbarian [bɑːˈbɛərɪən] *1. n* ва́рвар; *2. a* ва́рварский.

barbaric [bɑːˈbærɪk] *a* гру́бый, ва́рварский; первобы́тный.

barbarism [ˈbɑːbərɪzəm] *n* 1) ва́рварство; 2) *лингв.* варвари́зм.

barbarity [bɑːˈbærɪtɪ] *n* 1) ва́рварство; жесто́кость; бесчелове́чность; 2) гру́бость (*сти́ля, вку́са*).

barbarize [ˈbɑːbəraɪz] *v* 1) испещря́ть варвари́змами; 2) поверга́ть в состоя́ние ва́рварства.

barbarous [ˈbɑːbərəs] *a* 1) ва́рварский, ди́кий; 2) гру́бый, жесто́кий.

Barbary [ˈbɑːbərɪ] *a* берберийский.

barbate ['bɑːbeɪt] *a* 1) *бот.* остистый; 2) *зоол.* бородатый, усатый.

barbecue ['bɑːbɪkjuː] 1. *n* 1) большая рама, на которой туша жарится целиком; 2) целиком зажаренная туша; 3) *амер.* празднество, во время которого туши жарятся целиком; 4) площадка для сушки кофейных бобов; 2. *v* жарить (*тушу*) целиком.

barbed [bɑːbd] 1. *p. p. от* barb I, 2; 2. *a* имеющий колючки; колючий; ~ wire колючая проволока.

barbel ['bɑːbəl] *n* 1) усач (*рыба*); 2) усик (*некоторых рыб*).

bar-bell ['bɑːbel] *n спорт.* штанга.

barber I ['bɑːbə] *n* парикмахер, цирюльник; ◇ every ~ knows that ≅ это всем известно, все это знают; ~'s block колодка для париков, ~'s pole шест, окрашенный в красный и белый цвета по спирали, служащий вывеской парикмахера; ~'s itch *мед.* паразитарный сикоз.

barber II ['bɑːbə] *n* 1) пар над водой в морозный день; 2) сильный ветер при морозе.

barber(r)y ['bɑːbərɪ] *n бот.* барбарис.

barbette [bɑː'bet] *n воен.* барбет.

barbican ['bɑːbɪkən] *n ист.* барбакан, навесная башня.

Barbizon School ['bɑːbɪzɔn'skuːl] *n* Барбизонская школа живописи (*по названию деревушки близ Парижа*), барбизонцы.

barbola [bɑː'boulə] *n* лепное рельефное украшение (*тж.* ~ work).

barcarole, barcarolle ['bɑːkəroul] *n* баркарола.

bard I [bɑːd] *n поэт.* бард, певец; ◇ the B. of Avon Шекспир.

bard II [bɑːd] *n ист.* конский доспех.

bardic ['bɑːdɪk] *a* относящийся к бардам; ~ poetry поэзия бардов.

bare [bɛə] 1. *a* 1) голый, обнажённый; ~ feet босые ноги; to lay ~ раскрыть, обнаружить; разоблачить; 2) пустой; лишённый (of—*чего-л.*); бедный; 3) поношенный; 4) неприкрашенный, простой; 5) едва достаточный; a ~ majority очень незначительное большинство; at the ~ mention of при одном упоминании о; to believe smth. on smb.'s ~ word верить кому-л. на слово; 6) малейший; ~ possibility малейшая возможность; 7) *эл.* неизолированный; ◇ (as) ~ as the palm of one's hand ≅ хоть шаром покати, совершенно пустой; in one's ~ skin голый; 2. *v* обнажать; раскрывать; to ~ one's head снимать шляпу.

bareback ['bɛəbæk] 1. *a* неосёдланный; 2. *adv* без седла; на неосёдланной лошади.

barebacked ['bɛəbækt] = bareback 1.

barefaced ['bɛəfeɪst] *a* 1) с открытым лицом (*без маски, без бороды*); 2) бесстыдный.

barefoot ['bɛəfut] 1. *a* босой; 2. *adv* босиком.

barefooted ['bɛə'futɪd] *a* босой, босоногий.

bare-headed ['bɛə'hedɪd] *a* с непокрытой головой.

barelegged ['bɛə'legd] *a* с голыми ногами.

barely ['bɛəlɪ] *adv* 1) только, просто; 2) едва, лишь; 3) *редк.* прямо, открыто.

barenecked ['bɛə'nekt] *a* с открытой шеей; декольтированный.

bareness ['bɛənɪs] *n* 1) неприкрытость, нагота; 2) бедность, скудность.

baresark ['bɛəsɑːk] = berserk(er).

bargain ['bɑːgɪn] 1. *n* 1) (торговая) сделка; to make (*или* strike, to close) a ~ заключить сделку; прийти к соглашению; a good (bad, hard, losing) ~ выгодная (невыгодная) сделка; to drive a hard ~ много запрашивать; торговаться; to bind a ~ дать задаток; to be off (with) one's ~ аннулировать сделку; 2) (a ~) выгодная покупка; дёшево купленная вещь; to buy at a ~ покупать по дешёвке; into the ~ в придачу, к тому же; to make the best of a bad ~ не падать духом в беде; that's a ~! по рукам!; дело решённое!; a ~ is a ~ уговор дороже денег; wet *или* Dutch ~ сделка, сопровождаемая выпивкой; 2. *v* торговаться; □ ~ away уступить за вознаграждение; ~ for ожидать; быть готовым к *чему-л.*; this is more than I ~ed for этого я не ожидал, это неприятный сюрприз.

bargainer ['bɑːgɪnə] *n* 1) торговец; 2) торгующийся.

bargain-sale ['bɑːgɪnseɪl] *n* 1) дешёвка; 2) распродажа.

barge [bɑːdʒ] 1. *n* 1) баржа; барка; 2) двухпалубная баржа для экскурсий; 3) *мор.* адмиральский катер; 4) *амер.* омнибус, автобус для экскурсий; 5) *архит.* выступ дымовой трубы над фронтонной стеной; 2. *v разг.*: to ~ about неуклюже трястись верхом на лошади; to ~ into (*или* against) smth., smb. натолкнуться на что-л., на кого-л.; □ ~ in вторгаться.

bargee [bɑː'dʒiː] *n* 1) лодочник с баржи; 2) грубиян; ◇ lucky ~ *разг.* счастливчик; to swear like a ~ ругаться как извозчик.

bargeman ['bɑːdʒmən] = bargee 1).

barge-pole ['bɑːdʒpoul] *n* шест для отпихивания баржи; ◇ not fit to be touched with a ~ такой (грязный, противный *и т. п.*), что страшно прикоснуться.

barie ['bɑːrɪ] = bar IV.

baring ['bɛərɪŋ] 1. *pres. p. от* bare 2; 2. *n горн.* обнажение *или* вскрытие пласта.

baritone ['bærɪtoun] = barytone.

barium ['bɛərɪəm] *n хим.* барий.

bark I [bɑːk] 1. *n* 1) кора (*дерева*); 2) хина (*тж.* Jesuit's ~, Peruvian ~, China ~); 3) *sl.* кожа; 4) *attr.*: ~ grafting *бот.* прививка под кору; ~ mill дробилка для коры; ◇ a man with the ~ on *амер.* неотёсанный человек; to come (*или* to go) between the ~ and the tree ≅ вмешиваться в чужие (*особ.* семейные) дела; становиться между мужем и женой *и т. п.*; to take the ~ off smth. обесценивать что-л., лишать что-л. привлекательности, показывать что-л. без прикрас; 2. *v* 1) сдирать кору, ошкуривать (*дерево*); 2) *разг.* сдирать кожу; 3) дубить.

bark II [bɑːk] 1. *n* 1) лай; 2) звук выстрела; 3) *разг.* кашель; ◇ his ~ is worse than his bite он бо́льше брани́тся, чем на са́мом де́ле се́рдится;

2. *v* 1) ла́ять (at — на); 2) *разг.* ря́вкать; 3) *разг.* ка́шлять; ◇ to ~ up the wrong tree *амер.* напа́сть на ло́жный след; ошиби́ться.

bark III [bɑːk] *n* барк (*парусное трёхмачтовое судно*).

barkeeper ['bɑːˌkiːpə] *n* 1) *амер.* буфе́тчик; ба́рмен; 2) сто́рож при заста́ве.

barken ['bɑːkən] *v* дуби́ть коро́й.

barker I ['bɑːkə] *n* око́рщик.

barker II ['bɑːkə] *n* 1) крику́н; 2) аукциони́ст; 3) зазыва́ла; 4) *разг.* огнестре́льное ору́жие, *особ.* револьве́р; ◇ great ~s are no biters ≅ не бо́йся соба́ки, кото́рая ла́ет.

barkery ['bɑːkərɪ] *n* дуби́льный заво́д.

barking I ['bɑːkɪŋ] **1.** *pres. p. от* bark I, 2;
2. *n* 1) око́рка; 2) дубле́ние коро́й.

barking II ['bɑːkɪŋ] **1.** *pres. p. от* bark II, 2;
2. *n* лай;
3. *a* ла́ющий; ◇ ~ iron *sl.* револьве́р.

bark-pit ['bɑːkpɪt] *n* дуби́льный чан.

barley ['bɑːlɪ] *n* 1) ячме́нь; 2) *attr.* ячме́нный; ~ sugar ячме́нный са́хар; ◇ to cry ~ проси́ть поща́ды *или* переми́рия.

barley-broth ['bɑːlɪˌbrɔθ] *n* кре́пкое пи́во.

barleycorn ['bɑːlɪkɔːn] *n* 1) ячме́нное зерно́; 2) *уст.* треть дю́йма; ◇ John B. Джон Ячме́нное Зерно́, олицетворе́ние ви́ски, пи́ва и други́х спиртны́х и соло́довых напи́тков.

barley-water ['bɑːlɪˌwɔːtə] *n* ячме́нный отва́р.

barling ['bɑːlɪŋ] *n* жердь, шест.

barlow ['bɑːlou] *n амер.* большо́й складно́й карма́нный нож (*тж.* ~ knife).

barm [bɑːm] *n* (пивны́е) дро́жжи; заква́ска.

barmaid ['bɑːmeɪd] *n* буфе́тчица.

barman ['bɑːmən] *n* буфе́тчик, ба́рмен.

barmy ['bɑːmɪ] *a* 1) пе́нистый; броди́льный; 2) *разг.* спяти́вший (*тж.* ~ on the crumpet); to go ~ спяти́ть.

barn [bɑːn] *n* 1) амба́р; (сенно́й) сара́й; гумно́; 2) некраси́вое зда́ние, «сара́й»; 3) *амер.* коню́шня, коро́вник; 4) *амер.* трамва́йный парк.

barnacle I ['bɑːnəkl] *n* 1) кляп; кля́пцы (*на мо́рду неспоко́йной ло́шади*); 2) *pl разг.* очки́.

barnacle II ['bɑːnəkl] *n* 1) каза́рка белощёкая (*птица*); 2) морска́я у́точка (*ракообразное*); 3) *разг.* неотвя́зный челове́к.

barn-door ['bɑːn'dɔː] **1.** *n* воро́та амба́ра; ◇ as big as a ~ о́чень больши́х разме́ров; not to be able to hit a ~ быть о́чень плохи́м стрелко́м;
2. *a:* ~ fowl дома́шняя пти́ца.

barn-owl ['bɑːnˌaul] *n* сипу́ха (*птица*).

barnstorm ['bɑːnstɔːm] *v амер. разг.* 1) игра́ть в сара́е, в случа́йном помеще́нии (*о странствующем актёре*); 2) выступа́ть с реча́ми во вре́мя предвы́борной кампа́нии (*в ма́леньких городка́х*).

barn-stormer ['bɑːn stɔːmə] *n* стра́нствующий *или* посре́дственный актёр.

barodynamics [ˌbærou daɪ'næmɪks] *n pl* (*употр. как sing*) бародина́мика.

barograph ['bærouɡrɑːf] *n* баро́граф, самопи́шущий баро́метр.

barometer [bə'rɔmɪtə] *n* баро́метр.

barometric(al) [ˌbærə'metrɪk(əl)] *a*· барометри́ческий.

baron ['bærən] *n* 1) баро́н; 2) магна́т; ◇ ~ of beef то́лстый филе́й.

baronage ['bærənɪdʒ] *n* 1) баро́ны, сосло́вие баро́нов *или* пэ́ров; 2) ти́тул баро́на.

baroness ['bærənɪs] *n* бароне́сса.

baronet ['bærənɪt] **1.** *n* бароне́т (*титул*);
2. *v* дава́ть ти́тул бароне́та.

baronetcy ['bærənɪtsɪ] *n* ти́тул бароне́та.

baronial [bə'rounjəl] *a* баро́нский.

barony ['bærənɪ] *n* 1) владе́ния баро́на; 2) ти́тул баро́на.

baroque [bə'rouk] **1.** *n* (the ~) баро́кко; 2. *a* причу́дливый.

baroscope ['bærəskoup] *n* бароско́п.

barouche [bə'ruːʃ] *n* ландо́, четырёхме́стная коля́ска.

barque [bɑːk] = bark III.

barrack ['bærək] **1.** *n* 1) бара́к; 2) *pl* каза́рмы;
2. *v* 1) размеща́ть в бара́ках, каза́рмах; 2) *разг.* гро́мко высме́ивать (*участников крикетного матча*).

barracoon [ˌbærə'kuːn] *n* ла́герь для пле́нных *или* заключённых (*с бара́ками вре́менного типа*).

barrage ['bærɑːʒ] *n* 1) загражде́ние; 2) плоти́на; запру́да; 3) *воен.* загради́тельный ого́нь, огнево́й вал (*тж.* ~ fire); 4) *ав., мор.* загражде́ние, барра́ж; 5) *attr.:* ~ balloon аэроста́т загражде́ния.

barrator ['bærətə] *n* 1) сутя́га, кля́узник; 2) *мор. юр.* капита́н *или* кома́нда су́дна, причини́вшие су́дну умы́шленный вред [*см.* barratry 2)].

barratry ['bærətrɪ] *n* 1) сутя́жничество, кля́узничество; 2) *мор. юр.* бара́трия (*преступная небрежность или умышленный вред, причинённый судну или грузу капитаном или командой*).

barrel ['bærəl] **1.** *n* 1) бо́чка, бочо́нок; 2) ба́ррель (*мера жидкости: англ.* = 163,65 *л, амер.* = 119 *л; для нефти* = 159 *л; мера веса* ≅ 89 *кг*); 3) ствол, ду́ло (*оружия*); 4) ту́ловище (*лошади, коровы*); 5) *амер. разг.* де́ньги для финанси́рования како́й-л. кампа́нии; 6) *тех.* цили́ндр, бараба́н, вал; 7) *анат.* бараба́нная по́лость (*уха*); ◇ ~ house, ~ shop *амер. sl.* тракти́р, каба́к; пивна́я; to have smb. over the ~ *амер.* заста́ть кого́-л. враспло́х; to holler down a rain ~ «крича́ть в пусту́ю бо́чку»; занима́ться пустозво́нством; to sit on a ~ of gunpowder сиде́ть на бо́чке с по́рохом, ≅ ходи́ть по кра́ю про́пасти;
2. *v* разлива́ть по бочо́нкам.

barrel-bulk ['bærəlˌbʌlk] *n* объёмный ба́ррель (≅ 142 *л*).

barrel-head ['bærəlˌhed] *n* дно бо́чки.

barrel-organ ['bærəlˌɔːɡən] *n* шарма́нка.

barrel-roll ['bærəlˌroul] *n ав.* бо́чка (*фигура высшего пилотажа*).

barrel-scraping ['bærəlˌskreɪpɪŋ] *n разг.* собира́ние после́дних ресу́рсов; ≅ «под метёлку».

barren ['bærən] **1.** *a* 1) бесплодный; неплодородный; тощий (*о земле*); 2) бессодержательный; бедный, скучный; ~ of interest (of ideas) лишённый интереса (мыслей);
2. *n* (*обыкн.* *pl*) бесплодная земля, пустошь.

barrenness ['bærənnɪs] *n* бесплодие *и пр.* [*см.* barren 1].

barret ['bærət] *n* берет.

barricade [ˌbærɪ'keɪd] **1.** *n* 1) баррикада; 2) преграда;
2. *v* баррикадировать.

barrier ['bærɪə] **1.** *n* 1) барьер; застава; шлагбаум; 2) преграда, препятствие, помеха;
2. *v* ограждать, заграждать (*обыкн.* ~ off, ~ in).

barring I ['bɑːrɪŋ] *prep* за исключением.

barring II ['bɑːrɪŋ] *n* 1) *тех.* пуск в ход машины; 2) *горн.* крепление кровли, шахтная крепь.

barring III ['bɑːrɪŋ] *pres. p. om* bar I, 2.

barrister ['bærɪstə] *n* адвокат; revising ~ *парл.* лицо, проверяющее избирательные списки.

barrister-at-law ['bærɪstərət'lɔː] (*pl* barristers-) = barrister.

barristers-at-law ['bærɪstəzət'lɔː] *pl om* barrister-at-law.

barrow I ['bærou] *n* курган, холм.

barrow II ['bærou] *n* 1) тачка; ручная тележка; 2) носилки; 3) *attr.*: ~ truck двухколёсная тележка.

bartender ['bɑːˌtendə] *n* амер. буфетчик.

barter ['bɑːtə] **1.** *n* товарообмен, меновая торговля;
2. *v* 1) менять, обменивать; вести меновую торговлю; 2) торговаться; □ ~ away продать по очень низкой цене; *перен.* променять (*свободу, положение и т. п.*) на что-л. менее ценное.

bartizan ['bɑːtɪzæn] *n ист.* сторожевая башенка.

barton ['bɑːtn] *n* 1) усадьба; двор усадьбы *или* фермы; 2) часть сданной в аренду усадьбы, остающаяся в распоряжении владельца.

barwood ['bɑːˌwud] *n бот.* бафия яркая.

barytone ['bærɪtoun] *n* баритон.

barytron ['bærɪtrɔn] *n физ.* мезон.

basal ['beɪsl] *a* лежащий в основе, основной.

basalt ['bæsɔːlt] *n мин.* базальт.

basaltic [bə'sɔːltɪk] *a мин.* базальтовый.

bascule ['bæskjuːl] *n* подъёмное крыло *или* ферма (*моста*).

bascule-bridge ['bæskjuːlˌbrɪdʒ] *n* подъёмный мост.

bascule-door ['bæskjuːlˌdɔː] *n* подъёмные ворота.

base I [beɪs] *a* 1) низкий; низменный, подлый; 2) неблагородный, простой, окисляющийся (*о металлах*); of ~ alloy низкопробный; 3) *юр.* условный, неокончательно установленный; ◇ ~ coin неполноценная *или* фальшивая монета; ~ Latin вульгарная латынь.

base II [beɪs] **1.** *n* 1) основа, основание;

базис; 2) база; опорный пункт; 3) «дом» (*в играх*); игра в бары (*тж.* prisoner's ~); 4) *спорт.* место старта; 5) подножие (*горы*); 6) *архит.* пьедестал, цоколь; фундамент; 7) *хим.* основание; 8) *грам.* корень (*слова*); 9) *полигр.* ножка литеры; колодка для клише; фацетная доска; ◇ to be off one's ~ *амер. разг.* а) быть не в своём уме; б) нелепо заблуждаться (about — в чём-л.); to change one's ~ *амер. разг.* отступать, удирать; to get to first ~ *амер. разг.* сделать первые шаги (*в каком-л. деле*);
2. *v* 1) закладывать основание; 2) базировать, основывать.

base III [beɪs] *уст.* = bass III.

baseball ['beɪsbɔːl] *n спорт.* бейсбол.

baseboard ['beɪsbɔːd] *n стр.* плинтус.

base-court ['beɪskɔːt] *n* задний двор.

base frequency ['beɪs'friːkwənsɪ] *n физ.* основная частота.

baseless ['beɪslɪs] *a* 1) необоснованный; 2) не обеспеченный базой.

basely ['beɪslɪ] *adv* низко, бесчестно.

basement ['beɪsmənt] *n* 1) основание, фундамент; 2) подвал; (полу)подвальный этаж.

bases ['beɪsiːz] *pl om* basis.

bash [bæʃ] *разг.* **1.** *n* удар; to have a ~ at it пытаться, покушаться;
2. *v* бить; сильно ударять; to ~ one's head against a tree удариться головой о дерево.

bashaw [bə'ʃɔː] *тур. n* паша.

basher ['bæʃə] *n амер. sl.* убийца.

bashful ['bæʃful] *a* застенчивый, робкий.

bashfully ['bæʃfulɪ] *adv* застенчиво, смущённо, робко.

bashfulness ['bæʃfulnɪs] *n* застенчивость, робость.

basic ['beɪsɪk] *a* 1) основной; ~ principles основные принципы; ~ industry а) основная отрасль промышленности; б) тяжёлая промышленность; ~ stock *эк.* основной капитал; 2) *хим.* основной.

basically ['beɪsɪkəlɪ] *adv* в своей основе; по существу, в основном.

Basic English ['beɪsɪk'ɪŋglɪʃ] *n* (*сокр. от* British American Scientific International Commercial) система обучения английскому языку, основанная на искусственном ограничении его словарного состава (до 850 слов).

basicity [bə'sɪsɪtɪ] *n хим.* валентность, основность.

basic slag ['beɪsɪkˌslæg] *n* томасшлак (*удобрение*).

basil I ['bæzl] *n бот.* базилик.

basil II ['bæzl] *n* дублёная овчина.

basil III ['bæzl] **1.** *n* грань; скошенный край;
2. *v* точить; гранить.

basilica [bə'zɪlɪkə] *n* базилика.

basilisk ['bæzɪlɪsk] *n* 1) *миф.* василиск; 2) род ящерицы; 3) *ист.* василиск (*название пушки XVI—XVII вв.*).

basin ['beɪsn] *n* 1) таз, чашка, миска; 2) бассейн, резервуар; водоём; 3) бассейн (*реки; каменноугольный*); 4) маленькая бухта.

basinet ['bæsɪnet] *n* стальной шлем.

basis ['beɪsɪs] *n* (*pl* bases) 1) основание, базис; on this ~ исходя из этого; on a good and neighbourly ~ на основе добрососедских отношений; 2) база.

bask [bɑːsk] *v* 1) греться (*на солнце, у огня; in*); 2) наслаждаться (*покоем, счастьем; in*).

basket ['bɑːskɪt] **1.** *n* 1) корзина; 2) кузов; 3) *ист.* наружные места (*в почтовом дилижансе*); 4) *attr.*: ~ dinner, ~ lunch, ~ picnic *амер.* пикник; ◇ to be left in the ~ остаться за бортом; to give the ~ отказать (*сватающемуся*); to have (*или* to put) all one's eggs in one ~ рисковать всем, поставить всё на карту; the pick of the ~ самое отборное; like a ~ of chips *амер. шутл.* очень мило, приятно;

2. *v* 1) бросать в корзину для ненужных бумаг; 2) оплетать проволокой.

basket-ball ['bɑːskɪtbɔːl] *n спорт.* баскетбол.

basket-fish ['bɑːskɪtfɪʃ] *n зоол.* морская звезда.

basketful ['bɑːskɪtful] *n* полная корзина чего-л.

basket-hilt ['bɑːskɪt'hɪlt] *n* эфес с чашкой.

basket-osier ['bɑːskɪt,ouʒə] *n* пурпурная ива; прутовидная ива.

basketry ['bɑːskɪtrɪ] *n* плетёные изделия.

basket-work ['bɑːskɪtwɜːk] = basketry.

basnet ['bæsnɪt] = basinet.

bason ['beɪsn] **1.** *n* верстак для обработки фетра;

2. *v* обрабатывать фетр.

Basque [bæsk] **1.** *n* 1) баск; 2) баскский язык;

2. *a* баскский.

basque [bæsk] *n* 1) баска (*род лифа*); 2) облицовка.

bas-relief ['bæsrɪ,liːf] *n* барельеф.

bass I [bæs] *n* окунь.

bass II [bæs] *n* 1) американская липа; 2) = bast.

bass III [beɪs] **1.** *n* бас;

2. *a* басовый, низкий; ~ clef басовый ключ; ~ drum турецкий барабан.

basset I ['bæsɪt] *n* такса (*порода собак*).

basset II ['bæsɪt] *n геол.* выход пластов.

basset III ['bæsɪt] *n* карточная игра, напоминающая фараон.

bassinet(te) [,bæsɪ'net] *n* плетёная колыбель с верхом.

basso ['bæsou] *n* (*pl* -os [-ouz]) *муз.* бас.

bassoon [bə'suːn] *n* фагот.

basso-relievo ['bæsourɪ,liːvou] = bas-relief.

bass-relief ['bæsrɪ,liːf] = bas-relief.

bass-viol ['beɪs'vaɪəl] *n* виолончель.

bass-wood ['bæswud] *n* американская липа.

bast [bæst] *n* 1) лыко, луб, лубяное волокно; мочало; рогожа; 2) *attr.* лубяной; ~ mat циновка из луба, рогожа.

bastard ['bæstəd] **1.** *n* 1) внебрачный, побочный ребёнок; 2) *груб.* ублюдок; 3) помесь, метис, гибрид; 4) бастр (*сахар низкого качества*);

2. *a* 1) внебрачный, незаконнорождённый; ~ slip а) побочный ребёнок; б) отросток от корня дерева; 2) поддельный, притворный; ~ good nature кажущееся добродушие; 3) худшего качества; неправильной формы; необычного размера; ~ French ломаный французский язык.

bastardize ['bæstədaɪz] *v* объявлять незаконнорождённым.

bastardy ['bæstədɪ] *n* рождение ребёнка вне брака.

baste I [beɪst] *v* сшивать на живую нитку, смётывать.

baste II [beɪst] *v* поливать жиром (*жаркое*) во время жарения.

baste III [beɪst] *v* 1) бить, колотить; 2) закидывать вопросами, критическими замечаниями.

bastille [bæs'tiːl] *фр. n* тюрьма, крепость; the B. *ист.* Бастилия.

bastinado [,bæstɪ'neɪdou] **1.** *n* (*pl* -oes [-ouz]) палочные удары (*особ. по пяткам; наказание на Востоке*);

2. *v* бить палками (*особ. по пяткам*).

basting I ['beɪstɪŋ] **1.** *pres. p. от* baste I; **2.** *n* 1) намётка; 2) *attr.*: ~ thread нитка для намётки.

basting II, III ['beɪstɪŋ] *pres. p. от* baste II *и* III.

bastion ['bæstɪən] *n воен.* бастион.

bat I [bæt] *n* летучая мышь; ◇ to have ~s in one's belfry *разг.* быть ненормальным; to go ~s сходить с ума; like a ~ out of hell очень быстро, со всех ног; blind as a ~ совершенно слепой.

bat II [bæt] **1.** *n* 1) дубина; било (*для льна*); бита (*в крикете*); *редк.* ракета (*для тенниса*); 2) = batsman; a good ~ хороший крикетист; 3) *sl.* резкий удар; 4) *разг.* шаг, темп; to go full ~ идти быстро; ◇ off one's own ~ без посторонней помощи, самостоятельно; right off the ~ *амер.* сразу; без промедления; to come to ~ *амер. sl.* столкнуться с трудной задачей, тяжёлым испытанием;

2. *v* бить палкой, битой.

bat III [bæt] *v амер.*: to ~ one's eyes мигать, моргать; not to ~ an eyelid и глазом не моргнуть; never ~ted an eyelid не сомкнул глаз.

bat IV [bæt] *n амер. sl.* гулянка, кутёж; to go on a ~ гулять, кутить.

bat V [bæt] *n* (the ~) *англо-инд. разг.* язык, устная речь; to sling the ~ говорить на иностранном языке.

bat VI [bæt] *n воен.* управляемый снаряд.

batata [bə'tɑːtə] *n бот.* батат, сладкий картофель.

bat-blind ['bætblaɪnd] *a* совершенно слепой.

batch [bætʃ] *n* 1) количество хлеба, выпекаемого за один раз; 2) пачка, кучка; 3) партия, группа; 4) *стр.* замес бетона; ◇ of the same ~ того же сорта.

batcher ['bætʃə] *n тех.* бункер; питатель, дозатор.

batching ['bætʃɪŋ] *n* замочка льна *или* джута.

bate I [beɪt] *v* (*сокр. от* abate) 1) убавлять, уменьшать; with ~d breath затаив дыхание; 2) слабеть; his energy has not ~d его энергия не ослабла; 3) притупля́ть; to ~ one's curiosity до некоторой степени удовлетвори́ть любопы́тство.

bate II [beit] **1.** *n* раство́р для смягче́ния ко́жи по́сле дубле́ния;

2. *v* погружа́ть (*ко́жу*) в раство́р для смягче́ния.

bate III [beit] *n sl.* я́рость, гнев, бе́шенство; to get in a ~ приходи́ть в я́рость.

bat-eyed ['bæt'aid] *a* 1) тупова́тый; 2) ненаблюда́тельный.

batfowl ['bæt,faul] *v* лови́ть птиц но́чью, ослепля́я их огнём и сбива́я па́лкой.

bath [bɑːθ, *pl* bɑːðz] **1.** *n* 1) ва́нна; 2) купа́ние (*в ванне*); to take (*или* to have) a ~ приня́ть ва́нну; 3) (*обыкн. pl*) ба́ня; купа́льное заведе́ние; swimming ~s бассе́йн для пла́вания; 4) *тех.* ва́нна; hypo ~ *фото* гипосульфи́тная ва́нна; ◇ Order of the B. о́рден Ба́ни;

2. *v* мыть, купа́ть.

Bath brick ['bɑːθbrik] *n* соста́в для чи́стки металли́ческих изде́лий.

Bath chair ['bɑːθ'tʃeə] *n* кре́сло на колёсах для больны́х.

bathe [beið] **1.** *n* купа́ние; to have a ~ вы́купаться; приня́ть ва́нну;

2. *v* 1) купа́ть(ся); окуна́ть(ся); to ~ one's hands in blood обагри́ть ру́ки кро́вью; 2) мыть, обмыва́ть (*те́ло*); промыва́ть (*глаза́*); 3) омыва́ть (*берега́ — о реке́, о́зере*); 4) залива́ть (*о све́те*).

bather ['beiðə] *n* 1) купа́ющийся; 2) купа́льщик; купа́льщица.

bath-house ['bɑːθ,haus] *n* 1) ба́ня; 2) купа́льня.

bathing ['beiðiŋ] **1.** *pres. p. от* bathe 2; **2.** *n* купа́ние.

bathing-box ['beiðiŋbɔks] *n* каби́на для купа́ющихся.

bathing-costume ['beiðiŋ,kɔstjuːm] *n* купа́льный костю́м.

bathing-machine ['beiðiŋmə,ʃiːn] *n* каби́на на колёсах для раздева́ния купа́ющихся.

bathing-place ['beiðiŋpleis] *n* морско́й куро́рт.

bathometer [bə'θɔmitə] *n* бато́метр.

bathos ['beiθɔs] *n* 1) глубина́; бе́здна; the ~ of stupidity верх глу́пости; 2) *лит.* перехо́д от высо́кого к коми́ческому (*о сти́ле*).

bath-robe ['bɑːθroub] *n* купа́льный хала́т.

bath-room ['bɑːθrum] *n* ва́нная (ко́мната).

bath-tub ['bɑːθtab] *n* ва́нна.

bathymetry [bə'θimitri] *n* измере́ние глубины́ (*мо́ря*).

bathysphere ['bæθisfiə] *n* батисфе́ра (*снаря́д для погруже́ния в глубины́ мо́ря*).

batik ['bætik] *n те́кст.* 1) ба́тик; 2) *attr.*: ~ printing ба́тиковая наби́вка.

bating ['beitiŋ] *prep* за исключе́нием.

batiste [bæ'tiːst] *n* бати́ст.

batman ['bætmən] *n вое́н.* денщи́к, вестово́й, ордина́рец.

baton ['bætən] **1.** *n* 1) жезл; 2) дирижёрская па́лочка; 3) *спорт.* эстафе́тная па́лочка; to pass the ~ переда́ть эстафе́ту; 4) полице́йская дуби́нка;

2. *v* бить дуби́нкой (*о полице́йском*).

batsman ['bætsmən] *n* отбива́ющий, бью́щий (*в кри́кете, бейсбо́ле*).

batta ['bætə] *n а́нгло-и́нд.* дополни́тельное де́нежное дово́льствие, выпла́чиваемое офице́рам и солда́там, находя́щимся на фро́нте.

battalion [bə'tæljən] *n* батальо́н; *амер. тж.* артиллери́йский дивизио́н.

battels ['bætlz] *n pl* отчёт о су́ммах, израсхо́дованных на содержа́ние колле́джа (*в О́ксфорде*).

batten I ['bætn] **1.** *n* 1) доска́ (*не ши́ре 7 дю́ймов*); ре́йка; дра́нка; 2) *attr.* доща́тый; ~ wall доща́тая перегоро́дка;

2. *v* 1) скрепля́ть (попере́чными) ре́йками; зака́лачивать до́сками; 2) *мор.* задра́ивать (*обыкн.* ~ down).

batten II ['bætn] *v* 1) отка́рмливаться, жире́ть; 2) преуспева́ть за счёт други́х; 3) утучня́ться (*о по́чве*).

batter I ['bætə] **1.** *n* 1) взби́тое те́сто; 2) мя́тая гли́на; густа́я ли́пкая грязь; 3) *вое́н.* си́льный артиллери́йский обстре́л; урага́нный ого́нь; 4) *полигр.* сби́тый шрифт;

2. *v* 1) си́льно бить, колоти́ть, дуба́сить; долби́ть (*тж.* ~ about, ~ down); to ~ at the door си́льно стуча́ть в дверь; 2) подверга́ть суро́вой кри́тике; громи́ть; 3) плю́щить (*мета́лл*); меси́ть *или* мять (*гли́ну*); 4) разруша́ть; пробива́ть бре́ши (*артиллери́йским огнём*); 5) *полигр.* сбива́ть (*шрифт*).

batter II ['bætə] *архит.* **1.** *n* усту́п, укло́н (*стены́*);

2. *v* отклоня́ться.

batter III ['bætə] = batsman.

battered ['bætəd] **1.** *p. p. от* batter I, 2; **2.** *a* 1) изби́тый, разби́тый; 2) изно́шенный, потрёпанный; 3) мя́тый.

battering-ram ['bætəriŋræm] *n ист.* тара́н, стеноби́тное ору́дие.

battering-train ['bætəriŋtrein] *n вое́н. ист.* оса́дный парк.

battery ['bætəri] *n* 1) *вое́н.* батаре́я; дивизио́н (лёгкой артилле́рии); *мор.* артилле́рия корабля́; 2) *эл.* батаре́я; гальвани́ческий элеме́нт; 3) *юр.* побо́и, оскорбле́ние де́йствием; ◇ cooking ~ ку́хонная посу́да; to turn a man's ~ against himself поби́ть проти́вника его́ же ору́жием; to mask one's batteries скрыва́ть свои́ наме́рения.

batting ['bætiŋ] *n* ва́тин.

battle ['bætl] **1.** *n* 1) би́тва, сраже́ние, бой; pitched ~ тща́тельно подгото́вленное сраже́ние; 2) борьба́; to fight a losing ~ вести́ борьбу́, обречённую на неуда́чу; 3) *attr.* боево́й; ~ alarm боева́я трево́га; to honour бое́вое отли́чие; ◇ royal дра́ка, о́бщая сва́лка; шу́мная ссо́ра; half the ~ зало́г успе́ха, побе́ды; the ~ of the books учёная диску́ссия; to fight one's ~s over again сно́ва пережива́ть про́шлое; to come unscathed out of the ~ ≅ вы́йти сухи́м из воды́; general's (soldier's) ~ бой, исхо́д кото́рого реша́ет уме́лое кома́ндование (солда́тская до́блесть); above the ~ беспристра́стный, стоя́щий в стороне́ от схва́тки; to fight smb.'s ~s for him лезть в дра́ку за кого́-л.;

2. *v* сража́ться, боро́ться (for — за кого́-л., что́-л.; with, against — с кем-л., чем-л.).

battle-array ['bætlə'reɪ] *n* боево́й поря́док.

battle-axe ['bætlæks] *n ист.* 1) боево́й топо́р; 2) алеба́рда.

battlecraft ['bætlkrɑːft] *n* боево́е мастерство́.

battle-cruiser ['bætl‚kruːzə] *n* лине́йный кре́йсер.

battle-cry ['bætlkraɪ] *n* 1) боево́й клич; 2) ло́зунг.

battledore ['bætldɔː] *n* 1) валёк; ска́лка; 2) раке́та (*в волане*); ~ and shuttle-cock игра́ в вола́н.

battle dress ['bætldres] *n воен.* похо́дная фо́рма.

battle-field ['bætlfiːld] *n* по́ле сраже́ния, по́ле бо́я.

battle-fleet ['bætlfliːt] *n* лине́йный флот.

battle-grey ['bætlgreɪ] *a* защи́тного цве́та.

battle-ground ['bætlgraund] *n* 1) райо́н бо́я, сраже́ния; теа́тр вое́нных де́йствий; 2) предме́т спо́ра.

battlement ['bætlmənt] *n* (*часто pl*) 1) зубча́тая стена́; зубцы́ (*стен, башен*); 2) зубча́тые верху́шки гор.

battle-order ['bætl‚ɔːdə] *n воен.* 1) боево́й поря́док; 2) боево́й прика́з; 3) похо́дная фо́рма.

battle-piece ['bætlpiːs] *n жив.* бата́льная карти́на.

battle-plane ['bætl‚pleɪn] *n ав.* штурмово́й самолёт, истреби́тель.

battle-seasoned ['bætl‚siːznd] *a* 1) зака́лённый в боя́х; 2) боеспосо́бный.

battle-ship ['bætlʃɪp] *n* лине́йный кора́бль, линко́р.

battle-tried ['bætltraɪd] *a* име́ющий боево́й о́пыт; обстре́лянный.

battle-wagon ['bætl‚wægən] *n амер. мор. разг.* линко́р.

battue [bæ'tuː] *фр. n* 1) обла́ва (*на охоте*); 2) тща́тельный о́быск; 3) резня́, бо́йня.

batty ['bætɪ] *a разг.* сумасше́дший.

bauble ['bɔːbl] *n* игру́шка, безделу́шка, пустя́к; ◇ fool's ~ жезл шута́ (*с осли́ными уша́ми*).

baubling ['bɔːblɪŋ] *a* пустя́чный.

baulk [bɔːk] = balk.

baulky ['bɔːkɪ] *a* balky.

bauxite ['bɔːksaɪt] *n мин.* бокси́т, алюми́ниевая руда́.

bawbee [bɔː'biː] *n шотл. разг.* полпе́нни.

bawd [bɔːd] *n уст.* 1) сво́дня; содержа́тельница публи́чного до́ма; 2) непристо́йности.

bawdry ['bɔːdrɪ] *n* 1) сво́дничество; 2) скверносло́вие.

bawdy ['bɔːdɪ] 1. *a* непристо́йный; 2. *n* скверносло́вие.

bawdy-house ['bɔːdɪhaus] *n* дом терпи́мости, публи́чный дом.

bawl [bɔːl] 1. *n* крик; 2. *v* крича́ть, ора́ть (at — на кого́-л.); to ~ and squall горла́нить; □ ~ out крича́ть, выкри́кивать; to ~ out abuse руга́ться; to ~ out smb. накрича́ть на кого́-л.

bawn [bɔːn] *n* 1) двор за́мка; 2) заго́н для скота́.

bay I [beɪ] *n* зали́в, бу́хта, губа́.

bay II [beɪ] *n* 1) *стр.* пролёт (*между коло́ннами*); пролёт моста́; пане́ль; 2) ни́ша; глубо́кий вы́ступ ко́мнаты с окно́м, «фона́рь»; 2) железнодоро́жная платфо́рма; 4) судово́й лазаре́т.

bay III [beɪ] 1. *n* лай; ◇ at ~ в безвы́ходном положе́нии; to bring (*или* to drive) to ~ а) *охот.* загна́ть (*зверя*); б) припере́ть к стене́; в) *воен.* заста́вить (*проти́вника*) приня́ть бой; to hold (*или* to keep) smb. at ~ держа́ть кого́-л. в стра́хе, не подпуска́ть; to stand at ~, to turn to ~ отча́янно защища́ться; 2. *v* 1) ла́ять; 2) пресле́довать, трави́ть; загоня́ть (*зверя*).

bay IV [beɪ] 1. *a* гнедо́й; 2. *n* гнеда́я ло́шадь.

bay V [beɪ] *n* 1) лавр, ла́вровое де́рево; 2) *pl* ла́вры; ла́вровый вено́к; 3) *attr.*: ~ rum лавро́ви́шневая вода́.

bayadère [‚bɑːjə'dɪə] *фр. n* 1) баяде́рка; 2) полоса́тая мате́рия.

bayonet ['beɪənɪt] 1. *n* 1) штык; to charge with the ~ бро́ситься в штыки́; at the point of the ~ си́лой ору́жия; на штыка́х; 2) *attr.* штыково́й; ~ fighting штыково́й бой; 2. *v* коло́ть штыко́м; □ ~ into заста́вить си́лой, прину́дить.

bayou ['baiuː] *n* заболо́ченный рука́в реки́, о́зера *или* морско́го зали́ва (*на юге США*).

bay-salt ['beɪ'sɔːlt] *n* оса́дочная морска́я *или* озёрная соль.

bay window ['beɪ'wɪndou] *n стр.* фона́рь.

baywood ['beɪ‚wud] *n* махаго́ниевое де́рево.

baza(a)r [bə'zɑː] *n* 1) восто́чный база́р, ры́нок; 2) большо́й магази́н; Christmas ~ база́р ёлочных украше́ний; 3) благотвори́тельный база́р.

bazooka [bə'zuːkə] *n амер. разг.* реакти́вное противота́нковое ружьё.

bdellium ['delɪəm] *n* бде́ллий (*род аромати́ческой смолы*).

be [biː] *v* (*sing* was, *pl* were; been) 1) быть, существова́ть; 2) жить; находи́ться; быва́ть; where are my books? где мой кни́ги?; are you often in town? ча́сто ли вы быва́ете в го́роде?; 3) происходи́ть, случа́ться; 4) сто́ить; how much is it? ско́лько э́то сто́ит?; 5) *в составном именном сказуемом является глаголом-связкой*: he is a teacher он учи́тель; I am cold мне хо́лодно; 6) *как вспомогательный глагол служит*: а) *для образования длительной формы*: I am reading я чита́ю; б) *для образования пассива*: such questions are settled by the committee подо́бные вопро́сы разреша́ются комите́том; 7) *модальный глагол с последующим инфинитивом означает долженствование, возможность, намерение*: I am to inform you я до́лжен вас извести́ть; he is to be there now он до́лжен быть там сейча́с; ◇ ~ about а) собира́ться (*c inf.*); he is about to go он собира́ется уходи́ть; б) быть за́нятым чем-л.; в) быть на нога́х, встать; be at намерева́ться; what would you be at? каковы́ ва́ши наме́рения?; be away а) отсутствовать; б) = be off; be back верну́ться; be for а) стоя́ть за *кого́-л., что́-л.*; б) отправля́ться в; be in а) прийти́, прибы́ть (*о поезде, пароходе и т. п.*); наступи́ть (*о времени года*); б) поспе́ть (*о фруктах*); в) быть до́ма; г) прийти́ к вла́сти (*о политической партии*); д): be in on smth. уча́ствовать в чём-л.; be off уходи́ть; the train is off по́езд ушёл; be on а) происходи́ть; б) идти́ (*о спектакле*); what is on at the Bolshoi theatre today? что идёт в Большо́м теа́тре сего́дня?; be out не быть до́ма, в ко́мнате *и т.п.*; be up а) зако́нчиться; б) встать, подня́ться; в) повы́ситься в цене́; г) произойти́; д): be up to smth. замышля́ть что-л.; ◇ how are you? здра́вствуйте!, как вы пожива́ете?; to be going собира́ться (*с inf. часто придаёт значение будущего времени*): the clock is going to strike часы́ сейча́с бу́дут бить); to let be оставля́ть в поко́е; to be oneself а) прийти́ в себя́; *б*) быть сами́м собо́й; to be of (a group, class, *etc.*) быть одни́м из (гру́ппы, кла́сса *и т. п.*); they knew he was not of them они́ распозна́ли в нём чужо́го; to be in smb. быть сво́йственным, хара́ктерным для кого́-л.; it is not in him to do such a thing э́то не в его́ нату́ре; на него́ э́то непохо́же; I've been there *разг.* всё э́то уже́ изве́стно; you've been (and gone) and done it *разг.* ≅ ну и наде́лали вы дел.

be- [bɪ-] *pref* 1) присоединя́ется к *пере́ходным глаголам со значением:* а) круго́м, вокру́г; *напр.*: beset, besiege окружи́ть, осади́ть, обложи́ть (*город, крепость*); б) по́лностью, целико́м; *напр.*: besmear запа́чкать, замара́ть, заса́лить; bescorch опаля́ть, обжига́ть; 2) *в сочетании с прилагательным и существительным образует переходные глаголы с соответствующим значением; напр.*: belittle умаля́ть, уменьша́ть, принижа́ть; bedim затемня́ть, затума́нивать; 3) *образует переходные глаголы со значением подвергнуть действию, покрыть, обработать так, как указывает значение существительного или прилагательного; напр.*: becloud завола́кивать, покрыва́ть ту́чами; beguile обману́ть; bespangle осы́пать блё́стками.

beach [biːtʃ] 1. *n* пляж, отло́гий морско́й бе́рег, взмо́рье; о́тмель; бе́рег мо́ря ме́жду ли́ниями прили́ва и отли́ва; to hit the ~ приста́ть к бе́регу, вы́садиться; ◇ to be on the ~ разори́ться; оказа́ться в тяжё́лом положе́нии, на мели́; б) *мор. sl.* быть в отста́вке; 2. *v* 1) посади́ть на мель; 2) выта́скивать на бе́рег.

beach-comber ['biːtʃˌkoumə] *n* 1) океа́нская волна́, набега́ющая на бе́рег; 2) *sl.* обита́тель острово́в Ти́хого океа́на, живу́щий добыва́нием же́мчуга и случа́йной рабо́той.

beach-head ['biːtʃhed] *n воен.* берегово́й плацда́рм (при вы́садке деса́нта); предмо́стное укрепле́ние.

Beach-la-mar ['biːtʃlə'maː] *n* англи́йский жарго́н на острова́х Полине́зии.

beach-mariner ['biːtʃ'mærɪnə] *n шутл.* сухопу́тный моря́к.

beach-master ['biːtʃˌmaːstə] *n* вое́нно-морско́й коменда́нт пу́нкта вы́садки.

beacon ['biːkən] 1. *n* 1) мая́к; ба́кен; буй; 2) сигна́льный ого́нь; 3) сигна́льная ба́шня; 4) предостереже́ние; 5) радиомая́к; 6) *attr.*: ~ fire, ~ light сигна́льный ого́нь; 2. *v* 1) освеща́ть сигна́льными огня́ми, ба́кенами; 2) свети́ть, ука́зывать путь; служи́ть маяко́м.

beaconage ['biːkənɪdʒ] *n* сбор за содержа́ние ба́кенов и маяко́в.

bead [biːd] *n* 1) ша́рик, бу́сина; би́серина; 2) *pl* бу́сы; би́сер; 3) *pl* чётки; to tell one's ~s чита́ть моли́твы (перебира́я чётки); 4) ка́пля; 5) пузырё́к (во́здуха); 6) *воен.* му́шка; to draw a ~ on прице́ливаться; 7) *тех.* борт, от́о́гнутый край, запле́чик, ребо́рда, бу́ртик; 8) *архит.* ка́пельки (*украшения по краю фронтона*); ◇ to pray without one's ~s просчита́ться; 2. *v* 1) нани́зывать (бу́сы); the houses are ~ed along the river дома́ те́сно стоя́т (*букв.* нани́заны на бу́сы) вдоль реки́; 2) украша́ть бу́сами; 3) выши́вать би́сером; 4) *уст.* чита́ть моли́твы; 5) *тех.* отгиба́ть борт; расчека́нивать.

beaded ['biːdɪd] 1. *p.p. от* bead 2; 2. *a* 1) нани́занный (*о бусах или перен. как бусы*); 2) похо́жий на бу́сы, би́сер, ка́пельки.

beadle ['biːdl] *n* 1) университе́тский пе́дель; 2) церко́вный сто́рож; 3) *уст.* курье́р при суде́.

beadledom ['biːdldəm] *n* неле́пый формали́зм; канцеля́рщина.

bead-roll ['biːd͵roul] *n* 1) спи́сок, пе́речень; 2) родосло́вная; 3) чётки; 4) *уст.* помина́льный спи́сок.

beadsman ['biːdzmən] *n* 1) призрева́емый в богаде́льне; 2) *уст.* богомо́лец.

beady ['biːdɪ] *a* 1) похо́жий на бу́синку, ма́ленький и блестя́щий (*о глазах*); 2) покры́тый ка́пельками.

beagle ['biːgl] *n* 1) го́нчая (*собака*); a pack of ~s ста́я го́нчих; 2) сы́щик.

beagling ['biːglɪŋ] *n* охо́та с го́нчими.

beak [biːk] *n* 1) клюв; 2) что-л., напомина́ющее клюв (крючкова́тый нос, но́сик сосу́да, вы́ступ на носу́ стари́нного корабля́ *и т. п.*); 3) *разг.* судья́; 4) *sl.* учи́тель, дире́ктор (*школы*); 5) *архит.* слезни́к.

beaked [biːkt] *a* 1) име́ющий клюв; 2) выступа́ющий (*о мысе, скале*).

beaker ['biːkə] *n* 1) ку́бок, ча́ша; 2) лаборато́рный стака́н; мензу́рка.

beam [biːm] 1. *n* 1) луч, пучо́к луче́й; 2) сия́ние; сия́ющий вид; сия́ющая улы́бка; 3) ба́лка; брус, перекла́дина; 4) тка́цкий наво́й; 5) *уст.* ды́шло; 6) *тех.* баланси́р (*тж.* walking ~, working ~); коромы́сло (*весов*); to kick (*или* to strike) the ~ оказа́ться ле́гче, подня́ться до преде́ла (*о чаше весов*); *перен.* потерпе́ть пораже́ние; 7) *мор.* бимс, ширина́ (*судна*); on the ~ на тра́версе; 8) *с.-х.* гряди́ль (*плуга*); 9) радиосигна́л (*для самолёта*); 10) ра́диус де́йствия (*микрофона, громкоговорителя*); 11) *attr.*: ~ sea бокова́я волна́; ~ aerial *радио* лучева́я антéнна; ◇ ~ in one's eye «бревнó в сóбственном глазý», большóй недостáток; to be on the ~ быть на прáвильном путú; to be off the ~ сбúться с путú; to be off one's ~ *амер. груб.* рехнýться; to tip (*или* to turn) the ~ решúть исхóд дéла; to be on one's ~ ends а) *мор.* лежáть на бокý (*о судне*); б) быть в опáсности, в безвýходном положéнии;

2. *v* 1) сиять; светúть; 2) смотрéть с сияющей улыбкой; 3) испускáть лучú, излучáть; 4) определять местонахождéние самолёта с пóмощью радара; 5) передавáть (радиопередáчу) для определённой страны.

beamer ['biːmə] *n текст.* навивáльщик оснóвы, сновáльщик.

beam thread ['biːm,θred] *n текст.* оснóвная нить.

beam wireless ['biːm,waɪəlɪs] *n радио* лучевáя *или* прожéкторная радиосвязь.

bean [biːn] *n* 1) боб; kidney ~, French ~ фасóль; horse ~s кóнские бобы; 2) *sl.* головá, башкá; 3) *sl.* монéта (*осóб.* золотáя); not to have a ~ не имéть ни грошá; not worth a ~ ≅ грошá лóманого не стóит; ◇ full of ~s а) горячий (*о лóшади*); б) живóй, энергúчный; в припóднятом настроéнии; like ~s во всю прыть; to give smb. ~s *разг.* а) вздуть, наказáть когó-л.; б) побúть когó-л. (*в состязáнии*); to get ~s *разг.* быть накáзанным, избúтым; a hill of ~s *амер.* пустякú; old ~ *sl.* старинá, дружúще; to spill the ~s а) выдать секрéт, проболтáться; б) расстрóить (*чьи-л.*) плáны; в) попáсть в глупое положéние, в бедý; every ~ has its black *посл.* ≅ и на сóлнце есть пятна; he found the ~ in the cake емý посчастлúвилось, повезлó; to know ~s, to know how many ~s make five знать что к чемý; быть себé на умé.

beanery ['biːnərɪ] *n амер. разг.* закýсочная.

bean-feast ['biːnfiːst] *n* 1) прáзднество; 2) традициóнный обéд, устрáиваемый хозяином для служащих раз в год.

beano ['biːnou] *n* (*pl* -os [-ouz]) *sl.* = bean-feast.

bean-pod ['biːnpɔd] *n* бобóвый стручóк.

bear I [bɛə] 1. *n* 1) медвéдь; 2) грýбый, невоспúтанный человéк; to play the ~ вестú себя грýбо; 3) *бирж.* спекулянт, играющий на понижéние; 4) *астр.*: Great (Little) B. Большáя (Мáлая) Медвéдица; 5) дверопробúвный пресс, медвéдка; 6) *метал.* козёл; 7) *мор. разг.* швáбра (*для мытья палубы*); 8) *attr.*: ~ pool *бирж.* объединéние спекулянтов, играющих на понижéние; ◇ cross (*или* sulky, surly) as a ~ зол как чёрт; bridled ~ юнéц, путешéствующий с гувернёром; to take a ~ by the tooth бесцéльно подвергáть себя опáсности; to sell the ~'s skin before one has caught the ~ делúть шкýру неубúтого медвéдя; had it been a ~ it would have bitten you ≅ вы ошúблись, обознáлись; (оказáлось) не так стрáшно, как вы дýмали.

2. *v бирж.* игрáть на понижéние.

bear II [bɛə] *v* (bore; borne) 1) носúть; нестú; переносúть; перевозúть; 2) выдéрживать; нестú груз, тяжесть; поддéрживать;

подпирáть; will the ice ~ today? достáточно ли крéпок лёд сегóдня?; 3) (*p.p.* born) рождáть, производúть; to ~ children рожáть детéй; to ~ fruit приносúть плоды; born in 1919 рождéния 1919 гóда; 4) питáть, имéть (*чýвство*); 5) терпéть, выносúть; I can't ~ him я егó не выношý; 6) *refl.* держáться; вестú себя; 7) опирáться (on); 8) простирáться; □ ~ away а) выиграть (*приз, кýбок и т. п.*); выйти победúтелем; б) to be borne away быть захвáченным, увлечённым; ~ down а) преодолевáть; б) *мор.* подходúть по вéтру; в) устремляться (upon — к); набрáсываться, нападáть (upon — на *когó-л.*); г) влиять (on); ~ in: to be borne in on smb. становúться ясным, понятным комý-л.; ~ off отклоняться; ~ on касáться, имéть отношéние к *чемý-л.*; ~ out подтверждáть; подкреплять; поддéрживать; ~ up а) поддéрживать; подбáдривать; б) держáться стóйко; в) *мор.* спускáться (*по вéтру*); г): to ~ up for взять направлéние на; ~ upon — on; ~ with относúться терпелúво к *чемý-л.*; мирúться с *чем-л.*; ◇ to ~ arms а) носúть орýжие; служúть в áрмии; to ~ arms against smb. поднять орýжие на когó-л., восстáть прóтив когó-л.; б) имéть *или* носúть герб; to ~ company а) составлять компáнию, сопровождáть; б) ухáживать; to ~ comparison выдéрживать сравнéние; to ~ a hand учáствовать; помогáть; to ~ hard on smb. подавлять когó-л.; to ~ in mind пóмнить; имéть в видý; to ~ a part принимáть учáстие; to ~ a resemblance быть похóжим, имéть схóдство; to ~ to the right *etc.* принимáть впрáво *и т. п.*; to ~ the signature имéть пóдпись; быть подпúсанным; to ~ testimony — to witness свидéтельствовать, покáзывать, давáть показáния.

bearable ['bɛərəbl] *a* снóсный, терпúмый.

bear-baiting ['bɛə,beɪtɪŋ] *n* трáвля медвéдя.

beard [bɪəd] 1. *n* 1) бородá; to laugh in one's ~ смеяться украдкой; to speak in one's ~ бормотáть (*колоса*); 3) кóнчик вязáльного крючкá; 4) зубéц; зазýбрина; 5) жáбры (*ýстрицы*); ◇ to laugh at smb.'s ~ а) смеяться в лицó комý-л.; б) пытáться одурáчить когó-л.; to pluck (*или* to take) by the ~ решúтельно нападáть;

2. *v* 1) брать за бóроду; 2) смéло выступáть прóтив; to ~ the lion in his den смéло подходúть к опáсному *или* стрáшному человéку; 3) отёсывать края доскú *или* брýса.

bearded ['bɪədɪd] 1. *p.p. от* beard 2; 2. *a* 1) бородáтый; 2) *бот.* остúстый.

beardless ['bɪədlɪs] *a* безборóдый; *перен.* юношеский.

bearer ['bɛərə] *n* 1) тот, кто нóсит *и пр.* [*см.* bear II]; 2) носúльщик; 3) подáтель (*письмá*); предъявúтель (*чéка*); 4) плодоносящее растéние; this tree is a good (poor) ~ это дéрево принóсит хорóший (плохóй) урожáй; 5) *тех.* опóра; подýшка.

bearer company ['bɛərə,kʌmpənɪ] *n воен.* носúлочная рабóта.

beargarden ['bɛə,gɑːdn] *n* 1) медвéжий садóк; 2) шýмное сбóрище, «базáр».

bearing₁ ['bɛərɪŋ] 1. *pres.p. от* bear II;

2. *n* 1) ноше́ние; 2) произведе́ние на свет; 3) плодоноше́ние; 4) поведе́ние; мане́ра держа́ть себя́; 5) терпе́ние; beyond (*или* past) all ~ нестерпи́мый; нестерпи́мо; 6) отноше́ние; to consider a question in all its ~s рассма́тривать вопро́с со всех сторо́н; this has no ~ on the question э́то не име́ет никако́го отноше́ния к де́лу, вопро́су; 7) значе́ние; the precise ~ of the word то́чное значе́ние сло́ва; 8) *pl* деви́з (*на гербе́*); 9) *тех.* подши́пник; roller ~ ро́ликовый подши́пник; 10) *тех.* опо́ра; то́чка опо́ры; 11) *pl мор., ав., воен.* пе́ленг, румб; а́зимут; to lose one's ~s потеря́ть ориентиро́вку; заблуди́ться; *перен.* растеря́ться; to take one's ~s ориенти́роваться, определя́ть положе́ние.

3. *a* 1) несу́щий; 2) рожда́ющий, порожда́ющий; ◇ ~ finger пеленга́тор; ~ capacity грузоподъёмность; допусти́мая нагру́зка.

bearing II ['bɛərɪŋ] *pres. p. от* bear I, 2.

bearish ['bɛərɪʃ] *a* 1) медве́жий; 2) гру́бый; 3) *бирж.* понижа́тельный.

bearleader ['bɛə‚liːdə] *n* 1) вожа́к (медве́дя); 2) *разг.* гуверне́р, путеше́ствующий с бога́тым молоды́м челове́ком.

bear's-grease ['bɛəz‚griːs] *n* пома́да (*для воло́с*).

bearskin ['bɛəskɪn] *n* 1) медве́жья шку́ра; 2) то́лстый шерстяно́й материа́л для шуб; 3) медве́жья ша́пка (*англи́йских гварде́йцев*).

beast [biːst] *n* 1) зверь, живо́тное; скоти́на; ~ of burden вью́чное живо́тное; ~ of prey хи́щный зверь; to make a ~ of oneself безобра́зно вести́ себя́; 2) *собир.* отгу́льный скот.

beastliness ['biːstlɪnɪs] *n* 1) сви́нство, ско́тство; 2) га́дость.

beastly ['biːstlɪ] 1. *a* 1) живо́тный, гру́бый; непристо́йный; 2) *разг.* ужа́сный, проти́вный; ~ weather отврати́тельная пого́да; 2. *adv разг.* (*слу́жит для усиле́ния отрица́тельного при́знака*) отврати́тельно, ужа́сно; it is ~ wet ужа́сно сы́ро, мо́кро.

beat [biːt] 1. *n* 1) уда́р; бой (*бараба́на*); бие́ние (*се́рдца*); 2) колеба́ние (*ма́ятника*); 3) такт; отбива́ние та́кта; 4) ритм, разме́р; the measured ~ of the waves разме́ренный плеск волн; 5) дозо́р, обхо́д; райо́н (*обхо́да*); to be on the ~ соверша́ть обхо́д; обходи́ть дозо́ром; to be off (*или* out of) one's ~ быть вне привы́чной сфе́ры де́ятельности *или* компете́нции; 6) *амер. sl.* газе́тная сенса́ция; 7) *амер. sl.* безде́льник; 8) *разг.* что-л. превосхо́дящее; I've never seen his ~ он бесподо́бен; 9) *физ.* бие́ние, пульса́ция зву́ковых *или* световы́х волн; 10) *охот.* ме́сто обла́вы;

2. *v* (beat; beat, beaten) 1) бить, ударя́ть, колоти́ть; to ~ the breast бить себя́ в грудь; 2) выбива́ть (*дробь на бараба́не*); отбива́ть (*котле́ту*); взбива́ть (*те́сто, я́йца*); отбива́ть (*часы́*); толо́чь (*в порошо́к; тж.* ~ small); выкола́чивать (*ковёр, оде́жду, ме́бель и т. п.*); 3) би́ться (*о се́рдце*); разбива́ться (*как во́лны о ска́лы*); хлеста́ть, стуча́ться (*как дождь в о́кна*); 4) побива́ть, побежда́ть; the team was ~en at soccer кома́нда потерпе́ла пораже́ние в футбо́ле; 5) превосходи́ть; it ~s everything I ever

heard э́то превосхо́дит всё когда́-л. слы́шанное мно́ю; to ~ smth. hollow превзойти́, затми́ть что-л.; it ~s the band (*или* all, anything, creation, my grandmother, the devil, hell, the world) э́то превосхо́дит всё; э́то невероя́тно; 6) надува́ть; моше́нничать; обходи́ть (*зако́н и т. п.*); 7) *охот.* обры́скать (*лес*); 8) *мор.* лави́ровать, боро́ться с встре́чным ве́тром, тече́нием; ☐ ~ about: to ~ about the bush ходи́ть вокру́г да о́коло; подходи́ть к де́лу осторо́жно, издалека́; tell me straight what you want without ~ing about the bush говори́те пря́мо, без обиняко́в, что вы хоти́те; ~ back отбива́ть, отража́ть; ~ down a) сбива́ть (*це́ну*); б) сломи́ть (*сопротивле́ние, оппози́цию*); ~ in проломи́ть; раздави́ть; ~ into вбива́ть, вкола́чивать; ~ off = ~ back; ~ out выбива́ть, кова́ть (*мета́лл*); to ~ out the meaning разъясня́ть значе́ние; to be ~en out *амер.* быть в изнеможе́нии; ~ up a) взбива́ть (*я́йца и т. п.*); б) вербова́ть (*рекру́тов*); в) избива́ть; обходи́ться со зве́рской жесто́костью; г): ~ up the quarters of посеща́ть; д) *мор.* продвига́ться про́тив ве́тра, про́тив тече́ния; ◇ to ~ smb. hollow (*или* all to pieces, to nothing, to ribbands, to smithereens, to sticks) разби́ть кого́-л. на́голову; to ~ it *амер.* удира́ть; ~ it! *амер.* прочь!, вон!; to ~ goose хло́пать себя́ по бока́м, что́бы согре́ться; to ~ the air (*или* the wind) занима́ться бесполе́зным де́лом; по́пусту стара́ться; to ~ one's brains (*или* head) with (*или* about) a thing лома́ть себе́ над чем-л. го́лову; to ~ one's way *амер.* пробира́ться; that ~s me не могу́ э́того пости́чь; э́то вы́ше моего́ понима́ния; can you ~ it? мо́жете ли вы себе́ предста́вить что-л. подо́бное!

beatax ['biːtæks] *n* моты́га, оку́чник.

beaten ['biːtn] 1. *p. p. от* beat 2;

2. *a* 1) би́тый, побеждённый, разби́тый; 2) изби́тый, бана́льный; 3) утомлённый, изму́ченный; 4) проторённый; ~ path (*или* track) а) прое́зжая доро́га; б) проторённая доро́жка; рути́на; off the ~ track в стороне́ от большо́й доро́ги; *перен.* в малоизве́стных, малоизу́ченных областя́х; 5) ко́ваный; 6) *воен.* поража́емый; ~ area обстре́ливаемый райо́н.

beater ['biːtə] *n* 1) тот, кто бьёт; 2) *охот.* заго́нщик; 3) колоту́шка; пёст(ик); 4) *текст.* трепа́ло, би́ло; 5) *с.-х.* цеп; би́тер (*комба́йна*).

beatific(al) [‚biːə'tɪfɪk(əl)] *a* блаже́нный; даю́щий блаже́нство.

beatify [biː'ætɪfaɪ] *v* 1) де́лать счастли́вым; 2) *церк.* канонизи́ровать.

beating ['biːtɪŋ] 1. *pres. p. от* beat 2;

2. *n* 1) битьё, по́рка; 2) пораже́ние; 3) бие́ние (*се́рдца*); 4) взма́хивание (*кры́льями*).

beatitude [biː'ætɪtjuːd] *n* блаже́нство.

beau [bou] *фр.* 1. *n* (*pl* beaux) щёголь, франт; (да́мский) кавале́р; 2. *a:* ~ ideal идеа́л, образе́ц соверше́нства.

beauteous ['bjuːtjəs] *a поэт.* прекра́сный, краси́вый.

beautician [bjuː'tɪʃən] *n* космети́чка.

beauticraft ['bjuːtɪkrɑːft] *n* космéтика.
beautiful ['bjuːtəful] *a* 1) красúвый, прекрáсный; 2) превосхóдный.
beautify ['bjuːtɪfaɪ] *v* украшáть.
beauty ['bjuːtɪ] *n* 1) красотá; 2) красáвица; 3) прéлесть (*часто ирон.*); that's the ~ of it в этом-то вся прéлесть; you are a ~ хорóш ты, нéчего сказáть!; ◇ ~ is in the eye of the gazer (*или* the beholder) ≅ не по хорóшу мил, а пó милу хорóш; ~ is but skin deep наружность обмáнчива; нельзя судúть по наружности.
beauty parlour ['bjuːtɪˌpɑːlə] *n* космети-ческий кабинéт; инститýт красоты́.
beauty-sleep ['bjuːtɪsliːp] *n* рáнний сон (*до полуночи*).
beauty-spot ['bjuːtɪspɔt] *n* мýшка (*на лице*).
beaux [bouz] *pl от* beau 1.
beaver I ['biːvə] *n* 1) бобр; 2) бобёр, боб-рóвый мех; 3) касто́ровая шляпа.
beaver II ['biːvə] *n* 1) *ист.* забрáло; 2) *sl.* бородá; 3) *sl.* бородáч.
beaver-rat ['biːvəræt] *n зоол.* ондáтра.
beaverteen ['biːvətiːn] *n* хлопчатобумáж-ная ворсóвая диагонáль.
becalm [bɪˈkɑːm] *v* 1) успокáивать; 2) за-штилевáть (*о судне*).
becalmed [bɪˈkɑːmd] 1. *p. p. от* becalm; 2. *a мор.* заштилéвший (*о судне*); стíх-ший (*о ветре*).
became [bɪˈkeɪm] *past от* become.
because [bɪˈkɔz] *cj* 1) потомý что; так как; 2): ~ of (*употр. как предлог*) из-за, вслéд-ствие.
bechamel [ˌbeɪʃaˈmel] *n* сóус бешамéль.
beck I [bek] 1. *n* кивóк; приветствие рукóй; ◇ to be at smb.'s ~ and call быть всецéло в чьём-л. распоряжéнии;
2. *v* манúть; кивáть; дéлать знáки (*рукой*).
beck II [bek] *n сев.* ручéй.
beckon ['bekən] *v* манúть; кивáть; дé-лать знак (*рукой*).
becloud [bɪˈklaud] *v* затемня́ть; заволá-кивать; затумáнивать (*зрение, рассудок*).
become [bɪˈkʌm] *v* (became; become) 1) *употр. как глагол-связка* дéлаться, стано-вúться; he became a teacher он стал учúте-лем; it became cold стáло хóлодно; полу-чáться (of); what has ~ of him? что с ним стáлось?; кудá он девáлся?; 3) годúться, прилúчествовать; 4) быть к лицý; this dress ~s you well это плáтье вам óчень идёт.
becoming [bɪˈkʌmɪŋ] 1. *pres. p. от* become; 2. *a* 1) прилúчествующий, подобáющий; 2) (идýщий) к лицý (*о платье*);
3. *n филос.* становлéние.
bed [bed] 1. *n* 1) постéль, кровáть, лóже; ~ of straw солóменный тюфя́к; to make the ~ стлать постéль; to go to ~ ложúться спать; to take to one's ~ слечь в постéль; to keep to one's ~ хворáть; лежáть в постéли; to leave one's ~ вы́здороветь, встать с постéли; 2) клýмба; грядá; гря́дка; 3) дно (*моря, реки*); 4) *поэт.* могúла; the ~ of honour могúла пáвшего в бою́; to put to ~ with a shovel хоронúть; 5) *геол.* пласт, слой; залегáние; 6) *ж.-д.* баллáстный слой; полот-нó; 7) *стр.* основáние (*для фундамента*);

8) *тех.* станúна; *воен. уст.* станóк морти́-ры; ◇ as you make your ~, so you must lie upon it *посл.* ≅ что посéешь, то и пожнёшь; ~ of roses (*или* flowers) лёгкая жизнь; a ~ of thorns неприя́тное, трýдное положéние; to go to ~ in one's boots *груб.* быть мертвéц-ки пья́ным; to die in one's ~ умерéть сóб-ственной смéртью; to be brought to ~ (of a boy) родúть, разрешúться от брéмени (мáль-чиком); to go to ~ with the lamb and rise with the lark ≅ ложúться спозарáнку и вставáть с петухáми; early to ~ and early to rise makes a man healthy, wealthy and wise *посл.* кто рáно ложится и рáно встаёт, здо-рóвье, богáтство и ум нажива́ет; to get out of ~ on the wrong side ≅ встать с лéвой но-ги́; быть в плохóм настроéнии; ~ and board квартúра и стол, пансиóн;
2. *v* 1) класть в постéль; 2) ложúться в постéль; 3) стлать подстúлку (*для лоша-ди*); 4) сажáть, выса́живать в гря́дки (*обыкн.* ~ out); 5) класть на надлежáщее основáние (*кирпич на слой извёстки и т. п.*); настилáть; □ ~ down *амер.* располагáть (*скот*) на ночлéг.
bedabble [bɪˈdæbl] *v* замочúть; забры́з-гать.
bedaub [bɪˈdɔb] *v* запáчкать, замáзать.
bed-bug ['bedbʌg] = bug 1.
bedchamber ['bedˌtʃeɪmbə] *n уст.* спáль-ня; Gentleman of the King's B. камергéр.
bed-clothes ['bedklouðz] *n pl* постéльное бельё.
bedder ['bedə] *n* 1) растéние, выса́живае-мое в грунт; 2) *унив. sl.* спáльня.
bedding ['bedɪŋ] 1. *pres. p. от* bed 2;
2. *n* 1) постéльные принадлéжности; 2) подстúлка для скотá; 3) основáние, лóже; фундáмент; 4) *геол.* напластовáние, наслое-ние; залегáние;
bede [biːd] *n* кайлá (*горняка*).
bedeck [bɪˈdek] *v* украшáть.
bedel(l) [beˈdel] = beadle 1).
bedevil [bɪˈdevl] *v* 1) терзáть, мýчить; 2) околдовáть; «навестú пóрчу»; 3) сби-вáть с тóлку.
bedew [bɪˈdjuː] *v* покрывáть росóй; обры́з-гивать.
bedfast ['bedfɑːst] *a* прикóванный к по-стéли (*болезнью*).
bedfellow ['bedˌfelou] *n* 1) *уст.* муж; женá; 2) спя́щий на однóй кровáти с товá-рищем; ◇ a strange ~ случáйный знакóмый.
bed-foot ['bedfut] *n* сторонá постéли, про-тивополóжная изголóвью.
bedgown ['bedˌgaun] *n* жéнская ночнáя рубáшка.
bed-ground ['bedgraund] *n амер.* мéсто ночлéга скотá.
bed-head ['bedhed] *n* изголóвье.
bedight [bɪˈdait] *v уст., поэт.* одевáть, покрывáть (*обыкн. употр. в форме p. p.* be-dight, ~ed одéтый, покры́тый).
bedim [bɪˈdim] *v* затемня́ть; затумáни-вать.
bedizen [bɪˈdaizn] *v* я́рко, пёстро укра-шáть, наряжáть(ся).
bedlam ['bedləm] *n* дом умалишённых; *перен.* бедлáм, сумасшéдший дом.

bedlamite ['bedləmaıt] 1. *n* сумасшéдший (человéк);
2. *a* сумасшéдший.

bedouin ['beduın] *n* (*pl* -s [-z] *или без измен.*) бедуúн.

bedpan ['bedpæn] *n* подкладнóе сýдно.

bedpost ['bedpoust] *n* стóлбик кровáти; ◇ between you and me and the ~ стрóго конфиденциáльно; мéжду нáми.

bedraggle [bı'drægl] *v* запáчкать.

bedrid(den) ['bed,rıd(n)] *a* 1) прикóванный к постéли болéзнью; 2) бессúльный; bedrid argument слáбый дóвод.

bed-rock ['bed'rɔk] *n* 1) *геол.* кореннáя подстилáющая порóда, бéдрок; пóчва (*залежи*); 2) основнýе прúнципы; to get down to ~ добрáться до сýти дéла.

bedroom ['bedrum] *n* спáльня; single (double) ~ кóмната с однóй (двумя) кровáтью (кровáтями).

bed-side ['bedsaıd] *n*: to sit (*или* to watch) at (*или* by) a person's ~ ухáживать за больнýм; to have a good ~ manner умéть подойтú к больнóму (*о враче*); to keep books at one's ~ держáть кнúги у кровáти.

bed-sitting-room ['bed'sıtıŋ,rum] *n* однокóмнатная квартúра.

bedsore ['bedsɔ:] *n* прóлежень.

bed-spread ['bedspred] *n* постéльное покрывáло.

bedstead ['bedsted] *n* кровáть.

bedtick ['bedtık] *n* мешóк (*тюфяка*).

bedtime ['bedtaım] *n* врéмя ложúться спать.

bee [bi:] *n* 1) пчелá; *перен.* трудолюбúвый человéк; 2) *амер.* встрéча сосéдей, друзéй *и т. п.* для совмéстной рабóты и взаимопóмощи (*тж.* для спортúвных соревновáний и гуля́нья); ◇ to have a ~ in one's bonnet *разг.* а) быть с причýдой; б) быть помéшанным на чём-л.

bee-bread ['bi:,bred] *n* пергá.

beech [bi:tʃ] 1. *n* бук, бýковое дéрево; 2. *a* = beechen.

beechen ['bi:tʃən] *a* бýковый.

beechnut ['bi:tʃnʌt] *n бот.* бýковый орéшек.

beef [bi:f] 1. *n* (*pl* beeves, *амер.* ~s [-s]) 1) говя́дина; horse ~ конúна; 2) *уст.* бык; корóва; 3) тýша; 4) *разг.* тýша (*о человéке*); 5) сúла, энéргия; 6) *sl.* жáлоба;
2. *v sl.* жáловаться.

beefeater ['bi:f,i:tə] *n* 1) любúтель мя́са; 2) лейб-гвардéец (*при англúйском дворé*).

beefsteak ['bi:f'steık] *n* бифштéкс.

beef tea ['bi:f'ti:] *n* крéпкий, «бутýлочный» бульóн.

beef-witted ['bi:f'wıtıd] *a* глýпый, тупоýмный.

beefy ['bi:fı] *a* мясúстый; крéпкий, мýскулистый.

bee-garden ['bi:gɑ:dn] *n* пáсека, пчéльник.

beehive ['bi:haıv] *n* ýлей.

bee-keeping ['bi:,ki:pıŋ] *n* пчеловóдство.

bee-line ['bi:laın] *n* прямáя (воздýшная) лúния.

Beelzebub [bi:'elzıbʌb] *n миф.* Вельзевýл.

bee-master ['bi:,mɑ:stə] *n* пчеловóд.

been [bi:n (*полная форма*); bın (*редуцúрованная форма*)] *p. p. от* be.

beer I [bıə] *n* пúво; small ~ слáбое пúво; *перен.* пустякú; ◇ ~ and skittles прáздные развлечéния; to be in ~ *разг.* быть вýпивши; to think no small ~ of oneself быть о себé высóкого мнéния; ~ chaser *sl.* «прицéп» (*стакáн пúва вслéд за вúски*).

beer II [bıə] *n тéкст.* ход (*оснóвы*).

beerhouse ['bıəhaus] *n* пивнáя.

beery ['bıərı] *a* 1) пивнóй; отдаю́щий пúвом; 2) подвýпивший.

beestings ['bi:stıŋz] *n pl* молокó новотéльной корóвы, молóзиво.

beeswax ['bi:zwæks] 1. *n* воск;
2. *v* натирáть вóском.

beeswing ['bi:zwıŋ] *n* 1) налёт на стáром, вýдержанном винé (*осóб. на портвéйне*); 2) стáрое винó.

beet [bi:t] *n* свёкла; white ~ сáхарная свёкла.

beetle I ['bi:tl] 1. *n* жук; Colorado ~ колорáдский жук; blind as a ~, ~ blind совершéнно слепóй;
2. *v sl.* 1) спешúть, торопúть(ся); 2) уходúть, отправля́ться (*тж.* ~ off, ~ away).

beetle II ['bi:tl] 1. *n тех.* трамбóвка; бáба; кувáлда; three-man ~ трамбóвка, трéбующая трóих рабóчих; ◇ between the ~ and the block ≅ мéжду мóлотом и накóвальней; в безвýходном положéнии;
2. *v* 1) трамбовáть; 2) дробúть (*кáмни*).

beetle III ['bi:tl] 1. *a* навúсший; выступáющий;
2. *v* выступáть; нависáть.

beetle-browed ['bi:tl,braud] *a* 1) с навúсшими бровя́ми; 2) угрю́мый; мрáчный; насýпленный.

beetle-crusher ['bi:tl,krʌʃə] *n шутл.* 1) сапожúще; 2) ножúща.

beetle-head ['bi:tlhed] *n* болвáн.

beetling I ['bi:tlıŋ] 1. *pres. p. от* beetle III, 2;
2. *a* навúсший; ~ cliffs (brows) навúсшие скáлы (брóви).

beetling II, III ['bi:tlıŋ] *pres. p. от* beetle I, 2 *и* II, 2.

beetroot ['bi:tru:t] *n* свекловúца.

beeves [bi:vz] *pl от* beef.

befall [bı'fɔ:l] *v* (befell; befallen) случáться, приключáться, происходúть; a strange fate befell him стрáнная судьбá егó постúгла.

befallen [bı'fɔ:lən] *p. p. от* befall.

befell [bı'fel] *past от* befall.

befit [bı'fıt] *v* подходúть, прилúчествовать (*кому-л.*).

befog [bı'fɔg] *v* затумáнивать.

befool [bı'fu:l] *v* одурáчивать, обмáнывать.

before [bı'fɔ:] 1. *adv* 1) впередú; вперёд; 2) рáньше, прéжде, ужé; I have heard it ~ я э́то ужé слýшал; ~ long скóро, вскóре; long ~ задóлго до; ~ now рáньше, до сих пор;
2. *prep* 1) пéред; he stood ~ us он стоя́л пéред нáми; 2) пéред лицóм, в присýтствии; to appear ~ the Court предстáть пéред судóм; 3) до; the day ~ yesterday трéтьего дня; Chaucer lived ~ Shakespeare Чóсер жил до Шекспúра; 4) впередú; your whole life is ~ you вся вáша жизнь впередú; 5) вýше;

бо́льше; to be ~ others in class быть (по успе́хам) впереди́ свои́х однокла́ссников; I love him ~ myself я люблю́ его́ бо́льше самого́ себя́; 6) скоре́е чем; he would die ~ lying он скоре́е умрёт, чем солжёт;

3. *cj* 1) пре́жде чем; he arrived ~ I expected him он прие́хал ра́ньше, чем я ожида́л.

beforehand [bɪ'fɔːhænd] *adv* 1) зара́нее, вперёд; заблаговре́менно; to be ~ with smb. предупреди́ть, опереди́ть кого́-л.; 2) *(ча́сто как прил.)* преждевре́менно; you are rather ~ in your conclusions вы де́лаете сли́шком поспе́шные вы́воды; ◇ to be ~ with the world быть при деньга́х.

before-mentioned [bɪ'fɔːˌmenʃənd] *a* вышеупомя́нутый.

befoul [bɪ'faul] *v* па́чкать; оскверня́ть.

befriend [bɪ'frend] *v* относи́ться дру́жески; помога́ть.

befringe [bɪ'frɪndʒ] *v* отде́лывать бахромо́й, окаймля́ть.

befuddle [bɪ'fʌdl] *v* одурма́нивать.

beg [beg] *v* 1) проси́ть, умоля́ть (of — кого́-л.; for — о чём-л., чего́-л.); to ~ leave проси́ть разреше́ния; to ~ pardon проси́ть извине́ния, проще́ния; 2) ни́щенствовать; проси́ть пода́яния; 3) служи́ть, стоя́ть на за́дних ла́пах *(о соба́ке)*; 4) *(в официа́льном обраще́нии, в письме́)*: to ~ to do smth. взять на себя́ сме́лость, позво́лить себе́ что-л. сде́лать; I ~ to differ позво́лю себе́ не согласи́ться; I ~ to enclose при сём прилага́ю; we ~ to inform you извеща́ем вас; ◇ to ~ the question счита́ть спо́рный вопро́с решённым, не тре́бующим доказа́тельств; to ~ smb. off доби́ться чьего́-л. проще́ния, смягче́ния наказа́ния.

begad [bɪ'gæd] *int разг.* кляну́сь не́бом!

began [bɪ'gæn] *past om* begin.

beget [bɪ'get] *v* (begot; begotten) 1) рожда́ть, производи́ть; 2) порожда́ть.

begetter [bɪ'getə] *n* 1) оте́ц; 2) породи́вший; вино́вник; вдохнови́тель.

beggar ['begə] 1. *n* 1) ни́щий; 2) *разг. см.* fellow; insolent ~ наха́л; poor ~ бедня́га; dull ~ ску́чный, ну́дный челове́к; stubborn ~ упря́мец; little ~s малыши́ *(о де́тях и живо́тных)*; ◇ ~s must *(или* should) be no choosers *посл.* бедняка́м не прихо́дится выбира́ть; ~ may sing before the thief *посл.* ≈ го́лый разбо́я не бои́тся; a ~ on horseback вы́скочка; set a ~ on horseback and he'll ride to the devil *посл.* ≈ посади́ свинью́ за стол, она́ и но́ги на стол; to know smb. (smb.) as well as a ~ knows his bag ≈ знать что-л. (кого́-л.) как свой пять па́льцев; 2. *v* 1) доводи́ть до нищеты́, разоря́ть; to ~ oneself разори́ться; 2) превосходи́ть; it ~s all description э́то не поддаётся описа́нию.

beggarly ['begəlɪ] 1. *a* бе́дный; ни́щенский; жа́лкий; ~ hovel жа́лкая лачу́га; 2. *adv* 1) ни́щенски; 2) умоля́юще.

beggary ['begərɪ] *n* 1) кра́йняя нужда́; нищета́; 2) ни́щенство; 3) *собир.* ни́щие.

begging ['begɪŋ] 1. *pres. p. om* beg; 2. *n* ни́щенство; to go (a-)~ a) ни́щенствовать; б) не име́ть спро́са, ры́нка; в) быть вака́нтным *(о до́лжности)*;

3. *a* ни́щенствующий.

begin [bɪ'gɪn] *v* (began; begun) начина́ть (-ся); she began weeping *(или* to weep) она́ запла́кала; to ~ at the beginning начина́ть с са́мого нача́ла; to ~ at the wrong end начина́ть не с того́ конца́; to ~ on *(или* upon) smth. а) бра́ться за что-л.; б) брать нача́ло от чего́-л.; to ~ over again сы́знова; ◇ well begun is half done *посл.* хоро́шее нача́ло полде́ла откача́ло; to ~ with пре́жде всего́, во-пе́рвых.

beginner [bɪ'gɪnə] *n* 1) тот, кто начина́ет; 2) новичо́к; начина́ющий.

beginning [bɪ'gɪnɪŋ] 1. *pres. p. om* begin; 2. *n* 1) нача́ло; 2) то́чка отправле́ния; 3) исто́чник; происхожде́ние; ◇ a good ~ is half the battle, a good ~ makes a good ending *посл.* ≈ хоро́шее нача́ло полде́ла откача́ло; a bad ~ makes a bad ending *посл.* ≈ что посе́ешь, то и пожнёшь; in every ~ think of the end *посл.* начина́я де́ло, ду́май о конце́.

begird [bɪ'gəːd] *v* (begirt) опоя́сывать; окружа́ть.

begirt [bɪ'gəːt] *past и p. p. om* begird.

begone [bɪ'gɔn] *int* убира́йся!

begot [bɪ'gɔt] *past om* beget.

begotten [bɪ'gɔtn] *p.p. om* beget.

begrime [bɪ'graɪm] *v* па́чкать, покрыва́ть са́жей, ко́потью; ~d with dust запылённый.

begrudge [bɪ'grʌdʒ] *v* 1) зави́довать; 2) жале́ть *(что-л.)*, скупи́ться.

beguile [bɪ'gaɪl] *v* 1) обма́нывать; to ~ a man into doing smth. обма́ном заста́вить кого́-л. сде́лать что-л.; 2) занима́ть, развлека́ть; 3) отвлека́ть чьё-л. внима́ние; 4) корота́ть, проводи́ть вре́мя.

beguilement [bɪ'gaɪlmənt] *n* 1) обма́н; 2) развлече́ние, заня́тие *(за кото́рым бы́стро прохо́дит вре́мя)*.

begum ['beɪgəm] *n* бегу́ма *(зна́тная да́ма в Индии)*.

begun [bɪ'gʌn] *p.p. om* begin.

behalf [bɪ'hɑːf] *n*: in ~ of для, ра́ди, в по́льзу; in my (his, her) ~ в мои́х (его́, её) интере́сах; on ~ of my friends от и́мени мои́х друзе́й; on my ~ от моего́ и́мени.

behave [bɪ'heɪv] *v* 1) поступа́ть, вести́ себя́; to ~ oneself вести́ себя́ как сле́дует; ~ yourself! веди́те себя́ прили́чно! 2) рабо́тать *(о маши́не)*.

behaviour [bɪ'heɪvjə] *n* 1) поведе́ние, мане́ры; to be on one's best ~ стара́ться вести́ себя́ как мо́жно лу́чше; to put smth. on his good ~ дать челове́ку возмо́жность испра́виться; 2) *тех.* режи́м *(рабо́ты)*.

behaviourism [bɪ'heɪvjərɪzəm] *n психол.* бихевиори́зм.

behead [bɪ'hed] *v* отруба́ть го́лову, обезгла́вливать.

beheading [bɪ'hedɪŋ] 1. *pres.p. om* behead; 2. *n* отсече́ние головы́.

beheld [bɪ'held] *past и p. p. om* behold 1.

behemoth [bɪ'hiːmɔθ] *n библ.* бегемо́т; *перен.* чу́дище.

behest [bɪ'hest] *n поэт.* приказа́ние; повеле́ние.

behind [bɪ'haɪnd] 1. *adv* сза́ди, позади́; по́сле; to leave ~ оста́вить по́сле себя́; to be ~ запа́здывать; to fall ~ отстава́ть;

2. *prep* 1) за, сзади, позади; после; ~ the house за домом, позади дома; ~ the back за спиной, тайком; ~ the scenes за кулисами; ~ time с опозданием; ~ the times отсталый; устарелый; there is more ~ it тут что-то ещё кроется; 2) ниже (*по качеству и т.п.*); he is ~ other boys of his class он отстаёт от своих одноклассников (*по успехам, развитию*);

3. *n разг.* зад.

behindhand [bɪ'haɪndhænd] **1.** *a predic.* 1) отсталый; запоздавший; he is ~ in his schoolwork он отстаёт в занятиях; 2) задолжавший, в долгу; he is ~ with his rent он задолжал за квартиру;

2. *adv:* to be wise ~ соображать медленно; ≅ задним умом крепок.

behold [bɪ'hould] **1.** *v* (beheld) 1) видеть, замечать; 2) смотреть, созерцать;

2. *int* смотри!, вот!

beholden [bɪ'houldən] *a predic.* обязанный, признательный (to — *кому-л.*, for — *за что-л.*).

beholder [bɪ'houldə] *n* зритель; очевидец.

behoof [bɪ'huːf] *n* польза, выгода, интерес (*употр. тк. в выражении:* in, on *или* for my, your, his, *etc.* ~).

behoove, behove [bɪ'huːv, bɪ'houv] *v* следовать, надлежать; it ~s you to go вам следует пойти.

beige [beɪʒ] *фр. n* 1) материя из некрашеной шерсти; 2) цвет беж.

being ['biːŋ] **1.** *pres.p. om* be; ~ that так как;

2. *n* 1) бытие, существование, жизнь; social ~ determines consciousness *филос.* бытие определяет сознание; in ~ живущий; существующий; to call into ~ вызвать к жизни, создать; 2) существо, человек; human ~s люди; 3) существо, суть; плоть и кровь; to the very roots of one's ~ до мозга костей;

3. *a* существующий, настоящий; for the time ~ а) в данное время; б) на некоторое время.

belabour [bɪ'leɪbə] *v* бить, колотить; трепать.

belaid [bɪ'leɪd] *past и p.p. om* belay 1.

belated [bɪ'leɪtɪd] *a* 1) запоздалый, поздний; 2) застигнутый ночью, темнотой.

belaud [bɪ'lɔːd] *v* восхвалять, превозносить.

belay [bɪ'leɪ] **1.** *v* (belayed, belaid) *мор.* закреплять, обносить;

2. *int sl.* стоп!, довольно!

belch [beltʃ] **1.** *n* 1) отрыжка; 2) столб (*огня, дыма*);

2. *v* 1) рыгать; 2) изрыгать (*ругательства; тж.* ~ forth, ~ out); 3) извергать (*лаву*); выбрасывать (*огонь, дым*).

belcher ['beltʃə] *n* пёстрое кашне, пёстрый шарф.

beldam(e) ['beldəm] *n* старая карга, ведьма.

beleaguer [bɪ'liːgə] *v* осаждать.

belemnite ['beləmnaɪt] *n* белемнит (*вымерший морской моллюск*).

belfry ['belfrɪ] *n* колокольня; башня.

Belgian ['beldʒən] **1.** *a* бельгийский; **2.** *n* бельгиец; бельгийка.

Belial ['biːljəl] *n* дьявол; дух зла; a man of ~ негодяй.

belie [bɪ'laɪ] *v* 1) оболгать, оклеветать; 2) давать неверное представление (*о чём-л.*); 3) изобличать; 4) опровергать; противоречить; his looks ~ his words его вид противоречит его словам; 5) не оправдывать (*надежд*).

belief [bɪ'liːf] *n* 1) вера; доверие (in); beyond ~ невероятно; it staggers ~ этому трудно поверить; 2) убеждение, мнение; to the best of my ~ насколько мне известно; 3) верование.

believable [bɪ'liːvəbl] *a* вероятный, правдоподобный.

believe [bɪ'liːv] *v* 1) верить; we soon ~ what we desire мы охотно принимаем желаемое за действительное; 2) доверять; I ~ you я вам верю, доверяю; I ~ in you я в вас верю; 3) придавать большое значение; I ~ in early rising я считаю очень полезным вставать рано; 4) думать, полагать; I ~ so кажется так, по-моему так; да (*в ответе*); I ~ not думаю, что нет; едва ли; ◇ you'd better ~ it *амер. разг.* можете быть уверены; to make ~ делать вид, притворяться.

believer [bɪ'liːvə] *n* верующий; true ~ правоверный.

belike [bɪ'laɪk] *adv уст.* вероятно, быть может.

belittle [bɪ'lɪtl] *v* умалять, преуменьшать; принижать.

bell I [bel] **1.** *n* 1) колокол; колокольчик; 2) звонок; бубенчик; 3) раструб, расширение; 4) *бот.* чашечка (*некоторых растений*); 5) *мор.* рында (*колокол*); склянка; to strike the ~s бить склянки; 6) *геол.* купол, нависшая порода; 7) конус (*домны*); ◇ to bear the ~ быть вожаком, первенствовать; to bear (*или* to carry) away the ~ получить на состязании приз; to lose the ~ потерпеть поражение в состязании; to bear the cap·and·bells разыгрывать роль шута; within the sound of Bow ~s в Лондоне; ~, book and candle *ист.* отлучение от церкви; by (*или* with) ~, book and candle *разг.* окончательно, бесповоротно; to crack the ~ проболтаться; допустить бестактность; to ring the ~ *разг.* иметь успех, получать хорошие результаты; to ring one's own ~ заниматься саморекламой;

2. *v* снабжать колоколами, колокольчиками; ◇ to ~ the cat брать на себя ответственность в рискованном предприятии.

bell II [bel] **1.** *n* крик, рёв оленя (*во время течки*);

2. *v* кричать, мычать.

belladonna [,belə'dɔnə] *n бот., фарм.* красавка, белладонна.

bell-bottomed ['belbɔtəmd] *a:* ~ trousers брюки-клёш.

bell-boy ['belbɔɪ] *n* коридорный, посыльный (*в гостинице*).

bell-buoy ['belbɔɪ] *n мор.* бакен с колоколом.

belle [bel] *n* краса́вица; the ~ of the ball цари́ца ба́ла.

belled I [beld] **1.** *p. p. om* bell I, 2;

2. *a* 1) снабжённый *или* уве́шанный колокола́ми; 2) расши́ренный, име́ющий растру́б, с растру́бом; 3) име́ющий фо́рму колоко́льчика (*о цветке*).

belled II [beld] *p.p. om* bell II, 2.

belles-lettres ['bel'letr] *фр. n pl* худо́жественная литерату́ра, беллетри́стика.

bell-flower ['belflauə] *n бот.* колоко́льчик.

bell-glass ['belglɑːs] *n* стекля́нный колпа́к.

bell-hop ['belhɔp] *амер.* = bell-boy.

bellicose ['belɪkous] *a* 1) вои́нственный; 2) драчли́вый, задо́рный.

bellicosity [,belɪ'kɔsɪtɪ] *n* 1) вои́нственность; 2) драчли́вость, задо́р.

belligerency [bɪ'lɪdʒərənsɪ] *n* состоя́ние войны́.

belligerent [bɪ'lɪdʒərənt] **1.** *n* вою́ющая сторона́;

2. *a* находя́щийся в состоя́нии войны́; ~ powers вою́ющие держа́вы.

bellman ['belmən] *n ист.* 1) глаша́тай; 2) ночно́й сто́рож.

bellow ['belou] **1.** *n* 1) мыча́ние; 2) рёв (*бури, моря*);

2. *v* 1) мыча́ть; реве́ть; ора́ть; 2) бушева́ть; греме́ть; громыха́ть.

bellows ['belouz] *n pl* воздуходу́вные мехи́, кузне́чные мехи́; a pair of ~ ручны́е раздува́льные мехи́.

bell-punch ['bel,pʌntʃ] *n* компо́стер (*кондуктора автобусов и трамваев*).

bell-push ['bel,puʃ] *n* кно́пка звонка́.

bell-wether ['bel,weðə] *n* бара́н-вожа́к с бубе́нчиком (*в стаде*).

belly ['belɪ] **1.** *n* 1) живо́т, брю́хо; pot ~ то́лстый живо́т; 2) желу́док; 3) ве́рхняя де́ка стру́нного инструме́нта; 4) *геол.* утолще́ние, разду́тие пласта́ *или* жи́лы; 5) *мор.* «пу́зо» па́руса; ◇ the ~ has no ears, hungry bellies have no ears *посл.* ≅ соловья́ ба́снями не ко́рмят; when the ~ is full, the bones would be at rest *посл.* ≅ по сы́тому брю́ху хоть о́бухом;

2. *v* 1) надува́ть(ся) (*обыкн.* ~ out); sails ~ out паруса́ наполня́ются; 2) ползти́ на животе́; лежа́ть распласта́вшись.

belly-ache ['belɪeɪk] **1.** *n разг.* боль в животе́;

2. *v sl.* ворча́ть, жа́ловаться, хны́кать.

belly-band ['belɪbænd] *n* подпру́га.

bellyful ['belɪful] *n* доста́точное коли́чество (*чего-л.*); сы́тость; пресыще́ние; to get a ~ of smth. пресы́титься чем-л.

belly-land ['belɪlænd] *v ав. разг.* сде́лать поса́дку с у́бранным шасси́.

belly-landing ['belɪ,lændɪŋ] **1.** *pres. p. om* belly-land;

2. *n ав. разг.* поса́дка с у́бранным шасси́.

belly-pinched ['belɪ,pɪntʃt] *a* изголода́вшийся.

belong [bɪ'lɔŋ] *v* 1) принадлежа́ть (to); 2) относи́ться (to — к *чему-л.*); быть свя́занным (to, with, among — с *кем-л., чем-л.*); 3) быть ро́дом из; происходи́ть; I ~ here а) я ро́дом из э́тих мест; б) моё ме́сто здесь;

4) находи́ться, помеща́ться; the book ~s on that shelf э́та кни́га с той по́лки; □ ~ together гармони́ровать, подходи́ть друг к дру́гу.

belongings [bɪ'lɔŋɪŋz] *n pl* 1) принадле́жности; ве́щи, пожи́тки; 2) пристро́йки, слу́жбы.

beloved [bɪ'lʌvd] **1.** *a* возлю́бленный, люби́мый;

2. *n* возлю́бленный, люби́мый (челове́к); возлю́бленная, люби́мая.

below [bɪ'lou] **1.** *adv* ни́же, внизу́, as it will be said ~ как бу́дет ска́зано ни́же;

2. *prep* 1) ни́же, под; ~ zero ни́же нуля́; 2) ни́же (*о качестве, положении и т. п.*); to be ~ smb. in intelligence быть ни́же кого́-л. по у́мственному разви́тию; ~ the average ни́же сре́днего; ~ par ни́же номина́ла; *перен.* нева́жно; I feel ~ par я себя́ пло́хо чу́вствую.

belt [belt] **1.** *n* 1) по́яс, ремню́; портупе́я; 2) по́яс, зо́на (*зона*) ~ полезащи́тная лесна́я полоса́; 3) у́зкий проли́в; 4) *тех.* приводно́й ре́мень (*тж.* driving ~); 5) *воен.* патро́нная ле́нта; 6) *мор.* бронево́й по́яс; 7) *архит.* обло́м; ◇ ~ of fire *воен.* огнева́я заве́са; to hit (*или* to strike, to tackle) below the ~ а) *спорт.* нанести́ уда́р ни́же по́яса; б) нанести́ преда́тельский уда́р; to hold the ~ быть чемпио́ном по бо́ксу;

2. *v* 1) подпоя́сывать; опоя́сывать; 2) поро́ть ремнём.

beltane ['belteɪn] *n* пра́здник костро́в (*1 мая старого стиля в Ирландии*).

belted ['beltɪd] **1.** *p.p. om* belt 2;

2. *a* 1) опоя́санный; 2) име́ющий ремённый приво́д.

belting ['beltɪŋ] **1.** *pres. p. om* belt 2;

2. *n* 1) ремённая переда́ча, приводно́й ре́мень; 2) по́рка (ремнём).

belt-line ['beltlaɪn] *n амер.* кольцева́я трамва́йная ли́ния.

belt-saw ['beltsɔː] *n* ле́нточная пила́.

belvedere ['belvɪdɪə] *n стр.* бельведе́р.

bemoan [bɪ'moun] *v* опла́кивать.

bemuse [bɪ'mjuːz] *v* ошеломля́ть; смуща́ть.

ben [ben] *n шотл.* втора́я ко́мната в небольшо́м двухко́мнатном до́ме; far ~ во вну́тренних поко́ях; but and ~ пе́рвая и втора́я ко́мнаты, *т. е.* весь дом [*ср.* but II]; ◇ to be far ~ with smb. быть в бли́зких отноше́ниях с кем-л.

bench [bentʃ] **1.** *n* 1) скамья́; 2) ме́сто (*в парламенте*); 3) ме́сто судьи́; суд; *собир.* су́дьи; to be raised to the ~ получи́ть ме́сто судьи́; 4) верста́к, стано́к; 5) *геол.* терра́са, усту́п; 6) *стр.* карни́з; 7) *мор.* ба́нка; 8) вы́ставка (*собак*);

2. *v* выставля́ть на вы́ставке (*преим.* собак).

bencher ['bentʃə] *n* 1) старшина́ юриди́ческой корпора́ции; 2) *уст.* судья́; о́льдермен.

bench-mark ['bentʃmɑːk] *n* отме́тка у́ровня, отме́тка высоты́.

bench-show ['bentʃʃou] *n* вы́ставка живо́тных (*преим. собак*).

bench-vice ['bentʃvaɪs] *n тех.* стуло́вые тиски́.

bench-warmer ['bentʃˌwɔːmə] *n sl.* бездо́мный безрабо́тный.

bench-warrant ['bentʃ'wɔːrənt] *n* о́рдер на аре́ст (*вы́данный судьёй*).

bend [bend] **1.** *n* 1) сгиб, изги́б; 2) изги́б доро́ги; излу́чина реки́; 3) *мор.* у́зел; *pl* шпанго́уты; 4) *тех.* коле́но; отво́д; 5) (the ~s) *pl амер. разг.* кессо́нная боле́знь; ◇ above one's ~ *амер.* не по си́лам, не по спосо́бностям; on the ~ нече́стным путём;
2. *v* (bent) 1) сгиба́ть(ся); ₁ гну́ть(ся), изгиба́ть(ся); trees ~ before the wind дере́вья гну́тся от ве́тра; to ~ the knee преклоня́ть коле́на; моли́ться; to ~ one's neck гнуть ше́ю, покоря́ться; 2) напряга́ть (*мы́сли, внима́ние и т. п.*; to); 3) направля́ть (*взо́ры, шаги́ и т. п.*); 4) покоря́ть (-ся); 5) вяза́ть, привя́зывать (*трос, па́руса*); ◇ to ~ one's brows хму́рить бро́ви.

bender ['bendə] *n sl.* 1) моне́та в 6 пе́нсов; 2) кутёж; to go on a ~ закути́ть, загуля́ть; to be on a ~ быть пья́ным.

beneath [bɪ'niːθ] **1.** *adv* внизу́;
2. *prep* под, ни́же; ~ our (very) eyes (пря́мо) на на́ших глаза́х; ~ criticism ни́же вся́кой кри́тики; to be ~ notice (contempt) не заслу́живать внима́ния (да́же презре́ния); to marry ~ one жени́ться на ком-л. *или* вы́йти за́муж за кого́-л., занима́ющего бо́лее ни́зкое положе́ние в о́бществе.

benedick ['benidik] *n* упо́рный холостя́к, наконе́ц жени́вшийся (*по и́мени геро́я коме́дии Шекспи́ра «Мно́го шу́ма из ничего́»*).

Benedictine *n* 1) [ˌbenɪ'dɪktɪn] бенедикти́нец (*мона́х*); 2) [ˌbenɪ'dɪktiːn] ликёр бенедикти́н.

benediction [ˌbenɪ'dɪkʃ ən] *n* благослове́ние.

benedictory [ˌbenɪ'dɪktərɪ] *a* благословля́ющий.

benefaction [ˌbenɪ'fækʃən] *n* 1) благодея́ние, ми́лость; 2) поже́ртвование.

benefactor [ˈbenɪfæktə] *n* 1) благоде́тель; 2) же́ртвователь.

benefactress ['benɪfæktrɪs] *n* 1) благоде́тельница; 2) же́ртвовательница.

benefication [ˌbenɪfɪ'keɪʃ ən] *n горн.* обога́щение.

benefice ['benɪfɪs] *n* бенефи́ций, прихо́д.

beneficence [bɪ'nefɪsəns] *n* 1) благотвори́тельность; 2) благодея́ние.

beneficent [bɪ'nefɪsənt] *a* благоде́тельный; благотво́рный.

beneficial [ˌbenɪ'fɪʃ əl] *a* 1) благотво́рный; 2) целе́бный; 3) вы́годный, поле́зный.

beneficiary [ˌbenɪ'fɪʃ ərɪ] *n* 1) *ист.* владе́лец бенефи́ции *или* фео́да; 2) лицо́, по́льзующееся поже́ртвованиями *или* благодея́ниями; 3) (вы́сшее) должностно́е лицо́; 4) *амер.* иждиве́нец военнослу́жащего, име́ющий пра́во на получе́ние шестиме́сячного окла́да после́днего в слу́чае его́ сме́рти.

benefit ['benɪfɪt] **1.** *n* 1) вы́года; по́льза; при́быль; to the ~ на бла́го; to be denied the ~s не по́льзоваться преиму́ществами; for your special ~ ра́ди вас; to give smb. the ~ of one's experience (knowledge *etc.*) подели́ться с кем-л. свои́м о́пытом (зна́ниями *и т. п.*); to reap the ~ of smth. пожина́ть плоды́ чего́-л.; 2) *теа́тр.* бенефи́с

(*тж.* ~ night); 3) пе́нсия, (страхово́е) посо́бие; unemployment ~ посо́бие по безрабо́тице; medical ~ посо́бие по боле́зни; ◇ to give smb. the ~ of the doubt оправда́ть кого́-л. за недоста́точностью ули́к; ~ of clergy *ист.* неподсу́дность духове́нства све́тскому суду́; to take the ~ *амер.* объяви́ть себя́ банкро́том (*эллипти́чески вм.* to take the ~ of the bankruptcy laws);
2. *v* 1) помога́ть, приноси́ть по́льзу; 2) извлека́ть по́льзу, вы́году (by — из чего́-л.).

benefit-society ['benɪfɪtsə'saɪətɪ] *n* о́бщество *или* ка́сса взаимопо́мощи.

benevolence [bɪ'nevələns] *n* 1) благожела́тельность; 2) ще́дрость, благотвори́тельность; 3) *ист.* побо́ры с населе́ния под ви́дом доброво́льного поже́ртвования.

benevolent [bɪ'nevələnt] *a* 1) благожела́тельный; 2) благотвори́тельный.

Bengal [beŋ'ɡɔːl] *a* бенга́льский; ~ tiger бенга́льский тигр.

Bengalee [beŋ'ɡɔːliː] **1.** *n* 1) бенга́лец; бенга́лка; 2) бенга́льский язы́к;
2. *a* бенга́льский.

Bengali [beŋ'ɡɔːliː] = Bengalee.

Bengal light ['beŋɡɔːl'laɪt] *n* бенга́льский ого́нь.

benighted [bɪ'naɪtɪd] *a* 1) засти́гнутый но́чью; 2) погружённый во мрак (*неве́жества и т. п.*).

benign [bɪ'naɪn] *a* 1) до́брый, ми́лостивый; 2) мя́гкий (*о кли́мате*); плодоно́сный (*о по́чве*); 3) *мед.* в лёгкой фо́рме (*о боле́зни*); доброка́чественный (*об о́пухоли*).

benignant [bɪ'nɪɡnənt] = benign.

benignity [bɪ'nɪɡnɪtɪ] *n* доброта́.

benison ['benɪzn] *n уст.* благослове́ние.

Benjamin ['bendʒəmɪn] *n* мла́дший сын, люби́мый ребёнок, ба́ловень; ~'s mess изря́дная до́ля.

benjamin ['bendʒəmɪn] = benzoin.

bent I [bent] **1.** *n* 1) скло́нность, накло́нность; to follow one's ~ сле́довать своему́ влече́нию, вку́сам; to the top of one's ~ вво́лю, вдо́воль; 2) *ре́дк.* изги́б; склон холма́; 3) *стр.* ра́мный усто́й.
2. *a* изо́гнутый; ~ lever коле́нчатый рыча́г.

bent II [bent] *n* 1) *бот.* полеви́ца (*тж.* ~ grass); 2) луг, по́ле; ◇ to flee (*или* to go, to take) to the ~ удра́ть (*спаса́ясь от опа́сности, кредито́ров*).

bent III [bent] *past и p. p. om* bend 2.

Benthamism ['benθəmɪzəm] *n* уче́ние Бента́ма, утилитари́зм.

Benthamite ['benθəmaɪt] *n* утилитари́ст.

benthos ['benθɔs] *n* бе́нтос (*фло́ра и фа́уна морско́го дна*).

benumb [bɪ'nʌm] *v* 1) приводи́ть в оцепене́ние; 2) притупля́ть (*чу́вства*); парализова́ть (*эне́ргию*).

benumbed [bɪ'nʌmd] **1.** *p. p. om* benumb;
2. *a* 1) окочене́вший от хо́лода; 2) притуплённый (*о чу́вствах*); оцепене́лый.

benzedrine ['benzədriːn] *n* бензедри́н, фенами́н (*стимули́рующее сре́дство*).

benzene ['benziːn] *n* бензо́л.

benzine ['benziːn] *n* бензи́н; ◇ ~ board *амер. воен. sl.* аттестацио́нная коми́ссия;
2. *v* чи́стить бензи́ном.

benzoin ['benzouɪn] *n* бензойная смола, росный ладан.

benzol(e) ['benzɔl] *n* бензол.

benzyl ['benzɪl] *n хим.* бензил.

bequeath [bɪ'kwiːð] *v* 1) завещать (*движимость*); 2) передавать потомству.

bequest [bɪ'kwest] *n* 1) наследство; посмертный дар; 2) оставление наследства.

berate [bɪ'reɪt] *v амер.* ругать, бранить.

Berber ['bəːbə] 1. *n* бербер;
2. *a* берберский.

berberis ['bəːbərɪs] *n бот.* барбарис.

bere [bɪə] *n бот.* ячмень.

bereave [bɪ'riːv] *v* (bereaved [-d], bereft) лишать, отнимать (of); an accident bereft the father of his child в результате несчастного случая отец лишился ребёнка.

bereavement [bɪ'riːvmənt] *n* тяжёлая утрата.

bereft [bɪ'reft] *past и p.p. от* bereave.

beret ['bereɪ] *n* берет.

berg [bəːg] *n* айсберг, ледяная гора.

berhyme [bɪ'raɪm] = berime.

beriberi ['berɪ'berɪ] *n* бери-бери, авитаминоз.

berime [bɪ'raɪm] *v* воспевать в стихах.

Berlin [bəː'lɪn] *n* 1) старинная дорожная карета; 2) *авт.* берлин (*тип кузова*); [*см. тж. Список географических названий*].

bernicle goose ['bəːnɪklguːs] = barnacle II,1.

berry ['berɪ] 1. *n* 1) ягода; 2) икринка, зёрнышко икры; 3) зерно (*пшеницы, ржи и т. п.*); 4) *амер. sl.* доллар;
2. *v* 1) приносить ягоды; 2) собирать ягоды.

berserk(er) ['bəːsək(ə)] *n* 1) *ист.* берсеркер, древнескандинавский витязь; 2) неистовый человек.

berth I [bəːθ] 1. *n* 1) койка (*на пароходе и т. п.*); *ж.-д.* спальное место; место (*в дилижансе и т. п.*); 2) якорная стоянка; место причала; building ~ *мор.* стапель; covered ~ *мор.* эллинг; 3) место, должность; a good ~ выгодная должность; ◇ to give a wide ~ to обходить (*что-л.*), избегать (*кого-л., чего-л.*).
2. *v* 1) ставить (*судно*) на якорь; 2) предоставлять спальное место, койку; 2) предоставлять место, должность.

berth II [bəːθ] *v* покрывать *или* обшивать досками.

bertha ['bəːθə] *n* берта, кружевной воротник.

berthing place ['bəːθɪŋpleɪs] *n* место высадки, пристань.

beryl ['berɪl] *n мин.* берилл.

beryllium [be'rɪljəm] *n хим.* бериллий.

beseech [bɪ'siːtʃ] *v* (besought) просить, умолять, упрашивать.

beseeching [bɪ'siːtʃɪŋ] 1. *pres. p. от* beseech;
2. *a* молящий (*о взгляде, тоне*).

beseem [bɪ'siːm] *v* приличествовать, подобать; it ill ~s you to complain вам не подобает жаловаться.

beset [bɪ'set] *v* (beset) 1) окружать; осаждать (*тж. перен.*); to ~ with questions осаждать вопросами; 2) занимать, преграждать (*дорогу*).

besetting [bɪ'setɪŋ] 1. *pres. p. от* beset;

2. *a* постоянно преследующий; ~ sin главный порок, главное искушение.

beshrew [bɪ'ʃruː] *v уст.* проклинать; ~ me! чёрт меня побери!

beside [bɪ'saɪd] *prep* 1) рядом с; около, близ; ~ the river у реки; 2) по сравнению с; she seems dull ~ her sister по сравнению со своей сестрой она кажется неинтересной; 3) мимо; ~ the mark, ~ the question мимо цели, некстати, не по существу; ~ the purpose нецелесообразно; 4) *редк.* кроме, помимо; ◇ ~ oneself вне себя.

besides [bɪ'saɪdz] 1. *adv* кроме того, сверх того;
2. *prep* кроме.

besiege [bɪ'siːdʒ] *v* 1) *воен.* осаждать; обложить, окружить; 2) осаждать (*просьбами, вопросами*).

besieger [bɪ'siːdʒə] *n* осаждающая сторона.

beslaver, beslobber [bɪ'slævə, bɪ'slɔbə] *v* 1) заслюнявить, замусолить; 2) чрезмерно льстить.

besmear [bɪ'smɪə] *v* запачкать, замарать, засалить.

besmirch [bɪ'sməːtʃ] *v* 1) запачкать; 2) очернить, запятнать.

besom ['biːzəm] 1. *n* 1) метла, веник; 2) *шотл. разг.* чертовка, карга; ◇ to jump the ~ пожениться без брачного обряда [*см. тж.* to marry over the broom-stick];
2. *v* мести (*тж.* ~ away, ~ out).

besot [bɪ'sɔt] *v* делать глупым, одурелым; одурманивать.

besought [bɪ'sɔːt] *past и p.p. от* beseech.

bespangle [bɪ'spæŋgl] *v* осыпать блёстками; the ~d sky усеянное звёздами небо.

bespatter [bɪ'spætə] *v* 1) забрызгивать грязью; 2) чернить (*кого-л.*).

bespeak [bɪ'spiːk] *v* (bespoke; bespoke, bespoken) 1) заказывать заранее; заручаться (*чем-л.*); 2) оговаривать, обусловливать; 3) обнаруживать; показывать; 4) *поэт.* обращаться (*к кому-л.*).

bespectacled [bɪ'spektəkld] *a* носящий очки, в очках.

bespoke [bɪ'spouk] 1. *past и p.p. от* bespeak;
2. *a:* ~ department отдел заказов; ~ boots башмаки на заказ; ~ bootmaker сапожник, работающий на заказ.

bespoken [bɪ'spoukən] *p. p. от* bespeak.

bespread [bɪ'spred] *v* (bespread) устилать, покрывать.

besprent [bɪ'sprent] *a поэт.* 1) обрызганный; 2) усыпанный.

besprinkle [bɪ'sprɪŋkl] *v* кропить, обрызгивать; осыпать.

Bessemer ['besɪmə] *a:* ~ process *метал.* бессемеровский процесс.

best [best] 1. *a* (*превосх. ст. от* good 1 *и* well II, 2) 1) лучший; 2) больший; the ~ part of the week большая часть недели; 3) *усиливает значение существительного:* ~ liar отъявленный лжец; ~ thrashing здоровая порка.
2. *n* что-л. самое лучшее, высшая степень (*чего-л.*); at ~ в лучшем случае; to do (*или* to try) one's ~ (*или* one's level ~) а) сделать всё от себя зависящее; б) проявить

максимум энергии; ◇ Sunday ~ праздничное платье; *шутл.* лучшее платье *или* костюм; bad is the ~ впереди ничего хорошего не будет; to be at one's ~ быть на высоте; быть в ударе; to get (*или* to have) the ~ of it победить, взять верх (*в споре и т. п.*); to give ~ признать превосходство (*кого-л.*), быть побеждённым; to have the ~ of the bargain быть в наиболее выгодном положении; to make the ~ of smth. а) использовать наилучшим образом что-л.; б) мириться с чем-л.; to make the ~ of it (*или* of a bad bargain, business, job) мужественно переносить затруднения, несчастье; не унывать в беде; to make the ~ of one's way идти как можно скорее, спешить; to send one's ~ передавать, посылать привет; all the ~ всего хорошего; to the ~ of one's ability по мере сил, способностей; to the ~ of my belief насколько мне известно; the ~ is the enemy of the good *посл.* лучшее — враг хорошего; if you cannot have the ~, make the ~ of what you have *посл.* если не имеешь лучшего, используй наилучшим образом то, что имеешь;

3. *adv (превосх. ст. от* well II,1) лучше всего; больше всего; the ~ hated man самый ненавистный человек; you had ~ confess вам лучше всего сознаться; he is ~ forgotten о нём лучше не вспоминать;

4. *v разг.* взять верх (*над кем-л.*); провести, перехитрить.

bestead I [bɪ'sted] *v* (besteaded [-ɪd]; bested, bestead) помогать; быть полезным.

bestead II [bɪ'sted] *a уст.* окружённый; ~ by enemies (with dangers) окружённый врагами (опасностями); ill (well) ~ в тяжёлом (хорошем) положении.

bested I [bɪ'sted] = bestead II.

bested II [bɪ'sted] *p.p. от* bestead I.

best girl ['best'gɜːl] *n разг.* возлюбленная, невеста.

bestial ['bestjəl] *a* скотский, животный; грубый; чувственный; развратный.

bestiality [,bestɪ'ælɪtɪ] *n* скотство *и пр.* [*см.* bestial].

bestir [bɪ'stɜː] *v refl.* встряхнуться; энергично взяться; ~ yourself! пошевеливайся!

best looker ['best'lukə] *n амер. разг.* красивый человек.

best man ['best'mæn] *n* шафер.

bestow [bɪ'stou] *v* 1) помещать; 2) *разг.* приютить; 3) давать, даровать, награждать (on, upon); to ~ honours воздавать почести.

bestowal [bɪ'stouəl] *n* дар; награждение.

bestrew [bɪ'struː] *v* (bestrewed[-d]; bestrewed, bestrewn) 1) усыпать; 2) разбрасывать.

bestrewn [bɪ'struːn] *p.p. от* bestrew.

bestridden [bɪ'strɪdn] *p.p. от* bestride.

bestride [bɪ'straɪd] *v* (bestrode; bestridden) 1) садиться *или* сидеть верхом; 2) стоять, расставив ноги; 3) перекинуться (*о мосте, радуге*); 4) защищать.

bestrode [bɪ'stroud] *past от* bestride.

best seller ['best'selə] *n* 1) ходкая книга; 2) автор ходкой книги.

bet [bet] 1. *n* 1) пари; an even ~ пари с равными шансами; to make a ~ заклю-

чить пари; to lose a ~ проиграть пари; проспорить; to win a ~ выиграть пари; 2) человек, предмет *и т. п.*, по поводу которого заключается пари; 3) ставка (*в пари*); ◇ one's best ~ ≅ дело верное, выигрышное;

2. *v* (bet, betted[-ɪd]) держать пари, биться об заклад; to ~ on (against) держать пари за (против); ◇ you ~! конечно!; ещё бы!; будьте уверены!; to ~ one's shirt рисковать всем; I'll ~ my life (*или* my bottom dollar, a cookie, my boots, my hat) ≅ даю голову на отсечение.

beta ['biːtə] *n* вторая буква греческого алфавита; ◇ ~ plus немного лучше второго сорта.

betake [bɪ'teɪk] *v* (betook; betaken) *refl.* 1) прибегать (to — к чему-л.); 2) отправляться (to); ◇ to ~ oneself to one's heels удирать, улепётывать.

betaken [bɪ'teɪkən] *p.p. от* betake.

beta rays ['biːtəreɪz] *n pl физ.* бета-лучи, бета-излучение.

betatron ['biːtətrɔn] *n физ.* бетатрон.

betel ['biːtəl] *n бот.* бетель.

bethel ['beθəl] *n* сектантская молельня (*в Англии*).

bethink [bɪ'θɪŋk] *v* (bethought) *refl.* вспомнить, подумать (of); задумать (to).

bethought [bɪ'θɔːt, bə'θɔːt] *past и р. р. от* bethink.

betid [bɪ'tɪd] *past и p.p. от* betide.

betide [bɪ'taɪd] *v* (betid) (*тк. сосл. накл. 3 л. ед. ч.*) постигать, случаться; whatever ~ что бы ни случилось; woe ~ him who... горе тому, кто...

betimes [bɪ'taɪmz] *adv* 1) своевременно; 2) рано; 3) быстро.

betoken [bɪ'toukən] *v* 1) означать; 2) предвещать.

betony ['betənɪ] *n бот.* буквица.

betook [bɪ'tuk] *past от* betake.

betray [bɪ'treɪ] *v* 1) предавать, изменять; 2) выдавать; his voice ~ed him голос его выдал; 3) не оправдывать (*надежд, доверия*); подводить; 4) обманывать, соблазнять.

betrayal [bɪ'treɪəl] *n* предательство, измена.

betrayer [bɪ'treɪə] *n* предатель, изменник.

betroth [bɪ'trouð] *v* обручить, помолвить.

betrothal [bɪ'trouðəl] *n* помолвка, обручение.

betrothed [bɪ'trouðd] 1. *р. р. от* betroth; 2. *a* обручённый, помолвленный.

better I ['betə] *n* держащий пари [*см.* bet 2].

better II ['betə] 1. *a (сравнит. ст. от* good 1 *и* well II, 2) 1) лучший; 2) *predic.* чувствующий себя лучше; I am ~ я чувствую себя лучше, мне лучше; ◇ the ~ part большинства; the ~ half *разг.* дражайшая половина, жена; ~ sort *разг.* выдающиеся люди; to be ~ off быть богаче; to be ~ than one's word сделать больше обещанного; for ~ for worse что бы ни случилось; на горе и радость; the ~ hand преимущество, перевес, превосходство; no ~ than a fool просто дурак;

2. *n*: one's ~s вышестоящие лица; ◊ to get the ~ of smb. получить преимущество над кем-л., взять верх, победить;

3. *adv (сравнит. ст. от* well II, 1) лучше; больше; to think ~ of smth. а) переменить мнение о чём-л.; передумать; б) быть более высокого мнения; ◊ all the ~, so much the ~ тем лучше; never ~ *разг.* как нельзя лучше; you'd be all the ~ (for) вам не мешало бы...; none the ~ (for) ничуть не лучше; you had ~ go вам бы лучше пойти; you'd ~ believe it *амер. разг.* можете быть уверены; twice as long and ~ более чем вдвое длиннее; I know ~ меня не проведёшь;

4. *v* 1) улучша́ть(ся); поправля́ть(ся); исправля́ть(ся); to ~ oneself получи́ть повыше́ние (по слу́жбе); 2) превзойти́, превы́сить.

bettering house ['betərɪŋ‚haus] *n* исправи́тельный дом.

betterment ['betəmənt] *n* 1) улучше́ние, исправле́ние; 2) мелиора́ция.

betting ['betɪŋ] 1. *pres.p. от* bet 2; 2. *n* пари́.

bettor ['betə] = better I.

between [bɪ'twiːn] 1. *prep* ме́жду; ◊ ~ the cup and the lip a morsel may slip *посл.* ≅ не ра́дуйся ра́ньше вре́мени; ~ the devil and the deep sea в безвы́ходном положе́нии; ме́жду двух огне́й; ~ hay and grass ни то ни сё; ни ры́ба ни мя́со; ~ ourselves, ~ you and me (and the bedpost) ме́жду на́ми, конфиденциа́льно; ~ times, ~ whiles в промежу́тках; ~ this and then на досу́ге; ме́жду де́лом; ~ wind and water в наибо́лее уязви́мом ме́сте;

2. *adv* ме́жду; ◊ visits are far ~ посеще́ния ре́дки.

between girl [bɪ'twiːn‚gəːl] = between-maid.

between-maid [bɪ'twiːn‚meɪd] *n* прислу́га, помога́ющая по́вару и го́рничной.

between servant [bɪ'twiːn‚səːvənt] = between-maid.

betwixt [bɪ'twɪkst] *уст., поэт. см.* between; ~ and between ни то ни сё.

bevel ['bevəl] 1. *n тех.* скос; заостре́ние; накло́н; фа́ска; ма́лка;

2. *a* косо́й; косоуго́льный;

3. *v* 1) ска́шивать; обтёсывать; де́лать фа́ску; 2) криви́ться, коси́ться.

bevel-gear ['bevəlgɪə] *n тех.* кони́ческая зубча́тая *или* фрикцио́нная переда́ча.

bevel pinion ['bevəl‚pɪnjən] *n тех.* кони́ческая шестерня́.

beverage ['bevərɪdʒ] *n* напи́ток.

bevy ['bevɪ] *n* 1) ста́я (*особ. о перепёлках и жа́воронках*); ста́до (*косу́ль*); 2) о́бщество, собра́ние (*преим. же́нщин*).

bewail [bɪ'weɪl] *v* опла́кивать, скорбе́ть.

beware [bɪ'wɛə] *v* бере́чься, остерега́ться (*обыкн. в imp. с* of); ~ of dogs! остерега́йтесь соба́к!; ~ lest you provoke him смотри́те, не раздража́йте его́.

bewilder [bɪ'wɪldə] *v* смуща́ть, ста́вить в тупи́к; сбива́ть с то́лку.

bewilderment [bɪ'wɪldəmənt] *n* 1) смуще́ние, замеша́тельство; 2) пу́таница.

bewitch [bɪ'wɪtʃ] *v* заколдо́вывать; очаро́вывать.

bewitchment [bɪ'wɪtʃmənt] *n* 1) колдовство́; 2) очарова́ние.

bewray [bɪ'reɪ] *v* 1) нево́льно выдава́ть; 2) *уст.* разглаша́ть (*та́йну*).

bey [beɪ] *тур. n* бей.

beyond [bɪ'jɔnd] 1. *adv* вдали́; на расстоя́нии;

2. *prep* 1) по ту сто́рону; за; 2) по́зже; ~ the appointed hour по́зже назна́ченного ча́са; 3) вне; сверх, вы́ше; ~ belief невероя́тно; ~ compare вне сравне́ния; ~ expression невырази́мо; ~ hope безнаде́жно; ~ measure чрезме́рно; ~ one's depth сли́шком тру́дно; it is ~ me э́то вы́ше моего́ понима́ния;

3. *n* (the ~) загро́бная жизнь; ◊ the back of ~ са́мый отдалённый уголо́к ми́ра, глушь.

bezant ['bezənt] *n* 1) византи́н (*золота́я византи́йская моне́та*); 2) *архит.* орна́мент в ви́де ря́да ди́сков.

bezel ['bezl] *n* 1) косо́й край ле́звия стаме́ски; 2) гнездо́ (*ка́мня в пе́рстне или в часа́х*); 3) фасе́т; 4) желобо́к, в кото́рый вправля́ется стекло́ часо́в.

bhang [bæŋ] = bang III.

bi- [baɪ-] *pref* дву(х)-; *напр.*: bicameral двухпала́тный; bi-monthly а) выходя́щий раз в два ме́сяца; б) выходя́щий два ра́за в ме́сяц.

bias ['baɪəs] 1. *n* 1) укло́н, накло́н, склон, пока́тость; 2) коса́я ли́ния в тка́ни; to cut on the ~ крои́ть по косо́й ли́нии; 3) предубежде́ние (against — про́тив *кого́-л.*); пристра́стие (in favour of, towards — в по́льзу *кого́-л.*); ко́свенное влия́ние; 4) *радио* смеще́ние;

2. *adv* ко́со, по диагона́ли;

3. *v* склоня́ть; ока́зывать влия́ние (*обыкн. плохо́е*); внуша́ть предубежде́ние; to be ~(s)ed against smb. име́ть предубежде́ние про́тив кого́-л.

bib I [bɪb] *n* де́тский нагру́дник; ◊ best ~ and tucker лу́чшее пла́тье.

bib II [bɪb] *v* мно́го пить, выпива́ть.

bibb [bɪb] *n* затво́р; заты́чка, про́бка; кран.

bibber ['bɪbə] *n* пья́ница.

Bible ['baɪbl] *n* би́блия.

biblical ['bɪblɪkəl] *a* библе́йский.

bibliofilm ['bɪblɪɔfɪlm] *n* плёнка для микрофи́льмов.

bibliographer [‚bɪblɪ'ɔgrəfə] *n* библио́граф.

bibliographic(al) [‚bɪblɪou'græfɪk(əl)] *a* библиографи́ческий.

bibliography [‚bɪblɪ'ɔgrəfɪ] *n* библиогра́фия.

bibliomania [‚bɪblɪou'meɪnjə] *n* библиома́ния.

bibliomaniac [‚bɪblɪou'meɪnɪæk] *n* библиома́н.

bibliophile ['bɪblɪoufaɪl] *n* библиофи́л.

bibulous ['bɪbjuləs] *a* 1) впи́тывающий вла́гу; 2) пья́нствующий.

bicameral [baɪ'kæmərəl] *a* двухпала́тный.

bicarbonate [baɪ'kɑːbənɪt] *a хим.* двууглеки́слый.

bice [baɪs] *n* бле́дно-си́няя кра́ска *или* -ний цвет.

bicentenary [ˌbaɪsen'tiːnərɪ] 1. *n* двухсотле́тняя годовщи́на, двухсотле́тие; 2. *a* двухсотле́тний.

bicentennial [ˌbaɪsen'tenjəl] 1. *a* двухсотле́тний; повторя́ющийся ка́ждые 200 лет; 2. *n* двухсотле́тняя годовщи́на, двухсотле́тие.

bicephalous [baɪ'sefələs] *a* двугла́вый.

biceps ['baɪseps] *n* анат. би́цепс, двугла́вая мы́шца.

bichloride ['baɪ'klɔːraɪd] *n* хим. двухло́ристый соста́в; ~ of mercury сулема́.

bichromate ['baɪ'kroumɪt] *n* хим. двухромовоки́слая соль.

bicker ['bɪkə] 1. *n* 1) перебра́нка; 2) потасо́вка; 3) журча́ние, лёгкий шум; 2. *v* 1) спо́рить, препека́ться; 2) дра́ться; 3) журча́ть (*о воде*); стуча́ть (*о дожде*); 4) колыха́ться (*о пламени*).

biconcave [baɪ'kɔnkeɪv] *a* опт. двояково́гнутый.

biconvex [baɪ'kɔnveks] *a* опт. двояковы́пуклый.

bicuspid [baɪ'kʌspɪd] анат. 1. *n* оди́н из ма́лых коренны́х зубо́в; 2. *a* 1) двузу́бчатый; 2) двуство́рчатый (*клапан*).

bicycle ['baɪsɪkl] 1. *n* велосипе́д; 2. *v* е́здить на велосипе́де.

bicycler ['baɪsɪklə] *амер.* = bicyclist.

bicycling ['baɪsɪklɪŋ] 1. *pres. p. от* bicycle 2; 2. *n* езда́ на велосипе́де.

bicyclist ['baɪsɪklɪst] *n* велосипеди́ст.

bid [bɪd] 1. *n* 1) предложе́ние цены́ (*обыкн. на аукцио́не*); зая́вка (*на торга́х*); 2) предлага́емая цена́; 3) разг. приглаше́ние; 4) прете́нзия, домога́тельство; 2. *v* (bad(e), bid; bidden, bid) 1) прика́зывать; do as you are ~den де́лай(те), как прика́зано; 2) предлага́ть це́ну (*обыкн. на аукцио́не; for*); приглаша́ть (*госте́й*); 4) *уст.* проси́ть; □ ~ against, ~ in, ~ up набавля́ть це́ну; ◇ to ~ fair сули́ть, обеща́ть, каза́ться вероя́тным, предвеща́ть; to ~ farewell (*или* good-bye) проща́ться; to ~ welcome приве́тствовать.

biddable ['bɪdəbl] *a* послу́шный.

bidden ['bɪdn] *p. p. от* bid 2.

bidder ['bɪdə] *n* 1) выступа́ющий на торга́х; покупщи́к; the highest (*или* the best) ~ лицо́, предложи́вшее наивы́сшую це́ну (*на торга́х*); 2) приглаша́ющий.

bidding ['bɪdɪŋ] 1. *pres. p. от* bid 2; 2. *n* 1) предложе́ние цены́; 2) торги́; 3) приказа́ние; 4) приглаше́ние.

bide [baɪd] *v* (bode, bided) *уст.* = abide; to ~ one's time ждать благоприя́тного слу́чая, выжида́ть.

biennial [baɪ'enɪəl] 1. *a* двухле́тний, двухгоди́чный; случа́ющийся раз в два го́да; 2. *n* двухле́тнее расте́ние.

bier [bɪə] *n* 1) похоро́нные дро́ги *или* носи́лки; 2) *перен.* моги́ла, смерть; 3) гроб.

biff [bɪf] *амер. sl.* 1. *n* си́льный уда́р; 2. *v* ударя́ть.

biffin ['bɪfɪn] *n* тёмно-кра́сное я́блоко для пече́ния *или* ва́рки.

bifid ['baɪfɪd] *a* разделённый на́двое; расщеплённый.

bifocal ['baɪ'foukəl] 1. *a* двухфо́кусный; 2. *n pl* очки́ с двухфо́кусными стёклами.

bifoliate [ˌbaɪ'fouliɪt] *a* двули́стный.

bifurcate 1. *a* ['baɪfəːkɪt] раздво́енный; 2. *v* ['baɪfəːkeɪt] раздва́ивать(ся), разветвля́ть(ся).

bifurcation [ˌbaɪfəː'keɪʃən] *n* раздвое́ние, разветвле́ние, бифурка́ция.

big I [bɪg] 1. *a* 1) большо́й, кру́пный; ~ repair капита́льный ремо́нт; ~ game кру́пный зверь; 2) высо́кий; широ́кий; 3) гро́мкий; ~ noise а) си́льный шум; *перен.* хва́стовство; б) *амер. sl.* хозя́ин, шеф; 4) взро́слый; 5) бере́менная (*тж.* ~ with child); 6) разду́тый; напо́лненный (with); ~ with news по́лный новосте́й; 7) ва́жный, значи́тельный; to look ~ принима́ть ва́жный вид; 8) хвастли́вый; ~ talk хвастовство́; ~ mouth *амер.* хвастли́вый болту́н; to talk ~ хва́статься; 9) великоду́шный; that's ~ of you э́то великоду́шно с ва́шей стороны́; ◇ ~ head *амер.* самомне́ние, ва́жничанье; ~ bug, ~ shot ва́жная персо́на; «ши́шка»; ~ gun а) *воен.* тяжёлое ору́дие; б) = ~ bug; too ~ for one's boots *разг.* самонаде́янный; 2. *adv разг.* хвастли́во, с ва́жным ви́дом.

big II [bɪg] = bigg.

bigamist ['bɪgəmɪst] *n* двоеже́нец; двому́жница.

bigamy ['bɪgəmɪ] *n* бига́мия; двоеже́нство; двоему́жие.

bigaroon [ˌbɪgə'ruːn] *n* бигаро́ (*сорт ви́шни*).

Big Ben ['bɪg'ben] *n* Большо́й Бен (*часы́ на зда́нии англи́йского парла́мента*).

bigg [bɪg] *n с.-х.* четырёхря́дный ячме́нь.

biggin ['bɪgɪn] *n* капюшо́н.

big-horn ['bɪgˌhɔːn] *n* сне́жный бара́н, чубу́к.

big house ['bɪg'haus] *n амер. sl.* ка́торжная тюрьма́.

bight [baɪt] *n* 1) бу́хта; 2) излу́чина (*реки́*); 3) *мор.* шлаг (*тро́са*), бу́хта тро́са.

bigness ['bɪgnɪs] *n* величина́, высота́ *и пр.* [*см.* big I, 1].

bigot ['bɪgət] *n* 1) слепо́й приве́рженец; 2) изуве́р, фана́тик.

bigoted ['bɪgətɪd] *a* фанати́ческий; нетерпи́мый.

bigotry ['bɪgətrɪ] *n* слепа́я приве́рженность (*к чему́-л.*); фанати́зм.

big top ['bɪg'tɔp] *n разг.* 1) ку́пол ци́рка; 2) цирк.

big tree ['bɪg,triː] *n амер. бот.* секво́йя.

bigwig ['bɪgwɪg] *n sl.* ва́жная персо́на, «ши́шка».

bijou ['biːʒuː] *фр.* 1. *n* (*pl* -oux) безделу́шка; драгоце́нная вещь; 2. *a* ма́ленький и изя́щный.

bijoux ['biːʒuːz] *pl от* bijou.

bike [baɪk] *сокр. разг. от* bicycle.

bilabial [baɪ'leɪbjəl] *a фон.* билабиа́льный.

bilabiate [baɪ'leɪbɪɪt] *a бот.* двугу́бый.

bilateral [baɪ'lætərəl] *a* двусторо́нний.

bilberry ['bɪlbərɪ] *n* черни́ка.

bilbo ['bɪlbou] *n* 1) (bilboes) *pl* ножны́е кандалы́; 2) (*pl* -os [-ouz]) *уст.* испа́нский клино́к.

bile [baɪl] *n* 1) жёлчь; 2) раздражи́тельность; жёлчность.

bile-duct ['baɪldʌkt] *n анат.* жёлчный прото́к.

bilge [bɪldʒ] 1. *n* 1) дни́ще (*судна*); скула́; 2) трю́мная вода́ (*тж.* ~ water); 3) сре́дняя, наибо́лее широ́кая часть бо́чки; 4) *разг.* ерунда́, чепуха́; 5) *тех.* стрела́ проги́ба; 6) *attr.* трю́мный; ~ pump трю́мная по́мпа;
2. *v* проби́ть дни́ще.

biliary ['bɪljərɪ] *a* 1) относя́щийся к пе́чени; 2) = bilious 2).

bilingual [baɪ'lɪŋgwəl] *a* 1) двуязы́чный; 2) говоря́щий на двух языка́х.

bilious ['bɪljəs] *a* 1) жёлчный; 2) страда́ющий от разли́тия жёлчи; 3) раздражи́тельный.

bilk [bɪlk] 1. *n* = bilker;
2. *v* обма́нывать; уклоня́ться от упла́ты (*долгов*).

bilker ['bɪlkə] *n* жу́лик, моше́нник.

bill I [bɪl] 1. *n* 1) клюв; 2) у́зкий мыс; 3) козырёк (*фура́жки*); 4) носо́к я́коря;
2. *v* целова́ться клю́виками (*о голубя́х*); to ~ and coo ласка́ться.

bill II [bɪl] *n* 1) законопрое́кт, билль; to pass (to throw out) the ~ приня́ть (отклони́ть) законопрое́кт; 2) спи́сок; инвента́рь; докуме́нт; ~ of credit аккредити́в; ~ of entry тамо́женная деклара́ция; ~ of fare меню́; ~ of health карани́тное свиде́тельство; ~ of lading накладна́я, коносаме́нт; ~ of parcels факту́ра; накладна́я; ~ of sale ку́пчая, закладна́я; 3) програ́мма (*конце́рта и т. п.*); 4) счёт; padded ~s разду́тые счета́; ~ of costs счёт адвока́та (*или* пове́ренного) клие́нту за веде́ние де́ла; omnibus ~ счёт по ра́зным статья́м; to run up a ~ име́ть счёт (*у портно́го, в магази́не и т. п.*); 5) ве́ксель, тра́тта (*тж.* ~ of exchange); short ~ краткосро́чный ве́ксель; 6) афи́ша; рекла́ма, рекла́мный листо́к; 7) *амер.* банкно́та; a five dollar ~ биле́т в пять до́лларов; 8) *юр.* иск; to find a true ~ передава́ть де́ло в суд; to ignore the ~ прекраща́ть де́ло; ◇ B. of Rights a) *ист.* «Билль о права́х» (*в А́нглии*); б) пе́рвые де́сять попра́вок к конститу́ции США; G. I. Bill (of Rights) *амер.* льго́та для демобилизо́ванных; butcher's ~ *sl.* спи́сок уби́тых на войне́; to fill the ~ *амер.* удовлетвори́ть потре́бности, сде́лать всё, что ну́жно;
2. *v* 1) объявля́ть в афи́шах; раскле́ивать афи́ши; 2) *амер.* объявля́ть, обеща́ть.

bill III [bɪl] *n* 1) *уст.* алеба́рда; 2) садо́вые но́жницы; 3) топо́р(ик), сека́ч.

billboard ['bɪlbɔːd] *n амер.* доска́ для объявле́ний, афи́ш.

bill-broker ['bɪl,broukə] *n* биржево́й ма́клер (*по векселя́м*).

bill-discounter ['bɪldɪs,kauntə] *n* дисконтёр.

billet I ['bɪlɪt] 1. *n* 1) о́рдер на посто́й; 2) помеще́ние для посто́я; 3) размеще́ние

по кварти́рам; 4) *разг.* назначе́ние, ме́сто, до́лжность;
2. *v* расквартиро́вывать (*войска́*).

billet II ['bɪlɪt] *n* 1) поле́но, чурба́н; пла́шка; 2) то́лстая па́лка; 3) *метал.* загото́вка, би́ллет, суту́нка.

billfold ['bɪlfould] *n амер.* бума́жник.

billhead ['bɪlhed] *n* бланк для факту́р.

billhook ['bɪlhuk] = bill III, 2).

billiard ['bɪljəd] *a* билья́рдный; ~ cue кий; ~ room билья́рдная.

billiard-ball ['bɪljədbɔːl] *n* билья́рдный шар.

billiard-marker ['bɪljəd,mɑːkə] *n* маркёр.

billiards ['bɪljədz] *n pl* билья́рд.

billingsgate ['bɪlɪŋzgɪt] *n* площадна́я брань (*по назва́нию большо́го ры́бного ры́нка в Ло́ндоне*); to talk ~ руга́ться, как торго́вка на база́ре.

billion ['bɪljən] *num. card.*, *n* 1) биллио́н (1 000 000 000 000); 2) *амер.* миллиа́рд (1 000 000 000).

billionaire [,bɪljə'nɛə] *n амер.* миллиарде́р.

Bill Jim ['bɪl'dʒɪm] *n* Билл Джим (*прозвище австрали́йского солда́та*).

billon ['bɪlən] *n* биллон, низкопро́бное зо́лото *или* серебро́.

billot ['bɪlət] *n* 1) сли́ток зо́лота *или* серебра́ (*предназначенный для чека́нки моне́ты*); 2) брусо́к, полоса́.

billow ['bɪlou] 1. *n* 1) больша́я волна́, вал; 2) *перен.* лави́на; 3) *поэт.* мо́ре;
2. *v* вздыма́ться, волнова́ться.

billowy ['bɪloʊɪ] *a* 1) вздыма́ющийся (*о волна́х*); 2) волни́стый, пересечённый (*о ме́стности*).

bill-poster ['bɪl,poustə] *n* раскле́йщик афи́ш.

bill-sticker ['bɪl,stɪkə] = bill-poster.

billy ['bɪlɪ] *n* 1) (полице́йская) дуби́нка; 2) *сев.* това́рищ, прия́тель; 3) *австрал.* жестяно́й похо́дный котело́к.

billyboy ['bɪlɪbɔɪ] *n мор.* биллибо́й, кабота́жное па́русное су́дно.

billy-goat ['bɪlɪgout] *n* козёл.

biltong ['bɪltɔŋ] *n* провя́ленное мя́со, наре́занное у́зкими поло́сками.

bimestrial [baɪ'mestrɪəl] *a* 1) двухме́сячный; 2) = bi-monthly.

bimetallic [,baɪmɪ'tælɪk] *a* биметалли́ческий.

bimetallism [baɪ'metəlɪzm] *n эк.* биметалли́зм.

bi-monthly ['baɪ'mʌnθlɪ] 1. *a* 1) выходя́щий раз в два ме́сяца; 2) выходя́щий два ра́за в ме́сяц;
2. *adv* 1) раз в два ме́сяца; 2) два ра́за в ме́сяц;
3. *n* журна́л, выходя́щий раз в два ме́сяца.

bin [bɪn] *n* 1) за́кром, ларь; бу́нкер; 2) му́сорное ведро́; 3) мешо́к *или* корзи́на для сбо́ра ви́нограда.

binary ['baɪnərɪ] *a* двойно́й, сдво́енный.

bind [baɪnd] *v* (bound) 1) вяза́ть; свя́зывать; 2) зажима́ть; 3) привя́зывать; 4) заде́рживать, ограни́чивать; 5) переплета́ть (*кни́гу*); 6) обя́зывать; to ~ oneself взять на

себя обязательство, обязаться; to be bound
to take an action быть вынужденным что-л.
предпринять *или* выступить; to be bound to
be defeated быть обречённым на поражение;
7) затвердевать (*о снеге, грязи, глине и т. п.*);
8) скреплять; to ~ the loose sand закреплять пески; 9) вызывать запор; ☐ ~ over
(*с inf.*) обязывать; to ~ over to appear обя-
зываться явкой в суд; to ~ over to keep the
peace обязывать соблюдать общественное
спокойствие; ~ up а) перевязывать (*раны*);
б) переплетать в общий переплёт; в) связывать; this problem is bound up with many
others эта проблема связана со многими
другими; ◇ to be bound apprentice быть
отданным в учение (*ремеслу*).

binder ['baɪndə] *n* 1) переплётчик; 2) связующее вещество (*клей, цемент и т. п.*);
связывающая машина (*сноповязалка и т.п.*);
3) *стр.* тычок.

bindery ['baɪndərɪ] *n* переплётная мастерская.

binding ['baɪndɪŋ] 1. *pres.p. от* bind;
2. *n* 1) переплёт; 2) обшивка; оковка;
связь; 3) *эл.* сращивание (*проводов*); 4)
спорт. крепление.
3. *a* 1) связующий; вяжущий; ~ power
вяжущая способность; 2) ограничительный, сдерживающий; 3) обязывающий; обязательный; in a ~ form в форме обязательства.

bindle stiff ['bɪndlstɪf] *n амер. sl.* бродяга.

bindweed ['baɪndwiːd] *n бот.* вьюнок.

bine [baɪn] *n бот.* побег; стебель ползу-
чего растения (*особ. хмеля*).

binge [bɪndʒ] *n амер. разг.* кутёж, выпивка.

bingo ['bɪŋgou] *n* вид азартной игры
(*напоминающей лото*).

binnacle ['bɪnəkl] *n мор.* нактоуз (*ящик
для судового компаса*).

binocular [bɪ'nɔkjulə] *a* бинокулярный.

binoculars [bɪ'nɔkjuləz] *n pl* бинокль.

binomial [baɪ'noumjəl] *n мат.* бином,
двучлен; В. theorem бином Ньютона.

binominal [,baɪ'nɔmɪnəl] *a* имеющий два
названия; ~ system *зоол., бот.* система
классификации по роду и виду.

bint [bɪnt] *n sl.* девушка.

biochemist ['baɪou'kemɪst] *n* биохимик.

biochemistry ['baɪou'kemɪstrɪ] *n* биохимия.

biogenesis ['baɪou'dʒenɪsɪs] *n* биогенезис.

biographer [baɪ'ɔgrəfə] *n* биограф.

biographic(al) [,baɪou'græfɪk(əl)] *a* био-
графический.

biography [baɪ'ɔgrəfɪ] *n* биография.

biologic [,baɪə'lɔdʒɪk] = biological.

biological [,baɪə'lɔdʒɪkəl] *a* биологический;
~ warfare бактериологическая война.

biologist [baɪ'ɔlədʒɪst] *n* биолог.

biology [baɪ'ɔlədʒɪ] *n* биология.

biolysis [baɪ'ɔlɪsɪs] *n биол.* распад орга-
нического вещества.

biophysics ['baɪou'fɪzɪks] *n pl* (*употр.
как sing*) биофизика.

bioplasm, bioplast ['baɪou,plæzm, 'baɪou-
,plæst] *n* биоплазма, протоплазма.

biosynthesis ['baɪou'sɪnθɪsɪs] *n* биосинтез.

biota [baɪ'outə] *n* флора и фауна данного
района.

bipartisan [baɪ'pɑːtɪzən] *a* двухпартийный.

bipartite [baɪ'pɑːtaɪt] *a* 1) двусторонний
(*о соглашении и т. п.*); 2) состоящий из
двух частей; 3) *бот.* разделённый на две
части, двураздельный.

biped ['baɪped] 1. *n* двуногое (животное);
2. *a* = bipedal.

bipedal ['baɪ,pedl] *a* двуногий.

bipetalous [baɪ'petələs] *a* двухлепестко-
вый.

biplane ['baɪpleɪn] *n* биплан.

bipod ['baɪpɔd] *n воен.* сошка, двунога.

bipolar [baɪ'poulə] *a эл.* двухполюсный.

biquadratic [,baɪkwɔ'drætɪk] *мат.* 1. *a*
биквадратный;
2. *n* биквадрат; биквадратное уравнение.

birch [bəːtʃ] 1. *n* 1) берёза; 2) розга;
3) *attr.* берёзовый;
2. *v* сечь розгой.

birchen ['bəːtʃən] *a* берёзовый; сделанный
из берёзы.

birch-rod ['bəːtʃrɔd] = birch 1, 2).

bird [bəːd] *n* 1) птица; пташка; 2) *разг.*
парень, человек; a gay (queer) ~ весельчак (чудак); ◇ ~ of Jove орёл; ~ of Juno
павлин; to do smth. like a ~ делать
что-л. охотно; to get the ~ быть уволенным;
быть освистанным; a ~ in the bush нечто
нереальное; a ~ in the hand нечто реальное; a ~ in the hand is worth two in the
bush *посл.* ≅ не сули журавля в небе, дай
синицу в руки; ~s of a feather ≅ одного
поля ягода; один другого стоит; ~s of a
feather flock together *посл.* ≅ рыбак рыбака
видит издалека; an old ~ ≅ стреляный
воробей; an old ~ is not caught with chaff
посл. старого воробья на мякине не проведёшь; an early ~ ранняя пташка; (it
is) the early ~ (that) catches the worm *посл.*
≅ кто рано встаёт, того удача ждёт; to kill
two ~s with one stone ≅ убить двух зай-
цев одним выстрелом, одним ударом; a little ~ told me ≅ слухом земля полнится;
кто-то мне сказал; to make a ~ (of) попасть (в *цель*), поразить.

bird-cage ['bəːdkeɪdʒ] *n* клетка (*для птиц*).

bird-call ['bəːdkɔːl] *n* 1) звук, издаваемый
птицей; 2) вабик.

bird-catcher ['bəːd,kætʃə] *n* птицелов.

bird-fancier ['bəːd,fænsɪə] *n* 1) любитель
птиц, птицевод; 2) продавец птиц.

birdie ['bəːdɪ] *n* (*уменьш. от* bird) птичка,
пташка.

bird-lime ['bəːdlaɪm] *n* птичий клей.

bird-nest ['bəːdnest] = bird's nest.

bird-nesting ['bəːdnestɪŋ] = bird's-nesting.

bird of passage ['bəːdəv'pæsɪdʒ] *n* перелётная птица.

bird of prey ['bəːdəv'preɪ] *n* хищная птица.

bird-seed ['bəːdsiːd] *n* птичий корм.

bird's-eye ['bəːdzaɪ] *n бот.* первоцвет
(мучнистый).

bird's-eye view ['bəːdzaɪ'vjuː] *n* 1) вид
с птичьего полёта; 2) общая перспектива.

bird's nest ['bəːdznest] *n* 1) птичье гнездо;
2) ласточкино гнездо (*китайское лакомство*).

bird's-nesting ['bəːdznestɪŋ] *n* охота за
птичьими гнёздами.

birth [bəːθ] *n* 1) рожде́ние; an artist by ~ худо́жник по призва́нию; to give ~ to роди́ть, произвести́ на свет [*ср. тж.* 3)]; new (*или* second) ~ второ́е рожде́ние, возрожде́ние; 2) ро́ды; two at a ~ дво́йня; 3) нача́ло, исто́чник; to give ~ to дать нача́ло (*чему́-л.*) [*ср. тж.* 1)].

birth-control [´bəːθkən,troul] *n* 1) регули́рование рожда́емости; 2) противозача́точные ме́ры.

birthday [´bəːθdeɪ] *n* 1) день рожде́ния; 2) *attr.*: ~ cake торт ко дню рожде́ния; ◇ ~ suit *шутл.* ко́жа.

birth-mark [´bəːθmɑːk] *n* ро́динка, роди́мое пятно́.

birth-place [´bəːθpleɪs] *n* ме́сто рожде́ния, ро́дина.

birth-rate [´bəːθreɪt] *n* рожда́емость; коэффицие́нт рожда́емости.

birthright [´bəːθraɪt] *n* 1) пра́во перворо́дства; 2) пра́во в си́лу рожде́ния (*в определённой семье и т. п.*).

bis [bɪs] *um. adv* ещё раз, вторйчно, бис.

biscuit [´bɪskɪt] *n* 1) сухо́е пече́нье; ship's ~ суха́рь; 2) бискви́тный, неглазиро́ванный фарфо́р; 3) све́тло-кори́чневый цвет; 4) *attr.* све́тло-кори́чневый.

bisect [baɪ´sekt] *v* разреза́ть, дели́ть попола́м.

bisection [baɪ´sekʃən] *n* деле́ние попола́м.

bisector [baɪ´sektə] *n мат.* биссектри́са.

bisectrices [baɪ´sektrɪsɪz] *pl om* bisectrix.

bisectrix [baɪ´sektrɪks] *n* (*pl* -trices) = bisector.

bisexual [´baɪ´seksjuəl] *a* двупо́лый.

bishop [´bɪʃəp] *n* 1) епи́скоп; 2) *шахм.* слон; 3) би́шоф (*напиток из вина и фруктового сока*); ◇ the ~ has played the cook *бука*. епи́скоп был тут по́варом (*говорится о подгоре́вшем блюде*).

bishopric [´bɪʃəprɪk] *n* 1) сан епи́скопа; 2) епа́рхия.

bismuth [´bɪzməθ] *n хим.* ви́смут.

bison [´baɪsn] *n* бизо́н.

bisque I [bɪsk] = biscuit 2).

bisque II [bɪsk] *n* 1) ра́ковый суп; 2) суп из пти́цы *или* кро́лика; 3) тома́тный суп-пюре́.

bissextile [bɪ´sekstaɪl] 1. *a* високо́сный; the ~ day 29 февраля́; 2. *n* високо́сный год.

bistort [´bɪstɔːt] *n бот.* горле́ц.

bistoury [´bɪstʊrɪ] *n* бистури́ (*хирурги́ческий нож*).

bistre [´bɪstə] *n* бистр (*тёмно-кори́чневая краска*).

bit I [bɪt] *n* 1) кусо́чек; части́ца, небольшо́е коли́чество; a ~ немно́го; every ~ соверше́нно; not a ~ ничу́ть; by ~ постепе́нно; wait a ~ подожди́те мину́ту; he is a ~ of a coward он трусова́т; 2) ме́лкая моне́та; short ~ *амер.* моне́та в 10 це́нтов; long ~ моне́та в 15 це́нтов; two ~s *амер.* моне́та в 25 це́нтов; ◇ to give smb. a ~ of one's mind вы́сказаться напрями́к, открове́нно; to do one's ~ внести́ свою́ ле́пту; де́лать своё де́ло, исполня́ть свой долг; ~s and pieces оста́тки, обре́зки, хлам; to get a ~ on *разг.* быть навеселе́; he (she) is a ~

long in the tooth он (она́) уже́ не ребёнок; to take a ~ of doing тре́бовать затра́ты уси́лий.

bit II [bɪt] 1. *n* 1) удила́; мундшту́к; to draw ~ натяну́ть пово́дья, во́жжи; to take the ~ between one's teeth закуси́ть удила́; 2) ре́жущий край инструме́нта; ле́звие; 3) бур, пёрка, сверло́; 4) боро́дка (*ключа*); желе́зка руба́нка;
2. *v* 1) взну́здывать; 2) обу́здывать, сде́рживать.

bit III [bɪt] *past и p. p. om* bite 2.

bit IV [bɪt] *n* знак в двои́чной систе́ме (*в вычисли́тельных маши́нах*).

bitbrace [´bɪtbreɪs] *n тех.* коловоро́т.

bitch [bɪtʃ] *n* 1) су́ка; 2) *в назва́ниях живо́тных означает са́мку*: ~ wolf волчи́ца; 3) *груб.* су́ка.

bite [baɪt] 1. *n* 1) уку́с; 2) след уку́са; 3) клёв (*рыбы*); 4) кусо́к (*пищи*); without ~ or sup не е́вши, не пи́вши; 5) за́втрак, лёгкая заку́ска; to have a ~ перекуси́ть, закуси́ть; 6) острота́, е́дкость; 7) травле́ние (*при гравиро́вке*); 8) *мед.* прику́с; 9) *тех.* зажа́тие, сцепле́ние;
2. *v* (bit; bit, bitten) 1) куса́ть(ся); жа́лить; 2) клева́ть (*о рыбе*); 3) коло́ть, руби́ть (*са́блей*); 4) жечь (*о пе́рце, горчи́це и т. п.*); 5) щипа́ть, поби́ть (*о моро́зе*); 6) трави́ть, разъеда́ть (*о кислота́х; обы́кн.* ~ in); 7) язви́ть, коло́ть; 8) приня́ть, ухвати́ться (*за предложе́ние*); 9) (*pass.*) попада́ться, поддава́ться обма́ну; 10) *тех.* сцепля́ться; the wheels will not ~ колёса скользя́т; the brake will not ~ то́рмоз не берёт; □ ~ off отку́сывать; ◇ to ~ off more than one can chew взя́ться за непоси́льное де́ло; переоцени́ть свои́ си́лы; to ~ the dust (*или* the ground, the sand) а) быть уби́тым; б) па́дать ниц, быть пове́ргнутым во прах; быть побеждённым; to ~ one's thumb at smb. *уст.* вы́сказать своё презре́ние кому́-л.

biter [´baɪtə] *n* 1) тот, кто куса́ет; 2) куса́ющееся живо́тное; ◇ the ~ bit ≅ попа́лся, кото́рый куса́лся.

biting [´baɪtɪŋ] 1. *pres. p. om* bite 2;
2. *a* 1) о́стрый, е́дкий; 2) язви́тельный, ре́зкий.

bitt [bɪt] *мор.* 1. *n* би́тенг; *pl* кне́хты;
2. *v* обнести́ (трос) на би́тенг.

bitten [´bɪtn] *p. p. om* bite 2; ◇ once ~ twice shy *посл.* ≅ обже́гшись на молоке́, бу́дешь дуть и на́ воду; пу́ганая воро́на куста́ бои́тся.

bitter I [´bɪtə] 1. *a* 1) го́рький; ~ as gall (*или* wormwood) го́рький как полы́нь; 2) го́рький, мучи́тельный; 3) ре́зкий (*о слова́х*); е́дкий (*о замеча́нии*); 4) ре́зкий, си́льный (*о ве́тре*); 5) ожесточённый; ~ enemy злейший враг; ◇ to the ~ end до са́мого конца́; that which is ~ to endure may be sweet to remember ≅ иногда́ быва́ет прия́тно вспо́мнить то, что бы́ло тяжело́ пережива́ть.
2. *adv* 1) го́рько; 2) ре́зко, жесто́ко; 3) *употребля́ется для усиле́ния прилага́тельного* о́чень, ужа́сно; it was ~ cold бы́ло о́чень хо́лодно.
3. *n* 1) го́речь; 2) стака́н го́рького пи́ва.

bitter II [´bɪtə] *n мор.* шлаг на би́тенге.

bitter earth ['bitər'ə:θ] *n хим.* магнезия.

bitterend ['bitərend] *a* не идущий на компромисс, стойкий, принципиальный.

bitterish ['bitəriʃ] *a* горьковатый.

bitterly ['bitəli] *adv* горько *и пр.* [*см.* bitter I, 1].

bittern I ['bitən] *n* выпь-бугай (*птица*).

bittern II ['bitə:n] *n* маточный раствор (*в солеварнях*).

bitterness ['bitənis] *n* горечь *и пр.* [*см.* bitter I, 1].

bitters ['bitəz] *n pl* 1) горькая настойка; 2) горькое лекарство; ◇ to get one's ~ *амер. ирон.* получить по заслугам.

bitter salt ['bitə'sɔːlt] *n мед.* горькая соль.

bitumen ['bitjumin] *n* битум; асфальт.

bituminous [bi'tju:minəs] *a* битумный, битуминозный; ~ concrete битумный бетон, асфальтобетон.

bivalve ['baivælv] **1.** *n зоол.* двустворчатый моллюск;
2. *a* двустворчатый.

bivouac ['bivuæk] **1.** *n* бивак; to go into ~ располагаться биваком;
2. *v* располагаться, стоять биваком.

bivouac-area ['bivuæk'ɛəriə] *n* бивачный район.

bivvy ['bivi] *n* (*сокр. от* bivouac) *sl.* 1) бивак; 2) палатка.

bi-weekly ['bai'wi:kli] **1.** *a* 1) выходящий раз в две недели; 2) выходящий два раза в неделю;
2. *adv* 1) раз в две недели; 2) два раза в неделю;
3. *n* журнал (издание), выходящий(-ее) раз в две недели.

bizarre [bi'zɑː] *фр. a* странный, причудливый, эксцентричный.

blab [blæb] **1.** *n* 1) болтун; 2) болтовня;
2. *v* болтать (*о чём-л.*); разбалтывать.

blabber ['blæbə] *n* болтун; сплетник.

black [blæk] **1.** *a* 1) чёрный; ~ art чёрная магия; ~ character = black letter; 2) тёмный; 3) мрачный, унылый; безнадёжный; things look ~ положение кажется безнадёжным; 4) сердитый, злой; ~ looks злые взгляды; to look ~ выглядеть мрачным, хмуриться; 5) дурной; he is not so ~ as he is painted он не так плох, как его изображают; 6) темнокожий; смуглый; 7) грязный (*о руках, белье*); 8) зловещий; ◇ ~ as ink а) чёрный как сажа; б) мрачный, безрадостный; B. Belt Чёрный пояс, южные районы США, где преобладает негритянское население; the B. Country чёрная страна, каменноугольный и железообрабатывающий район Стаффордшира и Уорикшира; ~ as hell (*или* night, pitch, my hat) тьма кромешная; ~ as sin (*или* thunder, thundercloud) мрачнее тучи; ~ and blue в синяках; to beat ~ and blue избить до синяков, живого места не оставить; ~ eye а) подбитый глаз; б) *разг.* стыд, срам; ~ and tan чёрный с рыжими подпалинами; B. and Tans *ист.* английские карательные отряды в Ирландии после первой мировой войны, участвовавшие в подавлении восстания шинфейнеров; ~ dog ≝ зелёная тоска; дурное настроение; уныние; ~ gang *мор.*

sl. кочегары; ~ hand gang *sl.* шайка бандитов; ~ in the face багровый (*от раздражения или напряжения*); to know ~ from white понимать что к чему, быть себе на уме;
2. *n* 1) чёрный цвет, чернота; to swear ~ is white называть чёрное белым, заведомо говорить неправду; 2) чёрная краска, чернь; Berlin ~ чёрный лак для металла; 3) чернокожий; 4) чёрное пятно; 5) платье чёрного цвета; траурное платье;
3. *v* 1) окрашивать чёрной краской; 2) ваксить; to ~ boots чистить сапоги ваксой; 3) *перен.* чернить; □ ~ out а) вымарывать, замазывать текст чёрной краской (*о цензоре*); не пропускать, запрещать; б) маскировать; затемнять; выключать свет; в) *амер.* засекречивать; г) на мгновение терять сознание (*о лётчике при внезапном повороте и т. п.*); д) заглушать (*радиопередачу*).

blackamoor ['blækəmuə] *n* негр; арап.

black and white ['blækənd'wait] *n* 1) рисунок пером; 2) in ~ в письменной форме; to put down in ~ написать чёрным по белому; напечатать; 3) чёрно-белый фильм.

black ball ['blækbɔːl] *n* 1) чёрный шар (*при баллотировке*); 2) чёрная малина.

black-ball ['blækbɔːl] *v* забаллотировать.

black-beetle ['blæk'bitl] *n* чёрный таракан.

blackberry ['blækbəri] *n* 1) куманика; 2) *сев.* чёрная смородина.

blackbird ['blækbəd] *n* чёрный дрозд.

black-board ['blækbɔːd] *n* классная доска.

black book ['blækbuk] = black list; ◇ to be in smb.'s ~ быть у кого-л. в немилости.

black cap ['blækkæp] *n* 1) судейская шапочка, надеваемая при произнесении смертного приговора; 2) чёрная малина.

blackcap ['blækkæp] *n* славка-черноголовка (*птица*).

black-chalk ['blæk,tʃɔːk] *n мин.* чёрный мел, чёрный чертящий сланец.

black-cock ['blækkɔk] *n* тетерев.

black-currant ['blæk'kʌrənt] *n* чёрная смородина.

Black Death ['blæk'deθ] *n ист.* «чёрная смерть» (*чума в Европе в 1348—49 гг.*)

black draught ['blæk'drɑːft] *n* слабительное (*из александрийского листа*).

black earth ['blækə:θ] *n* чернозём.

blacken ['blækən] *v* 1) чернить; пачкать; 2) чернеть; загорать.

black-face ['blækfeis] *n амер. разг.* негр; to appear in ~ *театр.* выступать в роли негра.

black friar ['blæk'fraiə] *n* доминиканец (*монах*).

blackguard ['blægɑːd] **1.** *n* подлец, мерзавец;
2. *a* мерзкий;
3. *v* ругаться.

blackguardism ['blægɑːdizəm] *n* 1) подлое поведение; 2) сквернословие; брань.

blackguardly ['blægɑːdli] **1.** *a* = blackguard 2;
2. *adv* мерзко.

black-head ['blækhed] *n* 1) угорь (*на лице*); 2) чернеть морская (*птица*).

black-hearted ['blæk'hɑːtɪd] *a* дурной; злой.

blacking ['blækɪŋ] 1. *pres. p. om* black 3; 2. *n* 1) вакса; 2) *mex.* припыл.

blacking-out ['blækɪŋaut] *n* 1) = black-out 1; 2) вымарывание (цензором) текста.

blackish ['blækɪʃ] *a* черноватый.

black jack ['blækdʒæk] *n* 1) кувшин для пива *и m. n.*; 2) пиратский флаг; 3) *амер. sl.* дубинка; 4) *мин.* тёмная разновидность цинковой обманки.

black-jack ['blækdʒæk] *v амер. sl.* избивать дубинкой.

black-lead ['blæk'led] *n мин.* графит.

blackleg ['blækleg] *n* 1) шулер, плут; 2) штрейкбрехер.

black letter ['blæk'letə] *n* старинный английский готический шрифт.

black-letter ['blæk'letə] *a* старопечатный, со старинным готическим шрифтом; ~ book старопечатная книга.

black list ['blæklɪst] *n* чёрный список.

black-list ['blæklɪst] *v* вносить в чёрный список.

black-listing ['blæklɪstɪŋ] 1. *pres. p. om* black-list; 2. *n* занесение в чёрный список.

blackmail ['blækmeɪl] 1. *n* шантаж; вымогательство; 2. *v* шантажировать, вымогать деньги.

blackmailer ['blæk,meɪlə] *n* шантажист.

Black Maria ['blækmə'raɪə] *n* тюремная карета.

black market ['blæk'mɑːkɪt] *n* чёрный рынок.

black marketeer ['blæk,mɑːkə'tɪə] *n* торгующий на чёрном рынке, спекулянт.

black monk ['blæk'mɒŋk] *n* бенедиктинец (монах).

blackness ['blæknɪs] *n* чернота; темнота; мрачность.

black-out ['blækaut] 1. *n* 1) *meamp.* выключение света в зрительном зале и на сцене; 2) затемнение (*в связи с противовоздушной обороной*); 3) временное отсутствие электрического освещения (*вследствие аварии и m.n.*); 4) затемнение сознания; провал памяти; 5) *ав.* временная слепота (*лётчика при внезапном повороте и m. n.*); 6) *амер.* засекреченность; 2. *a* 1) затемнённый; 2) *амер.* засекреченный.

black pudding ['blæk,pudɪŋ] *n* кровяная колбаса.

black sheep ['blækʃiːp] *n* негодяй.

blacksmith ['blæksmɪθ] *n* кузнец.

blackstrap ['blækstræp] *n* дешёвый портвейн *или* ром, смешанный с патокой.

blackthorn ['blækθɔːn] *n бот.* слива колючая, тёрн.

blacky ['blækɪ] *a* черноватый.

bladder ['blædə] *n* 1) *анат.* пузырь; 2) пузырь; камера; football ~ футбольная камера; 3) пустомеля.

bladdery ['blædərɪ] *a* 1) пузырчатый; 2) пустой, полый.

blade [bleɪd] *n* 1) лист, былинка; 2) лопасть, лопатка; 3) лезвие; клинок; полотнище (*пилы*); 4) крыло (*семафора*); перо

(*руля*); 5) *разг.* парень; a jolly old ~ весельчак.

blaeberry ['bleɪbərɪ] *n сев.* черника.

blague [blɑːg] *фр. n* хвастовство, пускание пыли в глаза.

blah [blɑː] *n амер. разг.* чепуха, вздор.

blain [bleɪn] *n* пустула; чирей, нарыв.

blame [bleɪm] 1. *n* 1) порицание; упрёк; 2) ответственность; to bear the ~, to take the ~ upon oneself принять на себя вину; to lay the ~ on (*или* upon) smb., to lay the ~ at smb.'s door возложить вину на кого-л.; to lay the ~ at the right door (*или* on the right shoulders) обвинить того, кого следует; to shift the ~ on smb. свалить вину на кого-л.; 2. *v* порицать; считать виновным; he is to ~ for it он виноват в этом; she ~d it on him она считала его виновным (в этом).

blameful ['bleɪmful] *a* 1) = blameworthy; 2) *редк.* склонный осуждать других.

blameless ['bleɪmlɪs] *a* безупречный.

blameworthy ['bleɪm,wəðɪ] *a* заслуживающий порицания.

blanch [blɑːntʃ] *v* 1) белить, отбеливать; 2) бледнеть (*от страха и m.n.*); 3) обесцвечивать (*растения*); 4) обваривать и снимать шелуху; бланшировать (*миндаль*); 5) лудить; 6) чистить до блеска (*металл*); ☐ ~ over обелять, выгораживать.

blancmange [blə'mɒnʒ] *фр. n* бланманже.

bland [blænd] *a* 1) вежливый; ласковый; 2) мягкий (*тж. о климате*); 3) слабый; успокаивающий (*о лекарстве*).

blandish ['blændɪʃ] *v* 1) лаской *или* лестью уговаривать; 2) льстить.

blandishment ['blændɪʃmənt] *n* (*обыкн. pl*) 1) уговаривание, упрашивание; 2) льстивая речь.

blandly ['blændlɪ] *adv* вежливо, ласково, мягко.

blank [blæŋk] 1. *a* 1) пустой; чистый, неисписанный (*о бумаге*); незаполненный (*о бланке, документе*); 2) незастроенный (*о месте*); 3) холостой (*о патроне, заряде*); 4) лишённый содержания; бессодержательный; his memory is ~ on the subject он ничего не помнит об этом; ~ look бессмысленный взгляд; 5) озадаченный, смущённый; to look ~ казаться озадаченным; 6) полный; чистейший; ~ silence абсолютное молчание; ~ despair полное отчаяние; 7) сплошной; ~ wall глухая стена; ~ window ложное, слепое окно; 8) *амер.* NN, Н-ский; X *и m. n.* (*о чём-л., не подлежащем оглашению*); the B. Pursuit Squadron Н-ская истребительная эскадрилья; ◇ ~ side слабая сторона; ~ verse белый стих (*обыкн. пятистопный ямб*); to give a ~ cheque предоставить свободу действий, дать карт-бланш.

2. *n* 1) пустое, свободное место; 2) бланк; 3) тире (*вместо пропущенного или нецензурного слова*); 4) пустой лотерейный билет; to draw a ~ вынуть пустой билет; *перен.* потерпеть неудачу; 5) пробел; пустота (*душевная*); my mind is a complete ~ я ничего не помню; 6) *воен.* белое яблоко мишени; 7) цель; 8) *mex.* заготовка; болванка;

3. *v амер.* наносить крупное пораже́ние; обы́грывать «всуху́ю».

blanket ['blæŋkɪt] **1.** *n* 1) шерстяно́е одея́ло; 2) попо́на, чепра́к; 3) *геол.* нано́с; пове́рхностный слой; отложе́ние; покро́в; ◇ born on the wrong side of the ~ рождённый вне бра́ка, незаконнорождённый; California ~s «калифорни́йские одея́ла» *(газеты, которыми укрываются ночующие в парке безработные);* to put a wet ~ on smb., to throw a wet ~ over smb. охлажда́ть чей-л. пыл; to play the wet ~ расхола́живать; a wet ~ челове́к, де́йствующий расхола́живающе на други́х; что-л., де́йствующее расхола́живающе;

2. *a* 1) о́бщий, по́лный, всеобъе́млющий, всеохва́тывающий; без осо́бых огово́рок *или* указа́ний; огу́льный; 2): ~ sheet *амер.* газе́тный лист большо́го форма́та;

3. *v* 1) покрыва́ть (одея́лом); 2) подбра́сывать на одея́ле; 3) охва́тывать, включа́ть в себя́; 4) заглуша́ть *(шум; радиопередачу — о мощной радиостанции);* 5) оставля́ть в тени́; замя́ть *(вопрос и т. п.);* 6) забра́сывать *(бомбами);* 7) *мор.* отня́ть ве́тер.

blankly ['blæŋklɪ] *adv* 1) безуча́стно; ту́по, невырази́тельно; 2) беспо́мощно; 3) пря́мо, реши́тельно; 4) кра́йне.

blankness ['blæŋknɪs] *n* 1) пустота́; 2) смуще́ние.

blare [blɛə] **1.** *n* зву́ки труб; рёв; **2.** *v* гро́мко труби́ть.

blarney ['blɑːnɪ] **1.** *n* лесть; **2.** *v* обма́нывать ле́стью; льстить.

blaspheme [blæs'fiːm] *v* поноси́ть; богоху́льствовать.

blasphemous ['blæsfɪməs] *a* богоху́льный.

blasphemy ['blæsfɪmɪ] *n* богоху́льство.

blast [blɑːst] **1.** *n* 1) си́льный поры́в ве́тра; 2) пото́к во́здуха; 3) звук *(духового инструмента);* 4) взрыв; 5) заря́д *(для взрыва);* 6) па́губное влия́ние; 7) вреди́тель, боле́знь *(растений);* 8) *тех.* форси́рованная тя́га; дутьё; to be in *(или* at) full ~ рабо́тать по́лным хо́дом; to be out of ~ не рабо́тать; стоя́ть *(о доменной печи);* 2) воздуходу́вка;

2. *v* 1) взрыва́ть; 2) вреди́ть *(растениям и т.п.);* 3) разруша́ть *(планы, надежды);* 4) *тех.* дуть, продува́ть; 5) проклина́ть.

blasted ['blɑːstɪd] **1.** *p.p.* от blast 2; **2.** *a* 1) разру́шенный; 2) про́клятый.

blastema [blæs'tiːmə] *n* 1) *биол.* протопла́зма; образу́ющее вещество́ яйца́; 2) *бот.* по́чка; росто́к, побе́г растёния.

blast-furnace ['blɑːst'fɜːnɪs] *n* до́мна, до́менная печь.

blasting ['blɑːstɪŋ] **1.** *pres. p.* от blast 2; **2.** *a* 1) губи́тельный; 2) взры́вчатый, подрывно́й; ~ cartridge подрывна́я ша́шка; ~ oil нитроглицери́н *(взрывчатое вещество);*

3. *n* 1) по́рча, ги́бель; 2) подрывны́е рабо́ты; пале́ние зубо́в; дутьё; 4) *радио* дребезжа́ние *(громкоговорителя).*

blastoderm ['blæstoudəːm] *n* биол. заро́дышевая оболо́чка.

blast wave ['blɑːstweɪv] *n* взрывна́я волна́.

blatancy ['bleɪtənsɪ] *n* крикли́вость *и пр.* [*см.* blatant].

blatant ['bleɪtənt] *a* 1) крикли́вый; 2) ужа́сный, вопию́щий; 3) очеви́дный, я́вный; a ~ lie я́вная ложь.

blather ['blæðə] = blether.

blatherskite ['blæðəskaɪt] = bletherskate.

blaze I [bleɪz] **1.** *n* 1) пла́мя; in a ~ в огне́; 2) я́ркий свет *или* цвет; ~ of publicity по́лная гла́сность; 3) блеск, великоле́пие; 4) вспы́шка *(огня, страсти);* 5) *pl* ад; go to ~s! убира́йтесь к чёрту!; like ~s с я́ростью; не́истово;

2. *v* 1) горе́ть я́рким пла́менем; 2) сия́ть, сверка́ть; 3) *перен.* кипе́ть; he was blazing with fury он кипе́л от гне́ва; □ ~ away а) *воен.* подде́рживать беспреры́вный ого́нь (at); б) бы́стро *или* горячо́ говори́ть, выпа́ливать; в) рабо́тать с увлече́нием (at); ~ away! валя́й!, жарь!; ~ up вспы́хнуть.

blaze II [bleɪz] **1.** *n* 1) бе́лая звёздочка *(на лбу животного);* 2) ме́тка, клеймо́ *(на дереве);*

2. *v* клейми́ть *(деревья);* де́лать значки́ *(на чём-л.);* отмеча́ть *(дорогу)* зару́бками; to ~ the trail прокла́дывать путь в лесу́, де́лая зару́бки на дере́вьях; *перен.* прокла́дывать путь.

blaze III [bleɪz] *v* разглаша́ть *(часто ~ abroad).*

blazer ['bleɪzə] *n* 1) я́ркая спорти́вная ку́ртка; 2) *sl.* возмути́тельная ложь.

blazing I ['bleɪzɪŋ] **1.** *pres. p.* от blaze I, 2; **2.** *a* 1) я́рко горя́щий; 2) я́вный, заве́домый; ~ scent *охот.* горя́чий след.

blazing II ['bleɪzɪŋ] *pres.p.* от blaze II, 2 *и* III.

blazon ['bleɪzn] **1.** *n* 1) герб; эмбле́ма; 2) прославле́ние;

2. *v* 1) украша́ть геральди́ческими зна́ками; 2) объявля́ть, опове́ща́ть, широко́ разглаша́ть *(часто ~ forth, ~ out, ~ abroad).*

blazonry ['bleɪznrɪ] *n* 1) гербы́; 2) гера́льдика.

bleach [bliːtʃ] **1.** *n* 1) отбе́ливающее вещество́; хло́рная и́звесть; 2) отбе́ливание;

2. *v* 1) бели́ть; отбе́ливать(ся); обесцве́чивать; 2) побеле́ть.

bleacher ['bliːtʃə] *n* 1) отбе́льщик; 2) бели́льный бак; 3) *(обыкн. pl) амер. спорт.* места́ на откры́той трибу́не.

bleaching powder ['bliːtʃɪŋ͵paudə] *n* бели́льная *(или* хло́рная) и́звесть.

bleak I [bliːk] *a* 1) откры́тый, незащищённый от ве́тра; 2) холо́дный; суро́вый по кли́мату; 3) лишённый расти́тельности; 4) уны́лый; мра́чный *(о выражении лица);* 5) бесцве́тный, бле́дный.

bleak II [bliːk] *n* укле́йка *(рыба).*

bleakness ['bliːknɪs] *n* оголённость *(местности) и пр. [см.* bleak I].

blear [blɪə] **1.** *a* затума́ненный; нея́сный; сму́тный;

2. *v* затума́нивать *(взор, полированную поверхность и т. п.);* to ~ the eyes тума́нить взор; *перен.* сбива́ть с то́лку.

blear-eyed ['blɪəraɪd] *a* 1) с затума́ненными глаза́ми; 2) непроница́тельный, недальнови́дный; 3) тупова́тый.

bleat [bliːt] **1.** *n* бле́яние; мыча́ние *(телёнка);*

2. *v* 1) блеять; мычать (*о телёнке*); 2) говорить глупости.

bleb [bleb] *n* 1) волдырь; 2) пузырёк воздуха (*в воде, стекле*); раковина (*в металле*).

bled [bled] *past и p. p. от* bleed.

bleed [bliːd] **1.** *v* (bled) 1) кровоточить; истекать кровью; my heart ~s сердце кровью обливается; 2) проливать кровь; 3) пускать кровь; 4) сочиться (*о деревьях*); 5) продувать; спускать (*воду*); опоражнивать (*бак и т. п.*); 6) вымогать деньги; 7) подвергаться вымогательству; 8) *полигр.* обрезать страницу в край (*не оставляя полей*); ◇ to ~ white a) обескровить; б) обобрать до нитки; выкачать деньги;

2. *a полигр.* напечатанный в край страницы, без полей.

bleeder ['bliːdə] *n* 1) тот, кто производит кровопускание; 2) вымогатель; 3) *мед.* гемофилик; 4) *тех.* предохранительный клапан (*на трубопроводе*); кран для спуска воды.

bleeding ['bliːdɪŋ] **1.** *pres. p. от* bleed 1; **2.** *n* 1) кровотечение; 2) кровопускание; **3.** *a* 1) обливающийся, истекающий кровью; 2) обескровленный, обессиленный; 3) полный жалости, сострадания.

blemish ['blemɪʃ] **1.** *n* 1) недостаток; 2) пятно, позор; **2.** *v* 1) портить, вредить; 2) пятнать; позорить.

blench I [blentʃ] *v* 1) уклоняться; отступать (*перед чем-л.*); 2) закрывать глаза на что-л.

blench II [blentʃ] *v* белить, отбеливать.

blend [blend] **1.** *n* 1) смесь; 2) переход одного цвета *или* одного оттенка в другой; **2.** *v* (blended [-ɪd], blent) 1) смешивать (-ся); изготовлять смесь; oil and water will never ~ масло с водой не смешивается; 2) сочетаться, гармонировать; 3) незаметно переходить из оттенка в оттенок (*о красках*); 4) стираться (*о различиях*).

blende [blend] *n мин.* цинковая обманка.

Blenheim ['blenɪm] *n* 1) порода спаньеля; 2): ~ Orange бленим (*сорт золотистых яблок*).

blent [blent] *past и p. p. от* blend 2.

bless [bles] *v* (blessed [-t], blest) 1) благословлять; освящать; to ~ oneself *уст.* креститься; to ~ one's stars благодарить судьбу; 2) славословить; 3) делать счастливым, осчастливливать; 4) *ирон.* проклинать; ◇ to ~ the mark a) с позволения сказать; б) боже сохрани (чтобы); ~ me, (*или* my soul), ~ my (*или* your) heart, God ~ me (*или* you), ~ you, I'm blest *выражение удивления, негодования*; I haven't a penny to ~ myself with у меня нет ни гроша за душой.

blessed 1. [blest] *p.p. от* bless; **2.** ['blesɪd] 1) счастливый, блаженный; 2) *ирон.* проклятый.

blessedness ['blesɪdnɪs] *n* счастье, блаженство; single ~ *шутл.* безбрачие, холостая жизнь.

blessing ['blesɪŋ] **1.** *pres.p. от* bless; **2.** *n* 1) благословение; 2) благо, благодеяние; 3) блаженство, счастье; 4) молитва

(*до или после еды*); ◇ a ~ in disguise ≅ не было бы счастья, да несчастье помогло; нет худа без добра; неприятность, оказавшаяся благодетельной.

blest [blest] **1.** *past и p.p. от* bless; **2.** *a поэт. см.* blessed.

blether ['bleðə] **1.** *n* болтовня, вздор; **2.** *v* болтать вздор; трещать.

bletherskate ['bleðəskeɪt] *n разг.* болтун.

blew I, II [bluː] *past от* blow II, 2 *и* III, 2.

blewit ['bluːɪt] *n* рядовка (*гриб*).

blight [blaɪt] **1.** *n* 1) болезнь растений (*выражающаяся в завядании их и опадании листьев без гниения*); 2) насекомые-паразиты на растениях; 3) душная атмосфера; 4) то, что портит удовольствие, разрушает планы и т. п.; 5) упадок; гибель; 6) уныние; разочарование;

2. *v* 1) приносить вред (*растениям*); 2) разбивать (*надежды и т. п.*); отравлять (*удовольствие*).

blighter ['blaɪtə] *n* 1) губитель; 2) *sl.* неприятный, нудный человек.

Blighty ['blaɪtɪ] *воен. sl.* **1.** *n* Англия, родина; ◇ a ~ one ранение, обеспечивающее отправку на родину;

2. *adv* в Англию, на родину.

blimey ['blaɪmɪ] *int сокр.* чтоб мне провалиться!, иди ты!

blimp [blɪmp] *n разг.* 1) малый дирижабль мягкой системы, дозорный дирижабль; 2) толстый, неуклюжий человек; увалень; 3) крайний консерватор, «твердолобый».

blind [blaɪnd] **1.** *a* 1) слепой; ~ of an eye слепой на один глаз; ~ flying *ав.* слепой полёт, полёт по приборам; to be ~ to smth. не быть в состоянии оценить что-л.; 2) слепо напечатанный; неясный; ~ hand нечёткий почерк; ~ path еле заметная тропинка; ~ letter письмо без адреса *или* с неполным, нечётким адресом; 3) действующий вслепую, безрассудно; to go it ~ играть втёмную; действовать вслепую, безрассудно; 4) слепой, не выходящий на поверхность (*о шахте, жиле*); 5) глухой, сплошной (*о стене и т. п.*); 6) *sl.* пьяный (*тж.* ~ drunk); ~ to the world вдребезги пьяный; ◇ ~ date *амер. sl.* свидание с незнакомым человеком; ~ lantern потайной фонарь; ~ pig, ~ tiger *амер. sl. см.* speak-easy; ~ shell неразорвавшийся *или* незаряженный снаряд; the ~ side (of a person) чья-л. слабая струнка (чьё-л.) слабое место; ~ spot a) мёртвая точка; б) область, в которой данное лицо плохо разбирается; в) *радио* зона молчания; ~ Tom жмурки; to apply (*или* to turn) the ~ eye закрывать глаза (на что-л.);

2. *n* 1) (the ~) *pl собир.* слепые; 2) штора; маркиза; жалюзи (*тж.* Venetian ~); ставень; 3) наглазник; *pl* шоры; 4) предлог, отговорка; обман глаз, обман; 5) *опт.* диафрагма, бленда;

3. *v* 1) ослеплять; слепить; 2) затемнять, затмевать; 3) *воен.* блиндировать; 4) *опт.* диафрагмировать.

blindage ['blaɪndɪdʒ] *n* блиндаж.

blind alley ['blaɪnd'ælɪ] *n* тупик; *перен.* безвыходное положение.

blind-alley ['blaɪnd'ælɪ] *a* бесперспекти́вный; безвы́ходный; ~ employment, ~ occupation бесперспекти́вная рабо́та.

blind coal ['blaɪnd‚koul] *n* антраци́т.

blinders ['blaɪndəz] *n pl* шо́ры.

blindfold ['blaɪndfould] **1.** *a* 1) с завя́занными глаза́ми; 2) де́йствующий вслепу́ю; безрассу́дный; не ду́мающий;

2. *adv* с завя́занными глаза́ми; to know one's way ~ хорошо́ знать доро́гу, быть в состоя́нии найти́ хоть с завя́занными глаза́ми;

3. *v* завя́зывать глаза́ (*тж. перен.*).

blind gut ['blaɪndgʌt] *n анат.* слепа́я кишка́.

blindly ['blaɪndlɪ] *adv* 1) сле́по, безрассу́дно; 2) как слепо́й.

blind-man's-buff ['blaɪndmænz'bʌf] *n* жму́рки.

blind man's holiday ['blaɪndmænz'hɔlədɪ] *n* су́мерки.

blindness ['blaɪndnɪs] *n* 1) слепота́; 2) ослепле́ние; безрассу́дство.

blind-worm ['blaɪndwəːm] *n зоол.* верете́ница ло́мкая.

blink [blɪŋk] **1.** *n* 1) мерца́ние; 2) миг; in a ~ в оди́н миг; 3) о́тблеск льда (*на горизо́нте*); ◇ on the ~ *амер. sl.* а) в плохо́м состоя́нии, не в поря́дке; б) при после́днем издыха́нии;

2. *v* 1) мига́ть; щу́риться; 2) мерца́ть; 3) закрыва́ть глаза́ (at — на *что-л.*).

blinker ['blɪŋkə] *n* 1) *pl* нагла́зники, шо́ры; to be (*или* to run) in ~s *перен.* име́ть шо́ры на глаза́х; 2) *pl sl.* глаза́; 3) *амер. воен.* светосигна́льный аппара́т.

blinking ['blɪŋkɪŋ] **1.** *pres.p. от* blink 2; **2.** *a sl.* по́лный, соверше́нный.

blirt [bləːt] **1.** *n* 1) плач, рыда́ния; 2) внеза́пный поры́в ве́тра *или* дождя́;

2. *v* разрыда́ться.

bliss [blɪs] *n* блаже́нство, сча́стье.

blissful ['blɪsful] *a* блаже́нный, счастли́вый.

blister ['blɪstə] **1.** *n* 1) волды́рь, водяно́й пузы́рь; 2) вытяжно́й пла́стырь; му́шка; 3) *тех.* ра́ковина (*в мета́лле*); плена́ (*в листово́м желе́зе*);

2. *v* 1) вызыва́ть пузыри́; 2) покрыва́ться волдыря́ми, пузыря́ми; 3) *разг.* му́чить, надоеда́ть; 4) ста́вить му́шку.

blister-beetle ['blɪstəbiːtl] = blister-fly.

blister-fly ['blɪstəflaɪ] *n* шпа́нская му́шка, шпа́нка.

blister gas ['blɪstəgæs] *n* ко́жно-нарывно́е отравля́ющее вещество́.

blithe [blaɪð] *a* (*обыкн. поэт.*) весёлый, жизнера́достный; счастли́вый.

blither ['blɪðə] *диал.* = blether.

blithering ['blɪðərɪŋ] **1.** *pres. p. от* blither; **2.** *a разг.* 1) болтли́вый; 2) соверше́нный; зако́нченный; 3) презре́нный.

blithesome ['blaɪðsəm] = blithe.

blitz [blɪts] *нем. разг.* **1.** *n* 1) = blitzkrieg; 2) внеза́пное нападе́ние, *особ.* масси́рованная бомбардиро́вка, бомбёжка;

2. *v* разгроми́ть, разбомби́ть.

blitzkrieg ['blɪtskriːg] *нем. n* молниено́сная война́, бли́цкриг.

blizzard ['blɪzəd] *n* снéжная бу́ря, бура́н.

bloat I [blout] *v* раздува́ться, пу́хнуть (*обыкн.* ~ out).

bloat II [blout] *v* копти́ть (*ры́бу*).

bloated I ['bloutɪd] **1.** *p. p. от* bloat I; **2.** *a* жи́рный, обрю́згший; разду́тый (*тж. перен.*); ~ aristocrat «ду́тый аристокра́т», надме́нный, наду́тый челове́к; ~ armaments непоме́рно разду́тые вооруже́ния.

bloated II ['bloutɪd] **1.** *p. p. от* bloat II; **2.** *a* копчёный.

bloater ['bloutə] *n* копчёная ры́ба, *особ.* сельдь.

blob [blɔb] **1.** *n* 1) ка́пля; 2) ма́ленький ша́рик (*земли́, гли́ны и т. п.*); 3) *sl.* нуль (*при счёте в кри́кете*); ◇ on the ~ *sl.* у́стно, на слова́х;

2. *v* де́лать кля́ксу.

blobber-lipped ['blɔbəlɪpt] *a* толстогу́бый.

bloc [blɔk] *фр. n* полит. блок, объедине́ние.

block [blɔk] **1.** *n* 1) чурба́н, коло́да; 2) тупи́ца; «ка́мень», чёрствый, жесто́кий челове́к; 3) глы́ба (*ка́мня*); блок (*для стро́йки*); 4) кварта́л (*го́рода*); жили́щный масси́в; 5) гру́ппа, ма́сса одноро́дных предме́тов; in ~ гурто́м, чо́хом; 6) пла́ха; the ~ казнь на пла́хе; 7) деревя́нная печа́тная фо́рма; 8) болва́н, фо́рма (*для шляп*); 9) блокно́т; 10) ку́бик (*концентра́та*); 11) ша́шка (*подрывна́я, дымова́я*); 12) прегра́да; зато́р (*движе́ния*); 13) *ж.-д.* блокиро́вка; блокпо́ст; 14) *тех.* блок, шкив; 15) *горн.* цели́к;

2. *v* 1) прегражда́ть; заде́рживать; блоки́ровать (*обыкн.* ~ up); to ~ the access закры́ть до́ступ; 2) *парл.* заде́рживать (*прохожде́ние законопрое́кта*); 3) набра́сывать вчерне́ (*обыкн.* ~ in, ~ out); 4) *фин.* блоки́ровать, заде́рживать, замора́живать.

blockade [blɔ'keɪd] **1.** *n* 1) блока́да; to raise (to run) the ~ снять (прорва́ть) блока́ду; 2) *амер.* зато́р (*движе́ния*);

2. *v* блоки́ровать.

block-and-fall ['blɔkənd'fɔːl] *n мор.* го́рдень.

block-buster ['blɔk‚bʌstə] *n разг.* фуга́сная авиабо́мба кру́пного кали́бра.

blocked ['blɔkt] **1.** *p.p. от* block 2; **2.** *a фин.* заморо́женный, блоки́рованный; ~ accounts блоки́рованные счета́.

blockhead ['blɔkhed] *n* болва́н.

blockhouse ['blɔkhaus] *n* 1) блокга́уз; 2) *стр.* сруб.

blocking ['blɔkɪŋ] **1.** *pres. p. от* block 2; **2.** *n* 1) *ж.-д.* блокиро́вочная систе́ма, блокиро́вка; 2) *эл.* запира́ние, блокиро́вка.

blockish ['blɔkɪʃ] *a* тупо́й, глу́пый.

block letter ['blɔk‚letə] *n* прописна́я печа́тная бу́ква.

block printing ['blɔk‚prɪntɪŋ] *n* ксилогра́фия.

block-signal ['blɔk‚sɪgnəl] *n ж.-д.* блок-сигна́л; жезл.

block system ['blɔk‚sɪstəm] = blocking 2, 1).

bloke [blouk] *n* 1) *разг.* па́рень; ≅ «тип»; 2) (the ~) *мор. sl.* команди́р.

blond(e) [blɔnd] *a* белоку́рый, све́тлый.

blonde [blɔnd] *n* блондинка.

blood [blʌd] **1.** *n* 1) кровь; to let one's ~ пустить кровь; 2) род, происхождение; 3) родство; родовитость; full ~ чистокровная лошадь; high ~ аристократическое происхождение; it runs in his ~ это у него в крови, в роду; 4) денди, светский человек; 5) убийство, кровопролитие; 6) темперамент, страстность; состояние, настроение; bad ~ враждебность; cold ~ хладнокровие; hot ~ горячность, вспыльчивость; to make smb.'s ~ boil (creep) приводить кого-л. в бешенство (в содрогание); his ~ is up он раздражён; 7) сок (*плодов, растений*); ◇ Nelson's ~ *мор. sl.* ром; ~ is thicker than water ≈ кровь не вода; you cannot take (*или* get) ~ from (*или* out of) a stone ≈ его, её не разжалобишь;

2. *v* 1) пускать кровь; 2) *охот.* приучать собаку к крови.

bloodcurdling ['blʌdkə:dliŋ] *a* чудовищный, вызывающий ужас; ~ sight зрелище, от которого кровь стынет в жилах.

blooded ['blʌdid] **1.** *p. p. от* blood 2; **2.** *a* 1) чистокровный (*о лошади*); 2) окровавленный; 3) *воен.* понёсший потери, ослабленный потерями.

blood feud ['blʌd,fju:d] *n* родовая вражда; кровная месть.

blood group ['blʌdgru:p] *n* группа крови.

blood-guilty ['blʌd,gilti] *a* виновный в убийстве *или* в чьей-л. смерти.

blood-heat ['blʌdhi:t] *n* нормальная температура тела.

blood-horse ['blʌdhɔ:s] *n* чистокровная лошадь.

bloodhound ['blʌdhaund] *n* 1) ищейка; 2) сыщик; 3) *амер. sl.* репортёр.

bloodiness ['blʌdinis] *n* кровожадность.

bloodless ['blʌdlis] *a* 1) бескровный; 2) истощённый; бледный; 3) безжизненный, вялый.

blood-letting ['blʌd,letiŋ] *n* кровопускание.

blood orange ['blʌd,ɔrindʒ] *n* королёк (*сорт апельсина*).

blood-poisoning ['blʌd,pɔizniŋ] *n* заражение крови.

blood pressure ['blʌd'preʃə] *n* кровяное давление.

blood-pudding ['blʌd,pudiŋ] = black pudding.

bloodshed(ding) ['blʌd,ʃed(iŋ)] *n* кровопролитие.

bloodshot ['blʌdʃɔt] *a* налитый кровью (*о глазах*).

blood-stained ['blʌdsteind] *a* 1) запачканный кровью; 2) запятнанный кровью, виновный в убийстве.

bloodstone ['blʌdstoun] *n мин.* гелиотроп, кровавик.

blood-sucker ['blʌd,sʌkə] *n* 1) пиявка; 2) кровопийца, эксплуататор; паразит.

blood test ['blʌd'test] *n* анализ крови, исследование крови.

blood-thirsty ['blʌd,θə:sti] *a* кровожадный.

blood transfusion ['blʌdtrəns,fju:ʒən] *n мед.* переливание крови.

blood-vessel ['blʌd,vesl] *n* кровеносный сосуд.

bloodworm ['blʌdwə:m] *n* красный дождевой червь.

bloody ['blʌdi] **1.** *a* 1) окровавленный; кровавый; ~ flux *уст.* дизентерия; 2) убийственный; кровожадный; 3) *груб.* проклятый; ◇ to wave the ~ shirt *амер.* натравливать одного на другого; разжигать страсти;

2. *adv вульг.* чертовски, очень;

3. *v* окровавить.

bloody-minded ['blʌdi,maindid] *a* жестокий; кровожадный.

bloom I [blu:m] **1.** *n* 1) цвет, цветение; in ~ в цвету; 2) цветущая часть растения; 3) расцвет; to take the ~ off smth. испортить, загубить что-л. в самом расцвете; 4) румянец; 5) пушок (*на плодах*);

2. *v* цвести; расцветать (*тж. перен.*).

bloom II [blu:m] *n тех.* крица, стальная болванка, блюм.

bloomer ['blu:mə] *n разг.* грубая ошибка; промах.

bloomers ['blu:məz] *n pl* женский спортивный костюм; женские спортивные брюки.

bloomery ['blu:məri] *n тех. уст.* кричный горн.

blooming I ['blu:miŋ] **1.** *pres.p. от* bloom I, 2;

2. *a* 1) цветущий; 2) *эвф. см.* bloody 1, 3); a ~ fool набитый дурак.

blooming II ['blu:miŋ] *n тех.* блюминг.

blooming III ['blu:miŋ] *n телев.* расплывание изображения.

bloomy ['blu:mi] *a* цветущий.

blossom ['blɔsəm] **1.** *n* 1) цвет, цветение (*преим. на плодовых деревьях*); 2) расцвет;

2. *v* цвести; распускаться; расцветать.

blot [blɔt] **1.** *n* 1) пятно; 2) клякса, помарка; 3) пятно; позор, бесчестье; ◇ a ~ on the landscape ≈ ложка дёгтя в бочке мёда;

2. *v* 1) пачкать; 2) пятнать; бесчестить; to ~ one's copy-book *разг.* замарать свою репутацию, совершить бестактный поступок; 3) промокать (*пропускной бумагой*); 4) грунтовать, окрашивать; □ ~ out а) вычёркивать; стирать; б) *перен* заглаживать; в) уничтожать; a cloud has ~ted out the moon туча закрыла луну.

blotch [blɔtʃ] **1.** *n* 1) прыщ; 2) пятно, клякса; 3) *sl. см.* blotting-paper;

2. *v* покрывать пятнами, кляксами.

blotchy ['blɔtʃi] *a* покрытый пятнами, кляксами.

blotter ['blɔtə] *n* 1) писака; 2) промокательная бумага; 3) *амер.* книга записей; 4) *амер. ком.* мемориал; торговая книга.

blottesque [blɔ'tesk] *a* 1) написанный густыми мазками (*о картине*); 2) описанный грубыми штрихами.

blotting-pad ['blɔtiŋpæd] *n* бювар.

blotting-paper ['blɔtiŋ,peipə] *n* промокательная бумага.

blotto ['blɔtou] *a sl.* пьяный, одурманенный.

blouse [blauz] *n* 1) рабóчая блýза; 2) блýзка; 3) гимнастёрка.

blow I [blou] *n* 1) удáр; at a ~, at one ~ одни́м удáром; срáзу; to come to ~s вступи́ть в бой, дойти́ до рукопáшной; to deal (*или* to strike, to deliver) a ~ наноси́ть удáр; to strike a ~ for помогáть; to strike a ~ against противодéйствовать; 2) несчáстье, удáр (*судьбы*).

blow II [blou] 1. *n* 1) дуновéние; to get a ~ подышáть свéжим вóздухом; 2) хвастовствó; 3) *тех.* дутьё; коли́чество метáлла, перерабáтываемого зарáз (*при бессемеровании*); 4) клáдка яи́ц (*мухами*);
2. *v* (blew; blown) 1) дуть, вéять; 2) развевáть; гнать (*о ветре*); 3) раздувáть (*огонь, мехи; тж. перен.*); выдувáть (*стеклянные изделия*); продувáть (*трубку и т. п.*); пускáть (*пузыри*); 4) взрывáть (*обыкн.* ~ up); 5) пыхтéть, тяжелó дышáть; 6) игрáть (*на духовом инструменте*); 7) звучáть (*о трубе*); 8) свистéть, гудéть; 9) *разг.* хвáстать; 10) класть яйца (*о мухах*); 11) *амер. sl.* транжи́рить (*деньги; тж.* ~ off); 12) *sl.* проклинáть; I'll be ~ed if I know провали́ться мне на мéсте, éсли я знáю; ☐ ~ about, ~ abroad распространя́ть (*слух, известие*); ~ in a) задýть, пусти́ть (*доменную печь*); б) (*внезáпно*) появи́ться; влетéть; ~ off a) *тех.* продувáть; to ~ off steam выпустить пар; *перен.* дать вы́ход избы́тку энéргии, разряди́ться; б) *амер. sl.* мотáть, транжи́рить (*деньги*); ~ out a) задувáть, гаси́ть, туши́ть (*свечу, керосиновую лампу и т. п.*); б) вы́дуть (*доменную печь*); в) лóпнуть (*о шине и т. п.*); ~ over миновáть, проходи́ть (*о грозе, кризисе и т. п.*); ~ up a) раздувáть; б) взрывáть; в) взлетáть на вóздух (*при взрыве*); г) *фото* увеличивать; д) *разг.* брани́ть, ругáть; е) выходи́ть из себя́; ~ upon a) лишáть свéжести, интерéса; б) донять по мнéнии; в) наговáривать; доноси́ть; ◇ to ~ out one's brains пусти́ть пýлю в лоб; ~ high, ~ low что бы ни случи́лось, во что бы то ни стáло; to ~ hot and cold колебáться, постоя́нно меня́ть тóчку зрéния; to ~ the gaff (*или* the gab) *sl.* вы́дать секрéт; проболтáться; to ~ one's nose сморкáться; to ~ one's own trumpet, to ~ one's own horn хвáстать; занимáться самореклáмой.

blow III [blou] 1. *n* цвет, цветéние; 2. *v* (blew; blown) цвести́.

blowball ['bloubɔːl] *n* одувáнчик.

blower ['blouə] *n* 1) тот, кто дýет; тот, кто раздувáет (*мехи и т. п.*); 2) трубáч; 3) *амер.* хвастýн; 4) *тех.* воздуходýвка; вентиля́тор; 5) *горн.* выделéние гáза (*в руднике*); 6) щель, чéрез котóрую выделя́ется газ.

blowfly ['blouflaɪ] *n* мясная́ мýха.

blowhole ['blouhoul] *n* 1) пузы́рь, рáковина (*в металле*); 2) ды́хало (*у кита*); 3) вентиля́тор (*в туннеле*).

blowing I ['blouɪŋ] 1. *pres. p. om* blow II, 2;
2. *n* 1) дутьё; 2) просáчивание, утéчка (*газа, пара*).

blowing II ['blouɪŋ] *pres. p. om* blow III, 2.

blowing engine ['blouɪŋ'endʒɪn] *n* воздуходýвная маши́на.

blowing machine ['blouɪŋmə'ʃiːn] = blowing engine.

blowing-up ['blouɪŋʌp] *n* 1) взрыв; 2) *sl.* нагоня́й.

blowlamp ['bloulæmp] *n* пая́льная лáмпа.

blown I [bloun] *p. p. om* blow III, 2.

blown II [bloun] 1. *p. p. om* blow II, 2;
2. *a* запыхáвшийся, éле переводя́щий дыхáние.

blow-off ['blou'ɔf] *n* 1) вы́пуск (*пара и т. п.*); 2) хвастýн.

blow-out ['blou'aut] *n* 1) разры́в (*шины и т. п.*); 2) прорýв (*плотины, дамбы и т. п.*); 3) *разг.* кутёж, шýмное весéлье; 4) *амер.* вспы́шка гнéва; ссóра; 5) *амер. sl.* большóе собы́тие; 6) *эл.* искрогаси́тель, искротуши́тель.

blowpipe ['bloupaɪp] *n* пая́льная трýбка.

blowtorch ['bloutɔːtʃ] = blowlamp.

blow-up ['blou'ʌp] *n* 1) = blow-out 4) *и* 5); 2) взрыв; 3) нагоня́й, вы́говор; 4) = blow-out 3).

blowy ['blouɪ] *a* вéтреный (*о погоде*).

blowzy ['blauzɪ] *a* 1) тóлстый и краснощёкий; 2) растрёпанный, неря́шливый (*о женщине*).

blub [blʌb] *школ. sl. сокр. om* blubber II, 2.

blubber I ['blʌbə] *n* 1) вóрвань; 2) медýза (*разновидность*).

blubber II ['blʌbə] 1. *n* плач, рёв;
2. *v* грóмко плáкать, рыдáть; ревéть.

blubber III ['blʌbə] *a* тóлстый, выпя́чивающийся (*о губах*).

blubbered ['blʌbəd] 1. *p.p. om* blubber II, 2;
2. *a* заплáканный; ~ face заплáканное лицó.

bluchers ['bluːtʃəz] *n pl* старомóдные мужски́е боти́нки на шнуркáх.

bludgeon ['blʌdʒən] 1. *n* дуби́нка, кистéнь;
2. *v* бить дуби́нкой.

blue [bluː] 1. *a* 1) голубóй; лазýрный; си́ний; dark (*или* Navy) ~ си́ний; 2) посинéвший; с кровоподтёками; 3) испýганный; уны́лый, подáвленный; to look ~ имéть уны́лый вид; things look ~ делá плóхи; ~ study (мрáчное) раздýмье, размышлéние; ~ fear (*или* funk) *разг.* испýг, пáника, замешáтельство; 4) непристóйный, скабрёзный; to make (*или* to turn) the air ~ сквернослóвить, ругáться; 5) относя́щийся к пáртии тóри, тори́йский; ◇ ~ blood a) аристократи́ческое происхождéние, «голубáя кровь»; б) венóзная кровь; ~ devils a) уны́ние; б) бéлая горя́чка; ~ laws *амер.* пурита́нские закóны (*закрытие театров по воскресеньям, запрещение продажи спиртных напитков*); ~ sky law *амер.* закóн, регули́рующий вы́пуск и продáжу áкций и цéнных бумáг; ~ water открытое мóре; to drink till all's ~ допи́ться до бéлой горя́чки; once in a ~ moon óчень рéдко;
2. *n* 1) си́ний цвет; Oxford ~ тёмно-си́ний цвет; Cambridge ~ свéтло-голубóй; 2) си-

няя кра́ска; голуба́я кра́ска; си́нька; Paris ~ пари́жская лазу́рь; Berlin ~ берли́нская лазу́рь; 3) (the ~) не́бо; out of the ~ соверше́нно неожи́данно; как гром с я́сного не́ба; 4) (the ~) мо́ре; 5) консерва́тор; 6) *разг. см.* bluestocking; 7) (the ~s) *pl* меланхо́лия, хандра́; to have the ~s быть в плохо́м настрое́нии, хандри́ть; to give smb. the ~s наводи́ть тоску́ на кого́-л.; ◇ to cry the ~s *амер. sl.* прибедня́ться; the B. and the Grey «си́ние и се́рые» *(северная и южная армии в американской гражданской войне 1861—1865 гг.);* Dark *(или* Oxford) Blues оксфо́рдские студе́нты; Light *(или* Cambridge) Blues ке́мбриджские студе́нты *(на спортивных состязаниях);* the men *(или* the gentlemen, the boys) in ~ а) полице́йские; б) матро́сы; в) америка́нские федера́льные войска́; 3. *v* 1) окра́шивать в си́ний цвет; подси́нивать *(бельё);* 2) ворони́ть *(сталь);* 3) *sl.* транжи́рить.

Bluebeard ['blu:biəd] *n* Си́няя Борода́ *(сказочный персонаж).*

bluebell ['blu:bel] *n* сев. колоко́льчик; проле́ска *(в Англии).*

blue-book ['blu:buk] *n* 1) Си́няя кни́га *(официальный отчёт англ. парл. комиссии или тайного совета);* 2) *разг.* спи́сок лиц, занима́ющих госуда́рственные до́лжности в США; 3) *амер.* путеводи́тель для автомоби́листов.

bluebottle ['blu:,bɔtl] *n* 1) *бот.* василёк *(синий);* 2) *зоол.* мясна́я му́ха *(синяя).*

blue coat ['blu:kout] *n* 1) солда́т; 2) матро́с; 3) полице́йский.

blue disease ['blu:dɪ'zi:z] *n мед.* 1) синю́ха, цианоз; 2) лихора́дка Скали́стых гор.

blueing ['blu:ɪŋ] 1. *pres. p. от* blue 2; 2. *n* 1) вороне́ние *(стали);* 2) *амер.* си́нька.

bluejacket ['blu:,dʒækɪt] *n разг.* матро́с вое́нно-морско́го фло́та.

blue-pencil ['blu:'pensl] *v* редакти́ровать; сокраща́ть, вычёркивать.

Blue Peter ['blu:'pi:tə] *n мор.* флаг отплы́тия.

blue print ['blu:'prɪnt] *n* 1) светопи́сная си́няя ко́пия, «си́нька»; 2) наме́тка, прое́кт, план.

blueprint ['blu:'prɪnt] *v* плани́ровать, намеча́ть.

blue ribbon ['blu:'rɪbən] *см.* ribbon ◇.

blues [blu:z] *n* блюз *(медленный танец).*

bluestocking ['blu:,stɔkɪŋ] *n ирон.* учёная же́нщина, «си́ний чуло́к»; педа́нтка.

blue-stone ['blu:stoun] *n* ме́дный купоро́с.

bluet ['blu:ɪt] *n бот.* василёк *(синий).*

bluetit ['blu:tɪt] *n* лазо́ревка *(птица).*

blue vitriol ['blu:'vɪtrɪəl] *n* ме́дный купоро́с.

blue-water school ['blu:,wɔ:tə'sku:l] *n* вое́нные специали́сты, счита́вшие си́льный флот доста́точной защи́той Áнглии.

bluff I [blʌf] 1. *a* 1) отве́сный, круто́й; обры́вистый; 2) ре́зкий, прямо́й; грубова́то-доброду́шный;

2. *n* отве́сный бе́рег; обры́в, утёс.

bluff II [blʌf] 1. *n* обма́н, запу́гивание, блеф; to call the ~ не поддава́ться запу́гиванию;

2. *v* запу́гивать; обма́нывать, сохраня́я при э́том уве́ренный, споко́йный вид.

bluffy ['blʌfɪ] *a* 1) ре́зкий, прямо́й; грубова́то-доброду́шный; 2) отве́сный, круто́й; обры́вистый.

bluing ['blu:ɪŋ] = blueing.

bluish ['blu:ɪʃ] *a* голубова́тый, синева́тый.

blunder ['blʌndə] 1. *n* гру́бая оши́бка; 2. *v* 1) дви́гаться о́щупью; спотыка́ться (about, along, against, into); 2) гру́бо ошиба́ться; 3) пло́хо справля́ться *(с чем-л.);* испо́ртить; напу́тать; □ ~ away: to ~ away one's chance пропусти́ть удо́бный слу́чай; ~ out сболтну́ть, сказа́ть глу́пость; ~ upon случа́йно натолкну́ться на *что-л.*

blunderbuss ['blʌndəbʌs] *n ист.* мушкето́н *(короткоствольное ружьё с раструбом).*

blunderhead ['blʌndəhed] *n* болва́н, дура́к.

blundering ['blʌndərɪŋ] 1. *pres. p. от* blunder 2;

2. *a* 1) нело́вкий, неуме́лый; 2) оши́бочный.

blunge [blʌndʒ] *v* мять гли́ну; переме́шивать гли́ну с водо́й.

blunt [blʌnt] 1. *a* 1) тупо́й; ~ angle тупо́й у́гол; сре́занный у́гол; 2) непоня́тливый, тупова́тый; 3) грубова́тый; 4) прямо́й, ре́зкий;

2. *n* коро́ткая и то́лстая иго́лка; 2) *sl.* (нали́чные) де́ньги;

3. *v* притупля́ть.

blur [blə:] 1. *n* 1) пятно́, кля́кса; 2) расплы́вшееся пятно́; нея́сные очерта́ния; 3) пятно́, поро́к;

2. *v* 1) замара́ть, запа́чкать; наде́лать клякс; 2) сде́лать нея́сным; затума́нить; затемни́ть *(сознание и т. п.);* 3) запятна́ть *(репутацию);* □ ~ out стере́ть, изгла́дить.

blurb [blə:b] *n* изда́тельское рекла́мное объявле́ние; рекла́ма.

blurt [blə:t] *v* сболтну́ть, вы́палить *(обыкн.* ~ out).

blush [blʌʃ] 1. *n* 1) кра́ска стыда́, смуще́ния; to put to the ~ заста́вить покрасне́ть; to spare smb.'s ~es щади́ть чью-л. скро́мность, стыдли́вость; 2) взгляд; at (the) first ~ на пе́рвый взгляд; с пе́рвого взгля́да;

2. *v* красне́ть от смуще́ния, стыда́ (at, for); to ~ like a rose зарде́ться как ма́ков цвет; to ~ like a black *(или* blue) dog отлича́ться бессты́дством.

blushful ['blʌʃful] *a* 1) засте́нчивый; стыдли́вый; 2) румя́ный, кра́сный.

blushing ['blʌʃɪŋ] 1. *pres. p. от* blush 2;

2. *a* = blushful.

bluster ['blʌstə] 1. *n* 1) рёв бу́ри; 2) шум, пусты́е угро́зы, хвастовство́;

2. *v* 1) бушева́ть; реве́ть *(о буре);* 2) шуме́ть, хва́статься, грози́ться (at); 3) неи́стовствовать.

blusterer ['blʌstərə] *n* забия́ка; хвасту́н.

blusterous, blustery ['blʌstərəs, -rɪ] *a* 1) бу́рный, бу́йный; 2) шумли́вый, хвастли́вый.

bo [bou] *int* восклицание, употребляющееся, *чтобы испугать или удивить:* can't say bo! to a goose ≅ очень робок; и мухи не обидит.

boa ['bouə] *n* 1) *зоол.* боа; удав; 2) боа, горжётка.

Boanerges [,bouə'nədʒiːz] *n* крикливый проповедник *или* оратор.

boar [bɔː] *n* хряк; wild ~ кабан, дикая свинья.

board I [bɔːd] **1.** *n* 1) доска; bed of ~s нары; 2) стол, *особ.* обеденный; groaning ~ стол, уставленный яствами; 3) питание, харчи, стол; ~ and lodging квартира и стол; пансион; 4) полка; 5) *pl* подмостки, сцена; to be (up) on the ~s быть (стать) актёром; 6) (плотный) картон; 7) крышка переплёта; 8) борт *(судна)*; on ~ на корабле, на пароходе, на борту; *амер. тж.* в вагоне *(железнодорожном, трамвайном)*; to come *(или* to go) on ~ сесть на корабль; to go by the ~ падать за борт; *перен.* быть выброшенным за борт; 9) *горн.* широкая выработка в угольном пласте; 10) *мор.* галс; to make ~s лавировать; ◇ to sweep the ~ а) *карт.* забрать все ставки; б) завладеть всем;

2. *v* 1) настилать пол; обшивать досками; 2) столоваться (with — у *кого-л.*); 3) предоставлять питание *(жильцу и т. п.)*; 4) *амер.* содержать лошадей за плату; 5) сесть на корабль; *амер. тж.* сесть в вагон *(железнодорожный, трамвайный)*; 6) сцепиться бортами *(о кораблях)*; брать на абордаж; 7) *мор.* лавировать.

board II [bɔːd] *n* правление; совет; коллегия; департамент; министерство; B. of Directors правление; B. of Education а) *уст.* министерство просвещения; б) *амер.* (местный) отдел народного образования; B. of Health отдел здравоохранения; B. of Trade а) министерство торговли (*в Англии*); б) торговая палата (*в США*).

boarder ['bɔːdə] *n* 1) пансионер, нахлебник; 2) пансионер (*в школе*); 3) пассажир (*на корабле*).

board foot ['bɔːdfut] *n* амер. бордсовый *или* досковой фут (= $^1/_{12}$ *фт*^{3}).

boarding-house ['bɔːdɪŋhaus] *n* пансион; меблированные комнаты со столом.

boarding-school ['bɔːdɪŋskuːl] *n* 1) пансион, закрытое учебное заведение; 2) школа-интернат.

boarding-ship ['bɔːdɪŋʃɪp] *n воен. мор.* досмотровое судно.

boarding stable ['bɔːdɪŋ'steibl] *n амер.* платная конюшня; извозчичий двор.

bbard meeting ['bɔːd,miːtɪŋ] *n* заседание правления.

board-room ['bɔːdrum] *n* помещение конторы, правления *и т. п.*

board-wages ['bɔːd'weidʒɪz] *n* 1) столовые, харчевые (деньги); 2) зарплата, включающая стоимость квартиры и стола.

board-walk ['bɔːdwɔːk] *n* дощатый настил для прогулок на пляже.

boar-spear ['bɔːspiə] *n* рогатина.

boast I [boust] **1.** *n* 1) хвастовство; 2) предмет гордости; to make ~ of smth.

хвастать(ся) чем-л.; ◇ great ~, small roast *посл.* ≅ похвальбы много, толку мало; **2.** *v* 1) хвастать(ся) (of, about; that); not much to ~ of нечем похвастать(ся); 2) гордиться.

boast II [boust] *v* обтёсывать камень вчерне.

boaster I ['boustə] *n* хвастун.

boaster II ['boustə] *n* 1) пазовик, зубило (*каменщика*), скарпель; 2) крупный резец (*скульптора*).

boastful ['boustful] *a* хвастливый.

boat [bout] **1.** *n* лодка; шлюпка; судно; миноносец; подводная лодка; to take ~ сесть на судно; to be in the same ~ *перен.* быть в одинаковых условиях, в одинаковом положении *с кем-л.*; to sail in the same ~ *перен.* действовать сообща; to sail one's own ~ действовать самостоятельно, идти своим путём; **2.** *v* 1) кататься на лодке; 2) перевозить в лодке.

boat-fly ['boutflai] = boatman 2).

boatful ['boutful] *n* 1) пассажиры и команда судна; 2) лодка, наполненная до отказа.

boat-hook ['bouthuk] *n* багор; *мор.* отпорный крюк.

boat-house ['bouthaus] *n* навес, сарай для лодок.

boating ['boutɪŋ] **1.** *pres. p. от* boat 2; **2.** *n* лодочный спорт.

boatman ['boutmən] *n* 1) лодочник; 2) *зоол.* гребляк, водяной клоп.

boat-race ['boutreis] *n* состязания по гребле.

boatswain ['bousn] *n* боцман.

boat-swing ['boutswɪŋ] *n* качели.

boat-tailed ['boutteild] *a* обтекаемой формы.

boat train ['bout'trein] *n* поезд, согласованный с пароходным расписанием.

bob I [bɔb] **1.** *n* 1) завиток, привесок; висюлька; 2) маятник; гиря *или* чашка (*маятника*); груз отвеса; 3) хвост (*игрушечного змея*); поплавок; червяк на крючке; 4) = bob-sleigh; 5) завиток (*волос*); парик с короткими завитками; коротко подстриженные волосы (*у женщин*); 6) подстриженный хвост (*лошади или собаки*); 7) припев; to bear a ~ хором подхватить припев; 8) насмешка, проделка; to give smb. the ~ обмануть кого-л.; ≅ поймать на удочку, одурачить; 9) резкое движение, толчок; приседание; 10) *мор.* балансир; ◇ dry ~ учащийся — любитель спорта (не водного); wet ~ учащийся — любитель водного спорта; light ~s *ист.* лёгкая пехота;

2. *v* 1) качаться; 2) подскакивать, подпрыгивать (*тж.* ~ up and down); to ~ up like a cork воспрянуть духом; 3) стукать(ся); 4) неуклюже приседать; 5) коротко стричься (*о женщине*); 6) ловить (*угрей*) на червяк; 7) ловить губами (*висящие вишни в игре*); □ ~ in, ~ into входить.

bob II [bɔb] *n* (*pl без измен.*) *разг.* шиллинг.

bobber ['bɔbə] *n* поплавóк.

bobbery ['bɔbərɪ] 1. *n* шум, гам;
2. *a*: ~ pack смéшанная свóра собáк (*для охоты на шакáлов*).

bobbin ['bɔbɪn] *n* 1) катýшка; 2) коклюшка; 3) веретенó, цéвка; шпýлька; 4) *эл.* бобúна, катýшка зажигáния.

bobbin-reel ['bɔbɪnriːl] *n текст.* мотовúло.

bobbish ['bɔbɪʃ] *a sl.* оживлённый, весёлый (*особ.* pretty ~).

bobby ['bɔbɪ] *n разг.* полисмéн.

bobby pin ['bɔbɪpɪn] *n* закóлка.

bobby-sox ['bɔbɪsɔks] *n pl* корóтенькие носóчки.

bobby-soxer ['bɔbɪsɔksə] *n амер. разг.* дéвочка-подрóсток.

bobcat ['bɔbkæt] *n* америкáнская рысь.

bobolink ['bɔbəlɪŋk] *n* рúсовый трупиáл (*птица*).

bob-sled ['bɔbsled] = bob-sleigh.

bob-sleigh ['bɔbsleɪ] *n* 1) бóбслей (*сани с рулём для катáния с гор*); 2) сáнки для перевóзки лéса, подвя́зываемые под концы́ брёвен.

bobtail ['bɔbteɪl] *n* 1) обрéзанный хвост; 2) лóшадь *или* собáка с обрéзанным хвостóм.

bock [bɔk] *n* 1) крéпкое тёмное пúво (*немéцкое*); 2) *разг.* стакáн пúва.

bode I [boud] *v* 1) предвещáть; сулúть; 2) предчýвствовать.

bode II [boud] *past и p. p. от* bide.

bodeful ['boudful] *a* грóзный, зловéщий; предвещáющий несчáстье.

bodega [bou'diːgə] *n* вúнный погребóк.

⸱ **bodice** ['bɔdɪs] *n* корсáж; лиф (*плáтья*)

bodiless ['bɔdɪlɪs] *a* бестелéсный.

bodily ['bɔdɪlɪ] 1. *a* телéсный, физúческий; ~ fear физúческий страх;
2. *adv* 1) лúчно, сóбственной персóной; he came ~ он яви́лся сам, лúчно; 2) целикóм; *тех.* в сóбранном вúде.

bodkin ['bɔdkɪn] *n* 1) шúло; 2) длúнная шпúлька для волóс; 3) *уст.* кинжáл; ◇ to sit (to travel) ~ сидéть (éхать) втúснутым мéжду двумя́ сосéдями; to walk ~ идтú под руку с двумя́ дáмами (*о мужчúне*).

Bodleian [bɔd'liːən] *a*: the ~ (library) Библиотéка úмени Бодлéя (*при Оксфордском университéте*).

body ['bɔdɪ] 1. *n* 1) тéло; heavenly ~ небéсное тéло, небéсное светúло; to keep ~ and soul together поддéрживать существовáние; 2) *разг.* человéк; a poor ~ бедня́к [*ср.* somebody, nobody *и др.*]; 3) труп; 4) тýловище; 5) глáвная, основнáя часть (*чего-л.*); кóрпус, óстов, кýзов; глáвный корáбль (*цéркви*); ствол (*дéрева*); ствóльная корóбка (*винтóвки*); стакáн (*снаря́да*); станúна (*станкá*); лиф (*тж.* ~ of a dress); ~ of a book глáвная часть кнúги (*без предислóвия, примечáний и т. п.*); ~ of the order текст прикáза; the main ~ *воен.* глáвные сúлы (*войск*); ядрó (*отря́да и т. п.*); 6) грýппа людéй; ~ of electors избирáтели; 7) вóинская часть; ~ of cavalry кавалерúйский отря́д; ~ of troops отря́д войск, войсковóе соединéние; 8)

корпорáция; организáция; ~ politic госудáрство; autonomous bodies óрганы самоуправлéния; diplomatic ~ дипломатúческий кóрпус; legislative ~ законодáтельный óрган; learned ~ учёное óбщество; in a ~ в пóлном состáве; 9) мáсса; большинствó; a great ~ of facts мáсса фáктов; 10) консистéнция, сравнúтельная плóтность (*жúдкости*); крóющая спосóбность (*крáски*); 11) перегóнный куб, ретóрта; 12) *ав.* фюзеля́ж;
2. *v* придавáть фóрму; воплощáть (*обыкн.* ~ forth).

body-cloth ['bɔdɪklɔθ] *n* попóна.

body-colour ['bɔdɪkʌlə] *n жив.* кóрпусная крáска; телéсный цвет.

body-guard ['bɔdɪgɑːd] *n* 1) лúчная охрáна; эскóрт; 2) телохранúтель.

body-snatcher ['bɔdɪsnætʃə] *n* 1) похитúтель трýпов [*см.* resurrectionist]; 2) *амер.* снáйпер; 3) *амер.* подря́дчик, перемáнивающий рабóчих; 4) *амер.* репортёр, освещáющий дéятельность выдаю́щихся лиц.

bodywork ['bɔdɪwəːk] *n* кýзов.

Boeotian [bɪ'ouʃjən] 1. *a* грýбый, тупóй; 2. *n* тупúца, невéжда.

Boer ['bouə] *n* бур (*голлáндский поселéнец в Ю́жной Áфрике*).

boffin ['bɔfɪn] *n sl.* учёный, исслéдователь.

bog [bɔg] 1. *n* болóто, тряси́на;
2. *v*: to be ~ged увя́знуть (*в болóте*).

bog-berry ['bɔgbərɪ] *n* клю́ква.

bogey ['bougɪ] = bogie.

boggard, boggart ['bɔgəd, 'bɔgət] *n диал.* 1) привидéние, при́зрак; 2) пýгало.

boggle ['bɔgl] *v* 1) пугáться; 2) колебáться, останáвливаться (at, about, over— пéред чем-л.); 3) дéлать (что-л.) неумéло, пóртить; 4) лукáвить, лицемéрить; увúливать.

boggy ['bɔgɪ] *a* болóтистый.

boghead ['bɔghed] *n* битуминóзный кáменный ýголь.

bogie ['bougɪ] *n* 1) телéжка; карéтка; 2) *ж.-д.* двухóсная телéжка (*паровóза*); 3) = bogy 1), 2) *и* 3).

bogle ['bougl] *n* 1) привидéние; 2) пýгало.

bog oak ['bɔg'ouk] *n* морёный дуб.

bog-trotter ['bɔgtrɔtə] *n* 1) обитáтель болóт; 2) *шутл.* ирлáндец.

bogus ['bougəs] *a амер.* поддéльный, фиктúвный; ~ prisoner мни́мый заключённый, осведомúтель.

bogy ['bougɪ] *n* 1) домовóй; 2) привидéние; 3) пýгало; 4) = bogie 1) *и* 2).

boh [bou] = bo.

Bohemia [bou'hiːmjə] *n* богéма [*см. тж.* Спúсок географúческих назвáний].

Bohemian [bou'hiːmjən] 1. *a* 1) богéмский; 2) богéмный;
2. *n* 1) богéмец; 2) представúтель богéмы.

boil I [bɔɪl] 1. *n* кипéние, тóчка кипéния; to bring to the ~ доводúть до кипéния; to keep on (*или* at) the ~ держáть на тóчке кипéния;
2. *v* 1) кипятúть(ся), варúть(ся); 2) кипéть; бурлúть; to make smb.'s blood ~

довести́ кого́-л. до бе́шенства; 3) серди́ться; кипяти́ться; □ ~ away выкипа́ть; ~ down ува́ривать(ся), выпа́ривать(ся), сгуща́ть(ся); *перен.* сокраща́ть(ся), сжима́ть(ся); ~ over перекипа́ть, уходи́ть че́рез край; *перен.* кипе́ть негодова́нием.

boil II [bɔil] *n* фуру́нкул, нары́в.

boiled [bɔild] **1.** *p.p. om* boil I, 2;

2. *a* варёный, кипячёный; ~ dinner *амер.* блю́до из мя́са и овоще́й, тушёных в большо́м котле́, подве́шенном над огнём; ~ linseed oil оли́фа; ~ shirt a) *sl.* крахма́льная руба́шка; б) *амер. sl.* вы́лощенный челове́к.

boiler ['bɔilə] *n* 1) (парово́й) котёл; 2) кипяти́льник; куб *или* бак для кипяче́ния; 3) *амер. sl.* парово́з; 4) о́вощи, го́дные для ва́рки; ◇ to burst one's ~ *амер.* дожи́ть, дойти́ до беды́, пло́хо ко́нчить; to burst smb.'s ~ довести́ кого́-л. до беды́.

boiler factory ['bɔilə'fæktəri] *n* амер. *разг.* шу́мное сбо́рище, «база́р».

boiler-house ['bɔiləhaus] *n* коте́льная.

boiler-plate ['bɔiləpleit] *n* коте́льное желе́зо; коте́льный лист.

boiler-room ['bɔilərum] *n* коте́льное отделе́ние, коте́льная.

boiling ['bɔiliŋ] **1.** *pres. p. om* boil I, 2; **2.** *n* 1) кипе́ние; 2) кипяче́ние; ◇ the whole ~ *sl.* вся компа́ния;

3. *a* кипя́щий.

boiling heat ['bɔiliŋhìt] *n* температу́ра кипе́ния.

boiling-point ['bɔiliŋpɔint] *n* то́чка кипе́ния (*тж. перен.*).

boisterous ['bɔistərəs] *a* 1) неи́стовый, бу́рный; 2) шумли́вый.

boko ['boukou] *n sl.* нос.

bold [bould] *a* 1) сме́лый; I make ~ to say осме́люсь сказа́ть; 2) на́глый, бессты́дный; as ~ as brass на́глый, де́рзкий; to make ~ with позволя́ть себе́ во́льности с; 3) самоуве́ренный; 4) отчётливый (*почерк, шрифт*); подчёркнутый, рельéфный; 5) круто́й, обры́вистый.

bold-faced ['bouldfeist] *a* 1) на́глый; 2) жи́рный (*о шрифте*).

boldly ['bouldli] *adv* 1) сме́ло; 2) на́гло.

bole I [boul] *n* ствол.

bole II [boul] *n* бо́люс, бол, желе́зистая известко́вая гли́на.

bolero *n* 1) [bə'lɛərou] болеро́ (*испанский танец*); 2) ['bɔlərou] коро́ткая ку́рточка с рукава́ми *или* без рукаво́в.

boletus [bou'liːtəs] *n* мохови́к (*гриб*); edible ~ борови́к, бе́лый гриб.

bolide ['boulid] *n астр.* боли́д.

bolivar ['bɔlivə] *n* болива́р (*денежная единица Венесуэлы*).

Bolivian [bə'liviən] **1.** *a* боливи́йский; **2.** *n* боливи́ец; боливи́йка.

boliviano [bɔ͵liː'vjɑːnou] *n* (*pl* -s [-ouz]) боливиа́но (*денежная единица Боливии*).

boll [boul] *n бот.* семенна́я коро́бочка.

bollard ['bɔləd] *n мор.* пал, ту́мба.

bologna [bə'lounjə] = Bologna-sausage.

Bologna-sausage [bə'lounjə'sɔsidʒ] *n* боло́нская (копчёная) колбаса́.

bolometer [bou'lɔmitə] *n* боло́метр (*прибор для измерения лучистой энергии*).

boloney [bə'louni] *n* 1) = Bologna-sausage; 2) *амер. sl.* чепуха́, вздор, ерунда́.

bolsa ['boulsɑː] *n* 1) обме́н; 2) би́ржа.

Bolshevik ['bɔlʃivik] **1.** *n* большеви́к; **2.** *a* большеви́стский.

Bolshevism ['bɔlʃivizəm] *n* большеви́зм.

Bolshevist ['bɔlʃivist] **1.** *n* большеви́к; **2.** *a* большеви́стский.

bolster ['boulstə] **1.** *n* 1) ва́лик под поду́шкой; 2) брус, попере́чина; 3) *тех.* подкла́дка; вту́лка, ше́йка; 4) ва́га; 5) бу́фер;

2. *v* 1) подпира́ть (*подушку*) ва́ликом; 2) подде́рживать (*человека или дело, не стоящих поддержки; тж.* ~ up); 3) подстрека́ть; 4) *школ.* броса́ться поду́шками.

bolt I [boult] **1.** *n* 1) стрела́; 2) мо́лния; уда́р гро́ма; a ~ from the blue гром среди́ я́сного не́ба; по́лная неожи́данность; 3) засо́в; задви́жка; шкво́рень; язы́к (*замка́*); скользя́щий затво́р (*оружия*); behind ~ and bar под надёжным запо́ром; за решёткой; 4) болт; 5) бе́гство; to make (*или* to do) a ~ бро́ситься, помча́ться (for); удра́ть (to); 6) *амер. разг.* отхо́д от свое́й па́ртии, при́нципов *и т. п.*; 7) бы́строе прогла́тывание пи́щи; 8) вяза́нка (*хвороста*); 9) кусо́к, руло́н (*холста, шёлковой материи*);

2. *v* 1) скрепля́ть болта́ми, сбо́лчивать; 2) запира́ть на засо́в; 3) нести́сь стрело́й, убега́ть; удира́ть; 4) понести́ (*о лошади*); 5) глота́ть не разжёвывая; 6) *амер. разг.* отходи́ть от свое́й па́ртии *или* не подде́рживать её кандида́та;

3. *adv:* ~ upright пря́мо; как стрела́.

bolt II [boult] **1.** *n* си́то, гро́хот;

2. *v* просе́ивать сквозь си́то; грохоти́ть, отсе́ивать (*тж.* ~ out); to ~ to the bran *перен.* внима́тельно расслéдовать, рассма́тривать.

bolter I ['boultə] *n* 1) *амер. разг.* отщепе́нец, отколо́вшийся от па́ртии; 2) норови́стая ло́шадь; 3) *австрал.* скрыва́ющийся от правосу́дия.

bolter II ['boultə] *n* си́то, решето́.

bolting I ['boultiŋ] **1.** *pres. p. om* bolt I, 2; **2.** *n* 1) крепле́ние болта́ми; 2) запира́ние засо́вом.

bolting II ['boultiŋ] **1.** *pres. p. om* bolt II, 2; **2.** *n* просе́ивание; отсе́ивание.

bolus ['bouləs] *n* 1) больша́я пилю́ля; 2) ша́рик.

bomb [bɔm] **1.** *n* бо́мба; ми́на (*миномёта*); ручна́я грана́та; flying (*или* winged) ~ самолёт-снаря́д; ◇ to throw a ~ into вы́звать сенса́цию, надéлать перепо́лох;

2. *v* бомбардирова́ть, сбра́сывать бо́мбы; □ ~ up *ав.* грузи́ть(ся) бо́мбами.

bombard 1. *n* ['bɔmbɑːd] *ист.* бомба́рда; **2.** *v* [bɔm'bɑːd] 1) бомбардирова́ть; 2) *разг.* засыпа́ть, донима́ть (*вопросами*); 3) *физ.* бомбардирова́ть; 4) *физ.* облуча́ть части́цами.

bombardier [,bɔmbə'dɪə] n бомбарди́р; у́нтер-офице́р артилле́рии.

bombardment [bɔm'bɑːdmənt] n бомбарди́ровка; preliminary ~ артиллери́йская подгото́вка.

bombardon [bɔm'bɑːdn] n бомбардо́н (муз. духовой инструмент).

bombasine ['bɔmbəsiːn] n текст. бомбази́н, бумазе́я.

bombast ['bɔmbæst] n напы́щенность.

bombastic [bɔm'bæstɪk] a напы́щенный.

bombazine ['bɔmbəziːn] = bombasine.

bomb carrier ['bɔm'kærɪə] n ав. бомбодержа́тель.

bomb-destroy ['bɔmdɪ'strɔɪ] v бомби́ть, уничтожа́ть бо́мбами.

bomb dropper ['bɔm'drɔpə] n ав. бомбосбра́сыватель.

bomber ['bɔmə] n 1) воен. бомбомета́тель; гранатомётчик; 2) ав. бомбардиро́вщик.

bombing ['bɔmɪŋ] 1. pres. p. от bomb 2; 2. n бомбомета́ние; бомбардиро́вка; мета́ние ручны́х грана́т.

bombing machine ['bɔmɪŋmə,ʃiːn] = bomber 2).

bombing plane ['bɔmɪŋpleɪn] = bomber 2).

bomb-load ['bɔmloud] n бо́мбовая нагру́зка.

bomb-proof ['bɔmpruːf] воен. 1. a непробива́емый бо́мбами; 2. n бомбоукры́тие.

bombshelter ['bɔm,ʃeltə] n бомбоубе́жище.

bomb-sight ['bɔmsaɪt] n ав. прице́л для бомбомета́ния, авиаприце́л.

bomb-thrower ['bɔm'θrouə] n 1) бомбомёт; 2) гранатомётчик.

bona fide ['bounə'faɪdɪ] лат. 1. a добросо́вестный; настоя́щий; 2. adv добросо́вестно.

bona fides ['bounə'faɪdɪz] лат. n че́стное наме́рение; добросо́вестность.

bonanza [bou'nænzə] 1. n 1) процвета́ние; (неожи́данная) уда́ча; дохо́дное предприя́тие, «золото́е дно»; 2) горн. бона́нца (скопление богатой руды в жиле или залежи); 2. a процвета́ющий; a ~ farm дохо́дное, процвета́ющее хозя́йство.

bon-bon ['bɔmbɔn] фр. n конфе́та.

bond I [bɔnd] 1. n 1) связь, у́зы; 2) pl око́вы; перен. тюре́мное заключе́ние; in ~s в тюрьме́; 3) соедине́ние; 4) сде́рживающая си́ла; 5) долгово́е обяза́тельство; to stand ~ for smb. поручи́ться за кого́-л.; 6) (обыкн. pl) фин. облига́ция; бо́ны; 7) тамо́женная закладна́я; 8) шотл. закладна́я; 9) стр. перевя́зка (кирпичной кладки); 2. v 1) свя́зывать; 2) закла́дывать иму́щество; 3) подпи́сывать обяза́тельства; 4) фин. выпуска́ть бо́ны; 5) оставля́ть това́ры на тамо́жне до упла́ты по́шлины; 6) стр. сцепля́ть, свя́зывать (кирпичную кладку).

bond II [bɔnd] уст. 1. n крепостно́й (крестья́нин); 2. a крепостно́й.

bondage ['bɔndɪdʒ] n 1) ра́бство; крепостно́е состоя́ние; 2) зави́симость.

bondager ['bɔndɪdʒə] n сев. ба́рщинник; батра́к; батра́чка.

bonded ['bɔndɪd] 1. p. p. от bond I, 2; 2. a 1) обеспе́ченный бо́нами (о долге); 2) храня́щийся на тамо́женных склада́х; 3): ~ warehouse пакга́уз при тамо́жне для хране́ния не очи́щенных от по́шлины това́ров.

bonder ['bɔndə] = bond-stone.

bondholder ['bɔnd,houldə] n держа́тель облига́ций, бон.

bondmaid ['bɔndmeɪd] n крепостна́я же́нщина; раба́.

bondman ['bɔndmən] n крепостно́й, вилла́н; раб.

bondservant ['bɔnd,səːvənt] n раб.

bondservice ['bɔnd,səːvɪs] n ра́бство; крепостна́я зави́симость.

bondslave ['bɔndsleɪv] n раб.

bondsman ['bɔndzmən] n 1) = bondman; 2) поручи́тель.

bond-stone ['bɔndstoun] n стр. тычо́к.

bondwoman ['bɔnd,wumən] = bondmaid.

bone [boun] 1. n 1) кость; to the ~ наскво́зь; drenched to the ~ наскво́зь промо́кший; frozen to the ~ продро́гший до косте́й; 2) pl скеле́т; костя́к; 3) pl челове́к [ср. lazy-bones]; те́ло; оста́нки; 4) что-л., сде́ланное из кости; 5) pl (игра́льные) ко́сти; кастанье́ты; трещо́тки; коклю́шки; 6) кито́вый ус; 7) = bone-spavin; 8) амер. sl. до́ллар; ◊ the ~ of contention ≅ я́блоко раздо́ра; to cast (in) a ~ between се́ять рознь, вражду́; to cut (costs etc.) to the ~ сни́зить (це́ны и т. п.) до ми́нимума; to feel in one's ~s быть соверше́нно уве́ренным; to make no ~s about (или of) не колеба́ться, не сомнева́ться; не боя́ться; to make old ~s разг. дожи́ть до глубо́кой ста́рости; on one's ~s sl. в тяжёлом положе́нии, на мели́; to have a ~ to pick with smb. име́ть счёты с кем-л.; skin and ~, a bag of ~s ≅ ко́жа да ко́сти; the devil's ~s разг. игра́льные ко́сти; to have a ~ in one's (или the) arm (или leg) шутл. быть уста́лым, быть не в состоя́нии дви́нуть па́льцем, подня́ться, идти́ да́льше; to have a ~ in one's (или the) throat шутл. быть не в состоя́нии сказа́ть ни сло́ва; keep the ~s green сохраня́ть хоро́шее здоро́вье; the nearer the ~ the sweeter the flesh (или the meat) посл. ≅ оста́тки — сла́дки; what is bred in the ~ will not go out of the flesh посл. ≅ горба́того моги́ла испра́вит; 2. v 1) снима́ть мя́со с косте́й; 2) удобря́ть костяно́й муко́й; 3) sl. красть; □ ~ up амер. зубри́ть, долби́ть; повторя́ть.

bone-black ['bounblæk] n костяно́й у́голь.

bone-coal ['bounkoul] n сланцева́тый или гли́нистый у́голь.

boned [bound] 1. p. p. от bone 2; 2. a 1) име́ющий такой-то костя́к; 2) очи́щенный от косте́й.

bone-dry ['boun'draɪ] a 1) соверше́нно вы́сохший; 2) амер. сухо́й, запреща́ющий прода́жу спиртны́х напи́тков (о законе).

bonedust ['boundʌst] n костяна́я мука́ (удобрение).

bone-head ['bounhed] *n sl.* дура́к, тупи́ца.

bone-meal ['bounmȋl] = bonedust.

boner ['bounə] *n sl.* про́мах; глу́пая оши́бка.

bone-setter ['boun,setə] *n* костопра́в.

bone-shaker ['boun,ʃeikə] *n разг.* плохо́й, ста́рый велосипе́д.

bone-spavin ['boun'spævin] *n* ко́стный шпат (*болезнь лошадей*).

bonfire ['bɔn,faiə] *n* костёр; to make a ~ (of) сжига́ть (на костре́), уничтожа́ть; разруша́ть.

Boniface ['bɔnifeis] *n* тракти́рщик.

bon mot [,bɔŋ'mou] *фр. n (pl* bons mots) остроу́мное выраже́ние, остро́та.

bonne [bɔn] *фр. n* бо́нна.

bonnet ['bɔnit] **1.** *n* 1) да́мская шля́па (*без полей*), ка́пор; де́тский че́пчик; мужска́я шотла́ндская ша́почка; to vail the ~ почти́тельно снима́ть шля́пу; 2) *разг.* сообщник (*мошенника и т. п.*); 3) *тех.* капо́т (*двигателя*); кожу́х, (по)кры́шка; се́тка; ◊ to fill smb.'s ~ заня́ть чье-л. ме́сто; быть ра́вным кому-л. во всех отноше́ниях;

2. *v* 1) наде́ть *или* нахлобу́чить (*кому-л.*) шля́пу; 2) туши́ть (*огонь*).

bonny ['bɔni] *a сев.* 1) краси́вый (*гл. обр. о девушке*); 2) здоро́вый (на вид); 3) хоро́ший.

bonny-clabber ['bɔni,klæbə] *n ирл.* простоква́ша.

bons mots [,bɔŋ'mouz] *pl от* bon mot.

bonus ['bounəs] *n* 1) пре́мия; тантье́ма; 2) *attr.:* ~ job сде́льная рабо́та.

bony ['bouni] *a* 1) кости́стый; 2) костля́вый.

bonze [bɔnz] *n* бо́нза.

boo [buː] **1.** *int восклицание неодобрения;* **2.** *v* 1) произнести́ неодобри́тельное восклица́ние; освиста́ть; 2) прогоня́ть; to ~ a dog out вы́гнать соба́ку.

boob [buːb] *n амер.* проста́к.

booby ['buːbi] *n* 1) болва́н, дура́к; 2) олу́ша (*морская птица*).

booby trap ['buːbitræp] *n воен.* ми́на-сюрпри́з; лову́шка.

booby-trap ['buːbitræp] *v воен.* ста́вить подрывны́е лову́шки.

boodle ['buːdl] *n* 1) толпа́, сбо́рище; 2) во́рох; 3) *амер.* взя́тка; 4) ка́рточная игра́.

boogie-woogie, boogy-woogy ['buːgi,wuːgi] *n* бу́ги-ву́ги (*танец*).

booh [buː] = boo.

book [buk] **1.** *n* 1) кни́га; том; 2) (the B.)' би́блия; 3) либре́тто; текст (*оперы и т. п.*); 4) за́пись заключа́емых пари́; 5) *карт.* (пе́рвые) шесть взя́ток одно́й из сторо́н (*в висте*); 6) *attr.* кни́жный; ~ learning кни́жные, теорети́ческие зна́ния; ◊ to read smb. like a ~ прекра́сно понима́ть кого-л., ви́деть наскво́зь; to speak by the ~ говори́ть (*о чём-л.*) на основа́нии то́чной информа́ции; to be in smb.'s good (bad, black) ~s быть у кого́-л. на хоро́шем (плохо́м) счету́; to bring to ~ призва́ть

к отве́ту; to know a thing like a ~ ≅ знать что-л. как свои́ пять па́льцев; without ~ по па́мяти; to suit smb.'s ~ совпада́ть с чьи́ми-л. пла́нами, подходи́ть кому-л.; to take a leaf out of another's ~ сле́довать чьему́-л. приме́ру, подража́ть кому-л.;

2. *v* 1) заноси́ть в кни́гу; (за)регистри́ровать; 2) зака́зывать, брать биле́т (*железнодорожный и т. п.*); 3) принима́ть зака́зы на биле́ты; all the seats are ~ed (up) все места́ про́даны; 4) приглаша́ть; ангажи́ровать (*актёра, оратора*); I shall ~ you for Friday evening прошу́ (*или* жду) вас в пя́тницу ве́чером; ◊ I'm ~ed я попа́лся.

bookbinder ['buk,baində] *n* переплётчик.

bookbinding ['buk,baindiŋ] *n* переплётное де́ло.

bookcase ['bukkeis] *n* кни́жный шкаф, этажёрка.

book-club ['bukklʌb] *n* клуб люби́телей книг.

booked [bukt] **1.** *p. p. от* book 2; **2.** *a* 1) зака́занный; 2) за́нятый.

book-holder ['buk,houldə] *n театр.* суфлёр.

book house ['bukhaus] *n* кни́жное изда́тельство.

book-hunter ['buk,hʌntə] *n* коллекционе́р ре́дких книг.

bookie ['buki] *n разг.* букме́кер (*на ска́чках*).

booking-clerk ['bukiŋ,klɑːk] *n* касси́р биле́тной, бага́жной *или* театра́льной ка́ссы.

booking-office ['bukiŋ,ɔfis] *n* 1) биле́тная ка́сса (*железнодорожная, театра́льная*); 2) конто́ра (*гостиницы*).

bookish ['bukiʃ] *a* 1) кни́жный; 2) учёный; 3) педанти́чный.

book-keeper ['buk,kȋpə] *n* бухга́лтер; счетово́д.

book-keeping ['buk,kȋpiŋ] *n* бухгалте́рия; счетово́дство.

book-learning ['buk,lɑːniŋ] *n* кни́жные зна́ния; кни́жность.

bookless ['buklis] *a* 1) необразо́ванный; 2) не име́ющий книг.

booklet ['buklit] *n* брошю́ра, кни́жечка.

booklover ['buk,lʌvə] *n* люби́тель книг.

book-maker ['buk,meikə] *n* 1) компиля́тор; 2) букме́кер (*на ска́чках*).

bookman ['bukmən] *n* 1) учёный; 2) *разг.* продаве́ц книг.

book-mark(er) ['bukmɑːk(ə)] *n* закла́дка (*в книге*).

bookmobile ['bukmoubȋl] *n* грузови́к-передвижна́я библиоте́ка.

book-plate ['bukpleit] *n* экслибрис.

bookseller ['buk,selə] *n* продаве́ц книг; second-hand ~ букини́ст.

bookselling ['buk,seliŋ] *n* кни́жная торго́вля.

bookshelf ['bukʃelf] *n* кни́жная по́лка.

bookshop ['bukʃɔp] *n* кни́жный магази́н.

bookstall ['bukstɔːl] *n* кни́жный кио́ск.

bookstand ['bukstænd] *n* кни́жный шкаф, стелла́ж *или* стенд.

bookstore ['bukstɔː] *n амер.* кни́жный магази́н.

book-work ['bukwə:k] *n* 1) рабо́та над кни́гой; 2) *полигр.* кни́жная проду́кция.

bookworm ['bukwə:m] *n* кни́жный червь (*тж. перен. о человеке*).

boom I [bu:m] 1) *мор.* утле́гарь; 2) *мор.* плаву́чий бон, загражде́ние (*в виде брёвен или цепи*); 3) *тех.* стрела́, вы́лет (*крана*); уко́сина; 4) *ав.* лонжеро́н хвостово́й фе́рмы; 5) *стр.* по́яс (*арки*).

boom II [bu:m] 1. *n* 1) гул (*выстрела, грома и т. п.*); 2) жужжа́ние, гуде́ние; 3) крик вы́пи; 4) бум (*в торговле и промышленности*); 5) шуми́ха, шу́мная рекла́ма; 2. *v* 1) греме́ть; 2) жужжа́ть, гуде́ть; 3) ора́ть, реве́ть; крича́ть (*о выпи*); 4) производи́ть шум, сенса́цию; станови́ться изве́стным; 5) бы́стро расти́ (*о цене, спросе*); 6) реклами́ровать, создава́ть шуми́ху (*вокруг человека, товара и т. п.*).

boom city ['bu:m,sɪtɪ] *n* *амер.* бы́стро вы́росший *или* расту́щий го́род.

boomer ['bu:mə] *n* саме́ц кенгуру́.

boomerang ['bu:məræŋ] *n* бумера́нг.

boomster ['bu:mstə] *n* *амер.* *sl.* спекуля́нт.

boom town ['bu:m,taun] = boom city.

boon I [bu:n] *n* 1) бла́го, благодея́ние; дар; преиму́щество, удо́бство; 2) *уст.* про́сьба.

boon II [bu:n] *a* 1) *уст.*, *поэт.* ще́дрый (*о природе*); прия́тный, благотво́рный (*о климате и т. п.*); 2) доброжела́тельный, прия́тный; ~ companion весёлый собуты́льник.

boon III [bu:n] *n* 1) сердцеви́на (*дерева*); 2) *текст.* костра́, костри́ка.

boor [buə] *n* гру́бый, невоспи́танный челове́к.

boorish ['buərɪʃ] *a* невоспи́танный, гру́бый.

boose [bu:z] = booze.

boost [bu:st] 1. *n* 1) *разг.* реклами́рование, подде́ржка; 2) повыше́ние (*в цене*); рост (*популярности*); 3) *эл.* доба́вочное напряже́ние;
2. *v* 1) поднима́ть; помога́ть подня́ться; 2) реклами́ровать, горячо́ подде́рживать; 3) повыша́ть (*цену*); спосо́бствовать ро́сту популя́рности (= boom II, 2, 5); 5) *эл.* повыша́ть напряже́ние; 6) *тех.* повыша́ть давле́ние; форси́ровать (*мотор*); рабо́тать на по́лном дро́сселе; уси́ливать взрыв.

booster ['bu:stə] *n* 1) помо́щник; 2) *эл.* побуди́тель; усили́тель; 3) *ж.-д.* бу́стер.

boot I [bu:t] 1. *n* 1) боти́нок; high ~, riding ~ сапо́г; *pl спорт.* бу́тсы; 2) *ист.* коло́дки (*орудие пытки*); 4) фа́ртук (*экипажа*); 5) отделе́ние для багажа́ (*в автомобиле, в карете*); 6) обёртка (*початка кукурузы*); ◇ ~ and saddle! «сади́сь!» (*сигнал — в кавалерии*); *амер.* «седла́й!»; the ~ is on the other leg отве́тственность лежи́т на друго́м; to die in one's ~s, to die with one's ~s on а) умере́ть скоропости́жной *или* наси́льственной сме́ртью; б) умере́ть на своём посту́; to get the (order of the) ~ быть уво́ленным; to have one's heart in one's ~s стру́сить; ≈ «душа́ в пя́тки ушла́»; to be in smb.'s ~s быть на чьём-л.

ме́сте, быть в чьей-л. шку́ре; like old ~s *sl.* энерги́чно, стреми́тельно, изо всех сил; to move (*или* to start) one's ~s *разг.* уходи́ть, отправля́ться; seven-league ~s сапоги́-скорохо́ды, семими́льные сапоги́;
2. *v* 1) надева́ть боти́нки; 2) уда́рить сапого́м; 3) *разг.* увольня́ть; □ ~ out, ~ round выгоня́ть.

boot II [bu:t] 1. *n* *уст.* вы́года, по́льза; to ~ в прида́чу;
2. *v уст.* помога́ть; what ~s it? кака́я от э́того по́льза?; it ~s not бесполе́зно.

boot III [bu:t] *n* *амер. воен. разг.* 1) новичо́к; 2) *attr.*: ~ camp уче́бный ла́герь новобра́нцев.

bootblack ['bu:tblæk] *n* преим. *амер.* чи́стильщик сапо́г.

bootee ['bu:tɪ] *n* 1) да́мский боти́нок; 2) де́тский вя́заный башмачо́к.

Boötes [bou'outɪz] *n* Волопа́с (*созвездие*).

booth [bu:ð] *n* бу́дка; кио́ск; пала́тка; каби́на; балага́н (*на ярмарке*).

bootjack ['bu:tdʒæk] *n* 1) приспособле́ние для снима́ния сапо́г; 2) *горн.* лови́льный крюк.

bootlace ['bu:tleɪs] *n* шнуро́к для боти́нок.

bootleg ['bu:tleg] 1. *n* 1) голени́ще; 2) *тех.* кожу́х; 3) *горн.* невзорва́вшийся шпур; 4) *текст.* солда́т (*в мюле*); 5) спиртны́е напи́тки, продава́емые та́йно; 6) *attr. амер.* контраба́ндный;
2. *v амер. разг.* 1) та́йно торгова́ть контраба́ндными *или* самого́нными спиртны́ми напи́тками; 2) та́йно продава́ть.

bootlegger ['bu:t,legə] *n амер.* 1) торго́вец контраба́ндными *или* самого́нными спиртны́ми напи́тками; 2) *sl.* торго́вец поде́ржанными автомоби́лями.

bootless I ['bu:tlɪs] *a* без башмако́в, без сапо́г; босоно́гий.

bootless II ['bu:tlɪs] *a* бесполе́зный; ~ effort бесполе́зное уси́лие.

bootlicker ['bu:t,lɪkə] *n* подхали́м.

bootmaker ['bu:t,meɪkə] *n* сапо́жник.

boots [bu:ts] *n* коридо́рный, слуга́ (*в гостинице*).

boot-top ['bu:ttɔp] *n* голени́ще.

boot-tree ['bu:ttri] *n* сапо́жная коло́дка.

booty ['bu:tɪ] *n* награ́бленное добро́, добы́ча; ◇ to play ~ наме́ренно прои́грывать, завлека́я нео́пытного игрока́; помога́ть вы́игрышу со́общника.

booze [bu:z] *разг.* 1. *n* 1) вы́пивка; 2) попо́йка; to be on the ~ пья́нствовать;
2. *v* пья́нствовать.

boozy ['bu:zɪ] *a разг.* 1) пья́ный; 2) лю́бящий вы́пить.

bo-peep [bou'pi:p] *n* игра́ в пря́тки (*с ребёнком*); to play ~ игра́ть в пря́тки (*тж. перен.*).

bora I ['bourə] *n* холо́дный се́веро-восто́чный ве́тер (*в Адриатике*).

bora II ['bourə] *n* разно́счик-мусульма́нин (*в Индии*).

boracic acid [bo'ræsɪk'æsɪd] *n* бо́рная кислота́.

borage ['bɔrɪdʒ] *n бот.* огуре́чник апте́чный.

borax ['bɔːræks] *n* 1) *хим.* бура́; 2) *attr.*: ~ soap бо́рное мы́ло.

Bordeaux [bɔː'dou] *фр. n* бордо́ (*вино*).

border ['bɔːdə] 1. *n* 1) грани́ца; the B. грани́ца ме́жду А́нглией и Шотла́ндией; 2) край; кайма́, бордю́р; фриз;

2. *v* 1) грани́чить (on, upon — с); 2) походи́ть, быть похо́жим (upon — на); 3) обшива́ть, окаймля́ть.

borderer ['bɔːdərə] *n* жи́тель пограни́чной полосы́.

borderland ['bɔːdəlænd] *n* 1) пограни́чная о́бласть; пограни́чная полоса́; 2) промежу́точная о́бласть (*в науке*); 3) что-л. неопределённое, промежу́точное; не́что сре́днее.

borderless ['bɔːdəlɪs] *a* не име́ющий грани́ц; бесконе́чный.

border line ['bɔːdəlaɪn] *n* грани́ца, демаркацио́нная ли́ния.

border-line ['bɔːdəlaɪn] *a* пограни́чный; *перен.* находя́щийся на гра́ни.

bore I [bɔː] 1. *n* 1) вы́сверленное отве́рстие, дыра́; 2) *воен., тех.* кана́л ствола́; 3) диа́метр кана́ла, кали́бр; 4) ску́чное заня́тие; 5) ску́чный челове́к;

2. *v* 1) сверли́ть; раста́чивать; бура́вить; бури́ть; 2) с трудо́м пробива́ть себе́ путь; 3) надоеда́ть; he ~s me to death он мне до́ смерти надое́л.

bore II [bɔː] *n* си́льное прили́вное тече́ние (*в узких устьях рек*).

bore III [bɔː] *past от* bear II.

boreal ['bɔːrɪəl] *a* се́верный.

Boreas ['bɔːrɪæs] *n поэт.* Боре́й, се́верный ве́тер.

borecole ['bɔːˌkoul] *n* капу́ста кормова́я, бра́унколь.

bored [bɔːd] 1. *p. p. от* bore I, 2;

2. *a* скуча́ющий; I am ~ мне надое́ло, мне ску́чно.

boredom ['bɔːdəm] *n* ску́ка.

bore hole ['bɔːhoul] *n* бурова́я сква́жина; шпур.

borer ['bɔːrə] *n* 1) бура́в, бур; сверло́; 2) бури́льщик; сверли́льщик; 3) древото́чец (*червь*).

boric ['bɔːrɪk] *a хим.* бо́рный.

boring ['bɔːrɪŋ] 1. *pres. p. от* bore I, 2;

2. *n* 1) буре́ние; сверле́ние; 2) бурова́я сква́жина; отве́рстие; 3) надоеда́ние; 4) *pl* стру́жка;

3. *a* 1) сверля́щий; 2) надое́дливый.

boring machine ['bɔːrɪŋmə'ʃiːn] *n* бурова́я маши́на.

boring mill ['bɔːrɪŋmɪl] *n* сверли́льный стано́к.

boring rig ['bɔːrɪŋrɪg] *n* бурова́я вы́шка.

born [bɔːn] 1. *p. p. от* bear II, 3);

2. *a* прирождённый; a poet ~ прирождённый поэ́т; ◇ in all one's ~ days за всю свою́ жизнь.

borne [bɔːn] *p. p. от* bear II.

borné [ˌbɔː'nei] *фр. a* ограни́ченный, с у́зким кругозо́ром.

boron ['bɔːrɔn] *n хим.* бор.

borough ['bʌrə] *n* 1) небольшо́й го́род; municipal ~ го́род, име́ющий самоуправле́ние [*ср. тж.* 2)]; Parliamentary ~

го́род, представленный в английском парла́менте; close (*или* pocket) ~ го́род *или* о́круг, в кото́ром вы́боры факти́чески нахо́дятся под контро́лем одного́ лица́; rotten ~ *ист.* 2) *амер.* оди́н из пяти́ райо́нов Нью-Йо́рка (*тж.* municipal ~); 3) *амер. редк.* городо́к, дере́вня.

borough-English ['bʌrə'ɪŋglɪʃ] *n юр.* перехо́д недви́жимости к мла́дшему, а не к ста́ршему сы́ну.

borrow ['bɔrou] *v* 1) занима́ть, брать на вре́мя (of, from — у *кого-л.*); 2) займ́ствовать.

borrowing ['bɔrouɪŋ] 1. *pres. p. от* borrow;

2. *n* 1) ода́лживание; he who likes ~ dislikes paying тот, кто лю́бит брать взаймы́, не лю́бит отдава́ть; 2) заи́мствование.

borsch [bɔːʃ] *рус. n* борщ.

Borstal ['bɔːstl] *a:* ~ system систе́ма наказа́ния несовершеннолѐтних престу́пников, по кото́рой срок заключе́ния зави́сит от поведе́ния при отбыва́нии.

borzoi ['bɔːzɔɪ] *рус. n* борза́я (*порода собак*).

bos [bɔs] *sl.* 1. *n* 1) про́мах; неуда́чная дога́дка; 2) пу́таница;

2. *v* 1) промахну́ться; ошиби́ться; 2) напу́тать.

boscage ['bɔskɪdʒ] *n поэт.* ро́ща; подле́сок; куста́рник.

bosh I [bɔʃ] 1. *n sl.* вздор; (глу́пая) болтовня́;

2. *int* вздор!, глу́пости!;

3. *v* шко́л. *sl.* дразни́ть; дура́чить.

bosh II [bɔʃ] *n тех.* 1) коры́то, ва́нна для охлажде́ния инструме́нта; 2) *pl* запле́чики до́менной пе́чи.

bosk [bɔsk] *n поэт.* ро́щица.

boskage ['bɔskɪdʒ] = boscage.

bosket ['bɔskɪt] = bosk.

bosky ['bɔskɪ] *a* поро́сший ле́сом *или* куста́рником.

bosom ['buzəm] 1. *n* 1) грудь; па́зуха; to put in one's ~ положи́ть за па́зуху; 2) ло́но; не́дра; in the ~ of one's family в кругу́ семьи́; the ~ of the sea морски́е глуби́ны; 3) се́рдце, душа́; 4) *амер.* мани́шка; ◇ to take to one's ~ а) жени́ться, взять в жёны; б) прибли́зить к себе́, сде́лать свои́м дру́гом;

2. *v* 1) храни́ть в та́йне; 2) *уст.* пря́тать (за па́зуху); a house ~ed in trees дом, скры́тый дере́вьями.

bosom-friend ['buzəmfrend] *n* закады́чный друг.

bosquet ['bɔskɪt] = bosk.

boss I [bɔs] *разг.* 1. *n* 1) хозя́ин; предпринима́тель; босс; 2) *амер.* руководи́тель ме́стной полити́ческой организа́ции; 3) деся́тник; 4) *горн.* штѐйгер;

2. *v* быть хозя́ином; распоряжа́ться; ◇ to ~ the show хозя́йничать, распоряжа́ться всем.

boss II [bɔs] 1. *n* 1) ши́шка; 2) *тех.* бобы́шка, утолще́ние, вы́ступ, прили́в; ла́пка; упо́р, распо́рка; 3) *геол.* ку́пол, шток; 4) *архит.* рельѐфное украше́ние; 5) сту́пица колеса́; вту́лка колеса́;

2. *v* 1) де́лать вы́пуклые украше́ния; 2) обта́чивать ступи́цу; 3) *sl.* промахну́ться, испо́ртить де́ло.

boss III [bɔs] = bos.

bossy ['bɔsɪ] *a* 1) вы́пуклый; 2) шишкова́тый.

Boston, boston ['bɔstən] *n* 1) вид ва́льса; 2) *амер.* ка́рточная игра́, напомина́ющая вист.

bot [bɔt] = bott.

botanical [bə'tænɪkəl] *a* ботани́ческий.

botanist ['bɔtənɪst] *n* бота́ник.

botanize ['bɔtənaɪz] *v* ботанизи́ровать.

Botany ['bɔtənɪ] *n сокр. от* Botany Bay.

botany ['bɔtənɪ] *n* бота́ника.

Botany Bay ['bɔtənɪ'beɪ] *n* ссы́лка, ка́торга (*от названия бухты в Новом Южном Уэльсе, служившей местом ссылки*).

botch [bɔtʃ] **1.** *n* 1) запла́та; 2) пло́хо сде́ланная рабо́та;
2. *v* 1) неуме́ло лата́ть; 2) по́ртить рабо́ту.

botcher ['bɔtʃə] *n* плохо́й рабо́тник.

bot-fly ['bɔtflaɪ] *n* о́вод.

both [bouθ] **1.** *pron. indef.* о́ба; they are ~ doctors, ~ of them are doctors о́ба они́ врачи́; ~ are busy о́ба они́ за́няты.
2. *adv, cj:* ~… and… как…, так и…; и… и…; и к тому́ же; he speaks ~ English and French он говори́т и по-англи́йски и по-францу́зски; he is ~ tired and hungry он уста́л и к тому́ же го́лоден.

bother ['bɔðə] **1.** *n* беспоко́йство, хло́поты; исто́чник беспоко́йства;
2. *v* 1) надоеда́ть; беспоко́ить; 2) беспоко́иться, волнова́ться (about); 3) суети́ться; ◇ oh, ~ it! *разг.* чёрт возьми́!

botheration [,bɔðə'reɪʃən] **1.** *n* = bother 1;
2. *int* кака́я доса́да!

bothersome ['bɔðəsəm] *a* надое́дливый; беспоко́йный.

bothy ['bɔθɪ] *n шотл.* 1) хиба́рка; 2) (бара́чное) помеще́ние для рабо́чих (*на ферме, на стройке*).

bo-tree ['bou,tri:] *n* свяще́нное де́рево (*у буддистов Индии*).

bott [bɔt] *n вет.* кише́чная глиста́.

bottle I ['bɔtl] **1.** *n* 1) буты́лка, буты́ль; флако́н; hot-water ~ гре́лка; 2) рожо́к (*для грудных детей*); to bring up on the ~ вска́рмливать ребёнка на рожке́; to know smb. from his ~ up знать кого́-л. с пелёнок; 3) вино́; to be fond of the ~ люби́ть вы́пить; to pass the ~ round передава́ть буты́лку вкругову́ю; to flee from the ~ избега́ть спиртны́х напи́тков; over a ~ за буты́лкой вина́; to take to the ~ запи́ть, пристрасти́ться к вину́; 4) *тех.* опо́ка; ◇ black ~ *амер.* яд;
2. *v* 1) храни́ть в буты́лках; 2) *sl.* пойма́ть (на ме́сте преступле́ния); □ ~ off разлива́ть в буты́лки; ~ up сде́рживать, скрыва́ть (*обиду и т. п.*).

bottle II ['bɔtl] *n* сноп; оха́пка се́на; ◇ to look for a needle in a ~ of hay иска́ть иго́лку в сто́ге се́на, занима́ться безнадёжным де́лом;
2. *v* вяза́ть в снопы́.

bottle-baby ['bɔtl,beɪbɪ] *n* вско́рмленный на рожке́ ребёнок.

bottle-glass ['bɔtlglɑːs] *n* буты́лочное стекло́.

bottle-green ['bɔtlgriːn] *a* тёмно-зелёный, буты́лочного цве́та.

bottle-holder ['bɔtl,houldə] *n* 1) обслу́живающий боксёра (*во время состязания*); 2) помо́щник, сторо́нник.

bottle neck ['bɔtlnek] *n* го́рлышко буты́лки.

bottle-neck ['bɔtlnek] *n* 1) у́зкий прохо́д; 2) *перен.* у́зкое ме́сто.

bottle-screw ['bɔtlskruː] *n* што́пор.

bottle-washer ['bɔtl,wɔʃə] *n* 1) посу́дник, мо́ющий буты́лки; 2) *шутл.* служа́щий для ме́лких поруче́ний; ◇ head cook and ~ *ирон.* и ста́рший по́вар и судомо́йка; ≅ и швец, и жнец и в дуду́ игре́ц.

bottom ['bɔtəm] **1.** *n* 1) дно, дни́ще; низ, ни́жняя часть (*чего-л.*); ~ up вверх дном; to have no ~ быть без дна, не име́ть дна; *перен.* быть неистощи́мым, неисчерпа́емым; 2) дно (*моря, реки и т. п.*); to go to the ~ пойти́ ко дну; to send to the ~ потопи́ть; to touch ~ косну́ться дна; *перен.* добра́ться до су́ти де́ла; 3) грунт; по́чва; подстила́ющая поро́да; 4) основа́ние, фунда́мент; 5) *груб.* зад, за́дняя часть; 6) осно́ва, суть; to get (down) to (*или* at) the ~ of добра́ться до су́ти де́ла; good at (the) ~ по существу́ хоро́ший; 7) причи́на; to be at the ~ of smth. быть причи́ной *или* зачи́нщиком чего́-л.; 8) сиде́нье, се́тка (*стула*); 9) под (*печи*); 10) подво́дная часть корабля́; 11) су́дно (*торговое*); 12) (*обыкн. pl*) ни́зменность, доли́на (*реки*); 13) запа́с жи́зненных сил, выно́сливость; 14) оса́док, подо́нки; 15) *тех.* грундбу́кса; ◇ there's no ~ to it э́тому конца́ не ви́дно; from the ~ of the heart от всей души́; to knock the ~ out of an argument опрове́ргнуть аргуме́нт; вы́бить по́чву из-под ног; to stand on one's own ~ быть незави́симым, стоя́ть на свои́х нога́х;
2. *a* 1) ни́жний; ни́зкий; после́дний; ~ price кра́йняя цена́; ~ rung ни́жняя ступе́нька (*приставной лестницы*); one's ~ dollar после́дний до́ллар; 2) основно́й;
3. *v* 1) (*обыкн. pass.*) стро́ить, осно́вывать (on, upon — на); 2) осно́вываться; 3) приде́лывать дно; 4) каса́ться дна; измеря́ть глубину́; 5) доиска́ться причи́ны; вполне́ поня́ть.

bottom drawer ['bɔtəmdrɔː] *n* я́щик в комо́де, в кото́ром храни́тся прида́ное неве́сты.

bottom-land ['bɔtəmlænd] *n* по́йма; доли́на.

bottomless ['bɔtəmlɪs] *a* 1) бездо́нный; неизмери́мый; 2) непостижи́мый; 3) не име́ющий сиде́нья (*о стуле*).

bottommost ['bɔtəmmoust] *a* са́мый ни́жний.

bottomry ['bɔtəmrɪ] **1.** *n мор.* бодмере́я, ссу́да под зало́г су́дну *или* гру́за;
2. *v* получа́ть ссу́ду под зало́г су́дна.

botulism ['bɔtjulɪzəm] *n мед.* ботули́зм.

boudoir ['buːdwɑ:] *фр. n* будуа́р.

bough [bau] *n* сук.

bough-pot ['baupɔt] *n* 1) ва́за, горшо́к для цвето́в; 2) буке́т цвето́в.

bought [bɔːt] *past и p.p. от* buy 1.

bougie ['buːʒiː] *n* 1) восковáя свеча́; 2) *мед.* буж, расшири́тель.

bouillon ['buːjɔ:ŋ] *фр. n* 1) бульо́н, суп; 2) пы́шные скла́дки.

boulder ['bouldə] *n* 1) валу́н; 2) гáлька.

Boule ['buːliː] *n* 1) законода́тельный сове́т в дре́вней Гре́ции; 2) законода́тельные о́рганы в Гре́ции.

boulevard ['buːlvɑ:] *фр. n* 1) бульва́р; 2) *амер.* широ́кая, обса́женная дере́вьями у́лица.

boulter ['boultə] *n* дли́нная лéса с не́сколькими крючкáми.

bounce [bauns] **1.** *n* 1) глухо́й, внеза́пный удáр; 2) прыжо́к; отско́к; with a ~ одни́м скачко́м; 3) упру́гость; 4) хвастовство́; преувеличе́ния; 5) *амер. sl.* увольне́ние; 6) прыжо́к самолёта при посáдке; **2.** *v* 1) подпры́гивать; отскáкивать; to ~ into (out of) the room влетáть в ко́мнату (выскáкивать из ко́мнаты); 2) хвáстать; 3) обмáном *или* запу́гиванием застáвить (*сделать что-л.*); 4) *амер. sl.* увольня́ть; 5) *ав.* подпры́гивать при посáдке, «козли́ть»;

3. *adv* вдруг; внезáпно и шу́мно.

bouncer ['baunsə] *n* 1) тот, кто подпры́гивает, подскáкивает; 2) хвасту́н; лгун; 3) хвастовство́; ложь, фальшь; 4) челове́к *или* вещь кру́пных разме́ров; 5) *амер. sl.* ≅ вышибáла.

bouncing ['baunsɪŋ] **1.** *pres. p. от* bounce 2;

2. *a* 1) здоро́вый, ро́слый, кру́пный, по́лный; 2) хвастли́вый, чвáнный;

3. *n* 1) подпры́гивание автомоби́ля; 2) прыжо́к самолёта при посáдке, «козлы́».

bound I [baund] **1.** *n* 1) грани́ца, преде́л; 2) (*обыкн. pl*) ограниче́ние; to put (*или* to set) ~s ограни́чивать (to — *что-л.*);

2. *v* 1) ограни́чивать; сде́рживать; 3) грани́чить; служи́ть грани́цей.

bound II [baund] **1.** *n* 1) прыжо́к, скачо́к; a ~ forward бы́строе движе́ние вперёд; to advance by leaps and ~s продвигáться вперёд с большо́й быстрото́й; 2) отско́к (*мяча*); 3) ·*поэт.* си́льный удáр се́рдца;

2. *v* 1) пры́гать, скакáть; бы́стро бежáть; 2) отскáкивать (*о мяче и т. п.*).

bound III [baund] **1.** *past и p. p. от* bind;

2. *a* 1) свя́занный; ~ up with smb., smth. те́сно свя́занный с кем-л., чем-л.; 2) обя́занный; вы́нужденный; ~ to military service военнообя́занный; 3) непреме́нный, обязáтельный; he is ~ to succeed ему́ обеспе́чен успе́х; 4) уве́ренный, реши́вшийся (*на что-л.*); 5) переплетённый, в переплёте; 6) страдáющий запо́ром.

bound IV [baund] *a* гото́вый (*особ. к отправле́нию*); направля́ющийся (for); the ship is ~ for Leningrad су́дно направля́ется в Ленингрáд; homeward ~ возвращáющийся на ро́дину; outward ~ гото́вый к

вы́ходу в мо́ре, отправля́ющийся за грани́цу (*о судне*).

boundary ['baundərɪ] *n* 1) грани́ца, межá; 2) *attr.* пограни́чный; ~ lights *ав.* пограни́чные огни́.

bounden ['baundən] *уст. p. p. от* bind; ◇ in ~ duty по до́лгу, по чу́вству до́лга.

bounder ['baundə] *n sl.* невоспи́танный шумли́вый челове́к.

boundless ['baundlɪs] *a* безграни́чный, беспреде́льный.

bounteous ['bauntɪəs] *a* 1) ще́дрый (*о людях*); 2) достáточный, оби́льный.

bountiful ['bauntɪful] = bounteous.

bounty ['bauntɪ] *n* 1) ще́дрость; 2) ще́дрый подáрок; 3) прави́тельственная пре́мия для поощре́ния промы́шленности, торго́вли и се́льского хозя́йства; 4) *воен.* пре́мия при доброво́льном поступле́нии на слу́жбу.

bouquet ['bukeɪ] *n* 1) буке́т; to hand smb. a ~ for, to throw ~s at smb. *амер. разг.* восхваля́ть кого́-л., расто́чать комплиме́нты кому́-л.; 2) буке́т (*вина*).

bourbon ['buəbən] *n* 1) реакционе́р; 2) сорт ви́ски (*кукуру́зного или пшени́чного; тж.* ~ whisky.

bourdon ['buədn] *n* басо́вый реги́стр оргáна *или* фисгармо́нии; басо́вая тру́бка волы́нки.

bourgeois I ['buəʒwɑ:] *фр.* **1.** *n* 1) буржуá; 2) *ист.* горожáнин;

2. *a* буржуáзный.

bourgeois II [bəːˈdʒɔɪs] *n полигр.* бо́ргес.

bourgeoisie [ˌbuəʒwɑːˈziː] *фр. n* буржуази́я.

bourgeon ['bəːdʒən] = burgeon.

bourn I [buən] *n* ручéй.

bourn II [buən] *n* 1) грани́ца; цель; 3) *поэт.* о́бласть, сфе́ра.

bourne [buən] = bourn II.

bourse [buəs] *фр. n* пари́жская фо́ндовая би́ржа.

bouse [buːz] = booze.

bout I [baut] *n* 1) раз, черéд; круг; что-л., вы́полненное за оди́н раз, в оди́н присе́ст; кругооборо́т; заéзд; this ~ на э́тот раз; 2) схвáтка (*в борьбе́*); ~ with the gloves бокс; 3) припáдок (*болезни, кашля*); 4) запо́й.

bout II [baut] = bolt II.

bovine ['bouvaɪn] *a* 1) бычáчий, бы́чий; 2) тяжелове́сный, медли́тельный; тупо́й.

bow I [bau] **1.** *n* покло́н; to make one's ~ откла́няться; удали́ться; to take a ~ раскла́ниваться (*на аплодисме́нты*);

2. *v* 1) гну́ть(ся), сгибáть(ся) (*часто* ~ down); ~ed down by care согну́вшийся под бре́менем забо́т; 2) кла́няться; to ~ and scrape раболе́пствовать; to ~ one's thanks поклони́ться в знак благодáрности; he was ~ed out of the room его́ с покло́нами проводи́ли из ко́мнаты; 3) подчиня́ться; to ~ to the inevitable покоря́ться неизбе́жному; 4) преклоня́ться; to ~ before authority преклоня́ться пе́ред авторите́том.

bow II [bou] **1.** *n* 1) лук, самостре́л; 2) дугá; 3) рáдуга; 4) смычо́к; 5) бант; 6) *стр.* áрка; 7) *эл.* токоприёмная дугá,

бу́гель (*трамвая*); ◇ to draw a (*или* the) long ~ преувели́чивать, расска́зывать небыли́цы; draw not your ~ till your arrow is fixed *посл.* ≅ семь раз отме́рь, оди́н раз отре́жь; не сле́дует поступа́ть поспе́шно, не подгото́вившись;
2. *v* владе́ть смычко́м.

bow III [bau] *n* нос (*корабля, дирижабля*).
bow-compass(es) ['bou͵kʌmpəs(ɪz)] *n* (*pl*) кронци́ркуль.
bowdlerize ['baudləraɪz] *v* выбра́сывать (*из книги и т. п.*) всё нежела́тельное, одио́зное.
bowel ['bauəl] *n* (*обыкн. pl*) 1) кишка́ (*мед. тж. sing*); to have the ~s open *мед.* име́ть стул; to evacuate the ~s *мед.* очища́ть желу́док; 2) вну́тренности; 3) не́дра; 4) сострада́ние; to have no ~s быть безжа́лостным; ◇ to get one's ~s in an uproar раздража́ться, поднима́ть шум.
bower I ['bauə] *n* 1) бесе́дка; 2) *поэт.* жили́ще; 3) *уст.* будуа́р.
bower II ['bauə] *n мор.* станово́й я́корь; best ~ плехт (*правый*); small ~ ле́вый станово́й я́корь.
bower III ['bauə] *n карт.* козырно́й вале́т (*тж.* right ~); left ~ вале́т одноцве́тной с ко́зырем ма́сти.
bower-anchor ['bauə͵æŋkə] = bower II.
bowery I ['bauərɪ] *a* обса́женный дере́вьями, куста́ми; тени́стый.
bowery II ['bauərɪ] *n амер.* ху́тор, фе́рма.
bowie-knife ['bouɪ'naɪf] *n амер.* дли́нный охо́тничий нож.
bowk [bauk] *n горн.* бадья́ (*для подъёма угля*).
bow-knot ['bounɔt] = bow II, 1, 5).
bowl I [boul] *n* 1) ку́бок, ча́ша; the ~ пир, весе́лье; the flowing ~ спиртны́е напи́тки; 2) ча́шка; 3) ва́за (*для цветов*); 4) чашеобра́зная часть (*чего-л.*); углубле́ние (*ложки, подсвечника, чашки весов, резервуара фонтана*); 5) *тех.* ти́гель; резервуа́р.
bowl II [boul] **1.** *n* 1) шар; 2) *pl* игра́ в шары́; 3) *pl диал.* ке́гли; 4) *тех.* ро́лик, блок;
2. *v* 1) игра́ть в шары́; 2) кати́ть (*шар, обруч*); 3) кати́ться; 4) *спорт.* подава́ть мяч (*в крикете*), мета́ть мяч (*в бейсболе*); □ ~ along идти́, е́хать *или* кати́ться бы́стро; ~ off вы́йти из игры́; ~ out вы́бить из стро́я; ~ over сбить; *перен.* привести́ в замеша́тельство.
bowlder ['bouldə] = boulder.
bow-legged ['boulegd] *a* кривоно́гий.
bowler I ['boulə] *n* котело́к (*мужская шляпа*); battle ~ *воен. sl.* стально́й шлем.
bowler II ['boulə] *n* игро́к, подаю́щий мяч (*в крикете*) *или* ме́чущий мяч (*в бейсболе*).
bowler hat ['boulə'hæt] *n* штафи́рка (*презрительная кличка невоенного*).
bowline ['boulɪn] *n мор.* були́нь; бесе́дочный у́зел.
bowling ['boulɪŋ] **1.** *pres. p. от* bowl II, 2;
2. *n* игра́ в шары́.
bowling-alley ['boulɪŋ͵ælɪ] *n* 1) = bowling-green; 2) кегельба́н.

bowling-green ['boulɪŋgriːn] *n* лужа́йка для игры́ в шары́.
bowman I ['boumən] *n* стрело́к (*из лука*), лу́чник.
bowman II ['baumən] *n мор.* ба́ковый гребе́ц (*ближайший к носу*).
bowpot ['baupɔt] = bough-pot.
bow-saw ['bousɔː] *n* лучко́вая пила́.
bowse [bauz] *v мор.* выбира́ть, тяну́ть, обтя́гивать (*снасти*).
bowshot ['bouʃɔt] *n* да́льность полёта стрелы́.
bowsprit ['bousprɪt] *n мор.* бушпри́т.
bow-string ['boustrɪŋ] *n* тетива́.
bow window ['bou'wɪndou] *n* 1) *архит.* окно́ с вы́ступом, э́ркер; 2) *sl.* большо́й живо́т.
bow-wow ['bau'wau] **1.** *n* 1) соба́чий лай; 2) *детск.* соба́ка; ◇ the (big) ~ style догмати́ческий стиль;
2. *int* гав-га́в!
box I [bɔks] **1.** *n* 1) коро́бка, я́щик, сунду́к (*тж.* эллипти́чески = snuff-~, letter-~, sentry-~ *и др.*); ~ of dominoes *sl.* пиани́но, роя́ль; the eternity ~ *амер. sl.* гроб; 2) рожде́ственский пода́рок (*обычно в ящике*); 3) я́щик под сиде́ньем ку́чера; ко́злы; 4) *театр.* ло́жа; 5) сто́йло; 6) ма́ленькое отделе́ние с перегоро́дкой (*в харчевне*); 7) до́мик (*особ. охотничий*); 8) рудни́чная у́гольная вагоне́тка; 9) *тех.* бу́кса; вту́лка; вкла́дыш (*подшипника*); опо́ка; ◇ to be in the wrong ~ быть в нело́вком положе́нии; to be in a (tight) ~ быть в тру́дном положе́нии; to be in the same ~ быть в одина́ковом положе́нии (*с кем-л.*); to be in one's thinking ~ серьёзно ду́мать;
2. *v* 1) запира́ть, класть в я́щик *или* коро́бку; 2) подава́ть (*документ*) в суд; 3) *лес.* подса́чивать (*дерево*); □ ~ off отделя́ть перегоро́дкой; ~ up а) вти́скивать, запи́хивать; б) неуме́лыми де́йствиями по́ртить, пу́тать де́ло; вноси́ть беспоря́док; ◇ to ~ the compass *мор.* называ́ть все ру́мбы ко́мпаса; *перен.* соверши́ть по́лный круг; ко́нчить, где на́чал.
box II [bɔks] **1.** *n* 1) уда́р; ~ on the ear пощёчина; 2) бокс;
2. *v* 1) бить кулако́м; I ~ed his ear я ему́ дал пощёчину; 2) боксирова́ть.
box III [bɔks] *n бот.* самши́т вечнозелёный.
boxcalf ['bɔkskɑːf] *n* бокс, хро́мовая теля́чья ко́жа.
boxcar ['bɔkskɑː] *n амер.* това́рный ваго́н.
box-couch ['bɔks'kautʃ] *n* тахта́ с я́щиком (*для постели*).
boxen ['bɔksən] *a* из бу́кса, из самши́та.
Boxer ['bɔksə] *n* уча́стник так наз. боксёрского восста́ния в Кита́е в 1900—1901 гг.
boxer ['bɔksə] *n* 1) *спорт.* боксёр; 2) боксёр (*порода собаки*).
boxing I ['bɔksɪŋ] **1.** *pres. p. от* box II, 2;
2. *n* бокс.
boxing II ['bɔksɪŋ] **1.** *pres. p. от* box I, 2;
2. *n* 1) упако́вка (*в ящик*); 2) фане́ра, материа́л для я́щиков, футля́ров; 3) та́ра, футля́р.

box — 124 — bra

Boxing-day ['bɔksɪŋdeɪ] *n* день на святках, когда, по английскому обычаю, слуги, письмоносцы, посыльные получают подарки.

boxing-gloves ['bɔksɪŋglʌvz] *n pl* боксёрские перчатки.

box-keeper ['bɔks,kiːpə] *n* капельдинер при ложах.

box-office ['bɔks,ɔfɪs] *n* театральная касса.

box-pleat ['bɔkspliːt] *n* бантовая складка.

box-seat ['bɔkssiːt] *n* 1) сиденье на козлах; 2) место в ложе.

box-up ['bɔksʌp] *n sl.* путаница, неразбериха, беспорядок.

boxwood ['bɔkswud] *n* букс, самшит; древесина букса, самшита.

boy [bɔɪ] *n* 1) мальчик; школьник; парень; молодой человек; сын; 2) бой (*слуга-туземец на Востоке*); 3) *мор.* юнга; 4) (the ~) *sl.* шампанское; ◇ big ~, my ~ а) *разг.* братец, дружище, старина; б) *амер. sl.* хозяин, заправила; в) *воен. sl.* тяжёлое орудие; pansy ~ *sl.* педераст.

boycott ['bɔɪkət] 1. *n* бойкот.
2. *v* бойкотировать.

boyhood ['bɔɪhud] *n* отрочество.

boyish ['bɔɪʃ] *a* отроческий; мальчишеский; живой.

boyishness ['bɔɪʃnɪs] *n* ребячество.

boy scout ['bɔɪ'skaut] *n* бойскаут.

bozo ['bouzou] *n амер. sl.* субъект, «тип».

bra [brɑː] *разг. см.* brassière.

brabble ['bræbl] *уст.* 1. *n* пререкания, ссора;
2. *v* пререкаться, ссориться из-за пустяков.

brace [breɪs] 1. *n* 1) связь; скоба, скрепа; подпорка; распорка; 2) пара (*особ. о дичи*); they are a ~ ≅ (они) два сапога пара; 3) свора (*ремень*); 4) *pl* подтяжки; 5) фигурная скобка; 6) *тех.* коловорот; ~ and bit пёрка; 7) *мор.* брас;
2. *v* 1) связывать, скреплять; подпирать, подкреплять; обхватывать; 2) укреплять (*нервы*); to ~ one's energies взять себя в руки; 3) *мор.* брасопить (*реи*); □ ~ up подбадривать.

bracelet ['breɪslɪt] *n* 1) браслет; 2) *pl разг.* наручники.

bracer ['breɪsə] *n* 1) скрепление, связь; скоба; 2) нарукавник; 3) укрепляющее средство; 4) *sl.* живительная влага.

brach [bræʃ] *n уст.* сука.

bracing ['breɪsɪŋ] 1. *pres. p. от* brace 2;
2. *a* бодрящий (*о воздухе*), укрепляющий;
3. *n* крепление, связь; расчалка; стойка, обрешётка.

brack I [bræk] *n* брак, изъян (*в ткани; тж. перен.*).

brack II [bræk] *редк.* 1. *n* сортировка, браковка (*товаров*).
2. *v* сортировать, браковать (*товары*).

bracken ['brækən] *n* орляк (*папоротник*).

bracket ['brækɪt] 1. *n* 1) скобка; 2) кронштейн, консоль; бра; 3) группа, рубрика;

4) газовый рожок; 5) *воен.* вилка (*при стрельбе*);
2. *v* 1) заключать в скобки; 2) упоминать, ставить наряду (*с кем-л., с чем-л.*); don't ~ me with him не ставьте меня на одну доску с ним; 3) *воен.* захватывать в вилку.

brackish ['brækɪʃ] *a* солоноватый (*о воде*).

bract [brækt] *n бот.* прицветник.

brad [bræd] *n* гвоздь без шляпки, штифтик.

bradawl ['brædɔːl] *n* шило.

bradbury ['brædbərɪ] *n уст. sl.* банкнот (*в 1 фунт стерлингов или 10 шиллингов*).

brae [breɪ] *n* крутой берег реки; склон холма.

brag [bræg] 1. *n* 1) хвастовство; 2) хвастун; 3) карточная игра типа покера;
2. *v* хвастаться;
3. *a* 1) *уст.* смелый, храбрый, доблестный; 2) *уст.* хвастливый; 3) *амер.* первоклассный.

braggadocio [,brægə'douʃɪou] *n* 1) бахвальство; 2) хвастун.

braggart ['brægət] *n* хвастун.

braggery ['brægərɪ] *n* хвастовство.

Brahma ['brɑːmə] *n рел.* Брама.

brahma(pootra) [,brɑːmə('puːtrə)] *n* брама(путра) (*порода кур*).

brahmin ['brɑːmɪn] *n* брамин.

braid [breɪd] 1. *n* 1) шнурок; тесьма; галун; 2) коса (*волос*).
2. *v* 1) плести; 2) обшивать тесьмой, шнурком; 3) заплетать, завязывать лентой (*волосы*); 4) *тех.* оплетать, обматывать (*провод*).

brail [breɪl] *n* 1) *мор.* гитов (*снасть для уборки парусов*); 2) путы для сокола.

braille [breɪl] *n* 1) шрифт Брайля (*для слепых*); 2) система чтения и письма (*по выпуклым точкам*) для слепых.

brain [breɪn] 1. *n* 1) мозг; disease of the ~ болезнь мозга; dish of ~s мозги (*блюдо*); 2) рассудок; ум; 3) *pl разг.* умственные способности; 4) *sl.* электронная счётная машина; ◇ to beat (*или* to cudgel, to puzzle, to rack, to ransack) one's ~s about (*или* with) smth. ломать себе голову над чем-л.; to crack one's ~(s) спятить, свихнуться; to have one's ~s on ice *разг.* сохранять ледяное спокойствие; to have smth. on the ~ страстно увлекаться чем-л.; an idle ~ is the devil's workshop *посл.* ≅ праздность ума — мать всех пороков; to make smb.'s ~ reel поразить кого-л.; to pick (*или* to suck) smb.'s ~s использовать чужие мысли; to turn smb.'s ~s — а) вскружить кому-л. голову; б) сбить кого-л. с толку;
2. *v* размозжить голову.

brain-fag ['breɪnfæg] *n* нервное истощение; переутомление мозга.

brain fever ['breɪn'fiːvə] *n* 1) воспаление мозга; 2) болезнь, осложнённая мозговыми явлениями.

brainless ['breɪnlɪs] *a* глупый, безмозглый.

brain-pan ['breɪn,pæn] *n* черепная коробка.

brain-sick ['breɪnsɪk] *a* помéшанный, сумасшéдший.

brain-storm ['breɪnstɔːm] *n разг.* бýйный припáдок; душéвное потрясéние.

brain trust ['breɪn'trʌst] *n амер.* мозговóй трест.

brain-tunic ['breɪn'tjuːnɪk] *n* мозговáя оболóчка.

brain wave ['breɪnweɪv] *n разг.* счастлúвая мысль, осенúвшая идéя.

brainy ['breɪnɪ] *a* мозговúтый, ýмный, спосóбный; остроýмный.

braird [brɛəd] **1.** *n* пéрвые росткú, всхóды; **2.** *v* давáть пéрвые росткú; всходúть (*о траве, посевах*).

braise [breɪz] **1.** *n* тушёное мя́со; **2.** *v* тушúть (*мясо*).

braize [breɪz] *n метал.* кóксовая мéлочь, ýгольная пыль.

brake I [breɪk] **1.** *n* тóрмоз; **2.** *v* тормозúть.

brake II [breɪk] **1.** *n* 1) мя́ло, трепáло (*для льна, пеньки*); 2) тестомешáлка; 3) большáя боронá; **2.** *v* 1) мять, трепáть (*лён, пеньку*); 2) месúть (*тесто*); 3) разбивáть кóмья (*бороной*).

brake III [breɪk] *n бот.* орля́к обыкновéнный.

brake IV [breɪk] *n* чáща, кустáрник.

brake V [breɪk] = break II.

brake action ['breɪk,ækʃən] *n* торможéние.

brakeband ['breɪkbænd] *n тех.* тормознáя лéнта.

brakesman ['breɪksmən] *n* 1) тормознóй кондýктор; 2) *горн.* машинúст шáхтной подъёмной машúны.

brake-van ['breɪkvæn] *n* тормознóй вагóн.

braky ['breɪkɪ] *a* зарóсший кустáрником *или* пáпоротником.

bramble ['bræmbl] *n бот.* ежевúка.

bran [bræn] *n* óтруби; вы́севки.

brancard ['bræŋkəd] *n* подстúлка для лóшади.

branch [brɑːntʃ] **1.** *n* 1) ветвь; вéтка; 2) óтрасль; *воен.* род войск *или* слýжбы; 3) филиáл, отделéние; 4) лúния (*родства*); 5) рукáв (*реки*); ручеёк; 6) отрóг (*горной цепи*); 7) ответвлéние (*дороги*); 8) *тех.* тройнúк, отвóд; 9) *attr.* филиáльный; вспомогáтельный; ~ establishment, ~ office филиáльное отделéние; 10) *attr.* ответвля́ющийся, боковóй; ~ line железнодорóжная вéтка; ~ track *ж.-д.* маневрóвый путь, боковóй путь; ~ pipe *тех.* пáтрубок; **2.** *v* 1) раскúдывать вéтви; 2) разветвля́ться; расширя́ться; отходúть (*обыкн.* ~ out, ~ off, ~ forth).

branchia, branchiae ['bræŋkɪə, 'bræŋkiː] *n pl зоол.* жáбры.

branchial, branchiate ['bræŋkɪəl, 'bræŋkɪeɪt] *a* жáберный; жабровúдный.

branchless ['brɑːntʃlɪs] *a* 1) без сýчьев; 2) без ответвлéний (*о дороге, трубопроводе и т. п.*).

branchy ['brɑːntʃɪ] *a* 1) ветвúстый; 2) разветвлённый.

brand [brænd] **1.** *n* 1) головня́; головéшка; 2) раскалённое желéзо; 3) вы́жженное клеймó; таврó; фабрúчное клеймó, фабрúчная мáрка; 4) клеймó, печáть позóра; 5) сорт, кáчество; of the best ~ вы́сшей мáрки; 6) *поэт.* фáкел; 7) *поэт.* меч; 8) *бот.* головня́; ◇ a ~ from the burning (*или* the fire) человéк, спасённый от грозúвшей емý опáсности; **2.** *v* 1) выжигáть клеймó; 2) отпечáтываться в пáмяти, производúть впечатлéние; it is ~ed on my memory э́то врéзалось мне в пáмять; 3) клеймúть, позóрить.

brandish ['brændɪʃ] *v* махáть, размáхивать (*мечом, палкой*).

brandling ['brændlɪŋ] *n* 1) дождевóй червь; 2) *диал.* молодóй лосóсь.

brand-new ['brænd'njuː] *a* совершéнно нóвый; «с игóлочки».

brandy ['brændɪ] *n* коньяк, брéнди.

brandy pawnee ['brændɪ'pɔːniː] *n англо-инд.* брéнди с водóй.

bran-new ['bræn'njuː] = brand-new.

brant [brænt] = brent(-goose).

brash I [bræʃ] **1.** *n* грýда облóмков; **2.** *a преим. амер.* хрýпкий, лóмкий; 2) *разг.* дéрзкий, нахáльный, нáглый.

brash II [bræʃ] *n* 1) изжóга, кúслая отры́жка; 2) лёгкий прúступ тошноты́; 3) внезáпный лúвень.

brass [brɑːs] **1.** *n* 1) латýнь, жёлтая медь; red ~ томпáк; 2) (the ~) духовы́е инструмéнты, «медь»; double in ~ *амер. sl.* а) игрáющий на двух духовы́х инструмéнтах; б) зарабáтывающий в двух местáх; в) спосóбный, разносторóнний; 3) мéдная мемориáльная доскá; 4) *разг.* дéньги; 5) *разг.* бессты́дство; 6) *тех.* вклáдыш; **2.** *a* мéдный, латýнный; ~ plate дощéчка на двéри; ◇ I don't care a ~ farthing мне безразлúчно, наплевáть; to come (*или* to get) down to (the) ~ tacks (*или* nails) добрáться до сýти дéла; to part ~ rags with smb. *мор. sl.* порвáть дрýжбу с кем-л.

brassard [bræ'sɑːd] *n* нарукáвная повя́зка.

brass band ['brɑːs'bænd] *n* духовóй оркéстр.

brass hat ['brɑːs'hæt] *n воен. sl.* штабнóй офицéр; высóкий чин.

brassière ['bræsɪəə] *фр. n* бюстгáльтер, лúфчик.

brass knuckles ['brɑːs'nʌklz] *n pl* кастéт.

brass works ['brɑːswəːks] *n* медеплавúльный завóд.

brassy ['brɑːsɪ] **1.** *a* 1) латýнный, мéдный; 2) металлúческий (*о звуке*); 3) бесстúдный; **2.** *n* клю́шка с мéдным наконéчником (*для игры в гольф*).

brat [bræt] *n* 1) *пренебр.* ребёнок; отрóдье; 2) *горн.* тóнкий пласт ýгля, смéшанного с пирúтом.

brattice ['brætɪs] *n горн.* перемы́чка, вентиляциóнная перегорóдка; вентиляциóнный щит (*в шахтах*); костровáя крепь.

brattle ['brætl] *преим. шотл.* 1. *n* грóхот; тóпот;

2. *v* грохотáть; топотáть.

bravado [brə'vɑːdou] *n* (*pl* -oes, -os [-ouz]) хвастовствó, бравáда, напускнáя хрáбрость.

brave [breiv] 1. *a* 1) хрáбрый, смéлый; 2) превосхóдный, прекрáсный; 3) *уст.*, *книжн.* нарýдный; ◊ none but the ~ deserve the fair *посл.*≅ смéлость горóда берёт;

2. *n* индéйский вóин;

3. *v* 1) хрáбро встречáть (*опáсность и т. п.*); 2) бравúровать; бросáть вúзов; to ~ it out вестú себя вызывáюще.

bravery ['breivəri] *n* 1) хрáбрость, мýжество; 2) великолéпие, нарýдность; показнáя рóскошь.

bravo I ['brɑː'vou] *ит. n* (*pl* -oes, -os [-ouz]) бандúт, наёмный убúйца.

bravo II ['brɑː'vou] *int* брáво!

brawl [brɔːl] 1. *n* 1) шýмная ссóра; ýличный скандáл; 2) журчáние;

2. *v* 1) ссóриться, кричáть, скандáлить; 2) журчáть.

brawler ['brɔːlə] *n* скандалúст; крикýн.

brawn [brɔːn] *n* 1) мýскулы; мýскульная сúла; 2) просóленная *или* консервúрованная свинúна.

brawny ['brɔːni] *a* сúльный, мýскулистый.

bray I [brei] *v* толóчь.

bray II [brei] 1. *n* 1) крик ослá; 2) неприятный, рéзкий звук;

2. *v* 1) кричáть (*об осле*); 2) издавáть неприятный звук.

braze I [breiz] *v* 1) паять твёрдым припóем из мéди и цúнка; 2) дéлать твёрдым.

braze II [breiz] *v* бронзировáть.

brazen ['breizn] 1. *a* 1) мéдный; брóнзовый; 2) бесстúдный;

2. *v* нáгло вестú себя; проявúть бесстúдство (*обыкн.* ~ out)..

brazen-faced ['breiznfeist] *a* нáглый, бесстúдный.

brazier I ['breizjə] *n* жарóвня.

brazier II ['breizjə] *n* мéдник.

brazil ['bræzil] *n мин.* сéрный колчедáн, пирúт.

Brazilian [brə'ziljən] 1. *a* бразúльский; 2. *n* бразúлец; бразилиáнка.

brazil-nut [brə'zil'nʌt] *n* америкáнский (*или* бразúльский) орéх.

brazil-wood [brə'zil'wud] *n* бразúльское дéрево, фернамбýк.

brazing I ['breiziŋ] 1. *pres. p. от* braze I;

2. *n* 1) пáйка твёрдым припóем; 2) *attr.*: ~ spelter твёрдый припóй; ~ torch пáяльная лáмпа.

brazing II ['breiziŋ] *pres. p. от* braze II.

breach [briːtʃ] 1. *n* 1) пролóм, отвéрстие; брешь; 2) разрúв (*отношéний*); 3) нарушéние (*закóна, обязáтельства*); ~ of faith измéна; ~ of justice несправедлúвость; ~ of order нарушéние реглáмента; ~ of prison бéгство из тюрьмú; ~ of privilege нарушéние прав парлáмента; ~ of the peace нарушéние общéственного порядка; ~ of promise нарушéние обещáния (*особ.* женúться); 4) интервáл; 5) *мор.* вóлны, раз-

бивáющиеся о корáбль; clean ~ волнá, сносящая мáчты *и т. п.* с корабля; clear ~ волнá, перекатúвшаяся чéрез сýдно, не разбúвшись; ◊ to heal the ~ положúть конéц дóлгой ссóре; to stand in the ~ *воен.* принять на себя глáвный удáр (*тж. перен.*); without a ~ of continuity непрерúвно;

2. *v* 1) пробивáть брешь, пролáмывать; 2) выскочить из водú (*о ките*).

bread [bred] 1. *n* 1) хлеб; *перен.* кусóк хлéба, срéдства к существовáнию; daily ~ хлеб насýщный; to make one's ~ зарабáтывать на жизнь; to take the ~ out of smb.'s mouth отбивáть хлеб у когó-л.; ~ and butter хлеб с мáслом, бутербрóд; to have one's ~ buttered for life быть материáльно обеспéченным на всю жизнь; ~ buttered on both sides благополýчие, обеспéченность; 2) пúща; ~ and cheese простáя *или* скýдная пúща; ◊ ~ all ~ is not baked in one oven ≅ люди рáзные бывáют; to eat smb.'s ~ and salt быть чьим-л. гóстем; to break ~ with smb. пóльзоваться чьим-л. гостеприúмством; to eat the ~ of affliction хлебнýть гóря; half a loaf is better than no ~ *посл.* ≅ на безрúбье и рак рúба; to know on which side one's ~ is buttered ≅быть себé на умé; to quarrel with one's ~ and butter ≅ дéйствовать вопрекú своéй вúгоде;

2. *v* обвáливать в сухарях, панировáть.

bread-and-butter ['bredənd'bʌtə] *a* 1) дéтский, юный, юношеский; ~ miss дéвочка шкóльного вóзраста; 2) повседнéвный, прозаúческий; ◊ ~ letter письмó, в котóром выражáется благодáрность за гостеприúмство.

bread-and-buttery ['bredənd'bʌtəri] *a* юный.

bread-basket ['bred,bɑːskit] *n* 1) корзúна для хлéба; 2) глáвный зерновóй райóн; 3) *sl.* желýдок.

bread-crumb ['bredkrʌm] *n* 1) хлéбный мякиш; 2) *pl* крóшки хлéба.

bread-line ['bredlain] *n амер.* óчередь безрабóтных за благотворúтельной пóмощью.

bread-stuffs ['bredstʌfs] *n pl* 1) зернó; 2) мукá.

breadth [bredθ] *n* 1) ширинá; 2) полóтнище; 3) широтá (*кругозóра, взглядов*); ширóкий размáх; ◊ to a hair's ~ тóчь-в-тóчь, тóчно.

breadthways ['bredθweiz] *adv* в ширинý.

breadthwise ['bredθwaiz] = breadthways.

bread-ticket ['bred,tikit] *n* хлéбная кáрточка.

bread-winner ['bred,winə] *n* кормúлец (семьú).

break I [breik] 1. *n* 1) отвéрстие; трéщина; 2) прорúв; 3) перерúв; пáуза; перемéна (*в шкóле*); 4): ~ of day рассвéт; by the ~ of day на рассвéте; 5) *тел.* тирé-многотóчие; 6) *амер.* раскóл; разрúв (*отношéний*); to make a ~ with smb. порвáть с кем-л.; 7) обмóлвка; ошúбка; to make a bad ~ а) сдéлать ошúбку, лóжный шаг; б) проговорúться, обмóлвиться; в) обанкрóтиться; 8) *амер.* внезáпное падéние цен; 9) *диал.*

большо́е коли́чество (*чего-л.*); 10) *разг.* шанс, возмо́жность; to get the ~s испо́льзовать благоприя́тные обстоя́тельства; име́ть успе́х; ◇ ~ in the clouds луч наде́жды;

2. *v* (broke; broken) 1) лома́ть(ся), разбива́ть(ся); разруша́ть(ся); рвать(ся), разрыва́ть(ся); взла́мывать; 2) рассе́иваться, расходи́ться, расступа́ться; 3) прерыва́ть (*сон, молчание, путешествие*); 4) распеча́тывать (*письмо*); отку́поривать (*бутылку, бочку*); 5) прокла́дывать (*дорогу*); 6) разме́нивать (*деньги*); 7) разоря́ть(ся); 8) разро́знивать (*коллекцию и т. п.*); 9) сломи́ть (*сопротивление, волю*); подорва́ть (*силы, здоровье, могущество*); осла́бить; to ~ a fall осла́бить си́лу паде́ния; 10) ослабе́ть; 11) порыва́ть (*отношения*); with — с *кем-л.*, с *чем-л.*); 12) наруша́ть (*обещание, закон, правило*); 13) day is ~ing, day ~s (рас)света́ет; 14) (*о голосе*) лома́ться; прерыва́ться (*от волнения*); 15) приуча́ть (*лошадь к поводьям*; to); дрессирова́ть, обуча́ть; 16) избавля́ть(ся), отуча́ть (of — от *привычки и т. п.*); 17) разжа́ловать; 18) вскрыва́ться (*о реке; о на́рыве*); 19) вы́рваться, сорва́ться; a cry broke from his lips крик вы́рвался из его́ уст; 20) поби́ть (*рекорд*); 21) эл. прерыва́ть (*ток*); размыка́ть (*цепь*); 22) *текст.* мять, трепа́ть; □ ~ away a) убежа́ть, вы́рваться (*из тюрьмы и т. п.*); б) поконча́ть (from — с); в) отдели́ться, отпа́сть; ~ down a) разбива́ть, толо́чь; б) разруша́ть (-ся); в) сломи́ть (*сопротивление*); г) ухудша́ться, сдава́ть (*о здоровье*); д) разбира́ть (*на части*); дели́ть, подразделя́ть, расчленя́ть; классифици́ровать; е) распада́ться (*на части*); ж) анализи́ровать; з) прова́литься; потерпе́ть неуда́чу; и) не вы́держать, потеря́ть самооблада́ние; ~ forth a) вы́рваться; прорва́ться; б) разрази́ться; to ~ forth into tears распла́каться; ~ in a) вла́мываться, врыва́ться; б) вмеша́ться (*в разговор*); прерва́ть (*разговор*); в) дрессирова́ть; укроща́ть; ⸱объезжа́ть (*лошадей*); дисциплини́ровать; ~ into a) вла́мываться, б) разрази́ться (*смехом, слезами*); to ~ into a run побежа́ть; в): to ~ into smb.'s time отня́ть у кого́-л. вре́мя; г) прерва́ть (*разговор*); ~ off a) отла́мывать; б) внеза́пно прекраща́ть, обрыва́ть (*разговор, дружбу, знакомство и т. п.*); to ~ off action (*или* combat, the fight) *воен.* вы́йти из боя́; ~ out a) выла́мывать; б) убежа́ть (*из тюрьмы*); в) вспы́хивать (*о пожаре, войне, эпидемии и т. п.*); ͺᵣг) разрази́ться; he broke out laughing он расхохота́лся; д) появля́ться (*о сыпи и т. п.*); a rash broke out on his body у него́ вы́ступила сыпь; ~ through прорва́ться; ~ up a) разбива́ть (*на ме́лкие куски*); б) слабе́ть; в) расходи́ться (*о собрании, компании и т. п.*); г) закрыва́ться на кани́кулы; д) распуска́ть (*учеников на каникулы*); е) расформиро́вывать; ж) меня́ться (*о погоде*); ◇ to ~ the back (*или* the neck) of smth. а) уничто́жить, погуби́ть что-л.; б) сломи́ть ᎏсопротивле́ние чего́-л.; сде́лать са́мую тру́дную часть чего́-л.;

to ~ a butterfly on the wheel *см.* wheel 1 ◇; to ~ the ice *см.* ice 1, 1); to ~ the ground, to ~ fresh (*или* new) ground a) распа́хивать целину́; б) прокла́дывать но́вые пути́; начина́ть но́вое де́ло; де́лать пе́рвые шаги́ в чём-л.; в) *воен.* нача́ть рытьё око́пов; to ~ a lance with smb. «лома́ть ко́пья», спо́рить с кем-л.; to ~ the news осторо́жно сообща́ть (неприя́тную) но́вость; to ~ cover вы́браться, вы́йти из укры́тия; to ~ bank *карт.* сорва́ть банк; to ~ loose a) вы́рваться на свобо́ду; б) сорва́ться с це́пи; to ~ even оста́ться при свои́х (*в игре*); who ~s, pays *посл.* ≅ сам завари́л ка́шу, сам и расхлёбывай; to ~ a secret раскры́ть та́йну.

break II [breik] *n* откры́тый экипа́ж с двумя́ продо́льными скамья́ми.

breakable ['breikəbl] 1. *a* ло́мкий, хру́пкий;

2. *n pl* хру́пкие предме́ты (*посуда и т. п.*).

breakage ['breikidʒ] *n* 1) ло́мка; поло́мка; ава́рия; 2) поло́манные предме́ты; 3) компенса́ция за повреждённые това́ры; 4) *горн.* отбо́йка (*породы, руды*); разби́вка (*породы*); 5) *текст.* обры́вность ни́тей.

break-down ['breikdaun] *n* 1) по́лный упа́док сил, здоро́вья: nervous ~ не́рвное расстро́йство; 2) распа́д, разва́л; 3) поло́мка механи́зма, маши́ны; ава́рия; 4) шу́мный, стреми́тельный та́нец; 5) разбо́рка (*на части*); распределе́ние; расчлене́ние: деле́ние на катего́рии; классифика́ция; 6) ана́лиз; 7) схе́ма организа́ции; 8) *эл.* пробо́й (*диэлектрика*); 9) *воен.* проры́в; 10) *attr.*: ~ gang авари́йная кома́нда.

breaker I ['breikə] *n* 1) тот, кто разбива́ет, дроби́т (*камни*); 2) наруши́тель (*закона и т. п.*); 3) отбо́йщик; 4) бурý́н; 5) *тех.* дроби́лка; 6) *эл.* выключа́тель; прерыва́тель; 7) *текст.* мя́ло, трепа́лка; 8) *гидр.* ледоре́з; бык (*моста*); ◇ ~s ahead! впереди́ опа́сность!, береги́сь!

breaker II ['breikə] *n* небольшо́й бочо́нок.

breakfast ['brekfəst] 1. *n* у́тренний за́втрак; ◇ laugh before ~ you'll cry before supper *посл.* ≅ ра́но пта́шечка запе́ла, как бы ко́шечка не съе́ла.

2. *v* за́втракать.

breaking ['breikiŋ] 1. *pres. p. от* break I, 2;

2. *n* 1) ло́мка, поло́мка; 2) дробле́ние; 3) *амер.* подъём целины́; взмёт земли́; 4) уда́р волн; 5) проры́в плоти́ны; 6) нача́ло, наступле́ние; ~ of September нача́ло сентября́; 7) *эл.* размыка́ние; 8) *горн.* отбо́йка; 9) *текст* трепа́ние; 10) *attr.*: ~ point *мех.* преде́льное напряже́ние; ~ strength *тех.* про́чность на разры́в; ~ test про́ба на изло́м.

breakneck ['breiknek] *a* опа́сный; at ~ pace (*или* speed) сломя́ го́лову, с головокружи́тельной быстрото́й.

breakstone ['breikstoun] *n* ще́бень.

break-through ['breik'θrɔː] *n воен.* проры́в.

break-up ['breik'ʌp] *n* 1) разва́л; разрýха; распа́д; 2) закры́тие шко́лы (*на кани́кулы*).

breakwater ['breɪk,wɔːtə] *n* волнолóм, волнорéз; мол.

bream I [briːm] *n* лещ.

bream II [briːm] *v* очищáть (*подводную часть корабля*).

breast [brest] 1. *n* 1) грудь; 2) груднáя железá; 3) сóвесть, душá; 4) *стр.* часть стены́ от подокóнника до пóла; 5) отвáл (*плуга*); 6) *горн.* кáмера, забóй; ◇ to make a clean ~ of it чистосердéчно сознáться в чём-л.;

2. *v* стать грýдью (*против чего-л.*); противиться, восставáть.

breast-band ['brestbænd] *n* шлéйка (*в упряжи*).

breastbone ['brestboun] *n* груднáя кость; грудина.

breast-high ['brest'haɪ] *a* 1) доходящий до груди; 2) погружённый по грудь.

breast-pin ['brestpɪn] *n* булáвка для гáлстука.

breastplate ['brestpleɪt] *n* 1) нагрýдник (*кирасы*); 2) нагрýдный знак; 3) груднóй ремéнь, подпéрсье (*в сбруе*); 4) щит (*черепахи*).

breast-stroke ['breststrouk] *n* *спорт.* брасс.

breastwork ['brestwɔːk] *n* *воен.* нанóсный брýствер.

breath [breθ] *n* 1) дыхáние; вздох; to be out of ~ запыхáться, задыхáться; to bate (*или* to catch, to hold) one's ~ затаить дыхáние; to take ~ передохнýть; перевести дух; to draw ~ дышáть; жить; to draw the first ~ родиться, появиться на свет; to draw one's last ~ испустить дух, умерéть; short of ~ страдáющий одышкой; all in a (*или* one) ~, all in the same ~ единым дýхом; below (*или* under) one's ~ тихо, шёпотом; second ~ *спорт.* вторóе дыхáние; *перен.* нóвый прилив энéргии; 2) жизнь; 3) дуновéние; 4) *attr.* *фон.*: ~ consonant глухóй согласный; ◇ to take smb.'s ~ away удивить, поразить когó-л.; to waste (*или* to spend) ~ говорить на вéтер, напрáсно трáтить словá.

breathe [briːð] *v* 1) дышáть; вздохнýть, перевести дух; to ~ again, to ~ freely свобóдно вздохнýть; to ~ one's last испустить послéдний вздох, умерéть; 2) жить, существовáть; a better fellow does not ~ лýчше негó нет человéка; 3) дать передохнýть; 4) издавáть приятный зáпах; 5) дуть слегкá (*о ветре*); 6) говорить (тихо); not to ~ a word не проронить ни звýка, держáть в секрéте; 7) выражáть что-л., дышáть чем-л. (*о лице, наружности*); ◇ to ~ (a) new life into вдохнýть нóвую жизнь (в когó-л., во что-л.); to ~ upon марáть репутáцию; to ~ a vein пустить кровь.

breather ['briːðə] *n* 1) живóе существó; 2) упражнéние дыхáния; 3) корóткая передышка; 4) респирáтор; 5) *тех.* сапýн.

breathing ['briːðɪŋ] 1. *pres. p. от* breathe; 2. *n* 1) дыхáние; 2) лёгкое дуновéние; 3) *фон.* придыхáние;

3. *a* (слóвно) живóй, дышащий жизнью (*о статуе и т. п.*).

breathing mask ['briːðɪŋmɑːsk] *n* противогáз.

breathing-space ['briːðɪŋspeɪs] *n* передышка.

breathless ['breθlɪs] *a* 1) запыхáвшийся; задыхáющийся; 2) затаивший дыхáние; ~ attention напряжённое внимáние; 3) бездыхáнный; 4) безвéтренный; неподвижный (*о воздухе, воде и т. п.*).

breccia ['bretʃɪə] *n* брéкчия (*горная порóда*).

bred [bred] 1. *past и p. p. от* breed 2; 2. *a*: ~ in the bone врождённый.

breech [briːtʃ] *n* *воен.* казённая часть (*орудия*; *тж.* ~ end).

breech-block ['briːtʃblɔk] *n* *воен.* затвóр (*орудия*).

breeches ['brɪtʃɪz] *n pl* штаны́, бриджи; ◇ ~ part мужскáя роль, исполняемая жéнщиной; to wear the ~ a) обладáть мужским харáктером (*о женщине*); б) держáть мýжа под башмакóм.

breech-loader ['briːtʃ,loudə] *n* *воен.* орýдие, заряжáющееся с казённой части.

breech-sight ['briːtʃsaɪt] *n* *воен.* прицéл.

breed [briːd] 1. *n* 1) порóда, плéмя; 2) потóмство, поколéние;

2. *v* (bred) 1) выводить, разводить (*животных*); 2) высиживать (*птенцов*); 3) воспитывать; вскáрмливать; 4) размножáться; to ~ true давáть порóдистый приплóд; 5) порождáть; вызывáть; ◇ to ~ in and in заключáть брáки мéжду рóдственниками.

breeder ['briːdə] *n* 1) тот, кто разводит живóтных; cattle ~ скотовóд; sheep ~ овцевóд; 2) производитель (*о живóтном*).

breeding ['briːdɪŋ] 1. *pres. p. от* breed 2; 2. *n* 1) разведéние (*животных*); cattle ~ скотовóдство; sheep ~ овцевóдство; 2) хорóшие манéры, воспитанность.

breeze I [briːz] 1. *n* 1) лёгкий ветерóк, бриз; *мор.* вéтер; 2) *разг.* шум, ссóра, перебрáнка; 3) нóвость; слух; ◇ to fan the ~s амéр. ≅ занимáться беспл́одным дéлом;

2. *v* 1) вéять, продувáть; 2) *амер.* влетáть (*куда-л.*); быстро проноситься; □ ~ up крепчáть (*о ветре*).

breeze II [briːz] *n* óвод, слепéнь.

breeze III [briːz] *n* каменноугóльный мýсор; ýгольная пыль; штыб.

breezy ['briːzi] *a* 1) свéжий, прохлáдный; 2) живóй, весёлый.

brekker ['brekə] *n* *унив.* *sl.* зáвтрак.

brent(-goose) ['brent('guːs)] *n* *зоол.* чёрная казáрка.

brer [brɑː] *n* *диал.* (*сокр. от* brother) брáтец.

brethren ['breðrɪn] *n* (*pl от* brother) собрáтья; брáтия.

breve [briːv] *n* 1) *полигр.* значóк крáткости над глáсными (ă); 2) *ист.* пáпское брéве (*послание*).

brevet ['brevɪt] 1. *n* 1) грáмота; патéнт; 2) *воен.* патéнт на слéдующий чин с сохранéнием прéжнего оклáда; 3) *ав.* пилóтское свидéтельство;

2. *v* присвáивать слéдующее звáние с сохранéнием прéжнего оклáда содержáния.

breviary ['briːvjərɪ] *n* 1) сокраще́ние; сокращённое изложе́ние, конспе́кт; 2) *церк.* тре́бник.

brevier [brə'vɪə] *n полигр.* пети́т.

brevity ['brevɪtɪ] *n* кра́ткость.

brew [bruː] *v* 1) вари́ть (*пиво*); 2) сме́шивать; приготовля́ть (*пунш*); зава́ривать (*чай*); 3) замышля́ть (*мяте́ж, восста́ние*); затева́ть (*ссору и т. п.*); 4) назрева́ть; надвига́ться; a storm is ~ing гроза́ собира́ется; ◇ drink as you have ~ed ≅ что посе́ешь, то и пожнёшь.

brewage ['bruːɪdʒ] *n* 1) ва́рка (*пива и т. п.*); 2) ва́рево.

brewer ['bruːə] *n* пивова́р.

brewery ['bruːərɪ] *n* пивова́ренный заво́д.

brewing ['bruːɪŋ] 1. *pres. p. от* brew; 2. *n* 1) пивоваре́ние; 2) коли́чество пи́ва, кото́рое ва́рится за оди́н раз; 3) *мор.* скопле́ние грозовы́х туч.

Brewster Sessions ['bruːstə'seʃənz] *n* назва́ние инста́нции в А́нглии, выдаю́щей пате́нты на пра́во торго́вли спиртны́ми напи́тками.

briar I, II ['braɪə]=brier I *и* II.

bribable ['braɪbəbl] *a* подку́пный.

bribe [braɪb] 1. *n* взя́тка, по́дкуп; 2. *v* подкупа́ть; дава́ть, предлага́ть взя́тку.

briber ['braɪbə] *n* тот, кто даёт взя́тку, взяткода́тель.

bribery ['braɪbərɪ] *n* взя́точничество.

bribetaker ['braɪb,teɪkə] *n* взя́точник; взяткополуча́тель.

bric-à-brac ['brɪkəbræk] *фр. n* безделу́шки; стари́нные ве́щи.

brick [brɪk] 1. *n* 1) кирпи́ч; кли́нкер; 2) брусо́к (*мыла, чая и т. п.*); box of ~s де́тские ку́бики; 3) *разг.* сла́вный па́рень, молодчи́на; ◇ to drop a ~ сде́лать ля́псус, допусти́ть беста́ктность; to have a ~ in one's hat *sl.* быть пья́ным; like a hundred (*или* a thousand) of ~s *разг.* с огро́мной си́лой; like a cat on hot ~s ≅ как на горя́чих у́гольях; to make ~s without straw *библ.* рабо́тать, не име́я ну́жного материа́ла; затева́ть безнадёжное де́ло;
2. *a* кирпи́чный; to run one's head against a ~ wall прошиба́ть лбом сте́ну, добива́ться невозмо́жного;
3. *v* класть кирпичи́; облицо́вывать *или* мости́ть кирпичо́м; □ ~ in, ~ up закла́дывать кирпича́ми.

brick-bat ['brɪkbæt] *n* обло́мок кирпича́.

brick-field ['brɪkfiːld] *n* кирпи́чный заво́д.

brick-kiln ['brɪkkɪln] *n* печь для обжига́ния кирпича́.

bricklayer ['brɪk,leɪə] *n* ка́менщик.

bricklaying ['brɪk,leɪɪŋ] *n* кла́дка кирпича́.

brickwork ['brɪkwəːk] *n* кирпи́чная кла́дка.

brickyard ['brɪkjɑːd] *n* кирпи́чный заво́д.

bridal ['braɪdl] 1. *n* сва́дебный пир, сва́дьба;
2. *a* сва́дебный.

bride [braɪd] *n* неве́ста; новобра́чная; ◇ the ~ of the sea «неве́ста мо́ря», Вене́ция.

bridecake ['braɪdkeɪk] *n* сва́дебный пиро́г.

bridegroom ['braɪdgrum] *n* жени́х; новобра́чный.

bridesmaid ['braɪdzmeɪd] *n* подру́жка неве́сты.

bridesman ['braɪdzmən] *n* ша́фер, дру́жка (*на свадьбе*).

bridewell ['braɪdwəl] *n* исправи́тельный дом, тюрьма́.

bridge I [brɪdʒ] 1. *n* 1) мост; мо́стик, перемы́чка; ~ of boats, pontoon ~ понто́нный, плашко́утный мост; raft ~ наплавно́й мост; gold (*или* silver) ~ *перен.* путь к почётному отступле́нию; 2) капита́нский мо́стик; 3) перено́сица; 4) кобы́лка (*скрипки, гита́ры и т. п.*); 5) поро́г то́пки; 6) *эл.* паралле́льное соедине́ние, шунт;
2. *v* 1) соединя́ть мосто́м; наводи́ть мост, стро́ить мост; перекрыва́ть; 2) преодолева́ть препя́тствия, выходи́ть из затрудне́ния; to ~ over the difficulties преодоле́ть тру́дности; ◇ to ~ a gap ликвиди́ровать разры́в.

bridge II [brɪdʒ] *n* бридж (*ка́рточная игра́*).

bridge-head ['brɪdʒhed] *n воен.* (предмо́стный) плацда́рм; предмо́стная пози́ция; предмо́стное укрепле́ние; плацда́рм на террито́рии проти́вника, уде́рживаемый до подхо́да основны́х сил.

bridle ['braɪdl] 1. *n* 1) узда́, узде́чка; to give a horse the ~ отда́ть по́вод; *перен.* предоста́вить по́лную свобо́ду; to put a ~ on сде́рживать, обу́здывать; to turn a ~ поверну́ть наза́д; 2) узде́чка (*аэроста́та*); 3) *мор.* бри́дель;
2. *v* 1) взну́здывать; 2) обу́здывать, сде́рживать; □ ~ up задира́ть нос.

bridle-hand ['braɪdlhænd] *n* ле́вая рука́ вса́дника.

bridle-path ['braɪdlpɑːθ] *n* (го́рная) вью́чная, верхова́я тропа́.

bridle-rein ['braɪdlreɪn] *n* по́вод.

brief [briːf] 1. *a* 1) коро́ткий, недо́лгий; 2) кра́ткий, сжа́тый;
2. *n* 1) сво́дка, резюме́; 2) *юр.* кра́ткое изложе́ние де́ла, соста́вленное для защи́тника; to have plenty of ~s име́ть большу́ю пра́ктику (*об адвока́те*); to take a ~ принима́ть на себя́ веде́ние де́ла в суде́; to throw down one's ~ отка́зываться от дальне́йшего веде́ния де́ла; 3) *ав.* инстру́кция, дава́емая лётчику перед боевы́м вы́летом; 4) па́пское бре́ве; ◇ in ~ вкра́тце, в немно́гих слова́х;
3. *v* 1) резюми́ровать, составля́ть кра́ткое изложе́ние; 2) поруча́ть (адвока́ту) веде́ние де́ла в суде́; 3) *ав.* инструкти́ровать (лётчиков перед боевы́м вы́летом).

brief-bag ['briːfbæg] *n* ко́жаный чемода́нчик.

brief-case ['briːfkeɪs] *n* 1) = brief-bag; 2) портфе́ль.

briefing ['briːfɪŋ] 1. *pres. p. от* brief 3;
2. *n* инструкта́ж.

briefless ['briːflɪs] *a* не име́ющий пра́ктики (*об адвока́те*).

briefly ['briːflɪ] *adv* кра́тко, сжа́то.

briefness ['briːfnɪs] *n* кра́ткость, сжа́тость.

brier I ['braɪə] *n* 1) *бот.* эрика (*род вереска*); 2) курительная трубка, сделанная из корня эрики.

brier II ['braɪə] *n* шиповник.

briery ['braɪərɪ] *a* колючий.

brig [brɪg] *n* 1) бриг, двухмачтовое судно; 2) *амер.* помещение для арестованных на военном корабле.

brigade [brɪ'geɪd] **1.** *n* 1) бригада; 2) команда, отряд; fire ~ пожарная команда; 3) *attr.* бригадный; ~ major начальник штаба бригады;
2. *v* формировать бригаду.

brigadier [ˌbrɪgə'dɪə] *n* 1) бригадир; 2) бригадный генерал; 3) командир бригады.

brigand ['brɪgənd] *n* разбойник, бандит.

brigandage ['brɪgəndɪdʒ] *n* разбой, бандитизм.

bright [braɪt] **1.** *a* 1) яркий, светлый; ~ colours яркие цвета; 2) блестящий; 3) ясный (*о звуке*); 4) светлый; прозрачный (*о жидкости*); 5) полированный; 6) способный, смышлёный; живой, расторопный; 7) весёлый; ◇ to look on the ~ side (of things) оптимистически смотреть на вещи;
2. *adv* ярко; блестяще.

brighten ['braɪtn] *v* 1) очищать, полировать (*металл*); придавать блеск; 2) проясняться; 3) улучшать(ся) (*о перспективах и т. п.*).

brightness ['braɪtnɪs] *n* яркость *и т. д.* [*см.* bright 1].

Bright's disease ['braɪtsdɪ'ziːz] *n мед.* острый *или* хронический нефрит.

brill [brɪl] *n* камбала-ромб (*рыба*).

brilliance, -cy ['brɪljəns, -sɪ] *n* яркость, блеск; великолепие.

brilliant ['brɪljənt] **1.** *n* 1) бриллиант; 2) диамант (*мелкий шрифт в четыре пункта*);
2. *a* 1) блестящий, сверкающий; 2) блестящий, выдающийся.

brim [brɪm] **1.** *n* 1) край; 2) поля (*шляпы*);
2. *v* наполнять(ся) до краёв; □ ~ over переливаться через край (*тж. перен.*); he ~s over with health он пышет здоровьем.

brimful ['brɪm'ful] *a* полный до краёв.

brimmer ['brɪmə] *n* полный бокал, кубок.

brimstone ['brɪmstən] *n уст.* сера.

brindled ['brɪndld] *a* пёстрый, полосатый.

brine [braɪn] **1.** *n* 1) морская вода; 2) рассол, рапа, соляной раствор; 3) *поэт.* море, океан; 4) *поэт.* слёзы;
2. *v* солить, засаливать.

brine pit ['braɪnpɪt] *n* солеварня.

bring [brɪŋ] *v* (brought) 1) приносить, доставлять, приводить, привозить; to ~ into fashion (*или* vogue) вводить в моду; 2) влечь за собой, причинять; доводить (to —до); to ~ to a close (*или* a conclusion, an end) довести до конца, завершить; to ~ to a fixed proportion установить определённое соотношение; 3) заставлять, убеждать; □ ~ about a) осуществлять; б) вызывать; ~ back a) приносить обратно; б) вспоминать; ~ down a) снижать (*цены*); б) сбивать (*самолёт*); в) подстрелить (*пти-*

цу); г) унижать; ~ forth производить, рождать; ~ forward a) выдвигать (*предложение*); б) делать перенос (*счёта*) на следующую страницу; ~ in a) вводить; б) приносить (*доход*); в) вносить (*законопроект, предложение*); to ~ in guilty выносить обвинительный приговор; ~ into: to ~ into action a) вводить в бой, в дело; б) приводить в действие; to ~ into being вводить в действие; to ~ into play приводить в действие; to ~ into step синхронизировать; ~ off a) спасать; б) (успешно) завершать; ~ on навлекать, вызывать; ~ out a) высказывать (*мнение и т. п.*); выявлять; б) опубликовывать; ставить (*пьесу*); в) вывозить (*девушку в свет*); г) *воен.* снять с фронта, отвести в тыл; ~ over переубедить; привлечь на свою сторону; ~ round a) приводить в себя; б) переубеждать; ~ through a) провести через (*какие-л. трудности*); б) вылечить; в) подготовить к экзаменам; ~ to a) приводить в сознание; б) *мор.* остановить(ся) (*о судне*); в) *амер. с.-х.* приводить в хорошее состояние (*землю*); ~ together свести вместе (*спорящих, враждующих*); ~ under подчинять; ~ up a) приводить, приносить наверх; б) вскармливать, воспитывать; в) поднимать (*вопрос*); заводить (*разговор*); г) делать известным; д) привлекать к суду; е) *разг.* вырвать, стошнить; ж) *мор.* поставить *или* стать на якорь; ◇ to ~ down fire *воен.* открыть огонь, накрыть огнём; to ~ down the house вызвать бурные аплодисменты в театре, на собрании; to ~ to a head обострять; to ~ to book призвать к ответу; to ~ to life привести в чувство; to ~ to light выявлять, выяснять (*что-л.*); выводить на чистую воду; to ~ to terms приводить к соглашению; to ~ to bear influence употреблять влияние; to ~ to pass совершать, осуществлять; to ~ up to date a) ставить в известность; вводить в курс дела; б) модернизировать.

brink [brɪŋk] *n* 1) край (*обрыва, пропасти*); on the ~ of the grave на краю могилы; on the ~ of ruin на грани разорения; 2) берег (*обыкн.* обрывистый, крутой).

briny ['braɪnɪ] **1.** *a* солёный;
2. *n sl.* море.

briquette [brɪ'ket] *n* брикет.

brise-bise ['briːz'biːz] *n* занавеска (*на нижней части окна*).

brisk [brɪsk] **1.** *a* 1) живой, оживлённый; проворный; 2) свежий (*о ветре*); 3) шипучий (*о напитках*);
2. *v* оживлять(ся) (*обыкн.* ~ up); □ ~ about быстро двигаться.

brisket ['brɪskɪt] *n* грудинка.

bristle ['brɪsl] **1.** *n* щетина; to set up one's ~s ощетиниться, рассердиться;
2. *v* 1) ощетиниться; 2) подниматься дыбом; 3) рассердиться; рассвирепеть; ◇ to ~ with difficulties (quotations) изобиловать трудностями (цитатами).

bristly ['brɪslɪ] *a* щетинистый; жёсткий; колючий.

Bristol board ['brɪstlbɔːd] *n* бристольский картон.

Britannia [brɪ'tænjə] *n поэт.* Велико-британия (*тж.* олицетворение Великобритании в виде женской фигуры на монетах и т. п.).

Britannia metal [brɪ'tænjə,metl] *n* британский металл (*сплав олова, меди, сурьмы, иногда цинка*).

Britannic [brɪ'tænɪk] *a* британский (*в дипломатическом титуле короля или царствующей королевы*).

briticism ['brɪtɪsɪzəm] *n* англицизм; идиома, типичная для англичан, но не употребляемая в США.

British ['brɪtɪʃ] 1. *a* (велико)британский; английский; ◊ ~ warm короткая военная шинель;
2. *n* (the ~) *pl собир.* англичане, британцы.

Britisher ['brɪtɪʃə] *n амер. разг.* британец, англичанин.

britishism ['brɪtɪʃɪzəm]=briticism.

Briton ['brɪtn] *n* 1) древний бритт; 2) британец, англичанин; North ~ шотландец.

brittle ['brɪtl] *a* хрупкий, ломкий.

britzka ['brɪtskə] *рус. n* бричка.

broach [brouʧ] 1. *n* 1) вертел; 2) шпиль церкви; 3) *тех.* развёртка, сверло, рейбол, протяжка;
2. *v* 1) делать прокол, отверстие; почать (*бочку вина*); 2) огласить; начать обсуждать (*вопрос*); to ~ a subject поднять разговор о чём-л.; открыть дискуссию; 3) *тех.* развёртывать, протягивать, прошивать отверстие; 4) обтёсывать (*камень*); 5) *горн.* начать разработку (*шахты и т. п.*).

broad [brɔːd] 1. *a* 1) широкий; 2) обширный; просторный; 3) широкий, свободный; терпимый; 4) общий, в общих чертах; 5) ясный, простой, ясно выраженный; in ~ daylight средь бела дня; ~ hint ясный намёк; ~ Scotch резкий шотландский акцент; 6) грубый, неприличный; a ~ joke грубая шутка; 7) главный, основной; 8) *фон.* открытый (*звук*); ◊ it is as ~ as it is long ≅ то же на то же выходит; что в лоб, что по лбу;
2. *adv* 1) широко; 2) свободно, открыто; 3) вполне; ~ awake вполне очнувшись от сна *или* проснувшись; 4) с резким акцентом;
3. *n* 1) широкая часть (*спины, спинки*); 2) *амер. груб.* дёвка.

broad arrow ['brɔːd'ærou] *n* английское правительственное клеймо.

broad-brim ['brɔːdbrɪm] *n* 1) широкополая шляпа; 2) *разг.* квакер.

broadcast ['brɔːdkɑːst] 1. *n* = broadcasting;
2. *a* 1) радиовещательный; ~ appeal обращение по радио; 2) посеянный вразброс, разбросанный, рассеянный;
3. *v* 1) передавать по радио; вести радиопередачу; вещать; 2) распространять; 3) разбрасывать (*семена и т. п.*).

broadcaster ['brɔːdkɑːstə] *n* диктор.

broadcasting ['brɔːdkɑːstɪŋ] *n* радиопередача, радиовещание, трансляция.

broadcloth ['brɔːdklɔθ] *n* 1) тонкое чёрное сукно двойной ширины; 2) бумажная ткань ворсовой отделки.

broaden ['brɔːdn] *v* расширять(ся).

broad-gauge ['brɔːdgeɪdʒ] *a* 1) ширококолейный; 2) широких взглядов.

broadly ['brɔːdlɪ] *adv* широко́ и т. д. [*см.* broad I]; ~ speaking вообще говоря; в общих чертах.

broadminded ['brɔːd'maɪndɪd] *a* с широкими взглядами, с широким кругозором.

broadness ['brɔːdnɪs] *n* грубость (*речи, шутки*).

broad-pennant ['brɔːd,penənt] *n мор.* брейд-вымпел.

broadsheet ['brɔːdʃiːt] *n* большой лист бумаги с печатным текстом на одной стороне; листовка; плакат.

broadside ['brɔːdsaɪd] *n* 1) борт (*корабля*); 2) орудия одного борта; бортовой залп; to give a ~ *мор.* дать бортовой залп; 3) град брани, упрёков *и т. п.*; to give smb. a ~ обрушиться на кого-л.; 4)=broadsheet.

broadsword ['brɔːdsɔːd] *n* палаш.

broadways ['brɔːdweɪz] *adv* вширь, в ширину, поперёк.

broadwise ['brɔːdwaɪz] = broadways.

brocade [brə'keɪd] *n* парча.

brocaded [brə'keɪdɪd] *a* парчовый.

brochure ['brouʃjuə] *n* брошюра.

brock [brɔk] *n* барсук.

brocket ['brɔkɪt] *n* двухгодовалый олень.

brogue I [broug] *n* грубый башмак.

brogue II [broug] *n* провинциальный (*особ.* ирландский) акцент.

broidery ['brɔɪdərɪ] = embroidery.

broil I [brɔɪl] *n* шум, ссора.

broil II [brɔɪl] 1. *n* 1) жар; 2) жареное мясо;
2. *v* 1) жарить(ся) на огне; 2) *разг.* жариться на солнце; 3) гореть, бурно переживать; to ~ with impatience гореть нетерпением.

broiler I ['brɔɪlə] *n* очень жаркий день.

broiler II ['brɔɪlə] *n* зачинщик ссор, задира.

broke [brouk] 1. *past om* break I, 2;
2. *уст. p. p. om* break I, 2;
3. *a* 1) разорённый; 2) *уст.* распаханный.

broken ['broukən] 1. *p. p. om* break I, 2;
2. *a* 1) разбитый; ~ stone щебень; 2) нарушенный (*о законе, обещании*); 3) разорённый, разорившийся; 4) ломаный (*о языке*); 5) прерывистый (*о голосе, сне*); 6) выезженный (*о лошади*); 7) неустойчивый, переменчивый (*о погоде*); ◊ ~ bread, ~ meat остатки пищи; ~ spirits уныние; ~ tea спитой чай; ~ ground a) пересечённая местность; б) вспаханная земля; ~ money мелкие деньги, мелочь; ~ numbers дроби; ~ water неспокойное море.

broken-bellied ['broukən'belɪd] *a* страдающий грыжей.

broken-down ['broukən'daun] *a* 1) надломленный; 2) разорившийся; 3) поломанный; потерпевший аварию.

broken-hearted ['broukən'hɑːtɪd] *a* убитый горем; с разбитым сердцем.

brokenly ['broukənlɪ] *adv* 1) уры́вками; 2) су́дорожно; отры́висто.

broken wind ['broukənwɪnd] *n* оды́шка, запа́л (*у лошади*).

broker ['broukə] *n* 1) ма́клер, комиссионе́р; 2) торго́вец поде́ржанными веща́ми; 3) оце́нщик; 4) лицо́, производя́щее прода́жу опи́санного иму́щества.

brokerage ['broukərɪdʒ] *n* 1) ма́клерство; 2) комиссио́нное вознагражде́ние.

broking ['broukɪŋ] *n* ма́клерство, посре́дничество.

brolly ['brolɪ] *n sl.* 1) (*сокр. от* umbrella) зо́нтик; 2) параш́ют; 3) *attr.*: ~ hop прыжо́к с парашю́том.

bromide ['broumaɪd] *n* 1) *хим.* броми́д, бро́мистое соедине́ние; 2) *pl* снотво́рное; 3) заур́ядный, бана́льный челове́к; 4) изби́тая, стереоти́пная фра́за, бана́льность.

bromine ['broumiːn] *n хим.* бром.

bronchi, bronchia ['broŋkaɪ, 'broŋkɪə] *n pl анат.* бро́нхи.

bronchial ['broŋkɪəl] *a* бронхиа́льный.

bronchitis [broŋ'kaɪtɪs] *n* бронхи́т.

broncho ['broŋkou] = bronco.

bronchocele ['broŋkousiːl] *n мед.* зоб.

bronco ['broŋkou] *n* (*pl* -os [-ouz]) *амер.* полуди́кая ло́шадь.

bronze [bronz] 1. *n* 1) бро́нза; 2) изде́лия из бро́нзы; 3) порошо́к для бронзиро́вки;
2. *a* бро́нзовый;
3. *v* 1) бронзирова́ть; 2) загора́ть на со́лнце.

brooch [broutʃ] *n* брошь.

brood I [bruːd] 1. *n* 1) вы́водок; *пренебр.* семья́; де́ти; 2) ста́я; толпа́; ку́ча;
2. *v* 1) сиде́ть на я́йцах; 2) размышля́ть (*особ. грустно*; on, over — над); вына́шивать (*в уме, в душе*); 3) нависа́ть (*об облаках, тьме и т. п.*); 4) тяготи́ть (*о заботах*).

brood II [bruːd] *n геол.* пуста́я поро́да.

brooder ['bruːdə] *n* 1) челове́к, постоя́нно погружённый в разду́мье (*обыкн. мрачное*); 2) бру́дер (*аппарат для выра́щивания цыпля́т, вы́веденных в инкуба́торе*).

brood-hen ['bruːdhen] *n* насе́дка.

brood-mare ['bruːdmɛə] *n* племенна́я кобы́ла, конема́тка.

broody ['bruːdɪ] *n* клу́ша, насе́дка.

brook I [bruk] *v* терпе́ть, выноси́ть (*в отриц. предложениях*); the matter ~s no delay де́ло не те́рпит отлага́тельства.

brook II [bruk] *n* руче́й.

brooklet ['bruklɪt] *n* ручеёк.

broom 1. *n* 1) [brum] метла́, ве́ник; a new ~ «но́вая метла́», но́вое нача́льство; 2) [bruːm] *бот.* раки́тник;
2. *v* [brum] мести́, подмета́ть.

broom-stick ['brumstɪk] *n* метлови́ще; ◇ to marry over the ~ повенча́ть(ся) вокру́г раки́тового куста́.

broth [broθ] *n* суп, похлёбка, мясно́й отва́р, бульо́н; Scotch ~ перло́вый суп; ◇ a ~ of a boy *ирл.* сла́вный па́рень, молоде́ц.

brothel ['broθl] *n* публи́чный дом.

brother ['brʌðə] *n* (*pl* brothers [-z]; *см. тж.* brethren) 1) брат; ~ german родно́й брат; ~s uterine единоутро́бные бра́тья;

sworn ~s на́званые бра́тья, побрати́мы; 2) собра́т; колле́га; ~ in arms собра́т по ору́жию; ~ of the brush собра́т по ки́сти (*художник*); ~ of the quill собра́т по перу́ (*писатель*); 3) земля́к; ◇ Brother Jonathan я́нки (*прозвище американцев*).

brotherhood ['brʌðəhud] *n* 1) бра́тство; 2) бра́тские, дру́жеские отноше́ния; 3) лю́ди одно́й профе́ссии; 4) *амер.* профсою́з железнодоро́жников.

brother-in-law ['brʌðərɪnlɔː] *n* (*pl* brothers-in-law) зять (*муж сестры́*); шу́рин; своя́к; де́верь.

brotherly ['brʌðəlɪ] 1. *a* бра́тский;
2. *adv* по-бра́тски.

brothers-in-law ['brʌðəzɪnlɔː] *pl от* brother-in-law.

brougham ['bruːəm] *n* 1) двухме́стная каре́та, запряжённая в одну́ ло́шадь; 2) *тип автомоби́льного ку́зова*.

brought [brɔːt] *past и p. p. от* bring.

brow I [brau] *n* 1) бровь; to knit (*или* to bend) the (*или* one's) ~s хму́рить бро́ви, (на)хму́риться; насу́питься; 2) *поэт.* лоб, чело́; 3) выраже́ние лица́; вид, нару́жность; 4) вы́ступ (*скалы и т. п.*); кро́мка, край (*горы, холма́*).

brow II [brau] *n мор.* мостки́, схо́дни.

brow-ague ['brau‚eɪgjuː] *n* мигре́нь.

browbeat ['braubiːt] *v* запу́гивать, застра́щивать; обраща́ться надме́нно.

brown [braun] 1. *a* 1) кори́чневый; бу́рый; ~ bread хлеб из непросе́янной муки́; ~ paper гру́бая обёрточная бума́га; ~ powder бу́рый ды́мный по́рох; 2) сму́глый; загоре́лый; 3) ка́рий (*о глазах*); ◇ ~ study (мра́чное) разду́мье, размышле́ние; ~ sugar бастр, жёлтый са́харный песо́к; ~ ware гли́няная посу́да;
2. *n* 1) кори́чневый цвет; кори́чневая кра́ска; 2) *sl.* медя́к;
3. *v* 1) де́лать(ся) тёмным, кори́чневым; загора́ть; 2) горони́ть (мета́лл); 3) *pass. sl.*: I'm ~ed off with it мне э́то осточерте́ло.

brown coal ['braunkoul] *n* лигни́т, бу́рый у́голь.

brownie I ['braunɪ] *n* тип фотографи́ческого аппара́та.

brownie II ['braunɪ] *n* домово́й.

brownie III ['braunɪ] *n* член мла́дшей ве́тви организа́ции girl guides [*см.* girl].

browning I ['braunɪŋ] *n* бра́унинг.

browning II ['braunɪŋ] 1. *pres. p. от* brown 3;
2. *n* глазуро́вка, поли́в гонча́рных изде́лий.

brownout ['braunaut] *n* 1) *амер.* уменьше́ние освеще́ния у́лиц и витри́н (*для эконо́мии электроэне́ргии*); 2) части́чное затемне́ние.

browse [brauz] 1. *n* 1) молоды́е побе́ги; 2) ощи́пывание молоды́х побе́гов;
2. *v* 1) объеда́ть, ощи́пывать ли́стья, молоды́е побе́ги (on); 2) *распр.* пасти́сь (on); 3) чита́ть, занима́ться беспоря́дочно.

Bruin ['bruːɪn] *n* Ми́шка (*прозвище медве́дя в фолькло́ре*).

bruise [bruːz] 1. *n* синя́к, кровоподтёк; уши́б; конту́зия;
2. *v* 1) подставля́ть синяки́; ушиба́ть; конту́зить; 2) толо́чь; 3) нести́сь сломя́ го́лову (*тж.* ~ along).

bruiser ['bruːzə] *n* 1) профессиона́льный боре́ц, боксёр; 2) прибо́р для шлифо́вки опти́ческих стёкол.

bruit [bruːt] *уст.* 1. *n* молва́, слух;
2. *v* распуска́ть слух; it is ~ed about (*или* abroad) that хо́дят слу́хи, что.

brumal ['bruːməl] *a* зи́мний.

brumby ['brʌmbɪ] *n австрал. разг.* необъе́зженная ло́шадь.

brume [bruːm] *n* тума́н, мгла; ды́мка; испаре́ние.

Brummagem ['brʌmədʒəm] 1. *n* дешёвое, низкопро́бное *или* подде́льное изде́лие; *тж.* фальши́вая моне́та (*от диал. и презр. названия г. Бирмингема, где в XVII в. чека́нились фальши́вые де́ньги*);
2. *a* 1) дешёвый; подде́льный; 2) сде́ланный в Би́рмингеме.

brumous ['bruːməs] *a* мгли́стый, тума́нный.

brunch [brʌntʃ] *n разг.* оди́н за́втрак (*заменя́ющий пе́рвый и второ́й за́втрак*).

brunette [bruː'net] *n* брюне́тка.

Brunswick line ['brʌnzwɪk'laɪn] *n ист.* Ганно́верская дина́стия (*1714—1901 гг.*).

brunt [brʌnt] *n* 1) гла́вный уда́р, ата́ка; to bear the ~ приня́ть на себя́, вы́держать гла́вный уда́р (*неприя́теля*); 2) кри́зис.

brush I [brʌʃ] 1. *n* 1) щётка; 2) кисть; the ~ иску́сство худо́жника; to give it another ~ порабо́тать над чем-л. ещё, оконча́тельно отде́лать что-л.; 3) хвост (*особ. ли́сий*); 4) чи́стка щёткой; to have a ~ почи́стить щёткой; 5) сса́дина; 6) сты́чка; 7) эл. щётка;
2. *v* 1) чи́стить щёткой; 2) причёсывать (*во́лосы*); □ ~ against слегка́ задева́ть; ~ aside а) сма́хивать; б) отде́лываться, отстраня́ть от себя́; ~ away отчища́ть; отмета́ть; ~ by прошмыгну́ть ми́мо; ~ off а) удаля́ть, устраня́ть; б) бы́стро убежа́ть; ~ up а) чи́стить(ся); приводи́ть (себя́) в поря́док; б) освежа́ть (*зна́ния*); I must ~ up my French мне ну́жно освежи́ть в па́мяти францу́зский язы́к.

brush II [brʌʃ] *уст., амер.* 1. *n* куста́рник, за́росль, ча́ща;
2. *v* обса́живать куста́рником.

brush-off ['brʌʃɔf] *n амер. разг.* отка́з, неприня́тие уха́живания.

brushwood ['brʌʃwud] *n* 1) за́росль, куста́рник; 2) хво́рост, вале́жник.

brushy I ['brʌʃɪ] *a* 1) похо́жий на щётку; щети́нистый; 2) гру́бый, шерохова́тый.

brushy II ['brʌʃɪ] *a* покры́тый куста́рником.

brusque [brusk] 1. *a* гру́бый, ре́зкий; бесцеремо́нный;
2. *v* обходи́ться гру́бо (*с кем-л.*).

brut [brjuːt] *a* сухо́й (*о вине*).

brutal ['bruːtl] *a* 1) гру́бый; жесто́кий; 2) *разг.* отврати́тельный.

brutality [bruː'tælɪtɪ] *n* гру́бость; жесто́кость.

brutalize ['bruːtəlaɪz] *v* 1) доводи́ть до зверопод о́бного состоя́ния; 2) доходи́ть до зверопод о́бного состоя́ния; 3) обходи́ться жесто́ко.

brute [bruːt] 1. *n* 1) живо́тное; 2) жесто́кий, гру́бый *или* глу́пый и тупо́й челове́к; «скоти́на»; 3) (the ~) (*употр. как pl*) гру́бые живо́тные инсти́нкты;
2. *a* 1) гру́бый; живо́тный, чу́вственный; 2) жесто́кий; 3) неразу́мный, бессмы́сленный.

brutish ['bruːtɪʃ] *a* 1) гру́бый; зве́рский; 2) чу́вственный; 3) тупо́й.

bryology [braɪ'ɔlədʒɪ] *n* бриоло́гия, нау́ка о мхах.

bubal ['buːbəl] *n* североафрика́нская антило́па.

bubble ['bʌbl] 1. *n* 1) пузы́рь; 2) пузырёк во́здуха *или* га́за (*в жи́дкости*); пузырёк во́здуха (*в стекле́*); 3) ду́тое предприя́тие; «мы́льный пузы́рь»;
2. *v* 1) пузы́риться; кипе́ть; 2) бить ключо́м (*тж.* ~ over, ~ up); he ~d over with fun он был неистощи́м на шу́тки; 3) журча́ть (*о реке́*); 4) *уст.* обма́нывать.

bubble-and-squeak ['bʌblən'skwiːk] *n* 1) жарко́е из холо́дного варёного мя́са с овоща́ми; 2) пустота́, тщесла́вие.

bubbly ['bʌblɪ] 1. *a* 1) пе́нящийся (*о вине*); 2) пузы́ристый (*о стекле́*);
2. *n разг.* шампа́нское.

bubbly-jock ['bʌblɪdʒɔk] *n* индю́к.

bubo ['bjuːbou] *n* (*pl* -oes [-ouz]) *мед.* бубо́н.

bubonic [bjuː'bɔnɪk] *a мед.* бубо́нный.

bubonocele [bjuː'bɔnəsiːl] *n мед.* пахова́я гры́жа.

bubs [bʌbz] *n pl груб.* бюст.

buccaneer [ˌbʌkə'nɪə] 1. *n* пира́т;
2. *v* занима́ться морски́м разбо́ем.

buccinator ['bʌksɪneɪtə] *n* щёчный му́скул, му́скул трубаче́й.

buck I [bʌk] 1. *n* 1) саме́ц (*оле́ня, анти́лопы, за́йца, кро́лика*); 2) брыка́ние; 3) де́нди, щёголь (*тж.* old ~; *в обраще́нии* дружи́ще, старина́); 4) *презр.* южноамери ка́нский инде́ец; 5) *амер. sl.* до́ллар; 6) ма́рка в по́кере, ука́зывающая чья сда́ча; ◇ to pass the ~ *амер.* сва́ливать отве́тственность на *друго́го*;
2. *v* станови́ться на дыбы́; брыка́ться; □ ~ against *амер.* проти́виться, выступа́ть про́тив; ~ along трясти́сь в экипа́же; ~ off сбра́сывать (*с седла́*); ~ up *разг.* а) встряхну́ться, оживи́ться, прояви́ть эне́ргию (*особ. в imp.*); б) спеши́ть; ◇ much ~ed дово́льный, оживлённый.

buck II [bʌk] 1. *n амер.* ко́злы для пи́лки дров;
2. *v* 1) распи́ливать (*дере́вья*) на брёвна; 2) дроби́ть (*ру́ду*).

buck III [bʌk] 1. *n* щёлок;
2. *v* бу́чить, стира́ть в щёлоке.

bucket ['bʌkɪt] 1. *n* 1) ведро́; бадья́; 2) черпа́к, ковш (*землечерпа́лки и т. п.*); гре́йфер; 3) по́ршень насо́са; 4) подъёмная клеть, лю́лька; ◇ to give the ~ увольня́ть со слу́жбы; to kick the ~ протяну́ть но́ги, умере́ть;

2. *v* 1) чéрпать; 2) гнать лóшадь изо всéх сил; скакáть сломя гóлову; 3) *спорт.* плóхо грести.

bucket-shop ['bʌkɪtʃɔp] *n* биржевáя контóра, в котóрой нелегáльно ведётся спекулятивная игрá.

buck-eye ['bʌkaɪ] *n* кóнский каштáн.

buck-horn ['bʌkhɔːn] *n* олéний рог (*как материал*).

bucking I ['bʌkɪŋ] 1. *pres. p. om* buck III, 2;

2. *n* щелочéние; бучение (*белья*).

bucking II ['bʌkɪŋ] 1. *pres. p. om* buck II, 2;

2. *n* дроблéние *или* измельчéние руды.

bucking III ['bʌkɪŋ] *pres. p. om* buck I, 2.

Buckingham Palace ['bʌkɪŋəm'pælɪs] *n* Букингéмский дворéц (*лондонская резидéнция короля*).

buckish ['bʌkɪʃ] *a* щегольскóй, фатовáтый.

buckle ['bʌkl] 1. *n* 1) пряжка; 2) изгиб, прогиб (*вертикáльный*); 3) *тех.* хомýтик, скобá, стяжка; ◇ to cut the ~ подпрыгивать, пристукивать каблукáми (*в тáнце*);

2. *v* 1) застёгивать пряжку; 2) *шутл. разг.* женúться; 3) приготóвиться (for); принимáться энергично за дéло; 4) сгибáть; гнуть, выгибáться; 5) сгибáться (*от давлéния*); □ ~ up коробиться.

buckler ['bʌklə] 1. *n* 1) небольшóй крýглый щит; 2) *мор.* крýглый стáвень; 3) защита, прикрытие;

2. *v* защищáть; заслонять.

bucko ['bʌkou] *мор. sl.* 1. *n* (pl -oes [-ouz]) хвастýн;

2. *a* хвастливый, чванливый.

buckra ['bʌkrə] *негр. диал.* 1. *n* бéлый человéк, хозяин;

2. *a* свóйственный бéлому человéку.

buckram ['bʌkrəm] 1. *n* 1) клеёнка; клеёный холст; 2) чóпорность;

2. *a* чóпорный.

bucksaw ['bʌksɔ] *n* лучкóвая пилá.

buck-shot ['bʌkʃɔt] *n* крýпная дробь, картéчь.

buckskin ['bʌkskɪn] *n* 1) олéнья кóжа; 2) *pl* штаны из олéньей кóжи.

buckthorn ['bʌkθɔːn] *n* бот. крушина.

buck-tooth ['bʌktuːθ] *n* 1) олéний клык; 2) торчáщий зуб.

buckwheat ['bʌkwiːt] *n* 1) гречиха; 2) *attr.* грéчневый.

bucolic [bjuːˈkɔlɪk] 1. *a* 1) буколический; 2) *шутл.* сéльский;

2. *n* 1) (*обыкн. pl*) буколика; 2) буколический поэт; 3) *шутл.* сéльский житель.

bud [bʌd] 1. *n* 1) пóчка; in ~ в перúоде почковáния; 2) бутóн; 3) *разг.* дéвушка-подрóсток; 4) *ласк.* крóшка *u m. n.*; 5) = buddy; ◇ to nip (*или* to check, to crush) in the ~ пресéчь в кóрне, подавить в зарóдыше; ~ of promise *амер.* подающая надéжды дебютáнтка;

2. *v* 1) давáть пóчки, пускáть ростки; 2) *бот.* прививáть глазкóм; 3) развивáться.

Buddha ['budə] *n* Бýдда.

buddhism ['budɪzəm] *n* буддизм.

buddhistic [bu'dɪstɪk] *a* буддийский.

budding ['bʌdɪŋ] 1. *pres. p. om* bud 2;

2. *a* подающий надéжды; многообещáющий;

3. *n с.-х.* окулирóвка.

buddy ['bʌdɪ] *n амер. разг.* дружище, приятель; ◇ ~ seat коляска мотоцикла.

budge I [bʌdʒ] *v* (*в отриц. предложéниях*) 1) шевелиться; he did not ~ an inch a) он и не шевельнýлся; б) он не уступил ни на йóту; 2) пошевельнýть, сдвинуть с мéста.

budge II [bʌdʒ] *n* овчина.

budget ['bʌdʒɪt] 1. *n* 1) бюджéт; финáнсовая смéта; 2) запáс; a ~ of news кýча новостéй; 3) *уст.* сýмка и её содержимое;

2. *v* предусмáтривать в бюджéте, ассигновáть (for).

budgetary ['bʌdʒɪtərɪ] *a* бюджéтный.

buff [bʌf] 1. *n* 1) бýйволовая кóжа; тóлстая бычáчья кóжа; 2) кóжа человéка; in ~ нагишóм, «в чём мать родилá»; to strip to the ~ раздéть догола; 3) цвет бýйволовой кóжи, тёмно-жёлтый цвет;

2. *a* 1) из бýйволовой кóжи; 2) цвéта бýйволовой кóжи;

3. *v* 1) полировáть (*кóжаным кругóм*); 2) поглощáть удáры, смягчáть толчки.

buffalo ['bʌfəlou] *n* (pl -oes [-ouz]) 1) бýйвол, америкáнский бизóн; 2) танк-амфибия; ◇ ~ bug вид платянóй мóли.

buffer ['bʌfə] *n* 1) *тех.* бýфер; амортизáтор, дéмпфер, глушитель; 2) бýфер, буферное госудáрство (*тж.* State); 3) *воен.* тóрмоз откáта; 4) *мор. sl.* помóщник бóцмана; 5) *attr.* бýферный; ~ disk *ж.-д.* бýферная тарéлка; ~ old ~ *пренебр.* старикáшка, стáрый хрыч.

buffet I ['bʌfɪt] 1. *n* удáр (*рукóй; тж. перен.*);

2. *v* 1) наносить удáры; ударять; 2) бороться (*особ. с волнáми*); 3) протискиваться, протáлкиваться.

buffet II *n* 1) ['bʌfɪt] буфéт (*для посýды*); гóрка (*для серебрá, фарфóра*); 2) ['bufeɪ] буфéт, буфéтная стóйка; ◇ ~ car a) вагóн с буфéтом; б) вагóн-ресторáн; ~ luncheon лёгкий зáвтрак.

buffi ['bufɪ] *pl om* buffo.

buffo ['bufou] 1. *n* (pl buffi) комический актёр (*в óпере, на эстрáде*);

2. *a* комический.

buffoon [bʌ'fuːn] 1. *n* шут, фигляр, буффóн;

2. *a* шутовскóй;

3. *v* изображáть шутá, фиглярничать.

buffoonery [bʌ'fuːnərɪ] *n* шутовствó; буффонáда.

bug [bʌg] *n* 1) клоп; 2) насекóмое; жук; 3) *амер. разг.* технический дефéкт; 4) *sl.* безýмная идéя, помешáтельство; to go ~s сойти с умá.

bugaboo ['bʌgəbuː] *n* пýгало, бýка.

bugbear ['bʌgbɛə] = bugaboo.

bugger ['bʌgə] *n* педерáст (*тж. груб. как брáнное слóво*).

buggery ['bʌgərɪ] *n* педерáстия.

buggy I ['bʌgɪ] *n* 1) лёгкая двухмéстная коляска с откидным вéрхом; кабриолéт; 2) мáленькая вагонéтка.

buggy II ['bʌgɪ] *a* кишащий клопами.

bughouse ['bʌghaus] *амер. sl.* **1.** *n* сумасшедший дом;
2. *a* ненормальный, сумасшедший; to go ~ сойти с ума.

bug-hunter ['bʌghʌntə] *n разг.* охотник за жучками (*шутл. об энтомологе*).

bugle I ['bjuːgl] **1.** *n* 1) охотничий рог; рожок; горн, сигнальная труба; 2) *attr.*: ~ call сигнал на горне;
2. *v* трубить в рог.

bugle II ['bjuːgl] *n* стеклярус; бисер.

bugle III ['bjuːgl] *n бот.* дубровка ползучая.

bugler ['bjuːglə] *n воен.* горнист, сигналист.

buglet ['bjuːglɪt] *n* велосипедный рожок.

buhl [buːl] *n* мебель стиля «буль» (*с инкрустацией из бронзы, черепахи и т. п.*).

build [bɪld] **1.** *n* 1) конструкция; форма; стиль; 2) телосложение; 3) *текст.* образование (*початка*).
2. *v* (built) 1) строить, сооружать; 2) создавать; 3) вить (*гнёзда*); 4) основываться, полагать (on); □ ~ into вделывать, вмуровывать (в *стену*); ~ up а) воздвигать; постепенно создавать, строить; б) укреплять (*здоровье*); в) закладывать кирпичом (*окно, дверь*); г) застраивать вокруг; д) монтировать (*машину*); ~ upon основывать на чём-л.; рассчитывать на что-л.

builder ['bɪldə] *n* 1) строитель; 2) подрядчик; 3) плотник; каменщик.

building ['bɪldɪŋ] **1.** *pres. p. от* build 2;
2. *n* 1) здание, постройка; строение, сооружение; 2) *pl* надворные постройки, службы; 3) строительство; ~ and loan association жилищно-строительная кооперация; 4) *attr.* строительный; ~ engineer инженер-строитель; ~ yard стройплощадка.

building-lease ['bɪldɪŋliːs] *n* аренда земельного участка для застройки.

building-paper ['bɪldɪŋˌpeɪpə] *n стр.* облицовочный картон.

building-society ['bɪldɪŋsəˌsaɪətɪ] *n* жилищно-строительная кооперация.

build-up ['bɪldʌp] *n* пространные комментарии; введение (*к выступлению по радио и т. п.*).

built [bɪlt] *past и p. p. от* build 2.

built-in ['bɪlt'ɪn] *a* вделанный; стенной (*о шкафе и т. п.*).

bulb [bʌlb] **1.** *n* 1) *бот., анат.* луковица; 2) шарик (*термометра*); колба электрической лампы, электрическая лампа; 3) баллон; сосуд; 4) пузырёк; 5) выпуклость;
2. *v* расширяться в форме луковицы; □ ~ up завиваться (*о кочане капусты*).

bulbaceous [bʌl'beɪʃəs] *a* 1) луковичный; луковицеобразный; 2) выпуклый.

bulbil ['bʌlbɪl] *n бот.* воздушная луковичка, пазушная луковичка.

bulbous ['bʌlbəs]=bulbaceous.

Bulgarian [bʌl'gɛərɪən] **1.** *a* болгарский;
2. *n* 1) болгарин; болгарка; 2) болгарский язык.

bulge [bʌldʒ] **1.** *n* 1) выпуклость; ~ of a curve горб кривой (*линии*); 2) (the ~)

амер. sl. преимущество; to have the ~ on smb. иметь преимущество перед кем-л.; 3) *разг.* вздутие цен; временное увеличение в объёме *или* в количестве; 4) *воен.* выступающая часть фронта, выступ; 5) = bilge 1, 1); 6) *мор.* противоминная наделка; 7) *горн.* раздув (*жилы*); 8) *attr.*: ~ ship корабль, снабжённый противоминными наделками;
2. *v* 1) выпячиваться; выдаваться; 2) деформироваться; 3) набивать (*мешок, кошелёк*).

bulging ['bʌldʒɪŋ] **1.** *pres. p. от* bulge 2;
2. *a* 1) разбухший; выпуклый; ~ eyes глаза навыкате; 2) выпяченный, оттопыривающийся.

bulgy ['bʌldʒɪ]=bulging 2.

bulimia [bjuː'lɪmɪə] *n мед.* (ненормально) повышенное чувство голода; *перен.* жадность (*к чему-л.*).

bulimy ['bjuːlɪmɪ] = bulimia.

bulk [bʌlk] **1.** *n* 1) объём; вместимость; 2) большие размеры; большое количество; to sell in ~ продавать гуртом; 3) основная масса, большая часть (*чего-л.*); 4) корпус (*здания и т. п.*); 5) груз (*судна*); to break ~ начинать разгрузку; to load in ~ грузить навалом; 6) *attr.*: ~ cargo насыпной *или* наливной груз; ~ buying оптовые закупки.
2. *v* 1) казаться большим, важным; 2) устанавливать вес (*груза*); 3) ссыпать, сваливать в кучу; нагромождать; □ ~ up составлять изрядную сумму; доходить (to — до).

bulkhead ['bʌlkhed] *n* 1) переборка (*на судне*); перемычка (*в руднике*); 2) крыша над пристройкой; 3) пристройка; 4) ларёк.

bulky ['bʌlkɪ] *a* 1) большой, объёмистый; громоздкий; 2) грузный.

bull I [bul] **1.** *n* 1) бык, буйвол (*тж. самец кита, слона, аллигатора и др. крупных животных*); 2) спекулянт, играющий на повышение биржевых ценностей; 3) (B.) Телец (*созвездие и знак зодиака*); 4) *sl.* шпик; полицейский; ◇ a ~ in a china shop ≅ слон в посудной лавке; «медведь»;
2. *a* 1) бычачий, бычий; 2) *бирж.* повышательный;
3. *v* 1) спекулировать на повышении биржевых цен; 2) повышаться в цене; 3) преуспевать; приобретать влияние, значение.

bull II [bul] *n* (папская) булла.

bull III [bul] *n* явная нелепость, противоречие.

bull-baiting ['bul,beɪtɪŋ] *n ист.* травля быков собаками.

bull-calf ['bul'kɑːf] *n* 1) бычок; 2) простак.

bulldog ['buldɔg] *n* 1) бульдог; 2) *перен.* упорный, цепкий человек; 3) педель (*в старых англ. университетах*); 4) *разг.* револьвер; 5) *разг.* курительная трубка.

bulldose, bulldoze ['buldouz] *v* 1) разбивать крупные куски (*руды, породы*); 2) выравнивать грунт, расчищать при помощи бульдозеров; 3) *амер. разг.* шантажировать, запугивать; грозить насилием; принуждать.

bulldozer ['bul͵douzə] *n* бульдо́зер.
bulldozerman ['bul͵douzəmən] *n* бульдозери́ст.
bullet ['bulɪt] *n* 1) пу́ля; ядро́; 2) грузи́ло; 3) *pl воен. sl.* горо́х; ◇ every ~ has its billet *посл.* ≅ от судьбы́ не уйдёшь; пу́ля винова́того найдёт.
bullet-head ['bulɪthed] *n* 1) челове́к с кру́глой голово́й; 2) *амер.* упря́мец.
bulletin ['bulɪtɪn] **1.** *n* 1) бюллете́нь; 2)`сво́дка;
2. *v* выпуска́ть бюллете́ни.
bullet-proof ['bulɪtpru:f] *a* не пробива́емый пу́лями.
bullfight ['bulfaɪt] *n* бой быко́в.
bullfinch ['bulfɪntʃ] *n* 1) снеги́рь; 2) густа́я жива́я и́згородь со рвом.
bullhead ['bulhed] *n* 1) подка́менщик (*рыба*); 2) ржа́нка бурокры́лая (*птица*); 3) болва́н.
bullion ['buljən] *n* сли́ток зо́лота *или* серебра́; ◇ ~ dealer *sl.* меня́ла.
bullionist ['buljənɪst] *n* сторо́нник металли́ческого де́нежного обраще́ния.
bullock ['bulək] *n* вол.
bull's-eye ['bulzaɪ] *n* 1) кру́глое (слухово́е) окно́; 2) увеличи́тельное стекло́; 3) фона́рь с увеличи́тельным стекло́м; 4) *мор.* иллюмина́тор; 5) я́блоко мише́ни; to hit (*или* to make, to score) the ~ попада́ть в цель; 6) стари́нные карма́нные часы́, «лу́ковица»; 7) конфе́ты-драже́.
bulltrout ['bultraut] *n* ку́мжа, лосось-тайме́нь (*рыба*).
bully I ['bulɪ] **1.** *n* 1) зади́ра, забия́ка; хвасту́н; 2) хулига́н; 3) сутенёр; ◇ a ~ is always a coward *посл.* зади́ра всегда́ трус;
2. *v* задира́ть; запу́гивать.
bully II ['bulɪ] *a амер. разг.* первокла́ссный, великоле́пный; ◇ ~ for you! молоде́ц!, бра́во!
bully beef ['bulɪbi:f] *n* мясны́е консе́рвы.
bullyrag ['bulɪræg]=**ballyrag**.
bulrush ['bulrʌʃ] *n бот.* камы́ш (озёрный); си́тник.
bulwark ['bulwək] **1.** *n* 1) вал; бастио́н; бо́льверк; 2) опло́т; защи́та; 3) мол; 4) (*обыкн. pl*) *мор.* фальшбо́рт;
2. *v* 1) укрепля́ть ва́лом; 2) служи́ть опло́том.
bum [bʌm] **1.** *n* 1) *груб.* зад, за́дница; 2) *разг.* ло́дырь, безде́льник, лентя́й; to go on the ~ жить на чужо́й счёт; 3) (*сокр. от* bum-bailiff) суде́бный при́став;
2. *a* 1) плохо́й, ни́зкого ка́чества; 2) нече́стный; досто́йный порица́ния;
3. *v* ло́дырничать, шата́ться без де́ла; жить на чужо́й счёт.
bum-bailiff ['bʌm͵beɪlɪf] *n* суде́бный при́став.
bumble ['bʌmbl] *см.* beadle.
bumble-bee ['bʌmblbi:] *n* шмель.
bumbledom ['bʌmbldəm] *n разг.* бюрократи́зм, мелкочино́вное чва́нство (*по имени приходского сторожа в романе Диккенса «Оливер Твист»*).
bumble-puppy ['bʌmbl͵pʌpɪ] *n* плоха́я игра́ (*в карты, в теннис*).

bumbo ['bʌmbou] *n* холо́дный пунш.
bum-boat ['bʌmbout] *n* ло́дка, доставля́ющая прови́зию на суда́.
bumf [bʌmf] *n sl.* 1) туале́тная бума́га; макулату́ра; 2) бума́ги, докуме́нты; 3)= paper-chase.
bummer ['bʌmə] *n амер.* лентя́й, ло́дырь.
bump I [bʌmp] **1.** *n* 1) столкнове́ние; глухо́й уда́р; 2) о́пухоль; ши́шка; 3) выгиб, вы́пуклость, вы́пуклина; 4) ши́шка (*в френологии*); *разг.* спосо́бности; the ~ of locality спосо́бность ориенти́роваться на ме́стности; 5) *pl ав.* возду́шные возмуще́ния; возду́шные я́мы;
2. *v* 1) ударя́ть(ся); 2) толка́ть, подта́лкивать; 3) догна́ть пере́днюю ло́дку (*в гребной гонке*), уда́рив но́сом по её корме́; 4) *амер. воен. sl.* обстре́ливать; □ ~ off *амер. sl.* устрани́ть си́лой; уби́ть;
3. *adv* вдруг, внеза́пно; to come ~ on the floor шлёпнуться об пол.
bump II [bʌmp] **1.** *n* крик вы́пи;
2. *v* крича́ть (*о выпи*).
bumper ['bʌmpə] *n* 1) бока́л, по́лный до краёв; 2) *амер. ж.-д.* бу́фер; амортиза́тор; 3) *attr.* о́чень большо́й; ~ harvest небыва́лый урожа́й.
bumpkin ['bʌmpkɪn] *n* неотёсанный па́рень, мужла́н.
bumptious ['bʌmpʃəs] *a разг.* самоуве́ренный, надме́нный.
bumpy ['bʌmpɪ] *a* уха́бистый, тря́ский (*о дороге*).
bun I [bʌn] *n* 1) сдо́бная бу́лочка с изю́мом; 2) пучо́к, у́зел (*волос*); 3) *с.-х.* костра́ конопли́; ◇ to get a ~ on *разг.* опроки́нуть рю́мочку, другу́ю; вы́пить; to take the ~ *разг.* получи́ть приз, заня́ть пе́рвое ме́сто, быть лу́чше всех; it takes the ~ *разг.* э́то превосхо́дит всё; э́то невероя́тно.
bun II [bʌn] *n ласк.* назва́ние бе́лки, кро́лика в ска́зках.
Buna ['bu:nə] *n хим.* бу́на (*вид синтети́ческого каучука*).
bunch [bʌntʃ] **1.** *n* 1) свя́зка, пучо́к, па́чка (*чего-л. однородного*); ~ of keys свя́зка ключе́й; ~ of grapes кисть, гроздь виногра́да; ~ of fives *sl.* пятерня́; рука́, кула́к; 2) *разг.* гру́ппа, компа́ния; he is the best of the ~ он лу́чший из них; 3) *амер.* ста́до;
2. *v* 1) образо́вывать пучки́, гро́здья; 2) сбива́ть(ся) в ку́чу; 3) собира́ть сбо́рки (*платья*).
bunchy ['bʌntʃɪ] *a* 1) вы́пуклый; 2) горба́тый; 3) расту́щий пучка́ми *или* гро́здьями; 4) *геол.* неравноме́рно залега́ющий.
bunco ['bʌŋkou] *амер.* **1.** *n* (*pl* -os [-ouz]) обма́н, жу́льничество;
2. *v* 1) получа́ть с по́мощью обма́на; 2) плутова́ть в ка́ртах.
buncombe ['bʌŋkəm] = **bunkum**.
bunco-steerer ['bʌŋkou͵stɪərə] *n амер. sl.* моше́нник; шу́лер.
bund [bʌnd] **1.** *n* 1) на́бережная (*в Япо́нии и в Кита́е*); 2) да́мба, плоти́на (*в Инди́и*);
2. *v* защища́ть бе́рег реки́ на́сыпью, да́мбой.

bunder ['bʌndə] *n англо-инд.* 1) пристань; 2) набережная; 3) порт, гавань.

bundle ['bʌndl] **1.** *n* 1) узел, связка; вязанка; 2) пучок; 3) пакет; 4) *амер.* две стопы бумаги; 5) двадцать мотков льняной пряжи; ◇ ~ of nerves комок нервов; **2.** *v* 1) связывать в узел (*часто* ~ up); собирать вещи (*перед отъездом*); 2) отсылать, спроваживать (*обыкн.* ~ away, ~ off, ~ out); I ~d him off я спровадил его, отделался от него; 3) быстро уйти, «выкатиться» (*обыкн.* ~ out, ~ off).

bundook ['bʌnduk] *n англо-инд.* ружьё, винтовка.

bung [bʌŋ] **1.** *n* 1) (большая) пробка, затычка; 2) трактирщик; 3) *sl.* ложь, обман; **2.** *v* 1) затыкать, закупоривать (*обыкн.* ~ up); ~ed up nose заложенный нос (*при насморке*); 2) подбить (*глаз в драке*); 3) *sl.* швырять (*камни и т. п.*); □ ~ off *sl.* удирать.

3. *a австрал. sl.* 1) мёртвый, умерший; 2) обанкротившийся; ◇ to go ~ а) умереть; б) обанкротиться.

bungalow ['bʌŋgəlou] *n* одноэтажная дача, дом с верандой, бунгало.

bungle ['bʌŋgl] **1.** *n* 1) плохая работа; 2) ошибка; путаница; **2.** *v* работать неумело, портить работу; делать кое-как.

bungler ['bʌŋglə] *n* плохой работник, «сапожник».

bunion ['bʌnjən] *n* опухоль на большом пальце ноги.

bunk I [bʌŋk] **1.** *n* койка; **2.** *v амер.* спать на койке; ложиться спать.

bunk II [bʌŋk] *sl.* **1.** *n* бегство; to do a ~ сбежать; **2.** *v* исчезнуть, убежать.

bunk III [bʌŋk] *амер. sl. см.* bunkum.

bunker ['bʌŋkə] **1.** *n* 1) *мор.* угольная яма, бункер; ash ~ зольник; 2) *спорт.* ямка (*на поле для гольфа*); 3) силосная яма; 4) убежище, блиндаж с крепким покрытием; 5) *attr.* бункерный; ~ coal бункерный уголь; **2.** *v* 1) грузить(ся) углем, топливом; 2) *спорт.* загнать (*мяч*) в углубление; 3) попасть в углубление (*о мяче*); 4) (*обыкн. p. p.*) попасть в затруднительное положение.

bunko ['bʌŋkou] = bunco.

bunkum ['bʌŋkəm] *n* трескучие фразы; болтовня; all that talk is ~ все эти разговоры — чепуха; to talk ~ пороть чушь, нести ахинею.

bunky ['bʌŋkɪ] *n амер. разг.* товарищ по комнате, койке; приятель.

bunnia ['bænjə] *n англо-инд.* индийский торговец, лавочник.

bunny ['bʌnɪ] = bun II.

bunt I [bʌnt] *n* 1) *мор.* пузо (*паруса*); 2) мотня (*невода*).

bunt II [bʌnt] **1.** *n* удар (*головой, рогами*); пинок, толчок; **2.** *v* ударять; пихать; бодать.

bunt III [bʌnt] *n* головня (*болезнь злаков*).

bunting I ['bʌntɪŋ] *n* 1) материя для флагов; 2) *собир.* флаги; 3) *мор.* флагдук; 4) *ав.* обратный иммельман.

bunting II ['bʌntɪŋ] *n* овсянка (*птица*).

bunting III ['bʌntɪŋ] *pres. p. от* bunt II, 2.

buoy [bɔɪ] **1.** *n* буй, бакан, бакен, буёк; веха; **2.** *v* 1) ставить бакены; 2) поддерживать на поверхности (*обыкн.* ~ up); 3) поднимать на поверхность; 4) поддерживать (*энергию, надежду и т. п.*); he was ~ed up by the news известие подбодрило его.

buoyage ['bɔɪɪdʒ] *n* установка бакенов.

buoyancy ['bɔɪənsɪ] *n* 1) плавучесть; способность держаться на поверхности воды; 2) жизнерадостность, душевная энергия; he lacks ~ ему не хватает энергии; 3) повышательная тенденция (*на бирже*).

buoyant ['bɔɪənt] *a* 1) плавучий; способный держаться на поверхности; 2) жизнерадостный, бодрый; 3) *бирж.* повышательный.

bur [bəː] *n* 1) шип, колючка (*растения*); 2) репейник, репей; to stick like a ~ ≅ пристать как банный лист; 3) назойливый человек.

burberry ['bəːbərɪ] *n* 1) непромокаемая ткань; 2) пальто из непромокаемой ткани.

burbot ['bəːbət] *n* налим.

burden I ['bəːdn] **1.** *n* 1) ноша, тяжесть; груз; 2) бремя; горе; a ~ of care бремя забот; 2) *мор.* тоннаж (*судна*); 4) накладные расходы; 5) *горн.* пустая порода, покрывающая руду; ◇ ~ of proof *юр.* бремя доказательства; a ~ of one's choice is not felt *посл.* ≅ своя ноша не тянет; **2.** *v* 1) нагружать; 2) обременять, отягощать.

burden II ['bəːdn] *n* 1) припев, рефрен; 2) тема; основная мысль, суть; the ~ of these remarks суть этих замечаний.

burdensome ['bəːdnsəm] *a* обременительный, тягостный.

burdock ['bəːdɔk] *n бот.* лопушник большой.

bureau [bjuə'rou] *n* (*pl* -eaux, -eaus [-ouz]) 1) бюро, отдел, управление, комитет; 2) бюро, конторка, письменный стол; 3) *амер.* шифоньерка.

bureaucracy [bjuə'rɔkrəsɪ] *n* 1) *собир.* бюрократия; 2) бюрократизм.

bureaucrat ['bjuəroukræt] *n* бюрократ.

bureaucratic [,bjuərɔu'krætɪk] *a* бюрократический.

bureaux [bjuə'rouz] *pl от* bureau.

burette [bjuə'ret] *n хим.* бюретка.

burg [bəːg] *n амер. разг.* город.

burgee ['bəːdʒiː] *n мор.* треугольный флажок.

burgeon ['bəːdʒən] *поэт.* **1.** *n* бутон; почка; росток; **2.** *v* давать почки, ростки; распускаться.

burgess ['bəːdʒɪs] *n* 1) горожанин, гражданин муниципального города; 2) *ист.* член парламента от города с самоуправлением *или* от университета.

burgh ['bʌrə] *n* шотландский город (*соотв. англ.* borough).

burgher [ˈbəːgə] *n уст.* горожа́нин, бю́ргер (*в Германии и Голландии*).

burglar [ˈbəːglə] *n* вор-взло́мщик; громи́ла.

burglarious [bəˈglɛərɪəs] *a* воровско́й.

burglarize [ˈbəːgləraɪz] *v* соверша́ть кра́жу со взло́мом.

burglary [ˈbəːglərɪ] *n* кра́жа со взло́мом.

burgle [ˈbəːgl] *v шутл.* 1) = burglarize; 2) быть во́ром-взло́мщиком.

burgomaster [ˈbəːgə‚mɑːstə] *n* 1) бургоми́стр (*в голла́ндских, флама́ндских и германских города́х*); 2) бургоми́стр (*птица*).

burgonet [ˈbəːgənɪt] *n ист.* бургу́ндский шлем (*XV—XVI вв.*).

burgoo [bəːˈguː] *n мор. разг.* густа́я овся́нка.

burgundy [ˈbəːgəndɪ] *n* кра́сное бургу́ндское вино́.

burial [ˈberɪəl] *n* по́хороны.

burial-ground [ˈberɪəlgraund] *n* кла́дбище.

burial-place [ˈberɪəlpleɪs] *n* ме́сто погребе́ния.

burial-service [ˈberɪəl‚səːvɪs] *n* заупоко́йная слу́жба.

burin [ˈbjuərɪn] *n* резе́ц гравёра, грабшти́хель.

burke [bəːk] *v уст.* 1) задуши́ть; 2) замя́ть (*дело и т. п.*); запрети́ть (*книгу*) до вы́хода в свет; сорва́ть (*прения, предложе́ние*).

burl [bəːl] *текст.* 1. *n* у́зел на ни́тке в тка́ни;
2. *v* очища́ть суровьё от посторо́нних включе́ний и узло́в.

burlap [ˈbəːlæp] *n* холст, холсти́на; дерю́га; мешкови́на, ряндно́.

burlesque [bəːˈlesk] 1. *n* бурле́ск; паро́дия; карикату́ра; *амер.* фарс;
2. *a* шу́точный;
3. *v* пароди́ровать.

burly [ˈbəːlɪ] *a* 1) доро́дный, пло́тный; 2) большо́й и си́льный.

Burman [ˈbəːmən] = Burmese.

Burmese [bəːˈmiːz] 1. *a* бирма́нский;
2. *n* 1) бирма́нец; бирма́нка; the ~ *pl собир.* бирма́нцы; 2) бирма́нский язы́к.

burn I [bəːn] *n шотл.* ручей.

burn II [bəːn] 1. *n* 1) ожо́г; 2) клеймо́; 3) выжига́ние расти́тельности на земле́, предназна́ченной к обрабо́тке; ◇ to give smb. a ~ оки́нуть кого́-л. уничтожа́ющим взгля́дом; С
2. *v* (burnt) 1) жечь, сжига́ть; прожига́ть; выжига́ть; to ~ to a crisp сжига́ть дотла́; 2) сгора́ть, горе́ть, пыла́ть (*тж. перен.*); to ~ with fever быть (как) в жару́; 3) обжига́ть, получа́ть ожо́г; 4) вызыва́ть зага́р (*о солнце*); 5) загора́ть (*о коже*); 6) подгора́ть (*о пище*); 7) обжига́ть (*кирпичи*); 8) *мед.* прижига́ть; 9) испо́льзовать я́дерную эне́ргию (*урана и т. п.*);
□ ~ away а) сгора́ть; б) сжига́ть; the sun ~s away the mist со́лнце рассе́ивает тума́н; ~ down а) сжига́ть дотла́; б) догора́ть; ~ into врез́аться; the spectacle of injustice burnt into his soul зре́лище несправедли́вости глубоко́ запа́ло в его́ ду́шу; ~ out а) вы́жечь; б) вы́гореть; ~ up зажи-

га́ть; сжига́ть; ◇ to ~ *амер.* с избы́тком, в доста́точном коли́честве; she has money to ~ ≅ у неё де́нег ку́ры не клюю́т; to ~ the candle at both ends безрассу́дно тра́тить си́лы, эне́ргию; to ~ daylight а) жечь иску́сственный свет днём; б) тра́тить си́лы зря; to ~ the midnight oil заси́живаться за рабо́той по ноча́м; to ~ one's boats сжига́ть свои́ корабли́; to ~ one's fingers обжёчься (*на чём-л.*); to ~ the water лучи́ть ры́бу; to ~ the wind (*или* the earth), *амер.* to ~ up the road нести́сь (во весь опо́р); his money ~s a hole in his pocket де́ньги у него́ до́лго не де́ржатся, де́ньги ему́ жгут карма́н.

burner [ˈbəːnə] *n* 1) тот, кто сжига́ет (*что-л.*); 2) горе́лка; 3) форсу́нка.

burnet [ˈbəːnɪt] *n бот.* кровохлёбка.

burning [ˈbəːnɪŋ] 1. *pres. p. от* burn II, 2;
2. *n* 1) горе́ние; 2) о́бжиг, обжига́ние; прока́ливание; 3) *горн.* расшире́ние (*шпуров*) взры́вами;
3. *a* горя́щий; жгу́чий (*тж. перен.*); ~ bush *библ.* неопали́мая купина́; ~ oil кероси́н; га́рное ма́сло; ~ question жгу́чий вопро́с; ~ scent горя́чий след; ~ shame жгу́чий стыд; ~ ring *воен.* устано́вочное кольцо́ дистанцио́нной тру́бки.

burning-glass [ˈbəːnɪŋglɑːs] *n* зажига́тельное стекло́.

burnish [ˈbəːnɪʃ] 1. *n* 1) полиро́вка; 2) блеск;
2. *v* 1) чи́стить, полирова́ть; вороня́ть (*сталь*); 2) блесте́ть.

burnisher [ˈbəːnɪʃə] *n* 1) полиро́вщик; 2) инструме́нт для полиро́вки.

burnous(e) [bəːˈnuːz] *n* бурну́с.

burnt [bəːnt] 1. *past и p.p. от* burn II, 2;
2. *a* жжёный, горе́лый; ~ gas отрабо́танный газ; ~ offering *библ.* всесожже́ние; ◇ ~ child dreads the fire *посл.* ≅ пу́ганая воро́на и куста́ бои́тся.

burr I [bəː] 1. *n* 1) шум, гро́хот (*машин и т. п.*); 2) *фон.* задненёбное произношение зву́ка г (*на се́вере А́нглии*); карта́вость;
2. *v фон.* произноси́ть г спи́нкой языка́; карта́вить.

burr II [bəː] = bur.

burr III [bəː] *n* 1) зау́сенец, грат (*на мета́лле*); 2) треуго́льное доло́то; 3) жерново́й ка́мень; 4) осело́к, точи́льный ка́мень; 5) известня́к.

burr IV [bəː] *n астр.* вене́ц, ве́нчик (*вокруг луны́, звёзд*).

burro [ˈbəːrou] *исп. n* (*pl* -os [-ouz]) *разг.* о́слик.

burrock [ˈbəːrɔk] *n* небольша́я запру́да на реке́.

burrow [ˈbəːrou] 1. *n* 1) нора́; 2) червото́чина; 3) *горн.* отбро́сы, пуста́я поро́да; отва́лы;
2. *v* 1) рыть нору́, ход; 2) пря́таться в норе́; жить в норе́; 3) ры́ться (*в книгах, архивах*; *часто* ~ into).

bursar [ˈbəːsə] *n* 1) казначе́й (*особ. в университетах*); 2) стипендиа́т (*в шотл. университетах*),

bursary ['bəːsərɪ] *n* 1) канцеля́рия казначе́я (*в университетах*); 2) стипе́ндия (*в шотландских университетах*).

burse [bəːs] *n* 1) кошёл; 2) *уст.* би́ржа; 3) = bursary 2).

burst [bəːst] 1. *n* 1) взрыв; ~ of applause (of laughter) взрыв аплодисме́нтов (сме́ха); 2) разры́в (*снаряда*); пулемётная о́чередь; 3) вспы́шка (*пламени, энергии и т. п.*); 4) внеза́пное появле́ние; 5) кутёж; he is on the ~ он закути́л; С

2. *v* (burst) 1) ло́паться; разрыва́ться, взрыва́ться (*о снаряде, котле*); прорыва́ться (*о плотине; о нарыве*); to ~ open а) распахну́ться; б) взлома́ть; 2) разража́ться; 3) взрыва́ть, разрыва́ть, разруша́ть; разла́мывать; вскрыва́ть; rivers ~ their banks ре́ки размыва́ют свои́ берега́; to ~ a blood--vessel получи́ть *или* причини́ть разры́в кровено́сного сосу́да; ☐ ~ into: ~ into blossom расцвести́; to ~ into flame вспы́хнуть пла́менем; to ~ into tears (into laughter) зали́ться слеза́ми (сме́хом); to ~ into the room ворва́ться в ко́мнату; to ~ into (*или* upon) the view внеза́пно появи́ться (*в поле зрения*); ~ out вспы́хивать (*о войне, эпидемии*); to ~ out crying (laughing) = to ~ into tears (into laughter); ~ up а) взорва́ться; б) *разг.* потерпе́ть неуда́чу, круше́ние; ~ with ло́паться; to ~ with envy ло́пнуть от за́висти; to ~ with plenty ломи́ться от изоби́тка; ◇ I am simply ~ing to tell you я горю́ нетерпе́нием рассказа́ть вам; to ~ one's sides надорва́ть живо́т от сме́ха.

burster ['bəːstə] *n* разрывно́й заря́д.

bursting ['bəːstɪŋ] 1. *pres. p. om* burst 2; 2. *n* 1) взрыв, разры́в; 2) растре́скивание; 3. *a* разрывно́й; ~ charge = burster.

burthen ['bəːðən] *поэт. см.* burden I и I.

bury ['berɪ] *v* 1) хорони́ть, зарыва́ть в зе́млю; to have buried one's relatives потеря́ть, похорони́ть бли́зких; 2) пря́тать; to ~ one's face in one's hands закры́ть лицо́ рука́ми; to ~ one's hands in one's pockets засу́нуть ру́ки в карма́ны; to ~ oneself in books зары́ться в кни́ги.

bus, 'bus [bʌs] (*сокр. om* omnibus *и* autobus) 1. *n* 1) о́мнибус; автобус; 2) *эл.* ши́на; 3) *разг.* пассажи́рский самолёт; автомоби́ль; ~ boy, ~ girl *амер.* убира́ющий, -ая гря́зную посу́ду со стола́ в рестора́не; to miss the ~ упусти́ть возмо́жность; потерпе́ть неуда́чу · (*в чём-л.*);

2. *v* е́хать в о́мнибусе, автобусе.

busby ['bʌzbɪ] *n* гуса́рский ки́вер, гуса́рская ша́пка.

bush I [buʃ] 1. *n* 1) куст, куста́рник; 2) больши́е простра́нства некультиви́рованной земли́, покры́тые куста́рником (*в Австралии*); 3) густы́е во́лосы; ~ of hair копна́ воло́с; 4) ли́сий хвост; 5) *уст.* ве́тка плюща́ (*в старой Англии служила вывеской таве́рны*); таве́рна; ◇ good wine needs no ~ *посл.* ≃ хоро́ший това́р сам себя́ хва́лит; to take to the ~ стать бродя́гой;

2. *v* 1) обса́живать куста́рником; 2) гу́сто разраста́ться; 3) борова́ть (*зе́млю*).

bush II [buʃ] 1. *n* 1) *тех.* вту́лка, вкла́дыш; ги́льза, бу́кса; 2) *воен.* запа́льная вту́лка.

2. *v* вставля́ть вту́лку.

bushel I ['buʃl] *n* бу́шель (*мера ёмкости* ≅ 36,3 *л*); ◇ to hide one's light under a ~ *библ.* держа́ть свет под спу́дом; зарыва́ть свой тала́нт (в зе́млю); to measure others' corn by one's own ~ ≅ ме́рить на свой арши́н.

bushel II ['buʃl] *v* *амер.* чини́ть, переде́лывать мужско́е пла́тье.

bushing I ['buʃɪŋ] 1. *pres. p. om* bush II, 2;

2. *n* *тех.* (изоли́рующая) вту́лка, вкла́дыш.

bushing II ['buʃɪŋ] *pres. p. om* bush I, 2.

Bushman ['buʃmən] *n* 1) бушме́н (*народность в Африке*); 2) обита́тель за́рослей (*в Австралии*).

bush-ranger ['buʃˌreɪndʒə] *n* австрал. бе́глый престу́пник, скрыва́ющийся в за́рослях и живу́щий грабежо́м.

bush-telegraph ['buʃˌtelɪgrɑːf] *n* бы́строе распростране́ние све́дений, слу́хов *и т. п.*

bush-whacker ['buʃˌwækə] *n* 1) *амер.* жи́тель лесно́й глуши́; 2) *ист.* партиза́н (*в американской гражданской войне*); 3) реза́к для расчи́стки за́рослей куста́рника.

bushy ['buʃɪ] *a* 1) покры́тый куста́рником; 2) густо́й (*о бровях, бороде́ и т. п.*); 3) пуши́стый (*о хвосте лисицы и др. животных*).

business I ['bɪznɪs] *n* 1) де́ло, заня́тие; the ~ of the day (*или* meeting) пове́стка дня; on ~ по де́лу; out of ~ банкро́т; man of ~ а) делово́й челове́к; б) аге́нт, пове́ренный; 2) профе́ссия; 3) комме́рческая де́ятельность; to set up in ~ нача́ть торго́вое де́ло; 4) торго́вое предприя́тие, фи́рма; 5) (вы́годная) сде́лка; 6) обя́занность; пра́во; to make it one's ~ счита́ть свое́й обя́занностью; you had no ~ to do it вы не име́ли основа́ния, пра́ва э́то де́лать; 7) *пренебр.* де́ло, исто́рия; I am sick of the whole ~ мне вся э́та исто́рия надое́ла; 8) *театр.* де́йствие, игра́, ми́мика, же́сты (*не диалог*); 9) *attr.* практи́ческий, делово́й; the ~ end практи́ческая, наибо́лее ва́жная сторона́ де́ла; ~ hours часы́ торго́вли *или* приёма; ~ executives «капита́ны» промы́шленности; ◇ big ~ кру́пный капита́л; to mean ~ говори́ть всерьёз; име́ть серьёзные наме́рения; бра́ться (*за что-л.*) серьёзно, реши́тельно; everybody's ~ is nobody's ~ ≅ у семи́ ня́нек дитя́ без гла́зу; во вся́ком де́ле должно́ быть отве́тственное лицо́; mind your own ~! не ва́ше де́ло!; занима́йтесь свои́м де́лом!; to send smb. about his ~ прогоня́ть, выпрова́живать кого́-л.; what is your ~ here? что вам здесь на́до?; to do smb.'s ~, to do the ~ for smb. погуби́ть, разори́ть кого́-л.

business II ['bɪznɪs] *n* заня́тость; делови́тость.

business-like ['bɪznɪslaɪk] *a* делово́й, практи́чный.

business man ['bɪznɪsmən] *n* 1) делово́й челове́к, коммерса́нт; 2) деле́ц, бизнесмён; big business men крупные капиталисты.

business manager ['bɪznɪsˌmænɪdʒə] *n* управляющий делами; коммерческий директор, заведующий коммерческой частью.

busk I [bʌsk] *n* планшетка (*в корсете*).

busk II [bʌsk] *v* 1) готовиться; 2) одеваться; 3) торопиться.

busk III [bʌsk] *v мор.* бороздить, рыскать.

buskin ['bʌskɪn] *n* котурн; *перен.* трагедия; to put on the ~s a) писать в трагедийном стиле; б) становиться на котурны, играть в трагедии.

buss [bʌs] *уст.* 1. *n* поцелуй;
2. *v* целовать.

bust I [bʌst] *n* 1) бюст; 2) женская грудь.

bust II [bʌst] 1. *n диал.* кутёж [*см. тж.* burst 1, 5)];
2. *v* 1) обанкротиться [*см. тж.* burst up]; 2) запить (*тж.* to go on the ~); 3) *амер. разг.* разжаловать, снизить в чине.

bustard ['bʌstəd] *n* дрофа (*птица*).

buster ['bʌstə] *n амер. sl.* что-л. необыкновенное; 2) пирушка, кутёж.

bustle I ['bʌsl] 1. *n* суматоха, суета;
2. *v* 1) торопить(ся); to ~ through a crowd пробиваться через толпу; 2) суетиться (*тж.* ~ about);
3. *int* живее!

bustle II ['bʌsl] *n* турнюр.

bustling ['bʌslɪŋ] 1. *pres. p. от* bustle I, 2;
2. *n* суета, суетливость;
3. *a* суетливый, шумный.

busy I ['bɪzɪ] 1. *a* 1) деятельный; занятой (at, in, with); ~ as a bee (*или* a beaver) очень занятой; 2) занятый; the line is ~ линия занята (*о телеграфе, телефоне*); ~ signal *тел.* сигнал «занято»; 3) оживлённый; 4) беспокойный, суетливый; ~ idleness трата энергии на пустяки;
2. *v* 1) давать работу; I have busied him for the whole day я дал ему работу на весь день; to ~ one's brains ломать себе голову; 2) *refl.* заниматься.

busy II ['bɪzɪ] *n sl.* сыщик.

busy-body ['bɪzɪˌbɔdɪ] *n* 1) хлопотун; 2) человек, любящий вмешиваться в чужие дела.

busyness ['bɪzɪnɪs] = business II.

but I [bʌt (*полная форма*); bət (*редуцированная форма*)] 1. *adv* только, лишь; I saw him ~ a moment я видел его лишь мельком; she is ~ nine years old ей только 9 лет; ◇ ~ just только что; all ~ почти; едва не; he all ~ died of his wound он едва не умер от своей раны;
2. *prep* кроме, за исключением; all ~ one passenger were drowned утонули все, кроме одного пассажира; ◇ the last ~ one предпоследний; anything ~ далеко не; всё что угодно, только не; he is anything ~ a coward он всё что угодно, только не трус;
3. *cj* 1) но, а, однако, тем не менее; fire is very useful, ~ it is dangerous огонь очень полезен, но он опасен; ~ then но с другой стороны; 2) если (бы) не; как не; чтобы не; I cannot ~ ... не могу не...; I cannot ~

agree with you не могу не согласиться с вами; what could he do ~ confess? что ему оставалось, как не сознаться?; he would have fallen ~ that I caught him он упал бы, если бы я его не подхватил; he would have fallen ~ for me он упал бы, если бы не я;
4. *pron. rel.* кто бы не; there is no one ~ knows it нет никого, кто бы этого не знал; there are few men ~ would risk all for such a prize мало найдётся таких, кто не рискнул бы всем ради подобной награды;
5. *n*: ~ me no ~ пожалуйста, без «но», без возражений.

but II [bʌt] *n шотл.* первая *или* рабочая комната в небольшом двухкомнатном доме.

butadiene [ˌbuːtədaɪ'iːn] *n хим.* бутадиен.

butane ['bjuːteɪn] *n хим.* бутан.

butcher ['butʃə] 1. *n* 1) мясник; ~'s meat мясо (*исключая курятину и дичь*); 2) убийца, палач; 3) *амер.* разносчик в поезде; 4) искусственная муха, на которую ловят лососей; ◇ ~'s bill список убитых на войне;
2. *v* 1) бить (*скот*); 2) убивать; 3) портить, искажать.

butcher-bird ['butʃəbəːd] *n* сорокопут (*птица*).

butcherly ['butʃəlɪ] *a* жестокий, кровожадный.

butchery ['butʃərɪ] *n* 1) скотобойня; 2) бойня, резня; ◇ ~ business торговля мясом.

butler ['bʌtlə] *n* дворецкий, старший лакей.

butt I [bʌt] *n* 1) большая бочка (*для вина, пива*); 2) бочка (*как мера ёмкости ≅ 490,96 л*).

butt II [bʌt] *n* 1) стрельбищный вал; 2) *pl* стрельбище, полигон; 3) цель, мишень; 4) предмет насмешек.

butt III [bʌt] *n* 1) толстый конец (*чего-л.*); торец, комель (*дерева*); приклад (*ружья; тж.* the ~ of the rifle); 2) *разг.* окурок.

butt IV [bʌt] 1. *n* 1) удар (*головой, рогами*); 2) притык, стык; 3) петля, навес (*двери*);
2. *v* 1) ударять головой; 2) натыкаться (against, into — на); 3) бодаться; 4) высовываться, выдаваться; 5) вмешиваться (in); 6) соединять впритык.

butt V [bʌt] *n* камбала.

butter ['bʌtə] *n* 1) масло; 2) лесть; ◇ he looks as if ~ would not melt in his mouth ≅ словно и воды не замутит; он кажется тихоней.
2. *v* 1) намазывать маслом; 2) льстить (*часто* ~ up); ◇ to know on which side one's bread is ~ed *см.* bread 1 ◇; fine (*или* kind, soft) words ~ no parsnips *посл.* ≅ соловья баснями не кормят.

butter-boat ['bʌtəbout] *n* соусник.

buttercup ['bʌtəkʌp] *n бот.* лютик.

butter-dish ['bʌtədɪʃ] *n* маслёнка.

butter-fingers ['bʌtəˌfɪŋgəz] *n pl разг.* растяпа.

butterfly ['bʌtəflaɪ] *n* 1) бабочка; 2) *спорт.* баттерфляй (*стиль плавания*).

butterfly-nut ['bʌtəflaɪnʌt] *n тех.* барашек.

butterfly-screw ['bʌtəflaɪskru:] *n тех.* винт-барашек.

buttermilk ['bʌtəmɪlk] *n* пахтанье.

butter-nut ['bʌtənʌt] *n* орех серый (*дерево и плод*).

butter-scotch ['bʌtəskɔtʃ] *n* 1) род конфет (*из масла и жжёного сахара*); 2) *attr.*: ~ colour цвет жжёного сахара, светло-коричневый цвет.

buttery ['bʌtərɪ] 1. *n* кладовая (*для провизии и напитков*);
2. *a* масляный.

buttery-hatch ['bʌtərɪ'hætʃ] *n* окошко, через которое подаются продукты из кладовой.

butting I ['bʌtɪŋ] *n* предел, граница.

butting II ['bʌtɪŋ] *pres. p. от* butt IV, 2.

butt-joint ['bʌtdʒɔɪnt] *n тех.* стык, стыковое соединение.

buttocks ['bʌtəks] *n pl* ягодицы.

button ['bʌtn] 1. *n* 1) пуговица; 2) кнопка; to press the ~ *перен.* нажать все кнопки; пустить в ход связи; 3) шишечка (*на острие рапиры*); 4) бутон; 5) молодой, неразвившийся гриб; 6) *attr.* кнопочный; ~ switch кнопочный выключатель; ◇ not to care a (brass) ~ относиться с полным равнодушием, «наплевать»; he has not all his ~s *разг.* у него винтика не хватает;
2. *v* 1) пришивать пуговицы; 2) застёгивать(ся) на пуговицы; □ ~ up а) застегнуть(ся) на все пуговицы; ~ed up *воен. sl.* всё в порядке и в готовности; б) закрыть(ся), запереть(ся) (*внутри помещения*); to ~ up one's mouth *разг.* хранить молчание; to ~ up one's purse (*или* pockets) *разг.* скупиться.

♦**button-hold** ['bʌtnhould] = buttonhole 2, 2).

buttonhole ['bʌtnhoul] 1. *n* 1) петля; 2) цветок в петлице; бутоньерка;
2. *v* 1) прометывать петли; 2) держать за пуговицу, продолжая долго говорить.

buttonhook ['bʌtnhuk] *n* крючок для застёгивания башмаков, перчаток.

button-on ['bʌtn'ɔn] *a* пристёгивающийся (*о воротнике и т. п.*).

buttons ['bʌtnz] *n* мальчик-коридорный (*в гостинице*).

buttress ['bʌtrɪs] 1. *n* 1) *стр.* контрфорс; подпора, устой; бык; 2) опора, поддержка;
2. *v* поддерживать, служить опорой (*часто* ~ up); to ~ up by argument подкреплять доводом.

butty ['bʌtɪ] *n разг.* 1) товарищ; 2) компаньон; пайщик по подрядной работе (*обычно в шахте*).

butyl ['bjuːtɪl] *n хим.* бутил.

butyric [bjuː'tɪrɪk] *a хим.* масляный.

buxom ['bʌksəm] *a* миловидный; здоровый, весёлый, полный (*обыкн. о женщине*).

buy [baɪ] 1. *v* (bought) 1) покупать; приобретать; to ~ on tick *разг.* покупать в кредит; 2) подкупать; □ ~ in а) закупать; б) выкупать (*на аукционе*); ~ off откупаться; ~ out подкупать; ~ over подкупать, переманивать на свою сторону; ~ up скупать; ◇ to ~ over smb.'s head пере-

хватить у кого-л. покупку за более дорогую цену; to ~ a pig in a poke ≅ покупать кота в мешке; покупать что-л. заглазно; to ~ a white horse *разг.* транжирить деньги; I will not ~ that ≅ это со мной не пройдёт, я этого не допущу;
2. *n разг.* покупка; to be on the ~ производить значительные покупки.

buyer ['baɪə] *n* покупатель; ◇ ~s over ком. спрос превышает предложение; ~s market рынок с изобилием товаров и с низкими ценами.

buz(z) [bʌz] *int* старо!

buzz I [bʌz] 1. *n* 1) жужжание; гул (*голосов*); 2) *sl.* слухи, молва; 3) *амер.* круглая пила;
2. *v* 1) жужжать, гудеть; 2) (*о самолёте*) летать очень низко и очень близко к другому самолёту; 3) бросать, швырять; 4) нашёптывать, под шумок распространять; 5) носиться (*о слухах*); □ ~ about виться, увиваться; ~ off уходить, удаляться.

buzz II [bʌz] *v* осушать, выпивать бутылку, стакан до последней капли.

buzzard ['bʌzəd] *n* канюк (*птица*).

buzz-bomb ['bʌzbɔm] *n* летающий снаряд.

buzzer ['bʌzə] *n* 1) гудок; 2) *эл.* зуммер, пищик; автоматический прерыватель; 3) *воен. sl.* связист.

buzz-saw ['bʌz,sɔː] *n* круглая пила; ◇ to monkey with a ~ ≅ шутить *или* играть с огнём.

by [baɪ] 1. *prep* 1) *в пространственном значении указывает на*: а) *близость* у, при, около; a house by the river дом у реки; a path by the river тропинка вдоль берега реки; б) *прохождение мимо предмета или через определённое место* мимо; we went by the house мы прошли мимо дома; we travelled by a village мы проехали через деревню; 2) *во временном значении указывает на приближение к определённому моменту, сроку и т. п.* к; by tomorrow к завтрашнему дню; by five o'clock к пяти часам; by then к тому времени; 3) *указывает на автора; передаётся твор. или род. падежом*: a book by Tolstoy книга, написанная Толстым, книга Толстого; the book was written by a famous writer книга была написана знаменитым писателем; 4) *указывает на средство передвижения; передаётся твор. падежом*: by plane самолётом; by air mail воздушной почтой; 5) *указывает на причину, источник* через, посредством, от, по; to know by experience знать по опыту; to perish by starvation погибнуть от голода; 6) *указывает на меры веса, длины и т. п. в, на; передаётся твор. падежом*: by the yard в ярдах, ярдами; by the pound в фунтах, фунтами; 7) *указывает на характер действия*: by chance случайно; by the law по закону; by chute, by gravity самотёком; 8) *указывает на соответствие, согласованность* по; согласно; by agreement по договору; by your leave с вашего разрешения; 9) *указывает на соотношение между сравниваемыми величинами* на; by two years older старше на два года; ◇ by Jove!, *уст.* by Jupiter! клянусь Юпитером!; ей--богу!; by George ≅ ей-богу!; by no means ни в коем случае; by the way кстати, между прочим; by large *амер.* вообще говоря, в общем;

2. *adv* 1) близко, рядом; 2) мимо; she passed by она прошла мимо; ◇ by and by вскоре.

by-blow [ˈbaɪblou] *n* 1) случайный удар; *перен.* непредвиденный случай; 2) «внебрачный» ребёнок.

bye [baɪ] *n*: to draw (*или* to have) the ~ *спорт.* быть свободным от игры.

bye-bye I [ˈbaɪbaɪ] *n разг.* бай-бай; сон; время спать.

bye-bye II [ˈbaɪˈbaɪ] *разг. см.* good-bye I.

by-effect [ˈbaɪiˌfekt] *n тех.* побочное явление.

by-election [ˈbaɪiˌlekʃ ən] *n* дополнительные выборы.

Byelorussian [ˌbɪeləˈrʌʃ ən] **1.** *a* белорусский;

2. *n* 1) белорус; белоруска; 2) белорусский язык.

by-end [ˈbaɪend] *n* побочная *или* тайная цель.

bygone [ˈbaɪgɔn] **1.** *a* прошлый;

2. *n pl* прошлое; прошлые обиды; ◇ let ~s be ~s *посл.* ≅ кто старое помянет, тому глаз вон.

by-law [ˈbaɪlɔ:] *n* постановление местной власти *или* какой-л. организации.

by-name [ˈbaɪneɪm] *n* прозвище.

bypass [ˈbaɪpɑ:s] **1.** *n* 1) обход; 2) обходный канал; 3) обходный путь; 4) *эл.* шунт;

2. *v* 1) обходить; 2) окружать, окаймлять; 3) обходить, пренебрегать; не принимать во внимание; 4) *воен.* обтекать (*опорные пункты противника*).

bypath [ˈbaɪpɑ:θ] *n* уединённая боковая тропа *или* дорога.

by-pit [ˈbaɪpɪt] *n горн.* вентиляционная шахта.

byplay [ˈbaɪpleɪ] *n* побочная (*часто немая*) сцена; эпизод (*в пьесе*).

by-plot [ˈbaɪplɔt] *n* второстепенная интрига (*в пьесе*).

by-product [ˈbaɪˌprɔdəkt] *n* побочный продукт.

byre [ˈbaɪə] *n* хлев.

by-road [ˈbaɪroud] = by-way.

bystander [ˈbaɪˌstændə] *n* свидетель, зритель.

bystreet [ˈbaɪstri:t] *n* боковая улица, переулок.

by-way [ˈbaɪweɪ] *n* 1) дорога второстепенного значения; менее людная дорога; 2) кратчайший путь; 3): ~s of learning менее изученные и сравнительно второстепенные области знания.

byword [ˈbaɪwə:d] *n* 1) поговорка; 2) притча во языцех; олицетворение (*чего-л. дурного*); a ~ for iniquity олицетворение всяческой несправедливости.

by-work [ˈbaɪwə:k] *n* побочная работа.

Byzantine [bɪˈzæntaɪn] **1.** *a* византийский;

2. *n* византиец.

Byzantinesque [bɪˌzæntɪˈnesk] *a* византийский (*о стиле*).

C

C, c [si:] *n* (*pl* Cs, C's [si:z]) 1) *3-я буква англ. алфавита*; 2) *муз.* до; 3) *амер.* сто долларов; 4): C₃ а) третьестепенный, плохой (*о здоровье, качестве*); б) *воен.* негодный к военной службе.

Caaba [ˈkɑ:bɑ:] *араб. n* кааба.

cab I [kæb] (*сокр. от* cabriolet) **1.** *n* 1) наёмный экипаж, кеб; извозчик; to take a ~ нанять экипаж; ехать в экипаже; 2) такси;

2. *v разг.* ехать в экипаже *и т. п.* (*тж.* ~ it).

cab II [kæb] *n* (*сокр. от* cabin) будка (*на паровозе*); кабина водителя (*автомобиля*).

cab III [kæb] *сокр. от* cabbage III.

cabal [kəˈbæl] **1.** *n* 1) интрига; политический манёвр; 2) политическая клика; 3) (the C.) *ист.* «кабальное» министерство (*при Карле II*);

2. *v* интриговать; составлять заговор.

cabala [kəˈbɑ:lə] = cabbala.

cabalistic [ˌkæbəˈlɪstɪk] = cabbalistic.

cabaña *исп. n* 1) [kɑ:ˈvɑ:njɑ:] маленький домик; 2) [kəˈbɑ:nə] *амер.* кабинка для раздевания (*на пляже*).

cabaret [ˈkæbəreɪ] *фр. n* 1) кабаре, небольшой ресторан с эстрадными выступлениями; 2) эстрадное выступление в кабаре.

cabas [ˈkæbə] *n амер.* 1) рабочая корзинка; 2) сумочка.

cabbage I [ˈkæbɪdʒ] **1.** *n* 1) (кочанная) капуста; 2) *attr.* капустный;

2. *v* завиваться кочаном.

cabbage II [ˈkæbɪdʒ] **1.** *n* обрезки материи заказчика, остающиеся у портного;

2. *v* утаивать обрезки материи (*о портном*).

cabbage III [ˈkæbɪdʒ] *школ. sl.* **1.** *n* подстрочник, шпаргалка;

2. *v* пользоваться подстрочником, шпаргалкой.

cabbage butterfly [ˈkæbɪdʒˈbʌtəflaɪ] *n* капустница (*бабочка*).

cabbage-head [ˈkæbɪdʒˌhed] *n* 1) кочан капусты; 2) *разг.* тупица.

cabbage-rose [ˈkæbɪdʒrouz] *n* роза столистная.

cabbala [kəˈbɑ:lə] *n* каб(б)ала.

cabbalistic [ˌkæbəˈlɪstɪk] *a* каб(б)алистический; таинственный, мистический.

cabby [ˈkæbi] *n разг.* извозчик.

cabin [ˈkæbɪn] **1.** *n* 1) хижина; 2) кабина, будка; 3) каюта; салон; 4) *ав.* закрытая кабина; 5) *ж.-д.* блок-пост; 6) *attr.*: ~ class 1-й класс на океанских пароходах; ~ plane самолёт с закрытой кабиной;

2. *v* 1) помещáть в тéсную кóмнату, кабúну *и т. п.*; 2) жить в хижине.

cabin-boy ['kæbɪnbɔɪ] *n* (кают-)юнга.

cabined ['kæbɪnd] 1. *p.p. от* cabin 2; 2. *a* стеснённый, сжáтый.

cabinet ['kæbɪnɪt] *n* 1) кабинéт; 2) кабинéт минúстров; inner ~ англúйский кабинéт минúстров в ýзком состáве; 3) шкатýлка; 4) шкаф с выдвижнýми ящиками; гóрка; 5) ящик (*радиоприёмника*); 6) *attr.* правúтельственный, министéрский; ~ council совéт минúстров; ~ crisis правúтельственный крúзис; C. Minister член совéта минúстров; 7) *attr.* кабинéтный; ~ photograph кабинéтная фотографúческая кáрточка; ~ size кабинéтный формáт.

cabinet-maker ['kæbɪnɪt͵meɪkə] *n* 1) столя́р-краснодерéвщик; 2) *шутл.* премьéр-мúнистр.

cabinet-work ['kæbɪnɪtwɜːk] *n* тóнкая столя́рная рабóта.

cable ['keɪbl] 1. *n* 1) кáбель; 2) канáт, трос; я́корная цепь; to slip the ~ *мор.* вы́травить цепь; to cut (*или* to slip) one's ~ *sl.* умерéть; 3) кáбельтов (= *183 м,* амер. = *219 м; тж.* ~'s length); 4) телегрáмма (,пóсланная по подвóдному кáбелю); 5) архит. витóй орнáмент; 6) *attr.* канáтный; ~ way канáтная дорóга, фуникулёр;

2. *v* 1) закрепля́ть канáтом, привя́зывать трóсом; 2) телеграфúровать (по подвóдному кáбелю); 3) архит. украшáть витым орнáментом.

cablegram ['keɪblgræm] = cable 1, 4).

cablese [keɪb'liːz] *n* лаконúчный «телегрáфный» язы́к (*с прóпусками вспомогáтельных слов; употр. корреспондéнтами*).

cablet ['keɪblɪt] *n* мор. пéрлинь.

cabling ['keɪblɪŋ] 1. *pres. p. от* cable 2; 2. *n* 1) уклáдка кáбеля; 2) кручéние, свивáние (*тросов, канáтов*); 3) архит. заполнéние каннелюр колóнн вы́пуклым прóфилем.

cabman ['kæbmən] *n* 1) извóзчик; 2) шофёр таксú.

caboodle [kə'buːdl] *n* амер. sl.: the whole ~ а) вся компáния, вся орáва; б) вся кýча, всё хозя́йство.

caboose [kə'buːs] *n* 1) мор. кáмбуз; 2) амер. служéбный вагóн в товáрном пóезде; тормознóй вагóн; 3) амер. печь на открытом вóздухе.

cabotage ['kæbətɑːʒ] *n* мор. каботáж.

cabre ['keɪbə] *v* ав. кабрúровать, задирáться.

cabriole ['kæbrɪoul] *a* гнýтый (*о нóжке мéбели*).

cabriolet [͵kæbrɪə'leɪ] *n* 1) наёмный экипáж, кеб; 2) автомобúль; таксú.

cabstand ['kæbstænd] *n* стоя́нка таксú, извóзчиков.

ca'canny [kɑː'kænɪ] *см.* canny ◇.

cacao [kə'kɑːou] *n* 1) какáовое дéрево; 2) какáо (*боб*).

cacao-tree [kə'kɑːou͵triː] = cacao 1).

cachalot ['kæʃəlɒt] *n* кашалóт.

cache [kæʃ] 1. *n* 1) тайнúк; тáйный склад орýжия; 2) запáс провиáнта, остá-

вленный научной экспедúцией в скры́том мéсте для обрáтного путú *или* для другúх экспедúций; 3) запáс зернá *или* мёда, сдéланный живóтным нá зиму;

2. *v* 1) прятать провиáнт в услóвленных, скры́тых местáх для нужд экспедúций.

cachectic [kə'kektɪk] *a* болéзненный, худосóчный.

cachet ['kæʃeɪ] *фр. n* 1) печáть; отпечáток; 2) *мед.* облáтка, кáпсула для приёма лекáрств.

cachexy [kə'keksɪ] *n* мед. кахéксия, худосóчие.

cacique [kæ'siːk] исп. *n* 1) кáцик (*вождь, царёк американских индéйцев и племён Вест-Индии*); 2) амер. sl. заправúла.

cackle ['kækl] 1. *n* 1) кудáхтанье; гоготáнье; 2) хихúканье; 3) болтовня́; cut the ~! замолчúте!;

2. *v* 1) кудáхтать; гоготáть; 2) хихúкать; 3) болтáть.

cacology [kæ'kɒlədʒɪ] *n* плохáя речь (*с ошúбками, плохим произношéнием и т. п.*).

cacophony [kæ'kɒfənɪ] *n* какофóния, неблагозвýчие.

cactaceous [kæk'teɪʃəs] *a* бот. принадлежáщий к семéйству кáктусовых; кáктусовый.

cacti ['kæktaɪ] *pl от* cactus.

cactus ['kæktəs] *n* (*pl* -es [-ɪz], cacti) кáктус.

cacumen [kæ'kjuːmen] *n* вершúна, вéрхняя тóчка.

cacuminal [kæ'kjuːmɪnl] *a* фон. какуминáльный, ретрофлéксный.

cad [kæd] *n* 1) невоспúтанный, грýбый человéк; хам; 2) = caddy I; 3) *уст.* кондýктор дилижáнса.

cadastral [kə'dæstrəl] *a* кадáстровый.

cadastre- [kə'dæstə] *n* кадáстр.

cadaver [kə'deɪvə] *n* труп.

cadaveric [kə'dævərɪk] *a* трýпный.

cadaverous [kə'dævərəs] *a* 1) трýпный; 2) смертéльно блéдный; he had a ~ face у негó было мéртвенно-блéдное лицó.

caddie ['kædɪ] = caddy I, 2).

caddis I ['kædɪs] *n* 1) сáржа; 2) гáрусная тесьмá.

caddis II ['kædɪs] *n* зоол. личúнка веснянки (*тж.* ~ worm).

caddis fly ['kædɪsflaɪ] *n* веснянка, мáйская мýха.

caddish ['kædɪʃ] *a* грýбый, вульгáрный.

caddy I ['kædɪ] *n* 1) мáльчик, прислýживающий при игрé в гольф *или* тéннис; 2) *шотл.* человéк, живýщий случáйной рабóтой и мéлкими поручéниями.

caddy II ['kædɪ] *n* чáйница.

cade I [keɪd] *n* бот. можжевéльник.

cade II [keɪd] *n* бочóнок.

cade III [keɪd] *n* 1) ягнёнок *или* жеребёнок, вы́кормленный искýсственно; 2) любúмец.

cadence ['keɪdəns] *n* 1) модуля́ция; понижéние гóлоса; 2) *муз.* кадéнция; 3) ритм; 4) *воен.* мéрный шаг; движéние в нóгу.

cadency ['keɪdənsɪ] *n* 1) = cadence 3); 2) млáдшая лúния (*в генеалóгии*).

cadet [kə'det] *n* 1) курсáнт воéнного учи́лища; *ист.* кадéт; 2) млáдший сын; млáдший брат; 3) *амер.* сутенёр; свóдник; 4) кадéт (*член русской конституционно--демократической партии нач. XX в.*); 5) *attr.* кадéтский; ~ corps кадéтский кóрпус.

cadey ['kædɪ] = cady.

cadge [kædʒ] *v* попрошáйничать; жить на чужóй счёт.

cadger I ['kædʒə] *n* 1) разнóсчик, продаю́щий по деревня́м галантерéю и мануфактýру и скупáющий сельскохозя́йственные продýкты; 2) попрошáйка.

cadger II ['kædʒə] *тех.* кармáнная маслёнка.

cadi ['kɑːdɪ] *араб.* *n* кáди(й) (*духовное лицо у мусульман, несущее обязанности судьи*).

cadie ['kædɪ] = cady.

cadmium ['kædmɪəm] *n хим.* кáдмий.

cadre [kɑːdr] *n* 1) óстов; схéма; 2) *воен.* кáдр(ы).

caducity [kə'djuːsɪtɪ] *n* 1) брéнность; 2) дря́хлость.

caducous [kə'djuːkəs] *a бот.* рáно опадáющий (*о листьях*).

cady ['kædɪ] *n разг.* шля́па.

caeca ['siːkə] *pl от* caecum.

caecum ['siːkəm] *n* (*pl* caeca) *анат.* слепáя кишкá.

Caesar ['siːzə] *n* 1) *ист.* Цéзарь; 2) самодéржец; кéсарь; ◇ render to ~ the things that are ~'s кéсарево кéсарю.

Caesarian [ˌsiːzə'rɪən] *a* самодержáвный, автократи́ческий; ◇ ~ operation *мед.* кéсарево сечéние.   А

caesium ['siːzɪəm] *n хим.* цéзий.

caesura [siː'zjuərə] *n* цезýра.

café ['kæfeɪ] *фр. n* 1) кафé; 2) кофéйня.

cafeteria [ˌkæfɪ'tɪərɪə] *n* кафетéрий, кафé-закýсочная.

caffeine ['kæfiːn] *n фарм.* кофеи́н.

caffelite ['kæfəlaɪt] *n* кафели́т (*пластмасса из бобов кофе*).

caftan ['kæftən] *n* 1) кафтáн; 2) дли́нный восточный халáт.

cage [keɪdʒ] 1. *n* 1) клéтка; 2) тюрьмá военноплéнных; 3) лифт; 4) *горн.* клеть (*в шахтах*); 5) *тех.* обóйма (*подшипника*); 6) садóк (*для насекомых или рыб*); 2. *v* сажáть в клéтку.

cag(e)y ['keɪdʒɪ] *a амер. разг.* уклóнчивый в отвéтах; don't be so ~ отвечáйте пря́мо, не виля́йте.

cahoot [kə'huːt] *n амер. разг.* соучáстие, сообщничество; to go ~s дели́ть пóровну расхóды и дохóды.

caiman ['keɪmən] = cayman.

Cain [keɪn] *n* 1) *библ.* Кáин; 2) братоуби́йца, предáтель; ◇ to raise ~ подня́ть шум, устрóить скандáл.

caique [kaɪ'iːk] *n* кайк, турéцкая шлю́пка.

cairn [kɛən] *n* пирами́да из камнéй (*памятник, межевой или какой-л. условный знак*); ◇ to add a stone to smb.'s ~ превозноси́ть когó-л. пóсле смéрти.

cairngorm ['kɛən'gɔːm] *n мин.* дымча-

тый топáз, жёлтая *или* ды́мчато-бýрая разнови́дность квáрца.

caisson ['keɪsən] *n* 1) *тех.* кессóн; 2) *воен.* заря́дный я́щик; 3) *мор.* батопóрт.

caitiff ['keɪtɪf] *поэт.* 1. *n* трус; негодя́й; 2. *a* трусли́вый; презрéнный.

cajole [kə'dʒoul] *v* льстить, обхáживать; обмáнывать; □ ~ into склони́ть лéстью к *чему-л.*; ~ out: ~ smth. out of smb. вы́клянчить, вы́просить что-л. у когó-л.

cajolement [kə'dʒoulmənt] *n* лесть; обмáн при пóмощи лéсти.

cajolery [kə'dʒouɫərɪ] = cajolement.

cake [keɪk] 1. *n* 1) торт, кекс, пирóжное; лепёшка; 2) лепёшка гря́зи *или* гли́ны (*приставшей к платью*); 3) пли́тка; кусóк, брусóк; брикéт; ~ of soap брусóк *или* кусóк мы́ла; 4) жмых, макýха; ◇ ~s and ale весéлье; you cannot eat your ~ and have it too *посл.* ≅ оди́н пирóг два рáза не съешь; нельзя́ совмести́ть несовмести́мое; to go (*или* to sell) like hot ~s раскупáться (*или* продавáться) нарасхвáт; to have one's ~ baked имéть срéдства, состоя́ние; жить в достáтке; my (our) ~ is dough моё (нáше) дéло плóхо, не вы́горело; to take the ~ получи́ть приз, заня́ть пéрвое мéсто; быть лýчше всех; that takes the ~ ≅ э́то превосхóдит всё; вот э́то да!; 2. *v* (*обыкн. refl. или pass.*) затвердевáть, спекáться.

cake ice ['keɪkaɪs] *n* сáло (*на реке*).

cake-walk ['keɪkwɔːk] *n* кекуóк (*танец*).

caking coal ['keɪkɪŋkoul] *n горн.* спекáющийся ýголь.

calabar [ˌkælə'bɑː] *n* сéрый бéличий мех.

calabash ['kæləbæʃ] *n* 1) горля́нка, бутылочная ты́ква; 2) бутылка *или* кури́тельная трýбка из горля́нки; кальян.

calaber ['kæləbə] = calabar.

calaboose [ˌkælə'buːs] *n амер. разг.* тюрьмá, кутýзка.

calamanco [ˌkælə'mæŋkou] *n текст.* каламя́нка.

calamitous [kə'læmɪtəs] *a* 1) пáгубный; 2) бéдственный.

calamity [kə'læmɪtɪ] *n* бéдствие; ◇ ~ howler человéк, постоя́нно предскáзывающий какóе-л. бéдствие; ны́тик; пессими́ст.

calamus ['kæləməs] *n бот.* 1) áир тростникóвый *или* и́рный; 2) пáльма калáмус; 3) *уст.* перó из тростникá.

calash [kə'læʃ] *n* 1) коля́ска; 2) верх коля́ски.

calcareous [kæl'kɛərɪəs] *a* известкóвый, содержáщий и́звесть.

calceolaria [ˌkælsɪə'lɛərɪə] *n бот.* кошелёк.

calces ['kælsiːz] *pl от* calx.

calciferol [kæl'sɪfərɔl] *n* витами́н D.

calcification [ˌkælsɪfɪ'keɪʃən] *n* обызвествлéние, отвердéние, окаменéние; окостенéние.   А

calcify ['kælsɪfaɪ] *v* превращáть(ся) в и́звесть, отвердевáть.

calcimine ['kælsɪmaɪn] *n* известкóвая крáска.

calcinate ['kælsɪneɪt] = calcine.

calcination [ˌkælsɪ'neɪʃən] n 1) тех. кальцинирование, прокаливание, обжиг; пережигание или превращение в известь; 2) перен. очищение.

calcine ['kælsaɪn] v 1) тех. кальцинировать, прокаливать, обжигать; пережигать или превращать в известь; 2) сжигать дотла; 3) перен. очищать.

calcitrant ['kælsɪtrənt] a тех. огнестойкий, тугоплавкий.

calcium ['kælsɪəm] n хим. кальций.

calculable ['kælkjuləbl] a 1) поддающийся исчислению, измерению; 2) надёжный.

calculate ['kælkjuleɪt] v 1) вычислять; подсчитывать; калькулировать; 2) рассчитывать; 3) амер. думать, полагать.

calculated ['kælkjuleɪtɪd] 1. p. p. от calculate;
2. a 1) вычисленный; 2) рассчитанный; годный (for); 3) преднамеренный, (пред-) умышленный.

calculating ['kælkjuleɪtɪŋ] 1. pres. p. от calculate;
2. a 1) счётный; 2) расчётливый.

calculating-machine ['kælkjuleɪtɪŋmə'ʃiːn] n счётная машина; вычислительный прибор, арифмометр.

calculation [ˌkælkju'leɪʃən] n 1) вычисление; калькуляция; 2) расчёт; 3) обдумывание; 4) предположение; 5) предвидение.

calculator ['kælkjuleɪtə] n 1) вычислитель, калькулятор; 2) счётная машина; вычислительный прибор, арифмометр; счётчик (прибор).

calculi ['kælkjulaɪ] pl от calculus 1).

calculus ['kælkjuləs] n 1) (pl -li) мед. камень; 2) (pl -es [-ɪz] мат. исчисление; differential ~ дифференциальное исчисление; integral ~ интегральное исчисление.

caldron ['kɔːldrən] = cauldron.

Caledonia [ˌkælɪ'dounjə] n поэт. Шотландия.

Caledonian [ˌkælɪ'dounjən] поэт. 1. a шотландский;
2. n шотландец; шотландка.

calendar ['kælɪndə] 1. n 1) календарь; 2) святцы; 3) опись; указатель; реестр; список; 4) юр. список дел, назначенных к слушанию; 5) амер. повестка дня; ◇ Newgate C. ист. книга с рассказами о преступлениях узников Ньюгейтской тюрьмы; 12
2. v 1) регистрировать, вносить в список; 2) составлять индекс; 3) инвентаризировать.

calender I ['kælɪndə] тех. 1. n каландр, каток, лощильный пресс;
2. v каландрировать, лощить, гладить, катать.

calender II ['kælɪndə] перс. n нищенствующий дервиш.

calends ['kælɪndz] n pl календы, первое число месяца (у древних римлян); ◇ on (или at) the Greek ~ шутл. никогда (у греков календ не было).

calenture ['kæləntjuə] n уст. тропическая лихорадка, сопровождающаяся бредом.

calf I [kɑːf] n (pl calves) 1) телёнок;

cow in (или with) ~ стельная корова; 2) детёныш (оленя, слона, кита, тюленя и т. п.); 3) телячья кожа, опоек; bound in ~ переплетённый в телячью кожу; 4) придурковатый парень; «телёнок» (употр. тж. в ласк. смысле); 5) небольшая плавучая льдина; ◇ to kill the fatted ~ библ. заклать упитанного тельца, радостно встретить (как блудного сына); golden ~ золотой телец. A

calf II [kɑːf] n (pl calves) икра (ноги).

calf-knee ['kɑːf,niː] n анат. вогнутое колено.

calflove ['kɑːflʌv] n ребяческая любовь.

calfskin ['kɑːfskɪn] = calf I, 3).

calf's teeth ['kɑːvztiːθ] n pl молочные зубы.

Caliban ['kælɪbæn] n калибан; грубый, злобный человек (по имени персонажа «Бури» Шекспира).

caliber ['kælɪbə] амер. = calibre.

calibrate ['kælɪbreɪt] v 1) калибровать; градуировать; тарировать; 2) проверять, выверять; 3) воен. определять начальную скорость; состреливать (орудия).

calibration [ˌkælɪ'breɪʃən] n 1) калибрование; градуировка; тарирование; 2) воен. определение начальной скорости; сострелка (орудий).

calibre ['kælɪbə] n 1) калибр; диаметр; 2) широта ума; значительность (человека).

caliche [kɑː'liːʃeɪ] n самородная чилийская селитра.

calico ['kælɪkou] n (pl -os, -oes [-ouz]) 1) коленкор, миткаль; 2) амер. ситец.

calico-ball ['kælɪkou,bɔːl] n ситцевый бал.

calico-printer ['kælɪkou,prɪntə] n набойщик (в текст. промышленности).

calico-printing ['kælɪkou,prɪntɪŋ] n ситценабивное дело.

calif ['kælɪf] = caliph.

californium [ˌkælɪ'fɔːnɪəm] n хим. калифорний.

calipash ['kælɪpæʃ] n филей под щитком черепахи.

calipee ['kælɪpiː] = calipash.

calipers ['kælɪpəz] = callipers.

caliph ['kælɪf] n халиф, калиф.

caliphate ['kælɪfeɪt] n халифат.

calisthenics [ˌkælɪs'θenɪks] = callisthenics.

calk I [kɔːk] 1. n 1) шип (подковы); 2) амер. подковка (на каблуке);
2. v 1) конопатить, чеканить (швы); 2) подковывать на шипах; 3) амер. набивать подковки (на каблуки).

calk II [kɔːk] n негашеная известь.

calk III [kɔːk] v калькировать.

calkin ['kælkɪn] = calk I, 1.

call [kɔːl] 1. n 1) зов, оклик; 2) крик (животного, птицы); 3) призыв; сигнал; 4) вызов; телефонный вызов; one ~ was for me один раз вызывали меня; 5) перекличка; 6) призвание, влечение; 7) визит, посещение; to pay a ~ сделать визит; 8) заход (парохода) в порт, остановка (поезда) на станции; 9) приглашение;

предложе́ние (*места, кафедры и т. п.*); 10) тре́бование; спрос; тре́бование упла́ты до́лга; 11) нужда́, необходи́мость; you have no ~ to blush вам не́чего красне́ть; 12) мано́к, ду́дка (*птицелова*); ◇ ~ of duty чу́вство до́лга; at ~ наготове, к услу́гам; on ~ a) по тре́бованию, по вы́зову; б) *ком.* на онко́льном счету́; within ~ побли́зости;

2. *v* 1) звать; оклика́ть; 2) называ́ть; дава́ть и́мя; 3) вызыва́ть, призыва́ть; созыва́ть; to ~ smb.'s attention to smth. обраща́ть чьё-л. внима́ние на что-л.; to ~ to mind (*или* memory, remembrance) припо́мнить, вспо́мнить; 4) буди́ть; 5) заходи́ть, навеща́ть; to ~ at a house зайти́ в дом; to ~ (up)on a person навести́ть кого́-л.; 6) счита́ть; I ~ this a good house я нахожу́, что э́то хоро́ший дом; □ ~ at остана́вливаться (*где-л.*); ~ away отзыва́ть; ~ back а) звать обра́тно; б) брать наза́д; ~ down а) навлека́ть; б) порица́ть, де́лать вы́говор; в) оспа́ривать, отводи́ть (*довод и т. п.*); ~ for а) тре́бовать; the situation ~ed for drastic measures положе́ние тре́бовало приня́тия реши́тельных мер; letters to be ~ed for пи́сьма до востре́бования; б) заходи́ть за *кем-л.*; в) предусма́тривать; ~ forth вызыва́ть, тре́бовать; this affair ~s forth all his energy э́то де́ло потре́бует всей его́ эне́ргии; ~ in a) потре́бовать наза́д (*долг*); б) изыма́ть из обраще́ния (*денежные зна́ки*); в) приглаша́ть; г) призыва́ть на вое́нную слу́жбу; ~ into: to ~ into existence (*или* being) вызыва́ть к жи́зни, создава́ть; осуществля́ть; приводи́ть в де́йствие; ~ off а) отзыва́ть; отменя́ть; прекраща́ть; откла́дывать, переноси́ть; the game was ~ed off игру́ отложи́ли; б) отвлека́ть (*внимание*); ~ on a) взыва́ть, апелли́ровать; б) приглаша́ть вы́сказаться; the chairman ~ed on the next speaker председа́тель предоста́вил сло́во сле́дующему ора́тору; в) звони́ть по телефо́ну *кому-л.*; ~ out а) звать нару́жу; to ~ out for training призыва́ть на уче́бный сбор; б) вызыва́ть на дуэ́ль; в) выкри́кивать; крича́ть; ~ over де́лать перекли́чку; ~ to: to ~ to account призва́ть к отве́ту; потре́бовать объясне́ния; to ~ to attention *воен.* скома́ндовать «сми́рно»; to ~ to order a) призва́ть к поря́дку; б) *амер.* откры́ть собра́ние; ~ up a) звать наве́рх; б) призыва́ть (*на военную службу*); в) вызыва́ть (*по телефону*); г) вызыва́ть в па́мяти; д) представля́ть на рассмотре́ние (*законопроект и т. п.*); ~ upon a) = ~ on; б) to be ~ed upon быть вы́нужденным; ◇ to ~ in question подверга́ть сомне́нию; to ~ names руга́ть(ся); to ~ it square удовлетворя́ться, примиря́ться; to ~ smb. over the coals руга́ть кого́-л., де́лать кому́-либо вы́говор; to have nothing to ~ one's own ничего́ не име́ть, быть без средств.

call-bell ['kɔːlbel] *n* сигна́льный звоно́к; звоно́к для вы́зова (*коридорного; сиделки*).

call-box ['kɔːlbɔks] *n* телефо́нная бу́дка.

call-boy ['kɔːlbɔɪ] *n* 1) ма́льчик-рассы́льный; коридо́рный (*в гостинице и т. п.*);

2) *театр.* ма́льчик, приглаша́ющий актёра на сце́ну.

caller I ['kɔːlə] *n* 1) гость; посети́тель; 2) выклика́ющий имена́ во вре́мя перекли́чки.

caller II ['kælə] *a шотл.* 1) све́жий; 2) прохла́дный.

calligraphy [kə'lɪɡrəfɪ] *n* 1) каллигра́фия; чистописа́ние; 2) по́черк.

calling ['kɔːlɪŋ] 1. *pres. p. от* call 2; 2. *n* 1) призва́ние; 2) профе́ссия.

callipers ['kælɪpəz] *n pl* 1) кронци́ркуль; inside ~ нутроме́р; 2) *лес.* ме́рная ви́лка.

callisthenics [ˌkælɪs'θenɪks] *n pl* (*употр. как* sing) пла́стика, ритми́ческая гимна́стика; физи́ческая подгото́вка; free ~ во́льные движе́ния.

call-loan ['kɔːlloun] *n ком.* заём с упла́той по пе́рвому тре́бованию.

call-money ['kɔːl'mʌnɪ] = call-loan.

callosity [kæ'lɔsɪtɪ] *n* 1) затверде́ние (*на коже*); мозо́ль; 2) = callousness.

callous ['kæləs] *a* 1) огрубе́лый, мозо́листый; 2) бессерде́чный, чёрствый.

callousness ['kæləsnɪs] *n* гру́бость, бессерде́чность.

callow ['kælou] 1. *n ирл.* низи́на; ча́сто затопля́емый, боло́тистый луг;

2. *a* 1) необери́вшийся; 2) нео́пытный; 3) *ирл.* низи́нный; youth зелёный юне́ц; ча́сто затопля́емый.

call slot ['kɔːlslɔt] *n* сква́жина, в кото́рую вставля́ют ключ для вы́зова ли́фта.

call-up ['kɔːl,ʌp] *n* призы́в на вое́нную слу́жбу.

callus ['kæləs] *n* 1) *мед.* мозо́ль (*гл. обр. костная*); 2) *бот.* наплы́в.

calm [kɑːm] 1. *a* 1) споко́йный; ти́хий; ми́рный; 2) безве́тренный; 3) *разг.* беззасте́нчивый;

2. *n* 1) тишина́; споко́йствие; 2) штиль, зати́шье; 3) *разг.* беззасте́нчивость, де́рзость;

3. *v* успока́ивать; умиротворя́ть; □ ~ down успока́ивать(ся), смягча́ть(ся).

calmative ['kælmətɪv] 1. *a* успокойтельный;

2. *n* успока́ивающее сре́дство.

calmly ['kɑːmlɪ] *adv* споко́йно, хладнокро́вно.

calmness ['kɑːmnɪs] *n* тишина́, споко́йствие.

calomel ['kæləmel] *n хим.* ка́ломель, хло́ристая ртуть.

caloric [kə'lɔrɪk] 1. *n* теплота́;

2. *a* теплово́й.

calorie ['kælərɪ] *n* кало́рия, ма́лая кало́рия.

calorific [ˌkælə'rɪfɪk] *a* теплово́й; теплотво́рный, калори́ческий; ~ capacity (*или* effect, value) теплотво́рная спосо́бность, калори́йность.

calorification [kə,lɔrɪfɪ'keɪʃən] *n* выделе́ние теплоты́.

calorifics [ˌkælə'rɪfɪks] *n pl* (*употр. как* sing) теплоте́хника.

calorimeter [ˌkælə'rɪmɪtə] *n физ.* калори́метр.

calory ['kælərɪ] = calorie.

calotte [kə'lɔt] *n* 1) скуфе́йка; 2) *архит.* кру́глый свод; верх сфероида́льного ку́пола; 3) *тех.* пове́рхность шарово́го сегме́нта; шарово́е сочлене́ние.

caltrop ['kæltrəp] *n* 1) *воен.* про́волочные ежи́; 2) (*обыкн. pl*) *бот.* василёк колючеголо́вый.

calumet ['kæljumet] *n* тру́бка ми́ра (*у сев.-амер. инде́йцев*).

calumniate [kə'lʌmnieit] *v* клевета́ть; огова́ривать; поро́чить.

calumniation [kə,lʌmni'eiʃən] *n* огово́р; клевета́.

calumniator [kə'lʌmnieitə] *n* клеветни́к.

calumniatory [kə'lʌmni,eitəri] *a* клеветни́ческий.

calumnious [kə'lʌmniəs] = calumniatory.

calumny ['kæləmni] *n* клевета́, клеветни́ческие измышле́ния.

Calvados [,kælvɑ'dous] *n* я́блочная насто́йка.

Calvary ['kælvəri] *n* 1) *библ.* Голго́фа; 2) (*с.*) изображе́ние распя́тия.

calve [kɑːv] *v* 1) отели́ться; роди́ть детёныша (*о слона́х, кита́х, тюле́нях и т. п.*); 2) отрыва́ться от леднико́в *или* а́йсбергов (*о льди́нах*); 3) *горн.* обру́шиваться при подко́пе.

calves I, II [kɑːvz] *pl от* calf I *и* II.

Calvinism ['kælvinizəm] *n* кальвини́зм.

calvish ['kɑːviʃ] *a* 1) теля́чий; 2) глу́пый.

calx [kælks] *n* (*pl* -lces) 1) ока́лина; 2) зола́; 3) и́звесть.

calyces ['keilisiːz] *pl от* calyx.

calyx ['keiliks] *n* (*pl* -es [-iz], calyces) 1) *бот.* ча́шечка (*цветка́*); 2) *анат.* чашеви́дная по́лость.

cam [kæm] 1. *n* 1) *тех.* па́лец; копи́р, кула́к, кулачо́к, кула́чный диск, эксце́нтрик; шабло́н; 2) поводко́вый патро́н; 3) *горн.* рудоразбо́рный стол;
2. *v тех.* отводи́ть, поднима́ть (*кулачко́м*).

camaraderie [,kæmə'rɑːdəri] *фр. n* това́рищество, панибра́тство.

camarilla [,kæmə'rilə] *исп. n* камари́лья.

camber ['kæmbə] 1. *n* 1) вы́пуклость; изо́гнутость, кривизна́; 2) *стр.* подъём (*в моста́х*); 3) *тех.* бомбиро́вка (*ва́ла*); 4) *ав.* кривизна́ ду́жки, изо́гнутость крыла́; ~ of arch провёс *или* стрела́ а́рки, подъёма, проги́ба;
2. *v* выгиба́ть; дава́ть подъём.

cambist ['kæmbist] *n* биржево́й ма́клер.

cambium ['kæmbiəm] *n бот.* ка́мбий.

cambrel ['kæmbrəl] *n* распо́рка для туш (*у мяснико́в*).

Cambria ['kæmbriə] *n поэт.* Уэ́льс.

Cambrian ['kæmbriən] 1. *a* 1) *поэт.* уэ́льский; 2) *геол.* кембри́йский;
2. *n* уроже́нец Уэ́льса.

cambric ['keimbrik] *n текст.* льняно́й бати́ст.

came [keim] *past от* come.

camel ['kæməl] *n* 1) верблю́д; Arabian ~ одного́рбый верблю́д; Bactrian ~ двуго́рбый верблю́д; 2) *мор.* каме́ль (*приспособле́ние для подъёма судо́в*); ◇ the last straw to break the ~'s back ≈ после́дняя ка́пля, переполня́ющая ча́шу (*терпе́ния*).

cameleer [,kæmi'liə] *n* пого́нщик верблю́дов.

camellia [kə'miːljə] *n* каме́лия.

camelopard *n* 1) ['kæmiləpɑːd] *уст.* жира́ф(а); 2) ['kæməl'lepəd] *разг.* то́щая, дли́нная, углова́тая же́нщина.

camelry ['kæməlri] *n воен.* отря́д на верблю́дах.

cameo ['kæmiou] *n* (*pl* -os [-ouz]) каме́я.

camera ['kæmərə] *n* 1) фотографи́ческий аппара́т; 2) = camera-man; 3) *телев.* ка́мера; 4) *стр.* сво́дчатое покры́тие *или* помеще́ние; 5) *юр.* кабине́т судьи́; in ~ в кабине́те судьи́ (*не в откры́том суде́бном заседа́нии*); ◇ ~ eye *амер.* хоро́шая зри́тельная па́мять.

camera-man ['kæmərəmæn] *n* 1) фоторепортёр; 2) киноопера́тор.

cam-gear ['kæmgiə] *n тех.* кула́чное распределе́ние, кулачко́вый механи́зм.

cami-knickers ['kæmi'nikəz] *n pl* вид же́нской комбина́ции.

camion [,kɑːm'jɑ̃] *фр. n* 1) фурго́н; 2) грузови́к (*особ. для перево́зки ору́дий*).

camisole ['kæmisoul] *n* 1) *уст.* камзо́л; 2) наря́дный ли́фчик.

camlet ['kæmlit] *n текст.* камло́т.

camomile ['kæməmail] *n* 1) рома́шка; 2) *attr.*: ~ tea насто́й рома́шки.

camouflage ['kæmuflɑːʒ] 1. *n* 1) *воен.* маскиро́вка, камуфля́ж; 2) хи́трость, уло́вка для отво́да глаз;
2. *v* маскирова́ть(ся), применя́ть маскиро́вку, дымову́ю заве́су *и т. п.*

camp [kæmp] 1. *n* 1) ла́герь; стан; ~ of instruction *воен.* уче́бный ла́герь; 2) стоя́нка; бива́к, ме́сто прива́ла; ночёвка на откры́том во́здухе (*экскурса́нтов и т. п.*); to break ~ снима́ться с ла́геря; 3) *амер.* до́мик, да́ча (*в лесу́*); ◇ in the same ~ одного́ о́браза мы́слей; to take into ~ уби́ть;
2. *v* 1) располага́ться ла́герем; 2) жить (*где-л.*) вре́менно без вся́ких удо́бств; □ ~ out ночева́ть в пала́тках *или* на откры́том во́здухе.

campaign [kæm'pein] 1. *n* 1) кампа́ния; похо́д; political ~ полити́ческая кампа́ния; press ~ кампа́ния в печа́ти; 2) *с.-х.* страда́; 3) *attr.*: ~ biography *амер.* биогра́фия кандида́та (*особ. на пост президе́нта*), публику́емая незадо́лго до вы́боров с агитацио́нной це́лью;
2. *v* 1) уча́ствовать в похо́де; 2) проводи́ть кампа́нию.

campaigner [kæm'peinə] *n* уча́стник кампа́нии; old ~ ста́рый служа́ка, ветера́н; *перен.* быва́лый челове́к.

campanile [,kæmpə'niːli] *n архит.* колоко́льня (*отде́льно стоя́щая*).

campanula [kəm'pænjulə] *n бот.* колоко́льчик.

camp-bed ['kæmp'bed] *n* похо́дная *или* складна́я крова́ть.

camp-chair ['kæmp'tʃɛə] *n* лёгкий складно́й стул.

campeachy wood [kæm'piːtʃiwud] *n бот.* кампе́шевое де́рево.

campestral [kæm'pestrəl] *a* полево́й.

camp-fever ['kæmp'fiːvə] *n* тиф.

camp-fire ['kæmp,faɪə] n бива́чный костёр.

camp-follower ['kæmp,fɔlouə] n гражда́нское лицо́, сопровожда́ющее а́рмию.

camphor ['kæmfə] n камфара́.

camphorated ['kæmfəreɪtɪd] a пропи́танный камфаро́й; ~ oil камфа́рное ма́сло.

camphoric [kæm'fɔrɪk] a камфа́рный.

campion ['kæmpjən] n бот. ли́хнис.

camp-stool ['kæmpstuːl] = camp-chair.

campus ['kæmpəs] n амер. университе́тский или шко́льный двор или городо́к.

cam-shaft ['kæm,ʃɑːft] n тех. распредели́тельный вал, кулачко́вый ва́лик.

camus ['kæməs] a с приплю́снутым но́сом.

camwood ['kæmwud] n древеси́на осо́бого африка́нского де́рева, испо́льзуемая как краси́тель.

can I [kæn (по́лная фо́рма); kən, kn (реду́цированные фо́рмы)] v (could) мода́льный недоста́точный глаго́л 1) мочь, быть в состоя́нии, име́ть возмо́жность; уме́ть; I ~ я могу́; I will do all I ~ я сде́лаю всё, что могу́; I ~ speak French я говорю́ (уме́ю говори́ть) по-францу́зски; I ~not я не могу́; I ~not away with this терпе́ть э́того не могу́; I ~not but я не могу́ не; 2) мочь, име́ть пра́во; you ~ go вы свобо́дны, мо́жете идти́; 3) выража́ет сомне́ние, неуве́ренность, недове́рие: it can't be true! не мо́жет быть!; ~ it be true? неуже́ли?; she can't have done it! не мо́жет быть, что́бы она́ э́то сде́лала!

can II [kæn] 1. n 1) бидо́н; 2) жестяна́я коро́бка или ба́нка; garbage ~ а) помо́йное ведро́; я́щик для му́сора; б) sl. лачу́га в рабо́чем кварта́ле; 3) ба́нка консе́рвов; 4) амер. стульча́к, сиде́нье в убо́рной; 5) амер. sl. тюрьма́; ◇ to be in the ~ быть зако́нченным и гото́вым к употребле́нию; 2. v 1) консерви́ровать (мя́со, о́вощи, фру́кты); 2) амер. sl. отде́латься (от кого́-л.); уво́лить; 3) амер. sl. посади́ть в тюрьму́; 4) амер. sl. останови́ть(ся).

Canaan ['keɪnən] n библ. Ханаа́н, земля́ обетова́нная.

Canadian [kə'neɪdjən] 1. a кана́дский; 2. n кана́дец; кана́дка.

canaille [kə'peɪl] фр. n пренебр. сброд, чернь.

canal [kə'næl] n 1) кана́л (иску́сственный); 2) анат. кана́л, прохо́д.

canalization [,kænəlaɪ'zeɪʃən] n устро́йство кана́лов; систе́ма кана́лов.

canalize ['kænəlaɪz] v 1) проводи́ть кана́лы; 2) направля́ть че́рез определённые кана́лы.

canal-wallah [kə'næl,wɔlə] n англо-инд. ист. су́дно, пла́вающее по Суэ́цкому кана́лу.

canape [kænə'peɪ] фр. n бутербро́д с анчо́усами, икро́й и т. п.

canard [kæ'nɑːd] фр. n «у́тка», ло́жный слух.

canary [kə'nɛərɪ] 1. n 1) канаре́йка; 2) уст. сорт вина́; 2. a я́рко-жёлтый, канаре́ечный.

canary-bird [kə'nɛərɪbəːd] = canary 1,1).

Canasta [kə'næstə] n кана́ста (карто́чная игра́).

canaster [kə'næstə] n кна́стер (сорт табака́).

can-buoy ['kænbɔɪ] n мор. тупоконе́чный буй.

cancan ['kænkæn] фр. n канка́н (та́нец).

cancel ['kænsəl] 1. n 1) полигр. вычёркивание (в гра́нках); 2) полигр. перепеча́тка (листа́); перепеча́танный лист; 3) (обыкн. pl) компо́стер (тж. pair of ~s); 2. v 1) аннули́ровать; отменя́ть; to ~ debts аннули́ровать долги́; to ~ leave отменя́ть о́тпуск; ~l воен. отста́вить! (кома́нда); 2) вычёркивать; 3) погаша́ть (ма́рки); 4) мат. сокраща́ть дробь или уравне́ние (тж. ~ out); 5) своди́ть на нет.

cancellated ['kænse,leɪtɪd] a решётчатый, сетча́тый.

cancellation [,kænse'leɪʃən] n 1) аннули́рование; отме́на; 2) вычёркивание; 3) погаше́ние (ма́рок); 4) мат. сокраще́ние.

cancer ['kænsə] n 1) мед. рак; 2) бич, бе́дствие; 3) (C.) Рак (созве́здие и знак зодиа́ка); tropic of C. тро́пик Ра́ка.

cancerous ['kænsərəs] a мед. ра́ковый.

cancroid ['kæŋkrɔɪd] 1. n ракообра́зная о́пухоль; 2. a зоол., мед. ракообра́зный.

candela [kən'delɑː] n физ. едини́ца свече́ния.

candelabra [,kændɪ'lɑːbrə] pl от candelabrum.

candelabrum [,kændɪ'lɑːbrəm] n (pl -ra) канделя́бр.

candescence [kæn'desəns] n бе́лое кале́ние, нака́ливание добела́.

candescent [kæn'desənt] a раскалённый добела́; светя́щийся.

candid ['kændɪd] a 1) и́скренний; прямо́й; чистосерде́чный; ~ friend ирон. челове́к, с удово́льствием говоря́щий неприя́тные ве́щи с ви́дом дру́га; 2) беспристра́стный.

candidacy ['kændɪdəsɪ] n кандидату́ра.

candidate ['kændɪdɪt] n кандида́т.

candidature ['kændɪdɪtʃə] = candidacy.

candid camera ['kændɪd'kæmərə] n миниатю́рный фотоаппара́т для съёмок люде́й без их ве́дома.

candied ['kændɪd] 1. p. p. от candy I, 2; 2. a 1) заса́харенный; сва́ренный в са́харе; ~ fruits, ~ peel цука́ты; 2) заса́харившийся (о мёде и т. п.); 3) медото́чивый, льсти́вый.

candle ['kændl] 1. n 1) свеча́; 2) междунаро́дная свеча́ (едини́ца си́лы све́та); 3) га́зовая горе́лка; ◇ to hold a ~ to the devil сверну́ть с пути́ и́стинного; потво́рствовать, соде́йствовать заве́домо дурно́му; not fit to hold a ~ to, cannot hold (или show) a ~ to ≡ в подмётки не годи́тся (кому́-л.); 2. v проверя́ть я́йца на свет.

candlebomb ['kændlbɔm] n ав. освети́тельная бо́мба.

candle-end ['kændlend] n ога́рок.

candlelight ['kændllait] *n* 1) свет горящей свечи *или* свечей; искусственное освещение; 2) сумерки, вечер.

Candlemas ['kændlməs] *n церк.* праздник сретения.

candle-power ['kændl͵pauə] *n эл.* сила света (*в свечах*); a burner of 25 ~ лампочка в 25 свечей.

candlestick ['kændlstik] *n* подсвечник.

candle-wick ['kændlwik] *n* 1) фитиль; 2) *амер.* род вышивки для покрывала.

can-dock ['kændɔk] *n бот.* жёлтая кувшинка.

candour ['kændə] *n* 1) искренность, прямота; 2) беспристрастие.

candy I ['kændi] 1. *n* 1) леденец; 2) *амер.* конфета; конфеты, сласти;
2. *v* 1) варить в сахаре; 2) засахаривать(ся).

candy II ['kændi] *n англо-инд.* мера веса (*ок. 500 англ. фунтов*).

candytuft ['kænditʌft] *n бот.* иберийка (зонтичная).

cane [kein] 1. *n* 1) *бот.* камыш; *распр.* тростник; 2) трость; палка; прут; ~ of wax палочка сургуча; 3) сахарный тростник;
2. *v* 1) бить палкой; 2) плести мебель из камыша; 3) *разг.* вдалбливать урок (into).

cane-brake ['kein͵breik] *n* заросли (сахарного) тростника.

cane chair ['kein'tʃeə] *n* плетёное кресло (*из камыша*).

cane-sugar ['kein'ʃugə] *n* тростниковый сахар, сахароза.

canicular [kə'nikjulə] *a*: ~ days знойные дни (*в июле и августе*).

canine 1. *a* ['keinain] собачий; ~ madness водобоязнь, бешенство; ◇ ~ appetite (*или* hunger) волчий аппетит;
2. *n* ['kænain] клык (*тж.* ~ tooth).

canister ['kænistə] *n* 1) небольшая жестяная коробка (*для чая, кофе и т. п.*); 2) коробка противогаза; 3) = canister-shot.

canister-shot ['kænistəʃɔt] *n* картечь.

canker ['kæŋkə] 1. *n* 1) язва; червоточина (*тж. перен.*); 2) *мед.* гангренозный стоматит; 3) *вет.* болезнь стрелки (*у лошадей*); 4) = canker-worm;
2. *v* 1) разъедать; 2) заражать; губить.

cankerous ['kæŋkərəs] *a* 1) разъедающий; 2) губительный.

canker-worm ['kæŋkə͵wɜːm] *n зоол.* плодовый червь.

cannabic ['kænəbik] *a* конопляный; пеньковый.

canned [kænd] 1. *p. p. от* can II, 2;
2. *a* 1) консервированный (*о продуктах*); ~ goods консервы; 2) *sl.* пьяный; ◇ ~ musik (lecture) *амер. разг.* музыка (лекция), записанная на граммофонную пластинку.

cannel-coal ['kænlkoul] *n* кеннелевый уголь.

cannelure ['kæniljuə] *n тех.* каннелюра; желобок; выемка; кольцевая канавка; продольный паз.

cannery ['kænəri] *n* консервный завод.

cannibal ['kænibəlj 1. *n* 1) людоед; 2) животное, пожирающее себе подобных;
2. *a* людоедский, каннибальский.

cannibalism ['kænibəlizəm] *n* людоедство.

cannikin ['kænikin] *n* 1) жестянка; 2) кружечка.

cannon I ['kænən] *n* 1) (*pl* -s [-z] *и без измен.*) пушка, орудие; 2) артиллерия; 3) = cannon-bone.

cannon II ['kænən] 1. *n* карамболь (в бильярде);
2. *v* 1) сделать карамболь; 2) отскочить при столкновении; 3) столкнуться (into, against, with).

cannonade [͵kænə'neid] 1. *n* канонада, орудийный огонь, пушечная стрельба;
2. *v* обстреливать артиллерийским огнём.

cannon-ball ['kænənbɔːl] *n уст.* пушечное ядро.

cannon-bit ['kænənbit] *n* мундштук (*для лошади*).

cannon-bone ['kænənboun] *n* берцовая кость (*у копытных*).

cannoneer [͵kænə'piə] *n* канонир, артиллерист.

cannon-fodder ['kænən͵fɔdə] *n* пушечное мясо.

cannonry ['kænənri] *n редк.* 1) канонада; 2) *собир.* артиллерия.

cannon-shot ['kænənʃɔt] *n* 1) пушечный выстрел; пушечный снаряд; 2) дальность пушечного выстрела.

cannot ['kænɔt] *отриц. форма гл.* can I.

canny ['kæni] *a* 1) ловкий, лукавый, хитрый; осторожный; себе на уме; 2) *шотл.* тихий; уютный; ◇ ca'canny (*сокр. от* call ~) *шотл.* работать медленно, без напряжения; проводить итальянскую забастовку.

canoe [kə'nuː] 1. *n* каноэ; челнок; байдар(к)а; ◇ to paddle one's own ~ ни от кого не зависеть; действовать самостоятельно;
2. *v* плыть в челноке, на байдар(к)е.

canon I ['kænən] *n* 1) правило; церк. канон; 2) *церк.* канон; 3) список произведений какого-л. автора, подлинность которых установлена; 4) католические святцы; 5) *полигр.* канон (*шрифт в 48 пунктов*); 6) ухо, кольцо колокола; 7) *atir.* канонический; ~ law каноническое право.

canon II ['kænən] *n церк.* каноник.

cañon ['kænjən] = canyon.

canonical [kə'nɔnikəl] 1. *a* канонический;
2. *n pl* церковное облачение.

canonization [͵kænənai'zeiʃən] *n* канонизация; причисление к лику святых.

canonize ['kænənaiz] *v* канонизировать.

canonry ['kænənri] *n* должность каноника.

canoodle [kə'nuːdl] *v амер. разг.* ласкать, нежить.

canopy ['kænəpi] 1. *n* 1) балдахин; полог, навес; 2) купол (парашюта); 3) *тех.* нескладывающийся верх над открытой кабиной (трактора); 4) *эл.* верхняя розетка люстры; ◇ ~ of heaven *поэт.*

небе́сный свод; under the ~ на земле́; what under the ~ does he want? что ему́ в конце́ концо́в ну́жно?;

2. *v* покрыва́ть балдахи́ном, наве́сом.

canorous [kə'nɔːrəs] *a* мелоди́чный.

cant I [kænt] **1.** *n* 1) коса́к; 2) ско́шенный, сре́занный край; 3) накло́н; накло́нное положе́ние; отклоне́ние от прямо́й; 4) *амер.* обтёсанное бревно́, брус; 5) толчо́к, уда́р;

2. *v* 1) ска́шивать; 2) наклоня́ть; 3) опроки́дывать(ся); перевёртывать(ся); ста́вить под угло́м; 4) кантова́ть.   C

cant II [kænt] **1.** *n* 1) лицеме́рие, ханжество́; 2) плакси́вый тон (*ни́щего*); 3) жарго́н; thieves' ~ воровско́й жарго́н;

2. *a* 1) лицеме́рный, ха́нжеский; 2) име́ющий хара́ктер жарго́на, принадлежа́щий жарго́ну; ~ phrase ходя́чее словцо́, выраже́ние;

3. *v* 1) лицеме́рить; быть ханжо́й; 2) говори́ть нараспе́в (*о ни́щем*); кля́нчить; попроша́йничать; 3) употребля́ть жарго́н; 4) сплетничать, клевета́ть; руга́ть.

can't [kɑːnt] *сокр. разг.* = cannot.

Cantab ['kæntæb] *сокр. от* Cantabrigian 2.

cantabank ['kæntəbæŋk] *n* бродя́чий певе́ц.

Cantabrigian [,kæntə'brɪdʒɪən] **1.** *a* ке́мбриджский;

2. *n* студе́нт (*тж.* бы́вший) Ке́мбриджского университе́та.

cantaloup ['kæntəluːp] *n* кантала́па, му́скусная ды́ня.

cantankerous [kən'tæŋkərəs]· *a* сварли́вый, приди́рчивый.

cantata [kæn'tɑːtə] *n* канта́та.

canteen [kæn'tiːn] *n* 1) войскова́я ла́вка; dry (wet) ~ войскова́я ла́вка без прода́жи (с прода́жей) спиртны́х напи́тков; 2) столо́вая (*при заводе, учреждении и т. п.*); 3) (солда́тская) фля́га; 4) похо́дный я́щик с ку́хонными и столо́выми принадле́жностями.

canter I ['kæntə] *n* 1) лицеме́р, ханжа́; 2) говоря́щий на жарго́не; 3) попроша́йка.

canter II ['kæntə] **1.** *n* лёгкий гало́п; preliminary ~ а) прое́здка ло́шади пе́ред бега́ми; б) предвари́тельный набро́сок; предвари́тельная наме́тка; ◇ to win in a ~ легко́ дости́гнуть побе́ды (успе́ха);

2. *v* е́хать *или* пуска́ть ло́шадь лёгким гало́пом.

canterbury ['kæntəbəri] *n* резна́я этаже́рка (*для нот, папок, газет и т. п.*).

Canterbury bell ['kæntəbəri,bel] *n бот.* колоко́льчик сре́дний.

canticle ['kæntɪkl] *n* 1) песнь, гимн; 2) (Canticles) *библ.* Песнь пе́сней.

cantilever ['kæntɪlɪvə] *n* 1) *стр.* консо́ль, кроншти́йн; уко́сина; 2) *attr.*: ~ wing *ав.* свободнонесу́щее крыло́.

canting I ['kæntɪŋ] 1. *pres. p. от* cant II, 3; 2. *a* лицеме́рный, нейскре́нний, ха́нжеский.

canting II [' kæntɪŋ] *pres. p. от* cant I, 2.

cantle ['kæntl] *n* за́дняя лука́ седла́.

canto ['kæntou] *n* (*pl* -os [-ouz]) песнь (*часть поэмы*).

canton 1. *n* ['kæntɔn] канто́н, о́круг; 2. *v* [kən'tuːn] расквартиро́вывать (*войска*).

cantonal ['kæntənl] *a* кантона́льный.

cantonment [kən'tuːnmənt] *n* 1) расквартирова́ние (*войск*); 2) вое́нный городо́к; бара́чный городо́к; winter ~ зи́мние кварти́ры.

cantrip ['kæntrɪp] *n шотл.* 1) колдовство́; 2) шу́тка; мистифика́ция.

canty ['kɑːntɪ] *a шотл.* весёлый.

Canuck [kə'nʌk] *n sl.* 1) кана́дский францу́з; 2) *амер.* кана́дец.

canvas ['kænvəs] *n* 1) холст, паруси́на; брезе́нт; 2) па́рус; *собир.* паруса́, суда́; 3) карти́на; 4) канва́; ◇ under ~ а) в пала́тках; б) *мор.* под паруса́ми.

canvass ['kænvəs] **1.** *n* 1) обсужде́ние, деба́тирование; 2) собира́ние голосо́в пе́ред вы́борами; 3) *амер.* официа́льный подсчёт голосо́в;

2. *v* 1) обсужда́ть; дебати́ровать; 2) собира́ть голоса́ пе́ред вы́борами, вербова́ть сторо́нников пе́ред вы́борами; 3) собира́ть (*заказы, пожертвования, взносы*); the book-agent ~ed the town for subsriptions аге́нт кни́жной фи́рмы рабо́тал по распростране́нию подпи́ски в го́роде.

cany ['keɪnɪ] *a* камышо́вый.

canyon ['kænjən] *n* каньо́н, глубо́кое уще́лье.

caoutchouc ['kautʃuk] *n* каучу́к.

cap [kæp] **1.** *n* 1) ке́пка; фура́жка; ша́пка; чепе́ц; колпа́к; 2) шля́пка (*гриба*); 3) верху́шка, кры́шка; 4) *тех.* колпачо́к; голо́вка; наконе́чник; наса́дка (*сваи*); 5) *разг.* но́вый обод, накла́дываемый на ста́рую пневмати́ческую ши́ну путём вулкани́зации; 6) писто́н, ка́псюль; 7) *эл.* цо́коль (*электролампы*); 8) форма́т бума́ги (*14 д.×17 д.*); ◇ ~ and bells шутовско́й колпа́к; ~ and gown бере́т и плащ (*одежда англ. студентов и профессоров*); ~ in hand поко́рно, смире́нно; уни́женно; the ~ fits ≅ не в бровь, а в глаз; if the ~ fits, wear it ≅ е́сли э́то замеча́ние вы принима́ете на свой счёт, что ж, на здоро́вье; to put on one's thinking (*или* considering) ~ серьёзно поду́мать; to set one's ~ (at, *амер.* for) заи́грывать (с кем-л.); завлека́ть (кого-л.);

2. *v* 1) надева́ть *или* снима́ть ша́пку; 2) присужда́ть учёную сте́пень, надева́я при э́том академи́ческий головно́й убо́р; 3) *спорт.* приня́ть в соста́в кома́нды; 4) покрыва́ть, крыть; 5) вставля́ть ка́псюль, писто́н, запа́л; 6) перекры́ть, перещеголя́ть; to ~ the climax перещего́лять всех, перейти́ все грани́цы; превзойти́ всё (*о поступках, выражениях*); to ~ a quotation отвеча́ть на цита́ту ещё лу́чшей цита́той; to ~ verses цити́ровать стихи́, начина́ющиеся с после́дней бу́квы предыду́щего стиха́ (*в игре*); 7) доверша́ть; to ~ the misery a fast rain began в доверше́ние всех бед пошёл ещё проливно́й дождь.

capability [,keɪpə'bɪlɪtɪ] *n* 1) спосо́бность; 2) *pl* (неиспо́льзованные ещё) возмо́жности.

capable ['keɪpəbl] *a* 1) спосо́бный; одарённый; 2) уме́лый; 3) поддаю́щийся
(*чему-л.*), допуска́ющий (*что-л.*); ~ of
improvement поддаю́щийся улучше́нию,
усоверше́нствованию; ~ of explanation
объясни́мый; 4) спосо́бный (of — на что-л.
дурно́е).

capacious [kə'peɪʃəs] *a* 1) просто́рный,
вмести́тельный; 2) широ́кий; ~ mind вос-
прии́мчивый ум.

capacitance [kə'pæsɪtəns] *n эл.* ёмкость,
ёмкостное сопротивле́ние.

capacitate [kə'pæsɪteɪt] *v* 1) де́лать спосо́б-
ным; 2) де́лать правомо́чным.

capacity [kə'pæsɪtɪ] *n* 1) вмести́мость;
filled to ~ соверше́нно по́лный; to play
to ~ *театр.* де́лать по́лные сбо́ры; 2)
ёмкость; объём; measure of ~ ме́ра объёма;
3) спосо́бность (for — к *чему-л.*); *особ.*
у́мственные спосо́бности; a mind of great ~
глубо́кий ум; 4) компете́нция; in (out of)
my ~ в (вне) мое́й компете́нции; 5) *тех.*
мо́щность, производи́тельность, нагру́зка;
labour ~ производи́тельность труда́; carrying ~ пропускна́я спосо́бность; 6) по-
ложе́ние; ка́чество; in the ~ of an engineer в ка́честве инжене́ра; in a civil ~ на
гражда́нском положе́нии; I've come in
the ~ of a friend я пришёл как друг; 7) *юр.*
правоспосо́бность; 8) электри́ческая ёмкость; 9) *attr.*: ~ house перепо́лненный
теа́тр; ~ production норма́льная произво-
ди́тельность; 10) *attr. тех.*: ~ reactance
ёмкостное сопротивле́ние.

cap-à-pie [,kæpə'pi:] *adv* с головы́ до
ног; armed ~ вооружённый до зубо́в.

caparison [kə'pærɪsn] 1. *n* 1) попо́на,
чепра́к; 2) убо́р; украше́ние;
2. *v* 1) покрыва́ть попо́ной, чепрако́м;
2) разукра́шивать.

cape I [keɪp] *n* 1) наки́дка (*с капюшо́-
ном*); пелери́на; 2) капюшо́н.

cape II [keɪp] *n геогр.* мыс; the C. (*сокр.
от* the C. of Good Hope) Мыс До́брой
Наде́жды.

caper I ['keɪpə] *n* 1) ка́персовый куст;
2) *pl* ка́персы.

caper II ['keɪpə] 1. *n* прыжо́к; ша́лость,
прока́за; to cut a ~, to cut ~s пры́гать,
выде́лывать антраша́; дура́читься;
2. *v* де́лать прыжки́, выде́лывать антра-
ша́; дура́читься; шали́ть.

caper III ['keɪpə] *n ист.* ка́пер.

capercailye, capercailzie [,kæpə'keɪljɪ,
,kæpə'keɪlzɪ] *n* глуха́рь.

capful ['kæpful] *n* по́лная ша́пка (*чего-л.*);
◇ ~ of wind лёгкий поры́в ве́тра.

capias ['keɪpɪæs] *лат. n юр.* о́рдер на
аре́ст.

capillarity [,kæpɪ'lærɪtɪ] *n физ.* капил-
ля́рность, волосность.

capillary [kə'pɪlərɪ] 1. *n* капилля́р;
2. *a* волосно́й, капилля́рный.

capital I ['kæpɪtl] *n* капита́л; состоя́ние;
floating (*или* circulating) ~ оборо́тный
капита́л; industrial ~ промы́шленный ка-
пита́л; to make ~ (out of smth.) нажи́ть
капита́л (на чём-л.); C. and Labour труд
и капита́л.

capital II ['kæpɪtl] 1. *n* 1) столи́ца; 2)
прописна́я бу́ква;
2. *a* 1) гла́вный, основно́й, капита́льный;
важне́йший; ~ stock основно́й капита́л
2): ~ letter прописна́я бу́ква; 3) *разг.* пре-
восхо́дный; ~ speech прекра́сная речь;
~ fellow чуде́сный па́рень; 4) *юр.* уголо́в-
ный; кара́емый сме́ртью; ~ offence (*или*
crime) уголо́вное преступле́ние; ~ sentence сме́ртный пригово́р; ~ punishment
сме́ртная казнь, вы́сшая ме́ра наказа́ния;
◇ ~ goods сре́дства произво́дства; ~ ship
лине́йный кора́бль, лине́йный кре́йсер.

capital III ['kæpɪtl] *n архит.* капите́ль.

capitalism ['kæpɪtəlɪzəm] *n* капитали́зм.

capitalist ['kæpɪtəlɪst] 1. *n* капитали́ст;
2. *a* капиталисти́ческий; ~ class класс
капитали́стов.

capitalistic [,kæpɪtə'lɪstɪk] *a* капитали-
сти́ческий.

capitalization [kə,pɪtəlaɪ'zeɪʃən] *n* капи-
тализа́ция; превраще́ние в капита́л.

capitalize I ['kæpɪtəlaɪz] *v* капитализи́-
ровать, превраща́ть в капита́л; □ ~ upon
извлека́ть вы́году из *чего-л.*; нажива́ть
капита́л на *чём-л.*

capitalize II ['kæpɪtəlaɪz] *v* печа́тать *или*
писа́ть прописны́ми бу́квами.

capitally ['kæpɪtlɪ] *adv* 1) превосхо́дно,
великоле́пно; 2) чрезвыча́йно; основа́тель-
но; ◇ to punish ~ подве́ргнуть сме́ртной
ка́зни.

capitate(d) ['kæpɪteɪt(ɪd)] *a* 1) име́ющий
фо́рму головы́; 2) *бот.* голо́вчатый.

capitation [,kæpɪ'teɪʃən] *n* 1) исчисле́-
ние, производи́мое «с головы́»; 2) *attr.*
взима́емый *или* исчисля́емый «с головы́»;
~ tax поду́шная пода́ть; ~ grant дота́ция,
исчи́сленная в определённой су́мме на
челове́ка.

Capitol ['kæpɪtl] *n* 1) *др.-рим.* Капи-
то́лий; 2) зда́ние конгре́сса США; зда́ние,
в кото́ром помеща́ются о́рганы госуда́р-
ственной вла́сти како́го-л. шта́та.

capitular [kə'pɪtjulə] 1. *n* член церко́в-
ного капи́тула;
2. *a* относя́щийся к капи́тулу.

capitulary [kə'pɪtjulərɪ] *n ист.* капи-
туля́рий.

capitulate [kə'pɪtjuleɪt] *v* капитули́ро-
вать, сдава́ться.

capitulation [kə,pɪtju'leɪʃən] *n* капи-
туля́ция.

capon ['keɪpən] *n* 1) каплу́н; 2) трус;
◇ Norfolk ~ копчёная селёдка.

caponier [,kæpou'pɪə] *n воен.* капони́р.

capote [kə'pout] *n* 1) плащ с капюшо́-
ном; 2) дли́нная шине́ль; 3) капо́т; 4)
же́нская шля́пка с завя́зками; 5) откидно́й
верх экипа́жа; 6) капо́т автомоби́льного
мото́ра.

caprice [kə'priːs] *n* 1) капри́з; причу́да;
2) изме́нчивость, непостоя́нство.

capricious [kə'prɪʃəs] *a* капри́зный; не-
постоя́нный.

Capricorn ['kæprɪkɔːn] *n* Козеро́г (*созвездие и знак зодиака*); tropic of ~ тро́пик
Козеро́га.

caprine ['kæpraɪn] *a* козли́ный.

capriole ['kæprɪoul] 1. *n* прыжо́к (*манеж-ной лошади*) на ме́сте;

2. *v* де́лать прыжо́к на ме́сте (*о лошади*).

capsicum ['kæpsɪkəm] *n* стручко́вый пе́рец. nn

capsize [kæp'saɪz] *v* опроки́дывать(ся) (*о лодке, судне, телеге и т. п.*).

capstan ['kæpstəп] *n* кабеста́н, во́рот; *мор.* шпиль.

capsule ['kæpsjuːl] *n* 1) ка́псюль; 2) *биол.* ка́псула, оболо́чка; 3) *бот.* семенна́я коро́бочка; 4) *тех.* мембра́на. А

captain ['kæptɪn] 1. *n* 1) *воен.* капита́н; *амер. тж.* команди́р ро́ты, эскадро́на, батаре́и; ~ of the day дежу́рный офице́р; 2) *мор.* капита́н 1 *или* 2 ра́нга; команди́р вое́нного корабля́; капита́н торго́вого су́дна; C. of the Fleet нача́льник снабже́ния фло́та (*в штабе флагмана*); 3) *полково́дец*; 4) руководи́тель; 5) *спорт.* капита́н кома́нды; 6) брандме́йстер, нача́льник пожа́рной кома́нды; 7) *амер.* метрдоте́ль; 8) старшина́ клу́ба; 9) *горн.* заве́дующий ша́хтой; ште́йгер;

2. *v* 1) руководи́ть, вести́; 2) быть капита́ном футбо́льной кома́нды.

captaincy ['kæptɪnsɪ] *n* зва́ние капита́на.

captainship ['kæptɪnʃɪp] *n* 1) = captaincy; 2) иску́сство полково́дца.

captation [kæp'teɪʃən] *n* 1) зайскивание; 2) *горн.* капта́ж (*скважины*).

caption ['kæpʃən] *n* 1) заголо́вок (*статьи, главы*); 2) *кино* титр, на́дпись на экра́не; 3) *юр.* аре́ст; 4) *юр.* сопроводи́тельная на́дпись *или* бума́га к докуме́нту.

captious ['kæpʃəs] *a* приди́рчивый; ка́верзный.

captivate ['kæptɪveɪt] *v* пленя́ть, очаро́вывать, увлека́ть.

captivating ['kæptɪveɪtɪŋ] 1. *pres. p. от* captivate;

2. *a* плени́тельный, очарова́тельный.

captive ['kæptɪv] 1. *a* взя́тый в плен; to take ~ взять в плен; to hold ~ держа́ть в плену́;

2. *n* пле́нник; пле́нный.

captive balloon ['kæptɪvbə'luːn] *n* привязно́й аэроста́т.

captivity [kæp'tɪvɪtɪ] *n* плен; плене́ние.

captor ['kæptə] *n* 1) взя́вший, захвати́вший в плен; 2) *мор.* кора́бль, захвати́вший приз.

capture ['kæptʃə] 1. *n* 1) пой́мка; захва́т; 2) добы́ча; 3) *мор.* приз.

2. *v* 1) захва́тывать си́лой; брать в плен; ~d material трофе́и, трофе́йное иму́щество; 2) захвати́ть, увле́чь; to ~ the attention привле́чь внима́ние, увле́чь.

Capuchin ['kæpjuʃɪn] *n* 1) капуци́н (*монах*); 2) плащ с капюшо́ном; 3) капуци́н (*обезья́на*).

car [kɑː] *n* 1) ваго́н (*трамвая, амер. тж. железнодорожный*); parlor ~ *амер.* сало́н-ваго́н; hand ~ дрези́на; 2) теле́жка; повозка; вагоне́тка; 3) *амер.* автомоби́ль, маши́на; 4) гондо́ла дирижа́бля; 5) *амер.* каби́на ли́фта; 6) *поэт.* колесни́ца; 7) *attr.:* ~ fare сто́имость прое́зда в трамва́е.

carabine ['kærəbɪn] = carbine.

carabineer [,kærəbɪ'nɪə] *n воен.* карабине́р.

caracal ['kærəkæl] *n зоол.* карака́л, рысь степна́я.

caracole ['kærəkoul] *n* 1) карако́ль (*круговой поворот на месте лошади под всадником*); 2) *воен. ист.* измене́ние направле́ния кавалери́йской ата́ки с це́лью введе́ния в заблужде́ние проти́вника.

carafe [kə'rɑːf] *n* графи́н.

caramel ['kærəmel] *n* 1) караме́ль; 2) жжёный са́хар (*для подкрашивания кондитерских изделий*).

carapace ['kærəpeɪs] *n зоол.* щито́к черепа́хи и ракообра́зных.

carat ['kærət] *n* кара́т (*единица веса драгоценных камней* = 0,2 *г*).

caravan [,kærə'væn] 1. *n* 1) карава́н; 2) фурго́н; кры́тая цыга́нская теле́га; 3) *амер.* передвижно́й дом на колёсах; дом-автоприце́п;

2. *v:* to go ~ning проводи́ть о́тпуск, свобо́дное вре́мя и т. п., путеше́ствуя в до́ме-автоприце́пе.

caravanner ['kærə,vænə] *n* обита́тель передвижно́го до́ма-автоприце́па.

caravanserai [,kærə'vænsəraɪ] *n* 1) карава́н-сара́й; 2) больша́я гости́ница.

caravel ['kærəvel] = carvel.

caraway ['kærəweɪ] *n* тмин.

caraway-seed ['kærəweɪ,siːd] *n* тми́нное се́мя; се́мя тми́на.

carbarn ['kɑːbɑːn] *n амер.* трамва́йный парк.

carbide ['kɑːbaɪd] *n хим.* карби́д.

carbine ['kɑːbaɪn] *n* караби́н.

carbineer [,kɑːbɪ'nɪə] = carabineer.

carbo-hydrate ['kɑːbou'haɪdreɪt] *n хим.* углево́д.

carbolic [kɑː'bɔlɪk] 1. *a* карбо́ловый; ~ acid карбо́ловая кислота́;

2. *n разг.* карбо́лка, карбо́ловая кислота́.

carbon ['kɑːbən] *n* 1) *хим.* углеро́д; 2) *эл.* у́голь, у́гольный электро́д; 3) хими́чески чи́стый у́голь; 4) листо́к копирова́льной бума́ги, копи́рка; 5) *attr.* у́гольный; углеро́дистый; ~ black са́жа; ~ dioxide углекислота́, углеки́слый газ; ~ oil бензо́л; ~ steel углеро́дистая сталь.

carbonaceous [,kɑːbə'neɪʃəs] *a хим.* углеро́дистый, углеро́дный; карбона́тный.

carbonari [,kɑːbo'nɑːri] *um. n собир. ист.* карбона́рии.

carbonate ['kɑːbənɪt] *n хим.* карбона́т, чёрный алма́з, углеки́слая соль, соль у́гольной кислоты́.

carbonic [kɑː'bɔnɪk] *a* у́гольный, углеро́дный, углеро́дистый; ~ acid углекислота́; ~ oxide о́кись углеро́да.

carboniferous [,kɑːbə'nɪfərəs] *a* углено́сный, каменноу́гольный (*о периоде, системе, формации*); ~ limestone известня́к каменноу́гольного пери́ода.

carbonite ['kɑːbənaɪt] *n* 1) есте́ственный кокс; 2) карбони́т (*взрывчатое вещество*).

carbonization [,kɑːbənaɪ'zeɪʃən] *n тех.* 1) обу́гливание; карбониза́ция; 2) цемента́ция; 3) науглеро́живание; коксова́ние.

carbonize ['kɑːbənaız] v *тех.* обу́гливать; карбонизи́ровать; обжига́ть; коксова́ть.

carbon monoxide ['kɑːbənmɔ'nɔksaıd] n уга́рный газ.

carbon-paper ['kɑːbən‚peıpə] n копирова́льная бума́га, копи́рка.

carborundum [‚kɑːbə'rʌndəm] n карбору́нд.

carboy ['kɑːbɔı] n оплетённая буты́ль (*для кислот*).

carbuncle ['kɑːbʌŋkl] n *мед.*, *мин.* карбу́нкул.

carburet ['kɑːbjuret] v *хим.* карбюри́ровать, соединя́ть с углеро́дом.

carburetter, carburet(t)or ['kɑːbjuretə] n *тех.* карбюра́тор.

carcajou ['kɑːkədʒuː] n *зоол.* росома́ха.

carcase ['kɑːkəs] = carcass.

carcass ['kɑːkəs] n 1) ту́ша; 2) те́ло, труп (*пренебр. о мёртвом человеке, пренебр. и шутл. о живом человеке*); to save one's ~ спаса́ть свою́ шку́ру; 3) карка́с, о́стов; ко́рпус; ку́зов (*корабля*); 4) *стр.* армату́ра, констру́кция; 5) разва́лины, обло́мки; 6) *воен. ист.* зажига́тельное ядро́, зажига́тельный снаря́д; 7) *attr.*: ~ meat парно́е мя́со (*в отличие от консерви́рованного или солонины*).

carcinoma [‚kɑːsı'nəumə] n *мед.* ра́ковое новообразова́ние.

card I [kɑːd] n 1) ка́рта (*игральная*); *pl* ка́рты; игра́ в ка́рты; 2) ка́рточка; calling ~ визи́тная ка́рточка; 3) биле́т; Party ~ парти́йный биле́т; invitation ~ пригласи́тельный биле́т; 4) карту́шка (*компаса*); 5) *амер.* объявле́ние в газе́те, публика́ция; 6) *разг.* челове́к; «тип»; a cool ~ хладнокро́вный челове́к; an odd ~, a queer ~ чуда́к; 7) *attr.*: ~ man, ~ holder *амер. разг.* член профсою́за; ◇ on the ~s возмо́жно, вероя́тно; one's best (*или* trump) ~ са́мый ве́ский до́вод; «ко́зырь»; to play the wrong ~ сде́лать непра́вильную ста́вку, просчита́ться; to have a ~ up one's sleeve име́ть ко́зырь про запа́с; to hold the ~s име́ть преиму́щество; to speak by the ~ выража́ться то́чно; that's the ~ вот э́то и́менно то, что ну́жно; house of ~s ка́рточный до́мик; to throw up one's ~s (с)пасова́ть; сда́ться, призна́ть себя́ побеждённым.

card II [kɑːd] *текст.* 1. n ка́рда, ка́рдная ле́нта; чеса́лка.
2. v чеса́ть, прочёсывать, кардова́ть.

cardamom ['kɑːdəməm] n кардамо́н.

cardan [kɑ'dæn] *тех.* 1. n карда́н.
2. a: joint карда́нный, универса́льный шарни́р.

cardboard ['kɑːdbɔːd] n карто́н.

carder ['kɑːdə] n *текст.* 1) чеса́льщик; чеса́льщица; ворси́льщик, ворси́льщица; 2) ка́рдная маши́на.

cardiac ['kɑːdıæk] 1. n сре́дство, возбужда́ющее серде́чную де́ятельность;
2. a *анат.* серде́чный.

cardigan ['kɑːdıgən] n шерстяно́й джемпер.

cardinal ['kɑːdınl] 1. a 1) гла́вный, основно́й, кардина́льный; ~ point страна́ све́та; гла́вный румб; ~ winds ве́тры, ду́ющие с се́вера, за́пада *и т. д.*; 2) *грам.* коли́чественный; ~ numbers коли́чественные числи́тельные; 3) я́рко-кра́сный;
2. n 1) *церк.* кардина́л; 2) *грам.* коли́чественное числи́тельное; 3) кардина́л (*птица из сем. дубоносов*).

cardinalate ['kɑːdınəleıt] n 1) сан кардина́ла; 2) колле́гия кардина́лов.

cardiology [‚kɑːdı'ɔlədʒı] n *мед.* кардиоло́гия, изуче́ние боле́зней се́рдца.

carditis [kɑː'daıtıs] n *мед.* карди́т.

care [kɛə] 1. n 1) забо́та; попече́ние, ухо́д; to take ~ of smb. смотре́ть за кем-л., забо́титься о ком-л.; in ~ of на попече́нии; c/o (*читается* care of) че́рез; по а́дресу; Mr White c/o Mr Jones г-ну Джо́унзу для переда́чи г-ну Уа́йту; under the ~ of a physician под наблюде́нием врача́; 2) внима́ние, осторо́жность; the work needs great ~ рабо́та тре́бует осо́бой тща́тельности; have a ~!, take ~! береги́(те)сь!; 3) подопе́чный; подопе́чная; ◇ ~ killed the cat *посл.*≅не рабо́та ста́рит, а забо́та;
2. v 1) забо́титься (for, of, about); the children are well ~d for за детьми́ прекра́сный ухо́д; 2) пита́ть интере́с, любо́вь (for); she really ~s for him она́ его́ действи́тельно лю́бит; to ~ for music интересова́ться му́зыкой; not to ~ for meat не люби́ть мя́са; I don't ~ a straw (*или* a damn, a button, a brass farthing, a fig, a feather, a whoop) мне безразли́чно, наплева́ть; 3) име́ть жела́ние (to); I don't ~ мне всё равно́; I don't ~ to go мне не хо́чется идти́; I don't ~ if I do *разг.* я не прочь э́то сде́лать; ничего́ не име́ю про́тив.

careen [kə'riːn] *мор.* 1. n кренгова́ние, килева́ние; on the ~ на боку́; под кре́ном;
2. v 1) кренгова́ть, килева́ть; 2) крени́ться.

careenage [kə'riːnıdʒ] n *мор.* 1) кренгова́ние; 2) ме́сто для кренгова́ния; 3) сто́имость кренгова́ния.

career [kə'rıə] 1. n 1) карье́ра; де́ятельность; успе́х; 2) *амер.* профе́ссия диплома́та; 3) бы́строе движе́ние; карье́р; in full ~ во весь опо́р; 4) *attr. амер.*: ~ man профессиона́льный диплома́т;
2. v бы́стро дви́гаться; нести́сь.

careerist [kə'rıərıst] n карьери́ст.

careful ['kɛəful] a 1) забо́тливый, проявля́ющий забо́ту (for, of); 2) стара́тельный, аккура́тный; внима́тельный; ~ examination of the question тща́тельное обсужде́ние, рассле́дование вопро́са; 3) то́чный, аккура́тный; 4) осторо́жный.

carefully ['kɛəflı] adv 1) бере́жно, внима́тельно, забо́тливо; 2) осторо́жно, с осторо́жностью.

care-laden ['kɛəleıdn] a озабо́ченный, обременённый забо́тами.

careless ['kɛəlıs] a 1) небре́жный; неосторо́жный; 2) легкомы́сленный; 3) беззабо́тный; ~ of danger не ду́мающий об опа́сности.

caress [kə'res] 1. n ла́ска;
2. v ласка́ть, гла́дить.

caret ['kærət] n полигр. знак (∧) для вставки (буквы или слова).

care-taker ['kɛə,teɪkə] n 1) лицо, присматривающее за домом, квартирой и т. п.; 2) сторож.

care-worn ['kɛəwɔːn] a измученный заботами, измождённый.

carfax ['kɑːfæks] n перекрёсток четырёх улиц, дорог.

cargo ['kɑːgou] n (pl -oes [-ouz]) 1) груз; 2) attr. грузовой; ~ ship, ~ boat торговое, грузовое судно; ~ tank танкер, нефтеналивное судно.

carhop ['kɑːhɔp] n амер. работники разъездного буфета, обслуживающего пассажиров автомобильного транспорта.

cariboo, caribou ['kærɪbuː] n карибу (олень).

caricature [,kærɪkə'tjuə] 1. n карикатура; 2. v изображать в карикатурном виде.

caricaturist [,kærɪkə'tjuərɪst] n карикатурист.

carillon [kə'rɪljən] фр. n 1) подбор колоколов; 2) мелодичный перезвон (колоколов).

cariosity [,kærɪ'ɔsɪtɪ] n мед. кариозный процесс.

carious ['kɛərɪəs] a мед. кариозный, разрушающий кость; имеющий полость (о зубе).

carking ['kɑːkɪŋ] a уст., поэт. гнетущий.

carl(e) [kɑːl] n шотл. 1) крестьянин; 2) пренебр. мужик, деревенщина; 3) бот. женская особь конопли, матёрка (тж. ~ hemp).

car-load ['kɑː,loud] n партия груза на один вагон.

Carmagnole [,kɑːmə'njoul] фр. n карманьола.

carman ['kɑːmən] n 1) вагоновожатый; 2) возчик.

Carmelite ['kɑːmɪlaɪt] n кармелит (монах).

carminative ['kɑːmɪnətɪv] мед. 1. a ветрогонный;
2. n ветрогонное средство.

carmine ['kɑːmaɪn] 1. n кармин;
2. a карминного цвета.

carnage ['kɑːnɪdʒ] n резня, кровавая бойня.

carnal ['kɑːnl] a 1) телесный, плотский; 2) чувственный; 3) половой; ~ knowledge половые сношения.

carnality [kɑː'nælɪtɪ] n чувственность, похоть.

carnation [kɑː'neɪʃən] 1. n 1) красная гвоздика; 2) разные оттенки красноватых тонов (от бледно-розового до тёмно-красного); 3) уст. телесный цвет; 4) pl жив. части картины, изображающие нагое тело;
2. a алый.

carnival ['kɑːnɪvəl] n 1) карнавал; 2) масленица (в католических странах).

carnivore ['kɑːnɪvɔː] n зоол. плотоядное животное.

carnivorous [kɑː'nɪvərəs] a плотоядный.

carol ['kærəl] 1. n весёлая песнь; гимн (обыкн. рождественский);
2. v воспевать; славить.

Caroline ['kærəlaɪn] a 1) каролингский; 2) относящийся к эпохе Карла I или Карла II в Англии.

carom ['kærəm] амер. 1. n карамболь;
2. v отскакивать.

carotene ['kærətiːn] = carotin.

carotid [kə'rɔtɪd] n анат. сонная артерия.

carotin ['kærətɪn] n каротин.

carousal [kə'rauzəl] n 1) пирушка, попойка; 2) амер. карусель.

carouse [kə'rauz] 1. n = carousal 1);
2. v пировать; пить за здоровье.

carp I [kɑːp] n карп; сазан.

carp II [kɑːp] v придираться, находить недостатки, критиковать.

carping ['kɑːpɪŋ] 1. pres. p. от carp II;
2. a придирчивый, находящий недостатки; ~ tongue злой язык.

carpal ['kɑːpəl] a анат. кистевой, запястный.

carpel ['kɑːpel] n бот. плодолистик.

carpenter ['kɑːpɪntə] 1. n плотник; ~'s bench верстак;
2. v плотничать.

carpenter-ant ['kɑːpɪntər,ɑːnt] n муравей-древоточец.

carpenter-bee ['kɑːpɪntə,biː] n шмель-плотник.

carpentry ['kɑːpɪntrɪ] n плотничьи работы; плотничное дело.

carper ['kɑːpə] n придира.

carpet ['kɑːpɪt] 1. n 1) ковёр; 2) ковёр (цветов, травы); 3) стр. покрытие; одежда (дороги); 4) тех. защитный слой; ◇ on the ~ на обсуждении (о вопросе); to walk the ~ получать выговор;
2. v 1) устилать, покрывать коврами; 2) устилать (цветами); 3) вызывать для замечания, выговора.

carpet-bag ['kɑːpɪtbæg] n саквояж (первоначально ковровый); ◇ ~ government амер. sl. правительство политических проходимцев.

carpet-bagger ['kɑːpɪt,bægə] n 1) амер. северянин, по окончании гражданской войны игравший на юге политическую роль при помощи голосов негров; 2) амер. политический авантюрист; 3) политический деятель, не связанный происхождением или местожительством со своим избирательным округом (в Англии).

carpet-knight ['kɑːpɪtnaɪt] n 1) солдат, отсиживающийся в тылу; 2) салонный шаркун; 3) ист. рыцарь, получивший своё звание не на поле битвы, а во дворце, преклонив колена на ковре.

carpet-rod ['kɑːpɪtrɔd] n металлический прут для укрепления ковра на лестнице.

carpet-sweeper ['kɑːpɪt,swiːpə] n амер. приспособление с вращающейся щёткой для чистки ковров.

carpi ['kɑːpaɪ] pl от carpus.

carpus ['kɑːpəs] n (pl -pi) анат. запястье.

carrack ['kærək] n ист. карака (испанское или португальское вооружённое купеческое судно).

carrag(h)een ['kærə,giːn] n ирландский или жемчужный мох (съедобные водоросли).

carriage ['kærɪdʒ] *n* 1) экипа́ж, коля́ска; ~ and pair (four) экипа́ж, запряжённый па́рой (четвёркой) лошаде́й; 2) *ж.-д.* пассажи́рский ваго́н; to change ~s де́лать переса́дку; 3) вагоне́тка; 4) каре́тка (*пи-шущей маши́нки, станка́*); су́ппорт; 5) шасси́; ра́ма; несу́щее устро́йство; 6) лафе́т, стано́к (*ору́дия*); 7) перево́зка, тра́нспорт; 8) сто́имость перево́зки, пересы́лки; ~ paid за перево́зку упла́чено; 9) выполне́ние; проведе́ние (*законопрое́кта, предложе́ния*); 10) оса́нка; мане́ра себя́ держа́ть; поса́дка (*головы́*); 11) *уст.* поведе́ние.

carriageable ['kærɪdʒəbl] *a редк.* удобопрое́зжий (*о доро́ге*).

carriage-company ['kærɪdʒ,kʌmpənɪ] *n* «и́збранное о́бщество» (*име́ющее свои́х лоша́дей*).

carriage-dog ['kærɪdʒdɔg] *n* далма́тский пятни́стый дог.

carriage-forward ['kærɪdʒ'fɔːwəd] *n* сто́имость пересы́лки за счёт получа́теля.

carriage-free ['kærɪdʒ'friː] *n* пересы́лка беспла́тно; фра́нко-ме́сто назначе́ния.

carriage-way ['kærɪdʒ,weɪ] *n* прое́зжая часть доро́ги.

carrier ['kærɪə] *n* 1) носи́льщик; во́зчик; перево́зчик; посы́льный; перено́счик; 2) = carrier-pigeon; 3) *амер.* почтальо́н; 4) *мор.* авиано́сец; 5) тра́нспортный самолёт; 6) транспортёр; 7) бага́жник (*на мотоци́кле*); 8) *мед.* бациллоноси́тель; 9) *тех.* держа́тель; кронште́йн, подпо́рка; хому́тик, держа́вка; поддержива́ющее *или* несу́щее приспособле́ние; 10) *тех.* сала́зки; ходово́й механи́зм *или* ходова́я часть; 11) *воен.* ра́ма затво́ра; 12) *attr. эл.* несу́щий (*о то́ке, частоте́*).

carrier-borne ['kærɪə'bɔːn] *a*: ~ aircraft самолёты, де́йствующие с авиано́сца; ~ attack возду́шная ата́ка с авиано́сца; ~ squadron авиаотря́д авиано́сца.

carrier-nation ['kærɪə,neɪʃn] *n* госуда́рство, широко́ испо́льзующее свой флот для перево́зки това́ров други́х стран.

carrier-pigeon ['kærɪə'pɪdʒɪn] *n* почто́вый го́лубь.

carrier-plane ['kærɪə,pleɪn] *n* самолёт авиано́сца.

carriole ['kærɪoul] *n* 1) кана́дские са́ни; 2) *уст.* одноко́лка; лёгкий кры́тый одноко́нный экипа́ж.

carrion ['kærɪən] **1.** *n* 1) па́даль; мертвечи́на; 2) мя́со, него́дное к употребле́нию; **2.** *a* гнию́щий; отврати́тельный.

carrion-crow ['kærɪən'krou] *n* чёрная воро́на.

carrot ['kærət] *n* 1) морко́вь; 2) *pl разг.* ры́жие во́лосы; ры́жий челове́к.

carroty ['kærətɪ] *a* кра́сный; рыжеволо́сый.

carrousel ['kæruzel] *n* 1) балага́н; 2) карусе́ль.

carry ['kærɪ] **1.** *v* 1) везти́, перевози́ть; to ~ hay (corn) убира́ть се́но (хлеб); the wine will not ~ well э́то вино́ по́ртится от перево́зки; 2) нести́, носи́ть, переноси́ть; to ~ the war into the enemy's country

а) переноси́ть войну́ на террито́рию проти́вника; б) предъявля́ть встре́чное обвине́ние; to ~ weight а) нести́ дополни́тельный груз (*в ганди́капе*); б) име́ть вес, влия́ние; 3) нести́ на себе́ тя́жесть, подде́рживать (*о коло́ннах и т. п.*); 4) *refl.* держа́ться; вести́ себя́; to ~ oneself with dignity держа́ться с досто́инством; 5) передава́ть; 6) приноси́ть (*дохо́д, проце́нт*); 7) доводи́ть; to ~ to extremes доводи́ть до кра́йности; to ~ into effect приводи́ть в исполне́ние, осуществля́ть; 8) брать при́ступом (*кре́пость и т. п.*); 9) увлека́ть за собо́й; he carried his audience with him он увлёк (за собо́й) аудито́рию; 10) добива́ться; to ~ one's point отстоя́ть свою́ пози́цию; добива́ться своего́; 11) проводи́ть; принима́ть; the bill was carried законопрое́кт был при́нят; 12) запомина́ть; 13) влечь за собо́й; to ~ the conclusion приводи́ть к вы́воду; 14) достига́ть; доходи́ть, доноси́ться; долета́ть (*о снаря́де, зву́ке*); попада́ть в цель; 15) продолжа́ть, удлиня́ть; 16) *амер.* торгова́ть, продава́ть; держа́ть; the store also carries hardware магази́н торгу́ет та́кже скобяны́ми изде́лиями; 17) содержа́ть; заключа́ть; the book carries many tables в кни́ге мно́го табли́ц; the hospital carries a good staff в больни́це хоро́ший персона́л; to ~ conviction убежда́ть, быть убеди́тельным; □ ~ away а) уноси́ть; б) увлека́ть; ~ back: to ~ smb. back напомина́ть кому́-л. про́шлое; ~ forward а) продвига́ть (*де́ло*); б) = ~ over б); ~ off а) уноси́ть; похища́ть; своди́ть в моги́лу; to ~ off a sentry *воен.* «снять», захвати́ть часово́го; б) выи́грывать (*приз*); в) скра́шивать; г) выде́рживать; though frightened he carried it off very well хотя́ он и испуга́лся, но не показа́л ви́да (*или* гла́зом не моргну́л); ~ on а) продолжа́ть; вести́ (*де́ло*); to ~ on hostile acts соверша́ть вражде́бные де́йствия; б) *разг.* флиртова́ть (with); в) вести́ себя́ запа́льчиво; don't ~ on so! веди́ себя́ споко́йно!, не зли́сь так!; ~ out а) доводи́ть до конца́; выполня́ть, проводи́ть; б) выноси́ть (*поко́йника*); ~ over а) перевози́ть; б) *бухг.* переноси́ть в другу́ю графу́, на другу́ю страни́цу, в другу́ю кни́гу; ~ through а) доводи́ть до конца́; б) помога́ть, подде́рживать; ◇ to ~ all (*или* everything) before one а) преодолева́ть все препя́тствия; б) име́ть большо́й успе́х; преуспева́ть; to ~ the day одержа́ть побе́ду; to ~ one *мат.* (держа́ть) оди́н в уме́; to ~ too far заходи́ть сли́шком далеко́; to ~ too many guns for one оказа́ться не по си́лам кому́-л.;

2. *n* 1) перено́ска; 2) дальнобо́йность (*ору́дия*); да́льность полёта (*снаря́да; мя́ча в го́льфе*); 3) *воен.* положе́ние «на плечо́»; 4) *амер.* во́лок (*ло́дки*).

carryall ['kærɪ,ɔːl] *n* 1) вещево́й мешо́к; 2) просто́рный кры́тый экипа́ж; большо́й закры́тый автомоби́ль с двумя́ продо́льными скаме́йками по бока́м.

carryings-on ['kærɪŋz'ɔn] *n pl разг.* фриво́льное, легкомы́сленное поведе́ние.

carrying trade ['kæriŋ'treid] n перевозка товаров водным путём, фрахтовое дело.

carry-over ['kæri,ouvə] n пережиток.

cart [kɑːt] 1. n 1) телега; повозка; телёжка; двуколка; Whitechapel ~ лёгкая рессорная двуколка; 2) attr.: ~ house экипажный сарай; ◇ to put the ~ before the horse начинать не с того конца; делать что-л. шиворот-навыворот; принимать следствие за причину; in the ~ разг. в затруднительном положении;

2. v 1) ехать, везти в телеге; 2) разг. легко побеждать (в игре); превосходить.

cartage ['kɑːtidʒ] n 1) гужевая перевозка; 2) стоимость гужевой перевозки.

carte blanche ['kɑːt'blãːnʃ] фр. n карт-бланш; to give ~ предоставить (или дать) полную свободу действий.

cartel [kɑː'tel] n 1) эк. картель; 2) соглашение между воюющими сторонами (об обмене пленными, почтой и т. п.); обмен пленными; 3) уст. картель, письменный вызов на дуэль.

carter ['kɑːtə] n возчик.

Cartesian [kɑː'tiːzjən] 1. a картезианский, декартовский;

2. n последователь Декарта.

cartful ['kɑːtful] n воз (как мера груза).

Carthaginian [,kɑːθə'dʒiniən] 1. a карфагенский; пунический;

2. n карфагенянин.

cart-horse ['kɑːthɔːs] n ломовая лошадь.

Carthusian [kɑː'θjuːzjən] n картезианец (монах).

cartilage ['kɑːtilidʒ] n хрящ.

cartilaginous [,kɑːti'lædʒinəs] a хрящевой; ~ fish собир. белая рыба.

cart-load ['kɑːtloud] = cartful.

cartographer [kɑː'tɔgrəfə] n картограф.

cartographic(al) [,kɑːtou'græfik(əl)] a картографический.

cartography [kɑː'tɔgrəfi] n картография, составление карт.

cartomancy ['kɑːtoumænsi] n гадание на картах.

carton ['kɑːtən] n 1) картонка; 2) картон; 3) белый кружок в центре мишени.

cartoon [kɑː'tuːn] n 1) карикатура (преим. политическая); 2) иск. картон (этюд для фрески и т. п.);

2. v рисовать карикатуры.

cartoonist [kɑː'tuːnist] n карикатурист.

cartouche [kɑː'tuːʃ] фр. n 1) картуш, орнаментальный завиток (на капители, на титуле книги); 2) воен. лядунка; патронная сумка.

cartridge ['kɑːtridʒ] n 1) патрон; заряд (в картузе); 2) катушка с фотографическими плёнками.

cartridge-belt ['kɑːtridʒbelt] n 1) патронташ; 2) патронная лента.

cartridge-box ['kɑːtridʒbɔks] n патронная сумка; патронный ящик.

cartridge-case ['kɑːtridʒkeis] n патронная гильза.

cartridge-clip ['kɑːtridʒklip] n патронная обойма.

cartridge-paper ['kɑːtridʒ,peipə] n плот-

ная бумага (для рисования и для патронных гильз).

cartridge-pouch ['kɑːtridʒpauʧ,-puːʧ] n патронная сумка.

cart-road, cart-track ['kɑːtroud,'kɑːttræk] n просёлочная дорога.

cartulary ['kɑːtjuːləri] n журнал записей, реестр.

cart-wheel ['kɑːtwiːl] n 1) колесо телеги; 2) кувырканье «колесом»; to turn (или to throw) ~s кувыркаться «колесом»; 3) ав. переворот через крыло; 4) разг. большая монета (напр., крона).

cart-wright ['kɑːtrait] n экипажный мастер, каретник.

caruncle ['kærəŋkl] n мясистый нарост (напр., у индюка).

carve [kɑːv] v (carved [-d]; carved, carven) 1) резать, вырезать (по дереву или кости; out, of, in, on); гравировать; высекать (из камня); 2) резать (мясо за столом); 3) делить, дробить (обыкн. ~ up); 4) разделывать (тушу); ◇ to ~ one's way пробивать себе дорогу; to ~ out a career for oneself сделать карьеру.

carvel ['kɑːvəl] n ист. каравелла (испанский корабль XV—XVII вв.).

carvel-built ['kɑːvəl,bilt] a с обшивкой вгладь (противоп. clinker-built).

carven ['kɑːvən] поэт. и ритор. p. p. от carve.

carver ['kɑːvə] n 1) резчик (по дереву); гравёр; 2) нож для нарезания мяса (за столом); a pair of ~s большой нож и вилка.

carving ['kɑːviŋ] 1. pres. p. от carve;

2. n 1) резьба по дереву; 2) резная работа.

carving chisel ['kɑːviŋ,ʧizl] n косое долото.

carving-knife ['kɑːviŋnaif] = carver 2).

caryatid [,kæri'ætid] n (pl -s [-z], -es [-iːz]) архит. кариатида.

cascade [kæs'keid] 1. n 1) небольшой водопад; 2) эл. каскад;

2. v ниспадать каскадом.

case I [keis] n 1) случай; обстоятельство; положение; дело; as the ~ stands при данном положении дел; in ~ в случае; just in ~ на всякий случай; in any ~ во всяком случае; in that ~ в таком случае; it is not the ~ это не так; to put the ~ that предположим, что...; 2) мед. больной, пациент; раненый; 3) мед. заболевание, случай; 4) юр. судебное дело; случай в судебной практике; прецедент; факты, доказательства, доводы; pl судебная практика; to state one's ~ изложить свой доводы; the ~ for the defendant факты в пользу ответчика, подсудимого; to make out one's ~ доказать свою правоту; 5) sl. «тип», чудак; 6) грам. падеж.

case II [keis] 1. n 1) ящик, ларец; коробка; 2) футляр, чехол; сумка; крышка (переплёта); корпус (часов); cigarette ~ портсигар; 3) тех. кожух; 4) полигр. наборная касса; lower ~ отделение со строчными литерами, цифрами и знаками препинания; upper ~ отделение с прописными буквами; 5) витрина; 6) коробка (*оконная, дверная*); 7) *воен. ист.* картечь; гильза;

2. *v* 1) класть в ящик; 2) вставлять в оправу; 3) обшивать, покрывать; ~d in armour одётый в броню.

case-harden ['keɪs,hɑːdn] *v* 1) *тех.* цементировать (*сталь*); 2) *перен.* делать нечувствительным.

case-hardened ['keɪs,hɑːdnd] 1. *p. p. от* case-harden;

2. *a* 1) *тех.* закалённый, цементированный; 2) *перен.* нечувствительный; загрубелый.

case-hardening ['keɪs,hɑːdnɪŋ] 1. *pres. p. от* case-harden;

2. *n тех.* цементация, поверхностная закалка.

casein ['keɪsɪɪn] *n хим.* казеин.

case-knife ['keɪsnaɪf] *n* нож в футляре.

case-law ['keɪslɔː] *n юр.* судебный прецедент.

casemate ['keɪsmeɪt] *n воен.* каземат; эскарповая галерея.

casement ['keɪsmənt] *n* 1) оконный переплёт с боковыми навесками, створный оконный переплёт; 2) *поэт.* окно; 3) *attr.*: ~ stay ветровой крючок.

caseous ['keɪsɪəs] *a* творожистый; сырный.

case-record ['keɪs,rekɔːd] *n* история болезни; карточка (*амбулаторная, диспансерная*).

casern(e) [kə'zɛːn] *фр. n* (*обыкн. pl*) казарма; барак.

case-shot ['keɪsʃɔt] *n ист.* картечь.

caseworker ['keɪs,wəːkə] *n* патронажная сестра.|

case-worm ['keɪswəːm] *n зоол.* куколка.

cash I [kæʃ] 1. *n* 1) деньги; in ~ при деньгах; out of ~, short of ~ не при деньгах; 2) наличные деньги, наличный расчёт; звонкая монета; ready ~ наличные (деньги); sold for ~ продан за наличный расчёт; ~ down за наличный расчёт; деньги на бочку; ~ on delivery наложенным платежом; с уплатой при доставке; 3) *attr.*: ~ payment наличный расчёт; ~ price цена при уплате наличными; ~ register кассовый аппарат;

2. *v* 1) платить наличными деньгами; 2) получать деньги по чёку; ◇ to ~ in smth. *sl.* преуспевать в чём-л.; to ~ in one checks [см. check ◇].

cash II [kæʃ] *n* (*pl без измен.*) *уст.* название китайской медной монеты.

cash-account ['kæʃə'kaunt] *n бухг.* счёт кассы.

cash-book ['kæʃbuk] *n* кассовая книга.

cashew [kæ'ʃuː] *n* вид дерева, растущего в Южной Америке.

cashier I [kæ'ʃɪə] *n* кассир.

cashier II [kə'ʃɪə] *v* 1) увольнять со службы; 2) упразднять.

cashless ['kæʃlɪs] *a* не имеющий наличных (денег).

cashmere [kæʃ'mɪə] *n* 1) кашемир; 2) кашемировая шаль.

casing ['keɪsɪŋ] 1. *pres. p. от* case II, 2;

2. *n* 1) обшивка; оболочка, обивка; опалубка; покрышка; 2) *тех.* картер;

футляр; рубашка; рама; оправа; 3) *горн.* обсадные трубы.

casino [kə'siːnou] *n* (*pl* -os [-ouz]) 1) игорный дом, казино; 2) увеселительное заведение с рестораном.

cask [kɑːsk] *n* бочонок, бочка.

casket ['kɑːskɪt] *n* 1) шкатулка; 2) *амер.* гроб.

casket-suit ['kaskɪtsjuːt] *n амер.* погребальная одежда.

casque [kæsk] *n ист., поэт.* шлем.

cassation [kæ'seɪʃən] *n* кассация.

cassava [kə'sɑːvə] *n бот.* маниок, мани(х)от.

casserole ['kæsəroul] *фр. n* 1) кастрюля; 2) запеканка (*из овощей и мяса*).

cassia ['kæsɪə] *n бот.* кассия.

cassiopeium [,kæsɪə'pɪːjəm] *n хим.* кассиопий.

cassock ['kæsək] *n* 1) ряса; сутана; 2) священник.

cassowary ['kæsəwɛərɪ] *n зоол.* казуар.

cast [kɑːst] 1. *n* 1) бросок; 2) бросание, метание; забрасывание (*сети, удочки, лота*); 3) расстояние, пройденное брошенным предметом; 4) риск; to stake (*или* to set, to put) on a ~ поставить на карту, рискнуть; the last ~ последний шанс; 5) форма для отливки; 6) гипсовый слепок; 7) гипсовая повязка; 8) подсчёт; 9) *театр.* распределение ролей; состав исполнителей (*в данном спектакле*); 10) оттенок; 11) образец, образчик; 12) склад (*ума, характера*); тип; a mind of philosophic ~ философский склад ума; 13) выражение (*лица*); 14) поворот, отклонение; ~ in the eye лёгкое косоглазие;

2. *v* (cast) 1) бросать, кидать, швырять; метать; отбрасывать; to ~ anchor бросать якорь; to ~ the lead бросать лот; to ~ ashore выбрасывать на берег; to ~ a look (*или* a glance, an eye) (at) бросить взгляд (на); to ~ light (upon) проливать свет (на); вносить ясность (в); to ~ a net закидывать сеть; 2) терять (*зубы*); менять (*рога*); сбрасывать (*кожу*); ронять (*листья*); to ~ the coat линять (*о животных*); 3) выкинуть, родить раньше времени (*о животных*); 4) подсчитывать (*обыкн.* ~ up); 5) распределять (*роли*); to ~ actors for parts назначать актёров на определённые роли; to ~ parts to actors распределять роли между актёрами; 6) браковать (*лошадей и т. п.*); 7) *тех.* отливать, лить (*металлы*); 8) *юр.* присуждать к уплате убытков; □ ~ about обдумывать; изыскивать средства; ~ away отбрасывать; to be ~ away потерпеть крушение; ~ down а) свергать; разрушать; перевёртывать; б) опускать (*глаза*); в) повергать в уныние, угнетать; to be ~ down быть в унынии; ~ off а) бросать, покидать; сбрасывать (*оковы*); б) заканчивать работу; в) *мор.* отдавать (*швартовы*); отваливать; г) спускать (*собаку*); ~ out а) выгонять; б) извергать (*пищу*); в) *воен.* браковать (*лошадей*); ~ up а) извергать; б) вскидывать (*глаза, голову*); в) подсчитывать; ◇ to ~ a vote подавать голос (*на выборах*); to ~ the blame

on smb. взва́ливать вину́ на кого́-л.; to ~ smth. in smb.'s teeth брани́ть кого́-л. за что-л.; броса́ть кому́-л. упрёк в чём-л.; to ~ lots бро́сить жре́бий; to ~ in one's lot with smb., smth. связа́ть судьбу́ с кем-л., чем-л.; to ~ a spell upon smb. очарова́ть, околдова́ть кого́-л.

castanets [,kæstə'nets] *n pl* кастанье́ты.

castaway ['ka:stəweɪ] **1.** *n* 1) потерпе́вший кораблекруше́ние; 2) па́рия; отве́рженный;
2. *a* отве́рженный.

caste [ka:st] *n* 1) ка́ста; 2) ка́ста, привилегиро́ванный класс; to lose ~ потеря́ть привилегиро́ванное положе́ние.

castellan ['kæstələn] *n* кастеля́н, смотри́тель за́мка.

castellated ['kæstəleɪtɪd] *a* 1) постро́енный в ви́де за́мка; 2) изоби́лующий за́мками; 3) *тех.* зазу́бренный.

caster I ['ka:stə] *n* 1) лите́йщик; 2) *воен.* вы́бракованная ло́шадь.

caster II ['ka:stə] *n* 1) *pl* судо́к; 2) ро́лик, колёсико (*на но́жках ме́бели*).

castigate ['kæstɪgeɪt] *v* 1) нака́зывать; бить; 2) брани́ть; жесто́ко критикова́ть; 3) исправля́ть (*лит. произведе́ние*).

castigation [,kæstɪ'geɪʃən] *n* 1) наказа́ние; по́рка; 2) порица́ние; 3) суро́вая кри́тика; 4) исправле́ние (*лит. произведе́ния*).

casting ['ka:stɪŋ] **1.** *pres. p. om* cast 2;
2. *n* 1) *тех.* литьё, отли́вка (*процесс и изде́лие*); 2) коробле́ние (*древеси́ны*); 3) удале́ние вы́копанного гру́нта;
3. *a* лите́йный; ~ bed лите́йный двор; ~ box опо́ка; ~ form изло́жница.

casting-net ['ka:stɪŋnet] *n* намётка (*рыболо́вная снасть*).

casting-voice ['ka:stɪŋ'vɔɪs] = casting-vote.

casting-vote ['ka:stɪŋ'vout] *n* го́лос, даю́щий переве́с.

cast iron ['ka:st'aɪən] *n* чугу́н.

cast-iron ['ka:st'aɪən] *a* 1) чугу́нный; 2) непрекло́нный, твёрдый; ~ discipline желе́зная дисципли́на.

castle ['ka:sl] **1.** *n* 1) за́мок; дворе́ц; 2) тверды́ня; убе́жище; 3) *шахм.* ладья́; ◊ ~s in the air (*или* in the sky, in Spain) возду́шные за́мки;
2. *v* *шахм.* рокирова́ть(ся).

castle-builder ['ka:sl,bɪldə] *n* фантазёр.

cast-off ['ka:st'ɔ:f] *a* него́дный; поно́шенный, ста́ренький, второсо́ртный.

castor I ['ka:stə] *n* 1) *разг.* касто́ровая шля́па; 2) *уст.* бобр; 3) *мед.* бобро́вая струя́.

castor II ['ka:stə] = caster II.

castor oil ['ka:stər'ɔɪl] *n* касто́ровое ма́сло.

castor-oil plant ['ka:stər,ɔɪl'pla:nt] *n* *бот.* клещеви́на.

castor sugar ['ka:stə'ʃugə] *n* са́харная пу́дра.

castrate [kæs'treɪt] **1.** *n* кастра́т;
2. *v* кастри́ровать, холости́ть.

castration [kæs'treɪʃən] *n* кастра́ция.

casual ['kæzjuəl] **1.** *a* 1) случа́йный; 2)

непреднаме́ренный; 3) небре́жный; 4) случа́йный, нерегуля́рный; ~ labourer, ~ worker рабо́чий, не име́ющий постоя́нной рабо́ты; ~ poor челове́к, вре́менно *или* периоди́чески по́льзующийся благотвори́тельной по́мощью; ~ ward помеще́ние для ночле́га бе́дных, обраща́ющихся за вре́менной по́мощью в рабо́тный дом;
2. *n* бродя́га.

casualize ['kæzjuəlaɪz] *v* переводи́ть на непостоя́нную рабо́ту.

casualty ['kæzjuəltɪ] *n* 1) несча́стный слу́чай; ава́рия; 2) челове́к, пострада́вший от несча́стного слу́чая; 3) *воен.* ра́неный; уби́тый; 4) *воен.* подби́тая маши́на; the tank became a ~ танк был подби́т, вы́веден из стро́я; 5) *pl* поте́ри (*на войне́*); to sustain casualties понести́ поте́ри; 6) *attr.:* ~ rate коли́чество уби́тых и ра́неных.

casualty clearing station ['kæzjuəltɪ,klɪərɪŋ'steɪʃən] *n* эвакуацио́нный пункт.

casualty list ['kæzjuəltɪ,lɪst] *n* спи́сок уби́тых, ра́неных и пропа́вших без вести (*на войне́*).

casualty ward ['kæzjuəltɪ'wɔ:d] *n* пала́та (в больни́це) для пострада́вших от несча́стных слу́чаев.

casuist ['kæzjuɪst] *n* казуи́ст.

casuistic(al) [,kæzju'ɪstɪk(əl)] *a* казуисти́ческий.

casuistry ['kæzjuɪstrɪ] *n* казуи́стика; игра́ слова́ми; софи́стика.

casus belli ['ka:sus'beli:] *лат. n* по́вод для объявле́ния войны́, ка́зус бе́лли.

cat I [kæt] **1.** *n* 1) кот; ко́шка; 2) *зоол.* семе́йство коша́чьих; 3) ко́шка (*плеть*); 4) *разг.* сварли́вая же́нщина; 5) двойно́й трено́жник; 6) *мор.* кат; ◊ barber's ~ *разг.* болту́н, трепло́; ~ beer *амер. воен. sl.* молоко́; to fight like Kilkenny ~s дра́ться до взаи́много уничтоже́ния; to lead a ~ and dog life жить как ко́шка с соба́кой; постоя́нно ссо́риться, вражд́овать; enough to make a ~ laugh ≅ и мёртвого мо́жет рассмеши́ть; о́чень смешно́; to grin like a Cheshire ~ (постоя́нно) бессмы́сленно улыба́ться во весь рот, ухмыля́ться; оскла́биться; to let the ~ out of the bag ≅ вы́болтать секре́т; to see which way the ~ jumps, to wait for the ~ to jump ≅ выжида́ть, куда́ ве́тер поду́ет; that ~ won't jump *разг.* ≅ э́тот но́мер не пройдёт; to turn ~ in the pan стать перебе́жчиком; fat ~ *амер. sl.* лицо́, субсиди́рующее полити́ческое мероприя́тие;
2. *v* 1) *мор.* брать я́корь на кат; 2) бить плётью; 3) *груб.* изрыга́ть; блева́ть.

cat II [kæt] *n* (*сокр. om* caterpillar tractor) *амер. разг.* 1) гу́сеничный тра́ктор; 2) *attr.:* ~ skinner *sl.* трактори́ст.

cataclysm ['kætəklɪzəm] *n* 1) пото́п; 2) катакли́зм; полити́ческий *или* социа́льный переворо́т.

catacomb ['kætəkoum] *n* (*ча́сто pl*) подземе́лье; катако́мба; the Catacombs Ри́мские катако́мбы.

catafalque ['kætəfælk] *n* 1) катафа́лк, погреба́льная колесни́ца; 2) катафа́лк, помо́ст под балдахи́ном для гро́ба.

Catalan ['kætələn] 1. *a* каталóнский; 2. *n* 1) каталóнец; 2) каталóнский язык.

catalepsy ['kætəlepsı] *n мед.* каталéпсия; столбняк; остолбенéние.

cataleptic [,kætə'leptık] *a мед.* каталептúческий.

catalog ['kætələg] = catalogue.

catalogue ['kætələg] 1. *n* 1) катал́ог; прейскур́ант; card ~ ќарточный катал́ог; ~ raisonné ['kætələgrezo'peı] систематúческий катал́ог с кр́аткими объяснéниями; 2) *амер.* реéстр, спúсок; проспéкт, прогр́амма, учéбный план; 2. *v* каталогизúровать, вносúть в катал́ог.

cataloguer ['kætə,ləgə] *n* каталогиз́атор, составúтель катал́ога.

catalysis [kə'tælısıs] *n хим.* кат́ализ.

catalyst ['kætəlıst] *n хим.* катализ́атор.

catalyzer ['kætə,laızə] = catalyst.

catamaran [,kætəmə'ræn] *n* 1) катамар́ан (*парусный плот или две лодки, соединённые плотом*); 2) *ав.* катамар́ан (*тип гидросамолёта*); 3) *разг.* сварлúвая жéнщина, мегéра.

catamount ['kætəmaunt] *n зоол.* 1) европéйская дúкая ќошка; 2) североамериќанская рысь.

cataplasm ['kætəplæzəm] *n* прип́арка.

catapult ['kætəpʌlt] 1. *n* 1) *ист. воен.*, *ав.* катап́ульта; 2) роѓатка; 3) *attr.*: ~ launching взлёт самолёта при п́омощи катап́ульты;
2. *v* 1) выбр́асывать катап́ультой; 2) стрел́ять из роѓатки.

cataract [kə'tərækt] *n* 1) водоп́ад; 2) сúльный лúвень; 3) *мед.* катар́акта; 4) *тех.* катар́акт, гидравлúческий регул́ятор, т́ормоз, дéмпфер.

catarrh [kə'tɑ:] *n* 1) кат́ар; 2) прост́уда.

catastrophe [kə'tæstrəfı] *n* 1) катастр́офа; гúбель; несч́астье; 2) разв́язка (*в драме*); 3) *геол.* переворóт.

catastrophic [,kætə'strɔfık] *a* катастрофúческий.

catbird ['kætbə:d] *n амер.* дрозд.

catcall ['kætkɔ:l] 1. *n* 1) свист, освúстывание; 2) свист́ок;
2. *v* освúстывать.

catch [kætʃ] 1. *n* 1) пóимка; захв́ат; 2) ул́ов; доб́ыча; 3) в́ыгода; в́ыгодное приобретéние; that is not much of a ~ бар́ыш невелúк; 4) хúтрость, лов́ушка; 5) перер́ыв (*дыхания, голоса*); 6) *тех.* захв́атывающее, запир́ающее приспособлéние; щеќолда, задвúжка, защёлка; шпингалéт; стяжн́ой болт; 7) *тех.* т́ормоз, остан́ов, ст́опор; арретúр; ◇ that's the ~ в ́этом-то всё дéло;
2. *v* (caught) 1) ловúть; пойм́ать; схв́атывать; to ~ hold of smth. ухватúться за что-л.; to ~ sight of smth. увúдеть что-л.; to ~ a glimpse of smth. увúдеть что-л. на мгновéние; 2) уловúть; to ~ a person's meaning уловúть, пон́ять чью-л. мысль; to ~ the eye a) уловúть взгляд; б) поп́асться на глаз́а; to ~ a likeness уловúть (и передáть) сх́одство; 3) схватúть, зараз́úться; to ~ (a) cold простудúться; to ~

measles заразúться кóрью; paper ~es fire easily бум́ага легќо воспламен́яется; 4) успéть, заст́ать; to ~ the train поспéть к пóезду; to ~ a person in the act заст́ать когó-л. на мéсте преступлéния; to be caught in the rain поп́асть под дождь; 5) догн́ать; 6) зацепúть(ся); зад́еть; защемúть; зав́язúть; to ~ one's finger in a door прищемúть себé п́алец двéрью; the boat was caught in the reeds лóдка застр́яла в камышé; 7) зад́ерживать; 8) уд́арить; поп́асть; I caught him one in the eye я подст́авил ем́у син́як под гл́азом; 9) прерыв́ать, перебив́ать; 10) покрыв́аться льдом (*тж.* ~ over); the river ~es реќа ст́ала; □ ~ at а) ухватúться за *что-л.*; б) обр́адоваться *чему-л.*; ~ away утащúть; ~ off *амер. sl.* засн́уть; ~ on а) ухватúться за *что-л.*; б) поним́ать; в) становúться модным; ~ up a) подн́ять; подхватúть (*тж. перен.*, *напр., новое слово*); б) догн́ать; we had caught up on sleep нам удал́ось отосп́аться; в) прерв́ать; г) *амер.* пригот́овить лошадéй (*для путешéственников*); ◇ to ~ it *разг.* получúть наго́ня́й; I caught it мне дост́алось, поп́ало; ~ me (doing that)! чтоб я ́это сдéлал? никогд́а!; to ~ one's foot споткн́уться; to ~ the Speaker's eye *парл.* получúть слóво в пал́ате общин.

catching ['kætʃıŋ] 1. *pres. p. от* catch 2;
2. *a* 1) зараз́úтельный; 2) привлеќательный; 3) неуст́óйчивый (*о погоде*); 4) захв́атывающий, остан́авливающий, зацепл́яющий.

catchment-area ['kætʃmənt,ɛərıə] *n* басс́éйн (*реки*), водосб́óрная пл́ощадь.

catchment-basin ['kætʃmənt,beısn] = catchment-area.

catchpenny ['kætʃ,penı] 1. *n* нéчто показн́óе, рассчúтанное на дешёвый успéх и привлечéние покуп́ателей (*гл. обр. об изд́аниях*);
2. *a* показн́óй, рассчúтанный на дешёвый успéх.

catchpole, catchpoll ['kætʃpoul] *n* суд́éбный прúстав, суд́éбный исполнúтель.

catchup ['kætʃəp] = ketchup.

catchword ['kætʃwə:d] *n* 1) мóдное словéчко; 2) слóво *или* фр́аза, испóльзуемые как лóзунг; 3) *полигр.* колонтúтул в словар́ях и энциклопéдиях; 4) загл́авное слóво (*в словар́ях*); 5) *театр.* рéплика; 6) рифмóванное слóво; 7) парóль.

catchy ['kætʃı] *a* 1) привлеќательный; 2) легќо запомин́ающийся (*о мелóдии*); 3) хитро́умный, заков́ыристый, тр́удный; 4) пор́ывистый (*о вéтре*).

cate [keıt] *n* (*обыкн. pl*) *уст.* пúща (*особ. изысканная*).

catechism ['kætıkızəm] *n* 1) катехúзис; 2) ряд вопрóсов.

catechize ['kætıkaız] *v* 1) излаѓать в фóрме вопрóсов и отвéтов; 2) допр́ашивать.

catechu ['kætıtʃuː] *n* дубúльный экстр́акт.

catechumen [,kætı'kjuːmen] *n* 1) *церк.* новообращённый; 2) начин́ающий, новичóк.

categorical [,kætı'gɔrıkəl] *a* решúтельный; безуслóвный, категорúческий.

categorize ['kætɪgəraɪz] v распределять по категориям.

category ['kætɪgərɪ] n 1) категория; разряд; класс; 2) attr.: ~ man воен. признанный годным к этапной (гарнизонной) службе.

catena [kə'tɪːnə] n цепь, связь, ряд.

catenarian [ˌkætɪ'nɛərɪən] a цепной.

catenary [kə'tɪːnərɪ] 1. n цепная линия; 2. a цепной; ~ suspension цепная подвеска (электрической железной дороги).

catenate ['kætɪneɪt] v сцеплять; связывать.

catenation [ˌkætɪ'neɪʃən] n сцепление.

cater I ['keɪtə] v 1) поставлять провизию (for); 2) обслуживать зрителя, посетителя (о театрах и т. п.); 3) стараться доставлять удовольствие, угождать (to, for).

cater II ['keɪtə] n уст. четыре очка (в картах, костях).

cater-cousin ['keɪtəˌkʌzn] n закадычный друг; друг-приятель.

caterer ['keɪtərə] n поставщик провизии.

catering ['keɪtərɪŋ] 1. pres. p. om cater I; 2. n 1) общественное питание; 2) attr.: the ~ trade ресторанное дело.

caterpillar ['kætəpɪlə] n 1) зоол. гусеница; 2) тех. гусеница; гусеничный ход; 3) уст. вымогатель; 4) attr. тех. гусеничный; ~ tractor гусеничный трактор; ~ ordnance гусеничная самоходная артиллерия.

caterwaul ['kætəwɔːl] 1. n кошачий концерт; 2. v кричать по-кошачьи.

catgut ['kætgʌt] n 1) струна (для музыкальных инструментов и ракеток); 2) хир. кетгут.

catharsis [kə'θaːsɪs] n 1) мед. очищение желудка; 2) лит. катарсис.

cathartic [kə'θaːtɪk] 1. a слабительный; 2. n слабительное (средство).

Cathay [kæ'θeɪ] n уст., поэт. Китай.

cathead ['kæthed] n мор. кат-балка; ист. крамбол, кран-балка.

cathedral [kə'θiːdrəl] 1. n кафедральный собор; 2. a соборный.

Catherine-wheel ['kæθərɪnwiːl] n 1) огненное колесо (фейерверк); 2) архит. круглое окно, «роза»; 3) кувырканье «колесом».

catheter ['kæθɪtə] n мед. катетер.

cathode ['kæθoud] n физ. катод.

catholic ['kæθəlɪk] 1. a 1) католический (обыкн. Roman C.); 2) церк. вселенский; 3) широкий, всеобъемлющий; 2. n католик.

catholicism [kə'θɒlɪsɪzəm] n католичество, католицизм.

catholicity [ˌkæθə'lɪsɪtɪ] n 1) католичество; 2) широта; всеобщность; универсальность.

catholicize [kə'θɒlɪsaɪz] v обращать в католичество.

cat-ice ['kætaɪs] n тонкий беловатый ледок.

catkin ['kætkɪn] n серёжка (на деревьях).

cat-lap ['kætˌlæp] n разг. очень слабый чай, «помои».

cat-like ['kætlaɪk] a кошачий.

catling ['kætlɪŋ] n 1) хир. межкостный нож; 2) хир. тонкий кетгут; 3) редк. кошечка.

cat-mint ['kætmɪnt] n бот. котовик кошачий, кошачья мята.

catnap ['kætnæp] 1. n = cat-sleep; 2. v вздремнуть, подремать; спать урывками.

catnip ['kætnɪp] амер. = cat-mint.

cat o'-mountain [ˌkætə'mauntɪn] = catamount.

cat-o'-nine-tails ['kætə'naɪnteɪlz] n кошка (плеть).

catoptric [kə'tɒptrɪk] a физ. уст. катоптрический, отражательный.

catoptrics [kə'tɒptrɪks] n pl (употр. как sing) физ. уст. катоптрика.

cat-sleep ['kætsliːp] n сон урывками.

cat's-meat ['kætsmiːt] n конина, покупаемая для кошек.

cat's-paw ['kætspɔː] n лёгкий бриз, рябь на воде; ◊ to make a ~ of a person сделать кого-л. своим орудием.

catsup ['kætsəp] = ketchup.

cat's-whisker ['kæts'wɪskə] n радио контактная пружина, «усик».

cattish ['kætɪʃ] a 1) кошачий; 2) хитрый; злой.

cattle ['kætl] n 1) крупный рогатый скот; 2) презр. скоты (о людях).

cattle-dealer ['kætlˌdiːlə] n торговец скотом, скотопромышленник.

cattle-feeder ['kætlˌfiːdə] n машина для автоматического распределения и подачи корма.

cattle-grid ['kætlgrɪd] n приспособление, препятствующее выходу скота с пастбища на дорогу.

cattle-leader ['kætlˌliːdə] n кольцо, продетое через нос животного.

cattle-lifter ['kætl'lɪftə] n вор, угоняющий скот.

cattleman ['kætlmən] n 1) пастух; скотник; 2) амер. скотовод.

cattle-pen ['kætlpen] n загон для скота.

cattle-plague ['kætlpleɪg] n чума рогатого скота.

cattle-ranch ['kætlrænʃ] n скотоводческая ферма, скотоводческое хозяйство.

cattle-rustler ['kætl,rʌslə] амер. = cattle-lifter.

cattle-show ['kætlʃou] n выставка рогатого скота.

cattle-truck ['kætltrʌk] n ж.-д. платформа для перевозки скота.

catty I ['kætɪ] = cattish.

catty II ['kætɪ] n мера веса в странах Дальнего Востока = 604,8 г.

Caucasian [kɔː'keɪzjən] 1. a кавказский; 2. n кавказец.

caucus ['kɔːkəs] n 1) амер. закрытое собрание партийных лидеров для предварительного обсуждения политических и организационных вопросов; 2) (в Англии презр.) политика подтасовки выборов, давления на избирателей и т. п.

caudal ['kɔːdl] a хвостатый; ~ appendage хвостовидный придаток.

caudate ['kɔːdeɪt] a хвостатый, имеющий хвост.

caudle ['kɔːdl] n горячий пряный напиток для больных (смесь вина с яйцами и сахаром).

caught [kɔːt] past и p. p. от catch 2.

caul [kɔːl] n 1) чепчик; 2) анат. водная оболочка плода; «сорочка» (у новорождённого); 3) анат. большой сальник.

cauldron ['kɔːldrən] n 1) котёл; котелок; 2) геол. котлообразный провал.

caulescent [kɔː'lesənt] a бот. стебельный (о травянистых растениях).

cauliflower ['kɔlɪflauə] n цветная капуста.

caulk [kɔːk] v 1) конопатить и смолить (суда); 2) затыкать, замазывать (щели в окнах); 3) = calk I, 2, 1).

caulker ['kɔːkə] n 1) конопатчик; 2) sl. глоток спиртного; 3) sl. нечто удивительное, невероятное, особ. ложь, враньё.

causal ['kɔːzəl] a причинный; каузальный.

causality [kɔː'zælɪtɪ] n причинность, причинная связь.

causation [kɔː'zeɪʃən] n 1) причинение; 2) = causality.

causative ['kɔːzətɪv] a 1) причинный; 2) грам. каузативный.

cause [kɔːz] 1. n 1) причина; 2) основание, мотив, повод (for); 3) дело; to support the ~ of the workers защищать дело рабочего класса; the ~ of peace дело мира; to make common ~ with smb. объединяться с кем-л. ради общего дела; in the ~ of science ради (или во имя) науки; in a good ~ — чтобы сделать добро; 4) юр. дело, процесс; to plead a ~ защищать дело в суде;
2. v 1) быть причиной, причинять, вызывать; to ~ smb. to be informed поставить кого-л. в известность; 2) заставлять; to ~ a thing to be done велеть что-л. выполнить.

'cause [kɔz] усл. = because.

causeless ['kɔːzlɪs] a беспричинный; необоснованный.

cause-list ['kɔːzlɪst] n список очередных судебных дел.

causer ['kɔːzə] n виновник.

causeway, causey ['kɔːzweɪ, 'kɔːzeɪ] 1. n 1) мостовая; мощёная дорожка; тротуар; 2) дамба; гать;
2. v 1) строить плотину, дамбу; мостить.

caustic ['kɔːstɪk] 1. n хим. едкое вещество; каустическое средство; lunar ~ ляпис;
2. a 1) хим. едкий; каустический; ~ lime негашёная известь; ~ silver ляпис; ~ soda едкий натр; 2) едкий, язвительный, колкий; ~ tongue злой язык; ~ remarks язвительные замечания.

causticity [kɔs'tɪsɪtɪ] n 1) едкость; 2) язвительность.

cauterization [ˌkɔːtəraɪ'zeɪʃən] n мед. прижигание.

cauterize ['kɔːtəraɪz] v 1) мед. прижигать; 2) делать бессердечным, чёрствым, нечувствительным.

cautery ['kɔːtərɪ] n мед. 1) прижигание; 2) прижигающее средство; 3) термокаутер (инструмент для прижигания).

caution ['kɔːʃən] 1. n 1) осторожность; предусмотрительность; предосторожность; 2) предостережение, предупреждение; ~! береги(те)сь!; 3) sl. необыкновенный человек, человек с большими странностями; странная вещь; 4) attr.: ~ position положение тихого хода;
2. v предостерегать (against).

cautionary ['kɔːʃnərɪ] a предостерегающий, предупреждающий.

caution board ['kɔːʃənbɔːd] n предупреждающая (об осторожности) надпись.

caution money ['kɔːʃən,mʌnɪ] n залог (вносимый, напр., студентами Оксфорда и Кембриджа в обеспечение возможных долгов).

cautious ['kɔːʃəs] a осторожный; предусмотрительный.

cavalcade [ˌkævəl'keɪd] n кавалькада, группа всадников.

cavalier [ˌkævə'lɪə] 1. n 1) всадник; кавалерист; 2) уст. кавалер; 3) (C.) ист. роялист (времён Карла I);
2. a 1) бесцеремонный; 2) надменный; 3) весёлый; беспечный; 4) ист. роялистский.

cavalry ['kævəlrɪ] n кавалерия, конница.

cavalryman ['kævəlrɪmən] n кавалерист.

cave [keɪv] n 1) пещера; 2) полость, впадина; 3) полит. фракция; оппозиционная или отколовшаяся от партии группа; 4) тех. зольник; 5) геол. карстовое образование;
2. v 1) выдалбливать; 2) горн. обрушивать кровлю; □ ~ in а) оседать, опускаться; б) разг. уступать, отступать, сдаваться.

caveat ['keɪvɪæt] n 1) предостережение, протест; 2) юр. заявление о приостановке судебного разбирательства; to enter (или to put in) a ~ подать заявление о приостановке судебного разбирательства.

cave-dweller ['keɪv,dwelə] n троглодит, пещерный человек (тж. перен.).

cave-man ['keɪvmæn] = cave-dweller.

cavendish ['kævəndɪʃ] n плиточный табак, сдобренный патокой.

cavern ['kævən] n 1) пещера; 2) мед. каверна.

cavernous ['kævənəs] a 1) изобилующий пещерами; 2) мед. пещеристый; полостной; кавернозный; 3) похожий на пещеру; 4) впалый; 5) глубокий и глухой (о звучании).

caviar(e) ['kævɪɑː] n икра (употребляемая в пищу); ◇ ~ to the general слишком тонкое блюдо для грубого вкуса.

cavil ['kævɪl] 1. n придирка;
2. v придираться, находить недостатки.

caviller ['kævɪlə] n придирчивый человек.

cavity ['kævɪtɪ] n 1) впадина; полость; 2) трещина в породе.

cavity magnetron ['kævɪtɪ'mægnɪtrɔn] *n* физ. магнетрон, обеспечивающий большой выход энергии.

cavort [kə'vɔːt] *v амер.* прыгать, скакать.

caw [kɔː] **1.** *n* карканье;
2. *v* каркать.

cay [keɪ] *n* 1) коралловый риф; 2) песчаная отмель.

cayenne [keɪ'en] *n* красный стручковый перец.

cayman ['keɪmən] *n зоол.* кайман.

cease [siːs] **1.** *v* 1) переставать, прекращать(ся); 2) приостанавливать (*часто с герундием*); to ~ talking замолчать; ~ fire! прекратить стрельбу!; to ~ payment прекратить платежи, обанкротиться;
2. *n*: without ~ непрестанно; to work without ~ работать не покладая рук.

cease-fire ['siːs‚faɪə] *n* прекращение огня.

ceaseless ['siːslɪs] *a* непрерывный, непрестанный.

cecils ['sesɪlz] *n pl* мясные фрикадельки.

cecity ['siːsɪtɪ] *n* слепота.

cedar ['siːdə] *n* кедр.

cede [siːd] *v* 1) сдавать (*территорию*); 2) уступать (*в споре*).

cedilla [sɪ'dɪlə] *n* седиль (*орфографический знак*).

ceil [siːl] *v* 1) *стр.* покрывать, перекрывать; штукатурить, отделывать потолок; 2) *ав.* достигать предельной высоты.

ceiling ['siːlɪŋ] *n* 1) потолок; 2) перекрытие, обшивка; доска для обшивки; 3) *ав.* потолок, предельная высота; 4) *эк.* максимальная цена; максимальный выпуск продукции *и т. п.*

celadon ['selədɔn] *n* светлый серовато-зелёный цвет *или* цвет морской волны.

celandine ['seləndaɪn] *n бот.* чистотел.

celebrant ['selɪbrənt] *n* священник, отправляющий церковную службу.

celebrate ['selɪbreɪt] *v* 1) (от)праздновать; 2) прославлять; 3) отправлять церковную службу.

celebrated ['selɪbreɪtɪd] **1.** *p. p. от* celebrate;
2. *a* знаменитый; прославленный.

celebration [‚selɪ'breɪʃən] *n* 1) празднование; торжества; 2) прославление; 3) церковная служба.

celebrity [sɪ'lebrɪtɪ] *n* известность; знаменитость.

celerity [sɪ'lerɪtɪ] *n* быстрота.

celery ['selərɪ] *n бот.* сельдерей.

celestial [sɪ'lestjəl] **1.** *a* 1) небесный; ~ map карта звёздного неба; ~ pole *астр.* полюс мира; ~ blue небесно-голубой; C. Empire *уст.* Небесная империя, Китай; 2) великолепный; 3) добродетельный, милосердный;
2. *n* 1) небожитель; 2) (C.) *уст.* китаец.

celibacy ['selɪbəsɪ] *n* целибат, обет безбрачия; безбрачие.

celibatarian [‚selɪbə'teərɪən] **1.** *a* безбрачный;
2. *n* холостяк.

celibate ['selɪbɪt] **1.** *n* холостяк; человек, давший обет безбрачия;

2. *a* холостой; давший обет безбрачия.

cell [sel] **1.** *n* 1) ячейка; 2) тюремная камера; condemned ~ камера смертников; 3) келья; 4) небольшой монастырь (*зависящий от большего*); 5) *поэт.* могила; 6) *биол.* клетка, клеточка; 7) *тех.* отсек, камера; 8) *эл.* элемент; 9) *ав.* коробка крыльев;
2. *v* 1) помещать в клетку; 2) находиться в клетке; 3) сидеть за решёткой (*в тюрьме*).

cellar ['selə] **1.** *n* 1) подвал; 2) винный погреб; to keep a good ~ иметь хороший запас вин;
2. *v* хранить в подвале, в погребе.

cellarage ['selərɪdʒ] *n* 1) подвалы, погреба; 2) хранение в подвалах; 3) плата за хранение в подвалах.

cellarer ['selərə] *n* келарь (*эконом в монастыре*).

cellaret [‚selə'ret] *n* погребец.

'cellist ['tʃelɪst] *n* (*сокр. от* violoncellist) виолончелист.

'cello ['tʃelou] *n* (*pl* -os [-ouz]; *сокр. от* violoncello) виолончель.

cellophane ['seləfeɪn] *n* целлофан; ◇ wrapped in ~ неприступный, надменный.

cellular ['seljulə] *a* клеточный, клеточного строения; ячеистый; ~ tissue *анат.* клетчатка.

cellulate ['seljuleɪt] *a* состоящий из клеток; ячеистый.

cellule ['seljuːl] *n* 1) *биол.* клеточка; 2) *ав.* коробка крыльев.

celluloid ['seljulɔɪd] *n* целлулоид.

cellulose ['seljulous] *n* 1) целлюлоза; клетчатка; 2) *attr.*: ~ nitrate нитроклетчатка.

Celt [kelt] *n* кельт.

celt [selt] *n археол.* каменное *или* бронзовое долото.

Celtic ['keltɪk] **1.** *a* кельтский;
2. *n* кельтский язык.

celticism ['keltɪsɪzəm] *n* 1) кельтский обычай; 2) *лингв.* кельтское выражение.

celtuce ['seltəs] *n* гибрид сельдерея и салата.

cembalo ['tʃembəlou] *n* (*pl* -os [-ouz]) цимбалы.

cement [sɪ'ment] **1.** *n* 1) цемент; 2) всякое вещество, скрепляющее подобно цементу; вяжущее вещество; 3) связь, союз;
2. *v* 1) скреплять цементом; цементировать; 2) цементироваться; 3) склеивать горячей вулканизацией; 4) соединять крепко; to ~ a friendship скреплять дружбу.

cementation [‚siːmen'teɪʃən] *n* 1) цементирование; 2) цементация; томление (*металлов*).

cemetery ['semɪtrɪ] *n* кладбище.

cenotaph ['senətɑːf] *n* кенотафий (*пустая гробница*); the C. памятник, воздвигнутый в честь погибших во время первой мировой войны (*в Лондоне*).

cense [sens] *v церк.* кадить ладаном.

censer ['sensə] *n* кадило; курильница.

censor ['sensə] **1.** *n* 1) цензор; 2) надзиратель, следящий за дисциплиной студентов, не приписанных к определённому коллéджу (*в Оксфорде*); 3) *уст.* человéк, находящий недостáтки; крúтик;

2. *v* просмáтривать, подвергáть цензýре.

censorial [sen'sɔːriəl] *a* цéнзорский; цензýрный.

censorious [sen'sɔːriəs] *a* строгий; склóнный осуждáть; ~ remarks критúческие замечáния.

censorship ['sensəʃip] *n* 1) цензýра; 2) дóлжность цéнзора.

censurable ['senʃərəbl] *a* достóйный порицáния.

censure ['senʃə] 1. *n* осуждéние, порицáние; vote of ~ вóтум недовéрия;

2. *v* порицáть, осуждáть.

census ['sensəs] *n* пéрепись.

census-paper ['sensəs,peipə] *n* бланк, заполняемый при пéреписи.

cent [sent] *n* 1) цент (*0,01 доллара*); 2) сто, сóтня (*обыкн. в выражении* per ~ процéнт); ten per ~ дéсять процéнтов; ~ per ~ сто нá сто (*ростовщический процéнт*).

cental ['sentl] *n* англúйский квинтáл (*мера сыпучих тел, равная 100 англ. фунтам или 45,36 кг*).

centaur ['sentɔː] *n* 1) *миф.* кентáвр; 2) (C.) созвéздие Кентáвра.

centenarian [,senti'nɛəriən] 1. *a* столéтний;

2. *n* человéк ста (и бóлее) лет.

centenary [sen'tiːnəri] 1. *n* 1) столéтие; 2) столéтняя годовщúна; 3) день празднования столéтней годовщúны;

2. *a* столéтний.

centennial [sen'tenjəl] 1. *a* 1) столéтний; 2) происходящий раз в сто лет;

2. *n* = centenary 1, 2).

center ['sentə] *амер.* = centre.

centering ['sentəriŋ] 1. *pres. p. от* centre 3;

2. *n* 1) *тех.* центрúрование; 2) *стр.* кружáло, опáлубка.

centesimal [sen'tesiməl] *a* сóтый; разделённый на сто частéй; сóтенный; ~ balance сóтенные весы.

centigrade ['sentigreid] *a* стогрáдусный; разделённый на сто грáдусов; ~ thermometer термóметр Цéльсия, термóметр со стогрáдусной шкалóй.

centigram(me) ['sentigræm] *n* сантигрáмм.

centime ['sɑːntiːm] *фр. n* сантúм (*0,01 франка*).

centimeter ['senti,miːtə] *амер.* = centimetre.

centimetre ['senti,miːtə] *n* сантимéтр.

centipede ['sentipiːd] *n зоол.* многонóжка, сороконóжка.

centner ['sentnə] *n* цéнтнер (*50 кг; в Англии — 100 фунтам или 45,36 кг*); metric (*или* double) ~ метрúческий цéнтнер (= *100 кг или 220,46 англ. фунта*).

central ['sentrəl] 1. *a* 1) центрáльный; глáвный; ~ idea основнáя идéя; 2) расположенный в цéнтре *или* недалекó от цéнтра; C. Asia Срéдняя Áзия;

2. *n амер.* центрáльная телефóнная стáнция.

centralization [,sentrəlai'zeiʃən] *n* централизáция; сосредотóчение.

centralize ['sentrəlaiz] *v* централизовáть.

centre ['sentə] 1. *n* 1) центр; средотóчие; середúна (*чего-л.*); ~ of attraction центр притяжéния; центр внимáния; ~ of buoyancy а) *мор.* центр величины; б) центр подъёмной сúлы аэростáта; ~ of impact *воен.* срéдняя тóчка попадáния; ~ of a wheel ступúца колесá; 2) *тех.* шаблóн, угóльник;

2. *a* центрáльный; ~ boss ступúца колесá;

3. *v* 1) помещáть(ся) в цéнтре; концентрúровать(ся); сосредотóчивать(ся) (in, on, at, round, about); to ~ one's hopes on (*или* in) smb. возлагáть все надéжды на когó-л.; the interest ~s in интерéс сосредотóчен на; the discussion ~d round one point в цéнтре обсуждéния находúлся одúн пункт; 2) *тех.* центрúровать; отмечáть кéрнером.

centre-board ['sentə,bɔːd] *n мор.* выдвижнóй киль.

centreing ['sentəriŋ] = centering.

centre-piece ['sentəpiːs] *n* украшéние из серебрá, хрусталя *и т. п.* на середúне столá.

centre-section ['sentə,sekʃn] *n ав.* центроплáн.

centric(al) ['sentrik(əl)] *a* центрáльный.

centrifugal [sen'trifjugəl] *a* 1) центробéжный; ~ machine, ~ wringer центрифýга; ~ force центробéжная сúла.

2. *n* = centrifuge.

centrifuge ['sentrifjuːdʒ] *n* центрифýга.

centring ['sentriŋ] = centering.

centripetal [sen'tripitl] *a* центростремúтельный; ~ force центростремúтельная сúла.

centuple ['sentjupl] 1. *a* стокрáтный;

2. *v* увелúчивать во сто раз; умножáть нá сто.

centuplicate [sen'tjuːplikeit] 1. *n* сто экземпляров; in ~ в ста экземплярах;

2. *a* = centuple 1;

3. *v* = centuple 2.

century ['sentʃuri] *n* 1) столéтие; век; 2) *др.-рим.* центýрия; 3) сóтня (*чего-л.*); *разг.* сто фýнтов стéрлингов; *амер.* сто дóлларов.

century plant ['sentʃuriplɑːnt] *n бот.* агáва америкáнская, столéтник.

cephalic [ke'fælik] *a анат.* головнóй; ~ index *антр.* черепнóй úндекс.

cephalitis [kefəlaitis] *n мед.* энцефалúт, воспалéние головнóго мóзга.

cephalopoda [,sefə'lɔpədə] *n pl зоол.* головонóгие.

ceramet ['sɑːmet] *n тех.* металлокерáмика.

ceramic [si'ræmik] *a* гончáрный; керамúческий.

ceramics [si'ræmiks] *n pl* (*употр. как sing*) керáмика; гончáрное произвóдство.

ceramist ['serəmist] *n* гончáр.

cerastes [si'ræstiːz] *n зоол.* гадюка рогáтая.

cerate ['sɪərɪt] *n* спуск (*мазь из воска и масла*).

cere [sɪə] **1.** *n зоол.* восковина (*покрывающая птичий клюв*);
2. *v уст.* вощить.

cereal ['sɪərɪəl] **1.** *n* 1) (*обыкн. pl*) хлебный злак; 2) *амер.* каша (*особ. для завтрака*);
2. *a* хлебный, зерновой.

cerebellum [ˌserɪ'beləm] *n анат.* мозжечок.

cerebral ['serɪbrəl] **1.** *a* 1) *анат., мед.* мозговой; ~ hemispheres полушария головного мозга; ~ haemorrhage кровоизлияние в мозг; 2) *фон.* церебральный (*звук*);
2. *n фон.* церебральный звук.

cerebration [ˌserɪ'breɪʃən] *n* мозговая деятельность, работа мозга.

cerebrum ['serɪbrəm] *n анат.* головной мозг.

cerecloth ['sɪəklɔθ] = cerement 1).

cerement ['sɪəmənt] *n* 1) навощённая холстина, саван; 2) *pl* погребальные одежды.

ceremonial [ˌserɪ'məʊnjəl] **1.** *a* формальный; обрядовый;
2. *n* церемониал, обряд.

ceremonious [ˌserɪ'məʊnjəs] *a* 1) церемониальный; 2) церемонный; 3) манерный, жеманный.

ceremony ['serɪmənɪ] *n* 1) обряд; 2) церемония; to stand upon ~ церемониться, держаться формально, чопорно; without ~ запросто; без церемоний; 3) церемонность; формальность.

Ceres ['sɪəriːz] *миф., астр.* Церера.

cerise [sə'riːz] **1.** *n* светло-вишнёвый цвет;
2. *a* светло-вишнёвый (*о цвете*).

cerium ['sɪərɪəm] *n хим.* церий.

cermet ['sɜːmet] = ceramet.

ceroplastics ['sɪərəʊ'plæstɪks] *n pl* (*употр. как sing*) церопластика (*художественная лепка из воска*).

certain ['sɜːtn] **1.** *a* 1) *attr.* определённый; I have no ~ abode у меня нет определённого пристанища; 2) *attr.* один, некий, некоторый; I felt a ~ joy я почувствовал некоторую радость; there was a ~ Mr Jones был некий мистер Джоунз; under ~ conditions при известных (*или* при некоторых) условиях; 3) *predic.* уверенный; to feel ~ быть уверенным; 4): to make ~ of удостовериться в; make ~ of your facts before you argue проверьте свои данные, прежде чем спорить; 5) *predic.* надёжный, верный, несомненный; the fact is ~ факт несомненен;
2. *n:* not to know for ~ не знать наверняка.

certainly ['sɜːtnlɪ] *adv* конечно, непременно; несомненно; he is ~ better today ему, несомненно, лучше сегодня; may I visit him? — Yes, ~ можно его навестить? — Да, конечно.

certainty ['sɜːtntɪ] *n* 1) несомненный факт; 2) уверенность; I know for a ~ я знаю наверняка; with ~ с уверенностью.

certificate 1. *n* [sə'tɪfɪkɪt] 1) письменное удостоверение; свидетельство; сертификат; ~ of birth свидетельство о рождении; метрика; ~ of health медицинское свидетельство; 2) *амер.* свидетельство об окончании среднего учебного заведения; аттестат;
2. *v* [sə'tɪfɪkeɪt] выдавать письменное удостоверение; удостоверять.

certificated [sə'tɪfɪkeɪtɪd] **1.** *p. p. om* certificate 2;
2. *a* дипломированный; ~ teacher учитель, имеющий диплом.

certification [ˌsɜːtɪfɪ'keɪʃən] *n* 1) удостоверение; 2) выдача свидетельства.

certify ['sɜːtɪfaɪ] *v* 1) удостоверять, заверять; 2) ручаться; 3) *уст.* уверять; 4) выдавать удостоверение о заболевании (*особ. о психическом расстройстве*).

certitude ['sɜːtɪtjuːd] *n* уверенность, несомненность.

cerulean [sɪ'ruːljən] *a* небесно-голубого цвета; лазурный.

cerumen [sɪ'ruːmen] *n* ушная сера.

ceruse ['sɪəruːs] *n* 1) (свинцовые) белила; 2) белила (*косметические*).

cervical ['sɜːvɪkəl] *a анат.* затылочный, шейный; ~ vertebrae шейные позвонки.

cervices ['sɜːvɪsiːz] *pl om* cervix.

cervine ['sɜːvaɪn] *a* олений.

cervix ['sɜːvɪks] *n* (*pl* -vices, -es [-ɪz]) *анат.* шея; ~ uteri шейка матки.

cesium ['siːzɪəm] = caesium.

cess [ses] *n* 1) *ирл.* местный налог; 2) *шотл.* поземельный налог; ◇ bad ~ to you! *ирл.* чтоб тебе пусто было!

cessation [se'seɪʃən] *n* 1) прекращение; 2) остановка; перерыв; ~ of arms (*или* of hostilities) прекращение военных действий, перемирие.

cession ['seʃən] *n* уступка, передача; ~ of rights передача прав.

cesspit ['sespɪt] *n* помойная яма; выгребная яма.

cesspool ['sespuːl] *n* выгребная яма; сточный колодец.

cestoid ['sestɔɪd] *n зоол.* ленточный червь.

cetacean [sɪ'teɪʃən] **1.** *a* китовый;
2. *n* животное из семейства китовых.

cetaceous [sɪ'teɪʃəs] *a* китообразный.

cevitamic acid [ˌsevaɪ'tæmɪk'æsɪd] *n фарм.* кристаллический витамин C.

chafe [tʃeɪf] **1.** *n* 1) ссадина; 2) раздражение; in a ~ в состоянии раздражения;
2. *v* 1) тереть, растирать; 2) натирать; 3) тереться (*обо что-л. — о животных*); 4) раздражаться, горячиться, нервничать; 5) греть, нагревать.

chafer ['tʃeɪfə] *n* 1) майский жук; 2) *рез.* чефер.

chaff [tʃɑːf] **1.** *n* 1) мякина; 2) мелко нарезанная солома, сечка; 3) отбросы; 4) высевки; 5) костра (*отходы трепания и чесания*); 6) подшучивание, поддразнивание; болтовня; 7) *attr.* соломенный; ~ bed соломенный тюфяк; ◇ a grain of wheat in a bushel of ~ ≅ ничтожные результаты, несмотря на большие усилия; an old bird is not caught with ~ *посл.* старого воробья на мякине не проведёшь;

2. *v* 1) руби́ть, ре́зать (*солому и т. п.*); 2) подшу́чивать, поддра́знивать.

chaff-cutter ['tʃɑːf,kʌtə] *n* с.-х. соломоре́зка.

chaffer ['tʃæfə] **1.** *n* спор (*из-за цены*); **2.** *v* торгова́ться, выторго́вывать.

chaffinch ['tʃæfɪntʃ] *n* зя́блик.

chaffy ['tʃɑːfi] *a* 1) покры́тый мяки́ной; 2) пусто́й, него́дный.

chafing-dish ['tʃeɪfɪŋdɪʃ] *n* 1) жаро́вня; 2) электри́ческая кастрю́ля; электри́ческий те́рмос.

chafing-gear ['tʃeɪfɪŋgɪə] *n* мор. обмо́тка тро́са для предохране́ния от тре́ния.

chagrin ['ʃægrɪn] **1.** *n* доса́да; огорче́ние; **2.** *v* (*часто pass.*) досажда́ть; огорча́ть; to feel ~ed (at, by) быть огорчённым чем-л.

chain [tʃeɪn] **1.** *n* 1) цепь; цепо́чка; a ~ of mountains го́рная цепь; a ~ of happenings цепь собы́тий; ~ and buckets *тех.* но́рия; 2) (*обыкн. pl*) око́вы, у́зы; 3) ме́рная цепь (*тж.* Gunter's ~ = 66 *фут.* ≅ 20 *м*); 4) *attr.* цепно́й; ~ reaction цепна́я реа́кция; ~ armour, ~ mail кольчу́га; ~ belt *тех.* цепна́я переда́ча, цепно́й приво́д; ~ bridge цепно́й мост; ~ broadcasting *радио* одновреме́нная переда́ча одно́й програ́ммы не́сколькими ста́нциями; ~ cable я́корная цепь; **2.** *v* 1) скрепля́ть це́пью; 2) ско́вывать; держа́ть в цепя́х; to ~ up a dog посади́ть соба́ку на цепь; 3) привя́зывать; ~ed to the desk прико́ванный к пи́сьменному столу́.

chain-gang ['tʃeɪngæŋ] *n* амер. гру́ппа ка́торжников в кандала́х, ско́ванных о́бщей це́пью.

chainlet ['tʃeɪnlɪt] *n* цепо́чка.

chain-rule ['tʃeɪnruːl] *n* мат. цепно́е пра́вило.

chainsmoke [,tʃeɪn'smouk] *v* заку́ривать от папиро́сы, непреры́вно кури́ть.

chain-smoker ['tʃeɪn,smoukə] *n* зая́длый кури́льщик.

chain-stitch ['tʃeɪnstɪtʃ] *n* та́мбурная стро́чка.

chain-stores ['tʃeɪnstɔːz] *n pl* амер. одноти́пные магази́ны одно́й фи́рмы.

chair [tʃeə] **1.** *n* 1) стул; to take a ~ сади́ться; 2) ка́федра; профессу́ра; 3) председа́тельское ме́сто; амер. председа́тель (*собрания*); to address the ~ обраща́ться к председа́телю собра́ния; ~!, ~! к поря́дку!; to take the ~ стать председа́телем собра́ния; откры́ть собра́ние *или* заседа́ние; to be (*или* to sit) in the ~ председа́тельствовать; to leave the ~ закры́ть собра́ние; 4) амер. электри́ческий стул; to go to the ~ быть ка́знённым на электри́ческом сту́ле; 5) амер. ме́сто свиде́теля в суде́; 6) *уст.* портше́з; 7) ж.-д. ре́льсовая поду́шка; ◇ ~ days ста́рость; **2.** *v* 1) возводи́ть в до́лжность; 2) поднима́ть и нести́ на сту́ле (*торжествуя одержанную победу*).

chair-bed ['tʃeə'bed] *n* кре́сло-крова́ть.

chair-car ['tʃeə'kɑː] *n* амер. ж.-д. сало́н-ваго́н.

chairman ['tʃeəmən] *n* 1) председа́тель; 2) *уст.* носи́льщик портше́за.

chairmanship ['tʃeəmənʃɪp] *n* обя́занности председа́теля.

chair warmer ['tʃeə,wɔːmə] *n* амер. *sl.* лени́вец, безде́льник.

chairwoman ['tʃeə,wumən] *n* председа́тельница.

chaise [ʃeɪz] *фр. n* 1) фаэто́н; 2) почто́вая каре́та.

chalcedony [kæl'sedəni] *n мин.* халцедо́н.

chalcography [kæl'kɔgrəfi] *n* гравирова́ние на ме́ди.

Chaldean [kæl'diːən] **1.** *a* халде́йский; древневавило́нский; **2.** *n* 1) халде́й; 2) халде́йский язы́к; 3) *уст.* астро́лог.

chaldron ['tʃɔːldrən] *n* ме́ра у́гля (= *1,66 м³*).

chalet ['ʃæleɪ] *фр. n* 1) шале́, се́льский до́мик (*в Швейцарии*); 2) да́ча в швейца́рском сти́ле; 3) у́личная убо́рная.

chalice ['tʃælɪs] *n* 1) *поэт* ча́ша, ку́бок; 2) *церк.* поти́р; 3) *бот.* ча́шечка (*цветка*).

chalk [tʃɔːk] **1.** *n* 1) мел; 2) мело́к (*для рисова́ния, записи*); 3) креди́т, долг; 4) счёт (*в игре*); 5) *sl.* шрам; цара́пина; ◇ as like as ~ and cheese ≅ похо́же, как гвоздь на пани́хиду; ничего́ о́бщего; not to know ~ from cheese не разбира́ться в просты́х веща́х; абсолю́тно ничего́ не понима́ть в како́м-л. вопро́се; ~s away, by a long ~, by long ~s (на)мно́го, значи́тельно, гора́здо; not by a long ~ отню́дь нет; далеко́ не; ни в ко́ем слу́чае; to walk the ~ а) пройти́ пря́мо по проведённой ме́лом черте́ (*в доказа́тельство своей трезвости*); б) вести́ себя́ безупре́чно; to walk (*или* to stump) one's ~s *sl.* убра́ться, удра́ть; **2.** *v* 1) писа́ть, рисова́ть *или* натира́ть ме́лом; 2) удобря́ть и́звестью; □ ~ out а) набра́сывать; б) намеча́ть (*для выполне́ния*); в) запи́сывать (*долг*).

chalk-stone ['tʃɔːkstoun] *n* 1) известня́к; 2) *pl мед.* подагри́ческие утолще́ния на суста́вах.

chalky ['tʃɔːki] *a* 1) мелово́й; известко́вый; 2) *мед.* подагри́ческий.

challenge ['tʃælɪndʒ] **1.** *n* 1) вы́зов (*на состяза́ние, дуэль и т. п.*); 2) о́клик (*часового*); 3) *мор.* опознава́тельные (*сигнал*); 4) *юр.* отво́д (*присяжных*); peremptory ~ отво́д без указа́ния причи́ны (*в уголо́вных дела́х*); **2.** *v* 1) вызыва́ть, броса́ть вы́зов; to ~ to socialist emulation вызыва́ть на социалисти́ческое соревнова́ние; 2) сомнева́ться, отрица́ть; the teacher ~d my knowledge учи́тель усомни́лся в мои́х зна́ниях; 3) оспа́ривать; подверга́ть сомне́нию; to ~ the accuracy of a statement оспа́ривать пра́вильность утвержде́ния; 4) тре́бовать (*внима́ния, уваже́ния и т. п.*); 5) оклика́ть (*о часовом*); спра́шивать паро́ль, про́пуск; 6) *мор.* пока́зывать опознава́тельные; 7) *юр.* дава́ть отво́д прися́жным.

challenger ['tʃælɪndʒə] *n* 1) посыла́ющий вы́зов; 2) претенде́нт; 3) возража́ющий про́тив чего́-л., оспа́ривающий что́-л.

chalybeate [kə'lɪbɪɪt] *a* желе́зистый (*об источнике*).

cham [kæm] *n* 1) *уст.* хан (*только в выражении*: the Great C. of Tartary); 2) дикта́тор; the Great C. of Literature *прозвище английского писателя и критика XVIII в. С. Джонсона.*

chamber ['tʃeɪmbə] 1. *n* 1) ко́мната (*гл. обр.* спа́льня); 2) *pl* холоста́я меблиро́ванная кварти́ра; 3) *pl* конто́ра адвока́та; ка́мера судьи́; 4) пала́та (*парламента*); Lower C. ни́жняя пала́та; Star C. *ист.* Звёздная пала́та; C. of Commerce торго́вая пала́та; 5) *тех.* ка́мера; 6) *воен.* патро́нник; ка́мора; 7) *горн.* простре́л; 8) = chamber-pot;

2. *a* 1) ка́мерный; ~ concert ка́мерный конце́рт; ~ music ка́мерная му́зыка; 2) *юр.*: ~ counsel юри́ст, даю́щий сове́ты в свое́й конто́ре, но не выступа́ющий в суде́; ~ practice юриди́ческая консульта́ция;

3. *v* 1) заключа́ть в ка́меру; 2) рассве́рливать, высве́рливать; 3) *горн.* расширя́ть дно сква́жины.

chamberlain ['tʃeɪmbəlɪn] *n* управля́ющий дворо́м короля́, камерге́р.

chamber-maid ['tʃeɪmbəmeɪd] *n* го́рничная в гости́нице; *амер. тж.* го́рничная в ча́стном до́ме.

chamber-pot ['tʃeɪmbəpɔt] *n* ночно́й горшо́к.

chameleon [kə'miːljən] *n* хамелео́н.

chamfer ['tʃæmfə] 1. *n* 1) жёлоб; вы́емка; hollow ~ *стр.* га́лтель; 2) *тех.* ско́шенная кро́мка; фа́ска;

2. *v* 1) вынима́ть пазы́; 2) ска́шивать, стёсывать о́стрые углы́ (*ребра, кромки и т. п.*).

chamois ['ʃæmwɑ] *фр.* 1. *n* 1) *зоол.* се́рна; 2) [*тж.* 'ʃæmɪ] за́мша;

2. *v* протира́ть за́мшей.

champ [tʃæmp] 1. *n* ча́вканье;

2. *v* 1) ча́вкать; жева́ть; 2) грызть удила́.

champagne [ʃæm'peɪn] *фр. n* шампа́нское.

champaign ['tʃæmpeɪn] *n* равни́на, откры́тое по́ле.

champerty ['tʃæmpə:tɪ] *n* (запрещённый зако́ном) догово́р с одно́й из тя́жущихся сторо́н, по кото́рому догова́ривающийся (champertor) упла́чивает суде́бные изде́ржки, а в слу́чае вы́игрыша де́ла получа́ет часть исково́й су́ммы.

champignon [tʃæm'pɪnjən] *фр. n* шампиньо́н (*гриб*).

champion ['tʃæmpjən] 1. *n* 1) боре́ц; атле́т; 2) побо́рник, защи́тник; ~s of peace борцы́ за мир; 3) чемпио́н, победи́тель; 4) получи́вший приз (*о людях, животных, растениях*);

2. *a разг.* первокла́ссный; ~ chess-player первокла́ссный шахмати́ст;

3. *v* защища́ть; боро́ться за что-л.; to ~ a cause боро́ться за како́е-л. де́ло.

championship ['tʃæmpjənʃɪp] *n* 1) *спорт.* пе́рвенство, чемпиона́т; world ~ пе́рвенство ми́ра; 2) зва́ние чемпио́на; 3) побо́рничество; защи́та (*кого-л. или чего-л.*).

champlevé [ʃæmplə'veɪ] *фр. n иск.* вы́емчатая эма́ль.

chance [tʃɑːns] 1. *n* 1) слу́чай; случа́йность; by ~ случа́йно; on the ~ в слу́чае; 2) риск; games of ~ аза́ртные и́гры; 3) судьба́; уда́ча, сча́стье; 4) возмо́жность; вероя́тность; шанс; theory of ~s *мат.* тео́рия вероя́тности; give me a (*или* another) ~! отпусти́те, прости́те меня́ на э́тот раз!; to stand a good ~ име́ть хоро́шие ша́нсы; to take one's ~ (*или* a) ~ (of) реши́ться (на что-л.); рискну́ть; ◊ to have an eye to the main ~ пресле́довать ли́чные (*особ.* коры́стные) це́ли;

2. *a* случа́йный;

3. *v* 1) случа́ться; I ~d to be at home я случа́йно был до́ма; 2) рискну́ть; let's ~ it рискнём; □ ~ upon случа́йно наткну́ться, найти́.

chance-comer ['tʃɑːns͵kʌmə] *n* случа́йный *или* неожи́данный посети́тель.

chanceful ['tʃɑːnsful] *a* риско́ванный, опа́сный.

chancel ['tʃɑːnsəl] *n* алта́рь.

chancellery ['tʃɑːnsələrɪ] *n* 1) зва́ние ка́нцлера; 2) канцеля́рия (*посольства, консульства*).

chancellor ['tʃɑːnsələ] *n* 1) ка́нцлер; C. of the Exchequer ка́нцлер казначе́йства (*министр финансов Англии*); Lord (High) C. лорд-ка́нцлер (*глава судебного ведомства и верховный судья Англии, председатель палаты лордов и одного из отделений верховного суда*); 2) пе́рвый секрета́рь посо́льства; 3) номина́льный президе́нт университе́та (*в США действительный*); 4) *шотл.* старшина́ прися́жных заседа́телей.

chancellory ['tʃɑːnsələrɪ] = chancellery.

chance-medley ['tʃɑːns͵medlɪ] *n юр.* непредумы́шленное уби́йство, несча́стная случа́йность.

·**chancery** ['tʃɑːnsərɪ] *n* 1) (C.) суд ло́рда-ка́нцлера; in ~ а) *юр.* на рассмотре́нии в суде́ ло́рда-ка́нцлера; б) *спорт.* положе́ние, когда́ голова́ боксёра зажа́та под ле́вой руко́й проти́вника; в безвы́ходном положе́нии; в пе́тле; 2) *амер.* суд со́вести; 3) архи́в.

chancre ['ʃæŋkə] *n мед.* твёрдый шанкр, я́зва (*тж.* indurated ~).

chancroid ['ʃæŋkrɔɪd] *n мед.* мя́гкий шанкр.

chancy ['tʃɑːnsɪ] *a* 1) риско́ванный; 2) неопределённый; 3) *разг.* счастли́вый, уда́чный.

chandelier [͵ʃændɪ'lɪə] *n* канделя́бр; лю́стра.

chandler ['tʃɑːndlə] *n* 1) свечно́й фабрика́нт; 2) торго́вец свеча́ми; ла́вочник, ме́лочно́й торго́вец.

chandlery ['tʃɑːndlərɪ] *n* 1) склад свече́й; 2) мелочно́й това́р.

change [tʃeɪndʒ] 1. *n* 1) переме́на; измене́ние; ~ of air а) переме́на обстано́вки; б) *тех.* обме́н во́здуха; ~ of life *мед.* климакте́рий; 2) заме́на; 3) разнообра́зие; for a ~ для разнообра́зия; 4) сме́на (*белья, платья*); 5) сда́ча; ме́лкие де́ньги, ме́лочь; small ~ а) ме́лкие де́ньги, ме́лочь; б) что-л. ме́лкое, незначи́тельное; 6) переса́дка (*на*

железной дороге, трамвае); по ~ for Oxford в Óксфорд без пересáдки; 7) нóвая фáза луны, новолýние; 8) (*обыкн. pl*) трезвóн, перезвóн колоколóв; 9): 'Change (*сокр. от* Exchange) лóндонская бúржа; 10) *attr.*: ~ gear *тех.* механúзм перемéны скоростéй; ◇ to get no ~ out of smb. *разг.* ничегó не добúться от когó-л.; to ring the ~s (on) повторять, твердúть на все лады однó и то же; to take the ~ on smb. *разг.* обманýть когó-л.; to take the ~ out of a person *разг.* отомстúть комý-л.;
2. *v* 1) обмéнивать(ся); 2) меня́ть(ся), изменя́ть(ся); сменя́ть, заменя́ть; times ~ временá меня́ются; to ~ colour покраснéть *или* побледнéть; to ~ countenance изменúться в лицé; to ~ one's mind передýмать, изменúть решéние; to ~ hands переходúть из рук в рýки; переходúть к другóму владéльцу; to ~ sides перейтú на другýю стóрону (*в политике, в споре и т. п.*); 3) разменя́ть; 4) переодевáться; 5) дéлать пересáдку, пересáживаться (to ~ на *другой поезд, трамвай и т. п.*); all ~! пересáдка!; 6) скисáться, прокисáть; ◇ to ~ one's note (*или* one's tune) переменúть тон, заговорúть по-инóму; to ~ horses in the midstream производúть крýпные перемéны в критúческий *или* опáсный момéнт.
changeability [ˌtʃeɪndʒəˈbɪlɪtɪ] *n* перемéнчивость, изменчивость; непостоя́нство.
changeable [ˈtʃeɪndʒəbl] *a* 1) непостоя́нный, изменчивый; неустóйчивый; 2) поддаю́щийся изменéнию.
changeful [ˈtʃeɪndʒful] *a* 1) пóлный перемéн; 2)=changeable 1).
changeless [ˈtʃeɪndʒlɪs] *a* неизмéнный, постоя́нный.
changeling [ˈtʃeɪndʒlɪŋ] *n* какáя-л. вещь *или* ребёнок, оставля́емый эльфами взамéн похúщенного (*в сказках*).
change-over [ˈtʃeɪndʒˌouvə] *n* 1) переключéние; перенастрóйка; 2) изменéние; перестрóйка; ~ in editors смéна редáкторов.
channel [ˈtʃænl] 1. *n* 1) пролúв; the English C. Ла-Мáнш; 2) канáл; рýсло; фарвáтер; протóк; 3) сток; стóчная канáва; 4) путь; истóчник; the information was received through the usual ~s информáция была полýчена обычным путём; 5) *тех.* жёлоб; вы́емка; паз, шпунт; швéллер; 6) *радио* звуковóй тракт;
2. *v* 1) проводúть канáл; рыть канáву; пускáть по канáлу; the river has ~led its way through the rocks рекá проложúла себé путь в скáлах; 2) *стр.* дéлать вы́емки *или* пазы́; калевáть; □ ~ off расходúться (*в разных направлéниях*); растекáться.
chanson [ʃɑ̃ːŋˈsɔ̃ŋ] *фр. n* пéсня.
chant [tʃɑːnt] 1. *n* 1) *поэт.* песнь; 2) *церк.* монотóнное песнопéние; пéние псалмá;
2. *v* 1) *поэт.* петь; 2) воспевáть; to ~ the praises of smb. восхваля́ть *или* расхвáливать когó-л.; 3) рассказывать *или* петь монотóнно; говорúть нараспéв; 4) расхвáливать при продáже лóшадь, скрывáя её недостáтки; барышничать.
chantage [ˌʃɑ̃ːŋˈtɑːʒ] *фр. n* шантáж.

chanter [ˈtʃɑːntə] *n* 1) рéгент церкóвного хóра; 2) трýбка волынки, исполня́ющая мелóдию; 3) лошадúный барышник; 4) завирýшка (*лесная птица*).
chanterelle [ˌtʃæntəˈrel] *фр. n* лисúчка (*гриб*).
chantey [ˈʃɑːntɪ] *n* хоровáя матрóсская пéсня (*которую поют при подъёме тяжестей и т. п.*).
chanticleer [ˌtʃæntɪˈklɪə] *фр. n* шантеклéр (*петух*).
chantress [ˈtʃɑːntrɪs] *n уст., поэт.* певúца.
chantry [ˈtʃɑːntrɪ] *n церк.* 1) вклад, остáвленный на отправлéние заупокóйных месс (*по завещáтеле*); 2) часóвня.
chanty [ˈʃɑːntɪ] = chantey.
chaos [ˈkeɪɔs] *n* хáос; пóлный беспоря́док.
chaotic [keɪˈɔtɪk] *a* хаотúческий.
chap I [tʃæp] *n разг.* мáлый, пáрень; merry ~ весельчáк; nice ~ слáвный мáлый; old ~ старинá, прия́тель.
chap II [tʃæp] 1. *n* щель, трéщина;
2. *v* 1) производúть трéщину; cold weather ~s the skin кóжа трéскается от хóлода; 2) трéскаться (*особ. о руках на морозе*); 3) толóчь, измельчáть.
chap III [tʃæp] *n* (*обыкн. pl*) 1) чéлюсть (*преим. у животных, шутл. у человека, тогда чаще* chop); 2) щекá.
chaparajos [ˌtʃɑːpɑːˈrɑːhous] *n pl исп.-ам.* кóжаные *или* меховые штаны́ ковбóев.
chaparral [ˌtʃæpəˈræl] *n амер.* 1) зáросль вечнозелёного кáрликового дýба; 2) колючий кустáрник.
chap-book [ˈtʃæpbuk] *n* дешёвое издáние нарóдных скáзок, предáний, баллáд.
chape [tʃeɪp] *n* окóвка нóжен.
chapel [ˈtʃæpəl] *n* 1) часóвня; цéрковь (*тюремная, полковая, домовая и т. п.*); 2) капéлла; неангликáнская цéрковь; 3) пéвческая капéлла (*обыкн. придвóрная*); 4) типогрáфия; коллектúв *или* собрáние типогрáфских рабóчих; to call a ~ созвáть коллектúв типогрáфии на собрáние; 5) *attr.*: ~ folk нонконформúсты.
chaperon [ˈʃæpəroun] 1. *n* пожилáя дáма, сопровождáющая молодýю дéвушку на балы́ *и пр.*; компаньóнка;
2. *v* сопровождáть (*молодую девушку*).
chap-fallen [ˈtʃæpˌfɔːlən] *a* 1) с отвúслой чéлюстью; 2) унылый, удручённый.
chapiter [ˈtʃæpɪtə] *n архит.* капитéль колóнны.
chaplain [ˈtʃæplɪn] *n* 1) капеллáн; 2) свящéнник.
chaplet [ˈtʃæplɪt] *n* 1) венóк, гирля́нда, лéнта (*на голове*); 2) чётки; 3) бýсы; ожерéлье; 4) *метал.* жеребéйка.
chapman [ˈtʃæpmən] *n уст.* стрáнствующий торгóвец; коробéйник.
chappie [ˈtʃæpɪ] *n разг.* свéтский человéк, щёголь.
chappy I [ˈtʃæpɪ] *a* потрéскавшийся.
chappy II [ˈtʃæpɪ] = chappie.
chaps [tʃæps] *сокр. разг. от* chaparajos.
chapter [ˈtʃæptə] *n* 1) главá (*книги*); to the end of the ~ до концá главы́; *перен.* до сáмого концá; ~ and verse главá и стих бúблии; *перен.* тóчная ссы́лка на истóчник;

2) тема, сюжет; enough on that ~ довольно об этом; 3) собрание каноников *или* членов монашеского *или* рыцарского ордена; ◇ the ~ of accidents непредвиденное стечение обстоятельств; the ~ of possibilities возможный ход событий;

2. *v* 1) разбивать книгу на главы; 2) пробирать, бранить.

char I [ʧɑ:] **1.** *n редк.* 1) (*обыкн. pl*) случайная, подённая работа; 2) *pl* домашняя работа; 3) *сокр. от* charwoman;

2. *v* выполнять подённую работу; чистить, убирать (*дом*).

char II [ʧɑ:] **1.** *n* 1) что-л. обуглившееся; 2) *редк.* древесный уголь;

2. *v* обжигать, обугливать(ся).

char III [ʧɑ:] *n* 1) голец (*рыба*); 2) *амер.* ручьевая форель, пеструшка.

char-à-banc(s) [ˈʃærəbæŋ(z)] *фр. n* 1) шарабан; 2) автомобиль (*для экскурсий*).

character [ˈkærɪktə] **1.** *n* 1) характер; a man of ~ человек с (сильным) характером; a man of no ~ слабый, бесхарактерный человек; 2) репутация; 3) письменная рекомендация, характеристика; 4) фигура, личность; a public ~ общественный деятель; a bad ~ тёмная личность; 5) *лит.* образ, герой; тип; роль, действующее лицо (*в драме*); 6) *разг.* оригинал, чудак; quite a ~ оригинальный человек; 7) характерная особенность; отличительный признак; innate ~s *биол.* наследственные признаки; acquired ~ *биол.* благоприобретённый отличительный признак организма (*в отличие от наследственного*); 8) качество, свойство; 9) буква; литера; иероглиф; цифра; алфавит; письмо; Chinese ~s китайские иероглифы; Runic ~ — рунические письмо; 10) *attr.* характерный; ~ actor актёр на характерных ролях; ◇ to be in ~ (with) соответствовать; to be out of ~ не соответствовать;

2. *v* 1) запечатлевать; 2) *уст.* характеризовать.

characteristic [ˌkærɪktəˈrɪstɪk] **1.** *a* характерный; типичный (of);

2. *n* 1) характерная черта; особенность, свойство; 2) *мат.* характеристика (*логарифма*).

characterization [ˌkærɪktəraɪˈzeɪʃn] *n* 1) характеристика; 2) *лит.* искусство создания характеров.

characterize [ˈkærɪktəraɪz] *v* 1) характеризовать, изображать; 2) отличать; служить отличительным признаком.

characterless [ˈkærɪktəlɪs] *a* 1) слабый, бесхарактерный; 2) не имеющий рекомендации.

charade [ʃəˈrɑːd] *n* шарада.

charcoal [ˈʧɑːkoul] **1.** *n* 1) древесный уголь; 2) рашкуль, угольный карандаш; 3) рисунок углём.

2. *v* отмечать, рисовать углём.

charcoal-burner [ˈʧɑːkoulˌbəːnə] *n* угольщик.

chare [ʧɛə] = char I.

charge [ʧɑːʤ] **1.** *n* 1) заряд; 2) нагрузка, загрузка; бремя; 3) забота, попечение; надзор; хранение; children in ~ of a nurse дети, порученные няне; a nurse in ~ of

children няня, которой поручена забота о детях; this is left in my ~ and is not my own это оставлено мне на хранение, но это не моё; to give smb. in ~ передать кого-л. в руки полиции; 4) лицо, состоящее на попечении; her little ~s её маленькие питомцы; young ~s дети, находящиеся на чьём-л. попечении; 5) обязанности; ответственность; I am in ~ of this department этот отдел подчинён мне, я заведую этим отделом; to be in ~ *воен.* быть за старшего, командовать; 6) предписание; поручение; требование; 7) цена; *pl* расходы, издержки; at his own ~ на его собственный счёт; free of ~ бесплатно; ~s forward доставка за счёт покупателя; 8) занесение на счёт; 9) налог; 10) обвинение; to lay to smb.'s ~ обвинять кого-л.; 11) *юр.* речь судьи к присяжным; 12) *церк.* послание епископа к пастве; 13) *церк.* паства; 14) *метал.* загрузка, шихта; 15) *воен.* нападение, атака (*тж. перен. — в разговоре, споре*); сигнал к атаке; to return to the ~ возобновить атаку;

2. *v* 1) заряжать (*оружие; аккумулятор*); 2) нагружать; загружать; обременять (*память*); насыщать; наполнять (*стакан вином при тосте*); 3) поручать, вверять; to ~ with an important mission давать важное поручение; to ~ oneself with smth. взять на себя заботу о чём-л., ответственность за что-л.; 4) назначать цену, просить (for — за что-л.); they ~d us ten dollars for it они взяли с нас за это десять долларов; what do you ~ for it? сколько вы просите за это?, сколько это стоит?; 5) записывать в долг; 6) обвинять; to ~ with murder обвинять в убийстве; 7) предписывать; требовать (*особ. о судье, епископе*); I ~ you to obey я требую, чтобы вы повиновались; 8) *юр.* напутствовать присяжных (*о судье*); 9) *воен.* атаковать (*особ. в конном строю*).

chargeable [ˈʧɑːʤəbl] *a* 1) заслуживающий упрёка, обвинения (with—в чём-л.); 2) ответственный; 3) относимый за чей-л. счёт; this is ~ to the account of... это следует отнести на счёт...; 4) подлежащий обложению, оплате.

chargé d'affaires [ˈʃɑːʒeɪdæˈfɛə] *фр. n* (*pl* chargés d'affaires [-dæˈfɛəz]) поверенный в делах.

charger [ˈʧɑːʤə] *n* 1) тот, кто нагружает; 2) заряжающий; 3) обвинитель; 4) *воен.* патронная обойма; 5) *воен.* строевая лошадь, боевой конь; 6) *уст.* большое плоское блюдо; 7) *метал.* садочная машина, шаржирмашина.

charge-sheet [ˈʧɑːʤʃiːt] *n юр.* список арестованных с указанием их проступков, находящийся в полицейском участке.

chariness [ˈʧɛərɪnɪs] *n* осторожность; заботливость; бережливость.

chariot [ˈʧærɪət] *поэт., ист.* **1.** *n* колесница;

2. *v* 1) везти в колеснице; 2) ехать в колеснице.

charioteer [ˌʧærɪəˈtɪə] **1.** *n* 1) *уст.* возница; 2) (С.) Возничий (*созвездие*);

2. *v* везти в колеснице.

charitable ['ʧærɪtəbl] *a* 1) благотворительный; 2) милосердный; щедрый.

charity ['ʧærɪtɪ] *n* 1) милосердие; 2) благотворительность, милостыня; 3) *pl* благотворительные учреждения *или* дела; ◇ ~ begins at home ≅ своя рубашка ближе к телу.

charity-school ['ʧærɪtɪˌskuːl] *n* школа для бедных детей (*которая содержится на благотворительные средства*).

charivari ['ʃɑːrɪˈvɑːrɪ] *фр. n* шум, гам, кошачий концерт.

charlatan ['ʃɑːlətən] *n* шарлатан, обманщик; знахарь.

Charles's Wain ['ʧɑːlzɪzˈweɪn] *n* Большая Медведица (*созвездие*).

Charleston ['ʧɑːlstən] *n* чарльстон (*танец*).

Charley I ['ʧɑːlɪ] *n* 1) *прозвище лисы в фольклоре*; 2) *амер. воен.* буква «С», третий.

Charley II ['ʧɑːlɪ] *n разг.* 1) ночной сторож; 2) бородка клинышком.

Charlie I, II ['ʧɑːlɪ] = Charley I, II.

charlock ['ʧɑːlɔk] *n бот.* горчица полевая.

charlotte ['ʃɑːlət] *фр. n* шарлотка (*сладкое блюдо*).

charm [ʧɑːm] **1.** *n* 1) обаяние, очарование; 2) (*обыкн. pl*) чары; to act like a ~ действовать словно чудо (*о лекарстве*); 3) амулет; 4) брелок;
2. *v* 1) очаровывать; прельщать; I shall be ~ed to see you я буду очень рад вас видеть; 2) заколдовывать; заклинать; to ~ a secret out of smb. выведать тайну у кого-л.; 3) успокаивать (*боль*); 4) приручать (*или* заклинать) (*змею*).

charmer ['ʧɑːmə] *n* 1) *шутл., уст.* очаровательный, обаятельный человек (*особ. о женщине*); чародейка, чаровница; 2) волшебник; заклинатель змей.

charming ['ʧɑːmɪŋ] **1.** *pres. p. от* charm 2; **2.** *a* очаровательный, прелестный.

charnel-house ['ʧɑːnlhaus] *n* склеп.

charpoy ['ʧɑːpɔɪ] *n англо-инд.* лёгкая кровать, койка.

chart [ʧɑːt] **1.** *n* 1) морская карта; 2) карта; меркаторская карта; 3) диаграмма, схема, чертёж, таблица; barometric ~ метеорологическая таблица; 4) *attr.*: ~ room *мор.* штурманская рубка.
2. *v* наносить на карту; чертить карту.

charter ['ʧɑːtə] **1.** *n* 1) хартия, грамота; The Great C. *ист.* Великая хартия вольностей (*1215 г.*); The People's C. программа чартистов (*1838 г.*); 2) право, привилегия; 3) устав; 4) = charter-party; time ~ тайм-чартер, договор на фрахтование судна на определённый рейс; сдача напрокат (*автомобиля и т. п.*); 6) *attr.*: ~ member *амер.* один из основателей какой-л. организации;
2. *v* 1) даровать привилегию; 2) фрахтовать (*судно*); 3) *разг.* заказывать, нанимать.

chartered ['ʧɑːtəd] **1.** *p. p. от* charter 2;
2. *a* 1) привилегированный; ~ accountant присяжный бухгалтер; 2) зафрахтованный; 3) *разг.* заказанный.

charterer ['ʧɑːtərə] *n* фрахтователь; фрахтовщик.

Charterhouse ['ʧɑːtəhaus] *n* дом для престарелых пенсионеров (*в Лондоне*).

charter-party ['ʧɑːtəˌpɑːtɪ] *n мор., ком.* фрахтовый контракт, чартер-партия.

chartism ['ʧɑːtɪzəm] *n ист.* чартизм.

chartist ['ʧɑːtɪst] *n ист.* чартист.

chartreuse [ʃɑːˈtrɜːz] *фр. n* 1) картезианский монастырь; 2) ликёр шартрёз.

charwoman ['ʧɑːˌwumən] *n* подёнщица для домашней работы; уборщица.

chary ['ʧɛərɪ] *a* 1) осторожный; to be ~ of giving offence стараться не обидеть; 2) сдержанный, скупой (of—на *слова и т. п.*).

chase I [ʧeɪs] **1.** *n* 1) охота; место охоты; участники охоты; 2) преследование, погоня; *разг.* слёжка, травля; to give ~ гнаться, преследовать; in ~ of в погоне за; 3) животное, преследуемое охотником; 4) *мор.* преследуемый корабль; 5) территория для охоты;
2. *v* 1) охотиться; 2) гнаться; преследовать; 3) прогонять; *перен.* рассеивать, разгонять; to ~ all fear отбросить всякий страх; 4) *разг.* запить водой (*коньяк, спирт и т. п.*); ◇ go ~ yourself! *амер.* убирайтесь вон!

chase II [ʧeɪs] **1.** *n* 1) *воен.* дульная часть орудия; 2) *тех.* фальц; 3) *полигр.* рама; 4) оправа (*драгоценного камня*);
2. *v* 1) нарезать (*винт*); 2) гравировать (*орнамент*); 3) запечатлевать; the sight is ~d on my memory это зрелище запечатлелось в моей памяти.

chaser I ['ʧeɪsə] *n* 1) преследователь; 2) *ав.* истребитель; 3) *мор.* морской охотник; 4) *мор.* судовое орудие; 5)=chasse I; 6) *разг.* глоток воды после спиртного.

chaser II ['ʧeɪsə] *n* 1) гравёр (*по металлу*), чеканщик; 2) *тех.* винторезная гребёнка; винторезная плашка, резьбовой резец; 3) *тех.* нарезчик; 4) *горн.* бегун.

chasing I ['ʧeɪsɪŋ] **1.** *pres. p. от* chase I, 2; **2.** *n* преследование, погоня.

chasing II ['ʧeɪsɪŋ] **1.** *pres. p. от* chase II, 2; **2.** *n* резная работа.

chasm ['kæzəm] *n* 1) глубокая расселина; глубокое ущелье; 2) бездна, пропасть; 3) пробел, разрыв; 4) глубокое расхождение в мнениях, вкусах и взглядах.

chasse I [ʃɑːs] *фр. n разг.* рюмка ликёра после кофе.

chasse II [ʃɑːs] *фр. n церк.* рака (*с мощами*).

chassis ['ʃæsɪ] *n* (*pl* chassis ['ʃæsɪz]) *тех.* шасси; рама, ходовые части.

chaste [ʧeɪst] *a* 1) целомудренный; 2) строгий, чистый (*о стиле*); простой.

chasten ['ʧeɪsn] *v* 1) карать; 2) сдерживать, дисциплинировать; 3) очищать (*литературный стиль*).

chastise [ʧæsˈtaɪz] *v* 1) подвергать наказанию (*особ. телесному*); 2) делать строгий выговор.

chastisement ['ʧæstɪzmənt] *n* дисциплинарное взыскание; наказание.

chastity ['ʧæstɪtɪ] *n* 1) воздержанность; 2) целомудрие, девственность; 3) строгость, чистота (*стиля*).

~uble ['t∫æzjubl] *n церк.* ри́за.

. I [t∫æt] **1.** *n* дру́жеский разгово́р; ~се́да; болтовня́; let's have a ~ поболта́ем; **2.** *v* непринуждённо болта́ть.

chat II [t∫æt] *n* чека́н (*птица*).

château ['∫ɑːtou] *фр. n* (*pl* châteaux) за́мок, дворе́ц.

châteaux ['∫ɑːtouz] *pl om* château.

châtelaine ['∫ætəleɪn] *фр. n* 1) хозя́йка за́мка; хозя́йка до́ма; 2) цепо́чка на по́ясе у же́нщины, на кото́рой но́сят ключи́, кошелёк *и т. п.*

chatoyant [∫ə'tɔɪənt] *фр. a* перели́вчатый.

chattel ['t∫ætl] *n* (*обыкн. pl*) 1) дви́жимое иму́щество (*тж.* ~s personal); ~s real недви́жимое иму́щество; goods and ~s всё иму́щество; пожи́тки; 2) *attr.*: ~ slavery system систе́ма ра́бского труда́.

chatter ['t∫ætə] **1.** *n* 1) болтовня́; 2) щебета́ние; 3) журча́ние; 4) дребезжа́ние; **2.** *v* 1) болта́ть; 2) разба́лтывать (*секрет*); 3) щебета́ть; стрекота́ть (*особ. о соро́ках*); ~ like a magpie треща́ть как соро́ка; 4) журча́ть; 5) дребезжа́ть; 6) стуча́ть (*зуба́ми*); 7) дрожа́ть, вибри́ровать.

chatterbox ['t∫ætəbɔks] *n* 1) болту́н(ья), пустоме́ля; 2) *амер. воен. sl.* пулемёт.

chatterer ['t∫ætərə] *n* болту́н(ья).

chatty I ['t∫ætɪ] *a* 1) болтли́вый; 2) *воен. sl.* вши́вый; 3) *мор. sl.* гря́зный и неря́шливый.

chatty II ['t∫ætɪ] *n англо-инд.* гли́няный кувши́н.

Chaucerian [t∫ɔː'sɪərɪən] *a* чо́серовский.

chauffer ['t∫ɔːfə] *n* небольша́я перено́сная желе́зная печь.

chauffeur ['∫oufə] *фр. n* шофёр, води́тель.

chauvinism ['∫ouvɪnɪzəm] *n* шовини́зм.

chauvinist ['∫ouvɪnɪst] *n* шовини́ст.

chaw [t∫ɔː] *v груб.* жева́ть; ча́вкать; □ ~ up разби́ть на́голову (*врага́, проти́вника в игре́*); разби́ть вдре́безги.

chaw-bacon ['t∫ɔː,beɪkən] *n* неотёсанный, неуклю́жий па́рень, рази́ня.

cheap [t∫iːp] **1.** *a* 1) дешёвый; обесце́ненный (*о валю́те*); ~ trip экску́рсия, путеше́ствие по льго́тному тари́фу; dirt ~ о́чень дешёвый; 2) плохо́й; *predic.*: to feel ~ пло́хо себя́ чу́вствовать; быть не в ду́хе; чу́вствовать себя́ нело́вко, не в свое́й таре́лке; to hold smth. ~ ни в грош не ста́вить; to make oneself ~ вести́ себя́ недосто́йно; позволя́ть во́льности по отноше́нию к себе́; **2.** *adv* дёшево; to get off ~ (*или* cheaply) дёшево отде́латься; ~ and nasty дёшево да гни́ло; **3.** *n*: on the ~ *разг.* по недорого́й цене́, по дешёвке.

cheapen ['t∫iːpən] *v* 1) дешеве́ть; 2) снижа́ть це́ну; 3) *уст.* торгова́ться.

Cheap Jack ['t∫iːpdʒæk] *n* стра́нствующий разно́счик, торгу́ющий дешёвыми това́рами (*тж.* Cheap John).

cheaply ['t∫iːplɪ] *adv* 1) дёшево; 2) легко́.

cheat [t∫iːt] **1.** *n* 1) моше́нничество; обма́н; 2) обма́нщик, плут; ◇ topping ~ *sl.* ви́селица;

2. *v* 1) моше́нничать; обма́нывать; he ~ed me (out) of five dollars он наду́л меня́ на пять до́лларов; to ~ on smb. вести́ себя́ нече́стно по отноше́нию к кому́-л. (*дру́гу, партнёру, му́жу и т. п.*); 2) избежа́ть (*чего́-л.*); to ~ the gallows избежа́ть ви́селицы; 3) занима́ть (*чем-л.*); to ~ time корота́ть вре́мя; to ~ the journey корота́ть вре́мя в пути́.

check [t∫ek] **1.** *n* 1) препя́тствие; остано́вка; заде́ржка; 2) *шахм.* шах; 3) поте́ря охо́тничьей соба́кой сле́да; 4) контро́ль, прове́рка; loyalty ~ прове́рка лоя́льности (*в США*); 5) контро́льный ште́мпель; га́лочка (*зна́чок*); 6) ярлы́к; бага́жная квита́нция; 7) номеро́к (*в раздева́льне*); 8) контрама́рка; корешо́к; 9) *амер.* чек [*см. тж.* cheque]; 10) *амер.* фи́шка, ма́рка (*в карт. игре́*); 11) кле́тка (*на мате́рии*); кле́тчатая ткань; 12) тре́щина, щель (*в де́реве*); 13) *attr.* контро́льный; ~ experiment контро́льный о́пыт; 14) *attr.* кле́тчатый; ◇ to keep (*или* to hold) in ~ сде́рживать; to cash (*или* to hand in, to pass in) one's ~s умере́ть;

2. *v* 1) остана́вливать(ся); сде́рживать; препя́тствовать; 2) *шахм.* объявля́ть шах; 3) располага́ть в ша́хматном поря́дке; 4) проверя́ть, контроли́ровать; 5) *воен.* объявля́ть вы́говор; 6) *амер.* выпи́сывать чек (*upon—на чьё-л. и́мя*; *for — на су́мму*); □ ~ in сдава́ть под распи́ску; регистри́ровать(ся), запи́сывать(ся); ~ out *амер.* а) отме́титься при ухо́де с рабо́ты по оконча́нии рабо́чего дня; б) уйти́ в отста́вку; в) освободи́ть но́мер в гости́нице; г) *радио* отстро́иться; ~ up проверя́ть; ~ with совпада́ть, соотве́тствовать.

checker I ['t∫ekə] = chequer.

checker II ['t∫ekə] *n амер. sl.* доно́счик, осведоми́тель.

checkerboard ['t∫ekəbɔːd] *n* ша́хматная доска́.

checkered ['t∫ekəd] *a* 1) кле́тчатый; 2) пёстрый; 3) разнообра́зный.

checking-room ['t∫ekɪŋrum] = check-room.

check-key ['t∫ek,kiː] *n* ключ от англи́йского замка́.

checkmate ['t∫ek'meɪt] **1.** *n* 1) шах и мат (*употр. тж. как int*); 2) по́лное пораже́ние; **2.** *v* 1) сде́лать мат; 2) нанести́ по́лное пораже́ние; расстро́ить пла́ны; парализова́ть проти́вника.

check-nut ['t∫eknʌt] *n тех.* контрга́йка.

check-off ['t∫ek'ɔːf] *n амер.* 1) удержа́ние профсою́зных чле́нских взно́сов непосре́дственно из за́работной пла́ты; 2) удержа́ние из за́работной пла́ты сто́имости поку́пок, сде́ланных в ла́вке компа́нии, кварти́рной пла́ты *и т. п.*; 3) *attr.*: ~ agreement соглаше́ние ме́жду профсою́зом и предпринима́телем об удержа́нии профсою́зных взно́сов из за́работной пла́ты.

check-room ['t∫ekrum] *n амер.* 1) гардеро́бная; 2) ка́мера хране́ния.

checkrow ['t∫ek,rou] *n с.-х.* ша́хматный посе́в, посе́в в ша́хматном поря́дке.

check-taker ['t∫ek,teɪkə] *n* 1) *театр.* биле́тёр; 2) *ж.-д.* конду́ктор.

check-up [´tʃek,ʌp] *n* 1) прове́рка; реви́зия, контро́ль; 2) *attr.* прове́рочный, ревизио́нный; ~ committee ревизио́нная коми́ссия.

check-weigher [´tʃek,weɪə] *n* *тех.* контроле́р, проверя́ющий вес.

Cheddar [´tʃedə] *n* че́дер (*сорт сыра*).

cheek [tʃiːk] 1. *n* 1) щека́; 2) *разг.* на́глость, самоуве́ренность; to have the ~ to say smth. име́ть на́глость сказа́ть что-л.; 3) *тех.* бок, сто́йка, коси́к; стани́на; *pl* гу́бы тиско́в; 4) *геол.* бок жи́лы; 5) *pl* *мор.* чи́ксы (*на мачте*); ◇ ~ by jowl ря́дом, бок о́ бок; to one's own ~ всё для себя́ одного́; with one's tongue in one's ~ неи́скренне; ~ brings success *посл.* ≅ сме́лость го́рода берёт; 2. *v* *разг.* наха́льничать, говори́ть де́рзости.

cheek-bone [´tʃiːkboun] *n* скула́.

cheek-tooth [´tʃiːktuːθ] *n* заднекоренно́й зуб.

cheeky [´tʃiːkɪ] *a* *разг.* наха́льный.

cheep [tʃiːp] 1. *n* писк (*птенцов, мышей*); 2. *v* пища́ть.

cheeper [´tʃiːpə] *n* 1) птене́ц (*особ. куропа́тки или тётерева*); 2) писку́н; младе́нец.

cheer [tʃɪə] 1. *n* 1) одобри́тельное *или* приве́тственное восклица́ние; ура́!; three ~s for our visitors! да здра́вствуют на́ши го́сти!; words of ~ ободря́ющие слова́; 2) *pl* аплодисме́нты, одобри́тельные во́згласы; 3) настрое́ние; to be of good (bad) ~ быть в хоро́шем (плохо́м) настрое́нии; 4) весе́лье; 5) хоро́шее угоще́ние; to make good ~ пирова́ть, угоща́ться; 2. *v* 1) приве́тствовать гро́мкими во́згласами; 2) ободря́ть; поощря́ть одобри́тельными восклица́ниями; 3) аплоди́ровать; □ ~ up утеши́ть(ся); обо́дрить(ся); ~ up! не уныва́й(те)!

cheerful [´tʃɪəful] *a* 1) бо́дрый, весёлый; 2) я́ркий, све́тлый (*о дне*).

cheerfulness [´tʃɪəfulnɪs] *n* бо́дрость, весёлость.

cheerio [´tʃɪərɪ´ou] *int* *sl.* 1) за ва́ше здоро́вье!; 2) всего́ хоро́шего!

cheerless [´tʃɪəlɪs] *a* уны́лый, мра́чный, угрю́мый.

cheery [´tʃɪərɪ] *a* весёлый, живо́й; ра́достный.

cheese I [tʃiːz] *n* 1) сыр; a ~ голо́вка *или* круг сы́ра; Cheshire ~ че́стер (*сыр*); green ~ молодо́й сыр; ripe ~ вы́держанный сыр; 2) что-л., *напоминающее сыр*; напр., *спрессо́ванные я́блочные вы́жимки (при приготовле́нии си́дра)*; 3) приседа́ние, сде́ланное так, чтобы ю́бка образова́ла на полу́ ко́локол (*детская заба́ва*); глубо́кий ревера́нс; 4) *амер.* *sl.* болва́н, тупи́ца; ◇ big ~ *амер.* *sl.* ва́жная персо́на, «ши́шка»; to get the ~ потерпе́ть неуда́чу.

cheese II [tʃiːz] *n*: quite the ~, that's the ~ *sl.* как раз то, что на́до.

cheese III [tʃiːz] *v*: ~ it! *sl.* a) замолчи́!, переста́нь!, брось!; б) беги́!, удира́й!

cheese-cake [´tʃiːzkeɪk] *n* 1) сдо́бная ватру́шка; 2) *амер.* *sl.* фотогра́фия обнажённой же́нщины.

cheese-cloth [´tʃiːzklɔθ] *n* ма́рля.

cheese-mite [´tʃiːzmaɪt] *n* сы́рный клещ.

cheesemonger [´tʃiːz,mʌŋgə] *n* торго́вец моло́чными проду́ктами.

cheese-paring [´tʃiːz,pεərɪŋ] 1. *n* 1) ко́рка сы́ра; 2) ску́пость; 3) *pl* отбро́сы, отхо́ды; 2. *a* скупо́й.

cheesy [´tʃiːzɪ] *a* 1) сы́рный; 2) *sl.* мо́дный, сти́льный.

cheetah [´tʃiːtə] *n* *зоол.* гепа́рд.

chef [ʃef] *фр.* *n* шеф-по́вар, гла́вный по́вар.

chef-d'oeuvre [ʃeɪ´dɑːvr] *фр.* *n* (*pl* chefs-d'oeuvre) шеде́вр, образцо́вое произведе́ние.

chefs-d'oeuvre [ʃeɪ´dɑːvr] *pl* *от* chef-d'oeuvre.

cheiromancy [´kaɪərəmænsɪ] = chiromancy.

cheiroptera [kaɪ´rɔptərə] *n* *pl* *зоол.* руко-кры́лые.

chela [´kiːlə] *n* (*pl* -lae) *зоол.* клешня́.

chelae [´kiːliː] *pl* *от* chela.

chemical [´kemɪkəl] 1. *a* хими́ческий; ~ fertilizers минера́льные удобре́ния; ~ war gases боевы́е отравля́ющие вещества́; ~ warfare хими́ческая война́; 2. *n* *pl* химика́лии; хими́ческие препара́ты.

chemise [ʃɪ´miːz] *n* же́нская соро́чка.

chemisette [,ʃemiː´zet] *n* шемизе́тка.

chemist [´kemɪst] *n* 1) хи́мик; 2) апте́карь; ~'s shop апте́ка.

chemistry [´kemɪstrɪ] *n* хи́мия; agricultural ~ агрохи́мия; applied ~ прикладна́я хи́мия.

chemotherapy [,kemə´θerəpɪ] *n* *мед.* химиотерапи́я.

chenille [ʃə´niːl] *n* сине́ль.

cheque [tʃek] 1. *n* ба́нковый чек [см. тж. check 1, 9)]; to cash a ~ получи́ть де́ньги по че́ку; to draw a ~ вы́писать чек; 2. *v*: to ~ out получи́ть по че́ку.

cheque-book [´tʃekbuk] *n* че́ковая кни́жка.

chequer [´tʃekə] 1. *n* 1) ша́хматная доска́ (*как вы́веска гости́ницы*); 2) *pl* *амер.* ша́шки (*игра́*); 3) (*обыкн. pl*) кле́тчатая мате́рия; 2. *v* 1) графи́ть в кле́тку; 2) размеща́ть в ша́хматном поря́дке; 3) пестри́ть, разнообра́зить.

chequered [´tʃekəd] 1. *p.p.* *от* chequer 2; 2. *a* разнообра́зный, изме́нчивый; ~ fortune изме́нчивое сча́стье; ~ light and shade светоте́нь.

chequer-wise [´tʃekəwaɪz] *adv* в ша́хматном поря́дке.

cherish [´tʃerɪʃ] *v* 1) леле́ять (*надежду, мысль*); 2) храни́ть (*в памяти*); 3) забо́тливо выра́щивать (*растения*); 4) не́жно люби́ть (*детей*).

cheroot [ʃə´ruːt] *n* сорт сига́р с обре́занными конца́ми.

cherry [´tʃerɪ] 1. *n* 1) ви́шня; 2) = ~-tree; ◇ to make two bites of a ~ прилага́ть изли́шние стара́ния к о́чень лёгкому де́лу; 2. *a* 1) вишнёвого цве́та; 2) вишнёвый; ~ brandy вишнёвая нали́вка, вишнёвый ликёр.

cherry-pie [´tʃerɪ´paɪ] *n* 1) пиро́г с ви́шнями; 2) гелиотро́п.

cherry-stone ['tʃerɪstoun] *n* 1) вишнёвая косточка; 2) вид съедобного моллюска.

cherry-tree ['tʃerɪtriː] *n* вишня, вишнёвое дерево.

chert [tʃəːt] *n мин.* шерт, кремнистый известняк, сланец.

cherub ['tʃerəb] *n* (*pl* -s[-z], -bim) херувим.

cherubic [tʃe'ruːbɪk] *a* с розовыми щёчками; невинный как херувим; ангелоподобный.

cherubim ['tʃerəbɪm] *pl от* cherub.

chervil ['tʃəːvɪl] *n бот.* купырь садовый, кервель.

chess [tʃes] *n* 1) шахматы; 2) оконная рама.

chess-board ['tʃesbɔːd] *n* шахматная доска.

chess-man ['tʃesmæn] *n* шахматная фигура.

chess-player ['tʃes‚pleɪə] *n* шахматист.

chest [tʃest] *n* 1) ящик; сундук; ~ of drawers комод; medicine ~ домашняя аптечка; 2) казначейство; казна; фонд; 3) грудная клетка; weak ~ слабые лёгкие; ◇ to get smth. off one's ~ чистосердечно признаться в чём-л.; облегчить душу.

chesterfield ['tʃestəfiːld] *n* 1) длинное пальто в талию; 2) род дивана.

chest-note ['tʃestnout] *n* низкая, грудная нота.

chestnut ['tʃesnʌt] 1. *n* 1) каштан (*тж.* Spanish *или* Sweet ~); 2) бабка (*лошади*); 3) *разг.* гнедая лошадь; 4) *разг.* избитый анекдот; 5) *pl sl.* пули; ◇ to put the ~s in the fire ≅ заварить кашу; to pull the ~s out of the fire for smb. таскать для кого-л. каштаны из огня; 2. *a* 1) каштанового цвета; 2) гнедой.

chest-trouble ['tʃest‚trʌbl] *n* хроническая болезнь лёгких.

chest-voice ['tʃestvɔɪs] *n* грудной, низкий голос.

chesty ['tʃestɪ] *a амер.* самоуверенный, упрямый.

cheval-glass [ʃə'vælglɑːs] *n* высокое зеркало на ножках, психе́.

chevalier [‚ʃevə'lɪə] *n* 1) *ист.* рыцарь; 2) кавалер ордена; 3) кавалер; ◇ ~ of fortune, ~ of industry авантюрист, мошенник.

chevaux de frise [ʃə'voudə'friːz] *фр. n pl* 1) рогатка; 2) торчащие гвозди *или* куски битого стекла наверху стены.

cheviot ['tʃevɪət] *n* шевиот.

chevron ['ʃevrən] *n* 1) шеврон; 2) *стр.* стропило.

chevy ['tʃevɪ] 1. *n* 1) охота; погоня; 2) охотничий крик при погоне за лисицей; 3) игра в бары; 2. *v* 1) гнаться; 2) удирать; 3) гонять то и дело по поручениям.

chew [tʃuː] 1. *n* 1) жвачка; 2) табак для жевания; 2. *v* 1) жевать; to ~ the cud жевать жвачку; *перен.* пережёвывать старое; размышлять; 2) обдумывать (*часто* ~ on, ~ upon); ◇ to ~ the fat (*или* the rag) ворчать, придираться, «пилить».

chewing-gum ['tʃuːɪŋɡʌm] *n* жевательная резинка.

chiaroscuro [kɪ‚ɑːrəs'kuərou] *ит. n* 1) *жив.* распределение светотени; 2) пользование контрастами (*в поэзии*).

chiasmus [kaɪ'æzməs] *n* хиазм (*инверсия во второй половине фразы; напр.:* he rose up and down sat she).

chibouk, chibouque [tʃɪ'buːk] *тур. n* чубук.

chic [ʃiːk] *фр.* 1. *n* шик; 2. *a* шикарный, модный, нарядный; ◇ ~ sale *амер. эвф.* уборная.

chicane [ʃɪ'keɪn] 1. *n* 1) придирка; 2) крючкотворство; 2. *v* 1) придираться; 2) заниматься крючкотворством.

chicanery [ʃɪ'keɪnərɪ] *n* 1) = chicane 1; 2) софистика.

chick I [tʃɪk] *n* 1) цыплёнок; птенец; 2) ребёнок.

chick II [tʃɪk] *n англо-инд.* бамбуковая штора *или* портьера.

chickabiddy ['tʃɪkə‚bɪdɪ] *n ласк.* птенчик, цыплёночек.

chickadee ['tʃɪkədiː] *n зоол.* гаичка (*вид синицы*).

chickaree ['tʃɪkəriː] *n* американская белка.

chicken ['tʃɪkɪn] *n* 1) цыплёнок; птенец; *амер.* тж. курица, петух; 2) *ласк.* ребёнок; (неопытный) юнец; she is no ~ она уже не ребёнок; она уже не первой молодости; spring ~ желторотый юнец; 3) *амер. ав. sl.* истребитель; 4) *attr.* новоиспечённый; ◇ don't count your ~s before they are hatched *посл.* цыплят по осени считают; Mother Carey's ~ буревестник.

chicken-breasted ['tʃɪkɪn‚brestɪd] *a мед.* с куриной грудью.

chicken-hearted ['tʃɪkɪn'hɑːtɪd] *a* трусливый, малодушный.

chicken-liver ['tʃɪkɪn‚lɪvə] *n* трус.

chicken-pox ['tʃɪkɪnpɔks] *n* ветряная оспа, ветрянка.

chickling ['tʃɪklɪŋ] *n* 1) цыплёнок; 2) *бот.* чина посевная (*тж.* ~ vetch).

chick-pea ['tʃɪk‚piː] *n* мелкий «турецкий» горошек.

chick-weed ['tʃɪkwiːd] *n бот.* алзина.

chicle ['tʃɪkl] *n амер.* жвачка, жевательная резинка.

chicory ['tʃɪkərɪ] *n* 1) цикорий; 2) салат из листьев цикория.

chid [tʃɪd] *past и p. p. от* chide.

chidden ['tʃɪdn] *p. p. от* chide.

chide [tʃaɪd] *v* (chid; chid, chidden) 1) бранить, упрекать; ворчать; 2) шуметь, реветь (*о ветре*).

chief [tʃiːf] 1. *n* 1) глава, руководитель; лидер; начальник; шеф; ~ of police начальник полиции; 2) вождь (*племени, клана*); 2. *a* 1) главный, руководящий; C. Justice председатель суда; главный *или* старший судья; 2) основной; важнейший; ~ problem основная проблема; ~ wall капитальная стена.

chiefly ['tʃiːflɪ] *adv* главным образом, особенно.

chieftain ['tʃiːftən] *n* 1) вождь (*клана, племени*); 2) *поэт.* военный вождь; 3) атаман разбойников.

chieftaincy, chieftainship ['tʃiːftənsɪ, 'tʃiːftənʃɪp] n положе́ние *или* власть ата́ма́на, вождя́ кла́на.

chiff-chaff ['tʃiftʃæf] n пе́ночка тенько́вка (*птица*).

chiffonier [ˌʃɪfə'nɪə] n шифонье́рка.

chigoe ['tʃɪgou] n тропи́ческая песча́ная блоха́, откла́дывающая я́йца под ко́жу челове́ка.

chilblain ['tʃɪlbleɪn] n обморо́же́ние, обморо́женное ме́сто.

child [tʃaɪld] n (*pl* children) 1) ребёнок; дитя́; ча́до; сын; дочь; from a ~ с де́тства; the ~ unborn неви́нный младе́нец; to be with ~ быть бере́менной; 2) о́тпрыск, пото́мок; 3) порожде́ние; fancy's ~ порожде́ние мечты́; 4) де́тище; 5) *attr.*: ~ welfare охра́на младе́нчества (*или* де́тства); ◇ to throw out the ~ along with the bath вме́сте с водо́й вы́плеснуть и ребёнка; a (*или* the) burnt ~ dreads the fire *посл.* ≅ пу́ганая воро́на куста́ бои́тся.

child-bearing ['tʃaɪldˌbɛərɪŋ] n деторожде́ние, ро́ды.

childbed ['tʃaɪldbed] n ро́ды; to die in ~ умере́ть от ро́дов.

child-birth ['tʃaɪldbɑːθ] n 1) ро́ды; 2) рожда́емость.

Childermas ['tʃɪldəmæs] n *церк.* день избие́ния младе́нцев (*28 декабря*).

childhood ['tʃaɪldhud] n 1) де́тство; to be in second ~ впасть в де́тство; 2) *attr.* де́тский; ~ disease де́тская боле́знь.

childish ['tʃaɪldɪʃ] a 1) де́тский; ~ sports де́тские и́гры, заба́вы; 2) ребя́ческий, несерьёзный.

childless ['tʃaɪldlɪs] a безде́тный.

childlike ['tʃaɪldlaɪk] a просто́й, неви́нный, и́скренний как ребёнок.

childly ['tʃaɪldlɪ] *поэт.* 1. a де́тский; ребя́чливый;
2. *adv* по-де́тски.

childness ['tʃaɪldnɪs] n де́тскость; ребя́чливость.

children ['tʃɪldrən] *pl om* child.

child's-play ['tʃaɪldz'pleɪ] n лёгкая зада́ча, пустяко́вое де́ло.

Chilean ['tʃɪlɪən] 1. a чили́йский;
2. n чили́ец.

chiliad ['kɪlɪæd] n 1) ты́сяча; 2) тысячеле́тие.

Chilian ['tʃɪlɪən] = Chilean.

chill [tʃɪl] 1. n 1) хо́лод; to take the ~ off подогре́ть; 2) просту́да, озно́б; дрожь; ~s and fever маляри́я; to catch a ~ простуди́ться; 3) прохла́да; *перен.* хо́лодность (*в обраще́нии*); to cast a ~ расхола́живать; 4) *тех.* зака́лка; 5) *тех.* изло́жница;
2. a 1) неприя́тно холо́дный; 2) прохла́дный; *перен.* расхола́живающий; 3) холо́дный, бесчу́вственный; 4) *тех.* закалённый; ~ cast iron закалённый чугу́н; ~ mould чугу́нная изло́жница, коки́ль;
3. v 1) охлажда́ть; студи́ть; ~ed to the bone продро́гший до косте́й; 2) холоди́ть; 3) чу́вствовать озно́б; 4) приводи́ть в уны́ние; расхола́живать; 5) *диал.* слегка́ подогрева́ть (*жи́дкость*); 6) *тех.* зака́ливать; отлива́ть в изло́жницы.

chilli ['tʃɪlɪ] = chilly I.

chilly I ['tʃɪlɪ] *исп.* n *бот.* (кра́сный) стручко́вый пе́рец.

chilly II ['tʃɪlɪ] 1. a 1) холо́дный; прохла́дный (*о пого́де*); 2) зя́бкий; 3) сухо́й, чо́порный;
2. adv 1) зя́бко, хо́лодно; 2) су́хо, чо́порно.

Chiltern Hundreds ['tʃɪltəːn'hʌndrədz] n pl: to accept (*или* to apply for) the ~ слага́ть с себя́ полномо́чия чле́на парла́мента.

chimb [tʃaɪm] = chime II.

chime I [tʃaɪm] 1. n 1) (*часто pl*) подбо́р колоколо́в; 2) перезво́н, выбива́емая колокола́ми мело́дия; 3) гармо́ния; му́зыка (*стиха*); 4) согла́сие; гармони́чное сочета́ние; in ~ в гармо́нии; в согла́сии;
2. v 1) выбива́ть (*мело́дию*); отбива́ть (*часы*); 2) звуча́ть согла́сно; 3) соотве́тствовать, гармони́ровать (in, with); 4) однообра́зно повторя́ть(ся) (*часто* ~ over); ☐ ~ in вступа́ть в о́бщий разгово́р.

chime II [tʃaɪm] n 1) уто́р (*бо́чки*); 2) *attr.*: ~ hoop кра́йний о́бруч (*бо́чки*).

chimera [kaɪ'mɪərə] n химе́ра, ди́кая фанта́зия.

chimerical [kaɪ'merɪkəl] a химери́ческий, несбы́точный.

chimney ['tʃɪmnɪ] n 1) труба́ (*дымова́я или вытяжна́я*); дымохо́д; 2) ками́н; 3) ла́мповое стекло́; 4) отве́рстие вулка́на, кра́тер; 5) расще́лина, по кото́рой мо́жно взобра́ться на отве́сную скалу́; 6) *геол.* кру́то па́дающий ру́дный столб; э́оловый столб.

chimney-cap ['tʃɪmnɪkæp] n колпа́к дымово́й трубы́.

chimney-corner ['tʃɪmnɪˌkɔːnə] n ме́сто у ками́на.

chimney-piece ['tʃɪmnɪpiːs] n по́лка над ками́ном; ками́нная доска́.

chimney-pot ['tʃɪmnɪpɔt] n 1) = chimney-cap; 2) *attr.*: ~ hat *разг.* цили́ндр (*шля́па*).

chimney-stack ['tʃɪmnɪstæk] n о́бщий вы́ход не́скольких дымовы́х труб; дымова́я труба́.

chimney-stalk ['tʃɪmnɪstɔːk] n заводска́я труба́; дымова́я труба́.

chimney-sweep, chimney-sweeper ['tʃɪmnɪswiːp, 'tʃɪmnɪˌswiːpə] n трубочи́ст.

chimpanzee [ˌtʃɪmpən'ziː] n шимпанзе́.

chin [tʃɪn] 1. n подборо́док; ◇ up to the ~ ≅ по го́рло, по́ уши; to take things on the ~ не па́дать ду́хом, держа́ться бо́дро;
2. v 1) *амер. sl.* болта́ть, разгова́ривать; 2) *refl. спорт.* подтяну́ться на рука́х (up).

China ['tʃaɪnə] a кита́йский.

china ['tʃaɪnə] 1. n фарфо́р, фарфо́ровые изде́лия; egg-shell ~ то́нкий фарфо́р; ◇ to break ~ взбудора́жить, вы́звать переполо́х;
2. a фарфо́ровый; ~ shop магази́н фарфо́ровых изде́лий.

china-clay ['tʃaɪnə'kleɪ] n фарфо́ровая гли́на, каоли́н.

china-closet ['tʃaɪnəˌklɔzɪt] n буфе́т.

China ink ['tʃaɪnəɪŋk] n (кита́йская) тушь.

Chinaman ['ʧaɪnəmən] *n пренебр.* китаец.

chinaman ['ʧaɪnəmən] *n* торговец фарфоровыми изделиями.

Chinatown ['ʧaɪnə͵taun] *n* китайский квартал (*в некитайском городе*).

china-ware ['ʧaɪnə͵wɛə] *n* фарфоровые изделия.

Chinawoman ['ʧaɪnə͵wumən] *n* китаянка.

chinch [ʧɪnʧ] *n* клоп постельный; клоп-черепашка.

chinch bug ['ʧɪnʧbʌg] *n амер.* пшеничный клоп-черепашка.

chinchilla [ʧɪn'ʧɪlə] *n* 1) *зоол.* шиншилла; 2) шиншилловый мех.

chin-chin ['ʧɪn͵ʧɪn] *int sl.* ≅ привет! (*восклицание при встрече и прощании*).

chine I [ʧaɪn] *n* 1) спинной хребет животного; 2) филей; 3) горная гряда.

chine II [ʧaɪn] *n* ущелье.

Chinee [ʧaɪ'niː] *n амер. разг.* китаец.

Chinese ['ʧaɪ'niːz] 1. *a* китайский; ◇ ~ white китайские белила;
2. *n* 1) китаец; китаянка; the ~ *pl собир.* китайцы; 2) китайский язык.

Chink [ʧɪŋk] *n презрительная кличка китайца в США*.

chink I [ʧɪŋk] 1. *n* 1) звон, звяканье (*стаканов, монет*); 2) трескотня (*кузнечиков*); 3) *sl.* монеты, деньги;
2. *v* звенеть, звякать.

chink II [ʧɪŋk] *n* щель, трещина, расщелина, скважина.

chink III [ʧɪŋk] *n* припадок судорожного смеха.

chinkapin, chinquapin ['ʧɪŋkəpɪn] *n амер. бот.* карликовое каштановое дерево, каштан низкорослый.

chintz [ʧɪnts] *n* (вощёный) ситец.

chip [ʧɪp] 1. *n* 1) щепка, лучина; стружка; 2) обломок (*камня*); осколок (*стекла*); отбитый кусок (*посуды*); 3) место, где отбит кусок; изъян; 4) тонкий кусочек (*сушёного яблока, поджаренного картофеля и т. п.*); fish and ~s рыба с жареным картофелем; 5) фишка, марка (*в играх*); 6) *pl* деньги; монеты; to buy ~s помещать, вкладывать деньги; 7) ничего не стоящая вещь; 8) *pl* щебень; ◇ to hand (*или* to pass in) one's ~s *амер. sl.* а) рассчитаться; б) умереть; a ~ of the old block характером весь в отца; I don't care a ~ мне наплевать; to have (*или* to wear) a ~ on one's shoulder *амер.* быть готовым к драке; искать повода к ссоре; держаться вызывающе; dry as a ~ неинтересный; such carpenters, such ~s ≅ видно мастера по работе;
2. *v* 1) стругать, обтёсывать; откалывать; 2) отбивать края (*посуды и т. п.*); 3) откалываться, отламываться; биться; this china ~s easily этот фарфор легко бьётся; 4) пробивать яичную скорлупу (*о цыплятах*); 5) жарить сырой картофель ломтиками; □ ~ in *разг.* вмешиваться; принимать участие (*в разговоре, складчине и т. п.*).

chip basket ['ʧɪp͵baːskɪt] *n* лёгкая корзина из стружек (*для цветов, фруктов*).

chipmuck, chipmunk ['ʧɪpmʌk, 'ʧɪpmʌŋk] *n зоол.* бурундук.

Chippendale ['ʧɪpəndeɪl] *n* чиппендель (*стиль англ. мебели XVIII в.*).

chippie ['ʧɪpɪ] = chippy 2.

chippy ['ʧɪpɪ] 1. *a* 1) зазубренный (*о ноже*); обломанный (*о краях посуды*); 2) сухой (как щепка); 3) *sl.* раздражительный; испытывающий недомогание *или* тошноту (*с похмелья*);
2. *n амер. sl.* потаскушка.

chirk [ʧɜːk] *амер. разг.* 1. *a* оживлённый, весёлый;
2. *v* 1) развеселять; 2) оживляться (*часто* ~ up).

chirm [ʧɜːm] *n* шум (*голосов*); птичий щебет.

chiromancy ['kaɪərəmænsɪ] *n* хиромантия, гадание по руке.

chiropodist [kɪ'rɔpədɪst] *n* лицо, делающее маникюр и педикюр, мозольный оператор.

chiropody [kɪ'rɔpədɪ] *n* маникюр, педикюр; уход за руками и ногами.

chirp [ʧɜːp] 1. *n* чириканье; щебетание;
2. *a амер.* = chirpy;
3. *v* чирикать, щебетать.

chirpy ['ʧɜːpɪ] *a* живой, весёлый.

chirr [ʧɜː] 1. *n* стрекотание, трескотня;
2. *v* 1) стрекотать, трещать (*о кузнечиках, сверчках*); 2) шуршать (*о сухом тростнике*).

chirrup ['ʧɪrəp] 1. *n* щебет, щебетание;
2. *v* 1) щебетать; 2) *sl.* аплодировать (*о клакёрах*).

chirruper ['ʧɪrəpə] *n sl.* клакёр.

chisel ['ʧɪzl] 1. *n mex.* резец; долото, стамеска, зубило; чекан; ◇ full ~ *амер. sl.* во весь опор;
2. *v* 1) ваять; высекать (*из мрамора и т. п.*); 2) *mex.* работать зубилом, долотом, стамеской, чеканом; 3) отделывать (*литературное произведение*); 4) *разг.* надувать, обманывать; □ ~ in *разг.* вмешиваться; навязываться.

chiselled ['ʧɪzld] 1. *p. p. от* chisel 2;
2. *a* точёный; отделанный; ~ features точёные черты лица.

chit I [ʧɪt] *n* ребёнок, крошка; a ~ of a girl девчушка.

chit II [ʧɪt] 1. *n* росток;
2. *v* пускать ростки.

chit III [ʧɪt] *n англо-инд.* 1) меморандум; 2) счёт; 3) короткое письмо, записка; 4) рекомендация, отзыв, аттестат; 5) расписка; ◇ farewell ~ *воен. sl.* увольнительный билет.

chit-chat ['ʧɪtʧæt] *n* 1) болтовня; 2) пересуды.

chiton ['kaɪtən] *n* хитон.

chitterlings ['ʧɪtəlɪŋz] *n pl* требуха.

chitty ['ʧɪtɪ] = chit III.

chivalrous ['ʃɪvəlrəs] *a* рыцарский, рыцарственный.

chivalry ['ʃɪvəlrɪ] *n* рыцарство.

chive [ʧaɪv] *n* 1) (*обыкн. pl*) лук-резанец, лук-скорода; 2) зубок чеснока; луковичка.

chivied ['ʧɪvɪd] *a* измученный, замотавшийся.

chivy ['ʧɪvɪ] = chevy.

chloral ['klɔːrəl] *n хим.* хлора́л.

chlorate ['klɔːrɪt] *n хим.* хлора́т, соль хлорнова́той кислоты́.

chloric ['klɔːrɪk] *a хим.* хлорнова́токи́слый; ~ acid хлорнова́тая кислота́.

chloride ['klɔːraɪd] *хим.* 1. *n* хлори́д, соль хлористоводоро́дной кислоты́; sodium ~ пова́ренная соль;
2. *a* хло́ристый.

chlorine ['klɔːriːn] 1. *n хим.* хлор;
2. *a* светло-зелёный.

chloroform ['klɔrəfɔːm] 1. *n* хлорофо́рм;
2. *v* хлороформи́ровать.

chlorophyll ['klɔrəfɪl] *n бот.* хлорофи́лл.

chlorosis [klə'rousɪs] *n* 1) *мед.* хлоро́з, бле́дная не́мочь; 2) *бот.* хлоро́з, желтова́тая окра́ска (*листьев*).

chlorous ['klɔːrəs] *a хим.* хло́ристый; ~ acid хло́ристая кислота́.

choc-ice ['tʃɔk'aɪs] *n* моро́женое эски́мо́.

chock [tʃɔk] 1. *n* 1) клин; 2) подста́вка; подпо́рка; распо́рка; 3) тормозна́я коло́дка (*под колёса*); башма́к; 4) *горн.* костро́вая крепь; 5) *тех.* поду́шка, подши́пник; вкла́дыш, чека́, клин; 6) *мор.* полуклю́з;
2. *v* 1) подпира́ть (*тж.* ~ off); подкла́дывать подпо́рку; 2) *горн.* крепи́ть костро́вой кре́пью; □ ~ up заби́ть, загромозди́ть, заста́вить.

chock-a-block ['tʃɔkə'blɔk] *a разг.* по́лный; битко́м наби́тый.

chock-full ['tʃɔk'ful] *a* битко́м наби́тый; перепо́лненный.

chocolate ['tʃɔkəlɪt] 1. *n* 1) шокола́д; 2) *pl* шокола́дные конфе́ты;
2. *a* шокола́дного цве́та.

choice [tʃɔɪs] 1. *n* 1) вы́бор, отбо́р; альтернати́ва; a wide (a poor) ~ большо́й (бе́дный) вы́бор; to make ~ of smth. выбира́ть, отбира́ть что-л.; to make (*или* to take) one's ~ сде́лать вы́бор; take your ~ выбира́йте; I have no ~ but у меня́ нет ино́го вы́хода, кро́ме; я принуждён; 2) не́что отбо́рное; here is the ~ of the whole garden э́то лу́чшее, что есть в саду́; ◇ Hobson's ~ отсу́тствие вы́бора, нали́чие то́лько одного́ предложе́ния, «э́то и́ли ничего́»; for ~ преиму́щественно;
2. *a* 1) отбо́рный, лу́чший; 2) *уст.* разбо́рчивый, осторо́жный; to be ~ of one's company быть осторо́жным в знако́мствах.

choicely ['tʃɔɪslɪ] *adv* осторо́жно, с вы́бором.

choir ['kwaɪə] 1. *n* 1) хор; 2) ме́сто хо́ра (*в соборе*);
2. *v* петь хо́ром.

choir-master ['kwaɪə,mɑːstə] *n* хормéйстер.

choke I [tʃouk] 1. *n* 1) припа́док уду́шья; 2) завя́занный коне́ц (*мешка*); 3) *тех.* возду́шная засло́нка; дро́ссель; 4) *эл.* дро́ссельная кату́шка.
2. *v* 1) души́ть; 2) дави́ться (*от кашля*); задыха́ться (*от волнения, гнева*); tears ~d him слёзы души́ли его́; 3) заглуша́ть (*тж.* ~ up); to ~ a fire потуши́ть ого́нь, костёр; to ~ a plant заглуша́ть расте́ние;

4) засоря́ть, забива́ть; 5) *тех.* дросселли́ровать; заглуша́ть; □ ~ down а) с трудо́м прогла́тывать (*пищу*); б) с трудо́м подавля́ть (*слёзы, волне́ние и т. п.*); he ~d down his anger он поборо́л свой гнев; ~ in *амер. разг.* возде́рживаться от разгово́ра; держа́ть язы́к за зуба́ми; ~ off а) заста́вить отказа́ться (*от попы́тки, наме́рения*); б) устрани́ть *кого-л.*, отде́латься от *кого-л.*; ~ up а) засоря́ть; заглуша́ть (*сорными тра́вами*); б) заноси́ть (*ре́ку песко́м*); запружа́ть; в) загроможда́ть; г) *амер.* = ~ in.

choke II [tʃouk] *n* сердцеви́на артишо́ка.

choke-bore ['tʃouk,bɔː] *n* 1) чокбо́р (*кана́л ствола́ ружья́, сужива́ющийся у ду́ла*); 2) ружьё чокбо́р.

choke-coil ['tʃouk,kɔɪl] *n эл.* дро́ссельная реакти́вная кату́шка.

choke-damp ['tʃoukdæmp] *n* рудни́чный газ.

choke-full ['tʃouk'ful] *a* битко́м наби́тый, по́лный.

choker ['tʃoukə] *n* 1) души́тель; 2) *разг.* стоя́чий воротни́к (*преим. у духо́вных лиц*); 3) бе́лый га́лстук (*тж.* white ~); 4) *эл.* дро́ссель, дро́ссельная кату́шка.

chokidar ['tʃoukɪdɑː] *n англо-инд.* сто́рож.

choky I ['tʃoukɪ] *a* 1) задыха́ющийся (*особ. от волне́ния*); 2) уду́шливый.

choky II ['tʃoukɪ] *n англо-инд.* 1) полице́йское отделе́ние; 2) тамо́жня; 3) *sl.* тюрьма́.

choler ['kɔlə] *n* 1) *уст.* жёлчь; 2) *поэт.* гнев.

cholera ['kɔlərə] *n* холе́ра; Asiatic ~, malignant ~ азиа́тская холе́ра; summer ~ ле́тний поно́с, холери́на.

choleraic [,kɔlə'reɪɪk] *a* холе́рный.

choleric ['kɔlərɪk] *a* раздражи́тельный, жёлчный; холери́ческий.

cholerine ['kɔləriːn] *n* холери́на.

choose [tʃuːz] *v* (chose; chosen) 1) выбира́ть; 2) избира́ть; 3) реша́ть, реша́ться; предпочита́ть (*часто* ~ rather); 4) хоте́ть; he did not ~ to see her он не захоте́л её ви́деть; ◇ I cannot ~ but go мне необходи́мо идти́; (*или* nothing) to ~ between them оди́н друго́го сто́ит.

chooser ['tʃuːzə] *n* тот, кто выбира́ет.

choos(e)y ['tʃuːzɪ] *a разг.* привере́дливый, разбо́рчивый.

chop I [tʃɔp] 1. *n* 1) (ру́бящий) уда́р; 2) отбивна́я котле́та; mutton (pork) ~ отбивна́я бара́нья (свина́я) котле́та; 3) се́чка (*корм*).
2. *v* 1) руби́ть; 2) нареза́ть; кроши́ть; 3) отчека́нивать (*слова́*); 4) стёсывать; долби́ть, желоби́ть; □ ~ about обруба́ть [*см. тж.* chop III, 2]; ~ down сруба́ть; ~ off отруба́ть; ~ up нареза́ть, кроши́ть.

chop II [tʃɔp] *n* (*обыкн. pl*) че́люсть [*см. тж.* chap III, 1)]; ◇ lick one's ~s предвкуша́ть (*особ. удово́льствие от еды́*); ~s of the Channel вход в Ла-Ма́нш из Атланти́ческого океа́на.

chop III [tʃɔp] 1. *n* 1) переме́на; колеба́ние; ~s and changes измене́ния; постоя́нные переме́ны; 2) обме́н; 3) лёгкое волне́ние, зыбь (*на мо́ре*); 4) *геол.* сброс;

2. *v* 1) обме́нивать, меня́ть; 2) меня́ться (*о ве́тре*); 3) колеба́ться; to ~ and change проявля́ть нереши́тельность, колеба́ться; меня́ть свои́ пла́ны, взгля́ды *и т. п.*; 4) обме́ниваться слова́ми; to ~ logic спо́рить, резонёрствовать; ☐ ~ about внеза́пно меня́ть направле́ние (*о ве́тре*) [*см. тж.* chop I, 2]; ~ in вме́шиваться в разгово́р; ~ round = ~ about.

chop IV [ʧɔp] *n* клеймо́, фабри́чная ма́рка; first- (second-)~ пе́рвый (второ́й) сорт.

chop-chop [ʧɔpʹʧɔp] *adv диал.* бы́стро-бы́стро.

chop-house [ʹʧɔphaus] *n* дешёвый рестора́н.

chopper I [ʹʧɔpə] *n* 1) нож (мясника́); коса́рь; 2) колу́н; 3) *амер.* лесору́б; 4)*амер.* билетёр, биле́тный контролёр; 5) *эл.* ти́ккер; прерыва́тель.

chopper II [ʹʧɔpə] *n англо-инд.* соло́менная кры́ша.

chopper switch [ʹʧɔpə,swiʧ] *n эл.* руби́льник.

choppy [ʹʧɔpɪ] *a* ча́сто меня́ющийся (*о ве́тре*); неспоко́йный (*о мо́ре*).

chopsticks [ʹʧɔpstɪks] *n pl* па́лочки для еды́ (*у кита́йцев, коре́йцев и японцев*).

chop suey [,ʧɔpʹsuɪ] *n* кита́йское рагу́.

choral [ʹkɔːrəl] *a* хорово́й.

choral(e) [kɔʹrɑːl] *n* хора́л.

chord I [kɔːd] *n* 1) *поэт.* струна́; to strike (*или* to touch) the right ~ заде́ть чувстви́тельную стру́нку; сыгра́ть на како́м-л. чу́встве; 2) *анат.* свя́зка; vocal ~s голосовы́е свя́зки; spinal ~ спинно́й мозг; 3) *мат.* хо́рда; 4) *стр.* по́яс (*фермы*).

chord II [kɔːd] *n* 1) акко́рд; 2) га́мма кра́сок.

chorda [ʹkɔːdə] *n* (*pl* -dae) *анат.* 1) = chord I, 2); 2) спинна́я струна́, хо́рда.

chordae [ʹkɔːdiː] *pl от* chorda.

chore [ʧɔː] = char I.

chorea [kɔʹrɪə] *n мед.* хоре́я.

choree [kɔʹriː] *n прос.* хоре́й, трохе́й.

choreographic [,kɔrɪəʹgræfɪk] *a* хореографи́ческий.

choreography [,kɔrɪʹɔgrəfɪ] *n* хореогра́фия.

choriamb [ʹkɔrɪæmb] *n прос.* хория́мб.

chorine [kɔʹriːn] *n амер.* хори́стка.

chorister [ʹkɔrɪstə] *n* 1) хори́ст; пе́вчий; 2) *амер.* ре́гент (*хо́ра*).

chortle [ʹʧɔːtl] 1. *n* 1) смех; хихи́канье; 2) ликова́ние.

2. *v* 1) хохота́ть; смея́ться сда́вленным сме́хом; хихи́кать; 2) гро́мко ликова́ть, торжествова́ть.

chorus [ʹkɔːrəs] 1. *n* 1) хор; хорова́я гру́ппа; in ~ хо́ром; to swell the ~ присоедини́ть и свой го́лос, присоедини́ться к мне́нию большинства́; 2) кордебале́т; 3) припе́в, подхва́тываемый всем хо́ром; рефре́н; 4) музыка́льное произведе́ние для хо́ра;

2. *v* петь, повторя́ть хо́ром.

chose [ʧouz] *past от* choose.

chosen [ʹʧouzn] 1. *p. p. от* choose;

2. *a* и́збранный.

chough [ʧʌf] *n* клуши́ца (*пти́ца*).

choultry [ʹʧaultrɪ] *n англо-инд.* 1) карава́н-сара́й; 2) колонна́да хра́ма.

chouse [ʧaus] *разг.* 1. *n* моше́нничество; мистифика́ция;

2. *v* обма́нывать; выма́нивать.

chow [ʧau] *n* 1) *название кита́йской поро́ды соба́к*; 2) *амер. sl.* еда́.

chow-chow [ʹʧauʹʧau] *кит. n* 1) смесь; 2) марина́д; 3) кита́йское варе́нье из апельси́нной ко́рки с имбирём.

chowder [ʹʧaudə] *n амер.* 1) тушёная ры́ба *или* моллю́ски с гарни́ром; 2) пикни́к на морско́м берегу́.

chrism [ʹkrɪzəm] *n церк.* 1) еле́й; 2) пома́зание.

Christ [kraɪst] *n* Христо́с; ме́ссия.

christen [ʹkrɪsn] *v* 1) крести́ть; 2) дава́ть и́мя при креще́нии; 3) дава́ть и́мя, про́звище.

Christendom [ʹkrɪsndəm] *n* христиа́нский мир.

christening [ʹkrɪsnɪŋ] 1. *pres. p. от* christen;

2. *n* креще́ние.

Christian [ʹkrɪstjən] 1. *a* христиа́нский; ~ name и́мя (*в отли́чие от фами́лии*);

2. *n* христиани́н; христиа́нка.

Christianity [,krɪstɪʹænɪtɪ] *n* христиа́нство.

christianize [ʹkrɪstjənaɪz] *v* обраща́ть в христиа́нство.

Christmas [ʹkrɪsməs] *n* 1) рождество́ (*сокр. тж.* Xmas); Father ~ дед-моро́з; 2) *attr.* рожде́ственский.

Christmas-box [ʹkrɪsməsbɔks] *n* коро́бка с рожде́ственскими пода́рками.

Christmas-tide [ʹkrɪsməs,taɪd] *n* свя́тки.

Christmas-tree [ʹkrɪsməstriː] *n* рожде́ственская ёлка.

Christmasy [ʹkrɪsməsɪ] *a разг.* рожде́ственский, пра́здничный.

Christy minstrels [ʹkrɪstɪʹmɪnstrəlz] *n pl* тру́ппа загримиро́ванных не́грами исполни́телей негритя́нских пе́сен.

chromatic [krəʹmætɪk] *a* 1) цветно́й; ~ printing цветна́я печа́ть; 2) *муз.* хромати́ческий; ~ scale хромати́ческая га́мма.

chromatics [krəʹmætɪks] *n pl* (*употр. как sing*) нау́ка о цвета́х, кра́сках.

chrome [kroum] *n* 1) = chromium; 2) жёлтая кра́ска; жёлтый цвет.

chromic [ʹkroumɪk] *a хим.* хро́мовый; ~ acid хро́мовая кислота́.

chromium [ʹkroumjəm] *n хим.* хром.

chromolithograph [ʹkroumouʹliθəgrɑːf] *n* хромолитогра́фия.

chromosome [ʹkrouməsoum] *n биол.* хромосо́ма.

chromosphere [ʹkroumməsfɪə] *n* хромосфе́ра.

chromotype [ʹkroumoutaɪp] *n полигр.* хромоти́пия.

chronic [ʹkrɔnɪk] 1. *a* 1) хрони́ческий; застаре́лый (*о боле́зни*); 2) постоя́нный; привы́чный; ~ doubts ве́чные сомне́ния; ~ complaints ве́чные жа́лобы; 3) *разг.* ужа́сный; something ~ не́что ужа́сное;

2. *n* хро́ник.

chronicle ['krɔnɪkl] **1.** *n* хро́ника; ле́топись;
2. *v* 1) заноси́ть (*в дневник, летопись*); 2) отмеча́ть (*в прессе*); вести́ хро́нику; ◇ to ~ small beer *разг.* отмеча́ть вся́кие ме́лочи, занима́ться пустяка́ми.

chronicler ['krɔnɪklə] *n* 1) хроникёр; 2) летопи́сец.

chronograph ['krɔnəgrɑ:f] *n* хроно́граф.

chronologic(al) [,krɔnə'lɔdʒɪk(əl)] *a* хронологи́ческий.

chronology [krə'nɔlədʒɪ] *n* 1) хроноло́гия; 2) хронологи́ческая табли́ца.

chronometer [krə'nɔmɪtə] *n* 1) хроно́метр; 2) *миз.* метроно́м.

chrysalides [krɪ'sælɪdiːz] *pl om* chrysalis.

chrysalis ['krɪsəlɪs] *n* (*pl* -es [-ɪz], -ides) *зоол.* ку́колка (*бабочки*).

chrysanthemum [krɪ'sænθəməm] *n* хризанте́ма.

chryselephantine [,krɪselɪ'fæntaɪn] *a* из зо́лота и слоно́вой ко́сти; покры́тый зо́лотом и слоно́вой ко́стью (*о статуе*).

chrysolite ['krɪsəlaɪt] *n* мин. хризоли́т.

chub [tʃʌb] *n* гола́вль (*рыба*).

chubby ['tʃʌbɪ] *a* круглоли́цый, полнощёкий.

chuck I [tʃʌk] **1.** *n* 1) поле́но, чурба́н; 2) *тех.* зажимно́й патро́н, опра́вка; 3) *attr. тех.*: ~ jaw кулачо́к зажимно́го патро́на;
2. *v тех.* зажима́ть, обраба́тывать в патро́не.

chuck II [tʃʌk] **1.** *n* 1) подёргивание (*головой*); 2) = chuck-farthing; 3) *разг.* увольне́ние; to give smb. the ~ уво́лить кого́-л.; порва́ть отноше́ния с кем-л.;
2. *v* 1) броса́ть, швыря́ть; 2) ла́сково похло́пывать, трепа́ть (under); to ~ under the chin трепа́ть по подборо́дку; □ ~ away а) тра́тить понапра́сну, теря́ть; б) упуска́ть (*возможность*); ~ out выгоня́ть; выводи́ть, выставля́ть (*беспокойного посетителя из комнаты, общественного места*); ~ up броса́ть (*дело, службу и т. п.*); ◇ ~ it! *разг.* молчи́!, переста́нь!; to ~ one's hand in сда́ться; призна́ть себя́ побеждённым; to ~ one's weight about держа́ться надме́нно.

chuck III [tʃʌk] **1.** *n* 1) цыплёнок; 2) *ласк.* цы́почка; 3) куда́хтанье;
2. *v* 1) куда́хтать; 2) склика́ть дома́шнюю пти́цу; 3) понука́ть ло́шадь;
3. *int:* ~!, ~! цып цып!

chuck IV [tʃʌk] *n sl.* пи́ща, еда́; hard ~ *мор.* сухари́.

chuck-farthing ['tʃʌk,fɑːðɪŋ] *n* игра́ в орля́нку.

chuck-hole ['tʃʌk houl] *n амер.* вы́боина.

chuckle I ['tʃʌkl] **1.** *n* 1) дово́льный смех; хихи́канье; 2) ра́дость; 3) куда́хтанье;
2. *v* 1) посме́иваться; хихи́кать; 2) ра́доваться; he is chuckling at (*или* over) his success он ра́дуется своему́ успе́ху; 3) куда́хтать.

chuckle II ['tʃʌkl] *a* 1) большо́й (*обыкн. о голове*); 2) неуклю́жий.

chuckle-head ['tʃʌkl,hed] *n* болва́н.

chuddar ['tʃʌdə] *n англо-инд.* 1) шерстяна́я шаль; 2) покрыва́ло на мусульма́нской гробни́це.

chuff [tʃʌf] *n* грубия́н.

chug [tʃʌg] **1.** *n* пыхте́ние;
2. *v* дви́гаться с пыхте́нием (*напр., о паровозе*).

chum [tʃʌm] *разг.* **1.** *n* 1) това́рищ, прия́тель; закады́чный друг; 2) сожи́тель (*по комнате; особ. в студенческих общежитиях*); new ~ *австрал.* но́вый поселе́нец;
2. *v* 1) жить вме́сте в одно́й ко́мнате (together, with); 2) быть в дру́жбе; □ ~ in, ~ up сбли́зиться (with — с кем-л.).

chummage ['tʃʌmɪdʒ] *n* 1) помеще́ние двух и бо́лее челове́к в одно́й ко́мнате (*в общежитии, тюрьме*); 2) угоще́ние, кото́рое по ста́рому тюре́мному обы́чаю устра́ивал но́вый ареста́нт това́рищам по ка́мере.

chummery ['tʃʌmərɪ] *n* 1) сожи́тельство в одно́й ко́мнате; 2) ко́мната, занима́емая не́сколькими това́рищами.

chummy ['tʃʌmɪ] *a разг.* общи́тельный.

chump [tʃʌmp] *n* 1) коло́да, чурба́н; 2) то́лстый коне́ц (*чего-л.*); 3) филе́йная часть (*мяса*); 4) *разг.* голова́, «башка́»; to go off one's ~ сойти́ с ума́, «тро́нуться»; 5) *разг.* болва́н, дура́к.

chunk [tʃʌŋk] **1.** *n* 1) = chump 1) *и* 2); 2) *разг.* то́лстый кусо́к; ломо́ть; 3) корена́стый и по́лный челове́к; 4) корена́стая ло́шадь;
2. *v амер. разг.* 1) метну́ть, швырну́ть, запусти́ть; 2) вы́бить, вы́колотить; □ ~ up а) подбро́сить то́плива (в ого́нь); б) набра́ть то́плива.

chunking ['tʃʌŋkɪŋ] **1.** *n* шум от ме́дленного движе́ния большо́й маши́ны;
2. *a* большо́й, неуклю́жий; ~ piece of beef огро́мный кусо́к мя́са.

church [tʃəːtʃ] *n* 1) це́рковь; C. of England, Anglican C. англика́нская це́рковь; to go to ~ а) ходи́ть в це́рковь; быть на́божным; б) жени́ться; выходи́ть за́муж; to go into the C. принима́ть духо́вный сан; 2) *attr.* церко́вный.

church-goer ['tʃəːtʃ,gouə] *n* (челове́к, регуля́рно) посеща́ющий це́рковь.

churchman ['tʃəːtʃmən] *n* церко́вник.

church-owl ['tʃəːtʃaul] = barn owl.

church-rate ['tʃəːtʃreɪt] *n* ме́стный нало́г на содержа́ние це́ркви.

church service ['tʃəːtʃ'səːvɪs] *n* церко́вная слу́жба, богослуже́ние.

church-text ['tʃəːtʃtekst] *n* англи́йский чёрный готи́ческий шрифт.

churchwarden ['tʃəːtʃ'wɔːdn] *n* 1) церко́вный ста́роста; 2) дли́нная кури́тельная тру́бка.

churchy ['tʃəːtʃɪ] *a разг.* 1) пре́данный це́ркви; 2) отдаю́щий ла́мпадным ма́слом; 3) еле́йный, ха́нжеский.

churchyard ['tʃəːtʃ'jɑːd] *n* 1) церко́вный двор; 2) кла́дбище.

churl [tʃəːl] *n* 1) гру́бый, ду́рно воспи́танный челове́к; 2) скря́га.

churlish ['tʃəːlɪʃ] *a* 1) гру́бый; 2) скупо́й; 3) упря́мый, неподатли́вый; 4) неблагода́рный (*о труде*); труднообраба́тываемый (*о почве*); 5) непла́вкий (*о металле*).

churn [tʃəːn] **1.** *n* 1) маслобо́йка; 2) меша́лка; 3) *горн.* кана́тный бур;

2. *v* 1) сбива́ть (*масло*); 2) взба́лтывать; вспе́нивать; the wind ~ed the river to foam ве́тер вспе́нил ре́ку.

churn-staff [ˈtʃəːnˌstɑːf] *n* муто́вка.

chut [tʃt, ʃʃt, tʃʌt] *int выражает нетерпе́ние* (≅ да ну жеl).

chute [ʃuːt] *n* 1) стремни́на; круто́й скат; 2) пока́тый насти́л; 3) *тех.* спуск; лото́к, жёлоб, спускно́й жёлоб; 4) *горн.* скат.

'chute [ʃuːt] *n* (*сокр. от* parachute) *воен. разг.* парашю́т.

'chutist [ˈʃuːtɪst] *n* (*сокр. от* parachutist) *воен. разг.* парашюти́ст.

chutney [ˈtʃʌtnɪ] *n англо-инд.* род остро́й пря́ной припра́вы.

chyle [kaɪl] *n физиол.* мле́чный сок, хи́лус.

chyme [kaɪm] *n физиол.* пищева́я каши́ца, хи́мус.

cicada [sɪˈkɑːdə] *n* цика́да.

cicatrice [ˈsɪkətrɪs] *n* шрам, рубе́ц.

cicatrization [ˌsɪkətraɪˈzeɪʃən] *n* заживле́ние, рубцева́ние.

cicatrize [ˈsɪkətraɪz] *v* 1) заживля́ть; 2) зажива́ть, зарубцо́вываться.

cicely [ˈsɪsɪlɪ] *n бот.* жа́брица; Sweet C. вашингто́ния; ми́ррис паху́чая, испа́нский ке́рвель.

Cicero [ˈsɪsərou] *n* Цицеро́н.

cicerone [ˌtʃɪtʃəˈrounɪ] *ит. n* (*pl* -ni) проводни́к, гид, чичеро́не.

ciceroni [ˌtʃɪtʃəˈrounɪ] *pl от* cicerone.

Ciceronian [ˌsɪsəˈrounjən] *a* цицеро́новский, красноречи́вый.

cider [ˈsaɪdə] *n* сидр; ◇ all talk and no ~ ≅ шу́ма мно́го, а то́лку ма́ло.

cienaga [ˈθjeɪnɑːgɑː] *исп.* n боло́то.

cigaboo [ˌsɪgəˈbuː] *разг. см.* cigarette.

cigar [sɪˈgɑː] *n* сига́ра.

cigarette [ˌsɪgəˈret] **1.** *n* 1) сигаре́та; папиро́са; 2) *attr.* папиро́сный; ~ case портсига́р; ~ end оку́рок;
2. *v* угости́ть папиро́сой.

cigarette-holder [ˌsɪgəˈretˌhouldə] *n* мундшту́к.

cigarette-lighter [ˌsɪgəˈretˌlaɪtə] *n* зажига́лка.

cigarette-paper [ˌsɪgəˈretˌpeɪpə] *n* папиро́сная бума́га.

cigar-holder [sɪˈgɑːˌhouldə] *n* мундштук.

cilery [ˈsɪlərɪ] = cillery.

cilia [ˈsɪlɪə] *n pl* 1) *анат.* ресни́цы; 2) *бот., зоол.* ресни́чки.

ciliary [ˈsɪlɪərɪ] *a анат., бот.* ресни́чный, мерца́тельный.

ciliated [ˈsɪlɪˌeɪtɪd] *a* 1) опушённый ресни́цами; 2) *бот., зоол.* снабжённый ресни́чками, ресни́тчатый.

cilice [ˈsɪlɪs] *n* ткань из во́лоса.

cillery [ˈsɪlərɪ] *n архит.* украше́ние в ви́де ли́стьев (*на капите́ли коло́нны*).

Cimmerian [sɪˈmɪərɪən] *a* 1) киммери́йский; 2) тёмный, непрогля́дный (*о ночи*).

cinch [sɪntʃ] *амер.* **1.** *n* 1) подпру́га; 2) *разг.* не́что надёжное, ве́рное; 3) предрешённое де́ло; 4) влия́ние; контро́ль;
2. *v* 1) подтя́гивать подпру́гу (*тж.* ~ up); 2) оконча́тельно реша́ть.

cinchona [sɪnˈkounə] *n* 1) хи́нная кора́; хини́н; 2) хи́нное де́рево.

cincture [ˈsɪŋktʃə] **1.** *n* 1) по́яс; 2) опоя́сывание; 3) *архит.* поясо́к (*коло́нны*);
2. *v* опоя́сывать, окружа́ть.

cinder [ˈsɪndə] **1.** *n* 1) шлак; ока́лина; 2) прогоре́вшие, но ещё не поту́хшие у́гли; у́гольный му́сор; пе́пел; 3) (*часто pl*) *распр.* зола́; to burn to a ~ дать подгоре́ть; пережа́рить (*пи́щу*);
2. *v* сжига́ть, обраща́ть в пе́пел.

cinder-box [ˈsɪndəbɔks] *n тех.* зо́льник.

Cinderella [ˌsɪndəˈrelə] *n* Зо́лушка.

cinder-path [ˈsɪndəpɑːθ] *n спорт.* бегова́я (гарева́я) доро́жка.

cinder-sifter [ˈsɪndəˌsɪftə] *n* гро́хот для отсе́ивания золы́ от шла́ка.

cinder track [ˈsɪndətræk] = cinder-path.

cine-camera [ˈsɪnɪˈkæmərə] *n* киноаппара́т (съёмочный).

cine-film [ˈsɪnɪfɪlm] *n* киноплёнка.

cinema [ˈsɪnɪmə] *n* 1) кинемато́граф, кино́, кинотеа́тр; 2) кинофи́льм; 3) кино́, кинофи́льмы, кинематогра́фия (*тж.* the ~).

cinema-circuit [ˈsɪnɪməˈsəːkɪt] *n* кинотеа́тры, принадлежа́щие одному́ владе́льцу.

cinemactor [ˌsɪnɪmˈæktə] *n амер.* киноактёр.

cinemactress [ˌsɪnɪmˈæktrɪs] *n амер.* киноактри́са.

cinemaddict [ˈsɪnɪmˌædɪkt] *n амер. sl.* постоя́нный посети́тель кино́; люби́тель кино́.

cinema-goer [ˈsɪnɪməgouə] *n* кинозри́тель.

cinematics [ˌsɪnɪˈmætɪks] *n pl* (*употр. как sing*) *физ.* кинема́тика.

cinematograph [ˌsɪnɪˈmætəgrɑːf] *n* кинемато́граф.

cinematographic [ˌsɪnɪmætəˈgræfɪk] *a* кинематографи́ческий.

cinematography [ˌsɪnɪməˈtɔgrəfɪ] *n* кинематогра́фия.

cineraria I [ˌsɪnəˈrɛərɪə] *pl от* cinerarium.

cineraria II [ˌsɪnəˈrɛərɪə] *n бот.* цинера́рия, пе́пельник.

cinerarium [ˌsɪnəˈrɛərɪəm] *лат.* n (*pl* -ria) ни́ша для у́рны с пра́хом.

cinerary [ˈsɪnərərɪ] *a* пе́пельный; ~ urn у́рна с пра́хом.

cinereous [sɪˈnɪərɪəs] *a* пе́пельного цве́та.

Cingalese [ˌsɪŋɡəˈliːz] **1.** *a* цейло́нский;
2. *n* 1) сингале́з; 2) сингале́зский язы́к.

cinnabar [ˈsɪnəbɑː] *n* ки́новарь.

cinnamon [ˈsɪnəmən] *n* 1) кори́ца; 2) све́тло-кори́чневый цвет.

cinq(ue) [sɪŋk] *n* пятёрка, пять очко́в (*в ка́ртах, домино́, игра́льных костя́х*).

cinq(ue)foil [ˈsɪŋkfɔɪl] *n* 1) *бот.* ла́пчатка (ползу́чая); 2) *архит.* пятили́стник (орна́мент).

Cinque Ports [ˈsɪŋkpɔːts] *n pl ист.* назва́ние гру́ппы портовы́х городо́в (*первонача́льно пять — Dover, Sandwich, Romney, Hastings, Hythe*) *в ю́го-восто́чной А́нглии, по́льзовавшихся осо́быми привиле́гиями.*

cipher [ˈsaɪfə] **1.** *n* 1) шифр; in ~ зашифро́ванный; 2) ара́бская ци́фра; a number of three ~s трёхзна́чное число́; 3) нуль; *перен.* ничто́жество; to stand for ~ быть по́лным ничто́жеством; 4) моногра́мма; 5) *attr.*: ~ officer шифрова́льщик (*в посо́льстве*);

2. *v* 1) высчи́тывать, вычисля́ть (*часто* ~ out); 2) шифрова́ть, зашифро́вывать; 3) клейми́ть усло́вным зна́ком.

circa ['sə:kə] *лат. prep* приблизи́тельно, о́коло.

Circassian [sə:'kæsɪən] **1.** *a* черке́сский; **2.** *n* 1) черке́с; черке́шенка; 2) черке́сский язы́к.

Circe ['sə:sɪ] *n миф.* Цирце́я.

circle ['sə:kl] **1.** *n* 1) круг; окру́жность; 2) гру́ппа, круг (*людей*); ruling ~s пра́вящие круги́; 3) кружо́к; 4) сфе́ра, о́бласть; a wide ~ of interests широ́кий круг интере́сов; 5) круговоро́т; цикл; ~ of the seasons сме́на всех четырёх времён го́да; to come full ~ заверши́ть цикл; зако́нчиться у исхо́дной то́чки; 6) о́круг; 7) *театр.* я́рус; dress ~ бельэта́ж; upper ~ балко́н; parquet ~ амфитеа́тр; 8) *астр.* орби́та; 9) круг (*вокруг луны*); 10) *геогр.* круг;
2. *v* 1) дви́гаться по кру́гу; враща́ться; the earth ~s the sun земля́ враща́ется вокру́г со́лнца; 2) окружа́ть; 3) передава́ть по кру́гу (*вино, закуску и т. п.*).

circlet ['sə:klɪt] *n* 1) кружо́к; 2) кольцо́, брасле́т; ~ of flowers вено́к.

circs [sə:ks] *n pl* (*сокр. от* circumstances) *разг.* 1) обстоя́тельства, усло́вия; 2) материа́льное положе́ние.

circuit ['sə:kɪt] **1.** *n* 1) кругооборо́т; 2) длина́ окру́жности; ~ of the globe окру́жность земно́го ша́ра; 3) объе́зд, кругова́я пое́здка; to make (*или* to take) a ~ пойти́ обхо́дным путём; 4) о́круг (*судебный*); 5) цикл, совоку́пность опера́ций; 6) ряд зре́лищных предприя́тий под одни́м управле́нием; 7) *эл.* цепь, ко́нтур; схе́ма; broken ~, open ~ разо́мкнутая цепь; detector ~ детекто́рная схе́ма; 8) *attr.:* ~ rider *амер. ист.* свяще́нник, обслу́живавший о́чень большо́й райо́н и объезжа́вший свои́х прихожа́н верхо́м; ~ court выездна́я се́ссия суда́; ◇ ~ of action райо́н де́йствия. **2.** *v* обходи́ть вокру́г; соверша́ть круг; враща́ться.

circuit breaker ['sə:kɪt'breɪkə] *n эл.* автомати́ческий выключа́тель; прерыва́тель.

circuitous [sə:'kjuɪtəs] *a* кру́жный, око́льный (*путь*).

circular ['sə:kjulə] **1.** *a* 1) кру́глый; ~ saw кру́глая (*или* циркуля́рная) пила́; 2) кругово́й; ~ motion кругово́е движе́ние; ~ railway окружна́я желе́зная доро́га; ~ stairs винтова́я ле́стница; 3) дугово́й; ~ arc дуга́, дугово́й сегме́нт; 4) циркуля́рный; ~ letter a) циркуля́р(ное письмо́); б) = ~ note; ~ note ба́нковый аккредити́в; **2.** *n* 1) циркуля́р; 2) рекла́ма; проспе́кт.

circularity [,sə:kju'lærɪtɪ] *n* кругообра́зность.

circularize ['sə:kjuləraɪz] *v* рассыла́ть циркуля́ры, рекла́мы.

circulate ['sə:kjuleɪt] *v* 1) циркули́ровать; име́ть кругово́е движе́ние; 2) распространя́ть(ся); 3) передава́ть; 4) обраща́ться (*о деньгах*); 5) повторя́ться (*о цифре в периодической дроби*); 6) *амер.* = circularize.

circulating ['sə:kjuleɪtɪŋ] **1.** *pres. p. от* circulate; **2.** *a* обраща́ющийся; переходя́щий; ~ capital оборо́тный капита́л; ~ decimal, ~ fraction периоди́ческая дробь; ~ library библиоте́ка с вы́дачей книг на́ дом; ~ medium де́нежный знак, моне́тная едини́ца; *собир.* сре́дства обраще́ния.

circulation [,sə:kju'leɪʃən] *n* 1) круговоро́т, циркуля́ция; кругово́е движе́ние; 2) кровообраще́ние (*тж.* ~ of the blood); 3) де́нежное обраще́ние; 4) тира́ж (*газет, журналов*); 5) распростране́ние (*слухов и т. п.*); 6) обраще́ние; to put into ~ пусти́ть в обраще́ние; withdrawn from ~ изъя́тый из обраще́ния; ~ of commodities обраще́ние това́ров; 7) *attr.* свя́занный с распростране́нием; ~ department отде́л распростране́ния (*в газете, журнале и т. п.*); ~ manager нача́льник отде́ла распростране́ния (*газеты, журнала и т. п.*).

circulator ['sə:kjuleɪtə] *n* распространи́тель; ~ of infection распространи́тель зара́зы.

circulatory ['sə:kjulətərɪ] *a* циркули́рующий.

circum- ['sə:kəm-] *в сложных словах означает* вокру́г, круго́м.

circumambient [,sə:kəm'æmbɪənt] *a* окружа́ющий (*о воздухе, среде*); омыва́ющий.

circumambulate [,sə:kəm'æmbjuleɪt] *v* 1) (об)ходи́ть вокру́г; 2) ходи́ть вокру́г да о́коло.

circumaviate [,sə:kəm'eɪvɪeɪt] *v* лета́ть вокру́г; to ~ the earth соверша́ть кругосве́тный полёт.

circumbendibus [,sə:kəm'bendɪbəs] *n шутл.* 1) око́льный путь; 2) = circumlocution.

circumcise ['sə:kəmsaɪz] *v рел.* соверша́ть обреза́ние.

circumcision [,sə:kəm'sɪʒən] *n рел.* обре́зание.

circumference [sə'kʌmfərəns] *n* 1) *мат.* окру́жность; перифери́я; 2) окру́га.

circumferential [sə,kʌmfə'renʃəl] *a* относя́щийся к окру́жности; перифери́ческий.

circumflex ['sə:kəmfleks] *n* диакрити́ческий знак над гла́сной (*в др.-греч. языке означает ударение; во франц. языке — удлинение звука вследствие исчезновения другого звука, напр.* fête *вместо прежнего* feste).

circumfluent [sə'kʌmfluənt] *a* омыва́ющий со всех сторо́н, обтека́ющий.

circumfluous [sə'kʌmfluəs] *a* 1) = circumfluent; 2) омыва́емый, окружённый водо́й.

circumgyration [,sə:kə'dʒaɪə'reɪʃən] *n* враще́ние (вокру́г свое́й о́си); круже́ние.

circumjacent [,sə:kəm'dʒeɪsənt] *a* окружа́ющий, располо́женный вокру́г.

circumlittoral [,sə:kəm'lɪtərəl] *a* прибре́жный.

circumlocution [,sə:kəmlə'kju:ʃən] *n* 1) многоречи́вость; 2) укло́нчивые ре́чи; околи́чности; 3) *лингв.* иносказа́ние, парафра́з(а); ◇ C. Office учрежде́ние, где процвета́ет воло́кита, бюрократи́зм, формали́зм (*по на-*

званию бюрократического учреждения в романе Диккенса «Крошка Доррит»).

circumlocutional [ˌsəːkəmləˈkjuːʃənəl] *a* 1) многоречивый; 2) уклончивый.

circumlocutory [ˌsəːkəmˈlɔkjutərɪ] *a* 1) многословный; 2) описательный, перифрастический.

circum-meridian [ˌsəːkəmməˈrɪdɪən] *a* астр. близкий к меридиану (*о звезде и т. п.*).

circumnavigate [ˌsəːkəmˈnævɪgeɪt] *v* плавать вокруг; to ~ the globe (*или* the earth, the world) совершать кругосветное плавание.

circumnavigation [ˈsəːkəmˌnævɪˈgeɪʃən] *n* кругосветное плавание.

circumnavigator [ˌsəːkəmˈnævɪgeɪtə] *n* 1) кругосветный мореплаватель; 2) *мор.* прибор Кэрби.

circumscribe [ˈsəːkəmskraɪb] *v* 1) ограничивать; обозначать пределы; to ~ smb.'s power of action ограничивать чьи-л. права; 2) *геом.* описывать.

circumscription [ˌsəːkəmˈskrɪpʃən] *n* 1) ограничение, предел; 2) район; округ; 3) надпись (*по окружности монеты, по краям марки и т. п.*).

circumsolar [ˌsəːkəmˈsoulə] *a* вращающийся вокруг солнца; близкий к солнцу.

circumspect [ˈsəːkəmspekt] *a* осторожный, осмотрительный.

circumspection [ˌsəːkəmˈspekʃən] *n* осторожность, осмотрительность.

circumspective [ˌsəːkəmˈspektɪv] *a* 1) = circumspect; 2) осматривающий, замечающий всё кругом.

circumstance [ˈsəːkəmstəns] *n* 1) обстоятельство; случай; the ~ that тот факт, что; a lucky ~ счастливый случай; an unforeseen ~ непредвиденное обстоятельство; 2) *pl* обстоятельства, условия; under (*или* in) по ~s ни при каких условиях, никогда; under the ~s при данных обстоятельствах, в этих условиях; 3) *pl* материальное положение; in easy (reduced) ~s в хорошем (стеснённом) материальном положении; 4) подробность, деталь; to omit no essential ~ не пропустить ни одной существенной детали; 5) церемония; he was received with great ~ ему устроили пышную встречу; ◇ not a ~ to *амер.* ничто по сравнению с, не идёт ни в какое сравнение с.

circumstanced [ˈsəːkəmstənst] *a* поставленный в (*такие-то*) условия.

circumstantial [ˌsəːkəmˈstænʃəl] 1. *a* 1) подробный, обстоятельный; 2) случайный, привходящий (*об обстоятельствах*); ~ evidence косвенные, дополнительные улики.
2. *n* 1) деталь; подробность; 2) *pl* привходящий момент; difference between substantials and ~s разница между существенным и несущественным.

circumstantiality [ˈsəːkəmˌstænʃɪˈælɪtɪ] *n* обстоятельность.

circumstantially [ˌsəːkəmˈstænʃəlɪ] *adv* 1) подробно, обстоятельно; 2) не прямо, с помощью косвенных доказательств.

circumvallate [ˌsəːkəmˈvæleɪt] *v* ист. окружать осадными сооружениями.

circumvallation [ˌsəːkəmvəˈleɪʃən] *n* ист. укреплённая линия обложения.

circumvent [ˌsəːkəmˈvent] *v* 1) обмануть, обойти, перехитрить; 2) расстраивать, опрокидывать (*планы*).

circumvention [ˌsəːkəmˈvenʃən] *n* обман, хитрость.

circumvolution [ˌsəːkəmvəˈljuːʃən] *n* 1) вращение (*вокруг общего центра*); 2) извилина, изгиб.

circus [ˈsəːkəs] *n* 1) цирк; 2) круглая площадь с радиально расходящимися улицами; 3) *геол.* горный амфитеатр; цирк; 4) *attr.*: ~ floor *геол.* дно цирка.

cirque [səːk] *n* 1) *поэт.* амфитеатр; арена; 2) = circus 3).

cirrhosis [sɪˈrousɪs] *n* мед. цирроз печени.

cirri [ˈsɪraɪ] *pl* *от* cirrus.

cirro-cumulus [ˈsɪrouˈkjuːmjuləs] *n* перисто-кучевые облака, «барашки».

cirro-stratus [ˈsɪrouˈstrɑːtəs] *n* перисто-слойстые облака.

cirrous [ˈsɪrəs] *a* перистый.

cirrus [ˈsɪrəs] *n* (*pl* cirri) 1) перистые облака; 2) бот., зоол. усик.

cisalpine [sɪsˈælpaɪn] *a* цизальпинский (*находящийся по южную сторону Альп*).

cisatlantic [ˌsɪsætˈlæntɪk] *a* на европейской стороне Атлантического океана.

cist [sɪst] *n* археол. гробница.

Cistercian [sɪsˈtəːʃjən] *n* цистерцианец (*монах примыкавшего к бенедиктинцам ордена*).

cistern [ˈsɪstən] *n* 1) цистерна, бак, резервуар; 2) водоём.

citadel [ˈsɪtədl] *n* 1) крепость, цитадель; 2) твердыня; оплот; убежище.

citation [saɪˈteɪʃən] *n* 1) цитирование; ссылка, упоминание; цитата; 2) перечисление; ~ of facts перечисление фактов; 3) *юр.* вызов (*в суд*); 4) *амер. воен.* упоминание в приказе (*похвальное*); to get a ~ быть отмеченным в приказе.

cite [saɪt] *v* 1) ссылаться; цитировать; 2) вызывать (*в суд, преим. церковный*).

cither(n) [ˈsɪθə(n)] *n поэт.*, *ист.* кифара, лира.

citizen [ˈsɪtɪzn] *n* 1) гражданин; гражданка; 2) горожанин; горожанка; 3) *амер.* штатский (человек).

citizenship [ˈsɪtɪznʃɪp] *n* гражданство.

citrate [ˈsɪtrɪt] *n хим.* соль лимонной кислоты.

citric [ˈsɪtrɪk] *a* лимонный.

citrine [sɪˈtriːn] 1. *n мин.* цитрин, золотистый топаз.
2. *a* лимонного цвета.

citron [ˈsɪtrən] *n* 1) цитрон, сладкий лимон; 2) лимонный цвет (*тж.* ~ colour).

citrus [ˈsɪtrəs] *n бот.* цитрус.

cits [sɪts] *n pl амер. разг.* штатская одежда.

cittern [ˈsɪtəːn] = cither(n).

city [ˈsɪtɪ] *n* 1) большой, старинный город (*в Англии*); всякий более или менее значительный город с местным самоуправлением (*в США*); 2): the C. Сити, деловой квартал в центре Лондона; финансовые и коммерческие круги Лондона; 3) *attr.* городской, муниципальный; ~ council муниципальный совет; ~ hall *амер.* здание муниципалитета, ратуша; ~ planning планировка городов; ~ water вода из (городского) водопровода; 4) (С.) *attr.*: С. man финансист, коммерсант, делец; С. article статья в газете по финансовым и коммерческим вопросам; С. editor а) редактор финансового отдела газеты; б) *амер.* заведующий репортажем.

city state [ˈsɪtɪˈsteɪt] *n ист.* полис (*город-государство в древнем мире*).

civet [ˈsɪvɪt] *n* 1) *зоол.* виверра африканская; 2) цибет (*вещество, употр. в парфюмерии*).

civet-cat [ˈsɪvɪtˌkæt] = civet 1).

civic [ˈsɪvɪk] *a* гражданский.

civic-minded [ˈsɪvɪkˈmaɪndɪd] *a* с развитым чувством долга.

civics [ˈsɪvɪks] *n pl* (*употр. как sing*) 1) основы гражданственности; гражданское право; 2) *юр.* гражданские дела.

civil [ˈsɪvl] *a* 1) гражданский; 2) штатский (*противоп.* военный); ~ engineer инженер-строитель; ~ servant государственный гражданский служащий, чиновник; ~ service государственная гражданская служба; C. Defence организация противовоздушной обороны; 3) *юр.* гражданский (*противоп.* уголовный); ~ case гражданское дело; С. Law гражданское право; 4) вежливый; воспитанный; to keep a ~ tongue (in one's head) держаться в рамках приличия, быть вежливым; ◇ ~ list цивильный лист (*сумма на содержание лиц королевской семьи*).

civilian [sɪˈvɪljən] **1.** *n* 1) штатский (человек); 2) *pl* гражданское население; 3) лицо, состоящее на гражданской службе; 4) *юр.* цивилист, специалист по гражданскому праву;
2. *a* штатский; ~ clothes штатская одежда; ~ population гражданское население.

civilianize [sɪˈvɪljənaɪz] *v* распространять гражданский статус на военнопленных.

civility [sɪˈvɪlɪtɪ] *n* любезность, вежливость; to exchange civilities обменяться любезностями.

civilization [ˌsɪvɪlaɪˈzeɪʃən] *n* цивилизация.

civilize [ˈsɪvɪlaɪz] *v* цивилизовать.

civilized [ˈsɪvɪlaɪzd] **1.** *p.p. от* civilize;
2. *a* 1) цивилизованный; 2) воспитанный, культурный.

civilly [ˈsɪvɪlɪ] *adv* вежливо, учтиво, любезно.

civil-spoken [ˈsɪvlˈspoukn] *a* учтивый в разговоре.

civ(v)y [ˈsɪvɪ] *n sl.* 1) штатский (человек); 2) *pl воен.* штатское; штатская одежда; 3) *attr.*: С. Street *воен. sl.* «гражданка», гражданская жизнь.

clabber [ˈklæbə] *ирл.* **1.** *n* простокваша;
2. *v* скисать, свёртываться (*о молоке*).

clack [klæk] **1.** *n* 1) треск; щёлканье; 2) шум голосов; болтовня; 3) погремушка; 4) = clack-valve;

2. *v* 1) трещать; щёлкать; 2) громко болтать; 3) кудахтать, гоготать.

clack-valve [ˈklækvælv] *n mex.* откидной *или* створчатый клапан.

clad [klæd] *past и p.p. от* clothe.

cladmetal [ˈklædmetl] *n* плакированный металл.

claim [kleɪm] **1.** *n* 1) требование; 2) иск; претензия; to raise a ~ предъявить претензию; to lay ~ to smth., to put smth. in a ~ предъявлять права на что-л.; 3) *преим. амер. и австрал.* участок земли, отведённый под разработку недр; заявка на отвод участка; to jump a ~ незаконно захватить участок, отведённый другому; *перен.* незаконно захватить что-л., принадлежащее другому; to stake out a ~ отмечать границы отведённого участка; *перен.* закреплять своё право на что-л.;

2. *v* 1) требовать; to ~ damages требовать возмещения убытков; to ~ attention требовать к себе внимания; to ~ one's right требовать своего; *перен.* взять своё; 2) претендовать, предъявлять претензию, заявлять права на что-л.; to ~ the victory настаивать на своей победе; 3) утверждать, заявлять; 4) *юр.* возбуждать иск о возмещении убытков (against).

claimant [ˈkleɪmənt] *n* 1) предъявляющий права; претендент; 2) истец.

claim check [ˈkleɪmtʃek] *n* квитанция на получение заказа, вещей после ремонта *и т. п.*

claiming race [ˈkleɪmɪŋˌreɪs] *n* скачки, после которых любая из лошадей может быть куплена.

clairvoyance [klɛəˈvɔɪəns] *n* 1) ясновидение; 2) проницательность.

clairvoyant [klɛəˈvɔɪənt] **1.** *n* ясновидец; ясновидица;
2. *a* ясновидящий.

clam [klæm] **1.** *n* 1) съедобный морской моллюск (разинька, венерка *и пр.*); 2) *амер. разг.* скрытный, необщительный человек; ◇ as happy as a ~ (at high tide) ≈ рад-радёшенек; счастливый, довольный;
2. *v* 1) собирать моллюсков; 2) липнуть, прилипать; 3) *амер. разг.* быть *или* стать молчаливым, необщительным; замолчать.

clamant [ˈkleɪmənt] *a* 1) шумливый; 2) настойчивый; 3) вопиющий.

clambake [ˈklæmˌbeɪk] *n амер.* пикник на морском берегу с приготовлением кушанья из моллюсков.

clamber [ˈklæmbə] **1.** *n* карабканье;
2. *v* карабкаться, цепляться (*часто* ~ up).

clambering plant [ˈklæmbərɪŋˌplɑːnt] *n* вьющееся растение.

clamminess [ˈklæmɪnɪs] *n* клейкость, липкость.

clammy [ˈklæmɪ] *a* 1) клейкий, липкий; 2) холодный и влажный на ощупь.

clamorous [ˈklæmərəs] *a* шумный, крикливый.

clamour [ˈklæmə] **1.** *n* 1) шум, крики; 2) шумные протесты;
2. *v* шумно требовать; кричать; □ ~ against выступать, восставать против *чего-л.*;

~ down заставить замолчать (криками); **~ for** требовать; **to ~ for peace** требовать мира; **~ out** шумно протестовать.

clamp I [klæmp] *тех.* 1. *n* зажим; хомут, струбцина; скоба; 2. *v* скреплять, зажимать; смыкать.

clamp II [klæmp] 1. *n* куча (*картофеля, прикрытого на зиму соломой и землёй*); клётка (*кирпича, сложенного для обжига*); штабель (*сухого торфа*); 2. *v* складывать в кучу (*обыкн.* ~ up).

clamp III [klæmp] 1. *n* тяжёлая поступь; 2. *v* тяжело ступать.

clam-shell ['klæm,ʃel] *n* грейфер.

clan [klæn] *n* 1) клан, род (*в Шотландии*); 2) клика.

clandestine [klæn'destin] *a* тайный, скрытый.

clang [klæŋ] 1. *n* лязг, звон, резкий металлический звук (*оружия, молота, колоколов; в поэзии — труб*); 2. *v* производить лязг, звон, резкий звук; **to ~ glasses together** чокаться, звенеть стаканами.

clangour ['klæŋgə] *n* резкий металлический звук, лязг металлических предметов.

clank [klæŋk] 1. *n* звон, лязг (*цепей, железа*); бряцание; 2. *v* греметь (*цепью*); бряцать.

clannish ['klæniʃ] *a* 1) родовой; 2) приверженный к своему роду, клану; 3) ограниченный, обособленный, замкнутый в своём кругу, группе *и т. п.*

clanship ['klænʃip] *n* 1) принадлежность *или* преданность своему клану, роду; 2) разделение на враждебные группы, кружковщина, обособленность.

clansman ['klænzmən] *n* член клана.

clap I [klæp] 1. *n* 1) хлопанье; хлопок; 2) удар (*грома*); 3) ~ of thunder; 2. *v* 1) хлопать, аплодировать; the audience ~ped the singer публика аплодировала певцу; 2) хлопать (*дверями, крыльями и т. п.*); to ~ the lid of a box to захлопнуть крышку сундука; 3) похлопать; to ~ smb. on the back похлопывать кого-л. по плечу; 4) *разг.* упрятать, упечь (in); to ~ in prison упечь в тюрьму; 5) надвигать (быстро *или* энергично); налагать; to ~ duties on goods облагать товары пошлиной; to ~ a hat on one's head нахлобучить шляпу; □ ~ on: to ~ on sails поднять паруса; to ~ on to smb. *разг.* подсунуть кому-л.; ~ up: to ~ up (a bargain, match, peace) поспешно, наспех заключить (сделку, брак, мир); ◊ to ~ eyes on smb. *разг.* увидеть, заметить кого-л.

clap II [klæp] *груб.* 1. *n* триппер; 2. *v* заразить триппером.

clapboard ['klæpbɔːd] *n* 1) клёпка (*бочарная*); колотый лесоматериал для клёпки; 2) *амер.* доска клинообразного сечения.

clap-net ['klæp,net] *n* силок для птиц.

clapper ['klæpə] *n* 1) язык (*колокола и шутл. — человека*); 2) трещотка (*для отпугивания птиц*); 3) клакёр.

clapperclaw ['klæpə,klɔː] *v* 1) царапать, рвать когтями; 2) бранить, резко критиковать.

claptrap ['klæptræp] 1. *n* трескучая фраза; что-л., рассчитанное на дешёвый эффект; 2. *a* рассчитанный на дешёвый эффект, показной.

claque [klæk] *фр. n* клака, группа клакёров.

claqueur ['klækə] *фр. n* клакёр.

clarence ['klærəns] *n* закрытая четырёхместная карета.

clarendon ['klærəndən] *n полигр.* жирный шрифт.

claret ['klærət] *n* 1) красное вино, кларет; 2) цвет бордо; 3) *sl.* кровь; to tap smb.'s ~ разбить кому-л. нос в кровь.

claret-cup ['klærətkʌp] *n* крюшон из красного вина.

clarification [,klærifi'keiʃən] *n* 1) прояснение; 2) очищение.

clarify ['klærifai] *v* 1) делать(ся) прозрачным (*о воздухе, жидкости*); 2) делать (ся) ясным (*о стиле, мысли и т. п.*); 3) вносить ясность; to ~ the disputes улаживать споры.

clarinet [,klæri'net] *n муз.* кларнет.

clarinettist [,klæri'netist] *n* кларнетист.

clarion ['klæriən] 1. *n* 1) *поэт.* рожок, горн; 2) звук рожка; призывный звук; 2. *a* громкий, чистый (*о звуке*); ~ call громкий призыв.

clarionet [,klæriə'net] = clarinet.

clarity ['klæriti] *n* 1) чистота, прозрачность; 2) ясность.

clary ['klɛəri] *n бот.* шалфей мускатный.

clash [klæʃ] 1. *n* 1) лязг (*оружия*); гул (*колоколов*); 2) столкновение; ~ of interests столкновение интересов; ~ of opinions расхождение во взглядах; 3) конфликт; 2. *v* 1) сталкиваться, стукаться, ударяться друг о друга (*особ. об оружии*); 2) ударять с грохотом; производить гул, шум, звон; звонить во все колокола; 3) расходиться (*о взглядах*); 4) сталкиваться (*об интересах*); приходить в столкновение; 5) дисгармонировать; these colours ~ эти цвета не гармонируют; 6) совпадать во времени; our lectures ~ наши лекции совпадают.

clasp [klɑːsp] 1. *n* 1) пряжка, застёжка; 2) пожатие; объятие, объятия; he gave my hand a warm ~ он тепло пожал мне руку; 2) *тех.* зажим; 2. *v* 1) застёгивать; 2) сжимать, обнимать; to ~ in one's arms заключать в объятия; to ~ smb.'s hand пожимать кому-л. руку; to ~ (one's own) hands ломать руки в отчаянии; 3) обвиваться (*о вьющемся растении*).

clasp-knife ['klɑːspnaif] *n* складной нож.

clasp-pin ['klɑːsppin] *n* безопасная булавка.

class I [klɑːs] 1. *n* общественный класс; the working ~ рабочий класс; the middle ~ средняя буржуазия; the upper ~ крупная буржуазия; аристократия; the ~es имущие классы; 2. *a* классовый; ~ alien претендующий на принадлежность к классу, к которому на самом деле не принадлежит.

class II [klɑːs] **1.** *n* 1) класс; разря́д; гру́ппа; катего́рия; ~ of problems круг вопро́сов; 2) сорт, ка́чество; in a ~ by itself первокла́ссный; it is по ~ *разг.* э́то никуда́ не годи́тся; 3) *биол.* класс; 4) класс (*в шко́ле*); the top of the ~ пе́рвый учени́к (*в кла́ссе*); 5) вре́мя нача́ла заня́тий (*в шко́ле*); when is ~? когда́ начина́ются заня́тия?; 6) курс (*обуче́ния*); to take ~es (*in*) проходи́ть курс обуче́ния (*где-л.*); 7) вы́пуск (*студе́нтов такого-то года*); 8) *унив.* отли́чие; to get (*или* to obtain) a ~ око́нчить курс с отли́чием; 9) класс (*на желе́зной доро́ге, парохо́де*); to travel third ~ е́здить в тре́тьем кла́ссе; 10) *воен.* призывни́ки одного́ и того́ же го́да рожде́ния; the 1937 ~ призывники́ 1937 го́да (рожде́ния); 11) *мор.* тип корабля́;
2. *a* кла́ссный;
3. *v* 1) классифици́ровать; 2) *унив.* распределя́ть отли́чия (*в результа́те экза́менов*); Tompkins obtained a degree, but was not ~ed То́мпкинс получи́л сте́пень, но без отли́чия; 3) соста́вить себе́ мне́ние, оцени́ть; □ ~ with ста́вить наряду́ с.

class-book ['klɑːs,buk] *n* уче́бник.
class-consciousness ['klɑːs'kɔnʃəsnɪs] *n* кла́ссовое созна́ние.
class-fellow ['klɑːs,felou] *n* однокла́ссник, шко́льный това́рищ.
classic ['klæsɪk] **1.** *a* 1) класси́ческий; 2) образцо́вый;
2. *n* 1) кла́ссик; 2) специали́ст по анти́чной филоло́гии; 3) класси́ческое произведе́ние; 4) *pl* класси́ческие языки́; класси́ческая литерату́ра.
classical ['klæsɪkəl] *a* класси́ческий; ~ scholar = classic 2, 2).
classicism ['klæsɪsɪzəm] *n* 1) классици́зм; сле́дование класси́ческим образца́м; 2) изуче́ние класси́ческих языко́в и класси́ческой литерату́ры; 3) *лингв.* лати́нская *или* гре́ческая идио́ма.
classicize ['klæsɪsaɪz] *v* подража́ть класси́ческому сти́лю.
classification [,klæsɪfɪ'keɪʃən] *n* классифика́ция.
classified ['klæsɪfaɪd] **1.** *p. p. om* classify;
2. *a* амер. воен. секре́тный.
classify ['klæsɪfaɪ] *v* классифици́ровать.
classless ['klɑːslɪs] *a* бескла́ссовый; ~ society бескла́ссовое о́бщество.
classman ['klɑːsmæn] *n* студе́нт, вы́державший экза́мен с отли́чием.
class-mate ['klɑːs,meɪt] = class-fellow.
class-room ['klɑːs,rum] *n* класс, кла́ссная ко́мната.
classy ['klɑːsɪ] *a разг.* 1) первокла́ссный, отли́чный; 2) шика́рный.
clastic ['klæstɪk] *a геол.* обло́мочный.
clatter ['klætə] **1.** *n* 1) стук; звон (*посу́ды*); 2) гро́хот (*маши́н*); 3) болтовня́, трескотня́; гул (*голосо́в*); 4) то́пот;
2. *v* 1) болта́ть; греме́ть; □ ~ along то́пать; стуча́ть копы́тами (*о ло́шади*); ~ down «загреме́ть» (*вниз по ле́стнице*).
clause [klɔːz] *n* 1) *грам.* предложе́ние (*явля́ющееся ча́стью сло́жного предложе́-*

ния); principal (subordinate) ~ гла́вное (прида́точное) предложе́ние; 2) статья́, пункт; кла́узула (*в догово́ре*); escape ~ *дип.* пункт догово́ра, предусма́тривающий отка́з от взя́того обяза́тельства; saving ~ *дип.* статья́, содержа́щая огово́рку.
clave [kleɪv] *past om* cleave I.
clavichord ['klævɪkɔːd] *n муз.* клавикорды.
clavicle ['klævɪkl] *n анат.* ключи́ца.
clavicular [kləˈvɪkjulə] *a анат.* ключи́чный.
clavier *n* 1) ['klævɪə] клавиату́ра; 2) [kləˈvɪə] клави́р (*стари́нное назва́ние фортепиа́но*).
claw [klɔː] **1.** *n* 1) ко́готь; 2) ла́па с когтя́ми; 3) клешня́; 4) *презр.* рука́; 5) *тех.* кула́к, па́лец, вы́ступ, зубе́ц; ла́па; клещи́; ◇ to put out a ~ пока́зывать ко́гти; to draw in one's ~s присмире́ть; to cut (*или* to clip, to pare) smb.'s ~s ≅ подре́зать кому́-л. кры́лышки; обезору́жить кого́-л.;
2. *v* 1) цара́пать, рвать когтя́ми; когти́ть; 2) загреба́ть (*де́ньги*); 3) *уст.* льстить; ◇ to ~ hold of smth. вцепи́ться во что-л.; to ~ off the land *мор.* держа́ться да́льше от бе́рега; ~ me and I'll ~ thee *посл.* ≅ услу́га за услу́гу.
claw-hammer ['klɔː,hæmə] *n* молото́к с расще́пом для выта́скивания гвозде́й; ◇ ~ coat *шутл.* фрак.
clay [kleɪ] **1.** *n* 1) гли́на, глинозём; 2) *распр.* земля́; 3) ил, ти́на; 4) те́ло, плоть; 5) *поэт.* прах; 6) гли́няная тру́бка (*тж.* ~ pipe); 7) *attr.*: ~ mill глиномя́лка; ◇ to moisten one's ~ вы́пить, промочи́ть го́рло; ~ pigeon мише́нь (*в ти́ре*);
2. *v* обма́зывать гли́ной.
clayey ['kleɪɪ] *a* гли́нистый; ~ soil сугли́нок.
claymore ['kleɪmɔː] *n* стари́нный пала́ш (*шотл. го́рцев*).
clean [kliːn] **1.** *a* 1) чи́стый; опря́тный; ~ room чи́стая ко́мната; ~ copy белови́к; 2) чистопло́тный; 3) чи́стый, без при́меси; без поро́ков; ~ wheat пшени́ца без при́меси; ~ timber чистосо́ртный лесно́й материа́л (*без сучко́в и др. дефе́ктов*); 4) неиспи́санный (*о ли́сте бума́ги, страни́це*); 5) незапя́тнанный, непоро́чный; to have a ~ record име́ть хоро́шую репута́цию; 6) хорошо́ сложённый (*о челове́ке*); 7) ло́вкий, иску́сный; ~ stroke ло́вкий уда́р; ◇ to have ~ hands in the matter не быть заме́шанным в како́м-л. де́ле; to make a sweep of smth. соверше́нно отде́латься, изба́виться от чего́-л.; подчи́стить под метлу́; to make a ~ breast of smth. призна́ться в чём-л.;
2. *n* чи́стка, убо́рка; to give it a ~ почи́стить, убра́ть;
3. *adv* 1) по́лностью, соверше́нно; I ~ forgot to ask я соверше́нно забы́л спроси́ть; 2) на́чисто; 3) пря́мо; как раз; to hit ~ in the eye попа́сть пря́мо в глаз;
4. *v* 1) чи́стить; очища́ть, протира́ть; сгла́живать; полирова́ть (*мета́лл*); промыва́ть (*зо́лото*); □ ~ down a) смета́ть

(пыль со стен и т. п.); б) чи́стить *(лошадь)*; ~ out очи́стить; *разг.* обворова́ть, «обчи́стить»; ~ up a) прибира́ть, приводи́ть в поря́док; б) зака́нчивать на́чатую рабо́ту; в) *амер. sl.* сорва́ть большо́й куш.

clean-cut ['kli:n'kʌt] *a* 1) ре́зко оче́рченный; ~ features ре́зко вы́раженные черты́; 2) я́сный, определённый; то́чный.

clean-fingered ['kli:n'fiŋgəd] *a* неподку́пный.

clean-handed ['kli:n'hændɪd] *a* че́стный, неви́нный.

cleaning ['kli:nɪŋ] 1. *pres. p. от* clean 4; 2. *n* 1) чи́стка, убо́рка; очи́стка; 2) *горн.* обогаще́ние; 3) *attr.*: ~ woman убо́рщица, убира́ющая гря́зную посу́ду в рестора́не.

clean-limbed ['kli:n'lɪmd] *a* стро́йный *(о фигуре)*.

cleanliness ['klenlɪnɪs] *n* чистота́; чистопло́тность; опря́тность.

cleanly 1. *a* ['klenlɪ] чистопло́тный; 2. *adv* ['kli:nlɪ] чи́сто; целому́дренно.

cleanness ['kli:nnɪs] *n* чистота́.

cleanse [klenz] *v* 1) чи́стить *(преим. перен.)*; 2) дезинфици́ровать; 3) очища́ть желу́док *(слабительным)*.

clean-shaven ['kli:n'ʃeɪvn] *a* чи́сто вы́бритый.

clean-up ['kli:n'ʌp] *n разг.* 1) убо́рка; чи́стка; 2) *attr.*: ~ party *амер.* убо́рщики.

clear [klɪə] 1. *a* 1) я́сный, све́тлый; ~ sky безо́блачное не́бо; 2) прозра́чный; 3) чи́стый *(о весе, доходе; о совести)*; 4) свобо́дный; ~ passage свобо́дный прохо́д; all ~ a) путь свобо́ден; *воен.* проти́вник не обнару́жен; в) отбо́й *(после тревоги)*; all ~ signal сигна́л отбо́я; ~ from suspicion вне подозре́ний; ~ of debts свобо́дный от долго́в; ~ line *ж.-д.* перего́н *(между станциями)*; 5) це́лый, по́лный; a ~ month це́лый ме́сяц; 6) я́сно слы́шный, отчётливый; 7) поня́тный, я́сный, недвусмы́сленный; 8) я́сный *(об уме)*; ◇ to get away ~ отде́латься; in ~ a) откры́тым те́кстом, в незашифро́ванном ви́де; б) *тех.* в свету́; to keep ~ of smb. остерега́ться, избега́ть кого́-л.; to see one's way ~ не име́ть затрудне́ний;
2. *adv* 1) я́сно; 2) совсе́м, целико́м *(тж. несколько усиливает знач. наречий* away, off, through *при глаголах)*; three feet ~ це́лых три фу́та;
3. *v* 1) очища́ть(ся); расчища́ть; to ~ the air разряди́ть атмосфе́ру; положи́ть коне́ц недоразуме́ниям; to ~ the dishes убира́ть посу́ду со стола́; to ~ the table убира́ть со стола́; to ~ one's throat отка́шливаться; 2) освобожда́ть, очища́ть; 3) станови́ться прозра́чным *(о вине)*; 4) проясня́ться; 5) рассе́ивать *(сомнения, подозрения)*; 6) опра́вдывать; 7) эвакуи́ровать; 8) распродава́ть *(товар)*; great reductions in order to ~ больша́я ски́дка с це́лью распрода́жи; 9) проходи́ть ми́мо, минова́ть; 10) не заде́ть, прое́хать *или* перескочи́ть че́рез барье́р, не заде́в его́; to ~ an obstacle взять препя́тствие; this horse can ~ 5 feet э́та ло́шадь берёт барье́р в 5 фу́тов; 11) получа́ть чи́стую при́быль; 12) упла́чивать

по́шлины, очища́ть от по́шлин; □ ~ away a) убира́ть со стола́; б) рассе́ивать *(сомнения)*; в) рассе́иваться *(о тумане, облаках)*; ~ off a) отде́лываться от *чего-л.*; б) проясня́ться *(о погоде)*; в) *разг.* убира́ться; just ~ off at once! убира́йтесь неме́дленно!; ~ out a) очища́ть; б) *разг.* разоря́ть; в) уходи́ть, удаля́ться; ~ up a) прибира́ть, убира́ть; б) выясня́ть; распу́тывать *(дело)*; в) проясня́ться *(о погоде)*; г) проходи́ть *(о болезни)*; ◇ to ~ the skirts of a person смыть позо́рное пятно́ с кого́-л.; восстанови́ть чью-л. репута́цию; to ~ the decks (for action) *мор.* пригото́виться к бо́ю *(перен.* к де́йствиям); to ~ the way подгото́вить по́чву; to ~ one's expenses покры́ть свои́ расхо́ды.

clearance ['klɪərəns] *n* 1) очи́стка; security ~ прове́рка благонадёжности; 2) вы́рубка *(леса)*; расчи́стка под па́шню; 3) *ком.* очи́стка от тамо́женных по́шлин; 4) устране́ние препя́тствий; 5) разреше́ние *(напр., оставить государственную до́лжность)*; 6) произво́дство расчётов че́рез расчётную пала́ту *[см. тж.* clearing 2, 3)]; 7) холосто́й ход; 8) *тех.* зазо́р; вы́рез; вре́дное простра́нство *(в цилиндре; тж.* ~ space); 9) кли́ренс *(автомобиля, танка)*; 10) *attr.*: ~ sale (дешёвая) распрода́жа; 11) *attr.*: ~ papers *ком.* докуме́нты, удостоверя́ющие очи́стку от по́шлин.

clearcole ['klɪə,koul] *n* клеева́я кра́ска с ме́лом *или* бели́лами для загрунто́вки зда́ния.

clear-cut ['klɪə'kʌt] *a* я́сно оче́рченный; чёткий.

clearing ['klɪərɪŋ] 1. *pres. p. от* clear 3; 2. *n* 1) проясне́ние и пр. *[см.* clear 3]; ~ of signal отме́на сигна́ла; 2) уча́сток *(леса)*, расчи́щенный для обрабо́тки по́чвы; 3) кли́ринг *(система взаимных расчётов между банками по общему итогу)*; 4) вскры́тие *(реки)*.

Clearing-House ['klɪərɪŋhaus] *n ком.* расчётная пала́та *[см.* clearing 2, 3)].

clearing-off ['klɪərɪŋ'ɔf] *n* расчёт, распла́та.

clearing station ['klɪərɪŋ,steɪʃən] *n* эвакуацио́нный пункт.

clearly ['klɪəlɪ] *adv* я́сно; очеви́дно; несомне́нно; коне́чно *(в ответе)*.

clearness ['klɪənɪs] *n* я́сность и пр. *[см.* clear 1].

clear-sighted ['klɪə'saɪtɪd] *a* проница́тельный, дальнови́дный.

clearstarch ['klɪə,stɑːtʃ] *v* крахма́лить.

clearstory ['klɪəstərɪ] = clerestory.

clear-way ['klɪəweɪ] *n* фарва́тер.

cleat [kli:t] *n* 1) *тех.* клемма, зажи́м; клин; 2) *тех.* волочи́льная доска́; 3) *тех.* шпунт, соедине́ние в шпунт; 4) пла́нка; 5) *мор.* крепи́тельная у́тка; крепи́тельная пла́нка; 6) *геол.* вертика́льный клива́ж.

cleavage ['kli:vɪdʒ] *n* 1) расщепле́ние; раска́лывание; 2) расхожде́ние, раско́л; ~ in regard to views расхожде́ние во взгля́дах; ~ of society into classes разделе́ние о́бщества на кла́ссы; 3) *геол., горн.* сло́истость; спа́йность.

cleave I [kliːv] v (clave, cleaved; cleaved) 1) оставаться верным, преданным (to); 2) уст. прилипать.

cleave II [kliːv] v (clove, cleft; cloven, cleft) 1) раскалывать(ся) (часто ~ asunder, ~ in two); 2) рассекать (волны, воздух); 3) разрезать.

cleaver ['kliːvə] n 1) дровокол; 2) большой нож мясника.

cleavers ['kliːvəz] n бот. подмаренник цепкий.

clef [klef] n муз. ключ.

cleft I [kleft] n трещина, расселина.

cleft II [kleft] 1. past и p. p. от cleave II; 2. a расщеплённый; ~ palate мед. волчья пасть; ◇ in a ~ stick в безвыходном положении.

cleg [kleg] n овод, слепень.

clem [klem] v сев. 1) голодать; 2) морить голодом.

clematis ['klemətɪs] n бот. ломонос.

clemency ['klemənsɪ] n 1) милосердие; снисходительность; 2) мягкость (климата).

clement ['klemənt] a 1) милосердный, милостивый; 2) мягкий (о климате).

clench [klentʃ] 1. n 1) сжимание (кулаков); стискивание (зубов); 2) заклёпывание; 3) скоба, железный крюк; заклёпка; 4) убедительный аргумент; 2. v 1) захватывать, зажимать; 2) сжимать (кулаки); стискивать (зубы); 3) заклёпывать; 4) утверждать, окончательно решать.

clepsydra ['klepsɪdrə] n ист. клепсидра, водяные часы.

clerestory ['klɪəstərɪ] n архит. вертикальная грань фонаря, фонарь.

clergy ['kləːdʒɪ] n 1) духовенство; 2) разг. = clergymen; twenty ~ were present присутствовало двадцать духовных лиц.

clergyman ['kləːdʒɪmən] n священник [см. тж. clergy 2)]; ~'s week (fortnight) отпуск, включающий два (три) воскресенья.

cleric ['klerɪk] n духовное лицо, церковник.

clerical ['klerɪkəl] 1. a 1) клерикальный; 2) канцелярский; ~ work канцелярская, конторская работа; ~ error канцелярская ошибка, описка переписчика; 2. n полит. клерикал.

clericalism ['klerɪkəlɪzm] n клерикализм.

clericalist ['klerɪkəlɪst] = clerical 2.

clerihew ['klerɪhjuː] n комическое четверостишие.

clerk [klɑːk] 1. n 1) клерк, письмоводитель; конторский служащий; correspondence ~ ком. корреспондент; 2) воен. писарь; 3) чиновник; секретарь; Chief C. управляющий делами, секретарь городского управления; 4) приказчик, торговый служащий; ~ of the works производитель работ (на постройке); 5) уст. духовное лицо; образованный или грамотный человек; ◇ C. of the Weather шутл. ≅ «хозяин погоды»; метеорология; амер. шутл. начальник метеорологического отдела управления связи; 2. v служить, быть чиновником.

clerkly ['klɑːklɪ] a 1) грамотный; обладаю-

щий хорошим почерком; ~ hand хороший почерк; 2) уст. духовный, церковный.

clerkship ['klɑːkʃɪp] n 1) должность секретаря, клерка и т. п. [см. clerk 1]; 2) хороший почерк; грамотность.

clever ['klevə] a 1) умный; 2) ловкий; искусный; ~ piece of work искусная работа; 3) способный, даровитый; 4) амер. разг. добродушный.

cleverness ['klevənɪs] n 1) одарённость; 2) ловкость; 3) искусность, умение.

clevis ['klevɪs] n 1) вага (дышла); 2) тех. соединительная скоба, серьга; карабин.

clew [kluː] 1. n 1) клубок; 2) путеводная нить; след; 3) мор. шкотовый угол паруса; from ~ to earing сверху донизу; с головы до ног; насквозь; 2. v (обыкн. ~ up) 1) сматывать в клубок; 2) мор. брать (паруса) на гитовы; 3) мор. заканчивать какую-л. работу.

clewline ['kluːlaɪn] n мор. гитов.

cliché ['kliːʃeɪ] фр. n 1) полигр. клише; пластинка стереотипа; 2) штамп; избитая фраза.

click [klɪk] 1. n 1) щёлканье (затвора, щеколды); щелчок (в механизме); 2) фон. щёлкающий звук (в некоторых южноафриканских языках); 3) засечка (у лошади); 4) тех. защёлка, собачка; трещотка; 2. v 1) щёлкать; to ~ the door защёлкнуть за собой дверь; to ~ one's tongue прищёлкнуть языком; to ~ one's heels together приступить каблуками; 2) разг. точно соответствовать, подходить (по характеру); ладить; 3) разг. отличаться чёткостью, слаженностью; 4) разг. иметь успех.

click beetle ['klɪk,biːtl] n зоол. жук-щелкун.

clicker ['klɪkə] n 1) заготовщик (обуви); 2) полигр. метранпаж; 3) sl. зазывала (в магазин).

client ['klaɪənt] n 1) клиент; 2) постоянный покупатель, заказчик.

clientage ['klaɪəntɪdʒ] n 1) клиенты, клиентура; 2) отношения патрона и клиентов.

clientèle [,kliːɑːnˈteɪl] фр. = clientage 1).

cliff [klɪf] n 1) крутой обрыв; 2) отвесная скала, утёс; ◇ ~ hanger sl. увлекательный рассказ, передающийся по радио.

cliffsman ['klɪfsmən] n альпинист.

climacteric [klaɪˈmæktərɪk] 1. n климактерий, критический возраст; критический период; 2. a климактерический; критический, опасный.

climate ['klaɪmɪt] n 1) климат; 2) атмосфера; настроение; состояние общественного мнения (часто ~ of opinion).

climatic [klaɪˈmætɪk] a климатический.

climatology [,klaɪməˈtɔlədʒɪ] n климатология.

climax ['klaɪmæks] 1. n высшая точка, кульминационный пункт; 2. v дойти или довести до кульминационного пункта.

climb [klaɪm] 1. n 1) подъём, восхождение; 2) ав. набор высоты; rate of ~ скорость подъёма; 3) attr.: ~ indicator ав. указатель вертикальной скорости;

2. *v* 1) поднима́ться, кара́бкаться, влеза́ть; to ~ (up) a tree влеза́ть на де́рево; to ~ to power стреми́ться к вла́сти; 2) *ав.* набира́ть высоту́; 3) ла́зить; 4) ви́ться (*о растениях*); □ ~ down a) слеза́ть; *перен.* па́дать; б) отступа́ть, уступа́ть (*в споре*).

climb-down ['klaɪm,daun] *n* спуск; *перен.* усту́пка (*в споре*).

climber ['klaɪmə] *n* 1) альпини́ст; 2) *pl* монтёрские ко́гти; 3) вью́щееся расте́ние; 4) честолю́бец, карьери́ст.

climbing-irons ['klaɪmɪŋ'aɪənz] *n pl* 1) = climber 2); 2) шипы́ на о́буви альпини́стов.

clime [klaɪm] *n поэт.* 1) кли́мат; 2) страна́.

clinch [klɪntʃ] **1.** *n* 1) зажи́м; скоба́; закле́пка; 2) игра́ слов, каламбу́р; 3) клинч, захва́т (*в боксе*).

2. *v* 1) прибива́ть гвоздём, загиба́я его́ шля́пку; заклёпывать; 2) оконча́тельно реша́ть, догова́риваться; to ~ a bargain заключи́ть, закрепи́ть сде́лку; to ~ an argument реши́ть спор; to ~ the matter реши́ть вопро́с.

clincher ['klɪntʃə] *n* 1) заклёпка, болт; скоба́; 2) реша́ющий до́вод; 3) *рез.* кли́нчер.

cling [klɪŋ] *v* (clung) (*часто* ~ to) 1) цепля́ться; прилипа́ть; 2) держа́ться (*берега, дома и т. п.*); to ~ together держа́ться вме́сте; 3) остава́ться ве́рным (*взглядам, друзьям*); 4) льнуть; 5) облега́ть (*о платье*).

clingstone ['klɪŋ,stoun] *n* пе́рсик, в кото́ром пло́хо отделя́ется ко́сточка.

clingy ['klɪŋɪ] *a* ли́пкий, це́пкий.

clinic ['klɪnɪk] *n* кли́ника.

clinical ['klɪnɪkəl] *a* клини́ческий; ~ record исто́рия боле́зни.

clink I [klɪŋk] **1.** *n* 1) звон (*тонкого металла, стекла*); 2) *шотл.* зво́нкая моне́та;

2. *v* звене́ть; звуча́ть; to ~ glasses звене́ть стака́нами, чо́каться.

clink II [klɪŋk] *n sl.* тюрьма́; *воен.* «гу́ба».

clinker I ['klɪŋkə] *n* 1) кли́нкер, кли́нкерный кирпи́ч; 2) шлак; 3) засты́вшая ла́ва; 4) штукату́рный гвоздь.

clinker II ['klɪŋkə] *n sl.* прекра́сный экземпля́р *или* образе́ц чего́-л. (*напр., прекрасная лошадь, меткий выстрел, удар и т. п.*).

clinker-built ['klɪŋkə,bɪlt] *a мор.* обши́тый внакро́й (*противоп.* carvel-built).

clinking ['klɪŋkɪŋ] **1.** *pres. p. om* clink I, 2;

2. *a* 1) звеня́щий; 2) *разг.* превосхо́дный, первокла́ссный;

3. *adv разг.* о́чень; ~ good о́чень хоро́ший.

clinkstone ['klɪŋk,stoun] *n мин.* фоноли́т, звеня́щий ка́мень, порфи́ровый сла́нец.

clinometer [klaɪ'nɔmɪtə] *n* 1) клиноме́тр; 2) квадра́нт.

clip I [klɪp] **1.** *n тех.* зажи́мные клещи́; зажи́мная скоба́; скре́пка; зажи́м; хому́тик, серьга́; ~ of cartridges патро́нная обо́йма;

2. *v* зажима́ть, сжима́ть, кре́пко обхва́тывать; обнима́ть.

clip II [klɪp] **1.** *n* 1) стри́жка; 2) настри́женная шерсть; 3) *pl шотл.* но́жницы (*для стрижки овец*); 4) *разг.* си́льный уда́р;

2. *v* 1) стричь (*особ. овец*); 2) обреза́ть; отреза́ть; отсека́ть; обрыва́ть, надрыва́ть (*билет в трамвае и т. п.*); to ~ the coin обреза́ть край моне́ты; 3) глота́ть, сокраща́ть (*слова*).

clip III [klɪp] **1.** *n* 1) *разг.* бы́страя похо́дка; at a fast ~ о́чень бы́стро; 2) *амер.* де́рзкая, наха́льная девчо́нка;

2. *v* бы́стро идти́, бежа́ть.

clipper I ['klɪpə] *n* 1) тот, кто стрижёт; 2) *pl* но́жницы; 3) *тех.* куса́чки; сека́тор.

clipper II ['klɪpə] *n* 1) кли́ппер (*быстроходное парусное судно; тж. летающая лодка*); 2) быстрохо́дный самолёт для да́льних (*особ. трансокеанских*) перелётов; 3) кле́ппер (*лошадь*); 4) *sl.* что́-л. первосо́ртное.

clippie ['klɪpɪ] *n разг.* же́нщина-конду́ктор (*в автобусе и т. п.*).

clipping ['klɪpɪŋ] **1.** *pres. p. om* clip II, 2;

2. *n* 1) газе́тная вы́резка; 2) обре́зок; 3) обре́зывание, среза́ние;

3. *a* 1) ре́жущий; ре́зкий; 2) *sl.* первокла́ссный; ◇ to come in ~ time приходи́ть как раз во́время.

clipping room ['klɪpɪŋ,rum] *n кино* монта́жная.

clique [kliːk] *фр. n* кли́ка.

cliqu(e)y ['kliːkɪ] *фр. a* 1) име́ющий хара́ктер кли́ки; 2) за́мкнутый.

clitoris ['klɪtərɪs] *n анат.* кли́тор, похотни́к.

clivers ['klɪvəz] = cleavers.

cloaca [klou'eɪkə] *n* 1) выводно́е отве́рстие для экскре́ментов (*у рыб и т. п.*); 2) канализацио́нная, сто́чная труба́; кана́л для сто́ка нечисто́т; 3) *перен.* клоа́ка.

cloak [klouk] **1.** *n* 1) плащ; ма́нтия; 2) покро́в; ~ of snow покро́в сне́га; 3) предло́г; ма́ска; under the ~ of loyalty под ма́ской лоя́льности; ◇ C. and Sword plays (испа́нские) коме́дии плаща́ и шпа́ги;

2. *v* 1) покрыва́ть плащо́м; надева́ть плащ; 2) скрыва́ть, прикрыва́ть, маскирова́ть.

cloak-room ['kloukrum] *n* 1) гардеро́б, раздева́льня; 2) *ж.-д.* ка́мера хране́ния; 3) *амер. разг.* кулуа́ры; 4) *эвф.* убо́рная.

clock I [klɔk] **1.** *n* 1) часы́ (*стенные, настольные, башенные*); like a ~ пунктуа́льно; he worked the ~ round он прорабо́тал кру́глые су́тки; 2): what o'clock is it? кото́рый час; 3) пуши́стая голо́вка одува́нчика; ◇ the ~ strikes for him наста́л его́ час; to put (*или* to set) back the ~ ≃ (пыта́ться) поверну́ть наза́д колесо́ исто́рии; заде́рживать развитие;

2. *v* 1) отмеча́ть вре́мя прихо́да на рабо́ту (in) *или* ухо́да с рабо́ты (out) (*на специальных часах*); 2) *спорт.* показа́ть вре́мя; he ~ed 11.6 seconds for the 80 metres hurdles он показа́л вре́мя 11,6 секу́нды в барье́рном бе́ге на 80 ме́тров; 3) хронометри́ровать.

clock II [klɔk] *n* стре́лка (*чулка*).

clock-case ['klɔkkeɪs] *n* часово́й футля́р.

clock-face ['klɔkfeɪs] *n* циферблáт.

clock-glass ['klɔkglɑːs] *n* стеклянный колпáк для часóв.

clock-house ['klɔkhaus] *n амер.* проходнáя (*завода, фабрики и т. п.*).

clocking ['klɔkɪŋ] *a:* ~ hen насéдка, клýша.

clockwise ['klɔkwaɪz] 1. *a* движущийся по часовóй стрéлке;
2. *adv* по часовóй стрéлке.

clock-work ['klɔkwəːk] 1. *n* часовóй механи́зм; like ~ с тóчностью часовóго механи́зма;
2. *a* 1) тóчный; 2) заводнóй; ~ toys заводны́е игрýшки.

clod [klɔd] 1. *n* 1) ком, глы́ба; 2) прах, мёртвое тéло; 3) дýрень, бóлух;
2. *v* 1) слёживаться кóмьями; 2) швыря́ть(ся) кóмьями.

cloddish ['klɔdɪʃ] *a* 1) глýпый; 2) неуклю́жий.

clodhopper ['klɔd,hɔpə] *n* неповорóтливый, грубовáтый, неотёсанный пáрень.

clod-poll ['klɔd,poul] = clod 1, 3).

clog [klɔg] 1. *n* 1) препя́тствие; 2) *редк.* колóдка; *перен.* пýты; 3) засорéние; 4) башмáк на деревя́нной подóшве;
2. *v* 1) обременя́ть, мешáть, препя́тствовать; 2) надевáть пýты, спýтывать (*лошадь*); 3) засоря́ть(ся); застóпоривать(ся); 4) надевáть башмаки́ на деревя́нной подóшве.

cloggy ['klɔgɪ] *a* 1) комковáтый; сбивáющийся в кóмья; 2) густóй, вя́зкий; 3) легкó засоря́ющийся.

cloisonné ['klɔɪzə'neɪ] *фр. n* клуазонé.

cloister ['klɔɪstə] 1. *n* 1) монасты́рь; 2) *архит.* кры́тая аркáда; 3) *attr.:* ~ vault *архит.* монасты́рский свод;
2. *v* 1) заточáть в монасты́рь; 2) уединя́ться (*часто* ~ oneself).

cloistered ['klɔɪstəd] 1. *p.p. от* cloister 2;
2. *a* 1) заточённый; 2) уединённый; 3) окружённый аркáдами.

cloisterer ['klɔɪstərə] *n* монáх.

cloistral ['klɔɪstrəl] *a* 1) монасты́рский; монáшеский; 2) уединённый.

cloistress ['klɔɪstrɪs] *n* монáхиня.

cloning ['klouniŋ] *n биол.* вегетати́вное размножéние.

clonus ['klounəs] *n мед.* спазмати́ческие мы́шечные сокращéния.

clop [klɔp] *n* звук (*шагов*); стук (*копыт*).

close I [klous] 1. *a* 1) закры́тый; 2) уединённый; скры́тый; to keep a thing ~ держáть что-л. в секрéте; to keep (*или* to lie) ~ пря́таться; 3) зáмкнутый, молчали́вый, скры́тый; to keep oneself ~ держáться зáмкнуто; 4) стрóгий (*об аресте, изоляции*); 5) спёртый, дýшный; 6) бли́зкий (*о времени и месте*); тéсный; ~ contact тéсный контáкт; at ~ quarters в непосрéдственном соприкосновéнии (*особ. с противником*); to come to ~ quarters а) вступи́ть в рукопáшный бой; б) сцепи́ться в спóре; to get to ~ quarters сбли́зиться, подойти́ на бли́зкую диста́нцию; ~ attack *воен.* атáка с бли́зкой диста́нции; ~ column сóмкну-

тая колóнна; ~ order сóмкнутый строй; ~ defence бли́жняя оборóна; 7) бли́зкий, инти́мный; ~ friend бли́зкий друг; 8) при́стальный (*о внимании*); тщáтельный; подрóбный; ~ investigation подрóбное обслéдование; ~ reading внимáтельное, мéдленное чтéние; 9) тóчный; ~ translation тóчный перевóд; 10) сжáтый (*о почерке, стиле*); ~ print убóристая печáть; 11) без прóпусков, пробéлов; свя́зный; 12) плóтный; густóй (*о лесе*); ~ texture плóтная ткань; 13) облегáющий (*об одежде*); хорошó при́гнанный; тóчно соотвéтствующий; ~ resemblance бли́зкое схóдство; 14) почти́ рáвный (*о шансах*); 15) скупóй; he is ~ with his money он скуповáт; ~ (а shave а) на волосóк от; б) с минимáльным преиму́ществом; ~ call *амер.* на волосóк от; ~ contest упóрная борьбá на вы́борах; ~ vote почти́ рáвное делéние голосóв; ~ district *амер.* избирáтельный óкруг, где побéда на вы́борах одéржана незначи́тельным большинствóм; ~ season врéмя, когда запрещенá охóта *или* ры́бная лóвля;
2. *adv* бли́зко; ~ up поблизости; ~ on почти́, приблизи́тельно; there were ~ on a hundred people present прису́тствовало почти́ сто человéк; 2) почти́; he ran me very ~ он почти́ догнáл меня́; 3) кóротко; ~ cropped глáдко *или* кóротко остри́женный; to cut one's hair ~ кóротко подстри́чься.

close II [klouz] 1. *n* 1) конéц, завершéние, окончáние; to bring to а ~ довести́ до концá, завершить, закóнчить; to draw to а ~ довести́ до концá; б) приближáться к концý; 2) закры́тие; 3) *муз.* кадéнция;
2. *v* 1) закрывáть(ся); кончáть (*торговлю, занятия*); закáнчивать(ся); заключáть (*речь и т. п.*); to ~ a discussion прекрати́ть обсуждéние; 2) подходи́ть бли́зко; сближáться вплотну́ю; 3) *эл.* замыкáть (*цепь*); □ ~ about окýтывать; подавля́ть; ~ down а) применя́ть репрéссии; подавля́ть; б) *мор.* задрáивать; ~ in а) приближáться; наступáть; б) окружáть, огорáживать; в) сокращáться (*о днях*); ~ on приходи́ть к соглашéнию; ~ round окружáть; ~ up а) закрывáть; б) ликвиди́ровать; в) закрывáться (*о ране*); г) закáнчивать; д) сомкнýть ряды́; ~ upon = on; ~ with а) вступáть в борьбу́; б) принимáть предложéние, заключáть сдéлку; ◇ to ~ one's days умерéть; to ~ one's eyes to smth. закрывáть глазá на что-л.; to ~ a person's eye подби́ть глаз комý-л.; to ~ the door on smth. положи́ть конéц обсуждéнию чегó-л.

close III [klous] *n* 1) огорóженное мéсто (*часто вокруг собора*); 2) шкóльная площáдка.

closed [klouzd] 1. *p.p. от* close II, 2;
2. *a* 1) зáпертый, закры́тый; ~ sea внýтреннее мóре (*все берега которого принадлежат одному государству*); ~ work *горн.* подзéмные рабóты; ~ shop *амер.* предприя́тие, принимáющее на рабóту тóлько члéнов профсою́за (*на основании договора с профсоюзом*); 2) закóнченный; 3) *фон.* за-

кры́тый; ~ syllable закры́тый слог; 4) эл. под то́ком.

close-down ['klouz'daun] *n* остано́вка рабо́ты в связи́ с закры́тием предприя́тия.

close-fisted ['klous'fistid] *a* скупо́й.

close-grained ['klous'greind] *a* мелко-зерни́стый, мелковолокни́стый.

close-hauled ['klous'hɔːld] *a* мор. иду́щий в круто́й бейдеви́нд.

close-in ['klous'in] *a*: ~ fighting бли́жний бой; рукопа́шная схва́тка.

closely ['klouslı] *adv* 1) внима́тельно; 2) бли́зко, те́сно.

closely-knit ['klouslı͵nıt] *a* сплочённый.

closeness ['klousnıs] *n* 1) духота́; 2) пло́тность; 3) бли́зость; 4) ску́пость; 5) уедине́ние.

close-out ['klous͵aut] *n* распрода́жа.

close-stool ['klous͵stuːl] *n* стульча́к; пара́ша.

closet ['klɔzıt] 1. *n* 1) чула́н; 2) (стенно́й) шкаф; jam ~ буфе́т; bed ~ ни́ша для крова́ти; ма́ленькая спа́льня; 3) кабине́т; 4) убо́рная; 5) *attr.* кабине́тный; ~ strategist кабине́тный страте́г; 2. *v* запира́ть; to be ~ed with smb. совеща́ться с кем-л. наедине́.

close-up ['klous͵ʌp] *n* 1) *кино, телев.* кру́пный план; 2) *амер.* тща́тельный осмо́тр; 3) *attr.*: ~ pictures *кино* ка́дры, сня́тые кру́пным пла́ном.

closing ['klouzıŋ] 1. *pres. p. от* close II, 2; 2. *n* 1) заключе́ние, коне́ц; 2) закры́тие; запира́ние; 3) смыка́ние; 4) эл. замыка́ние; 3. *a* заключи́тельный; ~ speech заключи́тельное сло́во.

closing-time ['klouzıŋtaim] *n* вре́мя закры́тия (*магази́нов, учрежде́ний и т. п.*).

closure ['klouʒə] 1. *n* 1) закры́тие; смыка́ние; 2) перегоро́дка; 3) *парл.* прекраще́ние пре́ний; 2. *v* закрыва́ть пре́ния.

clot [klɔt] 1. *n* 1) комо́к, сгу́сток; 2) *геол.* уча́сток (поро́ды); 3) сверну́вшаяся кровь; 4) *мед.* тромб; 5) *редк.* = clot 1; 2. *v* свёртываться, запека́ться (*о кро́ви*); сгуща́ться; свора́живаться (*о молоке́*).

cloth [klɔθ] *n* 1) ткань; сукно́; полотно́; холст; бума́жная мате́рия; ~ of gold (silver) золота́я (сере́бряная) парча́; bound in ~ в переплёте из мате́рии; 2) *pl* куски́ мате́рии; сорта́ су́кон, мате́рий; 3) пы́льная тря́пка; 4) ска́терть; to lay the ~ накрыва́ть на стол; 5) духо́вный сан; gentlemen of the ~ духове́нство.

cloth-binding ['klɔθ͵baindıŋ] *n* переплёт из мате́рии.

clothe [klouð] *v* (clothed, clad) 1) одева́ть; to ~ oneself одева́ться; 2) облека́ть; ~d with authority облечённый вла́стью; to ~ one's thoughts in words выража́ть мы́сли слова́ми; 3) покрыва́ть; spring ~s the land with verdure весна́ покрыва́ет зе́млю зе́ленью.

clothes [klouðz] *n pl* пла́тье, оде́жда; бельё (*тж.* посте́льное).

clothes-bag ['klouðzbæg] = clothes-basket.

clothes-basket ['klouðz͵bɑːskıt] *n* бельева́я корзи́на.

clothes-brush ['klouðzbrʌʃ] *n* платяна́я щётка.

clothes-horse ['klouðzhɔːs] *n* складна́я ра́ма для су́шки белья́.

clothes-line ['klouðzlaın] *n* верёвка для разве́шивания и су́шки белья́.

clothes-man ['klouðzmæn] *n* старьёвщик.

clothes-pin ['klouðzpın] *n* зажи́мка для разве́шенного белья́.

clothes-press ['klouðz͵pres] *n* комо́д для белья́.

clothier ['klouðıə] *n* 1) фабрика́нт су́кон; 2) торго́вец мануфакту́рой; 3) портно́й.

clothing ['klouðıŋ] 1. *pres. p. от* clothe; 2. *n* 1) оде́жда, пла́тье; 2) *воен.* обмунди́рова́ние; 3) *тех.* обши́вка.

clotted ['klɔtıd] 1. *p.p. от* clot 2; 2. *a* сверну́вшийся, запёкшийся; ссе́вшийся; ~ cream род варенца́; ◇ ~ nonsense су́щий вздор.

clou [kluː] *фр. n* 1) основна́я мысль; 2) то, что нахо́дится в це́нтре внима́ния; «гвоздь програ́ммы».

cloud [klaud] 1. *n* 1) о́блако; ту́ча; ~s of smoke клубы́ ды́ма; ~s of dust клубы́ пы́ли; a ~ on one's happiness о́блачко, омрача́ющее чьё-л. сча́стье; 2) мно́жество, тьма, «ту́ча» (*птиц, стрел и т. п.*); 3) тёмная прожи́лка (*напр., в мра́море*); 4) пятно́; a ~ on one's reputation пятно́ на чьей-л. репута́ции; to be under a ~ of suspicion быть под подозре́нием; 5) покро́в; under ~ of night под покро́вом но́чи; 6) шерстяна́я шаль; ◇ to be (*или* to have one's head) in the ~s вита́ть в облака́х; in the ~s нереа́льный, вообража́емый; to drop from the ~s с не́ба свали́ться; a ~ on one's brow хму́рый вид; under a ~ а) в тяжёлом положе́нии; б) в неми́лости, в опа́ле; в) под подозре́нием; every ~ has a (*или* its) silver lining *посл.* ≅ нет ху́да без добра́.

2. *v* 1) покрыва́ть(ся) облака́ми, ту́чами; 2) омрача́ть(ся); затемня́ть; мути́ть; 3) очерни́ть; запятна́ть (*репута́цию*); □ ~ over, ~ up завола́киваться.

cloudberry ['klaud͵berı] *n бот.* моро́шка.

cloud-burst ['klaudbəːst] *n* ли́вень.

cloud-capped ['klaud͵kæpt] *a* закры́тый облака́ми (*о го́рных верши́нах*).

cloud-castle ['klaud͵kɑːsl] *n* возду́шные за́мки, мечты́, фанта́зия.

cloud-drift ['klaud͵drıft] *n* тече́ние облако́в, плыву́щие облака́.

cloud-land ['klaud͵lænd] *n* ска́зочная страна́, мир грёз.

cloudless ['klaudlıs] *a* безо́блачный, я́сный.

cloudlet ['klaudlıt] *n* облачко.

cloud-world ['klaud͵wəːld] = cloud-land.

cloudy ['klaudı] *a* 1) о́блачный; 2) непрозра́чный, му́тный (*о жи́дкости*); 3) пу́таный; тума́нный (*о мы́сли*); 4) затума́ненный, нея́сный (*о зре́нии, о ви́димости*); 5) с пя́тнами, прожи́лками (*о мра́море и т. п.*).

clough [klʌf] *n* глубо́кое уще́лье, овра́г; лощи́на; дефиле́.

clout [klaut] 1. *n* 1) *уст.* лоску́т, тря́пка; 2) *разг.* затре́щина; 3) *тех.* = clout-nail;

2. *v* 1) *уст.* грубо чинить *или* латать; 2) *разг.* давать затрещину.

clout-nail ['klautneɪl] *n* гвоздь с плоской шляпкой; штукатурный гвоздь.

clove I [klouv] *n* 1) гвоздика (*пряность*); oil of ~s гвоздичное масло; 2) гвоздичное дерево.

clove II [klouv] *n* зубок чесночной головки; луковичка.

clove III [klouv] *past om* cleave II.

clove-gillyflower ['klouv'dʒɪlɪ,flauə] *n бот.* гвоздичное дерево.

clove hitch ['klouvhɪtʃ] 1. *n мор.* выбленочный узел; 2. *v* вязать выбленочным узлом.

cloven [klouvn] 1. *p.p. om* cleave II; 2. *a* раздвоенный; ~ hoof раздвоенное копыто (*у парнокопытных*); ◇ to show the ~ hoof (*или* foot) обнаруживать дьявольский характер (*дьявола обычно изображали с раздвоенным копытом*).

clover ['klouvə] *n* клевер; ◇ he is in ~, he lives in ~ ≅ он как сыр в масле катается; он живёт припеваючи.

clow [klau] *n* шлюзные ворота.

clown [klaun] 1. *n* 1) клоун; 2) шут (*в старинных пьесах*); 3) неотёсанный парень; невежда; 2. *v* дурачиться, изображать из себя клоуна.

clownery ['klaunərɪ] *n* клоунада.

clownish ['klaunɪʃ] *a* 1) шутовской; 2) грубый; неотёсанный.

cloy [klɔɪ] *v* пресыщать; too many sweets ~ the palate избыток сладостей вызывает отвращение.

cloyment ['klɔɪmənt] *n* пресыщение.

club I [klʌb] 1. *n* 1) дубинка; 2) *спорт.* клюшка; бита; 3) *pl карт.* трефы, трефовая масть; 2. *v* 1) бить (*дубинкой, прикладом*); 2) *воен.* путать строй неправильными командами.

club II [klʌb] 1. *n* клуб; 2. *v* 1) собираться вместе; 2) устраивать складчину (together, with).

clubbable ['klʌbəbl] *a* 1) достойный быть членом клуба; 2) общительный; любящий (клубное) общество.

clubbing I ['klʌbɪŋ] 1. *pres. p. om* club I, 2; 2. *n* избиение дубинкой.

clubbing II ['klʌbɪŋ] *pres. p. om* club II, 2.

club-foot ['klʌb'fut] 1. *n* косолапость; изуродованная ступня; 2. *a* = club-footed.

club-footed ['klʌb'futɪd] *a* косолапый, с изуродованной ступнёй.

clubland ['klʌblænd] *n* название части Лондона (*около Пикадилли*), где сосредоточены главные аристократические клубы.

club-law I ['klʌb'lɔː] *n* кулачное право.

club-law II ['klʌb'lɔː] *n* устав клуба.

clubman ['klʌbmən] *n* 1) член клуба; 2) *амер.* светский человек; прожигатель жизни.

club-moss ['klʌb'mɔs] *n бот.* плаун.

club-shaped ['klʌbʃeɪpt] *a* утолщённый на одном конце, в виде дубины.

clubwoman ['klʌb,wumən] *n* женщина-член *или* завсегдатай клуба.

cluck [klʌk] 1. *n* кудахтанье, клохтанье; 2. *v* кудахтать, клохтать.

clucking hen ['klʌkɪŋ'hen] *n* наседка, клуша.

clue [kluː] *n* 1) ключ (*к разгадке чего-л.*); 2) нить (*рассказа и т. п.*); ход мыслей.

clump [klʌmp] 1. *n* 1) глыба, комок; 2) чурбан; 3) группа (*деревьев*); 4) двойная подошва; 5) топот (*ног*); 2. *v* 1) сажать группами; 2) ставить двойную подошву; 3) тяжело ступать.

clump-sole ['klʌmpsoul] = clump 1, 4).

clumsy ['klʌmzɪ] *a* 1) неуклюжий, неловкий; неповоротливый; 2) грубый, топорный; 3) бестактный.

clung [klʌŋ] *past и p. p. om* cling.

cluster ['klʌstə] 1. *n* 1) кисть, пучок, гроздь; куст; ~ of grapes гроздь винограда; 2) группа; ~ of spectators кучка зрителей; 3) рой (*пчёл*); 4) скопление, концентрация; 5) *attr.*: ~ switch *эл.* групповой выключатель; 2. *v* 1) расти пучками, гроздьями; roses ~ed round the house вокруг дома росли кусты роз; 2) собираться группами, тесниться; the children ~ed round their teacher дети окружили учительницу; memories of the past ~ round this spot с этим местом связываются воспоминания прошлого.

clutch I [klʌtʃ] 1. *n* 1) сжатие; захват; to make a ~ at smth. схватить что-л.; 2) *pl* когти, лапы; 3) *спорт.* затруднение, трудное положение; 4) *тех.* зажимное устройство; защёлка; муфта поворота, сцепление; to throw in (out) the ~ сцепить (разобщить) муфту; 5) *attr.*: ~ disc *тех.* фрикционный диск; 2. *v* схватить; зажать; ◇ to ~ at a straw хвататься за соломинку.

clutch II [klʌtʃ] 1. *n* 1) яйца, на которых сидит курица *или* гусыня; 2) выводок; 2. *v* высиживать (*цыплят*).

clutter ['klʌtə] 1. *n* 1) суматоха; 2) беспорядок; хаос; 3) шум, гам; 2. *v* 1) создавать суматоху; 2) приводить в беспорядок, загромождать вещами (*часто* ~ up); her desk was ~ed up with old papers её стол был завален старыми бумагами; 3) создавать помехи, мешать; to ~ traffic затруднять (*уличное*) движение; 4) шуметь; 5) невнятно говорить.

Clydesdale ['klaɪdz,deɪl] *n* клайдесдальская порода лошадей, клайдесдаль.

clyster ['klɪstə] 1. *n мед.* 1) клизма; клистир; 2) *attr.*: ~ pipe клистирная трубка.

co- [kou-] *в сложных словах означает* общность, совместность действий, сотрудничество, взаимность *и т. п.*; *напр.* co-ordinate координировать, согласовывать; co-author соавтор.

coach I [koutʃ] 1. *n* 1) карета, экипаж; 2) *ж.-д.* пассажирский вагон; 3) автобус (междугородного сообщения); 4) *ист.* почтовая карета; ◇ ~ and four (six) карета, запряжённая четвёркой (шестёркой); to drive a ~ and four (*или* six) through свести на нет, аннулировать, обойти закон (юри-

дическое постановление *и т. п.*), ссылаясь на неточность *или* неясность в тексте; найти лазейку;
2. *v* 1) ехать в карете; 2) перевозить в карете.

coach II [koutʃ] 1. *n* 1) репетитор (*подготавливающий к экзаменам*); 2) тренер; инструктор;
2. *v* 1) подготавливать *или* натаскивать к экзамену; 2) заниматься с репетитором; 3) тренировать, подготавливать к состязаниям; 4) *ав.* инструктировать пилота по радио во время ночных полётов.

coach-box [ˈkoutʃbɔks] *n* козлы.

coach-dog [ˈkoutʃdɔg] *n* далматский дог, белый с чёрными пятнами.

coach-house [ˈkoutʃhaus] *n* каретный сарай.

coachman [ˈkoutʃmən] *n* 1) кучер; 2) искусственная муха (*употр. при рыбной ловле*).

coaction [kouˈækʃən] *n* 1) *редк.* совместное действие; 2) *уст.* принуждение.

coadjutor [kouˈædʒutə] *n* коадъютор, помощник, заместитель (*духовного лица*).

coagulant [kouˈægjulənt] *n хим.* сгущающее вещество, коагулянт.

coagulate [kouˈægjuleit] *v* сгущаться, свёртываться; коагулировать.

coagulation [kouˌægjuˈleiʃən] *n* коагуляция, свёртывание.

coal [koul] 1. *n* (каменный) уголь; ◇ to call (*или* to haul) over the ~s делать выговор; давать нагоняй; to carry ~s to Newcastle делать что-л. бесполезное; везти товар туда, где его и без того много (*г. Ньюкасл—центр угольной промышленности*); to heap ~s of fire on smb.'s head *библ.* ≈ пристыдить кого-л., воздав добром за зло;
2. *v* 1) грузить(ся) углем; 2) обугливаться.

coal-bed [ˈkoulbed] *n* угольный пласт.

coal-black [ˈkoulˈblæk] *a* чёрный как смоль.

coal-burner [ˈkoulˌbəːnə] *n* корабль, работающий на угле.

coal-cutter [ˈkoulˌkʌtə] *n* врубовая машина.

coal-dust [ˈkoulˈdʌst] *n* мелкий уголь, угольная пыль.

coaler [ˈkoulə] *n* 1) угольщик (*пароход*); 2) грузчик угля.

coalesce [ˌkouəˈles] *v* 1) срастаться; 2) объединяться (*о людях*).

coalescence [ˌkouəˈlesns] *n* 1) сращение, соединение; 2) смешение; смесь; ◇ ~ of councils единодушие, единогласие.

coal-factor [ˈkoulˌfæktə] *n* посредник (*между владельцем шахты и покупателем угля*).

coal-field [ˈkoulfiːld] *n* каменноугольный бассейн, каменноугольный район; месторождение угля.

coal-flap [ˈkoulflæp] *n* крышка находящегося на тротуаре люка угольного погреба.

coal-gas [ˈkoulˈgæs] *n* каменноугольный газ, светильный газ.

coal-heaver [ˈkoulˌhiːvə] *n* возчик угля.

coal-hole [ˈkoulhoul] *n* 1) погреб для хранения угля; 2) люк для спуска угля в погреб.

coaling [ˈkouliŋ] 1. *pres. p. от* coal 2;
2. *n* погрузка угля, бункеровка.

coaling-station [ˈkouliŋˌsteiʃən] *n* угольная станция, угольная база.

coalite [ˈkoulait] *n хим.* коалит.

coalition [ˌkouəˈliʃən] *n* коалиция; союз (*временный*).

coalitionist [ˌkouəˈliʃənist] *n* участник коалиции.

coalman [ˈkoulmæn] *n* углекоп.

coal-measures [ˈkoulˌmeʒəz] *n pl геол.* каменноугольные пласты; каменноугольная свита; каменноугольные отложения.

coal-mine [ˈkoulmain] *n* угольная шахта, копь.

coalmouse [ˈkoulˌmaus] = coal-tit.

coal-pit [ˈkoulpit] = coal-mine.

coal-plough machine [ˈkoulplauməˌʃiːn] *n* угольный комбайн.

coal-scuttle [ˈkoulˌskʌtl] *n* ведёрко для угля.

coal-seam [ˈkoulsiːm] = coal-bed.

coal-tar [ˈkoulˈtɑː] *n* каменноугольная смола, каменноугольный дёготь.

coal-tit [ˈkoultit] *n зоол.* московка.

coal-whipper [ˈkoulˌwipə] *n* человек (*тж.* машина), разгружающий уголь с корабля.

coaly [ˈkouli] *a* 1) угольный, содержащий уголь; 2) чёрный как уголь; 3) чумазый.

coamings [ˈkoumiŋz] *n pl мор.* комингсы.

coarse [kɔːs] *a* 1) грубый (*о пище, одежде и т. п.*); 2) крупный; ~ sand крупный песок; 3) необработанный, неотделанный; сырой (*о материале*); 4) низкого сорта; 5) невежливый; 6) непристойный, вульгарный.

coarse-grained [ˈkɔːsgreind] *a* 1) крупнозернистый; ~ wood широкослойная древесина; 2) неотёсанный, грубый (*о человеке*).

coarsen [ˈkɔːsn] *v* 1) делать грубым; 2) грубеть.

coast [koust] 1. *n* 1) морской берег, побережье; 2) *амер.* снежные горы; спуск с них на санках; 3) *амер.* крутой спуск на велосипеде свободным колесом; ◇ the ~ is clear путь свободен, препятствий нет;
2. *v* 1) плавать вдоль побережья; 2) *амер.* кататься с гор; 3) *амер.* спускаться на велосипеде с горы свободным колесом.

coastal [ˈkoustəl] 1. *a* береговой; ~ traffic каботажное плавание; ~ command береговая охрана; ~ submarine подводная лодка прибрежного действия;
2. *n* судно береговой охраны.

coaster [ˈkoustə] *n* 1) каботажное судно; 2) серебряный поднос (*часто на колёсиках*) для графина; 3) *амер.* тот, кто катается с горы *или* едет под гору на велосипеде.

coastguard [ˈkoustgɑːd] *n* береговая охрана; *амер.* морская пограничная служба.

coasting [ˈkoustiŋ] 1. *pres. p. от* coast 2;
2. *n* 1) каботажное судоходство; 2) *attr.* каботажный; ~ trade каботажная торговля.

coastline ['koustlaın] *n* береговáя лúния.

coast waiter ['koust‚weıtə] *n* тамóженный чинóвник, надзирáющий за каботáжными судáми.

coast warning ['koust‚wɔːnıŋ] *n мор.* штормовóй сигнáл.

coastwise ['koustwaız] 1. *a* каботáжный; 2. *adv* вдоль побережья.

coat [kout] 1. *n* 1) пиджáк; мундúр; френч; кúтель; Eton ~ корóткая чёрная кýртка; claw-hammer ~ фрак; morning ~ визúтка; ~ and skirt жéнский костюм; 2) верхнее плáтье, пальтó; to take off one's ~ снять пальтó [*ср. тж.* ◇]; 3) мех, шерсть; *редк.* шýбка (*животного*); оперéние (*птицы*); 4) слой, покрóв; ~ of snow снегóвой покрóв; ~ of paint слой крáски; ~ of dust слой пыли; 5) *мед.* оболóчка, плевá; 6) *тех.* облицóвка, обшúвка; обклáдка; грунт; ◇ ~ of arms гéрбовый щит, герб; ~ of mail кольчýга; to dust a man's ~ (for him) вздуть, отколотúть когó-л.; to take off one's ~ приготóвиться к дрáке [*ср. тж.* 2)]; to take off one's ~ to (the) work горячó взяться за рабóту; to turn one's ~ менять свои убеждéния, взгляды; переходúть на стóрону протúвника; 2. *v* 1) покрывáть (*краской и т. п.*); his tongue is ~ed у негó язык облóжен; 2) облицóвывать.

coat-card ['koutkɑːd] = court-card.

coatee ['koutiː] *n* корóткая кýртка.

coating ['koutıŋ] 1. *pres. p. от* coat 2; 2. *n* 1) слой (*краски и т. п.*); шпаклёвка, грунт; 2) *тех.* обшúвка; покрóв; 3) материáл для пальтó.

co-author [kou'ɔːθə] *n* соáвтор.

co-ax [kou'æks] *n воен.* спáренный пулемёт.

coax [kouks] 1. *v* 1) убеждáть, уговáривать; задáбривать; she ~ed the child to take the medicine онá уговорúла ребёнка принять лекáрство; 2) добúться чегó-л. с пóмощью уговóров, лéсти *и т. п.* (into, out of); he was ~ed into coming here егó уговорúли прийтú сюдá; to ~ smth. out of smb. добúться чегó-л. от когó-л.; 2. *n* человéк, котóрый умéет упросúть, убедúть.

coaxal [kou'æksəl] *a* коаксиáльный, имéющий óбщую ось.

coaxial ['kou'æksıəl] = coaxal.

coaxing ['kouksıŋ] 1. *pres. p. от* coax 1; 2. *n* задáбривание, уговáривание.

cob I [kɔb] 1. *n* 1) глыба, ком; 2) = cob-swan; 3) *название породы невысоких, коренастых верховых лошадей*; 4) *амер.* кочерыжка кукурýзного початка; 5) крýпный орéх; 2. *v* 1) бросáть, швырять; 2) бить; 3) *горн.* дробúть рудý вручнýю молоткóм.

cob II [kɔb] *n* 1) смесь глúны с солóмой (*для обмазки стен*); 2) глинобúтная стенá.

cobalt [kə'bɔːlt] *n* 1) *хим.* кóбальт; 2) кóбальтовая сúняя крáска.

cobber ['kɔbə] *n австрал.* приятель.

cobble I ['kɔbl] 1. *n* 1) булыжник; 2) *pl* булыжная мостовáя; 3) *pl* крýпный ýголь; 2. *v* мостúть (*булыжником*).

cobble II ['kɔbl] 1. *n* плóхо сдéланная рабóта; 2. *v* чинúть, латáть (*обувь*).

cobbler ['kɔblə] *n* 1) сапóжник, занимáющийся почúнкой óбуви; ~'s wax воск (*для вощéния нúток*); 2) плохóй мáстер; 3) напúток из винá с сáхаром, лимóном и льдом.

cobble-stone ['kɔblstoun] = cobble I, 1, 1).

cobbra ['kɔbrə] = cobra 2).

cobby ['kɔbı] *a* низкорóслый, коренáстый.

coble ['koubl] *n* плоскодóнная рыбáчья лóдка.

cob-nut ['kɔbnʌt] *n* род волóшского орéха.

cobra ['koubrə] *n* 1) кóбра, очкóвая змея; 2) *австрал.* головá, чéреп.

cob-swan ['kɔbswɔn] *n* лéбедь-самéц.

cobweb ['kɔbweb] *n* 1) паутúна; 2) лёгкая прозрáчная ткань; 3) *pl* хитросплетéния, тóнкости; 4) западня; тенéта; ◇ ~ morning тумáнное ýтро; to blow away the ~s проветриться; прогуляться; he has a ~ in his throat у негó гóрло пересóхло.

cobwebby ['kɔb‚webı] *a* затянутый паутúной.

coca ['koukə] *n* кóка (*южноамер. кустарник и его листья*).

cocaine [kə'keın] *n* кокаин.

cocainize [kə'keınaız] *v* впрыскивать кокаин.

cocci ['kɔksaı] *pl от* coccus.

coccus ['kɔkəs] *n* (*pl* cocci) *мед.* кокк.

coccyx ['kɔksıks] *n анат.* кóпчик.

cochin(-china) ['kɔtʃın('tʃaınə)] *n* кохинхúнка (*порода кур*).

cochineal ['kɔtʃıniːl] *n* кошенúль (*краска*).

cochlea ['kɔklıə] *n* (*pl* -leae) *анат.* улúтка (*уха*).

cochleae ['kɔklıiː] *pl от* cochlea.

cochleare [‚kɔklı'ɛərı] *n мед.* лóжка (*мера лекарства; в рецептах сокр.* cochle.).

cock I [kɔk] 1. *n* 1) петýх; ~ of the wood тéтерев, глухáрь; 2) петушúный крик (*на заре*); we sat till the second ~ мы сидéли до вторых петухóв; 3) кран; 4) флюгер; 5) курóк; at full ~ на пóлном взвóде; 6) сторожóк (*весов*); стрéлка (*солнечных часов*); 7) *мор.* кýбрик; 8) *ав.* сидéнье лётчика; 9) вожáк, коновóд; ~ of the school пéрвый коновóд и драчýн в шкóле; 10) *груб.* половóй член; ◇ ~ of the walk *разг.* хозяин положéния; глáвная персóна (*в своём кружке, околотке*); to live like a fighting ~ жить припевáючи; old ~ дружúще; that won't fight ≅ этот нóмер не пройдёт; 2. *v* поднимáть; to ~ (up) one's ears насторáживать уши (*о животном*); навострúть ýши, насторожúться; to ~ one's hat залáмывать шляпу набекрéнь; to ~ one's pistol взводúть курóк пистолéта; ◇ to ~ one's eye подмигнýть; взглянýть многозначúтельно; to ~ one's nose задирáть нос, важничать.

cock II [kɔk] 1. *n* стог; 2. *v* склáдывать сéно в стогá.

-cock [-kɔk] *в сложных названиях означает самца птиц.*

cockade [kɔ'keɪd] *n* кока́рда.

cock-a-doodle-doo ['kɔkədu:dl'du:] *n* 1) кукареку́; 2) пету́х, петушо́к.

cock-a-hoop ['kɔkə'hu:p] *a* 1) лику́ющий; торжеству́ющий; 2) самодово́льный; хвастли́во-задо́рный; высокоме́рный.

Cockaigne [kɔ'keɪn] *n* ска́зочная страна́ изоби́лия и пра́здности; the land of ~ *ирон.* Ло́ндон и его́ окре́стности.

cockalorum [,kɔkə'lɔːrəm] *n* «петушо́к», самоуве́ренный молодо́й челове́к.

cock-and-bull ['kɔkənd'bul] *a*: ~ story неправдоподо́бная исто́рия; небыли́цы.

cockatoo [,kɔkə'tu:] *n* 1) какаду́ (*попугай*); 2) *австрал. разг.* ме́лкий фе́рмер.

cockatrice ['kɔkətraɪs] *n* васили́ск.

Cockayne [kɔ'keɪn] = Cockaigne.

cockboat ['kɔk,bout] *n* судова́я шлю́пка.

cockchafer ['kɔk,tʃeɪfə] *n зоол.* ма́йский хрущ.

cock-crow ['kɔkkrou] *n* вре́мя, когда́ начина́ют петь петухи́, рассве́т.

cocked [kɔkt] 1. *p. p. от* cock I, 2; 2. *a* 1) по́днятый; 2) за́дранный кве́рху.

cocked hat ['kɔkt'hæt] *n* 1) треуго́лка; 2) письмо́, сло́женное треуго́льником.

Cocker ['kɔkə] *n*: according to ~ как по Ко́керу (*Кокер—автор учебника арифме́тики в XVII в.*), то́чно, соверше́нно пра́вильно.

cocker I ['kɔkə] *v* ласка́ть, балова́ть (*де́тей*); □ ~ up потво́рствовать (in); зака́рмливать сла́достями.

cocker II ['kɔkə] *n* ко́кер-спанье́ль (*охо́тничья собака*).

cockerel ['kɔkərəl] *n* 1) петушо́к; 2) драчу́н, зади́ра.

cock-eye ['kɔkaɪ] 1. *n разг.* кося́щий глаз.
2. *a* косо́й.

cock-eyed ['kɔkaɪd] *a* 1) косогла́зый; 2) косо́й; 3) *sl.* пья́ный; 4) *sl.* бестолко́вый, дура́цкий.

cock-fight(ing) ['kɔk,faɪt(ɪŋ)] *n* пету́ши́ный бой.

cock-horse ['kɔk'hɔːs] 1. *n* 1) па́лочка-лоша́дка (*детская игру́шка*); 2) пристяжна́я ло́шадь, впряга́емая на тру́дных подъёмах;
2. *a* 1) гарцу́ющий; 2) гордели́вый.
3. *adv* верхо́м.

cockiness ['kɔkɪnɪs] *n* самонадея́нность; де́рзость.

cockle I ['kɔkl] *n* 1) *бот.* ку́коль; 2) *библ.* пле́вел.

cockle II ['kɔkl] *n* сердцеви́дка (*моллюск*); ◇ to warm (*или* to rejoice) the ~s of one's heart ра́довать, согрева́ть се́рдце.

cockle III ['kɔkl] 1. *n* морщи́на, изъя́н (*в бумаге, материи*).
2. *v* 1) морщи́ниться; 2) покрыва́ться бара́шками (*о море*); 3) завёртывать(ся) винто́м *или* спира́лью.

cockle IV ['kɔkl] *n* 1) ко́мнатная печь; 2) печь для су́шки хме́ля.

cockle-boat ['kɔkl,bout] = cockle-shell 2).

cockle-shell ['kɔklʃel] *n* 1) ра́ковина; 2) «скорлу́пка», у́тлое судёнышко, у́тлая ло́дка.

cock-loft ['kɔk,lɔft] *n* 1) мансарда; 2) черда́к.

cockney ['kɔknɪ] *n* 1) ко́кни, ло́ндонец из низо́в (*особ. уроженец Ист-Энда*); 2) ко́кни (*лондонское просторечие, преиму́щественно Ист-Энда*); 3) *амер. пренебр.* горожа́нин.

cockneyfy ['kɔknɪfaɪ] *v* де́лать(ся) похо́жим на ко́кни *(обыкн. пренебр.)*.

cockneyism ['kɔknɪɪzəm] *n* осо́бенность ре́чи *или* мане́р уроже́нца Ист-Энда; выраже́ние *или* акце́нт ко́кни.

cockpit ['kɔkpit] *n* 1) аре́на для петуши́ных боёв; 2) *перен.* аре́на борьбы́; ~ of Europe *уст.* Бе́льгия; 3) *мор.* ку́брик; ко́кпит; 4) *ав.* каби́на в самолёте.

cockroach ['kɔkroutʃ] *n* тарака́н.

cockscomb ['kɔkskoum] *n* 1) пету́ший гре́бень; 2) *ист.* дура́цкий, шутовско́й колпа́к; 3) *бот.* пету́ший гребешо́к; 4) самодово́льный хлыщ, фат.

cocksfoot ['kɔks,fut] *n бот.* ежа́ сбо́рная.

cockshead ['kɔks,hed] *n бот.* эспарце́т.

cock-shot ['kɔkʃɔt] *n* мише́нь.

cock-shy ['kɔkʃaɪ] *n* 1) наро́дная игра́ (*в которой бросают палку и т. п. в какой-л. предмет, достаю́щийся в случае попадания бросившему*); 2) = cock-shot.

cock sparrow [,kɔk'spærou] *n* 1) воробе́й-саме́ц; 2) забия́ка, зади́ра.

cock-sure ['kɔk'ʃuə] *a* 1) вполне́ уве́ренный; I was ~ of (*или* about) his horse я был уве́рен, что его́ ло́шадь вы́играет; 2) самоуве́ренный; 3) неизбе́жный (*о событии*).

cockswain ['kɔkswein] = coxswain.

cocksy ['kɔksɪ] *a* самоуве́ренный; де́рзкий; наха́льный.

cocktail ['kɔkteɪl] *n* 1) кокте́йль (*спиртно́й напиток*); 2) ло́шадь с подре́занным хвосто́м; скакова́я полукро́вка; 3) вы́скочка.

cocktailery ['kɔk,teɪləri] *n амер.* кокте́йль-холл.

cocky ['kɔkɪ] = cocksy.

cocky-leeky ['kɔkɪ'liːkɪ] *n шотл.* кури́ный бульо́н, запра́вленный лу́ком.

coco ['koukou] *n* коко́совая па́льма.

cocoa ['koukou] *n* 1) кака́о (*порошок и напиток*); 2) коко́совая па́льма; 3) *attr.* кака́овый; ~ bean боб кака́о; ~ nibs зёрна кака́о, очи́щенные от шелухи́; 4) *attr.*: ~ powder бу́рый по́рох.

cocoa-husks ['koukəhʌsks] = cocoa-shells.

cocoa-nut ['koukənʌt] = coco-nut.

cocoa-shells ['koukəʃelz] *n* какаве́лла.

coco-nut ['koukənʌt] *n* 1) коко́с; 2) *sl.* башка́; 3) *разг.* до́ллар; 4) *attr.* коко́совый; ~ fibre коко́совая моча́лка; ~ milk млечный сок в коко́совом оре́хе; ◇ that accounts for the milk in the ~ *шутл.* вот тепе́рь всё поня́тно.

coco-nut-tree ['koukənʌt,triː] *n* коко́совая па́льма.

cocoon [kə'kuːn] *n* ко́кон.

cocoonery [kə'kuːnəri] *n* кокономота́льная фа́брика.

coco-palm ['koukəpɑːm] *n* коко́совая па́льма.

cod I [kɔd] *n* (*pl без измен.*, *редк.* cods [-z]) треска́.

cod II [kɔd] *v разг.* надува́ть, обма́нывать.

cod III [kɔd] *n* струʔо́к; шелуха́.

coda [ˈkoudə] *n муз.* ко́да.

coddle I [ˈkɔdl] 1. *n* не́женка;
2. *v* 1) уха́живать (*как за больным*); ку́тать; изне́живать; 2) балова́ть.

coddle II [ˈkɔdl] *v* 1) обва́ривать кипятко́м, вари́ть на ме́дленном огне́; 2) *диал.* печь (*я́блоки*).

code [koud] 1. *n* 1) *юр.* ко́декс, свод зако́нов; civil ~ гражда́нский ко́декс; criminal ~ уголо́вный ко́декс; 2) код; Morse ~ а́збука (*или* код) Мо́рзе; 3) зако́ны че́сти, мора́ли;
2. *v* шифрова́ть по ко́ду, коди́ровать.

codeine [ˈkoudiːn] *n фарм.* кодеи́н.

codex [ˈkoudeks] *лат. n* (*pl* codices) 1) стари́нная ру́копись *или* сбо́рник стари́нных ру́кописей; 2) *редк.* ко́декс.

cod-fish [ˈkɔdfiʃ] = cod I.

codger [ˈkɔdʒə] *n разг.* чуда́к; эксцентри́чный старика́шка.

codices [ˈkoudisiːz] *pl от* codex.

codicil [ˈkɔdisil] *n юр.* дополни́тельное распоряже́ние; припи́ска (к духо́вному завеща́нию).

codification [ˌkɔdifiˈkeiʃən] *n* кодифика́ция, сведе́ние в ко́декс.

codify [ˈkɔdifai] *v* 1) составля́ть ко́декс, кодифици́ровать; 2) приводи́ть в систе́му (*усло́вные зна́ки, сигна́лы и т. п.*); 2) шифрова́ть.

codlin [ˈkɔdlin] *n* 1) сорт я́блок (*продолгова́той фо́рмы*); 2) *attr.*: ~ moth *зоол.* я́блонная плодожо́рка (*ба́бочка*).

codling I [ˈkɔdlin] = codlin.

codling II [ˈkɔdlin] *n* ме́лкая треска́.

cod-liver oil [ˈkɔdlivərˈɔil] *n* ры́бий жир.

co-ed, coed [ˈkouˈed] *n амер.* (*сокр. от* co-educated) студе́нтка уче́бного заведе́ния для лиц обо́его по́ла.

co-education [ˈkouˌedjuːˈkeiʃən] *n* совме́стное обуче́ние лиц обо́его по́ла.

coefficient [ˌkouiˈfiʃənt] 1. *n* 1) коэффицие́нт; ~ of efficiency *тех.* коэффицие́нт поле́зного де́йствия; 2) соде́йствующий фа́ктор;
2. *a* соде́йствующий.

coenobite [ˈsiːnəbait] *n церк.* мона́х; и́нок.

coequal [kouˈiːkwəl] *a* ра́вный (*друго́му*).

coerce [kouˈəːs] *v* 1) принужда́ть; ~ into silence заста́вить замолча́ть, умо́лкнуть; 2) сообща́ть движе́ние.

coercible [kouˈəːsibl] *a* 1) поддаю́щийся принужде́нию, наси́лию; 2) сжима́ющийся (*о газах*).

coercion [kouˈəːʃən] *n* принужде́ние, наси́лие; ◇ C. Act, C. Bill зако́н о приостано́вке конституцио́нных гара́нтий.

coercive [kouˈəːsiv] *a* принуди́тельный; ~ force *физ.* коэрцити́вная си́ла.

coeval [kouˈiːvəl] 1. *n* 1) све́рстник; 2) совреме́нник;
2. *a* 1) одного́ во́зраста; 2) совреме́нный.

coexist [ˈkouigˈzist] *v* сосуществова́ть.

coexistence [ˈkouigˈzistəns] *n* сосуществова́ние; совме́стное существова́ние.

coexistent [ˈkouigˈzistənt] *a* сосуществу́ющий.

coextensive [ˈkouiksˈtensiv] *a* одина́кового протяже́ния во вре́мени *или* простра́нстве.

coffee [ˈkɔfi] *n* ко́фе.

coffee-bean [ˈkɔfiˌbiːn] *n* кофе́йный боб.

coffee-berry [ˈkɔfiˌberi] = coffee-bean.

coffee-cup [ˈkɔfikʌp] *n* ма́ленькая (кофе́йная) ча́шка.

coffee-grinder [ˈkɔfiˌgraində] *n* 1) кофе́йная ме́льница; 2) *воен. sl.* пулемёт.

coffee-grounds [ˈkɔfigraundz] *n pl* кофе́йная гу́ща.

coffee-house [ˈkɔfihaus] *n* кафе́.

coffee-mill [ˈkɔfimil] *n* кофе́йница, кофе́йная ме́льница.

coffee-palace [ˈkɔfiˌpælis] = coffee-house.

coffee-pot [ˈkɔfipɔt] *n* кофе́йник.

coffee-room [ˈkɔfirum] *n* столо́вая в гости́нице.

coffer [ˈkɔfə] 1. *n* 1) металли́ческий (*особ.* де́нежный) сунду́к; 2) *pl* казна́; 3) *архит.* кессо́н (*потолка́*); 4) *гидр., стр.* кессо́н; ка́мера; шлюз; опускно́й коло́дец;
2. *v* запира́ть в сунду́к.

coffer-dam [ˈkɔfədæm] *n гидр.* кессо́н для подво́дных рабо́т, ко́фердам; перемы́чка; водонепроница́емая крепь.

coffin [ˈkɔfin] 1. *n* 1) гроб; 2) фу́нтик, бума́жный паке́тик; 3) = coffin-bone; 4) *мор. разг.* «ста́рая кало́ша» (*него́дное к пла́ванию су́дно*); 5) забро́шенная ша́хта;
2. *v* 1) класть в гроб; 2) упря́тать пода́льше (*что-л.*).

coffin-bone [ˈkɔfinboun] *n* копы́тная кость.

coffin-joint [ˈkɔfindʒɔint] *n зоол.* вене́чный суста́в у ло́шади.

cog I [kɔg] *n* 1) зубе́ц; вы́ступ; 2) *горн.* костро́вая крепь; ◇ to slip a ~ допусти́ть просчёт, сде́лать оши́бку; ~ in a machine «ви́нтик», ма́ленький челове́к.

cog II [kɔg] 1. *n* обма́н, жу́льничество;
2. *v* обма́нывать, жу́льничать.

cog III [kɔg] *сканд. n* небольша́я рыба́чья ло́дка.

cogence, -cy [ˈkoudʒəns, -si] *n* убеди́тельность, неоспори́мость, неопровержи́мость.

cogent [ˈkoudʒənt] *a* убеди́тельный; неоспори́мый.

cogged [kɔgd] *a* зубча́тый.

cogitable [ˈkɔdʒitəbl] *a* мы́слимый, досту́пный понима́нию.

cogitate [ˈkɔdʒiteit] *v* обду́мывать; размышля́ть.

cogitation [ˌkɔdʒiˈteiʃən] *n* обду́мывание; размышле́ние.

cogitative [ˈkɔdʒitətiv] *a* 1) мысли́тельный; 2) мы́слящий, размышля́ющий.

cognac [ˈkounjæk] *n* конья́к.

cognate [ˈkɔgneit] 1. *n* 1) *шотл. юр.* ро́дственник (*по матери́нской ли́нии*); 2) *pl линг.* слова́ о́бщего происхожде́ния, одного́ ко́рня;

2. *a* ро́дственный; схо́дный; бли́зкий; похо́жий; ~ words слова́ одного́ ко́рня.

cognation [kɔg'neɪʃən] *n* 1) *шотл. юр.* кро́вное родство́ (*по матери́нской ли́нии*); 2) *лингв.* родство́ (*слов*).

cognition [kɔg'nɪʃən] *n* 1) познава́тельная спосо́бность; 2) зна́ние; позна́ние.

cognitive ['kɔgnɪtɪv] *a* познава́тельный.

cognizable ['kɔgnɪzəbl] *a* 1) познава́емый; 2) *юр.* подсу́дный.

cognizance ['kɔgnɪzəns] *n* 1) зна́ние; узнава́ние; to have ~ of smth. знать о чём-л.; to take ~ of smth. заме́тить что-л., обрати́ть внима́ние на что-л.; 2) компете́нция; within one's ~ в преде́лах чьей-л. компете́нции; 3) подсу́дность; 4) отличи́тельный знак; герб.

cognizant ['kɔgnɪzənt] *a* зна́ющий, осведомлённый (of—о чём-л.); осозна́вший, позна́вший.

cognize [kɔg'naɪz] *v* 1) узнава́ть; замеча́ть, обраща́ть внима́ние; 2) *филос.* познава́ть.

cognomen [kɔg'noumen] *n* фами́лия; про́звище.

cognoscente [ˌkɔnjou'ʃentɪ] *ит. n* (*pl* -nti) знато́к (*иску́сства, литерату́ры и т. п.*).

cognoscenti [ˌkɔnjou'ʃentɪ] *pl om* cognoscente.

cognovit [kɔg'nouvɪt] *лат. n юр.* призна́ние отве́тчиком свое́й непра́воты.

cog-wheel ['kɔgwiːl] *n тех.* зубча́тое колесо́.

cohabit [kou'hæbɪt] *v* сожи́тельствовать (*в бра́ке или вне бра́ка*).

cohabitant [kou'hæbɪtənt] *n* сожи́тель, сожи́тельница [*см.* cohabit].

cohabitation [ˌkouhæbɪ'teɪʃən] *n* сожи́тельство [*см.* cohabit].

coheir ['kou'eə] *n* сонасле́дник.

coheiress ['kou'eərɪs] *n* сонасле́дница.

cohere [kou'hɪə] *v* 1) быть сце́пленным, свя́занным, быть объединённым; 2) быть свя́зным, членоразде́льным; 3) согласова́ться.

coherence, -cy [kou'hɪərəns, -sɪ] *n* 1) связь, сцепле́ние; 2) свя́зность; 3) согласо́ванность.

coherent [kou'hɪərənt] *a* 1) сце́пленный; 2) свя́зный; 3) согласо́ванный; 4) после́довательный; 5) поня́тный; я́сный.

coherer [kou'hɪərə] *n радио* коге́рер.

cohesion [kou'hiːʒən] *n* 1) сцепле́ние; связь; 2) си́ла сцепле́ния; 3) сплочённость.

cohesive [kou'hiːsɪv] *a* 1) спосо́бный к сцепле́нию; 2) связу́ющий.

cohort ['kouhɔːt] *n* 1) *др.-рим.* кого́рта; 2) (*обыкн. pl*) отря́д, во́йско.

coif [kɔɪf] *фр. v* завива́ть, причёсывать.

coiffeur [kwɑ'fəː] *фр. n* парикма́хер.

coiffure [kwɑ'fjuə] *фр. n* причёска.

coign [kɔɪn] *n архит.* вне́шний у́гол (*зда́ния*); ◊ ~ of vantage вы́годная пози́ция, удо́бный наблюда́тельный пункт.

coil I [kɔɪl] **1.** *n* 1) верёвка, сло́женная витка́ми в круг; 2) вито́к, кольцо́ (*о верёвке, змее и т. п.*); 3) прово́лочная спира́ль; 4) *мор.* бу́хта (*тро́са*); 5) *тех.* змееви́к;

6) *эл.* кату́шка; 7) *attr.*: ~ antenna *радио* ра́мочная анте́нна; ~ loading *эл.* пупиниза́ция;

2. *v* 1) свёртываться кольцо́м, спира́лью (*ча́сто ~* up); извива́ться; 2) нама́тывать, обма́тывать; 3) *мор.* укла́дывать в бу́хту (*трос*).

coil II [kɔɪl] *n уст.* суета́, шум, сумато́ха.

coil pipe ['kɔɪlpaɪp] *n тех.* змееви́к.

coin [kɔɪn] **1.** *n* 1) моне́та; *разг.* де́ньги; false ~ фальши́вая моне́та; *перен.* подде́лка; to spin (*или* to toss up) a ~ а) игра́ть в орля́нку; б) реша́ть пари́ подбра́сыванием моне́ты; 2) *тех.* штемпель, чека́н, пуансо́н; 3) = coign; 4) *attr.*: ~ slot отве́рстие для опуска́ния моне́т (*напр., в телефо́не-автома́те*); ◊ to pay a man back in his own ~ отпла́чивать той же моне́той, отпла́чивать тем же;

2. *v* 1) чека́нить; выбива́ть (*меда́ль*); штампова́ть; to ~ money *разг.* де́лать де́ньги; 2) фабрикова́ть, измышля́ть; 3) создава́ть но́вые слова́, выраже́ния.

coinage ['kɔɪnɪdʒ] *n* 1) чека́нка моне́ты; 2) моне́тная систе́ма; 3) созда́ние но́вых слов, выраже́ний; word of modern ~ неологи́зм.

coincide [ˌkouɪn'saɪd] *v* 1) совпада́ть; 2) соотве́тствовать; равня́ться.

coincidence [kou'ɪnsɪdəns] *n* 1) совпаде́ние; 2) случа́йное стече́ние обстоя́тельств.

coincident [kou'ɪnsɪdənt] *a* 1) совпада́ющий; 2) соотве́тствующий.

coincidental [kouˌɪnsɪ'dentl] *a* 1) случа́йный; 2) = coincident 1).

coiner ['kɔɪnə] *n* 1) чека́нщик (*моне́ты*); 2) фальшивомоне́тчик; 3) вы́думщик.

coir ['kɔɪə] *n* коко́совые воло́кна, охло́пья.

coition [kou'ɪʃən] *n* совокупле́ние, сои́тие.

coke I [kouk] **1.** *n* кокс; **2.** *v* коксова́ть.

coke II [kouk] *n амер. разг.* ко́ка-ко́ла (*напи́ток*).

coke-oven ['kouk'ʌvn] *n* ко́ксовая печь.

coker(nut) ['koukə(nʌt)] *n* (*непр. вм.* coco-nut) коко́совый оре́х.

coking ['koukɪŋ] **1.** *pres. p. om* coke I, 2; **2.** *n* коксова́ние.

col- [kɔl-] *pref см.* com-.

cola ['koulə] *n* ко́ла (*тропи́ческое де́рево, семена́ кото́рого употребля́ются как тонизи́рующее сре́дство*).

colander ['kʌləndə] *n* дуршла́г.

colchicum ['kɔltʃɪkəm] *n бот.* безвре́менник.

cold [kould] **1.** *a* 1) холо́дный; to be (*или* to feel) ~ зя́бнуть, мёрзнуть; I am ~ мне хо́лодно; as ~ as ice (*или* as a stone, as a key) холо́дный как лёд (*или* ка́мень); ~ steel (*или* iron) arms холо́дное ору́жие; ~ reason холо́дный рассу́док; it makes one's blood run ~ от э́того кровь сты́нет в жи́лах; ~ britlleness *тех.* хладоло́мкость; 2) безуча́стный, равноду́шный; music leaves him ~ му́зыка его́ не волну́ет; in ~ blood хладнокро́вно, обду́манно; 3) неприве́тливый;

~ greeting холо́дный приём; сде́ржанное приве́тствие; ~ look холо́дный, надме́нный взгляд; 4) сла́бый; ~ scent едва́ заме́тный след; ~ comfort сла́бое утеше́ние; 5) *тех.* недействующий; ◇ ~ war холо́дная война́; ~ feet тру́сость; ~ colours холо́дные тона́ (*голубо́й, се́рый*); ~ deck краплёные ка́рты; ~ truth жесто́кая пра́вда; to throw ~ water (on a plan, proposal, *etc.*) охлажда́ть пыл, отрезвля́ть, обескура́живать *кого́-л.*; as ~ as charity a) холо́дный как лёд; б) бессерде́чный, чёрствый, бесчу́вственный; 2. *n* 1) хо́лод; to be dead with ~ промёрзнуть до косте́й; to leave out in the ~ a) выставля́ть на хо́лод; *перен.* трети́ровать, ока́зывать холо́дный приём; б) оставля́ть в дурака́х; 2) просту́да; to catch (*или* to take) ~ простуди́ться; ~ in the head на́сморк; ~ in the chest гриппо́зное состоя́ние; ◇ to be in the ~ остава́ться в одино́честве.

cold-blooded ['kould'blʌdɪd] *a* 1) хладнокро́вный; бесчу́вственный, равноду́шный; невозмути́мый; 2) зя́бкий; 3) *зоол.* холоднокро́вный.

cold-bloodedness ['kould'blʌdɪdnɪs] *n* хладнокро́вие; равноду́шие; невозмути́мость.

cold chisel ['kould'tʃɪzl] *n тех.* зуби́ло, чека́н.

cold cream ['kould'kri:m] *n* кольдкре́м.

cold-hammer ['kould,hæmə] *v* кова́ть вхолодну́ю.

cold-hardening ['kould'ha:dnɪŋ] *n тех.* наклёп.

cold-hearted ['kould'ha:tɪd] *a* бессерде́чный, чёрствый.

coldish ['kouldɪʃ] *a* холоднова́тый; дово́льно холо́дный.

cold-livered ['kould'lɪvəd] *a* бесстра́стный, невозмути́мый.

coldly ['kouldlɪ] *adv* хо́лодно, с холодко́м.

coldness ['kouldnɪs] *n* 1) хо́лод; 2) хо́лодность.

cold pig ['kould'pɪg] *n разг.* облива́ние водо́й спя́щего (*чтобы разбуди́ть*).

cold-pig ['kould'pɪg] *v* окати́ть спя́щего холо́дной водо́й (*чтобы разбуди́ть*).

cold-short ['kould'ʃɔːt] *a* хладноло́мкий (*о ста́ли*).

cold shoulder ['kould'ʃouldə] *n* холо́дный приём; to give smb. the ~ оказа́ть кому́-л. холо́дный приём, приня́ть кого́-л. хо́лодно, неприве́тливо.

cold-shoulder ['kould'ʃouldə] *v* ока́зывать холо́дный приём.

cold-slaw ['kould,slɔː] = cole-slaw.

cold-storage ['kould,stɔːrɪdʒ] *n* 1) холоди́льник; 2) хране́ние в холоди́льнике.

cole [koul] *n* капу́ста (огоро́дная).

Coleoptera [,kɔlɪ'ɔptərə] *n pl зоол.* жесткокры́лые; жуки́.

coleopterous [,kɔlɪ'ɔptərəs] *a* жесткокры́лый (*о насеко́мых*).

cole-rape ['koul'reɪp] *n* кольра́би.

cole-seed ['koul,siːd] *n бот.* суре́пица.

cole-slaw ['koul,slɔː] *n амер.* сала́т из шинко́ванной капу́сты.

colic ['kɔlɪk] *n* ко́лики, ре́зкая боль.

colicky ['kɔlɪkɪ] *a* 1) име́ющий хара́ктер ко́лик; 2) вызыва́ющий ко́лики.

Coliseum [,kɔlɪ'sɪəm] *n* Колизе́й (*в Ри́ме*).

colitis [kɔ'laɪtɪs] *n мед.* коли́т.

collaborate [kə'læbəreɪt] *v* 1) сотру́дничать; 2) преда́тельски сотру́дничать (*с враго́м*).

collaboration [kə,læbə'reɪʃən] *n* 1) сотру́дничество; совме́стная рабо́та; 2) преда́тельское сотру́дничество; to work in ~ with the enemy сотру́дничать с враго́м.

collaborationist [kə,læbə'reɪʃənɪst] *n* коллаборациони́ст.

collaborator [kə'læbəreɪtə] *n* сотру́дник.

collapsable [kə'læpsəbl] = collapsible 1.

collapse [kə'læps] 1. *n* 1) обва́л, разруше́ние; оса́дка; 2) круше́ние; ги́бель; паде́ние; крах; прова́л; 3) ре́зкий упа́док сил, изнеможе́ние; 4) *мед.* колла́пс; 5) продо́льный изги́б; 2. *v* 1) ру́шиться, обва́ливаться; 2) терпе́ть крах (*о предприя́тии, пла́нах и т. п.*); 3) си́льно осла́бнуть; свали́ться от боле́зни, сла́бости; 4) па́дать ду́хом; 5) сплю́щиваться; спада́ться.

collapsible [kə'læpsəbl] 1. *a* 1) разбо́рный; складно́й; 2) откидно́й.

2. *n мор.* су́дно с плохо́й усто́йчивостью.

collar ['kɔlə] 1. *n* 1) воротни́к; воротничо́к; Eton ~ широ́кий отложно́й воротни́к; 2) ожере́лье; 3) оше́йник; to slip the ~ сбро́сить оше́йник; *перен.* сбро́сить ярмо́; 4) хому́т; to wear the ~ *перен.* наде́ть на себя́ хому́т; быть в подчине́нии; 5) *бот.* чехлик; 6) *тех.* вту́лка, са́льник; кольцо́; о́бруч; ша́йба; фла́нец; пе́тля; 7) *горн.* отве́рстие бурово́й сква́жины; у́стье ша́хты; 8) *мор.* краг (*у шта́га*); ◇ against the ~ с больши́м напряже́нием; to be in ~ име́ть рабо́ту; out of ~ без рабо́ты, без слу́жбы; to work up to the ~ рабо́тать не поклада́я рук; to get hot under the ~ рассерди́ться, вы́йти из себя́;

2. *v* 1) схвати́ть за во́рот; 2) наде́ть хому́т (*тж. перен.*); 3) *sl.* завладе́ть; захвати́ть; 4) свёртывать в руле́т (*мя́со и т. п.*).

collar-bone ['kɔləboun] *n анат.* ключи́ца.

collaret(te) [,kɔlə'ret] *n* кружевно́й *или* мехово́й воротничо́к.

collar pad ['kɔləpæd] *n* подхому́тник.

collar-work ['kɔləwɔːk] *n* тяжёлое уси́лие (*лошаде́й при подъёме в го́ру*); *перен.* тя́жкий труд.

collate [kɔ'leɪt] *v* 1) дета́льно слича́ть; сра́внивать; сопоставля́ть; to ~ with the original слича́ть с оригина́лом; 2) *полигр.* проверя́ть листы́ брошюру́емой кни́ги; 3) *церк.* жа́ловать бенефи́ций.

collateral [kɔ'lætərəl] 1. *a* 1) побо́чный, второстепе́нный; ~ reading дополни́тельное, факультати́вное чте́ние; 2) ко́свенный; ~ relationship бокова́я ли́ния (*о родстве́*); ~ security дополни́тельное обеспе́чение; 3) паралле́льный;

2. *n* 1) ро́дство *или* ро́дственник по боково́й ли́нии; 2) дополни́тельное обеспе́чение.

collation [kɔ'leɪʃən] *n* 1) сличе́ние, сра́внивание; 2) заку́ска, лёгкий у́жин.

colleague ['kɔliːg] *n* сослуживец, коллега.

collect 1. *v* [kə'lekt] 1) собирать; 2) коллекционировать; 3) получать *(деньги в уплату долга, налога и т. п.)*; I'll have to ~ from you Вам придётся расплатиться со мной; 4) комплектовать; 5) *разг.* заходить за *кем-л.*, *чем-л.*; he went to ~ his suitcase он пошёл за своим чемоданом; 6) собираться, скопляться; 7) овладевать собой; сосредоточиваться; to ~ one's thoughts собраться с мыслями; to ~ one's faculties взять себя в руки; 8) заключать, делать вывод;
2. *n* ['kɔlekt] краткая молитва *(в англиканской и католической церкви)*;
3. *a* [kə'lekt]: the telegram is sent ~ телеграмма должна быть оплачена получателем.

collectanea [,kɔlek'tɑːnjə] *лат. n pl* собрание заметок, выписок; смесь.

collected [kə'lektɪd] **1.** *p. p. от* collect 1; **2.** *a* 1) собранный; сосредоточенный; 2) хладнокровный, спокойный.

collection [kə'lekʃən] *n* 1) собирание; 2) коллекция, собрание; 3) скопление; толпа; 4) денежный сбор; *фин.* инкассо; 5) *pl* экзамены в конце семестра *(в Оксфорде)*.

collective [kə'lektɪv] **1.** *a* 1) коллективный; совокупный; ~ agreement коллективный договор; ~ bargaining переговоры между предпринимателями и профсоюзами о заключении коллективного договора; ~ opinion общее мнение; 2): ~ noun *грам.* имя существительное собирательное; **2.** *n* 1) коллектив; 2) колхоз.

collective farm [kə'lektɪv,fɑːm] *n* колхоз.

collective farmer [kə'lektɪv'fɑːmə] *n* колхозник; колхозница.

collectivism [kə'lektɪvɪzəm] *n* коллективизм.

collectivization [kə,lektɪvaɪ'zeɪʃən] *n* коллективизация.

collector [kə'lektə] *n* 1) сборщик; ticket ~ контролёр, проверяющий билеты; 2) коллекционер, собиратель; 3) *эл.* токосниматель; щётки; 4) *тех.* коллектор.

colleen ['kɔliːn] *n* ирл. девушка *(тж.* ~ bawn).

college ['kɔlɪdʒ] *n* 1) университетский колледж; 2) (небольшой) университет; 3) специальное учебное заведение *(военное, морское и т. п.)*; 4) средняя школа с интернатом; 5) корпорация; коллегия; 6) *sl.* тюрьма.

colleger ['kɔlɪdʒə] = collegian.

collegian [kə'liːdʒjən] *n* 1) член колледжа; 2) *распр.* бывший студент данного колледжа; 3) *sl.* заключённый *(в тюрьме)*.

collegiate [kə'liːdʒɪɪt] **1.** *a* 1) университетский, академический; 2) коллегиальный; **2.** *n* студент колледжа.

collet ['kɔlɪt] *n* 1) кольцо; 2) ободок; 3) раструб; 4) коронка, в которой закрепляется драгоценный камень; 5) гнездо для рубина в часовом механизме; 6) *тех.* цанга, зажимная втулка, переходный патрон.

collide [kə'laɪd] *v* сталкиваться.

collie ['kɔlɪ] *n* колли, шотландская овчарка.

collier ['kɔlɪə] *n* 1) углекоп, шахтёр; 2) угольщик *(судно)*; 3) матрос на угольщике.

colliery ['kɔljərɪ] *n* каменноугольная копь.

colligate ['kɔlɪgeɪt] *v* связывать, обобщать *(факты)*.

collimate ['kɔlɪmeɪt] *v геод.* визировать; придавать параллельность; приводить в створ.

collision [kə'lɪʒən] *n* 1) столкновение; 2) коллизия, противоречие *(интересов)*; to be in ~ (with) находиться в противоречии (с); to come into ~ (with) вступать в противоречие (с).

collocate ['kɔləkeɪt] *v* располагать; расстанавливать.

collocation [,kɔlə'keɪʃən] *n* 1) расположение; расстановка; 2) *лингв.* расположение слов в предложении; словосочетание.

collocutor [kə'lɔkjutə] *n* собеседник.

collodion [kə'loudjən] *n* коллодий.

collogue [kə'loug] *v разг.* беседовать интимно, наедине.

colloid ['kɔlɔɪd] **1.** *n* коллоид; **2.** *a* коллоидный.

colloidal [kə'lɔɪdəl] *a* коллоидный.

collop ['kɔləp] *n* тонкий кусок мяса.

colloquial [kə'loukwɪəl] *a* разговорный; нелитературный *(о речи, слове, стиле)*.

colloquialism [kə'loukwɪəlɪzəm] *n* разговорное выражение; разговорный стиль; просторечие.

colloquy ['kɔləkwɪ] **1.** *n* разговор, собеседование; **2.** *v* говорить, перебрасываться репликами.

collotype ['kɔloutaɪp] *n* желатинная фотопластинка.

collude [kə'luːd] *v уст.* тайно сговариваться *(в ущерб третьей стороне)*.

collusion [kə'luːʒən] *n* сговор, тайное соглашение между двумя кажущимися противниками *(в ущерб третьей стороне)*.

collusive [kə'luːsɪv] *a* улаженный тайным сговором.

colly ['kɔlɪ] = collie.

collywobbles ['kɔlɪ,wɔblz] *n pl разг., шутл.* урчание в животе.

Colombian [kə'lɔmbɪən] **1.** *a* колумбийский; **2.** *n* колумбиец.

colon I ['koulən] *n* двоеточие.

colon II ['koulən] *n анат.* ободочная кишка, толстая кишка.

colon III [kə'loun] *n* колон *(денежная единица Коста-Рики и Сальвадора)*.

colonel ['kəːnl] *n* 1) полковник; 2) *attr.*: C. Commandant шеф полка.

colonelcy ['kəːnlsɪ] *n* чин, звание полковника.

Colonel-in-Chief ['kəːnlɪn'tʃiːf] *n* шеф полка английской армии.

colonial [kə'lounjəl] **1.** *a* колониальный; C. Office министерство колоний *(в Англии)*; ~ architecture (furniture) *амер.*

архитектура (мебель) периода, предшествовавшего войне за независимость;
2. *n* 1) житель колоний; 2) *амер.* солдат американской армии в эпоху борьбы за независимость.

colonialism [kə'louniəlizəm] *n* 1) колониализм; 2) колониальный налёт (*выражающийся в манерах, речи и т. п.*).

colonist ['kɔlənist] *n* колонист, поселенец.

colonization [,kɔlənai'zeiʃən] *n* колонизация.

colonize ['kɔlənaiz] *v* 1) колонизировать, заселять (*чужую страну*); 2) поселять(ся); 3) *амер.* временно переселять избирателей в другой избирательный округ с целью незаконного вторичного голосования.

colonizer ['kɔlənaizə] *n* 1) колонизатор; 2) поселенец; колонист; 3) *амер.* избиратель, временно переселившийся в другой избирательный округ с целью незаконного вторичного голосования.

colonnade [,kɔlə'neid] *n* 1) колоннада; 2) (двойной) ряд деревьев.

colony ['kɔləni] *n* 1) колония; 2) поселение; summer ~ *амер.* дачный посёлок.

colophon ['kɔləfən] *n полигр.* 1) концовка; 2) выходные сведения (*в конце старинных книг*).

colophony [kə'lɔfəni] *n* канифоль; гарпиус.

color ['kʌlə] *амер.* = colour.

Colorado beetle [,kɔlə'rɑ:dou,bi:tl] *n* колорадский жук.

coloration [,kʌlə'reiʃən] *n* 1) окраска, раскраска, расцветка; 2) окрашивание.

coloratura [,kɔlərə'tuərə] *ит. муз.* 1. *n* 1) колоратура; 2) = ~ soprano;
2. *a* колоратурный; ~ soprano колоратурное сопрано.

colorcast ['kʌlə,kɑ:st] *n амер.* цветное телевидение.

colorific [,kɔlə'rifik] *a* 1) красящий; 2) красочный; 3) цветистый (*о стиле*).

colossal [kə'lɔsl] *a* 1) колоссальный, грандиозный, громадный; 2) *разг.* великолепный, замечательный.

Colosseum [,kɔlə'siəm] = Coliseum.

colossi [kə'lɔsai] *pl от* colossus.

colossus [kə'lɔsəs] *n* (*pl* colossi) колосс.

colour ['kʌlə] 1. *n* 1) цвет; оттенок; тон; primary (*или* simple, fundamental) ~s основные цвета; all the ~s of the rainbow все цвета радуги; out of ~ выцветший, выгоревший; without ~ бесцветный; *перен.* лишённый индивидуальных черт; б) неприкрытый; 2) краска; красящее вещество, пигмент; колер; to paint in bright (dark) ~s рисовать яркими (мрачными) красками; 3) свет; представление; to cast (*или* to put) a false ~ on smth. искажать, представлять что-л. в ложном свете; to come out in one's true ~s предстать в своём настоящем виде; to give some ~ of truth to smth. придавать некоторое правдоподобие чему-л.; to paint in true (false) ~s изображать верно (лживо); to lay on the ~s too thickly *разг.* сгущать краски; сильно преувеличивать; хватить через край;

4) румянец (*тж.* high ~); to gain ~ порозоветь; to lose ~ побледнеть; поблёкнуть; 5) колорит; local ~ местный колорит; 6) предлог; under ~ of smth. а) под предлогом чего-л.; б) под видом чего-л.; 7) индивидуальность, яркая личность; 8) (*обыкн. pl*) знамя; regimental ~ полковое знамя; King's (Queen's) ~ штандарт короля (королевы); to call to the ~s *воен.* призвать, мобилизовать; to come off with flying ~s а) вернуться с развевающимися знамёнами; б) добиться успеха, одержать победу; to desert the ~s *воен.* изменить своему знамени; дезертировать; to join the ~s вступать в армию; to lower (*или* to strike) one's ~s сдаваться, покоряться; with the ~s в действующей армии; 9) *pl* цветная лента; цветной значок; цветное платье; to dress in ~s одеваться в яркие цвета; 10) *муз.* оттенок, тембр; 11) *attr.* цветной; ~ bar, ~ line «цветной барьер», расовая дискриминация; ◇ to see the ~ of smb.'s money получить деньги от кого-л.; to take one's ~ from smb. подражать кому-л.; to stick to one's ~s оставаться до конца верным своим убеждениям; to nail one's ~s to the mast открыто отстаивать свои убеждения; проявлять настойчивость; не отступать; to sail under false ~s обманывать, лицемерить;
2. *v* 1) красить, раскрашивать; окрашивать; 2) прикрашивать; искажать; an account ~ed by prejudice тенденциозный отзыв; the facts were improperly ~ed факты были искажены; 3) принимать окраску, окрашиваться; 4) краснеть, рдеть (*о лице, о плоде; часто* ~ up).

colourable ['kʌlərəbl] *a* 1) поддающийся окраске; 2) благовидный; правдоподобный; ~ imitation удачная имитация.

colouration [,kʌlə'reiʃən] = coloration.

colour-blind ['kʌləblaind] *a* страдающий дальтонизмом, не различающий цвета.

colour-blindness ['kʌlə,blaindnis] *n* дальтонизм, неспособность различать цвета.

colour-box ['kʌlə,bɔks] *n* ящик с красками.

coloured ['kʌləd] 1. *p. p. от* colour 2;
2. *a* 1) цветной; ~ print цветная гравюра; 2) раскрашенный, окрашенный; 3) красочный; 4) цветной (*о негре и т. п.*).

colour film *n* 1) ['kʌlə,film] цветной фильм; 2) ['kʌlə,film] цветная плёнка.

colour filter ['kʌlə,filtə] *n фото* светофильтр.

colourful ['kʌləful] *a* красочный, яркий.

colouring ['kʌləriŋ] 1. *pres. p. от* colour 2;
2. *n* 1) красящее вещество (*тж.* ~ matter); 2) колорит; 3) окраска, раскраска; protective ~ *зоол., бот.* покровительственная (*или* защитная) окраска; 4) краски (художника), манера (художника); 5) цвет (*лица, волос и т. п.*).

colourless ['kʌləlis] *a* бесцветный, бледный (*тж. перен.*).

colour-man ['kʌləmən] *n* торговец красками.

colour-printing ['kʌlə,printiŋ] *n* хромотипия, многокрасочная печать.

colour-process ['kʌlə,prouses] *n* цветная фотография.

colour-wash ['kʌlə,wɔʃ] 1. *n* клеевая краска;
2. *v* красить клеевой краской.

colporteur ['kɔl,pɔːtə] *n* разносчик книг (*особ. религиозных*).

Colt [koult] *n* 1) кольт (*револьвер или пистолет*); 2) *attr.*: ~ machine-gun станковый пулемёт Кольта.

colt [koult] 1. *n* 1) жеребёнок; *тж.* ослёнок, верблюжёнок; 2) *разг.* новичок; 3) *мор.* линёк; ◇ to cast one's ~'s teeth остепениться;
2. *v* мор. наказывать линьком.

colter ['koultə] *n с.-х.* предплужник.

coltish ['koultiʃ] *a* жеребячий, игривый.

coltsfoot ['koultsfut] *n* бот. мать-и-мачеха.

coluber ['kɔljubə] *n зоол.* полоз.

columbarium [,kɔləm'bɛəriəm] *n* 1) колумбарий (*хранилище урн с прахом*); 2) голубятня.

Columbian [kə'lʌmbiən] 1. *a* 1) колумбийский; 2) относящийся к Колумбу; 3) относящийся к Америке.
2. *n полигр.* кегель в 16 пунктов.

Columbine ['kɔləmbain] *n* коломбина.

columbine ['kɔləmbain] 1. *n бот.* водосбор.
2. *a* голубиный; ~ simplicity голубиная кротость, невинность.

column ['kɔləm] *n* 1) *архит.* колонна; 2) *воен.* колонна; *амер. мор.* строй кильватера; close ~ сомкнутая колонна; in ~ в колонне, в затылок; *амер. мор.* в строю кильватера; 3) столб(ик); ~ of mercury столбик ртути (*в термометре*); ~ of smoke столб дыма; 4) столбец (*напр., цифр*); графа; newspaper ~ газетный столбец; in our ~s на страницах нашей газеты; 5) столп, поддержка, опора; 6) *attr.*: ~ foot *архит.* база колонны.

columnar [kə'lʌmnə] *a* 1) колоннообразный; 2) напечатанный столбцами; 3) поддерживаемый на столбах; 4) стебельчатый; 5) *геол.* столбчатый.

columned ['kɔləmd] = columnar.

columnist ['kɔləmnist] *n* 1) обозреватель; 2) фельетонист.

colza ['kɔlzə] *n бот.* рапс.

colza-oil ['kɔlzə'ɔil] *n* сурепное масло.

com- [kɔm-] (*тж.* col-, con-, cor-— *в зависимости от последующего звука*) *pref* 1) *означает совместность или взаимность действия; напр.*: collaborate сотрудничать; 2) *означает завершённость или полноту действия; напр.*: conclude завершать; compete соревноваться; corrupt портить.

coma I ['koumə] *n мед.* 1) кома; 2) *attr.*: ~ vigil бред тифозных больных в бессознательном состоянии, но с открытыми глазами.

coma II ['koumə] *n* (*pl* -mae) 1) *бот.* волосяные семенные придатки (*некоторых растений*); 2) *астр.* голова кометы; 3) *фото* кома, несимметрическая аберрация.

comae ['koumiː] *pl от* coma II.

comatose ['koumətous] *a мед.* коматозный, сонливый.

comb I [koum] 1. *n* 1) гребень; large- -(small-)toothed ~ редкий (частый) гребень; 2) скребница; 3) *текст.* бёрдо, рядок, игла, чесалка; 4) соты; 5) конёк (*крыши*); ◇ to cut the ~ of smb. сбить спесь с кого-л.; to set up one's ~ важничать, хорохориться;
2. *v* 1) расчёсывать; 2) *перен.* «прочёсывать» (*разведкой, огнём*); 3) *текст.* чесать, мять, трепать; 4) чистить скребницей; 5) разбиваться (*о волнах*); □ ~ out а) вычёсывать; б) производить переосвидетельствование ранее освобождённых от военной службы; в) разыскивать; ◇ to ~ smb.'s hair for him «намылить голову» кому-л.; дать кому-л. нагоняй; to ~ smb.'s hair the wrong way ≈ гладить кого-л. против шёрстки.

comb II [koum] = coomb.

combat ['kɔmbət] 1. *n* 1) бой; single ~ единоборство; поединок; 2) *attr.* боевой; походный; строевой; ~ arm род войск; ~ company *амер.* а) рота в боевом порядке; б) сапёрная рота; ~ liaison обеспечение взаимодействия в бою; ~ suit *амер. воен.* походная форма;
2. *v* сражаться, бороться (against—против чего-л.; for—за что-л.).

combatant ['kɔmbətənt] 1. *n* 1) боец; участник сражения; 2) воюющая сторона; 3) поборник;
2. *a* 1) боевой, строевой; ~ forces строевые части; боевые силы; ~ officer строевой офицер; ~ value боеспособность; ~ zone фронтовая полоса, полоса боевых действий; ~ arms *амер. воен.* роды войск (*в отличие от служб*); 2) войнственный.

combat car ['kɔmbət'kɑː] *n амер. воен.* бронемашина; быстроходный танк.

combat fatigue ['kɔmbətfə'tiːg] *n амер. воен.* нервное заболевание (*вызванное перенапряжением в бою*).

combative ['kɔmbətiv] *a* боевой, воинственный; драчливый.

combat team ['kɔmbət'tiːm] *n амер. воен.* усиленная часть, -ое подразделение; тактическая группа.

combe [kuːm] = coomb.

comber ['koumə] *n* 1) *текст.* чесальщик; 2) *текст.* гребнечесальная машина; 3) большая волна.

combination [,kɔmbi'neiʃən] *n* 1) соединение; комбинация; сочетание; in ~ в сочетании, во взаимодействии; ~ of forces *мех.* сложение сил; 2) *pl* комбинация (*бельё*); 3) комбинезон; 4) союз, объединение (*синдикат, трест и т. п.*); 5) *уст.* заговор; 6) мотоцикл с прицепной коляской; 7) *attr.*: ~ gas богатый нефтью естественный газ; ~ lock секретный замок; ~ laws законы, направленные против союзов (*в Англии*).

combination-room [,kɔmbi'neiʃənrum] = common-room.

combinative ['kɔmbineitiv] *a* 1) комбинационный; ~ sound change комбинаторное изменение звука; 2) склонный к комбинациям.

combinatorial [kəm‚baɪnə'tɔurɪəl] *a* комбинато́рный, осно́ванный на комбини́ровании.

combine 1. *n* ['kɔmbaɪn] 1) *с.-х.* комба́йн; 2) синдика́т, комбина́т; 3) объедине́ние; **2.** *v* [kəm'baɪn] 1) объединя́ть(ся); 2) комбини́ровать, сочета́ть(ся); сме́шивать (-ся).

combing machine ['koumɪŋmə'ʃiːn] *n текст.* гребнечеса́льная маши́на.

combings ['koumɪŋz] *n pl текст.* гребенны́е очёски.

comb-out ['koum‚aut] *n* 1) вычёсывание; 2) чи́стка (*служащих, членов союза и т. п.*); 3) переосвиде́тельствование (*ранее освобождённых от военной службы*).

combustibility [kəm‚bʌstə'bɪlɪtɪ] *n* горю́честь, воспламеня́емость.

combustible [kəm'bʌstəbl] **1.** *a* горю́чий, воспламеня́емый; **2.** *n pl* горю́чее; то́пливо.

combustion [kəm'bʌstʃən] *n* 1) горе́ние, сгора́ние; сожже́ние; spontaneous ~ самовоспламене́ние, самовозгора́ние; 2) *хим.* окисле́ние (*органич. веществ*); 3) волне́ние; смяте́ние, беспоря́док; 4) *attr.:* ~ chamber *тех.* ка́мера сгора́ния; ~ engine дви́гатель вну́треннего сгора́ния.

come [kʌm] *v* (came; come) 1) приходи́ть, прибыва́ть; приезжа́ть; подходи́ть; help came in the middle of the battle в разга́р бо́я подошла́ по́мощь; one shot came after another вы́стрелы сле́довали один за други́м; to ~ before the Court предста́ть пе́ред судо́м; 2) случа́ться, происходи́ть, быва́ть; how did it ~ that..? как э́то случи́лось, что..?; how ~s it? почему́ э́то получа́ется?, как э́то выхо́дит?; ~ what may будь, что бу́дет; 3) выпада́ть (*на чью-л. долю*); доставать́ся (*кому-л.*); it came on my head э́то свали́лось мне на го́лову; ill luck came to me мне вы́пала неуда́ча; this work ~s to me э́та рабо́та прихо́дится на мо́ю до́лю; 4) де́латься, станови́ться; things will ~ right всё обойдётся, всё бу́дет хорошо́; my dreams came true мои́ мечты́ сбыли́сь; butter will not ~ ма́сло ника́к не сбива́ется; the knot has ~ undone у́зел развяза́лся; to ~ short a) не хвати́ть; б) не дости́гнуть це́ли; в) не оправда́ть ожида́ний; 5) доходи́ть, достига́ть; равня́ться; the bill ~s to 500 roubles счёт составля́ет 500 рубле́й; 6) вести́ своё происхожде́ние; происходи́ть; he ~s from London он уроже́нец Ло́ндона; he ~s of a working family он из рабо́чей семьи́; that ~s from your carelessness всё э́то от твое́й небре́жности; 7) мнить себя́; ко́рчить из себя́; разы́грывать; he ~s the great man он мнит себя́ вели́ким челове́ком; 8) *в повели́тельном наклонении восклицание, означаю́щее приглашение, побуждение или лёгкий упрёк:* ~, tell me all you know about it ну, расскажи́те же всё, что вы об э́том зна́ете; ~, ~, be not so hasty! ну, ну, не бу́дьте так опроме́тчивы!; ▢ ~ **about** a) происходи́ть, случа́ться; б) меня́ть направле́ние (*о ветре*); ~ **across** (случа́йно) встре́титься с *кем-л.*; натолкну́ться на

что-л.; ~ **across!** *разг.* а) признава́йся!; б) раскошелива́йся!; ~ **after** а) иска́ть, домога́ться; б) сле́довать; в) насле́довать; ~ **again** а) возвраща́ться; б) *амер. sl.* повторя́ть ска́занное; ~ **along** а) идти́; сопровожда́ть; ~ **along!** идём!; потора́пливайся!; б) соглаша́ться; ~ **asunder** распада́ться на ча́сти; ~ **at** а) напада́ть, набра́сываться; добра́ться до *кого-л.*; just let me ~ at him да́йте мне то́лько добра́ться до него́; б) получи́ть до́ступ к *чему-л.*, добива́ться *чего-л.*; how did you ~ at the information как вы э́то узна́ли; ~ **away** а) уходи́ть; б) отла́мываться; the handle came away in my hand ру́чка отломи́лась и оста́лась у меня́ в рука́х; ~ **back** а) возвраща́ться; б) вспомина́ться; в) очну́ться, прийти́ в себя́; г) *спорт.* обрести́ пре́жнюю фо́рму; д) *спорт.* отстава́ть; е) *разг.* отвеча́ть тем же са́мым, отплати́ть той же моне́той; ~ **before** а) предше́ствовать; б) превосходи́ть; ~ **by** а) проходи́ть ми́мо; б) достава́ть, достига́ть; в) *амер.* заходи́ть; ~ **down** а) па́дать (*о снеге, дожде*); б) спуска́ться; опуска́ться; в) переходи́ть по тради́ции; г) приходи́ть, приезжа́ть; д) быть пова́ленным (*о дереве*); е) быть разру́шенным (*о постройке*); ж) деградировать; to ~ down in the world потеря́ть состоя́ние, положе́ние; опусти́ться; з) набра́сываться, брани́ть (upon, on—*кого-л.*); нака́зывать (upon, on—*кого-л.*); и) *амер. разг.* заболе́ть (with—*чем-л.*); ~ **for** а) заходи́ть за; б) напада́ть на; ~ **forward** а) выходи́ть вперёд, выдвига́ться; б) откли́каться, предлага́ть свои́ услу́ги; ~ **in** а) входи́ть; б) прибыва́ть (*о поезде, пароходе*); в) вступа́ть (*в должность*); приходи́ть к вла́сти; г) входи́ть в мо́ду; д) созрева́ть; е) *амер.* жереби́ться, тели́ться; ж) оказа́ться поле́зным, пригоди́ться (*тж.* ~ **in useful**); where do I ~ in? *разг.* чем я могу́ быть поле́зен?; како́е э́то име́ет ко мне отноше́ние?; з) *спорт.* прийти́ к фи́нишу; to ~ **in first** победи́ть, прийти́ пе́рвым; ~ **in for** получи́ть *что-л.* (*напр., свою до́лю из л.*); he came in for a lot of trouble ему́ здо́рово доста́лось; ~ **into** а) вступа́ть в; б) получа́ть в насле́дство; to ~ into one's own получи́ть до́лжное; to ~ **into being** (*или* existence) возника́ть; to ~ **into the world** роди́ться; to ~ **into force** вступа́ть в си́лу; to ~ **into notice** привле́чь внима́ние; to ~ **into play** нача́ть де́йствовать; to ~ **into position** *воен.* заня́ть пози́цию; to ~ **into sight** появи́ться; ~ **of** происходи́ть, получа́ться из; what will ~ of him? что из него́ вы́йдет?; что с ним ста́нется?; this is what ~s of disobedience вот результа́т непослуша́ния; ~ **off** а) удаля́ться; б) отрыва́ться (*напр., о пуговице*); в) име́ть успе́х; удава́ться, проходи́ть с успе́хом; all came off satisfactorily всё сошло́ благополу́чно; to ~ **off** with honour вы́йти с че́стью; г) отде́лываться; he came off a loser он оста́лся в про́игрыше; he came off clear он вы́шел сухи́м из воды́; д) происходи́ть, име́ть ме́сто; е) *амер.* замолча́ть; oh, ~ **off** it да переста́нь же!; ~ **on** а) появляться (*на сцене*); б) расти́; в) преуспева́ть; де́лать успе́хи; г) наступа́ть, напада́ть; д) приближа́ться; налете́ть, разрази́ться (*о ветре, шквале*); a storm is coming on приближа́ется гроза́; е) натыка́ться, наска́кивать; поража́ть (*о болезни*); ж) рассма́триваться (*в суде*); з) возника́ть (*о вопросе*); и): ~ on! живе́й!; продолжа́йте!; идём! (*тж. как формула вызова*); ~ out а) выходи́ть; to ~ out of oneself стать ме́нее за́мкнутым; б) появля́ться (*в печати*); в) дебюти́ровать (*на сцене, в обществе*); г) обнару́живаться; проявля́ться; the secret came out секре́т раскры́лся; д) распуска́ться (*о листьях, цветах*); е) забастова́ть; выводи́ться, своди́ться (*о пятнах*); з) вы́ступить (with- *с заявлением, разоблачением*); и) вы́палить (with); ~ over а) переезжа́ть; приезжа́ть; б) переходи́ть на другу́ю сто́рону; в) получа́ть преиму́щество; г) охвати́ть, овладе́ть; a fear came over me мной овладе́л страх; ~ round а) заходи́ть ненадо́лго; загляну́ть; a friend came round last night вчера́ ве́чером заходи́л знако́мый; б) приходи́ть в себя́ (*после обморока, болезни*); в) изменя́ться к лу́чшему; I hope things will ~ round наде́юсь, всё образу́ется; г) меня́ть своё мне́ние, соглаша́ться с *чьей-л.* то́чкой зре́ния; д) хитри́ть, обма́нывать; ~ through а) оста́ться в живы́х; б) вы́путаться из неприя́тного положе́ния; ~ to а) доходи́ть до; to ~ to blows дойти́ до рукопа́шной; it came to my knowledge я узна́л; to ~ to find out случа́йно обнару́жить, узна́ть, вы́яснить; to ~ to no good испо́ртиться; б) сто́ить, равня́ться; в) прийти́ в себя́, очну́ться (*тж.* to ~ to oneself); ~ up а) поднима́ться, выраста́ть, возника́ть; to ~ up for discussion стать предме́том обсужде́ния; б) всходи́ть (*о растении*); в) приезжа́ть (*из места менее значительного в более значительное в представлении говорящего; напр., из провинции в большой город, университет и т. п.*); г) предста́ть пе́ред судо́м; д) подходи́ть (to); е) достига́ть у́ровня, сра́вниваться (to); ж) нагоня́ть (with—*кого-л.*); ~ upon а) натолкну́ться, напа́сть неожи́данно; б) предъяви́ть тре́бование; в) лечь бре́менем на *чьи-л.* пле́чи; ◇ to ~ to bat *амер. sl.* столкну́ться с тру́дной пробле́мой, тяжёлым испыта́нием; to ~ easy to smb. не представля́ть тру́дностей для кого́-л.; to ~ to harm пострада́ть; to ~ out with one's life оста́ться в живы́х, уцеле́ть (*после боя и т. п.*); to ~ to a head а) созре́ть (*о нарыве*); б) дости́гнуть крити́ческой (*или* реша́ющей) ста́дии; to ~ to life а) прийти́ в себя́, очну́ться (*после обморока*); б) осуществля́ться; to ~ to light обнару́живаться; to ~ to nothing конча́ться ниче́м, не име́ть после́дствий; to ~ to stay утверди́ться, укорени́ться; it has come to stay э́то надо́лго; to ~ to the wrong shop *разг.* обрати́ться не по а́дресу; to ~ natural быть есте́ственным; (which is) to ~ гряду́щий; бу́дущий; things to ~ гряду́щее; in days to ~ в бу́дущем; pleasure to ~ предвкуша́емое удо-

во́льствие; ~ down with your money! раскоше́ливайтесь!; let'em all ~! *разг.* будь что бу́дет!; to ~ to pass случа́ться, происходи́ть; to ~ to the book приноси́ть прися́гу пе́ред исполне́нием обя́занностей судьи́; light ~ light go что доста́лось легко́, бы́стро исчеза́ет; to ~ it strong *разг.* де́йствовать энерги́чно; to ~ it too strong *разг.* перестара́ться; to ~ clean *разг.* говори́ть пра́вду.

come-about ['kʌmə'baut] *n разг.* неожи́данный поворо́т собы́тий.

come-and-go ['kʌmənd'gou] *n* 1) движе́ние взад и вперёд; 2) *attr.*: ~ people случа́йные лю́ди, сменя́ющие оди́н друго́го.

come-at-able [kʌm'ætəbl] *a* досту́пный.

come-back ['kʌmbæk] *n* 1) *разг.* возвраще́ние (*к власти, популярности и т. п.*); 2) возраже́ние; 3) возме́здие; 4) возда́ние по заслу́гам.

come-by-chance ['kʌmbaɪ'tʃɑːns] *n разг.* 1) не́что случа́йное; случа́йная нахо́дка; 2) незако́нный ребёнок.

comedian [kə'miːdjən] *n* 1) а́втор коме́дий; 2) актёр-ко́мик; low ~ ко́мик-буфф.

comédienne [kə,medɪ'en] *фр. n* коми́ческая актри́са.

comedietta [kə,miːdɪ'etə] *ит. n* лёгкая коме́дия.

comedo ['kɔmɪdou] *n* (*pl* -ones, -os [-ouz]) *мед.* у́горь.

comedones [kɔmɪ'douniːz] *pl от* comedo.

come-down ['kʌmdaun] *n* 1) паде́ние; спуск; 2) ухудше́ние; 3) упа́док.

comedy ['kɔmɪdɪ] *n* коме́дия.

comeliness ['kʌmlɪnɪs] *n* милови́дность.

comely ['kʌmlɪ] *a* милови́дный; хоро́шенький.

come-off ['kʌm,ɔːf] *n* 1) заверше́ние; 2) уло́вка, отгово́рка, отпи́ска; 3) *амер.* неблагоприя́тное стече́ние обстоя́тельств.

comer ['kʌmə] *n* тот, кто прихо́дит; приходя́щий; прише́лец; who is ~? кто пришёл?; first ~ пе́рвый прише́дший; ◇ against all ~s про́тив кого́ бы то ни́ было; for all ~s для всех жела́ющих.

comestible [kə'mestɪbl] 1. *n* (*обыкн. pl*) съестны́е припа́сы; 2. *a уст.* съедо́бный.

comet ['kɔmɪt] *n* коме́та.

comfit ['kʌmfɪt] *n* 1) конфе́та; 2) *pl* заса́харенные фру́кты.

comfort ['kʌmfət] 1. *n* 1) утеше́ние; успокое́ние, ободре́ние; подде́ржка; 2) о́тдых, поко́й; 3) комфо́рт; *pl* удо́бства. 2. *v* утеша́ть, успока́ивать.

comfortable ['kʌmfətəbl] 1. *a* 1) удо́бный; комфорта́бельный; ую́тный; 2) споко́йный; дово́льный; to feel ~ быть споко́йным, дово́льным; 3) *разг.* доста́точный, прили́чный (*напр., о заработке*); 4) утеши́тельный, успока́ивающий. 2. *n* = comforter 4).

comforter ['kʌmfətə] *n* 1) утеши́тель; Job's ~ плохо́й утеши́тель; 2) со́ска, пусты́шка; 3) шерстяно́й шарф; тёплое кашне́; 4) *амер.* стёганое ва́тное одея́ло; *sl.* газе́та, кото́рой покрыва́ются безрабо́тные, ночу́я под откры́тым не́бом.

comfortless [ˈkʌmfətlɪs] *a* 1) неуютный; 2) печа́льный; безуте́шный.

comfortstation [ˈkʌmfət͵steɪʃən] *n амер.* обще́ственная убо́рная.

comfrey [ˈkʌmfrɪ] *n бот.* око́пник.

comfy [ˈkʌmfɪ] *разг. см.* comfortable 1.

comic [ˈkɔmɪk] **1.** *a* 1) коми́ческий, юмористи́ческий; смешно́й; 2) комеди́йный; **2.** *n* 1) кинокоме́дия; 2) (the ~) коми́зм; 3) *уст., разг. см.* comedian 2).

comical [ˈkɔmɪkəl] *a* смешно́й, заба́вный, поте́шный; чудно́й.

comicality [͵kɔmɪˈkælɪtɪ] *n* 1) коми́чность; чуда́чество; 2) что-л. смешно́е.

comics [ˈkɔmɪks] *n pl амер.* ко́микс, бульва́рный журна́л *или* расска́з в карти́нках.

coming [ˈkʌmɪŋ] **1.** *pres. p. om* come; **2.** *n* прие́зд, прихо́д, прибы́тие; **3.** *a* 1) бу́дущий, наступа́ющий; ожида́емый; 2) многообеща́ющий, подаю́щий наде́жды (*писатель и т. п.*).

coming-in [ˈkʌmɪŋˈɪn] *n* ввоз (*товаров*).

coming-out [ˈkʌmɪŋˈaut] *n* вы́воз (*това́ров*).

comity [ˈkɔmɪtɪ] *n* ве́жливость; ~ of nations взаи́мное призна́ние зако́нов и обы́чаев друго́й на́ции.

comma [ˈkɔmə] *n* запята́я.

command [kəˈmɑːnd] **1.** *n* 1) кома́нда, прика́з; 2) кома́ндование; to be in ~ of a regiment кома́ндовать полко́м; under ~ of smb. под чьим-л. нача́льством; at ~ в распоряже́нии; 3) войска́, находя́щиеся под (*чьим-л.*) кома́ндованием; Fighter C. истреби́тельная авиа́ция; 4) вое́нный о́круг (*в Англии*); 5) госпо́дство; власть; ~ of the air госпо́дство в во́здухе; 6) владе́ние; ~ of one's emotions уме́ние владе́ть собо́й; he has great ~ of the language он свобо́дно владе́ет языко́м; 7) *топ.* превыше́ние; 8) *attr.* кома́ндный; находя́щийся в распоряже́нии кома́ндования; ~ post a) кома́ндный пункт; б) *амер.* штаб вое́нного подразделе́ния; ~ car маши́на команди́ра подразделе́ния; ~ airplane самолёт кома́ндования; **2.** *v* 1) прика́зывать; 2) кома́ндовать, управля́ть; 3) госпо́дствовать над моря́ми; 4) владе́ть; располага́ть, име́ть в своём распоряже́нии; to ~ oneself владе́ть собо́й; to ~ a large vocabulary владе́ть больши́м запа́сом слов; to ~ the services of smb. по́льзоваться чьи́ми-л. услу́гами; yours to ~ к ва́шим услу́гам; 5) внуша́ть (*напр., уваже́ние*); 6) сто́ить; приноси́ть, дава́ть; this article ~s a good price за э́тот това́р мо́жно взять высо́кую це́ну; 7) *воен.* держа́ть под обстре́лом; ◇ the window ~ed a lovely view из окна́ открыва́лся прекра́сный вид.

commandant [͵kɔmənˈdænt] *n* 1) нача́льник, команди́р; 2) коменда́нт.

commandeer [͵kɔmənˈdɪə] *голл. v* 1) принуди́тельно набира́ть (*в а́рмию*); 2) реквизи́ровать; 3) *разг.* присва́ивать.

commander [kəˈmɑːndə] *n* 1) команди́р; нача́льник; кома́ндующий; ~ of the guard нача́льник карау́ла; 2) *мор.* капита́н 3 ра́нга; ста́рший помо́щник команди́ра; 3) *тех.* трамбо́вка.

Commander-in-Chief [kəˈmɑːndərɪnˈtʃiːf] *n* 1) главнокома́ндующий; кома́ндующий войска́ми о́круга; 2) *мор.* кома́ндующий фло́том *или* отде́льной эска́дрой.

command-in-chief [kəˈmɑːndɪnˈtʃiːf] *n* гла́вное кома́ндование.

commanding [kəˈmɑːndɪŋ] **1.** *pres. p. om* command 2; **2.** *a* 1) кома́ндующий; 2) домини́рующий; ~ eminence домини́рующая высота́; 3) внуши́тельный; ~ speech внуши́тельная речь.

commandment [kəˈmɑːndmənt] *n* 1) прика́з; 2) за́поведь.

commando [kəˈmɑːndou] *n* (*pl* -os, -oes [-ouz]) *воен.* 1) диверсио́нно-деса́нтный отря́д; 2) бое́ц диверсио́нно-деса́нтного отря́да.

commemorate [kəˈmeməreɪt] *v* 1) пра́здновать (*годовщину*); отмеча́ть (*собы́тие*); 2) служи́ть напомина́нием.

commemoration [kə͵meməˈreɪʃən] *n* 1) пра́зднование *или* ознаменова́ние (*годовщины*); in ~ of в па́мять о; C. (Day) акт Оксфо́рдского университе́та с помина́нием основа́телей, присужде́нием почётных степене́й и пр.; 2) *церк.* поминове́ние.

commemorative [kəˈmemərətɪv] *a* па́мятный, мемориа́льный.

commence [kəˈmens] *v* начина́ть(ся).

commencement [kəˈmensmənt] *n* 1) нача́ло; 2) день присужде́ния университе́тских степене́й в Ке́мбридже, Ду́блине и др.; 3) акт; а́ктовый день (*в амер. уче́бных заведе́ниях*); at ~ на выпускно́м а́кте.

commend [kəˈmend] *v* 1) хвали́ть; рекомендова́ть; 2) *refl.* привлека́ть, прельща́ть; 3) *уст.* вверя́ть, поруча́ть; 4) *уст.* передава́ть приве́т, покло́н.

commendable [kəˈmendəbl] *a* похва́льный, досто́йный похвалы́.

commendation [͵kɔmenˈdeɪʃən] *n* 1) похвала́; 2) *амер. воен.* объявле́ние благода́рности в прика́зе; 3) рекоменда́ция.

commensal [kəˈmensəl] *n* 1) сотрапе́зник; 2) *биол.* коммменса́л.

commensurable [kəˈmenʃərəbl] *a* 1) соизмери́мый; 2) пропорциона́льный.

commensurate [kəˈmenʃərɪt] *a* соотве́тственный, соразме́рный.

comment [ˈkɔment] **1.** *n* 1) объясни́тельное примеча́ние, толкова́ние; коммента́рий; 2) замеча́ние; **2.** *v* 1) коммети́ровать; толкова́ть, объясня́ть; to ~ on the book a) рецензи́ровать кни́гу; б) коммети́ровать кни́гу; 2) де́лать (крити́ческие) замеча́ния.

commentary [ˈkɔməntərɪ] *n* коммента́рий; running ~ a) (ра́дио)репорта́ж; б) подстро́чный коммента́рий.

commentation [͵kɔmenˈteɪʃən] *n* 1) комети́рование; толкова́ние (*те́кста*); 2) аннота́ция.

commentator [ˈkɔmenteɪtə] *n* 1) (ра́дио-) коммента́тор; 2) толкова́тель.

commerce [ˈkɔməːs] *n* 1) (опто́вая) торго́вля, комме́рция; home ~ вну́тренняя торго́вля; 2) обще́ние; to have no ~ with smb. не име́ть ничего́ о́бщего с кем-л.

commerce-destroyer [ˈkɔməːsdɪsˈtrɔɪə] *n* *воен.* крейсер для борьбы́ с морско́й торго́влей проти́вника.

commercial [kəˈməːʃəl] **1.** *a* торго́вый, комме́рческий; ~ aviation гражда́нская авиа́ция; ~ law торго́вое пра́во; ~ traveller коммивояжёр; ~ treaty торго́вый догово́р; ~ broadcast *амер.* комме́рческая радиопереда́ча (*опла́ченная рекламода́телем*); **2.** *n разг.* 1) = ~ traveller; 2) = ~ broadcast.

commercialese [kə,məːʃəˈliːz] *n* стиль комме́рческих докуме́нтов.

commercialism [kəˈməːʃəlɪzəm] *n* торга́шеский дух.

commercialize [kəˈməːʃəlaɪz] *v* превраща́ть в исто́чник при́были; ста́вить на комме́рческую но́гу.

commination [,kɔmɪˈneɪʃən] *n* угро́за (*особ.* ка́рами небе́сными).

comminatory [ˈkɔmɪnətərɪ] *a* угрожа́ющий; обличи́тельный.

commingle [kɔˈmɪŋgl] *v* сме́шивать(ся).

comminute [ˈkɔmɪnjuːt] *v* 1) толо́чь, превраща́ть в порошо́к; 2) дроби́ть, дели́ть на ме́лкие ча́сти (*иму́щество*).

comminuted [ˈkɔmɪnjuːtɪd] **1.** *p.p. от* comminute;
2. *a:* ~ fracture *мед.* оско́лочный перело́м.

comminution [,kɔmɪˈnjuːʃən] *n* размельче́ние, раздробле́ние.

commiserate [kəˈmɪzəreɪt] *v* сочу́вствовать, выража́ть соболе́знование (with); to ~ a misfortune выража́ть соболе́знование по по́воду несча́стья.

commiseration [kə,mɪzəˈreɪʃən] *n* сочу́вствие; соболе́знование.

commiserative [kəˈmɪzərətɪv] *a* сочу́вствующий, соболе́знующий.

commissar [,kɔmɪˈsɑː] *n* 1) комисса́р; 2) *уст.* = commissary 1) *и* 2).

commissariat [,kɔmɪˈsɛərɪət] *n* 1) комиссариа́т; 2) интенда́нтство; 3) продово́льственное снабже́ние.

commissary [ˈkɔmɪsərɪ] *n* 1) комисса́р; уполномо́ченный; 2) интенда́нт; 3) *амер.* склад продово́льствия и други́х това́ров для войсковы́х ла́вок.

commission [kəˈmɪʃən] **1.** *n* 1) дове́ренность; полномо́чие; in ~ име́ющий полномо́чия; I cannot go beyond my ~ я не могу́ превы́сить свои́ полномо́чия; 2) коми́ссия; standing ~ постоя́нная коми́ссия; interim ~ вре́менная коми́ссия; 3) пате́нт на офице́рский чин *или* на зва́ние мирово́го судьи́; to get a ~ получи́ть офице́рский чин; to resign one's ~ пода́ть в отста́вку с вое́нной слу́жбы; 4) поруче́ние; 5) комиссио́нная прода́жа; to have goods on ~ име́ть това́ры на коми́ссии; 6) комиссио́нное вознагражде́ние; 7) соверше́ние (*преступле́ния и т. п.*); the ~ of murder соверше́ние уби́йства; ◇ sins of ~ and omission сде́лаешь—пло́хо, не сде́лаешь—пло́хо; to come into ~ *мор.* вступа́ть в строй по́сле постро́йки *или* ремо́нта (*о корабле́*); in ~ в испра́вности; в по́лной гото́вности; out of ~ в неиспра́вности; a ship in ~ су́дно, гото́вое к пла́ванию;

2. *v* 1) назнача́ть на до́лжность; 2) уполномо́чивать; 3) поруча́ть; дава́ть зака́з (*особ.* *худо́жнику*); 4) *мор.* подготовля́ть кора́бль к пла́ванию, укомплекто́вывать ли́чным соста́вом; назнача́ть команди́ра корабля́.

commissionaire [kə,mɪʃəˈnɛə] *n* 1) комиссионе́р (*при гости́нице*); 2) посы́льный; швейца́р; the Corps of Commissionaires арте́ль бы́вших военнослу́жащих (*осно́ванная в Ло́ндоне в 1859 г.*), поставля́ющая швейца́ров, курье́ров *и т. п.*

commissioned [kəˈmɪʃənd] **1.** *p. p. от* commission 2;
2. *a* 1) облечённый полномо́чиями; получи́вший поруче́ние; 2) произведённый в офице́ры; ~ officer офице́р, произведённый в чин прика́зом короля́ (*в А́нглии*) *или* президе́нта (*в США*); 3) укомплекто́ванный ли́чным соста́вом и гото́вый к пла́ванию (*о корабле́*).

commissioner [kəˈmɪʃnə] *n* 1) специа́льный уполномо́ченный, комисса́р; High C. верхо́вный комисса́р (*в коло́нии или предста́витель брита́нского доминио́на в А́нглии*); 2) член коми́ссии; 3) член короле́вской парла́ментской коми́ссии.

commissure [ˈkɔmɪsjuə] *n* *мед.* соедине́ние; спа́йка; ме́сто сочета́ния, сочлене́ния.

commit [kəˈmɪt] *v* 1) поруча́ть, вверя́ть; передава́ть законопрое́кт в коми́ссию (*парла́мента*); 3) предава́ть; to ~ to flames предава́ть огню́; to ~ a body to the ground преда́ть те́ло земле́; to ~ smb. for trial предава́ть кого́-л. суду́; to ~ to prison заключа́ть в тюрьму́; 4) фикси́ровать; to ~ to memory зау́чивать, запомина́ть; to ~ to paper, to ~ to writing запи́сывать; 5) соверша́ть (*преступле́ние и т. п.*); to ~ suicide поко́нчить жизнь самоуби́йством; to ~ an error соверши́ть оши́бку; to ~ a crime соверши́ть преступле́ние; 6) *воен.* вводи́ть в де́ло; to ~ to attack бро́сить в ата́ку: to ~ to battle вводи́ть в бой; ◇ to ~ the command *воен.* свя́зывать свобо́ду де́йствий кома́ндования; to ~ oneself а) компромети́ровать себя́; б) принима́ть на себя́ обяза́тельство (*особ.* *риско́ванное*, *опа́сное*); свя́зывать себя́.

commitment [kəˈmɪtmənt] *n* 1) вруче́ние, переда́ча; 2) переда́ча законопрое́кта в коми́ссию; 3) заключе́ние под стра́жу; 4) обяза́тельство; 5) соверше́ние (*преступле́ния и т. п.*).

committal [kəˈmɪtl] *n* 1) = commitment; 2) погребе́ние.

committee I [kəˈmɪtɪ] *n* 1) комите́т; Soviet Peace C. Сове́тский Комите́т защи́ты ми́ра; ~ of action *полит.* комите́т де́йствия; strike ~ ста́чечный комите́т; steering ~ организацио́нный, подготови́тельный комите́т; 2) коми́ссия; credentials ~ манда́тная коми́ссия; Joint C. междуве́домственная *или* межпарла́ментская коми́ссия; C. of Ways and Means *парл.* Бюдже́тная коми́ссия; C. of the whole House *парл.* пле́нум, обсужда́ющий дета́ли проводи́мого законопрое́кта; the House goes into C., the House resolves itself into C. *парл.* пала́та объявля́ет себя́ коми́ссией для обсужде́ния како́го-л. вопро́са; to go into ~ пойти́ на рассмотре́ние коми́ссии (*о законопрое́кте*); a check-up ~ *амер.* ревизио́нная коми́ссия; smelling ~ *амер. sl.* коми́ссия по рассле́дованию; 3) *attr.*: ~ English канцеля́рский англи́йский язы́к.

committee II [ˌkɔmiˈtiː] *n* юр. опеку́н.

committee-man [kəˈmitimən] *n* член коми́ссии *или* комите́та.

commix [kɔˈmiks] *v* уст., поэт. сме́шивать(ся).

commixture [kəˈmiksʧə] *n* смеше́ние; смесь.

commode [kəˈmoud] *n* 1) комо́д; 2) сту́льча́к.

commodious [kəˈmoudjəs] *a* 1) просто́рный; 2) *редк.* удо́бный.

commodity [kəˈmɔditi] *n* 1) предме́т потребле́ния; staple commodities гла́вные предме́ты торго́вли; 2) (*часто pl*) това́р; value of ~ това́рная сто́имость; 3) *редк.* удо́бство; 4) *attr.* това́рный; ~ capital това́рный капита́л; ~ production това́рное произво́дство.

commodore [ˈkɔmədɔː] *n* 1) *мор.* коммодо́р (*зва́ние капита́на 1-го ра́нга, кома́ндующего соедине́нием корабле́й*); нача́льник конво́я; 2) команди́р яхт-клу́ба.

common [ˈkɔmən] 1. *a* а) 1) о́бщий; ~ lot о́бщий уде́л; ~ interests о́бщие интере́сы; by ~ consent с о́бщего согла́сия; to make ~ cause де́йствовать сообща́; 2) обще́ственный, публи́чный; ~ land обще́ственный вы́гон; 3) просто́й, обыкнове́нный; ~ honesty элемента́рная че́стность; the ~ man обыкнове́нный челове́к; ~ soldier *воен.* рядово́й; ~ labour неквалифици́рованный труд; чёрная рабо́та; a man of no ~ abilities челове́к незауря́дных спосо́бностей; ~ run of people обыкнове́нные, зауря́дные лю́ди; ~ fraction *мат.* проста́я дробь; 4) просто́й, гру́бый; ду́рно сде́ланный (*об оде́жде*); 5) ходя́чий, распространённый; it is ~ knowledge э́то общеизве́стно; 6) вульга́рный, бана́льный; ~ manners гру́бые мане́ры; 7) *мат.* о́бщий; ~ factor о́бщий дели́тель; ~ multiple о́бщий мно́житель; 8) *грам.* о́бщий; ~ gender о́бщий род; ~ case о́бщий паде́ж; ~ noun и́мя нарица́тельное; ◇ ~ or garden *разг.* обы́чный, изве́стный; шабло́нный, изби́тый; ~ council муниципа́льный сове́т; ~ law а) обы́чное пра́во; б) непи́саный зако́н; ~ logarithm *мат.* десяти́чный логари́фм; ~ salt пова́ренная соль; ~ sense здра́вый смысл; ~ woman проститу́тка;

2. *n* 1) о́бщее; обы́чное; in ~ совме́стно; to have nothing in ~ with smb. не име́ть ничего́ о́бщего с кем-л.; out of the ~ незауря́дный, из ря́да вон выходя́щий; nothing out of the ~ ничего́ осо́бенного, та́к себе; 2) *ист.* наро́д (*т. е. тре́тье сосло́вие без вы́сших сосло́вий*); 3) общи́нная земля́; вы́гон, пусты́рь; 4) пра́во на обще́ственное по́льзование землёй; ~ of pasturage пра́во на обще́ственный вы́гон.

commonage [ˈkɔmənidʒ] *n* 1) пра́во на обще́ственный вы́гон; 2) = commonalty.

commonalty [ˈkɔmənlti] *n ист.* общи́ны; наро́д (*т. е. тре́тье сосло́вие без вы́сших сосло́вий*).

commoner [ˈkɔmənə] *n* 1) челове́к из наро́да (*противоп.* пэ́ру в Англии); 2) *редк.* член пала́ты общи́н; 3) име́ющий общи́нные права́; 4) студе́нт, не получа́ющий стипе́ндии.

commonly [ˈkɔmənli] *adv* 1) обы́чно, обыкнове́нно; 2) дёшево, пло́хо.

commonness [ˈkɔmənnis] *n* 1) обы́чность, обы́денность; 2) бана́льность.

commonplace [ˈkɔmənpleis] 1. *n* о́бщее ме́сто, бана́льность;

2. *a* бана́льный, изби́тый;

3. *v* 1) повторя́ть о́бщие места́; 2) запи́сывать в о́бщую тетра́дь.

commonplace-book [ˈkɔmənpleisˌbuk] *n* тетра́дь для заме́ток, о́бщая тетра́дь.

common-room [ˈkɔmənrum] *n* профе́ссорская (*в Оксфо́рдском университе́те; тж.* senior ~; junior ~ зал для студе́нтов.

commons [ˈkɔmənz] *n pl* 1) *ист.* тре́тье сосло́вие; 2) по́рция, рацио́н; short ~ ску́дный стол, ску́дное пита́ние; ◇ House of C. пала́та общи́н; Doctors' C. ассоциа́ция юри́стов по гражда́нским дела́м.

commonweal [ˈkɔmənwiːl] *n* 1) о́бщее бла́го; 2) *уст.* = commonwealth.

commonwealth [ˈkɔmənwelθ] *n* 1) госуда́рство, респу́блика; содру́жество, федера́ция; the C. of England *ист.* англи́йская респу́блика (*1649—60 гг.*); 2) (все)о́бщее благосостоя́ние; for the good of the ~ для о́бщего бла́га.

commotion [kəˈmouʃən] *n* 1) волне́ние (*мо́ря*); 2) смяте́ние; потрясе́ние (*не́рвное, душе́вное*); 3) сумато́ха, суета́.

communal [ˈkɔmjunl] *a* 1) общи́нный; ownership of land общи́нное землевладе́ние; 2) коллекти́вный, коммуна́льный, обще́ственный; ~ kitchen обще́ственная столо́вая; фа́брика-ку́хня; 3) относя́щийся к религио́зным общи́нам (*в Индии*).

communard [ˈkɔmjunɑːd] *фр. n* коммуна́р, уча́стник Пари́жской комму́ны 1871 г.

commune 1. *n* [ˈkɔmjuːn] 1) общи́на; 2) комму́на; the C. (of Paris) Пари́жская комму́на;

2. *v* [kəˈmjuːn] обща́ться, бесе́довать.

communicable [kəˈmjuːnikəbl] *a* 1) подда́ющийся переда́че; 2) передаю́щийся, сообща́ющийся; ~ disease зара́зная боле́знь; 3) *уст.* приве́тливый, общи́тельный.

communicant [kəˈmjuːnikənt] 1. *n* 1) сообща́ющий но́вости; *церк.* прича́стник; прича́стница;

2. *a анат.* сообща́ющийся.

communicate [kəˈmjuːnikeit] *v* 1) сообща́ть; передава́ть (to); 2) сообща́ться (with); сноси́ться (by); 3) *церк.* причаща́ть(ся).

communicating [kəˈmjuːnikeitiŋ] 1. *pres. p. от* communicate;

2. *a* сме́жный (*о ко́мнате*).

communication [kəˌmjuːniˈkeiʃən] *n* 1) сообще́ние; коммуника́ция; связь; vocal ~ у́стное сообще́ние; ~ privileged сообще́ние, не подлежа́щее оглаше́нию; lines of ~ пути́ сообще́ния; 2) сре́дство сообще́ния (*желе́зная доро́га, телегра́ф, телефо́н и т. п.*);

3) *pl* коммуника́ции; коммуникацио́нные ли́нии; 4) обще́ние, сре́дство обще́ния; to be in ~ with smb. перепи́сываться с кем-л.; 5) *attr.* слу́жащий для сообще́ния, свя́зи; ~ trench *воен.* ход сообще́ния; ~ service слу́жба свя́зи.

communicative [kə'mjuːnɪkətɪv] *a* общи́тельный, разгово́рчивый.

communicator [kə'mjuːnɪkeɪtə] *n* 1) *тех.* коммуника́тор, переда́точный механи́зм; 2) *тел.* отправи́тельный аппара́т.

communion [kə'mjuːnjən] *n* 1) обще́ние; 2) *церк.* прича́стие; 3) вероисповеда́ние; 4) гру́ппа люде́й одина́кового вероисповеда́ния.

communion-table [kə'mjuːnjən,teɪbl] *n церк.* престо́л.

communiqué [kə'mjuːnɪkeɪ] *фр. n* официа́льное сообще́ние, коммюнике́.

communism ['kɔmjunɪzəm] *n* коммуни́зм.

communist ['kɔmjunɪst] 1. *n* коммуни́ст; 2. *a* коммунисти́ческий; C. Party of the Soviet Union Коммунисти́ческая па́ртия Сове́тского Сою́за; All-Union Lenin Young C. League Всесою́зный Ле́нинский Коммунисти́ческий Сою́з Молодёжи; Young C. League Комсомо́л.

communistic [,kɔmju'nɪstɪk] *a* коммунисти́ческий.

communitarian [,kɔmjuːnɪ'tɛərɪən] *n* член коммунисти́ческой общи́ны, комму́ны.

community [kə'mjuːnɪtɪ] *n* 1) общи́на; 2) (the ~) о́бщество; the interests of the ~ интере́сы о́бщества; 3) о́бщность; ~ of goods о́бщность владе́ния иму́ществом; 4) *attr.* обще́ственный; ~ centre обще́ственное зда́ние, испо́льзуемое для собра́ний, заня́тий со взро́слыми *и т. п.*; ~ theatre *амер.* непрофессиона́льный теа́тр.

commutation [,kɔmjuː'teɪʃən] *n* 1) заме́на; ~ of rations *воен.* заме́на натура́льного дово́льствия де́нежным; 2) *юр.* смягче́ние наказа́ния; 3) *воен.* де́ньги, выдава́емые вме́сто вы́дачи нату́рой; 4) *эл.* коммута́ция, коммути́рование, переключе́ние; ◇ ~ ticket *амер.* a) сезо́нный железнодоро́жный биле́т; б) ка́рточка на определённое коли́чество обе́дов в рестора́не.

commutator ['kɔmjuteɪtə] *n* 1) *эл.* преобразова́тель то́ка; колле́ктор; коммута́тор; переключа́тель; 2) владе́лец сезо́нного биле́та.

commute [kə'mjuːt] *v* 1) заменя́ть; 2) *юр.* смягча́ть наказа́ние; 3) *эл.* переключа́ть (*ток*); 4) соверша́ть регуля́рные пое́здки (*по́ездом, парохо́дом и т. п.*).

commuter [kə'mjuːtə] *амер.* = commutator 2).

compact I ['kɔmpækt] *n* соглаше́ние, догово́р.

compact II 1. *a* [kəm'pækt] 1) компа́ктный; пло́тный; 2) сжа́тый (*напр., о сти́ле*); 3) сплошно́й, масси́вный.
2. *n* ['kɔmpækt] = compact-mirror.
3. *v* [kəm'pækt] сжима́ть, уплотня́ть.

compacted [kəm'pæktɪd] 1. *p. p. om* compact II, 3;
2. *a* компа́ктный; пло́тно упако́ванный *или* уло́женный.

compact-mirror ['kɔmpækt,mɪrə] *n* пу́дреница.

companion [kəm'pænjən] 1. *n* 1) това́рищ; a faithful ~ ве́рный друг; ~ in adversity това́рищ по несча́стью; 2) спу́тник; попу́тчик, случа́йный сосе́д (*по ваго́ну и т. п.*); 3) компаньо́н; компаньо́нка; ~ in crime соуча́стник преступле́ния; 4) собесе́дник; a poor ~ неинтере́сный собесе́дник; 5) кавале́р о́рдена (*ни́зшей сте́пени*); 6) предме́т, составля́ющий па́ру; 7) спра́вочник; gardener's ~ спра́вочник садово́да; 8) = companion-ladder; 9) *attr.* па́рный; portrait па́рный портре́т.
2. *v* сопровожда́ть; быть компаньо́ном, спу́тником.

companionable [kəm'pænjənəbl] *a* общи́тельный.

companion-in-arms [kəm'pænjənɪn'ɑːmz] *n* това́рищ (*или* собра́т) по ору́жию.

companion-ladder [kəm'pænjən'lædə] *n мор.* сходно́й трап.

companionship [kəm'pænjənʃɪp] *n* 1) обще́ние, това́рищеские отноше́ния; 2) компа́ния; 3) брига́да набо́рщиков, рабо́тающих под наблюде́нием метранпа́жа.

companion-way [kəm'pænjənweɪ] = companion-ladder.

company ['kʌmpənɪ] *n* 1) о́бщество; компа́ния; to bear (*или* to keep) smb. ~ составля́ть кому́-л. компа́нию, сопровожда́ть кого́-л.; to keep ~ *разг.* уха́живать; to keep ~ with smb. обща́ться, встреча́ться с кем-л.; to keep good (bad) ~ води́ться с хоро́шими (плохи́ми) людьми́; to part ~ with smb. прекрати́ть связь, знако́мство с кем-л.; 2) *ком.* това́рищество, компа́ния; joint-stock ~ акционе́рное о́бщество; John C. *шутл.* Ост-И́ндская компа́ния; 3) го́сти; to receive a great deal of ~ принима́ть мно́го госте́й; 4) собесе́дник; he is poor (good) ~ он ску́чный (интере́сный) собесе́дник; 5) тру́ппа, анса́мбль арти́стов; stock ~ постоя́нная тру́ппа; 6) экипа́ж (*су́дна*); 7) *воен.* ро́та; 8) *attr. воен.* ро́тный; 9) *attr.:* ~ store фабри́чная ла́вка; ~ union *амер.* компане́йский сою́з (*сою́з, организу́емый предпринима́телем для борьбы́ с профсою́зами*); ◇ present ~ excepted о прису́тствующих не говоря́т; for ~ за компа́нию; a man is known by the ~ he keeps *посл.* ≈ скажи́ мне, кто твой друзья́, и я скажу́, кто ты.

company checkers ['kʌmpənɪ,tʃekəz] *n pl* шпики́, доно́счики.

company spotter ['kʌmpənɪ,spɔtə] *n* доно́счик.

comparable ['kɔmpərəbl] *a* сравни́мый; заслу́живающий сравне́ния.

comparative [kəm'pærətɪv] 1. *a* 1) сравни́тельный; the ~ method сравни́тельный ме́тод; ~ anatomy сравни́тельная анато́мия; 2) сравни́тельный; относи́тельный; 3) *грам.* сравни́тельный.
2. *n грам.* сравни́тельная сте́пень.

comparatively [kəm'pærətɪvlɪ] *adv* сравни́тельно; относи́тельно.

compare [kəm'pɛə] 1. *v* 1) сра́внивать, слича́ть (with); 2) сра́внивать, ста́вить наравне́; 3) сравни́ться; выде́рживать сравнéние; not to be ~d with (*или* to) не мóжет сравнúться с; to ~ favourably with smth. вúгодно отличáться от чегó-л.; as ~d with по сравнéнию с; 4) уподоблять (to); ◊ to ~ notes обмéниваться мнéниями, впечатлéниями;

2. *n* уст., *поэт.* сравнéние; beyond ~, past ~, without ~ вне всякого сравнéния.

comparison [kəm'pærɪsn] *n* 1) сравнéние; to make a ~ проводúть сравнéние; beyond (all) ~ вне (всякого) сравнéния; in ~ with в сравнéнии с; to bear (*или* to stand) ~ with выдержать сравнéние с; there is no ~ between them невозмóжно проводúть сравнéние мéжду нúми; degrees of ~ *грам.* стéпени сравнéния; 2) схóдство.

compartment [kəm'pɑːtmənt] *n* 1) отделéние; купé; water-tight ~ *мор.* водонепроницáемый отсéк; to live in water-tight ~s *разг.* жить совершéнно изолúрованно от людéй; 2) перегорóдка.

compass ['kʌmpəs] **1.** *n* 1) окрýжность; круг; to fetch (*или* to go) a ~ идтú крýжным путём; дéлать крюк; 2) объём, обхвáт; диапазóн; voice of great ~ гóлос обшúрного диапазóна; 3) граúница; предéл(ы); within the ~ of a lifetime в предéлах человéческой жúзни; beyond one's ~ за предéлами чьих-л. возмóжностей, чьегó-л. понимáния; to keep one's desires within ~ сдéрживать свои желáния; 4) кóмпас (*тж.* mariner's ~); буссóль; wireless ~ рáдио(полу)кóмпас; 5) (*часто pl*) цúркуль.

2. *a* 1) кóмпасный; ~ bearing кóмпасный пéленг; 2) полукрýглый; ~ window *архит.* полукрýглое окнó;

3. *v* 1) достигáть, осуществлять; to ~ one's purpose достúчь цéли; 2) понимáть, схвáтывать; 3) замышлять (*что-л. дурнóе*); 4) *уст.* обходúть кругóм; окружáть; осаждáть.

compassion [kəm'pæʃən] *n* жáлость, сострадáние; сочýвствие; to have (*или* to take) ~ (up)on smb. жалéть когó-л.; относúться с сострадáнием к комý-л.

compassionate *a* [kəm'pæʃənɪt] 1) жáлостливый, сострадáтельный; сочýвствующий; 2) благотворúтельный; ~ allowance благотворúтельное посóбие; discharge on ~ grounds *воен.* увольнéние по семéйным обстоятельствам;

2. *v* [kəm'pæʃəneɪt] относúться с сострадáнием; сочýвствовать.

compatibility [kəm,pætə'bɪlɪtɪ] *n* совместúмость.

compatible [kəm'pætəbl] *a* 1) совместúмый (with); 2) схóдный.

compatriot [kəm'pætrɪət] *n* соотéчественник.

compeer [kɔm'pɪə] *n* рóвня; товáрищ.

compel [kəm'pel] *v* 1) заставлять, принуждáть; to ~ silence застáвить замолчáть; 2) подчинять; to ~ attention прикóвывать внимáние.

compelling [kəm'pelɪŋ] **1.** *pres. p. om* compel;

2. *a* неотразúмый, непреодолúмый; ~ force непреодолúмая сúла.

compendency [kəm'pendənsɪ] *n мат.* связность.

compendia [kəm'pendɪə] *pl om* compendium.

compendious [kəm'pendɪəs] *a* крáткий, сжáтый.

compendium [kæm'pendɪəm] *лат. n* (*pl* -dia) компéндиум, крáткое руковóдство (*учéбник*); конспéкт; резюмé.

compensate ['kɔmpenseɪt] *v* 1) вознаграждáть; 2) возмещáть (*убытки*); компенсúровать (for); 3) *амер.* оплáчивать (*услýги*); платúть жáлованье; 4) поддéрживать устóйчивость валюты; 5) *тех.* балансúровать; урáвнивать.

compensation [,kɔmpen'seɪʃən] *n* 1) вознаграждéние; 2) возмещéние, компенсáция; to make ~ for smth. компенсúровать что-л.; 3) *амер.* жáлованье; зárаботная плáта; 4) *тех.* уравновéшивание; урáвнивание; компенсáция.

compensative [kəm'pensətɪv] *a* 1) вознаграждáющий; 2) компенсúрующий, возмещáющий; 3) *тех.* урáвнивающий.

compensator ['kɔmpen,seɪtə] *n эл.* трансформáтор.

compensatory [kəm'pensətərɪ] = compensative.

compère ['kɔmpɛə] *фр.* **1.** *n* конферансьé;

2. *v* конферúровать.

compete [kəm'piːt] *v* 1) состязáться, соревновáться; 2) конкурúровать (with — с кем-л., for — из-за чегó-л., ради чегó-л.); 3) принимáть учáстие в спортúвном соревновáнии.

competence, -cy ['kɔmpɪtəns, -sɪ] *n* 1) спосóбность; умéние; I doubt his ~ for such work (*или* to do such work) я сомневáюсь, что у негó есть дáнные для этой рабóты; 2) компетéнтность; 3) достáток, хорóшее материáльное положéние; 4) *юр.* компетéнция, правомóчность.

competent ['kɔmpɪtənt] *a* 1) компетéнтный; 2) *юр.* полноправный; правомóчный; 3) *юр.* подсýдный; 4) достáточный; 5) устанóвленный, закóнный; ~ majority трéбуемое закóном большинствó.

competition [,kɔmpɪ'tɪʃən] *n* 1) конкурéнция; cut-throat ~ жестóкая конкурéнция; 2) состязáние; chess ~ шáхматный турнúр; 3) соревновáние; to be in ~ with smb. соревновáться с кем-л.; 4) кóнкурс; кóнкурсный экзáмен.

competitioner [,kɔmpɪ'tɪʃənə] *n* 1) учáстник состязáния; 2) лицó, поступáющее на слýжбу по кóнкурсу.

competition-wallah [,kɔmpɪ'tɪʃən'wɔlə] *n англо-инд.* лицó, поступáющее по кóнкурсу на граждáнскую слýжбу.

competitive [kəm'petɪtɪv] *a* 1) сопернúчающий, конкурúрующий; 2) соревнýющийся; 3) кóнкурсный; ~ examination кóнкурсный экзáмен.

competitor [kəm'petɪtə] *n* конкурéнт; сопéрник.

compilation [,kɔmpɪ'leɪʃən] *n* 1) компиляция; компилúрование; 2) собирáние (*материáла, фáктов и т. п.*).

compile [kəm'paɪl] v 1) компилировать; 2) составлять; to ~ a dictionary составлять словарь; 3) собирать (материал, факты и т. п.); 4) разг. накапливать.

compiler [kəm'paɪlə] n 1) компилятор; 2) составитель.

complacence, -cy [kəm'pleɪsns, -sɪ] n 1) благодушие; удовлетворённость; 2) самодовольство.

complacent [kəm'pleɪsnt] a 1) благодушный; удовлетворённый; 2) самодовольный.

complain [kəm'pleɪn] v 1) выражать недовольство (of—чем-л.); 2) подавать жалобу, жаловаться (to—кому-л.; of—на что-л.); 3) жаловаться (of—на боль и т. п.); 4) поэт. издавать жалобные звуки.

complaint [kəm'pleɪnt] n 1) недовольство; 2) жалоба; to lodge (или to make) a ~ against smb. подавать жалобу на кого-л.; I have no ~ to make мне не на что жаловаться; 3) болезнь, недуг.

complaisance [kəm'pleɪzəns] n услужливость; почтительность; вежливость, обходительность.

complaisant [kəm'pleɪzənt] a услужливый; почтительный; любезный; вежливый; уступчивый.

complected [kəm'plektɪd] a уст. запутанный, сложный.

-complected [-kəm'plektɪd] амер. разг. см. -complexioned.

complement 1. n ['kɔmplɪmənt] 1) дополнение (тж. грам.); ~ of an angle мат. дополнение до прямого угла; 2) комплект; 3) штат личного состава; личный состав военной части или корабля;
2. v ['kɔmplɪment] 1) дополнять, служить дополнением до целого; 2) укомплектовывать.

complementary [,kɔmplɪ'mentərɪ] a дополнительный, добавочный; ~ angles мат. два угла, взаимно дополняющие друг друга до 90°.

complete [kəm'pliːt] 1. a 1) полный; законченный; ~ set of works полное собрание сочинений; 2) совершенный; he is a ~ failure он совершенный неудачник;
2. adv разг. см. completely;
3. v 1) заканчивать, завершать; to ~ an agreement заключить соглашение; 2) комплектовать.

completely [kəm'pliːtlɪ] adv совершенно, полностью, вполне, всецело.

completeness [kəm'pliːtnɪs] n полнота; законченность, завершённость.

completion [kəm'pliːʃən] n 1) завершение, окончание; заключение; 2) комплект.

completive [kəm'pliːtɪv] a завершающий, заканчивающий.

complex ['kɔmpleks] 1. n комплекс;
2. a 1) сложный, комплексный, составной; ~ machinery сложные машины; 2) сложный, трудный; запутанный; 3) мат. комплексный; ~ number комплексное число; 4) грам.: ~ sentence сложноподчинённое предложение.

complexion [kəm'plekʃən] n 1) цвет лица (иногда тж. волос и глаз); 2) вид; аспект; to put a different ~ on the matter

представить дело в другом свете; 3) уст. темперамент.

-complexioned [-kəm'plekʃənd] в сложных словах означает имеющий такой-то цвет лица; напр.: dark-~ смуглый; pale-~ бледнолицый.

complexity [kəm'pleksɪtɪ] n сложность; запутанность.

compliance [kəm'plaɪəns] n 1) согласие; in ~ with your wish в соответствии с вашим желанием; 2) податливость, уступчивость; 3) угодливость.

compliant [kəm'plaɪənt] a 1) податливый, уступчивый; 2) угодливый.

complicacy ['kɔmplɪkəsɪ] = complexity.

complicate ['kɔmplɪkeɪt] 1. v 1) усложнять; to ~ matters запутать дело; 2) осложняться;
2. уст. = complicated 2.

complicated ['kɔmplɪkeɪtɪd] 1. p. p. от complicate 1;
2. a запутанный; сложный.

complication [,kɔmplɪ'keɪʃən] n 1) сложность; запутанность; 2) осложнение.

complicative ['kɔmplɪkeɪtɪv] a усложняющий.

complice ['kɔmplɪs] уст. = accomplice.

complicity [kəm'plɪsɪtɪ] n соучастие (в преступлении и т. п.).

compliment 1. n ['kɔmplɪmənt] 1) комплимент, похвала; любезность; to pay (или to make) a ~ сказать комплимент; left-handed ~ сомнительный комплимент; 2) pl поздравление; привет, поклон; ~s of the season поздравительные приветствия, пожелания (соответственно праздникам); give him my ~s передайте ему привет (от меня); with ~s с приветом (в заключение письма); 3) уст. подарок; Bristol ~ подарок, ненужный самому дарящему;
2. v ['kɔmplɪment] 1) приветствовать, поздравлять; to ~ smb. on smth. поздравлять кого-л. с чем-л.; 2) говорить комплименты, хвалить; льстить; 3) подарить (with—что-л.).

complimentary [,kɔmplɪ'mentərɪ] a 1) поздравительный; 2) лестный; to be ~ about smb.'s work лестно отзываться о чьей-л. работе; ◇ ~ ticket пригласительный билет.

complin(e) ['kɔmplɪn] повечерие (в христианской церкви).

comply [kəm'plaɪ] v 1) уступать; соглашаться; 2) исполнять (просьбу, требование и т. п.; with); 3) подчиняться (правилам; with).

compo ['kɔmpou] n (pl -os [-ouz]) стр. смесь для штукатурки и лепных работ.

component [kəm'pounənt] 1. n 1) компонент; составная часть, составной элемент; 2) pl детали; 3) тех. узел, блок;
2. a составной; составляющий, слагающий.

comport [kəm'pɔːt] v 1) согласоваться (with—с чем-л.); 2) refl. вести себя (хорошо).

comportment [kəm'pɔːtmənt] n редк. поведение; манеры.

compose [kəm'pouz] v 1) составлять; 2) сочинять, компоновать; to ~ a picture задумать и выработать план картины; 3) писать музыку; 4) улаживать (*ссору*); 5) успокаивать; to ~ oneself успокаиваться; to ~ one's thoughts собраться с мыслями; 6) *полигр.* набирать.

composed [kəm'pouzd] 1. *p. p. от* compose;
2. *a* спокойный, сдержанный.

composer [kəm'pouzə] *n* композитор.

composing [kəm'pouziŋ] 1. *pres. p. от* compose;
2. *a* 1) составляющий; 2) успокаивающий *и пр.* [*см.* compose]; ~ medicine успокаивающее средство.

composing-machine [kəm'pouziŋmə‚ʃiːn] *n полигр.* наборная машина.

composing-room [kəm'pouziŋruːm] *n полигр.* наборный цех.

composing-stick [kəm'pouziŋstik] *n полигр.* верстатка.

composite ['kɔmpəzit] 1. *n* 1) смесь; что-л. составное; 2) *бот.* растение семейства сложноцветных;
2. *a* 1) составной; сложный; ~ carriage *ж.-д.* комбинированный вагон; ~ style *иск.* смешанный стиль; 2) *бот.* сложноцветный.

composition [‚kɔmpə'ziʃən] *n* 1) литературное *или* музыкальное произведение; 2) школьное сочинение; 3) структура, состав; 4) составление, образование, построение; 5) *шк.* композиция, компоновка; 6) состав (*химический*); составные части; 7) соединение, смесь, сплав; ~ of forces *физ.* сложение сил; 8) склад ума, характер; he has a touch of madness in his ~ он «тронулся», он не в своём уме; 9) соглашение; компромисс; 10) сумма, выплачиваемая несостоятельным должником кредитору; 11) *воен.* соглашение о перемирии, о прекращении военных действий; 12) *полигр.* набор; 13) *редк.* мазь, мастика; 14) *attr.*: ~ book *амер.* тетрадь для упражнений.

composition-metal [‚kɔmpə'ziʃən‚metl] *n* сплав меди с цинком; латунь.

compositor [kəm'pɔzitə] *n* наборщик.

compos(mentis) ['kɔmpɔs('mentis)] *лат. a юр.* находящийся в здравом уме и твёрдой памяти; вменяемый.

compost ['kɔmpɔst] 1. *n* компост, составное удобрение;
2. *v* 1) удобрять компостом; 2) готовить компост.

composure [kəm'pouzə] *n* 1) спокойствие; 2) хладнокровие; самообладание.

compote ['kɔmpout] *фр. n* компот.

compound I 1. *n* [‚kɔmpaund] 1) смесь; состав, соединение; 2) составное слово; 3) *тех.* компаунд (*тж.* ~ engine).
2. *a* ['kɔmpaund] составной; сложный; *грам.* сложносочинённый; ~ addition (subtraction *etc.*) сложение (вычитание *и т. д.*) именованных чисел; ~ interest сложные проценты; ◇ ~ householder арендатор дома, в арендную плату которого включаются налоги, вносимые владельцем; ~ wound ушибленная рана;
3. *v* [kəm'paund] 1) смешивать, соединять; составлять; 2) улаживать; примирять

(*интересы*); 3) приходить к компромиссу (*с кредитором*); частично погашать долг; 4) *юр.*: to ~ a felony отказываться от судебного преследования за материальное вознаграждение.

compound II ['kɔmpaund] *n* 1) огороженная территория фабрики *и т. п.*, включающая бараки для рабочих; 2) огороженное место (*напр., для военнопленных*); 3) посёлок негров-рабочих фермы (*в Африке*).

comprador [‚kɔmprə'dɔː] *n* компрадор (*туземец на службе европ. фирмы, являющийся посредником между ней и туземными покупателями*).

comprehend [‚kɔmpri'hend] *v* 1) понимать, постигать; 2) охватывать, включать.

comprehensible [‚kɔmpri'hensəbl] *a* понятный, постижимый.

comprehension [‚kɔmpri'henʃən] *n* 1) понимание; понятливость; 2) охват, включение.

comprehensive [‚kɔmpri'hensiv] *a* 1) объемлющий; исчерпывающий; 2) обширный; 3) всесторонний; ~ school общеобразовательная школа; 4) понятливый, легко схватывающий.

compress 1. *n* ['kɔmpres] 1) компресс; 2) *хир.* мягкая давящая повязка;
2. *v* [kəm'pres] сжимать; сдавливать.

compressed [kəm'prest] 1. *p. p. от* compress 2;
2. *a* сжатый.

compressibility [kəm‚presi'biliti] *n* сжимаемость.

compressible [kəm'presəbl] *a* сжимающийся.

compression [kəm'preʃən] *n* 1) сжатие; сдавливание; 2) *тех.* компрессия; 3) *тех.* набивка, уплотнение, прокладка; 4) *attr.*: ~ member *тех.* элемент (*конструкции*), работающий на сжатие; ~ chamber *авт.* камера сжатия *или* сгорания.

compressor [kəm'presə] *n тех.* компрессор.

comprise [kəm'praiz] *v* 1) включать, заключать в себе, охватывать; this dictionary ~s about 60000 words в этом словаре около 60000 слов; 2) содержать; вмещать.

compromise ['kɔmprəmaiz] 1. *n* компромисс;
2. *v* 1) пойти на компромисс; 2) компрометировать; подвергать риску, опасности (*репутацию и т. п.*).

compromiser ['kɔmprəmaizə] *n* примиренец, соглашатель.

comprovincial [‚kɔmprə'vinʃəl] *a* того же округа.

comptometer [kɔmp'tɔmitə] *n* арифмометр, комптометр.

comptroller [kən'troulə] = controller.

compulsion [kəm'pʌlʃən] *n* принуждение; under (*или* upon) ~ вынужденный.

compulsive [kəm'pʌlsiv] *a* 1) принудительный; 2) способный заставить.

compulsory [kəm'pʌlsəri] *a* принудительный; обязательный; ~ education обязательное обучение; ~ measures принудительные меры; ~ (military) service воинская повинность.

compunction [kəm'pʌŋkʃən] *n* 1) угрызе́ния со́вести; раска́яние; 2) сожале́ние; without ~ без сожале́ния.

compunctious [kəm'pʌŋkʃəs] *a* 1) укоря́ющий; 2) испы́тывающий угрызе́ния со́вести.

computable [kəm'pjuːtəbl] *a* исчисли́мый.

computation [ˌkɔmpjuː'teɪʃən] *n* вычисле́ние, вы́кладка; расчёт.

compute [kəm'pjuːt] 1. *v* счита́ть, подсчи́тывать; вычисля́ть, де́лать вы́кладки; 2. *n редк.* вычисле́ние; beyond ~ неисчисли́мый.

computer [kəm'pjuːtə] *n* 1) счётно-реша́ющее устро́йство, вычисли́тельная маши́на; счётчик; 2) тот, кто вычисля́ет.

comrade ['kɔmrɪd] *n* това́рищ.

comrade-in-arms ['kɔmrɪdɪn'ɑːmz] *n* (*pl* comrades-) сора́тник, това́рищ по ору́жию, боево́й това́рищ.

comradeship ['kɔmrɪdʃɪp] *n* това́рищеские отноше́ния.

con I [kɔn] *v* зау́чивать наизу́сть; зубри́ть, долби́ть.

con II [kɔn] 1. *n* пода́ча кома́нд рулево́му; 2. *v* 1) вести́ су́дно, управля́ть корабле́м; 2) направля́ть мысль, де́йствия (*человека*).

con III [kɔn] *n* (*сокр. от лат.* contra): the pros and ~s до́воды за́ и про́тив.

con IV [kɔn] *n* стук.

con- [kɔn-] *см.* com-.

conacre ['kɔnˌeɪkə] *n* сда́ча в аре́нду небольшо́го уча́стка вспа́ханной земли́ на оди́н сезо́н (*в Ирла́ндии*).

conation [kou'peɪʃən] *n психол.* спосо́бность к волево́му движе́нию.

concatenate [kɔn'kætɪneɪt] *v* сцепля́ть, свя́зывать.

concatenation [kɔnˌkætɪ'neɪʃən] *n* 1) сцепле́ние (*собы́тий, иде́й*); взаи́мная связь (*причи́нная*); ~ of circumstances стече́ние обстоя́тельств; 2) *тех.* каска́дное соедине́ние; цепь.

concave ['kɔn'keɪv] 1. *a* во́гнутый; впа́лый; 2. *n* 1) впа́дина; 2) *архит.* свод; 3) небе́сный свод; 3. *v* де́лать во́гнутым.

concavity [kɔn'kævɪtɪ] *n* во́гнутая пове́рхность, во́гнутость.

concavo-concave [kɔn'keɪvou'kɔnkeɪv] *a* двояково́гнутый (*о ли́нзе*).

concavo-convex [kɔn'keɪvou'kɔnveks] *a* во́гнуто-вы́пуклый (*о ли́нзе*).

conceal [kən'siːl] *v* 1) скрыва́ть; ута́ивать, ума́лчивать; 2) маскирова́ть.

concealer [kən'siːlə] *n* укрыва́тель.

concealment [kən'siːlmənt] *n* 1) скрыва́ние, ута́ивание, сокры́тие; укрыва́тельство; 2) та́йное убе́жище; 3) маскиро́вка.

concede [kən'siːd] *v* 1) уступа́ть; допуска́ть (*возмо́жность, пра́вильность чего́-л.*); 3) признава́ть; 4) *спорт. разг.* про́игрывать.

conceit [kən'siːt] 1. *n* 1) самонаде́янность; самомне́ние; тщесла́вие; чва́нство; he is full of ~ он о себе́ высо́кого мне́ния; он по́лон самодово́льства; to be ouf of ~ with smb. разочарова́ться в ком-л.; 2)

уст. причу́дливый о́браз (*преим. в поэ́зии* XVI—XVII *вв.*);

2. *v уст.* приду́мывать, создава́ть; a well ~ed play хорошо́ заду́манная и напи́санная пье́са.

conceited [kən'siːtɪd] 1. *p. p. om* conceit 2; 2. *a* самодово́льный; тщесла́вный.

conceivable [kən'siːvəbl] *a* мы́слимый, постижи́мый; возмо́жный.

conceivably [kən'siːvəblɪ] *adv* предположи́тельно.

conceive [kən'siːv] *v* 1) постига́ть, понима́ть; представля́ть себе́; 2) заду́мывать; a well ~d scheme хорошо́ заду́манный план; 3) почу́вствовать, возыме́ть; to ~ an affection for smb. привяза́ться к кому́-л.; to ~ a dislike for smb. невзлюби́ть кого́-л.; 4) зача́ть.

conceiving [kən'siːvɪŋ] 1. *pres. p. om* conceive;

2. *n* зача́тие, зарожде́ние.

concentrate ['kɔnsentreɪt] 1. *n* 1) концентра́т; 2) обогащённый проду́кт; 2. *v* 1) сосредото́чивать(ся), концентри́ровать(ся) (оn, uроn); 2) *хим.* сгуща́ть, выпа́ривать; 3) *горн.* обогаща́ть руду́.

concentrated ['kɔnsentreɪtɪd] 1. *p. p. om* concentrate 2;

2. *a* 1) сосредото́ченный; концентри́рованный; 2) *хим.* сгущённый.

concentration [ˌkɔnsen'treɪʃən] *n* 1) концентра́ция; сосредото́чение; сосредото́ченность; кре́пость (*раство́ра*); 2) сгуще́ние; 3) обогаще́ние руды́; 4) *attr.*: ~ camp концентрацио́нный ла́герь.

concentre [kɔn'sentə] *v* 1) концентри́ровать(ся); сосредото́чивать (*мы́сли и т. п.*); 2) сходи́ться в це́нтре, име́ть о́бщий центр.

concentric [kɔn'sentrɪk] *a* концентри́ческий.

concentrically [kɔn'sentrɪkəlɪ] *adv* концентри́чески.

concentricity [ˌkɔnsen'trɪsɪtɪ] *n* концентри́чность.

concept ['kɔnsept] *n* поня́тие, иде́я; о́бщее представле́ние.

conception [kən'sepʃən] *n* 1) понима́ние; it is beyond my ~ э́то вы́ше моего́ понима́ния; 2) поня́тие; 3) конце́пция; 4) за́мысел; 5) *физиол.* зача́тие; оплодотворе́ние.

conceptual [kən'septjuəl] *a* 1) умозри́тельный; 2) схемати́ческий.

concern [kən'səːn] 1. *n* 1) забо́та, беспоко́йство; огорче́ние; to feel ~ about smth. беспоко́иться о чём-л., быть озабо́ченным чем-л.; with deep ~ с больши́м огорче́нием; 2) уча́стие, интере́с; to have a ~ in a business быть уча́стником како́го-л. предприя́тия; 3) де́ло, отноше́ние, каса́тельство; it is no ~ of mine э́то не моё де́ло, э́то меня́ не каса́ется; 4) значе́ние, ва́жность; a matter of great ~ о́чень ва́жное де́ло; 5) предприя́тие, конце́рн;

2. *v* 1) каса́ться, име́ть отноше́ние; as ~s что каса́ется (до); as far as his conduct is ~ed что каса́ется его́ поведе́ния; his life is ~ed вопро́с идёт о его́ жи́зни; 2) забо́титься, беспоко́иться; to be ~ed about the

future беспокоиться о будущем; 3) *refl.* заниматься, интересоваться (*чем-л.*).

concerned [kən'sə:nd] 1. *p. p. от* concern 2;

2. *a* 1) занятый (*чем-л.*); связанный (*с чем-л.*); имеющий отношение (*к чему-л.*); ~ parties заинтересованные стороны; 2) озабоченный; ~ air озабоченный вид.

concerning [kən'sə:nɪŋ] 1. *pres. p. от* concern 2;

2. *prep* относительно, касательно.

concernment [kən'sə:nmənt] *n* 1) важность; a matter of ~ важное дело; 2) участие; заинтересованность; 3) озабоченность.

concert 1. *n* ['kɔnsə:t] 1) концерт; 2) согласие, соглашение; in ~ во взаимодействии; to act in ~ действовать сообща, по уговору; 3) *attr.* концертный; ~ grand концертный рояль;

2. *v* [kən'sə:t] сговариваться, договариваться; сообща принимать меры.

concerted [kən'sə:tɪd] 1. *p. p. от* concert 2;

2. *a* согласованный; to take ~ action действовать согласованно, по уговору.

concertina [,kɔnsə'ti:nə] *n* концертино (*шестигранная гармоника*).

concerto [kən'tʃə:tou] *ит. n* (*pl* -os [-ouz]) концерт (*музыкальная форма*).

concession [kən'seʃən] *n* 1) уступка; a ~ to public opinion уступка общественному мнению; 2) концессия.

concessionaire [kən,seʃə'nεə] *фр. n* концессионер.

concessioner [kən'seʃənə] *амер.* = concessionaire.

concessive [kən'sesɪv] *a* 1) уступчивый; примирительный; 2) *грам.* уступительный.

concetti [kən'tʃetɪ] *pl от* concetto.

concetto [kən'tʃetou] *ит. n* (*pl* -tti) = conceit 1, 2).

conch [kɔŋk] *n* 1) раковина; 2) *архит.* абсида, полукруглый выступ.

concha ['kɔŋkə] *n* 1) *анат.* ушная раковина; 2) = conch 2).

conchoid ['kɔŋkɔɪd] *n мат.* конхоида.

conchology [kɔŋ'kɔlədʒɪ] *n зоол.* конхи(ли)ология.

conchy ['kɔntʃɪ] *n разг.* = conscientious objector [*см.* conscientious].

conciliate [kən'sɪlɪeɪt] *v* 1) примирять; 2) расположить к себе, снискать доверие, любовь.

conciliation [kən,sɪlɪ'eɪʃən] *n* примирение; умиротворение; court of ~ *юр.* суд примирительного производства.

conciliative [kən'sɪlɪətɪv] *a* примирительный; умиротворяющий.

conciliator [kən'sɪlɪeɪtə] *n* 1) мировой посредник; 2) миротворец; 3) *полит.* примиренец.

conciliatory [kən'sɪlɪətərɪ] *a* 1) примирительный; 2) примиренческий.

concinnity [kən'sɪnɪtɪ] *n* изящество (*литературного стиля*).

concise [kən'saɪs] *a* 1) краткий; сжатый; 2) чёткий; выразительный.

conciseness [kən'saɪsnɪs] *n* краткость; сжатость.

concision [kən'sɪʒən] = conciseness.

conclave ['kɔnkleɪv] *n* 1) частное *или* тайное совещание; to sit in ~ участвовать в тайном совещании; 2) *церк.* конклав.

conclude [kən'klu:d] *v* 1) заключать; to ~ a treaty заключать договор; 2) заканчивать(ся); he ~d his speech with the following remark (*или* by making the following remark) он закончил речь следующими словами; to ~ итак (*в конце речи*); 3) выводить заключение; делать вывод; заключать; 4) решать, принимать решение.

conclusion [kən'klu:ʒən] *n* 1) заключение; ~ of a treaty заключение договора; 2) окончание; завершение; in ~ в заключение; to bring to a ~ завершать, доводить до конца; 3) исход, результат; 4) умозаключение; вывод; to draw a ~ делать вывод; to arrive at a ~ прийти к заключению; to jump to (*или* at) a ~ делать поспешный вывод; foregone ~ предрешённое дело; предвзятое мнение; ◇ to try ~s пробовать; to try ~s with smb. вступать в состязание с кем-л.

conclusive [kən'klu:sɪv] *a* 1) заключительный; 2) окончательный, решающий; 3) убедительный; ~ evidence убедительное доказательство.

concoct [kən'kɔkt] *v* 1) стряпать; 2) придумать (*небылицы*); состряпать (*заговор и т. п.*); 3) составить; 4) *тех.* концентрировать, сгущать.

concoction [kən'kɔkʃən] *n* 1) варево; стряпня; 2) «басни», вымысел *и т. п.*; 3) составление; 4) *тех.* концентрат; сгущение.

concomitance [kən'kɔmɪtəns] *n* сосуществование; сопутствование.

concomitant [kən'kɔmɪtənt] 1. *a* сопутствующий;

2. *n* сопутствующее обстоятельство.

concord ['kɔŋkɔ:d] *n* 1) согласие; 2) соглашение; договор, конвенция; 3) согласование (*тж. грам.*); 4) *муз.* гармония.

concordance [kən'kɔ:dəns] *n* 1) согласие; соответствие; in ~ with smth. в соответствии с чем-л., согласно чему-л.; 2) алфавитный указатель слов *или* изречений, встречающихся в какой-л. книге (*первоначально библии*) *или* у какого-л. классического писателя.

concordant [kən'kɔ:dənt] *a* 1) согласный; согласующийся (with); 2) гармоничный.

concordat [kɔn'kɔ:dæt] *n* конкордат, договор.

concourse ['kɔŋkɔ:s] *n* 1) стечение народа, толпа; 2) скопление (*чего-л.*); 3) площадь, к которой сходится несколько улиц *или* аллей; 4) *амер.* главный вестибюль вокзала.

concrescence [kən'kresəns] *n биол.* сращение.

concrete ['kɔnkri:t] 1. *n* 1) бетон; reinforced ~, armoured ~ железобетон; pre-stressed ~ напряжённый бетон; 2) нечто конкретное, реальное; ◇ in the ~ реально практически;

2. *a* 1) конкретный; ~ number именованное число; 2) бетонный.

3. *v* 1) бетони́ровать; 2) [kən'kriːt] сгу-
ща́ть(ся); твердѐть; сраста́ться; сра́щивать.
concrete-mixer ['kɔnkriːt'mɪksə] *n* бето-
номеша́лка.
concretion [kən'kriːʃən] *n* 1) сраще́ние;
сра́щивание; 2) сгуще́ние, оседа́ние, осажде́-
ние, коагуля́ция; 3) твёрдая сро́сшаяся
ма́сса; 4) *геол.* конкре́ция; 5) *мед.* ка́мни,
конкреме́нты.
concretionary [kən'kriːʃənərɪ] *a геол.* кон-
крецио́нный; стремя́щийся к срраста́нию.
concretize ['kɔnkriːtaɪz] *v* конкретизи́-
ровать.
concubinage [kən'kjuːbɪnɪdʒ] *n* внебра́ч-
ное сожи́тельство.
concubine ['kɔŋkjubaɪn] *n* нало́жница.
concupiscence [kən'kjuːpɪsəns] *n* 1) по-
хотли́вость; 2) стра́стное жела́ние.
concupiscent [kən'kjuːpɪsənt] *a* похотли́-
вый.
concur [kən'kəː] *v* 1) совпада́ть; 2) со-
глаша́ться; сходи́ться в мне́ниях; 3) действовать сообща́, совме́стно.
concurrence [kən'kʌrəns] *n* 1) совпаде́-
ние; стече́ние (*обстоятельств*); 2) согла́-
сие; увя́зка.
concurrent [kən'kʌrənt] 1. *n* 1) конкуре́нт;
2) неотъе́млемая часть; фа́ктор; 3) сопу́т-
ствующее обстоя́тельство; 4) *юр.* поня́той;
2. *a* 1) совпада́ющий; 2) де́йствующий
совме́стно *или* одновре́ме́нно.
concuss [kən'kʌs] *v* 1) сотряса́ть, потря-
са́ть; 2) *мед.* вызыва́ть сотрясе́ние (*мозга*); 3) запу́гивать; принужда́ть (*к чему-л.*);
to ~ into smth., to ~ to do smth. понужда́ть
да́ть к чему́-л.
concussion [kən'kʌʃən] *n* 1) сотрясе́ние;
толчо́к; 2) конту́зия; ~ of the brain сотря-
се́ние мо́зга; 3) *уст.* запу́гивание.
condemn [kən'dem] *v* 1) осужда́ть, по-
рица́ть; 2) пригова́ривать, выноси́ть при-
гово́р; 3) бракова́ть; признава́ть него́дным;
4) конфискова́ть (*судно, груз*); 5) улича́ть;
his looks ~ him лицо́ выдаёт его́; 6) на́-
глухо забива́ть.
condemnation [,kɔndem'neɪʃən] *n* осужде́-
ние, пригово́р.
condemnatory [kən'demnətərɪ] *a* осужда́-
ющий; обвини́тельный.
condemned [kən'demd] 1. *p. p. от* condemn;
2. *a* 1) осуждённый; приговорённый;
2): ~ cell ка́мера сме́ртника.
condensable [kən'densəbl] *a* 1) поддаю́-
щийся сжима́нию *или* сгуще́нию; 2) пре-
врати́мый в жи́дкое состоя́ние (*о газе*).
condensation [,kɔnden'seɪʃən] *n* 1) сгу-
ще́ние, уплотне́ние, конденса́ция; 2) сжа́-
тость (*стиля*).
condense [kən'dens] *v* 1) сгуща́ть(ся);
конденси́ровать; 2) сжа́то выража́ть (*мысль*).
condensed [kən'denst] 1. *p. p. от* condense;
2. *a* конденси́рованный; сгущённый; ~
milk сгущённое молоко́.
condenser [kən'densə] *n* 1) конденса́-
тор; 2) *тех.* холоди́льник; 3) *эл.* конден-
са́тор; 4) *опт.* конде́нсор.
condescend [,kɔndɪ'send] *v* 1) снисходи́ть;

удоста́ивать; 2) унижа́ться (to—до *чего-л.*),
роня́ть своё досто́инство.
condescension [,kɔndɪ'senʃən] *n* 1) снис-
хожде́ние; 2) снисходи́тельность.
condign [kən'daɪn] *a* 1) заслу́женный
(*о наказании*); 2) досто́йный, заслу́живаю-
щий.
condiment ['kɔndɪmənt] *n* припра́ва.
condition [kən'dɪʃən] 1. *n* 1) усло́вие;
on (*или* upon) ~ при усло́вии; 2) состоя́-
ние, положе́ние; in (out of) ~ в хоро́-
шем (плохо́м) состоя́нии (*тж. о здоровье*);
in good ~ го́дный к употребле́нию (*о пище*);
3) *pl* обстоя́тельства; under such ~s при
таки́х обстоя́тельствах; 4) обще́ственное
положе́ние; humble ~ of life скро́мное поло-
же́ние; a man of ~ *уст.* челове́к, зани-
ма́ющий высо́кое обще́ственное положе́ние;
men of all ~s лю́ди вся́кого зва́ния; to
change one's ~ вы́йти за́муж, жени́ться;
5) *амер.* переэкзамено́вка; зачёт *или* экза́-
мен, не сда́нный в срок, «хвост»; 6) *эк.*
конди́ция.
2. *v* 1) ста́вить усло́вия; 2) обусло́вли-
вать; choice is ~ed by supply вы́бор обус-
ло́влен предложе́нием; 3) испы́тывать
(*напр., степень влажности шёлка, шерсти
и т. п.*); 4) улучша́ть состоя́ние; to ~ the
team *спорт.* подгота́вливать, тренирова́ть
кома́нду; 5) улучша́ть (*породу скота*);
6) кондициони́ровать (*воздух*); 7) прини-
ма́ть ме́ры к сохране́нию (*чего-л.*) в све́-
жем состоя́нии; 8) *амер.* сдава́ть переэ-
экзамено́вку; 9) *амер.* принима́ть *или* пере-
води́ть с переэкзамено́вкой.
conditional [kən'dɪʃənl] *a* 1) усло́вный,
обусло́вленный; ~ sale прода́жа с прину-
ди́тельным ассортиме́нтом; 2) *грам.* ус-
ло́вный; ~ sentence усло́вное предложе́-
ние; ~ mood усло́вное наклоне́ние.
conditioned [kən'dɪʃənd] 1. *p. p. от* condition 2;
2. *a* 1) обусло́вленный; 2) кондицио́н-
ный, отвеча́ющий станда́рту; well ~ cattle
кондицио́нный скот; 3) кондициони́рован-
ный; ◇ ~ reflex усло́вный рефле́кс.
conditioning [kən'dɪʃnɪŋ] 1. *pres. p.
от* condition 2;
2. *n* 1) ме́ры к улучше́нию физи́ческого
состоя́ния; physical ~ физи́ческая зака́л-
ка; 2) ме́ры к сохране́нию (*чего-л.*) в све́-
жем состоя́нии; 3) кондициони́рование
(*воздуха*);
3. *a* трениро́вочный.
condolatory [kən'doulətərɪ] *a* сочу́вст-
вующий, соболе́знующий.
condole [kən'doul] *v* сочу́вствовать, со-
боле́зновать, выража́ть соболе́знование.
condolence [kən'douləns] *n* (*обыкн. pl*)
соболе́знование; to present one's ~s to
smb. вы́разить своё соболе́знование кому́-л.
condonation [,kɔndou'neɪʃən] *n* проще́-
ние, забве́ние (*особ. супружеской невер-
ности*).
condone [kən'doun] *v* 1) проща́ть, за-
быва́ть; 2) *церк.* отпуска́ть грехи́.
condor ['kɔndɔː] *n зоол.* ко́ндор.
conduce [kən'djuːs] *v* спосо́бствовать,
вести́ (*к чему-л.*).

conducive [kən'djuːsıv] *a* благоприя́тный; спосо́бствующий; ~ to smth. веду́щий к чему́-л.

conduct 1. *n* ['kɔndəkt] 1) поведе́ние; 2) руково́дство, веде́ние; ~ of operations *воен.* веде́ние опера́ций; 3) *иск.* подхо́д к реше́нию худо́жественной зада́чи; 4) *attr.*: ~ sheet кондуи́т, лист для за́писи взыска́ний;

2. *v* [kən'dʌkt] 1) вести́; 2) сопровожда́ть; эскорти́ровать; 3) руководи́ть (*делом*); 4) дирижи́ровать (*оркестром, хором*); 5) *физ.* проводи́ть; служи́ть проводнико́м.

conductance [kən'dʌktəns] = conduction.

conduction [kən'dʌkʃən] *n физ.* проводи́мость.

conductive [kən'dʌktıv] *a физ.* проводя́щий.

conductivity [,kɔndʌk'tıvıtı] *n физ., эл.* уде́льная проводи́мость; электропрово́дность.

conduct-money ['kɔndʌkt,mʌnı] *n* опла́та расхо́дов по доста́вке свиде́теля в суд.

conductor [kən'dʌktə] *n* 1) конду́ктор (*в Англии—трамва́я, автобуса, в Америке—тж. ж.-д.*); проводни́к, вожа́тый; 2) дирижёр; 3) руководи́тель; 4) *физ.* прово́дник; 5) *эл.* про́вод; жи́ла; 6) громоотво́д.

conductress [kən'dʌktrıs] *n* руководи́тельница.

conduit ['kɔndıt] *n* 1) трубопрово́д; водопрово́дная труба́; акведу́к; 2) подзе́мный потайно́й ход; *перен.* кана́л; 3) [*тж.* 'kɔndjuıt] *эл.* изоляцио́нная тру́бка; 4) *attr.*: ~ head резервуа́р.

cone [koun] **1.** *n* 1) ко́нус; ~ of rays *физ.* пучо́к луче́й; 2) *бот.* ши́шка; ◇ ~ of ice *амер.* моро́женое в ва́фельном *или* бума́жном стака́нчике;

2. *v* 1) придава́ть фо́рму ко́нуса; 2) (*обыкн. pass.*): to be ~d быть обнару́женным вра́жескими прожектора́ми (*о самолёте*).

coney ['kounı] = cony.

confab ['kɔnfæb] *разг.* **1.** *n сокр. от* confabulation;

2. *v сокр. от* confabulate.

confabulate [kən'fæbjuleıt] *v* разгова́ривать, бесе́довать, болта́ть.

confabulation [kən,fæbju'leıʃən] *n* болтовня́, дру́жеский разгово́р.

confection [kən'fekʃən] **1.** *n* 1) сла́сти; 2) конфекцио́н; гото́вые принадле́жности же́нского туале́та.

2. *v* 1) приготовля́ть конди́терские изде́лия; 2) изготовля́ть предме́ты же́нского туале́та.

confectioner [kən'fekʃnə] *n* конди́тер.

confectionery [kən'fekʃnərı] *n* 1) конди́терская; 2) конди́терские изде́лия.

confederacy [kən'fedərəsı] *n* 1) конфедера́ция; ли́га; сою́з госуда́рств; 2) за́говор; 3) гру́ппа заговорщиков.

confederate 1. *n* [kən'fedərıt] 1) член конфедера́ции, сою́зник; 2) соо́бщник, соуча́стник (*преступления*); 3) конфедера́т, сторо́нник ю́жных шта́тов (*в 1860—65 гг.; см.* 2);

2. *a* [kən'fedərıt] сою́зный, федерати́вный; the C. States of America *ист.* конфеде-ра́ция 11 ю́жных шта́тов, отоше́дших от США в 1860—1861 гг.;

3. *v* [kən'fedəreıt] объединя́ть(ся) в сою́з, составля́ть федера́цию.

confederation [kən,fedə'reıʃən] *n* федера́ция, сою́з.

confer [kən'fəː] *v* 1) дарова́ть; присва́ивать (*звание*); присужда́ть (*степень*); to ~ a degree присужда́ть учёную сте́пень; to ~ a title on smb. дава́ть ти́тул кому́-л.; 2) обсужда́ть, совеща́ться (together, with); 3) (*imp.*) сопоста́вь, сравни́; ~ remark on the next page сравни́ замеча́ние на сле́дующей страни́це.

conferee [,kɔnfə'riː] *n* уча́стник перегово́ров, конфере́нции.

conference ['kɔnfərəns] *n* 1) конфере́нция; совеща́ние; съезд; to be in ~ быть на совеща́нии; заседа́ть; 2) *амер.* ассоциа́ция университе́тов, спорти́вных кома́нд *и т. д.* (*созданная с определённой целью*); 3) *attr.*: ~ circuit диспе́тчерская связь; ~ rates *ком.* карте́льная фра́хтовая ста́вка.

conferment [kən'fəːmənt] *n* присвое́ние (*звания*); присужде́ние (*степени*).

conferva [kən'fəːvə] *n бот.* водяно́й мох; ря́ска.

confess [kən'fes] *v* 1) признава́ть(ся), сознава́ться; 2) испове́довать(ся).

confessedly [kən'fesıdlı] *adv* по ли́чному *или* о́бщему призна́нию.

confession [kən'feʃən] *n* 1) призна́ние (*вины, ошибки*); 2) и́споведь; 3) вероиспове́дание.

confessional [kən'feʃənl] *n* испове́да́льня.

confessor [kən'fesə] *n* духовни́к, испове́дник.

confetti [kən'fetı] *ит. n* конфетти́.

confidant [,kɔnfı'dænt] *n* напе́рсник.

confidante [,kɔnfı'dænt] *n* напе́рсница.

confide [kən'faıd] *v* 1) доверя́ть, поверя́ть (in—кому́-л.); полага́ться (in—на кого́-л.); 2) вверя́ть; поруча́ть (to); 3) признава́ться, сообща́ть по секре́ту (to).

confidence ['kɔnfıdəns] *n* 1) дове́рие; to enjoy smb.'s ~ по́льзоваться чьим-л. дове́рием; to take a person into one's ~ дове́рить кому́-л. свои́ та́йны; to place ~ in a person доверя́ть кому́-л.; 2) конфиденциа́льное сообще́ние; in strict ~ стро́го конфиденциа́льно; to tell smth. in ~ сказа́ть что-л. по секре́ту; 3) уве́ренность; 4) самонадея́нность, самоуве́ренность; 5) *attr.*: ~ game, ~ trick получе́ние де́нег обма́нным путём (посре́дством внуше́ния же́ртве дове́рия); ~ man моше́нник, получи́вший де́ньги обма́нным путём.

confident ['kɔnfıdənt] **1.** *a* 1) уве́ренный (of—в *успехе и т. п.*); 2) самоуве́ренный, самонадея́нный;

2. *n* = confidant.

confidential [,kɔnfı'denʃəl] *a* 1) конфиденциа́льный; секре́тный; 2) доверя́ющий; доверительный; 3) по́льзующийся дове́рием.

confidentially [,kɔnfı'denʃəlı] *adv* по секре́ту, конфиденциа́льно.

configuration [kən,fıgju'reıʃən] *n* конфигура́ция; очерта́ние; фо́рма.

confine [kən'faɪn] *v* 1) ограни́чивать; 2) заключа́ть в тюрьму́; to ~ to barracks *воен.* держа́ть на каза́рменном положе́нии; 3): to be ~d рожа́ть; to be ~d to bed (to one's room) быть прико́ванным к посте́ли (не выходи́ть по боле́зни из ко́мнаты); 4) *refl.* приде́рживаться (*чего-л.*); to ~ oneself strictly to the subject стро́го приде́рживаться те́мы.

confined [kən'faɪnd] 1. *p. p. om* confine;
2. *a* 1) ограни́ченный; 2) те́сный; у́зкий; 3) заключённый; 4) *мед.* страда́ющий запо́ром.

confinement [kən'faɪnmənt] *n* 1) ограни́чение; 2) тюре́мное заключе́ние; 3) ро́ды.

confines ['kɔnfaɪnz] *n pl* грани́цы; рубе́ж; within the ~ of smth. в преде́лах, в ра́мках чего-л.

confirm [kən'fəːm] *v* 1) подтвержда́ть; 2) утвержда́ть; 3) ратифици́ровать; 4) подкрепля́ть, подде́рживать; 5) *церк.* конфирмова́ть.

confirmation [,kɔnfə'meɪʃən] *n* 1) подтвержде́ние; 2) утвержде́ние; 3) подкрепле́ние; 4) *церк.* конфирма́ция.

confirmative, confirmatory [kən'fəːmətɪv, -tərɪ] *a* подтвержда́ющий; подкрепля́ющий.

confirmed [kən'fəːmd] 1. *p. p. om* confirm;
2. *a* 1) хрони́ческий; 2) закоренéлый.

confirmee [,kɔnfə'miː] *n церк.* конфирма́нт.

confiscate ['kɔnfɪskeɪt] *v* конфискова́ть; реквизи́ровать.

confiscation [,kɔnfɪs'keɪʃən] *n* конфиска́ция; реквизи́ция.

confiture ['kɔnfɪtʃə] *n* конфитю́р, варе́нье.

conflagration [,kɔnflə'greɪʃən] *n* 1) большо́й пожа́р; 2) сожже́ние.

conflate [kən'fleɪt] *v* 1) соединя́ть, сплавля́ть; 2) объединя́ть два вариа́нта те́кста.

conflation [kən'fleɪʃən] *n* 1) соедине́ние; 2) объедине́ние двух вариа́нтов те́кста в оди́н.

conflict 1. *n* ['kɔnflɪkt] 1) конфли́кт; столкнове́ние; ~ of laws *юр.* а) коллизио́нное пра́во; ча́стное междунаро́дное пра́во; б) конфли́кт правовы́х норм; 2) противоре́чие;
2. *v* [kən'flɪkt] 1) быть в конфли́кте; 2) противоре́чить (with — *чему-л.*).

conflicting [kən'flɪktɪŋ] 1. *pres. p. om* conflict;
2. *a* противоречи́вый; ~ opinions противоречи́вые мне́ния.

confluence ['kɔnfluəns] *n* 1) слия́ние (*рек*); пересече́ние (*дорог*); ме́сто слия́ния; 2) стече́ние наро́да, толпа́.

confluent ['kɔnfluənt] 1. *a* 1) слива́ющийся; 2) *мед.* сливно́й; ~ smallpox сливна́я о́спа;
2. *n* одна́ из слива́ющихся рек; прито́к реки́.

conflux ['kɔnflʌks] = confluence.

conform [kən'fɔːm] *v* 1) сообразова́ть(ся); согласова́ться (to — с); соотве́тствовать (to — *чему-л.*); 2) приспособля́ть(ся); 3) подчиня́ться (*правилам*); 4) признава́ть авторите́т англика́нской це́ркви.

conformable [kən'fɔːməbl] *a* 1) соотве́тствующий; 2) подо́бный; 3) поддаю́щийся; подчиня́ющийся, послу́шный.

conformation [,kɔnfɔː'meɪʃən] *n* 1) устро́йство, фо́рма; структу́ра; 2) приспособле́ние (to); 3) подчине́ние (*правилам и т. п.*); 4) *воен.* релье́ф ме́стности.

conformist [kən'fɔːmɪst] *n* конформи́ст.

conformity [kən'fɔːmɪtɪ] *n* 1) соотве́тствие, согласо́ванность; 2) схо́дство; 3) подчине́ние; 4) ортодокса́льность; сле́дование до́гмам англика́нской це́ркви.

confound [kən'faund] *v* 1) сме́шивать, спу́тывать; 2) поража́ть, приводи́ть в смуще́ние; ста́вить в тупи́к; 3) разруша́ть (*планы, наде́жды*); ◇ ~ it! к чёрту!; будь оно́ про́клято!

confounded [kən'faundɪd] 1. *p. p. om* confound;
2. *a* 1) сме́шанный; 2) смущённый; удивлённый; 3) *разг.* отъя́вленный; he is a ~ bore он а́дски ску́чен.

confoundedly [kən'faundɪdlɪ] *adv разг.* чрезвыча́йно, ужа́сно, стра́шно.

confraternity [,kɔnfrə'təːnɪtɪ] *n* бра́тство.

confrère ['kɔnfrɛə] *фр. n* собра́т, колле́га.

confront [kən'frʌnt] *v* 1) стоя́ть лицо́м к лицу́; 2) противостоя́ть; смотре́ть в лицо́ (*сме́рти, опа́сности*); 3) (*pass.*) быть поста́вленным пе́ред (with); he was ~ed with demands ему́ бы́ли предъя́влены тре́бования; 4) дать о́чную ста́вку; поста́вить на о́чную ста́вку (with); 5) сопоставля́ть, слича́ть.

confrontation [,kɔnfrʌn'teɪʃən] *n* 1) о́чная ста́вка; 2) сличе́ние, сопоставле́ние.

Confucianism [kən'fjuːʃjənɪzəm] *n* уче́ние Конфу́ция.

confuse [kən'fjuːz] *v* 1) сме́шивать, спу́тывать; 2) производи́ть беспоря́док; приводи́ть в беспоря́док; 3) (*обыкн. pass.*) приводи́ть в замеша́тельство, смуща́ть; 4) помрача́ть созна́ние.

confused [kən'fjuːzd] 1. *p. p. om* confuse;
2. *a* 1) смущённый; to become ~ смути́ться, спу́таться; 2) спу́танный; ~ mass беспоря́дочная ма́сса; ~ tale бессвя́зный расска́з; ~ answer тума́нный отве́т.

confusedly [kən'fjuːzɪdlɪ] *adv* 1) смущённо; в смуще́нии, в замеша́тельстве; 2) беспоря́дочно; в беспоря́дке.

confusion [kən'fjuːʒən] *n* 1) смуще́ние, замеша́тельство; 2) беспоря́док; 3) пу́таница, неразбери́ха.

confutation [,kɔnfjuː'teɪʃən] *n* опроверже́ние.

confute [kən'fjuːt] *v* опроверга́ть.

cong [kɔŋ] *амер. сокр. om* congress.

congeal [kən'dʒiːl] *v* 1) замора́живать; 2) мёрзнуть, застыва́ть; 3) сгуща́ть(ся); свёртываться.

congee ['kɔndʒiː] = conjee.

congelation [,kɔndʒɪ'leɪʃən] *n* 1) замора́живание; 2) засты́вание; point of ~ то́чка, температу́ра замерза́ния; 3) затверде́ние.

congener ['kɔndʒɪnə] 1. *n* 1) собра́т, соро́дич; 2) ро́дственная вещь;
2. *a* ро́дственный.

congeneric(al) [ˌkɔndʒɪˈnerɪk(l)] *a* однородный.

congenerous [kənˈdʒenərəs] *a* родственный; однородный; несущий одинаковые функции (*с другим*).

congenial [kənˈdʒiːnjəl] *a* 1) близкий по духу; конгениальный; 2) благоприятный; подходящий; 3) врождённый, свойственный.

congeniality [kənˌdʒiːnɪˈælɪtɪ] *n* конгениальность, сродство, сходство, близость.

congenital [kənˈdʒenɪtl] *a* прирождённый, врождённый.

conger [ˈkɔŋgə] *n зоол.* морской угорь (*тж.* ~ eel).

congeries [kɔnˈdʒɪərɪːz] *n* (*pl без измен.*) масса; куча; скопление.

congest [kənˈdʒest] *v* 1) перегружать; переполнять; 2) скоплять(ся), накоплять(ся).

congested [kənˈdʒestɪd] 1. *p. p. от* congest; 2. *a* 1) перенаселённый (*о районе и т. п.*); 2) *мед.* переполненный кровью (*об органах*); застойный.

congestion [kənˈdʒestʃən] *n* 1) перенаселённость; 2) куча, груда; скопление; 3) перегруженность, затор (*уличного движения*); 4) *мед.* закупорка; застой; venous ~ закупорка вен.

conglobate [ˈkɔŋgloubeɪt] 1. *a* шарообразный, сферический; 2. *v* придавать *или* принимать сферическую форму.

conglomerate 1. *n* [kənˈglɔmərɪt] 1) конгломерат; 2) *геол.* обломочная горная порода; 2. *v* [kənˈglɔməreɪt] 1) собирать(ся); скопляться; 2) превращаться в слитную массу.

conglomeration [kənˌglɔməˈreɪʃən] *n* конгломерация; накопление, скопление; сгусток.

conglutinate [kɔnˈgluːtɪneɪt] *v редк.* склеивать(ся), слипаться; срастаться.

congou [ˈkɔŋguː] *n* сорт чёрного китайского чая.

congratulate [kənˈgrætjuleɪt] *v* поздравлять (on, upon).

congratulation [kənˌgrætjuˈleɪʃən] *n* (*обыкн. pl*) поздравление; a letter of ~s поздравительное письмо.

congratulatory [kənˈgrætjulətərɪ] *a* поздравительный.

congregate [ˈkɔŋgrɪgeɪt] *v* собирать(ся); скопляться, сходиться.

congregation [ˌkɔŋgrɪˈgeɪʃən] *n* 1) скопление, собрание; сходка; 2) собрание университетского совета (*в Кембридже*); совет всех живущих в городе профессоров, докторов и магистров (*в Оксфорде*); 3) *церк.* прихожане; молящиеся (*в церкви*); паства; 4) *церк.* конгрегация; религиозное братство.

Congregationalism [ˌkɔŋgrɪˈgeɪʃnəlɪzəm] *n* индепендентство; конгрегационализм (*требование церковного самоуправления для каждого прихода*).

congress [ˈkɔŋgres] *n* 1) конгресс; съезд; The World Peace C. Всемирный конгресс сторонников мира; to go into ~ заседать; 2) (the C.) конгресс США.

congressional [kɔnˈgreʃənl] *a* относящийся к конгрессу; C. district *амер.* избирательный округ для выборов в конгресс.

Congressman [ˈkɔŋgresmən] *n амер.* член конгресса.

congruence [ˈkɔŋgruəns] *n* 1) согласованность; 2) соответствие; 3) совпадение; 4) *мат.* конгруэнтность.

congruent [ˈkɔŋgruənt] = congruous.

congruous [ˈkɔŋgruəs] *a* 1) соответствующий; гармонирующий; подходящий; 2) *мат.* конгруэнтный; совпадающий.

conic [ˈkɔnɪk] = conical 1).

conical [ˈkɔnɪkəl] *a* 1) конический; 2) конусный, конусообразный.

conifer [ˈkounɪfə] *n* хвойное дерево.

coniferous [kouˈnɪfərəs] *a* хвойный, шишконосный.

coniform [ˈkounɪfɔːm] = conical.

conjectural [kənˈdʒektʃərəl] *a* предположительный.

conjecture [kənˈdʒektʃə] 1. *n* 1) догадка, предположение; to hazard a ~ высказать догадку, сделать предположение; 2) *лингв.* конъектура; 2. *v* 1) предполагать, гадать; 2) предлагать исправление текста, конъектуру.

conjee [ˈkɔndʒiː] *n* рисовый отвар.

conjee-house [ˈkɔndʒiːhaus] *n воен. sl.* военная тюрьма.

conjoin [kənˈdʒɔɪn] *v* соединять(ся); сочетать(ся).

conjoint [ˈkɔndʒɔɪnt] *a* соединённый, объединённый; общий, совместный; ~ action объединённые действия.

conjugal [ˈkɔndʒugəl] *a* супружеский; брачный.

conjugality [ˌkɔndʒuˈgælɪtɪ] *n* супружество, состояние в браке.

conjugate 1. *a* [ˈkɔndʒugɪt] 1) соединённый; 2) *мат.* сопряжённый; ~ angles сопряжённые углы; 3) *бот.* парный (*о листьях*); 4) *лингв.* родственный по корню и по значению (*о слове*); 2. *n* [ˈkɔndʒugɪt] *лингв.* слово, родственное по корню *или* значению; 3. *v* [ˈkɔndʒugeɪt] 1) *грам.* спрягать; 2) *биол.* соединяться.

conjugation [ˌkɔndʒuˈgeɪʃən] *n* 1) соединение; 2) *грам.* спряжение; 3) *биол.* конъюгация.

conjunct [kənˈdʒʌŋkt] *a* соединённый; связанный; объединённый.

conjunction [kənˈdʒʌŋkʃən] *n* 1) соединение, связь; in ~ вместе, сообща; 2) совпадение; стечение; сочетание; 3) пересечение дорог, перекрёсток; 4) железнодорожная ветка; 5) *грам.* союз.

conjunctiva [ˌkɔndʒʌŋkˈtaɪvə] *n анат.* конъюнктива (*слизистая оболочка глаза*).

conjunctive [kənˈdʒʌŋktɪv] 1. *a* 1) связывающий; ~ tissue *физиол.* соединительная ткань; 2) *грам.:* ~ mood сослагательное наклонение; ~ adverb соединительное наречие; ~ pronoun соединительное местоимение; 2. *n* = ~ mood.

conjunctivitis [kənˌdʒʌŋktɪˈvaɪtɪs] *n мед.* конъюнктивит.

conjuncture [kən'dʒʌŋktʃə] *n* 1) стечéние обстоя́тельств; 2) конъюнктýра.

conjuration [,kɔndʒuə'reɪʃən] *n* заклина́ние; колдовствó.

conjure ['kʌndʒə] *v* 1) занима́ться ма́гией; колдова́ть; 2) вызыва́ть, заклина́ть (дýхов) (*тж.* ~ up); 3) изгоня́ть дýхов (*тж.* ~ away, ~ out of); to ~ out of a person изгоня́ть дýхов из когó-л.; 4) вызыва́ть в воображéнии (*обыкн.* ~ up); 5) пока́зывать фóкусы; 6) [kən'dʒuə] умоля́ть, заклина́ть; ◇ a name to ~ with влия́тельное и́мя; большóе влия́ние.

conjurer, conjuror ['kʌndʒərə] *n* 1) волшéбник, чародéй; 2) фóкусник; ◇ he is по ~ ≅ он пóроха не выдумает.

conk [kɔŋk] **1.** *n sl.* 1) нос; 2) неиспра́вная рабóта двигателя (*перебои, стуки*); **2.** *v* (*часто* ~ out) *sl.* 1) испóртиться, слома́ться (*особ. о машине*); 2) умерéть.

conker ['kɔŋkə] *n* 1) ра́ковина улитки; 2) *pl* кóнские кашта́ны с продéтой бечёвкой (*детская игра*).

conn [kɔn] = con II.

connate ['kɔneɪt] *a* 1) врождённый, прирождённый; 2) рождённый *или* возни́кший одноврéменно; 3) рóдственный, конгениа́льный; 4) *геол.* рели́ктовый; ~ water рели́ктовая водá (*в пустотах пород*).

connatural [kə'nætʃrəl] *a* 1) врождённый; 2) однорóдный.

connect [kə'nekt] *v* 1) соединя́ть(ся); свя́зывать(ся); сочета́ть(ся); ~ed to earth *эл.* заземлённый; 2) ассоции́ровать; ста́вить в причи́нную связь; 3) быть согласóванным; 4) *воен.* устана́вливать непосрéдственную связь.

connected [kə'nektɪd] **1.** *p. p. от* connect; **2.** *a* 1) свя́занный (with — c); 2) имéющий большие (рóдственные) свя́зи; 3) свя́зный (*о рассказе и т. п.*); 4) соединённый.

connecting-link [kə'nektɪŋlɪŋk] *n* 1) связýющее звенó; 2) *тех.* кули́са, серьга́.

connecting-rod [kə'nektɪŋrɔd] *n тех.* шатýн, тя́га.

connection [kə'nekʃən] *n* 1) связь; соединéние; присоединéние; in this ~ a) в э́той свя́зи; б) в такóм контéксте; in ~ with this в связи́ с э́тим; to cut the ~ порва́ть вся́кую связь, порва́ть отношéния; 2) (*обыкн. pl*) свя́зи, знакóмства; 3) родствó; свóйство; 4) (*часто pl*) рóдственник, свóйственник; 5) половáя связь; criminal ~ *юр.* внебра́чная связь; to form a ~ вступи́ть в связь; 6) сочленéние; 7) (*обыкн. pl*) согласóванность расписа́ния (*поездов, парохóдов*); 8) клиентýра; покупа́тели.

connective [kə'nektɪv] **1.** *a* соедини́тельный; связýющий; ~ tissue *анат.* соедини́тельная ткань; ~ word *грам.* союзное слóво; ~ pronoun *грам.* соедини́тельное местоимéние; ~ adverb *грам.* соедини́тельное нарéчие; **2.** *n грам.* соедини́тельное слóво.

connexion [kə'nekʃən] = connection.

conning tower ['kɔnɪŋ,tauə] *n мор.* боевáя рýбка.

conniption [kə'nɪpʃən] *n разг.* припáдок истéрии; припáдок нейстового гнéва (*тж.* ~ fit).

connivance [kə'naivəns] *n* 1) потвóрство; попусти́тельство; 2) молчали́вое согла́сие.

connive [kə'naiv] *v* потвóрствовать; смотрéть сквозь па́льцы.

connoisseur [,kɔni'sə:] *фр. n* знатóк.

connotate ['kɔnouteit] = connote.

connotation [,kɔnou'teiʃən] *n* дополни́тельное, сопýтствующее значéние; то, что подразумева́ется.

connote [kə'nout] *v* 1) имéть дополни́тельное, второстепéнное значéние (*о слове*); 2) имéть дополни́тельное слéдствие (*о фа́кте и т. п.*); 3) *разг.* означа́ть.

connubial [kə'nju:bjəl] *a* супрýжеский, бра́чный.

conoid ['kounɔid] **1.** *n мат.* конóид; усечённый кóнус; **2.** *a* конусообра́зный.

conquer ['kɔŋkə] *v* 1) завоёвывать, покоря́ть, подчиня́ть; подавля́ть; 2) побежда́ть; преодолева́ть; превозмога́ть.

conqueror ['kɔŋkərə] *n* 1) завоева́тель; победи́тель; The C. *ист.* Вильгéльм Завоева́тель; 2) *спорт.* реша́ющая па́ртия.

conquest ['kɔŋkwest] *n* 1) завоева́ние, покорéние; побéда; to make a ~ of smb. a) одержа́ть побéду над кем-л.; б) завоева́ть чью-л. привя́занность; The (Norman) C. *ист.* завоева́ние А́нглии норма́ннами (*1066 г.*); 2) завоёванная территóрия; захва́ченное имýщество *и т. п.*; 3) тот, чью привя́занность удалóсь завоева́ть, покорённое сéрдце.

consanguine, consanguineous [kɔn'sæŋgwin, ,kɔnsæŋ'gwiniəs] *a* единокрóвный, рóдственный, бли́зкий.

consanguinity [,kɔnsæŋ'gwiniti] *n* родствó, единокрóвность, бли́зость.

conscience ['kɔnʃəns] *n* сóвесть; good ~, clear ~ чи́стая сóвесть; bad ~, evil ~ нечи́стая сóвесть; for ~(') sake для успокоéния сóвести; to have smth. on one's ~ имéть что-л. на сóвести, чýвствовать себя́ винова́тым в чём-л.; to get smth. off one's ~ успокóить свою́ сóвесть в отношéнии чегó-л.; in all ~, upon one's ~ по сóвести говоря́; конéчно, пойстине; to make a matter of ~ поступа́ть по сóвести; the freedom of ~ свобóда сóвести; свобóда вероиспповéдания; ◇ to have the ~ имéть на́глость (*сказать, сделать что-л.*).

conscienceless ['kɔnʃənslis] *a* бессóвестный.

conscience-smitten ['kɔnʃəns,smitn] *a* испы́тывающий угрызéния сóвести.

conscientious [,kɔnʃi'enʃəs] *a* 1) сóвестливый; 2) добросóвестный; сози́дательный, чéстный (*об отношении к чему-л.*); ◇ ~ objector человéк, отка́зывающийся от воéнной слýжбы по полити́ческим *или* религиóзно-эти́ческим убеждéниям.

conscious ['kɔnʃəs] *a* 1) сознаю́щий; he was ~ to the last он был в созна́нии до послéдней минýты; 2) ощуща́ющий; ~ of pain (cold) чýвствующий боль (хóлод); 3) созна́тельный, здра́вый; to be ~ of smth. отдава́ть себé отчёт в чём-л.; with ~ superiority с созна́нием своегó превосхóдства; 4) созна́тельный, понима́ющий; ◇ with ~ air засте́нчиво.

-conscious [-'kɔnʃəs] *в сложных словах означает* сознающий, понимающий, *напр.*: class-~ worker сознательный рабочий.

consciousness ['kɔnʃəsnıs] *n* 1) сознание; to lose ~ потерять сознание; to recover (*или* to regain) ~ прийти в себя; 2) сознательность.

conscribe [kən'skraıb] *v уст.* призывать (на военную службу).

conscript 1. *n* ['kɔnskrıpt] призванный на военную службу, призывник, новобранец; 2. *a* ['kɔnskrıpt] призванный на военную службу; ◇ ~ fathers *др.-рим.* сенаторы; 3. *v* [kən'skrıpt] призывать на военную службу.

conscription [kən'skrıpʃən] *n* 1) воинская повинность; 2) набор (в армию); ◇ ~ of wealth военный налог (*на освобождённых во время войны от военной службы*).

consecrate ['kɔnsıkreıt] 1. *a* 1) посвящённый; 2) освящённый; 2. *v* 1) посвящать; 2) освящать.

consecration [,kɔnsı'kreıʃən] *n* 1) посвящение; 2) освящение.

consecution [,kɔnsı'kjuːʃən] *n* 1) последовательность; 2) следование (*событий и т. п.*).

consecutive [kən'sekjutıv] *a* 1) последовательный; for the fifth ~ time пятый раз подряд; ~ reaction *хим.* последовательная ступенчатая реакция; 2) *грам.* следственный; ~ clause предложение следствия.

consenescence [,kɔnsı'nesns] *n* старение, одряхление.

consensus [kən'sensəs] *n* 1) согласованность; 2) согласие, единодушие.

consent [kən'sent] 1. *n* 1) согласие; half-hearted ~ вынужденное согласие; to withhold one's ~ не давать согласия; by common ~, with one ~ с общего согласия; to carry the ~ of smb. быть одобренным кем-л.; получить чьё-л. согласие; 2) разрешение; silence gives ~ *посл.* молчание — знак согласия; 2. *v* 1) соглашаться, давать согласие, уступать; 2) позволять, разрешать.

consentaneity [kən,sentə'niːıtı] *n* 1) согласованность; 2) единодушие.

consentaneous [,kɔnsen'teınıəs] *a* 1) согласованный, совпадающий, соответственный; 2) единодушный.

consentient [kən'senʃənt] *a* 1) единодушный; соглашающийся (to); 2) согласованный.

consequence ['kɔnsıkwəns] *n* 1) (по-) следствие; in ~ of вследствие, в результате; to take the ~s of отвечать, нести ответственность за последствия; 2) вывод, заключение; 3) значение, важность; of no ~ несущественный, неважный; 4) влиятельность, влиятельное положение; person of ~ важное, влиятельное лицо.

consequent ['kɔnsıkwənt] 1. *a* 1) (логически) последовательный; 2) являющийся результатом (*чего-л.*); 2. *n* 1) результат, последствие; 2) *грам.* второй член условного предложения, следствие; 3) *мат.* второй член пропорции.

consequential [,kɔnsı'kwenʃəl] *a* 1) ло-

гически вытекающий; 2) важный; 3) важничающий, полный самомнения.

consequently ['kɔnsıkwəntlı] *adv* следовательно; поэтому; в результате.

conservancy [kən'səːvənsı] *n* 1) охрана рек и лесов; forest ~ лесоохранение; 2) *attr.*: ~ area заповедник.

conservation [,kɔnsəː'veıʃən] *n* 1) сохранение; ~ of energy *физ.* закон сохранения энергии; faculty of ~ *психол.* память; 2) = conservancy 1); 3) консервирование (*плодов*); 4) *смер.* заповедник.

conservatism [kən'səːvətızəm] *n* консерватизм.

conservative [kən'səːvətıv] 1. *a* 1) консервативный, реакционный; 2) охранительный; 3) умеренный; осторожный; ~ estimate скромный подсчёт; 2. *n* 1) консерватор, реакционер; to go ~ стать консерватором; 2) (C.) член партии консерваторов.

conservatoire [kən'səːvətwɑː] *фр. n* консерватория.

conservator [kən'səːvətə] *n* 1) охранитель; опекун; 2) хранитель (*музея и т. п.*); 3) служащий управления охраны [рек и лесов.

conservatory [kən'səːvətrı] *n* 1) оранжерея; 2) охрана рек и лесов; 3) *амер.* = conservatoire.

conserve [kən'səːv] 1. *v* 1) сохранять, сберегать; to ~ one's strength беречь силы; 2) консервировать; 2. *n* (*часто pl*) консервированные засахаренные фрукты; варенье, джем.

consider [kən'sıdə] *v* 1) рассматривать, обсуждать; 2) обдумывать; 3) полагать, считать; he is ~ed a rich man он считается богачом; 4) принимать во внимание, учитывать; all things ~ed приняв всё во внимание; 5) считаться с *кем-л.*; проявлять уважение к *кому-л.*; to ~ others считаться с другими.

considerable [kən'sıdərəbl] 1. *a* 1) значительный; важный; 2) большой; ◇ I am ~ of a ham *амер.* я порядочная шляпа; 2. *n амер. разг.* множество, много.

considerate [kən'sıdərıt] *a* внимательный к другим; деликатный, тактичный.

consideration [kən,sıdə'reıʃən] *n* 1) рассмотрение, обсуждение; under ~ на рассмотрении, рассматриваемый, обсуждаемый; to give a problem one's careful ~ тщательно обсудить вопрос; 2) соображение; to take into ~ принимать во внимание; that's a ~ это важное соображение *или* обстоятельство; in ~ of принимая во внимание; on (*или* under) no ~ ни под каким видом; budgetary ~ *фин.* бюджетные предположения; 3) внимание, предупредительность; уважение; to show great ~ for smb. быть очень предупредительным к кому-л.; accept the assurance of my highest ~ примите уверение в моём совершенном (к Вам) уважении (*в официальных письмах*); 4) возмещение, компенсация; for a ~ за вознаграждение; 5) *редк.* значительность, важность; a poet of ~ выдающийся поэт.

considering [kən'sɪdərɪŋ] 1. *pres. p. от* consider:

2. *prep* 1) относи́тельно; 2) учи́тывая, принима́я во внима́ние.

consign [kən'saɪn] *v* 1) передава́ть; поруча́ть; 2) (пред)назнача́ть; 3) предава́ть (*земле*); 4) *ком.* отправля́ть, посыла́ть на консигна́цию (*груз, товар*); 5) вноси́ть в депози́т ба́нка.

consignation [ˌkɔnsaɪ'neɪʃən] *n* 1) *ком.* отпра́вка това́ров на консигна́цию; 2) внесе́ние су́ммы в депози́т ба́нка.

consignee [ˌkɔnsaɪ'niː] *n* грузополуча́тель.

consigner [kən'saɪnə] = consignor.

consignment [kən'saɪnmənt] *n* 1) груз; па́ртия това́ров; 2) *ком.* консигнацио́нная отпра́вка това́ров; 3) накладна́я, коносаме́нт.

consignor [kən'saɪnə] *n* грузоотправи́тель.

consilience [kən'sɪlɪəns] *n* совпаде́ние.

consilient [kən'sɪlɪənt] *a* совпада́ющий, согла́сный.

consist [kən'sɪst] 1. *v* 1) состоя́ть (of — из); заключа́ться (in — в); 2) совмеща́ться, совпада́ть (with);

2. *n разг.* соста́в.

consistence [kən'sɪstəns] *n* 1) консисте́нция; пло́тность; 2) сте́пень пло́тности, густоты́.

consistency [kən'sɪstənsɪ] *n* 1) = consistence; 2) после́довательность, логи́чность; 3) постоя́нство; 4) согласо́ванность.

consistent [kən'sɪstənt] *a* 1) после́довательный, сто́йкий; 2) совмести́мый, согласу́ющийся; ~ pattern закономе́рность; it is not ~ with what you said before э́то противоре́чит ва́шим пре́жним слова́м; 3) твёрдый, пло́тный.

consistory [kən'sɪstərɪ] *n церк.* 1) консисто́рия; 2) колле́гия кардина́лов.

consolation [ˌkɔnsə'leɪʃən] *n* 1) утеше́ние; 2) *attr. спорт.* утеши́тельный; ~ prize утеши́тельный приз; ~ race бега́ для лошаде́й, проигра́вших в предыду́щих зае́здах.

consolatory [kən'sɔlətərɪ] *a* утеши́тельный.

console I [kən'soul] *v* утеша́ть.

console II ['kɔnsoul] *n архит., тех.* консо́ль, кронште́йн.

console-mirror ['kɔnsoul'mɪrə] *n* трюмо́.

console radio ['kɔnsoul'reɪdɪou] *n* радио́ла.

consolidate [kən'sɔlɪdeɪt] *v* 1) укрепля́ть (-ся); 2) объединя́ть(ся) (*о террито́риях, обще́ствах*); to ~ two offices слить два учрежде́ния; 3) *воен.* закрепля́ть(ся); 4) твердёть; затвердева́ть; 5) *фин.* консолиди́ровать (*за́ймы*).

consolidated [kən'sɔlɪdeɪtɪd] 1. *p. p. от* consolidate;

2. *a* 1) консолиди́рованный; ~ annuities = consols; C. Fund госуда́рственный фонд (*из кото́рого опла́чиваются проце́нты по госуда́рственному до́лгу и не́которые други́е расхо́ды*); 2) объединённый; сво́дный; ~ return сво́дка, сво́дные да́нные; сво́дное донесе́ние; ~ ticket office *амер.* центра́льная биле́тная ка́сса; 3) затвердёвший.

consolidation [kənˌsɔlɪ'deɪʃən] *n* 1) консолида́ция; укрепле́ние; 2) затвердева́ние, отвердёние.

consols [kən'sɔlz] *n pl фин.* консо́ли, $2^{1}/_{2}$% (первонача́льно 3%) англи́йская консолиди́рованная ре́нта.

consonance ['kɔnsənəns] *n* 1) созву́чие, ассона́нс; 2) *муз.* консона́нс; 3) согла́сие, гармо́ния.

consonant ['kɔnsənənt] 1. *n фон.* согла́сный звук; *распр.* бу́ква, обознача́ющая согла́сный звук;

2. *a* 1) согла́сный (to—c); совмести́мый (with); 2) созву́чный; гармони́чный.

consonantal [ˌkɔnsə'næntl] *a фон.* согла́сный.

consort 1. *n* ['kɔnsɔːt] 1) супру́г(а) (*особ. о короле́вской семье́*); Prince C. супру́г ца́рствующей короле́вы (*не явля́ющийся сам королём*); 2) *мор.* кора́бль, пла́вающий совме́стно с други́м;

2. *v* [kən'sɔːt] 1) обща́ться; 2) гармони́ровать, соотве́тствовать.

consortium [kən'sɔːtjəm] *n фин.* консо́рциум.

conspectus [kən'spektəs] *лат. n* 1) обзо́р; 2) конспе́кт.

conspicuous [kən'spɪkjuəs] *a* ви́дный, заме́тный, броса́ющийся в глаза́; to make oneself ~ обраща́ть на себя́ внима́ние; to be ~ by one's absence блиста́ть свои́м отсу́тствием.

conspiracy [kən'spɪrəsɪ] *n* 1) конспира́ция; 2) за́говор; та́йный сго́вор.

conspirator [kən'spɪrətə] *n* загово́рщик.

conspire [kən'spaɪə] *v* устра́ивать за́говор, та́йно замышля́ть; сгова́риваться (against—про́тив *кого́-л.*); all things ~ to please him всё бы́ло для него́ сло́вно по зака́зу, всё ему́ благоприя́тствовало.

constable ['kʌnstəbl] *n* конста́бль, полице́йский (чин); полисме́н; Chief C. нача́льник поли́ции (*в го́роде, гра́фстве*); 2) *ист.* коннета́бль; ◇ to outrun the ~ жить не по сре́дствам, влезть в долги́.

constabulary [kən'stæbjulərɪ] 1. *n* полице́йские си́лы, поли́ция; mounted ~ ко́нная поли́ция;

2. *a* полице́йский.

constancy ['kɔnstənsɪ] *n* 1) постоя́нство; 2) ве́рность; твёрдость.

constant ['kɔnstənt] 1. *n физ., мат.* постоя́нная (величина́), конста́нта; ~ of friction коэффицие́нт тре́ния;

2. *a* 1) постоя́нный; 2) твёрдый; ве́рный (*иде́е и т. п.*); 3) неизме́нный, неосла́бный.

constantly ['kɔnstəntlɪ] *adv* 1) постоя́нно; 2) ча́сто, то и де́ло.

constellate ['kɔnstəleɪt] *v астр.* образо́вывать созве́здие.

constellation [ˌkɔnstə'leɪʃən] *n астр.* созве́здие; *перен.* плея́да.

consternation [ˌkɔnstə'neɪʃən] *n* у́жас; испу́г; оцепене́ние (*от стра́ха*).

constipate ['kɔnstɪpeɪt] *v мед.* вызыва́ть запо́р.

constipation [ˌkɔnstɪ'peɪʃən] *n мед.* запо́р.

constituency [kən'stɪtjuənsɪ] *n* 1) *собир.* избира́тели; to sweep a ~ получи́ть подав-

ля́ющее большинство́ голосо́в; 2) избира́-
тельный о́круг; 3) *собир. разг.* клиенту́ра
(*покупатели, подписчики на газету и т. п.*).
constituent [kən'stitjuənt] **1.** *n* 1) состав-
на́я часть; 2) избира́тель; 3) *юр.* довери́тель;
   2. *a* 1) составля́ющий часть це́лого; 2) из-
бира́ющий; облада́ющий законода́тельной
вла́стью; правомо́чный выраба́тывать кон-
ститу́цию; ~ assembly учреди́тельное собра́-
ние.
constitute ['kɔnstitjuːt] *v* 1) составля́ть;
socialism ~s the first phase of communism
социали́зм — пе́рвая фа́за коммуни́зма; to
~ justification служи́ть оправда́нием; to
~ a menace представля́ть угро́зу; 2) осно́вы-
вать; учрежда́ть; 3) назнача́ть (*комиссию,
должностное лицо*); 4) издава́ть *или* вво-
ди́ть в си́лу (*закон*).
constituted ['kɔnstitjuːtid] **1.** *p.p. от* constitute;
   2. *a:* ~ authorities зако́нные вла́сти.
constitution [,kɔnsti'tjuːʃən] *n* 1) кон-
ститу́ция, основно́й зако́н; 2) учрежде́ние,
устро́йство, составле́ние; 3) конститу́ция,
телосложе́ние; склад; the ~ of one's mind
склад ума́; strong ~ си́льный органи́зм; 4)
соста́в; 5) *ист.* постановле́ние (*особ. церк.*).
constitutional [,kɔnsti'tjuːʃənl] **1.** *a* 1)
конституцио́нный; ~ government конститу-
цио́нный о́браз правле́ния; 2) *мед.* органи́-
ческий, конституциона́льный; 3) *тех.:*
formula фо́рмула строе́ния, структу́рная
фо́рмула;
   2. *n разг.* моцио́н, прогу́лка.
constitutionalism [,kɔnsti'tjuːʃnəlizəm] *n*
1) конституцио́нная систе́ма правле́ния;
2) конституционали́зм (*реакционное политическое течение*).
constitutive ['kɔnstitjuːtiv] *a* 1) учреди́-
тельный; 2) устана́вливающий, образу́ю-
щий; конструкти́вный; 3) суще́ственный; 4)
физ., хим. конститути́вный.
constitutor ['kɔnstitjuːtə] *n* учреди́тель,
основа́тель.
constrain [kən'strein] *v* 1) принужда́ть,
вынужда́ть; 2) сде́рживать; сжима́ть; стес-
ня́ть; 3) заключа́ть в тюрьму́.
constrained [kən'streind] **1.** *p. p. от* constrain;
   2. *a* 1) вы́нужденный, принуждённый;
2) ско́ванный, несвобо́дный (*о движениях*);
3) стеснённый; 4) напряжённый; смущённый; натя́нутый (*о тоне, манерах*); сда́в-
ленный (*о голосе*); 5) *тех.* с принуди́тель-
ным движе́нием.
constrainedly [kən'streinidli] *adv* 1) по-
нево́ле, по принужде́нию; 2) стеснённо;
3) напряжённо, с уси́лием.
constraint [kən'streint] *n* 1) принужде́ние;
under ~ по принужде́нию; под давле́нием;
2) принуждённость; стесне́ние; 3) напряжённость; ско́ванность; 4) тюре́мное за-
ключе́ние.
constrict [kən'strikt] *v* стя́гивать, сжи-
ма́ть, сокраща́ть, сужа́ть.
constriction [kən'strikʃən] *n* стя́гивание,
сжа́тие, сокраще́ние, суже́ние.
constrictor [kən'striktə] *n* 1) *анат.*
мы́шца, сжима́ющая о́рган; 2) *зоол.* боа́.

constringency [kən'strindʒənsi] *n физиол.*
сжа́тие; стя́гивание.
constringent [kən'strindʒənt] *a анат.* сжи-
ма́ющий; стя́гивающий.
construct [kən'strʌkt] *v* 1) стро́ить, соору-
жа́ть; воздвига́ть; конструи́ровать; 2) соз-
дава́ть; сочиня́ть; придума́ть; to ~ the
plot of a novel приду́мать сюже́т рома́на;
3) *грам.* составля́ть (*предложение*).
construction [kən'strʌkʃən] *n* 1) строи́-
тельство, стро́йка; under ~ в проце́ссе
строи́тельства; стро́ящийся; 2) строе́ние,
зда́ние; 3) истолкова́ние; he puts the best
(worst) ~ on everything он всё перетолко́-
вывает в лу́чшую (ху́дшую) сто́рону; 4)
грам. констру́кция (*предложения и т. п.*);
5) *мат.* построе́ние; 6) *иск.* произведе́ние
в конструкти́вистском сти́ле; 7) *attr.*
строи́тельный; ~ engineering строи́тельная
те́хника; ~ plant строи́тельная площа́дка;
~ timber строи́тельный лесоматериа́л.
constructional [kən'strʌkʃənl] *a* строи́-
тельный, конструкти́вный; структу́рный.
constructionism [kən'strʌkʃənizəm] *n*
иск. конструктиви́зм.
constructive [kən'strʌktiv] *a* 1) констру-
кти́вный; строи́тельный; 2) тво́рческий,
созида́тельный; a ~ suggestion конструкти́в-
ное предложе́ние; 3) подразумева́емый; не
вы́раженный пря́мо, а вы́веденный путём
умозаключе́ния; ~ denial ко́свенный от-
ка́з; ~ crime посту́пок, сам по себе́ не за-
ключа́ющий соста́ва преступле́ния, но могу́-
щий быть истолко́ванным как таково́й.
constructor [kən'strʌktə] *n* 1) констру́к-
тор; строи́тель; 2) *мор.* инжене́р-корабле-
строи́тель.
construe [kən'struː] *v* 1) толкова́ть, истол-
ко́вывать; 2) де́лать синтакси́ческий раз-
бо́р; 3) поддава́ться граммати́ческому раз-
бо́ру; 4) *грам.* управля́ть, тре́бовать (*па-
дежа и т. п.*); to depend is ~d with upon
глаго́л depend тре́бует по́сле себя́ uроп.
consuetude ['kɔnswitjuːd] *n* 1) обы́чай;
непи́саный зако́н; 2) дру́жеское обще́ние.
consuetudinary [,kɔnswi'tjuːdinəri] **1.** *n*
церк. тре́бник;
   2. *a* обы́чный; ~ law *юр.* обы́чное пра́во.
consul ['kɔnsəl] *n* ко́нсул.
consular ['kɔnsjulə] *a* ко́нсульский.
consulate ['kɔnsjulit] *n* 1) ко́нсульство;
2) ко́нсульское зва́ние; 3) срок пребыва́-
ния ко́нсула в свое́й до́лжности.
consul-general ['kɔnsəl,dʒenərəl] *n* гене-
ра́льный ко́нсул.
consulship ['kɔnsəlʃip] *n* до́лжность ко́н-
сула.
consult [kən'sʌlt] *v* 1) сове́товаться;
консульти́роваться; to ~ a doctor посове́то-
ваться с врачо́м; обрати́ться к врачу́; 2)
совеща́ться; 3) справля́ться; to ~ a dictionary справля́ться в словаре́, иска́ть ну́ж-
ное сло́во в словаре́; to ~ a watch посмот-
ре́ть на часы́; 4) принима́ть во внима́ние; I
shall ~ your interests я учту́ ва́ши интере́сы.
consultant [kən'sʌltənt] *n* консульта́нт.
consultation [,kɔnsəl'teiʃən] *n* 1) кон-
сульта́ция; 2) совеща́ние; to hold a ~ со-
веща́ться; 3) конси́лиум (*враче́й*).

consultative [kən'sʌltətɪv] *a* совеща́тельный; консультати́вный.

consulting [kən'sʌltɪŋ] **1.** *pres. p. om* consult;

2. *a* 1) консульти́рующий; ~ physician врач-консульта́нт; 2) для консульта́ций; ~ hours приёмные часы́ (*врача*); ~ room кабине́т врача́.

consume [kən'sjuːm] *v* 1) потребля́ть; расхо́довать; 2) съеда́ть; поглоща́ть; 3) (*pass.*) быть снеда́емым (with); he is ~d with envy его́ гло́жет за́висть; 4) истребля́ть (*об огне*); 5) расточа́ть (*состояние, время*); 6) ча́хнуть (*часто* ~ away).

consumer [kən'sjuːmɪ] *n* 1) потреби́тель; 2) *attr.* потреби́тельский; ~ commodities, ~ goods потреби́тельские товáры.

consummate 1. *a* [kən'sʌmɪt] соверше́нный, зако́нченный; a ~ master of his craft непревзойдённый ма́стер своего́ де́ла;

2. *v* ['kɔnsʌmeɪt] 1) доводи́ть до конца́, заверша́ть; 2) соверше́нствовать.

consummately [kən'sʌmɪtlɪ] *adv* 1) по́лностью, соверше́нно; 2) в соверше́нстве.

consummation [,kɔnsʌ'meɪʃən] *n* 1) заверше́ние (*работы*); 2) коне́ц, смерть; 3) достиже́ние, осуществле́ние (*цели*); 4) соверше́нство.

consumption [kən'sʌmpʃən] *n* 1) потребле́ние; расхо́д; 2) чахо́тка, туберкулёз лёгких.

consumptive [kən'sʌmptɪv] **1.** *a* 1) туберкулёзный, чахо́точный; 2) истоща́ющий;

2. *n* больно́й туберкулёзом.

contact 1. *n* ['kɔntækt] 1) соприкоснове́ние; конта́кт; to come into ~ a) прийти́ в соприкоснове́ние; б) прийти́ к столкнове́нию; to make ~ установи́ть конта́кт; to make (to break) ~ *эл.* включа́ть (выключа́ть) ток; 2) *pl амер.* отноше́ния, знако́мство; 3) знако́мый (*обыкн. делово́й*); 4) связно́й; 5) *мат.* каса́ние; 6) сцепле́ние, связь; 7) *attr.* конта́ктный, свя́зывающий; ~ lenses конта́ктные ли́нзы (*очки*); ~ man аге́нт (в чьи обя́занности вхо́дит установле́ние делов́ых свя́зей и т. п.); 8) *attr.*: ~ flight *ав.* полёт с визуа́льной ориента́цией;

2. *v* [kən'tækt] 1) быть в соприкоснове́нии; (со)прикаса́ться (with); 2) приводи́ть в соприкоснове́ние; 3) устана́вливать связь (с кем-л. по телефо́ну, по по́чте и т. п.).

contact-breaker ['kɔntækt,breɪkə] *n эл.* руби́льник.

contactor ['kɔntæktə] *n эл.* конта́ктор, замыка́тель.

contagion [kən'teɪdʒən] *n* 1) зара́за, инфе́кция; 2) зара́зное заболева́ние; инфекци́онная боле́знь; 3) вре́дное влия́ние.

contagious [kən'teɪdʒəs] *a* 1) зара́зный, инфекци́онный; 2) зарази́тельный (*смех и т. п.*).

contain [kən'teɪn] *v* 1) содержа́ть в себе́, вмеща́ть; 2) сде́рживать; ~ your anger укроти́ свой гнев; to ~ the enemy сде́рживать проти́вника; 3) *refl.* сдержа́ться; he could not ~ himself for joy он не мог сдержа́ть себя́ от ра́дости; 4) *мат.* дели́ться без оста́тка.

container [kən'teɪnə] *n* 1) вмести́лище; сосу́д; 2) станда́ртный я́щик для перево́зки товáров; конте́йнер; 3) резервуа́р; приёмник.

contaminate [kən'tæmɪneɪt] *v* 1) загрязня́ть; 2) по́ртить; разлага́ть, оказывать па́губное влия́ние; 3) оскверня́ть; 4) заража́ть; 5) де́лать радиоакти́вным (в результа́те а́томного взры́ва).

contaminated [kən'tæmɪneɪtɪd] **1.** *p.p. om* contaminate;

2. *a*: ~ ground *воен.* уча́сток зараже́ния.

contamination [kən,tæmɪ'neɪʃən] *n* 1) загрязне́ние; по́рча; 2) оскверне́ние; 3) зараже́ние; 4) *лингв., лит.* контамина́ция; 5) *attr.*: ~ meter прибо́р для определе́ния нали́чия радиоакти́вных веще́ств.

contango [kən'tæŋgou] *n* (*pl* -os [-ouz]) *бирж.* надба́вка к цене́, взима́емая продавцо́м, за отсро́чку расчёта по фо́ндовой сде́лке.

contango-day [kən'tæŋgoudeɪ] *n бирж.* день, предше́ствующий кану́ну платежа́; да́та отсро́чки платежа́ по биржево́й сде́лке.

contemn [kən'tem] *v книжн.* презира́ть, относи́ться с пренебреже́нием, пренебрега́ть.

contemplate ['kɔntempleɪt] *v* 1) созерца́ть; 2) обду́мывать, размышля́ть; 3) рассма́тривать; 4) предполага́ть, намерева́ться; 5) ожида́ть; I do not ~ any opposition from him я не ожида́ю с его́ стороны́ противоде́йствия.

contemplation [,kɔntem'pleɪʃən] *n* 1) созерца́ние; 2) размышле́ние; 3) рассмотре́ние, изуче́ние; 4) предположе́ние; to have smth. in ~ име́ть что́-л. в виду́; намерева́ться сде́лать что́-л.; 5) ожида́ние.

contemplative ['kɔntempleɪtɪv] *a* созерца́тельный.

contemporaneity [kən,tempərə'niːɪtɪ] *n* 1) совреме́нность; 2) одновреме́нность, совпаде́ние (во вре́мени).

contemporaneous [kən,tempə'reɪnjəs] *a* 1) совреме́нный; 2) одновреме́нный.

contemporary [kən'tempərərɪ] **1.** *n* 1) совреме́нник; 2) све́рстник; 3) изда́ние, произведе́ние, вы́шедшее в тот же пери́од, что и друго́е;

2. *a* 1) совреме́нный; 2) одновреме́нный.

contemporize [kən'tempəraɪz] *v* 1) приуро́чивать к тому́ же вре́мени; 2) существова́ть одновреме́нно; совпада́ть во вре́мени.

contempt [kən'tempt] *n* 1) презре́ние (for — к); to fall into ~ вызыва́ть к себе́ презре́ние; to have (*или* to hold) in ~ презира́ть; 2) *юр.* неуваже́ние к вла́сти; ~ of court оскорбле́ние суда́, неуваже́ние к суду́; ◇ in ~ of вопреки́, невзира́я на.

contemptible [kən'temptəbl] *a* презре́нный.

contemptuous [kən'temptjuəs] *a* презри́тельный; пренебрежи́тельный; высокоме́рный.

contemptuously [kən'temptjuəslɪ] *adv* презри́тельно; с презре́нием.

contend [kən'tend] *v* 1) боро́ться; 2) сопе́рничать, состяза́ться (with—с кем-л.; for — в чём-л.); 3) спо́рить; 4) утвержда́ть, заявля́ть (that).

contender [kən'tendə] *n* 1) сопе́рник (*на состяза́нии, на вы́борах*); 2) кандида́т (*на пост*).

content I ['kɔntent] *n* 1) (*обыкн. pl*) содержа́ние; the ~s of a book содержа́ние кни́ги; table of ~s оглавле́ние; form and ~ фо́рма и содержа́ние; 2) объём; вмести́мость, ёмкость; 3) (*обыкн. pl*) содержи́мое; 4) суть; the ~ of proposition, of a statement суть предложе́ния, заявле́ния.

content II [kən'tent] 1. *n* 1) дово́льство; чу́вство удовлетворе́ния; to one's heart's ~ вво́лю; всласть; 2) член пала́ты ло́рдов, голосу́ющий за предложе́ние *или* законопрое́кт; го́лос «за»; 2. *a* 1) *predic.* дово́льный (with); 2) согла́сный, голосу́ющий за (*в пала́те ло́рдов*); 3. *v* 1) удовлетворя́ть; 2) *refl.* дово́льствоваться (with —*чем-л.*).

contented [kən'tentɪd] 1. *p. p. от* content II, 3; ,
2. *a* дово́льный, удовлетворённый.

contention [kən'tenʃən] *n* 1) борьба́, спор, ссо́ра; раздо́р; 2) соревнова́ние; 3) предме́т спо́ра; 4) утвержде́ние, заявле́ние.

contentious [kən'tenʃəs] *a* 1) спо́рный; 2) задо́рный; 3) придирчивый; сварли́вый.

contentment [kən'tentmənt] *n* удовлетворённость, дово́льство.

conterminal [kən'təːmɪnl] *a* име́ющий о́бщую грани́цу, сме́жный, пограни́чный (to, with).

conterminous [kən'təːmɪnəs] *a* 1) = conterminal; 2) совпада́ющий.

contest 1. *n* ['kɔntest] 1) спор; 2) сопе́рничество; соревнова́ние; состяза́ние; ко́нкурс; 2. *v* [kən'test] 1) оспа́ривать, опроверга́ть; 2) спо́рить, боро́ться (with); выступа́ть про́тив (against); 3) отста́ивать; to ~ every inch of ground боро́ться за ка́ждую пядь земли́; 4) добива́ться (*премии, места в парламенте и т. п.*); уча́ствовать (*в вы́борах — о кандида́тах*).

contestant [kən'testənt] *n* 1) конкуре́нт, сопе́рник; проти́вник; 2) уча́стник соревнова́ния, состяза́ния.

contestation [,kɔntes'teɪʃən] *n* 1) борьба́; 2) соревнова́ние.

contested [kən'testɪd] 1. *p.p. от* contest 2; 2. *a*: ~ election a) вы́боры, на кото́рых выступа́ет не́сколько кандида́тов; б) *амер.* вы́боры, пра́вильность кото́рых оспа́ривается.

context ['kɔntekst] *n* 1) конте́кст; смысл; in the ~ of в смы́сле; all the discussions have been in the ~ of expansion of rates всё обсужде́ние вело́сь в пла́не повыше́ния расце́нок; 2) ситуа́ция, связь, фон.

contextual [kən'tekstjuəl] *a* вытека́ющий из конте́кста.

contexture [kən'teksʧə] *n* 1) сплете́ние; ткань; 2) структу́ра, компози́ция.

contiguity [,kɔntɪ'gjuːɪtɪ] *n* 1) сме́жность; соприкоснове́ние; бли́зость; 2) *психол.* ассоциа́ция иде́й.

contiguous [kən'tɪgjuəs] *a* соприкаса́ющийся, сме́жный, прилега́ющий; бли́зкий.

continence ['kɔntɪnəns] *n* 1) сде́ржанность; 2) воздержа́ние (*особ. полово́е*).

continent I ['kɔntɪnənt] *a* 1) сде́ржанный; 2) возде́ржанный; целому́дренный.

continent II ['kɔntɪnənt] *n* 1) матери́к; контине́нт; 2) (the C.) Европе́йский матери́к (*в противоп. Брита́нским острова́м*); *амер.* контине́нт Се́верной Аме́рики; 3) (the C.) *амер. ист.* коло́нии (*в эпоху борьбы́ за незави́симость*), впосле́дствии образова́вшие Соединённые Шта́ты.

continental [,kɔntɪ'nentl] 1. *a* 1) континента́льный; 2) иностра́нный, не англи́йский; 3) *амер. ист.* относя́щийся к америка́нским коло́ниям в эпо́ху борьбы́ за незави́симость; 2. *n* 1) жи́тель европе́йского контине́нта; иностра́нец, не англича́нин; 2) *амер. ист.* солда́т эпо́хи борьбы́ за незави́симость; 3) *амер. ист.* обесце́ненные бума́жные де́ньги (*эпохи борьбы́ за незави́симость*); ◇ I don't care a ~ *амер.* мне наплева́ть; not worth a ~ гроша́ не сто́ит.

contingency [kən'tɪndʒənsɪ] *n* случа́йность, слу́чай; непредви́денное обстоя́тельство.

contingent [kən'tɪndʒənt] 1. *n* 1) континге́нт; 2) *воен.* континге́нт вооружённых сил, приходя́щийся на ка́ждого уча́стника коали́ции; 2. *a* случа́йный; возмо́жный, усло́вный; непредви́денный; зави́сящий от обстоя́тельств; ~ fee on cure пла́та врачу́ по излече́нии.

continual [kən'tɪnjuəl] *a* 1) постоя́нный; беспреры́вный; 2) беспреста́нный, то и де́ло повторя́ющийся.

continuance [kən'tɪnjuəns] *n* 1) продолжи́тельность, дли́тельность; дли́тельный пери́од; ~ in office дли́тельное пребыва́ние в до́лжности; 2) продолже́ние; *юр.* отсро́чка (*в разбо́ре суде́бного де́ла*).

continuant [kən'tɪnjuənt] *n* *фон.* фрикати́вный согла́сный звук.

continuation [kən,tɪnjuˈeɪʃən] *n* 1) продолже́ние; 2) возобновле́ние; 3) *pl sl.* брю́ки; *attr.*: ~ school дополни́тельная шко́ла (*для пополне́ния образова́ния по вы́ходе из нача́льной шко́лы*).

continue [kən'tɪnjuː] *v* 1) продолжа́ть(-ся); оставля́ться; сохраня́ть(ся); пребыва́ть; to ~ smb. in office оставля́ть кого́-л. в до́лжности; 2) тяну́ться, простира́ться; 3) служи́ть продолже́нием; 4) *юр.* отсро́чить разбо́р де́ла.

continued [kən'tɪnjuːd] 1. *p. p. от* continue; 2. *a* непреры́вный; продолжа́ющийся; ~ fraction *мат.* непреры́вная дробь; to be ~ продолже́ние сле́дует.

continuity [,kɔntɪ'njuːɪtɪ] *n* 1) непреры́вность; неразры́вность; це́лостность; 2) после́довательная сме́на (*напр., кадров в кинофи́льме*); 3) прее́мственность; 4) *театр.* представле́ние, передава́емое частя́ми по ра́дио *или* телеви́дению; 5) сцена́рий; 6) электропрово́дность (*цепи*).

continuity girl [,kɔntɪ'njuːɪtɪ'gəːl] *n* кино монта́жница.

continuous [kən'tɪnjuəs] 1. *a* 1) непреры́вный; постоя́нного де́йствия; дли́тельный; ~ flight *ав.* беспосадочный перелёт; 2) сплошной; ~ stretch of water сплошное водное пространство; 3) *эл.* постоянный (*о токе*); ~ waves *радио* незатухающие колебания; 4) *грам.* длительный; ~ form длительная форма глагола;

2. *n* = ~ form.

contort [kən'tɔːt] *v* 1) искривлять; 2) искажать.

contortion [kən'tɔːʃən] *n* 1) искривление; 2) искажение; 3) *мед.* вывих, искривление.

contortionist [kən'tɔːʃnɪst] *n* 1) акробат, «человек-змея»; 2) человек, искажающий смысл слов *или* неправильно пользующийся ими.

contour ['kɔntuə] 1. *n* 1) контур, очертание; абрис; 2) *топ.* горизонталь (*тж.* ~ line); 3) *амер.* положение дел, развитие событий; he is jubilant over the ~ of things он доволен положением вещей; 4) *attr.* контурный; 5) *attr.*: ~ map *топ.* карта, вычерченная в горизонталях; ◇ ~ fighter штурмовой самолёт (*для бреющих полётов*);

2. *v* 1) наносить контур; 2) вычерчивать в горизонталях.

contra ['kɔntrə] *лат.* 1. *n* нечто противоположное; (all) pro and ~ (все) за и против [*ср.* con III];

2. *adv* напротив, наоборот;

3. *prep* против.

contra- ['kɔntrə-] *в сложных словах означает* противо-; *напр.*: contradistinction противоположность; противопоставление.

contraband ['kɔntrəbænd] 1. *n* 1) контрабанда; ~ of war a) военная контрабанда; б) = 2); 2) *амер. ист.* беглый негр, попавший в расположение северян (*во время гражданской войны 1861—65 гг.*);

2. *a* контрабандный.

contrabandist ['kɔntrəbændɪst] *n* контрабандист.

contrabass ['kɔntrə'beɪs] *n муз.* контрабас.

contraception [,kɔntrə'sepʃən] *n* применение противозачаточных мер.

contraceptive [,kɔntrə'septɪv] 1. *a* противозачаточный;

2. *n* противозачаточное средство.

contract 1. *n* ['kɔntrækt] 1) контракт, договор; соглашение; 2) брачный договор; помолвка, обручение; 3) сезонный билет; 4) *разг.* предприятие (*особ. строительное*); 5) *attr.* договорный; ~ price договорная цена; ~ law *юр.* договорное право;

2. *v* [kən'trækt] 1) сжимать(ся); сокращать(ся); to ~ expenses сокращать расходы; to ~ efforts уменьшать усилия; to ~ muscles сокращать мышцы; 2) хмурить; морщить; to ~ the brow (*или* the forehead) морщить лоб; 3) заключать договор, соглашение; принимать на себя обязательство; 4) вступать (*в брак, в союз*); 5) заводить (*дружбу*); завязать (*знакомство*); 6) приобретать (*привычку*); получать, подхватывать; to ~ a disease заболеть; 7) делать (*долги*); 8) *тех.* давать усадку; спекаться; 9) *лингв.* стягивать [*см.* contracted 2, 5)].

contracted [kən'træktɪd] 1. *p. p. от* contract 2;

2. *a* 1) обусловленный договором; 2) помолвленный; 3) сморщенный; нахмуренный; 4) узкий, ограниченный (*о взглядах*); суженный; 5) *лингв.* сокращённый; стяжённый (*о слове; напр.*: can't *вм.* cannot, o'er *вм.* over); ~ sentence слитное предложение.

contractile [kən'træktaɪl] *a* сжимающий (-ся); сокращающийся.

contractility [,kɔntræk'tɪlɪtɪ] *n* сжимаемость, сокращаемость.

contracting parties [kən'træktɪŋ'pɑːtɪz] *n pl* договаривающиеся стороны.

contraction [kən'trækʃən] *n* 1) сжатие; сужение; стягивание, уплотнение; уменьшение; укорочение, сокращение; 2) заключение (*брака и т. п.*); 3) приобретение (*привычки*); 4) *тех.* усадка (*при твердении*); 5) *лингв.* стяжение, стяжённая форма; сокращение, контрактура.

contractive [kən'træktɪv] *a* сжимающийся, сокращающийся; способный к сжатию, сокращению.

contractor [kən'træktə] *n* 1) подрядчик; builder and ~ подрядчик-строитель; 2) *анат.* стягивающая мышца.

contractual [kən'træktjuəl] *a* договорный.

contradict [,kɔntrə'dɪkt] *v* 1) противоречить; 2) опровергать, отрицать.

contradiction [,kɔntrə'dɪkʃən] *n* 1) противоречие; ~ in terms явное противоречие; 2) опровержение; an official ~ of the recent rumours официальное опровержение недавних слухов; 3) противоположность; контраст.

contradictious [,kɔntrə'dɪkʃəs] *a* 1) противоречивый; 2) любящий возражать, противоречить.

contradictor [,kɔntrə'dɪktə] *n* 1) оппонент; противник; 2) спорщик.

contradictory [,kɔntrə'dɪktərɪ] 1. *a* противоречащий; несовместимый; внутренне противоречивый;

2. *n* положение, противоречащее другому.

contradistinction [,kɔntrədɪs'tɪŋkʃən] *n* 1) противоположность; 2) противопоставление; различение; in ~ to (*реже* from) в отличие от.

contradistinguish [,kɔntrədɪs'tɪŋgwɪʃ] *v* противопоставлять; различать.

contrail ['kɔntreɪl] *n ав.* след инверсии самолёта.

contraindication [,kɔntrə,ɪndɪ'keɪʃən] *n мед.* противопоказание.

contralto [kən'træltou] *ит. n* (*pl* -os [-ouz]) *муз.* контральто.

contraposition [,kɔntrəpə'zɪʃən] *n* противоположение, антитеза.

contraption [kən'træpʃən] *n пренебр., шутл.* новоизобретённое приспособление, «новость».

contrapuntal [,kɔntrə'pʌntl] *a муз.* контрапунктический.

contrapuntist ['kɔntrəpʌntist] *n муз.* контрапунктист.

contrariety [,kɔntrə'raɪətɪ] *n* 1) противоречие, расхождение, разногласие; 2) препятствие; противодействие.

contrariness [ˈkɔntrərɪnɪs] n упря́мство, своево́лие.

contrariwise [ˈkɔntrərɪwaɪz] adv 1) наоборо́т; 2) в противополо́жном направле́нии; 3) с друго́й стороны́.

contrary 1. n [ˈkɔntrərɪ] не́что обра́тное, противополо́жное; противополо́жность; on the ~ наоборо́т; to the ~ в обра́тном смы́сле, ина́че; unless I hear to the ~ е́сли я не услы́шу чего́-нибудь ино́го, противополо́жного; there is no evidence to the ~ нет доказа́тельств проти́вного, обра́тного; to interpret by contraries толкова́ть, понима́ть в обра́тном смы́сле;
2. a [ˈkɔntrərɪ] 1) противополо́жный; 2) проти́вный (о ветре); неблагоприя́тный; ~ weather неблагоприя́тная пого́да; 3) [kənˈtrɛərɪ] упря́мый; своево́льный; капри́зный; ~ disposition сварли́вый нрав;
3. adv [ˈkɔntrərɪ] вопреки́, про́тив (to); act ~ to common sense поступа́ть вопреки́ здра́вому смы́слу.

contrast 1. n [ˈkɔntræst] 1) противополо́жность; контра́ст; 2) противоположе́ние; сопоставле́ние; in ~ with smth. а) в противополо́жность чему́-л.; б) по сравне́нию с чем-л.; 3) отте́нок;
2. v [kənˈtræst] 1) противополага́ть; 2) сопоставля́ть; 3) контрасти́ровать; these two colours ~ very well э́ти два цве́та даю́т прекра́сный контра́ст.

contravene [ˌkɔntrəˈviːn] v 1) наруша́ть, преступа́ть (закон и т. п.); 2) противоре́чить (правилу, закону и т. п.); идти́ вразре́з (с чем-л.); 3) оспа́ривать, возража́ть.

contravention [ˌkɔntrəˈvenʃən] n наруше́ние (закона и т. п.).

contretemps [ˈkɔːntrətɑ̃ːŋ] фр. n непредви́денное осложне́ние, несча́стье.

contribute [kənˈtrɪbjuːt] v 1) соде́йствовать, спосо́бствовать; 2) же́ртвовать (де́ньги; to); 3) де́лать вклад (в нау́ку и т. п.; to); 4) отдава́ть (вре́мя); 5) сотру́дничать (в газе́те, журна́ле; to).

contribution [ˌkɔntrɪˈbjuːʃən] n 1) соде́йствие; 2) вклад (де́нежный, нау́чный и т. п.); 3) поже́ртвование; взнос; 4) статья́ (для газе́ты, журна́ла); 5) сотру́дничество (в газе́те и т. п.); 6) нало́г; контрибу́ция; to lay under ~ налага́ть контрибу́цию.

contributor [kənˈtrɪbjuːtə] n 1) соде́йствующий; помо́щник; 2) же́ртвователь; 3) (постоя́нный) сотру́дник газе́ты, журна́ла.

contributory [kənˈtrɪbjuːtərɪ] a 1) соде́йствующий; спосо́бствующий; ~ negligence неосторо́жность пострада́вшего, вы́звавшая несча́стный слу́чай; 2) де́лающий взнос, поже́ртвование; 3) сотру́дничающий.

contrite [ˈkɔntraɪt] a сокруша́ющийся, ка́ющийся.

contritely [ˈkɔntraɪtlɪ] adv пока́янно, с раска́янием; с сокруше́нием.

contrition [kənˈtrɪʃən] n раска́яние.

contrivance [kənˈtraɪvəns] n 1) изобрета́тельность; 2) вы́думка, зате́я; план; 3) изобрете́ние; 4) приспособле́ние (механи́ческое).

contrive [kənˈtraɪv] v 1) приду́мывать;

изобрета́ть; 2) затева́ть; замышля́ть; 3) ухитря́ться, умудря́ться; 4) справля́ться; устра́ивать свои́ дела́; ◇ to cut and ~ ухитря́ться своди́ть концы́ с конца́ми.

contriver [kənˈtraɪvə] n 1) изобрета́тель; 2) good ~ хоро́ший, эконо́мный хозя́ин.

control [kənˈtroul] 1. n 1) управле́ние, руково́дство; 2) власть; 3) надзо́р; контро́ль, прове́рка; регули́рование; social ~ обще́ственный контро́ль; to be in ~, to have ~ over управля́ть, контроли́ровать; to be beyond (или out of) ~ вы́йти из подчине́ния; to bring under ~ подчини́ть; ~ of epidemics борьба́ с эпидеми́ческими заболева́ниями; 4) сде́ржанность, самооблада́ние; 5) регулиро́вка; 6) радио модуля́ция; 7) pl тех. рычаги́ управле́ния; 8) (обыкн. pl) радио ру́чки настро́йки радиоприёмника; 9) уча́сток пути́, на кото́ром тра́нспорт до́лжен соблюда́ть определённую ско́рость; 10) attr. контро́льный; a ~ experiment контро́льный о́пыт;
2. v 1) управля́ть, распоряжа́ться; 2) контроли́ровать; регули́ровать; проверя́ть; 3) тех. настра́ивать; 4) обусло́вливать; нормирова́ть (потребле́ние); 5) сде́рживать (чу́вства, слёзы); to ~ oneself сде́рживаться, сохраня́ть самооблада́ние.

control-gear [kənˈtroulgɪə] n тех. рыча́г переме́ны скоросте́й; выключа́ющий или включа́ющий механи́зм.

controllable [kənˈtroulbl] a 1) управля́емый, регули́руемый; 2) поддаю́щийся прове́рке, контро́лю; 3) поддаю́щийся обузда́нию.

controller [kənˈtroulə] n 1) контролёр; ревизо́р; инспе́ктор; 2) тех. контро́ллер; регуля́тор.

controversial [ˌkɔntrəˈvəːʃəl] a 1) спо́рный, дискуссио́нный; 2) лю́бящий поле́мику.

controversialist [ˌkɔntrəˈvəːʃəlɪst] n спо́рщик; полеми́ст.

controversy [ˈkɔntrəvəːsɪ] n 1) спор, диску́ссия, поле́мика; without ~, beyond ~ неоспори́мо, бесспо́рно; 2) спор, ссо́ра.

controvert [ˈkɔntrəvəːt] v 1) оспа́ривать, полемизи́ровать; 2) возража́ть, отрица́ть.

contumacious [ˌkɔntjuːˈmeɪʃəs] a 1) непоко́рный, неподчиня́ющийся; 2) упо́рный, упря́мый; 3) юр. не явля́ющийся на вы́зов суда́ или не подчиня́ющийся распоряже́нию суда́.

contumacy [ˈkɔntjuməsɪ] n 1) неповинове́ние, неподчине́ние; 2) упо́рство; упря́мство; 3) юр. нея́вка в суд; неподчине́ние постановле́нию суда́.

contumelious [ˌkɔntjuːˈmiːljəs] a оскорби́тельный; де́рзкий.

contumely [ˈkɔntjuːmlɪ] n 1) оскорбле́ние; де́рзость; 2) бесче́стье.

contuse [kənˈtjuːz] v 1) конту́зить; 2) тере́ть, растира́ть; толо́чь.

contusion [kənˈtjuːʒən] n 1) уши́б, конту́зия; 2) толче́ние, растира́ние.

conundrum [kəˈnʌndrəm] n зага́дка; головоло́мка.

convalesce [ˌkɔnvəˈles] v выздора́вливать.

convalescence [ˌkɔnvə'lesns] *n* выздоравливание; выздоровление.

convalescent [ˌkɔnvə'lesnt] **1.** *n* выздоравливающий;
2. *a* выздоравливающий, поправляющийся.

convection [kən'vekʃən] *n физ.* конвекция.

convenances ['kɔ̃ːŋvɪnãːnsɪz] *фр. n pl* приличия; благопристойность, благоприличие.

convene [kən'viːn] *v* 1) созывать (*собрание, съезд*); 2) вызывать (*в суд*); 3) собираться (*ся*).

convener [kən'viːnə] *n* член (*комитета, комиссии*), которому поручено созывать собрания.

convenience [kən'viːnjəns] *n* 1) удобство; at your ~ как *или* когда вам будет удобно; to await (*или* to suit) smb.'s ~ считаться с чьими-л. удобствами; for ~' sake для удобства; 2) *pl* комфорт, удобства; a house with modern ~s дом со всеми (современными) удобствами; 3) уборная; 4) пригодность; 5) выгода; for the ~ of... в интересах...; to make a ~ of smb. беззастенчиво использовать кого-л. в своих интересах; злоупотреблять чьим-л. влиянием, дружбой; marriage of ~ брак по расчёту.

convenient [kən'viːnjənt] *a* удобный, подходящий; пригодный.

convent ['kɔnvənt] *n* монастырь (*преим. женский*).

conventicle [kən'ventɪkl] *n пренебр., ритор.* 1) сектантская молельня (*в Англии*); 2) *ист.* тайное собрание *или* моление английских пуритан (*при Карле II и Иакове II*).

convention [kən'venʃən] *n* 1) собрание, съезд; *ист.* конвент; 2) договор, соглашение, конвенция; 3) общее согласие; обычай; 5) условность.

conventional [kən'venʃənl] *a* 1) обусловленный; договорённый; ~ tariff конвенционные пошлины; 2) условный; ~ sign условный знак; 3) обычный, общепринятый; традиционный; 4) *воен.* обычный (*о вооружении—в отличие от атомного*); ~ weapons обычные виды оружия; ~ bombs бомбы обычного типа; ~ attack (*или* aggression) нападение с помощью обычных средств вооружения; 5) *тех.* стандартный; удовлетворяющий техническим условиям.

conventionalism [kən'venʃnəlɪzəm] *n* условность; рутинность.

conventionality [kənˌvenʃə'nælɪtɪ] *n* 1) условность; 2) (the conventionalities) *pl* условности, принятые в обществе.

conventionalize [kən'venʃnəlaɪz] *v* 1) делать условным; 2) *иск.* изображать условно, в традиционном стиле.

conventual [kən'ventjuəl] **1.** *a* монастырский;
2. *n* монах; монахиня.

converge [kən'vəːdʒ] *v* 1) сходиться (*о линиях, дорогах*); 2) сводить в одну точку; 3) *мат.* приближаться (*к пределу*).

convergence [kən'vəːdʒəns] *n* 1) схождение в одной точке; 2) *мат.* сходимость (*бесконечного ряда*), конвергенция; 3) *биол., мед.* конвергенция.

convergent [kən'vəːdʒənt] *a* сходящийся в одной точке; ~ angle *мат.* угол конвергенции.

converging [kən'vəːdʒɪŋ] **1.** *pres. p. от* converge;
2. *a* сходящийся; сосредоточенный; двигающийся по сходящимся направлениям; ~ fire *воен.* сосредоточенный огонь;
3. *n воен.* концентрическое наступление.

conversable [kən'vəːsəbl] *a* 1) общительный; разговорчивый; 2) интересный как собеседник.

conversance [kən'vəːsəns] *n* осведомлённость (with).

conversant [kən'vəːsənt] *a* 1) хорошо знакомый; ~ with a subject (with a person) знакомый с предметом (с человеком); 2) сведущий; 3) относящийся к чему-л.

conversation [ˌkɔnvə'seɪʃən] *n* 1) разговор, беседа; to make ~ вести пустой разговор; 2) *pl* переговоры; 3) *жив.* жанровая картина (*тж.* ~ piece); ◇ criminal ~ *юр.* прелюбодеяние.

conversational [ˌkɔnvə'seɪʃənl] *a* 1) разговорный; 2) разговорчивый.

conversationalist [ˌkɔnvə'seɪʃnəlɪst] *n* 1) мастер поговорить; 2) интересный собеседник.

conversazione ['kɔnvəˌsætsɪ'ouni] *ит. n* (*pl* -ni) вечер, устраиваемый научным, литературным *или* артистическим обществом.

conversazioni ['kɔnvəˌsætsɪ'ouniː] *pl от* conversazione.

converse I 1. *v* [kən'vəːs] 1) разговаривать, беседовать; 2) общаться, поддерживать отношения (*с кем-л.*);
2. *n* ['kɔnvəːs] *уст.* 1) разговор, беседа; 2) общение.

converse II ['kɔnvəːs] **1.** *n* 1) обратное утверждение, положение *или* отношение; 2) *мат.* обратная теорема.
2. *a* обратный; перевёрнутый.

conversely ['kɔnvəːslɪ] *adv* обратно; наоборот.

conversion [kən'vəːʃən] *n* 1) превращение (to, into); переход (*из одного состояния в другое*); изменение; ~ of a solid into a liquid превращение твёрдой массы в жидкую; 2) *метал.* передел чугуна в сталь; 3) обращение (*в какую-л. веру*); переход (*в другую веру*); 4) перемена фронта (*переход из одной партии в другую и т. п.*); 5) *юр.* присвоение, обращение в свою пользу (*об имуществе*); 6) *лингв.* конверсия; 7) *фин.* конверсия; 8) перевод (*одних единиц в другие*); пересчёт; 9) *мат.* превращение (*простой дроби в десятичную*); 10) *тех.* превращение, переработка; трансформирование.

convert 1. *n* ['kɔnvəːt] 1) *рел.* новообращённый; 2) перешедший к другой партии;
2. *v* [kən'vəːt] 1) превращать; переделывать; 2) обращать (*на путь истины, в другую веру и т. п.*); 3) *юр.* присваивать, обращать в свою пользу (*имущество*); 4) *фин.* конвертировать.

converter [kən'vəːtə] *n* 1) *эл.* конвертер, преобразователь тока; *уст.* трансформатор;

2) *тех.* конвéртер, ретóрта; 3) *амер.* шифровáльный прибóр.

convertibility [kən͵vɑːtə'bılıtı] *n* 1) обратимость, изменяемость; 2) *фин.* обратимость, свобóдный междунарóдный обмéн валюты.

convertible [kən'vɑːtəbl] 1. *a* 1) обратимый, изменяемый; заменимый; heat is ~ into electricity теплотá мóжет быть превращенá в электрическтво; ~ terms синóнимы; ~ husbandry севооборóт; 2) откиднóй; 3) *фин.* обратимый, конвертируемый; ◇ ~ tank колёсно-гýсеничный танк;
2. *n* автомобиль с откидным вéрхом.

converting [kən'vɑːtıŋ] 1. *pres. p. от* convert 2;
2. *n* 1) преобразовáние; превращéние; обращéние; 2) *метал.* бессемеровáние.

convertiplane [kən'vɑːtəpleın] *n* модéль самолёта, котóрый мóжет функционировать и как вертолёт.

convex ['kɔn'veks] *a* выпуклый; выгнутый.

convexity [kɔn'veksıtı] *n* выпуклость, выгнутость.

convexo-concave [kɔn veksou'kɔnkeıv] *a* выпукло-вóгнутый.

convexo-convex [kɔn'veksou'kɔnveks] *a* двояковыпуклый.

convey [kən'veı] *v* 1) перевозить, переправлять (*пассажиров, товары*); транспортировать; 2) передавáть (*запах, звук, энергию*); 3) сообщáть (*известия*); 4) выражáть (*идею и т. п.*); it does not ~ anything to my mind это мне ничегó не говорит; 5) *юр.* передавáть (*имущество или право на владение имуществом*).

conveyance [kən'veıəns] *n* 1) перевóзка; достáвка; 2) перевóзочные срéдства; наёмный экипáж; 3) сообщéние (*идей и т. п.*); 4) *юр.* передáча (*имущества*); 5) *юр.* докумéнт (*о передаче имущества*); 6) *горн.* транспортёр, конвéйер.

conveyancer [kən'veıənsə] *n юр.* нотáриус, ведýщий делá по передáче имущества.

conveyancing [kən'veıənsıŋ] *n юр.* составлéние нотариáльных áктов о передáче имущества.

conveyer [kən'veıə] *n тех.* 1) конвéйер; транспортёр; 2) *attr.:* ~ screw бесконéчный винт, винтовóй транспортёр, шнек.

convict 1. *n* ['kɔnvıkt] осуждённый, заключённый; кáторжник;
2. *v* [kən'vıkt] 1) *юр.* признавáть винóвным; выносить приговóр; 2) привести к сознáнию (*проступка, вины и т. п.*).

conviction [kən'vık∫ən] *n* 1) осуждéние, признáние винóвным; summary ~ приговóр, вынесенный без учáстия присяжных; 2) убеждéние; to carry ~ убеждáть, быть убедительным; 3) увéренность, убеждённость (of—в; that); 4) *церк.* сознáние грехóвности.

convince [kən'vıns] *v* 1) убеждáть, уверять; 2) убеждáть до сознáния (*ошибку, проступок и т. п.*).

convinced [kən'vınst] 1. *p. p. от* convince;
2. *a* убеждённый (of—в).

convincing [kən'vınsıŋ] 1. *pres. p. от* convince;
2. *a* убедительный.

convivial [kən'vıvıəl] *a* 1) прáздничный; пиршественный; 2) весёлый; 3) общительный, компанéйский.

conviviality [kən͵vıvı'ælıtı] *n* весёлость; прáздничное настроéние *и пр.* [*см.* convivial].

convocation [͵kɔnvə'keı∫ən] *n* 1) созыв; 2) собрáние; 3) (С.) совéт (*Оксфордского университета*); 4) *церк.* собóр.

convoke [kən'vouk] *v* собирáть, созывáть (*парламент, собрание*).

convolute ['kɔnvəluːt] *a бот.* свёрнутый, свитóй.

convoluted ['kɔnvəluːtıd] *a* 1) свёрнутый спирáлью; имéющий извилины; 2) завитый, изóгнутый (*о бараньих рогах и т. п.*).

convolution [͵kɔnvə'luː∫ən] *n* 1) свёрнутость; изóгнутость; 2) оборóт (*спирали*); витóк; 3) извилина (*мозговая*).

convolve [kən'vɔlv] *v* свёртывать (ся); скрýчивать (ся); сплетáть (ся).

convolvulus [kən'vɔlvjuləs] *лат. n бот.* вьюнóк.

convoy ['kɔnvɔı] 1. *n* 1) сопровождéние; 2) *воен.* конвóй, трáнспортная колóнна с конвóем; *мор.* конвóй (*караван судов с конвоирами*); 3) погребáльная процéссия; 4) *attr.* сопровождáющий; конвóйный;
2. *v* сопровождáть; конвоировать.

convulse [kən'vʌls] *v* 1) потрясáть; the ground was ~d земля дрожáла; 2) (*обыкн. pass.*) вызывáть сýдороги, конвýльсии; to be ~d кóрчиться в конвýльсиях; 3) (*обыкн. pass.*) застáвить задрожáть (*от смеха, горя и т. п.*); 4) волновáть.

convulsion [kən'vʌl∫ən] *n* 1) колебáние (*почвы*); ~ of nature землетрясéние; изверже́ние вулкáна *и т. п.*; 2) (*обыкн. pl*) сýдорога, конвýльсия; he went into ~s с ним сдéлался припáдок; 3) *pl* сýдорожный смех; 4) потрясéние (*тж. общественное*).

convulsive [kən'vʌlsıv] *a* сýдорожный, конвульсивный.

cony ['kounı] *n* 1) крóлик; 2) крáшеная крóличья шкýрка (*промышленное название*).

coo [kuː] 1. *n* воркованье;
2. *v* воркóвáть; говорить воркýющим гóлосом.

cook [kuk] 1. *n* кухáрка, пóвар; *мор.* кок; ◇ too many ~s spoil the broth *посл.* ≅ у семи нянек дитя без глáзу;
2. *v* 1) стряпать, приготовлять пищу; жáрить (ся), варить (ся); 2) жáриться на сóлнце; 3) поддéлывать, фабриковáть (*документ*); состряпать (*«историю»*), придýмать (*что-л. в извинение*); ◇ to ~ smb.'s goose расправиться с кем-л.; погубить когó-л.; to ~ one's (own) goose погубить себя.

cookbook ['kuk͵buk] *амер.* = cookery-book.

cooker ['kukə] *n* 1) плитá, печь; 2) *воен.* полевáя печь; похóдная кýхня; 3) кастрюля; 4) сорт фрýктов, гóдный для вáрки;

5) тот, кто подделывает, сочиняет *и т. п.* [*см.* cook 2,3)].

cookery ['kukərɪ] *n* кулинария; стряпня.

cookery-book ['kukərɪbuk] *n* поваренная книга.

cook-galley ['kuk'gælɪ] *n мор.* камбуз.

cook-general ['kuk'dʒenərəl] *n* прислуга, выполняющая обязанности кухарки и горничной.

cook-house ['kukhaus] *n* походная *или* судовая кухня; надворная кухня.

cook-housemaid ['kuk'hausmeɪd] = cook-general.

cookie ['kukɪ] *n шотл., амер.* домашнее печенье.

cook-room ['kukrum] *n* кухня; *мор.* камбуз.

cook-shop ['kukʃɔp] *n* столовая; харчевня.

cook-table ['kuk,teɪbl] *n* кухонный стол.

cooky ['kukɪ] *n* 1) = cookie; 2) кухарка.

cool [kuːl] **1.** *a* 1) прохладный, свежий; нежаркий; to get ~ стать прохладным; остыть; 2) спокойный, невозмутимый; хладнокровный; to keep ~ сохранять спокойствие, хладнокровие; 3) равнодушный, безучастный; сухой, неласковый, неприветливый; 4) дерзкий, беззастенчивый, нахальный; a ~ hand (*или* customer, fish) беззастенчивый человек; ~ cheek нахальство; 5) *разг.* круглый (*о сумме*); a ~ thousand dollars кругленькая сумма в тысячу долларов; a ~ twenty kilometres добрых двадцать километров;

2. *n* 1) прохлада; 2) хладнокровие;

3. *v* охлаждать(ся); остывать (*часто* ~ down).

coolant ['kuːlənt] *n* охлаждающая жидкость, среда.

cooler ['kuːlə] *n* 1) холодильник; 2) ведёрко для охлаждения бутылки вина; 3) бачок с водой; 4) *воен. sl.* гауптвахта; 5) *sl.* арестантская камера; тюрьма; «холодная»; 6) *тех.* градирня.

cool-headed ['kuːl'hedɪd] *a* хладнокровный, спокойный.

coolie ['kuːlɪ] *n* кули (*рабочий и носильщик в Индии, Японии и некоторых других странах Азии*).

cooling ['kuːlɪŋ] **1.** *pres. p. от* cool 3; **2.** *n* охлаждение.

coolness ['kuːlnɪs] *n* 1) прохлада; ощущение холодка; 2) хладнокровие; спокойствие; 3) холодок (*в тоне и т. п.*); охлаждение (*в отношениях*).

coom [kuːm] *n разг.* угольная пыль.

coomb [kuːm] *n* ложбина, овраг; узкая долина, ущелье.

coon [kuːn] *n* 1) (*сокр. от* racoon) енот; 2) *разг.* хитрый парень (*тж.* an old ~); a gone ~ пропащий человек; 3) *разг.* негр.

co-op [kou'ɔp] *n* (*сокр. от* co-operative) кооперативный магазин, кооперативное общество; on the ~ на кооперативных началах.

coop [kuːp] **1.** *n* 1) курятник; клетка для птицы; 2) верша;

2. *v* сажать в курятник, в клетку; □ ~ in, ~ up а) держать взаперти; б) (*обыкн. p. p.*) набивать битком.

cooper ['kuːpə] **1.** *n* 1) бондарь, бочар; 2) спиртной напиток;

2. *v* бондарить.

cooperage ['kuːpərɪdʒ] *n* 1) бондарное ремесло; 2) бондарня.

co-operate [kou'ɔpəreɪt] *v* 1) сотрудничать; 2) содействовать; способствовать; 3) кооперироваться; объединяться; 4) *воен.* взаимодействовать (with, in, for).

co-operation [kou,ɔpə'reɪʃən] *n* 1) сотрудничество; совместные действия; 2) кооперация; 3) *воен.* взаимодействие.

co-operative [kou'ɔpərətɪv] **1.** *a* 1) совместный, объединённый, согласованно действующий; in a ~ spirit в духе сотрудничества; 2) кооперативный;

2. *n* кооператив (*тж.* ~ shop).

co-operator [kou'ɔpəreɪtə] *n* 1) сотрудник; 2) кооператор.

co-opt [kou'ɔpt] *v* кооптировать.

co-optation [,kouɔp'teɪʃən] *n* кооптация.

co-ordinate 1. *a* [kou'ɔːdnɪt] 1) одного разряда, той же степени, равный; 2) одного ранга, не подчинённый; 3) *грам.* сочинённый (*о предложении*); ~ conjunction сочинительный союз;

2. *n* [kou'ɔːdnɪt] 1) что-л. координированное; 2) *pl мат.* координаты; оси координат;

3. *v* [kou'ɔːdɪneɪt] координировать, устанавливать правильное соотношение; согласовывать.

co-ordination [kou,ɔːdɪ'neɪʃən] *n* 1) координация; согласование; 2) *грам.* сочинение.

coot [kuːt] *n* 1) лысуха (*птица*); 2) *разг.* простак; ◊ bald as a ~ лысый, плешивый.

cootie ['kuːtɪ] *n воен. sl.* вошь.

cop I [kɔp] *разг.* **1.** *n* 1) полицейский; полисмен, «фараон»; 2) поймка; a fair ~ поймка на месте преступления;

2. *v* поймать, застать (at — на *месте преступления*); to ~ it *sl.* а) поймать, сцапать; б) попасться, попасть в беду; you will ~ it тебе попадёт; в) умереть.

cop II [kɔp] *n* 1) верхушка (*чего-л.*); 2) хохолок (*птицы*); 3) *текст.* початок.

copaiba [kɔ'paɪbə] *n* копайский бальзам.

copal ['koupəl] *n* копал; копаловая камедь.

coparcenary ['kou'pɑːsɪnərɪ] *n юр.* совместное наследование; неразделённое наследство.

coparcener ['kou'pɑːsɪnə] *n юр.* сонаследник.

copartner ['kou'pɑːtnə] *n* член товарищества; участник в прибылях.

copartnership ['kou'pɑːtnəʃɪp] *n* 1) сотоварищество; 2) участие в прибылях (*предприятия*).

cope I [koup] *v* справиться; совладать (with).

cope II [koup] **1.** *n* 1) *церк.* риза; 2): the ~ of heaven небесный свод; the ~ of night покров ночи; 3) небольшой домик; будка; кабина; 4) *тех.* колпак, кожух, крышка литейной формы;

2. *v* 1) крыть, покрыва́ть; 2) обхва́тывать; 3) покупа́ть, обме́нивать.

copeck ['koupek] *рус. n* копе́йка.

coper I ['koupə] *n* торго́вец лошадьми́, ко́нский бары́шник.

coper II ['koupə] *n* су́дно, та́йно снабжа́ющее рыбако́в спиртны́ми напи́тками в откры́том мо́ре.

cope-stone ['koupstoun] = coping-stone.

co-pilot ['kou'pailət] *n ав.* второ́й пило́т.

coping I ['koupiŋ] *pres. p. от* cope I.

coping II ['koupiŋ] 1. *pres. p. от* cope II, 2;

2. *n* 1) *стр.* перекрыва́ющий ряд кла́дки стены́; парапе́тная плита́; 2) гре́бень плоти́ны.

coping-stone ['koupiŋstoun] *n* 1) карни́зный ка́мень; леща́дная плита́; 2) заверше́ние; после́днее сло́во (*нау́ки и т. п.*); it was the ~ of his misfortunes э́то бы́ло для него́ после́дним уда́ром.

copious ['koupjəs] *a* оби́льный; ~ writer плодови́тый писа́тель; ~ vocabulary бога́тый слова́рный запа́с.

copper I ['kɔpə] 1. *n* 1) медь; 2) ме́дная *или* бро́нзовая моне́та; 3) ме́дный котёл; 4) *pl* а́кции медеразраба́тывающего предприя́тия; 5) пая́льник; ◇ hot ~s су́хость го́рла с похме́лья; to cool the hot ~s опохмели́ться;

2. *a* ме́дный;

3. *v* покрыва́ть ме́дью.

copper II ['kɔpə] *n разг.* полице́йский, полисме́н.

copperas ['kɔpərəs] *n* (желе́зный) купоро́с.

copper-bottomed ['kɔpə'bɔtəmd] *a* 1) *мор.* обши́тый ме́дью (*о дне корабля́*); 2) кре́пкий, надёжный.

copper-butterfly ['kɔpə'bʌtəflaɪ] *n* голубя́нка, а́ргус (*бабочка*).

copperhead ['kɔpəhed] *n* 1) щитомо́рдник (*змея*); 2) (C.) та́йный сторо́нник южа́н (*среди северя́н в эпо́ху америка́нской гражда́нской войны́ 1861—65 гг.*).

copperplate ['kɔpəpleɪt] 1. *n* 1) ме́дная гравирова́льная доска́; 2) о́ттиск с неё; ◇ to write like a ~ писа́ть каллиграфи́чески;

2. *a* каллиграфи́ческий (*о по́черке*).

copper-smith ['kɔpəsmɪθ] *n* ме́дник; коте́льщик.

coppery ['kɔpərɪ] *a* цве́та ме́ди.

coppice ['kɔpɪs] *n* 1) ро́щица, подле́сок; 2) лесно́й уча́сток (*для периоди́ческой вы́рубки*).

copra ['kɔprə] *n* ко́пра, сушёное ядро́ коко́сового оре́ха.

copse [kɔps] = coppice.

Copt [kɔpt] *n* копт.

copter, 'copter ['kɔptə] *сокр. от* helicopter.

Coptic ['kɔptɪk] 1. *a* ко́птский;

2. *n* ко́птский язы́к.

copula ['kɔpjulə] *n грам., анат.* свя́зка.

copulate ['kɔpjuleɪt] *v биол.* спа́риваться.

copulation [ˌkɔpju'leɪʃən] *n биол.* 1) копуля́ция; 2) спа́ривание; слу́чка.

copulative ['kɔpjulətɪv] 1. *a* 1) *биол.* детеро́дный; 2) *грам.* соедини́тельный;

2. *n грам.* соедини́тельный сою́з.

copy ['kɔpɪ] 1. *n* 1) экземпля́р; advance ~ сигна́льный экземпля́р; 2) ру́копись; fair ~, clean ~ перепи́санная на́чисто ру́копись; rough ~, foul ~ чернова́я, оригина́л; 3) ко́пия; 4) репроду́кция; 5) материа́л для стате́й, кни́ги; this makes good ~ э́то хоро́ший материа́л (*для печа́ти*); 6) образе́ц; 7) *ист. юр.* ко́пия протоко́ла манориа́льного (поме́стного) суда́, формули́рующего усло́вия аре́нды земе́льного уча́стка;

2. *v* 1) снима́ть ко́пию, копи́ровать; воспроизводи́ть; де́лать по шабло́ну; 2) спи́сывать; перепи́сывать; 3) подража́ть, брать за образе́ц.

copy-book ['kɔpɪbuk] *n* 1) тетра́дь; тетра́дь с про́писями; 2) тетра́дь *или* па́пка, содержа́щая ко́пии пи́сем *или* други́х докуме́нтов; ◇ ~ maxims прописны́е и́стины; ~ morality ходя́чая мора́ль.

copyhold ['kɔpɪhould] *n ист.* 1) аре́ндные права́; 2) аре́ндная земля́, копиго́льд.

copyholder ['kɔpɪhouldə] *n ист.* 1) насле́дственный *или* пожи́зненный аренда́тор поме́щичьей земли́, копиго́льдер; 2) корре́ктор-подчи́тчик; 3) *полигр.* тена́кль.

copying pencil ['kɔpɪŋ'pensɪl] *n* хими́ческий каранда́ш.

copyist ['kɔpɪst] *n* 1) перепи́счик; 2) копиро́вщик; 3) имита́тор, подража́тель.

copy-reader ['kɔpɪˌriːdə] *n амер.* 1) = copyholder 2); 2) помо́щник реда́ктора (*газеты*).

copyright ['kɔpɪraɪt] 1. *n* а́вторское пра́во; ~ reserved а́вторское пра́во сохранено́;

2. *a predic.* охраня́емый а́вторским пра́вом; this book is ~ на э́ту кни́гу распространя́ется а́вторское пра́во;

3. *v* обеспе́чивать а́вторское пра́во.

coquet [kou'ket] *фр. v* коке́тничать.

coquetry ['koukɪtrɪ] *фр. n* коке́тство.

coquette [kou'ket] *фр. n* коке́тка.

cor- [kɔ-] *см.* com-.

coracle ['kɔrəkl] *n* рыба́чья ло́дка, сплетённая из ивняка́ и обтя́нутая ко́жей *или* брезе́нтом (*в Ирла́ндии и Уэ́льсе*).

coral ['kɔrəl] 1. *n* 1) кора́лл;

2. *a* 1) кора́лловый; 2) кора́ллового цве́та.

coral-island ['kɔrəl'aɪlənd] *n* кора́лловый о́стров.

coralline ['kɔrəlaɪn] 1. *n* кора́лловый мох;

2. *a* кора́лловый.

coral-reef ['kɔrəlriːf] *n* кора́лловый риф.

corbel ['kɔːbəl] 1. *n* 1) *архит.* поясо́к, вы́ступ; ни́ша; 2) *тех.* кронште́йн; консо́льная фе́рма;

2. *v тех.* расположи́ть на кронште́йне; подде́рживать кронште́йном.

corbie ['kɔːbɪ] *n шотл.* во́рон.

corbie-steps ['kɔːbɪsteps] *n pl архит.* ступе́нчатый фронто́н.

cord [kɔːd] 1. *n* 1) верёвка, шнур(о́к); 2) то́лстая струна́; 3) *анат.* свя́зка; vocal

~s гслосовы́е свя́зки; spinal ~ спинно́й мозг; 4) ру́бчик (*на материи*); 5) *pl* брю́ки из ру́бчатого пли́са [*см. тж.* corduroy 1, 2)]; 6) корд (*мера дров = 128 куб. фут. или 3,63 м³*);

2. *v* 1) свя́зывать верёвкой (*часто ~ up*); 2) гоня́ть на ко́рде (*лошадь*).

cordage ['kɔːdɪdʒ] *n* верёвки; сна́сти, такела́ж.

cordate ['kɔːdeɪt] *a бот.* сердцеви́дный.

corded ['kɔːdɪd] 1. *р. р. от* cord 2;

2. *a* 1) перевя́занный верёвкой; 2) ру́бчатый (*о материи*).

cordelier [,kɔːdɪ'lɪə] *n* 1) кордельер (*монах-францисканец*); 2) кордельер (*член клуба «Друзей прав человека и гражданина» эпохи Французской буржуазной революции 1789 г.*); 3) маши́на для произво́дства кана́тов.

cordial ['kɔːdjəl] 1. *a* серде́чный; и́скренний; раду́шный, тёплый (*о приёме*); ~ dislike си́льное нерасположе́ние;

2. *n* (стимули́рующее) серде́чное сре́дство; кре́пкий (стимули́рующий) напи́ток.

cordiality [,kɔːdɪ'ælɪtɪ] *n* серде́чность, раду́шие.

cordially ['kɔːdjəlɪ] *adv* 1) серде́чно; 2) *амер.* с соверше́нным почте́нием (*форма заключения письма*).

cordite ['kɔːdaɪt] *n* корди́т (*бездымный нитроглицериновый порох*).

cordoba ['kɔːdəbə] *n* кордо́ба (*денежная единица Никарагуа*).

cordon ['kɔːdn] *n* 1) кордо́н; 2) о́рденская ле́нта (*преим. иностранная*); 3) *архит.* кордо́н (*верхний край цоколя*).

cordon bleu [,kɔː,dɔːŋ'blɑː] *фр. n* 1) ва́жная персо́на; 2) *шутл.* первокла́ссный по́вар.

cordovan ['kɔːdəvən] *n* 1) дублёная козли́ная *или* ко́нская ко́жа (*тж.* ~ leather); 2) (С.) жи́тель г. Кордо́вы.

corduroy ['kɔːdərɔɪ] 1. *n* 1) ру́бчатый плис; вельве́т; 2) *pl* пли́совые *или* вельве́товые штаны́; коро́ткие, застёгивающиеся на пу́говицах ни́же коле́н штаны́, бри́джи; 3) бреве́нчатая мостова́я *или* доро́га (*тж.* ~ road).

2. *v* стро́ить бреве́нчатую мостову́ю *или* доро́гу.

cordwainer ['kɔːdweɪnə] *n уст.* сапо́жник.

core [kɔː] 1. *n* 1) сердцеви́на; вну́тренность; ядро́; to the ~ наскво́зь; 2) центр, се́рдце (*чего-л.*); 3) суть; the very ~ of the subject са́мая суть де́ла; 4) *тех.* серде́чник; сте́ржень; ши́шка (формо́вочная); 5) *эл.* жи́ла ка́беля;

2. *v* выреза́ть сердцеви́ну.

cored [kɔːd] 1. *р. р. от* core 2;

2. *a* по́лый.

co-religionist ['kouri'lɪdʒənɪst] *n* испове́дующий ту же ве́ру.

coreopsis [,kɔːrɪ'ɔpsɪs] *n бот.* корео́псис.

co-respondent ['kouris'pɔndənt] *n юр.* соотве́тчик (*в бракоразводном процессе*).

corf [kɔːf] *n* 1) садо́к, корзи́на (*для живой рыбы*); 2) *уст.* рудни́чная вагоне́тка.

coriaceous [,kɔːrɪ'eɪʃəs] *a* ко́жистый; твёр-дый, как ко́жа.

Corinthian [kə'rɪnθɪən] 1. *a* кори́нфский; ~ order *архит.* кори́нфский о́рдер;

2. *n* 1) кори́нфянин; 2) *уст.* све́тский челове́к; бога́тый спортсме́н; кути́ла.

cork [kɔːk] 1. *n* 1) про́бка; 2) кора́ про́бкового ду́ба; 3) поплаво́к; like a ~ плаву́чий, держа́щийся на воде́; *перен.* бо́дрый, жизнера́достный; 4) луб;

2. *a* про́бковый; ~ jacket, ~ vest про́бковый спаса́тельный жиле́т;

3. *v* 1) затыка́ть про́бкой; 2) ма́зать жжёной про́бкой; 2) сде́рживать(ся); зата́ивать, пря́тать (*часто ~ up*).

corkage ['kɔːkɪdʒ] *n* 1) заку́порка и отку́порка буты́лок; 2) дополни́тельная опла́та за отку́порку и пода́чу принесённого с собо́й вина́ (*в гостинице и т. п.*).

corked [kɔːkt] 1. *р. р. от* cork 3;

2. *a* 1) заку́поренный; 2) нама́занный жжёной про́бкой; 3) отдаю́щий про́бкой (*о вине*).

corker ['kɔːkə] *n разг.* не́что потряса́ющее (*напр., удивительный человек, неопровержимое доказательство, наглая ложь и т. п.*).

corking ['kɔːkɪŋ] 1. *pres. p. от* cork 3;

2. *a разг.* потряса́ющий, замеча́тельный.

cork-screw ['kɔːkskruː] 1. *n* што́пор;

2. *a* спира́льный, винтообра́зный; ~ spin *ав.* спуск што́пором:

3. *v* 1) дви́гаться (как) по спира́ли; 2) проти́скиваться, пробира́ться.

cork-tree ['kɔːktriː] *n бот.* дуб про́бковый.

corkwood ['kɔːkwud] *n* 1) про́бковое де́рево; 2) *уст.* древеси́на про́бкового ду́ба.

corky ['kɔːkɪ] *a* 1) про́бковый; 2) *разг.* живо́й, весёлый, подвижно́й; ве́треный.

cormorant ['kɔːmərənt] *n* 1) *зоол.* большо́й бакла́н; 2) жа́дина; обжо́ра.

corn I [kɔːn] 1. *n* 1) зерно́; зёрнышко; 2) *собир.* хлеба́; *особ.* пшени́ца; 3) *амер.* кукуру́за, ма́ис (*тж.* Indian ~); 4) *амер. разг.* кукуру́зная во́дка; 5) *attr.* зерново́й; *амер.* кукуру́зный; ~ bread *амер.* хлеб из кукуру́зы, ма́йсовый хлеб; ~ failure неурожа́й;

2. *v* 1) налива́ться зерно́м (*часто ~ up*); 2) се́ять пшени́цу (*амер.* кукуру́зу); 3) *тех.* зерни́ть, грану́ли́ровать.

corn II [kɔːn] *v* соли́ть мя́со.

corn III [kɔːn] *n* мозо́ль (*обыкн. на ноге*); ◇ to tread on one's ~s наступи́ть на люби́мую мозо́ль, заде́ть чьи-л. чу́вства.

corn-chandler ['kɔːn,tʃɑːndlə] *n* ро́зничный торго́вец хле́бом и фура́жом.

corn-cob ['kɔːnkɔb] *n* кочеры́жка кукуру́зного поча́тка.

corn-cockle ['kɔːn,kɔkl] *n бот.* ку́коль посевно́й.

corn-crake ['kɔːnkreɪk] *n* коросте́ль (*птица*).

corndodger ['kɔːn'dɔdʒə] = dodger 3).

cornea ['kɔːnɪə] *n анат.* рогова́я оболо́чка гла́за.

corned I [kɔːnd] 1. *р. р. от* corn II;

2. *a* солёный; ~ beef солони́на.

corned II [kɔːnd] *р. р. от* corn I, 2.

cornel ['kɔːnel] *n бот.* кизи́л.

cornelian [kɔː'niːljən] *n мин.* сердоли́к.

corneous ['kɔːnɪəs] *a* роговой; роговидный.

corner ['kɔːnə] **1.** *n* 1) угол, уголок; to cut off a ~ срезать угол, пойти напрямик; round the ~ за углом; *перен.* совсем близко, рядом; to turn the ~ завернуть за угол; *перен.* выйти из трудного положения; *перен.* благополучно перенести кризис (*болезни*); 2) кант; 3) закоулок, потайной уголок; done in a ~ сделано исподтишка, потихоньку; 4) часть, район; the four ~s of the earth четыре страны света; 5) неловкое положение; затруднение; to drive into a ~ загнать в угол, припереть к стене; 6) *эк.* скупка монополистами товара со спекулятивными целями; 7) *спорт.* корнер, свободный удар от углового флага;◇ hole and ~ transactions тайные махинации;
2. *v* 1) (*обыкн. р. р.*) снабжать углами; 2) загонять в угол, в тупик; припереть к стене; 3) скупать товары со спекулятивными целями; to ~ the market овладеть рынком, скупая товары.

corner-boy ['kɔːnəbɔɪ] *ирл.*=corner-man2).

cornered ['kɔːnəd] **1.** *р. р. от* corner 2;
2. *a* 1) с углами, имеющий углы; 2) в трудном положении; припёртый к стене.

corner-man ['kɔːnəmən] *n* 1) исполняющий комическую роль в негритянском ансамбле; 2) уличный зевака; 3) крупный (биржевой) спекулянт [*см.* corner 2,3)].

corner-stone ['kɔːnəstoun] *n* 1) архит. угловой камень; 2) краеугольный камень.

cornet ['kɔːnɪt] *n* 1) *муз.* корнет, корнет-а-пистон; 2) корнетист; 3) фунтик (*из бумаги*); вафля с мороженым; 4) *воен. уст.* корнет.

cornet-à-pistons ['kɔːnətə'pɪstənz] *фр. n* (*pl* cornets-à-pistons) *муз.* корнет, корнет-а-пистон.

cornets-à-pistons ['kɔːnətsə'pɪstənz] *pl от* cornet-à-pistons.

corn-exchange ['kɔːnɪks'tʃeɪndʒ] *n* хлебная биржа.

corn-field ['kɔːnfiːld] *n* поле, нива; *амер.* кукурузное поле.

corn-flakes ['kɔːnfleɪks] *n pl* корнфлекс.

corn-floor ['kɔːn‚flɔː] *n* гумно; ток.

corn-flour ['kɔːnflauə] *n* кукурузная, рисовая (*в Шотландии* — овсяная) мука.

corn-flower ['kɔːnflauə] *n* василёк (синий).

cornice ['kɔːnɪs] *n* 1) архит. карниз; свес; 2) нависшая глыба (*снега*).

cornicle ['kɔːnɪkl] *n* рожок (*улитки*); усик (*насекомого*).

Cornish ['kɔːnɪʃ] **1.** *a* корнуэльский;
2. *n* ист. корнский язык.

cornopean [kə'noupjən] = cornet 1).

corn-pone ['kɔːnpoun] *n* амер. кукурузная лепёшка.

corn-rent ['kɔːnrent] *n* земельная аренда, уплачиваемая зерном.

corn-stalk ['kɔːn‚stɔːk] *n* 1) амер. стебель кукурузы; 2) *разг.* дылда.

cornucopia [‚kɔːnju'koupjə] *n* рог изобилия.

corny I ['kɔːnɪ] *a* хлебный, зерновой; хлебородный.

corny II ['kɔːnɪ] *a* 1) мозолистый; 2) *разг.* жёсткий; шероховатый; 3) *амер. sl.* заскорузлый, косный.

corolla [kə'rɔlə] *n бот.* венчик.

corollary [kə'rɔlərɪ] *n* 1) *лог.* вывод; заключение; 2) естественное следствие, результат.

corona [kə'rounə] *n* 1) солнечная корона (*видимая при полном затмении*); кольцо (*вокруг луны или солнца*); 2) архит. венец, отливина; 3) венчик цветка; 4) *эл.* корона, свечение на проводах; 5) *анат.* коронка зуба; 6) *амер.* чепрак под вьючное седло.

coronach ['kɔrənək] *n* 1) похоронная песнь, похоронная музыка (*в горной Шотландии*); 2) похоронный плач, причитания (*в Ирландии*).

coronal 1. *n* ['kɔrənl] *поэт.* 1) корона, венец; 2) венок;
2. *a* [kə'rounl] венечный; коронарный; ~ suture *анат.* венечный шов.

coronate ['kɔrəneɪt] *v* короновать.

coronation [‚kɔrə'neɪʃən] *n* 1) коронация, коронование; 2) (успешное) завершение.

coroner ['kɔrənə] *n* следователь, ведущий дела о насильственной *или* скоропостижной смерти.

coronet ['kɔrənɪt] *n* 1) корона (*пэров*); 2) диадема; 3) *поэт.* венок; 4) нижняя часть бабки (*у лошади*), волосень.

corpora ['kɔːpərə] *pl от* corpus.

corporal I ['kɔːpərəl] *a* телесный; ~ defects физические недостатки.

corporal II ['kɔːpərəl] *n* капрал; ship's ~ капрал корабельной полиции.

corporal III ['kɔːpərəl] *n* церк. антиминс.

corporate ['kɔːpərɪt] *a* корпоративный, общий; ~ body корпоративная организация; ~ responsibility ответственность каждого члена корпорации; ~ town город, имеющий самоуправление.

corporation [‚kɔːpə'reɪʃən] *n* 1) корпорация; the C., municipal ~ муниципалитет; 2) *амер.* акционерное общество; banking ~ акционерный банк; 3) *разг.* большой живот.

corporator ['kɔːpəreɪtə] *n* член корпорации.

corporeal [kɔː'pɔːrɪəl] *a* 1) телесный; 2) вещественный, материальный.

corporeality [kɔː‚pɔːrɪ'ælɪtɪ] *n* вещественность, материальность.

corporeity [‚kɔːpɔː'riːɪtɪ] = corporeality.

corposant ['kɔːpɔzænt] *n* явление атмосферного электричества; *особ.* свечение на концах мачт (*так наз. огни св. Эльма*).

corps [kɔː] *фр. n* (*pl* corps [kɔːz]) *воен.* корпус; род войск, служба.

corps-de-ballet [‚kɔːdə‚bæ'le] *фр. n* кордебалет.

corpse [kɔːps] *n* труп.

corpulence ['kɔːpjuləns] *n* дородность, тучность.

corpulent ['kɔːpjulənt] *a* дородный, полный, тучный, жирный.

corpus ['kɔːpəs] *лат. n* (*pl* -pora) 1) свод (*законов*), кодекс; ~ juris [-'dʒuərɪs] свод законов; ~ delicti [-diː'lɪktaɪ] *юр.* состав преступления; 2) основной капитал; 3) *церк.* курия (*папская*).

Corpus Christi [ˈkɔːpəsˈkrɪstaɪ] *n церк.* праздник тела Христова.

corpuscle [ˈkɔːpʌsl] *n* 1) частица, тельце; корпускула; red (white) ~s *физиол.* красные (белые) кровяные шарики; 2) *физ.* атом; электрон.

corpuscular [kɔːˈpʌskjulə] *a* корпускулярный; атомный.

corral [kɔˈrɑːl] **1.** *n* 1) загон (*для скота*); 2) лагерь, окружённый обозными повозками;
2. *v* 1) загонять в загон; 2) окружать лагерь повозками; 3) *разг.* присваивать.

correct [kəˈrekt] **1.** *a* 1) правильный, верный, точный; 2) корректный; ◇ the ~ card *sl.* a) программа спортивного состязания; б) то, что надо;
2. *v* 1) исправлять, поправлять, корректировать; to ~ barometer reading to sea level вносить в показания барометра поправку на высоту данного места; 2) делать замечание, выговор; наказывать; 3) нейтрализовать (*вредное влияние*); 4) регулировать; 5) править (*корректуру*).

correction [kəˈrekʃən] *n* 1) исправление, (по)правка; to speak under ~ говорить, допуская возможность ошибки; 2) наказание; 3) *эл.* коррекция; 4) *attr.*: ~ factor коэффициент поправок, поправочный коэффициент.

correctional [kəˈrekʃənl] *a* исправительный; C. Institutions исправительные заведения, тюрьмы.

correctitude [kəˈrektɪtjuːd] *n редк.* корректность.

corrective [kəˈrektɪv] **1.** *a* 1) исправительный; 2) нейтрализующий (*о лекарстве*);
2. *n* 1) корректив; поправка, изменение; 2) *мед.* нейтрализующее средство.

correctly [kəˈrektlɪ] *adv* 1) правильно, верно; 2) корректно, вежливо.

corrector [kəˈrektə] *n* 1) исправляющий; ~ of the press корректор; 2) критик; 3) наказывающий.

correlate [ˈkɔrɪleɪt] **1.** *n* коррелят, соотносительное понятие;
2. *v* находиться в связи, в определённом соотношении, устанавливать соотношение (to, with).

correlation [ˌkɔrɪˈleɪʃən] *n* связь, соотношение; корреляция.

correlative [kɔˈrelətɪv] **1.** *a* 1) соотносительный; 2) коррелятивный, парный;
2. *n* 1) коррелят; 2) *грам.* коррелятивное слово; слово, обычно употребляемое в паре с другим (*напр.*, so — as, either — or).

correspond [ˌkɔrɪsˈpɔnd] *v* 1) соответствовать (with, to); согласовываться; 2) быть аналогичным (to); 3) переписываться (with).

correspondence [ˌkɔrɪsˈpɔndəns] *n* 1) соответствие; 2) соотношение; аналогия; 3) корреспонденция, переписка; письма; 4) *attr.*: ~ column столбец в газете для писем в редакцию; ~ courses заочные курсы.

correspondent [ˌkɔrɪsˈpɔndənt] **1.** *n* корреспондент;

2. *a* согласный, в согласии, соответственный (to, with).

corresponding [ˌkɔrɪsˈpɔndɪŋ] **1.** *pres. p. om* correspond;
2. *a* 1) соответственный; 2) ведущий переписку.

corresponding member [ˌkɔrɪsˈpɔndɪŋˈmembə] *n* член-корреспондент (*академии наук и т. п.*).

corridor [ˈkɔrɪdɔː] *n* коридор; ◇ ~ train поезд, состоящий из вагонов, соединённых тамбурами.

corrigenda [ˌkɔrɪˈdʒendə] *pl om* corrigendum.

corrigendum [ˌkɔrɪˈdʒendəm] *лат. n* (*pl -da*) 1) опечатка; 2) *pl* список опечаток.

corrigible [ˈkɔrɪdʒəbl] *a* исправимый, поправимый.

corroborant [kəˈrɔbərənt] **1.** *a* подтверждающий;
2. *n мед.* тоническое, укрепляющее средство.

corroborate [kəˈrɔbəreɪt] *v* подтверждать; подкреплять (*теорию и т. п.*).

corroborative [kəˈrɔbərətɪv] **1.** *a* укрепляющий; подтверждающий;
2. *n мед.* укрепляющее средство.

corroboratory [kəˈrɔbərətərɪ] = corroborative 1.

corrode [kəˈroud] *v* 1) разъедать (*тж. перен.*); вытравлять (*кислотой*) 2) ржаветь; подвергаться действию коррозии.

corrodent [kəˈroudənt] **1.** *n* разъедающее вещество;
2. *a* разъедающий; коррозийный.

corrosion [kəˈrouʒən] *n* коррозия; ржавчина; разъедание; окисление.

corrosive [kəˈrousɪv] **1.** *a* едкий, разъедающий; коррозийный; ~ sublimate *хим.* сулема;
2. *n* едкое, разъедающее вещество.

corrugate [ˈkɔrugeɪt] *v* 1) сморщивать (-ся); 2) *тех.* делать волнистым, гофрированным, рифлёным.

corrugated [ˈkɔrugeɪtɪd] **1.** *p. p. om* corrugate;
2. *a* гофрированный, рифлёный; ~ iron волнистое *или* рифлёное железо.

corrugation [ˌkɔruˈgeɪʃən] *n* 1) складка, морщина (*на лбу*); 2) выбоина (*дороги*); 3) *тех.* сморщивание; рифление; волнистость.

corrupt [kəˈrʌpt] **1.** *a* 1) испорченный; развращённый; 2) испорченный (*воздух и т. п.*); 3) искажённый, недостоверный (*текст*); 4) продажный; ~ practices взяточничество, бесчестные приёмы; ◇ ~ in blood *юр.* утерявший гражданские права вследствие совершения тяжкого преступления;
2. *v* 1) портить(ся), развращать(ся); 2) портить; 3) портить, гноить; 4) гнить, разлагаться; 5) искажать (*текст*); 6) *юр.* лишать гражданских прав.

corruptibility [kəˌrʌptəˈbɪlɪtɪ] *n* 1) продажность, подкупность; 2) подверженность порче.

corruptible [kəˈrʌptəbl] *a* 1) портящийся; 2) подкупный.

corruption [kə'rʌpʃən] n 1) пóрча; гниéние; ~ of the body разложéние трýпа; 2) извращéние; искажéние (слóва, тéкста); 3) развращéние; 4) разложéние (морáльное); продáжность, коррýпция.

corsage [kɔː'saːʒ] фр. n 1) корсáж; 2) разг. букéт, прикóлотый к корсáжу.

corsair ['kɔːsɛə] n 1) пирáт, корсáр; 2) кáпер (судно).

corse [kɔːs] n поэт. см. corpse.

corselet ['kɔːslɪt] n 1) ист. лáты; 2) корсéт.

corset ['kɔːsɪt] n корсéт.

corslet ['kɔːslɪt] = corselet.

cortège [kɔː'teɪʒ] фр. n кортéж, торжéственное шéствие.

Cortes ['kɔːtes] n pl кортéсы (парламент в Испании, Португáлии).

cortex ['kɔːteks] n (pl -tices) 1) бот. корá; 2) анат. корá головнóго мóзга.

cortical ['kɔːtɪkəl] a кóрковый.

corticate ['kɔːtɪkeɪt] a покрытый корóй; кóрковый; корковидный.

corticated ['kɔːtɪˌkeɪtɪd] = corticate.

cortices ['kɔːtɪsiːz] pl от cortex.

coruscate ['kɔrəskeɪt] v сверкáть; блистáть.

coruscation [ˌkɔrəs'keɪʃən] n сверкáние, блеск.

corvée ['kɔːveɪ] фр. n 1) ист. бáрщина; 2) тяжёлая, подневóльная рабóта.

corvette [kɔː'vet] n мор. корвéт; противолóдочный сторожевóй корáбль.

corvine ['kɔːvaɪn] a ворóний.

Corydon ['kɔrɪdən] n Коридóн (обычное имя поселянина или пастуха в пасторáли).

corymb ['kɔrɪmb] n бот. щитóк.

corymbose [kə'rɪmbous] a бот. щитковидный.

coryphaei [ˌkɔrɪ'fiːaɪ] pl от coryphaeus.

coryphaeus [ˌkɔrɪ'fiːəs] греч. n (pl -phaei) корифéй.

coryphée [ˌkɔrɪ'feɪ] фр. n корифéйка (в балéте).

cos [kɔs] n бот. салáт ромэн (тж. C. lettuce).

cosaque [kɔ'zaːk] фр. n хлопýшка с конфéтой.

cose [kouz] v удóбно, уютно расположиться, устрóиться.

cosecant ['kou'siːkənt] n мат. косéканс.

coseismal [kou'saɪsməl] n геол. сейсмúческая кривáя (тж. ~ line, ~ curve).

cosher I ['kɔʃə] v баловáть, нéжить.

cosher II ['kɔʃə] v ирл. пировáть; жить на чужóй счёт.

cosher III ['kɔʃə] v разг. болтáть, разговáривать запрóсто.

co-signatory ['kou'sɪgnətərɪ] n юр. лицó или госудáрство, подпúсывающее соглашéние вмéсте с другúми лúцами или госудáрствами.

cosily ['kouzɪlɪ] adv уютно.

cosine ['kousaɪn] n мат. кóсинус.

cosiness ['kouzɪnɪs] n уют, уютность.

coslettize ['kɔsletaɪz] v покрывáть антикоррозийным состáвом.

cosmetic [kɔz'metɪk] 1. a косметúческий; 2. n космéтика; косметúческое срéдство.

cosmetologist [ˌkɔzmɪ'tɔlədʒɪst] n косметóлог; космéтичка.

cosmetology [ˌkɔzmɪ'tɔlədʒɪ] n космéтика.

cosmic ['kɔzmɪk] a 1) космúческий; 2) огрóмный, всеобъéмлющий; 3) упорядоченный, организóванный.

cosmogony [kɔz'mɔgənɪ] n космогóния.

cosmography [kɔz'mɔgrəfɪ] n космогрáфия.

cosmology [kɔz'mɔlədʒɪ] n космолóгия.

cosmopolitan [ˌkɔzmə'pɔlɪtən] 1. n космополúт; 2. a космополитúческий.

cosmopolitanism [ˌkɔzmə'pɔlɪtənɪzəm] n космополитúзм.

cosmopolite [kɔz'mɔpəlaɪt] = cosmopolitan 1.

cosmopolitism [ˌkɔzmə'pɔlɪtɪzəm] = cosmopolitanism.

cosmos ['kɔzmɔs] греч. n 1) кóсмос, вселéнная; 2) упорядоченная систéма.

Cossack ['kɔsæk] рус. n 1) казáк; 2) attr. казáцкий.

cosset ['kɔsɪt] 1. n 1) любúмый ягнёнок; 2) любúмец; бáловень; 2. v баловáть, ласкáть, нéжить.

cost [kɔst] 1. n 1) ценá, стóимость; prime ~ фабрúчная себестóимость; ~s of production издéржки произвóдства; ~ of living прожúточный мúнимум; ~ and freight ком. стóимость и фрахт; ~, insurance and freight (сокр. c. i. f.) ком. стóимость, страховáние, фрахт; 2) расхóд (врéмени); расхóдование; 3) pl судéбные издéржки; 4) attr.: ~ price себестóимость; ~ accounting ведéние отчётности; калькуляция стóимости; ◇ at any ~, at all ~s любóй ценóй; во чтó бы то ни стáло; at the ~ of smth. ценóю чегó-л.; at one's ~ за чей-л. счёт; to count the ~ взвéсить все обстоятельства; to know (to learn) to one's own ~ знать (узнáть) по гóрькому óпыту; 2. v (cost) 1) стóить, обходúться; it ~ him infinite labour это стóило емý огрóмного трудá (тж. перен.); it may ~ you your life это мóжет стóить вам жúзни; 2) назначáть цéну, расцéнивать (товáр).

costal ['kɔstl] a рéберный.

costard ['kʌstəd] n назвáние сóрта крупных англúйских яблок.

costean [kɔs'tiːn] v горн. развéдывать жúлу шýрфами.

coster(monger) ['kɔstə(ˌmʌŋgə)] n улúчный торгóвец фрýктами, овощáми, рыбой и т. п.

costive ['kɔstɪv] a 1) страдáющий запóром; 2) медлúтельный; не умéющий выразить словáми свои мысли и чýвства; 3) скуповáтый.

costless ['kɔstlɪs] a даровóй.

costliness ['kɔstlɪnɪs] n дорогáя ценá; дороговúзна.

costly ['kɔstlɪ] a 1) дорогóй, цéнный; 2) пышный, роскóшный.

costmary ['kɔstmɛərɪ] n бот. пижма, дúкая рябúн(к)а.

costume ['kɔstjuːm] 1. n 1) одéжда, плáтье; 2) стиль в одéжде, костюм;

English ~ of the XVIII century одежда англичáн XVIII вéка; 3) костю́м (дамский, для верховой езды и т. п.); 4) attr : ~ ball костюмирóванный бал, бал-маскарáд;
2. v одевáть; снабжáть одéждой.

costume piece ['kɔstjuːm'piːs] n теáтр. истори́ческая пьéса.

costumier [kɔs'tjuːmɪə] n костюмéр; торгóвец театрáльными и маскарáдными костю́мами.

cosy ['kouzɪ] 1. a уютный;
2. n стёганый чехóл (для чáйника).

cot I [kɔt] n 1) дéтская кровáтка; 2) кóйка; 3) англо-инд. лёгкая похóдная кровáть; 4) attr.: ~ case мед. лежáчий больнóй.

cot II [kɔt] 1. n 1) загóн, хлев; 2) поэт. хи́жина;
2. v загонять (овéц) в овчáрню.

cot III [kɔt] сокр. от cotangent.

cotangent ['kou'tændʒənt] n мат. котáнгенс.

cote [kout] n загóн, хлев, овчáрня.

co-temporary [kou'tempərərɪ] = contemporary.

co-tenant ['kou'tenənt] n соарендáтор.

coterie ['koutərɪ] n кружóк (литерáтурный, артисти́ческий и т. п.); 2) и́збранный, зáмкнутый круг.

cothurni [kou'θəːnaɪ] pl от cothurnus.

cothurnus [kou'θəːnəs] n (pl -ni) 1) др. -греч. котýрн; 2) трагéдия; 3) высокопáрный стиль.

co-tidal [kou'taɪdl] a: ~ line котидáльная ли́ния (соединяющая пункты одновременного прилива).

cotill(i)on [kə'tɪljən] n котильóн (танец).

cottage ['kɔtɪdʒ] n 1) коттéдж, зáгородный дом; амер. лéтняя дáча; 2) избá; хи́жина; 3) австрал. одноэтáжный дом; 4) attr.: ~ cheese прессóванный творóг; ~ hospital небольшáя сéльская больни́ца (без живущих при ней врачей); больни́ца, состоя́щая из нéскольких разбрóсанных коттéджей; ~ piano небольшóе пиани́но.

cottager ['kɔtɪdʒə] n 1) живущий в хи́жине, коттéдже; 2) батрáк; крестья́нин [см. тж. cottar]; 3) амер. дáчник.

cottar ['kɔtə] n 1) шотл. батрáк (живущий при фéрме); 2) ирл. уст. бедня́к-арендáтор (плативший рéнту, устанóвленную на публи́чных торгáх).

cotter I ['kɔtə] = cottar.

cotter II ['kɔtə] n тех. 1) клин, чекá, шпóнка; костыль; 2) attr.: ~ bolt болт с чекóй; ~ key чекá.

cottier ['kɔtɪə] = cottar 2).

cotton I ['kɔtn] 1. n 1) хлóпок; хлопчáтник; 2) хлопчáтая бумáга; бумáжная ткань; 3) ни́тка; a needle and ~ игóлка с ни́ткой; 4) вáта (тж. ~ wool);
2. a 1) хлóпковый; 2) хлопчатобумáжный.

cotton II ['kɔtn] v 1) согласовáться; ужи́ваться (together, with); 2) полюби́ть, привязáться (to); 3) амер. ~ to him at all он мне совсéм не по душé; □ ~ on a) сдружи́ться (to—с); б) разг. понимáть.

cotton-cake ['kɔtnkeɪk] n хлóпковый жмых.

cotton-gin ['kɔtndʒɪn] n хлопкоочисти́тельная маши́на.

cotton-grass ['kɔtngrɑːs] n бот. пуши́ца.

cotton-lord ['kɔtnlɔːd] n тексти́льный магнáт.

cotton-machine ['kɔtnmə,ʃiːn] n бумагопряди́льная маши́на.

cotton mill ['kɔtnmɪl] n хлопкопряди́льная фáбрика; хлопоткáцкая фáбрика.

cottonocracy [,kɔtn'ɔkrəsɪ] n магнáты хлóпковой торгóвли и хлопчатобумáжной промы́шленности.

Cottonopolis [,kɔtn'ɔpəlɪs] n шутл. г. Мáнчестер (как центр хлопчатобумáжной промы́шленности).

cotton-picker ['kɔtn,pɪkə] n 1) сбóрщик хлóпка; 2) хлопкоубóрочная маши́на.

cotton-plant ['kɔtnplɑːnt] n хлопчáтник.

cotton-planter ['kɔtn,plɑːntə] n хлопковóд.

cotton-spinner ['kɔtn,spɪnə] n 1) хлопкопряди́льщик; 2) владéлец бумагопряди́льни.

cotton-tail ['kɔtnteɪl] n америкáнский крóлик.

cotton waste ['kɔtnweɪst] n хлóпковые отбрóсы, угáр.

cotton weed ['kɔtnwiːd] = cudweed.

cotton wool ['kɔtn'wul] n 1) хлóпок-сырéц; 2) вáта.

cottony ['kɔtnɪ] a 1) хлóпковый; 2) пуши́стый, мя́гкий.

cotton yarn ['kɔtnjɑːn] n хлопчатобумáжная пря́жа.

cotyledon [,kɔtɪ'liːdən] n бот. семядóля.

couch I [kautʃ] 1. n 1) кушéтка; 2) поэт. лóже; 3) лóговище, берлóга; норá; 4) жив. грунт, предвари́тельный слой (краски, лака на холстé);
2. v 1) (тк. в р. р.) ложи́ться; 2) лежáть, притаи́ться (о зверях); 3) излагáть, выражáть, формули́ровать; the refusal was ~ed in polite terms откáз был облечён в вéжливую фóрму; 4) снимáть с глáза (катарáкту); 5) взять наперевéс, нá руку (копьё, пику); 6) с.-х. прорáщивать (семена и т.п.).

couch II [kautʃ] = couch-grass.

couch-grass ['kautʃgrɑːs] n бот. пырéй ползучий.

cougar ['kuːgə] n зоол. пýма, кугуáр.

cough [kɔf] 1. n кáшель;
2. v кáшлять; □ ~ down кáшлем застáвить замолчáть (говорящего); ~ out отхáркивать; ~ up a) ~ out; б) сболтнýть, проболтáться, выдать (что-л.).

cough-drop ['kɔf'drɔp] n 1) срéдство от кáшля; 2) что-л. крáйне неприя́тное.

cough-lozenge ['kɔf'lɔzɪndʒ] n таблéтка от кáшля.

could [kud (полная форма); kəd (реду́цированная форма)] past от can I.

coulee ['kuːlɪ] n 1) отвердéвший потóк лáвы; 2) амер. глубóкий оврáг; сухóе рýсло.

coulisse [kuː'liːs] фр. n 1) теáтр. кули́са; 2) тех. вы́емка, паз, желобóк; 3) attr.: ~ gossip закули́сные сплéтни.

couloir ['kuːlwɑː] фр. n ущéлье.

coulomb ['kuːlɔm] n эл. кулóн.

coulter ['koultə] *n* резáк, нож плýга.

council ['kaunsl] *n* 1) совéт; World Peace C. Всемúрный Совéт Мúра; Security C. Совéт безопáсности; town ~ муниципалитéт, городскóй совéт; C. of Action комитéт дéйствия; ~ of war воéнный совéт (*тж. перен.*); 2) совещáние; ~ of physicians консúлиум врачéй; 3) церкóвный собóр; 4) *библ.* синедриóн.

council-board ['kaunslbɔ:d] *n* 1) заседáние совéта; 2) стол, за котóрым происхóдит заседáние совéта.

councillor ['kaunsɪlə] *n* член совéта; совéтник.

councilman ['kaunslmən] *n амер.* член совéта (*особ. муниципáльного*).

counsei ['kaunsəl] 1. *n* 1) обсуждéние, совещáние; to take ~ with совещáться с; 2) совéт; to give good ~ дать хорóший совéт; 3) намéрение; плáны; to keep one's ~ помáлкивать; держáть в секрéте; 4) адвокáт; грýппа адвокáтов (*в какóм-л. дéле, процéссе*); King's (*или* Queen's) C. королéвский адвокáт (*по назначéнию правúтельства*);
2. *v* давáть совéт; рекомендовáть.

counsellor ['kaunslə] *n* 1) совéтник; 2) *амер., ирл.* адвокáт.

count I [kaunt] 1. *n* 1) счёт, подсчёт; to keep ~ вестú счёт, учёт, подсчёт; to lose ~ потерять счёт; 2) сосчúтанное числó; итóг; 3) *юр.* любóй пункт обвинúтельного áкта, достáточный для возбуждéния дéла; ◇ on other ~s во всех другúх отношéниях; ~ of yarn *текст.* нóмер прýжи; 2. *v* 1) считáть, подсчúтывать, пересчúтывать; 2) принимáть во внимáние, считáть; there are ten of us ~ing the children вмéсте с детьмú нас дéсять (человéк); 3) полагáть, считáть; 4) имéть значéние; идтú в расчёт; that does not ~ ́это не считáется, не идёт в расчёт; every little ~s всýкий пустяк имéет значéние; he does not ~ с ним не стóит считáться; □ ~ for стóить; имéть значéние; to ~ for much (little) имéть большóе (мáлое) значéние; to ~ for nothing не идтú в счёт; не имéть никакóго значéния; ~ in включáть; ~ on рассчúтывать на *что-л.*, на *когó-л.*; ~ out a) опускáть, пропускáть; б) исключúть, не считáть, не принимáть во внимáние; в) *парл.* отложúть заседáние из-за отсýтствия квóрума; г) *амер.* производúть невéрный подсчёт избирáтелей; д) *спорт.* объявúть боксёра нокаутúрованным; ~ upon = ~ on.

count II [kaunt] *n* граф (*не англúйский*).

countenance ['kauntinəns] 1. *n* 1) выражéние лицá, лицó; to change one's ~ изменúться в лицé; to keep one's ~ a) не покáзывать вúда; б) удéрживаться от смéха; 2) спокóйствие, самооблáдание; to lose ~ потерять самооблáдание; to put smb. out of ~ смутúть когó-л.; привестú когó-л. в замешáтельство; 3) сочýвственный взгляд; проявлéние сочýвствия; морáльная поддéржка, поощрéние; to lend (*или* to give) one's ~ оказáть морáльную поддéржку; подбодрúть;

2. *v* 1) одобрýть, санкционúровать, разрешáть; 2) морáльно поддéрживать, поощрýть; относúться сочýвственно.

counter I ['kauntə] *n* прилáвок; стóйка; to serve behind the ~ служúть в магазúне.

counter II ['kauntə] *n* 1) фúшка, мáрка (*для счёта в úграх*); 2) шáшка (*в игрé*); 3) *тех.* счётчик; индикáтор оборóтов, тахóметр.

counter III ['kauntə] 1. 1) протúвное, обрáтное; as a ~ to smth. в противовéс чемý-л.; 2) отражéние удáра; встрéчный удáр, нанесённый одноврéменно с парúрованием удáра протúвника; 3) зáдник (*сапогá*); 4) восьмёрка (*конькобéжная фигýра*); 5) хóлка; загрúвок; 6) *мор.* кормовóй подзóр;
2. *a* противополóжный; обрáтный; встрéчный;
3. *adv* обрáтно; в обрáтном направлéнии; напротúв;
4. *v* 1) противостоýть; протúвиться; противорéчить; 2) парúруя удáр, одновремéнно нанестú встрéчный удáр (*в бóксе*).

counter- ['kauntə-] *pref* протúво-, контр-.

counteract [,kauntə'rækt] *v* 1) противодéйствовать; 2) нейтрализовáть.

counteraction [,kauntə'rækʃən] *n* 1) противодéйствие; 2) нейтрализáция.

counteractive [,kauntə'ræktɪv] 1. *a* 1) противодéйствующий; 2) нейтрализýющий;
2. *n* что-л. противодéйствующее.

counter-attack ['kauntərə,tæk] 1. *n* контратáка, контрнаступлéние;
2. *v* контратаковáть.

counter-attraction ['kauntərə,trækʃən] *n* 1) обрáтное притяжéние; 2) отвлекáющее срéдство.

counterbalance 1. *n* ['kauntə,bæləns] противовéс;
2. *v* [,kauntə'bæləns] уравновéшивать, служúть противовéсом.

counterblast ['kauntəblɑ:st] *n* 1) встрéчный порýв вéтра; 2) контрмéра; энергúчный протéст (*прóтив чегó-л.*); 3) контробвинéние.

counterblow ['kauntəblou] *n* встрéчный удáр, контрудáр.

countercharge ['kauntətʃɑ:dʒ] 1. *n* встрéчное обвинéние;
2. *v* 1) предъявлýть встрéчное обвинéние; 2) *воен.* идтú в контратáку; контратаковáть.

countercheck ['kauntə,tʃek] *n* противодéйствие; препятствие.

counter-claim ['kauntəkleim] 1. *n* встрéчный иск, контрпретéнзия;
2. *v* предъявлýть встрéчный иск.

counter-clockwise ['kauntə'klɔkwaiz] *adv* прóтив (движéния) часовóй стрéлки.

counter-espionage ['kauntərespiə,nɑ:ʒ] *n* контрразвéдка.

counterfeit ['kauntəfit] 1. *n* 1) поддéлка; 2) обмáнщик; подставнóе лицó;
2. *a* 1) поддéльный, подлóжный; фальшúвый; 2) притвóрный;
3. *v* 1) поддéлывать; 2) притворýться; обмáнывать; 3) подражáть; быть похóжим.

counterfeiter ['kauntə‚fitə] *n* 1) притворщик, обманщик; 2) фальшивомонётчик; поддёлыватель; 3) имитатор.

counterfoil ['kauntəfɔil] *n* корешóк чéка, квитанции, билéта *и т. п.*

counterfort ['kauntə‚fɔːt] *n* контрфóрс, подпóрка.

counter-intelligence ['kauntərin‚telidʒəns] *n* контрразвéдка.

counter-irritant [‚kauntər'iritənt] *n мед.* оттягивающее *или* отвлекающее срéдство.

counter-jumper ['kauntə‚dʒʌmpə] *разг. пренебр. см.* counterman.

counterman ['kauntəmən] *n* продавéц, приказчик.

countermand [‚kauntə'maːnd] 1. *n* контрприказ; приказ в отмéну прéжнего приказа;
2. *v* 1) отменять приказ(ание) *или* заказ; 2) отзывать (*лицо, воинскую часть*).

countermarch ['kauntə‚maːtʃ] 1. *n воен.* контрмарш;
2. *v* возвращаться обратно *или* в обратном порядке.

countermark ['kauntə‚maːk] *n* контрóльное *или* пробирное клеймó.

countermine 1. *n* ['kauntə‚main] контрмина;
2. *v* [‚kauntə'main] 1) закладывать контрмины; 2) расстраивать прóиски.

counter-offensive ['kauntərə‚fensiv] *n воен.* контрнаступлéние.

counterpane ['kauntəpein] *n* 1) покрывáло (*на кровати*); 2) стёганое одеяло.

counterpart ['kauntəpaːt] *n* 1) кóпия; дубликат; 2) двойник; 3) что-л. (*человек или вещь*), дополняющее другóе, хорошó сочетающееся с другим.

counterplot ['kauntəplɔt] 1. *n* контрзаговор;
2. *v* организовать контрзаговор.

counterpoint ['kauntəpɔint] *n муз.* контрапункт.

counterpoise ['kauntəpɔiz] 1. *n* 1) противовéс; 2) равновéсие;
2. *v* уравновéшивать.

counter-revolution ['kauntərevə‚luːʃən] *n* контрреволюция.

counter-revolutionary ['kauntərevə‚luːʃnəri] 1. *n* контрреволюционéр;
2. *a* контрреволюцирóнный.

counterscarp ['kauntəskaːp] *n воен.* контрэскарп.

countershaft ['kauntə‚ʃaːft] *n тех.* контрпривóд, промежýточный вал.

countersign ['kauntəsain] 1. *n* 1) парóль; 2) скрéпа, контрассигнация;
2. *v* скреплять (*документ*) пóдписью, ставить вторýю пóдпись.

countersink ['kauntə‚siŋk] *тех.* 1. *n* зенкóвка, цикóвка;
2. *v* зенковáть.

countervail ['kauntəveil] *v* 1) противостоять; 2) компенсировать; уравновéшивать.

countervailing duty ['kauntəveiliŋ'djuːti] *n эк.* компенсацирóнная пóшлина.

counterweigh [‚kauntə'wei] *v* уравновéшивать.

counterweight ['kauntə‚weit] *n* противовéс, контргрýз.

counterwork 1. *n* ['kauntə‚wəːk] противодéйствие;
2. *v* [‚kauntə'wəːk] противодéйствовать; расстраивать (*планы*).

countess ['kauntis] *n* графиня.

counting-house ['kauntiŋhaus] *n* 1) контóра; 2) бухгалтéрия.

counting-room ['kauntiŋrum] *амер.* = counting-house.

countless ['kauntlis] *a* несчётный, бесчисленный, неисчислимый.

countrified ['kʌntrifaid] *a* имéющий деревéнский вид.

country ['kʌntri] *n* 1) странá; 2) рóдина, отéчество (*тж.* old ~); to leave the ~ уéхать за границу; 3) дерéвня (*в противоположность городу*); сéльская мéстность; in the ~ за гóродом; в дерéвне; на дáче; in the open ~ на лóне прирóды; 4) периферия, провинция; 5) мéстность; территóрия; 6) ландшафт; 7) óбласть, сфéра; this subject is quite unknown ~ to me этот вопрóс — чуждая мне óбласть; 8) жители страны, населéние; 9) *attr.* сéльский; деревéнский; ◇ to appeal (*или* to go) to the ~ распустить парламéнт и назначить нóвые выборы.

country cousin ['kʌntri‚kʌzn] *n* деревéнский житель, провинциал, впервые увидевший гóрод.

country dance ['kʌntri‚daːns] *n* контрдáнс (*танец*).

countryfolk ['kʌntrifouk] *n pl* сéльские жители.

country-house ['kʌntri'haus] *n* 1) помéщичий дом; 2) зáгородный дом, дáча.

countryman ['kʌntrimən] *n* 1) соотéчественник, земляк; 2) крестьянин, сéльский житель.

country party ['kʌntri'paːti] *n* аграрная пáртия.

country-seat ['kʌntri'siːt] *n* помéстье; имéние.

country-side ['kʌntri'said] *n* 1) сéльская мéстность; окрýга; 2) мéстное сéльское населéние.

countrywoman ['kʌntri‚wumən] *n* 1) соотéчественница, землячка; 2) крестьянка, сéльская жительница.

county ['kaunti] *n* 1) графство (*административная единица в Англии*); óкруг (*в США*); 2) жители графства *или* óкруга; 3) *attr.* относящийся к графству *или* óкругу; окружнóй; ~ borough гóрод с населéнием свыше 50 тысяч, административно выделенный в самостоятельную единицу; ~ council совéт графства *или* óкруга; ~ court мéстный суд графства *или* óкруга; ~ town, ~ seat главный гóрод графства *или* óкруга.

coup [kuː] *фр. n* удачный ход; удача в делáх.

coup d'état ['kuːdei'taː] *фр. n* государственный переворóт.

coupé ['kuːpei] *фр. n* 1) двухмéстная карéта; 2) двухмéстный закрытый автомобиль; 3) *ж.-д.* двухмéстное купé.

couple ['kʌpl] 1. *n* 1) два, пáра; lend me a couple of pencils дай мне пáру карандашей; 2) па́ра (*супруги; жених и невеста; танцующие*); 3) сво́ра; 4) па́ра борзы́х на сво́ре *или* го́нчих на смы́чке; 5) *мех.* па́ра сил; 6) *эл.* элеме́нт; ◊ to hunt in ~s быть неразлу́чными;

2. *v* 1) соединя́ть; 2) свя́зывать, ассоции́ровать; 3) жени́ться; 4) спа́риваться; 5) *ж.-д.* сцепля́ть.

coupler ['kʌplə] *n* 1) *mex.* сце́пщик; 2) *mex.* сце́пка; соедини́тельный прибо́р; сцепля́ющая му́фта; 3) *радио* устро́йство свя́зи.

couplet ['kʌplɪt] *n* рифмо́ванное двусти́шие.

coupling ['kʌplɪŋ] 1. *pres. p. om* couple 2; 2. *n* 1) соедине́ние; совокупле́ние; спа́ривание; 2) *mex.* му́фта; сцепле́ние; сопряже́ние; 3) *радио* связь.

coupon ['kuːpɔn] *n* 1) купо́н; 2) тало́н (*продовольственной или промтоварной карточки*).

courage ['kʌrɪdʒ] *n* хра́брость, сме́лость, отва́га, му́жество; to muster (up) ~, to pluck (up) ~ отва́житься, набра́ться хра́брости; to lose ~ испуга́ться; to have the ~ of one's convictions (*или* opinions) име́ть му́жество поступа́ть согла́сно свои́м убежде́ниям; ◊ Dutch ~ сме́лость во хмелю́.

courageous [kə'reɪdʒəs] *a* сме́лый, отва́жный, хра́брый.

courier ['kurɪə] *n* 1) курье́р, на́рочный; 2) аге́нт.

course [kɔːs] 1. *n* 1) курс, направле́ние; 2) ход; тече́ние; ~ of events ход собы́тий; in the ~ of a year в тече́ние го́да; the ~ of nature есте́ственный, норма́льный поря́док веще́й; 3) тече́ние (*реки*); 4) поря́док; о́чередь, постепе́нность; in ~ по о́череди, по поря́дку; in due ~ a) в до́лжное вре́мя; б) до́лжным о́бразом; 5) ли́ния поведе́ния, де́йствия; 6) курс (*лекций, обучения, лечения*); 7) блю́до; a dinner of three ~s обе́д из трёх блюд; 8): ~ of exchange валю́тный курс; 9) скаково́й круг; 10) *стр.* горизонта́льный ряд кла́дки; 11) *мор.* ни́жний прямо́й па́рус; 12) *геол.* простира́ние за́лежи; пласт (*угля*), жи́ла; 13) *pl физиол.* менструа́ция; ◊ a matter of ~ не́что само́ собо́й разуме́ющееся;

2. *v* 1) пресле́довать, гна́ться по пята́м; 2) гна́ться за ди́чью (*о гончих*); охо́титься с го́нчих; 3) бежа́ть, течь; 4) *горн.* прове́тривать.

courser ['kɔːsə] *n поэт.* (боево́й) конь.

court [kɔːt] 1. *n* 1) двор; 2) двор (*короля и т. п.*); to hold a ~ устра́ивать приём при дворе́; 3) суд; *амер. тж.* судья́, су́дьи; Supreme C. Верхо́вный суд; ~ of justice суд; C. of Appeal суд второ́й инста́нции; to be out of ~ потеря́ть пра́во на слу́шание де́ла, *перен.* потеря́ть си́лу; this book is now out of ~ э́та кни́га тепе́рь устаре́ла; 4) *амер.* правле́ние (*предприятия*); 5) пло́щадка для игр; корт; 6) уха́живание; to make (*или* to pay) ~ to smb. уха́живать за кем-л.;

2. *v* 1) уха́живать; иска́ть расположе́ния, популя́рности; 2) льстить; 3) добива́ться; to ~ applause стреми́ться сорва́ть аплодис-

ме́нты; 4) соблазня́ть (into, to, from); ◊ to ~ disaster накли́кать несча́стье.

court-card ['kɔːtkɑːd] *n* фигу́рная ка́рта в коло́де.

courteous ['kɔːtjəs] *a* ве́жливый, учти́вый, обходи́тельный.

courtesan [ˌkɔːtɪ'zæn] *n* куртиза́нка.

courtesy ['kɔːtɪsɪ] *n* учти́вость, обходи́тельность, ве́жливость; пра́вила ве́жливости, этике́т; by (the) ~ of... благодаря́ любе́зности...; ◊ ~ title ти́тул, носи́мый по обы́чаю, а не по зако́ну (*напр.*, honourable); ~ of the port освобожде́ние от тамо́женного осмо́тра багажа́.

courtezan [ˌkɔːtɪ'zæn] = courtesan.

court guide ['kɔːtgaid] *n* аристократи́ческий а́дрес-календа́рь.

court-house ['kɔːt'haus] *n* 1) зда́ние суда́; 2) зда́ние, в кото́ром помеща́ются ме́стные о́рганы управле́ния (*в графстве или округе*).

courtier ['kɔːtjə] *n* придво́рный.

courtliness ['kɔːtlɪnɪs] *n* 1) ве́жливость, учти́вость; 2) изы́сканность; 3) льсти́вость.

courtly ['kɔːtlɪ] *a* 1) ве́жливый; 2) изы́сканный; 3) льсти́вый.

court martial ['kɔːt'mɑːʃəl] *n* (*pl* courts martial) вое́нный суд.

court-martial ['kɔːt'mɑːʃəl] *v* суди́ть вое́нным судо́м.

court plaster ['kɔːt'plɑːstə] *n* англи́йский пла́стырь.

courtship ['kɔːtʃɪp] *n* уха́живание.

courts martial ['kɔːts'mɑːʃəl] *pl om* court martial.

courtyard ['kɔːt'jɑːd] *n* двор.

cousin ['kʌzn] *n* 1) двою́родный брат, кузе́н; двою́родная сестра́, кузи́на (*тж.* first ~ = german); second ~ трою́родный брат; трою́родная сестра́; first ~ once removed ребёнок двою́родного бра́та *или* двою́родной сестры́; 2) ро́дственник; to call ~ (*или* ~s) with smb. счита́ть кого́-л. роднёй, претендова́ть на родство́ с кем-л.; 3) ти́тул, применя́емый лицо́м короле́вского ро́да в обраще́нии к друго́му лицу́ короле́вского ро́да в свое́й стране́; ◊ ~ Betty слабоу́мный (челове́к).

cove I [kouv] 1. *n* 1) бу́хточка; убе́жище среди́ скал; 2) *стр.* свод; вы́кружка; 2. *стр.* сооружа́ть свод.

cove II [kouv] *n разг.* па́рень, ма́лый.

coven ['kʌvən] *n шотл.* 1) собра́ние; 2) ша́баш ведьм.

covenant ['kʌvɪnənt] 1. *n* 1) соглаше́ние, договорённость; 2) *юр* догово́р; отде́льная статья́ догово́ра; C. of the League of Nations *ист.* статья́ Верса́льского догово́ра об учрежде́нии Ли́ги на́ций; 3) *библ.* заве́т; the books of the Old and the New C. кни́ги Ве́тхого и Но́вого заве́та; land of the C. «земля́ обето́ванная»;

2. *v* заключа́ть соглаше́ние.

covenanted ['kʌvɪnəntid] 1. *p. p. om* covenant 2;

2. *a* свя́занный догово́ром.

coventrate ['kɔvəntreit] *v* подверга́ть разруши́тельной бомбардиро́вке с во́здуха.

coventrize ['kɔvəntraɪz] = coventrate.

cover ['kʌvə] **1.** *n* 1) (по)крышка; обёртка; чехол; покрывало; футляр, колпак; 2) конверт; under the same ~ в том же конверте; 3) переплёт, крышка переплёта; to read from ~ to ~прочесть от корки до корки (*о книге*); 4) убежище, укрытие; прикрытие; under ~ в укрытии, под защитой [*ср. тж.* 5) *и* 7)]; to take ~ укрыться; 5) ширма; предлог; отговорка; личина, маска; under ~ of friendship под личиной дружбы [*ср. тж.* 4) *и* 7)]; 6) обшивка; 7) покров; under ~ of darkness под покровом темноты [*ср. тж.* 4) *и* 5)]; 8) *ком.* гарантийный фонд; 9) прибор (*обеденный*); 10) = cover-point.

2. *v* 1) закрывать; покрывать; накрывать; прикрывать; перекрывать; to ~ a wall with paper оклеивать стену обоями; to ~ one's face with one's hands закрыть лицо руками; to ~ the retreat прикрывать отступление; to ~ one's tracks заметать свои следы; 2) укрывать, ограждать, защищать; he ~ed his friend from the blow with his own body он своим телом закрыл друга от удара; 3) скрывать; to ~ one's confusion (annoyance) чтобы скрыть (*или* не показать) своё смущение (досаду); 4) охватывать, относиться (*к чему-л.*); the book ~s the whole subject книга даёт исчерпывающие сведения по всему предмету; 5) расстилаться; распространяться; the city ~s ten square miles город занимает десять квадратных миль; 6) *амер. разг.* давать отчёт (*для прессы*); 7) разрешать, предусматривать; the circumstances are ~ed by this clause обстоятельства предусмотрены этим пунктом; 8) покрывать (*кобылу и т. п.*); 9) сидеть (*на яйцах*); 10) целиться (*из ружья и т. п.*); держать под угрозой; 11) *спорт.* пройти (*дистанцию*); □ ~ in а) закрыть; б) забросать землёй (*могилу*); ~ over скрыть, прикрыть; ~ up спрятать, тщательно прикрыть.

coverage ['kʌvərɪdʒ] *n* 1) охват; 2) зона действия; 3) освещение в печати, по радио *и т. п.*

coverall(s) ['kʌvərɔːl(z)] *n* (*pl*) рабочий комбинезон, спецодежда.

cover-crop ['kʌvəkrɔp] *n с.-х.* покровная культура.

covered ['kʌvəd] **1.** *p. p. от* cover 2;

2. *a* 1) (за)крытый; укрытый, защищённый; 2) в шляпе; pray be ~ пожалуйста, наденьте(те) шляпу; to remain ~ не снимать шляпы.

cover girl ['kʌvə‚gəːl] *n* хорошенькая девушка, изображение которой помещают на обложке журнала; девушка как с картинки.

covering ['kʌvərɪŋ] **1.** *pres. p. от* cover 2;

2. *n* 1) покрышка, чехол; оболочка; покров; 2) обшивка; облицовка; 3) настил; кровля; 4) загрузка;

3. *a* 1) сопроводительный; ~ letter сопроводительное письмо; ~ note сопроводительная записка; 2) *воен.*: ~ party прикрытие; ~ sergeant замыкающий сержант.

coverlet ['kʌvəlɪt] *n* покрывало; одеяло.

coverlid ['kʌvəlɪd] = coverlet.

cover-point ['kʌvə‚pɔɪnt] *n спорт.* 1) защитник (*в игре в крикет*); 2) место защитника (*в игре в крикет*).

covert 1. *n* ['kʌvə] 1) убежище для дичи (*лес, чаща*); 2) *текст.* коверк´ (*тж.* ~ cloth); 3) *pl* оперение;

2. *a* ['kʌvət] 1) скрытый, завуалированный, тайный; ~ glance взгляд украдкой; 2) *редк.* прикрытый; ◇ ~ coat короткое лёгкое пальто.

coverture ['kʌvətjuə] *n* 1) укрытие, убежище; 2) *юр.* положение замужней женщины.

covet ['kʌvɪt] *v* жаждать, домогаться (*чужого, недоступного*).

covetous ['kʌvɪtəs] *a* 1) жадный, алчный (of); 2) скупой; 3) завистливый.

covey I ['kʌvɪ] *n* 1) выводок, стая (*особ. куропаток*); to spring a ~ вспугнуть стаю; 2) *шутл.* стайка, группа (*особ. детей, женщин*).

covey II ['kouvɪ] = cove II.

cow I [kau] *n* 1) (*pl* -s [-z], *уст. тж.* kine) корова; 2) самка слона, кита, тюленя *и т. д.*; 3) *pl* молочный скот; ◇ when the ~s come home ≅ после дождичка в четверг.

cow II [kau] *n* 1) клин; тормоз; 2) *тех.* колпак, дефлектор, зонт (*дымовой трубы*).

cow III [kau] *v* запугивать, терроризировать; усмирять.

coward ['kauəd] **1.** *n* трус;

2. *a* 1) трусливый; 2) робкий; малодушный.

cowardice ['kauədɪs] *n* 1) трусость; 2) малодушие; робость.

cowardly ['kauədlɪ] **1.** *a* трусливый; малодушный;

2. *adv* трусливо.

cow-bane ['kaubeɪn] *n бот.* вех ядовитый, цикута ядовитая.

cowberry ['kaubərɪ] *n* брусника.

cow-boy ['kaubɔɪ] *n* 1) пастух; 2) *амер.* ковбой.

cow-catcher ['kau‚kætʃə] *n амер. ж.-д.* скотосбрасыватель (*на паровозе*).

cower ['kauə] *v* сжиматься, съёживаться (*от страха, холода*).

cow-fish ['kau‚fɪʃ] *n* 1) морская корова; 2) серый дельфин.

cow-heel ['kau‚hiːl] *n* говяжий студень (*из ножек*).

cowherd ['kauhəːd] *n* 1) пастух; 2) скотник.

cow-hide ['kauhaɪd] **1.** *n* 1) воловья кожа; 2) плеть из воловьей кожи;

2. *v* стегать ремнём.

cow-house ['kauhaus] *n* хлев.

cowl I [kaul] *n* 1) ряса, сутана с капюшоном; капюшон; 2) колпак *или* зонт над дымовой трубой; 3) капот *или* кожух двигателя; 4) *ав.* обтекатель.

cowl II [kaul] *n* ушат, лоханка с ушами.

cowle [kəul] *n англо-инд.* охранное свидетельство, пропуск.

cow-leech ['kauliːtʃ] *n разг.* ветеринар.

cowlick ['kau‚lɪk] *n* вихор, чуб.

cowling ['kaulɪŋ] n ав. капот двигателя, обтекатель.

cowman ['kaumən] n 1) рабочий на ферме; 2) амер. скотопромышленник.

cow-pox ['kaupɔks] n оспа коров.

cow-puncher ['kau,pʌntʃə] n амер. разг. ковбой.

cowrie, cowry ['kaurɪ] n каури (раковина, заменяющая деньги в некоторых частях Азии и Африки).

cowshed ['kauʃed] n хлев, коровник.

cowslip ['kauslɪp] n бот. 1) первоцвет истинный или аптечный; 2) амер. калужница болотная.

cox [kɔks] сокр. разг. от coxswain.

coxcomb ['kɔkskoum] = cockscomb 4).

coxcombical [kɔks'koumɪkəl] a фатоватый, самодовольный.

coxcombry ['kɔks,koumrɪ] n самодовольство, фатовство.

coxswain ['kɔkswein, 'kɔksn] n 1) старшина шлюпки; 2) рулевой.

coxy ['kɔksɪ] = cocksy.

coy [kɔɪ] a 1) застенчивый, скромный; 2) уединённый.

coyote ['kɔɪout] n зоол. луговой волк, койот.

coyoting ['kɔɪoutɪŋ] n разг. хищническая разработка недр.

cozen ['kʌzn] v надувать, морочить.

cozenage ['kʌznɪdʒ] n обман, надувательство.

cozy ['kouzɪ] = cosy.

crab I [kræb] n 1) дикое яблоко; 2) дикая яблоня.

crab II [kræb] 1. n 1) зоол. краб; 2) (C.) Рак (созвездие и знак зодиака); 3) разг. неудобство; неудача; 4) разг. раздражительный, ворчливый человек; 5) тех. лебёдка, ворот; ◇ to catch a ~ ≅ «поймать леща»;
2. v 1) царапать когтями (о хищной птице); 2) разг. находить недостатки, придирчиво критиковать; 3) мор., ав. сноситься ветром.

crab III [kræb] n уклон от заданного направления, крен, скос (о ракете).

crabbed 1. [kræbd] p.p. от crab II, 2;
2. a ['kræbɪd] 1) раздражительный, ворчливый; 2) трудно понимаемый; неразборчивый (о почерке и т. п.).

crabby ['kræbɪ] a раздражительный.

crack [kræk] 1. n 1) треск; щёлканье (хлыста); 2) трещина; щель, расселина; свищ; 3) удар; затрещина; 4) кто-л. или что-л. замечательное; 5) ломающийся голос (у мальчика); 6) sl. кража со взломом; 7) sl. острота, шутка; саркастическое замечание; ◇ in a ~ мгновенно;
2. a разг. великолепный, первоклассный; знаменитый;
3. v 1) производить треск, шум, выстрел; щёлкать (хлыстом); 2) давать трещину, трескаться; раскалывать(ся); колоть, расщеплять; 3) ломаться (о голосе); 4) тех. подвергать (нефть) крекингу; □ ~ down сломить (сопротивление); ~ up разг. а) превозносить; рекламировать; 3) разбиваться (вдребезги); разрушаться; потерпеть ава-

рию (о самолёте); вызвать аварию (самолёта); в) стареть; слабеть (от старости); ◇ to ~ a bottle распить, «раздавить» бутылку (вина); to ~ a joke отпустить шутку; to ~ a smile улыбнуться; to ~ a record амер. поставить или побить рекорд; to ~ a window распахнуть окно.

crackajack ['krækə,dʒæk] sl. 1. n замечательный, талантливый человек;
2. a замечательный, талантливый.

crack-brained ['krækbreind] a 1) слабоумный, помешанный; 2) бессмысленный, неразумный (о поведении, поступке).

cracked [krækt] 1. p. p. от crack 3;
2. a 1) треснувший; 2) пошатнувшийся (о репутации, кредите); 3) выживший из ума; his brains are ~ он ненормальный; 4) резкий; надтреснутый (о голосе).

cracker ['krækə] n 1) шутиха, хлопушка-конфета; 2) тонкое сухое печенье; 3) pl щипцы для орехов; 4) амер. прозвище белых бедняков в южных штатах США; 5) sl. ложь; 6) тех. дробилка; ◇ to be ~s sl. рехнуться.

cracking ['krækɪŋ] 1. pres. p. от crack 3;
2. n тех. крекинг.

crackjack ['krækdʒæk] n мастер своего дела.

crack-jaw ['kræk,dʒɔ] a разг. с трудом выговариваемый (о слове).

crackle ['krækl] 1. n потрескивание; треск; хруст;
2. v потрескивать.

crackling ['kræklɪŋ] 1. pres. p. от crackle 2;
2. n 1) треск; хруст; 2) поджаристая корочка (поросёнка); 3) pl шкварки.

cracknel ['kræknl] n 1) сухое печенье; 2) поджаристая свинина; 3) pl шкварки.

cracksman ['kræksmən] n взломщик.

cracky ['krækɪ] a 1) потрескавшийся или легко трескающийся; 2) помешанный.

cradle ['kreidl] 1. n 1) колыбель, люлька; 2) начало, истоки; младенчество; the ~ of civilization истоки цивилизации; 3) рычаг (телефона); he dropped the receiver into its ~ он положил трубку; 4) тех. рама, опора, подушка; 5) воен. люлька (орудия); 6) горн. лоток для промывки золотоносного песка; 7) мор. спусковые салазки;
2. v 1) качать в люльке; убаюкивать; 2) воспитывать с самого раннего детства; 3) горн. промывать (золотой песок).

cradling ['kreidlɪŋ] 1. pres. p. от cradle 2;
2. n 1) качание в люльке; 2) стр. сруб, рама, кружало.

craft [krɑːft] n 1) ловкость, умение, искусство; сноровка; 2) хитрость, обман; 3) ремесло; 4) (the C.) масонское братство; 5) судно; собир. суда всякого наименования; 6) самолёт(ы); 7) attr. цеховой; ~ union а) профсоюз, организованный по цеховому принципу, цеховой профсоюз; б) ист. гильдия.

craft-brother ['krɑːft,brʌðə] n 1) товарищ по ремеслу; 2) масон.

craftily ['krɑːftɪlɪ] adv 1) хитро; 2) обманным путём.

craftiness ['krɑːftɪnɪs] *n* хитрость, лукавство.

craftsman ['krɑːftsmən] *n* 1) мастер, ремесленник; 2) художник, мастер.

craftsmanship ['krɑːftsmənʃɪp] *n* мастерство.

crafty ['krɑːftɪ] *a* 1) ловкий, искусный; 2) хитрый.

crag [kræg] *n* скала, утёс.

craggy ['krægɪ] *a* 1) скалистый, изобилующий скалами; 2) крутой, отвесный.

cragsman ['krægzmən] *n* альпинист.

crake [kreɪk] *n* 1) *зоол.* болотная курочка; 2) крик болотной курочки.

cram [kræm] 1. *n* 1) давка, толкотня; 2) нахватанные знания; 3) зубрёжка; 4) *sl.* обман, мистификация; 5) пища для откорма животных и птицы;
2. *v* 1) впихивать, втискивать (into); 2) переполнять; the theatre was ~med театр был набит битком; 3) пичкать, откармливать; 4) наедаться; 5) вбивать в голову; втолковывать; натаскивать к экзамену; 6) наспех зазубривать (*часто* ~ up); 7) *sl.* лгать.

crambo ['kræmbou] *n* 1) игра в подыскание рифм; 2) *пренебр.* рифмоплётство; 3) рифма; ◇ dumb ~ шарада-пантомима.

crammer ['kræmə] *n* 1) репетитор, натаскивающий к экзамену; 2) *sl.* ложь.

cramp [kræmp] 1. *n* 1) судорога, спазма; 2) *тех.* зажим, скоба; 3) *горн.* целик;
2. *v* 1) вызывать судорогу, спазмы; 2) связывать, стеснять (*движение*); мешать (*развитию*); суживать; 3) *тех.* скреплять скобой.

cramped [kræmpt] 1. *p. p. от* cramp 2; 2. *a* 1) страдающий от судорог; 2) стиснутый; стеснённый (*в пространстве*); 3) чрезмерно сжатый (*о стиле*); 4) неразборчивый (*о почерке*); 5) ограниченный (*об умственных способностях*).

cramp-fish ['kræmp͵fɪʃ] *n* *зоол.* электрический скат.

cramp-iron ['kræmp͵aɪən] = crampon 1).

crampon ['kræmpən] *n* 1) *тех.* железный захват; 2) *pl* шипы на подошвах обуви *или* на подковах.

cranage ['kreɪnɪdʒ] *n* 1) пользование подъёмным краном; 2) плата за пользование краном.

cranberry ['krænbərɪ] *n* клюква.

crane [kreɪn] 1. *n* 1) журавль; 2) *тех.* (грузо)подъёмный кран; 3) сифон;
2. *v* 1) вытягивать шею, чтобы лучше разглядеть (*часто* ~ out, ~ over, ~ down); 2) поднимать краном; 3) *разг.* останавливаться, колебаться перед трудностями, опасностью (at).

crane-fly ['kreɪnflaɪ] *n* *зоол.* долгоножка.

crane's-bill ['kreɪnz͵bɪl] *n* *бот.* герань, журавельник.

crania ['kreɪnjə] *pl от* cranium.

cranial ['kreɪnjəl] *a* черепной.

craniometry [͵kreɪnɪ'ɔmɪtrɪ] *n* измерение черепа, краниометрия.

cranium ['kreɪnjəm] *n* (*pl* -nia) череп.

crank I [kræŋk] 1. *n тех.* кривошип; колено; коленчатый рычаг; заводная ручка, рукоятка;
2. *v* 1) сгибать; 2) заводить рукояткой.

crank II [kræŋk] 1. *n* 1) причудливый оборот (*речи*); 2) прихоть, причуда; 3) человек с причудами;
2. *a* 1) расшатанный (*о механизме*); 2) слабый (*о здоровье*); 3) *мор.* валкий.

crank case ['kræŋk͵keɪs] *n тех.* картер коленчатого вала.

cranked [kræŋkt] 1. *p. p. от* crank I, 2; 2. *a* коленчатый, изогнутый.

crankshaft ['kræŋk͵ʃɑːft] *n тех.* коленчатый вал.

crankweb ['kræŋkweb] *n тех.* плечо кривошипа.

cranky ['kræŋkɪ] *a* 1) расшатанный, неисправный (*о механизме*); 2) *разг.* слабый (*о здоровье*); 3) раздражённый, всем недовольный; капризный; с причудами; 4) эксцентричный; 5) извилистый, полный закоулков.

crannied ['krænɪd] *a* потрескавшийся.

cranny I ['krænɪ] *n* щель, трещина.

cranny II ['krænɪ] *n* англо-инд. служащий-индус, умеющий писать по-английски.

crap [kræp] *n* 1) *диал.* гречиха; 2) *разг.* чепуха; 3) *sl.* деньги; 4) *attr. sl.*:~ shooting азартная игра в кости; ◇ to take a ~ оправляться (*в уборной*).

crape [kreɪp] *n* 1) креп; *перен.* траур; 2) траурная повязка, повязка из крепа.

craped [kreɪpt] *a* 1) завитой; 2) одетый в траур; 3) отделанный крепом.

crappy ['kræpɪ] *a* дрянной, паршивенький, поганенький.

craps [kræps] *n* амер. азартная игра в кости.

crapulence ['kræpjuləns] *n* 1) похмелье; 2) пьяный разгул.

crapulent ['kræpjulənt] *a* 1) в состоянии похмелья; 2) предающийся какому-л. пороку (*распутству, пьянству, обжорству*).

crapulous ['kræpjuləs] = crapulent.

crapy ['kreɪpɪ] *a* крéповый.

crash I [kræʃ] 1. *n* 1) грохот; треск; 2) сильный удар при падении, столкновении; 3) авария, поломка, крушение; 4) крах, банкротство;
2. *adv* с грохотом, с треском;
3. *v* 1) падать, рушиться с треском, грохотом (*часто* ~ through, ~ down); грохотать; to ~ into smth. наскочить на что-л. с треском; 2) разбить, разрушить; вызвать аварию; ~ a plane сбить самолёт; 3) потерпеть аварию, крушение; разбиться при падении; 4) потерпеть крах; 5) амер. *sl.* проникнуть «зайцем», без билета *или* без приглашения; to ~ a party явиться без приглашения; to ~ the gate пройти в театр (на концерт *и т. п.*) без билета; □ ~ in, ~ on *sl.* вторгаться.

crash II [kræʃ] *n* суровое полотно, холст.

crash-helmet ['kræʃ͵helmɪt] *n* шлем лётчика *или* водителя автомашины.

crash-land ['kræʃlænd] *v ав.* разбиться при посадке.

crash pad ['kræʃpæd] *n* защитная подушка.

crashproof ['kræʃpruːf] *a тех.* неломаю-
щийся.
crass [kræs] *a* 1) грубый; 2) полнейший
(*о невежестве и т. п.*).
crassitude ['kræsɪtjuːd] *n* крайняя тупость, глупость.
cratch [krætʃ] *n* кормушка (*особ. для кор-
мления животных на открытом воздухе*).
crate [kreɪt] 1. *n* 1) упаковочная клеть
или корзина; рама стекольщика; 2) *ав. sl.*
самолёт.
2. *v* упаковывать в клети, корзины.
crater ['kreɪtə] *n* 1) кратер (*вулкана*);
2) воронка (*от снаряда*); 3) *археол.* кратер (*сосуд*).
cravat [krə'væt] *фр. n* галстук; шарф.
crave [kreɪv] *v* 1) страстно желать, жаждать (for); 2) просить, умолять; 3) требовать (*об обстоятельствах*).
craven ['kreɪvən] 1. *a* малодушный;
трусливый; to cгу ~ сдаться; струсить;
2. *n* трус.
craving ['kreɪvɪŋ] 1. *pres. p. от* crave;
2. *n* страстное желание, стремление (for).
craw [krɔː] *n* зоб (*у птицы*).
crawfish ['krɔːfɪʃ] 1. *n* = crayfish;
2. *v амер. разг.* идти на попятный.
crawl [krɔːl] 1. *v* 1) ползать, ползти;
to ~ about еле передвигать ноги (*о больном*); 2) пресмыкаться; 3) кишеть (*насе-
комыми;* with); 4) чувствовать мурашки по
телу; 5) *амер. sl.* идти на попятный.
2. *n* 1) ползание, медленное движение;
to go at a ~ ходить, двигаться медленно;
2) пресмыкательство; 3) *спорт.* «кроль»
(*стиль плавания; тж.* ~ stroke); 4) *гидр.*
затон, тоня.
crawler ['krɔːlə] *n* 1) пресмыкающееся
животное; 2) низкопоклонник; 3) *тех.* гусеничный ход; 5) *pl* ползунки (*одежда для пол-
зающих детей*); 6) *attr. тех.* гусеничный.
crawly ['krɔːlɪ] *a разг.* испытывающий
ощущение мурашек по телу.
crayfish ['kreɪfɪʃ] *n* 1) речной рак;
2) лангуст(а), десятиногий морской рак.
crayon ['kreɪən] 1. *n* 1) цветной карандаш; цветной мелок; пастель; 2) рисунок
цветным карандашом, пастелью; 3) *эл.*
уголь в дуговой лампе; 4) *attr.* рисоваль-
ный, для рисования; ~ paper рисовальная бумага; ◇ ~ vesicant detector *воен.* каранда́ш-
-индикатор присутствия кожно-нарывного
ОВ;
2. *v* рисовать цветным карандашом *или*
мелком.
craze [kreɪz] 1. *n* 1) мания; пункт поме-
шательства; 2) *разг.* мода, повальное увлечение (for); to be the ~ быть в моде, производить фурор; 3) трещина в глазури.
2. *v* 1) сводить с ума; 2) сходить с ума;
3) делать волосные трещины на глазури.
crazy ['kreɪzɪ] *a* 1) сумасшедший, безумный; 2) *разг.* помешанный (*на чём-л.*);
сильно увлечённый (about); 3) шаткий;
разваливающийся; 4) покрытый трещина-
ми (*о глазури*); 5) сделанный из кусков
различной формы; ~ quilt лоскутное одеяло;
~ bone = funny-bone.

creak [kriːk] 1. *n* скрип;
2. *v* скрипеть.
creaky ['kriːkɪ] *a* скрипучий.
cream [kriːm] 1. *n* 1) сливки; крем;
2) что-л. отборное, самое лучшее; цвет
(*чего-л.*); the ~ of the joke, of the story соль
шутки, рассказа; the ~ of society «сливки
общества»; 3) крем (*косметическое средство*);
4) пена; 5) *attr.* = cream-coloured; 6) *attr.*:
~ freezer мороженица; ◇ ~ of lime *стр.*
известковое молоко;
2. *v* 1) отстаиваться; 2) пениться; 3) снимать сливки; 4) прибавлять сливки (*в чай
и т. п.*).
cream cheese ['kriːm'tʃiːz] *n* сливочный сыр.
cream-coloured ['kriːm,kʌləd] *a* крёмо-
вого цвета.
creamery ['kriːmərɪ] *n* 1) маслобойня;
сыроварня; 2) молочная.
cream-laid paper ['kriːmleɪd,peɪpə] *n*
бумага верже кремового цвета.
cream of tartar ['kriːməv'tɑːtə] *n* винный
камень.
cream-wove paper ['kriːmwouv,peɪpə] *n*
веленевая бумага кремового цвета.
creamy ['kriːmɪ] *a* 1) сливочный; жирный;
2) кремовый.
crease [kriːs] 1. *n* 1) складка; сгиб; загиб;
отутюженная складка брюк; 2) черта, граница (*в играх*); 3) конёк (*крыши*); 4) старое русло реки;
2. *v* 1) мять(ся); this material ~s easily
эта материя легко мнётся; 2) утюжить
складки; 3) загибать, фальцевать.
creasy ['kriːsɪ] *a* смятый, морщинистый,
лежащий складками.
create [kriː'eɪt] *v* 1) творить, создавать;
2) возводить в звание; he was ~d a baronet
он получил титул баронета; 3) вызывать
(*какое-л. чувство и т. п.*); производить
(*впечатление и т. п.*); 4) *разг.* суетиться,
волноваться; he is always creating about
nothing он всегда суетится без толку.
creation [kriː'eɪʃən] *n* 1) создание; (со)тво-
рение; созидание; 2) произведение (*науки, искусства*); 3) мироздание; 4) возведение в звание.
creative [kriː'eɪtɪv] *a* творческий.
creator [kriː'eɪtə] *n* творец, создатель;
автор.
creature ['kriːtʃə] *n* 1) создание, творение;
2) живое существо; 3) тварь; 4) человек
(*как эпитет жалости или нежности*);
5) креатура, ставленник; 6) *шутл.* «зелье»,
спиртные напитки; ◇ ~ of a day *зоол.* подёнка; ~ comforts a) земные блага;
б) *воен.* мелкие предметы личного потребления (*папиросы и т. п.*).
crèche [kreɪʃ] *фр. n* детские ясли.
credence ['kriːdəns] *n* 1) вера, доверие;
to give ~ to smb. поверить кому-л.; letter
of ~ рекомендательное письмо; 2) жертвен-
ник (*в алтаре; тж.* ~ table).
credent ['kriːdənt] *a* доверчивый.
credential [krɪ'denʃəl] *n* 1) мандат;
удостоверение личности; рекомендация; 2)
pl верительные грамоты (*посла*); 3) *pl*
attr. мандатный; ~s committee мандатная
комиссия.

credibility [,kredɪ'bɪlɪtɪ] *n* вероя́тность, правдоподо́бие.

credible ['kredəbl] *a* вероя́тный; заслу́живающий дове́рия.

credit ['kredɪt] 1. *n* 1) ве́ра; дове́рие; to give ~ to smth. пове́рить чему́-л.; 2) хоро́шая репута́ция; 3) похвала́, честь; to one's ~ к чьей-л. че́сти; the boy is a ~ to his family ма́льчик де́лает честь свое́й семье́; to do smb. ~ де́лать честь кому́-л.; 4) влия́ние; значе́ние; уваже́ние (of, for); 5) *амер.* зачёт; удостовере́ние о прохожде́нии како́го-л. ку́рса в уче́бном заведе́нии; 6) *фин.* креди́т; долг; су́мма, запи́санная на прихо́д; пра́вая сторона́ бухга́лтерской кни́ги; оп ~ в долг; в креди́т;
2. *v* 1) ве́рить; доверя́ть; 2) припи́сывать; to ~ smb. with good intentions припи́сывать кому́-л. до́брые наме́рения; 3) *фин.* кредитова́ть.

creditable ['kredɪtəbl] *a* похва́льный, де́лающий честь (*кому-л.*).

credited ['kredɪtɪd] 1. *p. p. om* credit 2;
2. *a тех.* перспекти́вный (*о руднике и т. п.*).

creditor ['kredɪtə] *n* 1) кредито́р; 2) пра́вая сторона́ бухга́лтерской кни́ги.

credo ['krɪːdou] *лат. n* (*pl* -os [-ouz]) 1) *церк.* си́мвол ве́ры; 2) убежде́ния, кре́до.

credulity [krɪ'djuːlɪtɪ] *n* легкове́рие, дове́рчивость.

credulous ['kredjuləs] *a* легкове́рный, дове́рчивый.

creed [krɪːd] *n* 1) вероуче́ние; си́мвол ве́ры; 2) кре́до, убежде́ния.

creek [krɪːk] *n* 1) бу́хта, зали́в; у́стье реки́; 2) *амер.* прито́к; руче́й.

creel [krɪːl] *n* 1) корзи́на для ры́бы; 2) *текст.* ра́ма для кату́шек.

creep [krɪːp] 1. *v* (crept) 1) по́лзать; пресмыка́ться; 2) е́ле передвига́ть но́ги (*о больном*); 3) стла́ться, ви́ться (*о ползучих растениях*); 4) кра́сться, подкра́дываться (*часто* ~ in, ~ into, ~ up); to ~ about on tiptoe ходи́ть на цы́почках; to ~ into smb.'s favour втира́ться к кому́-л. в дове́рие; 5) содрога́ться; чу́вствовать мура́шки по те́лу; it makes my flesh (*или* blood) ~ меня́ моро́з по ко́же подира́ет от э́того; 6) *мор.* тра́лить; 7) *тех.* набега́ть по ине́рции (*о ремне и т. п.*);
2. *n* 1) *pl разг.* содрога́ние; мура́шки; 2) лазе́йка для скота́ (*в изгороди*); 3) *геол.* дви́жущийся о́ползень; обва́л; 4) *тех.* крип, ползу́честь мета́лла; 5) *мор.* до́нный трал, дра́га; 6) *тех.* набега́ние по ине́рции.

creeper ['krɪːpə] *n* 1) ползу́чее расте́ние; 2) пресмыка́ющееся живо́тное; 3) *pl* ши́пы на подо́швах; 4) *тех.* дра́га; ко́шка.

creepy ['krɪːpɪ] *a* 1) вызыва́ющий мура́шки, броса́ющий в дрожь; 2) ползу́чий; 3) пресмыка́ющийся.

creese [krɪːs] *n* мала́йский кинжа́л.

cremate [krɪ'meɪt] *v* кремирова́ть, сжига́ть тру́пы.

cremation [krɪ'meɪʃən] *n* крема́ция.

crematoria [,kremə'tɔːrɪə] *pl om* crematorium.

crematorium [,kremə'tɔːrɪəm] *n* (*pl* -s [-z], -ria) кремато́рий.

crematory ['kremətərɪ] = crematorium.

cremona [krɪ'mounə] *n* кремо́нская скри́пка.

crenate(d) ['krɪːneɪt(ɪd)] *a бот.* городча́тый (*о листе*).

crenel(l)ated ['krenɪleɪtɪd] *a* зубча́тый

crenel(le) ['krenəl] *n архит.* амбразу́ра.

creosote ['krɪəsout] *n хим.* креозо́т.

crêpe [kreɪp] *фр. n* креп (*ткань*).

crepitate ['krepɪteɪt] *v* 1) хрусте́ть, потре́скивать; 2) хрипе́ть.

crepitation [,krepɪ'teɪʃən] *n* 1) хруст, потре́скивание; 2) хри́пы (*при пневмонии*).

crept [krept] *past и p. p. om* creep 1.

crepuscular [krɪ'pʌskjulə] *a* 1) су́меречный; ту́склый; 2) *зоол.* су́меречный

crescendo [krɪ'ʃendou] *ит.* 1. *n муз.* креще́ндо;
2. *adv* в бу́рном те́мпе, нараста́я.

crescent ['kresnt] 1. *n* 1) полуме́сяц; серп луны́; после́дняя че́тверть луны́; 2) полукру́г; ◊ C. City *амер. г.* Но́вый Орлеа́н;
2. *a* 1) расту́щий, возраста́ющий; 2) име́ющий фо́рму полуме́сяца, серпови́дный.

cress [kres] *n* кресс (*салат*).

cresset ['kresɪt] *n* фа́кел, све́точ.

crest [krest] *n* 1) гребешо́к (*петуха*); хохоло́к (*птицы*); 2) гри́ва; хо́лка; 3) гре́бень шле́ма; шлем; 4) гре́бень (*волны, горы, крыши*); on the ~ of the wave на гре́бне волны́; *перен.* на верши́не сла́вы; 5) коне́к (*крыши*); 6) *тех.* пи́ка (*нагрузки*);
2. *v* 1) служи́ть гре́бнем; уве́нчивать; 2) достига́ть верши́ны; 3) вздыма́ться (*о волнах*).

crested ['krestɪd] 1. *p. p. om* crest 2;
2. *a* снабжённый, укра́шенный гре́бнем, хохолко́м.

crest-fallen ['krest,fɔːlən] *a* упа́вший ду́хом, уны́лый; удручённый.

cretaceous [krɪ'teɪʃəs] *a геол.* мелово́й.

Cretan ['krɪːtən] 1. *a* кри́тский;
2. *n* критя́нин.

cretin ['kretɪn] *n* крети́н.

cretinism ['kretɪnɪzəm] *n* кретини́зм.

cretinous ['kretɪnəs] *a* слабоу́мный, страда́ющий кретини́змом.

cretonne [kre'tɔn] *n текст.* крето́н.

crevasse [krɪ'væs] *n* рассе́лина в ледни́ке.

crevice ['krevɪs] *n* 1) щель, расще́лина; 2) тре́щина, содержа́щая жи́лу.

crew I [kruː] *n* 1) судова́я кома́нда; экипа́ж (*судна*); 2) *воен.* оруди́йный *или* пулемётный расчёт; 3) брига́да *или* арте́ль рабо́чих; engine ~ парово́зная брига́да; 4) компа́ния, ша́йка.

crew II [kruː] *past om* crow I, 2.

crew-cut ['kruːkʌt] *n* мужска́я стри́жка, ёжик.

crewel ['kruːɪl] *n* 1) то́нкая шерсть (*для вышивания*); 2) вышива́ние ше́рстью.

crib [krɪb] 1. *n* 1) я́сли, корму́шка; сто́йло; 2) де́тская крова́тка (*с боковыми *сетками*); 3) вёрша для лóвли лосóсей; 4) хижина; небольшáя кóмната; 5) ларь, зáкром; 6) *sl.* квартира, дом, магазин; to crack a ~ совершить крáжу со взлóмом; 7) *шкoл.* подстрóчник, шпаргáлка; 8) *разг.* плагиáт (from); 9) *горн.* сруб крéпи; кострóвая крепь;

2. *v* 1) запирáть, заключáть в тéсное помещéние; 2) *школ.* списывать тайкóм; 3) *разг.* совершáть плагиáт (from).

cribbage ['krɪbɪdʒ] *n* 1) крибедж (*карт. игра*); 2) *разг.* плагиáт.

crib-biting ['krɪb,baɪtɪŋ] *n вет.* прикýска (*у лошади*).

cribble ['krɪbl] *n* грóхот; решетó; сито.

cribriform ['krɪbrɪfɔːm] *a* 1) *анат.* решётчатый; 2) *бот.* ситовидный.

crick [krɪk] 1. *n* растяжéние мышц;
2. *v* растянýть мышцу.

cricket I ['krɪkɪt] *n* сверчóк; ◇ lively (*или* merry) as a ~ жизнерáдостный.

cricket II ['krɪkɪt] *спорт.* 1. *n* крикет; ◇ it is not ~ *разг.* не по прáвилам; нечéстно, низко;
2. *v* игрáть в крикет.

cricket III ['krɪkɪt] *n* низкий стул *или* табурéт; скамéечка для ног.

cried [kraɪd] *past и p.p. от* cry 2.

crier ['kraɪə] *n* 1) крикýн; 2) глашáтай.

cries [kraɪz] *pl от* cry 1.

crikey ['kraɪkɪ] *int разг.* ≅ бóже мой! (*восклицание удивления*).

crime [kraɪm] 1. *n* преступлéние; злодéйние; ~s against humanity преступлéния прóтив человéчности;
2. *v воен.* карáть за нарушéние устáва.

Crimean [kraɪ'mɪən] *a* крымский.

crime-sheet ['kraɪmʃiːt] *n воен.* штрафнóй списóк.

criminal ['krɪmɪnl] 1. *a* престýпный; криминáльный, уголóвный; ~ law уголóвное прáво; ~ action уголóвное дéло;
2. *n* престýпник; war ~ воéнный престýпник.

criminalist ['krɪmɪnəlɪst] *n* криминалист, специалист по уголóвному прáву.

criminality [,krɪmɪ'nælɪtɪ] *n* престýпность; винóвность.

criminalize ['krɪmɪnəlaɪz] *v* (*обыкн. р.р.*) *амер.* превращáть в престýпников.

criminally ['krɪmɪnəlɪ] *adv* 1) престýпно; 2) соглáсно уголóвному прáву.

criminate ['krɪmɪneɪt] *v* 1) обвинять в преступлéнии; инкриминировать; 2) осуждáть, порицáть.

crimination [,krɪmɪ'neɪʃən] *n* 1) обвинéние в преступлéнии; 2) рéзкое порицáние.

criminative ['krɪmɪnətɪv] *a* обвинительный, обличительный.

criminatory ['krɪmɪnətɪɪ] *a* обличáющий, обвиняющий.

criminology [,krɪmɪ'nɔlədʒɪ] *n* криминолóгия.

criminous ['krɪmɪnəs] *a:* ~ clerk свящéнник-престýпник.

criminy ['krɪmɪnɪ] *int уст. восклицание, выражающее комическое удивление.*

crimp I [krɪmp] 1. *n* агéнт, вербýющий

матрóсов и солдáт обмáнным путём; ◇ to put a ~ in (*или* into) (по)мешáть (в *чём-л.*), расстрóить (*чьи-л. планы*);
2. *v* вербовáть обмáнным путём.

crimp II [krɪmp] *v* 1) завивáть, гофрировáть; 2) надрезáть мясо *или* рыбу пéред готóвкой.

crimper ['krɪmpə] *n* 1) обжимáние; 2) *метал.* обжимные щипцы.

crimpy ['krɪmpɪ] *a* курчáвый; вьющийся; волнистый.

crimson ['krɪmzn] 1. *a* тёмно-крáсный, малиновый;
2. *n* 1) малиновый цвет; 2) румянец;
3. *v* 1) окрáшивать(ся) в малиновый цвет; 2) краснéть.

cringe [krɪndʒ] 1. *n* раболéпие, низкопоклóнство;
2. *v* 1) раболéпствовать (to); 2) проявлять раболéпный страх; съёживаться (*от страха*).

cringle ['krɪŋgl] *n мор.* люверс; крéнгельс.

crinkle ['krɪŋkl] 1. *n* 1) изгиб, извилина; 2) склáдка, морщина;
2. *v* 1) извивáться; 2) мóрщить(ся); 3) завивáть (*волосы*).

crinkum-crankum ['krɪŋkəm'kræŋkəm] *разг.* 1. *n* что-л. óчень запýтанное, слóжное;
2. *a* извилистый.

crinoline ['krɪnəlɪn] *n* 1) ткань из кóнского вóлоса; 2) кринолин; 3) *мор.* противоторпéдная сеть.

cripple ['krɪpl] 1. *n* 1) калéка, инвалид; 2) (порóжистый) перекáт в рекé;
2. *v* 1) калéчить, урóдовать; лишáть трудоспосóбности; 2) хромáть; 3) приводить в негóдность; наносить вред, урóн; 4) *воен.* сломить (*сопротивление*).

crippling ['krɪplɪŋ] 1. *pres. p. от* cripple 2;
2. *n тех.* деформáция.

crises ['kraɪsiːz] *pl от* crisis.

crisis ['kraɪsɪs] *n* (*pl* crises) 1) кризис; economic ~ экономический кризис; the general ~ of capitalism óбщий кризис капитализма; 2) перелóм (*в ходе болезни*).

crisis-ridden ['kraɪsɪs,rɪdn] *a* охвáченный кризисом.

crisp [krɪsp] 1. *a* 1) рассыпчатый, хрустящий; 2) твёрдый, жёсткий; 3) свéжий, бодрящий, живительный (*о воздухе*); 4) ясно очéрченный, чёткий (*о чертах лица*); 5) живóй (*стиль и т. п.*); 6) решительный (*ответ, нрав*); 7) кудрявый, завитóй; 8) покрытый рябью;
2. *v* 1) хрустéть; 2) дéлать тéсто рассыпчатым; 3) завивáть(ся); 4) покрывáться рябью; 5) *текст.* ворсить.

criss-cross ['krɪskrɔs] 1. *a* 1) перекрéщивающийся; перекрёстный; 2) раздражительный; ворчливый;
2. *n* 1) крест (*вместо подписи неграмотного*); 2) дéтская игрá в крéстики.
3. *adv* 1) крест-нáкрест 2) вкось;
4. *v* перекрéщивать; оплетáть (крест-нáкрест).

cristate ['krɪsteɪt] *a* хохлáтый, гребéнчатый.

criteria [kraɪ'tɪərɪə] *pl om* criterion.

criterion [kraɪ'tɪərɪən] *n* (*pl* -ia) крите́рий, мери́ло.

critic ['krɪtɪk] *n* кри́тик.

critical ['krɪtɪkəl] *a* 1) крити́ческий; 2) разбо́рчивый; 3) перело́мный, реша́ющий; 4) *амер.* дефици́тный; кра́йне необходи́мый; нормиру́емый; 5) риско́ванный, опа́сный; угрожа́емый; угрожа́ющий.

criticaster ['krɪtɪˌkæstə] *n* ме́лкий, плохо́й кри́тик, критика́н.

criticism ['krɪtɪsɪzəm] *n* 1) кри́тика; beneath ~ ни́же вся́кой кри́тики; destructive ~ уничтожа́ющая кри́тика; 2) крити́ческий разбо́р, крити́ческая статья́.

criticize ['krɪtɪsaɪz] *v* 1) критикова́ть; well ~d получи́вший благоприя́тный о́тзыв; 2) осужда́ть.

critique [krɪ'tiːk] *фр. n* 1) кри́тика; 2) реце́нзия; крити́ческая статья́.

croak [krouk] 1. *n* ка́рканье; ква́канье; 2. *v* 1) ка́ркать; ква́кать; 2) ворча́ть, брюзжа́ть; 3) накли́кать, напроро́чить беду́; 4) *sl.* умере́ть; 5) *sl.* уби́ть.

croaker ['kroukə] *n* 1) ка́ркающий; ква́кающий; 2) ворчу́н; 3) прорица́тель дурно́го.

Croat ['krouət] *n* хорва́т, кроа́т.

Croatian [krou'eɪʃjən] *a* хорва́тский, кроа́тский.

crochet ['krouʃeɪ] *фр.* 1. *n* 1) вышива́ние та́мбуром; 2) вяза́льный крючо́к; 2. *v* вышива́ть та́мбуром.

crock I [krɔk] *n* 1) гли́няный кувши́н *или* горшо́к; 2) черепо́к.

crock II [krɔk] 1. *n* кля́ча (*тж. перен.*); 2. *v* (*обыкн.* ~ up) 1) заезди́ть (*лошадь*); 2) *разг.* вы́мотать си́лы (*у человека*).

crocked [krɔkt] 1. *p. p. om* crock II, 2; 2. *a* замо́танный, заёзженный, за́гнанный.

crockery ['krɔkərɪ] *n* посу́да (*глиняная, фаянсовая*).

crocket ['krɔkɪt] *n архит.* ли́ственный орна́мент.

crocodile ['krɔkədaɪl] *n* 1) крокоди́л; 2) *шутл.* шко́льное гуля́нье па́рами (*о де́вочках*); 3) *attr.* крокоди́ловый; ◇ ~ shears *тех.* рыча́жные но́жницы.

crocodilian [ˌkrɔkə'dɪlɪən] *a* крокоди́ловый.

crocus ['kroukəs] *n* 1) *бот.* кро́кус, шафра́н; 2) *тех.* кро́кус (*окись железа в порошке*).

Croesus ['kriːsəs] *n* 1) *миф.* Крез; 2) облада́тель несме́тных бога́тств.

croft [krɔft] *n* 1) приуса́дебный уча́сток (*в Англии*); 2) небольша́я фе́рма (*в Шотла́ндии*).

crofter ['krɔftə] *n* аренда́тор небольшо́й фе́рмы (*в Шотла́ндии*).

cromlech ['krɔmlek] *n археол.* кро́млех (*кельтское сооружение бронзового века*).

crone [kroun] *n* стару́ха, ста́рая карга́.

crony ['krounɪ] *n* бли́зкий, закады́чный друг.

crook [kruk] 1. *n* 1) крюк; 2) по́сох; 3) поворо́т, заги́б, изги́б (*реки, дороги*); a ~ in the back горб на спине́; a ~ in the

nose горби́нка на носу́; 4) *sl.* обма́нщик, плут; on the ~ обма́нным путём; ◇ a ~ in the lot тяжёлое испыта́ние; уда́р судьбы́; 2. *v* сгиба́ть(ся); изгиба́ть, искривля́ть; скрю́чивать(ся); го́рбиться; ◇ to ~ the elbow *sl.* напи́ться, наклюка́ться.

crook-backed ['krukbækt] *a* горба́тый.

crooked 1. [krukt] *p. p. om* crook 2; 2. *a* ['krukɪd] 1) изо́гнутый, криво́й; ~ nail *тех.* косты́ль; 2) искривлённый; сго́рбленный; 3) непрямо́й, нече́стный; извращённый; 4) добы́тый нече́стным путём; 5) [krukt] опира́ющийся на па́лку, на клюку́.

croon [kruːn] 1. *n* ти́хое, моното́нное пе́ние; 2. *v* напева́ть.

crooner ['kruːnə] *n* исполни́тель *или* исполни́тельница сентимента́льных пе́сенок.

crop [krɔp] 1. *n* 1) урожа́й; жа́тва; heavy ~ бога́тый урожа́й; 2) хлеб на корню́; land under ~ засе́янная земля́; land out of ~ незасе́янная *или* невозде́ланная земля́; 2) *с.-х.* культу́ра; technical (*или* industrial) ~s техни́ческие культу́ры; 4) зоб (*у птиц*); 5) кнутови́ще; 6) ко́ротко остри́женные во́лосы; Eton ~ да́мская стри́жка «под ма́льчика»; 7) оби́лие; ма́сса; 8) дублёная шку́ра; 9) *горн.* добы́ча (руды́); 10) *attr.*: ~ rotation севооборо́т; 2. *v* 1) собира́ть урожа́й; 2) дава́ть урожа́й; 3) подстрига́ть, обреза́ть; 4) щипа́ть, объеда́ть (*траву и т. п.*); □ ~ out *геол.* обнажа́ться, выходи́ть на пове́рхность (*о пласте*); ~ up а) неожи́данно обнару́живаться; возника́ть; б) = ~ out.

crop-eared ['krɔpˌɪəd] *a* 1) корноу́хий, с обре́занными уша́ми; 2) ко́ротко подстри́женный (*о пуританах*).

cropper ['krɔpə] *n* 1) косе́ц, жнец; 2) изде́льщик (*в хлопковых районах США*); 3) коси́лка, жне́йка; 4): a good (*или* heavy) ~ расте́ние, даю́щее хоро́ший урожа́й; a light ~ расте́ние, даю́щее небольшо́й урожа́й; 5) зоба́стый го́лубь; 6) *разг.* тяжёлое паде́ние; to come a ~ упа́сть с ло́шади вниз голово́й; *перен.* потерпе́ть крах.

crop plants ['krɔpplaːnts] *n pl* хле́бные зла́ки.

croppy ['krɔpɪ] *n ист.* круглоголо́вый.

croquet ['kroukeɪ] *фр.* 1. *n* кроке́т; 2. *v* крокирова́ть.

croquette [krou'ket] *фр. n* кроке́ты (*кушанье в виде шаров из мяса, рыбы, риса, картофеля*).

crore [krɔː] *n англо-инд.* де́сять миллио́нов (*рупий*).

crosier ['krouʒə] *n* епи́скопский по́сох.

cross [krɔs] 1. *n* 1) крест; Red C. Кра́сный Крест; 2) распя́тие; 3) (the C.) христиа́нство; 4) черта́, перечёркивающая бу́квы t, f; 5) *тех.* крестови́на, крест; 6) *биол.* гибридиза́ция, скре́щивание (*пород*); 7) по́месь, гибри́д (between); 8) *топ.* я́ккер; 2. *a* 1) попере́чный; пересека́ющийся; перекрёстный; 2) проти́вный (*о ветре*); противополо́жный; неблагоприя́тный; 3) *разг.* раздражённый, злой, серди́тый; he is ~ with you он серди́т на вас; ◇ as ~ as two sticks о́чень не в ду́хе; зол как чёрт;

3. *v* 1) скрéщивать (*шпаги, руки и т. п.*); 2) пересекáть; переходи́ть (*через улицу и т. п.*); переправля́ться; *амер. воен.* тж. переправля́ть; to ~ the Channel пересéчь Ла-Мáнш, поéхать на Континéнт *или* с Континéнта в Áнглию; to ~ the floor of the House *парл.* перейти́ из однóй пáртии в другу́ю; to ~ smb.'s path a) встрéтиться с кем-л.; б) стать кому́-л. поперёк доро́ги; 3) крести́ться; 4) размину́ться, разойти́сь (*о людях, письмах*); 5) противодéйствовать, противорéчить; препя́тствовать; 6) *биол., с.-х.* скрéщивать(ся); ▢ ~ off, ~ out вычёркивать; ~ over a) переходи́ть, пересекáть, переезжáть, переправля́ться; б) *с.-х.* скрéщивать; ◇ to ~ one's mind прийти́ в гóлову; to ~ the Styx умерéть.

crossarm ['krɔs‚ɑːm] *n тех.* поперéчина, поперéчная бáлка, трáверс.

cross-armed ['krɔs‚ɑːmd] *a predic.* скрести́в ру́ки.

cross-bar ['krɔsbɑː] *n* 1) *тех.* поперéчина, распóрка; бу́гель, хому́т; 2) *спорт.* плáнка (*для прыжков*); штáнга (*в футболе*).

cross-beam ['krɔsbiːm] *n тех.* крестови́на, поперéчная бáлка, коромы́сло.

cross-bench ['krɔsbentʃ] *n* скамья́ в англи́йском парлáменте для беспарти́йных депутáтов.

crossbill ['krɔsbıl] *n* клёст (*птица*).

cross-bones ['krɔsbounz] *n pl* изображéние двух скрещённых костéй, эмблéма смéрти.

cross-bow ['krɔsbou] *n ист.* самострéл; арбалéт.

cross-bred ['krɔsbred] *a* смéшанный, гибри́дный.

cross-breed ['krɔsbriːd] *n* пóмесь, гибри́д.

cross-country ['krɔs'kʌntrı] **1.** *n* пересечённая мéстность; **2.** *a* проходя́щий прямикóм, без доро́ги; вездехóдный; ~ race *спорт.* кросс, бег по пересечённой мéстности; ~ flight *ав.* маршру́тный полёт; ~ vehicle вездехóд.

cross-cut ['krɔskʌt] **1.** *n* 1) кратчáйший путь; 2) *горн.* квершлáг; **2.** *a* поперéчный.

cross-examination ['krɔsıg‚zæmı'neıʃən] *n* перекрёстный допрóс.

cross-examine ['krɔsıg'zæmın] *v* подвергáть перекрёстному допрóсу.

cross-eyed ['krɔsaıd] *a* косóй, косоглáзый.

cross-fertilize ['krɔs'fəːtılaız] *v* перекрéстно опыля́ть (*растения*).

cross-fire ['krɔs‚faıə] *n воен.* перекрёстный огóнь.

cross-grained ['krɔsgreınd] *a* 1) свилевáтый (*о древесине*); 2) упря́мый, несговóрчивый.

cross-hatch ['krɔs‚hætʃ] *v* гравировáть *или* штриховáть перекрёстными штрихáми.

cross head ['krɔshed] *n* 1) = cross heading; 2) *тех.* крестови́на; 3) *тех.* крейцкопф, ползу́н.

cross heading ['krɔs‚hedıŋ] *n* подзаголóвок (*в газетной статье*).

crossing ['krɔsıŋ] **1.** *pres. p. от* cross 3; **2.** *n* 1) пересечéние; скрéщивание; скрещéние; 2) перекрёсток; перехóд (*через*

улицу); 3) переéзд по водé, переправа; 4) *биол.* скрéщивание; 5) *ж.-д.* переéзд; пересечéние двух ж.-д. ли́ний; разъéзд; 6) *горн.* крóссинг; 7) *текст.* ки́пер, ки́перная ткань; 8) *тех.* крестови́на.

cross-legged ['krɔslegd] *a* сидя́щий, положи́в нóгу нá ногу *или* поджáв нóги «по-туре́цки».

cross-light ['krɔs‚laıt] *n* 1) пересекáющиеся лучи́; 2) освещéние предмéта с разли́чных тóчек зрéния.

crossly ['krɔslı] *adv* сварли́во; серди́то.

crossness ['krɔsnıs] *n* раздражи́тельность, сварли́вость.

cross-patch ['krɔspætʃ] *n разг.* сварли́вый человéк.

cross-piece ['krɔs‚piːs] *n* 1) поперéчина; крестови́на; 2) *мор.* крáспица.

cross purpose ['krɔs'pəːpəs] *n* 1) недоразумéние, оснóванное на взаи́мном непонимáнии; to be at cross purposes дéйствовать наперекóр друг дру́гу вслéдствие недоразумéния; 2) *pl* игрá-загáдка.

cross question ['krɔs'kwestʃən] *n* вопрóс, постáвленный при перекрёстном допрóсе.

cross-question ['krɔs'kwestʃən] = cross-examine.

cross-rate ['krɔsreıt] *n* валю́тный курс, соотношéние паритéтов.

cross reference ['krɔs'refrəns] *n* ссы́лка на другóе мéсто в той же кни́ге.

cross-road ['krɔsroud] *n* поперéчная доро́га; перекрёсток; at the ~s на распу́тье.

cross section ['krɔs‚sekʃən] *n* поперéчное сечéние, поперéчный разрéз, профиль.

cross-stitch ['krɔsstıtʃ] *n* вы́шивка крéстиками; крéстик.

cross-trees ['krɔs‚triːz] *n pl мор.* сáлинг.

cross voting ['krɔs‚voutıŋ] *n* голосовáние прóтив своéй пáртии.

cross-wind ['krɔs‚wınd] *n* встрéчный, проти́вный вéтер.

crosswise ['krɔswaız] *adv* крестообрáзно; крест-нáкрест.

cross-word ['krɔswəːd] *n* кроссвóрд.

crotch [krɔtʃ] *n* 1) развили́на; развéтвление; 2) ви́лы; крюк; 3) промéжность.

crotchet ['krɔtʃıt] *n* 1) крючóк; крюк; 2) фантáзия, причу́да, капри́з.

crotcheteer [‚krɔtʃə'tıə] *n* фантазёр, человéк с причу́дами.

crotchety ['krɔtʃıtı] *a* причу́дливый; капри́зный.

croton-bug ['kroutənbʌg] *n зоол.* прусáк.

crouch [krautʃ] *v* 1) припáсть к землé (*от страха или для нападения — о животных*); 2) раболéпствовать, пресмыкáться; to ~ one's back гнуть спи́ну (*перед кем-л.*).

croup I [kruːp] *n* круп (*болезнь*).

croup II [kruːp] *n* зад, круп (*лошади*).

croupe [kruːp] = croup II.

croupier ['kruːpıə] *фр.* *n* 1) крупьé, банкомёт; 2) замести́тель председáтеля на официáльном банкéте.

crow I [krou] **1.** *n* 1) ворóна; 2) пéние петухá; 3) рáдостный крик (*младенца*); 4) *сокр. от* crow-bar; ◇ as the ~ flies, in a ~ line по прямóй ли́нии; to eat ~ подвергáться униже́нию; смиря́ться, признавáть себя́ побеждённым; to have a ~ to pick (*или* to pluck) with smb. имéть счёты с кем-л.;

2. *v* (crowed, crew; crowed) 1) кричáть кукарекý; 2) издавáть рáдостные звýки (*о детях*); ликовáть; □ ~ over восторжествовáть над *кем-л.*

crow II [krou] *n* лом; вóрот; щипцы́.

crow-bar ['krou(bɑ:)] *n тех.* лом, вáга аншпуг.

crowberry ['kroubərɪ] *n бот.* толокня́нка аптéчная; воронúка чёрная.

crow-bill ['krou,bɪl] *n* хирургúческие щипцы́.

crowd [kraud] **1.** *n* 1) толпá; he might pass in the ~ он не хýже другúх; 2) толкотня́; дáвка; 3) мнóжество, мáсса (*чего-л.*); 4) *разг.* компáния, грýппа людéй; 5): ~ of sail *мор.* форсúрованные парусá;

2. *v* 1) собирáться толпóй, толпúться; теснúться; набивáться битко́м; 2) теснúть, вытесня́ть; 3) *амер.* окáзывать давлéние; торопúть, приставáть (*с чем-л.*); 4) *мор.* спешúть, идтú на всех парусáх; □ ~ into протúскиваться, втúскиваться; ~ out вытесня́ть; ~ through = ~ into.

crowded ['kraudɪd] **1.** *p. p. от* crowd 2; **2.** *a* 1) переполненный, битко́м набúтый; ~ streets ýлицы, переполненные наро́дом; 2) полный, наполненный; life ~ with great events жизнь, полная велúких собы́тий; 3) *амер.* прижáтый, притúснутый; ◇ to be ~ for time имéть врéмени в обрéз.

crowfoot ['kroufut] *n* 1) (*pl* -foots [-s]) лю́тик; 2) (*pl* -feet) *мор.* анáпуть; 3) (*pl* -feet) ~ crow's-foot 2); 4) (*pl* -feet) *горн.* ловúльный крюк.

crown [kraun] **1.** *n* 1) венéц, коро́на; 2) (C.) коро́на, престо́л; короле́вская власть; коро́ль, короле́ва; to succeed to the ~ наслéдовать престо́л; 3) (C.) госудáрство; верхо́вная власть (*в Англии*); 4) вено́к (*цветов*); 5) венéц, завершéние; 6) кро́на, верхýшка дéрева; 7) макýшка, тéмя, головá; 8) тулья́ (*шляпы*); 9) коро́нка (*зуба*); 10) кро́на (*монета достоинством в 5 шиллингов*); 11) формáт бумáги (*амер. 15 д.×19 д.—писчей; англ. 16½ д.×21 д.—печатной, 15 д.×19 д.—чертёжной*); 12) *архит.* шелы́га áрки *или* сво́да; 13) *мор.* пя́тка я́коря; 14) *тех.* коро́нка, венéц.

2. *v* 1) венчáть; короновáть; 2) вознаграждáть; 3) возглавля́ть; 4) завершáть, увéнчивать, закáнчивать; 5) провестú в дáмки (*шашку*); 6) постáвить коро́нку (*на зуб*); ◇ the end ~s the work *посл.* коне́ц венчáет дéло.

Crown Colony ['kraun'kɔlənɪ] *n* британская коло́ния, не имéющая самоуправлéния.

crowned [kraund] **1.** *p. p. от* crown 2; **2.** *a* 1) увéнчанный (with); 2) зако́нченный, завершённый; 3): high (low) ~ с высо́кой (нúзкой) тульéй.

crown-glass ['kraun'glɑ:s] *n* кронглáс (*сорт стекла*).

crown law ['kraun'lɔ:] *n* уголо́вное пра́во.

Crown prince ['kraun'prɪns] *n* наслéдный принц, наслéдник престо́ла, кронпринц.

crown-wheel ['kraunwɪ:l] *n тех.* коро́нная шестерня́, храпово́е колесо́.

crow-quill ['kroukwɪl] *n* 1) воро́нье перо́; 2) то́нкое стально́е перо́.

crow's-foot ['krouzfut] *n* (*pl* -feet) 1) *pl* морщúнки у углá глáза; 2) *воен.* про́волочные силкú; 3) *pl ав.* гусúные лáпы.

crow's-nest ['krouznest] *n* 1) воро́нье гнездо́; 2) *мор.* наблюдáтельный пост (*на мачте*).

croze [krouz] *n* уто́р (*в бочке*).

crozzle ['krɔzl] *v* обращáть в пéпел.

crucial ['kru:ʃjəl] *a* 1) реша́ющий (*о моменте, опыте*); критúческий (*о периоде*); 2) *мед.* крестообра́зный.

crucian ['kru:ʃən] *n* карáсь.

cruciate ['kru:ʃɪeɪt] *a* крестообра́зный.

crucible ['kru:sɪbl] *n* тúгель; *перен.* суро́вое испытáние.

cruciferous [kru:'sɪfərəs] *a бот.* крестоцвéтный.

crucifix ['kru:sɪfɪks] *n* распя́тие.

crucifixion [,kru:sɪ'fɪkʃən] *n* 1) распя́тие на крестé; 2) мýки, страдáния.

cruciform ['kru:sɪfɔːm] *a* крестообра́зный

crucify ['kru:sɪfaɪ] *v* 1) распинáть; 2) умерщвля́ть (*плоть*); 3) мýчить.

crude [kru:d] *a* 1) сыро́й, незрéлый; 2) неперевар́енный; 3) необрабо́танный; неочúщенный; 4) грýбый; 5) незрéлый, непродýманный; 6) го́лый (*о фактах*); 7) кричáщий (*о красках*).

crude iron ['kru:d,aɪən] *n* чугýн.

crudity ['kru:dɪtɪ] *n* незрéлость, необрабо́танность *и пр.* [*см.* crude].

cruel [kruəl] *a* 1) жесто́кий; безжáлостный, бессердéчный; 2) мучúтельный; ужáсный; ~ suffering ужáсные страдáния; ~ war сурóвая, жесто́кая война́; ~ fate го́рькая судьбúна; ~ disease тяжёлая, мучúтельная болéзнь.

cruelly ['kruɪlɪ] *adv* 1) жесто́ко; безжáлостно; 2) мучúтельно.

cruelty ['kruəltɪ] *n* жесто́кость; безжáлостность, бессердéчие.

cruet ['kru:ɪt] *n* буты́лочка, графúнчик для ýксуса *или* мáсла.

cruet-stand ['kru:ɪtstænd] *n* судо́к.

cruise [kru:z] **1.** *n* крéйсерство; морско́е путешéствие, плáвание;

2. *v мор.* крейсúровать; совершáть рéйсы.

cruiser ['kru:zə] *n мор.* крéйсер; armoured (belted, protected) ~ *ист.* броненóсный (бронепáлубный) крéйсер; ◇ ~ weight боксёр полутяжёлого вéса.

cruiser-carrier ['kru:zə'kærɪə] *n мор.* крéйсер-авианóсец.

cruising speed ['kru:zɪŋspɪːd] *n мор.* крéйсерская ско́рость.

cruising submarine ['kru:zɪŋsʌbmərɪːn] *n мор.* крéйсерская подво́дная ло́дка.

cruller ['krʌlə] *n амер.* жáреный пирожо́к.

crumb [krʌm] **1.** *n* 1) (*обыкн. pl*) кро́шка (*особ. хлеба*); 2) мя́киш (*хлеба*); 3) *pl* кро́хи, крупúцы; ~s of information обры́вки свéдений;

2. *v* 1) крошúть; 2) обсыпáть кро́шками; обвáливать в сухаря́х; 3) сметáть кро́шки (*со стола*).

crumb-brush ['krʌmbrʌʃ] *n* щётка для сметания крошек (*со стола*).

crumble ['krʌmbl] *v* 1) крошиться; осыпаться; 2) крошить, раздроблять, толочь, растирать (*в порошок*); 3) распадаться, разрушаться, гибнуть (*часто ~ away*); his hopes have ~d to nothing его надежды рухнули.

crumbly ['krʌmblɪ] *a* крошащийся, рассыпчатый, рыхлый.

crumby ['krʌmɪ] *a* 1) усыпанный крошками; 2) мягкий (*как мякиш*); 3) *амер.* дешёвый; 4) *амер.* грязный; отвратительный; мёрзкий.

crummy ['krʌmɪ] *a* 1) = crumby 1) *и* 2); 2) *разг.* пухленькая (*о женщине*); 3) *разг.* богатый, зажиточный.

crump [krʌmp] 1. *n* 1) сильный удар; тяжёлое падение; 2) *воен. sl.* тяжёлый фугасный снаряд; 3) звук от разрыва тяжёлого снаряда;
2. *v* 1) сильно ударять; 2) *воен. sl.* стрелять, обстреливать.

crumpet ['krʌmpɪt] *n* 1) сдобная пышка; 2) *sl.* башка; barmy on the ~ сумасбродный, взбалмошный.

crumple ['krʌmpl] *v* 1) мять(ся); комкать; морщиться; съёживаться; this cloth ~s very easily эта материя очень мнётся; 2) сгибать, закручивать; 3) падать духом.

crumpler ['krʌmplə] *n* падение всадника вместе с лошадью.

crunch [krʌntʃ] 1. *n* 1) хруст; 2) скрип; треск;
2. *v* 1) грызть; хрустеть; 2) скрипеть под ногами; трещать.

crupper ['krʌpə] *n* 1) подхвостник (*часть сбруи*); 2) круп (*лошади*).

crural ['krurəl] *a анат.* бедренный.

crusade [kruː'seɪd] 1. *n* 1) *ист.* крестовый поход; 2) поход, кампания (*против чего-л.*);
2. *v* выступить походом; бороться (*против чего-л.*).

crusader [kruː'seɪdə] *n* 1) *ист.* крестоносец; 2) участник общественной кампании.

cruse [kruːz] *n уст.* глиняный кувшин.

crush [krʌʃ] 1. *n* 1) раздавливание, дробление *и пр.* [*см.* 2]; 2) давка; толкотня; 3) *разг.* шумное собрание, сборище; 4) сокрушительный удар; *воен. разгром*; 5) *sl.* увлечение, пылкая любовь; to have (got) a ~ on smb. очень любить кого-л.; 6) напиток из выжатого фруктового сока.
2. *v* 1) (раз)давить; 2) выжимать, давить (*виноград*); 3) дробить, толочь, размельчать; 4) втискивать; 5) мять(ся); 6) уничтожать, подавлять, сокрушать; □ ~ **down** а) смять; придавить; б) раздробить; в) подавить (*восстание, оппозицию*); ~ **out** подавить; ~ **up** размельчить, растолочь, смять; ◇ to ~ a bottle of wine выпить, «раздавить» бутылку (*вина*).

crusher ['krʌʃə] *n* 1) тот, кто *или* то, что сокрушает; 2) *sl.* полисмен; 3) *тех.* дробилка; аппарат для дробления *или* размола; бегунок.

crush-hat ['krʌʃ'hæt] *n* 1) мягкая (фетровая) шляпа; 2) шапокляк (*складной цилиндр*).

crushing ['krʌʃɪŋ] 1. *pres. p. от* crush 2;
2. *a* сокрушительный; a ~ defeat сокрушительный удар, тяжёлое поражение; a ~ reply уничтожающий ответ.

crush-room ['krʌʃrum] *n театр. разг.* фойе.

crust [krʌst] 1. *n* 1) корка (*хлеба*); *перен.* средства к существованию; to earn one's ~ зарабатывать на кусок хлеба; 2) что-л., напоминающее корку: корка на ране, затвердевший слой снега; 3) осадок (*вина на стенках бутылки*); 4) *геол.* земная кора: поверхностные отложения; 5) *тех.* накипь (*в котле*); 6) *метал.* корка при обжиге, настыль;
2. *v* покрывать(ся) корой, коркой.

Crustacea [krʌs'teɪʃə] *n pl зоол.* ракообразные.

crusted ['krʌstɪd] 1. *p. p. от* crust 2;
2. *a* 1) покрытый коркой; 2) с образовавшимся осадком (*о вине*); 3) древний; укоренившийся.

crustily ['krʌstɪlɪ] *adv* сварливо; с раздражением.

crustiness ['krʌstɪnɪs] *n* сварливость; раздражительность.

crusty ['krʌstɪ] *a* 1) покрытый корой, коркой; твёрдый, жёсткий; 2) сварливый; раздражительный; резкий.

crutch [krʌtʃ] *n* 1) костыль (*обыкн. pl, тж.* a pair of ~es); *перен.* опора, поддержка; 2) раздвоенная подпорка; вилка; 3) стойка (*мотоцикла и т. п.*); 4) *мор.* кормовой брештук; уключина.

crux [krʌks] *n* 1) затруднение; трудный вопрос; недоумение; the ~ of the matter суть дела; 2) (С.) созвездие Южного Креста.

crux II [krʌks] *n* тигель.

cruzeiro [kruː'zeɪrou] *n* крусейро (*денежная единица Бразилии*).

cry [kraɪ] 1. *n* 1) крик; 2) мольба; 3) плач; she had a good ~ она выплакалась; 4) собачий лай; 5) свора собак; 6) звук, издаваемый животным; 7) крик уличных разносчиков; 8) молва; on the ~ по слухам; 9) (боевой) клич, лозунг; the popular ~ общее мнение, «глас народа»; ◇ much ~ and little wool ≈ много шума из ничего: шума много, толку мало; 3) а) далёкое расстояние; б) большая разница; in full ~ а) в бешеной погоне; б) в полном разгаре;
2. *v* 1) кричать; 2) восклицать; взывать; 3) плакать; to ~ bitter tears плакать горькими слезами; 4) оглашать, объявлять; 5) предлагать для продажи (*об уличном разносчике*); □ ~ **away** горько рыдать, обливаться слезами; ~ **down** а) осуждать; б) умалять, принижать; в) сбивать цену; г) раскритиковать; д) заглушать криками; ~ **for** просить, требовать себе *чего-л.*; to ~ for the moon желать невозможного; ~ **off** отказываться от сделки, намерения *и т. п.*, идти на попятный; ~ **out** а) объявлять во всеуслышание, выкликать; б) to ~ one's heart out горько рыдать; ~ **up** превозносить, прославлять; ◇ there's no use to ~ (*или* crying) over spilt milk *посл.*

≅ сде́ланного, поте́рянного не воро́тишь; to ~ halves тре́бовать свою́ до́лю; to ~ shame upon smb. порица́ть, стыди́ть, поноси́ть кого́-л.; to ~ stinking fish a) хули́ть свой това́р; б) выноси́ть сор из избы́; to ~ wolf поднима́ть ло́жную трево́гу.

cry-baby ['kraɪ,beɪbɪ] *n* пла́кса, рёва.

crying ['kraɪɪŋ] 1. *pres. p. от* cry 2; 2. *a* 1) крича́щий, пла́чущий; 2) вопию́щий, возмути́тельный.

cryochemistry [,kraɪou'kemɪstrɪ] *n* хи́мия ни́зких температу́р.

cryolite ['kraɪəlaɪt] *n мин.* криоли́т.

crypt [krɪpt] *n ист.* кри́пта, склеп, подзе́мная часо́вня.

cryptic ['krɪptɪk] *a* 1) зага́дочный, таи́нственный; сокрове́нный; 2) *биол., мед.* скры́тый, лате́нтный.

cryptogam ['krɪptougæm] *n бот.* тайнобра́чное (*или* спо́ровое) расте́ние.

cryptogamic [,krɪptou'gæmɪk] *a бот.* тайнобра́чный, спо́ровый.

cryptogamous [krɪp'tɔgəməs] = cryptogamic.

cryptogram ['krɪptougræm] *n* криптогра́мма, та́йнопись; шифро́ванный докуме́нт.

cryptograph ['krɪptougrɑːf] = cryptogram.

cryptographer [krɪp'tɔgrəfə] *n* шифрова́льщик.

crystal ['krɪstl] 1. *n* 1) хруста́ль; 2) хруста́льная посу́да; 3) криста́лл; 4) прозра́чный предме́т (*особ. поэт.* вода́, лёд, слеза́, глаз); 5) стекло́ для карма́нных и ручны́х часо́в; 6) *радио* детекто́рный криста́лл; 2. *a* 1) хруста́льный; 2) криста́лли́ческий; 3) чи́стый, прозра́чный, криста́льный.

crystal-gazing ['krɪstl,geɪzɪŋ] *n* гада́ние с зе́ркалом *или* посре́дством «маги́ческого криста́лла».

crystalline ['krɪstəlaɪn] = crystal 2; ~ lens *анат.* хруста́лик (*глаза*).

crystallite ['krɪstəlaɪt] *n* криста́лли́т.

crystallization [,krɪstəlaɪ'zeɪʃən] *n* кристаллиза́ция.

crystallize ['krɪstəlaɪz] *v* 1) кристаллизова́ть(ся); 2) вылива́ться в определённую фо́рму; 3) заса́харивать(ся) (*о фру́ктах*).

crystallography [,krɪstə'lɔgrəfɪ] *n* кристаллогра́фия.

crystalloid ['krɪstəlɔɪd] 1. *n* кристалло́ид; 2. *a* кристалловидный.

crystal set ['krɪstlset] *n радио* детекто́рный радиоприёмник.

crystalware ['krɪstlwɛə] *n* хруста́льные изде́лия.

ctenoid ['tiːnɔɪd] *a* гребневидный.

cub [kʌb] 1. *n* 1) *зоол.* детёныш; 2) *шутл., пренебр.* молокосо́с, юне́ц; невоспи́танный ма́льчик; unlicked ~ зелёный юне́ц; 3) *амер. разг.* новичо́к; 4) *разг.* молодо́й нео́пытный репортёр; 2. *v* 1) щени́ться; 2) охо́титься на лися́т.

cubage ['kjuːbɪdʒ] *n* кубату́ра.

Cuban ['kjuːbən] 1. *a* куби́нский; 2. *n* куби́нец.

cubbing ['kʌbɪŋ] 1. *pres. p. от* cub 2;

2. *n* охо́та на лися́т.

cubbish ['kʌbɪʃ] *a* 1) неуклю́жий; 2) ду́рно воспи́танный.

cubby ['kʌbɪ] *n* ую́тное месте́чко *или* жили́ще (*обыкн.* ~-hole).

cube [kjuːb] 1. *n* 1) *мат.* куб; the ~ of 4 is 64 4 в ку́бе равня́ется 64; 2) брусо́к (*для мостово́й*); 3) *attr.* куби́ческий; the ~ root of 64 is 4 ко́рень куби́ческий из 64 равня́ется 4; ◇ ~ sugar пилёный са́хар; 2. *v* 1) *мат.* возводи́ть в куб; 2) вычисля́ть кубату́ру, куби́ческий объём; 3) мости́ть брусча́ткой; 4): to ~ ice коло́ть лёд на ку́бики.

cubic(al) ['kjuːbɪk(əl)] *a* куби́ческий.

cubicle ['kjuːbɪkl] *n* небольша́я перегоро́женная спа́льня в шко́льном общежи́тии.

cubiform ['kjuːbɪfɔːm] *a* кубови́дный.

cubism ['kjuːbɪzəm] *n иск.* куби́зм.

cubit ['kjuːbɪt] *n* 1) *анат.* локтева́я кость; 2) *ист.* ло́коть (*ме́ра длины́ 45 см*).

cubital ['kjuːbɪtl] *a* локтево́й.

cuboid ['kjuːbɔɪd] 1. *n* 1) *мат.* кубо́ид; 2) *анат.* кубови́дная кость (*плю́сны ноги́*); 2. *a* име́ющий фо́рму ку́ба.

cucking-stool ['kʌkɪŋstuːl] *n ист.* позо́рный стул, к кото́рому привя́зывали же́нщин дурно́го поведе́ния и торго́вцев-моше́нников.

cuckold ['kʌkəld] 1. *n* рогоно́сец, обма́нутый муж; 2. *v* наставля́ть рога́, изменя́ть своему́ му́жу.

cuckoo 1. *n* ['kuku:] 1) куку́шка; 2) *разг.* глупе́ц, рази́ня, «воро́на»; 2. *a* ['kuku:] *разг.* не в своём уме́, сумасше́дший; 3. *int* ['ku'ku:] ку́-ку́!

cuckoo clock ['kuku:klɔk] *n* часы́ с куку́шкой.

cuckoo-flower ['kuku:flauə] *n бот.* 1) серде́чник лугово́й; 2) гори́цвет, куку́шкин цвет.

cuckoo-pint ['kuku:pɪnt] *n бот.* а́рум пятни́стый.

cucumber ['kjuːkəmbə] *n* огуре́ц; ◇ cool as a ~ невозмути́мый, споко́йный, хладнокро́вный.

cucumber-tree ['kjuːkəmbə,triː] *n бот.* магно́лия длиннозаострённая, огуре́чное де́рево.

cucurbit [kjuˈkaːbɪt] *n хим.* перего́нный куб, рето́рта.

cud [kʌd] *n* жва́чка; to chew the ~ жева́ть жва́чку; *перен.* пережёвывать ста́рое, размышля́ть.

cudbear ['kʌdbɛə] *n* 1) ла́кмус; 2) лека́нора (*лиша́йник*).

cuddle ['kʌdl] 1. *n* объя́тия; 2. *v* 1) прижима́ть к себе́; обнима́ть; 2) прижима́ться (*друг к дру́гу*; *часто* ~ up, ~ together); 3) свернýться кала́чиком.

cuddy I ['kʌdɪ] *n* 1) небольша́я каю́та; 2) чула́н; буфе́т; 3) *уст.* каю́т-компа́ния.

cuddy II ['kʌdɪ] *n* 1) осёл; 2) дура́к; 3) *тех разг.* домкра́т.

cudgel ['kʌdʒəl] 1. *n* дуби́на; to take up the ~s for а) заступа́ться за *кого́-л.*; б) отста́ивать *что́-л.*;

2. *v* бить па́лкой; ◇ to ~ one's brains лома́ть себе́ го́лову.

cudweed ['kʌd,wiːd] *n* *бот.* сушени́ца.

cue I [kjuː] *n* 1) *театр.* ре́плика; 2) намёк; to give smb. the ~ намекну́ть, подсказа́ть кому́-л.; to take one's ~ from smb. воспо́льзоваться чьим-л. намёком, указа́нием; 3) *кино* титр; 4) *тел.*, *радио* сигна́л; 5) *разг.* настрое́ние.

cue II [kjuː] *n* 1) кий; 2) коси́чка; 3) хвост, о́чередь; ◇ to drop a ~ *sl.* умере́ть.

cueist ['kjuːɪst] *n* игро́к на билья́рде.

cuff I [kʌf] *n* манже́та; обшла́г.

cuff II [kʌf] **1.** *n* уда́р руко́й *или* кулако́м;
2. *v* бить руко́й; колоти́ть.

cuff-link ['kʌf,lɪŋk] *n* за́понка для манже́т.

cuirass [kwɪ'ræs] *n* кира́са, па́нцирь.

cuirassier [,kwɪrə'sɪə] *n* *ист.* кираси́р.

cuisine [kwiː'ziːn] *фр.* *n* ку́хня, стол (*питание; поваренное искусство*).

cuke [kjuːk] *n* огу́рчик, корнишо́н.

cul-de-sac ['kuldə'sæk] *фр.* *n* 1) тупи́к; глухо́й переу́лок; 2) тупи́к, безвы́ходное положе́ние; 3) *анат.* слепо́й мешо́к; 4) *attr.* тупико́вый; ~ station *ж.-д.* тупико́вая ста́нция.

culinary ['kʌlɪnərɪ] *a* 1) кулина́рный; ку́хонный; 2) го́дный для ва́рки (*об овощах*).

cull [kʌl] **1.** *n* (*обыкн. pl*) 1) отбрако́ванный нагу́льный скот; 2) *амер.* забрако́ванные пиломатериа́лы;
2. *v* 1) собира́ть (*цветы*); 2) отбира́ть; бракова́ть.

cullender ['kʌlɪndə] = colander.

cully ['kʌlɪ] *n* *разг.* 1) же́ртва обма́на; простя́к; 2) друг, това́рищ.

culm I [kʌlm] *n* *бот.* сте́бель (*трав, злаков*); соло́мина.

culm II [kʌlm] *n* *геол.* кульм, верши́на.

culm III [kʌlm] *n* у́гольная, антраци́товая пыль.

culminate ['kʌlmɪneɪt] *v* 1) достига́ть вы́сшей то́чки *или* сте́пени; 2) *астр.* кульмини́ровать; достига́ть апоге́я.

culmination [,kʌlmɪ'neɪʃən] *n* 1) наивы́сшая то́чка; кульминацио́нный пункт; 2) *астр.* кульмина́ция; зени́т.

culpability [,kʌlpə'bɪlɪtɪ] *n* вино́вность.

culpable ['kʌlpəbl] *a* заслу́живающий порица́ния; вино́вный, престу́пный.

culprit ['kʌlprɪt] *n* 1) обвиня́емый; 2) престу́пник; вино́вный.

cult [kʌlt] *n* 1) вероиспове́дание; 2) культ, преклоне́ние.

cultivate ['kʌltɪveɪt] *v* 1) обраба́тывать, возде́лывать; 2) *с.-х.* культиви́ровать (*почву, растения*); 3) развива́ть, культиви́ровать; to ~ the acquaintance of smb. цени́ть, стара́ться подде́рживать знако́мство с кем-л.

cultivated ['kʌltɪveɪtɪd] **1.** *p. p. от* cultivate;
2. *a* 1) обраба́тываемый; обрабо́танный; ~ area посевна́я пло́щадь; 2) культу́рный, развито́й; 3) изощрённый.

cultivation [,kʌltɪ'veɪʃən] *n* 1) возде́лы-

вание (*земли*); 2) разведе́ние, культу́ра (*растений, бактерий и т. п.*); 3) разви́тие (*путём упражнения*); культиви́рование.

cultivator ['kʌltɪveɪtə] *n* 1) тот, кто культиви́рует (*что-л.*); 2) земледе́лец; 3) культива́тор (*с.-х. орудие*).

cultural ['kʌltʃərəl] *a* культу́рный; ◇ ~ features *топ.* сооруже́ния, постро́йки и иску́сственные насажде́ния.

culture ['kʌltʃə] *n* 1) культу́ра; Soviet ~ сове́тская культу́ра; 2) сельскохозя́йственная культу́ра; 3) разведе́ние, возде́лывание; ~ of vine (oysters *etc.*) разведе́ние виногра́дной лозы́ (у́стриц *и т. д.*); 4) *бакт.* культу́ра, выра́щивание бакте́рий; 5) отме́тки и назва́ния на топографи́ческих ка́ртах.

cultured ['kʌltʃəd] *a* 1) культу́рный, разви́той; 2) культиви́рованный.

culver ['kʌlvə] *n* *диал.* ди́кий го́лубь.

culverhouse ['kʌlvəhaus] *n* *диал.* голубя́тня.

culvert ['kʌlvət] *n* 1) ку́льверт; (водопропускна́я) труба́; дрена́жная труба́; подзе́мный кана́л; 2) *горн.* подзе́мная што́льня.

cum [kʌm] *лат.* *prep* с; ~ dividend включа́я дивиде́нд.

cumber ['kʌmbə] **1.** *n* затрудне́ние, стесне́ние; препя́тствие;
2. *v* затрудня́ть, стесня́ть; препя́тствовать.

cumbersome ['kʌmbəsəm] *a* 1) нескла́дный; громо́здкий; 2) тяжёлый; обремени́тельный.

Cumbrian ['kʌmbrɪən] **1.** *n* жи́тель Ка́мберленда;
2. *a* ка́мберлендский.

cumbrous ['kʌmbrəs] = cumbersome.

cumin ['kʌmɪn] = cummin.

cummer ['kʌmə] *n* *шотл.* 1) крёстная мать; 2) прия́тельница; 3) спле́тница, ку́мушка.

cummerbund ['kʌməbʌnd] *n* *англо-инд.* куша́к, по́яс.

cummin ['kʌmɪn] *n* тмин.

cumshaw ['kʌmʃɔː] *n* *диал.* взя́тка; чаевы́е.

cumulate 1. *a* ['kjuːmjulɪt] нако́пленный; со́бранный в ку́чу;
2. *v* ['kjuːmjuleɪt] нака́пливать; аккумули́ровать.

cumulation [,kjuːmju'leɪʃən] *n* накопле́ние; скопле́ние.

cumulative ['kjuːmjulətɪv] *a* совоку́пный, нако́пленный; кумуляти́вный; ~ evidence *юр.* совоку́пность ули́к; ~ vote систе́ма вы́боров, при кото́рой ка́ждый избира́тель име́ет сто́лько голосо́в, ско́лько вы́ставлено кандида́тов, и мо́жет отда́ть все свои́ голоса́ одному́ кандида́ту и́ли распредели́ть их по своему́ жела́нию.

cumuli ['kjuːmjulaɪ] *pl om* cumulus.

cumulo-nimbus [,kjuːmjulə'nɪmbəs] *n* ли́вневые грозовы́е облака́.

cumulus ['kjuːmjuləs] *n* (*pl* -li) 1) кучевы́е облака́; 2) мно́жество, скопле́ние.

cuneiform ['kjuːnɪfɔːm] **1.** *a* клинообра́зный;
2. *n* клинообра́зный знак (*в ассирийских надписях*).

cunning ['kʌnɪŋ] **1.** *n* 1) хитрость, коварство; 2) ловкость; умение;
2. *a* 1) хитрый, коварный; 2) искусный, способный, ловкий, изобретательный; 3) *амер. разг.* прелестный, изящный, интересный, пикантный.

cup [kʌp] **1.** *n* 1) чаш(к)а; кубок; 2) *бот.* чашечка (*цветка*); 3) *эл.* чашка (*изолятора*); 4) *тех.* манжета, кольцо; 5) = cupping-glass; ◇ to be in one's ~s быть навеселе; a bitter ~ горькая чаша; the ~ of life чаша жизни; to be a ~ too low быть в подавленном настроении; to fill up the ~ переполнить чашу терпения;
2. *v* 1) *бот.* принимать чашевидную форму; 2) *мед.* ставить банки; пускать кровь.

cup and ball ['kʌpən'bɔːl] *n* бильбоке (*игра*).

cup-bearer ['kʌp,bɛərə] *n ист.* виночерпий.

cupboard ['kʌbəd] *n* буфет, шкаф; ◇ ~ love корыстная любовь.

cupel ['kjuːpel] **1.** *n* пробирная чашка;
2. *v* определять пробу (*драгоценных металлов*).

cupful ['kʌpful] *n* полная чашка (*чего-л.*).

Cupid ['kjuːpɪd] *n миф.* Купидон.

cupidity [kjuː'pɪdɪtɪ] *n* алчность, жадность; скаредность.

cupola ['kjuːpələ] *n* 1) купол; 2) *тех.* вагранка; 3) *воен., мор.* вращающаяся броневая башня, бронекупол (*для тяжёлых орудий*).

cupping ['kʌpɪŋ] **1.** *pres. p. от* cup 2;
2. *n* применение банок.

cupping-glass ['kʌpɪŋglɑːs] *n мед.* банка.

cupreous ['kjuːprɪəs] *a* медный; содержащий медь.

cupriferous [kjuː'prɪfərəs] *a* медистый, содержащий медь.

cuprite ['kjuːpraɪt] *n* куприт, красная медная руда.

cuprous ['kjuːprəs] *a хим.*: ~ chloride хлористая медь.

cup-ties ['kʌptaɪz] *n спорт.* состязание на кубок.

cur [kɜː] *n* 1) дворняжка (*особ. злая, кусающаяся*); шавка; 2) дурно воспитанный, грубый *или* трусливый человек.

curability [,kjuərə'bɪlɪtɪ] *n* 1) излечимость; 2) пригодность для сушки, засола.

curable ['kjuərəbl] *a* 1) излечимый; 2) пригодный для сушки, засола.

curaçao [,kjuərə'sou] *n* ликёр кюрасо.

curacy ['kjuərəsɪ] *n* 1) сан священника; 2) приход (*церковный*).

curare [kju'rɑːrɪ] *n* кураре (*сильный растительный яд*).

curassow ['kjuːrəsou] *n зоол.* чокко (*птица*).

curate ['kjuərɪt] *n* помощник приходского священника.

curative ['kjuərətɪv] **1.** *a* целительный, целебный;
2. *n* целебное средство.

curator [kjuə'reɪtə] *n* 1) хранитель (*музея, библиотеки*); 2) член правления (*в университете*); 3) *шотл. юр.* опекун.

curb [kɜːb] **1.** *n* 1) подгубный ремень *или* цепочка, «цепка» (*уздечки*); 2) узда; обуздание; 3) твёрдая опухоль на ноге у лошади; 4) бордюрный камень; обочина (*тротуара; см. тж.* kerb); 5) наружный сруб колодца; 6) *attr.* мундштучный; ~ bit мундштучное удило; ~ bridle мундштучная уздечка;
2. *v* 1) надевать узду (*на лошадь*); 2) обуздывать; 3) гнуть, сгибать.

curb roof ['kɜːb,ruːf] *n* двускатная крыша.

curbstone ['kɜːbstoun] = kerb-stone [*см. тж.* kerb *и* curb 1, 4)]; ◇ ~ broker *амер.* маклер, не состоящий на бирже и совершающий сделки на улице.

curcuma ['kɜːkjumə] = turmeric.

curd [kɜːd] *n* 1) свернувшееся молоко; 2) (*обыкн. pl*) творог.

curdle ['kɜːdl] *v* 1) свёртываться (*о крови, молоке*); 2) застыть (*от ужаса*), оцепенеть· 3): to ~ the blood леденить кровь.

curdy ['kɜːdɪ] *a* свернувшийся, створожившийся.

cure I [kjuə] **1.** *n* 1) лекарство; средство; 2) лечение; курс лечения; 3) *церк.* попечение (о пастве); 4) *тех.* вулканизация (*резины*);
2. *v* 1) вылечивать, исцелять; 2) исправлять (*вред, зло*); 3) заготовлять, консервировать; 4) вулканизировать (*резину*).

cure II [kjuə] *n sl.* чудак.

cure-all ['kjuər,ɔːl] *n* панацея, лекарство от всех болезней.

cureless ['kjuəlɪs] *a* неизлечимый.

curette [kju'ret] *хир.* **1.** *n* кюретка, острая ложечка;
2. *v* выскабливать кюреткой.

curfew ['kɜːfjuː] *n* 1) *ист.* вечерний звон (*сигнал для гашения огней*); 2) комендантский час; 3) колпачок (*для тушения огня*); 4) *attr.* осадный; ~ order осадное положение.

curio ['kjuərɪou] *n* (*pl* -os[-ouz]) редкая, антикварная вещь.

curiosity [,kjuərɪ'ɔsɪtɪ] *n* 1) любопытство; 2) любознательность; 3) (a ~) диковина, редкость; 4) странность; 5) *attr.* антикварный; ~ shop антикварный магазин; «лавка древностей».

curious ['kjuərɪəs] *a* 1) любопытный; 2) любознательный, пытливый; 3) странный, курьёзный; возбуждающий любопытство; 4) тщательный; искусный; a ~ inquiry тщательное исследование; 5) изящный, изысканный.

curiously)'kjuərɪəslɪ] *adv* странно; необычайно.

curium ['kjuːrɪəm] *n хим.* кюрий.

curl [kɜːl] **1.** *n* 1) локон; завиток; *pl* вьющиеся волосы; 2) завивка; 3) завиток; спираль; кольцо (*дыма*); 4) скручивание (*болезнь растений*); 5) вихрь, завихрение; 6): ~ of the lips кривая, презрительная улыбка, усмешка;
2. *v* 1) завивать(ся); виться (*о волосах*); крутить; 2) виться, клубиться (*о дыме, облаках*); 3) рябить (*водную поверхность*); 4): to ~ one's lip презрительно кривить губы; □ ~ up a) скручивать(ся), сморщи-

вать(ся); б) *разг.* скрути́ть (*о несчастье, горе и т. п.*); в) испыта́ть потрясе́ние.

curler ['kəːlə] *n* 1) тот, кто завива́ет, скру́чивает; 2) бигуди́, папильо́тка.

curlew ['kəːljuː] *n* кроншне́п (*птица*).

curlicue ['kəːlɪkjuː] *n* причу́дливый узо́р, причу́дливая завиту́шка.

curling ['kəːlɪŋ] 1. *pres. p. om* curl 2; 2. *n* 1) завива́ние; скру́чивание; 2) *название шотландской игры, в которой броса́ют на лёд гла́дко отшлифо́ванные ка́мни, снабжённые ру́чками;* 3. *a* вью́щийся.

curling-irons ['kəːlɪŋ,aɪənz] *n pl* щипцы́ для зави́вки.

curling-tongs ['kəːlɪŋtɔŋz] = curling-irons.

curl-paper ['kəːl,peɪpə] *n* папильо́тка.

curly ['kəːlɪ] *a* 1) кудря́вый, курча́вый; вью́щийся; волни́стый; 2) изо́гнутый; ◇ ~ grain свилева́тость, кососло́й (*в древесине*).

curmudgeon [kəːˈmʌdʒən] *n* 1) грубия́н; 2) скупе́ц, скря́га.

curmudgeonly [kəːˈmʌdʒənlɪ] 1. *a* 1) гру́бый; 2) скупо́й; 2. *adv* 1) гру́бо; 2) неохо́тно, скупя́сь.

currant ['kʌrənt] *n* 1) кори́нка; 2) сморо́дина.

currency ['kʌrənsɪ] *n* 1) де́нежное обраще́ние; 2) валю́та, де́ньги; 3) употреби́тельность, распространённость; this word (this game) is in common ~ э́то о́чень распространённое сло́во (распространённая игра́); to give ~ to smth. пуска́ть что-л. в обраще́ние.

current ['kʌrənt] 1. *n* 1) струя́; пото́к; 2) тече́ние; ход (*событий и т. п.*); 3) *эл.* ток; 4) *гидр.* тече́ние, пото́к; ◇ against the ~ про́тив тече́ния; to breast the ~ идти́ про́тив тече́ния; 2. *a* 1) ходя́чий, находя́щийся в обраще́нии; ~ coin ходя́чая моне́та; *перен.* общераспространённое мне́ние; to go (*или* to pass, to run) ~ быть общепри́нятым; 2) теку́щий; ~ week, ~ month, *etc.* теку́щая неде́ля, теку́щий ме́сяц *и т. д.*; ~ issue теку́щий но́мер (*журнала*); 3) скоропи́сный (*почерк*).

curricle ['kərɪkl] *n* па́рный двухколёсный экипа́ж.

curricula [kəˈrɪkjulə] *pl om* curriculum.

curriculum [kəˈrɪkjuləm] *n* (*pl* -la) курс обуче́ния, уче́бный план, програ́мма (*института, университета*).

currier ['kʌrɪə] *n* коже́вник, коже́венный ма́стер.

currish ['kəːrɪʃ] *a* ду́рно воспи́танный; гру́бый; сварли́вый.

curry I ['kʌrɪ] 1. *n* 1) кэ́рри (*приправа из куркумового корня, чеснока и разных пряностей*); 2) блю́до, припра́вленное кэ́рри; 2. *v* приготовля́ть блю́да с кэ́рри, приправля́ть кэ́рри.

curry II ['kʌrɪ] *v* 1) чи́стить скребни́цей; 2) выде́лывать ко́жу; ◇ to ~ favour зайскивать, подли́зываться; to ~ acquaintance иска́ть знако́мства (*с кем-л.*).

curry-comb ['kʌrɪ,koum] *n* скребни́ца.

curry-powder ['kʌrɪ,paudə] *n* пря́ный порошо́к из курку́мы.

curse [kəːs] 1. *n* 1) прокля́тие; руга́тельство; 2) бич, бе́дствие; the ~ of drink па́губа, прокля́тие пья́нства; 3) отлуче́ние от це́ркви; ◇ don't care a ~ наплева́ть; wouldn't give a ~ гроша́ бы не дал (*за что-л.*); not worth a ~ никуда́ не го́дный, гроша́ не сто́ит; ~s come home to roost прокля́тия обру́шиваются на го́лову проклина́ющего; ≈ не рой друго́му я́мы, сам в неё попадёшь; 2. *v* 1) проклина́ть; руга́ться; 2) кощу́нствовать; 3) отлуча́ть от це́ркви; 4) (*обыкн. pass.*) му́чить, причиня́ть страда́ния.

cursed 1. [kəːst] *p. p. om* curse 2; 2. *a* ['kəːsɪd] 1) прокля́тый, окая́нный; 2) отврати́тельный; 3. *adv* ['kəːsed] 1) черто́вски; 2) = cursedly.

cursedly ['kəːsɪdlɪ] *adv* ме́рзко, отврати́тельно.

cursive ['kəːsɪv] 1. *n* ско́ропись; 2) рукопи́сный шрифт; 2. *a* 1) скорописный; 2) рукопи́сный.

cursor ['kəːsə] *n тех.* стре́лка, указа́тель, движо́к (*на шкале*).

cursorial [kəːˈsouriəl] *a* бе́гающий (*о птицах*).

cursory ['kəːsərɪ] *a* бе́глый, пове́рхностный.

curst [kəːst] = cursed 2 *и* 3.

curt [kəːt] *a* 1) кра́ткий; сжа́тый (*о стиле*); 2) отры́висто-гру́бый (*об ответе*); 3) коро́ткий.

curtail [kəːˈteɪl] *v* 1) сокраща́ть, укора́чивать, уре́зывать; 2) лиша́ть.

curtailment [kəːˈteɪlmənt] *n* 1) сокраще́ние, уре́зывание; 2) лише́ние.

curtain ['kəːtn] 1. *n* 1) занаве́ска; to draw the ~ задёрнуть занаве́ску; 2) за́навес; to drop the ~ опусти́ть за́навес; the ~ falls (*или* drops, is dropped) за́навес па́дает, представле́ние око́нчено; the ~ rises (*или* is raised) за́навес поднима́ется, представле́ние начина́ется; to lift the ~ подня́ть за́навес; *перен.* приподня́ть завесу (*над чем-л.*); behind the ~ *перен.* за кули́сами, не публи́чно; 3) *воен.* заве́са; 4) *воен.* курти́на; ◇ ~ lecture вы́говор, получа́емый му́жем от жены́ наедине́; to take the ~ выходи́ть на аплодисме́нты; 2. *v* занаве́шивать; □ ~ off отделя́ть за́навесом.

curtain-fire ['kəːtn,faɪə] *n воен.* огнева́я заве́са.

curtain-raiser ['kəːtn,reɪzə] *n* одноа́ктная пье́са, исполня́емая в нача́ле спекта́кля.

curtilage ['kəːtɪlɪdʒ] *n юр.* уча́сток, прилега́ющий к до́му.

curtsey ['kəːtsɪ] 1. *n* реверáнс, приседа́ние; to make (*или* to drop) a ~ присе́сть, сде́лать реверáнс; 2. *v* приседа́ть, де́лать реверáнс.

curtsy ['kəːtsɪ] = curtsey.

curvature ['kəːvətʃə] *n* кривизна́, изги́б, искривле́ние.

curve [kə:v] 1. *n* 1) крива́я (*ли́ния*); дуга́; 2) крива́я (*диаграмма*); 3) изги́б, кривизна́, закругле́ние; 4) лека́ло;
2. *v* гнуть, сгиба́ть; изгиба́ть(ся).
curve piece ['kə:v‚pi:s] *n стр.* кружа́ло.
curvet [kə:'vet] 1. *n* курбе́т;
2. *v* де́лать курбе́т.
curvilinear [‚kə:vɪ'lɪnɪə] *a* криволине́йный.
cushat ['kʌʃət] *n поэт.* лесно́й го́лубь, вя́хирь.
cushion ['kuʃən] 1. *n* 1) (дива́нная) поду́шка; 2) борт (*билья́рда*); 3) поду́шка (*для плете́ния кру́жев*); 4) *тех.* упру́гая прокла́дка, поду́шка;
2. *v* 1) снабжа́ть поду́шками; подкла́дывать поду́шку; 2) зама́лчивать, обходи́ть молча́нием; 3) ста́вить шар к бо́рту (*билья́рда*); ◇ to ∼ a shock смягчи́ть уда́р.
cushiony ['kuʃənɪ] *a* похо́жий на поду́шку; мя́гкий, как поду́шка.
cushy ['kuʃɪ] *a sl.* лёгкий и хорошо́ опла́чиваемый; a ∼ job «тёпленькое месте́чко»; ∼ wound лёгкая ра́на.
cusp [kʌsp] *n* 1) рог луны́; 2) (го́рный) пик; вы́ступ; мыс; 3) о́стрый ко́нчик зу́ба; 4) то́чка пересече́ния (*двух криво́й*).
cuspid ['kʌspɪd] *n анат.* клык.
cuspidal ['kʌspɪdəl] *a* остроконе́чный.
cuspidate(d) ['kʌspɪdeɪt(ɪd)] *a* остроконе́чный.
cuspidor ['kʌspɪdɔ:] *n* плева́тельница.
cuss [kʌs] *амер. sl.* 1. *n* 1) прокля́тие; 2) па́рень; 3) него́дный ма́лый, «наказа́ние»; ◇ not to care a ∼ относи́ться наплева́тельски;
2. *v* руга́ться.
cussedness ['kʌsɪdnɪs] *n амер. sl.* 1) упря́мство; 2) сварли́вость; 3) извращённость.
custard ['kʌstəd] *n* род драчёны.
custodian [kʌs'toudjən] *n* 1) сто́рож; 2) храни́тель (*музе́я и т. п.*); 3) опеку́н.
custody ['kʌstədɪ] *n* 1) опе́ка, попече́ние; охра́на, хране́ние; 2) заключе́ние, заточе́ние; to take into ∼ арестова́ть, взять под стра́жу.
custom ['kʌstəm] 1. *n* 1) обы́чай; привы́чка; 2) клиенту́ра; покупа́тели; 3) зака́зы; 4) *pl* тамо́женные по́шлины; ∼s policy тамо́женная поли́тика;
2. *a* 1) тамо́женный; ∼ entry тамо́женная деклара́ция; 2) *амер.* изгото́вленный на зака́з; ∼ clothes пла́тье, сши́тое на зака́з.
customable ['kʌstəməbl] *a* подлежа́щий тамо́женному обложе́нию.
customary ['kʌstəmərɪ] *a* обы́чный, привы́чный; осно́ванный на о́пыте, обы́чае; ∼ law *юр.* обы́чное пра́во.
custom-built ['kʌstəm'bɪlt] *a амер.* изгото́вленный на зака́з.
customer ['kʌstəmə] *n* зака́зчик; покупа́тель; клие́нт; *перен.* завсегда́тай; rum ∼, queer ∼ чуда́к, стра́нный челове́к.
custom-house ['kʌstəmhaus] *n* тамо́жня.
custom-made ['kʌstəm'meɪd] = custom-built.
custom-tailored ['kʌstəm'teɪləd] = custom-built.

cut I [kʌt] 1. *v* (cut) 1) ре́зать; среза́ть, отреза́ть, разреза́ть; стричь; ∼ loose отделя́ть, освобожда́ть; to ∼ oneself loose from one's family порва́ть с семьёй; 2) коси́ть, жать; убира́ть урожа́й; 3) руби́ть, вали́ть (*лес*); 4) крои́ть; 5) высека́ть (*из ка́мня*); ре́зать (*по де́реву*); теса́ть, стёсывать; шлифова́ть, грани́ть (*драгоце́нные ка́мни*); 6) бури́ть; копа́ть; рыть; 7) ре́заться, проре́зываться (*о зуба́х*); to ∼ one's wisdom-teeth *перен. разг.* стать благоразу́мным; 8) кастри́ровать (*живо́тное*); 9) уреза́ть, сокраща́ть (*статью́, кни́гу*); 10) снижа́ть (*це́ны, нало́ги*); 11) пересека́ть(ся) (*о ли́ниях, доро́гах*); 12) прерыва́ть знако́мство (*с кем-л.*); отка́зываться в покло́не, де́лать вид, что не замеча́ешь (*кого́-л.*); to ∼ smb. dead соверше́нно игнори́ровать кого́-л.; 13) пропуска́ть, не прису́тствовать; to ∼ a lecture пропусти́ть ле́кцию; 14) *разг.* удира́ть; 15) *карт.* снима́ть коло́ду; to ∼ for partners выниманием карт определи́ть партнёров; □ ∼ at наноси́ть уда́р (*мечо́м, кнуто́м; тж. перен.*); ∼ away *разг.* среза́ть; *б*) *разг.* убега́ть; ∼ back *кино* повтори́ть да́нный ра́нее кадр (*обы́чно в воспомина́ниях и т. п.*); ∼ down *а*) сокраща́ть (*расхо́ды*); *б*) руби́ть (*дере́вья*); *в*) (*обы́кн. pass.*) сража́ть (*о боле́зни, сме́рти*); ∼ in *а*) вме́шиваться; *б*) *эл.* включа́ть; ∼ off *а*) обреза́ть, отсека́ть; прерыва́ть; *б*) приводи́ть к ра́нней сме́рти; *в*) отреза́ть (*отступле́ние*); *г*) выключа́ть (*электри́чество, во́ду, газ и т. п.*); ∼ out *а*) выреза́ть; крои́ть; *б*) вытесня́ть; *в*) *мор.* отреза́ть су́дно от бе́рега; *г*) *эл.* выключа́ть; *д*) *карт.* выходи́ть из игры́; ∼ over выруба́ть лес; ∼ under продава́ть деше́вле (*конкури́рующих фирм*); ∼ up *а*) разруба́ть, разреза́ть на куски́; *б*) раскритикова́ть; *в*) подрыва́ть (*си́лы, здоро́вье*); ◇ ∼ the coat according to the cloth ≅ по одёжке протя́гивай но́жки; to ∼ and come again есть с аппети́том; to ∼ and run убега́ть, удира́ть; to ∼ both ways быть обоюдоо́стрым; to ∼ a dash бахва́литься; рисова́ться, выставля́ть (*что-л.*) напока́з; to ∼ a joke отпусти́ть, отколо́ть шу́тку; to be ∼ out for smth. быть сло́вно со́зданным для чего́-л.; ∼ it out! *амер. разг.* переста́ньте!, бро́сьте!; to ∼ off with a shilling лиши́ть насле́дства (*завеща́в всего́ оди́н ши́ллинг*); to ∼ up well оста́вить по́сле свое́й сме́рти большо́е состоя́ние; to ∼ up rough негодова́ть, возмуща́ться; to ∼ to the heart (*или* to the quick) заде́ть за живо́е, глубоко́ уязви́ть, глубоко́ заде́ть (*чьи-л. чу́вства*); to ∼ to pieces разби́ть наголову́; раскритикова́ть; to ∼ a feather *уст. а*) вдава́ться в изли́шние то́нкости; *б*) *разг.* щеголя́ть, красова́ться, выставля́ть напока́з; to ∼ no ice *sl. а*) ничего́ не доби́ться; *б*) не име́ть значе́ния; to ∼ the record поби́ть реко́рд; to ∼ short прерыва́ть, обрыва́ть;
2. *n* 1) разре́з, поре́з; ра́на; зару́бка, засе́чка; 2) отре́зок; 3) покро́й; 4) вы́резка (*тж. из кни́ги, статьи́*); a ∼ from the joint вы́резка (*филе́й*); 5) сниже́ние (*цен,*

количества); 6) *кино* быстрая смена кадров; 7) гравюра на дереве (*доска или оттиск*); 8) прекращение (*знакомства*); to give smb. the ~ direct прекратить знакомство с кем-л.; 9) *карт.* снимание (*колоды*); 10) канал; выемка; 11) *текст.* моток, пасма; 12) профиль, сечение; пролёт (*моста*); ◇ the ~ of one's jib, the ~ of one's rig *разг.* внешний вид человека.

cut II [kʌt] **1.** *p. p. от* cut I, 1;
2. *a* 1) отрезанный; подрезанный; 2): ~ and dried a) заранее подготовленный; в законченном виде; б) трафаретный, тривиальный, банальный.

cutaneous [kjuː'teɪnjəs] *a* кожный.

cut-away ['kʌtəweɪ] *n* визитка.

cute [kjuːt] *a разг.* 1) умный, сообразительный; остроумный, находчивый; 2) *амер.* привлекательный, миловидный.

cut-glass ['kʌtglɑːs] *n* хрусталь.

cuticle ['kjuːtɪkl] *n* кожа (*человека*); *бот.* кожица.

cutlass ['kʌtləs] *n мор. ист.* абордажная сабля.

cutler ['kʌtlə] *n* ножовщик; торговец ножевыми изделиями.

cutlery ['kʌtlərɪ] *n* 1) ножевые изделия; ножевой товар; 2) ремесло ножовщика.

cutlet ['kʌtlɪt] *n* отбивная котлета.

cut-off ['kʌtɔːf] *n* 1) *тех.* отсечка пара; 2) *воен.* пластинка-замыкатель магазина (*в винтовке*); 3) сокращение длинных изгибов речного пути посредством канала; 4) *амер.* сокращение пути, обход, обходная дорога.

cut-out ['kʌtaut] *n* 1) очертание, абрис, профиль, контур; 2) *эл.* предохранитель; автоматический выключатель; рубильник; коммутатор.

cut sugar ['kʌt,ʃugə] *n* пилёный сахар.

cutter ['kʌtə] *n* 1) резчик (*по дереву, камню*); 2) закройщик; закройщица; 3) режущий инструмент *или* станок; резец; резак; фрезер, бур *и т. п.*; 4) *мор.* катер; тендер (*одномачтовая парусная яхта*); 5) *горн.* врубовая машина; 6) забойщик; 7) *амер.* двухместные сани.

cutthroat ['kʌtθrout] *n* 1) головорез, убийца; 2) *attr.* ожесточённый; ~ competition конкуренция не на жизнь, а на смерть.

cutting ['kʌtɪŋ] **1.** *pres. p. от* cut I, 1;
2. *n* 1) резание; рубка; тесание; гранение; фрезерование; 2) закройка; 3) вырезка (*газетная, журнальная*); 4) *pl* обрезки, опилки, стружки; ◇ ~ area лесосека; railway ~ выемка железнодорожного пути;
3. *a* 1) острый, резкий; язвительный (*о замечании*); 2) пронизывающий (*о ветре*); 3) режущий; для резания; ~ speed скорость резания; ~ tool резец; режущий инструмент.

cuttle I ['kʌtl] *n зоол.* каракатица; сепия.

cuttle II ['kʌtl] *n* нож.

cuttle-bone ['kʌtlboun] *n* 1) щиток каракатицы; 2) сепиолит.

cuttle-fish ['kʌtlfɪʃ] =cuttle I.

cutty ['kʌtɪ] *n* 1) пенковая трубка; 2) короткая ложка; 3) приземистая женщина.

cutty-stool ['kʌtɪstuːl] *n* 1) низкий табурет; 2) позорный стул в шотландских церквах.

cut-up ['kʌt,ʌp] *n* разрезание.

cutwater ['kʌt,wɔːtə] *n* 1) *мор.* водорез; остриё форштевня; 2) *стр.* волнолом (*быка*).

cutworm ['kʌtwəːm] *n зоол.* гусеница озимой совки, озимый червь.

cuvette [kjuː'vet] *фр. n фото* кюветка.

cyanic [saɪ'ænɪk] *a хим.* циановый; ~ acid циановая кислота.

cyanide [saɪənaɪd] *n хим.* соль цианистой кислоты; ~ of potassium цианистый калий.

cyanogen [saɪ'ænədʒɪn] *n хим.* циан.

cyanosis [,saɪə'nousɪs] *n мед.* цианоз, синюха.

cycad ['saɪkæd] *n бот.* саговник.

cyclamen ['sɪkləmən] *n бот.* цикламен, дряква.

cycle ['saɪkl] **1.** *n* 1) цикл; круг; 2) *разг.* (*сокр. от* bicycle) велосипед; 3) *тех.* (круговой) процесс, такт;
2. *v* 1) совершать цикл развития; 2) делать обороты (*о колесе и т. п.*); 3) ездить на велосипеде.

cycle-car ['saɪkl,kɑː] *n* 1) трёхколёсный автомобиль; 2) коляска мотоцикла.

cycler ['saɪklə] *амер.* = cyclist.

cyclic(al) ['sɪklɪk(əl)] *a* циклический.

cycling ['saɪklɪŋ] **1.** *pres. p. от* cycle 2;
2. *n* езда на велосипеде.

cyclist ['saɪklɪst] *n* велосипедист.

cyclogyro ['saɪklou'dʒaɪərou] *n* циклический геликоптер, цикложир.

cycloid ['saɪklɔɪd] *n геом.* циклоида.

cyclometer [saɪ'klɔmɪtə] *n* циклометр (*инструмент*).

cyclone ['saɪkloun] *n* циклон.

cyclonic [saɪ'klɔnɪk] *a* циклонический.

cyclop(a)edia [,saɪklə'piːdjə] *n* (*сокр. от* encyclop(a)edia) энциклопедия.

cyclop(a)edic [,saɪklə'piːdɪk] *a* энциклопедический.

Cyclopean [saɪ'kloupjən] *a* циклопический; громадный, гигантский.

Cyclopes [saɪ'kloupiːz] *pl от* Cyclops.

Cyclops ['saɪklɔps] *n* (*pl* -opes) 1) *миф.* циклоп; 2) *pl* зоол. циклопы (*сем. низших раков с одним глазом*).

cyclotron ['saɪklətrən] *n физ.* циклотрон.

cyder ['saɪdə] = cider.

cygnet ['sɪgnɪt] *n* молодой лебедь.

cylinder ['sɪlɪndə] *n* 1) *геом.* цилиндр; 2) *тех.* цилиндр; валик, валок; барабан; 3) (газовый) баллон; 4) барабан револьвера; 5) *attr.* цилиндровый; ~ bore диаметр цилиндра в свету; ~ head крышка цилиндра.

cylindrical [sɪ'lɪndrɪkəl] *a* цилиндрический; ~ spring винтовая пружина.

cymbal ['sɪmbəl] *n* 1) *библ.* кимвал; 2) *pl муз.* тарелки.

cyme [saɪm] *n бот.* сложный зонтик.

cymograph ['saɪməgrɑːf] *n* кимограф.

cymometer [saɪ'mɔmɪtə] *n радио* волномер; частотомер.

cymoscope ['saɪməskoup] *n* индикатор колебаний, детектор.

Cymric ['kımrık] *a* уэ́льский.
cynic ['sınık] *n* ци́ник.
cynical ['sınıkəl] *a* цини́чный; бессты́дный.
cyniclsm ['sınısızəm] *n* цини́зм.
cynosure ['sınəzjuə] *n* 1) созве́здие Ма́лой Медве́дицы; 2) Поля́рная звезда́; 3) путево́дная звезда́; 4) центр внима́ния.
Cynthia ['sınθıə] *n миф.* Диа́на, Арте́мйда.
cypher ['saıfə] = cipher.
cypress ['saıprıs] *n бот.* кипари́с.
Cyprian ['sıprıən] 1. *a* 1) ки́прский; 2) *уст.* распу́тный;
2. *n* 1) уроже́нец Ки́пра, киприо́т; 2) *уст.* распу́тница.
Cypriote ['sıprıout] *n* уроже́нец Ки́пра, киприо́т.
Cyrillic [sı'rılık] *a:* ~ alphabet кири́ллица (*древнеславянская азбука*).

Cyrus ['saıərəs] *n* Са́йрес; *ист.* Кир.
cyst [sıst] *n* 1) *анат.* пузы́рь, ци́ста; 2) *мед.* киста́.
cystic ['sıstık] *a* пузы́рный.
cystitis [sıs'taıtıs] *n мед.* воспале́ние мочево́го пузыря́, цисти́т.
cytology [saı'tɔlədʒı] *n* уче́ние о кле́тке, цитоло́гия.
cytoplasm ['saıtəplæzm] *n биол.* протопла́зма кле́тки, цитопла́зма.
czar [zɑː] *рус. n ист.* царь.
czardas ['zɑːdæs] *венгр. n* чарда́ш.
czarevitch ['zɑːrıvıtʃ] *рус. n ист.* царе́вич.
Czech [tʃek] 1. *a* че́шский;
2. *n* 1) чех; че́шка; 2) че́шский язы́к.
Czechoslovak ['tʃekou'slouvæk] 1. *a* чехослова́цкий;
2. *n* жи́тель Чехослова́кии.
Czekh [tʃek]=Czech.

D

D, d [diː] *n* (*pl* Ds, D's [diːz]) 1) *4-я буква англ. алфавита*; 2) *муз.* ре; 3) *тех.* что-л., име́ющее фо́рму D [*см.* dee 2)]; 4) *attr.* коро́бчатый.
d [diː] *эвф. см.* damn.
'd [-d] *сокр. разг. от* had, should, would; he'd go он пошёл бы.
da [dɑː] *разг. см.* dad.
dab I [dæb] 1. *n* 1) лёгкий уда́р *или* прикоснове́ние; 2) мазо́к; 3) пятно́ (*краски*);
2. *v* 1) слегка́ прикаса́ться; 2) ты́кать; ударя́ть (at); to ~ with one's finger ты́кать па́льцем; 3) клева́ть; 4) прикла́дывать что-л. мя́гкое *или* мо́крое; to ~ one's forehead with a handkerchief прикла́дывать ко лбу плато́к; 5) нама́зывать; 6) покрыва́ть (*краской, штукату́ркой*); де́лать лёгкие мазки́ (*тря́пкой, ки́стью*; on); 7) *тех.* отмеча́ть ке́рнером.
dab II [dæb] *n зоол.* ершова́тка, лима́нда.
dab III [dæb] *n разг.* знато́к; ма́стер своего́ де́ла.
dabble ['dæbl] *v* 1) плеска́ть(ся), бры́згать(ся); бара́хтаться (*в воде, грязи*); 2) занима́ться чем-л. пове́рхностно, по-люби́тельски; to ~ in politics политика́нствовать; 3) опры́скивать, ороша́ть.
dabbler ['dæblə] *n пренебр.* люби́тель, дилета́нт.
dabby ['dæbı] *a* сыро́й; мо́крый и ли́пнущий к те́лу (*о пла́тье*).
dabchick ['dæbtʃık] *n* пога́нка ма́лая (*пти́ца*).
dabster ['dæbstə] *n* 1) *преим. диал.* знато́к, специали́ст [*см.* dab III]; 2) *разг.* неуме́лый рабо́тник.
dace [deıs] *n* еле́ц (*ры́ба*); плотва́.
dachshund ['dækshund] *нем. n* та́кса (*поро́да соба́к*).
dacoit [də'kɔıt] *n англо-инд.* банди́т.
dacoity [də'kɔıtı] *n англо-инд.* разбо́й; бандити́зм.

dactyl ['dæktıl] *n* 1) *прос.* да́ктиль; 2) *зоол.* па́лец (*живо́тного*).
dactylic [dæk'tılık] 1. *a* дактили́ческий;
2. *n* (*обы́кн. pl*) дактили́ческий стих.
dactyliography [dæk,tılı'ɔgrəfı] *n* исто́рия иску́сства гравирова́ния (*на драгоце́нных камня́х и ко́льцах*).
dactylogram [dæk'tıləgræm] *n* отпеча́ток па́льца.
dactylography [,dæktı'lɔgrəfı] *n* дактилоскопи́я.
dactylology [,dæktı'lɔlədʒı] *n* разгово́р при по́мощи па́льцев, дактилоло́гия.
dad, daddy [dæd, 'dædı] *n разг.* па́па, па́почка.
daddylonglegs ['dædı'lɔŋlegz] *n* 1) долгоно́жка (*насеко́мое*); 2) пау́к-сенокосе́ц.
dado ['deıdou] 1. *n* (*pl* -os [-ouz]) *архит.* 1) цо́коль; пьедеста́л; 2) пане́ль (*стены́*);
2. *v* 1) обшива́ть пане́лью; распи́сывать пане́ль; 2) *тех.* выбира́ть пазы́.
daedal ['diːdl] *a поэт.* 1) иску́сный; 2) чуде́сный, зате́йливый, сло́жный.
Daedalian [dı'deıljən] *a* сло́жный; запу́танный; как лаби́ринт.
daemon ['diːmən] = demon.
daemonic [dı'mɔnık] = demonic.
daffadowndilly ['dæfədaun'dılı] = daffodil 1, 1).
daffodil ['dæfədıl] 1. *n* 1) *бот.* бле́дно-жёлтый нарци́сс (*явля́ется национа́льной эмбле́мой валли́йцев*); 2) бле́дно-жёлтый цвет;
2. *a* бле́дно-жёлтый.
daffodilly ['dæfə'dılı] = daffodil 1, 1).
daffy ['dæfı] *a шотл., амер. разг.* взба́лмошный, сумасбро́дный; сумасше́дший.
daft [dɑːft] *a преим. шотл.* 1) слабоу́мный; сумасше́дший; to go ~ рехну́ться; потеря́ть го́лову; 2) легкомы́сленный; безрассу́дный, глу́пый.
dag I [dæg] *n* клок сби́вшейся ше́рсти.

dag II [dæg] *n ист.* большой пистолет.

dagger ['dægə] **1.** *n* 1) кинжал; to be at ~s drawn, to be at ~s points быть на ножах; 2) *полигр.* крестик; ◇ to look ~s злобно смотреть, бросать гневные взгляды; to speak ~s говорить озлобленно, с раздражением;
2. *v* 1) пронзать кинжалом; 2) *полигр.* отмечать крестиком.

daggle ['dægl] *v* тащить по грязи, волочить.

dago ['deigou] *амер. презр.* **1.** *n* (*pl* -os, -oes [-ouz]) прозвище итальянца, испанца, португальца;
2. *a* итальянский, испанский, португальский; ~ red *sl.* дешёвое красное вино.

daguerreotype [də'gerəutaip] *n* дагерротип.

dahlia ['deiljə] *n бот.* георгин.

Dail (Eireann) [dail('ɛərən)] *n* нижняя палата парламента Ирландской республики.

daily ['deili] **1.** *a* ежедневный; повседневный; суточный; it is of ~ occurrence это происходит ежедневно; это повседневное явление; ~ allowance *воен.* суточное довольствие; ~ duty дежурство; ◇ ~ bread насущный хлеб; ~ living needs, ~ wants насущные потребности, бытовые нужды; ~ dozen *спорт. разг.* зарядка;
2. *n* 1) ежедневная газета; 2) *разг.* приходящая работница (*тж.* ~ woman);
3. *adv* ежедневно.

Daily Worker ['deili'wə:kə] *n* «Дейли Уоркер» (*название центрального органа английской компартии*).

daintiness ['deintinis] *n* утончённость, изысканность.

dainty ['deinti] **1.** *n* лакомство, деликатес;
2. *a* 1) утончённый; изящный, элегантный; 2) лакомый; вкусный; 3) разборчивый (*в пище*).

dairy ['dɛəri] *n* 1) маслодельня; сыроварня; 2) молочная; 3) = dairy-farm; 4) *attr.* молочный; ~ produce молочные продукты; ~ cattle молочный скот.

dairy-farm ['dɛərifɑ:m] *n* молочная ферма.

dairying ['dɛəriiŋ] *n* молочное хозяйство.

dairymaid ['dɛərimeid] *n* 1) работница на молочной ферме; 2) молочница.

dairyman ['dɛərimən] *n* 1) владелец *или* работник молочной фермы; 2) продавец молочных продуктов; торговец молочными продуктами.

dais ['deiis] *n* помост, возвышение (*особ. в конце зала для трона, кафедры*).

daisied ['deizid] *a* покрытый маргаритками.

daisy ['deizi] *n* 1) маргаритка; 2) *амер. бот.* поповник, нивяник обыкновенный; 3) *sl.* что-л. прекрасное, первосортное; ◇ to turn up one's toes to the daisies *sl.* умереть.

daisy-cutter ['deizi,kʌtə] *n sl.* 1) лошадь, едва поднимающая ноги во время бега; 2) мяч, скользящий по земле (*в крикете*).

dak [dɑ:k] *n англо-инд.* 1) сменные носильщики *или* лошади; 2) почта на перекладных *или* на сменных носильщиках.

dak bungalow ['dɑ:k'bʌŋgəlou] *n англо-инд.* гостиница при почтовой станции.

Dalai Lama ['dælai'lɑ:mə] *n* далай-лама.

dale [deil] *n поэт.* долина, дол; ◇ up hill and down ~ по горам, по долам; не разбирая дороги; to curse up hill and down ~ ≅ ругать на чём свет стоит.

-dale [-deil] *в сложных словах означает* долина; *напр.,* Clydesdale.

dalesman ['deilzmən] *n* житель долин (*на севере Англии*).

dalle [dɑ:l] *n* 1) кафель; плитка (*для настилки полов*); 2) *pl амер.* стремнины, быстрины (*в ущелье*).

dalliance ['dæliəns] *n* 1) праздное времяпрепровождение; 2) развлечение; 3) несерьёзное отношение (*к чему-л.*); 4) флирт.

dally ['dæli] *v* 1) заниматься пустяками; болтаться без дела; to ~ with an idea носиться с мыслью (*ничего не предпринимая*), 2) оттягивать, откладывать; 3) развлекаться; 4) кокетничать, флиртовать; □ ~ away *v* зря терять время; 5) упускать возможность, ~ off откладывать в долгий ящик; уклоняться от *чего-л.*

Dalmatian [dæl'meiʃjən] **1.** *a* далматский; 2. *n* далматский дог.

dalmatic [dæl'mætik] *n церк.* далматик (*облачение католических священнослужителей*).

daltonism ['dɔ:ltənizəm] *n мед.* дальтонизм.

dam I [dæm] *n* матка (*о животном*).

dam II [dæm] **1.** *n* 1) дамба, плотина, запруда; гать; перемычка; мол; 2) запруженная вода;
2. *v* запруживать воду (*часто* ~ up); □ ~ back сдерживать, удерживать; ~ out задерживать плотиной (*воду*).

damage ['dæmidʒ] **1.** *n* 1) вред; повреждение; 2) убыток; ущерб; 3) *pl юр.* убытки; компенсация за убытки; to bring an action ~s against smb. предъявить кому-либо иск за убытки; 4) (*тж. pl*) *разг.* стоимость; what's the ~? сколько это стоит? I will stand the ~ я заплачу;
2. *v* 1) повреждать, портить; 2) наносить ущерб, убыток; 3) *разг.* ушибить, повредить (*о частях тела*); 4) позорить, дискредитировать.

damageable ['dæmidʒəbl] *a* легко повреждаемый *или* портящийся.

damage control ['dæmidʒkən'troul] *n тех.* ремонтно-восстановительные работы.

daman ['dæmən] *n зоол.* даман.

damascene I ['dæməsi:n] *n* тернослив, мелкая чёрная слива.

damascene II ['dæməsi:n] *v* насекать золотом *или* серебром (*металл*); воронить (*сталь*).

damask ['dæməsk] **1.** *n* 1) дама, камка (*узорчатая шёлковая ткань*); 2) камчатное полотно (*для скатертей*); 3) дамасская сталь; булат; 4) алый цвет.
2. *a* 1) камчатный; 2) сделанный из дамасской стали; ~ steel булат; 3) алый;
3. *v* 1) ткать с узорами; 2) насекать сталь.

dame [deɪm] *n* 1) *уст.* госпожа́, да́ма; 2) *шутл.* пожила́я же́нщина; 3) *уст.* нача́льница шко́лы; 4) «кавале́рственная да́ма» (*титул жены баронета или женщины, имеющей орден Британской Империи*); ◇ D. Nature мать-приро́да; D. Fortune госпожа́ Форту́на; ~ Partlet *уст.* а) ку́рица; б) ста́рая же́нщина.

dame-school [ˈdeɪmskuːl] *n* шко́ла для ма́леньких дете́й (*возглавляемая женщиной*).

dammar [ˈdæmə] *n* damма́р, damма́ровая смола́.

damme [ˈdæmɪ] *int* (*сокр. от* damn me) будь я про́клят!

damn [dæm] 1. *n* 1) прокля́тие; 2) руга́тельство; ◇ not to care a ~ соверше́нно не интересова́ться, «наплева́ть»; not worth a ~ ≅ вы́еденного яйца́ не сто́ит;
2. *v* 1) проклина́ть; ~ it all! тьфу, про́пасть!; I'll be ~ed if будь я про́клят, е́сли; 2) осужда́ть; порица́ть, критикова́ть; 3) прова́лить, освиста́ть; to ~ a play хо́лодно приня́ть, провали́ть пье́су; to ~ with faint praise ≅ похвали́ть так, что не поздоро́вится; 4) руга́ться.

damnable [ˈdæmnəbl] *a* 1) заслу́живающий осужде́ния; 2) *разг.* ужа́сный, отврати́тельный.

damnably [ˈdæmnəblɪ] *adv* 1) отврати́тельно; 2) *разг.* ужа́сно, о́чень, чрезвыча́йно.

damnation [dæmˈneɪʃən] 1. *n* 1) прокля́тие; may ~ take him! будь он про́клят!; 2) *церк.* ве́чные му́ки (*в аду*); 3) осужде́ние, стро́гая кри́тика; 4) освиста́ние (*пьесы*);
2. *int* прокля́тие!

damnatory [ˈdæmnətərɪ] *a* 1) осужда́ющий; 2) *юр.* веду́щий к осужде́нию (*о показании*).

damned [dæmd] 1. *p. p. от* damn 2;
2. *a* 1) осуждённый, прокля́тый; 2) отврати́тельный, черто́вский (*часто употр. для усиления*); none of your ~ nonsense не валя́йте дурака́!; it is ~ hot черто́вски жа́рко.

damnific [dæmˈnɪfɪk] *a* вредоно́сный, па́губный.

damnification [ˌdæmnɪfɪˈkeɪʃən] *n* причине́ние вреда́, уще́рба.

damnify [ˈdæmnɪfaɪ] *v редк.* наноси́ть вред, уще́рб, оби́ду.

damning [ˈdæmɪŋ] 1. *pres. p. от* damn 2;
2. *a* 1) вызыва́ющий осужде́ние; ~ evidence изоблича́ющие ули́ки; 2) *разг.* убе́йственный.

Damocles [ˈdæməkliːz] *n миф.* Дамо́кл.

damp [dæmp] 1. *n* 1) сы́рость, вла́жность; испаре́ния; 2) рудни́чный газ; 3) уны́ние, угнетённое состоя́ние ду́ха; to cast a ~ over smb. огорча́ть, разочаро́вывать кого́-л.; приводи́ть в уны́ние, угнета́ть кого́-л.; 4) *sl.* вы́пивка;
2. *a* вла́жный, сыро́й;
3. *v* 1) сма́чивать, увлажня́ть; 2) спусти́ть жар в пе́чи, затуши́ть (*топку; часто* ~ down); 3) обескура́живать, угнета́ть (*о мысли и т. п.*); to ~ smb.'s ardour охлади́ть чей-л. пыл; to ~ smb.'s spirits испо́ртить кому́-л. настрое́ние; 4) *физ.* уменьша́ть амплиту́ду колеба́ний; заглуша́ть (*звук*); 5) *тех.* тормози́ть; амортизи́ровать; демпфи́ровать; □ ~ off ги́бнуть от ми́лдью (*о растениях*).

damp course [ˈdæmpkɔːs] *n стр.* изоли́рующий от сы́рости слой в стене́; гидроизоля́ция.

dampen [ˈdæmpən] *v* 1) = damp 3; 2) отсырева́ть.

damper [ˈdæmpə] *n* 1) увлажни́тель; гу́бка *или* ро́лик для сма́чивания ма́рок; 2) *тех.* глуши́тель; амортиза́тор; регуля́тор тя́ги; дымова́я засло́нка; 3) де́мпфер (*в фортепиано*); сурди́на; 4) кто́-л., что́-л., де́йствующее угнета́юще; to put (*или* to cast) a ~ on обескура́живать кого́-л., расхола́живать; 5) *австрал.* пре́сная лепёшка (*испечённая в золе*).

damping [ˈdæmpɪŋ] 1. *pres. p. от* damp 3;
2. *n* 1) увлажне́ние, сма́чивание; 2) глуше́ние; торможе́ние; 3) *радио* затуха́ние.

dampish [ˈdæmpɪʃ] *a* сырова́тый, слегка́ вла́жный.

damp-proof [ˈdæmpruːf] *a* непроница́емый для сы́рости, влагонепроница́емый.

dampy [ˈdæmpɪ] *a* 1) сырова́тый; 2) *горн.* га́зовый.

damsel [ˈdæmzəl] *n уст.* деви́ца.

damson [ˈdæmzən] *n* тернсли́в, ме́лкая чёрная сли́ва.

damson cheese [ˈdæmzənʧiːz] *n* пластово́й мармела́д из сли́вы.

damson-coloured [ˈdæmzənˌkʌləd] *a* тёмно-кра́сный (*цвета сливы*).

Dan [dæn] *n уст., поэт.* господи́н, су́дарь.

dan [dæn] *n мор.* буёк.

dance [dɑːns] 1. *n* 1) та́нец; 2) тур (*в танцах*); 3) бал, танцева́льный ве́чер; 4) му́зыка для та́нцев; ◇ to lead smb. a (pretty) ~ води́ть кого́-л. за́ нос, «мане́жить»; заста́вить кого́-л. помучи́ться; St. Vitus's ~ пля́ска св. Ви́тта (*болезнь*);
2. *v* 1) танцева́ть, пляса́ть; 2) пры́гать, скака́ть; to ~ for joy пляса́ть от ра́дости; 3) кружи́ться (*о листьях*); дви́гаться (*о тени*); 4) скользи́ть (*о лучах*); 4) кача́ть (*ребёнка*); ◇ to ~ attendance upon smb. ходи́ть перед кем-л. на за́дних ла́пках; to ~ to smb.'s tune (*или* whistle, piping) пляса́ть под чью-л. ду́дку; to ~ to another (*или* to a different) tune «запе́ть друго́е»; to ~ upon nothing *ирон.* быть пове́шенным.

dancer [ˈdɑːnsə] *n* 1) танцо́р; танцо́вщик; танцо́вщица; балери́на; ~ at shows балага́нный шут, пая́ц; 2) танцу́ющий; 3) *pl sl.* ле́стница; ◇ merry ~s се́верное сия́ние.

dancing [ˈdɑːnsɪŋ] 1. *pres. p. от* dance 2;
2. *n* 1) та́нцы, пля́ска 2) *attr.* танцева́льный; ~ master учи́тель та́нцев; ~ party танцева́льный ве́чер.

dancing-hall [ˈdɑːnsɪŋhɔːl] *n* да́нсинг.

dandelion [ˈdændɪlaɪən] *n* одува́нчик; Russian ~ *амер.* кок-сагы́з.

dander I [ˈdændə] *n амер. разг.* гнев, негодова́ние; to get one's ~ up рассерди́ть(ся); вы́вести *или* вы́йти из терпе́ния.

dander II [ˈdændə] *редк.* = dandruff.

dandiacal [dæn'daɪəkəl] *a* щегольски
одётый.

Dandie Dinmont ['dændɪ'dɪnmənt] *n*
*название одной из пород шотландских терь-
еров.*

dandify ['dændɪfaɪ] *v* одевáть щёголем;
dandified appearance щегольскáя, фатовá-
тая внéшность.

dandle ['dændl] *v* 1) качáть на рукáх
или на колéнях (*ребёнка*); 2) ласкáть; баловáть; ◇ to ~ smb. on a string застáвить
когó-л. ходить по стрýнке.

dandruff ['dændrəf] *n* пéрхоть.

dandy I ['dændɪ] 1. *n* 1) дéнди, щёголь;
2) (the ~) *разг.* что-л. первоклáссное;
3) *мор.* шлюп *или* тéндер с высокой бизá-
нью; 4) *мор.* выноснáя бизáнь; 5) *тех.* двухколёсная тáчка;
2. *a* 1) щегольскóй; 2) *разг.* превосхóдный, первоклáссный.

dandy II ['dændɪ] *n* англо-инд. 1) лóдочник (*на р. Ганг*); 2) паланкúн.

dandy III ['dændɪ] *n непр. вм.* dengue.

dandy-brush ['dændɪbrʌʃ] *n* щётка (*из
китового уса для чистки лошадей*).

dandyism ['dændɪɪzəm] *n* дендúзм, фран-
товствó, щегольствó.

Dane [deɪn] *n* 1) датчáнин; 2) дáтский дог
(*тж.* Great ~).

Danelagh ['deɪnlɔː] = Danelaw.

Danelaw ['deɪnlɔː] *n ист.* 1) дáтские законы (*установленные в сев.-восточной Бри-
тании в X в.*); 2) óбласть, где дéйствовали
э́ти закóны (*см.* 1)].

dang [dæŋ] *v:* ~ it! чёрт побери!

danger ['deɪndʒə] *n* 1) опáсность; out of
~ вне опáсности; in ~ в опáсном положéнии; in ~ of one's life с опáсностью для
жúзни; to keep out of ~ избегáть опáсности; 2) угрóза; a ~ to peace угрóза мúру.

danger arrow ['deɪndʒər,ærou] *n* зигзагообрáзная стрелá, знак мóлнии (*обозначение
токов высокого напряжения*).

dangerous ['deɪndʒrəs] *a* опáсный; рискóванный; to look ~ быть в раздражённом
состоянии.

danger-signal ['deɪndʒə,sɪɡnl] *n* 1) сигнáл
опáсности; 2) *ж.-д.* сигнáл «путь закрыт».

dangle ['dæŋɡl] *v* 1) свобóдно свисáть,
качáться; 2) покáчивать; 3) манúть, соблазнять, дразнúть; □ ~ about, ~ after
бéгать за *кем-л.*, волочúться; ~ around
слоняться, болтáться.

dangler ['dæŋɡlə] *n* 1) бездéльник;
2) волокúта.

Daniel ['dænjəl] *n библ.* Даниúл.

Danish ['deɪnɪʃ] 1. *a* дáтский; ◇ ~ balance безмéн;
2. *n* дáтский язык.

dank [dæŋk] *a* влáжный; сырóй (*вредный
для здоровья*).

dap [dæp] 1. *n* 1) подпрыгивание (*мяча*);
2) зарýбка; зазýбрина;
2. *v* 1) удúть рыбу (*слегка погружая при-
манку в воду*); 2) ударять(ся) о зéмлю
(*о мяче*).

daphne ['dæfnɪ] *n бот.* волчеягодник.

dapper ['dæpə] *a* 1) щегольски одéтый;
2) подвижнóй, энергúчный.

dapple ['dæpl] 1. *a* испещрённый, пёстрый; пятнúстый; ~ deer пятнúстый олéнь;
2. *v* покрывáть(ся) крýглыми пятнáми.

dapple-grey ['dæpl'ɡreɪ] 1. *a* сéрый
в яблоках;
2. *n* конь сéрый в яблоках.

darbies ['dɑːbɪz] *n pl sl.* ручны́е кандалы́.

darby ['dɑːbɪ] *n стр.* правúло штукатýра;
лопáтка кáменщика; мастерóк для затúр-
ки.

dare I [dɛə] 1. *v* (dared [-d], durst; dared;
3 л. ед. ч. настоящего времени dares *и*
dare) 1) *модальный глагол* сметь, отвáжи-
ваться; he won't ~ to deny it он не осмéлит-
ся отрицáть э́то; I ~ swear я увéрен в э́том;
I ~ say я полагáю, осмéлюсь сказáть (*иногда
ирон.*); 2) пренебрегáть опáсностью, рисковáть; to ~ the perils of arctic travel пренеб-
рéчь всéми опáсностями поля́рного путе-
шéствия; 3) вызывáть (to — на *что-л.*);
подзадóривать; I ~ you to jump the stream!
а ну, перепры́гните чéрез э́тот ручéй!;
2. *n* 1) вызов; to take a ~ принять вызов;
2) подзадóривание.

dare II [dɛə] 1. *n* зéркало для лóвли птиц;
2. *v* ловúть птиц на зéркало.

dare-devil ['dɛə,devl] 1. *n* смельчáк, бес-
шабáшный человéк, сорвиголовá;
2. *a* отвáжный; безрассýдный, опромéтчивый.

daresay ['dɛə'seɪ] *см.* dare I, 1, 1).

daring I ['dɛərɪŋ] 1. *pres. p. от* dare I,
1, 2) *и* 3);
2. *n* смéлость, отвáга, бесстрáшие;
3. *a* 1) смéлый, отвáжный, бесстрáшный;
2) дéрзкий.

daring II ['dɛərɪŋ] *pres. p. от* dare II, 2.

dark [dɑːk] 1. *a* 1) тёмный; it is getting
~ становится темнó, темнéет; ~ closet,
~ room a) тёмная кóмната; б) *фото* кáмера-
-обскýра; 2) смýглый; темноволóсый; ~
complexion смýглый цвет лицá; 3) необра-
зóванный, некультýрный, тёмный; the ~
ages средневекóвье; 4) тáйный, секрéт-
ный; непонятный, неясный; to keep ~
скрывáться; to keep a thing ~ держáть
что-л. в секрéте; 5) дурнóй, нечúстый
(*о поступке*); 6) мрáчный, угрюмый; безнадёжный, печáльный; ~ humour мрáчный юмор; to look on the ~ side of things
быть пессимúстом; ◇ ~ horse a) «тёмная
лошáдка» (*скаковая лошадь, о достоинствах
которой мало известно; тж. перен. —
о человеке*); б) *полит.* неожиданно выдвинутый неизвéстный рáнее кандидáт; ~
and bloody ground *амер.* штат Кентýкки;
D. Continent Áфрика;
2. *n* 1) темнотá, тьма; after ~ пóсле наступлéния темноты́; at ~ в темнотé; before ~ до
наступлéния темноты́; 2) невéжество; 3)
невéдение; to be in the ~ быть в невéдении,
не знать (about); to keep a person in the ~
держáть когó-л. в невéдении; скрывáть
(*что-л.*) от когó-л.; 4) *жив.* тень; the lights
and ~s of a picture свет и тéни в картúне;
◇ in the ~ of the moon a) в новолýние;
б) в кромéшной тьме.

darken ['dɑːkən] *v* 1) затемнять, дéлать
тёмным; ослеплять; 2) темнéть; становúть-

ся тёмным; 3) затемнять (смысл); to ~ counsel запутать вопрос; 4) омрачать; 5) жив.
дать более насыщенный тон (в красках);
◇ not to ~ smb.'s door again не переступить
больше чьего-л. порога.

darkey ['dɑːkɪ] n 1) презр. негр, чернокó-
жий; 2) sl. ночь.

dark lantern ['dɑːk'læntən] n потайной
фонáрь.

darkle ['dɑːkəl] v 1) темнéть, мéркнуть;
2) хмýриться; 3) скрывáться.

darkling ['dɑːklɪŋ] 1. pres. p. om darkle;
2. a темнéющий; находящийся в темнотé,
во мрáке; тёмный;
3. adv в темнотé, во мрáке; to sit ~ сý-
мерничать.

darkly ['dɑːklɪ] adv 1) мрáчно; злóбно;
2) загáдочно; неясно.

darkness ['dɑːknɪs] n темнотá и пр. [см.
dark 1].

darksome ['dɑːksəm] a 1) тёмный; 2) поэт.
мрáчный.

darky ['dɑːkɪ] = darkey.

darling ['dɑːlɪŋ] 1. n 1) любимый; любимая; my ~! мой дорогóй!, голýбчик!; 2)
любимец, бáловень; the ~ of fortune бáловень судьбы;
2. a 1) любимый; дорогóй; 2) горячий
(о желании).

darn I [dɑːn] 1. n заштóпанное мéсто;
штóпка;
2. v штóпать; чинить.

darn II [dɑːn] 1. a проклятый, ужáсный;
2. v (эвф. вм. damn) проклинáть, ругáться.

darnel ['dɑːnl] n бот. плéвел (опьяняющий).

darner ['dɑːnə] n 1) штóпальщик; штó-
пальщица; 2) «гриб» (подкладываемый при
штóпке).

darning I ['dɑːnɪŋ] 1. pres. p. om darn I, 2;
2. n 1) штóпанье, штóпка; 2) вéщи, нуж-
дáющиеся в штóпанье.

darning II ['dɑːnɪŋ] pres. p. om darn II, 2.

darning-needle ['dɑːnɪŋ,niːdl] n 1) штó-
пальная иглá; 2) амер. стрекозá.

dart [dɑːt] 1. n 1) óстрое метáтельное
орýжие; дрóтик; стрелá; 2) жáло; 3) вы-
тачка, шов; 4) быстрое, как мóлния, движéние; 5) метáние (дрóтика, стрелы);
2. v 1) метáть (стрелы; тж. перен.);
his eyes ~ed flashes of anger егó глазá метá-
ли мóлнии; 2) помчáться стрелóй; устремиться; □ ~ down(wards) ринуться вниз;
ав. пикировать.

darter ['dɑːtə] n 1) метáтель дрóтика;
2) áнхинга (птица из сем. аистообразных).

darting ['dɑːtɪŋ] 1. pres. p. om dart 2;
2. a стремительный.

dartre ['dɑːtə] n мед. лишáй.

Darwinian [dɑːˈwɪnɪən] 1. n дарвинист;
2. a дарвинистский.

Darwinism ['dɑːwɪnɪzəm] n дарвинизм,
учéние Дáрвина.

Darwinist ['dɑːwɪnɪst] = Darwinian 1.

dash [dæʃ] 1. n 1) стремительное движéние; порыв; нáтиск; to make a ~ against
the enemy стремительно брóситься на противника; to make a ~ for smth. кинуться
к чемý-л.; 2) спорт. рывóк, бросóк (в беге,

игре); забéг; 3) удáр, взмах; at one ~ с одногó рáза; 4) энéргия, решительность;
a man of skill and ~ умéлый и решительный человéк; 5) плеск; 6) примесь (чего-л.);
чýточка; there is a romantic ~ about it
в этом есть чтó-то романтическое; 7) быстрый набрóсок; мазóк; штрих; рóсчерк;
8) чертá; тирé; 9) рисóвка; to cut a ~ рисó-
ваться, выставлять чтó-л. напокáз; 10) тех.
рукоятка мóлота; ◇ ~ and ~ line пунктир-
ная линия;
2. v 1) брóсить, швырнýть; 2) брóситься,
ринуться; мчáться, нестись; to ~ up to the
door брóситься к двéри; to ~ along the street
нестись по ýлице; to ~ out from the room
выбежать из кóмнаты; 3) разбивáть(ся);
the waves ~ed against the cliff вóлны разби-
вáлись о скалý; 4) брызгать, плескáть; to ~
colours on the canvas набрáсывать пятна
крáсок на холст; 5) обескурáживать; смущáть; 6) разрушáть (планы, надежды и
т. п.); 7) разбавлять, смéшивать; подмéшивать; 8) подчёркивать; 9) разг. см. damn
2; ~ it!, ~ you! к чёрту!; □ ~ off быстро
набросáть (письмо, записку и т. п.)

dash-board ['dæʃbɔːd] n 1) крылó (экипáжа); 2) авт., ав. щитóк; прибóрная доскá; 3) стр. отливнáя доскá.

dasher ['dæʃə] n 1) человéк, производящий фурóр; 2) мутóвка, било (в маслобóй-
ке); 3) амер. крылó (экипáжа).

dashing ['dæʃɪŋ] 1. pres. p. om dash 2;
2. a 1) лихóй; 2) стремительный; 3) живóй, энергичный; 4) франтовáтый.

dash-pot ['dæʃ,pɔt] n тех. воздýшный или
мáсляный бýфер, амортизáтор.

dastard ['dæstəd] n трус; негодяй, дéйствующий исподтишкá.

dastardliness ['dæstədlɪnɪs] n трýсость;
пóдлость.

dastardly ['dæstədlɪ] a трусливый; пóдлый.

data ['deɪtə] n pl 1) pl om datum; 2)
(часто употр. как sing) дáнные; фáкты,
свéдения; 3) (часто употр. как sing) нóвости, информáция.

datable ['deɪtəbl] a поддающийся дати-
рóвке.

dataller ['deɪtələ] = daytaler.

data-sheet ['deɪtəʃiːt] n спецификáция.

date I [deɪt] 1. n 1) дáта, числó (месяца);
~ of birth день рождéния; 2) срок, период;
out of ~ устарéлый; up to ~ стоящий на
ýровне совремéнных трéбований; совремéнный; новéйший; at that ~ в то врéмя, в тот
период; 3) разг. свидáние; I have got a ~
у меня свидáние; to make a ~ амер. назнáчить свидáние;
2. v 1) датировать; 2) вести начáло (от
чего-л.); восходить (к определённой эпохе;
тж. ~ back); this manuscript ~s from the
XIVth century эта рýкопись отнóсится
к XIV вéку; 3) вести исчислéние (от какóй-
-либо даты); 4) разг. назначáть свидáние;
5) выйти из употреблéния; устарéть.

date II [deɪt] n 1) финик; 2) финиковая
пáльма.

dated ['deɪtɪd] 1. p. p. om date I, 2;
2. a 1) датированный; 2) вышедший из
употреблéния; устарéвший.

dateless ['deɪtlɪs] *a* 1) *редк.* недатированный; 2) *поэт.* бесконечный; незапамятный; 3) *амер. разг.* неприглашённый, не получивший приглашения.

date-line ['deɪtlaɪn] *n* 1) *астр., мор.* демаркационная линия суточного времени; 2) указание места и даты корреспонденции, статьи *и т. п.*

date-palm ['deɪtpɑːm] *n* финиковая пальма.

dative ['deɪtɪv] 1. *a* 1) *грам.* дательный; 2) сменяемый (*о должности, напр., судьи*); 2. *n грам.* дательный падеж.

datum ['deɪtəm] *n* (*pl* data) 1) данная величина; 2) характеристика.

datum-level ['deɪtəm,levl] *n* плоскость или уровень, принятые за нуль (*для измерения высоты*); нуль высоты.

datum line ['deɪtəm,laɪn] *n* 1) *топ.* базовая линия; 2) *мат.* ось координат.

datura [də'tjuːrə] *n бот.* дурман.

daub [dɔːb] 1. *n* 1) штукатурка из строительного раствора с соломой, обмазка; 2) плохая картина; мазня; 3) пачкотня; 2. *v* 1) обмазывать, мазать (*глиной, известкой и т. п.*); 2) малевать; 3) пачкать; 4) *уст.* маскировать.

dauber ['dɔːbə] *n* 1) плохой художник, мазилка; 2) подушечка, пропитанная краской (*употр. при гравировании*).

daubster ['dɔːbstə] = dauber 1).

dauby ['dɔːbɪ] *a* 1) плохо написанный (*о картине*); 2) липкий.

daughter ['dɔːtə] *n* 1) дочь; 2) *attr.* дочерний; родственный.

daughter-in-law ['dɔːtərɪnlɔː] *n* (*pl* daughters-in-law) жена сына, невестка, сноха.

daughterly ['dɔːtəlɪ] *a* дочерний.

daughters-in-law ['dɔːtəzɪnlɔː] *pl от* daughter-in-law.

daunt [dɔːnt] *v* 1) укрощать; 2) устрашать, запугивать; 3) обескураживать; ◇ nothing ~ed не смущаясь, неустрашимо.

dauntless ['dɔːntlɪs] *a* неустрашимый; бесстрашный.

dauphin ['dɔːfɪn] *n ист.* дофин.

davenport ['dævnpɔːt] *n* 1) небольшой стильный письменный стол; 2) *амер.* тахта.

David ['deɪvɪd] *n библ.* Давид.

davit ['dævɪt] *n мор.* шлюпбалка; fish ~ фишбалка, боканец.

davy ['deɪvɪ] *n sl.:* to take one's ~ that клясться в том, что.

Davy Jones's locker ['deɪvɪ'dʒounzɪz'lɔkə] *n мор. sl.* море (*как могила*); to go to ~ утонуть.

daw [dɔː] *n* галка.

dawdle ['dɔːdl] *v* зря тратить время, бездельничать (*часто* ~ away).

dawdler ['dɔːdlə] *n* 1) лодырь; 2) копуша.

dawn [dɔːn] 1. *n* 1) рассвет, утренняя заря; at ~ на рассвете, на заре; 2) зачатки, начало, проблески; the ~ of brighter days заря лучшей жизни; 2. *v* 1) (рас)светать; 2) начинаться; появляться; пробуждаться (*о таланте и т. п.*); впервые появиться, пробиваться (*об усилках*); 3) становиться ясным, проясняться; it has just ~ed upon me меня вдруг осенило; мне пришло в голову.

day [deɪ] *n* 1) день; сутки; on that ~ в тот день; all (the) ~ весь день; all ~ long день-деньской; by the ~ подённо; solar ~ astronomical, nautical) ~ астрономические сутки (*исчисляются от 12 ч. дня*); civil ~ гражданские сутки (*исчисляются от 12 ч. ночи*); the ~ текущий день; every other ~ about через день; the present ~ сегодня; текущий день; the ~ after tomorrow послезавтра; the ~ before накануне; the ~ before yesterday третьего дня, позавчера; one ~ однажды; the other ~ на днях; some ~ когда-нибудь; как-нибудь на днях; one of these ~s в один из ближайших дней; ~, ~ out изо дня в день; ~ by (*или* after) ~, from ~ to ~ день за днём; изо дня в день; со дня на день; first ~ (of the week) воскресенье; ~ of rest день отдыха, воскресенье; ~ off выходной день; ~ out a) день, проведённый вне дома; б) свободный день для прислуги; far in the ~ к концу дня; this ~ week, month, *etc.* ровно через неделю, месяц *и т. п.*, спустя неделю, месяц *и т. п.*; every ~ каждый день; three times a ~ три раза в день; 2) знаменательный день; May D. праздник Первого мая; Victory D. День победы; Inauguration D. день вступления в должность вновь избранного президента США; All Fools' D., April Fool's D. первое апреля, день шутливых обманов; high ~, banner ~ праздник; one's natal ~ день рождения; 3) дневное время; by ~ днём; at ~ на заре, на рассвете; between two ~s *амер.* ночью; 4) (*часто pl*) период, отрезок времени; эпоха; in the ~s of yore (*или* old) в старину, в былые времена; in these latter ~s в последнее время; in ~s to come в будущем, в грядущие дни; men of the ~ известные люди (*эпохи*); 5) пора, время (*расцвета, упадка и т. п.*); вся жизнь человека; to have had (*или* to have seen) one's ~ устареть, отслужить своё, выйти из употребления; he will see his better ~s yet он ещё поднимется, наступят и для него лучшие времена; one's early ~s юность; chair ~s старость; his ~ is gone его время прошло, окончилась его счастливая пора; his ~s are numbered дни его сочтены; to close (*или* to end) one's ~s окончить дни свои; скончаться; покончить счёты с жизнью; 6) победа; to carry (*или* to win) the ~ одержать победу; the ~ is ours мы одержали победу, мы выиграли сражение; to lose the ~ проиграть сражение; 7) *геол.* дневная поверхность; пласт, ближайший к земной поверхности; ◇ good ~ a) добрый день; б) до свидания; ~ in, ~ day out в день в день; early in the ~ вовремя; rather late in the ~ поздновато; увы, слишком поздно; a ~ after the fair слишком поздно; a ~ before the fair слишком рано, преждевременно; if a ~ ни больше, ни меньше; как раз; she is fifty if she is a ~ ей все пятьдесят (лет), никак не меньше; to be on one's ~ быть в ударе; to make a ~ of it весело провести день; a creature of a ~ a) *зоол.* эфемерида; б) недолговечное существо *или* явление; to save the ~ спасти положение; every ~ is not Sunday *посл.* ≅ не всё коту́ ма́сленица; every dog has his ~ ≅ бу́дет и на на́шей у́лице пра́здник; всему́ воё вре́мя; to name on (*или* in) the same ~ with ≅ a) поста́вить на одну́ до́ску с; б) вы́держать сравне́ние; to name the ~ назна́чить день сва́дьбы; to call it a ~ a) счита́ть де́ло зако́нченным; let us call it a ~ на сего́дня хва́тит; б) быть дово́льным достиѓнутыми результа́тами; ~ of doom, ~ of judgement *библ.* день стра́шного суда́; коне́ц све́та, светопреставле́ние.

day-bed ['deɪbed] *n* куше́тка; тахта́.

day-blindness ['deɪ,blaɪndnɪs] *n* дневна́я слепота́, гемерало́пия; *иногда ошибочно* никтало́пия.

day-boarder ['deɪ,bɔːdə] *n* шко́л. полупансионе́р.

day-book ['deɪbuk] *n* 1) дневни́к; 2) *бухг.* журна́л.

day-boy ['deɪbɔɪ] *n* шко́л. учени́к, не живу́щий при шко́ле.

daybreak ['deɪbreɪk] *n* рассве́т.

day-dream ['deɪdriːm] *n* грёзы, мечты́; фанта́зия.

day-dreamer ['deɪ,driːmə] *n* мечта́тель, фантазёр.

day-fly ['deɪflaɪ] *n* зоол. подёнка.

day-girl ['deɪgəːl] *n* шко́л. учени́ца, не живу́щая при шко́ле.

day-labour ['deɪ,leɪbə] *n* подённая рабо́та.

day-labourer ['deɪ,leɪbərə] *n* подёнщик.

daylight ['deɪlaɪt] *n* 1) дневно́й свет; 2) рассве́т; 3) гла́сность; in broad (*или* open) ~ средь бе́ла дня; публи́чно; to let ~ into a) преда́ть гла́сности; б) *sl.* уби́ть; 4) *pl sl.* «гляде́лки», глаза́; ◇ to see ~ ви́деть просве́т, находи́ть вы́ход из положе́ния; to admit (*или* to knock, to shoot) ~ into *sl.* уби́ть, застрели́ть.

daylight-saving ['deɪlaɪt,seɪvɪŋ] *n* перево́д ле́том часово́й стре́лки (на час) вперёд (*с це́лью эконо́мии электроэне́ргии*).

daylight-signal ['deɪlaɪt'sɪgnl] *n* светофо́р.

day-lily ['deɪ,lɪlɪ] *n* бот. красодне́в, лиле́йник.

day-long ['deɪlɔŋ] 1. *adv* весь день; 2. *a* для́щийся це́лый день; 3. *n* мор. путь, про́йденный су́дном за су́тки.

day nursery ['deɪ,nəːsɪ] *n* (дневны́е) я́сли для дете́й.

day-school ['deɪskuːl] *n* 1) шко́ла для приходя́щих ученико́в, шко́ла без пансио́на; 2) шко́ла с дневны́ми часа́ми заня́тий; 3) обы́чная шко́ла (*в противополо́жность воскре́сной*).

day-shift ['deɪʃɪft] *n* дневна́я сме́на.

daysman ['deɪzmən] *n* 1) подённый рабо́чий; 2) *уст.* судья́, арби́тр.

day-spring ['deɪsprɪŋ] *n* поэт. заря́, рассве́т.

day-star ['deɪstɑː] *n* 1) у́тренняя звезда́; 2) *поэт.* со́лнце.

daytaler ['deɪtələ] *n* подёнщик, подённый рабо́чий (*особ. в у́гольных копя́х*).

day-time ['deɪtaɪm] *n* день; дневно́е вре́мя; in the ~ днём.

day-to-day ['deɪtə'deɪ] *a* 1) повседне́вный; 2) одноцне́вный.

day-work ['deɪwəːk] *n* 1) подённая рабо́та; 2) дневна́я рабо́та; 3) *горн.* рабо́та на пове́рхности земли́.

daze I [deɪz] 1. *n* изумле́ние; 2. *v* изуми́ть; удиви́ть, ошеломи́ть.

daze II [deɪz] *n* мин. уст. слюда́.

dazedly ['deɪzɪdlɪ] *adv* изумлённо; с изумле́нием.

dazzle ['dæzl] 1. *n* 1) ослепле́ние; 2) ослепи́тельный блеск; 3) *attr.*: ~ paint мор. защи́тная окра́ска (*вое́нных судо́в*); камуфля́ж;
2. *v* 1) ослепля́ть я́рким све́том, бле́ском, великоле́пием; поража́ть, прельща́ть; 2) *мор.* маскирова́ть окра́ской (*суда́*).

d – d *сокр. эвф. от* damned 2.

D-day ['diːdeɪ] *n* 1) день призы́ва; 2) *воен.* день нача́ла опера́ции.

de- [diː-, dɪ-, de-] *pref* 1) *ука́зывает на:* а) *отделе́ние, лише́ние:* defrock лиша́ть духо́вного са́на; degas дегази́ровать; б) *плохо́е ка́чество, недоста́точность и т. п.:* degenerate вырожда́ться; derange приводи́ть в беспоря́док; 2) *придаёт сло́ву противополо́жное значе́ние; напр.:* naturalize натурализова́ть—denaturalize денатурализова́ть; merit заслу́га — demerit недоста́ток; mobilize мобилизова́ть — demobilize демобилизова́ть.

deacon ['diːkən] *n* 1) дья́кон; 2) *амер.* шку́ра новорождённого телёнка;
2. *v* амер. 1) чита́ть вслух псалмы́; 2) *разг.* подкра́шивать фру́кты при прода́же; выставля́ть лу́чшие экземпля́ры све́рху; фальсифици́ровать това́ры.

deaconess ['diːkənɪs] *n* 1) диакони́са; 2) дья́коница.

dead [ded] 1. *a* 1) мёртвый, уме́рший; до́хлый; 2) неодушевлённый, неживо́й; 3) неподви́жный; 4) утра́тивший, потеря́вший основно́е сво́йство: ~ lime гашёная и́звесть; ~ steam отрабо́танный пар; ~ volcano поту́хший вулка́н; 5) загло́хший, не рабо́тающий; the motor is ~ мото́р загло́х; 6) сухо́й, увя́дший (*о расте́ниях*); 7) неплодоро́дный (*о по́чве*); 8) онеме́вший, нечувстви́тельный; my fingers are ~ у меня́ онеме́ли па́льцы; 9) безжи́зненный, вя́лый; безразли́чный (*to —к чему́-л.*); 10) однообра́зный, уны́лый (*неинтере́сный*); 11) вы́шедший из употребле́ния (*о зако́не, обы́чае*); 12) вы́шедший из игры́; ~ ball шар, кото́рый не счита́ется; 13) по́лный, соверше́нный; ~ certainty по́лная уве́ренность; ~ failure по́лная неуда́ча; ~ earnest твёрдая реши́мость; ~ faint по́лная поте́ря созна́ния; ~ loss чи́стый убы́ток; to come to a ~ stop останови́ться как вко́панный; 14) *употр. для усиле́ния:* to be ~ with cold промёрзнуть наскво́зь; to be ~ with hunger умира́ть с го́лоду; 15) *полигр.* него́дный; ~ horn. непрове́тренный (*о вы́работке*); засто́йный (*о во́здухе*); 17) *горн.* пусто́й, не содержа́щий поле́зного ископа́емого; 18) *эл.* не находя́щийся под напряже́нием; ~ wire провод с вы́ключенным то́ком; ◇ ~ above the ears амер. разг. тупо́й, глу́пый; ~ and gone давно́ проше́дший; ~ crusty соверше́нно невоспри́имчивый; ~ gold ма́товое зо́лото; ~ horse рабо́та, за кото́рую бы́ло запла́чено

вперёд; ~ hours глухи́е часы́ но́чи; ~ leaf *ав.* паде́ние листо́м; ~ marines, ~ men *разг.* пусты́е ви́нные буты́лки; ~ season мёртвый сезо́н; *эк.* засто́й (*в делах*), спад делово́й акти́вности; ~ time просто́й (*на работе*); more ~ than alive ни жив ни мёртв; as ~ as a doornail (*или* as mutton, as a nit) без каки́х-л. при́знаков жи́зни;
2. *n* 1) (the ~) *pl собир.* уме́ршие, поко́йники; 2): in the ~ of night глубо́кой но́чью, в глуху́ю по́лночь; in the ~ of winter глубо́кой зимо́й; ◇ on the ~ *разг.* реши́тельно, серьёзно, по че́сти;
3. *adv* 1) по́лностью, соверше́нно; ~ against a) как раз в лицо́ (*о ветре*); б) реши́тельно про́тив; 2) *употр. для усиления*: ~ asleep засну́вший мёртвым сном; ~ drunk мертве́цки пья́ный; ~ tired до́ сме́рти уста́лый.

dead-alive [′dedə′laıv] *a* 1) безжи́зненный; 2) удручённый.

dead-beat [′ded′bı:t] 1. *a* 1) *разг.* смерте́льно уста́лый; 2) успоко́енный (*о магни́тной стре́лке*); 3) апериоди́ческий (*об изме́рительном приборе*);
2. *n амер. sl.* безде́льник, парази́т.

dead centre [′ded′sentə] *n* мёртвая то́чка.

dead colour [′ded,kʌlə] *n жив.* пе́рвый слой кра́ски в карти́не.

dead earth [′ded′ə:θ] *n эл.* по́лное заземле́ние.

deaden [′dedn] *v* 1) лиша́ть(ся) жи́зненной эне́ргии, си́лы, ра́дости; де́лать(ся) нечувстви́тельным (*к чему-л.*); 2) заглуша́ть, ослабля́ть; 3) лиша́ть бле́ска, арома́та; 4) *амер.* губи́ть дере́вья кольцева́нием.

dead end [′ded′end] *n* тупи́к (*тж. перен.*).

dead-eye [′dedaı] *n мор.* ю́ферс.

deadfall [′dedfɔ:l] *n амер.* 1) западня́, капка́н; 2) ку́ча пова́ленных дере́вьев.

dead ground [′ded,graund] *n воен., ав.* мёртвое простра́нство.

dead-hand [′ded,hænd] *n* = mortmain.

deadhead [′dedhed] *n* 1) беспла́тный посети́тель теа́тров, беспла́тный пассажи́р; 2) нереши́тельный, неэнерги́чный челове́к, «пусто́е ме́сто».

dead heat [′ded′hi:t] *n* состяза́ние, в кото́ром дво́е *или* бо́лее уча́стников прихо́дят к фи́нишу одновре́менно.

dead-house [′ded,haus] *n* мертве́цкая.

dead land [′ded′lænd] *n ав.* ме́стность, не просма́триваемая с самолёта.

dead letter [′ded′letə] *n* 1) не применя́ющийся, но и не отменённый зако́н; 2) письмо́, не востре́бованное адреса́том *или* не доста́вленное ему́.

dead level [′ded′levl] *n* 1) соверше́нно гла́дкая пове́рхность; равни́на; 2) моното́нность, однообра́зие; 3) посре́дственность.

dead lift [′ded′lıft] *n* 1) напра́сное уси́лие (*при подъёме тя́жести*); 2) геодези́ческая высота́ подъёма.

deadlight [′dedlaıt] *n мор.* глухо́й иллюмина́тор.

dead-line [′dedlaın] *n* 1) черта́, за кото́рую нельзя́ переходи́ть; 2) кра́йний срок (*выхода газе́ты, упла́ты де́нег и т. п.*).

dead load [′ded,loud] *n* мёртвый груз; со́бственный вес, вес констру́кции; постоя́нная нагру́зка.

deadlock [′dedlɔk] 1. *n* 1) мёртвая то́чка; тупи́к; безвы́ходное положе́ние; ·засто́й; 2) зато́р, «про́бка»;
2. *v* зайти́ в тупи́к.

deadly [′dedlı] 1. *a* 1) смерте́льный; смертоно́сный; ~ poison смерте́льный яд; 2) сме́ртный; ~ sin сме́ртный грех; 3) неумоли́мый, беспоща́дный; 4) *разг.* ужа́сный, чрезвыча́йный; ~ paleness смерте́льная бле́дность; ~ gloom стра́шный мрак; in ~ haste в стра́шной спе́шке;
2. *adv* 1) смерте́льно; 2) *разг.* ужа́сно, чрезвыча́йно.

Deadly Nightshade [′dedlı′naıtʃeıd] *n бот.* краса́вка, белладо́нна, со́нная о́дурь.

dead man [′dedmæn] *n* 1) мертве́ц; 2) столб, сва́я.

dead man's handle [′dedmənz′hændl] *n* автомати́ческий то́рмоз в электропоезда́х (*остана́вливающий по́езд в слу́чае внеза́пного заболева́ния или сме́рти води́теля*).

dead march [′ded′mɑ:tʃ] *n* похоро́нный марш.

dead-nettle [′ded′netl] *n бот.* ясно́тка.

dead-office [′ded,ɔfıs] *n* панихи́да.

dead-pan [′ded′pæn] *n* невозмути́мый вид; бесстра́стное, неподви́жное лицо́; невозмути́мость.

dead-point [′dedpɔınt] *n* = dead centre.

dead pull [′dedpul] *n* = dead lift 1).

dead reckoning [′ded′reknıŋ] *n мор., ав.* навигацио́нное счисле́ние (*пути́*).

dead set [′ded′set] 1. *n* 1) *охот.* сто́йка; 2) реши́мость;
2. *a predic.* по́лный реши́мости; he is ~ on going to Moscow он реши́л во что бы то ни ста́ло пое́хать в Москву́.

dead short [′ded′ʃɔ:t] *n эл.* по́лное коро́ткое замыка́ние.

dead shot [′ded′ʃɔt] *n* стрело́к, не даю́щий про́маха.

dead spot [′dedspɔt] *n ра́дио* зо́на молча́ния.

dead wall [′ded′wɔ:l] *n стр.* глуха́я стена́.

dead-water [′ded,wɔ:tə] *n* 1) стоя́чая вода́; 2) *мор.* попу́тная струя́.

dead weight [′dedweıt] *n* 1) *мор.* по́лная грузоподъёмность (*су́дна*), де́двейт; 2) мёртвый груз; вес констру́кции.

dead-wind [′dedwınd] *n мор.* встре́чный ве́тер.

dead window [′ded,wındou] *n архит.* фальши́вое окно́, глухо́е окно́.

dead-wood [′ded,wud] *n* 1) сухосто́йное де́рево; сухосто́й; сухосто́йная древеси́на; 2) *мор.* де́йдвуд; 3) *ж.-д.* бу́ферный брус (упо́ра).

deaf [def] *a* 1) глухо́й, глухова́тый, туго́й на́ ухо; ~ of an ear, ~ in one ear глухо́й на одно́ у́хо; 2) *перен.* глухо́й, отка́зывающийся слу́шать; he was ~ to our advice он не послу́шался на́шего сове́та; ◇ to turn a ~ ear to smb., smth. не слу́шать кого́-л., не обраща́ть внима́ния на что-л.; ~ as an adder (*или* a beetle, a stone, a post)≅ глуха́я тете́ря.

deaf-and-dumb ['defən'dʌm] *a* глухонемой.

deafen ['defn] *v* 1) оглушáть; 2) заглушáть; 3) дéлать звуконепроницáемым.

deafener ['defnə] *n* глушúтель (*шума*).

deafening ['defnɪŋ] 1. *pres. p. от* deafen; 2. *a* 1) оглушúтельный; 2) заглушáющий; 3. *n* звукоизолúрующий материáл.

deaf mute ['def'mjuːt] *n* глухонемóй.

deaf-mutism ['def'mjuːtɪzəm] *n* глухонемотá.

deafness ['defnɪs] *n* глухотá.

deal I [diːl] 1. *n* 1) колúчество; there is a ~ of truth in it в э́том есть дóля прáвды; a great (~ a good) ~ of мнóго; a great ~ better горáздо лýчше; 2) *разг.* сдéлка; соглашéние; to do (*или* to make) a ~ with smb. заключúть сдéлку с кем-л.; 3) обхождéние; обращéние; 4) *карт.* сдáча; 5) прáвительственный курс, систéма мероприя́тий; New D. *амер.* «нóвый курс» (*система экономических мероприятий президента Ф. Рузвельта*);
2. *v* (dealt) 1) раздавáть, распределя́ть (*обыкн.* ~ out); 2) *карт.* сдавáть; 3) наносúть (*удар*); причиня́ть (*обиду*); 4) торговáть (in — *чем-л.*); вестú торгóвые делá (with — *с кем-л.*); 5) быть клиéнтом, покупáть в определённой лáвке (at, with); 6) общáться, имéть дéло (*с кем-л.*); to refuse to ~ with smb. отказываться имéть дéло с кем-л.; 7) вестú дéло, вéдать, рассмáтривать вопрóс (with); to ~ with a problem разрешáть вопрóс; to ~ with an attack отражáть атáку; 8) обходúться, поступáть; to ~ honourably поступáть благорóдно; to ~ generously (cruelly) with (*или* by) smb. обращáться великодýшно (жестóко) с кем-л.; 9) принимáть мéры (*к чему-л.*); борóться; to ~ with fires борóться с пожáрами.

deal II [diːl] 1. *n* 1) елóвая *или* соснóвая доскá определённого размéра, дильс; 2) хвóйная древесúна;
2. *a* соснóвый *или* елóвый, из дúльса.

dealer ['diːlə] *n* 1) торгóвец; retail ~ рóзничный торгóвец; ~ in clothes старьёвщик; 2) сдаю́щий кáрты; 3) агéнт по продáже (*особ. автомобилей*); ◇ a plain ~ прямóй, откровéнный человéк.

dealing ['diːlɪŋ] 1. *pres. p. от* deal I, 2; 2. *n* 1) распределéние; 2) поведéние; 3) *pl* дрýжеские отношéния; 4) *pl* торгóвые делá; сдéлки; to have ~s with smb. вестú делá *или* имéть торгóвые свя́зи с кем-л.; ◇ plain ~ прямотá; откровéнность; straight ~ чéстность.

dealt [delt] *past и p. p. от* deal I, 2.

deambulation [dɪˌæmbjuːˈleɪʃən] *n* *редк.* прогýлка.

deambulatory [dɪˈæmbjuːlətərɪ] *a* стрáнствующий.

dean I [diːn] *n* 1) декáн (*титул старшего после епископа духовного лица в католической и англиканской церкви*); настоя́тель собóра; стáрший свящéнник; rural ~ благочúнный; 2) декáн (*факультета*); 3) стáршина дипломатúческого кóрпуса.

dean II [diːn] *n* бáлка, глубóкая и ýзкая долúна.

deanery ['diːnərɪ] *n* 1) декáнство; 2) деканáт; 3) дом декáна *или* настоя́теля; 4) церкóвный óкруг (*подчинённый благочинному*).

dear [dɪə] 1. *a* 1) дорогóй, мúлый; 2) слáвный, прелéстный; he is a ~ fellow он прекрáсный пáрень; 3) *вежливая или иногда ироническая форма обращения:* my ~ Jones любéзный (*или* любéзнейший) Джóунз; D. Sir мúлостивый госудáрь (*офиц. обращение в письме*); 4) дорогóй, дóрого стóящий; ~ year год, когдá всё бы́ло дóрого; a ~ shop магазúн, в котóром товáры продаю́тся по бóлее дорогóй ценé;
2. *n* 1) возлю́бленный; возлю́бленная; 2) *разг.* прéлесть; what ~s they are! как онú прелéстны!;
3. *adv* дóрого (*тж. перен.*);
4. *int выражает симпатию, сожаление, огорчение, нетерпение, удивление, презрение:* ~ me! is it so? неужéли?; oh ~, my head aches! ох, как болúт головá!

dearborn ['dɪəbən] *n* *амер.* лёгкая четырёхколёсная карéта.

dear-bought ['dɪə'bɔːt] *a* дóрого достáвшийся.

dearly ['dɪəlɪ] *adv* 1) нéжно; 2) дóрого (*особ. перен.*).

dearly-beloved ['dɪəlɪbɪ'lʌvd] *a* нéжно любúмый.

dearth [dəːθ] *n* 1) нехвáтка и дороговúзна продýктов; гóлод; in time of ~ во врéмя гóлода; 2) нехвáтка, недостáток; ~ of workmen недостáток рабóчих рук.

deary ['dɪərɪ] *n* (*обыкн. в обращении*) дорогóй; дорогáя; мúлочка, дýшечка.

death [deθ] *n* 1) смерть; natural (violent) ~ естéственная (насúльственная) смерть; civil ~ граждáнская смерть; поражéние в правáх граждáнства; to meet one's ~ найтú свою́ смерть; at ~'s door при смéрти, на краю́ гúбели; to be in the jaws of ~ быть в кóгтях смéрти, в крáйней опáсности; to put (*или* to do) to ~ казнúть, убивáть; wounded to ~ смертéльно рáненный; tired to ~ смертéльно устáлый; war to the ~ войнá на истреблéние; to work smb. to ~ не давáть передышки; this will be the ~ of me э́то сведёт меня́ в могúлу; э́то меня́ ужáсно огорчúт; to catch one's ~ of cold простудúться нáсмерть; 2) конéц, гúбель; the ~ of one's hopes конéц чьим-л. надéждам; 3) чумá, «чёрная смерть»; 4) *attr.* смéртный, смертéльный; ◇ to be in at the ~ а) *охот.* присýтствовать при том, как на охóте убивáют затрáвленную лисúцу; б) быть свидéтелем завершéния какúх-л. собы́тий; like grim ~ отчáянно, изо всéх сил; sudden ~ *амер. sl.* дешёвое вúски; worse than ~ óчень плохóй; to be ~ on smth. *sl.* быть искýсным в чём-л.

death-adder ['deθˌædə] *n* *зоол.* змея́ смéрти.

death-agony ['deθˌægənɪ] *n* предсмéртная агóния.

deathbed ['deθbed] *n* 1) смéртное лóже; on one's ~ на смéртном одрé; 2) предсмéртные минýты; 3) *attr.* предсмéртный; ~ repentance запоздáлое раскáяние.

death-bell ['deθbel] *n* похорóнный звон.

death-blow ['deθbloυ] *n* смертельный *или* роковой удар.

death-cup ['deθ'kʌp] *n* бледная поганка (*гриб*).

death-damp ['deθ,dæmp] *n* холодный пот (*у умирающего*).

death-duties ['deθ,dju:tɪz] *n pl* налог на наследство.

death-feud ['deθ,fju:d] *n* смертельная вражда.

death-hunter ['deθ,hʌntə] *n* мародёр, обирающий убитых на поле сражения.

deathless ['deθlɪs] *a* бессмертный.

deathlike ['deθlaɪk] *a* подобный смерти.

deathly ['deθlɪ] **1.** *a* смертельный, роковой; подобный смерти; ~ silence гробовое молчание;
2. *adv* смертельно.

death-mask ['deθmɑːsk] *n* посмертная маска.

death-rate ['deθreɪt] *n* смертность; процент смертности.

death-rattle ['deθ,rætl] *n* предсмертный хрип.

death-roll ['deθroυl] *n* список убитых *или* погибших.

death's-head ['deθshed] *n* 1) череп (*как эмблема смерти*); to look like a ~ *on* a mopstick быть похожим на мертвеца; 2) мёртвая (*или* адамова) голова (*бабочка*).

death-struggle ['deθstrʌgl] *n* агония.

death-toll ['deθtoυl] = death-roll.

death-trap ['deθtræp] *n* опасное место.

death-warrant ['deθ,wɔrənt] *n* 1) распоряжение о приведении в исполнение смертного приговора; 2) что-л., равносильное смертному приговору (*напр.*, прогноз врача).

death-watch ['deθwɔtʃ] *n* 1) лицо, находящееся у постели умирающего; 2) часовой, приставленный к приговорённому к смертной казни; 3) *зоол.* жук-могильщик.

deb [deb] *n* (*сокр. от* débutante) *разг.* дебютантка.

débâcle [deɪ'bɑːkl] *фр. n* 1) вскрытие реки; ледоход; 2) стихийный прорыв вод; 3) разгром; паническое бегство; 4) ниспровержение, падение (*правительства*).

debar [dɪ'bɑː] *v* воспрещать, не допускать, исключать; лишать права; to ~ smb. from voting лишить кого-л. права голоса; to ~ smb. from holding public offices не допускать кого-л. до занятия общественных должностей.

debark [dɪ'bɑːk] *v* высаживать(ся); выгружать(ся) (*на берег*).

debarkation [,diːbɑː'keɪʃən] *n* высадка (*людей*); выгрузка (*товара*).

debarkment [dɪ'bɑːkmənt] = debarkation.

debase [dɪ'beɪs] *v* 1) унижать достоинство; 2) понижать качество, ценность; портить; 3) подделывать (*деньги*).

debasement [dɪ'beɪsmənt] *a* 1) унижение; 2) снижение ценности, качества; 3) подделка (*денег*).

debatable [dɪ'beɪtəbl] *n* 1) спорный, дискуссионный; 2) оспариваемый; ~ ground территория, оспариваемая двумя странами; *перен.* предмет спора.

debate [dɪ'beɪt] **1.** *n* 1) дискуссия, прения, дебаты; to open a ~ открыть дискуссию; 2) (the ~s) *pl* официальный отчёт парламентских заседаний; 3) спор, полемика; beyond ~ бесспорно;
2. *v* 1) обсуждать, дебатировать (*вопрос*); 2) дискутировать; спорить; 3) обдумывать; рассматривать; to ~ a matter in one's mind взвешивать, обдумывать что-л.; 4) *уст.* бороться, сражаться (*за что-л.*).

debater [dɪ'beɪtə] *n* участник дебатов, прений; skilful ~ искусный спорщик.

debating-society [dɪ'beɪtɪŋsə'saɪətɪ] *n* дискуссионный клуб.

debauch [dɪ'bɔːtʃ] **1.** *n* 1) разврат, распутство; 2) дебош; 3) попойка, оргия;
2. *v* 1) совращать, развращать; обольщать (*женщину*); 2) портить, искажать (*вкус, суждение*); 3) *уст.* предаваться излишествам.

debauchee [,debɔː'tʃiː] *n* развратник.

debauchery [dɪ'bɔːtʃərɪ] *n* 1) разврат, распущенность; 2) пьянство, обжорство, невоздержность.

debenture [dɪ'bentʃə] *n* 1) долговое обязательство *или* расписка; 2) облигация акционерного общества, компании; 3) сертификат таможни на возврат пошлин; 4) *attr.*: ~ bond облигация акционерного общества; ~ stock бессрочные облигации.

debilitate [dɪ'bɪlɪteɪt] *v* ослаблять, расслаблять.

debilitation [dɪ,bɪlɪ'teɪʃən] *n* ослабление, слабость.

debility [dɪ'bɪlɪtɪ] *n* 1) слабость, бессилие; 2) болезненность, слабость здоровья.

debit ['debɪt] *ком.* **1.** *n* дебет; to put to the ~ of a person записать в дебет кому-л.; **2.** *v* дебетовать, вносить в дебет.

debonair [,debə'nɛə] *a уст.* 1) добродушный, любезный; 2) весёлый, жизнерадостный.

debouch [dɪ'baυtʃ] *v* 1) выходить из ущелья на открытую местность (*о реке*); 2) *воен.* дебушировать.

debouchment [dɪ'baυtʃmənt] *n* 1) выход из ущелья; 2) устье реки; 3) *воен.* дебуширование, выход из теснины *или* укрытия.

debris ['debriː] *фр. n* 1) осколки, обломки; обрезки; лом; 2) развалины; 3) строительный мусор; 4) *геол.* обломки пород; наносная порода покрывающая месторождение; пустая порода.

debt [det] *n* долг; to contract ~s наделать долгов; to incur a ~, to get (*или* to run) into ~ влезть в долги; a bad ~ безнадёжный долг; ~ of gratitude долг благодарности; a ~ of honour долг чести; he is heavily in ~ ≡ он в долгу как в шелку; to be in smb.'s ~ быть у кого-л. в долгу; I am very much in your ~ я вам очень обязан; ◇ to pay the ~ of (*или* to) nature скончаться.

debtor ['detə] *n* 1) должник, дебитор; ~'s prison долговая тюрьма; 2) *бухг.* дебиторы.

debt service ['det,sɜːvɪs] *n* уплата капитального долга и процентов по государственному долгу.

debunk ['diː'bʌŋk] v разг. 1) разоблачать обман; 2) развенчивать, лишать престижа.

debus [diː'bʌs] v высаживать(ся), выгружать(ся) из автомашин.

debussing point [diː'bʌsɪŋ,pɔɪnt] n место высадки из автомашин.

début ['deɪbuː] фр. n дебют; to make one's ~ дебютировать.

débutant ['debjuːtɑ̃ːŋ] фр. n дебютант.

débutante ['debjuːtɑ̃ːnt] фр. n дебютантка.

deca- ['dekə-] pref дека-,· десяти-.

decachord ['dekəkɔːd] n десятиструнная арфа (древнегреческая).

decadal ['dekədəl] a десятилетний.

decade ['dekeɪd] n 1) группа из десяти, десяток; 2) десятилетие.

decadence, -cy ['dekədəns, -sɪ] n 1) упадок, ухудшение; 2) декадентство, упадочничество (в искусстве).

decadent ['dekədənt] 1. n декадент; 2. a упадочный, декадентский.

decagon ['dekəgən] n десятиугольник.

decagonal [de'kægənəl] a десятиугольный.

decagram(me) ['dekəgræm] n декаграмм.

decahedral [,dekə'hiːdrəl] a десятигранный.

decalcify [diː'kælsɪfaɪ] v удалять известковое вещество.

decalitre ['dekə,liːtə] n декалитр.

decalogue ['dekəlɔg] n библ. десять заповедей.

decametre ['dekə,miːtə] n декаметр.

decamp [dɪ'kæmp] v 1) сниматься с лагеря, выступать из лагеря; 2) удирать.

decampment [dɪ'kæmpmənt] n 1) выступление из лагеря; 2) быстрый уход; побег.

decanal [dɪ'keɪnl] a деканский.

decandrous [dɪ'kændrəs] a бот. с десятью тычинками.

decangular [de'kæŋgjulə] a десятиугольный.

decant [dɪ'kænt] v 1) сцеживать, фильтровать; декантировать; отмучивать; 2) переливать из бутылки в графин (вино).

decanter [dɪ'kæntə] n графин.

decaphyllous [,dekə'fɪləs] a бот. десятилистный.

decapitate [dɪ'kæpɪteɪt] v обезглавливать, отрубать голову.

decapitation [dɪ,kæpɪ'teɪʃən] n обезглавливание.

decapod ['dekəpɔd] зоол. 1. n десятиногий рак;
2. a десятиногий.

decarbonate, decarbonize [diː'kɑːbəneɪt, -naɪz] v 1) хим. обезуглероживать; 2) очищать от нагара, копоти.

decastich ['dekəstɪk] n десятистишие.

decasyllabic ['dekəsɪ'læbɪk] 1. a десятисложный.
2. n десятисложный стих.

decathlon [dɪ'kæθlɔn] n спорт. десятиборье.

decay [dɪ'keɪ] 1. n 1) гниение, распад; 2) сгнившая часть (яблока и т. п.); 3) разложение, упадок, загнивание; распад (государства, семьи и т. п.); to fall into ~

приходить в упадок, разрушаться; 4) расстройство (здоровья); 5) разрушение (здания); 6) радиоактивный распад;
2. v 1) гнить, разлагаться; 2) портиться; ухудшаться; хиреть; 3) приходить в упадок; распадаться (о государстве, семье и т. п.); 4) опуститься (о человеке).

decease [dɪ'siːs] 1. n смерть, кончина;
2. v скончаться.

deceased [dɪ'siːst] 1. p. p. от decease 2;
2. a покойный, умерший;
3. n (the ~) покойник, покойный, умерший.

decedent [dɪ'siːdənt] n юр. покойный.

deceit [dɪ'siːt] n 1) обман; 2) хитрость; 3) лживость.

deceitful [dɪ'siːtful] a 1) вводящий в заблуждение; обманчивый; 2) лживый; предательский.

deceive [dɪ'siːv] v обманывать; вводить в заблуждение; to ~ oneself обманываться.

decelerate [diː'seləreɪt] v уменьшать скорость, ход, число оборотов; замедлять.

December [dɪ'sembə] n 1) декабрь; 2) attr. декабрьский.

Decemberly [dɪ'sembəlɪ] a зимний, холодный.

Decembrist [dɪ'sembrɪst] n ист. декабрист.

decemvir [dɪ'semvə] лат. n (pl -rs [-əz], -ri) ист. децемвир.

decemviri [dɪ'semvəraɪ] pl от decemvir.

decenary [dɪ'senərɪ] = decennary.

decency ['diːsnsɪ] n 1) приличие, благопристойность; a breach of ~ нарушение приличий, декорума; in common ~ из уважения к приличиям; have the ~ to confess будьте настолько порядочны, чтобы признаться; to serve the decencies соблюдать приличия; 2) разг. вежливость; любезность.

decennary [dɪ'senərɪ] n десятилетие.

decenniad [dɪ'seniæd] = decennary.

decennial [dɪ'senjəl] a десятилетний; продолжающийся десять лет; повторяющийся каждые десять лет.

decent ['diːsnt] a 1) приличный; подходящий; a pretty ~ house довольно приличный дом; 2) скромный; сдержанный; 3) славный, хороший; that's very ~ of you это очень мило с вашей стороны; 4) школ. нестрогий, добрый.

decently ['diːsntlɪ] adv 1) порядочно, прилично, хорошо; 2) скромно; 3) любезно, мило.

decentralize [diː'sentrəlaɪz] v децентрализовать.

deception [dɪ'sepʃən] n обман, ложь; хитрость; to practise ~ обманывать.

deceptive [dɪ'septɪv] a обманчивый, вводящий в заблуждение; appearances are often ~ наружность часто обманчива; ◊ ~ gas воен. маскирующий газ.

deci- ['desɪ-] pref деци- (обозначает десятую часть, особ. в метрической системе).

decide [dɪ'saɪd] v решать(ся), принимать решение; to ~ against (in favour of) smb. выносить решение против (в пользу) кого-л.; that ~s me! решено!; to ~ between two things сделать выбор; □ ~ on выбрать; she ~d on the green hat она выбрала зелёную шляпу.

decided [dɪ'saɪdɪd] 1. *p. p. от* decide; 2. *a* 1) решительный; 2) определённый, бесспорный; ~ superiority явное превосходство.

decidedly [dɪ'saɪdɪdlɪ] *adv* 1) решительно; 2) несомненно, явно, бесспорно.

deciduous [dɪ'sɪdjuəs] *a* 1) опадающий (*о листьях*); 2) зоол. подверженный периодическому сбрасыванию (*рогов*); 3) молочный (*о зубах*); 4) быстротечный, преходящий.

decigram(me) ['desɪgræm] *n* дециграмм.

decilitre ['desɪ,liːtə] *n* децилитр.

decimal ['desɪməl] 1. *a* десятичный; ~ fraction десятичная дробь; ~ notation обозначение арабскими цифрами; ~ numeration десятичная система счисления; ~ coinage десятичная монетная система; ~ point точка в десятичной дроби, отделяющая целое от дроби; 2. *n* десятичная дробь.

decimalism ['desɪməlɪzəm] *n* применение десятичной системы.

decimalize ['desɪməlaɪz] *v* 1) обращать в десятичную дробь; 2) переводить на десятичную систему.

decimally ['desɪmlɪ] *adv* по десятичной системе.

decimate ['desɪmeɪt] *v* 1) взимать десятину; 2) казнить каждого десятого; 3) уничтожать, «косить»; cholera ~d the population холера косила население.

decimation [,desɪ'meɪʃən] *n* 1) взимание десятины; 2) казнь, расстрел каждого десятого; 3) опустошение, мор.

decimetre ['desɪ,miːtə] *n* дециметр.

decimosexto [,desɪmou'sekstou] *n* формат книги в ¹/₁₆ листа.

decipher [dɪ'saɪfə] *v* 1) расшифровывать; 2) разбирать (*неясный почерк, древние письмена и т. п.*).

decipherable [dɪ'saɪfərəbl] *a* поддающийся расшифровке, чтению.

decision [dɪ'sɪʒən] *n* 1) решение; to arrive at (*или* to come to) a ~ принять решение; 2) юр. заключение, приговор; 3) решимость, решительность; a man of ~ решительный человек; to lack ~ иметь нерешительным; with ~ уверенно, решительно.

decisive [dɪ'saɪsɪv] *a* 1) решающий, имеющий решающее значение; 2) решительный (*о характере, человеке*); 3) убедительный (*о фактах, уликах*).

decivilize [diː'sɪvɪlaɪz] *v* приводить к одичанию.

deck [dek] 1. *n* 1) палуба; on ~ а) на палубе; б) *амер. разг.* под рукой; в) *амер.* готовый к действиям; to clear the ~s (for action) *мор.* приготовиться к бою; *перен.* приготовиться к действиям; 2) крыша вагона; складной *или* съёмный верх (*автомобиля*); 3) колода (*карт*); 4) *sl.* земля; 2. *v* 1) настилать палубу; 2) украшать, убирать (*цветами, флагами; часто* ~ out).

deck alighting ['dekə,laɪtɪŋ] = deck landing.

deck-bridge ['dekbrɪdʒ] *n* мост с ездой поверху.

deck-cabin ['dek'kæbɪn] *n* каюта на палубе.

deck-cargo ['dek'kɑːgou] *n* палубный груз.

deck-chair ['dek'tʃɛə] *n* шезлонг, лонгшез (*для пассажиров на палубе*).

-decker [-'dekə] *в сложных словах означает:* имеющий *столько-то* палуб; one-~ (two-~) однопалубное (двухпалубное) судно.

deck-hand ['dekhænd] *n* 1) матрос; 2) *pl* палубная команда.

deck-house ['dekhaus] *n мор.* 1) рубка; 2) салон на верхней палубе.

decking ['dekɪŋ] 1. *pres. p. от* deck 2; 2. *n* 1) украшение; 2) палубный материал; 3) опалубка, настил.

deck landing ['dek,lændɪŋ] *n мор. ав.* посадка на палубу.

deckle ['dekl] 1. *n* приспособление бумагоделательной машины, определяющее ширину листа; 2. *v* 1) обрезать края бумаги; 2) трепать, обрывать (*край бумаги*).

deckle-edged ['dekl'edʒd] *a* с необрезанными краями (*о бумаге*).

deck-light ['deklaɪt] *n мор.* палубный иллюминатор.

deck-passage ['dek,pæsɪdʒ] *n* проезд на палубе (*без права пользования каютой*).

deck-passenger ['dek,pæsɪndʒə] *n* палубный пассажир.

deck-roof ['dekruːf] *n* почти плоская крыша.

deck start ['dekstɑːt] *n* взлёт с палубы.

declaim [dɪ'kleɪm] *v* 1) декламировать, читать (*стихи*); 2) произносить с пафосом (*речь*); 3) осуждать (*в выступлении*), выступать против (against).

declamation [,deklə'meɪʃən] *n* 1) декламация; 2) хорошая фразировка (*при пении*); 3) торжественная речь.

declamatory [dɪ'klæmətərɪ] *a* 1) декламационный; ораторский; 2) напыщенный.

declarant [dɪ'klɛərənt] *n юр.* тот, кто подаёт заявление, декларацию.

declaration [,deklə'reɪʃən] *n* 1) заявление, декларация; to make a ~ сделать заявление; 2) объявление (*войны и т. п.*); ~ of the poll объявление результатов голосования; 3) юр. исковое заявление истца; торжественное заявление (*свидетеля без присяги*); 4) ком. заявление о товарах, подлежащих таможенной пошлине; 5) объяснение в любви.

declarative [dɪ'klærətɪv] *a* 1) декларативный; 2) грам. повествовательный (*о предложении*).

declaratory [dɪ'klærətərɪ] *a* 1) = declarative; 2) объяснительный, пояснительный.

declare [dɪ'klɛə] *v* 1) объявлять; to ~ war (on, upon) объявлять войну (*кому-л., перен. чему-л.*); to ~ one's love объясняться в любви; 2) признавать (*кого-л. кем-л.*); he was ~d an invalid он был признан инвалидом; 3) заявлять, провозглашать, объявлять публично; well, I ~! *разг.*

однако, скажу я вам!; 4) высказываться (for — за; against — против); to ~ oneself а) высказаться; б) показать себя; 5) называть, предъявлять вещи, облагаемые пошлиной (*в таможне*); have you anything to ~? предъявите вещи, подлежащие обложению пошлиной; 6) *карт.* объявлять козырь; ☐ ~ off отказаться от (*сделки и т. п.*).

declared [dɪ'klɛəd] **1.** *p. p. от* declare; **2.** *a* 1) объявленный, заявленный; ~ value ценность (товаров), заявленная при прохождении через таможню; 2) явный, признанный.

déclassé [,deɪ,klɑ:'seɪ] *фр.* = declassed.

declassed ['di:klɑ:st] *a* деклассированный.

declassify [dɪ'klæsɪfaɪ] *v* рассекречивать (*документы, материалы*).

declension [dɪ'klenʃən] *n* 1) падение, упадок; 2) отклонение (*от образца*); ухудшение; 3) *грам.* склонение; классы склонений; ◇ in the ~ of years на склоне лет.

declensional [dɪ'klenʃənl] *a грам.* относящийся к склонению; ~ endings падёжные окончания.

declinable [dɪ'klaɪnəbl] *a грам.* склоняемый.

declination [,deklɪ'neɪʃən] *n* 1) отклонение; 2) магнитное склонение; 3) наклон, наклонение; 4) *грам.* склонение; 5) *уст.* падение, упадок.

declinator ['deklɪneɪtə] = declinometer.

declinatory [dɪ'klaɪnətərɪ] *a* 1) отклоняющий(ся); 2) отказывающий(ся).

decline [dɪ'klaɪn] **1.** *n* 1) склон, уклон; 2) падение, упадок; on the ~ а) в состоянии упадка; б) на ущербе, на склоне; the ~ of the moon луна на ущербе; 3) снижение (*цены*); 4) ухудшение (*здоровья, жизненного уровня и т. п.*); 5) конец, закат (*жизни, дня*); 6) *уст.* изнурительная болезнь; туберкулёз; **2.** *v* 1) клониться, наклоняться; 2) идти к концу; 3) приходить в упадок; ухудшаться (*о здоровье, жизненном уровне и т. п.*); 4) уменьшаться, идти на убыль; спадать (*о температуре*); 5) отклонять (*предложения и т. п.*); отказывать(ся); 6) *редк.* наклонять, наклонять; to ~ one's head on one's breast склонить голову на грудь; 7) *грам.* склонять.

declining [dɪ'klaɪnɪŋ] **1.** *pres. p. от* decline 2; **2.** *a:* ~ years преклонные годы.

declinometer [,deklɪ'nɔmɪtə] *n* уклономер; деклинометр; деклинатор.

declivitous [dɪ'klɪvɪtəs] *a* довольно крутой (*о спуске*).

declivity [dɪ'klɪvɪtɪ] *n* покатость; спуск, склон, откос; уклон (*пути*).

declivous [dɪ'klaɪvəs] *a* покатый; отлогий.

declutch ['di:'klʌtʃ] *v mex.* расцеплять.

decoct [dɪ'kɔkt] *v* приготовлять отвар; отваривать; вываривать.

decoction [dɪ'kɔkʃən] *n* 1) вываривание; 2) (лечебный) отвар, декокт.

decode ['di:'koud] *v* расшифровывать.

decohere [,di:kou'hɪə] *v радио* декогерировать.

decollate [dɪ'kɔleɪt] *v* обезглавливать.

decollation [,di:kə'leɪʃən] *n* обезглавливание.

décolleté [deɪ'kɔlteɪ] (*ж.* -tée [-te]) *фр. a* декольтированный.

decolo(u)r [di:'kʌlə] *v* обесцвечивать.

decolo(u)rant [di:'kʌlərənt] *n* обесцвечивающее вещество.

decolo(u)ration [di:,kʌlə'reɪʃən] *n* обесцвечивание.

decolo(u)rize [di:'kʌləraɪz] = decolo(u)r.

decompensation [di:,kɔmpen'seɪʃən] *n мед.* декомпенсация.

decomplex [di:kəm'pleks] *a* вдвойне сложный, имеющий сложные части.

decompose [,di:kəm'pouz] *v* 1) разлагать на составные части; to ~ a force *mex.* разложить силу; 2) разлагаться, гнить; 3) растворять(ся); 4) анализировать (*причины, мотивы и т. п.*).

decomposite [di:'kɔmpəzɪt] **1.** *a* составленный из частей (*слов и т. п.*), которые сами являются сложными; **2.** *n* что-л., составленное из сложных частей (*вещество, слово и т. п.*).

decomposition [,di:kɔmpə'zɪʃən] *n* 1) *физ., хим.* разложение; 2) распад, гниение.

decompound [,di:kəm'paund] **1.** *a* составленный из частей, которые сами являются сложными; ~ leaf *бот.* перистосложный лист; **2.** *v* 1) составлять из сложных частей; 2) разлагать на составные части.

decompress [,di:kəm'pres] *v* уменьшать давление.

deconsecrate [di:'kɔnsɪkreɪt] *v* секуляризировать (*церковные земли, имущество*).

decontaminate ['di:kən'tæmɪneɪt] *v* обеззараживать, дегазировать.

decontrol ['di:kən'troul] **1.** *n* освобождение от государственного контроля; **2.** *v* освобождать от государственного контроля.

décor ['deɪkɔ:] *фр. n* обстановка (*комнаты, сцены*).

decora [dɪ'kɔ:rə] *pl от* decorum.

decorate ['dekəreɪt] *v* 1) украшать, декорировать; 2) отделывать (*дом, помещение*); 3) награждать знаками отличия, орденами.

decorated ['dekəreɪtɪd] **1.** *p.p. от* decorate; **2.** *a* 1) украшенный, декорированный; ~ style английская готика XIV века; 2) награждённый.

decoration [,dekə'reɪʃən] *n* 1) украшение; убранство; 2) *архит.* наружная и внутренняя отделка, украшение дома; 3) *pl* праздничные флаги, гирлянды; 4) орден, знак отличия; to confer a ~ on smb. наградить кого-л. орденом, знаком отличия; 5) *attr.*: D. Day *амер.* = Memorial Day [*см.* memorial 1].

decorative ['dekərətɪv] *a* декоративный.

decorator ['dekəreɪtə] *n* 1) архитектор, занимающийся внутренней отделкой и украшением дома; 2) маляр, обойщик.

decorous ['dekərəs] *a* приличный, пристойный.

decorticate [dɪ'kɔ:tɪkeɪt] *v* сдирать (*кору, шелуху и т. п.*).

decorticator [dɪ'kɔːtɪˌkeɪtə] *n* машина для отделёния лу́ба.

decorum [dɪ'kɔːrəm] *лат. n* (*pl* -s [-z], -ra) внёшнее прили́чие, декóрум; этикéт.

decoy [dɪ'kɔɪ] **1.** *n* 1) прима́нка; манóк; 2) западня́, ловýшка; 3) пруд, затя́нутый сéткой (*для заманивания диких птиц с помощью манков*); 4) *воен.* макéт;
2. *v* прима́нивать, зама́нивать в ловýшку; завлека́ть.

decoy-duck [dɪ'kɔɪdʌk] *n* 1) манóк для зама́нивания ди́ких ýток; 2) прима́нка.

decoy ship [dɪ'kɔɪʃɪp] *n мор.* сýдно-прима́нка, сýдно-ловýшка.

decrease 1. *n* ['diːkriːs] уменьшéние, убыва́ние, понижéние; убавлéние; to be on the ~ идти́ на убыль.
2. *v* [diː'kriːs] уменьша́ть(ся), убыва́ть.

decree [dɪ'kriː] **1.** *n* 1) укáз, декрéт, прикáз; 2) постановлéние, решéние (*суда по гражданским делам*); 3) постановлéние церкóвного совéта; 4) *pl церк.* декретáлии; ◇ ~ of nature закóн приро́ды; ~ nisi *лат. юр.* постановлéние о развóде, вступáющее в си́лу чéрез шесть мéсяцев, éсли онó не бýдет отмененó до э́того;
2. *v* 1) издава́ть декрéт, декрети́ровать; 2) отдава́ть распоряжéние.

decrement [dɪkrɪmənt] *n* 1) уменьшéние, стéпень ýбыли; 2) *радио* декремéнт; 3) *тех.* успокоéние, демпфи́рование.

decrepit [dɪ'krepɪt] *a* 1) дря́хлый; 2) вéтхий, изношенный.

decrepitate [dɪ'krepɪteɪt] *v* 1) *тех.* обжигáть, прокáливать до растрéскьвания; 2) потрéскивать на огнé.

decrepitation [dɪˌkrepɪ'teɪʃən] *n тех.* 1) обжигáние, прокáливание; 2) потрéскивание.

decrepitude [dɪ'krepɪtjuːd] *n* 1) дря́хлость; 2) вéтхость.

decrescent [dɪ'kresnt] *a* убыва́ющий.

decretal [dɪ'kriːtəl] *n церк.* 1) декрéт, постановлéние; 2) *pl* декретáлии.

decretive [dɪ'kriːtɪv] *a* декрéтный.

decretory [dɪ'kriːtərɪ] = decretive.

decrial [dɪ'kraɪəl] *n* откры́тое осуждéние, порицáние.

decry [dɪ'kraɪ] *v* 1) откры́то осужда́ть, порицáть, хули́ть; 2) принижáть, преуменьша́ть значéние (*чего-л.*).

decuman [dekjumən] *a* 1) глáвный, основнóй; 2) могýчий, мóщный (*о волне*); ~ wave «девя́тый вал».

decumbent [dɪ'kʌmbənt] *a* 1) лежáщий; 2) *бот.* стéлющийся по землé.

decuple ['dekjupl] **1.** *n* удесятерённое число́;
2. *a* удесятерённый;
3. *v* удесятеря́ть.

decussate [dɪ'kʌseɪt] **1.** *a* 1) пересека́ющийся под прямы́м углóм; 2) *бот.* располóженный крестообрáзно;
2. *v* пересека́ть(ся) под прямы́м углóм, крест-нáкрест.

dedans [də'dɑːn] *фр. n спорт.* 1) трибýны на тéннисном кóрте; 2) (the ~) *собир.* зри́тели на тéннисном мáтче.

dedicate ['dedɪkeɪt] *v* 1) посвяща́ть;

2) предназнача́ть; 3) надпи́сывать (*книгу*); 4) *амер.* открыва́ть (*торжественно*).

dedicated ['dedɪkeɪtɪd] **1.** *p. p. om* dedicate;
2. *a* прéданный; посвяти́вший себя́ (*долгу, делу*).

dedicatee [ˌdedɪkə'tiː] *n* лицó, котóрому что-л. посвященó.

dedication [ˌdedɪ'keɪʃən] *n* 1) посвящéние; 2) прéданность, самоотвéрженность.

dedicator ['dedɪkeɪtə] *n* тот, кто посвящáет.

dedicatory ['dedɪkətərɪ] *a* посвяти́тельный.

deduce [dɪ'djuːs] *v* 1) выводи́ть (*заключéние, слéдствие, фóрмулу*); 2) проследи́ть, установи́ть происхождéние.

deduct [dɪ'dʌkt] *v* вычитáть, отнимáть; удéрживать.

deduction [dɪ'dʌkʃən] *n* 1) вычитáние, вы́чет; удержáние; ~ in pay вы́четы, удержáния из жáлованья; 2) вычитáемое; 3) ски́дка; 4) вы́вод, заключéние; *лог.* дедýкция.

deductive [dɪ'dʌktɪv] *a лог.* дедукти́вный.

dee [diː] *n* 1) назван ие бýквы D; 2) *тех.* D-обрáзное кольцó, рым.

deed [diːd] **1.** *n* 1) дéйствие, постýпок; 2) дéло, факт; in word and ~ слóвом и дéлом; in ~ and not in name на дéле, а не на словáх (тóлько); in very ~ в сáмом дéле, в действи́тельности; 3) пóдвиг; 4) *юр.* докумéнт, акт; to draw up a ~ составля́ть докумéнт;
2. *v амер.* передавáть по áкту.

deed-poll ['diːdpoul] *n юр.* односторóннее обязáтельство.

deem [diːm] *v* полагáть, дýмать, считáть.

deemster ['diːmstə] *n* оди́н из двух судéй на о-ве Мэн.

deep [diːp] **1.** *a* 1) глубóкий; ~ water больша́я глубина́ [*ср. тж.* ◇]; ~ sleep глубóкий сон; to my ~ regret к моемý глубóкому сожалéнию; to keep smth. a ~ secret храни́ть что-л. в стрóгой тáйне; ~ in debt пó уши в долгý; 2) серьёзный, не поверхностный; ~ knowledge серьёзные, глубóкие знáния; 3) погружённый (*во что-л.*); поглощённый (*чем-л.*); зáнятый (*чем-л.*); ~ in a book (in a map) погружённый, ушéдший с головóй в кни́гу, в изучéние кáрты; ~ in thought, ~ in meditation (глубокó) задýмавшийся, погружённый в размышлéния; 4) си́льный, глубóкий; ~ feelings глубóкие чýвства; ~ delight огрóмное наслаждéние; 5) таи́нственный, труднопостигáемый; 6) насы́щенный, тёмный, густóй (*о краске, цвете*); 7) ни́зкий (*о звуке*); ◇ ~ in water в бедé; в крáйне затрудни́тельном положéнии; a ~ one тóнкая бéстия; to draw up five (six) ~ *воен.* стрóить(ся) в пять (шесть) рядóв; to go off the ~ end a) брóситься в глубинý; б) *разг.* разволновáться; в) рискнýть; приня́ть решéние сгоряча́;
2. *n* 1) глубóкое мéсто; 2) (the ~) *поэт.* мóре, океáн; 3) бéздна, прóпасть; 4) сáмое сокровéнное;
3. *adv* глубокó; to dig ~ рыть глубóко; *перен.* докáпываться; ~ into the night до

глубокой ночи; ◇ still waters run ~ *посл.* ≅ в тихом омуте черти водятся.

deep-brown ['diːp'braun] *a* тёмно-коричневый.

deep-draft ['diːpdrɑːft] *n* глубокая осадка судна.

deep-drawing ['diːp'drɔːɪŋ] *n тех.* глубокая вытяжка.

deep-drawn ['diːp'drɔːn] *a* вырвавшийся из глубины (*о вздохе*).

deepen ['diːpən] *v* 1) углублять(ся); 2) усиливать(ся); 3) делать(ся) темнее; сгущать(ся) (*о красках, тенях*); 4) понижать (-ся) (*о звуке, голосе*).

deep-felt ['diːp'felt] *a* глубоко прочувствованный.

deep-laid ['diːp'leɪd] *a* 1) глубоко заложенный; 2) детально разработанный и секретный (*план*).

deeply ['diːplɪ] *adv* глубоко; he is ~ in debt он кругом в долгу; to feel (to regret) smth. ~ глубоко переживать что-л. (сожалеть о чём-л.).

deep mining ['diːp͵maɪnɪŋ] *n горн.* подземная добыча угля.

deep-mouthed ['diːp'mauðd] *a* 1) зычный; 2) громко лающий.

deepness ['diːpnɪs] *n* глубина *и пр.* [*см.* deep 1].

deep-rooted ['diːp'ruːtɪd] *a* глубоко укоренившийся.

deep-sea ['diːp'siː] *a* глубоководный; ~ fishing ловля рыбы в глубоких водах.

deep-seated ['diːp'siːtɪd] *a* 1) глубоко сидящий; вкоренившийся; ~ abscess глубокий нарыв; ~ disease скрытая болезнь; 2) затаённый (*о чувстве*); 3) твёрдый (*об убеждении*).

deer [dɪə] *n* (*pl без измен.*) олень; лань; *собир.* красный зверь; red ~ благородный олень; to run like ~ бежать быстрее лани, нестись стрелой; ◇ small ~ *уст.* мелюзга, мелкая сошка.

deer-forest ['dɪə͵fɔrɪst] *n* олений заповедник.

deer-hound ['dɪəhaund] *n* шотландская борзая.

deer-lick ['dɪəlɪk] *n* участок солончаковой почвы, где олени лижут соль.

deer-neck ['dɪənek] *n* тонкая шея (*лошади*).

deer-park ['dɪəpɑːk]=deer-forest.

deerskin ['dɪəskɪn] *n* оленья кожа, лосина, замша.

deerstalker ['dɪə͵stɔːkə] *n* 1) охотник на оленей; 2) войлочная шляпа.

deerstalking ['dɪə͵stɔːkɪŋ] *n* охота на оленей.

deface [dɪ'feɪs] *v* 1) портить; искажать; 2) стирать, делать неудобочитаемым; 3) дискредитировать.

defacement [dɪ'feɪsmənt] *n* 1) порча; искажение; 2) стирание; 3) то, что портит.

de facto [diː'fæktou] *лат. adv* на деле, фактически, де-факто (*противоп.* de jure).

defalcate ['diːfælkeɪt] *v* 1) обмануть доверие; 2) нарушить долг; 3) произвести растрату; присвоить чужие деньги.

defalcation [͵diːfæl'keɪʃən] *n* 1) обман; 2)

нарушение долга; 3) присвоение чужих денег; растрата.

defalcator ['diːfælkeɪtə] *n* растратчик.

defamation [͵defə'meɪʃən] *n* 1) клевета; 2) диффамация.

defamatory [dɪ'fæmətərɪ] *a* бесчестящий, клеветнический.

defame [dɪ'feɪm] *v* поносить, клеветать, порочить.

defatted [diː'fætɪd] *a* обезжиренный.

default [dɪ'fɔːlt] **1.** *n* 1) отсутствие, недостаток (*чего-л.*); 2) невыполнение обязательств (*гл. обр. денежных*); 3) провинность, проступок; 4) неявка в суд; judgement by ~ заочное решение суда в пользу истца (*вследствие неявки ответчика*); 5) *спорт.* выход из состязания; ◇ in ~ of за неимением, за отсутствием; **2.** *v* 1) не выполнить своих обязательств; прекратить платежи; 2) не явиться по вызову суда; 3) вынести заочное решение (*в пользу истца*); 4) *спорт.* выйти из состязания до его окончания.

defaulter [dɪ'fɔːltə] *n* 1) лицо, не выполняющее своих обязательств; банкрот; 2) растратчик; 3) уклонившийся от явки (*в суд*); 4) *воен.* провинившийся; получивший взыскание; 5) *attr.:* ~ book *воен.* книга взысканий.

defeasance [dɪ'fiːzəns] *n* 1) аннулирование, отмена; 2) *юр.* оговорка в документе (*могущая аннулировать его*).

defeasible [dɪ'fiːzəbl] *a* могущий быть отменённым, аннулированным.

defeat [dɪ'fiːt] **1.** *n* 1) поражение; to sustain (*или* to suffer) a ~ потерпеть поражение; 2) расстройство (*планов*); крушение (*надежд*); 3) *юр.* аннулирование; **2.** *v* 1) наносить поражение; 2) расстраивать (*планы*); разрушать (*надежды и т. п.*); проваливать (*законопроект*); 3) *юр.* отменять, аннулировать.

defeatism [dɪ'fiːtɪzəm] *n полит.* пораженчество.

defeatist [dɪ'fiːtɪst] *n полит.* пораженец.

defeature [dɪ'fiːtʃə] *v* делать неузнаваемым; искажать.

defecate ['defɪkeɪt] *v* 1) очищать(ся); отстаивать, осветлять (*жидкость*); 2) испражняться.

defecation [͵defɪ'keɪʃən] *n* 1) очищение; 2) испражнение.

defect [dɪ'fekt] *n* 1) недостаток, неисправность, дефект, недочёт; порок, изъян; 2) несовершенство; 3) повреждение.

defection [dɪ'fekʃən] *n* нарушение (*долга, верности*); отпадение; дезертирство; отступничество (from).

defective [dɪ'fektɪv] **1.** *a* 1) несовершенный; 2) недостаточный; неполный; 3) неисправный; повреждённый; дефектный; 4) плохой (*о памяти*); 5) дефективный, умственно отсталый; 6) *грам.* недостаточный (*глагол*);
2. *n* 1) дефективный субъект; 2) *грам.* недостаточный глагол.

defence [dɪ'fens] *n* 1) оборона; защита; D. of the Realm Act *ист.* английский закон об обороне государства (*1914 г.*); best

~ is offence нападéние—лýчший вид защи́ты; 2) *pl воен.* укрепле́ния, оборони́тельные сооруже́ния; 3) *юр.* защи́та (*на суде́*); оправда́ние, реабилита́ция; counsel for the ~ защи́тник обвиня́емого; 4) *спорт.* защи́та; отбива́ние мяча́ битой *и т. п.*; 5) запреще́ние (*ры́бной ло́вли*).

defenceless [dɪ'fenslɪs] *a* 1) беззащи́тный; 2) необороня́емый.

defencist [dɪ'fensɪst] *n полит.* оборо́нец.

defend [dɪ'fend] *v* 1) оборони́ть(ся), защища́ть(ся); 2) отста́ивать, подде́рживать (*мне́ние*); опра́вдывать (*ме́ры и т. п.*); 3) *юр.* защища́ть в суде́, выступа́ть защи́тником; to ~ the case защища́ться (*на суде́*).

defendant [dɪ'fendənt] *n юр.* отве́тчик; подсуди́мый, обвиня́емый.

defender [dɪ'fendə] *n* 1) защи́тник; ~s of peace сторо́нники ми́ра; 2) *спорт.* чемпио́н, защища́ющий своё зва́ние.

defense [dɪ'fens] *амер.* = defence.

defensible [dɪ'fensəbl] *a* 1) *воен.* удо́бный для оборо́ны; защити́мый; 2) опра́вдываемый.

defensive [dɪ'fensɪv] **1.** *n* 1) оборо́на; 2) оборони́тельная пози́ция; to act (*или* to be, to stand) on the ~ обороня́ться, защища́ться; **2.** *a* оборони́тельный; оборо́нный.

defer I [dɪ'fə:] *v* 1) откла́дывать, отсро́чивать; 2) ме́длить; ме́шкать; тяну́ть; 3) предоставля́ть отсро́чку от призы́ва.

defer II [dɪ'fə:] *v* счита́ться с чьим-л. мне́нием; уступа́ть, поступа́ть по сове́ту *или* жела́нию друго́го; to ~ to smb's experience полага́ться на чей-л. о́пыт.

deference ['defərəns] *n* уваже́ние, почти́тельное отноше́ние; to pay (*или* to show) ~ to smb. относи́ться почти́тельно к кому́-л.; in (*или* out of) ~ to smb., smth. из уваже́ния к кому́-л., чему́-л.; with all due ~ to smb., smth. при всём уваже́нии к кому́-л., чему́-л.

deferent ['defərənt] *a* 1) выводя́щий, выня́щий (*о прото́ках, арте́риях*); 2) отводя́щий (*о кана́лах*); 3) *редк.* почти́тельный.

deferential [,defə'renʃəl] *a* почти́тельный.

deferment [dɪ'fə:mənt] *n* отсро́чка, откла́дывание.

deferred I [dɪ'fə:d] **1.** *p. p.* от defer I; **2.** *a* 1) заме́дленный; 2) отсро́ченный; ~ annuity отсро́ченный платёж на ежего́дной ре́нте; ~ pass *амер.* усло́вный перево́д на сле́дующий курс с обяза́тельством сда́чи академи́ческой задо́лженности.

deferred II [dɪ'fə:d] *p.p.* от defer II.

defervescence [,di:fə'vesns] *n мед.* паде́ние температу́ры; сниже́ние температу́ры до норма́льной.

defeudalize [di:'fju:dəlaɪz] *v* разруша́ть феода́льный строй.

defiance [dɪ'faɪəns] *n* 1) вы́зов (*на бой, спор*); 2) откры́тое неповинове́ние; по́лное пренебреже́ние; to bid ~ to, to set at ~ пренебрега́ть, не счита́ться с; ни во что́ не ста́вить; ◇ in ~ of a) вопреки́; б) с я́вным пренебреже́нием к.

defiant [dɪ'faɪənt] *a* 1) вызыва́ющий; 2) откры́то неповину́ющийся.

deficiency [dɪ'fɪʃənsɪ] *n* 1) недоста́ток, отсу́тствие (*чего́-л.*), дефици́т; 2) *attr.*: ~ disease боле́знь, вы́званная недоста́тком витами́нов, авитамино́з.

deficient [dɪ'fɪʃənt] *a* 1) недоста́точный; недостаю́щий; непо́лный; 2) несоверше́нный; лишённый (*чего́-л.; in*); mentally ~ слабоу́мный.

deficit ['defɪsɪt] *n* дефици́т; недочёт; to meet a ~ покры́ть дефици́т.

defilade [,defɪ'leɪd] *воен.* **1.** *n* дефила́да, укры́тие; **2.** *v* укрыва́ть релье́фом (от наблюде́ния и огня́ прямо́й наво́дкой).

defile I [dɪ'faɪl] *v* 1) загрязня́ть, па́чкать; 2) оскверня́ть, профани́ровать; 3) развраща́ть.

defile II **1.** *n* ['di:faɪl] дефиле́, тесни́на; уще́лье; **2.** *v* [dɪ'faɪl] дефили́ровать, проходи́ть у́зкой коло́нной (*о войска́х*).

defilement [dɪ'faɪlmənt] *n* 1) загрязне́ние; 2) оскверне́ние, профана́ция; 3) развраще́ние.

definable [dɪ'faɪnəbl] *a* поддаю́щийся определе́нию, определи́мый.

define [dɪ'faɪn] *v* 1) определя́ть, дава́ть определе́ние; 2) дава́ть характери́стику; 3) устана́вливать значе́ние (*сло́ва и т. п.*); 4) оче́рчивать, обознача́ть (*грани́цы*).

definite ['defɪnɪt] *a* 1) определённый (*тж. грам.*); for a ~ period на неопределённый срок; ~ article *грам.* определённый арти́кль (*в англ. языке́* the); 2) то́чный, я́сный.

definition [,defɪ'nɪʃən] *n* 1) определе́ние; 2) я́сность, чёткость; 3) *ра́дио, телев.* ре́зкость, чёткость.

definitive [dɪ'fɪnɪtɪv] *a* 1) оконча́тельный; реши́тельный; безусло́вный; 2) *биол.* вполне́ ра́звитой.

deflagrate ['defləgreɪt] *v* бы́стро сжига́ть *или* сгора́ть.

deflagration [,deflə'greɪʃən] *n* 1) сгора́ние взры́вчатых веще́ств без взры́ва; 2) вспы́шка.

deflagrator ['defləgreɪtə] *n* аппара́т для сжига́ния (*напр., магния*).

deflate [dɪ'fleɪt] *v* 1) выка́чивать, выпуска́ть (*во́здух, газ*); 2) спада́ться, сплю́щиваться; 3) *фин.* сокраща́ть вы́пуск де́нежных зна́ков; 4) *амер.* снижа́ть це́ны; 5) опроверга́ть (*до́вод и т. п.*).

deflation [dɪ'fleɪʃən] *n* 1) выка́чивание, выпуска́ние (*во́здуха, га́за*); 2) *фин.* дефля́ция.

deflect [dɪ'flekt] *v* 1) отклоня́ть(ся) от прямо́го направле́ния; 2) преломля́ть(ся).

deflection [dɪ'flekʃən] *n* 1) отклоне́ние от прямо́го направле́ния; 2) склоне́ние магни́тной стре́лки; отклоне́ние стре́лки (*прибо́ров*); 3) *воен.* у́гол горизонта́льной наво́дки, «угломе́р» основно́го ору́дия; попра́вка; упрежде́ние; 4) *тех.* проги́б, прове́с; 5) *опт. редк.* преломле́ние.

deflective [dɪ'flektɪv] *a* вызыва́ющий отклоне́ние.

deflector [dɪ'flektə] *n* 1) *тех.* дефле́ктор, отража́тель; 2) *ав.* пло́скость управле́ния;

3) *воен.* коробка гильзоуловителя (*пулемёта*).

deflexion [dɪ'flekʃən]= deflection.

deflorate [dɪ'flɔːreit] *а бот.* отцветший.

defloration [ˌdiːflɔː'reiʃən] *n* лишение девственности.

deflower [diː'flauə] *v* 1) лишить невинности; изнасиловать; 2) обрывать цветы; 3) портить.

deflux [dɪ'flʌks] *n* отлив.

defoliate [dɪ'foulieit] **1.** *а* лишённый листьев;
2. *v* лишать листвы.

defoliation [dɪˌfouli'eiʃən] *n* опадение листьев; листопад.

deforest [dɪ'fɔrist] *v* вырубить леса; обезлесить (*местность*).

deform [dɪ'fɔːm] *v* 1) уродовать; 2) искажать (*мысль*); 3) *тех.* деформировать.

deformation [ˌdiːfɔː'meiʃən] *n* 1) уродование; 2) искажение; 3) *тех.* деформация.

deformity [dɪ'fɔːmiti] *n* 1) уродливость; уродство (*физическое или нравственное*); 2) урод; 3) изуродованная вещь.

defraud [dɪ'frɔːd] *v* 1) обманывать; 2) обманом лишать (*чего-л.*); выманивать; to ~ smb. of his rights неправильно лишать кого-л. прав.

defray [dɪ'frei] *v* оплачивать; to ~ the expenses (of) брать на себя расходы (по).

defrayal [dɪ'freiəl] *n* оплата (*издержек*).

defrayment [dɪ'freimənt]= defrayal.

defrock ['diː'frɔk] *v* расстричь (*монаха*); лишить духовного сана.

deft [deft] *а* ловкий, искусный.

defunct [dɪ'fʌŋkt] **1.** *а* 1) умерший; 2) более не существующий, не употребляемый;
2. *n* (the ~) покойный, покойник.

defy [dɪ'fai] *v* 1) вызывать, бросать вызов; I ~ you to do it ну-ка, сделайте это!; 2) оказывать открытое неповиновение; игнорировать, пренебрегать; to ~ the law игнорировать закон; to ~ public opinion пренебрегать общественным мнением; 3) не поддаваться, представлять непреодолимые трудности; it defies description это не поддаётся описанию; the problem defies solution это неразрешимая проблема; 4) *уст.* вызывать (*на бой, борьбу*).

degas [diː'gæs] *v* дегазировать.

degeneracy [dɪ'dʒenərəsi] *n* 1) вырождение, дегенеративность; 2) упадок.

degenerate 1. *n* [dɪ'dʒenərit] дегенерат, выродок;
2. *а* [dɪ'dʒenərit] вырождающийся;
3. *v* [dɪ'dʒenəreit] вырождаться; ухудшаться.

degeneration [dɪˌdʒenə'reiʃən] *n* 1) вырождение; дегенерация; 2) *мед.* перерождение.

degenerative [dɪ'dʒenərətiv] *а* вырождающийся; дегенеративный.

de-gliding ['diː'glaidəriŋ] *n воен.* высадка из планёров.

deglutition [ˌdiːgluː'tiʃən] *n редк.* глотание.

degradation [ˌdegrə'deiʃən] *n* 1) понижение; разжалование; 2) упадок; деграда-

ция; 3) уменьшение масштаба; 4) *биол.* деградация, вырождение; 5) *жив.* деградация тонов; 6) *геол.* размытие, подмыв; понижение земной поверхности; 7) *хим.* деградация.

degrade [dɪ'greid] *v* 1) понижать (*в чине, звании и т. п.*); разжаловать; низводить на низшую ступень; 2) приходить в упадок; деградировать; 3) унижать; 4) снижать, убавлять, уменьшать (*силу, ценность и т. п.*); 5) *жив.* деградировать тона; 6) *геол.* размывать; разрушать.

degraded [dɪ'greidid] **1.** *р. р. от* degrade;
2. *а* 1) униженный; 2) разжалованный; пониженный в чине, звании; 3) *биол.* вырождающийся; 4) *жив.* деградированный (*о тоне*); 5) *геол.* размытый; понизившийся.

degree [dɪ'griː] *n* 1) степень; ступень; by ~s постепенно; not in the least (*или* slightest) ~ ничуть, нисколько; ни в какой степени; in some ~ в некоторой степени; to a ~ *разг.* очень, значительно; to a certain ~ до известной степени; to the last ~ до последней степени; to a lesser ~ в меньшей степени; to what ~? в какой степени?, до какой степени?; a ~ better (warmer *etc.*) чуть лучше (теплее *и т. п.*); 2) уровень; 3) степень родства, колено; prohibited ~s *юр.* степени родства, при которых запрещается брак; 4) положение, ранг; 5) звание, учёная степень; to take one's ~ получить степень; honorary ~ почётное звание; 6) градус; we had ten ~s of frost last night вчера вечером было десять градусов мороза; an angle of ninety ~s угол в 90°; 7) качество, достоинство, сорт; 8) *грам.* степень; ~s of comparison степени сравнения; 9) *мат.* степень; ◇ third ~ *амер.* допрос с применением пыток.

degression [dɪ'greʃən] *n* 1) уменьшение; 2) снижение налогов.

degressive [dɪ'gresiv] *а* нисходящий; пропорционально уменьшающийся (*о налоге*).

degust [dɪ'gʌst] *v редк.* пробовать на вкус.

dehisce [dɪ'his] *v* раскрываться, растрескиваться (*о семенных коробочках*).

dehiscent [dɪ'hisnt] *а* раскрывающийся, растрескивающийся (*о семенных коробочках*).

dehorn [diː'hɔːn] *v* лишать рогов (*скот*).

dehort [dɪ'hɔːt] *v уст.* отговаривать; разубеждать.

dehortation [ˌdiːhɔː'teiʃən] *n уст.* отговаривание.

dehumanize [diː'hjuːmənaiz] *v* делать грубым, варварским.

dehydration [ˌdiːhai'dreiʃən] *n хим.* обезвоживание.

dehydrogenize ['diː'haidrədʒənaiz] *v хим.* удалять водород.

dehypnotize ['diː'hipnətaiz] *v* выводить из гипнотического состояния.

de-ice ['diː'ais] *v ав.* предотвращать обледенение.

de-icer ['diː'aisə] *n ав.* антиобледенитель.

deictic ['daiktik] *а* непосредственно доказывающий.

deification [ˌdiːɪfɪˈkeɪʃən] n 1) обоготворе́ние; 2) обожествле́ние.

deify [ˈdiːɪfaɪ] v 1) обожествля́ть; 2) обоготворя́ть; боготвори́ть.

deign [deɪn] v соизво́лить; снизойти́; соблаговоли́ть; удосто́ить; he did not ~ to speak он не соизво́лил заговори́ть; he did not ~ an answer он не удосто́ил нас отве́том.

deism [ˈdiːɪzəm] n деи́зм.

deist [ˈdiːɪst] n деи́ст.

deity [ˈdiːɪtɪ] n 1) божество́; 2) боже́ственность.

deject [dɪˈdʒekt] v удруча́ть, угнета́ть.

dejecta [dɪˈdʒektə] n pl испражне́ния.

dejectile [dɪˈdʒektɪl] n снаря́д, сбра́сываемый све́рху.

dejection [dɪˈdʒekʃən] n 1) пода́вленное настрое́ние, уны́ние; 2) мед. дефека́ция; 3) геол. ла́ва, пе́пел, выбра́сываемые вулка́ном.

déjeuner [ˈdeɪʒəneɪ] фр. n пара́дный за́втрак.

de jure [diːˈdʒuərɪ] лат. adv юриди́чески, де-ю́ре (противоп. de facto).

delaine [dəˈleɪn] n лёгкая ткань.

delate [dɪˈleɪt] v 1) доноси́ть; 2) амер. оглаша́ть, распространя́ть.

delation [dɪˈleɪʃən] n доно́с.

delator [dɪˈleɪtə] n доно́счик.

delay [dɪˈleɪ] 1. n 1) отлага́тельство, отсро́чка; 2) заде́ржка, препя́тствие; 3) замедле́ние, промедле́ние; проволо́чка; without ~ безотлага́тельно; 4) attr. заме́дленный; ~ action заме́дленное де́йствие; отсро́ченное де́йствие; ~ action mine ми́на заме́дленного де́йствия;
2. v 1) откла́дывать; отсро́чивать; 2) заде́рживать; препя́тствовать; 3) ме́длить; ме́шкать; опа́здывать; 4) тех. отжига́ть, отпуска́ть (сталь).

delayed drop [dɪˈleɪdˌdrɒp] n затяжно́й парашю́тный прыжо́к.

dele [ˈdiːliː] лат. 1. n значо́к в корректу́ре, тре́бующий вы́броски;
2. v вычёркивать знак или гру́ппу зна́ков (в корректу́ре).

delectable [dɪˈlektəbl] a уст., ирон. услади́тельный, преле́стный.

delectation [ˌdiːlekˈteɪʃən] n наслажде́ние, удово́льствие.

delectus [dɪˈlektəs] лат. n школ. лати́нская или гре́ческая хрестома́тия.

delegacy [ˈdelɪgəsɪ] n 1) делега́ция; 2) делеги́рование; 3) полномо́чия делега́та.

delegate 1. n [ˈdelɪgɪt] 1) делега́т; представи́тель; 2) амер. депута́т террито́рии [см. territory 2] в конгре́ссе;
2. v [ˈdelɪgeɪt] 1) делеги́ровать; уполномо́чивать; передава́ть полномо́чия; 2) поруча́ть.

delegated legislation [ˈdelɪgeɪtɪdˌledʒɪsˈleɪʃən] n пра́во мини́стров издава́ть прика́зы, име́ющие си́лу зако́нов.

delegation [ˌdelɪˈgeɪʃən] n 1) делега́ция, депута́ция; 2) посы́лка делега́ции.

delete [dɪˈliːt] v 1) вычёркивать, стира́ть; 2) изгла́живать (из па́мяти), уничтожа́ть, не оставля́ть следо́в.

deleterious [ˌdelɪˈtɪərɪəs] a редк. вре́дный.

deletion [dɪˈliːʃən] n 1) вычёркивание, стира́ние; 2) уничтоже́ние.

delf(t) [delf(t)] n (де́льфтский) фая́нс.

deliberate 1. a [dɪˈlɪbərɪt] 1) преднаме́ренный, умы́шленный, наро́читый; ~ lie на́глая ложь; 2) обду́манный; 3) осторо́жный, осмотри́тельный; 4) неторопли́вый (о движе́ниях, ре́чи и т. п.);
2. v [dɪˈlɪbəreɪt] 1) обду́мывать, взве́шивать; 2) совеща́ться; обсужда́ть; to ~ on (или upon, over, about) a matter обсужда́ть вопро́с.

deliberately [dɪˈlɪbərɪtlɪ] adv 1) умы́шленно, наро́чно; 2) обду́манно; 3) осторо́жно, осмотри́тельно; 4) ме́дленно, не спеша́.

deliberation [dɪˌlɪbəˈreɪʃən] n 1) обду́мывание, взве́шивание; after long ~ по зре́лом размышле́нии; 2) (часто pl) обсужде́ние, совеща́ние; 3) осмотри́тельность, осторо́жность; 4) медли́тельность, неторопли́вость; he spoke with ~ он говори́л ме́дленно, тща́тельно подбира́я слова́.

deliberative [dɪˈlɪbərətɪv] a совеща́тельный; ~ body совеща́тельный о́рган.

delicacy [ˈdelɪkəsɪ] n 1) делика́тность, щепети́льность; 2) утончённость, то́нкость; 3) не́жность (красок, оттенков; кожи); 4) щекотли́вость (положения); a position of extreme ~ о́чень щекотли́вое положе́ние; 5) хру́пкость, боле́зненность; 6) чувстви́тельность (приборов); 7) делика́тес, ла́комство; the delicacies of the season ра́нние фру́кты, о́вощи и т. п.

delicate [ˈdelɪkɪt] a 1) делика́тный, щепети́льный; 2) иску́сный (о работе); изя́щный, то́нкий; 3) не́жный; блёклый (о красках и т. п.); 4) то́нкий, о́стрый (о слухе); 5) щекотли́вый, затрудни́тельный (о положении); 6) хру́пкий, боле́зненный; сла́бый (о здоровье); 7) чувстви́тельный (о приборе).

delicatessen [ˌdelɪkəˈtesn] n pl 1) деликате́сы; кулина́рия; 2) заку́сочная; гастрономи́ческий магази́н.

delicious [ˌdɪˈlɪʃəs] a 1) восхити́тельный, преле́стный; 2) о́чень вку́сный, прия́тный.

delict [ˈdiːlɪkt] n юр. наруше́ние зако́на, правонаруше́ние; in flagrant ~ на ме́сте преступле́ния.

delight [dɪˈlaɪt] 1. n 1) удово́льствие, наслажде́ние; to take (a) ~ in smth. находи́ть удово́льствие в чём-л., наслажда́ться чем-л.; 2) восхище́ние, восто́рг;
2. v 1) восхища́ть(ся); доставля́ть наслажде́ние; 3) наслажда́ться; to ~ in music наслажда́ться му́зыкой; (I am) ~ed (to meet you) о́чень рад (познако́миться с ва́ми).

delightful [dɪˈlaɪtful] a восхити́тельный, очарова́тельный.

delightsome [dɪˈlaɪtsəm] a уст., поэт. восхити́тельный.

Delilah [dɪˈlaɪlə] n библ. Дали́ла.

delimit [diːˈlɪmɪt] v определя́ть грани́цы, разграни́чивать; размежёвывать.

delimitate [dɪˈlɪmɪteɪt] = delimit.

delimitation [dɪˌlɪmɪˈteɪʃən] n разграниче́ние; размежева́ние.

delineate [dɪˈlɪnɪeɪt] v 1) оче́рчивать, обрисо́вывать; устана́вливать очерта́ния или разме́ры; 2) изобража́ть; опи́сывать.

delineation [dɪ͵lɪnɪ'eɪʃ ən] n 1) очерчивание; 2) чертёж, план; очертание, абрис; 3) изображение; описание; очерк.

delineator [dɪ'lɪnɪeɪtə] n 1) тот, кто устанавливает размеры, очертания и пр. [см. delineate]; 2) выкройка, пригодная для разных размеров одежды.

delinquency [dɪ'lɪŋkwənsɪ] n 1) проступок; упущение; провинность; 2) правонарушение; 3) attr.: ~ list воен. сведения о провинившихся.

delinquent [dɪ'lɪŋkwənt] 1. n правонарушитель, преступник;
2. a 1) виновный; 2) амер. неуплаченный (о налоге и т. п.).

deliquesce [͵delɪ'kwes] v хим. переходить в жидкое состояние; растворяться.

deliquescence [͵delɪ'kwesns] n хим. свойство вещества растворяться, притягивая влагу из воздуха; растворимость.

deliquescent [͵delɪ'kwesnt] a растворяющийся (в поглощённой из воздуха влаге).

deliration [͵delɪ'reɪʃən] n 1) помрачение ума; бред; 2) безрассудный поступок.

delirious [dɪ'lɪrɪəs] a 1) (находящийся) в бреду; 2) (находящийся) в состоянии исступления; with delight вне себя от радости; 3) бредовой; бессвязный (о речи).

delirium [dɪ'lɪrɪəm] n 1) бред, бредовое состояние; 2) исступление.

delirium tremens [dɪ'lɪrɪəm'triːmenz] n белая горячка.

delitescence [͵delɪ'tesns] n мед. скрытое состояние; инкубационный период.

delitescent [͵delɪ'tesnt] a мед. скрытый, латентный (о симптомах болезни).

deliver [dɪ'lɪvə] v 1) доставлять, разносить (письма, товары); 2) передавать; официально вручать; to ~ an order отдавать приказ; to ~ a message вручать донесение (или распоряжение); 3) представлять (отчёт и т. п.); 4) освобождать, избавлять (from); 5) сдавать (город, крепость; тж. ~ up); уступать; to ~ oneself up отдаться в руки (властей и т. п.); 6) произносить; to ~ a lecture читать лекцию; to ~ oneself of a speech (of an opinion) произнести речь (торжественно высказать мнение); 7) (обыкн. pass.) мед. принимать (младенца); to be ~ed (of) разрешиться (от бремени; тж. перен. чем-л.); 8) снабжать, питать; 9) поставлять; 10) вырабатывать, производить; выпускать (с завода); 11) нагнетать (о насосе); 12) воен. наносить (удар, поражение и т. п.); to ~ an attack произвести атаку; to ~ a battle дать бой; to ~ fire вести огонь; to ~ the bombs сбросить бомбы; □ ~ over передавать; ~ up сдавать (крепость и т. п.); ◇ to ~ the goods выполнить взятые на себя обязательства.

deliverance [dɪ'lɪvərəns] n 1) освобождение, избавление; 2) официальное заявление; мнение, высказанное публично; 3) юр. вердикт.

delivery [dɪ'lɪvərɪ] n 1) поставка; доставка; разноска (писем, газет); the early (или the first) ~ первая разноска писем (утром); special ~ a) срочная доставка; б) спешная почта; ~ at door доставка заказов на дом; 2) передача, вручение; 3) юр. формальная передача (собственности); ввод во владение; 4) сдача; выдача; 5) произнесение (речи и т. п.); манера произнесения; a good ~ хорошая дикция; 6) роды; 7) питание, снабжение (током, водой); подача (угля); 8) тех. нагнетание; нагнетательный насос; 9) спорт. подача (особ. в крикете); 10) attr.: ~ desk стол выдачи книг на дом; абонемент (в библиотеке); 11) attr. тех. питающий, нагнетательный; ~ pipe подающая труба; напорная труба.

delivery note [dɪ'lɪvərɪ͵nout] n ком. накладная.

delivery van [dɪ'lɪvərɪ͵væn] n фургон для доставки покупок и заказов на дом.

dell [del] n лесистая долина, лощина.

delousing ['diːlausɪŋ] n дезинсекция.

Delphian ['delfɪən] a 1) дельфийский; ~ oracle дельфийский оракул; 2) непонятный, загадочный; двусмысленный.

Delphic ['delfɪk] = Delphian.

delphinium [del'fɪnɪəm] n бот. дельфиниум, живокость, шпорник.

delta ['deltə] n 1) дельта (греческая буква); 2) дельта (реки); the D. дельта Нила; 3) attr.: ~ connection эл. соединение треугольником.

deltaic [del'teɪk] a образующий дельту.

deltoid ['deltɔɪd] 1. a дельтовидный; треугольный;
2. n анат. дельтовидная мышца.

delude [dɪ'luːd] v вводить в заблуждение, обманывать; to ~ oneself заблуждаться; обманывать себя.

deluge ['deljuːdʒ] 1. n 1) потоп; the D. библ. всемирный потоп; 2) ливень (тж. ~s of rain); 3) поток (слов); град (вопросов); толпы (посетителей);
2. v затоплять, наводнять (тж. перен.); to ~ with invitations засыпать приглашениями.

delusion [dɪ'luːʒən] n 1) заблуждение, иллюзия; to be (или to labour) under a ~ заблуждаться, ошибаться; 2) обман; 3) мед. галлюцинация; мания; ~ of grandeur мания величия.

delusive, delusory [dɪ'luːsɪv, -sərɪ] a обманчивый, иллюзорный, нереальный.

de luxe [də'luks] фр. a роскошный; an edition ~, a ~ edition роскошное издание.

delve [delv] 1. n впадина; рытвина;
2. v уст., поэт. 1) копать, рыть; to dig and ~ копать; 2) делать изыскания; рыться (в документах); копаться (в книгах).

demagnetization ['diː͵mægnɪtaɪ'zeɪʃən] n размагничивание.

demagnetize ['diː'mægnɪtaɪz] v размагничивать.

demagog ['deməgɔg] = demagogue.

demagogic [͵demə'gɔgɪk] a демагогический.

demagogue ['deməgɔg] n демагог.

demagogy ['deməgɔgɪ] n демагогия.

demand [dɪ'mɑːnd] n 1) требование; запрос; потребность; I have many ~s on my purse у меня много расходов; I have many

~s on my time у меня́ о́чень мно́го дел; payable on ~ подлежа́щий опла́те по предъявле́нии; 2) эк. спрос; a ~ for labour спрос на рабо́чую си́лу; to be in great ~ быть в большо́м спро́се; supply and ~ спрос и предложе́ние; 3) attr.: ~ bill счёт, опла́чиваемый по предъявле́нии; ве́ксель, сро́чный по предъявле́нии; ~ deposit бессро́чный вклад; ~ loan заём или ссу́да до востре́бования; ~ factor коэффицие́нт спро́са.
2. v 1) тре́бовать (of, from—с кого́-л., от кого́-л.); предъявля́ть тре́бование; 2) нужда́ться; this problem ~s attention э́тот вопро́с тре́бует внима́ния; 3) спра́шивать, задава́ть вопро́с; he ~ed my business он спроси́л, что мне ну́жно.

demandant [dɪ'mɑ:ndənt] n юр. исте́ц.
demarcate ['di:mɑ:keɪt] v 1) разграни́чивать; 2) проводи́ть демаркацио́нную ли́нию.
demarcation [,di:mɑ:'keɪʃən] n 1) разграниче́ние; 2) демарка́ция; line of ~ демаркацио́нная ли́ния.
démarche ['deɪmɑ:ʃ] фр. n дип. дема́рш.
demean I [dɪ'mi:n] v refl. уст. вести́ себя́.
demean II [dɪ'mi:n] v унижа́ть; to ~ oneself роня́ть своё досто́инство; поступа́ть ни́зко.
demeanour [dɪ'mi:nə] n поведе́ние, мане́ра вести́ себя́.
dement [dɪ'ment] v уст. своди́ть с ума́.
demented [dɪ'mentɪd] 1. p. p. от dement; 2. a сумасше́дший; to be ~, to become ~ сходи́ть с ума́; it will drive me ~ разг. э́то меня́ с ума́ сведёт.
démenti [,deɪ,mɑ:ŋ'ti:] фр. n официа́льное опроверже́ние (слухов, и т. п.).
dementia [dɪ'menʃɪə] n мед. слабоу́мие.
demerit [di:'merɪt] n 1) недоста́ток, дефе́кт; дурна́я черта́; 2) школ. плоха́я отме́тка (особ. за поведение; тж. ~ mark).
demeritorious [dɪ,merɪ'tɔ:rɪəs] a редк. заслу́живающий порица́ния.
demesne [dɪ'meɪn] n 1) владе́ние (недви́жимостью); to hold in ~ владе́ть; 2) уст. поме́стье, не сдава́емое владе́льцем в аре́нду; Royal ~, State ~ госуда́рственные зе́мли; 3) владе́ния (зе́мли); 4) сфе́ра, по́ле де́ятельности.
demi- ['demɪ-] pref 1) обознача́ет полови́нную часть чего́-л. полу-, наполови́ну, части́чно; 2) ука́зывает на недоста́точно хоро́шее ка́чество, небольшо́й разме́р и т. п.: ~-tasse ма́ленькая ча́шечка (для чёрного кофе).
demigod ['demɪgɔd] n полубо́г.
demijohn ['demɪdʒɔn] n больша́я оплетённая буты́ль.
demilitarize ['di:'mɪlɪtəraɪz] v демилитаризи́ровать.
demilune ['demɪljuːn] n 1) полуме́сяц; 2) воен. равели́н, люне́т.
demi-monde ['demɪmɔ:nd] фр. n полусве́т.
demi-rep ['demɪ,rep] n же́нщина сомни́тельного поведе́ния.
demisable [dɪ'maɪzəbl] a могу́щий быть о́тданным в аре́нду, переда́нным по насле́дству (об имуществе).
demise [dɪ'maɪz] 1. n 1) переда́ча иму́-

щества по насле́дству; 2) сда́ча иму́щества в аре́нду; 3) отрече́ние от престо́ла; перехо́д коро́ны или прав насле́днику; 4) смерть, кончи́на;
2. v 1) сдава́ть в аре́нду; 2) оставля́ть по духо́вному завеща́нию (имущество); передава́ть по насле́дству; 3) отрека́ться (of — от престола).

demission [dɪ'mɪʃən] n сложе́ние зва́ния; отста́вка; отрече́ние.
demit [dɪ'mɪt] v редк. уходи́ть в отста́вку; отка́зываться от до́лжности.
demi-tasse ['demɪ,tæs] фр. n ма́ленькая ча́шечка (для чёрного кофе).
demiurge ['di:mɪədʒ] n 1) творе́ц, созда́тель ми́ра (в платоновской философии); 2) ист. демиу́рг (должностное лицо в Греции).
demob ['di:'mɔb] v сокр. разг. от demobilize.
demobee [,dɪmə'bi:] n разг. демобилизо́ванный.
demobilization ['di:,moubɪlaɪ'zeɪʃən] n демобилиза́ция.
demobilize [di:'moubɪlaɪz] v демобилизова́ть.
democracy [dɪ'mɔkrəsɪ] n 1) демокра́тия; 2) демократи́ческая страна́; People's Democracies стра́ны наро́дной демокра́тии; 3) демократи́зм; 4) (D.) амер. демократи́ческая па́ртия.
democrat ['deməkræt] n 1) демокра́т; 2) (D.) амер. член демократи́ческой па́ртии; 3) амер. лёгкий откры́тый экипа́ж (тж. ~ wagon).
democratian [,demə'kreɪʃən] = democratic.
democratic [,demə'krætɪk] a демократи́ческий; демократи́чный.
democratize [dɪ'mɔkrətaɪz] v демократизи́ровать.
démodé [,deɪmɔ:'deɪ] фр. a вы́шедший из мо́ды, устаре́вший.
demoded [di:'moudɪd] пренебр. см. démodé.
demography [di:'mɔgrəfɪ] n демогра́фия (отдел статистики, изучающий состав и движение населения).
demoiselle [,demwɑ:'zel] фр. n 1) уст. де́вушка; 2) жура́вль-краса́вка; 3) хвосто́вка (стрекоза).
demolish [dɪ'mɔlɪʃ] v 1) разруша́ть; сноси́ть (здание); 2) разбива́ть, опроверга́ть (теорию, довод); 3) разг. съеда́ть.
demolition [,demə'lɪʃən] n 1) разруше́ние; снос, разбо́рка; 2) перен. ло́мка, уничтоже́ние; 3) attr.: ~ bomb фуга́сная бо́мба; ~ work подрывны́е рабо́ты.
demon ['di:mən] n 1) дья́вол, де́мон, злой дух-искуси́тель; a regular ~ разг. су́щий дья́вол; 2) до́брый ге́ний; 3) энерги́чный челове́к; he is a ~ for work разг. он рабо́тает как чёрт; 4) чертёнок (о ребёнке).
demonetize [di:'mʌnɪtaɪz] v 1) лиша́ть станда́ртной сто́имости (монету); 2) изыма́ть из обраще́ния (монету).
demoniac, demoniacal [dɪ'mouniæk, ,di:mə'naɪəkəl] a 1) бесова́тый, одержи́мый; 2) дья́вольский, чудо́вищно злбный.
demonic [di:'mɔnɪk] a 1) демони́ческий, дья́вольский; 2) одарённый, одухотворённый.

demonstrable ['demənstrəbl] *a* 1) доказуемый; 2) *уст.* очевидный, наглядный.

demonstrate ['demənstreıt] *v* 1) демонстрировать; наглядно показывать; 2) доказывать; служить доказательством; 3) проявлять (*чувства и т. п.*); 4) участвовать в демонстрации; 5) *воен.* производить демонстрацию.

demonstration [,deməns'treıʃən] *n* 1) демонстрирование наглядными примерами; 2) доказательство; 3) проявление (*симпатии и т. п.*); 4) демонстрация; 5) *воен.* демонстрация сил; показное учение.

demonstrationist [,deməns'treıʃənıst]= demonstrator 1).

demonstrative [dı'mɔnstrətıv] 1. *a* 1) наглядный, доказательный, убедительный; 2) экспансивный, несдержанный; 3) демонстративный; 4) *грам.* указательный;
2. *n* указательное местоимение.

demonstrator ['demənstreıtə] *n* 1) демонстрант; участник демонстрации; 2) демонстратор, ассистент профессора.

demoralization [dı,mɔrəlaı'zeıʃən] *n* деморализация.

demoralize [dı'mɔrəlaız] *v* 1) деморализовать; 2) подрывать дисциплину, вносить дезорганизацию.

Demos ['diːmɔs] *греч. n* демос, народ.

Demosthenic [,deməs'θenık] *a* демосфеновский, красноречивый.

demote [dı'mout] *v разг.* 1) понижать в должности; 2) *школ.* переводить в младший класс.

demotic [dı'mɔtık] *a* 1) народный; простонародный; 2) демотический (*о египетском письме*).

demount [diː'maunt] *v* разбирать, демонтировать.

demountable [diː'mauntəbl] *a* разборный, съёмный.

demulcent [dı'mʌlsənt] *мед.* 1. *n* мягчительное, успокоительное средство;
2. *a* мягчительный, успокоительный.

demur [dı'məː] 1. *n* 1) колебание; 2) возражение; without ~, по ~ без возражений;
2. *v* 1) сомневаться, колебаться; 2) представлять возражения; to ~ to a proposal возражать против предложения; he ~red at working so late он возражал против того, чтобы работать так поздно.]=to put in a demurrer [*см.* demurrer I, 1)].

demure [dı'mjuə] *a* 1) скромный, сдержанный; серьёзный; 2) притворно застенчивый.

demurrage [dı'mʌrıdʒ] *n ком.* 1) простой; плата за простой (*судна, вагона*); 2) плата за хранение грузов сверх срока.

demurrer I [dı'mʌrə] *n юр.* 1) требование одной из сторон о прекращении *или* приостановке дела, ввиду того что заявления противной стороны не относятся к делу *или* неподсудны данному суду; to put in a ~, to enter a ~ внести такое требование [*см. выше*]; 2) возражение.

demurrer II [dı'məːrə] *n* тот, кто колеблется, сомневается *и пр.* [*см.* demur 2].

demy [dı'maı] *n* 1) формат бумаги; 2) стипендиат колледжа Магдалины в Оксфорде.

den [den] 1. *n* 1) логовище, берлога; пещера; 2) клетка для диких зверей в зоологическом саду; 3) *разг.* небольшой обособленный рабочий кабинет; 4) каморка; 5) притон;
2. *v* жить в пещере, клетке *и т. п.*; забираться в берлогу.

denarius [dı'nɛərıəs] *n* денарий (*древнеримская серебряная монета; сокр.* d. *означает* пенни).

denary ['diːnərı] *a* десятеричный.

denationalize [diː'næʃnəlaız] *v* 1) лишать национальных прав *или* черт; 2) передавать государственные предприятия в частные руки, денационализировать.

denaturalize [diː'nætʃrəlaız] *v* 1) лишать природных свойств; 2) денатурализовать, лишать подданства, прав гражданства.

denature [diː'neıtʃə] *v* 1) изменять естественные свойства; 2) денатурировать (*спирт*).

denatured alcohol [diː'neıtʃəd'ælkəhɔl] *n* денатурат.

denazification [diː,nɑːtsıfı'keıʃən] *n* денацификация.

denazify [diː'nɑːtsıfaı] *v* денацифицировать.

dendriform ['dendrıfɔːm] *a* древовидный.

dendritic [den'drıtık] *a* древовидный, дендритический, дендритовый; ветвящийся.

dendroid(al) [den'drɔıd(əl)]=dendritic.

dendrology [den'drɔlədʒı] *n* дендрология.

dene I [diːn] *n* долина.

dene II [diːn] *n* прибрежные пески, дюны.

dene-hole ['diːnhoul] *n археол.* искусственная пещера (*в меловых холмах*).

dengue ['deŋgı] *n* лихорадка денге.

denial [dı'naıəl] *n* 1) отрицание; 2) опровержение; flat ~ категорическое опровержение; 3) отказ; to take no ~ не принимать отказа; 4) отречение.

denigrate ['denıgreıt] *v* чернить, клеветать, порочить.

denigration [,denı'greıʃən] *n* клевета, диффамация.

denim ['denım] *n* грубая бумажная ткань.

denitrify [diː'naıtrıfaı] *v хим.* удалять азот из соединений; денитрифицировать.

denizen ['denızn] 1. *n* 1) житель, обитатель; 2) натурализовавшийся иностранец; 3) акклиматизировавшееся животное *или* растение; 4) заимствованное слово, вошедшее в употребление;
2. *v* 1) принимать в число граждан; натурализовать; 2) акклиматизировать (*животное, растение*); 3) вводить иностранное слово в употребление; 4) заселять.

denominate [dı'nɔmıneıt] *v* называть, давать наименование.

denomination [dı,nɔmı'neıʃən] *n* 1) название; 2) наименование; to reduce feet and inches to the same ~ выразить футы и дюймы в одном наименовании; 3) достоинство; coins of small ~s монеты малого достоинства; 4) вероисповедание; секта.

denominational [dı,nɔmı'neıʃənl] *a* 1) относящийся к названию; 2) относящийся к какому-л. вероисповеданию; сектантский.

denominative [dɪ'nɔmɪnətɪv] **1.** *a* 1) нарица́тельный; 2) *грам.* образо́ванный от существи́тельного *или* прилага́тельного; **2.** *n грам.* произво́дное от существи́тельного *или* прилага́тельного.

denominator [dɪ'nɔmɪneɪtə] *n мат.* знамена́тель; дели́тель; to reduce to a common ~ приводи́ть к о́бщему знамена́телю.

denotation [‚diːnou'teɪʃən] *n* 1) обозначе́ние; 2) знак; 3) (то́чное) значе́ние; 4) указа́ние.

denotative [dɪ'noutətɪv] *a* 1) означа́ющий; 2) ука́зывающий (of—на).

denote [dɪ'nout] *v* 1) означа́ть, обознача́ть, зна́чить; 2) ука́зывать на *(что-л.)*, пока́зывать.

denotement [dɪ'noutmənt] *n* 1) обозначе́ние; 2) знак; 3) указа́ние.

dénouement [deɪ'nuːmɑ̃ːŋ] *фр. n* 1) развя́зка *(в рома́не, дра́ме)*; 2) заключи́тельный эпизо́д, исхо́д.

denounce [dɪ'nauns] *v* 1) обвиня́ть, осужда́ть; поноси́ть; 2) доноси́ть; 3) угрожа́ть; 4) денонси́ровать *(догово́р)*; to ~ a truce *воен.* заяви́ть о досро́чном прекраще́нии переми́рия; 5) *уст.* предрека́ть, предска́зывать *(плохое)*.

denouncement [dɪ'naunsmənt] = denunciation.

dense [dens] *a* 1) пло́тный; компа́ктный; ~ texture пло́тная ткань; ~ ignorance глубо́кое неве́жество; 2) ча́стый; густо́й; ~ forest густо́й лес; 3) тупо́й, глу́пый; 4) *фото* светонепроница́емый, тёмный.

densely ['denslɪ] *adv* гу́сто, пло́тно; a ~ populated area гу́сто населённая ме́стность.

densimeter [den'sɪmɪtə] *n* денсиме́тр, пикно́метр, арио́метр *(приборы для определения плотности или удельного веса)*.

density ['densɪtɪ] *n* 1) густота́, пло́тность; 2) глу́пость, ту́пость; 3) *физ.* уде́льный вес; пло́тность.

dent I [dent] **1.** *n* вы́боина, впа́дина, во́гнутое *или* вда́вленное ме́сто; **2.** *v* вда́вливать, оставля́ть след, вы́боину.

dent II [dent] **1.** *n тех.* зуб, зубе́ц; насе́чка, зару́бка; наре́зка; **2.** *v* нареза́ть, насека́ть.

dental ['dentl] **1.** *a* 1) зубно́й; 2) зубовра́чебный; 3) сия́ющий ослепи́тельной улы́бкой; **2.** *n фон.* зубно́й звук.

dentate ['denteɪt] *a бот.* зубча́тый.

dentation [den'teɪʃən] *n бот.* зубча́тость.

denticle ['dentɪkl] *n* 1) зу́бчик; 2) *архит.* денти́кула.

denticular [den'tɪkjulə] = denticulate.

denticulate, denticulated [den'tɪkjuleɪt, -ɪd] *a* 1) зазу́бренный; 2) *архит.* снабжённый денти́кулами.

dentiform ['dentɪfɔːm] *a* име́ющий фо́рму зу́ба.

dentifrice ['dentɪfrɪs] *n* зубно́й порошо́к *или* зубна́я па́ста.

dentil ['dentɪl] = denticle 2).

dentilingual [‚dentɪ'lɪŋgwəl] *a фон.* межзу́бный.

dentine ['dentiːn] *n анат.* денти́н.

dentist ['dentɪst] *n* зубно́й врач, данти́ст.

dentistry ['dentɪstrɪ] *n* лече́ние зубо́в.

dentition [den'tɪʃən] *n* 1) проре́зывание зубо́в; 2) расположе́ние зубо́в.

denture ['dentʃə] *n* ряд зубо́в *(особ. искусственных)*; зубно́й проте́з.

denudation [‚diːnjuː'deɪʃən] *n* 1) оголе́ние, обнаже́ние; 2) *геол.* денуда́ция, эро́зия.

denudative [dɪ'njuːdətɪv] *a* обнажа́ющий, оголя́ющий.

denude [dɪ'njuːd] *v* 1) обнажа́ть, оголя́ть; 2) лиша́ть *(чего-л.)*; обира́ть; to ~ of hope лиша́ть наде́жды; to ~ of money отобра́ть де́ньги; 3) *геол.* обнажа́ть смы́вом.

denunciation [dɪ‚nʌnsɪ'eɪʃən] *n* 1) откры́тое обличе́ние, обвине́ние; осужде́ние; 2) угро́за; 3) денонси́рование *(договора)*.

denunciative [dɪ'nʌnsɪətɪv] *a* 1) обвини́тельный; 2) угрожа́ющий.

denunciator [dɪ'nʌnsɪeɪtə] *n* 1) обвини́тель; 2) доно́счик.

denunciatory [dɪ'nʌnsɪətərɪ] = denunciative.

deny [dɪ'naɪ] *v* 1) отрица́ть; to ~ the charge отверга́ть обвине́ние; 2) отка́зывать(ся); to ~ a request отказа́ть в про́сьбе; to ~ oneself every luxury не позволя́ть себе́ никако́й ро́скоши; 3) не допуска́ть, отка́зывать в приёме *(гостей)*; she denied herself to visitors она́ не приняла́ госте́й; he was denied admission его́ не впусти́ли; 4) отрека́ться; 2) отпира́ться; to ~ one's signature отка́зываться от свое́й по́дписи; to ~ one's words отка́зываться от свои́х слов; ◇ to ~ possession *воен.* не дать завладе́ть, помеша́ть захва́ту.

deodar ['dɪoudɑː] *n англо-инд.* гимала́йский кедр.

deodorant [diː'oudərənt] **1.** *n* дезодора́тор; **2.** *a* уничтожа́ющий (дурно́й) за́пах.

deodorize [diː'oudəraɪz] *v* уничтожа́ть, отбива́ть (дурно́й) за́пах.

deodorizer [diː'oudəraɪzə] = deodorant 1.

deontology [‚diːɔn'tɔlədʒɪ] *n* деонтоло́гия.

deoxidate [diː'ɔksɪdeɪt] = deoxidize.

deoxidize [diː'ɔksɪdaɪz] *v хим.* раскисля́ть, отнима́ть кислоро́д, восстана́вливать.

depart [dɪ'pɑːt] *v* 1) уходи́ть; уезжа́ть; отбыва́ть, отправля́ться; 2) умира́ть; 3) отклоня́ться, уклоня́ться, отступа́ть (from); to ~ from tradition отступа́ть от тради́ции; to ~ from one's word (promise) нару́шить своё сло́во (обеща́ние); to ~ from one's plans измени́ть свои́ пла́ны.

departed [dɪ'pɑːtɪd] **1.** *p. p. от* depart; **2.** *a уст., поэт.* 1) было́й, мину́вший; ~ joys были́е ра́дости; 2) поко́йный, уме́рший; **3.** *n* (the ~) поко́йник(и).

department [dɪ'pɑːtmənt] *n* 1) отде́л; отделе́ние; silk ~ отде́л шёлковых веще́й; 2) о́бласть, о́трасль *(науки, знания)*; 3) ве́домство; департа́мент; 4) *амер.* министе́рство; State D. госуда́рственный департа́-

мент, министе́рство иностра́нных дел США; D. of the Navy вое́нно-морско́е министе́рство США; 5) войсково́й о́круг; 6) цех, отделе́ние; 7) факульте́т; 8) *attr.* ве́домственный; относя́щийся к ве́домству; ~ hospital *воен.* райо́нный го́спиталь.

departmental [,di:pɑ:t'mentl] *a* ве́домственный; ◇ ~ teaching систе́ма обуче́ния, при кото́рой преподаётся то́лько оди́н предме́т *или* не́сколько ро́дственных предме́тов.

departmentalism [,di:pɑ:t'mentəlizəm] *n* бюрократи́зм.

department store [dɪ'pɑ:tmənt'stɔ:] *n* универса́льный магази́н, универма́г.

departure [dɪ'pɑ:tʃə] *n* 1) отправле́ние, отбы́тие, отъе́зд; ухо́д; to take one's ~ уходи́ть; уезжа́ть; 2) исхо́дный моме́нт, отправна́я то́чка; а new ~ но́вая отправна́я то́чка, но́вая ли́ния поведе́ния (*в поли́тике и т. п.*); 3) отклоне́ние, уклоне́ние; 4) *уст.* кончи́на, смерть; 5) *мор.* отше́ствие, ра́зность долготы́; 6) *attr.* исхо́дный, отправно́й; ~ position исхо́дное положе́ние; the ~ platform *ж.-д.* платфо́рма отправле́ния поездо́в, дебарка́дер.

depasture [di:'pɑ:stʃə] *v* 1) пасти́(сь); 2) выгоня́ть на па́стбище (*скот*).

depauperate [dɪ'pɔ:pəreɪt] *v* 1) доводи́ть до нищеты́; 2) истоща́ть, лиша́ть сил.

depauperize ['di:'pɔ:pəraɪz] *v* избавля́ть от нищеты́; изжива́ть нищету́.

depend [dɪ'pend] *v* 1) зави́сеть (on, upon—от); 2) находи́ться на иждиве́нии; to ~ upon one's parents находи́ться на иждиве́нии роди́телей; 3) полага́ться, рассчи́тывать; you may ~ upon him мо́жете на него́ положи́ться; ~ upon it бу́дьте уве́рены; I ~ on you to do it я рассчи́тываю, что вы э́то сде́лаете; 4) находи́ться на рассмотре́нии суда́, парла́мента; 5) *уст.* висе́ть, све́шиваться (from); ◇ it (all) ~s как сказа́ть!, поживём — уви́дим.

dependability [dɪ,pendə'bɪlɪtɪ] *n* надёжность.

dependable [dɪ'pendəbl] *a* надёжный; заслу́живающий дове́рия; ~ news достове́рные све́дения.

dependant [dɪ'pendənt] = dependent 2, 1).

dependence [dɪ'pendəns] *n* 1) зави́симость (upon); подчинённое положе́ние; to live in ~ находи́ться в зави́симости (*от кого́-л.*); жить на иждиве́нии (*кого́-л.*); 2) дове́рие; to place (*или* to put) ~ in a person пита́ть к кому́-л. дове́рие; *редк.* опо́ра; исто́чник существова́ния; he was her sole ~ он был её еди́нственной опо́рой; 4) *юр.* неразрешённость (*дела*); ожида́ние реше́ния.

dependency [dɪ'pendənsɪ] *n* 1) зави́симость; подчинённое положе́ние; 2) зави́симая страна́, коло́ния.

dependent [dɪ'pendənt] 1. *a* 1) подчинённый, подвла́стный; 2) зави́симый; завися́щий (on—от); ~ variable *мат.* зави́симая переме́нная, фу́нкция; 3) находя́щийся на иждиве́нии (on); 4) *грам.* подчинённый (*о предложе́нии*); 2. *n* 1) иждиве́нец; 2) подчинённый; 3) *ист.* васса́л.

dephosphorize [di:'fɔsfəraɪz] *v хим.* удаля́ть, отнима́ть фо́сфор.

depict [dɪ'pɪkt] *v* 1) рисова́ть, изобража́ть; 2) опи́сывать, обрисо́вывать.

depicture [dɪ'pɪktʃə] *v* 1) = depict; 2) представля́ть себе́, вообража́ть.

depilate ['depɪleɪt] *v* удаля́ть во́лосы.

depilatory [dɪ'pɪlətərɪ] 1. *a* спосо́бствующий удале́нию воло́с; 2. *n* сре́дство для удале́ния воло́с.

deplane [di:'pleɪn] *v ав.* выса́живать(ся) с самолёта.

deplenish [dɪ'plenɪʃ] *v* опорожня́ть, опустоша́ть.

deplete [dɪ'pli:t] *v* 1) истоща́ть; исче́рпывать (*запас, си́лы и т. п.*); опорожня́ть; ~d strength *воен.* уме́ньшившийся соста́в (*всле́дствие поте́рь*); 2) очища́ть кише́чник; 3) *мед.* производи́ть кровопуска́ние.

depletion [dɪ'pli:ʃən] *n* 1) истоще́ние, исче́рпывание (*запа́сов, сил и т. п.*); опорожне́ние; 2) опорожне́ние кише́чника; 3) *мед.* кровопуска́ние.

depletive [dɪ'pli:tɪv] 1. *a* слаби́тельный; 2. *n* слаби́тельное сре́дство.

depletory [dɪ'pli:tərɪ] = depletive 1.

deplorable [dɪ'plɔ:rəbl] *a* 1) приско́рбный, плаче́вный; 2) скве́рный.

deplore [dɪ'plɔ:] *v* 1) опла́кивать, сожале́ть; 2) счита́ть предосуди́тельным, порица́ть.

deploy [dɪ'plɔɪ] 1. *n* развёртывание; 2. *v воен.* развёртывать(ся).

deployment [dɪ'plɔɪmənt] *n воен.* развёртывание.

deplume [dɪ'plu:m] *v* ощи́пывать пе́рья; *перен.* лиша́ть (*вла́сти и т. п.*).

depolarize [di:'pouləraɪz] *v* 1) *физ.* деполяризова́ть; 2) расша́тывать, разбива́ть (*убежде́ния и т. п.*).

depone [dɪ'poun] *v юр.* дава́ть показа́ние под прися́гой.

deponent [dɪ'pounənt] 1. *n* 1) *юр.* свиде́тель, даю́щий показа́ние под прися́гой; 2) *грам.* отложи́тельный глаго́л (*в греч. и лат. языка́х*); 2. *a грам.* отложи́тельный (*о греч. и лат. глаго́ле*).

depopulate [di:'pɔpjuleɪt] *v* 1) уменьша́ть *или* истребля́ть населе́ние; обезлю́дить; 2) уменьша́ться (*о населе́нии*).

depopulation [di:,pɔpju'leɪʃən] *n* 1) истребле́ние населе́ния; 2) безлю́дье.

deport I [dɪ'pɔ:t] *v* высыла́ть, ссыла́ть.

deport II [dɪ'pɔ:t] *v refl.* вести́ себя́.

deportation [,di:pɔ:'teɪʃən] *n* вы́сылка, ссы́лка.

deportee [,di:pɔ:'ti:] *n* со́сланный; высыла́емый.

deportment [dɪ'pɔ:tmənt] *n* 1) мане́ры, уме́ние держа́ть себя́; поведе́ние; 2) реа́кция на хими́ческое возде́йствие.

depose [dɪ'pouz] *v* 1) смеща́ть (*с до́лжности*); сверга́ть (*с престо́ла*); 2) *юр.* свиде́тельствовать, дава́ть показа́ния под прися́гой.

deposit [dɪ'pɔzɪt] 1. *n* 1) вклад (*в банк*); 2) зада́ток, зало́г; депози́т; to place money on ~ вноси́ть де́ньги в депози́т; 3) храни́-

лище; 4) отложе́ние; отсто́й; оса́док; 5) *геол.* ро́ссыпь, за́лежь, месторожде́ние;

2. *v* 1) класть; 2) класть в банк; депони́ровать; 3) дава́ть зада́ток, обеспе́чение; 4) сда-ва́ть на хране́ние; 5) отлага́ть, осажда́ть, дава́ть оса́док; 6) класть я́йца (*о пти́цах*).

depositary [dɪ'pɔzɪtərɪ] *n* 1) лицо́, кото́-рому вве́рены вкла́ды, взно́сы; 2) = depository.

deposition [,depə'zɪʃən] *n* 1) сверже́ние (*с престо́ла*); лише́ние (*вла́сти*); 2) *библ.* сня́тие с креста́; 3) показа́ние под прися́-гой; 4) взнос, вклад (*де́нег в банк*); 5) от-ложе́ние, на́кипь, оса́док.

depositor [dɪ'pɔzɪtə] *n* вкла́дчик; вкла́д-чица; депоне́нт.

depository [dɪ'pɔzɪtərɪ] *n* склад, храни́-лище; *перен.* кла́дезь, сокро́вищница; he is a ~ of learning он кла́дезь учёности.

depot ['depoʊ] *n* 1) склад; амба́р, сара́й; 2) *воен.* склад; 3) *воен.* уче́бная часть; 4) ла́герь военнопле́нных; 5) *ж.-д.* депо́; 6) ['dɪpoʊ] *амер.* железнодоро́жная ста́н-ция; 7) *attr.* запасно́й, запа́сный; ~ bat-tery запа́сная (уче́бная) батаре́я; 8) *attr.:* ~ ship су́дно-ба́за, плаву́чая ба́за; ~ aero-drome аэродро́м-ба́за.

depravation [,deprə'veɪʃən] *n* 1) развра-ще́ние; развращённость; 2) ухудше́ние, по́рча.

deprave [dɪ'preɪv] *v* развраща́ть; по́р-тить.

depraved [dɪ'preɪvd] 1. *p. p. om* deprave; 2. *a* испо́рченный; развращённый.

depravity [dɪ'prævɪtɪ] *n* 1) поро́чность; развращённость; 2) *церк.* грехо́вность.

deprecate ['deprɪkeɪt] *v* 1) ре́зко осу-жда́ть, возража́ть, протестова́ть; выступа́ть про́тив; to ~ war энерги́чно выступа́ть про́-тив войны́; to ~ hasty action выска́зывать-ся про́тив поспе́шных де́йствий; 2) *уст.* умоля́ть; стара́ться отврати́ть мольбо́й.

deprecation [,deprɪ'keɪʃən] *n* 1) осужде́-ние, неодобре́ние; возраже́ние; проте́ст; 2) *уст.* мольба́ об отвраще́нии како́й-л. беды́.

deprecative ['deprɪ,keɪtɪv] *a* 1) неодобри́-тельный; 2) = deprecatory 1).

deprecatory ['deprɪkətərɪ] *a* 1) моля́щий об отвраще́нии како́й-л. беды́; 2) стара́ю-щийся уми́лостивить; зада́бривающий, про-си́тельный.

depreciate [dɪ'priːʃɪeɪt] *v* 1) обесце́ни-вать(ся), па́дать в цене́; 2) унижа́ть, ума-ля́ть, недооце́нивать.

depreciatingly [dɪ'priːʃɪeɪtɪŋlɪ] *adv* пре-небрежи́тельно, неуважи́тельно.

depreciation [dɪ,priːʃɪ'eɪʃən] *n* 1) обесце́-нивание; обесце́нение; 2) сниже́ние; 3) ски́дка на по́рчу това́ра (*при расчётах*); 4) амортиза́ция, изна́шивание; 5) умале́-ние; пренебреже́ние.

depreciatory [dɪ'priːʃjətərɪ] *a* 1) обесце́-нивающий; 2) умаля́ющий.

depredate ['deprɪdeɪt] *v* 1) гра́бить; 2) опу-стоша́ть.

depredation [,deprɪ'deɪʃən] *n* (*обыкн. pl*) 1) грабёж, расхище́ние; 2) опустоше́ние; разруши́тельное де́йствие.

depredator ['deprɪdeɪtə] *n* 1) граби́тель; 2) разруши́тель.

depress [dɪ'pres] *v* 1) подавля́ть, угне-та́ть, приводи́ть в уны́ние; огорча́ть; 2) уничтожа́ть; 3) понижа́ть; ослабля́ть; to ~ the action of the heart ослабля́ть де́ятель-ность се́рдца; the trade is ~ed в торго́вле засто́й; 4) опуска́ть; to ~ eyes опуска́ть глаза́; to ~ the voice понижа́ть го́лос; 5) понижа́ть це́ну, сто́имость (*чего́-л.*).

depressant [dɪ'presənt] *мед.* 1. *n* успо-кои́тельное сре́дство;
2. *a* понижа́ющий де́ятельность како́го-л. о́ргана.

depressing [dɪ'presɪŋ] 1. *pres. p. om* de-press;
2. *a* гнету́щий, тя́гостный; уны́лый.

depression [dɪ'preʃən] *n* 1) угнетённое состоя́ние, уны́ние; 2) сниже́ние, паде́ние (*давле́ния и т. п.*); 3) *эк.* депре́ссия; ~ of trade засто́й в торго́вле; 4) пониже́ние ме́стности, низи́на, впа́дина, углубле́ние; ~ in the ground ложби́нка; 5) *астр.* углово́е склоне́ние (*звезды́*); 6) *воен.* склоне́ние (*ору́дия*); 7) *физ.* разреже́ние, ва́куум.

depressor [dɪ'presə] *n* *анат.* депре́ссор (*тж.* ~ muscle).

deprivation [,deprɪ'veɪʃən] *n* 1) поте́ря; лише́ние; 2) лише́ние зва́ния, до́лжности (*особ. церк.*).

deprive [dɪ'praɪv] *v* 1) лиша́ть (of—*че-го́-л.*); 2) отреша́ть от до́лжности.

depth [depθ] *n* 1) глубина́, глубь; in the ~ of one's heart в глубине́ души́; *pl* *поэт.* глуби́ны, пучи́на; 2) си́ла, глубина́; the ~ of one's feelings глубина́ чувств; in the ~ of despair в по́лном отча́янии; 4) густо-та́ (*цве́та, кра́ски*); глубина́ (*зву́ка*); 5) разга́р, середи́на; in the ~ of night глу-бо́кой но́чью; in the ~ of winter в разга́р зимы́; the ~s of a forest ча́ща ле́са; ◇ to be out of (*и́ли* beyond) one's ~ а) попа́сть в глубо́кое ме́сто (*в реке́, мо́ре*); б) быть недо-сту́пным понима́нию; быть не по зуба́м; в) растеря́ться, не поня́ть; to get (*и́ли* to go) out of one's ~ потеря́ть по́чву под нога́ми.

depth-bomb ['depθbɔm] *n* *мор.* глуби́н-ная бо́мба.

depth-charge ['depθtʃɑːdʒ] = depth-bomb.

depth-gauge ['depθgeɪdʒ] *n* водоме́рная ре́йка; глубоме́р.

depurate ['depjʊreɪt] *v* очища́ть(ся).

depuration [,depjʊ'reɪʃən] *n* очище́ние.

deputation [,depjuː'teɪʃən] *n* 1) делега́-ция, депута́ция; 2) делеги́рование.

depute [dɪ'pjuːt] *v* 1) делеги́ровать; 2) пе-реда́ть полномо́чия; 3) назнача́ть заме-сти́телем.

deputize ['depjʊtaɪz] *v* 1) представля́ть (*кого́-л.;* for); 2) назнача́ть депута́том; 3) замеща́ть; 4) дубли́ровать (*об актёре, му-зыка́нте*).

deputy ['depjʊtɪ] *n* 1) депута́т, делега́т; представи́тель; Chamber of Deputies па-ла́та депута́тов (*во Фра́нции*); 2) замести́-тель, помо́щник (*в какой-л. до́лжности*); 3) *амер. сокр. om* deputy sheriff; 4) *горн.* деся́тник по безопа́сности; крепи́льщик; ◇ by ~ по дове́ренности, по уполномо́чию.

deputy sheriff ['depjutɪ'ʃerɪf] *n амер.* лицо́, облечённое права́ми шери́фа.

deracinate [dɪ'ræsɪneɪt] *v* вырыва́ть с ко́рнем; искореня́ть.

derail [dɪ'reɪl] *v* 1) устра́ивать круше́ние (*поезда*); 2) сходи́ть с ре́льсов; the car was ~ed ваго́н сошёл с ре́льсов.

derailment [dɪ'reɪlmənt] *n* сход с ре́льсов, круше́ние.

derange [dɪ'reɪndʒ] *v* 1) приводи́ть в беспоря́док; расстра́ивать (*мысли, планы*); 2) выводи́ть из стро́я (*машину и т. п.*); 3) своди́ть с ума́; доводи́ть до сумасше́ствия.

deranged [dɪ'reɪndʒd] 1. *p. p. от* derange; 2. *a* 1) перепу́танный, находя́щийся в беспоря́дке; 2) ненорма́льный, сумасше́дший; to be (mentally) ~ сойти́ с ума́.

derangement [dɪ'reɪndʒmənt] *n* 1) приведе́ние в беспоря́док, расстро́йство; 2) психи́ческое расстро́йство.

derate [diː'reɪt] *v* уменьша́ть разме́ры ме́стных нало́гов.

deration ['diː'ræʃən] *v* отменя́ть нормирова́ние, ка́рточную систе́му.

Derby *n* ['dɑːbɪ] 1) де́рби; 2) (d.) ['dɜːbɪ] *амер.* котело́к (*мужская шляпа*); 3) *attr.:* ~ day день ежего́дных ска́чек в Э́псоме, близ Ло́ндона.

derelict ['derɪlɪkt] 1. *a* 1) поки́нутый, бро́шенный; беспризо́рный; 2) поки́нутый владе́льцем; 3) *амер.* наруша́ющий (*долг, обязанности*);
2. *n* 1) что-л., бро́шенное за него́дностью; 2) су́дно, бро́шенное кома́ндой; 3) все́ми поки́нутый, избега́емый челове́к, отще́пенец; 4) *амер.* челове́к, уклоня́ющийся от исполне́ния до́лга; 5) су́ша, образова́вшаяся благодаря́ отступле́нию мо́ря *или* реки́.

dereliction [,derɪ'lɪkʃən] *n* 1) забро́шенность; 2) оставле́ние; 3) наруше́ние до́лга (*тж.* ~ of duty); упуще́ние; 4) отступле́ние мо́ря от бе́рега; морско́й нано́с.

deride [dɪ'raɪd] *v* осме́ивать, высме́ивать.

derision [dɪ'rɪʒən] *n* 1) высме́ивание, осмея́ние; to hold (*или* to have) in ~ насмеха́ться; 2) посме́шище; to be the ~ of, to be in ~ быть посме́шищем; to bring into ~ де́лать посме́шищем.

derisive [dɪ'raɪsɪv] *a* 1) насме́шливый, ирони́ческий; 2) смехотво́рный; ~ attempts смехотво́рные, я́вно неуда́чные попы́тки.

derisory [dɪ'raɪsərɪ] *редк.* = derisive 1).

derivable [dɪ'raɪvəbl] *a* получа́емый, извлека́емый.

derivation [,derɪ'veɪʃən] *n* 1) происхожде́ние; исто́чник, нача́ло; 2) происхожде́ние, этимоло́гия (*слова*); 3) установле́ние происхожде́ния; 4) *мат.* взя́тие произво́дной; реше́ние; вы́вод; 5) *гидр.* дерива́ция; отво́д (*воды*); 6) *эл.* ответвле́ние, шунт; 7) *мед.* отвлече́ние.

derivative [dɪ'rɪvətɪv] 1. *n* 1) *грам.* произво́дное сло́во; 2) *мат.* произво́дная (фу́нкция); дерива́т;
2. *a* произво́дный.

derive [dɪ'raɪv] *v* 1) происходи́ть; the word "evolution" is ~d from Latin сло́во «эволю́ция» лати́нского происхожде́-

ния; 2) устана́вливать происхожде́ние; производи́ть (*от чего-л.*), выводи́ть; to ~ religion from myths устана́вливать происхожде́ние рели́гии от ми́фов; 3) получа́ть, извлека́ть; to ~ an income извлека́ть дохо́д; to ~ pleasure получа́ть удово́льствие (from—от); 4) насле́довать; he ~s his character from his father он унасле́довал хара́ктер отца́; 5) отводи́ть (*воду*); 6) *эл.* ответвля́ть, шунти́ровать.

derm(a) ['dɜːm(ə)] *n анат.* ко́жа.

dermal ['dɜːməl] *a мед.* ко́жный.

dermatic [dɜː'mætɪk] = dermal.

dermatitis [,dɜːmə'taɪtɪs] *n мед.* воспале́ние ко́жи, дермати́т.

dermatologist [,dɜːmə'tɔlədʒɪst] *n* дерма́толог, врач по ко́жным боле́зням.

dermatology [,dɜːmə'tɔlədʒɪ] *n* дерматоло́гия, нау́ка о боле́знях ко́жи.

dernier ['dɛːnjeɪ] *фр. a* после́дний; ~ cry после́дний крик мо́ды; ~ resort после́днее сре́дство.

derogate ['derəgeɪt] *v* 1) умаля́ть (*заслуги, достоинство*); отнима́ть (*часть прав и т. п.*); to ~ from smb.'s reputation задева́ть чью-л. репута́цию; 2) унижа́ть себя́, роня́ть своё досто́инство.

derogation [,derə'geɪʃən] *n* 1) умале́ние (*прав, заслуг*); подры́в (*репутации*); it is said on ~ of his character э́то ска́зано в уще́рб его́ репута́ции; 2) униже́ние.

derogatory [dɪ'rɔgətərɪ] *a* 1) умаля́ющий; наруша́ющий (*права и т. п.*); 2) уни́зительный.

derrick ['derɪk] *n* 1) *тех.* де́ррик-кра́н; во́рот для подъёма тя́жестей; *мор.* подъёмная стрела́; 2) бурова́я вы́шка; 3) *уст.* ви́селица (*по имени лондонского палача XVII в.*).

derring-do ['derɪŋ'duː] *n* отча́янная хра́брость.

derringer ['derɪndʒə] *n ист.* небольшо́й крупнокали́берный пистоле́т.

dervish ['dɜːvɪʃ] *тур. n* де́рвиш.

desalt [diː'sɔːlt] *v* опресня́ть.

descant 1. *n* ['deskænt] 1) пе́сня, мело́дия, напе́в; 2) диска́нт; сопра́но; 3) дли́нное рассужде́ние;
2. *v* [dɪs'kænt] 1) подро́бно обсужда́ть, распространя́ться (upon); 2) петь, распева́ть.

descend [dɪ'send] *v* 1) спуска́ться, сходи́ть; to ~ a hill спусти́ться с горы́; 2) опуска́ться, снижа́ться; 3) происходи́ть; to ~ from a peasant family происходи́ть из крестья́нской семьи́; 4) передава́ться по насле́дству, переходи́ть (from); to ~ from father to son переходи́ть от отца́ к сы́ну; 5) пасть; опусти́ться (*морально*); уни́зиться; 6) обру́шиться; налете́ть, нагря́нуть (upon); 7) переходи́ть (*от прошлого к настоящему, от общего к частному и т. п.*); 8) *астр.* склоня́ться к горизо́нту.

descendable [dɪ'sendəbl] *редк.* = descendible.

descendant [dɪ'sendənt] *n* пото́мок; direct ~ пото́мок по прямо́й ли́нии.

descendible [dɪ'sendɪbl] *a* передава́емый по насле́дству.

descent [dɪ'sent] *n* 1) спуск; сниже́ние; to make a parachute ~ спусти́ться с парашю́том; 2) склон, скат; 3) пониже́ние (*зву́ка, температу́ры и т. п.*); 4) происхожде́ние; 5) поколе́ние (*по определённой ли́нии*); 6) переда́ча по насле́дству, насле́дование (*иму́щества, черт хара́ктера*); 7) паде́ние (*мора́льное*); 8) внеза́пное нападе́ние (*особ. с мо́ря*); деса́нт.

describe [dɪs'kraɪb] *v* 1) опи́сывать, изобража́ть; характеризова́ть(ся); to ~ one's purpose вы́явить свою́ цель; 2) описа́ть (*круг, криву́ю*); начерти́ть.

description [dɪs'krɪpʃən] *n* 1) описа́ние, изображе́ние; to answer (to) the ~ соотве́тствовать описа́нию; совпада́ть с приме́тами; to beggar (*или* to baffle, to defy) ~ не поддава́ться описа́нию; beyond ~ не подда́ющийся описа́нию; 2) вид, род, сорт; books of every ~ всевозмо́жные кни́ги; of the worst ~ ху́дшего ти́па; са́мого ху́дшего со́рта.

descriptive [dɪs'krɪptɪv] *a* описа́тельный; изобрази́тельный; нагля́дный; ~ attribute *грам.* описа́тельное определе́ние; ~ geometry начерта́тельная геоме́трия; ~ style стиль, бога́тый описа́ниями.

descry [dɪs'kraɪ] *v* 1) рассмотре́ть, заме́тить, уви́деть; 2) поня́ть, разобра́ться; 3) *поэт.* ви́деть.

desecrate ['desɪkreɪt] *v* 1) оскорбля́ть; оскверня́ть (*святыню*); 2) *уст.* лиша́ть духо́вного са́на.

desecration [,desɪ'kreɪʃən] *n* оскверне́ние, профана́ция.

desensitize ['diː'sensɪtaɪz] *v* 1) *физиол.* сде́лать невоспри́имчивым (*к де́йствию сы́воротки и т. п.*); 2) *фото* сде́лать ме́нее чувстви́тельным к све́ту.

desert I 1. *n* ['dezət] 1) пусты́ня; необита́емое ме́сто; 2) ску́чная те́ма, рабо́та *и т. п.*;
2. *a* ['dezət] пусты́нный; a ~ island необита́емый о́стров;
3. *v* [dɪ'zəːt] 1) покида́ть, оставля́ть; броса́ть (*семью*); his courage ~ed him сме́лость покинула его́; 2) *воен.* дезерти́ровать.

desert II [dɪ'zəːt] *n* 1) заслу́га; 2) (*обыкн. pl*) заслу́женное (*в хоро́шем или ду́рном смы́сле*); to treat people according to their ~s поступа́ть с людьми́ по заслу́гам; to obtain (*или* to meet with) one's ~s получи́ть по заслу́гам.

deserter [dɪ'zəːtə] *n* 1) дезерти́р; 2) перебе́жчик.

desertion [dɪ'zəːʃən] *n* 1) оставле́ние (*семьи и т. п.*); 2) дезерти́рство; 3) забро́шенность; in utter ~ поки́нутый все́ми.

deserve [dɪ'zəːv] *v* заслу́живать, быть досто́йным (*чего́-л.*); to ~ attention заслу́живать внима́ния; to ~ well (ill) заслу́живать награ́ды (наказа́ния); to ~ well of one's country име́ть больши́е заслу́ги пе́ред ро́диной.

deserved [dɪ'zəːvd] 1. *p. p. от* deserve;
2. *a* заслу́женный.

deservedly [dɪ'zəːvɪdlɪ] *adv* заслу́женно, по заслу́гам, по досто́инству.

deserving [dɪ'zəːvɪŋ] 1. *pres. p. от* deserve;

2. *n* заслу́га; досто́инство;
3. *a* заслу́живающий; досто́йный.

déshabillé [,deɪzæ'bi̲eɪ] *фр.*= dishabille.

desiccate ['desɪkeɪt] *v* 1) высу́шивать; ~d milk сухо́е молоко́; 2) высыха́ть, теря́ть вла́жность.

desiccation [,desɪ'keɪʃən] *n* 1) высу́шивание; су́шка; 2) су́хость.

desiccator ['desɪ,keɪtə] *n* суши́льная печь, суши́льный шкаф; эксика́тор; испари́тель.

desiderata [dɪ,zɪdə'reɪtə] *pl от* desideratum.

desiderate [dɪ'zɪdəreɪt] *v* чу́вствовать отсу́тствие (*чего́-л.*), ощуща́ть недоста́ток (*в чём-л.*); жела́ть (*чего́-л.*).

desiderative [dɪ'zɪdərətɪv] *a* выража́ющий жела́ние.

desideratum [dɪ,zɪdə'reɪtəm] *лат. n* (*pl -ta*) 1) что-л. недоста́ющее, жела́емое; пробе́л, кото́рый жела́тельно воспо́лнить; 2) *pl* дезидера́ты, пожела́ния.

design [dɪ'zaɪn] 1. *n* 1) за́мысел, план; 2) наме́рение, цель; by ~ (пред)наме́ренно; 3) прое́кт; план; чертёж; констру́кция; расчёт; a ~ for a building прое́кт зда́ния; 4) рису́нок, эски́з; узо́р; 5) компози́ция (*карти́ны и т. п.*); 6) (*тж. pl*) (злой) у́мысел; to have (*или* to harbour) ~s on (*или* against) a person злоумышля́ть про́тив кого́-л.;
2. *v* 1) предназнача́ть; this room is ~ed as a study э́та ко́мната предназнача́ется для кабине́та; 2) заду́мывать, замышля́ть, намерева́ться, предполага́ть; we did not ~ this result мы не ожида́ли тако́го результа́та; we ~ed for his good мы хоте́ли сде́лать ему́ добро́; 3) составля́ть план, проекти́ровать; констру́ировать; 4) рисова́ть, изобража́ть; де́лать эски́зы (*костю́мов и т. п.*).

designate 1. *a* ['dezɪgnɪt] (*обыкн. по́сле сущ.*) назна́ченный, но ещё не вступи́вший в до́лжность;
2. *v* ['dezɪgneɪt] 1) определя́ть, обознача́ть; ука́зывать; 2) называ́ть, характеризова́ть; 3) предназнача́ть; 4) назнача́ть на до́лжность.

designation [,dezɪg'neɪʃən] *n* 1) указа́ние; 2) (пред)назначе́ние, цель; 3) указа́ние профе́ссии и а́дреса (*при фами́лии*); 4) назначе́ние на до́лжность.

designed [dɪ'zaɪnd] 1. *p. p. от* design 2;
2. *a* 1) соотве́тствующий пла́ну, прое́кту *и т. п.*; 2) предназна́ченный; 3) предумы́шленный.

designedly [dɪ'zaɪnɪdlɪ] *adv* умы́шленно, с наме́рением.

designer [dɪ'zaɪnə] *n* 1) констру́ктор; чертёжник; проекти́ровщик; 2) худо́жник; худо́жник-декора́тор; 3) интрига́н.

designing [dɪ'zaɪnɪŋ] 1. *pres. p. от* design 2;
2. *n* 1) проекти́рование, констру́ирование; 2) интрига́нство;
3. *a* 1) плани́рующий, проекти́рующий; 2) интригу́ющий; хи́трый, кова́рный.

desirability [dɪ,zaɪərə'bɪlɪtɪ] *n* жела́тельность.

desirable [dɪ'zaɪərəbl] *a* 1) жела́тельный, жела́нный; 2) подходя́щий, хоро́ший.

desire [dı'zaıə] **1.** *n* 1) (си́льное) жела́ние (for); 2) про́сьба; тре́бование; at your ~ по ва́шей про́сьбе; 3) страсть, вожделе́ние; 4) предме́т жела́ния; мечта́;
2. *v* 1) жела́ть; хоте́ть; to leave much to be ~d оставля́ть жела́ть мно́го лу́чшего; 2) проси́ть, тре́бовать; I ~ you to go at опсе я тре́бую (прошу́), что́бы вы пошли́ неме́дленно.
desirous [dı'zaıərəs] *a* жела́ющий, жа́ждущий (*чего-л.*); to be ~ to succeed (*или* of success) стреми́ться к успе́ху.
desist [dı'zıst] *v* перестава́ть, прекраща́ть; возде́рживаться; to ~ from attempts отказа́ться от попы́ток.
desk [desk] *n* 1) пи́сьменный стол; 2) конто́рка; 3) па́рта; 4) *муз.* пюпи́тр; 5) пульт управле́ния; 6) *церк.* анало́й; ка́федра пропове́дника; 7) духо́вное зва́ние; 8) канцеля́рская рабо́та; 9) *амер.* реда́кция (*газеты*); 10) *attr.* насто́льный; ~ set насто́льный телефо́н.
desk book ['deskbuk] *n* насто́льная кни́га; спра́вочник.
desman ['desmən] *n зоол.* вы́хухоль.
desolate 1. *a* ['desəlıt] 1) необита́емый, безлю́дный; 2) забро́шенный, запу́щенный, разру́шенный; 3) поки́нутый, одино́кий; 4) несча́стный; неуте́шный;
2. *v* ['desəleıt] 1) опустоша́ть; разоря́ть; обезлю́дить; 2) де́лать несча́стным; приводи́ть в отча́яние.
desolation [,desə'leıʃən] *n* 1) опустоше́ние, разоре́ние; запусте́ние; 2) одино́чество, забро́шенность; 3) го́ре, отча́яние.
despair [dıs'pɛə] **1.** *n* 1) отча́яние; безнаде́жность; to fall into ~ впасть в отча́яние; out of ~ с отча́яния; 2) исто́чник огорче́ния; he is the ~ of his mother он причиня́ет свое́й ма́тери одни́ лишь огорче́ния;
2. *v* отча́иваться, теря́ть наде́жду (of); his life is ~ed of его́ состоя́ние безнадёжно (*о больном*).
despairingly [dıs'pɛərıŋlı] *adv* в отча́янии; безнадёжно.
despatch [dıs'pætʃ] = dispatch.
desperado [,despə'rɑːdou] *n* (*pl* -oes [-ouz]) отча́янный челове́к; головоре́з; сорвиголова́.
desperate ['despərıt] *a* 1) отча́янный, безнаде́жный; in ~ condition в отча́янном положе́нии; 2) доведённый до отча́яния; безрассу́дный; ~ daring a) безу́мная отва́га; б) хра́брость отча́яния; 3) ужа́сный; отъя́вленный; a ~ storm ужа́сная бу́ря; ~ fool отъя́вленный дура́к.
desperation [,despə'reıʃən] *n* 1) отча́яние; 2) безрассу́дство; to drive a person to ~ *разг.* доводи́ть кого́-л. до кра́йности, до бе́шенства.
despicable ['despıkəbl] *a* презре́нный.
despise [dıs'paız] *v* презира́ть.
despite [dıs'paıt] **1.** *n* 1) зло́ба; 2): in ~ of (*употр. как prep*) вопреки́; несмотря́ на; 3): in his ~ ему́ назло́;
2. *prep* несмотря́ на; ~ our efforts несмотря́ на на́ши уси́лия.
despiteful [dıs'paıtful] *a поэт.* зло́бный, жесто́кий.

despoil [dıs'pɔıl] *v* гра́бить, обира́ть; лиша́ть (of — *чего-л.*).
despoilment [dıs'pɔılmənt] *n* 1) ограбле́ние; 2) = despoliation.
despoliation [dıs,poulı'eıʃən] *n* грабёж, расхище́ние.
despond [dıs'pɔnd] **1.** *v* па́дать ду́хом, уныва́ть, теря́ть наде́жду;
2. *n уст.* = despondency.
despondency [dıs'pɔndənsı] *n* отча́яние, уны́ние, упа́док ду́ха.
despondent [dıs'pɔndənt] *a* уны́лый; пода́вленный.
despot ['despɔt] *n* де́спот.
despotic [des'pɔtık] *a* деспоти́ческий.
despotism ['despətızəm] *n* 1) деспоти́зм; 2) деспоти́я.
desquamate ['deskwəmeıt] *v мед.* шелуши́ться, лупи́ться.
dessert [dı'zəːt] *n* десе́рт, сла́дкое (*блюдо*).
dessert-spoon [dı'zəːtspuːn] *n* десе́ртная ло́жка.
destination [,destı'neıʃən] *n* 1) назначе́ние, предназначе́ние; 2) ме́сто назначе́ния (*тж.* place of ~); цель (*путеше́ствия, похо́да и т. п.*).
destine ['destın] *v* 1) назнача́ть, предназнача́ть; 2) предопределя́ть; the plan was ~d to fail э́тому пла́ну не суждено́ бы́ло осуществи́ться; 3) направля́ться; we are ~d for Moscow мы направля́емся в Москву́.
destined ['destınd] **1.** *p. p. om* destine;
2. *a* предназна́ченный.
destiny ['destını] *n* 1) судьба́, уде́л; 2) неизбе́жный ход собы́тий; неизбе́жность; 3) (D.) *миф.* боги́ня судьбы́; *pl* Па́рки.
destitute ['destıtjuːt] **1.** *a* 1) лишённый (of — *чего-л.*); 2) си́льно нужда́ющийся; to be left ~ оста́ться без средств;
2. *n* (the ~) нужда́ющиеся, бе́дные.
destitution [,destı'tjuːʃən] *n* лише́ния; нужда́; нищета́.
destrier ['destrıə] *n уст.* боево́й конь.
destroy [dıs'trɔı] *v* 1) разруша́ть; уничтожа́ть; 2) де́лать бесполе́зным, своди́ть к нулю́; 3) истребля́ть.
destroyer [dıs'trɔıə] *n* 1) разруши́тель; 2) *мор.* эска́дренный миноно́сец, эсми́нец.
destruction [dıs'trʌkʃən] *n* 1) разруше́ние; уничтоже́ние; 2) разоре́ние; 3) причи́на ги́бели *или* разоре́ния; overconfidence was his ~ чрезме́рная самоуве́ренность погуби́ла его́.
destructive [dıs'trʌktıv] **1.** *a* 1) разруши́тельный; ~ agency сре́дство разруше́ния; 2) па́губный, вре́дный; ~ to health вре́дный для здоро́вья; 3): ~ distillation *хим.* суха́я перего́нка;
2. *n* 1) разруши́тель; 2) сре́дство разруше́ния.
destructor [dıs'trʌktə] *n* 1) *редк.* разруши́тель; 2) мусоросжига́тельная печь.
desuetude [dı'sjuːıtjuːd] *n* неупотреби́тельность; устаре́лость; to fall into ~ выходи́ть из употребле́ния.
desulphurize [diː'sʌlfəraız] *v хим.* удаля́ть се́ру, обессе́ривать.
desultory ['desəltərı] *a* несвя́зный, отры́вочный; несистемати́ческий; a ~ соп-

versation бессвя́зный разгово́р; ~ reading бессисте́мное чте́ние; ~ remark случа́йное замеча́ние; ~ fighting *воен.* отде́льные сты́чки и перестре́лки; ~ fire *воен.* беспоря́дочная стрельба́.

detach [dɪ'tætʃ] *v* 1) отделя́ть(ся); отвя́зывать; разъединя́ть; отцепля́ть; прерыва́ть соедине́ние (from); 2) *воен., мор.* отряжа́ть, посыла́ть (*отряд, судно*).

detachable [dɪ'tætʃəbl] *a* съёмный; отрывно́й; отрезно́й.

detached [dɪ'tætʃt] 1. *p. p. от* detach; 2. *a* 1) отде́льный, обосо́бленный; отделённый; ~ house особня́к; ~ piece *воен.* одино́чное ору́дие; 2) беспристра́стный; незави́симый; ~ opinion, ~ view незави́симое мне́ние; ~ *воен.* (от)командиро́вка; ~ duty командиро́вка; ~ service *амер.* откомандирова́ние из ча́сти; to place on ~ service прикомандиро́вывать (*для слу́жбы, учёбы и т. п.*).

detachment [dɪ'tætʃmənt] *n* 1) отделе́ние; выделе́ние; разъедине́ние; 2) отчуждённость; отрешённость; обосо́бленность; an air of ~ незави́симый вид; 3) беспристра́стность; 4) *воен., мор.* отря́д войск *или* корабле́й; оруди́йный *или* миномётный расчёт; 5) *воен.* (от)командирова́ние; 6) *attr.*: ~ warfare война́, веду́щаяся отде́льными отря́дами.

detail ['diːteɪl] 1. *n* 1) подро́бность; дета́ль; to go (*или* to enter) into ~s вдава́ться в подро́бности; in ~ обстоя́тельно; подро́бно; 2) *pl* дета́ли (*зда́ния или маши́ны*); ча́сти, элеме́нты; 3) *воен.* наря́д; кома́нда; 4) *attr.* дета́льный, подро́бный; ~ drawing дета́льный чертёж; 2. *v* 1) подро́бно расска́зывать, входи́ть в подро́бности; 2) *воен.* выделя́ть; откомандиро́вывать; наряжа́ть.

detailed ['diːteɪld] 1. *p. p. от* detail 2; 2. *a* 1) подро́бный, дета́льный; 2) *воен.* назна́ченный; вы́деленный.

detailing ['diːteɪlɪŋ] 1. *pres. p. от* detail 2; 2. *n* выделе́ние, назначе́ние в наря́д; ~ for guard наря́д в карау́л.

detain [dɪ'teɪn] *v* 1) заде́рживать; заставля́ть ждать; 2) уде́рживать (*де́ньги и т. п.*); 3) содержа́ть под стра́жей; 4) замедля́ть; меша́ть (*движе́нию и т. п.*).

detainer [dɪ'teɪnə] *n юр.* 1) незако́нное задержа́ние иму́щества; 2) предписа́ние о дальне́йшем содержа́нии аресто́ванного под стра́жей.

detank [diː'tæŋk] *v воен.* выса́живать(ся) из та́нка.

detect [dɪ'tekt] *v* 1) открыва́ть, обнару́живать; 2) *радио* детекти́ровать, выпрямля́ть.

detection [dɪ'tekʃən] *n* 1) откры́тие, обнаруже́ние; 2) *радио* детекти́рование.

detective [dɪ'tektɪv] 1. *n* аге́нт сыскно́й поли́ции, сы́щик; 2. *a* сыскно́й; детекти́вный; ~ novel детекти́вный рома́н.

detector [dɪ'tektə] *n* 1) *радио* детéктор; 2) *воен., хим.* индика́тор.

detent [dɪ'tent] *n тех.* сто́пор, защёлка, крючо́к.

détente [ˌdeɪ'tɑːŋt] *фр. n* ослабле́ние напряже́ния (*в отноше́ниях ме́жду госуда́рствами*).

detention [dɪ'tenʃən] *n* 1) задержа́ние; 2) содержа́ние под аре́стом; 3) вы́нужденная заде́ржка; 4) удержа́ние; 5) *школ.* оставле́ние по́сле уро́ков; 6) *attr.*: ~ camp ла́герь для интерни́рованных.

deter [dɪ'təː] *v* уде́рживать (from—от чего́-л.); отпу́гивать (from).

deterge [dɪ'təːdʒ] *v* очища́ть.

detergent [dɪ'təːdʒənt] 1. *n* 1) дезинфици́рующее сре́дство; 2) мо́ющее сре́дство; 2. *a* очища́ющий.

deteriorate [dɪ'tɪərɪəreɪt] *v* ухудша́ть(ся); по́ртить(ся); вырожда́ться.

deterioration [dɪˌtɪərɪə'reɪʃən] *n* 1) ухудше́ние; по́рча; 2) изна́шивание, изно́с.

deteriorative [dɪ'tɪərɪəˌreɪtɪv] *a* ухудша́ющий.

determinant [dɪ'təːmɪnənt] 1. *n* 1) реша́ющий, определя́ющий фа́ктор; 2) *мат.* детермина́нт, определи́тель; 2. *a* определя́ющий, реша́ющий; обусло́вливающий.

determinate 1. *a* [dɪ'təːmɪnɪt] 1) определённый, устано́вленный; 2) решённый, оконча́тельный; 3) реши́тельный; 2. *v уст.* [dɪ'təːmɪneɪt] определя́ть.

determination [dɪˌtəːmɪ'neɪʃən] *n* 1) определе́ние; установле́ние (*грани́ц и т. п.*); ~ of price калькуля́ция; 2) реше́ние; пригово́р; 3) реши́тельность; реши́мость; 4) *мед.* прили́в (кро́ви).

determinative [dɪ'təːmɪnətɪv] 1. *a* 1) определя́ющий; реша́ющий; 2) ограни́чивающий; 2. *n* 1) реша́ющий фа́ктор; *грам.* определя́ющее сло́во.

determine [dɪ'təːmɪn] *v* 1) определя́ть; устана́вливать; 2) реша́ть(ся); to ~ upon a course of action реши́ть, как де́йствовать; определи́ть ли́нию поведе́ния; 3) побужда́ть, заставля́ть; 4) *юр.* конча́ться, истека́ть (*о сро́ке, аре́нде и т. п.*); 5) *уст.* ограни́чивать; определя́ть грани́цы.

determined [dɪ'təːmɪnd] 1. *p. p. от* determine; 2. *a* 1) при́нявший реше́ние, реши́вшийся; 2) реши́тельный; по́лный реши́мости; ~ character твёрдый хара́ктер.

determinism [dɪ'təːmɪnɪzəm] *n филос.* детермини́зм.

deterrent [dɪ'terənt] 1. *n* сре́дство устраше́ния; 2. *a* 1) отпу́гивающий, устраша́ющий; уде́рживающий; 2) предохрани́тельный.

detersive [dɪ'təːsɪv] = detergent.

detest [dɪ'test] *v* ненави́деть, пита́ть отвраще́ние.

detestable [dɪ'testəbl] *a* отврати́тельный.

detestation [ˌdiːtes'teɪʃən] *n* 1) си́льное отвраще́ние; 2) предме́т, вызыва́ющий отвраще́ние, не́нависть.

dethrone [dɪ'θroun] *v* 1) сверга́ть с престо́ла; 2) *перен.* разве́нчивать.

dethronement [dɪ'θrounmənt] *n* 1) сверже́ние с престо́ла; 2) *перен.* разве́нчивание.

detinue ['detɪnjuː] *n юр.* незако́нный захва́т чужо́го иму́щества; action of ~ иск о возвращéнии незакóнно захвáченного имýщества.

detonate ['detouneɪt] *v* детонúровать, взрывáть(ся) *(вследствие детонáции).*

detonating ['detouneɪtɪŋ] **1.** *pres. p. om* detonate;

2. *a* детонúрующий; ~ fuse детонúрующий запáл, удáрная трýбка; взрывáтель; ~ gas гремýчий газ; ~ net детонúрующая сеть.

detonation [,detou'neɪʃən] *n* детонáция; взрыв.

detonator ['detouneɪtə] *n* 1) детонáтор; кáпсюль; 2) *ж.-д.* петáрда.

detour ['deɪtuə] *n* окóльный путь, обхóд, объéзд; to make a ~ сдéлать крюк.

detract [dɪ'trækt] *v* 1) умалять, уменьшáть; that does not ~ from his merit э́то не умаля́ет егó заслýги; 2) порóчить, клеветáть.

detraction [dɪ'trækʃən] *n* 1) умалéние, уменьшéние; 2) клеветá; злослóвие.

detractive, detractory [dɪ'træktɪv, -tərɪ] *a* 1) умаля́ющий достóинства; 2) порочáщий.

detractor [dɪ'træktə] *n* 1) клеветнúк; 2) завúстник.

detrain [di:'treɪn] *v* 1) выса́живать(ся) из пóезда; 2) разгружáть, выгружáть (вагóны).

detriment ['detrɪmənt] *n* ущéрб, вред; without ~ to без ущéрба для; I know nothing to his ~ я не знáю за ним ничегó предосудúтельного; to the ~ of one's health в ущéрб своемý здорóвью.

detrimental [,detrɪ'mentl] **1.** *a* 1) приносящий убы́ток, ущéрб; 2) врéдный; ~ to one's health врéдный для здорóвья;

2. *n разг.* незавúдная пáртия *(о женихе).*

detrition [dɪ'trɪʃən] *n преим. геол.* стирáние, изнáшивание от трéния.

detritus [dɪ'traɪtəs] *n геол.* детрúт *(продукты выветривания горных пород).*

de trop [də'trou] *фр. a predic.* излúшний, ненýжный, нежелáтельный.

detruck [di:'trʌk] *v амер.* выса́живать(ся) из грузовикóв.

detrude [dɪ'tru:d] *v редк.* сбрáсывать, вытáлкивать.

detruncate [di:'trʌŋkeɪt] *v* срезáть, укорáчивать.

detune [di:'tju:n] *v радио* расстрáивать.

deuce I [dju:s] *n* 1) двóйка, два очкá; 2) рáвный счёт *(в теннисе).*

deuce II [dju:s] *n* чёрт *(в ругательствах, восклицаниях);* (the) ~ take it! чёрт побери!; (the) ~ a bit ничýть!; (the) ~ a man! никтó!; to play the ~ with smb. причиня́ть вред комý-л.; where the ~ did I put the book? чёрт егó знáет, кудá я положúл кнúгу!

deuced [dju:st] **1.** *a разг.* чертóвский; ужáсный; I'm in a ~ hurry я ужáсно спешý;

2. *adv* чертóвски, ужáсно.

deuterium [dju:'tɪərɪəm] *n хим.* дейтéрий, тяжёлый водорóд.

Deuteronomy [,dju:tə'rɒnəmɪ] *n библ.* Второзакóние.

devaluate [di:'væljueɪt] *v* 1) обесцéнивать; 2) *фин.* проводúть девальвáцию.

devaluation [,di:vælju'eɪʃən] *n* 1) обесцéнение; 2) *фин.* девальвáция.

devaporation [dɪ,væpə'reɪʃən] *n* конденсáция пáра.

devastate ['devəsteɪt] *v* опустошáть, разорять.

devastating ['devəsteɪtɪŋ] **1.** *pres. p. om* devastate;

2. *a* опустошúтельный, разрушúтельный.

devastation [,devəs'teɪʃən] *n* 1) опустошéние, разорéние; 2) *юр.* растрáта имýщества *(душеприказчиками).*

develop [dɪ'veləp] *v* 1) развивáть(ся); 2) совершéнствовать; 3) распространя́ться, развивáться *(о болезни, эпидемии);* 4) разрабáтывать; to ~ a mine разрабáтывать копь; to ~ the plot of a story разрабáтывать сюжéт расскáза; 5) конструúровать, разрабáтывать; 6) излагáть, раскрывáть *(аргументы, мотивы и т. п.);* 7) проявля́ть(ся); he has ~ed a tendency to brood y негó появúлась привы́чка задýмываться; он стал чáсто задýмываться; 8) выясня́ть(ся), обнарýживать(ся), становúться очевúдным; it ~ed that he had made a mistake вы́яснилось, что он ошúбся; to ~ the enemy развéдать протúвника; 9) *фото* проявля́ть; 10) *амер. воен.* развёртывать(ся); to ~ an attack принýдить наступáющего протúвника к развёртыванию.

developer [dɪ'veləpə] *n фото* проявúтель.

development [dɪ'veləpmənt] *n* 1) развúтие; эволюция, рост; расширéние; 2) развёртывание; 3) улучшéние, усовершéнствование *(механизмов);* 4) обстоя́тельство; собы́тие; to meet unexpected ~s столкнýться с непредвúденными обстоя́тельствами; 5) вы́вод; заключéние; 6) предприя́тие; 7) *фото* проявлéние; 8) *горн.* подготовúтельные рабóты, подготóвка месторождéния; 9) создáние нóвых материáлов; 10) *attr.*: ~ theoгу эволюциóнная теóрия; ◊ ~ battalion учéбный батальóн; ~ type óпытный обрáзец.

developmental [dɪ,veləp'mentəl] *a* 1) связанный с развúтием; ~ diseases болéзни рóста; 2) эволюциóнный.

deviate ['di:vɪeɪt] *v* отклоня́ться; отступáть; уклоня́ться; to ~ from the truth отклонúться от úстины; to ~ ships вынуждáть судá уклоня́ться от их кýрса.

deviation [,di:vɪ'eɪʃən] *n* 1) отклонéние; 2) девиáция *(магнитной стрелки);* 3) *полит.* уклóн; 4) *мор., ком.* девиáция, отклонéние от договорнóго рéйса; ~ clause *мор.* пункт во фрахтóвом контрáкте, предусмáтривающий захóд сýдна в другóй порт, помúмо пóрта назначéния.

device [dɪ'vaɪs] *n* 1) устрóйство; приспособлéние; механúзм; аппарáт, прибóр; 2) спóсоб, срéдство; 3) план; схéма; проéкт; 4) затéя; злой ýмысел; 5) девúз, эмблéма; ◊ to leave smb. to his own ~s предостáвить человéка самомý себé.

devil ['devl] **1.** *n* 1) дья́вол, чёрт, бес; a ~ to work рабóтает как чёрт; a ~ to eat ест за четверы́х; 2) *употр. для усиления или придания иронического или отрицательного оттенка:* what the ~ do you mean?

что вы э́тим хоти́те сказа́ть, чёрт возьми́?; как бы не так!; ~ a bit of money did he give! дал он де́нег, чёрта с два!; [ср. deuce II]; 3) литера́тор, журнали́ст, выполня́ющий рабо́ту для друго́го, счита́ющегося а́втором; 4) ма́льчик на побегу́шках; учени́к в типогра́фии (тж. printer's ~); 5) челове́к, па́рень; lucky ~ счастли́вец; poor ~ бедня́га; a ~ of a fellow хра́брый ма́лый; little (или young) ~ шутл. чертёнок; ирон. су́щий дья́вол, отча́янный ма́лый; 6) жа́реное мясно́е или ры́бное блю́до с пря́ностями; 7) зоол. су́мчатый волк (в Тасма́нии); 8) тех. волк-маши́на; ◇ talk of the ~ (and he is sure to appear) ≅ лёгок на поми́не!; ~ among the tailors a) о́бщая дра́ка, сва́лка; б) род фейерве́рка; the ~ (and all) to pay грозя́щая неприя́тность, беда́; затрудни́тельное положе́ние; the ~ is not so bad as he is painted посл. не так стра́шен чёрт, как его́ малю́ют; to paint the ~ blacker than he is сгуща́ть кра́ски; between the ~ and the deep sea ≅ ме́жду двух огне́й; on two sticks диа́боло (игру́шка); ~'s own luck ≅ черто́вски везёт; необыкнове́нное сча́стье; ~ take the hindmost ≅ го́ре неуда́чникам; к чёрту неуда́чников!; всяк за себя́; to give the ~ his due отдава́ть до́лжное проти́внику; to play the ~ with причини́ть вред; испо́ртить; to raise the ~ шуме́ть, буя́нить; поднима́ть сканда́л; the blue ~s хандра́;

2. v 1) рабо́тать (for — на); исполня́ть чернову́ю рабо́ту для литера́тора, журнали́ста; 2) жа́рить мя́со с пря́ностями; 3) разрыва́ть в кло́чки; 4) надоеда́ть; дразни́ть.

devildom ['devldəm] n дья́вольщина, чертовщи́на.

devil-fish ['devlfɪʃ] n зоол. 1) скат; 2) осьмино́г; 3) карака́тица.

devilish ['devlɪʃ] 1. a дья́вольский, а́дский;
2. adv разг. чорто́вски, ужа́сно; ~ funny (nice, cold, etc.) чорто́вски смешно́ (хорошо́, хо́лодно и т. п.).

devil-may-care ['devlmeɪ'keə] a беззабо́тный; безрассу́дный; бесшаба́шный; a ~ attitude наплева́тельское отноше́ние, всё трын-трава́.

devilment ['devlmənt] = devilry 1), 2) и 3).

devilry ['devlrɪ] n 1) чёрная ма́гия; чертовщи́на; 2) жесто́кость, зло́ба; 3) прока́зы, ша́лости; 4) собир. дья́волы.

devil's bones ['devlz,bɔunz] n pl разг. игра́льные ко́сти.

devil's books ['devlz,buks] n pl разг. ка́рты.

devil's coach-horse ['devlz'kəutʃhɔːs] n народное название больших чёрных жуков Goerius olens.

devil's-darning-needle ['devlz'dɑːnɪŋ,niːdl] n амер. стрекоза́.

devil's tattoo ['devlztə,tuː] n посту́кивание (па́льцами), отбива́ние та́кта (ного́й).

deviltry ['devltrɪ] = devilry.

devil-worship ['devl,wəːʃɪp] n сатани́зм, культ сатаны́.

devious ['diːvjəs] a 1) отклоня́ющийся от прямо́го пути́; блужда́ющий; 2) око́льный,

кру́жный; извили́стый; ~ paths око́льные пути́; 3) хи́трый; неи́скренний, нече́стный; 4) отдалённый; уединённый.

devisable [dɪ'vaɪzəbl] a 1) могу́щий быть приду́манным, изобретённым; 2) юр. могу́щий быть заве́щанным, пе́реданным по насле́дству.

devise [dɪ'vaɪz] 1. n 1) изобрете́ние, вы́думка; 2) юр. завеща́ние; заве́щанное иму́щество (недви́жимое);
2. v 1) приду́мывать; изобрета́ть; 2) юр. завеща́ть (недви́жимость); 3) уст. предназнача́ть.

devisee [,devɪ'ziː] n юр. насле́дник (недви́жимого имущества).

deviser [dɪ'vaɪzə] n 1) изобрета́тель; 2) юр. завеща́тель.

devisor [,devɪ'zɔː] = deviser 2).

devitalize [diː'vaɪtəlaɪz] v лиша́ть жи́зненной си́лы; де́лать безжи́зненным.

devitrification [diː,vɪtrɪfɪ'keɪʃən] n геол., хим. расстеклова́ние.

devocalize [diː'vəukəlaɪz] v фон. лиша́ть зво́нкости, оглуша́ть.

devoid [dɪ'vɔɪd] a лишённый (of — чего-л.); свобо́дный (of — от); ~ of sense лишённый смы́сла; ~ of substance лишённый основа́ния; ~ of fear бесстра́шный.

devoir ['devwɑː] фр. n 1) долг, обя́занность; 2) pl акт ве́жливости; to pay one's ~s to smb. засвиде́тельствовать кому́-л. своё почте́ние; сде́лать визи́т.

devolution [,diːvə'luːʃən] n 1) переда́ча (власти, обязанностей и т. п.); 2) перехо́д (имущества) по прямо́й ли́нии; 3) биол. вырожде́ние, регре́сс.

devolve [dɪ'vɔlv] v 1) передава́ть (полномо́чия, обязанности и т. п.); 2) переходи́ть к друго́му лицу́ (о до́лжности, работе и т. п.; upon); 3) переходи́ть по насле́дству (об имуществе); 4) обва́ливаться, осыпа́ться (о земле); ска́тываться.

Devonian [de'vəunjən] 1. a 1) девонши́рский; 2) геол. дево́нский;
2. n 1) уроже́нец Деворши́ра; 2) геол. дево́н, дево́нский пери́од.

devote [dɪ'vəut] v 1) посвяща́ть; to ~ much time to studies уделя́ть мно́го вре́мени заня́тиям; 2) предава́ться (чему-л.).

devoted [dɪ'vəutɪd] 1. p. p. от devote;
2. a 1) пре́данный; не́жный; 2) посвящённый; увлека́ющийся (чем-л.); he is ~ to sports он увлека́ется спо́ртом; 4) редк. обречённый.

devotedly [dɪ'vəutɪdlɪ] adv пре́данно.

devotee [,devəu'tiː] n 1) челове́к, всеце́ло пре́данный како́му-л. де́лу; энтузиа́ст своего́ де́ла; 2) набо́жный челове́к, свято́ша, фана́тик.

devotion [dɪ'vəuʃən] n 1) пре́данность; си́льная привя́занность; 2) посвяще́ние себя́ (чему-л.); 3) увлече́ние; ~ to tennis увлече́ние те́ннисом; 4) набо́жность; 5) pl религио́зные обря́ды, моли́твы.

devotional [dɪ'vəuʃənl] a набо́жный, благочести́вый.

devour [dɪ'vauə] v 1) пожира́ть; есть жа́дно; 2) перен. поглоща́ть; уничтожа́ть; ~ed by curiosity (anxiety) снеда́емый любопы́тством (беспокойством); to ~ novel after novel поглощать роман за романом; to ~ the way быстро двигаться; he ~ed every word он жадно ловил каждое слово.

devouringly [dɪ'vauərɪŋlɪ] *adv* жадно; to gaze ~ at с жадностью смотреть на.

devout [dɪ'vaut] *a* 1) благоговейный; набожный, благочестивый; 2) искренний; преданный.

dew [djuː] **1.** *n* 1) роса; 2) *поэт.* свежесть; the ~ of youth свежесть юности; 3) капля дождя; слеза; 2. *v* 1) орошать, смачивать; обрызгивать; 2) *поэт.* покрывать росой; it is beginning to dew, it ~s появляется роса.

dewan [dɪ'waːn] *n* министр финансов *или* премьер-министр (*в княжествах Индии*).

dewberry ['djuːberɪ] *n* ежевика.

dew-claw ['djuːklɔː] *n* рудиментарный отросток в виде пальца на лапе (*у некоторых пород собак*).

dew-drop ['djuːdrɔp] *n* капля росы; росинка.

dew-fall ['djuːfɔːl] *n* время появления росы, вечер.

dewiness ['djuːɪnɪs] *n* росистость.

dewlap ['djuːlæp] *n* 1) подгрудок (*у крупного рогатого скота*); 2) серёжка (*у индюка*).

dew-point ['djuːpɔɪnt] *n* метеор. точка росы; температура таяния, температура конденсации.

dewy ['djuːɪ] *a* 1) покрытый росой; росистый; 2) влажный, увлажнённый; 3) *поэт.* свежий; освежающий.

dexter ['dekstə] *a* 1) правый; 2) *геральд.* находящийся на левой (*от смотрящего*) стороне герба.

dexterity [deks'terɪtɪ] *n* 1) проворство; ловкость; сноровка; 2) хорошие способности.

dexterous ['dekstərəs] *a* 1) ловкий, проворный; 2) проявляющий хорошие способности, способный.

dextrin(e) ['dekstrɪn] *n хим.* декстрин.

dextrogyrate [,dekstrə'dʒaɪəreɪt] *a хим.* правовращающий, вращающий плоскость поляризации вправо.

dextro-rotatory [,dekstrə'routətərɪ] = dextrogyrate.

dextrorse ['dekstrɔːs] *a бот.* вьющийся слева направо.

dextrose ['dekstrous] *n хим.* виноградный сахар, глюкоза.

dextrous ['dekstrəs] = dexterous.

dhole [doul] *n англо-инд.* дикая собака.

dhoti ['doutɪ] *n англо-инд.* набедренная повязка индусов.

dhow [dau] *n* одномачтовое арабское судно.

dhurrie, dhurry ['dʌrɪ] *n* индийская бумажная ткань с бахромой, употребляемая для занавесок, обивки диванов *и т. п.*

di- [dɪ-, daɪ-] *pref* 1) = dis- I, II; diatomic двуатомный; 2) = dia-.

dia- [daɪə-] *pref* чрез-, между-.

diabase ['daɪəbeɪs] *n мин.* диабаз.

diabetes [,daɪə'biːtiːz] *n мед.* диабет, сахарная болезнь.

diabetic [,daɪə'betɪk] **1.** *n* диабетик; **2.** *a* диабетический.

diablerie [dɪ'ɑːblərɪ] *фр. n* чертовщина; чёрная магия.

diabolic(al) [,daɪə'bɔlɪk(əl)] *a* 1) дьявольский; 2) (*обыкн.* diabolical) злой, жестокий.

diabolism [daɪ'æbəlɪzəm] *n* 1) служение дьяволу; 2) колдовство; 3) дьявольская злоба; жестокость; 4) бесноватость.

diachylon, diachylum [daɪ'ækɪlɔn, -ləm] *n мед.* свинцовый пластырь.

diacritic [,daɪə'krɪtɪk] *лингв.* **1.** *a* диакритический; **2.** *n* диакритический знак.

diacritical [,daɪə'krɪtɪkəl] = diacritic 1.

diadem ['daɪədem] **1.** *n* 1) диадема, венец; корона; венок на голове; 2) власть монарха; **2.** *v* венчать короной, короновать.

diaereses [daɪ'ɪərɪsiːz] *pl от* diaeresis.

diaeresis [daɪ'ɪərɪsɪs] *лат. n* (*pl* -eses) *лингв.* диэреза, трема (*знак·· над гласной для произнесения её отдельно от предшествующей гласной*); *напр.*, naïve.

diagnose ['daɪəgnouz] *v* ставить диагноз.

diagnoses [,daɪəg'nousiːz] *pl от* diagnosis.

diagnosis [,daɪəg'nousɪs] *лат. n* (*pl* -oses) диагноз, определение болезни; to make a ~ поставить диагноз.

diagnostic [,daɪəg'nɔstɪk] **1.** *a* диагностический; **2.** *n* 1) симптом (*болезни*); 2) = diagnosis.

diagnosticate [,daɪəg'nɔstɪkeɪt] = diagnose.

diagnostician [,daɪəgnɔs'tɪʃən] *n* диагност.

diagnostics [,daɪəg'nɔstɪks] *n pl* (*употр. как sing*) диагностика.

diagonal [daɪ'ægənl] **1.** *a* диагональный, идущий наискось; ~ cloth диагональ, ткань с косыми рубчиками; **2.** *n* диагональ.

diagram ['daɪəgræm] **1.** *n* схема; (объяснительный) чертёж; диаграмма; график; an assembled ~ сводная диаграмма; ◇ in ~ form графически; **2.** *v* составлять диаграмму; изображать схематически.

diagrammatic(al) [,daɪəgrə'mætɪk(əl)] *a* схематический.

diagrammatize [,daɪə'græmətaɪz] *v* изображать схематически, составлять диаграмму, схему.

dial ['daɪəl] **1.** *n* 1) циферблат; шкала; 2) *тел.* диск набора; 3) солнечные часы; 4) *sl.* круглое лицо, «луна»; 5) угломерный круг, лимб; 6) горный компас (*тж.* miner's ~); **2.** *v* 1) измерять по циферблату; 2) набирать номер (*по автоматическому телефону*).

dialect ['daɪəlekt] *n лингв.* 1) диалект, наречие; 2) *attr.* диалектный; ~ story анекдот, построенный на особенностях диалекта, искажающих смысл.

dialectal [,daɪə'lektl] *a лингв.* диалектальный.

dialectical [,daɪə'lektɪkəl] *a* 1) *филос.* диалектический; ~ materialism диалектический материали́зм; ~ method диалекти́ческий ме́тод; 2) = dialectal.

dialectician [ˌdaɪəlek'tɪʃ ən] *n филос.* диале́ктик.

dialectics [ˌdaɪə'lektɪks] *n pl (употр. как sing)* диале́ктика.

dialectology [ˌdaɪəlek'tɔlədʒɪ] *n* диалектоло́гия, изуче́ние диале́ктов.

dialogic [ˌdaɪə'lɔdʒɪk] *a* диалоги́ческий.

dialogue ['daɪəlɔg] *n* 1) диало́г (*в драме, романе*); 2) разгово́р.

dialyser ['daɪəˌlaɪzə] *n хим.* диализа́тор.

dialysis [daɪ'ælɪsɪs] *n хим.* диа́лиз.

diameter [daɪ'æmɪtə] *n* диа́метр; попере́чник.

diametral [daɪ'æmɪtrəl] *a* диаметра́льный, попере́чный.

diametric(al) [ˌdaɪə'metrɪk(əl)] *a* диаметра́льный (*тж. перен.*).

diametrically [ˌdaɪə'metrɪkəlɪ] *adv* диаметра́льно.

diamond ['daɪəmənd] 1. *n* 1) алма́з; бриллиа́нт; black ~ чёрный алма́з; ~ of the first water бриллиа́нт чи́стой воды́; *перен.* замеча́тельный челове́к; rough ~ неотшлифо́ванный алма́з; *перен.* челове́к, облада́ющий вну́тренними досто́инствами, но не име́ющий вне́шнего ло́ска; false ~ фальши́вый бриллиа́нт; 2) алма́з для ре́зки стекла́; 3) *геом.* ромб; 4) *pl карт.* бу́бны; 5) *амер.* площа́дка для игры́ в бейсбо́л; 6) *полигр.* диама́нт (*мелкий шрифт в 4¹/₂ пункта*); ◇ ~ cut ~ ≅ оди́н друго́му не усту́пит (*в хитрости, остроумии и т. п.*);

2. *a* 1) алма́зный; бриллиа́нтовый; ~ mine алма́зная копь; the D. State *амер.* штат Де́лавэр; 2) ромбоида́льный; ◇ ~ anniversary шестидесятиле́тний *или* семидесятиле́тний юбиле́й;

3. *v* украша́ть бриллиа́нтами.

diamond-field ['daɪəməndfiːld] *n* алма́зная копь.

diamond-point ['daɪəməndpɔɪnt] *n* 1) игла́ для гравирова́ния с алма́зным наконе́чником; 2) *pl ж.-д.* ме́сто косо́го пересече́ния двух ре́льсовых путе́й.

Diana [daɪ'ænə] *n миф.* Диа́на.

Dianthus [daɪ'ænθəs] *n бот.* гвозди́ка (*родовое название*).

diapason [ˌdaɪə'peɪsn] *n* 1) диапазо́н; 2) основно́й реги́стр орга́на; 3) камерто́н.

diaper ['daɪəpə] 1. *n* 1) узо́рчатое полотно́; 2) полоте́нце, салфе́тка *или* пелёнка из узо́рчатого полотна́; 3) *амер.* пелёнка; 4) ромбови́дный узо́р;

2. *v* 1) украша́ть ромбови́дным узо́ром; 2) *амер.* завёртывать в пелёнки, пелена́ть.

diaphanous [daɪ'æfənəs] *a* прозра́чный, просве́чивающий.

diaphoretic [ˌdaɪəfə'retɪk] 1. *a* потого́нный;

2. *n* потого́нное сре́дство.

diaphragm ['daɪəfræm] *n* 1) диафра́гма; мембра́на; 2) перего́родка; 3) *бот., зоол.* перепо́нка.

diaphragmatic [ˌdaɪəfræg'mætɪk] *a* относя́щийся к диафра́гме.

diarchy ['daɪɑːkɪ] *n* двоевла́стие.

diarist ['daɪərɪst] *n* челове́к, веду́щий дневни́к.

diarize ['daɪəraɪz] *v* вести́ дневни́к.

diarrhoea [ˌdaɪə'rɪə] *n мед.* поно́с.

diary ['daɪərɪ] *n* 1) дневни́к; 2) записна́я кни́жка-календа́рь.

diastole ['daɪəstəlɪ] *n физиол.* диа́стола.

diathermancy [ˌdaɪə'θɑːmənsɪ] *n физ.* теплопрово́дность.

diathermic [ˌdaɪə'θɑːmɪk] *a* 1) *мед.* диатерми́ческий; 2) *физ.* теплопрово́дный.

diathermy ['daɪəˌθɑːmɪ] *n мед.* диатерми́я.

diathesis [daɪ'æθɪsɪs] *n мед.* диате́з.

diatom ['daɪətəm] *n бот.* диато́мовая (кремнёвая) во́доросль.

diatomic [ˌdaɪə'tɔmɪk] *a хим.* двуха́томный.

diatonic [ˌdaɪə'tɔnɪk] *a муз.* диатони́ческий.

diatribe ['daɪətraɪb] *n* 1) диатри́ба, ре́зкая кри́тика; обличи́тельная речь; 2) *уст.* дли́нное обсужде́ние.

dibasic [daɪ'beɪsɪk] *хим.* 1. *a* двухосно́вный;

2. *n* двухосно́вная кислота́.

dibble ['dɪbl] *с.-х.* 1. *n* сажа́льный кол;

2. *v* сажа́ть под кол, де́лать я́мки в земле́.

dibhole ['dɪbhoul] *n горн.* зумпф.

dibs [dɪbz] *n pl* 1) ба́бки (*игра*); 2) фи́шки; 3) *sl.* де́ньги; he is after the ~ он го́нится за деньга́ми.

dice [daɪs] 1. *n pl* 1) *pl от* die I, 1, 1); 2) игра́ в ко́сти;

2. *v* 1) игра́ть в ко́сти; 2) нареза́ть в фо́рме ку́биков (*в кулинарии*); 3) вышива́ть узо́р квадра́тиками; 4) графи́ть в кле́тку; □ ~ away прои́грывать в ко́сти.

dice-box ['daɪsbɔks] *n* стака́нчик, из кото́рого броса́ют игра́льные ко́сти.

dicer ['daɪsə] *n* игро́к в ко́сти.

dichogamy [dɪ'kɔgəmɪ] *n бот.* дихога́мия, разновреме́нное созрева́ние тычи́нок и пе́стиков расте́ния.

dichotomy [dɪ'kɔtəmɪ] *n* 1) после́довательное деле́ние це́лого на две ча́сти; 2) *бот.* вилообра́зное разветвле́ние; 3) *астр.* фа́за луны́ *или* плане́ты, при кото́рой то́лько полови́на ди́ска освещена́; 4) *лог.* деле́ние кла́сса на два противопоставля́емых друг дру́гу подкла́сса.

dichromatic [ˌdaɪkrə'mætɪk] *a* двухцве́тный.

dichromic [daɪ'kroumɪk] *a* уме́ющий различа́ть то́лько два основны́х цве́та.

dick I [dɪk] *n амер. sl.* сы́щик.

dick II [dɪk] *n sl.* to take one's ~ кля́сться, утвержда́ть; up to ~ превосхо́дный.

dickens ['dɪkɪnz] *n разг.* чёрт; what the ~ do you want? како́го чёрта вам ну́жно?

dicker ['dɪkə] *амер.* 1. *n* 1) ком. дю́жина (*прежде деся́ток, особ. шкур, кож*); 2) ме́лкая сде́лка; 3) ве́щи *или* това́ры, слу́жащие для обме́на *или* распла́ты;

2. *v* торгова́ться по мелоча́м.

dickey, dicky ['dɪkɪ] 1. *n* 1) мани́шка; вста́вка; 2) фа́ртук; де́тский нагру́дник; 3) *sl.* осёл; 4) пти́чка, пта́шка; 5) сиде́нье для ку́чера *или* лаке́я позади́ экипа́жа-

6) заднее складное сиденье в двухмест-
ном автомобиле;
2. *a sl.* 1) слабый, нездоровый; нетвёрдый на ногах; 2) ненадёжный (*о торговом
предприятии и т. п.*).

dicotyledon [ˈdaɪˌkɔtɪˈliːdən] *n* бот. дву-
дольное растение.

dicotyledonous [ˌdaɪkɔtɪˈliːdənəs] *a* бот.
двудольный.

dicta [ˈdɪktə] *pl* от dictum.

dictagraph [ˈdɪktəɡrɑːf] = dictograph.

dictaphone [ˈdɪktəfoun] *n* диктофон.

dictate 1. *n* [ˈdɪkteɪt] 1) (*часто pl*) предписание, веление; the ~s of reason (of
conscience) веление разума (совести); 2)
полит. диктат;
2. *v* [dɪkˈteɪt] 1) диктовать (*письмо и т.п.*);
2) предписывать; диктовать (*условия и т. п.*).

dictation [dɪkˈteɪʃən] *n* 1) диктовка; диктант; to write at smb.'s ~ писать под чью-л.
диктовку; to take ~ писать под диктовку;
перен. подчиняться приказу; 2) предписание; to do smth. at smb.'s ~ делать что-л. по
чьему-л. предписанию, приказу; 3) = dictate 1, 2).

dictator [dɪkˈteɪtə] *n* диктатор.

dictatorial [ˌdɪktəˈtɔːrɪəl] *a* 1) диктаторский; 2) властный, повелительный.

dictatorship [dɪkˈteɪtəʃɪp] *n* диктатура; ~
of the proletariat диктатура пролетариата.

diction [ˈdɪkʃən] *n* 1) стиль, манера выражения мыслей; poetic ~ язык поэзии;
2) дикция.

dictionary [ˈdɪkʃənrɪ] *n* словарь.

dictograph [ˈdɪktəɡrɑːf] *n* диктограф.

dictum [ˈdɪktəm] *n* (*pl* dicta) 1) изречение, афоризм; 2) официальное, авторитетное заявление; 3) *юр.* высказывание судьи,
не имеющее силы приговора.

did [dɪd] *past* от do I.

didactic [dɪˈdæktɪk] *a* 1) дидактический;
поучительный; 2) любящий поучать.

didacticism [dɪˈdæktɪsɪzəm] *n* дидактизм;
склонность к поучению.

didactics [dɪˈdæktɪks] *n pl* (*употр. как
sing*) дидактика.

didapper [ˈdaɪdæpə] = dabchick.

didder [ˈdɪdə] = dither.

diddle [ˈdɪdl] *v* 1) *разг.* обманывать, надувать; to ~ a person out of his money выманить у кого-л. деньги; 2) тратить время
зря; 3) покачиваться.

dido [ˈdaɪdou] *n* (*pl* -oes [-ouz]) *амер.
разг.* шалость, проказа; to cut ~es валять
дурака.

didst [dɪdst] *уст.* 2-е л. ед. ч. *прошедшего
времени гл.* to do.

die I [daɪ] **1.** *n* 1) (*pl* dice) игральная
кость; to play with loaded dice жульничать;
2) штамп, пуансон; штемпель; матрица;
3) *тех.* винторезная головка; клупп; 4)
архит. цоколь (*колонны*); 5) *тех.* воло-
чильная доска; фильера; ◇ the ~ is cast
(*или* thrown) жребий брошен, выбор сделан;
to be upon the ~ быть поставленным на
карту;
2. *v* штамповать, чеканить.

die II [daɪ] *v* 1) умереть, скончаться (of,
from —от *чего-л.*; for — за *что-л.*); to ~ in

one's bed умереть естественной смертью;
2) *разг.* томиться желанием (for); I am
dying for a glass of water мне до смерти
хочется пить; I am dying to see him я ужасно хочу его видеть; 3) кончаться, исчезать;
быть забытым; 4) становиться безучастным, безразличным; 5) затихать (*о ветре*);
6) испаряться (*о жидкости*); 7) заглохнуть
(*о моторе*; *тж.* ~ out); □ ~ away а) увядать; б) падать в обморок; в) замирать
(*о звуке*); ~ down = ~ away; ~ off а) отми-
рать; б) умирать один за другим; ~ out
а) вымирать; б) заглохнуть (*о моторе*);
в) *воен.* захлебнуться (*об атаке*); ◇ to ~
game умереть мужественно, пасть смертью
храбрых; to ~ hard а) сопротивляться до
конца; б) быть живучим; to ~ in the last
ditch стоять насмерть; to ~ in harness
умереть за работой; умереть на своём посту; to ~ in one's boots умереть скоропостижной *или* насильственной смертью; a man
can ~ but once *посл.* ≅ двум смертям не
бывать, а одной не миновать; never say ~
посл. ≅ никогда не следует отчаиваться.

die-hard [ˈdaɪˌhɑːd] *n* 1) твердокамен-
ный человек; 2) *полит.* твердолобый, консерватор.

dielectric [ˌdaɪɪˈlektrɪk] **1.** *n* диэлектрик,
непроводник;
2. *a* диэлектрический.

dies [ˈdaɪiːz] *лат.* *n* день; ~ non а) неприс-
утственный день; б) день, не идущий
в счёт.

Diesel [ˈdiːzəl] *n* *тех.* двигатель дизеля,
дизель (*тж.* ~ engine, ~ motor).

dieses [ˈdaɪɪsiːz] *pl* от diesis.

die-sinker [ˈdaɪˌsɪŋkə] *n* резчик печатей,
штемпелей.

diesis [ˈdaɪɪsɪs] *n* (*pl* -eses) 1) *полигр.*
знак сноски в виде двойного крестика;
2) *муз.* диез.

die-stock [ˈdaɪstɔk] *n* *тех.* клупп.

diet I [ˈdaɪət] **1.** *n* 1) пища, стол; simple
~ простой стол; 2) диета; to be on ~ быть
на диете; a milk-free ~ диета с исключением молока;
2. *v* держать на диете; to ~ oneself соблюдать диету.

diet II [ˈdaɪət] *n* 1) парламент (*не английский*); сейм, ландтаг, рейхстаг *и пр.*;
2) международная конференция; 3) *шотл.*
однодневное собрание.

dietary [ˈdaɪətrɪ] **1.** *n* 1) паёк; 2) диета;
2. *a* дие(те)тический.

dietetic [ˌdaɪɪˈtetɪk] *a* дие(те)тический.

dietetics [ˌdaɪɪˈtetɪks] *n pl* (*употр. как
sing*) диететика.

dietitian [ˌdaɪɪˈtɪʃən] *n* диетврач; диет-
сестра.

dif- [dɪf-] = dis- I, II.

differ [ˈdɪfə] *v* 1) различаться; отличаться (*часто* from); 2) не соглашаться,
расходиться (from, with); ссориться; to ~
in opinion расходиться во мнениях; I beg
to ~ извините, но я с вами несогласен;
let's agree to ~ пусть каждый останется
при своём мнении.

difference [ˈdɪfrəns] **1.** *n* 1) разница; различие; it makes no ~ нет никакой разницы;

э́то не име́ет значе́ния; it makes all the ~ in the world э́то суще́ственно меня́ет де́ло; э́то о́чень ва́жно; 2) отличи́тельный при́знак; 3) разногла́сие, расхожде́ние во мне́ниях; ссо́ра; to settle the ~s ула́дить спор; to iron out the ~s сгла́дить, примири́ть разногла́сия; to have ~s ссо́риться, расходи́ться во мне́ниях; 4) *мат.* ра́зность; ◇ to split the ~ а) раздели́ть по́ровну оста́ток; б) идти́ на компроми́сс;
2. *v* 1) отлича́ть; служи́ть отличи́тельным при́знаком; 2) *мат.* вычисля́ть ра́зность.

different ['dɪfrənt] *a* 1) друго́й, не тако́й; несхо́дный; непохо́жий; отли́чный (from, to); this is ~ from what he said э́то не соотве́тствует тому́, что он говори́л; that is quite ~ э́то совсе́м друго́е де́ло; 2) разли́чный, ра́зный; a lot of ~ things мно́го ра́зных веще́й; 3) необы́чный.

differentia [,dɪfə'renʃɪə] *n* (*pl* -tiae) отличи́тельное сво́йство ви́да *или* кла́сса.

differentiae [,dɪfə'renʃɪiː] *pl от* differentia.

differential [,dɪfə'renʃəl] 1. *n* 1) *мат.*, *тех.* дифференциа́л; 2) ра́зница в опла́те труда́ ме́жду отде́льными о́траслями промы́шленности *или* ме́жду опла́той квалифици́рованных и неквалифици́рованных рабо́чих в одно́й о́трасли промы́шленности; 3) *ж.-д.* ра́зница в сто́имости прое́зда в одно́ и то же ме́сто ра́зными маршру́тами;
2. *a* 1) отличи́тельный; 2) *мат.* дифференциа́льный; ~ gear *тех.* дифференциа́льная переда́ча; дифференциа́л; 3) *эк.* дифференциа́льный; ~ rent дифференциа́льная ре́нта; ~ rate бо́лее ни́зкая опла́та прое́зда.

differentiate [,dɪfə'renʃɪeɪt] *v* 1) различа́ть(ся), отлича́ть(ся); to one from another отлича́ть одно́ от друго́го; 2) дифференци́ровать(ся); 3) видоизменя́ться.

differentiation [,dɪfərenʃɪ'eɪʃən] *n* 1) дифференциа́ция; 2) дифференци́рование, различе́ние; 3) видоизмене́ние.

differently ['dɪfrəntlɪ] *adv* разли́чно; по-ино́му; ина́че; now he thinks quite ~ about it тепе́рь он совсе́м друго́го мне́ния об э́том.

difficile ['dɪfɪsiːl] *фр. a* тяжёлый, несгово́рчивый, капри́зный.

difficult ['dɪfɪkəlt] *a* 1) тру́дный; 2) тяжёлый; 3) тре́бовательный; оби́дчивый; a ~ person тяжёлый челове́к; тру́дный субъе́кт; 4) затрудни́тельный.

difficulty ['dɪfɪkəltɪ] *n* 1) тру́дность; the difficulties of English тру́дности в изуче́нии англи́йского языка́; to find ~ in doing smth. столкну́ться с тру́дностями в чём-л.; 2) препя́тствие, затрудне́ние; to put difficulties in the way ста́вить препя́тствия на пути́; to overcome difficulties преодолева́ть препя́тствия; to make (*или* to raise) difficulties чини́ть препя́тствия [*ср.* 5)]; 3) *pl* затрудне́ния (*материа́льные*); I am in difficulties for money (for men) я испы́тываю затрудне́ние в деньга́х (в подыска́нии люде́й); 4) *pl амер.* разногла́сия; 5) нежела́ние, нео́хота; to make (*или* to raise) difficulties де́лать (*что-л.*) нео́хотно, с нежела́нием [*ср.* 2)].

diffidence ['dɪfɪdəns] *n* 1) неуве́ренность

в себе́; 2) скро́мность, засте́нчивость, ро́бость.

diffident ['dɪfɪdənt] *a* 1) неуве́ренный в себе́; 2) скро́мный, засте́нчивый, ро́бкий; 3) *уст.* недове́рчивый.

diffluent ['dɪfluənt] *a* 1) растека́ющийся; расплыва́ющийся; 2) переходя́щий в жи́дкое состоя́ние.

diffract [dɪ'frækt] *v опт.* дифраги́ровать.

diffraction [dɪ'frækʃən] *n опт.* дифра́кция.

diffuse 1. *a* [dɪ'fjuːs] 1) рассе́янный (*о све́те и т. п.*); 2) многосло́вный, расплы́вчатый; 3) распространённый, разбро́санный.
2. *v* [dɪ'fjuːz] 1) рассе́ивать (*свет, тепло́ и т. п.*); 2) распространя́ть; to ~ learning (*или* knowledge) распространя́ть зна́ния; 3) распыля́ть; рассыпа́ть, разбра́сывать; 4) *физ.* диффунди́ровать (*о га́зах и жи́дкостях*).

diffused light [dɪ'fjuːzd,laɪt] *n* рассе́янный свет.

diffusible [dɪ'fjuːzəbl] *a* спосо́бный к распростране́нию *или* к диффу́зии.

diffusion [dɪ'fjuːʒən] *n* 1) распростране́ние; 2) многосло́вие; 3) *физ.* рассе́ивание, диффу́зия.

diffusive [dɪ'fjuːsɪv] *a* 1) распространя́ющийся; 2) многосло́вный; 3) *физ.* рассе́янный, диффу́зный; 4) *редк.* оби́льный.

dig [dɪg] 1. *v* (dug, *уст.* digged [-d]) 1) копа́ть, рыть; выка́пывать, раска́пывать (*тж.* ~ out); to ~ a pit for smb. рыть друго́му я́му; 2) *перен.* отка́пывать, разы́скивать; to ~ the truth out of a person вы́удить и́стину у кого́-л.; to ~ for information отка́пывать све́дения; 3) ты́кать, толка́ть (*обыкн.* ~ in); to ~ smb. in the ribs толкну́ть кого́-л. в бок; 4) *амер. разг.* усе́рдно рабо́тать, зубри́ть; □ ~ for иска́ть; ~ from выка́пывать; ~ in, ~ into a) зарыва́ть; to ~ oneself in ока́пываться; б) вонза́ть (*шпо́ры, нож и т. п.*); ~ out а) выка́пывать, раска́пывать (of); б) *амер. разг.* внеза́пно покида́ть; поспе́шно уходи́ть, уезжа́ть; ~ through прокопа́ть, проры́ть; ~ up а) вы́рыть; *перен.* вы́копать, разыска́ть; б) подня́ть целину́; в) *амер. sl.* сде́лать взнос; наскрести́ определённую су́мму; г) *амер. sl.* получи́ть (*де́ньги*);
2. *n* 1) раско́пки; 2) толчо́к, тычо́к; 3) насме́шка; to have a ~ at smb. зло посмея́ться над кем-л.; 4) *амер.* приле́жный студе́нт; 5) *разг.* зубрёжка; ◇ I am going to have a ~ at Spanish я собира́юсь взя́ться за испа́нский язы́к.

digamist ['dɪgəmɪst] *n* челове́к, вступи́вший во второ́й брак.

digamy ['dɪgəmɪ] *n* второ́й брак.

digastric [daɪ'gæstrɪk] *анат.* 1. *a* двубрю́шный (*о мы́шцах*);
2. *n* двубрю́шная мы́шца (*че́люсти*).

digest 1. *n* ['daɪdʒest] 1) сбо́рник (*материа́лов*); спра́вочник; резюме́; компе́ндиум, кра́ткое изложе́ние (*зако́нов*); кра́ткий сбо́рник реше́ний суда́; кра́ткий обзо́р периоди́ческой литерату́ры; 2) (the D.) Юстиниа́новы диге́сты, панде́кты;

2. *v* [dɪ'ʤest] 1) перева́ривать(ся) (*о пище*); this food ~s well э́та пи́ща хорошо́
перева́ривается, легко́ усва́ивается; 2) ус-
ва́ивать; to read, mark, and inwardly ~
хорошо́ усва́ивать прочи́танное; to ~ the
events разобра́ться в собы́тиях; 3) осва́и-
вать (*террито́рию*); 4) терпе́ть, перено-
си́ть; 5) приводи́ть в систе́му, классифици́-
ровать; составля́ть и́ндекс; 6) выпа́ривать
(-ся); выпа́ривать(ся); наста́ивать(ся); 7)
с.-х. приготовля́ть компо́ст.

digester [dɪ'ʤestə] *n* 1) сре́дство, способствующее пищеваре́нию; 2) гермети́чески
закрыва́ющийся сосу́д для ва́рки чего́-л.;
автокла́в.

digestibility [dɪ,ʤestə'bɪlɪtɪ] *n* удобовари́-
мость.

digestible [dɪ'ʤestəbl] *a* удобовари́мый,
легко́ усва́иваемый.

digestion [dɪ'ʤesʧən] *n* 1) пищеваре́ние;
2) усвое́ние (*зна́ний и т. п.*).

digestive [dɪ'ʤestɪv] **1.** *n* сре́дство, спо-
со́бствующее пищеваре́нию.
2. *a* 1) пищевари́тельный; 2) способствующий пищеваре́нию.

digger ['dɪgə] *n* 1) землеко́п; 2) горнора-
бо́чий; углеко́п, отбо́йщик; золотоиска́-
тель; 3) *sl.* австрали́ец; 4) (Diggers) *pl*
инде́йское пле́мя, пита́ющееся коре́ньями
(*в Сев. Калифо́рнии*); 5) приспособле́ние
для копа́ния; копа́тель, копа́лка; potato ~
картофелекопа́лка; 6) (Diggers) *pl ист.*
ди́ггеры (*уча́стники агра́рного движе́ния в
эпо́ху англ. буржуа́зной револю́ции XVII в.*);
7) *pl* земляны́е о́сы.

digger-wasp ['dɪgəwɔsp] *n* земляна́я оса́.

digging ['dɪgɪŋ] **1.** *pres. p. от* dig 1;
2. *n* 1) копа́ние, рытьё; земляны́е рабо́ты;
2) *pl* рудни́к, копь; золоты́е при́иски;
3) добы́ча (*поле́зных ископа́емых*); 4) рас-
ко́пки; 5) *pl разг.* жили́ще; жильё; 6) *pl
амер. разг.* райо́н, ме́стность.

dight [daɪt] *v* (dight) *уст.*, *поэт.* 1) укра-
ша́ть, наряжа́ть; 2) (*обыкн. р. р.*) приго-
товля́ть, снаряжа́ть.

digit ['dɪʤɪt] *n* 1) па́лец; 2) ширина́ па́ль-
ца (*как ме́ра*; = ³/₄ дю́йма); 3) *мат.* одно-
зна́чное число́ (*от 0 до 9*).

digitalis [,dɪʤɪ'teɪlɪs] *n бот., мед.* дигита́-
та́лис, наперстя́нка.

digitate ['dɪʤɪteɪt] *a* 1) *зоол.* име́ющий
разви́тые па́льцы; 2) *бот.* па́льчатый, паль-
цеобра́зный.

digitated ['dɪʤɪteɪtɪd] = digitate.

digitigrade ['dɪʤɪtɪ,greɪd] *зоол.* **1.** *n*
пальцеходя́щее живо́тное;
2. *a* пальцеходя́щий.

digit selector ['dɪʤɪtsɪ,lektə] *n* диск на-
бо́ра (*в автомати́ческом телефо́не*).

dignified ['dɪgnɪfaɪd] **1.** *p. p. от* dignify;
2. *a* 1) облада́ющий чу́вством со́бственно-
го досто́инства; 2) вели́чественный, вели-
ча́вый; 3) досто́йный (*о челове́ке*).

dignify ['dɪgnɪfaɪ] *v* 1) придава́ть до-
сто́инство; облагора́живать; 2) удоста́ивать;
3) велича́ть; he dignifies his few books by
the name of library он имену́ет свой не́-
сколько книг библиоте́кой.

dignitary ['dɪgnɪtərɪ] *n* сано́вник, лицо́,

занима́ющее высо́кий пост (*особ. церко́в-
ный*).

dignity ['dɪgnɪtɪ] *n* 1) досто́инство; чу́в-
ство со́бственного досто́инства; to stand on
one's ~ держа́ть себя́ с больши́м досто́ин-
ством; beneath one's ~ ни́же своего́ досто́-
инства; 2) зва́ние, сан, ти́тул; to confer the
~ of a peerage дать зва́ние пэ́ра; 3) *редк.*
сано́вник, лицо́ высо́кого зва́ния; *собир.*
ли́ца высо́кого зва́ния; знать.

digraph ['daɪgrɑːf] *n* дигра́ф, две бу́квы,
изобража́ющие оди́н звук (*напр.*, sh *в*
ship, ea *в* sea).

digress [daɪ'gres] *v* отступа́ть; отвлека́ть-
ся, отклоня́ться (*от те́мы и т. п.*).

digression [daɪ'greʃən] *n* 1) отступле́ние,
отклоне́ние (*от те́мы*); 2) *астр.* отклоне́-
ние, углово́е расстоя́ние (плане́ты) от
со́лнца.

digressive [daɪ'gresɪv] *a* отклоня́ющийся,
отступа́ющий (*от те́мы и т. п.*).

digs [dɪgz] *sl. см.* digging 5).

digue [diːg] = dike.

dihedral [daɪ'hiːdrəl] **1.** *a* образу́емый
двумя́ пересека́ющимися плоскостя́ми; ~
angle *а*) двугра́нный у́гол; *б*) *ав.* у́гол по-
пере́чного V (*кры́льев*);
2. *n* = dihedral angle [*см.* 1].

dike [daɪk] **1.** *n* 1) да́мба; плоти́на, гать;
2) прегра́да, препя́тствие; 3) сто́чная кана́-
ва, ров; 4) дерно́вая *или* ка́менная огра́да;
5) *геол.* да́йка;
2. *v* 1) защища́ть да́мбой; 2) ока́пывать
рвом; 3) осуша́ть (*ме́стность*) проры́тием
кана́в; 4) мочи́ть (*лён, пеньку́*) в кана́-
вах.

dike-reeve ['daɪkriːv] *n* заве́дующий шлю́-
зами, плоти́нами, дрена́жем (*в боло́тистых
о́кругах А́нглии*).

dilapidate [dɪ'læpɪdeɪt] *v* 1) приходи́ть
или приводи́ть в упа́док; разруша́ть(ся);
лома́ть(ся); разва́ливать(ся); 2) расточа́ть.

dilapidated [dɪ'læpɪdeɪtɪd] **1.** *p. p. от*
dilapidate;
2. *a* 1) полуразру́шенный, полуразвали́в-
шийся; ве́тхий; 2) разорённый; 3) неопря́т-
ный, неря́шливо оде́тый.

dilapidation [dɪ,læpɪ'deɪʃən] *n* 1) полу-
разру́шенное состоя́ние; обветша́ние; упа́-
док; 2) приведе́ние в полуразру́шенное со-
стоя́ние; 3) разоре́ние.

dilatable [daɪ'leɪtəbl] *a* спосо́бный рас-
ширя́ться, растяжи́мый.

dilatation [,daɪleɪ'teɪʃən] *n* 1) расшире́-
ние; 2) распростране́ние.

dilate [daɪ'leɪt] *v* 1) расширя́ть(ся);
with ~d eyes с широко́ раскры́тыми глаза́-
ми; 2) распространя́ться; to ~ upon a subject
простра́нно говори́ть о чём-л.

dilation [daɪ'leɪʃən] = dilatation.

dilative [daɪ'leɪtɪv] *a* расширя́ющий(ся).

dilator [daɪ'leɪtə] *n* 1) *мед.* расшири́тель;
2) *анат.* расширя́ющая мы́шца.

dilatory ['dɪlətərɪ] *a* 1) ме́дленный; 2) мед-
ли́тельный; оття́гивающий (*вре́мя*); 3) запоздалый.

dilemma [dɪ'lemə] *n* диле́мма; затрудни́-
тельное положе́ние; to be put into a ~, to
be in a ~ стоя́ть пе́ред диле́ммой; to be

manoeuvred into a ~ быть поставленным перед дилеммой; to be on the horns of the ~ быть вынужденным выбирать из двух зол.

dilettante [ˌdɪlɪ'tæntɪ] *um.* **1.** *n* (*pl* -ti) дилетант, любитель;

2. *a* дилетантский, любительский.

dilettanti [ˌdɪlɪ'tæntɪ] *pl om* dilettante.

dilettantism [ˌdɪlɪ'tæntɪzəm] *n* дилетантство, дилетантизм.

diligence I ['dɪlɪdʒəns] *n* прилежание, усердие, старание.

diligence II ['dɪlɪʒã:ns] *фр. n* дилижанс.

diligent ['dɪlɪdʒənt] *a* 1) прилежный, усердный, старательный; 2) *разг.* тщательно выполненный.

dill [dɪl] *n* укроп.

dilly-dally ['dɪlɪdælɪ] *v разг.* колебаться; мешкать, терять время в нерешительности.

diluent ['dɪljuənt] *мед.* **1.** *n* вещество, разжижающее кровь, разжижитель;

2. *a* разжижающий, растворяющий.

dilute [daɪ'ljuːt] **1.** *v* 1) разжижать, разбавлять, разводить, разрежать; 2) обескровливать, выхолащивать (*теорию, программу и т. п.*); 3) слабеть, становиться слабее; ◇ to ~ labour заменять квалифицированных рабочих неквалифицированными;

2. *a* разведённый, разбавленный.

dilutee [ˌdaɪljuː'tiː] *n* малоквалифицированный рабочий, принятый на завод в связи с расширением производства.

dilution [daɪ'luːʃən] *n* 1) разжижение, разведение, растворение; 2) ослабление; ◇ ~ of labour замена квалифицированных рабочих неквалифицированными.

diluvial [daɪ'luːvjəl] *a геол.* дилювиальный.

diluvium [daɪ'luːvjəm] *n геол.* дилювий.

dim [dɪm] **1.** *a* 1) тусклый; неясный; матовый; a ~ room тёмная комната; 2) слабый (*о зрении; об интеллекте*); 3) смутный, туманный; потускневший; the inscription is ~ надпись неразборчива, стёрлась; a ~ recollection смутное воспоминание; a ~ idea смутное представление; 4) тупой, бестолковый; 5) с неясным сознанием; ◇ to take a ~ view of smth. смотреть на что-л. скептически *или* пессимистически;

2. *v* потускнеть; делать(ся) тусклым, затуманиваться; □ ~ out затемнять.

dime [daɪm] *n амер.* 1) монета в 10 центов; 2) (the ~s) *sl.* деньги; 3) *attr.* дешёвый; ~ novel дешёвый бульварный роман; ◇ not to care a ~ ≅ ни в грош не ставить; наплевать.

dimension [dɪ'menʃən] **1.** *n* 1) измерение; of three ~s трёх измерений; the three ~s стереоскопическое кино; 2) *pl* размеры, величина; объём; протяжение; scheme of vast ~s план огромной важности, огромного размаха;

2. *v* проставлять размеры; придавать нужные размеры.

dimensional [dɪ'menʃənl] *a* имеющий измерение; пространственный.

-dimensional [-dɪ'menʃənl] *в сложных словах означает* имеющий *столько-то* измерений; *напр.:* one-~ одного измерения.

dimerous ['dɪmərəs] *a бот., зоол.* состоящий из двух частей.

dimeter ['dɪmɪtə] *n* четырёхстопный стих.

dimethyl [daɪ'meθɪl] *n хим.* этан.

dimidiate 1. *a* [dɪ'mɪdɪɪt] разделённый на две равные части;

2. *v* [dɪ'mɪdɪeɪt] делить пополам.

diminish [dɪ'mɪnɪʃ] *v* 1) уменьшать(ся); убавлять(ся); 2) ослаблять; 3) унижать.

diminished [dɪ'mɪnɪʃt] **1.** *p. p. om* diminish;

2. *a* 1) уменьшённый; 2) униженный; ◇ ~ arch *архит.* сжатая арка, плоская арка; ~ column сужающаяся кверху колонна; to hide one's ~ head стыдиться, смущаться.

diminuendo [dɪˌmɪnju'endou] *um. n, adv муз.* диминуэндо.

diminution [ˌdɪmɪ'njuːʃən] *n* 1) уменьшение; сокращение; убавление; 2) *архит.* сужение колонны; 3) *муз.* повторение темы нотами половинной *или* четвертной длительности оригинала.

diminutival [dɪˌmɪnju'taɪvəl] *грам.* **1.** *a* уменьшительный;

2. *n* уменьшительный суффикс.

diminutive [dɪ'mɪnjutɪv] **1.** *a* 1) маленький, миниатюрный; 2) *грам.* уменьшительный;

2. *n грам.* уменьшительное слово.

dimity ['dɪmɪtɪ] *n* ткань для занавесок.

dimmer ['dɪmə] *n эл.* реостат — регулятор освещения.

dimmish ['dɪmɪʃ] *a* тускловатый, неясный.

dimness ['dɪmnɪs] *n* тусклость *и пр.* [*см.* dim 1].

dimorphic [daɪ'mɔːfɪk] *a* диморфный, могущий существовать в двух формах.

dimorphism [daɪ'mɔːfɪzəm] *n биол., лингв.* диморфизм.

dimorphous [daɪ'mɔːfəs] = dimorphic.

dim-out ['dɪmaut] *n* затемнение, светомаскировка.

dimple ['dɪmpl] **1.** *n* 1) ямочка (*на щеке, подбородке*); 2) рябь (*на воде*); 3) впадина;

2. *v* 1) покрываться ямочками; 2) рябить (*воду*).

dimply ['dɪmplɪ] *a* 1) покрытый ямочками; 2) подёрнутый рябью (*о воде*).

dimwit ['dɪmwɪt] *n разг.* неумный человек; простак.

din [dɪn] **1.** *n* шум; грохот;

2. *v* 1) назойливо повторять; to ~ smth. into smb.'s ears (head) прожужжать кому-л. уши (вдалбливать кому-л. в голову); 2) шуметь, оглушать.

dinanderie [dɪˌnɑːndə'riː] *n* медная посуда.

dinar ['diːnɑː] *n* динар (*денежная единица Югославии и Ирака*).

dine [daɪn] *v* 1) обедать; to ~ out обедать не дома; to ~ on smth. пообедать чем-л.; he ~d on some sandwiches он съел несколько бутербродов вместо обеда; 2) угощать обедом, давать обед; he ~d me handsomely он угостил меня прекрасным обедом; 3) this table (this room) ~s twelve comfortably за этим столом (в этой комнате) вполне могут обедать двенадцать человек; ◇ to ~

with Duke Humphrey *шутл.* остáться без обéда.

diner ['daɪnə] *n* 1) обéдающий; 2) вагóн--ресторáн.

diner-out ['daɪnər'aut] *n* человéк, чáсто обéдающий вне дóма.

dinette [daɪ'net] *n* 1) горячий зáвтрак; 2) *амер.* нúша, в котóрой устрóена столóвая (*в маленькой квартире*).

ding [dɪŋ] **1.** *n* звон кóлокола; ◇ ~ how *амер. sl.* всё в порядке;

2. *v* (dinged [-d], dung) 1) звенéть (*о металле и т. п.*); 2) *разг.* назóйливо повторять.

ding-dong ['dɪŋ'dɔŋ] **1.** *n* 1) динг-дóнг, динь-дóн (*о перезвоне колоколов*); 2) приспособлéние в часáх, выбивáющее кáждую чéтверть; 3) монотóнное повторéние;

2. *a* чередýющийся; ~ fight (упóрный) бой с перемéнным успéхом;

3. *adv* с упóрством, серьёзно.

dingey, dinghy ['dɪŋgɪ] *n* 1) англо-инд. мáленькая шлюпка, туз, ялик; 2) надувнáя резúновая лóдка.

dingle ['dɪŋgl] *n* глубóкая лощúна.

dingle-dangle ['dɪŋgl,dæŋgl] **1.** *n* качáние взад и вперёд;

2. *adv* качáясь в óбе стóроны.

dingo ['dɪŋgou] *n* (*pl* -oes [-ouz]) *зоол.* дúнго.

dingy ['dɪndʒɪ] *a* 1) тýсклый, тёмный, грязный (*от сажи, пыли*), закоптéлый; 2) сомнúтельный, замáранный (*о репутации*); 3) плóхо одéтый, обтрёпанный.

dining-car ['daɪnɪŋkɑː] *n* вагóн-ресторáн.

dining-room ['daɪnɪŋrum] *n* столóвая.

dinkey ['dɪŋkɪ] *n* амер. небольшóй паровóз, «кукýшка».

dinky ['dɪŋkɪ] *a разг.* привлекáтельный; нарядный, изящный.

dinner ['dɪnə] *n* 1) обéд; to have (*или* to take) ~ обéдать; to give a ~ устрáивать звáный обéд; 2) *attr.* обéденный; ◇ ~ without grace ≅ брáчные отношéния до брáка; after ~ comes the reckoning *посл.* ≅ любишь катáться, люби и сáночки возúть.

dinner-bell ['dɪnəbel] *n* звонóк к обéду.

dinner-jacket ['dɪnə,dʒækɪt] *n* смóкинг.

dinner pail ['dɪnə'peɪl] *n* судкú.

dinner-party ['dɪnə,pɑːtɪ] *n* звáный обéд; гóсти к обéду.

dinner-service, dinner-set ['dɪnə,sɜːvɪs, -set] *n* обéденный сервúз, обéденный прибóр.

dinner-time ['dɪnətaɪm] *n* врéмя (*или* час) обéда.

dinner-wagon ['dɪnə,wægən] *n* буфéт (*на колёсиках*).

dinosaur ['daɪnəsɔː] *n* динозáвр.

dint [dɪnt] **1.** *n* 1): by ~ of (*употр. как prep*) посрéдством, путём; 2) след от удáра; 3) *уст.* удáр; сúла;

2. *v* оставлять след, впáдину.

diocesan [daɪ'ɔsɪsən] **1.** *a* епархиáльный;

2. *n* епúскоп (*иногда* свящéнник *или* прихожáнин) дáнной епáрхии.

diocese ['daɪəsɪs] *n* епáрхия.

dioecious [daɪ'iːʃəs] *a бот.* двудóмный.

Dionysia [,daɪə'nɪzɪə] *n pl др.-греч.* Дионúсии, прáзднества в честь бóга Дионúса.

diopter, dioptre [daɪ'ɔptə] *n опт.* 1) диоптрúя; 2) диóптр (*визирный прибор*).

dioptric [daɪ'ɔptrɪk] *a опт.* диоптрúческий, преломляющий.

dioptrics [daɪ'ɔptrɪks] *n pl* (*употр. как sing*) диóптрика.

diorama [,daɪə'rɑːmə] *n иск.* диорáма.

dioxide [daɪ'ɔksaɪd] *n хим.* двуóкись.

dip [dɪp] **1.** *n* 1) погружéние (*в жидкость*); to take (*или* to have) a ~ (in the sea) окунýться (*в море*); 2) жúдкость, раствóр (*для крашения, очистки металла, для уничтожения паразитов на овцах и т. п.*); 3) мáканая свечá (*тж.* farthing ~, ~ candle); 4) уклóн, откóс; 5) наклонéние вúдимого горизóнта; 6) *sl.* вор--кармáнник; 7) *геол.* падéние (*жилы, пласта*); 8) склонéние магнúтной стрéлки; 9) *ав.* разгóн путём снижéния; 10) *спорт.* упражнéние на параллéльных брýсьях (*опускание на вытянутых руках*);

2. *v* (dipped [-t], dipt) 1) погружáть(ся); окунáть(ся), нырять; to ~ one's fingers in water обмáкивать пáльцы в вóду; to ~ a pen into ink обмакнýть перó в чернúла; 2) опускáть в осóбый раствóр; to ~ candles дéлать мáканые свéчи; to ~ a dress крáсить, перекрáшивать плáтье; to ~ sheep купáть овéц в дезинфицúрующем раствóре; 3) черпáть (*тж.* ~ out); 4) наклонять (*голову при приветствии*); 5) спускáться, опускáться; the sun ~s below the horizon сóлнце скрывáется за горизóнт; the road ~s дорóга спускáется под гóру; 6) спускáть (*парус*); салютовáть (*флагом*); 7) погружáться (*в изучение, исследование*); пытáться выяснить что-л.; 8) заглядывать; повéрхностно, невнимáтельно просмáтривать (into); to ~ into a book просмотрéть книгу; to ~ deep into the future заглянýть в бýдущее; 9) *разг.* запýтывать (*в долгах*); 10) *геол.* пáдать, залегáть вниз (*о пластах*); 11) *ав.* разгонять путём снижéния; □ ~ out, up вычéрпывать; ◇ to ~ into one's pocket (*или* purse) раскошéливаться; to ~ in the gravy прикармáнивать общéственные дéньги; to ~ one's pen in gall зло, жёлчно писáть (*о чём-л.*).

diphasic [daɪ'feɪzɪk] *a эл.* двухфáзный.

diphosgene [daɪ'fɔsdʒiːn] *n хим.* дифосгéн.

diphtheria [dɪf'θɪərɪə] *n мед.* дифтерúя, дифтерúт.

diphtheric, diphtheritic [dɪf'θerɪk, ,dɪfθə'rɪtɪk] *a* дифтерúтный.

diphthong ['dɪfθɔŋ] *n фон.* дифтóнг.

diphthongal [dɪf'θɔŋgəl] *a фон.* имéющий харáктер дифтóнга.

diphthongize ['dɪfθɔŋgaɪz] *v фон.* образóвывать дифтóнг; обращáть в дифтóнг.

diploma [dɪ'ploumə] **1.** *n* 1) официáльный докумéнт; 2) диплóм; свидéтельство; ~ in architecture диплóм (на звáние) архитéктора;

2. *v* (*обыкн. p. p.*) выдавáть диплóм.

diplomacy [dɪ'ploumasɪ] *n* дипломáтия.

diplomaed [dɪ'ploumad] **1.** *p. p. от* diploma 2;

2. *a* имéющий *или* получúвший диплóм;

3. *n* дипломáнт.

diplomat ['dɪpləmæt] *n* дипломáт.

diplomatic [,dɪplə'mætɪk] *a* 1) дипломати́ческий; ~ body (*или* corps) дипломати́ческий кóрпус; 2) дипломати́чный; 3) такти́чный; 4) неискренний; 5) текстуáльный, буквáльный; ~ copy тóчная кóпия.

diplomatics [,dɪplə'mætɪks] *n pl* (*употр. как sing*) 1) дипломати́ческое иску́сство; 2) дипломáтика (*отдел палеографии*).

diplomatist [dɪ'ploumətɪst] = diplomat.

diplomatize [dɪ'ploumətaɪz] *v* вести́ дипломати́ческие перегово́ры.

dip-needle ['dɪp,niːdl] *n* магни́тная стрéлка.

dip-net ['dɪp,net] *n* небольшáя рыболóвная сеть (*с длинной ручкой*).

dipnoi ['dɪpnəaɪ] *n pl* двоякоды́шащие (ры́бы).

dipolar [daɪ'poulə] *a физ.* имéющий два пóлюса.

dipper ['dɪpə] *n* 1) ковш; черпáк; 2) анабапти́ст; бапти́ст; перекрéщенец; 3): the (Big) D. *амер.* Больша́я Медвéдица; the Little D. *амер.* Мáлая Медвéдица; 4) оля́пка (*птица*); 5) *геол.* нисходя́щий сброс.

dipping ['dɪpɪŋ] 1. *pres. p. от* dip 2; 2. *n* погружéние, макáние; окунáние; 3. *a:* ~ vat дезинфекциóнный чан.

dipping-needle ['dɪpɪŋ,niːdl] = dip-needle.

dippy ['dɪpɪ] *a sl.* сумасшéдший.

dipsomania [,dɪpsou'meɪnjə] *n* алкоголи́зм.

dipsomaniac [,dɪpsou'meɪnɪæk] *n* алкогóлик, запóйный пья́ница.

dipt [dɪpt] *past и p. p. от* dip 2.

Diptera ['dɪptərə] *n pl зоол.* отря́д двукры́лых насекóмых (*мухи, комары и т. п.*).

dipteral ['dɪptərəl] 1. *a* 1) *архит.* окружённый пóртиком с двумя́ ряда́ми колóнн; 2) = dipterous; 2. *n архит.* здáние с двумя́ кры́льями; грéческий храм, окружённый двумя́ ряда́ми колóнн.

dipterous ['dɪptərəs] *a зоол., бот.* двукры́лый.

diptych ['dɪptɪk] *n* 1) *ист.* ди́птих (*вощаные дощечки для письма*); 2) *церк.* ди́птих; двуствóрчатый склáдень.

dire ['daɪə] *a* ужáсный, стрáшный; ~ necessity жестóкая необходи́мость, нуждá; ~ plight ужáсное положéние.

direct [dɪ'rekt] 1. *a* 1) прямóй; ~ road прямáя дорóга; 2) прямóй, непосрéдственный, ли́чный; ~ tax прямóй налóг; ~ descendant потóмок по прямóй ли́нии; ~ influence непосрéдственное влия́ние; ~ drive *тех.* прямáя передáча; ~ (laying) fire *воен.* огóнь, стрельбá прямóй навóдкой; ~ hit *воен.* прямóе попадáние; ~ pointing *амер. воен.* прямáя навóдка; 3) прямóй, диаметрáльный; ~ opposite пóлная противополóжность; 4) прямóй, откры́тый; я́сный; правди́вый; ~ answer прямóй, неуклóнчивый отвéт; 5) *грам.* прямóй; ~ speech прямáя речь; 6) *астр.* дви́жущийся с зáпада на востóк; ◊ ~ current *эл.* постоя́нный ток; ~ position *воен.* откры́тая позиция; 2. *adv* прямо, непосрéдственно; 3. *v* 1) руководи́ть; управля́ть; to ~ a business руководи́ть предприя́тием, фи́р-

мой; 2) направля́ть; to ~ one's remarks (efforts, attention) (to) направля́ть свои́ замечáния (уси́лия, внимáние) (на); to ~ one's eyes обрати́ть свой взор; to ~ one's steps направля́ться; 3) адресовáть; to ~ a parcel адресовáть посы́лку; 4) нацéливать(ся); 5) укáзывать дорóгу; can you ~ me to the post-office? не скáжете ли вы мне, как пройти́ на пóчту?; 6) прикáзывать; do as you are ~ed дéлайте, как вам прикáзано; 7) дирижи́ровать (*оркестром, хором*); 8) *театр.* стáвить (*о режиссёре*); 9) подскáзывать, побуждáть, направля́ть; duty ~s my actions я руковóдствуюсь чу́вством дóлга в свои́х посту́пках.

directing-post [dɪ'rektɪŋpoust] *n* дорóжный указáтельный столб.

direction [dɪ'rekʃən] *n* 1) руковóдство, управлéние; to work under the ~ of smb. рабóтать под руковóдством когó-л.; 2) дирéкция; правлéние; 3) указáние; инстру́кция; распоряжéние; at the ~ по указáнию, по распоряжéнию; to give ~s отдавáть распоряжéния; 4) *pl* директи́вы; 5) направлéние; in the ~ of по направлéнию к; 6) áдрес (*на письме и т. п.*); 7) сфéра, óбласть; there is a marked improvement in many ~s произошлó замéтное улучшéние во мнóгих областя́х; new ~s of research нóвые пути́ исслéдования; 8) *театр.* постанóвка (*спектакля, фильма*).

directional [dɪ'rekʃənl] *a* напрáвленный, напрáвленного дéйствия; ~ radio напрáвленное рáдио; радиопеленгáция; ~ transmitter передаю́щая, радиопеленгáторная стáнция.

direction-finder [dɪ'rekʃən,faɪndə] *n* радиопеленгáтор.

direction sign [dɪ'rekʃən'saɪn] *n* дорóжный (указáтельный) знак.

directive [dɪ'rektɪv] 1. *n* директи́ва; 2. *a* 1) направля́ющий; укáзывающий; 2) директи́вный.

directly [dɪ'rektlɪ] 1. *adv* 1) пря́мо; 2) непосрéдственно; 3) [*часто* 'dreklɪ] немéдленно; тóтчас; 2. *cj* [*обыкн.* 'dreklɪ] *разг.* как тóлько; to get up ~ the bell rings вставáть по звонку́.

directness [dɪ'rektnɪs] *n* прямотá *и пр.* [*см.* direct 1].

director [dɪ'rektə] *n* 1) руководи́тель; 2) дирéктор; член правлéния; managing ~ замести́тель дирéктора по администрати́вно-хозя́йственной чáсти, управля́ющий; 3) *воен.* начáльник управлéния *или* слу́жбы; 4) *церк.* духовни́к; 5) (кино)режиссёр; 6) дирижёр (*оркестра, хора*); 7) *воен.* буссóль; прибóр управлéния артиллери́йским огнём.

directorate [dɪ'rektərɪt] *n* 1) дирéкция, (у)правлéние; 2) дирéкторство.

directorship [dɪ'rektəʃɪp] *n* дирéкторство.

directory [dɪ'rektərɪ] 1. *n* 1) áдресная кни́га; спрáвочник; telephone ~ телефóнная кни́га; 2) *амер.* дирéкция; 3) (D.) *ист.* Директóрия; 2. *a* директи́вный, содержáщий указáния, инстру́кции.

directress [dɪ'rektrɪs] *n* директриса, начальница учебного заведения.

directrices [,dɪrek'traɪsiːz] *pl от* directrix.

directrix [dɪ'rektrɪks] *лат. n* (*pl* -rices) *геом.* директриса, направляющая линия.

direful ['daɪəful] *a поэт.* ужасный; страшный;

dirge [dəːdʒ] *n* 1) погребальная песнь; 2) панихида.

dirigible ['dɪrɪdʒəbl] 1. *n* дирижабль; управляемый воздушный корабль.
2. *a* управляемый (*особ. об аэростате*).

diriment ['dɪrɪmənt] *a* аннулирующий; ~ impediment of marriage обстоятельство, аннулирующее брак.

dirk [dəːk] 1. *n* 1) кинжал; 2) *мор.* кортик;
2. *v* вонзать кинжал.

dirndl ['dəːndl] *n* 1) платье с узким лифом и широкой юбкой; 2) широкая юбка, собранная у талии (*тж.* ~ skirt).

dirt [dəːt] *n* 1) грязь, сор; нечистоты; 2) земля; почва; грунт; 3) непорядочность; гадость; to do smb. ~ сделать кому-л. гадость; 4) непристойные речи, брань; оскорбление; to fling (*или* to throw, to cast) ~at smb. осыпать бранью, порочить кого-л.; to fling ~ about злословить; 5) *геол.* наносы; пустая порода; включения; золотосодержащий песок; 6) *attr.* земляной; грунтовой; ~ floor земляной пол; ~ road грунтовая дорога; 7) *attr.* мусорный; ~ wagon *амер.* фургон для вывозки мусора; ◇ as cheap as ~ ≅ дешевле пареной репы; ~ farmer *амер.* фермер, лично обрабатывающий землю; yellow ~ *sl.* золото; to eat ~ снести оскорбление, проглотить обиду; подвергнуться унижению; to treat a person like ~ плохо обращаться с кем-л., пренебрегать кем-л.

dirt-cheap ['dəːt'tʃiːp] 1. *a* очень дешёвый; ≅ дешевле пареной репы;
2. *adv* очень дёшево; ≅ дешевле пареной репы.

dirtily ['dəːtɪlɪ] *adv* 1) грязно; 2) низко, бесчестно.

dirtiness ['dəːtɪnɪs] *n* 1) грязь; неопрятность; 2) низость, гадость.

dirt track ['dəːt,træk] *n* трек для мотоциклетных гонок.

dirty ['dəːtɪ] 1. *a* 1) грязный; 2) скабрёзный, неприличный; ~ conduct непристойное поведение; 3) нечестный; ~ player нечестный игрок; 4) *мор.* ненастный; бурный; ~ weather ненастная погода; ◇ ~ work a) нечестный поступок; б) тяжёлая, нудная работа; to do smb.'s ~ work for him выполнять за кого-л. тяжёлую работу;
2. *n*: to do the ~ on smb. подложить свинью кому-л.;
3. *v* загрязнять, пачкать.

dis- I [dɪs-] *pref придаёт слову отрицательное значение* не-, дез-; obedient послушный — disobedient непослушный; to organize организовывать — to disorganize дезорганизовывать; *указывает на лишение чего-л.*: to disinherit лишать наследства; to disbar лишать права адвокатской практики; to disbranch обрубать сучья;

dismasted лишённый мачт; 3) *указывает на разделение, отделение, рассеяние в разные стороны, разложение на составные части*: to distribute распределять; to dismiss распускать; 4) *усиливает значение отрицательного по содержанию слова*: to disannul аннулировать.

dis- II [dɪs-] *pref* двойной, дву-.

disability [,dɪsə'bɪlɪtɪ] *n* 1) неспособность, бессилие; нетрудоспособность; 2) *юр.* неправоспособность.

disable [dɪs'eɪbl] *v* 1) делать неспособным, непригодным; калечить; 2) *юр.* делать неправоспособным, лишать права; 3) *воен.* подбить (*огнём*), вывести из строя или действия.

disabled [dɪs'eɪbld] 1. *p. p. от* disable;
2. *a* искалеченный; выведенный из строя; ~ soldier (*или* veteran) инвалид войны; ~ worker инвалид труда.

disablement [dɪs'eɪblmənt] *n* 1) выведение из строя; 2) лишение трудоспособности; 3) лишение прав.

disabuse [,dɪsə'bjuːz] *v* выводить из заблуждения; ◇ to ~ one's mind перестать думать, выбросить из головы.

disaccord [,dɪsə'kɔːd] 1. *n* .разногласие, расхождение;
2. *v* быть несогласным, расходиться во взглядах.

disaccustom ['dɪsə'kʌstəm] *v* отучать от привычки.

disadvantage [,dɪsəd'vɑːntɪdʒ] *n* 1) невыгода, невыгодное положение; to be at a ~ быть в невыгодном положении; to take smb. at a ~ a) застать кого-л. врасплох; б) быть в более выгодном положении, чем кто-л.; to put smb. at a ~ поставить кого-л. в невыгодное положение; 2) вред, ущерб; неудобство; 3) помеха.

disadvantageous [,dɪsædvɑːn'teɪdʒəs] *a* невыгодный, неблагоприятный.

disaffected [,dɪsə'fektɪd] *a* 1) недовольный; 2) нелояльный.

disaffection [,dɪsə'fekʃən] *n* 1) недовольство; 2) нелояльность.

disaffirm [,dɪsə'fəːm] *v* 1) отрицать; 2) *юр.* отменять (*решение*).

disaffirmation [dɪs,æfə'meɪʃən] *n* 1) отрицание; 2) *юр.* отмена (*решения*).

disafforest [,dɪsə'fɔrɪst] *v* 1) вырубать леса; 2) *юр.* переводить на положение обычной земли (*о бывшей лесной площади*).

disagree [,dɪsə'griː] *v* 1) не совпадать, не соответствовать, противоречить один другому; 2) расходиться во мнениях; не ладить, ссориться; I ~ with you я с вами несогласен; they ~ они ссорятся; 3) не подходить, быть вредным (*о климате, пище; with*).

disagreeable [,dɪsə'grɪəbl] 1. *a* 1) неприятный; 2) непривётливый; хмурый;
2. *n* (*обыкн. pl*) неприятности.

disagreement [,dɪsə'griːmənt] *n* 1) расхождение во мнениях; разногласие; 2) разлад, ссора.

disallow ['dɪsə'lau] *v* 1) отвергать; 2) отказывать; to ~ a claim отказывать в иске; 3) запрещать.

disallowance [ˌdɪsə'lauəns] *n* 1) отка́з; 2) запреще́ние.

disannul [ˌdɪsə'nʌl] *v* аннули́ровать, уничтожа́ть, отменя́ть.

disappear [ˌdɪsə'pɪə] *v* исчеза́ть, скрыва́ться, пропада́ть.

disappearance [ˌdɪsə'pɪərəns] *n* исчезнове́ние.

disappoint [ˌdɪsə'pɔɪnt] *v* 1) разочаро́вывать; to be ~ed at smth. разочарова́ться в чём-л.; 2) обма́нывать (*наде́жды*); 3) лиша́ть; he was ~ed of the prize его́ лиши́ли награ́ды.

disappointed [ˌdɪsə'pɔɪntɪd] 1. *p. p. от* disappoint;
2. *a* разочаро́ванный, разочарова́вшийся, огорчённый.

disappointing [ˌdɪsə'pɔɪntɪŋ] 1. *pres. p. от* disappoint;
2. *a* неутеши́тельный, разочаро́вывающий; печа́льный.

disappointment [ˌdɪsə'pɔɪntmənt] *n* 1) разочарова́ние; обма́нутая наде́жда; 2) неприя́тность, доса́да; 3) челове́к, не опра́вдавший ожида́ний.

disapprobation [ˌdɪsæprou'beɪʃən] *n* неодобре́ние; осужде́ние.

disapprobative, disapprobatory [dɪs'æproubeɪtɪv, -beɪtərɪ] *a* неодобри́тельный, осужда́ющий.

disapproval [ˌdɪsə'pruːvəl] *n* неодобре́ние.

disapprove ['dɪsə'pruːv] *v* не одобря́ть; неодобри́тельно относи́ться (of —к).

disapprovingly ['dɪsə'pruːvɪŋlɪ] *adv* неодобри́тельно.

disarm [dɪs'ɑːm] *v* 1) обезору́живать; умиротворя́ть; 2) разоружа́ть(ся).

disarmament [dɪs'ɑːməmənt] *n* разоруже́ние.

disarming [dɪs'ɑːmɪŋ] 1. *pres. p. от* disarm;
2. *a* обезору́живающий.

disarrange ['dɪsə'reɪndʒ] *v* 1) расстра́ивать; дезорганизова́ть; 2) приводи́ть в беспоря́док.

disarrangement [ˌdɪsə'reɪndʒmənt] *n* расстро́йство; дезorganизация.

disarray ['dɪsə'reɪ] 1. *n* 1) беспоря́док, смяте́ние, замеша́тельство; 2) беспоря́док в оде́жде; небре́жный костю́м;
2. *v* 1) приводи́ть в беспоря́док, в смяте́ние; 2) *поэт.* раздева́ть, снима́ть оде́жду.

disarticulate ['dɪsɑː'tɪkjuleɪt] *v* разъединя́ть, расчленя́ть.

disassemble [ˌdɪsæ'sembl] *v* разбира́ть на ча́сти.

disaster [dɪ'zɑːstə] *n* бе́дствие, несча́стье; to court (*или* to invite) ~ накли́кать беду́.

disastrous [dɪ'zɑːstrəs] *a* бе́дственный, ги́бельный.

disavow ['dɪsə'vau] *v* 1) отрица́ть; 2) отрека́ться, отка́зываться; снима́ть с себя́ отве́тственность; 3) *полит.* дезавуи́ровать.

disavowal ['dɪsə'vauəl] *n* 1) отрица́ние; 2) отрече́ние, отка́з; 3) *полит.* дезавуи́рование.

disband [dɪs'bænd] *v* 1) распуска́ть, расформиро́вывать; 2) разбега́ться, рассе́иваться.

disbar [dɪs'bɑː] *v* *юр.* лиша́ть зва́ния адвока́та, лиша́ть пра́ва адвока́тской пра́ктики.

disbark [dɪs'bɑːk] *v* сдира́ть кору́.

disbelief ['dɪsbɪ'liːf] *n* неве́рие; недове́рие.

disbelieve ['dɪsbɪ'liːv] *v* 1) не ве́рить; не доверя́ть (in); 2) быть ске́птиком.

disbeliever ['dɪsbɪ'liːvə] *n* неве́рующий.

disbench [dɪs'bentʃ] *v* лиша́ть зва́ния чле́на прези́диума юриди́ческой корпора́ции (*в Англии*).

disboscation [ˌdɪsbɔs'keɪʃən] *n* *с.-х.* обезле́сение, превраще́ние лесны́х площаде́й в па́шни.

disbosom [dɪs'buzəm] *v* излива́ть ду́шу; признава́ться.

disbranch [dɪs'brɑːntʃ] *v* обреза́ть ве́тви; подстрига́ть (*де́рево*).

disbud [dɪs'bʌd] *v* обреза́ть (*ли́шние*) молоды́е побе́ги, по́чки.

disburden [dɪs'bəːdn] *v* освобожда́ть(ся) от тя́жести, *перен.* от бре́мени; to ~ one's mind (of) вы́сказаться, отвести́ ду́шу.

disburse [dɪs'bəːs] *v* плати́ть; распла́чиваться; опла́чивать (*из госуда́рственных средств*).

disbursement [dɪs'bəːsmənt] *n* 1) опла́та, распла́та; 2) вы́плаченная су́мма.

disc [dɪsk] = disk.

discard 1. *n* ['dɪskɑːd] 1) сбра́сывание карт; 2) сбро́шенная ка́рта; 3) что-л. нену́жное, него́дное; брак; to throw into the ~ вы́бросить за ненадобностью;
2. *v* [dɪs'kɑːd] 1) сбра́сывать, сноси́ть ка́рту; 2) отбра́сывать, выбра́сывать (*за ненадобностью*); 3) отка́зываться (*от пре́жнего взгля́да, дру́жбы и т. п.*); 4) увольня́ть.

discept [dɪ'sept] *v* обсужда́ть, дебати́ровать.

discern [dɪ'səːn] *v* 1) различа́ть, распознава́ть; разгляде́ть; we ~ed a sail in the distance вдали́ мы уви́дели па́рус; 2) отлича́ть; проводи́ть разли́чие; to ~ no differénce не ви́деть ра́зницы.

discernible [dɪ'səːnəbl] *a* ви́димый, разли́чимый; заме́тный.

discerning [dɪ'səːnɪŋ] 1. *pres. p. от* discern;
2. *a* 1) уме́ющий различа́ть, распознава́ть; 2) проница́тельный.

discernment [dɪ'səːnmənt] *n* 1) уме́ние различа́ть, распознава́ть; 2) проница́тельность.

discerption [dɪ'səːpʃən] *n* *редк.* разрыва́ние, раздира́ние на ча́сти.

discharge [dɪs'tʃɑːdʒ] 1. *n* 1) разгру́зка; 2) вы́стрел; залп; 3) увольне́ние; 4) рекоменда́ция (*выдава́емая увольня́емому*); 5) освобожде́ние (*заключённого*); 6) реабилита́ция; оправда́ние (*подсуди́мого*); 7) упла́та (*до́лга*); 8) исполне́ние (*обя́занностей*); 9) вытека́ние; спуск, сток, слив; 10) де́бит (*воды́*); 11) выделе́ние (*гно́я и т. п.*); 12) эл. разря́д; 13) *текст., хим.* обесцве́чивание тка́ней; раство́р для обесцве́чения тка́ней; 14) *тех.* выпускно́е отве́рстие; вы́хлоп; 15) *attr.*: ~ pipe выпускна́я, отводна́я труба́;

2. *v* 1) разгружа́ть; to ~ cargo from a ship разгружа́ть кора́бль; 2) вы́пустить заря́д, вы́стрелить; 3) выпуска́ть; спуска́ть, вылива́ть; the chimney ~s smoke из трубы́ идёт дым; the wound ~s matter ра́на выделя́ет гной; to ~ oaths разрази́ться бра́нью; 4) впада́ть, влива́ться; 5) увольня́ть, дава́ть расчёт; *воен.* демобилизова́ть; увольня́ть в отста́вку *или* в запа́с; 6) освобожда́ть (*заключённого*); 7) реабилити́ровать; восстана́вливать в права́х (*банкрота*); 8) выпи́сывать (*из больни́цы*); 9) выпла́чивать (*долги*); 10) выполня́ть (*обя́занности*); 11) *эл.* разряжа́ть; 12) *текст., хим.* удаля́ть кра́ску, обесцве́чивать; 13) рассна́щивать (*судно*); 14) прорыва́ться (*о нары́ве*).

dischargee [,dɪstʃɑ'dʒiː] *n амер.* уво́ленный из а́рмии, демобилизо́ванный.

discharger [dɪs'tʃɑːdʒə] *n* 1) тот, кто освобожда́ет, разгружа́ет и пр. [*см.* discharge 2]; 2) *эл.* разря́дник; lightning ~ молние-отво́д; 3) водосто́чная труба́.

disci ['dɪskaɪ] *pl от* discus.

disciple [dɪ'saɪpl] *n* 1) учени́к, после́дователь; 2) *церк.* апо́стол.

disciplinarian [,dɪsɪplɪ'neərɪən] *n* 1) сторо́нник дисципли́ны; 2) *ист.* приве́рженец пресвитериа́нства.

disciplinary ['dɪsɪplɪnərɪ] *a* 1) дисциплина́рный, исправи́тельный; 2) дисциплини́рующий.

discipline ['dɪsɪplɪn] **1.** *n* 1) дисципли́на, поря́док; 2) дисциплини́рованность; 3) дисципли́на (*отрасль зна́ния*); 4) наказа́ние; 5) *церк.* епитимья́; умерщвле́ние пло́ти; 6) *перен.* па́лка; кнут.
2. *v* 1) дисциплини́ровать; 2) трениро́вать; 3) нака́зывать.

discipular [dɪ'sɪpjulə] *a* учени́ческий.

disc jockey ['dɪsk'dʒɒkɪ] *n* ди́ктор, веду́щий програ́мму, соста́вленную из звукоза́писи.

disclaim [dɪs'kleɪm] *v* 1) отрека́ться; 2) отрица́ть, не признава́ть; 3) *юр.* отка́зываться (*от прав на что-л.*).

disclaimer [dɪs'kleɪmə] *n* 1) отрече́ние, отка́з; 2) *юр.* отка́з (*от пра́ва на что-л.*).

disclamation [,dɪsklə'meɪʃən] = disclaimer.

disclose [dɪs'klouz] *v* обнару́живать, разоблача́ть, раскрыва́ть.

disclosure [dɪs'klouʒə] *n* откры́тие, обнару́жение, разоблаче́ние, раскры́тие.

discoboli [dɪs'kɒbəlaɪ] *pl от* discobolus.

discobolus [dɪs'kɒbələs] *греч. n* (*pl* -li) дискобо́л.

discoid ['dɪskɔɪd] *a* име́ющий фо́рму ди́ска.

discolo(u)r [dɪs'kʌlə] *v* 1) изменя́ть цвет, окра́ску; обесцве́чивать(ся); 2) па́чкать(ся).

discolo(u)ration [dɪs,kʌlə'reɪʃən] *n* 1) измене́ние цве́та, обесцве́чивание; 2) пятно́.

discomfit [dɪs'kʌmfɪt] *v* 1) расстра́ивать (*планы и т. п.*); 2) приводи́ть в замеша́тельство; 3) *уст.* наноси́ть пораже́ние.

discomfiture [dɪs'kʌmfɪtʃə] *n* 1) расстро́йство пла́нов; 2) смуще́ние, замеша́тельство; 3) *уст.* пораже́ние (*в бою́*).

discomfort [dɪs'kʌmfət] **1.** *n* 1) неудо́бство; нело́вкость; 2) стеснённое положе́ние; лише́ния; 3) беспоко́йство;

2. *v* беспоко́ить; причиня́ть неудо́бство.

discomfortable [dɪs'kʌmfətəbl] *a* неудо́бный.

discommend [,dɪskə'mend] *v* не одобря́ть; порица́ть.

discommode [,dɪskə'moud] = discomfort 2.

discommodity [,dɪskə'mɒdɪtɪ] *n* 1) неудо́бство; 2) невы́годность; что-л. бесполе́зное.

discommon [dɪs'kɒmən] *v* 1) лиша́ть пра́ва по́льзования обще́ственной землёй; 2) *уст.* лиша́ть торго́вца *или* реме́сленника пра́ва обслу́живания студе́нтов (*Оксфо́рдского и Ке́мбриджского университе́тов*).

discompose [,dɪskəm'pouz] *v* 1) расстра́ивать; беспоко́ить; (вз)волнова́ть, (вс)трево́жить; 2) приводи́ть в беспоря́док.

discomposedly [,dɪskəm'pouzɪdlɪ] *adv* беспоко́йно; трево́жно; взволно́ванно.

discomposure [,dɪskəm'pouʒə] *n* беспоко́йство, волне́ние, замеша́тельство.

disconcert [,dɪskən'sət] *v* 1) смуща́ть; приводи́ть в замеша́тельство; 2) расстра́ивать (*планы*).

disconcerted [,dɪskən'sətɪd] **1.** *p. p. от* disconcert.
2. *a* 1) смущённый; 2) расстро́енный.

disconnect ['dɪskə'nekt] *v* 1) разъединя́ть, разобща́ть, расцепля́ть; 2) *эл.* разъединя́ть.

disconnected ['dɪskə'nektɪd] **1.** *p. p. от* disconnect;
2. *a* 1) разъединённый; 2) бессвя́зный, отры́вистый.

disconnectedly ['dɪskə'nektɪdlɪ] *adv* бессвя́зно, отры́висто.

disconnection, disconnexion [,dɪskə'nekʃən] *n* 1) разъедине́ние; разобще́ние; 2) разобщённость.

disconsider [,dɪskən'sɪdə] *v* лиши́ть авторите́та; испо́ртить репута́цию.

disconsolate [dɪs'kɒnsəlɪt] *a* неуте́шный, печа́льный, несча́стный.

discontent ['dɪskən'tent] **1.** *n* недово́льство; неудовлетворённость, доса́да;
2. *a* недово́льный; неудовлетворённый;
3. *v* вызыва́ть недово́льство; to be ~ed быть недово́льным.

discontentedly ['dɪskən'tentɪdlɪ] *adv* недово́льно; неудовлетворённо; с доса́дой.

discontentment [,dɪskən'tentmənt] *n* недово́льство; неудовлетворённость.

discontiguous [,dɪskən'tɪgjuəs] *a* не соприкаса́ющийся, не сме́жный.

discontinuance [,dɪskən'tɪnjuəns] *n* 1) прекраще́ние, переры́в; 2) *юр.* прекраще́ние (*де́ла*).

discontinuation [,dɪskən,tɪnju'eɪʃən] = discontinuance.

discontinue ['dɪskən'tɪnjuː] *v* 1) прерыва́ть(ся), прекраща́ть(ся); упраздня́ть; publication will ~ изда́ние бу́дет прекращено́; to ~ a unit *амер. воен.* расформиро́вывать часть; 2) *юр.* прекраща́ть (*де́ло*).

discontinuity [,dɪskən,kɒntɪ'njuːɪtɪ] *n* отсу́тствие непреры́вности, после́довательности; переры́в, разры́в.

discontinuous ['dɪskən'tɪnjuəs] *a* преры́вистый; прерыва́емый; прерыва́ющийся; перемежа́ющийся; ~ waves *ра́дио* затуха́ющие во́лны; ~ function *мат.* преры́вная фу́нкция.

discord 1. *n* ['dıskɔːd] 1) разногла́сие, разла́д; раздо́ры; to sow ~ се́ять вражду́; 2) *муз.* диссона́нс; 3) шум; ре́зкие зву́ки;

2. *v* [dıs'kɔːd] 1) расходи́ться во взгля́дах, мне́ниях (with, from); 2) *муз.* звуча́ть диссона́нсом; 3) дисгармони́ровать.

discordance [dıs'kɔːdəns] *n* 1) разногла́сие; 2) *муз.* диссона́нс.

discordant [dıs'kɔːdənt] *a* 1) несогла́сный, противоречи́вый; 2) нестро́йный, диссони́рующий (*о звука́х*); ~ note диссона́нс.

discount ['dıskaunt] **1.** *n* 1) ски́дка; at a ~ ни́же номина́льной цены́; обесце́ненный; *разг.* непопуля́рный; не в ходу́; 2) диско́нт, учёт векселе́й; 3) проце́нт ски́дки, ста́вка учёта; 4) (мы́сленная) попра́вка на преувеличе́ние (*расска́зчика*).

2. *v* 1) дисконти́ровать, учи́тывать вексели́; 2) получа́ть проце́нты вперёд при да́че де́нег взаймы́; 3) де́лать ски́дку; 4) обесце́нивать; уменьша́ть, снижа́ть (*дохо́д и т. п.*); 5) не принима́ть в расчёт; 6) де́лать попра́вку на преувеличе́ние, не доверя́ть всему́ слы́шанному.

discountenance [dıs'kauntınəns] *v* 1) не одобря́ть; обескура́живать; 2) отка́зывать в подде́ржке; 3) смуща́ть, приводи́ть в замеша́тельство.

discourage [dıs'kʌrıdʒ] *v* 1) обескура́живать, расхола́живать, отбива́ть охо́ту; 2) отгова́ривать (from).

discouragement [dıs'kʌrıdʒmənt] *n* 1) обескура́живание; 2) отгова́ривание; 3) упа́док ду́ха, обескура́женность.

discouraging [dıs'kʌrıdʒıŋ] **1.** *pres. p. от* discourage;

2. *a* расхола́живающий, обескура́живающий.

discourse [dıs'kɔːs] **1.** *n* 1) рассужде́ние (*пи́сьменное или у́стное*); ле́кция, докла́д; речь; 2) бесе́да, разгово́р; 3) *редк.* тракта́т;

2. *v* 1) ора́торствовать; рассужда́ть; излага́ть в фо́рме ре́чи, ле́кции, про́поведи; 2) вести́ бесе́ду; разгова́ривать; to ~ upon medicine (art *etc.*) рассужда́ть о медици́не (иску́сстве и т. п.).

discourteous [dıs'kəːtjəs] *a* невоспи́танный, неве́жливый, неучти́вый.

discourtesy [dıs'kəːtısı] *n* невоспи́танность, неве́жливость, неучти́вость.

discover [dıs'kʌvə] *v* 1) узнава́ть, обнару́живать, раскрыва́ть; to ~ good reasons подыска́ть подходя́щие моти́вы; 2) де́лать откры́тия, открыва́ть.

discovert [dıs'kʌvət] *a* *юр.* незаму́жняя; вдо́вая.

discovery [dıs'kʌvərı] *n* 1) откры́тие; 2) раскры́тие, обнаруже́ние; 3) развёртывание (*сюже́та*); ◇ D. Day день откры́тия Аме́рики (*12 октября́*).

discredit [dıs'kredıt] **1.** *n* 1) дискредита́ция; to bring ~ on oneself дискредити́ровать себя́; such behaviour ~s to him тако́е поведе́ние позо́рит, дискредити́рует его́; to bring into ~ навле́чь дурну́ю сла́ву, дискредити́ровать; 2) недове́рие; to throw ~ upon smth. подве́ргнуть что́-л. сомне́нию; 3) лише́ние комме́рческого креди́та;

2. *v* 1) дискредити́ровать; позо́рить; his behaviour ~s him with the public его́ поведе́ние дискредити́рует его́ в глаза́х о́бщества; 2) не доверя́ть; the report is ~ed э́тому сообще́нию не ве́рят.

discreditable [dıs'kredıtəbl] *a* дискредити́рующий, позо́рный.

discreet [dıs'kriːt] *a* 1) осторо́жный, осмотри́тельный, благоразу́мный; 2) сде́ржанный, не болтли́вый.

discrepancy [dıs'krepənsı] *n* разногла́сие, противоре́чие; расхожде́ние; разли́чие, несхо́дство.

discrepant [dıs'krepənt] *a* отлича́ющийся (*от чего́-л.*); несхо́дный; противоречи́вый; разноречи́вый; ~ rumours противоречи́вые слу́хи.

discrete [dıs'kriːt] *a* 1) разде́льный, состоя́щий из разро́зненных часте́й; 2) *филос.* абстра́ктный.

discretion [dıs'kreʃən] *n* 1) благоразу́мие, осторо́жность; the years, the age of ~ во́зраст (*в А́нглии—14 лет*), с кото́рого челове́к счита́ется отве́тственным за свои́ посту́пки; ~ is the better part of valour ≅ сле́дует избега́ть нену́жного ри́ска (*обыкн. как шутли́вое оправда́ние тру́сости*); to act with ~ вести́ себя́ осторо́жно, благоразу́мно; to show ~ проявля́ть благоразу́мие; 2) свобо́да де́йствий; усмотре́ние; the instructions leave me a wide ~ инстру́кции предоставля́ют мне большу́ю свобо́ду де́йствий; at the ~ of smb. на усмотре́ние кого́-л.; I leave it to your ~ де́лайте, как вы счита́ете ну́жным; to use one's ~ реша́ть, де́йствовать по своему́ усмотре́нию; at ~ по со́бственному усмотре́нию; to surrender at ~ безогово́рочно сда́ться на ми́лость победи́теля.

discretionary [dıs'kreʃnərı] *a* 1) предоста́вленный на со́бственное усмотре́ние; 2) де́йствующий по со́бственному усмотре́нию, дискрецио́нный; ~ powers дискрецио́нная власть.

discriminate 1. *a* [dıs'krımınıt] отчётливый, я́сный; име́ющий отличи́тельные при́знаки;

2. *v* [dıs'krımıneıt] 1) отлича́ть, выделя́ть; 2) (уме́ть) различа́ть, распознава́ть (between); 3) дискримини́ровать; относи́ться по-ра́зному; to ~ in favour of smb. ста́вить кого́-л. в благоприя́тные усло́вия; to ~ against smb. ста́вить кого́-л. в ху́дшие усло́вия.

discriminating [dıs'krımıneıtıŋ] **1.** *pres. p. от* discriminate 2;

2. *a* 1) отличи́тельный (*при́знак и т. п.*); 2) уме́ющий различа́ть, разбира́ющийся, проница́тельный; ~ taste то́нкий вкус; 3) дифференциа́льный.

discrimination [dıs,krımı'neıʃən] *n* 1) уме́ние разбира́ться, проница́тельность; 2) отличи́тельный при́знак; 3) дискримина́ция; разли́чный подхо́д, неодина́ковое отноше́ние; гасе ~ ра́совая дискримина́ция.

discriminative [dıs'krımınətıv] = discriminating 2, 1) *и* 2).

discriminatory [dɪs'krɪmɪnətərɪ] *a* 1) отличи́тельный; 2) проница́тельный; 3) пристра́стный.

discrown [dɪs'kraun] *v* лиша́ть коро́ны; *перен.* развéнчивать.

discursive [dɪs'kəːsɪv] *a* 1) перескáкивающий с одного́ вопро́са на другóй; 2) логи́чески послéдовательно постро́енный.

discus ['dɪskəs] *n* (*pl* disci) диск.

discuss [dɪs'kʌs] *v* 1) обсуждáть, дискути́ровать; 2) *шутл.* есть, пить с удово́льствием; смаковáть.

discussion [dɪs'kʌʃən] *n* 1) обсуждéние; the question is under ~ вопро́с обсуждáется; 2) прéния, диску́ссия; 3) переговóры; direct ~ непосрéдственные, прямы́е переговóры; 4) *шутл.* смаковáние.

disdain [dɪs'deɪn] 1. *n* 1) презрéние, пренебрежéние; 2) надмéнность;
2. *v* 1) презирáть; 2) считáть ни́же своегó досто́инства; смотрéть свысокá.

disdainful [dɪs'deɪnful] *a* презри́тельный, пренебрежи́тельный.

disease [dɪ'zɪːz] 1. *n* болéзнь;
2. *v* поражáть (*о болезни*); вызывáть болéзнь.

diseased [dɪ'zɪːzd] 1. *p. p. от* disease 2;
2. *a* 1) больнóй, заболéвший; 2) болéзненный, нездорóвый.

disembark ['dɪsɪm'bɑːk] *v* 1) выса́живать(-ся) (*с судов*); 2) выгружáть (*товары, груз с судов*).

disembarkation [,dɪsembɑː'keɪʃən] *n* вы́садка, вы́грузка (*на берег*).

disembarrass ['dɪsɪm'bærəs] *v* 1) выводи́ть из затруднéния, замешáтельства; освобождáть (of—от *стеснений, хлопот*); 2) распу́тывать (*что-л. сложное*; from).

disembody ['dɪsɪm'bɔdɪ] *v* 1) расформирóвывать, распускáть (*войска*); 2) отделя́ть от конкрéтного воплощéния (*идею и т. п.*); *рел.* освобождáть от телéсной оболóчки.

disembogue [,dɪsɪm'boug] *v* 1) впадáть, вливáться (*о реке*); 2) выливáться (*о толпе*); 3) изливáться, высказывать.

disembosom [,dɪsɪm'buzəm] *v* 1) поверя́ть (*тайну, чувство*); 2) *refl.* откры́ть ду́шу, откры́ться (*кому-л.*).

disembowel [,dɪsɪm'bauəl] *v* потроши́ть.

disembroil [,dɪsɪm'brɔɪl] *v* распу́тывать.

disenable [,dɪsɪn'eɪbl] *v* дéлать неспосóбным; дисквалифици́ровать.

disenchant ['dɪsɪn'tʃɑːnt] *v* освобождáть от чар, иллю́зий.

disencumber ['dɪsɪn'kʌmbə] *v* освобождáть от затруднéний, препя́тствий, брéмени.

disendow ['dɪsɪn'dau] *v* лишáть пожéртвований, завéщанных вклáдов *и т. п.* (*обыкн. о церкви*).

disenfranchise ['dɪsɪn'fræntʃaɪz] = disfranchise.

disengage ['dɪsɪn'geɪdʒ] *v* 1) освобождáть (-ся); отвя́зывать(ся); 2) разобщáть; выключáть; разъединя́ть; 3) *воен.* выходи́ть из бóя, отрывáться от проти́вника.

disengaged ['dɪsɪn'geɪdʒd] 1. *p. p. от* disengage;

2. *a* 1) вы́свобожденный; 2) разобщённый; 3) свобóдный, незáнятый; I am ~ this evening сегóдня вéчером я свобóден.

disengagement [,dɪsɪn'geɪdʒmənt] *n* 1) освобождéние; свобóда (*от обязательств, дел и т. п.*); 2) несостоя́вшийся брак; 3) естéственность (*манер*), непринуждённость; 4) *хим.* выделéние; 5) *воен.* выход из бóя.

disentail ['dɪsɪn'teɪl] *v* *юр.* снять ограничéние с наслéдника, предостáвив емý прáво завещáть имýщество по своемý усмотрéнию [*см.* tail II].

disentangle ['dɪsɪn'tæŋgl] *v* 1) распу́тывать(ся); 2) выпу́тывать(ся) из затруднéний (from).

disenthral(l) [,dɪsɪn'θrɔːl] *v* отпускáть на вóлю; освобождáть от рáбства.

disentitle ['dɪsɪn'taɪtl] *v* 1) лишáть прáва (*на что-л.*); 2) лишáть ти́тула.

disentomb [,dɪsɪn'tuːm] *v* выкáпывать из моги́лы; *перен.* откáпывать, находи́ть.

disequilibrium [dɪs,iːkwɪ'lɪbrɪəm] *n* отсýтствие *или* потéря равновéсия; неусто́йчивость.

disestablish ['dɪsɪs'tæblɪʃ] *v* 1) разрушáть, отменя́ть (*установленное*); 2) отделя́ть цéрковь от госудáрства.

disestablishment [,dɪsɪs'tæblɪʃmənt] *n* отделéние цéркви от госудáрства.

disfavour ['dɪs'feɪvə] 1. *n* 1) немилость; to fall into ~ впасть в немилость; to be in ~ быть в немилости; 2) неодобрéние; to regard with ~ относи́ться с неодобрéнием;
2. *v* не одобря́ть.

disfeature [dɪs'fiːtʃə] *v* обезобрáживать, урóдовать (*внешность*).

disfiguration [dɪs,fɪgjuə'reɪʃən] = disfigurement.

disfigure [dɪs'fɪgə] *v* 1) обезобрáживать, урóдовать; 2) искажáть; пóртить.

disfigurement [dɪs'fɪgəmənt] *n* 1) обезобрáживание, искажéние; 2) физи́ческий недостáток, урóдство.

disforest [dɪs'fɔrɪst] *v* вырубáть лесá.

disfranchise ['dɪs'fræntʃaɪz] *v* лишáть граждáнских (*особ.* избирáтельных) прав.

disfrock [dɪs'frɔk] *v* лишáть духóвного звáния, сáна.

disgorge [dɪs'gɔːdʒ] *v* 1) извергáть (*лаву и т. п.*); выбрáсывать (*клубы дыма и т. п.*); 2) изрыгáть (*пищу*); 3) разгружáть(ся), опорожня́ть(ся); 4) вливáться, впадáть; the river ~s into the sea рекá впадáет в мóре; 5) дегоржи́ровать (*вино*); 6) возвращáть нечéстно присвóенное, захвáченное.

disgrace [dɪs'greɪs] 1. *n* 1) позóр, бесчéстие; to bring ~ upon smb. навлéчь позóр на когó-л.; 2) немилость; to be in (deep) ~ быть в немилости, опáле; to fall into ~ впадáть в немилость;
2. *v* 1) позóрить, бесчéстить; 2) разжáловать; лишáть расположéния; подвéргнуть немилости.

disgraceful [dɪs'greɪsful] *a* позóрный, посты́дный.

disgruntle [dɪs'grʌntl] *v* серди́ть, приводи́ть в дурнóе настроéние, раздражáть.

disgruntled [dɪs'grʌntld] 1. *p. p. от* disgruntle;

2. *a* недовольный, в плохом настроении, раздражённый, рассерженный.

disguise [dɪs'gaɪz] 1. *n* 1) переодевание; маскировка; in ~ переодетый; замаскированный; 2) обманчивая внешность, маска, личина; to throw off one's ~ сбросить с себя личину;
2. *v* 1) переодевать; маскировать; 2) делать неузнаваемым; a door ~d as a bookcase потайная дверь в виде книжного шкафа; 3) скрывать; to ~ one's intentions (feelings *etc.*) скрывать свои намерения (чувства *и т. п.*); to ~ one's voice менять голос; 4): ~d with drink подвыпивши(й).

disgust [dɪs'gʌst] 1. *n* отвращение, омерзение;
2. *v* внушать отвращение; вызывать негодование; to be ~ed чувствовать отвращение; возмущаться.

disgustful [dɪs'gʌstful] *a* отвратительный.

disgusting [dɪs'gʌstɪŋ] 1. *pres. p.* от disgust 2;
2. *a* = disgustful.

dish [dɪʃ] 1. *n* 1) блюдо, тарелка, миска; *pl* посуда; 2) блюдо, кушанье; standing ~ неизменное, дежурное блюдо; *перен.* обычная тема; 3) *амер. разг.* девушка, красотка; 4) ложбина, впадина; котлован; ◇ to have a hand in the ~ быть замешанным в чём-л.;
2. *v* 1) класть на блюдо; 2) *разг.* провести, обмануть, одолеть (*особ. своих политических противников*); 3) выгибать; придавать вогнутую форму; ▢ ~ out раскладывать кушанье; ~ up а) подавать кушанье к столу; сервировать; *перен.* уметь преподнести (*анекдот и т. п.*); б) *разг.* мыть посуду; ◇ to ~ it out to smb. дать жару кому-л.

dishabille [,dɪsæ'biːl] *фр. n* домашнее платье; дезабилье.

dishabituate [,dɪshə'bɪtjueɪt] *v* отучать от привычки (for).

dishallow [dɪs'hælou] *v* нарушать (*святыню*); осквернять.

disharmonious [,dɪshɑː'mouniəs] *a* 1) несогласный; 2) дисгармоничный.

disharmonize [dɪs'hɑːmənaɪz] *v* 1) вносить разногласие, нарушать гармонию; 2) дисгармонировать.

disharmony [,dɪs'hɑːmənɪ] *n* 1) разногласие; 2) дисгармония.

dish-cloth ['dɪʃklɔθ] *n* посудное, кухонное полотенце.

dish-clout ['dɪʃklaut] *уст.* = dish-cloth.

dishearten [dɪs'hɑːtn] *v* приводить в уныние, лишать мужества, уверенности в себе; don't be ~ed не унывай(те).

disherison [dɪs'herɪzn] *n* лишение наследства.

dishevel [dɪ'ʃevəl] *v* растрепать, взъерошить.

dishevelled [dɪ'ʃevəld] 1. *p. p.* от dishevel;
2. *a* растрёпанный, всклокоченный, взъерошенный.

dish-gravy ['dɪʃ,greɪvɪ] *n* подливка (*из сока жаркого*).

dishonest [dɪs'ɔnɪst] *a* 1) нечестный; мошеннический; 2) недобросовестный, небрежный.

dishonesty [dɪs'ɔnɪstɪ] *n* 1) нечестность; обман; 2) недобросовестность.

dishonour [dɪs'ɔnə] 1. *n* 1) бесчестие, позор; 2) *ком.* отказ в акцепте векселя; неуплата в срок по векселю;
2. *v* 1) бесчестить, позорить; оскорблять; to ~ one's promise не сдержать своего обещания; 2) *ком.* отказывать в акцепте векселя; отказывать в платеже по векселю.

dishonourable [dɪs'ɔnərəbl] *a* 1) бесчестный, позорный; 2) позорящий, низкий.

dishorn [dɪs'hɔːn] *v* удалять рога.

dishouse [dɪs'hauz] *v* лишать крова.

dish-rag ['dɪʃræg] = dish-cloth.

dish-washer ['dɪʃ,wɔʃə] *n* 1) судомойка; 2) трясогузка (*птица*).

dish-water ['dɪʃ,wɔːtə] *n* помои.

disillusion [,dɪsɪ'luːʒən] 1. *n* утрата иллюзий; разочарование;
2. *v* разрушать иллюзии; открывать правду; разочаровывать.

disillusionize [,dɪsɪ'luːʒənaɪz] = disillusion 2.

disinclination [,dɪsɪnklɪ'neɪʃən] *n* несклонность (to); нежелание, неохота (*что-л. сделать*; for; to do).

disincline ['dɪsɪn'klaɪn] *v* 1) лишать желания, отбивать охоту (for; to do); 2) не чувствовать склонности.

disincorporate [,dɪsɪn'kɔːpəreɪt] *v* распустить, закрыть (*общество, корпорацию*).

disinfect [,dɪsɪn'fekt] *v* дезинфицировать.

disinfectant [,dɪsɪn'fektənt] 1. *n* 1) дезинфицирующее средство; 2) дезодоратор;
2. *a* дезинфицирующий.

disinfection [,dɪsɪn'fekʃən] *n* 1) дезинфекция; 2) *attr.* дезинфекционный; ~ plant дезинфекционная камера.

disinflation [,dɪsɪn'fleɪʃən] *n* *эк.* дефляция.

disingenuous [,dɪsɪn'dʒenjuəs] *a* 1) неискренний, хитрый; 2) нечестный.

disinherit ['dɪsɪn'herɪt] *v* лишать наследства.

disinheritance [,dɪsɪn'herɪtəns] *n* лишение наследства.

disintegrate [dɪs'ɪntɪgreɪt] *v* 1) разделять(ся) на составные части; дезинтегрировать; раздроблять; 2) распадаться, разрушаться.

disintegration [dɪs,ɪntɪ'greɪʃən] *n* 1) разделение на составные части; дезинтеграция; измельчение; 2) распадение, разрушение.

disintegrator [dɪs'ɪntɪgreɪtə] *n* 1) *тех.* дезинтегратор, дробилка; мешалка; 2) *текст.* трепальная машина; 3) мельничный постав.

disinter ['dɪsɪn'təː] *v* выкапывать (из могилы), отрывать; *перен.* откапывать, отыскивать.

disinterested [dɪs'ɪntrɪstɪd] *a* 1) бескорыстный, незаинтересованный; ~ help бескорыстная помощь; 2) беспристрастный; we are not ~ мы не относимся безучастно.

disject [dɪs'dʒekt] *v* разбрасывать, рассеивать.

disjecta membra [dɪs'dʒektə'membrə] *лат. n pl* отрывки, обрывки (*цитати и т.п.*).

disjoin [dɪs'dʒɔɪn] *v* разъединять; разобщать.

disjoint [dɪs'dʒɔɪnt] *v* 1) расчленять; разбирать на части; 2) разделять; 3) вывихнуть.

disjointed [dɪs'dʒɔɪntɪd] 1. *p. p. от* disjoint;

2. *a* 1) расчленённый; 2) несвязный (*о речи*); 3) вывихнутый.

disjunct [dɪs'dʒʌŋkt] *a* разобщённый; разъединённый.

disjunction [dɪs'dʒʌŋkʃən] *n* 1) разделение; разобщение; разъединение; 2) *эл.* размыкание (*цепи*).

disjunctive [dɪs'dʒʌŋktɪv] 1. *n* 1) *грам.* разделительный союз; 2) *лог.* альтернатива;

2. *a* 1) разъединяющий; ~ conjunction *грам.* разделительный союз; 2) *лог.* альтернативный.

disk [dɪsk] 1. *n* 1) диск; круг; identification ~ *воен.* личный знак; 2) патефонная пластинка; 3) *attr.* дисковый, дискообразный; ~ coil *радио* плоская катушка; ~ harrow *с.-х.* дисковый культиватор; ~ valve *тех.* тарельчатый клапан;

2. *v* 1) придавать форму диска; 2) *с.-х.* обрабатывать дисковым культиватором; 3) записывать на пластинку.

disk jockey ['dɪsk'dʒɔkɪ] = disc jockey.

disleaf, disleave [dɪs'liːf, -'liːv] *v* лишать листьев.

dislike [dɪs'laɪk] 1. *n* нелюбовь, неприязнь, отвращение (for, of, to);

2. *v* не любить, питать отвращение.

dislocate ['dɪsləkeɪt] *v* 1) вывихнуть; 2) нарушать; расстраивать (*планы и т. п.*); to ~ traffic нарушать движение; 3) сдвигать, перемещать, смещать.

dislocation [,dɪslə'keɪʃən] *n* 1) вывих; 2) расстройство; 3) неувязка, неурядица, неполадка; 4) *геол.* дислокация, нарушение, перемещение (*пластов*).

dislodge [dɪs'lɔdʒ] *v* 1) удалять; смещать; 2) выгонять (*зверя из берлоги*); 3) выбивать с позиции (*противника*).

disloyal ['dɪs'lɔɪəl] *a* 1) нелояльный; 2) вероломный; предательский.

disloyalty ['dɪs'lɔɪəltɪ] *n* 1) неверность, нелояльность; 2) вероломство, предательство.

dismal ['dɪzməl] 1. *a* 1) мрачный; унылый; ~ prospects мрачные перспективы; 2) печальный; угрюмый; ~ mood подавленное настроение; 3) гнетущий; ~ weather гнетущая погода;

2. *n* 1) (the ~s) *pl* подавленное настроение; печальные обстоятельства; 2) *амер.* болото.

dismantle [dɪs'mæntl] *v* 1) раздевать; снимать (*одежду, покров*); 2) разбирать (*машину*); демонтировать; лишать оборудования; 3) разоружать, расснащивать (*корабль*); 4) срывать (*крепость*).

dismantling [dɪs'mæntlɪŋ] 1. *pres. p. от* dismantle;

2. *n* демонтаж, разборка.

dismast [dɪs'mɑːst] *v мор.* снимать, сносить мачты.

dismay [dɪs'meɪ] 1. *n* 1) страх, испуг; in ~ с тревогой; we were struck with ~ мы были испуганы; 2) уныние;

2. *v* 1) ужасать, пугать; 2) приводить в уныние, обескураживать.

dismember [dɪs'membə] *v* 1) расчленять, разрывать на части; 2) *редк.* лишать членства.

dismemberment [dɪs'membəmənt] *n* расчленение, разделение на части.

dismiss [dɪs'mɪs] 1. *v* 1) отпускать; распускать; to ~ a meeting закрыть собрание; 2) увольнять; 3) *воен.* распускать, подавать команду «разойдись!»; 4) освобождать (*заключённого*); 5) прогонять; *перен.* гнать от себя (*мысль, опасение*); 6) отделываться (*от чего-л.*); to ~ the subject прекратить обсуждение вопроса; 7) *юр.* прекращать (*дело*); отклонять (*заявление, иск*);

2. *n* (the ~) *воен.* команда «разойдись!».

dismissal [dɪs'mɪsəl] *n* 1) предоставление отпуска; роспуск (*на каникулы и т. п.*); 2) увольнение; отставка; 3) освобождение; 4) отстранение от себя (*неприятной мысли и т. п.*); 5) *attr.*: ~ pay, ~ wage выходное пособие.

dismission [dɪs'mɪʃən] = dismissal.

dismount ['dɪs'maunt] *v* 1) спешиваться, слезать; ~! *воен.* слезай! (*команда*); 2) сбрасывать с лошади; снимать (*с подставки, пьедестала*); вынимать (*из оправы*); to ~ a gun снимать орудие с лафета; 4) разбирать (*машину*).

disobedience [,dɪsə'biːdjəns] *n* неповиновение, непослушание.

disobedient [,dɪsə'biːdjənt] *a* непокорный, непослушный.

disobey ['dɪsə'beɪ] *v* не повиноваться, ослушаться.

disoblige ['dɪsə'blaɪdʒ] *v* не считаться с (*чьим-л.*) желанием, удобством; поступать нелюбезно; досаждать; he did it to ~ me он сделал это в пику мне.

disobligingly ['dɪsə'blaɪdʒɪŋlɪ] *adv* нелюбезно; не считаясь с другими.

disorder [dɪs'ɔːdə] 1. *n* 1) беспорядок; 2) (*обыкн. pl*) беспорядки (*массовые волнения*); 3) *мед.* расстройство;

2. *v* 1) приводить в беспорядок; 2) расстраивать (*здоровье*).

disorderly [dɪs'ɔːdəlɪ] 1. *a* 1) беспорядочный; 2) неаккуратный, неопрятный; 3) расстроенный (*о здоровье*); 4) необузданный, буйный, беспокойный; 5) непристойный; распущенный; ~ conduct хулиганство, нарушение общественного порядка; ~ person *юр.* лицо, виновное в нарушении общественного порядка; ~ house а) дом терпимости; б) игорный дом;

2. *adv* беспорядочно и пр. [*см.* 1];

3. *n* беспорядочный, неопрятный, распущенный человек.

disorganization [dɪs,ɔːgənaɪ'zeɪʃən] *n* дезорганизация, расстройство; беспорядок.

disorganize [dɪs'ɔːgənaɪz] *v* дезорганизовать, расстраивать.

disorient [dɪs'ɔːrɪənt] = disorientate.

disorientate [dɪs'ɔːrɪenteɪt] v 1) дезориентировать; сбивать с толку, вводить в заблуждение; 2) ставить (церковь) алтарём не на восток.

disown [dɪs'oun] v не признавать, отрицать, отказываться, отрекаться.

disparage [dɪs'pærɪdʒ] v 1) говорить пренебрежительно; 2) относиться с пренебрежением; третировать; унижать.

disparagement [dɪs'pærɪdʒmənt] n 1) недооценка, умаление; 2) пренебрежительное отношение.

disparaging [dɪs'pærɪdʒɪŋ] 1. pres. p. от disparage;
2. a унизительный; пренебрежительный; a ~ remark пренебрежительное замечание.

disparate ['dɪspərɪt] a в корне отличный; несравнимый, несопоставимый; несоизмеримый.

disparity [dɪs'pærɪtɪ] n неравенство; несоответствие; несоразмерность; ~ in years разница в годах.

dispart I [dɪs'pɑːt] n воен. мушка (тж. ~ sight).

dispart II [dɪs'pɑːt] v 1) уст., поэт. разделять(ся); 2) расходиться; 3) распределять.

dispassionate [dɪs'pæʃnɪt] a 1) бесстрастный, хладнокровный; спокойный; 2) беспристрастный.

dispatch [dɪs'pætʃ] 1. n 1) отправка, отправление (курьера, почты); 2) (дипломатическая) депеша; официальное донесение; 3) агентство по доставке товаров; экспедиция; 4) быстрота, быстрое выполнение (работы); to do smth. with ~ делать что-л. быстро; the matter requires ~ это срочное дело; 5) разг. казнь, убийство; happy ~ а) харакири; б) мгновенная смерть при казни;
2. v 1) посылать; отсылать, отправлять по назначению; 2) быстро выполнять; справляться (с делом, работой); to ~ one's dinner наскоро пообедать; 3) уст. спешить; 4) разг. отправлять на тот свет, убивать.

dispatch-boat [dɪs'pætʃbout] n посыльное судно.

dispatch-box [dɪs'pætʃbɔks] n сумка (курьера) для официальных бумаг.

dispatch-dog [dɪs'pætʃdɔg] n воен. собака связи.

dispatcher [dɪs'pætʃə] n 1) экспедитор; 2) диспетчер.

dispatch money [dɪs'pætʃ'mʌnɪ] n ком. диспач (премия за быстроту выполнения).

dispatch-station [dɪs'pætʃ'steɪʃən] n ж.-д. станция отправления.

dispel [dɪs'pel] v разгонять; рассеивать; to ~ apprehensions рассеять опасения.

dispensable [dɪs'pensəbl] a 1) необязательный; 2) несущественный.

dispensary [dɪs'pensərɪ] n 1) аптека (особ. бесплатная для бедняков); 2) амер. амбулатория.

dispensation [ˌdɪspen'seɪʃən] n 1) раздача, распределение; 2) освобождение (от обязательства, от обета); разрешение

брака (между родственниками в католической церкви); 3) отправление правосудия; 4) особая милость.

dispensatory [dɪs'pensətərɪ] n 1) фармакопея; 2) уст. аптека.

dispense [dɪs'pens] v 1) раздавать, распределять (пищу и т. п.); 2) отправлять (правосудие); 3) приготовлять и распределять (лекарства); 4) освобождать (from — от обязательства); □ ~ with обходиться без чего-л.; to ~ with smb.'s services обходиться без чьих-л. услуг; machinery ~s with much labour машины дают большую экономию человеческого труда.

dispenser [dɪs'pensə] n фармацевт.

-dispenser [-dɪs'pensə] в сложных словах означает: а) автомат для продажи чего-л.; напр.: gum— автомат для продажи жевательной резинки; б) ящик или сосуд, содержащий предмет общего пользования; напр.: toilet-paper-~ ящик с туалетной бумагой.

dispeople ['dɪs'piːpl] v обезлюдить, уменьшить население.

dispersal [dɪs'pəːsəl] n 1) рассеивание; рассыпание; рассредоточение; 2) attr.: ~ field ав. запасной аэродром.

disperse [dɪs'pəːs] v 1) разгонять, рассеивать; 2) рассеиваться, исчезать; 3) расходиться; 4) разбрасывать, рассыпать; 5) распространять.

dispersion [dɪs'pəːʃən] n 1) разбрасывание; рассеивание; 2) разбросанность; 3) физ., хим. дисперсия.

dispersive [dɪs'pəːsɪv] a разбрасывающий; рассеивающий.

dispersoid [dɪs'pəːsɔɪd] n хим. коллоид.

dispirit [dɪ'spɪrɪt] v приводить в уныние, удручать.

dispiteous [dɪs'pɪtɪəs] a безжалостный.

displace [dɪs'pleɪs] v 1) переставлять, перекладывать; перемещать; 2) вытеснять, замещать; 3) смещать, увольнять; 4) иметь водоизмещение (о судне); 5) хим. замещать один элемент другим.

displaced person [dɪs'pleɪst'pəːsn] n перемещённое лицо.

displacement [dɪs'pleɪsmənt] n 1) перемещение, перестановка; ~ of track ж.-д. угон пути; 2) смещение, вытеснение; 3) водоизмещение; 4) геол. сдвиг (пластов); 5) тех. литраж (цилиндра); производительность (насоса, компрессора); 6) эл. видимый разряд.

displant [dɪs'plɑːnt] v вырывать (растение для посадки в другом месте).

display [dɪs'pleɪ] 1. n 1) показ, выставка; there was a great ~ of goods было выставлено много товаров; 2) проявление (смелости и т. п.); 3) выставление напоказ; хвастовство; to make great ~ of generosity хвастаться своей щедростью; 4) полигр. выделение особым шрифтом;
2. v 1) выставлять, показывать; to ~ the colours украситься флагами; 2) проявлять, обнаруживать; 3) хвастаться; 4) полигр. выделять особым шрифтом.

displease [dɪs'pliːz] v 1) не нравиться; быть неприятным, не по вкусу (кому-л.);

2) сердить, раздражать; ~d at (или with) smth. недовольный чем-л.

displeasing [dıs'pliːzıŋ] 1. *pres. p. от* displease;

2. *a* неприятный, противный.

displeasure [dıs'pleʒə] 1. *n* неудовольствие, недовольство; досада; to incur smb.'s ~ навлечь на себя чей-л. гнев; to take ~ обидеться; to be in ~ with smb. быть у кого-л. в немилости;

2. *v* вызывать неудовольствие, сердить.

displume [dıs'pluːm] *v* 1) *поэт.* ощипывать перья; 2) *разг.* лишить знаков отличия; разжаловать.

disport [dıs'pɔːt] *уст.* 1. *n* развлечение, забава;

2. *v (обыкн. refl.)* развлекаться, забавляться; резвиться.

disposable [dıs'pouzəbl] *a* 1) находящийся *(или* имеющийся) в распоряжении; свободный; 2) устранимый.

disposal [dıs'pouzəl] *n* 1) расположение, размещение; 2) *воен.* диспозиция; 3) возможность распорядиться *(чем-л.);* at one's ~ в чьём л. распоряжении; at your ~ к вашим услугам; to place at smb.'s ~ предоставить в чьё-л. распоряжение; 4) передача; продажа; ~ of property передача имущества; 5) избавление *(от чего-л.);* устранение; удаление *(нечистот и т. п.);* ~ of bombs обезвреживание бомб.

dispose [dıs'pouz] *v* 1) располагать, размещать, расставлять; 2) располагать, склонять; I am ~d to think that я склонен думать, что; they are well *(или* kindly) ~d towards us они хорошо к нам относятся; □ ~ of а) распорядиться; to ~ of property распорядиться имуществом *(путём продажи, дара, завещания);* б) отделаться, избавиться; ликвидировать; to ~ of an argument устранить, опровергнуть аргумент.

disposition [,dıspə'zıʃən] *n* 1) расположение, размещение *(в определённом порядке и т. п.);* 2) *(обыкн. pl)* воен. диспозиция; дислокация; military ~s боевые порядки; 3) распоряжение; возможность распорядиться *(чем-л.);* to have in one's ~ иметь в своём распоряжении; 4) предрасположение, склонность (to — к чему-л.); 5) характер, нрав; he is of a cheerful (gentle) ~ у него весёлый (мягкий) характер; social ~ общительный характер; well-oiled ~ покладистый характер; 6) избавление; продажа; the ~ of property продажа имущества; 7) *pl* приготовления; to make ~s for a campaign готовиться к кампании.

dispossess ['dıspə'zes] *v* 1) лишать собственности, права владения (of); 2) выселять; ◊ to ~ smb. of an error выводить кого-л. из заблуждения.

dispossession [,dıspə'zeʃən] *n* 1) лишение собственности, лишение права владения *(особ. незаконное);* 2) выселение; 3) отчуждение.

dispraise [dıs'preız] 1. *n* неодобрение, порицание;

2. *v* не одобрять, порицать; говорить с пренебрежением.

disproof ['dıs'pruːf] *n* опровержение.

disproportion ['dısprə'pɔːʃən] *n* несоразмерность, непропорциональность, диспропорция.

disproportionate [,dısprə'pɔːʃnıt] *a* несоразмерный, непропорциональный.

disprove ['dıs'pruːv] *v* опровергать; доказывать ложность *или* ошибочность *(чего-л.).*

disputable [dıs'pjuːtəbl] *a* спорный, сомнительный; находящийся под вопросом.

disputant [dıs'pjuːtənt] 1. *n* 1) участник диспута, дискуссии; 2) спорщик;

2. *a* принимающий участие в дискуссии; спорящий.

disputation [,dıspjuː'teıʃən] *n* 1) дебаты; 2) диспут; 3) спор.

disputatious [,dıspjuː'teıʃəs] *a* любящий спорить.

dispute [dıs'pjuːt] 1. *n* 1) диспут; дебаты, полемика; beyond *(или* past, without) ~ вне сомнения; бесспорно; the matter is in ~ дело находится в стадии обсуждения; 2) спор, пререкания;

2. *v* 1) спорить, дискутировать (with, against—c; on, about—o); 2) обсуждать; 3) пререкаться, ссориться; 4) оспаривать, подвергать сомнению *(право на что-л., достоверность чего-л. и т. п.);* 5) оспаривать *(первенство в состязании и т. п.);* 6) противиться; препятствовать; оказывать сопротивление; отстаивать; to ~ in arms every inch of ground отстаивать с оружием в руках каждую пядь земли; to ~ the enemy's advance противодействовать продвижению противника.

disqualification [dıs,kwɔlıfı'keıʃən] *n* 1) дисквалификация; лишение права *(на что-л.);* 2) негодность (for—к); 3) *юр.* неправоспособность.

disqualify [dıs'kwɔlıfaı] *v* 1) делать негодным, неспособным; 2) дисквалифицировать, лишать права, признавать неспособным, негодным; 3) *амер.* рассекречивать *(кого-л.).*

disquiet [dıs'kwaıət] 1. *n* беспокойство, волнение, тревога;

2. *a* беспокойный, тревожный;

3. *v* беспокоить, тревожить.

disquieting [dıs'kwaıətıŋ] 1. *pres. p. от* disquiet 3;

2. *a* беспокойный, тревожный.

disquietude [dıs'kwaıtjuːd] *n* беспокойство, тревога.

disquisition [,dıskwı'zıʃən] *n* 1) исследование, изыскание; 2) *уст.* следствие; дознание.

disquisitional [,dıskwı'zıʃənl] *a* исследовательский, носящий характер исследования.

disrank [dıs'ræŋk] *v* понижать в чине, звании, ранге.

disrate [dıs'reıt] *v* понижать в разряде, ранге.

disregard ['dısrı'gɑːd] 1. *n* равнодушие; пренебрежение, игнорирование (of, for);

2. *v* не обращать внимания, не придавать значения; пренебрегать, игнорировать.

disrelish [dıs'relıʃ] 1. *n* нерасположение, отвращение; to regard a person with ~ чувствовать нерасположение к кому-л.;

2. *v* не люби́ть, испы́тывать отвраще́ние.

disremember [ˈdɪsrɪˈmembə] *v* диал. забыва́ть, не по́мнить.

disrepair [ˈdɪsrɪˈpɛə] *n* ве́тхость; плохо́е состоя́ние, неиспра́вность (*здания и т. п.*).

disreputable [disˈrepjutəbl] **1.** *a* 1) по́льзующийся дурно́й репута́цией; 2) дискредити́рующий; позо́рный;
2. *n* челове́к с сомни́тельной репута́цией.

disreputation [dis,repjuˈteɪʃn] = disrepute.

disrepute [ˈdɪsrɪˈpjuːt] *n* дурна́я сла́ва, плоха́я репута́ция; to fall (to bring) into ~ получи́ть (навле́чь) дурну́ю сла́ву; to be in ~ име́ть плоху́ю репута́цию.

disrespect [ˈdɪsrɪsˈpekt] **1.** *n* неуваже́ние, непочти́тельность; to treat with ~, to show ~ относи́ться без уваже́ния;
2. *v* гру́бо обраща́ться; относи́ться непочти́тельно.

disrespectful [,dɪsrɪsˈpektful] *a* непочти́тельный, неве́жливый.

disrobe [ˈdɪsˈroub] *v* 1) раздева́ть; разоблача́ть (*тж. перен.*); 2) раздева́ться, разоблача́ться.

disroot [dɪsˈruːt] *v* вырыва́ть с ко́рнем; *перен.* искореня́ть.

disrupt [dɪsˈrʌpt] *v* 1) разрыва́ть, разруша́ть (*употр. тж. как p. p. вм.* disrupted); 2) *перен.* подрыва́ть.

disruption [dɪsˈrʌpʃn] *n* 1) разруше́ние; 2) разры́в; раско́л; 3) *геол.* распа́д, дезинтегра́ция (*пород*); 4) *эл.* пробо́й.

disruptive [dɪsˈrʌptɪv] *a* 1) разруши́тельный; 2) *перен.* подрывно́й; 3) *эл.* пробивно́й, разря́дный.

dissatisfaction [ˈdɪs,sætɪsˈfækʃn] *n* неудовлетворённость, недово́льство.

dissatisfactory [ˈdɪs,sætɪsˈfæktərɪ] *a* неудовлетвори́тельный.

dissatisfied [ˈdɪsˈsætɪsfaɪd] **1.** *p. p. от* dissatisfy;
2. *a* неудовлетворённый, недово́льный (with, at).

dissatisfy [ˈdɪsˈsætɪsfaɪ] *v* не удовлетворя́ть.

dissect [dɪˈsekt] *v* 1) рассека́ть; 2) вскрыва́ть, анатоми́ровать; 3) анализи́ровать; разбира́ть крити́чески.

dissecting-room [dɪˈsektɪŋrum] *n мед* секцио́нная ко́мната.

dissection [dɪˈsekʃn] *n* 1) рассече́ние; 2) вскры́тие, анатоми́рование; 3) ана́лиз, разбо́р.

dissector I [dɪˈsektə] *n мед.* прозе́ктор.

dissector II [dɪˈsektə] *n* диссе́ктор (*передающая телевизионная трубка*).

disseise [ˈdɪsˈsiːz] *v юр.* лиша́ть со́бственности, пра́ва владе́ния (*особ. неправильно, незаконно*).

disseisee [,dɪsiːˈziː] *n юр.* челове́к, непра́вильно лишённый со́бственности, пра́ва владе́ния.

disseisin [ˈdɪsˈsiːzin] *n юр.* лише́ние со́бственности (*особ. незаконное*).

disseize, disseizee, disseizin [ˈdɪsˈsiːz, ,dɪsiːˈziː, ˈdɪsˈsiːzin] = disseise, disseisee, disseisin.

dissemblance I [dɪˈsembləns] *n* разли́чие; отсу́тствие схо́дства; ра́зница.

dissemblance II [dɪˈsembləns] *n* притво́рство, лицеме́рие.

dissemble [dɪˈsembl] *v* 1) скрыва́ть; to ~ one's anger не пока́зывать своего́ гне́ва; 2) притворя́ться, лицеме́рить; 3) умы́шленно не замеча́ть (*обиды, оскорбления и т. п.*); ума́лчивать, не упомина́ть (*факт, деталь и т. п.*).

dissembler [dɪˈsemblə] *n* лицеме́р, притво́рщик.

disseminate [dɪˈsemineɪt] *v* 1) рассе́ивать, разбра́сывать (*семена*); 2) распространя́ть (*учение, взгляды*); 3) се́ять (*недово́льство*).

disseminated [dɪˈsemineɪtɪd] **1.** *p. p. от* disseminate;
2. *a* 1) рассе́янный; ~ sclerosis *мед.* рассе́янный склеро́з; 2) *геол.* мелковкраплённый.

dissension [dɪˈsenʃn] *n* 1) разногла́сие; 2) разла́д, ра́спри, раздо́ры.

dissent [dɪˈsent] **1.** *n* 1) разногла́сие, расхожде́ние во взгля́дах; несогла́сие; 2) *церк.* секта́нтство, раско́л;
2. *v* 1) расходи́ться во мне́ниях, взгля́дах (from); 2) *церк.* отступа́ть от взгля́дов госпо́дствующей це́ркви; принадлежа́ть к се́кте.

dissenter [dɪˈsentə] *n* 1) секта́нт, раско́льник, диссиде́нт; 2) *амер.* недово́льный, оппозицио́нно настро́енный челове́к.

dissentient [dɪˈsenʃɪənt] **1.** *n* 1) инакомы́слящий, приде́рживающийся други́х взгля́дов челове́к; 2) го́лос про́тив; the motion was passed with only two ~s предложе́ние бы́ло при́нято при двух голоса́х про́тив;
2. *a* не соглаша́ющийся, инакомы́слящий; раско́льнический; without a ~ voice единогла́сно.

dissenting vote [dɪˈsentɪŋvout] *n* голоса́ про́тив; without a ~ единогла́сно.

dissepiment [dɪˈsepɪmənt] *n бот., зоол.* перегоро́дка.

dissert, dissertate [dɪˈsəːt, ,dɪsəˈteɪt] *v* 1) рассужда́ть (упон — о чём-л.); 2) писа́ть иссле́дование, диссерта́цию.

dissertation [,dɪsəˈteɪʃn] *n* диссерта́ция.

disserve [dɪsˈsəːv] *v* оказа́ть плоху́ю услу́гу, напо́ртить, навреди́ть.

disservice [ˈdɪsˈsəːvɪs] *n* плоха́я услу́га; уще́рб, вред; to do smb. a ~ оказа́ть кому́-л. плоху́ю услу́гу; нанести́ кому́-л. уще́рб.

dissever [dɪsˈsevə] *v* разъединя́ть(ся), отделя́ть(ся).

disseverance [dɪsˈsevərəns] *n* разъедине́ние, отделе́ние.

dissidence [ˈdɪsɪdəns] *n* разногла́сия; раско́л.

dissident [ˈdɪsɪdənt] **1.** *n* диссиде́нт, раско́льник;
2. *a* инакомы́слящий; приде́рживающийся други́х взгля́дов; раско́льнический.

dissimilar [ˈdɪˈsɪmɪlə] *a* непохо́жий, несхо́дный (to), разноро́дный.

dissimilarity [‚dısımı'lærıtı] *n* несхо́дство, разли́чие.

dissimilate [dı'sımıleıt] *v лингв.* диссимили́ровать.

dissimilation ['dısımı'leıʃən] *n лингв.* диссимиля́ция.

dissimilitude [‚dısı'mılıtuːd] *n* несхо́дство.

dissimulate [dı'sımjuleıt] *v* 1) скрыва́ть (*чувства и т. п.*); 2) симули́ровать; притворя́ться, лицеме́рить.

dissimulation [dı‚sımju'leıʃən] *n* симуля́ция; притво́рство, обма́н, лицеме́рие.

dissimulator [dı'sımjuleıtə] *n* притво́рщик, лицеме́р.

dissipate ['dısıpeıt] *v* 1) рассе́ивать, разгоня́ть (*облака, мрак, страх и т. п.*); 2) рассе́иваться; 3) расточа́ть, растра́чивать (*время, силы*); прома́тывать (*деньги*); 4) *разг.* кути́ть, развлека́ться; вести́ распу́тный о́браз жи́зни.

dissipated ['dısıpeıtıd] 1. *p. p. om* dissipate;
2. *a* 1) рассе́янный; 2) растра́ченный (*понапрасну*); 3) распу́щенный; беспу́тный, распу́тный.

dissipation [‚dısı'peıʃən] *n* 1) рассе́яние; 2) расточе́ние; 3) легкомы́сленные, развлече́ния; беспу́тный о́браз жи́зни; 4) уте́чка.

dissociable [dı'souʃjəbl] *a* 1) раздели́мый, разъедини́мый; 2) [dı'souʃəbl] необщи́тельный; 3) несоотве́тствующий.

dissocial [dı'souʃəl] *a* необщи́тельный.

dissociate [dı'souʃıeıt] *v* 1) разъединя́ть, отделя́ть (from); разобща́ть; 2) *refl.* отмежёвываться; 3) *хим.* диссоции́ровать; разлага́ть.

dissociation [dı‚sousı'eıʃən] *n* 1) разъедине́ние, отделе́ние; разобще́ние; 2) отмежева́ние; 3) *психол.* диссоциа́ция, расщепле́ние ли́чности; 4) *хим.* распа́д, разложе́ние; 5) *тех.* кре́кинг-проце́сс (*переработка нефти*).

dissociative [dı'sousıətıv] *a* 1) разъединя́ющий, разобща́ющий; 2) диссоции́рующий.

dissolubility [dı‚sɔlju'bılıtı] *n* 1) раствори́мость; разложи́мость; 2) расторжи́мость.

dissoluble [dı'sɔljubl] *a* 1) раствори́мый; разложи́мый; 2) расторжи́мый (*о договоре, браке*).

dissolute ['dısəluːt] *a* распу́щенный, беспу́тный.

dissolution [‚dısə'luːʃən] *n* 1) растворе́ние; разжиже́ние; разложе́ние (*на составные части*); 2) та́яние (*снега, льда*); 3) расторже́ние (*договора, брака*); отме́на; 4) ро́спуск, закры́тие (*парламента и т. п.*); 5) расформирова́ние; 6) *ком.* ликвида́ция; 7) распа́д (*государства*); 8) коне́ц, смерть; исчезнове́ние.

dissolvable [dı'zɔlvəbl] *a* 1) разложи́мый на составны́е ча́сти; 2) расторжи́мый.

dissolve [dı'zɔlv] 1. *n кино* наплы́в;
2. *v* 1) растворя́ть(ся); та́ять; разжижа́ть (-ся); испаря́ть(ся); разлага́ть(ся) (*на составные части*); ice ~s in the sun лёд та́ет

на со́лнце; sun ~s ice со́лнце раста́пливает лёд; ~d in tears залива́ясь слеза́ми; 2) распуска́ть (*парламент и т. п.*); 3) аннули́ровать, расторга́ть; 4) постепе́нно исчеза́ть; 5) *кино* появля́ться, пока́зываться наплы́вом.

dissolvent [dı'zɔlvənt] 1. *n* раствори́тель;
2. *a* растворя́ющий.

dissolving views [dı'zɔlvıŋvjuːz] *n pl* тума́нные карти́ны.

dissonance ['dısənəns] *n* 1) *муз.* неблагозву́чие, диссона́нс; 2) несоотве́тствие; несхо́дство (*характеров и т. п.*); разла́д.

dissonant ['dısənənt] *a* 1) *муз.* нестро́йный, диссони́рующий; 2) противоречи́вый, ста́лкивающийся (*об интересах, взглядах*).

dissuade [dı'sweıd] *v* 1) отгова́ривать, отсове́товать (from); 2) разубежда́ть.

dissuasion [dı'sweıʒən] *n* разубежде́ние.

dissuasive [dı'sweısıv] *a* разубежда́ющий.

dissyllabic ['dısı'læbık] *a* двусло́жный.

dissyllable [dı'sıləbl] *n* двусло́жное сло́во.

dissymmetrical ['dısı'metrıkəl] *a* 1) несимметри́чный; асимметри́чный; 2) симметри́чный, но противополо́жно напра́вленный (*напр., правая и левая руки*).

dissymmetry ['dı'sımıtrı] *n* 1) отсу́тствие симметри́и; асимметри́я, несимметри́чность; 2) симметри́я [*см.* dissymmetrical 2)].

distaff ['dıstɑːf] *n* пря́лка; ◇ the ~ а) же́нское де́ло; б) же́нщины; the ~ side же́нская ли́ния (*в генеалогии*).

distal ['dıstəl] *a анат.* отдалённый от це́нтра, перифери́ческий.

distance ['dıstəns] 1. *n* 1) расстоя́ние; диста́нция; at а ~ на изве́стном расстоя́нии; out of ~, beyond striking (*или* listening) ~ вне досяга́емости; within striking (*или* listening) ~ в преде́лах досяга́емости; to hit the ~ *спорт.* пробежа́ть диста́нцию; 2) отдалённость; да́льность; даль; in the ~ вдали́; from а ~ издалека́; it is quite a ~ from here э́то дово́льно далеко́ отсю́да; a good ~ off дово́льно далеко́; by ~ at all совсе́м недалеко́; 3) сде́ржанность, хо́лодность (*в обращении*); to keep one's ~ from smb. избега́ть кого́-л.; to keep a person at a ~ держа́ть кого́-л. на почти́тельном расстоя́нии, избега́ть сближе́ния с кем-л.; 4) даль, перспекти́ва (*в живописи*); middle ~ сре́дний план; 5) промежу́ток, пери́од (*времени*); отре́зок; the ~ between two events промежу́ток вре́мени ме́жду двумя́ собы́тиями; at this ~ of time сто́лько вре́мени спустя́; 6) *муз.* интерва́л ме́жду двумя́ но́тами; 7) *attr.:* ~ control дистанцио́нное управле́ние, телеуправле́ние;
2. *v* 1) оставля́ть далеко́ позади́ себя́; 2) размеща́ть на ра́вном расстоя́нии; 3) отдаля́ть.

distance-piece ['dıstəns‚piːs] *n тех.* распо́рка.

distant ['dıstənt] *a* 1) да́льний; далёкий; отдалённый; five miles ~ отстоя́щий на 5 миль; ~ likeness отдалённое схо́дство; ~ relative да́льний ро́дственник; 2) сде́ржанный, холо́дный; ~ politeness холо́дная ве́жливость; to be on ~ terms быть в стро́го официа́льных отноше́ниях.

distaste [ˈdɪsˈteɪst] 1. *n* отвраще́ние (for); to have a ~ for smth. испы́тывать отвраще́ние к чему́-л.;
2. *v* пита́ть отвраще́ние.

distasteful [dɪsˈteɪstful] *a* проти́вный, неприя́тный (*особ. на вкус;* to).

distemper I [dɪsˈtempə] 1. *n* 1) нездоро́вье; душе́вное расстро́йство; 2) соба́чья чума́; 3) *уст.* беспоря́дки, волне́ния;
2. *v* расстра́ивать здоро́вье; наруша́ть душе́вное равнове́сие.

distemper II [dɪsˈtempə] *жив.* 1. *n* 1) те́мпера; жи́вопись те́мперой; 2) клеева́я кра́ска;
2. *v* писа́ть те́мперой.

distempered I [dɪsˈtempəd] 1. *p. p. от* distemper I, 2;
2. *a* расстро́енный; a ~ fancy, a ~ mind расстро́енное воображе́ние.

distempered II [dɪsˈtempəd] *p. p. от* distemper II, 2.

distend [dɪsˈtend] *v* 1) надува́ть (ся), раздува́ть (ся); 2) *уст.* растя́гивать (ся).

distensible [dɪsˈtensəbl] *a* растяжи́мый, эласти́чный.

distension [dɪsˈtenʃən] *n* растяже́ние, расшире́ние.

distent [dɪsˈtent] *a* наду́тый, разду́тый.

distich [ˈdɪstɪk] *n* двусти́шие, ди́стих.

distichous [ˈdɪstɪkəs] *a бот.* располо́женный двумя́ ряда́ми, двуря́дный.

distil [dɪsˈtɪl] *v* 1) сочи́ться, ка́пать; 2) дистилли́ровать, очища́ть; опресня́ть (*воду*); 3) перегоня́ть, гнать (*спирт и т. п.*); 4) извлека́ть эссе́нцию (*из растений*); *перен.* извлека́ть суще́ственное.

distillate [ˈdɪstɪlɪt] *n* проду́кт перего́нки, дистилля́т, дистилля́т.

distillation [ˌdɪstɪˈleɪʃən] *n* дистилля́ция, перего́нка; возго́нка; ректифика́ция; dry ~ суха́я перего́нка; возго́нка; fractional ~ дро́бная (*или* фракцио́нная) перего́нка.

distillatory [dɪsˈtɪlətərɪ] *a* очища́ющий, дистилли́рующий; ~ vessel перего́нный куб.

distiller [dɪsˈtɪlə] *n* 1) винокур; 2) дистилля́тор (*аппарат для перегонки*).

distillery [dɪsˈtɪlərɪ] *n* винокуренный заво́д; перего́нный заво́д; устано́вка для перего́нки.

distinct [dɪsˈtɪŋkt] *a* 1) отде́льный; осо́бый, индивидуа́льный; отли́чный (*от других*); ~ type of mind осо́бый склад ума́; 2) отчётливый; я́сный, вня́тный; 3) определённый; 4) *уст., поэт.* укра́шенный, пёстрый.

distinction [dɪsˈtɪŋkʃən] *n* 1) различе́ние; распознава́ние; 2) разли́чие, отли́чие; a ~ without a difference иску́сственное, (то́лько) ка́жущееся разли́чие; all without ~ все без разли́чия, без исключе́ния; 3) отличи́тельная осо́бенность, оригина́льность, индивидуа́льность; his style lacks ~ в его́ сти́ле нет индивидуа́льности; 4) отли́чие; знак отли́чия; 5) высо́кие ка́чества; изве́стность; poet of ~ выдаю́щийся, знамени́тый поэ́т.

distinctive [dɪsˈtɪŋktɪv] *a* отличи́тельный, характе́рный; ~ feature отличи́тельная черта́; ~ mark отличи́тельный знак.

distinctly [dɪsˈtɪŋktlɪ] *adv* 1) я́сно, отчётливо; 2) определённо, заме́тно; days are growing ~ shorter дни стано́вятся заме́тно коро́че.

distinctness [dɪsˈtɪŋktnɪs] *n* я́сность, отчётливость, определённость.

distingué [dɪsˌtæŋˈgeɪ] *фр. a* изы́сканный, изя́щный.

distinguish [dɪsˈtɪŋgwɪʃ] *v* 1) различи́ть; разгляде́ть; 2) ви́деть *или* проводи́ть разли́чие, различа́ть; I can hardly ~ between the two brothers, I can hardly ~ the two brothers one from the other я с трудо́м различа́ю э́тих двух бра́тьев; 3) отмеча́ть; 4) характеризова́ть, отлича́ть; with the geniality which ~es him со сво́йственным ему́ доброду́шием; to ~ oneself by smth. вы́делиться, отличи́ться чем-л.; стать изве́стным благодаря́ чему́-л.

distinguishable [dɪsˈtɪŋgwɪʃəbl] *a* разли́чимый, отличи́мый.

distinguished [dɪsˈtɪŋgwɪʃt] 1. *p. p. от* distinguish;
2. *a* 1) выдаю́щийся, изве́стный; ~ service *воен.* отли́чная слу́жба; 2) отличи́тельный, характе́рный; ~ style характе́рный стиль.

distinguishing [dɪsˈtɪŋgwɪʃɪŋ] 1. *pres. p. от* distinguish;
2. *a* отличи́тельный, характе́рный.

distort [dɪsˈtɔːt] *v* 1) искажа́ть; искривля́ть; перека́шивать; 2) извраща́ть (*факты и т. п.*).

distortion [dɪsˈtɔːʃən] *n* 1) искаже́ние; искривле́ние; перека́шивание; 2) извраще́ние (*фактов и т. п.*).

distortionist [dɪsˈtɔːʃənɪst] *n* 1) акроба́т, «челове́к-змея»; 2) челове́к, искажа́ющий смысл (*чего-л.*); 3) карикатури́ст.

distract [dɪsˈtrækt] *v* 1) отвлека́ть, рассе́ивать (*внимание и т. п.;* from); 2) смуща́ть; расстра́ивать; 3) серди́ть, приводи́ть в я́рость; ~ed by (*или* with, at) smth. рассе́рженный чем-л.

distracted [dɪsˈtræktɪd] 1. *p. p. от* distract;
2. *a* обезу́мевший; to drive a person ~ своди́ть кого́-л. с ума́.

distraction [dɪsˈtrækʃən] *n* 1) развлече́ние; 2) отвлече́ние внима́ния; 3) то, что отвлека́ет внима́ние, развлека́ет; noise is a ~ when one is working шум о́чень меша́ет, когда́ челове́к рабо́тает; 4) рассе́янность; 5) раздраже́ние; си́льное возбужде́ние, отча́яние; 6) безу́мие; to love to ~ люби́ть до безу́мия; to be driven to ~ быть доведённым до безу́мия.

distrain [dɪsˈtreɪn] *v юр.* накла́дывать аре́ст на иму́щество в обеспе́чение до́лга.

distrainee [ˌdɪstreɪˈniː] *n юр.* лицо́, у кото́рого опи́сано иму́щество (*за долги*).

distrainment [dɪsˈtreɪnmənt] *n юр.* опись иму́щества в обеспе́чение до́лга.

distraint [dɪsˈtreɪnt] = distrainment.

distrait, *ж.* **distraite** [dɪsˈtreɪ, -eɪt] *фр. a* рассе́янный, невнима́тельный.

distraught [dɪs'trɔːt] *a* уст. потерявший рассудок, обезумевший (*от горя*).

distress [dɪs'tres] 1. *n* 1) горе, страдание; 2) несчастье; беда; бедствие; a ship in ~ судно, терпящее бедствие; 3) недомогание; утомление; истощение; 4) нужда; нищета; to relieve ~ помочь нуждающимся; 5) *юр.* право домовладельца накладывать арест на имущество квартиронанимателя за невзнос квартирной платы; 6) = distrainment; 7) *attr.*: ~ signal сигнал бедствия (SOS);
2. *v* 1) причинять страдание, горе; to ~ oneself беспокоиться, мучиться; 2) истощать силы; 3) *юр.* налагать арест на имущество.

distressful [dɪs'tresful] *a* многострадальный, скорбный; горестный; ~ situation бедственное положение.

distress-gun [dɪs'tresgʌn] *n* выстрел с корабля как сигнал бедствия.

distressing [dɪs'tresɪŋ] 1. *pres. p. от* distress 2;
2. *a* огорчительный, внушающий беспокойство; most ~ news весьма печальная новость.

distribuend [dɪs'trɪbjuənd] *n* то, что подлежит распределению.

distributable [dɪs'trɪbjutəbl] *a* подлежащий распределению.

distributary [dɪs'trɪbjutərɪ] *n* рукав реки.

distribute [dɪs'trɪbjuːt] *v* 1) распределять, раздавать (among, to); to ~ letters разносить письма; 2) (ровно) размазывать (*краску*); (равномерно) разбрасывать; to ~ manure over a field разбросать удобрение по полю; 3) распространять; 4) классифицировать; to ~ books into classes распределять книги по отделам; 5) *полигр.* разобрать шрифт и разложить его по кассам; 6) *уст.* отправлять правосудие.

distribution [ˌdɪstrɪ'bjuːʃən] *n* 1) распределение, раздача; 2) распространение; 3) *полигр.* разбор шрифта и распределение его по кассам.

distributive [dɪs'trɪbjutɪv] 1. *a* 1) распределительный; 2) *грам.* разделительный;
2. *n грам.* разделительное местоимение; разделительное прилагательное.

distributor [dɪs'trɪbjutə] *n* 1) распределитель; 2) *авт.* распределитель зажигания; 3) *дор.* гудронатор.

district ['dɪstrɪkt] 1. *n* 1) район; округ; участок; the lake ~ озёрная область (*на севере Англии*); 2) *амер.* избирательный округ; 3) самостоятельный церковный приход (*в Англии*); 4) *attr.* районный; окружной; ~ council окружной совет; ~ court *амер.* окружной суд; ~ attorney окружной прокурор; ~ heating теплофикация; централизованное отопление района; D. Railway электрическая железная дорога, соединяющая Лондон с пригородами;
2. *v* делить на районы, округа, районировать.

distrust [dɪs'trʌst] 1. *n* недоверие, сомнение; подозрение;
2. *v* не доверять, сомневаться (*в ком-л.*); подозревать.

distrustful [dɪs'trʌstful] *a* недоверчивый; подозрительный.

distune [dɪs'tjuːn] *v* расстраивать (*инструмент; тж. перен.*).

disturb [dɪs'təːb] *v* 1) беспокоить, мешать; 2) нарушать (*покой, молчание, душевное равновесие*); волновать, смущать; to ~ confidence подорвать доверие; 3) расстраивать (*планы*); 4) приводить в беспорядок.

disturbance [dɪs'təːbəns] *n* 1) нарушение (*тишины, покоя, порядка и т. п.*); тревога, беспокойство; 2) волнение; беспорядки; 3) *юр.* нарушение (*прав*); 4) неисправность, повреждение; 5) *геол.* дислокация (*геологического периода*); 7) *радио* атмосферные помехи.

disturber [dɪs'təːbə] *n* нарушитель.

disunion ['dɪs'juːnjən] *n* 1) разделение; разъединение; разобщение; 2) разногласие, разлад.

disunite ['dɪsjuː'naɪt] *v* разделять; разобщать(ся); разъединять(ся).

disunity ['dɪs'juːnɪtɪ] *n* отсутствие единства; разлад; разобщённость.

disuse 1. *n* ['dɪs'juːs] неупотребление; to come (*или* to fall) into ~ выйти из употребления;
2. *v* ['dɪs'juːz] перестать употреблять, перестать пользоваться (*чем-л.*).

disyllabic ['dɪsɪ'læbɪk] = dissyllabic.

ditch [dɪtʃ] 1. *n* 1) канава; ров; кювет; 2) траншея; выемка, котлован; to die in the last ~, to fight up to the last ~ биться до конца, до последней капли крови; стоять насмерть; 3) *sl.* море;
2. *v* 1) окапывать (*рвом, канавой*); 2) чистить канаву, ров; 3) осушать почву с помощью канав; 4) *амер.* сбрасывать в канаву; пускать под откос; 5) *амер. sl.* выбрасывать; 6) *разг.* покидать в беде; 7) *разг.* делать вынужденную посадку на воду.

ditcher ['dɪtʃə] *n* 1) землекоп; 2) канавокопатель (*машина*).

ditching ['dɪtʃɪŋ] 1. *pres. p. от* ditch 2;
2. *n* отрывка канав (*часто* hedging and ~).

ditch-water ['dɪtʃˌwɔːtə] *n* стоячая вода в канавах; ◇ dull as ~ невыносимо скучный.

ditheism ['daɪθiːɪzəm] *n* религиозный дуализм, двоебожие.

dither ['dɪðə] *диал.* 1. *n* 1) дрожь; 2) озноб; 3) сильное возбуждение; to be all of a ~ находиться в состоянии сильного возбуждения; 4) смущение;
2. *v* 1) дрожать, трястись; 2) ёжиться; 3) смущать(ся); 4) колебаться.

dithyramb ['dɪθɪræmb] *n* дифирамб.

dittany ['dɪtənɪ] *n бот.* ясенец белый.

ditto ['dɪtou] 1. *n* (*pl* -os [-ouz]) 1) то же, столько же, такой же (*употребляется в инвентарных списках, счетах и т. п. для избежания повторения*); paid to A 100 roubles, ~ to B уплачено A 100 рублей и столько же уплачено B; to say ~ to smb. *шутл.* поддакивать кому-л.; 2) *pl* костюм (*вся «тройка»*) из одного материала;
2. *v* делать повторения;
3. *adv* таким же образом.

ditty ['dɪtɪ] n 1) песенка; 2) любимая поговорка.

ditty-bag, ditty-box ['dɪtɪbæg, -bɔks] n мешочек солдата, матроса для иголок, ниток и др. мелочей.

diuresis [‚daɪjuə'riːsɪs] n мед. диурез.

diuretic [‚daɪjuə'retɪk] 1. n мочегонное средство;
2. a мочегонный.

diurnal [daɪ'əːnl] 1. a 1) дневной (противоп. nocturnal); 2) уст. ежедневный; 3) астр. суточный;
2. n уст. дневник.

diva ['diːvə] ит. n примадонна.

divagate ['daɪvəgeɪt] v отклоняться от темы.

divagation [‚daɪvə'geɪʃən] n разговоры, рассуждения, отклоняющиеся от темы.

divalent ['daɪ‚veɪlənt] a хим. двухвалентный.

divan [dɪ'væn] n 1) ист. диван (государственный совет в Турции); зал совета; 2) тахта (мебель); 3) курительная комната; 4) шутл. табачная лавка; 5) сборник стихов, антология; 6) = dewan.

divan-bed ['daɪvænbed] n кушетка.

divaricate [daɪ'værɪkeɪt] 1. a бот., зоол. разветвлённый;
2. v 1) разветвляться; 2) расходиться (о дорогах).

divarication [daɪ‚værɪ'keɪʃən] n 1) разветвление; 2) расхождение; 3) развилок (дорог).

dive [daɪv] 1. n 1) ныряние, прыжок в воду; 2) прыжок вниз; 3) погружение (подводной лодки); 4) внезапное исчезновение; 5) ав. пикирование; 6) подземное убежище; 7) «подземка» (подземная железная дорога); 8) амер. разг. дешёвый ресторан, «подвальчик»; погребок;
2. v 1) нырять; бросаться в воду; 2) бросаться вниз; 3) погружаться (о подводной лодке); 4) углубляться (в изучение чего-л.); проникать в тайну (чего-л.); 5) внезапно скрыться из вида, шмыгнуть; to ~ into the bushes юркнуть в кусты; 6) ав. пикировать; 7) сунуть руку (в воду, в карман).

dive-bomb ['daɪvbɔm] v воен. ав. бомбить с пикирования.

dive-bomber ['daɪvbɔmə] n пикирующий бомбардировщик.

diver ['daɪvə] n 1) спортсмен по прыжкам в воду; 2) водолаз; 3) искатель жемчуга, губок; 4) гагара (птица); 5) разг. вор-карманник.

diverge [daɪ'vəːdʒ] v 1) расходиться; 2) отклоняться; уклоняться; 3) отходить от нормы или стандарта.

divergence, -cy [daɪ'vəːdʒəns, -sɪ] n 1) расхождение; 2) отклонение; 3) мат. дивергенция.

divergent [daɪ'vəːdʒənt] a 1) расходящийся; 2) отклоняющийся; 3) опт. рассеивающий (о линзе).

divers ['daɪvəz] a уст. разный; in places в разных местах.

diverse [daɪ'vəːs] a 1) иной, отличный (от чего-л.); 2) разнообразный, разный.

diversiform [daɪ'vəːsɪfɔːm] a разнообразный; имеющий различные формы.

diversify [daɪ'vəːsɪfaɪ] v 1) разнообразить; 2) амер. вкладывать в различные предприятия (капитал).

diversion [daɪ'vəːʃən] n 1) отклонение; 2) отвлечение внимания; 3) развлечение; 4) театр. скетч; 5) воен. диверсия (тактическая); 6) обход, отвод; 7) attr.: ~ dam отводная плотина.

diversity [daɪ'vəːsɪtɪ] n 1) разнообразие; 2) несходство; различие; 3) разновидность; 4) поэт. пестрота.

divert [daɪ'vəːt] v 1) отводить; отклонять; 2) отвлекать (внимание); 3) забавлять, развлекать.

diverting [daɪ'vəːtɪŋ] 1. pres. p. от divert;
2. a развлекающий, занимательный.

divertissement [divæː'tiːsmɑ̃] фр. n 1) развлечение; 2) дивертисмент.

Dives ['daɪviːz] n библ. богач.

divest [daɪ'vest] v 1) раздевать, снимать (одежду и т. п.; of); 2) лишать (of); to ~ smb. of his right лишить кого-л. права; I cannot ~ myself of the idea я не могу отделаться от мысли.

divestiture [daɪ'vestɪtʃə] n 1) раздевание; 2) лишение (прав и т. п.).

divestment [daɪ'vestmənt] = divestiture.

divi ['dɪvɪ] редк. = divvy.

divide [dɪ'vaɪd] 1. n 1) разг. разделение; 2) амер. водораздел; the Great D. разг. перевал в Скалистых горах; перен. смерть; to cross the Great D. умереть;
2. v 1) делить(ся); to ~ into several parts (among several persons) разделить на несколько частей (между несколькими лицами); 2) разделять(ся); 3) подразделять; дробить; 4) градуировать, наносить деления (на шкалу); 5) мат. делиться без остатка; sixty ~d by twelve is (или gives) five шестьдесят, делённое на двенадцать, равняется пяти; 6) отделять(ся); разъединять(ся); 7) расходиться (о взглядах); opinions are ~d on the point мнения расходятся по этому вопросу; 8) парл. голосовать; ~!, ~! возгласы, требующие прекращения прений и перехода к голосованию; to ~ the House провести поимённое голосование.

divided [dɪ'vaɪdɪd] 1. p. p. от divide 2;
2. a 1) разделённый, отделённый; раздельный; разъёмный, составной; 2) с глубокими зубцами (о листьях); 3) фон. плавный; 4) градуированный.

dividend ['dɪvɪdend] n 1) мат. делимое; 2) фин. дивиденд.

dividend-warrant ['dɪvɪdend‚wɔrənt] n сертификат на получение дивиденда.

divider [dɪ'vaɪdə] n 1) тот, кто или то, что делит; 2) тот, кто сеет рознь; 3) pl циркуль.

dividing [dɪ'vaɪdɪŋ] 1. pres. p. от divide 2;
2. a 1) разделяющий; 2) тех. делительный.

dividual [dɪ'vɪdjuəl] a 1) отдельный; разделённый; 2) разделимый.

divination [ˌdɪvɪˈneɪʃən] *n* 1) гада́ние, ворожба́; 2) предсказа́ние; прорица́ние; 3) уда́чный, пра́вильный прогно́з.

divine [dɪˈvaɪn] 1. *n* богосло́в; *уст.* духо́вное лицо́;
2. *a* 1) боже́ственный; 2) *разг.* превосхо́дный; 3) проро́ческий;
3. *v* 1) проро́чествовать; предска́зывать; 2) (пред)уга́дывать; 3) предполага́ть.

diving [ˈdaɪvɪŋ] 1. *pres. p. от* dive 2;
2. *n* ныря́ние; *спорт.* прыжки́ в во́ду;
3. *a* пики́рующий; ~ brakes *ав.* тормоза́ для вхожде́ния в пике́.

diving-bell [ˈdaɪvɪŋbel] *n* водола́зный ко́локол.

diving-dress [ˈdaɪvɪŋdres] *n* скафа́ндр.

diving-rudder [ˈdaɪvɪŋˌrʌdə] *n* ав. руль глубины́.

divining-rod [dɪˈvaɪnɪŋrɔd] *n* «маги́ческий» жезл *или* прут (*из ивы или оре́шника*), кото́рый я́кобы ука́зывает, где нахо́дятся подпо́чвенные во́ды *или* мета́ллы.

divinity [dɪˈvɪnɪtɪ] *n* 1) боже́ственность; 2) божество́; 3) небе́сное созда́ние; 4) богосло́вие; 5) богосло́вский факульте́т.

divinize [ˈdɪvɪnaɪz] *v* обожествля́ть.

divisibility [dɪˌvɪzɪˈbɪlɪtɪ] *n* дели́мость.

divisible [dɪˈvɪzəbl] *a* 1) дели́мый; 2) *мат.* деля́щийся без оста́тка.

division [dɪˈvɪʒən] *n* 1) деле́ние; 2) разделе́ние; ~ of labour разделе́ние труда́; 3) *мат.* деле́ние без оста́тка; 4) *мат.* знак деле́ния; 5) перегоро́дка; межа́, грани́ца; барье́р; 6) часть, разде́л; 7) отде́л; 8) администрати́вный *или* избира́тельный о́круг; 9) расхожде́ние во взгля́дах, разногла́сия; 10) *парл.* разделе́ние голосо́в во вре́мя голосова́ния; голосова́ние; 11) *воен.* диви́зия; 12) *мор.* дивизио́н; 13) *редк.* шкала́.

divisional [dɪˈvɪʒənl] *a* 1) относя́щийся к деле́нию; дро́бный; 2) *воен.* дивизио́нный; ~ area (тылово́й) райо́н диви́зии.

divisor [dɪˈvaɪzə] *n* мат. дели́тель.

divorce [dɪˈvɔːs] 1. *n* 1) разво́д; 2) отделе́ние, разъедине́ние, разры́в;
2. *v* 1) расторга́ть брак; 2) отделя́ть, разъединя́ть; to ~ from the soil обезземе́ливать.

divorcé [dɪˌvɔːˈsiː] *фр. n* разведённый (муж).

divorcée [dɪˌvɔːˈseɪ] *фр. n* разведённая (жена́).

divorcee [dɪˌvɔːˈsiː] *n* разведённый муж *или* -ая жена́.

divorcement [dɪˈvɔːsmənt] *n уст.* 1) разво́д, расторже́ние бра́ка; 2) разры́в, разъедине́ние.

divot [ˈdɪvət] *n шотл.* дёрн.

divulgate [ˌdaɪvəlˈgeɪt] *v уст.* разглаша́ть.

divulgation [ˌdaɪvəlˈgeɪʃən] *n* разглаше́ние (*тайны*).

divulge [daɪˈvʌldʒ] *v* разглаша́ть (*тайну*).

divvy [ˈdɪvɪ] *sl.* 1. *n* пай, до́ля;
2. *v* 1) дели́ть(ся); 2) войти́ в пай (*тж.* ~ up).

Dixie [ˈdɪksɪ] *n общее название южных штатов США* (*тж.* D.('s) Land).

dixie, dixy [ˈdɪksɪ] *n воен. разг.* 1) по-

хо́дный ку́хонный котёл; 2) похо́дный котело́к.

dizain [dɪˈzeɪn] *n прос.* десятистро́чная строфа́ *или* -ое стихотворе́ние.

dizen [ˈdaɪzn] *v уст.* наряжа́ть.

dizzily [ˈdɪzɪlɪ] *adv* головокружи́тельно.

dizziness [ˈdɪzɪnɪs] *n* головокруже́ние.

dizzy [ˈdɪzɪ] 1. *a* 1) чу́вствующий головокруже́ние; I am ~ у меня́ голова́ кру́жится; 2) головокружи́тельный;
2. *v* 1) вызыва́ть головокруже́ние; 2) ошеломля́ть.

do I [duː (*полная форма*); du, də, d (*редуци́рованные формы*)] *v* (did; done) 1) де́лать, выполня́ть; to do one's lessons гото́вить уро́ки; to do one's work де́лать свою́ рабо́ту; to do lecturing чита́ть ле́кции; to do one's correspondence писа́ть пи́сьма, отвеча́ть на пи́сьма; вести́ перепи́ску; to do a sum реша́ть арифмети́ческую зада́чу; what can I do for you? *разг.* чем могу́ служи́ть?; 2) устра́ивать, приготовля́ть; 3) прибира́ть, приводи́ть в поря́док; to do one's hair причёсываться; to do the room убира́ть ко́мнату; 4) де́йствовать, проявля́ть де́ятельность, быть акти́вным; поступа́ть; to do or die, to do and die соверша́ть геро́ические по́двиги; 5) причиня́ть; to do smb. good быть, оказа́ться поле́зным кому́-л.; it doesn't do to complain что по́льзы в жа́лобах; it'll only do you good э́то вам бу́дет то́лько на по́льзу; to do harm причиня́ть вред; 6) ока́зывать; to do homage ока́зывать уваже́ние; to do justice воздава́ть до́лжное; 7) гото́вить, жа́рить, туши́ть; to do brown *или* поджа́рить *или* испе́чь до появле́ния румя́ной ко́рочки; 6) *разг.* одура́чить; I like my meat very well done я люблю́, что́бы мя́со бы́ло хорошо́ прожа́рено; done to a turn превосхо́дно пригото́вленный; 8) осма́тривать (*достопримеча́тельности*); to do the British Museum осма́тривать Брита́нский музе́й; 9) исполня́ть (*роль*); де́йствовать в ка́честве (*кого́-л.*); to do Hamlet исполня́ть роль Га́млета; 10) подходи́ть, годи́ться; удовлетворя́ть тре́бованиям; he will do for us он нам подхо́дит; this sort of work won't do for him э́та рабо́та ему́ не подойдёт; that will do доста́точно, хорошо́; it won't do to play all day нельзя́ це́лый день игра́ть; this hat will do э́та шля́па подхо́дит; 11) *разг.* отбыва́ть срок (*в тюрьме́*); 12) *разг.* обма́нывать, надува́ть; I think you've been done мне ка́жется, что вас провели́; 13) процвета́ть, преуспева́ть; чу́вствовать себя́ хорошо́; flowers will not do in this soil цветы́ не бу́дут расти́ на э́той по́чве; 14) (*perf.*) конча́ть, зака́нчивать; I have done with my work я ко́нчил свою́ рабо́ту; let us have done with it оста́вим э́то, поко́нчим с э́тим; have done! дово́льно, хва́тит!; перестань(те)!; that's done it э́то доверши́ло де́ло; 15) *употр. в качестве вспомога́тельного глагола в отриц. и вопр. формах в Present и Past Indefinite*: I do not speak French я не говорю́ по-францу́зски; he did not see me он меня́ не ви́дел; did you not see me? ра́зве вы меня́ не ви́дели?; do you smoke? вы ку́рите?; 16) *употр. для усиле-ния*: do come пожа́луйста, приходи́те; I did say so and I do say so now да, я э́то (действи́тельно) сказа́л и ещё раз повторя́ю; 17) *употр. вместо другого глагола в Present и Past Indefinite во избежание его повторения*: he works as much as you do (=work) он рабо́тает сто́лько же, ско́лько и вы; he likes bathing and so do I он лю́бит купа́ться и ·я то́же; 18) *употр. при инверсии в Present и Past Indefinite*: well do I remember it я хорошо́ э́то по́мню; ▢ do **again** переде́лывать; do **away with** уничто́жить; разде́латься; this old custom is done away with с э́тим ста́рым обы́чаем поко́нчено; he did away with himself он поко́нчил с собо́й; do **by** обраща́ться; do as you would be done by поступа́й с други́ми так, как ты хоте́л бы, что́бы поступа́ли с тобо́й; do **down** *разг.* а) надува́ть, обма́нывать; б) брать верх; в) *уст.* подавля́ть; преодолева́ть; do **for** а) (ис)по́ртить; б) губи́ть, убива́ть; he is done for с ним поко́нчено; в) забо́титься, присма́тривать; вести́ хозя́йство (*для кого́--либо*); to do for oneself обходи́ться без посторо́нней по́мощи; do **in** *sl.* а) обману́ть; б) погуби́ть; уби́ть; в) разру́шить; г) переутоми́ть; д) одоле́ть; победи́ть в состяза́нии; do **into** переводи́ть; done into English переведено́ на англи́йский (язы́к); do **off** *уст.* а) снима́ть; б) *амер.* разделя́ть, разгора́живать; do **on** *уст.* надева́ть; do **out** убира́ть, прибира́ть; do **over** а) покрыва́ть (*кра́ской и т. п.*), обма́зывать; б) переде́лывать, де́лать вновь; do **to**, do **unto** = do by; do **up** а) приводи́ть в поря́док, прибира́ть; to do the suite up привести́ кварти́ру в поря́док; to do one's dress up застегну́ть пла́тье; б) (*обыкн. p. p.*) кра́йне утомля́ть; he is quite done up after his journey он о́чень уста́л по́сле пое́здки; в) завёртывать (*паке́т*); do **with** а) терпе́ть, выноси́ть; ла́дить с *кем-л.*; I can't do with him я его́ не выношу́; б) быть дово́льным, удовлетворя́ться; I can do with a cup of milk for my supper я могу́ обойти́сь ча́шкой молока́ на у́жин; do **without** обходи́ться без *чего-л.*; he can't do without his pair of crutches он не мо́жет ходи́ть без костыле́й; ◇ how do you do? (*тж.* how d'ye do?) здра́вствуйте!; to do **well** а) поправля́ться, чу́вствовать себя́ хорошо́; б) успе́шно вы́ступить, хорошо́ себя́ прояви́ть; the speaker did well ора́тор произвёл хоро́шее впечатле́ние; в) поступа́ть справедли́во, выполня́ть свой долг (*в отноше́нии кого-л.*); г) идти́ на по́льзу; to do oneself well доставля́ть себе́ удово́льствие; to do a beer вы́пить (кру́жку) пи́ва; to do the business (*или* the job) for smb. *разг.* погуби́ть кого́-л.; to do battle сража́ться; to do in the eye *sl.* на́гло обма́нывать, дура́чить; to do to death *разг.* уби́ть; what's to do? в чём де́ло?; what is done cannot be undone сде́ланного не воро́тишь; to do one's best (*sl.* one's damnedest) не щади́ть уси́лий, де́лать всё от себя́ зави́сящее; to do one's worst из ко́жи вон лезть; done!, done with you! ла́дно, по рука́м!; well done! бра́во!, молодцо́м!

do II [du:] *n* 1) *sl.* обма́н, моше́нничество; 2) *разг.* приём госте́й, вечери́нка; *шутл.* собы́тие; we've got a do on tonight у нас сего́дня ве́чер; 3) *pl* уча́стие, до́ля; fair do's! чур, попола́м!; 4) *разг.* приказа́ние, распоряже́ние; 5) *австрал. sl.* успе́х.

do III [dou] *n муз.* до.

do IV [dou] *сокр. от* ditto.

doable ['du:əbl] *a* выполни́мый.

do-all ['du:ɔ:l] *n* ма́стер на все ру́ки; факто́тум.

doat [dout] = dote.

dobbin ['dɔbɪn] *n* ло́шадь (*особ. споко́йная, ста́рая*).

doc [dɔk] *n разг.* до́ктор.

docile ['dousaɪl] *a* 1) поня́тливый; 2) послу́шный.

docility [dou'sɪlɪtɪ] *n* 1) поня́тливость; 2) послуша́ние.

dock I [dɔk] *n* щаве́ль.

dock II [dɔk] **1.** *n* 1) док; floating ~ плаву́чий док; wet ~ мо́крый док; наливно́й док; dry ~ сухо́й док; to be in dry ~ *разг.* оказа́ться на мели́; оста́ться без рабо́ты; 2) порто́вый бассе́йн; 3) *амер. воен. sl.* го́спиталь; 4) *амер. разг.* при́стань; 5) *ж.-д.* тупи́к; 6) *театр.* склад декора́ций. **2.** *v* 1) ста́вить су́дно в док; 2) входи́ть в док; 3) обору́довать до́ками, стро́ить до́ки.

dock III [dɔk] *n* скамья́ подсуди́мых.

dock IV [dɔk] **1.** *n* 1) твёрдая часть хвоста́; 2) обру́бленный хвост; **2.** *v* 1) обруба́ть (*хвост*); 2) уменьша́ть, сокраща́ть; 3) лиша́ть ча́сти (*чего-л.*); to ~ wages уре́зывать зарабо́тную пла́ту; to ~ the entail *юр.* отменя́ть ограниче́ния в пра́ве вы́бора насле́дника.

dockage I ['dɔkɪdʒ] *n* 1) стоя́нка судо́в в до́ках; 2) сбор за по́льзование до́ком.

dockage II ['dɔkɪdʒ] *n* сокраще́ние, уре́зка.

dock-dues ['dɔkdju:z] *n* сбор за по́льзование до́ком.

docker ['dɔkə] *n* до́кер, порто́вый рабо́чий.

docket ['dɔkɪt] **1.** *n* 1) ярлы́к (*с а́дресом грузополуча́теля*); 2) этике́тка; 3) квита́нция об упла́те тамо́женной по́шлины; 4) на́дпись на докуме́нте *или* приложе́ние к докуме́нту с кра́тким изложе́нием его́ содержа́ния; 5) *юр.* вы́писка из пригово́ра; 6) *юр.* рее́стр суде́бных дел; trial ~ *амер.* спи́сок дел, назна́ченных к слу́шанию; to clear the ~ *амер.* исче́рпать спи́сок дел, назна́ченных к слу́шанию; on the ~ *амер. разг.* в проце́ссе обсужде́ния, рассмотре́ния; **2.** *v* 1) де́лать на́дпись на докуме́нте, письме́ с кра́тким изложе́нием его́ содержа́ния; 2) маркирова́ть, накле́ивать этике́тки; 3) вноси́ть содержа́ние суде́бного де́ла в рее́стр.

dockize ['dɔkaɪz] *v* стро́ить до́ки.

dock-master ['dɔk,ma:stə] *n* нача́льник до́ка, ве́рфи.

dockyard ['dɔkja:d] *n* 1) судоремо́нтный заво́д с до́ками, ве́рфями, э́ллингами и скла́дами; 2) (*обыкн. pl*) судострои́тельная верфь.

doctor ['dɔktə] **1.** *n* 1) врач, дóктор; 2) дóктор (*учёная степень*); ~s differ, ~s disagree мнéния авторитéтов расхóдятся; D. Fell *лицо, вызывающее невольную, необъяснимую антипатию;* 3) *амер. уст.* аптéкарь; 4) искýсственная мýха (*употр. для ужения*); 5) *мор. sl.* судовóй пóвар; 6) *sl.* сорт хéреса; 7) *pl уст.* игрáльные кóсти, налитые свинцóм [*ср.* load 2, 6)]; 8) вспомогáтельный механизм; 9) *разг.* фальшивая монéта;
2. *v* 1) занимáться врачéбной прáктикой; лечить; to ~ oneself лечиться; 2) *редк.* присуждáть дóкторскую стéпень; 3) ремонтировать, чинить на скóрую рýку; 4) поддéлывать (*документы*); фальсифицировать (*пищу, вино*).
doctoral ['dɔktərəl] *a* дóкторский.
doctorate ['dɔktərɪt] **1.** *n* дóкторская стéпень;
2. *v* присуждáть стéпень дóктора.
Doctors' Commons ['dɔktəz'kɔmənz] *n pl ист.* коллéгия юристов граждáнского прáва в Лóндоне.
doctrinaire [,dɔktrɪ'nɛə] **1.** *n* доктринёр;
2. *a* доктринёрский.
doctrinal [dɔk'traɪnl] *a* относящийся к доктрине, догматический.
doctrinarian [,dɔktrɪ'nɛərɪən] = doctrinaire.
doctrine ['dɔktrɪn] *n* 1) учéние, доктрина; ~ of descent *биол.* теóрия происхождéния видов; 2) вéра, дóгма.
doctrinist ['dɔktrɪnɪst] *n* слепóй привéрженец какóй-л. доктрины.
document 1. *n* ['dɔkjumənt] докумéнт; свидéтельство;
2. *v* ['dɔkjument] 1) подтверждáть докумéнтами; 2) снабжáть докумéнтами (*особ. судовыми*).
documentary [,dɔkju'mentərɪ] **1.** *a* документáльный;
2. *n* документáльный фильм.
documentation [,dɔkjumen'teɪʃən] *n* 1) документáция, подтверждéние докумéнтами; 2) *мор.* снабжéние (*судна*) докумéнтами.
dodder I ['dɔdə] *n бот.* повилика.
dodder II ['dɔdə] *v* 1) дрожáть, трястись (*от слабости, старости*); 2) быть дряхлым; □ ~ along ковылять.
doddered ['dɔdəd] *a* с поражённой верхýшкой (*о деревьях*).
doddering ['dɔdərɪŋ] **1.** *pres. p. om* dodder II;
2. *a* = doddery.
doddery ['dɔdərɪ] *a* 1) нетвёрдый на ногáх, дрожáщий, трясýщийся; 2) глýпый, слабоýмный.
doddipoll, doddypole ['dɔdɪpoul] *n* дýрень.
dodecagon [dou'dekəgən] *n* двенадцатиугóльник.
dodecahedron ['doudɪkə'hedrən] *n* додекаэдр, двенадцатигрáнник.
dodge [dɔdʒ] **1.** *n* 1) увёртка, уклонéние; 2) улóвка, хитрость; 3) *спорт.* обмáнное движéние, финт; 4) *разг.* хитрое приспособлéние *или* срéдство; a good ~ for re-

membering names хорóший спóсоб запоминáть именá;
2. *v* 1) избегáть, увёртываться, уклоняться (*от удара*); 2) прятаться (behind, under); 3) увиливать; хитрить.
dodger ['dɔdʒə] *n* 1) увёртливый человéк; хитрéц; 2) *амер.* реклáма, объявлéние; 3) *амер.* кукурýзная лепёшка.
dodgery ['dɔdʒərɪ] *n* увёртка.
dodgy ['dɔdʒɪ] *a* 1) изворóтливый, лóвкий; 2) хитрый; нечéстный; 3) остроýмный (*о приспособлении*).
dodo ['doudou] *n* (*pl* -oes, -os [-ouz]) дронт (*вымершая птица*).
doe [dou] *n* сáмка олéня (*тж.* зáйца, крóлика, крысы, мыши *и* хорькá).
doer ['duːə] *n* 1) исполнитель; he is a ~, not a talker он любит дéйствовать, а не болтáть; 2) *шотл. юр.* довéренное лицó, агéнт; 3): a good (bad) ~ растéние, котóрое бýйно (плóхо) растёт *или* цветёт.
doeskin ['douskɪn] *n* 1) олéнья кóжа; зáмша; 2) шерстянáя ткань, имитирующая зáмшу.
doff [dɔf] *v* 1) снимáть (*шляпу, одежду*); 2) отбрáсывать, откáзываться (*от обычая и т. п.*).
dog [dɔg] **1.** *n* 1) собáка, пёс; Greater (Lesser) Dog созвéздие Большóго (Мáлого) Пса; 2) *pl разг.* состязáние борзых; 3) кобéль; самéц вóлка, лисы (*тж.* ~-wolf, ~-fox); 4) *разг.* пáрень (*переводится по контексту*); gay (*или* jolly) ~ весельчáк; lucky ~ счастливец; sly ~ хитрéц; lazy ~ лентяй; dirty ~ дрянь-человéк, «свинья»; dumb ~ молчáльник, неразговóрчивый человéк; 5) = dogfish; 6) = andiron; 7) *тех.* собáчка; гвоздодёр; останóв; 8) *мор.* задрáйка; ◇ give a ~ a bad name and hang him *≈* клеветá смéрти подóбна; a ~'s life собáчья жизнь; let sleeping ~s lie не касáйтесь неприятных вопрóсов; *≅* не тронь лихо, покá спит тихо; there is life in the old ~ yet *≈* есть ещё пóрох в порохóвницах; ~s of war ýжасы войны, спýтники войны; a ~'s age дóлгое врéмя; a dead ~ человéк *или* вещь, ни на что негóдный, -ая; to go to the ~s гибнуть; разоряться; *≅* идти к чертям; to help a lame ~ over a stile помóчь комý-л. в бедé; every ~ has his day *≅* бýдет и на нáшей ýлице прáздник; hot ~ *амер. разг.* бутербрóд с горячей сосиской; hot ~! *амер. восклицание одобрéния;* spotty ~ варёный пýдинг с коринкой; to put on ~ *разг.* вáжничать; держáть себя высокомéрно; to throw to the ~s выбросить за негóдностью; ~ on it! проклятие! чёрт побери!; top ~ а) собáка, победившая в дрáке; б) хозяин положéния; госпóдствующая *или* победившая сторонá; under ~ а) собáка, побеждённая в дрáке; б) подчиняющаяся *или* побеждённая сторонá; в) человéк, котóрому не повезлó в жизни, неудáчник;
2. *v* 1) ходить по пятáм, выслéживать (*тж.* ~ smb.'s footsteps); 2) *перен.* преслéдовать; 3) *мор.*: to ~ down задрáивать.
dog-ape ['dɔgeɪp] *n зоол.* бабуин.
dogate ['dougeɪt] *n* сан дóжа.

dog-bane ['dɔgbeɪn] *n бот.* кендырь.

dog-bee ['dɔgbïː] *n* трутень.

Dogberry ['dɔgberɪ] *n* прозвище безграмотного самоуверенного чиновника (*по имени персонажа комедии Шекспира «Много шума из ничего»*).

dogberry ['dɔgberɪ] *n бот.* свидина кроваво-красная.

dog-biscuit ['dɔg,bɪskɪt] *n* галета (*корм для собак*).

dog-box ['dɔgbɔks] *n* отделение для собак в багажном вагоне.

dogcart ['dɔgkɑːt] *n* высокий двухколёсный экипаж с поперечными сиденьями и местом для собак под задним сиденьем.

dog-cheap ['dɔgʧïp] 1. *a* очень дешёвый; 2. *adv* очень дёшево; ≅ дешёвле пареной репы.

dog-collar ['dɔg,kɔlə] *n* 1) ошейник; 2) *разг.* высокий воротник.

dog-days ['dɔgdeɪz] *n pl* самые жаркие летние дни.

doge [doudʒ] *n ист.* дож.

dog-ear ['dɔgɪə] = dog's-ear.

dogface ['dɔgfeɪs] *n амер. разг.* солдат-пехотинец.

dog-faced ['dɔgfeɪst] *a* с собачьей мордой.

dog-fancier ['dɔg,fænsɪə] *n* собаковод.

dogfight ['dɔgfaɪt] *n* 1) драка собак; 2) свалка, беспорядочная драка; 3) рукопашный бой; 4) *ав. разг.* воздушный бой истребителей.

dogfish ['dɔgfɪʃ] *n* морская собака (*акула*).

dog-fox ['dɔgfɔks] *n зоол.* 1) самец лисицы; 2) корсак.

dogged [dɔgd] 1. *p. p. от* dog 2; 2. *a* ['dɔgɪd] упрямый, упорный, настойчивый; it's ~ that does it ≅ терпение и труд всё перетрут; 3. *adv sl.* чрезвычайно, очень.

dogger ['dɔgə] *n* 1) двухмачтовое голландское рыболовное судно; 2) *геол.* средняя юра.

doggerel ['dɔgərəl] 1. *n* плохие стихи, вирши; 2. *a* бессмысленный, скверный (*о стихах*).

doggery ['dɔgərɪ] *n* 1) свора; 2) собачьи повадки; 3) *амер. разг.* портерная.

doggie ['dɔgɪ]=doggy.

doggish ['dɔgɪʃ] *a* 1) собачий; 2) *редк.* раздражительный, огрызающийся; 3) жестокий; грубый; 4) *разг.* крикливо-модный.

doggo ['dɔgou] *adv*: to lie ~ *разг.* притаиться; выжидать.

doggone ['dɔggɔn] *int* досада какая!; чёрт побери! (*тж.* doggoned).

doggy ['dɔgɪ] 1. *n* собачка, собачонка; 2. *a* 1) собачий; 2) любящий собак.

dog-head ['dɔghed] *n арт.* 1) боёк; 2) ударник.

dog-hole ['dɔghoul] *n* собачья конура, каморка.

dog-house ['dɔghaus] *n* собачья конура.

dog-in-a-blanket ['dɔgɪnə'blæŋkɪt] *n* род пудинга.

dog latin ['dɔg'lætɪn] *n* испорченная (*или* «кухонная») латынь.

dog-lead ['dɔglïd] *n* поводок, цепь *или* ремешок, на котором водят собак.

dog licence ['dɔg'laɪsəns] *n* регистрационное свидетельство на собаку.

dogma ['dɔgmə] *n* (*pl* -as [-əz], -ata) 1) догма; 2) догмат.

dogmata ['dɔgmətə] *pl от* dogma.

dogmatic [dɔg'mætɪk] *a* 1) догматический; 2) диктаторский; категорический, не допускающий возражений.

dogmatically [dɔg'mætɪkəlɪ] *adv* 1) догматически; 2) авторитетным тоном.

dogmatics [dɔg'mætɪks] *n pl* (*употр. как sing*) догматика; догматическое богословие.

dogmatize ['dɔgmətaɪz] *v* 1) догматизировать; 2) говорить авторитетным тоном.

dog nail ['dɔgneɪl] *n тех.* костыль.

dog-poor ['dɔg'puə] *a predic.* нищий; ≅ гол как сокол.

dog-rose ['dɔgrouz] *n* дикая роза, шиповник; роза собачья.

dog-salmon ['dɔg'sæmən] *n зоол.* кета, горбуша.

dog's-ear ['dɔgzɪə] 1. *n* загнутый (*от употребления*) уголок страницы; 2. *v* загибать уголки страниц (*в книгах*).

dog's-grass ['dɔgzgrɑːs] *n бот.* пырей ползучий.

dogshores ['dɔgʃɔːz] *n pl* подпоры салазок для спуска судна на воду.

dog-sick ['dɔg'sɪk] *a predic.*: he was ~ он себя отвратительно чувствовал.

dogskin ['dɔgskɪn] *n* лайка (*кожа*).

dog-sleep ['dɔgslïp] *n* чуткий сон; сон урывками.

dog's letter ['dɔgz,letə] *n* старинное название буквы R.

dog's-meat ['dɔgzmït] *n* 1) мясо для собак, *особ.* конина; 2) падаль.

dog's-nose ['dɔgznouz] *n* смесь пива с водкой.

Dog's Tail ['dɔgz'teɪl] *n астр.* Малая Медведица.

dog's-tail ['dɔgzteɪl] *n бот.* гребневик, гребенник.

dog-star ['dɔgstɑː] *n разг.* Сириус (*звезда*).

dog tag ['dɔgtæg] *n амер. воен. разг.* личный знак.

dog-tail ['dɔgteɪl] = dog's-tail.

dog-tired ['dɔg'taɪəd] *a* усталый «как собака».

dog-tooth ['dɔgtuːθ] *n* 1) клык; 2) *архит.* название орнамента английской готики в виде четырёх листьев, расходящихся из одной выступающей точки.

dog-tree ['dɔgtrï] = dogwood.

dogtrot ['dɔgtrɔt] *n* рысца.

dog-violet ['dɔg,vaɪəlɪt] *n бот.* фиалка собачья; дикая фиалка.

dog-watch ['dɔgwɔʧ] *n мор.* полувахта (*от 16 до 18 ч. или от 18 до 20 ч.*).

dog-weary ['dɔg'wɪərɪ] = dog-tired.

dog-wolf ['dɔgwulf] *n* самец волка.

dogwood ['dɔgwud] *n бот.* кизил.

doily ['dɔɪlɪ] *n* салфеточка.

doing ['duːɪŋ] 1. *pres. p. от* do I; 2. *n* 1) *pl* дела, действия, поведение, поступки; fine ~s these! хорошенькие дела творя́тся!; I have heard of your ~s *ирон.* слышал я о ва́ших по́двигах; 2) *pl* возня́, шум; 3) *разг.* нахлобу́чка; 4) *pl амер. разг.* затейливые блю́да.

doit [dɔit] *n* 1) *название старинной мелкой монеты;* 2) ме́лочь, пустя́к; not to care a ~ ни во что не ста́вить; not worth a ~ гроша́ ло́маного не сто́ит.

doited [ˈdɔitid] *a шотл.* вы́живший из ума́.

doldrums [ˈdɔldrəmz] *n pl* 1) дурно́е настрое́ние; депре́ссия; to be in the ~ хандри́ть, быть в плохо́м настрое́нии; 2) *мор., метеор.* экваториа́льная штилева́я полоса́.

dole I [doul] **1.** *n* 1) небольшо́е вспомоществова́ние; пода́чка; to be (*или* to go) on the ~ получа́ть посо́бие; 2) посо́бие по безрабо́тице; 3) *уст.* до́ля, судьба́;
2. *v* ску́по выдава́ть, раздава́ть в ску́дных разме́рах (*обыкн.* ~ out).

dole II [doul] *n уст., поэт.* го́ре, скорбь.

doleful [ˈdoulful] *a* скорбный, печа́льный; меланхоли́ческий.

dolichocephalic [ˈdɔlikoukeˈfælik] *a антр.* длинноголо́вый, долихоцефа́льный.

doll [dɔl] **1.** *n* ку́кла; Paris ~ манеке́н;
2. *v амер. разг.* наряжа́ть(ся) (*обыкн.* ~ up); ~ed up разря́женный.

dollar [ˈdɔlə] *n* 1) до́ллар (= *100 центам*); the ~s де́ньги, бога́тство; 2) *sl.* кро́на (*монета в 5 шиллингов*); 3) *attr.:* ~ diplomacy диплома́тия до́ллара.

dollish [ˈdɔliʃ] *a* ку́кольный, похо́жий на ку́клу.

dollop [ˈdɔləp] *n разг.* кусо́к.

dolly [ˈdɔli] *n* 1) ~ s *n* 1) бельево́й валёк; 3) теле́жка на катка́х для перево́зки брёвен, досо́к *и т. п.;* 4) локомоти́в узкоколе́йной желе́зной доро́ги, «куку́шка»; 5) *горн.* пест для размельче́ния руды́; 6) *тех.* опра́вка, медве́дка, штамп;
2. *v* 1) бить валько́м (*бельё*); 2) *горн.* переме́шивать (*руду*) во вре́мя её промы́вки; дроби́ть (*руду*) пе́стиком.

dolly-bag [ˈdɔlibæg] *n* ма́ленькая да́мская су́мочка.

dolly-shop [ˈdɔliʃɔp] *n* 1) ла́вка для матро́сов; 2) та́йная ссу́дная ка́сса.

dolly-tub [ˈdɔlitʌb] *n* лоха́нь; коры́то.

dolman [ˈdɔlmən] *n* 1) доломан, гуса́рский мунди́р с ме́нтиком; 2) род да́мского пла́тья с широ́ким рукаво́м.

dolmen [ˈdɔlmen] *n археол.* дольме́н, кро́млех.

dolomite [ˈdɔləmait] *n мин.* доломи́т.

dolorous [ˈdɔlərəs] *a поэт.* печа́льный, гру́стный.

dolose [douˈlous] *a юр. уст.* злонаме́ренный, с престу́пной це́лью.

dolour [ˈdoulə] *n поэт.* печа́ль, го́ре.

dolphin [ˈdɔlfin] *n* 1) *зоол.* дельфи́н (настоя́щий); дельфи́н-белобо́чка; 2) *мор.* швартовый пал; сва́йный куст; носово́й защи́тный кра́нец.

dolt [doult] *n* ду́рень, болва́н.

doltish [ˈdoultiʃ] *a* тупо́й, придуркова́тый.

domain [dəˈmein] *n* 1) владе́ние; име́ние; террито́рия; Eminent D. сувере́нное пра́во

госуда́рства отчужда́ть ча́стную со́бственность (за компенса́цию); 2) о́бласть, сфе́ра.

dome [doum] **1.** *n* 1) ку́пол; свод; 2) небе́сный свод; 3) *поэт.* вели́чественное зда́ние; 4) *амер. разг.* голова́, башка́; 5) *тех.* колпа́к; steam ~ сухопа́рник;
2. *v* 1) крыть ку́полом; 2) возвыша́ться в ви́де ку́пола.

domed [doumd] **1.** *p. p. от* dome 2;
2. *a* 1) куполообра́зный; 2) укра́шенный ку́полом.

Domesday Book [ˈduːmzdeibuk] *n* (*букв.* кни́га стра́шного суда́) *ист.* када́стровая кни́га, земе́льная о́пись А́нглии, произведённая Вильге́льмом Завоева́телем (*в 1086 г.*).

domestic [dəˈmestik] **1.** *a* 1) дома́шний; семейный; ~ science домово́дство; 2) домосе́длый, лю́бящий семе́йную жизнь; 3) вну́тренний; оте́чественный; ~ industry куста́рный про́мысел; ~ trade вну́тренняя торго́вля; 4) дома́шний, ручно́й (*о живо́тных*);
2. *n* 1) прислу́га; 2) *pl* това́ры оте́чественного произво́дства; 3) *pl амер* просты́е хлопчатобума́жные тка́ни.

domesticable [dəˈmestikəbl] *a* поддаю́щийся прируче́нию (*о живо́тных*).

domesticate [dəˈmestikeit] *v* 1) прируча́ть (*живо́тных*), культиви́ровать (*расте́ния*); акклиматизи́ровать; 2) цивилизова́ть; 3) привя́зывать к до́му, к семе́йной жи́зни; 4) обуча́ть веде́нию хозя́йства.

domestication [dəˌmestiˈkeiʃən] *n* 1) привы́чка, любо́вь к до́му, к семе́йной жи́зни; 2) прируче́ние (*живо́тных*).

domesticity [ˌdoumesˈtisiti] *n* 1) семейная, дома́шняя жизнь; 2) любо́вь к семе́йной жи́зни, к ую́ту; 3) (the domesticities) *pl* дома́шние дела́.

domett [douˈmet] *n* полушерстяна́я ткань.

domic(al) [ˈdoumik(əl)] *a* куполообра́зный, ку́польный.

domicile [ˈdɔmisail] **1.** *n* 1) постоя́нное местожи́тельство; 2) *юр.* юриди́ческий а́дрес лица́ *или* фи́рмы; 3) ме́сто платежа́ по ве́кселю;
2. *v* 1) посели́ться на постоя́нное жи́тельство; 2) обозна́чить ме́сто платежа́ по ве́кселю.

domiciliary [ˌdɔmiˈsiljəri] *a* дома́шний, по ме́сту жи́тельства; ~ visit a) дома́шний о́быск; б) осмо́тр до́ма официа́льными о́рганами.

dominance [ˈdɔminəns] *n* госпо́дство; влия́ние; преоблада́ние.

dominant [ˈdɔminənt] **1.** *a* госпо́дствующий; домини́рующий, преоблада́ющий;
2. *n муз.* домина́нта, пя́тая ступе́нь диатони́ческой га́ммы.

dominate [ˈdɔmineit] *v* 1) госпо́дствовать; вла́ствовать; 2) домини́ровать, преоблада́ть; 3) возвыша́ться (*над чем-л.*); 4) име́ть влия́ние (*на кого-л.*); 5) сде́рживать, подавля́ть; овладева́ть; to ~ one's emotions владе́ть свои́ми чу́вствами; 6) занима́ть, всеце́ло поглоща́ть.

domination [ˌdɔmiˈneiʃən] *n* 1) госпо́дство, власть; 2) преоблада́ние.

domineer [ˌdɔmɪ'nɪə] v 1) действовать деспотически, властвовать; повелевать; 2) держать себя высокомерно; 3) владычествовать.

domineering [ˌdɔmɪ'nɪərɪŋ] 1. pres. p. от domineer;

2. a 1) деспотический, властный, не допускающий возражений; 2) высокомерный; 3) господствующий, возвышающийся (над местностью).

dominical [də'mɪnɪkəl] a церк. 1) господний, христов; 2) воскресный; ~ day воскресенье.

Dominican [də'mɪnɪkən] 1. a доминиканский;

2. n 1) доминиканец; доминиканка; 2) доминиканец (монах).

dominie ['dɔmɪnɪ] n 1) шотл. школьный учитель; 2) амер. священник.

dominion [də'mɪnjən] n 1) доминион; 2) (часто pl) владение; 3) владычество, власть; 4) attr.: D. Day праздник 1 июля в Канаде (годовщина образования доминиона).

domino ['dɔmɪnou] n (pl -oes [-ouz]) 1) домино (маскарадный костюм); 2) участник маскарада; 3) кость (домино); 4) pl домино (игра); ◇ it's ~ with smb., smth. всё кончено с кем-л., чем-л., нет надёжды.

dominoed ['dɔmɪnoud] a одётый в домино.

don I [dɔn] n 1) (D.) дон (испанский титул); 2) испанец; 3) преподаватель, член совета колледжа (в Оксфорде и Кембридже); 4) разг. знаток.

don II [dɔn] v разг. надевать.

dona(h) ['dounə] n sl. 1) женщина; 2) возлюбленная.

donate [dou'neɪt] v амер. 1) дарить; 2) жёртвовать.

donation [dou'neɪʃən] n 1) дар; 2) денежное пожёртвование; 3) attr.: ~ duty налог на дарственную передачу имущества.

donative ['dounətɪv] 1. n 1) дар, подарок; 2) церк. бенефиций, назначаемый жёртвователем без обычных формальностей;

2. a дарственный; пожёртвованный.

donatory ['dounətɪ] n лицо, получающее дар, подарок.

do-naught ['duːˌnɔːt] = do-nothing.

done [dʌn] 1. p. p. от do I; ~ in English составлено на английском языке (об официальном документе); it isn't ~ так не поступают; это не принято;

2. a 1) сделанный; 2) хорошо приготовленный; прожаренный; 3) усталый, в изнеможении (часто ~ up); 4) sl. обманутый (тж. ~ brown); ◇ ~ for a) разорённый; б) приговорённый, кончёный; в) убитый; ~ to the world (или to the wide) разг. разгромленный, побеждённый, потерпёвший полную неудачу.

donee [dou'niː] n получающий подарок.

donga ['dɔŋgə] n геол. глубокое высохшее русло.

donjon ['dɔndʒən] n архит. главная башня (средневекового замка).

donkey ['dɔŋkɪ] n 1) осёл; 2) (D.) амер. прозвище демократической партии; 3) тех. = donkey-engine; ◇ to talk the hind leg off a ~ sl. заговорить, утомить многословием.

donkey-engine ['dɔŋkɪˌendʒɪn] n тех. 1) небольшая вспомогательная паровая машина; небольшой стационарный двигатель; 2) лебёдка, ворот.

donnish ['dɔnɪʃ] a 1) педантичный; 2) высокомерный, важный, чванный.

Donnybrook Fair ['dɔnɪbruk'fɛə] n 1) ист. название ежегодной ярмарки близ Дублина; 2) шумное сборище; гвалт; свалка.

donor ['dounə] n 1) жёртвователь; 2) мед. донор.

do-nothing ['duːˌnʌθɪŋ] n бездельник, лентяй.

don't [dount] разг. 1) сокр. = do not; 2) не надо, полно, перестань(те); 3) употр. как сущ. в знач. запрещение; I am sick and tired of your don'ts мне надоели ваши запрещения.

doolie ['duːlɪ] n англо-инд. носилки (употребляемые в полевых госпиталях).

doom [duːm] 1. n 1) рок, судьба; 2) гибель; смерть; 3) уст. осуждение; приговор; 4): the day of ~ рел. день страшного суда; crack of ~ рел. трубный глас (начало страшного суда); 5) ист. статут, декрет;

2. v 1) осуждать, обрекать; 2) уст. издавать указ.

doomed [duːmd] 1. p. p. от doom 2;

2. a 1) обречённый; 2) осуждённый.

dooms [duːmz] adv шотл. очень, крайне; ужасно.

doomsday ['duːmzdeɪ] n 1) рел. день страшного суда; to wait till ~ ждать до второго пришествия (т. е. бесконечно); 2) день приговора.

door [dɔː] n 1) дверь; двёрца; front ~ парадный вход; a ~ to success путь к успеху; to turn smb. out of ~s выставить за дверь, прогнать кого-л.; to close the ~ (up)on smb. закрыть за кем-л. дверь; to close the ~ (или upon) smth. отрёзать путь к чему-л.; сделать что-л. невозможным; to open a ~ to (или for) smth. открыть путь к чему-л.; сделать что-л. возможным; to answer the ~ открыть дверь (на стук или звонок); behind closed ~s за закрытыми дверями; тайно; to slam (или to shut) the ~ in smb.'s face захлопнуть дверь перед самым носом кого-л.; to shut the ~ (up)on smth. отказываться от чего-л.; не принимать чего-л.; to lay at smb.'s ~ приписывать кому-л., обвинять кого-л. (в чём-л.); next ~ соседний дом; he lives next ~ (four ~s off) он живёт в соседнем доме (через 4 дома отсюда); next ~ to a) по соседству, рядом; б) на границе чего-л.; почти; he is next ~ to bankruptcy он накануне разорёния; out of ~s на открытом воздухе; within ~s = indoors; 2) тех. заслонка; 3) attr. дверной.

doorbell ['dɔːbel] n дверной звонок.

door-case ['dɔːkeis] n дверная коробка.

door-frame ['dɔːfreim] = door-case.

door-keeper ['dɔːˌkiːpə] n швейцар, привратник.

doormat ['dɔːmæt] n 1) половик для вытирания ног; 2) разг. слабый, бесхарактерный человек, «тряпка».

door-money [ˈdɔː‚mʌnɪ] *n* плáта за вход.

door-plate [ˈdɔːpleɪt] *n* дощéчка на дверя́х (*с фамилией*).

door-post [ˈdɔːpoust] *n* дверно́й кося́к.

door's-man [ˈdɔːz‚mən] = door-keeper.

doorstep [ˈdɔːstep] *n* поро́г.

door-stone [ˈdɔːstoun] *n* кáменная плитá (*крыльца*).

doorway [ˈdɔːweɪ] *n* дверно́й проём, пролёт двéри; вход в помещéние; in the ~ в дверя́х.

door-yard [ˈdɔːjɑːd] *n амер.* дво́рик пéред до́мом.

dop [dɔp] *v уст.* погружáть, окунáть.

dope [doup] **1.** *n* 1) густо́е смáзывающее вещество́, пáста; 2) аэролáк; 3) *хим.* поглоти́тель; 4) наркóтик, дурмáн; 5) *sl.* дóпинг, тáйно давáемый (лошадя́м) пéред скáчками; 6) *амер. sl.* секрéтная информáция о шáнсах на вы́игрыш той и́ли ино́й ло́шади (*на скáчках, бегáх*); (*ло́жная или секрéтная*) информáция, испо́льзуемая журнали́стами; 7) *амер.* дурáк, остоло́п; **2.** *v* 1) давáть наркóтики; to ~ oneself with cocaine ню́хать кокаи́н; 2) одурмáнивать, убаю́кивать; 3) покрывáть аэролáком; 4) *тех.* заливáть горю́чее; добавля́ть присáдки; 5) *амер. sl.* получáть секрéтную информáцию; предскáзывать (*что-л.*) на основáнии тáйной информáции.

dop(e)y [ˈdoupɪ] *a sl.* 1) вя́лый, полусо́нный, одурмáненный; 2) одурмáнивающий.

dor [dɔː] *n* жук (*мáйский, навозный*).

dorado [dəˈrɑːdou] *n* (*pl* -os [-ouz]) дорáда (*рыба*).

dor-beetle [ˈdɔː‚biːtl] = dor.

dor-bug [ˈdɔːbʌg] *амер.* = dor.

Dorcas [ˈdɔːkəs] *n* название английского женского благотворительного общества для снабжения бедных одеждой (*тж.* ~ Society).

dor-fly [ˈdɔːflaɪ] = dor.

dorhawk [ˈdɔːhɔːk] *диал.* = goatsucker.

Dorian [ˈdɔːrɪən] **1.** *a* дори́ческий; **2.** *n* дори́ец.

Doric [ˈdɔrɪk] **1.** *a* 1) дори́ческий; ~ order *архит.* дори́ческий óрдер; 2) провинциáльный (*о диалекте*); **2.** *n* 1) дори́ческое нарéчие; 2) мéстный диалéкт; to speak one's native ~ говори́ть на родно́м диалéкте.

Dorking [ˈdɔːkɪŋ] *n* дóркинг (*английская порода мясных кур*).

dormancy [ˈdɔːmənsɪ] *n* 1) дремо́та; 2) состоя́ние бездéйствия; 3) спя́чка (*животных*).

dormant [ˈdɔːmənt] **1.** *a* 1) дрéмлющий; спя́щий; 2) бездéйствующий; 3) потенциáльный, скры́тый (*о способностях, силах и т. п.*); to lie ~ бездéйствовать; находи́ться в скры́том состоя́нии; 4) находя́щийся в спя́чке (*о животных*); 5) герáльд. спя́щий; 6) не принося́щий дохо́да (*о капитале*); ◇ ~ partner *см.* partner 1, 2); **2.** *n стр.* шпáла, поперéчина.

dormer (-window) [ˈdɔːmə(ˈwɪndou)] *n* слуховóе, мансáрдное окно́.

dormice [ˈdɔːmaɪs] *pl от* dormouse.

dormitory [ˈdɔːmɪtrɪ] *n* 1) дортуáр, óбщая спáльня; 2) [ˈdɔːmɪ‚tɔːrɪ] *амер.* сту-

дéнческое общежи́тие; 3) при́городный рабо́чий посёлок (*из стандартных домов*).

dormouse [ˈdɔːmaus] *n* (*pl* dormice) *зоол.* сóня (*грызун*).

dorms [dɔːmz] *амер. sl. см.* dormitory 2).

dorothy bag [ˈdɔrəθɪbæg] *n* дáмская су́мочка на вдёржке.

dorp [dɔːp] *n* деревня.

dorr [dɔː] = dor.

dorsal [ˈdɔːsəl] **1.** *a анат., зоол.* дорсáльный, спинно́й; **2.** *n* = dossal.

dorse [dɔːs] *n* молодáя трескá.

dorter, dortour [ˈdɔːtə] *n уст.* монасты́рский дортуáр.

dory I [ˈdɔːrɪ] *n* со́лнечник (обыкновéнный) (*рыба*).

dory II [ˈdɔːrɪ] *n* рыбáчья плоскодо́нная ло́дка (*в Сев. Америке*).

dosage [ˈdousɪdʒ] *n* 1) дозиро́вка; 2) дóза.

dose [dous] **1.** *n* 1) дóза, приём; lethal ~ смертéльная дóза; 2) по́рция, до́ля; to have a regular ~ of smth. приня́ть что-л. в большо́м коли́честве; 3) ингредиéнт, прибавля́емый к вину́; **2.** *v* 1) давáть лекáрство до́зами; дози́ровать; 2) прибавля́ть (*спирт к вину*).

dosimeter [douˈsɪmɪtə] *n физ.* дозимéтр.

doss [dɔs] *sl.* **1.** *n* кровáть, кóйка (*в ночлежном доме*); **2.** *v* ночевáть (*в ночлежном доме*).

dossal [ˈdɔsəl] *n церк.* зáнавес за алтарём.

doss-house [ˈdɔshaus] *n sl.* ночлéжка.

dossier [ˈdɔsɪeɪ] *фр. n* досьé; дéло.

dossil [ˈdɔsɪl] *n* 1) заты́чка; втýлка; 2) *мед.* тампóн.

dost [dʌst] *уст.* 2-е л. ед. ч. настоящего времени гл. to do.

dot I [dɔt] **1.** *n* 1) тóчка (*тж. в азбуке Морзе*); 2) кро́шечная вещь; a ~ of a child кро́шка, кро́шечный ребёнок; 3) *муз.* тóчка для удлинéния предшéствующей нóты на полови́ну; **2.** *v* 1) стáвить тóчки; to ~ the i's and cross the t's стáвить тóчки над i, уточня́ть все детáли; 2) отмечáть пункти́ром; 3) усéивать; 4) *sl.* наноси́ть удáр; to ~ a man one удáрить кого́-л.; ◇ ~ and carry one a) арифмети́ческие задáчи; б) учи́тель арифмéтики.

dot II [dɔt] *n* придáное.

dotage [ˈdoutɪdʒ] *n* стáрческое слабоýмие; to be in one's ~ впасть в дéтство.

dot-and-dash [ˈdɔtənˈdæʃ] *a*: ~ code áзбука Мóрзе.

dot-and-go-one [ˈdɔtənˈgouwʌn] **1.** *n* 1) ковыля́ющая похо́дка; 2) калéка на деревя́нной ногé; **2.** *v* хромáть, ковыля́ть.

dotard [ˈdoutəd] *n* вы́живший из умá стари́к; стáрый дурáк.

dote [dout] *v* 1) впасть в дéтство; 2) люби́ть до безýмия (upon).

doth [dʌθ] *v уст.* 3-е л. ед. ч. настоящего времени гл. to do.

doting [ˈdoutɪŋ] **1.** *pres. p. от* dote; **2.** *a* си́льно лю́бящий, óчень прéданный.

dotted line [ˈdɔtɪdlaɪn] *n* пункти́рная ли́ния.

dotterel ['dɔtrəl] n 1) сивка глупая, хрустан (*птица*); 2) *уст.* простофиля.

dottle ['dɔtl] n остаток недокуренного табака в трубке.

dottrel ['dɔtrəl] = dotterel.

dotty ['dɔti] a 1) усеянный точками; точечный; 2) *разг.* нетвёрдый на ногах; 3) рехнувшийся.

doty ['douti] a поражённый гнилью (*о древесине*).

double ['dʌbl] 1. n 1) двойное количество; 2) беглый шаг; to advance at the ~ наступать бегом; 3) двойник; 4) дубликат; 5) *pl спорт.* парные игры (*напр., в теннисе*); mixed ~s игра смешанных пар (*каждая из мужчины и женщины*); 6) крутой поворот (*преследуемого зверя*); петля (*зайца*); 7) изгиб (*реки*); 8) хитрость; 9) *театр.* актёр, исполняющий в пьесе две роли; 10) *театр.* дублёр;

2. a 1) двойной, сдвоенный; парный; ~ chin двойной подбородок; ~ bed двуспальная кровать; 2) удвоенный; усиленный; ~ brush *перен. разг.* язвительное замечание; ~ speed удвоенная скорость; ~ feature *амер. театр.* представление по расширенной программе; 3) двоякий; 4) двойственный, двуличный; двусмысленный; ~ game двойная игра; двуличие, лицемерие; 5) *бот.* махровый;

3. v 1) удваивать(ся); сдваивать; to ~ the work сделать двойную работу; to ~ for smth. заодно выполнять функции чего-л.; the indoors basketball court ~d for dances on week-ends баскетбольный зал по субботам использовался для танцев; 2) складывать вдвое; 3) сжимать (*кулак*); 4) *мор.* огибать (*мыс*); 5) делать изгиб (*о реке*); 6) запутывать след, делать петли (*о преследуемом звере*); 7) *театр.* дублировать; to ~ a part дублировать роль; 8) *театр.* исполнять в пьесе две роли; he's doubling the parts of a servant and a country labourer он исполняет роль слуги и роль батрака; 9) *воен.* двигаться беглым шагом; ☐ ~ back а) запутывать след (*о преследуемом звере*); б) убегать обратно по собственным следам; ~ in подогнуть; загнуть внутрь; ~ up скрючить(ся); сгибаться; ~d up with pain скрючившийся от боли; his knees ~d up under him колени у него подгибались; ~ upon *мор.* обойти, окружить (*неприятельский флот*);

4. adv 1) вдвойне, вдвое; 2) вдвоём; to ride ~ ехать вдвоём на одной лошади; ◇ to play ~ двуличничать, лицемерить; he sees ~ у него двоится в глазах (*о пьяном*).

double-acting ['dʌbl,æktiŋ] a двойного действия (*о механизме*).

double-barrelled ['dʌbl,bærəld] a 1) двуствольный; ~ gun двустволка; 2) двусмысленный.

double-bass ['dʌbl'beis] n *муз.* контрабас.

double-bedded ['dʌbl,bedid] a имеющий две кровати *или* двуспальную кровать (*о комнате*).

double-breasted ['dʌbl'brestid] a двубортный (*о пиджаке и т. п.*).

double-charge ['dʌbl'tʃɑːdʒ] v заряжать двойным зарядом.

double-cross ['dʌbl'krɔs] v *разг.* надуть, перехитрить.

double-dealer ['dʌbl'diːlə] n обманщик; двурушник.

double-dealing ['dʌbl'diːliŋ] 1. n двурушничество;

2. a двурушнический.

double-decker ['dʌbl'dekə] n 1) двухпалубное судно; 2) *амер.* двухэтажный трамвай, автобус, троллейбус; 3) *ав. разг.* биплан.

double-dyed ['dʌbl'daid] a 1) два раза окрашенный; пропитанный краской; 2) закоренелый; ~ scoundrel закоренелый негодяй.

double eagle ['dʌbl'iːgl] n 1) двуглавый орёл; 2) *амер.* золотая монета в 20 долларов.

double-edged ['dʌbl'edʒd] a обоюдоострый.

double entendre ['duːblɑːn'tɑːndr] *фр.* n двусмысленное выражение, двусмысленность.

double entry ['dʌbl'entri] n *ком.* двойная бухгалтерия.

double-eyed ['dʌbl,aid] a обладающий исключительной остротой зрения; зоркий.

double-faced ['dʌbl'feist] a 1) двуличный; неискренний; 2) двусторонний (*о материи*); 3) ~ hammer *тех.* двубойковый молот.

double first ['dʌbl'fəːst] n окончивший английский университет с дипломом первой степени по двум специальностям.

double-handed ['dʌbl'hændid] a 1) имеющий две руки; 2) снабжённый двумя рукоятками.

double-header ['dʌbl'hedə] n *амер.* 1) поезд на двойной тяге; 2) два матча, сыгранные подряд в один день теми же командами.

double-hearted ['dʌbl'hɑːtid] a двоедушный; вероломный.

double-lock ['dʌbl'lɔk] v запереть, повернув ключ в замке два раза.

double-manned ['dʌbl,mænd] a *воен., мор.* с двойным личным составом.

double meaning ['dʌbl,miːniŋ] n 1) двоякое значение; 2) двусмысленность.

double-meaning ['dʌbl,miːniŋ] a обманчивый, вводящий в заблуждение.

double-minded ['dʌbl'maindid] a 1) нерешительный, колеблющийся; 2) двоедушный.

double-natured ['dʌbl'neitʃəd] a двойственный.

double-quick ['dʌbl'kwik] 1. a очень быстрый;

2. adv очень быстро; ускоренным маршем;

3. v *амер.* 1) двигаться беглым шагом; 2) приказать двигаться беглым шагом.

double-reef ['dʌbl'riːf] v *мор.* брать два рифа на парусе.

double-stop ['dʌbl'stɔp] v играть на двух струнах скрипки одновременно.

doublet ['dʌblit] n 1) дубликат; парная вещь; 2) *лингв.* дублет; 3) *охот.* дуплет (*две птицы, убитые почти одновременно из двуствольного ружья*); 4) дуплет (*в бильяр-*

де); 5) *pl* одинаковое число очков на двух костях, брошенных одновременно; 6) *ист.* род камзола XIV—XVII вв.; 7) фуфайка; 8) *радио* двойная антенна.

double time ['dʌbltaɪm] *n* ускоренный марш.

double-tongued ['dʌbl'tʌŋd] *a* лживый.

doubletree ['dʌbltrɪː] *n* крестовина (*плуга и т. п.*).

doubling ['dʌblɪŋ] 1. *pres. p. om* double 3; 2. *n* 1) удвоение, сдваивание; 2) повторение, дублирование; 3) внезапный поворот (*в беге*); 4) уклончивость; увёртки; 5) *текст.* кручение, сучение; 6) *attr.:* ~ effect; *радио* эхо.

doubloon [dʌb'luːn] *n* *ист.* дублон (*испанская золотая монета*).

doublure [ˌduː'bljuə] *фр. n* внутренняя сторона переплёта (*из кожи, парчи и т. п.*).

doubly ['dʌblɪ] *adv* 1) вдвойне, вдвое; to be ~ careful быть особенно осторожным; 2) двояко; 3) двойственно; нечестно; to deal ~ вести двойную игру.

doubt [daut] 1. *n* сомнение; I have my ~s about him у меня на его счёт есть сомнения; the final outcome of this affair is still in the ~ исход этого дела ещё неясен; to make ~ сомневаться; to make no ~ a) не сомневаться; быть уверенным; б) проверить; make no ~ about it не сомневайтесь в этом, будьте уверены; no ~, without ~, beyond ~ несомненно; вне сомнения; there is not a shadow of ~ нет ни малейшего сомнения.

2. *v* 1) сомневаться, иметь сомнения; быть неуверенным, колебаться; 2) не доверять, подозревать; you surely don't ~ me вы, надеюсь, мне доверяете; 3) *уст.* бояться, со страхом ждать (*чего-л.*).

doubtful ['dautful] *a* 1) полный сомнений; сомневающийся, колеблющийся; I am ~ what I ought to do я не знаю, что мне делать; 2) неясный, неопределённый; 3) сомнительный, вызывающий подозрения, подозрительный.

doubtless ['dautlɪs] 1. *adv* 1) несомненно; 2) вероятно; 2. *a* *редк.* несомненный.

douce [duːs] *a* *шотл.* спокойный, степенный.

douceur [ˌduː'səː] *фр. n* 1) «чаевые»; 2) взятка.

douche [duːʃ] 1. *n* 1) душ, обливание; to throw a cold ~ upon smb. расхолаживать кого-л., вылить на кого-л. ушат холодной воды; 2) промывание.

2. *v* поливать из душа; обливать(ся) водой.

dough [dou] *n* 1) тесто; паста, густая масса; 3) *sl.* деньги; ◇ my (our) cake is ~ моё (наше) дело плохо.

doughboy ['douboɪ] *n* 1) клёцка; пончик; 2) *sl.* американский солдат.

doughface ['doufeɪs] *n* *амер.* мягкотелый, слабохарактерный человек.

doughnut ['doupʌt] *n* пончик; жареный пирожок; ◇ it is dollars to ~s *амер.* несомненно, наверняка.

doughtily ['dautɪlɪ] *adv* доблестно, отважно.

doughtiness ['dautɪnɪs] *n* доблесть, отвага, мужество.

doughty ['dautɪ] *a* *уст., иногда шутл.* смелый, отважный, храбрый, мужественный, доблестный.

doughy ['douɪ] *a* 1) тестообразный; плохо пропечённый; 2) бледный (*о цвете лица*); 3) тупой (*о человеке*).

doum [duːm] *n* дум-пальма настоящая.

dour ['duə] *a* *шотл.* суровый, строгий, непреклонный.

douse [daus] *v* 1) окунать(ся), погружать (-ся) в воду; 2) быстро спускать парус; 3) тушить, гасить; to ~ the glim *sl.* гасить свет.

dove [dʌv] *n* 1) голубь; 2) *ласк.* голубчик; голубушка; ◇ D. of Peace голубь мира.

dove-colour ['dʌvˌkʌlə] *n* сизый цвет.

dove-cot(e) ['dʌvkɔt] *n* голубятня; to flutter the dove-cots поднять переполох, переполошить весь «курятник».

dove-eyed ['dʌv'aɪd] *a* с невинным выражением лица.

dove-like ['dʌvlaɪk] *a* голубиный, нежный, кроткий.

dove's-foot ['dʌvzfut] *n* *бот.* герань мягкая.

dovetail ['dʌvteɪl] 1. *n* *тех., стр.* ласточкин хвост, лапа, шип;

2. *v* *стр.* вязать в лапу; 2) подгонять, плотно прилаживать; 3) согласовывать; увязывать; 4) подходить; соответствовать, совпадать.

dowager ['dauədʒə] *n* 1) вдова (*высокопоставленного лица*); Queen ~ (~ duchess) вдовствующая королева (герцогиня); 2) *разг.* величественная женщина.

dowdy ['daudɪ] 1. *n* плохо, безвкусно одетая женщина;

2. *a* 1) дурно, безвкусно, аляповато одетый (*о женщине*); 2) немодный, неэлегантный (*о платье*).

dowdyish ['daudɪɪʃ] *a* безвкусный, неэлегантный.

dowel ['dauəl] *тех.* 1. *n* дюбель, штифт, шпонка, чека;

2. *v* скреплять болтами, шпонками.

dower ['dauə] 1. *n* 1) вдовья часть (наследства); 2) приданое; 3) природный дар, талант;

2. *v* 1) оставлять наследство (*вдове*); 2) давать приданое; 3) наделять талантом (with).

dower-chest ['dauəʧest] *n* сундук (с приданым).

dowlas ['dauləs] *n* сорт прочного коленкора.

down I [daun] *n* пух, пушок.

down II [daun] *n* холм, безлесная возвышенность; the Downs гряда меловых холмов в Южной Англии.

down III [daun] 1. *adv* 1) вниз; to climb ~ слезать; to come ~ спускаться; to flow ~ стекать; 2) внизу; the sun is ~ солнце зашло, село; the blinds are ~ шторы спущены; to hit a man who is ~ бить лежачего; 3) до конца, вплоть до; to read ~ to the last page дочитать до последней страницы;

~ to the time of Shakespeare вплоть до вре́-
мени, до эпо́хи Шекспи́ра; 4) *означает
уменьшение количества, размера; ослабление, уменьшение силы; ухудшение:* to boil
~ укипа́ть, ува́риваться; to bring ~ the
price снижа́ть це́ну; to be ~ ослабева́ть,
снижа́ться; the temperature (the death-rate)
is very much ~ температу́ра (сме́ртность)
значи́тельно пони́зилась; to calm ~ успо-
ка́иваться; the quality of ale has gone ~
ка́чество пи́ва уху́дшилось; worn ~ with
use изно́шенный; 5) *означает движение от
центра к периферии, из столицы в провин-
цию и т. п.:* to go ~ to the country е́хать
в дере́вню; to go ~ to Brighton е́хать (*из
Лондона*) в Бра́йтон; 6) *амер. означает движение к центру города, в столицу, к югу:*
trains going ~ поезда́, иду́щие в ю́жном
направле́нии; 7) *придаёт глаголам значение совершенного вида:* to write ~ записа́ть;
to fall ~ упа́сть; ◇ ~ and out в беспо́мощ-
ном состоя́нии; разорённый; потерпе́вший
круше́ние в жи́зни; ~ at (the) heel(s) со
сто́птанными каблука́ми; бе́дно, неря́шли-
во оде́тый, жа́лкий; ~ in the mouth в уны́-
нии, в плохо́м настрое́нии; ~ on one's luck
в несча́стье, в беде́; ~ on the nail сра́зу,
неме́дленно; cash ~ де́ньги на бо́чку; ~ to
the ground соверше́нно, вполне́; ~ with!
доло́й!; to be ~ with fever лежа́ть в жару́,
в лихора́дке; to be ~, to be ~ at (*или* in)
health хвора́ть, быть сла́бого здоро́вья; to
come (*или* to drop) ~ on smb. набра́сывать-
ся на кого́-л., брани́ть кого́-л.; to face smb.
~ нагна́ть стра́ху на кого́-л. свои́м взгля́-
дом; to hand ~ передава́ть из поколе́ния
в поколе́ние; to run smb. ~ а) сбить, зада-
ви́ть кого́-л. (*автомобилем и т.п.*); б) гово-
ри́ть пренебрежи́тельно о ком-л.; умаля́ть
чье́-л. значе́ние; to run ~ at last насти́чь;
up and ~ взад и вперёд;
2. *prep* вниз; (вниз) по; вдоль по; ~ the
river вниз по реке́; ~ wind по ве́тру; to go
~ the road идти́ по доро́ге;
3. *n* 1) (*обыкн. pl*) спуск; ups and ~s
подъёмы и спу́ски; уха́бы; *перен.* превра́т-
ности (*судьбы*); 2) *разг.* неудово́льствие;
to have a ~ on smb. име́ть зуб про́тив ко-
го́-л.; 3) *амер. спорт.* вы́вод мяча́ из игры́
(*судьёй*);
4. *a* 1) напра́вленный кни́зу; ~ grade
укло́н железнодоро́жного пути́; *перен.*
ухудше́ние; 2): ~ train по́езд, иду́щий из
столи́цы, из большо́го го́рода; ~ platform
перро́н для поездо́в, иду́щих из столи́цы
или из большо́го го́рода; 3) *спорт.* отста-
ю́щий от проти́вника; he is one ~ он от-
ста́л на одно́ очко́; ◇ to be ~ on smb. сер-
ди́ться на кого́-л.;
5. *v* 1) опуска́ть, спуска́ть; 2) *разг.* сби-
ва́ть (*самолёт, человека*); 3) оси́ливать,
одолева́ть; подчиня́ть; ◇ to ~ tools прекра-
ти́ть рабо́ту, забастова́ть.

downcast I ['daunkɑːst] *a* 1) опу́щенный
вниз; поту́пленный (*о взгляде*); 2) удручённый, пода́вленный; 3) нисходя́щий, напра́в-
ленный вниз.

downcast II ['daunkɑːst] *n горн.* вентиля-
цио́нная ша́хта.

down-draught ['daun'drɑːft] *n тех.* ни́ж-
няя тя́га.

downfall ['daunfɔːl] *n* 1) паде́ние; ги́бель;
разоре́ние; 2) ниспроверже́ние; 3) ли́вень;
си́льный снегопа́д; оса́дки.

down-grade ['daungreid] **1.** *n* 1) укло́н;
2) упа́док.
2. *v* понижа́ть (*в ранге и т. п.*).

down-hearted ['daun'hɑːtid] *a* упа́вший
ду́хом, уны́лый.

downhill ['daun'hil] **1.** *n* 1) склон; за-
ка́т (*жизни*); 2) *спорт.* скоростно́й спуск;
2. *a* пока́тый, накло́нный;
3. *adv* вниз; под го́ру; на скло́не; to go ~
уху́дшаться (*о здоровье, материальном положении*); *перен.* кати́ться по накло́нной
пло́скости.

downiness ['dauninis] *n* пуши́стость, пу-
шо́к.

Downing Street ['dauniŋ'striːt] *n* Дау-
нингстри́т (*улица в Лондоне, на которой
помещается министерство иностранных
дел и официальная резиденция премьера*);
перен. англи́йское прави́тельство.

downlead ['daunliːd] *n радио* сниже́ние
анте́нны, анте́нный спуск.

downpour ['daunpɔː] *n* пото́к, ли́вень.

downright ['daunrait] **1.** *a* 1) прямо́й,
открове́нный, че́стный; 2) я́вный; соверше́н-
ный; 3) отъя́вленный;
2. *adv* соверше́нно.

downstage ['daunsteidʒ] **1.** *a* 1) относя́-
щийся к авансце́не; 2) *разг.* дру́жеский;
2. *adv* по направле́нию к авансце́не, на
авансце́не.

downstair ['daun'stɛə] = downstairs 1.

downstairs ['daun'stɛəz] **1.** *a* располо́-
женный в ни́жнем этаже́;
2. *adv* 1) вниз; to go ~ спусти́ться, сойти́
вниз; 2) внизу́; в ни́жнем этаже́.

downstream ['daun'striːm] **1.** *adv* вниз по
тече́нию;
2. *n гидр.* низова́я сторона́ плоти́ны,
ни́жний бьеф.

downthrow ['daun'θrou] *n геол.* опуска́ние;
сбра́сывание.

down time ['dauntaim] *n амер.* просто́й,
вы́нужденное безде́йствие.

downtown ['dauntaun] *амер.* **1.** *n* делова́я
часть го́рода;
2. *a* располо́женный в делово́й ча́сти
го́рода;
3. *adv* 1) в делово́й центр; 2) в делово́й
ча́сти го́рода.

downtrend ['dauntrend] *n* тенде́нция к по-
ниже́нию.

downtrodden ['daun,trɔdn] *a* угнетённый.

downward ['daunwəd] **1.** *a* 1) спуска́ю-
щийся; ~ tendency *полит.-эк.* понижа́-
тельная тенде́нция; 2) пода́вленный, уны́-
лый;
2. *adv* вниз, кни́зу.

downwards ['daunwədz] = downward 2.

downy I ['dauni] **1.** *a* 1) пуши́стый, мя́г-
кий как пух; 2) *sl.* хи́трый; a ~ old bird
хитре́ц, хи́трая бе́стия;
2. *n sl.* посте́ль; to do the ~ спать.

downy II ['dauni] *a* холми́стый, волни́-
стый.

dowry ['dauərɪ] *n* 1) приданое; 2) природный талант.

dowse I [daus] = douse.

dowse II [dauz] *v* определять наличие подпочвенных вод *или* минералов при помощи ивового прута [*ср.* divining-rod].

dowser ['dauzə] *n* человек, определяющий присутствие подпочвенной воды *или* минералов при помощи ивового прута [*ср.* divining-rod].

dowsing-rod ['dauzɪŋrɔd] = divining-rod.

doxy I ['dɔksɪ] *n разг.* 1) доктрина, теория; 2) верование.

doxy II ['dɔksɪ] *n sl.* 1) возлюбленная; 2) проститутка; 3) нищенка; бродяга.

doyen ['dwaɪ̃ɛ̃] *фр.* *n* старейшина, старшина (*дипломатического корпуса или корпоративной организации*).

doze [douz] 1. *n* 1) дремота; 2) дряблость (*древесины*); 3) *амер.* *sl.* венерическая болезнь;
2. *v* дремать.

dozen ['dʌzn] *n* 1) дюжина; by the ~ дюжинами; 2) *pl* множество, масса; ◇ baker's ~, printer's ~, devil's ~, long ~ чёртова дюжина (*тринадцать*); it is six of one and half a ~ of another это одно и то же, разница только в названии.

dozer ['douzə] *сокр.* *от* bulldozer.

dozy ['douzɪ] *a* сонный, дрёмлющий.

drab I [dræb] *n* 1) тускло-коричневый цвет; 2) плотная шерстяная ткань тускло-коричневого цвета; 3) серость, однообразие;
2. *a* 1) тускло-коричневый; желтовато-серый; 2) скучный, бесцветный, однообразный.

drab II [dræb] *n* 1) неряшливая женщина; 2) проститутка.

drabbet ['dræbɪt] *n* сорт грубого небелёного полотна.

drabble ['dræbl] *v* забрызгать(ся), замочить(ся), испачкать(ся).

Dracaena [drə'sɪnə] *n бот.* драконник, драконово дерево.

drachm [dræm] *n* 1) драхма (*древнегреческая монета*); 2) = dram 1); 3) небольшое количество (*чего-л.*).

drachma ['drækmɑ] *n* (*pl* -mae, -mas [-məz]) драхма (*денежная единица Греции*).

drachmae ['drækmɪ] *pl от* drachma.

Draco ['dreɪkou] *n* 1) *астр.* Дракон (*созвездие*); 2) *зоол.* летающий дракон (*ящерица*).

Draconian, Draconic [dreɪ'kounjən, dreɪ'kɔnɪk] *a* драконовский, суровый.

draff [dræf] *n* 1) помои; отбросы; 2) пойло; 3) барда (*отходы винокурения и пивоварения*).

draft [drɑːft] 1. *n* 1) чертёж, план; эскиз; рисунок; 2) проект, набросок; черновик (*документа и т. п.*); 3) чек; тратта; получение по чеку; to make a ~ on a fund взять часть вклада с текущего счёта; *перен.* извлечь выгоду, воспользоваться (*дружбой, хорошим отношением, доверием*); 4) *ком.* скидка на провес; 5) сквозняк; 6) *тех.* тяга, дутьё; 7) отбор (*особ. солдат*) для специальной цели; отряд, подкрепление;

8) осадка (*судна*); 9) *воен.* набор, призыв в армию, пополнение; 10) тяга; упряжь; beasts of ~ живое тягло, рабочий скот; 11) *attr.* тягловый; ~ animals рабочий скот; ~ horse ломовая лошадь; [*см. тж.* draught 1];
2. *v* 1) делать чертёж; составлять план, законопроект; набрасывать черновик; 2) производить отбор; выделять (*солдат для определённой цели*); 3) цедить, отцеживать.

draftee [ˌdrɑːf'tɪ] *n амер.* призывник.

drafter ['drɑːftə] *n* ломовая лошадь, упряжная лошадь.

drafting ['drɑːftɪŋ] 1. *pres. p. от* draft 2;
2. *n* 1) составление законопроекта; the ~ of this clause is very obscure редакция этого пункта очень неясна; 2) черчение; 3) *воен.* высылка пополнения; 4) *attr.* чертёжный; ~ room *амер.* чертёжная; ~ paper чертёжная бумага.

draftsman ['drɑːftsmən] *n* 1) чертёжник; 2) рисовальщик; 3) составитель документа, автор законопроекта.

draftsmanship ['drɑːftsmənʃɪp] *n* черчение, искусство черчения.

drag [dræg] 1. *n* 1) драга; кошка; землечерпалка; 2) тяжёлая борона; 3) тормоз, тормозной башмак; 4) торможение, задержка движения; медленное движение; 5) обуза; бремя; to be a ~ on a person быть для кого-л. обузой; 6) экипаж с верхними сиденьями, запряжённый четвёркой; 7) *охот.* след (*зверя*); искусственный запах (*создаваемый мешком с чем-л. пахучим, протащенным по земле*); 8) *тех.* лобовое сопротивление; 9) *амер.* *sl.* протекция, «блат»; 10) затяжка; she took a long ~ on her cigarette она затянулась папиросой;
2. *v* 1) (*с усилием*) тащить(ся), волочить (-ся); тянуть; to ~ one's feet a) волочить ноги; б) неохотно, лениво делать что-л.; 2) тянуться; 3) отставать; 4) боронить (*поле*); 5) чистить дно (*реки, озера, пруда*) драгой; 6) буксировать; □ ~ in a) втащить; вовлечь; б) притянуть некстати; ~ on продолжать всё то же; скучно тянуться (*о времени, жизни*); ~ out a) вытаскивать; б) растягивать (*рассказ и т. п.*); тянуть, медлить; ~ up *разг.* плохо воспитывать.

dragée [drɑ'ʒeɪ] *фр.* *n* драже.

draggle ['drægl] *v* 1) волочить(ся); тащить(ся) по грязи; 2) пачкать (,волоча по грязи); 3) тащиться в хвосте.

draggle-tail ['dræglteɪl] *n* 1) затасканный подол; 2) неряшливая женщина.

dragline ['dræglaɪn] *n тех.* дрéглайн, скребковый экскаватор.

drag-net ['drægnet] *n* 1) бредень, невод; 2) сеть для ловли птиц.

dragoman ['drægoumən] *n* (*pl* -mans [-mənz], -men) драгоман, переводчик (*на Востоке*).

dragon ['drægən] *n* 1) дракон; 2) очень строгий человек; дуэнья; 3) (D.) *астр.* северное созвездие Дракона; 4) *зоол.* летающий дракон (*ящерица*); 5) порода домашних голубей; 6) *ист.* карабин; 7) *ист.* карабинер; 8) *воен.* артиллерийский трактор.

dragon-fly ['drægənflaɪ] *n* стрекоза.

dragonnade [,drægə'neɪd] *n* 1) *pl ист.* драгонады (*постой драгун в домах протестантов как мера наказания*); 2) карательная экспедиция.

dragon's-blood ['drægənzblʌd] *n* драконова кровь (*красная смола драконова и некоторых других деревьев*).

dragon-tree ['drægəntriː] *n* драконово дерево, драконник.

dragoon [drə'guːn] 1. *n воен.* драгун; 2. *v* 1) посылать карательную экспедицию; 2) принуждать посредством репрессий.

dragsman ['drægzmən] *n горн.* откатчик.

drain [dreɪn] 1. *n* 1) дренаж; дренажная канава; 2) канализационная труба; 3) водосток, водоотвод; 4) *мед.* дренажная трубка; 5) постоянная утечка; расход; истощение; ~ of specie from a country утечка валюты из страны; it is a great ~ on my health это очень истощает моё здоровье; 6) *разг.* глоток; 7) *attr.:* ~ cock, ~ valve спускной кран;
2. *v* 1) дренировать, осушать (*почву*); 2): the river ~s the whole region река собирает воды всей округи; 3) проводить канализацию; this house is well (badly) ~ed в доме хорошая (плохая) канализация; 4) стекать; сочиться, просачиваться; 5) сушить; to ~ dishes сушить посуду (*после мытья*); 6) дренировать (*рану*); 7) фильтровать; 8) осушать, пить до дна (*тж.* ~ dry, ~ to the dregs); 9) истощать (*силы, средства*); to ~ smb. of money лишить кого-л. денег.

drainage ['dreɪnɪdʒ] *n* 1) дренаж; осушение; сток; 2) канализация; 3) *мед.* дренирование (*раны*); 4) нечистоты.

drainage-basin ['dreɪnɪdʒ,beɪsn] *n* бассейн реки.

drainage-tube ['dreɪnɪdʒtjuːb] *n мед.* дренажная трубочка.

drain-ditch ['dreɪndɪtʃ] *n* водосточная канава.

draining-board ['dreɪnɪŋbɔːd] *n* сушильная доска.

drake I [dreɪk] *n* селезень.

drake II [dreɪk] *n* 1) *зоол.* муха-подёнка (*употр. как наживка при ужении*); 2) старинная небольшая пушка; 3) старинная скандинавская галера с изображением дракона на носу.

dram [dræm] *n* 1) драхма (¹/₈ унции в аптекарском весе, ¹/₁₆ унции в торговом весе); 2) глоток спиртного; he is fond of a ~ он любит выпить.

drama ['drɑːmə] *n* драма.

dramatic [drə'mætɪk] *a* 1) драматический; 2) драматичный; 3) мелодраматический; театральный; актёрский; деланный.

dramatics [drə'mætɪks] *n pl (употр. как sing и как pl)* 1) драматическое искусство; 2) драматическое произведение; 3) представление, спектакль (*особ. любительский*).

dramatis personae ['drɑːmətɪspɜː'souniː] *лат. n pl (часто употр. как sing)* действующие лица (*пьесы*); список действующих лиц.

dramatist ['dræmətɪst] *n* драматург.

dramatization [,dræmətaɪ'zeɪʃən] *n* драматизация; инсценировка.

dramatize ['dræmətaɪz] *v* 1) драматизировать; инсценировать (*литературное произведение*); 2) годиться для переделки в драму; 3) преувеличивать; разыгрывать трагедию.

dramaturge ['dræmətɜːdʒ] *n* драматург.

dramaturgic [,dræmə'tɜːdʒɪk] *a* драматургический.

dramaturgist ['dræmə,tɜːdʒɪst] *n* драматург.

dramaturgy ['dræmə,tɜːdʒɪ] *n* драматургия.

dram-drinker ['dræm,drɪŋkə] *n* пьяница.

dram-shop ['dræmʃɔp] *n* бар; пивная.

drank [dræŋk] *past om* drink 2.

drape [dreɪp] 1. *n* 1) портьера, драпировка; 2) обойный материал;
2. *v* 1) драпировать, украшать тканями, занавесами; 2) надевать широкую одежду так, чтобы она ложилась изящными складками.

draper ['dreɪpə] *n* торговец мануфактурными товарами.

drapery ['dreɪpərɪ] *n* 1) драпировка; 2) ткани; 3) магазин тканей.

drastic ['dræstɪk] *a* 1) сильно действующий (*о лекарстве*); 2) решительный, крутой; ~ changes коренные изменения.

drat [dræt] *int груб.* провались ты (совсем)!, пропади ты пропадом!

D-Ration ['diː,ræʃən] *n амер.* аварийный паёк.

dratted ['drætɪd] *a груб.* проклятый.

draught ['drɑːft] 1. *n* 1) тяга воздуха; сквозняк; 2) нацеживание; beer on ~ пиво из бочки; 3) глоток; to drink at a ~ выпить залпом; 4) закидывание невода; одна закидка невода; улов; 5) доза жидкого лекарства; black ~ слабительное из александрийского листа и магнезии; 6) *мор.* осадка, водоизмещение (*судна*); 7) *pl* шашки (*игра*); [*см. тж.* draft 1]; ◇ to feel the ~ *разг.* быть в стеснённых денежных обстоятельствах;
2. *v редк.* = draft 2.

draughtboard ['drɑːftbɔːd] *n* шашечная доска.

draughtsman ['drɑːftsmən] *n* 1) = draftsman; 2) шашка (*в игре*).

draughtsmanship ['drɑːftsmənʃɪp] = draftsmanship.

draughty ['drɑːftɪ] *a* расположенный на сквозняке.

draw [drɔː] 1. *n* 1) тяга; вытягивание; 2) жеребьёвка; лотерея; 3) жребий; выигрыш; 4) то, что привлекает, нравится; приманка; the play is a ~ эта пьеса имеет успех; 5) игра вничью; 6) замечание, имеющее целью выпытать что-л.; наводящий вопрос; a sure ~ замечание, которое обязательно заставит другого проговориться; 7) *стр.* разводная часть моста; 8) *бот.* молодой побег; 9) *амер.* выдвижной ящик комода;
2. *v* (drew; drawn) 1) тащить, волочить; тянуть, натягивать; to ~ wire тянуть проволоку; to ~ a parachute раскрыть парашют; to ~ bridle, to ~ rein натягивать по-

вóдья, останáвливать лóшадь; *перен.* останáвливаться; сдéрживаться; сокращáть расхóды; 2) натя́гивать, надевáть (*шáпку; тж.* ~ оп); 3) тяну́ть, бросáть (*жрéбий*); they drew for places они́ брóсили жрéбий, кому́ где сесть; 4) выта́скивать, выдёргивать; вырывáть; to ~ the sword обнажи́ть шпáгу; *перен.* начáть войну́; to ~ the knife угрожáть ножóм; 5) задёргивать; to ~ the curtain задёргивать *или* открывáть зáнавес; *перен.* скрывáть *или* выставля́ть напокáз (*что-л.*); 6) искажáть; a face drawn with pain лицó, искажённое от бóли; 7) получáть (*дéньги, информáцию*); to ~ on the bank брать дéньги из бáнка; to ~ a prize получи́ть приз; 8) извлекáть, доставáть; чéрпать; 9) потроши́ть; to ~ a fowl потроши́ть пти́цу; 10) имéть тя́гу; the chimney ~s well в трубé хорóшая тя́га; 11) настáивать(ся) (*о чáе;*) 12) привлекáть (*внимáние, интерéс*); I felt drawn to him меня́ потяну́ло к нему́; the play still ~s пьéса всё ещё дéлает сбóры; 13) навлекáть; to ~ troubles upon oneself навлекáть на себя́ бéду; 14) вызывáть (*на разговóр, откровéнность и т. п.*); to ~ no reply не получи́ть отвéта; 15) вызывáть (*слёзы, аплодисмéнты*); 16) пускáть (*кровь*); 17) вдыхáть, втя́гивать, вбирáть; to ~ a sigh вздохну́ть; to ~ a breath передохну́ть; to ~ a deep breath сдéлать глубóкий вздох; to ~ the first (last) breath роди́ться (*умерéть*); 18) выводи́ть (*заключéние*); to ~ conclusions дéлать вы́воды; 19) проводи́ть (*разли́чие*); 20) черти́ть, рисовáть; проводи́ть ли́нию, черту́; to ~ the line (at) постáвить (*себé или другóму*) предéл; 21) составля́ть, оформля́ть (*докумéнт*); выпи́сывать (*чек; чáсто* ~ out, ~ up); 22) приближáться, подходи́ть; to ~ to a close подходи́ть к концу́; 23) кончáть (*игру*) вничью́; 24) сидéть в водé (*о су́дне*); this steamer ~s 12 feet э́тот парохóд имéет осáдку в 12 фу́тов; 25) *карт.* брать кáрты из колóды; 26) *уст.* пытáть (*вытяжéнием*); 27) *тех.* отпускáть закáлку; отжигáть; 28) *тех.* всáсывать, втя́гивать; ☐ ~ aside отводи́ть в стóрону; ~ away a) уводи́ть; б) *спорт.* оторвáться от проти́вника; ~ back отступáть; выходи́ть из дéла, предприя́тия, игры́; ~ down a) спускáть (*штóру, занавéс*); б) навлекáть (*гнев, неудовóльствие и т. п.*); в) втяну́ть, затяну́ться (*папирóсой и т. п.*); ~ in a) вовлекáть; б) сокращáть (*расхóды и т. п.*); в) бли́зиться к концу́ (*о дне*); сокращáться (*о днях*); г): to ~ in on a cigarette затяну́ться папирóсой; ~ off a) отвлекáть; б) отводи́ть (*вóду*); в) оття́гивать (*войскá*); г) отступáть (*о войскáх*); ~ on a) натя́гивать, надевáть (*перчáтки и т. п.*); б)= ~ down б); в) наступáть, приближáться; autumn is ~ing on óсень приближáется; г) чéрпать, заи́мствовать; ~ out a) вызывáть на разговóр, допы́тываться; б) вывóдить (*войскá*); в) отряжáть, откомандирóвывать; г) набрáсывать; to ~ out a scheme набрóсать план; д) вызывáть на разговóр, продолжáться; the speech drew out interminably речь тяну́лась без концá;

~ over перемáнивать на свою́ стóрону; ~ round собирáться вокру́г (*столá, огня́, ёлки и т. п.*); ~ up a) составля́ть (*докумéнт*); б) останáвливаться; the carriage drew up before the door экипáж останови́лся у подъéзда; в) *refl.* подтяну́ться; вы́прямиться; г) *воен.* выстрáивать(ся); ~ upon чéрпать, брать (*из срéдств, фóнда и т. п.*); ◇ to ~ amiss *охóт.* идти́ по лóжному слéду; to ~ in one's horns стать бóлее осторóжным; умéрить свой пыл; to ~ (a) blank a) вы́нуть пустóй нóмер (*в лотерéе*); б) потерпéть неудáчу; to ~ a bow at a venture сдéлать *или* сказáть что-л. наугáд; случáйным замечáнием попáсть в тóчку; to ~ a (*или* the) long bow преувели́чивать; расскáзывать небыли́цы; to ~ the cloth убирáть со столá (*осóб. перед десéртом*); to ~ the fire вы́звать огóнь неприя́теля, чтóбы определи́ть егó си́лы; ~ it mild! *разг.* не преувели́чивай(те)!; to ~ one's pen against smb. вы́ступить в печáти прóтив когó-л.; to ~ the teeth off ≅ вы́рвать жáло у змéй; обезврéдить; to ~ to a head a) нарывáть (*о фуру́нкуле*); б) назревáть; достигáть апогéя; to ~ the wool over smb.'s eyes вводи́ть когó-л. в заблуждéние; ≅ втирáть очки́.

drawback ['drɔːbæk] *n* 1) препя́тствие; помéха; 2) недостáток, отрицáтельная сторонá; 3) *ком.* возврáтная пóшлина; 4) усту́пка (*в ценé*).

drawbar ['drɔːbɑː] *n* 1) ж.-д. тя́говый стéржень (*паровóза, вагóна*); 2) упряжнáя тя́га.

drawbridge ['drɔːbrɪdʒ] *n* подъёмный мост, разводнóй мост.

drawee [drɔː'iː] *n фин.* трассáт.

drawer I ['drɔːə] *n* чертёжник; рисовáльщик.

drawer II ['drɔːə] *n фин.* трассáнт.

drawer III [drɔː] *n* (выдвижнóй) я́щик (*столá, комóда*).

drawer IV ['drɔːə] *n уст.* буфéтчик.

drawers [drɔːz] *n pl* кальсóны, подштáнники (*тж.* a pair of ~).

drawhook ['drɔːˌhuk] *n* 1) ж.-д. тя́говый крюк (*паровóза, вагóна*); 2) упряжнóй крюк.

drawing ['drɔːɪŋ] **1.** *pres. p. от* draw 2; **2.** *n* 1) рисовáние; черчéние (*тж.* mechanical ~); out of ~ нарисóванный с нарушéнием перспекти́вы; 2) рису́нок; 3) *тех.* волочéние (*прóволоки*), вытя́гивание, протя́гивание; прокáтка; 4) щепóтка чáя для завáрки.

drawing-bench ['drɔːɪŋbentʃ] *n тех.* волочи́льный станóк.

drawing-block ['drɔːɪŋblɔk] *n* тетрáдь, блокнóт для рисовáния.

drawing-board ['drɔːɪŋbɔːd] *n* чертёжная доскá.

drawing card ['drɔːɪŋkɑːd] *n* гвоздь прогрáммы.

drawing-knife ['drɔːɪŋnaɪf] *n* струг, скóбель.

drawing-machine ['drɔːɪŋməˌʃiːn] *n тех.* 1) волочи́льная маши́на; 2) подъёмная лебёдка; 3) чертёжные приспособлéния.

drawing-pad ['drɔːɪŋpæd] *n* блокнóт для рисовáния.

drawing-paper [ˈdrɔːɪŋˌpeɪpə] *n* рисова́льная бума́га; чертёжная бума́га.

drawing-pen [ˈdrɔːɪŋpen] *n* рейсфе́дер.

drawing-pin [ˈdrɔːɪŋpɪn] *n* чертёжная *или* канцеля́рская кно́пка.

drawing-room I [ˈdrɔːɪŋrum] *n* 1) гости́ная; 2) *амер.* купе́ в сало́н-ваго́не; 3) *attr.*: a ~ comedy сало́нная пье́са.

drawing-room II [ˈdrɔːɪŋrum] *n* чертёжный зал, чертёжная.

drawing scale [ˈdrɔːɪŋskeɪl] *n* масшта́бная лине́йка.

drawl [drɔːl] 1. *n* протя́жное произноше́ние, медли́тельность ре́чи;
2. *v* растя́гивать слова́, «тяну́ть».

drawn [drɔːn] 1. *p. p. om* draw 2;
2. *a* 1) нерешённый (*о сражении и т. п.*); зако́нчившийся вничью; 2) оття́нутый наза́д; отведённый; 3) расто́пленный; ~ butter то́пленое ма́сло; 4) *горн.* вы́работанный; 5) искажённый; ~ face искажённое лицо́.

draw-plate [ˈdrɔːpleɪt] *n* *mex.* волочи́льная доска́.

draw-tongs [ˈdrɔːtɔŋz] *n pl* (*иногда употр. как sing*) *mex.* клещи́ для натя́гивания про́водов.

draw-vice [ˈdrɔːvaɪs] = draw-tongs.

draw-well [ˈdrɔːwel] *n* коло́дец (с ведро́м на верёвке).

dray [dreɪ] *n* подво́да, ломова́я теле́га.

dray-horse [ˈdreɪhɔːs] *n* ломова́я ло́шадь.

drayman [ˈdreɪmən] *n* ломово́й изво́з-чик, ломови́к.

dread [dred] 1. *n* 1) страх, боя́знь, опасе́ние; to have a ~ of smth. боя́ться чего́-л.; 2) то, что порожда́ет страх; пуга́ло;
2. *v* страши́ться, боя́ться; опаса́ться;
3. *a уст., поэт.* ужа́сный, стра́шный.

dreadful [ˈdredful] 1. *a* 1) ужа́сный, стра́шный; 2) *разг.* о́чень плохо́й, отврати́тельный;
2. *n разг.* сенсацио́нный рома́н у́жасов (*тж.* penny ~).

dreadnought [ˈdrednɔːt] *n* 1) *мор. уст.* дредно́ут; 2) то́лстое сукно́ (*для пальто*); пальто́ из то́лстого сукна́; 3) бесстра́шный челове́к.

dream [driːm] 1. *n* 1) сон, сновиде́ние; to go to one's ~ ложи́ться спать, засну́ть; to see a ~ ви́деть сон; 2) мечта́; грёза; the land of ~s ца́рство грёз; pipe ~ пусты́е мечты́; фанта́зии; 3) виде́ние;
2. *v* (dreamt, dreamed [-d]) 1) ви́деть сны; сни́ться; 2) мечта́ть, вообража́ть (of); to ~ away one's life проводи́ть жизнь в мечта́х; 3) ду́мать, помышля́ть (*в отрица́тельных предложе́ниях*); I shouldn't ~ of doing such a thing я бы и не поду́мал сде́лать что-л. подо́бное; □ ~ up *разг.* выду́мывать, фантази́ровать; приду́мывать.

dreamer [ˈdriːmə] *n* 1) мечта́тель; 2) фанта-зёр.

dream-hole [ˈdriːmhoul] *n* отве́рстие для све́та (*в башне, колокольне и т. п.*).

dreamily [ˈdriːmɪlɪ] *adv* мечта́тельно.

dream-land [ˈdriːmlænd] *n* ска́зочная страна́, мир грёз.

dreamless [ˈdriːmlɪs] *a* без сновиде́ний.

dreamlike [ˈdriːmlaɪk] *a* 1) ска́зочный; 2) при́зрачный.

dreamliner [ˈdriːmˌlaɪnə] *n* *амер. разг.* по́езд из спа́льных ваго́нов.

dreamt [dremt] *past и p. p. om* dream 2.

dream-world [ˈdriːmwɔːld] = dream-land.

dreamy [ˈdriːmɪ] *a* 1) мечта́тельный, непракти́чный; 2) ска́зочный, при́зрачный; 3) нея́сный; сму́тный; 4) *поэт.* по́лный сновиде́ний.

drear [drɪə] *поэт. см.* dreary.

dreary [ˈdrɪərɪ] *a* 1) мра́чный, тоскли́вый; отча́янно ску́чный; 2) *уст.* печа́льный.

dredge I [dredʒ] 1. *n* 1) *mex.* землечерпа́лка, дра́га, экскава́тор; 2) сеть для выла́вливания у́стриц *и т. п.*; 3) *хим.* взвесь; 4) *горн.* ху́дшая часть руды́ (*после отборки*);
2. *v* 1) производи́ть дноуглуби́тельные рабо́ты, углубля́ть; драги́ровать; 2) лови́ть (*устриц и т. п.*).

dredge II [dredʒ] *v* посыпа́ть (*мукой, сахаром и т. п.*).

dredger I [ˈdredʒə] *n* землечерпа́лка, экскава́тор.

dredger II [ˈdredʒə] *n* сосу́д для посыпа́ния (*мукой, сахаром и т. п.*).

dredger pump [ˈdredʒəpʌmp] *n* землесо́с.

dree [driː] *v уст.* страда́ть, терпе́ть; to ~ one's weird покоря́ться судьбе́.

dreg [dreg] *n* 1) *pl* оса́док; отбро́сы; to drink to the ~s вы́пить до дна; ~s of society подо́нки о́бщества; 2) небольшо́й оста́ток; not a ~ ни ка́пельки.

dreggy [ˈdregɪ] *a* содержа́щий оса́док *или* нечисто́ты.

drench [drentʃ] 1. *n* 1) промока́ние; 2) ли́вень; 3) до́за лека́рства (*для животных*);
2. *v* 1) сма́чивать, мочи́ть, прома́чивать наскво́зь; ороша́ть; 2) влива́ть лека́рство (*животным*).

drencher [ˈdrentʃə] *n* 1) *разг.* ли́вень; 2) приспособле́ние для влива́ния лека́рства живо́тным.

Dresden [ˈdrezdən] *n* дре́зденский фарфо́р (*тж.* ~ china).

dress [dres] 1. *n* 1) пла́тье; оде́жда; evening ~ фрак; смо́кинг; вече́рнее пла́тье; ба́льный туале́т; full ~ пара́дная фо́рма; morning ~ дома́шний костю́м; визи́тка; the (*или* a) ~ да́мское наря́дное пла́тье; 2) вне́шний покро́в; одея́ние; опере́ние; 3) *attr.* пара́дный (*об одежде*); 4) *attr.* пла́тельный; ~ goods тка́ни для пла́тьев;
2. *v* 1) одева́ть(ся); украша́ть(ся); to ~ a shop window убира́ть витри́ну; the ballet will be newly ~ed бале́т бу́дет поста́влен в но́вых костю́мах; to ~ for dinner (пере)одева́ться к обе́ду; 3) причёсывать, де́лать причёску; 4) чи́стить (*лошадь*); 5) перевя́зывать (*рану*); 6) приготовля́ть, приправля́ть (*кушанье*); 7) разде́лывать (*тушу*); 8) приготовля́ть (*землю*) к посе́ву; 9) выде́лывать (*кожу*); 10) выра́внивать; ровня́ть; 11) шлифова́ть (*камень*); 12) обтёсывать, строга́ть (*доски*); 13) *мор.* расцве́чивать (*флагами*); 14) *воен.* равня́ться; выра́внивать(ся); ~! равня́сь!; right (left) ~! напра́во (нале́во) равня́йсь!; 15) *горн.* обогаща́ть (*руду*); 16)

тех. аппретировать; 17) подрезать, подстригать *(деревья, растения)*; □ ~ **down** *разг.* задать головомойку, отругать; ~ **out** украшать; наряжать(ся); ~ **up** а) изысканно одеваться(ся); б) надевать маскарадный костюм.

dressage [dre´sɑːʒ] *фр. n* 1) объездка лошадей; 2) *attr.*: ~ tests пробные испытания скакунов.

dress cap [´dres´kæp] *n амер. воен.* форменная фуражка.

dress circle [´dres´səːkl] *n театр.* бельэтаж.

dress coat [´dres´kout] *n* фрак.

dresser I [´dresə] *n* 1) убирающий витрины; 2) хирургическая сестра; 3) *театр.* костюмёр; 4) кожевник; 5) *горн.* сортировщик; обогатитель; 6) *амер. sl.* человек, одевающийся со вкусом.

dresser II [´dresə] *n* 1) кухонный стол с полками для посуды; 2) кухонный шкаф для посуды; 3) *амер.* туалетный столик.

dress-guard [´dresgɑːd] *n* предохранитель для платья *(на дамском велосипеде)*.

dressing [´dresiŋ] **1.** *pres. p. om* dress 2; **2.** *n* 1) одевание; 2) отделка, очистка; шлифовка; 3) перевязочный материал; 4) приправа *(к рыбе, салату)*; 5) удобрение; 6) *воен.* равнение; 7) *текст.* шлихта; 8) *горн.* обогащение *(руды)*; 9) *разг.* выговор, порка *и т. п. (обыкн.* ~ **down**); to give a good ~ **down** задать хорошую головомойку.

dressing-bag [´dresiŋbæg] *n* 1) несессер; 2) санитарная сумка.

dressing-bell [´dresiŋbel] *n* звонок, приглашающий переодеться к обеду.

dressing-case [´dresiŋkeis] = dressing-bag.

dressing-gown [´dresiŋgaun] *n* халат.

dressing-room [´dresiŋrum] *n* туалетная комната.

dressing station [´dresiŋ,steiʃən] *n воен.* перевязочный пункт.

dressing-table [´dresiŋ,teibl] *n* туалетный столик.

dressmaker [´dres,meikə] *n* портниха.

dressmaking [´dres,meikiŋ] *n* шитьё дамского платья.

dress-preserver [´drespri´zəːvə] *n* подмышник.

dress rehearsal [´dresri´həːsəl] *n* генеральная репетиция.

dress-shield [´dres,ʃiːld] = dress-preserver.

dressy [´dresi] *a* 1) любящий, умеющий нарядно одеваться; 2) изящный, шикарный *(о платье)*.

drew [druː] *past om* draw 2.

drey [drei] *n* беличье гнездо.

dribble [´dribl] *v* 1) капать; 2) пускать слюни; 3) вести мяч *(в футболе)*; 4) гнать шар в лузу *(в бильярде)*; □ ~ **along** тянуться *(о времени)*.

dribbler [´driblə] *n* игрок, ведущий мяч в футболе.

dribblet [´driblit] *n* 1) небольшая сумма; 2) чуточка; капелька; by ~s небольшими частями, по капельке.

drier [´draiə] **1.** *n* = dryer; **2.** *а сравнит. ст. om* dry 1.

drift [drift] **1.** *n* 1) медленное течение; 2) направление, тенденция; 3) намерение, стремление; the ~ of a speech смысл речи; I don't understand your ~ я не понимаю, куда вы клоните; 4) пассивность; the policy of ~ политика бездействия *или* самотёка; 5) сугроб *(снега)*; куча *(песку, листьев и т. п.)*, нанесённая ветром; 6) *мор.* дрейф; *ав.* снос; скорость сноса; 7) *геол.* ледниковый нанос; 8) дрифтерная сеть; 9) *горн.* штрек, горизонтальная выработка; 10) *воен.* деривация;
2. *v* 1) относить(ся) ветром, течением; дрейфовать; 2) наносить ветром, течением; 3) скопляться кучами *(о снеге, песке и т. п.)*; 4) быть пассивным, предоставлять всё судьбе; to ~ into war быть втянутым в войну; 5) *тех.* расширять, пробивать отверстия; □ ~ **apart** разойтись *(тж. перен.)*.

driftage [´driftidʒ] *n* 1) снос, дрейф *(судна в море)*; 2) предметы, выброшенные на берег моря.

drifter [´driftə] *n* 1) дрифтер *(судно для ловли рыбы плавными сетями)*; 2) рыбак, плавающий на дрифтере; 3) *амер. разг.* никчёмный человек; 4) *амер. разг.* бродяга.

drift-ice [´driftais] *n* дрейфующий лёд.

drift-net [´driftnet] *n* плавная сеть.

drift-wood [´driftwud] *n* 1) сплавной лесоматериал; 2) лес, прибитый к берегу моря; плавник.

drill I [dril] **1.** *n* 1) (физическое) упражнение, тренировка; 2) (строевое) учение; муштровка; муштра; 3) *attr.*: ~ cartridge учебный патрон;
2. *v* 1) тренировать; to ~ in grammar натаскивать по грамматике; 2) обучать (строю); to ~ troops обучать войска; 3) проходить строевое обучение.

drill II [dril] *тех.* **1.** *n* сверло, дрель, коловорот, бур; бурав;
2. *v* сверлить, бурить.

drill III [dril] *с.-х.* **1.** *n* 1) борозда; 2) рядовая сеялка;
2. *v* сеять, сажать рядами.

drill IV [dril] *n* тик *(ткань)*.

drill V [dril] *n* дрил *(порода обезьян)*.

drill-book [´drilbuk] *n* строевой устав.

driller I [´drilə] *n* строевой инструктор.

driller II [´drilə] *n* 1) сверловщик; 2) бурильщик; 3) сверлильный станок.

drill ground [´dril,graund] *n воен.* учебный плац.

drill-hall [´drilhɔːl] *n* манеж.

drillhole [´drilhoul] *n* буровая скважина.

drilling I [´driliŋ] **1.** *pres. p. om* drill I, 2;
2. *n* 1) обучение *(войск)*; 2) *амер.* составление поездов; формирование составов.

drilling II [´driliŋ] **1.** *pres. p. om* drill II, 2;
2. *n* 1) высверливание; 2) бурение.

drilling III [´driliŋ] **1.** *pres. p. om* drill III, 2;
2. *n* посев рядовой сеялкой.

drill-sergeant [´dril,sɑːdʒənt] *n воен.* сержант-инструктор по строю.

drink [driŋk] **1.** *n* 1) питьё; напиток; soft ~s безалкогольные напитки; 2) глотóк; стакáн (*вина, воды*); to have a ~ вы́пить; попи́ть, напи́ться; 3) спиртнóй напи́ток (*тж.:* ardent ~, strong ~); small ~ пи́во; 4) склóнность к спиртнóму, пья́нство; in ~ в пья́ном ви́де, пья́ный; to be on the ~ пить запóем; to take to ~ стать пья́ницей; ◇ the big ~ *амер. шутл.* a) Атланти́ческий океáн; б) рекá Миссиси́пи; long ~ of water *амер. разг.* человéк óчень высóкого рóста;

2. *v* (drank; drunk) 1) пить, вы́пить; I could ~ the sea dry меня́ му́чает жáжда, я óчень хочу́ пить; 2) пить, пья́нствовать; to ~ the health of smb. пить за чьё-л. здорóвье; to ~ brotherhood вы́пить на брудершáфт; to ~ hard, to ~ heavily, to ~ like a fish си́льно пья́нствовать; to ~ deep a) сдéлать большóй глотóк; б) си́льно пья́нствовать; 3) впи́тывать влáгу (*о растениях*); 4) вдыхáть (*воздух*); □ ~ down вы́пить зáлпом; ~ in жáдно впи́тывать; упивáться (*красотой и т. п.*); ~ off = ~ down; ~ to пить за здорóвье, за процветáние; ~ up = ~ down.

drinkable ['drɪŋkəbl] 1. *a* гóдный для питья́;

2. *n pl* напи́тки.

drinker ['drɪŋkə] *n* 1) пью́щий, тот, кто пьёт; 2) пья́ница.

drinking-bout ['drɪŋkɪŋbaut] *n* запóй.

drinking fountain ['drɪŋkɪŋ,fauntin] *n* питьевóй фонтáнчик.

drinking-horn ['drɪŋkɪŋhɔːn] *n* чáша *или* ку́бок, сдéланные из рóга.

drinking-song ['drɪŋkɪŋsɔŋ] *n* застóльная пéсня.

drinking-water ['drɪŋkɪŋ,wɔːtə] *n* питьевáя водá.

drink-offering ['drɪŋk,ɔfərɪŋ] *n* возлия́ние винá (*жертвоприношение*).

drip [drɪp] 1. *n* 1) кáпание; 2) шум пáдающих кáпель; 3) = dripstone 1); 4) *горн.* капéж.

2. *v* кáпать, пáдать кáплями; the tap is ~ping кран течёт; to ~ with wet промóкнуть насквóзь.

drip-moulding ['drɪp,mouldɪŋ] = dripstone 1).

dripping ['drɪpɪŋ] 1. *pres. p. от* drip; 2. *n* 1) кáпание; просáчивание; 2) пáдающая кáплями жи́дкость; 3) жир, кáпающий с мя́са во врéмя жáренья;

3. *a* 1) мóкрый, промóкший; ~ wet насквóзь мóкрый; 2) кáпающий, кáплющий.

dripping-pan ['drɪpɪŋpæn] *n* 1) сковородá, прóтивень; 2) *тех.* сáльник, маслоулови́тель.

dripstone ['drɪpstoun] *n* 1) *архит.* слéзник; отли́вина; 2) фильтр из пóристого кáмня.

drive [draɪv] 1. *n* 1) катáние, ездá, прогу́лка (*в экипаже, автомобиле*); to go for a ~ совершáть прогу́лку (*для экипажей*); подъезднáя аллéя (*к дому*); 3) преслéдование (*неприятеля или зверя*); 4) большáя энéргия, си́ла; 5) побуждéние, сти́мул; 6) гóнка, спéшка (*в работе*); armaments ~ гóнка вооружéний; 7) тендéнция; 8) сплав, гóнка (*леса*); 9) *тех.* пере-

дáча, привóд; 10) плóский удáр (*в теннисе, крикете*); 11) *воен.* энерги́чное наступлéние, удáр, атáка; 12) *амер.* (обществен-ная) кампáния (*по привлечению новых членов и т. п.*); to put on a ~ начáть кампáнию; a ~ to raise funds кампáния по сбóру срéдств; 13) *горн.* штрек; 14) *амер. si.* продáжа товáров по дешёвке (*с целью конкуренции*);

2. *v* (drove; driven) 1) гнать; преслéдовать (*зверя, неприятеля*); to ~ into a corner загнáть в у́гол, *перен. тж.* припере́ть к стéнке; ~n ashore вы́брошенный на бéрег; 2) вбивáть, вколáчивать (*тж.* ~ into); to ~ a nail home вбить гвоздь по сáмую шля́пку; *перен.* довести́ (*что-л.*) до концá; убеди́ть; to ~ home убеждáть, внедря́ть в сознáние; 3) везти́ (*в автомобиле, экипаже и т. п.*); 4) éхать (*в автомобиле, экипаже и т. п.*); to ~ a pair éхать пáрой; 6) управля́ть (*машиной, автомобилем*); 7) двигать, приводи́ть в движéние; 8) проводи́ть, проклáдывать; to ~ a railway through the desert стрóить желéзную дорóгу чéрез пусты́ню; 9) бы́стро двигаться, нести́сь; 10) доводи́ть, приводи́ть; to ~ to despair доводи́ть до отчáяния; to ~ mad, to ~ out of one's senses, to ~ crazy своди́ть с умá; 11) совершáть, вести́; to ~ a bargain заключáть сдéлку; to ~ a trade вести́ торгóвлю; 12) переутомля́ть, перегружáть рабóтой; he was very hard driven он был óчень перегру́жен; 13) *спорт.* дéлать плóский удáр (*в теннисе, крикете*); 14) *горн.* проходи́ть горизонтáльную вы́работку; □ ~ at мéтить; клони́ть к *чему-л.*; what is he driving at? куда́ он гнёт?; ~ away a) прогоня́ть; б) рассéивать; b) уéхать; ~ in a) загоня́ть; to ~ the cows in загнáть корóв; б) въéхать; ~ into вбивáть; *перен.* вдáлбливать, растолкóвывать; ~ out a) выбивáть; вытесня́ть; б) проéхаться, прокати́ться (*в автомобиле*); ~ through свести́ на нет, аннули́ровать, обойти́ закóн; ~ up подъéхать, подкати́ть; ◇ to ~ a quill, to ~ a pen быть писáтелем; to let ~ at мéтить, направля́ть удáр в; ~ yourself car маши́на напрокáт без шофёра.

drive-in ['draɪv'ɪn] *n амер.* кинó на откры́том вóздухе (*тж.* ~ motion-picture theater).

drivel ['drɪvl] 1. *n* 1) слю́ни; 2) бессмы́слица, глу́пая болтовня́; 3) глу́пое поведéние;

2. *v* 1) распусти́ть слю́ни, сóпли; 2) порóть чушь, нести́ чепуху́; 3) глу́по вести́ себя́.

driveller ['drɪvlə] *n* 1) слюня́вый ребёнок; слюнтя́й; 2) идиóт.

driven ['drɪvn] *p. p. от* drive 2.

driven wheel ['drɪvnwiːl] *n тех.* ведóмое колесó.

driver ['draɪvə] *n* 1) шофёр; води́тель; маши́нист; вагоновожáтый; ку́чер; 2) гуртóвщик; погóнщик скотá; 3) *разг.* надсмóтрщик за рабáми; хозя́ин-эксплуатáтор; 4) маши́на-дви́гатель; 5) дли́нная клю́шка (*для гольфа*); 6) *мор.* 5-я, 6-я или 7-я мáчта (*шхуны*); бизáнь-мáчта; 7) *тех.* ведущее колесо, ведущий шкив; 8) *тех.* всякий инструмент *или* приспособление для ввинчивания, завинчивания, вколачивания *и т. п.*; 9) *горн.* коногон.

driveway ['draɪvweɪ] *n* дорога, проезд.

driving ['draɪvɪŋ] 1. *pres. p. от* drive 2; 2. *n* 1) катание; езда; 2) *тех.* передача, привод; 3) вождение автомобиля; 4) = drive 1, 10); 5) *горн.* проходка штрека; 6) *мор.* дрейф;
3. *a* сильный, имеющий большую силу; ~ storm сильная буря; ~ rain сильный косой дождь.

driving-axle ['draɪvɪŋ,æksl] *n* ведущая ось.

driving-belt ['draɪvɪŋbelt] *n* приводной ремень.

driving force ['draɪvɪŋfɔːs] *n* движущая сила.

driving-wheel ['draɪvɪŋwiːl] *n* ведущее колесо, движущее колесо.

drizzle ['drɪzl] 1. *n* мелкий дождь, изморось;
2. *v* моросить; it ~s моросит.

drogher ['drougə] *голл. n уст.* небольшое вест-индское каботажное судно.

drogue [droug] *n* 1) буёк, прикреплённый к гарпуну; 2) плавучий якорь; 3) *ав.* привязной аэростат, «колбаса».

droll [droul] 1. *n редк.* шут, фигляр; 2. *a* чудной, забавный; смешной; 3. *v редк.* шутить, валять дурака.

drollery ['drouləri] *n* шутки, юмор.

drome [droum] *сокр. разг. от* aerodrome.

dromedary ['drʌmədəri] *n* одногорбый верблюд, дромадёр.

dromon ['drɔmən]=dromond.

dromond ['drɔmənd] *n ист.* военное *или* торговое судно, имевшее и паруса и вёсла.

drone [droun] 1. *n* 1) трутень (*тж. перен.*); 2) жужжание, гудение; 3) басовая трубка волынки *или* её звук; 4) *ав.* радиоуправляемый самолёт;
2. *v* 1) жужжать, гудеть; 2) бубнить, читать, петь монотонно; 3) бездельничать; жить на чужие средства.

droningly ['drouɪŋli] *adv* монотонно, заунывно.

drool [druːl] 1. *n* чепуха, чушь;
2. *v* 1) течь, сочиться (*о слюне, крови*); 2) нести чепуху.

droop [druːp] 1. *n* 1) опускание, поникание; 2) изнеможение; 3) упадок духа;
2. *v* 1) свисать, склоняться, поникать; 2) увядать; ослабевать; plants ~ from drought растения вянут от засухи; 3) изнемогать; 4) унывать, падать духом; 5) *поэт.* опускаться; клониться к закату; 6) повесить, понурить (*голову*); потупить (*глаза, взор*); 7) сползать, спускаться (*о плечике, бретельке*).

drop [drɔp] 1. *n* 1) капля; a ~ in the bucket, a ~ in the ocean ≅ капля в море; by ~, by ~s капля за каплей; 2) *pl мед.* капли; 3) стакан *или* глоток (*спиртного*); to have a ~ in one's eye быть навеселе; to take a ~ too much хлебнуть лишнего; 4) драже; леденец; 5) серьга, подвеска; 6) падение, понижение; снижение; ~ in prices

(temperature) падение цен (температуры); a ~ on smth. снижение по сравнению с чем-л.; 7) падающий занавес (*в театре*); 8) расстояние (*сверху вниз*); a ~ of 10 feet from the window to the ground от окна до земли 10 футов; 9) удар по мячу, отпрыгнувшему от земли (*в футболе*); 10) наличник (*замка*); 11) щель для монеты *или* жетона (*в автомате*); 12) падалица (*о плодах*); 13) *тех.* перепад;
2. *v* 1) капать; 2) выступать каплями; 3) проливать (*слёзы*); 4) ронять; 5) падать; спадать; to ~ as if one had been shot упасть как подкошенный; he is ready to ~ он с ног валится, очень устал; 6) отправлять, опускать (*письмо*); ~ me a line ≅ черкни(те) мне несколько строк; 7) бросать (*привычку, занятие*); прекращать; ~ it! брось(те)!, остань(те)!, перестань(те)!; to ~ smoking бросить курить; 8) сбрасывать (*с самолёта*); 9) проронить (*слово*); to ~ a hint обронить намёк; 10) прекращать (*работу, разговор*); let us ~ the subject прекратим разговор на эту тему; 11) оставлять, покидать (*семью, друзей*); 12) понижать (*голос*); потуплять (*глаза*); 13) падать, снижаться; 14) пропускать, опускать; to ~ a letter пропустить букву; 15) высаживать, довозить; оставлять; I'll ~ you at your door я подвезу вас до (вашего) дома; 16) сразить (*ударом, пулей*); 17) спускаться; опускаться; his jaw ~ped челюсть его опустилась, отвисла; 18) отелиться, ожеребиться *и т. п.* раньше времени; 19) терять, проигрывать (*деньги*); 20) *амер. разг.* увольнять; □ ~ across *разг.* а) случайно встретить; б) сделать выговор; ~ away уходить (*один за другим*); ~ behind отставать; ~ in *разг.* а) зайти, заглянуть; б) входить один за другим; ~ into а) случайно зайти, заглянуть; б) втянуться, приобрести привычку; в) ввязаться (*в разговор*); ~ off а) расходиться; б) уменьшаться; в) заснуть; г) умереть; ~ on сделать выговор; наказать; ~ out а) исчезнуть; б) *полигр.* выпасть (*из набора*); в) опустить, не включить; ◇ to ~ asleep заснуть; to ~ a brick сделать ляпсус, допустить бестактность; to ~ short а) не хватать; б) не достигать цели; to ~ a word in favour of smb. замолвить за кого-л. словечко; to ~ from the clouds свалиться как снег на голову; to ~ like a hot potato поспешить избавиться от *чего-либо*; to ~ from sight исчезнуть из поля зрения.

drop bomb ['drɔpbɔm] *n* авиабомба.

drop-curtain ['drɔp,kɑːtn] *n* падающий занавес (*в театре*).

drop-hammer ['drɔp,hæmə] *n тех.* копёр, падающий молот.

drop-kick ['drɔpkɪk] *n спорт.* удар с полулёта (*в футболе*).

drop-leaf ['drɔpliːf] *n* откидная доска (*у стола*).

droplet ['drɔplɪt] *n* капелька.

drop-letter ['drɔp,letə] *n амер.* местное, городское письмо.

drop-light ['drɔplaɪt] *n* электрическая лампа на гибком подвесе.

dropping-gear [ˈdrɔpɪŋˌgɪə] n 1) *ав.* бомбосбрасыватель; 2) *мор.* лоток для сбрасывания торпед (*с торпедных катеров*).

droppings [ˈdrɔpɪŋz] n pl 1) то, что упало или падает каплями (*дождь, стекающий жир и т. п.*); 2) помёт животных, навоз.

drop-scene [ˈdrɔpsiːn] n 1) = drop-curtain; 2) заключительная сцена.

drop-shutter [ˈdrɔpˌʃʌtə] n *фото* моментальный затвор.

dropsical [ˈdrɔpsɪkəl] a 1) страдающий водянкой; 2) опухший; отёчный.

dropsy [ˈdrɔpsɪ] n водянка.

dropwort [ˈdrɔpwɜːt] n *бот.* омежник.

drosometer [drɔˈsɔmɪtə] n прибор для измерения количества выпавшей росы.

dross [drɔs] n 1) отбросы; остатки, подонки; 2) окалина; шлак; 3) ржавчина; 4) угольный мусор.

drossy [ˈdrɔsɪ] a 1) изобилующий шлаком; 2) нечистый, сорный.

drought [draut] n 1) засуха; 2) сухость воздуха; 3) *уст.* жажда.

droughty [ˈdrautɪ] a 1) сухой; засушливый; 2) *уст.* испытывающий жажду.

drouth [drauθ] n *поэт., шотл. см.* drought.

drove I [drouv] *past от* drive 2.

drove II [drouv] n 1) гурт, стадо; 2) толпа; to stand in ~s толпиться; 3) *тех.* зубило для обтёски камней.

drover [ˈdrouvə] n 1) гуртовщик; 2) скотопромышленник.

drown [draun] v 1) тонуть; to be ~ed утонуть; to топить(ся); 3) затоплять, заливать; ~ed in tears весь в слезах; заливаясь слезами; ~ed in sleep погружённый в сон; совсем сонный; 4) заглушать (*звук, голос; тоску*); ◇ a ~ing man will catch at a straw утопающий хватается за соломинку.

drowse [drauz] 1. n дремота, полусон; сонливость;
2. v 1) дремать, быть сонным; 2) оказывать снотворное действие; наводить сон; 3) проводить время в бездействии.

drowsily [ˈdrauzɪlɪ] adv сонно; вяло.

drowsy [ˈdrauzɪ] a 1) сонный, дремлющий; 2) навевающий дремоту; снотворный; 3) вялый.

drub [drʌb] v 1) (по)бить, (по)колотить; to ~ into a person вбить кому-л. в голову; to ~ out of a person выбить у кого-л. из головы; 2) топать, стучать, барабанить.

drubbing [ˈdrʌbɪŋ] 1. *pres. p. от* drub;
2. n битьё, побои.

drudge [drʌdʒ] 1. n 1) человек, выполняющий тяжёлую, нудную работу; 2) подёнщик; раб;
2. v выполнять тяжёлую, нудную работу.

drudgery [ˈdrʌdʒərɪ] n тяжёлая, нудная работа.

drudgingly [ˈdrʌdʒɪŋlɪ] adv старательно; с трудом.

drug [drʌg] 1. n 1) лекарство, медикамент; 2) наркотик; 3) неходкий товар; то, что никому не нужно (*обыкн.* ~ in *или* on the market); 4) *attr.* лекарственный; ~ plants лекарственные растения; 5) *attr.*

наркотический; ~ fiend, ~ taker наркоман; the ~ habit наркомания;
2. v 1) подмешивать наркотики *или* яд (*в пищу*); 2) давать наркотики; 3) употреблять наркотики; 4) притуплять (*чувства*).

drugget [ˈdrʌgɪt] n драгет (*грубая шерстяная материя для половиков*).

druggist [ˈdrʌgɪst] n аптекарь, владелец аптекарского магазина.

drugstore [ˈdrʌgstɔː] n *амер.* аптека; аптекарский магазин.

Druid [ˈdruːɪd] n друид.

drum [drʌm] 1. n 1) барабан; 2) барабанный бой; 3) *анат.* барабан (*внутренняя полость среднего уха*); 4) ящик для упаковки сушёных фруктов; 5) *тех.* барабан, цилиндр; 6) *уст.* званый вечер, раут; ◇ to beat the (big) ~ a) беззастенчиво рекламировать; б) шумно протестовать;
2. v 1) бить в барабан; 2) барабанить пальцами; 3) вдалбливать (in, into); 4) стучать, топать; 5) хлопать крыльями; □ ~ out *воен. уст.* изгонять (*из полка под барабанный бой*); ~ up зазывать; to ~ up customers *амер.* зазывать покупателей, заказчиков.

drumbeat [ˈdrʌmbiːt] n барабанный бой.

drumfire [ˈdrʌmˌfaɪə] n *воен.* ураганный огонь.

drum-fish [ˈdrʌmfɪʃ] n барабанщик (*рыба*).

drumhead [ˈdrʌmhed] n 1) кожа на барабане; 2) *анат.* барабанная перепонка; 3) *мор.* дромгед, голова шпиля; ◇ ~ court martial военно-полевой суд.

drum major [ˈdrʌmˈmeɪdʒə] n старший полковой барабанщик; тамбурмажор.

drummer [ˈdrʌmə] n 1) барабанщик; 2) *амер.* коммивояжёр; 3) *австрал.* бродяга.

drumstick [ˈdrʌmstɪk] n 1) барабанная палочка; 2) ножка варёной *или* жареной птицы (*курицы, утки, гуся и т. п.*).

drunk [drʌŋk] 1. *p.p. от* drink 2;
2. a predic. 1) пьяный; to get ~ напиться пьяным; ~ as a lord, ~ as a fiddler ≈ пьян как стелька; blind ~, dead ~ мертвецки пьян; 2) опьянённый (*успехом и т. п.*; with);
3. n 1) пьяный; 2) *sl.* попойка; 3) *sl.* разбор дела о дебоширстве в полицейском суде.

drunkard [ˈdrʌŋkəd] n пьяница, алкоголик.

drunken [ˈdrʌŋkən] a пьяный; ~ brawl пьяная ссора.

drupaceous [druːˈpeɪʃəs] a *бот.* косточковый (*плод*).

drupe [druːp] n *бот.* косточковый плод (*слива, вишня, персик и т. п.*).

drupel(et) [ˈdruːpl(ɪt)] n костяночка (*малины, ежевики и т. п.*).

druse [druːz] n *мин.* друза.

dry [draɪ] 1. a 1) сухой; ~ cough сухой кашель; ~ land суша; ~ bread a) хлеб без масла; б) засохший хлеб; ~ masonry *стр.* кладка без раствора (*насухо*); ~ cell *или* pile сухая электрическая батарея; 2) сухой, высохший (*о колодце*); 3) засушливый; 4) сухой, несладкий (*о вине*); 5) испытывающий жа́жду (*о челове́ке*); 6) сухо́й, ску́чный, неинтере́сный; а ~ book ску́чная кни́га; 7) холо́дный, безразли́чный, неприя́тный; ~ humour шу́тка, передава́емая невозмути́мым то́ном; 8) *амер.* антиалкого́льный, запреща́ющий прода́жу спиртны́х напи́тков; ~ town го́род, в кото́ром запрещена́ прода́жа спиртны́х напи́тков; to go ~ запрети́ть прода́жу *или* отказа́ться от употребле́ния спиртны́х напи́тков; 9) *воен. sl.* учёный; ~ shot холосто́й вы́стрел; ◇ ~ cow я́ловая коро́ва; ~ death смерть без проли́тия кро́ви; ~ facts го́лые фа́кты; ~ house суши́льня; ~ light непредубеждённый взгляд (*на ве́щи*); ~ lodging помеще́ние, сдава́емое без пита́ния; he's not even ~ behind the ears ≅ у него́ ещё молоко́ на губа́х не обсо́хло;

2. *n* 1) за́суха; суха́я пого́да; 2) су́ша; 3) *амер.* сторо́нник запреще́ния спиртны́х напи́тков;

3. *v* 1) суши́ть(ся), со́хнуть, высыха́ть; to ~ herbs суши́ть тра́вы; to ~ oneself суши́ться; 2) иссяка́ть; 3) вытира́ть по́сле мытья́; he dried his hands on the towel он вы́тер ру́ки полоте́нцем; □ ~ up высу́шивать; to ~ up one's tears осуши́ть слёзы; б) высыха́ть, пересыха́ть (*о коло́дце, реке́*); в) *разг.* замолча́ть; переста́ть; ~ up! замолчи́(те)!; переста́нь(те)!

dryad [ˈdraiəd] *n* миф. дриа́да.
Dryasdust [ˈdraiəzdʌst] 1. *n* ску́чный, педанти́чный челове́к, учёный, профе́ссор *и т. п.*;

2. *a* (d.) сухо́й, ску́чный.
dry-bob [ˈdraibɔb] *n* уча́щийся — люби́тель спо́рта (не во́дного) [*ср.* wet-bob].
dry-clean [ˈdraiˈkliːn] *v* подверга́ть хими́ческой чи́стке.
dry-cleaners [ˈdraiˈkliːnəz] *n pl* хими́ческая чи́стка (*мастерска́я*).
dry-cleaning [ˈdraiˈkliːniŋ] 1. *pres. p. от* dry-clean.

2. *n* хими́ческая чи́стка (*проце́сс*).
dryer [draiə] *n* 1) суши́льник; 2) суши́льный аппара́т; 3) сиккати́в.
dry farming [ˈdraiˌfɑːmiŋ] *n* безырригацио́нная обрабо́тка земли́ (*в засу́шливых райо́нах*).
dry-fist [ˈdraifist] *n уст.* скря́га.
dry-fly [ˈdraiflai] *n* иску́сственная му́ха (*употребля́емая при ры́бной ло́вле*).
dry goods [ˈdraiˈgudz] *n pl* 1) мануфакту́ра, галантере́я; 2) *attr.*: ~ store *амер.* промтова́рный магази́н.
dryish [ˈdraiiʃ] *a* сухова́тый.
dry measure [ˈdraiˌmeʒə] *n* ме́ра сыпу́чих тел.
dry-nurse [ˈdrainəːs] 1. *n* ня́ня; ня́нька;

2. *v* ня́нчить.
dry-point [ˈdraipɔint] 1. *n* 1) игла́ для гравирова́ния без кислоты́; 2) гравирова́ние сухо́й игло́й; 3) гравю́ра, вы́полненная сухо́й игло́й;

2. *v* гравирова́ть игло́й без кислоты́.
dry-rot [ˈdraiˈrɔt] *n* 1) суха́я гниль (*древе́сины*); 2) мора́льное разложе́ние; упа́док, загнива́ние.
dry-salter [ˈdraiˌsɔːltə] *n* 1) торго́вец москате́льными това́рами; 2) торго́вец сушёными проду́ктами, марина́дами, консе́рвами.
dry-saltery [ˈdraiˌsɔːltəri] *n* торго́вля москате́льными това́рами *и пр.* [*см.* dry-salter].
dry-shod [ˈdraiˈʃɔd] *adv*: to pass over ~ перейти́, не замочи́в ног.
dry wall [ˈdraiˈwɔːl] *n стр.* стена́ сухо́й кла́дки.
dry wash [ˈdraiˈwɔʃ] *n* бельё, вы́стиранное и вы́сушенное (*но не вы́глаженное*).
dual [ˈdjuəl] 1. *a* дво́йственный; двойно́й; состоя́щий из двух часте́й; ~ ownership совме́стное владе́ние (*двух лиц*); the D. Monarchy *ист.* а́встро-венге́рская мона́рхия;

2. *n грам.* 1) дво́йственное число́; 2) сло́во в дво́йственном числе́.
dualism [ˈdjuːəlizəm] *n филос.* дуали́зм.
duality [djuːˈæliti] *n* дво́йственность.
dualize [ˈdjuːəlaiz] *v* раздва́ивать.
dub I [dʌb] *v* 1) посвяща́ть в ры́цари; 2) дава́ть ти́тул; *шутл.* окрести́ть, дать про́звище; 3) сма́зывать жи́ром (*ко́жу*); 4) *sl.* упла́чивать (*обы́кн.* ~ up).
dub II [dʌb] *v* 1) обруба́ть; 2) обтёсывать; строга́ть; 3) ровня́ть; пригоня́ть; отде́лывать.
dub III [dʌb] *v* дубли́ровать фильм.
dub IV [dʌb] *n разг.* у́валень, неуме́лый челове́к.
dubbin [ˈdʌbin] *n* жир для сма́зывания ко́жи.
dubiety [djuːˈbaiəti] *n* сомне́ние, колеба́ние.
dubious [ˈdjuːbjəs] *a* 1) сомни́тельный, подозри́тельный; ~ character подозри́тельная ли́чность; 2) сомнева́ющийся, колеблющийся.
dubitation [ˌdjuːbiˈteiʃən] *n ре́дк.* сомне́ние; колеба́ние.
dubitative [ˈdjuːbitətiv] *a* выража́ющий сомне́ние; колеблющийся; нереши́тельный.
ducal [ˈdjuːkəl] *a* ге́рцогский.
ducat [ˈdʌkət] *n ист.* дука́т (*моне́та*).
duchess [ˈdʌtʃis] *n* герцоги́ня.
duchy [ˈdʌtʃi] *n* ге́рцогство.
duck I [dʌk] *n* 1) у́тка; 2) утиное мя́со; 3) *ласк.* голу́бушка, ду́шка; 4) *разг.* растра́тчик; банкро́т; 5) *амер. воен. разг.* наши́вка, шевро́н; 6) *attr.*: ~ tail ути́ный хвост; *перен.* вихо́р, хохоло́к; ◇ like a ~ in a thunderstorm с расте́рянным ви́дом; fine weather for young ~s *шутл.* дождли́вая пого́да; like water off a ~'s back ≅ как с гу́ся вода́; ~s and drakes игра́, состоя́щая в броса́нии пло́ских ка́мешков по пове́рхности воды́; to play ~s and drakes with smth. . расточа́ть что-л., прома́тывать что-л.; поступа́ть с чем-л. безрассу́дно; рискова́ть чем-л.; to take to smth. like a (dying) ~ to water чу́вствовать себя́ в чём-л. как ры́ба в воде́; а ~ of *разг.* преле́стный, восхити́тельный; lame ~ а) кале́ка; б) банкро́т; растра́тчик; в) неуда́чник; г) *ав. sl.* повреждённый самолёт.
duck II [dʌk] 1. *n* 1) ныря́ние; окуна́ние; 2) бы́строе наклоне́ние головы́;

2. *v* 1) ныря́ть; окуна́ть(ся); 2) увёрты-ваться (*от удара, снаряда*); 3) *разг.* при-седа́ть, де́лать реверанс; 4) бы́стро накло-ня́ть го́лову.

duck III [dʌk] *n* 1) гру́бое полотно́, па-русина; 2) *pl* паруси́новые брю́ки.

duckbill ['dʌkbil] *n* 1) зоол. утконо́с; 2) *бот.* английская пшени́ца.

duck-boards ['dʌkbɔːdz] *n pl воен. разг.* доща́тый насти́л.

ducker ['dʌkə] *n* пога́нка ма́лая (*птица*).

ducket ['dʌkit] *n амер. sl.* профсою́зный биле́т.

duck-hawk ['dʌkhɔːk] *n зоол.* лунь бо-ло́тный.

ducking ['dʌkiŋ] **1.** *pres. p. от* duck II, 2; **2.** *n* 1) погруже́ние в во́ду; I got a good ~ я си́льно промо́к; 2) охо́та на ди́ких у́ток.

ducking-stool ['dʌkiŋstuːl] = cucking-stool.

duck-legged ['dʌklegd] *a* коротконо́гий, перева́ливающийся на ходу́.

duckling ['dʌkliŋ] *n* утёнок.

duck-out ['dʌkaut] *n амер. воен. sl.* де-зерти́рство.

duck's-egg ['dʌkseg] *n* 1) счёт 0 (*в кри-кете*); 2) *школ. sl.* нуль, ничего́.

duck-shot ['dʌkʃɔt] *n* ме́лкая дробь.

duck's meat ['dʌksmiːt] = duckweed.

duckweed ['dʌkwiːd] *n бот.* ря́ска.

duct [dʌkt] *n* 1) прото́к, кана́л (*в орга-низме*); 2) труба́, про́вод; 3) *тех.* проход-на́я вту́лка.

ductile ['dʌktail] *a* 1) эласти́чный; 2) ко́вкий, тягу́чий (*о металле*); 3) го́дный для ле́пки (*о глине*); 4) податливый, по-слу́шный; поддаю́щийся влия́нию (*о чело-веке*).

ductility [dʌk'tiliti] *n* 1) эласти́чность; 2) ко́вкость, тягу́честь; 3) вя́зкость; 4) по-да́тливость, послуша́ние.

ductless ['dʌktlis] *a анат.* не име́ющий выводно́го прото́ка; ~ glands же́лезы вну́т-ренней секре́ции.

dud [dʌd] *sl.* **1.** *n* 1) неуда́ча; 2) никчём-ный челове́к; неуда́чник; 3) подде́лка; де-нежный докуме́нт, при́знанный недействи́-тельным; 4) неразорва́вшийся снаря́д; 5) *pl* лохмо́тья, рвань; 6) *pl* одежо́нка, плохонь-кая оде́жда; **2.** *a* подде́льный, него́дный, недействи́-тельный.

dude [djuːd] *n амер. sl.* хлыщ, фат, пи-жо́н.

dudgeon I ['dʌdʒən] *n уст.* рукоя́тка кин-жа́ла.

dudgeon II ['dʌdʒən] *n* оби́да, возмуще́-ние; in high (*или* deep, great) ~ в глубо́ком возмуще́нии.

dud(h)een [ˌduːd'iːn] *n ирл., амер.* ко-ро́ткая гли́няная кури́тельная тру́бка.

due [djuː] **1.** *n* 1) до́лжное; то, что причи-та́ется; to give smb. his ~ воздава́ть кому́-л. по заслу́гам; отдава́ть до́лжное; 2) *pl* сбо́-ры, нало́ги, по́шлины; custom ~s тамо́-женные по́шлины; 3) *pl* чле́нские взно́сы; party ~s парти́йные взно́сы; **2.** *a* 1) до́лжный, надлежа́щий; with ~

attention с до́лжным внима́нием; in ~ form по фо́рме, по всем пра́вилам; in ~ course до́лжным поря́дком; in ~ time в своё вре́мя; after ~ consideration по́сле внима́-тельного рассмотре́ния; 2) обусло́влен-ный; his death was ~ to nephritis смерть его́ была́ вы́звана нефри́том; 3) *predic.* до́лжный, обя́занный (*по соглашению, по договору*); he is ~ to speak at the meeting он до́лжен вы́ступить на собра́нии; 4)*predic.* ожида́емый; the train is ~ and over-due по́езд давны́м-давно́ до́лжен был прийти́; 5) причита́ющийся; his wages are ~ за́ра-ботная пла́та ему́ ещё не вы́плачена; 6): ~ to (*употр. как prep*) благодаря́; **3.** *adv* то́чно, пря́мо (*о стрелке компаса*); they went ~ south они́ держа́ли курс пря́мо на юг.

duel ['djuːəl] **1.** *n* 1) дуэ́ль, поеди́нок; 2) состяза́ние, борьба́; **2.** *v* дра́ться на дуэ́ли.

duellist ['djuːəlist] *n* уча́стник дуэ́ли, дуэля́нт.

duenna [djuː'enə] *исп. n* дуэ́нья, гувер-на́нтка, компаньо́нка (*молодой девушки*).

duet(t) [djuː'et] *n* дуэ́т.

duetto [djuː'etou] *ит.* = duet.

duff I [dʌf] *n* 1) диал. те́сто; 2) *разг.* пу́-динг с изю́мом (*обыкн.* plum ~); 3) гу́мус; 4) у́гольная ме́лочь.

duff II [dʌf] *v sl.* 1) фальсифици́ровать (*товары*); подновля́ть; 2) обма́нывать; 3) *австрал.* ворова́ть скот и меня́ть клеймо́.

duffel ['dʌfəl] *n* 1) шерстяна́я ба́йка; 2) снаряже́ние и припа́сы (*туриста, охот-ника*).

duffer ['dʌfə] *n* 1) тупи́ца; никчёмный, неспосо́бный челове́к; 2) фальсифика́тор, подде́лыватель; 3) фальши́вая моне́та; 4) вы́работанная ша́хта; 5) *уст.* коробе́йник.

duffle ['dʌfl] = duffel.

dug I [dʌg] *past и p. p. от* dig 1.

dug II [dʌg] *n* 1) сосо́к (*животного*); 2) вы́мя.

dugong ['duːgɔŋ] *малайск. n* (*pl без из-мен.*) *зоол.* дюго́нь.

dug-out ['dʌgaut] *n* 1) челно́к, вы́долб-ленный из бревна́; 2) *воен.* убе́жище; блин-да́ж; 3) *sl.* офице́р, вновь при́званный на слу́жбу из отста́вки.

duiker ['daikə] *голл. n* ду́кер (*анти-лопа*).

duke [djuːk] *n* ге́рцог; Grand D. вели́кий князь.

dukedom ['djuːkdəm] *n* 1) ге́рцогство; 2) ти́тул ге́рцога.

dulcet ['dʌlsit] *a* сла́дкий, не́жный (*о зву-ках*).

dulcify ['dʌlsifai] *v* 1) де́лать мя́гким, прия́тным; 2) *редк.* подсла́щивать.

dulcimer ['dʌlsimə] *n муз.* цимба́лы.

dull [dʌl] **1.** *a* 1) тупо́й, глу́пый; 2) ску́ч-ный; моното́нный; ~ beggar (*или* fish) ску́чный челове́к; 3) тупо́й, приту́пленный; ~ pain тупа́я боль; ~ of hearing туго́й на́ ухо; 4) ту́склый; 5) па́смурный; нея́сный; ~ sight сла́бое зре́ние; 7) безрадостный, уны́лый; пону́рый; 8) вя́лый (*о торговле*); 9) нехо́дкий, не име́ющий спро́са (*о товаре*);

2. *v* притупля́ть(ся); де́лать(ся) тупы́м, ту́склым, вя́лым, ску́чным; to ~ the edge of one's appetite испо́ртить себе́ аппети́т.

dullard [ˈdʌləd] *n* тупи́ца, о́лух.

dullish [ˈdʌlɪʃ] *a* 1) тупова́тый; 2) скучнова́тый.

dulse [dʌls] *n* тёмно-кра́сная съедо́бная во́доросль.

duly [ˈdjuːlɪ] *adv* 1) до́лжным о́бразом, пра́вильно; 2) в до́лжное вре́мя.

dumb [dʌm] 1. *a* 1) немо́й; deaf and ~ глухонемо́й; ~ show нема́я сце́на, пантоми́ма; 2) бессло́весный; ~ animals бессло́весные живо́тные; 3) онеме́вший (*от стра́ха и т. п.*); to strike smb. ~ лиши́ть кого́-л. да́ра сло́ва; ошара́шить кого́-л.; 4) беззву́чный; this piano has several ~ notes у э́того пиани́но не́сколько кла́вишей не звуча́т; 5) молчали́вый; a ~ dog *разг.* молчали́вый па́рень; 6) *амер. разг.* глу́пый; ◇ ~ barge несамохо́дная ба́ржа;

2. *v редк.* заста́вить замолча́ть.

dumb-bell [ˈdʌmbel] 1. *n* 1) *pl* ги́ри для гимна́стики, ганте́ли; 2) *амер. sl.* болва́н, дура́к;

2. *v* развива́ть си́лу при по́мощи ганте́лей.

dumbfound [dʌmˈfaund] *v* ошара́шить, ошеломи́ть.

dumbledore [ˈdʌmbl‚dɔ:] *n диал.* 1) шмель; 2) наво́зник (обыкнове́нный).

dumbness [ˈdʌmnɪs] *n* немота́.

dumb piano [ˈdʌmˈpjænou] *n* нема́я клавиату́ра.

dumb-waiter [ˈdʌmˈweitə] *n* 1) враща́ющийся сто́лик, откры́тая этаже́рка для заку́сок; 2) *амер.* лифт для пода́чи ку́шаний из ку́хни в столо́вую.

dumdum [ˈdʌmdʌm] *n* пу́ля «дум-ду́м» (*тж.* ~ bullet).

dummy [ˈdʌmɪ] 1. *n* 1) манеке́н, ку́кла; baby's ~ со́ска; 2) маке́т; 3) подставно́е, фикти́вное лицо́; 4) ору́дие в чужи́х рука́х; марионе́тка; 5) *карт.* болва́н; 6) *спорт.* финт, обма́нное движе́ние (*в футбо́ле*); ◇ tailor's ~ франт, пижо́н;

2. *a* 1) подде́льный; подставно́й; фикти́вный; ~ window ло́жное окно́; 2) уче́бный, моде́льный; ~ cartridge уче́бный патро́н; 3) вре́менный; 4) *тех.* холосто́й (*ход*).

dump I [dʌmp] 1. *n* 1) сва́лка, гру́да хла́ма; 2) *амер.* му́сорная ку́ча; 3) *воен.* вре́менный полево́й склад; 4) на́сыпь; шта́бель у́гля *или* руды́; 5) отва́л, ку́ча шла́ка; 6) глухо́й звук от паде́ния тяжёлого те́ла;

2. *v* 1) сбра́сывать, сва́ливать (*му́сор*); 2) опроки́дывать (*вагоне́тку*); разгружа́ть; 3) *эк.* устра́ивать де́мпинг; 4) роня́ть с шу́мом.

dump II [dʌmp] *n* 1) свинцо́вый кружо́к; свинцо́вая фи́шка; 2) *sl.* ме́лкая моне́та; *pl* де́ньги; not worth a ~ гроша́ ме́дного не сто́ит; 3) невысо́кий корена́стый челове́к.

dump-car [ˈdʌmpkɑ:] *n* опроки́дывающаяся теле́жка *или* вагоне́тка, ду́мпкар.

dumping [ˈdʌmpɪŋ] 1. *pres. p. от* dump I, 2;

2. *n* 1) *эк.* де́мпинг; бро́совый э́кспорт; 2) разгру́зка, сва́ливание в отва́л.

dumpish [ˈdʌmpɪʃ] *a* гру́стный.

dumpling [ˈdʌmplɪŋ] *n* 1) клёцка; 2) я́блоко, запечённое в те́сте; 3) коротышка; ◇ Norfolk ~ обита́тель Но́рфолка.

dumps [dʌmps] *n pl*: to be in the ~ быть в плохо́м настрое́нии, в уны́нии.

dumpy I [ˈdʌmpɪ] *a* уны́лый.

dumpy II [ˈdʌmpɪ] 1. *a* корена́стый;

2. *n* назва́ние поро́ды коротконо́гих кур.

dumpy III [ˈdʌmpɪ] *n* 1) ни́зенькая мя́гкая скаме́ечка; 2) ма́ленький зонт.

dumpy level [ˈdʌmpɪˈlevl] *n* глухо́й ниве́ли́р.

dun I [dʌn] 1. *n* 1) серова́то-кори́чневый цвет; 2) иску́сственная се́рая му́ха (*в ры́бной ло́вле*);

2. *a* 1) серова́то-кори́чневый; 2) *поэт.* тёмный, су́мрачный.

dun II [dʌn] 1. *n* 1) назо́йливый кредито́р; 2) насто́йчивое тре́бование упла́ты;

2. *v* 1) насто́йчиво тре́бовать упла́ты до́лга; 2) надоеда́ть.

dun-bird [ˈdʌnbə:d] *n* ныро́к красноголо́вый.

dunce [dʌns] *n* тупи́ца; неуспева́ющий учени́к; ~'s cap бума́жный колпа́к, надева́емый лени́вым ученика́м в кла́ссе в ви́де наказа́ния.

dunderhead [ˈdʌndəhed] *n* глу́пая башка́, болва́н.

dune [djuːn] *n* дю́на.

dung I [dʌŋ] 1. *n* помёт, наво́з; удобре́ние;

2. *v* удобря́ть (*зе́млю*) наво́зом, унаво́живать.

dung II [dʌŋ] *past и p. p. от* ding 2.

dungaree [‚dʌŋɡəˈri:] *n англо-инд.* 1) гру́бая бума́жная ткань; 2) *pl* рабо́чие брю́ки из гру́бой бума́жной тка́ни.

dung-beetle [ˈdʌŋ‚bi:tl] *n* наво́зный жук, наво́зник (обыкнове́нный); скараба́бей свяще́нный.

dungeon [ˈdʌndʒən] 1. *n* 1) подзе́мная тюрьма́; темни́ца; 2) = donjon;

2. *v редк.* заключа́ть в темни́цу.

dung-fork [ˈdʌŋfɔ:k] *n* наво́зные ви́лы.

dunghill [ˈdʌŋhil] *n* наво́зная ку́ча.

dungy [ˈdʌŋɪ] *a* наво́зный, гря́зный.

duniwassal [ˈduːnɪ‚wɔsəl] *n шотл.* ме́лкий дворяни́н.

dunk [dʌŋk] *v* 1) *амер.* мака́ть (*суха́рь, пече́нье в чай, вино́*); 2) замочи́ть, смочи́ть.

dunlin [ˈdʌnlin] *n* черно́зобик (*пти́ца*).

dunnage [ˈdʌnidʒ] *n мор.* подсти́лка под груз.

duodecimal [‚djuːouˈdesɪməl] 1. *n* двена́дцатая часть;

2. *a* двенадцатери́чный.

duodecimo [‚djuːouˈdesɪmou] *n* форма́т кни́ги в двена́дцатую до́лю листа́.

duodenal [‚djuːouˈdiːnl] *a анат.* дуодена́льный; ~ ulcer я́зва двенадцатипе́рстной кишки́.

duodenary [‚djuːouˈdiːnəri] *a* двенадцатери́чный.

duodenitis [‚djuːoudiˈnaitis] *n* воспале́ние двенадцатипе́рстной кишки́.

duodenum [‚djuːouˈdiːnəm] *n анат.* двена́дцатипе́рстная кишка́.

duologue ['djuɔlɔg] = dialogue.
dupable ['djuːpəbl] = dupeable.
dupe [djuːp] 1. *n* простофиля;
2. *v* обманывать, одурачивать.
dupeable ['djuːpəbl] *a* легко поддающийся обману.
dupery ['djuːpərɪ] *n* надувательство.
duple ['djuːpl] *a* 1) *редк.* двойной; 2) *муз.* двухтактный.
duplex ['djuːpleks] *a* двухсторонний, двойной; ~ house a) двухквартирный дом; б) *амер.* квартира, расположенная в двух этажах с внутренней лестницей (*тж.* apartment).
duplicate 1. *n* ['djuːplɪkɪt] 1) дубликат; копия; in ~ в двух экземплярах; 2) *pl* запасные части.
2. *a* ['djuːplɪkɪt] 1) двойной, удвоенный; *тех.* спаренный; ~ ratio, ~ proportion *мат.* отношение квадратов двух количеств; 2) воспроизводящий в точности; аналогичный; 3) запасный, запасной;
3. *v* ['djuːplɪkeɪt] 1) снимать копию; 2) удваивать; сдваивать; 3) дублировать.
duplication [,djuːplɪ'keɪʃən] *n* 1) удваивание; 2) снятие копий; размножение.
duplicator ['djuːplɪkeɪtə] *n* копировальный аппарат.
duplicity [djuː'plɪsɪtɪ] *n* 1) двойственность; 2) двуличность.
durability [,djuərə'bɪlɪtɪ] *n* 1) прочность; стойкость; продолжительность срока службы; долговечность; 2) длительность.
durable ['djuərəbl] *a* 1) прочный; 2) длительный, долговременный; 3) *эк.* длительного пользования.
duralumin, duraluminium [djuə'ræljumɪn, ,djuərəlju'mɪnjəm] *n* дюралюминий.
duramen [djuə'reɪmen] *n* 1) *бот.* сердцевина (*дерева*); 2) *лес.* ядровая древесина.
durance ['djuərəns] *n* *ритор.* заточение; (*обыкн.* in ~ vile в заточении).
duration [djuə'reɪʃən] *n* продолжительность; for the ~ of the war на время войны; of short ~ недолговечный.
durbar ['dəːbaː] *n* *англо-инд.* торжественный приём.
dure [djuə] *v* *уст.*, *поэт.* длиться, продолжаться.
duress(e) [djuə'res] *n* 1) лишение свободы; заключение (в тюрьму); 2) *юр.* принуждение; to do smth. under ~ делать что-л. по принуждению, под давлением.
during ['djuərɪŋ] *prep* в течение, в продолжение; во время.
durmast ['dəːmɑːst] *n* *бот.* дуб скальный.
durra ['durə] *араб.* *n* дурра (*разновидность сорго*).
durst [dəːst] *past om* dare I, 1.
dusk [dʌsk] 1. *n* сумерки; сумрак;
2. *a* *поэт.* сумеречный;
3. *v* *поэт.* смеркаться.
duskiness ['dʌskɪnɪs] *n* 1) сумрак, темнота; 2) смуглость.
dusky ['dʌskɪ] *a* 1) сумеречный, тёмный; ~ thicket тёмная чаща; 2) смуглый.
dust [dʌst] 1. *n* 1) пыль; gold ~ золотой песок; atomic ~ радиоактивная пыль; cosmic ~ космическая пыль; 2) *sl.* деньги;

презренный металл; 3) *поэт.* прах; 4) *бот.* пыльца; 5) = dust-brand; ◇ to raise (*или* to make, to kick up) a ~ поднимать шум, суматоху; humbled in (*или* to) the ~ крайне униженный; повёрженный во прах; to give the ~ to smb. *амер.* обогнать, опередить кого-л.; to take smb.'s ~ *амер.* отставать от кого-л.; плестись в хвосте; to throw ~ in smb.'s eyes ≅ втирать очки;
2. *v* 1) посыпать сахарной пудрой, мукой *и т. п.*; 2) запылить; 3) вытирать, выбивать пыль; чистить (*платье*); to ~ a table вытирать пыль со стола; ◇ to ~ the eyes of обманывать *кого-л.*, пускать пыль в глаза *кому-л.*; to ~ smb.'s jacket for him избить, поколотить кого-л.
dustbin ['dʌstbɪn] *n* мусорный ящик.
Dust Bowl ['dʌst'boul] *n* *название засушливых районов на западе США.*
dust-brand ['dʌstbrænd] *n* ржавчина, головня (*на злаках*).
dust-cart ['dʌstkɑːt] *n* телега для мусора.
dust-cloak ['dʌstklouk] = dust-coat.
dust-coat ['dʌstkout] *n* пыльник (*дорожное пальто*).
dust collector ['dʌstkə,lektə] *n* пылесос.
dust-colour ['dʌst,kʌlə] *n* серовато-коричневый цвет.
dust-cover ['dʌst,kʌvə] *n* суперобложка (*книги*).
duster ['dʌstə] *n* 1) пыльная тряпка; 2) пылечиститель; пылесос; 3) *амер.*= dust-coat; 4) приспособление для распыления (*сахарной пудры, перца и т. п.*); 5) *горн.* непродуктивная скважина.
dust-hole ['dʌsthoul] *n* мусорная яма, свалка.
dusting ['dʌstɪŋ] 1. *pres. p. om* dust 2;
2. *n* 1) вытирание пыли; 2) антисептический порошок для присыпки ран; 3) *sl.* побои; to give a ~ избить, поколотить; 4) морская качка.
dust-jacket ['dʌst,dʒækɪt] = dust-cover.
dustman ['dʌstmən] *n* мусорщик.
dustpan ['dʌstpæn] *n* совок для мусора.
dust-proof ['dʌstpruːf] *a* пыленепроницаемый.
dust-shot ['dʌstʃɔt] *n* самая мелкая дробь.
dusty ['dʌstɪ] *a* 1) пыльный; 2) мелкий; как пыль; размельчённый; 3) неопределённый (*об ответе и т. п.*); 4) сухой, неинтересный; ◇ not so ~ *разг.* недурно, неплохо; ~ miller а) *бот.* аврикула; б) искусственная муха (*для рыбной ловли*).
Dutch [dʌtʃ] 1. *a* голландский; *амер. часто тж.* немецкий; ◇ ~ auction аукцион со снижением цен, пока не найдётся покупатель; ~ bargain a) сделка, выгодная только одной стороне; б) сделка, завершённая выпивкой; ~ barn навес для сена или соломы; ~ carpet половик из грубой полушерстяной ткани; ~ comfort ≅ могло быть и хуже; слабое утешение; ~ concert пение, при котором всякий поёт своё; «кто в лес, кто по дрова»; ~ courage храбрость во хмелю; ~ tile кафель, изразец; ~ lunch ~ supper, ~ treat угощение, за которое каждый платит свою часть; ~ feast пи-

рýшка, на котóрой хозя́ин напива́ется ра́ньше гостéй; to talk like a ~ uncle отéчески наставля́ть, жури́ть;

2. *n* 1) (the ~) *pl собир.* голла́ндцы, голла́ндский нарóд; 2) голла́ндский язы́к; 3) *ист.* немéцкий язы́к; High ~ верхненемéцкий язы́к; Low ~ нижненемéцкий язы́к; ◇ double ~ тараба́рщина; that (*или* it) beats the ~ э́то превосхóдит всё.

dutch [dʌtʃ] *n sl.* жена́; my old ~ моя́ стару́ха (*о жене*).

Dutchman [ˈdʌtʃmən] *n* 1) голла́ндец; *амер. часто тж.* нéмец; 2) голла́ндское сýдно; Flying ~ летýчий голла́ндец (*сказочный корабль*); ◇ I'm a ~, if I do! провали́ться мне на э́том мéсте, éсли...; я не я бýду, éсли (*тж.* or I'm a ~...).

Dutch metal [ˈdʌtʃˈmetl] *n* сплав мéди с ци́нком.

Dutch oven [ˈdʌtʃˈʌvn] *n* 1) я́щик-духóвка (*ставится перед огнём камина*); 2) *амер. воен.* полевóй кýхонный оча́г.

Dutchwoman [ˈdʌtʃˌwumən] *n* голла́ндка.

duteous [ˈdjuːtjəs] *a* 1) испóлненный созна́ния дóлга; послýшный дóлгу; 2) покóрный.

dutiable [ˈdjuːtjəbl] *a* подлежа́щий обложéнию (тамóженной) пóшлиной.

dutiful [ˈdjuːtiful] = duteous.

duty [ˈdjuːti] *n* 1) долг, обя́занность; to do one's ~ исполня́ть свой долг; 2) служéбные обя́занности; дежýрство; to take up one's duties приступи́ть к свои́м обя́занностям; on ~ на дежýрстве; при исполнéнии служéбных обя́занностей: doctor on ~ дежýрный врач; off ~ вне слýжбы; out of ~ вне слýжбы, в свобóдное от рабóты врéмя; 3) пóшлина; гéрбовый сбор; custom ~s тамóженные пóшлины; 4) почтéние; he sends his ~ to you он свидéтельствует вам своё почтéние; 5) *тех.* рабóта, производи́тельность, режи́м (*машины*); мóщность; ~ of water *с.-х.* гидромодýль (*показатель количества воды на единицу площади*); 6) *attr.* официа́льный; ~ call официа́льный визи́т; 7) *attr.* служéбный; ~ journey служéбная поéздка, командирóвка; 8) *attr.* дежýрный; ~ officer *амер. воен.* дежýрный офицéр.

duty-free [ˈdjuːtiˈfriː] **1.** *a* не подлежа́щий обложéнию тамóженной пóшлиной *или* сбóром;

2. *adv* беспóшлинно.

duty list [ˈdjuːtilist] *n* расписа́ние.

duty-paid [ˈdjuːtiˌpeid] *a* опла́ченный пóшлиной.

duumvir [djuːˈʌmvə] *n* (*pl* -s [-z], -ri) *др.-рим. ист.* дуумви́р.

duumvirate [djuːˈʌmvirit] *n др.-рим. ист.* дуумвира́т.

duumviri [djuːˈʌmviriː] *pl om* duumvir.

dwale [dweil] *n бот.* беллладóнна.

dwarf [dwɔːf] **1.** *n* 1) ка́рлик; 2) ка́рликовое живóтное *или* растéние; 3) *миф.* гном, пигмéй;

2. *a* ка́рликовый;

3. *v* 1) мешáть рóсту; остана́вливать развúтие; 2) создава́ть впечатлéние мéньшего размéра; the little cottage was ~ed by the

surrounding elms ма́ленький коттéдж каза́лся ещё мéньше благодаря́ окружа́ющим егó высóким вя́зам.

dwarfish [ˈdwɔːfiʃ] *a* 1) ка́рликовый; 2) недора́звитый.

dwell [dwel] *v* (dwelt) 1) жить, обита́ть, находи́ться, пребыва́ть (in, at, on); 2) подрóбно остана́вливаться, задéрживаться (on, upon — на *чём-л.*); to ~ on a note выдéрживать нóту; 3) остана́вливаться, задéрживаться перед препя́тствием(*о лошади*).

dweller [ˈdwelə] *n* 1) жи́тель, обита́тель; 2) лóшадь, задéрживающаяся перед препя́тствием.

dwelling [ˈdweliŋ] **1.** *pres. p. om* dwell; **2.** *n* жили́ще, дом.

dwelling-house[ˈdweliŋhaus] *n* жилóй дом.

dwelling-place [ˈdweliŋpleis] *n* 1) местожи́тельство; 2) жилплóщадь.

dwelt [dwelt] *past u p. p. om* dwell.

dwindle [ˈdwindl] *v* 1) уменьша́ться, сокраща́ться; истоща́ться; 2) теря́ть значéние; ухудша́ться, приходи́ть в упа́док; вырожда́ться.

dwindler [ˈdwindlə] *n* малорóслый, ча́хлый человéк *или* живóтное.

dyad [ˈdaiæd] *греч.* 1) числó два; двóйка; па́ра; 2) *хим.* двухвалéнтный элемéнт; ◇ one's other ~ чьё-л. вторóе «я»; чей-л. двойни́к.

dyadic [daiˈædik] *греч.* *a* состоя́щий из двух элемéнтов.

dye [dai] **1.** *n* 1) кра́ска; кра́сящее веществó; краси́тель; 2) окра́ска; 3) цвет; ◇ scoundrel of the deepest ~ отъя́вленный негодя́й;

2. *v* 1) кра́сить, окра́шивать; 2) принима́ть кра́ску, окра́шиваться; ~d in the wool. а) окра́шенный в пря́же; прóчно пропи́танный кра́ской; б) стóйкий; вынóсливый.

d'ye [djə] *сокр. разг.* = do you.

dye-house [ˈdaihaus] *n* краси́льня.

dyeing [ˈdaiiŋ] **1.** *pres. p. om* dye 2; **2.** *n* 1) кра́шение, окра́ска тка́ней; 2) краси́льное дéло.

dyer [ˈdaiə] *n* краси́льщик.

dyer's broom [ˈdaiəzbruːm] *n бот.* краси́льный дрок.

dyer's weed [ˈdaiəzwiːd] *n бот.* ва́йда краси́льная; дрок краси́льный; резеда́ краси́льная, цéрва.

dye-stuff [ˈdaistʌf] *n* кра́сящее веществó, краси́тель.

dye-wood [ˈdaiwud] *n* краси́льное дéрево.

dye-works [ˈdaiwəːks] *n* краси́льня.

dying I [ˈdaiiŋ] **1.** *pres. p. om* die II; **2.** *n* 1) умира́ние; смерть; 2) угаса́ние; затуха́ние;

3. *a* 1) умира́ющий; 2) предсмéртный; till one's ~ day до концá днéй свои́х; 3) угаса́ющий.

dying II [ˈdaiiŋ] *pres. p. om* die I, 2.

dyke [daik] = dike.

dynamic [daiˈnæmik] *a* 1) динами́ческий; 2) акти́вный, дéйствующий; энерги́чный; 3) *мед.* функциона́льный.

dynamical [daiˈnæmikəl] *a* динами́ческий.

dynamics [daɪ'næmɪks] *n pl* (*употр. как sing*) 1) динáмика; 2) двѝжущие сѝлы.

dynamism ['daɪnəmɪzəm] *n филос.* динамѝзм.

dynamist ['daɪnəmɪst] *n* 1) специалѝст по динáмике; 2) *филос.* сторóнник динамѝзма; 3) *разг.* анархѝст; 4) *разг.* диверсáнт.

dynamite ['daɪnəmaɪt] 1. *n* динамѝт; 2. *v* взрывáть динамѝтом.

dinamiter ['daɪnəmaɪtə] *n* динамѝтчик.

dynamitic [,daɪnə'mɪtɪk] *a* динамѝтный.

dynamo ['daɪnəmou] *n* (*pl* -os [-ouz]) *эл.* динáмо-машѝна, динáмо.

dynamometer [,daɪnə'mɔmɪtə] *n тех.* динамóметр.

dynast ['dɪnəst] *n* представѝтель динáстии

dynastic [dɪ'næstɪk] *a* династѝческий.

dynasty ['dɪnəstɪ] *n* динáстия.

dyne [daɪn] *n физ.* дѝна (*единица силы*).

dysenteric [,dɪsn'terɪk] *a* дизентерѝйный.

dysentery ['dɪsntrɪ] *n мед.* дизентéрия.

dyslogistic [,dɪslə'dʒɪstɪk] *a* неодобрѝтельный.

dyspepsia [dɪs'pepsɪə] *n мед.* расстрóйство пищеварéния, диспепсѝя.

dyspeptic [dɪs'peptɪk] 1. *n* 1) человéк, страдáющий дурны́м пищеварéнием; 2) человéк, находя́щийся в подáвленном состоя́нии;
2. *a* 1) страдáющий дурны́м пищеварéнием; 2) находя́щийся в подáвленном состоя́нии.

dyspnoea [dɪs'pnɪ:ə] *n мед.* оды́шка, затруднённое дыхáние.

dysprosium [dɪs'prouʃɪəm] *n хим.* диспрóзий.

dystrophy ['dɪstrəfɪ] *n мед.* дистрофѝя.

E

E, e [i:] *n* [(*pl* Es, E's [i:z]) 1) 5-я бýква англ. алфавѝта; 2) *муз.* ми; 3) *мор.* сýдно 2-го клáсса.

each [i:tʃ] *pron. indef.* 1. *как сущ.* кáждый, вся́кий; ~ of us кáждый из нас; ~ and all все без разбóра;
2. *как прил.* кáждый, вся́кий; ~ student had to learn it by heart кáждый студéнт дóлжен вы́учить э́то наизýсть.

each other ['i:tʃ'ʌðə] *pron. recipr.* друг дрýга (*обычно о двух*).

eager ['i:gə] *a* 1) пóлный стрáстного желáния; сѝльно желáющий, стремя́щийся; ~ for (*или* after) fame жáждущий слáвы; ~ to be off стремя́щийся уйтѝ; 2) нетерпелѝвый, горя́чий (*о желании и т. п.*); 3) энергѝчный; ~ pursuit энергѝчное преслéдование; ~ beaver а) энтузиáст; б) óчень прилéжный, добросóвестный человéк; 4) óстрый (*на вкус*); 5) *уст.* холóдный, рéзкий.

eagerness ['i:gənɪs] *n* пыл, рвéние.

eagle ['i:gl] *n* 1) орёл; 2) *амер. уст.* золотáя монéта в 10 дóлларов.

eagle-eyed ['i:gl'aɪd] *a* с проницáтельным взгля́дом; проницáтельный.

eagle-owl ['i:gl'aul] *n* фѝлин.

eaglet ['i:glɪt] *n* орлёнок.

eagre ['eɪgə] *n* высóкий прилѝв в ýстье рекѝ.

ear I [ɪə] *n* 1) ýхо; 2) слух; an ~ for music музыкáльный слух; to play by ~ игрáть по слýху; to have a good (bad) ~ имéть хорóший (плохóй) слух; to strain one's ~s напрягáть слух; 3) ушкó, прóушина, дýжка, рýчка; 4) *редк.* отвéрстие, сквáжина; ◇ to be all ~s преврати́ться в слух; слýшать с напряжённым внимáнием; to g ve ~ to smb. вы́слушать когó-л.; to gain tne ~ of smb. быть вы́слушанным кем-л.; in at one ~ and out at the other в однó ýхо вошлó, в другóе вы́шло; a word in one's ~ — нá ухо, по секрéту; to prick up one's ~s, to keep one's ~s open прислýшаться; навостри́ть ýши; насторожи́ться;

to turn a deaf ~ не обращáть внимáния; игнори́ровать; up to the ~s, head over ~s, (over) head and ~s пó уши (*в работе и т. п.*); to bring (smth.) about one's ~s вы́звать бýрю негодовáния; вы́звать болⴄшѝе нареⴄкáния; to have smb.'s ~ пóльзоваться чьим-л. благосклóнным внимáнием; to set by the ~s рассóрить; by the ~s в ссóре; to be on one's ~ быть раздражённым; to have long (*или* itching) ~s быть любопы́тным.

ear II [ɪə] 1. *n* 1) кóлос; 2) *амер.* почáток (кукурýзы);
2. *v* колоси́ться.

ear III [ɪə] *v уст.* пахáть (*тж.* ~ up).

ear-ache ['ɪəreɪk] *n* боль в ýхе.

ear-drop ['ɪədrɔp] = ear-ring.

ear-drops ['ɪədrɔps] *n pl* кáпли для ýха.

ear-drum ['ɪədrʌm] *n* барабáнная перепóнка.

ear-flaps ['ɪəflæps] *n pl* наýшники (*меховой шапки*).

earl [ə:l] *n* граф (*английский*).

ear-lap ['ɪəlæp] *n* 1) мóчка (*уха*); 2) ýхо (*шапки и т. п.*).

earldom ['ə:ldəm] *n* 1) тѝтул грáфа, грáфство; 2) (земéльные) владéния грáфа, грáфство.

earless ['ɪəlɪs] *a* 1) безýхий; 2) лишённый музыкáльного слýха; 3) не имéющий рýчки.

early ['ə:lɪ] 1. *a* 1) рáнний; the ~ bird *шутл.* рáнняя птáшка; at an ~ date в ближáйшем бýдущем; it is ~ days yet ещё слѝшком рáно, врéмя не настáло; to keep ~ hours рáно вставáть и рáно ложѝться; one's ~ days юность, тот, кто рáно встаёт; 2) преждеврéменный; 3) *с.-х.* скороспéлый; 4) *геол.* нѝжний (*о свитах*); дрéвний; 5) дрéвний; первобы́тный; ~ man первобы́тный человéк;
2. *adv* 1) рáно; ~ in the year в начáле гóда; ~ in life в мóлодости; ~ in the day рáно ýтром; *перен.* заблаговрéменно; 2) забла-

говре́менно; своевреме́нно; 3) преждевре́менно; ◇ ~ to bed and ~ to rise makes a man healthy, wealthy and wise *посл.* кто ра́но ложи́тся и ра́но встаёт, здоро́вье, бога́тство и ум нажива́ет.

earmark ['ɪəmɑːk] **1.** *n* 1) клеймо́ на у́хе; тавро́; 2) отличи́тельный при́знак; 3) за́гнутый у́гол страни́цы;
2. *v* 1) клейми́ть; накла́дывать тавро́; 2) откла́дывать, предназнача́ть; ассигнова́ть; 3) загиба́ть (*угол страни́цы*).

earn [əːn] *v* 1) зараба́тывать; to ~ one's living (*или* one's daily bread) зараба́тывать на жизнь; 2) заслу́живать; to ~ fame доби́ться изве́стности, просла́виться.

earnest I ['əːnɪst] **1.** *a* 1) серьёзный; ва́жный; 2) убеждённый; и́скренний; 3) горя́чий, ре́вностный;
2. *n:* in ~ а) всерьёз, серьёзно; б) усе́рдно, стара́тельно; in real ~, in dead ~ соверше́нно серьёзно.

earnest II ['əːnɪst] *n* зада́ток; зало́г; an ~ of more to come зало́г бу́дущих благ.

earnings ['əːnɪŋz] *n pl* зарабо́танные де́ньги, за́работок; при́быль.

ear-phone ['ɪəfoun] *n* нау́шник ра́дио *или* телефо́на.

ear-piece ['ɪəpiːs] *n* ра́ковина телефо́нной тру́бки.

ear-ring ['ɪərɪŋ] *n* серьга́.

earshot ['ɪəʃɔt] *n* расстоя́ние, на кото́ром слы́шен звук; within (out of) ~ в преде́лах (вне преде́лов) слы́шимости.

ear-tab ['ɪətæb] *n* нау́шник (*шапки*).

earth [əːθ] **1.** *n* 1) земля́, земно́й шар; on ~ на земле́; 2) су́ша; 3) по́чва, грунт; floating ~ плывуны́; scorched ~ вы́жженная земля́; 4) прах; 5) нора́; to take ~ скры́ться в нору́ (*о лисе*); to run to ~ a) =to take ~; б) спря́таться, притаи́ться; в) вы́следить; насти́гнуть; отыска́ть; 6) *эл.* заземле́ние; 7) *употр. для усиле́ния:* how on ~? каки́м о́бразом?; по use on ~ реши́тельно ни к чему́; why on ~? с како́й ста́ти?; 8) *attr.* земляно́й; грунтово́й; ~ water жёсткая вода́; ~ wax *геол.* озокери́т;
2. *v* 1) зарыва́ть, зака́пывать; покрыва́ть землёй; оку́чивать; 2) загоня́ть *или* зарыва́ться в нору́; 3) *эл., радио* заземля́ть; 4) *ав.* сажа́ть (*самолёт*); to be ~ed сде́лать вы́нужденную поса́дку.

earth-bed ['əːθbed] *n* 1) посте́ль на земле́; 2) моги́ла.

earth-born ['əːθbɔːn] *a* 1) сме́ртный; челове́ческий; 2) *миф.* рождённый из земли́.

earth-bound ['əːθbaund] *a* земно́й, жите́йский.

earthen ['əːθən] *a* 1) земляно́й; гли́няный; 2) земно́й.

earthenware ['əːθənwɛə] *n* 1) гли́няная посу́да, гонча́рные изде́лия; кера́мика; 2) гли́на; 3) *attr.* гли́няный.

earth-flax ['əːθflæks] *n* асбе́ст.

earthing ['əːθɪŋ] **1.** *pres. p. от* earth 2;
2. *n эл., радио* заземле́ние.

earth-light ['əːθlait] = earth-shine.

earthly ['əːθli] **1.** *a* 1) земно́й; су́етный; 2) *редк.* земли́стый; ◇ по ~ use (reason) бесполе́зно (бессмы́сленно);

2. *n:* not an ~ *sl.* ни мале́йшей наде́жды.

earthly-minded ['əːθli'maindid] *a* чрезме́рно практи́чный, насквозь земно́й.

earth-nut ['əːθnʌt] *n* земляно́й оре́х.

earthquake ['əːθkweik] *n* 1) землетрясе́ние; 2) потрясе́ние, катастро́фа.

earth-shine ['əːθʃain] *n астр.* пе́пельный свет.

earthwork ['əːθwəːk] *n* земляно́е укрепле́ние; земляны́е рабо́ты.

earth-worm ['əːθwəːm] *n* 1) земляно́й червь; 2) ни́зкая душа́.

earthy ['əːθi] *a* 1) земляно́й, земли́стый; 2) земно́й, жите́йский; 3) гру́бый.

ear-trumpet ['ɪə,trʌmpit] *n* слухова́я тру́бка.

ear-wax ['ɪəwæks] *n* ушна́я се́ра.

earwig ['ɪəwig] **1.** *n зоол.* уховёртка;
2. *v* нашёптывать.

ease [iːz] **1.** *n* 1) поко́й; свобо́да, непринуждённость; ~ of body and mind физи́ческий и душе́вный поко́й; at one's ~ свобо́дно, удо́бно, непринуждённо; to feel ill at ~ чу́вствовать себя́ нело́вко, не по себе́; a life of ~ споко́йная, лёгкая жизнь; social ~ уме́ние держа́ть себя́, простота́ в обраще́нии; to stand at ~ *воен.* стоя́ть во́льно; at ~! *воен.* во́льно!; 2) досу́г; to take one's ~ а) наслажда́ться досу́гом, отдыха́ть; б) успоко́иться; 3) пра́здность, лень; 4) лёгкость; with ~ а) с лёгкостью; б) непринуждённо; to learn with ~ учи́ться без труда́;
2. *v* 1) облегча́ть (*боль, но́шу*); to ~ smb. of his purse (*или* cash) *шутл.* обокра́сть; 2) успока́ивать; 3) ослабля́ть, освобожда́ть; 4) выпуска́ть (*швы в пла́тье*); растя́гивать (*о́бувь*); 5) *мор.* отдава́ть (*канат, парус*); ~ her! ме́ньше ход!; 6) *тех.* ослабля́ть; освобожда́ть, разгружа́ть (*от усилий*); □ ~ down замедля́ть ход, уменьша́ть напряже́ние, усилие; ~ off а) отходи́ть; б) отта́лкивать (*ло́дку от бе́рега*); в) = ~ down.

easeful ['iːzful] *a* 1) успокои́тельный; 2) споко́йный; 3) неза́нятый, пра́здный.

easel ['iːzl] *n* мольбе́рт.

easement ['iːzmənt] *n* 1) удо́бство; 2) пристро́йки, слу́жбы; 3) *юр.* пра́во прохо́да, проведе́ния освеще́ния и т. п. по чужо́й земле́; 4) *уст.* облегче́ние, успокое́ние.

easily ['iːzili] *adv* легко́, свобо́дно, без труда́.

easiness ['iːzinis] *n* 1) лёгкость; 2) непринуждённость.

east [iːst] **1.** *n* 1) восто́к; *мор.* ост; the E. Восто́к; Far E. Да́льний Восто́к; Middle E. Сре́дний Восто́к; Near E. Бли́жний Восто́к; to the ~ (of) к восто́ку (от); 2) восто́чный ве́тер (*тж.* ~ wind); ◇ E. or West home is best *посл.* ≅ в гостя́х хорошо́, а до́ма лу́чше;
2. *a* восто́чный;
3. *adv* на восто́к; к восто́ку.

East End ['iːst'end] *n* Ист-Энд, восто́чная (рабо́чая) часть Ло́ндона.

East-ender ['iːst'endə] *n* жи́тель Ист-Энда.

Easter ['iːstə] *n рел.* 1) па́сха (*пра́здник*); 2) *attr.* пасха́льный.

easterly ['iːstəlɪ] 1. *a* восточный;
2. *n* восточный ветер;
3. *adv* на восток; с востока (*о ветре*).

eastern ['iːstən] 1. *a* 1) восточный; ~ window окно, выходящее на восток; 2) расположенный в (северо-)восточной части США *или* относящийся к ней;
2. *n* житель Востока.

easterner ['iːstənə] *n* 1) = eastern 2; 2) житель восточной части США.

easternmost ['iːstənmoust] *a* самый восточный.

Eastertide ['iːstətaɪd] *n* пасхальная неделя.

East India Company ['iːst'ɪndɪə'kʌmpənɪ] *n ист.* Ост-Индская компания.

easting ['iːstɪŋ] *n мор.* восточное отшествие.

East Side ['iːst'saɪd] *n* Ист-Сайд, район бедноты в Нью-Йорке.

eastside ['iːst'saɪd] *n* восточная часть (*города*).

eastward ['iːstwəd] 1. *a* движущийся *или* расположенный на восток;
2. *adv* на восток, к востоку, в восточном направлении;
3. *n* восточное направление.

eastwards ['iːstwədz] = eastward 2.

easy ['iːzɪ] 1. *a* 1) лёгкий, нетрудный; ~ of access доступный; 2) удобный; ~ coat простореное пальто; 3) непринуждённый, свободный; 4) спокойный; make your mind ~ успокойтесь; 5) покладистый, терпеливый; 6) уступчивый; податливый; слишком гибкий; of ~ virtue не (слишком) строгих правил; 7) *ком.* не имеющий большого спроса; неустойчивый (*о рыночных ценах*); 8) пологий (*скат*); ~ circumstances достаток; ~ street богатство; to be on ~ street процветать; ~ mark *разг.* простак; as ~ as falling off a log (*или* as ABC) очень легко;
2. *adv* 1) легко; 2) спокойно; неторопливо; to take it ~ а) не торопиться, не усердствовать; б) относиться спокойно;
3. *n разг.* передышка; ~ all! *мор.* перестать грести! (*команда*); ◇ ~ does it *посл.* ≋ тише едешь, дальше будешь.

easy chair ['iːzɪ'tʃeə] *n* кресло.

easy-going ['iːzɪ'gouɪŋ] *a* 1) добродушно-весёлый; беспечный, беззаботный; 2) лёгкий, спокойный (*о ходе лошади*).

easy meat ['iːzɪ'miːt] *n* лёгкая добыча, лёгкая жертва.

eat [iːt] *v* (ate; eaten) 1) есть; поглощать; to ~ crisp хрустеть, есть с хрустом; to ~ well и иметь хороший аппетит; 2) иметь приятный вкус; 2) разъедать, разрушать; ▢ ~ away а) съедать, пожирать; б) = 2); ~ in а) питаться дома; б) столоваться по месту работы; в) въедаться (*о кислоте, хим. веществах и пр.*); ~ into а) = ~ in в); б) растрачивать (*состояние*); ~ off отъедать (*о кислоте и т. п.*); ~ up а) пожирать, поглощать; б) ~ up with pride снедаемый гордостью; б) быстро покрывать какое-л. расстояние; ◇ to eat one's head off не оправдывать своей работой стоимости содержания; to ~ one's heart out страдать

молча; to ~ the ginger *амер. sl.* брать всё лучшее, снимать пенки, сливки; to ~ dirt [*см.* dirt ◇]; to ~ humble pie смиряться, покоряться; унижаться; униженно извиняться; to ~ one's terms, to ~ one's dinners, to ~ for the bar учиться на юридическом факультете; готовиться к адвокатуре; to ~ one's words брать назад свои слова; to ~ out of smb.'s hand безоговорочно подчиняться кому-л.; становиться совсем ручным; to ~ smb. out of house and home объедать кого-л., разорять кого-л.

eatable ['iːtəbl] 1. *a* съедобный;
2. *n* (*обыкн. pl*) *разг.* съестное, пища.

eatage ['iːtɪdʒ] *n с.-х.* 1) подножный корм, *особ.* отава; 2) право пасти скот на пастбище.

eaten ['iːtn] *p. p. от* eat.

eater ['iːtə] *n* едок.

eatery ['iːtərɪ] *sl. см.* eating-house.

eating ['iːtɪŋ] 1. *pres. p. от* eat;
2. *n* 1) принятие пищи, еда; 2) пища.

eating club ['iːtɪŋklʌb] = eating hall.

eating hall ['iːtɪŋhɔːl] *n амер.* университетская столовая.

eating-house ['iːtɪŋhaus] *n* столовая, ресторан.

eats [iːts] *n pl sl.* еда, пища.

eau-de-Cologne ['oudəkə'loun] *фр. n* одеколон.

eau-de-vie ['oudə'viː] *фр. n* коньяк, водка.

eave [iːv] *n* 1) (*обыкн. pl*) *стр.* карниз; свес крыши; 2) *pl поэт.* веки, ресницы; 3) *attr.*: ~ trough водосточный жёлоб.

eavesdrop ['iːvzdrɔp] *v* подслушивать (оп).

eavesdropper ['iːvzdrɔpə] *n* подслушивающий, соглядатай.

ebb [eb] 1. *n* 1) отлив; 2) перемена к худшему; упадок; to be at an ~, to be at a low ~ а) быть в затруднительном положении; б) находиться в упадке; his courage was at the lowest ~ он совсем струсил;
2. *v* 1) отливать, убывать; 2) ослабевать, угасать (*часто* ~ away); daylight was ~ing fast стало быстро смеркаться.

ebb-tide ['eb'taɪd] *n* отлив.

E-boat ['iːbout] *n* неприятельский быстроходный торпедный катер.

ebon ['ebən] *a поэт.* 1) эбеновый; 2) чёрный.

ebonite ['ebənɪt] *n тех.* эбонит.

ebony ['ebənɪ] 1. *n* 1) эбеновое, чёрное дерево; 2) *амер. sl.* чёрный, негр;
2. *a* 1) эбеновый; 2) чёрный как смоль.

eboulement [,eɪ,buː'mɑːŋ] *фр. n геол.* оползень.

ebriety [ɪ'braɪətɪ] *n редк.* опьянение; пьянство.

ebrious ['iːbrɪəs] *a редк.* 1) пьяный; 2) любящий выпить.

ebullience, -cy [ɪ'bʌljəns, -sɪ] *n* 1) кипение; 2) возбуждение.

ebullient [ɪ'bʌljənt] *a* 1) кипящий; 2) кипучий, полный энтузиазма; 3) запальчивый.

ebullition [,ebə'lɪʃən] *n* 1) кипение; вскипание; 2) взрыв, вспышка (*страсти, негодования и т. п.*).

écarté [ei'kɑːtei] *фр. n карт.* экарте (*игра*).

ecaudate [ïˈkɔːdeit] *a* бесхвостый.

eccentric [ik'sentrik] 1. *a* 1) эксцентричный; странный; 2) *геом., тех.* эксцентрический; эксцентриковый; нецентральный (*напр., об ударе*); ~ rod эксцентриковая тяга;
2. *n* 1) эксцентричный человек; чудак; 2) *тех.* эксцентрик.

eccentricity [ˌeksen'trisiti] *n* 1) эксцентричность, странность; 2) *тех.* эксцентричность; эксцентриситет.

ecclesiastic [iˌkliːziˈæstik] 1. *n* духовное лицо;
2. *a* = ecclesiastical.

ecclesiastical [iˌkliːziˈæstikəl] *a* духовный; церковный.

echelon [ˈeʃələn] 1. *n* 1) *воен.* уступ; эшелон; ~ of attack эшелон боевого порядка при наступлении; 2) уступ, ступенчатое расположение; 3) *attr.*: ~ maintenance эшелонированный ремонт;
2. *v* располагать уступами, эшелонировать.

echidna [eˈkidnə] *n зоол.* ехидна.

echini [eˈkainai] *pl от* echinus.

echinus [eˈkainəs] *n* (*pl* -ni) 1) *зоол.* морской ёж; 2) *архит.* эхин.

echo [ˈekou] 1. *n* (*pl* -oes [-ouz]) 1) эхо; to the ~ громко; восторженно; 2) отголосок, подражание; faint ~ слабый отголосок; 3) подражатель; 4) *attr.*: ~ sounding *мор.* измерение эхолотом;
2. *v* 1) отдаваться эхом; отражаться (*о звуке*); 2) вторить, подражать.

echo-image [ˈekouˌimidʒ] *n фото* стереоскопический снимок.

éclair [eiˈkleə] *фр. n* эклер (*пирожное*).

eclampsia [iˈklæmpsiə] *n мед.* эклампсия.

éclat [eiˈklɑː] *фр. n* 1) блеск, слава; 2) успех, шум; with great ~ с большим успехом.

eclectic [ekˈlektik] 1. *a* эклектический;
2. *n* эклектик.

eclecticism [ekˈlektisizəm] *n* эклектизм; эклектика.

eclipse [iˈklips] 1. *n* 1) *астр.* затмение; total (partial) ~ полное (частичное) затмение; 2) потускнение, помрачение; his fame has suffered an ~ слава его померкла;
2. *v* затмевать (*тж. перен.*); заслонять; in sports he quite ~d his brother он совсем затмил своего брата в спорте.

ecliptic [iˈkliptik] *астр.* 1. *n* эклиптика.
2. *a* эклиптический.

eclogue [ˈeklɔg] *n лит.* эклога.

ecology [iˈkɔlədʒi] *n биол.* экология.

economic [ˌiːkəˈnɔmik] *a* 1) экономический; хозяйственный; 2) *разг. см.* economical 1).

economical [ˌiːkəˈnɔmikəl] *a* 1) экономный, бережливый; 2) экономический; относящийся к экономике *или* политической экономии; материальный.

economically [ˌiːkəˈnɔmikəli] *adv* 1) экономно, бережливо; 2) экономически, с точки зрения эконо́ и и.

economics [ˌiːkəˈnɔmiks] *n pl* (*употр. как sing*) 1) экономика; народное хозяйство;

planned ~ плановое хозяйство; 2) политическая экономия.

economist [iˈkɔnəmist] *n* 1) экономист; 2) бережливый человек.

economize [iˈkɔnəmaiz] *v* экономить.

economizer [iˈkɔnəmaizə] *n тех.* экономайзер, подогреватель.

economy [iˈkɔnəmi] *n* 1) хозяйство; the socialist system of ~ социалистическая система хозяйства; rural ~ сельское хозяйство; national ~ народное хозяйство, экономика страны; 2) экономия, бережливость; 3) сэкономленное; little economies маленькие сбережения; 4) структура, организация.

ecru [eiˈkruː] *фр. a текст.* суровый, небелёный.

ecstasize [ˈekstəsaiz] *v* 1) приводить в восторг; 2) приходить в восторг.

ecstasy [ˈekstəsi] *n* экстаз, исступлённый восторг; in the ~ of joy в порыве радости.

ecstatic [eksˈtætik] *a* исступлённый; экстатический; восторженный; в экстазе.

Ecuadoran [ˌekwəˈdɔːrən] = Ecuadorian.

Ecuadorian [ˌekwəˈdɔːriən] 1. *a* эквадорский;
2. *n* житель Эквадора.

ecumenic(al) [ˌiːkjuːˈmenik(əl)] *a церк.* вселенский (*особ. о соборе*).

eczema [ˈeksimə] *n мед.* экзема.

edacious [iˈdeiʃəs] *a* 1) прожорливый; 2) жадный.

edacity [iˈdæsiti] *n* 1) прожорливость; 2) жадность.

Edam [ˈiːdæm] *n* сорт голландского сыра.

edaphology [ˈedəˈfɔlədʒi] *n* почвоведение.

eddish [ˈediʃ] *n с.-х.* отава; жнитво, стерня.

eddy [ˈedi] 1. *n* 1) маленький водоворот; 2) вихрь; 3) клубы (*дыма, пыли*); 4) *мех.* вихревое движение; 5) *attr.*: ~ currents *эл.* вихревые токи;
2. *v* 1) крутиться в водовороте; 2) клубиться.

edelweiss [ˈeidlvais] *нем. n бот.* эдельвейс.

Eden [ˈiːdn] *n* Эдэм; рай.

edentate [iˈdenteit] *a* 1) *зоол.* неполнозубый; 2) беззубый.

edge [edʒ] 1. *n* 1) край, кромка; ~ of a wood опушка леса; 2) остриё, лезвие; острота; the knife has no ~ нож затупился; 3) кряж, хребет; ~ of a mountain гребень горы; 4) критическое положение; 5) обрез (*книги*); бордюр; uncut ~s неразрезанные страницы; 6) опорная призма (*коромысла весов*); 7) грань; 8) *амер. разг.* преимущество; to have an ~ on smb. получить преимущество по сравнению с кем-л.; 9) бородка (*ключа*); ◇ (all) on ~ нетерпеливый; раздражённый; to give an ~ to one's appetite раздразнить аппетит; to take the ~ off one's appetite заморить червячка; to take the ~ off an argument ослабить силу довода; to give the ~ of one's tongue to smb. резко с кем-л. говорить; to set smb.'s nerves on ~ раздражать кого-л.; to set the teeth on ~ действовать на нервы;

résать слух; to have an ~ on *амер. sl.* быть навеселе; to be on the ~ of doing smth. решиться на что-л.;

2. *v* 1) точить; заострять; 2) окаймлять, обрамлять; 3) обрезать края, сравнивать, сглаживать, обтёсывать углы; 4) подстригать (*траву*); 5) пододвигать незаметно *или* постепенно; □ ~ away отходить осторожно, бочком; ~ into втискивать(ся); to ~ oneself into the conversation вмешаться в (чужой) разговор; ~ off = ~ away; ~ on подстрекать; ~ out a) осторожно выбираться; б) вытеснять.

edge-bone ['edʒboun] = aitchbone.

edged tool ['edʒd'tuːl] = edge-tool; to play with ~s ≅ играть с огнём.

edge iron ['edʒ'aɪən] *n* угловое железо.

edge stone ['edʒstoun] *n* 1) жёрнов, бегун (*в дробилке*); 2) *стр.* бордюрный камень.

edge-tool ['edʒ'tuːl] *n* острый, режущий инструмент.

edgeways ['edʒweiz] *adv* остриём, краем (вперёд); боком; to get a word in ~ ввернуть словечко.

edgewise ['edʒwaiz] = edgeways.

edging ['edʒɪŋ] **1.** *pres. p. от* edge 2; **2.** *n* 1) край, кайма, бордюр; 2) *attr.*: ~ saw *тех.* обрезная пила, пила для обрезки кромок.

edgy ['edʒɪ] *a* 1) острый, режущий; 2) *жив.* имеющий резкий контур; 3) раздражённый; раздражительный.

edibility [ˌedɪ'bɪlɪti] *n* съедобность.

edible ['edɪbl] **1.** *a* съедобный; годный в пищу; **2.** *n* (*обыкн. pl*) съедобное, съестное.

edict ['iːdɪkt] *n* эдикт, указ.

edification [ˌedɪfɪ'keiʃən] *n* назидание, наставление.

edifice ['edɪfɪs] *n* здание, сооружение.

edify ['edɪfai] *v* поучать, наставлять.

edit ['edɪt] *v* 1) редактировать, подготовлять к печати; работать *или* быть редактором; 2) осуществлять руководство изданием; 3) *кино* монтировать (*фильм*).

edition [ɪ'dɪʃən] *n* 1) издание; pocket ~ карманное издание; 2) вариант; she is a more charming ~ of her sister она вылитая сестра, но ещё более очаровательна.

editor ['edɪtə] *n* редактор.

editorial [ˌedɪ'tɔːrɪəl] **1.** *a* редакторский, редакционный; ~ office редакция (*помещение*); ~ staff редакционная коллегия; ~ writer *амер.* сотрудник газеты, пишущий передовые *или* редакционные статьи; **2.** *n* передовая *или* редакционная статья.

editorialist [ˌedɪ'tɔːrɪəlɪst] *n амер.* пишущий передовые *или* редакционные статьи.

editorialize [ˌedɪ'tɔːrɪəlaiz] *v амер.* писать передовые *или* редакционные статьи.

editor-in-chief ['edɪtərin'tʃiːf] *n* (*pl* editors-in-chief) главный редактор.

editors-in-chief ['edɪtəzin'tʃiːf] *pl от* editor-in-chief.

editress ['edɪtris] *n* женщина-редактор

educate ['edjukeit] *v* 1) воспитывать, давать образование; 2) тренировать; to ~ the ear развивать слух.

educated ['edjuːkeitid] **1.** *p. p.* от educate; **2.** *a* 1) образованный; 2) тренированный; ~ taste (mind) развитой вкус (ум).

education [ˌedjuː'keiʃən] *n* 1) воспитание; образование; обучение; all-round ~ разностороннее образование; compulsory ~ обязательное обучение; free ~ бесплатное обучение; trade ~ профессиональное образование; classical (commercial, art) ~ классическое (коммерческое, художественное) образование; 2) воспитание, развитие (*характера, способностей*); 3) обучение (*животных*).

educational [ˌedjuː'keiʃənl] *a* образовательный; воспитательный; учебный, педагогический; ~ film учебный фильм.

educationalist [ˌedjuː'keiʃnəlist] *n* педагог-теоретик.

educationally [ˌedjuː'keiʃnəli] *adv* педагогически; с точки зрения воспитания, образования.

educationist [ˌedjuː'keiʃnist] = educationalist.

educative ['edjuːkətiv] *a* воспитывающий, воспитательный; просветительный.

educator ['edjuːkeitə] *n* 1) воспитатель, педагог; 2) = educationalist.

educe [iː'djuːs] *v* 1) выявлять (*скрытые способности*); развивать; 2) выводить (*заключение*; from); 3) *хим.* выделять.

eduction [iː'dʌkʃən] *n* 1) выявление (*скрытых способностей*); 2) вывод; 3) выпуск; выход; 4) извлечение; 5) *хим.* выделение.

eduction-pipe [iː'dʌkʃən,paip] *n* выпускная *или* выхлопная труба.

eduction-valve [iː'dʌkʃən,vælv] *n* выпускной клапан.

edulcorate [ɪ'dʌlkəreit] *v хим.* очищать от кислот, солей *и т. п.* промывкой.

Edwardian [ed'wɔːdjən] *a* времени, эпохи одного из английских королей Эдуардов.

eel [iːl] *n* 1) *зоол.* угорь; 2) скользкое существо.

eel-buck ['iːlbʌk] *n* верша для ловли угрей.

eel-pout ['iːlpaut] *n зоол.* налим; бельдюга; собачка (*рыба*).

eel-spear ['iːl,spiə] *n* трезубец для ловли угрей.

e'en [iːn] *поэт. см.* even II, 2.

e'er [eə] *поэт. см.* ever.

eerie, eery ['iəri] *a* 1) жуткий; мрачный; сверхъестественный; 2) суеверно боязливый.

efface [ɪ'feis] *v* стирать; вычёркивать; изглаживать; to ~ oneself стушеваться, держаться в тени.

effect [ɪ'fekt] **1.** *n* 1) следствие, результат; cause and ~ причина и следствие; of no ~ а) безрезультатный; б) бесполезный; to have ~ иметь желательный результат; подействовать; 2) действие, влияние; воздействие; the ~ of light on plants действие света на растения; argument has no ~ on him убеждение на него никак не действует; 3) действие, сила; to go (*или* to come) into ~, to take ~ вступать в силу (*о законе,*

постановлении, правиле и т. п.); the law goes into ~ soon закон скоро вступит в силу; with ~ from today вступающий в силу с сегодняшнего дня; to bring to ~, to give ~ to, to carry (или to put) into ~ осуществлять, приводить в исполнение, проводить в жизнь; по ~s недействителен (надпись на неакцептованном чеке); in ~ в действительности, в сущности; 4) эффект, впечатление; general ~ общее впечатление; calculated for ~ рассчитанный на эффект; to do smth. for ~ делать что-л., чтобы произвести впечатление, пустить пыль в глаза; 5) цель, намерение; to this ~ для этой цели; 6) содержание; the letter was to the following ~ письмо было следующего содержания; 7) pl имущество, пожитки; sale of household ~s распродажа домашних вещей; to leave no ~s умереть, ничего не оставив наследникам; 8) тех. полезное действие, производительность;
2. v производить; выполнять, совершать; осуществлять; to ~ a change in a plan произвести изменение в плане; to ~ an insurance policy застраховать.

effective [ɪˈfektɪv] 1. a 1) действительный, эффективный; 2) действующий, имеющий силу (закон и т. п.); to become ~ входить в силу; 3) эффектный; производящий впечатление; 4) воен. годный; 5) тех. полезный; ~ area рабочая поверхность (площади); ~ head гидр. полезный напор;
2. n 1) воен. боец; pl боевые подразделения; 2) монета, денежный знак.

effectless [ɪˈfektlɪs] a безрезультатный, неэффективный.

effectual [ɪˈfektjuəl] a 1) достигающий цели, действенный; действительный; 2) юр. имеющий силу.

effectuate [ɪˈfektjueɪt] v совершать, приводить в исполнение.

effectuation [ɪˌfektjuˈeɪʃən] n выполнение.

effeminacy [ɪˈfemɪnəsɪ] n изнеженность, женственность (о мужчине).

effeminate [ɪˈfemɪnɪt] a изнеженный, женоподобный.

efferent [ˈefərənt] a выносящий (о кровеносных сосудах); центробежный; ~ nerve двигательный нерв.

effervesce [ˌefəˈves] v 1) выделяться в виде пузырьков газа; шипеть, пениться; играть (о шипучем напитке); 2) быть в возбуждении, кипеть.

effervescence, -cy [ˌefəˈvesns, -sɪ] n 1) выделение пузырьков газа; шипение, вскипание; 2) возбуждение, волнение.

effervescent [ˌefəˈvesnt] a 1) шипучий; 2) кипучий; возбужденный.

effete [eˈfiːt] a 1) истощенный, слабый; 2) бесплодный; 3) упадочный.

efficacious [ˌefɪˈkeɪʃəs] a 1) действительный, эффективный; 2) производительный.

efficacy [ˈefɪkəsɪ] n действительность, сила; действенность.

efficiency [ɪˈfɪʃənsɪ] n 1) действенность, эффективность; 2) продуктивность, производительность; 3) умелость, подготовленность; 4) работоспособность; 5) тех. от-

дача, коэффициент полезного действия; рентабельность.

efficient [ɪˈfɪʃənt] 1. a 1) действенный, эффективный; 2) умелый, подготовленный, квалифицированный (о человеке).
2. n 1) фактор; множитель; множимое; 2) pl воен. ист. обученные добровольцы.

effigy [ˈefɪdʒɪ] n изображение, портрет; to burn in ~ сжечь (чьё-л.) изображение.

effloresce [ˌeflɔːˈres] v 1) зацветать, расцветать; 2) хим. плесневеть; выцветать; 3) геол. выкристаллизовываться, выветриваться.

efflorescence [ˌeflɔːˈresns] n 1) начало цветения; расцвет; 2) хим. налёт; выцветание; эфлоресценция; 3) геол. выветривание кристаллов; 4) мед. высыпание.

effluence [ˈefluəns] n истечение; эманация; an ~ of light from an open door поток (или сноп) света из открытой двери.

effluent [ˈefluənt] 1. n 1) река; поток, вытекающий из другой реки или озера; исток; 2) сток;
2. a вытекающий (из чего-л.); просачивающийся, исходящий (от чего-л.).

effluvia [eˈfluːvɪə] pl от effluvium.

effluvium [eˈfluːvjəm] n (pl -s[-z], -via) испарение (особ. вредное или зловонное); миазмы.

efflux [ˈeflʌks] n 1) истечение; исток; 2) истечение (срока, времени).

effluxion [eˈflʌkʃən] n редк. = efflux.

effort [ˈefət] n 1) усилие, попытка; напряжение; to make an ~ сделать усилие, попытаться; to make ~s приложить усилия; to spare no ~s не щадить усилий; 2) разг. достижение.

effortless [ˈefətlɪs] a 1) не делающий усилий; пассивный; 2) не требующий усилий; лёгкий.

effrontery [eˈfrʌntərɪ] n наглость, бесстыдство, нахальство.

effulgence [eˈfʌldʒəns] n лучезарность, блеск, сияние.

effulgent [eˈfʌldʒənt] a лучезарный.

effuse 1. a [eˈfjuːs] 1) широко распространённый; 2) бот. дико разросшийся;
2. v [eˈfjuːz] 1) изливать; испускать (запах и т. п.); 2) распространять; 3) изливаться из кровеносных сосудов (в мозг и т. п.).

effusion [ɪˈfjuːʒən] n 1) излияние; ~ of blood a) кровоизлияние; б) потеря крови; 2) излияние (душевное); вдохновенный поток (стихов и т. п.).

effusive [ɪˈfjuːsɪv] a 1) экспансивный; несдержанный; ~ compliments неумеренные комплименты; 2) геол. эффузивный.

eft [eft] n зоол. тритон.

egad [ɪˈgæd] int уст. ей-богу!

egalitarian [ɪˌgælɪˈteərɪən] n поборник равноправия.

egg I [eg] n 1) яйцо; soft(-boiled) ~, lightly boiled ~ яйцо всмятку; hard-boiled ~ крутое яйцо; перен. разг. бессердечный, чёрствый человек; scrambled ~s яичница-болтунья; poached ~ яйцо-пашот; 2) воен. sl. авиабомба; бомба, мина; to lay ~s ставить мины; 3) амер. sl. парень, человек;

несте́санный челове́к; 4) *разг.* прова́л, фиа́ско; ◇ in the ~ в зача́точном состоя́нии; to crush in the ~ подави́ть в заро́дыше, пресе́чь в ко́рне; a bad ~ *разг.* а) непутёвый, никудышный челове́к; б) неуда́чная зате́я; a good ~ *разг.* прекра́сный челове́к *или* предме́т; to have (*или* to put) all one's ~s in one basket рискова́ть всем, поста́вить всё на ка́рту; teach your grandmother to suck ~s ≅ не учи́ учёного; йца ку́рицу не у́чат; as sure as ~s is ~s *шутл.* ≅ ве́рно, как два́жды два четы́ре; as full as an ~ битко́м наби́тый.

egg II [eg] *v*: ~ on подстрека́ть.

egg-cup ['egkʌp] *n* рю́мка для яйца́.

egg-dance ['eg,dɑːns] *n* 1) та́нец, выполня́емый с завя́занными глаза́ми среди́ яйц; 2) сло́жная, трудновыполни́мая зада́ча.

egg-flip ['egflɪp] *n* горя́чее пи́во *или* вино́ с желтко́м, стёртым с молоко́м и са́харом.

egg-nog ['egnɔg] = egg-flip.

egg-plant ['eglɑːnt] *n* баклажа́н.

egg-shaped ['egʃeɪpt] *a* яйцеви́дный, в фо́рме яйца́, ова́льный.

egg-shell ['egʃel] *n* 1) яи́чная скорлупа́; 2) хру́пкий предме́т; 3) *attr.*: ~ china то́нкий фарфо́р; ◇ to walk (*или* to tread) upon ~s де́йствовать с большо́й осторо́жностью.

eglantine ['eglǝntaɪn] *n* ро́за эглянте́рия.

ego ['egou] *n* 1) *филос.* субъе́кт, ́эго, мы́слящая ли́чность, моё «я»; 2) *разг.* эгои́зм.

egocentric [,egou'sentrɪk] *a* эгоцентри́ческий, эгоисти́чный.

egoism ['egouɪzǝm] *n* эгои́зм.

egoist ['egouɪst] *n* эгои́ст.

egoistic(al) [,egou'ɪstɪk(ǝl)] *a* эгоисти́чный; эгоисти́ческий.

egotism ['egoutɪzǝm] *n* эготи́зм; самомне́ние, самовлюблённость.

egotist ['egoutɪst] *n* эготи́ст; эгоцентри́ст.

egregious [ɪ'griːdʒǝs] *a* отъя́вленный, вопию́щий; ~ error гру́бая, вопию́щая оши́бка; ~ lie вопию́щая ложь; ~ fool отъя́вленный дура́к.

egress ['iːgres] *n* 1) вы́ход; 2) исто́к, истече́ние; 3) пра́во вы́хода; 4) *геол.* вы́ход на пове́рхность; 5): ~ of heat *тех.* теплоотда́ча.

egression [ɪ'greʃǝn] *n* вы́ход.

egret ['iːgret] *n* 1) бе́лая ца́пля; 2) эгре́т(ка); 3) голо́вка одува́нчика, чертополо́ха [*см. тж.* aigrette].

Egyptian [ɪ'dʒɪpʃǝn] **1.** *a* еги́петский; **2.** *n* 1) египтя́нин; египтя́нка; 2) *уст.* цыга́н; цыга́нка; 3) *разг.* еги́петская папиро́са.

Egyptology [,iːdʒɪp'tɔlǝdʒɪ] *n* египтоло́гия.

eh [eɪ] *int* выража́ет вопро́с, удивле́ние, наде́жду на согла́сие слу́шающего *и* как? что (вы сказа́ли)!, вот как!, не пра́вда ли?

eider ['aɪdǝ] *n* 1) *зоол.* га́га (обыкнове́нная); 2) = eider-down.

eider-down ['aɪdǝdaun] *n* 1) гага́чий пух; 2) пухо́вое стёганое одея́ло.

eidolon [aɪ'doulɔn] *n* 1) о́браз, подо́бие; 2) привиде́ние, фанто́м.

eight [eɪt] **1.** *num. card.* во́семь;

2. *n* 1) восьмёрка; 2) (the Eights) *pl* гребны́е состяза́ния ме́жду оксфо́рдскими и ке́мбриджскими студе́нтами; 3) in ~s в восьму́ю до́лю листа́; ◇ to have one over the ~ *sl.* напи́ться, опьяне́ть.

eighteen ['eɪ'tiːn] *num. card.* восемна́дцать.

eighteenth ['eɪ'tiːnθ] **1.** *num. ord.* восемна́дцатый; **2.** *n* 1) восемна́дцатая часть; 2) (the ~) восемна́дцатое число́.

eighth [eɪtθ] **1.** *num. ord.* восьмо́й; **2.** *n* 1) восьма́я часть; 2) (the ~) восьмо́е число́.

eighties ['eɪtɪz] *n pl* 1) (the ~) восьмидеся́тые го́ды; 2) восьмо́й деся́ток (*возраст между 79 и 90 годами*).

eightieth ['eɪtɪθ] **1.** *num. ord.* восьмидеся́тый; **2.** *n* восьмидеся́тая часть.

eighty ['eɪtɪ] **1.** *num. card.* во́семьдесят; he is over ~ ему́ за во́семьдесят; ~-one во́семьдесят оди́н; ~-two во́семьдесят два *и т. д.*; **2.** *n* во́семьдесят (*едини́ц, штук*).

einsteinium [aɪn'staɪnɪǝm] *n хим.* эйнште́йний.

eirenicon [aɪ'riːnɪkɔn] *n* миролюби́вое предложе́ние; план поддержа́ния ми́ра.

eisteddfod [aɪs'teðvǝd] *n* фестива́ль певцо́в, поэ́тов (*в Уэ́льсе*).

either I ['aɪðǝ, *амер.* 'iːðǝ] *pron. indef.* **1.** *как сущ.* 1) оди́н из двух; тот и́ли друго́й; ~ of the two boys may go оди́н из ́этих двух ма́льчиков мо́жет пойти́; 2) и тот и друго́й; о́ба; ка́ждый, любо́й (из двух); ~ will do подойдёт и тот и друго́й;

2. *как прил.* 1) оди́н из двух; тако́й *или* друго́й; ́этот *или* ино́й; you may put the lamp at ~ end of the table вы мо́жете поста́вить ла́мпу на тот *или* на друго́й коне́ц стола́; 2) ка́ждый, любо́й (*из двух*); there are curtains on ~ side of the window по обе́им сторона́м окна́ вися́т занаве́ски; ~ way и так и ́так;

3. *как нареч.* та́кже (*при отрица́нии*); if you do not go I sl all not ~ е́сли вы не пойдёте, то и я не пойду́.

either II ['aɪðǝ, *амер.* 'iːðǝ] *cj* и́ли; ~...or... и́ли... и́ли...; ~ come in or go out ли́бо входи́те, ли́бо выходи́те.

ejaculate [ɪ'dʒækjuleɪt] *v* 1) восклица́ть; 2) изверга́ть (*жи́дкость*).

ejaculation [ɪ,dʒækju'leɪʃǝn] *n* 1) восклица́ние; 2) изверже́ние; 3) внеза́пно изве́рженная жи́дкость; 4) *физиол.* эякуля́ция.

eject I [ɪ'dʒekt] *v* 1) изгоня́ть (from); лиша́ть до́лжности; 2) выселя́ть; изверга́ть, выбра́сывать; выпуска́ть (*дым и т п.*).

eject II ['iːdʒekt] *n* плод воображе́ния.

ejection [ɪ'dʒekʃǝn] *n* 1) изгна́ние; лише́ние до́лжности; 2) выселе́ние; 3) изверже́ние; испражне́ние; 4) вы́брошенная, изве́рженная ма́сса, ла́ва.

ejectment [ɪ'dʒektmǝnt] *n* 1) выселе́ние; 2) *юр.* суде́бное де́ло о возвраще́нии земе́ль.

ejector [ɪ'dʒektǝ] *n* 1) тот, кто изгоня́ет *и пр.* [*см.* eject I]; 2) *тех.* эже́ктор; отража́тель (*в ору́жии*); стру́йный насо́с.

eke I [i:k] *v*: to ~ out восполня́ть, пополня́ть (with); to ~ out one's existence перебива́ться ко́е-ка́к, умудря́ться своди́ть концы́ с конца́ми.

eke II [i:k] *adv уст.* та́кже, то́же; к тому́ же.

el [el] *n* 1) *название буквы* L; 2) = ell II, 2); 3) *амер. разг.* (*сокр. от* elevated railroad) надзе́мная желе́зная доро́га.

elaborate 1. *a* [ɪ'læbərɪt] тща́тельно разрабо́танный, вы́работанный; иску́сно сде́ланный; сло́жный; ~ dinner изы́сканный обе́д;

2. *v* [ɪ'læbəreɪt] 1) тща́тельно разраба́тывать, разраба́тывать в дета́лях; 2) выраба́тывать; развива́ть.

elaboration [ɪ,læbə'reɪʃən] *n* 1) разрабо́тка; разви́тие; уточне́ние; совершёнствование; 2) *физиол.* вы́работка, перерабо́тка.

eland ['i:lənd] *n зоол.* южноафрика́нская антило́па.

elapse [ɪ'læps] *v* проходи́ть, пролета́ть, лете́ть (*о времени*).

elastic [ɪ'læstɪk] 1. *a* 1) эласти́чный; ги́бкий и упру́гий; ~ limit *тех.* преде́л упру́гости; 2) ги́бкий; приспособля́ющийся; ~ rule пра́вило, кото́рое мо́жно по-ра́зному толкова́ть; 3) жизнера́достный; бы́стро оправля́ющийся; ~ conscience легко́ успока́ивающаяся со́весть;

2. *n* 1) рези́нка (*шнур*); 2) рези́нка, подвя́зка.

elasticity [,elæs'tɪsɪtɪ] *n* 1) эласти́чность *и др.* [*см.* elastic 1]; 2) *тех.* упру́гость.

elastic-sides [ɪ'læstɪk,saɪdz] *n pl* штибле́ты с рези́нкой (*тж.* elastic-side boots).

elate [ɪ'leɪt] 1. *v* поднима́ть настрое́ние, подбодря́ть; ~d by success окрылённый успе́хом;

2. *a уст.* в припо́днятом настрое́нии, лику́ющий.

elation [ɪ'leɪʃən] *n* припо́днятое настрое́ние.

elbow ['elbou] 1. *n* 1) ло́коть; at one's ~ под руко́й; ря́дом; 2) подлоко́тник (*кресла*); 3) *тех.* коле́но; уго́льник; ◇ to be out at ~s a) ходи́ть в лохмо́тьях; быть бе́дно оде́тым; б) нужда́ться, бе́дствовать; to crook (*или* to lift) the ~ *sl.* выпива́ть; to rub ~s with smb. якша́ться с кем-л.; up to the ~s in work по го́рло в рабо́те; m re power to your ~! жела́ю успе́ха!;

2. *v* толка́ть локтя́ми; to ~ one's way прота́лкиваться.

elbow-chair ['elbou'tʃεə] *n* кре́сло с подлоко́тниками.

elbow-grease ['elbougri:s] *n шутл.* 1) уси́ленная полиро́вка; 2) тяжёлая упо́рная рабо́та.

elbow-rest ['elbourest] *n* подлоко́тник.

elbow-room ['elbourum] *n* просто́р (*для движения*).

elchee ['eltʃi] *n* посо́л.

eld [eld] *n уст., поэт.* 1) ста́рые го́ды; старина́; 2) ста́рость.

elder I ['eldə] 1. *a* 1) *сравнит. ст. от* old 1); 2) ста́рший (*в семье*); my ~ brother мой ста́рший брат;

2. *n* 1) *pl* ста́рые лю́ди, ста́ршие; 2) ста́рейшина; 3) ста́рец.

elder II ['eldə] *n* бузина́ (*ягода и дерево*).

elder-berry ['eldə,berɪ] *n* я́года бузины́.

elderly ['eldəlɪ] *a* пожило́й, почтённый.

eldest ['eldɪst] *a* 1) *превосх. ст. от* old 1); 2) са́мый ста́рший (*в семье*).

El Dorado [,eldɔ'rɑːdou] *n* 1) Эльдора́до, страна́ ска́зочных бога́тств; 2) *амер.* Калифо́рния.

eldritch ['eldrɪtʃ] *a шотл.* жу́ткий, сверхъесте́ственный.

elecampane [,elɪkæm'peɪn] *n бот.* девяси́л.

elect [ɪ'lekt] 1. *a* и́збранный (*но ещё не вступивший в должность*); ◇ bride ~ наречённая (*невеста*);

2. *n* избра́нник; the ~ *pl собир.* и́збранные;

3. *v* 1) избира́ть; выбира́ть (*голосованием*); they ~ed him chairman они́ вы́брали его́ председа́телем; he was ~ed chairman он был вы́бран председа́телем; 2) назнача́ть (*на должность*); 3) реши́ть, предпоче́сть; he ~ed to remain at home он предпочёл оста́ться до́ма.

election [ɪ'lekʃən] *n* 1) вы́боры; general ~ всео́бщие вы́боры; special ~ *амер.* дополни́тельные вы́боры; to hold an ~ проводи́ть вы́боры; 2) избра́ние; 3) *рел.* предопределе́ние; 4) *attr.* избира́тельный, свя́занный с вы́борами; ~ campaign избира́тельная кампа́ния.

electioneer [ɪ,lekʃə'nɪə] 1. *v* проводи́ть предвы́борную кампа́нию; агити́ровать за кандида́та;

2. *n* тот, кто проводи́т избира́тельную кампа́нию; тот, кто агити́рует за кандида́та.

electioneering [ɪ,lekʃə'nɪərɪŋ] 1. *pres. p. от* electioneer 1;

2. *n* предвы́борная кампа́ния.

elective [ɪ'lektɪv] *a* 1) вы́борный, избира́тельный; 2) име́ющий избира́тельные права́; an ~ body избира́тели; 3) *амер.* факультати́вный, необяза́тельный; ~ course систе́ма обуче́ния, при кото́рой студе́нту предоста́влено пра́во выбира́ть для изуче́ния интересу́ющие его́ дисципли́ны, не приде́рживаясь обяза́тельной програ́ммы; 4) *хим.*: ~ affinity избира́тельное сродство́.

elector [ɪ'lektə] *n* 1) избира́тель; вы́борщик; 2) *нем. ист.* курфю́рст; 3) *амер.* член колле́гии вы́борщиков [*см.* electoral].

electoral [ɪ'lektərəl] *a* избира́тельный; ~ system избира́тельная систе́ма; ~ law избира́тельный зако́н; ~ college *амер.* колле́гия вы́борщиков (*избираемых в штатах для выборов президента и вице-президента*).

electorate [ɪ'lektərɪt] *n* 1) континге́нт избира́телей; 2) избира́тельный о́круг; 3) *нем. ист.* курфю́ршество.

electress [ɪ'lektrɪs] *n* 1) избира́тельница; 2) *нем. ист.* жена́ курфю́рста.

electric [ɪ'lektrɪk] *a* 1) электри́ческий; ~ fan электри́ческий вентиля́тор; ~ light электри́ческий свет, электри́чество; ~ lighting электри́ческое освеще́ние; ~ locomotive электровоз; ~ engineering электроте́хника; ~ torch электри́ческий фона́рик; 2) удиви́тельный, волну́ющий, порази́тельный;

◇ ~ seal мех кролика, имитирующий мех котика.

electrical [ɪ'lektrɪkəl] = electric.

electric arc [ɪ'lektrɪk'ɑːk] n электрическая дуга.

electric blue [ɪ'lektrɪk'bluː] n электрик (цвет).

electric chair [ɪ'lektrɪk'ʧɛə] n электрический стул.

electrician [ɪlek'trɪʃən] n 1) электротехник; 2) электромонтёр.

electricity [ɪlek'trɪsɪtɪ] n электричество.

electrification [ɪ,lektrɪfɪ'keɪʃən] n 1) электрификация; 2) электризация.

electrify [ɪ'lektrɪfaɪ] v 1) электрифицировать; 2) электризовать; to ~ one's audience наэлектризовать своих слушателей.

electrization [ɪ,lektraɪ'zeɪʃən] n электризация.

electrize [ɪ'lektraɪz] = electrify.

electro [ɪ'lektrə] сокр. разг. от electroplate и electrotype.

electrocute [ɪ'lektrəkjuːt] v 1) убивать электрическим током; 2) казнить на электрическом стуле.

electrocution [ɪ,lektrə'kjuːʃən] n казнь на электрическом стуле.

electrode [ɪ'lektroud] n электрод.

electrodynamics [ɪ'lektroudaɪ'næmɪks] n pl (употр. как sing) электродинамика.

electrokinetics [ɪ'lektroukaɪ'netɪks] n pl (употр. как sing) электрокинетика.

electrolier [ɪ,lektrou'lɪə] n люстра.

electrolyse [ɪ'lektroulaɪz] v подвергать электролизу.

electrolysis [ɪlek'trɒlɪsɪs] n электролиз.

electrolyte [ɪ'lektroulaɪt] n электролит.

electromagnet [ɪ'lektrou'mægnɪt] n электромагнит.

electromagnetic [ɪ'lektroumæg'netɪk] a электромагнитный; ~ waves электромагнитные волны.

electromechanics [ɪ,lektroumɪ'kænɪks] n pl (употр. как sing) электромеханика.

electrometallurgy [ɪ,lektroume'tælədʒɪ] n электрометаллургия.

electrometer [ɪlek'trɔmɪtə] n электрометр.

electromotive [ɪ'lektroumoutɪv] a электродвижущий; ~ force электродвижущая сила.

electromotor [ɪ'lektrou'moutə] n электромотор.

electron [ɪ'lektrɔn] n физ. 1) электрон; 2) attr. электронный; ~ bomb электронная зажигательная бомба; ~ tube электронно-лучевая трубка; ~ volt физ. электроновольт.

electronegative [ɪ'lektrou'negətɪv] a электроотрицательный.

electronic [ɪlek'trɔnɪk] a электронный; ~ calculator счётная электронная машина.

electronics [ɪlek'rɔnɪks] n pl (употр. как sing) электроника.

electropathy [ɪlek'trɔpəθɪ] n мед. электролечение, электротерапия.

electrophone [ɪ'lektrəfoun] n 1) система радиовещания по проводам; 2) телефон для тугоухих.

electroplate [ɪ'lektroupleɪt] 1. n гальванизированный предмет;

2. v наносить слой металла гальваническим способом.

electroplating [ɪ'lektroupleɪtɪŋ] 1. pres. p от electroplate 2;

2. n гальваностегия, гальванопокрытие

electropositive [ɪ'lektrou'pɔzətɪv] a электроположительный.

electroscope [ɪ'lektrəskoup] n электроскоп.

electrostatics [ɪ'lektrou'stætɪks] n pl (употр. как sing) электростатика.

electrotype [ɪ'lektroutaɪp] 1. n 1) гальванопластика; электротипия; 2) гальвано;

2. v изготовлять гальвано.

electuary [ɪ'lektjuərɪ] n мед. электуарий, лекарственная кашка.

eleemosynary [,eliː'mɔsɪnərɪ] a 1) благотворительный; 2) живущий милостыней.

elegance, -cy ['eligəns, -sɪ] n элегантность, изящество.

elegant ['eligənt] 1. a 1) изящный, элегантный, изысканный; 2) разг. прекрасный; лучший; первоклассный;

2. n разг. человек с претензиями на элегантность.

elegiac [,elɪ'dʒaɪək] 1. a элегический; грустный;

2. n pl элегические стихи.

elegize ['elɪdʒaɪz] v ирон. писать элегии.

elegy ['elɪdʒɪ] n элегия.

element ['elimənt] n 1) элемент; составная часть; небольшая часть, след; an ~ of truth доля правды; 2) хим. элемент; 3) pl основы (науки и т. п.); азы; 4) стихия; war of the ~s борьба стихий; the four ~s земля, воздух, огонь, вода; the devouring ~ огонь; 5) родная стихия; he is in his ~ он в своей стихии, он чувствует себя как рыба в воде; he is out of his ~ он занимается не своим делом; он чувствует себя как рыба, вынутая из воды; 6) тех. секция (котла и т. п.); 7) воен. подразделение; 8) амер. ав. звено (самолётов).

elemental [,elɪ'mentl] a 1) стихийный; 2) основной; изначальный; 3) образующий составную часть; 4) редк. элементарный.

elementary [,elɪ'mentərɪ] a 1) элементарный, первоначальный; ~ school начальная школа; 2) первичный; 3) хим. неразложимый.

elephant ['elɪfənt] n 1) слон; 2) (E.) амер. прозвище демократической партии; 3) формат бумаги; 4) размер, волнистое железо; 5) амер. воен. sl. закрытие из сводчатого, волнистого железа; 6) attr.: ~ bull слон; ~ calf слонёнок; ~ cow слониха; ~ trumpet рёв слона; ~ white ~ обременительное имущество; подарок, который неизвестно куда девать; to see the ~, to get a look at the ~ узнать жизнь, увидеть свет; увидеть жизнь большого города.

elephantiasis [,elɪfən'taɪəsɪs] n мед. слоновая болезнь.

elephantine [,elɪ'fæntaɪn] a 1) слоновый; 2) слоноподобный; неуклюжий, тяжеловесный; ~ humour грубый юмор.

Eleusinian mysteries [,eljuː'sɪnɪən'mɪstərɪz] n pl др.-греч. ист. Элевзинские таинства.

elevate ['elɪveɪt] *v* 1) поднима́ть, повыша́ть; to ~ hopes возбужда́ть наде́жды; to ~ the voice повыша́ть го́лос; 2) повыша́ть (*по службе*); 3) облагора́живать, улучша́ть; study ~s the mind уче́ние развива́ет челове́ка.

elevated ['elɪveɪtɪd] 1. *p. p. om* elevate;
2. *a* 1) возвы́шенный (*тж. перен.*); припо́днятый; ~ railway, *амер.* ~ railroad надзе́мная желе́зная доро́га (на эстака́де); ~ train по́езд тако́й доро́ги; 2) *разг.* подвы́пивший;
3. *n амер. разг.* = ~ railroad [*см.* 2, 1)].

elevating ['elɪveɪtɪŋ] 1. *pres. p. om* elevate;
2. *a* подъёмный.

elevation [,elɪ'veɪʃən] *n* 1) подня́тие, возвыше́ние; облагора́живание; 2) возвыше́ние, возвы́шенность; приго́рок; высота́ (*над уровнем моря*); ~ of style возвы́шенность сти́ля; 3) *воен.* у́гол возвыше́ния *или* прице́ливания, вертика́льная наво́дка; 4) *астр.* высста́ небе́сного те́ла над горизо́нтом; 5) *тех.* про́филь, вертика́ль; front ~ фаса́д; вид спе́реди (*на чертеже*); side ~ боково́й фаса́д; бок; вид сбо́ку.

elevator ['elɪveɪtə] *n* 1) грузоподъёмник; элева́тор; 2) лифт; 3) элева́тор (*тж.* grain ~); 4) *ав.* руль высоты́; 5) *анат.* поднима́ющая мы́шца.

elevator-installationist ['elɪveɪtə,ɪnstə'leɪʃənɪst] *n* монтёр по устано́вке и ремо́нту ли́фта.

elevator-jockey ['elɪveɪtə'dʒɔkɪ] *разг. см.* elevator-operator.

elevator-operator ['elɪveɪtə'ɔpəreɪtə] *n амер.* лифтёр.

eleven [ɪ'levn] 1. *num. card.* оди́ннадцать;
2. *n* кома́нда из оди́ннадцати челове́к (*в футболе или крикете*).

elevens, elevenses [ɪ'levnz, ɪ'levnzɪz] *n разг.* лёгкий за́втрак о́коло 11 часо́в утра́.

eleventh [ɪ'levnθ] 1. *num. ord.* оди́ннадцатый; ◊ at the ~ hour ≅ в после́днюю мину́ту;
2. *n* 1) оди́ннадцатая часть; 2) (the ~) оди́ннадцатое число́.

elf [elf] *n* (*pl* elves) 1) *миф.* эльф; 2) ка́рлик; 3) прока́зник.

elf-bolt ['elfboult] *n* 1) кремнёвый наконе́чник стрелы́; 2) *геол.* белемни́т.

elfin ['elfɪn] 1. *a* 1) относя́щийся к э́льфам; волше́бный; 2) похо́жий на э́льфа, миниатю́рный;
2. *n* = elf.

elf-lock ['elflɔk] *n* спу́танные во́лосы.

elicit [ɪ'lɪsɪt] *v* 1) извлека́ть; вытя́гивать; вызыва́ть, выявля́ть; to ~ a fact вы́явить факт; to ~ applause вызыва́ть аплодисме́нты; 2) допы́тываться; to ~ a reply доби́ться отве́та; 3) устана́вливать.

elide [ɪ'laɪd] *v* 1) выпуска́ть, обходи́ть молча́нием; 2) *лингв.* выпуска́ть (*слог или гласный*) при произноше́нии.

eligibility [,elɪdʒə'bɪlɪtɪ] *n* 1) пра́во на избра́ние; 2) прие́млемость.

eligible ['elɪdʒəbl] *a* 1) могу́щий быть и́збранным (for); ~ for membership име́ющий

пра́во быть чле́ном; 2) подходя́щий. жела́тельный; ~ young man *разг.* жени́х.

Elijah [ɪ'laɪdʒə] *n библ.* Или́я.

eliminate [ɪ'lɪmɪneɪt] *v* 1) устраня́ть, исключа́ть (from); we may ~ the possibility мо́жно игнори́ровать возмо́жность; 2) уничтожа́ть, ликвиди́ровать; 3) *хим., физиол.* очища́ть; выделя́ть; удаля́ть из органи́зма; 4) *мат.* приводи́ть к одному́ неизве́стному (*уравнение*).

elimination [ɪ,lɪmɪ'neɪʃən] *n* исключе́ние *и пр.* [*см.* eliminate]; ~ of waste испо́льзование отхо́дов.

eliminator [ɪ'lɪmɪneɪtə] *n тех.* 1) аппара́т *или* устро́йство для удале́ния *или* отво́да; 2) водоотдели́тель; 3) выта́лкиватель.

elision [ɪ'lɪʒən] *n лингв.* эли́зия.

élite [eɪ'liːt] *фр. n* отбо́рная часть, цвет (*общества и т. п.*); эли́та, лу́чшие, отбо́рные экземпля́ры живо́тных *или* расте́ний; corps d'élite [kɔːdeɪ'liːt] отбо́рные войска́; отбо́рная (войскова́я) часть.

elixir [ɪ'lɪksə] *n* 1) эликси́р; 2) панаце́я.

Elizabethan [ɪ,lɪzə'biːθən] 1. *a* эпо́хи короле́вы Елизаве́ты;
2. *n* совреме́нник Елизаве́тинской эпо́хи, елизаве́тинец.

elk [elk] *n* лось.

ell I [el] *n ист. ме́ра длины́* (≅ 113 см); ◊ give him an inch and he'll take an ~ ≅ дай ему́ па́лец, он и всю ру́ку отку́сит.

ell II [el] *n* 1) крыло́ до́ма; 2) *амер.* пристро́йка.

ellipse [ɪ'lɪps] *n* 1) *мат.* э́ллипс; ова́л; 2) = ellipsis.

ellipses [ɪ'lɪpsiːz] *pl om* ellipsis.

ellipsis [ɪ'lɪpsɪs] *n* (*pl* ellipses) *филол.* э́ллипс.

elliptic(al) [ɪ'lɪptɪk(əl)] *a филол.* эллипти́ческий.

elm [elm] *n бот.* вяз,..ильм, бе́рест.

elocution [,elə'kjuːʃən] *n* ора́торское иску́сство.

elongate ['iːlɔŋgeɪt] 1. *v* 1) растя́гивать (-ся); удлиня́ть(ся); 2) продлева́ть (*срок*);
2. *a бот., зоол.* вы́тянутый и то́нкий.

elongation [,iːlɔŋ'geɪʃən] *n* 1) удлине́ние; 2) продле́ние; продолже́ние.

elope [ɪ'loup] *v* 1) бежа́ть (*с возлюбленным*); 2) скры́ться (from).

elopement [ɪ'loupmənt] *n* та́йное бе́гство (*с возлюбленным*).

eloquence ['eləkwəns] *n* красноре́чие.

eloquent ['eləkwənt] *a* 1) красноречи́вый; ~ speech проникнове́нная речь; 2) вырази́тельный; ~ eyes вырази́тельные глаза́.

else [els] 1. *adv* 1) (*c pron. indef. u pron. inter.*) ещё, кро́ме; no one ~ has come никто́ бо́льше не приходи́л; what ~? что ещё?; who ~? кто ещё?; 2) (*обыкн. после* or) ина́че; а то; и́ли же; take care or ~ you will fall бу́дьте осторо́жны, ина́че упадёте;
2. *pron. indef.* друго́й; somebody ~'s hat шля́па кого́-то друго́го; more than anything ~ бо́льше, чем что-л. друго́е.

elsewhere ['els'wɛə] *adv* где́-нибудь в друго́м ме́сте.

elsewhither ['els'wɪðə] *adv* куда́-л. в друго́е ме́сто.

elucidate [ɪ'luːsɪdeɪt] *v* объясня́ть, разъясня́ть, пролива́ть свет.

elucidation [ɪˌluːsɪ'deɪʃən] *n* разъясне́ние.

elucidative [ɪ'luːsɪdeɪtɪv] *a* объясни́тельный.

elucidatory [ɪ'luːsɪdeɪtərɪ] = elucidative.

elude [ɪ'luːd] *v* 1) избега́ть, уклоня́ться; to ~ pursuit (observation) ускольза́ть от пресле́дования (наблюде́ния); 2) не приходи́ть на ум; ускольза́ть; the meaning ~s me не могу́ вспо́мнить значе́ние.

elusion [ɪ'luːʒən] *n* уве́ртка, уклоне́ние.

elusive [ɪ'luːsɪv] *a* неулови́мый, уклончивый; an ~ memory сла́бая па́мять.

elusory [ɪ'luːsərɪ] *a* легко ускольза́ющий.

eluvium [ɪ'ljuːvɪəm] *n* геол. элю́вий.

elver ['elvə] *n* зоол. молодо́й у́горь.

elves [elvz] *pl от* elf.

elvish ['elvɪʃ] *a* 1) волше́бный; 2) ма́ленький; 3) прока́зливый.

Elysium [ɪ'lɪzɪəm] *n миф.* Эли́зиум, Елисе́йские поля́; рай.

elytra ['elɪtrə] *pl от* elytron.

elytron ['elɪtrɔn] *n (pl* -ra) *зоол.* надкры́лье.

Elzevir ['elzɪvɪə] *n* 1) эльзеви́р (*книга голла́ндского изда́ния XVI—XVII вв.*); 2) *attr.*: ~ type шрифт эльзеви́р.

em [em] *n* 1) *назва́ние бу́квы* М; 2) *полигр.* бу́ква m как едини́ца измере́ния печа́тной строки́ (*соотве́тствует кру́глой*).

'em [əm] *разг. сокр. от* them.

em- [em-, ɪm-] *pref см.* en-.

emaciate [ɪ'meɪʃɪeɪt] *v* истоща́ть, изнуря́ть; he was ~d by hunger and fatigue от го́лода и уста́лости он был совсе́м истощён.

emaciated [ɪ'meɪʃɪeɪtɪd] **1.** *p. p. от* emaciate;
2. *a* истощённый; ~ soil истощённая земля́.

emaciation [ɪˌmeɪsɪ'eɪʃən] *n* истоще́ние, изнуре́ние.

emanate ['eməneɪt] *v* 1) исходи́ть, истека́ть; 2) происходи́ть (from).

emanation [ˌeməˈneɪʃən] *n* эмана́ция; истече́ние; излуче́ние, испуска́ние.

emancipate [ɪ'mænsɪpeɪt] *v* освобожда́ть, эмансипи́ровать.

emancipation [ɪˌmænsɪ'peɪʃən] *n* освобожде́ние; эмансипа́ция; ~ of slaves освобожде́ние рабо́в; ~ from slavery освобожде́ние от ра́бства.

emancipationist [ɪˌmænsɪ'peɪʃənɪst] *n* сторо́нник эмансипа́ции.

emancipist [ɪ'mænsɪpɪst] *n австрал.* бы́вший ка́торжник.

emasculate 1. *v* [ɪ'mæskjuleɪt] 1) кастри́ровать; 2) обесси́ливать; ослабля́ть; 3) изне́живать; 4) выхола́щивать (*иде́ю и т. п.*); обедня́ть (*язы́к*);
2. *a* [ɪ'mæskjulɪt] 1) кастри́рованный; 2) лишённый си́лы; вы́холощенный; 3) изне́женный.

emasculation [ɪˌmæskjuˈleɪʃən] *n* 1) кастра́ция; 2) выхола́щивание; 3) бесси́лие.

embalm [ɪm'bɑːm] *v* 1) бальзами́ровать; 2) сохраня́ть от забве́ния; 3) наполня́ть благоуха́нием.

embalmment [ɪm'bɑːmmənt] *n* бальзами́рование.

embank [ɪm'bæŋk] *v* защища́ть на́сыпью, обноси́ть ва́лом; запру́живать плоти́ной.

embankment [ɪm'bæŋkmənt] *n* 1) да́мба, на́сыпь, гать; 2) на́бережная.

embargo [em'bɑːgou] *n (pl* -oes [-ouz]) эмба́рго; запреще́ние, запре́т; oil is under an ~ торго́вля не́фтью запрещена́; to lay an ~ on (*и́ли* upon) налага́ть запреще́ние на; to take off an ~ снима́ть запреще́ние; 2. *v* 1) накла́дывать эмба́рго; to ~ a ship заде́рживать су́дно в порту́; 2) реквизи́ровать; конфискова́ть.

embark [ɪm'bɑːk] *v* 1) грузи́ть(ся), сади́ться на кора́бль; 2) начина́ть; вступа́ть (*в де́ло, в войну́*); to ~ on a venture пуска́ться в како́е-л. предприя́тие; to ~ on hostilities прибе́гнуть к вое́нным де́йствиям; 3) отпра́виться на корабле́ (for—в).

embarkation [ˌembɑːˈkeɪʃən] *n* 1) поса́дка, погру́зка (*на суда́*); 2) груз.

embarrass [ɪm'bærəs] *v* 1) затрудня́ть, стесня́ть; 2) смуща́ть, приводи́ть в замеша́тельство; 3) (*часто p. p.*) запу́тывать (*в дела́х*); обременя́ть (*долга́ми*).

embarrassed [ɪm'bærəst] **1.** *p. p. от* embarrass;
2. *a* 1) стеснённый; 2) смущённый, расте́рянный.

embarrassing [ɪm'bærəsɪŋ] **1.** *pres. p. от* embarrass;
2. *a* 1) стесни́тельный; 2) смуща́ющий.

embarrassingly [ɪm'bærəsɪŋlɪ] *adv* ошеломля́юще.

embarrassment [ɪm'bærəsmənt] *n* 1) затрудне́ние; 2) замеша́тельство, смуще́ние; 3) запу́танность (*в дела́х, долга́х*).

embassy ['embəsɪ] *n* посо́льство.

embattle I [ɪm'bætl] *v (обыкн. p. p.)* стро́ить в боево́й поря́док.

embattle II [ɪm'bætl] *v ист.* защища́ть зу́бцами и бойни́цами (*сте́ны ба́шни и т.п.*).

embay [ɪm'beɪ] *v* 1) вводи́ть в зали́в (*су́дно*); 2) запира́ть, окружа́ть; 3) изре́зывать (*бе́рег*) зали́вами.

embed [ɪm'bed] *v* 1) вставля́ть, вреза́ть, вде́лывать; a thorn ~ded in the finger шип, глубоко́ вонзи́вшийся в па́лец; that day is ~ded for ever in my recollection э́тот день навсегда́ вре́зался в мою́ па́мять; 2) внедря́ть.

embellish [ɪm'belɪʃ] *v* 1) украша́ть; 2) приукра́шивать (*вы́думкой расска́з и т. п.*).

embellishment [ɪm'belɪʃmənt] *n* 1) украше́ние; 2) приукра́шивание.

ember ['embə] *n (обыкн. pl)* 1) после́дние кра́сные уголька́ (*тле́ющие в золе́*); 2) горя́чая зола́.

ember days ['embədeɪz] *n pl* 12 дней поста́ (*по три дня четы́ре ра́за в год, в англика́нской и католи́ческой це́ркви*).

ember-goose ['embəˌguːs] *зоол.* гага́ра поля́рная.

embezzle [ɪm'bezl] *v* присва́ивать, растра́чивать (*чужи́е де́ньги*).

embezzlement [ɪm'bezlmənt] *n* растра́та, хище́ние.

embitter [ɪm'bɪtə] *v* 1) озлобля́ть, раздража́ть; наполня́ть го́речью; 2) отравля́ть (*существование*); 3) растравля́ть; отягча́ть (*горе и т. п.*).

emblazon [ɪm'bleɪzən] *v* 1) распи́сывать герб; 2) превозноси́ть, сла́вить.

emblem ['embləm] 1. *n* 1) эмбле́ма, си́мвол; 2): National E. госуда́рственный герб;
2. *v* служи́ть эмбле́мой; символизи́ровать.

emblematic(al) [,emblɪ'mætɪk(əl)] *a* символи́ческий.

emblematize [em'blemətaɪz] *v* служи́ть эмбле́мой; символизи́ровать.

embodiment [ɪm'bɔdɪmənt] *n* 1) воплоще́ние; 2) объедине́ние; 3) *воен.* формирова́ние (часте́й территориа́льной а́рмии при мобилиза́ции).

embody [ɪm'bɔdɪ] *v* 1) воплоща́ть; изобража́ть, олицетворя́ть; 2) осуществля́ть (*идею*); 3) заключа́ть в себе́; 4) объединя́ть; включа́ть; embodied in the armed forces входя́щие в соста́в вооружённых сил; 5) *воен.* формирова́ть(ся).

embog [ɪm'bɔg] *v* завя́знуть (*в боло́те*).

embolden [ɪm'bouldən] *v* 1) ободря́ть, придава́ть хра́брости; 2) поощря́ть.

embolism ['embəlɪzəm] *n мед.* эмболия (*закупорка кровеносного сосуда*).

embosom [ɪm'buzəm] *v* 1) обнима́ть, прижима́ть к груди́; 2) окружа́ть; trees ~ing the house окружа́ющие дом дере́вья.

emboss [ɪm'bɔs] *v* 1) выбива́ть, выда́вливать вы́пуклый рису́нок; чека́нить; гофри́ровать; 2) лепи́ть релье́ф; украша́ть релье́фом.

embouchure [,ɔmbu'ʃuə] *фр. n* 1) у́стье (*реки*); 2) вход (*в долину*); 3) *муз.* мундшту́к, амбушю́р.

embowel [ɪm'bauəl] *v* 1) потроши́ть; 2) *уст.* скрыва́ть, хорони́ть.

embower [ɪm'bauə] *v* окружа́ть, укрыва́ть, осеня́ть.

embrace [ɪm'breɪs] 1. *n* объя́тие;
2. *v* 1) обнима́ть(ся); 2) воспо́льзоваться (*случаем, предложением*); 3) принима́ть (*веру, теорию*); 4) избира́ть (*специальность*); 5) охва́тывать (*взглядом, мыслью*); 6) включа́ть, заключа́ть в себе́, содержа́ть.

embracery [ɪm'breɪsərɪ] *n юр.* незако́нное давле́ние на судью́ *или* прися́жных.

embranchment [ɪm'brɑːntʃmənt] *n* ответвле́ние.

embrasure [ɪm'breɪʒə] *n* 1) *архит.* проём; 2) *воен.* амбразу́ра, бойни́ца.

embrittle [em'brɪtl] *v* де́лать ло́мким *или* хру́пким.

embrocate ['embrou'keɪt] *v* растира́ть жи́дкой ма́зью; класть припа́рки.

embrocation [,embrou'keɪʃən] *n* растира́ние; жи́дкая мазь.

embroider [ɪm'brɔɪdə] *v* 1) вышива́ть; 2) расцве́чивать, приукра́шивать (*рассказ*).

embroidery [ɪm'brɔɪdərɪ] *n* 1) вышива́ние; 2) вы́шивки; вы́шитое изде́лие; 3) украше́ние; прикра́са.

embroil [ɪm'brɔɪl] *v* 1) запу́тывать (*дела, фабулу*); 2) впу́тывать (*в неприя́тности*); 3) ссо́рить (with).

embrown [ɪm'braun] *v* придава́ть кори́чневый *или* бу́рый отте́нок.

embryo ['embrɪou] 1. *n* (*pl* -os [-ouz]) эмбрио́н, заро́дыш; in ~ в зача́точном состоя́нии;
2. *a* заро́дышевый; эмбриона́льный.

embryology [,embrɪ'ɔlədʒɪ] *n* эмбриоло́гия.

embryonic [,embrɪ'ɔnɪk] *a* эмбриона́льный.

embus [ɪm'bʌs] *v* сажа́ть, сади́ться, грузи́ть(ся) в автомаши́ны.

emend, emendate [iː'mend, 'iːmendeɪt] *v* изменя́ть *или* исправля́ть (*текст*).

emendation [,iːmen'deɪʃən] *n* измене́ние *или* исправле́ние те́кста (литерату́рного) произведе́ния.

emerald ['emərəld] 1. *n* 1) изумру́д; 2) изумру́дный цвет; 3) *полигр.* шрифт в 6½ пу́нктов;
2. *a* изумру́дный; ◇ E. Isle Ирла́ндия.

emerge [ɪ'mɜːdʒ] *v* 1) появля́ться; всплыва́ть; выходи́ть; 2) выясня́ться; 3) встава́ть, возника́ть (*о вопросе и т. п.*); ◇ to ~ unscathed ≈ вы́йти сухи́м из воды́.

emergence [ɪ'mɜːdʒəns] *n* 1) вы́ход; появле́ние; 2) = emergency 1).

emergency [ɪ'mɜːdʒənsɪ] *n* 1) непредви́денный слу́чай; кра́йняя необходи́мость; кра́йность; крити́ческое положе́ние; ава́рия; ready for all emergencies гото́вый ко всем неожи́данностям; on ~, in case of ~ в слу́чае кра́йней необходи́мости; 2) *attr.* вспомога́тельный, запа́сный, запасно́й, авари́йный; ~ door, ~ exit запа́сный вы́ход; ~ landing *ав.* вы́нужденная поса́дка; ~ ration а) неприкоснове́нный запа́с; б) *ав.* авари́йный паёк; ~ store неприкоснове́нный запа́с; ~ barrage *амер. воен.* загради́тельный ого́нь; ~ brake *ж.-д.* э́кстренный то́рмоз; запасно́й то́рмоз; 3) *attr.* чрезвыча́йный; ~ powers чрезвыча́йные полномо́чия; ◇ rise to the ~ быть на высоте́ положе́ния.

emergency-commissioned [ɪ'mɜːdʒənsɪkə'mɪʃənd] *a*: ~ officer офице́р вое́нного вре́мени.

emergent [ɪ'mɜːdʒənt] *a* неожи́данно появля́ющийся, внеза́пно всплыва́ющий.

emeritus [iː'merɪtəs] *a*: ~ professor заслу́женный профе́ссор в отста́вке.

emersion [iː'mɜːʃən] *n* 1) появле́ние (*обыкн. солнца, луны после затмения*); 2) всплы́тие (*подводной лодки*).

emery ['emərɪ] *n* нажда́к, кору́нд.

emery-cloth ['emərɪklɔθ] *n* нажда́чное полотно́, шку́рка.

emery-paper ['emərɪ,peɪpə] *n* нажда́чная бума́га.

emery-wheel ['emərɪwiːl] *n* точи́ло, шлифова́льный круг; нажда́чный круг.

emetic [ɪ'metɪk] 1. *a* рво́тный;
2. *n* рво́тное (лека́рство).

emeu ['iːmjuː] = emu.

émeute [eɪ'mɜːt] *фр. n* бунт, мяте́ж.

emigrant ['emɪgrənt] 1. *n* эмигра́нт; переселе́нец;

2. *a* эмигри́рующий; эмигра́нтский; пересе́ленческий; ~ labourers кочу́ющие рабо́чие.

émigrate [ˈemɪgreɪt] *v* 1) эмигри́ровать; переселя́ть(ся); 2) *разг.* переезжа́ть.

emigration [ˌemɪˈgreɪʃən] *n* эмигра́ция; переселе́ние.

emigratory [ˈemɪgrətərɪ] *a* эмиграцио́нный.

émigré [ˈemɪgreɪ] *фр. n* эмигра́нт.

eminence [ˈemɪnəns] *n* 1) высота́; возвы́шенность; 2) высо́кое положе́ние; знамени́тость; a man of ~ знамени́тый челове́к; 3) (E.) высокопреосвяще́нство (*титул кардина́ла*); your E. ва́ше высокопреосвяще́нство.

eminent [ˈemɪnənt] *a* 1) возвы́шенный, возвыша́ющийся; 2) выдаю́щийся, замеча́тельный, знамени́тый.

emir [eˈmɪə] *араб. n* эми́р.

emissary [ˈemɪsərɪ] *n* эмисса́р, аге́нт; an ~ of the Devil слуга́ дья́вола.

emission [ɪˈmɪʃən] *n* 1) выделе́ние, распростране́ние (*тепла, света, запаха*); 2) *физ.* излуче́ние; эмана́ция, эми́ссия электро́нов; 3) *фин.* вы́пуск, эми́ссия.

emissive [ɪˈmɪsɪv] *a* 1) выделя́ющий; испуска́ющий; 2) излуча́ющий.

emit [ɪˈmɪt] *v* 1) испуска́ть, выделя́ть; 2) издава́ть (*крик, звук*); 3) излуча́ть; 4) выпуска́ть (*де́ньги, возза́ния и т. п.*).

emma gee [ˈeməˈdʒiː] *n воен. уст. sl.* станко́вый пулемёт.

emmet [ˈemɪt] *n уст.*, *диал.* мураве́й.

emollient [ɪˈmɒlɪənt] 1. *a* смягча́ющий; 2. *n* мягчи́тельное сре́дство.

emolument [ɪˈmɒljumənt] *n* (*обыкн. pl*) за́работок, вознагражде́ние; жа́лованье, дохо́д.

emotion [ɪˈmouʃən] *n* 1) душе́вное волне́ние, возбужде́ние; 2) чу́вство; эмо́ция.

emotional [ɪˈmouʃənl] *a* 1) эмоциона́льный; 2) взволно́ванный; 3) волну́ющий (*напр., о музыке*).

emotionality [ɪˌmouʃəˈnælɪtɪ] *n* эмоциона́льность.

emotive [ɪˈmoutɪv] *a* 1) эмоциона́льный; 2) волну́ющий; возбужда́ющий.

empale [ɪmˈpeɪl] = impale.

empanel [ɪmˈpænl] *v* составля́ть спи́сок прися́жных; включа́ть в спи́сок прися́жных.

empathy [ˈempəθɪ] *n* вчу́вствование; проникнове́ние.

empennage [ˌɑːŋpeˈnɑːʒ] *фр. n ав.* хвостово́е опере́ние.

emperor [ˈempərə] *n* импера́тор.

emphases [ˈemfəsiːz] *pl от* emphasis.

emphasis [ˈemfəsɪs] (*pl* -ses) *n* 1) вырази́тельность, си́ла, ударе́ние; эмфа́за; to lay special ~ придава́ть осо́бое значе́ние, осо́бенно подчёркивать; 2) *филол.* ударе́ние, акце́нт; 3) *жив.* ре́зкость ко́нтуров; 4) *полигр.* выдели́тельный шрифт (*курси́в, разря́дка*).

emphasize [ˈemfəsaɪz] *v* 1) придава́ть осо́бое значе́ние; подчёркивать; 2) де́лать осо́бое ударе́ние (*на сло́ве, фа́кте*); 3) *филол.* ста́вить ударе́ние.

emphatic [ɪmˈfætɪk] *a* 1) вырази́тельный; эмфати́ческий; 2) подчёркнутый; 3) насто́йчивый.

emphysema [ˌemfɪˈsiːmə] *n мед.* эмфизе́ма.

Empire [ˈɑːŋˈriə] *фр.* 1. *n* стиль ампи́р; 2. *a* в сти́ле ампи́р.

empire [ˈempaɪə] 1. *n* импе́рия; the E. а) Брита́нская Импе́рия; б) *ист.* Свяще́нная Ри́мская Импе́рия; 2. *a* импе́рский.

Empire City [ˈempaɪəˈsɪtɪ] *n* Нью-Йо́рк.

Empire Day [ˈempaɪədeɪ] *n* День Импе́рии (*празднуемый в Брита́нской импе́рии 24 ма́я*).

Empire State [ˈempaɪəˈsteɪt] *n* штат Нью-Йо́рк.

empiric [emˈpɪrɪk] 1. *n* 1) эмпи́рик; 2) врач-шарлата́н; 2. *a* эмпири́ческий.

empirical [emˈpɪrɪkəl] = empiric 2.

empiricism [emˈpɪrɪsɪzəm] *n* эмпири́зм.

empiricist [emˈpɪrɪsɪst] *n* эмпи́рик.

empirio-criticism [emˈpɪrɪouˈkrɪtɪsɪzəm] *n* эмпириокритици́зм.

emplacement [ɪmˈpleɪsmənt] *n* 1) местоположе́ние; 2) устано́вка на ме́сто; 3) назначе́ние ме́ста (*для постро́йки и т. п.*); 4) *воен.* платфо́рма для ору́дия; пулемётный *или* оруди́йный око́п; огнева́я то́чка.

emplane [ɪmˈpleɪn] *v* сажа́ть, сади́ться, грузи́ть(ся) на самолёт(ы).

employ [ɪmˈplɔɪ] 1. *n* 1) слу́жба, заня́тие; to be in the ~ of smb. служи́ть, рабо́тать у кого́-л.; 2) *амер. мор.* владе́лец *или* владе́льцы су́дна.
2. *v* 1) держа́ть на слу́жбе; предоставля́ть рабо́ту; нанима́ть; to be ~ed by рабо́тать, служи́ть у; the new road will ~ hundreds of men на но́вой доро́ге бу́дут за́няты со́тни люде́й; 2) занима́ть (*чьё-л. вре́мя и т. п.*); how do you ~ yourself of an evening? чем вы занима́етесь ве́чером?; 3) употребля́ть, применя́ть, испо́льзовать (in, on, for).

employables [ɪmˈplɔɪəblz] *n pl* рабо́чая си́ла; те, кто мо́гут рабо́тать.

employé [ɔmˈplɔɪeɪ] *фр.* = employee.

employee [ˌemplɔɪˈiː] *n* слу́жащий; рабо́тающий по на́йму.

employer [ɪmˈplɔɪə] *n* 1) предпринима́тель; 2) нанима́тель, работода́тель.

employment [ɪmˈplɔɪmənt] *n* 1) слу́жба; заня́тие, рабо́та; out of ~ без рабо́ты; full ~ *эк.* по́лная за́нятость; 2) примене́ние, испо́льзование; 3) *attr.*: ~ bureau бюро́ на́йма (*рабо́чих и слу́жащих*).

empoison [ɪmˈpɔɪzn] *v* 1) отравля́ть; *перен.* разлага́ть; 2) ожесточа́ть.

emporium [emˈpɔːrɪəm] *n* 1) торго́вый центр; ры́нок; това́рная ба́за; 2) *разг.* большо́й магази́н.

empower [ɪmˈpauə] *v* 1) уполномо́чивать; to ~ the Ambassador to conduct negotiations уполномо́чить посла́ на веде́ние перегово́ров; 2) дава́ть возмо́жность.

empress [ˈemprɪs] *n* императри́ца.

emprise [ɪmˈpraɪz] *n уст.*, *поэт.* сме́лое предприя́тие.

emptiness [ˈemptɪnɪs] *n* пустота́.

empty ['empti] 1. *a* 1) пустой; порожний; the car is ~ of petrol в машине кончился бензин; 2) необитаемый *или* немеблированный (*о доме*); 3) пустой, бессодержательный; 4) *разг.* голодный; to feel ~ чувствовать голод; ~ stomachs голодные люди; 5) *тех.* без нагрузки, холостой; ◇ the ~ vessel makes the greatest sound *посл.* пустая бочка пуще гремит;
2. *n* 1) пустой ящик, мешок *и т. п.*; returned ~ возвратная тара; 2) *pl* ж.-д. порожняк;
3. *v* 1) опорожнять; осушать (*стакан*); выливать, высыпать; выкачивать, выпускать; 2) опорожняться; пустеть; 3) впадать (*о реке*; into).

empty-handed ['empti'hændid] *a* с пустыми руками.

empty-headed ['empti'hedid] *a* пустоголовый; невежественный.

emptyings ['emptiiŋz] *n pl амер. разг.* 1) винный осадок; опивки; 2) закваска; 3) отстой (*на дне резервуара*).

empurple [im'pə:pl] *v* обагрять.

empyreal [,empai'ri:əl] *a* небесный, заоблачный; неземной.

empyrean [,empai'ri:ən] 1. *n* 1) эмпирей; 2) небесная твердь;
2. *a* = empyreal; ~ love чистая, неземная любовь.

emu ['i:mju:] *n зоол.* эму.

emulate ['emjuleit] *v* 1) соревноваться, стремиться превзойти; 2) соперничать.

emulation [,emju'leiʃən] *n* 1) соревнование; socialist ~ социалистическое соревнование; 2) соперничество.

emulative ['emjulətiv] *a* соревновательный; ~ spirit дух соревнования.

emulous ['emjuləs] *a* 1) соревнующийся; 2) жаждущий (of — чего-л.); 3) побуждаемый чувством соперничества.

emulsify [i'mʌlsifai] *v* делать эмульсию; превращать в эмульсию.

emulsion [i'mʌlʃən] *n* эмульсия.

emulsive [i'mʌlsiv] *a* эмульсионный; маслянистый.

en [en] *n* 1) *название буквы* N; 2) *полигр.* буква n как единица измерения печатной строки (*соответствует полукруглой*).

en- [en-, in-] *pref* (em- *перед* b, p, m) *служит для образования глаголов и придаёт им значение*: а) *включения внутрь чего-л.*: to encage сажать в клетку; to entruck сажать на грузовик; б) *приведения в какое-л. состояние*: to enslave порабощать; to encourage ободрять.

enable [i'neibl] *a* 1) давать возможность *или* право (что-л. сделать); 2) *уст.* приспосабливать; делать годным.

enact [i'nækt] *v* 1) предписывать; вводить закон; постановлять; 2) ставить на сцене; играть роль; 3) (*обыкн. pass.*) происходить, разыгрываться.

enacting clauses [i'næktiŋ'klɔ:ziz] *n pl* параграфы, содержащие суть постановления.

enactment [i'næktmənt] *n* 1) введение закона в силу; 2) закон, указ.

enamel [i'næməl] 1. *n* 1) эмаль, финифть; 2) *разг.* глазурь, полива; 3) эмаль (*на зу-* бах); 4) косметическое средство для кожи; лак для ногтей;
2. *v* 1) покрывать эмалью, глазурью; эмалировать; 2) испещрять; ~led with flowers поля, усеянные цветами.

enamour [i'næmə] *v* возбуждать любовь; очаровывать; to be ~ed of smb. быть влюблённым в кого-л.; to be ~ed of smth. страстно увлекаться чем-л.

encaenia [en'si:njə] *n* празднование годовщины (*основания*).

encage [in'keidʒ] *v* сажать в клетку.

encamp [in'kæmp] *v* располагать(ся) лагерем.

encampment [in'kæmpmənt] *n* 1) лагерь, место лагеря; 2) расположение лагерем.

encase [in'keis] *v* 1) упаковывать, класть (*в ящик*); 2) полностью закрывать, заключать; ~d in armour закованный в латы; 3) вставлять, обрамлять; 4) *стр.* опалубить.

encasement [in'keismənt] *n* футляр, кожух, покрышка, упаковка.

encash [in'kæʃ] *v* *ком.* реализовать; получать наличными деньгами.

encaustic [en'kɔ:stik] 1. *a* обожжённый, относящийся к обжигу (*о живописи восковыми красками, о гончарных изделиях и эмали, где рисунок закрепляется обжиганием*); ~ tile brick разноцветный изразец;
2. *n* энкаустика, живопись восковыми красками (*с обжиганием*).

enceinte I [ã:ŋ'sɛ:nt] *фр. a, n* беременная.

enceinte II [ã:ŋ'sɛ:nt] *фр. n воен.* крепостная ограда.

encephalic [,enke'fælik] *a* мозговой.

encephalitis [,enkefə'laitis] *n* энцефалит.

enchain [in'tʃein] *v* 1) сажать на цепь; заковывать; 2) приковывать (*внимание*); сковывать (*чувства и т. п.*); 3) сцеплять, соединять.

enchant [in'tʃɑ:nt] *v* 1) очаровывать, приводить в восторг; 2) околдовывать, опутывать чарами.

enchanter [in'tʃɑ:ntə] *n* 1) чародей; 2) обворожительный человек.

enchantingly [in'tʃɑ:ntiŋli] *adv* обворожительно, очаровательно.

enchantment [in'tʃɑ:ntmənt] *n* очарование.

enchantress [in'tʃɑ:ntris] *n* 1) чародейка; 2) чаровница, обворожительная женщина.

enchiridion [,enkaiə'ridiən] *n* справочник, руководство.

encipher [en'saifə] *n* шифрованное сообщение.

encircle [in'sə:kl] *v* окружать; делать круг.

encirclement [in'sə:klmənt] *n* 1) окружение; 2) политика окружения государства кольцом враждебных ему государств, санитарный кордон.

encircling [in'sə:kliŋ] 1. *pres. p. от* encircle;
2. *a*: ~ force *воен.* группа, производящая обход; ~ manoeuvre обходный манёвр; манёвр окружения.

enclasp [in'klɑ:sp] *v* обхватывать, обнимать.

enclave ['enkleiv] *фр. n* территория, окружённая чужими владениями.

enclitic [ɪn'klɪtɪk] *лингв.* **1.** *a* энклити́ческий;

2. *n* энклитика.

enclose [ɪn'klouz] *v* 1) окружа́ть, огора́живать; заключа́ть; 2) вкла́дывать (*в письмо и т. п.*); прилага́ть; 3) *ист.* огора́живать общи́нные зе́мли [*см.* enclosure 5)].

enclosure [ɪn'klouʒə] *n* 1) огоро́женное ме́сто; 2) ограждение, огра́да; 3) отгора́живание; 4) вложе́ние, приложе́ние; 5) *ист.* огора́живание общи́нных земель (*с целью превращения общинных земель в частную собственность*); 6) *стр.* тепля́к.

encode [ɪn'koud] *v* коди́ровать.

encomia [en'koumjə] *pl от* encomium.

encomiast [en'koumɪæst] *n* панегири́ст.

encomiastic [en,koumɪ'æstɪk] *a* панегири́ческий, хвале́бный.

encomium [en'koumjəm] *лат. n* (*pl* -s [-z], -ia) панеги́рик.

encompass [ɪn'kʌmpəs] *v* окружа́ть (*тж. перен., напр., заботой и т. п.*); заключа́ть.

encore [ɔŋ'kɔː] *фр.* **1.** *int* бис!;

2. *n* вы́зов на «бис»;

3. *v* тре́бовать повторе́ния, крича́ть «бис», вызыва́ть.

encounter [ɪn'kauntə] **1.** *n* 1) неожи́данная встре́ча; 2) столкнове́ние, схва́тка, сты́чка;

2. *v* 1) (неожи́данно) встре́тить(ся); 2) ста́лкиваться; име́ть столкнове́ние; 3) ната́лкиваться (*на трудности и т. п.*).

encourage [ɪn'kʌrɪdʒ] *v* 1) ободря́ть; 2) поощря́ть, подде́рживать; 3) подстрека́ть.

encouragement [ɪn'kʌrɪdʒmənt] *n* ободре́ние и *пр.* [*см.* encourage].

encouraging [ɪn'kʌrɪdʒɪŋ] **1.** *pres. p. от* encourage.

2. *a* ободря́ющий; обнаде́живающий.

encroach [ɪn'krout∫] *v* вторга́ться, покуша́ться на чужи́е права́ (on, upon); ~ upon smb.'s time отнима́ть вре́мя у кого́-л.

encroachment [ɪn'krout∫mənt] *n* вторже́ние.

encrust [ɪn'krʌst] *v* 1) инкрусти́ровать; 2) покрыва́ть(ся) ко́ркой, ржа́вчиной *и т. п.*

encumber [ɪn'kʌmbə] *v* 1) загроможда́ть; 2) меша́ть, затрудня́ть, препя́тствовать; 3) обременя́ть (*долгами и т. п.*; with).

encumbrance [ɪn'kʌmbrəns] *n* 1) препя́тствие, затрудне́ние; 2) бре́мя, обу́за; 3) *редк.* лицо́, находя́щееся на иждиве́нии (*особ. ребёнок*); without ~ *разг.* безде́тный; 4) *юр.* закладна́я (*на имущество*).

encumbrancer [ɪn'kʌmbrənsə] *n юр.* залогодержа́тель.

encyclic(al) [en'sɪklɪk(əl)] **1.** *a* предназна́ченный для широ́кого распростране́ния; ~ letter циркуля́рное письмо́, циркуля́р;

2. *n церк.* энци́клика.

encyclop(a)edia [en,saɪklou'piːdjə] *n* энциклопе́дия; walking ~ ходя́чая энциклопе́дия.

encyclop(a)edic(al) [en,saɪklou'piːdɪk(əl)] *a* энциклопеди́ческий.

encyclop(a)edist [en,saɪklou'piːdɪst] *n* энциклопеди́ст.

encyst [ɪn'sɪst] *v* 1) заключи́ть в пузы́рь; 2) образова́ть оболо́чку, ка́псулу.

end [end] **1.** *n* 1) коне́ц; оконча́ние;

преде́л; ~ on концо́м к себе́; to put an ~ to smth., to make an ~ of smth. положи́ть коне́ц чему́-л., уничто́жить что-л.; in the ~ в конце́ концо́в; в коне́чном счёте; 2) коне́ц, смерть; he is near his ~ он умира́ет; 3) оста́ток, обло́мок; обре́зок; отры́вок; 4) край; грани́ца; 5) цель; to that ~ с э́той це́лью; to gain one's ~s дости́чь це́ли; 6) результа́т, сле́дствие; it is difficult to foresee the ~ тру́дно предви́деть результа́т; 7) дни́ще; 8) *pl стр.* э́ндсы, диле́ны; ◇ at a loose ~ а) без определённой рабо́ты, без де́ла; б) в хаоти́ческом состоя́нии, в по́лном беспоря́дке; to be on the ~ of a line попа́сться на у́дочку; to be at one's wits' (*или* wit's) ~ не знать, что де́лать; стать в тупи́к; to make both (*или* two) ~s meet своди́ть концы́ с конца́ми; по ~ *разг.* безме́рно; в вы́сшей сте́пени; по ~ obliged to you чрезвыча́йно вам призна́телен; по ~ of *разг.* а) мно́го, ма́сса; по ~ of trouble ма́сса хлопо́т, неприя́тностей; б) прекра́сный, исключи́тельный; he is no ~ of a fellow он чуде́сный ма́лый; we had no ~ of a time мы прекра́сно провели́ вре́мя; on ~ а) стойма́; ды́бом; б) беспреры́вно, подря́д; for two years on ~ два го́да подря́д; to begin at the wrong ~ нача́ть не с того́ конца́; to go off the deep ~ рискова́ть; поступа́ть сгоряча́; ~ to ~ непреры́вной це́пью; laid ~ to ~ вме́сте взя́тые; the ~ justifies the means цель опра́вдывает сре́дства; any means to an ~ все сре́дства хороши́;

2. *v* конча́ть(ся) (in, with — *чем-л.*); зака́нчивать(ся); the letter ~ed with the following words письмо́ зака́нчивалось сле́дующими слова́ми; □ ~ off, ~ up ока́нчиваться, прекраща́ться, обрыва́ться; ◇ to ~ in smoke ко́нчиться ниче́м.

endanger [ɪn'deɪndʒə] *v* подверга́ть опа́сности.

endear [ɪn'dɪə] *v* заста́вить полюби́ть; внуши́ть любо́вь.

endearment [ɪn'dɪəmənt] *n* ла́ска, выраже́ние не́жности, привя́занности.

endeavor [ɪn'devə] *амер.* = endeavour.

endeavour [ɪn'devə] **1.** *n* попы́тка, стара́ние; стремле́ние;

2. *v* пыта́ться, прилага́ть уси́лия, стара́ться.

endemic [en'demɪk] **1.** *a* эндеми́ческий, сво́йственный да́нной ме́стности;

2. *n* эндеми́ческая боле́знь.

ending ['endɪŋ] **1.** *pres. p. от* end 2;

2. *n* 1) оконча́ние; 2) *текст.* опа́ливание; 3) *грам.* оконча́ние.

3. *a* оконча́тельный, заключи́тельный.

endive ['endɪv] *n бот.* цико́рий-энди́вий, энди́вий зи́мний.

endless ['endlɪs] *a* 1) бесконе́чный; несконча́емый; ~ chain *тех.* цепь привода *или* переда́чи; 2) бесчи́сленный; ~ attempts бесчи́сленные попы́тки; 3) бесце́льный.

endlong ['endlɔŋ] *adv* 1) пря́мо, вдоль; 2) стойма́, вертика́льно.

endocarditis [,endoukaː'daɪtɪs] *n мед.* эндокарди́т.

endocrine ['endoukraɪn] *a* эндокри́нный; ~ glands же́лезы вну́тренней секре́ции.

endocrinology [ˌendoukraɪˈnɔlədʒɪ] *n мед.* эндокринология.

endogamy [enˈdɔgəmɪ] *n* эндогамия.

endorse [ɪnˈdɔːs] *v* 1) расписываться на обороте документа; 2) *ком.* индоссировать, делать передаточную надпись; 3) подтверждать, одобрять.

endorsement [ɪnˈdɔːsmənt] *n* 1) *фин.* индоссамент; передаточная надпись (*на векселе, чеке*); 2) подтверждение.

endosperm [ˈendəspəːm] *n бот.* эндосперма.

endow [ɪnˈdau] *v* 1) обеспечивать постоянным доходом; завещать постоянный доход, делать вклад; 2) (*часто p. p.*) наделять, одарять; man is ~ed with reason человек одарён разумом; 3) давать (*определённые права*), облекать (*властью*).

endowment [ɪnˈdaumənt] *n* 1) вклад, дар, пожертвование; надёл; ~ with information сообщение сведений; 2) дарование; mental ~s умственные способности; 3) *attr.*: ~ insurance смешанное страхование.

end-paper [ˈendpeɪpə] *n* пустой лист в начале и в конце книги, форзац.

end-pressure [ˈendˌpreʃə] *n тех.* опорное давление.

endue [ɪnˈdjuː] *v* 1) одарять, наделять (with); 2) *уст.* облачать (with); облачаться, одеваться.

end-up [ˈendˈʌp] *a разг.* курносый.

endurable [ɪnˈdjuərəbl] *a* 1) прочный; 2) приемлемый.

endurance [ɪnˈdjuərəns] *n* 1) выносливость, способность терпеть; 2) прочность, стойкость; сопротивляемость изнашиванию; 3) длительность, продолжительность.

endure [ɪnˈdjuə] *v* 1) выносить; терпеть; I cannot ~ the thought я не могу примириться с мыслью; 2) длиться; продолжаться; as long as life ~s в течение всей жизни.

enduring [ɪnˈdjuərɪŋ] 1. *pres. p. от* endure;

2. *a* 1) терпеливый, выносливый; 2) длительный, продолжительный; 3) прочный; постоянный.

end-view [ˈendvjuː] *n* концевой вид, вид сбоку (*на чертеже*).

endways [ˈendweɪz] *adv* 1) задним концом вперёд; лицом к смотрящему; 2) вдоль, от конца до конца.

endwise [ˈendwaɪz] = endways.

Eneas [iːˈniːæs] *n миф.* Эней.

enema [ˈenɪmə] *n мед.* клизма.

enemy [ˈenɪmɪ] 1. *n* враг; неприятель, противник; to be one's own ~ действовать во вред самому себе; ◇ the (old) E. дьявол; how goes the ~? который час?; to kill the ~ коротать время, стараться убить время; 2. *a* враждёбный; вражеский, неприятельский.

energetic [ˌenəˈdʒetɪk] *a* энергичный.

energetics [ˌenəˈdʒetɪks] *n pl* (*употр. как sing*) энергетика.

energic [eˈnædʒɪk] *уст. см.* energetic.

energize [ˈenədʒaɪz] *v* 1) возбуждать, сообщать *или* проявлять энергию; 2) *эл.* пропускать ток.

energumen [ˌenəːˈgjuːmen] *n* 1) беснова́тый, одержимый; 2) фанатик.

energy [ˈenədʒɪ] *n* 1) энергия; сила; мощность; actual ~, kinetic ~, motive ~ кинетическая энергия; potential ~, static ~, latent ~ потенциальная энергия; 2) *pl* силы, энергия (*в борьбе и т. п.*).

enervate 1. *a* [ɪˈnəːveɪt] слабый, расслабленный;

2. *v* [ˈenəːveɪt] обессиливать, расслаблять.

enervation [ˌenəːˈveɪʃən] *n* расслабление.

enfeeble [ɪnˈfiːbl] *v* ослаблять.

enfeoff [ɪnˈfef] *v* 1) *ист.* жаловать поместьем; 2) *перен.* передавать.

enfeoffment [ɪnˈfefmənt] *n ист.* 1) пожалование леном, поместьем; 2) жалованное поместье.

enfetter [ɪnˈfetə] *v* 1) заковывать (*в кандалы*); 2) сковывать, связывать; порабощать.

enfilade [ˌenfɪˈleɪd] 1. *n* 1) анфилада; 2) *воен.* продольный огонь;

2. *v* обстреливать продольным огнём.

enfold [ɪnˈfould] *v* 1) завёртывать, закутывать (in, with); 2) обнимать, обхватывать.

enforce [ɪnˈfɔːs] *v* 1) оказывать давление, принуждать, заставлять; навязывать; to ~ obedience добиться повиновения; 2) проводить в жизнь; придавать силу; to ~ the laws проводить законы в жизнь; 3) усиливать.

enforcement [ɪnˈfɔːsmənt] *n* 1) давление, принуждение; 2) *attr.* принудительный; ~ measures принудительные меры.

enframe [ɪnˈfreɪm] *v* 1) вставлять в рамку; 2) обрамлять.

enfranchise [ɪnˈfræntʃaɪz] *v* 1) предоставлять избирательные права; 2) давать (*городу*) право представительства в парламенте; 3) освобождать, отпускать на волю.

enfranchisement [ɪnˈfræntʃɪzmənt] *n* 1) освобождение; 2) предоставление избирательных прав.

engage [ɪnˈgeɪdʒ] *v* 1) нанимать; заказывать заранее (*комнату, место*); занимать (*время*); say I am ~d скажите, что я занят; to be ~d in smth. заниматься чем-л.; 3) занимать, привлекать; вовлекать; to ~ smb.'s attention завладеть чьим-л. вниманием; 4) обязывать; to ~ by new commitments связывать новыми обязательствами; 5) обручить, помолвить; to be ~d быть помолвленным(и); 6) вводить войска (вступать) в бой; открывать огонь; to be ~d in hostilities быть вовлечённым в военные действия; 7) *тех.* зацеплять; включать; □ ~ for обещать, гарантировать.

engaged [ɪnˈgeɪdʒd] 1. *p. p. от* engage;

2. *a* 1) занятый, заинтересованный, поглощённый (*чем-л.*); 2) помолвленный.

engagement [ɪnˈgeɪdʒmənt] *n* 1) дело, занятие; 2) свидание, встреча; приглашение; 3) обязательство; to meet one's ~s выполнять свой обязательства; платить долги; 4) помолвка; 5) *воен.* бой, стычка; 6) *тех.* зацепление; 7) *attr.* обручальный; ~ ring обручальное кольцо с камнем.

engaging [ɪnˈgeɪdʒɪŋ] 1. *pres. p. от* engage;

2. *a* 1) очарова́тельный, обая́тельный; 2) *mex.* зацепля́ющий; включа́ющий.

engarland [ɪnˈgɑːlənd] *v* украша́ть гирля́ндами.

engender [ɪnˈdʒendə] *v* порожда́ть, вызыва́ть, возбужда́ть.

engine [ˈendʒɪn] *n* 1) маши́на, дви́гатель; мото́р; 2) локомоти́в, парово́з; 3) ору́дие, инструме́нт, сре́дство; 4) *attr.* парово́зный; 5) *attr.* маши́нный; мото́рный; ~ oil маши́нное ма́сло.

engine-crew [ˈendʒɪnkruː] *n* парово́зная брига́да.

engine-driver [ˈendʒɪn,draɪvə] *n* ж.-д. машини́ст.

engineer [,endʒɪˈnɪə] **1.** *n* 1) инжене́р; 2) меха́ник; 3) машини́ст; 4) сапёр; Royal Engineers, *амер.* Corps of Engineers инжене́рные войска́;
2. *v* 1) сооружа́ть; проекти́ровать; 2) рабо́тать в ка́честве инжене́ра; 3) *разг.* устра́ивать, затева́ть; приду́мывать, изобрета́ть.

engineering [,endʒɪˈnɪərɪŋ] **1.** *pres. p. om* engineer 2;
2. *a* прикладно́й (*о науке*);
3. *n* 1) инжене́рное иску́сство; те́хника; 2) машинострое́ние; 3) *разг.* махина́ции; 4) *attr.* машинострои́тельный; ~ plant машинострои́тельный заво́д; ~ worker рабо́чий-машинострои́тель.

engine-house [ˈendʒɪnhaus] *n* парово́зное депо́.

engine-plant [ˈendʒɪnplɑːnt] *n* 1) маши́нная устано́вка; 2) паровозострои́тельный заво́д.

engine-room [ˈendʒɪnrum] *n* маши́нное отделе́ние.

enginery [ˈendʒɪnərɪ] *n собир.* маши́ны; механи́ческое обору́дование.

engird [ɪnˈgəːd] *v* (engirded [-ɪd], engirt) опоя́сывать.

engirdle [ɪnˈgəːdl] = engird.

engirt [ɪnˈgəːt] *past u p. p. om* engird.

Englander [ˈɪŋɡləndə] *n*: Little ~ *ист.* англича́нин, возража́ющий про́тив импе́рской поли́тики.

English [ˈɪŋɡlɪʃ] **1.** *a* англи́йский;
2. *n* 1) (the ~) *pl собир.* англича́не; 2) англи́йский язы́к; in plain ~, без обиняко́в; not ~ не по-англи́йски; 3) *полигр.* ми́ттель, кегль 14;
3. *v* (english) *уст.* переводи́ть на англи́йский язы́к.

Englishism [ˈɪŋɡlɪʃɪzəm] *n* 1) англи́йская черта́, англи́йский обы́чай; 2) идио́ма, употребля́емая в А́нглии; 3) привя́занность ко всему́ англи́йскому.

Englishman [ˈɪŋɡlɪʃmən] *n* англича́нин.

Englishry [ˈɪŋɡlɪʃrɪ] *n собир.* гру́ппа лиц англи́йского происхожде́ния, *особ.* англи́йское населе́ние Ирла́ндии.

Englishwoman [ˈɪŋɡlɪʃ,wumən] *n* англича́нка.

engorge [ɪnˈgɔːdʒ] *v* 1) жа́дно и мно́го есть; 2) *мед.* нали́ться кро́вью (*об органе*).

engraft [ɪnˈgrɑːft] *v* 1) *бот.* де́лать приви́вку (upon, into); 2) прививáть, внедря́ть (in).

engrail [ɪnˈgreɪl] *v* де́лать нарéзку; зазу́бривать.

engrain [ɪnˈgreɪn] *v* 1) разде́лывать кра́ску (*под мрамор, дерево и т. п.*); 2) *текст.* кра́сить в пря́же; 3) внедря́ть, укореня́ть.

engrained [ɪnˈgreɪnd] **1.** *p. p. om* engrain;
2. *a* = ingrained.

engrave [ɪnˈgreɪv] *v* 1) гравирова́ть; ре́зать (*по камню, дереву, металлу*); 2) запечатлева́ть (on, upon).

engraver [ɪnˈgreɪvə] *n* гравёр.

engraving [ɪnˈgreɪvɪŋ] **1.** *pres. p. om* engrave;
2. *n* 1) гравирова́ние; 2) гравю́ра.

engross [ɪnˈgrous] *v* 1) поглоща́ть (*время, внимание и т. п.*); завладева́ть (*разговором*); 2) (*pass.*) быть поглощённым (*чем-л.*), углуби́ться (*во что-л.*); 3) писа́ть кру́пными бу́квами; краси́во и чётко перепи́сывать; 4) *с.-х.* отка́рмливать; 5) *ист.* скупа́ть, монополизи́ровать (*товар*).

engrossing [ɪnˈgrousɪŋ] **1.** *pres. p. om* engross;
2. *a* всепоглоща́ющий.

engulf [ɪnˈgʌlf] *v* поглоща́ть.

enhance [ɪnˈhɑːns] *v* 1) увели́чивать, уси́ливать; 2) повыша́ть (*цену*).

enharmonic [,enhɑːˈmɔnɪk] *a муз.* энгармони́ческий.

enigma [ɪˈnɪɡmə] *n* зага́дка.

enigmatic(al) [,enɪɡˈmætɪk(əl)] *a* зага́дочный.

enisle [ɪnˈaɪl] *v поэт.* 1) превраща́ть в о́стров; 2) помести́ть на о́стров; изоли́ровать.

enjoin [ɪnˈdʒɔɪn] *v* 1) предпи́сывать (on, upon); прика́зывать (that); to ~ silence upon smb., to ~ smb. to be silent веле́ть кому́-л. молча́ть; I ~ed that they should be silent я потре́бовал, чтобы они́ замолча́ли; 2) *юр.* запреща́ть.

enjoy [ɪnˈdʒɔɪ] *v* 1) (*тж. refl.*) получа́ть удово́льствие; наслажда́ться; how did you ~ yourself? как вы провели́ вре́мя?; how did you ~ the book? как вам понра́вилась кни́га?; 2) по́льзоваться (*правами и т. п.*); 3) облада́ть; to ~ good (poor) health облада́ть хоро́шим (плохи́м) здоро́вьем.

enjoyable [ɪnˈdʒɔɪəbl] *a* прия́тный, доставля́ющий удово́льствие.

enjoyment [ɪnˈdʒɔɪmənt] *n* 1) наслажде́ние, удово́льствие; to take ~ in получа́ть удово́льствие от; 2) облада́ние.

enkindle [ɪnˈkɪndl] *v* зажига́ть, воспламеня́ть.

enlace [ɪnˈleɪs] *v* 1) опу́тывать, обвива́ть; 2) окружа́ть.

enlarge [ɪnˈlɑːdʒ] *v* 1) увели́чивать(ся); 2) расширя́ть(ся); ~d meeting расши́ренное заседа́ние; 3) распространя́ться (upon-о чём-л.); 4) *уст., амер.* освобожда́ть (*из-под стражи*); 5) *фото* увели́чивать; дава́ться увеличе́нию.

enlarged [ɪnˈlɑːdʒd] **1.** *p. p. om* enlarge;
2. *a* 1) увели́ченный, расши́ренный; ~ meeting расши́ренное заседа́ние; 2) допо́лненный (*об издании*).

enlargement [ɪnˈlɑːdʒmənt] *n* 1) расшире́ние; 2) пристро́йка; 3) *уст., амер.* освобожде́ние (*из тюрьмы, от рабства*); 4) *фото* увеличе́ние.

enlighten [ɪn'laɪtn] v 1) просвещать; 2) осведомлять; информировать; thoroughly ~ed upon the subject хорошо осведомлённый в данном вопросе; 3) *поэт.* проливать свет.

enlightened [ɪn'laɪtnd] 1. *p. p. om* enlighten;
2. *a* просвещённый.

enlightenment [ɪn'laɪtnmənt] *n* 1) просвещение; 2) просвещённость.

enlink [ɪn'lɪŋk] v сцепить; крепко соединить.

enlist [ɪn'lɪst] v 1) вербовать на военную службу; 2) поступать на военную службу; 3) заручиться поддержкой; привлечь на свою сторону.

enlisted [ɪn'lɪstɪd] 1. *p. p. om* enlist;
2. *a*: ~ grade *амер.* унтер-офицерский состав; ~ men, ~ personnel *амер.* унтер-офицеры и рядовые; E. Reserve Corps *амер.* запас унтер-офицерского и рядового состава.

enlistee [,enlɪs'tiː] *n амер. воен.* поступивший на военную службу.

enliven [ɪn'laɪvn] v оживлять, подбодрять.

enmesh [ɪn'meʃ] v опутывать, запутывать.

enmity ['enmɪtɪ] *n* вражда; неприязнь, враждебность; at ~ with во враждебных отношениях с.

ennead ['enɪæd] *n* девятка, серия, подбор из девяти (*книг и т. п.*).

ennoble [ɪ'noubl] v 1) облагораживать; 2) жаловать дворянством.

ennoblement [ɪ'noublmənt] *n* 1) облагораживание; 2) пожалование дворянством.

ennui [ɑː'nwiː] *фр. n* скука; внутренняя опустошённость; апатия.

Énoch ['iːnɔk] *n библ.* Енох.

enormity [ɪ'nɔːmɪtɪ] *n* 1) гнусность; 2) чудовищное преступление.

enormous [ɪ'nɔːməs] *a* 1) громадный; огромный; ~ difference огромная разница; 2) *амер. уст.* ужасный.

enormously [ɪ'nɔːməslɪ] *adv* чрезвычайно.

enough [ɪ'nʌf] 1. *a* достаточный;
2. *n* достаточное количество; he has ~ and to spare он имеет больше, чем нужно; I've had ~ of him он мне надоел;
3. *adv* достаточно, довольно; sure ~ без сомнения; you know well ~ вы отлично знаете; he did it well ~ он сделал это довольно хорошо.

enounce [ɪ'nauns] v 1) выражать; объяснять; 2) произносить.

enow [ɪ'nau] *уст., поэт. см.* enough.

enplane [ɪn'pleɪn] v сажать, садиться, грузить(ся) в самолёт.

enquire [ɪn'kwaɪə] = inquire.

enquiry [ɪn'kwaɪərɪ] = inquiry.

enrage [ɪn'reɪdʒ] v бесить, приводить в ярость.

enrapture [ɪn'ræptʃə] v восхищать, приводить в восторг; захватывать.

enravish [ɪn'rævɪʃ] = enrapture.

enregiment [ɪn'redʒɪmənt] v 1) *воен.* сводить полк(и); 2) дисциплинировать.

enregister [ɪn'redʒɪstə] v *редк.* вносить в список; регистрировать.

enrich [ɪn'rɪtʃ] v 1) обогащать; 2) удобрять (*почву*); 3) украшать; 4) витаминизировать.

enrobe [ɪn'roub] v облачать.

enrol(l) [ɪn'roul] v 1) вносить в список (*учащихся, членов какой-л. организации и т. п.*); регистрировать; 2) вербовать; зачислять в армию; 3) поступать на военную службу.

enrolment [ɪn'roulmənt] *n* 1) внесение в списки, регистрация; the ~ of new members приём новых членов (*в профсоюз и т. п.*); 2) вербовка.

enroot [ɪn'ruːt] v (*обыкн. p. p.*) вкоренять.

en route [ɑː'ruːt] *фр. adv* по пути, по дороге, в пути.

ensanguined [ɪn'sæŋgwɪnd] *a* 1) окровавленный; 2) кроваво-красный.

ensconce [ɪn'skɔns] v (*часто refl.*) 1) укрывать(ся); 2) устраивать(ся) удобно *или* уютно; to ~ oneself cosily усесться уютно.

ensemble [ɑː'sɑːmbl] *фр. n* 1) ансамбль (*тж.* tout ~); 2) общее впечатление; 3) *муз.* ансамбль; 4) женское платье и пальто (*как гарнитур*).

enshrine [ɪn'ʃraɪn] v 1) *церк.* помещать в раку; 2) хранить, лелеять (*воспоминание и т. п.*).

enshroud [ɪn'ʃraud] v закутывать, обволакивать; ~ed in darkness погружённый в темноту.

ensign ['ensaɪn] *n* 1) значок, эмблема, кокарда; 2) знамя; флаг; *мор.* кормовой флаг; blue ~ флаг морского запаса английского флота; red ~ английский торговый флаг; white ~ английский военно-морской флаг; 3) *ист.* прапорщик; 4) *амер. мор.* младший лейтенант; 5) *attr.*: ~ ship фла́гманское судно; ~ staff *мор.* кормовой флагшток.

ensilage ['ensɪlɪdʒ] *с.-х.* 1. *n* 1) силосование; 2) силосованный корм;
2. *v* силосовать.

ensile [ɪn'saɪl] v *с.-х.* силосовать.

enslave [ɪn'sleɪv] v порабощать; покорять.

enslavement [ɪn'sleɪvmənt] *n* порабощение; покорение.

enslaver [ɪn'sleɪvə] *n* 1) поработитель; 2) обольстительница.

ensnare [ɪn'snɛə] v 1) поймать в ловушку; 2) заманивать.

ensoul [ɪn'soul] v воодушевлять.

ensue [ɪn'sjuː] v 1) получаться в результате; происходить (from, on); 2) следовать; silence ~d последовало молчание.

ensuing [ɪn'sjuːɪŋ] 1. *pres. p. om* ensue;
2. *a* 1) (по)следующий, будущий (*иногда* next ~); 2) вытекающий.

ensure [ɪn'ʃuə] v 1) обеспечивать, страховать; гарантировать; to ~ oneself against hunger сделать всё необходимое, чтобы не голодать; to ~ the independence гарантировать независимость; 2) ручаться.

entablature [en'tæblətʃə] *n архит.* антаблемент (*архитрав, фриз и карниз*).

entablement [ɪn'teɪblmənt] *n* = entablature.

entail [ɪn'teɪl] 1. *n* 1) *юр.* акт, закрепляющий порядок наследования земли без права отчуждения; 2) майорат;

2. *v* 1) влечь за собой; вызывать (*что-л.*); 2) навлекать (upon — на); 3) *юр.* определять порядок наследования земли без права отчуждения.

entangle [ɪn'tæŋgl] *v* 1) запутывать (*тж.* *перен.*); 2) поймать в ловушку; обойти (*лестью*).

entanglement [ɪn'tæŋglmənt] *n* 1) запутанность; затруднительное положение; 2) *воен.* (проволочное) заграждение.

entente [ɑ:n'tɑ:nt] *фр.* *n* *полит.* дружеское соглашение между государствами; the E. *ист.* Антанта.

enter ['entə] *v* 1) входить; проникать; to ~ the room войти в комнату; the idea never ~ed my head такая мысль мне никогда в голову не приходила; to ~ into details входить в подробности; 2) вонзаться; 3) вступать, поступать; to ~ the army поступать в армию; 4) вносить (*в списки*); 5) определять (*в учебное заведение и т. п.*); 6) записывать, регистрировать; to ~ an event зарегистрировать факт; to ~ at the Stationers' Hall заявить авторское право; to ~ a protest заявить протест; 7) начинать; браться (*за что-л.; тж.* ~ upon); □ ~ for записываться (*для участия в чём-л.*); ~ into a) вступать; to ~ into a contract заключать договор; б) входить; являться составной частью (*чего-л.*); water ~s into the composition of all vegetables вода является составной частью всех овощей; в) заняться, приступить; to ~ into a new undertaking принять на себя новые обязательства; г) разделять (*чувство*), понимать; I could not ~ into the fun я не мог разделить этого удовольствия; ~ upon a) приступать к *чему-л.*; б) *юр.* вступать во владение.

enteric [en'terɪk] **1.** *а* *анат.* брюшной, кишечный; ~ fever брюшной тиф; **2.** *n* брюшной тиф.

enteritis [,entə'raɪtɪs] *n* *мед.* воспаление тонких кишок.

enterprise ['entəpraɪz] *n* 1) предприятие; 2) предприимчивость, смелость; инициатива.

enterprising ['entəpraɪzɪŋ] *а* 1) предприимчивый; 2) инициативный.

entertain [,entə'teɪn] *v* 1) принимать, угощать (*гостей*); развлекать, занимать; we don't ~ we don't ~ мы не устраиваем у себя приёмов; 2) питать (*надежду, сомнение*); лелеять (*мечту*); 3) *уст.* поддерживать (*переписку*); ◇ to ~ a suggestion откликнуться на предложение; to ~ a proposal одобрять, поддерживать предложение; to ~ a request удовлетворить просьбу; to ~ a feeling against smb. иметь зуб против кого-л.

entertaining [,entə'teɪnɪŋ] **1.** *pres. p. от* entertain; **2.** *а* забавный, занимательный, развлекательный.

entertainment [,entə'teɪnmənt] *n* 1) приём (*гостей*); вечер; вечеринка; 2) развлечения, увеселения; представление, дивертисмент; 3) гостеприимство; угощение; 4) *attr.*: ~ unit бригада артистов.

enthalpy [en'θælpɪ] *n* *физ.* энтальпия, теплосодержание.

enthral(l) [ɪn'θrɔ:l] *v* 1) порабощать; 2) очаровывать, увлекать, захватывать.

enthralling [ɪn'θrɔ:lɪŋ] **1.** *pres. p. от* enthral(l); **2.** *а* увлекательный, захватывающий.

enthrone [ɪn'θroun] *v* возводить на престол; to be ~d in the hearts царить в сердцах.

enthronement [ɪn'θrounmənt] *n* возведение на престол.

enthronization [ɪn,θrounaɪ'zeɪʃən] = enthronement.

enthuse [ɪn'θju:z] *v* *разг.* 1) приходить в восторг; 2) приводить в восторг.

enthusiasm [ɪn'θju:zɪæzəm] *n* восторг; энтузиазм.

enthusiast [ɪn'θju:zɪæst] *n* восторженный человек; энтузиаст.

enthusiastic [ɪn,θju:zɪ'æstɪk] *а* восторженный; полный энтузиазма.

entice [ɪn'taɪs] *v* 1) соблазнять; 2) переманивать (from — с, от; into — на, в); □ ~ away увлечь.

enticement [ɪn'taɪsmənt] *n* 1) заманивание; переманивание; 2) приманка, соблазн; 3) очарование.

enticing [ɪn'taɪsɪŋ] **1.** *pres. p. от* entice; **2.** *а* соблазнительный, привлекательный.

entire [ɪn'taɪə] **1.** *а* 1) полный, совершенный; 2) целый, цельный; сплошной; 3) не кастрированный (*о животном*); 4) чистый, беспримесный; **2.** *n* 1) (the ~) целое; полнота; 2) не кастрированное животное, *особ.* жеребец; 3) сорт портера.

entirely [ɪn'taɪəlɪ] *adv* полностью, всецело, совершенно.

entirety [ɪn'taɪətɪ] *n* 1) полнота, цельность; in its ~ полностью; в целом; во всей полноте; 2) общая сумма; 3) *юр.* совместное владение землёй.

entitle [ɪn'taɪtl] *v* 1) называть, давать название; озаглавливать; 2) жаловать титул; 3) давать право (to — на *что-л.*); to be ~d to smth. иметь право на что-л.

entity ['entɪtɪ] *n* *филос.* 1) сущность, существо; 2) нечто реально существующее.

entomb [ɪn'tu:m] *v* 1) погребать; 2) служить гробницей; 3) *перен.* укрывать.

entombment [ɪn'tu:mmənt] *n* погребение.

entomological [,entəmə'lɔdʒɪkəl] *а* энтомологический.

entomologize [,entə'mɔlədʒaɪz] *v* изучать энтомологию.

entomology [,entə'mɔlədʒɪ] *n* энтомология.

entourage [,ɔntu'rɑ:ʒ] *фр.* *n* 1) окружение; окружающая обстановка; 2) сопровождающие лица, свита.

entr'acte ['ɔntrækt] *фр.* *n* антракт.

entrails ['entreɪlz] *n pl* 1) внутренности, кишки; 2) недра.

entrain [ɪn'treɪn] *v* грузить(ся) в поезд, садиться в поезд.

entrance I ['entrəns] *n* 1) вход, вступление; 2) вход (*в здание*); back ~ чёрный ход; to force an ~ (into) ворваться; 3) вступление; доступ; право входа; 4) плата за вход; 5) *театр.* выход (*актёра на сцену*),

6) *attr.* входно́й; вступи́тельный; ~ visa въездна́я ви́за; ~ fee а) вступи́тельный взнос; б) пла́та за вход; ~ examination вступи́тельный экза́мен.

entrance II [ın'trɑːns] *v* приводи́ть в состоя́ние тра́нса, восто́рга, испу́га.

entrancing [ın'trɑːnsıŋ] 1. *pres. p. om* entrance II;

2. *a* чару́ющий; очарова́тельный.

entrant ['entrənt] *n* 1) тот, кто вхо́дит, вступа́ет (*напр.*, посети́тель, гость; вступа́ющий в чле́ны клу́ба, о́бщества *и т. п.*); 2) вступа́ющий в до́лжность, приступа́ющий к отправле́нию обя́занностей; 3) (зая́вленный) уча́стник (*состяза́ния и т. п.*).

entrap [ın'træp] *v* пойма́ть в лову́шку; обману́ть, запу́тать, завле́чь.

entreat [ın'triːt] *v* умоля́ть, упра́шивать.

entreaty [ın'triːtı] *n* мольба́, про́сьба.

entrechat [,ɑːntrə'ʃɑ] *фр. n* антраша́.

entrée ['ɔntreı] *фр. n* 1) пра́во вхо́да, до́ступа; 2) ку́шанье, подава́емое ме́жду ры́бой и жарки́м.

entremets ['ɔntrəmeı] *фр. n pl* дополни́тельные блю́да (*подава́емые между основны́ми*).

entrench [ın'trentʃ] *v* 1) *воен.* окружа́ть око́пами; укрепля́ть; to ~ oneself ока́пываться; 2) *редк.* наруша́ть (*чужие права*) покуша́ться (upon — на *чужие права*); to ~ upon the truth греши́ть про́тив и́стины.

entrenchment [ın'trentʃmənt] *n* 1) *воен.* око́п; полево́е укрепле́ние; 2) наруше́ние.

entrepôt ['ɔntrəpou] *фр. n* пакга́уз; склад.

entrepreneur [,ɔntrəprə'nə:] *фр. n* антрепренёр.

entresol ['ɔntrəsɔl] *фр. n* архит. антресо́ли; полуэта́ж (*обыкн. между первым и вторым этажами*).

entruck [ın'trʌk] *v* амер. сажа́ть, сади́ться, грузи́ть(ся) на грузови́к(и́).

entrust [ın'trʌst] *v* вверя́ть; возлага́ть, поруча́ть.

entry ['entrı] *n* 1) вступле́ние; вход, въезд; 2) вход, дверь, воро́та; прохо́д; 3) вестибю́ль; 4) занесе́ние (*в список, в торго́вые кни́ги*); large ~ большо́й ко́нкурс; 5) отде́льная за́пись; book-keeping by double ~ двойна́я бухгалте́рия; 6) статья́ (*в словаре, энциклопе́дии, справочнике и т. п.*); 7) у́стье реки́; 8) амер. нача́ло (*месяца и т. п.*); 9) театр. вы́ход (*актёра на сце́ну*); 10) спорт. зая́вка; 11) юр. вступле́ние во владе́ние; 12) тамо́женная деклара́ция относи́тельно судово́го гру́за; 13) горн. отка́точный штрек; подготови́тельные вы́работки в пласте́; 14) attr. входно́й, въездно́й; ~ visa въездна́я ви́за.

entwine [ın'twaın] *v* 1) сплета́ть(ся); эплета́ть; 2) обвива́ть (with, about).

enucleate [ı'njuːklıeıt] *v* 1) выясня́ть; 2) мед. вылу́щивать (*опухоль и т. п.*).

enumerate [ı'njuːməreıt] *v* перечисля́ть.

enumeration [ı,njuːmə'reıʃən] *n* 1) перечисле́ние; 2) пе́речень.

enunciate [ı'nʌnsıeıt] *v* 1) объявля́ть; провозглаша́ть; 2) формули́ровать (*теорию и т. п.*); 3) хорошо́ произноси́ть.

enunciation [ı,nʌnsı'eıʃən] *n* 1) возвеще́ние; провозглаше́ние; 2) формулиро́вка; 3) хоро́шее произноше́ние, ди́кция.

enure [ı'njuə] = inure.

envelop [ın'veləp] *v* 1) обёртывать; завёртывать; 2) заку́тывать; оку́тывать; ~ed in flames объя́тый пла́менем; 3) *воен.* окружа́ть, охва́тывать, обходи́ть.

envelope ['envıloup] *n* 1) конве́рт; обёртка; 2) оболо́чка (*аэростата и т. п.*); 3) покры́шка; обвёртка (*у растений*); плёнка (*в яйце*); 4) мат. огиба́ющая (крива́я).

envelopment [ın'veləpmənt] *n* 1) обёртывание; 2) покры́шка.

envenom [ın'venəm] *v* отравля́ть.

envenomed [ın'venəmd] 1. *p.p. om* envenom; 2. *a:* ~ tongue злой язы́к.

enviable ['envıəbl] *a* зави́дный.

envious ['envıəs] *a* зави́стливый.

environ [ın'vaıərən] *v* окружа́ть.

environment [ın'vaıərənmənt] *n* окруже́ние, окружа́ющая обстано́вка; среда́.

environs ['envırənz] *n pl* 1) окре́стности; 2) окруже́ние, среда́.

envisage [ın'vızıdʒ] *v* 1) смотре́ть пря́мо в глаза́ (*опасности, фактам*); 2) рассма́тривать (*вопрос*).

envoy I ['envɔı] *n* 1) посла́нник; 2) аге́нт.

envoy II ['envɔı] *n уст.* «посы́лка»; заключи́тельная строфа́ поэ́мы.

envy ['envı] 1. *n* 1) за́висть (of, at); 2) предме́т за́висти; 2. *v* зави́довать.

enwind [ın'waınd] *v* обвива́ть(ся).

enwrap [ın'ræp] *v* 1) завёртывать (in, with); 2) оку́тывать.

enzyme ['enzaım] *n хим.* энзи́м, ферме́нт.

eocene ['iːousiːn] *n геол.* эоце́н.

eolation [,iːə'leıʃən] *n геол.* выве́тривание.

eon ['iːən] = aeon.

epact ['iːpækt] *n астр.* эпа́кта.

eparchy ['epɑːkı] *n* епа́рхия.

epaulet(te) ['epoulet] *n* эполе́т.

epenthetic [,epen'θetık] *a лингв.* вставно́й (*о звуке или букве; напр.* b *в словах* nimble, debt).

Ephemera [ı'femərə] *n зоол.* разнови́дность подёнки.

ephemera [ı'femərə] *pl om* ephemeron.

ephemeral [ı'femərəl] *a* 1) эфеме́рный, преходя́щий; недолгове́чный; 2) биол. живу́щий оди́н день (*о насеко́мых, цвета́х*).

ephemerality [ı,femə'rælıtı] *n* эфеме́рность.

ephemeron [ı'femərɔn] *n* (*pl* -s [-z], -ra) 1) зоол. подёнка; 2) что-л. мимолётное, скоропреходя́щее.

epic ['epık] 1. *n* эпи́ческая поэ́ма; 2. *a* эпи́ческий.

epical ['epıkəl] = epic 2.

epicene ['episiːn] *a грам.* о́бщего ро́да.

epicentra [,epı'sentrə] *pl om* epicentrum.

epicentrum [,epı'sentrəm] *n* (*pl* -ra) геол. эпице́нтр (*землетрясе́ния*).

epicure ['epıkjuə] *n* эпикуре́ец.

epicurean [,epıkjuə'riːən] 1. *a* эпикуре́йский; 2. *n* = epicure.

epicureanism [,epıkjuə'riːənızəm] *n* 1) уче́ние Эпику́ра; 2) эпикуре́йство.

epicurism ['epɪkjuərɪzəm]=epicureanism.

epicycle ['epɪsaɪkl] n мат. эпицикл.

epicycloid ['epɪ'saɪklɔɪd] n мат. эпициклоид.

epidemic [,epɪ'demɪk] 1. n эпидемия; 2. a эпидемический.

epidemical [epɪ'demɪkəl] = epidemic 2.

epidemiology [epɪ,dəmɪ'ɔlədʒɪ] n эпидемиология.

epidermal [,epɪ'dəməl] a анат. эпидермический.

epidermic [,epɪ'dəmɪk] = epidermal.

epidermis [,epɪ'dəmɪs] n анат., бот. эпидерма, эпидермис.

epidiascope['epɪ'daɪəskoup] n эпидиаскоп.

epifocus [,epɪ'foukəs] n геол. эпицентр.

epigastrium [,epɪ'gæstrɪəm] n анат. надчревная область.

epiglottis [,epɪ'glɔtɪs] n анат. надгортанник.

epigone ['epɪgoun] n редк. 1) эпигон; 2) потомок, наследник, последыш.

epigram ['epɪgræm] n эпиграмма.

epigrammatist [,epɪ'græmətɪst] n автор эпиграмм.

epigrammatize [,epɪ'græmətaɪz] v сочинять эпиграммы (about — на кого-л.).

epigraph ['epɪgrɑːf] n эпиграф.

epigraphy [e'pɪgrəfɪ] n эпиграфика.

epilepsy ['epɪlepsɪ] n мед. эпилепсия.

epileptic [,epɪ'leptɪk] 1. a эпилептический; 2. n эпилептик.

epilogue ['epɪlɔg] n эпилог.

epiphany [ɪ'pɪfənɪ] n церк. богоявление, крещение (праздник).

epiphyte ['epɪfaɪt] n 1) бот. эпифит; 2) грибковый паразит (животного).

episcopacy [ɪ'pɪskəpəsɪ] n 1) епископальная система церковного управления; 2) епископство.

episcopal [ɪ'pɪskəpəl] a епископский; епископальный.

episcopalian [ɪ,pɪskə'peɪljən] 1. n приверженец или член епископальной церкви; 2. a епископальный.

episcopate [ɪ'pɪskəpɪt] n 1) сан епископа; 2) епархия.

episode ['epɪsoud] n эпизод.

episodic(al) [,epɪ'sɔdɪk(əl)] a 1) эпизодический; 2) случайный.

epistle [ɪ'pɪsl] n шутл. послание.

epistolary [ɪ'pɪstələrɪ] a эпистолярный, в форме письма.

epistoler [ɪ'pɪstələ] n церк. священник, читающий послания апостолов во время причастия.

epistolize [ɪ'pɪstəlaɪz] v писать послание, письмо.

epistyle ['epɪstaɪl] n архит. архитрав.

epitaph ['epɪtɑːf] n эпитафия; надпись на надгробном памятнике.

epithalamia [,epɪθə'leɪmjə] pl от epithalamium.

epithalamium [,epɪθə'leɪmjəm] n (pl -s [-z], -ia) эпиталама (свадебная песня или стихотворение).

epithelial [,epɪ'θɪːljəl] a анат. эпителиальный.

epithelium [,epɪ'θɪːljəm] n анат. эпителий.

epithet ['epɪθet] n эпитет.

epitome [ɪ'pɪtəmɪ] n 1) конспект, сокращение; 2) изображение в миниатюре.

epitomize [ɪ'pɪtəmaɪz] v конспектировать, сокращать.

epizootic [,epɪzou'ɔtɪk] 1. a эпизоотический; 2. n эпизоотия.

epoch ['ïpɔk] n эпоха; период.

epochal ['epɔkəl] a эпохальный.

epoch-making ['ïpɔk,meɪkɪŋ] a значительный, эпохальный; мировой; ~ victory историческая победа.

epode ['epoud] n лит. эпод.

epopee ['epoupɪː] n эпопея.

epos ['epɔs] n эпос; эпическая поэма.

Epsom ['epsəm] n Эпсом (место скачек и самые скачки); ◇ ~ salt(s) сернокислый магний; мед. английская (или горькая) соль.

equability [,ekwə'bɪlɪtɪ] n 1) равномерность; 2) уравновешенность.

equable ['ekwəbl] a 1) равномерный; ровный; 2) уравновешенный (о человеке).

equal ['ïkwəl] 1. a 1) равный, одинаковый; равносильный; on ~ terms на равных началах; he speaks French and German with ~ ease он одинаково свободно говорит по-французски и по-немецки; twice two is ~ to four дважды два — четыре; of ~ rank в одинаковом чине; 2) пригодный; способный; he is not ~ to the task он не может справиться с этой задачей; ~ to the occasion на должной высоте; 3) спокойный, выдержанный (о характере); to preserve an ~ mind сохранять выдержку, спокойствие; ◇ ~ mark (или sign) знак равенства; 2. n равный; ровня; he has no ~ ему нет равного; 3. v 1) равняться; 2) приравнивать, уравнивать.

equality [ï'kwɔlɪtɪ] n равенство; равноправие; on an ~ with на равных условиях с.

equalization [,ïkwəlaɪ'zeɪʃən] n уравнивание, уравнение.

equalize ['ïkwəlaɪz] v делать равными (with, to); уравнивать, урановешивать.

equalizer ['ïkwəlaɪzə] n 1) тех. балансир; уравнитель; коромысло; 2) sl. револьвер.

equally ['ïkwəlɪ] adv равно, в равной степени; одинаково.

equanimity [,ïkwə'nɪmɪtɪ] n спокойствие, самообладание; хладнокровие; невозмутимость.

equate [ɪ'kweɪt] v 1) равнять; уравнивать; считать равным; 2) мат. приравнивать; записывать в виде уравнения.

equation [ɪ'kweɪʃən] n 1) выравнивание; 2) мат. уравнение.

equator [ɪ'kweɪtə] n экватор.

equatorial [,ekwə'tɔːrɪəl] a экваториальный.

equerry [ɪ'kwerɪ] n ист. конюший, шталмейстер.

equestrian [ɪ'kwestrɪən] 1. n всадник; наездник; 2. a конный; ~ statue конная статуя; ~ sport конный спорт.

equestrienne [ɪ,kwestrɪ'en] n всадница; наездница (особ. в цирке).

equiangular [ˌɪkwɪ'æŋgjulə] *a* геом. равноуго́льный.

equidistant ['ɪkwɪ'dɪstənt] *a* геом. равноотстоя́щий.

equilateral ['ɪkwɪ'lætərəl] *a* геом. равносторо́нний.

equilibrate [ˌɪkwɪ'laɪbreɪt] *v* уравнове́шивать(ся).

equilibration [ˌɪkwɪlaɪ'breɪʃən] *n* 1) уравнове́шивание; 2) равнове́сие.

equilibrist [ɪ'kwɪlɪbrɪst] *n* акроба́т; эквилибри́ст.

equilibrium [ˌɪkwɪ'lɪbrɪəm] *лат. n* равнове́сие.

equimultiples ['ɪkwɪ'mʌltɪplz] *n pl* чи́сла, име́ющие о́бщие мно́жители.

equine ['ɪkwaɪn] *a* зоол. ко́нский, лошади́ный.

equinoctial [ˌɪkwɪ'nɔkʃəl] 1. *a* равноде́нственный;
2. *n* 1) равноде́нственная ли́ния; небе́сный эква́тор; 2) *pl* бу́ри, быва́ющие во вре́мя равноде́нствия.

equinox ['ɪkwɪnɔks] *n* равноде́нствие.

equip [ɪ'kwɪp] *v* 1) снаряжа́ть; экипиро́вать; обору́довать; 2) наряжа́ть; 3) дава́ть необходи́мые (*знания, образование и т. п.*; with).

equipage ['ekwɪpɪdʒ] *n* 1) снаряже́ние; вооруже́ние; осна́стка, такела́ж; dressing ~ несессе́р; 2) экипа́ж, кома́нда (*судна*); 3) *уст.* сви́та.

equipment [ɪ'kwɪpmənt] *n* 1) обору́дование; *тех.* армату́ра; 2) (*часто pl*) *воен.* оснаще́ние; те́хника; обмундирова́ние и вооруже́ние; снаряже́ние; 3) *ж.-д.* подвижно́й соста́в.

equipoise ['ekwɪpɔɪz] 1. *n* 1) равнове́сие; 2) противове́с;
2. *v* уравнове́шивать, держа́ть в равнове́сии.

equipollent [ˌɪkwɪ'pɔlənt] *a* ра́вный по си́ле, почти́ эквивале́нтный.

equiponderate [ˌɪkwɪ'pɔndəreɪt] 1. *v* уравнове́шивать, компенси́ровать вес;
2. *a уст.* ра́вный по ве́су.

equitable ['ekwɪtəbl] *a* справедли́вый, беспристра́стный; ~ to the interest of both parties отвеча́ющий интере́сам той и друго́й стороны́; ~ treaty равнопра́вный догово́р.

equitation [ˌekwɪ'teɪʃən] *n* верхова́я езда́; иску́сство верхово́й езды́.

equity ['ekwɪtɪ] *n* 1) справедли́вость; беспристра́стность; 2) *юр.* пра́во справедли́вости (*дополнение к обычному праву*); Court of E. суд со́вести; 3) часть иму́щества, оста́вшаяся по́сле удовлетворе́ния прете́нзий кредито́ров.

equivalence, **~cy** [ɪ'kwɪvələns, -sɪ] *n* эквивале́нтность, равноце́нность.

equivalent [ɪ'kwɪvələnt] 1. *n* эквивале́нт;
2. *a* равноце́нный, равнозна́чащий; равноси́льный.

equivocal [ɪ'kwɪvəkəl] *a* 1) двусмы́сленный; 2) сомни́тельный.

equivocate [ɪ'kwɪvəkeɪt] *v* говори́ть двусмы́сленно; уви́ливать; затемня́ть смысл.

equivocation [ɪ,kwɪvə'keɪʃən] *n* уви́ливание (*от прямого ответа*); укло́нчивость.

equivoke, **equivoque** ['ekwɪvouk] *n* двусмы́сленность; каламбу́р; экиво́к.

era ['ɪərə] *n* э́ра; эпо́ха.

eradiate [ɪ'reɪdɪeɪt] *v* излуча́ть, сия́ть.

eradiation [ɪ,reɪdɪ'eɪʃən] *n* излуче́ние.

eradicate [ɪ'rædɪkeɪt] *v* 1) вырыва́ть с ко́рнем; 2) искореня́ть, уничтожа́ть.

eradication [ɪ,rædɪ'keɪʃən] *n* искорене́ние, уничтоже́ние.

erase [ɪ'reɪz] *v* 1) стира́ть, соска́бливать, подчища́ть; 2) стира́ть, изгла́живать, вычёркивать (*из памяти*).

eraser [ɪ'reɪzə] *n* ла́стик, рези́нка.

erasure [ɪ'reɪʒə] *n* 1) подчи́стка; соска́бливание; 2) подчи́щенное, стёртое ме́сто в те́ксте; 3) уничтоже́ние.

erbium ['əːbɪəm] *n хим.* э́рбий.

ere [ɛə] 1. *prep поэт.* до; пе́ред; ~ long вско́ре;
2. *cj поэт.* пре́жде чем; скоре́е чем; he would die ~ he would consent он скоре́е умрёт, чем согласи́тся.

Erebus ['erɪbəs] *n миф.* Э́реб, преиспо́дняя.

erect [ɪ'rekt] 1. *a* 1) прямо́й; вертика́льный; 2) по́днятый; with head ~ с (высоко́) подня́той голово́й; 3) ощети́нившийся; 4) бо́дрый;
2. *adv* пря́мо;
3. *v* 1) сооружа́ть; устана́вливать; поднима́ть; воздвига́ть; 2) выпрямля́ть; 3) создава́ть; 4) *тех.* собира́ть; монти́ровать.

erectile [ɪ'rektaɪl] *a* 1) спосо́бный выпрямля́ться; 2) *физиол.* напряжённый; ~ tissue пещери́стая ткань, спосо́бная напряга́ться.

erection [ɪ'rekʃən] *n* 1) выпрямле́ние; 2) сооруже́ние; строе́ние; 3) *физиол.* эре́кция; 4) *тех.* сбо́рка, устано́вка, монта́ж; монти́рование.

erector [ɪ'rektə] *n* 1) строи́тель; 2) основа́тель; 3) сбо́рщик, монтёр; 4) *анат.* выпрямля́ющая мы́шца.

erelong [ɛə'lɔŋ] *adv уст.* вско́ре.

eremite ['erɪmaɪt] *n* отше́льник; пусты́нник.

eremitic(al) [ˌerɪ'mɪtɪk(əl)] *a* отше́льнический.

erenow [ɛə'nau] *adv уст.* пре́жде.

erethism ['erɪθɪzm] *n мед.* эрети́зм, повы́шенная возбуди́мость тка́ни *или* о́ргана.

erewhile [ɛə'waɪl] *adv уст.* неда́вно.

erf [erf] *n* (*pl* erven) огоро́дный *или* садо́вый уча́сток (*в Африке*).

erg [əːg] *n физ.* эрг.

ergo ['əːgou] *лат. adv обыкн. шутл.* ита́к, сле́довательно.

ergon ['əːgɔn] = erg.

ergot ['əːgət] *n бот., фарм.* спорынья́.

ergotism ['əːgətɪzəm] *n* отравле́ние спорынье́й.

Erin ['ɪərɪn] *n поэт.* Ирла́ндия.

eristic [e'rɪstɪk] 1. *a* возбужда́ющий спор, диску́ссию;
2. *n* 1) люби́тель спо́ра, спо́рщик; 2) иску́сство спо́ра.

ermine ['əːmɪn] *n* горноста́й; ◇ to assume (to wear) the ~ стать (быть) чле́ном (верхо́вного) суда́.

erne [əːn] *n зоол.* орлан-белохвост; бёркут, холзан.

erode [ɪ'roud] *v* 1) разъедать; вытравлять; разрушать;   2) *геол.* выветривать; размывать.

Eros ['erɔs] *n миф.* Эрос, Эрот.

erosion [ɪ'rouʒən] *n* 1) разъедание; 2) *геол.* эрозия; 3) *воен.* разгар (*ствола орудия*).

erosive [ɪ'rousɪv] *a* 1) разъедающий; 2) вызывающий эрозию.

erotic [ɪ'rɔtɪk] 1. *a* любовный; эротический;

2. *n* любовное стихотворение.

eroticism [e'rɔtɪsɪzəm] *n* эротизм.

err [əː] *v* 1) ошибаться, заблуждаться; 2) грешить; 3) *уст.* блуждать; ◇ to ~ is human *посл.* человеку свойственно ошибаться.

errancy ['erənsɪ] *n редк.* 1) заблуждение; 2) блуждание.

errand ['erənd] *n* поручение; командировка; to go on an ~ поехать, пойти по поручению; to run (on) ~s быть на посылках; ◇ fool's ~ a) бесполезное дело; б) напрасные поиски; to send smb. on fool's ~ послать кого-л. с невыполнимым поручением; to make an ~ выдумать предлог, чтобы уйти.

errand-boy ['erəndbɔɪ] *n* мальчик на посылках (*или* на побегушках); рассыльный.

errant ['erənt] *a* 1) странствующий; 2) блуждающий (*о мыслях*); 3) заблудший, сбившийся с пути.

errantry ['erəntrɪ] *n* приключения странствующего рыцаря.

errata [e'rɑːtə] *n pl* 1) *pl от* erratum; 2) список опечаток.

erratic [ɪ'rætɪk] *a* 1) странный, неустойчивый, рассеянный (*о мыслях, взглядах и т. п.*); ~ behaviour сумасбродное поведение; 2) ошибочный; 3) *уст.* блуждающий; 4) *геол.* эрратический; ~ block валун.

erratum [e'rɑːtəm] *лат. n* (*pl* -ta) опечатка, описка.

erring ['əːrɪŋ] 1. *pres. p. от* err;
2. *a* заблудший, грешный.

erroneous [ɪ'rounjəs] *a* ошибочный; ~ policies неправильная политика, неправильный курс.

error ['erə] *n* 1) ошибка, заблуждение; to commit (*или* to make) an ~ совершить ошибку, ошибиться; in ~ по ошибке, ошибочно; to be in ~ заблуждаться; 2) грех; 3) *поэт.* блуждание; 4) отклонение, уклонение, погрешность; 5) *радио* рассогласование.

ersatz ['eəzæts] *нем. n* эрзац, суррогат, заменитель.

Erse [əːs] 1. *a* 1) гэльский; 2) *разг.* ирландский;
2. *n* 1) гэльский язык; 2) *разг.* ирландский язык.

erst, erstwhile [əːst, 'əːstwaɪl] *adv уст.* прежде, некогда.

erubescent [,eru'besnt] *a* 1) краснеющий; 2) *амер.* красноватый.

eructate [ɪ'rʌkteɪt] *v* 1) отрыгивать; 2) изрыгать; извергать.

eructation [,iːrʌk'teɪʃən] *n* 1) отрыжка; 2) извержение (*вулкана*).

erudite ['eruːdaɪt] 1. *n* эрудит; учёный; 2. *a* учёный; эрудированный; начитанный.

erudition [,eruː'dɪʃən] *n* эрудиция, учёность; начитанность.

erupt [ɪ'rʌpt] *v* 1) извергать(ся) (*о вулкане, гейзере*); 2) прорываться; 3) прорезываться (*о зубах*).

eruption [ɪ'rʌpʃən] *n* 1) извержение (*вулкана*); 2) взрыв (*смеха, гнева*); 3) *мед.* сыпь, высыпание; 4) прорезывание (*зубов*).

eruptive [ɪ'rʌptɪv] *a* 1) *геол.* эруптивный, изверженный, вулканический; 2) *мед.* сопровождаемый сыпью; ~ stage стадия высыпания.

erven ['ervən] *pl от* erf.

erysipelas [,erɪ'sɪpɪləs] *n мед.* рожа, рожистое воспаление.

erythema [,erɪ'θiːmə] *n мед.* эритема.

Esau ['iːsɔː] *n библ.* Исав.

escalade [,eskə'leɪd] *ист.* 1. *n* штурм (*с помощью лестниц*), эскалада;
2. *v* штурмовать, взбираясь на стены по лестницам.

escalator ['eskəleɪtə] *n* эскалатор; ◇ ~ clause условие «скользящей шкалы».

escallop [ɪs'kɔləp] = scallop.

escapade [,eskə'peɪd] *n* 1) весёлая, смелая проделка; шальная выходка; 2) побег (*из тюрьмы*).

escape [ɪs'keɪp] 1. *n* 1) бегство; побег; *перен.* уход от действительности; 2) избавление; спасение; to have a narrow (*или* hairbreadth) ~ едва избежать опасности, быть на волосок от чего-л.; 3) утечка; истечение; выделение (*крови и т. п.*); 5) *тех.* выпуск, выход (*пара*); 6) одичавшее культурное растение, дичок; 7) *attr.* спасательный; ~ ladder спасательная лестница; ~ route дорога к отступлению; ~ clause пункт договора, избавляющий сторону от ответственности;
2. *v* 1) бежать (*из тюрьмы, плена*); 2) избежать (*опасности*), спастись; избавиться; отделаться; I am unable to ~ the conviction that he is guilty не могу отделаться от мысли, что он виновен; 3) давать утечку; улетучиваться; 4) ускользать; your point ~s me я не улавливаю вашей мысли; his name had ~d my memory не могу припомнить его имени; nothing ~s you! всё-то вы замечаете!; 5) вырываться (*о стоне и т. п.*).

escapement [ɪs'keɪpmənt] *n* 1) бегство и пр. [*см.* escape 2]; 2) сторожок, спуск, регулятор хода (*часов*); 3) *тех.* выход, выпуск; 4) *attr.*: ~ wheel *тех.* храповое колесо, храповик.

escape-valve [ɪs'keɪp,vælv] *n* предохранительный, выпускной клапан.

escapist [ɪs'keɪpɪst] *n* 1) уклоняющийся от призыва на военную службу; 2) стремящийся уйти от действительности.

escarp [ɪs'kɑːp] 1. *n* 1) крутая насыпь, откос; 2) *воен.* эскарп;
2. *v* 1) делать откос; 2) *воен.* эскарпировать.

escarpment [ɪs'kɑːpmənt] *n воен.* эскарп.

eschalot ['eʃəlɔt] = shallot.

eschar ['eskɑ:] n *мед.* струп.

escheat [ɪs'tʃi:t] 1. n *юр.* 1) выморочное имущество; 2) переход выморочного имущества в казну;
2. v 1) *юр.* передавать *или* переходить в казну в качестве выморочного имущества; 2) конфисковать.

eschew [ɪs'tʃu:] v избегать, сторониться, воздерживаться.

escort 1. n ['eskɔ:t] охрана, конвой, прикрытие, эскорт;
2. v [ɪs'kɔ:t] конвоировать, сопровождать, эскортировать.

escribe [ə'skraɪb] v *мат.* описывать (*круг*).

escritoire [,eskri:'twɑ:] *фр.* n секретер.

escudo [es'ku:dou] n (*pl* -os [-ouz]) эскудо (*денежная единица и монета Португалии*).

esculent ['eskjulənt] 1. a съедобный, годный в пищу;
2. n съедобное, съестное.

escutcheon [ɪs'kʌtʃən] n 1) щит герба; a blot on one's ~ пятно позора, запятнанная репутация *или* честь; 2) футор, накладка дверного замка; 3) *архит.* орнаментальный щит.

Eskimo ['eskɪmou] 1. n (*pl* -oes [-ouz]) эскимос; ◊ ~ dog лайка; ~ pie *амер.* эскимо (*мороженое*);
2. a эскимосский.

esophagus [i:'sɔfəgəs] = oesophagus.

esoteric [,esou'terɪk] 1. a 1) тайный; известный *или* понятный лишь посвящённым; 2) особенный; персональный; ~ diets специально назначенная диета;
2. n посвящённый.

espalier [ɪs'pæljə] *фр.* n шпалеры, шпалерник (*в саду*).

esparto [es'pɑ:tou] n *бот.* альфа эспарта (*тж.* ~ grass).

especial [ɪs'peʃəl] a особенный, специальный; my ~ aversion предмет моего особого отвращения; of ~ importance особо важный.

especially [ɪs'peʃəlɪ] adv особенно, главным образом.

Esperanto [,espə'ræntou] n эсперанто.

espial [ɪs'paɪəl] n ведение наблюдения; выслеживание.

espionage [,espɪə'nɑ:ʒ] n шпионаж, шпионство.

esplanade [,esplə'neɪd] n эспланада, площадка для прогулок.

espousal [ɪs'pauzəl] n *уст.* 1) (обыкн. *pl*) свадьба; обручение; 2) участие, поддержка (*какого-л. дела*).

espouse [ɪs'pauz] v 1) жениться; *редк.* выходить замуж; 2) выдавать замуж; женить; 3) отдаваться (*какому-л. делу*); поддерживать.

espy [ɪs'paɪ] v 1) заметить, завидеть издалека; 2) неожиданно обнаружить (*недостаток и т. п.*).

Esquimau ['eskɪmou] = Eskimo.

Esquimaux ['eskɪmouz] *pl от* Esquimau.

esquire [ɪs'kwaɪə] n 1) эсквайр; 2) *уст.* = squire 1.

essay 1. n ['eseɪ] 1) очерк, этюд, набросок; эссе; 2) школьное сочинение; 3) попытка; 4) проба, опыт;
2. v [e'seɪ] 1) подвергать испытанию; 2) пытаться (to).

essayist ['eseɪɪst] n очеркист; эссеист.

essence ['esns] n 1) сущность, существо; in ~ по существу; of the ~ существенно; 2) существование; 3) экстракт, эссенция; 4) духи; 5) аромат; 6) бензин.

essential [ɪ'senʃəl] 1. a 1) существенный; составляющий сущность, неотъемлемый; 2) необходимый, весьма важный, ценный; 3) подобный эссенции; ~ oil эфирное, летучее масло;
2. n 1) сущность; неотъемлемая часть; the ~s of education основы воспитания; 2) *pl* предметы первой необходимости.

essentiality [ɪ,senʃɪ'ælɪtɪ] n сущность; существенность.

essentially [ɪ'senʃəlɪ] adv по существу.

establish [ɪs'tæblɪʃ] v 1) основывать; создавать; учреждать; 2) устраивать; to ~ oneself in a new house поселиться в новом доме; 3) устанавливать (*обычай, факт*); 4) упрочивать; to ~ one's health восстановить своё здоровье; to ~ one's reputation упрочить свою репутацию; 5) (юридически) доказать; 6) заложить (*фундамент*).

established [ɪs'tæblɪʃt] 1. *p. p. от* establish;
2. a 1) учреждённый; установленный; E. Church государственная церковь; 2) упрочившийся, укоренившийся; акклиматизировавшийся; 3) авторитетный.

establishment [ɪs'tæblɪʃmənt] n 1) основание; введение; 2) учреждение, заведение; 3) штат (*служащих*); 4) хозяйство; *уст.* семья; separate ~ побочная семья; 5): the E., Church E. государственная церковь.

estate [ɪs'teɪt] n 1) сословие; the fourth ~ *ирон.* четвёртое сословие, пресса; 2) имущество; real ~ недвижимость; personal ~ движимость; 3) имение; 4) *уст.* положение; to suffer in one's ~ тяготиться своим положением; man's ~ возмужалость; 5) *attr.*: ~ agent a) управляющий имением; б) агент по продаже домов, земельных участков и имений (*тж.* real ~ agent).

esteem [ɪs'ti:m] 1. n уважение; to hold in (high) ~ (весьма) уважать;
2. v 1) уважать, почитать; I ~ him highly я глубоко его уважаю; я высоко его ценю; 2) считать, рассматривать; давать оценку; I shall ~ it a favour я сочту это за любезность.

ester ['estə] n *хим.* эфир (*сложный*).

Esther ['estə] n *библ.* Эсфирь.

estimable ['estɪməbl] a 1) достойный уважения; 2) предполагаемый; предположительный.

estimate 1. n ['estɪmɪt] 1) оценка; 2) смета; намётка; калькуляция; the Estimates проект государственного бюджета по расходам (*представляемый ежегодно в английский парламент*);
2. v ['estɪmeɪt] 1) оценивать; 2) составлять смету; 3) определять глазомером; подсчитывать приблизительно.

estimation [,estɪ'meɪʃən] n 1) суждение; мнение; оценка; in my ~ по моему мнению; 2) уважение; to hold in ~ уважать; 3) подсчёт, вычисление; определение глазомером.

estimator ['estɪmeɪtə] n оценщик.

Estonian [es'tounjən] 1. a эстонский; 2. n 1) эстонец; эстонка; 2) эстонский язык.

estop [ɪs'tɔp] v юр. отводить какое-л. заявление, противоречащее прежним высказываниям того же лица.

estoppel [ɪs'tɔpəl] n отвод [см. estop].

estrade [es'trɑːd] n эстрада.

estrange [ɪs'treɪndʒ] v отдалять, отстранять, делать чуждым; to ~ oneself from smb. отходить, отдаляться от кого-л.

estrangement [ɪs'treɪndʒmənt] n отчуждённость, отчуждение, холодок (в отношениях).

estray [ɪs'treɪ] n юр. приблудное животное.

estreat [ɪs'triːt] v 1) юр. направлять ко взысканию документы о штрафе, недоимке и т. п.; 2) распр. штрафовать.

estuary ['estjuərɪ] n эстуарий, широкое устье реки, доступное для приливов.

esurient [ɪ'sjuərɪənt] a шутл. 1) голодный; 2) жадный.

et cetera, etcetera [ɪt'setrə] лат. и так далее, и прочее.

et ceteras, etceteras [ɪt'setrəz] лат. n pl всякая всячина; добавки.

etch [etʃ] v гравировать; травить на металле.

etcher ['etʃə] n гравёр; офортист.

etching ['etʃɪŋ] n 1) гравировка; 2) гравюра, офорт; 3) травление, вытравливание.

eternal [iː'təːnl] a 1) вечный; the E. City Рим; 2) неизменный, твёрдый (о принципах и т. п.); 3) разг. беспрерывный, постоянный; his ~ jokes вечные его шутки.

eternalize [iː'təːnəlaɪz] v увековечивать; делать вечным.

eternity [iː'təːnɪtɪ] n 1) вечность; 2) pl вечные истины; 3) загробный мир; to launch into ~ отправить(ся) на тот свет.

eternize [iː'təːnaɪz] = eternalize.

Etesian [ɪ'tiːzjən] a периодический, ежегодный; ~ winds летние северо-западные пассатные ветры (на Средиземном море).

ethane ['eθeɪn] n хим. этан.

ether ['iːθə] n 1), хим., физ. эфир; over the ~ по радио; 2) поэт. небо, небеса.

ethereal [iː'θɪərɪəl] a 1) эфирный; 2) лёгкий, воздушный; 3) неземной; 4) эфемерный.

ethereality [iːˌθɪərɪ'ælɪtɪ] n эфирность, лёгкость, воздушность.

etherealization [iːˌθɪərɪəlaɪ'zeɪʃən] n превращение в эфир.

etherealize [iː'θɪərɪəlaɪz] v 1) превращать в эфир; 2) делать лёгким.

etherization [ˌiːθeraɪ'zeɪʃən] n 1) мед. применение эфирного наркоза; 2) превращение в эфир.

etherize ['iːθəraɪz] v 1) мед. усыплять эфиром; 2) хим. превращать в эфир.

ethic(al) ['eθɪk(əl)] a нравственный, этический; этичный.

ethics ['eθɪks] n pl (употр. как sing) этика.

Ethiopian [ˌiːθɪ'oupjən] 1. a эфиопский; 2. n эфиоп.

ethmoid ['eθmɔɪd] a решётчатый; ~ bone анат. решётчатая кость.

ethnic(al) ['eθnɪk(əl)] a 1) этнический, племенной; 2) языческий.

ethnographic(al) [ˌeθnou'græfɪk(əl)] a этнографический.

ethnography [eθ'nɔgrəfɪ] n этнография.

ethnologic(al) [ˌeθnou'lɔdʒɪk(əl)] a этнологический.

ethnology [eθ'nɔlədʒɪ] n этнология.

ethos ['iːθɔs] греч. n характер, преобладающая черта.

ethyl ['eθɪl] n хим. этил.

etiolate ['iːtɪouleɪt] v 1) бот. выращивать растение в темноте, этиолировать; 2) делать бледным, придавать болезненный вид.

etiology [ˌiːtɪ'ɔlədʒɪ] = aetiology.

etiquette [ˌetɪ'ket] n 1) этикет; 2) профессиональная этика.

etna ['etnə] n род спиртовки.

Eton ['iːtn] n 1) Итонский колледж; 2) attr.: ~ coat (или jacket) короткий облегающий пиджак; ~ crop женская короткая стрижка (под мальчика); ~ collar широкий отложной воротник.

Etonian [iː'tounjən] 1. a относящийся к Итонскому колледжу; 2. n воспитанник Итонского колледжа.

Etruscan [ɪ'trʌskən] ист. 1. a этрусский; 2. n 1) этруск; 2) этрусский язык.

etude [eɪ'tjuːd] фр. n муз. этюд.

étui, etwee [e'twiː] фр. n ящичек для иголок, булавок и пр.; футляр.

etymologic(al) [ˌetɪmə'lɔdʒɪk(əl)] a этимологический.

etymologist [ˌetɪ'mɔlədʒɪst] n этимолог.

etymologize [ˌetɪ'mɔlədʒaɪz] v изучать этимологию; определять этимологию слова.

etymology [ˌetɪ'mɔlədʒɪ] n этимология.

etymon ['etɪmɔn] n лингв. этимон.

eucalypti [ˌjuːkə'lɪptaɪ] pl от eucalyptus.

eucalyptus [ˌjuːkə'lɪptəs] n (pl -tuses [-təsɪz], -ti) бот. эвкалипт.

Eucharist ['juːkərɪst] n церк. евхаристия, причастие.

euchre ['juːkə] 1. n род карточной игры; 2. v 1) карт. обремизить противника; 2) sl. перехитрить, взять верх, одолеть.

Euclid ['juːklɪd] n 1) Эвклид; 2) эвклидова геометрия.

eud(a)emonism [juː'diːmənɪzəm] n филос. эвдемонизм.

eudiometer [ˌjuːdɪ'ɔmɪtə] n эвдиометр (прибор для анализа газов и определения чистоты воздуха).

eugenic [juː'dʒenɪk] a евгенический.

eugenics [juː'dʒenɪks] n pl (употр. как sing) евгеника.

eulogist ['juːlədʒɪst] n панегирист.

eulogistic(al) [ˌjuːlə'dʒɪstɪk(əl)] a хвалебный, панегирический.

eulogize ['juːlədʒaɪz] v хвалить, превозносить, восхвалять.

eulogy ['juːlədʒɪ] *n* хвалебная речь, панегирик; to pronounce a ~ on smb., to pronounce smb.'s ~ расхвалить кого-л.

eunuch ['juːnək] *n* евнух.

eupeptic [juːˈpeptɪk] *a* 1) имеющий хорошее пищеварение; 2) способствующий пищеварению; 3) удобоваримый.

euphemism ['juːfɪmɪzəm] *n* эвфемизм.

euphemistic(al) ['juːfɪˈmɪstɪk(əl)] *a* эвфемистический.

euphonic(al) [juːˈfɔnɪk(əl)] *a* благозвучный.

euphonious [juːˈfouniəs] = euphonic(al).

euphonize ['juːfənaɪz] *v* делать благозвучным.

euphony ['juːfənɪ] *n* благозвучие.

euphoria [juːˈfɔːriə] *n* эйфория.

euphrasy ['juːfrəsɪ] *n* бот. очанка.

euphuism ['juːfjuːɪzəm] *n* ритор. эвфуизм, напыщенный стиль.

Eurasian [juəˈreɪʒən] 1. *a* евразийский; 2. *n* евразиец.

eureka [juəˈriːkə] *греч. int* эврика!

European [,juərəˈpiːən] 1. *a* европейский; 2. *n* европеец.

europium [juːˈroupiəm] *n хим.* европий.

Eustachian tube [juːsˈteɪʃən,tjuːb] *n анат.* евстахиева труба.

euthanasia [,juːθəˈneɪzjə] *греч. n* 1) лёгкая смерть; 2) умерщвление в случае неизлечимой болезни.

evacuate [ɪˈvækjueɪt] *v* 1) эвакуировать, вывозить; 2) опорожнять; *мед.* очищать; 3) *тех.* разрежать воздух, выкачивать, высасывать.

evacuation [ɪ,vækjuˈeɪʃən] *n* 1) эвакуация; 2) *физиол.* испражнение, очищение желудка.

evacuee [ɪ,vækjuˈiː] *n* эвакуированный; эвакуируемый.

evade [ɪˈveɪd] *v* 1) ускользать; 2) избегать; 3) уклоняться; обходить (*закон, вопрос*); 4) не поддаваться (*усилиям; определению*).

evaluate [ɪˈvæljueɪt] *v* 1) оценивать; определять количество; 2) *мат.* выражать в числах.

evaluation [ɪ,væljuˈeɪʃən] *n* оценка.

evanesce [,iːvəˈnes] *v* 1) исчезать из виду; 2) изглаживаться, стираться.

evanescence [,iːvəˈnesns] *n* исчезновение.

evanescent [,iːvəˈnesnt] *a* 1) мимолётный; быстро исчезающий; 2) *мат.* бесконечно малый, приближающийся к нулю.

evangelic [,iːvænˈdʒelɪk] *a* евангельский.

evangelical [,iːvænˈdʒelɪkəl] 1. *a* 1) евангельский; 2) евангелический; 2. *n* 1) протестант; 2) евангелист (*сектант*).

evangelist [ɪˈvændʒɪlɪst] *n* 1) евангелист; 2) странствующий проповедник.

evanish [ɪˈvænɪʃ] *v поэт.* исчезать; замирать (*о звуках и т. п.*).

evaporate [ɪˈvæpəreɪt] *v* 1) испарять(ся); 2) *разг.* исчезать; умирать; 3) выпаривать; сгущать.

evaporation [ɪ,væpəˈreɪʃən] *n* 1) испарение; парообразование; 2) выпаривание.

evaporative [ɪˈvæpərətɪv] *a* испаряющий, парообразующий.

evaporator [ɪˈvæpəreɪtə] *n тех.* испаритель.

evasion [ɪˈveɪʒən] *n* 1) уклонение; увёртка, отговорка *и пр.* [*см.* evade]; his answer was a mere ~ он просто уклонился от ответа; 2) *редк.* бегство.

evasive [ɪˈveɪsɪv] *a* 1) уклончивый; 2) неуловимый.

Eve [iːv] *n библ.* Ева; женщина; daughters of ~ женщины, женский пол.

eve [iːv] *n* 1) канун; on the ~ накануне; Christmas ~ сочельник; New Year's Eve канун Нового года; новогодний вечер; 2) *уст., поэт.* вечер.

even I ['iːvən] *n поэт.* вечер.

even II ['iːvən] 1. *a* 1) ровный, гладкий; 2) равный, на одном уровне (with), одинаковый; тот же самый; сходный; ~ with the ground вровень с землёй; ~ date *бухг.* то же число; 3) однообразный, монотонный; 4) уравновешенный; ~ temper ровный характер, спокойный темперамент; 5) справедливый, беспристрастный; 6) чётный; evenly ~ кратный четырём (*о числе*); oddly (*или* unevenly) ~ кратный двум, нс не кратный четырём (*о числе*); ◇ to get (*или* to be) ~ with smb. свести счёты, расквитаться с кем-л.;
2. *adv* 1) ровно; 2) как раз; точно; 3) даже; ~ if, ~ though даже если; хотя бы;
3. *v* 1) выравнивать (*поверхность*); сглаживать; 2) равнять, ставить на одну доску; 3) уравновешивать (*тж.* ~ up); 4) *амер.:* to ~ upon smb. расквитаться, сосчитаться с кем-л.

even-handed ['iːvənˈhændɪd] *a* беспристрастный, справедливый.

evening *n* ['iːvnɪŋ] *n* 1) вечер; 2) вечеринка, вечер; 3) *attr.* вечерний; ~ star вечерняя звезда; ~ meal ужин, вечер вечерний; бальный туалет; фрак; смокинг.

evenly ['iːvənlɪ] *adv* 1) ровно, поровну; одинаково; 2) беспристрастно, справедливо; 3) равномерно; 4) спокойно; уравновешенно.

even-minded ['iːvənˈmaɪndɪd] *a* спокойный; уравновешенный.

event [ɪˈvent] *n* 1) событие; the course of ~s ход событий; quite an ~ целое (*или* настоящее) событие; 2) случай, происшествие; in the ~ of his death в случае его смерти; at all ~s во всяком случае; in any ~, in either ~ так или иначе; 3) исход, результат; his plan was unhappy in the ~ в конечном результате его план потерпел неудачу; 4) номер (*в программе состязаний*); 5) соревнование по определённому виду спорта; 6) *тех.* такт (*двигателя внутреннего сгорания*).

eventful [ɪˈventful] *a* полный событий, богатый событиями.

eventide ['iːvəntaɪd] *n поэт.* вечер, вечерняя пора.

eventless [ɪˈventlɪs] *a* бедный событиями.

eventual [ɪˈventjuəl] *a* 1) возможный, могущий случиться; 2) конечный.

eventuality [ɪ,ventjuˈælɪtɪ] *n* возможный случай; возможность; случайность.

eventually [ɪˈventjuəlɪ] *adv* в конечном счёте, в конце концов; со временем.

eventuate [ɪ'ventjueɪt] *v* 1) кончáться, разрешáться (in—*чем-л.*); 2) являться результáтом, возникáть, случáться.

ever ['evə] *adv* 1) всегдá; ~ after, ~ since с тех пóр (как); for ~ (and ~), for ~ and a day a) навсегдá, навéчно; б) беспрестáнно; ~ yours всегдá Ваш (*пóдпись в письмé*); 2) когдá-либо; it is the best symphony I have ~ heard э́то лýчшая симфóния, котóрую я когдá-либо слы́шал; ~ and anon *уст.* врéмя от врéмени; hardly ~ едвá ли когдá-нибудь; почтú никогдá; 3): as ~ как тóлько; I shall do it as soon as ~ I can я сдéлаю э́то, как тóлько смогý; 4) *разг. употр. для усилéния:* why ~ did you do it? да почемý же вы э́то сдéлали?; what ~ do you mean? что же вы хотúте э́тим сказáть?; ◇ ~ so *разг.* а) óчень; thank you ~ so much бóльшое вам спасúбо; б) как бы ни; be the weather ~ so bad, I must go как бы плохá погóда ни былá, я дóлжен идтú.

ever frost ['evə'frɔst] *n* вéчная мерзлотá.

everglade ['evəgleɪd] *n* болóтистая нú́зменность, местáми порóсшая высóкой травóй (*напр., в Южной Флорúде*).

evergreen ['evəgriːn] 1. *a* вечнозелёный; 2. *n* вечнозелёное растéние.

everlasting [,evə'lɑːstɪŋ] 1. *a* 1) вéчный; 2) вéчный, длúтельный, постоя́нный; this ~ noise э́тот постоя́нный шум; 3) *уст.* выно́сливый, прóчный; 4) сохраня́ющий цвет и фóрму в засýшенном вúде (*о растéниях*); 2. *n* 1) вéчность; from ~ спокóн векóв; 2) *бот.* иммортéль, бессмéртник, сухоцвéт (*тж.* ~ flower); 3) прóчная шерстяна́я ткань.

evermore ['evə'mɔː] *adv* навéки; навсегдá.

every ['evrɪ] *pron. indef.* кáждый; вся́кий; ~ time а) кáждый раз; б) *разг.* без исключéния, без колебáния; ~ now and then, ~ now and again врéмя от врéмени, то и дéло; ~ bit, ~ whit *разг.* во всех отношéниях; совершéнно; ~ other day чéрез день; ~ so often врéмя от врéмени; with ~ good wish с лýчшими пожелáниями.

everybody ['evrɪbɔdɪ] *pron. indef.* кáждый, вся́кий (человéк); все; ~ is happy все счáстливы.

everyday ['evrɪdeɪ] *a* ежеднéвный; повседнéвный, обы́чный; ~ sentences обихóдные фрáзы.

Everyman ['evrɪmæn] *n* обыкновéнный, срéдний человéк; обывáтель.

everyone ['evrɪwʌn] = everybody.

everything ['evrɪθɪŋ] *pron. indef.* всё.

every way ['evrɪweɪ] *adv* 1) во всех направлéниях; 2) во всех отношéниях.

everywhere ['evrɪweə] *adv* всю́ду, вездé.

evict [ɪ'vɪkt] *v* 1) выселя́ть; изгоня́ть; 2) отня́ть по судý (*зéмлю и т. п.*; of, from—у).

eviction [ɪ'vɪkʃən] *n* 1) выселéние; изгнáние; 2) *юр.* лишéние имýщества (*по судý*).

evidence ['evɪdəns] 1. *n* 1) очевúдность; in ~ замéтный, бросáющийся в глазá [*ср. тж.* 3)]; 2) основáние, доказáтельство;

to give (*или* to bear) ~ свидéтельствовать; 3) *юр.* улúка; свидéтельское показáние; piece of ~ улúка; circumstantial ~ кóсвенные улúки; cumulative ~ совокýпность улúк; to call in ~ вызывáть (*в суд*) для дáчи показáний [*ср. тж.* 1)]; to turn King's (*или* Queen's) ~, *амер.* State's ~ вы́дать сообщников и стать свидéтелем обвинéния; in ~ прúнятый в кáчестве доказáтельства [*ср. тж.* 1)]; 2. *v* служúть доказáтельством, докáзывать.

evident ['evɪdənt] *a* очевúдный, я́сный.

evidential [,evɪ'denʃəl] *a* 1) оснóванный на очевúдности; 2) доказáтельный.

evidentiary [,evɪ'denʃərɪ] = evidential.

evil ['iːvl] 1. *n* 1) зло; вред; 2) бéдствие, несчáстье; 3) *уст.* болéзнь; King's ~ золотýха; St John's ~ эпилéпсия; 4) грех; ◇ the social ~ проститýция; of two ~s choose the less *посл.* из двух зол выбирáй мéньшее; 2. *a* 1) дурнóй, злой; зловéщий; the Evil One дья́вол; ~ tongue злой язы́к; ~ eye дурнóй глаз; an ~ genius злой гéний; 2) врéдный; пáгубный; 3) злóстный; ◇ fallen on ~ days впáвший в нищетý, в ничтóжество; 3. *adv* плóхо, дýрно, зло; to speak ~ of злослóвить о.

evil-doer ['iːvl'duːə] *n* 1) престýпник, злодéй; 2) грéшник.

evil-minded ['iːvl'maɪndɪd] *a* 1) злонамéренный; 2) злóбный, злой.

evince [ɪ'vɪns] *v* проявля́ть, выкáзывать.

evirate ['iːvɪreɪt] *v* кастрúровать.

eviscerate [ɪ'vɪsəreɪt] *v* 1) потрошúть; 2) лишáть содержáния, выхолáщивать.

evoke [ɪ'vouk] *v* 1) вызывáть (*воспоминáние, восхищéние и т. п.*); 2) *юр.* передавáть (*дéло*) в вы́сшую инстáнцию.

evolution [,iːvə'luːʃən] *n* 1) развёртывание; развúтие; эволю́ция; Theory of E. эволюцио́нная теóрия; 2) выделéние (*гáза, теплоты́ и т. п.*); 3) *мат.* извлечéние кóрня; 4) (*обыкн. pl*) *воен., мор.* перестроéние; манёвр; передвижéние; 5) образовáние небéсных тел путём концентрáции космúческого веществá.

evolutional [,iːvə'luːʃənl] *a* эволюцио́нный.

evolutionary [,iːvə'luːʃnərɪ] = evolutional.

evolutionism [,iːvə'luːʃənɪzəm] *n* эволюцио́нная теóрия.

evolutionist [,iːvə'luːʃənɪst] 1. *n* эволюциóнист; 2. *a* эволюцио́нный.

evolutive [,iːvə'luːtɪv] *a* спосóбствующий развúтию.

evolve [ɪ'vɔlv] *v* 1) эволюционúровать, развивáться; развёртываться; 2) развивáть (*теóрию и т. п.*); to ~ a plan намéтить план; 3) выделя́ть (*гáзы, теплотý*); издавáть (*зáпах*).

evolvent [ɪ'vɔlvənt] *n мат.* эвольвéнта, развёртка.

evulgate [ɪ'vʌlgeɪt] *v* оглашáть; разглашáть.

evulsion [ɪ'vʌlʃən] *n* насúльственное извлечéние, вырывáние с кóрнем.

ewe [juː] *n* овца́; ◇ one's ~ lamb еди́нственное сокро́вище; еди́нственный ребёнок.

ewer ['juːə] *n* кувши́н.

ex- [eks-] *pref* 1) *указывает на изъятие, исключение и т. п.* из-, вне-; extract вырыва́ть; **exterritorial** экстерриториа́льный; 2) бы́вший, пре́жний, экс-; ex-president бы́вший президе́нт.

exacerbate [eks'æsəːbeit] *v* 1) обостря́ть, уси́ливать; 2) раздража́ть, ожесточа́ть.

exacerbation [eks,æsəː'beiʃən] *n* 1) обостре́ние, усиле́ние; 2) раздраже́ние; 3) *мед.* пароксизм.

exact [ig'zækt] 1. *a* то́чный; стро́гий (*о правилах, порядке*); аккура́тный; соверше́нно пра́вильный, ве́рный; ~ sciences то́чные нау́ки; ~ memory хоро́шая па́мять; 2. *v* 1) (настоя́тельно) тре́бовать; 2) взы́скивать (from, of); 3) вымога́ть.

exacting [ig'zæktiŋ] 1. *pres. p. от* exact 2;

2. *a* 1) тре́бовательный; приди́рчивый; суро́вый; 2) напряжённый; 3) изнуря́ющий.

exaction [ig'zækʃən] *n* 1) настоя́тельное тре́бование; 2) вымога́тельство; 3) чрезме́рный нало́г *и т. п.*

exactitude [ig'zæktitjuːd] *n* то́чность; аккура́тность.

exactly [ig'zæktli] *adv* 1) то́чно; как раз; not ~ the same не совсе́м то же са́мое; 2) и́менно, да, соверше́нно ве́рно (*в ответе*).

exactness [ig'zæktnis] *n* то́чность; аккура́тность.

exactor [ig'zæktə] *n* 1) лицо́, тре́бующее чего́-л.; 2) исте́ц; 3) вымога́тель.

exaggerate [ig'zædʒəreit] *v* 1) преувели́чивать; 2) изли́шне подчёркивать.

exaggerated [ig'zædʒəreitid] 1. *p. p. от* exaggerate;

2. *a* 1) преувели́ченный; 2) *мед.* ненорма́льно расши́ренный, увели́ченный (*о сердце и т. п.*).

exaggeratedly [ig'zædʒəreitidli] *adv* преувели́ченно; подчёркнуто.

exaggeration [ig,zædʒə'reiʃən] *n* преувеличе́ние.

exaggerative [ig'zædʒərətiv] *a* преувели́чивающий; не соблюда́ющий чу́вства ме́ры.

exalt [ig'zɔːlt] *v* 1) возвыша́ть; возноси́ть; возвели́чивать; 2) превозноси́ть, восхваля́ть; to ~ to the skies превозноси́ть до небе́с; 3) уси́ливать, сгуща́ть (*краски и т. п.*); 4) поднима́ть настрое́ние.

exaltation [,egzɔːl'teiʃən] *n* 1) возвыше́ние; повыше́ние; возвели́чение; 2) восто́рг, экзальта́ция; 3) усиле́ние.

exalted [ig'zɔːltid] 1. *p. p. от* exalt;

2. *a* 1) высокопоста́вленный; 2) досто́йный, благоро́дный; возвы́шенный (*о стиле и т. п.*); 3) экзальти́рованный.

exam [ig'zæm] *разг. см.* examination 2).

examinant [ig'zæminənt] *n* экзамена́тор.

examination [ig,zæmi'neiʃən] *n* 1) осмо́тр; иссле́дование; освиде́тельствование; эксперти́за; custom-house ~ тамо́женный досмо́тр; post-mortem ~ *мед.* вскры́тие тру́па; 2) экза́мен; competitive ~ ко́нкурсный экза́мен; to go in for an ~ держа́ть экза́мен; to take an (entrance) ~ сдава́ть (вступи́тельный) экза́мен; to pass one's ~ вы́держать экза́мен; to fail in an ~ провали́ться на экза́мене; 3) *юр.* допро́с.

examinational [ig,zæmi'neiʃənəl] *a* экзаменацио́нный.

examination-paper [ig,zæmi'neiʃən'peipə] *n* экзаменацио́нная рабо́та.

examinatorial [ig,zæminə'tɔːriəl] *a* экзамена́торский.

examine [ig'zæmin] *v* 1) рассма́тривать; иссле́довать (*тж.* ~ into); 2) *мед.* выслу́шивать, осма́тривать; 3) экзаменова́ть; 4) *воен. юр.* допра́шивать.

examinee [ig,zæmi'niː] *n* экзамену́ющийся.

examiner [ig'zæminə] *n* 1) экзамена́тор; to satisfy the ~s сдать экза́мен удовлетвори́тельно, без отли́чия; 2) *амер.* ревизо́р.

example [ig'zɑːmpl] *n* 1) приме́р; for ~ наприме́р; to set a good (bad) ~ (по)дава́ть хоро́ший (дурно́й) приме́р; without ~ без прецеде́нта; беспри́мерный; 2) приме́рное наказа́ние, уро́к; let it make an ~ for him пусть э́то послу́жит ему́ уро́ком; to make an ~ of smb. наказа́ть кого́-л. в назида́ние други́м; 3) образе́ц; to take ~ by подража́ть, брать за образе́ц.

exanimate [ig'zænimeit] *a* безжи́зненный; вя́лый.

exanthema [,eksæn'θiːmə] *n* *мед.* сыпь.

exarch ['eksɑːk] *n* экза́рх.

exarchate ['eksɑːkeit] *n* экзарха́т.

exasperate [ig'zɑːspəreit] *v* 1) серди́ть; раздража́ть, доводи́ть до бе́лого кале́ния; 2) уси́ливать (*боль, гнев и т. п.*).

exasperating [ig'zɑːspəreitiŋ] 1. *pres. p. от* exasperate;

2. *a* раздража́ющий, изводя́щий.

exasperation [ig,zɑːspə'reiʃən] *n* раздраже́ние.

excavate ['ekskəveit] *v* 1) копа́ть, рыть; вынима́ть грунт; рыть котлова́н; 2) выка́пывать; *археол.* производи́ть раско́пки.

excavation [,ekskə'veiʃən] *n* 1) выка́пывание; 2) вы́рытая я́ма; 3) выда́лбливание; 4) *тех.* экскава́ция, вы́емка гру́нта; земляны́е рабо́ты; 5) *археол.* раско́пки; 6) *горн.* разрабо́тка откры́тым спо́собом, карье́ром.

excavator ['ekskəveitə] *n* 1) экскава́тор; 2) землеко́п.

exceed [ik'siːd] *v* 1) превыша́ть, переходи́ть грани́цы; to ~ one's instructions превы́сить свои́ полномо́чия; 2) превосходи́ть; to ~ smb. in strength (in height) быть сильне́е кого́-л. (вы́ше ро́стом); 3) быть невоздержанным; 4) преувели́чивать.

exceeding [ik'siːdiŋ] 1. *pres. p. от* exceed;

2. *a* безме́рный, чрезвыча́йный.

exceedingly [ik'siːdiŋli] *adv* чрезвыча́йно, о́чень.

excel [ik'sel] *v* превосходи́ть (in, at); выдава́ться, выделя́ться; to ~ as an orator быть выдаю́щимся ора́тором.

excellence ['eksələns] *n* 1) превосхо́дство; 2) высо́кое ка́чество; выдаю́щееся мастерство́.

excellency ['eksələnsɪ] *n* 1) превосходительство; 2) *уст.* = excellence.
excellent ['eksələnt] *a* превосходный, отличный.
excelsior [ek'selsɪɔ] 1. *int* выше и выше!; 2. *a ком.* высший (*о сорте*); 3. *n амер.* мягкая упаковочная стружка.
except [ɪk'sept] 1. *v* 1) исключать; present company ~ed a) за исключением присутствующих; б) о присутствующих не говорят; 2) возражать (against, to); 3) *юр.* отводить (*свидетеля*); 2. *prep* 1) исключая, кроме; 2): ~ for а) (*употр. как сложный предлог*) за исключением; кроме; б) (*употр. как сj*) если бы не; 3. *сj уст.* если не.
excepting [ɪk'septɪŋ] 1. *pres. p. от* except 1; 2. *prep* за исключением.
exception [ɪk'sepʃən] *n* 1) исключение; the ~ proves the rule исключение подтверждает правило; with the ~ of... за исключением...; to take ~ to smth. возражать против чего-л.; 2) обида; to take ~ (at) обижаться, оскорбляться (на); 3) *юр.* отвод.
exceptionable [ɪk'sepʃnəbl] *a* небезупречный, вызывающий возражения.
exceptional [ɪk'sepʃənl] *a* исключительный; необычный.
exceptive [ɪk'septɪv] *a* 1) составляющий исключение; 2) придирчивый; 3) = exceptional.
excerpt 1. *n* ['eksəpt] 1) отрывок, выдержка; 2) (отдельный) оттиск; 2. *v* [ek'səpt] выбирать (*отрывки*), делать выдержки, подбирать цитаты.
excerption [ek'səpʃən] *n* 1) выбор отрывка; 2) цитата.
excess [ɪk'ses] *n* 1) избыток, излишек; in ~ of сверх, больше чем; 2) (*обыкн. pl*) эксцесс; крайность; 3) невоздержанность, неумеренность; to ~ до излишества; слишком много; 4) *attr.* дополнительный; ~ luggage багаж выше нормы; ~ fare *ж.-д.* доплата, приплата; ~ profit сверхприбыль; ~ profits duty (*или* tax) налог на сверхприбыль.
excessive [ɪk'sesɪv] *a* чрезмерный.
exchange [ɪks'tʃeɪndʒ] 1. *n* 1) обмен; мена; in ~ for в обмен на; 2) размен; rate (*или* course) of ~ валютный курс; free ~ свободная валюта; 3) расплата посредством векселей; bill of ~ вексель, тратта; 4) биржа; corn ~ хлебная биржа; labour ~ биржа труда; 5) центральная телефонная станция; коммутатор; 6) *attr.* меновой; 2. *v* 1) обменивать; 2) разменивать (*деньги*); 3) меняться; to ~ seats поменяться местами; to ~ words with smb. обменяться с кем-л. несколькими словами; to ~ into another regiment перевестись в другой полк путём встречного обмена.
exchangeable [ɪks'tʃeɪndʒəbl] *a* 1) годный для обмена; ~ value меновая стоимость, меновая ценность; 2) *тех.* взаимозаменяемый, сменный.
exchequer [ɪks'tʃekə] *n* 1) казначейство; Chancellor of the E. министр финансов

Великобритании; 2) казна; 3) *разг.* ресурсы, финансы; 4) *attr.*: ~ bill кредитный билет; билет государственного займа.
excisable [ek'saɪzəbl] *a* облагаемый акцизным сбором.
excise I [ek'saɪz] *v* вырезать; отрезать, ампутировать.
excise II [ek'saɪz] 1. *n* 1) акциз (*тж.* ~ duty); 2) (the E.) акцизное управление; 2. *v* взимать (*или* налагать) акцизный сбор.
exciseman [ek'saɪzmæn] *n* акцизный чиновник.
excision [ek'sɪʒən] *n* вырезание, отрезание.
excitability [ɪk,saɪtə'bɪlɪtɪ] *n* возбудимость.
excitable [ɪk'saɪtəbl] *a* (легко) возбудимый.
excitant ['eksɪtənt] 1. *a* возбуждающий; 2. *n* возбуждающее средство.
excitation [,eksɪ'teɪʃən] *n* возбуждение.
excitative [ek'saɪtətɪv] *a* возбудительный, возбуждающий.
excitatory [ɪk'saɪtətərɪ] = excitative.
excite [ɪk'saɪt] *v* 1) возбуждать, волновать; he was ~d by (*или* at, about) the news он был взволнован известием; don't ~! не волнуйтесь!, сохраняйте спокойствие!; 2) побуждать; вызывать (*ревность, ненависть*); пробуждать (*интерес и т. п.*); to ~ rebellion поднимать восстание; 3) *эл.* возбудить (*ток*); *редк.* образовать магнитное поле, намагнитить.
excitement [ɪk'saɪtmənt] *n* возбуждение, волнение.
exciter [ɪk'saɪtə] *n эл.* возбудитель.
exciting [ɪk'saɪtɪŋ] 1. *pres. p. от* excite; 2. *a* 1) возбуждающий, волнующий; захватывающий; 2) *эл.* возбуждающий (*ток*); 3. *n эл.* возбуждение.
exclaim [ɪks'kleɪm] *v* восклицать; □ ~ against протестовать, громко обвинять.
exclamation [,eksklə'meɪʃən] *n* восклицание; note of ~ восклицательный знак (!).
exclamatory [eks'klæmətərɪ] *a* 1) восклицательный; ~ sentence восклицательное предложение; 2) злоупотребляющий восклицаниями.
exclude [ɪks'kluːd] *v* исключать (from); не впускать; не допускать (*возможности и т. п.*); to ~ smb. from a house отказать кому-л. от дома.
exclusion [ɪks'kluːʒən] *n* исключение; ◇ to the ~ of за исключением.
exclusive [ɪks'kluːsɪv] *a* 1) исключительный; ~ privileges особые привилегии; 2) единственный; ~ occupation единственное занятие; 3) недоступный, замкнутый в своём кругу; с ограниченным доступом (*о клубе и т. п.*); 4) *амер.* отличный, первоклассный; ◇ ~ of не считая, исключая.
exclusively [ɪks'kluːsɪvlɪ] *adv* исключительно, единственно, только.
excogitate [eks'kɔdʒɪteɪt] *v* выдумывать, придумывать.
excogitation [eks,kɔdʒɪ'teɪʃən] *n* 1) выдумывание, придумывание; 2) выдумка.

excommunicate [,ekskə'mju:nɪkeɪt] **1.** *v* отлучать от церкви;
2. *a* отлучённый от церкви.
excommunication ['ekskə,mju:nɪ'keɪʃən] *n* отлучение от церкви.
excoriate [eks'kɔ:rɪeɪt] *v* 1) содрать кожу, ссадить; 2) *разг.* подвергать суровой критике; пропесочить.
excoriation [eks,kɔ:rɪ'eɪʃən] *n* 1) сдирание кожи; 2) ссадина; 3) суровая критика.
excorticate [eks'kɔ:tɪkeɪt] *v* сдирать кору, кожу, оболочку, шелуху.
excrement ['ekskrɪmənt] *n* (*часто pl*) экскременты.
excrescence [ɪks'kresns] *n* 1) разрастание; нарост, шишка; 2) отросток (from).
excrescent [ɪks'kresnt] *a* 1) образующий нарост; 2) лишний.
excreta [eks'kri:tə] *n pl физиол.* испражнения.
excrete [eks'kri:t] *v* выделять, извергать.
excretion [eks'kri:ʃən] *n физиол.* выделение.
excretive [eks'kri:tɪv] *a* 1) способствующий выделению; 2) выводящий.
excretory [eks'kri:tərɪ] *a анат.* выводной, выделительный, экскреторный.
excruciate [ɪks'kru:ʃɪeɪt] *v* мучить; терзать.
excruciating [ɪks'kru:ʃɪeɪtɪŋ] **1.** *pres. p.* *от* excruciate;
2. *a* мучительный.
excruciation [ɪks,kru:ʃɪ'eɪʃən] *n* мучение, пытка.
exculpate ['ekskʌlpeɪt] *v* оправдывать.
exculpation [,ekskʌl'peɪʃən] *n* оправдание;♦ реабилитация.
exculpatory [eks'kʌlpətərɪ] *a* оправдывающий; оправдательный.
excurrent [eks'kʌrənt] *a* 1) вытекающий; 2) артериальный (*о крови*); 3) дающий выход; 4) *бот.* выступающий вперёд.
excurse [ɪks'kə:s] *v редк.* 1) отклоняться, отступать (*гл. обр. перен.*); 2) совершать экскурсию.
excursion [ɪks'kə:ʃən] *n* 1) экскурсия; поездка; 2) экскурс; 3) *тех.* сдвиг из среднего положения, отклонение от оси; амплитуда вибрации; 4) *астр.* отклонение от обычного пути.
excursionist [ɪks'kə:ʃnɪst] *n* экскурсант, турист.
excursive [eks'kə:sɪv] *a* отклоняющийся; блуждающий; ~ reading беспорядочное чтение.
excursus [eks'kə:səs] *n* (*pl* -es [-ɪz]) 1) отступление (*от темы, от сути*); экскурс; 2) подробное обсуждение какой-л. детали *или* пункта в книге.
excusable [ɪks'kju:zəbl] *a* извинительный, простительный.
excusatory [ɪks'kju:zətərɪ] *a* извинительный; оправдательный.
excuse 1. *n* [ɪks'kju:s] 1) извинение, оправдание; in ~ of smth. в оправдание чего-л.; ignorance of the law is no ~ незнание закона не может служить оправданием; 2) отговорка, предлог; a lame ~, a poor ~ неудачная, слабая отговорка; 3) освобождение (*от обязанности*);

2. *v* [ɪks'kju:z] 1) извинять, прощать; ~ me! извините!, виноват!; ~ my coming late простите, что я опоздал; 2) освобождать (*от налога, обязанности*); your attendance today is ~d вы можете сегодня не присутствовать; we'll ~ you мы вас не задерживаем, можете быть свободны; 3) служить оправданием, извинением.
exeat ['eksɪæt] *n* кратковременный отпуск (*из школы и т. п.*).
execrable ['eksɪkrəbl] *a* отвратительный.
execrate ['eksɪkreɪt] *v* 1) ненавидеть; питать отвращение; 2) проклинать.
execration [,eksɪ'kreɪʃən] *n* 1) проклятие; 2) омерзение; 3) *редк.* предмет отвращения.
executant [ɪg'zekjutənt] *n* исполнитель.
execute ['eksɪkju:t] *v* 1) выполнять, осуществлять; доводить до конца; 2) исполнять (*музыкальное произведение*); 3) исполнять (*распоряжение*); 4) казнить; 5) выполнять (*обязанности, функции*); 6) *юр.* оформлять (*документ*).
execution [,eksɪ'kju:ʃən] *n* 1) выполнение; 2) исполнение (*муз. произведения*); 3) мастерство исполнения; 4) казнь; экзекуция; 5) *юр.* выполнение формальностей; оформление (*документов*); writ of ~ ордер на выполнение судебного постановления; 6) арест имущества (*несостоятельного должника*); 7) *разг.* уничтожение; опустошение; to make good ~ разгромить; перебить.
executioner [,eksɪ'kju:ʃnə] *n* палач.
executive [ɪg'zekjutɪv] **1.** *a* исполнительный; *амер. тж.* административный; ~ committee исполнительный комитет; ~ agreement *амер.* договор, заключаемый президентом с иностранным государством, не требующий утверждения сената; ~ officer *мор.* строевой офицер; *амер.* старший помощник командира; ~ session закрытое заседание; to go into ~ session *амер.* удаляться на закрытое заседание, совещание;

2. *n* 1) (the ~) исполнительная власть, исполнительный орган; (Chief) E. *амер.* а) президент США; б) губернатор штата; в) мэр города; 2) *амер.* должностное лицо, руководитель, администратор (*фирмы, компании*); 3) *амер. воен.* начальник штаба (*части*); помощник командира.
executor [ɪg'zekjutə] *n юр.* 1) душеприказчик; 2) судебный исполнитель.
executrix [ɪg'zekjutrɪks] *n* душеприказчица.
exegesis [,eksɪ'dʒi:sɪs] *n* толкование (*особ. библии*).
exemplar [ɪg'zemplə] *n* 1) образец, пример для подражания; 2) тип; 3) экземпляр.
exemplary [ɪg'zemplərɪ] *a* 1) образцовый, примерный; 2) типичный, типовой; 3) иллюстративный.
exemplification [ɪg,zemplɪfɪ'keɪʃən] *n* 1) пояснение примером; иллюстрация; 2) *юр.* заверенная копия.
exemplify [ɪg'zemplɪfaɪ] *v* 1) приводить пример; 2) служить примером; 3) снимать и заверять копию.

exempt [ɪg'zempt] **1.** *a* 1) освобождённый (*от налога, военной службы и т. п.*); 2) свободный (*от недостатков и т. п.*); 3) *уст.* изъятый;
2. *v* 1) освобождать (*от обязанности, налога;* from); 2) *уст.* изымать.
exemption [ɪg'zempʃən] *n* освобождение (*от налога и т. п.*).
exequatur [ˌeksɪ'kweɪtə] *n* дип. экзекватура.
exequies ['eksɪkwɪz] *n pl* похороны.
exercise ['eksəsaɪz] **1.** *n* 1) упражнение; тренировка; five-finger ~s упражнения на рояле; Latin ~ школьный латинский перевод; 2) физическая зарядка; моцион; to take ~s делать моцион; заниматься спортом; 3) осуществление, проявление; the ~ of good will проявление доброй воли; 4) *pl воен.* строевое учение; 5) *pl амер.* торжества, празднества;
2. *v* 1) упражнять(ся); развивать, тренировать; 2) *воен.* проводить учение; обучаться; 3) выполнять (*обязанности*); 4) использовать, осуществлять (*права*); пользоваться (*правами*); 5) проявлять (*способности*); 6) беспокоить; I am ~d about his future меня беспокоит его будущее.
exercitation [eɡˌzɜːsɪ'teɪʃən] *n* практика; тренировка.
exergue [ek'sɜːɡ] *n* место для надписи и надпись (*на оборотной стороне монеты, медали*).
exert [ɪg'zɜːt] *v* 1) напрягать (*силы*); осуществлять; to ~ oneself делать усилия, стараться; лезть из кожи вон; 2) оказывать давление; влиять; 3) *тех.* вызывать (*напряжение*).
exertion [ɪg'zɜːʃən] *n* 1) напряжение, усилие; 2) использование (*авторитета и т. п.*); 3) проявление (*силы воли, терпения*).
exes ['eksɪz] *n pl сокр. разг.* расходы.
exeunt ['eksɪʌnt] *лат. v театр.* «уходят» (*ремарка*).
exfoliate [eks'foulɪeɪt] *v* 1) распускаться (*о деревьях*); 2) лупиться, сходить слоями, шелушиться; отслаиваться; расслаиваться.
exfoliation [eksˌfoulɪ'eɪʃən] *n* шелушение, отслоение, расслоение *и пр.* [*см.* exfoliate].
exhalation [ˌeksə'leɪʃən] *n* 1) выдыхание; 2) испарение; 3) пар, туман; 4) взрыв, вспышка (*гнева и т. п.*).
exhale [eks'heɪl] *v* 1) выдыхать; производить выдох; 2) выделять (*пар и т. п.*); испаряться; 3) давать выход (*гневу и т. п.*).
exhaust [ɪg'zɔːst] **1.** *n тех.* 1) выхлопная труба, выхлоп, выпуск; 2) *attr.* выхлопной, выпускной; ~ steam мятый, отработанный пар; ~ trails *ав.* видимый след от выхлопа.
2. *v* 1) истощать (*человека, силы; запасы и т. п.*); изнурять; to ~ oneself with work переутомляться от работы; исчерпывать; to ~ the subject исчерпать тему; 3) разрежать, выкачивать, высасывать, вытягивать (*воздух*); выпускать (*пар*); 4) всасывать.
exhausted [ɪg'zɔːstɪd] **1.** *p. p. от* exhaust 2;
2. *a* 1) истощённый, изнурённый; измученный; 2) исчерпанный.

exhauster [ɪg'zɔːstə] *n тех.* 1) всасывающий вентилятор, эксгаустер; 2) пылесос; 3) аспиратор.
exhaustible [ɪg'zɔːstəbl] *a* истощимый.│
exhausting [ɪg'zɔːstɪŋ] **1.** *pres. p. от* exhaust 2;
2. *a* утомительный; изнурительный.
exhaustion [ɪg'zɔːstʃən] *n* 1) изнеможение, истощение; 2) вытягивание, высасывание; выпуск; 3) разрежение (*воздуха*).
exhaustive [ɪg'zɔːstɪv] *a* 1) истощающий; 2) исчерпывающий.
exhibit [ɪg'zɪbɪt] **1.** *n* 1) экспонат; 2) показ, экспонирование; 3) *юр.* вещественное доказательство.
2. *v* 1) показывать; проявлять; 2) выставлять; экспонировать(ся) на выставке.
exhibition [ˌeksɪ'bɪʃən] *n* 1) выставка; 2) показ, проявление; to make an ~ of oneself a) показывать себя с дурной стороны, вызывать осуждение; б) делать из себя посмешище; 3) стипендия; 4) *амер.* выпускной вечер (*в учебном заведении*).
exhibitioner [ˌeksɪ'bɪʃnə] *n* стипендиат.
exhibitionism [ˌeksɪ'bɪʃnɪzəm] *n* 1) *мед.* эксгибиционизм; 2) склонность к саморекламе, самолюбованию.
exhibitionist [ˌeksɪ'bɪʃnɪst] *n мед.* эксгибиционист.
exhibitor [ɪg'zɪbɪtə] *n* экспонент.
exhilarate [ɪg'zɪləreɪt] *v* развеселить; оживлять, подбодрять.
exhilarated [ɪg'zɪləreɪtɪd] **1.** *p. p. от* exhilarate;
2. *a* 1) весёлый; 2) навеселе, подвыпивший.
exhilaration [ɪgˌzɪlə'reɪʃən] *n* 1) увеселение; 2) весёлость; радостное настроение.
exhort [ɪg'zɔːt] *v* 1) увещевать, убеждать, призывать; 2) предупреждать; 3) поддерживать, защищать (*реформу и т. п.*).
exhortation [ˌegzɔː'teɪʃən] *n* 1) увещевание, призыв; 2) проповедь; 3) предупреждение; 4) поддержка.
exhortative [ɪg'zɔːtətɪv] *a* увещевательный.
exhumation [ˌekshjuː'meɪʃən] *n* эксгумация, выкапывание (*трупа*).
exhume [eks'hjuːm] *v* 1) эксгумировать; 2) выкапывать из земли.
exigence, -cy ['eksɪdʒəns, -sɪ] *n* острая необходимость, крайность.
exigent ['eksɪdʒənt] *a* 1) не терпящий отлагательства, срочный; 2) требовательный.
exigible ['eksɪdʒɪbl] *a* подлежащий взысканию.
exiguity [ˌeksɪ'gjuːɪtɪ] *n* скудость, незначительность.
exiguous [eg'zɪgjuəs] *a* скудный, малый, незначительный.
exile ['eksaɪl] **1.** *n* 1) изгнание; ссылка; 2) изгнанник; ссыльный;
2. *v* изгонять; ссылать.
exility [eg'zɪlɪtɪ] *n* 1) тонкость; 2) незначительность.
exist [ɪg'zɪst] *v* 1) существовать; жить; 2) находиться, быть; lime ~s in many soils известь встречается во многих почвах.

existence [ɪg'zɪstəns] *n* 1) существова́ние; жизнь; a wretched ~ жа́лкое существова́ние; 2) нали́чие; всё существу́ющее; in ~ существу́ющий в приро́де; 3) существо́.

existent [ɪg'zɪstənt] *a* существу́ющий; происходя́щий; нали́чный.

existentialism [ˌegzɪs'tenʃəlɪzəm] *n* филос., лит. экзистенциали́зм.

existentially [ˌegzɪs'tenʃəlɪ] *adv*: to live ~ жить настоя́щим.

exit ['eksɪt] 1. *n* 1) вы́ход; 2) пра́во вы́хода; 3) ухо́д со сце́ны (ремарка; тж. перен.); 4) смерть; 5) *attr.*: ~ flue *тех.* бо́ров, дымохо́д; ~ visa, ~ permit выездна́я ви́за; 2. *v* театр. «ухо́дит» (ремарка).

exitless ['eksɪtlɪs] *a* не име́ющий вы́хода.

ex-libris [eks'laɪbrɪs] лат. *n* экслибрис, кни́жный знак.

exodus ['eksədəs] *n* 1) ма́ссовый отъе́зд (особ. об эмигрантах); 2) библ. исхо́д евре́ев из Еги́пта; the E. Исхо́д (2-я книга Ветхого завета).

ex officio [ˌeksə'fɪʃɪou] лат. *a, adv* по до́лжности.

exogamy [ek'sɔgəmɪ] *n* экзога́мия.

exonerate [ɪg'zɔnəreɪt] *v* снять бре́мя (вины, долга); реабилити́ровать.

exoneration [ɪgˌzɔnə'reɪʃən] *n* оправда́ние, реабилита́ция.

exonerative [ɪg'zɔnərətɪv] *a* снима́ющий бре́мя (вины, долга); реабилити́рующий.

exorbitance, -cy [ɪg'zɔːbɪtəns, -sɪ] *n* непоме́рность, чрезме́рность.

exorbitant [ɪg'zɔːbɪtənt] *a* чрезме́рный, непоме́рный.

exorcism ['eksɔːsɪzəm] *n* заклина́ние, изгна́ние ду́хов.

exorcize ['eksɔːsaɪz] *v* заклина́ть, изгоня́ть ду́хов.

exordia [ek'sɔːdjə] *pl* от exordium.

exordial [ek'sɔːdɪəl] *a* вступи́тельный, вво́дный.

exordium [ek'sɔːdjəm] *n* (pl -dia, -diums [-dɪəmz]) вступле́ние, введе́ние (в речи, в трактате).

exosmose ['eksɔzmous] = exosmosis.

exosmosis [ˌeksɔz'mousɪs] *n* физ. экзо́смос.

exoteric [ˌeksou'terɪk] *a* экзотери́ческий, общедосту́пный; поня́тный непосвящённым.

exothermal [ˌeksou'θəːməl] *a* физ. экзотерми́ческий, с выделе́нием теплоты́.

exotic [eg'zɔtɪk] 1. *a* экзоти́ческий; инозе́мный; 2. *n* 1) экзоти́ческое расте́ние; 2) иностра́нное сло́во (в языке).

expand [ɪks'pænd] *v* 1) расширя́ть(ся); увели́чивать(ся) в объёме; растя́гивать(ся); 2) расправля́ть (крылья); раски́дывать (ветви); 3) развива́ть(ся) (into); излага́ть подро́бно; распространя́ться; 4) бот. распуска́ться, расцвета́ть; 5) мат. раскрыва́ть (формулу).

expanse [ɪks'pæns] *n* 1) (широ́кое) простра́нство; протяже́ние; an ~ of lake (of field) пове́рхность о́зера (просто́р по́ля); 2) экспа́нсия, расшире́ние.

expansibility [ɪksˌpænsə'bɪlɪtɪ] *n* растяжи́мость.

expansible [ɪks'pænsəbl] *a* растяжи́мый.

expansion [ɪks'pænʃən] *n* 1) расшире́ние; растяже́ние; распростране́ние; 2) экспа́нсия; 3) простра́нство, протяже́ние; 4) мат. раскры́тие (формулы); 5) ком. увеличе́ние торго́вого оборо́та; 6) фин. увеличе́ние де́нежного обраще́ния; 7) тех. раска́тка, развальцо́вка.

expansive [ɪks'pænsɪv] *a* 1) спосо́бный расширя́ться; расшири́тельный; 2) обши́рный; 3) экспанси́вный, открове́нный; откры́тый (о характере); an ~ smile располага́ющая улы́бка.

expansivity [ˌekspæn'sɪvɪtɪ] *n* экспанси́вность.

expatiate [eks'peɪʃɪeɪt] *v* 1) распространя́ться (upon—о чём-л.); 2) скита́ться; 3) броди́ть, блужда́ть (о мыслях).

expatriate [eks'pætrɪeɪt] 1. *n* эмигра́нт; изгна́нник;
2. *v* 1) изгоня́ть из оте́чества; экспатри́ировать; 2) refl. эмигри́ровать; отка́зываться от гражда́нства.

expatriation [eksˌpætrɪ'eɪʃən] *n* вы́езд или изгна́ние из оте́чества; экспатриа́ция.

expect [ɪks'pekt] *v* 1) ожида́ть; she is ~ing она́ ожида́ет ребёнка, она́ бере́менна; 2) рассчи́тывать, наде́яться; 3) разг. предполага́ть, полага́ть, ду́мать.

expectance, -cy [ɪks'pektəns, -sɪ] *n* 1) ожида́ние; 2) предвкуше́ние; наде́жда, упова́ние; 3) вероя́тность.

expectant [ɪks'pektənt] 1. *n* кандида́т; претенде́нт;
2. *a* 1) ожида́ющий (of); ~ mother бере́менная же́нщина; 2) выжида́тельный; ~ policy выжида́тельная поли́тика; ~ treatment мед. выжида́тельная терапи́я; симптомати́ческое лече́ние; 3) рассчи́тывающий (на получение чего-л.).

expectation [ˌekspek'teɪʃən] *n* 1) ожида́ние; 2) наде́жда, предвкуше́ние; pl ви́ды на бу́дущее, на насле́дство; beyond (contrary to) ~ сверх (про́тив) ожида́ния; 3) мед. выжида́тельный ме́тод (лечения); 4) вероя́тность; ~ of life вероя́тная продолжи́тельность жи́зни (цифры, статисти́чески вы́веденные для любого во́зраста).

expectative [eks'pektətɪv] *a* 1) ожида́емый; 2) возвраща́ющийся, обра́тный.

expectorant [eks'pektərənt] 1. *a* мед. отха́ркивающий;
2. *n* отха́ркивающее сре́дство.

expectorate [eks'pektəreɪt] *v* отха́ркивать, отка́шливать, плева́ть.

expectoration [eksˌpektə'reɪʃən] *n* 1) отха́ркивание и пр. [см. expectorate]; 2) вы́деленная мокро́та.

expedience, -cy [ɪks'piːdɪəns, -sɪ] *n* целесообра́зность; вы́годность.

expedient [ɪks'piːdɪənt] 1. *a* подходя́щий, надлежа́щий, целесообра́зный, соотве́тствующий (обстоятельствам); вы́годный;
2. *n* сре́дство для достиже́ния це́ли; приём, уло́вка; to go to every ~ пойти́ на всё.

expedite ['ekspɪdaɪt] 1. *a* бы́стрый; незатруднённый;
2. *v* 1) ускоря́ть; бы́стро выполня́ть; 2) устраня́ть препя́тствия; облегча́ть,

упрощать; to ~ matters упростить дело; 3) быстро отправлять.

expedition [ˌekspɪ'dɪʃən] *n* 1) экспедиция; 2) быстрота; поспешность.

expeditionary [ˌekspɪ'dɪʃənərɪ] *a* экспедиционный; ~ force экспедиционные войска.

expeditious [ˌekspɪ'dɪʃəs] *a* быстрый, скорый.

expel [ɪks'pel] *v* 1) выгонять, исключать; удалять; 2) выбрасывать, выталкивать.

expellee [ˌɪkspe'liː] *n* изгнанник.

expend [ɪks'pend] *v* тратить (on); расходовать.

expendable [ɪks'pendəbl] *a* 1) потребляемый; расходуемый; 2) невозвратимый.

expendables [ɪks'pendəblz] *n pl* пушечное мясо.

expenditure [ɪks'pendɪtʃə] *n* 1) трата, расход; 2) потребление.

expense [ɪks'pens] *n* 1) (обыкн. *pl*) трата, расход; heavy ~s большие расходы; to cut down ~s сократить расходы; 2) статья расхода; 3) цена; at the ~ of one's life ценой жизни; to profit at the ~ of another получить выгоду за счёт другого; ◊ they are laughing at my ~ они смеются надо мной.

expensive [ɪks'pensɪv] *a* дорогой, дорого стоящий.

expensively [ɪks'pensɪvlɪ] *adv* дорого, по дорогой цене.

expensiveness [ɪks'pensɪvnɪs] *n* дороговизна; дорогая цена.

experience [ɪks'pɪərɪəns] 1. *n* 1) (жизненный) опыт; to know smth. by (*или* from) ~ знать что-л. по опыту; to learn by ~ познать что-л. на (горьком) опыте; 2) переживание; 3) случай; an unpleasant ~ неприятный случай; 4) *pl* (по)знания; 5) стаж практической деятельности; 6) квалификация, мастерство;
2. *v* испытывать, знать по опыту.

experienced [ɪks'pɪərɪənst] 1. *p. p. om* experience 2;
2. *a* опытный, знающий.

experiential [ɪks,pɪərɪ'enʃəl] *a* основанный на опыте; эмпирический.

experiment 1. *n* [ɪks'perɪmənt] опыт, эксперимент;
2. *v* [ɪks'perɪment] производить опыты, экспериментировать (on, with).

experimental [eks,perɪ'mentl] *a* 1) экспериментальный, основанный на опыте; 2) пробный; 3) подопытный.

experimentalize [eks,perɪ'mentəlaɪz] *v* производить опыты, экспериментировать.

experimentally [eks,perɪ'mentəlɪ] *adv* опытным путём, в порядке опыта.

experimentation [eks,perɪmen'teɪʃən] *n* экспериментирование.

expert ['ekspəːt] 1. *n* 1) знаток, эксперт; специалист; 2) *attr.*: ~ evidence мнение, показание специалистов;
2. *a* опытный, искусный (at, in—в); квалифицированный.

expertise [ˌekspe'tiːz] *n* экспертиза.

expiate ['ekspɪeɪt] *v* искупать (вину).

expiation [ˌekspɪ'eɪʃən] *n* искупление.

expiatory ['ekspɪətərɪ] *a* искупительный.

expiration [ˌekspaɪə'reɪʃən] *n* 1) выдыхание; выдох; 2) окончание, истечение (срока).

expiratory [ɪks'paɪərətərɪ] *a* выдыхательный, экспираторный.

expire [ɪks'paɪə] *v* 1) выдыхать; 2) кончаться, истекать (о сроке); терять силу (о законе и т. п.); 3) умирать, угасать.

expiry [ɪks'paɪərɪ] *n* окончание, истечение срока.

explain [ɪks'pleɪn] *v* 1) объяснять; толковать (значение); 2) оправдывать, объяснять (поведение); to ~ oneself объясниться; представить объяснения в своё оправдание; □ ~ away оправдываться.

explainable [ɪks'pleɪnəbl] *a* объяснимый; поддающийся толкованию.

explanation [ˌeksplə'neɪʃən] *n* 1) объяснение; 2) толкование.

explanatory [ɪks'plænətərɪ] *a* объяснительный; толковый (о словаре).

expletive [eks'pliːtɪv] 1. *a* служащий для заполнения пустого места, для украшения; служащий для ритма; дополнительный, вставной;
2. *n* 1) вставное слово; 2) присловье *или* бранное выражение.

explicable ['eksplɪkəbl] *a* объяснимый.

explicate ['eksplɪkeɪt] *v* объяснять, развивать (идею).

explication [ˌeksplɪ'keɪʃən] *n* 1) объяснение; толкование; 2) развёртывание (лепестков).

explicative [eks'plɪkətɪv] *a* объяснительный.

explicatory [ɪks'plɪkətərɪ] = explicative.

explicit [ɪks'plɪsɪt] *a* ясный, подробный, высказанный до конца; явный; точный, определённый; he is quite ~ on the point он совершенно точно формулирует своё мнение по этому вопросу.

explode [ɪks'plɔud] *v* 1) взрывать(ся); 2) разбивать, подрывать (предрассудок, теорию и т. п.); 3) разражаться (гневом и т. п.); 4) распускаться (о цветах).

exploded [ɪks'plɔudɪd] 1. *p. p. om* explode;
2. *a*: ~ custom упразднённый обычай.

exploit I ['eksplɔɪt] *n* подвиг.

exploit II [ɪks'plɔɪt] *v* 1) эксплуатировать; 2) разрабатывать (копи); 3) *воен.* развивать (успех).

exploitation [ˌeksplɔɪ'teɪʃən] *n* 1) эксплуатация; 2) *горн.* разработка месторождения; выявление запасов ископаемых.

exploiter [ɪks'plɔɪtə] *n* эксплуататор.

exploration [ˌeksplɔː'reɪʃən] *n* 1) исследование; 2) *воен.* дальняя разведка.

explorative [eks'plɔːrətɪv] = exploratory.

exploratory [eks'plɔːrətərɪ] *a* исследующий; исследовательский.

explore [ɪks'plɔː] *v* 1) исследовать; обследовать; изучать; 2) *воен.* разведывать; 3) исследовать, зондировать (рану); 4) *горн., геол.* разведывать.

explorer [ɪks'plɔːrə] *n* 1) исследователь; 2) *мед.* зонд.

explosion [ɪks'plɔuʒən] *n* 1) взрыв; 2) вспышка (гнева и т. п.); 3) *attr.*: ~ engine *тех.* двигатель внутреннего сгорания.

explosive [ɪks'plousɪv] **1.** *a* 1) взрывчатый; ~ bomb фугасная бомба; ~ bullet разрывная пуля; 2) вспыльчивый; 3) взрывной (*о звуке*);
2. *n* 1) взрывчатое вещество; high ~ дробящее взрывчатое вещество; 2) = plosive 2.

exponent [eks'pounənt] **1.** *n* 1) истолкователь; 2) представитель (*теории, направления и т. п.*); 3) исполнитель (*музыкального произведения и т. п.*); 4) образец, тип; 5) *мат.* показатель степени;
2. *a* объяснительный.

exponential [ˌekspou'nenʃəl] *a мат.* экспонентный, показательный.

export 1. *n* ['ekspɔːt] 1) экспорт, вывоз; 2) предмет вывоза; 3) (*обыкн. pl*) общее количество, общая сумма вывоза; 4) *attr.* экспортный, вывозной; ~ duty вывозная пошлина;
2. *v* [eks'pɔːt] экспортировать, вывозить (*товары*).

exportation [ˌekspɔː'teɪʃən] *n* вывоз, экспортирование.

exporter [eks'pɔːtə] *n* экспортёр.

expose [ɪks'pouz] *v* 1) выставлять, подвергать действию (*солнца, ветра и т. п.*); оставлять незащищённым; a house ~d to the south дом, обращённый на юг; 2) подвергать (*опасности, риску и т. п.*); бросать на произвол судьбы; to ~ to difficulties ставить в затруднительное положение; to ~ a child оставить ребёнка на произвол судьбы, подкинуть ребёнка; 3) выставлять (*напоказ, на продажу*); 4) раскрывать (*секрет*); 5) разоблачать; 6) *фото* делать выдержку.

exposé [eks'pouzeɪ] *фр. n* публичное разоблачение.

exposition [ˌekspə'zɪʃən] *n* 1) описание, изложение; толкование; 2) выставка; 3) *фото* выдержка, экспозиция.

expositive [eks'pɔzɪtɪv] *a* описательный; объяснительный.

expositor [eks'pɔzɪtə] *n* толкователь; комментатор.

expository [eks'pɔzɪtərɪ] *a* объяснительный.

expostulate [ɪks'pɔstjuleɪt] *v* 1) дружески пенять; увещевать (with—*кого-л.*; about, for, on—в *чём-л.*); 2) *уст.* спорить; 3) *уст.* протестовать.

expostulation [ɪksˌpɔstju'leɪʃən] *n* увещевание, попытка разубедить.

expostulatory [ɪks'pɔstjulətərɪ] *a* увещевательный.

exposure [ɪks'pouʒə] *n* 1) выставление (*на солнце, под дождь и т. п.*); 2) подвергание (*риску, опасности и т. п.*); 3) оставление (*ребёнка*) на произвол судьбы; 4) разоблачение; 5) выставка (*гл. обр. товаров*); 6) местоположение, вид; to have a southern ~ выходить (*или быть обращённым*) на юг; 7) *фото* экспозиция; 8) *геол.* обнажение (*или выход*) пластов; 9) метеорологическая сводка.

expound [ɪks'paund] *v* 1) излагать; 2) разъяснять, толковать.

express [ɪks'pres] **1.** *n* 1) *ж.-д.* экспресс; 2) срочное (*почтовое*) отправление; 3) курьер, нарочный; 4) *амер.* пересылка денег, багажа, товаров и т. п. с нарочным или через посредство транспортной конторы; 5) *амер.* частная транспортная контора (*тж.* ~ company);
2. *a* 1) определённый, точно выраженный; the ~ image of his person его точная копия; 2) специальный, нарочитый; 3) срочный; курьерский; ~ train курьерский поезд, экспресс; ~ delivery срочная доставка; ~ bullet пуля с высокой начальной скоростью; ~ rifle винтовка с высокой начальной скоростью;
3. *adv* 1) спешно, очень быстро; с нарочным; 2): to travel ~ ехать экспрессом;
4. *v* 1) выражать (*прямо, ясно*); to be unable to ~ oneself не уметь высказаться, выразиться; the agreement ~ed so as... соглашение предусматривает...; 2) выжимать (from, out of); 3) отправлять срочной почтой или с нарочным (*письмо, посылку*); 4) *амер.* отправлять через посредство транспортной конторы (*багаж и т. п.*); 5) ехать экспрессом.

expressible [ɪks'presəbl] *a* выразимый.

expression [ɪks'preʃən] *n* 1) выражение; beyond ~ невыразимо; to give ~ to one's feelings выражать свои чувства, давать выход своим чувствам; 2) выражение; оборот речи; 3) выразительность, экспрессия.

expressionism [ɪks'preʃnɪzəm] *n иск.* экспрессионизм.

expressive [ɪks'presɪv] *a* 1) выражающий; 2) выразительный; многозначительный.

expressly [ɪks'preslɪ] *adv* 1) нарочито; специально; 2) точно, ясно.

expressman [ɪks'presmæn] *n амер.* агент транспортной конторы.

exprobration [ˌeksprə'breɪʃən] *n* брань, ругань.

expropriate [eks'prouprɪeɪt] *v* 1) экспроприировать; 2) отчуждать, лишать.

expropriation [eksˌprouprɪ'eɪʃən] *n* 1) экспроприация; 2) отчуждение; конфискация имущества.

expulsion [ɪks'pʌlʃən] *n* 1) изгнание; исключение (*из школы, клуба*); 2) *тех.* выхлоп, выпуск; выбрасывание, выталкивание.

expulsive [ɪks'pʌlsɪv] *a* изгоняющий.

expunge [eks'pʌndʒ] *v* вычёркивать (*из списка, из книги*).

expurgate ['ekspəgeɪt] *v* вычёркивать нежелательные места (*в книге*).

expurgation [ˌekspə'geɪʃən] *n* вычёркивание (*нежелательных мест в книге*).

exquisite ['ekskwɪzɪt] **1.** *n* фат; щёголь.
2. *a* 1) изысканный, утончённый; 2) прелестный; 3) острый (*об ощущении*).

exsanguinate [eks'sæŋgwɪneɪt] *v* обескровить.

exsanguine [eks'sæŋgwɪn] *a* бескровный, анемичный.

exscind [ek'sɪnd] *v* вырезать, удалять.

ex-service ['eks'səːvɪs] *a* демобилизованный, отставной.

ex-serviceman ['eks'sɑːvɪsmən] *n* демобилизо́ванный *или* отставно́й вое́нный; уча́стник войны́.

exsiccate ['eksɪkeɪt] *v* высу́шивать.

exsiccation [,eksɪ'keɪʃən] *n* высу́шивание.

extant [eks'tænt] *a* сохрани́вшийся, существу́ющий в настоя́щее вре́мя, нали́чный.

extasy ['ekstəsɪ] = ecstasy.

extemporaneity [eks,tempərə'niːɪtɪ] *n* импровизи́рованность, неподгото́вленность.

extemporaneous [eks,tempə'reɪnjəs] = extempore 1.

extemporary [ɪks'tempərərɪ] = extempore 1.

extempore [eks'tempərɪ] **1.** *a* неподгото́вленный, импровизи́рованный;
2. *adv* без подгото́вки, экспро́мтом.

extemporization [eks,tempəraɪ'zeɪʃən] *n* импровиза́ция.

extemporize [ɪks'tempəraɪz] *v* импровизи́ровать.

extend [ɪks'tend] *v* 1) простира́ть(ся); тяну́ть(ся); 2) протя́гивать, вытя́гивать; натя́гивать (*проволоку между столбами и т. п.*); 3) расширя́ть (*дом и т. п.*); продолжа́ть (*дорогу и т. п.*); удлиня́ть (*срок*); 4) распространя́ть (*влияние*); 5) ока́зывать (*покровительство, внимание*); 6) *воен.* рассыпа́ть(ся) в цепь; 7) *спорт. разг.* напряга́ть си́лы.

extended [ɪks'tendɪd] **1.** *p. p. от* extend; **2.** *a* 1) протя́нутый; 2) дли́тельный; обши́рный; 3) продо́лженный; 4) протяжённый; ~ order *воен.* расчленённый поря́док *или* строй; 5) *грам.* распространённый; simple ~ sentence просто́е распространённое предложе́ние.

extendible [ɪks'tendəbl] = extensible.

extensibility [ɪks,tensə'bɪlɪtɪ] *n* растяжи́мость.

extensible [ɪks'tensəbl] *a* растяжи́мый.

extensile [eks'tensaɪl] *a физиол.* растяжи́мый.

extension [ɪks'tenʃən] *n* 1) вытя́гивание; 2) протяже́ние; протяжённость; 3) расшире́ние, распростране́ние; удлине́ние; продолже́ние, разви́тие; to put an ~ to one's house сде́лать пристро́йку к до́му; University E. популя́рные ле́кции и практи́ческие заня́тия, организу́емые университе́том для лиц, не явля́ющихся студе́нтами; 4) отсро́чка; продле́ние; 5) *ком.* отделе́ние; 6) *ж.-д.* ве́тка; 7) *мед.* вытяже́ние, растяже́ние; 8) *тех.* наста́вка, удлине́ние; 9) междугоро́дная телефо́нная связь; 10) *воен.* размыка́ние (*строя*); 11) *attr.*: ~ call вы́зов *или* разгово́р по междугоро́дному телефо́ну.

extension drill [ɪks'tenʃən,drɪl] *n воен.* уче́ние в расчленённых строя́х, обуче́ние рассыпно́му стро́ю.

extensionist [ɪks'tenʃənɪst] *n* сторо́нник иде́и *или* слу́шатель University Extension [*см.* extension 3)].

extensive [ɪks'tensɪv] *a* 1) обши́рный, простра́нный; 2) далеко́ иду́щий; ~ plans широ́кие пла́ны; 3) *с.-х.* экстенси́вный.

extensively [ɪks'tensɪvlɪ] *adv* 1) широко́; 2) простра́нно.

extensor [ɪks'tensə] *n анат.* разгиба́ющая мы́шца, разгиба́тель.

extent [ɪks'tent] *n* 1) протяже́ние, простра́нство; 2) сте́пень, ме́ра; to what ~? до како́й сте́пени, наско́лько?; to a great ~ в значи́тельной сте́пени; to the full ~ of one's power в по́лную си́лу; to such an ~ до тако́й сте́пени; to exert oneself to the utmost ~ стара́ться изо всех сил.

extenuate [eks'tenjueɪt] *v* 1) ослабля́ть; 2) стара́ться найти́ извине́ние; уменьша́ть (*вину*); 3) служи́ть оправда́нием, извине́нием.

extenuation [eks,tenju'eɪʃən] *n* 1) изнуре́ние, истоще́ние; ослабле́ние; 2) извине́ние, части́чное оправда́ние.

exterior [eks'tɪərɪə] **1.** *n* 1) вне́шность, нару́жность; вне́шняя, нару́жная сторона́; 2) экстерье́р;
2. *a* 1) вне́шний, нару́жный; ~ angle вне́шний у́гол; 2) иностра́нный.

exteriority [eks,tɪərɪ'ɔrɪtɪ] *n* вне́шняя сторона́; положе́ние вне чего́-л.

exteriorize [eks'tɪərɪəraɪz] = externalize.

exterminate [eks'tɜːmɪneɪt] *v* искореня́ть; истребля́ть.

extermination [eks,tɜːmɪ'neɪʃən] *n* уничтоже́ние, истребле́ние; искорене́ние.

exterminator [eks'tɜːmɪneɪtə] *n* истреби́тель(ница).

exterminatory [eks'tɜːmɪnətərɪ] *a* истребля́ющий, истреби́тельный.

external [eks'tɜːnl] **1.** *a* 1) нару́жный, вне́шний; for ~ use only то́лько для нару́жного употребле́ния; ~ world вне́шний мир, мир вне нас; 2) иностра́нный, вне́шний (*о политике, торговле*);
2. *n pl* 1) вне́шность; вне́шнее, несуще́ственное; to judge by ~s суди́ть по вне́шности; 2) вне́шние обстоя́тельства.

externality [,ekstɜː'nælɪtɪ] *n* вне́шность.

externalize [eks'tɜːnəlaɪz] *v* воплоща́ть, придава́ть материа́льную фо́рму; облека́ть в конкре́тную фо́рму.

exterritorial ['eks,terɪ'tɔːrɪəl] *a* экстерриториа́льный.

exterritoriality ['eks,terɪ,tɔːrɪ'ælɪtɪ] *n* экстерриториа́льность.

extinct [ɪks'tɪŋkt] *a* 1) поту́хший; ~ volcano поту́хший вулка́н; 2) уга́сший (*о чувствах, жизни и т. п.*); 3) вы́мерший; 4) не име́ющий продолжа́теля ро́да, насле́дника (*дворянского титула*).

extinction [ɪks'tɪŋkʃən] *n* 1) туше́ние; 2) угаса́ние, потуха́ние; 3) гаше́ние (*извести*); 4) вымира́ние (*рода*); 5) прекраще́ние (*вражды*); 6) *юр.* погаше́ние (*долга*).

extinguish [ɪks'tɪŋgwɪʃ] *v* 1) гаси́ть, туши́ть; 2) затмева́ть; 3) уничтожа́ть, убива́ть (*надежду, любовь, жизнь*); 4) *юр.* выпла́чивать, погаша́ть, аннули́ровать; ◇ to take oil to ~ the fire ≅ подлива́ть ма́сла в ого́нь.

extinguisher [ɪks'tɪŋgwɪʃə] *n* гаси́тель; огнетуши́тель.

extirpate ['ekstɜːpeɪt] *v* 1) искореня́ть, вырыва́ть с ко́рнем; истребля́ть; 2) *мед.* удаля́ть.

extirpation [ˌekstəˈpeiʃən] *n* 1) искоренéние, истреблéние; 2) *мед.* удалéние.

extirpator [ˈekstəːpeitə] *n* 1) тот, кто искореня́ет; 2) *с.-х.* экстирпáтор, культивáтор.

extol [iksˈtɔl] *v* превозноси́ть.

extort [iksˈtɔːt] *v* вымогáть (*дéньги*); выпы́тывать (*тáйну и т. п.*).

extortion [iksˈtɔːʃən] *n* вымогáтельство; назначéние грабительских цен.

extortionate [iksˈtɔːʃnit] *a* вымогáтельский; грабительский (*о цéнах*).

extortioner [iksˈtɔːʃnə] *n* вымогáтель, грабитель.

extra [ˈekstrə] **1.** *n* 1) что-л. дополни́тельное, сверх прогрáммы; приплáта; service, fire and light are ~s за услýги, отоплéние и освещéние плáта особо; 2) вы́сший сорт; э́кстренный вы́пуск (*газéты*); 4) *кино* статист;
2. *a* 1) добáвочный, дополни́тельный; э́кстренный; ~ duty дополни́тельные обя́занности; 2) вы́сшего кáчества;
3. *adv* 1) особо, особенно; 2) дополни́тельно; charged ~ оплáчиваемый дополни́тельно.

extra- [ˈekstrə-] *pref* сверх-, особо-, вне-, экстра-; *напр.*: extraordinary необы́чный, чрезвычáйный; extra-territorial экстерриториáльный; extracellular внеклéточный.

extract 1. *n* [ˈekstrækt] 1) *хим.* экстрáкт; 2) вы́держка, извлечéние (*из кни́ги*);
2. *v* [iksˈtrækt] 1) вытáскивать, удаля́ть (*зуб*); извлекáть (*пýлю*); 2) выжимáть (*сок*); вырывáть (*соглáсие и т. п.*); 3) извлекáть (*вы́году, удовóльствие*); to ~ information вы́удить свéдения; 3) выпáривать экстрáкт; 4) *мат.* извлекáть (*кóрень*); 5) выбирáть (*примéры, цитáты*); дéлать вы́держки.

extraction [iksˈtrækʃən] *n* 1) извлечéние; добывáние; экстрáкция; 2) происхождéние; of Indian ~ индéец по происхождéнию; 3) экстрáкт, эссéнция.

extractive [iksˈtræktiv] **1.** *a* 1) извлекáемый, добывáемый; 2) добывáющий; ~ industries добывáющие óтрасли промы́шленности; 3) экстракти́вный;
2. *n* экстрáкт.

extractor [iksˈtræktə] *n* 1) лицó *или* приспособлéние, извлекáющее, добывáющее что-л.; экстрáктор) 2) корчевáльная маши́на; 3) *мед.* щипцы́; 4) выбрáсыватель (*в орýжии*).

extraditable [ˈekstrədaitəbl] *a* 1) подлежáщий вы́даче (*о престýпнике*); 2) обуслóвливающий вы́дачу (*престýпника*).

extradite [ˈekstrədait] *v* выдавáть (*престýпника другóму госудáрству, другóй организáции*).

extradition [ˌekstrəˈdiʃən] *n* вы́дача (*престýпника другóму госудáрству, другóй организáции*).

extra-judicial [ˈekstrədʒuːˈdiʃəl] *a* *юр.* не относя́щийся к рассмáтриваемому дéлу; неофициáльный; сдéланный вне заседáния судá (*о заявлéнии сторóн*).

extra-mundane [ˈekstrəˈmʌndein] *a* потусторóнний.

extra-mural [ˈekstrəˈmjuərəl] *a*: ~ interment погребéние вне городски́х стен; ~ teaching, ~ courses лéкции и заня́тия университéтских преподавáтелей вне стен университéта (*для лиц, не являющихся студéнтами*).

extraneous [eksˈtreinjəs] *a* чýждый, посторóнний.

extra-official [ˈekstrəəˈfiʃəl] *a* не входя́щий в круг обы́чных обя́занностей.

extraordinarily [iksˈtrɔːdnrili] *adv* совершéнно необы́чно, необычáйным óбразом.

extraordinary [iksˈtrɔːdnri] *a* 1) необычáйный, чрезвычáйный; экстраординáрный; 2) необы́чный, стрáнный; удиви́тельный; 3) [ˌekstrəˈɔːdnri] *дип.* чрезвычáйный (*послáнник и т. п.*).

extrapolation [ˌekstrəpəˈleiʃən] *n* *мат.* экстраполя́ция.

extrasensory [ˈekstrəˈsensəri] *a* *филос.* непознавáемый чýвствами.

extra-territorial [ˈekstrəˌteriˈtɔːriəl] = exterritorial.

extravagance, -cy [iksˈtrævigəns, -si] *n* 1) расточи́тельность; 2) сумасбрóдство, нелéпость, изли́шество.

extravagant [iksˈtrævigənt] *a* 1) расточи́тельный; 2) сумасбрóдный, нелéпый; 3) непомéрный (*о трéбованиях, ценé*); 4) *уст.* блуждáющий.

extravaganza [eks,trævəˈgænzə] *n* 1) фантасти́ческая пьéса, постанóвка *и т. п.*; 2) нелéпая вы́ходка.

extravasation [eks,trævəˈseiʃən] *n* 1) кровоизлия́ние; 2) кровоподтёк, синя́к.

extra-violet [ˌekstrəˈvaiəlit] *a* *физ.* ультрафиолéтовый.

extreme [iksˈtriːm] **1.** *n* 1) крáйняя стéпень, крáйность; to run to an ~ впадáть в крáйность; to go to ~s идти́ на крáйние мéры; in the ~ в вы́сшей стéпени; ~s meet крáйности схóдятся; 2) *pl* *мат.* крáйние члéны (*пропóрции*).
2. *a* 1) крáйний; ~ old age глубóкая стáрость; ~ views крáйние, экстреми́стские взгля́ды; ~ youth рáнняя мóлодость; the ~ penalty (of the law) *юр.* вы́сшая мéра наказáния; ~ reform радикáльная рефóрма; 2) чрезвычáйный; 3) послéдний; in one's ~ moments пéред смéртью.

extremely [iksˈtriːmli] *adv* чрезвычáйно, крáйне; *разг.* óчень.

extremeness [iksˈtriːmnis] *n* крáйность (*взгля́дов*).

extremist [iksˈtriːmist] *n* экстреми́ст, сторóнник крáйних мер, крáйних взгля́дов.

extremity [iksˈtremiti] *n* 1) конéц, край, оконéчность; 2) *pl* конéчности; 3) крáйность, крáйняя нуждá; to drive smb. to ~ доводи́ть когó-л. до крáйности, до отчáяния; 4) *pl* чрезвычáйные мéры.

extricate [ˈekstrikeit] *v* 1) выводи́ть (*из затрудни́тельного положéния; from, out of*); to ~ oneself выпýтываться; 2) *воен.* отрывáться от проти́вника; to ~ casualties *воен.* выноси́ть рáненых; 2) разрешáть (*слóжную проблéму*); 3) *хим.* выделя́ть, освобождáть (*газ и т. п.*).

extrication [‚ekstrɪ'keɪʃ ən] *n* 1) выпу́-
тывание; распу́тывание; 2) *хим.* выделе́-
ние.

extrinsic(al) [eks'trɪnsɪk(əl)] *a* 1) вне́ш-
ний, посторо́нний; 2) несво́йственный, не-
прису́щий.

extrude [eks'truːd] *v* 1) выта́лкивать,
вытесня́ть; 2) *тех.* штампова́ть, прессо-
ва́ть, выда́вливать.

extrusion [eks'truːʒ ən] *n* 1) выта́лкивание,
вытесне́ние; изгна́ние; 2) *тех.* выда́вли-
вание, штампо́вка с вы́тяжкой.

exuberance, **-cy** [ɪg'zjuːbərəns, -sɪ] *n*
изоби́лие, избы́ток, бога́тство.

exuberant [ɪg'zjuːbərənt] *a* 1) оби́льный;
~ health избы́ток здоро́вья; 2) бу́йный,
пы́шно расту́щий (*о растительности*); 3)
бью́щий че́рез край (*об энергии, веселье*);
4) плодови́тый (*о писателе и т. п.*); 5)
многосло́вный, цвети́стый.

exuberate [ɪg'zjuːbəreɪt] *v редк.* изоби́-
ловать.

exudation [‚eksjuː'deɪʃ ən] *n* 1) просту-
па́ние, выделе́ние (*пота*) че́рез по́ры; 2)
мед. эксуда́т.

exude [ɪg'zjuːd] *v физиол.*, *бот.* выде-
ля́ть(ся); проступа́ть сквозь по́ры.

exult [ɪg'zʌlt] *v* ра́доваться, ликова́ть,
торжествова́ть; to ~ at (*или* over) one's
success ра́доваться своим успе́хам; to ~ in
one's victory торжествова́ть свою́ побе́ду.

exultancy [ɪg'zʌltənsɪ] *n* = exultation.

exultant [ɪg'zʌltənt] *a* лику́ющий.

exultation [‚egzʌl'teɪʃ ən] *n* ликова́ние,
торжество́.

exuviae [ɪg'zjuːviː] *n pl* 1) *зоол.* сбро́шен-
ные при ли́ньке покро́вы живо́тных (*ко-
жа, чешуя*); 2) *геол.* оста́тки первобы́тной
фа́уны.

exuviate [ɪg'zjuːvɪeɪt] *v* линя́ть, сбра́сы-
вать ко́жу, чешую́.

exuviation [ɪg‚zjuːvɪ'eɪʃ ən] *n* ли́нька,
сбра́сывание ко́жи, чешуи́.

eyas ['aɪəs] *n* 1) молодо́й со́кол; 2) *attr.*
неоперивший; ~ thoughts незре́лые
мы́сли.

eye [aɪ] **1.** *n* 1) глаз; о́ко; зре́ние; 2)
взгляд; to give the glad ~ *разг.* бро́сить
многообеща́ющий взгляд; 3) глазо́к (*в
двери для наблюдения*); 4) ушко́ (*иголки*);
пе́телька; проу́шина; 5) *бот.* глазо́к; 6)
горн. у́стье ша́хты; 7) *амер. sl.* согляда́-
тай, осведоми́тель; ◇ black ~ a) подби́тый
глаз; б) *амер.* прова́л, пораже́ние; a quick
~ о́стрый глаз, наблюда́тельность; a
straight ~ ве́рный глаз, хоро́ший глазо-
ме́р; to be all ~s гляде́ть во все глаза́;
to have (*или* to keep) an ~ on smb., smth.
следи́ть за кем-л., чем-л.; to close one's
~s to smth. закрыва́ть глаза́ на что-л.,
не замеча́ть чего́-л.; to make ~s at smb.
де́лать гла́зки кому́-л.; to have an ~ for
a) облада́ть наблюда́тельностью; име́ть
зо́ркий глаз; б) быть знатоко́м *чего́-л.*;
to see with half an ~ сра́зу уви́деть, по-
ня́ть (*что-л.*); one could see it with half
an ~ э́то бы́ло ви́дно с пе́рвого взгля́да;
if you had half an ~ ... е́сли бы вы не́ бы́ли
соверше́нно сле́пы...; up to the ~ in work

(in debt) ≅ по́ у́ши в рабо́те (в долгу́);
~s right! (left!, front!) *воен.* равне́ние на-
пра́во! (нале́во!, пря́мо!) (*команда*); the
~ of day со́лнце; небе́сное о́ко; ~ for ~
библ. о́ко за о́ко; four ~s see more than
two *посл.* ≅ ум хорошо́, а два лу́чше; to
have ~s at the back of one's head всё за-
меча́ть; in the mind's ~ в воображе́нии,
мы́сленно; in my ~s по-мо́ему; to keep
one's ~s open (*или* clean, skinned, peeled)
sl. смотре́ть в о́ба; держа́ть у́хо востро́;
mind your ~ береги́тесь, бу́дьте осторо́жны;
to make smb. open his ~s удиви́ть кого́-л.;
to see ~ to ~ (with smb.) сходи́ться во взгля́-
дах (с кем-л.); it was a sight for sore ~s
э́то ласка́ло глаз; (oh) my ~(s)! восклица́ние
удивле́ния; all my ~ (and Betty Martin)!
чепуха́!, вздор!;
2. *v* смотре́ть, при́стально разгля́дывать;
наблюда́ть.

eyeball ['aɪbɔːl] *n* глазно́е я́блоко.

eye-bath ['aɪbɑːθ] *n* глазна́я ва́нночка.

eye-beam ['aɪbiːm] *n* бы́стрый взгляд.

eyebright ['aɪbraɪt] = euphrasy.

eyebrow ['aɪbrau] *n* 1) бровь; to raise the
~s подня́ть бро́ви (*выражая удивление или
пренебрежение*); 2) *attr.*: ~ pencil каран-
да́ш для подведе́ния рени́ц и брове́й.

eye-glass ['aɪglɑːs] *n* 1) ли́нза; окуля́р;
2) моно́кль; 3) *pl* пенсне́; лорне́т; очки́;
4) = eye-bath.

eyehole ['aɪhoul] *n* 1) глазна́я впа́дина;
2) = eyelet 2).

eyelash ['aɪlæʃ] *n* 1) ресни́чка; 2) (*тж.
pl*) ресни́цы; ◇ without turning an ~ ни-
ма́ло не смуща́ясь.

eyeless ['aɪlɪs] *a* безгла́зый.

eyelet ['aɪlɪt] *n* 1) ушко́, пе́телька; не-
большо́е отве́рстие; 2) глазо́к, щёлка (*для
наблюдения*).

eyelet-hole ['aɪlɪthoul] *n* 1) = eyelet;
2) *мор.* лю́верс.

eyelid ['aɪlɪd] *n* ве́ко.

eye-opener ['aɪ‚oupnə] *n* 1) *разг.* что-л.
вызыва́ющее си́льное удивле́ние; что-л.
открыва́ющее челове́ку глаза́ на действи́-
тельное положе́ние веще́й; 2) *sl.* глото́к
спиртно́го (*особ. утром*).

eyepiece ['aɪpiːs] *n* окуля́р; окуля́рная
тру́бка.

eye-service ['aɪ‚səːvɪs] *n* 1) рабо́та, хо-
рошо́ исполня́емая то́лько под наблюде́-
нием; 2) показна́я пре́данность.

eyeshadow ['aɪˌʃædou] *n* кра́ска для на-
веде́ния те́ни под ресни́цами.

eyeshot ['aɪʃɔt] *n* по́ле зре́ния; out of
(within) ~ вне по́ля (в по́ле) зре́ния.

eyesight ['aɪsaɪt] *n* зре́ние.

eye-slit ['aɪslɪt] *n воен.* смотрова́я
щель.

eyesore ['aɪsɔː] *n* что-л. проти́вное, оскор-
би́тельное (*для глаза*); бельмо́ на глазу́
(*перен.*).

eye-spotted ['aɪˌspɔtɪd] *a* испещрённый
глазка́ми, пя́тнышками.

eye-stopper ['afˌstɔpə] *n разг.* краса́вица.

eye-tooth ['aɪtuːθ] *n* глазно́й зуб; ◇ to
cut one's eye-teeth стать, сде́латься благо-
разу́мным.

eyewash ['aɪwɔʃ] *n* 1) примочка для глаз; 2) *разг.* очковтирательство.

eyewater ['aɪ,wɔːtə] *n* 1) = eyewash 1); 2) слёзы; 3) *sl.* джин.

eye-wink ['aɪwɪŋk] *n* 1) взгляд; 2) миг.

eye-winker ['aɪ,wɪŋkə] *амер.* = eyelash.

eyewitness ['aɪ'wɪtnɪs] *n* очевидец; свидетель.

eyot [eɪt] = ait.

eyre [ɛə] *n* 1) округ; 2) объезд; 3) *ист.* выездная сессия суда.

eyrie ['aɪərɪ] = aerie.

F

F, f [ef] *n* (*pl* Fs, F's [efs]) 1) 6-я буква англ. алфавита; 2) *муз.* фа.

fa [fɑː] *n муз.* фа.

Fabian ['feɪbɪən] **1.** *a* 1) осторожный, выжидательный (*о политике, стратегии, тактике*); 2) фабианский;

2. *n* фабианец.

fabianism ['feɪbɪənɪzəm] *n* фабианство.

fable ['feɪbl] **1.** *n* 1) басня; 2) *собир.* мифы; 3) небылица; выдумка; ложь; 4) фабула;

2. *v уст., поэт.* выдумывать, рассказывать басни.

fabled ['feɪbld] **1.** *p. p. от* fable 2;

2. *a* 1) известный по басне; 2) легендарный, мифический; 3) сказочный; 4) выдуманный.

fabler ['feɪblə] *n* 1) баснописец; 2) сказочник; 3) сочинитель небылиц, выдумщик.

fabliau ['fæblɪou] *фр. n* (*pl* -aux) *лит.* фабльо.

fabliaux ['fæblɪouz] *pl от* fabliau.

fabric ['fæbrɪk] *n* 1) ткань, материя; материал; 2) изделие, фабрикат; 3) выделка; 4) структура, строение, устройство; ~ of society общественный строй; 5) сооружение, здание; остов; 6) *attr.* тканый, материатый; ~ gloves нитяные перчатки.

fabricant ['fæbrɪkənt] *n амер.* 1) фабрикант; 2) строитель.

fabricate ['fæbrɪkeɪt] *v* 1) выдумывать; to ~ a charge состряпать обвинение; 2) подделывать (*документы*); 3) производить, фабриковать, выделывать, изготовлять; собирать из готовых частей; 4) *редк.* строить.

fabricated house ['fæbrɪkeɪtɪd,haus] *n* стандартный дом; дом, изготовленный заводским способом.

fabrication [,fæbrɪ'keɪʃən] *n* 1) выдумка; 2) подделка; фальшивка; 3) производство, фабрикация; 4) *редк.* сооружение.

fabulist ['fæbjulɪst] *n* 1) баснописец; 2) выдумщик, лгун.

fabulosity [,fæbju'lɔsɪtɪ] *n* баснословность; легендарность.

fabulous ['fæbjuləs] *a* 1) баснословный, мифический, легендарный; ~ wealth сказочное богатство; 2) невероятный, неправдоподобный; преувеличенный.

fabulously ['fæbjuləslɪ] *adv* 1) баснословно, сказочно; 2) невероятно.

façade [fə'sɑːd] *фр. n* 1) фасад; 2) наружность, внешний вид.

face [feɪs] **1.** *n* 1) лицо; лик; физиономия; ~ to ~ лицом к лицу; in the ~ of a) перед лицом; б) вопреки; to smb.'s ~ открыто, в лицо; black (*или* blue, red)

in the ~ багровый (*от гнева, усилий и т. п.*); full ~ анфас; half ~ в профиль; straight ~ бесстрастное лицо; 2) выражение лица; a sad ~, long ~ печальный вид; 3) гримаса; to draw (*или* to make) ~s корчить рожи; 4) внешний вид; on the ~ of it судя по внешнему виду; на первый взгляд; to put a new ~ on придать другой вид; 5) передняя, лицевая сторона, лицо (*ткани; тж.* ~ of cloth); 6) вид спереди; фасад; 7) наглость; to have the ~ (to say) иметь наглость (сказать что-л.); to show a ~ вызывающе держаться; 8) циферблат; 9) *тех.* (лобовая) поверхность; срез, фаска; 10) *воен.* фас; right about ~! направо кругом!; 11) *геом.* грань; 12) *горн.* забой; плоскость забоя; 13) торец; 14) *полигр.* очко (*литеры*); 15) *стр.* ширина, пласть (*доски*); ◇ to fly in the ~ of открыто не повиноваться; бросать вызов; не считаться с; to save one's ~ спасти репутацию, престиж; to lose ~ потерять престиж; to set one's ~ against smth. (решительно) противиться чему-л.; to set one's ~ like a flint быть непреклонным; it's written all over his ~ ≅ это у него на лбу написано;

2. *v* 1) стоять лицом (*к чему-л.*); смотреть в лицо; быть обращённым в определённую сторону; to ~ page 20 к странице 20 (*о рисунке*); the man now facing me человек, который находится передо мной; the problem that ~s us задача, стоящая перед нами; my windows ~ the sea мои окна выходят на море; 2) встречать смело; смотреть в лицо без страха; to ~ facts смотреть в лицо фактам; учитывать обстоятельства; 3) сталкиваться; 4) *спорт.* встречаться в спортивном состязании; 5) полировать; обтачивать; 6) обкладывать, облицовывать (*камнем*); 7) отделывать (*платье*); 8) подкрашивать (*чай*); □ ~ about *воен.* поворачивать(ся) кругом; ~ down осадить; запугать; ~ out а) не испугаться, выдержать смело; б) выполнить что-л.; ~ up а) примириться с *чем-л.* неприятным (to); б) быть готовым встретить (to); ◇ to ~ the music а) встречать, не дрогнув, критику *или* трудности; б) держать ответ, расплачиваться; to ~ the knocker просить милостыню у дверей.

face-ache [feiseik] *n* невралгия.

face card ['feiskɑːd] *n* фигура (*в картах*).

face-guard ['feisgɑːd] *n* *спорт.* маска для защиты лица.

face-lifting ['feislɪftɪŋ] **1.** *n* косметическая операция лица (*натягивание кожи и разглаживание морщин*);

2. *а* стара́ющийся испра́вить *или* скрыть оши́бки (*о политике и т. п.*).

facer ['feɪsə] *n* 1) уда́р в лицо́; 2) неожи́данное затрудне́ние.

facet ['fæsɪt] *n* 1) грань, фаце́т, фа́ска; 2) аспе́кт.

facetiae [fə'siːʃiː] *лат. n pl* 1) шу́тки, остро́ты; 2) кни́ги лёгкого *или* непристо́йного содержа́ния.

facetious [fə'siːʃəs] *a* 1) шутли́вый; шу́точный; 2) весёлый, живо́й.

facetiously [fə'siːʃəslɪ] *adv* шутли́во; в шу́тку.

face value ['feɪs,væljuː] *n* номина́льная сто́имость (*монеты, марки и т. п.*); ◇ to accept (*или* to take) smth. at its ~ принима́ть что-л. за чи́стую моне́ту.

facia ['feɪʃə] = fascia 2).

facial ['feɪʃəl] 1. *а* лицево́й (*тж. анат.*); ~ artery лицева́я арте́рия; ~ angle лицево́й у́гол; ~ expression выраже́ние лица́; 2. *n* масса́ж лица́.

facile ['fæsaɪl] *a* 1) лёгкий; 2) не тре́бующий уси́лий, свобо́дный (*о творчестве, речи и т. п.*); ~ verse гла́дкие стихи́; 3) поспе́шный, пове́рхностный; 4) покла́дистый, усту́пчивый; снисходи́тельный (*о человеке*).

facilitate [fə'sɪlɪteɪt] *v* облегча́ть; соде́йствовать; спосо́бствовать; продвига́ть.

facilitation [fə,sɪlɪ'teɪʃən] *n* облегче́ние, по́мощь.

facility [fə'sɪlɪtɪ] *n* 1) лёгкость; отсу́тствие препя́тствий и поме́х; 2) лёгкость, пла́вность (*речи*); 3) пода́тливость, усту́пчивость; 4) (*обыкн. pl*) благоприя́тные усло́вия; льго́ты; 5) *pl* обору́дование; приспособле́ния; аппарату́ра; mechanical facilities техни́ческие приспособле́ния; 6) *pl* сре́дства обслу́живания; удо́бства.

facing ['feɪsɪŋ] 1. *pres. p. от* face 2. *n* 1) облицо́вка; лицева́я отде́лка; 2) обто́чка (*на станке*); 3) отде́лка, кант; 4) *pl* отде́лка мунди́ра (*обшлага, воротник и т. п. из материала другого цвета, кант*); 5) поворо́т в каку́ю-л. сто́рону; 6) *pl воен.* поворо́ты; ◇ to put smb. through his ~s прове́рить чьи-л. зна́ния, «прощу́пать» кого́-л.; подве́ргнуть кого́-л. испыта́нию.

facsimile [fæk'sɪmɪlɪ] 1. *n* факси́миле; in ~ в то́чности; 2. *v* воспроизводи́ть в ви́де факси́миле.

fact [fækt] *n* 1) обстоя́тельство; факт; собы́тие; явле́ние; stark ~ го́лый, непри-кра́шенный факт; 2) и́стина, действи́тельность; this is a ~ and not a matter of opinion э́то непрело́жный факт; 3) су́щность, факт; the ~ that he was there, shows... то, что он был там, пока́зывает...; the ~ is that де́ло в том, что; the ~ of the matter is that су́щность заключа́ется в том, что; ◇ in ~, as a matter of ~ факти́чески, на са́мом де́ле, в действи́тельности; in point of ~ факти́чески.

faction ['fækʃən] *n* 1) фра́кция; 2) кли́ка; 3) раздо́р, дух интри́ги.

factionalism ['fækʃənəlɪzəm] *n* фракцио́нность.

factious ['fækʃəs] *a* фракцио́нный, раско́льнический.

factiously ['fækʃəslɪ] *adv* фракцио́нно, раско́льнически.

factiousness ['fækʃəsnɪs] *n* фракцио́нность.

factitious [fæk'tɪʃəs] *a* иску́сственный; подде́льный; наи́гранный.

factitive ['fæktɪtɪv] *a грам.* кауза́льный, фактити́вный.

factor ['fæktə] *n* 1) фа́ктор (*прогресса и т. п.*); 2) моме́нт, осо́бенность; 3) комиссионе́р; аге́нт, посре́дник; 4) *шотл.* управля́ющий (*имением*); 5) *мат.* мно́житель; 6) *тех.* коэффицие́нт, фа́ктор; ~ of safety коэффицие́нт безопа́сности; запа́с про́чности.

factorial I [fæk'tɔːrɪəl] *n мат.* фактория́л.

factorial II [fæk'tɔːrɪəl] *a* фабри́чный.

factory ['fæktərɪ] *n* 1) заво́д, фа́брика; 2) факто́рия; 3) *attr.* фабри́чный; ~ committee фабри́чно-заводско́й комите́т; F. Acts фабри́чное законода́тельство; ~ system систе́ма кру́пной фабри́чной промы́шленности.

factory-buster ['fæktərɪ,bʌstə] *n разг.* тяжёлая фуга́сная бо́мба.

factotum [fæk'toutəm] *n* факто́тум, дове́ренный слуга́.

factual ['fæktjuəl] *a* факти́ческий, действи́тельный.

facture ['fæktʃə] *n* 1) *иск.* факту́ра; 2) *ком.* факту́ра, накладна́я.

facultative ['fækəltətɪv] *a* 1) факульта́тивный, необяза́тельный; 2) случа́йный; 3) сво́йственный, характе́рный.

faculty ['fækəltɪ] *n* 1) спосо́бность, дар; 2) о́бласть нау́ки *или* иску́сства; 3) факульте́т; 4) профе́ссорско-преподава́тельский соста́в; 5) (the F.) *распр.* ли́ца медици́нской профе́ссии; 6) власть; пра́во.

fad [fæd] *n* при́хоть, причу́да; фанта́зия; конёк; скоропроходя́щее увлече́ние (*чем-либо*); to be full of ~s and fancies име́ть ма́ссу причу́д и фанта́зий.

faddiness ['fædɪnɪs] *n* чуда́чество.

faddist ['fædɪst] *n* чуда́к.

faddy ['fædɪ] *a* чудакова́тый; постоя́нно нося́щийся с каки́м-л. но́вым капри́зом *или* увлече́нием.

fade [feɪd] *v* 1) вя́нуть, увяда́ть, блёкнуть; 2) выгора́ть, линя́ть, блёкнуть; 3) постепе́нно исчеза́ть (*часто* ~ away); all memory of the past has ~d воспомина́ние о про́шлом изгла́дилось; 4) стира́ться, слива́ться (*об оттенках*); замира́ть (*о звуках*); □ ~ in *радио, кино, телев.* постепе́нно увели́чивать си́лу зву́ка *или* чёткость изображе́ния; ~ out *радио, кино, телев.* постепе́нно уменьша́ть си́лу зву́ка *или* чёткость изображе́ния.

fadeaway ['feɪdə,weɪ] *n амер.* исчезнове́ние.

fade-in ['feɪd'ɪn] *n кино, радио, телев.* постепе́нное появле́ние (*звука или изображе́ния*).

fadeless ['feɪdlɪs] *a* неувяда́ющий.

fade-out ['feɪd'aut] *n кино, радио, телев.* постепе́нное исчезнове́ние (*звука или изображе́ния*).

fading ['feɪdɪŋ] **1.** *pres. p. от* fade; **2.** *n радио* затухание, фединг.

faeces ['fiːsiːz] *n pl* 1) осадок; 2) испражнения; кал.

Faerie, Faery ['feɪərɪ] *n* 1) волшебное царство; волшебство; 2) *attr.* волшебный, феерический; воображаемый |*см. тж.* fairy 2].

fag [fæg] **1.** *n* 1) тяжёлая, утомительная *или* скучная работа; 2) изнурение, утомление; 3) младший ученик, оказывающий услуги старшему (*в англ. школах*); 4) *разг.* папироса.
2. *v* 1) (*тж.* ~ away) трудиться, корпеть (at—над); 2) утомляться (*тж.* ~ out); 3) пользоваться услугами младших товарищей; оказывать услуги старшим товарищам (*в англ. школах*); □ ~ out а) утомляться до изнеможения; б) отбивать мяч (*в крикете*).

fag-end ['fæg'end] *n* негодный *или* ненужный остаток (*чего-л.*); окурок; the ~ of smth. (самый) конец чего-л.; at the ~ of a book в самом конце книги; the ~ of the day конец дня.

faggot ['fægət] **1.** *n* 1) вязанка, охапка хвороста; пук прутьев; фашина; 2) *ист.* сожжение (на костре); 3) запечённая и приправленная рубленая печёнка; 4) *attr.*: ~ wood фашинник;
2. *v* вязать хворост в вязанки; связывать.

faggot-vote ['fægət,vout] *n* право голоса, создаваемое путём временной передачи имущества лицу, лишённому этого права на основании имущественного ценза.

fagot ['fægət] = faggot.

Fahrenheit ['færənhaɪt] *n* термометр Фаренгейта, шкала термометра Фаренгейта.

faience [faɪ'ɑːns] *n* фаянс.

fail [feɪl] **1.** *n* 1) неудачник; 2) провалившийся на экзамене; 3): without ~ наверняка, непременно, обязательно;
2. *v* 1) потерпеть неудачу; не иметь успеха; my attempt has ~ed моя попытка не удалась; 2) *разг.* провалить(ся) на экзаменах; to ~ in mathematics провалиться по математике; 3) не сбываться, обманывать ожидания, не удаваться; the maize ~ed that year кукуруза не удалась в тот год; I will never ~ you я никогда вас не подведу; 4) изменить; покинуть; his courage ~ed him мужество оставило его; his heart ~ed him у него сердце упало, он испугался; 5) не исполнить, не сделать; не суметь; забыть; don't ~ to let me know не забудьте дать мне знать; he ~ed to come он не пришёл; don't ~ to come обязательно приходите; he ~ed to see the difference он не смог увидеть разницу; I ~ to see your meaning не могу понять, о чём вы говорите; 6) недоставать, не хватать; иметь недостаток (*в чём-л.*); words ~ me не нахожу слов; this novel ~s in unity в этом романе нет единства; time would ~ me я не успею, мне не позволит время; 7) ослабевать, терять силы; his sight has ~ed of late его зрение резко ухудшилось

за последнее время; ◇ who can ~ to feel his heart go out у кого не сожмётся сердце.

failing ['feɪlɪŋ] **1.** *pres. p. от* fail 2;
2. *n* недостаток; слабость;
3. *a* 1) недостающий; 2) слабеющий;
4. *prep* за неимением; в случае отсутствия; ~ an answer to my letter I shall telegraph если я не получу ответа на письмо, буду телеграфировать.

faille [feɪl] *фр. n текст.* фай.

failure ['feɪljə] *n* 1) неуспех, неудача, провал; harvest ~ недород; to end in ~ кончиться неудачей; to meet with ~ потерпеть неудачу; the play was a ~ пьеса провалилась; 2) недостаток, отсутствие (*чего-л.*); 3) банкротство, несостоятельность; 4) удачник; неудавшееся дело; 5) небрежность; 6) *тех.* авария, повреждение; разрыв, расстройство; отказ в работе, остановка *или* перерыв в действии; 7) *геол.* обвал, обрушение.

fain I [feɪn] **1.** *a predic.* 1) принуждённый (to); he was ~ to comply он был вынужден согласиться; 2) *уст.* склонный, готовый сделать *что-л.*;
2. *adv* охотно, с радостью; he would ~ depart он рад был бы уйти.

fain II [feɪn] *v*: ~ I! чур я!

fainéant [,feɪneɪ'ɑːŋ] *фр.* **1.** *n* лентяй, бездельник;
2. *a* ленивый, праздный.

fains [feɪnz] = fain II.

faint [feɪnt] **1.** *n* обморок, потеря сознания; dead ~ полная потеря сознания;
2. *a* 1) слабый, слабеющий; вялый; 2) робкий; 3) тусклый, неотчётливый; бледный; 4) недостаточный, незначительный; слабый; not the ~est hope ни малейшей надежды; 5) обморочный, близкий к обмороку; to feel ~ чувствовать дурноту; 6) приторный, тошнотворный; ~ scents приторные духи; ◇ ~ heart never won fair lady *посл.* ≈ сробел—пропал (робость мешает успеху);
3. *v* 1) слабеть; падать в обморок; 2) *уст., поэт.* терять мужество.

faint-heart ['feɪnthɑːt] *n* трус; малодушный человек; заячья душа.

faint-hearted ['feɪnt'hɑːtɪd] *a* трусл[и]вый, малодушный.

faint-heartedly ['feɪnt'hɑːtɪdlɪ] *adv* трусливо, малодушно.

fainting-fit ['feɪntɪŋfɪt] *n* обморок.

faintly ['feɪntlɪ] *adv* бледно; слабо; едва.

faintness ['feɪntnɪs] *n* 1) слабость; 2) дурнота; 3) тусклость; бледность.

fair I [feə] *n* 1) ярмарка; rag ~ толкучка, барахолка; Bartholomew F. *ист.* Варфоломеева ярмарка (*ежегодная ярмарка в Лондоне в день св. Варфоломея—24 августа*); 2) благотворительный базар; ◇ a day after the ~ слишком поздно; vanity ~ ярмарка тщеславия, базар житейской суеты.

fair II [feə] **1.** *a* 1) прекрасный, красивый; ~ one прекрасная *или* любимая женщина; ~ sex прекрасный пол, женщины; ~ writer писательница; 2) чистый, незапятнанный; ~ fame хорошая репутация;

~ copy чистовик; 3) благоприятный; неплохой; ~ weather хорошая, ясная погода; ~ wind попутный ветер; a ~ chance of success хорошие шансы на успех; 4) белокурый; светлый; ~ complexion белый (не смуглый) цвет лица; ~ man блондин; 5) честный; справедливый, беспристрастный; законный; it is ~ to say справедливость требует отметить; ~ and square открытый, честный; ~ play игра по правилам; *перен.* честная игра, честность; by ~ means честным путём; ~ price справедливая, настоящая цена; ~ trade a) торговля на основе взаимности; б) *sl.* контрабанда; 6) порядочный, значительный; a ~ amount изрядное количество; 7) посредственный, средний (*оценка знаний*); ~ to middling так себе, неважный; 8) вежливый, учтивый; ◇ ~ field and no favour игра честная или борьба на равных условиях; all's ~ in love and war *посл.* в любви и на войне все средства хороши;
2. *adv* 1) честно; to hit (to fight) ~ нанести удар (бороться) по правилам; 2) любезно, учтиво; to speak smb. ~ любезно, вежливо поговорить с кем-л.; 3) изящно, грациозно; 4) прямо; ясно; to strike ~ in the face ударить прямо в лицо; ◇ ~ and softly! тише!, легче!; does the boat lie ~? *мор.* у борта ли шлюпка?;
3. *n уст.* красавица; the ~ *поэт.* прекрасный пол; ◇ for ~ *амер.* действительно, несомненно; none but the brave deserve the ~ *посл.* ≅ смелость города берёт.

fair-dealing ['fɛə,diːlɪŋ] 1. *n* честность, прямота;
2. *a* честный.

fairing I ['fɛərɪŋ] *n* гостинец, подарок с ярмарки; ◇ to get one's ~ получить по заслугам.

fairing II ['fɛərɪŋ] *n ав.* 1) обтекатель; 2) уменьшение лобового сопротивления.

fairly ['fɛəlɪ] *adv* 1) справедливо, беспристрастно; 2) довольно; сносно; ~ well довольно хорошо; 3) совершенно; весьма; in ~ close relations в весьма близких отношениях; 4) *амер.* безусловно, фактически.

Fair-maid ['fɛəmeid] *n встречается в названиях различных растений, напр.:* February ~s подснежники.

fair-maid ['fɛəmeid] = fumade.

fairness ['fɛənɪs] *n* чистота, незапятнанность, справедливость *и пр.* [*см.* fair II, 1].

fair-spoken ['fɛə'spoukən] *a* обходительный, вежливый, мягкий.

fairway ['fɛəwei] *n* 1) *мор.* фарватер; правильный курс (*корабля*); 2) *воен.* ход сообщения, подступ.

fair-weather ['fɛə,weðə] *a* связанный с ясной, хорошей погодой; ◇ ~ friends ненадёжные друзья, друзья только в счастье; ~ sailor неопытный или робкий моряк.

fairy ['fɛərɪ] 1. *n* фея; волшебница; эльф; bad ~ злой дух, злой гений;
2. *a* 1) волшебный, сказочный; похожий на фею; 2) воображаемый.

Fairyland ['fɛərɪlænd] *n* сказочная, волшебная страна.

fairy-mushroom ['fɛərɪ,mʌʃrum] *n* поганка (*гриб*).

fairy-tale ['fɛərɪteil] *n* 1) (волшебная) сказка; 2) выдумка, небылица, сказки.

fait accompli [,fɛtɑ:,kɔ̃'pliː] *фр. n* совершившийся факт.

faith [feiθ] *n* 1) вера, доверие; to pin one's ~ (to, upon *smb., smth.*) слепо верить (*кому-л., чему-л.*); полагаться (на *кого-л., что-л.*); 2) вера; религия; 3) честность; верность, лояльность; in good ~ честно; добросовестно; in bad ~ вероломно; 4) обещание, ручательство, слово; to plight (to break) one's ~ дать (нарушить) слово; ◇ by my ~!, in ~! клянусь (честью)!; ей-ей!; in ~ whereof *канц.* в удостоверение чего.

faithful ['feiθful] 1. *a* 1) верный, преданный; 2) верующий, правоверный; 3) правдивый; заслуживающий доверия, точный;
2. *n* (the ~) *pl собир.* верующие; правоверные; Father of the ~ калиф.

faithfully ['feiθfulɪ] *adv* верно; честно; yours ~ ≅ с совершенным почтением (*заключительная фраза письма*).

faithfulness ['feiθfulnɪs] *n* верность, лояльность.

faithless ['feiθlɪs] *a* 1) неверующий; неверный; 2) вероломный; ненадёжный.

fake I [feik] *v мор.* свёртывать (*канат*) в бухту.

fake II [feik] 1. *n* 1) подделка; фальшивка; 2) плутовство;
2. *v* 1) подделывать, фабриковать (*обыкн.* ~ up); 2) мошенничать, одурачивать.

faker ['feikə] *n* 1) жулик; обманщик; 2) разносчик; уличный торговец; коробейник; 3) *амер.* литературный правщик.

fakir ['fɑːkɪə] *n* 1) факир; 2) *амер. непр. вм.* faker.

Falange [fæ'lɑːŋhei] *n* фаланга, фашистская организация в Испании.

Falangist [fæ'lændʒɪst] *n* фалангист, член испанской фашистской организации.

falbala ['fælbələ] *n* оборка; отделка.

falcate ['fælkeit] *a зоол., бот.* серповидный.

falcated ['fælkeitid] *a астр.* серповидный (*о луне*).

falchion ['fɔːltʃən] *n* короткая широкая кривая сабля; *поэт.* меч.

falciform ['fælsifɔːm] *a анат.* серповидный.

falcon ['fɔːkən] *n* 1) сокол; 2) = falconet 2).

falconer ['fɔːkənə] *n* соколиный охотник, сокольничий.

falconet ['fɔːkənet] *n* 1) *зоол.* сорокопут; 2) *ист.* фальконет (*пушка*).

falconry ['fɔːlkənrɪ] *n* 1) соколиная охота; 2) выноска ловчих птиц.

falderal ['fældə'ræl] *n* 1) безделушка; украшение; 2) ничего не значащий припев в старинных песнях.

faldstool ['fɔːldstuːl] *n* 1) складное кресло епископа; 2) небольшой складной аналой.

Falernian [fə'lɛːnjən] *n* фалернское вино.

fall [fɔːl] 1. *n* 1) падение; снижение; the F. of man *библ.* грехопадение; 2) выпадéние осáдков; a heavy ~ of rain лйвень; 3) *амер.* óсень; 4) (*обыкн. pl*) водопáд (*напр.*, Niagara Falls); 5) впадéние (*реки и т. п.*); 6) уклóн, обрьıв, склон (*холмá*); 7) колйчество свáленного лéса; 8) борьбá; to try a ~ with борóться с; 9) *гидр.* высотá падéния, перепáд; 10) *тех.* напóр, высотá напóра; 11) *тех.* верёвка подъёмного блóка (*обыкн.* block and ~); 12) *мор.* фал; ◇ pride will have a ~ *посл.* ≅ гóрдый покичйлся да во прах скатйлся; спесь в добрó не ввóдит, гордьıня до добрá не доведёт;

2. *v* (fell; fallen) 1) пáдать, спадáть, опускáться; понижáться; the Neva has ~en водá в Невé спáла; prices ~ цéны понижáются; the curtain ~s зáнавес опускáется; the temperature has ~en температýра упáла; похолодáло; my spirits fell моё настроéние упáло; 2) пасть; впасть в грех; 3) гйбнуть; to ~ in battle пасть в бою; быть убйтым; the fortress fell крéпость пáла; 4) *глагол-связка* становйться; to ~ dumb онемéть; to ~ silent замолчáть; to ~ asleep заснýть; to ~ ill заболéть; to ~ dead упáсть зáмертво; to ~ astern *мор.* отстáть; to ~ due подлежáть уплáте (*о векселе*); 5) приходйться, пáдать, достовáться; his birthday ~s on Monday день его рождéния приходится на понедéльник; the expense ~s on me расхóд пáдает на меня; 6) оседáть, обвáливаться; 7) впадáть (*о реке; into—в*); 8) спускáться, сходйть; night fell спустйлась ночь; 9) стихáть (*о ветре и т. п.*); 10) рождáться (*о ягнятах и т. п.*); 11) *уст.* отбивáть (*уголь*); рубйть (*лес*); валйть (*дерево*); □ ~ abreast of не отставáть от; идтй в нóгу с; ~ across встрéтить случáйно; ~ among попáсть случáйно; ~ away a) покидáть, отпадáть, изменять; б) спадáть; уменьшáться; в) чáхнуть, сóхнуть; ~ back отступáть; to ~ back upon a) прибегáть к *чему-л.*; б) *воен.* отступáть к; ~ behind, ~ behindhand a) отставáть, оставáться позадй; б) опáздывать с уплáтой; ~ down a) упáсть; пасть ниц; б) *амер.* потерпéть неудáчу; ~ for *разг.* a) влюбляться; чýвствовать влечéние; поддавáться (*чему-л.*); б) быть прéданным (*кому-л.*); в) попадáться на ýдочку; ~ in a) провáливаться, обрýшиваться; б) *воен.* становйться в строй, строиться; в) истекáть (*о сроке аренды, долга, векселя*); г) случáйно встрéтиться, столкнýться (with); д) соглашáться, уступáть (with); ~ into a) начинáть *что-л.*, принимáться за *что-л.*; б) распадáться на; the book ~s into three parts кнйга распадáется на три чáсти; в) относйться к; to ~ into the category относйться к категóрии, подпадáть под категóрию; г) *приходить в определённое состояние*: to ~ into a rage впадáть в бéшенство; ~ off a) отпадáть; отвáливаться; б) уменьшáться; в) *мор.* не слýшаться руля (*о корабле*); ~ on a) нападáть (*на еду и т. п.*); б) приступáть к *чему-л.*; ~ out a) выпадáть; б) *воен.* выходйть из стрóя; в) *воен.* дéлать вьıлазку; г) случáться;

it so fell out that случйлось так, что; д) ссóриться; ~ over a) *амер.* споткнýться обо *что-л.*; б) *амер.* увлекáться; ~ through провалйться; потерпéть неудáчу; ~ to a) начинáть, принимáться за *что-л.*; б) принимáться за едý; в) нападáть; г) выпадáть, достовáться; to ~ to smb.'s lot выпадáть на чью-л. дóлю; ~ under a) подвергáться; б) подпадáть; ~ upon a) нападáть; б) натáлкиваться; ◇ to ~ in love влюбляться; to ~ into a habit впадáть в привьıчку; to ~ short a) не хватáть; б) не достигáть цéли; to ~ to the ground рýшиться; оказываться бесплóдным, безрезультáтным; отпадáть; to ~ to pieces развалйться; to ~ flat не произвестй ожидáемого впечатлéния; his joke fell flat егó шýтка не имéла успéха; to ~ into line *воен.* построиться, стать в строй; to ~ into line with соглашáться с; to ~ foul of a) *мор.* стáлкиваться; б) ссóриться; нападáть; to ~ on one's feet удáчно выйти из трýдного положéния; his face fell лицó егó вьıтянулось; to ~ over oneself то из кóжи лезть, чтóбы; to ~ over one another, to ~ over each other дрáться, борóться, ожесточённо сопéрничать друг с дрýгом; let ~! *мор.* отпускáй!

fallacious [fə'leiʃəs] *a* ошйбочный, лóжный.

fallacy ['fæləsi] *n* 1) ошйбка, заблуждéние; лóжный вьıвод; 2) ошйбочность, обмáнчивость; 3) софйзм, лóжный дóвод.

fal-lal ['fæ'læl] *n* украшéние, блестящая безделýшка.

fallen ['fɔːlən] 1. *p. p. от* fall 2; 2. *a* пáвший; пáдший; 3. *n* (the ~) *pl собир.* пáвшие (в бою).

fallibility [,fæli'biliti] *n* подвéрженность ошйбкам; ошйбочность, погрéшность.

fallible ['fæləbl] *a* подвéрженный ошйбкам.

falling ['fɔːliŋ] 1. *pres. p. от* fall 2; 2. *n* 1) падéние; 2) понижéние; 3. *a* 1) пáдающий; 2) понижáющийся.

falling sickness ['fɔːliŋ,siknis] *n* эпилéпсия; падýчая.

fall-out ['fɔːlaut] *n* 1) выпадéние радиоактйвных осáдков; 2) радиоактйвная пыль.

fallow I ['fælou] 1. *n с.-х.* пар; 2. *a* 1) вспáханный под пар (*о поле*); to lie ~ оставáться под пáром; 2) неразвитóй (*об уме, о человеке*); 3. *v с.-х.* поднимáть пар.

fallow II ['fælou] *a* коричневáто-жёлтый.

fallow-deer ['fæloudiə] *n* лань.

false [fɔːls] 1. *a* 1) лóжный, ошйбочный, непрáвильный; ~ pride лóжная гóрдость; ~ pretences обмáн, притвóрство; 2) фальшйвый, веролóмный, лжйвый; обмáнчивый; 3) фальшйвый (*о деньгах*); искýсственный (*о волосах, зубах*); ~ keel *мор.* фальшкйль; ◇ to give a ~ colour to smth., to put a ~ colour on smth. искажáть, представлять что-л. в лóжном свéте; to sail under ~ colours выдавáть себя за когó-л другóго; маскировáться;

2. *adv*: to play smb. ~ обманýть, предáть когó-л.

false arch ['fɔːlsɑːtʃ] n стр. декоративная арка.

false-bottomed ['fɔːls'bɔtəmd] a с двойным дном.

false-hearted ['fɔːls'hɑːtɪd] a вероломный.

falsehood ['fɔːlshud] n 1) ложь, неправда; фальшь; 2) уст. лживость; вероломство.

falsely ['fɔːlslɪ] adv фальшиво, ложно.

falseness ['fɔːlsnɪs] n 1) фальшивость; лживость; вероломство; 2) ошибочность.

falsetto [fɔːl'setou] n фальцет.

falsework ['fɔːlswɜːk] n стр. опалубка; леса, подмости.

falsification ['fɔːlsɪfɪ'keɪʃən] n фальсификация, подделка; искажение.

falsify ['fɔːlsɪfaɪ] v 1) фальсифицировать, подделывать (документы); искажать (показания и т. п.); 2) обманывать (надежды); 3) опровергать.

falsity ['fɔːlsɪtɪ] n 1) ложность, ошибочность; 2) вероломство.

falter ['fɔːltə] v 1) шататься, спотыкаться; 2) запинаться; говорить нерешительно; to ~ out an excuse пробормотать извинение; 3) действовать нерешительно, колебаться; дрогнуть.

faltering ['fɔːltərɪŋ] 1. pres. p. om falter; 2. a запинающийся, нерешительный; ~ voice дрожащий голос.

fame [feɪm] 1. n 1) слава, известность; 2) молва; 3) репутация; ◇ house of ill ~ публичный дом; 2. v прославлять.

famed [feɪmd] 1. p. p. om fame 2; 2. a известный, знаменитый, прославленный.

familiar [fə'mɪljə] 1. a 1) близкий, интимный; хорошо знакомый, привычный; обычный; a ~ sight привычная картина; 2) фамильярный; бесцеремонный; 3) хорошо знающий, осведомлённый; to be ~ with smth. знать что-л.; быть в курсе чего-л.; 2. n близкий друг.

familiarity [fə,mɪlɪ'ærɪtɪ] n 1) близкие, дружественные отношения; to treat with a kind ~ обходиться ласково; 2) фамильярность; 3) хорошая осведомлённость; thorough ~ with a language хорошее знание языка.

familiarization [fə,mɪljəraɪ'zeɪʃən] n осваивание, ознакомление.

familiarize [fə'mɪljəraɪz] v ознакомлять; to ~ oneself with smth. осваиваться, ознакомляться с чем-л.

familiarly [fə'mɪljəlɪ] adv бесцеремонно, фамильярно.

family ['fæmɪlɪ] n 1) семья, семейство; род; a man of ~ а) человек знатного рода; б) амер. семейный человек; a ~ of languages лингв. языковая семья; 2) содружество; 3) attr. семейный; родовой; фамильный; ~ circle а) семейный круг; б) амер. театр. балкон; ~ estate родовое имение; ~ name семейный человек; домосед; ~ name а) фамилия; б) имя, частое в роду; ~ tree родословное дерево; ~ hotel гостиница для семейных; ~ likeness фамильное сход-

ство; отдалённое сходство; ~ friend друг семьи; ~ jewels фамильные драгоценности; ◇ in a ~ way по-домашнему; без церемоний; to be in the ~ way быть в интересном положении (быть беременной); the President's official ~ амер. члены кабинета (министров).

famine ['fæmɪn] n 1) голод (стихийное бедствие); голодание; 2) недостаток; water ~ острая нехватка воды; 3) attr.: ~ prices цены, взвинченные во время голода.

famish ['fæmɪʃ] v 1) морить голодом; 2) голодать; I am ~ing я хочу есть, я очень голоден.

famous ['feɪməs] a знаменитый, известный, славный; разг. знатный, замечательный; to be ~ for smth. славиться чем-л.; he has a ~ appetite у него замечательный аппетит.

famuli ['fæmjulaɪ] pl om famulus.

famulus ['fæmjuləs] n (pl -li) 1) ассистент профессора; 2) уст. слуга мага.

fan I [fæn] n 1. n 1) веер, опахало; 2) вентилятор; 3) веялка; 4) крыло ветряной мельницы; 5) лопасть (воздушного или гребного винта); 2. v 1) веять (зерно); 2) обмахивать; to ~ oneself обмахиваться веером; 3) раздувать; to ~ the flame перен. разжигать страсти; 4) поэт. обвевать, освежать (о ветерке); 5) разг. обыскивать; □ ~ out воен. расширять плацдарм; развёртываться веером (на плацдарме).

fan II [fæn] n энтузиаст, болельщик.

fanal [fə'næl] n уст. маяк, маячный огонь.

fanatic [fə'nætɪk] 1. n фанатик, изувер; 2. a фанатический.

fanatical [fə'nætɪkəl] = fanatic 2.

fanaticism [fə'nætɪsɪzəm] n фанатизм, изуверство.

fanaticize [fə'nætɪsaɪz] v превращать(ся) в фанатика; впадать в фанатизм.

fancier ['fænsɪə] n знаток, любитель.

fanciful ['fænsɪful] a 1) капризный, с причудами; 2) прихотливый, капризный; причудливый; 3) нереальный, фантастический.

fancy ['fænsɪ] 1. n 1) фантазия; воображение; 2) мысленный образ; 3) прихоть, причуда, каприз; 4) склонность; пристрастие; конёк; вкус (к чему-л.); to have a ~ for smth. любить что-л., увлекаться чем-л.; I took a ~ to him, he took my ~ он мне полюбился, пришёлся по душе; to tickle smb.'s ~ понравиться кому-л., возбудить чьё-л. любопытство; 5) (the ~) любители какого-л. вида искусства, спорта (особ. бокса); 2. a 1) причудливый, прихотливый; 2) фантастический; ~ picture фантастическое описание; ~ price дутая цена; 3) орнаментальный, разукрашенный, не простой, не обыкновенный; 4) маскарадный; ~ dress маскарадный костюм; 5) модный; высшего качества; ~ articles (или goods) модные товары; безделушки; галантерея; ~ fair базар модных вещей; 6) улучшенной породы, имеющий определённые дан-

ные (*о животном*); 7) многоцве́тный (*о растениях*); ◇ ~ man a) любо́вник; б) *sl.* сутенёр; ~ woman (*или* lady) а) любо́вница; б) *амер.* проститу́тка;
3. *v* 1) вообража́ть, представля́ть себе́; ~!, just ~!, only ~! мо́жете себе́ предста́вить!, поду́май(те) то́лько!; 2) полага́ть, предполага́ть; 3) нра́виться; люби́ть; you may eat anything that you ~ вам мо́жно есть всё (что вам уго́дно); 4) *refl. разг.* вообража́ть, быть о себе́ высо́кого мне́ния; 5) выра́щивать живо́тных *или* расте́ния улу́чшенной поро́ды *или* ви́да.

fancy-ball ['fænsɪ'bɔːl] *n* костюмиро́ванный бал, маскара́д.

fancy-dress ['fænsɪ'dres] *a* костюмиро́ванный.

fancy-free ['fænsɪ'friː] *a* не спосо́бный влюби́ться.

fancy-work ['fænsɪwəːk] *n* вы́шивка; выши́ва́ние.

fandangle [fæn'dæŋgl] *n* 1) фантасти́ческий орна́мент; 2) шутовство́, дура́чество.

fandango [fæn'dæŋgou] *n* (*pl* -oes [-ouz]) 1) фанда́нго (*испанский танец*); 2) *амер. разг.* бал; ма́ссовые та́нцы.

fane [feɪn] *n* поэт. храм.

fanfare ['fænfɛə] *n* фанфа́ра.

fanfaronade [ˌfænfærə'naːd] *n* 1) фанфаро́нство, бахва́льство; 2) фанфа́ра.

fang I [fæŋ] *n* 1) клык; 2) ядови́тый зуб (*змеи*); 3) ко́рень зу́ба; 4) зубе́ц; 5) *горн.* вентиляцио́нная труба́; штольня *или* ша́хта для воздухопрово́да; ◇ to fall into smb.'s ~s попа́сть в чьи-либо ла́пы.

fang II [fæŋ] *v* тех. залива́ть (*насос перед пуском*).

fanged I [fæŋd] *p. p. от* fang II.

fanged II [fæŋd] *a* име́ющий клыки́, ядови́тые зу́бы.

fan-light ['fænlaɪt] *n* веерообра́зное окно́ (*особ. над дверью*).

fanner ['fænə] *n* ве́ялка.

fanny ['fænɪ] *n* 1) корма́; 2) *груб.* за́дница.

fan-out ['fænaut] *n воен.* расшире́ние плацда́рма; развёртывание (на плацда́рме).

fan-tail ['fænteɪl] *n* 1) труба́стый го́лубь; 2) зюйдве́стка.

fantasia [fæn'teɪzjə] *n муз.* фанта́зия.

fantast ['fæntæst] *n* мечта́тель; фанта́ст.

fantastic(al) [fæn'tæstɪk(əl)] *a* 1) эксцентри́чный; причу́дливый, гроте́скный; ~ ideas стра́нные вы́думки; 2) нереа́льный, вообража́емый; ~ fears наду́манные стра́хи.

fantasticality [fænˌtæstɪ'kælɪtɪ] *n* фантасти́чность, причу́дливость.

fantasy ['fæntəsɪ] *n* 1) воображе́ние, фанта́зия; 2) иллю́зия; игра́ воображе́ния; 3) капри́з; 4) = fantasia.

fantoccini [ˌfæntə'tʃiːnɪ] *ит. n pl* марионе́тки; теа́тр марионе́ток.

fan tracery ['fænˌtreɪsərɪ] *n архит.* рёбра ребри́стого сво́да; нервю́ра.

faquir ['faːkɪə] = fakir 1).

far [fɑː] **1.** *a* (farther, further; farthest, furthest) да́льний, да́лёкий, отдалённый (*тж.* ~ off); a ~ bank противополо́жный бе́рег; ◇ a ~ cry a) далёкое расстоя́ние; б) больша́я ра́зница;

2. *adv* (farther, further; farthest, furthest) 1) далеко́; на большо́м расстоя́нии (*тж.* ~ away, ~ off, ~ out); ~ back in the past в далёком про́шлом; ~ and near повсю́ду; ~ and wide а) повсю́ду; б) всесторо́нне; he saw ~ and wide он облада́л широ́ким кругозо́ром; ~ in the day к концу́ дня; ~ into the air высоко́ в во́здух; ~ into the ground глубоко́ в зе́млю; to go ~ далеко́ пойти́; to go (*или* to carry it) too ~ заходи́ть сли́шком далеко́; ~ from далеко́ от; it is ~ from true э́то далеко́ не так; 2) гора́здо, намно́го; ~ different значи́тельно отлича́ющийся; ~ better значи́тельно лу́чше; ~ the best са́мый лу́чший; ◇ as ~ back as the 26th of January ещё 26 января́; ~ and away несравне́нно, намно́го, гора́здо; б) несомне́нно; as ~ as а) до; I will go with you as ~ as Moscow я провожу́ вас до Москвы́; б) наско́лько; as ~ as I know наско́лько я зна́ю; наско́лько мне изве́стно; (in) so ~ as поско́льку; коль ско́ро; so ~ до сих пор; пока́; so ~ so good пока́ всё хорошо́; ~ from it ничу́ть, отню́дь нет; ~ be it from те ни за что; **3.** *n* 1) значи́тельное коли́чество; by ~ намно́го; to surpass by ~ намно́го превзойти́; to prefer by ~ отдава́ть серьёзное предпочте́ние; 2) большо́е расстоя́ние; from ~ издалека́.

farad ['færəd] *n эл.* фара́да.

faradaic [ˌfærə'deɪik] *а эл.* индукцио́нный, индукти́вный, индукти́рованный.

faradization [ˌfærədɪ'zeɪʃ(ə)n] *n* фарадиза́ция (*лечение индукционным током*).

far-away ['fɑːrəweɪ] *a* 1) да́льний, отдалённый; 2) отсу́тствующий, рассе́янный; she has a ~ look in her eyes у неё отсу́тствующий взгляд.

far-between ['fɑːbɪ'twiːn] *a* ре́дкий.

farce I [fɑːs] *n* 1) *театр.* фарс; 2) фарс, коме́дия.

farce II [fɑːs] *n* фарш.

farceur [fɑː'səː] *фр. n* 1) шутни́к, балагу́р; 2) мистифика́тор.

farcical ['fɑːsɪkəl] *а* 1) фа́рсовый, шу́точный; 2) смехотво́рный, неле́пый.

farcicality [ˌfɑːsɪ'kælɪtɪ] *n* 1) шутовство́; 2) смехотво́рность.

farcy ['fɑːsɪ] *n вет.* ко́жный сап.

fardel ['fɑːdəl] *n уст.* 1) у́зел (*с вещами*); 2) бре́мя, груз.

fare [fɛə] **1.** *n* 1) сто́имость прое́зда; пла́та за прое́зд; what is the ~? ско́лько сто́ит прое́зд, биле́т?; 2) ездо́к, пассажи́р; 3) пи́ща, стол, прови́зия, съестны́е припа́сы; 4) *амер.* уло́в (*рыболовного судна*).

2. *v* 1) быть, пожива́ть; случа́ться; how ~s it? как дела́?; it may ~ ill with him ему́ пло́хо пришло́сь; ~ you well! проща́йте; счастли́вого пути́!; 2) *поэт.* е́хать, путеше́ствовать; 3) пита́ться; ◇ you may go farther and ~ worse *посл.* бу́дьте дово́льны тем, что име́ете.

Far-Eastern ['fɑːr'iːstən] *a* дальневосто́чный.

farewell ['fɛə'wel] **1.** *n* проща́ние; to bid one's ~, to make one's ~s проща́ться; **2.** *a* проща́льный;

3. *int* до свида́ния!, до́брый путь!; ~ to smth. хва́тит, дово́льно чего́-л.; ~ to arms! проща́й, ору́жие!

far-famed [ˈfɑːˈfeɪmd] *a* широко́ изве́стный.

far-fetched [ˈfɑːˈfetʃt] *a* 1) принесённый *или* привезённый издалека́; 2) натя́нутый, неесте́ственный, иску́сственный; притя́нутый за́ волосы (*об аргуме́нте, до́воде*).

far-flung [ˈfɑːˈflʌŋ] *a* широко́ раски́нувшийся, обши́рный.

far gone [ˈfɑːˈɡɔn] *a* 1) далеко́ заше́дший; 2) в после́дней ста́дии (*боле́зни*); 3) по́ уши в долга́х; 4) си́льно пья́ный; 5) си́льно *или* безнадёжно влюблённый.

farina [fəˈraɪnə] *n* 1) мука́; 2) порошо́к; 3) *бот.* пыльца́; 4) крахма́л, карто́фельная мука́; 5) ма́нная крупа́; ма́нная ка́ша.

farinaceous [ˌfærɪˈneɪʃəs] *a* мучни́стый, мучно́й.

farinose [ˈfærɪnous] *a* 1) мучни́стый; 2) сло́вно посы́панный муко́й.

farl [fɑːl] *n шотл.* то́нкая овся́ная лепёшка.

farm [fɑːm] **1.** *n* 1) фе́рма; мы́за, ху́тор; dairy ~ моло́чная фе́рма; 2) (крестья́нское) хозя́йство; collective ~ колхо́з; state ~ совхо́з; individual ~ единоли́чное хозя́йство; 3) пито́мник; 4) = farm-house; **2.** *v* 1) обраба́тывать зе́млю; he ~ed in Australia он был фе́рмером в Австра́лии; 2) брать на о́ткуп; 3) сдава́ть в аре́нду (*име́ние*); 4) брать на воспита́ние дете́й (*за пла́ту*); □ ~ out a) сдава́ть в аре́нду; б) отдава́ть на о́ткуп.

farmer [ˈfɑːmə] *n* 1) фе́рмер; аренда́тор; 2) откупщи́к.

farm-hand [ˈfɑːmhænd] *n* сельскохозя́йственный рабо́чий.

farm-house [ˈfɑːmhaus] *n* жило́й дом на фе́рме.

farming [ˈfɑːmɪŋ] **1.** *pres. p. от* farm 2; **2.** *n* заня́тие се́льским хозя́йством.

farmstead [ˈfɑːmsted] *n* фе́рма со слу́жбами.

farmyard [ˈfɑːmjɑːd] *n* двор фе́рмы.

faro [ˈfɛərou] *n* фарао́н (*карт. игра́*).

farouche [fəˈruːʃ] *фр. a* нелюди́мый, ди́кий, угрю́мый.

farraginous [fəˈrædʒɪnəs] *a* сме́шанный, сбо́рный.

farrago [fəˈrɑːgou] *n* (*pl* -os [-ouz]) смесь, мешани́на; вся́кая вся́чина.

far-reaching [ˈfɑːˈriːtʃɪŋ] *a* 1) име́ющий больши́е после́дствия; 2) широ́кий.

farrier [ˈfærɪə] *n* 1) кузне́ц (*подко́вывающий лошаде́й*); 2) *уст.* ветерина́р.

farriery [ˈfærɪərɪ] *n* 1) ко́вка лошаде́й; 2) ку́зница; 3) *уст.* ветерина́рия.

farrow I [ˈfærou] **1.** *n* 1) опоро́с; помёт порося́т; 2) *уст.* поросёнок; **2.** *v* 1) пороси́ться.

farrow II [ˈfærou] *a амер.* я́ловая (*о коро́ве*).

far-seeing [ˈfɑːˈsiːɪŋ] *a* дальнови́дный, прозорли́вый, предусмотри́тельный.

far-sighted [ˈfɑːˈsaɪtɪd] *a* 1) дальнозо́ркий; 2) дальнови́дный, прозорли́вый, предусмотри́тельный.

farther [ˈfɑːðə] **1.** *a* 1) *сравнит. ст. от* far 1; 2) бо́лее отдалённый; дальне́йший; поздне́йший; 3) дополни́тельный; until ~ notice впредь до но́вого уведомле́ния; have you anything ~ to say? что́ ещё вы име́ете доба́вить?; **2.** *adv* 1) *сравнит. ст. от* far 2; 2) да́льше, да́лее; 3) кро́ме того́, та́кже; **3.** *v редк.* = further II.

farthermost [ˈfɑːðəmoust] *a* са́мый да́льний.

farthest [ˈfɑːðɪst] (*превосх. ст. от* far); **1.** *a* са́мый да́льний; at (the) ~ са́мое бо́льшее; са́мое по́зднее; **2.** *adv* да́льше всего́.

farthing [ˈfɑːðɪŋ] *n* фа́ртинг ($^1/_4$ *пе́нни*); the uttermost ~ после́дний грош; ◇ it does not matter a ~ э́то ро́вно ничего́ не зна́чит; it's not worth a ~ гроша́ ло́маного не сто́ит; not to care a brass ~ наплева́ть.

farthingale [ˈfɑːðɪŋgeɪl] *n* ю́бка с фи́жмами (*по мо́де XVII—XVIII вв.*).

fasces [ˈfæsiːz] *n pl др.-рим.* пучо́к пру́тьев ли́ктора.

fascia [ˈfeɪʃə] *n* (*pl* -iae) 1) поло́ска, полоса́, по́яс; 2) вы́веска; 3) *мед.* повя́зка, бинт; 4) [ˈfæʃɪə] *анат.* соедини́тельноткáнная оболо́чка; 5) *архит.* поясо́к, ва́лик.

fasciae [ˈfeɪʃiː] *pl от* fascia.

fascicle [ˈfæsɪkl] *n* 1) *бот.* пучо́к, гроздь; 2) отде́льный вы́пуск (*како́го-л. изда́ния*).

fascicule [ˈfæsɪkjuːl] *n* = fascicle.

fascinate [ˈfæsɪneɪt] *v* 1) очаро́вывать, пленя́ть; 2) зачаро́вывать взгля́дом.

fascinating [ˈfæsɪneɪtɪŋ] **1.** *pres. p. от* fascinate; **2.** *a* обворожи́тельный, очарова́тельный, плени́тельный.

fascination [ˌfæsɪˈneɪʃən] *n* очарова́ние, обая́ние; пре́лесть.

fascinator [ˈfæsɪneɪtə] *n* 1) чароде́й; 2) *уст.* лёгкая шаль.

fascine [fæˈsiːn] *n* 1) фаши́на; 2) *attr.*: ~ dwelling сва́йная постро́йка.

fascism [ˈfæʃɪzəm] *n* фаши́зм.

fascist [ˈfæʃɪst] **1.** *n* фаши́ст; **2.** *a* фаши́стский.

fash [fæʃ] *шотл.* **1.** *n* беспоко́йство; муче́ние; доса́да; **2.** *v* беспоко́ить(ся); му́чить(ся).

fashion [ˈfæʃən] **1.** *n* 1) о́браз, мане́ра; after (*или* in) a ~ не́которым о́бразом, до изве́стной сте́пени; ко́е-ка́к; after the ~ of smth. по о́бразу чего́-л.; in one's own ~ по-сво́ему; 2) фасо́н, покро́й; фо́рма; 3) **стиль**, мо́да; to be the ~, to be in ~ быть в мо́де; to be in the ~ сле́довать мо́де; to bring into ~ вводи́ть в мо́ду; dressed in the height of ~ оде́тый по после́дней мо́де; a man of ~ све́тский челове́к, сле́дующий мо́де; out of ~ вы́шедший из мо́ды; **2.** *v* 1) придава́ть вид, фо́рму (into, to); *тех.* формова́ть, фасони́ровать, модели́ровать; to ~ a vase from clay лепи́ть сосу́д из гли́ны; 2) *редк.* приспособля́ть (to).

fashionable [ˈfæʃnəbl] **1.** *a* мо́дный; све́тский; фешене́бельный; **2.** *n* све́тский челове́к.

fashioner [ˈfæʃnə] *n* портно́й, костюме́р.

fashion-monger ['fæʃən,mʌŋgə] *n* мо́дник; мо́дница.

fashion-paper ['fæʃən,peɪpə] *n* мо́дный журна́л.

fashion-plate ['fæʃənpleɪt] *n* 1) мо́дная карти́нка; 2) *разг.* сверхмо́дно оде́тая же́нщина.

fast I [fɑːst] **1.** *n* пост; to break one's ~ разгове́ться; **2.** *v* пости́ться.

fast II [fɑːst] **1.** *a* 1) про́чный, кре́пкий, твёрдый; сто́йкий; ~ colour про́чная кра́ска; ~ friend ве́рный друг; ~ coupling *mex.* постоя́нное соедине́ние, постоя́нная (соедини́тельная) му́фта; hard and ~ rule жёсткое пра́вило; to take ~ hold of smth. кре́пко ухвати́ться за что-л.; to make ~ а) закрепля́ть; б) запира́ть (*дверь*); 2) ско́рый, бы́стрый; ~ train ско́рый по́езд; ~ tank быстрохо́дный танк; ~ track ж.-д. ли́ния с движе́нием поездо́в большо́й ско́рости; the watch is ~ часы́ спеша́т; 3) фриво́льный, легкомы́сленный (*о людях*); a ~ set куту́щее о́бщество; to lead a ~ life вести́ беспу́тную жизнь; прожига́ть жизнь; 4) *амер. sl.* моше́ннический; ~ scales нето́чные весы́ (*показывающие бо́льший вес*); ◇ a ~ prisoner у́зник; ~ tennis-court удо́бная, хоро́шая те́ннисная площа́дка; ~ and loose непостоя́нный; изме́нчивый; ненадёжный; ~ and loose (with) поступа́ть безотве́тственно (с); быть непосле́довательным, ненадёжным; наруша́ть обеща́ние;

2. *adv* кре́пко, си́льно, про́чно; ~ shut пло́тно закры́тый; to be ~ asleep кре́пко спать; stand ~! *воен.* стоп! (*кома́нда для вре́менного прекраще́ния огня́*); 2) бы́стро, ча́сто; ско́ро; 3): to live ~ прожига́ть жизнь; ◇ by ~, beside совсе́м ря́дом;

3. *n* 1) *мор.* шварто́в, прича́л; 2) *горн.* штрек.

fasten ['fɑːsn] *v* 1) прикрепля́ть, привя́зывать (to, upon, on—к); свя́зывать (together, up, in); скрепля́ть, укрепля́ть, зажима́ть, свинчивать; сжима́ть, сти́скивать (*руки, зубы*); to ~ two things together связа́ть две ве́щи вме́сте; 2) навя́зывать; to ~ a quarrel upon smb. поссо́риться с кем-л., придра́ться к кому́-л.; 3) запира́ть(ся); застёгивать(ся); to ~ a door запере́ть дверь; to ~ a glove застегну́ть перча́тку; 4) *стр.* затвердева́ть (*о раство́ре*); □ ~ off закрепи́ть (*ни́тку*); ~ on а) припи́сывать *кому́-л.*; to ~ a nickname on smb. дава́ть кому́-л. про́звище; б) устремля́ть (*взгляд, мы́сли и т. п.*); to ~ one's eyes on smb. при́стально смотре́ть на кого́-л.; ~ up закрыва́ть; завя́зывать; to ~ up a box заколоти́ть я́щик; ~ upon ухвати́ться, набро́ситься на что-л.; to ~ upon an idea (a pretext) ухвати́ться за мысль (предло́г); the bees ~ed upon me пчёлы облепи́ли меня́.

fastener ['fɑːsnə] *n* 1) запо́р, задви́жка; 2) застёжка; 3) зажи́м; 4) скре́пка для бума́г.

fastening ['fɑːsnɪŋ] **1.** *pres. p.* om fasten;

2. *n* 1) свя́зывание, скрепле́ние; замыка́ние; 2) = fastener.

fasti ['fæstiː] *лат. n pl* ле́топись, анна́лы.

fastidious [fæs'tɪdɪəs] *a* 1) привере́дливый, разбо́рчивый; 2) утончённый, изо́щрённый.

fastness ['fɑːstnɪs] *n* 1) про́чность и пр. [см. fast II, 1]; 2) кре́пость, тверды́ня, опло́т, цитаде́ль.

fat [fæt] **1.** *n* 1) жир, са́ло; to run to ~ *разг.* жире́ть, толсте́ть; 2) сма́зка, мазь; 3) лу́чшая часть (*чего-л.*); to live on the ~ of the land *библ.* жить роско́шно; 4) *театр.* вы́игрышное ме́сто ро́ли; 5) *sl.* сре́дства, пожи́ва; ◇ ~ cat тот, кто снабжа́ет деньга́ми для полити́ческих махина́ций; ~ fryer тот, кто добыва́ет *или* вымога́ет де́ньги для полити́ческих махина́ций; to live on one's own ~ жить ста́рыми запа́сами (*зна́ний и т. п.*); жить на свой капита́л; the ~ is in the fire ≅ де́ло сде́лано, быть беде́;

2. *a* 1) жи́рный; са́льный (*о пи́ще*); масляни́стый; ~ type жи́рный шрифт; 2) упи́танный, то́лстый, ту́чный; отко́рмленный; ~ cheeks пу́хлые щёки; ~ fingers то́лстые коро́ткие па́льцы; 3) плодоро́дный (*о по́чве*); 4) вы́годный, дохо́дный; ~ job вы́годное де́ло; тёпленькое месте́чко; ~ part *театр.* вы́игрышная роль; 5) оби́льный, бога́тый; 6) тупоу́мный, глу́пый; ◇ a ~ lot *разг.* мно́го, о́чень (*обыкн. ирон.* ма́ло); a ~ lot you care ≅ вам на э́то наплева́ть; to cut up ~ оста́вить большо́е насле́дство;

3. *v* 1) отка́рмливать(ся) (*часто* ~ up); 2) жире́ть; 3) удобря́ть (*по́чву*).

fatal ['feɪtl] *a* 1) роково́й, фата́льный, неизбе́жный; 2) смерте́льный, губи́тельный, па́губный; the ~ sisters *миф.* Па́рки; the ~ thread нить жи́зни; the ~ shears смерть.

fatalism ['feɪtəlɪzəm] *n* фатали́зм.

fatalist ['feɪtəlɪst] *n* фатали́ст.

fatalistic [,feɪtə'lɪstɪk] *a* фаталисти́ческий.

fatality [fə'tælɪtɪ] *n* 1) рок; фата́льность, обречённость; 2) несча́стье; смерть (*от несча́стного слу́чая и т. п.*).

fata morgana ['fɑːtɑːmɔː'gɑːnə] *n* фа́та-морга́на, мира́ж.

fat-chops ['fætʃɔps] *n* толстощёкий челове́к.

fate [feɪt] **1.** *n* 1) рок, судьба́, жре́бий, уде́л; as sure as ~ несомне́нно; 2) ги́бель, смерть; to go to one's ~ идти́ на ги́бель; 3) (F.) *миф.* Па́рка;

2. *v* (*обыкн. pass.*) предопределя́ть; he was ~d to do it ему́ суждено́ бы́ло сде́лать э́то.

fated ['feɪtɪd] **1.** *p. p.* om fate 2;

2. *a* предопределённый; обречённый.

fateful ['feɪtful] *a* 1) роково́й; 2) обречённый; 3) реши́тельный, ва́жный (*по после́дствиям*); 4) проро́ческий.

fat-guts ['fætgʌts] *n* толстя́к.

fat-head ['fæthed] *n* о́лух, болва́н.

father ['fɑːðə] **1.** *n* 1) оте́ц, роди́тель; adoptive ~ приёмный оте́ц, усынови́тель; 2) пре́док, родонача́льник, прароди́тель;

F. of lies сатана; to be gathered to one's ~s отправиться к праотцам; 3) старейший член; pl старейшины; F. of the House старейший (по годам непрерывности депутатского звания) член палаты общин; 4) духовный отец, епископ; the Holy F. папа римский; ◇ the wish is ~ to the thought желание порождает мысль; люди верят тому, чему хотят верить; F. Christmas дед-мороз; F. Thames ≈ матушка Темза; F. of Waters амер. река Миссисипи;
2. v 1) быть отцом; производить, порождать, быть автором, творцом; 2) усыновлять; отечески заботиться; 3) приписывать отцовство; приписывать авторство [мужчине; ср. mother 2, 3)]; возлагать ответственность (за авторство) (on, upon—на).

fatherhood ['fɑ:ðəhud] n отцовство.

father-in-law ['fɑ:ðərinlɔ:] n (pl fathers-in-law) 1) свёкор; 2) тесть.

fatherland ['fɑ:ðəlænd] n отечество, отчизна.

fatherless ['fɑ:ðəlis] a оставшийся без отца.

fatherly ['fɑ:ðəli] 1. a отеческий, нежный; 2. adv отечески.

fathers-in-law ['fɑ:ðəzinlɔ:] pl от father-in-law.

fathom ['fæðəm] 1. n (pl с цифрами обыкн. без изменений) морская сажень (= 6 футам = 182 см); to be ~s deep in love быть влюблённым по уши;
2. v 1) измерять глубину (воды); делать промер лотом; 2) вникать, понимать; I cannot ~ his meaning я не могу понять, что он хочет сказать.

fathometer [fæ'ðɒmitə] n мор. эхолот.

fathomless ['fæðəmlis] a неизмеримый; бездонный; непроницаемый; the ~ depths of the sea бездонные глубины моря.

fathom-line ['fæðəmlain] n мор. изобата.

fatidical [fei'tidikəl] a пророческий.

fatigue [fə'ti:g] 1. n 1) усталость, утомление; 2) утомительность; 3) утомительная работа; 4) = ~-duty; 5) тех. усталость (металлов);
2. v утомлять, изнурять.

fatigue-dress [fə'ti:g,dres] n воен. рабочее платье, спецодежда.

fatigue-duty [fə'ti:g,dju:ti] n воен. нестроевой наряд.

fatigue-party [fə'ti:g,pɑ:ti] n воен. команда солдат, наряженных на работу.

fatling ['fætliŋ] n откормленное на убой молодое животное.

fatten ['fætn] v 1) откармливать на убой; 2) жиреть, толстеть; 3) удобрять (землю).

fatty ['fæti] 1. a жирный; жировой; ~ degeneration мед. жировое перерождение, ожирение; ~ degeneration of the heart ожирение сердца;
2. n толстяк.

fatuity [fə'tju:iti] n 1) самодовольная глупость; бессмысленность; 2) тщетность.

fatuous ['fætjuəs] a 1) глупый, дурацкий; бессмысленный; ~ smile бессмысленная улыбка; 2) пустой, бесполезный (о попытке).

fatuously ['fætjuəsli] adv 1) бессмысленно; 2) бесполезно.

fat-witted ['fæt,witid] a тупой, глупый.

faubourg ['foubuəg] фр. n предместье, пригород (особ. Парижа).

fauces ['fɔ:si:z] n pl анат. зев, горло, ротоглотка.

faucet ['fɔ:sit] n 1) вентиль; втулка; раструб; затычка; 2) амер. водопроводный кран.

faugh [fɔ:] int тьфу!, фу!

fault [fɔ:lt] 1. n 1) недостаток, дефект; 2) промах, ошибка; to find ~ with smb. (with smth.) придираться к кому-л., бранить кого-л. (жаловаться на что-л.); 3) проступок, вина; it's ~ is it?, who is in ~? кто виноват?; 4) спорт. неправильно поданный мяч; 5) охот. потеря следа; to be at ~ потерять след; перен. быть озадаченным; находиться в затруднении; 6) геол. разрыв, сдвиг, сброс; 7) тех. авария, повреждение, неисправность; ◇ to a ~ очень; слишком; чрезмерно;
2. v геол. образовать разрыв или сброс.

faultfinder ['fɔ:lt,faində] n придира.

faultfinding ['fɔ:lt,faindiŋ] 1. n 1) придирки, придирчивость; 2) тех. обнаруживание аварии;
2. a придирчивый.

faultless ['fɔ:ltlis] a 1) безупречный; 2) безошибочный.

faulty ['fɔ:lti] a 1) виновный; достойный осуждения; 2) испорченный, повреждённый.

faun [fɔ:n] n миф. фавн.

fauna ['fɔ:nə] n (pl -ae, -as [-əz]) фауна.

faunae ['fɔ:ni:] pl от fauna.

faux pas ['fou'pɑ:] фр. n ложный шаг.

favor, favorable, favored, favorite, favoritism ['feivə, 'feivərəbl, 'feivəd, 'feivərit, 'feivəritizəm] амер. = favour, favourable, favoured, favourite, favouritism.

favour ['feivə] 1. n 1) благосклонность, расположение; одобрение; to find ~ in the eyes of smb., to win smb.'s ~ снискать чьё-л. расположение; угодить кому-л.; to look with ~ on smb., smth. относиться доброжелательно к кому-л., чему-л.; to stand high in smb.'s ~ быть в милости у кого-л.; out of ~ в немилости; to enjoy the ~s of a woman пользоваться благосклонностью женщины; 2) одолжение; любезность; to do smth. as a ~ сделать что-л. в виде одолжения; 3) пристрастие (к кому-либо); покровительство; he gained his position more by ~ than merit (скорее) не личные заслуги, а покровительство помогло ему достичь такого положения; 4) польза, интерес; помощь; in ~ of за; to be in ~ of smth. a) стоять за что-л., быть сторонником чего-л.; б) в пользу (кого-л., чего-л.); to draw a cheque in smb.'s ~ выписать чек на чьё-л. имя; under ~ of the darkness под покровом темноты; 5) значок; бант, розетка; сувенир; 6) ком. письмо; your ~ of yesterday Ваше вчерашнее письмо; 7) уст. внешность, лицо; ◇ by your ~ шутл. с вашего позволения; under ~ с позволения сказать;

2. *v* 1) благоволи́ть, быть благоскло́нным; ока́зывать внима́ние, любе́зность; please, ~ me with an answer благоволи́те мне отве́тить; 2) благоприя́тствовать; помога́ть, подде́рживать; 3) покрови́тельствовать; быть пристра́стным, ока́зывать предпочте́ние; 4) *уст.* быть похо́жим; the boy ~s his father ма́льчик похо́ж на отца́; ◇ ~ed by smb. пере́данное кем -л. (*письмо́*).

favourable ['feɪvərəbl] *a* 1) благоприя́тный; подходя́щий; удо́бный; ~ answer благоприя́тный отве́т; ~ wind попу́тный ве́тер; 2) благоскло́нный, располо́женный.

favoured ['feɪvəd] 1. *p. p. om* favour 2; 2. *a* 1) привилегиро́ванный, по́льзующийся преиму́ществом; ~ nation наибо́лее благоприя́тствуемая на́ция; ~ few немно́гие и́збранные; 2) благода́тный (*о кли́мате*).

favourite ['feɪvərɪt] 1. *n* 1) люби́мец; фавори́т; 2) люби́мая вещь; that book is a great ~ of mine я о́чень люблю́ э́ту кни́гу; 3) фавори́т (*о ло́шади*); 4) кандида́т, име́ющий наибо́льший шанс на успе́х (*на вы́борах*); 2. *a* люби́мый, излю́бленный; ~ son *амер.* полити́ческий де́ятель, вы́двинутый представи́телями своего́ шта́та на пост президе́нта.

favouritism ['feɪvərɪtɪzəm] *n* фавори́ти́зм.

fawn I [fɔ:n] 1. *n* молодо́й оле́нь (*до одного́ го́да*); in ~ сте́льная (*о ла́ни*); 2. *a* желтова́то-кори́чневый; 3. *v* тели́ться (*о ла́ни*).

fawn II [fɔ:n] *v* 1) ласка́ться; виля́ть хвосто́м; 2) подли́зываться, прислу́живаться (on, upon—к).

fawn-coloured ['fɔ:n,kʌləd] = fawn I, 2.

fawning I ['fɔ:nɪŋ] *pres. p. om* fawn I, 3.

fawning II ['fɔ:nɪŋ] 1. *pres. p. om* fawn II; 2. *a* раболе́пный.

fay I [feɪ] *n уст.* ве́ра; ве́рность; by my ~! че́стное сло́во!

fay II [feɪ] *n поэт.* фе́я; эльф.

fay III [feɪ] *v* 1) пло́тно соединя́ть; 2) примыка́ть.

faze [feɪz] *v амер. разг.* беспоко́ить, досажда́ть; расстра́ивать.

fealty ['fiːəltɪ] *n ист.* ве́рность васса́ла феода́лу; to swear ~ to (*или* for) smb. присяга́ть на ве́рность кому́-л.

fear [fɪə] 1. *n* 1) страх, боя́знь; for ~ (of smth.) из боя́зни (чего́-л.); in ~ of one's life в стра́хе за свою́ жизнь; without ~ or favour беспристра́стно; 2) опасе́ние; возмо́жность, вероя́тность (*чего́-л. нежела́тельного*); по ~ *разг.* вряд ли; едва́ ли; 2. *v* 1) боя́ться; never ~ не бо́йтесь; I ~ me *уст.* я бою́сь; 2) опаса́ться; ожида́ть (*чего́-л. нежела́тельного*).

fearful ['fɪəful] *a* 1) ужа́сный, стра́шный; 2) *разг.* огро́мный, ужа́сный; in a ~ mess в стра́шном беспоря́дке; 3) *уст.* по́лный стра́ха, испу́ганный (of); испо́лненный благогове́ния; ~ to do smth. боя́щийся сде́лать что-л.

fearless ['fɪəlɪs] *a* бесстра́шный, неустраши́мый; му́жественный.

fear-monger ['fɪə,mʌŋgə] *n* панике́р.

fearnought ['fɪənɔ:t] *n* касто́р (*сукно́*).

fearsome ['fɪəsəm] *a* (*обыкн. шутл.*) гро́зный, стра́шный.

feasible ['fiːzəbl] *a* 1) выполни́мый, осуществи́мый; 2) возмо́жный, вероя́тный.

feast [fiːst] 1. *n* 1) пир; пра́зднество; банке́т; 2) пра́здник; ежего́дный се́льский церко́вный *или* прихо́дский пра́здник; ◇ enough is as good as a ~ *посл.* ≈ от добра́ добра́ не и́щут; бо́льше, чем доста́точно; 2. *v* 1) пирова́ть, пра́здновать; 2) принима́ть, че́ствовать; угоща́ть(ся); 3) наслажда́ться; to ~ one's eyes on smb., smth. любова́ться кем-л., чем-л.

feat [fiːt] *n* 1) по́двиг; ~ of arms боево́й по́двиг; 2) проявле́ние большо́й ло́вкости, иску́сства; 2. *a уст.* ло́вкий, иску́сный.

feather ['feðə] 1. *n* 1) перо́ (*пти́чье*); *собир. или pl* опере́ние; 2) *охот.* дичь; 3) тре́щина (*поро́к в драгоце́нном ка́мне*); 4) не́что лёгкое; пустячо́к; 5) *тех.* вы́ступ, гре́бень; шпо́нка; шип; ◇ that's a ~ in his cap он мо́жет э́тим горди́ться; он э́тим горди́тся; birds of a ~ пти́цы одного́ полёта; ≅ одного́ по́ля я́года; in full ~, in fine ~ в по́лном пара́де; во всём бле́ске; in high ~ в хоро́шем настрое́нии; to show (*или* to fly) the white ~ стру́сить, прояви́ть малоду́шие; to knock down with a ~ ошеломи́ть; to smooth one's ruffled ~s прийти́ в себя́, опра́виться; 2. *v* 1) украша́ть(ся) пе́рьями; 2) опери́ться; 3) покрыва́ть(ся); boughs ~ed with snow су́чья, опушённые сне́гом; 4) *тех.* соединя́ть на шпунт *или* шпо́нку; 5) *охот.* сбить пе́рья с пти́цы вы́стрелом; 6) дрожа́ть, виля́я хвосто́м (*о соба́ке, разы́скивающей след*); ◇ to ~ one's nest ≅ нагре́ть ру́ки; наби́ть себе́ карма́н; обогати́ться; to ~ one's oar *мор.* выноси́ть весло́ плашмя́.

feather bed ['feðəbed] *n* пери́на; *перен.* удо́бное положе́ние.

feather-bed ['feðəbed] *v* балова́ть, изне́живать.

feather-brain ['feðəbreɪn] *n* вертопра́х, пусто́й челове́к.

feather-brained ['feðəbreɪnd] *a* глу́пый, пусто́й, ве́треный.

feathered ['feðəd] 1. *p. p. om* feather 2; 2. *a* 1) покры́тый *или* укра́шенный пе́рьями; 2) име́ющий вид пера́; 3) крыла́тый, бы́стрый.

feather-grass ['feðəgrɑ:s] *n бот.* ковы́ль.

feather-head ['feðəhed] = feather-brain.

feather-headed ['feðə,hedɪd] = feather-brained.

feathering ['feðərɪŋ] 1. *pres. p. om* feather 2; 2. *n* 1) опере́ние; 2) что-л., похо́жее на опере́ние; 3) *архит.* фесто́н.

feather-pate ['feðəpeɪt] = feather-brain.

feather-pated ['feðə,peɪtɪd] = feather-brained.

feather-stitch ['feðəstɪtʃ] *n* шов та́мбуром, в ёлочку.

feather-weight ['feðəweɪt] *n* 1) о́чень лёгкий челове́к *или* предме́т; 2) *спорт.* полулёгкий вес, «вес пера́».

feathery ['feθərɪ] *a* 1) = feathered 2; 2) похо́жий на перо́; лёгкий, пуши́стый.

feature ['fiːtʃə] **1.** *n* 1) осо́бенность, хара́ктерная черта́; при́знак, сво́йство, дета́ль; 2) (*обыкн.* pl) черты́ лица́; 3) больша́я (газе́тная) статья́; 4) *амер.* гвоздь (*програ́ммы*); аттракцио́н; боеви́к (*в кино*); 5) ме́стный предме́т; подро́бность релье́фа ме́стности; 6) *attr.:* ~ film худо́жественный фильм; ~ article о́черк;

2. *v* 1) изобража́ть, рисова́ть, набра́сывать; 2) быть характе́рной черто́й; 3) пока́зывать (*на экра́не*); 4) *амер.* отводи́ть важне́йшее ме́сто; выводи́ть в гла́вной ро́ли; the newspaper ~s a статья́ газе́та на ви́дном ме́сте помеща́ет расска́з; 5) писа́ть по специа́льному зада́нию (*статью́ и т. п.*); 6) *разг.* напомина́ть черта́ми лица́.

featureless ['fiːtʃəlɪs] *a* лишённый характе́рных черт, невырази́тельный.

featurette [,fiːtʃə'ret] *n* короткометра́жный худо́жественный фильм (*обычно ни́зкого ка́чества*).

feaze I [fiːz] *v мор.* рассу́чивать(ся).

feaze II [fiːz] = feeze.

febrifuge ['febrɪfjuːdʒ] *n мед.* жаропонижа́ющее (*сре́дство*).

febrile ['fiːbraɪl] *a* лихора́дочный.

February ['februərɪ] *n* 1) февра́ль; 2) *attr.* февра́льский.

fecit ['fiːsɪt] *лат. v* испо́лнил, сде́лал (*по́дпись худо́жника*).

feck [fek] *n шотл.* 1) це́нность; 2) си́ла; 3) коли́чество.

feckless ['feklɪs] *a* беспо́мощный; беспо́лезный.

feculence ['fekjuləns] *n* муть, му́тность, му́тный оса́док.

feculent ['fekjulənt] *a* му́тный.

fecund ['fiːkənd] *a* 1) плодоро́дный; 2) плодови́тый (*тж. перен.*).

fecundate ['fiːkəndeɪt] *v* 1) де́лать плодоро́дным; 2) оплодотворя́ть.

fecundation [,fiːkən'deɪʃən] *n* оплодотворе́ние.

fecundity [fɪ'kʌndɪtɪ] *n* 1) плодоро́дность; 2) плодови́тость (*тж. перен.*).

fed [fed] *past и p. p. от* feed I, 2.

federal ['fedərəl] **1.** *a* федера́льный, сою́зный;

2. *n* федерали́ст; член федера́ции; the Federals войска́ северя́н (*в гражда́нской войне́ в Аме́рике 1861—65 гг.*).

federalism ['fedərəlɪzəm] *n* федерали́зм.

federalization [,fedərəlaɪ'zeɪʃən] *n* образова́ние федера́ции.

federalize ['fedərəlaɪz] *v* составля́ть федера́цию, сою́з.

federate **1.** *a* ['fedərɪt] федерати́вный; 2. *v* ['fedəreɪt] объединя́ть(ся) на федерати́вных нача́лах.

federation [,fedə'reɪʃən] *n* федера́ция; сою́з, объедине́ние.

federative ['fedərətɪv] *a* федерати́вный.

feds [fedz] *n pl разг.* аге́нты Ф. Б. Р. (*Федера́льного бюро́ рассле́дований в США*).

fee [fiː] **1.** *n* 1) гонора́р, вознагражде́ние; 2) чаевы́е; 3) вступи́тельный *или* чле́нский взнос; 4) пла́та за уче́ние; 5)

ист. лен, феода́льное поме́стье; ~ simple юр. поме́стье, насле́дуемое без ограниче́ний;

2. *v* (feed) 1) плати́ть гонора́р; дава́ть на чай; 2) нанима́ть.

feeble ['fiːbl] *a* 1) сла́бый; хи́лый; 2) ничто́жный.

feeble-minded ['fiːbl'maɪndɪd] *a* слабоу́мный.

feed I [fiːd] **1.** *n* 1) пита́ние, кормле́ние; 2) пи́ща; оби́льная еда́; 3) корм, фура́ж; 4) по́рция, да́ча (*ко́рма*); 5) *уст.* па́стбище, вы́гон; out at ~ на подно́жном корму́; 6) *тех.* пода́ча материа́ла, пита́ние; по́данный материа́л; ◇ to be off one's ~ не име́ть аппети́та;

2. *v* (fed) 1) пита́ть(ся); корми́ть(ся); 2) пасти́(сь); задава́ть корм; 3) подде́рживать; снабжа́ть то́пливом, водо́й, сырьём (*маши́ну*; into, to); □ ~ down испо́льзовать (*зе́млю как па́стбище*); ~ on, ~ upon пита́ть(ся) чем-л.; ~ up отка́рмливать, уси́ленно пита́ть; I am fed up *разг.* сыт по го́рло, с меня́ хва́тит, надое́ло.

feed II [fiːd] *past и p. p. от* fee 2.

feed-back ['fiːd,bæk] *n* 1) *радио* обра́тная связь; 2) *эл.* обра́тное пита́ние.

feeder ['fiːdə] *n* 1) едо́к; a large (*или* gross) ~ обжо́ра; he is a quick ~ он ест о́чень бы́стро; 2) прито́к (*реки́; тж. перен.*); кана́л; 3) = feeding-bottle; 4) де́тский нагру́дник; 5) корму́шка; 6) *эл.* фи́дер; 7) *тех.* пита́тель, подаю́щий механи́зм; 8) *ж.-д.* ве́тка.

feeding-bottle ['fiːdɪŋ,bɔtl] *n* де́тский рожо́к.

feeding crop ['fiːdɪŋkrɔp] *n с.-х.* кормова́я культу́ра.

feed-pipe ['fiːdpaɪp] *n тех.* пита́тельная труба́.

feed-pump ['fiːdpʌmp] *n тех.* пита́тельный насо́с.

feed-screw ['fiːdskruː] *n тех.* ходово́й винт, подаю́щий червя́к (*или* шнек).

feed-tank ['fiːdtæŋk] *n* резервуа́р пита́ющей воды́, расхо́дный бак.

feed-trough ['fiːdtrɔf] = feed-tank.

fee-faw-fum ['fiː'fɔː'fʌm] **1.** *int воскли*ца́ние людое́да в англ. ска́зках;

2. *n* смехотво́рная угро́за.

feel [fiːl] **1.** *v* (felt) 1) чу́вствовать; 2) ощу́пывать; to ~ the edge of a knife про́бовать ле́звие ножа́; to ~ the pulse of smb. щу́пать чей-л. пульс; *перен.* стара́ться вы́яснить чьи-л. жела́ния, наме́рения *и т. п.*; прощу́пывать; 3) ощуща́ть, о́стро *или* то́нко воспринима́ть, быть чувстви́тельным (*к чему́-л.*); пережива́ть; to ~ the heat (the cold) быть чувстви́тельным к жаре́ (к хо́лоду); to ~ beauty (poetry) чу́вствовать красоту́ (поэ́зию); to ~ a friend's death пережива́ть смерть дру́га; the ship ~s her helm су́дно слу́шается руля́; 4) *глаго́л-связка в составно́м именно́м сказуе́мом:* а) чу́вствовать себя́; I ~ hot (cold) мне жа́рко (хо́лодно); to ~ fine (bad) чу́вствовать себя́ прекра́сно (пло́хо); to ~ low чу́вствовать себя́ пода́вленным; to ~ quite oneself опра́виться, прийти́ в себя́;

to ~ angry сердиться; to ~ certain быть уверенным; 6) давать ощущение; your hand ~s cold у вас холодная рука; velvet ~s soft бархат мягок на ощупь; 5): to ~ one's way пробираться ощупью; *перен.* действовать осторожно, нащупывать почву; выяснять обстановку; 6) полагать, считать; I ~ it my duty я считаю это своим долгом; to ~ bound to say быть вынужденным сказать; 7) предчувствовать; 8) *воен.* производить разведку; □ ~ about нащупывать (for); а) сочувствовать; 6) нащупывать; ~ up to быть в состоянии; ~ with разделять (чьё-л.) чувство; сочувствовать; ◇ to ~ like (eating *etc.*) быть склонным (поесть *и т. п.*); to ~ like putting smb. on *амер.* иметь желание помочь кому-л.; it ~s like rain вероятно, будет дождь; to ~ strongly about испытывать чувство возмущения, быть против; to ~ one's feet (*или* legs) почувствовать почву под ногами; быть уверенным в себе; to ~ in one's bones быть совершенно уверенным;

2. *n* 1) осязание; ощущение; cold to the ~ холодный на ощупь; the cool ~ of smth. ощущение холода от прикосновения чего-л. *или* к чему-л.; by ~ на ощупь; 2) чутьё; вкус.

feeler ['fiːlə] *n* 1) *зоол.* щупальце; усик; 2) проба, пробный шар; 3) *воен.* орган разведки; 4) разведчик; ◇ to send out a ~ зондировать почву.

feeling ['fiːliŋ] 1. *pres. p. от* feel 1; 2. *n* 1) чувство, ощущение, сознание; ~ of safety сознание безопасности; to appeal to smb.'s better ~s взывать к лучшим чувствам кого-л.; стараться разжалобить кого-л.; 2) эмоция, волнение; чувство; ~ ran high страсти разгорелись; to hurt smb.'s ~s обидеть кого-л.; to relieve one's ~s отвести душу; 3) отношение, настроение; (*часто pl*) взгляд; the general ~ was against him общее настроение было против него; good ~ доброжелательность; ill ~ враждебность; 4) тонкое восприятие (*искусства, красоты*); 5) ощущение, впечатление; bad ~ плохое впечатление; 3. *a* 1) чувствительный; 2) прочувствованный; 3) полный сочувствия.

feelingly ['fiːliŋli] *adv* с чувством, с жаром.

feet [fiːt] *pl от* foot 1.

feeze [fiːz] 1. *n амер. разг.* тревога; 2. *v диал., разг.* 1) беспокоить; 2) бить.

feign [fein] *v* 1) притворяться, симулировать; to ~ indifference притворяться безразличным; 2) выдумывать; придумывать; to ~ an excuse придумывать оправдание.

feigned [feind] 1. *p. p. от* feign; 2. *a* 1) притворный; 2): ~ column *архит.* ложная колонна.

feigningly ['feiniŋli] *adv* притворно.

feint I [feint] 1. *n* 1) притворство; to make a ~ of doing smth. притворяться делающим что-л.; 2) ложный выпад, финта; манёвр для отвлечения внимания противника;

2. *v* сделать манёвр для отвлечения внимания противника (at, upon, against).

feint II [feint] = faint 2, 3).

feist [faist] *n амер. разг.* собачонка.

feldspar ['feldspɑː] *n мин.* полевой шпат.

felicitate [fi'lisiteit] *v* 1) поздравлять (on—c); желать счастья; 2) *редк.* осчастливливать.

felicitation [fi,lisi'teiʃən] *n* (*обыкн. pl*) поздравление.

felicitous [fi'lisitəs] *a* удачный, уместный, счастливый; ~ remark меткое замечание.

felicity [fi'lisiti] *n* 1) счастье; блаженство; 2) счастливое умение (*писать, рисовать и т. п.*); ~ of phrase способность находить удачные выражения; красноречие; 3) удачность, меткость (*выражения*); 4) *редк.* благосостояние.

feline ['fiːlain] 1. *n зоол.* животное из семейства кошачьих;

2. *a* 1) *зоол.* кошачий; 2) по-кошачьи хитрый *или* злобный; ~ amenities *шутл.* скрытые колкости.

fell I [fel] *n* шкура (*тж. перен.*); ~ of hair космы волос.

fell II [fel] *n сев.* 1) гора (*в названиях*); 2) пустынная болотистая местность (*на севере Англии*).

fell III [fel] *a поэт.* жестокий, свирепый, беспощадный.

fell IV [fel] 1. *v* 1) (с)рубить, валить (*дерево*); 2) сбить с ног; 3) запошивать (*шов*);

2. *n* количество срубленного леса.

fell V [fel] *past от* fall 2.

fella ['felə] *sl. см.* fellow 2).

fellah ['felə] *араб. n* (*pl* fellaheen, -ahs [-əz]) феллах.

fellaheen [felə'hiːn] *pl от* fellah.

feller ['felə] *sl. см.* fellow 2).

felling ['feliŋ] 1. *pres. p. от* fell IV, 1; 2. *n* рубка, валка (*леса*).

felloe ['felou] *n* обод (*колеса*); косяк.

fellow ['felou] *n* 1) товарищ, собрат; ~ citizen согражданин; ~ creature ближний; ~ soldier товарищ по оружию; a ~ in misery товарищ по несчастью; 2) (*обыкн. the* ~) *разг.* человек; парень; a good ~ славный малый; my dear ~ дорогой мой; old ~ старина, дружище; poor ~ бедняга, бедняжка; 3) парная вещь; пара; I shall never find his ~ я никогда не найду равного ему; 4) член совета колледжа; стипендиат, занимающийся исследовательской работой; 5) член научного общества.

fellow-countryman ['felou'kʌntrimən] *n* соотечественник, земляк.

fellow-feeling ['felou'fiːliŋ] *n* 1) сочувствие, симпатия; 2) общность взглядов *или* интересов.

fellowship ['felouʃip] *n* 1) товарищество, чувство товарищества; братство; good ~ чувство товарищества; корпорация; 3) звание члена совета колледжа; звание стипендиата, занимающегося исследовательской работой; 4) стипендия, выплачиваемая лицам, окончившим университет и ведущим при нём исследовательскую работу.

fellow-traveller ['felou'trævlə] n 1) спутник; попутчик; 2) полит. попутчик; сочувствующий.

felly ['felɪ] = felloe.

felo de se ['fiːloudɪ'siː] n (pl felones de se, felos de se) 1) самоубийца; 2) (тк. sing) самоубийство.

felon I ['felən] 1. n юр. уголовный преступник;
2. a поэт. преступный; жестокий; ~ deed жестокий поступок.

felon II ['felən] n ногтоеда.

felones de se ['felouniːzdɪ'siː] pl от felo de se.

felonious [fɪ'lounjəs] a юр. преступный.

felonry ['felənrɪ] n собир. преступные элементы.

felony ['felənɪ] n юр. уголовное преступление.

felos de se ['fiːlouzdɪ'siː] pl от felo de se.

felspar ['felspɑː] = feldspar.

felt I [felt] 1. n 1) войлок; фетр; 2) attr. войлочный; фетровый; ~ hat фетровая шляпа;
2. v 1) сбивать войлок; сбиваться в войлок; валять шерсть; 2) покрывать войлоком.

felt II [felt] past и p. p. от feel 1.

felucca [fe'lʌkə] n мор. фелюга, фелука.

female ['fiːmeɪl] n 1) женщина (часто пренебр.); 2) зоол. самка; матка; 3) бот. женская особь;
2. a 1) женского пола, женский; ~ child девочка; ~ insect насекомое-самка; ~ suffrage избирательное право для женщин; ~ weakness женская слабость; 2) тех. охватывающий, обнимающий; с внутренней нарезкой; ~ screw гайка; гаечная резьба.

feme [fiːm] n юр.: ~ covert замужняя женщина; ~ sole девушка; вдова; замужняя женщина с независимым состоянием.

feminality [ˌfemɪ'nælɪtɪ] n 1) женственность; 2) pl женские черты.

femineity [ˌfemɪ'niːɪtɪ] n 1) женственность; 2) женоподобность.

feminine ['femɪnɪn] a 1) женский, свойственный женщинам; ~ gender грам. женский род; ~ rhyme прос. женская рифма; 2) женственный.

femininity [ˌfemɪ'nɪnɪtɪ] n 1) женственность; 2) собир. женский пол.

feminism ['femɪnɪzəm] n феминизм.

feminist ['femɪnɪst] n феминист.

feminize ['femɪnaɪz] v делать(ся) женственным, изнеживать(ся).

femora ['femərə] pl от femur.

femoral ['femərəl] a анат. бедренный.

femur ['fiːmə] n (pl -s [-z], femora) анат. бедро.

fen I [fen] n болото, топь, фен; the ~s болотистая местность в Кэмбриджшире и Линкольншире.

fen II [fen] = fain II.

fence [fens] 1. n 1) забор, изгородь, ограда, ограждение; green (wire) ~ живая (проволочная) изгородь; 2) фехтование; master of ~ искусный фехтовальщик; перен. искусный спорщик; 3) укрыватель

или скупщик краденого; 4) притон для укрывания краденого; 5) тех. направляющий угольник; 6) attr.: ~ roof навес; ◇ to mend one's ~s амер. а) полит. усиливать свои личные политические позиции; б) разг. стараться установить хорошие, дружеские отношения; to be (или to sit) on the ~ занимать нейтральную или выжидательную позицию; держаться выжидательного образа действий; колебаться между двумя мнениями или решениями;
2. v 1) фехтовать; to ~ with a question уклоняться от ответа; парировать вопрос вопросом; 2) огораживать; загораживать; защищать; 3) запрещать охоту и рыбную ловлю (на каком-л. участке); 4) брать препятствие (о лошади); 5) укрывать краденое; продавать краденое; □ ~ about, ~ in окружать, ограждать; ~ off, ~ out отражать, отгонять; ~ round ~ about.

fenceless ['fenslɪs] a 1) неогороженный; открытый; 2) поэт. незащищённый, беззащитный.

fence-month ['fensmʌnθ] n время года, когда охота запрещена.

fencer ['fensə] n 1) фехтовальщик; 2) лошадь, участвующая в скачках с препятствиями.

fence-season, fence-time ['fens,siːzn, 'fenstaɪm] = fence-month.

fencible ['fensɪbl] n ист. солдат, несущий службу только на родине; ополченец.

fencing ['fensɪŋ] 1. pres. p. от fence 2;
2. n 1) огораживание; ограждение; 2) изгородь, забор, ограда; материал для изгородей; 3) фехтование; 4) укрывательство краденого.

fencing-cully ['fensɪŋ,kʌlɪ] n укрыватель или скупщик краденого.

fencing-ken ['fensɪŋken] n притон для хранения краденого.

fend [fend] v (сокр. от defend) отражать, отгонять; парировать (обыкн. ~ off, ~ away, ~ from); ◇ to ~ for oneself кое-как перебиваться; заботиться о себе.

fender ['fendə] n 1) каминная решётка; 2) предохранительная решётка (впереди трамвая или паровоза); 3) крыло (автомобиля); 4) мор. кранец.

fen-fire ['fenfaɪə] n блуждающий огонёк.

Fenian ['fiːnjən] ист. 1. n фений (член тайного общества, боровшегося за освобождение Ирландии от английского владычества);
2. a фенианский.

fenianism ['fiːnjənɪzəm] n ист. фенианство.

fennel ['fenl] n фенхель (сладкий укроп).

fenny ['fenɪ] a болотистый; болотный.

fen-runners ['fen,rʌnəz] n род коньков.

fens [fenz] = fain II.

fenugreek ['fenjugriːk] n пожитник, шамбала (бобовая мелкосеменная культура).

feoff [fef] = fief.

feoffee [fe'fiː] n ист. владелец лена, ленник.

feoffer ['fefə] = feoffor.

feoffment ['fefmənt] n ист. пожалование ленным поместьем.

feoffor [fe'fɔː] *n ucm.* тот, кто жалует лен.

ferae naturae ['fɪəriːnə'tjuəriː] *лат. a predic.* неприручённый, дикий.

feral I ['fɪərəl] *a* 1) дикий; неприручённый; 2) одичавший; полевой (*о растениях*); 3) грубый, нецивилизованный.

feral II ['fɪərəl] *a* 1) похоронный; 2) роковой, смертельный.

feretory ['ferɪtərɪ] *n* 1) рака; гробница; склеп; 2) похоронные дроги.

ferial ['fɪərɪəl] *a* будний, не праздничный.

ferine ['fɪəraɪn] = **feral** I.

Feringhee [fə'rɪŋɡɪ] *n англо-инд.* европеец; *особ.* португалец, родившийся в Индии.

ferity ['ferɪtɪ] *n* дикое *или* нецивилизованное состояние, дикость.

ferment 1. *n* ['fəːment] 1) закваска, фермент; 2) *хим.* брожение; 3) возбуждение, брожение, волнение;
2. *v* [fəː'ment] 1) вызывать брожение; 2) *хим.* бродить; 3) волновать(ся), возбуждать(ся); 4) выхаживать(ся) (*о пиве*).

fermentable [fəː'mentəbl] *a* приводимый в брожение; способный приходить в брожение; способный производить брожение.

fermentation [ˌfəːmen'teɪʃən] *n* 1) брожение, ферментация; 2) волнение, возбуждение.

fermentative [fəː'mentətɪv] *a* возбуждающий брожение, бродильный.

fern [fəːn] *n бот.* щитовник, папоротник (мужской).

fernery ['fəːnərɪ] *n* место, заросшее папоротником.

fern-owl ['fəːnaul] *n* козодой (обыкновенный) (*птица*).

ferny ['fəːnɪ] *a* 1) поросший папоротником; 2) папоротниковидный.

ferocious [fə'rouʃəs] *a* 1) дикий; 2) жестокий, свирепый; 3) *разг.* ужасный, сильный; ~ heat страшная жара.

ferocity [fə'rɔsɪtɪ] *n* 1) дикость; 2) свирепость, жестокость.

ferrate ['fereɪt] *n* феррат, соль железной кислоты.

ferrel ['ferəl] = **ferrule**.

ferreous ['ferɪəs] = **ferrous**.

ferret I ['ferɪt] **1.** *n* хорёк;
2. *v* 1) охотиться с хорьком (*особ.* to go ~ing); выгонять из норы (*обыкн.* ~ away, ~ out); 2) разнюхивать; рыться, шарить, выискивать (for, about) [*ср. тж.* ~ out]; □ ~ out вынюхивать; разведывать, разыскивать [*ср. тж.* 2)].

ferret II ['ferɪt] *n* плотная бумажная *или* шёлковая тесьма.

ferriage ['ferɪdʒ] *n* 1) перевоз, переправа; 2) плата за переправу.

ferric ['ferɪk] *a хим. обозначает соединения окиси железа:* ~ acid железная кислота (H_2FeO_4).

ferriferous [fe'rɪfərəs] *a* содержащий железо, железистый.

Ferris wheel ['ferɪsˌwiːl] *n* 1) чёртово колесо; 2) аттракцион «колесо обозрения».

ferro-alloy ['ferou,ælɔɪ] *n* ферросплав, железный сплав.

ferro-concrete ['ferou'kɔŋkriːt] *n* железобетон.

ferro-magnetic ['ferouˈmæɡ'netɪk] *a* ферромагнитный.

ferrotype ['feroutaɪp] *n фото* ферротипия.

ferrous ['ferəs] *a хим.* железистый; ~ metals чёрные металлы.

ferruginous [fe'ruːdʒɪnəs] *a* 1) содержащий железо, железистый; 2) ржавый; 3) цвета ржавчины; красновато-коричневый.

ferrule ['feruːl] *n* 1) металлический ободок *или* наконечник; обруч, муфта; 2) окружная *или* поясная железная дорога; 3) *воен.* запальная трубка.

ferry ['ferɪ] **1.** *n* 1) перевоз, переправа; 2) паром; 3) регулярная (военная) авиатранспортная служба; 4) *ав.* перегонка самолётов; ◇ Charon's ~ ладья Харона; to take the ~, to cross the Stygian ~ переправиться через Стикс, отправиться к праотцам;
2. *v* 1) перевозить (*на лодке, пароме*); 2) переезжать (*на лодке, пароме*); 3) перегонять (*самолёты*); 4) доставлять по воздуху.

ferry-boat ['ferɪbout] *n* паром, судно для перевоза через реку *и т. п.*.

ferry-bridge ['ferɪbrɪdʒ] *n ж.-д.* пароход-паром (*для перевозки целых поездов*).

ferryman ['ferɪmən] *n* перевозчик, паромщик.

ferry pilot ['ferɪˌpaɪlət] *n* лётчик, доставляющий самолёты с завода на аэродром.

fertile ['fəːtaɪl] *a* 1) плодородный; изобильный (*часто* ~ in, ~ of); ~ in resources изобилующий природными богатствами; 2) всхожий (*о семенах*); плодоносящий.

fertility [fəː'tɪlɪtɪ] *n* 1) плодородие; изобилие; 2) богатство (*фантазии и т. п.*).

fertilization [ˌfəːtɪlaɪ'zeɪʃən] *n* 1) удобрение (*почвы*); 2) *биол.* оплодотворение.

fertilize ['fəːtɪlaɪz] *v* 1) удобрять; 2) *биол.* оплодотворять.

fertilizer ['fəːtɪlaɪzə] *n* 1) удобрение; удобрительный тук; 2) *биол.* оплодотворитель.

ferula ['ferjuːlə] = **ferule**.

ferule ['feruːl] **1.** *n* линейка (*для наказания школьников*); to be under the ~ находиться под ферулой, быть под началом (*у кого-л.*);
2. *v* бить линейкой.

fervency ['fəːvənsɪ] *n* горячность, рвение.

fervent ['fəːvənt] *a* горячий, пылкий, пламенный; ~ desire пылкое желание.

fervid ['fəːvɪd] *a поэт.* горячий, пылкий.

fervour ['fəːvə] *n* 1) жар, пыл, страсть; рвение, усердие; 2) зной.

fescue ['feskjuː] *n* 1) указка; 2) *бот.* овсяница.

festal ['festl] *a* праздничный, весёлый.

fester ['festə] **1.** *n* 1) гноящаяся ранка; 2) нагноение;
2. *v* 1) гноиться (*о ранке*); вызывать нагноение; 2) глодать, мучить (*о зависти и т. п.*).

festival ['festəvəl] *n* празднество; фестиваль.

festive ['festɪv] a праздничный, весёлый.
festivity [fes'tɪvɪtɪ] n 1) весёлье; 2) pl празднества; торжества.
festoon [fes'tuːn] 1. n гирлянда; фестон; 2. v украшать гирляндами, фестонами.
fetch I [fetʃ] 1. v 1) сходить за кем-л.; принести; достать; to (go and) ~ a doctor привести врача; 2) приносить убитую дичь (о собаке); 3) вызывать (слёзы, кровь); 4) привлекать, нравиться, очаровывать; 5) достигать, добиваться (часто ~ up); 6) получать, выручать; to ~ a high price продавать за высокую цену; 7): to ~ one's breath перевести дух; to ~ a sigh тяжело вздохнуть; 8) разг. ударить; □ ~ away вырваться, освободиться; ~ down = bring down [см. bring]; ~ out выявлять; ~ up а) рвать, блевать; he ~es up его рвёт; б) нагонять, навёрстывать; в) останавливаться; г): to ~ up against smth. стукнуться обо что-л.; д) амер. довершать, заканчивать; ◇ to ~ up all standing внезапно остановиться; to ~ and carry прислуживать; to ~ and carry news распространять новости; to ~ a compass мор. совершить круг, идти кружным путём; 2. n хитрость, уловка.
fetch II [fetʃ] n привидение; двойник.
fetching ['fetʃɪŋ] 1. pres. p. от fetch I, 1; 2. a разг. привлекательный, очаровательный.
fête [feɪt] фр. 1. n 1) празднество, праздник; 2) именины; 2. v чествовать (кого-л.); праздновать.
fête champêtre [,feɪtʃɑːŋ'peɪtr] фр. n праздник на лоне природы, пикник.
fête-day ['feɪtdeɪ] = fête 1, 1).
fetich(e) ['fiːtɪʃ] = fetish.
fetid ['fetɪd] a зловонный, вонючий.
fetish ['fiːtɪʃ] n 1) фетиш; 2) амулет; 3) идол, кумир.
fetishism ['fiːtɪʃɪzəm] n фетишизм.
fetishist ['fiːtɪʃɪst] n фетишист.
fetlock ['fetlɔk] n щётка (волосы за копытом у лошади).
fetor ['fiːtə] n зловоние.
fetter ['fetə] 1. n 1) (обыкн. pl) путы; ножные кандалы; 2) pl оковы, узы; 2. v 1) сковывать, заковывать; 2) спутывать (лошадь); перен. связывать по рукам и ногам.
fetterless ['fetəlɪs] a свободный.
fetterlock ['fetəlɔk] n 1) путы для лошади; 2) непр. вм. fetlock.
fettle ['fetl] 1. n состояние, положение; in good ~ в хорошем виде; in fine (splendid) ~ в хорошем (прекрасном) настроении; 2. v чинить, поправлять; исправлять.
fetus ['fiːtəs] = foetus.
feud I [fjuːd] n длительная, часто наследственная, вражда; междоусобица; deadly ~ а) смертельная, непримиримая вражда; to be at (deadly) ~ with smb. смертельно враждовать, быть на ножах с кем-л.; б) кровная месть; to sink a ~ забыть вражду, помириться.
feud II [fjuːd] n ист. лен, феодальное поместье.

feudal ['fjuːdl] a феодальный, ленный; ~ lord феодал.
feudalism ['fjuːdəlɪzəm] n феодализм.
feudalist ['fjuːdəlɪst] n 1) феодал; 2) приверженец феодального строя.
feudality [fjuː'dælɪtɪ] n феодализм.
feudalize ['fjuːdəlaɪz] v 1) превращать в лен; 2) превращать в вассалов.
feudatory ['fjuːdətərɪ] 1. a вассальный, подчинённый; 2. n 1) феодальный вассал; 2) лен.
feu de joie [,fəːdə'ʒwɑː] фр. n салют в честь знаменательного события.
feuilleton ['fəːɪtɔːŋ] фр. n 1) подвал, статья из определённой серии (в газете); 2) фельетон.
fever ['fiːvə] 1. n 1) жар, лихорадка; brain ~ воспаление мозга; gold (или разг. yellow) ~ золотая лихорадка; 2) нервное возбуждение; mike ~ разг. страх перед микрофоном (у новичков, выступающих по радио); ◇ Channel ~ тоска по родине (об англичанах); 2. v вызывать жар, лихорадку; бросать в жар, лихорадить.
fevered ['fiːvəd] 1. p. p. от fever 2; 2. a лихорадочный; возбуждённый; ~ imagination пылкое воображение.
feverfew ['fiːvəfjuː] n бот. пиретрум девичий.
fever heat ['fiːvəhiːt] n мед. лихорадочный жар; перен. высшая точка напряжения.
feverish ['fiːvərɪʃ] a лихорадочный; возбуждённый, беспокойный.
feverous ['fiːvərəs] 1) способствующий повышению температуры; 2) = feverish.
fever therapy ['fiːvə'θerəpɪ] n мед. лихорадочная терапия, электропирексия.
few [fjuː] 1. a 1) немногие, немного, мало; he is a man of ~ words он немногословен; every ~ hours каждые несколько часов; his friends are ~ у него мало друзей; his visitors are ~ у него гости редки; 2) (а ~) несколько; quite a ~ порядочное число, довольно много; ◇ in ~ уст., in a ~ words кратко; в нескольких словах; ~ and far between отделённые большим промежутком времени; редкие; 2. n незначительное число; ~ could tell мало кто мог сказать; the ~ меньшинство; ◇ a good ~ разг. порядочное число; добрая половина; some ~ незначительное число, несколько, немного.
fewness ['fjuːnɪs] n немногочисленность.
fey [feɪ] a шотл. обречённый, умирающий.
fez [fez] n феска.
fiacre [fɪ'ɑːkə] n фиакр, наёмный экипаж.
fiancé [fɪ'ɑːnseɪ] фр. n жених.
fiancée [fɪ'ɑːnseɪ] фр. n невеста.
fiasco [fɪ'æskou] n (pl -os [-ouz]) провал, неудача, фиаско.
fiat ['faɪæt] лат. n 1) декрет, указ; 2) attr.: ~ money амер. бумажные деньги (не обеспеченные золотом).
fib I [fɪb] 1. n выдумка, неправда. 2. v выдумывать, привирать.
fib II [fɪb] спорт. sl. 1. n удар; 2. v сыпать удары, тузить.

fibber ['fɪbə] *n* выдумщик, враль.

fiber ['faɪbə] = fibre.

Fiberglass, fiberglass ['faɪbə,glɑːs] *n* волокно́ из стекла́.

fibre ['faɪbə] *n* 1) волокно́; фибра; нить; древе́сное волокно́; лы́ко, мочало; 2) *бот.* боково́й ко́рень; 3) склад, характер.

fibred ['faɪbəd] *a* волокни́стый (*гл. образом в сочетаниях, напр.,* finely-~ *и т. п.*).

fibril ['faɪbrɪl] *n* 1) *анат.* ме́лкое разветвле́ние волокна́ (*нерва*); 2) *бот.* мо́чка; 3) волоко́нце, фибри́лла.

fibrin ['faɪbrɪn] *n хим.* 1) фибри́н; 2) клейкови́на.

fibroid ['faɪbrɔɪd] 1. *n мед.* фибро́зная о́пухоль, фибро́ид;
2. *a* волокни́стый.

fibroin ['faɪbrɔɪn] *n хим.* фиброи́н.

fibroma [faɪ'broumə] *n* (*pl* -ta) *мед.* фибро́ма.

fibromata [faɪ'broumətə] *pl от* fibroma.

fibrous ['faɪbrəs] *a* волокни́стый, жи́листый, фибро́зный.

fibster ['fɪbstə] *n* лгуни́шка.

fibula ['fɪbjulə] *n* (*pl* -ae, -as [-əz]) *анат.* ма́лая берцо́вая кость.

fibulae ['fɪbjuliː] *pl от* fibula.

ficelle [fɪ'sel] *a* цве́та небелёной тка́ни, цве́та па́кли.

fichu ['fiːʃuː] *фр. n* фишю́, кружевна́я косы́нка.

fickle ['fɪkl] *a* непостоя́нный, переме́нчивый.

fickleness ['fɪklnɪs] *n* непостоя́нство, переме́нчивость.

fictile ['fɪktaɪl] *a* 1) гли́няный; 2) гонча́рный.

fiction ['fɪkʃən] *n* 1) вы́мысел, вы́думка, фи́кция; 2) беллетри́стика; худо́жественная литерату́ра; works of ~ рома́ны, по́вести.

fictional ['fɪkʃənl] *a* вы́мышленный *и пр.* [*см.* fiction].

fiction-monger ['fɪkʃən'mʌŋgə] *n* вы́думщик, враль; спле́тник.

fictitious [fɪk'tɪʃəs] *a* 1) вы́мышленный, вообража́емый; 2) фикти́вный; 3) взя́тый из рома́на.

fid [fɪd] *n* 1) клин, ко́лышек; 2) *мор.* сва́йка (*для рассучивания*); шла́гтов (*стеньги*); 3) *диал.* небольшо́й то́лстый кусо́к (*пищи*); 4) ку́ча, гру́да.

fiddle ['fɪdl] 1. *n* 1) *разг.* скри́пка; to play first ~ игра́ть пе́рвую скри́пку; занима́ть руководя́щее положе́ние; to play second ~ игра́ть втору́ю скри́пку; занима́ть второстепе́нное положе́ние; 2) *мор.* се́тка на столе́ (*чтобы вещи не падали во время качки*); ◇ a face as long as a ~ мра́чное лицо́; fit as a ~ в до́бром здоро́вье и хоро́шем настрое́нии;
2. *v* 1) игра́ть на скри́пке; 2) верте́ть в рука́х, игра́ть (with—*чем-л.*); 3) *sl.* обма́нывать; □ ~ about безде́льничать; шата́ться; ~ away прома́тывать, расточа́ть, растра́чивать.

fiddle-bow ['fɪdlbou] = fiddlestick 1.

fiddle-case ['fɪdlkeɪs] *n* футля́р для скри́пки.

fiddle-crab ['fɪdlkræb] = fiddler 2).

fiddle-de-dee ['fɪdlɪ'diː] 1. *n* чепуха́, безде́лица, ерунда́, вздор;
2. *int* вздор!, чепуха́!

fiddle-faddle ['fɪdl,fædl] 1. *n* пустяки́, глу́пости; болтовня́;
2. *a* пустя́чный, пустяко́вый;
3. *v* безде́льничать; болта́ть вздор;
4. *int* вздор!

fiddle-head ['fɪdlhed] *n мор.* резно́е украше́ние на носу́ корабля́.

fiddler ['fɪdlə] *n* 1) скрипа́ч (*особ. уличный*); 2) *зоол.* маня́щий краб.

fiddlestick ['fɪdlstɪk] 1. *n* смычо́к;
2. *int* (*обыкн.* ~s) вздор!, чепуха́!

fiddling ['fɪdlɪŋ] *разг. a* пусто́й; за́нятый пустяка́ми.

fidelity [fɪ'delɪtɪ] *n* 1) ве́рность, пре́данность, лоя́льность; 2) то́чность, пра́вильность.

fidget ['fɪdʒɪt] 1. *n* 1) (*часто* the ~s) беспоко́йное состоя́ние; не́рвные, суетли́вые движе́ния; 2) суетли́вый, беспоко́йный челове́к; непосе́да;
2. *v* 1) беспоко́йно дви́гаться, ёрзать (*часто* ~ about); to ~ with smth. игра́ть чем-л., не́рвно перебира́ть что-л.; don't ~! не ёрзай!; 2) быть в волне́нии, не быть в состоя́нии сосредото́чить внима́ние; 3) приводи́ть в беспоко́йное состоя́ние; нерви́ровать; it ~s me not to know where he is меня́ беспоко́ит то, что я не зна́ю, где он нахо́дится.

fidgety ['fɪdʒɪtɪ] *a* неугомо́нный, суетли́вый, беспоко́йный.

Fido ['faɪdou] *n* (*сокр. от* Fog Investigation Dispersal Operation) ме́тод рассе́ивания тума́на на аэродро́ме.

feducial [fɪ'djuːʃjəl] *a астр., топ.* при́нятый за осно́ву сравне́ния; ~ point отправна́я то́чка измере́ния.

fiduciary [fɪ'djuːʃjərɪ] 1. *n* попечи́тель, опеку́н;
2. *a* 1) дове́ренный, пору́ченный; 2) осно́ванный на обще́ственном дове́рии.

fie [faɪ] *int* фу!; тьфу!; ~ upon you!, ~, for shame! сты́дно!

fief [fiːf] *n ист.* феода́льное поме́стье, лен.

fie-fie ['faɪ,faɪ] *a* неприли́чный.

field [fiːld] 1. *n* 1) по́ле; луг; большо́е простра́нство; 2) о́бласть, сфе́ра де́ятельности, наблюде́ния; in the whole ~ of our history на всём протяже́нии на́шей исто́рии; 3) по́ле де́йствия; ~ of view, ~ of vision по́ле зре́ния; magnetic ~ магни́тное по́ле; 4) по́ле сраже́ния; сраже́ние; a hard-fought ~ серьёзное сраже́ние; in the ~ на войне́; в полевы́х усло́виях; Army in the F. де́йствующая а́рмия; to conquer the ~ одержа́ть побе́ду; *перен. тж.* взять верх в спо́ре; to enter the ~ вступа́ть в борьбу́; *перен. тж.* вступа́ть в соревнова́ние, вступа́ть в спор; to hold the ~ уде́рживать пози́ции; to keep (to take) the ~ продолжа́ть (начина́ть) сраже́ние; 5) *геральд.* фон, часть по́ля (*щита*); 6) фон, грунт (*картины и т. п.*); 7) спорти́вная площа́дка; 8) все уча́стники состязания *или* все, за исключением сильнейших; 9) *геол.* месторождение (*преим. в сложных словах, напр.*, diamond-fields; gold-fields); 10) *эл.* возбуждение (*тока*); 11) *attr.* полевой;

2. *v* отбивать мяч (*в крикете*).

field- [fiːld-] *в сложных словах означает* полевой; *напр.*: ~-mouse полевая мышь.

field-allowance ['fiːldə,lauəns] *n воен.* добавочное жалованье военного времени, полевые (деньги).

field-artillery ['fiːldɑːˈtɪlərɪ] *n воен.* (лёгкая) полевая артиллерия.

field court martial ['fiːld,kɔːt'mɑːʃəl] *n* военно-полевой суд.

field crops ['fiːldkrɔps] *n pl с.-х.* полевые культуры.

field-day ['fiːlddeɪ] *n* 1) *воен.* тактические занятия на местности; смотр войск; 2) день, посвящённый охоте, ботанизированию *и т. п.*; 3) *амер.* атлетические состязания на открытом воздухе; 4) памятный, знаменательный день.

field duty ['fiːld,djuːtɪ] *n* служба в действующей армии.

fielder ['fiːldə] = fieldsman.

field events ['fiːldɪˈvents] *n pl* состязания по толканию ядра, метанию копья *и т. п.*

fieldfare ['fiːldfeə] *n* дрозд-рябинник.

field-glass ['fiːldglɑːs] *n* 1) полевой бинокль; 2) окуляр телескопа *или* микроскопа.

field-gun ['fiːldgʌn] *n воен.* полевая пушка.

field hospital ['fiːld'hɔspɪtl] *n* полевой госпиталь.

Field Marshal ['fiːld'mɑːʃəl] *n* фельдмаршал.

field-mouse ['fiːldmaus] *n* полевая мышь.

field-night ['fiːldnaɪt] = field-day 4).

field-officer ['fiːld,ɔfɪsə] *n* штаб-офицер (*офицер, имеющий чин не ниже майора и не выше полковника*).

field-piece ['fiːldpiːs] *n воен.* полевое орудие.

fieldsman ['fiːldzmən] *n спорт.* игрок, который ловит мяч (*в крикете*).

field-sports ['fiːldspɔːts] *n* спортивные занятия на открытом воздухе; охота, стрельба, рыбная ловля.

field-work ['fiːldwəːk] *n* 1) работа в поле (*геолога и т. п.*); разведка, съёмка *и т. п.*; 2) *воен.* полевое укрепление; 3) *pl воен.* оборонительные сооружения.

fiend [fiːnd] *n* 1) дьявол; демон; 2) злодей, изверг; a very ~ настоящий (*или* сущий*) дьявол; 3) *разг.* человек, пристрастившийся к вредной привычке; drug (*или* dope) ~ наркоман; fresh-air ~ *шутл.* энтузиаст свежего воздуха.

fiendish ['fiːndɪʃ] *a* дьявольский, жестокий.

fierce [fɪəs] *a* 1) свирепый, лютый; 2) сильный (*о буре, жаре*); горячий; неистовый; 3) *амер. разг.* неприятный, болезненный.

fieri facias ['faɪəraɪ'feɪʃəs] *лат. n юр.* предписание шерифу покрыть взыскивае-

мую судом сумму из денег, вырученных от продажи имущества обвиняемого.

fiery ['faɪərɪ] *a* 1) огненный, пламенный; горящий; *перен.* жгучий, горячий, пламенный; ~ eyes огненный взор; 2) пылкий, вспыльчивый; 3) воспламеняющийся (*о газе*); 4) *горн.* газовый, газоносный; содержащий гремучий газ; ◊ ~ horse горячая лошадь.

fiesta [fjestɑː] *исп. n* праздник.

fife [faɪf] 1. *n* 1) дудка; маленькая флейта; 2) = fifer;

2. *v* играть на дудке.

fifer ['faɪfə] *n* флейтист; дудочник.

fifteen ['fɪf'tiːn] 1. *num. card.* пятнадцать;

2. *n спорт.* команда игроков в регби; ◊ the F. *ист.* восстание якобитов в 1715 г.

fifteenth ['fɪf'tiːnθ] 1. *num. ord.* пятнадцатый;

2. *n* 1) пятнадцатая часть; 2) (the ~) пятнадцатое число.

fifth [fɪfθ] 1. *num. ord.* пятый; ~ part пятая часть; ◊ ~ column пятая колонна, предатели внутри страны *или* организации; ~ wheel пятая спица в колеснице;

2. *n* 1) пятая часть; 2) (the ~) пятое число; 3) $1/5$ галлона (*единица измерения спиртных напитков*); 4) *муз.* квинта.

fifthly ['fɪfθlɪ] *adv* в-пятых.

fifties ['fɪftɪz] *n pl* 1) (the ~) пятидесятые годы; 2) шестой десяток (*возраст между 49 и 60 годами*).

fiftieth ['fɪftɪɪθ] 1. *num. ord.* пятидесятый;

2. *n* пятидесятая часть.

fifty ['fɪftɪ] 1. *num. card.* пятьдесят; ~-one пятьдесят один; ~-two пятьдесят два *и т. д.*; he is over ~ ему за пятьдесят;

2. *n* пятьдесят (*единиц, штук*).

fifty-fifty ['fɪftɪ'fɪftɪ] *adv* поровну; пополам; to go ~ делить поровну.

fig I [fɪg] *n* 1) винная ягода, инжир; 2) фиговое дерево; смоковница; 3) *разг.* шиш, фига; I don't care a ~ мне наплевать.

fig II [fɪg] 1. *n* 1) наряд; in full ~ в полном параде; в парадном костюме; в вечернем туалете; 2) состояние, настроение; in good ~ в хорошем состоянии;

2. *v* наряжать, украшать (*обыкн.* ~ out; ~ up).

fight [faɪt] 1. *n* 1) бой; running ~ отступление с боями; sham ~ учебный бой; 2) драка; 3) спор, борьба; to have the ~ of one's life выдержать тяжёлую борьбу; 4) задор, драчливость; to have plenty of ~ in one быть полным боевого задора; не сдаваться; to show ~ быть готовым к борьбе; не поддаваться; to be spoiling for a ~ лезть в драку;

2. *v* (fought) 1) драться, сражаться, воевать, бороться (against—против, for—за, with—c); to ~ for dear life драться отчаянно; сражаться не на живот, а на смерть; to ~ a battle провести бой; дать сражение; to ~ a duel драться на дуэли; 2) отстаивать, защищать; to ~ a case отстаивать дело (*в суде*); □ ~ **down** отбить, подавить; ~ **off** отбить, выгнать; ~ **out**: to ~ (it) out довести борьбу (*или*

fig — 380 — fil

спор) до конца; ◇ to ~ a lone hand боро́ться в одино́чку; to ~ one's way прокла́дывать себе́ доро́гу; to ~ shy of smb., of smth. избега́ть кого́-л., чего́-л.; to ~ one's battles over again вспомина́ть мину́вшие дни; to ~ for one's own hand отста́ивать свои́ интере́сы; постоя́ть за себя́.

fighter ['faɪtə] n 1) бое́ц; боре́ц; 2) ав. истреби́тель.

fighter pilot ['faɪtə'paɪlət] n лётчик--истреби́тель.

fighting ['faɪtɪŋ] 1. pres. p. om fight 2; 2. n бой, сраже́ние; дра́ка, борьба́; hand--to-hand ~ рукопа́шный бой; house-to--house ~ у́личные бои́; 3. a боево́й; ~ arm род войск: ~ machine ав. боева́я маши́на; самолёт-истреби́тель.

fig-leaf ['fɪglɪːf] n фи́говый лист.

figment ['fɪgmənt] n вы́мысел, фи́кция; плод воображе́ния.

fig-tree ['fɪgtrɪː] n фи́говое де́рево; смоко́вница; ◇ one's own vine and ~ свой дом, дома́шний оча́г; under one's own vine and ~ до́ма; в безопа́сности.

figurant ['fɪgjurənt] фр. n 1) арти́ст кордебале́та; 2) стати́ст.

figurante [,fɪgju'rãːnt] фр. n 1) арти́стка кордебале́та; 2) стати́стка.

figuration [,fɪgju'reɪʃən] n 1) вид, фо́рма, ко́нтур; 2) прида́ние фо́рмы, оформле́ние; 3) орнамента́ция.

figurative ['fɪgjurətɪv] a 1) фигура́льный, перено́сный; метафори́ческий; in a ~ sense в перено́сном смы́сле; ~ style о́бразный стиль; ~ writer писа́тель, ча́сто по́льзующийся мета́форами и т. п.; 2) изобрази́тельный, пласти́ческий, живопи́сный.

figure ['fɪgə] 1. n 1) фигу́ра; вне́шний вид; о́блик, о́браз; to keep one's ~ следи́ть за фигу́рой; ~ of fun сме́шная фигу́ра; 2) ли́чность, фигу́ра; a person of ~ выдаю́щаяся ли́чность; public ~ обще́ственный де́ятель; 3) изображе́ние, карти́на, ста́туя; 4) иллюстра́ция, рису́нок (в кни́ге); диагра́мма, чертёж; 5) геом. фигу́ра, те́ло; 6) ритори́ческая фигу́ра (мета́фора, сравне́ние, гипе́рбола и т. п.); ~ of speech a) ритори́ческая фигу́ра; б) преувеличе́ние, непра́вда; 7) синтакси́ческая фигу́ра (плеона́зм, зе́вгма и т. п.); 8) фигу́ра (в та́нце); 9) ци́фра; 10) pl арифме́тика; 11): high (low) ~ высо́кая (ни́зкая) цена́; ◇ to cut a poor ~ каза́ться жа́лким; to cut a ~ амер. имити́ровать; to cut no ~ не производи́ть никако́го впечатле́ния;

2. v 1) изобража́ть (графи́чески, диагра́ммой и т. п.); 2) представля́ть себе́ (ча́сто ~ to oneself); 3) фигури́ровать; игра́ть ви́дную роль; 4) служи́ть си́мволом, символизи́ровать; 5) украша́ть (фигу́рами); 6) обознача́ть ци́фрами; 7) расчи́тывать, исчисля́ть; ☐ ~ оn рассчи́тывать на; де́лать расчёты; ~ out a) вычисля́ть; б) понима́ть, постига́ть; ~ разга́дывать; ~ up подсчи́тывать.

figured ['fɪgəd] 1. p. p. om figure 2; 2. a фигу́рный; узо́рчатый; ~ silk узо́рчатый шёлк.

figure-head ['fɪgəhed] n 1) мор. носово́е украше́ние; 2) номина́льный нача́льник; 3) шутл. лицо́.

figure-of-eight ['fɪgərəv'eɪt] a име́ющий фо́рму восьмёрки.

figure-skater ['fɪgə,skeɪtə] n спорт. фигури́ст.

figure-skating ['fɪgə,skeɪtɪŋ] n фигу́рное ката́ние (на конька́х).

figure work ['fɪgəwəːk] n полигр. табли́чный набо́р.

figurine ['fɪgjurɪːn] n стату́этка.

fig-wort ['fɪg,wəːt] n бот. нори́чник.

filaceous [fɪ'leɪʃəs] a бот. волокни́стый.

filagree ['fɪləgrɪː] = filigree.

filament ['fɪləmənt] n 1) бот. нить; 2) эл. нить нака́ла; ~ lamp ла́мпа нака́ливания; 3) волокно́, волосо́к.

filamentary [,fɪlə'mentərɪ] a волокни́стый.

filamentous [,fɪlə'mentəs] a волокни́стый, состоя́щий из воло́кон.

filar ['faɪlə] a тех. филя́рный, ни́точный.

filature ['fɪlətʃə] n 1) пряде́ние; 2) пряди́льня, шёлкомота́льня.

filbert ['fɪlbət] n 1) лещи́на, фунду́к; америка́нский лесно́й оре́х; 2) оре́шник.

filch [fɪltʃ] v укра́сть, стащи́ть (ме́лочи).

file I [faɪl] 1. n 1) тех. напи́льник; 2) пи́лочка (для ногте́й); 3) отде́лка, полиро́вка; to need the ~ тре́бовать отде́лки; 4) огло́бля, ды́шло; 5) sl. ловка́ч; ◇ close ~ скря́га; old ~, deep ~ груб. продувна́я бе́стия, тёртый кала́ч;

2. v 1) пили́ть, подпи́ливать; 2) отде́лывать (стиль и т. п.); ☐ ~ away, ~ down, ~ off спи́ливать, обраба́тывать, отшлифо́вывать.

file II [faɪl] 1. n 1) регистра́тор (для бума́г); шпи́лька (для нака́лывания бума́г); 2) подши́тые бума́ги, де́ло; досье́; подши́вка (газе́т); 3) картоте́ка; 4) амер. представле́ние, пода́ча како́го-л. докуме́нта.

2. v 1) регистри́ровать и храни́ть (докуме́нты) в како́м-л. определённом поря́дке; 2) амер. представля́ть, подава́ть како́й-л. докуме́нт; to ~ a resignation пода́ть заявле́ние об отста́вке; 3) принима́ть зака́з к выполне́нию.

file III [faɪl] 1. n воен. 1) ряд; a ~ of men два бойца́; blank ~ непо́лный ряд; full ~ по́лный ряд; to march in ~ идти́ (в коло́нне) по́ два; in single ~, in Indian ~ гусько́м, по одному́; 2) attr.: ~ leader головно́й ря́да, головно́й коло́нны по одному́; ~ closer замыка́ющий;

2. v идти́ гусько́м; передвига́ть(ся) коло́нной; ☐ ~ away = off; ~ in входи́ть верени́цей; ~ off уходи́ть гусько́м, по одному́, по́ два; ~ out выходи́ть верени́цей.

file cabinet ['faɪl'kæbɪnət] = file II,1, 3).

file-cutter ['faɪl'kʌtə] n 1) насека́льщик напи́льников; 2) стано́к, насека́ющий напи́льники.

filial ['fɪljəl] 1. n филиа́л, ме́стное отделе́ние;

2. a сыно́вний, доче́рний.

filiation [ˌfɪlɪ'eɪʃ(ə)n] *n* 1) отношёние родствá, происхождёние (from—от); 2) усыновлёние; 3) ответвлёние, ветвь; филиáл; 4) образовáние филиáла, мéстного отделёния.

filibeg ['fɪlɪbeg] = kilt 1.

filibuster ['fɪlɪbʌstə] 1. *n* 1) флибустьёр, пирáт; 2) *полит.* обструкционист;
2. *v* 1) занимáться морским разбóем; 2) тормозить принятие закóна *или* решёния (*путём обструкции*).

filiform ['fɪlɪfɔːm] *a* нитевидный.

filigree ['fɪlɪgriː] *n* филигрáн.

filings ['faɪlɪŋz] *n pl* (металлические) опилки; стрýжка.

fill [fɪl] 1. *v* 1) наполнять(ся); sails ~ed with wind парусá надýлись; парусá, надýтые вéтром; 2) заполнять (*отверстия и т. п.*); заклáдывать; 3) пломбировáть (*зубы*); 4) заполнять собóй; to ~ the bill *разг.* соотвéтствовать назначéнию, подходить; 5) удовлетворять; насыщáть; 6) занимáть (*должность*); исполнять (*обязанности*); his place will not be easily ~ed егó не легкó заменить; 7) занимáть (*свободное время*); 8) исполнять, выполнять (*заказ, предписáние врачá и т. п.*); ☐ ~ in заполнять; to ~ in one's name вписáть своё имя; ~ out расширять(ся); наполнять(ся); his cheeks have ~ed out егó лицó пополнéло; б) *амер.* заполнять (*анкéту*); ~ up a) наполнять(ся); набивáть; заполнять (*вакáнсию*); б) возмещáть (*недостáющее*); to ~ up a form заполнять анкéту;
2. *n* 1) достáточное колйчество (*чего-л.*); a ~ of tobacco щепóтка табакý, достáточная, чтóбы набить трýбку; 2) сытость; to eat (to drink, to weep) one's ~ наéсться (напиться, наплáкаться) дóсыта; 3) *диал.*= file I, 1, 4); 4) *амер. ж.-д.* насыпь.

fill-dike ['fɪldaɪk] 1. *n* дождливый перйод, *часто* феврáль (*название дано в связи с тем, что в Англии в феврале дожди, тáющий снег наполняют канáвы и рвы*); February ~ феврáльские дожди;
2. *a* дождливый.

filler ['fɪlə] *n* 1) тот, кто *или* то, что наполняет *или* заполняет; 2) тáнкер, нефтеналивнóе сýдно; 3) заряд (*снаряда*); 4) *тех.* наливнóе отвéрстие.

fillet ['fɪlɪt] 1. *n* 1) лéнта *или* ýзкая повязка (*на гóлову*); ýзкая длинная лéнта из любóго материáла; 2) филé(й); 3) *тех., стр.* вáлик, ободóк; 4) *тех.* гáлтель, утолщéние, ребрó; заплéчик; 5) углублéние, желобóк; 6) *текст.* крóмка;
2. *v* 1) повязывать лéнтой *или* повязкой; 2) приготовлять филé из рыбы.

filling ['fɪlɪŋ] 1. *pres. p. от* fill 1;
2. *n* 1) наполнéние; 2) погрýзка; насыпка; 3) залйвка, запрáвка горючим; 4) насыпь; 5) плóмба (*в зýбе*); 6) набивка, проклáдка; шпаклёвка; 7) *текст.* утóк; 8) фарш, начинка; 9) заряд (*снаряда*); 10) *стр.* торкретирование; 11) *attr.* служащий для заполнéния, запрáвки, залйвки *и т. п.*; ~ station *амер.* бензиновая колóнка, бензозапрáвочный пункт.

fillip ['fɪlɪp] 1. *n* 1) щелчóк; 2) толчóк; 3) стимул; 4) пустяк;
2. *v* 1) щёлкнуть, дать щелчóк; 2) подтолкнýть, помóчь; to ~ one's memory напóмнить.

fillister ['fɪlɪstə] *n тех.* фальцóвка, калёвка, фальцгýбель.

filly ['fɪlɪ] *n* 1) молодáя кобыла; 2) живáя, весёлая дéвушка.

film [fɪlm] 1. *n* 1) плёнка; лёгкий слой (*чего-л.*); оболóчка; перепóнка; 2) фотоплёнка, киноплёнка, плёнка; 3) фильм; (*часто pl*) кинó; 4) фотослóй; 5) лёгкий тумáн; дымка; 6) тóнкая нить; 7) *attr.* кино-;
2. *v* 1) покрывáть(ся) плёнкой, оболóчкой; 2) снимáть, производить киносъёмку; экранизйровать (*ромáн и т. п.*).

filmize ['fɪlmaɪz] *v* экранизйровать.

filmland ['fɪlmlænd] *n* мир кинó.

film star ['fɪlmstɑː] *n* кинозвездá.

film test ['fɪlmtest] *n* кинопрóба бýдущего актёра *или* актрисы.

filmy ['fɪlmɪ] *a* 1) плёнчатый, покрытый плёнкой; 2) тумáнный; 3) тóнкий, как паутинка.

filoselle [ˌfɪlə'sel] *n* шёлк-сырéц.

filter ['fɪltə] 1. *n* фильтр; цедилка;
2. *v* 1) фильтровáть, процéживать; 2) просáчиваться, проникáть; 3) *хим.* перколировать.

filter-bed ['fɪltəbed] *n тех.* фильтрýющий слой.

filter-tipped ['fɪltə,tɪpt] *a*: ~ cigarette сигарéта с фильтром-наконéчником.

filth [fɪlθ] *n* 1) грязь; отбрóсы; 2) непристóйность; мéрзость; разврáт; 3) сквернослóвие.

filthy ['fɪlθɪ] *a* 1) грязный; 2) отвратительный, мéрзкий; ~ lucre *шутл.* презрéнный метáлл; 3) развращённый; непристóйный.

filtrate 1. *n* ['fɪltrɪt] очищенная жидкость, фильтрáт;
2. *v* ['fɪltreɪt] фильтровáть.

filtration [fɪl'treɪʃ(ə)n] *n* фильтровáние, фильтрáция.

Fin [fɪn] = Finn.

fin [fɪn] 1. *n* 1) плавник (*рыбы*); 2) *sl.* рукá; 3) *ав.* киль, плавник, вертикáльный стабилизáтор; 4) *тех.* ребрó; заусéнец;
2. *v* обрезáть плавники.

finable ['faɪnəbl] *a* облагáемый штрáфом, пéней.

final ['faɪnl] 1. *a* 1) конéчный, заключительный; ~ cause конéчная цель; the ~ chapter послéдняя главá; ~ age спéлость (*леса для рýбки*); 2) окончáтельный, решáющий; to give a ~ touch окончáтельно отдéлать; is that ~? э́то послéднее слóво?, э́то окончáтельно?; 3) целевóй; ~ clause *грам.* предложéние цéли;
2. *n* 1) решáющая игрá в мáтче; послéдний заéзд в скáчках, гóнках *и т. п.*; 2) (*тж. pl*) выпускнóй экзáмен; 3) *разг.* послéдний выпуск газéты.

finale [fɪ'nɑːlɪ] *ит. n муз., лит.* финáл, заключéние.

finality [faɪ'nælɪtɪ] *n* 1) закóнченность; окончáтельность; with an air of ~ с такйм ви́дом, что всё решено́ (*или* что все разгово́ры ко́нчены); 2) заключи́тельное де́йствие, выска́зывание; 3) *филос.* телеологи́зм.

finalize ['faɪnəlaɪz] *v* 1) заверша́ть, зака́нчивать; 2) придава́ть оконча́тельную фо́рму; 3) *спорт.* вы́йти в фина́л.

finally ['faɪnəlɪ] *adv* 1) в заключе́ние; 2) в коне́чном счёте, в конце́ концо́в; 3) оконча́тельно.

finance [faɪ'næns] 1. *n* 1) *pl* фина́нсы, дохо́ды; 2) управле́ние фина́нсами; 3) фина́нсовая нау́ка.
2. *v* 1) финанси́ровать; 2) занима́ться фина́нсовыми опера́циями.

financial [faɪ'nænʃəl] *a* фина́нсовый; ~ year отчётный год.

financier 1. *n* [faɪ'nænsɪə] финанси́ст; 2. *v* [fɪnæn'sɪə] 1) вести́ фина́нсовые опера́ции (*обыкн. презр.*); 2) *амер.* обма́нывать, надува́ть.

fin-back ['fɪnbæk] *n зоол.* кит-полоса́тик.

finch [fɪntʃ] *n название многих певчих птиц, преим.* зя́блик.

find [faɪnd] 1. *v* (found) 1) находи́ть; встреча́ть; признава́ть; обнару́живать; to ~ no sense не ви́деть смы́сла; to ~ oneself найти́ своё призва́ние; обрести́ себя́; 2) убежда́ться, приходи́ть к заключе́нию; счита́ть; I ~ it necessary я счита́ю э́то необходи́мым; 3) обрести́; получи́ть, доби́ться; to ~ smb.'s favour сниска́ть чью-л. ми́лость; to ~ one's account in smth. убеди́ться в вы́годе чего́-л.; получи́ть вы́году от чего́-л.; 4) снабжа́ть; обеспе́чивать; they ~ him in clothes они́ его́ одева́ют; all found на всём гото́вом; £ 100 a year and all found 100 фу́нтов (сте́рлингов) в год на всём гото́вом; £ 2 a week and ~ yourself 2 фу́нта (сте́рлингов) в неде́лю на свои́х харча́х; 5) *юр.* устана́вливать; выноси́ть реше́ние; to ~ smb. guilty призна́ть кого́-л. вино́вным; 6) *мат.* вычисля́ть; 7) *охот.* подня́ть (*зверя*); 8) *воен.* выделя́ть, выставля́ть; □ ~ out узнава́ть, разузнава́ть, выясня́ть; понима́ть, открыва́ть (*обман, тайну*); разга́дывать (*загадку*); ◇ how do you ~ yourself? как вы себя́ чу́вствуете? как пожива́ете? to ~ one's way до дойти́ до, дости́гнуть; прибы́ть в; to ~ one's way home добра́ться домо́й; how did it ~ its way into print? как э́то попа́ло в печа́ть?;
2. *n* 1) нахо́дка; a great ~ це́нная нахо́дка; 2) обнаруже́ние зве́ря; a sure ~ *охот.* местонахожде́ние зве́ря.

finder ['faɪndə] *n тех.* иска́тель.

finding ['faɪndɪŋ] 1. *pres. p. от* find 1;
2. *n* 1) нахо́дка; обнаруже́ние; 2) реше́ние (*присяжных*); пригово́р (*суда́*); *pl* вы́воды (*комиссии*); 3) прикла́д (*для платья и т. п.*); фурниту́ра; shoe ~s мазь, шнурки́ *и пр.* для о́буви; 4) определе́ние (*местонахождения*), ориента́ция, ориенти́ровка; 5) *pl* полу́ченные да́нные, добы́тые све́дения.

fine I [faɪn] 1. *n* пе́ня, штраф;
2. *v* штрафова́ть, налага́ть пе́ню, штраф.

fine II [faɪn] *n:* in ~ в о́бщем, сло́вом, вкра́тце; наконе́ц; в заключе́ние; в ито́ге.

fine III [faɪn] 1. *a* 1) то́нкий, утончённый, изя́щный; высо́кий, возвы́шенный (*о чувствах*); ~ skin не́жная ко́жа; a ~ distinction то́нкое разли́чие; ~ intellect утончённый ум; ~ lady изя́щная, све́тская же́нщина; a ~ lady! *разг. ирон.* что за (*или* ну и) ба́рыня!; ~ point, ~ question тру́дный, делика́тный вопро́с; 2) хоро́ший; прекра́сный, превосхо́дный (*часто ирон.*); to have a ~ time *разг.* хорошо́ провести́ вре́мя; a ~ friend you are! *ирон.* хоро́ш друг!; ~ income изря́дный дохо́д; 3) высо́кого ка́чества; очи́щенный, рафини́рованный; высокопро́бный; gold 22 carats ~ зо́лото 88-й про́бы; 4) то́чный; ~ mechanics то́чная меха́ника; 5) я́сный, хоро́ший, сухо́й (*о погоде*); ~ air здоро́вый во́здух; one ~ day одна́жды, в оди́н прекра́сный день; one of these ~ days в оди́н прекра́сный день (*о будущем*); когда́-нибудь; 6) блестя́щий, наря́дный; ~ feathers наря́дное пла́тье; 7) о́стрый; ~ edge о́строе ле́звие; to talk ~ говори́ть остроу́мно ;8) ме́лкий; ~ sand ме́лкий песо́к; 9) густо́й (*о сети и т. п.*); ◇ the F. Arts изобрази́тельные иску́сства; ≈ feathers make ~ birds *посл.* ≅ оде́жда кра́сит челове́ка; 2. *adv* изя́щно, то́нко; прекра́сно; that will suit me ~ э́то мне как раз подойдёт; ◇ to cut it too ~ дать сли́шком ма́ло (*особ. времени*);
3. *n* хоро́шая, я́сная пого́да.
4. *v* де́лать(ся) прозра́чным, очища́ть(ся) (*тж.* ~ down); □ ~ away, ~ down, ~ off де́лать(ся) изя́щнее, то́ньше; уменьша́ться, сокраща́ться.

fine-draw ['faɪn'drɔː] *v* (fine-drew; fine-drawn) 1) сшива́ть незаме́тным швом; штукова́ть; 2) волочи́ть то́нкие сорта́ (*проволоки*).

fine-drawn ['faɪn'drɔːn] 1. *p. p. от* fine-draw;
2. *a* 1) сши́тый незаме́тным швом; 2) о́чень то́нкий; то́нкого волоче́ния (*о проволоке*); 3) иску́сный; 4) *спорт.* сведённый до ми́нимума (*о весе борца и т. п.*).

fine-drew ['faɪn'druː] *past от* fine-draw.

fine-fleece ['faɪn'fliːs] *a* тонкору́нный.

fine-grained ['faɪn'greɪnd] *a* мелкозерни́стый.

fineless ['faɪnlɪs] *a редк.* безграни́чный, бесконе́чный.

finely-fibred ['faɪnlɪ'faɪbəd] *a* тонково́локни́стый.

fineness ['faɪnnɪs] *n* 1) то́нкость, изя́щество *и пр.* [*см.* fine III, 1]; 2) острота́ (*чувств*); 3) высокопро́бность; 4) мелкозерни́стость; величина́ зерна́; 5) *ав.* аэродинами́ческое ка́чество; 6) *тех.* ка́чество отде́лки.

finery I ['faɪnərɪ] *n* пы́шный наря́д, пы́шное украше́ние, убра́нство.

finery II ['faɪnərɪ] *n тех.* кри́чный горн.

fine-spun ['faɪn'spʌn] *a* 1) то́нкий (*о ткани*); 2) хитроспле́тённый; 3) ша́ткий (*о теории и т. п.*).

finesse [fɪ'nes] *фр.* 1. *n* 1) то́нкость; иску́сность; 2) ухищре́ние, ло́вкий приём; хи́трость;
2. *v* де́йствовать иску́сно *или* хитро́.

finestill ['faɪnstɪl] *v* перегонять (*спирт*), дистиллировать.

finger ['fɪŋgə] **1.** *n* 1) палец (*руки, перчатки*); my ~s itch *перен.* у меня руки чешутся; by a ~s breadth еле-еле; to lay (*или* to put) a ~ on smb. тронуть кого-л.; I had not laid a ~ on him я его и пальцем не тронул; to let slip through the ~s упустить из рук; 2) *тех.* палец, штифт; 3) стрелка (*часов*); указатель (*на шкале*); ◇ to lay (*или* to put) one's ~ on smth. a) точно указать что-л.; б) ≅ попасть в точку; правильно понять, установить что-л.; to turn (*или* to twist) smb. round one's (little) ~ обвести кого-л. вокруг пальца; to snap one's ~s at игнорировать, плевать на *кого-л., что-л.*; with a wet ~ с лёгкостью; his ~s are all thumbs он очень неловок, неуклюж; his ~s turned to thumbs пальцы его одеревенели; to have a ~ in smth. участвовать в чём-л.; вмешиваться во что-л.; he has a ~ in the pie ≅ у него рыльце в пушку; он замешан в этом деле.

2. *v* 1) трогать, перебирать пальцами (*часто* ~ over); 2) брать (*взятки*); воровать; 3) *муз.* указывать аппликатуру.

finger-alphabet ['fɪŋgər‚ælfəbɪt] *n* азбука глухонемых.

finger-board ['fɪŋgəbɔːd] *n* гриф; клавиатура.

finger-bowl ['fɪŋgəboul] *n* небольшая чашка (*для споласкивания пальцев после десерта*).

finger-ends ['fɪŋgərendz] *n pl* кончики пальцев; ◇ to have at one's ~ знать как свой пять пальцев; to arrive at one's ~ а) ≅ дойти до ручки; впасть в нищету; б) исчерпать все возможности.

finger-fish ['fɪŋgəfɪʃ] *n зоол.* морская звезда.

finger-flower ['fɪŋgə‚flauə] *n бот.* наперстянка.

finger-glass ['fɪŋgəglɑːs] = finger-bowl.

finger-hole ['fɪŋgəhoul] *n* боковое отверстие, клапан (*в духовом инструменте*).

fingering I ['fɪŋgərɪŋ] **1.** *pres. p. от* finger 2;

2. *n* 1) прикосновение пальцев; 2) *муз.* игра на инструменте; 3) *муз.* аппликатура, пальцовка.

fingering II ['fɪŋgərɪŋ] *n* тонкая шерсть (*для чулок*).

finger-language ['fɪŋgə‚læŋgwɪdʒ] = finger-alphabet.

finger-mark ['fɪŋgəmɑːk] **1.** *n* 1) пятно от пальца; 2) дактилоскопический отпечаток.

2. *v* захватать грязными пальцами.

finger-plate ['fɪŋgəpleɪt] *n* пластинка, защищающая дверную обвязку от загрязнения пальцами.

finger-post ['fɪŋgəpoust] *n* столб с указанием пути.

finger-print ['fɪŋgəprɪnt] = finger-mark 1, 2).

fingerprint ['fɪŋgəprɪnt] *v* снимать отпечатки пальцев.

finger-stall ['fɪŋgəstɔːl] *n* напалок, напальчник.

finial ['faɪnɪəl] *n архит.* шпиц, шпиль.

finical ['fɪnɪkəl] *a* 1) разборчивый; мелочно требовательный (*о человеке*); 2) жеманный, аффектированный; 3) чересчур отшлифованный, отделанный; перегруженный изысканными деталями.

finicking, finicky, finikin ['fɪnɪkɪŋ, -kɪ, -kɪn]= finical.

fining I ['faɪnɪŋ] *pres. p. от* fine I, 2.

fining II ['faɪnɪŋ] **1.** *pres. p. от* fine III, 4; 2. *n* очистка, рафинирование.

finis ['faɪnɪs] *лат. n (тк. sing)* 1) конец (*пишется в конце книги*); 2) конец жизни.

finish ['fɪnɪʃ] **1.** *n* 1) окончание; конец; *спорт.* финиш; to be in at the ~ присутствовать на последнем этапе (*соревнований, дебатов и т. п.*); *перен.* ≅ прийти к шапочному разбору; to fight to the ~ биться до конца; 2) законченность; отделка; to lack ~ быть неотделанным; 3)*текст.* аппретура;

2. *v* 1) кончать(ся); заканчивать; завершать; 2) отделывать (*тж.* ~ off); сглаживать, выравнивать; 3) доедать, допивать (*до конца; тж.* ~ up); 4) прикончить, убить (*тж.* ~ off); 5) до крайности изнурять; the long march has quite ~ed the troops длинный переход обессилил войска.

finished ['fɪnɪʃt] **1.** *p. p. от* finish 2; 2. *a* законченный; отделанный; обработанный; ~ goods готовые изделия; ~ manners лощёные манеры; ~ gentleman настоящий джентльмен.

finisher ['fɪnɪʃə] *n* 1) *текст.* аппретурщик; 2) *тех.* всякое приспособление для окончательной отделки; 3) *разг.* решающий довод, удар; 4) финишер (*дорожная машина*).

finishing ['fɪnɪʃɪŋ] **1.** *pres. p. от* finish 2; 2. *n текст.* аппретура; отделка.

3. *a* завершающий; to give (*или* to put) ~ touches (to) заканчивать, отделывать, делать последние штрихи.

finite ['faɪnaɪt] *a* 1) ограниченный, имеющий предел; 2) *грам.* личный (*о глаголе*).

fink [fɪŋk] *n амер. sl.* штрейкбрехер; шпион предпринимателя.

Finn [fɪn] *n* финн.

finnan ['fɪnən] *n* копчёная на торфе пикша (*тж.* ~ haddock).

Finnic ['fɪnɪk] *a* финский.

Finnish ['fɪnɪʃ] **1.** *a* финский;

2. *n* финский язык.

Finno-Ugrian ['fɪnou'juːgrɪən] *a* угро-финский.

finny ['fɪnɪ] *a* 1) имеющий плавники; 2) богатый рыбой.

fiord [fjɔːd] *норв. n* фьорд.

fir [fəː] *n бот.* 1) пихта; *распр.* ель; Scotch F. сосна; Silver F. пихта; 2) еловое дерево; 3) хвойный лес, бор.

fir-cone ['fəːkoun] *n* еловая шишка.

fire ['faɪə] **1.** *n* 1) огонь, пламя; to strike ~ высечь огонь; electric ~ электрическая печь *или* камин; gas ~ газовая плита *или* камин; it is too warm for ~s слишком тепло, чтобы топить; to light the ~ затопить печку; to make up the ~ затопить печку; to nurse the ~ поддерживать огонь; to stir the ~ помешать

в пе́чке; 2) пожа́р; to catch (*или* to take) ~ загоре́ться; to be on ~ горе́ть; *перен.* быть в возбужде́нии; to set ~ to smth., to set smth. on ~, *амер.* to set a ~ поджига́ть что-л.; 3) пыл, воодушевле́ние; *поэт.* вдохнове́ние; 4) свече́ние; 5) жар, лихора́дка; 6) *воен.* ого́нь, стрельба́; to be under ~ подверга́ться обстре́лу; *перен.* служи́ть мише́нью напа́док; to miss ~ дать осе́чку; to stand ~ выде́рживать ого́нь проти́вника (*тж. перен.*); running ~ бе́глый ого́нь; *перен.* град крити́ческих замеча́ний;
2. *v* 1) зажига́ть, поджига́ть; to ~ a house подже́чь дом; 2) воспламеня́ть(ся); 3) топи́ть (*печь*); 4) загора́ться; 5) воодушевля́ть; возбужда́ть; 6) обжига́ть (*кирпичи*); суши́ть (*чай и т. п.*); 7) вет. прижига́ть (*калёным желе́зом*); 8) красне́ть; 9) стреля́ть, пали́ть, вести́ ого́нь (at, on, upon); to ~ a mine взрыва́ть ми́ну; 10) *разг.* увольня́ть; □ ~ away начина́ть; ~ away! *разг.* валя́й!, начина́й!, жари!; ~ off дать вы́стрел; *перен.* вы́палить (*замеча́ние и т. п.*); ~ out *разг.* выгоня́ть; увольня́ть; ~ up вспыли́ть.

fire-alarm [ˈfaɪərəˌlɑːm] *n* 1) пожа́рная трево́га; 2) автомати́ческий пожа́рный сигна́л.

fire-arm [ˈfaɪərɑːm] *n* (*обыкн. pl*) огнестре́льное ору́жие.

fire-ball [ˈfaɪəbɔːl] *n* 1) метео́р; 2) шарови́дная мо́лния; 3) *ист.* зажига́тельное ядро́.

fire-bar [ˈfaɪəbɑː] *n тех.* колосни́к.

fire-bomb [ˈfaɪəbɔm] *n* зажига́тельная бо́мба.

fire-box [ˈfaɪəbɔks] *n тех.* то́почная коро́бка; огнево́е простра́нство то́пки.

fire-brand [ˈfaɪəbrænd] *n* 1) головня́ (*обгоре́лое поле́но*); 2) зачи́нщик, подстрека́тель; смутья́н.

fire-brick [ˈfaɪəbrɪk] *n* огнеупо́рный кирпи́ч.

fire-bridge [ˈfaɪəbrɪdʒ] *n тех.* пла́менный поро́г; то́почный поро́г.

fire-brigade [ˈfaɪəbrɪˌgeɪd] *n* пожа́рная кома́нда.

fire-bug [ˈfaɪəbʌg] *n* 1) *зоол.* светля́к; 2) *амер. разг.* поджига́тель.

fire-clay [ˈfaɪəkleɪ] *n* огнеупо́рная гли́на.

fire-cock [ˈfaɪəkɔk] *n* пожа́рный кран.

fire-company [ˈfaɪəˌkʌmpənɪ] *n* 1) пожа́рная кома́нда; 2) о́бщество страхова́ния от огня́.

fire-control [ˈfaɪəkənˌtroul] *n* 1) *воен.* управле́ние огнём; 2) *лес.* борьба́ с лесны́ми пожа́рами; 3) *тех.* контро́ль, регули́рование горе́ния (*в то́пке*).

fire-damp [ˈfaɪədæmp] *n* руднично́й газ, грему́чий газ.

fire department [ˈfaɪədɪˈpɑːtmənt] *n амер.* пожа́рное депо́.

fire-dog [ˈfaɪəˌdɔg] = andiron.

fire-door [ˈfaɪədɔː] *n тех.* то́почная две́рца.

fire-eater [ˈfaɪərˌiːtə] *n* 1) пожира́тель огня́ (*о фо́куснике*); 2) дуэли́ст, брете́р; драчу́н.

fire-engine [ˈfaɪərˌendʒɪn] *n* 1) пожа́рная маши́на; 2) *attr.*: ~ red я́рко-кра́сный цвет.

fire-escape [ˈfaɪərɪsˌkeɪp] *n* пожа́рная ле́стница, пожа́рный вы́ход.

fire-extinguisher [ˈfaɪərɪksˌtɪŋgwɪʃə] *n* огнетуши́тель.

fire-eyed [ˈfaɪərˌaɪd] *a поэт.* с горя́щим взо́ром.

fire fighter [ˈfaɪəˌfaɪtə] *n амер.* 1) пожа́рный, пожа́рник; 2) пожа́рник-доброво́лец.

fire-fly [ˈfaɪəflaɪ] *n* светля́к (*лета́ющий*).

fire-glass [ˈfaɪəglɑːs] *n* решётчатое око́шечко пе́чи.

fire-grate [ˈfaɪəgreɪt] *n тех.* колоснико́вая решётка.

fire-guard [ˈfaɪəgɑːd] *n* 1) ками́нная решётка; 2) уча́стник противопожа́рной охра́ны.

fire-hose [ˈfaɪəhouz] *n* пожа́рный рука́в *или* шланг.

fire-insurance [ˈfaɪərɪnˌʃuərəns] *n* страхова́ние от огня́.

fire-irons [ˈfaɪərˌaɪənz] *n pl* ками́нный прибо́р.

fire-light [ˈfaɪəlaɪt] *n* свет от ками́на.

fire-lighter [ˈfaɪəˌlaɪtə] *n* расто́пка.

firelock [ˈfaɪəlɔk] *n* 1) кремнёвое ружьё; 2) кремнёвый руже́йный замо́к.

fireman [ˈfaɪəmən] *n* 1) пожа́рный; 2) кочега́р.

fire-nest [ˈfaɪənest] *n воен.* огнева́я то́чка.

fire-office [ˈfaɪərˈɔfɪs] *n* о́бщество страхова́ния от огня́.

fire-pan [ˈfaɪəpæn] *n* жаро́вня.

fire-place [ˈfaɪəpleɪs] *n* 1) ками́н, оча́г, 2) горн.

fire-plug [ˈfaɪəplʌg] *n* пожа́рный кран, гидра́нт.

fire-policy [ˈfaɪəˌpɔlɪsɪ] *n* по́лис (*страхова́ния от огня́*).

fire-power [ˈfaɪəˌpauə] *n воен.* огнева́я мощь.

fireproof [ˈfaɪəpruːf] *a* огнеупо́рный.

fire pump [ˈfaɪəpʌmp] *n* пожа́рный насо́с.

fire-raising [ˈfaɪəˌreɪzɪŋ] *n* поджо́г.

fire-screen [ˈfaɪəskriːn] *n* ками́нный экра́н.

fire-ship [ˈfaɪəʃɪp] *n мор. ист.* бра́ндер.

fireside [ˈfaɪəsaɪd] *n* 1) ме́сто о́коло ками́на; by the ~ у камелька́; 2) дома́шний оча́г, семе́йная жизнь.

fire-squad [ˈfaɪəskwɔd] *n* противопожа́рная брига́да.

fire-step [ˈfaɪəstep] *n воен.* стрелко́вая ступе́нь, банке́т (*в око́пе*).

fire-truck [ˈfaɪətrʌk] *n амер.* пожа́рная маши́на.

fire wall [ˈfaɪəwɔl] *n* брандма́уер.

fire-warden [ˈfaɪəˌwɔːdn] *n* заве́дующий охра́ной лесо́в от пожа́ров.

fire-watcher [ˈfaɪəˌwɔtʃə] = fire-guard 2).

fire-water [ˈfaɪəˌwɔːtə] *n шутл.* «о́гненная вода́» (*во́дка и т. п.*).

firewood [ˈfaɪəwud] *n* дрова́.

firework [ˈfaɪəwəːk] = fireworks 1).

fireworker [ˈfaɪə,wəːkə] *n* пиротéхник.

fireworks [ˈfaɪəwəːks] *n pl* 1) фейервéрк; 2) блеск умá, остроýмия *и т. п.*

fire-worship [ˈfaɪə,wəːʃɪp] *n* огнепоклóнничество.

firing [ˈfaɪərɪŋ] 1. *pres. p. om* fire 2; 2. *n* 1) стрельбá; произвóдство вы́стрела *или* взры́ва; cease ~! прекратúть огóнь!; 2) тóпливо; 3) сжигáние тóплива, отоплéнпе; 4) растáпливание; 5) óбжиг; 6) *вет.* прижигáние; 7) *горн.* палéние шпýров.

firing ground [ˈfaɪərɪŋ,graund] *n* стрéльбище, полигóн.

firing-line [ˈfaɪərɪŋlaɪn] *n воен.* боевáя лúния; лúния огня́.

firing-step [ˈfaɪərɪŋstep] = fire-step.

firkin [ˈfəːkɪn] *n* мáленький бочóнок (*вмещáет прибл. 8—9 галлонов*).

firm I [fəːm] *n* фúрма, торгóвый дом; ◇ long ~ компáния мошéнников.

firm II [fəːm] 1. *a* 1) крéпкий, твёрдый; ~ ground сýша; to be on ~ ground чýвствовать твёрдую пóчву под ногáми; чýвствовать себя́ увéренно; 2) устóйчивый, стóйкий, непоколебúмый; ~ step твёрдая пóступь; ~ prices устóйчивые цéны; (as) ~ as a rock твёрдый *или* неподвúжный как скалá; 3) решúтельный; настóйчивый; ~ measures решúтельные мéры; 2. *adv* твёрдо, крéпко; 3. *v* укрепля́ть(ся); уплотня́ть(ся); to ~ the ground *или* after planting утрамбовáть зéмлю пóсле посáдки растéний.

firmament [ˈfəːməmənt] *n* небéсный свод.

firman [fəːˈmɑːn] *перс. n* фирмáн (*указ султáна или шаха*); разрешéние; пáспорт.

fir-needle [ˈfəː,niːdl] *n* елóвая *или* соснóвая иглá, хвоя́.

firry [ˈfəːrɪ] *a* елóвый; заросший пúхтами, еля́ми.

first [fəːst] 1. *num. ord.* пéрвый; ~ form пéрвый класс (*в школе*); ~ пате úмя (*в отлúчие от фамúлии*); at ~ sight с пéрвого взгля́да, срáзу; 2. *a* 1) пéрвый; рáнний; ~ thing пéрвым дóлгом; to come ~ прийтú пéрвым; in the ~ place спервá; прéжде всегó; в пéрвую óчередь; 2) пéрвый, выдаю́щийся; значúтельный; the ~ scholar of his day сáмый выдаю́щийся учёный своегó врéмени; ~ violin пéрвая скрúпка; ◇ F. Commoner спúкер (*в палáте общин до 1919 г.*); F. Lord of the Admiralty пéрвый лорд адмиралтéйства (*воéнно-морскóй минúстр Áнглии*); F. Sea Lord пéрвый морскóй лорд, начáльник морскóго штáба (*Áнглии*); ~ water чистéйшей воды́ (*о бриллиáнтах*); 3. *n* 1) начáло; at ~ спервá; from the ~ с сáмого начáла; from ~ to last с начáла до концá; 2) (the ~) пéрвое числó; 3) *pl* товáры вы́сшего кáчества; 4. *adv* 1) сперва́, снача́ла; ~ of all прéжде всегó; 2) впервы́е; I ~ met him last year впервы́е я егó встрéтил в прóшлом годý; 3) скорéе, предпочтúтельно; ◇ ~ and last в óбщем и цéлом; ~, last and all the time *амер.* решúтельно и бесповорóтно; раз и навсегдá; ~ or last рáно úли пóздно; ~ and foremost в пéрвую óчередь.

first aid [ˈfəːstˈeɪd] *n* 1) пéрвая пóмощь, скóрая пóмощь; 2) *тех.* аварúйный ремóнт.

first-aid [ˈfəːstˈeɪd] *a:* ~ kit *амер. воен.* санитáрная сýмка.

first-born [ˈfəːstbɔːn] *n* пéрвенец.

first-chop [ˈfəːstˈtʃɔp] *a разг.* первосóртный.

first class [ˈfəːstˈklɑːs] *n* пéрвый класс; вы́сший сорт.

first-class [ˈfəːstˈklɑːs] 1. *a* первоклáссный; to feel ~ великолéпно себя́ чýвствовать; 2. *adv* 1) *разг.* превосхóдно; 2): to travel ~ éхать в пéрвом клáссе, пéрвым клáссом.

first cost [ˈfəːstkɔst] *n* произвóдственная себестóимость.

first-cousin [ˈfəːstˈkʌzn] *n* двою́родный брат; двою́родная сестрá.

first-day [ˈfəːstdeɪ] *n* воскресéнье (*выраж. квáкеров*).

first-foot [ˈfəːstˌfut] *n сев.* пéрвый гость в Нóвом годý.

first-fruits [ˈfəːstfruːts] *n pl* пéрвые плоды́.

first-hand [ˈfəːstˈhænd] 1. *a* полýченный из пéрвых рук; 2. *adv* из пéрвых рук.

firstling [ˈfəːstlɪŋ] *n* (*обыкн. pl*) пéрвые плоды́; 2) пéрвенец (*у живóтных*).

firstly [ˈfəːstlɪ] *adv* во-пéрвых.

first-magnitude [ˈfəːstˈmægnɪtjuːd] *a астр.* пéрвой величины́ (*о звезде́; тж. перен.*).

first-night [ˈfəːstnaɪt] *n* премьéра, пéрвое представлéние.

first-nighter [,fəːstˈnaɪtə] *n разг.* постоя́нный посетúтель театрáльных премьéр.

first-rate [ˈfəːstˈreɪt] 1. *a* первоклáссный; первостепéнной вáжности *или* значéния; the ~ Powers крупнéйшие держáвы; 2. *adv разг.* прекрáсно.

firth [fəːθ] *n сев.* ýзкий морскóй залúв; лимáн; ýстье рекú.

fir-tree [ˈfəːtriː] = fir 1).

fisc [fɪsk] *n* 1) *ист.* фиск; 2) *шотл.* госудáрственная казнá.

fiscal [ˈfɪskəl] *a* 1) фискáльный; 2) финáнсовый; ~ year финáнсовый год.

fish I [fɪʃ] 1. *n* 1) (*pl чáсто без измéн.*) ры́ба; *распр. тж.* крáбы, ýстрицы; 2) *пренебр.:* cool ~ нахáл, наглéц; odd (*или* queer) ~ чудáк; poor ~ никудышный человéк, человéк без инициатúвы *и т. п.*; 3) (the F. *или* Fishes) Ры́бы (*созвéздие и знак зодиáка*); 4) *attr.* ры́бный; ◇ all's ~ that comes to his net *посл.* ≅ дóброму вóру всё впóру; он ничéм не брéзгует; to feed the ~es *разг.* а) утонýть; б) страдáть морскóй болéзнью; to have other ~ to fry имéть другúе делá; to make ~ of one and flesh of another относúться к лю́дям нерóвно, пристрáстно; a pretty kettle of ~! *разг.* ≅ весéленькая истóрия!; хорóшенькое дéло!; ~ story «охóтничий расскáз»; преувелúченный расскáз; neither ~, flesh, nor fowl (*или* good red herring) ни ры́ба ни мя́со; ни тó ни сё; 2. *v* 1) ловúть *или* удúть ры́бу; 2): to ~ the anchor *мор.* поднимáть я́корь; □ ~ for а) искáть в водé (*жéмчуг и т. п.*); б) выу́живать (*секре́ты*); **и**) напра́шиваться, набива́ться; **to ~ for compliments** (for an invitation) напра́шиваться **на** компли́менты (на приглаше́ние); **~ out** а) доста-ва́ть; выта́скивать (*из кармана*); б) вы-у́живать, выпы́тывать (*секреты*); **~ up** выта́скивать (*из воды*).

fish II [fıʃ] **1.** *n* 1) *мор.* фишта́ли; шка́ло (*у мачты*); 2) = fish-plate;
2. *v тех.* соединя́ть накла́дкой; скреп-ля́ть сты́ком.

fish III [fıʃ] *n* фи́шка.

fishbolt ['fıʃboult] *n тех.*, *ж.-д.* стыко-во́й болт.

fisher I ['fıʃə] *n* 1) *уст.* рыба́к; рыболо́в; 2) рыба́чья ло́дка.

fisher II ['fıʃə] *n уст.* *sl.* банкно́т в 1 фунт сте́рлингов.

fisherman ['fıʃəmən] *n* рыба́к, рыболо́в.

fishery ['fıʃərı] *n* 1) рыболо́вство; ры́б-ный про́мысел; 2) ры́бные места́; то́ня; 3) *юр.* пра́во ры́бной ло́вли.

fish-fork ['fıʃfɔːk] *n* острога́.

fish-gig ['fıʃgıg] = fizgig 3).

fish-glue ['fıʃgluː] *n* ры́бий клей.

fish-hook ['fıʃhuk] *n* рыболо́вный крю-чо́к.

fishing ['fıʃıŋ] **1.** *pres. p. от* fish I, 2;
2. *n* 1) ры́бная ло́вля; 2) пра́во ры́бной ло́вли; 3) **=** fishery 2).

fishing-line ['fıʃıŋlaın] *n* лёса.

fishing-rod ['fıʃıŋrɔd] *n* уди́лище.

fishing-tackle ['fıʃıŋˌtækl] *n* рыболо́в-ные сна́сти.

fish-kettle ['fıʃˌketl] *n* котёл для ва́рки ры́бы.

fish-knife ['fıʃnaıf] *n* нож для ры́бы.

fishmonger ['fıʃˌmʌŋgə] *n* торго́вец ры́-бой.

fish-plate ['fıʃpleıt] *n ж.-д.*, *тех.* сты-кова́я накла́дка.

fish-pond ['fıʃpɔnd] *n* 1) пруд для раз-веде́ния ры́бы, садо́к; 2) *шутл.* мо́ре.

fish-pot ['fıʃpɔt] *n* ве́рша (*для крабов, угрей*).

fish-slice ['fıʃslaıs] *n* нож для разреза́-ния ры́бы.

fish-tackle ['fıʃˌtækl] *n* рыболо́вные при-надле́жности.

fish-tail ['fıʃteıl] **1.** *n* ры́бий хвост;
2. *a* име́ющий фо́рму ры́бьего хвоста́;
~ wind ве́тер, ча́сто меня́ющий направле́-ние.

fishwife ['fıʃwaıf] *n* торго́вка ры́бой.

fishy ['fıʃı] *a* 1) ры́бный; ры́бий; **~ eye** ту́склый взгляд; 2) изоби́лующий ры́бой; 3) с ры́бным привкусом; 4) *разг.* подозри́-тельный, сомни́тельный; **~ tale** неправдо-подо́бная исто́рия.

fisk [fısk] = fisc.

fissile ['fısaıl] *a* расщепля́ющийся, рас-ка́лывающийся пласта́ми; сланцева́тый.

fission ['fıʃən] **1.** *n* 1) расщепле́ние, раз-деле́ние; 2) *хим.*, *физ.* расщепле́ние, де-ле́ние а́томного ядра́ при цепно́й реа́кции; 3) *биол.* размноже́ние путём деле́ния кле́-ток;
2. *v* расщепля́ться и пр. [*см.* 1].

fissionable ['fıʃnəbl] *a* спосо́бный к я́дер-ному распа́ду; **~ materials** расщепля́е-мые материа́лы.

fissure ['fıʃə] *n* 1) тре́щина, расще́лина; изло́м; 2) *анат.* борозда́ (*мозга*); 3) *мед.* тре́щина; надло́м (*кости*).

fist [fıst] **1.** *n* 1) кула́к; 2) *разг.* рука́; **give us your ~** да́йте ва́шу ру́ку; 3) *шутл.* по́черк; **he writes a good ~** у него́ хоро́ший по́черк; 4) указа́тельный знак в ви́де изо-браже́ния па́льца руки́; ◇ **he made a bet-ter ~ of it** де́ло у него́ пошло́ лу́чше; **he made a poor ~ of it** де́ло ему́ не удало́сь;
2. *v* 1) уда́рить кулако́м; 2) *преим. мор.* зажима́ть в руке́ (*весло и т. п.*).

fistic(al) ['fıstık(əl)] *a шутл.* кула́чный.

fisticuff ['fıstıkʌf] **1.** *n* 1) уда́р кулако́м; 2) *pl* кула́чный бой;
2. *v* дра́ться в кула́чном бою.

fistula ['fıstjulə] *n мед.* фи́стула, свищ.

fit I [fıt] *n* 1) припа́док, парокси́зм, при́-ступ; **fainting ~** о́бморок; **~ of apoplexy** апопле́ксия, уда́р; 2) *pl* су́дороги, конву́ль-сии; истери́я; **to laugh oneself into ~s** хохота́ть до упа́ду; **to scream oneself into ~s** ≅ отча́янно вопи́ть; 3) поры́в, настрое́-ние; **a ~ of energy** прили́в сил; **he writes his book when the ~ is on him** он пи́шет свою́ кни́гу, когда́ быва́ет в соотве́тствую-щем настрое́нии; ◇ **to give smb. a ~** (*или* **~s**) *разг.* порази́ть, возмути́ть, оскорби́ть кого́-л.; **to knock** (*или* **to beat**) **smb. into ~s** по́лностью победи́ть, разби́ть кого́-л.; **by ~s and starts** поры́вами, уры́вками.

fit II [fıt] **1.** *n* 1) *тех.* приго́нка, поса́дка; 2): **to be a good (bad) ~** хорошо́ (пло́хо) сиде́ть (*о платье и т. п.*);
2. *a* 1) го́дный, подходя́щий; соотве́тствую-щий; приспосо́бленный; **~ time and place** надлежа́щее вре́мя и ме́сто; 2) досто́йный; подоба́ющий; **I am not ~ to be seen** я не могу́ показа́ться; **it is not ~** не подоба́ет; **do as you think ~** де́лайте, как счита́ете ну́жным; 3) гото́вый, спосо́бный; **~ to die of shame** гото́вый умере́ть со стыда́; **I am ~ for another mile** я могу́ пройти́ ещё ми́-лю; 4) в хоро́шем состоя́нии, в хоро́шей фо́рме (*о спортсмене*); си́льный, здоро́-вый; **to feel** (*или* **to keep**) **~** быть бо́дрым и здоро́вым; ◇ **(as) ~ as a fiddle** соверше́н-но здоро́в; в прекра́сном настрое́нии; как нельзя́ лу́чше;
3. *v* 1) соотве́тствовать, годи́ться, быть впо́ру; совпада́ть, то́чно соотве́тствовать; **the coat ~s well** пальто́ сиди́т хорошо́; 2) прила́живать(ся); приспоса́бливать(ся); **to ~ oneself to new duties** пригото́виться к исполне́нию но́вых обя́занностей; 3) устана́вливать, монти́ровать; 4) снабжа́ть (**with**); 5) *амер.* подготавливать (*к поступ-ле́нию в университе́т*); ☐ **~ in** а) приспо-са́бливать(ся); приноравливать(ся); под-ходи́ть; б) вставля́ть; в) подгоня́ть, вти́-скивать; **~ on** примеря́ть, пригоня́ть; **~ out** снаряжа́ть, снабжа́ть необходи́мым, экипирова́ть(ся); **~ up** а) гото́вить; б) снаб-жа́ть; оснаща́ть; **the hotel is ~ted up with all modern conveniences** гости́ница име́ет все (совреме́нные) удо́бства; в) собира́ть,

монти́ровать; ◇ to ~ like a glove быть как раз впо́ру; to ~ the bill отвеча́ть всем тре́бованиям.

fitch [fɪʧ] *n* 1) хорько́вый мех; 2) щётка, кисть из воло́с хорька́.

fitchew [ˈfɪʧuː] *n* 1) хорёк; 2) = fitch 1).

fitful [ˈfɪtful] *a* су́дорожный; перемежа́ющийся, преры́вистый; ~ energy проявля́ющаяся вспы́шками эне́ргия; ~ gleams мерца́ющий свет; ~ wind поры́вистый ве́тер.

fitment [ˈfɪtmənt] *n* 1) предме́т обстано́вки; 2) (*обыкн. pl*) армату́ра; обору́дование.

fitness [ˈfɪtnɪs] *n* (при)го́дность, соотве́тствие.

fit-out [ˈfɪtaut] *n разг.* снаряже́ние; обмундирова́ние; обору́дование.

fittage [ˈfɪtɪʤ] *n* накладны́е расхо́ды (*по снаряже́нию, обору́дованию*).

fitter [ˈfɪtə] *n* 1) сле́сарь-монта́жник, монтёр, сбо́рщик; 2) тот, кто приспособля́ет, прила́живает *что-л.* (*напр.*, портно́й, примеря́ющий пла́тье).

fitting [ˈfɪtɪŋ] 1. *pres. p. от* fit II, 3; 2. *n* 1) приго́нка, прила́живание; приме́рка; 2) устано́вка, сбо́рка, монта́ж; 3) *pl тех.* фи́тинги; гарниту́ра; 4) *pl эл.* освети́тельные прибо́ры;
3. *a* подходя́щий, го́дный, надлежа́щий.

fitting-room [ˈfɪtɪŋrum] *n* приме́рочная.

fitting-shop [ˈfɪtɪŋʃɔp] *n* 1) сбо́рочная мастерска́я; 2) монта́жный цех.

five [faɪv] 1. *num. card.* пять;
2. *n* 1) пятёрка; 2) *pl* пя́тый но́мер (*разме́р перча́ток, о́буви и т. п.*); 3) бума́жка в пять фу́нтов *или* в пять до́лларов; спорти́вная кома́нда из пяти́ челове́к (*в баскетбо́ле, крике́те*); ◇ a bunch of ~s *разг.* рука́.

five-day [ˈfaɪvˈdeɪ] *a* пятидне́вный.

five-finger [ˈfaɪvˌfɪŋgə] *n* 1) *бот.* = cinquefoil 1); 2) *зоол.* морска́я звезда́; 3) *attr.* пятиконе́чный, звездообра́зный.

fivefold [ˈfaɪvfould] 1. *a* пятикра́тный;
2. *adv* впя́теро; в пятикра́тном разме́ре.

five-o'clock tea [ˈfaɪvəˈklɔkˈtiː] *n* файв-окло́к (*чай ме́жду вторы́м за́втраком и обе́дом*).

fiver [ˈfaɪvə] *n разг.* пятёрка (*пять фу́нтов сте́рлингов или пять до́лларов*).

fives [faɪvz] *n pl* (*употр. как sing*) род игры́ в мяч.

five-year [ˈfaɪvjəː] *a* пятиле́тний; ~ plan пятиле́тний план.

fix [fɪks] 1. *v* 1) укрепля́ть, устана́вливать; 2) внедря́ть, вводи́ть; 3) реша́ть, назнача́ть (*срок, це́ны и т. п.*); 4) привлека́ть (*внима́ние*); остана́вливать (*взгляд, внима́ние*; ~ оп — на); 5) *фо́то* фикси́ровать, закрепля́ть; 6) оседа́ть, густе́ть, твердѐ́ть; 7) *хим.* сгуща́ть, свя́зывать; 8) *амер. разг.* употр. вме́сто са́мых разнообра́зных глаго́лов, обознача́ющих приведе́ние в поря́док, приготовле́ние и т. п., напр.: to ~ a broken lock починѝ́ть сло́манный замо́к; to ~ a coat почини́ть пиджа́к; to ~ a breakfast пригото́вить за́втрак; to ~ the fire развести́ ого́нь *и т. п.*; □ ~ оп вы́брать, останови́ться на *чём-л.*; ~ up *разг.*

а) устро́ить, дать прию́т; б) реши́ть; в) организова́ть; г) ула́дить; привести́ в поря́док; урегули́ровать; д) почини́ть; подпра́вить; ~ upon = ~ оп;
2. *n* 1) *разг.* диле́мма; затрудни́тельное положе́ние; in the same ~ в одина́ково тяжёлом положе́нии; 2) определе́ние ме́ста (*самолёта, корабля́*); 3) *амер.:* out of ~ в беспоря́дке; нужда́ющийся в ремо́нте.

fixation [fɪkˈseɪʃən] *n* 1) фикса́ция, закрепле́ние; 2) сгуще́ние.

fixative [ˈfɪksətɪv] 1. *a* фикси́рующий;
2. *n* фиксати́в; фикса́ж.

fixature [ˈfɪksəʧə] *n* фиксатуа́р.

fixed [fɪkst] 1. *p. p. от* fix 1;
2. *a* 1) неподви́жный, постоя́нный; закреплённый; стациона́рный; 2) неизме́нный, твёрдый; ~ prices твёрдые це́ны; ~ fact *амер.* устано́вленный факт; 3) навя́зчивый; ~ idea навя́зчивая иде́я; 4) *хим.* свя́занный; нелету́чий; ◇ ~ capital основно́й капита́л; well ~ *амер.* состоя́тельный, обеспе́ченный.

fixedly [ˈfɪksɪdlɪ] *adv* 1) приста́льно; в упор; 2) твёрдо, кре́пко, про́чно.

fixedness [ˈfɪksɪdnɪs] *n* 1) неподви́жность; закреплённость; 2) сто́йкость.

fixer [ˈfɪksə] *n* 1) фикса́ж; 2) *амер. полит. sl.* челове́к, занима́ющийся устро́йством вся́ких сомни́тельных дел.

fixings [ˈfɪksɪŋz] *n pl амер. разг.* 1) снаряже́ние, принадле́жности, обору́дование; 2) отде́лка (*пла́тья*); 3) *кул.* гарни́р.

fixity [ˈfɪksɪtɪ] *n* 1) неподви́жность; ~ of look приста́льность взгля́да; 2) сто́йкость, усто́йчивость; 3) *физ.* сохране́ние ве́са при нагрева́нии.

fixture [ˈfɪksʧə] *n* 1) армату́ра; приспособле́ние, прибо́р; подста́вка; 2) прикрепле́ние; 3) *тех.* постоя́нная принадле́жность (*како́й-л. маши́ны*); 4) *разг.* лицо́ или учрежде́ние, про́чно обоснова́вшееся в како́м-л. ме́сте; our guest seems to become a ~ наш гость сли́шком до́лго заси́делся; 5) число́, на кото́рое наме́чено спорти́вное состяза́ние.

fix-up [ˈfɪksʌp] *n амер.* приспособле́ние, устро́йство.

fizgig [ˈfɪzgɪg] *n* 1) ве́треная, коке́тливая же́нщина; 2) шути́ха (*фейерве́рк*); 3) багор, острога́ (*для ло́вли ры́бы*).

fizz [fɪz] 1. *n* 1) шипе́ние; 2) *разг.* шампа́нское; шипу́чий напи́ток; 3) свист;
2. *v* 1) шипе́ть, и́скриться, игра́ть (*о вине́*); 2) свисте́ть.

fizzle [ˈfɪzl] 1. *n* 1) шипя́щий звук; 2) фиа́ско, неуда́ча;
2. *v* сла́бо шипе́ть; □ ~ out выдыха́ться; *перен.* конча́ться неуда́чей.

fizzy [ˈfɪzɪ] *a разг.* газиро́ванный, шипу́чий.

flabbergast [ˈflæbəgɑːst] *v* поража́ть, изумля́ть.

flabby [ˈflæbɪ] *a* 1) отви́слый, вя́лый; 2) сла́бый, слабохара́ктерный, мягкоте́лый.

flaccid [ˈflæksɪd] *a* 1) сла́бый, вя́лый; 2) бесси́льный; 3) слабохара́ктерный, нереши́тельный.

flag I [flæg] **1.** *n* 1) флаг, знамя, стяг; ~ of truce парламентёрский флаг; 2) хвост (*сеттера или ньюфаундленда*); 3) *амер. полигр.* корректурный знак пропуска; ◇ to lower (*или* to strike) one's ~ *мор.* сдаваться; to hoist (to strike) one's ~ *мор.* принимать (сдавать) командование; 2. *v* 1) сигнализировать флагом; 2) украшать флагами.

flag II [flæg] *n бот.* касатик.

flag III [flæg] **1.** *n* 1) плита (*для мощения*); плитняк; 2) *pl* вымощенный плитами тротуар; 2. *v* выстилать плитами.

flag IV [flæg] *v* 1) повиснуть, поникнуть; 2) ослабевать, уменьшаться; our conversation was ~ging наш разговор не клеился.

flag-captain ['flæg‚kæptɪn] *n* командир флагманского корабля.

Flag Day ['flæg'deɪ] *n амер.* 14 июня — день установления государственного флага США (*1777 г.*).

flag-day ['flægdeɪ] *n* день продажи на улице маленьких флажков с благотворительной целью.

flagellant ['flædʒɪlənt] *n* 1) *ист.* флагеллант; 2) человек, занимающийся самобичеванием.

flagellate ['flædʒəleɪt] *v* бичевать, пороть.

flagellation [‚flædʒə'leɪʃən] *n* бичевание; порка.

flageolet [‚flædʒə'let] *n муз.* флажолет.

flaggery ['flægərɪ] *n амер. полит. sl.* шовинизм, ура-патриотизм.

flagging I ['flægɪŋ] **1.** *pres. p. om* flag III, 2; 2. *n* устланная плитами мостовая; тротуар, пол из плитняка.

flagging II ['flægɪŋ] **1.** *pres. p. om* flag IV; 2. *a* слабеющий, никнущий.

flagging III ['flægɪŋ] *pres. p. om* flag I, 2.

flagitious [flə'dʒɪʃəs] *a* преступный; гнусный, позорный.

flagman ['flægmən] *n* сигнальщик.

flag-officer ['flæg‚ɔfɪsə] *n мор.* 1) адмирал; вице-адмирал; контр-адмирал; 2) командующий.

flagon ['flægən] *n* графин *или* большая бутыль со сплюснутыми боками.

flagpole ['flægˌpoul] = flagstaff.

flagrant ['fleɪgrənt] *a* 1) ужасающий, вопиющий; огромный; позорный; 2) ужасный, страшный (*преступник и т. п.*).

flagship ['flægʃɪp] *n* флагманский корабль, флагман.

flagstaff ['flægstɑːf] *n* флагшток.

flag-station ['flæg‚steɪʃən] *n* станция, где поезд останавливается по особому требованию.

flagstone ['flægstoun] = flag III, 1. 1).

flag-wagging ['flæg‚wægɪŋ] *n* 1) *воен. sl.* сигнализация флагами; 2) *перен.* бряцание оружием.

flail [fleɪl] **1.** *n* цеп; 2. *v* молотить.

flair [flɛə] *фр. n* нюх, чутьё.

flak [flæk] *n* 1) зенитная артиллерия; 2) зенитный огонь.

flake I [fleɪk] **1.** *n* 1) *pl* хлопья; ~ of snow снежинка; 2) слой, ряд; 3) чешуйка; 4) бухта (*каната*); 2. *v* 1) падать, сыпать(ся) хлопьями; 2) рассла́иваться, шелушиться (*тж.* ~ away, ~ off).

flake II [fleɪk] *n* сушилка для рыбы.

flake camphor ['fleɪk‚kæmfə] *n амер.* нафталин.

flaky ['fleɪkɪ] *a* 1) похожий на хлопья; 2) слоистый, чешуйчатый.

flam [flæm] *n* фальшивка; ложь.

flambeau ['flæmbou] *фр. n* (*pl* -eaus [-ouz], -eaux) факел.

flambeaux ['flæmbouz] *pl om* flambeau.

flamboyant [flæm'bɔɪənt] **1.** *n* огненно-красный цветок (*Poinciana regia*); 2. *a* 1) цветистый, яркий; чрезмерно пышный; 2) *архит.* «пламенеющий» (*название стиля поздней французской готики*).

flame [fleɪm] **1.** *n* 1) пламя; the ~s огонь; to burst into ~ вспыхнуть пламенем; to commit to the ~s сжигать; in ~s пылающий, в огне; the ~s of sunset зарево заката; 2) яркий свет; 3) пыл, страсть; to fan the ~ разжигать страсти; 4) *шутл.* предмет любви; an old ~ of his его старая любовь; 2. *v* 1) гореть, пламенеть; пылать; 2) вспыхнуть, покраснеть; her face ~d with excitement её лицо разгорелось от волнения; □ ~ out, ~ up а) вспыхнуть, запылать; б) вспылить.

flamenco [flɑː'meŋkou] *n* 1) цыганский романс; цыганская пляска; 2) цыганщина.

flame-projector ['fleɪmprə‚dʒektə] *n воен.* огнемёт.

flame-thrower ['fleɪm‚θrouə] = flame-projector.

flaming ['fleɪmɪŋ] **1.** *pres. p. om* flame 2; 2. *a* 1) пламенеющий, пылающий; 2) яркий; 3) очень жаркий; 4) пылкий, пламенный.

flamingo [flə'mɪŋgou] *n* (*pl* -os, -oes [-ouz]) *зоол.* фламинго.

flamy ['fleɪmɪ] *a* огненный, пламенный.

flan [flæn] *фр. n* открытый пирог с ягодами, фруктами и т. п.

flange [flændʒ] **1.** *n* 1) *тех.* фланец; кромка; 2) *ж.-д.* реборда (*колеса*); 3) гребень, выступ, борт; 2. *v тех.* фланцевать, загибать борты.

flank [flæŋk] **1.** *n* 1) бок, сторона; 2) бочок (*часть мясной туши*); 3) склон (*горы*); 4) *воен.* фланг; 5) крыло (*здания*); 6) *attr. воен.* фланговый; ~ fire фланкирующий (*или* фланговый) огонь; 2. *v* 1) быть расположенным *или* располагать сбоку, на фланге; 2) защищать *или* прикрывать фланг; 3) угрожать с фланга; 4) фланкировать; обстреливать продольным огнём; 5) граничить (on — с); примыкать.

flanker ['flæŋkə] *n воен.* 1) укрепление, прикрывающее фланг; фланкирующее укрепление; 2) (*обыкн. pl*) *уст.* фланкёр(ы).

flannel ['flænl] **1.** *n* 1) фланель; 2) фланелька (*употр. для чистки и т. п.*); 3) *pl* флане́левый костю́м (*особ.* спорти́вный); фланелевое бельё;

2. *a* фланелевый; ◇ ~ cake *амер.* то́нкая лепёшка;

3. *v* протира́ть фланелью.

flannelette [‚flænl'et] *n* фланеле́т, англи́йская фланель.

flannelled ['flænld] 1. *p. p. om* flannel 3;
2. *a* оде́тый в фланелевый костюм.

flap [flæp] 1. *n* 1) что-л., прикреплённое за оди́н коне́ц, свешивающееся *или* развева́ющееся на ветру́; 2) звук, производи́мый развева́ющимся фла́гом; 3) взмах кры́льев, колыха́ние зна́мени *и т. п.*; 4) уда́р, хлопо́к, шлепо́к; 5) хлопу́шка (*для мух*); 6) кла́пан (*карманный*); 7) пола́; 8) откидна́я доска́ (*стола*); 9) дли́нное у́хо (*животного*); 10) *тех.* кла́пан, заслонка, ство́рка; 11) крыло́ (*седла́*); 12) *ав.* щито́к; закры́лок, предкры́лок; 13) *sl.* состоя́ние си́льного возбужде́ния, грани́чащее с па́никой; 14) *sl.* возду́шная трево́га; возду́шный налёт;

2. *v* 1) взма́хивать (*крыльями*); 2) маха́ть; развева́ть(ся); колыха́ть(ся); the wind ~s the sails ве́тер поло́щет паруса́; 3) хло́пать, шлёпать; ударя́ть; бить (*ремнём*); to ~ flies away отгоня́ть мух (*платком и т. п.*); 4) свиса́ть; ◇ to ~ one's mouth, to ~ about болта́ть, толкова́ть.

flapdoodle ['flæp‚du:dl] *n разг.* глу́пости, чепуха́.

flap-eared ['flæp‚ɪəd] *a* вислоу́хий.

flapjack ['flæpdʒæk] *n* 1) блин; ола́дья, лепёшка; 2) пло́ская пу́дреница.

flapper ['flæpə] *n* 1) хлопу́шка (*для мух*); колоту́шка (*для птиц*); молоти́ло (*часть цепа*); 2) кла́пан; 3) пола́, фа́лда; 4) ласт (*тюленя, моржа*); 5) ди́кий утёнок; птене́ц куропа́тки; 6) *sl.* де́вушка (*семнадцати-двадцати лет*); 7) *sl.* верту́шка (*о молодой женщине*); 8) *sl.* рука́; 9) напомина́ние.

flare [flɛə] 1. *n* 1) я́ркий, неро́вный свет, сия́ние; сверка́ние; блеск; 2) вспы́шка; 3) вспы́хивание; световой сигна́л; 4) сигна́льная раке́та; освети́тельный патро́н; 5) *мор.* разва́л (борто́в);

2. *v* 1) я́рко вспы́хивать (*тж.* ~ up); ослепля́ть блеском; 2) горе́ть я́рким, неро́вным пла́менем; копти́ть (*о лампе*); 3) расширя́ть(ся); раздвига́ть; 4) выступа́ть, выдава́ться нару́жу; ▢ ~ out, ~ up а) вспы́хнуть; б) разрази́ться гне́вом, вспыли́ть.

flared skirt ['flɛəd‚skɜːt] *n* ю́бка-клёш.

flare-up ['flɛər‚ʌp] *n* 1) вспы́шка; 2) световой сигна́л; 3) шу́мная ссо́ра; 4) (сли́шком) шу́мное весе́лье.

flaring ['flɛərɪŋ] 1. *pres. p. om* flare 2;
2. *a* 1) я́рко, неро́вно горя́щий; 2) броса́ющийся в глаза́; крича́щий, безвку́сный; 3) вы́пуклый; 4) расширя́ющийся, выступа́ющий нару́жу.

flash [flæʃ] 1. *n* 1) вспы́шка, сверка́ние; а ~ of lightning сверка́ние мо́лнии; 2) про́блеск; ~ of hope про́блеск наде́жды; 3) о́чень коро́ткий отре́зок вре́мени, мгнове́ние; in a ~ в оди́н миг, в мгнове́ние о́ка;

4) вне́шний, показно́й блеск; 5) воровско́й жарго́н, арго́; 6) *амер.* «в после́днюю мину́ту»; коро́ткая телегра́мма в газе́ту (*посылаемая до подробного отчёта*); bulletin ~ сво́дка о хо́де вы́боров (*передаваемая по радио*); ◇ a ~ in the pan осе́чка; неуда́ча;

2. *a* 1) показно́й, безвку́сный, крича́щий; 2) фальши́вый (*о деньгах*); 3) воровско́й; ~ language воровско́е арго́;

3. *v* 1) сверка́ть; вспы́хивать; дава́ть о́тблески, отража́ть; his eyes ~ed fire его́ глаза́ мета́ли мо́лнии, горе́ли; to ~ a look (*или* a glance, one's eyes) at metnу́ть взгляд на; his old art ~ed out occasionally иногда́ появля́лись про́блески его́ пре́жнего мастерства́; 2) бы́стро промелькну́ть, пронести́сь; замелька́ть; the idea ~ across (*или* into, through) my mind, the idea ~ed иро́п те меня́ осени́ла мысль; 3) передава́ть по телегра́фу, ра́дио *и т. п.* (*известия*).

flashback ['flæʃbæk] *n* 1) взгляд в про́шлое, воспомина́ние; 2) *кино* ка́дры, прерыва́ющие повествова́ние, чтобы в сжа́том виде повтори́ть ра́нее пока́занные собы́тия (*в мыслях героев и т. п.*); 3) литерату́рный отры́вок *или* сце́на в пье́се, опи́сывающие собы́тия, происше́дшие до вре́мени основно́го де́йствия.

flash burn ['flæʃbɜːn] *n* ожо́г, вы́званный теплово́м излуче́нием по́сле взры́ва а́томной бо́мбы.

flash-house ['flæʃhaus] *n sl.* прито́н.

flashing ['flæʃɪŋ] 1. *pres. p. om* flash 3;
2. *n* 1) сверка́ние *и пр.* [*см.* flash 3];
2) *тех.* о́тжиг стекла́.

flash-light ['flæʃlaɪt] *n* 1) сигна́льный ого́нь; про́блесковый свет мая́ка; 2) вся́кий неро́вный, мига́ющий свет (*световые рекламы, иллюминация и т. п.*); 3) *фото* вспы́шка ма́гния; 4) ручно́й электри́ческий фона́рь; 5) *attr.:* ~ photograph сни́мок при вспы́шке ма́гния.

flash-point ['flæʃpɔint] *n* температу́ра вспы́шки, то́чка возгора́ния.

flashy ['flæʃɪ] = flash 2, 1) *и* 2).

flask [flɑːsk] *n* 1) фля́жка; фля́га; буты́ль; ко́лба, флако́н; скля́нка; 2) пороховни́ца; 3) оплетённая буты́лка с у́зким го́рлом; 4) *тех.* опо́ка.

flasket ['flɑːskɪt] *n* 1) ма́ленькая фля́жка; 2) корзи́на для белья́.

flat I [flæt] 1. *n* 1) пло́скость, пло́ская пове́рхность; the ~ of the hand ладо́нь; on the ~ *жив.* на пло́скости, в двух измере́ниях; 2) равни́на, низи́на; отмель, ни́зкое побере́жье; боло́то; 3) широ́кая неглубо́кая корзи́на; 4) больша́я плоскодо́нная ло́дка; 5) *муз.* бемо́ль; 6) *театр.* за́дник; to join the ~s *перен.* пригна́ть друг к дру́гу ча́сти в пье́се, в расска́зе; прида́ть вид еди́ного це́лого; 7) *разг.* простачо́к, простофи́ля; 8) насти́л, обши́вная доска́; 9) = flat-car; 10) *геол.* поло́гая за́лежь; 11) *тех.* лы́ска, боёк молотка́;

2. *a* 1) пло́ский, ро́вный; распростёртый во всю длину́; the storm left the oats ~ бу́ря поби́ла (*или* положи́ла) овёс; ~ hand ладо́нь с вы́тянутыми па́льцами; ~ nose приплю́снутый нос; 2) *жив.* недоста́точно

рельéфный; 3) вя́лый, скýчный, однообра́зный; life is very ~ in your town жизнь óчень скучна́, однообра́зна в ва́шем гóроде; 4) скýчный, уны́лый; безжи́зненный; неэнерги́чный; 5) ком. неоживлённый, вя́лый (о ры́нке); 6) вы́дохшийся (о пи́ве и т. п.); ослабéвший; спусти́вшийся (о пневмати́ческой ши́не и т. п.); 7) пло́ский (о шýтке); 8) категори́ческий, прямо́й; ~ denial категори́ческий отка́з; that's ~ э́то оконча́тельно (решенó); ~ nonsense чисте́йший вздор; 9) муз. детони́рующий; снижа́ющий; бемо́льный, мино́рный; 10) воен. насти́льный (о траектóрии); 11) полигр. нефальцóванный (о листе); фла́товый (о бума́ге); ~ рaper a) фла́товая бума́га; б) пи́счая бума́га; ◊ ~ гасе ска́чка без препя́тствий; ~ rate единообра́зная ста́вка (налóга, расцéнок и т. п.);

3. adv 1) пло́ско; врастя́жку, плашмя́; 2) тóчно, как раз; to go ~ against orders идти́ вразрéз с приказа́ниями; 3) пря́мо, без обиняко́в;

4. v тех. дéлать или станови́ться рóвным, пло́ским.

flat II [flæt] n 1) кварти́ра (расположенная в одном этажé); 2) pl дом с таки́ми кварти́рами.

flat-boat ['flæt‚bout] n плоскодóнка.

flatbottom ['flæt‚bɔtəm] n редк. плоскодóнка.

flat-broke ['flæt‚brouk] a амер. разорённый вконéц, обанкрóтившийся.

flat-car ['flæt‚kɑː] n амер. ж.-д. вагóн-платфóрма.

flat-fish ['flætfiʃ] n пло́ская ры́ба (камбала, пáлтус и т. п.).

flat-foot ['flætfut] n 1) мед. плоскостóпие; 2) sl. проста́к; 3) sl. полицéйский; сы́щик; 4) sl. моря́к, матрóс.

flat-footed ['flæt‚futid] a 1) мед. плоскостóпный; 2) амер. разг. реши́тельный, твёрдый; he came out ~ for the measure он по́лностью, реши́тельно поддержа́л э́то мероприя́тие.

flat-iron ['flæt‚aiən] n 1) утю́г; 2) полосовóе желéзо.

flatlet ['flætlit] n небольша́я (однокóмнатная) кварти́ра.

flatly ['flætli] adv 1) пло́ско, рóвно; 2) реши́тельно; to refuse ~ наотрéз отказа́ть(ся).

flatness ['flætnis] n 1) пло́скость; 2) безвкýсица; 3) скýка, вя́лость; 4) категори́чность, реши́тельность; 5) воен. насти́льность (траектóрии).

flat-out ['flæt‚aut] adv диал. пря́мо; откры́то.

flatten ['flætn] v 1) дéлать(ся) рóвным, пло́ским; выра́внивать, разгла́живать; 2) стиха́ть (о вéтре, бýре); 3) выдыха́ться, станови́ться безвкýсным (о пи́ве, винé); 4) станови́ться вя́лым, скýчным; 5) придава́ть ма́товость; □ ~ out а) раска́тывать, расплю́щивать; б) выра́внивать (самолёт); в) приводи́ть в смущéние, в ýжас.

flatter I ['flætə] v 1) льстить; 2) тéшить себя́, льстить себя́ (надéждой); I ~ myself

that смéю дýмать, что; 3) прикра́шивать; преувели́чивать достóинства; 4) быть прия́тным; ласка́ть (взор, слух).

flatter II ['flætə] n тех. рихтова́льный молотóк; раскóвочный мóлот.

flatterer ['flætərə] n льстец.

flattering ['flætəriŋ] 1. pres. p. om flatter I;
2. a 1) льсти́вый; 2) лéстный.

flattery ['flætəri] n лесть.

flatting ['flætiŋ] 1. pres. p. om flat I, 4;
2. n тех. 1) прока́тка; плю́щение; 2) attr.: ~ mill листопрока́тный (или плющи́льный) стан.

flattop ['flæt‚tɔp] n амер. разг. авианóсец.

flatty ['flæti] см. flat-foot 2), 3) и 4).

flatulence, -cy ['flætjuləns, -si] n 1) мед. скоплéние га́зов, метеори́зм; 2) напы́щенность, претенциóзность.

flatulent ['flætjulənt] a 1) мед. вызыва́ющий га́зы (в кишéчнике); 2) мед. страда́ющий от га́зов; 3) напы́щенный, претенциóзный.

flatware ['flæt‚wɛə] n 1) столóвый прибóр (нож, ви́лка и лóжка); 2) мéлкая или пло́ская посýда.

flatways, flatwise ['flætweiz, -waiz] adv плашмя́.

flaunt [flɔːnt] 1. v 1) гóрдо развева́ться (о знамёнах); разма́хивать (флáгом и т. п.); 2) выставля́ть (себя́) напока́з, рисова́ться, щеголя́ть;
2. n редк. щегольствó, рисóвка.

flautist ['flɔːtist] n флейти́ст.

flavin ['fleivin] n 1) флави́н (антисепти́ческое срéдство); 2) жёлтая кра́ска.

flavor, flavorless ['fleivə, 'fleivəlis] амер. = flavour, flavourless.

flavour ['fleivə] 1. n 1) прия́тный вкус; букéт (вина); 2) аромáт, за́пах; 3) осóбенность; при́вкус; there is a ~ of romance in the affair в э́той истóрии есть чтó-то романти́ческое;
2. v приправля́ть; придава́ть вкус, за́пах; перен. придава́ть интерéс, пика́нтность.

flavourless ['fleivəlis] a 1) безвкýсный; 2) без за́паха.

flaw I [flɔː] 1. n 1) трéщина, щель (осóб. в метáлле); 2) брак (товáра); 3) пятнó, недостáток, порóк; a ~ in an argument слáбое мéсто в аргумента́ции; 4) юр. упущéние, оши́бка (в докумéнте, в показа́ниях и т. п.);
2. v 1) вызыва́ть трéщину; трéскаться; пóртить(ся); поврежда́ть; раска́лывать; 2) юр. дéлать недействи́тельным.

flaw II [flɔː] n порыв вéтра; шквал.

flawless ['flɔːlis] a без изъя́на, безупрéчный.

flawy I ['flɔːi] a с изъя́нами, порóками и пр. [см. flaw I, 1].

flawy II ['flɔːi] a шква́листый [см. flaw II].

flax [flæks] n 1) лён; 2) кудéль; 3) льняны́е издéлия.

flaxen ['flæksən] a 1) льняно́й; 2) свéтло-жёлтый, солóменный (о цвéте волóс).

flax-seed ['flæks‚siːd] *n* льняно́е се́мя.

flaxy ['flæksɪ] *a* 1) льняно́й; 2) похо́жий на лён.

flay [fleɪ] *v* 1) сдира́ть ко́жу; свежева́ть; 2) чи́стить, снима́ть ко́жицу, обдира́ть ко́жу *и т. п.*; 3) вымога́ть, разоря́ть; драть шку́ру; 4) беспоща́дно критикова́ть.

flayer ['fleɪə] *n* живодёр.

flay-flint ['fleɪ‚flɪnt] *n* вымога́тель; скря́га.

flea [fliː] *n* блоха́; ◇ a ~ in one's ear а) ре́зкое замеча́ние; б) отпо́р; в) раздража́ющий отве́т; to send smb. away with a ~ in his ear дать кому́-л. пощёчину; дать ре́зкий отпо́р кому́-л., осади́ть кого́-л.

flea-bag ['fliːbæg] *n sl.* 1) спа́льный мешо́к; 2) *амер.* проститу́тка.

flea-bane ['fliːbeɪn] *n бот.* блошни́ца дизентери́йная.

flea-bite ['fliːbaɪt] *n* 1) блоши́ный уку́с; 2) ничто́жная боль, ма́ленькое неудо́бство *или* неприя́тность; 3) ры́жее пятно́ на бе́лой ше́рсти ло́шади.

flea-bitten ['fliː‚bɪtn] *a* 1) иску́санный бло́хами; 2) чуба́рый (*о лошади*).

fleam [fliːm] *n* ланце́т.

fleck [flek] *n* 1) пятно́, кра́пинка; ~s of sunlight со́лнечные бли́ки; 2) весну́шка; 3) части́ца; a ~ of dust пыли́нка;
2. *v* покрыва́ть пя́тнами, кра́пинками.

flecker ['flekə] *v* испещря́ть.

flection ['flekʃən] = flexion.

fled I [fled] *past и p. p. от* flee.

fled II [fled] *past от* fly II, 2, 7).

fledge [fledʒ] *v* 1) опери́ться; 2) выка́рмливать птенцо́в; 3) оперя́ть (*стрелу*); 4) выстила́ть перо́м (*гнездо*).

fledg(e)ling ['fledʒlɪŋ] *n* 1) то́лько опери́вшийся птене́ц; 2) ребёнок; нео́пытный юне́ц.

flee [fliː] *v* (fled) 1) бежа́ть, спаса́ться бе́гством (from; out of; away); 2) избега́ть; 3) (*тк. past и p. p.*) исче́знуть, пролете́ть; life had fled жизнь пролете́ла.

fleece [fliːs] 1. *n* 1) руно́; ове́чья шерсть; 2) на́стриг с одно́й овцы́; 3) копна́ воло́с; 4) бара́шки (*облака*); 5) *текст.* начёс, ворс;
2. *v* 1) *редк.* стричь ове́ц; 2) обдира́ть, вымога́ть (*де́ньги*); 3) покрыва́ть сло́вно ше́рстью.

fleecy ['fliːsɪ] *a* покры́тый ше́рстью; шерсти́стый; ~ cloud кудря́вое о́блако; ~ hair курча́вые во́лосы.

fleer [flɪə] 1. *n* презри́тельный взгляд; насме́шка;
2. *v* презри́тельно улыба́ться; насмеха́ться.

fleet I [fliːt] *n* 1) флот; 2) флоти́лия; ~ of whalers китобо́йная флоти́лия; 3) парк (*автомаши́н, та́нков, маши́н и т. п.*).

fleet II [fliːt] 1. *a* 1) ~ of foot *поэт.* быстроно́гий; 2) *поэт.* быстроте́чный; 3) ме́лкий (*о воде́*);
2. *adv* неглубо́ко;
3. *v* 1) плыть по пове́рхности; 2) бы́стро протека́ть, минова́ть.

fleet III [fliːt] *n* бу́хта; зали́в; руче́й.

fleeting ['fliːtɪŋ] 1. *pres. p. от* fleet II, 3;

2. *a* бы́стрый, мимолётный, скороте́чный.

Fleet Street ['fliːt'striːt] *n* у́лица в Ло́ндоне, где располо́жены основны́е изда́тельства; центр англи́йской газе́тной инду́стрии; *перен.* англи́йская пре́сса.

Fleming ['flemɪŋ] *n* флама́ндец.

Flemish ['flemɪʃ] 1. *a* флама́ндский; ~ brick кли́нкер;
2. *n* флама́ндский язы́к.

flench [flenʃ] = flense.

flense [flenz] *v* обдира́ть (*кита́, тюле́ня*); добыва́ть во́рвань.

flesh [fleʃ] 1. *n* 1) (сыро́е) мя́со; wolves live on ~ во́лки пита́ются мя́сом; 2) те́ло, плоть; ~ and blood плоть и кровь; челове́ческая приро́да; род челове́ческий; one's own ~ and blood со́бственная плоть и кровь, свои́ де́ти, *тж.* бра́тья, сёстры; all ~ всё живо́е; in the ~ живы́м, во плоти́; 3) полнота́; in ~ в те́ле, по́лный; to lose ~ худе́ть; to make (*или* to gain) ~, to put on ~ полне́ть; 4) мя́коть, мя́со (*плода*); 5) по́хоть; ◇ to make smb.'s ~ creep приводи́ть кого́-л. в у́жас; neither fish, ~, nor fowl ≅ ни ры́ба ни мя́со; to go the way of all ~ испыта́ть о́бщий уде́л, умере́ть;
2. *v* 1) приуча́ть (*соба́ку, со́кола к охо́те*) вку́сом кро́ви; 2) обагря́ть кро́вью; 3) отка́рмливать; 4) *разг.* полне́ть; 5) счища́ть мя́со с то́лько что со́дранной шку́ры, мездри́ть.

flesh-colour ['fleʃ‚kʌlə] *n* теле́сный цвет.

flesher ['fleʃə] *n шотл.* мясни́к.

flesh-fly ['fleʃflaɪ] *n* мясна́я му́ха.

fleshings ['fleʃɪŋz] *n pl* трико́ теле́сного цве́та (*для сце́ны*).

fleshly ['fleʃlɪ] *a* 1) пло́тский, теле́сный; 2) чу́вственный.

fleshmonger ['fleʃ‚mʌŋgə] *n* 1) работорго́вец; 2) *уст.* мясни́к; 3) *уст.* развра́тник; 4) *уст.* сво́дник.

flesh-pot ['fleʃpɔt] *n* котёл для ва́рки мя́са; ◇ ~s (of Egypt) *библ.* а) дово́льство, бога́тая жизнь, материа́льное благополу́чие; б) коры́стные соображе́ния.

flesh tights ['fleʃtaɪts] = fleshings.

flesh-wound ['fleʃwuːnd] *n* пове́рхностное ране́ние.

fleshy ['fleʃɪ] *a* 1) мяси́стый; 2) то́лстый.

fleur-de-lis ['flɑːdə'liː] *фр. n* (*pl* fleurs-de-lis) 1) *бот.* каса́тик; 2) геральди́ческая ли́лия (*осо́б. эмбле́ма францу́зского короле́вского до́ма*).

fleur-de-luce ['flɑːdə'ljuːs] *уст., амер.* = fleur-de-lis.

fleurs-de-lis ['flɑːdə'liːz] *pl от* fleur-de-lis.

flew [fluː] *past от* fly II, 2.

flews [fluːz] *n pl* отви́слые гу́бы (*у соба́ки-ище́йки и т. п.*).

flex [fleks] 1. *n эл.* ги́бкий шнур.
2. *v* сгиба́ть(ся); гну́ть(ся).

flexible ['fleksəbl] *a* 1) ги́бкий; гну́щийся; 2) пода́тливый, усту́пчивый; 3) легко́ приспособля́ющийся (*о лю́дях*).

flexile ['fleksɪl] *редк.* = flexible.

flexion ['flekʃən] *n* 1) сгиб, изо́гнутость; 2) *тех., мед.* сгиба́ние; 3) *грам.* фле́ксия;

4) *мат.* кривизна, изгиб (*линии, поверхности*).

flexor ['fleksə] *n* сгибающая мышца.

flexuosity [,fleksju'ɔsɪtɪ] *n* извилистость; извилина.

flexuous ['fleksjuəs] *a* 1) извилистый; 2) колеблющийся.

flexure ['flekʃə] *n* 1) сгибание; 2) сгиб; изгиб; прогиб; выгиб, кривизна, искривление; 3) = flexion 4); 4) *геол.* флексура (*изгиб в слоях горных пород*).

flibbertigibbet ['flɪbətɪ'dʒɪbɪt] *n* 1) легкомысленный *или* ненадёжный человек; человек без твёрдых убеждений; 2) болтун(ья); сплетник; сплетница.

flick [flɪk] **1.** *n* 1) лёгкий удар (*хлыстом, ногтем и т. п.*); 2) резкое движение; 3) *sl.* кинофильм; *pl* киносеанс; he is going to the ~s tonight он сегодня пойдёт в кино;
2. *v* 1) стегнуть; 2) смахивать (*крошки и т. п.; обыкн.* ~ off, ~ away); □ ~ out быстро вытащить, выхватить.

flicker I ['flɪkə] **1.** *n* 1) мерцание; 2) трепетание; дрожание; 3) *pl разг.* кинокартина, фильм;
2. *v* 1) мерцать; a last faint hope ~ed up and died последняя слабая надежда мелькнула и погасла; 2) колыхаться; дрожать; ~ing shadows дрожащие тени; 3) бить, махать крыльями.

flicker II ['flɪkə] *n амер.* дятел.

flier ['flaɪə] *n* 1) всё, что летает (*напр.*, птицы, насекомые); 2) лётчик; 3) что-л., быстро движущееся (*напр.*, быстроходный пароход; рысак; *амер.* экспресс); 4) *sl.* рискованное предприятие; авантюра; 5) *тех.* маховик; 6) *текст.* банкаброш; 7) *стр.* прямой марш лестницы; ◇ to take a ~ упасть вниз головой.

flight I [flaɪt] *n* 1) полёт (*тж. перен.*); to take (*или* to wing) one's ~ улететь; a ~ of fancy (*или* imagination) полёт фантазии; a ~ of wit проблеск остроумия; 2) перелёт; 3) расстояние полёта, перелёта; 4) стая (*птиц*); 5) град (*стрел, пуль и т. п.*); залп; 6) звено (*самолётов*); 7) *разг.* выводок (*птиц*); 8) быстрое течение (*времени*); 9) ряд барьеров (*на скачках*); 10) ряд ступеней, марш; ряд шлюзов (*на канале*); 11) *стр.* этаж; ◇ in the first ~ в первых рядах, в авангарде; занимающий ведущее место.

flight II [flaɪt] *n* бегство, поспешное отступление; побег; to put to ~ обращать в бегство; to take (to) ~ обращаться в бегство.

flight-deck ['flaɪtdek] *n ав.* взлётная палуба (*на авианосце*).

flight-lieutenant ['flaɪtlef,tenənt] *n* капитан авиации (*в Англии*).

flight path ['flaɪtpɑ:θ] *n* траектория полёта.

flight-shot ['flaɪtʃɔt] *n* 1) дальность полёта стрелы; 2) выстрел влёт.

flighty ['flaɪtɪ] *a* 1) непостоянный, изменчивый; ветреный, капризный; 2) полоумный; 3) пугливый (*о лошади*).

flim-flam ['flɪmflæm] *разг.* **1.** *n* 1) вздор, ерунда; 2) трюк, мошенническая проделка;
2. *v* обманывать, мошенничать.

flimsy ['flɪmzɪ] **1.** *n* 1) папиросная *или* тонкая бумага (*для копии*); 2) *sl.* бумажные деньги; 3) *sl.* телеграмма;
2. *a* 1) непрочный, тонкий; 2) неосновательный.

flinch I [flɪntʃ] *v* 1) вздрагивать (*от боли*); дрогнуть; 2) уклоняться, отступать (from — *от выполнения долга, намеченного пути и т. п.*).

flinch II [flɪntʃ] = flense.

flinders ['flɪndəz] *n pl* куски; обломки, щепки; to break (*или* to fly) in ~ разлететься вдребезги.

fling [flɪŋ] **1.** *n* 1) бросок, швырок; сильное, резкое *или* торопливое движение; 2) резкое, насмешливое замечание; 3) живость; жизнерадостность; 4) развлечение, веселье; времяпрепровождение; to have one's ~ *разг.* погулять, перебеситься; 5) стремительный танец; Highland ~ бурный шотландский танец; ◇ at one ~ одним ударом, сразу; to have a ~ at smb. пройтись на чей-л. счёт; to have a ~ at smth. попытаться, попробовать; in full ~ — в полном разгаре;
2. *v* (flung) 1) кидать(ся); бросать(ся), швырять(ся); to ~ a stone швырнуть камень; to ~ out of a room выскочить из комнаты; to ~ oneself into the saddle вскочить в седло; the horse flung his rider лошадь сбросила седока; to ~ smth. in smb.'s teeth бросить в лицо (*упрёк и т. п.*); 2) сделать быстрое стремительное движение (*руками и т. п.*); to ~ one's arms round smb.'s neck обвить чью-л. шею руками; the horse flung his head about лошадь замотала головой; 3) распространять (*звук, свет, запах*); the flowers ~ their fragrance around цветы распространяют благоухание; 4) решительно приниматься (into — за); to ~ oneself into an undertaking с головой уйти в какое-л. предприятие; □ ~ about разбрасывать; ~ aside отвергнуть, пренебречь; ~ away а) отбросить; б) промотать; в) броситься вон; ~ down сбрасывать; б) разрушать; ~ off а) броситься вон; б) сбрасывать, стряхивать; в) отделаться от; to ~ off pursuers убежать от преследования; ~ on набрасывать, накидывать; to ~ one's clothes on накинуть платье впопыхах; ~ out а) разразиться (*бранью и т. п.*); б) брыкаться (*о лошади*); ~ to захлопнуть; ~ upon: to ~ oneself upon smb.'s mercy отдаться на милость кого-л.; ◇ to ~ up one's heels удирать так, что пятки сверкают; to ~ caution to the winds отбросить всякую осторожность.

flint [flɪnt] *n* 1) кремень; кремнёвая галька; 2) что-л. очень твёрдое *или* жёсткое как камень; a heart of ~ каменное сердце; he set his face like a ~ лицо его приняло каменное выражение; ◇ to skin a ~ быть скаредным; to wring water from a ~ делать чудеса.

flint-glass ['flɪnt'glɑ:s] *n* флинтглас; английский хрусталь.

flint-hearted ['flɪnt'hɑ:tɪd] *a* жестокосердный.

flint-lock ['flɪntlɔk] *n ист.* 1) замок кремнёвого ружья; 2) кремнёвое ружьё.

flint-paper ['flɪnt,peɪpə] *n* шкурка, наждачная *или* стеклянная бумага.

flinty ['flɪntɪ] *a* 1) кремнистый, кремнёвый; 2) суровый, твёрдый как скала.

flip 1 [flɪp] 1. *n* 1) щелчок, лёгкий удар; 2) *разг.* (непродолжительный) полёт в самолёте;
2. *v* щёлкать, ударять слегка.

flip II [flɪp] *n* горячий напиток из подслащённого пива со спиртом.

flip-flap, flip-flop ['flɪpflæp, -flɔp] *n* 1) хлопающие звуки; 2) сальто-мортале; 3) род фейерверка; шутиха; 4) качели (*на ярмарке*); 5) *амер.* род печенья (*к чаю*).

flippancy ['flɪpənsɪ] *n* 1) легкомыслие, ветреность; 2) дерзость.

flippant ['flɪpənt] *a* 1) легкомысленный, ветреный; 2) дерзкий; 3) *уст.* болтливый.

flipper ['flɪpə] *n* 1) *зоол.* плавник, плавательная перепонка; ласт; 2) *sl.* рука; 3) *рез.* флиппер, бортовая ленточка.

flirt [flə:t] 1. *n* 1) кокетка; 2) внезапный толчок; взмах;
2. *v* 1) флиртовать, кокетничать (with); 2) быстро двигать(ся) *или* махать; to ~ a fan играть веером.

flirtation [flə:'teɪʃən] *n* флирт.

flirty ['flə:tɪ] *a* склонный к флирту.

flit [flɪt] 1. *n* перемена местожительства (*особ. тайно от кредиторов*);
2. *v* 1) перелетать, порхать; to ~ past пролетать; recollections ~ through one's mind воспоминания проносятся в голове; 2) легко и бесшумно двигаться (about); 3) переезжать на другую квартиру (*особ. тайно от кредиторов*).

flitch [flɪtʃ] *a* 1) засоленный и копчёный свиной бок; 2) *лес.* горбыль.

flitter ['flɪtə] *v* порхать, летать; махать крыльями.

flitter-mouse ['flɪtəmaus] *n* (*pl* -mice) летучая мышь.

flivver ['flɪvə] *n sl.* 1) дешёвый автомобиль; 2) что-л. маленькое, дешёвое, незначительное; 3) провал; неудача.

float [flout] 1. *n* 1) пробка; поплавок (*тж. тех.*); буй; 2) паром, плот; *ав.* надувной резиновый плот, используемый лётчиком как спасательная лодка; 3) плавательный пояс; 4) пузырь (*у рыбы*); 5) плавучая масса (*льда и т. п.*); 6) гонка, сплав (*леса*); 7) *геол.* нанос; 8) лопасть гребного *или* мельничного колеса; 9) (*часто pl*) театр. рампа; 10) телега; 11) платформа на колёсах, используемая для рекламных, карнавальных и др. целей; 12) мастерок (*штукатура*); 13) = floater 2);
2. *v* 1) плавать; всплывать; держаться на поверхности воды; 2) поддерживать на поверхности воды; 3) плыть по небу (*об облаках*); 4) проноситься; to ~ in the mind проноситься в мыслях; to ~ before the eyes мелькать перед глазами; 5) затоплять, наводнять; 6) спускать на воду; снимать с мели; 7) сплавлять (*лес*); 8) пустить в ход (*торговое предприятие, проект*); 9) выпускать, размещать (*заём,

акции*); 10) распространять (*слух*); 11) *эл.* работать вхолостую *или* с небольшой нагрузкой (*о генераторе и т. п.*); 12) быть в равновесии.

floatable ['floutəbl] *a* 1) плавучий; 2) сплавной.

floatage ['floutɪdʒ] *n* 1) плавучесть; 2) *собир.* то, что плавает; плавающие обломки после кораблекрушения; 3) надводная часть судна; 4) лесосплав.

floatation [flou'teɪʃən] *n* 1) плавучесть; 2) *ком.* основание предприятия; 3) *тех.* флотация.

floater ['floutə] *n* 1) сезонный рабочий; 2) *амер.* избиратель, голос которого можно купить; ◇ to make a ~ попасть впросак, влипнуть.

floater-repeater ['floutəri'pi:tə] *n разг.* избиратель, голосующий (*обычно за взятку*) в нескольких местах.

floating ['floutɪŋ] 1. *pres. p. от* float 2; 2. *a* 1) плавающий, плавучий; ~ cargo морской груз; ~ light плавучий маяк; освещённый буй; ~ piston плавающий, свободный поршень; 2) изменчивый; ~ population текучее народонаселение; 3) *мед.* блуждающий; ~ kidney блуждающая почка; ◇ ~ capital оборотный капитал; ~ debt текущая задолженность, текущий долг.

floating bridge ['floutɪŋ'brɪdʒ] *n* понтонный *или* наплавной мост.

floating earth ['floutɪŋ'ə:θ] *n* плывуны.

floaty ['floutɪ] *a* 1) плавучий; 2) лёгкий.

flocculate ['flɔkjuleɪt] *v хим.* выпадать хлопьями, флоккулировать.

flock I [flɔk] *n* 1) пушинка; клочок; пучок (*волос*); 2) *pl* шерстяные *или* хлопчатобумажные очёски; 3) *pl хим.* лёгкие осадки.

flock II [flɔk] 1. *n* 1) стадо (*обыкн. овец*); стая (*обыкн. птиц*); ~s and herds овцы и рогатый скот; the flower of the ~ *перен.* краса, украшение семьи; 2) толпа; группа; to come in ~s приходить толпами; 3) *церк.* паства;
2. *v* стекаться; держаться вместе; двигаться толпой.

floe [flou] *n* 1) плавучая льдина; 2) ледяное поле.

flog [flɔg] *v* 1) стегать, пороть, сечь; 2) ловить рыбу внахлёстку; □ ~ along погонять кнутом; ~ into вбивать, вколачивать в голову; побоями заставлять учить что-л.; ~ out выбить (*лень и т. п.; of*); ◇ to ~ a dead horse ≅ решетом воду носить; зря тратить силы.

flogging ['flɔgɪŋ] 1. *pres. p. от* flog; 2. *n* порка, телесное наказание.

flood [flʌd] 1. *n* 1) наводнение; половодье, паводок; разлитие, разлив; the F. *библ.* всемирный потоп; 2) прилив; подъём воды; 3) поток, изобилие; a ~ of words поток слов; a ~ of tears потоки, море слёз; a ~ of light море огней; a ~ of anger волна гнева; 4) *уст., поэт.* море, озеро, река; ◇ at the ~ в удобный, благоприятный момент;
2. *v* 1) затоплять, наводнять; 2) подниматься (*об уровне реки*); выступать из

берегов; the river is ~ed by the rains река́ вздула́сь от дожде́й; 3) устреми́ться, хлы́нуть пото́ком; 4) *мед.* страда́ть ма́точным кровотече́нием.

flood-gate ['flʌdgeit] *n* шлюз, шлю́зные воро́та, шлю́зный затво́р; ◇ to open the ~s а) дать во́лю *чему-л.*; б) распла́каться, зали́ться слеза́ми.

floodlight ['flʌdlait] **1.** *n* 1) проже́ктор; 2) проже́кторное освеще́ние; **2.** *v* освеща́ть проже́кторами.

floor [flɔː] **1.** *n* 1) пол; насти́л, междуэта́жное перекры́тие; 2) места́ для чле́нов (законода́тельного) собра́ния; ~ of the House места́ чле́нов парла́мента в за́ле заседа́ния; 3) пра́во выступа́ть на собра́нии; to have, to take the ~ выступа́ть, брать сло́во; to get the ~ получи́ть сло́во; 4) эта́ж; я́рус; ground ~ пе́рвый эта́ж; first ~ второ́й эта́ж; *амер.* пе́рвый эта́ж; 5) гумно́; 6) дно (*моря, пеще́ры*); 7) минима́льный у́ровень (*особ. цен*); 8) киносту́дия; 9) произво́дство фи́льма; to go on the ~ идти́ в произво́дство (*о фи́льме*); to be on the ~ быть в произво́дстве; 10) *attr.*: ~ exercise во́льные движе́ния;
2. *v* 1) настила́ть пол; 2) повали́ть на́ пол; сбить с ног; 3) *разг.* одоле́ть, спра́виться (*с кем-л.*); to ~ the question суме́ть отве́тить на вопро́с; 4) *разг.* срази́ть, смути́ть, заста́вить замолча́ть; the question ~ed him вопро́с поста́вил его́ в тупи́к; 5) *школ.* посади́ть на ме́сто (*ученика́, не зна́ющего уро́ка*).

floor-cloth ['flɔːklɔθ] *n* лино́леум.

floorer ['flɔːrə] *n* 1) сногсшиба́тельный уда́р; 2) озада́чивающий вопро́с; тяжёлое изве́стие; затрудни́тельное положе́ние; сло́жная зада́ча.

flooring ['flɔːrɪŋ] **1.** *pres. p. от* floor 2; **2.** *n* 1) насти́л, пол; 2) насти́лка поло́в; 3) *стр.* половы́е до́ски.

floor-lamp ['flɔːlæmp] *n* торше́р.

floor show ['flɔːˌʃou] *n амер. театр.* представле́ние среди́ пу́блики (*в кабаре́ и т. п.*).

floorwalker ['flɔːˌwɔːkə] *n амер.* администра́тор универса́льного магази́на.

floozy ['fluːzi] *n амер. sl.* проститу́тка.

flop [flɔp] **1.** *n* 1) шлёпанье, хло́панье; 2) прова́л; to go ~ *разг.* потерпе́ть неуда́чу, потерпе́ть фиа́ско; 3) *амер. разг.* шля́па с мя́гкими поля́ми; 4) *амер. разг.* челове́к, не оправда́вший возлага́вшихся на него́ наде́жд, обману́вший ожида́ния;
2. *v* 1) шлёпнуться; плю́хнуться; бу́хнуться; 2) уда́рить; бить(ся); the fish ~ped about in the boat ры́ба би́лась в ло́дке; 3) па́дать на коле́ни; 4) бить крыльями; 5) *разг.* переметну́ться, переки́нуться (*к друго́й полит. па́ртии; ча́сто* ~ over); 6) *разг.* потерпе́ть неуда́чу, провали́ться; 7) полоска́ться (*о паруса́х*); 8) *амер. разг.* свали́ться (*от уста́лости*); спать;
3. *int* шлёп!

flophouse ['flɔphaus] *n амер. sl.* ночлёжка.

floppy ['flɔpi] *a* 1) свобо́дно вися́щий; 2) пасси́вный (*ум*); небре́жный (*стиль*).

flora ['flɔːrə] *n* (*pl* -ae, -as [-əz]) фло́ра.

florae ['flɔːriː] *pl от* flora.

floral ['flɔːrəl] *a* 1) цвето́чный; 2) каса́ющийся фло́ры.

Florentine ['flɔrəntain] **1.** *a* флоренти́йский;
2. *n* 1) флоренти́нец; 2) (f.) флоренти́н (*род шёлковой мате́рии*); 3) (f.) пиро́г (*особ. с мя́сом*).

florescence [flɔ'resns] *n* 1) цвете́ние; вре́мя цвете́ния; 2) *перен.* расцве́т.

floret ['flɔːrɪt] *n* 1) *бот.* цвето́к, цвето́чек (*в корзи́нке сложноцве́тных*); 2) ма́ленький цвето́к.

floriate ['flɔːrieit] *v* украша́ть цвето́чным орна́ментом.

floriculture ['flɔːrɪkʌltʃə] *n* цветово́дство.

florid ['flɔrɪd] *a* 1) цвети́стый, напы́щенный; ~ style витиева́тый стиль; 2) све́жий, румя́ный; 3) кра́сный, багро́вый (*о лице́*); 4) крича́щий (*о наря́де*).

florin ['flɔrɪn] *n* флори́н (*де́нежная едини́ца Голла́ндии*).

florist ['flɔrist] *n* 1) торго́вец цвета́ми; 2) цветово́д.

floruit ['flɔːruit] *лат. n* пери́од де́ятельности истори́ческого лица́.

floss I [flɔs] *n* шёлк-сыре́ц.

floss II [flɔs] *n* ручёй.

flossy ['flɔsi] *a* шелкови́стый.

flotage ['floutidʒ] = floatage.

flotation [flou'teiʃən] = floatation.

flotilla [flou'tilə] *n* флоти́лия.

flotsam ['flɔtsəm] *n* 1) вы́брошенный и пла́вающий на пове́рхности груз; пла́вающие обло́мки; ~ and jetsam *перен.* обло́мки; 2) икра́ у́стриц.

flounce I [flauns] **1.** *n* ре́зкое нетерпели́вое движе́ние;
2. *v* броса́ться, мета́ться; ре́зко дви́гаться (*обы́кн.* ~ away, ~ out, ~ about, ~ down, ~ up); to ~ **out** of the room бро́ситься вон из ко́мнаты.

flounce II [flauns] **1.** *n* обо́рка;
2. *v* отде́лывать обо́рками.

flounder I ['flaundə] **1.** *n* бара́хтанье; попы́тки вы́путаться (*из чего-л.*), спра́виться (*с чем-л.*);
2. *v* 1) бара́хтаться; дви́гаться с трудо́м; 2) пу́таться (*в слова́х*), говори́ть с трудо́м.

flounder II ['flaundə] *n* 1) ка́мбала ма́лая; ме́лкая ка́мбала; 2) *распр.* пло́ская ры́ба.

flour ['flauə] **1.** *n* 1) мука́, крупча́тка; 2) порошо́к, пу́дра; 3) *attr.*: ~ paste клейстер;
2. *v* 1) посыпа́ть муко́й; 2) моло́ть, разма́лывать.

flourish ['flʌriʃ] **1.** *n* 1) процвета́ние; in full ~ в по́лном расцве́те; 2) разма́хивание; 3) ро́счерк, завиту́шка; 4) цвети́стое выраже́ние; 5) фанфа́ры; ~ of trumpets туш; *перен.* пы́шное представле́ние (*кого-л.*); шу́мная рекла́ма; торже́ственная церемо́ния (*при откры́тии чего-л. и т. п.*);
2. *v* 1) пы́шно расти́; разраста́ться; 2) процвета́ть, преуспева́ть; быть в расцве́те;

жить, действовать (*в определённую эпоху*); 3) размáхивать (*чем-л.*); 4) *перен.* выставлять напокáз; 5) дéлать рóсчерк перóм; 6) цветúсто выражáться.

flourishing ['flʌrɪʃɪŋ] 1. *pres. p. om* flourish 2;

2. *a* 1) здорóвый, цветýщий; 2) процветáющий.

flour mill ['flauəmɪl] *n* мукомóльная мéльница; мукомóлка.

flout [flaut] 1. *n* 1) насмéшка; 2) пренебрежéние;

2. *v* 1) насмехáться, глумúться, издевáться (at — над); 2) презирáть; попирáть; to ~ smb.'s advice пренебрегáть чьим-л. совéтом.

flow [flou] 1. *n* 1) течéние, потóк, струя́; прилúв; 2) изобúлие; ~ of spirits жизнерáдостность; 3) плáвность (*речи, линий*); 4) *гидр.* дебúт воды́;

2. *v* 1) течь, лúться, струúться; 2) ниспадáть; ~ing draperies ниспадáющая свобóдными склáдками одéжда, драпирóвка; 3) проистекáть, происходúть (from); 4) хлы́нуть; разразúться потóком; 5) *уст.* изобúловать (with).

flower ['flauə] 1. *n* 1) цветóк; цветкóвое растéние; 2) расцвéт; цветéние; in ~ в цветý; in the ~ of one's age во цвéте лет; 3) цвет, лýчшая, отбóрная часть (*чего-л.*); 4): ~s of speech красúвые оборóты рéчи; *часто ирон.* цветúстые фрáзы;

2. *v* 1) цвестú; 2) украшáть цветáми *или* цветóчным узóром.

flowerbed ['flauəbed] *n* клýмба.

flower-de-luce ['flauədə'ljuːs] = fleur-de-lis.

flowered ['flauəd] 1. *p. p. om* flower 2;

2. *a* украшенный цветóчным узóром; ~ silk травчатый шёлк.

floweret ['flauərɪt] *n поэт.* цветóчек.

flower-girl ['flauəgəːl] *n* цветóчница, продавщúца цветóв.

flowering ['flauərɪŋ] 1. *pres. p. om* flower 2;

2. *n* расцвéт; цветéние;

3. *a* цветýщий, в цветý.

flower-piece ['flauəpiːs] *n жив.* картúна с изображéнием цветóв.

flowerpot ['flauərɔt] *n* цветóчный горшóк.

flower-show ['flauəʃou] *n* вы́ставка цветóв.

flower-stand ['flauəstænd] *n* подстáвка для цветóв, жардиньéрка.

flowery ['flauərɪ] *a* 1) покры́тый цветáми; 2) цветúстый (*о стиле и т. п.*).

flowing ['flouɪŋ] 1. *pres. p. om* flow 2;

2. *a* 1) текýщий; ~ tide прилúв; *перен.* что-л., надвигáющееся, нарастáющее; ~ waters проточная водá; 2) глáдкий, плáвный (*о стиле*); мя́гкий (*о линиях, контуре*).

flown [floun] *p. p. om* fly II, 2.

flow sheet ['flou,ʃiːt] *n* кáрта технологúческого процéсса.

flu [fluː] *n* (*сокр. om* influenza) *разг.* грипп.

flubdub ['flʌb,dʌb] *амер.* = flapdoodle.

fluctuate ['flʌktjueit] *v* колебáть(ся);

колыхáться; быть неустóйчивым, меня́ться.

fluctuation [,flʌktjuˈeiʃən] *n* колебáние; неустóйчивость; качáние, колыхáние.

flue I [fluː] *n* 1) дымохóд; дымовáя трубá; бóров; 2) *тех.* жаровáя трубá (*котла*).

flue II [fluː] *n* 1) пушóк; 2) хлóпья пы́ли (*под мéбелью*).

flue III [fluː] *n* род рыболóвной сéти.

flue IV [fluː] = fluke II.

flue V [fluː] = flu.

fluency ['fluːənsɪ] *n* плáвность; бéглость (*речи*).

fluent ['fluːənt] 1. *a* 1) глáдкий; плáвный; бéглый (*о речи*); 2) напы́щенный и пустóй (*о словах и т. п.*); ~ phrases пусты́е словá; 3) текýчий, жúдкий; 4) измéнчивый, непостоя́нный;

2. *n мат.* интегрáл; перемéнная величинá; фýнкция.

fluently ['fluːəntlɪ] *adv* плáвно, глáдко; бéгло (*о речи*).

fluey ['fluːɪ] *a* пушúстый.

fluff [flʌf] 1. *n* 1) пух, пушóк; 2) *театр. sl.* плóхо вы́ученная роль;

2. *v* 1) взбивáть(ся); вспушúть; 2) *театр. sl.* плóхо знать роль.

fluffy ['flʌfɪ] *a* 1) пушúстый; взбúтый; 2) *sl.* забы́вчивый; 3) *sl.* нетвёрдо стоя́щий на ногáх, пья́ный.

fluid ['fluːɪd] 1. *n* жúдкость, жúдкая средá;

2. *a* жúдкий, текýчий.

fluidity [fluːˈɪdɪtɪ] *n* 1) жúдкое состоя́ние; 2) текýчесть; 3) плáвность (*речи*); 4) *тех.* жидкотекýчесть.

fluke I [fluːk] *n* 1) кáмбала, пáлтус; плóская ры́ба; 2) глист (*в овéчьей пéчени*); 3) сорт картóфеля.

fluke II [fluːk] *n* 1) лáпа (*якоря*); 2) зазýбрина гарпунá.

fluke III [fluːk] 1. *n* счастлúвая случáйность; by ~ по счастлúвой случáйности;

2. *v* получúть что-л. *или* вы́играть игрý благодаря́ счастлúвой случáйности.

flume [fluːm] *n* 1) *амер.* гóрное ущéлье с потóком; 2) *тех.* жёлоб; подводя́щий канáл, акведýк.

flummery ['flʌmərɪ] *n* 1) род драчёны; 2) пусты́е комплимéнты; болтовня́, вздор; 3) *уст.* овся́ная кашúца.

flummox ['flʌməks] *v разг.* смущáть, стáвить в затруднúтельное положéние.

flump [flʌmp] 1. *n* глухóй шум, стук;

2. *v* 1) пáдать с глухúм шýмом; 2) стáвить, бросáть (*что-л.*) нá пол с глухúм шýмом.

flung [flʌŋ] *past и p. p. om* fling 2.

flunk [flʌŋk] 1. *n* провáл;

2. *v амер.* 1) провалúть(ся) на экзáмене; 2) исключúть за неуспевáемость (*из учéбного заведéния*).

flunkey ['flʌŋkɪ] *n* ливрéйный лакéй; *перен.* лакéй, низкопоклóнник.

fluorescence [fluəˈresns] *n* свечéние, флуоресцéнция.

fluorescent [fluəˈresnt] *a* флуоресцéнтный; ~ lamp флуоресцéнтная лáмпа; ~ light флуоресцéнтный свет.

fluorine ['fluəri:n] n хим. фтор.

fluor-spar ['fluəspɑ:] n мин. плавиковый шпат.

flurry ['flʌrɪ] 1. n 1) беспокойство, волнение; суматоха; смятение; 2) шквал; амер. неожиданный ливень или снегопад; 3) неожиданное резкое изменение цен на бирже;
2. v волновать; будоражить (особ. спешкой).

flush I [flʌʃ] 1. n 1) внезапный прилив, поток (воды); 2) прилив крови; краска (на лице), румянец; 3) приступ (лихорадки); 4) прилив (чувства); упоение (успехом и т. п.); ~ of hope вспышка надежды; 5) быстрое распускание листьев и пр.; 6) расцвет (молодости, сил и т. п.); 7) быстрый приток, внезапное изобилие (чего-л.);
2. v 1) бить струёй; обильно течь, хлынуть; 2) приливать к лицу (о крови); вызывать краску на лице; 3) вспыхнуть, (по)краснеть (часто ~ up); 4) заполнять; 5) промывать сильным напором струй; to ~ the toilet спустить воду в уборной; 6) наполнять, переполнять (чувством); to be ~ed with joy (pride etc.) быть охваченным радостью (гордостью и т. п.); ~ed with victory упоённый победой; 7) редк. давать новые побеги (о растениях);
3. a 1) полный (до берегов — о реке); 2) изобилующий; to be ~ of money разг. быть при деньгах, иметь много денег; 3) щедрый, расточительный (with); 4) тех. находящийся на одном уровне, заподлицо (с чем-л.).

flush II [flʌʃ] 1. n вспугнутая стая птиц;
2. v 1) спугивать (дичь); 2) взлетать, вспархивать.

flush III [flʌʃ] n карты одной масти.

flusher ['flʌʃə] n ассенизатор.

fluster ['flʌstə] 1. n суета, волнение; all in a ~ в волнении; в возбуждении;
2. v 1) волновать(ся); возбуждать(ся); 2) подпоить; 3) слегка опьянеть.

flute [flu:t] 1. n 1) флейта; 2) архит. канелюра, желобок; 3) мелкая складочка; 4) выемка, рифля;
2. v 1) играть на флейте; 2) делать выемки, желобить; 3) плоить.

flutist ['flu:tɪst] n флейтист.

flutter ['flʌtə] 1. n 1) порхание; 2) махание; 3) волнение; трепет; to put smb. into a ~ взбудоражить кого-л.; to make (или to cause) a ~ производить сенсацию; 4) sl. риск; 5) тех. вибрация;
2. v 1) махать или бить крыльями; перепархивать; 2) трепетать (о сердце); 3) махать; развеваться (на ветру); 4) дрожать от волнения; волновать(ся), беспокоить(ся); 5) тех. вибрировать.

fluty ['flu:tɪ] a напоминающий звук флейты; мягкий и чистый.

fluvial ['flu:vjəl] a речной.

flux [flʌks] 1. n 1) течение; поток; 2) постоянная смена; постоянное движение; ~ and reflux прилив и отлив; in a state of ~ в состоянии изменения; 3) мед. патологическое истечение; уст. дизентерия; 4) физ. поток; 5) метал. флюс, плавень;
2. v 1) истекать; 2) давать слабительное; 3) мед. прослабить; 4) тех. плавить, растоплять; 5) метал. обрабатывать флюсом; отшлаковать.

fluxible ['flʌksɪbl] a плавкий.

fluxion ['flʌkʃən] n 1) мед. патологическое истечение; 2) мат. дифференциация; pl дифференциальное исчисление.

fly I [flaɪ] n 1) муха; 2) с.-х. разг. вредитель; ◇ a ~ in the ointment ≅ ложка дёгтя в бочке мёда; a ~ on the wheel ≅ самомнения ему не занимать стать; to break a ~ on the wheel ≅ стрелять из пушек по воробьям.

fly II [flaɪ] 1. n 1) полёт; расстояние полёта; on the ~ на лету; 2) одноконный наёмный экипаж; 3) тех. уравнительный маятник; балансир; 4) тех. маховик; 5) pl театр. колосники; 6) крыло (ветряка); 7) длина (флага);
2. v (flew; flown) 1) летать, пролетать; 2) спешить; 3) развевать(ся); to ~ one's flag мор. держать свой флаг; командовать соединением; with ~ing colours с развевающимися знамёнами, перен. победоносно; 4): to ~ pigeons гонять голубей; to ~ a kite пускать змея; 5) управлять (самолётом); 6) перевозить, доставлять по воздуху; 7) (past fled) спасаться бегством; □ ~ at нападать; перен. набрасываться с бранью; to let ~ at a) стрелять в кого-л., во что-л.; б) отпускать ругательство по чьему-л. адресу; ~ in доставлять по воздуху; ~ into a) впадать (в ярость; в восторг); б) влететь (в комнату и т. п.); ~ off а) поспешно убегать; уклоняться; б) соскакивать, отлетать; to ~ off the handle соскочить с рукоятки (о молотке); перен. выйти из себя, вспылить; ~ on = ~ at; ~ out вспылить, рассердиться (at—на); ~ over перепрыгнуть, перемахнуть через; ~ round кружиться, крутиться (о колесе); ~ upon = ~ at; ◇ to ~ open распахнуть(ся); to ~ high высоко заноситься, быть честолюбивым; the glass flew into pieces стекло разбилось вдребезги; to ~ in the face of smb. бросать вызов кому-л.; открыто не повиноваться; не считаться; to ~ in the face of Providence искушать судьбу; as the crow flies напрямик, по прямой, кратчайшим путём; to make the money ~ промотать деньги; to send a person ~ing наземь гнать кого-л.; to ~ to arms взяться за оружие; начать войну; to ~ to smb.'s arms броситься в чьи-л. объятия.

fly III [flaɪ] a разг. 1) ловкий; проворный; 2) хитрый.

fly-agaric ['flaɪ,ægərɪk] n мухомор.

fly-away ['flaɪə,weɪ] a 1) широкий, свободный (об одежде); 2) ветреный, непостоянный (о человеке).

fly-bane ['flaɪbeɪn] n средство от мух.

fly-bitten ['flaɪ,bɪtn] a засиженный мухами.

fly-blow ['flaɪblou] 1. n яичко мухи (в мясе);
2. v откладывать яички (о мухе).

fly-blown ['flaɪbloun] a 1) = fly-bitten; 2) перен. замаранный.

fly-by-night ['flaɪbaɪ'naɪt] *a* ненадёжный; безответственный.

flyer ['flaɪə] = flier.

fly-fish ['flaɪfɪʃ] *v* удить на муху.

flying ['flaɪɪŋ] **1.** *pres. p. om* fly II, 2; **2.** *n* летание, полёты; лётное дело; **3.** *a* 1) летающий; летучий; летательный; 2) *ав.* лётный; ~ clothes лётная одежда; ~ field лётное поле; 3) быстрый; ~ visit мимолётный визит; ~ squad отряд полицейских на автомобилях; ~ squadron а) *ав.* эскадрилья; б) *ист.* отдельный отряд быстроходных кораблей; ~ column летучий отряд.

flying adder ['flaɪŋ'ædə] *n* стрекоза.

flying boat ['flaɪŋ'bout] *n ав.* летающая лодка.

flying bridge ['flaɪŋ'brɪdʒ] *n* 1) перекидной мост; 2) паром.

flying fortress ['flaɪŋ'fɔːtrɪs] *n ав.* «летающая крепость».

flying instrument ['flaɪŋ'ɪnstrumənt] *n ав.* аэронавигационный прибор.

flying man ['flaɪŋ'mæn] *n* лётчик.

Flying Officer ['flaɪŋ,ɔfɪsə] *n* офицер-лётчик; старший лейтенант авиации (*в Англии*).

fly-leaf ['flaɪliːf] *n полигр.* форзац, чистый лист в начале *или* в конце книги.

flyman ['flaɪmən] *n* 1) *театр.* рабочий на колосниках; 2) кучер [*ср.* fly II, 1, 2)].

fly-paper ['flaɪ,peɪpə] *n* бумага от мух.

fly-past ['flaɪ,pɑːst] *n* воздушный парад.

fly-sheet ['flaɪʃiːt] *n* листовка.

fly title ['flaɪ,taɪtl] *n полигр.* шмуцтитул.

fly-trap ['flaɪ,træp] *n* мухоловка.

fly-wheel ['flaɪwiːl] *n* маховое колесо.

foal [foul] **1.** *n* жеребёнок; ослёнок; in ~, with ~ жерёбая; **2.** *v* жеребиться.

foalfoot ['foul,fut] *n бот.* мать-и-мачеха.

foam [foum] **1.** *n* 1) пена; 2) мыло (*на лошади*); 3) *поэт.* море; **2.** *v* 1) пениться; 2) быть в бешенстве (*часто* ~ at the mouth); 3) взмыливаться (*о лошади*).

foamy ['foumɪ] *a* 1) пенящийся; 2) покрытый пеной, взмыленный.

fob I [fɔb] *n* кармашек для часов.

fob II [fɔb] *v* обманывать; надувать; ☐ ~ off всучить, навязать *кому-л.* (*поддельную вещь и т. п.*).

focal ['foukəl] *a* 1) *физ.* фокусный; ~ distance (*или* length) фокусное расстояние; 2) центральный; she came to be the ~ point of his thinking она занимает главное место в его мыслях.

focalize ['foukəlaɪz] *v* собирать в фокусе.

foci ['fousaɪ] *pl om* focus.

fo'c's'le ['fouksl] = forecastle.

focus ['foukəs] **1.** *n* (*pl* -ci, -ses [-ɪz]) 1) *физ.* фокус; out of ~ не в фокусе; 2) очаг землетрясения; 3) *мед.* фокус, центр; 4) центр, средоточие; ~ of interest круг интересов; to bring to a ~ выдвигать (*вопрос и т. п.*);

2. *v* 1) собирать(ся), помещать в фокусе; 2) сосредоточивать (*внимание и т. п.* : on — на).

fodder ['fɔdə] **1.** *n* корм для скота: фураж; **2.** *v* задавать корм (*скоту*).

foe [fou] *n поэт.* враг, противник: недоброжелатель.

Foehn [fɜːn] *n* фён (*тёплый сухой ветер в Альпах*).

foetid ['fiːtɪd] = fetid.

foetus ['fiːtəs] *n* утробный плод.

fog I [fɔg] **1.** *n* 1) густой туман; 2) дым *или* пыль, стоящие в воздухе; мгла; in а ~ как в тумане; в замешательстве, в затруднении; 3) *фото* туман, вуаль; **2.** *v* 1) окутывать туманом; затуманивать(ся); 2) напускать туману, озадачивать; 3) *амер. sl.* убивать.

fog II [fɔg] *с.-х.* **1.** *n* 1) отава; 2) трава, оставшаяся нескошенной; **2.** *v* 1) пасти скот на отаве; 2) оставлять траву нескошенной.

fogey ['fougɪ] *n* старомодный, отсталый (*иногда* чудаковатый) человек (*обыкн.* old ~).

foggy ['fɔgɪ] *a* 1) туманный; тёмный; а ~ idea смутное представление; 2) *физ.* неясный.

fog-horn ['fɔghɔːn] *n* сирена, подающая сигналы судам во время тумана.

fogy ['fougɪ] = fogey.

Föhn [fɜːn] = Foehn.

foible ['fɔɪbl] *n* слабая струнка, слабость, недостаток.

foil I [fɔɪl] **1.** *n* 1) фольга, станиоль; 2) *архит.* орнамент в виде листьев (*в готическом стиле*); 3) что-л. по контрасту оттеняющее и подчёркивающее красоту другого предмета; фон; **2.** *v редк.* подчёркивать красоту контрастом.

foil II [fɔɪl] **1.** *n* след зверя; **2.** *v* 1) сбивать (*собаку*) со следа; 2) ставить в тупик; расстраивать *чьи-л.* планы; срывать *что-л.*; 3) *уст.* отразить нападение, одолеть.

foil III [fɔɪl] *n* рапира.

foison ['fɔɪzn] *n уст.* 1) обилие; хороший урожай; 2) *pl шотл.* ресурсы.

foist [fɔɪst] *v* всунуть, всучить; to ~ oneself втереться; навязаться (upon).

fold I [fould] **1.** *n* 1) складка, сгиб; 2) застёжка, крючок; 3) дверь; створ (*двери*); 4) *тех.* фальц; 5) *геол.* флексура; перемещение без разрыва сплошности; **2.** *v* 1) складывать, сгибать, загибать; to ~ one's arms скрестить руки на груди; to ~ one's hands сложить руки; *перен.* бездействовать; to ~ up a newspaper сложить газету; 2) завёртывать; 3) обнимать, обхватывать; to ~ a person to one's breast прижать кого-л. к груди; 4) *полигр.* фальцевать; 5) *текст.* дублировать.

fold II [fould] **1.** *n* 1) загон (*для овец*), овчарня; 2) паства; 3) церковь; **2.** *v* загонять (*овец*).

folder ['fouldə] *n* 1) фальцовщик; 2) *полигр.* фальцевальная машина; 3) несшитая брошюрка; 4) папка, скоросшиватель; 5) *pl* складные очки.

folding I ['fouldıŋ] 1. *pres. p. om* fold I, 2; 2. *n* фальцовка; 3. *a* складной; створчатый; откидной; ~ door(s) двустворчатая дверь; ~ screen ширма.

folding II ['fouldıŋ] *pres. p. om* fold II, 2.

folding-bed ['fouldıŋ'bed] *n* походная кровать; кровать-раскладушка.

folding-chair ['fouldıŋ'tʃɛə] *n* складной стул.

folding-cot ['fouldıŋ'kɔt] = folding-bed.

folding-stool ['fouldıŋ'stu:l] = folding-chair.

foliage ['foulıdʒ] *n* 1) листва; 2) лиственный орнамент.

foliar ['foulıə] *a* лиственный.

foliate 1. *a* ['foulııt] 1) лиственный; 2) листообразный; 2. *v* ['foulıeıt] 1) покрываться листьями; 2) *архит.* украшать лиственным орнаментом; 3) наводить ртутную амальгаму (*на зеркало*); 4) расщеплять(ся) на тонкие слои; 5) нумеровать листы книги (*не страницы*).

folio ['foulıou] 1. *n* (*pl* -os [-ouz]) 1) фолио (*формат в пол-листа*); in инфолио; 2) фолиант; 3) лист (*бухгалтерской книги*); 2. *v* = foliate 2, 5).

folk [fouk] *n* 1) (*употр. с гл. во мн. ч.*) люди; old ~ старики; rich ~ богачи; my ~s *разг.* родня; the old ~s at home старики, родители; 2) *уст.* народ.

folk-custom ['fouk'kʌstəm] *n* народный обычай.

folk-dance ['foukda:ns] *n* народный танец.

folk-etymology ['fouk,etı'mɔlədʒı] *n* народная этимология.

folk-lore ['fouklɔ:] *n* фольклор.

folk-song ['fouksɔŋ] *n* народная песня.

folksy ['fouksı] *a амер.* 1) близкий к народу, народный; 2) общительный.

folk-tale ['foukteıl] *n* народная сказка.

folkways ['foukweız] *n pl амер.* народные обычаи, нравы.

follicle ['fɔlıkl] *n* 1) *зоол.* кокон; 2) *анат.* фолликул, сумка, мешочек; 3) *бот.* стручок.

follow ['fɔlou] *v* 1) следовать, идти за; a concert ~ed the lecture, the lecture was ~ed by a concert после лекции состоялся концерт; 2) преследовать; 3) следить, провожать (*взглядом*); 4) слушать, следить (*за словами*); 5) сопровождать (*кого-л.*); 6) придерживаться; ~ this path! идите этой дорогой!; to ~ the policy придерживаться (определённой) политики; 7) заниматься *чем-л.*; to ~ the plough пахать; to ~ the hounds охотиться с собаками; to ~ the law быть юристом; to ~ the sea быть моряком; 8) сменить (*кого-л.*); быть преемником; 9) разделять взгляды, поддерживать; быть последователем; I cannot ~ you in all your views я не со всеми вашими взглядами могу согласиться; 10) логически вытекать; from what you say it

~s из ваших слов следует; ☐ ~ on *разг.* продолжать (пре)следовать; ~ out выполнять до конца; осуществлять; ~ up а) преследовать упорно, энергично (*тж. перен.*); б) доводить до конца; ◇ as ~s следующее; the letter reads as ~s в письме говорится следующее; to ~ one's nose а) руководствоваться нюхом, чутьём; б) идти куда глаза глядят; to ~ the lead а) *карт.* отвечать партнёру; б) следовать примеру; to ~ suit а) *карт.* ходить в масть; б) следовать примеру; в) подражать.

follower ['fɔlouə] *n* 1) последователь; 2) ухажёр, поклонник; 3) *полит.* попутчик; 4) *тех.* ведомый механизм; толкатель; подаватель (*в оружии*).

following ['fɔlouıŋ] 1. *pres. p. om* follow; 2. *n* 1) последователи, приверженцы; 2) (the ~) следующее; the ~ is noteworthy нужно обратить внимание на следующее; 3. *a* 1) следующий, последующий; 2) попутный (*ветер, течение*).

follow my leader ['fɔloumı'li:də] *n* название детской игры, в которой играющие подражают всем движениям вожака.

folly ['fɔlı] *n* 1) глупость; недомыслие; безрассудство; безумие; 2) глупый поступок; дорого стоящий каприз.

foment [fou'ment] *v* 1) класть припарку; 2) подстрекать; раздувать, разжигать (*ненависть, беспорядки и т. п.*).

fomentation [,foumen'teıʃən] *n* 1) припарка; 2) возбуждение.

fond [fɔnd] *a* 1) нежный, любящий; to be ~ of smb., smth. любить кого-л., что-л.; 2) излишне доверчивый, излишне оптимистичный; a ~ hope неосновательная, тщетная надежда.

fondant ['fɔndənt] *n* леденец.

fondle ['fɔndl] *v* ласкать.

fondling ['fɔndlıŋ] 1. *pres. p. om* fondle; 2. *n* любимец.

fondness ['fɔndnıs] *n* нежность, любовь.

font [fɔnt] *n* 1) *церк.* купель; 2) *поэт.* источник, фонтан; 3) резервуар лампы; 4) *амер.* = fount II.

fontal ['fɔntl] *a* первоначальный.

food [fu:d] *n* 1) пища, питание; еда, корм; the ~ there is excellent там хорошо кормят; mental ~ пища для ума, духовная пища; ~ for powder солдаты; to become ~ for fishes утонуть; to become ~ for worms умереть; 2) съестные припасы, провизия, продовольствие; 3) *attr.* питательный; ~ value питательность.

food-card ['fu:dka:d] *n* продовольственная карточка.

food crop ['fu:dkrɔp] *n с.-х.* продовольственная культура.

food-stuff ['fu:dstʌf] *n* пищевой продукт.

fool I [fu:l] 1. *n* 1) дурак, глупец; ~'s paradise призрачное счастье; утопия; All Fools' day, April Fools' day первое апреля с его шутками; ~'s errand бесплодная затея; напрасные поиски; to make a ~ of smb. одурачить кого-л.; to make a ~ of oneself поставить себя в глупое положение, свалять дурака; to play the ~ валять дурака; to play the ~ with a) дурачить, обманывать; б) портить; 2) шут; ◇ every man has a ~ in his sleeve *посл.* ≅ на всякого мудреца довольно простоты; to be a ~ for one's pains остаться в дураках; ничего не получить за свой труд;

2. *a амер. разг.* глупый, безрассудный;

3. *v* дурачить(ся); одурачивать; обманывать; □ ~ about зря болтаться; ~ after волочиться за кем-л.; ~ around *амер.* = ~ about; ~ away тратить зря, упускать (*случай*); ~ out добиваться обманом (of — y); ~ with забавляться, играть.

fool II [fuːl] *n* кисель; gooseberry ~ крыжовенный кисель со сбитыми сливками.

foolery ['fuːlərɪ] *n* дурачество; глупый поступок.

foolhardy ['fuːl,haːdɪ] *a* 1) безрассудно храбрый; 2) любящий риск.

foolish ['fuːlɪʃ] *a* глупый; безрассудный; дурашливый.

foolishness ['fuːlɪʃnɪs] *n* глупость, безрассудство.

foolproof ['fuːlpruːf] *a разг.* 1) несложный; понятный всем и каждому; 2) безопасный, защищённый от неосторожного *или* неумелого обращения; 3) верный (*о деле*).

foolscap, fool's-cap *n* 1) ['fuːlzkæp] шутовской колпак; 2) ['fuːlskæp] формат бумаги (*13 д.×17 д.*).

foot [fut] **1.** *n* (*pl* feet) 1) ступня; нога (*ниже щиколотки*); to be on one's feet быть на ногах, оправиться после болезни; *перен.* стоять на своих ногах, быть самостоятельным, материально обеспеченным; to struggle to one's feet с трудом подняться, стать на ноги; 2) шаг, походка, поступь; at a ~'s pace шагом; fleet (*или* swift) of ~ быстроногий; light (heavy) ~ лёгкая (тяжёлая) поступь; on ~ движком; *перен.* в движении, в ходу, в стадии приготовления; to put one's best ~ forward а) прибавить шагу, поторопиться; б) делать всё возможное; to run a good ~ хорошо бежать (*о лошади*); 3) *воен.* пехота; 4) (*pl* часто без измен.) фут (*около 30,5 см*); 5) основание, опора, подножие; 6) нижняя часть, нижний край; at the ~ (of the bed) в ногах (кровати); 7) ножка (*мебели*); подножка, стойка; 8) (*pl* -s[-s]) осадок; подонки; 9) *прос.* стопа; ◇ to tread (*или* to trample) under ~ попирать, притеснять, порабощать; to set (*или* to put, to have) one's ~ on the neck of smb. поработить кого-л.; to carry smb. off his feet вызвать чей-л. восторг; сильно взволновать, возбудить кого-л.; to fall on one's feet счастливо отделаться, удачно выйти из трудного положения; to find one's feet стать на ноги, утвердиться в положении; to have one ~ in the grave, with one ~ in the grave (стоять) одной ногой в могиле; to have the ball at one's feet а) быть господином положения; б) иметь шансы на успех; to keep one's feet устоять; to put one's ~ down занять твёрдую позицию; принять твёрдое решение; решительно вос-

противиться; to put one's ~ in (*или* into) it *разг.* влипнуть, сесть в лужу; to set on ~ пустить в ход; to take (*или* to find) the length of smb.'s ~ узнать чью-л. слабость, раскусить человека;

2. *v* 1) идти пешком; to ~ it *разг.* а) танцевать; б) идти пешком; 2) надвязывать (*чулок*); 3) подытоживать; подсчитывать; to ~ the bill *разг.* заплатить по счёту, нести расходы; *перен.* испытывать на себе последствия, расплачиваться; 4) составлять, достигать; his losses ~ up to £ 100 его убытки достигают 100 фунтов (стерлингов).

foot-and-mouth disease ['futən'mauθdɪ'ziːz] *n вет.* ящур.

football ['futbɔːl] *n* 1) футбол; 2) футбольный мяч.

footballer ['futbɔːlə] *n* футболист.

football-player ['futbɔːl,pleɪə] = footballer.

foot-bath ['futbaːθ] *n* ножная ванна.

footboard ['futbɔːd] *n* 1) подножка (*экипажа, автомобиля*); запятки; ступенька; 2) *тех.* подкладка; 3) площадка для стояния (*обслуживающего персонала*).

footboy ['futbɔɪ] *n* 1) паж; мальчик (*слуга*); 2) *уст.* посыльный.

foot brake ['futbreɪk] *n* ножной тормоз.

foot-bridge ['futbrɪdʒ] *n* пешеходный мостик.

footer ['futə] *n sl.* футбол.

-footer [-futə] *в сложных словах означает стольких-то футов ростом; напр.:* a six- ~ человек шести футов ростом.

footfall ['futfɔːl] *n* 1) поступь; 2) звук шагов.

foot-gear ['futgɪə] *n собир.* 1) обувь; 2) чулки.

Foot Guards ['futgaːdz] *n pl* гвардейская пехота.

foot-hill ['futhɪl] *n* подножие, предгорье.

foothold ['futhould] *n* 1) опора для ноги; 2) точка опоры; опорный пункт, плацдарм; to gain a ~ стать твёрдой ногой, утвердиться, укрепиться.

footing ['futɪŋ] **1.** *pres. p. от* foot 2; **2.** *n* 1) опора для ноги; to lose one's ~ поскользнуться, оступиться; 2) основание, подошва, фундамент; 3) прочное положение; 4) итог, сумма столбца цифр; ◇ to pay (for) one's ~ *разг.* а) сделать вступительный взнос (*в виде дара, для организации вечеринки и т. п.*); б) поставить магарыч; to be on a friendly ~ with smb. быть на дружеской ноге с кем-л.

footle ['fuːtl] *разг.* **1.** *n* болтовня; ерунда; глупость;

2. *v* дурить, болтать чепуху.

footless ['futlɪs] *a* 1) безногий; 2) лишённый основания; 3) *амер.* неуклюжий, неумелый.

footlights ['futlaɪts] *n pl театр.* огни рампы; рампа; to appear before the ~ выступать на сцене; стать актёром; to get over the ~ иметь успех, понравиться публике (*о пьесе, спектакле*).

footman ['futmən] *n* 1) (ливрейный) лакей; 2) *уст.* пешеход; 3) *уст.* пехотинец.

foot-mark ['futmɑːk] *n* след ноги́.

foot-note ['futnout] 1. *n* подстро́чное примеча́ние; сно́ска;

2. *v* снабжа́ть подстро́чными примеча́ниями.

foot-pace ['futpeis] *n* шаг; at (a) ~ ша́гом.

footpad ['futpæd] *n* граби́тель (*на доро́гах*).

foot-passenger ['fut,pæsindʒə] *n* пешехо́д.

foot-path ['futpɑːθ] *n* 1) пешехо́дная доро́жка, тропи́нка; 2) тротуа́р; 3) помо́ст, рабо́чий мосто́к; галере́я для обслу́живания.

foot-plate ['futpleit] *n* 1) смотрова́я площа́дка, подно́жка; 2) площа́дка машини́ста парово́за; 3) *attr.* парово́зный; ~ crew парово́зная брига́да.

foot-pound ['fut'paund] *n* *mex.* фу́то-фу́нт.

footprint ['futprint] *n* след, отпеча́ток (ноги́).

foot-race ['futreis] *n* состяза́ние в бе́ге или ходьбе́.

foot-rule ['futruːl] *n* 1) лине́йка длино́ю в оди́н фут; лине́йка для измере́ния в фу́тах; 2) *гидр.* футшто́к.

foot-slog ['futslɔg] *sl.* 1. *n* путеше́ствие, перехо́д пешко́м;

2. *v* идти́, тащи́ться пешко́м.

foot-slogger ['fut,slɔgə] *n* *sl.* 1) пехоти́нец; 2) пешехо́д.

footsore ['futsɔː] *a* со стёртыми нога́ми.

footstalk ['futstɔːk] *n* *бот.* сте́бель.

footstep ['futstep] *n* 1) след; по́ступь, похо́дка; to follow in smb.'s ~s идти́ по чьим-л. стопа́м; 2) подно́жка, ступе́нька; 3) *mex.* опо́рная плита́, пята́; ца́пфа.

foot-stone ['fut,stoun] *n* *mex.* опо́ра, опо́рный ка́мень.

footstool ['futstuːl] *n* 1) скаме́ечка для ног; 2) *амер.* земля́, мир (*тж.* God's ~, ~ of the Almighty).

footsure ['futʃuə] *a* усто́йчивый, спосо́бный сохраня́ть да́нное положе́ние.

footwarmer ['fut,wɔːmə] *n* гре́лка для ног.

foot-way ['futwei] *n* 1) пешехо́дная доро́жка; тротуа́р; 2) *горн.* ле́стница (*в ша́хте*).

foot-wear ['futweə] = foot-gear.

footworn ['fut,wɔːn] *a* 1) уста́лый (*о пу́тнике*); 2) исхо́женный, уто́птанный (*о тропи́нке и т. п.*).

foozle ['fuːzl] *разг.* 1. *n* 1) оши́бка; плоха́я рабо́та; неуда́чная игра́; 2) *амер.* дура́к;

2. *v* де́йствовать неуме́ло; по́ртить (*рабо́ту, игру́*).

fop [fɔp] *n* фат, щёголь, хлыщ.

foppery ['fɔpəri] *n* фатовство́, щегольство́.

foppish ['fɔpiʃ] *a* фатова́тый, пусто́й.

for [fɔː (*по́лная фо́рма*); fə (*редуци́рованная фо́рма*)] 1. *prep* 1) для, ра́ди; *передаётся тж. да́тельным падежо́м*; ~ my sake ра́ди меня́; it is very good ~ you вам о́чень поле́зно; ~ children для дете́й; ~ sale для прода́жи; 2) за; we are ~ peace мы за мир; 3) ра́ди, за (*о це́ли*); just ~ fun

ра́ди шу́тки; to go out ~ a walk пойти́ погуля́ть; to send ~ a doctor посла́ть за врачо́м; 4) про́тив, от; medicine ~ a cough лека́рство от ка́шля; 5) в направле́нии, к; to start ~ напра́виться в; 6) из-за, за, по причи́не, всле́дствие; ~ joy от ра́дости; ~ fear (of) из стра́ха (пе́ред); ~ many reasons по мно́гим причи́нам; famous ~ smth. знамени́тый чем-л.; 7) в тече́ние, в продолже́ние; ~ the present, ~ the time being пока́; to last ~ an hour дли́ться час; to wait ~ years ждать года́ми; 8) на расстоя́ние; to run ~ a mile бежа́ть ми́лю; 9) вме́сто, в обме́н; за (*что-л.*); I got it ~ 5d. я купи́л э́то за пять пе́нсов; 10) на (*определённый моме́нт*); the lecture was arranged ~ two o'clock ле́кция была́ назна́чена на 2 часа́; 11) в; ~ the first time в пе́рвый раз; 12) от; *передаётся тж. роди́тельным падежо́м*; member ~ Oxford член парла́мента от О́ксфорда; 13) *употр. со сло́жным дополне́нием и други́ми сло́жными чле́нами предложе́ния*: this is ~ you to decide вы должны́ реши́ть э́то са́ми; ◇ ~ all I know наско́лько я зна́ю; ~ all that несмотря́ на всё э́то; ~ the rest a) что каса́ется остально́го, в остально́м; б) что каса́ется остальны́х; ~ my part что каса́ется меня́; as ~ me что каса́ется меня́; I ~ one я со свое́й стороны́; a Roland ~ an Oliver ≅ о́ко за о́ко, зуб за́ зуб; ~ ever, ~ good навсегда́; ~ example, ~ instance наприме́р; not ~ the world! ни за что на све́те!; I cannot do it ~ the life of me! не могу́ э́того сде́лать, хоть убе́й!; ~ shame! стыди́тесь!;

2. *cj* и́бо; ввиду́ того́, что.

forage ['fɔridʒ] 1. *n* 1) фура́ж, корм; 2) *воен.* фуражиро́вка.

2. *v* 1) *воен.* фуражи́ровать; 2) разы́скивать продово́льствие *или* что-л. необходи́мое; to ~ (about) for a meal оты́скивать ме́сто, где мо́жно пое́сть; 3) опустоша́ть, гра́бить.

forage-cap ['fɔridʒkæp] *n* фура́жка.

forager ['fɔridʒə] *n* фуражи́р.

foramen [fə'reimen] *n* (*pl* -mina, -mens [-menz]) *анат., зоол., бот.* отве́рстие, кана́л, прохо́д.

foramina [fə'ræminə] *pl* *от* foramen.

forasmuch [fərəz'mʌtʃ] *adv*: ~ as ввиду́ того́ что, поско́льку.

foray ['fɔrei] 1. *n* набе́г; мародёрство;

2. *v* производи́ть граби́тельский набе́г, опустоша́ть.

forbad, forbade [fə'bæd, fə'beid] *past* *от* forbid.

forbear I ['fɔːbeə] *n* (*обыкн. pl*) 1) пре́док; 2) предше́ственник.

forbear II [fɔː'beə] *v* (forbore; forborne) 1) возде́рживаться (from); 2) быть терпели́вым; to bear and ~ быть терпели́вым и терпи́мым.

forbearance [fɔː'beərəns] *n* 1) возде́ржанность; 2) снисходи́тельность, терпели́вость.

forbid [fə'bid] *v* (forbad, forbade; forbidden) запреща́ть; не позволя́ть; to ~ smb. the country запрети́ть кому́-л. въезд в страну́; to ~ the house отказа́ть от до́ма; time ~s вре́мя не позволя́ет; I am ~den tobacco мне запрещенó курить; ◊ God ~! бóже избáви!

forbidden [fə'bɪdn] 1. *p. p. от* forbid; 2. *a* запрéтный; запрещённый.

forbidding [fə'bɪdɪŋ] 1. *pres. p. от* forbid; 2. *a* 1) непривлекáтельный, оттáлкивающий; 2) угрожáющий; стрáшный.

forbore [fɔ:'bɔ:] *past от* forbear II.

forborne [fɔ:'bɔ:n] *p. p. от* forbear II.

forcarve [fɔ:'kɑ:v] *v уст.* разрезáть.

force [fɔ:s] 1. *n* 1) сúла; by ~ сúлой, насúльно; by ~ of (arms) сúлой, посрéдством (орýжия); he did it by ~ of habit он сдéлал э́то в сúлу привы́чки; 2) насúлие, принуждéние; brutal ~ грýбая сúла; насúлие; 3) вооружённый отря́д; the ~ полúция; to come in full ~ прибы́ть в пóлном состáве; 4) (*обыкн. pl*) вооружённые сúлы, войскá; land ~s сухопýтные войскá; 5) сúла, дéйствие (*закона, постановления и т. п.*); to come into ~ вступáть в сúлу; to put in ~ вводúть в дéйствие, осуществля́ть, проводúть в жизнь; to remain in ~ оставáться в сúле, дéйствовать; 6) влия́ние, дéйственность, убедúтельность; by ~ of circumstances в сúлу обстоя́тельств; there is ~ in what you say вы говорúте убедúтельно; 7) смысл, значéние; the ~ of a clause смысл статьú (*договора*); 8) *физ.* сúла;
2. *v* 1) заставля́ть, принуждáть; навя́зывать; to ~ a confession вы́нудить признáние; to ~ a smile вы́давить улы́бку; застáвить себя́ улыбнýться; to ~ tears from smb.'s eyes застáвить когó-л. расплáкаться, довестú когó-л. до слёз; to ~ an action а) *воен.* навязáть бой; б) вы́нудить (*когó-л.*) сдéлать что-л.; to ~ division потрéбовать голосовáния (*особ. в англ. парлáменте*); 2) брать сúлой, форсúровать; to ~ a lock взломáть замóк; to ~ one's way проложúть себé дорóгу; to ~ a crossing *воен.* форсúровать рéку; 3) *тех.* вжимáть, вставля́ть с сúлой; 4) форсúровать (*ход*); перегружáть машúну; 5) ускоря́ть (*движéние*); добавля́ть оборóты; 6) напрягáть, насúловать; to ~ one's voice напрягáть гóлос; 7) выводúть, выра́щивать; □ ~ in а) продавúть; б) втúснуться; ~ into втúснуть; ◊ to ~ down the throat навязáть (*что-л.*) сúлой.

forced [fɔ:st] 1. *p. p. от* force 2; 2. *a* 1) принудúтельный; ~ landing а) *ав.* вы́нужденная посáдка; б) *воен.* вы́садка десáнта с бóем; 2) натя́нутый (*об улы́бке*); аффектúрованный, притвóрный; неестéственный; 3) *воен.* форсúрованный; 4) *тех.* форсúрованный, принудúтельный; ~ draught искýсственная тя́га.

forcedly ['fɔ:sɪdlɪ] *adv* вы́нужденно; принуждённо.

forceful ['fɔ:sful] *a* 1) сúльный; 2) дéйственный, убедúтельный.

force-land ['fɔ:slænd] *v ав. разг.* совершáть вы́нужденную посáдку.

forceless ['fɔ:slɪs] *a* бессúльный.

force-meat ['fɔ:smi:t] *n* фарш.

forceps ['fɔ:seps] *n* (*употр. как sing и как pl*) хирургúческие щипцы́; пинцéт.

force-pump ['fɔ:spʌmp] *n тех.* нагнетáтельный насóс.

forcible ['fɔ:səbl] *a* 1) насúльственный; 2) вéский, убедúтельный (*о дóводе и т. п.*); я́ркий.

forcing ['fɔ:sɪŋ] 1. *pres. p. от* force 2; 2. *n* 1) насúлие, принуждéние; 2) вы́гонка (*растéния*) в парникé; 3) *тех.* форсúрование; 4) *арт.* врезáние (*снаря́да в нарéзы ствóла*); 5) *attr.*: ~ bed парнúк; ~ house гóночная теплúца; 6) *арт.* *attr.*: ~ band ведýщий поясóк (*снаря́да*).

forclose, forclosure [fɔ:'klouz, fɔ:'klouʒə]= foreclose, foreclosure.

Ford [fɔ:d] *n* форд (*автомобúль*); ◊ ~ family *амер. ирон.* семья́ безрабóтного, переезжáющая с мéста на мéсто в пóисках рабóты.

ford [fɔ:d] 1. *n* 1) брод; 2) *уст., поэт.* рекá, потóк; 2. *v* переходúть вброд.

fordone [fɔ:'dʌn] *a уст.* измýченный, крáйне устáлый.

fore [fɔ:] 1. *n мор.* нос, носовáя часть сýдна; ◊ to the ~ а) поблúзости; в присýтствии (*когó-л.*); б) налицó (*о деньгáх и т. п.*); в) впередú, на передáем плáне, на вúдном мéсте; to come to the ~ выступáть, выдвигáться вперёд;
2. *a* передáний; *мор.* носовóй;
3. *adv мор.* впередú; ~ and aft на носý и на кормé; вдоль всегó сýдна.

fore- I [fɔ:-] *pref* пред-, пéред; *напр.*: forearm предплéчье; to foresee предвúдеть.

fore- II [fɔ:-] *в сложных словáх* фор-, фок(а)- (*в названиях мачт, парусóв и т. п.*).

fore-and-aft ['fɔ:rənd'ɑ:ft] *a мор.* гродóльный; ~ cap *воен.* пилóтка; ~ rigged с косы́м пáрусным вооружéнием; ~ sail косóй пáрус.

forearm I ['fɔ:rɑ:m] *n* 1) предплéчье; 2) цевьё лóжи (*ружéйной*).

forearm II [fɔ:r'ɑ:m] *v* зарáнее вооружáться.

forebear [fɔ:'bɛə] = forbear I.

forebode [fɔ:'boud] *v* 1) предвещáть; 2) предчýвствовать (*преим. дурнóе*).

foreboding [fɔ:'boudɪŋ] 1. *pres. p. от* forebode; 2. *n* 1) плохóе предзнаменовáние; 2) предчýвствие (*дурнóго*).

fore-cabin ['fɔ:ˌkæbɪn] *n мор.* 1) салóн командúра; 2) пассажúрское помещéние 2-го клáсса.

forecast ['fɔ:kɑ:st] 1. *n* предсказáние; 2. *v* (forecast, forecasted [-ɪd]) предвúдеть, предскáзывать.

forecastle ['fouksl] *n мор.* бак; полубáк.

foreclose [fɔ:'klouz] *v* 1) *юр.* исключáть, лишáть прáва пóльзования; 2) *юр.* откáзывать в прáве вы́купа закладнóй вслéдствие просрóчки; 3) предрешáть (*вопрóс*).

foreclosure [fɔ:'klouʒə] *n юр.* лишéние прáва вы́купа закладнóй.

forecourt ['fɔ:kɔ:t] *n* внéшний двор (*перед дóмом*).

fore-edge ['fɔ:redʒ] *n* передáний обрéз кнúги.

forefather ['fɔ:ˌfɑ:ðə] *n* прéдок; Forefathers' Day *амер.* годовщúна вы́садки английских колонистов на американском берегу (*21 декабря 1620 г.*), праздануемая 22 декабря.

forefinger ['fɔː,fɪŋgə] *n* указательный палец.

forefoot ['fɔːfut] = foreleg.

forefront ['fɔːfrʌnt] *n* 1) *воен.* передовая линия (фронта); 2) важнейшее место, центр деятельности; to bring to the ~, to place in the ~ выдвигать на передний план.

forego [fɔː'gou] *v* (forewent; foregone) 1) предшествовать; 2) = forgo.

foregoer [fɔː'gouə] *n* предшественник.

foregoing [fɔː'gouɪŋ] 1. *pres. p. om* forego; 2. *a* предшествующий, упомянутый выше.

foregone [fɔː'gɔn] 1. *p. p. om* forego; 2. *a* известный *или* принятый заранее; ~ conclusion предрешённый вывод, заранее известное решение.

foreground ['fɔːgraund] *n* 1) передний план; 2) *театр.* авансцена; 3) самое видное место; to keep oneself in the ~ держаться на виду.

forehand ['fɔːhænd] 1. *n* 1) важнейшая часть; передняя часть; 2) передняя часть корпуса лошади (*перед всадником*); 3) удар справа (*в теннисе*); 2. *a* заблаговременный.

forehanded ['fɔː,hændɪd] *a* 1) своевременный, заблаговременный; 2) *амер.* расчётливый, предусмотрительный; 3) *амер.* преуспевающий.

forehead ['fɔrɪd] *n* лоб.

foreign ['fɔrɪn] *a* 1) иностранный; ~ policy внешняя политика; F. Office министерство иностранных дел (*в Англии*); F. Secretary министр иностранных дел (*в Англии*); ~ service *амер.* дипломатическая служба; ~ trade внешняя торговля; ~ traffic международное сообщение; 2) чужой, нездешний; 3) чуждый; не относящийся к делу; 4) *мед.* инородный.

foreign-born ['fɔrɪn,bɔːn] *a* родившийся в другой стране; иностранного происхождения.

foreigner ['fɔrɪnə] *n* 1) иностранец; 2) чужой (человек); 3) *разг.* иностранный корабль; 4) *разг.* растение, животное *и т. п.*, вывезенное из другой страны.

forejudge [fɔː'dʒʌdʒ] *v* принимать предвзятое решение; предрешать.

foreknew [fɔː'njuː] *past om* foreknow.

foreknow [fɔː'nou] *v* (foreknew; foreknown) знать заранее.

foreknowledge ['fɔː'nɔlɪdʒ] *n* предвидение.

foreknown [fɔː'noun] *p. p. om* foreknow.

foreland ['fɔːlənd] *n* 1) мыс; 2) прибрежная, приморская полоса.

foreleg ['fɔːleg] *n* передняя нога, передняя лапа.

forelock ['fɔːlɔk] *n* 1) прядь волос на лбу; хохол; чуб; 2) *тех.* шплинт, чека; ◇ to take time (*или* occasion) by the ~ воспользоваться случаем; использовать благоприятный момент; не зевать.

foreman ['fɔːmən] *n* 1) мастер; старший рабочий; десятник; прораб; техник; начальник цеха; 2) старшина присяжных.

foremast ['fɔːmaːst] *n* *мор.* фок-мачта.

foremilk ['fɔːmɪlk] *n* молозиво.

foremost ['fɔːmoust] 1. *a* 1) передний; передовой; head ~ головой вперёд; 2) самый главный, выдающийся; ~ authority крупнейший специалист; 2. *adv* на первом месте; прежде всего; во-первых (*обыкн.* first and ~).

forename ['fɔːneɪm] *n* имя (*в отличие от фамилии*).

forenoon ['fɔːnuːn] *n* время до полудня; утро.

forensic [fə'rensɪk] *a* судебный; ~ medicine судебная медицина; ~ eloquence красноречие адвоката.

foreordain ['fɔːrɔː'deɪn] *v* предопределять.

fore-ran [fɔː'ræn] *past om* fore-run.

fore-run [fɔː'rʌn] *v* (fore-ran; fore-run) *редк.* предшествовать; предвещать.

fore-runner ['fɔː,rʌnə] *n* 1) предтеча; 2) предвестник.

foresail ['fɔːseɪl] *n* *мор.* фок.

foresaw [fɔː'sɔː] *past om* foresee.

foresee [fɔː'siː] *v* (foresaw; foreseen) предвидеть.

foreseen [fɔː'siːn] *p. p. om* foresee.

foreshadow [fɔː'ʃædou] *v* предзнаменовать, предвещать; to be ~ed намечаться.

foreshore ['fɔːʃɔː] *n* береговая полоса, затопляемая приливом.

foreshorten [fɔː'ʃɔːtn] *v* сокращать (*в ракурсе*).

foreshow [fɔː'ʃou] *v* (foreshowed [-d]; foreshown) предсказывать, предвещать.

foreshown [fɔː'ʃoun] *p. p. om* foreshow.

foresight ['fɔːsaɪt] *n* 1) предвидение; 2) предусмотрительность; 3) *воен.* мушка.

foreskin ['fɔːskɪn] *n* *анат.* крайняя плоть.

forest ['fɔrɪst] 1. *n* 1) лес; 2) *юр.* заповедник (*для охоты*); 3) *attr.* лесной; 2. *v* засаживать лесом.

forestall [fɔː'stɔːl] *v* 1) предупреждать, предвосхищать; опережать; 2) *ист.* скупать товары, перехватывая их по дороге к рынку, с целью (незаконного) повышения цен.

forester ['fɔrɪstə] *n* 1) лесник, лесничий; 2) обитатель лесов.

forestry ['fɔrɪstrɪ] *n* 1) лесничество; 2) лесоводство; лесное хозяйство; 3) леса, лесные массивы.

foretaste 1. *n* ['fɔːteɪst] предвкушение; 2. *v* [fɔː'teɪst] предвкушать.

foretell [fɔː'tel] *v* (foretold) предсказывать.

forethought ['fɔːθɔːt] 1. *n* предусмотрительность; умение рассчитать заранее; 2. *a* преднамеренный; заранее обдуманный.

foretime ['fɔːtaɪm] *n* старые времена; былые дни.

foretoken 1. *n* ['fɔː,toukən] предвестие, предзнаменование; 2. *v* [fɔː'toukən] предвещать, предзнаменовать.

foretold [fɔː'tould] *past u p. p. om* foretell.

foretooth ['fɔːtuːθ] *n* передний зуб.

forever [fə'revə] *adv* навсегда.

forewarn [fɔː'wɔːn] *v* предостерегáть; ◇ ~ed is forearmed *посл.* кто предостережён, тот вооружён.

forewent [fɔː'went] *past om* forego.

forewoman ['fɔː,wumən] *n* 1) жéнщина-деся́тник; жéнщина-тéхник; жéнщина-мáстер; 2) жéнщина — старшинá прися́жных.

foreword ['fɔːwəːd] *n* предислóвие.

forfeit ['fɔːfit] 1. *n* 1)·штраф; 2) конфискóванная вещь; 3) конфискáция; потéря (*чего-л.*); 4) фант; *pl* игрá в фáнты;
2. *a* конфискóванный;
3. *v* поплатúться (*чем-л.*); потеря́ть прáво (*на что-л.*).

forfeiture ['fɔːfitʃə] *n* потéря; конфискáция.

forgather [fɔː'gæðə] *v* собирáться, встречáться.

forgave [fə'geiv] *past om* forgive.

forge.I [fɔːdʒ] 1. *n* кýзница; (кузнéчный) горн;
2. *v* 1) ковáть, выкóвывать; 2) выдýмывать, изобретáть; 3) поддéлывать.

forge II [fɔːdʒ] *v* постепéнно обгоня́ть; постепéнно выходúть на пéрвое мéсто; to ~ ahead возглавля́ть, лидúровать (*о бегуне и т. п.*).

forger ['fɔːdʒə] *n* 1) тот, кто поддéлывает докумéнты, пóдписи *и пр.*; фальшивомонéтчик; 2) кузнéц.

forgery ['fɔːdʒəri] *n* подлóг, поддéлка; поддéлывание.

forget [fə'get] *v* (forgot; forgotten) забывáть; to ~ oneself а) забывáть себя́, дýмая тóлько о другúх; б) забы́ться.

forgetful [fə'getful] *a* забы́вчивый; he is ~ of dates у негó плохáя пáмять на дáты.

forget-me-not [fə'getminɔt] *n* незабýдка.

forgive [fə'giv] *v* (forgave; forgiven) прощáть.

forgiven [fə'givn] *p. p. om* forgive.

forgiveness [fə'givnis] *n* прощéние.

forgiving [fə'giviŋ] 1. *pres. p. om* forgive.
2. *a* снисходúтельный, всепрощáющий.

forgo [fɔː'gou] *v* (forwent; forgone) откáзываться, воздéрживаться (*от чего-л.*).

forgone [fɔː'gɔn] *p. p. om* forgo.

forgot [fə'gɔt] *past om* forget.

forgotten [fə'gɔtn] 1. *p. p. om* forget.
2. *a* забы́тый; the ~ man *амер. разг.* а) рядовóй американéц, рядовóй налогоплатéльщик; б) безрабóтный.

forint ['fɔrint] *n* фóринт (*денежная единица Венгрии*).

fork [fɔːk] 1. *n* 1) вúлка; 2) рогýлька; вúлы; 3) камертóн; 4) разветвлéние; ответвлéние; распýтье; 5) пах;
2. *v* 1) разветвля́ться; 2) рабóтать вúлами; □ ~ out, ~ over *sl.* а) раскошéлиться; б) сдáться.

forked [fɔːkt] 1. *p. p. om* fork 2;
2. *a* раздвóенный, разветвлённый; вилкообрáзный; ~ lightning зигзагообрáзная мóлния.

forlorn [fə'lɔːn] *a уст., поэт.* несчáстный, забрóшенный; одинóкий, покúнутый; ◇ ~ hope а) óчень слáбая надéжда; б) безнадёжное предприя́тие (*тж. воен.*); в) воен. отря́д, выполня́ющий опáсное задáние *или* обречённый на гúбель.

form [fɔːm] 1. *n* 1) фóрма; внéшний вид; очертáние; in the ~ of a globe в фóрме шáра; to take the ~ of smth. приня́ть фóрму чегó-л.; 2) фигýра (*особ. человека*); 3) вид, разновúдность; 4) общепрúнятая фóрма; образéц, бланк; анкéта; in due ~ в дóлжной фóрме, по всем прáвилам; 5) поря́док; 6) *воен.* формировáние, построéние; 7) состоя́ние, готóвность; the horse is in ~ лóшадь вполнé подготóвлена к бегáм; in (good) ~ а) «в фóрме» (*о спортсмене*); б) в удáре; 8) формáльность, этикéт, церемóния; good (bad) ~ хорóший (дурнóй) тон, хорóшие (плохúе) манéры; 9) скамья́; 10) класс (*в школе*); 11) *грам.* фóрма; 12) *иск.* фóрма; literary ~ литератýрная фóрма; 13) *тех.* фóрма, модéль; 14) *полигр.* печáтная фóрма; 15) норá (*зайца*); 16) *стр.* опáлубка; 17) *ж.-д.* формировáние (*поездов*); 18) *эл.* аккумуля́тор;
2. *v* 1) придавáть *или* принимáть фóрму, вид; to ~ a vessel out of clay вы́лепить сосýд из глúны; 2) составля́ть; parts ~ a whole чáсти образýют цéлое; 3) создавáть(ся), образóвывать(ся); I can ~ no idea of his character не могý состáвить себé представлéния о егó харáктере; 4) воспúтывать, вырабáтывать (*характер, качества и т. п.*); дисциплинúровать, тренировáть; 5) формировáть(ся), образóвывать(ся); стрóить(ся); 6) *воен.* формировáть (*части*); 7) *ж.-д.* формировáть (*поезда*); 8) *тех.* формовáть.

formal ['fɔːməl] *a* 1) официáльный; ~ call официáльный визúт; ~ permission официáльное разрешéние; 2) формáльный; номинáльный; ~ acquiescence формáльное соглáсие; 3) относя́щийся к внéшней фóрме, внéшний; ~ resemblance внéшнее схóдство; 4) прáвильный, соотвéтствующий прáвилам; симметрúчный; ~ garden английский парк.

formaldehyde [fɔː'mældihaid] *n хим.* формальдегúд.

formalin ['fɔːməlin] *n* формалúн.

formalism ['fɔːməlizəm] *n* 1) формалúзм; педантúчность; 2) *иск.* формалúзм; 3) *рел.* обря́дность.

formalist ['fɔːməlist] *n* формалúст; педáнт.

formality [fɔː'mæliti] *n* 1) соблюдéние устанóвленных норм и прáвил; педантúчность; 2) формáльность; legal formalities юридúческие формáльности.

formalize ['fɔːməlaiz] *v* оформля́ть; придавáть определённую фóрму.

format ['fɔːmæt] *фр. n* формáт кнúги.

formate [fɔː'meit] *v амер. ав.* пристрóиться.

formation [fɔː'meiʃən] *n* 1) образовáние, создáние; формировáние; составлéние; 2) строéние, конструкция; 3) *воен.* расположéние; строй, поря́док (*войск*); 4) *ав.* боевóй поря́док, строй самолётов в вóздухе; 5) *геол.* формáция, образовáние, систéма, отдéл, я́рус.

formative ['fɔːmətiv] *a* 1) образýющий, созидáтельный; 2) *лингв.* словообразýющий.

forme [fɔːm] = form 1, 13).

former I ['fɔːmə] *n* 1) составитель; творец; создатель; 2) *ж.-д.* составитель (*поездов*); 3) *тех.* то, что придаёт форму; копир, направляющий шаблон, модель, лекало *и т. п.*; 4) *полигр.* словолитчик.

former II ['fɔːmə] *a* 1) прежний, бывший; in ~ times в прежние времена, в старину; 2) предшествующий; the ~ первый (*из двух названных*).

formic ['fɔːmɪk] *a* хим. муравьиный; ~ acid муравьиная кислота.

formicary ['fɔːmɪkəɪ] *n* муравейник.

formication [,fɔːmɪ'keɪʃən] *n* мурашки по телу.

formidable ['fɔːmɪdəbl] *a* 1) страшный, грозный; 2) громадный, огромный, труднопреодолимый; ~ task грандиозная задача; 3) значительный, внушительный.

formless ['fɔːmlɪs] *a* бесформенный, аморфный.

form-master ['fɔːm,mɑːstə] *n* классный руководитель.

formula ['fɔːmjulə] *n* (*pl* -las [-ləz], -lae) 1) формула, формулировка; 2) формула (*в точных науках*); 3) лозунг, доктрина; 4) рецепт.

formulae ['fɔːmjuliː] *pl от* formula.

formulate ['fɔːmjuleɪt] *v* 1) формулировать; 2) выражать в виде формулы.

formulation [,fɔːmju'leɪʃən] *n* формулировка, редакция; final ~ окончательная редакция.

formulism ['fɔːmjulɪzəm] *n* слепое следование формуле.

formulist ['fɔːmjulɪst] *n* слепой последователь, приверженец формул.

fornicate ['fɔːnɪkeɪt] *v* прелюбодействовать.

fornication [,fɔːnɪ'keɪʃən] *n* блуд; прелюбодеяние.

forsake [fə'seɪk] *v* (forsook; forsaken) 1) оставлять, покидать; 2) отказываться (*от привычки и т. п.*).

forsaken [fə'seɪkən] 1. *p. p. от* forsake; 2. *a* брошенный, покинутый.

forsook [fə'suk] *past от* forsake.

forsooth [fə'suːθ] *adv* ирон. несомненно, поистине.

forswear [fɔː'swɛə] *v* (forswore; forsworn) отрекаться; to ~ oneself ложно клясться; нарушать клятву.

forswore [fɔː'swɔː] *past от* forswear.

forsworn [fɔː'swɔːn] 1. *p. p. от* forswear; 2. *n* (the ~) клятвопреступник(и).

fort [fɔːt] *n* форт.

fortalice ['fɔːtəlɪs] *n* 1) небольшой форт; 2) *уст.*, *поэт.* крепость.

forte I [fɔːt] *n* сильная сторона (*в человеке*).

forte II ['fɔːtɪ] *ит. adv, n муз.* форте.

forth [fɔːθ] 1. *adv* 1) вперёд, дальше; наружу; back and ~ взад и вперёд, туда и сюда; to put ~ leaves покрываться листьями; 2) впредь; from this time (*или* day) ~ с этого времени; ◇ and so ~ и так далее; so far ~ постольку.
2. *prep уст.* из.

forthcoming [fɔːθ'kʌmɪŋ] 1. *n* появление, приближение;

2. *a* предстоящий, грядущий; приближающийся; ~ book книга, заканчивающаяся печатанием, книга, которая скоро выйдет.

forthright ['fɔːθraɪt] 1. *a* 1) прямой; 2) откровенный; прямолинейный, честный; 2. *adv* прямо; решительно.

forthwith ['fɔːθ'wɪθ] *adv* тотчас, немедленно.

forties ['fɔːtɪz] *n pl* 1) (the ~) сороковые годы; 2) пятый десяток (*возраст между 39 и 50 годами*); ◇ the roaring ~ бурная зона Атлантики (*39—50° сев. широты*).

fortieth ['fɔːtɪɪθ] 1. *num. ord.* сороковой; 2. *n* сороковая часть.

fortification [,fɔːtɪfɪ'keɪʃən] *n* 1) фортификация; 2) *pl* укрепления; 3) спиртование (*добавление спирта к вину*).

fortify ['fɔːtɪfaɪ] *v* 1) укреплять; 2) поддерживать (*морально, физически*); 3) подтверждать, подкреплять (*фактами*); 4) *воен.* укреплять, сооружать укрепление; 5) добавлять спирт к вину; fortified wine креплёное вино.

fortissimo [fɔː'tɪsɪmou] *ит. adv, n муз.* фортиссимо.

fortitude ['fɔːtɪtjuːd] *n* сила духа, стойкость.

fortnight ['fɔːtnaɪt] *n* две недели; this day ~ ровно через две недели; this ~ последние две недели.

fortnightly ['fɔːt,naɪtlɪ] 1. *a* двухнедельный; выходящий раз в две недели (*о журнале*); происходящий каждые две недели; 2. *adv* раз в две недели.

fortress ['fɔːtrɪs] *n* крепость.

fortuitous [fɔː'tjuːɪtəs] *a* случайный.

fortuity [fɔː'tjuːɪtɪ] *n* случайность; случай.

fortunate ['fɔːtʃnɪt] *a* счастливый, удачный; благоприятный.

Fortune ['fɔːtʃuːn] *n* миф. Фортуна, Судьба.

fortune ['fɔːtʃən] 1. *n* 1) удача; счастье; счастливый случай; bad (*или* ill) ~ несчастье, неудача; by good ~ по счастливой случайности; to seek one's ~ искать счастья; to try one's ~ попытать счастья; 2) судьба; to tell ~s гадать; 3) богатство, состояние; to come into a ~ получить наследство; to make a ~ разбогатеть; to marry a ~ жениться на деньгах; a small ~ *разг.* ≈ целое состояние, большая сумма;
2. *v уст., поэт.* 1) случаться; 2) наткнуться (upon).

fortune-hunter ['fɔːtʃən,hʌntə] *n* 1) искатель богатых невест; 2) авантюрист.

fortuneless ['fɔːtʃənlɪs] *a* 1) незадачливый; несчастный; 2) бедный.

fortune-teller ['fɔːtʃən,telə] *n* гадалка, ворожея.

forty ['fɔːtɪ] 1. *num. card.* сорок; ~-one сорок один; ~-two сорок два *и т. д.*; ◇ ~ winks короткий (послеобеденный) сон; the F.-five якобитское восстание 1745 г.;
2. *n* 1) сорок (*единиц, штук*); 2) яхта водоизмещением в 40 тонн.

forty-niner [,fɔːtɪ'naɪnə] *n амер.* золотоискатель, прибывший в Калифорнию в 1849 г. после открытия в ней золота.

forum ['fɔːrəm] n 1) ист. форум; 2) суд (совести, чести, общественного мнения); 3) форум, собрание; 4) свободная дискуссия.

forward ['fɔːwəd] 1. a 1) передний; 2) передовой; прогрессивный; 3) идущий впереди других; работающий или успевающий лучше других; 4) готовый (помочь и т. п.); 5) всюду сующийся; развязный; нахальный; 6) ранний; скороспелый; преждевременный; необычно ранний; 7) заблаговременный (о закупках, контрактах); 2. adv 1) вперёд; дальше; 2) вперёд, впредь; from this time ~ с этого времени; to look ~ смотреть в будущее; ◇ to look ~ to smth. предвкушать что-л.; to bring smth. ~ стараться привлечь к чему-л. внимание; 3. n спорт. нападающий (в футболе); centre ~ центр нападения; 4. v 1) ускорять; помогать, способствовать; to ~ a scheme продвигать проект; 2) отправлять, пересылать; посылать, препровождать; 5. int вперёд!

forwarder ['fɔːwədə] n экспедитор.

forward-looking ['fɔːwədlukɪŋ] a предусмотрительный, дальновидный.

forwardness ['fɔːwədnɪs] n 1) раннее развитие; 2) готовность; 3) самоуверенность; развязность; нахальство.

forwards ['fɔːwədz] = forward 2, 1).

forwent [fɔː'went] past от forgo.

forworn [fɔː'wɔːn] a уст., поэт. усталый, измученный.

fossa ['fɔsə] n (pl -ae) мед. ямка, впадина.

fossae ['fɔsiː] pl от fossa.

fosse [fɔs] n 1) воен. ров, канава, траншея; 2) = fossa.

fossick ['fɔsɪk] v разг. шарить, искать.

fossil ['fɔsl] 1. n окаменелость, ископаемое; 2. a 1) окаменелый, ископаемый; 2) старомодный, допотопный.

fossilize ['fɔsɪlaɪz] v 1) превращать(ся) в окаменелость; 2) закоснеть.

foster ['fɔstə] v 1) воспитывать, выхаживать; ходить (за детьми, больными); 2) питать (чувство); лелеять (мысль); 3) поощрять; благоприятствовать.

fosterage ['fɔstərɪdʒ] n 1) вскармливание (чужого) ребёнка; 2) отдача (ребёнка) на воспитание; 3) поощрение.

foster-brother ['fɔstə,brʌðə] n молочный брат.

foster-child ['fɔstətʃaild] n приёмыш; воспитанник.

foster-father ['fɔstə,fɑːðə] n приёмный отец.

fosterling ['fɔstəlɪŋ] n питомец; подопечный.

foster-mother ['fɔstə,mʌðə] n 1) кормилица; 2) приёмная мать; 3) брудер, искусственная матка (для цыплят).

foster-sister ['fɔstə,sɪstə] n молочная сестра.

fought [fɔːt] past и p. p. от fight 2.

foul [faul] 1. a 1) грязный, отвратительный, вонючий; 2) загрязнённый; гнойный (о ране); заразный (о болезни); ~ tongue мед. обложенный язык; 3) бесчестный, нравственно испорченный; подлый; предательский; ~ play нечестная игра; обман; предательство; ~ blow спорт. запрещённый удар; by fair means or ~ любыми средствами; 4) непристойный, непотребный; ~ language сквернословие; 5) разг. гадкий, отвратительный, скверный; ~ journey отвратительная поездка; ~ dancer плохой танцор; 6) бурный; ветреный (о погоде); 7) противный, встречный (о ветре); 8) мор. заросший ракушками и водорослями (о подводной части судна); 9) мор. запутанный (о снастях, якоре); 2. n 1) что-л. дурное, грязное и т. п.; 2) столкновение (при беге, верховой езде и т. п.); 3) спорт. нарушение правил игры; to claim a ~ спорт. опротестовать победу своего противника ввиду нарушения им правил игры; 3. adv нечестно; ◇ to play smb. ~ обмануть, предать кого-л.; to fall ~ а) мор. столкнуться (of); б) столкнуться, поссориться (of — c); 4. v 1) пачкать(ся); засорять(ся); 2) обрастать (о дне судна); 3) образовать затор (движения); 4) мор. запутывать(ся) (о снастях); 5) спорт. нечестно играть; ◇ to ~ one's nest ≅ выносить сор из избы; замарать, обесчестить себя; to ~ one's hands with smth. унизить себя до чего-л.

foulard [fuː'lɑː] фр. n фуляр.

foulé [,fuː'leɪ] фр. n текст. фуле.

foully ['faulɪ] adv 1) грязно, отвратительно; 2) предательски; жестоко.

foul-mouthed ['faulmauðd] a сквернословящий.

foulness ['faulnɪs] n 1) грязь, испорченность и пр. [см. foul 1]; 2) геол. газоносность.

foul-up ['faulʌp] n амер. разг. пиковое положение.

foumart ['fuːmɑːt] n хорёк.

found I [faund] v 1) закладывать (фундамент, город); 2) основывать, учреждать; создавать; 3) обосновывать, подводить основу; well ~ed хорошо обоснованный, убедительный; 4) опираться, основываться (о доводах и т. п.; on, upon — на).

found II [faund] v плавить, лить, отливать; варить (стекло).

found III [faund] 1. past и p. p. от find 1; 2. a снабжённый.

foundation [faun'deɪʃən] n 1) фундамент; основание, основа; to lay the ~(s) of smth заложить фундамент чего-л.; положить начало чему-л.; 2) pl основы; 3) основание (города и т. п.); обоснование, обоснованность; the rumour has no ~ это ни на чём не основанный слух; 5) организация, учреждение; 6) фонд, пожертвованный на культурные начинания; 7) учреждение, существующее на пожертвованный фонд.

foundationer [faun'deɪʃnə] n стипендиат (получающий стипендию из благотворительных средств).

foundation-muslin [faun'deɪʃən,mʌzlɪn] n (крахмальная) марля (для подшивки).

foundation-school [faun'deɪʃən‚skuːl] *n* шко́ла, существу́ющая на поже́ртвованный фонд.

foundation-stone [faun'deɪʃən‚stoun] *n* 1) *тех.* фунда́ментный ка́мень; 2) осно́ва, основно́й при́нцип.

founder I ['faundə] *n* основа́тель, учреди́тель; ~'s shares учреди́тельские а́кции.

founder II ['faundə] *n* плави́льщик, лите́йщик.

founder III ['faundə] 1. *n* воспале́ние копы́та;
2. *v* 1) идти́ ко дну (*о корабле*); 2) пусти́ть ко дну (*корабль*); 3) оседа́ть (*о зда́нии*); 4) погиба́ть, терпе́ть крах; 5) охроме́ть; упа́сть (*о лошади*); 6) допуска́ть опло́шность.

founding I ['faundɪŋ] *pres. p. от* found I.

founding II ['faundɪŋ] 1. *pres. p. от* found II;
2. *n* 1) лите́йное де́ло; 2) отли́вка, литьё.

foundling ['faundlɪŋ] *n* подки́дыш, найдёныш.

foundling-hospital ['faundlɪŋ‚hɔspɪtl] *n* прию́т, воспита́тельный дом.

foundress ['faundrɪs] *n* основа́тельница, учреди́тельница.

foundry ['faundrɪ] *n* 1) лите́йная, лите́йный цех; 2) литьё.

foundry hand ['faundrɪ‚hænd] *n* лите́йщик.

fount I [faunt] *n* 1) исто́чник, ключ; 2) = font 3).

fount II [faunt] *n полигр.* компле́кт шрифта́.

fountain ['fauntɪn] *n* 1) ключ, исто́чник; исто́к реки́; 2) фонта́н; 3) резервуа́р (*керосиновой лампы, автоматической ручки*).

fountain-head ['fauntɪn'hed] *n* 1) ключ, исто́чник; 2) первоисто́чник; to go to the ~ обрати́ться к первоисто́чнику.

fountain-pen ['fauntɪnpen] *n* автомати́ческая ру́чка.

four [fɔː] 1. *num. card.* четы́ре;
2. *n* 1) четвёрка; 2) *pl* четвёртый но́мер (*размер перчаток, обуви и т. п.*); 3) *разг.* четвёрка (*лодка*); 4) кома́нда четвёрки; 4) *pl воен.* строй по четы́ре; form ~ sl ряды́ вздвой!; 5) *фин.* четырёхпроце́нтные бума́ги; ◇ on all ~s a) на четвере́ньках; б) то́чно совпада́ющий; аналоги́чный, тожде́ственный.

four-ale ['fɔːreɪl] *n уст.* пи́во, продава́вшееся по 4 пе́нса за ква́рту.

four-cornered ['fɔː'kɔːnəd] *a* четырёхуго́льный.

Four-F ['fɔː'ef] *n амер. воен.* него́дный к действи́тельной вое́нной слу́жбе.

fourfold ['fɔːfould] 1. *a* четырёхкра́тный;
2. *adv* четы́режды; вче́тверо.

four-footed ['fɔː'futɪd] *a* четвероно́гий.

four-handed ['fɔː'hændɪd] *a* 1) четверору́кий (*об обезьяне*); 2) для четырёх челове́к (*об игре*); 3) разы́грываемый в четы́ре руки́ (*на рояле*).

four-in-hand ['fɔːrɪn'hænd] *n* 1) экипа́ж четвёркой; 2) га́лстук-самовя́з, завя́зываемый свобо́дным узло́м с двумя́ дли́нными конца́ми.

four-oar ['fɔː‚ɔː] *n* четвёрка (*лодка*).

four-poster ['fɔː'poustə] *n* крова́ть с по́логом на четырёх сто́лбиках.

fourscore ['fɔː'skɔː] *n уст.* во́семьдесят.

four-seater ['fɔː'siːtə] *n* четырёхме́стная маши́на.

foursome ['fɔːsəm] *n* 1) игра́ в гольф ме́жду двумя́ па́рами; 2) *разг.* компа́ния, гру́ппа из четырёх челове́к.

four-square ['fɔː'skwɛə] 1. *n* квадра́т;
2. *a* 1) квадра́тный; 2) *разг.* че́стный;
3. *adv* 1) че́стно; 2) абсолю́тно, соверше́нно.

fourteen ['fɔː'tiːn] *num. card.* четы́рнадцать.

fourteenth ['fɔː'tiːnθ] 1. *num. ord.* четы́рнадцатый;
2. *n* 1) четы́рнадцатая часть; 2) (the ~) четы́рнадцатое число́.

fourth [fɔːθ] 1. *num. ord.* четвёртый;
◇ the ~ arm вое́нно-возду́шные си́лы;
2. *n* 1) че́тверть; 2) (the ~) четвёртое число́; the F. (of July) *амер.* 4 июля (*день провозглаше́ния незави́симости США*).

fourthly ['fɔːθlɪ] *adv* в-четвёртых.

four-wheeler ['fɔː'wiːlə] *n* изво́зчичья каре́та.

fowl [faul] 1. *n* 1) *редк.* пти́ца (*тж. собир.*); дичь; 2) дома́шняя пти́ца, *обыкн.* ку́рица *или* пету́х;
2. *v* охо́титься за ди́чью; лови́ть птиц.

fowler ['faulə] *n* птицело́в; охо́тник.

fowling bag ['faulɪŋbæg] *n* ягдта́ш.

fowling-piece ['faulɪŋpiːs] *n* охо́тничье ружьё.

fowl-run ['faulrʌn] *n* пти́чий двор, пти́чник.

fox [fɔks] 1. *n* 1) лиси́ца, лиса́; 2) ли́сий мех; 3) *амер. унив. sl.* первоку́рсник; 4) *attr.* ли́сий;
2. *v* 1) покрыва́ть(ся) бу́рыми пя́тнами (*о бумаге*); 2) проки́снуть (*о вине, пиве*); 3) *sl.* де́йствовать ло́вко; хитри́ть, обма́нывать.

foxbane ['fɔks‚beɪn] *n бот.* акони́т, боре́ц.

fox-brush ['fɔksbrʌʃ] *n* ли́сий хвост.

fox-earth ['fɔks‚əːθ] = foxhole 1).

foxfire ['fɔks‚faɪə] *n амер.* фосфоресци́рующий свет (*гнилого дерева*).

foxglove ['fɔksglʌv] *n бот.* наперстя́нка.

foxhole ['fɔkshoul] *n* 1) ли́сья нора́; 2) *амер. воен.* стрелко́вая яче́йка.

foxhound ['fɔkshaund] *n* англи́йская поря́тая го́нчая.

foxtail ['fɔksteɪl] *n* 1) = fox-brush; 2) *бот.* лисохво́ст.

fox-terrier ['fɔks‚terɪə] *n* фокстерье́р.

fox-trap ['fɔkstræp] *n* капка́н для лиси́цы.

foxtrot ['fɔkstrɔt] 1. *n* фокстро́т (*танец*);
2. *v* танцева́ть фокстро́т.

foxy ['fɔksɪ] *a* 1) ли́сий; 2) хи́трый; 3) ры́жий; кра́сно-бу́рый; ~ hair ры́жие во́лосы; 4) покры́тый пя́тнами сы́рости (*о бумаге*); 5) проки́сший (*о вине, пиве*).

foyer ['fɔɪeɪ] *фр. n* фойе́.

frab [fræb] *v диал.* надоеда́ть, докуча́ть.

fracas ['frækɑː] *фр. n* шу́мная ссо́ра; сканда́л.

fraction ['frækʃən] *n* 1) дробь; decimal ~ десятичная дробь; common (*или* vulgar) ~ простая дробь; ргореr (imргорег) ~ правильная (неправильная) дробь; 2) частица, доля, крупица; обломок, осколок; not by a ~ ни на йоту; 3) *хим.* фракция, продукт перегонки; 4) *уст.* преломление, излом, разрыв, перерыв.

fractional, fractionary ['frækʃənl, -nərɪ] *a* 1) дробный; частичный; 2) *разг.* незначительный; 3) *хим.* фракционный; 4) *тех.* парциальный.

fractionate ['frækʃəneɪt] *v хим.* фракционировать (*разлагать вещество на отдельные фракции*).

fractious ['frækʃəs] *a* капризный, раздражительный, беспокойный.

fracture ['fræktʃə] 1. *n* 1) *хир.* перелом; 2) трещина, излом; разрыв; 2. *v* ломать(ся); вызывать перелом; раздроблять.

frag bomb ['frægbɔm] *n воен. разг.* осколочная бомба.

fragile ['frædʒaɪl] *a* 1) хрупкий, ломкий; 2) хрупкий, слабый; 3) преходящий; недолговечный.

fragility [frə'dʒɪlɪtɪ] *n* 1) хрупкость, ломкость; 2) хрупкость, слабость; 3) недолговечность.

fragment ['frægmənt] *n* 1) обломок; осколок; кусок; обрывок; 2) отрывок; фрагмент.

fragmentary ['frægməntərɪ] *a* 1) отрывочный; фрагментарный; 2) *геол.* обломочный.

fragmentation [,frægmən'teɪʃən] *n* разрыв (снаряда) на осколки.

fragmentation bomb [,frægmən'teɪʃən,bɔm] *n* осколочная бомба.

fragrance ['freɪgrəns] *n* аромат, благоухание.

fragrant ['freɪgrənt] *a* ароматный, благоухающий.

frail I [freɪl] *n* 1) тростник; 2) корзина из тростника.

frail II [freɪl] *a* 1) хрупкий, непрочный; 2) хилый, болезненный; 3) бренный; 4) нравственно неустойчивый.

frailty ['freɪltɪ] *n* 1) хрупкость; непрочность; 2) бренность; 3) моральная неустойчивость.

frame [freɪm] 1. *n* 1) сооружение, строение; 2) остов, скелет, костяк, каркас; сруб; 3) строение, структура; система; 4) of government структура правительства; 4) телосложение; sobs shook the child's ~ рыдания сотрясали тело ребёнка; 5) рамка, рама; 6) парниковая рама; 7) *стр.* ферма; стропильная нога; балка; 8) *тех.* станина; рама; 9) *кино* кадр; 10) *радио* кадр; рамка, рама; 11) *attr.* радио рамочный; ~ synchronization рамочная синхронизация; ~ aerial рамочная антенна; ◇ ~ of mind расположение духа, настроение.
2. *v* 1) создавать, вырабатывать; составлять; to ~ a plan создать план; 2) строить, сооружать; 3) вставлять в рамку; обрамлять; 4) приспособлять; 5) развиваться; 6) выражать в словах; произносить;

to ~ a sentence *грам.* построить предложение; 7) *sl.* подстроить ложное обвинение; ложно обвинять; 8) *тех. стр..* собирать из частей; склёпывать (*металлическую конструкцию*); сплачивать (*деревянную конструкцию*); □ ~ up подстраивать (*что-л.*); подтасовывать факты; судить на основании сфабрикованных обвинений.

frame-house ['freɪmhaus] *n* каркасный дом.

frame-saw ['freɪmsɔ] *n* лесопильная рама; рамная пила.

frame-up ['freɪm,ʌp] *n амер.* 1) тайный сговор; 2) подтасовка фактов; подстроенное обвинение, провокация; судебная инсценировка; 3) ловушка, западня; 4) *attr.* инсценированный; ~ trial инсценированный процесс.

framework ['freɪmwɜ:k] *n* 1) сруб; остов; корпус, каркас; набор (*корпуса корабля*); 2) решётка, решётчатая система; 3) рама, обрамление; коробка; 4) структура; рамки; within the ~ в рамках (*чего-л.*); в пределах (*чего-л.*); the ~ of society общественный строй; to return into the ~ воссоединиться; 5) *стр.* ферма; стропила.

framing ['freɪmɪŋ] 1. *pres. p. om* frame 2. *n* 1) рама, обрамление; a new ~ of mutual relations новая структура взаимоотношений; 2) остов, сруб; 3) *телев.* установка в рамку.

franc [fræŋk] *n* франк.

franchise ['fræntʃaɪz] *n* 1) привилегия; 2) право участвовать в выборах.

Franciscan [fræn'sɪskən] 1. *a* францисканский;
2. *n* францисканец (*монах*).

francolin ['fræŋkoulɪn] *n* порода куропаток.

frangible ['frændʒɪbl] *a* ломкий, хрупкий.

Frank [fræŋk] *n ист.* франк.

frank I [fræŋk] *a* искренний, откровенный, открытый.

frank II [fræŋk] *v* франкировать (*письмо*).

frankfurter ['fræŋkfətə] *n* сосиска.

frankincense ['fræŋkɪn,sens] *n* ладан.

franklin ['fræŋklɪn] *n ист.* свободный землевладелец недворянского происхождения.

frantic ['fræntɪk] *a* неистовый, безумный; she was ~ with grief она обезумела от горя.

fraternal [frə'tɜ:nl] *a* братский; ~ order (*или* society, association) общество (*часто тайное*).

fraternity [frə'tɜ:nɪtɪ] *n* 1) братство; община; 2) *амер.* студенческая организация.

fraternization [,frætənaɪ'zeɪʃən] *n* 1) тесная дружба; 2) братание.

fraternize ['frætənaɪz] *v* 1) относиться по-братски; 2) брататься.

fratricidal [,freɪtrɪ'saɪdl] *a* братоубийственный.

fratricide ['freɪtrɪsaɪd] *n* 1) братоубийца; 2) братоубийство.

fraud [frɔd] *n* 1) обман; мошенничество; подделка; 2) обманщик, мошенник.

fraudulent ['frɔ:djulənt] *a* обма́нный; моше́ннический; ~ bankruptcy *юр.* зло́стное банкро́тство.

fraught [frɔ:t] *a* 1) по́лный; преиспо́лненный; чрева́тый; ~ with danger чрева́тый опа́сностью; 2) *поэт.* нагру́женный.

fray I [frei] *n* столкнове́ние, дра́ка; eager for the ~ гото́вый лезть в дра́ку (*тж. перен.*).

fray II [frei] 1. *n* протёршееся ме́сто; 2. *v* 1) протира́ть(ся), изна́шивать(ся); обтрёпывать(ся); 2) истрепа́ть(ся) (*о нервах*).

frazzle ['fræzl] *разг. преим. амер.* 1. *n* 1) изно́шенность (*платья*); 2) махры́; ◊ to beat to a ~ *разг.* исколошма́тить; to work oneself to a ~ измота́ться;
2. *v* 1) протере́ть(ся), износи́ть(ся) до лохмо́тьев; 2) изму́чить, вы́мотать (*тж. ~* out).

freak [fri:k] 1. *n* 1) капри́з; причу́да; чуда́чество; 2) уро́дец (*тж. ~* of nature); 3) ненорма́льный ход (*какого-л. естественного процесса*); 4) *радио* внеза́пное прекраще́ние *или* восстановле́ние радиоприёма; 5) *кино* частота́;
2. *v* покрыва́ть пя́тнами *или* полоса́ми, испещря́ть; разнообра́зить.

freaked [fri:kt] 1. *p. p. от* freak 2;
2. *a* испещрённый.

freakish ['fri:kiʃ] *a* 1) капри́зный; 2) причу́дливый, стра́нный.

freckle ['frekl] 1. *n* весну́шка;
2. *v* покрыва́ть(ся) весну́шками.

free [fri:] 1. *a* 1) свобо́дный, во́льный; находя́щийся на свобо́де; незави́симый; to make ~ use of по́льзоваться без ограниче́ний; широко́ по́льзоваться; to make (*или* to set) ~ освобожда́ть, 2) доброво́льный, без принужде́ния; 3) неза́нятый; 4) непринуждённый, грацио́зный; ~ gesture непринуждённый жест; 5) распу́щенный; во́льный; to make ~ with smb. позволя́ть себе́ во́льности (*или* ли́шнее) по отноше́нию к кому́-л.; 6) ще́дрый; оби́льный; to be ~ with one's money быть ще́дрым, расточи́тельным; 7) беспла́тный, дарово́й; освобождённый от опла́ты; ~ education беспла́тное образова́ние; ~ of charge беспла́тно; ~ of debt не име́ющий долго́в, задо́лженности; ~ of duty беспо́шлинный; ~ imports беспо́шлинные това́ры; ~ on board *ком.* фоб, фра́нко борт парохо́да, с погру́зкой на су́дно; ~ port во́льная га́вань, по́рто-фра́нко; 8) откры́тый, досту́пный; ~ access свобо́дный до́ступ; 9) неприкреплённый, незакреплённый; 10) лишённый (from — *чего-л.*); свобо́дный (from — от *чего-л.*); a day ~ from wind безве́тренный день; ~ from pain безболе́зненный; ◊ ~ fight о́бщая дра́ка; сва́лка; ~ of за преде́лами; we're not ~ of the suburbs yet мы ещё не вы́брались из при́городов; ~ pardon по́лное проще́ние; амни́стия; to have (to give) a ~ hand име́ть (дава́ть) по́лную свобо́ду де́йствий;
2. *adv* 1) свобо́дно; to run ~ бе́гать на свобо́де; 2) беспла́тно;
3. *v* освобожда́ть (from, of — от); выпуска́ть на свобо́ду.

free agency ['fri:,eidʒənsi] *n* свобо́да во́ли; свобо́дная во́ля.

free and easy ['fri:ənd'i:zi] 1. *a* непринуждённый, чу́ждый усло́вностей;
2. *n разг.* собра́ние, где цари́т непринуждённость; *особ.* конце́рт, где разреша́ется кури́ть.

free balloon ['fri:bə'lu:n] *n* свобо́дный аэроста́т.

free-board ['fri:bɔ:d] *n мор.* надво́дный борт; высота́ надво́дного бо́рта.

freebooter ['fri:,bu:tə] *n* граби́тель; пира́т, флибустье́р.

Free Church ['fri:'tʃɜ:tʃ] *n* 1) це́рковь, отделённая от госуда́рства; 2) *pl* неанглика́нские це́ркви (*в Англии*).

free city ['fri:'siti] *n* во́льный го́род.

freedom ['fri:dəm] *n* 1) свобо́да, незави́симость; 2) пра́во, привиле́гия; ~ of speech свобо́да сло́ва; ~ of the press свобо́да печа́ти; academic ~s академи́ческие свобо́ды (*права университетов и студенческого волеизъявления*); 3) свобо́дное по́льзование; 4) *разг.* свобо́да, во́льность; to take (*или* to use) ~s with smb. позволя́ть себе́ во́льности по отноше́нию к кому́-л.

free enterprise ['fri:'entəpraiz] *n* свобо́дное предпринима́тельство; свобо́да предпринима́тельства.

free-for-all ['fri:fər'ɔ:l] 1. *a* откры́тый, общедосту́пный, досту́пный для всех;
2. *n* всео́бщая дра́ка, сва́лка.

free-hand ['fri:hænd] *n* 1) свобо́да де́йствий; 2) рису́нок от руки́.

free-handed ['fri:'hændid] *a* ще́дрый.

freeholder ['fri:houldə] *n ист.* фриго́льдер, земе́льный со́бственник.

free labour ['fri:,leibə] *n* 1) *ист.* труд свобо́дных люде́й (*не рабов*); 2) труд лиц, не принадлежа́щих к профсоюза́м; 3) рабо́чие, не явля́ющиеся чле́нами профсою́за.

free lance ['fri:'lɑ:ns] *n* 1) *ист.* ландскне́хт; 2) поли́тик, не принадлежа́щий к определённой па́ртии; 3) журнали́ст, не свя́занный с определённой реда́кцией.

free-lance ['fri:'lɑ:ns] *v* рабо́тать не по на́йму.

free-list ['fri:'list] *n* 1) спи́сок не облага́емых по́шлиной това́ров; 2) спи́сок лиц, по́льзующихся беспла́тным до́ступом куда́-л. *и т. п.*

free liver ['fri:,livə] *n* жуи́р, бонвива́н.

freely ['fri:li] *adv* 1) свобо́дно; во́льно; 2) оби́льно; широко́.

freemason ['fri:,meisn] *n* масо́н.

freemasonry ['fri:,meisnri] *n* масо́нство

free-spoken ['fri:'spoukən] *a* открове́нный, прямо́й (*в высказываниях*).

free-thinker ['fri:'θiŋkə] *n* вольноду́мец, свободомы́слящий; атеи́ст.

free trade ['fri:'treid] *n* 1) беспо́шлинная торго́вля; 2) *ист.* контраба́нда.

free-trader ['fri:'treidə] *n* 1) *полит.* фритре́дер; 2) *ист.* контрабанди́ст.

free wheel ['fri:'wi:l] *n* свобо́дное колесо́.

free will ['fri:'wil] *n* свобо́да во́ли; of one's own ~ доброво́льно.

free-will ['fri:'wil] *a* доброво́льный.

freeze [friːz] *v* (froze; frozen) 1) замерзáть, покрывáться льдом (*часто* ~ over); мёрзнуть; 2) заморáживать; 3) (*в безл. оборотах*): it ~s морóзит; 4) застывáть, затвердевáть; *перен.* стынуть; it made my blood ~ у меня от э́того кровь застыла в жи́лах; 5) *разг.* заморáживать (*фонды и пр.*); to ~ wages заморáживать зарáботную плáту; to ~ prices заморáживать цéны; 6) запрещáть испóльзование, произвóдство *или* продáжу сырья́ *или* готóвой продýкции; 7) *амер.* окончáтельно принять, стандартизи́ровать (*конструкцию, чертежи и т. п.*); □ ~ in вмерзáть; to be frozen in быть затёртым льдáми; вмёрзнуть; ~ on *sl.* а) крéпко ухвати́ться, вцепи́ться (to); б) привязáться к *кому-л.*; ~ out *sl.* отдéлаться (*от соперника*); ~ up: to be frozen up застыть, закоченéть.

freezer ['friːzə] *n* 1) мóроженица; 2) *австрал. разг.* скотопромы́шленник, разводящий *или* продающий барáнов, предназначенных к э́кспорту в морóженом ви́де; 3) холоди́льник, холоди́льная устанóвка.

freezing ['friːzɪŋ] 1. *pres. p. от* freeze; 2. *n* замерзáние, застывáние; заморáживание; 3. *a* 1) ледянóй; леденящий; 2) охлаждáющий, заморáживающий; ~ plant холоди́льник, холоди́льная устанóвка.

freezing-point ['friːzɪŋˌpɔɪnt] *n* тóчка замерзáния.

freight [freɪt] 1. *n* 1) фрахт, стóимость перевóзки; 2) фрахт, груз; 3) наём сýдна для перевóзки грýзов; 4) *амер.* товáрный пóезд; 5) *attr.* грузовóй; товáрный; ~ carrier грузовóй самолёт; ~ train *амер.* товáрный пóезд.
2. *v* 1) грузи́ть; 2) фрахтовáть.

freightage ['freɪtɪdʒ] *n* 1) фрахтóвка; 2) перевóзка грýзов.

freighter ['freɪtə] *n* 1) фрахтóвщик; нанимáтель *или* владéлец грузовóго сýдна; 2) грузовóе сýдно; 3) грузовóй самолёт.

French [frenʃ] 1. *a* францýзский; ◇ ~ beans фасóль; ~ brandy коньяк; ~ polish политýра; ~ red, ~ rouge карми́н; ~ roof мансáрдная крыша; ~ sash окóнный переплёт, доходящий до пола; ~ window створчатое окнó, доходящее до пола; ~ turnip брю́ква; ~ leave ухóд без прощáния; to assist in the ~ sense *ирон.* присýтствовать, не принимáя учáстия.
2. *n* 1) (the ~) *pl собир.* францýзский нарóд, францýзы; 2) францýзский язык; 3) *attr.*: ~ master учи́тель францýзского языкá; ~ lesson урóк францýзского языкá.

Frenchify ['frenʃɪfaɪ] *v разг.* офранцýживать(ся).

Frenchman ['frenʃmən] *n* 1) францýз; 2) францýзское сýдно.

Frenchwoman ['frenʃˌwumən] *n* францýженка.

frenzied ['frenzɪd] *a* взбешённый; ~ efforts бéшеные уси́лия.

frenzy ['frenzɪ] *n* безýмие, бéшенство; неи́стовство.

frequency ['friːkwənsɪ] *n* 1) частóтность, частотá; ~ of the pulse частотá пýльса; 2)

частое повторéние; 3) *физ.* частотá; high ~ высóкая частотá; low ~ ни́зкая частотá; 4) *attr.* частóтный; ~ divider *радио* дели́тель частоты; ~ modulation *радио* частóтная модуляция; ~ range *радио* частóтный диапазóн.

frequent 1. *a* ['friːkwənt] частый; часто повторяемый *или* встречáющийся; обы́чный; 2. *v* [frɪ'kwent] часто посещáть.

frequentative [frɪ'kwentətɪv] *a грам.* многокрáтный.

frequenter [frɪ'kwentə] *n* постоянный посети́тель, завсегдáтай;

fresco ['freskou] 1. *n* (*pl* -os, -oes [-ouz]) фрéска; фрéсковая жи́вопись; 2. *v* украшáть фрéсками;

fresh [freʃ] 1. *a* 1) свéжий; ~ fruit свéжие фрýкты; ~ butter несолёное мáсло; ~ water прéсная водá; ~ paint ещё не просóхшая крáска; ~ paint! осторóжно, окрáшено!; ~ sprouts молодые побéги; 2) нóвый; добáвочный; to begin a ~ chapter начáть нóвую главý; no ~ news никаки́х дополни́тельных извéстий; 3) бóдрый; не устáвший; 4) бодрящий (*о погоде*); свéжий, крéпкий (*о ветре*); ~ gale вéтер си́лой в 8 бáллов; 5) неóпытный; a ~ hand неóпытный человéк; 6) *амер.* дéрзкий; самонадéянный; 7) слегкá вы́пивший; 8) *шотл.* трéзвый; 9) *школ. sl.* нóвенький (*ученик*); 2. *adv* недáвно; тóлько что; ~ from school прямо со шкóльной скамьи́; 3. *n* 1) прохлáда; 2) = freshet.

freshen ['freʃn] *v* 1) освежáть; 2) свежéть (*тж.* ~ up); 3) *тех.* фришевáть.

fresher ['freʃə] *n унив. sl.* новичóк, первокýрсник.

freshet ['freʃɪt] *n* 1) потóк прéсной воды, вливáющийся в мóре; 2) вы́ход реки́ из берегов́, половóдье; пáводок.

freshly ['freʃlɪ] *adv* 1) свежó, бóдро *и пр.* [*см.* fresh 1]; 2) недáвно (*тк. с p.p.*, *напр.*: ~-painted тóлько что окрáшенный).

freshman ['freʃmən] *n унив.* первокýрсник; 2) *амер.* новичóк в шкóле; 3) *attr.*: ~ year пéрвый год пребывáния в состáве какóй-л. организáции; ~ English начáльный курс англи́йского языкá.

freshwater ['freʃˌwɔːtə] *a* пресновóдный.

fret I [fret] 1. *n* 1) раздражéние, волнéние; мучéние; 2) брожéние (*напитков*); 2. *v* 1) разъедáть, подтáчивать, размывáть; 2) подёргиваться ря́бью; 3) беспокóить(ся); мýчить(ся); you have nothing to ~ about вам нé из-за чего волновáться; ◇ to ~ and fume ≃ рвать и метáть; to ~ the (*или* one's) gizzard *разг.* волновáть(ся), беспокóить(ся); мýчить(ся).

fret II [fret] 1. *n* прямоугóльный орнáмент; 2. *v* украшáть лепнóй *или* резнóй рабóтой (*потолок*).

fret III [fret] *n* лад (*в гитáре*).

fretful ['fretful] *a* раздражи́тельный, капри́зный.

fret-saw ['fretsɔː] *n* пи́лка для выпи́ливания, лóбзик.

fretwork ['fretwɜːk] *n архит.* резнóе *или* лепнóе украшéние.

friability [ˌfraɪəˈbɪlɪtɪ] *n* рыхлость.
friable [ˈfraɪəbl] *a* рыхлый, крошащийся; ломкий, хрупкий.
friar [ˈfraɪə] *n* 1) *ист.* монах; 2) *полигр.* белое *или* слабо отпечатавшееся место на странице.
friar's cap [ˈfraɪəzkæp] *n* *бот.* аконит.
friary [ˈfraɪərɪ] *n* мужской монастырь.
fribble [ˈfrɪbl] 1. *n* бездельник;
2. *v* бездельничать.
fricassee [ˌfrɪkəˈsiː] *n* фрикасе.
fricative [ˈfrɪkətɪv] *фон.* 1. *a* фрикативный;
2. *n* фрикативный звук.
friction [ˈfrɪkʃən] *n* 1) трение; 2) трения, разногласия; 3) растирание; 4) шум трения.
friction-gear [ˈfrɪkʃəngɪə] *n* *тех.* фрикционная передача.
friction-sound [ˈfrɪkʃənsaund] *n* *мед.* шум.
Friday [ˈfraɪdɪ] *n* пятница; Good ~ *церк.* страстная пятница; man ~ верный слуга (*по имени верного слуги в романе «Робинзон Крузо» Дефо*).
friend [frend] 1. *n* 1) друг, приятель; to make ~s помириться; to make ~s with smb. подружиться с кем-л.; 2) товарищ, коллега; my honourable ~ мой достопочтенный собрат (*упоминание одним членом парламента другого в своей речи*); my learned ~ мой учёный коллега (*упоминание одним адвокатом другого на суде*); 3) сторонник, доброжелатель; 4) (F.) квакер; Society of Friends секта квакеров; ◇ a ~ in need is a ~ indeed *посл.* друзья познаются в беде;
2. *v поэт.* помогать, быть другом.
friendless [ˈfrendlɪs] *a* одинокий, не имеющий друзей.
friendliness [ˈfrendlɪnɪs] *n* дружелюбие.
friendly [ˈfrendlɪ] 1. *a* 1) дружеский; дружески расположенный; ~ match *спорт.* дружеская встреча; F. Society общество взаимопомощи; 2) дружественный; a ~ nation дружественная страна; 3) сочувствующий, одобряющий (to); 4) благоприятный; 5) (F.) квакерский;
2. *adv* дружественно; дружелюбно.
friendship [ˈfrendʃɪp] *n* 1) дружба; 2) дружелюбие.
frieze I [friːz] *n* *текст.* 1) бобрик; грубая ворсистая шерстяная ткань; 2) байка.
frieze II [friːz] *n* фриз; бордюр.
frig [frɪdʒ] *разг.* см. refrigerator.
frigate [ˈfrɪgɪt] *n* 1) *мор.* фрегат; 2) небольшой миноносец (*для конвойной службы*); 3) фрегат (*водоплавающая тропическая птица*).
frigate-bird [ˈfrɪgɪtˌbəːd] = frigate 3).
fright [fraɪt] 1. *n* 1) испуг; to give a person a ~ напугать кого-л.; to have (*или* to get) a ~ напугаться; 2) *разг.* пугало, страшилище;
2. *v поэт.* пугать; тревожить.
frighten [ˈfraɪtn] *v* пугать; ▢ ~ away спугнуть; ~ into страхом, запугиванием заставить сделать что-л.; ~ out of запугиванием заставить отказаться от чего-л.
frightened [ˈfraɪtnd] 1. *p. p. от* frighten;
2. *a* испуганный.

frightful [ˈfraɪtful] *a* 1) страшный, ужасный; 2) *разг.* огромный; безобразный.
frigid [ˈfrɪdʒɪd] *a* 1) холодный; ~ zone арктический пояс; 2) холодный, безразличный, натянутый.
frigidity [frɪˈdʒɪdɪtɪ] *n* 1) морозность; мерзлота; eternal ~ вечная мерзлота; 2) холодность, безразличие.
frill [frɪl] 1. *n* 1) оборочка; сборки; жабо; брыжи; 2) *pl* ненужные украшения; 3) *pl* ужимки, *pl амер. разг.* деликатес; 5) *анат.* брыжейка; ◇ to put on ~s манерничать, важничать; задаваться; to take the ~s out of smb. *sl.* сбивать спесь с кого-л.; Newgate ~ бородка, отпущенная ниже подбородка при сбритых усах и гладко выбритом лице;
2. *v* 1) украшать оборочками; 2) гофрировать, делать складки.
frillies [ˈfrɪlɪz] *n pl разг.* гофрированные нижние юбки.
fringe [frɪndʒ] 1. *n* 1) бахрома; 2) чёлка; 3) край, кайма; on the ~ of the forest на опушке леса; ◇ Newgate ~ = Newgate frill [*см.* frill 1 ◇];
2. *v* 1) отделывать бахромой; 2) окаймлять.
frippery [ˈfrɪpərɪ] *n* 1) мишурные украшения; безделушки; 2) *уст.* хлам; поношенная одежда.
Frisco [ˈfrɪskou] *n разг.* г. Сан-Франциско.
Frisian [ˈfrɪzɪən] 1. *a* фризский;
2. *n* 1) фриз; 2) фризский язык.
frisk [frɪsk] 1. *n* прыжок, скачок;
2. *v* 1) резвиться, прыгать; 2) махать (*веером*); 3) *амер. sl.* обыскивать карманы.
frisky [ˈfrɪskɪ] *a* резвый, игривый.
frit [frɪt] 1. *n* стеклянная смесь, фритта;
2. *v* спекать, сплавлять.
frith [frɪθ] = firth.
fritter [ˈfrɪtə] 1. *n* 1) оладья (*часто с яблоками и т. п.*); 2) кусок жареного мяса; 3) отрывок;
2. *v* 1) делить на мелкие части; 2) растрачивать по мелочам (*обыкн.* ~ away).
frivol [ˈfrɪvəl] *v* 1) вести праздный образ жизни; бессмысленно растрачивать (*время, деньги и т. п.*).
frivolity [frɪˈvɔlɪtɪ] *n* 1) легкомыслие; легкомысленный поступок; 2) фривольность.
frivolous [ˈfrɪvələs] *a* 1) пустой, легкомысленный; фривольный; поверхностный; 2) пустячный, незначительный.
friz [frɪz] = frizz I.
frizz I [frɪz] *n* 1) кудри; 2) вьющиеся волосы; 3) *редк.* парик;
2. *v* 1) завивать; 2) виться.
frizz II [frɪz] *v* шипеть (*при жаренье*).
frizzed [frɪzd] 1. *p. p. от* frizz I, 2;
2. *a* завитой.
frizzle I [ˈfrɪzl] *v* 1) жарить(ся) с шипением; 2) страдать от жары.
frizzle II [ˈfrɪzl] 1. *n* 1) завивка (*причёска*); 2) = frizz I, 1, 1);
2. *v* завиваться.
frizzly [ˈfrɪzlɪ] = frizzed 2.
frizzy [ˈfrɪzɪ] *a* вьющийся.

fro [frou] *adv*: to and ~ взад и вперёд; туда и сюда.

frock [frɔk] *n* 1) дамское *или* детское платье; 2) ряса; 3) = frock-coat; 4) тельняшка.

frock-coat ['frɔk'kout] *n* сюртук.

frog I [frɔg] *n* 1) лягушка; 2) стрелка *(в копыте лошади)*; 3) *ж.-д.* крестовина *(стрелки)*; 4) *эл.* стрелка контактного провода; 5) стойка-башмак *(плуга)*; ◇ ~ restaurant *амер. разг.* французский ресторан.

frog II [frɔg] *n* 1) отделка на одежде из тесьмы, сутажа *и т. п.*; 2) аксельбант; 3) петля, крючок *(для прикрепления палаша, кортика и т. п.)*.

frog-fish ['frɔgfiʃ] *n* морской чёрт, лягва *(рыба)*.

froggy ['frɔgı] *a* лягушечий.

frog-in-the-throat ['frɔgınðə'θrout] *n* хрипота.

frogling ['frɔglıŋ] *n* лягушонок.

frogman ['frɔgmən] *n* 1) ныряльщик с аквалангом; 2) водолаз.

frogskin ['frɔgskın] *n амер. sl.* долларовая бумажка.

frolic ['frɔlık] **1.** *n* шалость; резвость; веселье;

2. *a поэт.* весёлый; резвый; шаловливый;

3. *v* резвиться, проказничать.

frolicsome ['frɔlıksəm] *a* игривый, резвый.

from [frɔm *(полная форма)*; frəm *(редуцированная форма)*] 'prep 1) *указывает на пространственные отношения* от, из, с *(передаётся тж. приставками)*; ~ Leningrad из Ленинграда; where is he coming ~? откуда он?; we are two hours journey ~ there мы находимся в двух часах пути оттуда; we were 50 km ~ the town мы были в 50 км от города; 2) *указывает на отправную точку, исходный пункт, предел* с, от; ~ the beginning of the book с начала книги; ~ floor to ceiling от пола до потолка; ~ end to end из конца в конец; you will find the word in the seventh line ~ the bottom (of the page) вы найдёте это слово в седьмой строке снизу; ~ ten to twenty thousand от десяти до двадцати тысяч; ~ my point of view с моей точки зрения; 3) *указывает на временные отношения* с, от, из; ~ the (very) beginning,~ the (very) first, ~ the outset с (самого) начала; ~ the beginning of the century с начала века; ~ a child с детства; ~ before the war с довоенного времени; ~ now on с этих пор, отныне; beginning ~ Friday week начиная с будущей пятницы; ~ dusk to dawn от зари и до зари; ~ six a. m. с шести часов утра; ~ day to day изо дня в день; ~ time to time время от времени, изредка, иногда; ~ first to last, ~ beginning to end от начала до конца; 4) *указывает на отнятие, изъятие, вычитание, разделение и т. п.* у, из, с, от; take the knife ~ the child отнимите нож у ребёнка; take ten ~ fifteen вычтите десять из пятнадцати; to exclude ~ the number исключить из числа; she parted ~ him at the door она рассталась с ним у дверей;

they withdrew the team ~ the match команда не была допущена к соревнованиям; 5) *указывает на освобождение от обязанностей, избавление от опасности и т. п.* от; to hide ~ smb. спрятаться от кого-л.; to release ~ duty *воен.* сменить на посту, заступить в наряд; he was excused ~ digging он был освобождён от тяжёлых земляных работ; he was saved ~ ruin он был спасён от разорения; prevent him ~ going there не пускайте его туда; 6) *указывает на источник, происхождение* от, из, по; I know it ~ papers я знаю это из газет; to paint ~ nature писать с натуры; to speak (to write down) ~ memory говорить (записывать) по памяти; to judge ~ appearances судить по внешности *(или по внешнему виду)*; ~ the bottom of the heart от чистого сердца; I heard it ~ his own lips я слышал это из его собственных уст; ~ mouth to mouth из уст в уста; 7) *указывает на причину действия* от, из; to suffer ~ cold страдать от холода; he died ~ blood-poisoning он умер от заражения крови; to act ~ good motives действовать из добрых побуждений; to be shy ~ nature быть от природы застенчивым; they might have done it ~ spite они, возможно, сделали это назло нам; 8) *указывает на различие* от, из; to tell the real silk ~ its imitation отличить натуральный шёлк от вискозы; not to know black ~ white не отличать белого от чёрного; customs differ ~ country to country в каждой стране свой обычаи; to do things differently ~ other people поступать не так, как все; 9) *указывает на изменение состояния* из, с, от; ~ being a dull, indifferent boy he now became a vigorous youth из скучного, апатичного мальчика он превратился в живого энергичного юношу; □ ~ above сверху; ~ away с расстояния, издали; ~ afar издали; ~ of: ~ of old издавна; ~ outside снаружи; извне; ~ over the sea из-за моря; ~ under из-под; ~ under the table из-под стола.

frond [frɔnd] *n* 1) вайя; ветвь с листьями; 2) лист *(папоротника или пальмы)*.

Fronde [frɔnd] *фр. n ист.* фронда.

front [frʌnt] **1.** *n* 1) фасад; передняя сторона *(чего-л.)*; to come to the ~ выдвинуться; in ~ of перед, впереди; a car stopped in ~ of the house перед домом остановилась машина; don't say it in ~ of the children не говори об этом при детях; 2) *воен.* фронт; передовые позиции; 3) фронт, сплочённость *(перед лицом врага)*; united ~ единый фронт; popular *(или* the people's) ~ народный фронт; 4) *поэт.* лицо, лик; чело; 5) накладка из волос; 6) накрахмаленная манишка; 7) набережная; приморский бульвар; 8) наглость; to have the ~ быть настолько наглым;

2. *a* 1) передний; ~ door парадная дверь, парадное; 2) *фон.* переднеязычный; ~ vowels гласные переднего ряда; ◇ ~ bench министерская скамья в английском парламенте *или* скамья, занимаемая лидерами оппозиции в парламенте [*ср.* front-bencher];

3. *v* 1) выходить на; быть обращённым к; the house ~s on (*или* towards) the sea дом выходит нá море; 2) противостоять; 3) *воен.* становиться во фронт.

frontage [ˈfrʌntɪdʒ] *n* 1) передний фасад; 2) палисадник; участок между зданием и дорогой; 3) граница земельного участка (*по дороге, реке*); 4) *воен.* ширинá фрóнта, протяжéние по фрóнту.

frontal [ˈfrʌntl] **1.** *a* 1) *анат.* лóбный; 2) *воен.* лобовóй; 3) *тех.* торцóвый;
2. *n* *стр.* передняя часть.

front-bencher [ˈfrʌnt ˈbentʃə] *n* *парл.* министр; бывший министр *или* руководитель оппозиции.

frontier [ˈfrʌntjə] *n* 1) граница; 2) *ист.* граница продвижения поселéнцев в США; 3) *уст.* форт; 4) *attr.* пограничный; ~ town пограничный гóрод.

frontispiece [ˈfrʌntɪspiːs] *n* *архит.*, *полигр.* фронтиспис.

frontless [ˈfrʌntlɪs] *a* *редк.* беззастéнчивый, бесстыжий.

frontlet [ˈfrʌntlɪt] *n* 1) повязка на лбу; 2) пятнó на лбу живóтного.

fronton [ˈfrɒŋtɒŋ] *n* *архит.* фронтóн, щипéц.

front page [ˈfrʌnt ˌpeɪdʒ] *n* 1) титульный лист; 2) первая полосá в газéте.

front-page [ˈfrʌnt ˈpeɪdʒ] *a* помещáемый на пéрвой странице (*газеты*); óчень вáжный.

front-pager [ˈfrʌnt ˌpeɪdʒə] *n* *амер.* сенсациóнная информáция, вáжное извéстие.

front-rank [ˈfrʌnt ˌræŋk] *a* передовóй.

frontward [ˈfrʌntwəd] **1.** *a* выходящий на фасáд;
2. *adv* лицóм вперёд.

frontwards [ˈfrʌntwədz] = frontward 2.

frontways, frontwise [ˈfrʌntweɪz, ˈfrʌntwaɪz] = frontward 2.

frost [frɒst] **1.** *n* 1) морóз; ten degrees of ~ дéсять грáдусов морóза; black ~ морóз без инея; hard ~, sharp ~, biting ~ сильный морóз; 2) хóлодность, сурóвость; 3) *разг.* провáл (*пьесы, затеи и т. п.*); the play turned out a ~ пьéса провалилась; dead ~ — *разг.* гиблое дéло; пóлная неудáча, фиáско; 4) скýка (*царящая на концéрте, в теáтре и т. п.*);
2. *v* 1) побивáть морóзом (*растéния*); 2) подморáживать; 3) расхолáживать; 4) покрывáть глазýрью, посыпáть сáхарной пýдрой; 5) матировáть (*стекло*); 6) подкóвывать на óстрые шипы.

frost-bite [ˈfrɒstbaɪt] *n* отморóженное мéсто.

frost-bitten [ˈfrɒstˌbɪtn] *a* обморóженный.

frost-bound [ˈfrɒstbaund] *a* скóванный морóзом.

frost-cleft [ˈfrɒstkleft] *лес.* **1.** *n* зяблина, морозобóина;
2. *a* поражённый морозобóиной; трéснувший от морóза.

frost-crack [ˈfrɒstkræk] = frost-cleft 1.

frosted [ˈfrɒstɪd] **1.** *p. p. om* frost 2;
2. *a* 1) трóнутый морóзом; покрытый инеем; 3) мáтовый (*о стекле*); 4) глазирóванный (*о тóрте*).

frost-hardy [ˈfrɒstˌhaːdɪ] *a* морозостóйкий (*о растéниях*).

frost-hole [ˈfrɒsthoul] = frost-cleft 1.

frostily [ˈfrɒstɪlɪ] *adv* *преим.* *перен.* хóлодно.

frost-work [ˈfrɒstwəːk] *n* 1) ледянóй узóр (*на стекле*); 2) тóнкие узóры на серебрé *или* óлове.

frosty [ˈfrɒstɪ] *a* 1) морóзный; ~ trees дерéвья, покрытые инеем; 2) *перен.* холóдный, ледянóй; 3) седóй.

froth [frɒθ] **1.** *n* 1) пéна; 2) вздóрные мысли, пустые словá; болтовня;
2. *v* 1) пéниться; кипéть; 2) сбивáть в пéну; 3) пустословить.

froth-blower [ˈfrɒθˌblouə] *n* *шутл.* завсегдáтай пивных.

frothy [ˈfrɒθɪ] *a* 1) пéнистый; *перен.* пустóй.

frounce [frauns] *v* 1) завивáть; 2) дéлать сбóрки, склáдки; 3) *уст.* хмýриться.

froward [ˈfrouəd] *a* *уст.* поступáющий напереко́р; капризный; упрямый; непослýшный.

frown [fraun] **1.** *n* сдвинутые брóви; хмýрый взгляд; выражéние неодобрéния;
2. *v* хмýрить брóви; смотрéть неодобрительно (at, on, upon — на); насýпиться.

frowst I [fraust] *n* *разг.* спёртый, зáтхлый вóздух (*в комнате*).

frowst II [fraust] *v* 1) сидéть развалясь; 2) бездéльничать.

frowsy, frowzy [ˈfrauzɪ] *a* 1) зáтхлый, спёртый; 2) неряшливый, нечёсаный, грязный.

froze [frouz] *past om* freeze.

frozen [ˈfrouzn] **1.** *p. p. om* freeze;
2. *a* 1) замёрзший; заморóженный; студёный; 2) *перен.* холóдный, крáйне сдéржанный.

fructiferous [frʌkˈtɪfərəs] *a* плодоносящий.

fructification [ˌfrʌktɪfɪˈkeɪʃən] *n* *бот.* оплодотворéние.

fructify [ˈfrʌktɪfaɪ] *v* 1) *бот.* оплодотворять; 2) приносить плоды (*тж. перен.*).

fructose [ˈfrʌktous] *n* фруктóза.

frugal [ˈfruːɡəl] *a* 1) бережливый, экономный; 2) умéренный, скрóмный; a ~ supper скýдный ýжин.

frugality [fruːˈɡælɪtɪ] *n* 1) бережливость; 2) умéренность.

fruit [fruːt] **1.** *n* 1) плод; they grow here different ~s здесь вырáщивают рáзные фрýкты; 2) *собир.* фрýкты; to grow ~ разводить плодóвые растéния; small ~ ягоды; 3) (*преим. pl*) плоды, результáты; 4) *attr.* фруктóвый;
2. *v* плодоносить.

fruitage [ˈfruːtɪdʒ] *n* 1) плодоношéние; 2) *поэт.* плоды.

fruitarian [fruːˈtɛərɪən] *n* человéк, питáющийся тóлько фрýктами.

fruiter [ˈfruːtə] *n* 1) плодóвое дéрево; 2) сýдно, гружёное фрýктами; 3) садовóд.

fruiterer [ˈfruːtərə] *n* торгóвец фрýктами.

fruitful [ˈfruːtful] *a* 1) плодовитый; плодорóдный; 2) плодотвóрный.

fruit-grower [ˈfruːtˌɡrouə] *n* плодовóд.

fruitgrowing ['fru:t,grouɪŋ] *n* плодовóд-ство.

fruition [fru:'ɪʃən] *n* 1) пóльзование ка-кúми-л. блáгами; 2) осуществлéние (*на-дéжд и т. п.*).

fruit-knife ['fru:tnaɪf] *n* нож для фрýктов.

fruitless ['fru:tlɪs] *a* 1) бесплóдный; 2) бесполéзный.

fruit-piece ['fru:tpi:s] *n* натюрмóрт с фрýк-тами.

fruit salad ['fru:t,sæləd] *n* слáдкое блю-до из фрýктов.

fruit-sugar ['fru:t,ʃugə] *n* фруктóза.

fruit-tree ['fru:t,tri:] *n* плодóвое дéрево.

fruity ['fru:tɪ] *a* 1) похóжий на фрýкты (*по вкусу, запаху и т. п.*); 2) сохраняю-щий аромáт виногрáда (*о вине*); ◇ a ~ voice мелодúчный гóлос.

frumenty ['fru:mǝntɪ] *n* слáдкая пшенúч-ная кáша на молокé, приправленная ко-рúцей.

frump [frʌmp] *n* 1) старомóдно и плóхо одéтая жéнщина; 2) *разг.* сварлúвая жéн-щина, стáрая кáрга.

frumpish ['frʌmpɪʃ] *a* 1) старомóдно одéтый; 2) *уст.* сварлúвый.

frusta ['frʌstǝ] *pl* от frustum.

frustrate [frʌs'treɪt] *v* расстрáивать, сры-вáть (*плáны*); дéлать тщéтным.

frustration [frʌs'treɪʃǝn] *n* расстрóй-ство (*плáнов*); крушéние (*надéжд*).

frustum ['frʌstǝm] *n* (*pl* -ta, -tums [-tǝmz]) *геом.* 1) телéсный ýгол; 2) усе-чённая пирамúда; усечённый кóнус.

frutescent [fru:'tesnt] *a* кустáрниковый.

fry I [fraɪ] *n* мальгá, мéлкая рыбёшка; малькú; small ~ *пренебр.*, *шутл.* мелко-тá, мелюзгá; мéлкая сóшка.

fry II [fraɪ] 1. *n* жáреное мя́со; жáреное (*кýшанье*); жаркóе;

2. *v* жáрить(ся).

frying-pan ['fraɪ‌ŋpæn] *n* сковородá; ◇ out of the ~ into the fire ≅ из огня́ да в пóлымя.

fubsy ['fʌbzɪ] *a* 1) пóлный, тóлстый; 2) призéмистый.

fuddle ['fʌdl] 1. *n* 1) опьянéние; 2) по-пóйка;

2. *v* 1) напоúть дóпьяна; напивáться; 3) одурмáнивать.

fudge [fʌdʒ] 1. *n* 1) вы́думка; «стряпня́»; 2) помáдка; 3) извéстия, помещáемые в га-зéте в послéднюю минýту;

2. *v* дéлать кóе-кáк, недобросóвестно; «стря́пать»;

3. *int* чепухá!, вздор!

Fuehrer ['fjuǝrǝ] *нем.* фю́рер.

fuel [fjuǝl] 1. *n* тóпливо, горю́чее; ◇ to add ~ to the flame (*или* to the fire) ≅ подливáть мáсла в огóнь;

2. *v* 1) снабжáть тóпливом; 2) запасáться тóпливом; 3) заправля́ть(ся) горю́чим; 4) *ж.-д.* экипировáть.

fuel pump ['fjuǝlpʌmp] *n* насóс для по-дáчи тóпливо, бензопóмпа.

fuel station ['fjuǝl,steɪʃǝn] *n ж.-д.* стáн-ция забóра тóплива.

fug [fʌg] 1. *n* 1) духотá, спёртый вóздух; 2) *сор.* пыль (*особ. в углý кóмнаты*);

2. *v* 1) сидéть в духотé; 2) вестú сидя́чий óбраз жúзни.

fugacious [fju:'geɪʃǝs] *a* мимолётный; ле-тýчий.

fugacity [fju:'gæsɪtɪ] *n* мимолётность; ле-тýчесть.

fuggy ['fʌgɪ] *a* 1) дýшный; 2) склóнный к домосéдству.

fugitive ['fjudʒɪtɪv] 1. *n* 1) беглéц; 2) бéженец; 3) дезертúр;

2. *a* 1) бéглый; 2) мимолётный, непрóч-ный; 3): ~ verse стихотворéние, сочинённое по какóму-л. слýчаю.

fugle ['fju:gl] *v* руководúть; служúть образцóм.

fugleman ['fju:glmæn] *n* 1) вожáк, орá-тор; 2) *воен. уст.* флигельмáн, флангóвый солдáт.

fugue [fju:g] *n муз.* фýга.

fulcra ['fʌlkrǝ] *pl* от fulcrum.

fulcrum ['fʌlkrǝm] 1. *n* (*pl* -ra) 1) *физ.* тóчка опóры; тóчка вращéния; тóчка при-ложéния сúлы; 2) срéдство достижéния цé-ли; 3) *тех.* ось шарнúра; центр шарнúра;

2. *a* поворóтный.

fulfil(l) [ful'fil] *v* 1) выполня́ть; испол-ня́ть, осуществля́ть; to ~ the quota (*или* the norm) выполня́ть нóрму; 2) завершáть.

fulfil(l)ment [ful'fɪlmǝnt] *n* 1) выполнé-ние; исполнéние, осуществлéние; 2) завер-шéние.

fulgent ['fʌldʒǝnt] *a поэт.* блистáющий, сия́ющий.

fulgurate ['fʌlgjuǝreɪt] *v* сверкнýть мóл-нией.

fulgurite ['fʌlgǝraɪt] *n геол.* фульгурúт.

fuliginous [fju:'lɪdʒɪnǝs] *a* закопчённый, покры́тый сáжей.

full I [ful] 1. *a* 1) пóлный; цéлый; a ~ audience пóлная аудитóрия, пóлный зрú-тельный зал; ~ to overflowing, ~ to the brim пóлный до краёв; a ~ hour цéлый час; ~ load пóлная нагрýзка; at ~ length а) во всю длинý; б) пóлностью; без сокра-щéний; 2) поглощённый; he is ~ of his own affairs он всецéло зáнят своúми делáми; 3) обúльный; a ~ meal сы́тная едá; 4) *разг.* сы́тый; пья́ный; to eat till one is ~ есть до отвáла, до пóлного насыщéния; 5) изобúлующий, богáтый (*чем-л.*); 6) ширóкий, свобóдный (*о плáтье*); 7) пóлный, дорóдный; 8) достúгший вы́сшей стéпени, вы́сшей тóчки; in ~ vigour в расцвéте сил; ~ tide высóкая водá; ◇ ~ brother (sister) роднóй брат (роднáя сестрá); ~ powers полномóчия; to be on ~ time быть зáнятым пóлную рабóчую недéлю; ~ up *predic. разг.* биткóм нáбитый; ~ house все би-лéты прóданы; аншлáг; ~ moon полно-лýние; of ~ age совершеннолéтний; in ~ swing, in ~ blast в пóлном разгáре;

2. *n*: in ~ пóлностью; to the ~ в пóлной мéре;

3. *adv* 1) *поэт.* вполнé; 2) как раз; the ball hit him ~ on the nose мяч попáл емý пря́мо в нос; 3) óчень; ~ well (óчень) хорошó;

4. *v* кроúть широкó (*плáтье*); шить в сбóрку, в склáдку.

full II [ful] *v текст.* валя́ть (*сукно*).

full-back ['fulbæk] *n* защи́тник (*в футбо́ле*).

full-blooded ['ful'blʌdɪd] *a* 1) чистокро́вный; 2) полнокро́вный; 3) си́льный.

full-blown ['ful'bloun] *a* вполне́ распусти́вшийся (*о цветке*).

full-bodied ['ful'bɔdɪd] *a* по́лный; скло́нный к полноте́.

full-bottomed ['ful'bɔtəmd] *a* 1) *мор.*: ~ ship су́дно с по́лными обво́дами подво́дной ча́сти; 2): ~ wigало́нжевый пари́к.

full dress ['ful'dres] *n* по́лная фо́рма, пара́дная фо́рма.

full-dress ['ful'dres] *a*: ~ debate *парл.* пре́ния по ва́жному вопро́су; ~ rehearsal генера́льная репети́ция.

fuller I ['fulə] *n* валя́льщик, сукнова́л.

fuller II ['fulə] *тех.* 1. *n* молото́к для вы́делки желобо́в; гради́лка;

2. *v* 1) выде́лывать желоба́; 2) чека́нить, зачека́нивать кро́мку.

full-faced ['ful'feɪst] *a* 1) с по́лным лицо́м, полноли́цый; 2) повёрнутый анфа́с.

full-fashioned ['ful'fæʃənd] *a текст.* фасо́нный; ~ stockings чулки́ со швом.

full-fed ['ful'fed] *a* 1) раско́рмленный, жи́рный; 2) нако́рмленный.

full-fledged ['ful'fledʒd] *a* 1) вполне́ опери́вшийся; 2) зако́нченный, разви́вшийся.

fulling-mill ['fulɪŋ‚mɪl] *n текст.* сукнова́льная маши́на.

full-length ['ful'leŋθ] *a, adv* во всю длину́, во весь рост (*часто о портрете*).

full-mouthed ['ful'mauðd] *a* 1) гро́мкий; 2) с по́лностью сохрани́вшимися зуба́ми (*о скоте*).

fullness ['fulnɪs] *n* полнота́, оби́лие, сы́тость *и пр.* [*см.* full I, 1]; a ~ under the eyes мешки́ под глаза́ми; to write with great ~ писа́ть о́чень подро́бно; in the ~ of time в надлежа́щее вре́мя.

full-pelt ['fulpelt] *adv* по́лным хо́дом; на по́лном ходу́.

full stop ['fulstɔp] *n* то́чка.

full-timer ['ful‚taɪmə] *n* 1) рабо́чий, за́нятый по́лную рабо́чую неде́лю; 2) шко́льник, посеща́ющий все заня́тия.

fully ['fulɪ] *adv* вполне́, соверше́нно, по́лностью; ~ justified вполне́ опра́вданный; to eat ~ есть до́сыта.

fulmar ['fulmə] *n* глупы́ш (*птица*).

fulminant ['fʌlmɪnənt] *a* 1) молниено́сный; 2) *мед.* скороте́чный.

fulminate ['fʌlmɪneɪt] 1. *v* 1) сверка́ть; 2) греме́ть; 3) *уст.* взрыва́ть(ся); 4) выступа́ть с осужде́нием (*чьих-л. де́йствий и т. п.*); громи́ть (against);

2. *n*: ~ of mercury грему́чая ртуть.

fulminatory ['fʌlmɪnətərɪ] *a* 1) греми́щий; 2) громя́щий.

fulness ['fulnɪs] = fullness.

fulsome ['fulsəm] *a* 1) нейскренний; ~ flattery гру́бая лесть; 2) *уст.* оби́льный; 3) *уст.* отврати́тельный.

fulvous ['fʌlvəs] *a* краснова́то-жёлтый, бу́рый.

fumade [fjuː'meɪd] *n* копчёная сарди́нка, копчу́шка.

fumble ['fʌmbl] *v* 1) нащу́пывать (for, after); 2) неуме́ло обраща́ться (*с чем-л.*); 3) верте́ть, мять в рука́х; 4) тяну́ть, мя́млить.

fume [fjuːm] 1. *n* 1) дым; 2) ко́поть; 3) испаре́ние; пар(ы́); 4) дым *или* пар с си́льным за́пахом; 5) си́льный за́пах; 6) возбужде́ние; при́ступ гне́ва; in a ~ в припа́дке раздраже́ния;

2. *v* 1) оку́ривать; копти́ть; 2) воскуря́ть (*благовония*); 3) мори́ть (*дуб*); 4) дыми́ть; испаря́ться (*обыкн.* ~ away); 5) *шутл.* кури́ть; 6) волнова́ться; раздража́ться; кипе́ть от зло́сти.

fumigate ['fjuːmɪgeɪt] *v* 1) оку́ривать; 2) кури́ть (*благовония*).

fumigation [‚fjuːmɪ'geɪʃən] *n* 1) оку́ривание; 2) дезинфе́кция.

fumitory ['fjuːmɪtərɪ] *n бот.* дымя́нка (апте́чная).

fumy ['fjuːmɪ] *a* ды́мный; по́лный испаре́ний.

fun [fʌn] 1. *n* шу́тка; весе́лье; заба́ва; figure of ~ смешна́я фигу́ра; he is great ~ он о́чень заба́вен; I did it for (*или* in) ~ я сде́лал э́то шу́тки ра́ди; to make ~ of smb. высме́ивать кого́-л.; what ~! как смешно́!;

2. *v редк.* шути́ть (*обыкн.* to be ~ning).

funambulist [fjuː'næmbjulɪst] *n* канатохо́дец.

function ['fʌŋkʃən] 1. *n* 1) фу́нкция, назначе́ние; 2) отправле́ние (*организма*); 3) должностны́е обя́занности; 4) торжество́; торже́ственное собра́ние; 5) ве́чер, приём (*часто* public ~, social ~); 6) *мат.* фу́нкция;

2. *v* функциони́ровать, де́йствовать; исполня́ть назначе́ние.

functional ['fʌŋkʃənl] *a* функциона́льный (*тж.* физиол. и мат.).

functionary ['fʌŋkʃnərɪ] 1. *n* должностно́е лицо́; чино́вник;

2. *a* 1) официа́льный; 2) *физиол., мед.* функциона́льный.

functionate ['fʌŋkʃəneɪt] *v* де́йствовать; функциони́ровать; отправля́ть фу́нкции.

fund [fʌnd] 1. *n* 1) запа́с; a ~ of knowledge кла́дезь зна́ний; 2) фонд; капита́л; 3) *pl* де́нежные сре́дства; to be in ~s быть при деньга́х; 4) (the ~s) *pl* госуда́рственные проце́нтные бума́ги; to have money in the ~s держа́ть де́ньги в госуда́рственных бума́гах;

2. *v* 1) консолиди́ровать; 2) вкла́дывать капита́л в це́нные бума́ги; 3) *редк.* де́лать запа́с.

fundament ['fʌndəmənt] *n* зад, я́годицы.

fundamental [‚fʌndə'mentl] 1. *a* основно́й; коренно́й; суще́ственный; the ~ rules основны́е пра́вила; ~ frequency *физ.* основна́я частота́, со́бственная частота́;

2. *n* 1) основно́е пра́вило; при́нцип; 2) *pl* осно́вы.

funded ['fʌndɪd] 1. *p. p. от* fund 2;

2. *a* фунди́рованный; помещённый в госуда́рственные бума́ги; ~ debt консолиди́рованный долг.

funeral ['fjuːnərəl] 1. *n* 1) по́хороны; похоро́нная проце́ссия; 2) *амер.* заупоко́йная служба; 3) *разг.* неприятное дело; ◇ it is not my ~ *разг.* меня это не касается; это не моё дело; it's your ~ это дело ваше;

2. *a* похоронный; ~ urn урна для праха; ~ home *амер.* помещение, снимаемое для гражданской панихиды.

funereal [fju:'nıərıəl] *a* похоронный; мрачный, траурный.

fungi ['fʌngaı] *pl om* fungus.

fungous ['fʌngəs] *a* губчатый, ноздреватый.

fungus ['fʌngəs] *n* (*pl* -gi, -guses [-gəsız]) 1) гриб; поганка; плесень; древесная губка; 2) *мед.* дикое мясо.

funicular [fju:'nıkjulə] 1. *a* канатный; 2. *n* фуникулёр (*тж.* ~ railway).

funk [fʌnk] *разг.* 1. *n* 1) испуг, страх; to be in a ~ трусить; 2) трус; 2. *v* 1) трусить, бояться; 2) уклоняться (*от чего-л.*).

funk-hole ['fʌnkhoul] *n воен. sl.* 1) ниша; блиндаж; 2) укрытие, убежище; 3) предлог для уклонения от военной службы.

funky ['fʌnkı] *a разг.* трусливый, напуганный.

funnel ['fʌnl] *n* 1) дымовая труба, дымоход; 2) воронка; 3) *тех.* литник.

funny I ['fʌnı] 1. *a* 1) забавный, смешной; смехотворный; потешный; 2) странный; ~ business странное, не совсем чистое дело; to feel ~ плохо себя чувствовать;
2. *n pl амер.* разг. страничка юмора в газете.

funny II ['fʌnı] *n* двухвесёльная лодка, ялик.

funny-bone ['fʌnıboun] *n анат.* внутренний мыщелок плечевой кости.

funny-man ['fʌnımæn] *n* забавник.

funster ['fʌnstə] *n амер.* шутник.

fur [fə:] 1. *n* 1) мех; 2) шерсть; шкура; 3) *pl* пушнина; 4) *собир.* пушной зверь; ~ and feather пушной зверь и дичь; 5) (*обыкн. pl*) меховые изделия; 6) налёт (*на языке больного*); накипь (*в котле*); осадок (*в винных бочках*); 7) *attr.* меховой; ~ coat (меховая) шуба; ◇ to make the ~ fly поднять бучу, затеять ссору;
2. *v* 1) подбивать *или* отделывать мехом; 2) счищать накипь (*в котле*); 3) *стр.* обшивать рейками, дранью *или* досками.

furbelow ['fə:bılou] *n* 1) оборка; фалбала; 2) *pl презр.* тряпки; безвкусные украшения.

furbish ['fə:bıʃ] *v* полировать, чистить; □ ~ up подновлять, ремонтировать.

furcate ['fə:keıt] 1. *a* раздвоённый, разветвлённый;
2. *v* раздваиваться.

furcation [fə:'keıʃən] *n* раздвоение, разветвление.

furfur ['fə:fə] *n* (*pl* -res) перхоть.

furfures ['fə:fju:ri:z] *pl om* furfur.

furiosity [,fjuərı'ɔsıtı] *n* бешенство; ярость.

furious ['fjuərıəs] *a* взбешённый, неистовый; he was ~ он был в ярости.

furl [fə:l] 1. *n* 1) свёртывание; 2) что-л. свёрнутое;

2. *v* 1) свёртывать; убирать (*паруса*); 2) складывать (*веер, зонт*).

furlong ['fə:lɔŋ] *n* восьмая часть мили (=*201 м*).

furlough ['fə:lou] 1. *n* отпуск;
2. *v* увольнять в отпуск (*преим. о солдатах*).

furmety ['fə:mətı] = frumenty.

furnace ['fə:nıs] *n* 1) горн; очаг; печь; 2) топка.

furnace-bar ['fə:nısba:] *n* колосник.

furnace-charge ['fə:nıstʃa:dʒ] *n* загрузка печи.

furnish ['fə:nıʃ] *v* 1) снабжать (with); предоставлять, доставлять; to ~ sentries *воен.* выставлять часовых; 2) представлять; to ~ benefits (explanations) представлять выгоды (объяснения).

furnished ['fə:nıʃt] 1. *p. p. om* furnish;
2. *a* меблированный; ~ rooms меблированные комнаты; ~ house дом с мебелью, с обстановкой.

furnisher ['fə:nıʃə] *n* поставщик (*особ.* мебели).

furnishings ['fə:nıʃıŋz] *n pl* 1) обстановка, меблировка; 2) оборудование; 3) украшения; 4) домашние принадлежности.

furniture ['fə:nıtʃə] *n* 1) мебель; обстановка; 2) весь инвентарь (*дома*); оборудование (*корабля, автомобиля и т. п.*) 3) содержимое; ~ of one's mind знания; ~ of one's pocket деньги; 4) *уст.* сбруя; 5) *полигр.* пробельный материал.

furore [fjuə'rɔ:rı] *ит.* *n* фурор.

furred [fə:d] 1. *p. p. om* fur 2;
2. *a* 1) отделанный мехом; 2) *мед.* обложенный (*о языке*); 3) *тех.* покрытый накипью (*о котле*).

furrier ['fʌrıə] *n* меховщик; скорняк.

furriery ['fʌrıərı] *n* 1) меховое дело; меховая торговля; 2) *собир.* мехá.

furrow ['fʌrou] 1. *n* 1) борозда; колея; 2) жёлоб; 3) глубокая морщина; 4) *поэт.* пахотная земля; 5) *тех.* винтовая нарезка; паз; фальц;
2. *v* 1) бороздить; 2) пахать; 3) покрывать морщинами.

furry ['fə:rı] *a* меховой; подбитый мехом.

fur-seal ['fə:si:l] *n зоол.* морской котик.

further I ['fə:ðə] 1. *a* 1) (*сравнит. ст. от* far 1) более отдалённый; 2) дальнейший; добавочный; to obtain ~ information получить дополнительные сведения; till ~ notice впредь до дальнейшего уведомления;
2. *adv* 1) *сравнит. ст. от* far 2; 2) дальше; далее; 3) затем; кроме того; to inquire ~ расспросить подробнее; let me ~ tell you разрешите мне добавить.

further II ['fə:ðə] *v* продвигать; содействовать, способствовать; to ~ hopes поддерживать надежды.

furtherance ['fə:ðərəns] *n* продвижение; помощь.

furthermore ['fə:ðə'mɔ:] *adv* к тому же, кроме того.

furthermost ['fə:ðəmoust] = farthermost.

furthest ['fə:ðıst] = farthest.

furtive ['fɔːtɪv] *a* скрытый, тайный; ~ footsteps крадущиеся шаги; to cast a ~ glance посмотреть украдкой.

furtively ['fɔːtɪvlɪ] *adv* украдкой, крадучись.

furuncle ['fjuərʌŋkl] *n* фурункул, чирей.

fury ['fjuərɪ] *n* 1) неистовство; бешенство, ярость; 2) (F.) *миф.* фурия; *перен. тж.* сварливая женщина.

furze [fɔːz] *n бот.* дрок.

fuscous ['fʌskəs] *a* темноцветный.

fuse I [fjuːz] 1. *n* 1) плавка; 2) *эл.* плавкий предохранитель, пробка; 2. *v* 1) плавить(ся), сплавлять(ся); 2) растворять(ся).

fuse II [fjuːz] 1. *n* 1) запал, затравка; бикфордов шнур; фитиль; 2) *арт.* зарядная трубка; взрыватель; 2. *v арт.* вставлять (*или* ввинчивать) взрыватель *или* трубку.

fusee [fjuː'ziː] *n* 1) *ист.* фузея, кремнёвое ружьё; 2) навойка (*в часовом механизме*); 3) запал; 4) не гаснущая на ветру спичка; 5) *ж.-д.* сигнальный фальшфейер.

fuselage ['fjuːzɪlɑːʒ] *n ав.* фюзеляж.

fusel oil ['fjuːzl'ɔɪl] *n* сивушное масло.

fusibility [ˌfjuːzə'bɪlɪtɪ] *n* плавкость.

fusible ['fjuːzəbl] *a* плавкий.

fusiform ['fjuːzɪfɔːm] *a* веретенообразный.

fusil ['fjuːzɪl] *n ист.* фузея, лёгкий мушкет.

fusillade [ˌfjuːzɪ'leɪd] 1. *n* 1) стрельба; 2) расстрел; 2. *v* 1) обстреливать; 2) расстреливать.

fusion ['fjuːʒən] *n* 1) плавка; расплавление; 2) расплавленная масса, сплав; 3) слияние.

fusionist ['fjuːʒənɪst] *n* сторонник слияния.

fuss [fʌs] 1. *n* 1) нервное, возбуждённое состояние; 2) суета, беспокойство из-за пустяков; to make a ~ волноваться, раздражённо жаловаться; суетиться; to make a ~ of smb. суетливо, шумно заботиться о ком-л.; to make a ~ of smth. поднимать шум вокруг чего-л.; привлекать к чему-л. внимание; 3) суетливый человек, волнующийся из-за всяких пустяков;

2. *v* 1) суетиться, волноваться из-за пустяков (*часто* ~ about); приставать, надоедать с пустяками; 2) *амер. разг.* ссориться; объясняться; 2) *амер.* наряжаться; ◇ to have one's feathers ~ed дать себя раздразнить; взволноваться.

fussy ['fʌsɪ] *a* суетливый; нервный.

fust [fʌst] *n* архит. стержень колонны *или* пилястра.

fustian ['fʌstɪən] 1. *n* 1) напыщенные речи; напыщенный стиль; 2) *уст.* бумазея;

2. *a* надутый, напыщенный.

fustic ['fʌstɪk] *n* фустик (*красильное растение*).

fustigate ['fʌstɪɡeɪt] *v* шутл. колотить палкой.

fusty ['fʌstɪ] *a* 1) затхлый, спёртый; 2) устаревший, старомодный.

futhorc ['fuːθɔːk] *n* рунический алфавит (*по названию первых шести букв*).

futile ['fjuːtaɪl] *a* 1) бесполезный, тщетный; 2) несерьёзный, пустой, поверхностный.

futility [fjuː'tɪlɪtɪ] *n* тщетность *и пр.* [*см.* futile].

future ['fjuːtʃə] 1. *n* 1) будущее (время); for the ~, in ~ в будущем, впредь; 2) будущность; 2) *pl ком.* товары, закупаемые заблаговременно;

2. *a* будущий; ~ tense *грам.* будущее время.

futurism ['fjuːtʃərɪzəm] *n* футуризм.

futurist ['fjuːtʃərɪst] *n* футурист.

futurity [fjuː'tjuərɪtɪ] *n* 1) будущее, будущность; 2) *pl* события будущего; 3) *рел.* загробная жизнь.

fuze [fjuːz] = fuse II.

fuzz [fʌz] 1. *n* 1) пух, пушинка; 2) *с.-х.* волоски; бородка (*зерна*);

2. *v* 1) покрывать слоем мельчайших пушинок; 2) разлетаться (*о пухе*).

fuzzily ['fʌzɪlɪ] *adv* неясно, смутно, как в тумане.

fuzzy ['fʌzɪ] *a* 1) пушистый; 2) запушённый; 3) неясный, неопределённый.

fyke [faɪk] *n амер.* рыболовная сеть.

fylfot ['fɪlfɔt] *n* свастика.

G

G, g [dʒiː] *n* (*pl* Gs, G's [dʒiːz]) 1) 7-я буква англ. алфавита; 2) *муз.* соль.

gab I [ɡæb] *разг.* 1. *n* 1) болтовня; he has the gift of the ~ у него язык хорошо подвешен; stop your ~! замолчите!; 2) болтливость, разговорчивость;

2. *v* болтать, трепать языком.

gab II [ɡæb] *n* 1) зарубка; 2) *тех.* крюк; вилка; 3) *тех.* вылет, вынос; отверстие.

gabardine ['ɡæbədiːn] = gaberdine.

gabarit [ˌɡɑːbɑː'riː] *n тех., стр.* габарит; предельное очертание, пролёт в свету; профиль.

gabber ['ɡæbə] *n* болтун, пустозвон.

gabble ['ɡæbl] 1. *n* бормотание, бессвязная речь;

2. *v* 1) говорить неясно и быстро, бормотать; 2) гоготать (*о гусях*).

gabbler ['ɡæblə] *n* бормотун; болтун.

gabby ['ɡæbɪ] *a разг.* разговорчивый; словоохотливый.

gaberdine ['ɡæbədiːn] *n* 1) *уст.* длиннополый кафтан из грубого сукна; 2) *текст.* габардин.

gabion ['ɡeɪbjən] *n* 1) *гидр.* габион; 2) *воен. ист.* тур.

gabionade [ˌɡeɪbjə'neɪd] *n* 1) *гидр.* линия, ряд габионов; 2) *воен. ист.* траверс из туров.

gable ['geɪbl]i *n* 1) *архит.* фронтóн, щипéц; 2) конёк крýши; 3) *тех.* подпóрка; 4) *attr.*: ~ roof двускáтная крýша, щипцóвая крýша; ~ window слуховóе окнó.

gabled ['geɪbld] *a* остроконéчный (*о крыше*).

Gabriel ['geɪbrɪəl] *библ.* Гаврийл.

gaby ['geɪbɪ] *n* простáк, дурачóк.

gad I [gæd] *int* ну?, да! (*выражает изумление, категорическое утверждение*).

gad II [gæd] *v* 1) шляться, шатáться (*обыкн.* ~ about, ~ abroad); 2) ползти (*о растениях*).

gad III [gæd] *n* 1) острие, острый шип; 2) *ист.* копьё; 3) = goad 1, 1); 4) *тех.* зубило; клин (*для отбивки угля*).

gadabout ['gædəbaut] *n* бродяга, праздношатáющийся.

gadder ['gædə] *n* 1) бродяга; 2) *горн.* сверлильная машйна, перфорáтор.

gad-fly ['gædflaɪ] *n* óвод, слепéнь.

gadget ['gædʒɪt] *n разг.* 1) приспособлéние, принадлéжность (*преим. техническая новинка*); 2) безделýшка; 3) *пренебр.* ерундá.

gadoid ['geɪdɔɪd] **1.** *n* рыба из порóды трескóвых;
2. *a* из порóды трескóвых.

gadolinium [,gædə'lɪnɪəm] *n хим.* гадолйний.

Gael [geɪl] *n* шотлáндский (*реже* ирлáндский) кельт, гэл.

Gaelic ['geɪlɪk] **1.** *a* гэ́льский;
2. *n* гэ́льский язык (*особ. язык шотландских кельтов*).

gaff I [gæf] **1.** *n* 1) род острогй; 2) *мор.* гáфель; ◊ to stand the ~ *амер. разг.* проявйть выносливость; без жáлоб выносить трýдности; to give smb. the ~ сурóво обращáться с кем-л.; подвергáть когó-л. жестóкой крйтике;
2. *v* багрить (*рыбу*).

gaff II [gæf] *n sl.* дешёвый теáтр, мюзик-хóлл (*обыкн.* penny ~).

gaffe [gæf] *n* оплóшность, ошйбка, лóжный шаг.

gaffer ['gæfə] *n* 1) *разг.* старик; дéдушка (*обращение*); 2) десятник; 3) *ирл.* мáльчик.

gag [gæg] **1.** *n* 1) затычка, кляп; 2) *парл.* прекращéние прéний; 3) *театр.* отсебя́тина; вставнóй комйческий нóмер; шýтка, острóта; импровизáция; 4) *sl.* обмáн; мистификáция; 5) *мед.* роторасширйтель; 6) *тех.* прóбка, заглýшка;
2. *v* 1) вставля́ть кляп, затыкáть рот; 2) заставить замолчáть; не давáть говорйть; 3) *театр.* вставля́ть отсебя́тину; 4) *sl.* обмáнывать, мистифицйровать; 5) *мед.* применя́ть роторасширйтель; 6) *тех.* прáвить мóлотом.

gaga ['gægɑ:] *a sl.* 1) бесполéзный; 2) глýпый, бессмысленный; to go ~ поглупéть; впасть в слабоýмие.

gage I [geɪdʒ] **1.** *n* 1) залóг; in ~ of smth. в залóг чегó-л.; to give on ~ отдавáть в залóг; 2) вызов (*на поединок*); to throw down a ~ брóсить вызов, «перчáтку»;
2. *v* 1) ручáться; давáть в кáчестве залóга; 2) *уст.* бйться об заклáд.

gage II [geɪdʒ] *амер.* = gauge.

gaggle ['gægl] **1.** *n* гоготáнье (*гусей*);
2. *v* гоготáть.

gag-man ['gægmən] *n* сочинйтель острóт, шýток, рéплик для эстрáды, рáдио *и т. п.*

gaiety ['geɪətɪ] *n* 1) вéселость; 2) (*обыкн.* pl) развлечéния; весéлье; 3) весёлый *или* наря́дный вид.

gaily ['geɪlɪ] *adv* 1) вéсело; рáдостно; 2) я́рко.

gain [geɪn] **1.** *n* 1) прйбыль, выгода; 2) *pl* дохóды (from—от); зáработок; выигрыш (*карты и т. п.*); 3) увеличéние, прирóст, рост; 4) нажйва, корысть; love of ~ корыстолюбие; 5) *тех.* вырез, выдолб, гнездó (*в дереве, в столбе*); 6) *горн.* горизонтáльная вырáботка, квершлáг; ◊ ill-gotten ~s never prosper *посл.* ≅ чужóе добрó впрок нейдёт;
2. *v* 1) зарабáтывать, добывáть; 2) извлекáть пóльзу, выгоду; выгáдывать; 3) выигрывать, добивáться; to ~ a prize выиграть приз; to ~ a victory одержáть побéду; to ~ ground продвигáться вперёд; получáть преимýщество; добивáться перевéса; *перен.* дéлать успéхи; to ~ time сэконóмить, выиграть врéмя; 4) получáть, приобретáть; to ~ experience приобретáть óпыт; to ~ weight увелйчиваться в вéсе; to ~ strength набирáться сил, оправля́ться; 5) достигáть, добирáться; to ~ touch *воен.* установйть соприкосновéние (*с противником*); to ~ the rear of the enemy *воен.* выйти в тыл протйвника; 6) улучшáться; □ ~ on а) нагоня́ть; б) вторгáться, захвáтывать постепéнно часть сýши (*о море*); в) добйться (*чьего-л. расположéния*); ~ over переманйть на свою́ стóрону, убедйть; ~ upon = ~ on; ◊ to ~ the upper hand взять верх; to ~ an advantage over smb. взять над кем-л. верх; to ~ the ear of быть (благосклóнно) выслушанным; my watch ~s мой часы́ идýт вперёд.

gainful ['geɪnful] *a* 1) дохóдный, прйбыльный, стóящий, выгодный; оплáчиваемый; 2) стремя́щийся к выгоде.

gainings ['geɪnɪŋz] *n pl* 1) зáработок, дохóд; 2) выигрыш.

gainly ['geɪnlɪ] *a* 1) красйвый, грациóзный; 2) тактйчный (*о поведении*).

gainsaid [geɪn'sed] *past и p. p. от* gainsay.

gainsay [geɪn'seɪ] *v* (gainsaid) *уст.* 1) противорéчить; 2) отрицáть.

gainst, 'gainst [geɪnst] *prep поэт. см.* against.

gait [geɪt] *n* 1) похóдка; 2) аллю́р.

gaiter ['geɪtə] *n* (*обыкн.* pl) гамáши, гéтры; крáги; ◊ ready to the last ~ button полностью готóвый.

gal [gæl] *n разг.* дéвушка; молодáя жéнщина.

gala ['gɑ:lə] **1.** *n* прáзднество;
2. *a* торжéственный, прáздничный, парáдный.

galactic [gə'læktɪk] *a астр.* галактйческий.

gala day ['gɑːlədeɪ] *n* день пра́зднества; пра́здник.

gala dress ['gɑːlədres] *n* пара́дное пла́тье, пра́здничное пла́тье.

gala night ['gɑːlənaɪt] *n* гала́-представле́ние.

galantine ['gæləntiːn] *n* заливно́е, галанти́н.

galanty show [gə'læntɪ'ʃou] *n* кита́йские те́ни.

galaxy ['gæləksɪ] *n* 1) *астр.* Гала́ктика, Мле́чный Путь; 2) *перен.* плея́да.

gale I [geɪl] *n* 1) шторм; бу́ря; ве́тер от 7 до 10 ба́ллов; 2) весе́лье; *амер.* взрыв (*хо́хота*); 3) *поэт.* ветеро́к, зефи́р.

gale II [geɪl] *n бот.* воско́вница (обыкнове́нная).

gale III [geɪl] *n* периоди́ческая вы́плата ре́нты.

galeeny [gə'liːnɪ] *n* цеса́рка.

galena [gə'liːnə] *n* свинцо́вая руда́; серни́стый свине́ц, галени́т.

galenic(al) [gə'lenɪk(əl)] *a фарм.* гале́нов.

Galician I [gə'lɪʃɪən] *n* галича́нин; галича́нка.

Galician II [gə'lɪʃɪən] *n* галиси́ец.

galimatias [,gælɪ'mætɪəs] *фр. n* галиматья́, чепуха́.

galingale ['gælɪŋgeɪl] *n бот.* 1) калга́н (*ароматический ко́рень восточноиндийских растений, применяемый в медицине и кулинарии*); 2) сыть дли́нная.

galipot ['gælɪpɒt] *n* засты́вшая сосно́вая *или* ело́вая смола́, живи́ца.

gall I [gɔːl] *n* 1) жёлчь; 2) жёлчный пузы́рь; 3) жёлчность, раздраже́ние; зло́ба; 4) на́глость, наха́льство; **to have the ~ to do** *smth.* име́ть на́глость сде́лать что-л.; ◇ **~ and wormwood** не́что ненави́стное, посты́лое.

gall II [gɔːl] **1.** *n* сса́дина, натёртое ме́сто; нагне́т (*у ло́шади*); **2.** *v* 1) ссади́ть, натере́ть (*ко́жу*); 2) раздража́ть, беспоко́ить; 3) уязвля́ть (*го́рдость*).

gall III [gɔːl] *n бот.* галл, черни́льный оре́шек.

gallant ['gælənt] **1.** *a* 1) краси́вый, прекра́сный, велича́вый; 2) хра́брый, до́блестный; a ~ **soldier** до́блестный во́ин; a ~ **steed** бо́рзый конь; 3) [*редк.* gə'lænt] гала́нтный, внима́тельный, почти́тельный (*к же́нщинам*); 4) [*редк.* gə'lænt] любо́вный; ~ **adventures** любо́вные похожде́ния; 5) *уст.* наря́дный, блестя́щий; **2.** *n* 1) све́тский челове́к, щёголь, кавале́р; 2) [*редк.* gə'lænt] гала́нтный кавале́р, ухажёр; 3) *редк.* любо́вник; **3.** *v* [*тж.* gə'lænt] 1) сопровожда́ть (*да́му*); 2) уха́живать; быть гала́нтным кавале́ром.

gallantry ['gæləntrɪ] *n* 1) хра́брость, отва́га; 2) гала́нтность; изы́сканная любе́зность; 3) любо́вная интри́га, уха́живание.

gall-bladder ['gɔːl,blædə] *n анат.* жёлчный пузы́рь.

galleass ['gælɪæs] *n ист.* галеа́с, трёхма́чтовая гале́ра.

galleon ['gælɪən] *n ист.* галео́н (*кора́бль*).

gallery ['gælərɪ] *n* 1) галере́я; 2) галёрка; пу́блика на галёрке; **to play to the ~** игра́ть, рассчи́тывая на дешёвый эффе́кт; иска́ть дешёвой популя́рности; 3) карти́нная галере́я; 4) *горн.* штрек, што́льня; 5) хо́ры; 6) мо́стик, балко́н.

galley ['gælɪ] *n* 1) *ист.* гале́ра; the ~s ка́торжные рабо́ты [*ср.* galley-slave 1)]; 2) *мор.* вельбо́т, ги́чка; 3) *мор.* ка́мбуз; 4) *полигр.* набо́рная доска́; верста́тка; 5) = **galley proof**; **to read the ~s** чита́ть гра́нки; **she read the ~s on her new novel** она́ чита́ла гра́нки своего́ но́вого рома́на.

galley proof ['gælɪpruːf] *n полигр.* гра́нка.

galley-slave ['gælɪsleɪv] *n* 1) раб *или* осуждённый престу́пник на гале́ре (*в ка́честве гребца́*); 2) челове́к, за́нятый тяжёлым трудо́м.

gall-fly ['gɔːlflaɪ] *n зоол.* орехотво́рка.

Gallic ['gælɪk] *a* 1) га́лльский; 2) францу́зский.

gallic ['gælɪk] *a хим.* га́лловый.

gallice ['gælɪsiː] *adv* по-францу́зски (*при употреблении французского выражения вм. английского*).

gallicism ['gælɪsɪzəm] *n* галлици́зм.

galligaskins [,gælɪ'gæskɪnz] *n pl* 1) широ́кие штаны́ XVI—XVII вв.; 2) *шутл.* широ́кие брю́ки.

gallimaufry [,gælɪ'mɔːfrɪ] *n* вся́кая вся́чина, меша́нина.

gallinaceous [,gælɪ'neɪʃəs] *a зоол.* кури́ный.

galliot ['gælɪət] *n ист.* галио́т (*быстроходная парусная галера*).

gallipot ['gælɪpɒt] *n* 1) апте́чная (обливна́я) ба́нка; 2) = **galipot**.

gallium ['gælɪəm] *n хим.* га́ллий.

gallivant [,gælɪ'vænt] *v* 1) уха́живать, флиртова́ть; 2) шля́ться, шата́ться, броди́ть.

gall-nut ['gɔːlnʌt] = **gall III**.

Gallomaniac [,gælə'meɪnɪæk] *n* галлома́н.

gallon ['gælən] *n* галло́н (*мера жидких и сыпучих тел; англ.* = 4,54 *л, тж.* imperial ~; *амер.* = 3,78 *л*).

galloon [gə'luːn] *n* галу́н.

gallop ['gæləp] **1.** *n* гало́п; **at full ~** во весь опо́р; **at the snail's ~** черепа́шьим ша́гом; **2.** *v* 1) скака́ть гало́пом, галопи́ровать; 2) бы́стро прогресси́ровать; 3) пуска́ть (*лошадь*) гало́пом; 4) бы́стро чита́ть *или* говори́ть (*часто* ~ **through**, ~ **over**).

galloper ['gæləpə] *n воен.* 1) (ко́нный) ордина́рец; *ист.* адъюта́нт; 2) лёгкое полево́е ору́дие.

Gallophil ['gæləfɪl] *n* галлофи́л.

Gallophobe ['gæləfoub] *n* галлофо́б.

galloping ['gæləpɪŋ] **1.** *pres. p. от* gallop 2; **2.** *a* несу́щийся (гало́пом); ◇ ~ **consumption** скороте́чная чахо́тка.

galloway ['gæləweɪ] *n шотл.* малоро́слая, но си́льная ло́шадь.

gallows ['gælouz] *n pl* (*обыкн. употр. как* sing) 1) ви́селица; **to come to the ~** быть повéшенным; 2) кóзлы; 3) *pl разг.* подтя́жки, пóмочи; 4) *стр.* непóлный двернóй окла́д.

gallows-bird ['gæləuzbɜːd] *n разг.* негодя́й, ви́сельник.

gallows-ripe ['gæləuz'raɪp] *a* заслу́живающий ви́селицы.

gallows-tree ['gæləuztriː] = gallows 1).

gall-stone ['gɔːlstoun] *n мед.* жёлчный ка́мень.

Gallup poll ['gæləp'poul] *n амер.* 1) Институ́т обще́ственного мне́ния; 2) выясне́ние возмо́жных результа́тов предстоя́щего голосова́ния; выявле́ние обще́ственного мне́ния.

galluses ['gæləsɪz] *n pl амер. разг.* подтя́жки.

galoot [gə'luːt] *n амер. sl.* 1) моря́к; 2) солда́т; 3) неуклю́жий челове́к; у́валень; 4) никчёмный, него́дный челове́к.

galop ['gæləp] 1. *n* гало́п (*танец*); 2. *v* танцева́ть гало́п.

galore [gə'lɔː] 1. *adv* в изоби́лии; there is fruit ~ in the Crimea this summer в э́том году́ в Крыму́ огро́мный урожа́й фру́ктов; 2. *n редк.* изоби́лие.

galosh [gə'lɔʃ] *n* гало́ша.

galumph [gə'lʌmf] *v разг.* пры́гать от ра́дости, скака́ть.

galvanic [gæl'vænɪk] *a* 1) *физ.* гальвани́ческий; 2) спазмати́ческий; неожи́данный *или* неесте́ственный (*об улыбке*).

galvanism ['gælvənɪzəm] *n* 1) *физ.* гальвани́зм; 2) *мед.* гальваниза́ция.

galvanization [,gælvənaɪ'zeɪʃən] *n мед., тех.* гальваниза́ция.

galvanize ['gælvənaɪz] *v* 1) гальванизи́ровать; оцинко́вывать; 2) оживля́ть; возбужда́ть; to ~ smb. into action побужда́ть кого́-л. к де́йствию.

galvanometer [,gælvə'nɔmɪtə] *n эл.* гальвано́метр.

gambade [gæm'beɪd] = gambado.

gambado [gæm'beɪdou] *n* (*pl* -os, -oes [-ouz]) 1) прыжо́к, курбе́т (*лошади*); 2) неожи́данная вы́ходка.

gambit ['gæmbɪt] *n* 1) *шахм.* гамби́т; 2) пе́рвый шаг (*в чём-л.*).

gamble ['gæmbl] 1. *n* 1) аза́ртная игра́; 2) риско́ванное предприя́тие; 2. *v* 1) игра́ть в аза́ртные и́гры; to ~ away проигра́ть в ка́рты (*состояние и т. п.*); 2) спекули́ровать (*на бирже*); 3) рискова́ть (with).

gambler ['gæmblə] *n* 1) игро́к, картёжник; 2) афери́ст.

gamboge [gæm'buːʒ] *n* гуммигу́т.

gambol ['gæmbəl] 1. *n* 1) прыжо́к; 2) весе́лье; 2. *v* пры́гать, скака́ть.

game I [geɪm] 1. *n* 1) игра́; to play the ~ игра́ть по пра́вилам; *перен.* поступа́ть благоро́дно; to play a good (poor) ~ быть хоро́шим (плохи́м) игроко́м; 2) *спорт.* игра́, па́ртия; a ~ of tennis па́ртия в те́ннис; 3) *pl* состяза́ния; и́гры; 4) развлече́ние, заба́ва; what a ~! как забáвно!; 5) шу́тка; to have a ~ with дура́чить (*кого-л.*); to make ~ of высме́ивать; подшу́чивать; to speak in ~

говори́ть в шу́тку; 6) за́мысел, прое́кт, де́ло; 7) уло́вка, уве́ртка, хи́трость, «фо́кус»; none of your ~s оста́вьте э́ти шту́ки, без фо́кусов; ◇ the ~ is up «ка́рта би́та», де́ло проигра́но; the ~ is not worth the candle игра́ не сто́ит свеч; two can play at that ~ ≅ посмо́трим ещё, чья возьмёт; to have the ~ in one's hands быть уве́ренным в успе́хе; this ~ is yours вы вы́играли;

2. *a* 1) сме́лый; боево́й, задо́рный; to die ~ умере́ть му́жественно, пасть сме́ртью хра́брых; 2) охо́тно гото́вый (*сделать что-л.*); to be ~ for anything быть гото́вым на всё; ничего́ не бо́яться;

3. *v* игра́ть в аза́ртные и́гры; □ ~ away проигра́ть.

game II [geɪm] *n* 1) дичь; fair ~ дичь, на кото́рую разрешенó охо́титься; *перен.* (зако́нный) объе́кт нападе́ния; объе́кт тра́вли; big ~ кру́пная дичь, кру́пный зверь; *перен.* жела́нная добы́ча; 2) мя́со ди́ких у́ток, куропа́ток, зайча́тина *и т. п.*

game III [geɪm] *a* искале́ченный, парализо́ванный (*о руке, ноге*).

game-bag ['geɪmbæg] *n* ягдта́ш, охо́тничья су́мка.

game-bird ['geɪmbɜːd] *n* перна́тая дичь.

game-chicken ['geɪm,tʃɪkən] *n* = game-cock.

game-cock ['geɪmkɔk] *n* бойцо́вый пету́х.

game-fish ['geɪmfɪʃ] *n* промысло́вая ры́ба.

gamekeeper ['geɪm,kiːpə] *n* лесни́к, охраня́ющий дичь (*от браконьеров и т. п.*).

game-laws ['geɪmlɔːz] *n pl* зако́ны по охра́не ди́чи; пра́вила охо́ты.

game-preserve ['geɪmprɪ,zɜːv] *n* охо́тничий запове́дник.

games-mistress ['geɪmz,mɪstrɪs] *n* воспита́тельница де́тского са́да; воспита́тельница мла́дшего кла́сса шко́лы.

gamesome ['geɪmsəm] *a* весёлый, игри́вый, шутли́вый.

gamester ['geɪmstə] *n* игро́к, картёжник.

gamete ['gæmiːt] *n биол.* гаме́та, полова́я кле́тка.

gamin [gə'mæŋ] *фр. n* беспризо́рник; у́личный мальчи́шка.

gaming-house ['geɪmɪŋhaus] *n* иго́рный дом.

gaming-table ['geɪmɪŋ,teɪbl] *n* 1) иго́рный стол; 2) аза́ртная игра́ на де́ньги.

gamma ['gæmə] *n* 1) га́мма (*третья буква греческого алфавита*); 2) *зоол.* со́вка-га́мма (*бабочка*).

gamma rays ['gæmə,reɪz] *n pl физ.* га́мма-лучи́.

gammer ['gæmə] *n разг.* стару́ха; ба́бушка (*обращение*).

gammexane [gæm'ekseɪn] *n* порошо́к про́тив парази́тов (*типа ДДТ*).

gammon I ['gæmən] 1. *n* о́корок; 2. *v* копти́ть, заса́ливать о́корок, приготовля́ть беко́н.

gammon II ['gæmən] *n* «сухо́й» вы́игрыш в триктра́к.

gammon III ['gæmən] 1. *n* обма́н; 2. *v* 1) обма́нывать; 2) притворя́ться; 3. *int* вздор!

gammoning I ['gæmənɪŋ] **1.** *pres. p. от* gammon I, 2;

2. *n* засолка и копчение окорока, приготовление бекона.

gammoning II ['gæmənɪŋ] *pres. p. от* gammon III, 2.

gammy ['gæmɪ] *a* хромой.

gamp [gæmp] *n разг.* (большой) зонтик.

gamut ['gæmət] *n* 1) *муз.* гамма; 2) диапазон (*голоса*); 3) полнота, глубина (*чего-л.*); to experience the whole ~ of suffering испытать всю полноту страдания.

gamy I ['geɪmɪ] *a* 1) изобилующий дичью; 2) с душком (*о дичи*).

gamy II ['geɪmɪ] *a* смелый, задорный.

gander ['gændə] *n* 1) гусак; 2) глупец; простак; 3) *sl.* женатый человек; 4) *амер. sl.* человек, живущий врозь с женой; ◇ to see how the ~ hops выжидать дальнейшего развёртывания событий.

gang I [gæŋ] **1.** *n* 1) партия *или* бригада (*рабочих и т. п.*); артель, смена; section ~ партия железнодорожных рабочих (*на путевом участке*); 2) шайка, банда; press ~ *амер.* а) гангстеры пера, шайка газетчиков; б) *ист.* группа вербовщиков (*в армию или флот*); 3) клика; 4) набор, комплект (*инструментов*);

2. *v* 1) организовать шайку; вступить в шайку (*тж.* ~ up); 2) нападать (*тж.* ~ up).

gang II [gæŋ] *n диал.* пастбище, выгон.

gang III [gæŋ] *v шотл.* идти.

gang-board ['gæŋbɔːd] *n* сходни.

ganger I ['gæŋə] *n* надсмотрщик, десятник.

ganger II ['gæŋə] *n* 1) пешеход; 2) быстрая лошадь.

ganglia ['gæŋglɪə] *pl от* ganglion.

gangling ['gæŋglɪŋ] *a разг.* долговязый, неуклюжий.

ganglion ['gæŋglɪən] *n* (*pl* -lia) 1) *анат.* ганглий, нервный узел; 2) центр (*деятельности, интересов*).

gang-plank ['gæŋplæŋk] = gang-board.

gangrene ['gæŋgriːn] **1.** *n* 1) гангрена; омертвение; 2) рак (*дерева*).

2. *v* 1) вызывать омертвение; 2) подвергаться омертвению.

gangrenous ['gæŋgrɪnəs] *a* гангренозный, омертвелый.

gang-saw ['gæŋsɔː] *n* лесопильная рама.

gangsman ['gæŋzmən] = ganger I.

gangster ['gæŋstə] *n* гангстер, бандит.

gangway ['gæŋweɪ] *n* 1) вход с трапа; продольный мостик; 2) проход между рядами (*кресел и т. п.*); 3) *парл.* проход, разделяющий палату общин на две части; members above the ~ министры и члены парламента, тесно связанные с официальной политикой своих партий; 4) *стр.* рабочие мостки; 5) *горн.* штрек.

gannet ['gænɪt] *n зоол.* олуша (атлантическая).

ganoid ['gænɔɪd] **1.** *a* 1) гладкий и блестящий (*о чешуе*); 2) ганоидный (*о рыбе*).

2. *n* ганоидная рыба.

gantlet ['gæntlət] = gauntlet II.

gantry ['gæntrɪ] *n* 1) рама, помост, портал подъёмного крана; 2) *ж.-д.* сигналь-

ный мостик (*над железнодорожными путями*); 3) подставка для бочек (*в погребе*); 4) *радио* радиолокационная антенна.

gantry-crane ['gæntrɪˌkreɪn] *n* портальный, перегрузочный *или* эстакадный кран.

gaol [dʒeɪl] **1.** *n* 1) тюрьма; 2) тюремное заключение.

2. *v* заключать в тюрьму.

gaol-bird ['dʒeɪlbɜːd] *n* арестант, уголовник.

gaoler ['dʒeɪlə] *n* тюремщик; тюремный надзиратель.

gap [gæp] *n* 1) брешь, пролом, щель; 2) промежуток, интервал; «окно» (*в расписании*); 3) пробел, лакуна, пропуск; to close (*или* to stop, to fill up) the ~ заполнить пробел; 4) глубокое расхождение (*во взглядах и т. п.*); разрыв; 5) горный проход, глубокое ущелье; 6) *воен.* разрыв (*линий фронта*); 7) *тех.* зазор, люфт; 8) *ав.* расстояние между крыльями биплана.

gape [geɪp] **1.** *n* 1) зевок; 2) изумлённый взгляд; 3) (the ~s) *pl* зевота (*болезнь кур*); *шутл.* приступ зевоты; 4) отверстие; зияние;

2. *v* 1) широко разевать рот; зевать; 2) глазеть (at—на); 3) изумляться; to make smb. ~ изумить кого-л.; 4) зиять; □ ~ after, ~ for страстно желать *чего-л.*; ~ on, ~ upon смотреть в изумлении на *что-л.*

gaper ['geɪpə] *n* зевака.

gape-seed ['geɪpsiːd] *n разг.* 1) то, на что глазеют; to seek (*или* to buy, to sow) ~ толкаться без дела (*на рынке и т. п.*); 2) бесцельное разглядывание; 3) зевака.

gappy ['gæpɪ] *a* с промежутками, с пробелами; неполный.

garage ['gærɑːʒ] **1.** *n* гараж;

2. *v* ставить в гараж.

Garand rifle ['gærənd'raɪfl] *n амер. воен.* полуавтоматическая винтовка Бренди.

garb [gɑːb] **1.** *n* 1) наряд, одеяние; in the ~ of a sailor в одежде матроса; 2) национальный костюм;

2. *v* (*обыкн. pass.*) одевать, облачать; to ~ oneself in motley облачиться в шутовской наряд.

garbage ['gɑːbɪdʒ] *n* 1) (кухонные) отбросы; гниющий мусор; 2) внутренности, требуха; 3) макулатура, чтиво (*тж. literary* ~).

garbage-collector ['gɑːbɪdʒkəˌlektə] *n* уборщик мусора.

garble ['gɑːbl] *v* 1) подтасовывать, искажать; 2) *редк.* выбирать.

garçon [gɑːˈsɔːŋ] *фр. n* официант.

garden ['gɑːdn] **1.** *n* 1) сад; the ~ of England юг Англии; 2) огород (*тж.* kitchen ~); 3) *pl* парк; 4) *attr.* садово-огородный;

2. *v* возделывать, разводить (*сад*).

garden-bed ['gɑːdnbed] *n* грядка, клумба.

garden city ['gɑːdnˌsɪtɪ] *n* город-сад.

gardener ['gɑːdnə] *n* 1) садовник; 2) огородник; 3) садовод.

garden-frame ['gɑːdnfreɪm] *n* парниковая рама.

garden hose ['gɑːdnhouz] *n* садовый шланг.

gardenia [gɑː'diːnjə] *n бот.* гардéния.

gardening ['gɑːdnɪŋ] 1. *pres. p. om* garden 2;

2. *n* садовóдство.

garden-party ['gɑːdn,pɑːtɪ] *n* приём гостéй в садý.

garden-plot ['gɑːdnplɔt] *n* учáсток землú под сáдом.

garden pruner ['gɑːdn,pruːnə] *n* секáтор, садóвые нóжницы.

garden seat ['gɑːdn,siːt] *n* садóвая скамья́.

garden-stuff ['gɑːdnstʌf] *n* óвощи, плодыá, цветыá; зéлень.

garden-tillage ['gɑːdn,tɪlɪdʒ] *n* садовóдство.

garden truck ['gɑːdntrʌk] *n амер.* óвощи и фрýкты; to raise ~ for the market вырáщивать óвощи и фрýкты для продáжи.

garfish ['gɑːfɪʃ] *n* саргáн (*морская рыба*).

gargantuan [gɑː'gæntjuən] *a* колоссáльный, гигáнтский; a ~ appetite звéрский аппетúт.

garget ['gɑːgɪt] *n вет.* воспалéние зéва (*у свиней*); воспалéние вы́мени (*у коров, овец и т. п.*).

gargle ['gɑːgl] 1. *n* полоскáние (*для горла*);

2. *v* полоскáть (*горло*).

gargoyle ['gɑːgɔɪl] *n* горгýлья, выступáющая водостóчная трубá в вúде фантастúческой фигýры (*в готической архитектýре*).

garibaldi [,gærɪ'bɔːldɪ] *n* жéнская *или* дéтская блýза.

garish ['gɛərɪʃ] *a* 1) кричáщий (*о платье, красках*); показнóй; 2) я́ркий, ослепúтельный.

garland ['gɑːlənd] 1. *n* 1) гирля́нда, венóк; диадéма; 2) приз; пáльма пéрвенства; 3) *уст.* антолóгия;

2. *v* 1) украшáть гирля́ндой, венкóм; 2) *редк.* плестú венóк.

garlic ['gɑːlɪk] *n* 1) чеснóк; 2) *attr.:* ~ bulblet (*или* hop) зубóк чеснокá.

garlicky ['gɑːlɪkɪ] *a* чеснóчный.

garment ['gɑːmənt] 1. *n* 1) предмéт одéжды; 2) *pl* одéжда; 3) покрóв, одея́ние; the earth's ~ of green зелёный покрóв землú; ◇ nether ~s *шутл.* брюки;

2. *v* (*преим. p. p.*) *поэт.* одевáть.

garner ['gɑːnə] *поэт., ритор.* 1. *n* амбáр; жúтница (*тж. перен.*);

2. *v* ссыпáть зернó в амбáр; склáдывать в амбáр, запасáть.

garnet ['gɑːnɪt] *n* 1) *мин.* гранáт; 2) тёмно-крáсный цвет; 3) *мор.* гúтов.

garnish ['gɑːnɪʃ] 1. *n* 1) украшéние, отдéлка; 2) гарнúр;

2. *v* 1) украшáть, отдéлывать; swept and ~ed приведённый в поря́док и украшенный; 2) гарнúровать (*блюдо*); 3) вручáть вы́зов в суд.

garniture ['gɑːnɪtʃə] *n* 1) украшéние; орнáмент; отдéлка; 2) гарнúр; 3) гарнитýра, принадлéжности.

garret ['gærət] *n* 1) чердáк; мансáрда; 2) *разг.* головá, «чердáк».

garreteer [,gærə'tɪə] *n* обитáтель мансáрды; бéдный литерáтор.

garrison ['gærɪsn] 1. *n* гарнизóн;

2. *v* 1) стáвить гарнизóн, вводúть войскá; 2) назначáть на гарнизóнную службу.

garrotte [gə'rɔt] *исп.* 1. *n* 1) гаррóта (*орудие казни — род железного ошейника*); 2) удушéние с цéлью грабежá;

2. *v* 1) казнúть посрéдством удушéния; 2) удушúть при ограблéнии.

garrulity [gæ'ruːlɪtɪ] *n* болтлúвость, говорлúвость, словоохóтливость.

garrulous ['gæruləs] *a* 1) болтлúвый, говорлúвый, словоохóтливый; 2) журчáщий (*о ручье*).

garter ['gɑːtə] 1. *n* 1) подвя́зка; 2) (the G.) óрден Подвя́зки;

2. *v* 1) надéть подвя́зку; 2) надéть *или* пожáловать óрден Подвя́зки.

garter-snake ['gɑːtəsneɪk] *n* неядовúтая змея́, корúчневая *или* зелёная с длúнными жёлтыми полóсками.

garth [gɑːθ] *n уст., поэт.* 1) огорóженное мéсто; 2) двор, сад; 3) *с.-х.* запрýда для лóвли рыбы.

gas [gæs] 1. *n* 1) газ; газообрáзное тéло; natural ~ прирóдный (*или* естéственный) газ; noble ~ инéртный газ; producer ~ генерáторный газ; 2) светúльный газ; 3) *разг.* бензúн, газолúн; горючее; step on the ~! «дай гáзу!», увелúчь скóрость!; 4) *разг.* болтовня́, бахвáльство; 5) *горн.* гремýчий *или* руднúчный газ; 6) *воен.* отравля́ющее веществó; 7) *мед.* вéтры, гáзы;

2. *v* 1) отравля́ть гáзами; выпускáть удýшливые гáзы; 2) заражáть отравля́ющими веществáми; производúть химúческое нападéние; 3) наполня́ть гáзом; насыщáть гáзом; 4) выделя́ть газ; 5) *амер.* пополня́ться горючим; 6) *разг.* болтáть; бахвáлиться; нестú вздор для отвóда глаз; stop ~sing! перестáнь болтáть вздор!

gas-alarm ['gæsə'lɑːm] *n* химúческая тревóга.

gas-alert ['gæsə'ləːt] *n* 1) = gas-alarm; 2) *амер.* положéние противогáза «наготóве».

gasateria ['gæsə'tɛərɪə] *n амер. разг.* бензозапрáвочная колóнка для самообслýживания.

gas attack ['gæsə'tæk] *n* химúческое нападéние.

gas-bag ['gæsbæg] *n* 1) *ав.* гáзовый баллóн; 2) дирижáбль; 3) *разг.* болтýн; пустозвóн.

gas-bomb ['gæsbɔm] *n* химúческая бóмба.

gasbracket ['gæs,brækɪt] *n* гáзовый рожóк.

gas-burner ['gæs,bəːnə] = gas-jet.

gas chamber ['gæs'tʃeɪmbə] *n воен.* кáмера окýривания.

gas-collector ['gæskə'lektə] *n* газоуловúтель; газоприёмник.

Gascon ['gæskən] *фр.* 1) гаскóнец; 2) хвастýн.

gasconade [,gæskə'neɪd] 1. *n* хвастовствó, бахвáльство;

2. *v* хвáстаться, бахвáлиться.

gas defence ['gæsdɪ'fens] *n* противохимúческая оборóна.

gaselier [,gæsə'lɪə] *n* гáзовая лю́стра.

gas-engine ['gæs,enʤɪn] n газомотóр, гáзовый двигатель.

gaseous ['geɪzjəs] a гáзовый; газообрáзный.

gas-field ['gæsfiːld] n месторождéние прирóдного (или естéственного) гáза.

gas-fire ['gæs,faɪə] n гáзовая плитá.

gas-fitter ['gæs,fɪtə] n газопровóдчик, монтёр по устанóвке гáзовых труб.

gas-furnace ['gæs,fənɪs] n гáзовая печь.

gash [gæʃ] 1. n 1) глубóкая рáна, разрéз; 2) тех. надрéз; запил;
2. v наносить глубóкую рáну.

gas-helmet ['gæs,helmɪt] n противогáзовый шлем.

gas-holder ['gæs,houldə] n газгóльдер, газохранилище.

gasification [,gæsɪfɪ'keɪʃən] n газификáция, превращéние в газ.

gasiform ['gæsɪfɔːm] a газообрáзный.

gasify ['gæsɪfaɪ] v газифицировать; превращáть(ся) в газ.

gas-jet ['gæsʤet] n гáзовый рожóк, горéлка.

gasket ['gæskɪt] n 1) мор. сéзень; 2) тех. проклáдка, набивка, сáльник.

gaslight ['gæslaɪt] n 1) гáзовое освещéние; гáзовая лáмпа.

gas-main ['gæsmeɪn] n газопровóд, гáзовая магистрáль.

gas-man ['gæsmæn] n 1) инкассáтор по счетáм за газ; 2) = gas-fitter.

gas-mantle ['gæs,mæntl] n калильная сéтка.

gas-mask ['gæsmɑːsk] n мáска противогáза; противогáз.

gas-meter ['gæs,miːtə] n гáзовый счётчик; ◇ he lies like a ~ ≅ он врёт как сивый мéрин.

gasolene, gasoline ['gæsəliːn] n 1) газолин; 2) амер. бензин; 3) attr. амер.: ~ station бензиновая колóнка; бензозапрáвочный пункт.

gasometer [gæ'sɔmɪtə] n 1) газгóльдер; 2) = gas-meter.

gasp [gɑːsp] 1. n затруднённое дыхáние; удýшье; at one's last ~ a) при послéднем издыхáнии; б) в послéдний момéнт; to give a ~ задохнýться от изумлéния;
2. v 1) дышáть с трудóм, задыхáться; ловить вóздух; 2) открывáть рот (от изумления); □ ~ for стрáстно желáть; ~ out произносить задыхáясь; ◇ to ~ out one's life испустить дух, скончáться.

gas pain ['gæs,peɪn] n боль в животé вслéдствие скоплéния гáзов (в желудке или кишечнике).

gasper ['gɑːspə] n sl. дешёвая папирóса.

gaspingly ['gɑːspɪŋlɪ] adv 1) задыхáясь; с одышкой; 2) в изумлéнии.

gaspirator ['gæspɪreɪtə] n амер. противогáз.

gas-plant ['gæs'plɑːnt] n 1) гáзовый завóд; 2) газогенерáторная устанóвка.

gas-producer ['gæsprə,djuːsə] n газогенерáтор.

gas projector ['gæsprə'ʤektə] n газомёт.

gas-proof ['gæspruːf] a газонепроницáемый; ~ shelter газоубéжище.

gas-ring ['gæs'rɪŋ] n гáзовое кольцó, горéлка.

gassed [gæst] 1. p. p. от gas 2;
2. a отрáвленный гáзами.

gas-shell ['gæs,ʃel] n химический снарáд.

gas-shelter ['gæs,ʃeltə] n газоубéжище.

gassing ['gæsɪŋ] 1. pres. p. от gas 2;
2. n 1) отравлéние гáзом; 2) окýривание гáзом; 3) гáзовая дезинфéкция; 4) разг. болтовня; бахвáльство.

gas-station ['gæs,steɪʃən] n амер. бензиновая колóнка; бензозапрáвочный пункт.

gas-stove ['gæs'stouv] n гáзовая плитá.

gassy ['gæsɪ] a 1) газообрáзный; 2) пóлный гáза; 3) болтливый, пустóй.

gas-take ['gæsteɪk] = gas-collector.

gas-tank ['gæstæŋk] n амер. 1) резервуáр для гáза; 2) авт., ав. бак для горючего; бензобáк.

gast(e)ropod ['gæst(ə)rəpɔd] n зоол. живóтное из клáсса брюхонóгих.

gas-tight ['gæstaɪt] = gas-proof.

gastric ['gæstrɪk] a желýдочный; ~ ulcer язва желýдка; ~ juice желýдочный сок.

gastritis [gæs'traɪtɪs] n мед. гастрит.

gastroenteritis [,gæstrə,entə'raɪtɪs] n мед. гастроэнтерит.

gastronome ['gæstrənoum] n гастронóм, гурмáн.

gastronomer [gæs'trɔnəmə] = gastronome.

gastronomic [,gæstrə'nɔmɪk] a гастрономический.

gastronomist [gæs'trɔnəmɪst] = gastronome.

gastronomy [gæs'trɔnəmɪ] n кулинáрия, гастронóмия.

gas-warfare ['gæs,wɔːfɛə] n химическая война.

gas-works ['gæswɔːks] n гáзовый завóд.

gat [gæt] n амер. sl. револьвéр.

gate [geɪt] 1. n 1) ворóта; калитка; 2) вход, выход; 3) застáва, шлагбáум; 4) сбор (денежный — на стадионе, выставке и т. п.); 5) количество зрителей (на стадионе, выставке и т. п.); 6) pl часы, когдá ворóта коллéджа (в Оксфорде и Кембридже) запирáются нá ночь; 7) гóрный прохóд; 8) шлюз; 9) тех. щит, заслóн; клáпан, заслóнка; шибер; литник; ◇ to give the ~ дать отстáвку, увóлить; to get the ~ получить отстáвку, быть увóленным; to open the ~ for (или to) smb. открыть комý-л. путь;
2. v запирáть ворóта коллéджа пóсле извéстного чáса (в Оксфорде и Кембридже).

gate-bill ['geɪtbɪl] n штрафнáя зáпись опоздáвших студéнтов [см. gate 1,6)].

gate-crash ['geɪtkræʃ] v разг. 1) приходить незвáным; 2) проникнуть на внéшний рынок.

gate-crasher ['geɪt,kræʃə] n разг. 1) «зáяц» (бесплатный зритель); 2) незвáный гость.

gatehouse ['geɪthaus] n 1) сторóжка у ворóт; 2) гидр. здáние управлéния шлюзами или щитáми гидравлических сооружéний.

gate-keeper ['geɪt,kiːpə] *n* привра́тник.

gate-legged ['geɪt,legd] *a*: ~ table стол с откидно́й кры́шкой.

gate-money ['geɪt,mʌnɪ] = gate 1, 4).

gate-post ['geɪtpoust] *n* воро́тный столб; ◇ between you and me and the ~ стро́го конфиденциа́льно; ме́жду на́ми.

gateway ['geɪtweɪ] *n* 1) воро́та, вход; 2) подворо́тня.

gather ['gæðə] **1.** *v* 1) собира́ть; to ~ a crowd собра́ть толпу́; 2) собира́ться, скопля́ться; 3) рвать (*цветы́*); снима́ть (*урожа́й*); собира́ть (*я́годы*); 4) поднима́ть (*с земли́, с по́ла*); 5) накопля́ть, приобрета́ть; to ~ experience (strength) накопля́ть о́пыт (си́лы); to ~ speed набира́ть ско́рость, ускоря́ть ход; to ~ way тро́гаться (*о су́дне*); 6) мо́рщить (*лоб*); собира́ть в скла́дки (*пла́тье*); 7) нарыва́ть; to ~ head нарыва́ть (*о нары́ве*); 8) де́лать вы́вод, умозаключа́ть; I could ~ nothing from his statement я ничего́ не мог поня́ть из его́ заявле́ния; □ ~ **up** а) подбира́ть; to ~ up the thread of a story подхвати́ть нить расска́за; б) сумми́ровать; в) съёжиться, заня́ть ме́ньше ме́ста; г): to ~ oneself up подтяну́ться; собра́ться с си́лами; ◇ to be ~ed to one's fathers ≅ отпра́виться к пра́отцам, умере́ть;
2. *n pl* сбо́рки.

gathering ['gæðərɪŋ] **1.** *pres. p. от* gather 1;
2. *n* 1) собира́ние; комплектова́ние; 2) собра́ние; сбо́рище; встре́ча; скопле́ние; 3) *с.-х.* убо́рка (*хле́ба или се́на*); убо́рочный сезо́н; 4) *мед.* нагное́ние; нары́в.

gaud [gɔːd] *n* 1) безвку́сное украше́ние; мишура́; 2) игру́шка; безде́лка; 3) *pl* пы́шные пра́зднества.

gaudy I ['gɔːdɪ] *n* 1) большо́е пра́зднество; 2) ежего́дный обе́д в честь бы́вших студе́нтов (*в англ. университе́тах*).

gaudy II ['gɔːdɪ] *a* 1) я́ркий, крича́щий, безвку́сный; 2) цвети́стый, витиева́тый (*о сти́ле*).

gauffer ['gɔfə] = gof(f)er.

gauge [geɪdʒ] **1.** *n* 1) ме́ра, масшта́б; разме́р; кали́бр; to take the ~ of измеря́ть; оце́нивать; 2) крите́рий; спо́соб оце́нки; 3) измери́тельный прибо́р; 4) шабло́н, лека́ло; этало́н; 5) кали́бр (*пу́ли*); но́мер; толщина́ (*про́волоки*); *эл.* сорта́мент (*про́водов*); 6) *ж.-д.* ширина́ коле́й; broad (narrow) ~ широ́кая (у́зкая) коле́я; 7) *мор.* (обы́кн.) ~ положе́ние относи́тельно ве́тра; ◇ to have the weather ~ of име́ть преиму́щество пе́ред кем-л.;
2. *v* 1) измеря́ть, проверя́ть (*разме́р*); 2) оце́нивать (*челове́ка, хара́ктер*); 3) граду́ировать, калиброва́ть; выверя́ть, клейми́ть (*ме́ры*); 4) подводи́ть под определённый разме́р.

gauge-glass ['geɪdʒglɑːs] *n* водоме́рное стекло́; водоме́рная тру́бка.

gauging-station ['geɪdʒɪŋ,steɪʃən] *n* гидр. гидрометри́ческая ста́нция.

Gaul [gɔːl] *n* 1) *ист.* Га́ллия; 2) *ист.* галл; 3) *шутл.* францу́з.

Gauleiter ['gau,laɪtə] *нем. n* гауле́йтер

(национа́л-социалисти́ческий руководи́тель о́бласти в фаши́стской Герма́нии).

Gaulish ['gɔːlɪʃ] **1.** *a* 1) га́лльский; 2) францу́зский;
2. *n* 1) га́лльский язы́к; 2) *шутл.* францу́зский язы́к.

gaunt [gɔːnt] *a* 1) исхуда́лый, измождённый; 2) вы́тянутый в длину́; дли́нный; 3) мра́чный, отта́лкивающий.

gauntlet I ['gɔːntlɪt] *n* 1) рукави́ца (*шофёра, фехтова́льщика и т. п.*); *ист.* ла́тная рукави́ца; to throw (*или* to fling) down the ~ бро́сить «перча́тку», бро́сить вы́зов; to take (*или* to pick) up the ~ приня́ть вы́зов.

gauntlet II ['gɔːntlɪt] *n*: to run the ~ проходи́ть сквозь строй; *перен.* подверга́ться ре́зкой кри́тике.

gauntry ['gɔːntrɪ] = gantry.

gauss [gaus] *n физ.* га́усс (*едини́ца интенси́вности магни́тного по́ля*).

gauze [gɔːz] *n* 1) газ (*мате́рия*); 2) ма́рля; 3) ды́мка (*в во́здухе*); 4) *тех.* металли́ческая се́тка (*предохрани́тельной ла́мпы*); металли́ческая ткань.

gauzy ['gɔːzɪ] *a* то́нкий, просве́чивающий (*осо́б. о тка́ни*).

gave [geɪv] *past от* give 1.

gavel ['gævl] *n* молото́к (*председа́теля собра́ния, судьи́ или аукциони́ста*).

gavelkind ['gævlkaɪnd] *n юр. уст.* ра́вный разде́л земе́льной со́бственности ме́жду сыновья́ми *или* бра́тьями поко́йного при отсу́тствии завеща́ния.

gavotte [gə'vɔt] *n* гаво́т (*музыка́льная фо́рма и та́нец*).

gawk [gɔːk] **1.** *n* остоло́п, рази́ня; простофи́ля;
2. *v* 1) поступа́ть по-дура́цки; 2) смотре́ть с глу́пым ви́дом; тара́щить глаза́.

gawky ['gɔːkɪ] **1.** *a* неуклю́жий; засте́нчивый (*о челове́ке*);
2. *n* верзи́ла.

gay [geɪ] *a* 1) весёлый; 2) беспу́тный; to lead a ~ life вести́ беспу́тную жизнь; 3) я́ркий, пёстрый; блестя́щий.

gazabo I, II [gə'zeɪbou] = gazebo I *и* II.

gaze [geɪz] **1.** *n* при́стальный взгляд; to stand at ~ смотре́ть при́стально; to be at ~ находи́ться в состоя́нии замеша́тельства, быть в изумле́нии;
2. *v* при́стально гляде́ть (at, on, upon — на); вгля́дываться.

gazebo I [gə'ziːbou] *n* (*pl* -os, -oes [-ouz]) *архит.* 1) вы́шка на кры́ше до́ма, бельведе́р; 2) застеклённый балко́н; 3) да́ча (*с открыва́ющимся вдаль ви́дом*).

gazebo II [gə'ziːbou] *n амер. sl.* па́рень, ма́лый.

gazelle [gə'zel] *n* газе́ль.

gazer ['geɪzə] *n* при́стально глядя́щий челове́к; star ~ наблюда́ющий за звёздами; *шутл.* звездочёт.

gazette [gə'zet] **1.** *n* 1) официа́льная прави́тельственная газе́та; прави́тельственный бюллете́нь; to appear in the G., to have one's name in the G. быть упомя́нутым в газе́те; «попа́сть в газе́ту»; *осо́б.* быть объявленным несостоя́тельным должнико́м; 2) *уст.* газе́та;

2. *v* опублико́вывать в официа́льной газе́те; ◇ to be ~d *воен.* быть произведённым; быть назна́ченным.

gazetteer [ˌgæziˈtiə] *n* 1) географи́ческий спра́вочник; 2) *уст.* журнали́ст, газе́тный рабо́тник.

gazogene [ˈgæzədʒiːn] *n* 1) аппара́т для газиро́вания напи́тков; 2) газогенера́тор.

gear [giə] 1. *n* 1) механи́зм, аппара́т; прибо́р; 2) приспособле́ния, принадле́жности; 3) *тех.* шестерня́, зубча́тая переда́ча; переда́точный механи́зм; при́вод; in ~ включённый, сце́пленный, де́йствующий; out of ~ невключённый, неде́йствующий, нерабо́тающий; *перен.* дезорганизо́ванный; не в поря́дке; с расстро́енным здоро́вьем; to throw out of ~ вы́ключить переда́чу; *перен.* дезorganизова́ть; расстро́ить; to get into ~ включи́ть переда́чу; *перен.* включи́ться в рабо́ту; to go into 1st, 2d, *etc.* ~ переключа́ться на 1-ю, 2-ю *и т. д.* ско́рость; high ~ переда́ча для большо́й ско́рости; in high ~ на тре́тьей ско́рости; *перен.* в разга́ре; low ~ переда́ча для ма́лой ско́рости; 4) у́пряжь; 5) дви́жимое иму́щество, у́тварь; 6) *уст.* пла́тье, оде́жда, убо́р; 7) *мор.* осна́стка; ◇ all one's wordly ~ всё, что име́ешь, всё иму́щество;

2. *v* 1) снабжа́ть приво́дом; 2) приводи́ть в движе́ние (*механизм*); 3) зацепля́ть, сцепля́ться (*о зубцах колёс*); 4) надева́ть у́пряжь (*часто* ~ up); □ ~ down замедля́ть движе́ние (*посредством передачи*); ~ into приспособля́ть, пригоня́ть; ~ to свя́зывать с, ста́вить в зави́симость от; ~ up ускоря́ть движе́ние (*посредством передачи*).

gear-box [ˈgiəbɔks] *n тех.* коро́бка переме́ны переда́ч, коро́бка скоросте́й.

gear-case [ˈgiəkeis] = gear-box.

gearing [ˈgiəriŋ] 1. *pres. p. от* gear 2;

2. *n тех.* зацепле́ние; зубча́тая переда́ча, при́вод.

gear-ratio [ˈgiəˌreiʃiou] *n тех.* переда́точное число́.

gear-wheel [ˈgiəwiːl] *n* зубча́тое колесо́.

gecko [ˈgekou] *n(pl* -os, -oes [-ouz]) *зоол.* ге́кко (*ящерица*).

gee [dʒiː] *int* 1) но! (*окрик, которым погоняют лошадь*); 2) *амер.* вот так та́к!, вот здо́рово!

gee(-gee) [ˈdʒiː(dʒiː)] *n разг.* лоша́дка.

geese [giːs] *pl от* goose 1.

gee-up [ˈdʒiːˈʌp] = gee 1).

gee whizz [ˈdʒiːˈwiz] *int амер.* = gee 2).

geezer [ˈgiːzə] *n sl.* старика́шка, стару́шонка.

Gehenna [giˈhenə] *n* гее́нна, ад.

Geiger counter [ˈgaigəˈkauntə] *n физ.* Ге́йгер, счётчик Ге́йгера.

geisha [ˈgeiʃə] *n* ге́йша.

gel [dʒel] *n хим.* гель; студени́стый оса́док.

gelatin(e) [ˌdʒeləˈtiːn] *n* желати́н; сту́день.

gelatinize [dʒiˈlætinaiz] *v* превраща́ть(ся) в сту́день.

gelatinous [dʒiˈlætinəs] *a* желати́новый; студени́стый.

gelation [dʒiˈleiʃən] *n* замора́живание.

geld [geld] *v* (gelded [-id], gelt) кастри́ровать.

gelding [ˈgeldiŋ] 1. *pres. p. от* geld;

2. *n* кастри́рованное живо́тное, *особ.* ме́рин.

gelid [ˈdʒelid] *a* 1) ледяно́й, студёный; 2) ледяня́щий, холо́дный (*о тоне, манере*).

gelignite [ˈdʒelignait] *n* гелигни́т (*взрывчатое вещество*).

gelt [gelt] *past и p. p. от* geld.

gem [dʒem] 1. *n* 1) драгоце́нный ка́мень, самоцве́т; ге́мма; 2) *перен.* драгоце́нность; жемчу́жина; the ~ of the whole collection са́мая прекра́сная вещь во всей колле́кции; she is a ~ она́ пре́лесть; 3) *амер.* пре́сная сдо́бная бу́лочка;

2. *v* украша́ть драгоце́нными камня́ми; stars ~ the sky звёзды сверка́ют на не́бе как драгоце́нные ка́мни.

geminate [ˈdʒemineit] 1. *a* сдво́енный, располо́женный па́рами;

2. *v* удва́ивать, сдва́ивать.

gemination [ˌdʒemiˈneiʃən] *n* удвое́ние, сдва́ивание.

Gemini [ˈdʒeminai] *n pl* Близнецы́ (*созвездие и знак зодиака*).

gemma [ˈdʒemə] *n* (*pl* -ae) *бот., зоол.* по́чка.

gemmae [ˈdʒemiː] *pl от* gemma.

gemmate [ˈdʒemeit] 1. *a* име́ющий по́чки; размножа́ющийся почкова́нием;

2. *v* дава́ть по́чки; размножа́ться почкова́нием.

gemmation [dʒeˈmeiʃən] *n* образова́ние по́чек; почкова́ние.

gemmiferous [dʒeˈmifərəs] *a* 1) почконо́сный; 2) содержа́щий драгоце́нные ка́мни (*о месторождении*).

gen [dʒen] *n* (*сокр. от* general information) *воен. sl.* информа́ция, публику́емая для всех чино́в пе́ред боево́й опера́цией.

gendarme [ˈʒãːndɑːm] *фр. n* жанда́рм.

gendarmerie [ʒɑːndɑːˈmriː] *фр. n* жандарме́рия.

gender [ˈdʒendə] 1. *n* 1) *грам.* род; 2) *шутл.* пол;

2. *v поэт.* порожда́ть.

gene [dʒiːn] *n биол.* ген.

genealogical [ˌdʒiːniəˈlɔdʒikəl] *a* родосло́вный.

genealogy [ˌdʒiːniˈælədʒi] *n* генеало́гия; родосло́вная.

genera [ˈdʒenərə] *pl от* genus.

general I [ˈdʒenərəl] 1. *a* 1) о́бщий, о́бщего хара́ктера, всеобщий; генера́льный; ~ meeting о́бщее собра́ние; ~ impression о́бщее впечатле́ние; ~ election всеобщие вы́боры; ~ lay-out *стр.* генера́льный план; ~ strike всео́бщая забасто́вка; ~ hospital неспециализи́рованная больни́ца, больни́ца о́бщего ти́па; 2) *тех.* техни́ческий; 3) обы́чный; as a ~ rule как пра́вило; in a ~ way обы́чным путём; 4) гла́вный; G. Headquarters штаб главнокома́ндующего, ста́вка; гла́вное кома́ндование (*тж.* staff общевойсково́й соб.; G. Staff генера́льный штаб (*штаб сухопу́тных войск*); 5) генера́льный; G. Assembly Генера́льная Ассамбле́я; ◇ in ~ вообще́; ~ practitioner врач о́бщей пра́ктики (*терапевт и хирург*); ~ servant прислу́га «за всё» (*делающая одна всю работу*); ~ (post) delivery пе́рвая у́тренняя разно́ска по́чты; *амер.* (по́чта) до востре́бования;

2. *n* 1) *разг.* = general servant [*см.* 1, ◇]; 2) *уст.* (the ~) наро́д.

general II ['dʒenərəl] *n* генера́л; полково́дец; ◇ governor ~ губерна́тор коло́нии *или* доминио́на.

General-in-Chief ['dʒenərəlɪn'tʃiːf] *n* (*pl* Generals-in-Chief) главнокома́ндующий.

generalissimo [,dʒenərə'lɪsɪmou] *n* (*pl* -os [-ouz]) генералисси́мус.

generality [,dʒenə'rælɪtɪ] *n* 1) всео́бщность; примени́мость ко всему́; 2) неопределён- ность; 3) утвержде́ние о́бщего хара́ктера; *pl* о́бщие места́; 4) большинство́; бо́льшая часть.

generalization [,dʒenərəlaɪ'zeɪʃən] *n* 1) обобще́ние; don't be hasty in ~ не спеши́те с обобще́ниями; 2) о́бщее пра́вило.

generalize ['dʒenərəlaɪz] *v* 1) обобща́ть; своди́ть к о́бщим зако́нам; 2) распростра- ня́ть; вводи́ть в о́бщее употребле́ние; 3) при- дава́ть неопределённость; говори́ть неопре- делённо, в о́бщей фо́рме.

generalized ['dʒenərəlaɪzd] 1. *p. p. от* generalize;

2. *a* обобщённый; ~ form of value *полит.-* *эк.* всео́бщая фо́рма сто́имости.

generally ['dʒenərəlɪ] *adv* 1) обы́чно, как пра́вило; 2) в о́бщем смы́сле, вообще́; ~ speaking вообще́ говоря́; 3) широко́ (*рас- простране́нный*); в большинстве́ слу́чаев, бо́льшей ча́стью; ~ received общепри́ня- тый.

generalship ['dʒenərəlʃɪp] *n* 1) генера́ль- ский чин, зва́ние генера́ла; 2) вое́нное ис- ку́сство; 3) (иску́сное) руково́дство.

Generals-in-Chief ['dʒenərəlzɪn'tʃiːf] *pl от* General-in-Chief.

generate ['dʒenəreɪt] *v* 1) порожда́ть, вы- зыва́ть; 2) производи́ть; генери́ровать.

generation [,dʒenə'reɪʃən] *n* 1) поколе́ние; rising ~ подраста́ющее поколе́ние, сме́на; a ~ ago в про́шлом поколе́нии; лет три́д- цать наза́д; 2) род, пото́мство; 3) порож- де́ние; зарожде́ние; 4) *тех.* генера́ция, обра- зова́ние (*пара*).

generative ['dʒenərətɪv] *a* производя́щий; производи́тельный; порожда́ющий.

generator ['dʒenəreɪtə] *n* 1) производи́- тель; 2) *тех.* исто́чник эне́ргии; генера́тор.

generatrices [dʒenə'reɪtrɪsiːz] *pl от* gen- eratrix.

generatrix ['dʒenəreɪtrɪks] *n* (*pl* -trices) *мат.* образу́ющая.

generic [dʒɪ'nerɪk] *a* 1) родово́й; хара́к- те́рный для определённого кла́сса, ви́да *и т. п.*; 2) о́бщий.

generosity [dʒenə'rɔsɪtɪ] *n* 1) великоду́- шие; 2) ще́дрость.

generous ['dʒenərəs] *a* 1) благоро́дный, великоду́шный; a ~ nature благоро́дная нату́ра; 2) ще́дрый; 3) оби́льный; бо́льшой; изря́дный; a ~ amount большо́е коли́че- ство; of ~ size большо́го разме́ра; 4) пло- доро́дный (*о по́чве*); 5) интенси́вный; гу-

стой (*о цве́те*); 6) вы́держанный, кре́пкий (*о вине́*).

genesis ['dʒenɪsɪs] *n* 1) происхожде́ние, возникнове́ние; ге́незис; 2) (G.) *библ.* Кни́га Бытия́.

genet ['dʒenɪt] *n* *зоол.* гене́тта, виве́рра.

genetic [dʒɪ'netɪk] *a* генети́ческий.

genetics [dʒɪ'netɪks] *n* *pl* (*употр. как sing*) гене́тика.

geneva [dʒɪ'niːvə] *n* джин, можжеве́ловая насто́йка, во́дка.

Genevan [dʒɪ'niːvən] 1. *a* жене́вский;

2. *n* 1) жене́вец; 2) кальвини́ст; каль- вини́стка.

Geneva wheel [dʒɪ'niːvə,wiːl] *n* *тех.* маль- ти́йский крест.

genial I ['dʒiːnjəl] *a* 1) весёлый; до́брый; серде́чный, раду́шный; доброду́шный; общи́- тельный; 2) мя́гкий (*о кли́мате*); 3) *поэт.*, *уст.* плодоро́дный, производя́щий; 4) *редк.* бра́чный; 5) *уст.* гениа́льный.

genial II [dʒɪ'naɪəl] *a* *анат.* подбородо́ч- ный.

geniality [,dʒiːnɪ'ælɪtɪ] *n* 1) доброта́, серде́чность, раду́шие; доброду́шие; общи́- тельность; 2) мя́гкость (*кли́мата и т. п.*).

genially ['dʒiːnjəlɪ] *adv* ве́село, серде́чно; доброду́шно.

genie ['dʒiːnɪ] *n* (*pl* genii) джин (*из ара́б- ских ска́зок*).

genii I ['dʒiːnɪaɪ] *pl от* genius 1).

genii II ['dʒiːnɪaɪ] *pl от* genie.

genista [dʒɪ'nɪstə] *n* *бот.* дрок.

genital ['dʒenɪtl] 1. *a* деторо́дный, поло- во́й;

2. *n pl* половы́е о́рганы.

genitive ['dʒenɪtɪv] *грам.* 1. *a* роди́тель- ный;

2. *n* роди́тельный паде́ж.

genius ['dʒiːnjəs] *n* 1) (*pl* genii) ге́ний, дух; good ~ до́брый дух, до́брый ге́ний; evil ~ злой дух, злой ге́ний; 2) (*тк. sing*) одарённость; гениа́льность; a man of ~ гениа́льный челове́к; 3) (*pl* -ses) ге́ний, ге- ниа́льный челове́к, гениа́льная ли́чность; 4) (*pl* -ses) чу́вства, настрое́ния, свя́зан- ные с каки́м-л. ме́стом; 5) (*pl* -ses) дух (*ве́ка; вре́мени; на́ции; языка́; зако́на*).

genocide ['dʒenousaɪd] *n* геноци́д.

Genoese [,dʒenou'iːz] 1. *a* генуэ́зский;

2. *n* генуэ́зец.

genre [ʒɑ̃:ŋr] *фр.* *n* 1) жанр, мане́ра, стиль; 2) *attr.* жа́нровый; ~ painting жа́нровая жи́вопись.

gent [dʒent] *шутл.*, *разг. см.* gentleman 1) *и* 2).

genteel [dʒen'tiːl] *a* 1) *ирон.* благоро́дный; благовоспи́танный; све́тский; 2) *ирон.* мо́д- ный, изя́щный, элега́нтный; 3) *ирон.* утон- чённый; 4) *уст.* ве́жливый;

gentian ['dʒenʃɪən] *n* *бот.* гореча́вка.

gentile ['dʒentaɪl] 1) *библ.* не евре́й; 2) *амер.* не мормо́н; 3) *редк.* язы́чник.

gentility [dʒen'tɪlɪtɪ] *n* 1) *ирон.* (прете́н- зия на) элега́нтность; аристократи́ческие зама́шки; 2) *уст.* родови́тость, зна́тность, знать.

gentle ['dʒentl] 1. *a* 1) родови́тый, зна́т- ный; 2) мя́гкий, до́брый; ти́хий, споко́й-

ный; кро́ткий (о хара́ктере); the ~ sex прекра́сный пол; 3) не́жный, ла́сковый (о го́лосе); 4) лёгкий, сла́бый (о ве́тре; о наказа́нии и т. п.); 5) послу́шный, сми́рный (о живо́тных); 6) отло́гий; 7) уст., шутл. ве́жливый, великоду́шный; ~ reader благоскло́нный чита́тель (обраще́ние а́втора к чита́телю в кни́ге);
2. n 1) pl уст. знать; 2) нажи́вка (для уже́ния);
3. v 1) облагора́живать, де́лать мя́гче (челове́ка); 2) объезжа́ть (ло́шадь).

gentlefolks ['dʒentlfouks] n pl дворя́нство, знать.

gentlehood ['dʒentlhud] n 1) зна́тность; 2) благовоспи́танность; любе́зность.

gentleman ['dʒentlmən] n 1) джентльме́н; господи́н; 2) хорошо́ воспи́танный и поря́дочный челове́к; ~'s agreement джентльме́нское соглаше́ние; 3) уст. дворяни́н; 4) pl мужска́я убо́рная; ◇ ~ in waiting камерге́р; ~'s ~ лаке́й; ~ at large шутл. челове́к без определённых заня́тий; ~ of the long robe судья́, юри́ст; gentlemen of the cloth духове́нство; ~ of the road амер. коммивояжёр; ~ of fortune пира́т; авантюри́ст; the old ~ шутл. дья́вол; the ~ in black velvet крот.

gentleman-at-arms ['dʒentlmənət'ɑːmz] n лейб-гварде́ец.

gentlemanlike ['dʒentlmənlaɪk] a 1) приличе́ствующий джентльме́ну, поступа́ющий по-джентльме́нски [см. gentleman 2)]; 2) воспи́танный; ве́жливый.

gentlemanly ['dʒentlmənlɪ] = gentlemanlike.

gentleness ['dʒentlnɪs] n 1) мя́гкость; доброта́; 2) отло́гость.

gentlewoman ['dʒentl,wumən] n 1) да́ма, ле́ди; 2) уст. дворя́нка; 3) уст. фре́йлина; камери́стка.

gently ['dʒentlɪ] adv 1) мя́гко, не́жно, кро́тко; ти́хо; 2) споко́йно, осторо́жно, уме́ренно; ~! ти́ше!, ле́гче!; ◇ ~ born зна́тный, родови́тый.

gentry ['dʒentrɪ] n 1) джентри, нетитуло́ванное мелкопоме́стное дворя́нство; 2) пренебр., шутл. определённая гру́ппа люде́й; these ~ э́ти господа́.

gents [dʒents] n разг. мужска́я убо́рная.

genual ['dʒenjuəl] a коле́нный.

genuflect ['dʒenjuːflekt] v преклоня́ть коле́на.

genuflection, genuflexion [,dʒenjuː'flekʃən] n коленопреклоне́ние.

genuine ['dʒenjuɪn] a 1) по́длинный, и́стинный, неподде́льный, настоя́щий; a ~ diamond настоя́щий бриллиа́нт; 2) и́скренний; ~ sorrow и́скреннее го́ре.

genuinely ['dʒenjuɪnlɪ] adv и́скренне; неподде́льно.

genuineness ['dʒenjuɪnnɪs] n по́длинность и пр. [см. genuine].

genus ['dʒiːnəs] n (pl genera) 1) биол. род; 2) сорт; вид.

geocentric [,dʒiːou'sentrɪk] a геоцентри́ческий.

geochemistry [,dʒiːou'kemɪstrɪ] n геохи́мия.

geodesy [dʒiː'ɔdɪsɪ] n геоде́зия.

geodetic [,dʒiːə'detɪk] a геодези́ческий.

geognosy [dʒiː'ɔgnəsɪ] n геогно́зия.

geographer [dʒiː'ɔgrəfə] n гео́граф.

geographic(al) [dʒiːə'græfɪk(əl)] a географи́ческий.

geography [dʒiː'ɔgrəfɪ] n геогра́фия.

geologic(al) [dʒiːə'lɔdʒɪk(əl)] a геологи́ческий; ~ age геологи́ческий во́зраст.

geologist [dʒiː'ɔlədʒɪst] n гео́лог.

geologize [dʒiː'ɔlədʒaɪz] v 1) изуча́ть геоло́гию; 2) соверша́ть геологи́ческие экску́рсии.

geology [dʒiː'ɔlədʒɪ] n геоло́гия.

geomagnetical axis [,dʒiːou,mæg'netɪkəl 'æksɪz] n магни́тная ось (земли́).

geometer [dʒiː'ɔmɪtə] = geometrician.

geometrical [dʒiːə'metrɪkəl] a геометри́ческий; ~ progression геометри́ческая прогре́ссия.

geometrically [dʒiːə'metrɪkəlɪ] adv геометри́чески; по геометри́ческим при́нципам.

geometrician [,dʒiːoumɪ'trɪʃən] n гео́метр.

geometry [dʒiː'ɔmɪtrɪ] n геоме́трия; descriptive ~ начерта́тельная геоме́трия; plane ~ планиме́трия; solid ~ стереоме́трия.

geophysical [,dʒiːə'fɪzɪkəl] a геофизи́ческий.

geophysics [,dʒiːə'fɪzɪks] n pl (употр. как sing) геофи́зика.

geopolitics [,dʒiːə'pɔlitɪks] n pl (употр. как sing) геополи́тика.

George [dʒɔːdʒ] n sl. лётчик; автопило́т; ◇ by ~! ей-бо́гу!, че́стное сло́во!; вот так так!

georgette [dʒɔː'dʒet] n текст. жорже́т.

Georgian I ['dʒɔːdʒən] 1. a грузи́нский; 2. n 1) грузи́н; грузи́нка; the ~s pl собир. грузи́ны; 2) грузи́нский язы́к.

Georgian II ['dʒɔːdʒən] амер. 1. a относя́щийся к шта́ту Джо́рджия (или Гео́ргия); 2. n уроже́нец шта́та Джо́рджия (или Гео́ргия).

Georgian III ['dʒɔːdʒən] a вре́мени, эпо́хи одного́ из англи́йских короле́й Гео́ргов.

georgic ['dʒɔːdʒɪk] a уст., ритор. се́льский.

geranium [dʒɪ'reɪnjəm] n бот. гера́нь, жура́вельник.

gerfalcon ['dʒəː,fɔːlkən] n зоол. (исла́ндский) кре́чет.

germ [dʒəːm] n 1. n 1) биол. заро́дыш, эмбрио́н; 2) биол. за́вязь; в заро́дыше, в зача́точном состоя́нии; 2) микро́б; 3) зача́ток; происхожде́ние; the ~ of an idea происхожде́ние иде́и; in ~ в заро́дыше, в зача́точном состоя́нии; 4) attr.: ~ war бактериологи́ческая война́;
2. v дава́ть ростки́, развива́ться.

German ['dʒəːmən] 1. a герма́нский, неме́цкий; ◇ ~ measles красну́ха; ~ Ocean уст. Се́верное мо́ре; ~ silver нейзи́льбер, мельхио́р; ~ text готи́ческий шрифт;
2. n 1) не́мец; не́мка; the ~s pl собир. не́мцы; 2) неме́цкий язы́к; High ~ верхненеме́цкий язы́к; Low ~ нижненеме́цкий язы́к.

german ['dʒəːmən] a в сочета́ниях: brother ~ родно́й брат; sister ~ родна́я сестра́;

cousin ~ двою́родный брат; двою́родная сестра́.

German badgerdog ['dʒɑ:mən'bædʒədɔg] *n* та́кса (*порода собак*).

germander [dʒɑ:'mændə] *n* бот. дубро́вник.

germane [dʒɑ:'meɪn] *a* уме́стный, подходя́щий (to).

Germanic [dʒɑ:'mænɪk] 1. *a* герма́нский; 2. *n* древне́йший общегерма́нский язы́к.

Germanism ['dʒɑ:mənɪzəm] *n* 1) неме́цкий оборо́т, германи́зм; 2) германофи́льство.

germanium [dʒɑ:'meɪnɪəm] *n* хим. герма́ний.

germanize ['dʒɑ:mənaɪz] *v* германизи́ровать, онеме́чивать.

germicide ['dʒɑ:mɪsaɪd] 1. *n* вещество́, убива́ющее бакте́рии; 2. *a* убива́ющий бакте́рии.

germinal ['dʒɑ:mɪnl] *a* заро́дышевый; зача́точный.

germinate ['dʒɑ:mɪneɪt] *v* 1) дава́ть по́чки *или* ростки́; 2) вызыва́ть к жи́зни, порожда́ть.

germination [,dʒɑ:mɪ'neɪʃən] *n* 1) прораста́ние; 2) рост, разви́тие.

gerontocracy [,dʒerən'tɔkrəsɪ] *n* прави́тельство *или* правле́ние старе́йших.

Gerry ['gerɪ] = Jerry.

gerrymander ['dʒerɪmændə] 1. *n* предвы́борные махина́ции; 2. *v* 1) искажа́ть фа́кты, фальсифици́ровать; 2) подтасо́вывать вы́боры.

gerund ['dʒerənd] *n* грам. геру́ндий.

gerund-grinder ['dʒerənd,graɪndə] *n* пренебр. учи́тель лати́нского языка́; учи́тель-педа́нт.

gerundive [dʒɪ'rʌndɪv] грам. 1. *n* геру́ндив; 2. *a* герундиа́льный.

gesso ['dʒesou] *n* гипс (*для скульптуры*).

gestation [dʒes'teɪʃən] *n* 1) бере́менность; пери́од бере́менности; 2) созрева́ние (*плана, проекта*).

gesticulate [dʒes'tɪkjuleɪt] *v* жестикули́ровать.

gesticulation [dʒes,tɪkju'leɪʃən] *n* жестикуля́ция.

gesture ['dʒestʃə] 1. *n* 1) жест; телодвиже́ние; a fine ~ благоро́дный жест; 2) ми́мика (*тж.* facial ~); friendly ~ дру́жеский жест; ◇ a warlike ~ ≅ бряца́ние ору́жием; 2. *v* жестикули́ровать.

get [get] 1. *v* (got; *p. p. уст., амер.* gotten) 1) получа́ть; достава́ть, добыва́ть; we can ~ it for you мы мо́жем доста́ть э́то для вас; you'll ~ little by it вы ма́ло что от э́того вы́играете; to ~ advantage получи́ть преиму́щество; to ~ an illness заболе́ть; 2) зараба́тывать; to ~ a living зараба́тывать на жизнь; 3) покупа́ть, приобрета́ть; to ~ a new coat купи́ть но́вое пальто́; 4) получа́ть; брать; I ~ letters every day я получа́ю пи́сьма ежедне́вно; to ~ a leave получи́ть, взять о́тпуск; to ~ singing lessons брать уро́ки пе́ния; 5) достига́ть, добива́ться (from, out of); we couldn't ~ permisson from him мы не могли́ получи́ть

у него́ разреше́ния; to ~ glory доби́ться сла́вы; 6) доставля́ть, приноси́ть; ~ me a chair принеси́ мне стул; I got him to bed я уложи́л его́ спать; 7) прибы́ть, добра́ться, дости́чь (*какого-л. места*; to); попа́сть (*куда-л.*); we cannot ~ to Moscow tonight сего́дня ве́чером мы не попадём в Москву́; 8) *разг.* понима́ть, постига́ть; I don't ~ you я вас не понима́ю; to ~ it right поня́ть пра́вильно; to ~ the cue поня́ть намёк; 9) ста́вить в тупи́к; the answer got me отве́т меня́ озада́чил; 10) устана́вливать, вычисля́ть; we ~ 9.5 on the average мы получи́ли 9,5 в сре́днем; 11) *уст.* порожда́ть; производи́ть; 12) *perf. разг.* име́ть, облада́ть, владе́ть; I've got very little money у меня́ о́чень ма́ло де́нег; he has got the measles у него́ корь; 13) (*perf.; с inf.*) быть обя́занным, быть до́лжным (*что-л. сде́лать*); I've got to go for the doctor at once я до́лжен неме́дленно идти́ за врачо́м; 14) (*с последующим сло́жным дополнением — n или pron+inf.*) заста́вить, убеди́ть (*кого-л. сделать что-л.*); to ~ smb. to speak заста́вить кого́-л. вы́ступить; we got our friends to come to dinner мы уговори́ли свои́х друзе́й прийти́ к обе́ду; to ~ a tree to grow in a bad soil суме́ть вы́растить де́рево на плохо́й по́чве; 15) (*с последующим сложным дополнением — n или pron+p. р. или a*) обозна́чает: а) *что действие выполнено или должно быть выполнено кем-л. по жела́нию субъекта:* I got my hair cut я постри́гся, меня́ постри́гли; you must ~ your coat made вы должны́ (отда́ть) сшить себе́ пальто́; б) *что какой-то объект приведён де́йствующим лицом в определённое состояние:* you'll ~ your feet wet вы промо́чите но́ги; she's got her face scratched она́ оцара́пала лицо́; 16) (*с последующим инфинитивом или герундием*) означает начало или однокра́тность действия: to ~ to know узна́ть; they got talking они́ на́чали разгова́ривать; 17) (*глагол-связка в составном именном сказуемом или вспомогательный глагол в pass.*) станови́ться, де́латься; to ~ old старе́ть; to ~ angry (рас)серди́ться; to ~ better a) опра́виться; б) стать лу́чше; to ~ drunk опьяне́ть; to ~ married жени́ться; you'll ~ left behind вас обго́нят, вы оста́нетесь позади́; *другие не приведённые здесь оттенки значения глагола* get *в основно́м сводятся к* доста́вить, быть в результа́те *и* станови́ться; ☐ ~ **about** а) распространя́ться (*о слухах*); б) начина́ть (вы-) ходи́ть после боле́зни; ~ **abroad** распространя́ться (*о слухах*); станови́ться изве́стным; ~ **across** а) перебира́ться, переправля́ться; б) чётко изложи́ть; ~ **across an idea** чётко изложи́ть мысль; ~ **ahead** а) продвига́ться; б) преуспева́ть; ~ **along** а) жить, пожива́ть; ~ **along without food** обходи́ться без пи́щи; ~ **along in years** старе́ть; б) справля́ться с де́лом; преуспева́ть; в) относи́ться друг к дру́гу хорошо́, ла́дить; they ~ along они́ ла́дят; ~ **at** а) добра́ться, дости́гнуть; б) дозвони́ться (*по телефо́ну*); в) поня́ть, пости́гнуть; I cannot ~ at the meaning я не могу́ понять смысла; г) *разг.* подкупать; д) *разг.* высмеивать; ~ **away** a) уходить; отправляться; удирать; выбираться; б) удрать с добычей (with); *амер.* выйти из положения, выйти сухим из воды (with); выиграть состязание (with); в) *ав.* взлететь, оторваться; г) *амер. авт.* трогать с места; ~ **back** a) вернуться; б) возмещать (*потерю, убытки*); ~ **behind** *амер.* a) поддерживать; б) внимательно ознакомиться; ~ **down** a) спуститься, сойти; б) снять (*с полки*); в) проглатывать; г) засесть (за *учение и т. п.*; to); ~ **in** a) входить; б) пройти на выборах; в) сажать (*семена*); г) убирать (*сено, урожай*); д) нанести удар; е) вернуть (*долги и т. п.*); ж) войти в пай, участвовать (on—в); ~ **into** a) войти, прибыть; б) надевать, напяливать (*одежду*); ~ **off** a) сойти, слезть; б) снимать (*платье*); в) отбывать, отправляться; г) убежать; спастись, отделаться (*от наказания и т. п.*); д) откалывать (*шутки*); е) *ав.* отрываться от земли, подниматься; ~ **on** a) делать успехи, продвигаться, преуспевать; how is he ~ting on? как (идут) его дела?; б)стареть; ститься; в) приближаться (*о времени*); it is ~ting on for supper-time время близится к ужину; г) надевать; д) садиться (*на лошадь*); е) быть в хороших отношениях, ладить (with); ~ **out** выходить, вылезать (from, of — из); to ~ out of shape потерять форму; to ~ out of sight исчезнуть из поля зрения; ~ out! уходи!, проваливай!; б) доставать, вынимать (from, of — из); в) произнести, вымолвить; г) стать известным (*о секрете*); д) выведывать, выспрашивать; е) бросить (*привычку*; of); ж) избегать (*делать что-л.*); ~ **over** a) перейти, перелезть, переправиться (через); б) оправиться (*после болезни, от испуга*); в) преодолеть (*трудности*), покончить, разделаться с *чем-л.*; г) пройти (*расстояние*); д) привыкнуть к *чему-л.*, свыкнуться с мыслью о *чём-л.*; е) пережить *что-л.*; ж): to ~ over a person *разг.* перехитрить, обойти кого-л.; ~ **round** a) обмануть, перехитрить, обойти *кого-л.*; заставить *кого-л.* сделать по-своему; б) обходить (*закон, вопрос и т. п.*); в) *амер.* приезжать, прибывать; г) выздороветь; ~ **through** a) пройти через *что-л.*; б) справиться с *чем-л.*; выдержать экзамен; в) провести (*законопроект*); г) пройти (*о законопроекте*); ~ **to** a) приниматься за *что-л.*; б) добраться до *чего-л.*; to ~ to close quarters *воен.* сблизиться, подойти на близкую дистанцию; *перен.* сцепиться (*в споре*); столкнуться лицом к лицу; ~ **together** a) собирать(ся), встречать(ся); б) *амер. разг.* совещаться; прийти к соглашению; ~ **under** гасить, тушить (*пожар*); ~ **up** a) вставать, подниматься (*тж. на гору*); б) садиться (*в экипаж, на лошадь*); в) усиливаться (*о пожаре, ветре, буре*); to ~ up steam разводить пары; *перен.* развивать энергию; собираться с силами; г) дорожать (*о товарах*); д) подготовлять, осуществлять; оформлять (*книгу*); ставить (*пьесу*); е) гримировать, наряжать; причёсывать; to ~ oneself up

тщательно одеться, вырядиться; ж) поднимать (*якорь*); з) вспугнуть дичь; и) усиленно изучать *что-л.*; ◊ to ~ by heart выучить наизусть; to ~ one's hand in набить руку в чём-л., освоиться с чем-л.; to ~ smb.'s back up рассердить; to ~ smth. into one's head вбить что-л. себе в голову; to ~ one's breath перевести дыхание; прийти в себя; to ~ on one's feet (*или* legs) вставать (*чтобы говорить публично*); to ~ on smb.'s nerves действовать кому-л. на нервы; to have got smb., smth. on one's nerves раздражаться из-за кого-л., чего-л.; to ~ under way сдвинуться с места; отправиться; to ~ the gate a) быть уволенным; б) быть выставленным за дверь; to ~ a head захмелеть, иметь тяжёлую голову с похмелья; to ~ hold of суметь схватить (*часто о мысли*); to ~ the mitten (*или* the sack, walking orders, walking papers) быть уволенным; to ~ it (hot) получить нагоняй; to ~ wind of узнать (*по рассказу и т. п.*); to ~ the wind of иметь преимущество перед; to ~ in wrong with smb. попасть в немилость к кому-л.; to ~ one's wings *разг.* получить квалификацию (*лётчика, штурмана или др. члена экипажа самолёта*); to ~ back some of one's own *sl.* отомстить за обиду; to ~ the best of it победить; to ~ one's own way сделать по-своему, поставить на своём; to have got smb., smth. on the brain только и думать о ком-л., о чём-л.; to ~ home попасть в цель; to ~ there достичь (*чего-л.*); to ~ nowhere ничего не достичь; to ~ off with a whole skin ≈ выйти сухим из воды; to ~ out of bed on the wrong side ≈ встать с левой ноги; ~ along with you! *разг.* убирайтесь!; ~ away with you! *шутл.* да ну тебя!; не болтай глупостей!; ~ out with you! уходи!, проваливай!;

2. *n* приплод, потомство (*у животных*).

get-at-able [get'ætəbl] *a* доступный.

getaway ['getəweɪ] *n разг.* бегство; to make a ~ a) бежать; б) ускользнуть.

getter ['getə] *n* 1) приобретатель; добытчик; 2) *горн.* рудокоп; забойщик; 3) жеребец-производитель; 4) *радио* геттер.

get-together ['gettu,geðə] *n* встреча, сбор, совещание.

get-up ['getʌp] *n* 1) манера одеваться; стиль; 2) одежда, обмундирование; 3) оформление (*книги*); 4) постановка (*пьесы*); 5) *амер. разг.* энергия, предприимчивость.

gewgaw ['gjuːgɔː] *n* безделушка, пустяк; мишура.

geyser *n* 1) ['gaɪzə] гейзер; 2) ['giːzə] газовая колонка (*ванны*).

gharri, gharry ['gæri] *n англо-инд.* повозка; наёмный экипаж.

ghastly ['gɑːstli] **1.** *a* 1) страшный; 2) мёртвенно-бледный; 3) *разг.* ужасный; неприятный; 4) принуждённый (*об улыбке*); **2.** *adv* страшно, ужасно.

gha(u)t [gɔːt] *n англо-инд.* 1) горная цепь; 2) горный проход; 3) пристань на реке.

ghee [giː] *n англо-инд.* топлёное масло (*из молока буйволицы*).

gherkin ['gəːkɪn] *n* корнишон.

ghetto ['getou] *n* (*pl*-os [-ouz]) гéтто, еврéйский квартáл.

ghost [goust] *n* 1) привидéние, прúзрак; дух; 2) душá, дух; to give up the ~ испустúть дух; 3) тень, лёгкий след (*чего-л.*); ~s of the past тéни прóшлого; not to have the ~ of a chance не имéть ни малéйшего шáнса; the ~ of a smile чуть замéтная улыбка; 4) фактúческий áвтор, тáйно работающий на другóе лицó.

ghostly ['goustlɪ] *a* 1) похóжий на привидéние; прúзрачный; 2) духóвный; ~ father духовнúк.

ghostwriter ['goust,raɪtə] *амер.* = ghost 4).

ghoul [guːl] *n* вурдалáк, упы́рь, вампúр.

ghoulish ['guːlɪʃ] *a* дья́вольский; отвратúтельный; мéрзкий.

GI ['dʒiː'aɪ] (*сокр. от* government issue) *амер.* 1. *n* солдáт; ◇ ~ bride *разг.* англичáнка — невéста *или* женá америкáнского солдáта.
2. *a* 1) казённый, воéнного образцá; 2) армéйский.

giant ['dʒaɪənt] 1. *n* 1) великáн, гигáнт, исполúн; титáн; 2) *тех.* водобóй; мощнтóр;
2. *a* гигáнтский, громáдный, исполúнский.

giantess ['dʒaɪəntɪs] *n* великáнша.

giantism ['dʒaɪəntɪzəm] *n мед.* гигантúзм.

giantlike ['dʒaɪəntlaɪk] *a* гигáнтский, огрóмный.

giant-powder ['dʒaɪənt,paudə] *n* род динамúта.

giant('s)-stride ['dʒaɪənt(s)'straɪd] *n спорт.* гигáнтские шагú.

giaour ['dʒauə] *тур. n* гяýр.

gib I [gɪb] *n* (*уменьш. от* Gilbert) кот.

gib II [dʒɪb] *n тех.* 1) скобá, чекá; клин, контрклúн; направля́ющая прúзма; 2) *attr.*: ~ arm= gibbet 1,3).

gib-and-cotter ['dʒɪbən'kɔtə] *n тех.* двойнóй клин.

gibber ['dʒɪbə] 1. *n* невня́тная, нечленораздéльная речь;
2. *v* говорúть бы́стро, невня́тно, непоня́тно; тараторить.

gibberish ['gɪbərɪʃ] *n* невня́тная, непоня́тная речь; тарабáрщина; неграмотная речь.

gibbet ['dʒɪbɪt] 1. *n* 1) вúселица; to die on the ~ быть повéшенным; 2) повéшение; 3) *тех.* укóсина, стрелá крáна.
2. *v* 1) вéшать; 2) выставля́ть на позóр, на посмéшище; to be ~ted in the press быть вы́смеянным в печáти.

gibbon ['gɪbən] *n зоол.* гиббóн.

gibbosity [gɪ'bɔsɪtɪ] *n* 1) горбáтость, горб; 2) вы́пуклость.

gibbous ['gɪbəs] *a* 1) горбáтый; 2) вы́пуклый; 3) между вторóй чéтвертью и полнолýнием (*о луне*).

gibe [dʒaɪb] 1. *n* насмéшка;
2. *v* насмехáться (at— над).

giber ['dʒaɪbə] *n* насмéшник.

giblets ['dʒɪblɪts] *n pl* гусúные потрохá.

gibus ['dʒaɪbəs] *n* шапокля́к, складнóй цилúндр.

giddily ['gɪdɪlɪ] *adv* легкомы́сленно, вéтрено.

giddiness ['gɪdɪnɪs] *n* 1) головокружéние; 2) легкомы́слие, вéтреность.

giddy ['gɪdɪ] *a* 1) испы́тывающий головокружéние; I feel ~ у меня́ крýжится головá; 2) головокружúтельный; a ~ success головокружúтельный успéх; 3) легкомы́сленный, вéтреный, непостоя́нный.

gift [gɪft] 1. *n* 1) подáрок, дар; I would not take (*или* have) it at a ~ я э́того и дáром не возьмý; 2) спосóбность, даровáние; талáнт (of); the ~ of the gab дар слóва, дар рéчи; the ~ of tongues спосóбность к изучéнию инострáнных языкóв;
2. *v* 1) дарúть; 2) одаря́ть, наделя́ть.

gifted ['gɪftɪd] 1. *p. p. от* gift 2;
2. *a* одарённый, спосóбный, талáнтливый.

gig I [gɪg] *n* 1) кабриолéт; двукóлка; 2) гúчка (*быстроходная лодка*); 3) подъёмная машúна, лебёдка; 4) *текст.* вертýшка, волчóк.

gig II [gɪg] 1. *n* острогá;
2. *v* ловúть ры́бу острогóй.

gigantic [dʒaɪ'gæntɪk] *a* гигáнтский, громáдный.

giggle ['gɪgl] 1. *n* хихúканье;
2. *v* хихúкать.

gig-lamps ['gɪglæmps] *n pl sl.* очкú.

gigmanity [gɪg'mænɪtɪ] *n* обывáтели; мещáне.

gigolo ['ʒɪgəlou] *n* (*pl* -os [-ouz]) наёмный партнёр (*в танцах*).

GIJ ['dʒiː'aɪ'dʒeɪ] *n* (*сокр. от* government issue Jane) *амер.* жéнщина-солдáт [*ср. выше* GI].

gilbert ['gɪlbət] *n эл.* гúльберт (*единица магнитодвижущей силы*).

gild I [gɪld] *v* (gilded [-ɪd], gilt) 1) золотúть; to ~ the pill позолотúть пилю́лю; 2) украшáть.

gild II [gɪld] = guild.

gilded ['gɪldɪd] 1. *p. p. от* gild I;
2. *a* позолóченный; ◇ G. Chamber палáта лóрдов; ~ youth золотáя молодёжь.

gilder ['gɪldə] *n* позолóтчик; carver and ~ багéтный мáстер.

gilding ['gɪldɪŋ] 1. *pres.p. от* gild I;
2. *n* 1) позолóта; 2) золочéние.

Gill [gɪl] *n* (*сокр. от* Gillian) дéвушка, возлю́бленная, любúмая [*ср.* Jack I, I, 1)].

gill I [gɪl] *n* (*обыкн. pl*) 1) жáбры; 2) вторóй подбородóк; 3) бородá (*у петуха*); 4) *бот.* гимениáльная пластúнка (*в шляпке гриба*); ◇ to be (*или* to look) rosy (green) about the ~s вы́глядеть здоровым (больны́м).

gill II [gɪl] *n* 1) глубóкий лесúстый оврáг; 2) гóрный потóк.

gill III [dʒɪl] *n* чéтверть пúнты (*англ.* = *0,142 л, амер.*=*0,118 л*).

gillaroo [,gɪlə'ruː] *n* ирлáндская форéль.

gillie ['gɪlɪ] *n шотл.* 1) *ист.* слугá вождя́; 2) помогáющий охóтнику, рыбакý.

gillyflower ['dʒɪlɪ,flauə] *n редк.* 1) левкóй; 2) гвоздúка.

gilt I [gɪlt] 1. *past и p.p. от* gild I;
2. *n* позолóта; ◇ to take the ~ off the gingerbread показывать что-л. без прикрáс;

лиша́ть что-л. привлека́тельности; обесце́нивать что-л. [*см. тж.* gingerbread 1];

3. *a* золочёный, позоло́ченный.

gilt II [gɪlt] *n* молода́я свинья́, подсви́нок.

gilt-edged [ˈgɪltˈedʒd] *a* 1) с золоты́м обре́зом; 2) *разг.* первокла́ссный, лу́чшего ка́чества; he gave her a ~ tip он дал ей прекра́сный сове́т; ◇ ~ securities надёжные це́нные бума́ги.

gimbals [ˈdʒɪmbəlz] *n pl* карда́нов подве́с.

gimcrack [ˈdʒɪmkræk] **1.** *n* мишу́рное украше́ние, безделу́шка;

2. *a* 1) мишу́рный; 2) ду́рно сде́ланный; сде́ланный на ско́рую ру́ку.

gimlet [ˈgɪmlɪt] *n* бура́в(чик); eyes like ~s пронзи́тельный *или* пытли́вый взгляд.

gimp [gɪmp] *n* 1) каните́ль; позуме́нт; 2) бо́лее то́лстая ни́тка в кру́жеве для выделе́ния рису́нка.

gin I [dʒɪn] (*сокр. от* engine) **1.** *n* 1) западня́, сило́к; 2) подъёмная лебёдка; во́рот; ко́злы; 3) джин (*хлопкоочисти́тельная маши́на*);

2. *v* 1) лови́ть в западню́; 2) очища́ть хло́пок.

gin II [dʒɪn] *n* джин (*можжеве́ловая насто́йка, во́дка*).

ginger [ˈdʒɪndʒə] **1.** *n* 1) имби́рь; 2) *разг.* огонёк, воодушевле́ние; he wants some ~ ему́ «изю́минки» не хвата́ет; 3) рыжева́тый цвет (*во́лос*);

2. *v* 1) приправля́ть имбирём; 2) взба́дривать (*бегову́ю ло́шадь*); 3) *разг.* подстегну́ть, оживи́ть (*тж.* ~ up).

ginger beer [ˈdʒɪndʒəˈbɪə] *n* имби́рный лимона́д.

gingerbread [ˈdʒɪndʒəbred] **1.** *n* имби́рный пря́ник (*ра́ньше золочёный*);

2. *a* пы́шный, мишу́рный, пря́ничный; ~ work *a*) золочёная резьба́ на корабле́; *б*) безвку́сный орна́мент.

gingerly [ˈdʒɪndʒəlɪ] **1.** *a* осторо́жный, осмотри́тельный; ро́бкий;

2. *adv* осторо́жно; ро́бко.

gingery [ˈdʒɪndʒərɪ] *a* 1) имби́рный, пря́ный; 2) раздражи́тельный, вспы́льчивый; 3) рыжева́тый.

gingham [ˈgɪŋəm] *n* 1) полоса́тая *или* кле́тчатая бума́жная *или* льняна́я мате́рия из кра́шеной пря́жи; 2) *разг.* (большо́й) зо́нтик.

gingivitis [ˌdʒɪndʒɪˈvaɪtɪs] *n мед.* воспале́ние дёсен.

gink [gɪŋk] *n амер. sl.* чуда́к.

gin-mill [ˈdʒɪnmɪl] *амер.* = gin-shop.

ginnery [ˈdʒɪnərɪ] *n* хлопкоочисти́тельный заво́д.

ginny [ˈdʒɪnɪ] *a разг.* опьянённый, нетре́звый; to get ~ опьяне́ть.

ginseng [ˈdʒɪnseŋ] *кит. n* женьше́нь (*расте́ние с лече́бным ко́рнем*).

gin-shop [ˈdʒɪnʃɔp] *n* пивна́я.

gin-sling [ˈdʒɪnslɪŋ] *n* подслащённый джин.

gippo [ˈdʒɪpou] *n воен. sl.* суп, похлёбка; подли́вка.

Gipsy [ˈdʒɪpsɪ] **1.** *n* 1) цыга́н; цыга́нка; 2) цыга́нский язы́к;

2. *a* цыга́нский;

3. *v* (g.) 1) вести́ цыга́нский о́браз жи́зни; 2) устра́ивать пикни́к *и т. п.*

gipsy moth [ˈdʒɪpsɪmɔθ] *n зоол.* непа́рный шелкопря́д, непа́рник.

gipsy table [ˈdʒɪpsɪˌteɪbl] *n* кру́глый сто́лик (*на трёх но́жках*).

giraffe [dʒɪˈrɑːf] *n* жира́ф(а).

girandole [ˈdʒɪrəndoul] *n* 1) канделя́бр, большо́й фигу́рный подсве́чник для не́скольких свече́й; 2) колесо́ (*в фейерве́рке*).

gird I [gəːd] *v* (-ed[-ɪd], girt) 1) опоя́сывать; подпоя́сывать(ся); he was girt about with a rope он был подпоя́сан верёвкой; 2) прикрепля́ть са́блю, ша́шку к по́ясу; 3) облека́ть (*вла́стью*; with); 4) окружа́ть, опоя́сывать; the island ~ed by the sea о́стров, окружённый мо́рем; ◇ to ~ oneself for smth. пригото́виться к чему́-л.

gird II [gəːd] **1.** *n* насме́шка;

2. *v* насмеха́ться (at — над).

girder [ˈgəːdə] *n* 1) ба́лка; брус; перекла́дина; прого́н; фе́рма (*моста*); 2) *радио* ма́чта.

girdle [ˈgəːdl] **1.** *n* 1) по́яс, куша́к; 2) *тех.* обо́йма, кольцо́; 3) *анат.* по́яс; 4) *геол.* то́нкий пласт песча́ника; ◇ under smb.'s ~ на поводу́ у кого́-л.;

2. *v* 1) подпоя́сывать; 2) кольцева́ть (*плодо́вые дере́вья*); 3) окружа́ть; 4) обнима́ть; to ~ smb.'s waist обня́ть кого́-л. за та́лию.

girl [gəːl] *n* 1) де́вочка; 2) де́вушка; 3) *разг.* (молода́я) же́нщина; 4) служа́нка, прислу́га; 5) продавщи́ца; 6) неве́ста, возлю́бленная (*тж.* best ~); 7) *attr.*: guides же́нская организа́ция ска́утов; ◇ old ~ *пренебр., ласк.* «стару́шка», же́нщина (*незави́симо от во́зраста*); ми́лая (*в обраще́нии*).

girlhood [ˈgəːlhud] *n* де́вичество.

girlie [ˈgəːlɪ] *n* (*уменьш. от* girl) де́вочка, девчу́шка.

girlish [ˈgəːlɪʃ] *a* 1) деви́ческий; 2) изне́женный, похо́жий на де́вочку (*о ма́льчике*).

Girondist [dʒɪˈrɔndɪst] *фр. n ист.* жиронди́ст.

girt [gəːt] **1.** *past u p. p. om* gird I;

2. *v* = girth 2, 2).

girth [gəːθ] **1.** *n* 1) подпру́га; 2) обхва́т; разме́р (*та́лии; де́рева в обхва́т и т. п.*); 3) *attr.*: ~ rail *тех.* ри́гель, распо́рка;

2. *v* 1) подтя́гивать подпру́гу (*тж.* ~ up); 2) ме́рить в обхва́те; 3) окружа́ть, опоя́сывать.

gist [dʒɪst] *n* суть, су́щность; гла́вный пункт.

give [gɪv] **1.** *v* (gave; given) (*обы́чно употребля́ется с двумя́ дополне́ниями; напр.: I gave him the book или I gave the book to him*) 1) дава́ть; отдава́ть; to ~ lessons дава́ть уро́ки; to ~ one's word дать сло́во, обеща́ть; this ~s him a right to complain э́то даёт ему́ пра́во жа́ловаться; the sun ~s light со́лнце — исто́чник све́та; 2) дари́ть; же́ртвовать; ода́ривать; жа́ловать (*награ́ду*); завеща́ть; to ~ a handsome present сде́лать хоро́ший пода́рок; to ~ alms подава́ть ми́лостыню; he gave freely to the hospital он мно́го же́ртвовал на больни́цу; 3) вруча́ть, передава́ть; to ~ a note вручи́ть запи́ску; 4) передава́ть; to ~ regards (*или* love) передава́ть приве́т; he ~s you his good wishes он передаёт Вам наилу́чшие пожела́ния; 5) заража́ть; you've ~n me your cold in the nose я от вас зарази́лся на́сморком; 6) плати́ть; отпла́чивать; I gave ten shillings for the hat я заплати́л за шля́пу де́сять ши́ллингов; to ~ smb. his due признава́ть чьи-л. досто́инства; воздава́ть по заслу́гам; 7) *с различными, гл. обр. отглагольными, существительными образует фразовый глагол, который обыкн. выражает однократность действия и передаётся русским глаголом, соответствующим по значению существительному во фразовом глаголе*: to ~ a cry (вс)кри́кнуть; to ~ a look взгляну́ть; to ~ a jump подпры́гнуть; to ~ a loud laugh гро́мко рассмея́ться; to ~ encouragement ободри́ть; to ~ permission разреши́ть; to ~ an order приказа́ть; to ~ thought to заду́маться над; to ~ birth to роди́ть, породи́ть; to ~ chase пресле́довать; 8) отдава́ть, посвяща́ть; to ~ one's attention to уделя́ть внима́ние *чему-л.*; to ~ one's mind to study по́лностью отдава́ться заня́тиям (*или* учёбе); 9) устра́ивать (*обед, вечеринку*); 10) причиня́ть; it gave me much pain э́то причини́ло мне большу́ю боль; the pupil ~s the teacher much trouble э́тот учени́к доставля́ет учи́телю мно́го волне́ний; 11) выска́зывать; пока́зывать; to ~ to the world обнаро́довать, опубликова́ть; to ~ evidence дава́ть показа́ния; it was ~n in the newspapers об э́том сообща́лось в газе́тах; he ~s no signs of life он не подаёт при́знаков жи́зни; the thermometer ~s 25° in the shade термо́метр пока́зывает 25° в тени́; 12) присужда́ть (*наказание*); выноси́ть (*приговор*); the court gave him six months hard labour суд присуди́л его́ к шести́ ме́сяцам ка́торжных рабо́т; 13) уступа́ть; соглаша́ться; I ~ you that point уступа́ю вам по э́тому вопро́су, соглаша́юсь с ва́ми в э́том; to ~ ground отступа́ть; *перен.* уступа́ть; to ~ way а) отступа́ть; уступа́ть; сдава́ться; б) подава́ться (*о здоровье*); по́ртиться; в) *тех.* погну́ться; г) па́дать (*об акциях*); д) поддава́ться (*отчаянию, горю*); дава́ть во́лю (*слезам*); 14) подава́ться, оседа́ть (*о фундаменте*); быть эласти́чным; сгиба́ться, гну́ться (*о дереве, металле*); to ~ but not to break гиба́ться, но не лома́ться; 15) изобража́ть; исполня́ть; ~ us Chopin сыгра́йте нам Шопе́на; 16) выходи́ть (*об окне, коридоре*); into, (up)on — на, в); ☐ ~ away а) отдава́ть; дари́ть; раздава́ть (*призы*); to ~ away the bride быть посажёным отцо́м; б) *разг.* выдава́ть, прогова́риваться; обнару́живать; подводи́ть; предава́ть; to ~ away the show *разг.* выдать, разболта́ть секре́т; разболта́ть о недоста́тках (*какого-л. предприятия*); [*см. тж.* 1, 13)]; ~ back возвраща́ть, отдава́ть; отплати́ть (*за обиду*); ~ forth а) объявля́ть; обнаро́довать; б) распуска́ть слух; ~ in а) уступа́ть, сдава́ться; б) подава́ть (*заяв-*

ление, отчёт, счёт); в) впи́сывать; регистри́ровать; ~ off выделя́ть, испуска́ть; ~ out а) распределя́ть; б) объявля́ть; в) издава́ть, выпуска́ть; г) иссяка́ть, конча́ться (*о запасах, силах и т. п.*); по́ртиться (*о машине*); д) *амер.* дава́ть интервью́; ~ over а) передава́ть; б) броса́ть, оставля́ть (*привычку*); ~ up а) оста́вить, отказа́ться (*от работы и т. п.*); he is ~n up by the doctors он при́знан врача́ми безнадёжным; б) бро́сить (*привычку*); в) уступи́ть; to ~ oneself up to smth. предава́ться, отдава́ться чему́-л.; ◇ to ~ smb. best *разг.* призна́ть чьё-л. превосхо́дство; to ~ effect to вводи́ть в де́йствие; to ~ ear to вы́слушать; to ~ as good as one gets не оста́ться в долгу́; to ~ smb. the creeps нагна́ть стра́ху на кого́-л.; бро́сить кого́-л. в дрожь; to ~ it smb. (hot and strong) проучи́ть кого́-л., всы́пать кому́-л., зада́ть кому́-л. жа́ру; to ~ one what for всы́пать по пе́рвое число́; зада́ть пе́рцу; to ~ smb. a piece of one's mind сказа́ть кому́-л. па́ру тёплых слов, отруга́ть; to ~ mouth (*или* tongue) а) подава́ть го́лос; б) выска́зывать, расска́зывать; to ~ rise to а) дава́ть нача́ло (*о реке*); б) вызыва́ть, име́ть результа́ты; to ~ smb. горе дать запу́таться, дать кому́-л. возмо́жность погуби́ть самого́ себя́; to ~ the time of day сказа́ть «до́брое у́тро», «до́брый ве́чер» *и т. п.*; to ~ vent to one's feelings отвести́ ду́шу; I ~ you joy жела́ю сча́стья; ~ a year or so either way с отклоне́нием в год в ту и́ли другу́ю сто́рону; to ~ a Roland for an Oliver ⇔ отплати́ть той же моне́той;

2. *n* 1) эласти́чность, пода́тливость; ~ and take взаи́мная усту́пка; компроми́сс; обме́н мне́ниями, любе́зностями *и т. п.*; 2) *спорт.* -ура́внение усло́вий.

give-away ['gɪvə,weɪ] **1.** *n разг.* 1) ненаме́ренное разоблаче́ние та́йны *или* преда́тельство; 2) про́данное дёшево *или* о́тданное да́ром;

2. *a* ни́зкий (*о цене*); at a ~ price почти́ да́ром.

given ['gɪvn] **1.** *p. p. от* give 1;

2. *a* 1) да́нный, пода́ренный; 2) скло́нный (*к чему-л.*); предаю́щийся (*чему-л.*); увлека́ющийся (*чем-л.*); 3) обусло́вленный; within a ~ period в тече́ние устано́вленного сро́ка; 4) *мат., лог.* да́нный, определённый; ◇ ~ name и́мя (*в отличие от фамилии*).

giver ['gɪvə] *n* тот, кто даёт, да́рит, же́ртвует (*охо́тно*).

gizzard ['gɪzəd] *n* 1) второ́й желу́док (*у птиц*); 2) *разг.* гло́тка, го́рло; ◇ it sticks in my ~ э́то мне поперёк го́рла ста́ло.

glabrous ['gleɪbrəs] *a* гла́дкий, лишённый воло́с (*о коже*).

glacé ['glæseɪ] *фр. a* 1) гла́дкий, сатини́рованный; 2) глазиро́ванный; заса́харенный.

glacial ['gleɪsjəl] *a* 1) леднико́вый; 2) ледо́вый; ледяно́й; леденя́щий; студёный; 3) *перен.* холо́дный; 4) кристаллизо́ванный.

glaciate ['gleɪsɪeɪt] *v* 1) замора́живать; ~d подве́ргшийся де́йствию леднико́в; 2) наводи́ть ма́товую пове́рхность.

glacier ['glæsjə] *n* ледни́к, гле́тчер.

glacis ['glæsıs] *n воен.* гла́сис, пере́дний скат бру́ствера.

glad [glæd] **1.** *a* 1) *predic.* дово́льный; I'm ~ to see you рад вас ви́деть; ~ to hear it рад э́то слы́шать; 2) ра́достный, весёлый; ~ сгу ра́достный крик; 3) утеши́тельный; 4) *поэт.* счастли́вый; ◇ ~ rags *sl.* пра́здничное, лу́чшее пла́тье; to give the ~ eye to smb. смотре́ть с любо́вью на кого́-л.; **2.** *v уст.* ра́довать; весели́ть.

gladden ['glædn] *v* ра́довать; весели́ть.

glade [gleıd] *n* 1) прога́лина; про́сека; поля́на; 2) *амер.* полынья́; *pl* боло́тистые места́.

gladiator ['glædıeıtə] *n* гладиа́тор.

gladiatorial [,glædıə'tɔːrıəl] *a* гладиа́торский.

gladioli [,glædı'oulaı] *pl от* gladiolus.

gladiolus [,glædı'ouləs] *n* (*pl* -es [-ız], -li) *бот.* гладио́лус, шпа́жник.

gladly ['glædlı] *adv* ра́достно; охо́тно, с удово́льствием.

gladsome ['glædsəm] *a поэт.* ра́достный.

Gladstone ['glædstən] *n* 1) ко́жаный саквоя́ж (*тж.* ~ bag); 2) двухме́стный экипа́ж.

glair [glɛə] **1.** *n* яи́чный бело́к; **2.** *v* сма́зывать яи́чным белко́м.

glairy ['glɛərı] *a* 1) белко́вый; 2) сма́занный яи́чным белко́м.

glaive [gleıv] *n уст.*, *поэт.* меч.

glamor ['glæmə] *амер.* = glamour.

glamorize ['glæmərаız] *v амер.* восхваля́ть, реклами́ровать; дава́ть высо́кую оце́нку.

glamorous ['glæmərəs] *амер.* = glamourous.

glamour ['glæmə] **1.** *n* 1) ча́ры, волше́бство; to cast a ~ over околдова́ть, околдова́ть; 2) романти́ческий орео́л; обая́ние; очарова́ние; 3) эффе́кт; 4) *attr.* эффе́ктный; ~ boy (girl) *разг.* шика́рный ю́ноша (шика́рная де́вушка); **2.** *v* зачарова́ть, околдова́ть.

glamourous, **glamoury** ['glæmərəs,-rı] *a* 1) обая́тельный, очарова́тельный; 2) эффе́ктный.

glance I [glɑːns] **1.** *n* 1) бы́стрый взгляд; at a ~ с одного́ взгля́да; to take a ~, to give a ~ (at) взгляну́ть (на); to cast a ~ at бро́сить бы́стрый взгляд на; to steal a ~ взгляну́ть укра́дкой; stealthy ~ взгляд укра́дкой; 2) сверка́ние, блеск; 3) *мин.* обма́нка.
2. *v* 1) ме́льком взгляну́ть (at — на); бе́гло просмотре́ть (over); 2) поблёскивать; блесну́ть, сверкну́ть; мелькну́ть; 3) отража́ться; 4) скользну́ть (*часто* ~ aside, ~ off).

glance II [glɑːns] *v* наводи́ть гля́нец; полирова́ть.

gland I [glænd] *n анат.* железа́; *pl* ше́йные желёзки.

gland II [glænd] *n тех.* са́льник; прокла́дка са́льника; са́льниковая кры́шка.

glanderous ['glændərəs] *a вет.* са́пный.

glanders ['glændəz] *n pl вет.* сап.

glandiferous [glæn'dıfərəs] *a* с желудя́ми (*о дереве*).

glandiform ['glændıfɔːm] *a* 1) в фо́рме жёлудя; 2) *мед.* желе́зистый.

glandular ['glændjulə] *a* 1) желе́зистый; 2) в фо́рме железы́.

glandule ['glændjuːl] *n* 1) желёзка; 2) набуха́ние, о́пухоль.

glare [glɛə] **1.** *n* 1) ослепи́тельный блеск, я́ркий свет; 2) блестя́щая мишура́; 3) при́стальный *или* свире́пый взгляд;
2. *v* 1) ослепи́тельно сверка́ть; 2) при́стально *или* свире́по смотре́ть (at); the tiger stood glaring at him тигр свире́по гляде́л на него́.

glaring ['glɛərıŋ] **1.** *pres. p. от* glare 2; **2.** *a* 1) я́ркий, ослепи́тельный (*о свете*); 2) сли́шком я́ркий, крича́щий (*о цвете*); 3) броса́ющийся в глаза́; 4) гру́бый; ~ mistake гру́бая оши́бка.

glaringly ['glɛərıŋlı] *adv* я́рко, ослепи́тельно; 2) вызыва́юще; гру́бо.

glass [glɑːs] **1.** *n* 1) стекло́; 2) стекля́нная посу́да; 3) стака́н; рю́мка; he has taken a ~ too much *разг.* он вы́пил ли́шнее; 4) парнико́вая ра́ма; парни́к; 5) зе́ркало; 6) *pl* очки́; 7) баро́метр; 8) подзо́рная труба́; телеско́п; бино́кль; микроско́п; 9) песо́чные часы́; *мор.* (*обыкн. pl*) (получасова́я) скля́нка; 10) *attr.* стекля́нный; ◇ to look through green ~es ревнова́ть; зави́довать; to look through blue ~es смотре́ть мра́чно, пессимисти́чески;
2. *v* 1) вставля́ть стёкла; остекля́ть; 2) помеща́ть в парни́к; 3) отража́ться (*как в зеркале*); 4) гермети́чески закрыва́ть в стекля́нной посу́де (*о консервах и т. п.*).

glass-blower ['glɑːs,blouə] *n* стеклоду́в.

glass-blowing ['glɑːs,blouıŋ] *n* стеклоду́вное де́ло; вы́дувка стекла́.

glass case ['glɑːskeıs] *n* витри́на.

glass-culture ['glɑːs,kʌltʃə] *n* тепли́чная, парнико́вая культу́ра.

glass-cutter ['glɑːs,kʌtə] *n* 1) стеко́льщик; 2) алма́з (*для резки стекла*).

glass-dust ['glɑːsdʌst] *n* нажда́к.

glassful ['glɑːsful] *n* стака́н (*как мера ёмкости*).

glass-furnace ['glɑːs,fɜːnəs] *n* стеклоплави́льная печь.

glass-house ['glɑːshaus] *n.* 1) стеко́льный заво́д; 2) тепли́ца, оранжере́я; 3) фотоателье́ (*со стеклянной крышей*); 4) *attr.* тепли́чный; ~ culture тепли́чная культу́ра.

glass-metal ['glɑːs,metl] *n* распла́вленное стекло́.

glass-paper ['glɑːs,peıpə] *n* нажда́чная бума́га, шку́рка.

glass-wool ['glɑːswul] *n тех.* стекля́нная ва́та.

glass-work ['glɑːswɜːk] *n* 1) стеко́льное произво́дство; 2) стекло́ (*изделия*); 3) *pl* стеко́льный заво́д.

glassy ['glɑːsı] *a* 1) зерка́льный, гла́дкий; 2) безжи́зненный, ту́склый (*о взгляде, глазах*); 3) стекля́нный, стекло́видный; прозра́чный (*как стекло*).

Glaswegian [glæs'wiːdʒən] **1.** *a* относя́щийся к г. Гла́зго; **2.** *n* урожде́нец г. Гла́зго.

Glauber's salt(s) ['glaubəz,sɔːlt(s)] *n* хим. гла́уберова соль, серноки́слый на́трий.

glaucoma [glɔː'koumə] *n* мед. глауко́ма.

glaucous ['glɔːkəs] *a* 1) серова́то-зелёный; серова́то-голубо́й; 2) ту́склый; 3) *бот.* покры́тый налётом.

glaze [gleɪz] **1.** *n* 1) мурава́, глазу́рь; гля́нец; 2) мура́вленая, глазиро́ванная посу́да; 3) *амер.* слой льда, ледяно́й покро́в; 4) *жив.* лессиро́вка;
2. *v* 1) вставля́ть стёкла; застекля́ть; 2) покрыва́ть глазу́рью, мурово́й; 3) покрыва́ть льдом; 4) тускне́ть, стеклене́ть (*о глаза́х*); покрыва́ться поволо́кой; 5) глазирова́ть (*в кулина́рии*); 6) *жив.* лессирова́ть; 7) *тех.* полирова́ть, лощи́ть.

glazed [gleɪzd] **1.** *p. p. om* glaze 2;
2. *a* 1) застеклённый; 2) глазиро́ванный.

glazier ['gleɪzjə] *n* 1) стеко́льщик; 2) гонча́р-глазиро́вщик; ◇ is your father a ~? *шутл.* ≅ вы не прозра́чны.

glazy ['gleɪzɪ] *a* 1) гля́нцевитый, блестя́щий; 2) ту́склый, безжи́зненный (*о взгля́де*).

gleam [gliːm] **1.** *n* 1) сла́бый свет, про́блеск, луч; 2) о́тблеск; отраже́ние (*луче́й заходя́щего со́лнца*); 3) про́блеск, вспы́шка (*ю́мора, весе́лья и т. п.*); not a ~ of hope никаки́х про́блесков наде́жды;
2. *v* 1) свети́ться; мерца́ть; 2) отража́ть свет.

glean [gliːn] *v* 1) подбира́ть коло́сья (*после жа́твы*), виногра́д (*после сбо́ра*); 2) тща́тельно подбира́ть, собира́ть по мелоча́м (*фа́кты, све́дения*).

gleaner ['gliːnə] *n* маши́на, снима́ющая коло́сья, стри́ппер.

gleanings ['gliːnɪŋz] *n pl* 1) со́бранные по́сле жа́твы коло́сья; 2) со́бранные фа́кты; 3) обры́вки, крупи́цы зна́ний.

glebe [gliːb] *n* 1) *поэт.* земля́, клочо́к земли́; 2) церко́вный уча́сток; 3) *горн.* рудоно́сный уча́сток земли́; 4) *attr.*: ~ house дом се́льского па́стора.

glee [gliː] *n* 1) весе́лье; ликова́ние; 2) пе́сня (*для не́скольких голосо́в*).

gleeful ['gliːful] *a* весёлый, лику́ющий; ра́достный.

gleet [gliːt] *n мед.* хрони́ческий уретри́т.

glen [glen] *n* у́зкая доли́на, лощи́на.

glengarry [glen'gærɪ] *n* шотла́ндская ша́пка.

gletcher ['gletʃə] *n редк.* ледни́к, гле́тчер.

glib [glɪb] *a* 1) гла́дкий (*о пове́рхности*); 2) лёгкий, беспрепя́тственный (*о движе́нии*); 3) речи́стый, говорли́вый; 4) бо́йкий (*о ре́чи*); he has a ~ tongue он бо́йкий на язы́к.

glibly ['glɪblɪ] *adv* многоречи́во; многосло́вно.

glide [glaɪd] **1.** *n* 1) скольже́ние; пла́вное движе́ние; 2) *ав.* плани́рование, плани́рующий спуск; 3) *муз.* хромати́ческая га́мма; 4) *фон.* скольже́ние; промежу́точный звук;
2. *v* 1) скользи́ть; дви́гаться пла́вно; 2) проходи́ть незаме́тно (*о вре́мени*); 3) *ав.* плани́ровать.

glide-bomb ['glaɪdbɔm] *v ав.* бомби́ть при спу́ске под угло́м от 45° до 60°.

glider ['glaɪdə] *n ав.* планёр.

gliding ['glaɪdɪŋ] **1.** *pres. p. om* glide 2;
2. *n* 1) скольже́ние; 2) *ав.* плани́рование; 3) планери́зм.

glim [glɪm] *n sl.* 1) свет, ла́мпа, свеча́ *и т. п.*; 2) глаз.

glimmer ['glɪmə] **1.** *n* 1) мерца́ние; ту́склый свет; 2) сла́бый про́блеск; 3) *sl.* ого́нь; 4) *pl sl.* глаза́, «гляде́лки»;
2. *v* мерца́ть; ту́скло свети́ть; to go ~ing ги́бнуть (*о пла́нах и т. п.*).

glimpse [glɪmps] **1.** *n* 1) мелька́ние, про́блеск; 2) мимолётное впечатле́ние; бы́стро промелькну́вшая пе́ред глаза́ми карти́на; to have (*или* to catch) a ~ of уви́деть ме́льком; 3) бы́стрый взгляд; at a ~ с пе́рвого взгля́да;
2. *v* 1) (у)ви́деть ме́льком; 2) мелька́ть, промелькну́ть.

glint [glɪnt] **1.** *n* вспы́шка, сверка́ние; я́ркий блеск;
2. *v* 1) вспы́хивать, сверка́ть; я́рко блесте́ть; 2) отража́ть свет.

glissade [glɪ'sɑːd] **1.** *n* 1) скольже́ние, соска́льзывание; 2) *ав.* скольже́ние на крыло́; 3) глиссе́ (*в та́нцах*);
2. *v* 1) скользи́ть, соска́льзывать; 2) де́лать глиссе́.

glisten ['glɪsn] **1.** *v* блесте́ть, сверка́ть; и́скриться; сия́ть; to ~ with dew блесте́ть росо́й; his eyes ~ed with excitement его́ глаза́ блесте́ли от возбужде́ния;
2. *n* о́тблеск.

glister ['glɪstə] *уст.* = glisten 1.

glitter ['glɪtə] **1.** *n* 1) я́ркий блеск, сверка́ние; 2) по́мпа, пы́шность;
2. *v* 1) блесте́ть, сверка́ть; 2) блиста́ть; ◇ all is not gold that ~s *посл.* не всё то зо́лото, что блести́т.

gloaming ['gloumɪŋ] *n поэт., диал.* су́мерки.

gloat [glout] *v* 1) пожира́ть глаза́ми (over, upon); 2) ра́доваться (про себя́); 3) та́йно злора́дствовать.

gloatingly ['gloutɪŋlɪ] *adv* злора́дно; со злора́дством.

global ['gloubəl] *a* 1) име́ющий фо́рму ша́ра, шарови́дный; 2) мирово́й, всеми́рный; в мирово́м масшта́бе.

globe [gloub] *n* 1) шар; ~ of the eye глазно́е я́блоко; 2) земно́й шар; 3) небе́сное те́ло; 4) гло́бус; 5) держа́ва (*эмбле́ма вла́сти мона́рха*); 6) ко́локол возду́шного насо́са; 7) кру́глый стекля́нный абажу́р.

globe-flower ['gloub,flauə] *n бот.* купа́льница.

globe lightning ['gloub,laɪtnɪŋ] *n* шарови́дная мо́лния.

globe-trotter ['gloub,trɔtə] *n* челове́к, мно́го путеше́ствующий по све́ту.

globe-trotting ['gloub,trɔtɪŋ] *a* мно́го путеше́ствующий.

globose ['gloubous] *a* шарови́дный; сфери́ческий.

globosity [glou'bɔsɪtɪ] *n* шарови́дность.

globular ['glɔbjulə] *a* 1) шарови́дный; сфери́ческий; ~ flowers шарообра́зные цветы́; 2) состоя́щий из шарови́дных части́ц.

globule ['glɔbju:l] *n* 1) шáрик; шаровúдная частúца; кáпля; глóбула; 2) *физиол.* крáсный кровянóй шáрик; 3) пилю́ля.

globulin ['glɔbju:lin] *n* глобулúн (*белкóвое вещество*).

glomerate ['glɔməreit] *a бот., анат.* свúтый в клубóк.

gloom [glu:m] 1. *n* 1) мрак; темнотá; тьма; 2) мрáчность; уны́ние; подáвленное настроéние;
2. *v* 1) хмýриться; заволáкиваться (*о нéбе*); 2) имéть хмýрый *или* уны́лый вид; 3) омрачáть; вызывáть уны́ние.

gloomily ['glu:mili] *adv* мрáчно; уны́ло; с уны́лым вúдом.

gloomy ['glu:mi] *a* 1) мрáчный; тёмный; 2) угрю́мый; печáльный; хмýрый, уны́лый; ~ prospects печáльные, мрáчные перспектúвы.

gloria ['glɔ:riə] *n* шёлк с шéрстью *или* шёлк с бумáгой (*ткань*).

glorification [,glɔ:rifi'keiʃən] *n* прославлéние, восхвалéние.

glorify ['glɔ:rifai] *v* 1) прославля́ть, восхваля́ть, окружáть ореóлом; 2) (*обыкн. р. р.*) *разг.* украшáть.

gloriole ['glɔ:rioul] *n* нимб, ореóл, сия́ние.

glorious ['glɔ:riəs] *a* 1) слáвный; знаменúтый; 2) великолéпный, чудéсный, восхитúтельный (*тж. ирон.*); 3) *разг.* в припóднятом настроéнии; подвы́пивший.

glory ['glɔ:ri] 1. *n* 1) слáва; 2) триýмф; 3) великолéпие, красотá; 4) нимб, ореóл, сия́ние; ◇ to go to ~ умерéть; to send to ~ убúть; Old G. *амер. разг.* госудáрственный флаг США;
2. *v* гордúться (*обыкн.* ~ in); торжествовáть; упивáться; to ~ in one's health and strength быть олицетворéнием здорóвья и сúлы.

gloss I [glɔs] 1. *n* 1) внéшний блеск; 2) обмáнчивая нарýжность;
2. *v* 1) наводúть гля́нец, лоск; 2) лоснúться.

gloss II [glɔs] 1. *n* 1) глóсса; замéтка на поля́х; толковáние; 2) подстрóчник *или* глоссáрий; 3) благоприя́тное истолковáние;
2. *v* 1) составля́ть глоссáрий; снабжáть комментáрием; 2) истолкóвывать благоприя́тно, замáлчивая недостáтки (*часто* ~ over); 3) сгущáть крáски, неблагоприя́тно истолкóвывать (upon).

glossal ['glɔsəl] *a анат.* относя́щийся к языкý.

glossary ['glɔsəri] *n* 1) глоссáрий, словáрь (*приложенный в конце книги*); 2) словáрь специáльных тéрминов.

glossiness ['glɔsinis] *n* лоск, гля́нец.

glossitis [glɔ'saitis] *n мед.* воспалéние языкá.

glossology [glɔ'sɔlədʒi] *n* 1) = glossary; 2) терминолóгия; 3) *уст.* (сравнúтельное) языкознáние.

glossy ['glɔsi] *a* блестя́щий, глянцевúтый, лосня́щийся, лощёный.

glottic ['glɔtik] *a* 1) относя́щийся к голосовóй щéли; 2) *уст.* лингвистúческий.

glottis ['glɔtis] *n анат.* голосовáя щель.

gloubosity [glou'bɔsiti] = globosity.

Gloucester ['glɔstə] *n* глóстерский сыр.

glove [glʌv] 1. *n* перчáтка; ◇ to fit like a ~ быть как раз впóру; to handle without ~s не церемóниться, поступáть грýбо; относúться беспощáдно; to throw down (to take up) the ~ брóсить (приня́ть) вы́зов; to take off the ~s приготóвиться к бóю;
2. *v* надéть перчáтку; ~d в перчáтке (-ках).

glover ['glʌvə] *n* перчáточник.

glow [glou] 1. *n* 1) сúльный жар, накáл; summer's scorching ~ паля́щий лéтний зной; 2) свет, óтблеск, зáрево (*отдалённого пожáра, закáта*); 3) я́ркость крáсок; 4) румя́нец; 5) пыл; оживлённость, горя́чность; 6) свечéние; ◇ to be all of a ~, to be in a ~ пылáть, ощущáть жар;
2. *v* 1) накаля́ться дóкрасна; добелá; 2) светúться; сверкáть; 3) тлеть; 4) горéть, сверкáть (*о глазáх*); 5) сия́ть (*от рáдости*); 6) рдеть, пылáть (*о щекáх*); 7) чýвствовать прия́тную теплотý (*в тéле*).

glower I ['glauə] *n* нить накáливания.

glower II ['glauə] 1. *n* сердúтый взгляд;
2. *v* смотрéть сердúто.

glowing ['glouiŋ] 1. *pres. p. от* glow 2;
2. *a* 1) раскалённый дóкрасна; добелá; 2) я́рко светя́щийся; 3) горя́чий, пы́лкий; 4) я́ркий (*о крáсках*); to paint in ~ colours представля́ть в рáдужном свéте; 5) пылáющий (*о щекáх*).

glow-lamp ['gloulæmp] *n* лáмпа накáливания.

glow-worm ['glouwə:m] *n* светля́к.

gloxinia [glɔk'sinjə] *n бот.* глоксúния.

gloze [glouz] *v уст.* толковáть, комментúровать; □ ~ over истолкóвывать благоприя́тно.

glucinium [glu:'siniəm] *n хим.* глицúний.

glucose ['glu:kous] *n хим.* глюкóза.

glue [glu:] 1. *n* 1) клей; 2) *attr.* клеевóй; ~ colour клеевáя крáска;
2. *v* 1) клéить, приклéивать; 2) приклéиваться, склéиваться, прилипáть; 3) *разг.* быть неотлýчно (*при ком-л.*); ◇ to have one's eye ~d to не отрывáть взгля́да от.

gluey ['glu:i] *a* клéйкий, лúпкий.

glum [glʌm] *a* угрю́мый, хмýрый, мрáчный.

glume [glu:m] *n* шелухá (*зернá*).

glut [glʌt] 1. *n* 1) избы́ток; 2) пресыщéние; 3) излúшество (*в едé и т. п.*); 4) затовáривание (ры́нка); 5) *тех.* деревя́нный клин;
2. *v* 1) насыщáть, пресыщáть; 2) наполня́ть отокáза; 3) затовáривать; 4) *уст.* жáдно глотáть.

gluten ['glu:tən] *n* клейковúна.

glutinous ['glu:tinəs] *a* клéйкий.

glutton ['glʌtn] *n* 1) обжóра; 2) жáдный, ненасы́тный человéк; a ~ of books жáдно и мнóго читáющий; 3) *зоол.* росомáха.

gluttonous ['glʌtnəs] *a* прожóрливый.

gluttony ['glʌtni] *n* обжóрство.

glycerin(e) [,glisə'ri:n] *n* глицерúн.

glyptic ['gliptik] *a* глиптúческий.

glyptics ['gliptiks] *n pl* (*употр. как sing*) глúптика.

glyptography [glɪp'tɔgrəfɪ] n резьба на драгоценных камнях.

G-man ['dʒiːmæn] n (сокр. от Government man) амер. разг. агент Федерального бюро расследований.

gnarled, gnarly [nɑːld, 'nɑːlɪ] a 1) шишковатый (с наростами); сучковатый; искривлённый (о дереве); 2) угловатый, грубый (о внешности); 3) несговорчивый; упрямый.

gnash [næʃ] v скрежетать (зубами).

gnat [næt] n 1) комар; 2) амер. мошка; ◇ to strain at a ~ быть мелочным; переоценивать мелочи.

gnaw [nɔː] v 1) грызть, глодать; 2) разъедать (о кислоте); 3) подтачивать, беспокоить, терзать.

gnawer ['nɔːə] n грызун.

gneiss [naɪs] n мин. гнейс.

gnome I ['noumiː] n афоризм.

gnome II [noum] n гном, карлик.

gnomic(al) ['noumɪk(əl)] a гномический, афористический.

gnomish ['noumɪʃ] a похожий на гнома.

gnomon ['noumɔn] n столбик-указатель солнечных часов; гномон.

gnostic ['nɔstɪk] филос. **1.** a гностический;

2. n гностик.

gnosticism ['nɔstɪsɪzəm] n филос. гностицизм.

gnu [nuː] n гну (антилопа).

go [gou] **1.** v (went; gone) 1) идти, ходить; быть в движении; передвигаться (в пространстве или во времени); the train goes to London поезд идёт в Лондон; who goes there? кто идёт? (окрик часового); to go after smb. идти за кем-л. [см. тж. ◻ go after]; 2) ехать, путешествовать; to go by train ехать поездом; to go by plane лететь самолётом; I shall go to France я поеду во Францию; 3) пойти; уходить; уезжать; стартовать; I'll be going now ну, я пошёл; it is time for us to go нам пора уходить (или идти); let me go! отпустите!; 4) отправляться (часто с последующим герундием); to go shopping отправляться за покупками; 5) приводиться в движение; направляться, руководствоваться (by); the engine goes by electricity машина приводится в движение электричеством; I shall go entirely by what the doctor says я буду руководствоваться исключительно тем, что говорит врач; 6) иметь хождение (о монете, о пословице и т. п.); быть в обращении; переходить из уст в уста; as the story goes как говорят; 7) быть в действии, работать (о механизме, машине); ходить (о часах); to set the clock going завести часы; 8) звучать, звонить (о колоколе, звонке и т. п.); бить, отбивать (о часах); 9) простираться, вести (куда-л.), пролегать, тянуться; how far does this road go? далеко ли тянется эта дорога?; 10) пройти, быть принятым, получить признание (о плане, проекте); 11) пройти, окончиться определённым результатом; the election went against him выборы кончились для него неудачно; how did the voting go? как прошло голосование?; the play went well пьеса имела успех; 12) проходить;

исчезать; рассеиваться, расходиться; much time has gone since that day с того дня прошло много времени; summer is going лето проходит; the clouds have gone тучи рассеялись; all hope is gone исчезли все надежды; 13) умирать, гибнуть; теряться; пропадать; she is gone она погибла, она скончалась; my sight is going я теряю зрение; 14) рухнуть, свалиться, сломаться, податься; the platform went трибуна обрушилась; first the sail and then the mast went сперва подался парус, а затем и мачта; 15) потерпеть крах, обанкротиться; the bank may go any day крах банка ожидается со дня на день; 16) отмениться, уничтожаться; this clause of the bill will have to go эта статья законопроекта должна быть выброшена; 17) переходить в собственность, доставаться; the house went to the elder son дом достался старшему сыну; 18) продаваться (по определённой цене; for); this goes for 1 shilling это стоит 1 шиллинг; to go cheap продаваться по дешёвой цене; 19) подходить, быть под стать (чему-л.); the blue scarf goes well with your blouse этот голубой шарф хорошо подходит к вашей блузке; 20) гласить, говорить (о тексте, статье); 21) сделать какое-л. движение; go like this with your left foot! сделай так левой ногой!; 22) класть(ся), ставить(ся) на определённое место; постоянно храниться; where is this carpet to go? куда постелить этот ковёр?; 23) умещаться, укладываться (во что-л.); six into twelve goes twice шесть содержится два раза в двенадцати; the thread is too thick to go into the needle эта нитка слишком толста, чтобы пролезть в иголку; 24) глагол-связка в составном именном сказуемом означает: а) постоянно находиться в каком-л. положении или состоянии; to go hungry быть, ходить всегда голодным; to go in rags ходить в лохмотьях; б) делаться, становиться; to go mad (или mental) сойти с ума; to go sick захворать; to go bad испортиться (о провизии); to go bust разг. разориться; he goes hot and cold его бросает в жар и в холод; 25) в сочетании с последующим герундием означает: чём-то часто или постоянно заниматься; he goes frightening people with his stories он постоянно пугает людей своими рассказами; to go hunting ходить на охоту; 26) в обороте be going+inf. смыслового глагола выражает намерение совершить какое-л. действие в ближайшем будущем: I am going to speak to her я намереваюсь поговорить с ней; it is going to rain собирается дождь; 27): to go to the bar стать юристом; to go to sea стать моряком; to go on the stage стать актёром; to go on the streets стать проституткой; to go to school получать школьное образование; ходить в школу; ◻ go about а) расхаживать, ходить туда и сюда; б) циркулировать (о слухах; о деньгах); в) мор. делать поворот овершта́г; go abroad а) уехать из дома; уехать за границу; б) получить известность (о рассказе); go after а) искать; б) находить удовольствие в; go against противоречить,

идти́ про́тив (*убежде́ний*); go ahead a) дви́-
гаться вперёд; go ahead! вперёд!; продол-
жа́й(те)!; де́йствуй(те)!; б) идти́ напроло́м;
в) идти́ впереди́ (*на состяза́нии*); go along
a) дви́гаться; б) продолжа́ть; в) сопровож-
да́ть (with); go at *разг.* a) броса́ться на
кого́-л.; б) энерги́чно бра́ться за *что-л.*;
go back a) возвраща́ться; б) нару́шить
(*обеща́ние, сло́во,* on, upon); в) отказа́ться
(on, upon — от *своих слов*); г) измени́ть
(*друзья́м,* on, upon); go behind пересма́т-
ривать, рассма́тривать за́ново, изуча́ть
(*основа́ния, да́нные*); go between быть по-
сре́дником ме́жду; go beyond превыша́ть
что-л.; go by a) проходи́ть (*о вре́мени*);
б) проходи́ть ми́мо; в) суди́ть по; г) руко-
во́дствоваться; I go by the barometer я ру-
ковожу́сь баро́метром; go down a) спуска́ть-
ся, опуска́ться; б) go down in the world
опусти́ться, потеря́ть было́е положе́ние
(в о́бществе); в) затону́ть; г) сади́ться
(*о со́лнце*); г) быть побеждённым; д) сти-
ха́ть (*о ве́тре*); е) быть прие́млемым (*для
кого́-л.*); одобря́ться (with — *кем-л.*); go far
into продолжа́ться до́лго; go for a) идти́
за *чем-л.*; б) стреми́ться к *чему-л.*; в) быть
при́нятым за; г) *разг.* набро́ситься, обру́-
шиться на; the speaker went for the profit-
eers ора́тор обру́шился на спекуля́нтов;
д) сто́ить, име́ть це́ну; to go for nothing
(something) ничего́ не сто́ить (*кое-что́
сто́ить*); go forth быть опублико́ванным;
go in a) входи́ть; б) уча́ствовать (*в состя-
за́нии*); в) затми́ться (*о со́лнце, луне́*);
go in for a) ста́вить себе́ (*что-л.*) це́лью,
добива́ться (*чего́-л.*); to go in for an examination экзаменова́ться; б) увлека́ться
(*чем-л.*); to go in for sports занима́ться
спо́ртом; to go in for collecting pictures
заня́ться, увле́чься коллекциони́рованием
карти́н; в) *разг.* выступа́ть в по́льзу *кого́-л.,
чего́-л.*; go in with объедини́ться, де́йство-
вать совме́стно с *кем-л.*; присоединя́ться
к *кому́-л.*; go into a) входи́ть; вступа́ть; to
go into Parliament стать чле́ном парла́мен-
та; б) ча́сто быва́ть, посеща́ть; в) впада́ть
(в *истери́ку и т. п.*); приходи́ть (в *я́рость*);
г) рассле́довать, тща́тельно рассма́тривать;
go off a) убега́ть, сбежа́ть; б) уходи́ть со
сце́ны; в) теря́ть созна́ние; умира́ть; г) сой-
ти́, пройти́; the concert went off well конце́рт
прошёл хорошо́; д) вы́стрелить (*об ору́жии*);
перен. вы́палить; е) ослабева́ть (*о бо́ли и
т. п.*); ж) стать ху́же; з) отдела́ться от
чего́-л.; сбыть, прода́ть; go on (упо́рно) про-
должа́ть, идти́ да́льше; go on for приближа́-
ться к (*о вре́мени, во́зрасте*); go out a) вы́й-
ти; выходи́ть; б) быва́ть в о́бществе; в) вы́й-
ти в свет (*о кни́ге*); г) вы́йти в отста́вку;
вы́йти из мо́ды; д) пога́снуть; е) *sl.* умира́ть;
ж) конча́ться (*о ме́сяце, го́де*); з) (за)басто-
ва́ть; и) *амер.* обру́шиться; к) потерпе́ть не-
уда́чу; go over a) переходи́ть (на другу́ю сто́-
рону); б) переходи́ть из одно́й па́ртии
в другу́ю; перемени́ть ве́ру; в) перечи́ты-
вать, повторя́ть; г) изуча́ть в деталя́х;
д) превосходи́ть; е) быть отло́женным (*о про-
е́кте зако́на*); ж) *хим.* переходи́ть, превра-
ща́ться; з) опроки́нуться (*об экипа́же*); go

round a) враща́ться; the wheels go round
колёса враща́ются; б) приходи́ть в го́сти
за́просто; в) обойти́ круго́м, хвати́ть на
всех (*за столо́м*); go through a) тща́тельно
разбира́ть пункт за пу́нктом; б) испы́ты-
вать, подверга́ться; в) упо́рствовать; г)
обы́скивать, обша́ривать; д) проде́лывать;
е) находи́ть сбыт, ры́нок (*о това́ре*);
ж) пройти́, быть при́нятым (*о прое́кте,
предложе́нии*); go through with smth. до-
вести́ что-л. до конца́; go together сочета́ть-
ся, гармони́ровать; go under a) тону́ть;
б) ги́бнуть; *амер.* умира́ть; в) исчеза́ть;
г) разоря́ться; д) не вы́держивать (*испы-
та́ний, страда́ний*); е) заходи́ть, зака́ты-
ваться (*о со́лнце*); go up a) поднима́ться,
восходи́ть (*на го́ру*); б) расти́ (*о числе́*);
повыша́ться (*о це́нах*); в) взорва́ться,
сгоре́ть; г) *амер.* разори́ться; go with
a) сопровожда́ть; б) быть заодно́ с *кем-л.*; в)
подходи́ть, гармони́ровать, согласо́ваться;
ся, соотве́тствовать; go without обходи́ть-
ся без *чего́-л.*; ◇ to go with the tide (*или
times*) плыть по тече́нию; go about your
business! *разг.* пошёл вон!, убира́йся!;
it will go hard with him ему́ тру́дно (*или
пло́хо*) придётся; ему́ не поздоро́вится; to go
by the name of a) быть изве́стным под
и́менем; б) быть свя́занным с чьим-л. и́ме-
нем; she is six months gone with the child
она́ на шесто́м ме́сяце бере́менности; to go
off the deep end напи́ться; to go off the
handle вы́йти из себя́; to go all lengths
идти́ на всё; to go all out *амер.* напря́чь
все си́лы; to go bail брать на пору́ки, *разг.*
руча́ться (*за кого́-л.*); to go to great expense
пойти́ на больши́е расхо́ды; to go to smb.'s
heart печа́лить; огорча́ть; to go it *sl.* вести́
разгу́льный о́браз жи́зни; to go a long
way име́ть большо́е значе́ние, влия́ние
(to, towards, with); б) хвата́ть надо́лго
(*о деньга́х*); to go one better превзойти́
(*сопе́рника*); to go right through идти́ на-
проло́м; to go round the bend теря́ть рав-
нове́сие; сходи́ть с ума́; to go rounds ходи́ть
по рука́м; to go west быть уби́тым; уме-
ре́ть; it goes without saying само́ собо́й
разуме́ется; (it is true) as far as it goes
(ве́рно) поско́льку де́ло каса́ется э́того;
go along with you! ну, убира́йся!; go to! *уст.*
ну!; что ж! (*выраже́ние призы́ва, проте́ста,
насме́шки*); be gone! прова́ливай(те)!; going
fifteen на пятна́дцатом году́; he went and
did it он взял и сде́лал э́то; to go down the
drains *разг.* быть истра́ченным впусту́ю
(*о деньга́х*); to go easy on something *амер.*
быть такти́чным в отноше́нии чего́-л.; to go
on instruments вести́ самолёт вслепу́ю;

2. *n* (*pl* goes [gouz]) *разг.* 1) движе́ние,
ход, ходьба́; to be on the go a) быть в дви-
же́нии, в рабо́те; he is always on the go
он ве́чно куда́-то спеши́т; б) собира́ться
уходи́ть; в) быть пья́ным; г) быть на
скло́не лет, на зака́те дней; 2) обстоя́тель-
ство, положе́ние; неожи́данный поворо́т
дел; here's a pretty go! ну и положе́ньице!;
3) попы́тка; she was staying for another
go она́ оста́лась, что́бы сде́лать ещё одну́
попы́тку; let's have a go at it дава́йте по-

пробуем; 4) пóрция (*кушанья*); глотóк (*вина*); 5) сдéлка; is it a go? идёт?; по рукáм?; 6) энéргия; воодушевлéние; рвéние; full of go пóлон энéргии; 7) успéх; успéшное предприя́тие; to make a go of it *амер. разг.* добиться успéха; преуспéть; по go бесполéзный; безнадёжный; (it's) по go здесь ничегó не подéлаешь; ничегó не выхóдит; э́тот нóмер не пройдёт [*см. тж.* nogo]; ◇ all (*или* quite) the go óчень в мóде; first go пéрвым дéлом, срáзу же; at a go срáзу, зарáз.

goad [goud] **1.** *n* 1) возбудитель, стимул; 2) бодéц, стрекáло;
2. *v* 1) подгоня́ть (*стадо*); 2) побуждáть; 3) раздражáть; to ~ into fury привести в я́рость; довести до бéшенства.

goaf [gouf] *n горн.* пустáя порóда; вырáботанное прострáнство.

go-ahead I ['gouәhed] *n* 1) сигнáл к стáрту; разрешéние; 2) прогрéсс; движéние вперёд.

go-ahead II ['gouәhed] **1.** *n* предприимчивый человéк;
2. *a* энергичный, предприимчивый.

goal [goul] *n* 1) цель, задáча; 2) цель, мéсто назначéния; 3) финиш; 4) *спорт.* ворóта; 5) *спорт.* гол; 6) *уст.* мéта.

goalee, goalie ['gouli] = goalkeeper.

goalkeeper ['goul,kiːpә] *n спорт.* вратáрь.

go-as-you-please ['gouәzjuːpliːz] *a* 1) свобóдный от прáвил (*о гонках и т. п.*); неограниченный, нестеснённый; 2) лишённый плáна, методичности; 3) имéющий произвóльную скóрость, ритм.

goat [gout] *n* 1) козёл; козá; 2) (G.) Козерóг (*созвездие и знак зодиака*); to get smb.'s ~ *sl.* раздражáть, сердить когó-л.; to play (*или* to act) the (giddy) ~ *разг.* вести себя́ глýпо, валя́ть дуракá.

goatee [gou'tiː] *n* козлиная борóдка; эспаньóлка.

goatherd ['gouthәːd] *n* пастýх, пасýщий коз.

goatish ['goutiʃ] *a* 1) козлиный; 2) похотливый.

goatling ['goutliŋ] *n* козлёнок.

goatskin ['gout,skin] *n* 1) сафья́н; 2) бурдю́к.

goatsucker ['gout,sʌkә] *n* козодóй (*птица*).

goaty ['gouti] *a* козлиный.

gob I [gɔb] **1.** *n* 1) комóк гря́зи; плевóк; 2) *разг.* рот, глóтка; 3) *горн.* пустáя порóда, завáл;
2. *v* плевáть.

gob II [gɔb] *амер. sl.* моря́к.

gobbet I ['gɔbit] *n уст.* комóк полупережёванной пищи, мя́са.

gobbet II ['gɔbit] *n* отры́вок для перевóда на экзáмене.

gobble I ['gɔbl] *v* есть жáдно, бы́стро; пожирáть.

gobble II ['gɔbl] **1.** *n* кулды́канье;
2. *v* 1) кулды́кать (*об индюке*); 2) злóбно бормотáть.

gobbler ['gɔblә] *n* индю́к.

Gobelin, gobelin ['goubәlin] **1.** *n* гобелéн;
2. *a* гобелéновый; ~ tapestry гобелéн.

go-between ['goubi,twiːn] *n* посрéдник.

goblet ['gɔblit] *n* кýбок; бокáл.

goblin I ['gɔblin] *n* домовóй.

goblin II ['gɔblin] *n sl.* банкнóт в один фунт стéрлингов.

go-by ['goubai] *n*: to give the ~ a) пройти мимо, не обратив внимáния, не поздорóвавшись; игнорировать; б) обгоня́ть, оставля́ть позади; в) избегáть, уклоня́ться (*от чего-л.*).

goby ['goubi] *n* бычóк (*рыба*).

go-cart ['goukɑːt] *n* 1) рáмка на колёсах для обучéния детéй ходьбé; 2) дéтская коля́ска.

god [gɔd] **1.** *n* 1) бог, божествó; God's truth истинная прáвда; my God! бóже мой!; by God ей-бóгу!; God Almighty всемогýщий; God bless you! *разг.* а) бóже мой! (*восклицание, выражающее удивление*); б) бýдьте здорóвы (*говорится чихнувшему*); honest to God чéстное слóво; God damn you! бýдьте вы прóкляты; God forbid! избáви бог!; 2) идол, кумир; to make a ~ of smb. боготворить когó-л.; ◇ the ~s публика галёрки, галёрка;
2. *v редк.* обожествля́ть; боготворить; to ~ it разы́грывать из себя́ божествó.

godchild ['gɔdʧaild] *n* крéстник; крéстница.

goddaughter ['gɔd,dɔːtә] *n* крéстница.

goddess ['gɔdis] *n* богиня.

godfather ['gɔd,fɑːðә] **1.** *n* крéстный (отéц);
2. *v* 1) быть крéстным отцóм; 2) дать (своё) имя (*чему-л.*).

godfearing ['gɔd,fiәriŋ] *a* богобоя́зненный.

godforsaken ['gɔdfә,seikn] *a* забрóшенный; захолýстный, уны́лый.

godhead ['gɔdhed] *n* 1) божествó; 2) божéственность.

godless ['gɔdlis] *a* безбóжный.

godlike ['gɔdlaik] *a* богоподóбный; божéственный.

godliness ['gɔdlinis] *n* нáбожность, благочéстие.

godly ['gɔdli] *a* благочестивый; религиóзный.

godmother ['gɔd,mʌðә] *n* крéстная (мать).

godown ['goudaun] *n* склад товáров (*на Дальнем Востоке и в Индии*).

godparent ['gɔd,pɛәrәnt] *n* крéстный (отéц); крéстная (мать).

God's-acre ['gɔdz,eikә] *n* клáдбище.

godsend ['gɔdsend] *n* неожиданное счастливое собы́тие, удáча, нахóдка.

godson ['gɔdsʌn] *n* крéстник.

godspeed ['gɔd'spiːd] *n* пожелáние успéха; to bid (*или* to wish) one ~ ≅ говорить «бог в пóмощь!», «счастливого пути!».

go-easy ['gou'iːzi] *a* = easy-going.

goer ['gouә] *n* ходóк; good (bad) ~ хорóший (плохóй) ходóк; comers and ~s приезжáющие и отъезжáющие.

gof(f)er ['goufә] **1.** *n* щипцы́ для гофрирóвки;
2. *v* гофрировáть; плойить.

go-getter ['gou'getә] *n разг.* энергичный и удáчливый человéк; предприимчивый делéц.

goggle ['gɔgl] **1.** *n* 1) изумлённый, испу́ганный взгляд, «больши́е глаза́»; 2) *pl* защи́тные *или* тёмные очки́; *sl.* очки́; 3) *pl* *вет.* вертя́чка (*болезнь овец*);
2. *a* вы́пученный (*о глазах*);
3. *v* 1) тара́щить глаза́; смотре́ть широко́ раскры́тыми глаза́ми; 2) враща́ть глаза́ми.
goggled ['gɔgld] **1.** *p. p. om* goggle 3;
2. *a* нося́щий защи́тные очки́, в защи́тных очка́х.
goggle-eyed ['gɔglaɪd] *a* пучегла́зый.
going ['gouɪŋ] **1.** *pres. p. om* go 1;
2. *n* 1) ходьба́; 2) ско́рость передвиже́ния; 3) отъе́зд; 4) состоя́ние доро́ги, бегово́й доро́жки; 5) *стр.* про́ступь (*ширина ступени*); заложе́ние ма́рша ле́стницы; ◇ rough ~ тру́дности, затрудне́ния;
3. *a* рабо́тающий, де́йствующий (*о предприя́тии и т. п.*).
goings-on ['gouɪŋz'ɔn] *n pl* поведе́ние, посту́пки (*обыкн. неодобрительно*); пова́дки; о́браз жи́зни.
goitre ['gɔɪtə] *n мед.* зоб; exophthalmic ~ базе́дова боле́знь.
goitrous ['gɔɪtrəs] *a* 1) зо́бный; 2) страда́ющий зо́бом.
gold [gould] **1.** *n* 1) зо́лото; 2) цвет зо́лота, золоти́стый цвет; 3) бога́тство, сокро́вища; це́нность; 4) центр мише́ни (*при стрельбе из лука*);
2. *a* 1) золото́й; ~ lace золото́й галу́н, позуме́нт; ~ plate золота́я сервиро́вка; 2) золоти́стого цве́та; ◇ to sell a ~ brick *разг.* наду́ть, обману́ть.
gold-beater ['gould,bi:tə] *n* золотоби́т.
gold-digger ['gould,dɪgə] *n* 1) золотоиска́тель; 2) *sl.* авантюри́стка, вымога́тельница.
gold-diggings ['gould,dɪgɪŋz] *n pl* золоты́е при́иски.
gold-dust ['gould'dʌst] *n* золотоно́сный песо́к.
golden ['gouldən] *a* 1) золоти́стый; 2) золото́й (*преим. перен.*); ~ age золото́й век; ~ hours счастли́вое вре́мя; ~ mean золота́я середи́на; ~ opportunity прекра́сный слу́чай; ~ deeds благоро́дные посту́пки.
golden chain ['gouldən'tʃeɪn] *n бот.* раки́тник, «золото́й дождь».
golden daisy ['gouldən'deɪzɪ] *n бот.* хризанте́ма, златоцве́т.
golden-shower ['gouldən'ʃauə] = golden chain.
gold-fever ['gould'fi:və] *n* золота́я лихора́дка, пого́ня за зо́лотом.
gold-field ['gouldfi:ld] *n* золотоно́сный райо́н; золото́й при́иск.
goldfinch ['gouldfɪntʃ] *n* 1) *зоол.* щего́л; 2) *sl.* золота́я моне́та.
goldfish ['gouldfɪʃ] *n* золота́я ры́бка; золоти́стый кара́сь.
goldilocks ['gouldɪlɔks] *n бот.* лю́тик золоти́стый.
gold-leaf ['gouldli:f] *n* то́нкое листово́е зо́лото.
gold-mine ['gouldmaɪn] *n* 1) золото́й рудни́к, при́иск; 2) «золото́е дно».
gold mining ['gould,maɪnɪŋ] *n* золото-промы́шленность, добы́ча зо́лота.

gold-plate ['gouldpleɪt] **1.** *a* из накладно́го зо́лота;
2. *v* позолоти́ть, покры́ть позоло́той.
gold-rush ['gouldrʌʃ] = gold-fever.
goldsmith ['gouldsmɪθ] *n* золоты́х дел ма́стер; ювели́р.
gold-thread ['gould'θred] *n* золочёная кани́тель.
golf [gɔlf] **1.** *n* гольф;
2. *v* игра́ть в гольф.
golfer ['gɔlfə] *n* игро́к в гольф.
golf-links ['gɔlflɪŋks] *n pl* площа́дка для игры́ в гольф.
Golgotha ['gɔlgəθə] *n* 1) *библ.* Голго́фа; 2) ме́сто муче́ний, исто́чник страда́ний.
Goliath [gə'laɪəθ] *библ.* Голиа́ф.
golliwog ['gɔlɪwɔg] *n* ку́кла-уро́д; пу́гало.
golly ['gɔlɪ] *int амер. разг.*: by ~! ей-бо́гу!
goloptious [gə'lɔpʃəs] = goluptious.
golosh [gə'lɔʃ] = galosh.
goluptious [gə'lʌpʃəs] *a шутл.* 1) восхити́тельный; 2) со́чный; вку́сный.
gombeen [gɔm'bi:n] *n* ростовщи́чество.
gombeen-man [gɔm'bi:nmæn] *n* ростовщи́к.
gom(b)roon [gɔm(b)'ru:n] *n* бе́лый перси́дский фая́нс.
gondola ['gɔndələ] *n* 1) гондо́ла; 2) корзи́нка (*воздушного шара*); 3) *амер. ж.-д.* ваго́н-платфо́рма (*тж.* ~ car).
gondolier [,gɔndə'lɪə] *n* гондолье́р.
gone [gɔn] **1.** *p. p. om* go 1; a man ~ ninety years of age челове́к, кото́рому за 90 лет;
2. *a* 1) уше́дший, уе́хавший; 2) разорённый; 3) поте́рянный, пропа́щий; a ~ case *разг.* безнадёжный слу́чай; пропа́щее де́ло; a ~ man = goner; 4) сла́бый; 5) умира́ющий, мёртвый; 6) испо́льзованный, изра́схо́дованный; ◇ to be ~ on быть влюблён-ным, ослеплённым.
goneness ['gɔnnɪs] *n разг.* истоще́ние; ощуще́ние простра́ции.
goner ['gɔnə] *n sl.* ко́нченый челове́к.
gonfalon ['gɔnfələn] *n* зна́мя; хору́гвь.
gonfalonier [,gɔnfələ'nɪə] *n* знаменосец.
gong [gɔŋ] *n* гонг.
goniometer [,gounɪ'ɔmɪtə] *n* гонио́метр, угломе́рный прибо́р.
gonof, gonoph ['gɔnəf] *n sl.* вор, вори́шка.
gonorrhoea [,gɔnə'rɪə] *n мед.* гонорея, три́ппер.
goo [gu:] *n амер.* муши́ный мор, яд для мух.
goober ['gu:bə] *n* земляно́й оре́х, ара́хис.
good [gud] **1.** *a* (better; best) 1) хоро́ший; ~ food доброка́чественная, све́жая пи́ща; ~ lungs здоро́вые лёгкие; ~ features краси́вые черты́ лица́; ~ to see you *разг.* прия́тно вас ви́деть; 2) до́брый, доброжела́тельный; ~ works до́брые дела́; 3) ми́лый, любе́зный; how ~ of youl как э́то ми́ло с ва́шей стороны́!; 4) го́дный; поле́зный; a ~ man for челове́к, подходя́щий для; milk is ~ for children молоко́ де́тям поле́зно; I am ~ for another 10 miles я спо-

собен пройти ещё 10 миль; 5) умéлый, искýсный; ~ at languages спосóбный к языкáм; 6) плодорóдный; 7) надлежáщий, целесообрáзный; 8) надёжный, кредитоспосóбный; 9) значи́тельный; *разг.* здорóвый; а ~ thrashing здорóвая взбýчка; 10) *усиливает значение следующего прилагательного*: а ~ long walk довóльно дли́нная прогýлка; ◇ ~ morning дóброе ýтро; ~ day дóбрый день *и т. д.*; G. Friday *церк.* вели́кая страстнáя пя́тница; G. Friday face пóстное лицó; ~ gracious! гóсподи! (*восклицание*); ~ hour смéртный час; а ~ deal значи́тельное коли́чество, мнóго; as ~ as всё равнó что; почти́; he as ~ as promised me он почти́ что обещáл мне; to be as ~ as one's word держáть (своё) слóво; to have a ~ mind (*to do smth.*) быть располóженным, склóнным (*что-л. сдéлать*); to make ~ a) возмещáть; ~ б) исполня́ть (*обещание*); в) доказáть, подтверди́ть; г) *амер.* преуспевáть; to stand ~ оставáться в си́ле; that's a ~ one (*или* 'un)! *sl.* какáя ложь!, здóрово соврáл!
2. *n* 1) добрó, блáго; to do smb. ~ помогáть комý-л.; исправля́ть когó-л.; 2) пóльза; to the ~ на пóльзу; в *чью-л.* пóльзу; for the ~ of рáди, из-за; what is the ~ of it? какáя пóльза от э́того?; какóй в э́том смысл?; it is no ~ бесполéзно; to come to ~ имéть хорóший результáт; ◇ for ~ (and all) навсегдá, окончáтельно.
good-bye 1. *n* [gud'baɪ] прощáние;
2. *int* ['gud'baɪ] до свидáния!; прощáйте!
good-fellowship [,gud'felouʃɪp] *n* общи́тельность.
good-for-nothing ['gudfə,nʌθɪŋ] 1. *n* бездéльник, негóдник; никчёмный человéк;
2. *а* ни на что не гóдный.
good-humoured ['gud'hjuːməd] *а* добродýшный.
good-looker [,gud'lukə] *n амер. sl.* красáвец; красáвица.
good-looking ['gud'lukɪŋ] *а* краси́вый, интерéсный; прия́тный (*о внешности*).
goodly ['gudlɪ] *а* 1) краси́вый; милови́дный; 2) значи́тельный, большóй; крýпный; 3) прекрáсный, прия́тный.
goodman ['gudmæn] *n уст.* хозя́ин; муж; главá семьи́.
good milker ['gud'mɪlkə] *n* (высóко) молóчная корóва.
good-natured ['gud'neɪtʃəd] *а* добродýшный.
good-neighbourhood ['gud'neɪbəhud] *n* 1) добрососéдские отношéния; 2) доброжелáтельность.
goodness ['gudnɪs] *n* 1) добротá; великодýшие; 2) добродéтель; 3) хорóшее кáчество; цéнные свóйства; ◇ ~ gracious! гóсподи! (*восклицание удивления или возмущения*); ~ knows! кто егó знáет!; for ~ sake! рáди бóга!
goods [gudz] *n pl* 1) товáр (*преим. мануфактýрный*); товáры, *иногда* груз, багáж; fancy ~ мóдный товáр; consumer ~ потреби́тельские товáры; 2) вéщи, имýщество; 3) (the ~) трé-

буемые, необходи́мые кáчества; и́менно то, что нýжно; he has the ~ он вполнé компетéнтен; 4) (the ~) вещéственные доказáтельства, изобличáющие престýпника, поли́чное; to catch with the ~ пойма́ть с поли́чным; 5) *attr.* грузовóй, товáрный; багáжный; ~ circulation товарообращéние; ◇ to deliver the ~ вы́полнить свои́ обещáния, вы́полнить взя́тые на себя́ обязáтельства.
good sense ['gud'sens] *n* здрáвый смысл.
goods shed ['gudzʃed] *n* пакгáуз.
good-tempered ['gud'tempəd] *а* 1) с хорóшим харáктером, добродýшный; 2) уравновéшенный.
good-timer ['gud,taɪmə] *n* человéк, вéсело проводя́щий врéмя, веселя́щийся человéк; гуля́ка.
goodwife ['gudwaɪf] *n уст.* хозя́йка; женá.
goodwill ['gud'wɪl] *n* 1) доброжелáтельность; расположéние (to, towards—к); 2) дóбрая вóля; 3) готóвность сдéлать что-л.; 4) *ком.* репутáция и свя́зи фи́рмы; ценá фи́рмы.
goody I ['gudɪ] *n* конфéта; леденéц.
goody II ['gudɪ] *n уст.* старýшка, тётушка, хозя́йка, мáтушка.
goody III ['gudɪ] 1. *а* сентиментáльно благочести́вый, хáнжеский; чувстви́тельно настрóенный.
2. *n* ханжá.
goody-goody ['gudɪ'gudɪ] = goody III.
gooey ['guːɪ] *а амер. sl.* 1) ли́пкий, клéйкий; 2) сентиментáльный.
goof [guːf] *n* дурáк; ýвалень.
go-off ['gou'ɔːf] *n* начáло, старт.
goofy ['guːfɪ] *а* глýпый, бестолкóвый.
goon [guːn] *n амер. sl.* 1) отврати́тельная, тупáя ли́чность; болвáн; 2) головорéз; наёмный штрейкбрéхер.
goosander [guː'sændə] = merganser.
goose I [guːs] *n* (*pl* geese) 1) гусь; гусы́ня; 2) дурáк; дýра; простáк; простýшка; простофи́ля; ◇ all his geese are swans ≅ он (всегдá) преувели́чивает.
goose II [guːs] *n* (*pl* gooses) портнóвский утю́г.
gooseberry ['guzbərɪ] *n* 1) крыжóвник; 2) *воен.* провóлочный ёж; 3) *attr.*: ~ fool крыжóвенный кисéль со сби́тыми сли́вками; ◇ to play ~ сопровождáть влюблённых для прили́чия; быть трéтьим лицóм.
goose-egg ['guːseg] *n* 1) гуси́ное яйцó; 2) нуль (*в играх*).
goose-fat ['guːsfæt] *n* гуси́ный жир, гуси́ное сáло.
goose-flesh ['guːsfleʃ] *n* гуси́ная кóжа (*от холода, страха*).
goose-grass ['guːsgrɑːs] *n бот.* подорóжник (большóй).
goose-grease ['guːsgriːz] *n* гуси́ный жир.
goose-neck ['guːsnek] *n* 1) предмéт, имéющий вид гуси́ной шéи *или* изóгнутый в ви́де бýквы S; 2) *тех.* колéно.
goose-skin ['guːsskɪn] = goose-flesh.
goose-step ['guːsstep] *n* гуси́ный шаг.
goosey ['guːsɪ] *n* глýпый, тупóй человéк.
gopher ['goufə] 1. *n* 1) мешóтчатая крыса, гóфер; 2) сýслик; 3) = gof(f)er 1; ◇ G. State *шутл.* штат Миннесóта;

2. v 1) рыть; 2) *горн.* производить бессистемные разведки; 3) = gof(f)er 2.

GOPster ['gɔpstə] *n амер. sl.* республиканец (*член республиканской партии США*).

gore I [gɔː] *n* запёкшаяся, свернувшаяся кровь; *поэт.* кровь.

gore II [gɔː] 1. *n* 1) клин, ластовица (*в белье, платье*); 2) участок земли клином;
2. v 1) придавать форму клина; 2) вставлять, вшивать клин.

gore III [gɔː] v 1) бодать, забодать; 2) пробить (*борт судна о скалу*).

gorge [gɔːdʒ] 1. *n* 1) то, что проглочено, съедено; 2) пресыщение; отвращение; ярость; my ~ rises я чувствую отвращение, меня тошнит; to raise the ~ приводить в ярость; 3) узкое ущелье; 4) *уст., поэт.* горло; глотка, пасть; зоб (*хищных птиц*); 5) затор, нагромождение; пробка; 6) *воен.* горжа; 7) *архит.* выкружка, гусёк;
2. v 1) жадно есть, объедаться; 2) жадно глотать, поглощать.

gorgeous ['gɔːdʒəs] *a* 1) великолепный, пышный; 2) ярко расцвеченный; 3) витиеватый (*о стиле*).

gorget ['gɔːdʒɪt] *n* 1) ожерелье; 2) отметина на шейке птиц; 3) *ист.* латный воротник.

Gorgon ['gɔːgən] *n* 1) *миф.* Горгона, Медуза; 2) мегера, страшилище.

gorilla [gə'rɪlə] *n* 1) горилла; 2) *амер. sl.* убийца, бандит.

gormandize ['gɔːməndaɪz] 1. *n* обжорство;
2. v объедаться.

gory ['gɔːrɪ] *a* 1) окровавленный; 2) кровопролитный; 3) *поэт.* алый.

gosh [gɔʃ] *int разг.*: by ~! чёрт возьми! (*выражение изумления*).

goshawk ['gɔshɔːk] *n* ястреб-тетеревятник.

gosling ['gɔzlɪŋ] *n* гусёнок.

go-slow ['gou'slou] *n* 1) итальянская забастовка; 2) *attr.* умышленно замедленный; ~ movement движение за применение итальянской забастовки; ~ techniques умышленная задержка в развитии техники.

gospel ['gɔspəl] *n* 1) евангелие; 2) проповедь; 3) религиозные убеждения; ◇ to take for ~ принимать (слепо) за истину; ~ truth истинная правда.

gospeller ['gɔspələ] *n* 1) евангелист; 2) проповедник; hot ~ of горячий защитник чего-л.

gossamer ['gɔsəmə] *n* 1) осенняя паутина (*в воздухе*); 2) тонкая ткань, газ.

gossamery ['gɔsəmərɪ] *a* лёгкий, тонкий как паутина.

gossip ['gɔsɪp] 1. *n* 1) болтовня; 2) сплетня; 3) кумушка, болтунья, сплетница; болтун, сплетник;
2. v 1) болтать; беседовать; 2) сплетничать, передавать слухи.

gossipy ['gɔsɪpɪ] *a* 1) болтливый; любящий посплетничать; 2) пустой, праздный (*о болтовне*).

gossoon [gə'suːn] *n ирл.* 1) парень; 2) молодой лакей.

got [gɔt] *past и p. p. от* get 1.

Goth [gɔθ] *n* 1) *ист.* гот; 2) *перен.* варвар, вандал.

Gotham ['goutəm] *n*: a man of ~, a wise man of ~ простак, дурак.

Gothic ['gɔθɪk] 1. *a* 1) готский; 2) варварский, грубый, жестокий; 3) готический (*стиль*); 4) *полигр.* готический (*шрифт*);
2. *n* 1) готский язык; 2) готический стиль; 3) *полигр.* готический шрифт.

go-to-meeting ['goutə'miːtɪŋ] *a шутл.* праздничный, лучший (*о костюме, платье, шляпе*).

gotten ['gɔtn] *уст., амер. p. p. от* get 1.

gouache [gu'aːʃ] *фр. n* 1) гуашь; 2) картина, написанная гуашью.

gouge [gaudʒ] 1. *n* 1) полукруглое долото или стамеска; 2) *амер.* выдолбленное отверстие, выемка *и т. п.*;
2. v 1) выдалбливать; выдавливать; to ~ out an eye выбить, выдавить глаз; 2) *амер.* обманывать.

Goulard [gu'laːd] *n* свинцовая примочка (*тж.* ~ water).

goulash ['guːlæʃ] *n венгр.* гуляш.

gourd [guəd] *n* 1) тыква; 2) бутыль из тыквы.

gourde [guːrd] *n* гурд (*денежная единица Гаити*).

gourmand ['guəmənd] 1. *n* 1) гурман, лакомка; 2) обжора;
2. *a* обжорливый.

gourmet ['guəmeɪ] *фр. n* гурман, гастроном.

gout [gaut] *n* 1) подагра; 2) капля, брызги; 3) сгусток (*крови*).

gouty ['gautɪ] *a* подагрический; страдающий подагрой.

govern ['gʌvən] v 1) управлять, править; 2) регулировать; руководить; 3) владеть (*собой, страстями*); 4) влиять (*на кого-л.*); направлять, определять (*ход событий*); 5) *грам.* управлять.

governable ['gʌvənəbl] *a* послушный; подчиняющийся.

governance ['gʌvənəns] *n* управление, власть; руководство.

governess ['gʌvənɪs] *n* 1) гувернантка, воспитательница; 2) *уст.* правительница.

government ['gʌvnmənt] *n* 1) правительство; organs of ~ органы государственного управления; responsible ~ ответственное министерство; invisible ~ фактические правители; 2) форма правления; 3) управление; 4) провинция (*управляемая губернатором*); 5) *грам.* управление.

governmental [,gʌvən'mentl] *a* правительственный.

Government house ['gʌvnmənthaus] *n* официальная резиденция губернатора.

governor ['gʌvənə] *n* 1) правитель; 2) губернатор; 3) комендант (*крепости*); начальник (*тюрьмы*); 4) заведующий (*школой, больницей*); 5) *разг.* отец; 6) *разг.* ['gʌvnə] хозяин; 7) *тех.* регулятор; 8) *тех.* тамбур.

governor general ['gʌvənə'dʒenərəl] *n* губернáтор колóнии *или* доминиóна, генерáл--губернáтор.

gowk [gauk] *n* 1) *диал.* кукýшка; 2) блух.

gown [gaun] 1. *n* 1) плáтье *(женское)*; morning ~ халáт; 2) мáнтия *(судьи, преподавателя университета и т. п.)*; 3) рúмская тóга; ◇ cap and ~ *см.* cap; town and ~ населéние (Óксфорда и Кéмбриджа), включáя профессýру и студéнтов; 2. *v* 1) надевáть; 2) *pass.* быть одéтым; she was perfectly ~ed онá былá прекрáсно одéта.

gownsman ['gaunzmən] *n* 1) лицó, носящее мáнтию *(адвокат, профессор, студент и т. п.)*; 2) штáтское лицó.

grab [græb] 1. *n* 1) внезáпная попы́тка схватúть; бы́строе хватáтельное движéние; 2) захвáт; присвоéние; a policy of ~ захвáтническая полúтика; 3) *тех.* захвáтывающее приспособлéние; экскавáтор; автоматúческий ковш, черпáк; 4) *амер. sl.* фабрúчная лáвка, «грабúловка»; 2. *v* 1) схвáтывать, хватáть; пытáться схватúть (at); 2) захвáтывать; присвáивать.

grab-all ['græb‚ɔːl] *n* 1) *разг.* сýмка для мéлких вещéй; 2) *sl.* скряга.

grabber ['græbə] *n* рвач, хапýн.

grabble ['græbl] *v* искáть óщупью; искáть, пóлзая на четверéньках.

grace [greis] 1. *n* 1) грáция; изящество; привлекáтельность; 2) благосклóнность; благоволéние; to be in smb.'s good ~s пóльзоваться чьей-л. благосклóнностью; 3) прилúчие; такт; любéзность; with (a) good ~ любéзно, охóтно; with (a) bad ~ нелюбéзно, неохóтно; you had the ill ~ to deny it вы имéли бестáктность отрицáть это; 4) *pl* привлекáтельные свóйства, кáчества; airs and ~s манéрность; 5) мúлость, милосéрдие; прощéние; Act of ~ (всеóбщая) амнúстия; 6) отсрóчка, передышка; days of ~ *ком.* льгóтные дни *(для уплаты по векселю)*; 7) молúтва *(перед едой и после еды)*; 8) *унив.* разрешéние на получéние учёной стéпени; 9) мúлость, свéтлость *(форма обращения к герцогу, герцогине, архиепископу)*; Your, His G. вáша, егó свéтлость; 10) *pl* (the Graces) *миф.* Грáции; 11) *муз.* фиоритýра; 12) *pl* игрá в серсó; 2. *v* 1) украшáть (with); 2) удостáивать, награждáть.

grace-cup ['greiskʌp] *n* заздрáвный кýбок, заздрáвная чáша.

graceful ['greisful] *a* 1) грациóзный, изящный; 2) приятный; 3) элегáнтный.

graceless ['greislis] *a* 1) нрáвственно испóрченный; бесстыдный; непристóйный; развращённый; 2) некрасúвый, непривлекáтельный.

gracious ['greiʃəs] 1. *a* 1) дóбрый, мúлостивый, милосéрдный; 2) снисходúтельный; любéзный; 2. *int*: ~ me!, good ~! бóже мой!; бáтюшки!

graciously ['greiʃəsli] *adv* мúлостиво; любéзно; снисходúтельно.

gradate [grə'deit] *v* 1) располагáть в порядке степенéй; 2) *жив.* незамéтно переходúть от оттéнка к оттéнку.

gradation [grə'deiʃən] *n* 1) градáция, постепéнность; постепéнный перехóд; 2) *pl* перехóдные ступéни, оттéнки; 3) *лингв.* чередовáние глáсных, аблáут.

grade [greid] 1. *n* 1) грáдус; 2) стéпень; ранг, класс; 3) кáчество, сорт; 4) *амер.* класс *(в школе)*; the grades = grade school; 5) *амер.* отмéтка, оцéнка; 6) *с.-х.* порóда, улýчшенная скрéщиванием; 7) *ж.-д.* уклóн; градиéнт; down ~ под уклóн; спускáясь; up ~ на подъёме; to make the ~ брать крутóй подъём; *перен. разг.* добúться успéха; добúться своегó.

2. *v* 1) располагáть по рáнгу, по степеням; 2) сортировáть; 3) улучшáть порóду скрéщиванием; 4) *амер.* постепéнно меняться, переходúть *(в другую стадию)*; into—в); 5) *ж.-д.* нивелúровать.

grade crossing ['greid‚krɔsiŋ] *n* пересечéние железнодорóжного путú с шоссé; *амер.* перехóд *или* пересечéние на однóм ýровне *или* в однóй плóскости.

grade school ['greidskuːl] *n амер.* начáльная шкóла.

gradient ['greidjənt] *n* 1) уклóн, скат; наклóн; 2) *физ.* градиéнт; 3) склонéние *(стрелки барометра)*.

gradual ['grædjuəl] *a* постепéнный; послéдовательный.

gradualism ['grædjuəlizəm] *n амер. ист.* трéбование постепéнности в отмéне рабовладéния.

gradually ['grædjuəli] *adv* постепéнно, мáло-помáлу, понемнóгу.

graduate 1. *n* ['grædjuit] 1) имéющий учёную стéпень; *чаще амер.* окóнчивший учéбное заведéние; 2) мензýрка.

2. *v* ['grædjueit] 1) кончáть университéт с учёной стéпенью (at); *преим. амер.* окóнчить *(любое)* учéбное заведéние (from *или* без предлога); 2) располагáть в послéдовательном порядке; 3) градуúровать, наносúть делéния, калибровáть; 4) *биол.* постепéнно изменяться, переходя во что-л. другóе; 5) *хим.* сгущáть жúдкость *(выпáриванием)*.

graduate school ['grædjuitskuːl] *n амер.* аспирантýра.

graduate student ['grædjuit'stjuːdənt] *n амер.* аспирáнт.

graduation [‚grædju'eiʃən] *n* 1) окончáние учéбного заведéния (from); 2) получéние *или* присуждéние учёной стéпени; 3) градáция; 4) выпáривание *(жидкости)*; 5) градуирóвка *(сосуда)*; 6) лúнии, делéния.

graft I [grɑːft] 1. *n* 1) черенóк; 2) привúвка *(растения)*; 3) *хир.* пересáженная живáя ткань, операция пересáдки.

2. *v* 1) прививáть *(растение)*; 2) пересáживать ткань.

graft II [grɑːft] *амер.* 1. *n* взятка, незакóнные дохóды; подкýп.

2. *v* 1) давáть взятки; подкупáть; 2) брать взятки; пóльзоваться нечéстными дохóдами.

grafter I ['grɑːftə] *n* 1) привóй; 2) садóвый нож.

grafter II ['grɑːftə] *n амер.* 1) взятóчник; 2) мошéнник, жýлик.

grafting I ['grɑːftɪŋ] 1. *pres. p. om* graft I, 2;
2. *n с.-х.* привИвка; bark ~ привИвка под корУ.
grafting II ['grɑːftɪŋ] *pres. p. om* graft II, 2.
graham ['greiəm] *a* сдЕланный из пшенИчной мукИ; ~ bread хлеб «ГрЭхем»; ~ flour пшенИчная мукА грУбого помОла.
Grail [greil] *n*: The (Holy) ~ *миф.* ГраАль (*чаша*).
grain [grein] 1. *n* 1) зернО; хлЕбные злАки; 2) крупА; 3) *pl* бардА; 4) гран (=0,0648 *г*); 5) зЁрнышко; крупИнка; песчИнка; малЕйшая частИца; not a ~ of truth ни крупИцы Истины; 6) зернИстость, гранулЯция; 7) волокнО, жИлка, фИбра, нИтка; to dye in ~ [*см.* dye 2, 2)]; against the ~ прОтив нИтки; *перен.* прОтив шЕрсти; прОтив желАния; с неохОтой; наперекОр естЕственной склОнности; with the ~ по направлЕнию волокнА (*бумаги и т. п.*); 8) строЕние, структУра; 9) прирОда, харАктер, склОнность; in ~ по натУре, по харАктеру; 10) грЕна, яИчки шелкопрЯда; 11) *уст., поэт.* крАска; ◇ a fool (a rogue) in ~ отъЯвленный дурАк (мошЕнник); to receive (*или* to take) smth. with a ~ of salt относИться к чемУ-л. недовЕрчиво, скептИчески;
2. *v* 1) раздроблЯть; 2) придавАть зернИстую повЕрхность; крАсить под дЕрево *или* мрАмор; наводИть мерЕю (*на кожу*); 3) очищАть (*кожу*) от шЕрсти.
grain binder ['grein'baində] *n с.-х.* сноповязАлка.
grain cleaner ['grein'kliːnə] *n с.-х.* зерноочистИтель.
grain dryer ['grein'draiə] *n с.-х.* зерносушИлка.
grain grower ['grein'grouə] *n* хлеборОб.
grains [greinz] *n pl* (*обыкн. употр. как sing*) гарпУн.
grain separator ['grein'sepəreitə] *n* 1) зерноотделИтель, сортирОвка (*машина*); 2) *амер.* молотИлка.
grain tank ['greintæŋk] *n с.-х.* бУнкер для зернА.
grainy ['greini] *a* 1) неглАдкий, шероховАтый; 2) зернИстый, гранулИрованный.
gram I [græm] = gramme.
gram II [græm] *n* мЕлкий горОшек.
grama ['grɑːmə] = gramma.
gramicidin [græ'misidin] *n фарм.* грамицидИн.
graminaceous, gramineous [,greimi'neiʃəs, grei'miniəs] *a* злАковый, травянИстый.
graminivorous [,græmi'nivərəs] *a* травоЯдный.
gramma ['græmə] *n* пАстбищная травА (*тж.* ~ grass).
grammar ['græmə] *n* 1) граммАтика; 2) введЕние в наУку, элемЕнты наУки.
grammarian [grə'mɛəriən] *n* граммАтик.
grammar-school ['græməskuːl] *n* 1) срЕдняя классИческая шкОла; 2) *амер.* часть срЕдней шкОлы, включАющая клАссы от 5 до 8.
grammatical [grə'mætikəl] *a* граммАтический; граммАтически прАвильный.
gramme [græm] *n* грамм.

gramophone ['græməfoun] *n* граммофОн, патефОн.
grampus ['græmpəs] *n* 1) сЕверный дельфИн-касАтка; 2) пыхтЯщий *или* грОмко сопЯщий человЕк; 3) *тех.* большИе клЕщи.
granary ['grænəri] *n* 1) амбАр; зернохранИлище; 2) жИтница, хлеборОдный райОн.
grand [grænd] 1. *a* 1) грандиОзный, большОй, велИчественный; 2) велИкий (*тж. в титулах*); 3) возвЫшенный; благорОдный; 4) глАвный, Очень вАжный; ~ question вАжный вопрОс; 5) великолЕпный, пЫшный; роскОшный; импозАнтный; парАдный; 6) *разг.* богАто, щегольскИ одЕтый; 7) вАжный, знАтный; 8) вАжничающий, испОлненный самомнЕния; to do the ~ *разг.* вАжничать; 9) *разг.* восхитИтельный, приЯтный; 10) итОговый; суммИрующий; ~ total Общая сУмма.
2. *n* 1) рояль; 2) *амер. sl.* тЫсяча дОлларов.
gran-dad ['grændæd] = grand-dad.
grandchild ['græntʃaild] *n* внук; внУчка.
grand-dad ['grændæd] *n разг.* дЕдушка.
granddaughter ['græn,dɔːtə] *n* внУчка.
Grand Duke ['grænd'djuːk] *n* 1) велИкий гЕрцог; 2) велИкий князь.
grandee [,græn'diː] *n* 1) гранд (*испАнский*); 2) вельмОжа, санОвник; вАжная персОна.
grandeur ['grændʒə] *n* 1) грандиОзность; великолЕпие; пЫшность; 2) знАтность; 3) (нрАвственное) велИчие.
grandfather ['grænd,fɑːðə] *n* дЕдушка; ◇ ~'s clock высОкие стоЯчие часЫ.
grandiloquence [græn'diləkwəns] *n* высокопАрность, напЫщенность.
grandiloquent [græn'diləkwənt] *a* высокопАрный, напЫщенный.
grandiose ['grændious] *a* 1) грандиОзный; 2) напЫщенный, претенциОзный.
grandiosity [,grændi'ɔsiti] *n* грандиОзность.
grand jury ['grænd'dʒuəri] *n юр.* большОе жюрИ, присЯжные, решАющие вопрОс о предАнии судУ.
grandma ['grænmɑː] = grandmamma.
grandmamma ['grænmə,mɑː] *n разг.* бАбушка.
grandmaster ['græn,mɑːstə] *n шахм.* гроссмЕйстер.
grandmother ['græn,mʌðə] 1. *n* бАбушка; 2. *v* баловАть; изнЕживать.
grandmotherly ['græn,mʌðəli] *a* 1) проявлЯющий отЕческую забОту, забОтливый, опекАющий; 2) излИшне мЕлочный (*особенно о законодательстве*).
grand-nephew ['græn,nevju] *n* внучАтый племЯнник.
grand-niece ['grænniːs] *n* внучАтая племЯнница.
grandpa ['grænpɑː] = grandpapa.
grandpapa ['grænpə,pɑː] *n разг.* дЕдушка.
grandparents ['græn,pɛərənts] *n pl* дЕдушка и бАбушка.
grand piano ['grænd'pjænou] *n* рояль.
grandsire ['græn,saiə] *n уст.* 1) дед; 2) прЕдок.
grandson ['grænsʌn] *n* внук.

grandstand ['grænd'stænd] **1.** *n* трибу́на, места́ для зри́телей (*на стадио́не и т. п.*); **2.** *a амер.* показно́й.

grange [greɪndʒ] *n* **1)** мы́за, фе́рма (с её постро́йками); **2)** *уст.* амба́р; **3)** *амер.* ассоциа́ция фе́рмеров.

granger's cattle ['greɪndʒəz'kætl] *n* мя́со-моло́чный скот.

granite ['grænɪt] *n* **1)** грани́т; **2)** *attr.:* the ~ city *г.* Абердин.

granitic [græ'nɪtɪk] *a* грани́тный.

grannie, granny ['grænɪ] *n* **1)** *ласк.* ба́бушка, бабу́ся; **2)** *разг.* стару́ха; **3)** *воен. sl.* тяжёлое ору́дие.

grant [grɑːnt] **1.** *n* **1)** дар, официа́льное предоставле́ние; да́рственный акт; **2)** дота́ция, субси́дия; **3)** *pl* стипе́ндия; **4)** усту́пка, разреше́ние, согла́сие; **2.** *v* **1)** дари́ть, жа́ловать, дарова́ть; **2)** дава́ть дота́цию, субси́дию; **3)** соглаша́ться, дозволя́ть; **4)** допуска́ть; to take for ~ed допуска́ть, счита́ть дока́занным, не тре́бующим доказа́тельства; счита́ть само́ собо́й разуме́ющимся; to take nothing for ~ed ничего́ не принима́ть на ве́ру.

grantee [grɑːn'tiː] *n* получа́ющий в дар.

grant-in-aid ['grɑːntɪn'eɪd] *n* дота́ция, субси́дия.

grantor [grɑːn'tɔː] *n* дари́тель.

granular ['grænjulə] *a* зерни́стый; грану-ли́рованный.

granulate ['grænjuleɪt] *v* **1)** обраща́ть (-ся) в зёрна; дроби́ть; мельчи́ть; **2)** грану-ли́роваться, образо́вывать грануля́ции (*о ра́не и т. п.*).

granulated sugar ['grænjuleɪtɪd'ʃugə] *n* са́харный песо́к.

granulation [ˌgrænju'leɪʃən] *n* **1)** грануля́ция; **2)** гранули́рование; **3)** зерне́ние, дробле́ние.

granule ['grænjuːl] *n* зёрнышко, зерно́.

grape [greɪp] *n* **1)** виногра́д (*о плода́х обыкн. pl*); гроздь виногра́да; **2)** *pl* = grease 1, 3); **3)** = grape-shot; ◇ sour ~s, the ~s are sour «зе́лен виногра́д».

grape-cure ['greɪpkjuə] *n* лече́ние вино-гра́дом.

grape-fruit ['greɪpfruːt] *n* гре́йпфрут.

grapery ['greɪpərɪ] *n* оранжере́я для вино-гра́да.

grape-shot ['greɪpʃɔt] *n* воен. ист. кру́пная карте́чь.

grape-sugar ['greɪp,ʃugə] *n* виногра́дный са́хар, глюко́за.

grape-vine I ['greɪpvaɪn] *n* **1)** виногра́дная лоза́; **2)** род конькобе́жной фигу́ры.

grape-vine II ['greɪpvaɪn] *n* **1)** систе́ма сообще́ния с по́мощью сигна́лов; спо́соб та́йного сообще́ния; **2)** ло́жные слу́хи.

graph [grɑːf] *n* гра́фик, диагра́мма.

graphic ['græfɪk] *a* **1)** графи́ческий, изобрази́тельный; ~ arts изобрази́тельные иску́сства; **2):** ~ model *мат.* простра́нственная диагра́мма; **3)** нагля́дный; живопи́сный; кра́сочный (*о расска́зе*).

graphically ['græfɪkəlɪ] *adv* **1)** графи́че-ски; **2)** нагля́дно, жи́во; кра́сочно.

graphite ['græfaɪt] *n* графи́т.

graphology [græ'fɔlədʒɪ] *n* графоло́гия.

grapnel ['græpnəl] *n* **1)** аборда́жный крюк; **2)** крюк, захва́т, ко́шка; **3)** дрек; шлю́почный я́корь.

grapple ['græpl] **1.** *n* **1)** = grapnel; **2)** схва́тка, борьба́; **2.** *v* **1)** схвати́ть; **2)** схвати́ться, сцепи́ться; to ~ with *мор.* взять на аборда́ж; *перен.* боро́ться; пыта́ться преодоле́ть (*затрудне́ние*), разреши́ть (*зада́чу*).

grappling-iron ['græplɪŋ,aɪən] = grapnel.

grasp [grɑːsp] **1.** *n* **1)** схва́тывание; кре́пкое сжа́тие; хва́тка; *перен.* власть; within one's ~ бли́зко; так, что мо́жно доста́ть руко́й; *перен.* в чьих-л. возмо́жностях, в чьей-л. вла́сти; beyond ~ вне преде́лов дося-га́емости; **2)** спосо́бность бы́строго восприя́тия; понима́ние; it is beyond one's ~ э́то вы́ше понима́ния; **3)** рукоя́тка; **4)** *воен.* ше́йка прикла́да; **2.** *v* **1)** схва́тывать, зажима́ть (*в руке́*); захва́тывать; **2)** хвата́ться (at—за); **3)** охвати́ть, поня́ть; осозна́ть; усво́ить; I can't ~ your meaning не понима́ю, что вы хоти́те сказа́ть; ◇ to ~ the nettle реши́тельно бра́ться за тру́дное де́ло; ~ the nettle and it won't sting you *посл.* ≅ сме́лость города́ берёт.

grasper ['grɑːspə] *n* рвач, хапу́га.

grasping ['grɑːspɪŋ] **1.** *pres. p. от* grasp 2; **2.** *a* скупо́й, жа́дный.

grass [grɑːs] **1.** *n* **1)** трава́; дёрн; to lay down in ~ запуска́ть под луга́; **2)** па́стбище; to be at ~ пасти́сь, быть на подно́жном корму́; *перен. разг.* быть на о́тдыхе, на кани́кулах; быть без де́ла; to put (*или to send*) to ~ выгоня́ть в по́ле, на подно́жный корм; **3)** *горн.* пове́рхность земли́; у́стье ша́хты; **4)** *разг.* спа́ржа; **5)** *разг.* весна́; she will be two years old next ~ бу́дущей весно́й ей бу́дет два го́да; ◇ to let no ~ grow under one's feet де́йствовать бы́стро и энерги́чно; to send to ~ уво́лить; *sl.* повали́ть, свали́ть; to hear the ~ grow слы́шать, как трава́ растёт, быть необыкнове́нно чу́тким; go to ~! *груб.* убира́йся к чёрту!; **2.** *v* **1)** засева́ть траво́й; покрыва́ть дёрном; **2)** зараста́ть траво́й; **3)** пасти́сь; **4)** выгоня́ть в по́ле (*скот*); **5)** растяну́ться на траве́; **6)** сбить с ног; подстрели́ть (*пти́цу*); **7)** вы́тащить на бе́рег (*ры́бу*).

grass-cutter ['grɑːs,kʌtə] *n* газонокоси́лка.

grass-cutting ['grɑːs,kʌtɪŋ] *n* ав. разг. бре́ющий полёт.

grass-feeding ['grɑːs'fiːdɪŋ] *a* травоя́дный.

grasshopper ['grɑːs,hɔpə] *n* **1)** кузне́чик; *амер. тж.* саранча́; **2)** *воен. sl.* лёгкий самолёт, испо́льзуемый для разве́дки, свя́зи и управле́ния артилле́рией.

grassland ['grɑːslænd] *n* сеноко́сное уго́дье; луг, па́стбище.

grass-plot ['grɑːs'plɔt] *n* лужа́йка, газо́н.

grassroots ['grɑːs'ruːts] *n pl разг.* заурядные лю́ди, обыва́тели.

grass-snake ['grɑːs,sneɪk] *n зоол.* уж (обыкнове́нный).

grass widow ['grɑːs'wɪdou] *n* соло́менная вдова́.

grassy ['grɑːsɪ] *a* **1)** покры́тый траво́й; **2)** травяно́й; травяни́стый.

grate I [greɪt] *n* 1) решётка; 2) каминная решётка; камин; 3) *тех.* колосниковая решётка; 4) *тех.* грохот.

grate II [greɪt] *v* 1) тереть (*тёркой*), растирать; 2) скрежетать (*зубами*); 3) тереть, скрести с резким звуком; 4) скрипеть; 5) раздражать, раздражающе действовать (on, upon—на); it ~s on (*или* upon) my ear это мне режет слух.

grate-bar [ˈgreɪtbɑː] *n тех.* колосник.

grateful [ˈgreɪtful] *a* 1) благодарный; благодарственный; 2) приятный.

gratefully [ˈgreɪtfulɪ] *adv* 1) с благодарностью; 2) приятно.

gratefulness [ˈgreɪtfulnɪs] *n* 1) благодарность; 2) приятность.

grater [ˈgreɪtə] *n* 1) тёрка; 2) рашпиль.

gratification [ˌgrætɪfɪˈkeɪʃən] *n* 1) удовлетворение; удовольствие; 2) вознаграждение; подачка.

gratify [ˈgrætɪfaɪ] *v* 1) удовлетворять; 2) доставлять удовольствие; радовать (*глаз*); 3) потворствовать; 4) *уст.* вознаграждать; давать взятку.

grating I [ˈgreɪtɪŋ] *n* решётка.

grating II [ˈgreɪtɪŋ] 1. *pres. p. om* grate II; 2. *a* 1) скрипучий, резкий; 2) раздражающий.

gratis [ˈgreɪtɪs] *лат. adv* бесплатно, даром.

gratitude [ˈgrætɪtjuːd] *n* благодарность.

gratters [ˈgrætəz] *n pl разг.* поздравления.

gratuitous [grəˈtjuːɪtəs] *a* 1) даровой, безвозмездный; 2) добровольный; 3) беспричинный, ничем не вызванный.

gratuity [grəˈtjuːɪtɪ] *n* 1) денежный подарок; 2) чаевые; 3) *воен.* наградные.

gratulatory [ˈgrætjuleɪtərɪ] *a* поздравительный.

gravamen [grəˈveɪmen] *n* 1) жалоба; 2) суть обвинения.

grave I [greɪv] *n* могила; *перен.* смерть; to sink into the ~ сойти в могилу; to have one foot in the ~ стоять одной ногой в могиле; in one's ~ мёртвый.

grave II [greɪv] *v* (graved; graved, graven) 1) *уст.* гравировать; высекать, вырезывать; 2) запечатлевать (in, on).

grave III 1. *a* [greɪv] 1) серьёзный, веский; важный; 2) тяжёлый, угрожающий; 3) важный; степенный; 4) влиятельный, авторитетный; 5) мрачный, печальный; тёмный (*о красках*); 6) низкий (*о тоне*); 7) [grɑːv] *фон.* тупой (*об ударении*); 2. *n* [grɑːv] *фон.* тупое ударение.

grave IV [greɪv] *v мор.* чистить и смолить подводную часть судна.

grave-clothes [ˈgreɪvkloudz] *n pl* саван.

grave-digger [ˈgreɪvˌdɪgə] *n* могильщик, гробокопатель.

gravel [ˈgrævəl] 1. *n* 1) гравий; 2) золотоносный песок, золотоносная россыпь (*тж.* auriferous ~); 3) *мед.* мочевой песок; 2. *v* 1) посыпать гравием; 2) приводить в замешательство, ставить в тупик.

gravel-blind [ˈgrævəlˌblaɪnd] *a* почти слепой.

gravelly [ˈgrævlɪ] *a* 1) состоящий из гравия; 2) усыпанный гравием; засыпанный

песком; 3) *мед.* вызванный мочевыми камнями; имеющий мочевые камни.

graven [ˈgreɪvən] *p. p. om* grave II; ~ image *библ.* идол, кумир.

graveness [ˈgreɪvnɪs] *n* серьёзность *и пр.* [*см.* grave III].

graver [ˈgreɪvə] *n* 1) резчик, гравёр; 2) резец.

Graves' disease [ˈgreɪvzdɪˈziːz] *n* базедова болезнь.

graveside [ˈgreɪvsaɪd] *n* край могилы.

gravestone [ˈgreɪvstoun] *n* могильная плита, надгробный камень.

graveyard [ˈgreɪvjɑːd] *n* кладбище; ◇ ~ shift *амер.* смена, начинающаяся около 12 часов ночи; ночная смена.

gravid [ˈgrævɪd] *a* беременная.

gravimetric [ˌgrævɪˈmetrɪk] *a* гравиметрический; весовой.

graving-dock [ˈgreɪvɪŋdɔk] *n* ремонтный док (*сухой или плавучий*).

gravitate [ˈgrævɪteɪt] *v* 1) *физ.* притягиваться (towards); to ~ to the bottom падать, оседать на дно; 2) тяготеть, стремиться (to, towards); in summer people ~ to the seaside летом люди стремятся к морю.

gravitation [ˌgrævɪˈteɪʃən] *n физ.* сила тяжести; притяжение; тяготение; the law of ~ закон тяготения.

gravity [ˈgrævɪtɪ] *n* 1) серьёзность, важность; 2) торжественность; серьёзный вид; 3) тяжесть, опасность (*положения и т. п.*); 4) степенность, уравновешенность; 5) *физ.* тяжесть; сила тяжести; тяготение; centre of ~ центр тяжести; specific ~ удельный вес; 6) *attr.*: ~ feed подача жидкости самотёком.

gravy [ˈgreɪvɪ] *n* подливка (*из сока жаркого*), соус.

gravy-boat [ˈgreɪvɪbout] *n* соусник.

gray [greɪ] = grey.

grayling [ˈgreɪlɪŋ] *n* хариус (*рыба*).

graze I [greɪz] 1. *v* 1) слегка касаться, задевать; the bullet ~d the wall пуля оцарапала стену; 2) содрать, натереть (*кожу*); 3) *воен.* обстреливать настильным огнём; 2. *n* 1) задевание, касание; 2) лёгкая рана, царапина; 3) *воен.* клевок.

graze II [greɪz] *v* 1) пасти, держать на подножном корму; 2) пастись, щипать траву; 3) использовать как пастбище.

grazer [ˈgreɪzə] *n* 1) животное на подножном корму; пасущееся животное; 2) *pl* нагульный скот.

grazier [ˈgreɪzɪə] *n* скотовод; животновод.

graziery [ˈgreɪzɪərɪ] *n* 1) животноводство; скотоводство; 2) откорм скота.

grease 1. *n* [griːs] 1) топлёное сало; жир; in ~, in prime (*или* pride) of ~ откормленный на убой; 2) смазочное вещество; смазка; колёсная и т. п. мазь; 3) *вет.* мокрец, подсед (*у лошади*); 2. *v* [griːz] смазывать (*жиром и т. п.*); замасливать, засаливать; ◇ to ~ the palm (*или* the hand, the fist) of, to ~ the wheels «подмазать», дать взятку; like ~d lightning *sl.* молниеносно; стремительно.

grease-box [ˈgriːsbɔks] *n тех.* маслёнка; букса.

grease cock ['griːskɔk] n смáзочный крáн.

grease-paint ['griːspeɪnt] n театр. грим.

grease-proof ['griːspruːf] a жиронепроницáемый, не пропускáющий жúра.

greaser ['griːzə] n 1) смáзчик; 2) кочегáр (на парохóде); 3) презр. прозвище, даваемое американцами мексиканцам или жителям Латинской Америки (испанского или португальского происхождения); 4) тех. смáзочное приспособлéние.

greasing ['griːzɪŋ] 1. pres. p. от grease 2; 2. n тех. смáзка.

greasy ['griːzɪ] a 1) сáльный, жúрный; 2) не очúщенный от жúра (о шерсти); 3) скóльзкий; скóльзкий и грязный (о доróге); 4) елéйный, неприятно вкрáдчивый; притóрный; 5) страдáющий подсéдом (о лóшади).

great [greɪt] 1. a 1) велúкий; the Great October Socialist Revolution Велúкая Октябрьская социалистическая револю́ция; 2) большóй; разг. огрóмный; ~ blot огрóмная клякса; 3) возвышенный (о цели, идее и т. п.); ~ thoughts возвышенные мысли; 4) сúльный, интенсúвный; a ~ talker большóй говорýн; 5) замечáтельный; прекрáсный; 6) длúтельный, дóлгий, продолжúтельный; a ~ while дóлгое врéмя; to live to a ~ age дожúть до глубóкой стáрости; 7) разг. восхитúтельный, великолéпный; that's ~! это замечáтельно!; 8) predic. óпытный, искýсный (at); 9) predic. понимáющий, разбирáющийся (on); 10) (в степенях родства) пра-; напр.:~-grandchild прáвнук; прáвнучка; ~-grandfather прáдед; ◇ ~ dozen тринáдцать; ~ many мнóжество; to have a ~ mind to óчень хотéть; to be ~ with child уст. быть берéменной;
2. n (the ~) (употр. как pl) 1) вельмóжи, богачú; «сúльные мúра сегó»; 2) велúкие писáтели, клáссики.

great bilberry ['greɪt'bɪlbərɪ] n голубúка.

greatcoat ['greɪtkout] n 1) пальтó; 2) шинéль.

greater ['greɪtə] a 1) сравнит. ст. от great 1; 2) большóй (в географических названиях, напр. Greater Britain, Greater New York).

great go ['greɪtgou] n разг. послéдний экзáмен на стéпень бакалáвра (преим. гуманитарных наук в Кембридже).

great-grandchild['greɪt'græntʃaɪld] n прáвнук; прáвнучка.

great-grandfather ['greɪt'græn,faːðə] n прáдед.

great-hearted ['greɪt'haːtɪd] a великодýшный.

greatly ['greɪtlɪ] adv 1) óчень; значúтельно, весьмá; 2) возвышенно; благорóдно.

greatness ['greɪtnɪs] n 1) величинá; 2) велúчие, сúла.

Great Russian ['greɪt'rʌʃən] n уст. великорýс.

greats [greɪts] n pl послéдний экзáмен на стéпень бакалáвра (преим. гуманитарных наук в Оксфорде).

greaves I [griːvz] n pl ист. ножные лáты, наголéнники (доспехов).

greaves II [griːvz] n pl остáтки топлёного сáла; шквáрки.

grebe [griːb] n чóмга, погáнка (птица).

Grecian ['griːʃən] 1. a грéческий (о стиле); 2. n эллинúст.

greed [griːd] n áлчность, жáдность.

greedily ['griːdɪlɪ] adv 1) жáдно, с жáдностью; 2) прожóрливо.

greediness ['griːdɪnɪs] n 1) жáдность; 2) прожóрливость.

greedy ['griːdɪ] a 1) жáдный (of, for); 2) прожóрливый.

Greek [griːk] 1. n 1) грек; гречáнка; 2) грéческий язык; ◇ it is ~ to me ≅ это для меня совершéнно непонятно; 2. a грéческий.

green [griːn] 1. a 1) зелёный; ~ with envy готóвый лóпнуть от зáвисти; 2) покрытый зéленью; 3) растúтельный (о пище); 4) незрéлый, неспéлый, сырóй; ~ wound свéжая, незажúвшая рáна; 5) молодóй; неóпытный, довéрчивый; ~ hand новичóк; неóпытный человéк; 6) необъéзженный (о лóшади); 7) пóлный сил, цветýщий, свéжий; 8) блéдный, болéзненный; ◇ ~ winter беснéжная, мягкая зимá;
2. n 1) зелёный цвет; зелёная крáска; 2) зелёная лужáйка, луг (для игр и т. п.); 3) растúтельность; 4) pl зéлень, óвощи; 5) мóлодость, сúла; in the ~ в расцвéте сил; ◇ do you see any ~ in my eye? рáзве я кажýсь такúм легковéрным, неóпытным?;
3. v 1) дéлать(ся) зелёным, зеленéть; 2) крáсить в зелёный цвет; 3) sl. обмáнывать, мистифицúровать; □ ~ out давáть ростки.

greenbacks ['griːnbæks] n pl амер. банкнóты, бумáжные дéньги.

green-blind ['griːn'blaɪnd] a страдáющий дальтонúзмом.

green-blindness ['griːn'blaɪndnɪs] n дальтонúзм.

green-book ['griːnbuk] n ист. «зелёная кнúга» (официальное издание, выпускавшееся правительством Индии).

green cheese ['griːn'tʃiːz] n 1) молодóй сыр; 2) зелёный сыр.

green cloth ['griːn,klɔθ] n 1) зелёное сукнó (на столе, бильярде); 2) игóрный стол; ◇ (Board of) Green Cloth гофмáршальская контóра (при английском дворе).

green crop ['griːn'krɔp] n с.-х. кормовáя культýра.

greener ['griːnə] n sl. 1) новичóк; неóпытный рабóчий; 2) простáк; 3) недáвно приéхавший иммигрáнт.

greenery ['griːnərɪ] n 1) зéлень, растúтельность; 2) редк. оранжерéя.

green-eyed ['griːnaɪd] a ревнúвый; завúстливый; ~ monster рéвность; зáвисть.

green fence ['griːn'fens] n живáя úзгородь.

greenfinch ['griːnfɪntʃ] n зоол. зеленýшка (обыкновéнная).

green fodder ['griːn'fɔdə] n травá; зелёный корм, фурáж.

green food ['griːn'fuːd] = green fodder.

green forage ['griːn'fɔrɪdʒ] = green fodder.

greengage ['griːn'geɪdʒ] *n* ренклод (*слива*).

green goods ['griːn'gudz] *n pl* 1) свежие овощи; 2) *амер. sl.* фальшивые бумажные деньги.

greengrocer ['griːn,grousə] *n* зеленщик; фруктовщик.

greengrocery ['griːn,grousərɪ] *n* 1) зеленная *или* фруктовая лавка; 2) зелень; фрукты.

greenhorn ['griːnhɔːn] *n* новичок; неопытный человек.

greenhouse ['griːnhaus] *n* теплица, оранжерея.

greening I ['griːnɪŋ] *n* зелёное яблоко (*сорт*).

greening II ['griːnɪŋ] *pres. p. от* green 3.

greenish ['griːnɪʃ] *a* зеленоватый.

green light ['griːn'laɪt] *n* 1) зелёный свет (*светофора*); 2) *разг.* разрешение на беспрепятственное прохождение (*работы, проекта и т. п.*); «зелёная улица».

green linnet ['griːn'lɪnɪt] = greenfinch.

greenness ['griːnnɪs] *n* 1) зелень; 2) незрелость; 3) неопытность.

green-peak ['griːn'piːk] *n* зелёный дятел.

green-room ['griːnrum] *n* 1) актёрская уборная; артистическое фойе; 2) помещение для неотделанной продукции (*на фабрике*).

green scum ['griːn'skʌm] *n* зелень (*на поверхности стоячей воды*); «цветение» воды.

greensickness ['griːn,sɪknɪs] *n мед.* бледная немочь.

greenstone ['griːnstoun] *n* 1) *геол.* название диоритов, диабазов, зелёного порфира *и т. п.*; 2) *мин.* нефрит.

green-stuff ['griːnstʌf] *n* овощи, огородная зелень, огородные продукты.

greensward ['griːnswɔːd] *n* газон, дёрн; зелёная лужайка.

greenwood ['griːnwud] *n* лиственный лес; ◇ to go to the ~ стать разбойником; быть объявленным вне закона.

greeny ['griːnɪ] *a* зеленоватый.

greenyard ['griːnjɑːd] *n* загон для отбившихся от стада животных.

greet I [griːt] *v* 1) приветствовать; здороваться, кланяться; 2) встречать (*возгласами и т. п.*); 3) доноситься (*о звуке*); 4) открываться (*взгляду*).

greet II [griːt] *v шотл.* плакать.

greeting I ['griːtɪŋ] 1. *pres. p. от* greet I; 2. *n* 1) приветствие, поклон; 2) встреча (*аплодисментами и т. п.*).

greeting II ['griːtɪŋ] *pres. p. от* greet II.

gregarious [greˈgɛərɪəs] *a* 1) живущий стаями, стадами, обществами; 2) стадный; 3) общительный.

Gregorian [greˈgɔːrɪən] *a* григорианский; ~ style новый стиль.

gregory-powder ['gregərɪ,paudə] *n* ревенный порошок (*слабительное*).

gremlin ['gremlɪn] *n ав. sl.* злой гном, приносящий неудачу лётчику.

grenade [grɪˈneɪd] *n* 1) граната; 2) огнетушитель.

grenade-gun [grɪˈneɪdgʌn] *n* гранатомёт.

grenadier [,grenəˈdɪə] *n воен.* гренадёр.

grenadine I [,grenəˈdiːn] *n* 1) гвоздика с сильным запахом; 2) шпигованная телятина, птица (*ломтиками*).

grenadine II [,grenəˈdiːn] *n* 1) гренадин (*шёлковая материя*); 2) гранатовый ликёр.

gressorial [greˈsɔːrɪəl] *a зоол.* приспособленный для ходьбы; ходячий.

Gretna-green marriage ['gretnəgriːn'mærɪdʒ] *n* брак между убежавшими любовниками без выполнения формальностей (*по названию деревни в Шотландии, где это допускалось*).

grew [gruː] *past от* grow.

grey [greɪ] 1. *a* 1) серый; 2) седой; ~ hairs седины; *перен.* старость; to turn ~ поседеть; 3) бледный, болезненный; 4) пасмурный, сумрачный; 5) мрачный, невесёлый; ◇ ~ mare женщина, держащая своего мужа под башмаком;
2. *n* 1) серый цвет; 2) серый костюм; 3) лошадь серой масти;
3. *v* 1) делать(ся) серым; 2) седеть.

greybeard ['greɪbɪəd] *n* 1) старик; пожилой человек; 2) глиняный кувшин (*для спиртных напитков*).

greycing ['greɪsɪŋ] *n разг.* охота с борзыми собаками.

grey-coat ['greɪkout] *n* солдат в серой шинели; *амер. ист.* солдат армии южан (*в гражданской войне 1861-65 гг.*).

grey-eyed ['greɪaɪd] *a* сероглазый.

grey friar ['greɪ'fraɪə] *n* францисканец (*монах*).

grey goose ['greɪguːs] *n* дикий гусь.

grey-headed ['greɪ'hedɪd] *a* 1) седой; старый; 2) поношенный, потрёпанный.

grey-hen ['greɪhen] *n* тетёрка.

greyhound ['greɪhaund] *n* 1) борзая; 2) быстроходный океанский пароход (*тж.* ocean ~); 3) автобус дальнего следования.

greyish ['greɪɪʃ] *a* 1) сероватый; 2) седоватый; с проседью.

greylag ['greɪlæg] = grey goose.

grey matter ['greɪ'mætə] *n* 1) серое вещество мозга; 2) *разг.* ум.

grid [grɪd] *n* 1) решётка; 2) = gridiron 1); 3) *радио, телев.* управляющая сетка; 4) *эл.* кольцевание сети.

griddle ['grɪdl] *n* 1) сковородка с ручкой; 2) *горн.* крупное сито для руды.

griddle cake ['grɪdlkeɪk] *n* лепёшка.

gride [graɪd] 1. *n* скрип; скребущий звук; 2. *v* 1) врезаться с резким, скрипящим звуком (*обыкн.* ~ along, ~ through); вонзаться, причиняя острую боль; 2) скрести; скрипеть; 3) *уст.* пронзать.

gridiron ['grɪd,aɪən] *n* 1) рашпер (*решётка с ручкой для жаренья*); 2) решётка; сетка; 3) комплект запасных частей и ремонтных инструментов; 4) *театр.* колосники; 5) *ж.-д.* парк для приёмки и разборки поездов; 6) *амер. разг.* футбольное поле; 7) *ист.* решётка для пытки (*огнём*); on the ~ — *перен.* в муках; в сильном беспокойстве, как на угольях.

grid leak ['grɪdliːk] *n радио* утечка сетки, сопротивление смещения.

grief [griːf] *n* горе, печаль; огорчение; беда; to come to ~ попасть в беду; потерпе́ть неуда́чу; to bring to ~ довести́ до беды́.

grievance ['griːvəns] *n* 1) оби́да; по́вод для недово́льства; 2) жа́лоба; what is your ~? на что вы жа́луетесь?

grieve [griːv] *v* 1) огорча́ть, глубоко́ опеча́ливать; 2) горева́ть, убива́ться (at, for, about, over).

grievous ['griːvəs] *a* 1) го́рестный, печа́льный; прискорбный, досто́йный сожале́ния; 2) тяжёлый, мучи́тельный (*о боли и т. п.*); 3) ужа́сный, вопию́щий.

grievously ['griːvəslɪ] *adv* 1) го́рестно, печа́льно; с приско́рбием; 2) мучи́тельно.

griff [grif] = griffin II.

griffin I ['grifin] *n* 1) *миф.* грифо́н; *перен.* бди́тельный страж; дуэ́нья; 2) *зоол.* сип (*или* гриф) белоголо́вый.

griffin II ['grifin] *n* англо-инд. европе́ец, неда́вно прибы́вший в Индию; новичо́к.

griffon I ['grifən] = griffin I.

griffon II ['grifən] *n* грифо́н (*длинношёрстная легавая собака*).

griffon-vulture ['grifən‚vʌltʃə] = griffin I, 2).

grig [grig] *n* 1) *зоол.* у́горь; 2) кузне́чик; сверчо́к; merry (*или* lively) as a ~ о́чень весёлый.

grill [gril] 1. *n* 1) ра́шпер [*см.* gridiron 1)]; 2) жа́ренные на ра́шпере мя́со, ры́ба; 3) = grill-room; 4) решётка; 5) штемпель для погаше́ния почто́вых ма́рок.

2. *v* 1) жа́рить(ся) на ра́шпере; 2) пали́ть, жечь (*о солнце*); 3) пе́чься на со́лнце; 4) му́чить(ся); 5) *амер.* допра́шивать «с пристра́стием»; 6) погаша́ть почто́вые ма́рки.

grillage ['grilidʒ] *n стр.* ро́стверк, решётка.

grille [gril] *n* решётка.

grill-room ['grilrum] *n* рестора́н (*где мясо и рыба жарятся при публике*).

grilse [grils] *n* молодо́й лосо́сь, впервы́е воше́дший в пре́сную во́ду.

grim [grim] *a* 1) жесто́кий, беспоща́дный, неумоли́мый, непрекло́нный; 2) стра́шный, мра́чный, злове́щий.

grimace [gri'meis] 1. *n* грима́са, ужи́мка; 2. *v* грима́сничать.

grimalkin [gri'mælkin] *n* 1) ста́рая ко́шка; 2) зла́я, ворчли́вая стару́ха, ста́рая карга́.

grime [graim] 1. *n* глубоко́ въе́вшаяся грязь, са́жа; 2. *v* па́чкать, грязни́ть.

grimy ['graimi] *a* 1) запа́чканный, покры́тый са́жей, у́глем; чума́зый; гря́зный; 2) сму́глый.

grin [grin] 1. *n* оска́л зубо́в; усме́шка; 2. *v* ска́лить зу́бы; ухмыля́ться; to ~ and bear it скрыва́ть под улы́бкой свой пережива́ния; му́жественно переноси́ть боль; he ~ned approbation он вы́разил улы́бкой одобре́ние.

grind [graind] 1. *n* 1) размалывание; 2) тяжёлая, однообра́зная, ску́чная рабо́та; 3) прогу́лка для моцио́на; 4) ска́чки с препя́тствиями; 5) *амер. разг.* зубри́ла; 6) *разг.* зубрёжка;

2. *v* (ground) 1) моло́ть(ся), перема́лывать(ся); растира́ть (*в порошок*); толо́чь; разжёвывать; to ~ the teeth скрежета́ть зуба́ми; 2) точи́ть, отта́чивать; полирова́ть; шлифова́ть; грани́ть (*алмазы*); 3) придава́ть ма́товую пове́рхность (*стеклу*); 4) ста́чиваться; шлифова́ться; 5) тере́ть(ся) со скри́пом (on, into, against *что-л.*); 6) верте́ть ру́чку (*чего-л.*); игра́ть на шарма́нке; 7) рабо́тать усе́рдно, кропотли́во; 8) вда́лбливать (*ученику и т. п.*); репети́ровать; зубри́ть; 9) му́чить, угнета́ть (*чрезмерной требовательностью*); □ ~ away усе́рдно рабо́тать (at), учи́ться; ~ down а) разма́лывать(ся); б) ста́чивать; в) зама́ять; ~ in пришлифо́вывать, притира́ть; ~ out а) вымучивать из себя́, выполня́ть с больши́м трудо́м; б) *тех.* выта́чивать; в) придави́ть, растопта́ть (*окурок и т. п.*); ~ up измельча́ть, разма́лывать; ◇ to ~ one's own axe пресле́довать ли́чные (коры́стные) це́ли.

grinder ['graində] *n* 1) точи́льщик; шлифо́вщик; 2) ве́рхний жёрнов; 3) коренно́й зуб; *pl шутл.* зу́бы; 4) кофе́йная ме́льница; краскотёрка; дроби́лка; 5) шлифова́льный стано́к; точи́льный ка́мень; 6) *разг.* репети́тор; 7) зубри́ла; 8) (*обыкн. pl*) *радио* потре́скивание (*атмосферные разряды*).

grindery ['graindəri] *n* сапо́жные принадле́жности.

grinding machine ['graindiŋmə‚ʃiːn] *n* шлифова́льный стано́к.

grindstone ['graindstoun] *n* 1) точи́льный ка́мень; точи́ло; 2) жёрнов; ◇ to hold (*или* to keep, to put) smb.'s nose to the ~ заставля́ть кого́-л. рабо́тать без о́тдыха.

gringo ['griŋgou] *n* (*pl* -os [-ouz]) *исп.-ам.* иностра́нец, *особ.* англича́нин *или* америка́нец.

grip I [grip] 1. *n* 1) схва́тывание; сжа́тие, зажа́тие; хва́тка; пожа́тие; close ~ мёртвая хва́тка; to come to ~s, to get at ~s схвати́ться (*о борцах*); вступи́ть в борьбу́; 2) власть, тиски́; in the ~ of poverty в нужде́, в бе́дности; 3) спосо́бность поня́ть, охвати́ть (*суть дела*); 4) рукоя́ть, ру́чка, эфе́с; 5) уме́ние овладе́ть положе́нием, чьи́м-л. внима́нием; 6) *амер.* саквоя́ж; 7) *тех.* тиски́, зажи́м, захва́т; ла́па;

2. *v* 1) схвати́ть (on, onto); сжать; 2) кре́пко держа́ть; 3) понима́ть, схва́тывать (*умом*); 4) овладева́ть внима́нием; 5) затира́ть, зажима́ть; захва́тывать; the ship was ~ped by the ice су́дно бы́ло затёрто льда́ми.

grip II [grip] *n* небольша́я кана́ва.

gripe [graip] 1. *n* 1) сжа́тие, зажа́тие; *перен.* тиски́; in the ~ of в тиска́х (*чего-л.*); 2) *pl* ко́лики, резь; 3) рукоя́тка, ру́чка;

2. *v* 1) схвати́ть, сжать; 2) притесня́ть, угнета́ть; 3) поня́ть, пости́гнуть, усво́ить; 4) вызыва́ть резь, спа́змы (*в кишечнике*); 5) *амер. sl.* раздоса́довать, огорчи́ть; 6) *амер. sl.* ворча́ть, жа́ловаться.

grippe [grip] *n* грипп.

grippiness ['gripinis] *n* гриппо́зное состоя́ние.

gripsack ['gripsæk] *n амер.* саквоя́ж.

grip vice ['grɪpvaɪs] *n тех.* зажи́мные тиски́.

grisaille [grɪ'zeɪl] *n жив.* гриза́ль.

grisly ['grɪzlɪ] *a* 1) вызыва́ющий у́жас суеве́рный страх; 2) *разг.* неприя́тный, скве́рный.

grist [grɪst] *n* 1) зерно́ для помо́ла; помо́л; 2) бары́ш; to bring ~ to the mill приноси́ть дохо́д; all is ~ that comes to his mill он из всего́ извлека́ет бары́ш; 3) со́лод; 4) *амер.* запа́с, ма́сса.

gristle ['grɪsl] *n анат.* хрящ; ◇ in the ~ незре́лый; незака́лённый, сла́бый.

gristly ['grɪslɪ] *a* хрящево́й; хрящева́тый.

grist-mill ['grɪstmɪl] *n* мукомо́льная ме́льница.

grit [grɪt] 1. *n* 1) песо́к; гра́вий; 2) крупнозерни́стый песча́ник; 3) металли́ческие опи́лки; 4) *разг.* твёрдость хара́ктера, вы́держка; 5) *тех.* дробь *или* звёздочки для очи́стки литья́; 6) (G.) радика́л, либера́л (*в Кана́де*); ◇ to put ~ in the machine ≅ вставля́ть па́лки в колёса;
2. *v* скрипе́ть; to ~ the teeth скрежета́ть зуба́ми.

grits [grɪts] *n pl* овся́ная крупа́; овся́ная мука́ гру́бого помо́ла.

gritstone ['grɪtstoun] *n геол.* крупнозерни́стый песча́ник.

gritty ['grɪtɪ] *a* 1) песча́ный; с песко́м; 2) *разг.* твёрдый, выно́сливый; сме́лый.

grizzle I ['grɪzl] 1. *n* 1) се́рый, седо́й цвет; 2) седо́й челове́к; 3) седо́й пари́к; 4) се́рая ло́шадь; 5) необожжённый кирпи́ч; 6) низкосо́ртный у́голь;
2. *v* 1) станови́ться се́рым, сере́ть; 2) седе́ть.

grizzle II ['grɪzl] *v* 1) рыча́ть, огрыза́ться; 2) хны́кать, капри́зничать (*о де́тях*).

grizzled I ['grɪzld] 1. *p. p. от* grizzle I, 2; 2. *a* седо́й; седе́ющий.

grizzled II ['grɪzld] *p. p. от* grizzle II.

grizzly I ['grɪzlɪ] 1. *a* 1) се́рый; 2) с си́льной про́седью;
2. *n* гри́зли, североамерика́нский се́рый медве́дь.

grizzly II ['grɪzlɪ] *n* 1) желе́зная решётка для защи́ты шлю́зов; 2) *горн.* ро́ликовый *или* колоснико́вый гро́хот; 3) *тех.* пита́ющий механи́зм (ро́ликовый).

groan [groun] 1. *n* тяжёлый вздох; стон;
2. *v* 1) стона́ть, тяжело́ вздыха́ть; о́хать; to ~ inwardly быть расстро́енным; 2) со сто́нами выска́зывать, расска́зывать(*что-л.*; *тж.* ~ out); □ ~ down о́ханьем заста́вить (*говоря́щего*) замолча́ть; ~ for томи́ться по *чему-л.*; жа́ждать *чего-л.*; ~ under, ~ with находи́ться под гнётом; страда́ть под тя́жестью *чего-л.*; the table ~ed with food стол ломи́лся под тя́жестью яств.

groat [grout] *n* 1) *ист.* сере́бряная моне́та в 4 пе́нса; 2) ме́лкая, ничто́жная су́мма; ◇ I don't care a ~ мне реши́тельно всё равно́.

groats [grouts] *n pl* крупа́ (*преим.* овся́ная).

grocer ['grousə] *n* торго́вец бакале́йными това́рами, бакале́йщик.

grocery ['grousərɪ] *n* 1) бакале́йная ла́вка; бакале́йно-гастрономи́ческий магази́н (*тж.* ~ shop); 2) бакале́йная торго́вля; 3) (*обыкн. pl*) бакале́я.

groceteria [grousə'tɛərɪə] *n* бакале́йно-гастрономи́ческий магази́н с самообслу́живанием.

grog [grɔg] 1. *n* грог, пунш;
2. *v* пить пунш.

grog-blossom ['grɔg,blɔsəm] *n разг.* краснота́ но́са (*у пья́ниц*).

groggy ['grɔgɪ] *a* 1) пья́ный; лю́бящий вы́пить; 2) нетвёрдый на нога́х; 3) непро́чный, неусто́йчивый, ша́ткий.

grog-shop ['grɔgʃɔp] *n* ви́нная ла́вка.

groin [grɔɪn] 1. *n* 1) пах; 2) *архит.* кресто́вый свод; 3) бу́на, плоти́на, полузапру́да, ряж;
2. *v архит.* выводи́ть кресто́вый свод.

groom [grum] 1. *n* 1) грум; ко́нюх; 2) (*сокр. от* bridegroom) жени́х; 3) придво́рный;
2. *v* 1) чи́стить ло́шадь, ходи́ть за ло́шадью; 2) (*обыкн. p. p.*) уха́живать, хо́лить; to be well ~ed быть вы́холенным, хорошо́ оде́тым, тща́тельно подстри́женным, подтя́нутым *и т. п.*

groomsman ['grumzmən] *n* ша́фер.

groove [gru:v] 1. *n* 1) желобо́к, паз; проре́з, шпо́ночная кана́вка; 2) рути́на; привы́чка; to get into a ~ войти́ в привы́чную коле́ю; to move (*или* to run) in a ~ а) идти́ по проторённой доро́жке; б) идти́ свои́м чередо́м; 3) наре́зка (*винто́вки*); 4) ша́хта, руди́к; 5) *тех.* руче́й, кали́бр;
2. *v* де́лать вы́емку, желоби́ть, де́лать пазы́, кана́вки; the river has ~d itself through река́ проры́ла себе́ прохо́д.

groovy ['gru:vɪ] *a* 1) скло́нный к рути́не; 2) ограни́ченный, недалёкий.

grope [group] *v* 1) ощу́пывать, идти́ о́щупью; 2) иска́ть (for, after); *перен.* нащу́пывать.

groper ['groupə] *n австрал. sl.* жи́тель за́падной Австра́лии.

gropingly ['groupɪŋlɪ] *adv* о́щупью.

grosbeak ['grousbi:k] *n* дубоно́с (*пти́ца*).

gross [grous] 1. *a* 1) большо́й, объёмистый; 2) то́лстый, ту́чный; ~ habit of body ту́чность; 3) бу́йный (*о расти́тельности*); 4) кру́пный, гру́бого помо́ла; 5) гру́бый, я́вный; ужа́сный; ~ blunder гру́бая оши́бка; ~ dereliction of duty престу́пная хала́тность; 6) просто́й, гру́бый, жи́рный (*о пи́ще*); ~ feeder тот, кто ест мно́го и неразбо́рчиво; 7) гру́бый, вульга́рный; гря́зный; непристо́йный; ~ story непристо́йный анекдо́т; 8) гру́бый; приту́пленный; ~ ear гру́бый, немузыка́льный слух; 9) пло́тный, сгущённый; весьма́ ощути́мый; 10) валово́й; бру́тто; ~ receipt валово́й дохо́д; ~ value валова́я це́нность; ~ weight вес бру́тто; 11) макроскопи́ческий;
2. *n* 1) ма́сса; by (*или* in) the ~ а) о́птом; гу́ртом; б) в о́бщем, в це́лом; 2) гросс (*12 дю́жин*; *тж.* small ~); great ~ 12 гро́ссов.

grossly ['grouslɪ] *adv* 1) гру́бо; вульга́рно; 2) чрезвыча́йно; 3) кру́пно; 4) *эк.* опто́вым путём.

gross ton ['grous'tʌn] *n* дли́нная (*или* англи́йская) то́нна (=*1016,06 кг*).

grot [grɔt] *n поэт. см.* grotto.

grotesque [grou'tesk] **1.** *n* гротéск.
2. *a* 1) гротéскный; 2) абсýрдный, нелéпый.

grotto ['grɔtou] *n* (*pl* -oes, -os [-ouz]) пещéра, грот.

grouch [grautʃ] *амер. разг.* **1.** *n* 1) дурнóе настроéние; 2) брюзгá;
2. *v* брюзжáть, ворчáть.

ground I [graund] *past и p. p. от* grind 2.

ground II [graund] **1.** *n* 1) земля, пóчва; грунт; firm ~ сýша, твёрдая земля; to break (fresh) ~ а) распáхивать зéмлю, поднимáть целинý; *перен.* проклáдывать нóвые путй; б) расчищáть площáдку (*при строительстве*), рыть котловáн; to fall to the ~ упáсть; *перен.* рýшиться (*о надежде и т. п.*); to take ~ приземлйться; 2) мéстность; óбласть; расстояние; to cover ~ покрыть расстояние; to cover much ~ быть широким (*об исследовании и т. п.*); 3) дно мóря; to take the ~ *мор.* сесть на мель; to touch the ~ коснýться дна; *перен.* дойтй до сýти дéла, до фáктов (*в споре*); 4) учáсток земли; спортивная площáдка; 5) плац; аэродрóм; полигóн; 6) *pl* сад, парк при дóме; 7) партéр (*в театре*); 8) основáние, мотйв; on the ~ of а) по причйне, на основáнии; б) под предлóгом; 9) *жив.* грунт, фон; 10) *муз.* тéма; 11) *pl* осáдок, гýща; 12) *эл.* заземлéние; ◇ above ~ живýщий; (находящийся) в живых; below ~ скончáвшийся, умéрший; to be on the ~ дрáться на дуэли; to cut the ~ from under smb. (*или* smb.'s feet) выбить пóчву у когó-л. из-под ног; to hold (*или* to stand) one's ~ удержáть свой позйции, проявйть твёрдость; down to the ~ *разг.* во всех отношéниях, вполнé, совершéнно; forbidden ~ запрéтная тéма; to gain (*или* to gather, to get) ~ продвигáться вперёд; дéлать успéхи; to give ~ отступáть; уступáть;
2. *v* 1) осн*о*вывать; обоснóвывать (on); 2) класть, опускáть(ся) на зéмлю; to ~ arms склáдывать орýжие, сдавáться; 3) *мор.* сесть на мель; 4) обучáть основáм предмéта (in); 5) грунтовáть; 6) *эл.* заземлять; 7) мездрйть (*кожу*); 8) *стр.* положйть основáние; 9) *ав.* препятствовать отрыву от земли (*самолёта*); the fog ~ed all aircraft at N. aerodrome из-за тумáна ни одйн самолёт не мог подняться в вóздух на аэродрóме N.

ground-colour ['graund,kʌlə] *n жив.* грунт.

ground control ['graundkənt'roul] *n радио* назéмное управлéние, управлéние с земли.

ground crew ['graundkru:] *n ав.* назéмная комáнда.

ground fire ['graundfaiə] *n* низовóй пожáр.

ground floor ['graund'flɔ:] *n* нйжний, цóкольный этáж; ◇ to get (*или* to be let) in on the ~ *разг.* а) получйть áкции на óбщих основáниях с учредйтелями; б) занять рáвное положéние; в) оказáться в выйгрышном положéнии.

ground forces ['graund,fɔ:siz] *n pl* 1) назéмные войскá; 2) *ав.* аэродрóмные войскá.

ground game ['graundgeim] *n* назéмная дичь; пушнóй зверь (*зайцы, кролики и т.п.*).

ground glass ['graundglɑ:s] *n* мáтовое стеклó.

ground-hog ['graund'hɔg] *n* крот.

ground-ice ['graundais] *n* придóнный лёд.

ground-in ['graund'in] *a* пришлифóванный, притёртый.

grounding ['graundiŋ] **1.** *pres. p. от* ground II, 2;
2. *n* 1) посáдка на мель; 2) обучéние основам предмéта; 3) грунтóвка; 4) *эл.* заземлéние.

groundless ['graundlis] *a* беспричйнный, беспóчвенный, неосновáтельный.

groundling ['graundliŋ] *n* 1) *название донных рыб:* пескáрь *и т. п.*; 2) ползýчее *или* низкорóслое растéние; 3) зрйтель партéра в стáром англййском теáтре; 4) невзыскáтельный зрйтель *или* читáтель.

ground-man ['graundmæn] *n* 1) землекóп; 2) *спорт.* лйцо, поддéрживающее спортплощáдку в порядке.

ground-nut ['graundnʌt] *n* земляной орéх, арáхис.

ground oak ['graund,ouk] *n* 1) пóросль дýба (*от пня*); 2) кáрликовый дуб.

ground panel ['graund'pænl] *n ав.* сигнáльное полóтнище.

ground rice ['graund,rais] *n* рис-сéчка.

groundsel I ['graunsl] *n бот.* крестóвник.

groundsel II ['graunsl] *n* 1) *стр.* лéжень; 2) *гидр.* порóг.

groundsill ['graunsil] = groundsel II, 1).

groundsman ['graundzmən] = ground-man.

ground-squirrel ['graund,skwirəl] *n зоол.* бурундýк.

ground staff ['graundstɑ:f] *n ав.* нелётный состáв.

ground swell ['graundswel] *n* 1) мёртвая зыбь; 2) комлйстость (*дерева*).

ground water ['graund,wɔ:tə] *n* пóчвенная, грунтовáя водá; подпóчвенные вóды.

groundwork ['graundwə:k] *n* 1) фундáмент, оснóва; 2) фон; 3) нйжнее строéние железнодорóжного путй, полотнó желéзной дорóги.

group [gru:p] **1.** *n* 1) грýппа; 2) группирóвка, фрáкция; 3) *pl* слой, кругй (*общества*); business ~s деловые кругй; 4) *ав.* авиагрýппа; *амер.* авиапóлк; 5) *хим.* радикáл;
2. *v* 1) группировáть(ся); 2) подбирáть гармонйчно крáски, цветá; 3) классифицйровать, распределять по грýппам.

group-captain ['gru:p,kæptin] *n* полкóвник авиáции (*в Англии*).

grouping ['gru:piŋ] **1.** *pres. p. от* group 2;
2. *n* 1) = groupment; 2) группировáние.

groupment ['gru:pmənt] *n* группирóвка.

group verb ['gru:pvə:b] *n грам.* фрáзовый глагóл.

grouse I [graus] *n* (*pl без измен.*) шотлáндская куропáтка (*тж.* red ~); black ~ тéтерев-косáч; white ~ бéлая куропáтка; wood ~, great ~ тéтерев-глухáрь; hazel ~ рябчик.

grouse II [graus] *sl.* **1.** *n* ворчýн;
2. *v* ворчáть.

grouser ['grausə] *n mex.* 1) временная свая; 2) башмак гусеничного хода.

grout I [graut] *v* рыть землю (*о свинье*).

grout II [graut] *стр.* 1. *n* жидкий известковый *или* цементный раствор; жидкое цементное тесто;
2. *v* заливать известью, цементом.

grouty ['grauti] *a амер. sl.* раздражительный, сердитый.

grove [grouv] *n* 1) роща, лесок; 2) *горн.* штольня, шахта.

grovel ['grɔvl] *v* лежать ниц, ползать, пресмыкаться, унижаться.

groveller ['grɔvlə] *n* подхалим, низкопоклонник.

grovel train ['grɔvltrein] *амер. sl.* посредник для подкупа членов конгресса.

grow [grou] *v* (grew; grown) 1) расти, произрастать; to ~ into one срастаться; 2) вырастать; расти, увеличиваться, усиливаться (*о боли и т. п.*); to ~ in experience обогащаться опытом; 3) *как глагол-связка в составном именном сказуемом* делаться, становиться; to ~ old (pale) стареть (бледнеть); it is ~ing dark смеркается; 4) выращивать, культивировать; 5) отращивать (*бороду, волосы*); □ ~ down, ~ downwards уменьшаться; укорачиваться; ~ into a) врастать; б) превращаться; ~ on a) овладевать; б) нравиться всё больше; this place ~s upon me это место мне всё больше нравится; ~ out a) прорастать; б) вырастать из, перерастать (*рамки, размеры, границы; of*); в): to ~ out of a bad habit отвыкнуть от дурной привычки; to ~ out of use выйти из употребления; ~ over зарастать; ~ together срастаться; ~ up а) созревать; становиться взрослым; б) создаваться, возникать (*об обычаях*); ~ upon = on.

grower ['grouə] *n* 1) тот, кто производит, разводит (*что-л.*); садовод; плодовод; 2) растение; fast ~ быстрорастущее растение; 3) *уст.* фермер.

growing ['grouiŋ] 1. *pres. p. от* grow;
2. *n* 1) рост; 2) выращивание; ~ of bees пчеловодство; ~ of grapes виноградарство;
3. *a* 1) растущий, усиливающийся; возрастающий; 2) способствующий росту; ~ weather погода, способствующая росту растений.

growl [graul] 1. *n* 1) рычание; 2) ворчание; 3) грохот; раскат (*грома*);
2. *v* 1) рычать; 2) ворчать, жаловаться (*тж.* ~ out); 3) греметь (*о громе*).

growler ['graulə] *n* 1) ворчун, брюзга; 2) небольшой айсберг; 3) *разг.* старомодный четырёхколёсный извозчичий экипаж; 4) *амер. sl.* кувшин для пива.

grown [groun] *p. p. от* grow.

grown-up ['grounʌp] 1. *n* взрослый (человек);
2. *a* взрослый.

growth [grouθ] *n* 1) рост, развитие; full ~ полное развитие; of foreign ~ иностранного происхождения; 2) прирост, увеличение; 3) выращивание, культивирование; *бакт.* культура; 4) продукт; 5) поросль; 6) *мед.* новообразование.

growth ring ['grouθriŋ] *n* годичный слой (*в древесине*).

groyne [grɔin] 1. *n* 1) волнорез; волнолом; ряж; 2) сооружение для задержания песка, гальки;
2. *v* защищать волнорезами (*берег*).

grub I [grʌb] 1. *n* 1) личинка, гусеница; 2) литературный подёнщик; компилятор; 3) грязнуля, неряха; 4) мяч, брошенный по земле (*в крикете*);
2. *v* 1) вскапывать; 2) выкапывать, выкорчёвывать; вытаскивать (*обыкн.* ~ up, ~ out); to ~ up the stumps выкорчёвывать пни; 3) копаться, рыться, откапывать (*в архивах, книгах*); 4) производить тяжёлую работу.

grub II [grʌb] *разг.* 1. *n* пища, еда;
2. *v* 1) есть; 2) *редк.* кормить.

grub-ax(e) ['grʌb,æks] *n* полольная мотыга.

grubber ['grʌbə] *n* 1) полольщик; корчёвщик; 2) культиватор-экстирпатор, культиватор-груббер; 3) корчеватель; корчевалка.

grubbiness ['grʌbinis] *n* неряшество; нечистоплотность; грязь.

grubbing-hoe ['grʌbiŋhou] *n* мотыга.

grubby ['grʌbi] *a* 1) неряшливый, неопрятный; грязный; 2) червивый.

Grub-street ['grʌb,stri:t] *n разг.* 1) журнальные компиляторы, писаки (*от названия улицы в Лондоне, где в XVII—XVIII вв. жили бедные литераторы*); 2) дешёвые компиляции (*тж.* ~ writings).

grudge [grʌdʒ] 1. *n* недовольство; недоброжелательство; зависть; to have a ~ against smb., to bear (*или* to owe) smb. a ~ ≅ иметь зуб против кого-л.;
2. *v* 1) выражать недовольство; испытывать недоброе чувство (*к кому-л.*); завидовать; 2) неохотно давать, неохотно позволять; жалеть (*что-л.*); to ~ smb. the very food he eats жалеть человеку кусок хлеба.

grudgingly ['grʌdʒiŋli] *adv* неохотно, нехотя.

gruel [gruəl] 1. *n* жидкая (овсяная) каша; кашица; размазня; ◇ ~ (*или* to get, to take) one's ~ а) получить взбучку, быть жестоко наказанным; б) быть убитым;
2. *v sl.* 1) строго наказывать, пороть; 2) лишать сил.

gruelling ['gruəliŋ] 1. *pres. p. от* gruel 2;
2. *a* 1) *амер.* = gruesome; 2) изнурительный.

gruesome ['gru:səm] *a* ужасный, отвратительный.

gruff [grʌf] *a* 1) грубоватый; сердитый, резкий; 2) грубый, хриплый (*о голосе*).

grumble ['grʌmbl] 1. *n* 1) ворчание, ропот; *pl* дурное настроение; 2) раскаты грома; грохот;
2. *v* 1) ворчать, жаловаться (at, about, over—на); 2) грохотать.

grumbler ['grʌmblə] *n* ворчун.

grume [gru:m] *n мед.* сгусток крови.

grummet ['grʌmit] *n мор.* верёвочное кольцо; крензельс.

grumpy ['grʌmpi] *a разг.* сердитый, сварливый, раздражительный.

Grundyism ['grʌndɪɪzəm] n усло́вная мора́ль (по и́мени Mrs Grundy — персона́ж пье́сы Мо́ртона (1798 г.), олицетворе́ние обще́ственного мне́ния в вопро́сах прили́чия; what will Mrs Grundy say? что ска́жут лю́ди?).

grunt [grʌnt] 1. n 1) хрю́канье; 2) ворча́ние, мыча́ние (о челове́ке);
2. v 1) хрю́кать; 2) ворча́ть.

grunting cow ['grʌntɪŋ'kau] n як.

grunting ox ['grʌntɪŋ'ɔks] = grunting cow.

gryphon ['grɪfən] = griffin.

guaiac(um) ['gwaɪək(əm)] n 1) гвая́ковое или бака́утовое де́рево; 2) гвая́ковая смола́.

guana ['gwɑːnə] n зоол. 1) игуа́на; 2) люба́я больша́я я́щерица.

guano ['gwɑːnou] 1. n (pl -os [-ouz]) гуа́но;
2. v удобря́ть гуа́но.

guarantee [ˌgærən'tiː] 1. n 1) поручи́тель; 2) тот, кому́ вно́сится зало́г; 3) гара́нтия; зало́г; поручи́тельство;
2. v 1) гаранти́ровать; 2) руча́ться; 3) обеспе́чивать, страхова́ть (against); 4) утвержда́ть (во владе́нии; to).

guarantor [ˌgærən'tɔː] n поручи́тель; гара́нт.

guaranty ['gærəntɪ] 1. n гара́нтия; обяза́тельство; зало́г;
2. v гаранти́ровать.

guard [gɑːd] 1. n 1) охра́на, стра́жа, конво́й, карау́л; ~ of honour почётный карау́л; to mount ~ вступа́ть в карау́л; to relieve ~ сменя́ть карау́л; to stand ~ стоя́ть на часа́х; 2) часово́й, карау́льный; сто́рож; конво́йр; 3) pl гва́рдия; 4) бди́тельность; осторо́жность; to be off ~ быть недоста́точно бди́тельным; быть засти́гнутым враспло́х; to be on (one's) ~ быть насторо́же; 5) оборони́тельное положе́ние (в бо́ксе); 6) ж.-д. конду́ктор; 7) како́е-л. предохрани́тельное приспособле́ние (напр.: fire-~ ками́нная решётка и т. п.); 8) attr. сторожево́й, карау́льный;
2. v 1) охраня́ть; сторожи́ть; карау́лить; 2) защища́ть (against, from); стоя́ть на стра́же (интере́сов и т. п.); 3) бере́чься, остерега́ться (against); принима́ть ме́ры предосторо́жности; 4) сде́рживать (мы́сли, выраже́ния).

guard-boat ['gɑːdbout] n сторожево́е су́дно.

guardhouse ['gɑːdhaus] n 1) карау́льное помеще́ние; 2) гауптва́хта; 3) уст. кордега́рдия.

guardian ['gɑːdjən] n 1) опеку́н; попечи́тель; 2) настоя́тель франциска́нского монастыря́; 3) уст. блюсти́тель, страж; 4) attr.: ~ angel a) а́нгел-храни́тель, до́брый ге́ний; б) ав. sl. парашю́т.

guardianship ['gɑːdjənʃɪp] n опе́ка; опеку́нство; under the ~ of the laws под охра́ной зако́нов.

guard-rail ['gɑːdreɪl] n 1) пери́ла, по́ручень; 2) направля́ющий рельс.

guardroom ['gɑːdrum] = guardhouse.

guard-ship ['gɑːdʃɪp] n мор. брандва́хта.

guardsman ['gɑːdzmən] n 1) гварде́ец; 2) карау́льный.

Guatemalan [ˌgwætɪ'mɑːlən] 1. n гватема́лец;
2. a гватема́льский.

gubernatorial [ˌgjuːbənə'tɔːrɪəl] a 1) относя́щийся к прави́телю, управля́ющему и т. п.; 2) губерна́торский.

gudgeon I ['gʌdʒən] n 1) пескарь; 2) простофи́ля; ◇ to swallow a ~ попа́сться на у́дочку.

gudgeon II ['gʌdʒən] n тех. 1) болт; 2) ось, па́лец, ше́йка или ца́пфа кривоши́па.

guelder rose ['geldə'rouz] n бот. кали́на (обыкнове́нная).

guerdon ['gədən] поэт. 1. n награ́да;
2. v награжда́ть.

guerilla [gə'rɪlə] n 1) партиза́нская война́ (обыкн. ~ war); 2) партиза́н (тж. ~ warrior); 3) партиза́нский отря́д.

guernsey ['gənzɪ] n 1) шерстяна́я фуфа́йка (тж. ~ shirt); 2) герни́йский моло́чный скот.

guerrilla [gə'rɪlə] = guerilla.

guess [ges] 1. n 1) предположе́ние, дога́дка; by ~ наугад; 2) приблизи́тельный подсчёт;
2. v 1) угада́ть, отгада́ть; to ~ a riddle отгада́ть зага́дку; 2) предполага́ть (by, from); гада́ть, дога́дываться; I should ~ his age at forty я дал бы ему́ лет со́рок; 3) счита́ть, полага́ть; I ~ we shall miss the train ду́маю, что мы опозда́ем на по́езд.

guess-rope ['gesroup] n мор. бакшто́в.

guess-work ['geswək] n дога́дки; предположе́ния.

guest [gest] n 1) гость; 2) постоя́лец (в гости́нице); paying ~ пансионе́р; жиле́ц; 3) парази́т (живо́тное и́ли расте́ние).

guest-card ['gestkɑːd] n бланк, заполня́емый прибы́вшим в гости́ницу.

guest-chamber ['gest,tʃeɪmbə] n ко́мната для госте́й.

guest-room ['gestrum] = guest-chamber.

guff [gʌf] n амер. sl. пуста́я болтовня́.

guffaw [gʌ'fɔː] 1. n гру́бый хо́хот; го́гот;
2. v гру́бо хохота́ть; гогота́ть.

guggle ['gʌgl] 1. n бу́льканье;
2. v бу́лькать.

guichet [ˌgiː'ʃe] фр. n 1) решётка; 2) око́шко ка́ссы; биле́тная ка́сса.

guidance ['gaɪdəns] n руково́дство; води́тельство; under the ~ of под руково́дством.

guide [gaɪd] 1. n 1) проводни́к, гид; экскурсово́д; 2) руководи́тель; сове́тчик; 3) руководя́щий при́нцип; 4) путеводи́тель; руково́дство; уче́бник; 5) воен. разве́дчик; 6) тех. направля́ющее приспособле́ние; кули́са, переда́точный рыча́г; 7) горн. обса́дная труба́; 8) ориенти́р;
2. v 1) вести́, быть чьим-л. проводнико́м; 2) руководи́ть, направля́ть; 3) вести́ дела́, быть руководи́телем; 4) быть причи́ной, сти́мулом, основа́нием.

guide-bar ['gaɪdbɑː] n тех. направля́ющий сте́ржень, направля́ющая тя́га.

guide-book ['gaɪdbuk] n путеводи́тель.

guided missile ['gaɪdɪd'mɪsaɪl] n управля́емый снаря́д.

guide mark ['gaɪd,mɑːk] n отме́тка, ме́тка.

guide-post ['gaɪdpoust] *n* указа́тельный столб (*на перекрёстке*).

guide-rod ['gaɪdrɔd] = guide-bar.

guide-rope ['gaɪdroup] *n ав.* гайдро́п.

guidon ['gaɪdən] *n* (остроконе́чный) флажо́к (*на пике и т. п.*).

guild [gɪld] *n* 1) *ист.* цех, ги́льдия; 2) организа́ция, сою́з; 3) *attr.*: ~ master *ист.* цехово́й ма́стер.

Guildhall ['gɪld'hɔl] *n* 1) (the ~) ра́туша (*в Ло́ндоне*); 2) *ист.* ме́сто собра́ний ги́льдии, це́ха.

guile [gaɪl] *n* обма́н; хи́трость, кова́рство; вероло́мство.

guileful ['gaɪlful] *a* вероло́мный; кова́рный.

guileless ['gaɪllɪs] *a* простоду́шный.

guillemot ['gɪlɪmɔt] *n* ка́йра (*птица*).

guillotine [,gɪlə'tiːn] 1. *n* 1) гильоти́на; 2) *тех.* ре́зальная маши́на; 3) хирурги́ческий инструме́нт для удале́ния минда́лин; 4) *парл. разг.* гильотини́рование пре́ний (*фиксированием времени для голосования*); 2. *v* гильотини́ровать.

guilt [gɪlt] *n* 1) вина́, вино́вность; 2) грех.

guiltily ['gɪltɪlɪ] *adv* винова́то, с винова́тым ви́дом.

guiltiness ['gɪltɪnɪs] *n* вино́вность.

guiltless ['gɪltlɪs] *a* 1) неви́нный; невино́вный (of); 2) *разг.* не зна́ющий (*чего-л.*), не уме́ющий (*что-л. делать*); ~ of writing poems не уме́ющий писа́ть стихи́.

guilty ['gɪltɪ] *a* 1) вино́вный (of—в); престу́пный; 2) винова́тый (*о взгляде, виде*).

guinea ['gɪnɪ] *n* гине́я (*прежде золотая монета, теперь денежная единица = 21 шиллингу*).

guinea-fowl ['gɪnɪfaul] *n* цеса́рка.

guinea-pig ['gɪnɪpɪg] *n* 1) морска́я сви́нка; 2) «подо́пытный кро́лик», челове́к, над кото́рым произво́дят нау́чные о́пыты; 3) *разг.* ми́чман; 4) *шутл.* номина́льный член разли́чных компа́ний; 5) дире́ктор компа́нии, духо́вное лицо́, врач *и т. п.*, получа́ющие гонора́р в гине́ях.

guinea squash ['gɪnɪ,skwɔʃ] *n бот.* баклажа́н.

guinea worm ['gɪnɪwəːm] *n* ри́шта (*подкожный червь*).

guise [gaɪz] *n* 1) нару́жность, о́блик; 2) личи́на, ма́ска; предло́г; under (*или* in) the ~ of под ви́дом, под ма́ской; 3) *уст.* одея́ние, наря́д; 4) *уст.* мане́ра, обы́чай.

guitar [gɪ'tɑː] 1. *n* гита́ра; 2. *v* игра́ть на гита́ре.

gulch [gʌlʃ] *n амер.* у́зкое глубо́кое уще́лье (*особ. в золотоносных районах*).

gulden ['guldən] *n* гу́льден (*денежная единица Голландии*).

gules [gjuːlz] 1. *a* кра́сный; 2. *n* кра́сный цвет (*в геральдике*).

gulf [gʌlf] 1. *n* 1) морско́й зали́в; 2) бе́здна, про́пасть; 3) водоворо́т, пучи́на; 4) *горн.* больша́я за́лежь руды́; 5) *унив. разг.* дипло́м без отли́чия. 2. *v* 1) поглоща́ть, вса́сывать в водоворо́т; 2) *унив. разг.* присужда́ть дипло́м без отли́чия.

gull I [gʌl] *n* ча́йка.

gull II [gʌl] 1. *n* проста́к, глупе́ц; 2. *v* обма́нывать, дура́чить.

gullet ['gʌlɪt] *n* 1) пищево́д; 2) гло́тка.

gullibility [,gʌlɪ'bɪlɪtɪ] *n* легкове́рие, дове́рчивость.

gullible ['gʌlɪbl] *a* легкове́рный, дове́рчивый.

gully I ['gʌlɪ] 1. *n* 1) глубо́кий овра́г, лощи́на (*образованные водой*); 2) водосто́чная кана́ва, водосто́к; 3) жело́бчатый рельс; 2. *v* образова́ть овра́ги, кана́вы.

gully II ['gʌlɪ] *n* большо́й нож.

gully-hole ['gʌlɪhoul] *n* водосто́чный коло́дец.

gulp [gʌlp] 1. *n* 1) большо́й глото́к; at one ~ одни́м глотко́м, за́лпом; сра́зу; 2) глота́тельное движе́ние *или* уси́лие; глота́ние. 2. *v* (*обыкн.* ~ down) 1) жа́дно, бы́стро *или* с уси́лием глота́ть; 2) задыха́ться; дави́ться; 3) глота́ть (*слёзы*), сде́рживать (*волнение*); 4) *разг.* принима́ть за чи́стую моне́ту.

gum I [gʌm] *n* десна́.

gum II [gʌm] 1. *n* 1) каме́дь, гу́мми; 2) каме́дное де́рево; 3) смоли́стое выделе́ние; 4) кле́йкое выделе́ние во вну́треннем углу́ гла́за; 5) *амер. разг.* рези́на; *pl* гало́ши; 6) *горн.* штыб, у́гольная ме́лочь; 2. *v* 1) скле́ивать(ся); 2) выделя́ть каме́дь, смолу́.

gum arabic ['gʌm'ærəbɪk] *n* гуммиара́бик.

gumbo ['gʌmbou] *n амер.* 1) о́кра (*стручковое растение*); 2) суп из стручко́в о́кры; 3) гу́мбо (*илистая почва, богатая щелочами*).

gumboil ['gʌmbɔɪl] *n* флюс.

gum-boots ['gʌm'buːts] *n pl* рези́новые сапоги́.

gum elastic ['gʌmɪ'læstɪk] *n* рези́на, каучу́к.

gumgum ['gʌm,gʌm] *n англо-инд.* гонг.

gummy ['gʌmɪ] *a* 1) кле́йкий; 2) смоли́стый; 3) источа́ющий каме́дь, смолу́; 4) опу́хший, отёкший.

gumption ['gʌmpʃən] *n разг.* 1) смышлёность, нахо́дчивость; сообрази́тельность; практи́ческая смека́лка; 2) раствори́тель для кра́сок.

gumptious ['gʌmpʃəs] *a разг.* нахо́дчивый; сообрази́тельный; предприи́мчивый.

gumshoe ['gʌmʃuː] *амер.* 1. *n* 1) *разг.* гало́ша; 2) *sl.* полице́йский; сы́щик; 2. *a* де́йствующий тайко́м, секре́тно; 3. *v* кра́сться, идти́ кра́дучись.

gum-tree ['gʌmtriː] *n* любо́е из камеденосных североамерика́нских *или* австрали́йских дере́вьев, *особ.* эвкали́пт; ◇ up a ~ в большо́м затрудне́нии, в тупике́.

gun [gʌn] 1. *n* 1) ору́дие, пу́шка; high-power ~ дальнобо́йное ору́дие; 2) пулемёт; 3) огнестре́льное ору́жие, *ист.* мушке́т; double-barrelled ~ двуство́лка; smooth-bore ~ гладкоство́льное ружьё; sporting ~ охо́тничье ружьё; starting ~ *спорт.* ста́ртовый пистоле́т; 4) *разг.* револьве́р; 5) стрело́к, охо́тник; 6) *sl.* вор; 7) *метал.* пу́шка для забива́ния лётки; 8) *attr.*

пу́шечный; оруди́йный; ◇ big (*или* great) ~ *разг.* ва́жная персо́на, «ши́шка»; to blow great ~s реве́ть (*о буре*); to stick (*или* to stand) to one's ~s не сдава́ть пози́ций, не отступа́ть; остава́ться до конца́ ве́рным свои́м убежде́ниям;
 2. *v* 1) стреля́ть; 2) охо́титься; 3) *воен.* обстре́ливать артиллери́йским огнём; 4) вооружа́ть артилле́рией (*уст., за исключе́нием выраже́ний*: heavily (lightly) ~ned си́льно (сла́бо) вооружённый артилле́рией.

gunboat ['gʌnbout] *n* канонерская ло́дка.
 gun-carriage ['gʌnˌkærɪdʒ] *n воен.* лафе́т, оруди́йный стано́к.
 gun-cotton ['gʌnkɔtn] *n* пироксили́н.
 guncrew ['gʌnkruː] *n воен.* оруди́йный расчёт.
 gun-fire ['gʌnfaɪə] *n* 1) пу́шечный вы́стрел; оруди́йный ого́нь; 2) зареве́я пу́шка (*стреля́ющая утром и вечером для указа́ния времени*).
 gunite ['gʌnait] *стр.* 1. *n* торкре́т-бето́н; 2. *v* торкрети́ровать.
 gun layer ['gʌnˌleɪə] *n воен.* (оруди́йный) наво́дчик.
 gun-lock ['gʌnlɔk] *n* руже́йный замо́к.
 gunman ['gʌnmən] *n* 1) вооружённый ружьём, револьве́ром; 2) *амер. sl* банди́т, престу́пник, уби́йца.
 gun-metal ['gʌnˌmetl] *n* пу́шечный мета́лл (*сплав меди с оловом и цинком*).
 gunnel ['gʌnl] = gunwale.
 gunner ['gʌnə] *n* 1) канони́р; артиллери́ст; пулемётчик; 2) охо́тник; 3) артиллери́йская ло́шадь.
 gunner's cockpit ['gʌnəzˈkɔkpɪt] *n ав.* кабина пулемётчика.
 gunnery ['gʌnərɪ] *n* 1) артиллери́йское де́ло; 2) артиллери́йская стрельба́.
 gunning ['gʌnɪŋ] 1. *pres. p. от* gun 2; 2. *n* 1) охо́та с ружьём; 2) стрельба́; обстре́л.
 gunny ['gʌnɪ] *n* гру́бая, кре́пкая джу́товая ткань, рого́жка.
 gunpowder ['gʌnˌpaudə] *n* по́рох; white ~ бездымный порох.
 gunroom ['gʌnrum] *n* каю́т-компа́ния мла́дших офице́ров (*на военных кораблях*).
 gun-running ['gʌnˌrʌnɪŋ] *n* незако́нный ввоз ору́жия.
 gunshot ['gʌnʃɔt] *n* да́льность вы́стрела; within (out of) ~ на расстоя́нии (вне досяга́емости) пу́шечного вы́стрела.
 gun-shy ['gʌnˌʃaɪ] *a* пуга́ющийся вы́стрелов (*особ. об охотничьих собаках*).
 gunsmith ['gʌnsmɪθ] *n* оруже́йный ма́стер.
 gunstick ['gʌnstɪk] *n* шо́мпол.
 gun-stock ['gʌnstɔk] *n* руже́йная ло́жа.
 gunwale ['gʌnl] *n мор.* планши́р.
 gup [gʌp] *n англо-инд.* спле́тня, болтовня́.
 gurgitation [ˌgəːdʒɪˈteɪʃn] *n* волне́ние, бу́льканье воды́, как при кипе́нии.
 gurgle ['gəːgl] 1. *n* бу́льканье (*воды*); 2. *v* 1) бу́лькать; журча́ть; 2) полоска́ть го́рло.

Gurkha ['guəkə] *n* 1) гу́рка (*представи́тель народности, живущей в Непале*); 2) *attr.*: ~ regiments полки́ гу́ркских стрелко́в.
 gurnard ['gəːnəd] *n* три́гла (*рыба*).
 gurnet ['gəːnɪt] = gurnard.
 gurry ['gʌrɪ] *n англо-инд.* небольша́я кре́пость.
 gush [gʌʃ] 1. *n* 1) си́льный *или* внеза́пный пото́к; ли́вень; 2) *перен.* излия́ние;
 2. *v* 1) хлы́нуть; ли́ться *или* разрази́ться пото́ком; 2) излива́ть свои́ чу́вства; 3) фонтани́ровать (*о нефти и т. п.*).
 gusher ['gʌʃə] *n* 1) *разг.* челове́к, излива́ющийся в свои́х чу́вствах; 2) нефтяно́й фонта́н.
 guslar [gusˈlɑː] *рус. n* гусля́р.
 gusli ['guslɪ] *рус. n* гу́сли.
 gusset ['gʌsɪt] *n* 1) вста́вка, клин (*в платье и т. п.*); ла́стовица (*рубашки*); 2) *тех.* углово́е соедине́ние, науго́льник.
 gust I [gʌst] *n* 1) поры́в ве́тра; хлы́нувший дождь *и т. п.*; 2) взрыв (*гнева и т. п.*).
 gust II [gʌst] *n уст., поэт.* 1) вкус (*чу́вство*); 2) о́стрый *или* прия́тный вкус.
 gustation [gʌsˈteɪʃn] *n* про́ба на вкус.
 gustatory ['gʌstətərɪ] *a* вкусово́й.
 gusto ['gʌstou] *n* 1) *уст.* вкус; 2) удово́льствие, смак (*с которым выполняется работа и т. п.*).
 gusty ['gʌstɪ] *a* бу́рный, поры́вистый.
 gut [gʌt] 1. *n* 1) кишка́; *pl* кишки́, вну́тренности; blind ~ слепа́я кишка́; large ~s то́лстые кишки́; little (*или* small) ~s то́нкие кишки́; 2) *хир.* кетгу́т; 3) *pl разг.* му́жество; вы́держка, си́ла во́ли; хара́ктер; a man with plenty of ~s си́льный челове́к; there's no ~s in him он немно́гого сто́ит; 4) струна́ *или* ле́са из кишки́; 5) у́зкий прохо́д *или* проли́в;
 2. *v* 1) потроши́ть (*дичь и т. п.*); 2) опустоша́ть (*о пожаре*); 3) выгора́ть (*при пожаре*); 4) усва́ивать суть (*книги*), бе́гло просма́тривая; 5) *груб.* жа́дно есть.
 gutta-percha ['gʌtəˈpəːtʃə] *n* гуттапе́рча.
 gutter ['gʌtə] *n* 1) водосто́чный жёлоб; 2) сто́чная кана́в(к)а; 3) подо́нки (*общества*); 4) *полигр.* кру́пный пробе́льный материа́л (*бабашка и т. п.*);
 2. *v* 1) де́лать желоба́, кана́вки; 2) стека́ть; 3) оплыва́ть (*о свече*).
 gutter-child ['gʌtəˌtʃaɪld] *n* беспризо́рный ребёнок.
 gutter-man ['gʌtəmən] *n* у́личный торго́вец, разно́счик.
 gutter-plough ['gʌtəˌplau] *n* плуг-кана́вокопа́тель.
 gutter press ['gʌtəˌpres] *n* бульва́рная пре́сса.
 gutter-snipe ['gʌtəsnaɪp] *n* 1) беспризо́рный ребёнок; у́личный мальчи́шка; 2) *амер. sl.* ма́клер, не зарегистри́рованный на би́рже.
 guttle ['gʌtl] *v* жа́дно есть.
 guttler ['gʌtlə] *n* обжо́ра.
 guttural ['gʌtərəl] 1. *a* 1) горта́нный; горлово́й; 2) *фон.* задненёбный, веля́рный;
 2. *n фон.* задненёбный, веля́рный звук.

gutty ['gʌtɪ] *n разг.* гуттапéрчевый мяч *(для гольфа).*

guy I [gaɪ] **1.** *n* 1) *разг.* пáрень, мáлый; regular ~ хорóший пáрень, слáвный мáлый; wise ~ ýмный мáлый; 2) пýгало, чýчело; 3) смешнó одéтый человéк; 4) *амер.* шýтка; **2.** *v* 1) выставля́ть на посмéшище *(чьё-л. изображéние);* 2) осмéивать, издевáться.

guy II [gaɪ] *мор.* **1.** *n* оття́жка, вáнта; **2.** *v* укрепля́ть оття́жками; расчáливать.

guy III [gaɪ] *sl.* **1.** *v* удирáть; **2.** *n:* to give the ~ to smb. улизнýть от когó-л.; to do a ~ исчéзнуть.

guzzle ['gʌzl] *v* 1) жáдно глотáть; пить, есть с жáдностью; 2) пропивáть, проедáть *(часто ~ away).*

guzzler ['gʌzlə] *n* 1) пья́ница; 2) обжóра.

gybe [dʒaɪb] *v мор.* 1) перекúдывать *(пáрус),* 2) дéлать поворóт чéрез фордевúнд.

gyle [gaɪl] *n* 1) забродúвшее сýсло; 2) бродúльный чан.

gym [dʒɪm] *сокр. разг. от* gymnasium, gymnastic *u* gymnastics.

gymkhana [dʒɪm'kɑːnə] *n англо-инд.* мéсто для спортúвных игр.

gymnasia [dʒɪm'neɪzɪə] *pl от* gymnasium.

gymnasium [dʒɪm'neɪzjəm] *n (pl* -siums [-zjəmz], -sia) 1) гимнастúческий зал; 2) гимнáзия.

gymnast ['dʒɪmnæst] *n* гимнáст.

gymnastic [dʒɪm'næstɪk] **1.** *a* гимнастúческий; **2.** *n (обыкн. pl употр. как sing)* гимнáстика.

gym-shoes ['dʒɪm,ʃuːz] *n pl* лёгкая спортúвная óбувь.

gynaecological [,gaɪnɪkə'lɔdʒɪkəl] *a* гинекологúческий.

gynaecologist [,gaɪnɪ'kɔlədʒɪst] *n* гинекóлог.

gynaecology [,gaɪnɪ'kɔlədʒɪ] *n* гинекологúя.

gyp I [dʒɪp] *n* слугá *(в Кембрúджском университéте).*

gyp II [dʒɪp] *амер. sl.* **1.** *n* 1) мошéнничество, жýльничество; обмáн; 2) мошéнник, плут; **2.** *v* 1) мошéнничать, жýльничать; 2) воровáть.

gyp III [dʒɪp] *n sl.* боль, страдáние, пы́тка.

Gyppo ['dʒɪpou] *n разг.* египтя́нин.

gyps [dʒɪps] *сокр. от* gypsum.

gypsa ['dʒɪpsə] *pl от* gypsum.

gypseous, gypsous ['dʒɪpsɪəs, -səs] *a* гúпсовый.

gypsum ['dʒɪpsəm] **1.** *n (pl* -sa, -sums [-səmz]) гипс; **2.** *v* гипсовáть *(пóчву).*

Gypsy ['dʒɪpsɪ] = Gipsy.

gyrate 1. *a* ['dʒaɪərɪt] свёрнутый спирáлью; **2.** *v* [,dʒaɪə'reɪt] вращáться по кругý; двúгаться по спирáли.

gyration [,dʒaɪə'reɪʃən] *n* 1) вращéние; вращáтельное *или* коловрáтное движéние; 2) *мор.* циркуля́ция.

gyratory ['dʒaɪərətərɪ] *a* вращáтельный.

gyre ['dʒaɪə] *поэт.* **1.** *n* 1) круговращéние; 2) круг; кольцó; окрýжность; 3) спирáль; **2.** *v редк.* кружúть(ся) *(в вúхре).*

Gyrene [dʒaɪ'riːn] *n (от* GI+marine) *амер. воен. sl.* моря́к.

gyro ['dʒaɪrou] *сокр. от* gyroscope.

gyro- ['dʒaɪərə-] *pref* гúро-, гироскопúческий.

gyro-compass ['dʒaɪərə'kʌmpəs] *n ав.* гирокóмпас.

gyropilot ['dʒaɪərə,paɪlət] *n ав.* автопилóт.

gyroplane ['dʒaɪərəpleɪn] *n ав.* гироплáн, автожúр.

gyroscope ['dʒaɪərəskoup] *n* гироскóп.

gyroscopic [,dʒaɪərəs'kɔpɪk] *a* гироскопúческий.

gyrostat ['dʒaɪəroustæt] *n* гиростáт.

gyve [dʒaɪv] **1.** *n (обыкн. pl) поэт.* окóвы, кандалы́, ýзы; **2.** *v* заковывать в кандалы́, сковывать.

H

H, h [eɪtʃ] *n (pl* Hs, H's ['eɪtʃɪz]) 8-я бýква англ. алфавúта; to drop one's hs не произносúть h там, где э́то слéдует *(осóбенность лóндонского простóречия).*

ha [hɑː] *int* ra! *(восклицáние, выражáющее удивлéние, подозрéние, торжествó).*

ha' [hə] *сокр. разг. фóрма от* have.

habanera [(h)ɑːbɑː'neɪgɑː] *исп. n* хабанéра.

habeas corpus ['heɪbjəs'kɔːpəs] *лат. n* предписáние о представлéнии арестóванного в суд для рассмотрéния закóнности арéста *(тж.* writ of ~, H. C. Act—*оснóвной англúйский закóн).*

haberdasher ['hæbədæʃə] *n* 1) галантерéйщик; 2) торгóвец мужскúм бельём.

haberdashery ['hæbədæʃərɪ] *n* 1) галантерéя; 2) мужскóе бельё.

habergeon ['hæbədʒən] *n ист.* кольчýга.

habile ['hæbɪl] *a книжн.* искýсный, лóвкий.

habiliment [hə'bɪlɪmənt] *n* 1) *редк.* одеяние; 2) *pl шутл.* плáтье, одéжда.

habilitate [hə'bɪlɪteɪt] *v* 1) *амер.* финансúровать *или* снабжáть оборýдованием гóрные разрабóтки; 2) *редк.* одевáть; 3) *уст.* готóвиться на какýю-л. слýжбу *(осóбенно в кáчестве преподавáтеля университéта в Германии).*

habit ['hæbɪt] **1.** *n* 1) привы́чка, обыкновéние; обы́чай; to be in the ~ of doing smth. имéть привы́чку что-л. дéлать; to break off (to fall into) a ~ брóсить (усвóить) привы́чку; to break a person of a ~ отучúть когó-л. от какóй-л. привы́чки; 2) сложéние, телосложéние; a man of corpulent ~ дорóдный, тýчный человéк; 3) осóбенность, свóйство; характéрная чертá; ~ of mind склад ума; 4) *биол.* характер произрастания, развития; a plant of trailing ~ стелющееся растение; 5) *уст.* одежда, платье; 6) = riding-habit;

2. *v* одевать.

habitable ['hæbɪtəbl] *a* 1) обитаемый; 2) годный для жилья.

habitant I ['hæbɪtənt] *n* житель.

habitant II ['hæbɪtɔ̃ːŋ] *n* канадец французского происхождения.

habitat ['hæbɪtæt] *n* 1) родина, место распространения (*животного, растения*); естественная среда; 2) жилище.

habitation [,hæbɪ'teɪʃən] *n* 1) жилище; обиталище; жильё; посёлок; fit for ~ пригодный для жилья; 2) проживание, житьё.

habitual [hə'bɪtjuəl] *a* 1) обычный, привычный; 2) пристрастившийся (*к чему-л.*); ~ drunkard пропойца.

habituate [hə'bɪtjueɪt] *v* 1) приучать; to ~ oneself to привыкать, приучаться к; 2) *амер. разг.* часто посещать.

habitude ['hæbɪtjuːd] *n* 1) привычка, склонность; 2) свойство, особенность.

habitué [hə'bɪtjueɪ] *фр. n* завсегдатай.

haboob [hɑː'buːb] *араб. n* самум, песчаная буря.

hachures [hæ'ʃjuə] *фр. n pl* штрихи (*на плане местности*).

hacienda [,hæsɪ'endə] *исп. n* гасиенда (*имение, плантация и т. п. в Испании и её колониях*).

hack I [hæk] 1. *n* 1) зарубка; зазубрина; 2) резаная рана; 3) ссадина на ноге от удара (*в футболе*); 4) мотыга, кирка, кайла; 5) *тех.* горячее зубило.

2. *v* 1) рубить, разрубать; кромсать; разбивать на куски; 2) тесать; обтёсывать (*камень*); 3) делать зарубку; зазубривать; 4) разбивать, разрыхлять мотыгой *и т. п.*; 5) подрезать (*сучья и т. п.*); 6) надрубать; наносить резаную рану; 7) *спорт.* «подковать» (*в футболе — ударить противника по голени*); 8) кашлять сухим кашлем.

hack II [hæk] 1. *n* 1) наёмная лошадь; 2) лошадь (*верховая или упряжная, среднего качества*); особ. полукровка; road — дорожная верховая лошадь; 3) кляча; 4) *перен.* «вьючное животное»; литературный подёнщик, компилятор; 5) *амер.* наёмный экипаж; 6) *амер. sl.* автомобиль;

2. *a* 1) наёмный; 2) = hackneyed;

3. *v* 1) давать напрокат (*экипаж*); 2) ехать (верхом) не спеша; 3) нанимать, использовать в качестве литературного подёнщика; 4) делать банальным, опошлять.

hackbut ['hæckbʌt] = harquebus.

hackee ['hækiː] *n зоол.* бурундук.

hackery ['hækərɪ] *n англо-инд.* повозка, запряжённая волами.

hack-hammer ['hæk,hæmə] *n* молоток каменщика.

hackle I ['hækl] *n* 1) перья на шее петуха и некоторых других птиц; 2) искусственная приманка (*для уженья рыбы*); ◇ with his ~s up разъярённый, взъерепенившийся, готовый лезть в драку.

hackle II ['hækl] 1. *n* чесалка, гребень для льна;

2. *v* чесать лён.

hackle III ['hækl] *v* 1) рубить, разрубать как попало; кромсать; 2) откалывать.

hackly ['hæklɪ] *a* плохо отделанный, зазубренный.

hackmatack ['hækmətæk] *n* лиственница американская.

hackney ['hæknɪ] *n* 1) = hack II, 1, 2); 2) *уст.* работник, нанятый на тяжёлую, нудную работу; 3) *attr.* наёмный.

hackney-carriage ['hæknɪ,kærɪdʒ] *n* наёмный экипаж.

hackney-coach ['hæknɪkoutʃ] = hackney-carriage.

hackneyed ['hæknɪd] *a* 1) банальный, избитый; 2) затасканный, изношенный.

hack-saw ['hæksɔː] *n тех.* ножовка, лучковая пила для металла.

hackstand ['hækstænd] *n амер.* стоянка такси.

hack-work ['hækwɜːk] *n* литературная подёнщина.

hackwriter ['hæk,raɪtə] *n* литературный подёнщик; компилятор.

had [hæd] (*полная форма*); həd, əd, d (*редуцированные формы*)] *past и p. p. от* have 1.

haddock ['hædək] *n* пикша (*род трески*).

hade [heɪd] 1. *n горн.* отклонение жилы по отношению к вертикали; угол падения;

2. *v* 1) *горн.* отклоняться от вертикали; составлять угол с вертикалью; 2) *sl.* обыгрывать.

Hades ['heɪdiːz] *n миф.* Гадес (*ад, подземное царство; бог подземного царства*).

Hadji ['hædʒɪ] *араб. n* хаджи (*мусульманин, побывавший в Мекке*).

hadn't ['hædnt] *сокр. разг.*= had not.

haemal ['hiːməl] *a* кровяной.

haematic [hɪ'mætɪk] 1. *a* кровяной; подобный крови.

2. *n* средство, действующее на кровь.

haematite ['hemətaɪt] *n мин.* красный железняк.

haemoglobin [,hiːmou'gloubɪn] *n физиол.* гемоглобин.

haemophilia [,hiːmou'fɪlɪə] *n мед.* гемофилия.

haemorrhage ['hemərɪdʒ] *n мед.* 1) кровоизлияние; 2) кровотечение.

haemorrhoids ['hemərɔɪdz] *n pl мед.* геморрой.

haemostatic [,hiːmou'stætɪk] 1. *a* кровоостанавливающий;

2. *n мед.* кровоостанавливающее средство.

hafnium ['hæfnɪəm] *n хим.* гафний *или* кельтий.

haft [hɑːft] *n* черенок, рукоятка, ручка.

hag [hæg] *n* ведьма, карга.

haggard I ['hægəd] *a* изможденный, измученный; осунувшийся.

haggard II ['hægəd] 1. *a* неприрученный, дикий (*о соколе*);

2. *n* дикий сокол.

haggis ['hægɪs] *n шотл.* кушанье из овечьей *или* телячьей требухи, заправленное овсяной мукой, луком и перцем.

haggle ['hægl] v 1) торговáться (about, over — o); 2) придирáться, находить недостáтки; 3) неумéло рéзать; рубить.

hagridden ['hægrɪdn] a мýчимый кошмáрами.

hah [hɑ:] = ha.

ha ha [hɑ:'hɑ:] 1. int ха-ха-хá!; 2. n звук смéха. 3. v смеяться.

ha-ha ['hɑ:'hɑ:] n низкий забóрчик (вокрýг сáда, поля); канáва с опóрной стéнкой.

haiduk ['haɪduk] венг. n гайдýк.

hail I [heɪl] 1. n град; 2. v 1) (в безл. оборотах): it ~s, it is ~ing идёт град; 2) сыпаться грáдом (тж. перен.); 3) осыпáть грáдом (удáров и т. п.).

hail II [heɪl] 1. n привéтствие, óклик; out of ~ за предéлами слышимости, вдали; within ~ на расстоянии слышимости гóлоса; 2. v 1) привéтствовать; поздравлять; 2) окликáть, звать; 3) мор. окликáть (сýдно); ◇ to ~ from мор. идти из; разг. происходить из; where do you ~ from? откýда вы рóдом?; 3. int привéт!

hail-fellow(-well-met) ['heɪl,felou ('wel-'met] a дрýжественный; приятельский; to be ~ with everyone быть со всéми в приятельских отношéниях.

hailstone ['heɪlstoun] n грáдина.

hailstorm ['heɪlstɔ:m] n ливень; грозá с грáдом; сильный град.

hain't [heɪnt] диал.= have not, has not.

hair [hɛə] n 1) вóлос, волосóк; 2) вóлосы; to cut one's ~ стричь себé вóлосы; to lose one's ~ а) лысéть; б) рассердиться, разгорячиться; 3) шерсть (животного); 4) щетина; иглы (дикобрáза и т. п.); 5) текст. ворс; ◇ to a ~ точь-в-тóчь; тóчно; within a ~ of на волосóк от; keep your ~ on! не горячитесь!; to comb a person's ~ for him «намылить гóлову» комý-л.; дать комý-л. нагоняй; not to turn a ~ ≅ глáзом нé моргнýть; не выкáзывать боязни, смущéния, устáлости и т. п.; to split ~s спóрить о мелочáх; вдавáться в ненýжные подрóбности, быть педантичным; to take a ~ of the dog that bit you посл. ≅ а) клин клином вышибáть; чем ушибся, тем и лечись; б) опохмеляться; it made his ~ stand on end от этого у негó вóлосы встáли дыбом.

hairbreadth ['hɛəbredθ] n ничтóжное, минимáльное расстояние; by a ~ сáмую мáлость; ◇ within (или by) a ~ of death на волосóк от смéрти; to have a ~ escape едвá избежáть опáсности, едвá спастись.

hairbrush ['hɛəbrʌʃ] n щётка для волóс.

hairclipper ['hɛə,klɪpə] n машинка для стрижки волóс.

haircloth ['hɛəklɔθ] n 1) матéрия из вóлоса; 2) рел. власяница.

hair-cut ['hɛəkʌt] n стрижка.

hair-do ['hɛədu:] n причёска.

hairdresser ['hɛə,dresə] n парикмáхер.

hairiness ['hɛərɪnɪs] n волосáтость.

hairless ['hɛəlɪs] a безволóсый, лысый.

hair-line ['hɛəlaɪn] n 1) тóнкая, волоснáя линия; 2) бечёвка, лесá (из вóлоса); 3) attr. тóнкий, волоснóй; ~ crack тех. волоснáя трéщина.

hair-net ['hɛənet] n сéтка для волóс.

hairpin ['hɛəpɪn] n шпилька; ◇ ~ bend крутóй поворóт дорóги.

hair's breadth ['hɛəzbredθ] = hairbreadth.

hair shirt ['hɛə'ʃə:t] n рел. власяница.

hair-splitting ['hɛə,splɪtɪŋ] n мéлочный педантизм.

hairspring ['hɛəsprɪŋ] n волоскóвая пружинка, волосóк (в часáх).

hair trigger ['hɛə,trɪgə] n воен. шнéллер.

hair-trigger ['hɛə,trɪgə] a вспыльчивый.

hair-worm ['hɛəwə:m] n зоол. волосáтик.

hairy ['hɛərɪ] a 1) покрытый волосáми, волосáтый; 2) ворсистый (о ткáни).

Haitian ['heɪʃjən] 1. a гаитянский; 2. n гаитянин; гаитянка.

hake [heɪk] n мерлýза (рыба из семéйства трескóвых).

hakeem [hɑ:'ki:m] араб. n врач.

hakim ['hɑ:kɪm] араб. n 1) = hakeem; 2) судья; губернáтор, крýпный чинóвник.

halation [hə'leɪʃən] n фото световые крýги; световые пятна (на фотопластинке).

halberd ['hælbə:d] n ист. алебáрда.

halberdier [,hælbə:'dɪə] n ист. алебáрдщик.

halcyon ['hælsɪən] 1. n зиморóдок, алкиóн (птица); 2. a тихий, безмятéжный; ~ days мирные, счастливые дни.

hale I [heɪl] a здорóвый, крéпкий (преим. о старикáх); ~ and hearty крéпкий и бóдрый.

hale II [heɪl] v уст. тащить, тянýть (тж. перен.).

half [hɑ:f] 1. n (pl halves) 1) половина; ~ a mile полмили; ~ (an hour) past two (o'clock) половина трéтьего; 2) часть (чего-л.); the larger ~ бóльшая часть; 3) семéстр; 4) = ~-time 2); 5) юр. сторонá (в договóрах и т. п.); ◇ to go halves in smth. делить что-л. пóровну; to cry halves трéбовать рáвной дóли; to have ~ a mind to do smth. быть не прочь сдéлать что-л.; to do smth. by halves дéлать что-л. кое-кáк; не додéлывать; too clever by half ирон. слишком уж умён; 2. a 1) половинный; 2) неполный, частичный; 3. adv 1) наполовину; полу-; ~ raw полусырóй; 2) в значительной стéпени, почти; ◇ ~ as much в два рáза мéньше; ~ as much again в полторá рáза бóльше; not ~ а) óчень, ужáсно; he didn't ~ swear он отчáянно ругáлся; б) отнюдь нет; как бы не так; I don't ~ like it мне это совсéм не нрáвится; not ~ bad недýрно.

half-and-half ['hɑ:fənd'hɑ:f] 1. n 1) смесь двух напитков, напр., пóртер и эль пополáм; 2) тех. половинник (припóй из рáвных частéй óлова и свинцá); 2. a 1) смéшанный в рáвных количествах; 2) половинчатый; нерешительный; 3) ни то ни сё; 3. adv пополáм.

half (-back) ['hɑ:f('bæk)] n спорт. полузащитник.

half-baked ['hɑːf'beɪkt] a 1) недопечённый, полусырой; 2) незрелый, неопытный; 3) непродуманный, неразработанный; 4) глупый.

half binding ['hɑːf,baɪndɪŋ] n комбинированный переплёт.

half-blood ['hɑːfblʌd] n 1) брат, сестра только по одному из родителей; 2) родство такого типа; 3) = half-breed.

half-bred ['hɑːfbred] a смешанного происхождения, нечистокровный; a ~ horse полукровка.

half-breed ['hɑːfbriːd] n 1) метис; 2) гибрид.

half-brother ['hɑːf,brʌðə] n единокровный или единоутробный брат, брат только по одному из родителей.

half-caste ['hɑːfkɑːst] n человек смешанной расы (особ. в Индии).

half-cock ['hɑːfkɔk] n воен. предохранительный взвод; (ударник) на первом взводе; ◇ to go off ~ говорить или поступать необдуманно, опрометчиво.

half-cocked ['hɑːf'kɔkt] a 1) на предохранительном взводе; 2) неподготовленный.

half-crown ['hɑːf'kraun] n полкроны (монета в 2¹/₂ шиллинга).

half-dollar ['hɑːf'dɔlə] n американская монета в 50 центов.

half-done ['hɑːf'dʌn] a 1) сделанный наполовину; 2) недоваренный, недожаренный.

half-dozen ['hɑːf'dʌzn] n полдюжины.

half-eagle ['hɑːf'iːgl] n амер. уст. пятидолларовая золотая монета.

half-hardy ['hɑːf'hɑːdɪ] a не выдерживающий зимы на открытом воздухе (о растении); ~ plant грунтовое растение, требующее прикрытия на зиму.

half-hearted ['hɑːf'hɑːtɪd] a 1) нерешительный, вялый; 2) равнодушный, не проявляющий энтузиазма; a ~ consent неохотное согласие; 3) полный противоречивых чувств; не знающий, кому отдать предпочтение.

half-heartedly ['hɑːf'hɑːtɪdlɪ] adv нерешительно; без особого энтузиазма.

half holiday ['hɑːf'hɔlədɪ] n неполный рабочий день.

half hose ['hɑːf'houz] n чулки-гольфы; носки.

half-length ['hɑːf'leŋθ] 1. n поясной портрет;
2. a поясной (о портрете и т. п.).

half-mast ['hɑːf'mɑːst] 1. n: flag at ~ приспущенный флаг;
2. v приспускать (флаг в знак траура).

half measure ['hɑːf'meʒə] n полумера.

half(-mile) ['hɑːf'maɪl] n полмили.

half moon ['hɑːf'muːn] n 1) полумесяц; 2) воен. ист. равелин.

half pay ['hɑːf'peɪ] n половинный оклад.

halfpenny ['heɪpnɪ] 1. n (pl halfpence ['heɪpəns], halfpennies ['heɪpnɪz]) полпенни;
2. a грошовый; дешёвый и мишурный.

halfpennyworth ['heɪpnɪwəːθ] n на полпенни чего-л.; что-л. ценой в полпенни.

half-pound ['hɑːfpaund] 1. n полфунта;
2. a весящий полфунта.

half-pounder ['hɑːf,paundə] n предмет, весящий полфунта.

half-price ['hɑːf'praɪs] 1. n полцены; at ~ за полцены;
2. adv за полцены, с пятидесятипроцентной скидкой; children are admitted ~ на детские билеты скидка пятьдесят процентов (надпись).

half-roll ['hɑːf'roul] n ав. переворот через крыло.

half-round ['hɑːf'raund] 1. n полукруг;
2. a полукруглый.

half-seas-over ['hɑːfsiːz'ouvə] a predic. подвыпивший.

half-sister ['hɑːf,sɪstə] n единокровная или единоутробная сестра, сестра только по одному из родителей.

half-sovereign ['hɑːf'sɔvrɪn] n полсоверена (золотая монета в десять шиллингов).

half-staff ['hɑːf'stɑːf] = half-mast 1.

half-time ['hɑːf'taɪm] n 1) неполная рабочая неделя и соответствующая зарплата; 2) спорт. половина игры, период, тайм.

half-timer ['hɑːf,taɪmə] n 1) полубезработный; рабочий, занятый неполную неделю; 2) школьник, освобождённый от части занятий (ввиду работы).

half-title ['hɑːf'taɪtl] n полигр. шмуцтитул.

half-tone ['hɑːftoun] n 1) муз., жив. полутон; 2) полигр. автотипия.

half-track ['hɑːftræk] n амер. воен. полугусеничная машина.

half-way ['hɑːf'weɪ] 1. a лежащий на полпути; ◇ ~ house a) гостиница на полпути; б) возможный компромисс;
2. adv 1) на полпути; 2) амер. наполовину; ◇ to meet smb. ~ идти навстречу кому-л.; идти на компромисс, на уступки.

half-wit ['hɑːf,wɪt] n слабоумный; дурак.

half-witted ['hɑːf'wɪtɪd] a слабоумный.

half-word ['hɑːf'wəːd] n намёк.

half-year ['hɑːf'jəː] n 1) полгода; 2) семестр.

half-yearly ['hɑːf'jəːlɪ] 1. a полугодовой;
2. n издание, выходящее раз в полгода;
3. adv в полгода раз.

halibut ['hælɪbət] n палтус (рыба).

halite ['hælaɪt] n мин. каменная соль.

halitosis [,hælɪ'tousɪs] n мед. дурной запах изо рта.

hall [hɔːl] n 1) зал; большая комната; banqueting ~ зал для банкетов; servants' ~ помещение для слуг; 2) холл; приёмная, вестибюль; коридор; 3) здание, помещение общественного характера; town ~ ратуша, Surgeons' H. помещение ассоциации хирургов; 4) помещение при университете; столовая университетского колледжа; 5) помещичий дом; 6) поэт. чертог.

hall bedroom ['hɔːl'bedrum] n амер. 1) отгороженная часть передней, превращённая в спальню; 2) однокомнатная квартира.

halleluiah, hallelujah [,hælɪ'luːjə] n, int аллилуйя.

halliard ['hæljəd] = halyard.

hallmark ['hɔːl'mɑːk] 1. n 1) пробирное клеймо, проба; 2) отличительный знак, признак; критерий;

2. *v* 1) ста́вить про́бу; 2) отмеча́ть печа́тью (*чего́-л.*).

hallo(a) [hə'lou] **1.** *int* алло́!, здоро́во!; **2.** *n* приве́тствие; приве́тственный во́зглас; во́зглас удивле́ния *и т. п.*; **3.** *v* здоро́ваться; звать, оклика́ть.

halloo [hə'luː] **1.** *int* ату́!; эй!; **2.** *v* 1) крича́ть, натра́вливать соба́к; 2) подстрека́ть, нау́ськивать.

hallow I [hə'lou] = halloo.

hallow II ['hælou] **1.** *n:* all ~s = Hallowmas; **2.** *v* 1) освяща́ть; *уст.* посвяща́ть; 2) почита́ть, чтить.

Hallowe'en ['hælou'iːn] *n шотл., амер.* кану́н 1 ноября́ [*см.* Hallowmas].

Hallowmas ['hæloumæs] *n церк.* день «всех святы́х» (*1 ноября́*).

hallucinate [hə'luːsɪneɪt] *v* 1) галлюцини́ровать; страда́ть галлюцина́циями; 2) вызыва́ть галлюцина́цию.

hallucination [hə,luːsɪ'neɪʃən] *n* галлюцина́ция.

hallway ['hɔːl,weɪ] *n амер.* 1) коридо́р; 2) прихо́жая.

halm [hɑːm] = haulm.

halo ['heɪlou] **1.** *n* (*pl* -oes [-ouz]) 1) светя́щийся круг, ободо́к (*вокруг со́лнца, луны́*); 2) орео́л; сия́ние; 3) ве́нчик, нимб; **2.** *v* окружа́ть орео́лом.

halogen ['hæloudʒen] = haloid.

haloid ['hælɔɪd] *n хим.* гало́ид.

halt I [hɔːlt] **1.** *n* 1) прива́л; остано́вка; 2) полуста́нок, платфо́рма; **2.** *v* остана́вливать(ся); де́лать прива́л; **3.** *int* стой! (*кома́нда*).

halt II [hɔːlt] *v* 1) колеба́ться; 2) запина́ться; 3) *уст.* хрома́ть.

halter ['hɔːltə] **1.** *n* 1) по́вод, недоу́здок; to put a ~ upon (*или* on) smb. обузда́ть, взнузда́ть, оседла́ть кого́-л.; 2) верёвка с пе́тлей (*для казни*); to come to the ~ попа́сть на ви́селицу; **2.** *v* 1) надева́ть недоу́здок; приуча́ть к узде́; 2) ве́шать (*казни́ть*).

halve [hɑːv] *v* 1) дели́ть попола́м; 2) уменьша́ть, сокраща́ть наполови́ну; 3) *тех.* соединя́ть вполдере́ва.

halves [hɑːvz] *pl от* half 1.

halving ['hɑːvɪŋ] **1.** *pres. p. от* halve; **2.** *n тех.* соедине́ние, сра́щивание; нара́щивание; соедине́ние в замо́к.

halyard ['hæljəd] *n мор.* фал.

ham [hæm] **1.** *n* 1) бедро́, ля́жка; 2) о́корок, ветчина́; 3) *pl разг.* зад; 4) *амер. sl.* плохо́й актёр, плоха́я игра́; 5) *sl.* радиолюби́тель; **2.** *v амер. sl.* пло́хо игра́ть (*об актёре*).

hamate ['heɪmeɪt] *a* крючкова́тый, криво́й.

hamburger ['hæmbəːgə] *n* ру́бленый шни́цель.

Hamburg(h) ['hæmbəːg] *n* 1) сорт чёрного виногра́да; 2) «га́мбургская» поро́да кур.

ham-fisted ['hæm'fɪstɪd] *a разг.* неуклю́жий.

hamlet ['hæmlɪt] *n* дере́вня, дереву́шка.

hammer ['hæmə] **1.** *n* 1) молото́к; мо-

лот; ~ and sickle серп и мо́лот; throwing of the ~ *спорт.* мета́ние мо́лота; 2) молото́чек (*в разли́чных механи́змах*); 3) куро́к, уда́рник; 4): to bring to the ~ продава́ть с аукцио́на; to come under the ~ продава́ться с аукцио́на, пойти́ с молотка́; ◇ ~ and tongs с воодушевле́нием; энерги́чно; изо всей си́лы; he went at it ~ and tongs он весь отда́лся э́той рабо́те; **2.** *v* 1) вбива́ть, вкола́чивать (in, into —в); прибива́ть; 2) стуча́ть, колоти́ть (at — в); 3) кова́ть, чека́нить; 4) ударя́ть, бить; 5) бить по неприя́телю, *особ.* из тяжёлых сру́дий; 6) *разг.* побежда́ть, побива́ть (*в состяза́нии*); 7) объявля́ть несостоя́тельным должнико́м; 8) суро́во критикова́ть; □ ~ at a) пристава́ть с про́сьбами к кому́-л.; б) упо́рно рабо́тать над чем-л.; ~ away a) продолжа́ть де́лать (что-л.), рабо́тать над чем-л.; б) греме́ть, грохота́ть (о пу́шках); ~ out a) *тех.* выко́вывать; расплю́щивать; б) *перен.* приду́мывать; ~ together сбива́ть, ско́лачивать; ◇ to ~ it home to smb. внуши́ть кому́-л., довести́ до чьего́-л. созна́ния.

hammer-blow ['hæməblou] *n* тяжёлый, сокруши́тельный уда́р.

hammerer ['hæmərə] *n* молотобо́ец.

hammer-head ['hæməhed] *n* 1) голо́вка молотка́; 2) *зоол.* мо́лот-рыба.

hammering ['hæmərɪŋ] **1.** *pres. p. от* hammer 2; **2.** *n* 1) ко́вка, чека́нка; 2) стук, уда́ры; to give a good ~ *разг.* отдуба́сить; **3.** *a* стуча́щий, ударя́ющий.

hammerman ['hæməmən] = hammerer.

hammer scale ['hæməskeɪl] *n тех.* молото́боина, ока́лина.

hammersmith ['hæməsmɪθ] *n* кузне́ц.

hammer-throwing ['hæmə'θrouɪŋ] *n спорт.* мета́ние мо́лота.

hammock ['hæmək] *n* гама́к; подвесна́я ко́йка.

hammock chair ['hæməkʧeə] *n* складно́й стул (*с паруси́новым сиде́ньем*).

hamper I ['hæmpə] *v* препя́тствовать, меша́ть; затрудня́ть, стесня́ть движе́ния.

hamper II ['hæmpə] *n* 1) корзи́на с кры́шкой; 2) корзи́на, паке́т с ла́комствами и съестны́м.

hamshackle ['hæm,ʃækl] *v* опу́тывать (*живо́тное—свя́зывать пере́днюю но́гу с головой*).

hamster ['hæmstə] *n зоол.* хомя́к.

hamstring ['hæmstrɪŋ] **1.** *n* подколе́нное сухожи́лие; **2.** *v* (hamstringed [-d], hamstrung) 1) подреза́ть поджи́лки; 2) *перен.* подреза́ть кры́лья; ре́зко ослабля́ть; кале́чить.

hamstrung ['hæmstrʌŋ] *past и p. p. от* hamstring 2.

hand [hænd] **1.** *n* 1) рука́ (*кисть*); ~ in ~ рука́ об руку; ~s up! ру́ки вверх!; by ~ а) от руки́; ручны́м спо́собом; б) самоли́чно; 2) пере́дняя ла́па *или* ног; 3) власть, распоряже́ние; in ~ а) в рука́х; в подчине́нии; to keep in ~ держа́ть в рука́х, в подчине́нии; to get out of ~ вы́йти из повинове́ния; отби́ться от рук; б) в исполне́нии; в рабо́те; в) нали́чный; в нали́чности; 4) ло́вкость, уме́ние; a ~ for smth. иску́сство в чём-л.; 5) рабо́тник; рабо́чий; factory ~ фабри́чный рабо́чий; 6) *pl* экипа́ж, кома́нда су́дна; all ~s on deck! все наве́рх!; 7) исполни́тель; a picture by the same ~ карти́на того́ же худо́жника; a good ~ at (*или* in) smth. иску́сный в чём-л.; an old (poor) ~ at smth. о́пытный, иску́сный (сла́бый) в чём-л.; 8) сторона́, положе́ние; on all ~s со всех сторо́н; 9) исто́чник (*сведений и т. п.*); at first ~ из пе́рвых рук; непосре́дственно; at second ~ из вторы́х рук; по чьим-л. слова́м; 10) по́черк; по́дпись; under one's ~ and seal за по́дписью и печа́тью такого-то; 11) стре́лка часо́в; 12) крыло́ (*семафора*); 13) *карт.* игро́к; 14) ладо́нь (*как мера*); 10 сантиме́тров (*при измерении роста лошади*); 15) *sl.* аплодисме́нты; big ~ продолжи́тельные аплодисме́нты, успе́х; 16) *attr.* ручно́й; 17) *attr.* сде́ланный ручны́м спо́собом; управля́емый вручну́ю; ◇ on the one ~ ... on the other ~ с одно́й стороны́ ... с друго́й стороны́; at ~ находя́щийся под руко́й; бли́зкий (*тж. о времени*); on ~ а) име́ющийся в распоряже́нии, на рука́х; on one's ~s на чьей-л. отве́тственности; б) *амер.* налицо́, поблизости; to ~ под руко́й, налицо́; off ~ а) без подгото́вки, экспро́мтом; б) бесцеремо́нный [*см.* off-hand]; out of ~ без подгото́вки, сра́зу; ~s off ру́ки прочь!; off one's ~s с рук доло́й; ~ and foot усе́рдно; ~ and glove with smb. о́чень бли́зкий, в те́сной свя́зи с кем-л.; ~s down легко́, без уси́лий; ~ over ~ fist бы́стро, прово́рно; to come to ~ прибыва́ть, поступа́ть; получа́ться; to suffer at smb.'s ~s натерпе́ться от кого́-л.; at any ~ во вся́ком слу́чае; to have a ~ in smth., to take a ~ in smth. уча́ствовать в чём-л.; вме́шиваться во что-л.; to bear (*или* to give, to lend) a ~ помога́ть; to bring up by ~ вы́кормить рука́ми, иску́сственно; to bind ~ and foot связа́ть по рука́м и нога́м; to send by ~ посла́ть не по по́чте (*через кого́-л.*); from ~ to mouth со дня на́ день, без уве́ренности в бу́дущем (*жить, перебива́ться*); (*жить*) впро́голодь; to keep one's ~ in smth. продолжа́ть занима́ться чем-л., не теря́ть иску́сства в чём-л.; he is out of ~ он э́тим бо́льше не занима́ется; он разучи́лся; to put (*или* to set) one's ~s to предприня́ть, нача́ть; with a heavy ~ жесто́ко; with a high ~ высокоме́рно; своево́льно; де́рзко; to have (*или* to get) the upper ~ име́ть превосхо́дство, госпо́дствовать; 2. *v* 1) передава́ть, вруча́ть; would you kindly ~ me the salt переда́йте, пожа́луйста, соль; 2) посыла́ть; ~ing the enclosed cheque посыла́я при сём чек; □ ~ down а) подава́ть све́рху; б) помо́чь сойти́ вниз; в) передава́ть пото́мству; ~ed down from the Middle Ages унасле́дованный от сре́дних веко́в; ~ in а) вруча́ть, подава́ть (*заявле́ние*); to ~ in one's resignation пода́ть проше́ние об отста́вке; б) посади́ть (*в маши́ну и т. п.*); ~ into помо́чь сесть в (*экипа́ж*); ~ out а) выдава́ть, раздава́ть; б) *разг.* тра́тить де́ньги; в) помо́чь сойти́, вы́йти; ~ over а) переда-

ва́ть (*друго́му*); б) *воен.* сдава́ть(ся); ~ up подава́ть сни́зу вверх; ◇ to ~ in one's checks поко́нчить счёты с жи́знью, умере́ть; to ~ it to smb. призна́ть чьё-л. превосхо́дство.

handbag ['hændbæg] *n* 1) да́мская су́мочка; 2) (ручно́й) чемода́нчик.

handball ['hændbɔːl] *n спорт.* хандбо́л, ручно́й мяч.

hand-barrow ['hænd,bærou] *n* 1) носи́лки; 2) ручна́я двухколёсная теле́жка.

handbell ['hændbel] *n* колоко́льчик.

handbill ['hændbɪl] *a* рекла́мный листо́к.

handbook ['hændbuk] *n* 1) руково́дство; спра́вочник; указа́тель; 2) кни́жка букме́кера.

handbook man ['hændbuk'mæn] *n амер. спорт.* букме́кер.

handcar ['hænd,kɑː] *n амер.* дрези́на.

handcart ['hænd,kɑːt] *n* ручна́я теле́жка.

handcuff ['hændkʌf] 1. *n* (*обыкн. pl*) нару́чник.

2. *v* надева́ть нару́чники.

handful ['hændful] *n* 1) при́горшня; горсть; 2) ма́ленькая ку́чка, гру́ппа; горсточка; 3) *разг.* кто-л. *или* что-л., доставля́ющее беспоко́йство; «беда́», «наказа́ние».

handglass ['hændglɑːs] *n* 1) ручна́я лу́па; 2) ручно́е зерка́льце.

hand-grenade ['hændgrɪ,neɪd] *n* ручна́я грана́та.

handgrip ['hændgrɪp] *n* 1) пожа́тие, сжа́тие руки́; 2) схва́тка врукопа́шную.

handhold ['hændhould] *n* 1) то, за что мо́жно ухвати́ться руко́й (*напр.*, вы́ступ скалы́, ве́тка де́рева и т. п.); 2) рукоя́тка; 3) по́ручень, пери́ла.

handicap ['hændɪkæp] 1. *n* 1) *спорт.* гандика́п; 2) поме́ха; 3) *авт.* го́нки по пересечённой ме́стности;

2. *v* 1) уравнове́шивать си́лы; 2) ста́вить в невы́годное положе́ние; быть поме́хой; physically ~ped страда́ющий каки́м-л. физи́ческим недоста́тком, отража́ющимся на трудоспосо́бности.

handicraft ['hændɪkrɑːft] *n* 1) ремесло́; ручна́я рабо́та; 2) иску́сство в ручно́й рабо́те; 3) *attr.* ремесленный, куста́рный; ~ industry ремесленное произво́дство; куста́рное произво́дство.

handicraftsman ['hændɪ,krɑːftsmən] *n* ремесленник.

handie-talkie ['hændɪ,tɔːkɪ] *n разг.* портати́вная ду́плексная радиоста́нция (*для связи на ходу*).

handiwork ['hændɪwəːk] *n* 1) ручна́я рабо́та; рукоде́лие; 2) рабо́та, изде́лие.

handkerchief ['hæŋkətʃɪf] *n* 1) носово́й плато́к; 2) ше́йный плато́к, косы́нка; ◇ to throw the ~ to а) пода́ть усло́вный знак (*в игре*); б) вы́казать предпочте́ние *кому-л.*

hand-knitted ['hænd'nɪtɪd] *a* ручно́й вя́зки.

handle ['hændl] 1. *n* 1) ру́чка, рукоя́ть; рукоя́тка; 2) удо́бный слу́чай, предло́г; ◇ a ~ to one's name ти́тул;

2. *v* 1) брать рука́ми, держа́ть в рука́х и т. п.; 2) де́лать (*что-л.*) рука́ми; пере-

бира́ть, перекла́дывать *и т. п.*; 3) обходи́ться, обраща́ться с *кем-л., чем-л.*; 4) управля́ть, регули́ровать; 5) уха́живать (*за машиной, скотом, растениями, землёй*); 6) трактова́ть; 7) сговори́ться, столкова́ться; 8) *ком.* име́ть де́ло (*с каким-л. товаром*); торгова́ть (*чем-л.*); ◇ to ~ without mittens ≅ держа́ть в ежо́вых рукави́цах, обраща́ться суро́во.

handle-bar ['hændlbɑː] *n* руль (*велосипеда*).

hand-light ['hændlaɪt] *n* перено́сная электри́ческая ла́мпа (*для осмотра машин*).

handling ['hændlɪŋ] 1. *pres. p. от* handle 2;

2. *n* 1) обхожде́ние, обраще́ние (*с кем-л., с чем-л.*); 2) тракто́вка (*темы*); подхо́д к реше́нию (*вопросов и т. п.*); 3) ухо́д; ~ of land ухо́д за землёй, освое́ние земли́; 4) управле́ние; ~ of men расстано́вка рабо́чей си́лы; 5) разде́лывание (*напр., теста*).

handmaid(en) ['hændmeɪd(n)] *n уст.* служа́нка.

hand-me-down ['hændmiːdaun] *разг.* 1. *n* 1) поде́ржанное пла́тье; 2) гото́вое пла́тье;

2. *a* 1) поде́ржанный (*о платье*); 2) гото́вый (*о платье*).

hand-mill ['hændmɪl] *n* ручна́я ме́льница (*напр., кофейница*).

hand-operated ['hænd'ɔpəreɪtɪd] *a* управля́емый вручну́ю.

handout I ['hændaut] *n амер.* ми́лостыня, подая́ние.

handout II ['hænd,aut] *n* гото́вый текст заявле́ния, передава́емый печа́ти.

hand-picked ['hænd'pɪkt] *a* 1) вы́бранный, подо́бранный; ~ jury специа́льно подо́бранный соста́в прися́жных; 2) *sl.* отбо́рный; 3) *тех.* отсортиро́ванный вручну́ю.

hand-play ['hændpleɪ] *n* 1) потасо́вка, дра́ка; 2) жестикуля́ция.

handrail ['hændreɪl] *n* 1) пери́ла; 2) *мор.* по́ручень.

hand-receiver [,hændrɪ'siːvə] = receiver 2).

handsaw ['hændsɔ] *n* ножо́вка, ручна́я пила́.

handsel ['hænsəl] *n* 1) пода́рок к Но́вому го́ду *и т. п.*; моне́та, пода́ренная на сча́стье *и т. п.*; 2) предвкуше́ние; 3) *уст.* зада́ток, зало́г.

handshake ['hændʃeɪk] *n* рукопожа́тие.

handsome ['hænsəm] *a* 1) краси́вый, ста́тный; 2) значи́тельный; a ~ sum поря́дочная су́мма; 3) ще́дрый; ◇ ~ is that ~ does *посл.* ≅ су́дят не по слова́м, а по дела́м.

handspike ['hændspaɪk] *n мор.* га́ндшпуг.

handspring ['hændsprɪŋ] *n* кувырка́нье «колесо́м»; to turn ~s кувырка́ться.

hand-to-hand ['hændtə'hænd] *a воен.* рукопа́шный; ~ fighting рукопа́шный бой, рукопа́шная.

handwork ['hændwəːk] *n* ручна́я рабо́та.

handwriting ['hænd,raɪtɪŋ] *n* 1) по́черк; sprawling ~ разма́шистый по́черк; 2) *уст.* ру́копись.

handy ['hændɪ] *a* 1) удо́бный (*для пользования*); портати́вный; 2) легко́ управля́емый; 3) (име́ющийся) под руко́й, бли́зкий; 4) ло́вкий, иску́сный.

handy man ['hændɪmæn] *n* 1) подру́чный; 2) на все ру́ки ма́стер; 3) *разг.* матро́с.

hang [hæŋ] 1. *n* 1): mark the ~ of the dress обрати́те внима́ние на то, как сиди́т пла́тье; 2) осо́бенности, смысл, значе́ние (*чего-л.*); to get the ~ of smth. поня́ть что-л., осво́иться с чем-л.; to get the ~ of smb. «раскуси́ть» кого́-л.; 3) *редк.* склон, скат; накло́н; ◇ I don't саге a ~ мне наплева́ть.

2. *v* (hung, *но* hanged [-d] *в знач. вешать—казнить*) 1) ве́шать; подве́шивать; разве́шивать; 2) ве́шать (*казнить*); to ~ oneself пове́ситься; 3) прикрепля́ть, наве́шивать; to ~ a door наве́сить дверь; to ~ wallpaper окле́ивать обо́ями; 4) висе́ть; to ~ by a thread висе́ть на волоске́; 5) сиде́ть (*о платье*); to ~ выставля́ть карти́ны на вы́ставке; 7) застрева́ть, заде́рживаться при спу́ске *и т. п.*; to ~ fire дать осе́чку; *перен.* ме́длить, ме́шкать; □ ~ about а) тесни́ться вокру́г; б) броди́ть вокру́г; околачи́ваться, шля́ться, слоня́ться; в) быть бли́зким, надвига́ться; there is a thunderstorm ~ing about надвига́ется гроза́; ~ back а) пя́титься, упира́ться; ~ не реша́ться; ~ behind отстава́ть; ~ down свиса́ть, ниспада́ть; to ~ down one's head пове́сить, пону́рить го́лову, уныва́ть; ~ on а) повисну́ть, прицепи́ться; кре́пко держа́ться; б) упо́рствовать; в) = ~ upon; ~ out а) выве́шивать (*флаги*); б) высо́вываться (*из окна*); в) *разг.* жить, квартирова́ть; ~ over а) нависа́ть; б) *тж.* ~ together а) держа́ться сплочённо, подде́рживать друг дру́га; б) быть свя́зным, логи́чным, соотве́тствовать; ~ up пове́сить *что-л.*; пове́сить телефо́нную тру́бку, дать отбо́й; б) ме́длить, откла́дывать, оставля́ть нерешённым; в) *разг.* закла́дывать; отдава́ть в зало́г; ~ upon опира́ться, полага́ться на; ~ heavy ме́дленно тяну́ться (*о времени*); to ~ out one's ear подслу́шивать; ~ it all! тьфу про́пасть!, пропади́ оно́ про́падом!; ~ you! убира́йтесь к чёрту!; I am ~ed if I know провали́ться мне на э́том ме́сте, е́сли я что́-нибудь зна́ю; to ~ up one's hat надо́лго останови́ться (*у кого-л.*); to ~ upon smb.'s lips (*или* words) внима́тельно слу́шать, лови́ть ка́ждое сло́во кого́-л.

hangar ['hæŋə] *n* 1) анга́р; 2) наве́с, сара́й; 3) склад.

hangdog ['hæŋdɔg] 1. *n* ви́сельник; по́длый челове́к.

2. *a* 1) ни́зкий, по́длый; 2) пристыжённый, винова́тый (*о виде*).

hanger ['hæŋə] *n* 1) тот, кто наве́шивает, накле́ивает (*афиши и т. п.*); 2) то, что подве́шено, виси́т, свиса́ет (*напр., занаве́ска, верёвка ко́локола и т. п.*); 3) крюк, крючо́к; ве́шалка (*платья*); 4) *тех.* подве́ска; крюк, серьга́; кронште́йн; 5) *мор.* ко́ртик; 6) *горн.* вися́чий бок вы́работки, месторожде́ния.

hanger-on ['hæŋər'ɔn] *n* (*pl* hangers-on) 1) прихлебатель; 2) приспешник; 3) *горн.* стволовой, плитовой; рабочий, закатывающий вагонётку в клеть.

hangers-on ['hæŋəz'ɔn] *pl от* hanger-on.

hang-fire ['hæŋ‚faɪə] *n воен.* затяжной выстрел; осечка.

hanging ['hæŋɪŋ] 1. *pres. p. от* hang 2; 2. *n* 1) вёшание; подвёшивание; 2) повёшение; 3) *pl* драпировки, портьёры; ◇ ~ committee жюри по приёму картин на выставку; it's a ~ matter тут пахнет виселицей;

3. *a* висячий, подвесной; ~ bridge висячий мост.

hangman ['hæŋmən] *n* палач.

hangnail ['hæŋneɪl] *n разг.* заусёница.

hangout ['hæŋaut] *n амер.* постоянное место сбóрищ *или* встреч.

hang-over ['hæŋ‚ouvə] *n* 1) пережиток; наслёдие (*прошлого*); 2) *разг.* похмёлье.

hank [hæŋk] 1. *n* 1) *текст.* мотóк; 2) *мор.* бухта троса, кабеля.

2. *v* сматывать.

hanker ['hæŋkə] *v* страстно желать, жаждать (after, for).

hankie, hanky ['hæŋkɪ] *n разг.* носовой платóк.

hanky-panky ['hæŋkɪ'pæŋkɪ] *n разг.* обман, мошённичество, продёлки.

Hanoverian [‚hænou'vɪərɪən] *a* ганноверский; ~ House *ист.* Ганнóверская динáстия.

Hansard ['hænsəd] *n разг.* официáльный отчёт о заседáниях англи́йского парлáмента.

Hansardize ['hænsədaɪz] *v разг.* предъявля́ть члéну парлáмента его́ прéжние заявлéния (*по официáльным отчётам*).

hansel ['hænsəl] = handsel.

hansom(cab) ['hænsəm('kæb)] *n* 1) двухколёсный экипáж (*с мéстом для кучера сзади*); 2) *разг.* такси́.

han't [hɑːnt] *сокр. разг.* = have not, has not.

hap [hæp] 1. *n уст.* слу́чай; счастли́вая слу́чайность;

2. *v* случáться, происходи́ть.

haphazard ['hæp'hæzəd] 1. *n* слу́чай, слу́чайность; at ~, by ~ случáйно; 2. *a* 1) случáйный; 2) *тех.* бессистéмный.

hapless ['hæplɪs] *a* 1) несчáстный, злополу́чный; 2) незадáчливый.

haply ['hæplɪ] *adv уст.* 1) случáйно; 2) возмóжно.

ha'p'orth ['heɪpəθ] *разг. см.* halfpennyworth.

happen ['hæpən] *v* 1) случáться, происходи́ть (to *smb.*—с кем-л.); smth. must have ~ed очеви́дно, чтó-то случи́лось; 2) (случáйно) оказáться; I ~s at home я как раз оказáлся дóма; as it ~s I have left my money at home оказáвается, я остáвил дéньги дóма; □ ~ in *амер.* случáйно зайти́; ~ upon случáйно натолкну́ться, встрéтить.

happening ['hæpənɪŋ] 1. *pres. p. от* happen;

2. *n* слу́чай, собы́тие.

happily ['hæpɪlɪ] *adv* 1) счáстливо; 2) к счáстью.

happiness ['hæpɪnɪs] *n* счáстье.

happy ['hæpɪ] *a* 1) счастли́вый; удáчный; ~ man! счастли́вец!; ~ retort нахóдчивый отвéт; ~ guess прáвильная догáдка; 2) довóльный, весёлый; 3) *разг.* навеселé.

happy-go-lucky ['hæpɪgou‚lʌkɪ] 1. *a* 1) беспéчный; 2) случáйный;

2. *adv* как придётся; по вóле слу́чая.

hara-kiri ['hærə'kɪrɪ] *яп. n* харакири.

harangue [hə'ræŋ] 1. *n* 1) речь (*публичная*); горя́чее обращéние; 2) разглагóльствование;

2. *v* 1) произноси́ть речь; 2) разглагóльствовать.

haras ['hærəs] *n* 1) кóнный завóд; 2) *уст.* табу́н лошадéй.

harass ['hærəs] *v* беспокóить, тревóжить, изводи́ть.

harbinger ['hɑːbɪndʒə] *n* 1) предвéстник; 2) *уст.* квартирьéр.

harbour ['hɑːbə] 1. *n* 1) гáвань, порт; 2) убéжище, прибéжище; 3) *воен.* танкодрóм;

2. *v* 1) стать на я́корь (*в гáвани*); 2) дать убéжище; укры́ть; приюти́ть; the woods ~ much game в лесу́ мнóго ди́чи; 3) затаи́ть, питáть (*чу́вство злóбы, мéсти и т. п.*); 4) *охот.* проследи́ть звéря до его́ лóговища.

harbourage ['hɑːbərɪdʒ] *n* 1) убéжище, прию́т; 2) мéсто для стоя́нки судóв в порту́.

harbour-dues ['hɑːbədjuːz] *n* портóвые сбóры.

hard [hɑːd] 1. *a* 1) твёрдый, жёсткий; ~ apple жёсткое я́блоко; ~ collar. крахмáльный воротничóк; *б*) грубáя, невку́сная пи́ща; 2) крéпкий, си́льный; ~ blow си́льный удáр; 3) тру́дный, тяжёлый; трéбующий напряжéния; ~ case *а*) тру́дный слу́чай; *б*) закоренéлый престу́пник; 4) суро́вый, холóдный; 5) стрóгий; безжáлостный; ~ discipline суро́вая дисципли́на; 6) несчáстный, тяжёлый; ~ times тяжёлые временá; ~ lines тяжёлая, несчáстная судьбá; тяжёлое испытáние; 7) усéрдный, упóрный; 8) уси́ленно предаю́щийся (*чему́-л.*); ~ drinker пья́ница; 9) рéзкий, неприя́тный (*для слу́ха, глáза*); 10) определённый, подтверждённый; ~ fact неопровержи́мый факт; 11) скупóй, жáдный; 12) *амер.* спиртнóй; ~ liquor спиртнóй напи́ток; 13) жёсткий (*о воде*); 14) *фон.* глухóй (*звук*); 15) *телев.* контрáстный; ~ image контрáстное изображéние; ◇ ~ and fast негибкий, твёрдый, жёсткий (*о прáвилах*); стрóго определённый; прóчный; ~ as nails закалённый; óчень си́льный; ~ labour кáторжные рабóты; ~ bargain невы́годная, кабáльная сдéлка; ~ cash нали́чные дéньги; звóнкая монéта; ~ money *амер.* звóнкая монéта; ~ currency усто́йчивая валю́та; ~ of hearing тугóй нá ухо; ~ on smb. стрóгий с кем-л.; несправедли́вый к кому́-л.; ~ upon smb. *а*) = ~ on smb.; *б*) непосрéдственно слéдом за кем-л.; по пятáм за кем-л.;

2. *adv* 1) твёрдо; крéпко; си́льно; it froze ~ yesterday вчерá си́льно морóзило;

2) настойчиво, упорно, энергично; to try ~ упорно пытаться; очень стараться; 3) с трудом, тяжело; 4) чрезмерно, неумеренно; to drink ~ сильно пить; 5) сурово, жестоко; to criticise ~ жестоко критиковать; 6) близко, вплотную, по пятам; ~ by близко, рядом; to follow ~ after следовать по пятам за; ◇ ~ pressed, ~ pushed в трудном, тяжёлом положении; to be ~ pressed for time (топеу) иметь очень мало времени (денег); ~ put to it в затруднении, запутавшийся;

3. *n* 1) песчаное место для высадки на берег; проходимое место на топком болоте; брод; 2) *разг.* каторга.

hardbake ['hɑːdbeɪk] *n* миндальная карамель.

hardbitten ['hɑːd'bɪtn] *a* стойкий, упорный.

hard-boiled ['hɑːd'bɔɪld] *a* 1) сваренный вкрутую; 2) неподатливый, крутой, бесчувственный, чёрствый; 3) *амер.* искушённый, прожжённый; видавший виды.

hard-coal ['hɑːdkoul] *n* антрацит.

hard-earned ['hɑːd'ɑːnd] *a* с трудом заработанный.

harden ['hɑːdn] *v* 1) делать(ся) твёрдым; твердеть,[застывать; 2) закалять(ся), укреплять(ся); 3) делать(ся) бесчувственным, ожесточать(ся); 4) *тех.* закалять(ся); цементовать.

hardener ['hɑːdnə] *n тех.* вещество, способствующее закалке, увеличению твёрдости металла.

hard-faced ['hɑːd'feɪst] *a* суровый, безжалостный.

hard-favoured ['hɑːd'feɪvəd] = hard-featured.

hard-featured ['hɑːd'fiːtʃəd] *a* с грубыми, резкими чертами лица.

hard-fisted ['hɑːd'fɪstɪd] *a* 1) имеющий сильные кулаки *или* руки; 2) скупой.

hard-grained ['hɑːd'greɪnd] *a* 1) твёрдый, плотный (*о дереве*); 2) крупнозернистый; 3) суровый, бесчувственный; упрямый.

hard-handed ['hɑːd'hændɪd] *a* 1) с загрубелыми (от труда) руками; 2) грубый; суровый.

hard-headed ['hɑːd'hedɪd] *a* 1) практичный, трёзвый; 2) искушённый; прожжённый.

hard-hearted ['hɑːd'hɑːtɪd] *a* жестокосердный; жестокий, бесчувственный.

hardihood ['hɑːdɪhud] *n* 1) смелость, дерзость; 2) наглость.

hardily ['hɑːdɪlɪ] *adv* смело.

hardiness ['hɑːdɪnɪs] *n* 1) смелость, дерзость; 2) крепость, выносливость.

hardly ['hɑːdlɪ] *adv* 1) с трудом; 2) едва; I had ~ uttered a word я едва успел вымолвить слово; 3) едва ли; the rumour was ~ true вряд ли слух был верен; 4) резко, сурово; ожесточённо.

hard-mouthed ['hɑːd'mauðd] *a* 1) тугоуздый (*о лошади*); 2) неподатливый; 3) упрямый, своевольный.

hardness ['hɑːdnɪs] *n* 1) твёрдость, степень твёрдости; плотность, прочность; 2)

жёсткость (*воды*); 3) суровость (*климата*); 4) *attr.*: ~ testing *тех.* склероскопическое испытание.

hard-pan ['hɑːdpæn] *n геол.* твёрдый подпочвенный пласт, ортштейн.

hards [hɑːdz] *n pl* пакля, очёс(ки).

hard set ['hɑːd'set] *a* 1) упорный, твёрдый; 2) в трудном положении; 3) голодный; 4) насиженный (*о яйце*).

hardshell ['hɑːd'ʃel] *a* 1) снабжённый твёрдой скорлупой; 2) не поддающийся убеждению, стойкий.

hardship ['hɑːdʃɪp] *n* 1) лишение, нужда; 2) тяжёлое испытание; 3) трудность; неудобство; early rising is a ~ in winter рано вставать зимой очень трудно.

hardtack ['hɑːdtæk] *n разг.* сухарь; галета.

hard-tempered ['hɑːd'tempəd] *a* закалённый.

hard-to-reach ['hɑːdtə'riːtʃ] *a* труднодоступный.

hard up ['hɑːd'ʌp] *a разг.* 1) сильно нуждающийся (*в деньгах*); 2) в трудном положении; he was ~ for smth. to say он не знал, что сказать.

hardware ['hɑːdwɛə] *n* металлические изделия; скобяной товар.

hardwood ['hɑːdwud] *n* твёрдая древесина (*лиственных пород*).

hardy I ['hɑːdɪ] *a* 1) смелый, отважный; 2) безрассудный; дерзкий; опрометчивый; 3) выносливый, стойкий, закалённый; 4) морозоустойчивый; ~ annual морозостойкое однолетнее растение; *перен.* ежегодно поднимаемый вопрос (*напр., в парламенте*).

hardy II ['hɑːdɪ] *n* 1) нож, резак; 2) *тех.* кузнечное зубило.

hare [hɛə] *n* заяц; ◇ ~ and hounds *спорт.* лисички (*игра, в которой одни участники бегут, оставляя за собой след из бумажек, а другие, вышедшие позже, их преследуют, стараясь перехватить*); to run (*или* to hold) with the ~ and hunt with the hounds служить и нашим и вашим; first catch your ~ then cook him *посл.* ≈ цыплят по осени считают; не говори гоп, пока не перескочишь.

harebell ['hɛəbel] *n бот.* колокольчик (круглолистный).

hare-brained ['hɛə,breɪnd] *a* безрассудный, опрометчивый; легкомысленный; бездумный.

harelip ['hɛə'lɪp] *n мед.* заячья губа.

harem ['hɛərem] *n* гарем.

hare's-foot ['hɛəzfut] *n бот.* котики, клевер пашенный.

haricot ['hærɪkou] *n* 1) фасоль; 2) рагу (*обычно из баранины*).

haricot bean ['hærɪkou,biːn] = haricot 1.

hari-kari ['hærɪ'kærɪ] = hara-kiri.

hark [hɑːk] *v* (*часто употр. как int*) 1) слушать; just ~ to him *ирон.* только послушайте, что он говорит; ~! слушай!; чу!; 2) *охот.*:~! ищи!; ◇ to ~ back to smth. возвращаться к исходному пункту, положению, вопросу *и т. п.*

harlequin ['hɑːlɪkwɪn] **1.** *n* 1) арлекин; 2) шут;
2. *a* пёстрый, многоцветный.
harlequinade [ˌhɑːlɪkwɪˈneɪd] *n* 1) арлекинада; 2) шутовство.
harlot ['hɑːlət] *n* проститутка, шлюха.
harlotry ['hɑːlətrɪ] *n* распутство, разврат.
harm [hɑːm] **1.** *n* 1) вред; ущерб; out of ~'s way в безопасности; 2) зло, обида; по ~ done всё благополучно; никто не пострадал; I meant no ~ я не хотел вас обидеть;
2. *v* вредить.
harmful ['hɑːmful] *a* вредный, пагубный.
harmless ['hɑːmlɪs] *a* безвредный, невинный; безобидный.
harmonic [hɑːˈmɔnɪk] **1.** *a* гармоничный, гармонический, стройный;
2. *n* *тех.* гармоника; гармонические волны.
harmonica [hɑːˈmɔnɪkə] *n* губная гармоника.
harmonious [hɑːˈmounjəs] *a* 1) гармонический, гармонизирующий; 2) дружный, согласный.
harmonist ['hɑːmənɪst] *n* музыкант; оркестратор; транскриптор.
harmonium [hɑːˈmounjəm] *n* фисгармония.
harmonize ['hɑːmənaɪz] *v* 1) гармонизировать, приводить в гармонию; согласовывать; соразмерять; 2) *муз.* аранжировать; 3) гармонировать; 4) настраивать.
harmony ['hɑːmənɪ] *n* 1) гармония, созвучие; 2) согласие.
harness ['hɑːnɪs] **1.** *n* 1) упряжь, сбруя; шоры; 2) *ист.* доспехи; 3) *текст.* ремиза; ◇ in ~ за повседневной работой; double ~ супружество; to run in double ~ быть женатым или замужем;
2. *v* 1) запрягать; впрягать; 2) использовать (*в качестве источника энергии — о реке, водопаде и т. п.*).
harp [hɑːp] **1.** *n* арфа.
2. *v* 1) играть на арфе; 2) надоедливо толковать об одном и том же, завести волынку (on —о, об).
harp-antenna ['hɑːpænˈtenə] *n* *радио* веерная антенна.
harper, harpist ['hɑːpə, 'hɑːpɪst] *n* арфист.
harpoon [hɑːˈpuːn] **1.** *n* гарпун; острога; багор;
2. *v* бить гарпуном.
harpsichord ['hɑːpsɪkɔːd] *n* клавикорды.
harpy ['hɑːpɪ] *n* 1) *миф.* гарпия; 2) хищник; грабитель.
harquebus ['hɑːkwɪbəs] *n* *ист.* аркебуза.
harridan ['hærɪdən] *n* старая карга, ведьма.
harrier I ['hærɪə] *n* 1) гончая (*на зайца*); 2) *pl* свора гончих (*на зайца*) с охотниками; 3) участник кросса; 4) член клуба игроков в «hare and hounds» [*см.* hare]; 5) *pl* клуб игроков [*см.* 4].
harrier II ['hærɪə] *n* 1) грабитель; разоритель; 2) лунь (*птица*).
Harrovian [həˈrouvjən] *n* 1) воспитанник колледжа в г. Харроу; 2) житель г. Харроу.
harrow ['hærou] **1.** *n* борона, скарифика-

тор; ◇ under the ~ в беде; в бедственном положении;
2. *v* 1) боронить; 2) мучить, терзать.
harry ['hærɪ] *v* 1) разорять, опустошать; 2) беспокоить, надоедать, изводить; 3) разграбить.
harsh [hɑːʃ] *a* 1) грубый, жёсткий, шероховатый; 2) резкий, неприятный; 3) терпкий; 4) строгий, суровый; бесчувственный.
harshness ['hɑːʃnɪs] *n* резкость; грубость, жёсткость.
harslet ['hɑːslɪt] = haslet.
hart [hɑːt] *n* олень-самец (*старше пяти лет*).
hartal ['hɑːtɑːl] *n* прекращение работы и торговли (*в знак протеста или траура*).
hartshorn ['hɑːtshɔːn] *n* 1) олений рог; 2) нюхательная соль; 3) нашатырный спирт.
harum-scarum ['hɛərəmˈskɛərəm] **1.** *n* легкомысленный, ветреный человек;
2. *a* 1) легкомысленный, опрометчивый, безрассудный; 2) небрежный, торопливый.
harvest ['hɑːvɪst] **1.** *n* 1) жатва; уборка хлеба; сбор (*яблок, мёда и т. п.*); 2) урожай; 3) *перен.* плоды; результат; 4) *attr.* связанный с урожаем; ~ time время жатвы, жатва, страдная пора, страда;
2. *v* 1) собирать урожай; 2) жать.
harvest-bug ['hɑːvɪstbʌg] *n* *зоол.* клещ.
harvester ['hɑːvɪstə] *n* 1) жнец; 2) жатвенная, уборочная машина.
harvester stacker ['hɑːvɪstəˈstækə] *n* *с.-х.* копнитель.
harvest home ['hɑːvɪstˈhoum] *n* 1) уборка урожая; 2) праздник урожая; 3) песнь урожая.
harvesting ['hɑːvɪstɪŋ] **1.** *pres. p.* *от* harvest 2;
2. *n* уборка урожая.
harvest-mite ['hɑːvɪstmaɪt] = harvest-bug.
harvest moon ['hɑːvɪstmuːn] *n* полнолуние перед осенним равноденствием.
harvest mouse ['hɑːvɪstmaus] *n* полевая мышь.
has [hæz (*полная форма*); həz, əz,z (*редуцированные формы*)] 3-е л. ед. ч. настоящего времени гл. to have.
has-been ['hæz,biːn] *n* (*pl* has-beens [-nz]) *разг.* 1) бывший человек; 2) что-л., утерявшее прежние качества, новизну *и т. п.*
hash [hæʃ] **1.** *n* 1) блюдо из мелко нарезанного мяса и овощей; 2) что-л. старое, выдаваемое в изменённом виде за новое; 3) мешанина, путаница; to make a ~ of smth. напутать, напортить в чём-л.; ◇ to settle smb.'s ~ а) заставить кого-л. замолчать; б) разделаться с кем-л.;
2. *v* 1) рубить, крошить (*мясо*); 2) напутать, напортить (*в чём-л.*).
hasheesh ['hæʃiːʃ] *араб.* *n* гашиш.
hasher ['hæʃə] *n* мясорубка.
hash house ['hæʃhaus] *n* *амер.* дешёвый ресторан, харчевня.
hashish ['hæʃiʃ] = hasheesh.
haslet ['heizlɪt] *n* (*обыкн. pl*) потроха (*особ. свиные*).
hasn't ['hæznt] *сокр. разг.* = has not.

hasp [hɑːsp] 1. *n* 1) запо́р, накла́дка; засо́в, крюк; 2) застёжка; 3) мото́к; 4) *текст.* шпу́лька;
2. *v* запира́ть, накла́дывать засо́в.

hassock ['hæsək] *n* 1) пук травы́; ко́чка; 2) поду́шечка (*подкла́дываемая под коле́ни, напр. при моли́тве*); 3) *горн.* вид мя́гкого песча́ника.

hast [hæst (*полная форма*); həst, əst (*редуцированные формы*)] *уст.* 2-е *л. ед.ч. настоя́щего времени гл.* to have.

hastate ['hæsteit] *a бот.* копьеви́дный, стре́льчатый.

haste [heist] 1. *n* 1) поспе́шность, торопли́вость; спе́шка; 2) опроме́тчивость; ◇ to make ~ спеши́ть, торопи́ться; more ~, less speed ≅ ти́ше е́дешь, да́льше бу́дешь;
2. *v* = hasten 1) *и* 2).

hasten ['heisn] *v* 1) торопи́ть; 2) спеши́ть, торопи́ться; 3) ускоря́ть проце́сс; ускоря́ть рост.

hastily ['heistili] *adv* 1) поспе́шно, торопли́во; на́скоро; 2) опроме́тчиво, необду́манно; 3) запа́льчиво.

hastiness ['heistinis] *n* 1) поспе́шность; 2) необду́манность; 3) вспы́льчивость.

hastings ['heistiŋz] *n pl уст.* ра́нние о́вощи *или* плоды́.

hasty ['heisti] *a* 1) поспе́шный, необду́манный, опроме́тчивый; 2) вспы́льчивый, ре́зкий; 3) бы́стрый, стреми́тельный; ~ growth бы́стрый рост; ◇ ~ pudding мучно́й заварно́й пу́динг.

hat [hæt] 1. *n* 1) шля́па; ша́пка; high (*или* silk, top) ~ цили́ндр; squash ~ мя́гкая фе́тровая шля́па; 2) *горн.* ве́рхний слой; 3) *горн.* слой поро́ды над жи́лой; ◇ ~ in hand подобостра́стно; to take off the ~ to smb. преклоня́ться пе́ред кем-л.; to send round the ~ пусти́ть ша́пку по кру́гу, собира́ть поже́ртвования; his ~ covers his family ≅ он соверше́нно одино́кий челове́к; to talk through one's ~ хва́стать; нести́ чушь; to put the ~ on my misery в доверше́ние всех мои́х несча́стий; to keep smth. under one's ~ держа́ть что-л. в секре́те; to throw one's ~ in(to) the ring a) приня́ть вы́зов; б) заяви́ть о своём уча́стии в состяза́нии;
2. *v* 1) надева́ть шля́пу; they were ~ted они́ бы́ли в шля́пах; 2) снима́ть шля́пу (*перед кем-л.*); 3) *австрал.* рабо́тать в одино́чку, без помо́щников.

hat-block ['hætblɔk] *n* болва́н(ка) для шляп.

hatch I [hætʃ] *n* 1) люк; решётка, кры́шка лю́ка; under ~es a) *мор.* под па́лубой; б) не при исполне́нии служе́бных обя́занностей; в) в заточе́нии; г) в беде́; д) уме́рший, погребённый; 2) затво́р, засло́нка; 3) запру́да; шлюзова́я ка́мера.

hatch II [hætʃ] 1. *n* 1) выведе́ние (*цыпля́т*); 2) вы́водок;
2. *v* 1) выси́живать (*цыпля́т*); наси́живать (*яйца*), выводи́ть (*цыпля́т*) иску́сственно; 2) вылупля́ться из яйца́; 3) рожда́ться, выводи́ться (*о личи́нках*); 4) замышля́ть, та́йно подгота́вливать, обду́мывать, вына́шивать (*иде́ю, план и т. п.*).

hatch III [hætʃ] 1. *n* вы́гравированная ли́ния, штрих;
2. *v* штрихова́ть, гравирова́ть.

hat-check girl ['hætʃek ͵gəːl] *n* гардеро́бщица.

hatcher ['hætʃə] *n* 1) насе́дка; 2) инкуба́тор; 3) загово́рщик, интрига́н.

hatchery ['hætʃəri] *n* инкуба́торная ста́нция.

hatchet ['hætʃit] *n* 1) топо́рик, топо́р; 2) большо́й нож, реза́к, се́чка; ◇ to bury the ~ заключи́ть мир; to dig (*или* to take) up the ~ нача́ть войну́; to throw the ~ преувели́чивать.

hatchet-face ['hætʃitfeis] *n* продолгова́тое лицо́ с о́стрыми черта́ми.

hatchment ['hætʃmənt] *n гера́льд.* герб; мемориа́льная доска́ с изображе́нием герба́.

hatchway ['hætʃwei] *n* люк.

hate [heit] 1. *n* не́нависть;
2. *v* 1) ненави́деть; 2) *разг.* не хоте́ть, испы́тывать нело́вкость; I ~ to trouble you мне о́чень неудо́бно беспоко́ить вас.

hateful ['heitful] *a* ненави́стный; отврати́тельный.

hath [hæθ (*полная форма*); həθ, əθ (*редуци́рованные формы*)] *уст.* = has.

hatred ['heitrid] *n* не́нависть.

hat-stand ['hætstænd] *n* ве́шалка для шляп.

hatter ['hætə] *n* 1) шля́пный ма́стер *или* фабрика́нт; торго́вец шля́пами; 2) стара́тель; 3) *австрал.* рабо́тающий в одино́чку (*гл. обр. о горняке*).

hauberk ['hɔːbək] *n ист.* (дли́нная) кольчу́га.

haughtiness ['hɔːtinis] *n* надме́нность, высокоме́рие.

haughty ['hɔːti] *a* надме́нный, высокоме́рный.

haul [hɔːl] 1. *n* 1) тя́га, волоче́ние; 2) перево́зка, подво́зка; е́здка, рейс; 3) выта́скивание (*сете́й*); то́ня (*одна заки́дка не́вода*); 4) уло́в; 5) трофе́и; 6) *горн.* отка́тка; 7) *ж.-д.* перево́зка; про́йденное расстоя́ние; перевезённый груз;
2. *v* 1) тяну́ть, тащи́ть, волочи́ть; букси́ровать; to ~ timber трелева́ть лес; 2) перево́зить, подвози́ть; 3) *мор.* меня́ть направле́ние (*су́дна*); 4) *горн.* отка́тывать; 5) *мор.* держа́ть(ся) про́тив ве́тра, держа́ть(ся) кру́то к ве́тру; ☐ ~ down one's флаг сдава́ться; ◇ ~ over the coals зада́ть взбу́чку.

haulage ['hɔːlidʒ] *n* 1) тя́га; буксиро́вка; 2) подво́зка; перево́зка; 3) сто́имость перево́зки; 4) *горн.* отка́тка.

haulier ['hɔːljə] *n горн.* отка́тчик, ка́таль.

haulm [hɔːm] *n* 1) сте́бель; 2) *собир.* ботва́; 3) соло́ма.

haunch [hɔːntʃ] *n* 1) бедро́, ля́жка; 2) за́дняя нога́; 3) *стр.* поду́жье а́рки; крыло́ сво́да; часть а́рки ме́жду замко́м и пято́й.

haunt [hɔːnt] 1. *n* 1) ча́сто посеща́емое, люби́мое ме́сто; 2) прито́н; 3) убе́жище, ло́говище;
2. *v* 1) ча́сто посеща́ть како́е-л. ме́сто; 2) появля́ться, явля́ться, обита́ть (*как при́зрак*); 3) пресле́довать (*о мы́слях и т. п.*).

haunter ['hɔːntə] *n* постоя́нный посети́тель, завсегда́тай.

hautboy ['oubɔɪ] *n* 1) гобо́й; 2) му́скусная клубни́ка *или* земляни́ка.

hauteur [ou'təː] *фр. n* надме́нность, высокоме́рие.

Havana [hə'vænə] *n* гава́нская сига́ра.

have [hæv (*полная форма*); həv, əv, v (*редуци́рованные формы*)] **1.** *v* (had) 1) име́ть, облада́ть; I ~ a very good flat у меня́ прекра́сная кварти́ра; I ~ no time for him мне не́когда с ним вози́ться; he has no equals ему́ нет ра́вных; 2) содержа́ть, име́ть в соста́ве; June has 30 days в ию́не 30 дней; the room has four windows в ко́мнате четы́ре окна́; 3) испы́тывать (*что-л.*), подверга́ться (*чему-л.*); to ~ a pleasant time прия́тно проводи́ть вре́мя; I ~ a toothache у меня́ боли́т зуб; 4) получа́ть; we had news мы получи́ли изве́стие; 5) *sl.* (*употр. в pres. perf. pass.*) обману́ть; разочарова́ть; you ~ been had вас обману́ли; 6) победи́ть, взять верх; he had you in the first game он поби́л вас в пе́рвой па́ртии; 7) утвержда́ть, говори́ть; as Shakespeare has it как ска́зано у Шекспи́ра; if you will ~ it ... е́сли вы наста́иваете...; he will ~ it that ... он утвержда́ет, что...; 8) знать, понима́ть; he has no Greek он не зна́ет гре́ческого языка́; 9) *разг.*: I ~ got = I ~, you ~ got = you ~, he has got = he has *и т. д.* (*в разных значениях*); I ~ got no money about me у меня́ нет при себе́ де́нег; she has got a cold она́ просту́жена; he has got to go there ему́ придётся пойти́ туда́; 10) *образует фразовые глаголы:* а) с отглаго́льными существи́тельными обознача́ет конкре́тное де́йствие: to ~ a walk прогуля́ться; to ~ a smoke покури́ть; to ~ a try попыта́ться *и т. п.*; б) с абстра́ктными существи́тельными означа́ет испы́тывать чу́вство, ощуще́ние: to ~ pity жале́ть; to ~ mercy щади́ть; 11) с существи́тельными, обознача́ющими тра́пезу, имеет значе́ние есть, пить: to ~ breakfast за́втракать, to ~ dinner обе́дать *и т. п.*; to ~ tea пить чай; 12) *со сло́жным дополне́нием показывает, что де́йствие выполня́ется не субъе́ктом, выраженным подлежа́щим, а други́м лицо́м по жела́нию субъе́кта, или что оно соверша́ется без его жела́ния:* please, ~ your brother bring my books пусть твой брат принесёт мой кни́ги; he had his watch mended ему́ почини́ли часы́; he had his leg broken он слома́л но́гу; 13) *как вспомога́тельный глаго́л употребля́ется для образова́ния перфе́ктной фо́рмы:* I ~ done, I had done я сде́лал, I shall ~ done я сде́лаю, to ~ done сде́лать; 14) *с после́дующим инфинити́вом имеет мода́льное значе́ние:* быть до́лжным, вы́нужденным (*что-л. де́лать*); I ~ to go to the dentist мне необходи́мо пойти́ к зубно́му врачу́; the clock will ~ to be fixed часы́ ну́жно почини́ть; 15): I won't ~ it я не потерплю́ э́того; I won't ~ you say such things я вам не позво́лю говори́ть таки́е ве́щи; □ ~ on быть оде́тым в; to ~ a hat (an overcoat) on быть в шля́пе (в пальто́); ◇ I had better (*или* best) я предпочёл бы, лу́чше бы; you had better go

home вам бы лу́чше пойти́ домо́й; ~ done! переста́нь(те)!; ~ no doubt мо́жете не сомнева́ться; he had eyes only for his mother он смотре́л то́лько на мать, он не ви́дел никого́, кро́ме ма́тери; he has had it *sl.* а) он безнадёжно отста́л, он устаре́л; б) он поги́б, он пропа́л; to ~ one's own way поступа́ть по-сво́ему; to ~ a question out with smb. вы́яснить вопро́с с кем-л.; to ~ one up привле́чь кого́-л. к суду́; let him ~ it дай ему́ взбу́чку, зада́й ему́ пе́рцу; will you ~ the goodness to do it бу́дьте насто́лько добры́, сде́лайте э́то; **2.** *n* 1): ~s and ~-nots *разг.* иму́щие и неиму́щие; 2) *sl.* моше́нничество, обма́н.

haven ['heɪvn] *n* 1) га́вань; 2) убе́жище, прибе́жище, прию́т.

have-on [hæv'ɔn] *n разг.* обма́н.

haver ['heɪvə] *шотл.* **1.** *n* (*обыкн. pl*) глу́пый разгово́р; бессмы́слица; **2.** *v* болта́ть, говори́ть глу́пости.

haversack ['hævəsæk] *n* 1) су́мка, мешо́к для прови́зии; 2) *воен.* суха́рный мешо́к; вещево́й мешо́к, ра́нец.

havildar ['hævɪl,dɑː] *n англо-инд. воен.* сержа́нт-тузе́мец.

havings ['hævɪŋz] *n pl* иму́щество, со́бственность.

havoc ['hævək] **1.** *n* опустоше́ние; разруше́ние; to make ~ (of), to play ~ (among, with) производи́ть беспоря́док, разруша́ть; to sгу ~ дава́ть сигна́л к резне́; **2.** *v* опустоша́ть; разруша́ть.

haw I [hɔː] *n* 1) я́года боя́рышника; 2) = hawthorn; 3) *ист.* огра́да.

haw II [hɔː] *int* окри́к, кото́рым пого́нщик заставля́ет живо́тное поверну́ть.

haw III [hɔː] **1.** *n* бормота́ние; **2.** *v* бормота́ть, произноси́ть (в нереши́тельности) невня́тные зву́ки; to hum and ~ мя́млить.

hawbuck ['hɔːbʌk] *n* неотёсанный па́рень, мужла́н.

hawfinch ['hɔːfɪntʃ] *n* дубоно́с (*пти́ца*).

haw-haw I ['hɔː'hɔː] = ha ha 1.

haw-haw II ['hɔː'hɔː] = ha-ha.

hawk I [hɔːk] **1.** *n* 1) я́стреб; 2) хи́щник (*о челове́ке*);
2. *v* 1) охо́титься с я́стребом *или* со́колом; 2) налета́ть как я́стреб (at — на).

hawk II [hɔːk] *v* торгова́ть вразно́с.

hawk III [hɔːk] *v* отка́шливать(ся), отха́ркивать(ся).

hawk IV [hɔːk] *n* со́кол (*инструме́нт штукату́ра*).

hawker I ['hɔːkə] *n* 1) охо́тник с я́стребом *или* со́колом; 2) соко́льничий.

hawker II ['hɔːkə] *n* разно́счик, у́личный торго́вец, лото́чник.

hawk-eyed ['hɔːkaɪd] *a* 1) име́ющий о́строе зре́ние; 2) бди́тельный.

hawk-nosed ['hɔːk,nouzd] *a* горбоно́сый, с орли́ным но́сом; с крючкова́тым но́сом.

hawse [hɔːz] *n мор.* 1) клю́зы; 2) положе́ние я́корных цепе́й впереди́ форште́вня.

hawse-hole ['hɔːzhoul] *n мор.* клюз.

hawser ['hɔːzə] *n мор.* перли́нь; (стально́й) трос.

hawthorn ['hɔːθɔːn] *n* боя́рышник.

hay [heɪ] *n* сено; to make ~ косить и сушить сено; ◇ to make ~ of smth. вносить путаницу во что-л.; делать в чём-л. беспорядок; make ~ while the sun shines *посл.* ≅ коси коса, пока роса; куй железо, пока горячо.

haycock ['heɪkɔk] *n* копна сена.

hay-drier ['heɪ'draɪə] *n с.-х.* сеносушилка.

hay fever ['heɪ'fiːvə] *n* сенная лихорадка.

hay harvest ['heɪ,haːvɪst] *n* сенокос.

haying ['heɪɪŋ] = haymaking.

haying time ['heɪɪŋtaɪm] = hay time.

hayloft ['heɪlɔft] *n* сеновал.

haymaker ['heɪ,meɪkə] *n* 1) рабочий на сенокосе; косарь; 2) сеноуборочная машина; 3) *sl.* сильный удар.

haymaking ['heɪ,meɪkɪŋ] *n* сенокос.

haymaking time ['heɪmeɪkɪŋ,taɪm] = hay time.

haymow ['heɪmou] *n* 1) стог сена; 2) сеновал.

hayrack ['heɪræk] *n радио sl.* радиолокационный маяк с приводным устройством.

hayrick ['heɪrɪk] = haystack.

hayseed ['heɪsiːd] *n* 1) семена трав; 2) сенная труха; 3) *амер. sl.* деревенщина.

hay spreader ['heɪ'spredə] *n с.-х.* сеноворошилка.

haystack ['heɪstæk] *n* стог сена.

hay-stacker ['heɪ,stækə] *n с.-х.* стогометатель.

hay time ['heɪtaɪm] *n* сенокос, покос.

hazard ['hæzəd] 1. *n* 1) шанс; 2) риск, опасность; at ~ наугад, наудачу; at all ~s во что бы то ни стало; рискуя всем; to take ~s идти на риск; 3) азартная игра; 4) *спорт.* всякие помехи (*на площадке для гольфа; напр.,* выбоины, высокая трава *и т. п.*);

2. *v* 1) рисковать, ставить на карту; 2) осмеливаться, отваживаться; to ~ a remark осмелиться сказать что-л., возразить.

hazardous ['hæzədəs] *a* рискованный, опасный.

haze I [heɪz] 1. *n* 1) лёгкий туман, дымка; 2) туман в голове; отсутствие ясности в мыслях;

2. *v* затуманивать.

haze II [heɪz] *v* 1) *мор.* изнурять работой; 2) зло подшучивать, *особ.* над новичком.

hazel ['heɪzl] 1. *n* обыкновенный орешник;

2. *a* светло-коричневый; карий.

hazel-hen ['heɪzlhen] *n* рябчик.

hazel-nut ['heɪzlnʌt] *n* обыкновенный орех.

haziness ['heɪzɪnɪs] *n* туманность, неясность.

hazy ['heɪzɪ] *a* 1) туманный, подёрнутый дымкой; смутный; 2) слегка подвыпивший.

H-bomb ['eɪtʃbɔm] *n* водородная бомба.

he [hiː] 1. *pron. pers.* он (*о существе мужского пола*); *косв. падеж* him его, ему *и т. д.*; *косв. падеж употребляется в разговорной речи вместо* he: that's him это он; he who... тот, кто...;

2. *n* 1) *разг.* мужчина; 2) водящий (*в детской игре*).

he- [hiː-] *в сложных словах означает самца;*

напр.: ~-dog кобель; ~-duck селезень; ~-goat козёл.

head [hed] 1. *n* 1) голова; by a ~ taller на голову выше; from ~ to foot (*или* heel), ~ to foot с головы до пят; 2) человек; 5 shillings per ~ по пяти шиллингов с человека; to count ~s сосчитать число присутствующих; 3) (*pl без измен.*) голова скота; fifty ~ of cattle пятьдесят голов скота; 4) глава; вождь; руководитель; начальник (*учреждения, предприятия*); 5) директор школы; 6) что-л., напоминающее по форме голову; a ~ of cabbage кочан капусты; the ~ of a flower головка цветка; 7) способность; ум; he has a good ~ for mathematics у него хорошие способности к математике; he has a ~ on his shoulders у него хорошая голова; 8) передняя часть, перёд (*чего-л.*); the ~ of the procession голова процессии; 9) верхняя часть (*лестницы, страницы и т. п.*); the ~ of a mountain вершина горы; 10) нос (*судна*); ~ to sea против волны; by the ~ а) *мор.* с дифферентом на нос; б) *перен.* подвыпивший; 11) мыс; 12) изголовье (*постели*); 13) исток реки; 14) верхушка, верхняя часть, крышка; 15) шляпка (*гвоздя*); головка (*булавки*); набалдашник (*трости*); 16) назревшая головка нарыва; to come to a ~ а) назреть (*о нарыве*); б) *перен.* достигнуть критической или решающей стадии; to bring to a ~ а) обострять; б) доводить до конца; 17) перелом, кризис болезни; 18) пена; сливки; 19) рубрика, отдел, заголовок; 20) лицевая сторона монеты; 21) черенок (*ножа*); обух (*топора*); боёк (*молота*); 22) *тех., гидр.* гидростатический напор, давление столба жидкости; ~ of water высота напора воды; 23) *архит.* замочный камень (*свода*); 24) *тех.* насадок; 25) *стр.* верхний брус оконной *или* дверной коробки; 26) *тех.* бабка (*станка*); 27) *мор.* топ (*мачты*); 28) *pl горн.* руда (*чистая*); концентрат (*высшего качества*); 29) прибыль (*при литье*); 30) *attr.* главный; ~ waiter метрдотель; 31) *attr.* встречный, противный; ~ tide встречное течение; ~ wind встречный ветер; ◇ at the ~ во главе; ~ of hair шапка, копна волос; a good ~ of hair густая шевелюра; ~ over heels вверх тормашками; вверх ногами; to be ~ over heels in work заработаться; (by) ~ and shoulders above smb. намного сильнее, на голову выше кого-л.; ~s or tails ≅ орёл или решка; can't make ~ or tail of it ничего не могу понять; to give a horse his ~ отпустить поводья; to give smb. his ~ дать кому-л. волю; to keep one's ~ сохранять спокойствие, сохранять присутствие духа; to keep one's ~ above water а) держаться на поверхности; б) справляться с трудностями; to lay (*или* to put) ~s together совещаться; to make ~ продвигаться вперёд; to make ~ against сопротивляться, противиться; to go out of one's ~ сойти с ума, рехнуться; off one's ~ вне себя; безумный; over ~ and ears, ~ over ears in... по уши;

2. *v* 1) возглавлять; вести; to ~ the list быть на первом месте; 2) озаглавливать;

3) направля́ть(ся), держа́ть курс (for— куда-л.); 4) брать нача́ло (о реке); 5) спорт. уда́рить голово́й (по мячу); игра́ть голово́й; 6) формирова́ть (крону или колос); завива́ться (о капусте; тж. ~ up); □ ~ back прегражда́ть (путь); ~ off препя́тствовать; прегражда́ть (путь); отража́ть (нападе́ние).

headache ['hedeɪk] n 1) головна́я боль; 2) неприя́тность, поме́ха; to give (или to cause) a ~ a) причиня́ть беспоко́йство; б) заставля́ть призаду́маться; тре́бовать больши́х уси́лий; 3) (H.) sl. англи́йское назва́ние неме́цкой радионавигацио́нной систе́мы «Knickebein».

headachy ['hedeɪkɪ] a 1) страда́ющий головно́й бо́лью; 2) вызыва́ющий головну́ю боль.

headband ['hedbænd] n повя́зка на голове́.

headboard ['hedbɔːd] n пере́дняя спи́нка крова́ти.

head-dress ['heddres] n 1) головно́й убо́р (особ. наря́дный); 2) причёска.

headed ['hedɪd] a снабжённый заголо́вком; ~ note-paper бланк како́го-л. учрежде́ния или фи́рмы.

-headed [-'hedɪd] в сложных словах означа́ет: име́ющий такую-то фо́рму головы́ или столько-то голо́в; напр.: longheaded длинноголо́вый; blackheaded черноголо́вый.

header ['hedə] n 1) прыжо́к или паде́ние в во́ду голово́й; to take a ~ нырну́ть; 2) глава́, руководи́тель; 3) уда́р по голове́; 4) тех. колле́ктор; 5) стр. тычо́к; 6) горн. вру́бовая маши́на; 7) с.-х. хе́дер (комба́йна); 8) тех. наса́дка; 9) магистра́ль.

headgear ['hedɡɪə] n 1) головно́й убо́р; 2) оголо́вье узде́чки; 3) горн. надша́хтное устро́йство; бурова́я вы́шка; 4) радио нау́шники.

heading ['hedɪŋ] 1. pres. p. от head 2; 2. n 1) загла́вие, заголо́вок; на́дпись; 2) мор. направле́ние, курс; 3) спорт. уда́р голово́й (по мячу); 4) горн. направле́ние прохо́дки; передово́й забо́й; подготови́тельный штрек; 5) до́нник (клёпка); 6) воен. голова́ са́пы или ми́нной галере́и.

headland ['hedlənd] n 1) мыс; 2) незапа́ханный коне́ц по́ля.

headlight ['hedlaɪt] n 1) головно́й, бу́ферный фона́рь (паровоза); фа́ра (автомоби́ля); 2) мор. ого́нь на ма́чте; 3) радиолокацио́нная анте́нна, вмонти́рованная в крыло́ самолёта.

headline ['hedlaɪn] n 1) заголо́вок; 2) pl кра́ткое содержа́ние вы́пуска после́дних изве́стий (по ра́дио).

head-liner ['hed,laɪnə] n 1) популя́рный актёр, ле́ктор и т. п. (имя которого на афишах пишется крупными буквами); 2) хо́дкая, нашуме́вшая кни́га.

headlong ['hedlɔŋ] 1. a 1) безуде́ржный, бу́рный; 2) опроме́тчивый; 2. adv 1) голово́й вперёд; 2) опроме́тчиво; очертя́ го́лову.

headman ['hed'mæn] n 1) вождь (племени); 2) ста́рший рабо́чий; деся́тник; ма́стер.

head master ['hed'mɑːstə] n дире́ктор шко́лы.

head mistress ['hed'mɪstrɪs] n директри́са, заве́дующая шко́лой.

head-money ['hed,mʌnɪ] n 1) поду́шный нало́г; 2) избира́тельный нало́г; 3) награ́да, объя́вленная за по́имку кого́-л.

headmost ['hedmoust] a пере́дний, передово́й.

head-nurse ['hednəːs] n ста́ршая сестра́ (в больни́це и т. п.).

head office ['hed'ɔfɪs] n правле́ние.

head-on ['hed'ɔn] adv 1) голово́й; пере́дней ча́стью, но́сом; 2) во всеору́жии; to meet a situation ~ быть во всеору́жии.

headphone ['hedfoun] n (обыкн. pl) (ра́дио)нау́шники, головно́й телефо́н.

headpiece ['hedpiːs] n 1) шлем; 2) = headstall; 3) ум, смека́лка; 4) у́мница; 5) заста́вка (в книге); 6) = headphone.

headquarters ['hed'kwɔːtəz] n pl (употр. как sing и как pl) 1) воен. штаб; штаб-кварти́ра; о́рган управле́ния; 2) гла́вное управле́ние, центр; 3) исто́чник (сведе́ний и т. п.).

headrace ['hedreɪs] n гидр. 1) ве́рхняя вода́, ве́рхний бьеф; 2) подводя́щий кана́л (водяно́й турби́ны).

head-resistance ['hedrɪ'zɪstəns] n ав. лобово́е сопротивле́ние.

head-sea ['hedsiː] n встре́чная волна́.

headsman ['hedzmən] n пала́ч.

headspring ['hedsprɪŋ] n исто́чник.

headstall ['hedstɔːl] n оголо́вье узде́чки; недоу́здок.

head stone ['hedstoun] n краеуго́льный ка́мень.

headstone ['hedstoun] n моги́льный ка́мень; надгро́бие.

headstrong ['hedstrɔŋ] a своево́льный, упря́мый.

headwater ['hed,wɔːtə] n 1) гидр. ве́рхний горизо́нт воды́, ве́рхний бьеф; 2) pl во́ды с верхо́вьев, исто́ки.

headway ['hedweɪ] n 1) движе́ние вперёд; поступа́тельное движе́ние; 2) прогре́сс; успе́х; to make a ~ де́лать успе́хи; преуспева́ть; 3) ско́рость движе́ния; 4) проме́жу́ток вре́мени ме́жду двумя́ сле́дующими друг за дру́гом поезда́ми или двумя́ авто́бусами; 5) горн. бре́мсберг; (механизи́рованный) скат.

head-work ['hedwəːk] n 1) у́мственная рабо́та; 2) архит. изображе́ние головы́ на замко́вом ка́мне (свода и т. п.); 3) горн. копёр.

heady ['hedɪ] a 1) стреми́тельный, бу́рный; горя́чий, опроме́тчивый; 2) кре́пкий, опьяня́ющий.

heal [hiːl] v 1) излечи́вать, исцеля́ть (of — от); 2) зажива́ть, заживля́ться (ча́сто ~ over, ~ up).

heal-all ['hiːl,ɔːl] n 1) универса́льное сре́дство, панаце́я; 2) название некоторых целебных растений.

heald [hiːld] = heddle.

healer ['hiːlə] n исцели́тель, цели́тель; time is a great ~ вре́мя всё зале́чивает.

healing ['hiːlɪŋ] 1. pres. p. от heal;

2. *n* лече́ние; заживле́ние;

3. *a* лече́бный, целе́бный.

health [helθ] *n* 1) здоро́вье; 2): public ~ здравоохране́ние; Ministry of H. министе́рство здравоохране́ния; 3) тост; to drink smb.'s ~ пить за здоро́вье кого́-л.; 4) *attr.* гигиени́ческий, санита́рный; ◊ bill каранти́нное свиде́тельство; infant ~ centre де́тская консульта́ция; ~ centre *амер.* диспансе́р.

healthful ['helθful] *a* 1) целе́бный; 2) здоро́вый.

health-officer ['helθ,ɔfɪsə] *n* санита́рный врач.

health-resort ['helθrɪ'zɔ:t] *n* куро́рт.

healthy ['helθɪ] *a* 1) здоро́вый; 2) поле́зный для здоро́вья; 3) нра́вственный (*о фильме и т. п.*); 4) *ирон.* безопа́сный (*в отриц. предложе́нии*).

heap [hi:p] 1. *n* 1) ку́ча, гру́да; 2) *разг.* ма́сса; у́йма; 3) *pl разг.* мно́жество, мно́го; ~s of time мно́го *или* ма́сса вре́мени; he is ~s better ему́ мно́го лу́чше; 4) *горн.* отва́л; ◊ struck all of a ~ сражённый, ошеломлённый; подавленный;

2. *v* 1) нагроможда́ть; 2) накопля́ть (*часто* ~ up); 3) нагружа́ть (with); 4) осыпа́ть (*милостями, награда́ми;* with).

hear [hɪə] *v* (heard) 1) слы́шать; 2) слу́шать, внима́ть; выслу́шивать (*часто* ~ out); to ~ a course of lectures прослу́шать курс ле́кций; 3) услы́шать, узна́ть (of, about — o); 4) получи́ть изве́стие, письмо́ (from); 5) *юр.* слу́шать (*де́ло*); ◊ ~!~! пра́вильно! пра́вильно! (*во́зглас, выража́ющий согла́сие с выступа́ющим*); I won't ~ of it я э́того не потерплю́; you will ~ about this вам за э́то попадёт.

heard [hə:d] *past и p. p. от* hear.

hearer ['hɪərə] *n* слу́шатель.

hearing ['hɪərɪŋ] 1. *pres. p. от* hear; 2. *n* 1) слух; out of ~ вне преде́лов слы́шимости; within ~ в преде́лах слы́шимости; настолько бли́зко, что мо́жно услы́шать; in my ~ в моём прису́тствии; 2) слу́шание; выслу́шивание; to give smb. a (fair) ~ (беспристра́стно) выслу́шивать кого́-л.; 3) *юр.* разбо́р, слу́шание де́ла.

hearing-aid ['hɪərɪŋ,eɪd] *n* усили́тель для глухи́х.

hearken ['hɑ:kən] *v* слу́шать, выслу́шивать (to).

hearsay ['hɪəseɪ] *n* 1) слух, молва́; 2) *attr.* осно́ванный на слу́хах.

hearse [hə:s] *n* 1) катафа́лк, похоро́нные дро́ги; 2) *уст.* гроб; 3) *attr.:* ~ cloth (чёрный) покро́в (*на гроб*).

heart [hɑ:t] *n* 1) се́рдце; *перен. тж.* душа́; to take to ~ принима́ть бли́зко к се́рдцу; to lay to ~ серьёзно отнести́сь (*к сове́ту, упрёку*); big ~ благоро́дство, великоду́шие; at ~ в глубине́ души́; from the bottom of one's ~ из глубины́ души́; in one's ~ (of ~s) в глубине́ души́; with all one's ~ от всей души́; 2) му́жество, сме́лость, отва́га; to pluck up ~ собра́ться с ду́хом, набра́ться хра́брости; to lose ~ па́дать ду́хом; впада́ть в уны́ние; отча́иваться; to take ~ мужа́ться; to give ~ ободря́ть;

3) чу́вства, любо́вь; to give (*или* to lose) one's ~ to smb. полюби́ть кого́-л.; 4) *в обраще́ниях:* dear ~ ми́лый; ми́лая; 5) сердцеви́на; ядро́; ~ of cabbage head капу́стная кочеры́жка; ~ of oak a) сердцеви́на, древеси́на ду́ба; б) отва́жный челове́к; удале́ц; 6) суть, су́щность; the ~ of the matter су́щность де́ла; 7) располо́женные в глубине́ райо́ны, центра́льная часть страны́; in the ~ of Africa в се́рдце А́фрики; the ~ of the country a) глуби́нные райо́ны; б) глушь; 8) плодоро́дие (*по́чвы*); out of ~ неплодоро́дный [*ср. тж.* ◊]; 9) *тех.* серде́чник; 10) *pl* карт. че́рви; ◊ have a~! *разг.* сжа́льтесь!, помилосе́рдствуйте!; to have smth. at ~ быть пре́данным чему́-л., глубоко́ заинтересо́ванным в чём-л.; to eat one's ~ out ча́хнуть от тоски́; to set one's ~ on smth. стра́стно жела́ть чего́-л.; стреми́ться к чему́-л.; with half a ~ неохо́тно; ~ and hand с энтузиа́змом, с эне́ргией; by ~ наизу́сть; на па́мять; out of ~ в уны́нии; в плохо́м состоя́нии [*ср. тж.* 8)]; to have one's ~ in one's mouth (*или* throat) ≅ душа́ в пя́тки ушла́; быть о́чень напу́ганным; to have one's ~ in the right place име́ть хоро́шие, до́брые наме́рения; to take ~ of grace собра́ться с ду́хом; to wear one's ~ on one's sleeve не (уме́ть) скрыва́ть свои́х чувств.

heartache ['hɑ:teɪk] *n* душе́вная боль.

heartbeat ['hɑ:tbi:t] *n* 1) пульса́ция се́рдца; 2) волне́ние.

heart-breaking ['hɑ:t,breɪkɪŋ] *a* 1) надрыва́ющий се́рдце; душераздира́ющий; вызыва́ющий печа́ль; 2) *разг.* ску́чный, ну́дный.

heart-broken ['hɑ:t,broukən] *a* уби́тый го́рем; с разби́тым се́рдцем.

heartburn ['hɑ:tbə:n] *n* изжо́га.

heart-burning ['hɑ:t,bə:nɪŋ] *n* недово́льство; та́йная за́висть, ре́вность.

heart-disease ['hɑ:tdɪ'zi:z] *n* боле́знь се́рдца; поро́к се́рдца.

hearten ['hɑ:tn] *v* 1) ободря́ть, подбодря́ть (*часто* ~ up); 2) удобря́ть (*зе́млю*).

heart failure ['hɑ:t'feɪljə] *n мед.* 1) парали́ч се́рдца; 2) поро́к се́рдца.

heartfelt ['hɑ:tfelt] *a* и́скренний; прочу́вствованный.

hearth [hɑ:θ] *n* 1) дома́шний оча́г; 2) ками́н; 3) ка́менная плита́ под оча́гом; под пе́чи; 4) *тех.* под, горн; ва́нна, рабо́чее простра́нство (*в отража́тельной пе́чи*); то́пка.

hearth-money ['hɑ:θ,mʌnɪ] *n ист.* нало́г на очаги́.

hearth-rug ['hɑ:θrʌg] *n* ко́врик пе́ред ками́ном.

hearthstone ['hɑ:θstoun] = hearth 3).

heartily ['hɑ:tɪlɪ] *adv* 1) серде́чно, и́скренне; 2) охо́тно, усе́рдно; to eat ~ есть с аппети́том; 3) си́льно, о́чень; I am ~ sick of it мне э́то опроти́вело.

heartiness ['hɑ:tɪnɪs] *n* 1) серде́чность, и́скренность; 2) кре́пость, здоро́вье.

heartless ['hɑ:tlɪs] *a* бессерде́чный, безжа́лостный.

heart-rending ['hɑ:t,rendɪŋ] *a* душераздира́ющий; тяжёлый, го́рестный.

heartsease ['hɑːtsiːz] *n бот.* анютины глазки.

heart-service ['hɑːt,səːvɪs] *n* искренняя преданность [*ср.* eye-service 2)].

heartshake ['hɑːtʃeɪk] *n лес.* радиальная трещина (*в дереве*).

heartsick ['hɑːtsɪk] *a* павший духом, удручённый.

heart-to-heart ['hɑːtəˈhɑːt] *a* интимный, сердечный; ~ conversation разговор по душам.

heart-whole ['hɑːthoul] *a* 1) искренний; 2) свободный от привязанностей.

hearty ['hɑːtɪ] 1. *a* 1) сердечный, искренний; дружеский; 2) крепкий, здоровый, энергичный; 3) обильный (*о еде*).
2. *n* 1) крепкий парень; *особ.* моряк; 2) *унив. разг.* студент, занимающийся спортом.

heat [hiːt] 1. *n* 1) жара; жар; 2) *физ.* теплота; specific ~ удельная теплоёмкость; 3) пыл, раздражение, гнев; 4) что-л., сделанное за один раз, в один раз, в один приём; *особ. спорт.* часть состязания; забег; заплыв; заезд (*на бегах*); at a ~ за один раз; 5) *амер. разг.* допрос с пристрастием; to put the ~ on smb. припереть кого-л. к стенке; 6) *амер. разг.* принуждение; 7) период течки (*у животных*);
2. *v* 1) нагревать(ся); разогревать; подогревать (*часто* ~ up); согревать(ся); 2) накаливать, накаляться; 3) топить; 4) разгорячить; горячить; раздражать.

heat capacity ['hiːtkəˈpæsɪtɪ] *n физ.* теплоёмкость.

heated ['hiːtɪd] 1. *p. p. от* heat 2;
2. *a* 1) нагретый; подогретый; 2) разгорячённый; возбуждённый; ~ with dispute в пылу спора; 3) горячий, пылкий; a ~ discussion горячий спор.

heatedly ['hiːtɪdlɪ] *adv* возбуждённо, гневно.

heat-engine ['hiːt,endʒɪn] *n* тепловой двигатель.

heater ['hiːtə] *n* нагревательный прибор; грелка; радиатор; калорифер; кипятильник; печь.

heath [hiːθ] *n* 1) степь, пустошь, поросшая вереском; 2) вереск.

heath-bell ['hiːθbel] *n* цветок вереска.

heath-berry ['hiːθberɪ] *n* черника, клюква и другие ягоды, растущие среди вереска.

heath-cock ['hiːθkɔk] *n* тетерев-косач.

heathen ['hiːðən] 1. *n* язычник.
2. *a* языческий.

heathendom ['hiːðəndəm] *n* язычество, языческий мир.

heathenish ['hiːðənɪʃ] *a* 1) языческий; 2) варварский; грубый, жестокий.

heathenism ['hiːðənɪzəm] *n* 1) язычество; 2) варварство.

heather ['heðə] *n* вереск; ◇ ~ mixture пёстрая шерстяная ткань.

heathery ['heðərɪ] *a* поросший, изобилующий вереском.

heath-hen ['hiːθhen] *n* тетёрка.

heathy ['hiːθɪ] *a* 1) вересковый; 2) = heathery.

heating ['hiːtɪŋ] 1. *pres. p. от* heat 2;
2. *n* 1) нагревание; подогревание; продолжительность нагрева; 2) отопление; 3) накаливание; 4) *радио* накал;
3. *a* 1) горячительный; 2) отопительный; согревающий.

heating plant ['hiːtɪŋˈplɑːnt] *n* отопительная система.

heating value ['hiːtɪŋˈvæljuː] *n* теплотворная способность.

heat-lightning ['hiːtˈlaɪtnɪŋ] *n* зарница.

heatproof ['hiːtpruːf] *a* теплостойкий.

heat-prostration ['hiːtprɔsˈtreɪʃən] *n* тепловой удар.

heat-resistant ['hiːtrɪˈzɪstənt] = heatproof.

heat-resisting ['hiːtrɪˈzɪstɪŋ] = heatproof.

heat-spot ['hiːtspɔt] *n* 1) веснушка; 2) прыщик.

heat-stroke ['hiːtstrouk] *n* тепловой удар.

heat-treat ['hiːt,triːt] *v* 1) пастеризовать (*молоко и т. п.*); 2) *тех.* подвергать термической обработке.

heat treatment ['hiːt,triːtmənt] *n тех.* термическая обработка.

heat-wave ['hiːtweɪv] *n* 1) *физ.* тепловая волна; 2) полоса, период сильной жары.

heave [hiːv] 1. *n* 1) подъём; 2) волнение (*моря*); 3) рвота; 4) *геол.* горизонтальное смещение, сдвиг; вздувание *или* вспучивание (*почвы*); 5) *pl* запал (*у лошадей*); 6) *вет.* потуги;
2. *v* (hove, heaved [-d]) 1) поднимать, перемещать (*тяжести*); to ~ coal грузить уголь; 2) вздыматься; подниматься и опускаться (*о волнах*); *о груди*); 3) издавать (*звук*); to ~ a sigh (a groan) тяжело вздохнуть (простонать); 4) делать усилия, напрягаться; тужиться (*при рвоте*); 5) поднимать, тянуть (*якорь, канат*); ~ ho! *мор.* разом!, дружно!, взяли!; 6) поворачивать(ся); идти (*о судне*); to ~ ahead продвинуть(ся) вперёд; to ~ astern податься назад (*о судне*); the ship hove out of the harbour судно вышло из гавани; ◇ to ~ in sight показаться на горизонте; to ~ the lead *мор.* бросать лот; to ~ to *мор.* лечь в дрейф; остановить (*судно*).

heaven ['hevn] *n* небо, небеса; ◇ the seventh ~ верх блаженства; in the seventh ~ на седьмом небе; ~ forbid! боже упаси!; by~! ей-богу!; good ~s боже мой!; о боже! ~ly

heavenly ['hevnlɪ] *a* 1) небесный; ~ body небесное светило; 2) божественный, небесный; 3) *разг.* восхитительный.

heaver ['hiːvə] *n* 1) грузчик; 2) *тех.* вага, рычаг; 3) *мор.* драёк.

heavily ['hevɪlɪ] *adv* 1) тяжело; 2) сильно; to be punished ~ понести суровое наказание; 3) тягостно, тяжело.

heaviness ['hevɪnɪs] *n* 1) тяжесть; 2) неуклюжесть; 3) инертность; 4) депрессия; горе.

heavy ['hevɪ] 1. *a* 1) тяжёлый; ~ armament тяжёлое вооружение; ~ casualties *воен.* большие потери; 2) обильный, буйный (*о растительности*); ~ сгор обильный, хороший урожай; ~ foliage густая листва; ~ layer *горн.* мощный слой; 3) тяжёлый;

трудный; ~ work тяжёлая, трудная работа; 4) серьёзный, опасный; ~ wound тяжёлое ранение; 5) *служит для усиления*: ~ eater тот, кто любит хорошо поесть; обжора; ~ smoker завзятый курильщик; 6) сильный (*о буре, дожде, росе и т. п.*); густой (*о тумане*); 7) тяжёлый, мрачный; печальный; with a ~ heart с тяжёлым сердцем; ~ news печальные известия; ~ villain мрачный злодей; 8) покрытый тучами, мрачный (*о небе*); 9) бурный (*о море*); 10) толстый (*о материи, броне и т. п.*); 11) плохо поднявшийся (*о тесте*); ~ bread сырой хлеб; 12) высокий (*о цене*); 13) тяжеловатый; неуклюжий; 14) плохо соображающий, тупой; скучный; 15) сонный, осовелый; 16) *театр.* мрачный; резонёрствующий; ~ father брюзгливый, придирчивый отец; 17) *хим.* слаболетучий; ◇ to have a ~ hand a) быть неуклюжим; б) быть строгим; to be ~ on hand быть скучным (*в разговоре и т. п.*); ~ swell важная персона;

2. *adv редк.* = heavily; time hangs ~ время тянется медленно, скучно;

3. *n pl* 1) (the hevies) тяжёлые орудия, тяжёлая артиллерия; тяжёлые бомбардировщики; 2) (the Heavies) гвардейские драгуны.

heavy-duty ['hevɪ'djuːtɪ] *a тех.* тяжёлого типа, для тяжёлой работы; высокомощный.

heavy-handed ['hevɪ'hændɪd] *a* 1) неловкий; неуклюжий; 2) жестокий, деспотический.

heavy-hearted ['hevɪ'hɑːtɪd] *a* печальный, унылый.

heavy-laden ['hevɪ'leɪdn] *a* тяжело нагружённый.

heavy water ['hevɪ'wɔːtə] *n хим.* тяжёлая вода.

heavy-weight ['hevɪweɪt] *n спорт.* тяжеловес.

hebdomad ['hebdɔməd] *n* 1) неделя; 2) что-л., состоящее из семи предметов.

hebdomadal [heb'dɔmədl] *a* еженедельный.

Hebe ['hiːbiː] *n* 1) *миф.* Геба; 2) *разг.* кельнерша, девушка в баре.

hebetate ['hebɪteɪt] 1. *a* тупой;
2. *v* притуплять(ся).

hebetude ['hebɪtjuːd] *n* тупоумие.

Hebraic [hiː'breɪɪk] *a* древнееврейский.

Hebrew ['hiːbruː] 1. *n* 1) еврей, иудей; 2) древнееврейский язык;
2. *a* (древне)еврейский.

Hecate ['hekətiː] *n миф.* Геката.

hecatomb ['hekətoum] *n* гекатомба.

heck I [hek] *n* щеколда.

heck II [hek] *n, int эвф. вместо* hell.

heckle ['hekl] 1. *n* = hackle II, 1;
2. *v* 1) = hackle II, 2; 2) прерывать оратора критическими замечаниями, выкриками, вопросами.

hectare ['hektɑː] *n* гектар.

hectic ['hektɪk] 1. *a* 1) чахоточный; 2) *разг.* возбуждённый, лихорадочный;
2. *n* 1) чахоточный больной; 2) чахоточный румянец.

hectogram(me) ['hektougræm] *n* гектограмм.

hectograph ['hektougrɑːf] *n* гектограф.

hector ['hektə] 1. *n* задира; грубиян; хулиган;
2. *v* задирать; застращивать; грубить, оскорблять; хулиганить.

hectowatt ['hektə,wɔt] *n эл.* гектоватт.

heddle ['hedl] *n текст.* галево.

hedge [hedʒ] 1. *n* 1) (живая) изгородь; ограда; dead ~ плетень; 2) преграда, препятствие;
2. *v* 1) огораживать изгородью (*часто* ~ off, ~ in); 2) ограничивать, связывать; мешать, препятствовать; окружать (*трудностями и т. п.*); 3) окружать (*любовью, вниманием; тж.* ~ round; with); 4) ограждать, страховать себя от возможных потерь, *напр.*, ставить одновременно на двух лошадей на бегах; 5) уклоняться, увиливать от прямого ответа, оставлять лазейку.

hedge-bill ['hedʒbɪl] *n* = hedging-bill.

hedgehog ['hedʒhɔg] *n* 1) ёж; *амер. тж.* дикобраз; 2) неуживчивый человек; 3) *бот.* колючая семенная коробочка; 4) землечерпалка; 5) *воен.* укреплённый пункт; ёж; 6) *мор.* орудие против подводных лодок.

hedge-hop ['hedʒhɔp] *v ав. разг.* летать на бреющем полёте.

hedge-hopper ['hedʒ,hɔpə] *n ав. разг.* штурмовик.

hedge hopping ['hedʒ'hɔpɪŋ] *n ав. разг.* бреющий полёт.

hedge-marriage ['hedʒ'mærɪdʒ] *n* тайный брак.

hedge-school ['hedʒskuːl] *n* 1) низшая школа для бедняков (*особ. в Ирландии*); 2) школа на открытом воздухе.

hedge-sparrow ['hedʒ'spærou] *n* завирушка (*певчая птица*).

hedge-writer ['hedʒ'raɪtə] *n* писака; литературный подёнщик.

hedging-bill ['hedʒɪŋbɪl] *n* садовый нож.

hedonism ['hiːdənɪzəm] *n* гедонизм.

heebie ['hiːbɪ] *n амер. sl.* нервное возбуждение; приступ раздражения.

heed [hiːd] 1. *n* внимание, осторожность; to give (*или* to pay) ~ to smth., smb. обращать внимание на что-л., кого-л.; to take no ~ of danger (of what is said) не обращать внимания на опасность (на то, что говорят);
2. *v* обращать внимание; внимательно следить (*за чем-л.*).

heedful ['hiːdful] *a* внимательный, заботливый.

heedless ['hiːdlɪs] *a* невнимательный, небрежный; необдуманный.

hee-haw ['hiː'hɔː] 1. *n* 1) крик осла; 2) громкий хохот;
2. *v* 1) кричать (*об осле*); 2) громко хохотать, «ржать».

heel I [hiːl] 1. *n* 1) пятка; пята; the iron ~ железная пята, иго; at ~, at (*или* on, upon) smb.'s ~s по пятам, следом за кем-л.; 2) пятка (*чулка или носка*); 3) каблук; down at ~(s), down at the ~ a) со стоптанными каблуками; б) бедно *или* неряш-

ливо одéтый; в) жáлкий; out at ~s a) с прó-
дранными пя́тками; б) бéдно одéтый; нуждáющийся, бéдный; 4) зáдний шип под-
кóвы; 5) шпóра (*петухá*); 6) остáток (*чего-л.—корка сыра, хлеба и т. п.*); 7) *разг.*
обмáнщик; подлéц, мерзáвец; to feel like ~
чýвствовать себя́ подлецóм; 8) грань,
верши́на; ребрó; 9) *стр.* ни́жняя часть
стóйки *или* стропи́льной ноги́; ◇ ~s over
head вверх ногáми, вверх тормáшками; ~
of Achilles ахилле́сова пятá; to clap (*или*
to lay) by the ~s арестовáть, посади́ть
в тюрьмý; to bring to ~ подчини́ть; застáвить повиновáться; to come to ~ подчи-
ни́ться; to show a clean pair of ~s, to take
to one's ~s удирáть, улепётывать (так,
что пя́тки засверкáли); to cool (*или* to
kick) one's ~s (зря) дожидáться; to turn
up one's ~s «протянýть нóги», умерéть;
2. *v* 1) прибивáть каблуки́; 2) пристукивать каблукáми (*в танце*); 3) бить каблу-
кóм; 4) слéдовать по пятáм; 5) *амер. разг.*
снабжáть.

heel II [hi:l] *мор.* 1. *n* крен;
2. *v* крени́ть(ся); килевáть, кренго-
вáть.

heel-and-toe ['hi:lən'tou] *a:* ~ walk спор-
ти́вная ходьбá; ~ speedster *спорт.* скоро-
хóд, ходóк.

heeled I [hi:ld] 1. *p. p. om* heel I, 2;
2. *a* 1) подкóванный; *перен.* во всеорý-
жии; 2) снабжённый деньгáми.

heeled II [hi:ld] *p. p. om* heel II, 2.

heeler ['hi:lə] *n* 1) посáдчик каблукá;
2) *амер.* прихлебáтель полити́ческого дея́-
теля; клеврéт; 3) *sl.* донóсчик, предáтель;
4) *sl.* вор.

heeling I ['hi:lɪŋ] 1. *pres. p. om* heel II, 2;
2. *n мор.* крен.

heeling II ['hi:lɪŋ] *pres. p. om* heel I, 2.

heel-piece ['hi:lpi:s] 1. *n* 1) каблýк;
2) набóйка на каблукé; 3) конéц, концóв-
ка;
2. *v* подбивáть набóйки.

heeltap ['hi:ltæp] *n* 1) набóйка на каблукé; 2) недопи́тый стакáн.

heel tendon ['hi:l'tendən] *n анат.* ахиллéсово сухожи́лие.

heft [heft] *амер.* 1. *n* 1) вес, тя́жесть; 2)
бóльшая часть;
2. *v* определя́ть вес (*вещи, приподнимая
её*); взвéшивать.

hefty ['heftɪ] *a* 1) дю́жий, здоровéнный;
2) *амер.* тяжёлый.

Hegelian [heɪ'gi:ljən] 1. *a* гегелья́нский;
2. *n* гегелья́нец.

hegemonic [,hegɪ'mɔnɪk] *a* руководя́щий,
пéрвенствýющий.

hegemony [hi:'geməni] *n* гегемóния; the
~ of the proletariat гегемóния пролетá-
риáта.

heifer ['hefə] *n* тёлка; нéтель.

heigh [heɪ] *int восклицание, выражающее
оклик, вопрос, поощрение.*

heigh-ho ['heɪ'hou] *int восклицание, выражающее досаду, скуку и т. п.*

height [haɪt] *n* 1) высотá, вышинá; рост;
to rise to a great ~ подня́ться на большýю
высотý; 2) возвы́шенность, холм; 3) стé-

пень; 4) верх, вы́сшая стéпень (*чего-л.*);
высóты (*знаний и т. п.*); in the ~ of smth.
в разгáре чего-л.; expectation was at its ~
ожидáние достигло крáйнего предéла.

heighten ['haɪtn] *v* 1) повышáть(ся)
уси́ливать(ся); 2) преувели́чивать.

height-indicator ['haɪt'ɪndɪkeɪtə] *n* вы-
сотомéр.

heinous ['heɪnəs] *a* отврати́тельный; ужáсный.

heir [ɛə] *n* наслéдник; ~ apparent бес-
спóрный наслéдник; престолонаслéдник; ~
presumptive предполагáемый наслéдник.

heir-at-law ['ɛərət'lɔ:] *n* наслéдник по
закóну.

heirdom ['ɛədəm] *n* наслéдование.

heiress ['ɛərɪs] *n* наслéдница.

heirloom ['ɛəlu:m] *n* 1) наслéдственная,
фами́льная вещь; 2) фами́льная чертá;
наслéдие.

held [held] *past и p. p. om* hold I, 2.

heliacal [hi:'laɪəkəl] *a астр.* 1) сóлнечный; 2) совпадáющий с восхóдом *или*
захóдом сóлнца.

helical ['helɪkl] *a* 1) спирáльный; 2) *тех.*
винтовóй, геликоидáльный.

helices ['helɪsi:z] *pl om* helix.

Helicon ['helɪkən] *n миф.* Геликóн, обитель муз.

helicopter ['helɪkɔptə] *n ав.* геликоптéр,
вертолёт.

helio- ['hi:liou-] *в сложных словах* гелио-;
напр.: helioscope гелиоскóп.

heliocentric [,hi:liou'sentrɪk] *a* гелиоцент-
ри́ческий.

heliochromy ['hi:liou,kroumɪ] *n* гелиохрó-
мия, фотогрáфия в естéственных крáсках.

heliograph ['hi:liougra:f] *n* гелиóграф.

heliogravure ['hi:liougrə'vjuə] *n* гелио-
гравю́ра.

heliophilous [,hi:li'ɔfɪləs] *a* светолюби́вый
(*о растении*).

heliophobic [,hi:liou'foubɪk] *a* светобоя́з-
ли́вый (*о растении*).

helioscope ['hi:ljəskoup] *n* гелиоскóп.

heliotherapy [,hi:liou'θerəpɪ] *n* лечéние
сóлнечными лучáми.

heliotrope ['heljətroup] *n бот.* гелиотрóп.

heliotropic ['hi:ljətrɔpɪk] *a бот.* гелио-
тропи́ческий.

helium ['hi:ljəm] *n хим.* гéлий.

helix ['hi:lɪks] *n* (*pl* helices) 1) спирáль,
спирáльная ли́ния, винтовáя ли́ния;
2) *анат.* завитóк ушнóй рáковины; 3) *тех.*
винт; 4) *зоол.* ули́тка; 5) *архит.* волю́та,
завитóк.

hell [hel] *n* 1) ад; 2) игóрный дом, притóн; 3) «дом» (*в некоторых играх*); ◇ a ~
of a way чертóвски далекó; a ~ of a noise
áдский шум; go to ~! пошёл к чéрту!;
like ~ *разг.* си́льно; стреми́тельно; изо
всéх сил; to ride ~ for leather нести́сь во
весь опóр; there will be ~ to pay ≅ хлопóт
не оберёшься; to give smb. ~ ругáть когó-л.
на чём свет стои́т; всáпить когó-л. по пéрвое число́; come ~ or high water ≅ что бы
то ни бы́ло, что бы ни случи́лось.

he'll [hi:l] *сокр. разг.* = he will.

hell-bent ['hel'bent] *a амер. разг.* одержимый (*чем-л.*); добивающийся любой ценой (on — *чего-л.*).

hell-cat ['helkæt] *n* ведьма, мегера.

hellebore ['helɪbɔ:] *n бот.* 1) морозник; 2) чемерица.

Hellene ['heli:n] *n* эллин; грек.

Hellenic [he'li:nɪk] 1. *a* эллинский; греческий;
2. *n* 1) греческий язык; 2) *pl* труды по греческой филологии.

Hellenism ['helɪnɪzəm] *n* эллинизм; древнегреческая культура.

Hellenist ['helɪnɪst] *n* эллинист (*специалист по древнегреческому языку и культуре*).

heller ['helə] *n* геллер (*мелкая монета Чехословакии*).

hell-hound ['helhaund] *n* 1) цербер; 2) дьявол; изверг.

hellion ['heljən] *n амер. разг.* 1) беспокойный человек; 2) непослушный, шаловливый ребёнок, баловник.

hellish ['helɪʃ] *a* 1) адский; 2) бесчеловечный; злобный; 3) противный.

hello ['he'lou] = hallo(a).

hello girl [hə'lou,gə:l] *n амер. разг.* телефонистка.

helluva ['helʌvə] *a амер. разг.* чертовский, адский.

helm I [helm] 1. *n* 1) руль; кормило; власть, управление; ~ of state кормило правления; 2) рулевое колесо; штурвал, румпель; the man at the ~ рулевой; кормчий; to answer the ~ слушаться руля;
2. *v* направлять, вести.

helm II [helm] *n* 1) *уст.* шлем; 2) *хим.* шлем реторты.

helmet ['helmɪt] *n* 1) шлем, каска; 2) тропический шлем; 3) *тех.* колпак; бугель; верхняя часть реторты.

helminth ['helmɪnθ] *n* глист, кишечный червь.

helminthic [he'lmɪnθɪk] 1. *a* относящийся к глистам;
2. *n* глистогонное средство.

helmsman ['helmzmən] *n* рулевой; кормчий.

helot ['helət] *n др.-греч.* илот, раб.

help [help] 1. *n* 1) помощь; 2) средство, спасение; there's no ~ for it этому нельзя помочь; 3) помощник; 4) = helping 2, 2); 5) работник; прислуга; mother's ~ бонна;
2. *v* 1) помогать; оказывать помощь, содействие; it can't be ~ed *разг.* ничего не поделаешь, ничего не попишешь; can't ~ it ничего не могу поделать; 2) раздавать, угощать; передавать (*за столом*); ~ yourself берите, пожалуйста (сами), не церемоньтесь; may I ~ you to some meat? позвольте вам предложить мяса?; 3): she can't ~ thinking of it она не может не думать об этом; I could not ~ laughing я не мог удержаться от смеха; не мог не смеяться; don't be longer than you can ~ не оставайтесь дольше, чем надо; □ ~ down помочь сойти; ~ in помочь войти; ~ into a) помочь войти; б) помочь надеть, подать; ~ off a) помочь снять что-л. (об одежде);

б) помочь отделаться от; ~ on a) помогать; продвигать (*дело*); б): ~ me on with my overcoat помогите мне надеть пальто; ~ out a) помочь выйти; б) помочь в затруднении, выручить; ~ up помочь встать, подняться.

helper ['helpə] *n* 1) помощник; 2) подручный; 3) молотобоец; 4) *ж.-д.* вспомогательный паровоз.

helpful ['helpful] *a* полезный.

helping ['helpɪŋ] 1. *pres. p. от* help 2;
2. *n* 1) помощь; 2) порция.

helpless ['helplɪs] *a* беспомощный.

helpmate ['helpmeɪt] *n* 1) помощник, товарищ; подруга; 2) муж, супруг; жена, супруга.

helpmeet ['helpmi:t] = helpmate.

helter-skelter ['heltə'skeltə] 1. *n* суматоха, беспорядок.
2. *adv* беспорядочно, как попало.

helve [helv] *n* 1) черенок; ручка, рукоять; 2) = helve-hammer; ◇ to throw the ~ after the hatchet рисковать последним; упорствовать в безнадёжном деле.

helve-hammer ['helv'hæmə] *n* молот с прямым ударом.

Helvetian [hel'vi:ʃjən] 1. *a* швейцарский;
2. *n* швейцарец; швейцарка.

Helvetic [hel'vetɪk] *a* швейцарский.

hem I [hem] 1. *n* 1) рубец (*на платке и т. п.*); кайма; кромка; 2) *архит.* выступающее ребро на волюте ионической капители;
2. *v* 1) подрубать; 2) окаймлять, окружать; ограничивать.

hem II [hem] 1. *int* гм!
2. *v* произносить «гм», покашливать, запинаться; to ~ and haw = to hum and ha(w) [*см.* hum I, 2, 2)].

he-man ['hi:'mæn] *n разг.* настоящий мужчина.

hematic [hɪ'mætɪk] = haematic.

hematite ['hemətaɪt] = haematite.

hemisphere ['hemɪsfɪə] *n* полушарие; the Northern ~ северное полушарие.

hemispheric(al) [,hemɪ'sferɪk(əl)] *a* полусферический.

hemistich ['hemɪstɪk] *n* полустишие.

hemlock ['hemlɔk] *n* 1) *бот.* болиголов (крапчатый); 2) наркотик *или* яд из болиголова; 3) тсуга (*американское хвойное дерево*).

hemoglobin [,hi:mou'gloubɪn] = haemoglobin.

hemorrhage ['hemərɪdʒ] = haemorrhage.

hemorrhoids ['hemərɔɪdz] = haemorroids.

hemp [hemp] *n* 1) конопля, пенька; 2) *шутл.* верёвка, петля; 3) индийская конопля; гашиш; 4) *attr.* конопляный; ~ oil конопляное масло.

hempen ['hempən] *a* пеньковый.

hem-stitch ['hemstɪʃ] 1. *n* ажурная строчка.
2. *v* делать ажурную строчку.

hen [hen] *n* 1) курица; 2) *шутл.* женщина; ~ with one chicken хлопотунья.

-hen ['hen] *в сложных словах означает самку птицы*; *напр.*: pea-hen пава.

henbane ['henbeɪn] *n бот.* белена (чёрная).

hence [hens] **1.** *adv* 1) отсюда; 2) с этих пор; three years ~ через три года, три года спустя; 3) следовательно; ◇ to go ~ умереть;
2. *int* прочь!, вон!
henceforth ['hens'fɔːθ] *adv* с этого времени, впредь.
henceforward ['hens'fɔːwəd] = henceforth.
henchman ['hentʃmən] *n* 1) *ист.* оруженосец; паж; 2) приверженец; 3) креатура; прихвостень; приспешник.
hen-coop ['henkuːp] *n* клетка для кур.
hendecagon [hen'dekəgən] *n геом.* одиннадцатиугольник.
hen-harrier ['hen'hæriə] *n* лунь (*птица*).
hen-hearted ['hen,hɑːtid] *a* трусливый, малодушный.
henna ['henə] **1.** *n* 1) *бот.* хна, хенна; 2) хна (*краска*);
2. *v* красить волосы хной.
hen-party ['hen,pɑːti] *n шутл.* женское общество, женская компания.
henpecked ['hen,pekt] *a* (находящийся) под башмаком у жены.
hen-roost ['henruːst] *n* насест.
henry ['henri] *n эл.* генри (*единица самоиндукции*).
hepatic [hi'pætik] *a* 1) *мед.* печёночный; 2) полезный для печени; 3) красновато-коричневый.
hepatite ['hepətait] *n мин.* гепатит.
hepatitis [,hepə'taitis] *n мед.* гепатит, воспаление печени.
heptagon ['heptəgən] *n* семиугольник.
heptane ['heptein] *n хим.* гептан.
heptarchy ['heptɑːki] *n 1) ист.* союз семи королевств англов и саксов; 2) гептархия, правление, осуществляемое семью лицами; страна, управляемая семью лицами.
Heptateuch ['heptətjuːk] *n рел.* первые семь книг Ветхого завета.
her I [hɜː] *pron. pers. косв. падеж от* she.
her II [hɜː] *pron. poss.* (*употр. атрибутивно; cp.* hers) её; свой; принадлежащий ей; ~ book её книга.
herald ['herəld] **1.** *n* 1) *ист.* герольд; 2) вестник; ◇ Heralds' College геральдическая палата;
2. *v* 1) возвещать, объявлять; 2) предвещать.
heraldic [he'rældik] *a* геральдический.
heraldry ['herəldri] *n* геральдика, гербоведение.
herb [hɜːb] *n* трава, растение (*особ. лекарственное*).
herbaceous [hɜː'beiʃəs] *a* травяной; травянистый; ~ border цветочный бордюр.
herbage ['hɜːbidʒ] *n* 1) *собир.* травы, травяной покров; 2) *юр.* право пастбища.
herbal ['hɜːbəl] **1.** *a* травяной;
2. *n* травник (*книга*).
herbalist ['hɜːbəlist] *n* 1) специалист по травам; 2) торговец лечебными травами.
herbaria [hɜː'beəriə] *pl от* herbarium.
herbarium [hɜː'beəriəm] *n* (*pl* -riums [-riəmz], -ria) гербарий.
herbicide ['hɜːbisaid] *n с.-х.* гербицид (*препарат для уничтожения сорняков*).
herbivorous [hɜː'bivərəs] *a* травоядный.

herborize ['hɜːbəraiz] *v* ботанизировать.
Herculean [,hɜːkju'liːən] *a* 1) геркулесовский; исполинский; 2) очень трудный *или* опасный.
Hercules ['hɜːkjuliːz] *n* 1) *миф.* Геркулес; 2) геркулес, силач.
herd [hɜːd] **1.** *n* 1) стадо; гурт; 2) пастух; 3) *attr.* стадный; the ~ instinct стадное чувство;
2. *v* 1) ходить стадом; толпиться; 2) пасти.
herdsman ['hɜːdzmən] *n* пастух.
here [hiə] *adv* 1) здесь, тут; ~ and there там и сям; разбросанно; ~, there and everywhere повсюду; 2) сюда; come ~ идите сюда; 3) вот; ~ is your book вот ваша книга; ~ you (*или* we) are! разг. вот, пожалуйста!; вот то, что вам нужно; ~ we are again! вот и мы!; ◇ neither ~ nor there не относится к делу; ни к селу ни к городу; некстати; ~'s to you, ~'s how! (за) ваше здоровье!; ~'s a go ≅ за наше здоровье; look ~ разг. послушайте; same ~ я тоже; я согласен; то же могу сказать о себе; ~ goes! что ж! начнём!; пошли!, поехали!
hereabout(s) ['hiərə,baut(s)] *adv* поблизости; где-то рядом.
hereafter [hiər'ɑːftə] **1.** *adv* в будущем;
2. *n* будущее, грядущее.
hereat [hiər'æt] *adv уст.* при этом; при сём.
hereby ['hiə'bai] *adv* 1) *уст.* сим, этим, настоящим; при сём; ~ I promise настоящим я обязуюсь; 2) таким образом; 3) *уст.* поблизости.
hereditary [hi'reditəri] *a* 1) наследственный; 2) традиционный (*в данной семье*).
heredity [hi'rediti] *n* наследственность.
herein ['hiər'in] *adv* в этом; здесь, при сём.
hereinafter ['hiərin'ɑːftə] *adv* ниже, в дальнейшем (*в документах*).
hereof [hiər'ɔv] *adv уст.* 1) этого, об этом; 2) отсюда, из этого.
heresy ['herəsi] *n* ересь.
heretic ['heretik] *n* еретик.
heretical [hi'retikəl] *a* еретический.
hereto ['hiə'tuː] *adv уст.* к этому, к тому.
heretofore ['hiətu'fɔː] *adv* прежде, до этого.
hereupon ['hiərə'pɔn] *adv* 1) вслед за этим, после этого; 2) вследствие этого; вследствие чего.
herewith ['hiə'wið] *adv* 1) настоящим, при сём; 2) посредством этого.
heritable ['heritəbl] *a* наследственный, наследуемый.
heritage ['heritidʒ] *n* наследство; наследие.
heritor ['heritə] *n* наследник.
hermaphrodite [hɜː'mæfrədait] *n* гермафродит; обоеполое существо.
Hermes ['hɜːmiːz] *n миф.* Гермес.
hermetic [hɜː'metik] *a* герметический; плотно закрытый; ◇ ~ art алхимия.
hermetically [hɜː'metikəli] *adv* плотно, герметически.
hermit ['hɜːmit] *n* отшельник, пустынник.
hermitage ['hɜːmitidʒ] *n* хижина отшельника; уединённое жилище.

hermit-crab ['hə:mɪt'kræb] *n* рак-отшёльник.

hern [hə:n] = heron.

hernia ['hə:njə] *n мед.* грыжа.

hero ['hɪərou] *n (pl* -oes [-ouz]) герой; H. of the Soviet Union Герой Совётского Союза; H. of Socialist Labour Герой Социалистического Труда.

Herod ['herəd] *n библ.* Ирод.

heroic [hɪ'rouɪk] 1. *a* 1) геройческий, геройский; 2) высокопарный, напыщенный (*о языке*); 3): ~ verse пятистопный рифмованный ямб (*в английской поэзии*); александрийский стих (*во французской поэзии*); гекзаметр (*в греческой и латинской поэзии*); 2. *n pl* высокопарный, напыщенный язык.

heroine ['herouɪn] *n* геройня.

heroism ['herouɪzəm] *n* геройзм, геройство, доблесть.

heron ['herən] *n* цапля.

heronry ['herənrɪ] *n* гнездовье цапель.

hero-worship ['hɪərou,wə:ʃɪp] *n* культ героев.

herpes ['hə:pi:z] *n мед.* лишай.

herring ['herɪŋ] *n* сельдь; red ~ копчёная сельдь; *перен.* нечто, служащее для отвлечёния внимания; to draw a red ~ across the path сбить со слёда; отвлечь внимание.

herring-bone ['herɪŋboun] 1. *n* 1) кладка кирпичá «в ёлку»; 2) вышивка «ёлочкой» *и т. п.*;
2. *a* имёющий вид колоса, шеврона; «в ёлочку».

herring-pond ['herɪŋpɔnd] *n шутл.* название северной части Атлантического океана.

hers [hə:z] *pron. poss.* (абсолютная форма; *не употр.* атрибутивно; *ср.* her II) её; свой; принадлежащий ей; this book is ~ эта книга её.

herself [hə:'self] *pron* 1) *refl.* себя, самоё себя; -сь; себё; she burnt ~ она обожглась; she came to ~ она пришла в себя; 2) *emph.* сама; she did it ~ она это сделала сама; (all) by ~ (совсём) одна; ◇ she is not ~ она сама не своя.

hertz [hə:ts] *n* герц (*единица частоты*).

Hertzian ['hə:tsɪən] *a*: ~ waves *радио* волны Гёрца.

he's [hi:z] *сокр. разг.* = he is, he has.

hesitant ['hezɪtənt] *a* колёблющийся; нерешительный.

hesitate ['hezɪteɪt] *v* 1) колебаться; не решаться; стесняться; I ~ to affirm (я) боюсь утверждать; 2) запинаться.

hesitatingly ['hezɪteɪtɪŋlɪ] *adv* нерешительно.

hesitation [,hezɪ'teɪʃən] *n* 1) колебание; нерешительность; неохота; 2) заикание.

hesitative ['hezɪteɪtɪv] *a* проявляющий колебание, колёблющийся.

Hesperian [hes'pɪərɪən] *a поэт.* западный.

Hesperus ['hespərəs] *n* вечёрняя звезда.

Hessian ['hesɪən] 1. *a* гёссенский, из Гёссена; ~ boots *ист.* высокие сапоги; ботфорты;
2. *n* 1) *ист.* гёссенский наёмник; 2) *амер.* наёмник, продажный человек; 3) дерюга, редина.

hest [hest] *n уст.* приказание, повелёние.

hetaera [hɪ'tɪrə] *n (pl* -rae) гетёра.

hetaerae [hɪ'tɪri:] *pl от* hetaera.

heterodox ['hetərədɔks] *a* иновёрный; неортодоксальный; еретический.

heterodoxy ['hetərədɔksɪ] *n* иновёрие; ёресь.

heterodyne ['hetərədaɪn] *радио* 1. *a* гетеродинный;
2. *v* накладывать колебания.

heterogeneity [,hetəroudʒɪ'ni:tɪ] *n* разнородность.

heterogeneous ['hetərou'dʒi:njəs] *a* 1) разнородный; 2) *хим.* гетерогённый.

hew [hju:] *v* (hewed [-d]; hewed, hewn) 1) рубить, разрубать; to ~ one's way прорубать, прокладывать себё дорогу; 2) срубать (*часто* ~ down, ~ off); 3) высекать, вытёсывать (*часто* ~ out); to ~ out a career for oneself сделать карьеру; 4) *горн.* отбивать (*часто* ~ off).

hewer ['hju:ə] *n* 1) дровосёк; 2) каменотёс; 3) *горн.* забойщик; 4) подёнщик; человёк, выполняющий тяжёлую неприятную работу.

hewn [hju:n] *p. p. от* hew.

hexagon ['heksəgən] *n* шестиугольник.

hexagonal [hek'sægənl] *a* шестиугольный.

hexahedron ['heksə'hedrən] *n* шестигранник.

hexameter [hek'sæmɪtə] *n* гекзаметр.

hey [heɪ] *int* эй! (*оклик; тж.* выражает вопрос, радость, изумление).

hey-day ['heɪdeɪ] *int* восклицание, выражающее радость, удивление.

heyday ['heɪdeɪ] *n* зенит, расцвёт, лучшая порá; in the ~ of youth в расцвёте молодости.

H-hour ['eɪtʃ'auə] *n воен.* час «Ч», час начала операции.

hi [haɪ] = hey.

hiatus [haɪ'eɪtəs] *n (pl* -ses [-sɪz]) 1) пробёл, пропуск; 2) *лингв.* зияние.

hibernal [haɪ'bə:nl] *a* зимний.

hibernate ['haɪbə:neɪt] *v* 1) находиться в зимней спячке (*о животных*); 2) зимовать; 3) быть в бездействии.

hibernation [,haɪbə:'neɪʃən] *n* 1) зимняя спячка; 2) зимовка.

Hibernian [haɪ'bə:njən] *поэт.* 1. *a* ирландский;
2. *n* ирландец; ирландка.

hibiscus [hɪ'bɪskəs] *n бот.* гибискус.

hiccough, hiccup ['hɪkʌp] 1. *n* икота;
2. *v* икать.

hick [hɪk] *n амер. разг.* провинциал, деревёнщина.

hickory ['hɪkərɪ] *n* гикори (*род сев.-амер. орёшника*).

hid [hɪd] *past и p. p. от* hide II, 2.

hidalgo [hɪ'dælgou] *исп. n (pl* -os [-ouz]) *ист.* гидальго.

hidden ['hɪdn] *p. p. от* hide II, 2.

hide I [haɪd] *n* шкура, кожа; to save one's ~ спасать свою шкуру;
2. *v* 1) содрать шкуру; 2) выпороть, спустить шкуру.

hide II [haɪd] **1.** *n* 1) укрытие; 2) скрытый запас;

2. *v* (hid; hid, hidden) прятать(ся); скрывать(ся); to ~ one's head прятаться, не показываться (*особ. от стыда*); скрывать своё унижение.

hide III [haɪd] *n ист.* надёл земли для одной семьи (*120 акров*).

hide-and-(go-)seek ['haɪdənd(gou)'siːk] *n* (игра в) прятки.

hidebound ['haɪdbaund] *a* 1) сильно исхудавший (*о скоте*); 2) ограниченный; с узкими взглядами; точно следующий установленному порядку.

hideous ['hɪdɪəs] *a* отвратительный, страшный, ужасный.

hide-out ['haɪdaut] *n разг.* укрытие; убежище.

hiding I ['haɪdɪŋ] **1.** *pres. p. om* hide I, 2;

2. *n* порка; to give a good ~ выдрать, отколотить как следует.

hiding II ['haɪdɪŋ] **1.** *pres. p. om* hide II, 2;

2. *n*: in ~ в бегах, скрываясь.

hiding-place ['haɪdɪŋpleɪs] *n* потаённое место, убежище.

hie [haɪ] *v поэт.* спешить; торопиться.

hierarchy ['haɪərɑːkɪ] *n* 1) иерархия; 2) *церк.* чиноначалие.

hieratic [,haɪə'rætɪk] *a* иератический, священный (*особ. о древнеегипетских письменах*).

hieroglyph ['haɪərəglɪf] *n* иероглиф.

hieroglyphic [,haɪərə'glɪfɪk] **1.** *a* иероглифический;

2. *n pl* иероглифы.

higgle ['hɪgl] *v* 1) торговаться; 2) торговать вразнос.

higgledy-piggledy ['hɪgldɪ'pɪgldɪ] **1.** *n* полный беспорядок;

2. *a* беспорядочный, сумбурный;

3. *adv* как придётся, в беспорядке.

higgler ['hɪglə] *n* разносчик; разъездной торговец.

High [haɪ] *амер.* = high school.

high [haɪ] **1.** *a* 1) высокий; возвышенный; 2) высший; главный; верховный; ~ official высший чиновник; H. Command верховное командование; H. Commissioner верховный комиссар; 3) высший, лучший; ~ quality высшее качество; ~ opinion наилучшее мнение; 4) большой, сильный; ~ wind сильный ветер; 5) превосходный, богатый, роскошный; ~ feeding роскошный стол; ~ living богатое житьё; 6) (находящийся) в самом разгаре; ~ summer разгар лета; ~ noon самый полдень; at ~ noon точно в полдень; 7) высокий, дорогой; wheat is ~ пшеница дорога; 8) весёлый, радостный; ~ spirits весёлое, приподнятое настроение; to have a ~ time хорошо повеселиться, хорошо провести время; 9) высокий, резкий (*о звуке*); 10) *фон.* верхний, верхнего подъёма; 11) слегка испорченный, с душком (*о мясе*); 12) с высоким содержанием (*чего-л.*); 13) *sl.* пьяный; ◇ ~ antiquity глубокая древность; ~ colour румянец; ~ farming интенсивное земледелие; широкое пользование удобрениями; ~ and

dry a) выброшенный, вытащенный на берег (*о судне*); б) покинутый в беде; в) устаревший, отставший (*от времени и т. п.*); ~ and low (люди) всякого звания [*ср. тж.* high 2 ◇]; ~ and mighty высокомерный, надменный; to mount (*или* to ride) a ~ horse, *амер.* to get ~ hat важничать, вести себя высокомерно; ~ road a) большая дорога, шоссе; б) столбовая дорога, прямой путь (*к чему-л.*); the ~ seas открытое море; море за пределами территориальных вод; (it is) ~ time давно пора; самая пора; ~ Tory крайний консерватор; ~ words гневные слова; разговор в повышенном тоне;

2. *adv* 1) высоко; to aim ~ метить высоко; 2) сильно, в высокой степени; the wind blows ~ ветер сильно дует; 3) роскошно; to live ~ жить в роскоши, жить богато, широко; ◇ ~ and low повсюду, везде [*ср. тж.* high 1 ◇]; to play ~ *карт.* играть по большой; ходить с крупной карты; to run ~ а) подыматься, вздыматься (*о море*); б) возбуждаться; passions ran ~ страсти разгорелись;

3. *n* 1) высшая точка; максимум; to be in (*или* at) the ~ достигнуть высшего уровня; 2) старшая карта, находящаяся на руках.

highball ['haɪbɔːl] *n амер. разг.* виски с содой и льдом, поданное в высоком стакане.

highbinder ['haɪ,baɪndə] *n амер. sl.* политический интриган; шантажист.

high-blown ['haɪ,bloun] *a* 1) сильно раздутый; 2) напыщенный.

high-board diver ['haɪbɔːd'daɪvə] *n спорт.* прыгун с вышки.

high-board diving ['haɪbɔːd'daɪvɪŋ] *n спорт.* прыжки с вышки.

high-born ['haɪbɔːn] *a* знатного происхождения.

highboy ['haɪbɔɪ] *n* высокий комод.

high-bred ['haɪbred] *a* 1) хорошей породы, породистый; 2) хорошо воспитанный.

highbrow ['haɪbrau] *разг.* **1.** *n* 1) человек, кичащийся своей мнимой учёностью; 2) далёкий от жизни учёный, интеллигент;

2. *a* высокомерный.

High Church ['haɪ'tʃɜːtʃ] *n* консервативное направление в англиканской церкви.

high-coloured ['haɪ'kʌləd] *a* 1) румяный, яркий; 2) живой (*об описании*); 3) преувеличенный.

High Court (of Justice) ['haɪ'kɔːt (əv-'dʒʌstɪs)] *n* верховный суд.

high day ['haɪdeɪ] *n* праздник, праздничный день.

high explosive ['haɪɪks'plousɪv] *n* 1) бризантное взрывчатое вещество; 2) *attr.*: ~ bomb фугасная бомба.

high falutin(g) ['haɪfə'luːtɪn(-ɪŋ)] **1.** *n* напыщенность;

2. *a* напыщенный.

high-fed ['haɪfed] *a* 1) привыкший к роскошному столу; 2) избалованный.

high-fidelity ['haɪfɪ'delɪtɪ] *n радио* высокая точность воспроизведения.

high-flier ['haɪ'flaɪə] n 1) честолюбец; 2) выдающийся, талантливый человек; 3) приверженец консервативного направления в англиканской церкви.

highflown ['haɪfloun] a преувеличенный, напыщенный.

highflyer ['haɪ,flaɪə] = high-flier.

high grade ['haɪgreɪd] n крутой подъём.

high-grade ['haɪgreɪd] a высокосортный, высокопроцентный; высококачественный; богатый (о руде).

high-handed ['haɪ'hændɪd] a своевольный; властный, повелительный; высокомерный.

high-handedness ['haɪ'hændɪdnɪs] n произвол, произвольные действия.

high-hat ['haɪ'hæt] n амер. 1) важная персона; 2) заносчивый человек.

high-hearted ['haɪ'hɑːtɪd] a мужественный, храбрый.

high jumper ['haɪ,dʒʌmpə] n спорт. прыгун в высоту.

highland ['haɪlənd] n 1) плоскогорье, нагорье; 2) pl горная местность; горная страна; the Highlands север и северо-запад Шотландии.

Highlander ['haɪləndə] n 1) горец; 2) шотландский горец; 3) солдат шотландского полка.

high-level ['haɪ'levl] a высокопоставленный.

high life ['haɪ'laɪf] n высшее общество, высший свет; аристократия.

high-life ['haɪ'laɪf] a амер. полный жизни, жизнерадостный.

high light ['haɪlaɪt] n 1) световой эффект (в живописи, фотографии); 2) основной момент, факт; ◇ to be in the ~ быть в центре внимания.

highlight ['haɪlaɪt] v 1) ярко освещать; 2) выдвигать на первый план; придавать большое значение.

highly ['haɪlɪ] adv 1) очень, весьма, чрезвычайно, сильно; 2) благоприятно; благосклонно; высоко; 3): ~ descended аристократического происхождения; ~ connected с аристократическими связями.

high-minded ['haɪ'maɪndɪd] a 1) благородный, возвышенный; великодушный; 2) гордый, надменный.

highness ['haɪnɪs] n 1) высота; возвышенность; 2) высокая степень (чего-л.); 3) величина; 4) (H.) высочество (титул).

high-performance ['haɪpə'fɔːməns] n тех. высокая рабочая характеристика.

high-pitched ['haɪ'pɪtʃt] a 1) высокий, пронзительный (о звуке); 2) высокий и крутой (о крыше); 3) перен. возвышенный.

high-ranker ['haɪ,ræŋkə] n высокопоставленное лицо; человек, занимающий высокий пост или положение.

high-ranking ['haɪ,ræŋkɪŋ] a высокопоставленный.

high relief ['haɪrɪ,liːf] n горельеф.

high-rolling ['haɪ,roulɪŋ] n амер. разг. проматывание денег, средств.

high-scaler ['haɪ,skeɪlə] n верхолаз.

high school ['haɪskuːl] n средняя школа.

high-sounding ['haɪ'saundɪŋ] a пышный, громкий.

high speed ['haɪ'spiːd] n максимальная скорость, быстрый ход.

high-speed ['haɪ'spiːd] a быстроходный, скоростной; быстрорежущий (о стали).

high-spirited ['haɪ'spɪrɪtɪd] a 1) отважный, мужественный; 2) пылкий, горячий, резвый; 3) в хорошем настроении, весёлый.

high-strung ['haɪ'strʌŋ] a чувствительный; легко возбудимый; нервный.

hight [haɪt] p. p. уст., поэт. называемый; по имени.

high tide ['haɪ'taɪd] n мор. полная вода.

high-toned ['haɪ'tound] a 1) возвышенный, с высокими чувствами, взглядами (тж. ирон.); 2) амер. модный; модничающий.

high treason ['haɪ,triːzn] n государственная измена.

high-up ['haɪ'ʌp] 1. n высокопоставленное лицо, крупная фигура, туз; 2. a разг. 1) высоко расположенный; 2) высокопоставленный.

high water ['haɪ'wɔːtə] n 1) = high tide; 2) паводок; полая вода.

high-water mark ['haɪ'wɔːtəmɑːk] n 1) уровень полной воды; 2) высшее достижение; высшая точка (чего-л.).

highway ['haɪweɪ] n 1) большая дорога, большак; шоссе; 2) главный путь; торговый путь; 3) перен. прямой путь (к чему-л.); столбовая дорога.

highway crossing ['haɪweɪ'krɔsɪŋ] n переезд.

highwayman ['haɪweɪmən] n разбойник (с большой дороги).

hijacker ['haɪ,dʒækə] n sl. бандит, налётчик, особ. отнимающий у контрабандистов ром и т. п.

hike [haɪk] 1. n 1) длительная прогулка; экскурсия; путешествие пешком; 2) амер. воен. марш; 2. v 1) путешествовать, ходить пешком; 2) бродяжничать; 3) амер. воен. маршировать.

hilarious [hɪ'lɛərɪəs] a (шумно-) весёлый.

hilarity [hɪ'lærɪtɪ] n веселье, весёлость.

Hilary ['hɪlərɪ] n семестр, начинающийся с января (в англ. университетах).

hill [hɪl] 1. n 1) холм, возвышение, возвышенность; 2) куча; 2. v 1) насыпать кучу; 2) окучивать (растение; часто ~ up).

hilling ['hɪlɪŋ] 1. pres. p. от hill 2; 2. n с.-х. окучивание.

hillock ['hɪlək] n 1) холмик, бугор; 2) горн. куча породы; отвал пустой породы.

hillside ['hɪl'saɪd] n склон горы или холма.

hilly ['hɪlɪ] a холмистый.

hilt [hɪlt] n рукоятка, эфес; (up) to the ~ а) по рукоятку; б) полностью, до конца, вполне.

him [hɪm, ɪm] pron. pers. косв. падеж от he.

himself [hɪm'self] pron 1) refl. себя; -ся; себе; he hurt ~ он ушибся; he came to

~ он пришёл в себя; 2) *emph.* сам; he says so ~ он сам э́то говори́т; ◇ he is not ~ он сам не свой; Richard is ~ again ≅ жив кури́лка (*говори́тся о ком-л., опра́вившемся по́сле боле́зни или воспря́нувшем ду́хом*).

hind I [haɪnd] *n* 1) лань; 2) са́мка оле́ня.

hind II [haɪnd] *n* 1) батра́к, рабо́тник на фе́рме; 2) *уст.* крестья́нин; *презр.* дереве́нщина.

hind III [haɪnd] *a* за́дний; ~ leg за́дняя нога́; ~ quarters за́дняя часть (*ту́ши*).

hind-carriage [ˈhaɪndˌkærɪdʒ] *n* прице́п.

hinder I [ˈhaɪndə] *a* за́дний.

hinder II [ˈhɪndə] *v* 1) меша́ть, препя́тствовать; 2) быть поме́хой.

hind-head [ˈhaɪndhed] *n* за́дняя часть головы́, заты́лок.

Hindi [ˈhɪnˈdiː] 1. *a* относя́щийся к языку́ хи́нди;

2. *n* язы́к хи́нди.

hindmost [ˈhaɪndmoust] *a* 1) .са́мый за́дний; 2) са́мый отдалённый.

Hindoo [ˈhɪnˈduː] = Hindu.

hindrance [ˈhɪndrəns] *n* поме́ха, препя́тствие.

hindsight [ˈhaɪndsaɪt] *n* 1) непредусмотри́тельность; 2) взгляд в про́шлое, ретроспекти́вный взгляд; 3) *воен.* прице́л.

Hindu [ˈhɪnˈduː] 1. *n* инду́с;

2. *a* инду́сский.

Hinduism [ˈhɪnduːɪzəm] *n* индуи́зм.

Hindustani [ˌhɪnduˈstɑːnɪ] 1. *a* индоста́нский;

2. *n* 1) хиндуста́ни; 2) язы́к хиндуста́ни.

hinge [hɪndʒ] 1. *n* 1) пе́тля (*напр., дверна́я*); ша́рнир; крюк; 2) сте́ржень, суть; кардина́льный пункт (*чего-л.*); ◇ off the ~s в беспоря́дке; в расстро́йстве;

2. *v* 1) прикрепля́ть на пе́тлях; 2) висе́ть, враща́ться на пе́тлях; 3) *перен.* враща́ться (*вокру́г чего-л.*); зави́сеть (on —от).

hinny I [ˈhɪnɪ] *n зоол.* лоша́к.

hinny II [ˈhɪnɪ] *диал. см.* honey

hint [hɪnt] 1. *n* 1) намёк; to drop (*или* to let fall) a ~ намекну́ть; to take a ~ поня́ть (намёк) с полусло́ва; 2) кра́ткий сове́т; ~s on housekeeping сове́ты по хозя́йству;

2. *v* намека́ть (at —на).

hinterland [ˈhɪntəlænd] *нем. n* 1) райо́ны вглубь от прибре́жной полосы́ *или* грани́цы; 2) *воен.* глубо́кий тыл; 3) райо́н, тяготе́ющий к промы́шленному це́нтру, по́рту *и т. п.*

hintingly [ˈhɪntɪŋlɪ] *adv* в ви́де намёка.

hip I [hɪp] *n* 1) бедро́; поясни́ца; 2) *архит.* ребро́ кры́ши; ◇ to have (*или* to get) a person on the ~ держа́ть кого-л. в рука́х; име́ть пе́ред кем-л. преиму́щество; ~ and thigh беспоща́дно; to smite (enemy) ~ and thigh беспоща́дно бить (враго́в), разби́ть (врага́) на́голову.

hip II [hɪp] *n* плод (*или* я́года) шипо́вника.

hip III [hɪp] (*сокр. от* hypochondria) *разг.* 1. *n* меланхо́лия, уны́ние.

2. *v* поверга́ть в уны́ние.

hip IV [hɪp] *int:* ~, ~, hurrah! ура́!, ура́!

hip-bath [ˈhɪpbɑːθ] *n* поясна́я ва́нна.

hip-bone [ˈhɪpboun] *n анат.* подвздо́шная кость.

hippo [ˈhɪpou] *n* (*pl* -os [-ouz]) *сокр. разг. от* hippopotamus.

hippocampi [ˌhɪpouˈkæmpaɪ] *pl от* hippocampus.

hippocampus [ˌhɪpouˈkæmpəs] *n* (*pl* -pi) морско́й конёк (*ры́ба*).

hippodrome [ˈhɪpədroum] *n* 1) ипподро́м; 2) цирк, аре́на.

hippopotami [ˌhɪpəˈpotəmaɪ] *pl от* hippopotamus.

hippopotamus [ˌhɪpəˈpotəməs] *n* (*pl* -es [-ɪz], -mi) гиппопота́м.

hip-roof [ˈhɪpˈruːf] *n* шатро́вая кры́ша, ва́льмовая кры́ша.

hire [ˈhaɪə] *n* 1) наём; прока́т; to let out on ~ сдава́ть внаём, дава́ть напрока́т; 2) пла́та за наём;

2. *v* нанима́ть; □ ~ out сдава́ть внаём, дава́ть напрока́т.

hireling [ˈhaɪəlɪŋ] *n* 1) наёмник, наймит; 2) наёмная ло́шадь.

hire-purchase [ˈhaɪəˈpəːtʃəs] *n* осо́бый вид поку́пки в рассро́чку.

hire system [ˈhaɪəˈsɪstɪm] = hire-purchase.

hirst [həːst] *n геол.* нано́с песка́, песча́ная речна́я о́тмель.

hirsute [ˈhəːsjuːt] *a* волоса́тый, косма́тый.

his [hɪz, ɪz] *pron. poss.* его́, свой; принадлежа́щий ему́; ~ pen его́ ру́чка.

hispid [ˈhɪspɪd] *a бот., зоол.* покры́тый жёсткими волоска́ми *или* щети́нками; колю́чий.

hiss [hɪs] 1. *n* шипе́ние; свист;

2. *v* 1) шипе́ть; свисте́ть; 2) освИ́стывать; □ ~ off прогна́ть, свИ́стом.

hist [sst] *int* ти́ше!; тсс!

histiology, histology [hɪstɪˈolədʒɪ, hɪsˈtolədʒɪ] *n* гистоло́гия.

historian [hɪsˈtɔːrɪən] *n* исто́рик.

historic [hɪsˈtorɪk] *a* 1) истори́ческий; име́ющий истори́ческое значе́ние; 2) *грам.*: ~ present настоя́щее вре́мя, употреблённое вме́сто проше́дшего.

historical [hɪsˈtorɪkəl] *a* истори́ческий; истори́чески устано́вленный; относя́щийся к исто́рии, свя́занный с исто́рией; ~ method истори́ческий ме́тод; ~ picture истори́ческая карти́на.

historicity [ˌhɪstəˈrɪsɪtɪ] *n* истори́чность.

historiographer [ˌhɪstɔːrɪˈɔgrəfə] *n* историо́граф.

historiography [ˌhɪstɔːrɪˈɔgrəfɪ] *n* историогра́фия.

history [ˈhɪstərɪ] *n* 1) исто́рия; 2) *уст.* истори́ческая пье́са.

histrionic [ˌhɪstrɪˈɔnɪk] *a* 1) сцени́ческий, актёрский; 2) театра́льно неесте́ственный; лицеме́рный; 3) *мед.*: ~ paralysis мимИ́ческий парали́ч, парали́ч лицево́го не́рва.

histrionics [ˌhɪstrɪˈɔnɪks] *n pl* 1) театра́льное представле́ние, спекта́кль; 2) театра́льное иску́сство; 3) *перен.* театра́льность.

hit [hɪt] 1. *n* 1) уда́р, толчо́к; 2) попада́ние; уда́чная попы́тка; 3) сатири́ческий вы́пад, сарка́зм (at); 4) успе́х, уда́ча; the novel was a great ~ рома́н име́л большо́й успе́х;

2. *v* (hit) 1) ударя́ть (on—по); поража́ть; to ~ below the belt a) *спорт.* нанести́ уда́р

ниже пояса; б) нанести предательский удар; 2) удариться (against, upon—о, обо); 3) попадать в цель; *перен.* больно задевать, задевать за живое; to ~ a likeness уловить сходство; 4) находить (*часто* ~ on, ~ off); we ~ the right road мы напали на верную дорогу; 5) *амер. разг.* достигать; 6) *тех.* работать вспышкой газа (*о двигателе*); □ ~ off а) точно изобразить немногими штрихами, словами; уловить сходство; б) импровизировать; в) напасть на (*след, мысль*); ~ out наносить сильные удары; ◇ to ~ it а) правильно угадать, попасть в точку; б) *амер.* двигаться, путешествовать с большой быстротой; to ~ it off with smb. ладить с кем-л.; to ~ the right nail on the head правильно угадать, попасть в точку; to ~ the hay отправиться на боковую; to ~ the big spots *амер. sl.* кутить; to ~ the deck *ав. sl.* а) приземлиться; б) упасть на землю; to ~ the drink *ав. sl.* а) сесть на воду; б) упасть в море; ~ or miss наугад, наудачу; кое-как.

hitch [hɪtʃ] 1. *n* 1) толчок, рывок; 2)зацепка; задержка; помеха, препятствие; 3) остановка (*работающего механизма*); 4) *мор.* петля; узел; строп; 5) *геол.* незначительное нарушение пласта *или* жилы без разрыва сплошности, уступ;
2. *v* 1) подвигать толчками, подталкивать; подтягивать (*часто* ~ up); 2) зацеплять(ся), прицеплять(ся) (on, to); сцеплять, скреплять; 3) привязывать, запрягать (*лошадь*); 4) прихрамывать, ковылять; 5) *амер. sl.* жениться.

hitched [hɪtʃt] 1. *p. p. от* hitch 2;
2. *a амер. sl.* женатый; замужняя.

hitch-hike [ˈhɪtʃhaɪk] *v амер.* путешествовать, перебираться с места на место, пользуясь бесплатно попутными машинами.

hitch-hiker [ˈhɪtʃhaɪkə] *n амер.* тот, кто перебирается с места на место, пользуясь попутными машинами.

hither [ˈhɪðə] 1. *adv* сюда; ~ and thither туда и сюда; ~ and yon(d) в различных направлениях;
2. *a* ближний, расположенный ближе.

hitherto [ˈhɪðəˈtuː] *adv* до настоящего времени, до сих пор.

Hitlerism [ˈhɪtlərɪzəm] *n* гитлеризм.

Hitlerite [ˈhɪtləraɪt] *n* гитлеровец, фашист.

hive [haɪv] 1. *n* 1) улей; 2) рой пчёл; 3) людской муравейник;
2. *v* 1) сажать (*пчёл*) в улей; *перен.* давать приют; 2) роиться; 3) запасать; 4) жить вместе, обществом.

hives [haɪvz] *n pl* 1) сыпь, крапивница, ветряная оспа; 2) ларингит; круп.

ho [hou] *int* эй! (*оклик; выражает тж. удивление, радость и т. п.*); what ho! эй там!

hoar [hɔː] 1. *n* 1) иней; 2) густой туман; 3) старость;
2. *a* седой.

hoard I [hɔːd] 1. *n* 1) запас, скрытые запасы продовольствия *и т. п.*; что-л. накопленное, припрятанное; 2) *уст.* хранилище; сокровищница;

2. *v* запасать; копить, накоплять, хранить (*часто* ~ up); тайно хранить.

hoard II [hɔːd] *n* 1) временный забор вокруг строящегося здания; 2) щит для наклейки объявлений и афиш.

hoarding I [ˈhɔːdɪŋ] *pres. p. от* hoard I, 2.

hoarding II [ˈhɔːdɪŋ] = hoard II.

hoarfrost [ˈhɔːˈfrɔst] *n* иней, изморозь.

hoarhead [ˈhɔːhed] *n* седой старик.

hoarhound [ˈhɔːhaund] = horehound.

hoarse [hɔːs] *a* хриплый, охриплый; to talk oneself ~ договориться до хрипоты.

hoarsen [ˈhɔːsn] *v* охрипнуть.

hoarstone [ˈhɔːstoun] *n* межевой камень.

hoary [ˈhɔːrɪ] *a* 1) седой; 2) древний, почтенный; 3) *бот.* покрытый белым пушком.

hoax [houks] 1. *n* обман; мистификация;
2. *v* подшутить; мистифицировать.

hob [hɔb] *n* 1) полка в камине для подогревания пищи; 2) гвоздь *или* крюк, на который набрасывается кольцо (*в игре*); 3) ступица, втулка (*колеса*); 4) полоз (*саней*); 5) *тех.* червяк, бесконечный винт; червячная фреза.

hobble [ˈhɔbl] 1. *n* 1) прихрамывающая походка; 2) затруднительное положение; 3) путы; 4) *attr.*: ~ skirt узкая юбка;
2. *v* 1) хромать, прихрамывать; ковылять; 2) запинаться; *перен.* спотыкаться; 3) стреножить (*лошадь*).

hobbledehoy [ˈhɔbldɪˈhɔɪ] *n* неуклюжий подросток.

hobby I [ˈhɔbɪ] *n* 1) конёк, любимая тема; любимое занятие, страсть; to ride (*или* to mount) a ~ сесть на своего (любимого) конька; 2) = hobby-horse; 3) *уст.* лошадка, пони; 4) первоначальный тип велосипеда.

hobby II [ˈhɔbɪ] *n зоол.* чеглок.

hobby-horse [ˈhɔbɪhɔːs] *n* лошадка, палочка с лошадиной головой (*игрушка*); конь-качалка; конь на карусели.

hobgoblin [ˈhɔbˌgɔblɪn] *n* 1) домовой; чертёнок; 2) пугало.

hobnail [ˈhɔbneɪl] *n* сапожный гвоздь с большой шляпкой.

hob-nob [ˈhɔbnɔb] *v* 1) пить вместе; 2) водить дружбу, дружить.

hobo [ˈhoubou] *амер.* 1. *n* (*pl* -os, -oes [-ouz]) 1) странствующий рабочий; 2) бродяга;
2. *v* 1) перебираться с места на место в поисках работы; 2) бродяжничать.

hock I [hɔk] = hough.

hock II [hɔk] *n* (*тж.* H.) рейнвейн.

hock III [hɔk] *sl.* 1. *n* залог, заклад; in ~ а) в закладе; б) в тюрьме; в) в долгах;
2. *v* закладывать (*вещь*).

hockey [ˈhɔkɪ] *n* хоккей; field ~ травяной хоккей; ice ~ хоккей на льду; Russian ~ русский хоккей.

hockey-stick [ˈhɔkɪstɪk] *n* клюшка.

hocus [ˈhoukəs] *v* 1) обманывать; 2) одурманивать, опаивать (*наркотиками*); 3) подмешивать наркотики.

hocus-pocus [ˈhoukəsˈpoukəs] 1. *n* фокус; надувательство;
2. *v* проделывать фокус; надувать.

hod [hɔd] *n* 1) *стр.* лото́к (*для подноса кирпичей, известки*); 2) коры́то (*для известки*), творило; 3) ведёрко для у́гля.

hodden ['hɔdn] *n* гру́бая некра́шеная шерстяна́я мате́рия.

Hodge [hɔdʒ] *n* (*употребляется нарицательно*) батра́к.

hodge-podge ['hɔdʒpɔdʒ] = hotchpotch.

hodiernal [,houdɪ'ə:nəl] *a* сего́дняшний, относя́щийся к сего́дняшнему дню.

hodman ['hɔdmən] *n* 1) подру́чный ка́менщика; 2) подсо́бный рабо́тник; 3) литерату́рный поде́нщик.

hodometer [hɔ'dɔmɪtə] = odometer.

hoe [hou] **1.** *n* моты́га;
2. *v* моты́жить, разрыхля́ть (*землю*); опа́лывать моты́гой.

hoe-cake ['houkeɪk] *n амер.* кукуру́зная *или* ма́исовая лепёшка.

hog [hɔg] **1.** *n* 1) бо́ров; свинья́; 2) *диал.* бара́шек, о́тнятый от ма́тери (*до первой стрижки*); 3) годова́лый бычо́к; 4) гру́бый, гря́зный челове́к; 5) скребо́к, щётка; 6) *тех.* искривле́ние, проги́б; ◇ to go the whole ~ а) де́лать (*что-л.*) основа́тельно; доводи́ть (*что-л.*) до конца́; б) идти́ на всё;
2. *v* 1) выгиба́ть спи́ну; 2) выгиба́ться дуго́й, искривля́ться, изгиба́ться; коро́биться; 3) ко́ротко подстрига́ть (*гриву, усы*); 4) скрести́, чи́стить; 5) *амер.* хвата́ть (*что-л.*); 6) поступа́ть по-сви́нски; 7) *разг.* занима́ться лиха́чеством.

hogback ['hɔgbæk] *n* 1) круто́й го́рный хребе́т; 2) *геол.* изоклина́льный гре́бень.

hog cholera ['hɔg'kɔlərə] *n* чума́ свине́й.

hogcote ['hɔgkout] *n* свина́рник.

hogget ['hɔgɪt] **1.** *pres. p. от* hog 2;
2. *n* 1) молодо́й бо́ров; 2) = hog 1, 2).

hoggin ['hɔgɪn] *n* кру́пный песо́к, гра́вий.

hogging ['hɔgɪŋ] *n тех.* проги́б, вы́гиб; коробле́ние.

hoggish ['hɔgɪʃ] *a* 1) свинообра́зный; 2) сви́нский; жа́дный; эгоисти́чный.

hogpen ['hɔgpen] = hogcote.

hogshead ['hɔgzhed] *n* 1) больша́я бо́чка; 2) *мера жидкости* (*около 238 л*).

hog-wash ['hɔgwɔʃ] *n* 1) пойло для свине́й; помо́и; 2) *разг.* ерунда́, дрянь.

hoi(c)k [hɔɪk] **1.** *n* ре́зкое движе́ние, толчо́к;
2. *v ав.* кру́то взлете́ть с земли́ *или* воды́, сде́лать го́рку.

hoick(s) [hɔɪk(s)] *int* ату́!

hoise [hɔɪz] (hoist) *уст.* = hoist I, 2.

hoist I [hɔɪst] **1.** *n* 1) подъём; 2) во́рот, лебёдка; 3) подъёмник, лифт;
2. *v* поднима́ть (*парус, флаг, груз*).

hoist II [hɔɪst] *p. p. от* hoise; ~ with one's own petard попа́вший в со́бственную лову́шку, пострада́вший от со́бственных ко́зней.

hoist-bridge ['hɔɪstbrɪdʒ] *n* подъёмный мост.

hoity-toity ['hɔɪtɪ'tɔɪtɪ] **1.** *a* 1) надме́нный; 2) оби́дчивый; раздражи́тельный; 3) *редк.* игри́вый, ре́звый;
2. *int ирон.* скажи́те пожа́луйста!

hokey-pokey ['houkɪ'poukɪ] *n* 1) *разг.* дешёвое моро́женое; 2) = hocus-pocus 1.

hokum ['houkəm] *n амер.* 1) *театр., кино* сце́на, ре́плика, но́мер, рассчи́танные на дешёвый эффе́кт; 2) приём ора́тора, рассчи́танный на дешёвый эффе́кт; 3) обма́н, жу́льничество.

hold I [hould] **1.** *n* 1) владе́ние; захва́т; to take ~ of smth. схвати́ть что-л., ухвати́ться за что-л.; to lay ~ of smth. схвати́ть, захвати́ть что-л.; to let go one's ~ of smth. вы́пустить что-л. из рук; to get ~ of smth. завладе́ть чем-л.; 2) власть, влия́ние (*часто* ~ on, ~ over); to get ~ of a person ока́зывать дурно́е влия́ние на кого́-л.; злоупотребля́ть свои́м влия́нием на кого́-л.; 3) спосо́бность понима́ния; понима́ние; 4) то, за что мо́жно ухвати́ться; захва́т, ушко́; опо́ра; 5) *муз.* па́уза.
2. *v* (held) 1) держа́ть; 2) владе́ть, име́ть; to ~ land владе́ть землёй; 3) выде́рживать; 4) уде́рживать (*пози́цию и т. п.*); 5) держа́ться (*о погоде*); 6) име́ть си́лу (*о зако́не*); остава́ться в си́ле (*о при́нципе, обеща́нии*); 7) занима́ть (*пост, до́лжность и т. п.*); to ~ a rank име́ть зва́ние, чин; to ~ office занима́ть пост; 8) занима́ть (*мы́сли*); овладева́ть (*внима́нием*); to ~ smb. in thrall плени́ть, зачарова́ть кого́-л.; 9) содержа́ть в себе́, вмеща́ть; this room ~s a hundred persons э́та ко́мната вмеща́ет сто челове́к; 10) полага́ть, счита́ть; I ~ it good я счита́ю, что э́то хорошо́; I ~ him to be wrong я счита́ю, что он непра́в; to ~ smb. responsible возлага́ть на кого́-л. отве́тственность; to ~ in esteem уважа́ть; ~ in contempt презира́ть; 11) сде́рживать, остана́вливать; to ~ one's tongue молча́ть; ~ your noise! переста́нь(те) шуме́ть! 12) проводи́ть (*собра́ние*); вести́ (*разгово́р*); to hold an event проводи́ть состяза́ние; 13) пра́здновать, отмеча́ть; 14) *амер.* держа́ть (*в тюрьме́*); ☐ ~ back сде́рживать(ся); возде́рживаться (from); ~ by держа́ться (*реше́ния*); слу́шаться (*сове́та*); ~ down а) держа́ть в подчине́нии; б) остава́ться в како́м-л. положе́нии *или* состоя́нии; в) продолжа́ть исполня́ть обя́занности, продолжа́ть занима́ть пост; ~ forth а) рассужда́ть, разглаго́льствовать; б) предлага́ть; to ~ forth a hope пода́ть наде́жду; ~ in сде́рживать(ся); ~ off а) уде́рживать; держа́ть(ся) пода́ль; б) заде́рживаться; ~ on а) держа́ться за что-л.; б) продолжа́ть де́лать что-л., упо́рствовать в чём-л.; ~ out а) протя́гивать; предлага́ть; б) выде́рживать, держа́ться до конца́; *амер.* уде́рживать; заде́рживать; ~ over а) откла́дывать, ме́длить; б) держа́ть под угро́зой; ~ to а) держа́ться, приде́рживаться (*мне́ния и т. п.*); б) наста́ивать; to ~ smb. to his promise наста́ивать на выполне́нии кем-л. своего́ обеща́ния; to ~ to terms наста́ивать на выполне́нии усло́вий; ~ up а) выставля́ть, пока́зывать; to ~ up to derision выставля́ть на посме́шище; б) подде́рживать, подпира́ть; в) остана́вливать, заде́рживать; г) остана́вливать с це́лью грабежа́; ~ with соглаша́ться; держа́ться одина́ковых взгля́дов; одобря́ть; ◇ to ~ cheap не дорожи́ть; ~ hard!, ~ on! стой!; подожди́!; to ~ it

against smb. име́ть прете́нзии к кому́-л., име́ть что-л. про́тив кого́-л.; to ~ one's own, to ~ one's ground сохраня́ть свои́ пози́ции, досто́инство, самооблада́ние; не подава́ться (*болезни и т. п.*); to ~ one's hand воздержа́ться; ~ your horses ≅ ле́гче на поворо́тах; не волну́йтесь, не торопи́тесь; to ~ water быть логи́чески после́довательным; it won't ~ water э́то не выде́рживает никако́й кри́тики; to ~ out on (smb.) *амер.* утаи́ть от (кого́-л.).

hold II [hould] *n мор.* трюм.

holdall ['houldɔ:l] *n* 1) портпле́д; вещево́й мешо́к; 2) *тех.* су́мка *или* я́щик для инструме́нта.

holdback ['houldbæk] *n* препя́тствие.

holder ['houldə] *n* 1) аренда́тор; 2) владе́лец, держа́тель (*векселя и т. п.*); 3) *спорт.* облада́тель при́за; тот, кто име́ет почётное зва́ние; 4) ру́чка, рукоя́тка; 5) *тех.* патро́н, держа́вка, обо́йма.

-holder [-houldə] *в сло́жных слова́х означа́ет* держа́тель; *напр.*: cigarette-~ мундшту́к.

holdfast ['houldfɑ:st] *n* 1) скоба́, крюк, захва́т, закре́па; 2) *тех.* а́нкерная плита́; 3) столя́рные тиски́.

holding ['houldiŋ] 1. *pres. p. om* hold I, 2; 2. *n* 1) уча́сток земли́ (*особ.* арендо́ванный); 2) владе́ние (*акциями и т. п.*); 3) вклад; 4) уде́рживание, закрепле́ние.

holding company ['houldiŋ'kʌmpəni] *n* компа́ния, владе́ющая контро́льными паке́тами а́кций други́х компа́ний; компа́ния-держа́тель; компа́ния-учреди́тель.

hold-over ['hould,ouvə] *n амер.* пережи́ток.

hold-up ['houldʌp] *n* 1) налёт; ограбле́ние (*на улице, дороге*); 2) налётчик, банди́т; 3) остано́вка, заде́ржка (*в движении*).

hold-up man ['houldʌp,mæn] = hold-up 2).

hole [houl] 1. *n* 1) дыра́; отве́рстие; 2) я́ма, я́мка; 3) нора́; 4) лачу́га; 5) дыра́; захолу́стье; 6) *разг.* затрудни́тельное положе́ние; in a ~ в тру́дном положе́нии; *амер.* в долгу́; 7) отду́шина, душни́к, кана́л для во́здуха; 8) *ав.* возду́шная я́ма; 9) лу́нка для мяча́ (*в играх*); 10) ра́ковина, свищ (*в отливке*); 11) *горн.* шурф, сква́жина, шпур; ◇ а ~ in one's coat пятно́ на чьей-л. репута́ции; to pick ~s придира́ться; to make a ~ in smth. си́льно опусто́шить что-л. (*напр.*, *запасы, сбережения*); a round peg in a square ~, a square peg in a round ~ челове́к не на своём ме́сте; a ~ in the wall *амер. уст.* ме́сто незако́нной прода́жи спиртны́х напи́тков;
2. *v* 1) продыря́вить; просверли́ть; 2) проры́ть; 3) *спорт.* загна́ть в лу́нку (*шар*); 4) загна́ть в нору́ (*зверя́*); 5) де́лать вруб, влом.

hole-and-corner ['houlənd'kɔ:nə] *a разг.* та́йный, секре́тный, де́лающийся укра́дкой.

hole-gauge ['houlgeidʒ] *n тех.* нутроме́р.

holer ['houlə] *n горн.* забо́йщик, бури́льщик.

holey ['houli] *a* дыря́вый.

holiday ['hɔlədi] 1. *n* 1) пра́здник, день о́тдыха; 2) о́тпуск; a month's ~ ме́сячный о́тпуск; busman's ~ *разг.* о́тпуск, проведённый на рабо́те; 3) *pl* кани́кулы; 4) *attr.* пра́здничный, каникуля́рный;
2. *v* отдыха́ть, проводи́ть о́тпуск.

holiday-maker ['hɔlədi,meikə] *n* гуля́ющий; отдыха́ющий; экскурса́нт в пра́здничный день *и т. п.*

holla ['hɔlə] = hollo(a).

Holland ['hɔlənd] *n* холст; полотно́; brown ~ небелёное суро́вое полотно́ [*см. тж. Список географических названий*].

Hollander ['hɔləndə] *n* 1) голла́ндец; 2) голла́ндский кора́бль.

Hollands ['hɔləndz] *n* голла́ндская во́дка.

hollo(a) ['hɔlou] 1. *int* эй!;
2. *n* крик, о́крик;
3. *v* 1) крича́ть; 2) звать соба́к.

hollow ['hɔlou] 1. *n* 1) пустота́; впа́дина, углубле́ние; по́лость; 2) дупло́; 3) лощи́на, ложби́на;
2. *a* 1) пусто́й; по́лый; пустоте́лый; ~ tree дупли́стое де́рево; 2) впа́лый, ввали́вшийся; 3) глухо́й (*о звуке*); 4) нейскренний; ло́жный; 5) пусто́й, несерьёзный; 6) голо́дный; то́щий;
3. *adv* вполне́, соверше́нно; to beat ~ разби́ть на́голову; изби́ть;
4. *v* выда́лбливать, выка́пывать (*часто* ~ out).

hollow-eyed ['hɔlouaid] *a* с ввали́вшимися *или* глубоко́ сидя́щими глаза́ми.

hollow-hearted ['hɔlou'hɑ:tid] *a* нейскренний.

hollow ware ['hɔlouwɛə] *n* посу́да из фарфо́ра, чугуна́ *и т. п.* (*котелки, миски, кувшины и т. п.*).

holly ['hɔli] *n бот.* па́дуб.

hollyhock ['hɔlihɔk] *n бот.* штокро́за ро́зовая.

Hollywood ['hɔliwud] *n* 1) голливу́дский фильм; 2) кинопромы́шленность Аме́рики.

holm [houm] *n* ка́менный дуб.

holmium ['houlmiəm] *n хим.* хо́льмий.

holm(e) [houm] *n* 1) речно́й острово́к; 2) прире́чная низина (*заливаемая при паводке*).

holm-oak ['houm'ouk] = holm.

holocaust ['hɔlɔkɔ:st] *n* 1) целико́м сжига́емая же́ртва; всесожже́ние; 2) уничтоже́ние, ги́бель.

holster ['houlstə] *n* кобура́.

holt I [hoult] *n поэт.* 1) ро́ща; 2) леси́стый холм.

holt II [hoult] *n* 1) убе́жище; 2) нора́ (*особ. выдры*).

holus-bolus ['houləs'bouləs] *adv разг.* одни́м глотко́м, сра́зу, целико́м.

holy ['houli] *a* свяще́нный, свято́й; H. Week страстна́я неде́ля; H. Writ Свяще́нное писа́ние (*библия*); ◇ terror тру́дный, ну́дный челове́к; «ужа́сный» ребёнок.

Holy Office ['houli'ɔfis] = inquisition 2).

holystone ['houlistoun] 1. *n* песча́ник для чи́стки па́лубы; пе́мза;
2. *v* чи́стить па́лубу песча́ником.

homage ['hɔmidʒ] *n* 1) почте́ние, уваже́ние; to do (*или* to pay) ~ a) свиде́тельствовать почте́ние; б) отдава́ть до́лжное; in a kind of ~ отдава́я дань; 2) *ист.* принесе́ние феода́льной прися́ги.

home [houm] **1.** *n* 1) дом, жили́ще; at ~ до́ма, у себя́; make yourself at ~ бу́дьте как до́ма; 2) родно́й дом, ро́дина; 3) семья́, дома́шняя жизнь; дома́шний оча́г, ую́т; 4) метропо́лия; 5) прию́т; ◇ to be quite at ~ in French хорошо́ владе́ть францу́зским языко́м; one's last (*или* long) ~ моги́ла; **2.** *a* 1) дома́шний; ~ science домово́дство; 2) семе́йный, родно́й; 3) вну́тренний; оте́чественный (*о товарах*); ~ market вну́тренний ры́нок; ~ trade вну́тренняя торго́вля; H. Office министе́рство вну́тренних дел; H. Secretary мини́стр вну́тренних дел; 4): ~ position *тех.* исхо́дное положе́ние; ◇ ~ truth го́рькая и́стина; **3.** *adv* 1) домо́й; 2) в цель; 3) до конца́, до отка́за; ту́го, кре́пко; ◇ to bring ~ to smb. убеди́ть кого́-л.; заста́вить кого́-л. поня́ть, почу́вствовать (*что-л.*); to bring a crime ~ to smb. уличи́ть кого́-л. в преступле́нии; to bring oneself (*или* to come, to get) ~ опра́виться (*после денежных затруднений*); заня́ть пре́жнее положе́ние; to come ~ to а) доходи́ть (*до сердца*); найти́ о́тклик в душе́; б) доходи́ть (*до сознания*), быть поня́тным; nothing to write ~ about *разг.* ничего́ осо́бенного; to touch ~ заде́ть за живо́е; **4.** *v* 1) возвраща́ться домо́й (*особ. о почто́вом голубе*); 2) посыла́ть, направля́ть домо́й; 3) предоставля́ть жильё.

home-bred ['houm'bred] *a* 1) доморо́щенный; 2) просто́й, без ло́ска.

home-brewed ['houm'bru:d] **1.** *a* дома́шний (*о пиве и т. п.*); **2.** *n* дома́шнее пи́во *и т. п.*

home-coming ['houm,kʌmɪŋ] *n* возвраще́ние домо́й.

Home Counties ['houm'kauntɪz] *n pl* гра́фства, окружа́ющие Ло́ндон.

homecraft ['houmkrɑːft] *n* куста́рный про́мысел.

home farm ['houmfɑːm] *n* фе́рма при уса́дьбе.

home-felt ['houmfelt] *a* прочу́вствованный, серде́чный.

home front ['houm'frʌnt] *n* фронт метропо́лии.

home-grown ['houm'groun] *a* оте́чественного произво́дства, ме́стный.

Home Guard ['houm'gɑːd] *n воен.* 1) отря́ды ме́стной оборо́ны, ополче́ние (*в А́нглии*); 2) ополче́нец (*в А́нглии*).

home-keeping ['houm,kiːpɪŋ] *a* домосе́дливый.

homeland ['houmlænd] *n* оте́чество, ро́дина.

homeless ['houmlɪs] *a* бездо́мный, бесприю́тный; ~ boy беспризо́рник.

homelessness ['houmlɪsnɪs] *n* бездо́мность.

homelike ['houmlaɪk] *a* 1) дома́шний, ую́тный; 2) дру́жеский.

homeliness ['houmlɪnɪs] *n* 1) простота́, обы́денность; безыску́сственность; прими́тивность; 2) дома́шний ую́т; 3) невзра́чность.

homely ['houmlɪ] *a* 1) просто́й, обы́денный; скро́мный, безыску́сственный; ~ fare проста́я пи́ща; 2) дома́шний, ую́тный; 3) некраси́вый, невзра́чный.

home-made ['houm'meid] *a* 1) дома́шнего изготовле́ния, куста́рный; 2) оте́чественного произво́дства.

homer ['houmə] = homing pigeon.

Homeric [hou'merɪk] *a* 1) гоме́ровский; 2) гомери́ческий.

homeroom teacher ['houmrum,tiːʧə] *n амер. школ.* наста́вник, воспита́тель.

home rule ['houmruːl] *n* 1) самоуправле́ние, автоно́мия; 2) (H. R.) *ист.* гомру́ль (*буржуа́зно-либера́льная програ́мма самоуправле́ния Ирла́ндии в ра́мках Брита́нской импе́рии*).

homesick ['houmsɪk] *a* тоску́ющий по до́му, по ро́дине.

homesickness ['houmsɪknɪs] *n* тоска́ по ро́дине, ностальги́я.

homespun ['houmspʌn] **1.** *a* 1) домотка́ный; 2) гру́бый, просто́й; **2.** *n* домотка́ная мате́рия.

homestead ['houmsted] *n* 1) уса́дьба; фе́рма; 2) *амер.* уча́сток (поселе́нца).

homesteader ['houmstedə] *n амер.* владе́лец уча́стка (*о поселе́нце*).

homestretch ['houm,streʧ] *n* фи́нишная прямая́ (*на ипподро́ме*).

home team ['houm,tiːm] *n спорт.* кома́нда хозя́ев по́ля.

home thrust ['houm'θrʌst] *n* уда́чный уда́р; уда́чный отве́т.

homeward ['houmwəd] **1.** *a* веду́щий, иду́щий к до́му; **2.** *adv* домо́й, к до́му.

homeward-bound ['houmwəd'baund] *a* возвраща́ющийся, отплыва́ющий домо́й (*о корабле́*).

homewards ['houmwədz] = homeward 2.

home-work ['houmwəːk] *n* дома́шняя рабо́та (*особ. шко́льника*).

homey ['houmɪ] *a* дома́шний, ую́тный.

homicidal [,hɔmɪ'saɪdl] *a* 1) уби́йственный; смертоно́сный; 2) одержи́мый мы́слью об уби́йстве (*о душевнобольно́м*).

homicide ['hɔmɪsaɪd] *n* 1) уби́йца; 2) уби́йство; justifiable ~ *юр.* уби́йство при опра́вдывающих обстоя́тельствах.

homily ['hɔmɪlɪ] *n* про́поведь; поуче́ние.

homing I ['houmɪŋ] **1.** *pres. p. от* home 4; **2.** *a* возвраща́ющийся домо́й.

homing II ['houmɪŋ] *n* 1) привод, наведе́ние (*самолётов, раке́т*); 2) *attr.* приводно́й; ~ device приводно́е устро́йство; радиоко́мпас.

homing pigeon ['houmɪŋ'pɪdʒɪn] *n* почто́вый го́лубь.

hominy ['hɔmɪnɪ] *n* мамалы́га.

homoeopath ['houmjəpæθ] *n* гомеопа́т.

homoeopathic [,houmjə'pæθɪk] *a* гомеопати́ческий.

homoeopathy [,houmɪ'ɔpəθɪ] *n* гомеопа́тия.

homogeneity [,hɔmoudʒe'niːɪtɪ] *n* одноро́дность.

homogeneous [,hɔmə'dʒiːnjəs] *a* 1) одноро́дный (*тж. грам.*); 2) *хим.* гомоге́нный.

homograph ['hɔmougræf] *n лингв.* омо́граф.

homologate [hɔ'mɔlǝgeɪt] *v* 1) признава́ть; подтвержда́ть; 2) соглаша́ться; допуска́ть.

homologous [hɔ'mɔlǝgǝs] *a* 1) соотве́тственный; 2) *хим.* гомологи́ческий.

homonym ['hɔmǝnɪm] *n* 1) *лингв.* омо́ним; 2) тёзка.

homophone ['hɔmǝfoun] *n лингв.* омофо́н.

homosexuality ['houmouseksju'ælɪtɪ] *n* гомосексуали́зм.

homy ['houmɪ] *a* дома́шний, напомина́ющий родно́й дом.

Honduranian [,hɔndju'reɪnɪǝn] **1.** *a* гондура́сский;

2. *n* гондура́сец.

hone [houn] **1.** *n* 1) осело́к. точи́льный ка́мень; 2) *тех.* хон, хонингова́льная голо́вка;

2. *v* 1) точи́ть; 2) *тех.* хонингова́ть.

honest ['ɔnɪst] *a* 1) че́стный; to turn an ~ penny нажи́ть, зарабо́тать че́стным путём; 2) правди́вый, и́скренний; 3) настоя́щий, по́длинный, нефальсифици́рованный; 4) *уст.* целому́дренный, нра́вственный.

honestly ['ɔnɪstlɪ] *adv* 1) че́стно; 2) и́скренне, правди́во.

hone-stone ['hounstoun] = hone 1, 1).

honesty ['ɔnɪstɪ] *n* 1) че́стность; 2) правди́вость; 3) *бот.* лу́нник.

honey ['hʌnɪ] *n* 1) мёд; *перен.* сла́дость; 2) *ласк.* ми́лый; ми́лая; голу́бчик; голу́бушка.

honey-bee ['hʌnɪbiː] *n* (рабо́чая) пчела́.

honey-buzzard ['hʌnɪ'bʌzǝd] *n* осое́д *(птица)*.

honeycomb ['hʌnɪkoum] **1.** *n* 1) медо́вые со́ты; 2) *тех.* ра́ковины, со́товые пузыри́ *(в металле)*;

2. *a* со́товый; сотови́дный; ноздрева́тый, яче́истый;

3. *v* 1) продыря́вить, изрешети́ть; 2) подточи́ть, осла́бить.

honey dew ['hʌnɪ'djuː] *n* 1) *бот.* медвя́ная роса́; 2) *поэт.* некта́р; 3) таба́к, пропи́танный па́токой.

honeyed ['hʌnɪd] *a* 1) сла́дкий, медо́вый; 2) льсти́вый.

honeymoon ['hʌnɪmuːn] **1.** *n* медо́вый ме́сяц;

2. *v* проводи́ть медо́вый ме́сяц.

honey-mouthed ['hʌnɪ,mauðd] *a* сладкоречи́вый, медоточи́вый, льсти́вый.

honey-pea ['hʌnɪpiː] *n* са́харный горо́х.

honeysuckle ['hʌnɪ,sʌkl] *n бот.* жи́молость.

hong [hɔŋ] *n ист.* 1) иностра́нное торго́вое предприя́тие, факто́рия в Кита́е; 2) купе́ческая ги́льдия в Кита́е.

honied ['hʌnɪd]=honeyed.

honk [hɔŋk] **1.** *n* 1) крик ди́ких гусе́й; 2) звук автомоби́льного рожка́;

2. *v* 1) крича́ть *(о диких гусях)*; 2) *авт.* дава́ть сигна́л.

honor, honorable ['ɔnǝ, 'ɔnǝrǝbl] *амер.* = honour, honourable.

honoraria [,ɔnǝ'rɛǝrɪǝ] *pl от* honorarium.

honorarium [,ɔnǝ'rɛǝrɪǝm] *n (pl* -riums [-rɪǝmz], -ria) гонора́р.

honorary ['ɔnǝrǝrɪ] *a* 1) почётный; an ~ office почётная до́лжность; 2) неопла́чиваемый.

honorific [,ɔnǝ'rɪfɪk] *a* 1) почётный; 2) выража́ющий почте́ние, почти́тельный.

honour ['ɔnǝ] **1.** *n* 1) честь; сла́ва; in ~ в честь; on *(или* upon*)* my ~ че́стное сло́во; point of ~ вопро́с че́сти; 2) хоро́шая репута́ция, до́брое и́мя; 3) че́стность, благоро́дство; 4) почёт, уваже́ние, почте́ние; to give *(или* to pay*)* ~ to smb. ока́зывать кому́-л. уваже́ние, почте́ние; 5) *pl* награ́ды, по́чести; ордена́; military ~s во́инские по́чести; the last ~s посме́ртные по́чести; 6) *pl унив.* отли́чие, получа́емое по́сле сда́чи осо́бого экза́мена; 7) *в обращении (преим. к судье)*: your H. ва́ша честь; 8) *карт.* козырно́й онёр; ◇ ~ bright *разг.* че́стное сло́во; ~s of war почётные усло́вия сда́чи; to do the ~s of the house исполня́ть обя́занности хозя́йки *или* хозя́ина, принима́ть госте́й;

2. *v* 1) почита́ть, чтить; 2) удоста́ивать (with); 3) плати́ть в срок *(по векселю)*.

honourable ['ɔnǝrǝbl] *a* 1) почётный; ~ duty почётная обя́занность; 2) благоро́дный, че́стный; 3) уважа́емый; почте́нный; достопочте́нный; 4) почте́нный *(форма обращения к детям знати, к судьям)*; the ~ gentleman почте́нный джентльме́н *(форма упоминания члена англи́йского парла́мента и американского конгресса)*; Right H. достопочте́нный *(форма обращения к высшей знати, членам тайного совета и т. п.)*.

hooch [huːtʃ] *n амер. sl.* 1) спиртно́й напи́ток, добы́тый незако́нным путём; 2) вид самого́на *(изготовляемого американскими индейцами)*.

hood [hud] **1.** *n* 1) капюшо́н; ка́пор; 2) верх *(экипажа)*; 3) хохоло́к *(птицы)*; 4) кры́шка, чехо́л; колпа́к; 5) капо́т дви́гателя;

2. *v* 1) покрыва́ть капюшо́ном, колпачко́м; 2) закрыва́ть, скрыва́ть.

hoodie ['hudɪ] *n* се́рая воро́на.

hoodlum ['huːdlǝm] *n амер.* хулига́н.

hoodoo ['huːduː] *амер.* **1.** *n* 1) челове́к или вещь, принося́щие несча́стье; 2) неуда́ча, несча́стье;

2. *v* приноси́ть несча́стье; заколдова́ть, сгла́зить.

hoodwink ['hudwɪŋk] *v* 1) завя́зывать глаза́; 2) обману́ть, провести́.

hooey ['huːɪ] *n амер. sl.* чушь, ерунда́.

hoof [huːf] **1.** *n (pl* hoofs [-fs], hooves) 1) копы́то; 2) копы́тное живо́тное; 3) *шутл.* нога́ *(человека)*; ◇ on the ~ живо́й *или* живьём *(о скоте)*; meat on the ~ запа́с убо́йного скота́; under smb.'s ~ угнетённый, находя́щийся во вла́сти кого́-л.; to pad the ~ идти́ пешко́м, на свои́х двои́х; to get the ~ быть уво́ленным;

2. *v* 1) бить копы́том; 2) *разг.* уволи́ть, вы́гнать *(часто* ~ out); 3) идти́ пешко́м; 4) *sl.* танцева́ть.

hook [huk] **1.** *n* 1) крюк, крючо́к; 2) криво́й нож; серп; 3) баго́р; 4) круто́й изги́б;

излу́чина реки́; 5) лову́шка, западня́; 6) *sl.* вор, жу́лик; уголо́вный престу́пник; 7) боково́й уда́р со́гнутой руко́й (*в боксе*); 8) *тех.* заце́пка, захва́тка, гак; ◇ by ~ or by crook пра́вдами и непра́вдами; ≅ не мытьём, так ка́таньем; to drop off the ~s *sl.* сыгра́ть в я́щик; отпра́виться на тот свет; to go off the ~s *разг.* а) рехну́ться, свихну́ться; б) сби́ться с пути́; в) умере́ть; on one's own ~ *разг.* самостоя́тельно, на свой риск; to take one's ~ *sl.* смы́ться, удра́ть.
2. *v* 1) сгиба́ть в ви́де крюка́; 2) зацепля́ть, прицепля́ть; 3) застёгивать (ся) (on, up — на *крючок*); 4) лови́ть, пойма́ть (*рыбу*); *перен.* подцепи́ть; пойма́ть на у́дочку; заполучи́ть; завербова́ть; 5) *sl.* красть; ☐ ~ in заполучи́ть; заста́вить согласи́ться на *что-л.*; ◇ to ~ it *sl.* смы́ться, удра́ть.
hooka(h) ['hukə] *n* кальян.
hook-and-eye ['hukənd'aɪ] *v* застёгивать на крючки́.
hooked [hukt] **1.** *p. p. om* hook 2;
2. *a* 1) крючкова́тый, криво́й; 2) име́ющий крючо́к *или* крючки́; 3) *амер.* (с)вя́занный крючко́м.
hooker ['hukə] *n* 1) рыболо́вное су́дно; the old ~ *пренебр.* ста́рая кало́ша (*о судне*); 2) *разг.* та́йный аге́нт, занима́ющийся вербо́вкой рабо́чих.
hookey ['hukɪ] = hooky.
hook-nosed ['huk'nouzd] *a* с крючкова́тым *или* орли́ным но́сом.
Hook's joint ['huks,dʒɔɪnt] *n тех.* шарни́р Гу́ка.
hook-up ['hukʌp] **1.** *n* 1) соедине́ние; сцепле́ние; 2) *разг.* установле́ние отноше́ний *или* свя́зи; сою́з; 3) *радио* лету́чая схе́ма соедине́ний; 4) *радио разг.* одновреме́нная переда́ча одно́й програ́ммы по несколь́ким ста́нциям; to speak over the (radio) ~ выступа́ть одновреме́нно по двум *или* бо́лее радиоста́нциям;
2. *v радио разг.* вре́менно переключа́ть две *или* бо́лее радиоста́нции на одну́ програ́мму.
hook-worm ['hukwəːm] *n* глист.
hooky ['hukɪ] *n*: to play ~ *амер. sl.* безде́льничать, прогу́ливать (*занятия в школе и т. п.*).
hooligan ['huːlɪɡən] *n* хулига́н.
hooliganism ['huːlɪɡənɪzəm] *n* хулига́нство.
hoop I [huːp] **1.** *n* 1) о́бруч, обо́д; 2) воро́та (*в крокете*); 3) *тех.* обо́йма, бу́гель, кольцо́;
2. *v* 1) скрепля́ть о́бручем; набива́ть обручи́; 2) окружа́ть, сжима́ть.
hoop II [huːp] **1.** *n* 1) крик, ги́канье; 2) ка́шель (*как при коклюше*);
2. *v* ги́кать.
hooper I ['huːpə] *n* бо́ндарь.
hooper II ['huːpə] *n* ди́кий ле́бедь.
hooping-cough ['huːpɪŋkɔf] *n* коклю́ш.
hoop-la ['huːplə] *n* 1) игра́ (*разыгрывание различных мелких предметов путём набрасывания на них колец*); 2) *разг.* шум, кутерьма́, тарара́м.
hoopoe ['huːpuː] *n* удо́д (*птица*).
hoop-skirt ['huːpskəːt] *n* кринолин, фи́жмы.

hoot [huːt] **1.** *n* 1) кри́ки, ги́канье; 2) крик совы́; ◇ I don't give a ~ *разг.* мне на э́то наплева́ть;
2. *v* 1) крича́ть (at — на); улюлю́кать, ги́кать; to ~ with laughter *sl.* гро́мко, оглуши́тельно смея́ться; 2) крича́ть (*о сове*); 3) гуде́ть, свисте́ть (*о гудке, сирене*); ☐ ~ after гна́ться за *кем-л.* с кри́ками; ~ away выгоня́ть кри́ками, ги́каньем; ~ down заста́вить замолча́ть кри́ками; ~ off, ~ out = ~ away.
hootch ['huːtʃ] = hooch.
hooter ['huːtə] *n* гудо́к, сире́на.
hoot(s) ['huːt(s)] *int* ах ты, тьфу! (*выражает нетерпение, досаду*).
hoove [huːv] *n вет.* взду́тие живота́.
hooves [huːvz] *pl om* hoof 1.
hop I [hɔp] **1.** *n* 1) прыжо́к, припры́гивание; скачо́к; 2) *разг.* та́нцы, танцева́льный ве́чер; 3) *ав. разг.* перелёт; полёт; ◇ to catch on the ~ заста́ть враспло́х;
2. *v* 1) пры́гать, скака́ть на одно́й ноге́; 2) подпры́гивать; 3) перепры́гивать (*часто* ~ over); 4) вска́кивать (*на ходу*); to ~ a cab вскочи́ть на ходу́ в такси́; 5) хрома́ть; 6) пляса́ть, танцева́ть; ☐ ~ off *ав.* отрыва́ться от земли́; взлета́ть; ◇ to ~ it *разг.* удира́ть, убега́ть; to ~ the stick (*или* the twig) *sl.* а) скрыва́ться от кредито́ров; б) умере́ть.
hop II [hɔp] **1.** *n бот.* хмель;
2. *v* 1) собира́ть хмель; 2) класть хмель в пи́во.
hop-bine ['hɔpbaɪn] *n* вью́щийся сте́бель хме́ля.
hope I [houp] **1.** *n* наде́жда (of); vague ~s сму́тные наде́жды; to be past ~ быть в безнаде́жном положе́нии; to pin one's ~s on возлага́ть наде́жды на;
2. *v* 1) наде́яться (for — на); I ~ so наде́юсь, что э́то так; I ~ not наде́юсь, что э́того не бу́дет; to ~ against ~ наде́яться на чу́до; наде́яться, не име́я на э́то никаки́х основа́ний; 2) упова́ть, предвкуша́ть (for).
hope II [houp] *n диал.* 1) зали́в; 2) лощи́на; ущелье.
hope chest ['houptʃest] *n* сунду́к с прида́ным.
hoped-for ['houptfɔː] *a* жела́нный; long ~ долгожда́нный.
hopeful ['houpful] **1.** *a* 1) наде́ющийся; 2) подаю́щий наде́жды; многообеща́ющий;
2. *n* челове́к, подаю́щий наде́жды; a young ~! *шутл., ирон.* далеко́ пойдёт!
hopefulness ['houpfulnɪs] *n* 1) оптими́зм; 2) наде́жда.
hopeless ['houplɪs] *a* 1) безнадёжный; 2) отча́явшийся.
hopelessness ['houplɪsnɪs] *n* безнадёжность, безвыхо́дность.
hop-garden ['hɔp,ɡɑːdn] *n* хме́льник.
hop-o'-my-thumb ['hɔpəmɪ'θʌm] *n* ка́рлик; ма́льчик с па́льчик.
hopper I ['hɔpə] *n* 1) прыгу́н; 2) пры́гающее насеко́мое, *особ.* блоха́; 3) ваго́н *или* ваго́нетка с опроки́дывающимся ку́зовом; самосва́л; ваго́н с откидны́м дном, хо́ппер; 4) *стр.* фра́муга; 5) *тех.* воро́нка, бу́нкер.

hopper II [´hɔpə] *n* собира́тель хме́ля.

hopple [´hɔpl] *v* 1) стрено́жить (*ло́шадь*); 2) помеша́ть; запу́тать.

hop-pocket [´hɔp,pɔkɪt] *n* мешо́к хме́ля.

hopscotch [´hɔpskɔtʃ] *n* де́тская игра́ «кла́ссы».

hop, step, and jump [´hɔp´stepənd´dʒʌmp] *n спорт.* тройно́й прыжо́к.

hoptoad [´hɔptoud] *n разг.* жа́ба.

hop-yard [´hɔpjɑːd] = hop-garden.

horary [´hɔːrərɪ] *a* 1) ежеча́сный; 2) для́щийся час; для́щийся недо́лго.

horde [hɔːd] 1. *n* 1) орда́; the Golden H. *ист.* Золота́я орда́; 2) вата́га; ша́йка; 3) ста́я; рой (*насеко́мых*); 4) ~ of wolves ста́я волко́в; 4) *pl амер.* то́лпы (*наро́да*); 2. *v* 1) жить ско́пом; 2) собира́ться ку́чами.

horehound [´hɔːhaund] *n бот.* ша́ндра (обыкнове́нная).

horizon [hə´raɪzn] *n* 1) горизо́нт; apparent (*или* visible) ~ *астр.* ви́димый горизо́нт; rational (*или* true, celestial) ~ *астр.* и́стинный горизо́нт; sensible ~ *астр.* каса́тельный горизо́нт; 2) у́мственный кругозо́р; 3) *геол.* я́рус, отложе́ние одного́ во́зраста.

horizontal [,hɔrɪ´zɔntl] 1. *n* горизонта́ль; 2. *a* горизонта́льный; ~ fire *воен.* насти́льный ого́нь.

hormone [´hɔːmoun] *n физиол.* гормо́н.

horn [hɔːn] 1. *n* 1) рог; 2) *pl* ро́жки (*ули́тки*); у́сики (*насеко́мого*); 3) духово́й инструме́нт; рожо́к; охо́тничий рог; 4) ру́пор; звукоприёмник (*звукоулови́теля*); 5) гудо́к, сире́на автомоби́ля; 6) *ав.* каба́нчик (*пло́скости управле́ния*); 7) *тех.* вы́ступ; шкворень; рыча́г; 8) *attr.* рогово́й; ~ spectacles очки́ в рогово́й опра́ве; ◇ ~ of plenty рог изоби́лия; between (*или* on) the ~s of a dilemma ≅ ме́жду двух огне́й; в затрудни́тельном положе́нии; to take the bull by the ~s взять быка́ за рога́; to draw in one's ~s присмире́ть; стушева́ться; ретирова́ться; 2. *v* 1) сре́зать рога́; 2) бода́ть; забода́ть; 3) *уст.* наста́вить рога́; □ ~ in вме́шиваться.

hornbeam [´hɔːnbiːm] *n* граб (*де́рево*).

hornblende [´hɔːnblend] *n мин.* рогова́я обма́нка.

hornbook [´hɔːnbuk] *n ист.* а́збука (*в ра́мке под то́нкой рогово́й пласти́нкой*).

horned [hɔːnd] 1. *p. p. от* horn 2; 2. *a* рога́тый; ~ cattle рога́тый скот.

hornet [´hɔːnɪt] *n зоол.* ше́ршень; ◇ to stir up a nest of ~s, to bring a ~s' nest about one's ears потрево́жить оси́ное гнездо́.

hornlike [´hɔːnlaɪk] *a* рогоподо́бный, рогови́дный.

hornpipe [´hɔːnpaɪp] *n* 1) волы́нка (*музыка́льный инструме́нт*); 2) назва́ние со́льного наро́дного, преим. матро́сского, та́нца.

hornrimmed [´hɔːn,rɪmd] *a* в рогово́й опра́ве.

horny [´hɔːnɪ] *a* 1) рогово́й; 2) име́ющий рога́; 3) мозо́листый; гру́бый.

horny-handed [´hɔːnɪ´hændɪd] *a* с мозо́листыми рука́ми.

horologe [´hɔrələdʒ] *n редк.* часы́.

horology [hɔ´rɔlədʒɪ] *n* 1) иску́сство измере́ния вре́мени; 2) часово́е мастерство́, часово́е де́ло.

horoscope [´hɔrəskoup] *n* гороско́п; to cast a ~ соста́вить гороско́п.

horrent [´hɔrənt] *a поэт.* ощети́нившийся, угрожа́ющий.

horrible [´hɔrəbl] *a* 1) стра́шный, ужа́сный; 2) *разг.* проти́вный, отврати́тельный, отта́лкивающий.

horrid [´hɔrɪd] *a* 1) ужа́сный, стра́шный; 2) *разг.* проти́вный, неприя́тный, отта́лкивающий.

horrific [hɔ´rɪfɪk] *a* ужаса́ющий.

horrify [´hɔrɪfaɪ] *v* 1) ужаса́ть; страши́ть; 2) шоки́ровать.

horripilation [hɔ,rɪpɪ´leɪʃən] *n* гуси́ная ко́жа.

horror [´hɔrə] *n* 1) у́жас; he is a perfect ~! он ужа́сен!; 2) отвраще́ние (of); 3) *разг.* что-л. неле́пое, смешно́е; ◇ the ~s припа́док бе́лой горя́чки.

horror-stricken, horror-struck [´hɔrə,strɪkən, -,strʌk] *a* поражённый у́жасом, в у́жасе.

hors-d'oeuvre [ɔː´dɑːvr] *фр. n* заку́ска.

horse [hɔːs] 1. *n* 1) ло́шадь, конь; to take ~ сесть на ло́шадь; е́хать верхо́м; riding ~ верхова́я ло́шадь; to ~ на ко́ни!; spare ~ запасна́я ло́шадь; 2) кавале́рия, ко́нница; ~ and foot a) ко́нница и пехо́та; б) изо всех сил; 3) *спорт.* конь; 4) ра́ма; стано́к; ко́злы; 5) *горн.* включе́ние пусто́й поро́ды в руде́; 6) *attr.* ко́нный; ко́нский; лошади́ный; *перен.* гру́бый; ~ artillery ко́нная артилле́рия; ◇ black (*или* dark) ~ а) неизве́стная ло́шадь на ска́чках; б) *амер. полит. sl.* малоизве́стный кандида́т на вы́борах; «тёмная лоша́дка»; to put the cart before the ~ а) поста́вить теле́гу пе́ред ло́шадью; де́лать шиворо́т-навы́ворот; начина́ть не с того́ конца́; б) приня́ть сле́дствие за причи́ну; don't look a gift ~ in the mouth *посл.* даре́ному коню́ в зу́бы не смо́трят; ~ opera *амер. sl.* ковбо́йский фильм; 2. *v* 1) сади́ться на ло́шадь; е́хать верхо́м; 2) поставля́ть лошаде́й; 3) *уст.* взвали́ть челове́ка, кото́рого по́рют, себе́ на́ спину (*помога́я при наказа́нии*).

horseback [´hɔːsbæk] 1. *n* спина́ ло́шади; оn ~ верхо́м. 2. *adv амер.* верхо́м.

horse-bean [´hɔːsbiːn] *n* ко́нский боб.

horse-block [´hɔːsblɔk] *n* подста́вка (*для поса́дки на ло́шадь*).

horse bot [´hɔːsbɔt] *n* о́вод желу́дочный.

horse-box [´hɔːsbɔks] *n* 1) ваго́н для лошаде́й; 2) клеть для погру́зки лошаде́й на кора́бль.

horse-boy [´hɔːsbɔɪ] *n* ма́льчик, рабо́тающий на коню́шне.

horse-breaker [´hɔːs,breɪkə] *n* объе́здчик лошаде́й.

horse-breaking [´hɔːs,breɪkɪŋ] *n* объе́здка лошаде́й.

horse breeder [´hɔːs´briːdə] *n* конезаво́дчик.

horse breeding ['hɔːs'briːdɪŋ] *n* коневодство.

horse-breeding ['hɔːs'briːdɪŋ] *a* коневодческий.

horse-chanter ['hɔːs,tʃɑːntə] *n* барышник, торгующий лошадьми.

horse-chestnut ['hɔːs'tʃesnʌt] *n* конский каштан (*дерево и плод*).

horse-cloth ['hɔːsklɔθ] *n* попона.

horse-collar ['hɔːs,kɔlə] *n* хомут.

horse-comb ['hɔːskoum] *n* скребница.

horse-coper ['hɔːs,koupə] = horse-dealer.

horse-cover ['hɔːs,kʌvə] = horse-cloth.

horse-dealer ['hɔːs,diːlə] *n* торговец лошадьми, барышник.

horse-drawn ['hɔːs'drɔːn] *a* на конной тяге.

horseflesh ['hɔːsfleʃ] *n* конина.

horse-fly ['hɔːsflaɪ] *n* слепень.

horse godmother ['hɔːs'gɔd,mʌðə] *n разг.* тучная неповоротливая женщина.

Horse Guards ['hɔːs'gɑːdz] *n pl* 1) конная гвардия; конногвардейский полк; 2) *ист.* главный штаб английской армии.

horsehair ['hɔːshɛə] *n* 1) конский волос; 2) материя из конского волоса; 3) *attr.* из конского волоса.

horse hoe ['hɔːshou] *n с.-х.* конный пропашник.

horse latitudes ['hɔːs'lætɪtjuːdz] *n pl мор.* «конские широты» (*широты 30—35° N — штилевая полоса Атлантического океана; по аналогии тж. и широты 30—35° сев. и южн. полушарий во всех океанах*).

horse-laugh ['hɔːslɑːf] *n* громкий, грубый смех, хохот.

horseleech ['hɔːsliːtʃ] *n* 1) конская пиявка; 2) вымогатель; 3) *уст.* коновал.

horseless ['hɔːslɪs] *a* безлошадный.

horse-mackerel ['hɔːs,mækrəl] *n* ставрида обыкновенная (*рыба*).

horseman ['hɔːsmən] *n* 1) всадник; наездник; 2) кавалерист.

horsemanship ['hɔːsmənʃɪp] *n* искусство верховой езды.

horse-marine ['hɔːsmə,riːn] *n* человек на неподходящей работе *или* не в своей стихии; ◇ tell that to the ~s! ≅ расскажи это своей бабушке!; вздор!, рассказывай(те) это кому-нибудь другому!; ври больше!

horse-mill ['hɔːsmɪl] *n* мельница с конным приводом.

horsepath ['hɔːspɑːθ] *n* вьючная тропа.

horseplay ['hɔːspleɪ] *n* грубое развлечение.

horsepower ['hɔːs,pauə] *n тех.* лошадиная сила.

horse-race ['hɔːsreɪs] *n* скачки.

horse-radish ['hɔːs,rædɪʃ] *n* хрен.

horse sense ['hɔːssens] *n разг.* грубоватый здравый смысл.

horseshoe ['hɔːʃʃuː] *n* подкова.

horse-soldier ['hɔːs,souldʒə] *n* кавалерист.

horse-tail ['hɔːsteɪl] *n* 1) хвост лошади; 2) *бот.* хвощ (лесной); 3) *ист.* бунчук.

horsewhip ['hɔːswɪp] **1.** *n* хлыст; **2.** *v* отхлестать.

horsewoman ['hɔːs,wumən] *n* всадница, наездница.

horsing ['hɔːsɪŋ] **1.** *pres. p. om* horse 2;

2. *n* 1) конский ремонт; 2) случка; 3) порка.

horsy ['hɔːsɪ] *a* конский; лошадиный; имеющий отношение к лошадям, конному делу *или* спорту.

hortative ['hɔːtətɪv] *a* увещевающий; успокаивающий.

hortatory ['hɔːtətərɪ] = hortative.

horticultural [,hɔːtɪ'kʌltʃərəl] *a* садовый; ~ crops садовые культуры; ~ sundry садовый инвентарь.

horticulture ['hɔːtɪkʌltʃə] *n* садоводство.

horticulturist [,hɔːtɪ'kʌltʃərɪst] *n* садовод.

hose [houz] **1.** *n* 1) рукав, кишка (*для поливки*); шланг; брандспойт; 2) *собир.* чулки (*как название товара*); 3) штаны (*плотно обтягивающие ногу*);

2. *v* поливать из шланга.

hosier ['houʒə] *n* торговец трикотажем.

hosiery ['houʒərɪ] *n* 1) чулочные изделия, трикотаж; 2) трикотажная мастерская.

hospice ['hɔspɪs] *n* 1) гостиница (особ. монастырская); 2) приют, богадельня; странноприимный дом.

hospitable ['hɔspɪtəbl] *a* гостеприимный.

hospital ['hɔspɪtl] *n* 1) больница, госпиталь; 2) *редк.* богадельня; благотворительная школа; 3) *attr.* госпитальный, больничный; санитарный; H. Saturday, H. Sunday день сбора пожертвований на содержание больниц.

hospitaler ['hɔspɪtlə] = hospitaller.

hospitality [,hɔspɪ'tælɪtɪ] *n* гостеприимство, радушие.

hospitalize ['hɔspɪtəlaɪz] *v* госпитализировать, помещать в больницу.

hospitaller ['hɔspɪtlə] *n ист.* госпитальер, член ордена госпитальеров.

hospital-ship ['hɔspɪtl,ʃɪp] *n* госпитальное судно, плавучий госпиталь.

hospital-train ['hɔspɪtl,treɪn] *n* санитарный поезд.

host I [houst] *n* 1) множество; толпа; сонм; 2) *уст.* войско, воинство; ◇ the ~s of heaven а) небесные светила, б) ангелы, силы небесные; a ~ in himself один стоит многих (по пользе, работе и т. п.).

host II [houst] *n* 1) хозяин; 2) содержатель, хозяин гостиницы; трактирщик; 3) *биол.* организм, питающий паразитов, «хозяин»; ◇ to reckon without one's ~ недооценить трудности; просчитаться.

host III [houst] *n церк.* гостия.

hostage ['hɔstɪdʒ] *n* 1) заложник; 2) залог.

hostel ['hɔstəl] *n* 1) общежитие; 2) турбаза; 3) *уст.* гостиница.

hostel(l)er ['hɔstələ] *n* 1) студент, живущий в общежитии; 2) турист, останавливающийся на турбазах.

hostelry ['hɔstəlrɪ] *n уст.* гостиница.

hostess ['houstɪs] *n* 1) хозяйка; 2) хозяйка гостиницы; 3) бортпроводница, стюардесса.

hostile ['hɔstaɪl] **1.** *a* 1) неприятельский, вражеский; 2) враждебный (to);

2. *n* враг.

hostility [hɔs'tılıtı] *n* 1) враждёбность; враждёбный акт; 2) *pl* воённые дёйствия; to open hostilities начать воённые дёйствия.

hostler ['ɔslə] *n* 1) = ostler; 2) *амер. ж.-д.* начальник паровозного депо.

hot [hɔt] **1.** *a* 1) горячий; жаркий; накалённый; boiling ~ кипящий; 2) пылкий; страстный; 3) разгорячённый, возбуждённый; 4) раздражённый; to get ~ разгорячиться, раздражиться; 5) страстно увлекающийся (on); темпераментный; 6) свёжий; ~ scent свёжий, горячий след; ~ copy (*или* news) *амер. sl.* послёдние извёстия; 7) блйзкий к цёли; 8) острый, пряный; 9) тёплый (*о цвете*); 10) *амер. разг.* бедовый; 11) *амер. разг.* забористый; 12) *амер. sl.* только что украденный *или* незаконно приобретённый; ◊ to get one's water ~ кипятиться; to get into ~ water попасть в беду, в затруднительное положёние; to make a place too ~ for smb. *разг.* выкурить кого-л.; ~ number *амер. разг.* популярный номер (песенка и т. п.); ~ stuff *разг.* а) отличный работник, игрок, исполнитель и т. п.; б) сильный артиллерийский обстрёл; в) неприличный анекдот; г) разврат;

2. *adv* горячо, жарко и пр. [*см.* 1]; ◊ to blow ~ and cold колебаться, выказывать нерешительность; постоянно менять точку зрёния; to give it smb. ~ (and strong) *разг.* задать кому-л. баню; проучить кого-л.;

3. *n sl.* (the ~) усиленно разыскиваемый полицией.

4. *v разг. см.* heat 2.

hot air ['hɔt'ɛə] *n* 1) горячий *или* нагрётый воздух; 2) *разг.* пустая болтовня; бахвальство.

hot-air ['hɔtɛə] *a* 1) *разг.* болтливый, хвастливый; 2) *тех.* работающий на нагрётом воздухе.

hotbed ['hɔtbed] *n* 1) парник; 2) рассадник, очаг.

hot blast ['hɔtblɑːst] *n тех.* горячее дутьё.

hot-blooded ['hɔt'blʌdɪd] *a* пылкий, страстный.

hotbrain ['hɔtbreɪn] = hothead.

hot-brained ['hɔt,breɪnd] = hot-headed.

hotchpot ['hɔtʃpɔt] = hotchpotch.

hotchpotch ['hɔtʃpɔtʃ] *n* 1) рагу из мяса и овощной суп по бараньем бульоне; 2) смесь, всякая всячина.

hot cockles ['hɔt'kɔklz] *n pl уст.* деревёнская игра врбде жмурок.

hot dog ['hɔt'dɔg] **1.** *n разг.* бутербрбд с горячей сосиской.

2. *int* здорово!

hotel [hou'tel] *n* отёль, гостиница.

hotfoot ['hɔtfut] **1.** *adv* быстро, поспёшно;

2. *v разг.* идти быстро.

hothead ['hɔthed] *n* горячая голова (*о человеке*).

hot-headed ['hɔt'hedɪd] *a* горячий; вспыльчивый; опромётчивый.

hothouse ['hɔthaus] *n* 1) оранжерёя, теплица; 2) *тех.* сушильня; 3) *attr.* тепличный; ~ plant тепличное растёние.

hot-pot ['hɔtpɔt] *n* тушёное мясо с картофелем.

hot-pressing ['hɔt,presɪŋ] *n текст.* лощёние, сатинирование.

hotshot ['hɔtʃɔt] *a амер. разг.* отчаянный (*о человеке*).

hot-spirited ['hɔt'spɪrɪtɪd] *a* пылкий, вспыльчивый.

hotspur ['hɔtspəː] *n* 1) горячий, вспыльчивый, необузданный человёк; 2) сорвиголова.

hot-tempered ['hɔt'teːmpəd] = hot-headed.

Hottentot ['hɔtntɔt] *n* готтентбт.

hot-water bottle [hɔt'wɔtə,bɔtl] *n* грёлка.

hot well ['hɔtwel] *n* 1) горячий источник; 2) *тех.* резервуар горячей воды.

hot wind ['hɔt'wɪnd] *n* суховёй.

hough [hɔk] **1.** *n* поджилки, колённое сухожилие.

2. *v* подрезать поджилки.

hound [haund] **1.** *n* 1) собака; охотничья собака, *особ.* гончая; the ~s свбра гончих; to follow (the) ~s, to ride to ~s охотиться верхбм с собаками; 2) негодяй; «собака»; 3) один из игроков в игре «hare and ~s» [*см.* hare].

2. *v* травить (*собаками*); □ ~ on натравливать, подстрекать.

hour ['auə] *n* 1) час; at an early ~ рано; to keep early (*или* good) ~s вставать *или* ложиться рано; to keep late (*или* bad) ~s вставать *или* ложиться поздно; 2) определённое врёмя дня; dinner ~ обёденное врёмя; office ~s часы работы (*в учреждёнии, конторе и т. п.*); the off ~s свобдные часы; after ~s после работы; после закрытия магазинов; ◊ the question of the ~ актуальный (*или* злободнёвный) вопрос; the small ~s первые часы после полуночи (*1, 2 и т. д. часа ночи*); till all ~s до петухов, до рассвёта; at the eleventh ~ в послёднюю минуту, в самый послёдний момёнт.

hour-circle ['auə,səːkl] *n* меридиан.

hour-glass ['auəglɑːs] *n* песочные часы (*рассчитанные на один час*).

hour-hand ['auəhænd] *n* часовая стрёлка.

houri ['huərɪ] *араб. n* гурия.

hourly ['auəlɪ] **1.** *a* 1) ежечасный; 2) постоянный; 3) частый;

2. *adv* 1) ежечасно; 2) постоянно; 3) часто.

house 1. *n* [haus; *pl* 'hauzɪz] 1) дом; жилище; здание; 2) дом; семья; хозяйство; 3) семья, род, дом, династия; 4) (*тж.* the H.) палата (*парламента*); a parliament of two ~s двухпалатный парламент; lower ~ нижняя палата; upper ~ вёрхняя палата; H. of Commons палата общин; H. of Lords палата лбрдов; H. of Representatives палата представителей, нижняя палата конгрёсса США; third ~ *амер. sl.* кулуары конгрёсса; to enter the H. стать члёном парламента; to divide the ~ *парл.* провести поимённое голосование; to make a ~ обеспёчить кворум (*в палате общин*); 5) торгбвая фирма; 6) (the H.) *разг.* (лбндонская бйржа); 7) театр; публика, зрители; appreciative ~ отзывчивая публика аудитбрия; to bring down the (whole) ~ вызвать гром аплодисмёнтов; full ~ пблный сбор; 8) представле́ние; сеа́нс; the first ~ starts at five o'clock пе́рвый сеа́нс начина́ется в пять часо́в; 9) (the H.) *разг.* рабо́тный дом; 10) колле́дж университе́та; пансио́н при шко́ле; 11) гости́ница, посто́ялый двор; 12) религио́зное бра́тство; 13) *мор.* ру́бка; 14) *attr.* дома́шний, ко́мнатный; ◇ to keep ~ вести́ хозя́йство; to keep the ~ сиде́ть до́ма; ~ and home дом, дома́шний ую́т; ~ of call помеще́ние, где собира́ются в ожида́нии клие́нтов во́зчики, изво́зчичья би́ржа *и т. п.*; ~ of ill fame публи́чный дом; on the ~ за счёт предприя́тия, беспла́тно (*для рабо́чих*); a drink on the ~ беспла́тная вы́пивка; like a ~ on fire *разг.* бы́стро и легко́;

2. *v* [hauz] 1) предоставля́ть жили́ще; обеспе́чивать жильём; 2) посели́ть, прию́ти́ть; 3) жить (*в до́ме*); we can ~ together мы мо́жем посели́ться вме́сте; 4) помеща́ть, убира́ть (*о веща́х, иму́ществе и т. п.*); 5) *с.-х.* убира́ть (*хлеб*); загоня́ть (*скот*); 6) вмеща́ть(ся), помеща́ться; 7) *воен.* расквартиро́вывать.

house-agent ['haus,eɪdʒənt] *n* комиссионе́р по прода́же и сда́че внаём домо́в.

house allowance ['hausə'lauəns] *n воен.* кварти́рные де́ньги.

houseboat ['hausbout] *n* 1) плаву́чий дом; ло́дка *или* ба́рка, приспосо́бленная для жилья́; 2) плаву́чий дом о́тдыха.

house-boy ['hausbɔɪ] *n* ма́льчик, слуга́.

housebreaker ['haus,breɪkə] *n* 1) взло́мщик, громи́ла; 2) рабо́чий по сно́су домо́в.

house-dog ['hausdɔg] *n* сторожево́й пёс.

housefather ['haus,fɑːðə] *n* глава́ семьи́.

house-flag ['hausflæg] *n* флаг компа́нии парохо́дства.

house-fly ['hausflaɪ] *n* ко́мнатная му́ха.

houseful ['hausful] *n* по́лный дом.

household ['hausho/uld] 1. *n* 1) семья́, домоча́дцы; 2) дома́шнее хозя́йство; 3) *pl* второсо́ртная мука́, мука́ гру́бого помо́ла; 2. *a* дома́шний, семе́йный; ~ word хорошо́ знако́мое, повседне́вное сло́во; ходя́чее выраже́ние; ◇ ~ gods ла́ры и пена́ты.

householder ['hausho/uldə] *n* 1) съёмщик до́ма *или* кварти́ры; 2) глава́ семьи́.

household franchise ['hausho/uld'fræntʃaɪz] = household suffrage.

household suffrage ['hausho/uld'sʌfrɪdʒ] *n* пра́во го́лоса для съёмщиков кварти́р.

household troops ['hausho/uld'truːps] *n* гва́рдия, гварде́йские ча́сти.

housekeeper ['haus,kiːpə] *n* 1) эконо́мка; домоправи́тельница; 2) дома́шняя хозя́йка.

housekeeping ['haus,kiːpɪŋ] *n* дома́шнее хозя́йство; домово́дство.

houseless ['hauslɪs] *a* бездо́мный; не име́ющий кро́ва.

housemaid ['hausmeɪd] *n* го́рничная.

housemaster ['haus,mɑːstə] *n* заве́дующий пансио́ном при шко́ле.

housemother ['haus,mʌðə] *n* 1) мать семе́йства; 2) же́нщина — глава́ семьи́.

house party ['haus,pɑːtɪ] *n* компа́ния госте́й, проводя́щая не́сколько дней в заго́родном до́ме.

house-physician ['hausfɪ,zɪʃən] *n* врач, живу́щий при больни́це.

house-surgeon ['haus,sɜːdʒən] = house-physician.

house-top ['haustɔp] *n* кры́ша; ◇ to proclaim from the ~s *библ.* провозглаша́ть во всеуслы́шание.

house-warming ['haus,wɔːmɪŋ] *n* пра́зднование новосе́лья.

housewife *n* 1) ['hauswaɪf] хозя́йка; 2) ['hauswaɪf] дома́шняя хозя́йка; 3) ['hʌzɪf] рабо́чая шкату́лка *или* мешо́чек (*с принадле́жностями для шитья́*).

housewifely ['haus,waɪflɪ] *a* хозя́йственный, эконо́мный; домови́тый.

housewifery ['hauswɪfərɪ] *n* дома́шнее хозя́йство; домово́дство.

housework ['hauswɜːk] *n* дома́шняя рабо́та.

housing I ['hauzɪŋ] 1. *pres. p. от* house 2; 2. *n* 1) снабже́ние жили́щем; 2) жили́щное строи́тельство; 3) укры́тие, убе́жище; 4) ни́ша, вы́емка; гнездо́; паз; 5) *тех.* ко́рпус, стани́на; кожу́х, футля́р; 6) *стр.* тепля́к; 7) *attr.*: a ~ list спи́сок кандида́тов на пра́во получе́ния кварти́р в муниципа́льных дома́х.

housing II ['hauzɪŋ] *n* попо́на.

hove [houv] *past u p. p. от* heave 2.

hovel ['hɔvəl] 1. *n* 1) наве́с; 2) лачу́га хиба́рка; шала́ш; 3) ни́ша (*для ста́туи*); 2. *v с.-х.* загоня́ть под наве́с (*скот*).

hover ['hɔvə] *v* 1) пари́ть (*о пти́це; тж.* ~ over, ~ about); нависа́ть (*об облака́х*); 2) верте́ться, болта́ться (around, about — вокру́г, о́коло); 3) быть, находи́ться вблизи́; ждать поблизости; to ~ on the verge of death быть на краю́ сме́рти; 4) колеба́ться, не реша́ться, ме́шкать.

how [hau] 1. *adv* 1) как?, каки́м о́бразом?; ~ did you do it? как вы э́то сде́лали?; ~ comes it?, ~ is it? *разг.* как э́то получа́ется?, почему́ так выхо́дит?; ~ so? как так?; 2) *inter.* ско́лько?; ~ old is he? ско́лько ему́ лет?; ~ is milk? ско́лько сто́ит молоко́?; 3) *conj.* что; tell him ~ to do it расскажи́(те) ему́, как э́то де́лать; ask him ~ he does it спроси́(те) его́, как он э́то де́лает; 4) *emph.* как!; ~ funny! как смешно́!; как стра́нно!; ◇ and ~! *амер. разг.* ещё бы!; о́чень да́же (*ча́сто иро́н.*); ~ do you do? ~ d'ye do? здра́вствуйте; как пожива́ете?; ~ are you? как пожива́ете?; it was a swell party, and ~! вот э́то была́ вечери́нка!; ~ now? что э́то тако́е?; что э́то зна́чит?;

2. *n*: the ~ of it спо́соб, ме́тод.

howbeit ['hau'biːt] *adv уст.* тем не ме́нее.

howdah ['haudə] *араб. n* седло́ с балдахи́ном (*на спине́ слона́*).

how-do-you-do ['haudju'duː] *см.* how I ◇.

how-d'ye-do ['haudɪ'duː] 1. *n разг.* щекотли́вое *или* затрудни́тельное положе́ние; here's a nice (*или* pretty) ~! вот тебе́ раз!; 2. = how do you do (*о пти́це*).

however [hau'evə] 1. *adv* как бы ни; 2. *cj* одна́ко, тем не ме́нее, несмотря́ на (э́)то.

howitzer ['hauɪtsə] *n воен.* гáубица.

howl [haul] **1.** *n* 1) вой, завывáние; стон; рёв; 2) *радио* свист;

2. *v* выть, завывáть; стонáть (*о ветре*); ревéть (*о ребёнке*); □ ~ **down** заглушáть (*воем, криком и т. п.*).

howler ['haulə] *n* 1) плáкальщик, плáкальщица (*по покойнику*); 2) *разг.* нéчто вопиющее; грубéйшая ошибка; 3) *зоол.* ревýн (*обезьяна*); 4) *тех.* ревýн; ◇ to come a ~ ≅ сесть в калóшу.

howling ['hauliŋ] **1.** *pres. p. от* howl 2; **2.** *a* 1) вóющий; 2) унылый; 3) *sl.* огрóмный (*успех и т. п.*); вопиющий; ~ swell ужáсный франт; ~ shame a) стыд и срам; б) вопиющая несправедливость.

howsoever [,hausou'evə] *adv* как бы ни.

hoy I [hɔɪ] *n* 1) небольшóе береговóе сýдно; 2) *мор.* килéктор.

hoy II [hɔɪ] *int* эй!

hoyden ['hɔɪdn] *n* шумливая молодáя дéвушка; сорванéц-девчóнка.

hub I [hʌb] *n* 1) ступица (*колеса*), втýлка; 2) центр внимáния, интерéса, дéятельности; ~ of the universe пуп земли; the H. *амер. шутл. г.* Бостóн.

hub II [hʌb] *n* = hubby.

hubble-bubble ['hʌbl,bʌbl] *n* 1) кальян; 2) бýлькающий звук, бýльканье; 3) болтовня, бессвязный разговóр.

hubbub ['hʌbʌb] *n* шум, гам, гул голосóв.

hubby ['hʌbɪ] *n* (*сокр. от* husband) *разг.* муженёк.

huckaback ['hʌkəbæk] *n* льнянóе *или* бумáжное полотнó (*для полотенец и т. п.*).

huckleberry ['hʌklberɪ] *n* черника.

huckle-bone ['hʌklboun] *n анат.* 1) подвздóшная кость; 2) лодыжка (*животного*).

huckster ['hʌkstə] **1.** *n* 1) мелочнóй торгóвец; 2) комиссионéр, мáклер; ·3) торгáш; барышник; корыстолюбивый человéк; **2.** *v* 1) вести мелочнýю торгóвлю; 2) торговáться; 3) барышничать.

huddle ['hʌdl] *n* 1) беспорядочная грýда, кýча, толпá; 2) беспорядок, сýтолока, суматóха; 3) *амер. разг.* тáйное совещáние.

hue I [hjuː] *n* цвет, оттéнок.

hue II [hjuː] *n* 1): ~ and cry погóня; крики «лови!, держи!»; шýмные крики (against); 2) *ист.* объявлéние, призывáющее к поймке преступника.

huff [hʌf] **1.** *n* 1) припáдок раздражéния, гнéва; 2) фýканье (*шашки*); **2.** *v* 1) задирáть; 2) запýгивать; принуждáть угрóзами (into; out of); 3) оскорблять(ся), обижáть(ся); 4) фýкнуть (*шашку*).

huffish ['hʌfɪʃ] *a* раздражительный; капризный.

huffy ['hʌfɪ] *a* 1) самодовóльный, надмéнный; 2) = huffish.

hug [hʌg] **1.** *n* 1) крéпкое объятие; 2) сжáтие, хвáтка (*в борьбе*);

2. *v* 1) крéпко обнимáть, сжимáть в объятиях; 2) держáться (*чего-л.*); 3) быть привéрженным, склóнным (*к чему-л.*); 4) выражáть благосклóнность (*кому-л.*); ◇ to

~ oneself on (*или* for) smth. поздрáвить себя с чем-л., быть довóльным собóй.

huge [hjuːdʒ] *a* огрóмный, громáдный, гигáнтский.

hugely ['hjuːdʒlɪ] *adv* óчень.

hugeness ['hjuːdʒnɪs] *n* огрóмность.

hugeous ['hjuːdʒəs] *разг. шутл. см.* huge.

hugger-mugger ['hʌgə,mʌgə] **1.** *n* 1) тáйна; in ~ тайкóм; 2) беспорядок; **2.** *a* 1) тáйный; 2) беспорядочный; **3.** *adv* 1) тáйно; 2) беспорядочно, кóе-кáк; **4.** *v* 1) скрывáть; дéлать тайкóм; 2) замять (*дело*); 3) дéлать беспорядочно, кóе-кáк.

huguenot ['hjuːgənɔt] *фр. n ист.* гугенóт.

hulk [hʌlk] *n* 1) большóе неповорóтливое сýдно; 2) блóкшив, кóрпус стáрого кораблá, негóдного к плáванию; 3) *мор.* килéктор; 4) большóй неуклюжий человéк.

hulking ['hʌlkiŋ] *a* громáдный, неуклюжий.

hull I [hʌl] **1.** *n* шелухá, скорлупá; **2.** *v* очищáть от шелухи, шелушить, лущить.

hull II [hʌl] **1.** *n* 1) кóрпус (*кораблá, танка*); ~ down с кóрпусом, скрытым за горизóнтом; 2) ~ out с кóрпусом, видимым над горизóнтом; 2) óстов, каркáс (*дирижáбля*); 3) *ав.* фюзеляж;

2. *v* попáсть снарядом в кóрпус кораблá.

hullabaloo [hʌləbə'luː] *n* крик; гам; шум.

hulled I [hʌld] **1.** *p. p. от* hull I, 2; **2.** *a* очищенный, лущёный.

hulled II [hʌld] *p. p. от* hull II, 2.

hullo(a) ['hʌ'lou] *int* аллó!

hum I [hʌm] **1.** *n* 1) жужжáние, гудéние; гул; 2) *sl.* дурнóй зáпах;

2. *v* 1) жужжáть, гудéть; 2) говорить запинáясь, мямлить; to ~ and ha(w) a) запинáться, мямлить; б) не решáться, колебáться; 3) напевáть с зáкрытым ртом, мурлыкать; 4) *разг.* развивáть бýрную дéятельность; he makes things ~ у негó рабóта кипит; 5) *sl.* дýрно пáхнуть.

hum II [hʌm] *сокр. от* humbug.

hum III [hʌm] *int* гм!

human ['hjuːmən] **1.** *a* 1) человéческий, людскóй; ~ race человéческий род; 2) свóйственный человéку; it's ~ to err человéку свóйственно ошибáться.

2. *n шутл.* человéк, смéртный.

humane [hjuː'meɪn] *a* 1) гумáнный, человéчный; H. Society óбщество спасáния утопáющих; 2) гуманитáрный.

humaneness [hjuː'meɪnɪs] *n* добротá, человéчность.

humanism ['hjuːmənɪzəm] *n* гуманизм.

humanitarian [hjuː,mænɪ'tɛərɪən] **1.** *n* 1) проповéдник гумáнности; 2) филантрóп; **2.** *a* 1) гуманитáрный; 2) гумáнный.

humanity [hjuː'mænɪtɪ] *n* 1) человéчество; 2) человéческая прирóда; 3) человеколюбие, гумáнность, человéчность; 4) людскáя мáсса, толпá; ◇ the humanities a) гуманитáрные наýки; б) латинские и грéческие клáссики.

humanize ['hjuːmənaɪz] *v* 1) очеловéчивать; смягчáть; 2) становиться гумáнным.

humankind ['hjuːmən'kaınd] *n* человечество.

humanly ['hjuːmənlɪ] *adv* 1) по-человечески; 2) с человеческой точки зрения.

humble I ['hʌmbl] 1. *a* 1) скромный; 2) простой, бедный; in ~ circumstances в стеснённых обстоятельствах; 3) покорный, смиренный; a ~ request покорная просьба; 4) застенчивый, робкий; 2. *v* унижать; смирять.

humble II ['hʌmbl] = hummel.

humble-bee ['hʌmblbiː] *n зоол.* шмель.

humbug ['hʌmbʌg]. *n* 1) обман; притворство; 2) (*часто как int*) вздор, чепуха; глупость; 3) обманщик, хвастун; 2. *v* обманывать, надувать; to ~ into smth. обманом вовлекать во что-л.; to ~ out of smth. обманом лишать чего-л.

humdinger [,hʌm'dıŋə] *n амер. sl.* парень что надо.

humdrum ['hʌmdrʌm] 1. *n* 1) общее место, банальность; 2) скучный человек; 2. *a* скучный, однообразный; банальный.

humect(ate) [hjuː'mekt(eıt)] *v* смачивать, увлажнять.

humeral ['hjuːmərəl] *a анат.* плечевой.

humid ['hjuːmıd] *a* сырой, влажный.

humidify [hjuː'mıdıfaı] *v* увлажнять.

humidity [hjuː'mıdıtı] *n* сырость, влажность; влага.

humidor ['hjuːmıdɔː] *n* 1) камера *или* коробка для сохранения определённого процента влажности (*сигар и т. п.*); 2) установка для увлажнения воздуха.

humify I ['hjuːmıfaı] *v* увлажнять.

humify II ['hjuːmıfaı] *v с.-х.* утучнять (*почву*).

humiliate [hjuː'mılıeıt] *v* унижать.

humiliation [hjuː,mılı'eıʃ(ə)n] *n* унижение.

humility [hjuː'mılıtı] *a* 1) покорность, смирение; 2) скромность.

hummel ['hʌml] *a* безрогий, комолый.

hummer ['hʌmə] *n радио* зуммер, пищик.

humming ['hʌmıŋ] 1. *pres. p. от* hum I, 2; 2. *a* 1) жужжащий, гудящий; 2) *разг.* сильный, энергичный; a ~ blow сильный удар.

humming-bird ['hʌmıŋbəːd] *n зоол.* колибри.

humming-top ['hʌmıŋtɔp] *n* волчок (*игрушка*).

hummock ['hʌmək] *n* 1) холмик; пригорок; возвышенность; 2) *pl* ледяные торосы.

humor ['hjuːmə] *амер.* = humour.

humorist ['hjuːmərıst] *n* 1) шутник, весельчак; 2) юморист.

humorous ['hjuːmərəs] *a* 1) юмористический; 2) смешной, забавный, комический.

humour ['hjuːmə] 1. *n* 1) юмор, шутливость; sense of ~ чувство юмора; 2) нрав, настроение; склонность; in the ~ for склонный к; in good (bad *или* ill) ~ в хорошем (плохом) настроении; out of ~ не в духе; 2. *v* потакать (*кому-л.*); ублажать; приноравливаться.

humourist ['hjuːmərıst] = humorist.

humoursome ['hjuːməsəm] *a* 1) капризный, причудливый; 2) раздражительный; брюзгливый.

humous ['hjuːməs] *a* перегнойный; ~ soil перегнойная почва.

hump [hʌmp] 1. *n* 1) горб; 2) бугор, пригорок; 3) *разг.* дурное настроение; 2. *v* 1) горбить(ся); 2) приводить *или* приходить в дурное настроение; 3) *австрал.* взвалить на спину (*узел и т. п.*).

humpback ['hʌmpbæk] *n* 1) горб; 2) горбун.

humpbacked ['hʌmpbækt] *a* горбатый.

humph [hʌmf, mm] *int* гм!

humpty-dumpty ['hʌmptı'dʌmptı] *n* низенький толстяк, коротышка.

humpy ['hʌmpı] *n австрал.* хижина.

humus ['hjuːməs] *n* гумус, перегной; чернозём.

Hun [hʌn] *n* 1) *ист.* гунн; *перен.* варвар; 2) *сокр. от* Hungarian 2, 1); 3) *sl.* немец.

hunch [hʌnʃ] 1. *n* 1) горб; 2) толстый кусок, ломоть; a ~ of bread ломоть хлеба; 3) горбыль (*о доске*); 4) *амер. разг.* подозрение; предчувствие; on a ~ предчувствуя; 2. *v* 1) горбить(ся) (*часто* ~ up); 2) сгибать.

hunchback ['hʌnʃbæk] *n* горбун.

hundred ['hʌndrəd] 1. *num. card.* 1) сто; about ~ около ста; great (*или* long) ~ сто двадцать; 2) ноль-ноль; we'll meet at nine ~ hours мы встретимся в 9.00 (девять ноль-ноль); 2. *n* 1) число сто; сотня; 2) *ист.* округ (*часть графства в Англии*); ◇ one ~ per cent (на) сто процентов; вполне.

hundredfold ['hʌndrədfould] 1. *a* стократный; 2. *adv* во сто крат.

hundred-percenter ['hʌndrədpə'sentə] *n амер.* ура-патриот; воинствующий шовинист.

hundredth ['hʌndrədθ] 1. *num. ord.* сотый; 2. *n* сотая часть.

hundredweight ['hʌndrədweıt] *n* центнер (*в Англии 112 фунтов=50,8 кг, в США 100 фунтов=45,3 кг*).

hung [hʌŋ] *past и p. p. от* hang 2.

Hungarian [hʌŋ'gεərıən] 1. *a* венгерский; 2. *n* 1) венгр, венгерец; венгерка; 2) венгерский язык.

hunger ['hʌŋgə] 1. *n* 1) голод; 2) сильное желание, жажда (*чего-л.*; for, after); 2. *v* 1) голодать, быть голодным; 2) принуждать голодом (into; out of); 3) сильно желать, жаждать (for, after).

hunger-march ['hʌŋgəmɑːtʃ] *n* голодный поход.

hunger-marcher ['hʌŋgə,mɑːtʃə] *n* участник голодного похода.

hunger-strike ['hʌŋgəstraık] 1. *n* голодовка (*тюремная*); 2. *v* объявлять голодовку.

hungry ['hʌŋgrı] *a* 1) голодный; голодающий; 2) сильно желающий, жаждущий (*чего-л.*; for); 3) скудный, неплодородный (*о почве*).

hunk [hʌŋk] = hunch 1, 2).

hunker ['hʌŋkə] *n амер.* 1) *ист.* прозвище консервативного члена демократической партии; 2) ретроград; 3) *attr.* старомодный.

hunkers ['hʌŋkəz] n pl: on one's ~ a) на корточках; б) в ужасном положении.

hunks [hʌŋks] n скряга.

hunky-dory [,hʌŋkɪ'dɔurɪ] a амер. разг. первоклассный, превосходный.

hunt [hʌnt] 1. n 1) охота; 2) (H.) местное охотничье общество; 3) поиски (чего-л.; for);
2. v 1) охотиться (особ. с гончими); ~ the fox, ~ the hare, ~ the squirrel названия детских игр, где надо искать кого-л. или что-л.; 2) травить, гнать, преследовать (зверя и т. п.); □ ~ after гоняться; искать, рыскать; ~ away прогонять; ~ down а) выследить; поймать; б) затравить; в) преследовать; ~ for искать, добиваться; ~ out, ~ up отыскать; перен. откопать.

hunter ['hʌntə] n 1) охотник; 2) гунтер (верховая лошадь); 3) охотничья собака; 4) карманные часы с крышкой.

hunter's moon ['hʌntəzmuːn] n полнолуние после осеннего равноденствия.

hunting ['hʌntɪŋ] 1. pres. p. от hunt 2; 2. n 1) охота; 2) attr. охотничий.

hunting-box ['hʌntɪŋbɔks] n охотничий домик.

hunting-crop ['hʌntɪŋkrɔp] n охотничий хлыст.

hunting-ground ['hʌntɪŋgraund] n район охоты; ◊ happy ~(s) рай, счастливая загробная жизнь (первоначально в представлении американских индейцев).

hunting-horn ['hʌntɪŋhɔːn] n охотничий рог.

hunting-party ['hʌntɪŋ,pɑːtɪ] n охота (участники охоты).

hunting-season ['hʌntɪŋ,siːzn] n охотничий сезон.

hunting-song ['hʌntɪŋsɔŋ] n охотничья песня.

hunting-whip ['hʌntɪŋwɪp] = hunting-crop.

huntress ['hʌntrɪs] n женщина-охотник.

huntsman ['hʌntsmən] n 1) охотник; 2) егерь.

hunt-the-slipper ['hʌntðə'slɪpə] n туфля по кругу (игра).

hup(p) [hʌp, ʌp] 1. int но-о! (понукание лошади);
2. v 1) понукать лошадь; 2) двигаться вперёд.

hurdle ['həːdl] 1. n 1) переносная загородка; плетень; 2) спорт. препятствие, барьер в виде рамы или плетня; to clear the ~ взять (или преодолеть, перейти через) барьер; 3) (the ~s) pl = hurdle-race; 110 metre ~s бег с барьерами на 110 метров;
2. v 1) ограждать плетнём (тж. ~ off); 2) перескакивать через барьер; 3) участвовать в барьерном беге.

hurdler ['həːdlə] n спорт. участник барьерного бега или скачек с препятствиями.

hurdle-race ['həːdlreɪs] n спорт. 1) барьерный бег; 2) скачки с препятствиями.

hurdling ['həːdlɪŋ] 1. pres. p. от hurdle 2; 2. n спорт. барьерный бег.

hurdy-gurdy ['həːdɪ,gəːdɪ] n 1) старинный струнный музыкальный инструмент; 2)

шарманка; 3) мор. лебёдка для вытаскивания глубоководных тралов.

hurl [həːl] 1. n сильный бросок;
2. v бросать (с силой); швырять; метать; to ~ oneself броситься (at, upon — на); to ~ reproaches at smb. осыпать кого-л. упрёками.

hurley ['həːlɪ] ирл. 1) = hockey; 2) = hockey-stick.

hurly-burly ['həːlɪ,bəːlɪ] n сумятица, смятение, переполох.

hurra(h), hurray [hu'rɑː, hu'reɪ] 1. int ура!;
2. n ура; ◊ ~'s nest амер. разг. полный беспорядок; кутерьма;
3. v кричать ура.

hurricane ['hʌrɪkən] n 1) ураган; 2) (тж. H.) харрикейн (английский истребитель); 3) attr. ураганный, штормовой; ~ deck мор. лёгкая навесная палуба; штормовой мостик.

hurricane lamp ['hʌrɪkən,læmp] n фонарь «молния».

hurried ['hʌrɪd] 1. p. p. от hurry 3;
2. a торопливый, быстрый, поспешный.

hurriedly ['hʌrɪdlɪ] adv торопливо, поспешно.

hurry ['hʌrɪ] 1. n 1) торопливость, поспешность; in a ~ а) второпях; б) разг. охотно, легко; to be in a ~ торопиться, спешить; to be in no ~ действовать не спеша; he won't do that again in a ~ не скоро он вздумает это повторить; по ~ не к спеху; 2) нетерпение, нетерпеливое желание (сделать что-л. и т. п.);
2. a амер. спешный, срочный;
3. v 1) торопить; торопиться (обыкн. ~ along, ~ up); ~ up! скорее!, живее!, пошевеливайся!; 2) быстро вести или тащить; 3) поспешно посылать (войска и т. п.); □ ~ away, ~ off а) поспешно уехать; б) поспешно увезти, унести; ~ over сделать кое-как; ~ through сделать кое-как, второпях; the business was hurried through дело было проведено второпях, наспех.

hurry-scurry ['hʌrɪ'skʌrɪ] 1. n беспорядочная поспешность, суета;
2. adv наспех, кое-как;
3. v действовать крайне поспешно; делать наспех; суетиться.

hurst [həːst] n 1) холмик; 2) роща; лесистый холм; 3) отмель.

hurt [həːt] 1. n 1) повреждение; боль; рана; 2) вред, ущерб; 3) обида;
2. v (hurt) 1) причинить боль; повредить; ушибить; 2) причинять вред, ущерб; 3) задевать, обижать, делать больно; 4) разг. болеть (о части тела).

hurter ['həːtə] n стр. защитная тумба; упорный брус.

hurtful ['həːtful] a вредный, пагубный.

hurtle ['həːtl] v уст. 1) сталкиваться (обыкн. ~ together); наталкиваться с треском, силой (against — на); 2) пролетать, нестись со свистом, шумом; 3) бросать с силой.

husband ['hʌzbənd] 1. n 1) муж, супруг; 2) уст. (бережливый) хозяин; управляющий; 3) = husbandman;

2. *v* 1) управлять; 2) тратить экономно; экономить; 3) *уст.* возделывать землю; разводить растения; 4) *редк.* жениться.

husbandly ['hʌzbəndlı] *a* 1) бережливый, экономный; 2) присущий, свойственный мужу.

husbandman ['hʌzbəndmən] *n уст.* землепашец; земледелец.

husbandry ['hʌzbəndrı] *n* 1) сельское хозяйство, земледелие; хлебопашество; 2) экономия, бережливость.

hush [hʌʃ] 1. *n* тишина; молчание;
2. *v* 1) водворять тишину; 2) успокаивать(ся); утихать; □ ~ **up** замалчивать, скрывать; замять;
3. *int* тише!, тс!

hushaby ['hʌʃəbaı] *int* баю-бай.

hushfully ['hʌʃfulı] *adv* приглушённо, сквозь зубы.

hush-hush ['hʌʃ'hʌʃ]*a* не подлежащий разглашению, секретный; ~ show *разг. ирон.* сугубо секретное дело *или* совещание.

hush-money ['hʌʃ,mʌnı] *n* взятка за молчание.

husk [hʌsk] 1. *n* 1) шелуха, оболочка; 2) *амер.* листовая обёртка початка кукурузы;
2. *v* очищать от шелухи, лущить.

Husky ['hʌskı] 1. *a* эскимосский;
2. *n* 1) эскимос; эскимоска; 2) эскимосский язык.

husky I ['hʌskı] 1. *a* 1) покрытый шелухой; полный шелухи; 2) сухой; 3) сиплый, охрипший; 4) *разг.* рослый, сильный, крепкий;
2. *n* рослый, сильный, крепкий человек.

husky II ['hʌskı] *n* лайка *(порода собак)*.

huso ['hjuːsou] *n* белуга.

hussar [hu'zɑː] *n* гусар.

Hussite ['hʌsaıt] *n ист.* гуссит.

hussy I ['hʌsı] *n* 1) дерзкая девчонка; 2) шлюха, потаскушка.

hussy II ['hʌsı] *n* 1) ящичек, шкатулка; 2) мешочек.

hustings ['hʌstıŋz] *n pl* 1) *парл.* избирательная кампания; 2) *ист.* трибуна, с которой до 1872 г. объявлялись кандидаты в парламент; 3) *амер.* трибуна на предвыборном митинге.

hustle ['hʌsl] 1. *n* 1) толкотня; 2) энергия; бешеная деятельность;
2. *v* 1) толкать(ся), теснить(ся); to ~ through the streets пробираться, протискиваться по улицам; 2) понуждать, торопить сделать *(что-л.;* into); to be ~d into a decision быть вынужденным спешно принять решение; 3) торопиться, суетиться; 4) действовать быстро и энергично *(часто* ~ up); □ ~ away оттеснить, отбросить.

hustler ['hʌslə] *n* энергичный человек.

hut [hʌt] 1. *n* 1) хижина, лачуга, хибар(к)а; 2) барак; 3) *attr.* барачный; ~ barracks *воен.* барачные казармы; ~ encampment *воен.* барачный лагерь;
2. *v* 1) жить в бараках; 2) размещать по баракам.

hutch [hʌtʃ] 1. *n* 1) клетка для кроликов *и т. п.;* 2) ящик, ларь, сундук; 3) *разг.* хижина, хибар(к)а; 4) *горн.* рудничная

вагонетка; 5) цистерна для промывки руды; 6) *тех.* бункер;
2. *v* промывать руду.

hutting ['hʌtıŋ] 1. *pres. p. от* hut 2;
2. *n* строительный материал для сооружения временного жилья.

huzza [hu'zɑː] 1. *int* ура!;
2. *n* возгласы ура;
3. *v* кричать ура.

huzzy ['hʌzı] = hussy I.

hyacinth ['haıəsınθ] *n бот., мин.* гиацинт.

hyaena [haı'iːnə] = hyena.

hyaline ['haıəlın] *a* 1) *поэт.* кристально чистый; прозрачный; 2) *тех., мед.* прозрачный, кристально чистый.

hyalite ['haıəlaıt] *n мин.* бесцветный опал.

hyaloid ['haıəlɔıd] *a* стекловидный.

hybrid ['haıbrıd] 1. *n* 1) гибрид, помесь; 2) что-л., составленное из разнородных элементов;
2. *a* гибридный; разнородный; смешанный.

hybridization [,haıbrıdaı'zeıʃən] *n* гибридизация, скрещивание.

hybridize ['haıbrıdaız] *v* скрещивать(ся).

Hyde Park ['haıd'pɑːk] *n* Гайд-парк.

hydra ['haıdrə] *n* гидра.

hydrangea [haı'dreındʒə] *n бот.* гортензия (древовидная).

hydrant ['haıdrənt] *n* водоразборный кран, гидрант.

hydrargyrum [haı'drɑːdʒırəm] *n хим.* ртуть.

hydrate ['haıdreıt] *n хим.* гидрат, водный окисел; ~ of lime гашёная известь; ~ of sodium каустическая сода.

hydraulic [haı'drɔːlık] *a* гидравлический; водяной; ~ cement гидравлический цемент *(твердеющий в воде).*

hydraulics [haı'drɔːlıks] *n pl (употр. как sing)* гидравлика.

hydride ['haıdraıd] *n хим.* водородистое соединение элемента.

hydro I, II ['haıdrou] *n (pl* -os [-ouz]) *сокр. от* hydropathic 2 *и* hydroaeroplane.

hydroaeroplane ['haıdrou'ɛərəpleın] *n* гидросамолёт.

hydrocarbon ['haıdrou'kɑːbən] *n хим.* углеводород.

hydrocyanic ['haıdrousaı'ænık] *a хим.* цианистоводородный; ~ acid синильная кислота.

hydrodynamics ['haıdroudaı'næmıks] *n pl (употр. как sing)* гидродинамика.

hydroelectric ['haıdroui'lektrık] *a* гидроэлектрический; ~ cell *эл.* наливной элемент.

hydrofluoric ['haıdroufluə'ɔrık] *a:* ~ acid фтористоводородная *(или* плавиковая*)* кислота.

hydrogen ['haıdrıdʒən] *n хим.* 1) водород; heavy ~ тяжёлый водород, дейтерий; 2) *attr.* водородный.

hydrogen bomb ['haıdrıdʒənbɔm]=H-bomb.

hydrogenous [haı'drɔdʒınəs] *a* гидрогенный, водного происхождения.

hydrography [haı'drɔgrəfı] *n* гидрография.

hydrology [haɪ'drɔlədʒɪ] *n* гидрология.

hydrolysis [haɪ'drɔlɪsɪs] *n хим.* гидролиз.

hydromechanics ['haɪdroumɪ'kænɪks]*n pl* (*употр. как sing*) гидромеханика.

hydrometer [haɪ'drɔmɪtə] *n* 1) гидрометр, водомер; 2) *физ.* ареометр.

hydropathic [,haɪdrə'pæθɪk] 1. *a* водолечебный;
2. *n разг.* водолечебница.

hydropathy [haɪ'drɔpəθɪ] *n* водолечение.

hydrophobia ['haɪdrə'foubjə] *n* водобоязнь; бешенство.

hydrophone ['haɪdrəfoun] *n* гидрофон (*подводный звукоуловитель*).

hydrophyte ['haɪdrəfaɪt] *n бот.* водяное растение, гидрофит.

hydropic [haɪ'drɔpɪk] *a мед.* водяночный.

hydroplane ['haɪdroupleɪn] *n* 1) глиссер; 2) гидроплан.

hydropsy ['haɪdrɔpsɪ] *n мед.* водянка.

hydrostatic [,haɪdrou'stætɪk] *a* гидростатический.

hydrostatics [,haɪdrou'stætɪks] *n pl* (*употр. как sing*) гидростатика.

hydrous ['haɪdrəs] *a* водный, содержащий воду.

hydroxide [haɪ'drɔksaɪd] *n хим.* гидроокись, водная окись.

hyena [haɪ'iːnə] *n* гиена.

hygiene ['haɪdʒiːn] *n* гигиена.

hygienic(al) [haɪ'dʒiːnɪk(əl)] *a* гигиенический; здоровый.

hygienics [haɪ'dʒiːnɪks] *n pl* (*употр. как sing*) принципы гигиены; гигиена.

hygrometer [haɪ'grɔmɪtə] *n* гигрометр.

hygroscope ['haɪgrəskoup] *n* гигроскоп.

hygroscopic [,haɪgrə'skoupɪk] *a* гигроскопический.

hylic ['haɪlɪk] *a* материальный, вещественный.

hylotheism ['haɪləθiːɪzəm] *n филос.* гилотейзм.

hylozoism [,haɪlə'zouɪzəm] *n филос.* гилозойзм.

Hymen ['haɪmen] *n миф.* Гименей.

hymen ['haɪmen] *n анат.* девственная плева.

hymeneal [,haɪme'niːəl] *a* брачный.

hymn [hɪm] 1. *n* церковный гимн;
2. *v* петь гимны; славословить.

hymnal ['hɪmnəl] 1. *n* сборник церковных гимнов;
2. *a* относящийся к гимнам.

hymn-book ['hɪmbuk] = hymnal 1.

hyp [hɪp] = hip III.

hyperacoustic ['haɪpərə'kuːstɪk] *a* сверхзвуковой.

hyperbola [haɪ'pəːbələ] *n* (*pl* -lae, -las [-z]) *мат.* гипербола.

hyperbolae [haɪ'pəːbəliː] *pl от* hyperbola.

hyperbole [haɪ'pəːbəlɪ] *n* преувеличение; гипербола.

hyperbolic(al) [,haɪpəː'bɔlɪk(əl)] *a* преувеличенный; гиперболический.

hyperborean [,haɪpəːbɔː'riːən] *поэт.* 1. *a* северный, гиперборейский.
2. *n* гиперборесц (*житель крайнего севера*).

hypercritical ['haɪpəː'krɪtɪkəl] *a* слишком строгий, придирчивый.

hypermetrical ['haɪpəː'metrɪkəl] *a* имеющий лишний слог (*о стихе*).

hypersensitive ['haɪpəː'sensɪtɪv] *a* чрезмерно чувствительный.

hypersonic ['haɪpəː'sounɪk] *a* сверхзвуковой; ультразвуковой; ~ speed сверхзвуковая скорость.

hypertension ['haɪpəː'tenʃən] *n* повышенное кровяное давление.

hypertrophy [haɪ'pəːtrəfɪ] *n* гипертрофия.

hyphen ['haɪfən] 1. *n* дефис, соединительная черточка;
2. *v* писать через дефис.

hyphenate ['haɪfəneɪt] 1. *v* = hyphen 2;
2. *n разг.* американец иностранного происхождения (*напр.*: Irish-American американец ирландского происхождения *и т. п.*).

hyphenated ['haɪfəneɪtɪd] 1. *p. p. от* hyphenate 1;
2. *a* 1) написанный через дефис; 2): а ~ American = hyphenate 2.

hypnosis [hɪp'nousɪs] *n* гипноз.

hypnotic [hɪp'nɔtɪk] 1. *a* 1) гипнотический; 2) снотворный;
2. *n* 1) человек, поддающийся гипнозу; 2) загипнотизированный человек; 3) снотворное средство.

hypnotism ['hɪpnətɪzəm] *n* гипнотизм.

hypnotist ['hɪpnətɪst] *n* гипнотизёр.

hypnotize ['hɪpnətaɪz] *v* гипнотизировать.

hypo ['haɪpou] *сокр. от* hyposulphite.

hypochondria [,haɪpou'kɔndrɪə] *n* ипохондрия.

hypochondriac [,haɪpou'kɔndrɪæk] 1. *n* ипохондрик;
2. *a* страдающий ипохондрией.

hypocrisy [hɪ'pɔkrəsɪ] *n* лицемерие, притворство.

hypocrite ['hɪpəkrɪt] *n* лицемер.

hypocritical [,hɪpə'krɪtɪkəl] *a* лицемерный, притворный.

hypodermatic [,haɪpoudəː'mætɪk] *амер.* = hypodermic.

hypodermic [,haɪpə'dəːmɪk] *a мед.* подкожный.

hypophosphate [,haɪpou'fɔsfeɪt] *n* гипофосфат.

hyposulphite [,haɪpou'sʌlfaɪt] *n* гипосульфит.

hypotenuse [haɪ'pɔtɪnjuːz] *n геом.* гипотенуза.

hypothec [hɪ'pɔθek] *n* ипотека; закладная.

hypothecate [haɪ'pɔθɪkeɪt] *v* закладывать (*недвижимость*).

hypothermia treatment [,haɪpə'θəːmɪə'triːtmənt] *n мед.* гипотермия, искусственное охлаждение тела для лечебных *или* хирургических целей.

hypotheses [haɪ'pɔθɪsiːz] *pl от* hypothesis.

hypothesis [haɪ'pɔθɪsɪs] *n* (*pl* -theses) гипотеза, предположение.

hypothesize [haɪ'pɔθɪsaɪz] *v* строить гипотезу.

hypothetic(al) [,haɪpou'θetɪk(əl)] *a* гипотетический, предположительный.

hypsometric [,hɪpsə'metrɪk] *a геод.* гипсометрический; ~ date отметка высоты.

hyson ['haɪsn] *n* сорт китайского зелёного чая.

hy-spy ['haɪ'spaɪ] *n* игра́ в пря́тки.
hyssop ['hɪsəp] *n бот.* иссо́п (апте́чный).
hysteresis [‚hɪstə'riːsɪz] *n физ.* запа́здывание; гистере́зис, отстава́ние фаз.

hysteria [hɪs'tɪərɪə] *n* истери́я.
hysterical [hɪs'terɪkəl] *a* истери́ческий, истери́чный.
hysterics [hɪs'terɪks] *n pl* исте́рика, истери́ческий припа́док.

I

I, i [aɪ] *n* (*pl* Is, I's [aɪz]) 9-я бу́ква англ. алфави́та.
I [aɪ] *pron. pers.* 1) я; *косв п.* me меня́, мне *и т д.*; *косв. п. употр. в разговорной речи тж. как им. п.:* it's me э́то я; I am ready я гото́в; he saw me он ви́дел меня́; give me the book да́йте мне кни́гу; listen to me, please пожа́луйста, послу́шайте меня́; you can get it from me вы мо́жете получи́ть э́то у меня́; I poured me a glass of water я на́лил себе́ стака́н воды́; write to me in English напиши́те мне по-англи́йски; 2) *уст., поэт. имеет возвратное значение,* напр.: I laid me down я улёгся; ◇ dear me! бо́же мой! (*выражает сожаление, удивление и т. п.*).
iamb ['aɪæmb] = iambus.
iambi [aɪ'æmbaɪ] *pl от* iambus.
iambic [aɪ'æmbɪk] 1. *n* ямби́ческий стих; 2. *a* ямби́ческий.
iambus [aɪ'æmbəs] *n* (*pl* -bi, -es [-ɪz]) ямб.
iarovize ['jɑːrəvaɪz] *рус. v с.-х.* яровизи́ровать.
I-beam ['aɪbiːm] *n тех.* двутавро́вая ба́лка; двутавро́вое желе́зо.
Iberian [aɪ'bɪərɪən] 1 *a* ибери́йский; испа́но-португа́льский; ~ Peninsula Пирене́йский полуо́стров;
2. *n* 1) ибе́р; 2) язы́к дре́вних ибе́ров.
ibex ['aɪbeks] *n* (*pl* -xes [-ksɪz], ibices) *зоол.* ка́менный козёл.
ibices ['aɪbɪsiːz] *pl от* ibex.
ibidem [ɪ'baɪdem] *лат. adv* там же, в том же ме́сте.
ibis ['aɪbɪs] *n зоол.* карава́йка.
ice [aɪs] 1. *n* 1) лёд; to break the ~ *перен.* слома́ть лёд; сде́лать пе́рвый шаг; положи́ть нача́ло (*знакомству, разговору*); straight off the ~ све́жий, то́лько что полу́ченный (*о провизии*); *перен.* неме́дленно; (to skate) on thin ~ *перен.* (быть) в затрудни́тельном, щекотли́вом положе́нии; 2) моро́женое; 3) са́харная глазу́рь; ◇ to cut no ~ *sl.* а) не име́ть значе́ния; б) ничего́ не доби́ться;
2. *v* 1) замора́живать; примора́живать; ~d up затёртый льда́ми; 2) покрыва́ться льдом; 3) покрыва́ть са́харной глазу́рью; □ ~ up обледене́ть (*о самолёте*).
ice-age ['aɪs'eɪdʒ] *n* леднико́вый пери́од (*тж.* Ice Age).
ice-axe ['aɪsæks] *n* ледору́б, ледо́вый топо́р (*альпинистов*).
ice-bag ['aɪsbæg] *n* пузы́рь со льдом.
iceberg ['aɪsbəːg] *n* а́йсберг.
iceblink ['aɪsblɪŋk] *n* о́тблеск льда.
ice-boat ['aɪsbout] *n* 1) бу́ер (*парусные сани*); 2) ледоко́л.

ice-bound ['aɪsbaund] *a* 1) ско́ванный льдом (*о реке и т. п.*); 2) затёртый льда́ми (*о корабле́ и т. п.*).
ice-box ['aɪsbɔks] *n* ко́мнатный холоди́льник, ледни́к
ice-breaker ['aɪs‚breɪkə] *n* ледоко́л.
ice-cold ['aɪs'kould] *a* холо́дный как лёд, ледяно́й.
ice-cream ['aɪs'kriːm] *n* моро́женое.
ice-drift ['aɪsdrɪft] *n* 1) дрейф льда; 2) торо́сы, нагроможде́ние плаву́чего льда.
ice-field ['aɪsfiːld] *n* ледяно́е по́ле, сплошно́й лёд.
ice-floe ['aɪsflou] *n* плаву́чая льди́на.
ice-house ['aɪshaus] *n* 1) ле́дник, льдохрани́лище; 2) ледяно́й дом (*особ.* эскимо́сов).
Icelander ['aɪsləndə] *n* исла́ндец; исла́ндка.
Icelandic [aɪs'lændɪk] 1. *a* исла́ндский; 2. *n* исла́ндский язы́к.
iceman ['aɪsmæn] *n* 1) аркти́ческий путеше́ственник; 2) альпини́ст; 3) моро́женщик; 4) *амер.* продаве́ц, развозчик льда.
ice-pack ['aɪspæk] *n* ледяно́й пак, торо́систый лёд.
ice-run ['aɪsrʌn] *n* ледяна́я го́рка (*для катания на санках*).
ice-skate ['aɪs‚skeɪt] *v* ката́ться на конька́х.
ice-yacht ['aɪsjɔt] *n* бу́ер.
ichneumon [ɪk'njuːmən] *n зоол.* 1) ихневмо́н, фарао́нова мышь; 2) нае́здник (*насекомое; тж.* ~ fly).
ichor ['aɪkɔ] *n* 1) су́кровица; 2) *мед.* злока́чественный гной.
ichthyography [‚ɪkθɪ'ɔgrəfɪ] *n* ихтиогра́фия, описа́ние рыб.
ichthyoid ['ɪkθɪɔɪd] *a* рыбоподо́бный.
ichthyologist [‚ɪkθɪ'ɔlədʒɪst] *n* ихтио́лог
ichthyology [‚ɪkθɪ'ɔlədʒɪ] *n* ихтиоло́гия
ichthyophagous [‚ɪkθɪ'ɔfəgəs] *a* рыбоя́дный
ichthyosaurus [‚ɪkθɪə'sɔrəs] *n* ихтиоза́вр
icicle ['aɪsɪkl] *n* сосу́лька.
icily ['aɪsɪlɪ] *adv* хо́лодно.
icing ['aɪsɪŋ] 1. *pres. p. от* ice 2;
2. *n* 1) покрыва́ние са́харной глазу́рью; 2) са́харная глазу́рь; 3) замора́живание; 4) *тех.* обледене́ние; 5) *attr* холоди́льный; ~ house холоди́льник, по́греб
icon ['aɪkɔn] *n* 1) ико́на; 2) изображе́ние, ста́туя, портре́т.
iconic [aɪ'kɔnɪk] *a* портре́тный.
iconoclast [aɪ'kɔnəklæst] *n* 1) *ист.* иконобо́рец; 2) челове́к, бо́рющийся с традицио́нными верова́ниями, предрассу́дками.
iconography [‚aɪkə'nɔgrəfɪ] *n* иконогра́фия.

iconoscope [aɪ'kɔnəskoup] *n* 1) электрон. иконоскоп; 2) *фото* видоискатель.

icteric [ɪk'terɪk] *a* страдающий желтухой, желтушный.

icterus ['ɪktərəs] *n* *мед.* желтуха.

ictus ['ɪktəs] *n* 1) ритмическое *или* метрическое ударение; 2) *мед.* удар пульса; 3) *мед.* солнечный удар.

icy ['aɪsɪ] *a* 1) ледяной, холодный (*тж. перен.*); 2) покрытый льдом.

I'd [aɪd] *сокр. разг.* = I would, I should, I had.

idea [aɪ'dɪə] *n* 1) идея; мысль; a fixed ~ навязчивая идея (*или* мысль); that's the ~ вот именно!; вот это мысль!; 2) понятие, представление; we hadn't the slightest ~ of it мы не имели ни малейшего представления об этом; to give an ~ of smth. дать некоторое представление о чём-л.; 3) воображение, фантазия; what an ~! что за фантазия!; what's the big ~? *разг.* это ещё что?; какую ещё глупость вы задумали?; 4) план, намерение.

ideal [aɪ'dɪəl] **1.** *n* идеал;
2. *a* 1) идеальный, совершенный; 2) воображаемый, мысленный; нереальный.

idealism [aɪ'dɪəlɪzəm] *n* идеализм.

idealist [aɪ'dɪəlɪst] *n* идеалист.

idealistic [aɪ,dɪə'lɪstɪk] *a* идеалистический.

ideality [,aɪdɪ'ælɪtɪ] *n* идеальность.

idealization [aɪ,dɪəlaɪ'zeɪʃən] *n* идеализация.

idealize [aɪ'dɪəlaɪz] *v* идеализировать.

ideally [aɪ'dɪəlɪ] *adv* 1) идеально, превосходно; 2) умозрительно, в воображении.

ideate [aɪ'dɪeɪt] *v* 1) *филос.* формировать понятия; 2) представлять; вызывать в воображении.

ideation [,aɪdɪ'eɪʃən] *n* 1) способность к формированию понятий; 2) мышление.

idée fixe [,i:deɪ'fi:ks] *фр. n* навязчивая идея.

idem ['aɪdem] *лат. n* 1) тот же автор; 2) та же книга; то же слово.

identic [aɪ'dentɪk] *a* 1) = identical; 2): ~ note аналогичная, тождественная нота (*посланная одновременно нескольким государствам*).

identical [aɪ'dentɪkəl] *a* 1) тот же самый (*об одном предмете*); the ~ room where Shakespeare was born та самая комната, в которой родился Шекспир; 2) одинаковый, идентичный, тождественный (with).

identification [aɪ,dentɪfɪ'keɪʃən] *n* 1) отождествление; 2) опознание; установление личности; 3) выяснение; ~ of enemy units *воен.* установление нумерации частей противника; 4) *attr.* опознавательный; ~ parade очная ставка; ~ disc, ~ disk = identity disc [см. identity 5)]; ~ prisoner контрольный пленный.

identify [aɪ'dentɪfaɪ] *v* 1) устанавливать тождество (with); 2) опознавать, устанавливать личность; 3) отождествлять; солидаризироваться (with); 4) *разг.* ощущать, замечать; чувствовать.

identity [aɪ'dentɪtɪ] *n* 1) тождествен-

ность, идентичность; 2) подлинность; 3) личность, индивидуальность; 4) *мат.* тождество; 5) *attr.* опознавательный; личный; ~ card удостоверение личности; ~ disc, ~ disk *воен.* личный (опознавательный) знак.

ideogram, ideograph ['ɪdɪougræm, 'ɪdɪougrɑːf] *n* идеограмма (*условный значок, символ в идеографическом письме*).

ideographic(al) [,ɪdɪou'græfɪk(əl)] *a* идеографический.

ideological [,aɪdɪə'lɔdʒɪkəl] *a* идеологический.

ideologist [,aɪdɪ'ɔlədʒɪst] *n* идеолог.

ideology [,aɪdɪ'ɔlədʒɪ] *n* идеология, мировоззрение.

ides [aɪdz] *n pl* *др.-рим.* йды.

idiocy ['ɪdɪəsɪ] *n* 1) идиотизм; 2) *разг.* идиотство.

idiom ['ɪdɪəm] *n* 1) идиома, идиоматическое выражение; 2) язык, диалект, говор; local ~ местное наречие; 3) средство выражения (*обычно в искусстве*).

idiomatic [,ɪdɪə'mætɪk] *a* 1) идиоматический; характерный для данного языка; 2) богатый идиомами; 3) разговорный.

idiosyncrasy [,ɪdɪə'sɪŋkrəsɪ] *n* 1) черта характера, склада, стиля; 2) *мед.* идиосинкразия.

idiosyncratic [,ɪdɪəsɪŋ'krætɪk] *a* идиосинкразический.

idiot ['ɪdɪət] *n* идиот; дурак; a drivelling ~ круглый дурак.

idiotic [,ɪdɪ'ɔtɪk] *a* идиотский.

idle ['aɪdl] **1.** *a* 1) незанятый; неработающий; to lie ~ быть без употребления, быть неиспользованным; ~ capacity *тех.* резервная мощность; запасная ёмкость; to stand ~ не работать (*о фабрике, заводе*); 2) безработный; 3) ленивый, праздный; 4) бесполезный, тщетный; 5) пустой, неосновательный; 6) *тех.* бездействующий; холостой; ~ time простой, вынужденная остановка, перерыв в работе; 7) *эл.* безваттный, реактивный (*о токе*); 8) *тех.* направляющий (*о ролике, шкиве и т. п.*);
2. *v* 1) лениться, бездельничать (*часто* ~ about); to ~ away one's time проводить время в безделье; 2) заставлять работать вхолостую, прогонять вхолостую (*мотор и т. п.*); ☐ ~ over работать *или* двигаться замедленным темпом и вхолостую (*о машине и т. п.*).

idle-headed ['aɪdl'hedɪd] *a* пустой, глупый.

idleness ['aɪdlnɪs] *n* 1) праздность, лень; безделье; 2) безработица; бездействие.

idler ['aɪdlə] *n* 1) лентяй, бездельник; 2) *тех.* направляющий *или* холостой шкив, валик, ролик, блок; направляющее колесо (*гусеницы*), «ленивец», паразитарная шестерня.

idle space ['aɪdlspeɪs] *n* *тех.* вредное пространство.

idling ['aɪdlɪŋ] **1.** *pres. p. от* idle 2;
2. *n* 1) безделье; 2) *тех.* работа на холостом ходу.

idly ['aɪdlɪ] *adv* лениво; праздно.

idol ['aɪdl] *n* 1) идол; 2) кумир.

idolater [aɪ'dɔlətə] *n* 1) идолопоклонник; 2) обожатель, поклонник.

idolatress [aɪ'dɔlətrɪs] *n* 1) идолопоклóн-
ница; 2) поклóнница.
idolatry [aɪ'dɔlətrɪ] *n* 1) идолопоклóнство,
2) поклонéние, обожáние.
idolize ['aɪdəlaɪz] *v* 1) боготворúть, дéлать кумúром; 2) поклоняться úдолам.
idyll ['ɪdɪl] *n* идúллия.
idyllic [aɪ'dɪlɪk] *a* идиллúческий.
idyllize ['aɪdɪlaɪz] *v* создавáть идúллию.
if [ɪf] 1. *cj* 1) éсли (*с гл. в изъявительном
наклонении*); I shall see him if he comes
éсли он придёт, я егó увúжу; 2) éсли бы
(*с гл. в сослагательном наклонении*); if
only I knew éсли бы я тóлько знал (*сейчас*);
if only I had known éсли бы я тóлько знал
(*тогда*); 3) *вводит косвенный вопрос или
придаточное дополнительное предложение*:
do you know if he is here? вы не знáете,
здесь ли он?; I don't know if he is here я не
знáю, здесь ли он; 4): even if дáже éсли
(бы); I will do it, even if it were very
difficult я сдéлаю éто, как бы трýдно éто
нú бы́ло; ◇ as if как бýдто, бýдто; as if you
didn't know (как) бýдто вы не знáли; if
only хотя́ бы тóлько; тóлько бы; he may
show up if only for the purpose of seeing
you он мóжет появúться здесь, хотя́ бы
тóлько для тогó, чтóбы повидáть вас;
if and when когдá и где придётся; if not
úли дáже, а то и...;
2. *n* услóвие, предположéние; if ifs and
ans were pots and pans≈éсли бы да кабы́.
iffy ['ɪfɪ] *a амер.* неопределённый.
igloo ['ɪɡluː] *n* úглу (*эскимосская хижина
из затвердевшего снега*).
igneous ['ɪɡnɪəs] *a* 1) óгненный; огневóй;
2) *геол.* извéрженный, пирогéнный, вулканú-
ческого происхождéния.
ignis fatuus ['ɪɡnɪs'fætjuəs] *лат. n* 1)
блуждáющий огонёк; 2) обмáнчивая надéжда.
ignite [ɪɡ'naɪt] *v* 1) зажигáть; 2) загорá-
ться, воспламеняться; 3) раскалять до
свечéния; 4) прокáливать.
igniter [ɪɡ'naɪtə] *n* воспламенúтель, за-
жигáтель.
ignition [ɪɡ'nɪʃən] *n* 1) воспламенéние,
зажигáние; вспы́шка, запáл; 2) прокáливание; 3) *attr.* запáльный; ~ timing *тех.*
момéнт зажигáния.
ignoble [ɪɡ'noubl] *a* 1) нúзкий, пóдлый;
позóрный; 2) *уст.* нúзкого происхождéния
или положéния.
ignominious [ˌɪɡnə'mɪnɪəs] *a* бесчéстный,
постыдный, позóрный.
ignominy ['ɪɡnəmɪnɪ] *n* 1) бесчéстье, позóр; 2) нúзкое, постыдное поведéние; нú-
зость.
ignoramus [ˌɪɡnə'reɪməs] *лат. n* (*pl* -es
[-ɪz]) невéжда.
ignorance ['ɪɡnərəns] *n* 1) невéжество;
2) невéдение, незнáние (of).
ignorant ['ɪɡnərənt] *a* 1) невéжествен-
ный; 2) несвéдущий, не знáющий (of, in;
that); I was ~ of the time я не знал, котóрый час.
ignore [ɪɡ'nɔː] *v* 1) игнорúровать; 2) *юр.*
отвергáть, отклонять.
il- [ɪl-] *pref см.* in- I *и* II.

ileus ['ɪlɪəs] *n мед.* кишéчная непроходú-
мость, завóрот кишóк.
ilex ['aɪleks] *n бот.* пáдуб.
ilia ['ɪlɪə] *pl от* ilium.
iliac ['ɪlɪæk] *a анат.* подвздóшный; ~
passion = ileus.
ilium ['ɪlɪəm] *n* (*pl* -ia) *анат.* подвздóшная кость.
ilk [ɪlk] *a шотл.*: of that ~ а) из мéста,
назвáние котóрого совпадáет с фамúлией;
Guthrie of that ~ Гýтри из гóрода Гýтри;
б) *разг.* тогó же рóда, клáсса *и т. п.*;
and others of that ~ и другúе тогó же
рóда.
ill [ɪl] 1. *a* 1) *predic.* больнóй, нездорóвый; to be ~ быть больны́м; to fall ~, to be
taken ~ заболéть; 2) (worse; worst) дурнóй,
плохóй; ~ fame дурнáя слáва; ~ success
неудáча, неуспéх; 3) (worse; worst) злой,
враждéбный; врéдный, гúбельный; ~ luck
несчáстье, неудáча; he had ~ luck емý не
повезлó; ◇ ~ weeds grow apace *посл.* дурнáя травá в рост идёт; ~ blood враждá,
неприязнь; ненáвисть; as ~ luck would
have it как назло́; to do smb. an ~ turn
оказáть комý-л. медвéжью услýгу, повредúть комý-л.;
2. *n* 1) зло, вред; 2) *pl* несчáстья;
3. *adv* 1) плóхо, хýдо; дýрно; неблаго-
приятно; to behave ~ плóхо вестú себя;
~ at ease не по себé; to go ~ with smb.
быть неблагоприятным, гúбельным, врéд-
ным для когó-л.; to take a thing ~ обú-
деться на что-л.; to speak ~ of smb. дýрно
отзывáться о ком-л.; 2) едвá ли, с трудóм;
I can ~ afford с трудóм могý себé позвó-
лить.
ill-advised ['ɪləd'vaɪzd] *a* неблагоразýм-
ный.
ill-affected ['ɪlə'fektɪd] *a* 1) нераспол-
óженный; 2) неблагожелáтельный.
illation [ɪ'leɪʃən] *n лог.* вы́вод, заключéние.
illative [ɪ'leɪtɪv] *a* выражáющий заключéние, заключúтельный.
ill-bred ['ɪl'bred] *a* дýрно воспúтанный;
невоспúтанный, грýбый.
ill breeding ['ɪl'briːdɪŋ] *n* дурны́е манéры, невоспúтанность, грýбость.
ill-conditioned ['ɪlkən'dɪʃənd] *a* 1) дурнóго нрáва, сварлúвый; 2) дурнóй, злой;
3) в плохóм состоянии; в плохóм положéнии; 4) *с.-х.* худóй, неупúтанный (*о скоте*);
5) *ком.* некондициóнный.
ill-considered ['ɪlkən'sɪdəd] *a* необдýманный.
ill-devised ['ɪldɪ'vaɪzd] *a* неудáчно задý-
манный; плóхо придýманный.
ill-disposed ['ɪldɪs'pouzd] *a* 1) склóнный
к дурнóму; злой; 2) недоброжелáтельный
(towards —к); 3) в плохóм настроéнии, не
в дýхе.
illegal [ɪ'liːɡəl] *a* 1) незакóнный; 2) не-
легáльный; ~ strike *амер.* забастóвка,
не согласóванная с профсоюзом.
illegality [ˌɪliː'ɡælɪtɪ] *n* 1) незакóнность;
2) нелегáльность.
illegibility [ɪˌledʒɪ'bɪlɪtɪ] *n* неразбóрчивость, неудобочитáемость.

illegible [ɪˈledʒəbl] a нечёткий, неразборчивый, неудобочитаемый (о почерке).

illegitimacy [ˌɪlɪˈdʒɪtɪməsɪ] n 1) незаконность; 2) незаконнорождённость.

illegitimate [ˌɪlɪˈdʒɪtɪmɪt] 1. a 1) незаконный; 2) незаконнорождённый; 3) логически неправильный (о выводе);
2. v объявлять незаконным.

ill-fated [ˈɪlˈfeɪtɪd] a несчастливый; злополучный; злосчастный.

ill-favoured [ˈɪlˈfeɪvəd] a 1) некрасивый; 2) неприятный.

ill-feeling [ˈɪlˈfiːlɪŋ] n 1) неприязнь; враждебность; 2) чувство обиды.

ill-found [ˈɪlˈfaund] a плохо снабжённый, испытывающий недостаток (в чём-л.).

ill-founded [ˈɪlˈfaundɪd] a необоснованный.

ill-gotten [ˈɪlˈgɔtn] a полученный или нажитый нечестным путём; ◇ ~, ill-spent посл. ≅ чужое добро впрок нейдёт.

ill-humoured [ˈɪlˈhjuːməd] a в дурном настроении; дурного нрава.

illiberal [ɪˈlɪbərəl] a 1) непросвещённый; ограниченный; 2) нетерпимый (к чужому мнению); 3) скупой.

illicit [ɪˈlɪsɪt] a незаконный; недозволенный, запрещённый.

illimitable [ɪˈlɪmɪtəbl] a неограниченный, беспредельный.

illinium [ɪˈlɪnɪəm] n хим. иллиний.

illiteracy [ɪˈlɪtərəsɪ] n неграмотность; безграмотность.

illiterate [ɪˈlɪtərɪt] 1. n 1) неграмотный человек; 2) неуч;
2. a неграмотный; безграмотный; 2) необразованный.

ill-judged [ˈɪlˈdʒʌdʒd] a неразумный, неблагоразумный.

ill-mannered [ˈɪlˈmænəd] a невоспитанный, грубый.

ill-natured [ˈɪlˈneɪtʃəd] a дурного нрава, злобный; грубый.

illness [ˈɪlnɪs] n нездоровье; болезнь.

ill-nourished [ˈɪlˈnʌrɪʃt] a плохо упитанный.

illogical [ɪˈlɔdʒɪkəl] a нелогичный.

illogicality [ˌɪlɔdʒɪˈkælɪtɪ] n нелогичность.

ill-omened [ˈɪlˈoumend] a предвещающий несчастье, зловещий.

ill-spoken [ˈɪlˈspoukən] a пользующийся дурной репутацией.

ill-starred [ˈɪlˈstɑːd] a родившийся под несчастливой звездой, несчастливый.

ill-tempered [ˈɪlˈtempəd] a со скверным характером; раздражительный.

ill-timed [ˈɪlˈtaɪmd] a несвоевременный, неподходящий.

ill-treat [ˈɪlˈtriːt] v плохо обращаться.

ill-treatment [ˈɪlˈtriːtmənt] n дурное обращение.

illume [ɪˈljuːm] поэт. см. illumine 1) и 2).

illuminant [ɪˈljuːmɪnənt] 1. n осветительный материал или прибор; источник света;
2. a осветительный; освещающий.

illuminate [ɪˈljuːmɪneɪt] v 1) освещать, озарять; 2) иллюминировать, устраивать иллюминацию; 3) украшать рукопись цветными рисунками; раскрашивать; 4) просвещать; 5) проливать свет, разъяснять.

illuminating [ɪˈljuːmɪneɪtɪŋ] 1. pres. p. от illuminate;
2. a 1) осветительный, освещающий; ~ gas светильный газ; 2) разъясняющий.

illumination [ɪˌljuːmɪˈneɪʃən] n 1) освещение; 2) тех. освещённость; 3) яркость; 4) иллюминация; 5) pl украшения и рисунки в рукописи; 6) раскраска; 7) вдохновение; 8) attr. осветительный; ~ engineering осветительная техника..

illuminative [ɪˈljuːmɪnətɪv] a освещающий.

illuminator [ɪˈljuːmɪneɪtə] n 1) тех. светильник; 2) мор. стекло иллюминатора; 3) художник-иллюстратор (старинной рукописи).

illumine [ɪˈljuːmɪn] v 1) освещать; 2) просвещать; 3) оживлять, озарять; 4) снабжать миниатюрами, иллюстрировать (рукопись).

ill-use 1. n [ˈɪlˈjuːs] плохое обращение;
2. v [ˈɪlˈjuːz] 1) плохо обращаться; 2) неправильно обращаться, портить.

ill-used [ˈɪlˈjuːzd] 1. p. p. от ill-use 2;
2. a подвергающийся дурному обращению.

illusion [ɪˈluːʒən] n 1) иллюзия, обман чувств; мираж; optical ~ обман зрения; to indulge in ~s предаваться иллюзиям; 2) прозрачный тюль.

illusionist [ɪˈluːʒənɪst] n 1) филос. иллюзионист; 2) мечтатель; 3) фокусник.

illusive [ɪˈluːsɪv] a обманчивый, призрачный, иллюзорный.

illusory [ɪˈluːsərɪ] = illusive.

illustrate [ˈɪləstreɪt] v иллюстрировать; пояснять.

illustration [ˌɪləsˈtreɪʃən] n 1) иллюстрация, рисунок; 2) иллюстрирование; 3) пример, пояснение.

illustrative [ˈɪləstreɪtɪv] a иллюстративный; пояснительный.

illustrious [ɪˈlʌstrɪəs] a знаменитый; прославленный, известный.

ill-will [ˈɪlˈwɪl] n недоброжелательство, злая воля (to, towards).

ill-wresting [ˈɪlˈrestɪŋ] a 1) искажающий; 2) дающий неправильное освещение или толкование.

illy [ˈɪlɪ] амер. = ill 3.

I'm [aɪm] сокр. разг. = I am.

image [ˈɪmɪdʒ] 1. n 1) образ; изображение; отражение (в зеркале); 2) статуя; идол; 3) подобие; to be the living ~ of smb. походить на кого-л. как две капли воды; быть точной копией кого-л.; 4) метафора, образ; to speak in ~s говорить образно; 5) икона; 6) attr.: ~ fault электрон. искажение изображения; ~ dissector электрон. см. dissector II; ~ effect опт. зеркальное изображение;
2. v 1) изображать, создавать изображение; 2) вызывать в воображении, представлять себе; 3) отображать.

imagery [ˈɪmɪdʒərɪ] n 1) иск. образы; 2) скульптура, резьба; 3) образность.

imaginable [ɪˈmædʒɪnəbl] a вообразимый.

imaginary [ɪ'mædʒɪnərɪ] *a* 1) вообража́емый; нереа́льный; 2) мни́мый

imagination [ɪˌmædʒɪ'neɪʃən] *n* 1) воображе́ние; фанта́зия; 2) тво́рческая фанта́зия; 3) (мы́сленный) о́браз.

imaginative [ɪ'mædʒɪnətɪv] *a* 1) одарённый больши́м, бога́тым воображе́нием; 2) о́бразный; бога́тый поэти́ческими о́бразами.

imagine [ɪ'mædʒɪn] *v* 1) воображать, представля́ть себе́; 2) ду́мать, предполага́ть, полага́ть; 3) замышля́ть; 4) дога́дываться, понима́ть.

imagines [ɪ'meɪdʒɪniːz] *pl от* imago.

imago [ɪ'meɪgou] *n* (*pl* -gines, -os [-ouz]) 1) о́браз; 2) има́го (*последняя стадия развития насекомого*).

imbalance [ɪm'bæləns] *n* 1) отсу́тствие равнове́сия, несоотве́тствие; 2) неусто́йчивость.

imbecile ['ɪmbɪsiːl] 1. *n* 1) слабоу́мный; 2) глупе́ц;
2. *a* 1) слабоу́мный; 2) неразу́мный, глу́пый; 3) *редк.* физи́чески сла́бый.

imbecility [ˌɪmbɪ'sɪlɪtɪ] *n* 1) слабоу́мие; 2) глу́пость; 3) неспосо́бность.

imbed [ɪm'bed] = embed.

imbibe [ɪm'baɪb] *v* 1) впи́тывать, поглоща́ть, вса́сывать; вдыха́ть; 2) усва́ивать, ассимили́ровать; 3) пить.

imbibition [ˌɪmbɪ'bɪʃən] *n* впи́тывание *и пр.* [см. imbibe].

imbrex ['ɪmbreks] *n* (*pl* imbrices) *стр.* жело́бчатая черепи́ца, голла́ндская черепи́ца.

imbricate ['ɪmbrɪkeɪt] *v* *стр.* класть внахлёстку; перекрыва́ть в ви́де чешуи́.

imbrication [ˌɪmbrɪ'keɪʃən] *n* 1) *стр.* укла́дка внахлёстку; 2) *архит.* орна́мент в ви́де чешуи́.

imbrices ['ɪmbrɪsiːz] *pl от* imbrex.

imbroglio [ɪm'brouliou] *n* (*pl* -os [-ouz]) пу́таница; запу́танная, сло́жная ситуа́ция.

imbrue [ɪm'bruː] *v* смочи́ть, замочи́ть; запятна́ть, обагри́ть; to ~ one's hands with blood обагри́ть ру́ки кро́вью

imbue [ɪm'bjuː] *v* 1) насыща́ть, напи́тывать, пропи́тывать; 2) окра́шивать (*ткань*); пропи́тывать краси́телем (*ткань, дерево*); мори́ть (*дерево*); 3) вдохну́ть, внуши́ть, всели́ть; наполня́ть (*чувством*).

imitate ['ɪmɪteɪt] *v* 1) подража́ть, стара́ться быть похо́жим; 2) имити́ровать, копи́ровать; передра́знивать; 3) имити́ровать, подде́лывать; 4) *биол.* принима́ть покрови́тельственную окра́ску.

imitation [ˌɪmɪ'teɪʃən] *n* 1) подража́ние; имити́рование; 2) имита́ция; подде́лка, суррога́т; 3) *attr.*: ~ leather иску́сственная ко́жа.

imitative ['ɪmɪtətɪv] *a* 1) подража́тельный; ~ arts изобрази́тельные иску́сства; ~ word звукоподража́тельное сло́во; 2) подража́тельный, неоригина́льный; 3) подде́льный; иску́сственный.

imitator ['ɪmɪteɪtə] *n* 1) подража́тель; 2) имита́тор.

immaculacy [ɪ'mækjuləsɪ] *n* 1) чистота́; незапя́тнанность; 2) безукори́зненность, безупре́чность.

immaculate [ɪ'mækjulɪt] *a* 1) незапя́тнанный; чи́стый; 2) безукори́зненный, безупре́чный (*часто ирон.*); 3) *зоол.* непятни́стый.

immanence, -cy ['ɪmənəns, -sɪ] *n* 1) прису́щность; постоя́нное, неотъе́млемое сво́йство; 2) *филос.* имманѐнтность.

immanent ['ɪmənənt] *a* 1) прису́щий, постоя́нный; 2) *филос.* имманѐнтный.

immaterial [ˌɪmə'tɪərɪəl] *a* 1) невеще́ственный; бестеле́сный, духо́вный; 2) несуще́ственный, нева́жный.

immateriality ['ɪməˌtɪərɪ'ælɪtɪ] *n* 1) невеще́ственность; 2) несуще́ственность.

immature [ˌɪmə'tjuə] *a* 1) незре́лый, неспе́лый; недоразви́вшийся; 2) *геол.* ю́ный (*о цикле эрозии*); молодо́й (*о форме*).

immaturity [ˌɪmə'tjuərɪtɪ] *n* незре́лость.

immeasurability [ɪˌmeʒərə'bɪlɪtɪ] *n* неизмери́мость, безме́рность, грома́дность.

immeasurable [ɪ'meʒərəbl] *a* неизмери́мый, безме́рный, грома́дный.

immediacy [ɪ'miːdjəsɪ] *n* 1) непосре́дственность; 2) неме́дленность, безотлага́тельность.

immediate [ɪ'miːdjət] *a* 1) непосре́дственный, прямо́й; ~ contagion *мед.* непосре́дственное зараже́ние; 2) ближа́йший; 3) неме́дленный, безотлага́тельный, спе́шный.

immediately [ɪ'miːdjətlɪ] *adv* 1) непосре́дственно; 2) неме́дленно, то́тчас же.

immedicable [ɪm'medɪkəbl] *a* неизлечи́мый.

immemorial [ˌɪmɪ'mɔːrɪəl] *a* 1) незапа́мятный; from time ~ с незапа́мятных времён; 2) дре́вний.

immense [ɪ'mens] *a* 1) безме́рный, необъя́тный; 2) огро́мный; 3) *разг.* великоле́пный, замеча́тельный.

immensely [ɪ'menslɪ] *adv* о́чень, чрезвыча́йно, безме́рно.

immensity [ɪ'mensɪtɪ] *n* безме́рность, необъя́тность.

immerse [ɪ'məːs] *v* 1) погружа́ть, окуна́ть (in); 2) поглоща́ть, занима́ть (*мысли, внимание*); 3) вовлека́ть, запу́тывать; ~d in debt запу́тавшийся в долга́х.

immersion [ɪ'məːʃən] *n* 1) погруже́ние; оса́дка; 2) *опт.* имме́рсия.

immigrant ['ɪmɪgrənt] 1. *n* иммигра́нт; переселе́нец;
2. *a* переселя́ющийся.

immigrate ['ɪmɪgreɪt] *v* иммигри́ровать.

immigration [ˌɪmɪ'greɪʃən] *n* иммигра́ция.

imminence ['ɪmɪnəns] *n* бли́зость, приближе́ние, угро́за.

imminent ['ɪmɪnənt] *a* 1) бли́зкий, надвига́ющийся, грозя́щий, нави́сший (*об опасности и т. п.*).

immiscible [ɪ'mɪsɪbl] *a* не поддаю́щийся смеше́нию, несме́шивающийся.

immitigable [ɪ'mɪtɪgəbl] *a* не поддаю́щийся облегче́нию, смягче́нию.

immixture [ɪ'mɪkstʃə] *n* 1) сме́шивание; 2) уча́стие, прикоснове́нность (in—к).

immobile [ɪ'moubaɪl] *a* недви́жимый; неподви́жный.

immobility [ˌɪmou'bɪlɪtɪ] *a* неподви́жность.

immobilize [ɪ'moubɪlaɪz] *v* 1) дéлать неподвúжным; лишáть подвúжности; останáвливать, скóвывать, свя́зывать; 2) *мед.* наложúть лубóк, шúну; 3) изымáть из обращéния (*монéту*).

immoderate [ɪ'mɔdərɪt] *a* 1) неумéренный, чрезмéрный, излúшний; 2) несдéржанный.

immodest [ɪ'mɔdɪst] *a* 1) нескрóмный; неприлúчный; 2) нáглый; бессты́дный.

immodesty [ɪ'mɔdɪstɪ] *n* 1) нескрóмность; неприлúчие; 2) нáглость; бессты́дство.

immolate ['ɪmouleɪt] *v* 1) приносúть в жéртву; 2) *перен.* жéртвовать (*чем-л.*).

immolation [ˌɪmou'leɪʃən] *n* 1) жертвоприношéние; 2) жéртва.

immoral [ɪ'mɔrəl] *a* 1) безнрáвственный; 2) распýщенный, распýтный.

immorality [ˌɪmə'rælɪtɪ] *n* 1) безнрáвственность; 2) распýщенность.

immortal [ɪ'mɔːtl] 1. *a* бессмéртный; неувядáемый, вéчный;
2. *n pl миф.* бессмéртные бóги.

immortality [ˌɪmɔː'tælɪtɪ] *n* бессмéртие, вéчность.

immortalization [ɪˌmɔːtəlaɪ'zeɪʃən] *n* увековéчение.

immortalize [ɪ'mɔːtəlaɪz] *v* обессмéртить, увековéчить.

immortelle [ˌɪmɔː'tel] *фр. n бот.* иммортéль, бессмéртник, сухоцвéт.

immovability [ɪˌmuːvə'bɪlɪtɪ] *n* 1) недвúжимость, неподвúжность; 2) несменя́емость; 3) непоколебúмость; 4) спокóйствие, бесстрáстие.

immovable [ɪ'muːvəbl] 1. *a* 1) недвúжимый, неподвúжный; стационáрный; ~ property недвúжимое имýщество; 2) непоколебúмый, стóйкий; 3) спокóйный, бесстрáстный;
2. *n pl* недвúжимое имýщество, недвúжимость.

immune [ɪ'mjuːn] *a* 1) освобождённый, свобóдный (*от чего-л.*); 2) невосприúмчивый (*к какой-л. болéзни*), иммýнный; 3) неприкосновéнный.

immunity [ɪ'mjuːnɪtɪ] *n* 1) освобождéние (*от платежá, налóга*); изъя́тие; 2) свобóда (from—от); 3) невосприúмчивость (*к какой-л. болéзни*), иммунитéт; 4) неприкосновéнность.

immunization [ɪˌmjuːnaɪ'zeɪʃən] *n* иммунизáция.

immunize ['ɪmjuːnaɪz] *v* иммунизúровать.

immure [ɪ'mjuə] *v* 1) заточáть; to ~ oneself заперéться в четырёх стенáх; 2) *стр.* замурóвывать; заклáдывать в клáдку, вмурóвывать; 3) *редк.* окружáть стенáми.

immurement [ɪ'mjuəmənt] *n* 1) заточéние; 2) замурóвывание; 3) захоронéние в стенé.

immutability [ɪˌmjuːtə'bɪlɪtɪ] *n* неизмéнность, непрелóжность.

immutable [ɪ'mjuːtəbl] *a* неизмéнный, непрелóжный.

imp [ɪmp] *n* 1) чертёнок, бесёнок; 2) пострелёнок (*о ребёнке*); *уст.* побéг; óтпрыск.

impact 1. *n* ['ɪmpækt] 1) удáр, толчóк;

úмпульс; 2) столкновéние, коллúзия; 3) влия́ние; воздéйствие; 4) *attr.* удáрный, úмпульсный; ~ fuze *воен.* удáрный взрывáтель; ~ strength *тех.* удáрная вя́зкость; ~ resistance *тех.* сопротивлéние удáру;
2. *v* [ɪm'pækt] 1) плóтно сжимáть; 2) прóчно укрепля́ть; 3) ударя́ть(ся); 4) стáлкиваться.

impair [ɪm'pɛə] *v* 1) ослабля́ть, уменьшáть; 2) ухудшáть (*кáчество*); пóртить, повреждáть; 3) *уст.* ухудшáться; пóртиться; 4) нарушáть (*интерéсы*).

impaired [ɪm'pɛəd] 1. *p. p. от* impair;
2. *a* 1) замéдленный, ослáбленный; ~ development задéржанное развúтие (*о с.-х. культýрах*); 2) ухýдшенный.

impairment [ɪm'pɛəmənt] *n* ухудшéние; повреждéние.

impale [ɪm'peɪl] *v* 1) прокáлывать, пронзáть; to ~ oneself upon smth. наколóться, напорóться на что-л.; 2) сажáть нá кол; 3) *редк.* обносúть частокóлом.

impalement [ɪm'peɪlmənt] *n* 1) сажáние нá кол; 2) обнесéние частокóлом.

impalpability [ɪmˌpælpə'bɪlɪtɪ] *n* неосязáемость, неощутúмость.

impalpable [ɪm'pælpəbl] *a* 1) неосязáемый, неощутúмый; мельчáйший; 2) неуловúмый, неразличúмый; ~ distinctions неуловúмые, óчень тóнкие разлúчия.

impanel [ɪm'pænl] = empanel.

imparity [ɪm'pærɪtɪ] *n* нерáвенство.

impark [ɪm'pɑːk] *v* 1) испóльзовать (*территóрию*) под парк; 2) помещáть в парк (*дúких живóтных*).

impart [ɪm'pɑːt] *v* 1) давáть, придавáть; 2) сообщáть, передавáть (*знáния, нóвости*).

impartial [ɪm'pɑːʃəl] *a* беспристрáстный, справедлúвый; непредвзя́тый.

impartiality ['ɪmˌpɑːʃɪ'ælɪtɪ] *n* беспристрáстие, справедлúвость.

impartible [ɪm'pɑːtɪbl] *a* неделúмый (*об имéнии*).

impassable [ɪm'pɑːsəbl] *a* непроходúмый, непроéзжий.

impasse [æm'pɑːs] *фр. n* 1) тупúк; 2) тупúк, безвыходное положéние.

impassibility [ɪmˌpæsɪ'bɪlɪtɪ] *n* 1) нечувствúтельность (*к бóли и т. п.*); 2) бесстрáстность, бесчýвственность.

impassible [ɪm'pæsɪbl] *a* 1) нечувствúтельный (*к бóли и т. п.*); 2) бесстрáстный; бесчýвственный.

impassion [ɪm'pæʃən] *v* внушáть страсть, пы́лкое желáние.

impassioned [ɪm'pæʃənd] 1. *p. p. от* impassion;
2. *a* стрáстный, пы́лкий.

impassive [ɪm'pæsɪv] *a* 1) = impassible; 2) спокóйный, безмятéжный.

impassivity [ˌɪmpæ'sɪvɪtɪ] *n* 1) бесстрáстие; 2) спокóйствие.

impaste [ɪm'peɪst] *v* 1) *жив.* писáть, гýсто наклáдывая крáски; 2) месúть, превращáть в какýю-л. мáссу [*см.* paste 1].

impatience [ɪm'peɪʃəns] *n* 1) нетерпéние (of); 2) раздражúтельность (of).

impatient [ɪm'peɪʃənt] *a* 1) нетерпелúвый; 2) нетéрпящий; раздражúтельный; ~

of reproof не те́рпящий порица́ния; 3) беспоко́йный; нетерпели́во ожида́ющий (of).

impawn [ɪm'pɔːn] *v* 1) отдава́ть в зало́г, закла́дывать; 2) *перен.* руча́ться.

impeach [ɪm'piːtʃ] *v* 1) брать под сомне́ние; набра́сывать тень; 2) порица́ть; 3) обвиня́ть (of, with); 4) предъявля́ть обвине́ние в госуда́рственном преступле́нии.

impeachment [ɪm'piːtʃmənt] *n* 1) порица́ние; 2) обвине́ние; 3) привлече́ние к суду́ (*особ.* за госуда́рственное преступле́ние).

impeccability [ɪm,pekə'bɪlɪtɪ] *n* 1) непогреши́мость; 2) безупре́чность.

impeccable [ɪm'pekəbl] *a* 1) непогреши́мый; 2) безупре́чный.

impecunious [,ɪmpɪ'kjuːnjəs] *a* нужда́ющийся, безде́нежный, бе́дный.

impedance [ɪm'piːdəns] *n* *эл.* по́лное сопротивле́ние, импеда́нс.

impede [ɪm'piːd] *v* препя́тствовать, меша́ть, заде́рживать.

impediment [ɪm'pedɪmənt] *n* 1) препя́тствие, поме́ха, заде́ржка; an ~ in one's speech заика́ние; 2) *юр.*, *церк.* препя́тствие к бра́ку; 3) *pl* войсково́й обо́з.

impedimenta [ɪm,pedɪ'mentə] *n pl* войсково́й обо́з.

impedimental [ɪm,pedɪ'mentl] *a* препя́тствующий, заде́рживающий.

impel [ɪm'pel] *v* 1) приводи́ть в движе́ние; 2) продвига́ть; 3) побужда́ть, принужда́ть (to).

impellent [ɪm'pelənt] 1. *n* дви́жущая, побуди́тельная си́ла;
2. *a* побужда́ющий, дви́гающий.

impeller [ɪm'pelə] *n* *тех.* импе́ллер, рабо́чее колесо́, ро́тор, верту́шка, крыльча́тка.

impend [ɪm'pend] *v* 1) нависа́ть (over); *перен.* *тж.* угрожа́ть; 2) надвига́ться, быть бли́зким.

impendence [ɪm'pendəns] *n* бли́зость; угро́за (*чего-л.*).

impendent [ɪm'pendənt] *a* надвига́ющийся; грозя́щий; нави́сший.

impending [ɪm'pendɪŋ] 1. *pres. p. om* impend;
2. *a* предстоя́щий, немину́емый, грозя́щий; an ~ storm надвига́ющаяся бу́ря.

impenetrability [ɪm,penɪtrə'bɪlɪtɪ] *n* непроходи́мость *и пр.* [*см.* impenetrable].

impenetrable [ɪm'penɪtrəbl] *a* 1) непроходи́мый, недосту́пный; a mind ~ by (*или* to) new ideas ко́сный ум; 2) непроница́емый; непрогля́дный; 3) непоня́тный, непостижи́мый.

impenitence [ɪm'penɪtəns] *n* нераска́янность.

impenitent [ɪm'penɪtənt] *a* нераска́явшийся; нераска́янный.

imperatival [ɪm,perə'taɪvəl] *a* *грам.* повели́тельный, относя́щийся к повели́тельному наклоне́нию.

imperative [ɪm'perətɪv] 1. *n* 1) *грам.* повели́тельное наклоне́ние, императи́в; 2) *филос.* императи́в;
2. *a* 1) повели́тельный, вла́стный; 2) обя́зывающий, императи́вный; настоя́тельный; 3): ~ mood *грам.* повели́тельное наклоне́ние.

imperceptible [,ɪmpə'septəbl] *a* незаме́тный; незначи́тельный.

imperfect [ɪm'pɜːfɪkt] 1. *a* 1) непо́лный, недоста́точный; 2) несоверше́нный, дефе́ктный; 3) *грам.*: ~ tense = 2;
2. *n* *грам.* проше́дшее несоверше́нное вре́мя.

imperfection [,ɪmpə'fekʃən] *n* 1) неполнота́; несоверше́нство; 2) недоста́ток, дефе́кт.

imperial [ɪm'pɪərɪəl] 1. *a* 1) импе́рский; относя́щийся к Брита́нской импе́рии; 2) импера́торский; 3) госуда́рственный, верхо́вный, вы́сший; 4) вели́чественный; великоле́пный; 5) устано́вленный, станда́ртный (*об английских мерах*); ~ gallon англи́йский галло́н (= 4,54 *л*);
2. *n* 1) эспаньо́лка (*бородка*); 2) форма́т бума́ги (*англ. — 22 д. ×3 д., амер. — 23 д. × ×31 д.*); 3) империа́л, верх экипа́жа, дилижа́нса *и т. п.*; 4) империа́л (*старинная русская золотая монета*).

imperialism [ɪm'pɪərɪəlɪzəm] *n* империали́зм.

imperialist [ɪm'pɪərɪəlɪst] *n* 1) империали́ст; 2) *attr.* империалисти́ческий.

imperialistic [ɪm,pɪərɪə'lɪstɪk] *a* империалисти́ческий.

imperil [ɪm'perɪl] *v* подверга́ть опа́сности.

imperious [ɪm'pɪərɪəs] *a* 1) повели́тельный, вла́стный; высокоме́рный; 2) настоя́тельный, императи́вный.

imperishability [ɪm,perɪʃə'bɪlɪtɪ] *n* неруши́мость; ве́чность.

imperishable [ɪm'perɪʃəbl] *a* 1) неруши́мый; непреходя́щий, ве́чный; 2) непортя́щийся.

impermanent [ɪm'pɜːmənənt] *a* 1) непостоя́нный; 2) неусто́йчивый; 3) несто́йкий, легкоразлага́ющийся (*о химикалиях*).

impermeability [ɪm,pɜːmjə'bɪlɪtɪ] *n* непроница́емость; гермети́чность.

impermeable [ɪm'pɜːmjəbl] *a* 1) непроница́емый; гермети́ческий; ~ to water водонепроница́емый; 2) *тех.* уплотня́ющий; пло́тный (*о шве*).

impersonal [ɪm'pɜːsnl] *a* 1) безли́чный (*тж. грам.*); не относя́щийся к определённому лицу́; 2) бескоры́стный; объекти́вный; беспристра́стный.

impersonality [ɪm,pɜːsə'pælɪtɪ] *n* безли́чность.

impersonate [ɪm'pɜːsəneɪt] *v* 1) олицетворя́ть, воплоща́ть; 2) исполня́ть роль; 3) выдава́ть себя́ за *кого-л.*

impersonation [ɪm,pɜːsə'neɪʃən] *n* 1) олицетворе́ние, воплоще́ние; 2) исполне́ние ро́ли; 3) самозва́нство.

impersonator [ɪm'pɜːsəneɪtə] *n* 1) воплоти́тель, созда́тель (*роли*); 2) самозва́нец.

impertinence [ɪm'pɜːtɪnəns] *n* 1) де́рзость, на́глость, наха́льство; 2) неуме́стность.

impertinent [ɪm'pɜːtɪnənt] *a* 1) де́рзкий, на́глый, наха́льный; назо́йливый; 2) неуме́стный.

imperturbability ['ɪmpɜː,tɜːbə'bɪlɪtɪ] *n* невозмути́мость, споко́йствие.

imperturbable [,ɪmpɜː'tɜːbəbl] *a* невозмути́мый, споко́йный.

impervious [ɪmˈpəːvjəs] *a* 1) непроница́емый; ~ soil водонепроница́емая по́чва; 2) непроходи́мый (to); 3) неотзы́вчивый; невосприи́мчивый, глухо́й (*к про́сьбам, убежде́ниям*).

impetigo [ˌɪmpɪˈtaɪgou] *n* мед. ко́жная сыпь, импети́го.

impetuosity [ɪmˌpetjuˈɔsɪtɪ] *n* стреми́тельность; пы́лкость.

impetuous [ɪmˈpetjuəs] *a* 1) стреми́тельный, поры́вистый; пы́лкий; импульси́вный; 2) бу́рный.

impetus [ˈɪmpɪtəs] *n* 1) стреми́тельность, си́ла движе́ния; 2) (дви́жущая) си́ла; побужде́ние, толчо́к, и́мпульс, сти́мул; to give an ~ to smth. стимули́ровать что-л.

impiety [ɪmˈpaɪətɪ] *n* 1) отсу́тствие на́божности, благоче́стия; 2) неуваже́ние, непочти́тельность.

impinge [ɪmˈpɪndʒ] *v* 1) ударя́ться, па́дать (on, upon, against); 2) приходи́ть в столкнове́ние; to ~ upon smb.'s rights покуша́ться на (*или* вторга́ться в) чьи-л. права́.

impingement [ɪmˈpɪndʒmənt] *n* 1) уда́р, столкнове́ние; 2) покуше́ние (*на чьи-л. права*).

impious [ˈɪmpɪəs] *a* нечести́вый.

impish [ˈɪmpɪʃ] *a* прока́зливый, злой.

implacability [ɪmˌplækəˈbɪlɪtɪ] *n* 1) неумоли́мость; 2) непримири́мость.

implacable [ɪmˈplækəbl] *a* 1) неумоли́мый; 2) непримири́мый.

implant 1. *v* [ɪmˈplɑːnt] 1) насажда́ть; 2) вселя́ть, внедря́ть; 3) внуша́ть;
2. *n* [ˈɪmplɑːnt] *мед.* капилля́рная трубочка с ра́дием, вводи́мая в живу́ю ткань (*для лечения злокачественной опухоли*).

implantation [ˌɪmplɑːnˈteɪʃən] *n* насажде́ние; внедре́ние.

implement 1. *n* [ˈɪmplɪmənt] ору́дие; инструме́нт, прибо́р; (*особ. pl*) принадле́жность, у́тварь;
2. *v* [ˈɪmplɪment] 1) выполня́ть; осуществля́ть; обеспе́чивать выполне́ние; to ~ a decision проводи́ть постановле́ние в жизнь; 2) снабжа́ть инструме́нтами.

implementation [ˌɪmplɪmenˈteɪʃən] *n* осуществле́ние; выполне́ние.

implex [ˈɪmpleks] *a* сло́жный, запу́танный, переплетённый.

implicate [ˈɪmplɪkeɪt] *v* 1) спу́тывать; 2) вовлека́ть, впу́тывать; to be ~d in a crime быть заме́шанным в преступле́нии; 3) заключа́ть в себе́, подразумева́ть.

implication [ˌɪmplɪˈkeɪʃən] *n* 1) вовлече́ние; 2) заме́шанность, прича́стность, соуча́стие; 3) то, что подразумева́ется; the ~ of events смысл, значе́ние собы́тий; 4) подте́кст.

implicit [ɪmˈplɪsɪt] *a* 1) подразумева́емый, не вы́раженный пря́мо, вы́раженный нея́сно; ~ denial молчали́вое, безмо́лвное отрица́ние; ~ function *мат.* нея́вная фу́нкция; 2) безогово́рочный, по́лный, безотчётный; ~ faith слепа́я ве́ра.

implicitly [ɪmˈplɪsɪtlɪ] *adv* без колеба́ний, безогово́рочно.

implode [ɪmˈploud] *v* взрыва́ть(ся).

implore [ɪmˈplɔː] *v* умоля́ть.

imploringly [ɪmˈplɔːrɪŋlɪ] *adv* умоля́юще; с мольбо́й.

imply [ɪmˈplaɪ] *v* 1) заключа́ть в себе́, зна́чить; 2) подразумева́ть, намека́ть.

impolicy [ɪmˈpɔlɪsɪ] *n* 1) нетакти́чность; 2) неразу́мная поли́тика.

impolite [ˌɪmpəˈlaɪt] *a* неве́жливый, неучти́вый.

impolitic [ɪmˈpɔlɪtɪk] *a* 1) неполити́чный; 2) беста́ктный.

imponderable [ɪmˈpɔndərəbl] 1. *a* 1) неве́сомый, о́чень лёгкий; 2) не поддаю́щийся учёту; незначи́тельный;
2. *n* (*обыкн. pl*) не́что неве́сомое; что-л. неулови́мое; что-л., не име́ющее реа́льных основа́ний.

import I 1. *n* [ˈɪmpɔːt] 1) ввоз, и́мпорт; 2) *pl* ввози́мые (*или* и́мпортные) това́ры;
2. *v* [ɪmˈpɔːt] 1) ввози́ть, импорти́ровать (into); 2) вноси́ть; привноси́ть; to ~ personal feelings вкла́дывать ли́чные чу́вства.

import II 1. *n* [ˈɪmpɔːt] 1) подразумева́емый смысл, значе́ние; 2) ва́жность, значи́тельность;
2. *v* [ɪmˈpɔːt] 1) выража́ть, означа́ть, подразумева́ть; 2) име́ть значе́ние, быть ва́жным; it ~s us to know нам ва́жно знать.

importable [ɪmˈpɔːtəbl] *a* ввози́мый.

importance [ɪmˈpɔːtəns] *n* 1) значи́тельность, ва́жность; 2) значе́ние; to attach ~ to smth. счита́ть что-л. ва́жным; придава́ть значе́ние чему́-л.; of no ~ не име́ющий значе́ния.

important [ɪmˈpɔːtənt] *a* ва́жный, значи́тельный.

importation [ˌɪmpɔːˈteɪʃən] *n* 1) ввоз, и́мпорт; 2) и́мпортные това́ры.

importer [ɪmˈpɔːtə] *n* импортёр.

importless [ˈɪmpɔːtlɪs] *a* несуще́ственный, нева́жный, незначи́тельный.

importunate 1. *a* [ɪmˈpɔːtjunɪt] насто́йчивый; доку́чливый, назо́йливый;
2. *v* [ɪmˈpɔːtjuneɪt] досажда́ть; пристава́ть.

importune [ɪmˈpɔːtjuːn] *v* докуча́ть; назо́йливо домога́ться; надоеда́ть про́сьбами (*особ. не во́время*).

importunity [ˌɪmpɔːˈtjuːnɪtɪ] *n* назо́йливость; постоя́нное пристава́ние с про́сьбами.

impose [ɪmˈpouz] *v* 1) облага́ть (*пошлиной, налогом и т. п.*); налага́ть (*обяза́тельство*; on); 2) обма́нывать (on, upon); 3) навя́зывать(ся) (on, upon); 4) производи́ть си́льное впечатле́ние; импони́ровать (on); 5) *полигр.* спуска́ть, заключа́ть (*печа́тную фо́рму*).

imposing [ɪmˈpouzɪŋ] 1. *pres. p. ot* impose;
2. *a* производя́щий си́льное впечатле́ние; внуши́тельный, импоза́нтный.

imposition [ˌɪmpəˈzɪʃən] *n* 1) наложе́ние, возложе́ние; 2) обложе́ние, нало́г; 3) обма́н; 4) *полигр.* спуск (*фо́рмы*); 5) *школ.* штрафна́я рабо́та.

impossibility [ɪmˌpɔsəˈbɪlɪtɪ] *n* невозмо́жность *и пр.* [*см.* impossible].

impossible [ɪmˈpɔsəbl] *a* 1) невозмо́жный, невыполни́мый; 2) невероя́тный; 3) *разг.* невыноси́мый, возмути́тельный.

impost ['impoust] *n* 1) *ист.* налог, подать; дань; 2) *спорт. sl.* дополнительный груз в гандикапе; 3) *стр.* пята.

impostor [im'pɔstə] *n* 1) обманщик, мошенник; 2) самозванец

imposture [im'pɔstʃə] *n* обман, жульничество.

impotable [im'poutəbl] *a* негодный для питья.

impotence ['impətəns] *n* 1) бессилие, слабость; 2) *мед.* импотенция.

impotent ['impətənt] *a* 1) бессильный, слабый; 2) *мед.* импотентный.

impound [im'paund] 1. *v* 1) загонять (*скот*); 2) заключать, запирать; 3) конфисковать; 4) запруживать (*воду*);
2. *a:* ~ water стоячая вода.

impounder [im'paundə] *n* загонщик скота.

impounding reservoir [im'paundiŋ'rezəvwa:] *n* пруд, водохранилище.

impoverish [im'pɔvəriʃ] *v* 1) доводить до бедности, до обнищания, лишать средств; 2) истощать (*почву*); 3) расстраивать (*здоровье*); 4) обеднять, делать скучным, неинтересным.

impoverished [im'pɔvəriʃt] 1. *p. p. от* impoverish;
2. *a* 1) истощённый; ~ soil истощённая почва; 2) убогий, жалкий; an ~ existence ·бесцветное существование.

impoverishment [im'pɔvəriʃmənt] *n* обеднение, обнищание *и пр.* [*см.* impoverish].

impracticability [im,præktikə'biliti] *n* невыполнимость *и пр.* [*см.* impracticable].

impracticable [im'præktikəbl] *a* 1) невыполнимый, неисполнимый, неосуществимый; 2) неподатливый, упрямый; 3) непроходимый, непроезжий; недоступный; 4) негодный к употреблению.

impractical I, II [im'præktikəl] = impracticable *и* unpractical.

imprecate ['imprikeit] *v* проклинать, призывать несчастья на чью-л. голову.

imprecation [,impri'keiʃən] *n* проклятие.

imprecatory ['imprikeitəri] *a* проклинающий, призывающий несчастье.

impregnability [im,pregnə'biliti] *n* 1) неприступность; неуязвимость; 2) непоколебимость; 3) *тех.* способность пропитываться.

impregnable [im'pregnəbl] *a* 1) неприступный; неуязвимый; 2) непоколебимый, стойкий; 3) *тех.* поддающийся пропитке.

impregnate 1. *a* [im'pregnit] 1) оплодотворённый; 2) беременная; 3) насыщенный, пропитанный (with);
2. *v* ['impregneit] 1) оплодотворять; 2) наполнять, насыщать; 3) пропитывать (with); 4) внедрять.

impregnation [,impreg'neiʃən] *n* 1) оплодотворение; зачатие; 2) пропитывание; 3) *горн.* вкрапленность.

impresari [,impre'sɑːri] *pl от* impresario.

impresario [,impre'sɑːriou] *n* (*pl* -os [-ouz] *или* -ri) антрепренёр, импресарио.

imprescriptible [,impris'kriptibl] *a* неотъемлемый.

impress I 1. *n* ['impres] 1) отпечаток, оттиск; 2) штемпель, печать; 3) впечатление,

след, отпечаток, печать (*чего-л.*); a work bearing an ~ of genius работа, носящая печать гения;
2. *v* [im'pres] 1) отпечатывать; печатать; 2) клеймить, штемпелевать, штамповать (on); to ~ a mark upon smth. оттиснуть, отпечатать знак на чём-л.; 3) внушать, внедрять, запечатлевать в уме; ~ on him that he must ... внушите ему, что он должен...; 4) производить впечатление, поражать; to be favourably ~ed находиться под благоприятным впечатлением.

impress II [im'pres] *v* 1) привлекать, использовать (*что-л.*); 2) *ист.* вербовать силой *или* обманом.

impressibility [im,presi'biliti] *n* впечатлительность.

impressible [im'presəbl] *a* впечатлительный, восприимчивый.

impression [im'preʃən] *n* 1) впечатление; sharp ~ сильное впечатление; visual (auditive) ~ зрительное (слуховое) впечатление; to be under the ~ полагать; we are under the ~ that nothing can be done at present у нас создалось такое впечатление, что сейчас ничего нельзя сделать; 2) оттиск, отпечаток; 3) печать, печатание; тиснение; 4) издание (*книги*); перепечатка, допечатка (*без изменений*); 5) *воен.* накол (капсюля бойком).

impressionability [im,preʃnə'biliti] *n* 1) впечатлительность, восприимчивость; 2) *хим.* чувствительность.

impressionable [im'preʃnəbl] *a* восприимчивый, впечатлительный.

impressionism [im'preʃnizəm] *n* *иск.* импрессионизм.

impressionistic [im,preʃə'nistik] *a* *иск.* импрессионистический.

impressive [im'presiv] *a* производящий глубокое впечатление; впечатляющий; выразительный.

impressment [im'presmənt] *n* 1) насильственная вербовка (*на военную службу*); 2) реквизиция.

imprest ['imprest] *n* аванс, подотчётная сумма.

imprimatur ['impri'meitə] *лат. n* 1) разрешение цензуры (*на печатание*); 2) санкция, одобрение.

imprimis [im'praimis] *лат. adv* во-первых.

imprint 1. *n* ['imprint] 1) отпечаток (*тж.* перен.); штамп; the ~ of cares следы забот; 2) *полигр.* выходные сведения (*тж.* publisher's ~, printer's ~);
2. *v* [im'print] 1) отпечатывать (on, with); 2) оставлять след; запечатлевать (on, in).

imprison [im'prizn] *v* заключать в тюрьму, заточать.

imprisonment [im'priznmənt] *n* заключение (*в тюрьму*), заточение.

improbability [im,probə'biliti] *n* невероятность, неправдоподобие.

improbable [im'probəbl] *a* невероятный, неправдоподобный.

improbity [im'proubiti] *n* нечестность, бесчестность.

impromptu [ɪm'prɔmptjuː] 1. *n* экспро́мт; 2. *a* импровизи́рованный; 3. *adv* без подгото́вки, экспро́мтом.

improper [ɪm'prɔpə] *a* 1) неподходя́щий, неуме́стный; 2) непра́вильный; ло́жный; ~ fraction *мат.* непра́вильная дробь; ~ practice а) непра́вильная (*или* оши́бочная) пра́ктика; б) несоверше́нный приём; 3) непристо́йный, неприли́чный; 4) неиспра́вный, него́дный.

impropriety [ˌɪmprə'praɪətɪ] *n* 1) неуме́стность; 2) непра́вильность; 3) наруше́ние обы́чаев, этике́та, прили́чия.

improvable [ɪm'pruːvəbl] *a* допуска́ющий усоверше́нствование, улучше́ние.

improve [ɪm'pruːv] *v* улучша́ть(ся); соверше́нствовать(ся); повыша́ть це́нность; to ~ in health поправля́ться; to ~ in looks вы́глядеть лу́чше; to ~ the occasion (*или* the opportunity, the shining hour) испо́льзовать удо́бный слу́чай; □ ~ away пыта́ясь улу́чшить, сде́лать ху́же; потеря́ть то хоро́шее, что бы́ло; ~ upon улучша́ть.

improvement [ɪm'pruːvmənt] *n* 1) улучше́ние, усоверше́нствование (on); 2) мелиора́ция.

improver [ɪm'pruːvə] *n* 1) тот, кто *или* то, что улучша́ет; 2) практика́нт, стажёр; 3) мелиора́тор.

improvidence [ɪm'prɔvɪdəns] *n* 1) непредусмотри́тельность; 2) расточи́тельность.

improvident [ɪm'prɔvɪdənt] *a* 1) непредусмотри́тельный; 2) расточи́тельный.

improvisation [ˌɪmprəvaɪ'zeɪʃən] *n* импровиза́ция.

improvisator ['ɪmprəvaɪˌzeɪtə] *n* импровиза́тор.

improvise ['ɪmprəvaɪz] *v* 1) импровизи́ровать; 2) на́скоро устро́ить, смастери́ть.

imprudence [ɪm'pruːdəns] *n* 1) неблагоразу́мие, опроме́тчивость; неосторо́жность; 2) опроме́тчивый посту́пок.

imprudent [ɪm'pruːdənt] *a* неблагоразу́мный, опроме́тчивый; неосторо́жный.

impudence ['ɪmpjudəns] *n* 1) де́рзость, на́глость; 2) бессты́дство.

impudent ['ɪmpjudənt] *a* 1) де́рзкий, наха́льный; 2) бессты́дный.

impugn [ɪm'pjuːn] *v* оспа́ривать, опроверга́ть.

impugnable [ɪm'pjuːnəbl] *a* спо́рный, опроверги́мый.

impugnment [ɪm'pjuːnmənt] *n* опроверже́ние; оспа́ривание.

impulse ['ɪmpʌls] *n* 1) толчо́к, побужде́ние; 2) поры́в; и́мпульс; to act on ~ де́йствовать под влия́нием поры́ва, и́мпульса; 3) *эл.* возбужде́ние; 4) *attr.*: ~ turbine *тех.* акти́вная турби́на.

impulsion [ɪm'pʌlʃən] *n* побужде́ние, и́мпульс.

impulsive [ɪm'pʌlsɪv] *a* 1) импульси́вный; 2) побужда́ющий; 3) *тех.* де́йствующий под влия́нием толчка́, и́мпульса; ~ load уда́рная, динами́ческая нагру́зка.

impunity [ɪm'pjuːnɪtɪ] *n* безнака́занность; with ~ а) безнака́занно; б) без вреда́ для себя́.

impure [ɪm'pjuə] *a* 1) нечи́стый; гря́зный; 2) сме́шанный, с при́месью.

impurity [ɪm'pjuərɪtɪ] *n* 1) нечистота́; грязь; 2) при́месь; засоре́ние.

imputation [ˌɪmpjuː'teɪʃən] *n* 1) вмене́ние в вину́, обвине́ние (of); 2) пятно́, тень; to cast an ~ on smb.'s character набро́сить тень на чью-л. репута́цию.

impute [ɪm'pjuːt] *v* 1) вменя́ть (*обыкн.* в вину́, *редк.* в заслу́гу); 2) припи́сывать кому́-л., относи́ть на чей-л. счёт.

in [ɪn] 1. *prep* 1) *в пространственном значении указывает на*: а) *нахожде́ние внутри или в пределах чего-л.* в(о), на, у; in the Soviet Union в Сове́тском Сою́зе; in Leningrad в Ленингра́де; in the British Isles на Брита́нских острова́х; in the building в помеще́нии, в зда́нии; in the street на у́лице; in the yard во дворе́; in a car в автомаши́не; in the ocean в океа́не; in the sky на не́бе; in the cosmos во вселе́нной; в ко́смосе; in a crowd в толпе́; in (the works *или* books of) G. B. Shaw (в произведе́ниях Берна́рда Шо́у) у Берна́рда Шо́у; to be smothered in smoke быть оку́танным ды́мом; б) *вхожде́ние или внесе́ние в преде́лы или внутрь чего-л., проникнове́ние в каку́ю-л. среду* в, на; to arrive in a country (a city) прие́хать в страну́ (в большо́й го́род); to put (*или* to place) smth. in one's pocket положи́ть что-л. в карма́н; to dip a pen in ink обмакну́ть перо́ в черни́ла; to take smth. in one's hand взять что-л. в ру́ку [*ср.* to take in hand а) забра́ть в свои́ ру́ки; б) взя́ться за что-л.; взять на себя́ отве́тственность]; to throw in the fire бро́сить в ого́нь; to whisper in smb.'s ear шепта́ть кому́-л. на́ ухо; to go down in the slope спусти́ться в забо́й; to be immersed in a liquid быть погружённым в жи́дкость; to look in a mirror посмотре́ть(ся) в зе́ркало; to get in hot water *перен.* попа́сть в беду́; to be absorbed in work, task *etc.* быть погружённым в рабо́ту, выполне́ние зада́чи и т. п.; 2) *употребля́ется в оборо́тах, ука́зывающих на*: а) *часть су́ток, вре́мя го́да, ме́сяц и т. д.* в(о); *существи́тельные в сочета́нии с* in *в да́нном значе́нии передаю́тся тж. наре́чиями;* in the day-time в дневно́е вре́мя, днём; in the evening ве́чером; in January в январе́; in spring весно́й; in the spring в э́ту (ту) весну́, э́той (той) весно́й; in 1959 в 1959 году́; in the twentieth century в двадца́том ве́ке; you can do it in my absence вы мо́жете сде́лать э́то в моё отсу́тствие; б) *промежу́ток вре́мени, продолжи́тельность* в, во вре́мя, в тече́ние, че́рез; in an hour че́рез час; in a little while вско́ре; she's coming in a couple of weeks она́ прие́дет неде́ли че́рез две; 3) *употребля́ется в оборо́тах, ука́зывающих на усло́вия, окружа́ющую обстано́вку, цель или ины́е обстоя́тельства, сопу́тствующие де́йствию или состоя́нию* в(о), при, с, на; *существи́тельные в сочета́нии с* in *в да́нном значе́нии передаю́тся тж. наре́чиями;* to be in good (bad) condition, order, repair *etc.* быть в хоро́шем (плохо́м) состоя́нии, в по́лном поря́дке (беспоря́дке), в испра́вности (неиспра́вности) *и т. п.*; in gear в действии (*о машине*); in full swing в полном разгаре; in a favourable position в благоприятном положении; to be in a position to do smth. иметь возможность что-л. сделать; in a difficulty в затруднительном положении; in cash, in pocket *разг.* при деньгах; in debt в долгу; in liquor во хмелю; in the way на пути, поперёк дороги; in smb.'s presence в чьём-л присутствии; in safety в безопасности; in waiting в ожидании; in one's line в чьей-л. компетенции; in the capacity of smb. в качестве кого-либо; in the wake of smb., smth. вслед за кем-л., чем-л., по пятам за кем-л.; in smb.'s place на чьём-л. месте; in reserve в запасе; наготове; in general use во всеобщем употреблении; in bud в зачаточном состоянии; in fruit покрытый плодами (*о дереве*); in tropical heat в тропическую жару; in the rain под дождём; in the sunshine, in the sun на солнце; in the dark в темноте; in the cold на холоде; in the wind на ветру; in a thunderstorm в бурю; in a snow-drift в метель; to live in comfort, in (grand) style жить с удобствами, на широкую ногу, с шиком; in quest (*или* in search) of smth. в поисках чего-л.; in honour of smb. в честь кого-л.; in smb.'s behalf в чьих-л. интересах; in behalf of smb. в пользу кого-л., ради кого-л.; in reply to your letter в ответ на ваше письмо; in return for smth. в оплату за что-л. *или* в обмен на что-л.; 4) *употребляется в оборотах, указывающих на физическое или душевное состояние человека* в, на; *существительные в сочетании с* in *в данном значении передаются тж.* наречиями; blind in one eye слепой на один глаз; small in stature небольшого роста; slight in build невзрачный на вид; in a depressed (nervous) condition в подавленном (нервном) состоянии; in low spirits в плохом настроении; in perplexity в замешательстве; in two minds в нерешительности; in cold blood хладнокровно; in defiance с вызовом; in a fury (*или* a rage) в бешенстве; in astonishment в изумлении; in tears в слезах; in distress в беде; to be in good (bad) health быть здоровым (больным); 5) *употребляется в оборотах, выражающих ограничение свободы, передвижения и т. п.* в, на, под; in chains (*или* fetters, stocks *и т. п.*) в оковах; to be (to put) in prison, gaol, jail, dungeon быть в тюрьме, в темнице (посадить в тюрьму); to be in custody быть под арестом; to be in smb.'s custody находиться на чьём-л. попечении, под чьим-л. наблюдением, охраной *и т. п.*; 6) *употребляется в оборотах, указывающих на способ или средство, с помощью которых осуществляется действие*; *тж. перен.* в, на, с, по; *передаётся тж. твор. падежом*; *существительные в сочетании с* in *в данном значении передаются тж.* наречиями; to cut in two перерезать пополам; to go (to come, to arrive) in ones and twos идти (приходить, прибывать) поодиночке и парами; in dozens дюжинами; in a few words в нескольких словах; in Russian, in English, *etc.* по-русски, по-английски *и т. п.*; falling in folds падаю-

щий складками (*об одежде, драпировке*); to take medicine in water (milk, syrup) принимать лекарство с водой (с молоком, в сиропе); to drink smb.'s health in a cup of ale выпить эля за здоровье кого-л.; 7) *употребляется в оборотах, указывающих на материал, из которого что-л. сделано или с помощью которого что-л. делается в*; *передаётся тж. твор. падежом*; to write in ink, pencil, *etc.* писать чернилами, карандашом *и т. п.*; a statue in marble статуя из мрамора; to paint in oil писать маслом; to build in wood строить из дерева; in colour в красках; 8) *употребляется в оборотах, указывающих на внешнее оформление, одежду, обувь и т. п.* в; to be in white быть в белом (платье); in mourning в трауре; in full fig (*или* plumage) в полной парадной форме, во всём блеске; in decorations в орденах; 9) *указывает на принадлежность к группе или организации; на род деятельности или должность* в, на; *передаётся тж. твор. падежом*; to be in the trade заниматься торговлей; in the diplomatic service на дипломатической работе; to serve in the army быть на военной службе; in smb.'s service, employ, pay у кого-л. на службе, в услужении, на жалованье; 10) *указывает на занятость каким-л. делом в ограниченный отрезок времени* в, при; *в то время как, во время*; *причастия в сочетании с* in *в данном значении передаются тж.* деепричастием; in bivouac на биваке; in the battle в бою; in crossing the river при переходе через реку; in turning over the pages of a book перелистывая страницы книги; in the very act в момент совершения действия; 11) *выражает отношения глагола к косвенному дополнению, существительного к его определению и т. п.* в(о), над; *передаётся тж. различными падежами*; to believe in smth. верить во что-л.; to put trust in smb. доверять кому-л.; to have smb. in trust осуществлять опеку над кем-л.; to rejoice in smth. радоваться чему-л.; to be engaged in smth. заниматься чем-л.; to share in smth. принимать участие в чём-л.; to invest in smth. вкладывать средства во что-л.; the latest thing in electronics *разг.* последнее слово в электронике; there's little sense in what he proposes мало смысла в том, что он предлагает; a lecture in anatomy лекция по анатомии; to be strong (weak) in geography успевать (отставать) по географии; to differ (to coincide) in smth. различаться (совпадать) в чём-л.; to change (to grow, to diminish) in size (volume) изменяться (расти, уменьшаться) в размере (объёме); rich (poor) in quality хорошего (плохого) качества; rich (poor) in iron (copper, oxygen, *etc.*) богатый (бедный) железом (медью *или* руде, кислородом *или* воздухе *и т. п.*); 12) *указывает на соотношение двух величин, отношение длины, ширины и т. п.* в, на, из; *передаётся тж. твор. падежом*; seven in number числом семь; four feet in length and two feet in width четыре фута в длину и два фута в ширину; there is not one in a hundred из целой сотни éдва ли один найдётся; ◇ in (point of) fact на самом деле, по существу, фактически; in truth по правде; in situ [ın ʹsaıtjuː] на месте; in opposition против, вопреки; in my (his *etc.*) opinion по моему (его *и т. д.*) мнению; in case в случае (если); in so far as постольку, поскольку; in so much that настолько, что; in that так как, по той причине, что; in itself само по себе; in good faith честно, искренне; the person (the matter) in question человек (дело), о котором идёт речь; in order to do smth. для того, чтобы сделать что-л.; he has it in him он способен на это;

2. *adv* внутри; внутрь; to be in a) быть, находиться внутри; б) быть дома; в) прибыть; the train is in поезд пришёл; г) наступить; summer is in наступило лето; grapes are now in наступил сезон винограда; to live in иметь квартиру при службе; to keep the fire in поддерживать огонь; a coat with furry side in шуба на меху; ◇ in and out a) то внутрь, то наружу; б) снаружи и внутри; в) попеременно, с колебаниями [*ср.* in-and-out]; to have it in for smb. дуться на кого-л.; to be (*или* to come, to drop, to get, to go) in on smth. принимать участие в чём-л.; to go in for smth. добиваться чего-л.; увлекаться чем-л.; to be (to stay, to stop, to live) in there (here) быть (оставаться, останавливаться, жить) там (здесь); to come (to get, to go) in there (here) идти (приходить, добираться) туда (сюда); to throw in one's hand уступить, прекратить борьбу; in for a penny, in for a pound *посл.* ≅ назвался груздём, полезай в кузов;

3. *n:* the ins политическая партия у власти; ins and outs a) все входы и выходы; б) все углы и закоулки; в) правительство и оппозиционные партии; г) детали, подробности.

in- I [ın-] (il- *перед* l; im- *перед* b, m, p; ir- *перед* r) *pref соответствует русскому* в-, при-, внутри-; inborn врождённый, прирождённый; to inlay вкладывать, вставлять *и т. п.*

in- II [ın-] *pref* не-, без-; *напр.:* active деятельный—inactive бездеятельный *и т. п.*

inability [ˌınəʹbılıtı] *n* неспособность; невозможность.

inaccessibility [ʹınækˌsesəʹbılıtı] *n* недоступность; непристпуность.

inaccessible [ˌınækʹsesəbl] *a* недоступный; недосягаемый; неприступный.

inaccuracy [ınʹækjurəsı] *n* 1) неточность; 2) ошибка.

inaccurate [ınʹækjurıt] *a* 1) неточный; 2) неправильный, ошибочный.

inaction [ınʹækʃən] *n* 1) бездействие; пассивность, инертность; 2) отказ в работе (*машины или аппарата*).

inactive [ınʹæktıv] *a* 1) бездеятельный; инертный; 2) недействующий.

inactivity [ˌınækʹtıvıtı] *n* бездеятельность; инертность.

inadaptability [ˌınəˌdæptəʹbılıtı] *n* 1) неприменимость; 2) неприспособленность; неумение приспособляться.

inadequacy [ınʹædıkwəsı] *n* 1) несоответствие требованиям; 2) недостаточность; 3) несоразмерность.

inadequate [ınʹædıkwıt] *a* 1) несоответственный, не отвечающий требованиям; 2) недостаточный; 3) несовершенный; неподходящий; 4) непропорциональный; несоразмерный; неадэкватный.

inadhesive [ˌınədʹhıːsıv] *a* неклейкий, непристающий.

inadmissible [ˌınədʹmısəbl] *a* недопустимый, неприемлемый.

inadvertence, -cy [ˌınədʹvəːtəns, -sı] *n* 1) невнимательность; небрежность; беспечность; 2) недосмотр, оплошность; 3) неумышленность.

inadvertent [ˌınədʹvəːtənt] *a* 1) невнимательный; небрежный; беспечный; 2) ненамеренный, неумышленный, нечаянный.

inalienability [ınˌeıljənəʹbılıtı] *n* неотчуждаемость; неотъемлемость.

inalienable [ınʹeıljənəbl] *a* неотчуждаемый; неотъемлемый.

inalterable [ınʹɔːltərəbl] *a* неизменный; не поддающийся изменению.

inamorata [ınˌæməʹrɑːtə] *ит. n* 1) влюблённая; 2) возлюбленная.

inamorato [ınˌæməʹrɑːtou] *ит. n* 1) влюблённый; 2) возлюбленный.

in-and-in [ʹınəndʹın] *a:* ~ breeding узкородственное размножение; браки между кровными родственниками.

in-and-out [ʹınəndʹaut] *a* 1) колебательный; ~ movement возвратно-поступательное движение; 2): ~ work непостоянная работа.

inane [ıʹneın] *a* 1) пустой; бессодержательный; 2) глупый, бессмысленный.

inanimate [ınʹænımıt] *a* 1) неодушевлённый, неживой; ~ matter неорганическое вещество; ~ nature неживая природа; 2) безжизненный, скучный.

inanimation [ınˌænıʹmeıʃən] *n* 1) неодушевлённость; 2) безжизненность.

inanition [ˌınəʹnıʃən] *n* 1) = inanity; 2) истощение; изнурение.

inanity [ıʹnænıtı] *n* 1) пустота; бессодержательность; 2) глупость, бессмысленность.

inapplicability [ʹınˌæplıkəʹbılıtı] *n* неприменимость; непригодность; несоответствие.

inapplicable [ınʹæplıkəbl] *a* неприменимый; непригодный; несоответствующий.

inapposite [ınʹæpəzıt] *a* неподходящий, неуместный.

inappreciable [ˌınəʹpriːʃəbl] *a* 1) незаметный; неуловимый; неощутимый; незначительный, не принимаемый в расчёт; 2) неоценимый, бесценный.

inappreciation [ˌınəˌpriːʃıʹeıʃən] *n* недооценка.

inapprehensible [ˌınæprıʹhensəbl] *a* непостижимый, непонятный.

inapproachable [ˌınəʹproutʃəbl] *a* неприступный; недоступный, недостижимый.

inappropriate [ˌınəʹprouprııt] *a* неуместный, неподходящий, несоответствующий.

inapt [ınʹæpt] *a* 1) неискусный, неспособный; 2) неподходящий.

inaptitude [ɪn'æptɪtjuːd] *n* 1) неспособность; неумение; 2) несоответствие.

inarch [ɪn'ɑːtʃ] *v* прививать (*растение*) сближением.

inarm [ɪn'ɑːm] *v поэт.* обнимать.

inartful [ɪn'ɑːtful] *a* неискусный.

inarticulate [ˌɪnɑː'tɪkjulɪt] *a* 1) нечленораздельный, невнятный; 2) молчаливый; 3) немой; 4) *анат.* несочленённый.

inartificial [ɪn,ɑːtɪ'fɪʃəl] *a* 1) неподдельный, натуральный; 2) естественный, безыскусственный.

inartistic [ˌɪnɑː'tɪstɪk] *a* 1) нехудожественный; 2) лишённый художественного чутья.

inasmuch [ɪnəz'mʌtʃ] *adv*: ~ as так как; ввиду того, что.

inattention [ˌɪnə'tenʃən] *n* невнимательность; невнимание.

inattentive [ˌɪnə'tentɪv] *a* невнимательный.

inaudibility [ɪn,ɔːdə'bɪlɪtɪ] *n* неслышимость, невнятность.

inaudible [ɪn'ɔːdəbl] *a* 1) неслышный, невнятный; 2) *тех.* бесшумный.

inaugural [ɪ'nɔːgjurəl] *a* вступительный; ~ address речь на торжественном открытии (выставки, музея *и т. п.*) или при вступлении в должность.

inaugurate [ɪ'nɔːgjureɪt] *v* 1) торжественно вводить в должность; 2) открывать (*памятник, выставку и т. п.*); 3) начинать; a policy ~d from... политика, исходящая из...

inauguration [ɪ,nɔːgju'reɪʃən] *n* 1) торжественное открытие; 2) вступление в должность; 3) *attr.*; I. Day день вступления в должность нового президента США.

inaurate [ɪ'nɔːreɪt] *a* 1) позлащённый; 2) отливающий золотом.

inauspicious [ˌɪnɔːs'pɪʃəs] *a* зловещий; предвещающий дурное; неблагоприятный.

in-between [ˌɪnbɪ'twiːn] **1.** *n* 1) промежуток; 2) посредник.
2. *a* промежуточный, переходный; ~ tints оттенки, промежуточные тона.

inboard ['ɪnbɔːd] *мор.* **1.** *a* расположенный, находящийся внутри судна.
2. *adv* внутри судна.

inborn ['ɪn'bɔːn] *a* врождённый, прирождённый; природный.

inbound ['ɪn'baund] *a* прибывающий, возвращающийся из плавания; приходящий *или* прилетающий из-за границы.

inbreak ['ɪnbreɪk] *n* вторжение; нашествие.

inbreathe ['ɪn'briːð] *v* 1) вдыхать; 2) *перен.* вдохнуть (*в кого-л. энергию, силы и т. п.*).

inbred ['ɪn'bred] *a* 1) = inborn; 2) рождённый от родителей, состоящих в родстве между собой.

inbreeding ['ɪn'briːdɪŋ] = in-and-in breeding [*см.* in-and-in].

incalculable [ɪn'kælkjuləbl] *a* 1) несчётный, неисчислимый; 2) не поддающийся учёту; 3) непредвиденный.

in-calf ['ɪn'kɑːf] *a* стельная (*о корове*).

incandesce [ˌɪnkæn'des] *v* накалять(ся) добела.

incandescence [ˌɪnkæn'desns] *n* 1) накал, накаливание; белое каление; 2) *перен.* жар, пыл.

incandescent [ˌɪnkæn'desnt] *a* 1) раскалённый, накалённый добела; получаемый от ламп накаливания (*о свете*); ~ mantle калильная сетка; ~ lamp лампа накаливания; 2) *перен.* пламенный.

incantation [ˌɪnkæn'teɪʃən] *n* 1) заклинание, магическая формула; 2) колдовство; чары.

incapability [ɪn,keɪpə'bɪlɪtɪ] *n* неспособность.

incapable [ɪn'keɪpəbl] *a* неспособный (of— к, на); ~ of (telling) a lie неспособный на ложь; ~ of improvement не поддающийся улучшению; drunk and ~ мертвецки пьян(ый).

incapacious [ɪnkə'peɪʃəs] *a* 1) тесный, невместительный; 2) узкий, ограниченный.

incapacitate [ˌɪnkə'pæsɪteɪt] *v* 1) делать неспособным *или* непригодным (for, from); 2) *воен.* выводить из строя; 3) лишать права; to be ~d from voting лишаться права голоса.

incapacity [ˌɪnkə'pæsɪtɪ] *n* 1) неспособность, несостоятельность (for); 2) неправоспособность.

incarcerate [ɪn'kɑːsəreɪt] *v* заключать в тюрьму; заточать.

incarceration [ɪn,kɑːsə'reɪʃən] *n* 1) заключение в тюрьму; 2) *мед.* ущемление (*грыжи*).

incarnadine [ɪn'kɑːnədaɪn] *поэт.* **1.** *a* алый, цвета крови; розовый.
2. *v* окрашивать в алый цвет.

incarnate 1. *a* [ɪn'kɑːnɪt] воплощённый; олицетворённый; virtue ~ воплощённая добродетель;
2. *v* ['ɪnkɑːneɪt] 1) воплощать, олицетворять; 2) осуществлять.

incarnation [ˌɪnkɑː'neɪʃən] *n* 1) воплощение, олицетворение; 2) *мед.* заживание; грануляция.

incase [ɪn'keɪs] = encase.

incautious [ɪn'kɔːʃəs] *a* неосторожный, опрометчивый.

incendiarism [ɪn'sendjərɪzəm] *n* 1) поджог; 2) подстрекательство.

incendiary [ɪn'sendjərɪ] **1.** *n* 1) поджигатель; 2) подстрекатель; 3) *воен.* зажигательная бомба; зажигательное вещество;
2. *a* 1) поджигающий; 2) подстрекающий, сеющий рознь; 3) *воен.* зажигательный.

incense I ['ɪnsens] *n* 1) ладан, фимиам; 2) воскурение фимиама, лесть; *attr.*: ~ burner курильница;
2. *v* кадить; курить фимиам.

incense II [ɪn'sens] *v уст.* сердить; приводить в ярость, негодование.

incensory ['ɪnsensərɪ] *n* кадильница, кадило.

incentive [ɪn'sentɪv] **1.** *n* побуждение; побудительный мотив;
2. *a* побудительный; ~ wage *амер.* прогрессивная система заработной платы.

incept [ɪn'sept] *v* 1) начинать; 2) сдавать экзамены на учёную степень (*в Кембриджском университете*).

inception [in'sepʃən] *n* 1) нача́ло; 2) получе́ние учёной сте́пени (*в Ке́мбриджском университе́те*).

inceptive [in'septiv] *a* нача́льный; начина́ющий; начина́ющийся, зарожда́ющийся; ~ verb *грам.* начина́тельный глаго́л.

incertitude [in'sətitjuːd] *n* неуве́ренность; неопределённость.

incessant [in'sesnt] *a* непрекраща́ющийся, непреры́вный, непреста́нный.

incest ['insest] *n* кровосмеше́ние.

incestuous [in'sestjuəs] *a* 1) кровосмеси́тельный; 2) вино́вный в кровосмеше́нии.

inch [intʃ] **1.** *n* 1) дюйм (= *2,5 см*); 2) *перен.* пядь; 3) *pl* высота́, рост; a man of your ~es челове́к ва́шего ро́ста; ◇ by ~es, ~ by ма́ло-пома́лу; every ~ a) вполне́, целико́м; б) вы́литый; настоя́щий; с головы́ до ног; to beat (*или* to flog) smb. within an ~ of his life изби́ть кого́-л. до полусме́рти; not to budge (*или* to yield) an ~ не уступи́ть ни на йо́ту; give him an ~ and he'll take an ell ≅ дай ему́ па́лец, он и всю ру́ку отку́сит;

2. *v* дви́гаться ме́дленно *или* осторо́жно; ☐ ~ along *амер. sl.* де́лать ме́дленные, но ве́рные успе́хи.

inchest [in'tʃest] *v* упако́вывать в я́щики.

inchmeal ['intʃmiːl] *adv* дюйм за дю́ймом; ма́ло-пома́лу; постепе́нно.

inchoate ['inkoueit] **1.** *a* 1) то́лько что на́чатый; 2) зача́точный; рудимента́рный;

2. *v* нача́ть, положи́ть нача́ло.

inchoative ['inkoueitiv] *грам.* **1.** *a* начина́тельный;

2. *n* начина́тельный глаго́л.

incidence ['insidəns] *n* 1) сфе́ра де́йствия, охва́т; what is the ~ of the tax? кто подлежи́т обложе́нию э́тим нало́гом?; кого́ каса́ется э́тот нало́г?; 2) паде́ние, накло́н, скос; 3) *ав.* у́гол ата́ки.

incident ['insidənt] **1.** *n* 1) слу́чай, случа́йность; происше́ствие, инциде́нт; 2) эпизо́д (*в поэ́ме, пье́се*);

2. *a* 1) сво́йственный, прису́щий (to); 2) случа́йный; несуще́ственный; 3) *физ.* па́дающий (upon—на).

incidental [,insi'dentl] **1.** *a* 1) случа́йный, несуще́ственный, побо́чный; 2) сво́йственный, прису́щий (to);

2. *n* эпизо́д, побо́чная ли́ния сюже́та.

incidentally [,insi'dentli] *adv* 1) случа́йно, несуще́ственно; 2) в да́нном слу́чае; 3) ме́жду про́чим.

incinerate [in'sinəreit] *v* сжига́ть; превраща́ть в пе́пел, испепеля́ть.

incineration [in,sinə'reiʃən] *n* сжига́ние; крема́ция.

incinerator [in'sinəreitə] *n* 1) мусоросжига́тельная ста́нция *или* печь; 2) печь для крема́ции.

incipiency [in'sipiənsi] *n* нача́ло; зарожде́ние; in ~ в заро́дыше.

incipient [in'sipiənt] *a* начина́ющийся, зарожда́ющийся; нача́льный; ~ cancer *мед.* рак в нача́льной ста́дии.

incise [in'saiz] *v* 1) де́лать разре́з; надреза́ть; 2) выреза́ть, насека́ть, гравирова́ть.

incision [in'siʒən] *n* 1) разре́з, надре́з; насе́чка; 2) *хим.* растворе́ние.

incisive [in'saisiv] *a* 1) ре́жущий; 2) о́стрый, проница́тельный; 3) ко́лкий, язви́тельный; 4) *хим.* растворя́ющий, разжижа́ющий.

incisor [in'saizə] *n* 1) резе́ц, пере́дний зуб; 2) *тех.* резе́ц.

incite [in'sait] *v* 1) возбужда́ть; подстрека́ть; 2) побужда́ть.

incitement [in'saitmənt] *n* 1) подстрека́тельство; возбужде́ние; 2) побужде́ние, сти́мул.

incivility [,insi'viliti] *n* неве́жливость, неучти́вость.

inclemency [in'klemənsi] *n* суро́вость, неприве́тливость (*кли́мата, пого́ды*).

inclement [in'klemənt] *a* суро́вый, холо́дный (*о кли́мате, пого́де*).

inclinable [in'klainəbl] *a* 1) скло́нный, располо́женный; 2) благоприя́тный.

inclination [,inkli'neiʃən] *n* 1) наклоне́ние, накло́н, укло́н, отко́с, скат; 2) отклоне́ние, склоне́ние (*магни́тной стре́лки*); 3) накло́нность, скло́нность (for, to).

incline [in'klain] **1.** *n* 1) накло́нная пло́скость, накло́н, скат; 2) склоне́ние (*ко́мпаса*); 3) *горн.* накло́нная ша́хта, бре́мсберг; 4) *воен.* ми́нный спуск;

2. *v* 1) наклоня́ть(ся), склоня́ть(ся); to ~ one's ear to smb. слу́шать кого́-л. благоскло́нно; 2) располага́ть (to—к); I am ~d to think я скло́нен ду́мать.

inclined [in'klaind] **1.** *p. p. от* incline 2; 2. *a* 1) располо́женный, скло́нный; ~ to corpulence предрасполо́женный к полноте́; 2) накло́нный; ~ plane накло́нная пло́скость.

inclinometer [,inkli'nɔmitə] *n ав.* крено́мер, уклоно́мер.

inclose [in'klouz] = enclose.

include [in'kluːd] *v* 1) заключа́ть, содержа́ть в себе́; 2) включа́ть.

including [in'kluːdiŋ] **1.** *pres. p. от* include;

2. *prep* включа́я, в том числе́.

inclusion [in'kluːʒən] *n* 1) включе́ние; 2) присоедине́ние.

inclusive [in'kluːsiv] *a* включа́ющий в себя́, содержа́щий; ~ terms цена́, в кото́рую включены́ все услу́ги (*в гости́нице и т. п.*).

incoagulability [,inkou,ægjulə'biliti] *n* несвёртываемость (*кро́ви*).

incoagulable [,inkou'ægjuləbl] *a* несвёртывающийся.

incog [in'kɔg] *сокр. разг. от* incognito.

incognita [in'kɔgnitə] *n ж. к* incognito.

incognito [in'kɔgnitou] **1.** *n* (*pl* -os [-ouz]) инко́гнито;

2. *a* инко́гнито, живу́щий под чужи́м и́менем.

3. *adv* инко́гнито, под чужи́м и́менем.

incognizable [in'kɔgnizəbl] *a* непознава́емый.

incognizant [in'kɔgnizənt] *a* не зна́ющий; не име́ющий никако́го представле́ния (of).

incoherence [,inkou'hiərəns] *n* несвя́зность; бессвя́зность; непосле́довательность.

incoherent [,ɪnkou'hɪərənt] *a* 1) несвязный; бессвязный; непоследовательный; 2) *горн.* рыхлый, несцементированный.

incombustibility ['ɪnkəm,bʌstə'bɪlɪtɪ] *n* несгораемость, невоспламеняемость, негорючесть.

incombustible [,ɪnkəm'bʌstəbl] *a* негорючий, невоспламеняемый, огнестойкий.

income ['ɪnkəm] *n* (периодический, *обыкн.* годовой) доход, приход; заработок; to live beyond one's ~ жить не по средствам; to live within one's ~ жить по средствам.

incomer ['ɪn,kʌmə] *n* 1) входящий; вошедший; вновь пришедший; 2) пришелец; иммигрант; 3) преемник.

income-tax ['ɪnkəmtæks] *n* подоходный налог.

incoming ['ɪn,kʌmɪŋ] **1.** *n* 1) вход; прибытие; 2) *pl* доходы.
2. *a* 1) наступающий; следующий; 2) вступающий; ~ tenant новый арендатор; 3) входящий, поступающий (*о платеже*).

incommensurability ['ɪnkə,menʃərə'bɪlɪtɪ] *n* несоизмеримость; несоразмерность; отсутствие пропорциональности.

incommensurable [,ɪnkə'menʃərəbl] *a* 1) несоизмеримый; несоразмерный; 2) *мат.* иррациональный; не имеющий общего множителя.

incommensurate [,ɪnkə'menʃərɪt] *a* 1) несоответствующий; 2) несоизмеримый (with, to—с); несоразмерный.

incommode [,ɪnkə'moud] *v* беспокоить, стеснять; мешать.

incommodious [,ɪnkə'moudjəs] *a* неудобный; тесный.

incommunicable [,ɪnkə'mjuːnɪkəbl] *a* 1) несообщаемый; непередаваемый; 2) не имеющий связи, сношения.

incommunicado [,ɪnkə,mjuːnɪ'kɑːdou] *a* 1) лишённый общения с людьми, отрезанный от внешнего мира; to hold ~ держать взаперти; 2) находящийся в одиночном заключении.

incommunicative [,ɪnkə'mjuːnɪ,keɪtɪv] *a* необщительный, замкнутый.

incommutable [,ɪnkə'mjuːtəbl] *a* 1) не поддающийся изменениям; 2) незаменяемый.

incompact [,ɪnkəm'pækt] *a* неплотный, некомпактный.

incomparable [ɪn'kɔmpərəbl] *a* 1) несравнимый (with, to—с); 2) несравнённый, бесподобный.

incompatibility ['ɪnkəm,pætə'bɪlɪtɪ] *n* несовместимость.

incompatible [,ɪnkəm'pætəbl] *a* несовместимый.

incompetence [ɪn'kɔmpɪtəns] *n* 1) некомпетентность; неспособность; 2) *юр.* неправоспособность.

incompetent [ɪn'kɔmpɪtənt] *a* 1) некомпетентный, несведущий; неспособный; неумелый; 2) *юр.* неправоспособный; 3) *геол.* непрочный, слабый (*о пласте*).

incomplete [,ɪnkəm'pliːt] *a* 1) неполный; 2) несовершенный, дефектный; 3) незавершённый, незаконченный.

incompliance [,ɪnkəm'plaɪəns] *n* 1) несогласие; 2) неуступчивость, неподатливость.

incomposite [ɪn'kɔmpəzɪt] *a* простой; ~ numbers простые числа.

incomprehensibility [ɪn,kɔmprɪhensə'bɪlɪtɪ] *n* непонятность, непостижимость.

incomprehensible [ɪn,kɔmprɪ'hensəbl] *a* непонятный, непостижимый.

incomprehension [ɪn,kɔmprɪ'henʃən] *n* непонимание.

incompressible [,ɪnkəm'presəbl] *a* несжимаемый, несжимающийся.

incomputable [,ɪnkəm'pjuːtəbl] *a* неисчислимый, бесчисленный.

inconceivability ['ɪnkən,siːvə'bɪlɪtɪ] *n* непостижимость.

inconceivable [,ɪnkən'siːvəbl] *a* 1) непостижимый, невообразимый; 2) физически невозможный; 3) *разг.* невероятный.

inconclusive [,ɪnkən'kluːsɪv] *a* 1) неубедительный; 2) нерешающий; 3) неокончательный.

incondensable [,ɪnkən'densəbl] *a* несжимаемый; несгущаемый.

incondite [ɪn'kɔndɪt] *a* плохо построенный, неотделанный (*о литературном произведении*).

incongruity [,ɪnkɔŋ'gruːɪtɪ] *n* 1) несоответствие, несовместимость; 2) неуместность.

incongruous [ɪn'kɔŋgruəs] *a* 1) несоответственный, несовместимый (with); 2) неуместный, нелепый.

inconsecutive [,ɪnkən'sekjutɪv] *a* непоследовательный.

inconsequence [ɪn'kɔnsɪkwəns] *n* непоследовательность.

inconsequent [ɪn'kɔnsɪkwənt] *a* 1) непоследовательный, нелогичный; 2) несвязный; 3) не относящийся к делу; неуместный; 4) маловажный.

inconsequential [ɪn,kɔnsɪ'kwenʃəl] *a* 1) непоследовательный; 2) несущественный; не имеющий значения; маловажный.

inconsiderable [,ɪnkən'sɪdərəbl] · *a* незначительный, неважный.

inconsiderate [,ɪnkən'sɪdərɪt] *a* 1) необдуманный, неосмотрительный, опрометчивый; 2) невнимательный к другим.

inconsistence, -cy [,ɪnkən'sɪstəns, -sɪ] *n* несовместимость, несообразность *и пр.* [*см.* inconsistent].

inconsistent [,ɪnkən'sɪstənt] *a* 1) несовместимый, несообразный (with); 2) непоследовательный, противоречивый; 3) неустойчивый, изменчивый.

inconsolable [,ɪnkən'souləbl] *a* безутешный; неутешный.

inconsonant [ɪn'kɔnsənənt] *a* несозвучный, негармонирующий (with, to).

inconspicuous [,ɪnkən'spɪkjuəs] *a* не привлекающий внимания, незаметный, неприметный.

inconstancy [ɪn'kɔnstənsɪ] *n* 1) непостоянство, изменчивость; 2) нерегулярность.

inconstant [ɪn'kɔnstənt] *a* 1) непостоянный, неустойчивый, изменчивый; 2) нерегулярный.

inconsumable [ˌɪnkən'sjuːməbl] *a* 1) неистребимый; 2) не предназначенный для потребления.

incontestable [ˌɪnkən'testəbl] *a* неоспоримый, неопровержимый.

incontinence, -cy [ɪn'kɔntɪnəns, -sɪ] *n* 1) несдержанность; 2) невоздержанность (*особ.* половая); 3) *мед.* недержание.

incontinent [ɪn'kɔntɪnənt] *a* 1) несдержанный (of); 2) невоздержанный; 3) *мед.* страдающий недержанием.

incontinently [ɪn'kɔntɪnəntlɪ] *adv* 1) несдержанно; 2) тотчас, немедленно.

incontrovertible ['ɪnkɔntrə'vəːtəbl] *a* неоспоримый, неопровержимый, несомненный, бесспорный.

inconvenience, [ˌɪnkən'viːnjəns] 1. *n* неудобство, беспокойство;
2. *v* причинять неудобство, беспокоить.

inconvenient [ˌɪnkən'viːnjənt] *a* 1) неудобный; беспокойный, затруднительный; неловкий; if not ~ to you если вас не затруднит; 2) *уст.* неподходящий; неприличный.

inconversable [ˌɪnkən'vəːsəbl] *a* неразговорчивый, необщительный.

inconversant [ˌɪnkən'vəːsənt] *a* несведущий.

inconvertible [ˌɪnkən'vəːtəbl] *a* 1) не подлежащий обмену (*на золото*); неразменный; 2) не поддающийся превращению; 3) необратимый.

inconvincible [ˌɪnkən'vɪnsəbl] *a* не поддающийся убеждению.

incoordination [ˌɪnkouɔːdɪ'peɪʃən] *n* отсутствие координации, несогласованность.

incorporate 1. *a* [ɪn'kɔːrərɪt] соединённый, объединённый;
2. *v* [ɪn'kɔːrəreɪt] 1) соединять(ся), объединять(ся); включать (в состав); 2) регистрировать, легализировать (*общество*); 3) принимать, включать в число членов; 4) смешивать(ся) (with).

incorporation [ɪnˌkɔːrə'reɪʃən] *n* 1) объединение; 2) корпорация.

incorporeal [ˌɪnkɔː'pɔːrɪəl] *a* бестелесный; невещественный.

incorrect [ˌɪnkə'rekt] *a* 1) неправильный, неверный; 2) неисправный; 3) некорректный; 4) неточный; ~ tuning *радио* неточная настройка.

incorrigibility [ɪnˌkɔrɪdʒə'bɪlɪtɪ] *n* неисправимость.

incorrigible [ɪn'kɔrɪdʒəbl] *a* неисправимый.

incorrodible, incorrosible [ˌɪnkə'roudəbl, ˌɪnkə'rouzɪbl] *a тех.* не поддающийся коррозии, неразъедаемый.

incorrupt [ˌɪnkə'rʌpt] *a* 1) неиспорченный; чистый, неразвращённый; 2) неподкупный.

incorruptibility ['ɪnkəˌrʌptə'bɪlɪtɪ] *n* 1) неподверженность порче; 2) неподкупность.

incorruptible [ˌɪnkə'rʌptəbl] *a* 1) непортящийся; 2) нетленный; 3) неподкупный.

increase 1. *n* ['ɪnkriːs] возрастание, рост; увеличение, прибавление, размножение; прирост; to be on the ~ расти, увеличиваться;

2. *v* [ɪn'kriːs] возрастать, увеличивать(ся); расти; усиливать(ся); to ~ one's pace ускорять шаг.

incredibility [ɪnˌkredɪ'bɪlɪtɪ] *n* неправдоподобие, невероятность.

incredible [ɪn'kredəbl] *a* неправдоподобный, невероятный.

incredulity [ˌɪnkrɪ'djuːlɪtɪ] *n* недоверчивость.

incredulous [ɪn'kredjuləs] *a* недоверчивый, скептический; I was ~ я не верил.

incremate ['ɪnkrɪmeɪt] *v* кремировать, сжигать трупы.

incremation [ˌɪnkrɪ'meɪʃən] *n* кремация.

increment ['ɪnkrɪmənt] *n* 1) возрастание, увеличение; 2) приращение, прирост; 3) прибыль; 4) *ритор.* нарастание; 5) *мат.* бесконечно малое приращение; инкремент; дифференциал.

incretion [ɪn'kriːʃən] *n* 1) внутренняя секреция; 2) продукт внутренней секреции; гормон.

incretology [ˌɪnkrɪ'tɔlədʒɪ] *n* эндокринология, учение о железах внутренней секреции.

incriminate [ɪn'krɪmɪneɪt] *v* обвинять в преступлении, инкриминировать.

incriminatory [ɪn'krɪmɪnətərɪ] *a* обвинительный.

incrustation [ˌɪnkrʌs'teɪʃən] *n* 1) образование коры, корки; 2) кора, корка; 3) инкрустация; 4) образование накипи; 5) накипь, котельный камень.

incubate ['ɪnkjubeɪt] *v* 1) высиживать, выводить (*цыплят*), сидеть (*на яйцах*); 2) разводить, выращивать (*бактерии и т. п.*); 3) вынашивать (*мысль, идею*).

incubation [ˌɪnkju'beɪʃən] *n* 1) высиживание (*цыплят*); инкубация (*тж.* artificial ~); 2) разведение, выращивание (*бактерий и т. п.*); 3) *мед.* инкубационный период.

incubative ['ɪnkjuˌbeɪtɪv] = incubatory.

incubator ['ɪnkjubeɪtə] *n* инкубатор.

incubatory ['ɪnkjuˌbeɪtərɪ] *a* 1) инкубаторный; 2) инкубационный.

incubus ['ɪnkjubəs] *n* 1) *миф.* злой дух; 2) кошмар.

inculcate ['ɪnkʌlkeɪt] *v* 1) внедрять, внушать, прививать, вселять (on, upon, in); 2) запечатлевать.

inculcation [ˌɪnkʌl'keɪʃən] *n* внедрение, насаждение, внушение.

inculpate ['ɪnkʌlpeɪt] *v* 1) обвинять; порицать; 2) изобличать.

inculpation [ˌɪnkʌl'peɪʃən] *n* 1) обвинение; 2) изобличение.

inculpatory [ɪn'kʌlpətərɪ] *a* обвинительный.

incumbency [ɪn'kʌmbənsɪ] *n* 1) (воз)лежание; 2) долг, обязанность; 3) *церк.* бенефиций, пользование бенефицием.

incumbent [ɪn'kʌmbənt] *n* 1) пользующийся бенефицием священник; 2) *редк.* лицо, занимающее должность;

2. *a* 1) (воз)лежащий (on, upon — на); налегающий всей тяжестью; 2) лежащий, возложенный как долг, обязанность; it is ~ on you... на вас лежит обязанность..., ваш долг...

incunabula [ˌɪŋkjuːˈnæbjulə] *лат. n pl* инкунабулы (*первопечатные книги до 1500 г.*).

incur [ɪnˈkəː] *v* подвергаться (*чему-л.*); навлечь на себя; to ~ debts наделать долгов; to ~ losses a) потерпеть убытки; б) *воен.* понести потери.

incurability [ɪnˌkjuərəˈbɪlɪtɪ] *n* 1) неизлечимость; 2) неискоренимость.

incurable [ɪnˈkjuərəbl] *a* 1) неизлечимый, неисцелимый; 2) неискоренимый.

incuriosity [ɪnˌkjuərɪˈɔsɪtɪ] *n* отсутствие любопытства.

incurious [ɪnˈkjuərɪəs] *a* 1) нелюбопытный; 2) невнимательный, безразличный; ◇ not ~ небезынтересный.

incursion [ɪnˈkəːʃən] *n* 1) вторжение, нашествие; 2) внезапное нападение, налёт, набег; 3) *геол.* наступление (*моря*).

incurvation [ˌɪnkəːˈveɪʃən] *n* 1) сгибание; 2) изгиб, кривизна, выгиб.

incurvature [ɪnˈkəːvətʃə] = incurvation.

incurve [ˈɪnˈkəːv] *v* 1) сгибаться (*внутрь*); 2) выгибать(ся); загибать (*внутрь*).

incus [ˈɪŋkəs] *n анат.* наковальня (*косточка во внутреннем ухе*).

incuse [ɪnˈkjuːz] 1. *n* вычеканенное изображение; 2. *a* выбитый, вычеканенный; 3. *v* выбивать (*изображение на монете и т. п.*), чеканить.

incut [ˈɪnkʌt] 1. *n* врезка, вставка; 2. *a* врезанный, вставленный.

indebted [ɪnˈdetɪd] *a* находящийся в долгу (*у кого-л.*), должный, обязанный (*кому-л.*; to).

indebtedness [ɪnˈdetɪdnɪs] *n* 1) задолженность; 2) сумма долга; 3) чувство обязанности (*по отношению к кому-л.*; to).

indecency [ɪnˈdiːsnsɪ] *n* неприличие, непристойность.

indecent [ɪnˈdiːsnt] *a* 1) неприличный; непристойный; 2) неподобающий, неблаговидный; 3) неблагородный, подлый.

indecipherable [ˌɪndɪˈsaɪfərəbl] *a* 1) не поддающийся расшифровке; 2) неразборчивый, нечёткий.

indecision [ˌɪndɪˈsɪʒən] *n* нерешительность, колебание.

indecisive [ˌɪndɪˈsaɪsɪv] *a* 1) нерешительный, колеблющийся; 2) нерешающий, неокончательный; 3) неопределённый, неясный.

indeclinable [ˌɪndɪˈklaɪnəbl] *a грам.* несклоняемый.

indecomposable [ˈɪnˌdiːkəmˈpouzəbl] *a* 1) неразложимый; 2) неразлагающийся; 3) нерастворимый.

indecorous [ɪnˈdekərəs] *a* 1) нарушающий приличия, некорректный; дурного вкуса; 2) *редк.* непристойный.

indecorum [ˌɪndɪˈkɔːrəm] *n* нарушение приличий, неприличие.

indeed [ɪnˈdiːd] *adv* 1) в самом деле, действительно; 2) *служит для усиления, подчёркивания*: very glad ~ очень, очень рад; yes, ~ да, да!; ну да!; I may ~, be wrong допускаю, что я, может быть, неправ; 3) неужели!; да ну!; ну и ну!

indefatigable [ˌɪndɪˈfætɪgəbl] *a* 1) неутомимый; 2) неослабный.

indefeasible [ˌɪndɪˈfiːzəbl] *a* 1) неотъемлемый; 2) нерушимый, непреложный.

indefectible [ˌɪndɪˈfektəbl] *a* безупречный, совершенный.

indefensibility [ˌɪndɪˌfensəˈbɪlɪtɪ] *n* невозможность защищать, оборонять.

indefensible [ˌɪndɪˈfensəbl] *a* 1) незащищённый; непригодный для обороны; 2) не могущий быть оправданным; 3) недоказуемый.

indefinable [ˌɪndɪˈfaɪnəbl] *a* неопределимый.

indefinably [ˌɪndɪˈfaɪnəblɪ] *adv* расплывчато, неопределённо.

indefinite [ɪnˈdefɪnɪt] *a* 1) неопределённый (*тж. грам.*); неясный; 2) неограниченный.

indelibility [ɪnˌdelɪˈbɪlɪtɪ] *n* неизгладимость.

indelible [ɪnˈdelɪbl] *a* 1) несмываемый; нестираемый; ~ pencil химический карандаш; ~ disgrace несмываемый позор; 2) неизгладимый.

indelicacy [ɪnˈdelɪkəsɪ] *n* неделикатность, бестактность; нескромность.

indelicate [ɪnˈdelɪkɪt] *a* неделикатный, нетактичный; бестактный; нескромный.

indemnification [ɪnˌdemnɪfɪˈkeɪʃən] *n* возмещение, компенсация.

indemnify [ɪnˈdemnɪfaɪ] *v* 1) обезопасить, застраховать (from, against—от); 2) гарантировать безнаказанность, освободить от наказания (for—за); 3) компенсировать, возмещать (for).

indemnity [ɪnˈdemnɪtɪ] *n* 1) гарантия от убытков, потерь; 2) гарантия безнаказанности; Act of I. закон об амнистии; 3) возмещение, компенсация; 4) контрибуция.

indemonstrable [ɪnˈdemənstrəbl] *a* 1) недоказуемый; 2) не требующий доказательства.

indent [ɪnˈdent] 1. *n* [*тж.* ˈɪndent] 1) зазубрина, зубец; выемка, вырез; 2) документ с дубликатом, отделяющимся по линии отреза; 3) ордер, официальное требование (*на товары и т. п.*); 4) *амер.* купон; 5) заказ на товары; 6) *полигр.* абзац; отступ; 7) клеймо, отпечаток; 2. *v* 1) зазубривать; выдалбливать, вырезывать; насекать; 2) составлять документ с дубликатом (*особ.* отделённым линией отреза); 3) предъявлять требование, выписывать ордер (upon—*кому-л.*; for—на *что-л.*); 4) реквизировать; 5) *полигр.* делать абзац; отступ.

indentation [ˌɪndenˈteɪʃən] *n* 1) вырезывание в виде зубцов; 2) зубец, вырез; извилина, углубление берега *и т. п.*; 3) вдавливание; вмятина; отпечаток.

indented [ɪnˈdentɪd] 1. *p. p. om* indent 2; 2. *a* 1) зазубренный, зубчатый; an ~ coastline изрезанная береговая линия; 2) *полигр.* с отступом.

indention [ɪnˈdenʃən] *n* 1) *полигр.* абзац; отступ; 2) = indentation.

indenture [ɪnˈdenʃə] 1. *n* 1) = indent 1, 2); 2) соглашение, контракт в двух экземплярах; договор между учеником и хозяином; to take up one's ~ закончить ученичество, службу; 3) вырез, зазубрина; 4) *attr.*: ~ system скрытая форма принудительного труда; система кабальных договоров при вербовке и вывозе рабочих;

2. *v* связывать договором.

independence [,ındı'pendəns] *n* 1) независимость, самостоятельность; I. Day день провозглашения независимости США (*4 июля*); 2) самостоятельный доход; состояние, средства.

independency [,ındı'pendənsı] *n* 1) независимое государство; 2) (I.) = Congregationalism; 3) *редк.* = independence.

independent [,ındı'pendənt] 1. *a* 1) независимый, самостоятельный; не зависящий (of—от); 2) имеющий самостоятельный доход; обладающий состоянием; 3) непредубеждённый;

2. *n полит.* «независимый».

indescribable [,ındıs'kraıbəbl] *a* неописуемый.

indestructibility ['ındıs,trʌktə'bılıtı] *n* неразрушимость; law of ~ of matter закон неуничтожимости материи.

indestructible [,ındıs'trʌktəbl] *a* неразрушимый.

indeterminable [,ındı'tə:mınəbl] *a* 1) неопределимый; 2) неразрешимый (*о споре и т. п.*).

indeterminate [,ındı'tə:mınıt] *a* 1) неопределённый; 2) неопределимый; неясный; сомнительный; 3) нерешённый, неокончательный.

indetermination ['ındı,tə:mı'neıʃən] *n* 1) неопределённость; 2) нерешительность.

index ['ındeks] 1. *n (pl -xes [-ksız]*, indices) 1) индекс, указатель; ~ of cost of living индекс прожиточного минимума; 2) стрелка (*на приборах*); 3) алфавитный указатель; 4) указательный палец (*тж.* ~ finger); 5) полигр. индекс (*вырез для кончика пальца в обрезе справочного издания*); 6) *мат.* показатель степени; 7) *attr.*: ~ number *эк.* индекс;

2. *v* 1) снабжать указателем; 2) составлять указатель, заносить в указатель.

Indiaman ['ındjəmæn] *n* судно для торговли с Индией, *особ. ист.* судно Ост-Индской компании.

Indian ['ındjən] 1. *a* 1) индийский; ~ civilian гражданский чиновник в Индии; 2) индейский (*относящийся к амер. индейцам*); ~ weed табак;

2. *n* 1) индиец; 2) индеец (*Сев. и Южн. Америки*); 3) европеец, долго живший в Индии.

Indian blue ['ındjən'blu:] *n* индиго.

Indian cane ['ındjən'keın] *n* бамбук.

Indian club ['ındjən'klʌb] *n* деревянная дубинка для гимнастических упражнений, булава.

Indian corn ['ındjən'kɔ:n] *n* майс, кукуруза.

Indian file ['ındjən'faıl] *n воен.* колонна по одному, змейка; in ~ гуськом.

Indian ink ['ındjən'ıŋk] *n* (китайская) тушь.

Indian summer ['ındjən'sʌmə] *n* золотая осень; «бабье лето».

India paper ['ındjə'peıpə] *n* 1) китайская бумага; 2) тонкая печатная бумага.

india-rubber ['ındjə'rʌbə] *n* 1) каучук, резина; 2) резинка для стирания.

indicate ['ındıkeıt] *v* 1) показывать, указывать; 2) служить признаком; означать; 3) *мед.* требовать (*лечения, ухода*); 4) *тех.* измерять мощность машины индикатором, проверять индикатором.

indicated ['ındıkeıtıd] 1. *p. p. om* indicate; 2. *a* номинальный, индикаторный; ~ horsepower индикаторная мощность.

indication [,ındı'keıʃən] *n* 1) указание; 2) показание, отсчёт (*прибора*); 3) симптом, знак; 4) показания (*для применения данного средства*).

indicative [ın'dıkətıv] 1. *a* 1) [*тж.* 'ındıkeıtıv] указывающий, показывающий (of—на); to be ~ of smth. служить признаком чего-л.; 2) *грам.* изъявительный; 2. *n грам.* изъявительное наклонение.

indicator ['ındıkeıtə] *n* 1) индикатор; 2) указатель; 3) счётчик; 4) стрелка (*циферблата и т. п.*).

indicator-diagram ['ındıkeıtə'daıəgræm] *n* индикаторная диаграмма.

indicatory [ın'dıkətərı] *a* указательный, указывающий.

indices ['ındısı:z] *pl om* index 1.

indict [ın'daıt] *v* предъявлять обвинение; to be ~ed for theft (*или* on a charge of theft) быть обвинённым в краже.

indictable [ın'daıtəbl] *a* подлежащий судебному преследованию.

indictee [,ındaı'ti:] *n* обвиняемый (*на судебном процессе*).

indictment [ın'daıtmənt] *n* обвинительный акт; bill of ~ обвинительный акт для предварительного предъявления присяжным.

indifference [ın'dıfrəns] *n* 1) безразличие, равнодушие (to, towards); 2) нейтральность, нейтральная позиция; 3) незначительность, маловажность; a matter of ~ незначительное, несерьёзное дело; пустяк; 4) посредственность.

indifferent [ın'dıfrənt] *a* 1) безразличный, равнодушный (to); 2) нейтральный; незаинтересованный, беспристрастный; 3) незначительный, маловажный; 4) посредственный.

indifferently [ın'dıfrəntlı] *adv* 1) равнодушно, безразлично; 2) посредственно, скверно; 3) *уст.* беспристрастно.

indigence ['ındıdʒəns] *n* нужда, бедность.

indigene ['ındıdʒi:n] *n* 1) туземец; 2) местное животное *или* растение.

indigenous [ın'dıdʒınəs] *a* туземный; местный.

indigent ['ındıdʒənt] *a* нуждающийся, бедный.

indigested [,ındı'dʒestıd] *a* 1) непереваренный; 2) непродуманный, неусвоенный; 3) бесформенный; хаотический.

indigestible [,ındı'dʒestəbl] *a* неудобоваримый.

indigestion [ˌɪndɪ'dʒestʃən] *n* несваре́ние, расстро́йство желу́дка.

indigestive [ˌɪndɪ'dʒestɪv] *a* 1) страда́ющий расстро́йством пищеваре́ния; 2) вызыва́ющий расстро́йство пищеваре́ния.

indignant [ɪn'dɪgnənt] *a* негоду́ющий, возмущённый (at *smth.*; with *smb.*).

indignantly [ɪn'dɪgnəntlɪ] *adv* с негодова́нием; возмущённо.

indignation [ˌɪndɪg'neɪʃən] *n* негодова́ние, возмуще́ние (at *smth.*; with *smb.*).

indignity [ɪn'dɪgnɪtɪ] *n* пренебреже́ние; оскорбле́ние; униже́ние (кого́-л.), униже́ние (чьего́-л.) досто́инства; to put indignities upon smb. подве́ргнуть кого́-л. оскорбле́ниям.

indigo ['ɪndɪgou] *n* (*pl* -os [-ouz]) 1) инди́го (*растение и краска*); 2) си́ний цвет (*один из цветов спектра*).

indigo blue ['ɪndɪgou'bluː] *n* си́не-фиоле́товый цвет.

indirect [ˌɪndɪ'rekt] *a* 1) непрямо́й; око́льный; ~ fire *воен.* стрельба́ непрямо́й наво́дкой; ~ light отражённый свет; ~ lighting отражённое освеще́ние; ~ elections многосте́пенные вы́боры; 2) укло́нчивый; 3) ко́свенный; ~ taxation ко́свенное налогообложе́ние; 4) *грам.* ко́свенный; ~ speech ко́свенная речь; ~ object ко́свенное дополне́ние; ~ побо́чный; an ~ result побо́чный, дополни́тельный результа́т.

indirection [ˌɪndɪ'rekʃən] *n*: by ~ ко́свенно.

indiscernible [ˌɪndɪ'sɜːnəbl] *a* неразличи́мый; непримётный.

indiscipline [ɪn'dɪsɪplɪn] *n* недисциплини́рованность.

indiscreet [ˌɪndɪs'kriːt] *a* 1) неблагоразу́мный; 2) неосторо́жный; 3) несде́ржанный; нескро́мный.

indiscrete [ɪn'dɪskriːt] *a* нерасчленённый на ча́сти, компа́ктный, одноро́дный.

indiscretion [ˌɪndɪs'kreʃən] *n* 1) неблагоразу́мный посту́пок; to commit an ~ соверши́ть неблагоразу́мный посту́пок; 2) неосторо́жность; 3) нескро́мность; 4) неве́жливость, неучти́вость.

indiscriminate [ˌɪndɪs'krɪmɪnɪt] *a* 1) неразбо́рчивый, не де́лающий разли́чий; о́гульный; 2) беспоря́дочный, сме́шанный.

indiscrimination ['ɪndɪsˌkrɪmɪ'neɪʃən] *n* 1) неуме́ние разбира́ться, различа́ть; 2) неразбо́рчивость.

indispensable [ˌɪndɪs'pensəbl] *a* 1) необходи́мый (to, for); 2) обяза́тельный, не допуска́ющий исключе́ний (*о законе и т. п.*).

indispose [ˌɪndɪs'pouz] *v* 1) не располага́ть, отвраща́ть (towards, from); 2) восстана́вливать, настра́ивать (*против кого́-л., чего́-л.*); 3) де́лать непри́годным, неспосо́бным (for—к); 4) (*особ. p. p.*) вызыва́ть недомога́ние; he is ~d он нездоро́в.

indisposition [ˌɪndɪspə'zɪʃən] *n* 1) нездоро́вье, недомога́ние; 2) нежела́ние; 3) нерасположе́ние, отвраще́ние (to, towards).

indisputability ['ɪndɪspjuːtə'bɪlɪtɪ] *n* неоспори́мость, беccпо́рность.

indisputable [ˌɪndɪs'pjuːtəbl] *a* неоспори́мый, беccпо́рный.

indissoluble [ˌɪndɪ'sɔljubl] *a* 1) нерастворимый, неразложи́мый; 2) неразры́вный, неруши́мый, про́чный.

indistinct [ˌɪndɪs'tɪŋkt] *a* 1) нея́сный, неотчётливый; сму́тный; 2) невня́тный.

indistinctive [ˌɪndɪs'tɪŋktɪv] *a* неотличи́тельный, нехаракте́рный.

indistinguishable [ˌɪndɪs'tɪŋgwɪʃəbl] *a* неразличи́мый.

indite [ɪn'daɪt] *v* 1) сочиня́ть, выража́ть в слова́х; 2) писа́ть (*письмо и т. п.; обыкн. шутл.*).

indium ['ɪndɪəm] *n хим.* и́ндий.

indivertible [ˌɪndɪ'vɜːtəbl] *a* неотврати́мый.

individual [ˌɪndɪ'vɪdjuəl] 1. *a* 1) ли́чный, индивидуа́льный; 2) характе́рный, осо́бенный; 3) отде́льный, еди́ничный, ча́стный; ~ peasant крестья́нин-единоли́чник; ~ fire *воен.* одино́чный ого́нь.
2. *n* 1) индиви́дуум; о́собь; 2) ли́чность, челове́к; an agreeable ~ прия́тный челове́к.

individualistic [ˌɪndɪˌvɪdjuə'lɪstɪk] *a* индивидуалисти́ческий.

individuality [ˌɪndɪˌvɪdju'ælɪtɪ] *n* 1) индивидуа́льность; 2) *филос.* отде́льное бытие́.

individualization [ˌɪndɪˌvɪdjuəlaɪ'zeɪʃən] *n* индивидуализа́ция, обособле́ние.

individualize [ˌɪndɪ'vɪdjuəlaɪz] *v* 1) индивидуализи́ровать, придава́ть индивидуа́льный хара́ктер; 2) подро́бно, дета́льно определя́ть.

indivisibility ['ɪndɪˌvɪzɪ'bɪlɪtɪ] *n* недели́мость.

indivisible [ˌɪndɪ'vɪzəbl] 1. *a* недели́мый, бесконе́чно ма́лый.
2. *n* не́что недели́мое, бесконе́чно ма́лое.

Indo-Chinese ['ɪndout̚ʃaɪ'niːz] *a* индокита́йский.

indocile [ɪn'dousaɪl] *a* 1) непоко́рный, непослу́шный; 2) трудновоспиту́емый.

indocility [ˌɪndou'sɪlɪtɪ] *n* непоко́рность и пр. [*см.* indocile].

indoctrinate [ɪn'dɔktrɪneɪt] *v* 1) знако́мить с како́й-л. тео́рией, каки́м-л. уче́нием; 2) внуша́ть (*мысли, мнение;* with).

indoctrinated [ɪn'dɔktrɪneɪtɪd] 1. *p. p. от* indoctrinate;
2. *a* прони́кнутый како́й-л. доктри́ной.

indoctrination [ɪnˌdɔktrɪ'neɪʃən] *n* 1) обуче́ние; 2) внуше́ние иде́й.

Indo-European ['ɪndouˌjuərə'piːən] *a* индоевропе́йский.

indolence ['ɪndələns] *n* 1) ле́ность; пра́здность; 2) вя́лость.

indolent ['ɪndələnt] *a* 1) лени́вый; пра́здный; 2) вя́лый; 3) *мед.* безболе́зненный.

indomitable [ɪn'dɔmɪtəbl] *a* 1) неукроти́мый; 2) упря́мый, упо́рный.

Indonesian [ˌɪndou'niːzjən] 1. *a* индонези́йский;
2. *n* индонези́ец; индонези́йка.

indoor ['ɪndɔː] *a* находя́щийся *или* происходя́щий внутри́ до́ма; ко́мнатный, вну́тренний; ~ games ко́мнатные и́гры; ~ aerial *радио* ко́мнатная анте́нна; ~ relief по́мощь, ока́зываемая бедняка́м в рабо́тном до́ме.

indoors ['ɪn'dɔːz] *adv* внутри́ до́ма; в помеще́нии; to stay (*или* to keep) ~ остава́ться до́ма, не выходи́ть.

indorsation [,ɪndɔː'seɪʃən] = endorsement.

indorse [ɪn'dɔːs] = endorse.

indorsee [,ɪndɔː'siː] *n ком.* индосса́т.

indorsement [ɪn'dɔːsmənt] = endorsement.

indraft, indraught ['ɪndrɑːft] *n* прито́к; пото́к (*воздуха, жидкости—внутрь*).

indrawn ['ɪn'drɔːn] *a* втя́нутый; напра́вленный внутрь.

indubitable [ɪn'djuːbɪtəbl] *a* несомне́нный.

induce [ɪn'djuːs] *v* 1) убежда́ть, побужда́ть, склоня́ть, заставля́ть; to ~ smb. to do smth. заста́вить кого́-л. сде́лать что́-л.; 2) вызыва́ть; стимули́ровать; 3) *эл.* индукти́ровать; 4) *лог.* выводи́ть умозаключе́ние (путём инду́кции).

induced [ɪn'djuːst] 1. *p. p. om* induce; 2. *a* вы́нужденный; ~ draught иску́сственная тя́га.

inducement [ɪn'djuːsmənt] *n* 1) побужде́ние, побужда́ющий моти́в; сти́мул; 2) прима́нка.

induct [ɪn'dʌkt] *v* 1) официа́льно вводи́ть в до́лжность; 2) *амер. воен.* зачисля́ть на слу́жбу; 3) уса́живать, водворя́ть (into); 4) вводи́ть (*в курс дел*); посвяща́ть; 5) вовлека́ть; 6) = induce 3).

inductance [ɪn'dʌktəns] *n эл.* 1) индукти́вность; (само)инду́кция; 2) коэффицие́нт (само)инду́кции.

inductee [,ɪndʌk'tiː] *n амер.* при́званный на вое́нную слу́жбу, новобра́нец.

inductile [ɪn'dʌktaɪl] *a* нетягу́чий, нековкий (*о металле*).

induction [ɪn'dʌkʃən] *n* 1) вступле́ние, введе́ние; 2) официа́льное введе́ние в до́лжность; 3) *амер. воен.* зачисле́ние на слу́жбу (*по призы́ву*); 4) *лог.* инду́кция индукти́вный ме́тод; 5) *эл.* инду́кция; 6) *тех.* впуск.

induction-coil [ɪn'dʌkʃənkɔɪl] *n эл.* индукцио́нная кату́шка, кату́шка самоинду́кции.

induction-valve [ɪn'dʌkʃən,vælv] *n тех.* впускно́й кла́пан.

inductive [ɪn'dʌktɪv] *a* 1) *лог.* индукти́вный; 2) *эл.* индукцио́нный; индукти́вный; 3) вса́сывающий.

inductor [ɪn'dʌktə] *n эл.* инду́ктор.

indue [ɪn'djuː] = endue.

indulge [ɪn'dʌldʒ] *v* 1) позволя́ть себе́ удово́льствие; предава́ться удово́льствиям; дава́ть себе́ во́лю (*в чём-л.*); to ~ in bicycling увлека́ться ездо́й на велосипе́де; to ~ in a cigar (in a nap) с удово́льствием вы́курить сига́ру (вздремну́ть); 2) *разг.* си́льно пить; I'm afraid he ~s too much я бою́сь, что он злоупотребля́ет спиртны́м; 3) доставля́ть удово́льствие; he ~d the company with a song он доста́вил всем удово́льствие свои́м пе́нием; 4) быть снисходи́тельным, потво́рствовать, балова́ть, по́ртить; you can't ~ every creature на всех не угоди́шь; 5) *ком.* дать отсро́чку платежа́ по ве́кселю.

indulgence [ɪn'dʌldʒəns] *n* 1) снисхожде́ние, снисходи́тельность; терпи́мость; Decla-

ration of I. *ист.* деклара́ция религио́зной терпи́мости; 2) потво́рство; потака́ние; побла́жка; 3) потво́рство свои́м жела́ниям, потака́ние свои́м сла́бостям; 4) привиле́гия, ми́лость; 5) *церк.* индульге́нция, отпуще́ние грехо́в; 6) *ком.* отсро́чка платежа́.

indulgent [ɪn'dʌldʒənt] *a* 1) снисходи́тельный; терпи́мый; 2) потво́рствующий.

indulgently [ɪn'dʌldʒəntlɪ] *adv* снисходи́тельно; ми́лостиво.

indumentum [,ɪndjuː'mentəm] *n* 1) опере́ние; 2) *бот.* волосяно́й покро́в.

indurate ['ɪndjuəreɪt] *v* 1) де́лать(ся) твёрдым, отвердева́ть; 2) де́лать(ся) бесчу́вственным, чёрствым.

induration [,ɪndjuə'reɪʃən] *n* 1) отвердéние, затвердéние; 2) огрубéние; чёрствость.

industrial [ɪn'dʌstrɪəl] 1. *a* 1) промы́шленный, индустриа́льный; ~ capital промы́шленный капита́л; ~ goods промы́шленные изде́лия; ~ plant промы́шленное предприя́тие; ~ classes тру́женики, рабо́чий класс; ~ wealth бога́тство, образова́вшееся в промы́шленности (*в противополо́жность торго́вле, се́льскому хозя́йству и т. п.*); the ~ revolution *ист.* промы́шленный переворо́т; 2) произво́дственный; ~ union рам. произво́дственный профсою́з; ~ accidents несча́стные слу́чаи на произво́дстве; ~ sanitation фабри́чно-заводска́я санитари́я; ~ school реме́сленное учи́лище; реме́сленная шко́ла для беспризо́рных дете́й *или* правонаруши́телей); 3) употребля́емый для промы́шленных це́лей; ~ crops *с.-х.* техни́ческие культу́ры; ~ plant техни́ческое расте́ние; ~ wood пиломатериа́лы; ~ tractor тра́нспортный тяга́ч;
2. *n* 1) промы́шленник; 2) *pl* а́кции промы́шленных предприя́тий.

industrialist [ɪn'dʌstrɪəlɪst] *n* промы́шленник, предпринима́тель; фабрика́нт.

industrialization [ɪn,dʌstrɪələ'zeɪʃən] *n* индустриализа́ция.

industrially [ɪn'dʌstrɪəlɪ] *adv* 1) в промы́шленном отноше́нии; 2) с индустриа́льной то́чки зре́ния.

industrious [ɪn'dʌstrɪəs] *a* трудолюби́вый, усе́рдный, приле́жный.

industry ['ɪndəstrɪ] *n* 1) промы́шленность, инду́стрия; home ~ а) оте́чественная промы́шленность; б) *уст.* куста́рная промы́шленность; large-scale ~ кру́пная промы́шленность; 2) о́трасль промы́шленности; 3) трудолю́бие, приле́жание, усе́рдие.

indwell ['ɪn'dwel] *v* (indwelt) 1) прожива́ть (in); 2) постоя́нно пребыва́ть, не покида́ть, не оставля́ть (*о мы́слях и т. п.*).

indweller ['ɪn'dwelə] *n* жи́тель, обита́тель.

indwelling ['ɪn'dwelɪŋ] 1. *pres. p. om* indwell;
2. *n* пребыва́ние, нахожде́ние (*внутри*);
3. *a* живу́щий; постоя́нно пребыва́ющий.

indwelt ['ɪn'dwelt] *past* и *p. p. om* indwell.

inearth [ɪn'əːθ] *v* зарыва́ть в зе́млю, хорони́ть.

inebriate 1. *n* [ɪ'niːbrɪɪt] 1) пья́ный; 2) пья́ница, алкого́лик;

2. *a* [ɪ'niːbriːt] пья́ный, опьяне́вший;
3. *v* [ɪ'niːbrieit] опьяня́ть.

inebriation [ɪ,niːbri'eiʃən] *n* опьяне́ние.

inebriety [,ini'braiəti] *n* 1) опьяне́ние;
2) алкоголи́зм.

inedibility [in,edi'biliti] *n* несъедо́бность.

inedible [in'edibl] *a* несъедо́бный; ~ fat *тех.* техни́ческий жир.

inedited [in'editid] *a* 1) неи́зданный; 2) и́зданный без редакцио́нных измене́ний; 3) неотредакти́рованный.

ineducable [in'edjukəbl] *a* не поддаю́щийся обуче́нию *или* дрессиро́вке.

ineffable [in'efəbl] *a* невырази́мый, несказа́нный.

ineffaceable [,ini'feisəbl] *a* неизгла́димый.

ineffective [,ini'fektiv] *a* 1) безрезульта́тный, не производя́щий *или* не достига́ющий эффе́кта; 2) недействи́тельный; 3) неспосо́бный, неуме́лый.

ineffectual [,ini'fektjuəl] *a* безрезульта́тный, беспло́дный; неуда́чный, сла́бый.

inefficacious [,inefi'keiʃəs] *a* недействи́тельный, неэффекти́вный.

inefficiency [,ini'fiʃənsi] *n* 1) неспосо́бность, неуме́лость; 2) неэффекти́вность; недоста́точность, недействи́тельность.

inefficient [,ini'fiʃənt] **1.** *a* 1) неспосо́бный, неуме́лый; 2) пло́хо де́йствующий, не эффекти́вный; безрезульта́тный; непроизводи́тельный;
2. *n* неуме́лый, незада́чливый челове́к.

inelaborate [,ini'læbərit] *a* 1) неразрабо́танный; 2) просто́й, безыску́сственный.

inelastic [,ini'læstik] *a* неэласти́чный, неги́бкий.

inelasticity [,inilæs'tisiti] *n* неэласти́чность, неги́бкость.

inelegance [in'eligəns] *n* неизя́щность *и пр.* [*см.* inelegant].

inelegant [in'eligənt] *a* 1) неизя́щный; грубова́тый, безвку́сный; 2) неотде́ланный (*о стиле*).

ineligible [in'elidʒəbl] *a* 1) не могу́щий быть и́збранным; 2) нежела́тельный (*о жени́хе или неве́сте*); 3) неподходя́щий, него́дный (*особ. для военной службы*).

ineluctability [,ini,lʌktə'biliti] *n* неизбе́жность; неотврати́мость.

ineluctable [,ini'lʌktəbl] *a* неизбе́жный; неотврати́мый.

inept [i'nept] *a* 1) неподходя́щий, неуме́стный; 2) неспосо́бный; 3) глу́пый; 4) *юр.* недействи́тельный.

ineptitude [i'neptitjuːd] *n* 1) неуме́стность; 2) неспосо́бность, неуме́лость; 3) глу́пость.

inequable [in'ekwəbl] *a* 1) изме́нчивый; 2) неуравнове́шенный.

inequality [,iniː'kwɔliti] *n* 1) нера́венство; разли́чие; ра́зница; 2) неодина́ковость, непостоя́нство; 3) неро́вность (*поверхности*); 4) неудовлетвори́тельность, недоста́точность.

inequilateral [,iniːkwi'lætərəl] *a* неравносторо́нний.

inequitable [in'ekwitəbl] *a* несправедли́вый, пристра́стный.

inequity [in'ekwiti] *n* несправедли́вость.

ineradicable [,ini'rædikəbl] *a* неискорени́мый.

inerrable [in'erəbl] *a* непогреши́мый.

inerrancy [in'erənsi] *n* непогреши́мость.

inert [i'nəːt] *a* 1) ине́ртный, неакти́вный; нейтра́льный; 2) недеятельный, вя́лый; 3) ко́сный.

inertia [i'nəːʃjə] *n* 1) *физ.* ине́рция; си́ла ине́рции; 2) ине́ртность, вя́лость; 3) *attr.*: ~ governor *тех.* центробе́жный регуля́тор.

inertness [i'nəːtnis] *n* ине́ртность.

inescapable [,inis'keipəbl] *a* неизбе́жный; неотврати́мый.

inesculent [in'eskjulənt] *a* несъедо́бный.

inessential [,ini'senʃəl] *a* несуще́ственный; нева́жный.

inessentials [,ini'senʃəlz] *n pl* то, что не явля́ется предме́том пе́рвой необходи́мости; предме́ты ро́скоши.

inestimable [in'estiməbl] *a* не поддаю́щийся оце́нке; неоцени́мый, бесце́нный.

inevitability [in,evitə'biliti] *n* неизбе́жность.

inevitable [in'evitəbl] *a* неизбе́жный, немину́емый.

inexact [,inig'zækt] *a* нето́чный.

inexactitude [,inig'zæktitjuːd] *n* нето́чность.

inexcusable [,iniks'kjuːzəbl] *a* непрости́тельный.

inexhaustibility ['inig,zɔːstə'biliti] *n* неистощи́мость *и пр.* [*см.* inexhaustible].

inexhaustible [,inig'zɔːstəbl] *a* 1) неистощи́мый, неисчерпа́емый; ~ fertility неистощи́мое плодоро́дие (*почвы*); 2) неутоми́мый.

inexorability [in,eksərə'biliti] *n* неумоли́мость *и пр.* [*см.* inexorable].

inexorable [in'eksərəbl] *a* неумоли́мый, безжа́лостный; непрекло́нный.

inexpediency [,iniks'piːdjənsi] *n* нецелесообра́зность *и пр.* [*см.* inexpedient].

inexpedient [,iniks'piːdjənt] *a* нецелесообра́зный; неблагоразу́мный, невы́годный (*при данных обстоятельствах*).

inexpensive [,iniks'pensiv] *a* недорого́й, дешёвый.

inexperience [,iniks'piəriəns] *n* нео́пытность.

inexpert [,ineks'pəːt] *a* 1) нео́пытный, несве́дущий; 2) неиску́сный, неуме́лый.

inexpiable [in'ekspiəbl] *a* 1) неискупи́мый; 2) неумоли́мый.

inexplicable [in'eksplikəbl] *a* необъясни́мый; непоня́тный.

inexplicit [,iniks'plisit] *a* неопределённый, нея́сно вы́раженный.

inexpressible [,iniks'presəbl] **1.** *a* 1) невырази́мый; неопису́емый; 2) непроизноси́мый;
2. *n pl шутл.* штаны́, «невырази́мые».

inexpressive [,iniks'presiv] *a* 1) невырази́тельный; 2) *уст.* невырази́мый.

inexpugnable [,iniks'pʌgnəbl] *a* непристу́пный; непреобори́мый; непобеди́мый.

inextinguishable [,iniks'tiŋgwiʃəbl] *a* неугаси́мый.

inextricable [in'ekstrikəbl] *a* 1) не могу́щий быть распу́танным; сло́жный, запу́танный; 2) неразреши́мый; безвы́ходный.

infallibility [ɪnˌfælə'bɪlɪtɪ] *n* непогрешимость и пр. [*см.* infallible].

infallible [ɪn'fæləbl] *a* 1) безоши́бочный, непогреши́мый; 2) надёжный, ве́рный; 3) немину́емый, неизбе́жный.

infamise, infamize ['ɪnfəmaɪz] *v* 1) клейми́ть позо́ром; 2) поноси́ть; клевета́ть.

infamous ['ɪnfəməs] *a* 1) име́ющий дурну́ю репута́цию; 2) позо́рный; посты́дный, бесче́стный; ~ conduct a) посты́дное поведе́ние; б) нарушение профессиона́льной этики (*особ. врачо́м*); 3) *разг.* скве́рный, па́костный; 4) *юр.* лишённый гражда́нских прав *или* ограни́ченный в права́х всле́дствие соверше́нного преступле́ния.

infamy ['ɪnfəmɪ] *n* 1) бесче́стье, позо́р; to hold smb. up to ~ опозо́рить кого́-л.; 2) посты́дное, бесче́стное поведе́ние; 3) ни́зость, по́длость; 4) *юр.* характери́стика, поро́чащая свиде́теля и слу́жащая основа́нием для его́ отво́да.

infancy ['ɪnfənsɪ] *n* 1) ра́ннее де́тство, младе́нчество; 2) ра́нняя ста́дия разви́тия; 3) *юр.* несовершенноле́тие.

infant ['ɪnfənt] 1. *n* 1) младе́нец, ребёнок; 2) *юр.* несовершенноле́тний; 2. *a* 1) де́тский; 2) нача́льный, зача́точный.

infanta [ɪn'fæntə] *исп. n* инфа́нта.

infante [ɪn'fæntɪ] *исп. n* инфа́нт.

infanticide [ɪn'fæntɪsaɪd] *n* 1) детоуби́йство, *особ.* уби́йство новорождённого; 2) детоуби́йца.

infantile, infantine ['ɪnfəntaɪl, -taɪn] *a* 1) младе́нческий, инфанти́льный; ~ sickness де́тская боле́знь; infantile paralysis *мед.* полиомиели́т, де́тский парали́ч; 2) нача́льный; в пе́рвой ста́дии.

infantry ['ɪnfəntrɪ] *n* 1) пехо́та, инфанте́рия; 2) *attr.* пехо́тный.

infantryman ['ɪnfəntrɪmən] *n* пехоти́нец.

infant-school ['ɪnfənt‚skuːl] *n* де́тский сад.

infatuate [ɪn'fætjueɪt] *v* вскружи́ть го́лову, свести́ с ума́; внуши́ть безрассу́дную страсть.

infatuated [ɪn'fætjueɪtɪd] 1. *p. p. от* infatuate; 2. *a* 1) ослеплённый; 2) влюблённый до безу́мия; 3) поглупе́вший.

infatuation [ɪnˌfætju'eɪʃən] *n* 1) слепо́е увлече́ние; 2) стра́стная влюблённость; безрассу́дная страсть (for).

infeasible [ɪn'fiːzəbl] *a* 1) невозмо́жный; 2) неприго́дный; неподходя́щий.

infect [ɪn'fekt] *v* заража́ть.

infection [ɪn'fekʃən] *n* 1) зараже́ние; инфе́кция; зара́за; 2) зарази́тельность.

infectious [ɪn'fekʃəs] *a* 1) инфекцио́нный, зара́зный; 2) зарази́тельный.

infective [ɪn'fektɪv] = infectious; ~ matter зара́зное нача́ло.

infelicitous [ˌɪnfɪ'lɪsɪtəs] *a* 1) несчастли́вый; несча́стный; 2) неуда́чный.

infelicity [ˌɪnfɪ'lɪsɪtɪ] *n* 1) несча́стье; 2) погре́шность; the work is marred by the infelicities of style произведе́ние испо́рчено стилисти́ческими погре́шностями.

infer [ɪn'fəː] *v* 1) заключа́ть, де́лать за-

ключе́ние, вы́вод; выводи́ть; 2) означа́ть, подразумева́ть.

inferable [ɪn'fəːrəbl] *a* возмо́жный в ка́честве вы́вода, заключе́ния.

inference ['ɪnfərəns] *n* 1) вы́вод, заключе́ние; 2) подразумева́емое.

inferential [ˌɪnfə'renʃəl] *a* вы́веденный *или* выводи́мый путём заключе́ния.

inferior [ɪn'fɪərɪə] 1. *n* стоя́щий ни́же, подчинённый; your ~s ва́ши подчинённые; 2. *a* 1) ни́зший (*по положе́нию, чину*; to); 2) ху́дший (*по ка́честву*); плохо́й; of ~ quality плохо́го ка́чества; 3) ни́жний; 4) *полигр.* подстро́чный.

inferiority [ɪnˌfɪərɪ'ɔrɪtɪ] *n* 1) бо́лее ни́зкое положе́ние, досто́инство, ка́чество; he was painfully sensible of his ~ in conversation он боле́зненно относи́лся к своему́ неуме́нию вести́ разгово́р; 2) *attr.*: ~ complex *психол.* чу́вство со́бственной неполноце́нности.

infernal [ɪn'fəːnl] *a* 1) а́дский; 2) дья́вольский, бесчелове́чный; 3) *разг.* прокля́тый.

inferno [ɪn'fəːnou] *ит. n* ад.

inferrable [ɪn'fəːrəbl] = inferable.

infertile [ɪn'fəːtaɪl] *a* неплодоро́дный, беспло́дный.

infertility [ˌɪnfəː'tɪlɪtɪ] *n* неплодоро́дие, беспло́дие.

infest [ɪn'fest] *v* кише́ть; наводня́ть.

infestation [ˌɪnfes'teɪʃən] *n* инва́зия (*зараже́ние парази́тами*).

infidel ['ɪnfɪdəl] 1. *n* 1) атеи́ст, неве́рующий; 2) язы́чник; 3) неве́рный; 2. *a* неве́рующий.

infidelity [ˌɪnfɪ'delɪtɪ] *n* 1) неве́рие; 2) безбо́жие; язы́чество; 3) неве́рность.

infield ['ɪnˌfiːld] *n* 1) земля́, прилега́ющая к уса́дьбе; 2) па́хотная земля́, обраба́тываемая земля́; 3) часть по́ля у воро́т (*в кри́кете*).

infighting ['ɪnˌfaɪtɪŋ] *n* 1) *спорт.* бокси́рование на расстоя́нии ме́ньшем, чем вы́тянутая рука́; 2) *воен.* бли́жний бой.

infiltrate ['ɪnfɪltreɪt] *v* 1) пропуска́ть (*жи́дкость*) че́рез фильтр; 2) проса́чиваться; проника́ть; 3) та́йно переходи́ть грани́цу, проника́ть в охраня́емый объе́кт и т. п.

infiltration [ˌɪnfɪl'treɪʃən] *n* 1) проса́чивание, инфильтра́ция; 2) *хим.* фильтра́т; 3) *мед.* инфильтра́т; 4) проникнове́ние; 5) та́йный перехо́д грани́цы, проникнове́ние в охраня́емый объе́кт и т. п.

infiltree [ˌɪnfɪl'triː] *n* лицо́, нару́шившее неприкоснове́нность грани́ц.

infinite ['ɪnfɪnɪt] 1. *n* 1) *разг.* ма́сса, мно́жество; 2) (the ~) бесконе́чность, бесконе́чное простра́нство; 2. *a* 1) бесконе́чный, безграни́чный; о́чень большо́й; ~ series *мат.* бесконе́чный ряд; ~ space бесконе́чное простра́нство; 2) (*с сущ. во мн. ч.*) несме́тный, бесчи́сленный; 3) *грам.* неопределя́емый, не ограни́ченный число́м *или* лицо́м (*о фо́рмах глаго́ла*).

infinitesimal [ˌɪnfɪnɪ'tesɪməl] *мат.* 1. *n* бесконе́чно ма́лая величина́; 2. *a* бесконе́чно ма́лый.

infinitival [ɪn,fɪnɪ'taɪvəl] *a* грам. инфинитивный, относящийся к неопределённой форме глагола.

infinitive [ɪn'fɪnɪtɪv] *грам.* 1. *n* инфинитив, неопределённая форма глагола; 2. *a* неопределённый.

infinitude [ɪn'fɪnɪtjuːd] *n* 1) бесконечность; 2) бесконечно большое число, протяжение (of).

infinity [ɪn'fɪnɪtɪ] *n* бесконечность; безграничность.

infirm [ɪn'fəːm] *a* 1) немощный, дряхлый; 2) слабовольный, слабохарактерный; 3) нерешительный; ~ of purpose неуверенный; слабовольный; нецелеустремлённый; 4) неустойчивый.

infirmary [ɪn'fəːmərɪ] *n* больница; лазарет.

infirmity [ɪn'fəːmɪtɪ] *n* 1) немощь, дряхлость; 2) телесный *или* моральный недостаток; 3) слабохарактерность; ~ of purpose слабость воли.

infix 1. *n* ['ɪnfɪks] *грам.* инфикс; 2. *v* [ɪn'fɪks] 1) вставить, укрепить (in— в чём-л.); 2) запечатлеть (в уме).

inflame [ɪn'fleɪm] *v* 1) воспламеняться, вспыхивать, загораться; 2) взволновать (-ся); возбудить(ся); 3) *мед.* воспаляться; 4) *мед.* вызывать воспаление.

inflammability [ɪn,flæmə'bɪlɪtɪ] *n* 1) воспламеняемость; 2) возбудимость.

inflammable [ɪn'flæməbl] 1. *a* 1) легко воспламеняющийся; горючий; highly ~ огнеопасный; ~ mixture горючая смесь; 2) легко возбудимый; 2. *n* легко воспламеняющееся вещество.

inflammation [,ɪnflə'meɪʃ ən] *n* 1) воспламенение; 2) *мед.* воспаление.

inflammatory [ɪn'flæmətərɪ] *a* 1) возбуждающий, возбудительный; 2) *мед.* воспалительный.

inflate [ɪn'fleɪt] *v* 1) надувать, наполнять газом, воздухом; накачивать; 2) надуваться (от важности; with); 3) вздувать (цены); 4) *эк.* проводить инфляцию.

inflated [ɪn'fleɪtɪd] 1. *p. p. om* inflate; 2. *a* надутый, напыщенный.

inflation [ɪn'fleɪʃən] *n* 1) надувание, наполнение воздухом, газом; 2) *эк.* инфляция; 3) вздутие, вздутость; ~ of dough подъём теста.

inflationary [ɪn'fleɪʃnərɪ] *a эк.* инфляционный; ~ gap «ножницы» между покупательной способностью населения и насыщенностью рынка товарами.

inflect [ɪn'flekt] *v* 1) сгибать, гнуть; вогнуть; 2) *грам.* изменять окончание слова, склонять, спрягать; 3) *муз.* модулировать (о голосе); 4) *физ.* отклонять (луч света).

inflection [ɪn'flekʃən] = inflexion.

inflective [ɪn'flektɪv] *a грам.* изменяемый, склоняемый, спрягаемый.

inflexibility [ɪn,fleksə'bɪlɪtɪ] *n* 1) негибкость; жёсткость; несжимаемость; 2) непреклонность, непоколебимость.

inflexible [ɪn'fleksəbl] *a* 1) негибкий, негнущийся; несгибаемый; 2) непреклонный, непоколебимый.

inflexion [ɪn'flekʃən] *n* 1) сгибание, из-

гиб; 2) *грам.* флексия; 3) модуляция, интонация.

inflexional [ɪn'flekʃənl] *a лингв.* изменяющий окончания, склоняемый; флективный (о языке).

inflict [ɪn'flɪkt] *v* 1) наносить (удар, рану; upon); 2) причинять (боль, страдание, убыток); 3) налагать (наказание); 4) навязывать; to ~ oneself навязаться (upon).

infliction [ɪn'flɪkʃən] *n* 1) причинение (страдания); 2) наложение (наказания и т. п.); 3) наказание; 4) страдание; огорчение.

inflorescence [,ɪnflə'resəns] *n бот.* 1) цветорасположение; 2) соцветие; 3) цветение.

inflow ['ɪnflou] *n* 1) впадение; втекание; 2) приток; наплыв; 3) засасывание; 4) впуск.

inflowing ['ɪn,flouɪŋ] 1. *n* впадение, втекание; 2. *a* впадающий, втекающий.

influence ['ɪnfluəns] 1. *n* 1) влияние, действие, воздействие (on, upon, over—на); a person of ~ влиятельное лицо; to exercise one's ~ пустить в ход своё влияние; under the ~ of smth. под влиянием чего-л.; 2) лицо, фактор, оказывающие влияние; to have ~ with быть авторитетом для, оказывать влияние на; I have little ~ with him я для него не авторитет; 2. *v* оказывать влияние, влиять; the weather ~s crops погода влияет на урожай.

influent ['ɪnfluənt] 1. *n* приток; 2. *a* 1) втекающий, впадающий; 2) оказывающий влияние.

influential [,ɪnflu'enʃəl] *a* влиятельный.

influenza [,ɪnflu'enzə] *n мед.* инфлюэнца, грипп.

influx ['ɪnflʌks] *n* 1) впадение (притока в реку); 2) втекание, приток; 3) наплыв, прилив.

inform [ɪn'fɔːm] *v* 1) сообщать, информировать, уведомлять; 2) обвинять, подавать жалобу, доносить (against—на кого-л.); 3) наполнять (чувством и т. п.); одушевлять; ~ed with life полной жизни; 4) *редк.* образовывать (ум, характер и т. п.).

informal [ɪn'fɔːml] *a* 1) неформальный; неофициальный; без соблюдения формальностей; 2) непринуждённый; бесцеремонный; 3): ~ garden неразделанный сад.

informality [,ɪnfɔː'mælɪtɪ] *n* 1) несоблюдение установленных формальностей, отступление от формы; 2) отсутствие церемоний.

informant [ɪn'fɔːmənt] *n* осведомитель, доносчик.

information [,ɪnfə'meɪʃən] *n* 1) информация, сообщения, сведения (on, about); «Information» справки (надпись, вывеска; to turn in ~ дать сведения, информацию; 2) осведомлённость; 3) обвинение, жалоба (поданные в суд; against); to lay ~ against smb. подать жалобу в суд на кого-л.; 4) *attr.*: ~ officer *амер. воен.* офицер связи; ~ agency *амер. воен.* орган разведки; ~ desk справочный стол.

informative [ɪn'fɔːmətɪv] *a* информационный, информирующий.

informed [ɪn'fɔːmd] 1. *p. p. om* inform; 2. *a* 1) осведомлённый; 2) знающий, образованный.

informer [ɪn'fɔːmə] *n* осведомитель; доносчик *(тж.* common ~).

infra ['ɪnfrə] *лат. adv* ниже; see ~ ch. VII смотри ниже VII главу.

infra- [ɪnfrə-] *pref* ниже-, под-.

infracostal [,ɪnfrə'kɔstl] *a анат.* подрёберный.

infraction [ɪn'frækʃən] *n* нарушение.

infra dig ['ɪnfrə'dɪg] *a predic. (сокр. om лат.* infra dignitatem) ниже *(чего-л.)* достоинства; унизительный; недостойный.

infra-red [,ɪnfrə'red] *a физ.* инфракрасный; ~ rays инфракрасные лучи.

infrastructure ['ɪnfrə'strʌkʧə] *n стр.* основание, фундамент; нижнее строение.

infrequent [ɪn'friːkwənt] *a* нечасто случающийся, редкий.

infringe [ɪn'frɪndʒ] *v* нарушать *(закон, обещание, авторское право и т. п.).*

infringement [ɪn'frɪndʒmənt] *n* нарушение *(закона, обещания, авторского права и т. п.).*

infundibular [,ɪnfʌn'dɪbjulə] *a* воронкообразный.

infuriate [ɪn'fjuərɪeɪt] *v* приводить в ярость, в бешенство; разъярять.

infuse [ɪn'fjuːz] *v* 1) вливать (into); 2) вселять, возбуждать *(чувство и т. п.);* придавать *(храбрость и т. п.);* to ~ with hope вселять надежду; 3) заваривать *(чай);* настаивать *(травы);* 4) настаиваться *(о чае и т. п.).*

infusible [ɪn'fjuːzəbl] *a* 1) неплавкий, тугоплавкий; 2) огнестойкий; 3) нерастворимый.

infusion [ɪn'fjuːʒən] *n* 1) вливание; 2) внушение *(надежды);* придание *(храбрости);* 3) настой; 4) примесь.

infusoria [,ɪnfjuː'zɔːrɪə] *n pl зоол.* инфузории.

infusorial [,ɪnfjuː'zɔːrɪəl] *a* инфузорный.

ingathering ['ɪn,gæðərɪŋ] *n* собирание, *особ.* сбор урожая.

ingeminate [ɪn'dʒemɪneɪt] *v* повторять *(слова),* твердить.

ingenious [ɪn'dʒiːnjəs] *a* 1) изобретательный, искусный; 2) остроумный.

ingénue [,ɛ̃ːnʒeɪ'njuː] *фр. n театр.* инженю.

ingenuity [,ɪndʒɪ'njuːɪtɪ] *n* изобретательность, искусство.

ingenuous [ɪn'dʒenjuəs] *a* 1) чистосердечный, прямой, искренний; 2) простой, бесхитростный.

ingest [ɪn'dʒest] *v* глотать, проглатывать.

ingle ['ɪŋgl] *n* огонь в очаге.

ingle-nook ['ɪŋglnuk] *n* местечко у огня, у камина.

inglorious [ɪn'glɔːrɪəs] *a* 1) бесславный, позорный, постыдный; 2) *уст.* без(ыз)вестный, тёмный.

ingoing ['ɪn,gouɪŋ] 1. *n* 1) вход, вступление; 2) предварительная оплата ремонта и оборудования арендуемого помещения; 2. *a* входящий, вновь прибывающий.

ingot ['ɪŋgət] *n* 1) слиток, болванка;

чушка; брусок металла; 2) *attr.* литой; ~ iron литое железо; ~ steel литая сталь.

ingraft [ɪn'grɑːft] = engraft.

ingrain ['ɪn'greɪn] 1. *n* 1) *амер.* пряжа, шерсть *и т. п.,* окрашенные до обработки; 2) поход *(добавочный вес или количество товара);* 2. *a* 1) окрашенный в пряже, волокне; 2) = ingrained 2).

ingrained ['ɪn'greɪnd] *a* 1) проникающий, пропитывающий; ~ dirt въевшаяся грязь; 2) прочно укоренившийся, застарелый; закоренелый; 3) *геол.* вкраплённый.

ingrate [ɪn'greɪt] *уст.* 1. *n* неблагодарный человек; 2. *a* неблагодарный.

ingratiate [ɪn'greɪʃɪeɪt] *v* снискать *(чьё-л.)* расположение; to ~ oneself with smb. втереться к кому-л. в милость.

ingratiatingly [ɪn'greɪʃɪ,eɪtɪŋlɪ] *adv* заискивающе; льстиво.

ingratitude [ɪn'grætɪtjuːd] *n* неблагодарность.

ingravescent [,ɪngrə'vesənt] *a мед.* постепенно ухудшающийся *(о болезни).*

ingredient [ɪn'griːdjənt] *n* составная часть, ингредиент.

ingress ['ɪngres] *n* 1) вход, доступ; 2) право входа; 3) вступительный взнос *(тж.* ~ money).

ingrow ['ɪn,grou] *v* врастать.

ingrowing ['ɪn,grouɪŋ] 1. *pres. p. om* ingrow; 2. *a* врастающий.

ingrowth ['ɪngrouθ] *n* врастание внутрь.

inguinal ['ɪŋgwɪnl] *a анат.* паховой.

ingulf [ɪn'gʌlf] = engulf.

ingurgitate [ɪn'gəːdʒɪteɪt] *v* жадно глотать; *перен.* поглощать.

inhabit [ɪn'hæbɪt] *v* жить, обитать, населять.

inhabitable [ɪn'hæbɪtəbl] = habitable.

inhabitancy [ɪn'hæbɪtənsɪ] *n* проживание *(где-л.;* особ. в течение срока, достаточного для получения известных прав).

inhabitant [ɪn'hæbɪtənt] *n* житель, обитатель.

inhabitation [ɪn,hæbɪ'teɪʃən] *n* 1) жительство, проживание; 2) жилище, местожительство.

inhalation [,ɪnhə'leɪʃən] *n* 1) вдыхание; 2) *мед.* ингаляция.

inhale [ɪn'heɪl] *v* 1) вдыхать; 2) затягиваться *(табачным дымом).*

inhaler [ɪn'heɪlə] *n* 1) ингалятор; 2) респиратор; противогаз; 3) воздушный фильтр; 4) завзятый курильщик.

inharmonic [,ɪnhɑː'mɔnɪk] *a* нарушающий гармонию.

inharmonious [,ɪnhɑː'mounjəs] *a* негармоничный, нестройный, несогласованный.

inhaust [ɪn'hɔːst] *v* всасывать, засасывать, втягивать *(воздух).*

inhere [ɪn'hɪə] *v* 1) находиться, пребывать; 2) быть присущим (in); 3) принадлежать, быть неотъемлемым *(о правах и т. п.;* in); подразумеваться *(о значении).*

inherence, -cy [ɪn'hɪərəns, -sɪ] *n* присущность, неотъемлемость.

inherent [ın'hıərənt] *a* 1) прису́щий, неотъе́млемый; 2) прирождённый, врождённый, сво́йственный (in).

inherit [ın'herıt] *v* насле́довать; унасле́довать.

inheritable [ın'herıtəbl] *a* 1) насле́дственный; 2) име́ющий права́ насле́дства.

inheritance [ın'herıtəns] *n* 1) насле́дование; унасле́дование; 2) насле́дство; *перен. тж.* насле́дие; 3) насле́дственность; 4) *attr.*: ~ duty *амер.* нало́г на насле́дство.

inheritor [ın'herıtə] *n* насле́дник.

inheritress, inheritrix [ın'herıtrıs, -trıks] *n* насле́дница.

inhesion [ın'hiːʒən] *n* прису́щность.

inhibit [ın'hıbıt] *v* 1) препя́тствовать, сде́рживать, подавля́ть; 2) *физиол.* заде́рживать, тормози́ть; 3) запреща́ть (*де́лать что-л.—гл. обр. в церко́вном пра́ве*; from).

inhibition [ˌınhı'bıʃən] *n* 1) сде́рживание; 2) *физиол.* заде́ржка, подавле́ние, тормо́же́ние; 3) воспреще́ние, запреще́ние (*гл. обр. в церко́вном пра́ве*).

inhibitor [ın'hıbıtə] *n* *биол.* вещество́, заде́рживающее рост.

inhibitory [ın'hıbıtərı] *a* 1) препя́тствующий; 2) запреща́ющий, запрети́тельный; 3) *физиол.* заде́рживающий, подавля́ющий, тормозя́щий.

inhospitable [ın'hɔspıtəbl] *a* 1) негостеприи́мный; 2) суро́вый; an ~ coast суро́вый бе́рег.

inhuman [ın'hjuːmən] *a* 1) бесчелове́чный, жесто́кий, бесчу́вственный; 2) нечелове́ческий, не сво́йственный челове́ку.

inhumane [ˌınhjuː'meın] *a* негума́нный; жесто́кий.

inhumanity [ˌınhjuː'mænıtı] *n* бесчелове́чность, жесто́кость.

inhumation [ˌınhjuː'meıʃən] *n* преда́ние земле́, погребе́ние.

inhume [ın'hjuːm] *v* предава́ть земле́, погреба́ть.

inhumement [ın'hjuːməmənt] = inhumation.

inimical [ı'nımıkəl] *a* 1) вражд́е́бный, недружелю́бный (to); 2) неблагоприя́тный; ~ bacteria вре́дные бакте́рии.

inimitable [ı'nımıtəbl] *a* неподража́емый; несравне́нный.

iniquitous [ı'nıkwıtəs] *a* несправедли́вый; беззако́нный.

iniquity [ı'nıkwıtı] *n* несправедли́вость; беззако́ние, зло; lost in ~ погря́зший в поро́ке.

initial [ı'nıʃəl] 1. *a* нача́льный; первонача́льный; ~ cost первонача́льная сто́имость, основна́я сто́имость; капита́льные затра́ты; ~ expenditure предвари́тельные расхо́ды; ~ word аббревиату́ра из нача́льных букв (*напр.* UNO ООН); 2. *n* 1) нача́льная бу́ква; 2) *pl* инициа́лы; 3. *v* 1) (по)ста́вить инициа́лы; 2) парафи́ровать (*в междунаро́дном пра́ве*).

initially [ı'nıʃəlı] *adv* в нача́льной ста́дии; в исхо́дном положе́нии.

initiate 1. *n* [ı'nıʃııt] вновь при́нятый (*в о́бщество и т. п.*); посвящённый (*в та́йну и т. п.*);

2. *a* [ı'nıʃııt] при́нятый (*в о́бщество и т. п.*); посвящённый (*в та́йну и т. п.*); 3. *v* [ı'nıʃıeıt] 1) вводи́ть (*в до́лжность и т. п.*); знако́мить; посвяща́ть (*в та́йну и т. п.*); 2) принима́ть в чле́ны о́бщества, *особ.* посвяща́ть в масо́ны; 3) нача́ть, приступи́ть, положи́ть нача́ло; прояви́ть инициати́ву; to ~ measures приступи́ть к проведе́нию мероприя́тий; to ~ the growth стимули́ровать рост.

initiation [ıˌnıʃı'eıʃən] *n* 1) введе́ние (*в о́бщество*; into); посвяще́ние (*в та́йну*; in); 2) *attr.* вступи́тельный; ~ fee *амер.* вступи́тельный взнос (*в профсою́з, клуб*).

initiative [ı'nıʃıətıv] 1. *n* 1) почи́н; инициати́ва; to take the ~ прояви́ть инициати́ву; 2) пра́во законода́тельной инициати́вы; 2. *a* 1) нача́льный; вво́дный; 2) инициати́вный, сде́лавший почи́н, положи́вший нача́ло.

initiatory [ı'nıʃıətərı] *a* 1) нача́льный; вво́дный; 2) относя́щийся к посвяще́нию (*во что-л.*).

inject [ın'dʒekt] *v* 1) впры́скивать, вводи́ть, впуска́ть (into); 2) *тех.* вбры́згивать; вдува́ть; 3) *амер.* вставля́ть (*замеча́ние и т. п.*).

injection [ın'dʒekʃən] *n* 1) впры́скивание, инъе́кция; 2) лека́рство для впры́скивания; 3) *тех.* впры́ск; вдува́ние.

injector [ın'dʒektə] *n* 1) *тех.* инже́ктор; форсу́нка; 2) лицо́, производя́щее инъе́кцию.

injudicious [ˌındʒuː'dıʃəs] *a* 1) неблагоразу́мный; 2) необду́манный, несвоевре́менный.

Injun ['ındʒən] *n* *амер. разг.* инде́ец; ◇ honest ~! че́стное сло́во!

injunction [ın'dʒʌŋkʃən] *n* 1) предписа́ние, прика́з; 2) постановле́ние суда́, тре́бующее чего́-л. *или* запреща́ющее что́-л.

injurant ['ındʒurənt] *n* вещество́, вре́дное для органи́зма.

injure ['ındʒə] *v* 1) повреди́ть (*кому́-л.*); 2) оскорби́ть; оби́деть; 3) ушиби́ть, ра́нить; 4) испо́ртить, повреди́ть (*что́-л.*).

injured ['ındʒəd] 1. *p. p. от* injure; 2. *a* оби́женный, оскорблённый; in an ~ voice с оби́дой в го́лосе.

injurious [ın'dʒuərıəs] *a* 1) вре́дный; 2) несправедли́вый; 3) оскорби́тельный; 4) клеветни́ческий.

injury ['ındʒərı] *n* 1) вред, поврежде́ние, по́рча; 2) ра́на, уши́б; 3) несправедли́вость; 4) оскорбле́ние; оби́да; 5) клевета́.

injustice [ın'dʒʌstıs] *n* несправедли́вость; to do smb. an ~ быть несправедли́вым к кому́-л.

ink [ıŋk] 1. *n* 1) черни́ла; sympathetic ~, invisible ~ симпати́ческие черни́ла; 2) типогра́фская кра́ска (*тж.* printer's ~); to spill printer's ~ печа́таться, быть популя́рным а́втором; 3) чёрная жи́дкость, выпуска́емая карака́тицей; 2. *v* 1) ме́тить черни́лами; 2) покрыва́ть, па́чкать черни́лами; 3) покрыва́ть типогра́фской кра́ской; □ ~ in внести́ поме́ту, отме́тить (*в спи́ске, диагра́мме, на криво́й и т. п.*).

ink-bag ['ɪŋkbæg] n чернильный мешок каракатицы.

ink-bottle ['ɪŋk,bɔtl] n чернильница.

inker ['ɪŋkə] n 1) полигр. валик для набивки, нанесения краски; 2) чернопишущий телеграфный аппарат (приёмник).

ink-eraser ['ɪŋkɪ,reɪzə] n ластик, резинка для чернил.

ink-holder ['ɪŋk,houldə] n резервуар автоматической ручки.

ink-horn ['ɪŋkhɔːn] n уст. 1) чернильница из рога; 2) attr.: ~ term книжное слово.

inkle ['ɪŋkl] n род широкой тесьмы.

inkling ['ɪŋklɪŋ] n намёк (на что-л.), лёгкое подозрение (of); I had an ~ of it я подозревал это; an ~ of truth намёк на истину.

ink-pad ['ɪŋkpæd] n подушечка со штемпельной краской.

ink-pencil ['ɪŋk,pensl] n химический (или чернильный) карандаш.

ink-pot ['ɪŋkpɔt] n чернильница.

ink-roller ['ɪŋk,roulə] = inker 1).

ink-slinger ['ɪŋk,slɪŋə] n sl. 1) конторский служащий; канцелярист; 2) писака, щелкопёр.

inkstand ['ɪŋkstænd] n чернильница, письменный прибор.

ink-well ['ɪŋkwel] n чернильница (в столе, в парте).

inky ['ɪŋkɪ] a 1) покрытый чернилами, в чернилах; чернильный; 2) очень чёрный.

inlaid ['ɪnˈleɪd] past u p. p. om inlay 2.

inland 1. n ['ɪnlənd] внутренняя часть страны; территория, удалённая от моря или границы;

2. a ['ɪnlənd] 1) расположенный внутри страны; удалённый от моря или границы; 2) внутренний; ~ waters внутренние воды; ~ navigation плавание по внутренним рекам, каналам и морям; ~ postage почтовый тариф для внутренней корреспонденции; ~ trade внутренняя торговля;

3. adv [ɪnˈlænd] внутрь, вглубь, внутри страны.

inlander ['ɪnləndə] n живущий во внутренней части страны (не на окраинах).

in-law ['ɪn,lɔ] n (преим. pl) разг. родня со стороны жены или мужа.

inlay 1. n ['ɪnleɪ] инкрустация, мозаичная работа.

2. v ['ɪnˈleɪ] (inlaid) 1) вкладывать, вставлять, выстилать; to ~ a floor настилать паркет; 2) покрывать инкрустацией, мозаикой.

inlet ['ɪnlet] n 1) узкий морской залив, фиорд, небольшая бухта; 2) тех. впуск, вход; входное или вводное отверстие; 3) эл. ввод; 4) attr. впускной; ~ pipe впускная труба; ~ sluice впускной шлюз.

inly ['ɪnlɪ] adv поэт. 1) внутренне; 2) глубоко, искренне.

inlying ['ɪnˈlaɪɪŋ] a лежащий внутри, внутренний.

inmate ['ɪnmeɪt] n 1) жилец, обитатель; 2) заключённый (в тюрьме), больной (в госпитале) и т. п.

inmost ['ɪnmoust] = innermost.

inn [ɪn] n гостиница; постоялый двор; ◇

the Inns of Court четыре юридические корпорации, готовящие адвокатов (the Inner Temple, the Middle Temple, Lincoln's Inn, Gray's Inn).

innate ['ɪˈneɪt] a врождённый, природный.

innavigable [ɪˈnævɪgəbl] a несудоходный.

inner ['ɪnə] 1. a внутренний; ◇ the ~ man душа, внутреннее «я»; шутл. желудок; to refresh one's ~ man заморить червячка, поесть;

2. n внутренний круг мишени.

innermost ['ɪnəmoust] a 1) лежащий глубоко внутри; 2) глубочайший, сокровенный.

inner tire ['ɪnətaɪə] n камера (автомобильная, велосипедная).

innervate ['ɪnəːveɪt] v придавать нервную энергию, возбуждать.

innervated ['ɪnəːveɪtɪd] 1. p. p. om innervate;

2. a анат. снабжённый нервами.

innholder ['ɪn,houldə] уст., амер. = innkeeper.

inning ['ɪnɪŋ] амер. = innings 1).

innings ['ɪnɪŋz] n (pl без измен.) 1) спорт. подача, очередь подачи мяча; 2) уборка урожая; 3) период нахождения у власти (политической партии, лица); 4) наносная земля; земля, отвоёванная у моря; ◇ good ~ счастье, удача; long ~ долгая жизнь; you had your ~ ваше время прошло.

innkeeper ['ɪn,kiːpə] n хозяин гостиницы.

innocence ['ɪnəsns] n 1) невинность, чистота; 2) невиновность; 3) простота, простодушие, наивность; 4) безвредность.

innocent ['ɪnəsnt] 1. n 1) невинный младенец; massacre (или slaughter) of the ~s a) библ. избиение младенцев; б) парл. sl. снятие с очереди законопроектов, ввиду недостатка времени (в конце сессии); 2) простак;

2. a 1) невинный, чистый; 2) невиновный (of); 3) наивный, простодушный; 4) безвредный; 5) разг. лишённый (чего-л.); windows ~ of glass окна без стёкол; 6) мед. незлокачественный, доброкачественный (о новообразовании).

innocuous [ɪˈnɔkjuəs] a безвредный; безобидный; ~ snake неядовитая змея; ◇ to render ~ выхолащивать (содержание).

innominate [ɪˈnɔmɪnɪt] a безымянный, не имеющий названия.

innovate ['ɪnouveɪt] a вводить новшества; производить перемены (in).

innovation [,ɪnouˈveɪʃən] n нововведение, новшество; новаторство.

innovator ['ɪnouveɪtə] n новатор; рационализатор.

innovatory [,ɪnouˈveɪtərɪ] a новаторский; рационализаторский.

innoxious [ɪˈnɔkʃəs] a безвредный.

innuendo [,ɪnjuːˈendou] 1. n (pl -oes [-ouz]) 1) косвенный намёк, инсинуация; 2) ритор. перифраз(а), иносказание.

2. v делать косвенные намёки.

innumerable [ɪˈnjuːmərəbl] a неисчислимый, бессчётный, бесчисленный.

innutrition [,ɪnjuːˈtrɪʃən] n недостáток питáния.

inobservance [,ɪnəbˈzævəns] n 1) невнимáние, невнимáтельность; 2) несоблюдéние (*правила, обычая*; of).

inoccupation [ˈɪnˌɔkjuˈpeɪʃən] n незáнятость, бездéлье.

inoculate [ɪˈnɔkjuleɪt] v 1) дéлать (предохранительную) прививку; 2) *бот.* прививáть; 3) внушáть, вселять; 4) *воен.* проводить тактическую тренирóвку под огнём.

inoculation [ɪ,nɔkjuˈleɪʃən] n 1) прививка, инокуляция; 2) *бот.* прививка глазкóм; окулирóвка; 3) *воен.* тактическая тренирóвка под огнём.

inoculative [ɪˈnɔkjulətɪv] a 1) прививочный; ~ material прививочный материáл; 2) заражáющий.

inoculum [ɪˈnɔkjuləm] n прививочный материáл.

inodorous [ɪnˈoudərəs] a без зáпаха, не имéющий зáпаха.

inoffensive [,ɪnəˈfensɪv] a 1) безобидный, безврéдный; 2) мирный, не учáствующий в воéнных операциях.

inofficial [,ɪnəˈfɪʃəl] a неофициáльный.

inofficious [,ɪnəˈfɪʃəs] a 1) недéйствующий; 2) не соотвéтствующий морáльному дóлгу; 3) несправедливый (*о завещании*).

inoperative [ɪnˈɔpərətɪv] a 1) недéйствующий; бездéятельный; 2) не имéющий силы (*о законе*).

inopportune [ɪnˈɔpətjuːn] a несвоеврéменный, неподходящий.

inordinate [ɪˈnɔːdɪnɪt] a 1) неумéренный; чрезмéрный; 2) несдéржанный; 3) беспорядочный.

inorganic [,ɪnɔːˈgænɪk] a 1) неорганический; ~ nutrition *бот.* минерáльное питáние; 2) не являющийся органической чáстью (*чего-л.*), не свя́занный внýтренне, чýждый.

inornate [,ɪnɔːˈneɪt] a безыскýсственный, простóй.

inosculate [ɪˈnɔskjuleɪt] v 1) соединять(ся), срастáться (*о кровеносных сосудах*; with); 2) переплетáть(ся), соединять(ся) (*о волокнах*).

in-parallel [ˈɪnˈpærəlel] adv *тех.* параллéльно.

in-patient [ˈɪnˌpeɪʃənt] n стационáрный, госпитáльный больнóй; лежáчий больнóй.

input [ˈɪnput] n *тех.* 1) подводимая мóщность, ввод, подвóд; 2) потреблéние (подводимой энéргии).

inquest [ˈɪnkwest] n *юр.* дознáние, слéдствие; grand ~ = grand jury [см. jury 1].

inquietude [ɪnˈkwaɪɪtjuːd] n беспокóйство.

inquire [ɪnˈkwaɪə] v 1) спрáшивать, узнавáть; 2) наводить спрáвки, добивáться свéдений; □ ~ about, ~ after, ~ for осведомляться, спрáшивать о ком-л., о чём-л.; ~ into исслéдовать; разузнавáть; выяснять, расслéдовать.

inquiry [ɪnˈkwaɪərɪ] n 1) вопрóс; расспрáшивание; навéдение спрáвок; to make inquiries about smb., smth. наводить спрáвки о ком-л., чём-л.; 2) расслéдование, слéд-

ствие; court of ~ *воен.* слéдственная комиссия; 3) исслéдование; 4) *ком.* спрос.

inquisition [,ɪnkwɪˈzɪʃən] n 1) расслéдование, слéдствие; 2) (the I.) *ист.* инквизиция; 3) мучéние, пы́тка.

inquisitional [,ɪnkwɪˈzɪʃənl] a 1) слéдственный; 2) инквизициóнный; инквизиторский.

inquisitive [ɪnˈkwɪzɪtɪv] a 1) пытливый; любознáтельный; 2) назóйливо любопы́тный.

inquisitor [ɪnˈkwɪzɪtə] n 1) инквизитор; 2) судéбный слéдователь.

inquisitorial [ɪn,kwɪzɪˈtɔːrɪəl] 1) = inquisitional 2); 2) = inquisitive 2).

inroad [ˈɪnroud] n 1) набéг; нашéствие; 2) вторжéние, посягáтельство.

inrush [ˈɪnrʌʃ] n 1) нáтиск, внезáпное вторжéние; 2) напóр (*хлынувшей воды*); 3) внезáпный обвáл; 4) прорыв.

ins [ɪnz] n pl: ~ and outs см. in 3.

insalivate [ɪnˈsælɪveɪt] v *физиол.* смéшивать (*пищу*) со слюнóй.

insalubrious [,ɪnsəˈluːbrɪəs] a нездорóвый, врéдный для здорóвья (*о климате, местности*).

insalubrity [,ɪnsəˈluːbrɪtɪ] n врéдность.

insane [ɪnˈseɪn] a 1) душевнобольнóй, ненормáльный; 2) безýмный, сумасшéдший.

insanitary [ɪnˈsænɪtərɪ] a антисанитáрный.

insanity [ɪnˈsænɪtɪ] n умопомешáтельство; безýмие.

insatiability [ɪn,seɪʃjəˈbɪlɪtɪ] n ненасы́тность; жáдность.

insatiable [ɪnˈseɪʃjəbl] a ненасы́тный; жáдный (of).

insatiate [ɪnˈseɪʃɪɪt] a ненасы́тный.

inscribe [ɪnˈskraɪb] v 1) надписывать, вписывать (in, on); 2) вырезать, начертáть на дéреве, кáмне и т. п. (*имя, надпись*); 3) посвящáть (to—кому-л.); 4) *геом.* вписывать (*фигуру*); 5) выпускáть именные áкции; регистрировать подписчиков на áкции.

inscription [ɪnˈskrɪpʃən] n 1) нáдпись; 2) крáткое посвящéние (*книги и т. п.*).

inscriptive [ɪnˈskrɪptɪv] a 1) сдéланный в виде нáдписи; 2) с нáдписью; надписáнный.

inscrutability [ɪn,skruːtəˈbɪlɪtɪ] n непостижимость, загáдочность.

inscrutable [ɪnˈskruːtəbl] a 1) непостижимый, загáдочный; ~ smile загáдочная улы́бка; 2) непроницáемый; ~ face, ~ expression непроницáемое выражéние лицá.

insect [ˈɪnsekt] n 1) насекóмое; 2) ничтóжество.

insect-eater [ˈɪnsektˌiːtə] n насекомоя́дное (*животное или растение*).

insecticide [ɪnˈsektɪsaɪd] n срéдство от насекóмых.

insectivorous [,ɪnsekˈtɪvərəs] a *зоол.* насекомоя́дный.

insect-net [ˈɪnsektnet] n сачóк для лóвли бáбочек.

insectology [,ɪnsekˈtɔlədʒɪ] n энтомолóгия.

insect-powder [ˈɪnsektˈpaudə] n порошóк от насекóмых.

insecure [,ınsı'kjuə] *a* 1) небезопа́сный; опа́сный; 2) ненадёжный, неве́рный; непро́чный.

insecurity [,ınsı'kjuərıtı] *n* 1) небезопа́сность; опа́сное положе́ние; 2) ненадёжность; неуве́ренность.

inseminate [ın'semıneıt] *v* 1) се́ять; насажда́ть; 2) оплодотворя́ть.

insemination [ın,semı'neıʃən] *n* оплодотворе́ние; artificial ~ иску́сственное оплодотворе́ние *или* осемене́ние.

insensate [ın'senseıt] *a* 1) бесчу́вственный; неодушевлённый; 2) неразу́мный; бессмы́сленный; 3) *редк.* потеря́вший созна́ние.

insensibility [ın,sensə'bılıtı] *n* 1) нечувстви́тельность; 2) поте́ря созна́ния, о́бморок; 3) бесчу́вственность; безразли́чие.

insensible [ın'sensəbl] *a* 1) нечувстви́тельный, невоспри́имчивый; 2) потеря́вший созна́ние; не сознаю́щий (of, to); 3) неотзы́вчивый, безразли́чный; 4) неощути́мый, незаме́тный.

insensibly [ın'sensəblı] *adv* незаме́тно, постепе́нно.

insensitive [ın'sensıtıv] *a* нечувстви́тельный, лишённый чувстви́тельности.

insentient [ın'senʃıənt] *a* бесчу́вственный; неодушевлённый.

inseparability [ın,sepərə'bılıtı] *n* неразде́льность; неразлу́чность.

inseparable [ın'sepərəbl] **1.** *a* 1) неотдели́мый, нераздели́мый; неразлу́чный; 2) *грам.* не существу́ющий как отде́льное сло́во (*напр., о префиксах* dis-, re- *и т. п.*); **2.** *n pl* неразлу́чные друзья́.

in-series ['ın'sıəriːz] *adv* эл. после́довательно.

insert 1. *n* ['ınsət] вста́вка, вкла́дыш; вкле́йка; *тех.* вту́лка; **2.** *v* [ın'səːt] 1) вставля́ть (in, into—во что-л.; between—ме́жду чем-л.); to ~ a word вставля́ть сло́во; to ~ a key in a lock вста́вить ключ в замо́к; 2) помеща́ть (*в газете*); 3) вноси́ть исправле́ния, дополне́ния (*в ру́копись*); наноси́ть (*на ка́рту*); 4) эл. включа́ть (*в цепь*); 5) *тех.* запрессо́вывать дета́ль.

insertion [ın'səːʃən] *n* 1) вставле́ние, помеще́ние, включе́ние; 2) вста́вка (*в ру́кописи, в корректу́ре*); 3) объявле́ние (*в газе́те*); 4) проши́вка; 5) *тех.* прокла́дка; вста́вка; 6) *анат.* ме́сто прикрепле́ния (*му́скулов*).

inset 1. *n* ['ınset] 1) вкла́дка, вкле́йка (*в кни́ге*); 2) вста́вка (*в пла́тье и т. п.*); **2.** *v* ['ın'set] 1) вставля́ть; 2) вкла́дывать.

inseverable [ın'sevərəbl] *a* 1) неотдели́мый, неразъедини́мый; неразры́вный; 2) неразлу́чный.

inshore ['ın'ʃɔː] **1.** *a* прибре́жный; **2.** *adv* бли́зко к бе́регу; у бе́рега; по направле́нию к бе́регу (*со стороны́ мо́ря*); ~ of the bank ме́жду бе́регом и о́тмелью.

inside [ın'saıd] **1.** *n* 1) вну́тренняя сторона́; вну́тренность; изна́нка; to turn ~ out вы́вернуть наизна́нку; 2) сторона́ тротуа́ра, удалённая от мостово́й; 3) вну́тренняя сто-

рона́ (*поворо́та доро́ги*); 4) середи́на; the ~ of a week середи́на неде́ли; 5) *разг.* [ın'saıd] вну́тренности (*особ.* желу́док и кише́чник); 6) содержа́ние; *перен.* ум, мысль, душа́; the ~ of a book содержа́ние кни́ги; 7) пассажи́р внутри́ дилижа́нса, о́мнибуса, авто́буса *и т. п.* (*не на империа́ле*); 8) *амер. разг.* секре́тные све́дения; све́дения из первоисто́чника (*тж.* ~ information); 9) *спорт.* полусре́дний; ~ left (right) ле́вый (пра́вый) полусре́дний; 10) *амер.* та́йный аге́нт предпринима́теля; ◇ to get on the ~ *амер.* войти́ в курс де́ла, узна́ть все подро́бности; стать свои́м челове́ком [*ср.* insider];

2. *a* 1) вну́тренний; ~ track a) *спорт.* вну́тренняя сторона́ бегово́й доро́жки; б) *ж.-д.* вну́тренний путь; в) прямо́й *или* кратча́йший путь к успе́ху; 2) скры́тый; секре́тный;

3. *adv* внутрь, внутри́; ~ of a week в преде́лах неде́ли;

4. *prep* внутри́; в.

insider ['ın'saıdə] *n* 1) член о́бщества *или* организа́ции, не посторо́нний челове́к; свой челове́к; 2) челове́к, посвящённый в та́йну.

insidious [ın'sıdıəs] *a* 1) хи́трый, кова́рный; преда́тельский; 2) незаме́тно подкра́дывающийся *или* подстерега́ющий.

insight ['ınsaıt] *n* 1) проница́тельность, спосо́бность проникнове́ния (into); to gain an ~ into smb.'s character загляну́ть в чью-л. ду́шу; 2) интуи́ция, понима́ние.

insignia [ın'sıgnıə] *лат. n pl* 1) зна́ки отли́чия, ордена́; 2) зна́ки разли́чия; 3) значки́; 4) эмбле́ма.

insignificance, -cy [,ınsıg'nıfıkəns, -sı] *n* 1) незначи́тельность; малова́жность; 2) бессодержа́тельность.

insignificant [,ınsıg'nıfıkənt] *a* 1) незначи́тельный, пустяко́вый; несуще́ственный; ничто́жный; 2) ничего́ не выража́ющий, бессодержа́тельный.

insignificantly [,ınsıg'nıfıkəntlı] *adv* незначи́тельно; с ничто́жным эффе́ктом *или* результа́том.

insincere [,ınsın'sıə] *a* неи́скренний, лицеме́рный.

insincerity [,ınsın'serıtı] *n* 1) неи́скренность; 2) неи́скренние слова́, посту́пки.

insinuate [ın'sınjueıt] *v* 1) незаме́тно, постепе́нно вводи́ть (*во что-л.*); 2) *refl.* проника́ть, пробира́ться (into); *перен.* вкра́дываться, втира́ться; to ~ oneself into a person's favour втере́ться к кому́-л. в дове́рие; 3) внуша́ть намёками; 4) инсинуи́ровать.

insinuatingly [ın'sınjueıtıŋlı] *adv* 1) вкра́дчиво; 2) неопределённо, намёками.

insinuation [ın,sınju'eıʃən] *n* 1) инсинуа́ция; 2) вкра́дчивость; уме́ние подольсти́ться; уме́ние понра́виться; natural ~ симпати́чность; 3) нашёптывание, намёки.

insinuative [ın'sınjuətıv] *a* 1) вкра́дчивый; 2) прибега́ющий к инсинуа́циям.

insipid [ın'sıpıd] *a* 1) безвку́сный, пре́сный; *перен.* ску́чный, неинтере́сный, бесцве́тный; 2) вя́лый, безжи́зненный.

insipidity [,ınsı'pıdıtı] *n* 1) безвкусие; пресность; *перен.* бесцветность; 2) вялость, безжизненность.

insipidness [ın'sıpıdnıs] = insipidity.

insist [ın'sıst] *v* 1) настаивать (*на чём-л.*), настойчиво утверждать (on, upon); 2) настойчиво требовать (on).

insistence, -cy [ın'sıstəns, -sı] *n* 1) настойчивость; настойчивое утверждение; 2) требование.

insistent [ın'sıstənt] *a* 1) настойчивый; настоятельный (*о требовании и т. п.*); 2) требующий внимания, привлекающий внимание.

in situ [ın'saıtju:] *лат. adv* на своём месте.

insobriety [,ınsou'braıətı] *n* 1) нетрезвость; 2) пьянство.

insolation [,ınsou'leıʃən] *n* 1) освещение (*предмета*) лучами солнца *или* какого-л. искусственного источника света; 2) инсоляция; перегрев на солнце.

insole ['ınsoul] *n* стелька.

insolence ['ınsələns] *n* оскорбительное высокомерие; наглость, дерзость.

insolent ['ınsələnt] *a* оскорбительный; наглый, дерзкий.

insolubility [ın,sɔlju'bılıtı] *n* 1) нерастворимость; 2) неразрешимость.

insoluble [ın'sɔljubl] *a* 1) нерастворимый; неразложимый; 2) неразрешимый.

insolvency [ın'sɔlvənsı] *n* банкротство, несостоятельность.

insolvent [ın'sɔlvənt] 1. *n* несостоятельный должник; банкрот; 2. *a* несостоятельный.

insomnia [ın'sɔmnıə] *n* бессонница.

insomuch [,ınsou'mʌtʃ] *adv*: ~ as (*или* that) настолько... что.

insouciance [ın'su:sjəns] *фр. n* 1) беззаботность; безмятежность; 2) безразличие.

inspect [ın'spekt] *v* 1) внимательно осматривать, пристально рассматривать; 2) наблюдать, надзирать; 3) инспектировать, производить (о)смотр.

inspection [ın'spekʃən] *n* 1) (о)смотр; освидетельствование; инспектирование; 2) приём(ка); 3) официальное расследование *или* наблюдение; 4) *attr.* инспекционный; ~ tour инспекторский объезд; 5) *авт.* приёмный, приёмочный; ~ certificate акт технического осмотра; приёмочный акт; ~ board приёмная комиссия (*по приёмке оборудования, товаров*).

inspector [ın'spektə] *n* 1) инспектор; ревизор; контролёр; 2) наблюдатель; надзиратель; 3) приёмщик; браковщик.

inspectoral [ın'spektərəl] = inspectorial.

inspectorate [ın'spektərıt] *n* 1) инспекция; штат контролёров; 2) должность инспектора, контролёра; 3) район, обслуживаемый инспектором, контролёром.

inspectorial [,ınspek'tɔːrıəl] *a* инспекторский, ревизионный.

inspiration [,ınspə'reıʃən] *n* 1) вдохновение; to draw (*или* to get) ~ черпать вдохновение; 2) вдохновляющая идея; вдохновитель; 3) влияние, стимулирование, воодушевление; 4) вдыхание.

inspirator ['ınspəreıtə] *n тех.* 1) инжектор; 2) респиратор.

inspire [ın'spaıə] *v* 1) внушать, вселять (*чувство и т. п.*); 2) вдохновлять, воодушевлять; 3) инспирировать, тайно внушать; 4) вдыхать.

inspired [ın'spaıəd] 1. *p. p. от* inspire; 2. *a* инспирированный; an ~ article инспирированная статья.

inspirit [ın'spırıt] *v* вдохнуть (*мужество и т. п.*); воодушевить; ободрить.

inspissate [ın'spıseıt] *v* сгущать(ся).

instability [,ınstə'bılıtı] *n* 1) неустойчивость; 2) непостоянство.

install [ın'stɔːl] *v* 1) помещать, водворять; устраивать; посадить (in); 2) официально вводить в должность (in); 3) *тех.* устанавливать; монтировать; проводить (*электрическую или отопительную сеть*).

installation [,ınstə'leıʃən] *n* 1) водворение, устройство на место; 2) введение в должность; 3) *тех.* установка; проводка; air conditioning ~ установка для кондиционирования воздуха; 4) *pl* сооружения.

instalment [ın'stɔːlmənt] *n* 1) очередной взнос (*при рассрочке*); to pay by ~s выплачивать частями, периодическими взносами; 2) отдельный выпуск; a book in six ~s книга, вышедшая шестью выпусками; 3) *уст.* установка, устройство; 4) *attr.*: ~ selling *амер.* продажа в рассрочку; to buy (to sell) on the ~ plan *амер.* покупать (продавать) в рассрочку.

instance ['ınstəns] *n* 1) пример, отдельный случай; in this ~ в этом случае; 2) требование, настояние; просьба; at the ~ of... по требованию...; по просьбе...; 3) *юр.* инстанция; ◇ for ~ например; in the first ~ прежде всего; в первую очередь; сначала, сперва; 2. *v* 1) приводить в качестве примера; 2) служить примером.

instancy ['ınstənsı] *n* настоятельность; спешность, безотлагательность.

instant ['ınstənt] 1. *n* мгновение, момент; at that very ~ в (э)тот самый момент; the ~ как только; the ~ you call как только вы позовёте; on the ~ тотчас, немедленно; this ~ сейчас;
2. *a* 1) настоятельный; 2) немедленный, безотлагательный; 3) текущий, текущего месяца.

instantaneous [,ınstən'teınjəs] *a* 1) мгновенный, немедленный; 2) одновременный.

instantly ['ınstəntlı] *adv* немедленно, тотчас.

instead [ın'sted] *adv* вместо; взамен; ~ of this вместо этого; ~ of going вместо того, чтобы пойти; ~ of him вместо него; this will do ~ это годится взамен.

instep ['ınstep] *n* подъём (*ноги, ботинка*)

instep-raiser ['ınstep'reızə] *n мед.* супинатор.

instigate ['ınstıgeıt] *v* 1) побуждать, подстрекать (to); 2) провоцировать; раздувать.

instigation [,ınstı'geıʃən] *n* подстрекательство.

instigator ['ınstıgeıtə] *n* подстрекатель; ~ of war поджигатель войны.

instil(l) [in'stil] *v* 1) вливать по капле (into); 2) *мед.* пускать по капле; 3) исподволь внушать; вселять (*надежду, страх и т. п.*).

instillation [ˌinstiˈleiʃən] *n* 1) вливание по капле; 2) постепенное внушение (*чего-л.*).

instilment [inˈstilmənt] = instillation.

instinct I [ˈinstiŋkt] *n* инстинкт; природное чутьё; интуиция.

instinct II [inˈstiŋkt] *a predic.* полный, (пре)исполненный (*жизни, красоты и т. п.*).

instinctive [inˈstiŋktiv] *a* инстинктивный, бессознательный.

institute [ˈinstitjuːt] **1.** *n* 1) институт; 2) установленный закон, обычай; 3) общество, организация для научной, общественной *и др.* работы; научное учреждение; 4) *амер.* краткосрочные курсы, серия лекций; 5) *pl юр.* основы права, институции. **2.** *v* 1) устанавливать; вводить; учреждать, основывать; 2) начинать, назначать (*расследование и т. п.*); 3) назначать, устраивать (*на должность и т. п.*).

institution [ˌinstiˈtjuːʃən] *n* 1) установление; учреждение; 2) нечто установленное (*закон, обычай, система*); 3) общество; учреждение; 4) учебное заведение; 5) институт (*общественный*); 6) *церк.* назначение священником; облечение духовной властью; 7) *церк.* орден (*монашеский*); 8) *шутл.* воплощение какого-л. свойства (*о человеке*); кто-л., чьё имя стало нарицательным.

institutional [ˌinstiˈtjuːʃənl] *a* казённый, холодный, скучный (*о помещении, обстановке и т. п.*).

instruct [inˈstrʌkt] *v* 1) учить, обучать (in); 2) инструктировать; 3) информировать, сообщать; 4) *юр.* давать материал (*адвокату*); поручать ведение дела; 5) отдавать приказ; 6) *амер.* давать наказ (*делегату*).

instruction [inˈstrʌkʃən] *n* 1) обучение (in); 2) инструктаж; 3) директива; *pl* наставления, предписания, указания, инструкции; 4) *pl юр.* поручение (*адвокату*) ведение дела; наказ (*судьи*) присяжным; under the ~ по поручению; 5) *амер.* наказ (*делегатам*) голосовать за определённого кандидата.

instructional [inˈstrʌkʃənl] *a* учебный; ~ film учебный фильм.

instructive [inˈstrʌktiv] *a* 1) инструктивный; 2) поучительный.

instructor [inˈstrʌktə] *n* 1) инструктор, руководитель; учитель; 2) *амер.* преподаватель высшего учебного заведения.

instructress [inˈstrʌktris] *n ж. к* instructor.

instrument [ˈinstrumənt] **1.** *n* 1) орудие; инструмент; прибор, аппарат; 2) *перен.* орудие; ~ of aggression орудие агрессии; he is a mere ~ in their hands он слепое орудие в их руках; 3) музыкальный инструмент; 4) *юр.* документ; ratification ~s ратификационные грамоты; 7) договор; ~ of surrender акт о капитуляции; 6) *attr.* связанный с приборами; ~ board *тех.* распределительная доска, контрольный щи-

ток; ~ room аппаратная, аппаратный зал (*на телеграфе*); ~ shed инвентарный сарай; ~ flying *ав.* слепой полёт, полёт по приборам; **2.** *v* 1) практически осуществлять, проводить в жизнь; 2) *муз.* инструментовать; 3) оборудовать приборами.

instrumental [ˌinstruˈmentl] *a* 1) инструментальный; ~ errors погрешности прибора; ~ landing *ав.* слепая посадка, посадка по приборам; 2) *перен.* служащий орудием, средством (*для чего-л.*); способствующий (*чему-л.*); to be ~ in smth. способствовать чему-л.; 3) *грам.:* ~ case творительный (*или* инструментальный) падеж.

instrumentalist [ˌinstruˈmentəlist] *n* инструменталист; музыкант.

instrumentality [ˌinstrumenˈtæliti] *n* средство, способ; by the ~ of... через посредство..., посредством...

instrumentation [ˌinstrumenˈteiʃən] *n* 1) *муз.* инструментовка; 2) пользование инструментами; 3) осуществление, проведение в жизнь; 4) *уст.* средство, способ; 5) *тех.* оснастка приборами.

insubordinate [ˌinsəˈbɔːdnit] *a* 1) не подчиняющийся дисциплине; 2) непокорный.

insubordination [ˈinsəˌbɔːdiˈneiʃən] *n* 1) ослушание, неподчинение, неповиновение; 2) непокорность.

insubstantial [ˌinsəbˈstænʃəl] *a* 1) *поэт.* нереальный, иллюзорный; 2) неважный, посредственный; 3) неосновательный.

insufferable [inˈsʌfərəbl] *a* невыносимый; нетерпимый.

insufficiency [ˌinsəˈfiʃənsi] *n* недостаточность.

insufficient [ˌinsəˈfiʃənt] *a* недостаточный; несоответствующий; неудовлетворительный; неполный.

insufflate [inˈsʌfleit] *v* вдувать.

insufflation [ˌinsəˈfleiʃən] *n* вдувание.

insufflator [ˈinsəfleitə] *n* 1) *мед.* аппарат для вдувания; 2) *тех.* инжектор для вдувания воздуха.

insular [ˈinsjulə] *a* 1) островной; 2) свойственный островитянам; 3) *перен.* замкнутый; сдержанный; 4) *перен.* ограниченный.

insularity [ˌinsjuˈlæriti] *n* 1) островное положение; 2) замкнутость, сдержанность.

insulate [ˈinsjuleit] *v* 1) изолировать; 2) отделить от окружающих; 3) образовать остров, окружать водой; 4) *тех.* разобщать; 5) *эл.* изолировать.

insulated [ˈinsjuleitid] **1.** *p. p. om* insulate: **2.** *a* изолированный; ~ bag мешок-термос.

insulating [ˈinsjuleitiŋ] **1.** *pres. p. om* insulate: **2.** *a* изоляционный, изолирующий; ~ tape изоляционная лента.

insulation [ˌinsjuˈleiʃən] *n* 1) изоляция, изоляционный материал; 2) обособление.

insulator [ˈinsjuleitə] *n* 1) *эл.* изолятор; непроводник; 2) изоляционный материал.

insult 1. *n* [ˈinsʌlt] оскорбление; обида;

2. *v* [in'sʌlt] оскорблять, наносить оскорбление; обижать.

insuperability [in,sjuːpərə'biliti] *n* непреодолимость.

insuperable [in'sjuːpərəbl] *a* непреодолимый; ~ difficulty непреодолимая трудность.

insupportable [,insə'pɔːtəbl] *a* невыносимый, нестерпимый.

insurance [in'ʃuərəns] *n* 1) страхование; social ~ социальное страхование; 2) страховая премия; 3) *attr.* страховой; ~ policy страховой полис.

insurant [in'ʃuərənt] *n* застрахованный, платящий страховую премию.

insure [in'ʃuə] *v* 1) страховать(ся), застраховывать(ся); 2) обеспечивать.

insurer [in'ʃuərə] *n* 1) страховое общество; 2) страховщик; страхователь.

insurgent [in'sədʒənt] 1. *n* повстанец, инсургент; 2) мятежник.
2. *a* 1) восставший; 2) мятежный.

insurmountable [,insəː'mauntəbl] *a* непреодолимый.

insurrection [,insə'rekʃən] *n* 1) восстание; 2) мятеж; бунт.

insurrectional, insurrectionary [,insə'rekʃənl, -nəri] *a* 1) повстанческий; 2) мятежный.

insurrectionist [,insə'rekʃnist] *n* 1) участник восстания, повстанец; 2) мятежник.

insusceptibility ['insə,septə'biliti] *n* нечувствительность, невосприимчивость.

insusceptible [,insə'septəbl] *a* нечувствительный, невосприимчивый; недоступный (*чувству*); ~ of medical treatment не поддающийся лечению.

inswept ['in'swept] *a тех.* обтекаемый; сигарообразный, суживающийся.

intact [in'tækt] *a* нетронутый; неповреждённый, целый.

intaglio [in'tɑːliou] *um.* 1. *n* 1) интальо, глубоко вырезанное изображение на отшлифованном камне *или* металле; 2) *attr.* ~ printing *полигр.* глубокая печать;
2. *v* вырезать, гравировать.

intake ['inteik] *n* 1) (*преим. сев.*) разработанный участок земли (*среди пустоши или болот*); 2) приёмное, впускное *или* всасывающее устройство; всасывание; жидкость *или* газ, всасываемые насосом; 3) поглощение, потребление; 4) набор, общее число учащихся, принятых в учебное заведение (*в данном году*); 5) общее число зачисленных на службу *или* завербованных на работу; 6) рекрут; 7) *горн.* вентиляционная выработка; 8) *метал.* литник; 9) *шотл.* обман; обманщик.

intangibility [in,tændʒə'biliti] *n* 1) неосязаемость; 2) неуловимость; непостижимость.

intangible [in'tændʒəbl] 1. *a* 1) неосязаемый; 2) неуловимый; непостижимый;
2. *n* нечто неуловимое, непостижимое.

integer ['intidʒə] *n* 1) нечто целое; 2) *мат.* целое число.

integral ['intigrəl] 1. *n мат.* интеграл;
2. *a* 1) целый; полный, цельный; 2) неотъемлемый, существенный; 3) *мат.* интегральный.

integrality [,inti'græliti] *n* целость, полнота.

integrant ['intigrənt] 1. *n* неотъемлемая часть целого;
2. *a* 1) составляющий элемент целого; 2) интегрирующий.

integrate ['intigreit] 1. *a* 1) составной; 2) полный, целый;
2. *v* 1) составлять целое; объединять; 2) определять среднее значение *или* общую сумму; 3) *мат.* интегрировать.

integration [,inti'greiʃən] *n* 1) объединение в одно целое; 2) *мат.* интеграция, интегрирование.

integrator ['intigreitə] *n* 1) тот, кто интегрирует; 2) интегрирующее устройство.

integrity [in'tegriti] *n* 1) нетронутость, неприкосновенность; целостность; полнота; 2) прямота, честность, чистота.

integument [in'tegjumənt] *n* наружный покров, оболочка, *особ.* кожа, скорлупа, шелуха, кора.

integumentary [in,tegju'mentəri] *a* покровный.

intellect ['intilekt] *n* интеллект, ум, рассудок.

intellection [,inti'lekʃən] *n* деятельность ума, интеллект.

intellective [,inti'lektiv] *a* умственный, мыслительный.

intellectual [,inti'lektjuəl] 1. *a* 1) интеллектуальный, умственный; ~ effort усилие ума; 2) мыслящий;
2. *n* 1) мыслящий человек; интеллигент; 2) (the ~s) *pl* интеллигенция; 3) кабинетный учёный.

intellectuality ['inti,lektju'æliti] *n* интеллектуальность.

intelligence [in'telidʒəns] *n* 1) ум, рассудок, интеллект; 2) смышлёность, быстрое понимание; понятливость (*животных*); 3) сведения, информация; 4) разведка; 5) *attr.* разведывательный; ~ department, ~ service разведывательная служба, разведка; 6) *attr.* умственный; ~ test испытание умственных способностей; ~ quotient [*сокр.* I. Q. (test)] коэффициент умственного развития (*применяется в армии и в школах США*).

intelligencer [in'telidʒənsə] *n* 1) информатор, осведомитель; 2) разведчик, тайный агент; шпион.

intelligent [in'telidʒənt] *a* 1) умный, разумный; 2) понятливый, смышлёный.

intelligentsia, intelligentzia [in,teli'dʒentsiə] *рус. n* интеллигенция.

intelligibility [in,telidʒə'biliti] *n* понятность, вразумительность.

intelligible [in'telidʒəbl] *a* понятный, вразумительный.

intemperance [in'tempərəns] *n* 1) неумеренность; 2) невоздержанность; пристрастие к спиртным напиткам.

intemperate [in'tempərit] *a* 1) несдержанный; 2) неумеренный; 3) невоздержанный; склонный к излишествам, *особ.* к злоупотреблению спиртными напитками.

intend [in'tend] *v* 1) намереваться, иметь в виду; what do you ~ to do (*или* doing)?

что вы наме́рены де́лать?; was it ~ed? э́то бы́ло сде́лано наме́ренно?; I didn't ~ to hurt you я не хоте́л причини́ть вам боль; I ~ed him to come я рассчи́тывал на то, что он придёт; I ~ed to have gone я намерева́лся пойти́ (*но не пошёл*); 2) предназнача́ть; this portrait is ~ed for you а) э́тот портре́т предназнача́ется для вас; б) *ирон.* э́тот портре́т до́лжен изобража́ть вас; 3) зна́чить, подразумева́ть; what do you ~ by your words? что зна́чат ва́ши слова́?

intendant [ɪn'tendənt] *n уст.* управля́ющий, нача́льник.

intended [ɪn'tendɪd] 1. *p. p. om* intend; 2. *n разг.* су́женый (*жених*); су́женая (*невеста*).

intense [ɪn'tens] *a* 1) си́льный; ~ cold си́льный хо́лод; ~ pain си́льная боль; ~ hatred о́страя не́нависть; 2) интенси́вный, напряжённый; 3) ре́вностный; ~ longing пы́лкое жела́ние; 4) си́льно чу́вствующий, напряжённо пережива́ющий.

intensification [ɪn,tensɪfɪ'keɪʃən] *n* усиле́ние, интенсифика́ция.

intensify [ɪn'tensɪfaɪ] *v* уси́ливать(ся).

intension [ɪn'tenʃən] *n* 1) напряже́ние, уси́лие; 2) напряжённость, интенси́вность; си́ла.

intensity [ɪn'tensɪtɪ] *n* 1) интенси́вность, напряжённость; си́ла, эне́ргия; 2) я́ркость, глубина́ (*краски и т. п.*); 3) *эл.* напряжённость (*поля*).

intensive [ɪn'tensɪv] *a* 1) интенси́вный, напряжённый; 2) *грам.* усили́тельный.

intent [ɪn'tent] 1. *n* наме́рение, цель; ◇ to all ~s and purposes a) факти́чески, в су́щности, действи́тельно, на са́мом де́ле; б) во всех отноше́ниях; 2. *a* 1) по́лный реши́мости; насто́йчиво стремя́щийся (on-к *чему-л.*); скло́нный (on-к *чему-л.*); to be ~ on going стреми́ться пойти́; 2) погружённый (*во что-л.*); за́нятый (*чем-л.*); she is ~ on her task она́ поглощена́ свои́м де́лом; 3) внима́тельный, при́стальный; an ~ look при́стальный взгляд.

intention [ɪn'tenʃən] *n* 1) наме́рение, стремле́ние, цель; done without ~ сде́лано неумы́шленно; 2) за́мысел; 3) *филос.* поня́тие, иде́я; 4) *мед.*: first ~ зажи́вле́ние (*раны*) перви́чным натяже́нием (*тж.* healing by first ~); 5) *pl разг.* наме́рение жени́ться; he has ~s у него́ серьёзные наме́рения (*жени́ться*).

intentional [ɪn'tenʃənl] *a* наме́ренный, умы́шленный.

inter [ɪn'tə:] *v* предава́ть земле́, хорони́ть.

inter- ['ɪntə-] *pref* 1) меж-, между-, среди́-; interstellar межзвёздный; 2) пере-; intersect перекре́щиваться; interwoven впле́тённый, переплетённый; 3) взаимо-; interplay взаимоде́йствие, взаимосвязь; interchange обме́н.

interact 1. *n* ['ɪntərækt] 1) антра́кт; 2) интерлю́дия, интерме́дия.
2. *v* [,ɪntər'ækt] находи́ться во взаимоде́йствии, де́йствовать друг на дру́га; взаимоде́йствовать.

interaction [,ɪntər'ækʃən] *n* взаимоде́йствие.

inter alia ['ɪntər'eɪlɪə] *лат. adv* ме́жду про́чим.

interallied ['ɪntər'ælaɪd] *a* (меж)сою́знический.

interatomic ['ɪntərə'tɔmɪk] *a* внутриа́томный.

interblend ['ɪntə'blend] *v* сме́шивать(ся).

interbreed ['ɪntə'bri:d] *v* скре́щивать(ся) (*о разных породах*).

intercalary [ɪn'tə:kələrɪ] *a* 1) приба́вленный для согласова́ния календаря́ с со́лнечным го́дом (*день 29 февраля*); 2) вста́вленный, интерполи́рованный.

intercalate [ɪn'tə:kəleɪt] *v* прибавля́ть, вставля́ть [*см.* intercalary].

intercalation [ɪn,tə:kə'leɪʃən] *n* 1) вста́вка, прибавле́ние; 2) *геол.* просло́йка, внедре́ние.

intercede [,ɪntə'si:d] *v* вступа́ться, хода́тайствовать (for-за; with-пе́ред); to ~ for mercy хода́тайствовать о поми́ловании (*кого-л.*).

intercellular [,ɪntə'seljulə] *a биол.* межкле́точный.

intercept 1. *n* ['ɪntəsept] *воен.* перехва́т; 2. *v* [,ɪntə'sept] 1) перехвати́ть; 2) прерыва́ть, выключа́ть (*свет, ток, воду*); 3) остана́вливать, заде́рживать; отреза́ть, прегради́ть путь, помеша́ть; to ~ a view заслони́ть вид; 4) *мат.* отдели́ть двумя́ то́чками отре́зок на ли́нии.

interception [,ɪntə'sepʃən] *n* 1) перехва́тывание; перехва́т; 2) прегражде́ние; прегра́да; 3) подслу́шивание (*телефо́нных разгово́ров*).

interceptor [,ɪntə'septə] *n ав.* (самолёт-) перехва́тчик.

intercession [,ɪntə'seʃən] *n* засту́пничество, хода́тайство; посре́дничество.

intercessor [,ɪntə'sesə] *n* засту́пник, хода́тай.

intercessory [,ɪntə'sesərɪ] *a* засту́пнический, хода́тайствующий.

interchain [,ɪntə'tʃeɪn] *v* ско́вывать, свя́зывать одно́й це́пью.

interchange 1. *n* ['ɪntə'tʃeɪndʒ] 1) (взаи́мный) обме́н; the ~ of greetings обме́н приве́тствиями; 2) чередова́ние, сме́на; 3) *attr.*: ~ point *ж.-д.* обме́нный пункт; 2. *v* [,ɪntə'tʃeɪndʒ] 1) обме́ниваться; 2) переменя́ть(ся); 3) чередова́ть(ся).

interchangeable [,ɪntə'tʃeɪndʒəbl] *a* 1) заменя́емый, взаимозаменя́емый; равнозна́чный; 2) череду́ющийся.

intercom ['ɪntəkɔm] *n разг.* 1) вну́тренняя телефо́нная *или* селе́кторная связь (*в самолёте, та́нке и т. п.*); 2) *attr.*: ~ switch рыча́г селе́ктора.

intercommunicate [,ɪntəkə'mju:nɪkeɪt] *v* 1) сноси́ться ме́жду собо́й; име́ть связь; 2) сообща́ться (ме́жду собо́й).

intercommunication ['ɪntəkə,mju:nɪ'keɪʃən] *n* 1) сноше́ние, обще́ние; 2) собесе́дование; 3) связь; 4) *attr.*: ~ service *воен.* слу́жба свя́зи.

intercommunion [,ɪntəkə'mju:njən] *n* 1) те́сное обще́ние; 2) взаимоде́йствие.

intercommunity [,ɪntəkə'mju:nɪtɪ] *n* 1) о́бщность; 2) о́бщее владе́ние (*чем-л.*).

interconnect ['ıntəkə'nekt] *v* связывать (-ся).

interconnection ['ıntəkə'nekʃən] *n* 1) взаимная связь; соединéние; 2) эл. объединéние (энергосистéм), кустовáние.

interconnexion ['ıntəkə'nekʃən] = interconnection.

intercontinental ['ıntə,kɔntı'nentl] *a* межконтинентáльный; ~ ballistic missile межконтинентáльный баллистúческий снарáд.

interconvertible ['ıntəkən'vəːtıbl] *a* 1) взаимозаменяемый; 2) равноцéнный.

intercostal [,ıntə'kɔstl] *a* 1) анат. межрёберный; 2) мор. интеркостéльный.

intercourse ['ıntəkɔːs] *n* 1) общéние, общéственные связи *или* отношéния; 2) связь, сношéния (*между странами*); 3) половые сношéния.

intercrop [,ıntə'krɔp] *v* с.-х. сажáть *или* сéять в междурядьях.

intercross [,ıntə'krɔs] *v* 1) взаимно пересекáться; 2) скрéщивать(ся) (*о разных породах*).

interdental [,ıntə'dentl] *a* лингв. межзýбный.

interdepartmental ['ıntə,diːpɑːt'mentl] *a* междуведóмственный.

interdepend [,ıntədı'pend] *v* завúсеть друг от дрýга.

interdependence [,ıntədı'pendəns] *n* взаúмная завúсимость, взаимозавúсимость; взаимосвязь.

interdependent [,ıntədı'pendənt] *a* завúсящий одúн от другóго, взаимозавúсимый.

interdict 1. *n* ['ıntədıkt] 1) запрещéние, запрéт; 2) *церк.* отлучéние; интердúкт;
2. *v* [,ıntə'dıkt] 1) запрещáть; 2) лишáть прáва пóльзования; 3) удалять от дóлжности; 4) удéрживать (*от чего-л.*); 5) *воен.* прегряждáть; препятствовать назéмным трáнспортным операциям путём бомбёжки.

interdiction [,ıntə'dıkʃən] *n* 1) запрещéние; 2) *церк.* отлучéние; интердúкт; 3) прегряждéние, загряждéние; 4) *attr.*: ~ fire *амер. воен.* стрельбá на запрещéние; ~ barrage *воен.* огневóе загряждéние.

interdictory [,ıntə'dıktərı] *a* запретúтельный [*см. тж.* interdict 2 *и* interdiction].

interest ['ıntrıst] 1. *n* 1) интерéс, заинтересóванность; to lose ~ потерять интерéс; to show ~ проявúть интерéс; 2) выгода, преимýщество, пóльза; to look after one's own ~s забóтиться о сóбственной выгоде; in the ~(s) of truth в интерéсах справедлúвости; it is to my ~ to do so сдéлать это в моúх интерéсах; 3) дóля (*в чём-л.*); учáстие в прúбылях; 4) увлечéние (*чем-л.*); интерéс (*к чему-л.*); to take (an) ~ in smb., smth. интересовáться кем-л., чем-л., проявлять интерéс к комý-л., чемý-л.; увлекáться кем-л., чем-л.; 5) вáжность, значéние; a matter of no little ~ дéло немаловáжное; 6) влияние (with—на *кого-л.*); 7) грýппа лиц, имéющих óбщие интерéсы; the landed ~ землевладéльцы; 8) прóценты (*на капитал*); simple (compound) ~ прóстые (слóжные) прóценты; rate of ~ прóцент, процéнтная стáвка, нóрма процéнта;

to return with ~ вернýть с процéнтами; *перен.* вернýть с лихвóй; 9) *pl:* (vested) ~s капиталовложéния;
2. *v* интересовáть, заинтересóвывать.

interested ['ıntrıstıd] 1. *p. p. от* interest 2;
2. *a* 1) заинтересóванный; an ~ listener внимáтельный слýшатель; 2) пристрáстный, предубеждённый; 3) корыстный; ~ motives корыстные мотúвы; материáльная заинтересóванность.

interesting ['ıntrıstıŋ] 1. *pres. p. от* interest 2;
2. *a* интерéсный; to be in an ~ condition *эвф.* быть в интерéсном положéнии.

interfere [,ıntə'fıə] *v* 1) вмéшиваться (in); don't ~ in his affairs не вмéшивайтесь в егó делá; he is always interfering он всегдá во всё вмéшивается; to ~ with smb.'s independence покушáться на чью-л. незавúсимость; 2) служúть препятствием, мешáть, быть помéхой; 3) надоедáть, докучáть (with); don't ~ with me не мешáйте, не надоедáйте мне; 4) вредúть; to ~ with health вредúть здорóвью; 5) *физ.* интерферúровать; 6) стáлкиваться друг с дрýгом; pleasure must not be allowed to ~ with business развлечéние не должнó мешáть дéлу; ≅ дéлу врéмя, потéхе час; 7) засекáться (*о лошади*); 8) *амер.* оспáривать (*чьи-л.*) правá на патéнт.

interference [,ıntə'fıərəns] *n* 1) вмешáтельство; ~ with mail-bags досмóтр, вскрытие мешкóв с почтóвыми отправлéниями; 2) препятствие, помéха; 3) *физ.* интерферéнция; 4) *радио* помéхи; 5) *вет.* засéчка; 6) *амер.* столкновéние одноврéменно заявляемых прав на патéнт; 7) *attr. физ.* интерференцийный; ~ fringes интерференцийные полосы.

interferometer [,ıntəfıə'rɔmıtə] *n физ.* интерферóметр, инструмéнт для измерéния длúны волн, лучéй *и т. п.*

interflow 1. *n* ['ıntəflou] слияние;
2. *v* [,ıntə'flou] сливáться, соединяться.

interfluent [,ıntə'fluːənt] *a* 1) сливáющийся; 2) протекáющий мéжду.

interfuse [,ıntə'fjuːz] *v* перемéшивать(ся), смéшивать(ся) (with).

interfusion [,ıntə'fjuːʒən] *n* 1) перемéшивание; 2) смесь.

intergrowth ['ıntə,grouθ] *n* прорастáние.

interim ['ıntərım] 1. *n* промежýток врéмени; in the ~ тем врéменем; в промежýтке; minister at ~ врéменно исполняющий обязанности минúстра;
2. *a* врéменный, промежýточный.

interior [ın'tıərıə] 1. *n* 1) внýтренность, внýтренняя сторонá; 2) внýтренние óбласти страны; глубóкий тыл; 3): the I. министéрство внýтренних дел; Minister of the I.. *амер.* Secretary of the I. минúстр внýтренних дел; 4) *разг.* внýтренности, желýдок; 5) *жив.* интерьéр;
2. *a* внýтренний.

interjacent [,ıntə'dʒeısnt] *a* лежáщий мéжду, промежýточный.

interjaculate [,ıntə'dʒækjuleıt] *v* вставлять (*замечáние*); **переби**вáть (восклицáниями).

interject [ˌintə'dʒekt] *v* вставлять (замечание).

interjection [ˌintə'dʒekʃən] *n* 1) восклицание; 2) *грам.* междометие.

interlace [ˌintə'leis] *v* переплетать(ся), сплетать(ся).

interlacement [ˌintə'leismənt] *n* сплетение, переплетение.

interlard [ˌintə'lɑːd] *v* 1) уснащать, пересыпать (*речь, письмо иностранными словами и т. п.*); 2) *уст.* шпиговать (*мясо*).

interleaf ['intəliːf] *n* прокладка из белой бумаги (*между листами книги*).

interleave [ˌintə'liːv] *v* 1) прокладывать белую бумагу (*между листами книги*); 2) прославлять.

inter-library ['intə'laibrəri] *a* межбиблиотечный; ~ exchange system межбиблиотечный абонемент.

interline [ˌintə'lain] 1. *n полигр.* шпон; 2. *v* 1) вписывать между строк; 2) *полигр.* вставлять шпоны.

interlinear [ˌintə'liniə] *a* 1) междустрочный; 2) подстрочный.

interlineation ['intəˌlini'eiʃən] *n* приписка, вставка между строк.

interlink [ˌintə'liŋk] *v* тесно связывать; сцеплять.

interlock [ˌintə'lɔk] *v* 1) соединять(ся), сцеплять(ся); смыкаться; 2) *тех.* блокировать.

interlocution [ˌintələ'kjuːʃən] *n* беседа, диалог.

interlocutor [ˌintə'lɔkjutə] *n* собеседник.

interlocutory [ˌintə'lɔkjutəri] *a* носящий характер беседы, диалога; ~ decree *юр.* временное, не окончательное постановление.

interlocutress, interlocutrix [ˌintə'lɔkjutris, -triks] *n* собеседница.

interlope [ˌintə'loup] *v* 1) вмешиваться в чужие дела; 2) заниматься контрабандой.

interloper [ˌintə'loupə] *n* 1) человек, вмешивающийся в чужие дела; 2) контрабандное судно; 3) *уст.* торговец, нарушающий (*чью-л.*) монополию.

interlude ['intəluːd] *n* 1) антракт; промежуток; 2) *ист.* интермедия; 3) фарс, комедия; 4) промежуточный эпизод; 5) *муз.* интерлюдия.

intermarriage [ˌintə'mæridʒ] *n* 1) брак между людьми разных рас, национальностей *и т. п.*; 2) брак между родственниками.

intermarry ['intə'mæri] *v* 1) породниться; смешаться путём брака (*о расах, племенах*); 2) вступить в брак (*о родственниках*).

intermaxillary [ˌintəmæk'siləri] *a анат.* межчелюстной.

intermeddle [ˌintə'medl] *v* вмешиваться, соваться не в своё дело (with, in).

intermedia [ˌintə'miːdiə] *pl om* intermedium.

intermediary [ˌintə'miːdiəri] 1. *n* посредник;

2. *a* 1) посреднический; 2) промежуточный.

intermediate 1. *n* [ˌintə'miːdjət] промежуточное звено;

2. *a* [ˌintə'miːdjət] 1) промежуточный; ~ product полуфабрикат; 2) вспомогательный; ~ agent вспомогательное средство; 3) средний;

3. *v* [ˌintə'miːdieit] быть посредником.

intermediate-range [ˌintə'miːdjət,reindʒ] *a*: ~ ballistic missile баллистический снаряд среднего радиуса действия.

intermediation ['intəˌmiːdi'eiʃən] *n* посредничество.

intermediator [ˌintə'miːdieitə] *n* посредник.

intermedium [ˌintə'miːdiəm] *n* (*pl* -dia, -diums [-diəmz]) средство сообщения, передачи; посредство.

interment [ˌintə'təmənt] *n* погребение.

intermezzi [ˌintə'metsi] *pl om* intermezzo.

intermezzo [ˌintə'metsou] *um. n* (*pl* -zi, -zos [-tsouz]) 1) интермедия; 2) *муз.* интермеццо.

interminable [in'təːminəbl] *a* бесконечный, вечный.

intermingle [ˌintə'miŋgl] *v* 1) смешивать(ся), перемешивать(ся) (with); 2) общаться.

intermission [ˌintə'miʃən] *n* 1) перерыв, пауза, остановка; without ~ беспрерывно; 2) *амер.* антракт; *школ.* перемена; 3) *мед.* перерыв, перебой (*пульса*).

intermit [ˌintə'mit] *v* остановить(ся) на время, прервать(ся).

intermittent [ˌintə'mitənt] *a* 1) перемежающийся; прерывистый; an ~ pulse пульс с перебоями; ~ contact *тех.* прерывистый контакт; 2) интермиттирующий, ритмический (*о гейзере*).

intermix [ˌintə'miks] *v* смешивать(ся), перемешивать(ся).

intermixture [ˌintə'mikstʃə] *n* смешение; смесь; примесь.

intern I [in'təːn] *n амер.* студент медицинского колледжа *или* молодой врач, работающий в больнице и живущий при ней.

intern II [in'təːn] *v* интернировать.

internal [in'təːnl] 1. *a* 1) внутренний; ~ aerial *радио* комнатная антенна; ~ evidence *юр.* доказательство, вытекающее из существа дела; ~ security units *воен.* части войск внутренней охраны; ~ student студент университетского колледжа; 2) душевный, сокровенный;

2. *n pl* 1) *анат.* внутренние органы; 2) свойства, качества.

internal-combustion engine [in'təːnlkəm'bʌstʃən'endʒin] *n* двигатель внутреннего сгорания.

internally [in'təːnəli] *adv* внутренне; he shuddered ~ он внутренне содрогнулся.

International [ˌintə'næʃənl] *n* Интернационал (*международное объединение*).

international [ˌintə'næʃənl] 1. *a* международный, интернациональный; ~ law международное право; ~ salute *мор.* «салют нации» (*государственному флагу*);

2. *n* 1) участник международных спортивных состязаний; 2) международное состязание.

Internationale [ˌintənæʃə'nɑːl] *n* Интернационал (*гимн*).

internationalism [ˌintə'næʃnəlizəm] *n* интернационализм.

internationalist [ˌintə'næʃnəlist] *n* интернационалист.

internationalize [ˌɪntə'næʃnəlaɪz] *v* де́лать интернациона́льным; ста́вить под контро́ль разли́чных госуда́рств (*о террито́рии, стране*).

internecine [ˌɪntə'niːsaɪn] *a* 1) междоусо́бный; 2) смерте́льный, истреби́тельный.

internee [ˌɪntəː'niː] *n* интерни́рованный.

internment [ɪn'təːnmənt] *n* 1) интерни́рование; 2) *attr*.: ~ camp ла́герь для интерни́рованных.

interoffice ['ɪntər'ɔfɪs] *a*: ~ telephone вну́тренний телефо́н, коммута́тор.

interosculation [ˌɪntərɔskjuˈleɪʃən] *n* 1) взаимопроникнове́ние; 2) *тех.* связь *или* увя́зка двух дета́лей; прилега́ние вплотну́ю.

interpellate [ɪn'təːpeleɪt] *v парл.* интерпелли́ровать, де́лать запро́с.

interpellation [ɪnˌtəːpeˈleɪʃən] *n парл.* интерпелля́ция, запро́с.

interpenetrate [ˌɪntə'penɪtreɪt] *v* 1) глубоко́ проника́ть, наполня́ть собо́ю; 2) взаи́мно проника́ть.

interpenetrative [ˌɪntə'penɪtrətɪv] *a* взаимопроника́ющий.

interphone ['ɪntəˌfoun] *амер.* = intercom.

interplanetary [ˌɪntə'plænɪtərɪ] *a* межплане́тный.

interplay ['ɪntə'pleɪ] *n* взаимоде́йствие.

interpolate [ɪn'təːpouleɪt] *v* 1) интерполи́ровать; де́лать вста́вки в текст чужо́й ру́кописи; 2) вставля́ть слова́, замеча́ния; 3) *мат.* интерполи́ровать.

interpolation [ɪnˌtəːpouˈleɪʃən] *n* интерполя́ция *и пр.* [*см.* interpolate].

interpolator [ɪn'təːpouleɪtə] *n* де́лающий интерполя́ции, вста́вки.

interposal [ˌɪntə'pouzl] = interposition.

interpose [ˌɪntə'pouz] *v* 1) вставля́ть, вводи́ть, ста́вить ме́жду; 2) прерыва́ть (*замеча́нием, вво́дными слова́ми*); 3) станови́ться ме́жду, вкли́ниваться; 4) вме́шиваться.

interposition [ɪnˌtəːpə'zɪʃən] *n* 1) введе́ние ме́жду; 2) нахожде́ние ме́жду; 3) вмеша́тельство, посре́дничество.

interpret [ɪn'təːprɪt] *v* 1) объясня́ть, толкова́ть, интерпрети́ровать; понима́ть (как); 2) переводи́ть (*у́стно*), быть перево́дчиком (*у́стным*).

interpretation [ɪnˌtəːprɪ'teɪʃən] *n* 1) толкова́ние, объясне́ние, интерпрета́ция; to put a wide ~ on smth. дава́ть чему́-л. (сли́шком) широ́кое толкова́ние; 2) перево́д (*у́стный*); 3) *воен.* расшифро́вка (*аэрофотосни́мков*).

interpretative [ɪn'təːprɪtətɪv] *a* толкова́тельный, объясни́тельный.

interpreter [ɪn'təːprɪtə] *n* 1) интерпрета́тор, истолкова́тель; 2) перево́дчик (*у́стный*).

interpretress [ɪn'təːprɪtrɪs] *ж. к* interpreter.

interregna [ˌɪntə'regnə] *pl от* interregnum.

interregnum [ˌɪntə'regnəm] *n* (*pl* -na, -nums [-nəmz]) 1) междуца́рствие; 2) интерва́л, переры́в.

interrelation ['ɪntərɪ'leɪʃən] *n* взаимоотноше́ние, соотноше́ние.

interrelationship ['ɪntərɪ'leɪʃənʃɪp] *n* взаи́мная связь, взаи́мное родство́.

interrogate [ɪn'terəgeɪt] *v* 1) спра́шивать;

2) допра́шивать; 3) *радио* запра́шивать, посыла́ть сигна́лы для ориента́ции с по́мощью рада́ра.

interrogation [ɪnˌterə'geɪʃən] *n* 1) вопро́с; note (*или* mark, point) of ~ вопроси́тельный знак; 2) допро́с; 3) вопроси́тельный знак.

interrogative [ˌɪntə'rɔgətɪv] *a* вопроси́тельный; ~ rronoun *грам.* вопроси́тельное местоиме́ние.

interrogator [ɪn'terəgeɪtə] *n* 1) опра́шивающий; 2) сле́дователь.

interrogatory [ˌɪntə'rɔgətərɪ] **1.** *n* 1) вопро́с; 2) допро́с; опро́сный лист (*для пока́заний*); **2.** *a* вопроси́тельный.

interrupt [ˌɪntə'rʌpt] *v* 1) прерыва́ть; 2) вме́шиваться (*в разгово́р и т. п.*); 3) препя́тствовать, меша́ть, прегражда́ть.

interrupter [ˌɪntə'rʌptə] *n эл.* прерыва́тель.

interruption [ˌɪntə'rʌpʃən] *n* 1) переры́в; прерыва́ние; 2) остано́вка, зами́нка; 3) разры́в, разло́м; разъедине́ние.

intersect [ˌɪntə'sekt] *v* 1) пересека́ть(ся); перекре́щивать(ся); скре́щивать(ся); 2) дели́ть на ча́сти.

intersection [ˌɪntə'sekʃən] *n* 1) пересече́ние; 2) то́чка *или* ли́ния пересече́ния; 3) *амер. воен.* пряма́я засе́чка.

intersiderial ['ɪntəsaɪ'dɪərɪəl] *a* межзвё́здный.

interspace ['ɪntə'speɪs] **1.** *n* промежу́ток (*простра́нства, вре́мени*), интерва́л; **2.** *v* 1) де́лать промежу́тки, отделя́ть промежу́тками; 2) заполня́ть промежу́тки.

interspecific [ˌɪntəspɪ'sɪfɪk] *a биол.* межвидово́й.

intersperse [ˌɪntə'spəːs] *v* 1) разбра́сывать, рассыпа́ть (among, between—среди́, ме́жду); 2) пересыпа́ть, усыпа́ть, усе́ивать; 3) разнообра́зить; 4) вставля́ть в промежу́тки.

interstate ['ɪntə'steɪt] *a* находя́щийся ме́жду шта́тами; включа́ющий ра́зные шта́ты; относя́щийся к ра́зным шта́там; свя́зывающий отде́льные шта́ты (*США, Австра́лии*), междушта́тный; ~ commerce торго́вые отноше́ния ме́жду шта́тами.

interstellar [ˌɪntə'stelə] *a* межзвё́здный; ~ space ship косми́ческий кора́бль.

interstice [ɪn'stəːtɪs] *n* 1) промежу́ток; 2) щель, расще́лина.

interstitial [ˌɪntə'stɪʃəl] *a* 1) промежу́точный; 2) образу́ющий тре́щины, ще́ли.

intertill [ˌɪntə'tɪl] *a с.-х.* пропа́хивать, обраба́тывать междуря́дья.

intertribal [ˌɪntə'traɪbəl] *a* междупле́менно́й.

intertwine [ˌɪntə'twaɪn] *v* 1) сплета́ть(-ся), переплета́ть(ся); 2) закру́чиваться, скру́чиваться.

intertwist [ˌɪntə'twɪst] = intertwine.

interurban ['ɪntər'əːbən] *a* междугоро́дный.

interval ['ɪntəvəl] **1.** *n* 1) промежу́ток, расстоя́ние, интерва́л; at ~s а) с промежу́тками; б) вре́мя от вре́мени; в) здесь и там; 2) па́уза; переры́в; переме́на; антра́кт; **2.** *v* 1) де́лать переры́в; 2) перемежа́ться.

intervale ['ıntəveıl] *n амер.* долина вдоль реки (с плодородной наносной почвой).

intervene [,ıntə'viːn] *v* 1) вмешиваться; вступаться (in); 2) происходить, иметь место (*за какой-л. период времени*); 3) находиться, лежать между; 4) явиться помехой, помешать.

intervention [,ıntə'venʃən] *n* 1) интервенция; 2) вмешательство; 3) посредничество.

interventionist [,ıntə'venʃənıst] *n* 1) интервент; 2) сторонник интервенции.

interview ['ıntəvjuː] 1. *n* 1) свидание, встреча, беседа; 2) интервью (*газетное*); 2. *v* иметь беседу, интервью; интервьюировать.

interviewee [,ıntəvjuː'iː] *n* интервьюируемый.

interviewer ['ıntəvjuːə] *n* интервьюер.

intervocalic [,ıntəvou'kælık] *a лингв.* интервокальный.

interweave [,ıntə'wiːv] *v* (interwove; interwoven) 1) воткать, заткать; 2) сплетать, переплетать (with); вплетать.

interwove [,ıntə'wouv] *past om* interweave.

interwoven [,ıntə'wouvn] *p. p. om* interweave.

interzonal [,ıntə'zounəl] *a* межзональный.

intestacy [ın'testəsı] *n* 1) отсутствие завещания; 2) имущество, наследство, оставленное без завещания.

intestate [ın'testıt] 1. *n* человек, скончавшийся без завещания; 2. *a* умерший, скончавшийся без завещания; he died ~ он умер, не оставив завещания.

intestinal [ın'testınl] *a анат.* кишечный.

intestine I [ın'testın] *n* (*обыкн. pl*) кишки, кишечник; small (large) ~ тонкая (толстая) кишка.

intestine II [ın'testın] *a* внутренний, междоусобный.

intimacy ['ıntıməsı] *n* тесная связь, близость, интимность.

intimate I ['ıntımıt] 1. *n* близкий друг; 2. *a* 1) интимный, личный; ~ friends задушевные друзья; ~ details интимные подробности; 2) близкий, тесный; хорошо знакомый; ~ knowledge близкое знакомство (*с предметом*); 3) внутренний; сокровенный; ~ feelings сокровенные чувства; 4) однородный (*о смеси*).

intimate II ['ıntımeıt] *v* 1) объявлять, ставить в известность; 2) намекать, подразумевать; 3) мельком упоминать.

intimation [,ıntı'meıʃən] *n* 1) указание, сообщение; 2) намёк.

intimidate [ın'tımıdeıt] *v* пугать; запугивать, застращивать.

intimidation [ın,tımı'deıʃən] *n* 1) запугивание; 2) страх, запуганность.

intimity [ın'tımıtı] *n* 1) интимность; 2) уединение, уединённость.

intitule [ın'tıtjuːl] *v* (*особ. p. p.*) *юр.* озаглавливать.

into ['ıntu, 'ıntə] *prep* 1) *указывает на движение или направление внутрь, в сферу или область чего-л.* в(о), на; to go ~ the house войти в дом; to fall, to dive, *etc.* ~ the

river упасть, нырнуть *и т. п.* в реку; to walk ~ the square войти на площадь; to climb high ~ the mountains забраться высоко в горы; to vanish ~ a crowd исчезнуть в толпе; to fall ~ a trap попасть в западню; to fall ~ a mistake впасть в ошибку; to get ~ trouble попасть в беду; to work (*или* to insinuate) oneself ~ smb.'s favour втереться в чьё-л. доверие; 2) *указывает на достижение какого-л. предмета, столкновение с каким-л. предметом* в(о); to run (to walk) ~ smb., smth. натолкнуться (набрести) на кого-л., что-л.; 3) *указывает на движение во времени* в, к; her reflections shifted ~ the past она мысленно вернулась к прошлому; looking ~ the future a) заглядывая в будущее; б) взгляд в будущее; 4) *указывает на включение в категорию, список и т. п.* в; to include ~ a list включить в список; 5) *указывает на переход в новую форму, иное качество или состояние* в(о), на, до; to turn water ~ ice превращать воду в лёд; to grow ~ manhood (womanhood) стать взрослым мужчиной (взрослой женщиной); to transmute water power ~ electric power превращать энергию воды в электрическую энергию; to put (*или* to lick) ~ shape a) придавать форму; б) приводить в порядок; to divide (to cut, to break, *etc.*) ~ so many portions делить (разрезать, разбивать *и т. д.*) на столько частей; to work oneself ~ a rage довести себя до бешенства; to lapse ~ silence погрузиться в молчание; to plunge ~ a reverie впасть в задумчивость; to be persuaded ~ doing smth. дать себя уговорить сделать что-л.

in-toed ['ın,toud] *a* с пальцами ног, обращёнными внутрь; косолапый.

intolerable [ın'tɔlərəbl] *a* невыносимый, нестерпимый.

intolerance [ın'tɔlərəns] *n* нетерпимость.

intolerant [ın'tɔlərənt] *a* нетерпимый.

intonate ['ıntouneıt] *v* = intone.

intonation [,ıntou'neıʃən] *n* 1) интонация; модуляция (*голоса*); 2) произнесение нараспев; пение речитативом; 3) исполнение (*обыкн.* солистом) первых слов песни или псалма.

intone [ın'toun] *v* 1) интонировать, модулировать (*голос*); 2) исполнять речитативом; произносить нараспев; 3) запевать, петь первые слова.

intoxicant [ın'tɔksıkənt] 1. *n* опьяняющий напиток; 2. *a* опьяняющий.

intoxicate [ın'tɔksıkeıt] *v* опьянять, возбуждать.

intoxication [ın,tɔksı'keıʃən] *n* 1) опьянение; упоение; 2) *мед.* интоксикация, отравление.

intra- ['ıntrə-] *лат. pref* внутри-; intracranial внутричерепной; intramuscular внутримышечный; intranuclear внутриядерный; intravenous внутривенный; intraurban (внутри)городской; intraurban traffic городской транспорт.

intractability [ın,træktə'bılıtı] *n* 1) неподатливость; 2) трудность (*воспитания, обработки почвы, лечения болезни и т. п.*).

intractable [ın'træktəbl] *a* 1) неподатливый; непокорный; 2) трудновоспитуемый; 3) труднообрабатываемый; 4) с трудом поддающийся лечению.

intramolecular [ˌıntrəmou'lekjulə] *a* внутримолекулярный.

intramural ['ıntrə'mjuərəl] *a* находящийся *или* происходящий в стенах (*или* в пределах) города, дома *и т. п.*

intramuscular ['ıntrə'mʌskjulə] *a* внутримышечный.

intransigent [ın'trænsıdʒənt] 1. *n* непримиримый республиканец; политический деятель, не идущий на компромисс; 2. *a* непримиримый, непреклонный.

intransitive [ın'traːnsıtıv] *a* *грам.* непереходный (*о глаголе*).

intransmissible [ˌıntraːns'mısəbl] *a* не передаваемый (*на расстояние*).

intrant ['ıntrənt] 1. *n* 1) вступающий (*в должность, во владение имуществом и т. п.*); 2) поступающий (*в высшее учебное заведение*); 2. *a* вступающий.

intranuclear [ˌıntrə'njuklıə] *a* внутриядерный.

intraocular [ˌıntrə'ɔkjulə] *a* внутриглазной; ~ tension, ~ pressure внутриглазное давление.

intravenous ['ıntrə'viːnəs] *a* внутривенный.

intrench [ın'trentʃ] = entrench.

intrepid [ın'trepıd] *a* неустрашимый, бесстрашный, отважный.

intrepidity [ˌıntrı'pıdıtı] *n* неустрашимость, отвага.

intricacy ['ıntrıkəsı] *n* запутанность, сложность; путаница, лабиринт.

intricate ['ıntrıkıt] *a* запутанный, сложный; затруднительный.

intrigant ['ıntrıgənt] = intriguant.

intrigante [ˌıntrı'gaːnt] = intriguante.

intriguant ['ıntrıgənt] *фр.* *n* интриган.

intriguante [ˌıntrı'gaːnt] *фр.* *n* интриганка.

intrigue [ın'triːg] 1. *n* 1) интрига, тайные происки; 2) интрижка (*любовная связь*); 2. *v* 1) интриговать, строить козни (against—против); 2) заинтересовать, заинтриговать; 3) иметь интрижку (with).

intriguing [ın'triːgıŋ] 1. *pres. p. от* intrigue 2; 2. *a* 1) интригующий, строящий козни; 2) интригующий, ставящий в тупик; 3) увлекательный, занимательный.

intrinsic [ın'trınsık] *a* 1) внутренний; ~ value внутренняя ценность; 2) присущий, свойственный (*чему-л.*); 3) существенный.

intro- ['ıntrou-, 'ıntrə-] *лат. pref* в-, интро-; introspection интроспекция; intromission впуск.

introduce [ˌıntrə'djuːs] *v* 1) вводить; вставлять (into); вводить в употребление; 2) представлять, знакомить; let me ~ my brother to you позвольте представить вам моего брата; 3) вносить на рассмотрение (*законопроект и т. п.*); 4) предварять, предуведомлять.

introduction [ˌıntrə'dʌkʃən] *n* 1) введение; внесение; 2) нововведение; 3) (офи-

циальное) представление; letter of ~ рекомендательное письмо; 4) предисловие, введение; 5) введение (*в научную дисциплину*); 6) предуведомление; 7) *муз.* интродукция.

introductory [ˌıntrə'dʌktərı] *a* вступительный, вводный, предварительный.

intromission [ˌıntrou'mıʃən] *n* впуск; допущение; вхождение.

intromit [ˌıntrou'mıt] *v* *уст.* 1) впускать, допускать (into); 2) помещать.

introspect [ˌıntrou'spekt] *v* 1) смотреть внутрь; 2) заниматься самонаблюдением, самоанализом.

introspection [ˌıntrou'spekʃən] *n* *психол.* интроспекция, самонаблюдение, самоанализ.

introspective [ˌıntrou'spektıv] *a* *психол.* интроспективный.

introversion [ˌıntrou'vəːʃən] *n* сосредоточенность на самом себе.

introvert 1. *n* ['ıntrouvəːt] человек, сосредоточенный на своём внутреннем мире; 2. *v* [ˌıntrou'vəːt] сосредоточиваться на самом себе.

intrude [ın'truːd] *v* 1) вторгаться, входить без приглашения *или* разрешения (into); 2) навязывать(ся), быть назойливым (upon); to ~ oneself (one's views) upon a person навязывать себя (свои взгляды) кому-л.; 3) внедрять(ся).

intruder [ın'truːdə] *n* 1) навязчивый, назойливый человек; незваный гость; 2) *юр.* человек, незаконно присваивающий чужое владение *или* чужие права; самозванец; 3) *ав.* самолёт, совершающий посадку на аэродроме противника с целью его захвата.

intrusion [ın'truːʒən] *n* 1) вторжение, появление без приглашения (into); 2) навязывание себя, своих мнений *и т. п.* (upon); 3) *юр.* узурпирование чужого владения *или* прав; 4) *геол.* интрузия, внедрение.

intrusive [ın'truːsıv] *a* 1) назойливый, навязчивый; 2) *геол.* интрузивный, плутонический (*о породах*).

intrust [ın'trʌst] *амер.* = entrust.

intubation [ˌıntju'beıʃən] *n* *мед.* интубация, введение трубки во внутренние органы (*напр., в трахеи*).

intuition [ˌıntju'ıʃən] *n* интуиция.

intuitional [ˌıntju'ıʃənl] *a* интуитивный.

intuitionalism [ˌıntju'ıʃənəlızəm] *n* *филос.* интуитивизм.

intuitive [ın'tjuːıtıv] = intuitional.

intuitivism [ın'tjuːıtıvızəm] = intuitionalism.

intumescence [ˌıntju'mesns] *n* опухание, припухлость; распухание.

intussusception [ˌıntəsə'sepʃən] *n* 1) *физиол.* инвагинация; 2) восприятие (*идей, впечатлений и т. п.*).

inunction [ın'ʌŋkʃən] *n* 1) *мед.* втирание; 2) *церк.* помазание.

inundate ['ınʌndeıt] *v* затоплять, наводнять.

inundation [ˌınʌn'deıʃən] *n* наводнение.

inurbane [ˌınəː'beın] *a* 1) неизящный, лишённый изысканности, городского лоска; 2) невежливый.

inure [ɪ'njuə] v 1) приучать; to ~ oneself приучить себя; 2) юр. вступать в силу, становиться действительным; 3) служить, идти на пользу; to ~ to the benefit of humanity служить человечеству.

inurement [ɪ'njuəmənt] n приучение; практика, привычка.

inurnment [ɪn'ə:nmənt] n погребение праха в урне (после кремации).

inutile [ɪn'ju:tɪl] a бесполезный.

inutility [ˌɪnju:'tɪlɪtɪ] n бесполезность.

invade [ɪn'veɪd] v 1) вторгаться; захватывать, оккупировать; 2) овладеть, нахлынуть (о чувстве); 3) посягать (на чьи-л. права); 4) поражать (о болезни).

invader [ɪn'veɪdə] n 1) захватчик, оккупант; 2) посягатель.

invalid I 1. n ['ɪnvəlɪd] больной, инвалид;
2. a ['ɪnvəlɪd] 1) больной; нетрудоспособный; 2) предназначенный для больных; an ~ diet диета для больного; ~ food диетическое питание;
3. v [ˌɪnvə'li:d] 1) делать(ся) инвалидом; 2) освобождать(ся) от военной службы по инвалидности.

invalid II [ɪn'vælɪd] a 1) не имеющий законной силы, недействительный; to declare a marriage ~ расторгнуть брак; 2) необоснованный.

invalidate [ɪn'vælɪdeɪt] v лишать законной силы, делать недействительным.

invalidation [ɪnˌvælɪ'deɪʃən] n аннулирование, лишение законной силы.

invalidity [ˌɪnvə'lɪdɪtɪ] n 1) юр. недействительность; 2) редк. инвалидность.

invaluable [ɪn'væljuəbl] a неоценимый, бесценный.

invar [ɪn'vɑ:] n инвар, сплав железа с никелем.

invariability [ɪnˌvɛərɪə'bɪlɪtɪ] n неизменность, неизменяемость.

invariable [ɪn'vɛərɪəbl] a 1) неизменный, неизменяемый; 2) мат. постоянный; 3) устойчивый (о погоде).

invasion [ɪn'veɪʒən] n 1) вторжение; нашествие; набег; 2) посягательство (на чьи-л. права); 3) мед. инвазия; 4) attr.: ~ ground forces воен. сухопутные войска вторжения; ~ fleet военно-морские силы вторжения.

invasive [ɪn'veɪsɪv] a захватнический; агрессивный.

invective [ɪn'vektɪv] n 1) бранная, обличительная речь, инвектива; 2) (обыкн. pl) ругательства, брань; a stream of ~s поток ругательств.

inveigh [ɪn'veɪ] v яростно нападать, поносить, ругать (against).

inveigle [ɪn'vi:gl] v заманивать; завлекать; соблазнять; to ~ smb. into doing smth. обманом побудить кого-л. сделать что-л.

inveiglement [ɪn'vi:glmənt] n заманивание; соблазн, обольщение.

invent [ɪn'vent] v 1) изобретать, делать открытие; 2) выдумывать, фабриковать; сочинять; 3) придумывать; to ~ an excuse, explanation, etc. придумать отговорку, объяснение и т. п.

invention [ɪn'venʃən] n 1) изобретение; 2) выдумка, измышление; 3) изобретательность; 4) муз. инвенция.

inventive [ɪn'ventɪv] a изобретательный.

inventor [ɪn'ventə] n 1) изобретатель; 2) выдумщик.

inventory ['ɪnvəntrɪ] 1. n 1) опись, инвентарь; 2) товары, предметы, внесённые в инвентарь; 3) переучёт товара; инвентаризация, проверка инвентаря;
2. v составлять опись, вносить в инвентарь.

inveracity [ˌɪnvə'ræsɪtɪ] n неправдивость, лживость.

Inverness [ˌɪnvə'nes] n плащ с капюшоном без рукавов (по названию местности в Шотландии).

inverse ['ɪn'və:s] 1. n противоположность; обратный порядок;
2. a обратный, перевёрнутый; противоположный; ~ ratio (или proportion) мат. обратная пропорция.

inversely ['ɪn'və:slɪ] adv обратно; обратно пропорционально.

inversion [ɪn'və:ʃən] n 1) перевёртывание; перевёрнутость; 2) изменение нормального порядка на обратный; 3) уст. извращение; 4) грам. инверсия; 5) геол. опрокинутая складка, обратное напластование.

invert 1. n ['ɪnvə:t] 1) архит. перевёрнутый свод; 2) человек, извращённый в половом отношении;
2. v [ɪn'və:t] 1) перевёртывать, переворачивать, опрокидывать; 2) переставлять, менять порядок, место в обратном направлении; 3) хим. инвертировать.

invertebrate [ɪn'və:tɪbrɪt] 1. n беспозвоночное животное.
2. a беспозвоночный; перен. бесхребетный, бесхарактерный.

inverted [ɪn'və:tɪd] 1. p. p. от invert 2;
2. a 1) опрокинутый; перевёрнутый; ~ flight ав. полёт на спине; ~ welding тех. потолочная сварка; 2) обратный; ~ order of words грам. инверсия, обратный порядок слов; 3) хим. инвертный; ~ sugar инвертный сахар (содержится в растениях и мёде).

inverted commas [ɪn'və:tɪd'kɔməz] n pl кавычки.

inverter [ɪn'və:tə] n эл. обратный преобразователь (постоянного тока в переменный).

invest [ɪn'vest] v 1) помещать, вкладывать деньги, капитал (in); 2) разг. покупать что-л.; 3) одевать, облачать (in, with); ~ed with mystery окутанный тайной; 4) облекать (полномочиями и т. п.; with, in); 5) воен. обложить (крепость).

investigate [ɪn'vestɪgeɪt] v 1) расследовать; разузнавать; 2) исследовать.

investigation [ɪnˌvestɪ'geɪʃən] n 1) расследование, следствие; 2) (научное) исследование.

investigative [ɪn'vestɪgeɪtɪv] a исследовательский.

investigator [ɪn'vestɪgeɪtə] n 1) исследователь, испытатель; 2) следователь.

investigatory [ɪn'vestɪgeɪtərɪ] = investigative.

investiture [in'vestiʧə] *n* 1) облачение, одеяние; 2) инвеститура, формальное введение в должность, во владение; 3) награждение, пожалование.

investment [in'vestmənt] *n* 1) (капитало-) вложение, помещение денег, инвестирование; 2) инвестиция; вклад; 3) предприятие *или* бумаги, в которые вложены деньги; 4) одежда, облачение; 5) облачение полномочиями, властью *и т. п.*; 6) *воен.* осада, блокада; 7) *attr.*: ~ bank *амер.* банк, занимающийся вексельными операциями *и т. п.*; коммерческий банк.

investor [in'vestə] *n* вкладчик [см. invest 1)].

inveteracy [in'vetərəsi] *n* закоренелость (*привычки*); застарелость (*болезни*).

inveterate [in'vetərit] *a* глубоко вкоренившийся, закоснелый, застарелый; закоренелый; ~ smoker заядлый курильщик; ~ liar враль.

invidious [in'vidiəs] *a* 1) вызывающий враждебное чувство; оскорбляющий несправедливостью; ненавистный; ~ comparison обидное сравнение; 2) *редк.* завидный, вызывающий зависть.

invigilate [in'vidʒileit] *v* следить за экзаменующимися во время письменных работ.

invigorate [in'vigəreit] *v* 1) давать силы, укреплять; 2) воодушевлять, подбадривать.

invigorative [in'vigərətiv] *a* подкрепляющий, бодрящий, стимулирующий.

invincibility [in,vinsi'biliti] *n* непобедимость.

invincible [in'vinsəbl] *a* непобедимый.

inviolability [in,vaiələ'biliti] *n* нерушимость; неприкосновенность.

inviolable [in'vaiələbl] *a* нерушимый; неприкосновенный.

inviolate [in'vaiəlit] *a* ненарушенный; неоскверненный.

invisibility [in,vizə'biliti] *n* невидимость; неразличимость.

invisible [in'vizəbl] *a* невидимый, незримый; неразличимый; незаметный; ~ man человек-невидимка; ~ ink симпатические чернила; ~ exports, imports *эк.* невидимый экспорт, импорт; he is ~ его нельзя видеть (*он не принимает*); ◇ ~ green голубовато- *или* желтовато-зелёный цвет.

invitation [,invi'teiʃən] *n* 1) приглашение (to—на); 2) *attr.* пригласительный.

invitational [,invi'teiʃənl] *a* пригласительный; ~ card пригласительный билет.

invite [in'vait] 1. *v* 1) приглашать, просить; 2) привлекать, манить; to ~ attention привлекать внимание; 3) навлекать на себя;
2. *n разг.* приглашение.

inviting [in'vaitiŋ] 1. *pres. p. om* invite 1;
2. *a* привлекательный, притягательный, соблазнительный, манящий.

invocation [,invou'keiʃən] *n* 1) *поэт.* призыв, обращение к музе; 2) заклинание, мольба; 3) вызов (*в суд*).

invocatory [in'vɔkətəri] *a* призывный, призывающий.

invoice ['invɔis] 1. *n* накладная, фактура; 2. *v* писать накладную, фактуру.

invoke [in'vouk] *v* 1) призывать, взывать; 2) вызывать (*духа*) волшебством, заклинать; 3) умолять.

involucre ['invəluːkə] *n* 1) *анат.* оболочка; 2) *бот.* обёртка соцветия.

involuntary [in'vɔləntəri] *a* 1) невольный, ненамеренный; 2) непроизвольный.

involute ['invəluːt] 1. *a* 1) закрученный; 2) *бот.* завитой, свёрнутый, скрученный; 3) спиральный (*о раковинах*); 4) сложный, запутанный; ап ~ plot сложная интрига;
2. *n мат.* эвольвента, развёртка;
3. *v мат.* возводить в степень.

involution [,invə'luːʃən] *n* 1) закручивание спиралью; 2) затейливость, запутанность (*о механизме, рисунке и т. п.*); 3) *мат.* возведение в степень.

involve [in'vɔlv] *v* 1) завёртывать, окутывать (in); 2) закручивать (спиралью); 3) запутывать; впутывать, вовлекать; затрагивать; ~d in debt запутавшийся в долгах; to ~ the rights затрагивать права; 4) включать в себя (in); 5) вызывать, (по-)влечь за собой; 6) *мат.* возводить в степень.

involved [in'vɔlvd] 1. *p. p. om* involve;
2. *a* запутанный, сложный; ~ mechanism сложный механизм; ~ reasoning туманная аргументация.

involvement [in'vɔlvmənt] *n* 1) запутывание; 2) запутанность; затруднительное положение; 3) денежные затруднения.

invulnerability [in,vʌlnərə'biliti] *n* неуязвимость.

invulnerable [in'vʌlnərəbl] *a* неуязвимый.

inward ['inwəd] 1. *a* 1) внутренний; 2) направленный внутрь, обращённый внутрь; 3) умственный, духовный;
2. *adv* 1) внутрь; 2) внутренне;
3. *n pl разг.* внутренности.

inwardly ['inwədli] *adv* 1) внутри; внутрь; 2) внутренне, в уме, в душе, про себя.

inwardness ['inwədnis] *n* 1) действительная природа, сущность; 2) внутренняя сила; духовная сторона.

inwards ['inwədz] = inward 2.

inweave ['in'wiːv] *v* (inwove; inwoven) 1) воткать, заткать; 2) сплетать, вплетать.

inwove ['in'wouv] *past om* inweave.

inwoven ['in'wouvən] *p. p. om* inweave.

inwrought ['in'rɔt] *a* 1) узорчатый (*о ткани*; with); 2) вотканный в материю (*об узоре*; on, in); 3) *перен.* тесно связанный, сплетённый (with).

iodide ['aiədaid] *n хим.* йодид, соль йодистоводородной кислоты.

iodine ['aiədiːn, 'aiədain] *n* йод.

iodize ['aiədaiz] *v* насыщать, пропитывать йодом; подвергать действию йода.

ion ['aiən] *n физ.* ион.

Ionic [ai'ɔnik] *a* ионический.

ionic [ai'ɔnik] *a физ.* ионный, относящийся к ионам; ~ composition of the atmosphere ионизация атмосферы.

ionium [ai'ouniəm] *n хим.* ионий.

ionize ['aıənaız] v 1) образо́вывать ио́ны; ионизи́ровать; 2) превраща́ть в ио́ны.

ionosphere [aı'onəsfıə] n ионосфе́ра.

ionospheric [,aıənə'sferık] a относя́щийся к ионосфе́ре; ~ data да́нные о состоя́нии ионосфе́ры.

iontophoresis [aı,ontəfə'ri:sıs] n мед. ионотерапия.

iota [aı'outə] греч. n йо́та; not to care an ~ не интересова́ться, ни в грош не ста́вить.

IOU ['aıou'ju:] n долгова́я распи́ска с на́дписью IOU (по созвучию с I owe you я должен вам).

ipecac [ıpı'kæk] сокр. от ipecacuanha.

ipecacuanha [,ıpıkækju'ænə] n фарм. ипекакуа́на, рво́тный ко́рень.

ir- [ir-] pref (в словах, корни которых начинаются с r) не-; irrational неразу́мный; нерациона́льный; irrelevant неуме́стный, не относя́щийся к де́лу.

Iraki [ı'rɑːkı] = Iraqi.

Irani [ı'rɑːnı] a ира́нский; перси́дский.

Iranian [ı'reınjən] 1. a ира́нский; перси́дский;
2. n 1) жи́тель Ира́на, ира́нец; ира́нка; 2) перси́дский язы́к.

Iraqi [ı'rɑːkı] 1. n жи́тель Ира́ка; 2. a ира́кский.

irascibility [ı,ræsı'bılıtı] n раздражи́тельность, вспы́льчивость.

irascible [ı'ræsıbl] a раздражи́тельный, вспы́льчивый.

irate [aı'reıt] a гне́вный, разгне́ванный, серди́тый.

ire ['aıə] n поэт. гнев, я́рость.

ireful ['aıəful] a гне́вный.

iridescence [,ırı'desns] n 1) ра́дужность; 2) перели́вчатость.

iridescent [ırı'desnt] a ра́дужный, похо́жий на ра́дугу; перели́вчатый.

iridium [aı'rıdıəm] n хим. ири́дий.

iris ['aıərıs] n 1) анат. ра́дужная оболо́чка (глаза); 2) ра́дуга; 3) бот. и́рис, каса́тик; 4) attr.: ~ diaphragm опт. и́рисовая диафра́гма.

Irish ['aıərıʃ] 1. a ирла́ндский; ◇ ~ bridge ка́менный откры́тый водосто́к (поперёк дороги);
2. n 1) (the ~) pl собир. ирла́ндцы, ирла́ндский наро́д; 2) ирла́ндский язы́к; 3) сорт ви́ски; 4) сорт полотна́; ◇ to get one's ~ up рассерди́ть(ся), разозли́ть(ся).

Irishism ['aıərıʃızəm] n ирла́ндское выраже́ние.

Irishman ['aıərıʃmən] n ирла́ндец.

Irishwoman ['aıərıʃ,wumən] n ирла́ндка.

iritis [aıə'raıtıs] n мед. воспале́ние ра́дужной оболо́чки гла́за.

irk [ə:k] v уст. утомля́ть, надоеда́ть, раздража́ть.

irksome ['ə:ksəm] a утоми́тельный, ску́чный; доку́чный.

iron ['aıən] 1. n 1) хим. желе́зо (элемент); 2) чёрный мета́лл, напр., желе́зо, сталь, чугу́н; as hard as ~ твёрдый как сталь; перен. тж. суро́вый, жесто́кий; a man of ~ желе́зный челове́к, челове́к желе́зной во́ли; 3) желе́зное изде́лие, вещь из желе́за (часто в сложных словах; напр.: curling-irons

щипцы́ для зави́вки воло́с); 4) утю́г; 5) pl око́вы, кандалы́; in ~s в кандала́х; 6) (обыкн. pl) стре́мя; 7) мед. препара́т желе́за; ◇ to rule with a rod of ~ управля́ть желе́зной руко́й; strike while the ~ is hot посл. куй желе́зо, пока́ горячо́; to have (too) many ~s in the fire a) занима́ться мно́гими дела́ми одновреме́нно; б) пусти́ть в ход разли́чные сре́дства (для достижения цели);
2. a 1) желе́зный: сде́ланный из желе́за; 2) си́льный, кре́пкий; ◇ ~ man амер. sl. сере́бряный до́ллар; ~ horse разг. стально́й конь (паровоз, велосипед, танк); ~ ration (или supplies) воен. неприкоснове́нный запа́с (продовольствия); ~ age a) желе́зный век; б) жесто́кий век; ~ curtain желе́зный за́навес;
3. v 1) утю́жить, гла́дить; 2) зако́вывать в кандалы́; 3) покрыва́ть желе́зом; □ ~ out амер. сгла́живать, ула́живать.

iron-bark ['aıənbɑːk] n вид эвкали́пта с кре́пкой коро́й.

iron-bound ['aıən,baund] a 1) око́ванный желе́зом; 2) суро́вый, непоколеби́мый; 3) скали́стый (о береге).

ironclad ['aıənklæd] 1. a покры́тый бронёй, брониро́ванный;
2. n броненосец.

iron-fall ['aıənfɔːl] n паде́ние метеори́та.

iron-foundry ['aıən,faundrı] n чугуноли́тейный заво́д.

iron-grey ['aıən'greı] 1. a се́ро-стально́й;
2. n се́ро-стально́й цвет.

ironic(al) [aı'ronık(əl)] a ирони́ческий.

ironing ['aıənıŋ] 1. pres. p. от iron 3;
2. n 1) утю́жка, гла́женье; 2) пла́тье, бельё для гла́женья.

iron lung ['aıənlʌŋ] n мед. аппара́т для иску́сственного дыха́ния, «желе́зные лёгкие».

ironmaster ['aıən,mɑːstə] n фабрика́нт желе́зных изде́лий.

ironmonger ['aıən,mʌŋgə] n торго́вец желе́зными, скобяны́ми изде́лиями.

ironmongery ['aıən,mʌŋgərı] n ме́лкий желе́зный това́р, желе́зные изде́лия, скобяно́й това́р.

iron-mould ['aıənmould] n 1) ржа́вое или черни́льное пятно́ (на ткани); 2) метал. изло́жница.

ironside ['aıənsaıd] n 1) отва́жный, реши́тельный челове́к; 2) (Ironsides) pl ист. ко́нница Кро́мвеля, «железнобо́кие»; 3) pl броненосец.

iron-stone ['aıənstoun] n желе́зная руда́, железня́к.

ironware ['aıənwɛə] n желе́зный, скобяно́й това́р.

ironwork ['aıənwə:k] n 1) желе́зное изде́лие; 2) желе́зная часть констру́кции.

iron-worker ['aıən,wə:kə] n рабо́чий-металли́ст.

iron-works ['aıənwə:ks] n pl (употр. как sing и как pl) железоде́лательный или чугуноплави́льный заво́д.

irony I ['aıənı] a желе́зный; желе́зистый; похо́жий на желе́зо.

irony II ['aıərənı] n иро́ния; the ~ of fate иро́ния судьбы́; ◇ Socratic ~ сократи́ческий ме́тод веде́ния спо́ра.

irradiance [ɪ'reɪdjəns] n 1) сияние; излучение; 2) источник света.

irradiant [ɪ'reɪdjənt] a светящийся, сияющий; излучающий.

irradiate [ɪ'reɪdɪeɪt] v 1) освещать, озарять; облучать; 2) физ. испускать лучи; 3) перен. излучать; проливать свет; распространять (знания и т. п.).

irradiation [ɪˌreɪdɪ'eɪʃən] n 1) освещение, озарение; 2) блеск, сияние; лучистость, лучезарность; 3) лучеиспускание; облучение; 4) физ. иррадиация.

irrational [ɪ'ræʃənl] 1. a 1) неразумный; нерациональный; нелогичный; 2) неразумный, не одарённый разумом; 3) мат. иррациональный;
2. n мат. иррациональное число.

irrationality [ɪˌræʃə'nælɪtɪ] n 1) неразумность, нелогичность; 2) мат. иррациональность.

irreclaimable [ˌɪrɪ'kleɪməbl] a 1) негодный для обработки (о земле); 2) безвозвратный; 3) неисправимый.

irrecognizable [ɪ'rekəgnaɪzəbl] a неузнаваемый.

irreconcilable [ɪ'rekənsaɪləbl] a 1) непримиримый (о человеке); 2) противоречивый, несовместимый.

irrecoverable [ˌɪrɪ'kʌvərəbl] a непоправимый, невозвратный.

irrecusable [ˌɪrɪ'kjuːzəbl] a не терпящий, не допускающий отказа.

irredeemable [ˌɪrɪ'diːməbl] a 1) неисправимый, безнадёжный, безысходный; 2) не подлежащий выкупу, невыкупаемый; 3) не подлежащий обмену на звонкую монету.

irredenta [ˌɪrɪ'dentə] ит. a невоссоединённый.

irredentist [ˌɪrɪ'dentɪst] n ист. член или сторонник партии ирредентистов (программным требованием которой было воссоединение Италии по этнографическому и лингвистическому признаку).

irreducible [ˌɪrɪ'djuːsəbl] a 1) непревратимый (в иное состояние и т. п.); 2) мед. не поддающийся улучшению или приведению в прежнее состояние; 3) мат. несократимый; несокращаемый; 4) минимальный; 5) непреодолимый.

irrefragable [ɪ'refrəgəbl] a неоспоримый, неопровержимый, бесспорный.

irrefrangible [ˌɪrɪ'frændʒɪbl] a 1) ненарушимый; 2) непреломляющийся (о свете).

irrefutable [ɪ'refjutəbl] a неопровержимый.

irregular [ɪ'regjulə] 1. a 1) неправильный; нарушающий правила; незаконный; ~ child внебрачный ребёнок; 2) беспорядочный, распущенный; 3) нерегулярный; несимметричный; неровный (о поверхности); неравномерный; 4) грам. неправильный; 5) воен. нерегулярный, иррегулярный;
2. n (обыкн. pl) нерегулярные войска, части.

irregularity [ɪˌregjʊ'lærɪtɪ] n 1) неправильность, нарушение нормы (симметрии, порядка и т. п.); 2) беспорядочность, распущенность; ~ of living ненормальный образ жизни; 3) неровность.

irrelative [ɪ'relətɪv] a 1) безотносительный (to); абсолютный; 2) = irrelevant.

irrelevance [ɪ'relɪvəns] n 1) неуместность; 2) не относящийся к делу вопрос и т. п.

irrelevant [ɪ'relɪvənt] a неуместный; не относящийся к делу.

irreligious [ˌɪrɪ'lɪdʒəs] a нерелигиозный; неверующий.

irremeable [ɪ'remɪəbl] a роковой (о пути и т. п.).

irremediable [ˌɪrɪ'miːdjəbl] a 1) непоправимый; 2) неизлечимый, неисцелимый.

irremissible [ˌɪrɪ'mɪsɪbl] a 1) непростительный; 2) обязательный.

irremovability ['ɪrɪˌmuːvə'bɪlɪtɪ] n несменяемость.

irremovable [ˌɪrɪ'muːvəbl] a 1) неустранимый; 2) несменяемый (по должности).

irreparable [ɪ'repərəbl] a непоправимый.

irrepatriable [ˌɪrɪ'pætrɪəbl] n человек, не подлежащий репатриации.

irreplaceable [ˌɪrɪ'pleɪsəbl] a незаменимый.

irrepressible [ˌɪrɪ'presəbl] 1. a 1) неукротимый, неугомонный; 2) неудержимый;
2. n разг. неугомонный человек.

irreproachable [ˌɪrɪ'prəutʃəbl] a безукоризненный, безупречный.

irresistibility ['ɪrɪˌzɪstə'bɪlɪtɪ] n неотразимость.

irresistible [ˌɪrɪ'zɪstəbl] a неотразимый, непреодолимый.

irresoluble [ɪ'rezəljubl] a 1) нерастворимый, неразложимый; 2) неразрешимый.

irresolute [ɪ'rezəluːt] a нерешительный, колеблющийся.

irresolution ['ɪˌrezə'luːʃən] n нерешительность, колебание.

irresolvable [ˌɪrɪ'zɔlvəbl] a 1) неразложимый (на части); 2) неразрешимый.

irrespective [ˌɪrɪs'pektɪv] a 1) безотносительный, независимый (of — от); ~ of age независимо от возраста; 2) редк. непочтительный.

irresponsibility ['ɪrɪsˌpɔnsə'bɪlɪtɪ] n безответственность.

irresponsible [ˌɪrɪs'pɔnsəbl] a 1) неответственный; 2) невменяемый; 3) безответственный.

irresponsive [ˌɪrɪs'pɔnsɪv] a 1) неотвечающий, нереагирующий; to be ~ не отвечать, не реагировать; 2) неотзывчивый; невосприимчивый; 3) редк. = irresponsible.

irretention [ˌɪrɪ'tenʃən] n недержание; ~ of memory слабая память.

irretentive [ˌɪrɪ'tentɪv] a недержащий, не могущий удержать.

irretraceable [ˌɪrɪ'treɪsəbl] a непрослеживаемый.

irretrievable [ˌɪrɪ'triːvəbl] a непоправимый; невозместимый; невознаградимый.

irreverence [ɪ'revərəns] n непочтительность.

irreverent [ɪ'revərənt] a непочтительный.

irreversible [ˌɪrɪ'vəːsəbl] a 1) необратимый; 2) неопрокидывающийся; 3) неотменяемый; нерушимый; непреложный.

irrevocability [ɪˌrevəkə'bɪlɪtɪ] n неизменность; неотменяемость.

irrevocable [ı'revəkəbl] *a* 1) безвозвратный; 2) = irreversible 3).

irrigate ['ırıgeıt] *v* 1) орошать; 2) устраивать искусственное орошение; 3) *мед.* промывать.

irrigation [,ırı'geıʃən] *n* 1) орошение, ирригация; 2) *мед.* промывание; спринцевание; 3) *attr.*: ~ engineering мелиорация.

irrigative ['ırıgətıv] *a* оросительный, ирригационный.

irriguous [ı'rıgjuəs] *a* 1) хорошо орошённый; влажный; 2) = irrigative.

irritability [,ırıtə'bılıtı] *n* 1) раздражительность; 2) раздражимость; чувствительность (*органа*).

irritable ['ırıtəbl] *a* 1) раздражительный; 2) болезненно чувствительный; 3) раздражимый, воспринимающий раздражение (*об органе*).

irritant ['ırıtənt] 1. *n* 1) раздражитель, раздражающее средство; 2) *воен.* отравляющее вещество раздражающего действия; 2. *a* вызывающий раздражение.

irritate I ['ırıteıt] *v* 1) раздражать, сердить; 2) вызывать раздражение, воспаление; 3) *физиол.* вызывать деятельность органа посредством раздражения.

irritate II ['ırıteıt] *v юр.* делать недействительным, аннулировать.

irritating I ['ırıteıtıŋ] 1. *pres. p. от* irritate I;
2. *a* раздражающий, вызывающий раздражение.

irritating II ['ırıteıtıŋ] *pres. p. от* irritate II.

irritation [,ırı'teıʃən] *n* 1) раздражение, гнев; 2) *физиол., мед.* раздражение; возбуждение.

irritative ['ırıteıtıv] *a* раздражающий.

irruption [ı'rʌpʃən] *n* внезапное вторжение, набег, нашествие.

is [ız (*полная форма*); z, s (*редуцированные формы*)] 3-е л. ед. ч. настоящего времени гл. to be.

Isabel, Isabella ['ızəbəl, ,ızə'belə] *n* изабелла (*сорт персиков и винограда*) [*см. тж.* Список имён].

isabella [,ızə'belə] *n* серовато-жёлтый цвет.

Isaiah [aı'zaıə] *n библ.* Исай(я).

ischemia [ıs'ki:mıə] *n мед.* ишемия.

isinglass ['aızıŋglɑːs] *n* 1) рыбий клей; желатин; 2) *разг.* слюда (*тж.* ~-stone).

Islam ['ızlɑːm] *n* ислам.

Islamic [ız'læmık] *a* мусульманский, относящийся к исламу, исламистский.

Islamite ['ızləmaıt] 1. *n* мусульманин; 2. *a* мусульманский, исламистский.

island ['aılənd] 1. *n* 1) остров; 2) что-л. изолированное; 3) островок безопасности (*для пешеходов; тж.* safety ~); 4) *анат.* островок (*обособленная группа клеток*); 2. *v* изолировать.

islander ['aıləndə] *n* островитянин, житель острова.

isle [aıl] *n* остров (*поэт.; в прозе обыкн. с именем собственным; напр.:* I. of Wight о-в Уайт).

islet ['aılıt] *n* островок.

isn't ['ıznt] *сокр. разг.* = is not.

isobar ['aısoubɑː] *n* изобара.

isochronal [aı'sɔkrənl] = isochronous.

isochronous [aı'sɔkrənəs] *a* одновременный, одинаково продолжительный; повторяющийся через одинаковые (*или* равные) промежутки; изохронный.

isoclinal [,aısou'klaınəl] *геогр.* 1. *n* изоклиналь;
2. *a* изоклинальный.

isoclinic [,aısou'klınık] *a геогр.* изоклинальный.

isolate ['aısəleıt] *v* 1) изолировать, отделять, обособлять; подвергать карантину; 2) *хим.* выделять (*из смеси*).

isolated ['aısəleıtıd] 1. *p. p. от* isolate; 2. *a* отдельный, изолированный; ~ sentence предложение, вырванное из контекста; ~ case единичный случай.

isolation [aısə'leıʃən] *n* 1) изоляция; 2) одиночество; 3) *attr.*: ~ hospital инфекционная больница.

isolationism [,aısə'leıʃnızəm] *n* изоляционизм.

isolator ['aısəleıtə] *n* изолятор.

isosceles [aı'sɔsıliːz] *a мат.* равнобедренный.

isotherm ['aısouθəːm] *n* изотерма.

isothermal [,aısou'θəːməl] *a* изотермический.

isotope ['aısoutoup] *n* изотоп.

Israel ['ızreıəl] *n* еврейский народ.

Israelite ['ızrıəlaıt] 1. *n* еврей; 2. *a* еврейский; израильский.

issuance ['ısjuəns] *n* выход, выпуск и пр. (*см.* issue 2).

issue ['ısjuː] 1. *n* 1) вытекание, излияние, истечение; выделение; an ~ of blood кровотечение; 2) выход, выходное отверстие; устье реки; 3) *мед.* искусственно поддерживаемая ранка; 4) выпуск; издание; today's ~ сегодняшний номер (*газеты и т. п.*); 5) потомок; потомство; дети; without male ~ не имеющий сыновей; 6) исход, результат (*чего-л.*); in the ~ в результате, в итоге; в конечном счёте; to abide the ~ ожидать результата; 7) спорный вопрос, предмет спора, разногласие; ~ of fact *юр.* спорный вопрос, когда один из тяжущихся отрицает то, что другой утверждает как факт; ~ of law *юр.* разногласие относительно правильности применения закона; to be at ~ а) быть в разногласии, в ссоре (*о людях*); б) быть предметом спора, обсуждения; the point at ~ предмет обсуждения, спора; the question at ~ is вопрос, дело состоит в том; to join ~ а) приступить к прениям; заспорить (with — с кем-л., о — о чём-л.); б) *юр.* передать совместно на решение суда; в) принять решение, предложенное другой стороной; to bring an ~ to a close разрешить вопрос; 8) *фин.* эмиссия; 9) government ~ казённого образца [*см. тж.* G. I.];
2. *v* 1) выходить, вытекать, исходить; 2) происходить, получаться в результате (from—*чего-л.*); иметь результатом, кончаться (in—*чем-л.*); the game ~d in a tie игра

око́нчилась с ра́вным счётом; 3) *уст.* роди́ться, происходи́ть (*от кого-л.*); 4) выпуска́ть, издава́ть; пуска́ть в обраще́ние (*де́ньги и т. п.*); 5) выходи́ть (*об издании*); 6) выдава́ть, отпуска́ть (*провизию, паёк, обмундирование*); 7) издава́ть (*приказ*).

isthmus [ˈɪsməs] *n* 1) перешёек; 2) *анат., бот.* у́зкая соедини́тельная часть (*чего-либо*).

it [ɪt] **1.** *pron* 1) *pers.* (*косв. п. без измен.*) он, она́, оно́ (*о предметах и животных*); here is your paper, read it вот ва́ша газе́та, чита́йте её; 2) *demonstr.* э́то; who is it? кто э́то?, кто там?; it's me, *уст.* it is I э́то я; 3) *impers.*: it rains идёт дождь; it is said говоря́т; it is known изве́стно; 4) *в качестве подлежащего заменяет какое-л. подразумеваемое понятие*: it (= the season) is winter тепе́рь зима́; it (= the distance) is 6 miles to Oxford до О́ксфорда 6 миль; it (=the scenery) is very pleasant here здесь о́чень хорошо́; it is in vain напра́сно; it is easy to talk like that легко́ так говори́ть; 5) *в качестве дополнения образует вместе с глаголами (как переходными, так и непереходными) разговорные идиомы*; *напр.*: to face it out не дать себя́ запуга́ть; to foot it a) идти́ пешко́м; б) танцева́ть; to lord it разы́грывать ло́рда, ва́жничать; to cab it е́здить, е́хать в ке́бе, в такси́;

2. *n разг.* 1) идеа́л; после́днее сло́во (*чего-л.*); верх соверше́нства; «изю́минка»; in her new dress she was it в своём но́вом пла́тье она́ была́ верх соверше́нства; she has «it» у неё есть «изю́минка»; 2) *в детских играх* тот, кто до́лжен лови́ть, иска́ть други́х игроко́в, водя́щий.

Italian [ɪˈtæljən] **1.** *a* италья́нский; ~ warehouse магази́н бакале́йных (*особ. италья́нских*) това́ров;

2. *n* 1) италья́нец; италья́нка; 2) италья́нский язы́к.

Italianize [ɪˈtæljənaɪz] *v* италья́низи́ровать; подража́ть италья́нцам.

Italic [ɪˈtælɪk] *a ист.* италийский; ~ order *архит.* рома́нский о́рдер.

italic [ɪˈtælɪk] *полигр.* **1.** *a* курси́вный; ~ type курси́в;

2. *n pl* курси́в.

italicize [ɪˈtælɪsaɪz] *v* 1) выделя́ть курси́вом; 2) подчёркивать (*в рукописи*); выделя́ть подчёркиванием; 3) подчёркивать, уси́ливать.

itch [ɪtʃ] **1.** *n* 1) зуд; 2) чесо́тка; 3) зуд, жа́жда (*чего-л.*), нетерпели́вое жела́ние (*чего-л.*); an ~ for money (gain) жа́жда де́нег (нажи́вы); an ~ to go away жела́ние уйти́;

2. *v* 1) чеса́ться, зуде́ть; 2) испы́тывать зуд, нетерпели́вое жела́ние; ◇ my fingers ~ to give him a thrashing у меня́ ру́ки че́шутся поколоти́ть его́; scratch him where he ~es уступи́ его́ сла́бостям.

itching [ˈɪtʃɪŋ] **1.** *pres. p. от* itch 2;

2. *a* зу́дящий; ◇ to have an ~ palm быть жа́дным до де́нег.

itch-mite [ˈɪtʃmaɪt] *n* чесо́точный клещ.

itchy [ˈɪtʃɪ] *a* вызыва́ющий зуд; зудя́щий.

item [ˈaɪtem] **1.** *n* 1) ка́ждый отде́льный предме́т (*в списке и т. п.*); пункт, пара́граф, статья́ (*счёта, расхода*); вопро́с (*на повестке заседания*); но́мер (*программы и т. п.*); to answer a letter ~ by ~ отвеча́ть на письмо́ по пу́нктам; 2) газе́тная заме́тка, но́вость, сообще́ние;

2. *v* запи́сывать по пу́нктам;

3. *adv* та́кже, то́же; ра́вным о́бразом.

itemize [ˈaɪtəmaɪz] *v* 1) *амер.* перечисля́ть по пу́нктам; 2) *тех.* классифици́ровать, составля́ть специфика́цию.

iterance [ˈɪtərəns] = iteration.

iterant [ˈɪtərənt] *a* повторя́ющийся.

iterate [ˈɪtəreɪt] *v* повторя́ть.

iteration [ˌɪtəˈreɪʃən] *n* повторе́ние.

iterative [ˈɪtərətɪv] *a* повторя́ющийся.

Itie [ˈaɪtiː] *n амер. sl.* презр. про́звище италья́нца.

itineracy [ɪˈtɪnərəsɪ] = itinerancy.

itinerancy [ɪˈtɪnərənsɪ] *n* 1) стра́нствование, перее́зд с ме́ста на ме́сто; 2) объе́зд (*округа и т. п.*) с це́лью произнесе́ния рече́й, про́поведей *и т. п.*

itinerant [ɪˈtɪnərənt] **1.** *n* тот, кто ча́сто переезжа́ет с ме́ста на ме́сто, объезжа́ет свой о́круг (*о судье, проповеднике*);

2. *a* 1) стра́нствующий; ~ musicians стра́нствующие музыка́нты; 2) объезжа́ющий свой о́круг.

itinerary [aɪˈtɪnərɪ] **1.** *n* 1) маршру́т, путь; 2) путевы́е заме́тки; 3) путеводи́тель;

2. *a* путево́й, доро́жный.

itinerate [ɪˈtɪnəreɪt] *v* 1) стра́нствовать; 2) объезжа́ть свой о́круг (*о судье, проповеднике*).

itineration [ɪˌtɪnəˈreɪʃən] = itinerancy.

it's [ɪts] *сокр. разг.* = it is.

its [ɪts] *pron. poss.* (*о предметах и животных*) его́, её; свой; принадлежа́щий ему́, ей.

itself [ɪtˈself] *pron* (*pl* themselves; *о предметах и животных*) 1) *refl.* себя́; -ся, -сь; себе́; the light went out of ~ свет пога́с; by ~ само́, отде́льно; in ~ само́ по себе́, по свое́й приро́де; of ~ само́ по себе́, без свя́зи с други́ми явле́ниями; 2) *emph.* сам, само́, сама́; she is kindness ~ она́ сама́ доброта́; even the well ~ was empty да́же в коло́дце не́ было ни ка́пли воды́.

I've [aɪv] *сокр. разг.* = I have.

ivied [ˈaɪvɪd] *a* заро́сший, поро́сший плющо́м.

ivory [ˈaɪvərɪ] *n* 1) слоно́вая кость; fossil ~ ма́монтовая кость; 2) *pl разг.* предме́ты из слоно́вой ко́сти: игра́льные ко́сти, билья́рдные шары́, кла́виши; 3) (*тж. pl*) *sl.* зу́бы; to show one's ivories смея́ться, ска́лить зу́бы; 4) цвет слоно́вой ко́сти; 5) *attr.* сде́ланный из слоно́вой ко́сти; 6) *attr.* цве́та слоно́вой ко́сти.

ivory black [ˈaɪvərɪˈblæk] *n* слоно́вая кость (*чёрная краска*).

ivory-nut [ˈaɪvərɪnʌt] *n* слоно́вый оре́х.

ivory-white [ˈaɪvərɪˈwaɪt] *a* цве́та слоно́вой ко́сти.

ivy [ˈaɪvɪ] *n бот.* плющ (обыкнове́нный).

ivy-bush [ˈaɪvɪbuʃ] *n* 1) ве́тка плюща́; 2) = bush I, 1, 5).

J

J, j [dʒeɪ] *n* (*pl* Js, J's [dʒeɪz]) *10-я буква
англ. алфавита*; ◊ J pen перо рондо.

jab [dʒæb] 1. *n* 1) толчо́к; пино́к; внеза́пный уда́р; 2) *воен.* ко́лющий уда́р;
2. *v* 1) толка́ть, пиха́ть, ты́кать; 2) вонза́ть, втыка́ть (into); 3) ударя́ть; пронза́ть; коло́ть (*штыком*).

jabber ['dʒæbə] 1. *n* болтовня́; трескотня́; 2) бормота́ние; тараба́рщина;
2. *v* 1) болта́ть, тарато́рить, треща́ть; 2) говори́ть бы́стро и невня́тно, бормота́ть.

jabot ['ʒæbou] *фр. n* гофриро́ванная *или* кружевна́я отде́лка на корса́же; жабо́.

jacinth ['dʒæsɪnθ] *n мин.* гиаци́нт.

jack I [dʒæk] 1. *n* 1) (*тж.* J.) челове́к, па́рень; every man ~ ка́ждый (челове́к); J. and Gill (*или* Jill) па́рень и де́вушка; 2) = ~ tar; 3) (*тж.* J.) *уст.* рабо́тник, подёнщик; 4) *карт.* вале́т; 5) *разг.* де́ньги; 6) *sl.* вое́нный полице́йский; 7) молода́я щу́ка; 8) *тех.* домкра́т, таль; рыча́г; клин; 9) прибо́р для повора́чивания ве́ртела; 10) ко́злы; сто́йка; 11) *эл.* гнездо́ телефо́нного коммута́тора; пружи́нный переключа́тель; 12) уравни́тель, компенса́тор; 13) ручно́й пневмати́ческий молото́к; перфора́тор для буре́ния; 14) колпа́к на дымово́й трубе́; 15) *мин.* ци́нковая обма́нка; ◊ J. of all trades на все ру́ки ма́стер; to be J. of all trades and master of none за всё бра́ться и ничего́ не уме́ть; before you could say J. Robinson ≅ в два счёта; и опо́мниться не успе́л; и а́хнуть не успе́л;
2. *v* поднима́ть домкра́том (*часто* ~ up); □ ~ up a) бро́сить, оста́вить; to ~ up one's job бро́сить свою́ рабо́ту; б) ~ed up изму́ченный; изнурённый.

jack II [dʒæk] *n мор.* гюйс, флаг; ◊ Union J. англи́йский флаг.

jack III [dʒæk] *n* 1) мех (*для вина и т. п.*); black ~ высо́кая пивна́я кру́жка; 2) *ист.* солда́тская ко́жаная ку́ртка без рукаво́в.

Jack-a-dandy [,dʒækə'dændɪ] *n* щёголь, франт, де́нди.

jackal ['dʒækɔːl] 1. *n* 1) шака́л; 2) *разг.* литерату́рный подёнщик; 3) *разг.* челове́к, де́лающий для друго́го чёрную, неприя́тную рабо́ту;
2. *v* исполня́ть чёрную, неприя́тную рабо́ту.

jackanapes ['dʒækəneɪps] *n* 1) наха́л; выскочка; 2) де́рзкий *или* бо́йкий ребёнок; 3) щёголь, фат; 4) *уст.* обезья́на.

jackaroo [,dʒækə'ruː] *n австрал. разг.* но́вый рабо́чий, новичо́к (*на овцево́дческой фе́рме*).

jackass ['dʒækæs] *n* 1) осёл; 2) [*обыкн.* 'dʒækɑːs] осёл, дура́к, болва́н.

jackboot ['dʒækbuːt] *n* сапо́г вы́ше коле́н; *ист.* ботфо́рт.

jackdaw ['dʒækdɔː] *n* га́лка; ◊ ~ in peacock's feathers воро́на в павли́ньих пе́рьях.

jacket ['dʒækɪt] 1. *n* 1) ку́ртка; френч; жаке́т; Norfolk ~ тужу́рка с по́ясом; френч; Eton ~ коро́ткая чёрная ку́ртка (*преим. шко́льника*); 2) *ист.* камзо́л; 3) шку́ра (*живо́тного*); 4) кожура́ (*карто́феля*); шелуха́; potatoes boiled in their ~s карто́фель в мунди́ре; 5) па́пка, обло́жка; суперобло́жка (*кни́ги*); 6) *тех.* чехо́л, кожу́х (*маши́ны*); руба́шка (*парово́го котла́*); ◊ to dress down (*или* to trim, to warm, to dust) smb.'s ~ вздуть, поколоти́ть кого́-л.;
2. *v* 1) надева́ть чехо́л, кожу́х; 2) *sl.* поколоти́ть.

jacketed ['dʒækɪtɪd] 1. *p. p. от* jacket 2;
2. *a* 1) оде́тый в жаке́т, ку́ртку; 2) *тех.* обши́тый, обло́женный; закры́тый кожухо́м.

Jack Frost ['dʒæk'frɔst] *n* Моро́з Кра́сный Нос; ма́тушка-зима́.

jackhammer ['dʒæk,hæmə] *n* отбо́йный молото́к; молотко́вый перфора́тор.

jack-horse ['dʒækhɔːs] *n* ко́злы, по́дмости.

Jack in office ['dʒækɪn,ɔfɪs] *n* ва́жничающий, самонадея́нный чино́вник.

jack-in-the-box ['dʒækɪnðəbɔks] *n* 1) попрыгу́нчик (*игру́шечная фигу́ра, выска́кивающая из коро́бки, когда́ открыва́ется кры́шка*); 2) род фейерве́рка; 3) *уст.* моше́нник, шу́лер; 4) *тех.* винтово́й домкра́т.

Jack-in-the-green ['dʒækɪnðəgriːn] *n* мужчи́на *или* ма́льчик в убра́нстве из и́вовых ветве́й и зелёных ли́стьев (*в пра́здник весны́*).

Jack Ketch ['dʒæk'ketʃ] *n* пала́ч.

jack-knife ['dʒæknaɪf] *n* большо́й складно́й нож.

jack light ['dʒæklaɪt] *n* амер. фона́рь (*для охо́ты или ры́бной ло́вли но́чью*).

jack-o'-lantern ['dʒækə,læntən] *n* 1) блужда́ющий огонёк; 2) *амер.* фона́рь из ты́квы с проре́занными отве́рстиями в ви́де глаз, но́са и рта.

jack-plane ['dʒækpleɪn] *n тех.* шерхе́бель, руба́нок; струг.

jackpot ['dʒækpɔt] *n* 1) *карт.* банк, кото́рый разы́грывается то́лько в том слу́чае, когда́ у партнёра, начина́ющего игру́, на рука́х два вале́та; 2) куш; са́мый кру́пный вы́игрыш в лотере́е; 3) *амер.* затрудни́тельное положе́ние.

jack-priest ['dʒæk,priːst] *n презр.* свяще́нник.

jack pudding ['dʒæk'pudɪŋ] *n* шут; кло́ун.

jack rabbit ['dʒæk'ræbɪt] *n* кру́пный североамерика́нский за́яц.

jack-screw ['dʒæk,skruː] *n* (винтово́й) домкра́т.

jack-snipe ['dʒæk,snaɪp] *n* боло́тная ку́рочка.

jack sprat ['dʒæk'spræt] *n* ничто́жество.

jack-staff ['dʒæk,stɑːf] *n мор.* гюйсшто́к.

jack-stone ['dʒæk,stoun] *n* 1) *pl* (*употр. как sing*) игра́ в ка́мешки; 2) ка́мешек для э́той игры́.

jack-straw ['dʒæk,strɔː] *n* 1) чу́чело; 2) ничто́жество; 3) *pl* игра́ вро́де бирю́лек; ◊ not to care a ~ ни во что́ не ста́вить.

jack tar ['dʒæk'tɑ:] n матрóс.

jack-towel ['dʒæk,tauəl] n полотéнце (*общего пользования, на ролике*).

Jacobean [,dʒækə'bɪ:ən] a относя́щийся к эпóхе англи́йского короля́ Я́кова I (*1603—1625 гг.*).

Jacobin ['dʒækəbɪn] n 1) доминика́нец (*монах*); 2) *ист.* якоби́нец.

jacobin ['dʒækəbɪn] n хохла́тый гóлубь.

Jacobinic(al) [,dʒækə'bɪnɪk(əl)] a *ист.* якоби́нский.

Jacobite ['dʒækəbaɪt] n *ист.* якоби́т.

Jacob's ladder ['dʒeɪkəbz'lædə] n 1) *библ.* лéстница Иа́кова; 2) *разг.* крута́я лéстница; 3) *мор.* верёвочная лéстница; скок-ва́нт; вант-тра́п; 4) *бот.* синю́ха голуба́я.

Jacob's staff ['dʒeɪkəbz'stɑ:f] n 1) *библ.* пóсох Иа́кова; 2) астроля́бия; град-штóк.

jacobus [dʒə'koubəs] n *ист.* золота́я монéта XVII в. с изображéнием Я́кова I.

jaconet ['dʒækənət] n лёгкая бума́жная ткань ти́па бати́ста.

Jacquard loom ['dʒækɑ:d,lu:m] n жакка́рдов тка́цкий станóк.

jacqueminot ['dʒækmɪnou] *фр.* n многолéтняя кра́сная рóза.

jacquerie [,ʒɑ:k'rɪ] *фр.* n *ист.* жакéрия.

jactation [dʒæk'teɪʃən] = jactitation.

jactitation [,dʒæktɪ'teɪʃən] n 1) хвастовствó, бахва́льство; 2) *юр.* лóжное заявлéние, иду́щее во вред другóму лицу́; *особ.* лóжное заявлéние о я́кобы состоя́вшейся женитьбе; 3) *мед.* су́дорожные подёргивания; мета́ние (*в бреду*).

jade I [dʒeɪd] 1. n 1) кля́ча; 2) шлю́ха; 3) *шутл.* шéльма, негóдница;
2. v 1) заéздить (*лошадь*); 2) *разг.* изму́чить(ся); преврати́ться в кля́чу.

jade II [dʒeɪd] n 1) *мин.* гага́т; нефри́т; 2) желтóвато-зелёный цвет.

jaded ['dʒeɪdɪd] 1. *p. p.* от jade I, 2;
2. a 1) изнурённый, изму́ченный; 2) пресы́тившийся.

Jaeger ['jeɪgə] n éгеровская ткань, шерстянóй трикота́ж для белья́.

jag I [dʒæg] 1. n 1) óстрый вы́ступ, зубéц; óстрая верши́на (*утёса*); 2) зазу́брина; 3) дыра́, прорéха (*в платье*); 4) *pl* *уст.* лохмóтья;
2. v 1) дéлать зазу́брины, вырезáть зубца́ми; 2) кромса́ть.

jag II [dʒæg] n 1) *диал.* небольшóй воз (*сéна, дров*); 2) *sl.* попóйка, вы́пивка; to have a ~ on быть вы́пивши, «нагрузи́ться»; a crying ~ пья́ная истéрика.

jagg [dʒæg] = jag II.

jagged I 1. [dʒægd] *p. p.* от jag I, 2;
2. a ['dʒægɪd] зубча́тый, зазу́бренный, заершённый; нерóвно отóрванный.

jagged II ['dʒægɪd] a *амер. sl.* пья́ный.

jaggery ['dʒægərɪ] n *англо-инд.* па́льмовый са́хар.

jaggy ['dʒægɪ] = jagged I, 2.

jaguar ['dʒægjuə] n ягуа́р.

jail [dʒeɪl] 1. n 1) тюрьма́; 2) тюрéмное заключéние; to break ~ бежáть из тюрьмы́;
2. v заключáть в тюрьму́.

jailbird ['dʒeɪlbɜːd] n арестáнт; уголóвник; закоренéлый престу́пник.

jail delivery ['dʒeɪldɪ'lɪvərɪ] n 1) отпра́вка из тюрьмы́ на суд; 2) освобождéние из тюрьмы́; 3) *амер.* побéг заключённых.

jailer ['dʒeɪlə] n тюрéмщик.

Jain [dʒaɪn] n член инду́сской сéкты джа́йна (*близкой к буддизму*).

jalap ['dʒæləp] n слаби́тельное из мексика́нского растéния яла́пы.

jal(l)opy [dʒə'lɔpɪ] n *амер. разг.* полуразвали́вшийся вéтхий автомоби́ль *или* самолёт.

jalousie ['ʒæluːzɪ] *фр.* n жалюзи́, штóры; ста́вни.

jam I [dʒæm] 1. n 1) сжáтие, сжима́ние; 2) защемлéние; 3) загромождéние, затóр, да́вка; traffic ~ «прóбка», затóр (*в уличном движении*); 4) *разг.* затрудни́тельное *или* нелóвкое положéние; «у́зкое мéсто»; 5) *тех.* заедáние, останóвка, перебóи; 6) *радио* помéха при приёме;
2. v 1) зажима́ть, сжима́ть; жать, дави́ть; 2) защемля́ть, прищемля́ть; he ~med his fingers in the door он прищеми́л па́льцы двéрью; 3) впи́хивать, втúскивать (into); 4) набива́ть(ся) битко́м; 5) загроможда́ть; запру́живать; 6) *тех.* заедáть, закли́ниваться, заéдать, зава́ливать(ся) (*о машине и т. п.*); 7) *радио* искажáть передáчу; мешáть рабóте другóй ста́нции; глуши́ть; □ ~ through *амер.* прота́скивать; to ~ a bill through протащи́ть законопроéкт.

jam II [dʒæm] n варéнье, джем; ◇ real ~ *sl.* ≅ па́льчики обли́жешь; удовóльствие, наслаждéние.

jama(h) ['dʒɑːmə] n *англо-инд.* дли́нная хлопчатобума́жная одéжда инду́сов.

Jamaica [dʒə'meɪkə] n (яма́йский) ром [*см. тж. Список географических названий*].

jamb [dʒæm] n 1) кося́к (*двери, окна*); 2) (*обыкн. pl*) боковы́е стéнки ками́на; 3) *ист.* ножны́е ла́ты; 4) подстáвка, упóр; 5) *геол.* масси́в пустóй порóды, пересека́ющий жи́лу полéзного ископа́емого.

jamboree [,dʒæmbə'rɪ:] n *разг.* 1) весéлье; пра́зднество, пиру́шка; 2) слёт (*особ. бойска́утов*).

jam-jar ['dʒæmdʒɑː] n ба́нка (для) варéнья.

jammer ['dʒæmə] n *радио* ста́нция умы́шленных помéх.

jamming ['dʒæmɪŋ] 1. *pres. p.* от jam I, 2;
2. n 1) затóр, «прóбка» (*в уличном движении*); 2) *тех.* заедáние; защемлéние; зажима́ние; 3) *радио* взаи́мные помéхи радиоста́нций при приёме; заглушéние радиопередáчи.

jam-up ['dʒæmʌp] n затóр, «прóбка» (*в уличном движении*).

Jane, jane [dʒeɪn] n *амер. sl.* бабёнка.

jangle ['dʒæŋgl] 1. n 1) рéзкий звук; гул, гам, сли́тный шум голосóв; нестрóйный звон колоколóв; 2) *уст.* пререка́ния, ссóра, спор;
2. v 1) издава́ть рéзкие, нестрóйные зву́ки; нестрóйно звучáть; 2) шу́мно, рéзко говори́ть; 3) *уст.* спóрить, пререка́ться.

janissary ['dʒænɪsərɪ] = janizary.

janitor ['dʒænɪtə] *n* 1) привра́тник, швейца́р; 2) *амер.* дво́рник, убо́рщик, сто́рож; управля́ющий до́мом.

janizary ['dʒænɪzərɪ] *n ист.* яныча́р.

Jansenism ['dʒænsnɪzəm] *n ист.* янсени́зм.

January ['dʒænjuərɪ] *n* 1) янва́рь; 2) *attr.* янва́рский.

Janus ['dʒeɪnəs] *n миф.* Я́нус.

Jap [dʒæp] *разг. см.* Japanese.

japan [dʒə'pæn] 1. *n* 1) чёрный лак (*особ.* япо́нский); 2) лакиро́ванное япо́нское изде́лие;
2. *v* лакирова́ть, покрыва́ть чёрным ла́ком.

Japanese [,dʒæpə'niːz] 1. *a* япо́нский; ~ lantern япо́нский фона́рик; ~ varnish tree ла́ковое де́рево;
2. *n* 1) япо́нец; япо́нка; the ~ *pl собир.* япо́нцы; 2) япо́нский язы́к.

Japanesque [,dʒæpə'nesk] *a* в япо́нском сти́ле.

jape [dʒeɪp] 1. *n* шу́тка;
2. *v* 1) шути́ть; 2) *редк.* высме́ивать.

Japhetic [dʒeɪ'fetɪk] *a лингв.* яфети́ческий.

japonic [dʒə'pɔnɪk] = Japanese 1.

jar I [dʒɑː] 1. *n* 1) неприя́тный, ре́зкий *или* дребезжа́щий звук; 2) сотрясе́ние, дрожа́ние, дребезжа́ние; 3) потрясе́ние; неприя́тный эффе́кт; the news gave me a nasty ~ э́то изве́стие неприя́тно порази́ло меня́; 4) дисгармо́ния; 5) несогла́сие; ссо́ра; 6) *тех.* вибра́ция;
2. *v* 1) издава́ть неприя́тный, ре́зкий звук; дребезжа́ть; 2) вызыва́ть дрожа́ние, дребезжа́ние (upon, against); сотряса́ть; 3) раздража́ть, коро́бить, де́йствовать на не́рвы (upon); to ~ (up)on a person раздража́ть кого́-л.; 4) дисгармони́ровать, ста́лкиваться (*часто* with); our opinions always ~red на́ши мне́ния всегда́ расходи́лись; 5) ссо́риться; 6) *тех.* вибри́ровать; 7) *горн.* бури́ть уда́рным бу́ром.

jar II [dʒɑː] *n* 1) ба́нка; кувши́н; кру́жка; 2) *эл.*: Leyden ~ ле́йденская ба́нка; 3) ме́ра жи́дкости (= *8 пинтам* = *4,54 л*).

jar III [dʒɑː] *n*: on the ~ *разг.* приоткры́тый (*о двери и т. п.*).

jardinière [,ʒɑːdɪ'njɛə] *фр. n* жардинье́рка.

jargon ['dʒɑːgən] *n* 1) жарго́н; 2) непоня́тный язы́к, тараба́рщина.

jargonelle [,dʒɑːgə'nel] *n* гру́ша-скороспе́лка.

jargonize ['dʒɑːgənaɪz] *v* употребля́ть в разгово́ре жарго́нные выраже́ния *или* профессиона́льные те́рмины.

jarovization [,jɑːrəvɪ'zeɪʃən] *рус. n* яровиза́ция.

jarovize ['jɑːrəvaɪz] *рус. v* яровизи́ровать.

jasmin(e) ['dʒæsmɪn] *n* жасми́н.

jasper ['dʒæspə] *n мин.* я́шма.

jato ['dʒeɪtou] *n ав.* дополни́тельные реакти́вные дви́гатели, придаю́щие самолёту бо́льшую ско́рость при взлёте.

jaundice ['dʒɔːndɪs] *n* 1) *мед.* желту́ха, разли́тие жёлчи; 2) жёлчность; 3) недоброжела́тельство; предвзя́тость; 4) за́висть, ре́вность;
2. *v* 1) *редк.* вызыва́ть разли́тие жёлчи; 2) (*обыкн. р. р.*) вызыва́ть ре́вность, за́висть.

jaundiced ['dʒɔːndɪst] 1. *p. p. от* jaundice 2;
2. *a* 1) *мед.* поражённый желту́хой; 2) жёлтый, жёлтого цве́та; ◇ to take a ~ view взгляну́ть предвзя́то, пристра́стно (*на что-л.*).

jaunt [dʒɔːnt] 1. *n* увесели́тельная прогу́лка *или* пое́здка;
2. *v* предпринима́ть увесели́тельную прогу́лку *или* пое́здку.

jaunting-car ['dʒɔːntɪŋkɑː] *n* двухколёсный ирла́ндский экипа́ж.

jaunty ['dʒɔːntɪ] *a* 1) весёлый, бо́йкий; 2) самодово́льный; небре́жно развя́зный; 3) беспе́чный; 4) изы́сканный, сти́льный; изя́щный.

Javanese [,dʒɑːvə'niːz] 1. *a* ява́нский;
2. *n* 1) ява́нец; ява́нка; the ~ *pl собир.* ява́нцы; 2) ява́нский диале́кт.

javelin ['dʒævlɪn] *n* 1) мета́тельное копьё, дро́тик; 2) *attr.*: ~ formation *ав.* со́мкнутая коло́нна зве́ньев.

javelin-throwing ['dʒævlɪn'θrouɪŋ] *n* мета́ние копья́.

jaw [dʒɔː] 1. *n* 1) че́люсть; 2) *pl* рот, пасть; in the ~s of death ≙ в когтя́х сме́рти; 3) *pl* у́зкий вход (*доли́ны, зали́ва*); 4) *разг.* болтли́вость; 5) ску́чное нравоуче́ние; 6) *sl.* скверносло́вие; 7) *тех.* захва́т, зажи́м, щека́ (*тиско́в*); 8) *тех.* че́люсть, зев (*дроби́лки*); 9) *attr.*: ~ clutch, ~ coupling *тех.* кула́чная му́фта; ◇ to have a ~ поболта́ть; hold your ~! *груб.* (по)придержи́ язы́к!; затки́ гло́тку!; замолчи́!;
2. *v* 1) говори́ть (*особ.* до́лго и ску́чно); пережёвывать одно́ и то́ же; 2) чита́ть нравоуче́ние, отчи́тывать; 3) *sl.* руга́ться, скверносло́вить.

jaw-bacon ['dʒɔː,beɪkn] *n разг.* умудрённый о́пытом челове́к, стари́к.

jaw-breaker ['dʒɔː,breɪkə] *n разг.* тру́дно произноси́мое сло́во; ≙ язы́к слома́ешь.

jaw vice ['dʒɔːvaɪs] *n тех.* зажи́мные тиски́.

jay [dʒeɪ] *n* 1) со́йка (*пти́ца*); 2) *разг.* глу́пый болту́н; балабо́лка; 3) проста́к.

jaywalk ['dʒeɪ,wɔːk] *v разг.* неосторо́жно переходи́ть у́лицу.

jay-walker ['dʒeɪ,wɔːkə] *n разг.* неосторо́жный пешехо́д.

jazz [dʒæz] 1. *n* 1) джаз; 2) та́нец, исполня́емый под джа́зовую му́зыку; 3) *амер.* весёлость, жи́вость, эне́ргия; 4) я́ркие кра́ски; пестрота́;
2. *a* 1) джа́зовый; 2) крича́щий, гру́бый;
3. *v* 1) исполня́ть джа́зовую му́зыку; 2) танцева́ть под джаз.

jazz band ['dʒæz'bænd] *n* джаз-ба́нд, джаз-орке́стр.

jazzy ['dʒæzɪ] = jazz 2.

jealous ['dʒeləs] *a* 1) ревни́вый; ревну́ющий (of); to be ~ ревнова́ть; to be ~ of one's wife ревнова́ть жену́; 2) зави́стливый, зави́дующий (of); 3) ре́вностный, забо́тливый; 4) ревни́во оберега́ющий (of—*что-л.*).

jealousy ['dʒeləsɪ] *n* 1) ре́вность; ревни́вость; 2) подозри́тельность; 3) за́висть.

jean *n* 1) [dʒeɪn] ки́перная, бума́жная ткань, род бумазе́и; 2) *pl* [dʒiːnz] коро́ткие брю́ки; рабо́чий костю́м.

jeep [dʒiːp] **1.** *n* 1) ¹/₄-тонный автомобиль повышенной проходимости, «джип»; 2) небольшой разведывательный самолёт; 3) *разг.* новобранец, новичок;
2. *v* 1) ездить на «джипе»; 2) везти на «джипе».

jeepville ['dʒiːpvɪl] *n амер. sl.* барак для новобранцев.

jeer I [dʒɪə] **1.** *n* 1) презрительная насмешка, глумление; 2) язвительное замечание, колкость;
2. *v* насмехаться, глумиться, высмеивать, зло подшучивать (at—над).

jeer I [dʒɪə] *n (обыкн. pl) мор.* тали для подъёма нижних рей.

jehad [dʒɪ'hɑːd] = jihad.

Jehovah [dʒɪ'houvə] *n библ.* Иегова.

Jehu ['dʒiːhjuː] *n шутл.* возница; извозчик.

jejune [dʒɪ'dʒuːn] *a* 1) тощий, скудный; ~ diet голодная диета; 2) бесплодный (*о почве*); 3) скучный, сухой, неинтересный; ◇ ~ dictionary словарь-лилипут.

jejunum [dʒɪ'dʒuːnəm] *n мед.* тощая кишка.

jell [dʒel] **1.** *n разг. см.* jelly 1;
2. *v* 1) = jelly 2; 2) *перен.* выкристаллизовываться, устанавливаться; public opinion has ~ed on that question по этому вопросу существует определённая точка зрения; the conversation wouldn't ~ разговор не клеился.

jellify ['dʒelɪfaɪ] = jelly 2.

jelly ['dʒelɪ] **1.** *n* 1) желе; 2) студень;
2. *v* 1) превращать в желе, в студень; 2) застывать.

jelly-fish ['dʒelɪfɪʃ] *n* 1) *зоол.* медуза; 2) *амер.* бесхарактерный, мягкотелый человек.

jellygraph ['dʒelɪɡrɑːf] *n* копировальный аппарат.

jelly-like ['dʒelɪlaɪk] *a* студенистый, железообразный.

jemadar ['dʒemədɑː] *n англо-инд.* 1) младший офицер-туземец; туземец-лейтенант; 2) полицейский; 3) дворецкий.

jemmy ['dʒemɪ] *n* 1) воровской лом «фомка»; отмычка; 2) баранья голова (*кушанье*); 3) *диал.* шинель, пальто.

jennet ['dʒenɪt] *n* низкорослая испанская лошадь.

jenneting ['dʒenɪtɪŋ] *n* сорт ранних яблок.

jenny ['dʒenɪ] *n* 1) *иногда прибавляется к названиям животных для указания женского рода, напр.:* ~-ass ослица; 2) *тех.* лебёдка; мостовой подъёмный кран; 3) = spinning-jenny.

jenny-ass ['dʒenɪæs] *n* ослица.

jenny wren ['dʒenɪren] *n* самка королька (*птица*).

jeopard ['dʒepəd] *амер.* = jeopardize.

jeopardize ['dʒepədaɪz] *v* подвергать опасности, рисковать; to ~ one's life рисковать жизнью.

jeopardous ['dʒepədəs] *a* рискованный, опасный.

jeopardy ['dʒepədɪ] *n* опасность, риск; to be in ~ быть в опасности; to put in ~ ставить под угрозу, подвергать опасности.

jerboa [dʒəː'bouə] *n зоол.* (африканский) тушканчик.

jeremiad [,dʒerɪ'maɪəd] *n* иеремиада.

Jericho ['dʒerɪkou] *n библ.* Иерихон; ◇ go to ~! убирайся к чёрту!

jerk I [dʒəːk] **1.** *n* 1) резкое движение, толчок; to get a ~ on поторопиться, поспешить; 2) судорожное подёргивание, вздрагивание; the ~s конвульсии; 3) *амер.* сатуратор; soda ~ сатуратор для газированной воды; 4) *амер. разг.* сопляк, ничтожество; 5) *attr.* ухабистый (*о дороге*);
2. *v* 1) резко толкать, дёргать; 2) двигаться резкими толчками; 3) говорить отрывисто; 4) *амер.* разливать газированную воду.

jerk II [dʒəːk] *v* вялить мясо длинными тонкими кусками.

jerked I [dʒəːkt] *p. p. от* jerk I, 2.

jerked II [dʒəːkt] **1.** *p. p. от* jerk II;
2. *a* вяленый; ~ beef вяленое мясо.

jerkin ['dʒəːkɪn] *n ист.* короткая (*обыкн. кожаная*) мужская куртка (*вроде жилета*), камзол.

jerky I ['dʒəːkɪ] **1.** *a* 1) двигающийся резкими толчками; тряский; 2) отрывистый; 3) капризный, нетерпеливый;
2. *n амер.* тряский безрессорный экипаж *или* вагон.

jerky II ['dʒəːkɪ] *n* вяленое мясо.

Jeroboam [,dʒerə'bouəm] *n* большая чаша, большая винная бутыль (= *8—12 бутылкам обыкновенного размера*).

jerque [dʒəːk] *v* проверять судовые документы и груз.

Jerry ['dʒerɪ] *n воен. sl.* немец; немецкий солдат *или* самолёт.

jerry ['dʒerɪ] *n sl.* ночной горшок.

jerry-building ['dʒerɪ,bɪldɪŋ] *n* 1) возведение непрочных построек из плохого материала (*со спекулятивными целями*); 2) непрочная постройка.

jerry-built ['dʒerɪbɪlt] *a* построенный на скорую руку, кое-как.

jerrymander ['dʒerɪ,mændə] *шутл. см.* gerrymander.

jerry-shop ['dʒerɪʃɔp] *n sl.* пивная низшего разряда.

jersey ['dʒəːzɪ] *n* 1) фуфайка; вязаная кофта; 2) гладкое трикотажное полотно; 3) тонкая шерстяная пряжа, джерсе; 4) джерсейская порода молочного скота.

jess [dʒes] **1.** *n (обыкн. pl)* путы на ногах ручного сокола; *перен.* путы;
2. *v* надевать путы (*на сокола*).

jessamine ['dʒesəmɪn] = jasmin(e).

jest [dʒest] **1.** *n* 1) шутка, острота; in ~ в шутку; 2) насмешка, высмеивание; 3) объект насмешек, посмешище; standing ~ постоянный объект шуток; ◇ many a true word is spoken in ~ *посл.*≅в каждой шутке есть доля правды;
2. *v* 1) шутить; 2) насмехаться, высмеивать.

jest-book ['dʒestbuk] *n* собрание шуток, анекдотов.

jester ['dʒestə] *n* 1) шутник; 2) шут.

jesting ['dʒestɪŋ] **1.** *pres. p. от* jest 2;
2. *a* 1) шуточный, шутливый; a ~ remark шутливое замечание, шутка; 2) любящий шутку; с юмором; a ~ fellow шутник.

Jesuit ['dʒezjuɪt] *n* иезуит; ◇ ~'s bark хина.

Jesuitic(al) [ˌdʒezjuˈɪtɪk(əl)] a 1) иезуитский; 2) коварный, лицемерный.
Jesuitism [ˈdʒezjuɪtɪzəm] n иезуитство, лицемерие, казуистика.
Jesuitry [ˈdʒezjuɪtrɪ] = Jesuitism.
Jesus [ˈdʒiːzəs] n библ. Иисус.
jet I [dʒet] n 1) мин. гагат, чёрный янтарь; 2) блестящий чёрный цвет.
jet II [dʒet] 1. n 1) струя (воды, пара, газа); 2) тех. жиклёр, форсунка, патрубок; 3) воен. дальность выстрела; 4) реактивный двигатель; 5) разг. реактивный самолёт; 6) attr. реактивный; ◊ at the first ~ по первому побуждению;
2. v 1) выпускать струёй; 2) брызгать, бить струёй.
jet-black [ˈdʒetˈblæk] a чёрный как смоль.
jet-fighter [ˈdʒetˌfaɪtə] n реактивный истребитель.
jet plane [ˈdʒetpleɪn] n реактивный самолёт.
jet-prop [ˈdʒetˈprɔp] a ав. реактивный.
jet-propelled [ˈdʒetprəˈpeld] a с реактивным двигателем; ~ plane реактивный самолёт; ~ projectile реактивный снаряд.
jet propulsion [ˈdʒetprəˈpʌlʃən] n 1) реактивный двигатель; 2) реактивное движение.
jetsam [ˈdʒetsəm] n груз, товары, сброшенные с корабля при аварии (и прибитые к берегу) [ср. flotsam].
jetstone [ˈdʒetstoun] n мин. чёрный турмалин.
jettison [ˈdʒetɪsn] 1. n выбрасывание (груза) за борт во время бедствия;
2. v 1) выбрасывать (груз) за борт; 2) ав. сбрасывать (груз бомб); 3) отделываться (от какой-л. помехи); 4) отвергать (что-л.); to ~ a bill отказываться от законопроекта вследствие затруднительности его проведения.
jetton [ˈdʒetən] n жетон.
jetty I [ˈdʒetɪ] = jet-black.
jetty II [ˈdʒetɪ] n 1) дамба; 2) мол, пристань; 3) выступ здания, эркер, закрытый балкон.
Jew [dʒuː] n еврей, иудей.
jewel [ˈdʒuːəl] 1. n 1) драгоценный камень; 2) ювелирное изделие; pl драгоценности; 3) сокровище; 4) камень (в часах);
2. v 1) украшать драгоценными камнями; 2) вставлять камни (в часовой механизм).
jewel-box [ˈdʒuːəlbɔks] n футляр для ювелирных изделий.
jewel-case [ˈdʒuːəlkeɪs] = jewel-box.
jewel-house [ˈdʒuːəlhaus] n сокровищница британской короны.
jeweller [ˈdʒuːələ] n ювелир.
jewellery, jewelry [ˈdʒuːəlrɪ] n 1) драгоценности; ювелирные изделия; 2) ювелирное искусство.
Jewess [ˈdʒuːɪs] n еврейка, иудейка.
Jewish [ˈdʒuːɪʃ] a еврейский, иудейский.
Jewry [ˈdʒuərɪ] n 1) евреи; 2) еврейство; 3) ист. гетто, еврейский квартал.
Jew's-harp [ˈdʒuːzˈhɑːp] n варган (муз. инструмент).
Jew's pitch [ˈdʒuːzpɪtʃ] n мин. асфальт.
Jezebel [ˈdʒezəbl] n разг. кокотка.
jib I [dʒɪb] 1. n 1) мор. кливер; 2) тех.

поперечина, укосина, стрела грузоподъёмного крана; ◊ the cut of one's ~ внешность человека, манера одеваться и т. п.;
2. v мор. перебрасывать парус; переваливаться (о парусе).
jib II [dʒɪb] 1. n норовистая лошадь;
2. v внезапно останавливаться, упираться; топтаться на месте; □ ~ at a) колебаться сделать что-л.; б) выказывать нерасположение к чему-л., кому-л.
jibber I [ˈdʒɪbə] = jib II, 1.
jibber II [ˈdʒɪbə] = jabber 2.
jib-boom [ˈdʒɪbˈbuːm] n мор. утлегарь.
jib-crane [ˈdʒɪbˈkreɪn] n поворотный кран, кран со стрелой.
jib door [ˈdʒɪbˈdɔː] n 1) потайная дверь; 2) стр. скрытая дверь.
jibe I [dʒaɪb] = gibe.
jibe II [dʒaɪb] = jib I, 2 и gybe.
jibe III [dʒaɪb] v разг. 1) соглашаться; 2) согласоваться; соответствовать; his words and actions do not ~ у него слова расходятся с делом.
jiff(y) [ˈdʒɪf(ɪ)] n разг. миг, мгновение; wait (half) a ~ подождите минутку; in a ~ мигом; одним духом.
jig I [dʒɪg] 1. n джига (танец и музыкальная форма); ◊ the ~ is up пришло время держать ответ;
2. v 1) танцевать джигу; 2) быстро двигаться взад и вперёд.
jig II [dʒɪg] 1. n 1) тех. мелкий ручной инструмент; зажимное приспособление; сборочное приспособление; кондуктор; шаблон; 2) полигр. матрица; 3) стр. балка, переводина; 4) текст. роликовая красильная машина; 5) горн. отсадочная машина; 6) приманка (в рыбной ловле и т. п.);
2. v 1) промывать руду; 2) сортировать.
jigger I [ˈdʒɪgə] n 1) рабочий, промывающий руду; сортировщик; 2) небольшой стакан для вина; 3) разг. чудак; 4) тех. грохот; машина со встряхиванием; 5) горн. отсадочная машина; 6) радио высокочастотный трансформатор с переменной связью; 7) мор. джиггер, джиггер-мачта; 8) мор. хват-тали; 9) мор. выносная бизань; йол с выносной бизанью; 10) ажурная пила; 11) = jig II, 1, 4); 12) гончарный круг; ◊ not worth a ~ ≡ яйца выеденного не стоит.
jigger II [ˈdʒɪgə] n 1) танцор, исполняющий джигу; 2) кукольник (в кукольном театре).
jigger III [ˈdʒɪgə] = chigoe.
jigger IV [ˈdʒɪgə] v (тк. pass.): well, I'm ~ed! ≡ чёрт меня побери!
jigger-mast [ˈdʒɪgəmɑːst] = jigger I, 7).
jiggery-pokery [ˈdʒɪgərɪˈpoukərɪ] n 1) разг. интриги, козни; 2) вздор, ерунда, чепуха.
jiggle [ˈdʒɪgl] 1. n покачивание;
2. v покачивать(ся).
jig-saw [ˈdʒɪgsɔː] n тех. ажурная пила; машинная ножовка; ◊ ~ puzzle составная картинка-загадка.
jihad [dʒɪˈhɑːd] араб. n 1) газават, священная война (против немусульман); 2) кампания за или против чего-л., (крестовый) поход.

Jill [dʒɪl] = Gill.

jilt [dʒɪlt] **1.** *n* 1) бездушная кокетка; обманщица; 2) *редк.* мужчина, завлекающий и бросающий женщину;

2. *v* увлечь и обмануть.

Jim-Crow ['dʒɪm'krou] *n амер. презр.* 1) негр; 2) *attr.*: ~ car особый вагон для негров; ~ policy политика дискриминации негров в США.

Jim-Crowism ['dʒɪm'krouɪzəm] *n амер.* система дискриминации негров в США.

jim-dandy ['dʒɪm'dændɪ] *a амер. разг.* превосходный, прекрасный.

jim-jams ['dʒɪmdʒæmz] *n pl sl.* белая горячка.

jimmy ['dʒɪmɪ] *n амер.* **1.** *п* 1) горн. тележка для возки угля; 2) воровской лом «фомка», отмычка;

2. *v* взламывать ломом.

jimp [dʒɪmp] *a шотл.* 1) стройный, тонкий; 2) изящный; 3) скудный.

Jimson weed ['dʒɪmsnwiːd] *n бот.* дурман (обыкновенный).

jingle ['dʒɪŋgl] **1.** *n* 1) звон, звяканье; побрякивание; 2) созвучие, аллитерация; 3) ирландская *или* австралийская крытая двухколёсная повозка;

2. *v* 1) звенеть, звякать; 2) изобиловать созвучиями, аллитерациями.

jingo ['dʒɪŋgou] **1.** *n* (*pl* -oes [-ouz]) ура-патриот, шовинист; джингоист; ◇ by ~! чёрт побери!;

2. *a* шовинистический.

jingoism ['dʒɪŋgouɪzəm] *n* ура-патриотизм, агрессивный шовинизм; джингойзм.

jink [dʒɪŋk] **1.** *n* 1) уклонение, уловка, увёртка; 2) *pl*: high ~s шумное, бурное веселье;

2. *v* 1) увёртываться, уклоняться, избегать; 2) *воен. sl.* уйти от огня зенитной артиллерии.

jinn [dʒɪn] *pl om* jinnee.

jinnee [dʒɪ'niː] *n* (*pl* jinn, *часто употр. как sing*) *миф.* джин.

jinny ['dʒɪnɪ] *n горн.* 1) тягальная лебёдка; 2) наклонный путь для вагонеток с рудой.

jinrick(i)sha [dʒɪn'rɪk(ɪ)ʃə] *яп. n* (джин-)рикша (*двуколка, которую везёт человек*).

jinx [dʒɪŋks] *n sl.* человек *или* вещь, приносящие несчастье.

jitney ['dʒɪtnɪ] *амер. sl.* **1.** *n* 1) пять центов; 2) дешёвое маршрутное такси *или* автобус;

2. *a* дешёвый, третьесортный;

3. *v* ехать в дешёвом маршрутном такси *или* в автобусе.

jitter ['dʒɪtə] *v разг.* нервничать.

jitterbug ['dʒɪtəbʌg] *разг.* **1.** *n* 1) нервный человек; 2) любитель танцевать под джазовую музыку;

2. *v* танцевать под джазовую музыку.

jitters ['dʒɪtəz] *n pl разг.* нервное возбуждение, испуг; it gave me the ~ я весь затрясся.

jittery ['dʒɪtərɪ] *a разг.* нервный.

jiu-jitsu [dʒjuː'dʒɪtsuː] = ju-jutsu.

jive [dʒaɪv] **1.** *n* 1) джаз; 2) *sl.* непонятный жаргон; 3) болтовня;

2. *v* танцевать под джазовую музыку.

Job [dʒoub] *n* 1) *библ.* Иов; 2) многострадальный, терпеливый человек; ◇ this would try the patience of ~ от этого хоть у кого терпение лопнет; это выведет из себя даже ангела; ~'s news плохая весть, печальные новости; ~'s comforter человек, который под видом утешения только усугубляет чьё-л. горе.

job I [dʒɔb] **1.** *n* 1) работа, труд; by the ~ сдельно, поурочно (*об оплате*); 2) *разг.* место, служба; out of ~ без работы; 3) задание; урок; 4) использование своего положения в личных целях; his appointment was a ~ он получил назначение по протекции; 5) *sl.* кража; an inside ~ *амер.* кража и т. п., совершённая кем-л. из своих; 6) лошадь *или* экипаж, взятые напрокат; 7) *полигр.* акциденция; 8) *тех.* деталь, изделие, обрабатываемый предмет; 9) *attr.* нанятый на определённую работу; наёмный; ~ classification *амер.* основная ставка (*зарплаты рабочего*); ~ evaluation *амер.* разряд (*для установления зарплаты рабочего*); ◇ a ~ of work нелёгкая работёнка; a fat ~ а) очень много; б) *ирон.* очень мало; a bad ~ безнадёжное дело; неудача; a good ~ хорошие дела (*положение вещей*); *ирон.* хорошенькое дело; ~ lot а) партия разрозненных товаров, продающихся оптом; б) вещи, купленные по дешёвке с целью перепродажи; в) разрозненная коллекция; to make a good ~ of it сделать что-л. хорошо; a good ~ you made of it! хорошеньких дел вы натворили!; on the ~ а) в действии, в движении; б) очень занятой; to lie down on the ~ работать кое-как; to do smb.'s ~, to do the ~ for smb. *разг.* погубить кого-л.; to put up a ~ on smb. *амер.* сыграть с кем-л. шутку;

2. *v* 1) работать нерегулярно, случайно; 2) работать сдельно; 3) нанимать на сдельную работу; 4) брать внаём лошадей, напрокат экипажи; 5) давать внаём лошадей, напрокат экипажи; 6) спекулировать, барышничать; быть маклером; 7) действовать недобросовестно (*при заключении сделок и т. п.*); 8) злоупотреблять своим положением; to ~ smb. into a post устроить кого-л. на место по протекции.

job II [dʒɔb] **1.** *n* внезапный удар, толчок;

2. *v* 1) колоть, вонзать; пронзать; пырнуть (at); 2) толкнуть; ударить; 3) сильно дёрнуть лошадь за удила.

jobation [dʒou'beɪʃən] *n* длинное, скучное нравоучение, выговор.

jobber ['dʒɔbə] *n* 1) человек, занимающийся случайной работой; 2) человек, работающий сдельно; 3) маклер, комиссионер; 4) оптовый торговец; 5) недобросовестный делец; 6) предприниматель, дающий лошадей и экипажи напрокат.

jobbernowl ['dʒɔbə‚noul] *n разг.* блух, болван.

jobbery ['dʒɔbərɪ] *n* 1) использование служебного положения в корыстных *или* личных целях; 2) сомнительные операции; спекуляция.

jobbing I ['dʒɔbɪŋ] **1.** *pres. p. om* job I, 2;

2. *n* 1) случайная, нерегулярная работа; 2) сдельная работа; 3) *тех.* мелкий ремонт; 4) торговля акциями; биржевая игра; спекуляция;

3. *a* случайный, нерегулярный (*о работе и т. п.*); ◇ ~ shop починочная мастерская.

jobbing II ['dʒɔbɪŋ] *pres. p. от* job II, 2.

jobholder ['dʒɔb,houldə] *n* 1) человек, имеющий постоянную работу; 2) *амер.* государственный служащий.

jobless ['dʒɔblɪs] *a, n* безработный.

jobmaster ['dʒɔb,mɑːstə] *n* 1) владелец машин *или* извозчичьих экипажей, сдаваемых напрокат; 2) работник, выполняющий акцидентные типографские работы.

job-work ['dʒɔbwəːk] *n* сдельная работа.

Jock [dʒɔk] *n* 1) = jack I, 1; 2) *sl.* шотландский солдат; 3) (j.) *разг. см.* jockey 1.

jockey ['dʒɔkɪ] **1.** *n* 1) жокей; 2) *шотл. ист.* менестрель; 3) *шотл.* бродяга; 4) обманщик;

2. *v* обманывать, надувать; □ ~ into склонить обманом к чему-л.; ~ out обманом получить, выманить что-л.

jocko ['dʒɔkou] *n* (*pl* -os [-ouz]) *разг.* шимпанзе; обезьяна.

jocose [dʒə'kous] *a* шутливый; игривый.

jocosity [dʒou'kɔsɪtɪ] *n* шутливость; игривость.

jocular ['dʒɔkjulə] *a* шутливый; комический; забавный, весёлый; юмористический.

jocularity [,dʒɔkju'lærɪtɪ] *n* 1) весёлость; 2) шутка.

jocund ['dʒɔkənd] *a* 1) весёлый, живой; жизнерадостный; 2) приятный.

jocundity [dʒou'kʌndɪtɪ] *n* 1) весёлость, жизнерадостность; 2) приятность.

Jodhpurs ['dʒɔdpuəz] *n pl* англо-инд. брюки для верховой езды.

Joe (Blow) ['dʒou('blou)] *n* амер. воен. *sl.* солдат.

Joe Miller ['dʒou'mɪlə] *n* старая шутка, избитый анекдот.

joey I ['dʒoui] *n* австрал. детёныш (*преим.* кенгуру).

joey II ['dʒoui] *n sl.* четырёхпенсовая монета.

jog [dʒɔg] **1.** *n* 1) толчок; подталкивание, встряхивание; 2) медленная, тряская езда, медленная ходьба; 3) *амер.* неровность, выпуклость, углубление; 4) помеха, лёгкое препятствие;

2. *v* 1) толкать, трясти; 2) слегка подталкивать локтем (*особ. чтобы привлечь внимание к чему-л.*); 3) помогать (*кому-л.*) припомнить; напоминать; 4) ёхать, двигаться подпрыгивая, подскакивая; трястись; трусить; 5) медленно, с трудом п(р)одвигаться вперёд (*часто ~ on, ~ along*); 6) продолжать (*путь, работу и т. п.*; on, along).

joggle I ['dʒɔgl] **1.** *n* потряхивание, встряхивание; толчок;

2. *v* 1) трясти; подталкивать; толкать; 2) трястись, двигаться толчками.

joggle II ['dʒɔgl] **1.** *n тех.* соединительный выступ, прилив; зарубка; паз, шпунт;

2. *v* соединять шипом, шпунтом, ушками *и т. п.*

joggly ['dʒɔglɪ] *a* неровный (*о почерке*).

jogtrot ['dʒɔg'trɔt] *n* 1) рысца; 2) однообразие, рутина; 3) *attr.* однообразный.

John Bull ['dʒɔn'bul] *n* Джон Булль (*типичный англичанин; прозвище англичан*).

John Doe ['dʒɔn'dou] *n* юр. (*употр. нарицательно*) истец в судебном процессе [*см. тж.* Richard Roe].

John Dory ['dʒɔn'dɔːrɪ] *n* солнечник (*рыба*).

Johnny, johnny ['dʒɔnɪ] *n разг.* 1) малый, парень; 2) щёголь, франт.

johnny-cake ['dʒɔnɪ,keɪk] *n* лепёшка (*амер. —маисовая, австрал. —пшеничная*).

Johnny-jump-up ['dʒɔnɪ'dʒʌmp,ʌp] *n* 1) американская лесная фиалка; 2) *амер.* дикая маргаритка.

Johnny Raw ['dʒɔnɪ'rɔː] *n* 1) *sl.* новичок; 2) *воен. sl.* новобранец.

John-o'-Groat's(-House) ['dʒɔnə'grouts(-haus)] *n* север Шотландии; from~to Land's End от севера до юга Англии; от края до края (*страны*).

Johnsonese, Johnsonian [,dʒɔnsə'niːz, dʒɔn'sounjən] *n* тяжёлый, напыщенный стиль, изобилующий латинизмами (*как у писателя XVIII в. Сэмюеля Джонсона*).

join [dʒɔɪn] **1.** *v* 1) соединять(ся); to ~ forces соединить силы, объединить усилия; to ~ hands а) пожимать (друг другу) руку; б) браться за руки; в) объединяться; 2) присоединять(ся); I'll ~ you in your walk я присоединюсь к вам, я пройдусь с вами; 3) объединиться (*с кем-л.*); войти в компанию; вступить в члены (*общества и т. п.*); to ~ (in) with smb. присоединиться к кому-л.; to ~ the army поступить в армию; to ~ the colours, to ~ up поступить на военную службу; 4) снова занять своё место, возвратиться; to ~ one's regiment вернуться в полк; to ~ one's ship вернуться на корабль; 5) соединяться, сливаться; the stream ~s the river ручей впадает в реку; 6) граничить; the two estates ~ эти два имения граничат друг с другом; ◇ to ~ battle вступать в бой;

2. *n* соединение; точка, линия, плоскость соединения.

joinder ['dʒɔɪndə] *n* 1) объединение, соединение; союз; 2) юр. объединение соответчиков и соистцов.

joiner ['dʒɔɪnə] *n* 1) столяр; 2) амер. член нескольких клубов; 3) тех. строгальный станок.

joinery ['dʒɔɪnərɪ] *n* 1) столярная работа; столярное ремесло; 2) столярные изделия; 3) столярная мастерская.

joint [dʒɔɪnt] **1.** *n* 1) место соединения; соединение; стык; 2) анат. сустав, сочленение; to put a bone into ~ again вправить вывих; out of ~ вывихнутый; перен. пришедший в расстройство; не в порядке; 3) часть разрубленной туши: нога, лопатка *и т. п.*; dinner from the ~ мясной обед; 4) амер. sl. тайный кабак, притон; eating ~ трактир, закусочная; 5) бот. узел (*у растения*); 6) геол. трещина, отдельность, линия кливажа; 7) тех. сращивание; паз, шов, шарнир; angle ~ соединение под углом; 8) тех., стр. узел фермы;

2. *a* 1) соединённый, общий, совместный; to take ~ actions действовать сообща; ~ efforts общие усилия; ~ authors соавторы; ~ committee а) объединённый комитет; б) комиссия из представителей разных организаций; ~ owner совладелец; 2) комбинированный; ~ traffic комбинированное движение по рельсовым и безрельсовым путям;

3. *v* 1) сочленять; соединять при помощи вставных частей, колен; 2) разнимать, расчленять; 3) *стр.* расшивать швы кирпичной кладки; пригонять.

joint-chair ['dʒɔɪntʃɛə] *n* ж.-д. стыковая подушка.

jointer ['dʒɔɪntə] *n* 1) *mex.* фуганок; фуговочный станок; 2) *стр.* инструмент для расшивки швов.

joint-heir ['dʒɔɪnt,ɛə] *n* сонаследник.

jointly ['dʒɔɪntlɪ] *adv* совместно, сообща.

joint-pin ['dʒɔɪntpɪn] *n mex.* шарнирный болт; заклёпка; чека.

jointress ['dʒɔɪntrɪs] *n юр.* вдова, владеющая выделенной ей по наследству частью имущества.

Joint Staff ['dʒɔɪnt'stɑːf] *n* генеральный штаб (вооружённых сил).

joint stock ['dʒɔɪntstɔk] *n* акционерный капитал.

joint-stock company ['dʒɔɪntstɔk'kʌmpənɪ] *n* акционерное общество.

jointure ['dʒɔɪntʃə] **1.** *n* имение, имущество, записанное на жену (на случай смерти мужа), вдовья часть наследства;

2. *v* закрепить часть имущества, наследства за женой, назначить вдовью часть.

jointuress ['dʒɔɪntʃərɪs] = jointress.

jointweed ['dʒɔɪntwiːd] *n бот.* 1) хвощ; 2) хвостник обыкновенный.

joint-worm ['dʒɔɪntwəːm] *n* изозома, толстоножка (насекомое).

joist [dʒɔɪst] *n* 1) балка; перекладина; стропило; 2) *attr.* балочный; ~ ceiling потолок на деревянных балках, балочное перекрытие.

joke [dʒouk] **1.** *n* 1) шутка; острота; it is no ~ дело серьёзное; это не шутка; to have one's ~, to make (или to crack) a ~ пошутить; to play a ~ (on smb.) подшутить (над кем-л.); to make a ~ of smth. свести что-л. к шутке; 2) смешной случай; 3) объект шуток, посмешище; ◇ the ~ was on him это он остался в дураках;

2. *v* 1) шутить; 2) подшучивать, дразнить.

joker ['dʒoukə] *n* 1) шутник; 2) *sl.* человек, парень; 3) джокер (в покере); 4) *амер.* двусмысленная фраза или статья в законе.

joking ['dʒoukɪŋ] **1.** *pres. p. от* joke 2; **2.** *n:* ~ apart шутки в сторону.

joky ['dʒoukɪ] *a* шутливый; шуточный.

jollier ['dʒɔlɪə] *n амер.* весельчак, забавник.

jollification [,dʒɔlɪfɪ'keɪʃən] *n* увеселение, празднество.

jollify ['dʒɔlɪfaɪ] *v* 1) веселить(ся); 2) слегка опьянять; 3) кутить.

jollity ['dʒɔlɪtɪ] *n* веселье, увеселение.

jolly ['dʒɔlɪ] **1.** *a* 1) весёлый, радостный; любящий весёлую компанию; 2) праздничный; 3) подвыпивший, навеселе; 4) *разг.* приятный; замечательный, восхитительный, прелестный (тж. ирон.); ~ weather чудесная погода; a ~ mess I am in в хорошенькую переделку я попал; ◇ the ~ god Вакх, Бахус;

2. *adv разг.* очень, чрезвычайно; ~ fine очень хорошо; you'll be ~ late вы порядком опаздываете; ~ well конечно, непременно; you'll ~ well have to do it вам непременно придётся сделать это;

3. *n* 1) *sl.* солдат морской пехоты; 2) *сокр. от* jolly-boat; 3) *sl.* вечеринка;

4. *v* 1) *разг.* подшучивать; 2) обращаться ласково, добиваться (чего-л.) лаской, лестью (часто ~ along, ~ up); 3) развеселить.

jolly-boat ['dʒɔlɪbout] *n* четвёрка (шлюпка).

jolt [dʒoult] **1.** *n* 1) толчок; тряска; 2) *амер.* удар;

2. *v* 1) трясти, встряхивать, подбрасывать; 2) двигаться подпрыгивая, трястись (по неровной дороге).

jolterhead ['dʒoultəhed] *n* олух, болван.

jolty ['dʒoultɪ] *a* тряский.

Jonathan ['dʒɔnəθən] *n* 1) сорт десертных яблок; 2) американец или американцы (нарицательно); [см. тж. Список имён].

jongleur [ʒɔ̃ːŋ'glæ] *фр. n ист.* средневековый бродячий певец, менестрель.

jonquil ['dʒɔŋkwɪl] *n* 1) *бот.* нарцисс-жонкиль; 2) бледно-жёлтый, палевый цвет; 3) разновидность канарейки.

jorum ['dʒɔːrəm] *n* большая кружка, чаша, особ. чаша с пуншем.

josh [dʒɔʃ] *амер. sl.* **1.** *n* добродушная шутка; мистификация;

2. *v* подшучивать; мистифицировать.

joskin ['dʒɔskɪn] *n sl.* неотёсанный человек; деревенщина.

joss [dʒɔs] *n* 1) китайский идол; 2) *sl.* удача, везение.

josser ['dʒɔsə] *n* 1) *австрал.* священник; 2) *sl.* простак, тупица; 3) *sl.* парень.

joss-house ['dʒɔshaus] *n* китайский храм, кумирня.

joss-sticks ['dʒɔsstɪks] *n pl* особые пахучие свечи, употребляемые китайцами для воскурения во время молитвы.

jostle ['dʒɔsl] **1.** *n* 1) толчок; столкновение; 2) толкотня, давка;

2. *v* толкать(ся), теснить(ся); пихать; отталкивать; he ~d with his enemy он боролся, стараясь оттеснить своего врага; □ ~ against натолкнуться на; ~ away, ~ from вытолкнуть, оттолкнуть; ~ through проталкиваться, протискиваться.

jot [dʒɔt] **1.** *n* йота; ничтожное количество; not a ~ ни на йоту;

2. *v* кратко записать; бегло набросать (часто ~ down).

jotter ['dʒɔtə] *n* записная книжка.

jotting ['dʒɔtɪŋ] **1.** *pres. p. от* jot 2; **2.** *n* памятка, набросок, краткая запись.

joule [dʒuːl] *n эл.* джоуль, международная ватт-секунда.

jounce [dʒauns] *v* ударя́ть(ся); трясти́(сь).

jour [dʒə:] *n амер. разг. см.* journeyman.

journal ['dʒə:nl] **1.** *n* 1) дневни́к; журна́л (*тж бухг.*); the Journals *парл.* протоко́лы заседа́ний; ship's ~ *мор.* судово́й журна́л; 2) газе́та; журна́л; 3) *тех.* ше́йка ва́ла, ца́пфа;
2. *a поэт.* дневно́й.

journal-box ['dʒə:nlbɔks] *n тех.* коро́бка подши́пника; ваго́нная бу́кса.

journalese [,dʒə:nə'li:z] *n* стиль, хара́ктерный для посре́дственных журнали́стов; небре́жный, торопли́вый стиль.

journalism ['dʒə:nəlizəm] *n* профе́ссия журнали́ста.

journalist ['dʒə:nəlist] *n* 1) журнали́ст, газе́тный сотру́дник; 2) реда́ктор журна́ла.

journalistic [,dʒə:nə'listik] *a* журна́льный.

journalize ['dʒə:nəlaiz] *v* 1) вноси́ть, запи́сывать в журна́л (*тж. бухг.*); 2) вести́ дневни́к *или* журна́л; 3) сотру́дничать в газе́те *или* журна́ле.

journey ['dʒə:ni] **1.** *n* 1) пое́здка, путеше́ствие (*преим. сухопутное*); to be (*или* to go) on a ~ путеше́ствовать; to take a ~предприня́ть путеше́ствие; two days' ~ from here в двух дня́х езды́ отсю́да; 2) рейс; 3) *горн.* соста́в вагоне́ток;
2. *v* соверша́ть пое́здку, путеше́ствие, рейс; путеше́ствовать.

journeyman ['dʒə:nimən] *n* 1) квалифици́рованный рабо́чий *или* реме́сленник, рабо́тающий по на́йму (*в отличие от ученика и мастера*); 2) *уст.* подёнщик; 3) наёмник.

journey-work ['dʒə:niwə:k] *n* 1) рабо́та по на́йму; 2) подённая рабо́та; подёнщина.

joust [dʒaust] *ист.* **1.** *n* ры́царский поеди́нок; (*часто pl*) турни́р.
2. *v* би́ться на поеди́нке *или* турни́ре.

Jove [dʒouv] *n миф.* Юпи́тер; by ~! а) кляну́сь Юпи́тером!; ей-бо́гу!; б) бо́же ми́лостивый!; в) вот так та́к!

jovial ['dʒouvjəl] *a* весёлый; общи́тельный.

joviality [,dʒouvi'æliti] *n* весёлость; общи́тельность.

Jovian ['dʒouviən] *a* 1) подо́бный Юпи́теру; вели́чественный; 2) относя́щийся к плане́те Юпи́тер.

jowl [dʒaul] *n* 1) че́люсть; челюстна́я кость; 2) то́лстые щёки и двойно́й подборо́док; 3) подгру́док (*у скота́*); зоб (*у птиц*); боро́дка (*индюка, петуха́*); 4) голова́ (*лосо́ся, осетра́*).

jowly ['dʒauli] *a* морда́стый, толстомо́рдый.

joy [dʒɔi] **1.** *n* 1) ра́дость; весе́лье, удово́льствие; to wish smb. ~ поздравля́ть кого́-л.; 2) что-л.,вызыва́ющее восто́рг, восхище́ние; 3) *амер. разг.* удо́бство, комфо́рт;
2. *v поэт.* ра́довать(ся); весели́ть(ся).

joyful ['dʒɔiful] *a* ра́достный, счастли́вый; дово́льный.

joy-house ['dʒɔihaus] *n амер. sl.* публи́чный дом.

joyless ['dʒɔilis] *a* безра́достный.

joyous ['dʒɔiəs] = joyful.

joy-ride ['dʒɔiraid] *n разг.* (увесели́тельная) пое́здка на автомаши́не *или* самолёте (*иногда́ без разреше́ния владе́льца*).

joystick ['dʒɔistik] *n разг.* ру́чка *или* рыча́г управле́ния (*самолёта*).

jubilance ['dʒu:biləns] *n* ликова́ние.

jubilant ['dʒu:bilənt] *a* лику́ющий; торжеству́ющий.

jubilate 1. *n* [,dʒu:bi'la:ti] 1) ра́достный поры́в; ликова́ние; 2) (J.) *церк.* 100-й псало́м; 3) (J.) *церк.* тре́тье воскресе́нье по́сле па́схи.
2. *v* ['dʒu:bileit] ликова́ть; торжествова́ть.

jubilation [,dʒu:bi'leiʃən] *n* ликова́ние.

jubilee ['dʒu:bili:] *n* 1) пра́зднество; юбиле́й (*преим. 50-ле́тний*); to hold a ~ пра́здновать; silver ~ двадцатипятиле́тний юбиле́й; Diamond J. а) шестидесятиле́тний юбиле́й; *ист.* шестидесятиле́тие ца́рствования короле́вы Викто́рии.

Judaic [dʒu:'deiik] *a* иуде́йский, евре́йский.

Judaism ['dʒu:deiizəm] *n* юдаи́зм, евре́йская рели́гия.

Judas ['dʒu:dəs] *n* 1) *библ.* Иу́да; 2) преда́тель; 3) (j.) отве́рстие, глазо́к в двери́ (*для подсма́тривания*).

Judas-coloured ['dʒu:dəs,kʌləd] *a* ры́жий.

Judas-hole ['dʒu:dəshoul] = Judas 3).

Judas-tree ['dʒu:dəstri:] *n бот.* багря́ник.

jud(d) [dʒʌd] *n* большая глы́ба у́гля.

judge [dʒʌdʒ] **1.** *n* 1) судья́; J. Advocate General а) гла́вный вое́нный юри́ст; б) *амер.* нача́льник вое́нно-юриди́ческого управле́ния; ~ advocate а) юри́ст-консульта́нт вое́нного суда́; б) *амер.* нача́льник юриди́ческой слу́жбы (*соедине́ния*); в) *амер.* вое́нный прокуро́р; 2) арби́тр, экспе́рт; 3) цени́тель, знато́к; a ~ of art цени́тель иску́сства;
2. *v* 1) суди́ть; выноси́ть пригово́р; 2) быть арби́тром, реша́ть; 3) оце́нивать; to ~ horses дава́ть оце́нку лошадя́м; 4) счита́ть, полага́ть; соста́вить себе́ мне́ние, приходи́ть к вы́воду; to ~ by appearances суди́ть по вне́шности; 5) осужда́ть, порица́ть.

judge-made ['dʒʌdʒ,meid] *a:* ~ law при́нципы, осно́вывающиеся на суде́бных преце́дентах.

judgematic(al) [dʒʌdʒ'mætik(əl)] *a разг.* рассужда́ющий здра́во; рассуди́тельный.

judgement ['dʒʌdʒmənt] *n* 1) пригово́р, реше́ние суда́; заключе́ние суда́ в отноше́нии пра́вильности процеду́ры; ~ reserved *юр.* отсро́чка реше́ния суда́ по́сле оконча́ния суде́бного разбира́тельства; to pass (*или* to give, to render) ~ on smb. выноси́ть пригово́р кому́-л.; 2) наказа́ние, (бо́жья) ка́ра; 3) мне́ние, взгляд; in my ~ you are wrong на мой взгляд (по-мо́ему, по моему́ мне́нию), вы непра́вы; private ~ ли́чный взгляд (*незави́симый от при́нятых, осо́б. в религио́зных вопро́сах*); 4) рассуди́тельность; уме́ние пра́вильно разбира́ться; to show good ~ суди́ть здра́во; 5) *attr.:* ~ creditor (debtor) кредито́р (должни́к), при́знанный таковы́м по постановле́нию суда́; ◇ to disturb the ~ сбить с то́лку.

judgement-day ['dʒʌdʒməntdei] *n рел.* су́дный день; день стра́шного суда́.

judgement-seat ['dʒʌdʒməntsi:t] *n* 1) суде́йское ме́сто; 2) суд, трибуна́л.

Judges ['dʒʌdʒiz] *n библ.* Кни́га суде́й.

judgmatic(al) [dʒʌdʒ'mætɪk(əl)] = judgematic(al).

judgment ['dʒʌdʒmənt] = judgement.

judicatory ['dʒuːdɪkətərɪ] 1. *a* судебный; судейский;
2. *n* 1) суд, трибунал; 2) отправление правосудия.

judicature ['dʒuːdɪkətʃə] *n* 1) отправление правосудия; Supreme Court of J. Верховный суд Англии; 2) судейская корпорация; 3) суд.

judicial [dʒuː'dɪʃəl] *a* 1) судебный, законный; ~ murder узаконенное убийство; судебная расправа; необоснованное решение о вынесении смертного приговора; 2) судейский; 3) способный разобраться; рассудительный; беспристрастный.

judiciary [dʒuː'dɪʃɪərɪ] 1. *a* = judicial 1); ~ law судебное право;
2. *n* = judicature 2).

judicious [dʒuː'dɪʃəs] *a* здравомыслящий, рассудительный.

Ju*dy* ['dʒuːdɪ] *n* 1) женский персонаж в кукольном театре; 2) *разг.* женщина; девушка.

jug I [dʒʌg] 1. *n* 1) кувшин; 2) *sl.* тюрьма;
2. *v* 1) *кул.* тушить (*зайца, кролика*); 2) *sl.* посадить в тюрьму.

jug II [dʒʌg] 1. *n* щёлканье (*соловья и т.п.*);
2. *v* щёлкать (*о соловье и др. птицах*).

jugate ['dʒuːgeɪt] *a* *бот.* супротивный (*о листе*).

jugful ['dʒʌgful] *n* кувшин (*чего-л.*); мера ёмкости; ◇ not by a ~ otherwise *амер.* ни за что; ни в коем случае; далеко не.

jugged [dʒʌgd] *a* зубчатый.

Juggernaut ['dʒʌgənɔːt] *n* 1) *инд. миф.* Джаггернаут (*одно из воплощений бога Вишну*); 2) *перен. неумолимая, безжалостная сила, уничтожающая всё на своём пути и требующая слепой веры или самоуничтожения от служащих ей* (*тж.* ~ car колесница Джаггернаута).

juggins ['dʒʌgɪnz] *n* *sl.* дурак; простак.

juggle ['dʒʌgl] 1. *n* 1) фокус, ловкость рук, трюк; 2) ловкая проделка, обман, плутовство; извращение слов, фактов;
2. *v* 1) показывать фокусы; жонглировать; 2) надувать, обманывать; to ~ a person out of his money выманить у кого-л. деньги; ▢ ~ with а) искажать, передёргивать (*факты, слова*); б) обманывать.

juggler ['dʒʌglə] *n* 1) фокусник; жонглёр; 2) обманщик, плут; 3) *горн.* наклонная стойка *или* переклад.

jugglery ['dʒʌglərɪ] *n* 1) показывание фокусов; ловкость рук; 2) обман, плутовство; извращение фактов.

jug-handled ['dʒʌg,hændld] *a* *амер.* односторонний; пристрастный; несправедливый.

Jugoslav(ian) ['juːgou'slɑːv(jən)] 1. *n* житель Югославии; югослав;
2. *a* югославский.

jugular ['dʒʌgjulə] *анат.* 1. *a* шейный; ~ vein яремная вена.
2. *n* яремная вена.

jugulate ['dʒuːgjuleɪt] *v* 1) перерезать горло; 2) задушить; 3) оборвать (*болезнь*) сильно действующими средствами.

juice [dʒuːs] *n* 1) сок; 2) сущность, основа (*чего-л.*); 3) *sl.* электрический ток; электроэнергия; 4) *sl.* бензин; горючее; step on the ~! дай газ!; 5) *attr.*: ~ road *амер. sl.* электрическая железная дорога.

juicer ['dʒuːsə] *n* прибор для выжимания сока.

juicy ['dʒuːsɪ] *a* 1) сочный; 2) *разг.* сырой, дождливый (*о погоде*); 3) *разг.* колоритный, сочный; 4) *разг.* прекрасный, превосходный, первоклассный.

ju-ju ['dʒuːdʒuː] *n* 1) чары, заклинание; 2) амулет; фетиш; 3) табу, запрещение.

jujube ['dʒuːdʒuːb] *n* 1) ююба (*дерево и плод*); 2) лекарственная лепёшка, таблетка с привкусом ююбы.

ju-jutsu [dʒuː'dʒutsuː] *n* джиу-джитсу (*японская борьба*).

juke [dʒuːk] *n* дешёвый ресторан *или* дансинг, где танцуют под патефон-автомат *или* пианолу-автомат.

juke-box ['dʒuːkbɔks] *n* патефон-автомат *или* пианола-автомат.

julep ['dʒuːlep] *n* 1) сироп, в котором дают лекарство; 2) *амер.* напиток из виски *или* коньяка с водой, сахаром, льдом и мятой.

Julian ['dʒuːljən] *a* юлианский.

July [dʒuː'laɪ] *n* 1) июль; 2) *attr.* июльский.

jumbal ['dʒʌmbəl] = jumble II.

jumble I ['dʒʌmbl] 1. *n* беспорядочная смесь, куча; путаница, беспорядок;
2. *v* 1) смешивать(ся), перемешивать(ся) в беспорядке (*тж.* ~ up, ~ together); 2) двигаться в беспорядке; толкаться; 3) трястись.

jumble II ['dʒʌmbl] *n* сладкая сдобная пышка.

jumble-sale ['dʒʌmblseɪl] *n* дешёвая распродажа на благотворительном базаре.

jumble-shop ['dʒʌmblʃɔp] *n* лавка, где продаются самые разнообразные товары.

jumbo ['dʒʌmbou] *n* (*pl* -os [-ouz]) большой неуклюжий человек, животное *или* вещь.

jump I [dʒʌmp] 1. *n* 1) прыжок; скачок; long ~, broad ~ прыжок в длину; high ~ прыжок в высоту; running ~ прыжок с разбега; standing ~ прыжок с места; 2) вздрагивание, движение испуга *и т. п.*; the ~s *разг.* подёргивания; белая горячка; to give smb. the ~s действовать кому-л. на нервы; 3) резкое повышение (*цен, температуры и т. п.*); to take a ~ подняться в цене; 4) разрыв, резкий переход; 5) *разг.* преимущество; 6) *геол.* дислокация жилы, сброс, взброс; 7) *арт.* угол вылета.
2. *v* 1) прыгать; скакать; to ~ for joy прыгать от радости; 2) вскакивать; подпрыгивать, подскакивать; вздрагивать; you made me ~ when you came in so suddenly ваш неожиданный приход испугал меня; my heart ~ed у меня сердце ёкнуло; 3) повышаться, подскакивать (*о температуре, ценах и т. п.*); the prices ~ed цены подскочили; 4) дёргать, ныть (*о зубе и т. п.*); 5) перепрыгивать, перескакивать (*тж.* ~ over); to ~ (over) a stream перепрыгнуть через ручей; to ~ from one subject to anoth-

er перескакивать с одной темы на другую; 6) брать (*в шашках*); to ~ a man взять шашку; 7) перескакивать, пропускать; to ~ a chapter (ten pages) in a book пропустить главу (десять страниц) в книге; 8) соскакивать; to ~ the track a) сходить (*с рельсов*); the train ~ed the track поезд сошёл с рельсов; б) перен. оказаться на ложном пути; 9) подбрасывать, качать; to ~ a baby on one's knees качать ребёнка на коленях; 10) заставить прыгать; трясти; he ~ed his horse он заставил лошадь прыгнуть; don't ~ the camera не трясите фотоаппарат; 11) захватывать (*что-л.*), завладевать (*чем-л. в отсутствие владельца*); to ~ a (mining) claim завладеть чужим (горным) участком; 12) поджаривать *или* тушить (*картофель и т. п.*), встряхивая время от времени; 13) *амер.* вскочить (*в трамвай и т. п.*); to ~ a train вскочить в поезд; 14) избежать, не сделать (*чего-л.*); to ~ bail не явиться в суд (*о выпущенном на поруки*); to ~ queue пройти без очереди; 15) бурить ручным буром; 16) *тех.* сваривать впритык; 17) расковать; осаживать металл; 18) *охот.* поднимать, вспугивать дичь; 19) *кино* смещаться, искажаться (*об изображении*); □ ~ about a) подпрыгивать, подскакивать (*от радости, боли*); б) быть беспокойным; ~ at a) броситься к *кому-л.*, обнимать *кого-л.*; б) охотно принимать, ухватиться за *что-л.*; to ~ at an offer ухватиться за предложение; ~ down a) спрыгнуть, соскочить; б) помочь спрыгнуть (*ребёнку и т. п.*); ~ in быстро вскочить; ~ into a) вскочить, впрыгнуть; to ~ into one's clothes быстро, наспех одеться; б); ~ smb. into smth. обманом заставить кого-л. сделать что-л.; he was ~ed into buying the house его обманули, заставив купить этот дом; ~ off соскочить; ~ off a chair соскочить со стула; ~ on a) вспрыгнуть, вскочить; ~ on to a chair вскочить на стул; б) неожиданно набрасываться на *кого-л.*; ~ out выскочить; ~ together = ~ with; ~ up вскакивать; ~ up! влезайте!, садитесь! (*в экипаж и т. п.*); ~ upon = ~ on; ~ with соглашаться, соответствовать, совпадать; ◇ to ~ down smb.'s throat запальчиво возражать кому-л., перебивать кого-л.; не дать кому-л. слова сказать; to ~ out of one's skin a) подскочить, вздрогнуть (*от неожиданности, испуга, радости и т. п.*); б) быть вне себя (*от радости, неожиданности и т. п.*); to ~ to (*или* at) conclusions делать поспешные заключения.

jump II [dʒʌmp] *n диал.* 1) короткое пальто; 2) *pl* корсет.

jumper I ['dʒʌmpə] *n* 1) прыгун; скакун; 2) (J.) *ист.* член английской секты методистов-прыгунов; 3) прыгающее насекомое (блоха, кузнечик и т. п.); 4) *амер.* санки, салазки; 5) *амер.* захватчик чужого участка; 6) *ав.* парашютист; 7) *воен.* появляющаяся мишень; 8) *тех.* ручной бур, пробойник; 9) *эл.* замыкающий провод, соединительная проволока.

jumper II ['dʒʌmpə] *n* 1) джемпер; 2) матросская рубаха; 3) блуза; 4) малица;

5) рабочая блуза *или* халат; 6) (*обыкн. pl*) детский комбинезон.

jumping-deer ['dʒʌmpɪŋ,dɪə] *n* чернохвостый американский олень.

jumping jack ['dʒʌmpɪŋ'dʒæk] *n* фигурка на ниточке (*игрушка*).

jumping-off ground ['dʒʌmpɪŋ'ɔf,graund] *n воен.* плацдарм.

jumping-off place ['dʒʌmpɪŋ'ɔf,pleɪs] *n* 1) *воен.* исходное положение для атаки; 2) отправной пункт; 3) *амер.* отдалённое место; 4) *амер.* пересадочный пункт.

jumping-rope ['dʒʌmpɪŋroup] *n амер.* скакалка, прыгалка.

jump-off ['dʒʌmpɔf] *n* 1) старт; 2) отправной пункт.

jump-seat ['dʒʌmpsi:t] *n* откидное сиденье.

jump-weld ['dʒʌmpweld] *n тех.* сварка впритык.

jumpy ['dʒʌmpɪ] *a* 1) нервный, раздражительный; 2) действующий на нервы; 3) скачущий (*о ценах*).

junction ['dʒʌŋkʃən] *n* 1) соединение; 2) место, точка соединения *или* пересечения; скрещение; 3) узловая станция, железнодорожный узел, узловой пункт; ж.-д. стык дорог; 4) скрещивание (*дорог*); распутье; перекрёсток; 5) слияние (*рек*).

junction board ['dʒʌŋkʃən,bɔːd] *n тел.* коммутатор.

junction box ['dʒʌŋkʃənbɔks] *n эл.* распределительная коробка.

junction call ['dʒʌŋkʃənkɔːl] *n тел.* пригородный разговор.

juncture ['dʒʌŋktʃə] *n* 1) соединение; место соединения; 2) положение дел; стечение обстоятельств; at this ~ при подобной конъюнктуре; at a critical ~ в критический момент; 3) *тех.* шов, спай.

June [dʒuːn] *n* 1) июнь; 2) *attr.* июньский.

jungle ['dʒʌŋgl] *n* 1) джунгли; 2) густые заросли, дебри; 3) *sl.* притон; 4) *attr.* связанный с джунглями; живущий в джунглях.

jungle- ['dʒʌŋgl] *в сложных словах, в названиях животных* водящийся в джунглях; *напр.*: ~-bear медведь-губач.

jungle fever ['dʒʌŋgl'fiːvə] *n* тропическая лихорадка.

jungly ['dʒʌŋglɪ] *a* покрытый джунглями.

junior ['dʒuːnjə] **1.** *a* младший; младший из двух лиц, носящих одну фамилию (*в семье, учреждении и т. п.*); Edward Smith ~ Эдвард Смит младший; ~ partner младший компаньон; младший партнёр; ~ leader *воен.* младший начальник, командир мелкого подразделения.

2. *n* 1) младший; the ~s младшие; he is my ~ by three years, he is three years my ~ он моложе меня на 3 года; 2) *амер.* студент предпоследнего курса; ◇ ~ college колледж с двухгодичным, неполным курсом.

juniority [,dʒuːnɪ'ɔrɪtɪ] *n* положение младшего.

juniper ['dʒuːnɪpə] *n* можжевельник.

junk I [dʒʌŋk] **1.** *n* 1) (ненужный) хлам; отбросы; утиль; старое железо, битое стекло; 2) кусок, ломоть (*хлеба*); 3) *мор.*

вóрса; 4) *мор.* солонúна; 5) особая ткань (*в голове кашалота*), содержáщая спермацéт; 6) чурбáн, колóда;

2. *v* 1) разрезáть, делúть на кускú; 2) выбрáсывать как ненýжное.

junk II [dʒʌŋk] *n* джóнка, сампáн (*китáйское плоскодóнное парýсное сýдно*).

junk bottle [ˈdʒʌŋkbɔtl] *n амер.* пóртерная бутýлка (*из толстого зелёного стеклá*).

junker [ˈjuŋkə] *нем. n* юнкер.

junket [ˈdʒʌŋkɪt] **1.** *n* 1) слáдкий творóг с мускáтным орéхом и слúвками; 2) пирýшка, прáзднество; 3) *амер.* пикнúк;

2. *v* 1) пировáть; 2) *амер.* устрáивать пикнúк.

junkman [ˈdʒʌŋktmən] *n амер.* старьёвщик.

junk-shop [ˈdʒʌŋkʃɔp] *n* лáвка стáрых вещéй, материáлов.

Juno [ˈdʒuːpou] *n миф.* Юнóна.

junta [ˈdʒʌntə] *n* 1) *полит.* хýнта (*совещательное собрáние, совéт в Испании, Южной Америке*); 2) = junto.

junto [ˈdʒʌntou] *n* (*pl* -os [-ouz]) клúка, политúческая фрáкция, тáйный сою́з.

Jupiter [ˈdʒuːpɪtə] *n миф., астр.* Юпúтер; by ~! а) клянýсь Юпúтером!; ей-бóгу!; б) бóже мúлостивый!; в) вот так тáк!

jura [ˈdʒuːrə] *pl от* jus.

Jurassic [dʒuˈræsɪk] *a геол.* ю́рский; ~ period ю́рский перúод, юрá.

jurat [ˈdʒuəræt] *n* 1) стáрший член муниципалитéта (*в некоторых английских городах*); 2) *юр.* засвидéтельствование мéста, врéмени и лицá, в присýтствии котóрого бы́ло данó свидéтельское показáние.

juratory [ˈdʒuərətərɪ] *a* клятвенный.

juridical [dʒuəˈrɪdɪkəl] *a* юридúческий; закóнный; судéбный; ~ days присýтственные дни в судé.

jurisconsult [ˈdʒuərɪskən,sʌlt] *n* 1) юрискóнсульт; 2) юрúст.

jurisdiction [,dʒuərɪsˈdɪkʃən] *n* 1) отправлéние правосýдия; 2) юрисдúкция, подсýдность; 3) подвéдомственная область; сфéра полномóчий; it doesn't lie within my ~ э́то не вхóдит в мою́ компетéнцию.

jurisprudence [ˈdʒuərɪs,pruːdəns] *n* юриспрудéнция, законовéдение, правовéдение; medical ~ судéбная медицúна.

jurisprudent [ˈdʒuərɪs,pruːdənt] **1.** *a* свéдущий в закóнах;

2. *n* юрúст.

jurist [ˈdʒuərɪst] *n* 1) юрúст, адвокáт; 2) студéнт юридúческого факультéта.

juristic(al) [dʒuəˈrɪstɪk(əl)] *a* юридúческий; закóнный.

juror [ˈdʒuərə] *n* 1) присяжный; 2) член жюрú; 3) человéк, приносящий *или* принёсший присягу, клятву.

jury I [ˈdʒuərɪ] *n* 1) присяжные; petty (*или* common, trial) ~ 12 присяжных, выносящих приговóр по граждáнским и уголóвным делáм; coroner's ~ понятые при расслéдовании слýчаев скоропостúжной *или* насúльственной смéрти; grand ~ большóе жюрú (*присяжные, решáющие вопрос о подсудности дáнного дела*); packed ~ *разг.* специáльно подóбранный со

стáв присяжных; special ~ присяжные для вынесéния приговóра по осóбо вáжному дéлу; 2) жюрú (*по присуждéнию нагрáд и т. п.*).

jury II [ˈdʒuərɪ] *a мор.* врéменный, фальшúвый.

jury-box [ˈdʒuərɪbɔks] *n* мéсто в судé, отведённое для присяжных.

juryman [ˈdʒuərɪmən] *n* 1) присяжный; 2) член жюрú.

jury-mast [ˈdʒuərɪmɑːst] *n мор.* фальшúвая мáчта.

jus [dʒʌs] (*pl* jura) *n юр.* 1) закóн, свод закóнов; ~ civile граждáнское прáво; ~ gentium междунарóдное прáво; 2) закóнное прáво.

jussive [ˈdʒʌsɪv] *a грам.* повелúтельный.

just I [dʒʌst] **1.** *a* 1) справедлúвый, беспристрáстный; 2) обоснóванный; имéющий основáния; заслýженный; ~ fear справедлúвое опасéние; ~ a reward заслýженная нагрáда; 3) вéрный, тóчный; ~ proportion вéрное соотношéние, прáвильная пропóрция;

2. *adv* 1) тóчно, как раз, úменно; it is ~ what I said э́то как раз то, что я сказáл; ~ so тóчно так; ~ in time как раз вóвремя; ~ then úменно тогдá; ~ the other way about как раз наоборóт; 2) тóлько что; he has ~ come он тóлько что пришёл; ~ now a) сейчáс, сию́ минýту; б) тóлько что; 3) едвá; I ~ caught the train я едвá, éле-éле поспéл на пóезд; 4) *разг.* совсéм, прямо, прóсто; it's ~ splendid э́то прямо великолéпно; ◇ ~ in case на всякий слýчай; ~ like that без малéйшего трудá.

just II [dʒʌst] = joust.

justice [ˈdʒʌstɪs] *n* 1) справедлúвость; to do him ~ he is very clever нáдо отдáть емý справедлúвость, он óчень ýмный человéк; he did ~ to your dinner он óтдал дóлжное вáшему обéду; in ~ to smb. отдавáя дóлжное комý-л.; 2) правосýдие, юстúция; to administer ~ отправлять правосýдие; to bring smb. to ~ отдáть когó-л. под суд; 3) судья; J. of the Peace мировóй судья; 4) член Верхóвного судá (*в Англии*).

justiceship [ˈdʒʌstɪsˌʃɪp] *n* 1) звáние, дóлжность судьú; 2) срок слýжбы судьú.

justiciable [dʒʌsˈtɪʃɪəbl] *a* подсýдный, подлежáщий рассмотрéнию в судé.

justiciar [dʒʌsˈtɪʃɪɑː] *n ист.* юстициáрий (*верховный судья и намéстник королей норманской династии*).

justiciary [dʒʌsˈtɪʃɪərɪ] **1.** *n* 1) судéйский чинóвник; 2) = justiciar;

2. *a* судéбный, судéйский.

justifiable [ˈdʒʌstɪfaɪəbl] *a* могýщий быть опрáвданным; позволúтельный; закóнный.

justification [,dʒʌstɪfɪˈkeɪʃən] *n* 1) оправдáние; 2) опрáвдывающие обстоятельства, извинéние; 3) *полигр.* вы́ключка строкú.

justificative [ˈdʒʌstɪfɪkeɪtɪv] *a* 1) оправдáтельный; 2) подтверждáющий.

justificatory [ˈdʒʌstɪfɪkeɪtərɪ] = justificative.

justify [ˈdʒʌstɪfaɪ] *v* 1) опрáвдывать; находúть оправдáние; извинять; 2) объяснять; 3) подтверждáть; to ~ (as) bail *юр.*

под прися́гой подтверди́ть кредитоспосо́бность поручи́теля; 4) *полигр.* вы́ключить строку́.

justly ['dʒʌstlɪ] *adv* 1) справедли́во; 2) зако́нно.

jut [dʒʌt] **1.** *n* вы́ступ; **2.** *v* выдава́ться, выступа́ть (*часто* ~ out, ~ forth).

jute [dʒuːt] *n* джут.

juvenescence [,dʒuːvɪ'nesns] *n* 1) ю́ность; 2) перехо́д от о́трочества к ю́ности.

juvenescent [,dʒuːvɪ'nesnt] *a* 1) становя́щийся ю́ношей; 2) о́троческий; 3) молоде́ющий.

juvenile ['dʒuːvɪnaɪl] **1.** *a* 1) ю́ный; ю́ношеский; ~ labour труд подро́стков; ~

offender, ~ delinquent малоле́тний престу́пник; 2) предназна́ченный для ю́ношества; ~ books кни́ги для ю́ношества; **2.** *n* 1) ю́ноша, подро́сток; 2) *pl sl.* кни́ги для ю́ношества; 3) актёр, исполня́ющий ро́ли молоды́х люде́й.

juvenilia [,dʒuːvɪ'nɪlɪə] *n pl* ю́ношеские произведе́ния.

juvenility [,dʒuːvɪ'nɪlɪtɪ] *n* 1) ю́ность, мо́лодость; 2) ю́ношество.

juxtapose ['dʒʌkstəpouz] *v* 1) помеща́ть бок о́ бок, ря́дом; накла́дывать друг на дру́га; 2) сопоставля́ть.

juxtaposition [,dʒʌkstəpə'zɪʃən] *n* 1) расположе́ние, при кото́ром предме́ты нахо́дятся ря́дом; наложе́ние; 2) сопоставле́ние.

К

К, k [keɪ] *n* (*pl* Кs, К's [keɪz]) *11-я бу́ква англ. алфави́та.*

kabbalah [kə'bɑːlə] = cabbala.

kadi ['kɑːdɪ] = cadi.

Kaf(f)ir ['kæfə] *n* 1) кафр; 2) *pl sl.* а́кции южноафрика́нских рудников.

kaftan [kəf'tɑːn] = caftan.

kail [keɪl] = kale.

kailyard ['keɪljɑːd] *n шотл.* 1) огоро́д; 2) *attr.:* ~ school, ~ novelists писа́тели (*конца XIX — нача́ла XX в.*), широко́ применя́вшие ме́стный диале́кт при описа́нии шотла́ндского наро́дного бы́та.

kaiser ['kaɪzə] *нем. n* ка́йзер.

kakemono [,kækɪ'tounou] *яп. n* какемо́но (*свёртывающаяся япо́нская карти́на*).

kaki ['kɑːkɪ] *n бот.* хурма́ япо́нская.

kale [keɪl] *n* 1) капу́ста огоро́дная: 2) бульо́н из капу́сты *или* други́х овоще́й; 3) *амер. sl.* де́ньги.

kaleidoscope [kə'laɪdəskoup] *n* калейдоско́п.

kaleidoscopic(al) [kə,laɪdə'skɔpɪk(əl)] *a* калейдоскопи́ческий.

kalends ['kælendz] = calends.

kaleyard ['keɪljɑːd] = kailyard.

kali ['kælɪ] *n хим.* 1) о́кись ка́лия; 2) пота́ш, щёлок.

kalium ['keɪlɪəm] *n лим.* ка́лий.

Kalmuck ['kælmʌk] **1.** *n* 1) калмы́к; калмы́чка; 2) калмы́цкий язы́к; **2.** *a* калмы́цкий.

Kalmyk ['kælmɪk] = Kalmuck.

Kambal ['kʌmbəl] *n англо-инд.* гру́бое шерстяно́е одея́ло *или* шаль.

kampong ['kɑːmpɔŋ] *n* 1) огоро́женное ме́сто; 2) дере́вня (*в Мала́йе*).

kanaka ['kænəkə] *n* кана́к (*тузе́мец тихоокеа́нских о-вов, преим. Гава́йских*); 2) рабо́чий са́харных планта́ций (*в Австра́лии*).

kangaroo [,kæŋgə'ruː] **1.** *n* 1) кенгуру́; 2) *pl sl.* а́кции западноавстрали́йских рудников; 3) *pl sl.* биржеви́ки, спекули́рующие на э́тих а́кциях; 4) (К.) *воен.* бронетранспортёр; ◇ ~ closure *парл.* пра́ктика, позволя́ющая председа́телю коми́ссии допу-

сти́ть обсужде́ние лишь не́которых попра́вок к законопрое́кту; ~ court *амер. sl.* инсцениро́вка суде́бного заседа́ния (*преим. устра́иваемая заключёнными в тюрьме́*); 2) *v* 1) охо́титься на кенгуру́; 2) де́лать больши́е прыжки́.

kangaroo grass [,kæŋgə'ruː grɑːs] *n* кенгуро́вая трава́.

Kantian ['kæntɪən] **1.** *a* кантиа́нский; **2.** *n* кантиа́нец.

Kantianism ['kæntɪənɪzəm] *n* кантиа́нство.

kaoliang [,kɑːɔlɪ'æŋ] *n* гаоля́н (*кита́йское или восточноазиа́тское со́рго*).

kaolin ['keɪəlɪn] *n* каоли́н.

kapellmeister [kɑː'pel,maɪstə] *нем. n* капельме́йстер, дирижёр.

kapok ['keɪpɔk] *n* 1) капо́к (*расти́тельный пух*); 2) *attr.:* ~ bridge *воен.* мост на капко́вых попла́вках.

kappa ['kæpə] *n* 1) ка́ппа (*деся́тая бу́ква гре́ческого алфави́та*); 2) *амер.* университе́тская студе́нческая корпора́ция.

kaput [kɑː'put] *нем. a predic. разг.* уничто́женный; разорённый; потерпе́вший неуда́чу.

Karaite ['keɪrəait] *n* кара́им; кара́имка.

Kara-Kalpak ['kɑːrə'kɑːlpɑːk] **1.** *n* 1) каракалпа́к; каракалпа́чка; 2) каракалпа́кский язы́к; **2.** *a* каракалпа́кский.

karri ['kærɪ] *n австрал.* эвкали́пт разноцве́тный.

kar(r)oo [kə'ruː] *n* сугли́нистое высо́кое плато́ в Ю́жной Африке, безво́дное в сухо́е вре́мя го́да.

kartell [kɑː'tel] = cartel.

karyon ['kærɪɔn] *n биол.* ядро́ (*кле́тки*).

katabatic [,kætə'bætɪk] *a метеор.* напра́вленный кни́зу (*о движе́нии во́здуха*).

kathode ['kæθoud] = cathode.

katydid ['keɪtɪdɪd] *n* зелёный кузне́чик.

kauri ['kaurɪ] *n* ка́ури (*новозела́ндское хво́йное де́рево*).

kavass [kə'vɑːs] *n* кава́с (*вооружённый полице́йский или слуга́ в Ту́рции*).

kayak ['kaɪæk] *n* кая́к (*эскимо́сская ло́дка*).

kayo ['keɪ'ou] n амер. спорт. нока́ут.

Kazakh [kʌ'zɑːk] 1. n 1) каза́х; каза́шка; 2) каза́хский язык; 2. a каза́хский.

keck [kek] v 1) рыга́ть; де́лать уси́лия, чтобы вы́рвало; 2) испы́тывать отвраще́ние; □ ~ at с отвраще́нием отка́зываться (от пищи и т. п.).

keckle ['kekl] v мор. клетнева́ть.

kedge [kedʒ] мор. 1. n верп, стоп-а́нкер; 2. v верпова́ть, развора́чивать(ся) или перетя́гивать(ся) при по́мощи ве́рпов.

kedge-anchor ['kedʒ͵æŋkə] = kedge 1.

kedgeree [͵kedʒə'riː] n англо-инд. блю́до из ри́са, яиц и лу́ка.

keek [kiːk] разг. 1. n согляда́тай (предпринима́теля); 2. v подгля́дывать.

keeker ['kiːkə] n разг. 1) шпио́н; тот, кто подгля́дывает; 2) pl глаза́.

keeking-glass ['kiːkɪŋɡlɑːs] n разг. зе́ркало.

keel I [kiːl] 1. n 1) киль (судна); on an even ~ мор. на ро́вный киль; перен. ро́вно, споко́йно; to lay down a ~ нача́ть постро́йку корабля́; 2) поэт. кора́бль; 2. v килева́ть; □ ~ over опроки́дывать (-ся); амер. разг. неожи́данно упа́сть.

keel II [kiːl] n 1) плоскодо́нное су́дно для перево́зки у́гля; 2) ме́ра ве́са для у́гля (≅ 21 тонна).

keelage ['kiːlɪdʒ] n килево́й сбор (один из портовых сборов в некоторых портах Англии).

keelhaul ['kiːlhɔːl] v 1) мор. ист. килева́ть (протаскивать под килем в наказание); 2) sl. де́лать стро́гий вы́говор.

keelson ['kelsn] = kelson.

keen I [kiːn] a 1) о́стрый; 2) ре́зкий, пронзи́тельный; си́льный; a ~ wind ре́зкий ве́тер; 3) жесто́кий, трескучий (мороз); 4) проница́тельный (ум, взгляд); 5) то́нкий, о́стрый (слух и т. п.); 6) си́льный (о чувствах); ~ pleasure большо́е удово́льствие; 7) си́льный, интенси́вный; ~ pain о́страя боль; ~ hunger си́льный го́лод; 8) ре́вностный, энерги́чный; a ~ man of business энерги́чный делово́й челове́к, спосо́бный деле́ц; a ~ sportsman стра́стный спортсме́н; 9) си́льно жела́ющий (чего-л.), стремя́щийся (к чему-л.); to be (dead) ~ on smth. разг. си́льно жела́ть чего́-л.; (о́чень) люби́ть что-л., (стра́стно) увлека́ться чем-л.; he is ~ on opera он увлека́ется о́перой; I am not very ~ on cricket я не осо́бенно люби́тель кри́кета; 10) стро́гий, ре́зкий (о критике и т. п.); 11) ни́зкий, сни́женный (о ценах).

keen II [kiːn] ирл. 1. n плач, причита́ние по поко́йнику; 2. v причита́ть.

keen-set ['kiːn'set] a 1) голо́дный; 2) си́льно жела́ющий (for — чего-л.).

keep [kiːp] 1. v (kept) 1) держа́ть; you may ~ the book for a month мо́жете держа́ть э́ту кни́гу ме́сяц; to ~ hold of smth. не отдава́ть, держа́ть что-л.; 2) храни́ть; сохраня́ть; 3) соблюда́ть (правило, договор и т. п.); сдержа́ть (слово, обещание); по-

винова́ться (закону); 4) держа́ться, сохраня́ться; оставля́ться (в известном положении, состоянии и т. п.); the weather ~s fine де́ржится хоро́шая пого́да; meat will ~ in the cellar мя́со в по́гребе не испо́ртится; to ~ cool сохраня́ть равнове́сие, споко́йствие, хладнокро́вие; to ~ one's bed остава́ться в посте́ли, не встава́ть с посте́ли; to ~ station мор. сохраня́ть своё ме́сто в строю́; 5) продолжа́ть де́лать (что-л.); he kept laughing the whole evening он весь ве́чер не переста́вал смея́ться; to ~ silence молча́ть; 6) с последующим сложным дополнением означает заставля́ть (что-л. делать); подде́рживать в пре́жнем состоя́нии; he kept me waiting он заста́вил меня́ ждать; he kept me waiting он заста́вил меня́ ждать; I ~ you long я вас до́лго не задержу́; 7) содержа́ть, име́ть; to ~ a shop име́ть магази́н; 8) содержа́ть, обеспе́чивать; to ~ a family содержа́ть семью́; 9) управля́ть, вести́; to ~ house вести́ хозя́йство; 10) име́ть в прода́же; do they ~ postcards here? здесь продаю́т откры́тки?; 11) вести́ (дневник, счета́, книги и т п.); 12) охраня́ть, защища́ть; to ~ the town against the enemy защища́ть го́род от врага́; to ~ the goal стоя́ть в воро́тах (в фут. боле); 13) скрыва́ть, ута́ивать; to ~ a secret не выдава́ть та́йну; you are ~ing smth. from me вы что́-то от меня́ скрыва́ете; 14) сде́рживать; to ~ one's temper не волнова́ться; to ~ (in) one's feeling сде́рживать свои́ чу́вства; 15) пра́здновать, справля́ть; to ~ one's birthday справля́ть день рожде́ния; 16) разг. (преим. амер.) жить; where do you ~? где вы обрета́етесь?; 17) разг. проводи́ть заня́тия; функциони́ровать; рабо́тать (об учреждении); school ~s today сего́дня в шко́ле есть заня́тия; □ ~ at a) де́лать (что-л.) с упо́рством, насто́йчиво; he kept hard at work for a week он упо́рно рабо́тал це́лую неде́лю; б) заставля́ть (кого-л.) де́лать (что-л.); в) пристава́ть с про́сьбами; ~ away a) держа́ть(ся) в отдале́нии, не подпуска́ть бли́зко; остерега́ться; б) пря́тать; ~ knives away from children пря́чьте ножи́ от дете́й; ~ back a) уде́рживать, заде́рживать; б) скрыва́ть; в) держа́ться в стороне́; ~ down a) не встава́ть, продолжа́ть сиде́ть или лежа́ть; б) заде́рживать рост, меша́ть разви́тию; в) подавля́ть (восстание; чувство); держа́ть в подчине́нии; ~ from уде́рживать(ся), возде́рживаться от чего́-л.; ~ in a) не выпуска́ть; заставля́ть сиде́ть до́ма (больного); to be kept in быть оста́вленным по́сле уро́ков, без обе́да (о школьнике); б) подде́рживать; to ~ in fire подде́рживать ого́нь; to ~ in with оста́ваться в хоро́ших отноше́ниях с кем-л.; ~ off держа́ть(ся) в отдале́нии; не подпуска́ть; ~ off! наза́д!; ~ on a) продолжа́ть (делать что-л.); to ~ on reading продолжа́ть чита́ть; б) to ~ on fire подде́рживать ого́нь; в) сохраня́ть в пре́жнем положе́нии; he was kept on at his old job его́ оста́вили на пре́жней рабо́те; г) не снима́ть; оставля́ть; to ~ on one's hat не снима́ть шля́пы; ~ out a) не допуска́ть, не впуска́ть; не позволя́ть (of); to ~ children out of mischief не дава́ть де́тям шали́ть; б) остава́ться в стороне́, не вме́шиваться (of); to ~ out of smb.'s way избега́ть кого́-л.; to ~ out of smth. избега́ть чего́-л.; ~ to приде́рживаться; держа́ться чего́-л.; ~ to the right! держи́тесь пра́вой стороны́!; to ~ to the subject держа́ться те́мы; ~ under держа́ть в подчине́нии; ~ up а) подде́рживать; to ~ up a correspondence подде́рживать перепи́ску; б) держа́ться бо́дро; в) продолжа́ть; ~ it up! не остана́вливайтесь!, продолжа́йте!; ~ up with smb. держа́ться наравне́ с кем-л., не отстава́ть; ◊ ~ company а) составля́ть компа́нию, сопровожда́ть; б) дружи́ть; to ~ bad company быть в плохо́й компа́нии; в) разг. уха́живать; to ~ one's end не сдава́ться, стоя́ть на своём; to ~ covered воен. держа́ть на прице́ле; to ~ on at a person разг. беспреста́нно брани́ть кого́-л.; to ~ one's counsel пома́лкивать; держа́ть что-л. в секре́те; to ~ (smb.) going а) сохрани́ть (чью́-л.) жизнь; б) помо́чь (кому́-л.) материа́льно; to ~ one's head (cool) не теря́ть головы́, сохраня́ть споко́йствие; to ~ one's shirt on sl. не волнова́ться, не не́рвничать; to ~ a stiff upper lip разг. а) сохраня́ть прису́тствие ду́ха; не теря́ть му́жества; б) проявля́ть твёрдость, упо́рство; to ~ time а) идти́ ве́рно (о часах); б) соблюда́ть такт; to ~ track of следи́ть за разви́тием (собы́тий и т. п.); to ~ late hours по́здно ложи́ться или встава́ть; to ~ an eye on smth. присма́тривать за чем-л.; to ~ oneself to oneself быть за́мкнутым, необщи́тельным; to ~ smb. underfoot держа́ть кого́-л. в подчине́нии; to ~ a check (амер. a tab) on smth. проверя́ть, контроли́ровать что-л.; to ~ smth. under one's hat держа́ть что-л. в секре́те; to ~ one's feet (или legs) про́чно держа́ться на нога́х; устоя́ть;

2. n 1) содержа́ние, пи́ща, прокорм; to earn one's ~ зарабо́тать на пропита́ние; 2) запа́с ко́рма для скота́; 3) гла́вная ба́шня (средневеко́вого за́мка); 4) тех. контрбу́кса; ◊ in good (in low) ~ в хоро́шем (в плохо́м) состоя́нии; for ~s разг. а) навсегда́; б) соверше́нно.

keeper ['kiːpə] n 1) храни́тель; сто́рож; смотри́тель; держа́тель; (в до́ме для умалишённых); 3) лесни́к, охраня́ющий дичь; 4) хорошо́ сохраня́ющийся проду́кт; 5) держа́тель (напр., облига́ций); 6) кольцо́, наде́тое сверх друго́го; 7) тех. контрга́йка; 8) эл. я́корь магни́та.

-keeper [-,kiːpə] в сло́жных слова́х означа́ет содержа́тель, предпринима́тель; напр.: innkeeper хозя́ин гости́ницы; shop-keeper ла́вочник.

keeping ['kiːpɪŋ] 1. pres. p. от keep 1; 2. n 1) владе́ние; содержа́ние; 2) хране́ние; 3) охра́на, присмо́тр; to be in safe ~ быть в надёжных рука́х; быть в по́лной безопа́сности; in smb.'s ~ на чьём-л. попече́нии; 4) гармо́ния, согла́сие; to be in ~ with smth. согласова́ться, гармони́ровать с чем-л.; to be out of ~ with smth.

не согласо́вываться, не гармони́ровать с чем-л.; 5) attr. хорошо́ сохраня́ющийся; ~ apples хорошо́ сохраня́ющиеся я́блоки.

keeping-room ['kiːpɪŋrum] n амер. гости́ная, о́бщая ко́мната.

keepsake ['kiːpseɪk] n 1) пода́рок на па́мять; 2) уст. альбо́м со стиха́ми и иллюстра́циями; 3) attr. слаща́вый, сентимента́льный.

kef [kef] араб. n 1) состоя́ние опьяне́ния (от употребле́ния гаши́ша); 2) безде́лье, кейф.

kefir ['kefə] n кефи́р.

keg [keg] n бочо́нок (ёмкостью до 10 галло́нов).

keif [keif] = kef.

kelp [kelp] n 1) бу́рая во́доросль, преим. ламина́рия; 2) зола́ э́тих во́дорослей, из кото́рой добыва́ется йод.

kelpie, kelpy ['kelpɪ] n шотл. миф. злой водяно́й (зама́нивающий корабли́ и топя́щий люде́й).

kelson ['kelsn] n мор. ки́льсон.

Kelt [kelt] = Celt.

Keltic ['keltɪk] = Celtic.

kelvin ['kelvɪn] n 1) килова́тт-час; 2) attr.: K. scale шкала́ абсолю́тной температу́ры.

ken [ken] шотл. 1. n кругозо́р; круг зна́ний;
2. v (kent) узнава́ть (по ви́ду); знать.

kennel I ['kenl] 1. n 1) конура́; 2) (ча́сто pl) соба́чий пито́мник; 3) сво́ра соба́к (охо́тничьих); 4) ли́сья нора́; 5) хиба́рка, лачу́га;
2. v 1) загоня́ть в конуру́; 2) держа́ть в конуре́; 3) жить в конуре́.

kennel II ['kenl] n сток, водосто́чная кана́ва.

kennel ration ['kenl'ræʃən] n амер. sl. мясно́е блю́до.

kent [kent] past и p. p. от ken 2.

Kentish ['kentɪʃ] a ке́нтский; ◊ ~ fire а) продолжи́тельные аплодисме́нты; б) во́згласы нетерпе́ния; ~ rag твёрдый строи́тельный известня́к.

kentledge ['kentledʒ] n мор. постоя́нный балла́ст.

kepi ['kepɪ] фр. n ке́пи.

kept [kept] 1. past и p. p. от keep 1; 2. a: ~ woman содержа́нка.

keratin ['kerətɪn] n керати́н, рогово́е вещество́.

keratoid ['kerətɔɪd] a рогово́й.

kerb [kəb] n 1) (ка́менная) обо́чина, край тротуа́ра; 2) attr.: ~ merchant, ~ trader, ~ vendor у́личный торго́вец; ◊ on the ~ на тротуа́ре (о внебиржевы́х сде́лках, соверша́ющихся по́сле закры́тия би́ржи).

kerb-stone ['kəbstoun] n 1) = kerb; 2) бордю́рный ка́мень; ◊ ~ broker внебиржево́й ма́клер.

kerchief ['kəːtʃɪf] n плато́к (головно́й); косы́нка, шарф.

kerchiefed, kerchieft ['kəːtʃɪft] a покры́тый платко́м, косы́нкой.

kerf [kəf] n 1) зару́бка, надру́б, пропи́л на де́реве (при ва́лке дере́вьев); 2) горн. ни́жний вруб, подбо́й.

kermes ['kə:mɪz] *n* *зоол.* 1) кермéс, дубóвый червéц (*насекомое*); 2) крáсная крáска из кермéса; 3) дуб кермéсовый (*тж.* ~ oak).

kermis ['kə:mɪs] *голл.* *n* ярмарка.

kern(e) [kə:n] *n* 1) *ист.* легковооружённый ирлáндский пехотúнец; 2) *презр.* мужúк, деревéнщина.

kernel ['kə:nl] *n* 1) зернó, зёрнышко; 2) сердцевúна (*плода*); ядрó (*орéха*); 3) суть; 4) *филос.* рациональное зернó; 5) *метал.* шúшка.

kerosene ['kerəsi:n] *n* керосúн.

kersey ['kə:zɪ] *n* 1) грýбая шерстянáя матéрия; 2) *pl* брюки из такóй матéрии.

kerseymere ['kə:zɪmɪə] *n* казимúр (*тонкая шерстяная ткань*).

kestrel ['kestrəl] *n* пустельгá (*птица*).

ketch [ketʃ] *n* кеч (*небольшое двухмачтовое судно*).

ketchup ['ketʃəp] *n* кéтчуп (*соус из грибов, томáтов и т. п.*).

kettle ['ketl] *n* 1) большóй металлúческий чáйник; 2) *уст.* котёл, котелóк; 3) корóбка кóмпаса; 4) *горн.* бадья; ◇ a fine (*или* nice, pretty) ~ of fish ⇔ весéленькая истóрия, хорóшенькое дéло.

kettle-drum ['ketldrʌm] *n* 1) литáвра; 2) *уст.* звáный чай (*во второй половине дня*).

key I [ki:] **1.** *n* 1) ключ; false ~, skeleton ~ отмычка; 2) ключ, разгáдка (*к решéнию вопрóса и т. п.*); 3) ключ, код; 4) подстрóчный перевóд; сбóрник решéний задáч; 5) *муз.* ключ; тонáльность; major (minor) ~ мажóрный (минóрный) тон; all in the same ~ монотóнно, однообрáзно; 6) тон, высотá гóлоса; to speak in a high (low) ~ грóмко (тúхо) разговáривать; 7) *жив.* тон, оттéнок (*о краске*); 8) клáвиша; *pl* клавиатýра (*рояля, пишущей машинки и т. п.*); 9) *амер.* оснóва полúтики, основнóй прúнцип; основнóй лóзунг полúтической кампáнии; 10) *тех.* клин; шпóнка; чекá; шпúлька, закрéпа; 11) *эл.* ключ; кнóпка; рычáжный переключáтель; magnetic ~ электромагнúтный ключ; telegraph ~ телегрáфный ключ; 12) *attr.* основнóй, ключевóй; ведýщий, комáндный, глáвный; ~ industries ведýщие óтрасли промышленности; ~ positions комáндные позúции; ~ problem основнáя, узловáя проблéма; ◇ ~ pattern прямоугóльный узóр, меáндр; to hold the ~s of smth. держáть что-л. в свойх рукáх, держáть что-л. под контрóлем; golden (*или* silver) ~ взятка, пóдкуп; power of the ~s пáпская власть; to have (*или* to get) the ~ of the street *шутл.* остáться нóчью на ýлице; остáться без крóва;

2. *v* 1) запирáть на ключ; 2) *тех.* закреплять клúном, шпóнкой (*часто* ~ in, ~ on); 3) *муз.* настрáивать; 4) приводúть в соотвéтствие; 5) *тел., радио* рабóтать ключóм; □ ~ up a) взвинтúть (*кого-л.*); б) придáть решúмость, смéлость.

key II [ki:] *n* óтмель, риф.

keyboard ['ki:bɔ:d] *n* 1) клавиатýра; 2) *эл.* распределúтельная доскá; *тел.* коммутáтор, ключевáя доскá.

key-cold ['ki:'kould] *a* холóдный (как лёд), безжúзненный.

keyed [ki:d] **1.** *p. p. от* key I, 2;

2. *a* 1) снабжённый ключáми *или* клáвишами; 2) *муз.* настрóенный в определённой тонáльности (*тж.* ~ up); 3) взвúнченный, взволнóванный (*тж.* ~ up); 4) гармонúрующий, подходящий (to).

keyhole ['ki:houl] *n* замóчная сквáжина; to spy through the ~ подсмáтривать у двéри; to listen at the ~ подслýшивать у двéри.

keyless ['ki:lɪs] *a* без ключá; заводящийся без ключá (*о часах*).

keyman ['ki:mæn] *n амер.* 1) телеграфúст; 2) человéк, занимáющий ведýщий пост, игрáющий важнéйшую роль (*в полúтике, промышленности*); 3) óпытный специалúст.

key money ['ki:'mʌnɪ] *n* дополнúтельная плáта, взимáемая при продлéнии срóка арéнды, возобновлéнии арéнды и т. п.

key-note ['ki:nout] *n* 1) *муз.* основнáя нóта ключá, тонáльность; 2) преобладáющий тон, основáя мысль; 3) *attr.* ведýщий, основнóй; ~ address, ~ speech речь, дающая тон собрáнию, съéзду и т. п. или заостряющая внимáние на основных вопрóсах; основнóй доклáд.

keynoter ['ki:,noutə] *n амер. разг.* руководúтель полúтической кампáнии.

key point ['ki:pɔɪnt] *n воен.* ориентúр; узловóй пункт, опóрный пункт.

keystone ['ki:stoun] *n* 1) *архит.* замкóвый *или* ключевóй кáмень (*свода или арки*); 2) краеугóльный кáмень, основнóй прúнцип.

key-winding ['ki:,waindiŋ] *a* заводящийся ключóм.

khaki ['kɑ:kɪ] **1.** *n* хáки (*материя защúтного цвета*);

2. *a* защúтного цвета; цвéта хáки.

khalifa [kɑ:'li:fə] = caliph.

khalifat ['kɑ:lɪfæt] = caliphate.

khamsin ['kæmsɪn] *араб. n* хамсúн (*сухой знóйный ветер в Египте*).

khan [kɑ:n] *тур. n* хан.

khanate ['kɑ:neit] *тур. n* 1) хáнство; 2) власть хáна.

Khedive [kɪ'di:v] *n ист.* хедúв.

khidmutgar ['kɪdmətgɑ:] *n англо-инд.* слугá-тузéмец.

kibble ['kɪbl] **1.** *n горн.* бадья для подъёма рудý на повéрхность;

2. *v* 1) поднимáть рудý; 2) дробúть рудý.

kibbler ['kɪblə] *n* дробúлка.

kibe [kaib] *n* болячка на отморóженном мéсте (*особ. на пятке*); ◇ to tread on one's ~s наступúть на любúмую мозóль.

kibitz ['kɪbɪts] *v* вмéшиваться не в своé дéло; давáть непрóшенные совéты (*особ. в кáрточной игре*).

kibitzer ['kɪbɪtsə] *n* 1) человéк, вмéшивающийся в чужúе делá; 2) человéк, наблюдáющий за кáрточной игрóй.

kibosh ['kaibɔʃ] *n sl.* вздор, чепухá; ◇ to put the ~ on положúть конéц, покóнчить; прикóнчить.

kick [kik] **1.** *n* 1) удáр ногóй, копытом; пинóк; to get the ~ a) получúть пинóк;

б) быть уво́ленным; 2) отда́ча (*ружья*); 3) уда́р, толчо́к; отска́кивание; 4) *разг.* си́ла сопротивле́ния; has no ~ left без сил; вы́дохся; 5) *амер. разг.* проте́ст; 6) *разг.* кре́пость (*вина и т. п.*); 7) вда́вленное дно (*бутылки*); 8) возбужде́ние; 9) *разг.* мо́да; 10) *sl.* шесть пе́нсов; two and a ~ два ши́ллинга и шесть пе́нсов; 11): good (bad) ~ хоро́ший (плохо́й) футболи́ст; ◇ to get a ~ out of smth. находи́ть удово́льствие в чём-л.; more ~s than halfpence бо́льше неприя́тностей, чем вы́годы;

2. *v* 1) ударя́ть ного́й; to ~ downstairs спусти́ть с ле́стницы; вы́швырнуть; 2) брыка́ть(ся); ляга́ть(ся); 3) отдава́ть (*о ружье*); 4) высоко́ подбра́сывать (*мяч*); 5) *спорт.* бить по мячу́, заби́ть гол; 6) *разг.* проти́виться, проявля́ть стропти́вость, недово́льство (*тж.* ~ against, ~ at); 7) *амер. sl.* умере́ть (*часто* ~ in); □ ~ back а) отплати́ть; б) *авт.* отдава́ть наза́д; в) *амер. sl.* отдава́ть (*часть зарплаты, вознаграждения под нажимом и т. п.*); г) *амер. sl.* возвраща́ть (*краденое*); ~ in а) взлома́ть (*дверь и т. п.*); ворва́ться; б) *амер.* де́лать дар, взнос; подпи́сываться; ~ off сбро́сить (*туфли и т. п.*); ~ out а) вы́швырнуть, вы́гнать; б) изноши́ть, истрепа́ть; ~ up: to ~ up dust поднима́ть пыль нога́ми; to ~ up the heels брыка́ться (*о лошади*); ◇ to ~ up a row (a fuss, a dust) поднима́ть, устра́ивать сканда́л (шум, сумато́ху); to ~ against the pricks ≅ лезть на рожо́н; сопротивля́ться себе́ во вред; to ~ the beam а) оказа́ться бо́лее лёгкой (*из двух чашек весов*); б) не име́ть ве́са, значе́ния; потеря́ть значе́ние, влия́ние; to ~ the bucket *разг.* протяну́ть но́ги (*умереть*); to ~ up one's heels *разг.* а) умере́ть; б) танцева́ть; весели́ться; to ~ one's heels дожида́ться; зря *или* нетерпели́во ждать; to ~ over the traces вы́йти из повинове́ния, взбунтова́ться; to ~ upstairs *шутл.* дать почётную отста́вку; изба́виться (*от кого-л., назначив на более высокую должность*).

kickback ['kıkbæk] *n* 1) бу́рная реа́кция; 2) *амер. разг.* возвраще́ние ча́сти зарпла́ты, гонора́ра *и т. п.* (*под нажимом*).

kicker ['kıkə] *n* 1) брыкли́вая ло́шадь; 2) *амер.* критика́н; 3) скандали́ст; 4) футболи́ст; 5) *тех.* эже́ктор, толка́ч, выбра́сыватель; 6) сеновороши́лка.

kick-off ['kık'ɔf] *n* 1) *спорт.* введе́ние мяча́ в игру́; 2) *разг.* нача́ло.

kickshaw ['kıkʃɔ] *n* 1) ла́комство (*обыкн. пренебр.*); 2) безделу́шка, пустячо́к.

kick-starter ['kık͵stɑːtə] *n* педа́льный ста́ртер.

kick-up ['kık'ʌp] *n разг.* 1) сканда́л; сумато́ха; 2) пра́зднество, пиру́шка; 3) *амер.* та́нцы, танцева́льный ве́чер.

kid I [kıd] 1. *n* 1) козлёнок; 2) ла́йка (*кожа*); 3) *pl* ла́йковые перча́тки; 4) *разг.* ребёнок; парни́шка.
2. *v* козли́ться, ягни́ться.

kid II [kıd] *sl.* 1. *n* обма́н, надува́тельство;

2. *v* обма́нывать; высме́ивать.

Kidderminster (carpet) ['kıdəmınstə (-'kɑːpıt)] *n* киддермѝнстерский ковёр (*двухцветный*).

kiddle ['kıdl] *n* перемёт.

kiddy ['kıdı] *n разг.* ребёнок; парни́шка, паренёк.

kid glove ['kıd'glʌv] *n* ла́йковая перча́тка; ◇ with ~s мя́гко, делика́тно.

kid-glove ['kıdglʌv] *a* 1) делика́тный, мя́гкий; 2) избега́ющий чёрной рабо́ты; ◇ ~ affair официа́льный приём, банке́т.

kidnap ['kıdnæp] *v* 1) укра́сть ребёнка; 2) наси́льно *или* обма́ном похи́тить (*кого-л.*).

kidnapper ['kıdnæpə] *n* похити́тель (*людей, детей*).

kidney ['kıdnı] *n* 1) *анат.* по́чка; 2) род, тип, хара́ктер; a man of that ~ челове́к э́того ро́да; they are both of the same ~ одни́м ми́ром ма́заны; одного́ по́ля я́года; 3) *attr. анат.* по́чечный; 4) *attr.* похо́жий на по́чку.

kidney bean ['kıdnı'biːn] *n* фасо́ль (*обыкновенная*).

kid-skin ['kıdskın] *n* ла́йка (*кожа*).

kief [kiːf] = kef.

kike [kaık] *n амер.* 1) *презр.* евре́й; 2) = keek 1.

kilderkin ['kıldəkın] *n* бочо́нок (*ёмкостью 16—18 галлонов*).

kill [kıl] 1. *v* 1) убива́ть; бить, ре́зать (*скот*); 2) дава́ть определённое коли́чество мя́са при убо́е; these pigs do not ~ well сви́ньи э́той поро́ды даю́т ма́ло мя́са при убо́е; 3) убива́ть, губи́ть, уничтожа́ть; to ~ a bill провали́ть законопрое́кт; to ~ a novel раскритикова́ть рома́н; 4) осла́бить эффе́кт; нейтрализова́ть (*краску и т. п.*); заглуши́ть; the drums ~ed the strings бараба́ны заглуши́ли стру́нные инструме́нты; to ~ an engine заглуши́ть мото́р; 5) си́льно порази́ть, восхити́ть; dressed (*или* dolled up) to ~ *разг.* шика́рно, умопомрачи́тельно оде́тый; 6) си́льно рассмеши́ть, умори́ть; it nearly ~ed me я чуть не у́мер со́ смеху; 7) вычёркивать (*в корректуре и т. п.*); 8) оша́рашивать, успока́ивать (*боль и т. п.*); 9) *метал.* выде́рживать пла́вку в ва́нне; раскисля́ть сталь; 10) *эл.* ре́зко пони́зить напряже́ние; отключи́ть; 11) *тех.* трави́ть; 12) потопи́ть кора́бль *или* подво́дную ло́дку; сбить (*самолёт*); □ ~ off а) изба́виться; б) уничто́жить; ~ out уничтожа́ть, искореня́ть; ◇ to ~ by inches мучи́ть;

2. *n* 1) добы́ча (*на охоте*); plentiful ~ бога́тая добы́ча на охо́те; 2) уби́йство; 3) живо́тное, служа́щее прима́нкой при охо́те на хи́щного зве́ря; 4) пото́пленная подво́дная ло́дка; сби́тый самолёт.

kill-devil ['kıldevl] *n* иску́сственная прима́нка, дви́жущаяся в воде́.

killer ['kılə] *n* 1) уби́йца; 2) *зоол.* дельфи́н-каса́тка.

killer whale ['kılə͵weıl] = killer 2).

killing ['kılıŋ] 1. *pres. p. от* kill 1;
2. *n* 1) уби́йство; 2) убо́й; 3) *разг.* больша́я при́быль;

3. *a* 1) убийственный; 2) уморительный; 3) восхитительный.

killjoy ['kɪldʒɔɪ] *n* человек, отравляющий другим удовольствие; брюзга́.

kill-time ['kɪltaɪm] **1.** *n* бессмысленное, пусто́е заня́тие (*чтобы убить время*); **2.** *a* бессмы́сленный, пусто́й (*о занятии, времяпрепровождении и т. п.*).

kiln [kɪln] **1.** *n* печь для обжига и для су́шки; **2.** *v* обжига́ть (*кирпич, известь и т. п.*).

kiln-drying ['kɪln,draɪɪŋ] *n* иску́сственная су́шка.

kilo ['kiːlou] 1) = kilogram(me); 2) = kilometre.

kilo- ['kiːlou-] *в сло́жных слова́х означа́ет* ты́сяча.

kilocycle ['kɪlou,saɪkl] *n* *радио* килоге́рц, килоци́кл.

kilogram(me) ['kɪləgræm] *n* килогра́мм.

kilometer ['kɪlə,miːtə] *амер.* = kilometre.

kilometre ['kɪlə,miːtə] *n* километр.

kilowatt ['kɪləwɔt] *n* килова́тт.

kilt [kɪlt] **1.** *n* ю́бка шотла́ндского го́рца *или* солда́та шотла́ндского полка́; **2.** *v* 1) подбира́ть, подтыка́ть подо́л; 2) закла́дывать в скла́дки.

kilter ['kɪltə] *n* поря́док, испра́вность; out of ~ в беспоря́дке; in ~ в поря́дке.

kiltie, kilty ['kɪltɪ] *n* шотла́ндский солда́т в национа́льном костю́ме.

kimono [kɪ'mounou] *яп.* *n* (*pl* -os [-ouz]) кимоно́.

kin [kɪn] **1.** *n* 1) род, семья́; to come of good ~ быть из хоро́шей семьи́; 2) родня́, ро́дственники; родство́; near of ~ a) состоя́щий в бли́зком родстве́; б) ро́дственный; схо́дный, подо́бный; next of ~ ближа́йший (-ие) ро́дственник(и); **2.** *a predic.* ро́дственный; we are ~ мы сродни́; ~ to ро́дственный; подо́бный, похо́жий.

kinchin ['kɪntʃɪn] *n sl.* 1) ребёнок; 2) *attr.*: ~ lay кра́жа де́нег у ребёнка на у́лице.

kind I [kaɪnd] *n* 1) род; семейство; human ~ челове́ческий род; 2) сорт, разнови́дность; разря́д, класс; what ~ of man is he? что он за челове́к?; all ~s of things всевозмо́жные ве́щи; of a better ~ лу́чшего со́рта; усоверше́нствованного ти́па; 3) отличи́тельный при́знак; приро́да, ка́чество; to act after one's ~ быть ве́рным себе́ (*в посту́пках*); to differ in degree but not in ~ отлича́ться сте́пенью, но не ка́чеством; ◊ coffee of a ~ скве́рный ко́фе; nothing of the ~ ничего́ подо́бного; ~ of не́сколько, отча́сти; как бу́дто; I ~ of expected it я э́того отча́сти ждал; to pay in ~ плати́ть нату́рой, това́рами; in ~ таки́м же (*или* подо́бным) о́бразом; to repay (*или* to pay back, to answer) in ~ отплати́ть той же моне́той; the worst ~ *амер.* чрезвыча́йно, кра́йне.

kind II [kaɪnd] *a* 1) до́брый, серде́чный, любе́зный; how ~ of you! как ми́ло с ва́шей стороны́!; with ~ regards с серде́чным приве́том (*в письме́*); be so ~ as to shut the door бу́дьте так добры́, закро́йте дверь;

2) пода́тливый; послу́шный; this horse is ~ in harness э́та ло́шадь хороша́ в упря́жке; 3) мя́гкий (*о во́лосе*); 4) *тех.* легко́ поддаю́щийся обрабо́тке, мя́гкий (*о руде́*).

kindergarten ['kɪndə,gɑːtn] *нем.* *n* де́тский сад.

kindergartener ['kɪndə,gɑːtnə] *n* 1) воспита́тель в де́тском саду́; 2) ребёнок, посеща́ющий де́тский сад.

kind-hearted ['kaɪnd'hɑːtɪd] *a* мягкосерде́чный, до́брый.

kindle ['kɪndl] *v* 1) зажига́ть; 2) воспламеня́ть, возбужда́ть; to ~ smb.'s interest вызыва́ть чей-л. интере́с; to ~ smb.'s anger возбужда́ть чей-л. гнев; 3) загоре́ться, заже́чься, вспы́хнуть (*тж. перен.*); her eyes ~d with happiness её глаза́ свети́лись сча́стьем.

kindliness ['kaɪndlɪnɪs] *n* 1') доброта́; 2) до́брый посту́пок.

kindling ['kɪndlɪŋ] **1.** *pres. p. от* kindle; **2.** *n* 1) зажига́ние, разжига́ние; 2) (*тж. pl*) расто́пка; лучи́на для расто́пки.

kindling-wood ['kɪndlɪŋwud] *n* расто́пка, щепа́.

kindly ['kaɪndlɪ] **1.** *a* 1) до́брый, доброжела́тельный; 2) прия́тный, благоприя́тный (*о кли́мате, по́чве и т. п.*); **2.** *adv* доброжела́тельно, любе́зно; to speak ~ говори́ть доброжела́тельно, тепло́; ~ let me know бу́дьте добры́, да́йте мне знать; will you ~ do this for me бу́дьте добры́ сде́лать э́то для меня́; 2) (благо-) прия́тно; легко́; to act ~ де́йствовать мя́гко (*о лека́рстве*); 3) с удово́льствием; she took ~ to her warm bed она́ с удово́льствием легла́ в свою́ тёплую посте́ль.

kindness ['kaɪndnɪs] *n* 1) доброта́; доброжела́тельность; to have a ~ for smb. люби́ть кого́-л.; 2) до́брое де́ло; одолже́ние; любе́зность; to do a personal ~ сде́лать ли́чное одолже́ние.

kindred ['kɪndrɪd] **1.** *n* 1) кро́вное родство́; 2) сродство́, схо́жесть; 3) род; клан; ро́дственники; **2.** *a* 1) ро́дственный; ~ languages ро́дственные языки́; 2) схо́дный; rain and ~ phenomena дождь и схо́дные с ним явле́ния приро́ды.

kine [kaɪn] *уст., поэт. pl от* cow I.

kinema ['kɪnɪmə] *уст.* = cinema.

kinematic [,kaɪnɪ'mætɪk] *a физ.* кинемати́ческий.

kinematics [,kaɪnɪ'mætɪks] *n pl* (*употр. как sing*) кинема́тика.

kinematograph [,kaɪnɪ'mætəgrɑːf] *уст. см.* cinematograph.

kinescope ['kɪnəskoup] *n телев.* кинеско́п.

kinetic [kaɪ'netɪk] *a физ.* кинети́ческий; ~ energy кинети́ческая эне́ргия.

kinetics [kaɪ'netɪks] *n pl* (*употр. как sing*) дина́мика; кинема́тика.

king [kɪŋ] **1.** *n* 1) коро́ль; царь; K.'s speech тро́нная речь короля́; ~ for a day ≅ кали́ф на час; K.'s messenger дипломати́ческий курье́р; the K.'s coat вое́нный мунди́р; K.'s Bench, K.'s Division отделе́ние Верхо́вного суда́; 2) *перен.* царь, власти́тель; ~ of beasts царь звере́й; ~ of metals золото; К. of Terrors смерть; 3) король, магнат; a railroad ~ железнодорожный магнат; 4) *шахм., карт.* король; 5) дамка (*в шашках*); 6) *бот.* главный стебель (*растения*); ◊ К.'s English литературный английский язык; the K.'s peace общественный порядок;

2. *v* управлять, править.

kingbolt ['kɪŋboult] *n* ось, шкворень.

king-crab ['kɪŋkræb] *n название большого морского паукообразного (из рода Limulus).*

kingcraft ['kɪŋkrɑːft] *n* искусство правления.

kingcup ['kɪŋkʌp] *n бот.* 1) калужница болотная; 2) лютик клубненосный.

kingdom ['kɪŋdəm] *n* 1) королевство; царство; 2): animal ~ животное царство.

kingfisher ['kɪŋˌfɪʃə] *n* пегий зимородок (*птица*).

kinglet ['kɪŋlɪt] *n* 1) *презр.* царёк; 2) королёк (*птица*).

kingly ['kɪŋlɪ] 1. *a* королевский; царственный; величественный;

2. *adv редк.* по-королевски; по-царски; царственно.

King of Arms ['kɪŋəv'ɑːmz] *n* один из пяти высших чиновников геральдической палаты.

kingpin ['kɪŋpɪn] *n* 1) = kingbolt; 2) *перен.* стержень, на котором всё держится; основа; 3) важное лицо; 4) кегля, стоящая в середине.

kingpost ['kɪŋpoust] *n стр.* (стропильная) бабка, стойка шпренгельной балки.

king's evil ['kɪŋz'iːvl] *n* золотуха.

kingship ['kɪŋʃɪp] *n* 1) королевский сан; 2) царствование.

Kingston(e) valve ['kɪŋstən'vælv] *n мор.* кингстон.

kink I [kɪŋk] 1. *n* 1) перекручивание, петля (*в верёвке, проводе*); узел (*в кручёной нитке*); 2) загиб, изгиб; 3) судорога; 4) странность, причуда; 5) *горн.* отклонение жилы;

2. *v* перекрутить(ся), образовать узел, запутать(ся).

kink II [kɪŋk] *шотл.* 1. *n* приступ удушья (*при сильном кашле, смехе*);

2. *v* задыхаться (*смеясь или кашляя*).

kink-cough ['kɪŋkˌkɔf] = kink II, 1.

kinkle ['kɪŋkl] *n* завиток, изгиб.

kinky ['kɪŋkɪ] *a* 1) курчавый (*о волосах*); 2) *разг.* странный, эксцентричный.

kino ['kiːnou] *n* камедь различных тропических деревьев (*применяется в медицине как вяжущее средство*).

kinsfolk ['kɪnzfouk] *n* (*употр. с гл. во мн. ч.*) родственники, родня.

kinship ['kɪnʃɪp] *n* 1) родство; 2) сходство, подобие.

kinsman ['kɪnzmən] *n* родственник.

kinswoman ['kɪnzˌwumən] *n* родственница.

kintal ['kɪntl] *уст.* = quintal.

kiosk ['kiːɔsk] *n* 1) киоск; 2) будка телефона-автомата.

kip I [kɪp] *n* кожа молодого *или* небольшого животного (*телячья, овечья и т. п.*).

kip II [kɪp] *sl.* 1. *n* 1) ночлежка; 2) койка; постель;

2. *v* спать;

kip III [kɪp] *n амер.* 1000 фунтов (=453,59 *кг*);

kipper ['kɪpə] 1. *n* 1) копчёная селёдка; копчёная рыба; 2) лосось-самец во время нереста; 3) *sl.* парень, человек; 4) *воен. sl.* торпеда;

2. *v* солить и коптить рыбу.

kir [kɪə] *n геол.* кир, отверделая нефть.

Kirghiz ['kəːgɪz] 1. *n* (*pl* -es [-ɪz] *или без измен.*) 1) киргиз; киргизка; 2) киргизский язык;

2. *a* киргизский.

kirk [kəːk] *n шотл.* церковь; the K. of Scotland пресвитерианская церковь Шотландии.

kirn [kəːn] *n шотл.* 1) последний сноп жатвы; 2) праздник урожая.

kirtle ['kəːtl] *n уст.* 1) юбка, платье; 2) куртка, кафтан.

kirve [kəːv] *n горн.* вруб; подбойка.

kismet ['kɪsmet] *араб. n* судьба, рок.

kiss [kɪs] 1. *n* 1) поцелуй; лобзание; to give a ~ on the cheek поцеловать в щёку; to steal (*или* to snatch) ~ сорвать поцелуй; 2) лёгкое прикосновение, лёгкий удар друг о друга (*бильярдных шаров*); 3) безе (*пирожное*);

2. *v* 1) целовать(ся), поцеловать(ся); to ~ away tears поцелуями осушить слёзы; to ~ the book целовать библию при принесении присяги в суде; 2) слегка коснуться один другого (*о бильярдных шарах*); ◊ to ~ the cup пригубить (*чашу*); пить, выпивать; to ~ one's hand to послать воздушный поцелуй; to ~ the dust а) быть поверженным во прах; потерпеть поражение; б) быть убитым; в) унижаться, пресмыкаться; to ~ the ground а) простираться ниц; б) быть побеждённым; to ~ the rod безропотно переносить наказание.

kiss-curl ['kɪskəːl] *n* локон (*на лбу*).

kiss-in-the-ring ['kɪsɪnðə'rɪŋ] *n* разновидность игры в кошки-мышки, где поймавший (-ая) целует пойманную (-ого).

kiss-me-quick ['kɪsmɪ'kwɪk] *n* 1) дамская шляпа в виде капора (*мода 50-х годов XIX в.*); 2) локон (*на лбу*); 3) дикая маргаритка.

kit [kɪt] *n* 1) кадушка; 2) ранец, сумка, вещевой мешок; 3) костюм; спецовка; hunting ~ костюм для охоты; 4) снаряжение (*для путешествия и т. п.*); 5) *воен.* личное обмундирование и снаряжение; 6) сумка с инструментом; комплект *или* набор инструментов; ◊ the whole ~ (and boodle) вся компания.

kit II [kɪt] *n* (*сокр. от* kitten) котёнок.

kit III [kɪt] *n уст.* маленькая скрипка.

kit-allowance ['kɪtəˌlauəns] *n* деньги на приобретение мелких предметов личного пользования (*в английской армии*).

kit-bag ['kɪtbæg] *n* вещевой мешок.

kit-cat ['kɪtkæt] *n attr.*: ~ portrait портрет несколько меньше поясного.

kitchen ['kɪtʃɪn] *n* 1) кухня; 2) *attr.* кухонный; ~ unit комбинированный ку-

kit ~ cart *амер. воен.* похо́дная ку́хня.

kitchener ['kɪtʃɪnə] *n* 1) по́вар (*особ.* в монастыре́); 2) ку́хонная плита́.

kitchenette [ˌkɪtʃɪ'net] *n* ку́хонька; небольша́я ку́хня (*с кладово́й*).

kitchen garden ['kɪtʃɪn'gɑːdn] *n* огоро́д.

kitchen herb ['kɪtʃɪnhəːb] *n* пря́ности.

kitchen-maid ['kɪtʃɪnmeɪd] *n* судомо́йка.

kitchen midden ['kɪtʃɪn'mɪdn] *n* архео́л. ку́ча ку́хонных отбро́сов (*холм, образова́вшийся из кухонных отбросов и утвари первобытного человека*).

kitchen police ['kɪtʃɪnpə'liːs] *n амер. воен.* наря́д на ку́хню; солда́ты, за́нятые на ку́хне.

kitchen-range ['kɪtʃɪn,reɪndʒ] *n* плита́.

kitchen-stuff ['kɪtʃɪnstʌf] *n* 1) проду́кты для ку́хни, *особ.* о́вощи; 2) ку́хонные отбро́сы.

kitchen-wench ['kɪtʃɪnwentʃ] = kitchen-maid.

kite [kaɪt] *n* 1) *зоол.* ко́ршун; 2) хи́щник; моше́нник; шу́лер; 3) возду́шный змей; to fly a ~ a) запуска́ть зме́я; б) *перен.* пуска́ть про́бный шар [*см. также* 4)]; to knock higher than a ~ *амер.* a) запусти́ть о́чень высоко́; б) де́лать (*что-л.*) с необыча́йной си́лой; 4) *ком. разг.* фикти́вный ве́ксель; to fly a ~ пыта́ться получи́ть де́ньги под фикти́вные векселя́ [*см. также* 3)]; 5) *воен. sl.* самолёт; 6) змейко́вый аэроста́т; аэроста́т загражде́ния.
2. *v* 1) *разг.* лета́ть, пари́ть в во́здухе; 2) *ком. разг.* получа́ть де́ньги по фикти́вным векселя́м.

kite balloon ['kaɪtbə,luːn] *n* змейко́вый аэроста́т.

kiteflying ['kaɪt,flaɪɪŋ] *n* 1) получе́ние де́нег по фикти́вным векселя́м; 2) зонди́рование по́чвы; 3) фарс, инсцениро́вка (*судебного процесса и т. п.*).

kith [kɪθ] *n*: ~ and kin знако́мые и родня́.

kitten ['kɪtn] 1. *n* котёнок;
2. *v* коти́ться.

kittenish ['kɪtnɪʃ] *a* игри́вый как котёнок.

kittereen [ˌkɪtə'riːn] *n* одноко́нный экипа́ж.

kittiwake ['kɪtɪweɪk] *n* трёхпа́лая ча́йка.

kittle ['kɪtl] 1. *a* обидчивый, тру́дный; ~ cattle *перен.* тру́дные, беспоко́йные лю́ди;
2. *v* 1) щекота́ть; 2) озада́чивать.

kitty ['kɪtɪ] *n* 1) котёнок; 2) *карт.* банк.

kiwi ['kiːwɪ] *n* 1) *зоол.* ки́ви-ки́ви, бескры́л (*нелетающая птица*); 2) *ав. sl.* член нелётного соста́ва вое́нно-возду́шных сил; 3) *разг.* жи́тель *или* урожёнец Но́вой Зела́ндии.

klaxon ['klæksn] *n авт.* клаксо́н.

kleptomania [ˌkleptou'meɪnjə] *n* клептома́ния.

kleptomaniac [ˌkleptou'meɪnɪæk] *n* клептома́н.

klip [klɪp] *южно-афр.* 1. *n* ка́мень, булы́жник;
2. *v* тормози́ть экипа́ж, подкла́дывая ка́мень под колёса.

kloof [kluːf] *голл. n южно-афр.* уще́лье.

kluxer ['klʌksə] *n амер. разг.* член ку-клукс-кла́на.

klystron ['klɪstrɔn] *n электрон.* клистро́н.

knack I [næk] *n* 1) (профессиона́льная) ло́вкость, уме́ние, сноро́вка; to have the ~ of a thing де́лать что-л. ло́вко, име́ть сноро́вку; 2) уда́чный приём; 3) привы́чка.

knack II [næk] *n* ре́зкий звук; треск.

knacker I ['nækə] *n* 1) скупщик (*старых лошадей на мясо, домов на слом и т. п.*); 2) ста́рая ло́шадь, кля́ча; 3) живодёр; ~'s yard живодёрня.

knacker II ['nækə] *n* 1) что-л., производя́щее ре́зкий звук; 2) *pl* кастанье́ты.

knackery ['nækərɪ] *n* живодёрня.

knacky ['nækɪ] *a* ло́вкий, уме́лый.

knag [næg] *n* 1) сук; наро́ст, свиль; 2) *тех.* деревя́нный гвоздь, шпи́лька.

knaggy ['nægɪ] *a* сучкова́тый.

knap I [næp] *v* 1) бить ще́бень; дроби́ть ка́мень; 2) отчека́нивать слова́; произноси́ть бы́стро и ре́зко.

knap II [næp] *n* 1) верши́на холма́; гре́бень горы́; 2) холм.

knapsack ['næpsæk] *n* ра́нец; рюкза́к.

knapweed ['næpwiːd] *n бот.* василёк (*чёрный*).

knar [nɑː] *n* у́зел, ши́шка, наро́ст на де́реве.

knarred, knarry [nɑːd, 'nɑːrɪ] *a* сучкова́тый, сукова́тый, узлова́тый.

knave [neɪv] *n* 1) моше́нник, плут; 2) *карт.* вале́т; 3) *разг.* прия́тель; 4) *уст.* слуга́; *уст.* ма́льчик.

knavery ['neɪvərɪ] *n* моше́нничество, плутовство́.

knavish ['neɪvɪʃ] *a* моше́ннический.

knead [niːd] *v* 1) замеши́вать, меси́ть (*тесто, глину*); 2) сме́шивать в о́бщую ма́ссу; 3) формирова́ть (*характер*); 4) масси́ровать.

kneading machine ['niːdɪŋmə,ʃiːn] *n* тестомеша́лка.

kneading-trough ['niːdɪŋtrɔf] *n* квашня́.

knee [niː] 1. *n* 1) коле́но; up to one's ~s по коле́но; 2) *тех.* коле́но; 3) *мор.* кни́ца; 4) *стр.* подко́с, полураско́с; 5) наколе́нник; 6) *attr.* коле́нный; ◇ to give (*или* to offer) a ~ to smb. помога́ть кому́-л.; ока́зывать кому́-л. подде́ржку; б) *фехт.* быть чьим-л. секунда́нтом; it is on the ~s of the gods ≈ одному́ бо́гу изве́стно; неве́домо, неизве́стно; to bring smb. to his ~s поста́вить кого́-л. на коле́ни; to go on one's ~s to smb. упра́шивать, умоля́ть кого́-л.; on one's (bended) ~s уни́женно.
2. *v* 1) станови́ться на коле́ни; 2) уда́рить коле́ном; каса́ться коле́ном; 3) вытя́гиваться на коле́нях (*о брюках*); 4) *тех.* соединя́ть уго́льником.

knee-bend ['niːbend] *n* приседа́ние.

knee-boot ['niːbuːt] *n* сапо́г.

knee-breeches ['niː,brɪtʃɪz] *n pl* бри́джи.

knee-cap ['niːkæp] *n* 1) *анат.* коле́нная ча́шка; 2) наколе́нник.

knee-deep ['niː'diːp] *a* по коле́но.

knee-high [ˈniːˈhaɪ] *a* (высотóй) по колéно; ~ to a mosquito (*или* a grasshopper, a duck, *etc.*) *шутл.* óчень мáленький, крóшечный.

knee-hole [ˈniːhoul] *n* промежýток мéжду тýмбами (*у письменного стола*).

knee-jerk [ˈniːˌdʒɜːk] *n* мед. колéнный рефлéкс.

knee-joint [ˈniːˌdʒɔɪnt] *n* 1) анат. колéнный сустáв; 2) *тех.* колéнно-рычáжное соединéние.

kneel [niːl] *v* (knelt, kneeled[-d]) 1) преклонять колéни, становиться на колéни (*тж.* ~ down); 2) стоять на колéнях (то-перéд).

kneeling position [ˈniːlɪŋpəˈzɪʃən] *n* *воен.* положéние для стрельбы с колéна.

knee-pan [ˈniːpæn] = knee-cap 1).

knell [nel] 1. *n* 1) похорóнный звон; 2) дурнóе предзнаменовáние; предзнаменовáние смéрти, гибели;
2. *v* 1) звонить при похоронáх; 2) звучáть зловéще, предвещáть (*гибель*).

knelt [nelt] *past* *и* *p. p. от* kneel.

knew [njuː] *past* *от* know 1.

Knickerbocker [ˈnɪkəbəkə] *n* житель Нью-Йóрка.

knickerbockers [ˈnɪkəbəkəz] *n* *pl* бриджи.

knickers [ˈnɪkəz] *n* *разг.* *см.* knickerbockers.

knick-knack [ˈnɪknæk] *n* безделýшка, украшéние.

knick-knackery [ˈnɪknækərɪ] *n* безделýшки, мишурá.

knife [naɪf] 1. *n* (*pl* knives) 1) нож; to put a ~ into smb. зарéзать когó-л.; *хир.* скáльпель; the ~ а) нож хирýрга; б) хирургическая операция; to go under the ~ подвéргнуться операции; 3) *тех.* струг, скребóк, резéц; 4) *текст.* рáкель; 5) *attr.* ножевóй; ◇ before you can say ~ немéдленно, моментáльно; ≅ и áхнуть не успел; to get a ~ into smb. нанести удáр комý-л., злóбно напáсть на когó-л.; беспощáдно критиковáть когó-л.; ~ and fork едá; a good (poor) ~ and fork хорóший (плохóй) едóк; to play a good ~ and fork ≅ уписывать за óбе щеки, есть с аппетитом; war to the ~ войнá на истреблéние; борьбá не на живóт, а нá смерть; you could cut it with a ~ э́то нéчто реáльное; э́то вполнé ощутимо;
2. *v* 1) рéзать ножóм; 2) удáрить, заколóть ножóм; 3) *амер.* *sl.* предáтельски нанести удáр кандидáту свóей пáртии (*голосуя на выборах за его противника*); 4) *амер.* срéзать, провалить (*на экзамене*).

knife-board [ˈnaɪfbɔːd] *n* 1) доскá для чистки ножéй; 2) *разг.* местá на империáле óмнибуса.

knife-edge [ˈnaɪfedʒ] *n* 1) остриё ножá; 2) опóрная призма (*весов и т. п.*).

knife-grinder [ˈnaɪfˌɡraɪndə] *n* 1) точильщик; 2) приспособлéние для тóчки ножéй.

knife-rest [ˈnaɪfrest] *n* 1) подстáвка для ножá и вилки; 2) *воен.* рогáтка.

knife-switch [ˈnaɪfswɪtʃ] *n* *эл.* рубильник.

knight [naɪt] 1. *n* 1) рыцарь; витязь;
2): ~ of the pen журналист; ~ of the brush

худóжник; ~ of fortune авантюрист; ~ of the road а) коммивояжёр; б) разбóйник; 3) (имéющий) звáние "knight" (*ниже баронета, род личного дворянства с титулом sir*); 4) кавалéр одногó из вы́сших англи́йских орденóв; K. of the Garter кавалéр óрдена Подвязки; 5) *шахм.* конь; 6) всáдник (*член сословия всадников в древнем Риме*);
2. *v* давáть звáние "knight", возводи́ть в ры́царское достóинство.

knightage [ˈnaɪtɪdʒ] *n собир.* спи́сок *или* совокýпность лиц, имéющих звáние "knight".

knight errant [ˈnaɪtˈerənt] *n* (*pl* knights errant) 1) стрáнствующий ры́царь; 2) донкихóт.

knight-errantry [ˈnaɪtˈerəntrɪ] *n* 1) стрáнствование в пóисках приключéний; 2) донкихóтство.

knighthood [ˈnaɪthud] *n* 1) ры́царство; 2) звáние "knight", ры́царское достóинство; дворянство.

knightly [ˈnaɪtlɪ] 1. *a* ры́царский, ры́царственный;
2. *adv* *уст.* (по-)ры́царски, благорóдно.

knit [nɪt] *v* (knitted[-ɪd], knit) 1) вязáть (*чулки и т. п.*); 2) соединя́ть(ся), скрепля́ть(ся); mortar ~s bricks together известкóвый раствóр скрепля́ет кирпичи́; 3) сращивать(ся), срастáться; the broken bone ~ted well слóманная кость хорошó срослáсь; 4) объединя́ть(ся) (*на основе общих интересов и т. п.*); 5): to ~ the brows хмýрить брóви, хмýриться; □ ~ in вязáть нитками нéскольких цветóв; to ~ in blue with white wool смéшивать си́нюю и бéлую шерсть при вязáнии; ~ up связывать; поднимáть спýщенные пéтли; штóпать; *перен.* заключáть, закáнчивать (*спор и т. п.*).

knitted [ˈnɪtɪd] 1. *p. p. от* knit;
2. *a* 1) вязаный; трикотáжный; 2) спáянный, крéпкий.

knitter [ˈnɪtə] *n* 1) вязáльщик; вязáльщица; 2) трикотáжная маши́на.

knitting [ˈnɪtɪŋ] 1. *pres. p. от* knit;
2. *n* 1) вязáние; 2) вязаные вéщи, трикотáж.

knitting-machine [ˈnɪtɪŋməˌʃiːn] = knitter 2).

knitting-needle [ˈnɪtɪŋˌniːdl] *n* вязáльная иглá, трикотáжная иглá; спи́ца.

knitwear [ˈnɪtwɛə] *n* вязаные вéщи, трикотáжные издéлия.

knitwork [ˈnɪtwɜːk] *n* 1) вязáние; 2) трикотáжные издéлия.

knives [naɪvz] *pl от* knife 1.

knob [nɔb] 1. *n* 1) ши́шка, вы́пуклость; 2) шарообрáзная рýчка (*двери и т. п.*); 3) набалдáшник; 4) небольшóй кусóк (*угля, сахару*); 5) *амер.* хóлмик; 6) *тех.* рýчка; голóвка; кнóпка; 7) *sl.* головá, башкá;
2. *v* выпя́чиваться, выдавáться.

knobble [ˈnɔbl] *n* ши́шечка.

knobby [ˈnɔbɪ] *a* 1) узловáтый, шишковáтый; 2) *амер.* холми́стый.

knobstick [ˈnɔbstɪk] *n* 1) дуби́нка, кистéнь; 2) *sl.* штрейкбрéхер.

knock [nɔk] **1.** *n* 1) уда́р; 2) стук (*особ. в дверь*); 3) *амер. sl.* ре́зкая кри́тика; приди́рка; 4) *тех.* перебо́й (*в маши́не*); детона́ция; ◇ to get the ~ а) потерпе́ть пораже́ние; б) быть уво́ленным; в) *театр.* быть пло́хо при́нятым пу́бликой; to take the ~ разори́ться;

2. *v* 1) ударя́ть(ся), бить; стуча́ть(ся); колоти́ть; to ~ to pieces разби́ть вдре́безги; to ~ at (*или* on) the door стуча́ть в дверь; 2) сбива́ть; to ~ the nuts сбива́ть оре́хи (*с де́рева*); 3) *разг.* поража́ть, ошеломля́ть; 4) *разг.* ре́зко критикова́ть; придира́ться; 5) *амер.* превосходи́ть; □ ~ **about** а) бить, колоти́ть; б) ры́скать (*по све́ту*); в) вести́ беспу́тный о́браз жи́зни; ~ **against** а) уда́риться, сту́кнуться; б) натолкну́ться, неожи́данно встре́титься; ~ **down** а) сбить с ног, *тж.* сбить вы́стрелом; б) слома́ть; разру́шить, снести́ (*дом*); в) разобра́ть (*маши́ну для перево́зки*); г) опроки́нуть, разби́ть (*до́вод и т. п.*); д) понижа́ть це́ны; е) уда́ром молотка́ присужда́ть вещь (*на аукцио́не*); ж) *амер. sl.* прожи́ть (*де́ньги*); ~ **in**, ~ **into** вбива́ть; ~ **off** а) стряхну́ть, смахну́ть; б) сба́вить, сбить (*це́ну, су́мму*); в) уме́ньшить ско́рость; г) бы́стро сде́лать, состря́пать; д) ко́нчить рабо́ту; ~ off work прекрати́ть рабо́ту; е) *sl.* стащи́ть, укра́сть; ж) *sl.* умере́ть; ~ **out** а) вы́бить, вы́колотить; б) ~ the bottom out of (*а*) вы́бить по́чву из-под ног у *кого́-л.*; β) по́лностью опрове́ргнуть (*аргуме́нт*); свести́ на нет; б) *спорт.* нокаути́ровать; в) одоле́ть, победи́ть; г) сгова́риваться не надбавля́ть цен на аукцио́не (*для того́, что́бы перепрода́ть ку́пленное и раздели́ть при́быль*); ~ **together** а) ста́лкиваться; б) на́спех скола́чивать; ~ **under** покори́ться; ~ **up** а) уда́ром подбро́сить вверх; б) подня́ть, разбуди́ть сту́ком; в) утомля́ть; to be ~ed up утоми́ться; г) на́спех, кое-ка́к устра́ивать, скола́чивать; д) *амер. sl.* сде́лать бере́менной; е) ста́лкиваться (against—с *кем-л.*); ◇ to ~ home вбива́ть про́чно; вдолби́ть, довести́ до созна́ния; to ~ on the head а) оглуши́ть, уби́ть; б) положи́ть коне́ц; to ~ smb. off his pins ошеломи́ть кого́-л.; to ~ one's head against a brick wall би́ться голово́й об сте́нку; вести́ бесполе́зную борьбу́; to ~ (smb.) into a cocked hat а) измени́ть (кого́-л.) до неузнава́емости; б) исколошма́тить (кого́-л.); в) одоле́ть (кого́-л.); нанести́ пораже́ние (кому́-л.); в) разби́ть (до́воды и т. п.); to ~ smb. into the middle of next week ≅ всы́пать кому́-л. по пе́рвое число́.

knockabout ['nɔkəbaut] **1.** *n* 1) дешёвое представле́ние; гру́бый фарс; 2) актёр, уча́ствующий в тако́м представле́нии; 3) дра́ка; 4) *амер.* небольша́я я́хта, небольшо́й автомоби́ль;

2. *а* 1) доро́жный, рабо́чий (*об оде́жде*); 2) шу́мный, гру́бый (*о зре́лище*).

knock-down ['nɔk'daun] **1.** *n* 1) *спорт.* нокда́ун; 2) кре́пкое пи́во; ◇ a ~ and drag out *амер.* отча́янная дра́ка;

2. *а* 1) сокруши́тельный (*об уда́ре*);

сногсшиба́тельный; 2) разбо́рный (*о ме́бели*); удо́бный для перево́зки; ◇ ~ price са́мая ни́зкая, кра́йняя цена́.

knocker ['nɔkə] *n* 1) тот, кто стучи́т; 2) дверно́й молото́к, дверно́е кольцо́; сигна́льный молото́к; 3) *амер.* приди́ра, критика́н; 4) *амер. разг.* о́чень краси́вый челове́к; сногсшиба́тельно оде́тый челове́к; ◇ up to the ~ *sl.* а) в соверше́нстве; б) в хоро́шем состоя́нии; в) по после́дней мо́де.

knocker-up ['nɔkəɡʌp] *n* челове́к, в обя́занности кото́рого вхо́дит буди́ть рабо́чих по утра́м.

knock-kneed ['nɔk'niːd] *а* 1) с вы́вернутыми вну́трь коле́нями; 2) сла́бый.

knock-out ['nɔkaut] *n* 1) *спорт.* нока́ут (*тж.* ~ blow); 2) сшиба́ющий с ног уда́р; 3) соглаше́ние ме́жду уча́стниками аукцио́на не надбавля́ть цен; 4) *sl.* выдаю́щийся челове́к; необыкнове́нная вещь; 5) *амер. sl.* огро́мный, сногсшиба́тельный успе́х; 6) *амер. sl.* краса́вчик; 7) *метал.* вы́бивка; ◇ ~ drops *амер. sl.* а) нарко́тик; б) карбо́лка, карбо́ловая кислота́.

knoll I [noul] *n* 1) холм, буго́р; 2) *мор.* высо́кая часть ба́нки, возвыше́ние дна.

knoll II [noul] *v уст.* звони́ть в ко́локол; отбива́ть часы́.

knop [nɔp] *n уст.* 1) = knob 1; 2) *бот.* по́чка.

knot [nɔt] **1.** *n* 1) у́зел; to make (*или* to tie) a ~ завяза́ть у́зел; to tie in a ~ завяза́ть узло́м; 2) бант; 3) сою́з, у́зы; the nuptial ~ бра́чные у́зы; to tie the ~ вы́йти за́муж; жени́ться; 4) затрудне́ние, загво́здка; 5) *бот.* у́зел, наро́ст (*у расте́ний*); сучо́к, свиль (*на древеси́не*); 6) гру́ппа, ку́чка (*люде́й*); to gather in ~s собира́ться гру́ппами, ку́чками; 7) о́пухоль, ши́шка; 8) *мор.* у́зел (*ме́ра ско́рости = 1,87 км в час*); 9) *тех.* свищ; ◇ Gordian ~ го́рдиев у́зел; to cut the ~ разруби́ть (го́рдиев) у́зел; to tie oneself (up) in *или* (into) a ~ попа́сть в затрудни́тельное положе́ние;

2. *v* 1) завя́зывать у́зел; завя́зывать узло́м; свя́зывать; 2) спу́тывать(ся), запу́тывать(ся); 3) де́лать бахрому́; 4) хму́рить (бро́ви).

knot-grass ['nɔtɡrɑːs] *n бот.* горе́ц пти́чий.

knot-hole ['nɔthoul] *n* отве́рстие в доске́ от вы́павшего сучка́.

knotty ['nɔti] *а* 1) узлова́тый; сучкова́тый; 2) затрудни́тельный, сло́жный; ~ question тру́дный вопро́с.

knout [naut] *рус.* **1.** *n* кнут;

2. *v* бить кнуто́м.

know [nou] **1.** *v* (knew; known) 1) знать (*тж.* ~ of); быть знако́мым; to ~ about smth. знать о чём-л.; I ~ of a shop where you can buy it я зна́ю магази́н, где э́то мо́жно купи́ть; to ~ by sight (by name) знать в лицо́ (по и́мени); to get to ~ узна́ть; not that I ~ of наско́лько мне изве́стно—нет; to ~ what's what *разг.* знать толк в чём-л., понима́ть, что к чему́; 2) **знать,**

иметь определённые знания; to ~ the law быть сведущим в праве; to ~ three languages знать три языка; 3) уметь; 4) узнавать, отличать; I knew him at once я его тотчас узнал; ◇ to ~ one's own business не вмешиваться в чужие дела; to ~ one's own mind не колебаться; твёрдо знать, что (*мне, ему и т. д.*) нужно; to ~ better (than that) а) быть осторожным, осмотрительным; б) прекрасно понимать; I ~ better than to... я не так прост, чтобы...; to ~ one from another, to ~ two things apart отличать одно от другого; not to ~ person from Adam не иметь ни малейшего представления о ком-л.; not to ~ what from which не соображать, что к чему; to ~ a thing or two великолепно разбираться; to ~ the time of day быть себе на уме; before you ~ where you are моментально, немедленно; to ~ what one is about действовать разумно; быть себе на уме; who ~s? как знать?; not to ~ enough to get out of the rain плохо соображать;

2. *n*: to be in the ~ *разг.* быть в курсе дела; быть посвящённым в обстоятельства дела.

know-all ['nou,ɔːl] *n* всезнайка.

know-how ['nouhau] *n* 1) умение; знание дела; 2) секреты производства.

knowing ['nouiŋ] **1.** *pres. p. от* know 1; **2.** *a* 1) ловкий, хитрый; проницательный; a ~ hand at the game искусный игрок; 2) *разг.* модный, щегольской.

knowingly ['nouiŋli] *adv* 1) сознательно, намеренно; 2) искусно, ловко.

knowledge ['nɔlidʒ] *n* 1) знание; познания; эрудиция; to have a good ~ of English (medicine *etc.*) хорошо знать английский язык (медицину *и т. п.*); branches of ~ отрасли науки; 2) осведомлённость; it came to my ~ мне стало известно; it is common ~ это всем известно; to (the best of) my ~ насколько мне известно; not to my ~ насколько мне известно—нет; he did it without my ~ он сделал это без моего ведома; 3) знакомство; my ~ of Mr B. is slight я мало знаком с В.; 4) известие; ~ of the victory soon spread вскоре распространилось известие о победе.

knowledgeable ['nɔlidʒəbl] *a разг.* хорошо осведомлённый.

known [noun] *p. p. от* know 1; ~ as... известный под именем...

know-nothing ['nou,nʌθiŋ] *n* 1) невежда; 2) *филос.* агностик.

knuckle ['nʌkl] **1.** *n* 1) сустав пальца; 2) ножка (*телячья, свиная*); 3) *pl* кастет; 4) *тех.* шарнир, поворотный кулак; 5) *ж.-д.* коготь (*автосцепки*); ◇ near the ~ на грани неприличного (*о рассказе, шутке и т. п.*); to get a rap on (*или* over) the ~s получить нагоняй; to give a rap on (*или* over) the ~s, to rap smb.'s ~s дать нагоняй;

2. *v* ударить, стукнуть, постучать костяшками пальцев; □ ~ down уступить, подчиниться; ◇ to ~ (down) to one's work решительно приняться за дело.

knucklebone ['nʌklboun] *n* 1) бабка; 2) *pl* игра в бабки; 3) голень.

knuckleduster ['nʌkl,dʌstə] *n* кастет.

knuckle-joint ['nʌkldʒɔint] *n* 1) сустав; 2) *тех.* шарнир.

knurl [nəːl] **1.** *n* 1) шишка, выпуклость; 2) полоска, насечка;

2. *v тех.* чеканить ребро монеты, накатывать.

knur(r) [nəː] *n* узел, шишка, нарост на дереве.

kodak ['koudæk] *фото* **1.** *n* кодак;

2. *v* снимать кодаком; *перен.* быстро схватывать, ярко описывать.

koh-i-noor ['kouinuə] *n* 1) кохинор (*индийский брильянт, собственность британской короны, весом в 106¹/₄ каратов*); 2) нечто несравненное, великолепное.

kohl [koul] *араб. n* краска для век.

kohlrabi ['koul'rɑːbi] *n бот.* кольраби.

kola ['koulə] = cola.

kolinsky [kou'linski] *n* колонок.

kolkhoz [kɔl'hɔz] *рус.* **1.** *n* колхоз;

2. *a* колхозный.

Komsomol ['kɔmsɔmɔl] *рус.* **1.** *n* комсомол;

2. *a* комсомольский.

koodoo ['kuːduː] *n зоол.* винторогая антилопа, куду.

kopec(k) ['koupek] = copeck.

kopje ['kɔpi] *n южно-афр.* холмик.

Koran [kɔ'rɑːn] *n* коран.

Koranic [kɔ'rænik] *a* 1) находящийся в коране; 2) основанный на коране.

Korean [kə'riən] **1.** *a* корейский;

2. *n* 1) кореец; кореянка; the ~s корейцы; 2) корейский язык.

kotow ['kou'tau] = kowtow.

koumiss ['kuːmis] *n* кумыс.

kourbash ['kuːbæʃ] *араб. n* ремённая плеть; under the ~ под принуждением.

kowtow ['kau'tau] *кит.* **1.** *n* низкий поклон;

2. *v* 1) делать низкий поклон (*касаясь головой земли*); 2) раболепствовать.

kraal [krɑːl] *n южно-афр.* крааль (*посёлок, деревня*).

K-ration ['kei,ræʃ(ə)n] *n амер. воен.* индивидуальный продовольственный паёк из консервов.

kraut [kraut] *n sl.* немец.

Kremlin ['kremlin] *n* Кремль.

Krishna ['kriʃnə] *n инд. миф.* Кришна.

krona ['krounɑː] *n* крона (*денежная единица Исландии, Швеции*).

krone ['krounə] *n* крона (*денежная единица Чехословакии, Дании и Норвегии*).

Kroo, Krou, Kru [kruː] *n* 1) негр с либерийского побережья Западной Африки; 2) *attr.*: K. English ломаный язык из английских и португальских слов.

krypton ['kriptɔn] *n хим.* криптон.

kudos ['kjuːdɔs] *n разг.* слава.

kudu ['kuːduː] = koodoo.

Ku-Klux-Klan ['kjuːklʌks'klæn] *n* ку-клукс-клан.

kukri ['kukri] *n англо-инд.* большой кривой нож.

kulak [kuː'lɑːk] *рус. n* кулак.

kumiss ['kuːmɪs] *n* кумы́с.
Kuomintang ['kwoumɪn'tæŋ] *n* гоминда́н.
Kurd [kəːd] *n* курд.

kybosh ['kaɪbɔʃ] = kibosh.
kyloe ['kaɪlou] *n* ме́лкая шотла́ндская поро́да скота́.
kymograph ['kaɪməgrɑːf] = cymograph.

L

L, l [el] *n* (*pl* Ls, L's [elz]) 1) *12-я буква англ. алфавита*; 2) что-л., име́ющее фо́рму бу́квы L.
la [lɑː] *n муз.* ля.
laager ['lɑːgə] *голл.* 1. *n* 1) ла́герь, окружённый пово́зками; 2) *воен.* парк брониро́ванных маши́н;
2. *v* располага́ться ла́герем, окружённым пово́зками.
lab [læb] *сокр. разг. от* laboratory.
labefaction [,læbɪ'fækʃən] *n* ослабле́ние; поврежде́ние.
label ['leɪbl] 1. *n* 1) ярлы́к; этике́тка; би́рка; 2) *архит.* слезни́к; 3) *геод.* высотоме́р; 4) *юр.* дополни́тельное распоряже́ние; добавле́ние к завеща́нию;
2. *v* 1) прикрепля́ть *или* накле́ивать ярлы́к; 2) относи́ть к какой-л. катего́рии.
labelled ['leɪbld] 1. *p. p. от* label 2;
2. *a тех.* маркиро́ванный.
labeller ['leɪblə] *n* стано́к для накле́ивания этике́ток.
labial ['leɪbjəl] 1. *a* губно́й;
2. *n фон.* губно́й звук (*тж.* ~ sound).
labialization [,leɪbɪəlaɪ'zeɪʃən] *n* лабиализа́ция.
labiate ['leɪbɪeɪt] *бот.* 1. *a* губоцве́тный;
2. *n* губоцве́тное расте́ние.
labile ['leɪbaɪl] *a физ., хим.* неусто́йчивый, лаби́льный.
lability [leɪ'bɪlɪtɪ] *n* лаби́льность, неусто́йчивость.
labiodental ['leɪbɪou'dentl] *фон.* 1. *a* гу́бно-зубно́й;
2. *n* гу́бно-зубно́й звук.
labor ['leɪbə] *амер.* = labour.
laboratory [lə'bɔrətərɪ] *n* 1) лаборато́рия; hot ~ «горя́чая» лаборато́рия (*в кото́рой произво́дятся рабо́ты с опа́сностью для жи́зни*); 2) *метал.* рабо́чее простра́нство пе́чи; 3) *attr.* лаборато́рный; ~ findings да́нные лаборато́рного иссле́дования.
laborious [lə'bɔːrɪəs] *a* 1) тру́дный, тяжёлый, утоми́тельный; трудоёмкий; 2) вы́мученный (*о стиле*); 3) трудолюби́вый, стара́тельный.
labour ['leɪbə] 1. *n* 1) труд; рабо́та; уси́лие; surplus ~ *полит.-эк.* приба́вочный труд; juvenile ~ труд подро́стков; forced ~ принуди́тельный труд; 2) рабо́чий класс; труд (*в противополо́жность капита́лу*); L. and Capital труд и капита́л; 3) родовы́е му́ки; ро́ды; to be in ~ му́читься ро́дами, роди́ть; 4) *pl* жи́зненные забо́ты, трево́ги; 5) *attr.* трудово́й; рабо́чий; ~ hours рабо́чее вре́мя; ~ code ко́декс зако́нов о труде́; ~ contract трудово́й догово́р; ~ dispute трудово́й конфли́кт; 6) *attr.* лейбори́ст-

ский; 7) *attr.*: ~ pains родовы́е схва́тки; ~ ward роди́льная пала́та; ♦ ~ of love безвозме́здный *или* бескоры́стный труд; lost ~ тще́тные, бесполе́зные уси́лия;
2. *v* 1) труди́ться, рабо́тать; 2) прилага́ть уси́лия, добива́ться (for); to ~ for breath дыша́ть с трудо́м; to ~ for peace добива́ться ми́ра; he ~ed to understand what they were talking about он прилага́л уси́лия, что́бы поня́ть, о чём они́ говори́ли; 3) подвига́ться вперёд ме́дленно, с трудо́м (*обыкн.* ~ along, ~ through); 4) быть в затрудне́нии, трево́ге; страда́ть (*от чего-л.*); to ~ under a delusion (*или* a mistake) находи́ться в заблужде́нии; 5) му́читься ро́дами; 6) кропотли́во разраба́тывать, вдава́ться в ме́лочи; to ~ the point рассма́тривать вопро́с, вника́я во все дета́ли; 7) *уст., поэт.* обраба́тывать зе́млю; 8) взрыть, развороти́ть зе́млю (*бо́мбами, снаря́дами*).
Labour Day ['leɪbə'deɪ] *n амер.* День труда́ (*пе́рвый понеде́льник сентября́*).
laboured ['leɪbəd] 1. *p. p. от* labour 2;
2. *a* 1) вы́мученный; тяжелове́сный (*о стиле, шутке и т. п.*); 2) тру́дный, затруднённый; доста́вшийся с трудо́м; ~ breathing затруднённое дыха́ние.
labourer ['leɪbərə] *n* рабо́чий ни́зкой квалифика́ции; чернорабо́чий; general ~ разнорабо́чий.
Labour Exchange ['leɪbərɪks'tʃeɪndʒ] *n* би́ржа труда́.
labouring ['leɪbərɪŋ] 1. *pres. p. от* labour 2;
2. *a* 1) рабо́чий, трудя́щийся; ~ man рабо́чий; 2) затруднённый; ~ breath затруднённое дыха́ние.
labourist ['leɪbərɪst] *n* член лейбори́стской па́ртии, лейбори́ст.
labourite ['leɪbəraɪt] = labourist.
labour-market ['leɪbə,mɑːkɪt] *n* ры́нок труда́; спрос и предложе́ние труда́.
Labour Party ['leɪbə'pɑːtɪ] *n* лейбори́стская па́ртия.
labour-saving ['leɪbə,seɪvɪŋ] *a* даю́щий эконо́мию в труде́; рационализа́торский.
labour union ['leɪbə'juːnjən] *n* профсою́з.
Labrador tea ['læbrədɔː'tiː] *n бот.* багу́льник.
laburnum [lə'bəːnəm] *n бот.* золото́й дождь (обыкнове́нный).
labyrinth ['læbərɪnθ] *n* лабири́нт; *перен.* тру́дное, безвы́ходное положе́ние.
labyrinthine [,læbə'rɪnθaɪn] *a* 1) подо́бный лабири́нту; 2) запу́танный.
lac I [læk] *n* кра́сная смола́; кра́ска *и* лак из кра́сной смолы́.
lac II [læk] *n англо-инд.* сто ты́сяч (*обыкн. рупий*).

lace [leɪs] 1. *n* 1) шнурóк, тесьмá; 2) крýжево; 3) галýн (*обыкн.* gold ~, silver ~); 4) сеть; 5) *разг.* коньяк *или* ликёр, подбáвленный к кóфе *и т. .п.*;
2. *v* 1) шнуровáть; to ~ up one's shoes шнуровáть ботинки; 2) стягиваться корсéтом (*тж.* ~ in); 3) украшáть, отдéлывать, окаймлять (*галуном, кружевом и т. п.*); 4) бить, хлестáть, стегáть, порóть; to ~ smb.'s jacket избить когó-л; 5) *разг.* подбавлять спиртные напитки; coffee ~d with brandy кóфе с коньякóм.

lace boots ['leɪsbuːts] *n pl* ботинки на шнуркáх.

Lacedaemonian [,læsɪdɪ'mounjən] 1. *a* спартáнский;
2. *n* спартáнец.

lace paper ['leɪs,peɪpə] *n* бумáга с кружевным узóром.

lace-pillow ['leɪs'pɪlou] *n* подýшка, на котóрой плетýт кружевá, кутýз.

lacerate ['læsəreɪt] *v* 1) разрывáть, раздирáть; 2) терзáть, мýчить; 3) калéчить.

lacerated ['læsəreɪtɪd] 1. *p. p. om* lacerate;
2. *a* 1) рвáный; ~ wound рвáная рáна; 2) *бот.* зазýбренный.

laceration [,læsə'reɪʃən] *n* 1) разрывáние; 2) терзáние; мýка; 3) разрыв; рвáная рáна.

laches ['lætʃɪz] *n юр.* 1) упущéние закóнного срóка; 2) нерадéние; небрéжность; престýпная халáтность.

lachrymal ['lækrɪməl] 1. *a* слёзный; ~ gland *анат.* слёзная железá;
2. *n* слезница (*др.-рим. сосуд; тж.* ~ vase).

lachrymatory ['lækrɪmətərɪ] 1. *a* слезоточивый (*о газе*);
2. *n* = lachrymal 2.

lachrymose ['lækrɪmous] *a* 1) плáчущий, пóлный слёз; 2) слезливый, плаксивый.

lacing ['leɪsɪŋ] 1. *pres. p. om* lace 2;
2. *n* 1) шнур; шнурóвка; 2) шнуровáние; 3) обшивáние; 4) добавлéние коньякá, ликёра в кóфе *и т. п.*

lack [læk] 1. *n* недостáток, нуждá; отсýтствие (*чего-л.*); ~ of balance неуравновéшенность; ~ of capacity отсýтствие спосóбностей; ~ of land безземéлье; for ~ of из-за отсýтствия, из-за недостáтка в; no ~ обилие;
2. *v* 1) испытывать недостáток, нуждáться; не имéть; 2) не хватáть, недоставáть; he is ~ing in common sense емý не хватáет здрáвого смысла.

lackadaisical [,lækə'deɪzɪkəl] *a* 1) тóмный, мечтáтельный; 2) жемáнный; сентиментáльный.

lack-all ['læk,ɔːl] *n* несчáстный, обездóленный человéк.

lack-brain ['lækbreɪn] *n разг.* дурáк.

lacker ['lækə] *n уст.* = lacquer.

lackey ['lækɪ] 1. *n* (ливрéйный) лакéй;
2. *v* 1) прислýживать; 2) раболéпствовать, лакéйствовать.

lacking ['lækɪŋ] 1. *pres. p. om* lack 2;
2. *a* недостающий.

lackland ['læk,lænd] *a* безземéльный.

lacklustre ['læk,lʌstə] *a* тýсклый, без блéска (*о глазах*).

laconic(al) [lə'kɒnɪk(əl)] *a* лакóничный, лаконический, немногослóвный.

lacquer ['lækə] 1. *n* 1) лак; политýра; глазýрь; 2) *собир.* лак, лакирóванные издéлия;
2. *v* покрывáть лáком, лакировáть; покрывáть глазýрью.

lacquey ['lækɪ] *уст.* = lackey.

lacrosse [lə'krɒs] *n* американская игрá в мяч на травянóм пóле (*типа хоккея*).

lactation [læk'teɪʃən] *n* 1) кормлéние грýдью; 2) выделéние молокá.

lacteal ['læktɪəl] *a* 1) млéчный, молóчный; 2) выделяющий млéчный сок.

lactescent [læk'tesənt] *a* 1) похóжий на молокó; 2) выделяющий млéчный сок.

lactic ['læktɪk] *a хим.* молóчный.

lactiferous [læk'tɪfərəs] *a* выделяющий молокó *или* млéчный сок.

lactometer [læk'tɒmɪtə] *n* лактóметр.

lactose ['læktous] *n* лактóза, молóчный сáхар.

lacuna [lə'kjuːnə] *n* (*pl* -ae, -as [-əs]) 1) пробéл, прóпуск; 2) пустотá; впáдина, углублéние.

lacunae [lə'kjuːniː] *pl om* lacuna.

lacunar [lə'kjuːnə] *a анат.* лакунáрный.

lacustrine [lə'kʌstraɪn] *a* озёрный; ~ age эпóха свáйных построек.

lacy ['leɪsɪ] *a* кружевнóй.

lad [læd] *n* мáльчик; юноша; пáрень; one of the ~s *разг.* свой пáрень.

ladder ['lædə] *n* 1) лéстница (*приставная, верёвочная*); *мор.* трап; 2) спустившаяся пéтля (*на чулке*); ◇ ~ of success срéдство достичь успéха; to get one's foot on the ~ положить начáло (*карьере и т. п.*); to kick away (*или* down) the ~ (by which one rose) отвернýться от тех, кто помóг достичь успéха; to mount the ~ *уст.* быть повéшенным.

laddie ['lædɪ] *n* мальчугáн, паренёк.

lade [leɪd] 1. *n* 1) груз; 2) ýстье; 3) протóк;
2. *v* (laded [-ɪd]; laded, laden) 1) грузить, нагружáть, погружáть; 2) вычéрпывать.

laden ['leɪdn] 1. *p. p. om* lade 2;
2. *a* 1) гружёный, нагружённый; a tree heavily ~ with fruit дéрево, сгибáющееся под тяжестью плодóв; a table ~ with food стол, ~ уставленный яствами; 2) обременённый, подáвленный (with—*чем-л.*); 3) *с.-х.* налитóй (*о зерне*).

ladies ['leɪdɪz]' *n* 1) *pl om* lady; 2) *разг.* жéнская убóрная.

ladies-in-waiting ['leɪdɪzɪn'weɪtɪŋ] *pl om* lady-in-waiting.

ladies' man ['leɪdɪzmæn] = lady's man.

lading ['leɪdɪŋ] 1. *pres. p. om* lade 2;
2. *n* 1) погрýзка; 2) груз, кáрго; 3) фрахт.

ladle ['leɪdl] 1. *n* ковш, черпáк; soup ~ разливáтельная лóжка, половник; found-гу ~ литéйный ковш;
2. *v* чéрпать; □ ~ out а) вычéрпывать; разливáть; б) раздавáть; to ~ out honours раздавáть нагрáды; в) *sl.* выражáться напыщенно, высокопáрно.

lady ['leɪdɪ] n 1) да́ма; госпожа́; a great ~ зна́тная, ва́жная да́ма; young ~ ба́рышня; a ~ of easy virtue же́нщина лёгкого поведе́ния; a ~ of pleasure распу́тница; fine ~ све́тская да́ма; *ирон.* же́нщина, ко́рчащая из себя́ аристокра́тку; 2) (L.) ле́ди (*титул зна́тной да́мы*); 3) да́ма се́рдца, возлю́бленная; 4) *разг.* жена́; неве́ста; мать; your good ~ ва́ша супру́га; my (his) young ~ *разг.* моя́ (его́) неве́ста; the old ~ a) мать, стару́шка; б) жена́; 5) хозя́йка; the ~ of the house хозя́йка до́ма; 6) *в сло́жных слова́х* придаёт значе́ние же́нского по́ла (*напр.,* ~-doctor же́нщина-врач; ~-cat ко́шка); ◇ Our L. *церк.* богоро́дица, богома́терь; the Old L. of Threadneedle Street Англи́йский банк; extra (*или* walking) ~ *теа́тр.* стати́стка.

lady-beetle ['leɪdɪ,biːtl] = ladybird.

ladybird ['leɪdɪbəːd] n (бо́жья) коро́вка.

lady-bug ['leɪdɪbʌg] *амер.* = ladybird.

lady-chair ['leɪdɪtʃɛə] n сиде́нье, обра́зуемое сплете́нием четырёх рук (*для перено́ски ра́неных*).

lady-cow ['leɪdɪkau] = ladybird.

Lady Day ['leɪdɪ'deɪ] n *церк.* благове́щение (*25 ма́рта*).

lady-fern ['leɪdɪfəːn] n *бот.* кочеды́жник же́нский.

lady help ['leɪdɪ'help] n эконо́мка благоро́дного происхожде́ния (*к кото́рой отно́сятся, как к чле́ну семьи́*).

ladyhood ['leɪdɪhud] n зва́ние, положе́ние ле́ди.

lady-in-waiting ['leɪdɪɪn'weɪtɪŋ] n (*pl* ladies-in-waiting) фре́йлина (короле́вы).

lady-killer ['leɪdɪ,kɪlə] n *шутл.* сердцее́д.

ladylike ['leɪdɪlaɪk] a 1) име́ющая вид, мане́ры ле́ди; воспи́танная; изы́сканная; 2) женоподо́бный (*о мужчи́не*).

lady-love ['leɪdɪlʌv] n возлю́бленная.

lady's bedstraw ['leɪdɪz'bedstrɔ] n *бот.* подмаре́нник настоя́щий.

lady's finger ['leɪdɪz'fɪŋgə] n 1) *бот.* я́звенник; 2) виногра́д «да́мские па́льчики».

ladyship ['leɪdɪʃɪp] n ти́тул, зва́ние ле́ди; your ~ ва́ша ми́лость.

lady's-maid ['leɪdɪzmeɪd] n го́рничная, камери́стка.

lady's man ['leɪdɪzmæn] n кавале́р, да́мский уго́дник.

lady-smock ['leɪdɪsmɔk] n *бот.* серде́чник лугово́й.

lady's purse ['leɪdɪz'pəːs] n *бот.* пасту́шья су́мка обыкнове́нная.

lady's slipper ['leɪdɪz'slɪpə] n *бот.* (вене́рин) башмачо́к.

laevogirate ['liːvou'dʒaɪəreɪt] a враща́ющий пло́скость поляриза́ции вле́во, левовраща́ющий.

lag I [læg] 1. n отстава́ние; запа́здывание; 2. v отстава́ть (*тж.* ~ behind); запа́здывать; ме́дленно тащи́ться, волочи́ться.

lag II [læg] *sl.* 1. n 1) ка́торжник; 2) срок ссы́лки; 2. v 1) ссыла́ть на ка́торгу; 2) заде́рживать, аресто́вывать.

lag III [læg] 1. n 1) боча́рная клёпка; 2) пла́нка; 3) полоса́ во́йлока (*для обши́вки котла́*); 2. v 1) обшива́ть деревя́нными пла́нками; 2) покрыва́ть терми́ческой изоля́цией.

lagan ['lægən] n *юр.* затону́вший груз (*противоп.* flotsam, jetsam).

lager (beer) ['lɑːgə('bɪə)] n лёгкое неме́цкое пи́во.

laggard ['lægəd] 1. n нерово́ротливый челове́к; у́валень; безде́льник; 2. a медли́тельный, вя́лый.

lagging I ['lægɪŋ] n *эл., радио* сдвиг фаз.

lagging II, III ['lægɪŋ] *pres.p.* от lag I, II и II, 2.

lagging IV ['lægɪŋ] 1. *pres.p.* от lag III, 2; 2. n 1) обши́вка; теплова́я изоля́ция; 2) *стр.* насти́лка.

lagoon [lə'guːn] n лагу́на.

laic(al) ['leɪɪk(əl)] 1. a све́тский, мирско́й; 2. n миря́нин.

laicize ['leɪɪsaɪz] v секуляризи́ровать.

laid [leɪd] *past* и *p. p.* от lay IV, 1.

laid paper ['leɪd'peɪpə] n бума́га верже́.

lain [leɪn] *p. p.* от lie II, 1.

lair [lɛə] 1. n 1) ло́говище, берло́га; at ~ в берло́ге; 2) заго́н для скота́ (*по доро́ге на ры́нок, на бо́йню*); 3) ло́же; 4) *шотл.* моги́ла; 2. v лежа́ть в берло́ге; уходи́ть в берло́гу.

laird [lɛəd] n *шотл.* поме́щик.

laissez-faire ['leɪseɪ'fɛə] *фр.* n 1) невмеша́тельство; непротивле́ние; попусти́тельство; 2) *attr.*: ~ policy поли́тика невмеша́тельства.

laity ['leɪtɪ] n *собир.* 1) миря́не, све́тские лю́ди; 2) непрофессиона́лы, профа́ны.

lake I [leɪk] n о́зеро; The Lakes = lake-country; The Great Lakes Вели́кие озёра (*Ве́рхнее, Гуро́н, Мичига́н, Э́ри и Онта́рио*).

lake II [leɪk] n краплá́к (*кра́ска*).

lake-country ['leɪk'kʌntrɪ] n страна́ озёр (*в сев. А́нглии*).

lake dwelling ['leɪk'dwelɪŋ] n доистори́ческая сва́йная постро́йка (*на озёрах*).

lake-land ['leɪk,lænd] = lake-country.

lake-lawyer ['leɪk,lɔːjə] n *амер.* нали́м.

lakelet ['leɪklɪt] n озерко́.

lake poets ['leɪk'pouɪts] n *pl* поэ́ты «озёрной шко́лы» (*Во́рдсворт, Ко́льридж, Со́ути*).

lakh [lɑːk] = lac II.

laky I ['leɪkɪ] a озёрный, изоби́лующий озёрами.

laky II ['leɪkɪ] a 1) бле́дно-мали́новый, цве́та краплá́ка; 2) *мед.* ла́ковый (*о кро́ви*).

Lallan ['lælən] n диале́кт ю́жной ча́сти Шотла́ндии.

lam I [læm] n *sl.*: on the ~ в поспе́шном бе́гстве; to take it on the ~ удира́ть, поспе́шно бежа́ть.

lam II [læm] v *sl.* бить, колоти́ть (*обы́кн. тро́стью*).

lama I ['lɑːmə] n ла́ма (*будди́йский мона́х*).

lama II ['lɑːmə] = llama.

lamasery ['lɑːməsərɪ] n ламайстский монастырь.

lamb [læm] 1. n 1) ягнёнок, барашек; овечка; *перен.* áгнец; like a ~ безропотно, покóрно; 2) мя́со молодóго барáшка; 3) *разг.* простáк; 4) *разг.* неóпытный игрóк на би́рже;
2. v ягни́ться.

lambaste [læm'beɪst] v *диал.* бить, колоти́ть.

lambency ['læmbənsɪ] n 1) сверкáние, блеск; 2) скольжéние.

lambent ['læmbənt] a 1) игрáющий, колыхáющийся (*о свете, плáмени*); светя́щийся, сия́ющий; 2) блестя́щий, сверкáющий, лучи́стый, искромётный; ~ eyes лучи́стые глазá; ~ wit блестя́щий ум; 3) скользя́щий.

Lambeth ['læmbəθ] n Лóндонская резидéнция архиепи́скопа Кентербери́йского (*тж.* ~ Palace).

lambkin ['læmkɪn] n ягнёночек.

lamblike ['læmlaɪk] a крóткий, безотвéтный.

lambrequin ['læmbəkɪn] n ламбрекéн.

lambskin ['læmskɪn] n мерлýшка.

lame I [leɪm] 1. a 1) хромóй; увéчный; парализóванный, *осóб.* плóхо владéющий ногóй или ногáми; to be ~ of (*или* in) one leg хромáть на однý нóгу; 2) неубеди́тельный, неудовлетвори́тельный; ~ excuse неудáчная, слáбая отговóрка; 3) непрáвильный, «хромáющий» (*о стихе, размéре*); ◇ ~ under the hat глýпый, несообрази́тельный; ~ duck а) неудáчник; б) *бирж.* банкрóт; разори́вшийся мáклер; в) *амер. уст.* непереизбранный член (*конгрéсса и т. п.*); г) *ав. sl.* поврежпённый самолёт; д) повéса, шалопáй;
2. v увéчить, калéчить.

lame II [leɪm] n тóнкая металли́ческая пласти́нка.

lamé [lɑː'meɪ] *фр.* n ткань для вечéрних туалéтов.

lamella [lə'melə] n (*pl* -lae) 1) пласти́нка; тóнкий слой (*кóсти, ткáни*); 2) *тех.* лáмель, пласти́нка.

lamellae [lə'meliː] *pl от* lamella.

lameness ['leɪmnɪs] n хромотá.

lament [lə'ment] 1. n 1) гóрестное стенáние; жáлобы; 2) элéгия; жáлобная, похорóнная песнь;
2. v 1) стенáть, плáкать; сокрушáться; горевáть; 2) оплáкивать (for, over); the late ~ed покóйник, умéрший; покóйный муж; 3) гóрько жáловаться; сéтовать.

lamentable ['læməntəbl] a 1) прискóрбный, плачéвный; 2) грýстный, печáльный; 3) *презр.* жáлкий, ничтóжный.

lamentation [ˌlæmen'teɪʃən] n гóрестная жáлоба, плач; ◇ Lamentations *библ.* плач Иереми́и.

lamia ['leɪmɪə] n 1) *миф.* чудóвище в óбразе жéнщины, пожирáющее людéй; 2) колдýнья, вéдьма.

lamina ['læmɪnə] n (*pl* -nae) 1) тóнкая пласти́нка, тóнкий слой; лист; 2) *геол.* плóскость отслоéния.

laminae ['læmɪniː] *pl от* lamina.

laminar ['læmɪnə] a пласти́нчатый.

laminate ['læmɪneɪt] v 1) расщепля́ть(ся) на тóнкие слои; 2) расплющивать, прокáтывать (*металл*) в листы́; 3) покрывáть тóнкими металли́ческими пласти́нками; 4) вырабáтывать пластмáссу из бумáги, древéсных опи́лок, тряпья́ *и т. п.*

laminated ['læmɪneɪtɪd] 1. *p.p. от* laminate;
2. a 1) листовóй; 2) пласти́нчатый; слои́стый.

lamination [ˌlæmɪ'neɪʃən] n 1) расслоéние; 2) расплющивание; раскáтывание; 3) *геол.* слои́стость; наслоéние; тóнкое напластовáние.

Lammas ['læməs] n *уст.* прáздник урожáя (*1 áвгуста*).

lamp [læmp] 1. n 1) лáмпа; фонáрь; red ~ а) крáсный фонáрь; б) сигнáл опáсности (*на желéзной дорóге*); в) фонáрь у кварти́ры врачá *или* аптéки; 2) свети́льник; свéточ; to hand (*или* to pass) on the ~ не давáть угáснуть; содéйствовать успéхам (*знáния и т. п.*); 3) *поэт.* свети́ло; ◇ to rub the ~ легкó осуществи́ть своё желáние; to smell of the ~ быть вы́мученным (*о слóге, стихáх и т. п.*);
2. v 1) освещáть; 2) *поэт.* свети́ть; 3) *амер. sl.* смотрéть.

lampas ['læmpəz] n насóс (*воспали́тельная óпухоль на нёбе лóшади*).

lampblack ['læmpblæk] n 1) лáмповая кóпоть, сáжа; 2) чёрная крáска из лáмповой сáжи.

lamp-burner ['læmp,bɜːnə] n лáмповая горéлка.

lamp-chimney ['læmp,tʃɪmnɪ] n лáмповое стеклó.

lamp-holder ['læmp,houldə] n патрóн, опрáва (лáмпы), лампдержáтель.

lampion ['læmpɪən] n лампиóн, цветнóй (*стекля́нный или бумáжный*) фонáрь.

lamplight ['læmplaɪt] n свет лáмпы, искýсственное освещéние; by ~ при искýсственном освещéнии.

lamplighter ['læmp,laɪtə] n фонáрщик; ◇ like a ~ óчень бы́стро; to run like a ~ ⇌ бежáть как угорéлый; бежáть сломя́ гóлову, бежáть без огля́дки.

lampoon [læm'puːn] 1. n злáя сати́ра, памфлéт; пáсквиль;
2. v писáть памфлéты, пáсквили.

lampooner [læm'puːnə] n памфлети́ст; пасквиля́нт.

lampoonist [læm'puːnɪst] = lampooner.

lamppost ['læmppoust] n фонáрный столб; ◇ between you and me and the ~ мéжду нáми; по секрéту.

lamprey ['læmprɪ] n минóга.

lamp-shade ['læmpʃeɪd] n абажýр.

lamp-socket ['læmp,sɔkɪt] = lamp-holder.

Lancastrian [læŋ'kæstrɪən] 1. a 1) *ист.* ланкáстерский; 2) ланкаши́рский;
2. n 1) *ист.* сторóнник ланкáстерской динáстии; 2) урожéнец Ланкаши́ра.

lance [lɑːns] 1. n 1) пи́ка; копьё; 2) острогá; 3) ланцéт; 4) (*осóб. pl*) улáн;

2. *v* 1) пронзать пикой, копьём; 2) *поэт.* бросаться (*в атаку*); 3) вскрывать ланцетом.

lance-corporal ['lɑːns'kɔːpərəl] *n воен.* солдат, исполняющий обязанности капрала, ефрейтора.

lance-knight ['lɑːnsnait] *n ист.* 1) копейщик; 2) ландскнехт.

lanceolate ['lɑːnsiəleit] *a бот.* копьевидный, ланцетовидный, ланцетный.

lancer ['lɑːnsə] *n* 1) *воен.* улан; 2) *pl* лансье (*старинный танец*).

lance-sergeant ['lɑːns'sɑːdʒənt] *n* младший сержант.

lancet ['lɑːnsit] *n* 1) ланцет; 2) *стр.* стрелка свода; 3) стрельчатое окно (*тж.* ~ window).

lancet arch ['lɑːnsit'ɑːtʃ] *n* стрельчатая арка.

lancinating ['lɑːnsineitiŋ] *a* острый, стреляющий (*о боли*).

land [lænd] **1.** *n* 1) земля, суша; dry ~ суша; on ~ на суше; travel by ~ путешествовать по суше; to make the ~ *мор.* приближаться к берегу; 2) страна; государство; native ~ родина, отчизна; 3) почва; fat ~ плодородная почва; poor ~ скудная почва; to go (*или* to work) on the ~ стать фермером; 4) земельная собственность; *pl* поместья; 5) *тех.* фаска, верхняя грань зуба; 6) *арт.* поле нареза; 7) *attr.* сухопутный; наземный; ~ plants наземные растения, эмбриофиты; ~ ice маниковый лёд; 8) *attr.* земельный; ~ rent земельная рента; ~ tenure землевладение; ◇ let us see how the ~ lies посмотрим, как обстоят дела; to see ~ а) увидеть, к чему клонится дело; б) быть близко к поставленной цели; the ~ of Nod *шутл.* царство сна; сонное царство; ~ of promise *библ.* земля обетованная; ~ of cakes, ~ of the thistle Шотландия; the ~ of the Rose Англия (*роза—национальная эмблема Англии*); the ~ of the golden fleece Австралия;

2. *v* 1) высаживать(ся) (на берег); приставать к берегу, причаливать; 2) поймать; вытащить на берег (*рыбу*); to ~ a criminal поймать преступника; 3) *ав.* приземляться, делать посадку; 4) прибывать (*куда-л.*); достигать (*какого-л. места*); 5) приводить (*к чему-л.*); ставить в то или иное положение; to ~ smb. in difficulty (*или* trouble) поставить в затруднительное положение; to be nicely ~ed быть в затруднительном положении; 6) попасть, угодить; to ~ a blow on the ear, on the nose, *etc.* ударить по уху, по носу *и т. п.*; 7) добиться (*чего-л.*); выиграть; to ~ a prize получить приз.

land-agent ['lænd,eidʒənt] *n* 1) управляющий имением; 2) комиссионер по продаже земельных участков и недвижимости.

landau ['lændɔː] *n* 1) ландо; 2) автомобиль с открывающимся верхом.

land-bank ['lændbæŋk] *n* земельный банк.

land-breeze ['lændbriːz] *n* береговой бриз.

landed ['lændid] **1.** *p. p. от* land 2; **2.** *a* земельный; ~ proprietor землевладелец; the ~ interest землевладельцы; ~ classes помещики, землевладельцы.

landfall ['lændfɔːl] *n* 1) *мор.* подход к берегу; 2) оползень, обвал.

land-force(s) ['lændfɔːs(iz)] *n* (*pl*) *воен.* сухопутные силы.

land-grabber ['lænd,græbə] *n* человек, незаконно *или* обманом захватывающий чью-л. землю; *ирл.* берущий участок выселенного арендатора.

land grant ['lænd,grɑːnt] *n* отвод земельного участка для постройки железной дороги *или* для нужд, сельскохозяйственного колледжа.

landgrave ['lændgreiv] *нем. n ист.* ландграф.

landholder ['lænd,houldə] *n* владелец *или* арендатор земельного участка.

landing ['lændiŋ] **1.** *pres. p. от* land 2; **2.** *n* 1) высадка; место высадки; 2) *воен.* десант; 3) *ав.* посадка, приземление; место посадки; emergency (*или* forced) ~ вынужденная посадка; 4) лестничная площадка; 5) *attr.* десантный; ~ party десантный отряд; ~ operation высадка десанта.

landing craft ['lændiŋ,krɑːft] *n собир.* десантные суда, десантные плавучие средства.

landing field ['lændiŋ,fiːld] *n* посадочная площадка; аэродром.

landing gear ['lændiŋ,giə] *n* 1) *ав.* шасси; 2) *sl.* ноги.

landing ground ['lændiŋ,graund] = landing-place 2).

landing mark ['lændiŋ,mɑːk] *n ав.* посадочный знак.

landing-net ['lændiŋ,net] *n* 1) рыболовный сачок; 2) посадочная сеть (*на палубе авианосца*).

landing-place ['lændiŋ,pleis] *n* 1) место высадки, пристань; 2) *ав.* посадочная площадка.

landing-stage ['lændiŋ,steidʒ] *n* пристань.

landing troops ['lændiŋ,truːps] *n pl* десантные войска.

land-jobber ['lænd,dʒɔbə] *n* спекулянт земельными участками.

landlady ['læn,leidi] *n* 1) владелица дома *или* квартиры, сдаваемых внаём; 2) хозяйка гостиницы, меблированных комнат, пансиона; 3) *редк.* помещица; ◇ to hang the ~ *амер. sl.* съехать тайком с квартиры, не заплатив.

landless ['lændlis] *a* 1) безземельный; 2) безбрежный (*о море*).

land-locked ['lændlɔkt] *a* 1) (почти) со всех сторон окружённый сушей; закрытый (*о заливе, гавани*); 2) пресноводный (*о рыбе*).

landloper ['lænd,loupə] = landlouper.

landlord ['lænlɔːd] *n* 1) помещик, землевладелец, лендлорд; 2) владелец дома *или* квартиры, сдаваемых внаём; 3) хозяин гостиницы, пансиона.

landlordism ['lænlɔːdizəm] *n* 1) идеология крупных землевладельцев; 2) система (крупного) частного землевладения.

landlouper ['lænd,loupə] *n* бродяга.

landlubber ['lænd,lʌbə] *n мор.* сухопутный житель; новичок в морском деле, «сухопутный моряк».

landmark ['lændmɑːk] *n* 1) межевой знак, веха; 2) береговой знак; 3) бросающийся в глаза объект местности, ориентир; 4) поворотный пункт, веха (*в истории*).

landmine ['lændmaɪn] *n воен.* фугас.

landocracy [læn'dɔkrəsɪ] *n ирон.* земельная аристократия, аграрии, землевладельческий класс.

land office ['lænd,ɔfɪs] *n* государственная контора, регистрирующая земельные сделки.

land-on ['lænd'ɔn] *v ав.* делать посадку, приземляться.

landowner ['lænd,ounə] *n* землевладелец.

landowning ['lænd,ounɪŋ] 1. *n* землевладение;
2. *a* землевладельческий.

land power ['lænd,pauə] *n* 1) военная мощь; 2) мощная военная держава.

landrail ['lændreɪl] *n* коростель.

land-rover ['lænd,rouvə] *n* легковой автомобиль «вездеход».

landscape ['lænskeɪp] *n* 1) ландшафт, пейзаж; 2) *attr.:* ~ architecture планировка садов, парков *и т. п.;* ~ sketch *топ.* перспективный чертёж.

landscape-gardener ['lænskeɪp,gɑːdnə] *n* садовник-художник.

landscape-gardening ['lænskeɪp,gɑːdnɪŋ] *n* планировка садов и парков.

landscape-painter ['lænskeɪp,peɪntə] *n* пейзажист.

landslide ['lændslaɪd] *n* 1) оползень, обвал; 2) резкое изменение в распределении голосов между партиями.

landslip ['lændslɪp] = landslide 1).

landsman ['lændzmən] *n* 1) сухопутный житель, не моряк; 2) неопытный моряк.

land-surveyor ['lændsɜː'veɪə] *n* землемер.

landtag ['lɑːnttɑːk] *нем. n* ландтаг.

land-tax ['lændtæks] *n* земельный налог.

land waiter ['lænd,weɪtə] *n* таможенный чиновник, наблюдающий за выгрузкой товаров с корабля.

landward(s) ['lændwəd(z)] *adv* к берегу.

land-wind ['lændwɪnd] = land-breeze.

lane [leɪn] *n* 1) узкая дорога, тропинка, *особ.* между (живыми) изгородями; 2) узкая улица, переулок; ~s and alleys закоулки; 3) проход (*между рядами*); 4) разводье между сплошными льдинами; 5) морской путь; 6) трасса полёта; 7) *разг.* горло (*тж.* red ~, narrow ~); ◇ it is a long ~ that has no turning *посл.* ≅ и несчастьям бывает конец.

lang syne ['læŋ'saɪn] *шотл.* 1. *n* старина, былые дни;
2. *adv* давным-давно, в старину, встарь.

language ['læŋgwɪdʒ] *n* 1) язык (*речь*); finger ~ язык жестов, язык глухонемых; spoken ~ разговорная речь; 2) *разг.* брань (*тж.* bad ~); I won't have any ~ here прошу не выражаться; strong ~ сильные выражения, ругательства; 3) стиль, язык; the ~ of Shakespeare язык Шекспира.

languid ['læŋgwɪd] *a* 1) слабый, вялый, апатичный; томный; ~ stream медленно текущий ручей; ~ attempt слабая попытка; 2) скучный.

languish ['læŋgwɪʃ] 1. *n* томный вид, томность;
2. *v* 1) слабеть, чахнуть; вянуть; 2) томиться; изнывать; тосковать (for); 3) принимать печальный, томный вид; 4) уменьшаться, ослабевать.

languishing ['læŋgwɪʃɪŋ] 1. *pres.p. om* languish 2;
2. *a* 1) слабый, вялый; 2) печальный, томный; a ~ look томный взгляд.

languor ['læŋgə] *n* 1) слабость, вялость; апатичность; усталость; 2) томление; томность; 3) отсутствие жизни, движения; застой.

languorous ['læŋgərəs] *a* 1) вялый; апатичный; усталый; 2) томный; 3) томительный (*об атмосфере*).

laniard ['lænjəd] = lanyard.

lanital ['lænɪtæl] *n* искусственная шерсть.

lank [læŋk] *a* 1) высокий и тонкий; худощавый; 2) гладкий, невьющийся (*о волосах*).

lanky ['læŋkɪ] *a* долговязый.

lanolin ['lænəliːn] *n* ланолин.

lansquenet ['lænskənet] *n ист.* ландскнехт (*тж. как название карточной игры*).

lantern I ['læntən] *n* 1) фонарь; dark ~ потайной фонарь; 2) светоч, светило; 3) световая камера маяка; 4) *архит.* фонарь верхнего света (*тж.* ~ light); ◇ ~ lecture лекция с диапозитивами; ~ jaws впалые щёки, худое лицо; parish ~ *шутл.* луна.

lantern II ['læntən] *n тех.* цевочное колесо *или* шестерня.

lanthanum ['lænθənəm] *n хим.* лантан.

lanyard ['lænjəd] *n* 1) *мор.* тальреп; стропка; 2) шнур; 3) ремень бинокля.

Laodicean [,leɪoudɪ'sɪən] *a* безразличный, индифферентный (*в вопросах религии или политики*).

lap I [læp] *n* 1) пола, фалда; подол; 2) колени; the boy sat on his mother's ~ мальчик сидел у матери на коленях; 3) пах; 4) лоно; in nature's ~ на лоне природы; in the ~ of luxury в роскоши; 5) мочка (*уха*); 6) ущелье; ◇ in the ~ of the gods одному богу известно; ~ supper ужин из сэндвичей и салатов, сервируемый не за общим столом.

lap II [læp] 1. *n* 1) накладка, перекрытие; 2) круг, оборот каната, нити (*на катушке и т. п.*); 3) текст. рулон холста, ткани; 4) часть, партия игры; круг, этап (*в состязании*); 5) *тех.* притир;
2. *v* 1) завёртывать, складывать, свёртывать; окутывать; охватывать, окружать; the house is ~ped in woods дом окружён лесом; to be ~ped in luxury жить в роскоши; 2) перекрывать, выходить за пределы (*чего-л.; тж.* ~ over); 3) *тех.* перекрывать внапуск, внахлёстку.

lap III [læp] 1. *n* 1) жидкая пища (*для собак*); 2) *sl.* жидкий, слабый напиток; «помои»; 3) плеск волн;
2. *v* 1) лакать; 2) жадно пить, глотать, поглощать (*обыкн.* ~ up, ~ down); 3) упиваться; 4) плескаться о берег (*о волнах*).

lap IV [læp] **1.** *n* полирова́льный *или* шлифова́льный круг;

2. *v* полирова́ть, шлифова́ть; притира́ть, доводи́ть.

lap-board ['læpbɔːd] *n* доска́ (на коле́нях), заменя́ющая стол (*портного и т. п.*).

lap-dog ['læpdɒg] *n* ко́мнатная соба́чка, боло́нка.

lapel [lə'pel] *n* отворо́т, ла́цкан (*пиджака́ и т. п.*).

lapidary ['læpɪdərɪ] **1.** *a* 1) грани́льный; 2) вы́гравированный на ка́мне; 3) кра́ткий, лапида́рный;

2. *n* грани́льщик; гравёр по ка́мню.

lapidate ['læpɪdeɪt] *v* поби́ть камня́ми.

lapidify [læ'pɪdɪfaɪ] *v* 1) превраща́ть в ка́мень; 2) окаменева́ть.

lapis lazuli [,læpɪs'læzjulaɪ] *n* ля́пис--лазу́рь.

lap-joint ['læpdʒɔɪnt] *n тех.* соедине́ние внакро́й, внахлёстку.

Laplander ['læplændə] *n* лопа́рь.

Lapp [læp] = Laplander.

lapper-milk ['læpə,mɪlk] *n* сверну́вшееся молоко́; простоква́ша.

lappet ['læpɪt] *n* скла́дка; ла́цкан.

Lappish ['læpɪʃ] **1.** *a* лопа́рский;

2. *n* лопа́рский язы́к.

lapse [læps] **1.** *n* 1) оши́бка; опи́ска (*тж.* ~ of the pen); ля́псус; ~ of memory прова́л па́мяти; 2) паде́ние, прегреше́ние; ~ from virtue грехопаде́ние; 3) тече́ние, ход (*времени*); 4) промежу́ток вре́мени; with the ~ of time со вре́менем; 5) *юр.* прекраще́ние, недействи́тельность пра́ва на владе́ние *и т. п.*; ~ of time истече́ние да́вности; 6) *метеор.* паде́ние температу́ры, пониже́ние давле́ния;

2. *v* 1) пасть (*морально*); 2) впада́ть (*в отчая́ние и т. п.*); to ~ into illness заболе́ть; 3) соверши́ть сно́ва како́й-л. просту́пок, приня́ться за ста́рое; 4) теря́ть си́лу, истека́ть (*о пра́ве*); переходи́ть в други́е ру́ки; to ~ to the Crown перейти́ в казну́ (*в А́нглии*); 5) проходи́ть, па́дать (*об интере́се и т. п.*).

lapsed [læpst] **1.** *p. p. от* lapse 2;

2. *a* бы́вший.

lapsus ['læpsəs] *лат. n* оши́бка; ~ calami опи́ска; ~ linguae огово́рка; ~ memoriae прова́л па́мяти.

lapwing ['læpwɪŋ] *n* чи́бис, пига́лица.

larboard ['lɑːbəd] *n мор. уст.* ле́вый борт су́дна.

larcenous ['lɑːsɪnəs] *a* воровско́й, вино́вный в воровстве́.

larceny ['lɑːsnɪ] *n* воровство́.

larch [lɑːtʃ] *n бот.* ли́ственница.

lard [lɑːd] **1.** *n* свино́е са́ло; лярд;

2. *v* 1) шпигова́ть; сма́зывать са́лом; 2) уснаща́ть, пересыпа́ть (*речь — метафо́рами, иностр. слова́ми и т. п.*).

larder ['lɑːdə] *n* кладова́я.

lardy ['lɑːdɪ] *a* жи́рный, са́льный.

lares ['lɛərɪːz] *лат. n pl миф., поэт.* ла́ры; Lares and Penates ла́ры и пена́ты; *перен.* ую́т, дома́шний оча́г.

large [lɑːdʒ] **1.** *a* 1) большо́й; кру́пный; ~ businessman кру́пный деле́ц; ~ and small farmers кру́пные и ме́лкие фе́рмеры; 2) многочи́сленный (*о населе́нии и т. п.*); значи́тельный; оби́льный; ~ majority значи́тельное большинство́; ~ meal оби́льная еда́; 3) широ́кий (*о взгля́дах, толкова́нии, понима́нии*); 4) *уст.* ще́дрый; великоду́шный; ~ heart великоду́шие; 5) *мор.* попу́тный, благоприя́тный (*о ве́тре*); ◊ ~ order *разг.* тру́дная зада́ча, тру́дное де́ло; чрезме́рное тре́бование; ~ fruits сёмечковые и ко́сточковые плоды́; as ~ as life а) в натура́льную величину́; б) во всей красе́; в) *шутл.* со́бственной персо́ной;

2. *adv* 1) широ́ко; простра́нно; 2) кру́пно (*писа́ть, печа́тать*); 3) хвастли́во; напы́щенно;

3. *n* 1): at ~ а) на свобо́де; на просто́ре; he will soon be ~ он ско́ро бу́дет на свобо́де; б) простра́нно, подро́бно, дета́льно; to go into the question at ~ входи́ть в подро́бное рассмотре́ние вопро́са; to talk at ~ говори́ть простра́нно; в) во всём объёме, целико́м; popular with the people at ~ популя́рный среди́ широ́ких слоёв; г) без определённой це́ли; свобо́дный; д) име́ющий широ́кие полномо́чия; ambassador at ~ *см.* ambassador; representative at ~ *амер.* член конгре́сса, представля́ющий не отде́льный о́круг, а ряд округо́в *или* весь штат; в о́бщем смы́сле, неконкре́тно; promises made at ~ неопределённые, нея́сные обеща́ния; 2): in ~ в большо́м масшта́бе.

large-handed ['lɑːdʒ'hændɪd] *a* 1) ще́дрый; оби́льный; 2) с больши́ми рука́ми; *перен.* жа́дный.

large-hearted ['lɑːdʒ'hɑːtɪd] *a* 1) великоду́шный; 2) терпи́мый, благожела́тельный.

largely ['lɑːdʒlɪ] *adv* 1) в значи́тельной сте́пени; he is ~ to blame э́то в значи́тельной сте́пени его́ вина́; 2) оби́льно, ще́дро; 3) в широ́ком масшта́бе; на широ́кую но́гу.

large-minded ['lɑːdʒ'maɪndɪd] *a* с широ́кими взгля́дами; терпи́мый.

largeness ['lɑːdʒnɪs] *n* 1) большо́й разме́р; 2) широта́ взгля́дов; 3) великоду́шие.

large scale ['lɑːdʒ'skeɪl] *n* кру́пный масшта́б; on a ~ в кру́пном масшта́бе.

largess(e) ['lɑːdʒes] *n* 1) ще́дрый дар; 2) ще́дрость.

larghetto [lɑː'getou] *муз.* **1.** *a* ме́дленный;

2. *adv* в ме́дленном те́мпе.

largo ['lɑːgou] *муз.* **1.** *a* о́чень ме́дленный;

2. *adv* в о́чень ме́дленном те́мпе.

lariat ['lærɪət] **1.** *n* 1) верёвка (*для привя́зывания ло́шади*); 2) арка́н, лассо́;

2. *v* лови́ть арка́ном.

lark I [lɑːk] **1.** *n* жа́воронок; ◊ to rise with the ~ встава́ть чуть свет;

2. *v* лови́ть жа́воронков.

lark II [lɑːk] **1.** *n* шу́тка, прока́за; заба́ва, весе́лье; to have a ~ позаба́виться; for a ~ шу́тки ра́ди; what a ~! (как) заба́вно!

2. *v* 1) шути́ть, забавля́ться; 2) брать препя́тствия (*на ло́шади*); to ~ the hedge перескочи́ть че́рез и́згородь; □ ~ about шу́мно резви́ться.

larkspur ['lɑːkspə:] *n* бот. живокость, шпорник.

larky ['lɑːkɪ] *a* любящий пошутить, позабавиться; проказливый.

larmier ['lɑːmɪə] *n* архит. слезник.

larrikin ['lærɪkɪn] 1. *n* (молодой) хулиган;

2. *a* грубый, шумный, буйный.

larrup ['lærəp] *разг.* 1. *n* удар;

2. *v* бить, колотить.

larva ['lɑːvə] *n* (*pl* -vae) 1) личинка; 2) головастик.

larvae ['lɑːviː] *pl от* larva.

larval ['lɑːvəl] *a* личиночный; in the ~ stage в стадии личинки.

laryngitis [ˌlærɪn'dʒaɪtɪs] *n* мед. ларингит.

laryngology [ˌlærɪŋ'gɔlədʒɪ] *n* ларингология.

laryngoscope [lə'rɪŋgəskoup] *n* ларингоскоп.

larynx ['lærɪŋks] *n* гортань, глотка.

Lascar ['læskə] *a* матрос-индиец.

lascivious [lə'sɪvɪəs] *a* сладострастный, похотливый; вызывающий похоть.

lash [læʃ] 1. *n* 1) плеть; бич; ремень (*кнута*); 2) удар хлыстом, бичом, плетью; the ~ порка; 3) резкий упрёк; критика; to be under the ~ подвергнуться резкой критике; 4) (*сокр. от* eyelash) ресница; 5) *мор.* найтов;

2. *v* 1) хлестать, стегать, ударять; *перен.* бичевать; высмеивать; 2) возбуждать, доводить (to, into—до *бешенства и т. п.*); 3) нестись, мчаться, ринуться; 4) связывать (*обыкн.* ~ together); привязывать (to, down, on); 5) *мор.* принайтовить; ошвартовать; □ ~ out a) внезапно лягнуть; б) разразиться бранью.

lasher ['læʃə] *n* запруда, водослив, плотина.

lashing ['læʃɪŋ] 1. *pres.p. от* lash 2;

2. *n* 1) порка; 2) верёвка, верёвки (*связывающие что-л.*); 3) *мор.* найтовы, бензеля; 4) *pl sl.* масса, обилие (of—чего-л.).

lass [læs] *n* 1) девушка; девочка; 2) служанка; 2) возлюбленная.

lassie ['læsɪ] *n ласк.* *преим.* *шотл.* 1) девушка; девочка; 2) милочка.

lassitude ['læsɪtjuːd] *n* усталость, утомление.

lasso ['læsou] 1. *n* (*pl* -os [-ouz]) лассо, аркан;

2. *v* ловить арканом, лассо.

last I [lɑːst] 1. *a* 1) *превосх. ст. от* late 1; 2) последний; ~ but not least а) хотя и последний, но не менее важный; б) не самый худший; ~ but one предпоследний; 3) окончательный; 4) прошлый; ~ year прошлый год; в прошлом году; 5) крайний, чрезвычайный; of the ~ importance чрезвычайной важности; 6) самый современный; the ~ word in science последнее слово в науке; the ~ thing in hats самая модная шляпа; 7) самый неподходящий, нежелательный; he is the ~ person I want to see его я меньше всего хотел бы видеть; ◇ on one's ~ (legs) *разг.* при последнем издыхании; на грани разорения, истощения *и т. п.*;

2. *adv* 1) *превосх. ст. от* late 2; 2) после всех; he came ~ он пришёл последним; 3) в последний раз; when did you see him ~? когда вы его видели в последний раз?; 4) на последнем месте, в конце (*при перечислении*);

3. *n* 1) что-л. последнее по времени; as I said in my ~ как я сообщал в последнем письме; when my ~ was born когда родился мой младший (сын); to breathe one's ~ испустить последний вздох, умереть; ~ конец; the ~ of *амер.* конец (*года, месяца и т. п.*); at ~ наконец; at long ~ в конце концов; to the ~ до конца; to hold on to the ~ держаться до конца; I shall never hear the ~ of it это никогда не кончится; to see the ~ of smb. smth. видеть кого-л., что-л. в последний раз.

last II [lɑːst] 1. *v* 1) продолжаться, длиться; 2) сохраняться; выдерживать (*о здоровье, силе*); носиться (*о ткани, обуви и т. п.*); he will not ~ till morning он не доживёт до утра; 3) хватать, быть достаточным (*тж.* ~ out); it will ~ (out) the winter этого хватит на зиму; this money will ~ me three weeks мне хватит этих денег на три недели;

2. *n* выдержка; выносливость.

last III [lɑːst] 1. *n* колодка (*сапожная*); ◇ to measure smb.'s foot by one's own ≅ мерить кого-л. на свой аршин; to stick to one's ~ заниматься своим делом, не вмешиваться в чужие дела;

2. *v* натягивать на колодку.

last IV [lɑːst] *n* ласт (*мера, различная для разного груза: 10 квартеров зерна, 12 мешков шерсти, 12 дюжин кож, 24 бочонка пороха и т. п.; как весовая единица—ок. 4000 англ. фунтов*).

lasting I ['lɑːstɪŋ] 1. *pres. p. от* last II, 1;

2. *a* длительный, постоянный, прочный; ~ peace прочный мир; ~ food консервированный продукт.

lasting II ['lɑːstɪŋ] *pres. p. от* last III, 2.

lastly ['lɑːstlɪ] *adv* наконец (*при перечислении*); в заключение.

last-named ['lɑːst,neɪmd] *a* 1) вышеупомянутый; 2) последний из упомянутых.

latch [lætʃ] 1. *n* 1) щеколда, запор; защёлка; задвижка; шпингалет; 2) американский замок;

2. *v* 1) запирать; 2) *амер.* поймать.

latchet ['lætʃɪt] *n уст.* ремень, шнурок для башмака, тесёмка *и т. п.*

latch-key ['lætʃkiː] *n* 1) ключ от американского замка; 2) отмычка.

late [leɪt] 1. *a* (later, latter; latest, last) 1) поздний; запоздалый; I was ~ (for breakfast) я опоздал (к завтраку); 2) прежний, недавний, последний; of ~ years за последние годы; my ~ illness моя недавняя болезнь; 3) умерший, покойный; бывший; the ~ president покойный *или* бывший президент; ◇ to keep ~ hours поздно ложиться и поздно вставать;

2. *adv* (later; latest, last) 1) поздно; to sit ~ засидеться; ложиться поздно; ~ in the day слишком поздно; I arrived ~ for the train я опоздал на поезд; better ~ than

never лу́чше по́здно, чем никогда́; soon or ~, early or ~ ра́но и́ли по́здно; 2) неда́вно, за после́днее вре́мя (тж. of ~).

lateen [lə'tiːn] a треуго́льный, лати́нский (о парусе).

lately ['leɪtlɪ] adv неда́вно; за после́днее вре́мя.

latency ['leɪtənsɪ] n скры́тое состоя́ние.

lateness ['leɪtnɪs] n опозда́ние, запозда́лость.

latent ['leɪtənt] a скры́тый, лате́нтный, в скры́том состоя́нии; ~ heat скры́тая теплота́; ~ partner скры́тый партнёр фи́рмы, акционе́рного об-ва и т. п. (имя которого нигде не фигури́рует); ~ period a) мед. инкубацио́нный пери́од; б) физиол. вре́мя от моме́нта раздраже́ния до реа́кции.

later ['leɪtə] (сравнит. ст. от late) 1. a бо́лее по́здний; 2. adv по́зже ~] оn по́сле, поздне́е; ка́к-нибудь пото́м.

lateral ['lætərəl] 1. a 1) боково́й; горизонта́льный; 2) побо́чный, втори́чный; 3) фон. боково́й (о звуке 1); 2. n фон. латера́льный сона́нт.

latest ['leɪtɪst] a (превосх. ст. от late 1) са́мый по́здний; (са́мый) после́дний; the ~ fashion са́мая после́дняя мо́да; the ~ news после́дние изве́стия; at (the) ~ са́мое поздне́е.

latex ['leɪteks] n ла́текс, мле́чный сок (каучуконо́сов).

lath [lɑːθ] стр. 1. n 1) пла́нка; дра́нка; се́тка; as thin as a ~ худо́й как ще́пка; 2) attr.: ~ fence тын, плете́нь; 2. v шпале́рить; прибива́ть пла́нки.

lathe [leɪð] 1. n 1) тока́рный стано́к; 2) attr.: ~ tool резе́ц тока́рного станка́; 2. v обраба́тывать на тока́рном станке́.

lathee ['lɑːtiː] n англо-инд. око́ванная желе́зом па́лка, дуби́нка.

lather ['lɑːðə] 1. n 1) мы́льная пе́на; 2) пе́на, мы́ло (на ло́шади); ◇ a good ~ is half a shave посл. ≈ хоро́шее нача́ло полде́ла откача́ло; 2. v 1) намы́ливать(ся); мы́литься; 2) взмы́ливаться (о ло́шади); 3) разг. поби́ть; отколоти́ть; вы́пороть.

lathery ['lɑːðərɪ] a 1) намы́ленный; 2) взмы́ленный; 3) пусто́й, вы́мышленный, нереа́льный.

lathi ['lɑːtiː] = lathee.

lathing ['lɑːθɪŋ] n собир. стр. дрань; подрешётка.

lathy ['lɑːθɪ] a долговя́зый, худо́й.

latibulize [lə'tɪbjuːlaɪz] v лежа́ть, залега́ть в берло́ге, в норе́.

Latin ['lætɪn] 1. n лати́нский язы́к; late ~ по́здняя латы́нь; low (или vulgar) ~ вульга́рная латы́нь; dog ~ ло́маная латы́нь; ◇ thieves' ~ воровско́й жарго́н; 2. a лати́нский, рома́нский; ~ Church за́падная це́рковь, ри́мско-католи́ческая це́рковь; the ~ peoples рома́нские наро́ды.

latinize ['lætɪnaɪz] v латинизи́ровать.

Latins ['lætɪnz] n pl амер. стра́ны Лати́нской Аме́рики.

latitude ['lætɪtjuːd] n 1) геогр., астр. широта́; in the ~ of 40° S. на 40° ю́жной широты́; low ~s тропи́ческие широ́ты; 2) свобо́да, терпи́мость; ~ of thought свобо́да, широта́ мы́сли; 3) обши́рность; a wide ~ широ́кие полномо́чия; 4) фото вре́мя, необходи́мое для пра́вильного проявле́ния плёнки.

latitudinarian ['lætɪ,tjuːdɪ'nɛərɪən] 1. n терпи́мый челове́к; челове́к широ́ких взгля́дов; 2. a допуска́ющий отклоне́ния от до́гмы; терпи́мый.

latrine [lə'triːn] n отхо́жее ме́сто (особ. в лагере); обще́ственная убо́рная; мор. галью́н.

latter ['lætə] a (сравнит. ст. от late 1) 1) неда́вний; in these ~ days в на́ше вре́мя (противоп. in former times); 2) после́дний (из двух на́званных; противоп. the former); the ~ half of the week втора́я полови́на неде́ли; ◇ ~ end коне́ц; смерть.

latter-day ['lætə'deɪ] a совреме́нный, нове́йший.

latterly ['lætəlɪ] adv 1) неда́вно; 2) к концу́, под коне́ц.

latter-most ['leɪtəmoust] a после́дний, за́дний.

lattice ['lætɪs] n 1) решётка; 2) attr. решётчатый; ~ frame решётчатая констру́кция; ~ window окно́ с ча́стым (свинцо́вым) переплётом.

latticed ['lætɪst] a решётчатый.

Latvian ['lætvɪən] 1. a 1) латви́йский; 2) латы́шский; 2. n 1) латы́ш; латы́шка; 2) латы́шский язы́к.

laud [lɔːd] 1. n хвала́; 2. v хвали́ть, прославля́ть, превозноси́ть; церк. сла́вить.

laudable ['lɔːdəbl] a 1) похва́льный; 2) мед. доброка́чественный (о гно́е, выделе́ниях).

laudanum ['lɔdnəm] n насто́йка о́пия.

laudation [lɔː'deɪʃən] n панеги́рик; восхвале́ние.

laudative ['lɔːdətɪv] = laudatory.

laudatory ['lɔːdətərɪ] a хвале́бный, похва́льный.

laugh [lɑːf] 1. n смех, хо́хот; on the ~ смея́сь; to have the ~ of (или on) smb. вы́смеять того́, кто смея́лся над тобо́й; to have a good ~ at smb. от души́ посмея́ться над кем-л.; to give a ~ рассмея́ться; to raise a ~ вы́звать смех; to raise (или to turn) a ~ against smb. поста́вить кого́-л. в смешно́е положе́ние; 2. v 1) смея́ться; рассмея́ться; to burst out ~ing расхохота́ться; to scorn вы́смеять; to ~ oneself into fits (или convulsions) смея́ться до упа́ду; he ~ed his pleasure он рассмея́лся от удово́льствия; 2) со сме́хом сказа́ть, произнести́; he ~ed a reply он отве́тил со сме́хом; □ ~ at a) смея́ться над кем-л. или над чем-л.; б) улыба́ться кому́-л.; ~ away рас:ея́ть, прогна́ть сме́хом (скуку, опасения); ~ down засмея́ть; заглуши́ть сме́хом (речь и т. п.); ~ off отшути́ться, отде́латься от чего́-л. сме́хом; ~ out: to ~ smb. out of smth. насме́шкой отучи́ть кого́-л. от чего́-л.; ~ **over** обсужда́ть в шутли́вом то́не; ◇ **to** ~ **in one's sleeve** ≅ смея́ться в кула́к, исподтишка́; ра́доваться втихомо́лку; **to** ~ **on the wrong side of one's mouth** (*или* **face**) от сме́ха перейти́ к слеза́м; огорчи́ться, опеча́литься; **he** ~**s best who** ~**s last** *посл.* хорошо́ смеётся тот, кто смеётся после́дним.

laughable ['lɑːfəbl] *a* смешно́й; смехотво́рный, заба́вный.

laughing ['lɑːfɪŋ] 1. *pres. p. om* laugh 2; 2. *a* 1) смею́щийся, улыба́ющийся; 2) смешно́й; **it is no** ~ **matter** э́то не шу́тка; **смея́ться не́чему.**

laughing-gas ['lɑːfɪŋ'gæs] *n* веселя́щий газ.

laughing jackass ['lɑːfɪŋ'dʒækæs] *n* гига́нтский зиморо́док (*птица*).

laughing-stock ['lɑːfɪŋstɔk] *n* посме́шище; **to make a** ~ **of smb.** вы́ставить кого́-л. на посме́шище.

laughter ['lɑːftə] *n* смех, хо́хот; **shrill** ~ зво́нкий смех; **to burst into** ~ расхохота́ться; **to roar with** ~ пока́тываться со́ смеху.

launch I [lɔ:ntʃ] 1. *v* 1) броса́ть, мета́ть; **to** ~ **a blow** нанести́ уда́р; **to** ~ **a torpedo** вы́пустить торпе́ду; 2) спуска́ть су́дно на́ воду; 3) начина́ть, пуска́ть в ход, предпринима́ть; **to** ~ **an offensive** предприня́ть, нача́ть наступле́ние; **to** ~ **an attack** произвести́, нача́ть ата́ку; 4) запуска́ть, выбра́сывать (*при помощи катапульты*); 5) горячо́ вы́сказать, разрази́ться; ☐ ~ **into:** **to** ~ **into an argument** пусти́ться в спор; **to** ~ **into eternity** *поэт.* отпра́вить(ся) на тот свет; ~ **out** а) пуска́ться (*в путь, в предприятие*); **to** ~ **out on smth.** нача́ть что́-л. де́лать; б) разрази́ться (*словами, упрёками*); в) сори́ть деньга́ми; 2. *n* спуск су́дна на́ воду.

launch II [lɔ:ntʃ] *n* 1) барка́с; 2) мото́рная ло́дка, ка́тер; **pleasure** ~ прогу́лочная ло́дка.

launcher ['lɔ:ntʃə] *n* воен. мета́тельная устано́вка; гранатомёт; раке́тный стано́к.

launching ramp ['lɔ:ntʃɪŋ'ræmp] *n* устано́вка для за́пуска баллисти́ческого снаря́да.

launder ['lɔ:ndə] *v* 1) стира́ть и гла́дить (*бельё*); 2) стира́ться (*хорошо, плохо о ткани*).

laundress ['lɔ:ndrɪs] *n* пра́чка.

laundry ['lɔ:ndrɪ] *n* 1) пра́чечная; 2) бельё для сти́рки или из сти́рки.

laureate ['lɔːrɪɪt] *n* 1) уве́нчанный ла́вровым венко́м; 2) лауреа́т; **Lenin Prize Laureate** лауреа́т Ле́нинской пре́мии; **poet** ~ а) *уст.* придво́рный поэ́т; б) поэ́т-лауреа́т.

laurel ['lɔrəl] 1. *n* 1) *бот.* лавр благоро́дный; 2) (*обыкн. pl*) ла́вры, по́чести; **to rest** (*или* **to repose, to retire**) **on one's** ~**s** почи́ть на ла́врах; **to reap** (*или* **to win**) **one's** ~**s** стяжа́ть ла́вры, дости́чь сла́вы; 2. *v* венча́ть ла́вровым венко́м.

laurelled ['lɔrəld] 1. *p. p. om* laurel 2; 2. *a* уве́нчанный ла́вровым венко́м, ла́врами.

laurel oak ['lɔrəl,ouk] *n* дуб лавроли́стный.

lava ['lɑːvə] *n* ла́ва.

lavatory ['lævətərɪ] *n* 1) убо́рная; туале́тная ко́мната; 2) *горн. редк.* золотопромы́вочная устано́вка.

lave [leɪv] *v поэт.* 1) мыть; 2) омыва́ть (*о ручье, потоке*).

lavement ['leɪvmənt] *n мед.* промыва́ние, кли́зма.

lavender ['lævɪndə] *n* 1) *бот.* лава́нда; 2) вы́сушенные ли́стья, цветы́ лава́нды; **to lay up in** ~ а) перекла́дывать лава́ндой (*для аромата*); б) *перен.* приберега́ть на бу́дущее (вре́мя); в) *sl.* закла́дывать, отдава́ть в зало́г; 3) бле́дно-лило́вый цвет.

lavender-water ['lævɪndə,wɔːtə] *n* лава́ндовая вода́.

laverock ['lævərək] *поэт. см.* lark I, 1.

lavish ['lævɪʃ] 1. *a* 1) ще́дрый (of, in); расточи́тельный; **to be** ~ **in one's praise** горячо́ восхваля́ть, расточа́ть похвалы́; 2) оби́льный; 2. *v* 1) быть ще́дрым; **to** ~ **care upon one's children** окружа́ть забо́той свои́х дете́й; 2) расточа́ть.

lavishness ['lævɪʃnɪs] *n* 1) ще́дрость; расточи́тельность; 2) оби́лие.

law I [lɔ:] *n* 1) зако́н; пра́вило; **Mendeleyev's** ~ периоди́ческая систе́ма элеме́нтов Менделе́ева; **poor** ~ зако́н о призре́нии бе́дных; ~ **of diminishing return** «зако́н убыва́ющего плодоро́дия»; **the** ~**s of tennis** пра́вила игры́ в те́ннис; **to go beyond the** ~ соверши́ть противозако́нный посту́пок; **to keep within the** ~ приде́рживаться зако́на; 2) *юр.* пра́во; юриспруде́нция; ~ **merchant** торго́вое пра́во; **international** ~, ~ **of nations** междунаро́дное пра́во; **to read** ~ изуча́ть пра́во; ~ **and order** правопоря́док; 3) профе́ссия юри́ста; **to follow the** ~, **to go in for** ~ избра́ть профе́ссию юри́ста; **to practise** ~ быть юри́стом; 4) суд, суде́бный проце́сс; **to be at** ~ **with smb.** суди́ться с кем-л., быть в тя́жбе с кем-л.; **to go to** ~ пода́ть в суд; нача́ть суде́бный проце́сс; **to have** (*или* **to take**) **the** ~ **of smb.** привле́чь кого́-л. к суду́; **to take the** ~ **into one's own hands** распра́виться без суда́; 5) суде́йское сосло́вие; 6) *спорт.* преиму́щество, предоставля́емое проти́внику (*в состязании и т. п.*); *перен.* переды́шка; отсро́чка; 7) *attr.* зако́нный; юриди́ческий; ◇ **he is a** ~ **unto himself** для него́ не существу́ет никаки́х зако́нов, кро́ме со́бственного мне́ния; **necessity** (*или* **need**) **knows no** ~ *посл.* нужда́ не зна́ет зако́на; **to give** (**the**) ~ **to smb.** навяза́ть кому́-л. свою́ во́лю.

law II [lɔ:] = lawk(s).

law-abiding ['lɔ:ə,baɪdɪŋ] *a* законопослу́шный, подчиня́ющийся зако́нам, уважа́ющий зако́ны.

law-breaker ['lɔ:,breɪkə] *n* правонаруши́тель, престу́пник.

law-court ['lɔ:,kɔt] *n* суд.

lawful ['lɔ:ful] *a* зако́нный; ~ **age** гражда́нское совершенноле́тие.

lawgiver [ˈlɔːˌgɪvə] n законодатель.

lawk(s) [lɔːk(s)] int разг. неужто!

lawless [ˈlɔːlɪs] a 1) беззаконный; 2) необузданный.

law-list [ˈlɔːlɪst] n ежегодный юридический справочник.

lawmaker [ˈlɔːˌmeɪkə] = lawgiver.

law-making [ˈlɔːˌmeɪkɪŋ] 1. n издание законов;
2. a законодательный.

law-monger [ˈlɔːˌmʌŋgə] n мелкий адвокат, крючкотвор.

lawn I [lɔːn] n батист.

lawn II [lɔːn] n лужайка, газон.

lawn hockey [ˈlɔːnˈhɔkɪ] n травяной хоккей.

lawn-mower [ˈlɔːnˌmouə] n газонокосилка.

lawn party [ˈlɔːnˌpɑːtɪ] амер. см. garden-party.

lawn-sprinkler [ˈlɔːnˌsprɪŋklə] n машина для поливки газонов.

lawn tennis [ˈlɔːnˈtenɪs] n лаун-теннис.

lawny I [ˈlɔːnɪ] a батистовый.

lawny II [ˈlɔːnɪ] a со множеством лужаек, газонов.

laws [lɔːz] = lawk(s).

lawsuit [ˈlɔːsjuːt] n судебный процесс; иск; тяжба.

law-term [ˈlɔːtəːm] n 1) юридический термин; 2) период судебных сессий.

law-writer [ˈlɔːˌraɪtə] n 1) тот, кто пишет по вопросам права; 2) переписчик в суде, оформляющий документы.

lawyer [ˈlɔːjə] n 1) адвокат; 2) законовед, юрист; законник.

lax I [læks] a 1) слабый, вялый; 2) неплотный; рыхлый; 3) расхлябанный; распущенный; 4) небрежный; неряшливый; 5) неточный; неопределённый; 6) фон. ненапряжённый.

lax II [læks] n лосось; шведская или норвежская сёмга.

laxative [ˈlæksətɪv] 1. n слабительное (средство);
2. a слабительный.

laxity [ˈlæksɪtɪ] n 1) слабость, вялость; 2) расхлябанность, распущенность; 3) неопределённость, неточность.

lay I [leɪ] a 1) светский, мирской; не духовный; не церковный; 2) непрофессиональный; ~ opinion мнение неспециалиста; 3) карт. некозырный.

lay II [leɪ] n 1) короткая песенка; баллада; 2) пение птиц.

lay III [leɪ] past om lie II, 1.

lay IV [leɪ] 1. v (laid) 1) класть, положить (on); ~ a hope (надежды и т. п.); to ~ the foundation заложить фундамент; положить начало; 2) повалить; примять (посевы); to ~ the dust прибить пыль; 3) накрывать, стелить; to ~ the table, to ~ the cloth накрыть на стол; 4) накладывать (краску); покрывать (слоем); 5) класть яйца, нестись; 6) приписывать (кому-л. что-л.); обвинять в smth. to smb.'s charge, to ~ smth. at smb.'s door обвинять кого-л. в чём-л.; to ~ information against smb. предъявлять кому-л. обвинение; 7) привести в определённое состояние, положение; to ~ a country waste опустошить страну; to ~ open (или bare) открывать, обнажать, оставлять незащищённым; to ~ one's plans bare раскрыть свои планы; to ~ oneself open to suspicions (accusation) навлечь на себя подозрения (обвинение); 8) прокладывать курс (корабля); 9) свивать, вить (верёвки и т. п.); 10) успокаивать; to ~ an apprehension успокоить, рассеять опасение; 11) энергично браться (за что-л.); to ~ to one's oars налечь на вёсла; 12) разг. предлагать пари, биться об заклад; I ~ ten roubles that he will not come держу пари на десять рублей, что он не придёт; 13) разг. вступить в связь; ☐ ~ about: to ~ about one наносить удары направо и налево; ~ aside а) откладывать, приберегать; б) бросать, выбрасывать; в) pass. быть выведенным из строя; г) хворать; ~ by откладывать; ~ down а) уложить; б) составить (план); в) закладывать (здание, корабль); г) сложить (полномочия и т. п.), оставить (службу); to ~ down the duties of office отказаться от должности; to ~ down one's life отдать свою жизнь; пожертвовать жизнью; to ~ down one's arms сложить оружие, капитулировать; д) устанавливать, утверждать; to ~ down the law а) устанавливать, формулировать закон; β) говорить догматическим тоном; заявлять безапелляционно; e) покрывать (with-чем-л.); ~ in а) запасать; б) разг. выпороть, всыпать; ~ off а) снимать (одежду); б) откладывать; в) разг. освободить или снять с работы (гл. обр. временно); г) отдыхать; д) sl. прекращать, переставать; ~ off! перестань, отступись!; ~ on а) накладывать (слой краски, штукатурки); to ~ it on (thick) разг. преувеличивать; хватить через край; б) облагать (налогом); в) наносить (удары); ~ out а) выкладывать, выставлять; б) свалить с ног; в) выводить из строя; г) sl. убить; д) планировать, разбивать (сад, участок); е) тратить деньги; ж) положить на стол (покойника); з): to ~ oneself out (for; to c inf.) разг. стараться; напрягать все силы; из кожи вон лезть; ~ over а) распространяться; б) покрывать; в) откладывать (заседание и т. п.); г) амер. разг. остановиться; прервать путешествие; задержаться; д) sl. превосходить; превышать; получить преимущество; ~ up а) откладывать, копить; б) накопить, сооружать; в) выводить временно из строя; to ~ up for repairs поставить на ремонт; to be laid up лежать больным; г) разг. вступить в связь; ◇ to ~ claim предъявлять права, притязания; to ~ damages at взыскивать убыток с; to ~ heads together обсуждать, совещаться; to ~ stress подчёркивать; to ~ low а) повалить; б) унизить; to ~ under contribution наложить контрибуцию; to ~ under obligation обязать; to ~ hold of (или on) схватить, завладеть; to ~ to heart отнестись серьёзно, принять близко к сéрдцу; ⁀o ~ (one's) account with (*или* on, for) рассчи́тывать на *что-л.*, ожида́ть *чего-л.*; to ~ by the heels a) надéть коло́дки; закова́ть в кандалы́; подвéргнуть заключéнию; б) привести́ в беспомо́щное состоя́ние; to ~ fast заключа́ть в тюрьму́; to ~ hands on a) схва́тывать, завладева́ть; присва́ивать; б) подня́ть ру́ку на *кого-л.*, уда́рить; to ~ hands on oneself наложи́ть на себя́ ру́ки, поко́нчить с собо́й; в) *церк.* рукополага́ть, посвяща́ть (*в сан*); to ~ one's shirt on ≅ би́ться об закла́д; дава́ть го́лову на отсечéние; to ~ eyes on smth. уви́деть что-л.; to ~ one's finger on smth. найти́, откры́ть что-л.; to ~ a finger on smb. дотро́нуться, подня́ть ру́ку на кого́-л.; to ~ one on smb. уда́рить кого́-л.; дать кому́-л. тумака́;

2. *n* 1) положéние, расположéние (*чего-л.*); направлéние; очерта́ние (*берега*); рельéф; 2) *sl.* по́прище, дéло, рабо́та.

layabout ['leɪə'baut] *n разг.* шарлата́н, бездéльник.

lay days ['leɪ,deɪz] *n pl ком.* -срок погру́зки и разгру́зки судо́в.

layer I 1. *n* ['leɪə] 1) слой, пласт; наслоéние; 2) *бот.* отво́док; 3) разрéз (*чертежа*);

2. *v* [lɛə] 1) насла́ивать, класть пласта́ми; 2) *бот.* разводи́ть отво́дками.

layer II ['leɪə] *n* 1) кла́дчик, укла́дчик; 2) несу́шка; this hen is a good ~ э́та ку́рица хорошо́ несётся.

layer-cake ['leə,keɪk] *n* слоёный пиро́г.

layette [leɪ'et] *фр. n* прида́ное новорождённого.

lay figure ['leɪ'fɪgə] *n* 1) манекéн (*художника*); 2) неправдоподо́бный персона́ж; нереа́льный о́браз; 3) ничто́жество; человéк, лишённый индивидуа́льности *или* значéния.

laying ['leɪɪŋ] 1. *pres. p. от* lay IV, 1; 2. *n* 1) пéрвый слой штукату́рки; 2) кла́дка яиц; 3) врéмя кла́дки яиц.

layman ['leɪmən] *n* 1) миря́нин; 2) непрофессиона́л; неспециали́ст, люби́тель; профа́н; 2) = lay figure.

lay-off ['leɪ'ɔːf] *n* 1) приостано́вка *или* сокращéние произво́дства; 2) увольнéние из-за отсу́тствия рабо́ты (*гл. обр. временное*); 3) перио́д врéменного увольнéния.

lay-out ['leɪaut] *n* 1) план, разби́вка, размéтка (*сада и т. п.*); 2) макéт (*книги, газеты и т. п.*); 3) тра́сса; 4) положéние, состоя́ние дел; 5) обору́дование; набо́р инструмéнтов; 6) *sl.* угощéние; the dinner was a splendid ~ обéд был великолéпен.

lay-over ['leɪ'ouvə] *n* 1) салфéтка *или* доро́жка, постила́емая на ска́терть; 2) *амер.* остано́вка (*в пути*).

laystall ['leɪstɔːl] *n* сва́лка.

lay-up ['leɪʌp] *n* вы́вод из стро́я, просто́й (*машины и т. п.*).

lazar ['læzə] *n* 1) *уст.* прокажённый; 2) жа́лкий ни́щий.

lazaret [,læzə'ret] *n* 1) лепрозо́рий; 2) каранти́н(ное су́дно).

lazaretto [,læzə'ret] *n* (*pl* -os[-ouz]) = lazaret.

Lazarus ['læzərəs] = lazar.

laze [leɪz] *v разг.* бездéльничать, лентя́йничать.

laziness ['leɪzɪnɪs] *n* лéность, лень.

lazy ['leɪzɪ] *a* лени́вый.

lazy-bones ['leɪzɪbounz] *n разг.* лентя́й, лени́вец.

Lazy Susan ['leɪzɪ'suːzn] *n* 1) враща́ющийся подно́с для припра́в, со́усов *и т. п.*; 2) небольшо́й сто́лик, на кото́ром подаю́тся бутербро́ды *и т. п.* к ча́ю.

L-bar ['el,bɑː] *n тех.* углово́е желéзо.

lea I [liː] *n* 1) *поэт.* луг, по́ле; 2) *с.-х.* пар, по́ле под па́ром.

lea II [liː] *n текст.* па́смо.

leach [liːtʃ] 1. *n* 1) рапа́, насы́щенный раство́р пова́ренной со́ли;
2. *v* выщела́чивать.

lead I [led] 1. *n* 1) свинéц; as heavy as ~ о́чень тяжёлый; 2) грифель; 3) *мор.* лот; to heave (*или* to cast) the ~ промéрить глубину́; 4) грузи́ло, отвéс; 5) пло́мба; 6) *pl* свинцо́вые поло́сы для покры́тия кры́ши; покры́тая свинцо́м кры́ша; пло́ская кры́ша; 7) *pl полигр.* шпо́ны; 8) *attr.* свинцо́вый; ◇ hail of ~ град пуль;

2. *v* 1) *тех.* освинцо́вывать, покрыва́ть свинцо́м; 2) *полигр.* разделя́ть шпо́нами.

lead II [liːd] 1. *n* 1) руково́дство; инициати́ва; to take the ~ взять на себя́ инициати́ву; вы́ступить инициа́тором; руково́дить; 2) примéр; указа́ние, директи́ва; to follow the ~ of smb. слéдовать чьему́-л. примéру; to give smb. a ~ поощри́ть, подбодри́ть кого́-л. примéром; 3) пéрвое мéсто, веду́щее мéсто в состяза́нии; to gain the ~ заня́ть пéрвое мéсто; to have a ~ of three metres (five seconds) опереди́ть на три мéтра (на пять секу́нд); 4) *театр.* гла́вная роль *или* её исполни́тель(ница); премьéр(ша); 5) пéрвый ход (*в игре*); it is your ~ вам начина́ть; 6) *карт.* ход; 7) то, на чём веду́т; пово́док, при́вязь; 8) доро́жка, аллéя; blind ~ тупи́к; 9) кра́ткое введéние к газéтной статьé; 10) разво́дье (*во льдах*); 11) да́льность перево́зки; 12) *эл.* опережéние (*фазы*); 13) *тех.* опережéние, предварéние (*впуска пара и т. п.*); 14) *тех.* шаг (*спирали, винта*), ход (*поршня*); 15) *тех.* стрела́, уко́сина; 16) *геол.* жи́ла; золотоно́сный песо́к; 17) *воен.* упреждéние; вы́нос то́чки прицéливания;

2. *v* (led) 1) вести́, приводи́ть; to ~ a child by the hand вести́ ребёнка за́ руку; the path ~s to the house доро́га ведёт к до́му; chance led him to London слу́чай привёл его́ в Ло́ндон; to ~ nowhere ни к чему́ не приводи́ть; to ~ astray сбить с пути́ и́стинного; 2) руководи́ть, управля́ть, кома́ндовать, возглавля́ть; to ~ an army кома́ндовать а́рмией; to ~ for the prosecution (defence) *юр.* возглавля́ть обвинéние (защи́ту); to ~ an orchestra руководи́ть орке́стром; 3) приводи́ть, склоня́ть (*к чему-л.*), заставля́ть; to ~ smb. to do smth. заста́вить кого́-л. сдéлать что-л.; curiosity led me to look again любопы́тство заста́вило меня́ взгляну́ть сно́ва;

4) быть, идти пе́рвым, опережа́ть (*в со-стяза́нии*); превосходи́ть; he ~s all orators он лу́чший ора́тор; as a teacher he ~s он лу́чше всех други́х учителе́й; 5) вести́, проводи́ть; to ~ a quiet life вести́ споко́й-ную жизнь; 6) *спорт.* направля́ть уда́р (*в бо́ксе*); 7) *охот.* це́литься в летя́щую пти́цу; 8) *карт.* ходи́ть; to ~ hearts (spades *etc.*) ходи́ть с черве́й (с пик *и т. д.*); 9) *эл.* опережа́ть; □ ~ away увле́чь, увести́; ~ off начина́ть, класть нача́ло; открыва́ть (*пре́ния, бал*); ~ on завлека́ть, увлека́ть; ~ out of выходи́ть, сообща́ться (*о ко́мна-тах*); ~ to вести́ к *чему-л. или куда-л.*; ~ up to a) постепе́нно подготовля́ть; б) наводи́ть разгово́р на *что-л.*; ◇ to ~ the way вести́ за собо́й, идти́ во главе́; to ~ by the nose води́ть на поводу́; держа́ть в подчине́нии; to ~ smb. a (pretty) dance заста́вить кого́-л. помучи́ться; поводи́ть за́ нос, помане́жить кого́-л.; all roads ~ to Rome все доро́ги веду́т в Рим.

leaded [ˈledɪd] 1. *p. p. om* lead I, 2; 2. *a* освинцо́ванный.

leaden [ˈledn] *a* 1) свинцо́вый; 2) свин-цо́вый, се́рый (*о не́бе, ту́чах и т. п.*); 3) тяжёлый; тя́жкий; ~ sleep тяжёлый сон.

leader [ˈliːdə] *n* 1) руководи́тель; вождь; команди́р; pioneer ~ вожа́тый (*пионе́ров*); 2) ли́дер; 3) ре́гент (*хо́ра*); дирижёр; веду́щий музыка́нт; 4) передова́я (*статья́*); 5) *радио* пе́рвое (*наибо́лее ва́жное*) сооб-ще́ние в после́дних изве́стиях; 6) пере́дняя ло́шадь; 7) гла́вный побе́г, росто́к; 8) *эл.* про́вод, проводни́к; 9) водосто́чная труба́; водосто́чный жёлоб; 10) това́р, продава́е-мый по ни́зкой цене́, для привлече́ния покупа́телей; 11) *pl* пункти́рные ли́нии, стре́лки *и т. п.*, облегча́ющие по́льзование табли́цами *и т. п.*

leaderette [ˌliːdəˈret] *n* коро́ткая реда́к-цио́нная заме́тка (*в газе́те*).

leadership [ˈliːdəʃɪp] *n* руково́дство, во-ди́тельство.

leader-writer [ˈliːdəˌraitə] *n* а́втор пере-дови́ц.

leadglass [ˈledglɑːs] *n* флинтгла́с.

lead-in [ˈliːdˈɪn] *n эл.* ввод; вводно́й про́вод.

leading [ˈliːdɪŋ] 1. *pres. p. om* lead II, 2; 2. *a* 1) веду́щий; руководя́щий; передово́й, выдаю́щийся; ~ article передова́я статья́; ~ case суде́бный прецеде́нт; ~ man (lady) исполни́тель (ница) гла́вной ро́ли, премье́р (ша); ~ question наводя́щий во-про́с; ~ ship головно́й кора́бль; ~ writer выдаю́щийся писа́тель; 2) *тех.* дви́гатель-ный, ходово́й; веду́щий (*о колесе́*); 3. *n* 1) руково́дство; 2) указа́ние, пред-ложе́ние.

leading-strings [ˈliːdɪŋstrɪŋz] *n pl* по́-мочи; ◇ to be in ~ быть на поводу́, быть несамостоя́тельным.

leadline [ˈledlaɪn] *n мор.* лотли́нь.

lead-off [ˈliːdˈɔːf] 1. *n* 1) нача́ло; 2) игро́к, начина́ющий игру́; 2. *a* нача́льный, начина́ющий.

lead pencil [ˈledˈpensl] *n* графи́товый каранда́ш.

leadsman [ˈledzmən] *n мор.* лотово́й.

leaf [liːf] 1. *n* (*pl* leaves) 1) лист; 2) листва́; fall of the ~, ~ fall листопа́д; о́сень; *перен.* зака́т жи́зни; to come into ~ покрыва́ться ли́стьями, распуска́ться; 3) страни́ца, лист (*кни́ги*); to turn over the leaves перели́стывать страни́цы (*кни́ги*); 4) лист мета́лла (*особ. зо́лота, серебра́*); 5) ство́рка двере́й; поло́тнище воро́т; опуск-на́я пола́ (*доска́*) стола́; полови́нка (*шир-мы*); 6) *attr.* листово́й; 7) *attr.* раздвижно́й; ~ bridge подъёмный мост, разводно́й мост; 8) *attr.*: ~ litter опа́вшие ли́стья; ◇ leaves without figs ≈ пусты́е обеща́ния; to turn over a new ~ нача́ть но́вую жизнь, испра́-виться; to take a ~ out of smb.'s book сле́довать чьему́-л. приме́ру, подража́ть кому́-л.; 2. *v* 1) покрыва́ться листво́й (*амер. out*); 2) перели́стывать, листа́ть (*обыкн.* ~ through, ~ over).

leafage [ˈliːfɪdʒ] *n поэт.* листва́.

leaflet [ˈliːflɪt] *n* 1) листо́вка; 2) листо́-чек.

leafstalk [ˈliːfstɔːk] *n бот.* сте́бель ли-ста́.

leafy [ˈliːfɪ] *a* 1) покры́тый ли́стьями; ~ shade тень от листвы́; 2) листово́й.

league I [liːg] *n* лье, ли́га (*ме́ра длины́*); land (*или* statute) ~ = 4, 83 км; marine ~ = 5,56 км.

league II [liːg] 1. *n* ли́га, сою́з; in ~ with smb. в сою́зе с кем-л.; 2. *v* входи́ть в сою́з; образова́ть сою́з; объединя́ть (ся).

leaguer I [ˈliːgə] *n* член ли́ги.

leaguer II [ˈliːgə] *n воен.* ла́герь, бива́к; *уст.* оса́дный ла́герь.

leak [liːk] 1. *n* течь; уте́чка; to start (*или* to spring) a ~ дать течь; 2. *v* пропуска́ть во́ду, дава́ть течь; про-са́чиваться; ~ like a sieve дать течь; □ ~ out просочи́ться; *перен.* обнару́житься, стать изве́стным.

leakage [ˈliːkɪdʒ] *n* 1) уте́чка, течь, про-са́чивание; to spring (*или* to start) a ~ а) дать течь; б) *перен.* испо́ртиться; 2) обна-ру́жение (*та́йны и т. п.*); 3) *эл.* уте́чка; рассе́яние.

leaky [ˈliːkɪ] *a* име́ющий течь; ~ butter пло́хо отжа́тое ма́сло; ~ a ~ vessel чело-ве́к, не уме́ющий храни́ть та́йну.

leal [liːl] *a поэт., шотл.* лоя́льный, ве́р-ный; че́стный; ◇ the land of the ~ a) не́бо; б) Шотла́ндия.

lean I [liːn] 1. *a* 1) то́щий, худо́й; 2) по́ст-ный (*о мя́се*); 3) ску́дный; ~ years неуро-жа́йные го́ды; 4) бе́дный (*о рудни́ке*); убо́гий (*о руде́*); 2. *n* по́стная часть мя́са.

lean II [liːn] 1. *v* (leaned [-d], leant) 1) наклоня́ть (ся) (forward, over—вперёд, над); 2) прислоня́ться, опира́ться (on, against); ~ off the table! не облока́чивай-тесь на стол!; 3) полага́ться (on, upon—на); осно́вываться (on, upon—на); to ~ on a friend's advice полага́ться на сове́т дру́га; 4) име́ть скло́нность (to, towards); I rather ~ to your opinion я склоня́юсь к

вашему мнению; ◇ to ~ over backwards ударяться в другую крайность;
2. *n* наклон.

leaning ['li:niŋ] 1. *pres. p. om* lean II, 1; 2. *n* 1) склонность (to, towards); 2) сочувствие, симпатия; 3) уклон.

leant [lent] *past u p. p. om* lean II, 1.

lean-to ['li:n'tu:] *n* пристройка с односкатной крышей; навес.

leap [li:p] 1. *n* 1) прыжок, скачок; a ~ in the dark прыжок в неизвестность; рискованное дело; by ~s and bounds очень быстро; 2) *геол.* дислокация;
2. *v* (leapt, leaped [-t]) 1) прыгать, скакать; перепрыгивать; to ~ a fence перепрыгнуть через забор; 2) сильно забиться (*о сердце*); 3) ухватиться, с радостью согласиться; to ~ at a proposal (opportunity *etc.*) ухватиться за предложение (возможность *u т. n.*).

leap-day ['li:pdei] *n* 29 февраля [*cp.* leap-year].

leap-frog ['li:pfrɔg] 1. *n* чехарда; 2. *v воен.* двигаться перекатами.

leapt [lept] *past u p. p. om* leap 2.

leap-year ['li:pjə:] *n* високосный год.

learn [lə:n] *v* (learnt, learned [lə:nt]) 1) учиться; учить (*что-л.*); to ~ by heart учить наизусть; to ~ by rote зубрить; 2) научиться (*чему-л.*); to ~ to be more careful научиться быть более осторожным; to ~ one's lesson получить хороший урок; 3) узнавать; 4) *уст., шутл.* учить.

learned 1. [lə:nt] *past u p. p. om* learn; 2. *a* ['lə:nid] учёный; my ~ friend мой учёный коллега.

learner ['lə:nə] *n* учащийся; ученик.

learning ['lə:niŋ] 1. *pres. p. om* learn; 2. *n* 1) учение; 2) учёность, познания, эрудиция.

learnt [lə:nt] *past u p. p. om* learn.

lease I [li:s] 1. *n* 1) аренда, сдача внаём; наём; to take on ~ арендовать; 2) договор об аренде; 3) срок аренды; ◇ to take (*или* to get, to have) a new ~ of life a) воспрянуть духом; б) выйти из ремонта (*о вещи*); 2. *v* сдавать *или* брать внаём, в аренду.

lease II [li:s] *текст.* 1. *n* нитеразделитель; 2. *v* разделять нити (*основы*); скрещивать нити.

leasehold ['li:should] 1. *n* 1) пользование на правах аренды; наём; 2) дом, сданный внаём; арендованная земля; 2. *a* 1) арендованный; 2) взятый на откуп.

leaseholder ['li:should] *n* 1) арендатор, съёмщик; 2) откупщик.

leash [li:ʃ] 1. *n* 1) свора, привязь (*для борзых*); смычок (*для гончих*); to lead on a ~ вести на поводке; to hold in ~ *перен.* держать в узде; to strain at the ~ стремиться вырваться; 2) *охот.* свора из трёх собак; *тж.* три собаки, три зайца *u т. n.*; 2. *v* держать на привязи, на своре.

least [li:st] 1. *a* (*превосх. cm. om* little) наименьший, малейший; there is not the ~ wind today сегодня нет малейшего ветерка; line of ~ resistance линия наименьшего сопротивления; ~ common multiple *мат.* общее наименьшее кратное;
2. *adv* менее всего, в наименьшей степени; I like that ~ of all мне это нравится менее всего;
3. *n* малейшее количество, малейшая степень; at (the) ~ по крайней мере; not in the ~ ни в малейшей степени, ничуть; to say the ~ of it без преувеличения, мягко выражаясь; ◇ ~ said soonest mended *посл.* ≅ чем меньше разговоров, тем лучше для дела.

leastways ['li:stweiz] *диал. см.* leastwise.

leastwise ['li:stwaiz] *adv разг.* по крайней мере.

leather ['leðə] 1. *n* 1) кожа (*выделанная*); Russia ~ юфть; 2) ремень; 3) кожаное изделие, стремянный ремень, футбольный мяч *u т. n.*; 4) *pl* кожаные штаны; 5) *pl* краги; 6) *attr.* кожаный; ~ gloves кожаные перчатки; ~ bottle бурдюк, мех, кожаный мешок; ◇ (there is) nothing like ~ ≅ всяк кулик своё болото хвалит;
2. *v* 1) крыть кожей; 2) пороть ремнём; колотить; 3) работать с напряжением.

leather-back ['leðəbæk] *n* разновидность морской черепахи.

leather-cloth ['leðəklɔθ] *n* ткань, обработанная под кожу, американская кожа.

leather-coat ['leðəkout] *n* яблоко с жёсткой кожурой.

leatherette [,leðə'ret] *n* искусственная кожа.

leather-head ['leðəhed] *n sl.* болван.

leathering ['leðəriŋ] 1. *pres. p. om* leather 2; 2. *n* 1) *разг.* порка; 2) *тех.* кожаная набивка.

leathern ['leðən] *a* кожаный.

leather-neck ['leðənek] *n sl.* солдат морской пехоты.

leathery ['leðəri] *a* 1) похожий на кожу; 2) жёсткий; ~ steak бифштекс, жёсткий как подошва.

leave I [li:v] *n* 1) разрешение, позволение; by your ~ с вашего разрешения; ~ out разрешение на выход, уход; ~ off разрешение уйти с работы, смениться с дежурства; I take ~ to say беру на себя смелость сказать; 2) отпуск (*тж.* ~ of absence); *амер.* отпуск без сохранения содержания; on ~ в отпуске; on sick ~ в отпуске по болезни; 3) отъезд, уход; прощание; to take one's ~ (of smb.) прощаться (с кем-л.); 4) *attr.*: ~ allowance *воен.* отпускное пособие; ~ travel *воен.* поездка в отпуск *или* из отпуска; ◇ French ~ уход без прощания, незаметный уход; to take French ~ уйти не прощаясь, незаметно; to take ~ of one's senses потерять рассудок; neither with your ~ nor by your ~ нравится вам это или нет.

leave II [li:v] *v* (left) 1) покидать; to ~ in the lurch покинуть в беде; 2) уезжать, переезжать; my sister has left for Moscow моя сестра уехала в Москву; when does the train ~? когда отходит поезд?; 3) оставлять; to ~ the rails сойти с рельсов; to ~ hold of выпустить из рук; seven from ten ~s three 10—7 = 3; 4) оставлять в том же состоянии; the story ~s him cold рассказ не трóнул егó; to ~ smth. unsaid (undone) не сказáть (не сдéлать) чегó-л.; to ~ smb. alone оставить когó-л. в покóе, не мешáть; to ~ smth. alone не трóгать, не прикасáться к чему-л.; I should ~ that question alone if I were you на вáшем мéсте я не касáлся бы э́того вопрóса; 5) приводи́ть в какóе-л. состоя́ние; the insult left him speechless оскорблéние лиши́ло егó дáра рéчи; 6) предоставля́ть; ~ it to me предостáвьте э́то мне; nothing was left to accident всё бы́ло предусмóтрено; вся́кая случáйность былá исключенá; 7) завещáть, оставля́ть (наслéдство); to be well left быть хорошó обеспéченным наслéдством; 8) прекращáть; it is time to ~ talking and begin acting порá перестáть разговáривать и начáть дéйствовать; ~ it at that! разг. остáвьте!, довóльно!; ☐ ~ behind a) забывáть (где-л.); б) оставля́ть позади́, опережáть; в) превосходи́ть; ~ off a) переставáть дéлать что-л., бросáть привы́чку; to ~ off one's winter clothes перестáть носи́ть, снять тёплые вéщи; to ~ off smoking брóсить кури́ть; б) останáвливаться; where did we ~ off last time? на чём мы остановились в прóшлый раз?; we left off at the end of chapter III мы остановились в концé трéтьей главы́; ~ out a) пропускáть, не включáть; б) упускáть; ~ over откла́дывать; ~ open допускáть; to ~ oneself wide open амер. подстáвить себя́ под удáр; to ~ smth. in the air оставля́ть незакóнченным (мысль, речь и т. п.); to ~ smb. to himself (или to his own devices) не вмéшиваться в чьи-л. делá; it ~s much to be desired оставля́ет желáть мнóго лýчшего.

leave III [li:v] v покрывáться листвóй.

leaved [li:vd] 1. p. p. от leave III; 2. a покры́тый ли́стьями; имéющий ли́стья.

-leaved [-li:vd] в слóжных словáх означáет: а) имéющий какúе-л. ли́стья; large-~ tree дéрево с больши́ми ли́стьями; б) имéющий ствóрки; two-~ door двуствóрчатая дверь.

leaven ['levn] 1. n дрóжжи, заквáска; перен. воздéйствие, влия́ние; ◇ they are both of the same ~ они́ óба из одногó тéста. 2. v стáвить на дрожжáх, заквáшивать; перен. пропи́тывать (чем-л.); подвергáть дéйствию (чегó-л.).

leaves [li:vz] pl от leaf 1.

leave-taking ['li:v,teikiŋ] n прощáние.

leavings ['li:viŋz] n pl остáтки; отбрóсы.

Lebanese [,lebə'ni:z] 1. a ливáнский. 2. n ливáнец; ливáнка; the ~ pl собир. ливáнцы.

lecher ['letʃə] n уст. разврáтник.

lecherous ['letʃərəs] a уст. распýтный.

lechery ['letʃəri] n уст. разврáт.

lecithin ['lesiθin] n хим. лецити́н, липóид.

leck [lek] n вя́зкая гли́на; гли́нистый слáнец.

lectern ['lektə:n] n церк. аналóй.

lection ['lekʃən] n 1) чтéние; 2) разночтéние; 3) церк. = lesson 1, 3).

lector ['lektɔ:] n чтец.

lecture ['lektʃə] 1. n 1) лéкция; to deliver а ~ читáть лéкцию; 2) нотáция, наставлéние; to read smb. а ~ отчи́тывать когó-л.; 2. v 1) читáть лéкцию, лéкции; to ~ on lexicology читáть лéкции по лексиколóгии; 2) прочéсть нотáцию; выговáривать, отчи́тывать (on—за что-л.).

lecturer ['lektʃərə] n 1) лéктор; 2) преподавáтель (университéта); 3) читáющий нотáцию.

lectureship ['lektʃəʃip] n 1) лектýра; 2) лéкторство.

led [led] past и p. p. от lead II, 2.

ledge [ledʒ] n 1) вы́ступ, устýп; край; борт; 2) риф; шельф; бар; 3) горн. рýдная жи́ла; рýдное тéло; 4) тех. реборда.

ledger ['ledʒə] n 1) бухг. глáвная кни́га, грóссбух; 2) амер. регистрациóнный журнáл; кни́га зáписи áктов граждáнского состоя́ния; 3) стр. горизонтáльная бáлка или доскá; 4) надгрóбная плитá.

ledger-bait ['ledʒəbeit] n нажи́вка.

lee [li:] 1. n 1) защи́та, укры́тие; under (или in) the ~ of a house под защи́той дóма; 2) подвéтренная сторонá. 2. a подвéтренный; ~ side подвéтренный борт сýдна (противоп. weather side); ~ shore подвéтренный бéрег.

leech I [li:tʃ] 1. n 1) пия́вка; to stick like a ~ пристáть как пия́вка; 2) кровопи́йца, вымогáтель; 3) уст. лéкарь. 2. v стáвить пия́вки.

leech II [li:tʃ] n мор. боковáя или зáдняя шкатори́на (пáруса).

leek [li:k] n лук-порéй (тж. и как национáльная эмблéма Уэ́льса); wild ~ ди́кий лук; черемшá; ◇ to eat the (или one's) ~ проглоти́ть оби́ду.

leer [liə] 1. n косóй, хи́трый, злóбный или плотоя́дный взгляд; 2. v смотрéть и́скоса; смотрéть хи́тро, злóбно или с вожделéнием.

leery ['liəri] a sl. хи́трый.

lees [li:z] n pl 1) осáдок на дне; to drink (или to drain) to the ~ вы́пить до послéдней кáпли; перен. испи́ть чáшу до дна; 2) подóнки; ◇ there are ~ to every wine посл. ≅ и на сóлнце есть пя́тна; the ~ of life остáток жи́зни, стáрость.

leeward ['li:wəd] 1. n подвéтренная сторонá. 2. a подвéтренный; 3. adv в подвéтренную стóрону.

leeway ['li:wei] n 1) дрейф сýдна в подвéтренную стóрону; снос самолёта; to make ~ дрейфовáть; перен. струсить; отклони́ться от намéченного пути́; 2) отстáвание; потéря врéмени; to make up ~ наверстáть упущенное; 3) разг. запáс врéмени; to have ~ имéть в запáсе врéмя; to allow a little ~ предостáвить небольшýю отсрóчку.

left I [left] past и p. p. от leave II.

left II [left] 1. a лéвый; ~ bank лéвый бéрег; ◇ quite the ~ разг. как раз наоборóт; 2. adv налéво, слéва; ~ turn!, амер. ~ face! воен. налéво!; ~ about face! воен. налéво кругóм!;

3. *n* 1) ле́вая сторона́; *воен.* ле́вый фланг; to keep to the ~ держа́ться ле́вой стороны́; 2) (the L.) (*употр. как pl*) *полит.* ле́вые.

left-hand ['lefthænd] *a* 1) ле́вый; ~ side ле́вая сторона́; 2) сде́ланный ле́вой руко́й; ~ blow уда́р ле́вой руко́й; 3) *тех.* с ле́вым хо́дом (*о винте*).

left-handed ['left'hændɪd] *a* 1) де́лающий всё ле́вой руко́й; he is ~ он левша́; 2) сде́ланный ле́вой руко́й; 3) неуклю́жий; 4) лицеме́рный; нейскренний; сомни́тельный; ~ compliment сомни́тельный комплиме́нт; 5) дви́жущийся про́тив часово́й стре́лки; ◇ ~ marriage морганати́ческий брак.

left-hander ['left'hændə] *n* 1) левша́; 2) уда́р ле́вой руко́й.

leftist ['leftɪst] *n* член ле́вой па́ртии, ле́вый.

left-luggage office ['left,lʌgɪdʒ'ɔfɪs] *n* ж.-д. ка́мера хране́ния забы́тых веще́й.

leftmost ['left,moust] *a* са́мый ле́вый.

left-over ['left,ouvə] *n* *амер.* 1) оста́ток; 2) пережи́ток.

leftward(s) ['leftwəd(z)] *adv* сле́ва; вле́во.

left-wing ['left,wɪŋ] *a* *полит.* ле́вый.

leg [leg] I. *n* 1) нога́ (*особ. от бедра́ до ступни́*); to give smb. a ~ up помо́чь кому́-л. взобра́ться, подсади́ть кого́-л.; *перен.* помо́чь кому́-л. преодоле́ть препя́тствие, тру́дность; to have the ~s of smb. бежа́ть быстре́е кого́-л.; убежа́ть от кого́-л.; to keep one's ~s держа́ться на нога́х, не упа́сть; to run off one's ~s сби́ться с ног; to take to one's ~s удра́ть, улизну́ть; to walk smb. off his ~s си́льно утоми́ть кого́-л. ходьбо́й, прогу́лкой; 2) иску́сственная нога́; 3) но́жка; подпо́рка; подста́вка; сто́йка; *перен.* опо́ра; 4) штани́на; ~ of a stocking па́голенок; 5) *sl.* плут, моше́нник; 6) *тех.* коле́но, уго́льник; 7) *эл.* фа́за; 8) *уст.* расша́ркивание; to make a ~ расша́ркиваться; 9) сторона́ треуго́льника; 10) *спорт.* вы́игранное очко́; ~ and ~ ро́вный счёт; ◇ to stretch one's ~s размя́ть но́ги, пройти́сь; to stand on one's own ~s быть незави́симым; to set smb. on his ~s помо́чь кому́-л. материа́льно; to have by the ~ *амер.* поста́вить в затрудни́тельное положе́ние; to get a ~ in *разг.* втере́ться в дове́рие; to have not a ~ to stand on не име́ть оправда́ния, извине́ния; your argument has not a ~ to stand on ваш до́вод не вы́держивает кри́тики; to pull smb.'s ~ моро́чить, одура́чивать, мистифици́ровать кого́-л.; to shake a ~ *разг.* а) танцева́ть; б) торопи́ться;

2. *v разг.*: to ~ it ходи́ть; (у)бежа́ть; отмаха́ть.

legacy ['legəsɪ] *n* насле́дство; насле́дие.

legal ['liːgəl] *a* 1) юриди́ческий, правово́й; ~ aid bureau юриди́ческая консульта́ция; ~ profession профе́ссия юри́ста; 2) зако́нный; узако́ненный; лега́льный; ~ holiday непрису́тственный день.

legalist ['liːgəlɪst] *n* зако́нник.

legality [liːˈgælɪtɪ] *n* зако́нность; лега́льность.

legalize ['liːgəlaɪz] *v* узако́нивать, легализова́ть.

legate I ['legɪt] *n* 1) лега́т, па́пский посо́л; 2) *уст.* посо́л, представи́тель.

legate II [lɪˈgeɪt] *v* завеща́ть.

legatee [,legəˈtiː] *n* насле́дник.

legation [lɪˈgeɪʃən] *n* дипломати́ческая ми́ссия.

legato [leˈgɑːtou] *n, adv муз.* лега́то.

leg-bail ['leg'beɪl] *n*: to give ~ удра́ть.

legend ['ledʒənd] *n* 1) леге́нда; 2) леге́нда, на́дпись (*на моне́те, меда́ли, гравю́ре и т. п.*).

legendary ['ledʒəndərɪ] 1. *a* легенда́рный; 2. *n* сбо́рник леге́нд.

legerdemain ['ledʒədə'meɪn] *фр. n* 1) ло́вкость рук, жонглёрство, фо́кусы; 2) ло́вкий обма́н.

legerity [lɪˈdʒerɪtɪ] *n* быстрота́; прово́рство; лёгкость.

leggings ['legɪŋz] *n pl* гама́ши, кра́ги.

leggy ['legɪ] *a* длинноно́гий.

leghorn *n* 1) ['leghɔːn] италья́нская соло́ма; *тж.* шля́па из неё; 2) [leˈgɔːn] ле́ггорн (*поро́да кур*).

legibility [,ledʒɪˈbɪlɪtɪ] *n* чёткость (*по́черка, шри́фта*).

legible ['ledʒəbl] *a* разбо́рчивый, чёткий.

legion ['liːdʒən] *n* 1) легио́н; L. of Honour о́рден Почётного легио́на (*во Фра́нции*); 2) мно́жество.

legionary ['liːdʒənərɪ] 1. *n* легионе́р; 2. *a* легионе́рский; принадлежа́щий к легио́ну.

legionnaire [,liːdʒəˈneə] *фр. n* легионе́р.

legislate ['ledʒɪsleɪt] *v* издава́ть зако́ны, законода́тельствовать.

legislation [,ledʒɪsˈleɪʃən] *n* законода́тельство.

legislative ['ledʒɪslətɪv] 1. *a* законода́тельный; 2. *n* законода́тельные о́рганы.

legislator ['ledʒɪsleɪtə] *n* 1) законода́тель; 2) правове́д.

legislature ['ledʒɪsleɪtʃə] *n* законода́тельная власть; законода́тельные учрежде́ния.

legist ['liːdʒɪst] *n* правове́д.

legit [lɪˈdʒɪt] *sl. сокр. от* legitimate drama [*см.* legitimate].

legitimacy [lɪˈdʒɪtɪməsɪ] *n* зако́нность.

legitimate 1. *a* [lɪˈdʒɪtɪmɪt] 1) зако́нный; 2) пра́вильный, разу́мный; ~ argument пра́вильный до́вод; 3) законнорождённый; ◇ the ~ drama а) пье́сы все́ми при́знанного досто́инства (*напр., пье́сы Шекспи́ра*); б) драмати́ческий теа́тр (*в противополо́жность* Musical Comedy); 2. *v* [lɪˈdʒɪtɪmeɪt] 1) узако́нивать; признава́ть зако́нным; 2) усыновля́ть (*внебра́чного ребёнка*).

legitimation [lɪˌdʒɪtɪˈmeɪʃən] *n* 1) узаконе́ние; 2) усыновле́ние (*внебра́чного ребёнка*).

legitimist [lɪˈdʒɪtɪmɪst] *n* легитими́ст.

legitimize [lɪˈdʒɪtɪmaɪz] = legitimate 2.

legman ['legmæn] *n амер. sl.* репортёр.

leg-of-mutton ['legəv'mʌtn] *a* треуго́льный; ~ sail треуго́льный па́рус.

leg-pull ['legpul] *n разг.* попы́тка одура́чить кого́-л.

leg-puller ['leg,pulə] *n амер. sl.* полити́ческий интрига́н.

legume ['legjuːm] *n* 1) плод бобо́вых, боб; 2) расте́ние из семе́йства бобо́вых.

leguminous [le'gjuːminəs] *a бот.* бобо́вый; стручко́вый.

lei [lei] *pl от* leu.

leister ['liːstə] 1. *n* острога́; 2. *v* бить острого́й (*лососе́й*).

leisure ['leʒə] *n* 1) досу́г; at ~ на досу́ге; не спеша́; to be at ~ быть свобо́дным, неза́нятым; do it at your ~ сде́лайте э́то, когда́ вам бу́дет удо́бно; 2) *attr.* свобо́дный; ~ time свобо́дное вре́мя.

leisured ['leʒəd] *a* досу́жий, пра́здный.

leisurely ['leʒəlı] 1. *a* 1) ме́дленный, неторопли́вый; 2) досу́жий; 2. *adv* не спеша́, споко́йно.

leit-motif, leit-motiv ['laitmou,tiːf] *n муз.* лейтмоти́в.

lek [lek] *n* лек (*де́нежная едини́ца Алба́нии*).

leman ['lemən] *n уст.* возлю́бленный; возлю́бленная; любо́вник; любо́вница.

lemming ['lemiŋ] *n зоол.* ле́мминг, пестру́шка.

lemon ['lemən] *n* 1) лимо́н (*плод и де́рево*); 2) лимо́нный цвет; 3) *амер. sl.* неприя́тный челове́к; ку́пленная вещь, оказа́вшаяся него́дной; to hand smb. a ~ *разг.* наду́ть, обману́ть кого́-л.; the answer's a ~ не вы́йдет, э́тот но́мер не пройдёт; 4) *амер. sl.* объе́кт вымога́тельства; 5) *sl.* некраси́вая де́вушка; 6) *attr.* лимо́нного цве́та.

lemonade [,lemə'neid] *n* лимона́д.

lemon-drop ['leməndrɔp] *n* лимо́нный ледене́ц.

lemon grass ['leməngraːs] *n бот.* со́рго лимо́нное.

lemon squash ['lemən'skwɔʃ] *n* со́довая (вода́) с лимо́нным со́ком.

lemon-squeezer ['lemən,skwiːzə] *n* соковыжима́лка.

lemony ['lemənı] *a* лимо́нный.

lempira [lem'piːraː] *n* лемпи́ра (*де́нежная едини́ца Гондура́са*).

lemur ['liːmə] *n зоол.* лему́р.

lend [lend] *v* (lent) 1) дава́ть взаймы́; одолжа́ть, ссужа́ть; 2) дава́ть, сообща́ть, придава́ть; to ~ probability to a story придава́ть правдоподо́бие расска́зу; 3) дава́ть, предоставля́ть; to ~ assistance ока́зывать по́мощь; to ~ support ока́зывать подде́ржку; 4) *refl.* прибега́ть (*к чему́-л.*, *обыкн. дурно́му*); to ~ oneself to dishonesty прибе́гнуть к по́длости; 5) *refl.* годи́ться (*то́лько о веща́х*); 6) *refl.* предава́ться (*мечта́м и т. п.*); ◇ to ~ one's ears (*или* ear) вы́слушать; to ~ a (helping) hand помо́чь; to ~ countenance (to) подде́рживать, ока́зывать подде́ржку.

lender ['lendə] *n* заимода́вец.

lending-library ['lendiŋ,laibrəri] *n* библиоте́ка с вы́дачей книг на́ дом.

Lend-Lease Act ['lend,liːs'ækt] *n амер.* ленд-лиз, зако́н о переда́че взаймы́ и в аре́нду вооруже́ния (*1941 г.*).

length [leŋθ] *n* 1) длина́; at full ~ а)

во всю длину́; вра́стяжку; б) со все́ми подро́бностями; the horse won by three ~s ло́шадь опереди́ла други́х на́ три ко́рпуса; to measure one's ~, to fall all one's ~ растяну́ться во весь рост; 2) расстоя́ние; to keep at arm's ~ держа́ть на почти́тельном расстоя́нии; 3) продолжи́тельность; протяже́ние; of some ~ дово́льно продолжи́тельный; in ~ of time со вре́менем; to speak at some ~ говори́ть до́лго и не опуска́я подро́бностей; to draw out to a great ~ затяну́ть, растяну́ть (*докла́д и т. п.*); 4) *фон.* долгота́ гла́сного; 5) отре́зок, кусо́к; a ~ of dress fabric отре́з на пла́тье; ◇ at ~ а) наконе́ц; б) подро́бно; to go all (*или* any) ~ идти́ на всё, ни перед чем не остана́вливаться; to go the ~ of doing smth. позво́лить себе́, осме́литься сде́лать что́-л.; to know (*или* to get, to find, to have) the ~ of smb.'s foot соста́вить себе́ представле́ние о хара́ктере челове́ка, раскуси́ть челове́ка; through the ~ and breadth (of) вдоль и поперёк, из кра́я в край.

lengthen ['leŋθən] *v* 1) удлиня́ть(ся); to ~ out чрезме́рно затя́гивать; 2) продолжа́ться, тяну́ться; summer ~s into autumn ле́то постепе́нно перехо́дит в о́сень.

lengthways ['leŋθweiz] *adv* в длину́; вдоль.

lengthwise ['leŋθwaiz] = lengthways.

lengthy ['leŋθı] *a* 1) о́чень дли́нный, растя́нутый, многосло́вный; 2) *разг.* высо́кий (*о челове́ке*).

lenience, -cy ['liːnjəns, -sı] *n* мя́гкость; снисходи́тельность; терпи́мость.

lenient ['liːnjənt] *a* мя́гкий; снисходи́тельный; терпи́мый.

Leninism ['leninizəm] *n* ленини́зм.

Leninist ['leninist] 1. *n* ле́нинец; 2. *a* ле́нинский.

Leninite ['leninait] = Leninist 1.

lenitive ['lenitiv] *мед.* 1. *a* мягчи́тельный; 2. *n* мягчи́тельное, успока́ивающее *или* слегка́ послабля́ющее сре́дство.

lenity ['leniti] *n* 1) милосе́рдие; 2) мя́гкость.

lens [lenz] 1. *n* (*pl* -es [-iz]) 1) ли́нза, чечеви́ца, опти́ческое стекло́; лу́па; объекти́в; 2) хруста́лик гла́за (*тж.* crystalline ~); 3) *геол.* чечевицеобра́зная за́лежь; 2. *v*: ~ out выкли́ниваться; сда́вливать, сжима́ть.

Lent [lent] = lent II.

lent I [lent] *past и p. p. от* lend.

lent II [lent] *n* вели́кий пост; ◇ ~ term весе́нний семе́стр; ~ lily жёлтый нарци́сс.

lenten ['lentən] *a* 1) великопо́стный; 2) по́стный (*о пи́ще*); пре́сный (*о хле́бе*).

lenticular [len'tikjulə] *a* 1) *опт.* двояк вы́пуклый; линзообра́зный; 2) *анат.* относя́щийся к хруста́лику гла́за.

lentil ['lentil] *n бот.* чечеви́ца.

lentous ['lentəs] *a* ли́пкий, кле́йкий.

Leo ['liːou] *n* Лев (*созве́здие и знак зо́диака*).

leonine ['liːənain] *a* 1) льви́ный; 2) (*тж.* L.) леони́нский (*стих*).

leopard ['lepəd] *n* леопа́рд; ◇ can the ~ change his spots? *посл.* ≅ горба́того моги́ла испра́вит.

leopardess ['lepədɪs] *n* са́мка леопа́рда.

leotard ['li:outɑːd] *n* трико́ (*костюм акроба́та*).

leper ['lepə] *n* прокажённый.

leporine ['lepəraɪn] *a зоол.* за́ячий.

leprechaun(s) ['leprəkɔːn(z)] *n* эльф.

leprosarium [,leprə'zɛərɪəm] *n* лепрозо́рий.

leprosy ['leprəsɪ] *n* прока́за.

leprous ['leprəs] *a* 1) прокажённый; 2) сво́йственный прока́зе.

Lesbian ['lezbɪən] *a* 1) лесбо́сский; 2) лесби́йский.

lese-majesty ['liːz'mædʒɪstɪ] *n* 1) оскорбле́ние вели́чества; 2) госуда́рственное преступле́ние; госуда́рственная изме́на.

lesion ['liːʒən] *n* 1) поврежде́ние, пораже́ние (*органа, ткани*); 2) *юр.* убы́ток, вред.

less [les] 1. *a* (*сравнит. ст. от* little) ме́ньший (*о размере, продолжи́тельности, числе и т. п.*); in a ~ (*или* lesser) degree в ме́ньшей сте́пени; of ~ importance ме́нее ва́жный; ◇ no ~ a person than никто́ ино́й, как сам (*тако́й-то*); 2. *adv* ме́ньше, ме́нее; в ме́ньшей сте́пени; ~ known ме́нее изве́стный; 3. *n* ме́ньшее коли́чество, ме́ньшая су́мма *и т. п.*; I cannot take ~ не могу́ взять ме́ньше; ◇ none the ~ тем не ме́нее; in ~ than no time в мгнове́ние о́ка; 4. *prep* без; a year ~ three days год без трёх дней.

lessee [le'siː] *n* съёмщик, аренда́тор.

lessen ['lesn] *v* 1) уменьша́ть(ся); 2) преуменьша́ть, недооце́нивать.

lesser ['lesə] *a attr.* (*сравнит. ст. от* little) ме́ньший; the ~ of two evils ме́ньшее из двух зол; the Lesser Bear *астр.* Ма́лая Медве́дица.

lesson ['lesn] 1. *n* 1) уро́к; to give (to take) ~s in English дава́ть (брать) уро́ки англи́йского языка́; let this be a ~ to you пусть э́то послу́жит вам уро́ком; 2) нота́ция; to give smb. a ~ прочесть кому́-л. нота́цию; проучи́ть кого́-л.; 3) *церк.* отры́вок из би́блии, чита́емый во вре́мя слу́жбы; 2. *v* 1) дава́ть уро́к(и); 2) чита́ть нота́цию.

lessor [le'sɔː] *n* сдаю́щий в аре́нду.

lest [lest] *cj* чтобы не, как бы не; put down the address ~ you should forget it запиши́те а́дрес, чтобы не забы́ть; I was afraid ~ I should forget the address я боя́лся как бы не забы́ть а́дрес.

let I [let] 1. *v* (let) 1) позволя́ть; пуска́ть; дава́ть; will you ~ me smoke? вы разреши́те мне кури́ть?; to ~ a fire (go) out дать огню́ поту́хнуть; to ~ loose выпустить, дать во́лю, свобо́ду; to ~ blood пуска́ть кровь; to ~ drop (*или* fall) а) роня́ть; б) неча́янно проронить (*слово, замеча́ние*); в) опуска́ть (*перпендикуля́р*); to ~ go а) выпуска́ть из рук; б) отпуска́ть; в) допуска́ть; г) освобожда́ть; д) вы́кинуть из головы́; to ~ oneself go дать во́лю себе́, свои́м чу́в-

ствам; to ~ pass не обрати́ть внима́ния; прости́ть; to ~ things slide (*или* go hang) не обраща́ть внима́ния, относи́ться небре́жно; to ~ slip the chance упусти́ть слу́чай; to ~ smb. know (*или* hear) дать знать, сообщи́ть кому́-л.; to ~ smb. see показа́ть, дать поня́ть кому́-л.; 2) оставля́ть; не тро́гать; ~ me (him) be, let me (him) alone оста́вь(те) меня́ (его́) в поко́е; ~ my things alone не тро́гай(те) мои́х веще́й; we'll ~ it go at that на э́том мы остано́вимся; пусть бу́дет так; 3) сдава́ть внаём; the house is to (be) ~ дом сдаётся; to ~ сдаётся (*на́дпись*); 4) *в повели́т. наклоне́нии употребля́ется как вспомога́тельный глаго́л и выража́ет приглаше́ние, приказа́ние, разреше́ние, предположе́ние*: ~ us go идём(те); ~ you and me try now дава́йте попро́буем; ~ him do it at once пусть он сде́лает э́то неме́дленно; ~ him do what he likes пусть де́лает, что уго́дно; ~ AB be equal to CD пусть (*или* допу́стим, что) AB равно́ CD; □ ~ down а) опуска́ть; б) разочарова́ть; в) подвести́; поки́нуть в беде́; г) уни́зить; урони́ть; повреди́ть репута́ции; to ~ smb. down easily (*или* gently) пощади́ть чьё-л. самолю́бие, отнести́сь мя́гко; д) *тех.* отпуска́ть; е) разбавля́ть, разжижа́ть; ~ in а) впуска́ть; б) обма́ном впу́тывать, вовлека́ть в беду́; to ~ oneself in for smth. впу́таться, ввяза́ться во что-л.; ~ into а) ввести́ посвяти́ть (*в та́йну и т. п.*); б) напа́сть; поруга́ть; в) изби́ть; ~ off а) разряди́ть ружьё, вы́стрелить; *перен. шутл.* выпалить (*шу́тку и т. п.*); б) отпусти́ть без наказа́ния, прости́ть; ~ on а) *амер.* притворя́ться, де́лать вид; б) *разг.* выдава́ть секре́т; доноси́ть на кого́-л.; ~ out а) выпуска́ть; б) сде́лать ши́ре, вы́пустить (*о пла́тье*); в) сдава́ть внаём; дава́ть напрока́т (*ло́шадь, экипа́ж*); г) проговори́ться, проболта́ться; ~ out at а) дра́ться; б) руга́ться; ~ up *разг.* а) ослабева́ть; б) прекраща́ть, оставля́ть; ◇ to ~ one's tongue run away with one языче́ться, говори́ть не ду́мая; ~ alone не говоря́ уже́ о; ~ George do it *амер.* пусть кто́-нибудь друго́й э́то сде́лает;

2. *n* сда́ча внаём.

let II [let] *уст.* 1. *v* (letted [-ɪd], let) меша́ть, препя́тствовать; 2. *n* поме́ха; препя́тствие.

letdown ['let'daun] *n* 1) упа́док; 2) *разг.* разочарова́ние.

lethal ['liːθəl] *a* 1) смерте́льный; смертоно́сный; фата́льный; ~ chamber «ка́мера сме́рти» (*ме́сто, где безболе́зненно убива́ют ко́шек, соба́к*); 2) *амер.* нестойкий (*об отравля́ющих вещества́х*).

lethargic(al) [le'θɑːdʒɪk(əl)] *a* 1) летарги́ческий; 2) вя́лый, со́нный, апати́чный.

lethargy ['leθədʒɪ] *n* 1) летарги́я; 2) вя́лость, апати́чность.

Lethe ['liːθɪ] *n миф.* Ле́та.

Lethean [lɪ'θiːən] *a*: ~ stream *миф.* Ле́та, река́ забве́ния.

lethiferous [lɪ'θɪfərəs] *a* смертоно́сный; смерте́льный.

let-off [ˈletˌɔːf] *n* прощение; освобождение от (заслуженного) наказания.

Lett [let] *n* латыш; латышка.

letter [ˈletə] **1.** *n* 1) буква; the ~ of the law буква закона; to the ~ буквально, точно; the order was obeyed to the ~ приказ был выполнен точно; in ~ and in spirit по форме и по существу; to win one's ~ *амер. спорт.* заслужить право быть членом спортивной организации и носить её инициалы; 2) *полигр.* литера; 3) письмо; послание; ~ of advice извещение, авизо; ~ of attorney доверенность; ~ of credit *фин.* аккредитив; ~s credential, ~s of credence *дип.* верительные грамоты; ~s of recall *дип.* отзывные грамоты; ~ of instruction директивное письмо; ~s of administration судебное полномочие на управление имением *или* имуществом умершего; ~ of indemnity гарантийное письмо; 4) *pl* литература; литературная образованность, учёность; man of ~s писатель; учёный; the profession of ~s профессия писателя; 5) = letter-paper;
2. *v* 1) помечать буквами; 2) вытиснять буквы, заглавие (*на корешке книги*); 3) *тех.* штемпелевать, клеймить.

letter-box [ˈletəbɔks] *n* почтовый ящик.

letter-card [ˈletəkɑːd] *n* письмо-секретка.

letter-carrier [ˈletəˌkærɪə] *n* письмоносец, почтальон.

lettered [ˈletəd] **1.** *p. p. от* letter 2;
2. *a* 1) начитанный; (литературно) образованный; 2) с тиснёными, выгравированными буквами, заглавием; 3) *воен.* литерный, обозначаемый буквой.

letter-foundry [ˈletəˌfaundrɪ] *n* словолитня.

lettergram [ˈletəgræm] *n* телеграмма-письмо (*оплачиваемая по пониженному тарифу*).

letterhead [ˈletəhed] *n* печатный заголовок на листе почтовой бумаги.

lettering [ˈletərɪŋ] **1.** *pres. p. от* letter 2;
2. *n* надпись; тиснение.

letterless [ˈletəlɪs] *a* необразованный; неграмотный.

letter-paper [ˈletəˌpeɪpə] *n* почтовая бумага.

letter-perfect [ˈletəˈpəːfɪkt] *a* *театр.* твёрдо знающий свою роль.

letterpress [ˈletəpres] *n* текст в книге (*в отличие от иллюстраций*).

letter-weight [ˈletəweɪt] *n* 1) почтовые весы; 2) пресс-папье.

Lettish [ˈletɪʃ] **1.** *a* латышский;
2. *n* латышский язык.

lettuce [ˈletɪs] *n* латук, салат.

let-up [ˈletˌʌp] *n* прекращение; приостановка; ослабление; it rained without ~ дождь не прекращался ни на минуту.

leu [ˈleuː] *n* (*pl* lei) лей, лея (*денежная единица Румынии*).

leucocyte [ˈljuːkəsaɪt] *n физиол.* лейкоцит.

lev [lef] *n* (*pl* leva) лев (*денежная единица и монета Болгарии*).

leva [ˈlevɑː] *pl от* lev.

levant [lɪˈvænt] *v* скрыться, сбежать, не уплатив долгов.

Levanter [lɪˈvæntə] *n* 1) житель Леванта, левантинец; 2) сильный восточный ветер (*в районе Средиземного моря*).

Levantine [ˈlevəntaɪn] **1.** *n* 1) = Levanter 1); 2) судно, торгующее с Левантом; **2.** *a* левантийский.

levee I [ˈlevɪ] *n* 1) приём (*у главы государства*); 2) приём, собрание (*гостей*).

levee II [ˈlevɪ] **1.** *n* 1) дамба; гать; 2) набережная; 3) пристань; 4) *геол.* береговой (намывной) вал реки;
2. *v* воздвигать дамбы.

level [ˈlevl] **1.** *n* 1) уровень; ступень; sea ~ уровень моря; on a ~ with на одном уровне с; to rise to higher ~s подниматься на более высокую ступень; to find one's (own) ~ а) найти себе равных; б) занять подобающее место; to bring smb. to his ~ сбить спесь с кого-л., поставить кого-л. на место; 2) плоская, горизонтальная поверхность; равнина; 3) ватерпас; нивелир; уровень (*инструмент*); 4) *горн.* этаж, горизонт; квершлаг, штольня; *ав.* горизонтальный полёт (*тж.* ~ flight); to give a ~ перейти в горизонтальный полёт; ◇ on the ~ честно; on the ~! честное слово; to land on the street ~ *разг.* осёдлать работу, оказаться на улице;
2. *a* 1) горизонтальный; плоский, ровный; расположенный на одном уровне (*с чем-л. другим*); а ~ road ровная дорога; 2) одинаковый, равный, равномерный; they are ~ in capacity у них одинаковые способности; 3) уравновешенный, спокойный; ◇ to do one's ~ best проявить максимум энергии; сделать всё от себя зависящее;
3. *adv* ровно, вровень; to fill the glass ~ with the top наполнить стакан до краёв; the horses ran ~ with one another лошади бежали голова в голову;
4. *v* 1) выравнивать, сглаживать; to ~ to (*или* with) the ground сносить с лица земли; сравнять с землёй; 2) определять разность высот; нивелировать; 3) уравнивать; to ~ up (down) повышать (понижать) уравнивая; 4) целиться (at); направлять (at, against—против *кого-л.*); □ ~ off *ав.* выравнивать самолёт (*перед посадкой*).

level-headed [ˈlevlˈhedɪd] *a* уравновешенный.

leveller [ˈlevlə] *n* 1) *ист.* левеллер, «уравнитель»; 2) сторонник (социального) равенства; 3) *тех.* приспособление для выравнивания; 4) нивелировщик.

lever [ˈliːvə] **1.** *n* 1) рычаг; вага; control ~ ручка управления; rocking ~ балансир; коромысло; starting ~ пусковой рычаг; 2) шест, лом *и т. п.*, служащий рычагом; 3) *мор.* гандшпуг;
2. *v* поднимать, передвигать рычагом (*часто* ~ up, ~ along).

leverage [ˈliːvərɪdʒ] *n* 1) действие рычага; 2) система рычагов; 3) подъёмная сила; 4) отношение плеч рычага; 5) способ, средство для достижения цели.

leveret [ˈlevərɪt] *n* зайчонок.

leviathan [lɪ'vaɪəθən] *n* 1) *библ.* левиафа́н; 2) грома́дина.

levigate ['levɪgeɪt] 1. *v* 1) растира́ть в порошо́к; 2) отму́чивать;
2. *a* гла́дкий.

levin ['levɪn] *n поэт.* мо́лния.

levitate ['levɪteɪt] *v* поднима́ть(ся).

Leviticus [lɪ'vɪtɪkəs] *n библ.* Леви́т (*3-я книга Ветхого завета*).

levity ['levɪtɪ] *n* 1) легкомы́слие, ве́треность, непостоя́нство; 2) *редк.* лёгкость (*веса*).

levy ['levɪ] 1. *n* 1) сбор, взима́ние (*податей, налогов*); обложе́ние (*налогом*), су́мма обложе́ния; 2) набо́р рекру́тов; ~ in mass погало́вный набо́р (всех мужчи́н, го́дных к вое́нной слу́жбе); всео́бщее ополче́ние (*тж.* ~ en masse); 3) (*тж. pl*) на́бранные рекру́ты, войска́;
2. *v* 1) взима́ть (*налог*); облага́ть (*налогом*); 2) набира́ть (*рекрутов*); ◇ to ~ war начина́ть войну́.

lew [lef] = lev.

lewd [luːd] *a* 1) похотли́вый; 2) непристо́йный.

lewis ['luːɪs] *n тех.* во́лчья ла́па; а́нкерный болт.

lewisite ['luːɪsaɪt] *n хим.* люизи́т.

lex [leks] *лат. n* зако́н; ~ non scripta непи́саный зако́н; ~ scripta пи́саный зако́н.

lexical ['leksɪkəl] *a* 1) лекси́ческий; 2) слова́рный.

lexicographer [,leksɪ'kɔgrəfə] *n* лексико́граф, состави́тель словаре́й.

lexicography [,leksɪ'kɔgrəfɪ] *n* лексикогра́фия, составле́ние словаре́й.

lexicology [,leksɪ'kɔlədʒɪ] *n* лексиколо́гия.

lexicon ['leksɪkən] *n* слова́рь.

ley [leɪ] = leu.

Leyden jar ['leɪdndʒɑː] *n эл.* ле́йденская ба́нка.

liability [,laɪə'bɪlɪtɪ] *n* 1) отве́тственность; 2) (*обыкн. pl*) обяза́тельство, задо́лженность, долг; ~ of indemnity обяза́тельство возмести́ть убы́тки; 3) подве́рженность, скло́нность; ~ to disease скло́нность к заболева́нию; 4) *амер.* поме́ха.

liable ['laɪəbl] *a* 1) обя́занный (to *c inf.*); отве́тственный (for—*за*); ~ for military service военнообя́занный; 2) подве́рженный; досту́пный; подлежа́щий (*чему-л.*); ~ to (catch) cold легко́ просту́живающийся; your article is ~ to misconstruction ва́ша статья́ мо́жет быть превра́тно истолко́вана; ~ to duty подлежа́щий обложе́нию; 3) вероя́тный, возмо́жный; he is ~ to come at any moment он мо́жет прийти́ в любу́ю мину́ту; difficulties are ~ to occur о́чень возмо́жно, что встре́тятся затрудне́ния.

liaise [lɪ'eɪz] *v* подде́рживать связь.

liaison [liː'eɪzɔːŋ] *фр. n* 1) (любо́вная) связь; 2) *воен.* связь, взаимоде́йствие; 3) *лингв.* свя́зывание коне́чного согла́сного с нача́льным гла́сным сле́дующего сло́ва (*во французском языке*); 4) *кул.* запра́вка для со́уса *или* су́па (*из муки и масла, муки и яиц и т. п.*).

liaison officer [liː'eɪzɔːŋ,ɔfɪsə] *n воен.* офице́р свя́зи.

liana [lɪ'ɑːnə] *n бот.* лиа́на.

liar ['laɪə] *n* лгун.

lias ['laɪəs] *n геол.* лейа́с, ни́жняя юра́.

libation [laɪ'beɪʃən] *n* возлия́ние; *шутл.* вы́пивка.

libel ['laɪbəl] 1. *n* клевета́ (*в печати*), диффама́ция (upon—на *кого-л.*);
2. *v* клевета́ть; выпуска́ть па́сквиль.

libeller ['laɪblə] *n* пасквиля́нт; клеве́тник.

libellous ['laɪbləs] *a* клеветни́ческий.

liber ['laɪbə] *n* луб, лы́ко.

liberal ['lɪbərəl] 1. *a* 1) ще́дрый, оби́льный; 2) великоду́шный; 3) свобо́дный от предрассу́дков; свободомы́слящий; 4) гуманита́рный; ~ arts гуманита́рные нау́ки; ~ education гуманита́рное образова́ние; 5) (L.) *полит.* либера́льный;
2. *n* (L.) *полит.* член па́ртии либера́лов, либера́л.

liberalism ['lɪbərəlɪzəm] *n* либерали́зм.

liberality [,lɪbə'rælɪtɪ] *n* 1) ще́дрость; 2) широта́ взгля́дов, терпи́мость.

liberalize ['lɪbərəlaɪz] *v* де́лать(ся) либера́льным.

liberate ['lɪbəreɪt] *v* 1) освобожда́ть (from); 2) *хим.* выделя́ть.

liberation [,lɪbə'reɪʃən] *n* 1) освобожде́ние; 2) *хим.* выделе́ние.

liberationism [,lɪbə'reɪʃənɪzəm] *n* движе́ние за отделе́ние це́ркви от госуда́рства.

liberator ['lɪbəreɪtə] *n* освободи́тель.

libertarian [,lɪbə'tɛərɪən] *n* сторо́нник доктри́ны о свобо́де во́ли.

libertine ['lɪbətaɪn] 1. *n* 1) распу́тник; 2) вольноду́мец; 3) *ист.* вольноотпу́щенник;
2. *a* 1) безнра́вственный, распу́щенный; 2) свободомы́слящий; 3) *ист.* вольноотпу́щенный.

liberty ['lɪbətɪ] *n* 1) свобо́да; ~ of the press свобо́да печа́ти; at ~ свобо́дный, на свобо́де; you are at ~ to make any choice вы мо́жете выбира́ть, что уго́дно; to set at ~ освободи́ть; to take the ~ (of doing *или* to do so and so) позво́лить себе́ (сде́лать то́-то); 2) во́льность, бесцеремо́нность; to take liberties with smb. позволя́ть себе́ во́льности с кем-л.; to take liberties with smth. обраща́ться бесцеремо́нно с чем-л.; 3) *pl* привиле́гии, во́льности; 4) *амер. воен.* краткосро́чный о́тпуск; увольни́тельная запи́ска.

liberty man ['lɪbətɪmæn] *n* матро́с в о́тпуске; матро́с, увольня́емый на бе́рег.

libidinous [lɪ'bɪdɪnəs] *a* 1) похотли́вый; чу́вственный; 2) возбужда́ющий чу́вственность.

libido [lɪ'biːdou] *n* 1) полово́е влече́ние; 2) си́ла, стремле́ние, эне́ргия.

Libra ['liːbrə] *n* Весы́ (*созвездие и знак зодиака*).

librarian [laɪ'brɛərɪən] *n* библиоте́карь.

library ['laɪbrərɪ] *n* библиоте́ка; free ~ беспла́тная библиоте́ка; walking ~ *шутл.* «ходя́чая энциклопе́дия».

libretti [lɪ'breti] *pl om* libretto.

libretto [lɪ'bretou] *n* (*pl* -ti, -os [-ouz]) либре́тто.

Libyan ['lɪbɪən] **1.** *a* ливи́йский; *поэт.* африка́нский;
2. *n* уроже́нец Ли́вии, ливи́ец.

lice [laɪs] *pl om* louse 1.

licence ['laɪsəns] *n* 1) разреше́ние, лице́нзия; пате́нт; driving ~ води́тельские права́, разреше́ние на пра́во вожде́ния автомаши́ны; 2) во́льность; своево́лие; распу́щенность; 3) отклоне́ние от но́рмы (*в искусстве, литерату́ре*); poetic ~ поэти́ческая во́льность; 4) *attr.:* ~ plate номерно́й знак на автомаши́не.

license ['laɪsəns] **1.** *v* разреша́ть, дава́ть разреше́ние (*на что-л.*); дава́ть пра́во, пате́нт, привиле́гию;
2. *n* = licence.

licensed ['laɪsənst] **1.** *p. p. om* license;
2. *a* 1) име́ющий разреше́ние, пра́во, привиле́гию (*на что-л.*); ~ victualler тракти́рщик с пра́вом торго́вли спиртны́ми напи́тками; ~ vice узако́ненный развра́т; 2) привилегиро́ванный, при́знанный; 3) дипломи́рованный (*напр., инжене́р*).

licensee [,laɪsən'siː] *n* лицо́, име́ющее разреше́ние, пате́нт.

licenser ['laɪsənsə] *n* лицо́, выдаю́щее разреше́ние, пате́нт; ~ of the press це́нзор.

licentiate [laɪ'senʃɪɪt] *n* лицензиа́т; облада́тель дипло́ма.

licentious [laɪ'senʃəs] *a* 1) распу́щенный, безнра́вственный; 2) *редк.* во́льный, не счита́ющийся с пра́вилами.

lichen ['laɪken] *n* 1) лиша́й; 2) *бот.* лиша́йник.

lich-gate ['lɪtʃgeɪt] *n* кры́тый вход на кла́дбище.

licit ['lɪsɪt] *a* зако́нный.

lick [lɪk] **1.** *v* 1) лиза́ть; обли́зывать; to ~ one's chops (*или* one's lips) обли́зываться, смакова́ть, предвкуша́ть (*что-л.*); 2) *разг.* бить, колоти́ть; 3) побива́ть; превосходи́ть; to ~ (all) creation превзойти́ все ожида́ния; 4) *разг.* спеши́ть; мча́ться; to go as hard as one can ~ мча́ться во весь опо́р; ◇ to ~ into shape придава́ть фо́рму, прие́млемый вид; приводи́ть в поря́док; to ~ the dust a) быть пове́рженным на́земь; быть побеждённым; б) пресмыка́ться, унижа́ться (*перед кем-л.*); to ~ a problem *амер.* разреши́ть зада́чу; спра́виться с зада́чей;
2. *n* 1) обли́зывание; 2) незначи́тельное коли́чество, кусо́чек (*чего-л.*); 3) *разг.* си́льный уда́р; 4) *разг.* шаг; ско́рость; at a great (*или* at full) ~ бы́стрым ша́гом; с большо́й ско́ростью; ◇ a ~ and a promise рабо́та, сде́ланная спустя́ рукава́, ко́е-ка́к; to give a ~ and a promise пло́хо, на́спех вы́полнить каку́ю-л. рабо́ту; to put in one's best ~s прилага́ть все уси́лия, стара́ться.

lickerish ['lɪkərɪʃ] *a* 1) ла́комый; 2) лю́бящий поесть; 3) распу́тный.

licking ['lɪkɪŋ] **1.** *pres. p. om* lick 1;
2. *n разг.* по́рка; взбу́чка.

lickspittle ['lɪkspɪtl] *n* льстец; подхали́м.

licorice ['lɪkərɪs] = liquorice.

lid [lɪd] *n* 1) кры́шка, колпа́к; to put the ~ on *перен.* a) доверши́ть де́ло, положи́ть коне́ц; б) расстро́ить (*пла́ны и т. п.*); 2) ве́ко; to narrow one's ~s прищу́риться; 3) *амер.* кры́шка (*переплётённой кни́ги*); 4) *амер.* ограниче́ние; запре́т; the ~ is on gambling аза́ртные и́гры запрещены́; to keep the ~ on (information, data, *etc.*) держа́ть (све́дения, да́нные *и т. п.*) в секре́те; to take the ~ off (information, data, *etc.*) откры́ть секре́т, сде́лать я́вным; 5) *sl.* шля́па; *воен.* шлем.

lie I [laɪ] **1.** *n* ложь, обма́н; to tell a ~ солга́ть; to give the ~ to smb. улича́ть, изоблича́ть кого́-л. во лжи; to give the ~ to smth. опроверга́ть что-л.; white ~ мора́льно опра́вдываемая ложь; ложь во спасе́ние; to swop ~s *разг.* поболта́ть, посплетни́чать;
2. *v* 1) лгать; to ~ in one's throat бессты́дно лгать; to ~ like a gas-meter завира́ться; 2) обма́нывать.

lie II [laɪ] **1.** *v* (lay; lain) 1) лежа́ть; to ~ still лежа́ть споко́йно; to ~ idle лежа́ть без употребле́ния; to ~ in ambush находи́ться в заса́де; to ~ in wait (for smb.) поджида́ть, подстерега́ть (кого́-л.); to ~ low a) лежа́ть распростёртым, быть мёртвым; б) притаи́ться; в) *sl.* скрыва́ть свои́ и́стинные наме́рения; выжида́ть; 2) быть располо́женным; простира́ться; the road ~s before you доро́га простира́ется пе́ред ва́ми; life ~s in front of you у вас вся жизнь впереди́; 3) находи́ться, заключа́ться (*в чём-л.*); относи́ться (*к кому́-л.*); it ~s with you to decide it ва́ше де́ло реши́ть э́то; the blame ~s at your door э́то ва́ша вина́; as far as in me ~s наско́лько э́то в мое́й вла́сти, в мои́х си́лах; 4) *уст.* пробы́ть недо́лго; to ~ for the night расположи́ться на́ ночь; 5) *юр.* признава́ться зако́ном; the claim does not ~ э́то незако́нное тре́бование; □ ~ back отки́нуться (*на поду́шку и т. п.*); ~ by a) остава́ться без употребле́ния; б) безде́йствовать; в) отдыха́ть; ~ down a) ложи́ться; приле́чь; б) принима́ть без сопротивле́ния, поко́рно; to take (punishment, an insult, *etc.*) lying down принима́ть (наказа́ние, оскорбле́ние *и т. п.*) поко́рно, не обижа́ясь; to ~ down under (an insult) проглоти́ть (оскорбле́ние); ~ in a) лежа́ть в рода́х; б) *воен.* лежа́ть в заса́де; ~ off a) *мор.* находи́ться на не́котором расстоя́нии от бе́рега *или* друго́го су́дна; б) вре́менно прекрати́ть рабо́ту; ~ out ночева́ть вне до́ма; ~ over откла́дывать (*до друго́го вре́мени*); ~ to *мор.* лежа́ть в дре́йфе; ~ under находи́ться, быть под (*подозре́нием и т. п.*); ~ up a) лежа́ть, не выходи́ть из ко́мнаты (*из-за недомога́ния*); б) стоя́ть в стороне́, отстраня́ться; в) *мор.* находи́ться в до́ке; ◇ to ~ out of one's money не получи́ть причита́ющихся де́нег, дожида́ться свои́х де́нег; to ~ on the bed one has made *посл.* ≅ что посе́ешь, то и пожнёшь;
2. *n* 1) положе́ние; направле́ние; the ~ of the ground релье́ф ме́стности; the ~ of

the land a) *мор.* направле́ние на бе́рег; б) *перен.* положе́ние веще́й; 2) ло́гово (*зве́ря*).

lief [li:f] *adv уст.* охо́тно; I had as ~ go as not мне всё равно́, идти́ и́ли не идти́.

liege [li:dʒ] *ист.* 1. *n* 1) ле́нник, вассал; the ~s по́дданные; 2) сеньо́р; 2. *a* 1) вассальный, ле́нный; 2) сеньо-риальный; ~ lord сеньо́р.

liegeman ['li:dʒmæn] *n* вассал.

lien [liən] *n* 1) пра́во наложе́ния аре́ста на иму́щество должника́; 2) зало́г.

lieu [lju:] *n*: in ~ of вме́сто.

lieutenancy [lef'tenənsɪ, *амер.* lju:'ten-ənsɪ, *мор.* le'tenənsɪ] *n* чин, зва́ние лей-тена́нта.

lieutenant [lef'tenənt, *амер.* lju:'tenənt, *мор.* le'tenənt] *n* 1) лейтена́нт; 2) замести́-тель; Deputy Lieutenant замести́тель Lord Lieutenant [*см.*].

lieutenant colonel [lef'tenənt'kə:nl] *n* подполко́вник.

lieutenant commander [le'tenəntkə'mɑ:n-də] *n мор.* капита́н-лейтена́нт.

lieutenant-general [lef'tenənt'dʒenərəl] *n* 1) генера́л-лейтена́нт; 2) *ист.* наме́стник.

lieutenant-governor [lef'tenənt'gʌv-ənə] губерна́тор прови́нции (*в англ. ко-ло́нии*); 2) [lju:'tenənt'gʌvənə] *амер.* по-мо́щник губерна́тора (*шта́та*).

life [laɪf] *n (pl* lives) 1) жизнь; существо-ва́ние; to enter upon ~ вступи́ть в жизнь; for ~ на всю жизнь; an appointment for ~ пожи́зненная до́лжность; to come to ~ ожива́ть, приходи́ть в себя́ (*после обмо́-рока*); to bring to ~ привести́ в чу́вство; a matter of ~ and death вопро́с жи́зни и сме́рти; to pawn one's ~ руча́ться жи́знью; to take smb.'s ~ уби́ть кого́-л.; 2) о́браз жи́зни; to lead a quiet ~ вести́ споко́йную жизнь; stirring ~ де́ятельная жизнь, за́-нятость; 3) нату́ра (*тж.* ~ size); as large as ~ a) в нату-ра́льную величину́; как живо́й; б) *шутл.*: here he is as large as ~ вот он со́бственной персо́ной; to portray to the ~ то́чно переда-ва́ть схо́дство; 4) эне́ргия, жи́вость, оживле́ние; to sing with ~ петь с воодуше-вле́нием; to put ~ into one's work рабо́-тать с душо́й; 5) биогра́фия, жизнеописа́-ние; 6) о́бщество; обще́ственная жизнь; high ~ све́тское, аристократи́ческое о́бщество; to see ~, to see smth. of ~ повида́ть свет; позна́ть жизнь; 7) срок слу́жбы *или* рабо́-ты маши́ны, долгове́чность; 8) *attr.* пожи́зненный; для́щийся всю жизнь; ~ annuity пожи́зненная пе́нсия; 9) *attr.*: ~ assurance, ~ insurance страхова́ние жи́зни; ◇ my dear ~ моя́ дорога́я; мой дорого́й; such is ~ такова́ жизнь, ничего́ не поде́лаешь; while there is ~ there is hope *посл.* пока́ челове́к жив, он наде́ется; upon my ~! че́стное сло́во!; for the ~ of me I can't do it хоть убе́й, не могу́ э́того сде́лать; ~ and death struggle борьба́ не на живо́т, а на́ смерть; to run for dear ~ бежа́ть изо всех сил; cat and dog ~ по-стоя́нные ссо́ры, непреры́вные столкнове́ния (*осо́бенно ме́жду супру́гами*); still ~ на-

тюрмо́рт; he was ~ and soul of the party он был душо́й о́бщества.

lifebelt ['laɪfbelt] *n* спаса́тельный по́яс.

life-blood ['laɪfblʌd] *n* 1) кровь; 2) исто́ч-ник жи́зненной си́лы.

lifeboat ['laɪfbout] *n* спаса́тельная шлю́п-ка.

life-buoy ['laɪfbɔɪ] *n* спаса́тельный буй.

life estate ['laɪfɪs'teɪt] *n* име́ние в по-жи́зненном по́льзовании.

life-giving ['laɪf,gɪvɪŋ] *a* живи́тельный, животво́рный, подде́рживающий жизнь; восстана́вливающий жи́зненные си́лы.

life-guard ['laɪfgɑ:d] *n* 1) *уст.* ли́чная охра́на; 2) *амер.* слу́жащий ста́нции спа-са́ния на вода́х.

Life Guards ['laɪfgɑ:dz] *n* лейб-гва́рдия.

life-jacket ['laɪf,dʒækɪt] *n* спаса́тельная ку́ртка.

lifeless ['laɪflɪs] *a* 1) бездыха́нный; без-жи́зненный; 2) ску́чный; ◇ he is ~ who is faultless *посл.* ≅ не ошиба́ется тот, кто ничего́ не де́лает.

life-like ['laɪflaɪk] *a* сло́вно живо́й, о́чень похо́жий.

life-line ['laɪflaɪn] *n* 1) спаса́тельная верёвка; 2) жи́зненно ва́жный путь, до-ро́га жи́зни.

lifelong ['laɪflɔŋ] *a* пожи́зненный; ~ friend друг на всю жизнь.

life-office ['laɪf,ɔfɪs] *n* конто́ра по стра-хова́нию жи́зни.

life-preserver ['laɪfprɪˌzə:və] *n* 1) тяжё-лая дуби́нка *или* трость, на́литая свин-цо́м; 2) спаса́тельный по́яс.

lifer ['laɪfə] *n sl.* 1) приговорённый к пожи́зненному заключе́нию; 2) пожи́з-ненное заключе́ние.

life-saver ['laɪf,seɪvə] *n* 1) спаси́тель; 2) член кома́нды спаса́ния на вода́х.

life-saving ['laɪf,seɪvɪŋ] *a амер.* спаса́-тельный; ~ service слу́жба спаса́ния на вода́х; ~ station спаса́тельная ста́нция.

life-sized ['laɪf'saɪzd] *a* в натура́льную величину́.

lifetime ['laɪftaɪm] *n* продолжи́тельность жи́зни; це́лая жизнь; all in a ~ ≅ в жи́зни вся́кое быва́ет.

life-work ['laɪf'wə:k] *n* труд *или* де́ло всей жи́зни.

lift [lɪft] 1. *n* 1) подня́тие, подъём; to give smb. a ~ a) подсади́ть, подвезти́ ко-го́-л.; б) помо́чь кому́-л.; 2) повыше́ние, продвиже́ние; 3) возвыше́нность; 4) подъёмная маши́на, подъёмник, лифт; 5) подъёмная си́ла; поднима́емая тя́жесть; 6) *шотл.* вы́нос те́ла; 7) *гидр.* водяно́й столб; высота́ напо́ра; 8) *спорт.* движе́ние (*в ги́ревом спо́рте*); three Olimpic L. олимпи́йское троебо́рье;

2. *v* 1) поднима́ть; возвыша́ть; to ~ one's hand against smb. подня́ть ру́ку на кого́-л.; to ~ up one's head подня́ть го́-лову; прийти́ в себя́; to ~ (up) one's voice against протестова́ть про́тив; not to ~ a finger и па́льцем не пошевельну́ть; 2) под-нима́ться (*тж. о те́сте*); 3) поднима́ться на волна́х (*о корабле́*); 4) рассе́иваться (*об облака́х, тума́не*); 5) снима́ть (*пала́тки;*

перен. запрет, карантин и т. п.); to ~ a minefield размини́ровать ми́нное по́ле; 6) *разг.* красть; соверша́ть плагиа́т; 7) *амер.* ликвиди́ровать задо́лженность, упла́чивать долги́; 8) собира́ть, снима́ть (*урожа́й*); копа́ть (*картофель*).

lifter ['lɪftə] *n* подъёмное приспособле́ние.

lifting ['lɪftɪŋ] 1. *pres. p. от* lift 2; 2. *n* подъём, поднима́ние; ~ of mines размини́рование.

lift-lock ['lɪftlɔk] *n* шлюз.

lift-truck ['lɪft,trʌk] *n* тра́нспортный грузови́к.

ligament ['lɪgəmənt] *n* 1) связь; 2) *анат.* свя́зка.

ligature ['lɪgətʃuə] 1. *n* 1) связь; 2) *мед.* лигату́ра; перевя́зка (*кровеносных сосудов*); 3) *полигр.* лигату́ра, вязь; 4) *муз.* лега́то; 2. *v мед.* перевя́зывать (*кровеносный сосуд*).

light I [laɪt] 1. *n* 1) свет; освеще́ние; дневно́й свет; to see the ~ а) уви́деть свет, роди́ться; б) *амер.* обрати́ться (*в какую-л. веру и т. п.*); в) поня́ть; убеди́ться; to stand in smb.'s ~ заслоня́ть; *перен.* меша́ть, стоя́ть на доро́ге; to stand in one's own ~ вреди́ть самому́ себе́; 2) ого́нь; зажжённая свеча́, ла́мпа, фона́рь, фа́ра, мая́к *и т. п.*; to strike a ~ заже́чь спи́чку; *уст.* вы́сечь ого́нь (*кремнём*); will you give me a ~? позво́льте прикури́ть; 3) просве́т, окно́; *тж. перен.*); 4) светило (*тж. перен.*); знамени́тость; 5) *pl sl.* глаза́, гляде́лки; 6) *pl* светофо́р; to stop for the ~s остана́вливаться у светофо́ра; to cross (to drive) against the ~s переходи́ть (проезжа́ть) при кра́сном сигна́ле; green ~ *амер. разг.* «зелёная у́лица»; to give the green ~ *амер. разг.* дать «зелёную у́лицу», откры́ть путь; 7) (*обыкн. pl*) све́дения, информа́ция; we need more ~ on the subject нам нужны́ дополни́тельные све́дения по э́тому вопро́су; 8) разъясне́ние; to bring to ~ выявля́ть, выясня́ть; выводи́ть на чи́стую во́ду; to come to ~ обнару́житься; to throw (*или* to shed) ~ upon smth. пролива́ть свет на что-л.; 9) аспе́кт; интерпрета́ция; постано́вка вопро́са; in the ~ of these facts в све́те э́тих да́нных; I cannot see it in that ~ я не могу́ э́то рассма́тривать таки́м о́бразом; to put smth. in a favourable ~ предста́вить что-л. в вы́годном све́те; to throw a new ~ upon smth. предста́вить что-л. в ино́м све́те; 10) *pl* спосо́бности, возмо́жности; according to one's ~s в ме́ру свои́х сил, возмо́жностей; ◇ the ~ of nature интуи́ция; 2. *a* све́тлый; ~ brown светло-кори́чневый; 3. *v* (lit, lighted [-ɪd]) 1) зажига́ть(ся) (*часто* ~ up); 2) освеща́ть (*часто* ~ up); свети́ть (*кому-л.*); □ ~ up а) закури́ть (*трубку и т. п.*); б) заже́чь свет; в) ожива́ть(ся), загора́ться, свети́ться (*о лице́, глаза́х*).

light II [laɪt] 1. *a* 1) лёгкий; легкове́сный; ~ as a feather (*или* air) лёгкий как пёрышко; to give ~ weight обве́шивать; 2) незначи́тельный; ~ rain (snow) небольшо́й дождь (снег); ~ meal лёгкий за́втрак, у́жин, лёгкая заку́ска *и т. п.*; 3) нетру́дный, необремени́тельный, лёгкий; ~ work лёгкая рабо́та; ~ punishment мя́гкое наказа́ние; 4) ры́хлый, непло́тный (*о по́чве*); 5) пусто́й, непостоя́нный, легкомы́сленный, несерьёзный, весёлый; a ~ woman же́нщина лёгкого поведе́ния; to make ~ of smth. относи́ться несерьёзно, небре́жно к чему-л.; не придава́ть значе́ния чему-л.; with a ~ heart ве́село; с лёгким се́рдцем; ~ reading лёгкое чте́ние; 6) некре́пкий (*о напитке*); лёгкий (*о пи́ще*); 7) бы́стрый, лёгкий (*о движе́ниях*); 8) *воен.* лёгкий, подви́жный; ~ artillery лёгкая артилле́рия; ~ automatic gun ручно́й пулемёт; 9) *фон.* неуда́рный (*о сло́ге, зву́ке*); сла́бый (*об ударе́нии*); 10) *кул.* хорошо́ подня́вшийся, лёгкий, возду́шный (*о те́сте*); ◇ ~ sleep чу́ткий сон; ~ in the head в полубессозна́тельном состоя́нии; ~ hand а) ло́вкость; б) делика́тность, такти́чность; 2. *adv* легко́; to tread ~ легко́ ступа́ть; to travel ~ путеше́ствовать налегке́; to get off ~ легко́ отде́латься; ◇ ~ come go ≅ легко́ на́жито, легко́ про́жито.

light III [laɪt] *v* (lit, lighted [-ɪd]) 1) сходи́ть (*обыкн.* ~ off, ~ down); опуска́ться, сади́ться (*на что-л.*); па́дать (on, upon); 2) неожи́данно натолкну́ться, случа́йно напа́сть (on, upon); his eyes ~ed on a familiar face in the crowd он уви́дел знако́мое лицо́ в толпе́; 3) напусти́ться, набро́ситься (into, on—на *кого-л.*); □ ~ out удра́ть, убежа́ть.

light-bay ['laɪt'beɪ] *a* була́ный (*о лоша́ди*).

light cell ['laɪtsel] *n* фотоэлеме́нт.

lighten I ['laɪtn] *v* 1) освеща́ть; 2) светле́ть; 3) сверка́ть; it ~s сверка́ет мо́лния.

lighten II ['laɪtn] *v* 1) де́лать(ся) бо́лее лёгким; облегча́ть (*тж. перен.*); чу́вствовать облегче́ние; 2) смягча́ть (*наказа́ние*).

lighter I ['laɪtə] *n* 1) тот, кто зажига́ет; 2) зажига́лка (*тж.* cigar ~, cigarette ~); 3) *тех.* запа́л.

lighter II ['laɪtə] *мор.* 1. *n* ли́хтер. 2. *v* перевози́ть ли́хтером.

lighterage ['laɪtərɪdʒ] *n* 1) пла́та за разгру́зку судо́в ли́хтером; 2) разгру́зка *или* погру́зка судо́в ли́хтером.

lighterman ['laɪtəmən] *n* рабо́чий на ли́хтере.

light-face ['laɪtfeɪs] *n полигр.* све́тлый шрифт.

light-fingered ['laɪt,fɪŋgəd] *a* 1) ло́вкий; 2) ворова́тый; нечи́стый на́ руку.

light-footed ['laɪt,futɪd] *a* быстроно́гий, прово́рный.

light-handed ['laɪt,hændɪd] *a* 1) ло́вкий; 2) такти́чный; 3) с пусты́ми рука́ми; 4) недоста́точно *или* не по́лностью укомплекто́ванный.

light-head ['laɪthed] *n* легкомы́сленный челове́к.

light-headed ['laɪt'hedɪd] *a* 1) безду́мный, легкомы́сленный; непостоя́нный; 2) в состоя́нии бре́да, у́мственного расстро́йства; чу́вствующий головокруже́ние.

light-hearted ['laɪt'hɑːtɪd] *a* беззабо́т-ный, беспе́чный, весёлый.

light-heeled ['laɪt'hiːld] *a* быстроно́гий.

lighthouse ['laɪthaus] *n* маяк.

lightish I ['laɪtɪʃ] *a* дово́льно све́тлый.

lightish II ['laɪtɪʃ] *a* дово́льно лёгкий.

light-legged ['laɪt'legd] = light-heeled.

lightly I ['laɪtlɪ] *adv* 1) слегка́; чуть; 2) несерьёзно; с лёгким се́рдцем; to take ~ не принима́ть всерьёз; 3) легко́, без уси́лий; 4) необду́манно, беспе́чно.

lightly II ['laɪtlɪ] *v шотл.* обраща́ться (*с кем-л.*) пренебрежи́тельно.

light-minded ['laɪt'maɪndɪd] *a* легко-мы́сленный.

lightness ['laɪtnɪs] *n* 1) лёгкость; 2) легкомы́слие.

lightning ['laɪtnɪŋ] *n* мо́лния; like ~, with (*или* at) ~ speed с быстрото́й мо́лнии, молниено́сно; summer (*или* heat) ~ зар-ни́ца.

lightning-arrester ['laɪtnɪŋə,restə] *n эл.* молниеотво́д; грозово́й разря́дник.

lightning-bug ['laɪtnɪŋbʌg] *n* светля́к (*летающий*).

lightning-conductor ['laɪtnɪŋkən,dʌktə] *n* молниеотво́д.

lightning-like ['laɪtnɪŋlaɪk] *a* молниено́сный.

lightning-rod ['laɪtnɪŋrɔd] = lightning-conductor.

light-o'-love ['laɪtəlʌv] *n* ве́треная, ка-при́зная же́нщина.

light-resistant ['laɪtrɪ'zɪstənt] *a* свето-усто́йчивый.

lights [laɪts] *n pl* лёгкие (*некоторых животных как пища*).

lightship ['laɪtʃɪp] *n* плаву́чий маяк.

lightsome I ['laɪtsəm] *a* све́тлый, не-мра́чный.

lightsome II ['laɪtsəm] *a* 1) лёгкий, про-во́рный; грацио́зный; 2) весёлый; 3) непостоя́нный, легкомы́сленный.

light-spectrum ['laɪt,spektrəm] *n* цветно́й спектр.

light-tight ['laɪt'taɪt] *a* светонепрони-ца́емый.

light-weight ['laɪtweɪt] **1.** *n* 1) челове́к ни́же сре́днего ве́са; 2) *спорт.* лёгкий вес; легкове́с (*весящий не более 61 кг*); 3) несерьёзный, пове́рхностный челове́к. **2.** *a* лёгкий; ~ gas-mask облегчённый противога́з.

ligneous ['lɪgnɪəs] *a* 1) *бот.* деревяни́-стый; 2) *шутл.* деревя́нный.

lignite ['lɪgnaɪt] *n* лигни́т, бу́рый у́голь.

lignum vitae ['lɪgnəm'vaɪtiː] *n бот.* ба-ка́ут, желе́зное де́рево.

likable ['laɪkəbl] *a* прия́тный; привле-ка́тельный; ми́лый.

like I [laɪk] **1.** *a* 1) похо́жий, подо́бный; a ~ question подо́бный вопро́с; in (a) ~ manner подо́бным о́бразом; as ~ as two peas ≅ похо́жи как две ка́пли воды́; to look ~ быть похо́жим; it looks ~ snow похо́же на то, что пойдёт снег; it's just ~ you to do that э́то о́чень похо́же на вас; э́то как раз то, чего́ от вас мо́жно бы́ло ожида́ть; it costs something ~ £ 50 сто́ит о́коло 50 фу́н-тов сте́рлингов; ~ nothing on earth ни на что не похо́жий, стра́нный; 2) одина́ко-вый, ра́вный; a ~ sum ра́вная су́мма; ~ dispositions одина́ковые хара́ктеры; 3) *разг.* возмо́жный; вероя́тный; they are ~ to meet again они́, вероя́тно, ещё встре́-тятся; ◇ nothing ~ ничего́ похо́жего; there is nothing ~ home нет ме́ста лу́чше, чем дом; there is nothing ~ leather for shoes ко́жа са́мый подходя́щий материа́л для о́буви; that's something ~ как раз то, что ну́жно; вот э́то прекра́сно!; something ~ a dinner! *разг.* замеча́тельный обе́д!, ≅ вот э́то обе́д так обе́д!; what is he ~? что он собо́й представля́ет?, что он за челове́к?; ~ father ~ son ≅ я́блоко от я́блони не-далеко́ па́дает.

2. *adv* 1) подо́бно, так; do not talk ~ that не говори́те так; ~ so вот так, таки́м о́бразом; 2) возмо́жно; вероя́тно; ~ enough, as ~ as not о́чень возмо́жно, весьма́ ве-роя́тно; 3) *sl.* так сказа́ть, как бы; ◇ I had ~ to have fallen я чуть не упа́л;

3. *prep:* ~ anything, ~ blazes, ~ mad *разг.* стреми́тельно; изо всех сил; си́льно, чрезвыча́йно, ужа́сно; to run ~ mad бе-жа́ть о́чень бы́стро, как угоре́лый;

4. *n* не́что похо́жее, ра́вное, одина́ковое; and the ~ и тому́ подо́бное; did you ever hear the ~? слы́шали ли вы что-л. подо́б-ное?; we shall not look upon his ~ again тако́го челове́ка, как он, нам не вид́ать бо́льше; ◇ ~ cures ~ ≅ клин кли́ном вышиба́ть; чем уши́бся, тем и лечи́сь; to return ~ for ~ отплати́ть той же моне́той.

like II [laɪk] **1.** *v* 1) нра́виться, люби́ть; I ~ that! вот э́то мне нра́вится! (*шутливое выражение несогласия*); to ~ dancing лю-би́ть танцева́ть; she ~s him but does not love him он ей нра́вится, но она́ его́ не лю́бит; do as you ~ де́лайте, как вам уго́д-но; I should ~, I would ~ я хоте́л бы, мне хоте́лось бы; 2) хоте́ть (*в отриц. предло-жениях*); I don't ~ to disturb you я не хочу́ вас беспоко́ить;

2. *n pl* скло́нности, влече́ния; ~s and dislikes пристра́стия и предубежде́ния; симпа́тии и антипа́тии.

likeable ['laɪkəbl] = likable.

likelihood ['laɪklɪhud] *n* 1) вероя́тность; in all ~ по всей вероя́тности; 2) много-обеща́ющая бу́дущность; a young man of great ~ молодо́й челове́к, подаю́щий боль-ши́е наде́жды.

likely ['laɪklɪ] **1.** *a* 1) вероя́тный; 2) под-ходя́щий; 3) подаю́щий наде́жды; 4) *амер.* краси́вый;

2. *adv* вероя́тно (*обыкн.* most ~, very ~); as ~ as not весьма́ вероя́тно.

like-minded ['laɪk'maɪndɪd] *a* одина́ково мы́слящий, приде́рживающийся тако́го же мне́ния.

liken ['laɪkən] *v* 1) уподобля́ть (to); сра́внивать (*тж.* ~ together); прира́вни-вать (to, with); 2) *редк.* де́лать похо́жим, схо́жим, придава́ть схо́дство.

likeness ['laɪknɪs] *n* 1) схо́дство (be-tween—ме́жду, to—с); подо́бие; 2) портре́т; to take smb.'s ~ писа́ть с кого́-л. портре́т;

снима́ть чью-л. фотогра́фию; a good ~ схо́жий портре́т; 3) обли́чье, личи́на, о́браз; in the ~ of... под ви́дом..., под личи́ной...

likewise ['laɪkwaɪz] *adv* 1) подо́бно; 2) та́кже; бо́лее того́.

liking ['laɪkɪŋ] 1. *pres. p. om* like II, 1; 2. *n* 1) симпа́тия, расположе́ние (for-к *кому-л.*); 2) вкус (to-к *чему-л.*); to one's ~ по вку́су, по душе́; on ~ на испыта́нии.

lilac ['laɪlək] 1. *n* сире́нь; 2. *a* сире́невый.

liliaceous [ˌlɪlɪ'eɪʃəs] *a бот.* лиле́йный.

Lilliputian [ˌlɪlɪ'pjuːʃjən] 1. *n* лилипу́т, ка́рлик; 2. *a* ка́рликовый, кро́шечный.

lilt [lɪlt] 1. *n* 1) весёлая, жива́я пе́сенка; 2) ритм (*песни, стиха́*); 2. *v* 1) де́лать (*что-л.*) бы́стро, жи́во, ве́село; 2) петь ве́село, жи́во.

lily ['lɪlɪ] *n* 1) ли́лия; 2) *attr.* лиле́йный, бе́лый.

lily-livered ['lɪlɪˌlɪvəd] *a* трусли́вый.

lily of the valley ['lɪlɪəvðə'vælɪ] *n* ла́ндыш (ма́йский).

lily-white ['lɪlɪ'waɪt] *a* лиле́йно-бе́лый.

limb I [lɪm] 1. *n* 1) коне́чность, член (*тела*); 2) сук, ве́тка; 3) *разг.* отро́дье; непослу́шный ребёнок; ~ of the devil, ~ of Satan *шутл.* блюсти́тель поря́дка, страж зако́на (*полице́йский, адвока́т*); 2. *v* расчленя́ть.

limb II [lɪm] *n* 1) *астр.* лимб, кругова́я шкала́, диск (*со́лнца, луны́, плане́т*); 2) лимб (*в угломе́рных прибо́рах*); 3) дета́ль, часть; 4) *геол.* крыло́ (*сбро́са, скла́дки*).

limbeck ['lɪmbek] = alembic.

limber I ['lɪmbə] 1. *n* 1) *воен.* передо́к (*ору́дия*); 2) *уст., диал.* ды́шло, огло́бля; 2. *v* брать (*ору́дие*) на передо́к.

limber II ['lɪmbə] 1. *a* 1) ги́бкий, мя́гкий; пода́тливый; 2) прово́рный; 2. *v* де́лать(ся) ги́бким, пода́тливым.

limbless ['lɪmlɪs] *a* безру́кий и безно́гий.

limbo ['lɪmbou] *n* (*pl* -os [-ouz]) 1) тюрьма́; 2) склад нену́жных веще́й; 3) забве́ние; 4) *рел.* лимб, преддве́рие а́да.

lime I [laɪm] 1. *n* 1) и́звесть; burnt ~ негашёная и́звесть; slack ~, slaked ~ гашёная и́звесть; 2) пти́чий клей (*обыкн.* bird ~);
2. *v* 1) бели́ть и́звестью; 2) скрепля́ть *или* удобря́ть и́звестью; 3) нама́зывать (*ве́тки де́рева*) пти́чьим кле́ем.

lime II [laɪm] *n* разнови́дность лимо́на.

lime III [laɪm] *n* ли́па.

lime-juice ['laɪmdʒuːs] 1. *n* лимо́нный сок;
2. *v разг.* путеше́ствовать, стра́нствовать.

limekiln ['laɪmkɪln] *n* печь для о́бжига и́звести.

limelight ['laɪmlaɪt] *n* 1) друммо́ндов свет (*применя́лся для освеще́ния сце́ны в теа́тре*); свет ра́мпы; 2) часть сце́ны у ра́мпы; ◇ to be in the ~ быть в це́нтре внима́ния; быть на виду́.

lime-pit ['laɪmpɪt] *n* известняко́вый карье́р.

Limerick ['lɪmərɪk] *n* шу́точное стихотворе́ние (*из пяти́ строк*).

limes [laɪmz] *n pl театр.* ра́мпа.

limestone ['laɪmstoun] *n* известня́к.

lime-tree ['laɪmtriː] = lime III.

lime-water ['laɪmˌwɔːtə] *n* известко́вая вода́.

limey ['laɪmɪ] *n амер. sl.* англича́нин (*первонач.* англи́йский матро́с).

limit ['lɪmɪt] 1. *n* 1) грани́ца, преде́л; superior ~ ма́ксимум; inferior ~ ми́нимум; to set the ~ устана́вливать преде́л; поло́жить коне́ц; to go beyond the ~ перейти́ грани́цы; to go the ~ впада́ть в кра́йность; переходи́ть все грани́цы; that's the ~! э́то перехо́дит все грани́цы! э́то уж сли́шком!; she is the ~ она́ невыноси́ма; 2) *тех.* преде́льный разме́р, до́пуск; to the ~ *амер.* максима́льно, преде́льно; 3) *тех.* интерва́л значе́ний; 4) *юр.* срок да́вности; ◇ off ~s *амер.* вход воспрещён;
2. *v* 1) ограни́чивать; ста́вить преде́л; 2) служи́ть грани́цей, преде́лом.

limitary ['lɪmɪtərɪ] *a* 1) ограни́ченный; 2) ограничи́тельный; 3) пограни́чный.

limitation [ˌlɪmɪ'teɪʃən] *n* 1) ограниче́ние; огово́рка; 2) ограни́ченность; to have one's ~s быть ограни́ченным, недалёким; 3) преде́льный срок; 4) *pl* недоста́тки.

limitative ['lɪmɪtətɪv] *a* ограни́чивающий, лимити́рующий.

limited ['lɪmɪtɪd] 1. *p. p. om* limit 2;
2. *a* ограни́ченный; ~ company *ком.* акционе́рное о́бщество, акционе́рная компа́ния с ограни́ченной отве́тственностью; ~ monarchy конституцио́нная мона́рхия; ~ train (*или* express) курье́рский по́езд ограни́ченного соста́ва.

limitless ['lɪmɪtlɪs] *a* безграни́чный, беспреде́льный.

limitrophe ['lɪmɪtrouf] *a* лимитро́фный; пограни́чный.

limn [lɪm] *v уст.* 1) писа́ть (*карти́ну, портре́т*); 2) изобража́ть; опи́сывать; to ~ the (*или* on) water ≅ стро́ить возду́шные за́мки; 3) иллюстри́ровать ру́копись.

limner ['lɪmnə] *n уст.* 1) портрети́ст; 2) иллюстра́тор ру́кописи.

limnetic [lɪm'netɪk] *a* пресново́дный.

limnology [lɪm'nɔlədʒɪ] *n* озерове́дение, лимноло́гия.

limousine ['lɪmuːziːn] *n* закры́тый автомоби́ль, лимузи́н.

limp I [lɪmp] 1. *n* хромота́, прихра́мывание; to walk with a ~ хрома́ть, прихра́мывать;
2. *v* 1) хрома́ть, прихра́мывать; идти́ с трудо́м; 2) ме́дленно дви́гаться (*из-за повреждения*—о парохо́де, самолёте).

limp II [lɪmp] *a* 1) мя́гкий, нежёсткий; 2) сла́бый, безво́льный.

limpet ['lɪmpɪt] *n зоол.* блю́дечко (*моллю́ск*); ◇ to stick like a ~ ≅ приста́ть как ба́нный лист.

limpid ['lɪmpɪd] *a* прозра́чный (*тж. перен. о языке́, сти́ле и т. п.*).

limpidity [lɪm'pɪdɪtɪ] *n* прозра́чность.

limy ['laɪmɪ] *a* 1) известко́вый; 2) кле́йкий.

linage ['laɪnɪdʒ] *n* 1) число́ строк в печа́тной страни́це; 2) постро́чная опла́та.

linchpin ['lɪntʃpɪn] *n* чека́ (*колеса*).

Lincoln-green ['lɪŋkən,griːn] *n* я́рко-зелёный цвет.

linden ['lɪndən] *n* ли́па.

line I [laɪn] **1.** *n* 1) ли́ния, черта́; штрих; ~ and colour рису́нок и кра́ска; ~ of force *физ.* силова́я ли́ния; all along the ~ по всей ли́нии; во всех отноше́ниях; 2) пограни́чная черта́, грани́ца; преде́л; to overstep the ~ of smth. перейти́ грани́цы чего́-л.; to draw the ~ провести́ черту́ (*перен.* грани́цу); положи́ть преде́л (*at-чему-л.*); just on the ~ как раз посереди́не, на грани́це ме́жду чем-л.; to go over the ~ перейти́ (*дозво́ленные*) грани́цы, перейти́ преде́л; below the ~ ни́же но́рмы; 3) борозда́; морщи́на; to take ~s покрыва́ться морщи́нами; 4) очерта́ния, ко́нтур; ship's ~s обво́ды (ко́рпуса) корабля́; 5) ли́ния (*свя́зи, железнодоро́жная, парохо́дная, трамва́йная и т. п.*); hold the ~! не ве́шайте тру́бку, не разъедина́йте!; ~ busy за́нято (*отве́т телефони́стки*); the ~ is bad пло́хо слы́шно; long-distance ~ междугоро́дная ли́ния; 6) (the L.) эква́тор; to cross the L. пересе́чь эква́тор; 7) поведе́ние; о́браз де́йствий; направле́ние, устано́вка; to take a strong ~ де́йствовать энерги́чно; 8) заня́тие, род де́ятельности; специа́льность; it is not in my ~, it is out of my ~ э́то вне мое́й компете́нции *или* интере́сов; what's his ~? чем он занима́ется?; ~ of business *театр.* актёрское амплуа́; 9) происхожде́ние, родосло́вная, генеало́гия; male (female) ~ мужска́я (же́нская) ли́ния; 10) шнур; верёвка; *мор.* линь; clothes ~ а) верёвка для белья́; б) *мор.* бельево́й ле́ер; 11) ле́са (*удочки*); to throw a good ~ быть хоро́шим рыболо́вом; 12) ряд; *амер. тж.* о́чередь, хвост; assembly ~ сбо́рочный конве́йер; 13) строка́; drop me a few ~s черкни́те мне не́сколько строк; to read between the ~s чита́ть ме́жду строк; 14) *pl театр.* ре́плика; 15) *pl* стихи́; *школ.* гре́ческие *или* лати́нские стихи́, перепи́сываемые в ви́де наказа́ния; 16) *pl* бра́чное свиде́тельство (*тж.* marriage ~s); 17) *воен.* развёрнутый строй, ли́ния фро́нта; ли́ния транше́й; in the ~s на фро́нте, в де́йствующей а́рмии; ~ abreast *мор.* строй фро́нта; ~ ahead *мор.* строй кильва́тера; in ~ в развёрнутом стро́ю; (troops of) the ~ лине́йные войска́, *особ.* арме́йская пехо́та; ~ of battle боево́й поря́док; ship of the ~ лине́йный кора́бль; 18) (the ~s) расположе́ние (войск); the enemy's ~s расположе́ние проти́вника; 19) *ком.* па́ртия (*това́ров*); the shop carries the best ~ of shoes в э́том магази́не продаётся са́мая лу́чшая о́бувь; 20) *муз.* но́тная лине́йка; 21) *телев.* строка́ изображе́ния (*тж.* scan, scanning ~); 22) ли́ния (*ме́ра длины́* = ¹/₁₂ дю́йма); ◇ to be in ~ for smth. *амер.* быть на о́череди, име́ть шанс на что-л.; to be in ~ with smth. *амер.* быть в согла́сии, соотве́тствовать чему́-л.; to come into ~ (with) соглаша́ться, де́йствовать в согла́сии; to get a ~ **on smth.** *амер.* добы́ть све́дения о чём-л.;

to toe the ~ а) подчиня́ться тре́бованиям, приде́рживаться пра́вил; б) *спорт.* встать на ста́ртовую черту́; to go down the ~ по́ртиться;

2. *v* 1) проводи́ть ли́нии, линова́ть; 2) выстра́ивать(ся) в ряд, в ли́нию; устана́вливать; to ~ a street with trees обсади́ть у́лицу дере́вьями; 3) стоя́ть, тяну́ться вдоль (*чего-л.; тж.* ~ up); □ ~ through зачёркивать, вычёркивать; ~ up а) стро́ить(ся), выстра́ивать(ся) (в ли́нию); б) станови́ться в о́чередь; в) размежёвываться; г) подыска́ть, подобра́ть; д) присоединя́ться (with).

line II [laɪn] *v* 1) класть на подкла́дку; 2) обива́ть (*чем-л.*) изнутри́; 3) *разг.* наполня́ть, набива́ть; to ~ one's pockets нажи́ться, разбогате́ть; to ~ one's stomach наби́ть желу́док; 4) *тех.* вы́ложить, облицева́ть, футерова́ть.

lineage ['lɪnɪdʒ] *n* 1) происхожде́ние, родосло́вная; 2) = linage.

lineal ['lɪnɪəl] *a* 1) происходя́щий по прямо́й ли́нии (of—от); насле́дственный, родово́й, фами́льный; 2) лине́йный.

lineament ['lɪnɪəmənt] *n* (*обыкн. pl*) 1) черты́ (*лица́*); очерта́ния; 2) отличи́тельная черта́ (*хара́ктера и т. п.*).

linear ['lɪnɪə] *a* 1) лине́йный; ~ equation *мат.* уравне́ние пе́рвой сте́пени; ~ measure ме́ра длины́; 2) подо́бный ли́нии, у́зкий и дли́нный.

lined I [laɪnd] **1.** *p. p. om* line I, 2;
2. *a* морщи́нистый, покры́тый морщи́нами; изборождённый.

lined II [laɪnd] *p. p. om* line II.

line-drawing ['laɪn,drɔːɪŋ] *n* рису́нок перо́м *или* карандашо́м.

line-engraving ['laɪnɪn,greɪvɪŋ] *n* штрихова́я гравю́ра.

lineman ['laɪnmən] = linesman 2) *и* 3).

line map ['laɪnmæp] *n* ко́нтурная ка́рта.

linen ['lɪnɪn] **1.** *n* 1) полотно́; холст, паруси́на; 2) *собир.* бельё;
2. *a* льняно́й.

linen-draper ['lɪnɪn,dreɪpə] *n* торго́вец льняны́ми това́рами.

line officer ['laɪn'ɔfɪsə] *n* 1) мла́дший офице́р; 2) строево́й офице́р.

liner I ['laɪnə] *n* ла́йнер, пассажи́рский парохо́д *или* самолёт, соверша́ющий регуля́рные ре́йсы.

liner II ['laɪnə] *n* 1) *тех.* вкла́дыш, вту́лка, ги́льза; 2) *горн.* обса́дная труба́; 3) *воен.* вну́тренняя труба́ ору́дия, ла́йнер; 4) *тех.* прокла́дка, подкла́дка, обши́вка.

linesman ['laɪnzmən] *n* 1) солда́т лине́йных войск; 2) лине́йный монтёр (*телефо́нный и т. п.*); 3) *ж.-д.* путево́й сто́рож; 4) *спорт.* судья́ на ли́нии.

line-up ['laɪn,ʌp] *n* 1) строй; 2) *спорт.* расположе́ние игроко́в пе́ред нача́лом игры́.

ling I [lɪŋ] *n зоол.* морска́я щу́ка.

ling II [lɪŋ] *n бот.* ве́реск обыкнове́нный.

linger ['lɪŋgə] *v* 1) ме́длить, ме́шкать; опа́здывать; 2) заси́живаться (on, overнад *чем-л.*); заде́рживаться (*где-л.*; about, round) теря́ть вре́мя да́ром); 3) тяну́ться (*о вре́мени*); 4) затя́гиваться (*о боле́зни*);

5) влачить жа́лкое существова́ние, ме́дленно умира́ть (*тж.* ~ out one's days).

lingerie ['lɛ̃:nʒəri] *фр. n* 1) полотня́ные изде́лия; 2) да́мское бельё.

lingering ['lɪŋgərɪŋ] 1. *pres. p. om* linger; 2. *a* 1) медли́тельный; 2) томи́тельный; 3) затяжно́й (*о боле́зни*).

lingo ['lɪŋgou] *n* (*pl* -oes [-ouz]) 1) непоня́тный язы́к, тараба́рщина; 2) жарго́н; профессиона́льная фразеоло́гия.

lingua franca ['lɪŋgwə'fræŋkə] *um. n* 1) сме́шанный язы́к из рома́нских, гре́ческих и восто́чных элеме́нтов, слу́жащий в восто́чном Средиземномо́рье для обще́ния тузе́мцев с европе́йцами; 2) сме́шанный язы́к; широко́ распространённый жарго́н.

lingual ['lɪŋgwəl] *a* 1) *анат.* язы́чный; ~ bone подъязы́чная кость; 2) *фил.* языково́й.

linguist ['lɪŋgwɪst] *n* языкове́д, лингви́ст.

linguistic [lɪŋ'gwɪstɪk] *a* языкове́дческий, лингвисти́ческий.

linguistics [lɪŋ'gwɪstɪks] *n pl* (*употр. как sing*) языкозна́ние, языкове́дение, лингви́стика.

liniment ['lɪnɪmənt] *n* жи́дкая мазь (*для растира́ния*).

lining I ['laɪnɪŋ] 1. *pres. p. om* line II; 2. *n* 1) подкла́дка; вну́тренняя обши́вка; 2) содержи́мое (*коше́лька, желу́дка и т. п.*); 3) облицо́вка (*ка́мнем*); опа́лубка; грунто́вка; оби́вка; футеро́вка; 4) *горн.* крепле́ние, крепь.

lining II ['laɪnɪŋ] 1. *pres. p. om* line I, 2; 2. *n* выпрямле́ние, выра́внивание.

link I [lɪŋk] 1. *n* 1) (свя́зующее) звено́; связь; соедине́ние; missing ~ недостаю́щее звено́; 2) *pl* у́зы; ~s of brotherhood у́зы бра́тства; 3) коле́чко, локо́н; 4) пе́тля (*в вяза́нье*); 5) за́понка для манже́т; 6) *тех.* шарни́р, кули́са, тя́га; 7) *геод.* звено́ землеме́рной це́пи (*как ме́ра длины́ = 20 см*); 8) *ра́дио, телев.* радиореле́йная ли́ния, ли́ния радиосвя́зи; 2. *v* 1) соединя́ть, свя́зывать, смыка́ть (together, to); сцепля́ть (*тж.* ~ up); 2) быть свя́занным (on, to—c), свя́зываться (on, to—к); 3) брать *или* идти́ под руку (*тж.* ~ one's arm through smb.'s arm).

link II [lɪŋk] *n* фа́кел.

linkage ['lɪŋkɪdʒ] *n* 1) сцепле́ние, соедине́ние; 2) *хим.* соедине́ние; 3) *эл.* потокосцепле́ние, по́лный пото́к инду́кции.

link-motion ['lɪŋk,mouʃən] *n тех.* кули́сное распределе́ние.

links [lɪŋks] *n pl* 1) *шотл.* дю́ны; 2) (*иногда́ как sing*) по́ле для игры́ в гольф.

link-up ['lɪŋkʌp] *n* соедине́ние; ~ on the Elbe *ист.* встре́ча на Э́льбе.

linn [lɪn] *n* 1) водопа́д; 2) глубо́кий овра́г, уще́лье.

linnet ['lɪnɪt] *n* конопля́нка, репо́лов (*пти́ца*).

linoleum [lɪ'nouljəm] *n* лино́леум.

lino operator ['laɪnou'ɔprəreɪtə] *n* линоти́пист.

linotype ['laɪnoutaɪp] *n полигр.* линоти́п; ~ operator = lino operator.

linseed ['lɪnsiːd] *n* 1) льняно́е се́мя; 2) *attr.*: ~ cake льняны́е жмыхи́; ~ oil льняно́е ма́сло.

linsey-woolsey ['lɪnzɪ'wulzɪ] 1. *n* 1) гру́бая полушерстяна́я ткань; 2) бессмы́слица; тараба́рщина;
2. *a* 1) полушерстяно́й; 2) дрянно́й; состоя́щий из неподходя́щих часте́й.

linstock ['lɪnstɔk] *n воен. ист.* фити́льный па́льник.

lint [lɪnt] *n* ко́рпия.

lintel ['lɪntl] *n* перемы́чка окна́ *или* две́ри.

liny ['laɪnɪ] *a* 1) испещрённый ли́ниями; 2) морщи́нистый; 3) то́нкий, худо́й.

lion ['laɪən] *n* 1) лев; American mountain ~ пу́ма; ~ in the path (*или* in the way) *преим. ирон.* стра́шное, тру́дное препя́тствие; ~'s share льви́ная до́ля; to put one's head in the ~'s mouth рискова́ть; 2) *pl* достопримеча́тельности; to show (to see) the ~s пока́зывать (осма́тривать) достопримеча́тельности; 3) знамени́тость; 4) (L.) Лев (*созве́здие и знак зодиа́ка*); 5) (L.) национа́льная эмбле́ма Великобрита́нии.

lioness ['laɪənɪs] *n* льви́ца.

lionet ['laɪənet] *n* молодо́й лев, львёнок.

lion-hearted ['laɪən,hɑːtɪd] *a* хра́брый, неустраши́мый.

lion-hunter ['laɪən,hʌntə] *n* 1) охо́тник на льво́в; 2) челове́к, гоня́ющийся за знамени́тостями.

lionize ['laɪənaɪz] *v* 1) осма́тривать *или* пока́зывать достопримеча́тельности; 2) носи́ться с кем-л. как со знамени́тостью.

lip [lɪp] 1. *n* 1) губа́; to put smth. to one's ~s попро́бовать что-л.; not a drop has passed his ~s он ничего́ не пил, не ел; not a word has passed his ~s он не пророни́л ни сло́ва; to smack (*или* to lick) one's ~s обли́зываться, смакова́ть, предвкуша́ть удово́льствие; to escape one's ~s сорва́ться с языка́; to hang on smb.'s ~s внима́ть кому́-л. восто́рженно; to keep (*или* to carry) a stiff upper ~ a) сохраня́ть прису́тствие ду́ха; не теря́ть му́жества; б) проявля́ть твёрдость, упо́рство; 2) *разг.* де́рзкая болтовня́; де́рзость; none of your ~! без де́рзостей!; don't put on your (*или* any) ~ ну, ну, без наха́льства; 3) край (*ра́ны, сосу́да, кра́тера*); вы́ступ; 4) *муз.* амбушю́р; 5) *гидр.* поро́г;
2. *a* 1) губно́й; 2) нейскренний, то́лько на слова́х; ~ professions нейскренние увере́ния;
3. *v* 1) каса́ться губа́ми; *поэт.* целова́ть; 2) *редк.* говори́ть; бормота́ть.

lip-deep ['lɪp'diːp] *a* пове́рхностный; нейскренний.

lip-labour ['lɪp,leɪbə] *n* 1) слова́, повторя́емые механи́чески; 2) = lip-service.

lip-language ['lɪp,læŋgwɪdʒ] *n* уме́ние (*глухонемо́го*) понима́ть речь по движе́нию губ.

lipped I [lɪpt] *a* 1) с но́сиком (*о сосу́де*); 2) = labiate.

lipped II [lɪpt] *p. p. om* lip 3.

lip-reading ['lɪp,riːdɪŋ] = lip-language.

lipsalve ['lɪpsɑːv] *n* 1) губна́я пома́да, мазь; 2) лесть.

lip-service ['lɪp,səːvɪs] *n* неи́скренние словоизлия́ния, ≅ пусты́е слова́; to pay ~ to smth. признава́ть что-л. то́лько на слова́х; to pay ~ to smb. неи́скренне уверя́ть кого́-л. в пре́данности.

lipstick ['lɪpstɪk] *n* губна́я пома́да.

liquate ['lɪkweɪt] *v тех.* пла́вить.

liquefaction [,lɪkwɪ'fækʃən] *n* сжиже́ние, ожиже́ние; плавле́ние.

liquefy ['lɪkwɪfaɪ] *v* превраща́ть в жи́дкое состоя́ние; превраща́ться в жи́дкость.

liquescent [lɪ'kwesənt] *a* переходя́щий в жи́дкое состоя́ние; растворя́ющийся.

liqueur [lɪ'kjuə] *фр. n* ликёр.

liquid ['lɪkwɪd] **1.** *a* 1) жи́дкий; 2) *поэт.* водяно́й; мо́крый; 3) непостоя́нный, неусто́йчивый (*о при́нципах, убежде́ниях*); 4) прозра́чный, све́тлый; 5) пла́вный (*о зву́ках и т. п.*); ~ melody пла́вная мело́дия; 6) легко́ реализу́емый (*о це́нных бума́гах*; 7): ~ milk натура́льное молоко́; **2.** *n* 1) жи́дкость; 2) *фон.* пла́вный звук (*l, r*).

liquidate ['lɪkwɪdeɪt] *v* 1) ликвиди́ровать; уничто́жить; поко́нчить (*с чем-л.*), изба́виться (*от чего́-л.*); 2) вы́платить (*долг*); 3) ликвиди́ровать дела́ (*о фи́рме*); 4) обанкро́титься.

liquidation [,lɪkwɪ'deɪʃən] *n* 1) ликвида́ция; уничтоже́ние; избавле́ние (*от чего́-л.*); 2) вы́плата до́лга; 3) ликвида́ция дела́; to go into ~ обанкро́титься.

liquidator ['lɪkwɪdeɪtə] *n* ликвида́тор.

liquor ['lɪkə] **1.** *n* 1) напи́ток; 2) спиртно́й напи́ток; hard ~s кре́пкие напи́тки; in ~, the worse for ~ подвы́пивший, пья́ный; 3) отва́р (*мясно́й*); 4) ма́сло *или* са́ло, в кото́ром жа́рилась ры́ба, беко́н; 5) ['lɪkwɔː] жи́дкость; раство́р; **2.** *v* 1) *разг.* выпива́ть (*обыкн.* ~ up); 2) сма́зывать са́лом (*сапоги́ и т. п.*).

liquorice ['lɪkərɪs] *n* лакри́чник (*расте́ние*); солодко́вый ко́рень, лакри́ца.

liquorish ['lɪkərɪʃ] *a* лю́бящий вы́пить.

lira ['lɪərə] *n* (*pl* lire) ли́ра (*де́нежная едини́ца Ита́лии и Ту́рции*).

lire ['lɪərɪ] *pl от* lira.

lisle thread ['laɪlθred] *n* то́нкая кручёная ни́тка.

lisp [lɪsp] **1.** *n* 1) шепеля́вость; 2) ле́пет (*волн*); шо́рох, ше́лест; **2.** *v* 1) шепеля́вить; 2) лепета́ть (*о де́тях*).

lissom(e) ['lɪsəm] *a* 1) ги́бкий; 2) прово́рный, бы́стрый.

list I [lɪst] **1.** *n* 1) спи́сок, пе́речень, рее́стр; инвента́рь; to enter in a ~ вноси́ть в спи́сок; to make a ~ составля́ть спи́сок; duty ~ расписа́ние дежу́рств; 2) кро́мка, каёмка; кайма́, отро́чка, бордю́р; край, ва́лик; 3) *pl* огоро́женное ме́сто; аре́на (*турни́ра, состяза́ния*); to enter the ~s а) бро́сить вы́зов; б) приня́ть вы́зов; в) уча́ствовать в состяза́нии; 4) *архит.* ли́стель; 5) *амер. с.-х.* борозда́, сде́ланная ли́стером; 6) *attr.* сде́ланный из каймы́, поло́с, обре́зков;

2. *v* 1) вноси́ть в спи́сок; составля́ть спи́сок; to ~ for service вноси́ть в списки военнообя́занных; 2) *разг. см.* enlist 1); 3) *амер.* обраба́тывать зе́млю ли́стером.

list II [lɪst] *v уст.* жела́ть.

list III [lɪst] **1.** *n* крен, накло́н; to take a ~ накрени́ться;

2. *v* крени́ться (*о су́дне*); наклоня́ться.

list IV [lɪst] *уст.* = listen.

listen ['lɪsn] *v* 1) слу́шать; прислу́шиваться (to); ~ here! послу́шай!; 2) вы́слушивать со внима́нием; 3) слу́шаться; уступа́ть (*про́сьбе, искуше́нию*); □ ~ in а) подслу́шивать разгово́р по телефо́ну *и т. п.*; б) слу́шать радиопереда́чу.

listener ['lɪsnə] *n* 1) слу́шатель; радиослу́шатель; 2) *воен.* слуха́ч.

listener-in ['lɪsnər'ɪn] *n* радиослу́шатель.

listening ['lɪsnɪŋ] **1.** *pres. p. от* listen; **2.** *n* 1) слу́шание, прослу́шивание; 2) подслу́шивание.

listening dog ['lɪsnɪŋdɔg] *n* сторожева́я соба́ка.

listening-in ['lɪsnɪŋ'ɪn] *n* 1) слу́шание по ра́дио; 2) подслу́шивание; перехва́т.

listening tender ['lɪsnɪŋ'tendə] *n* автомоби́льная радиоста́нция, рабо́тающая на приём.

lister ['lɪstə] *n с.-х.* ли́стер (*ору́дие для гре́бневой обрабо́тки по́чвы*).

listless ['lɪstlɪs] *a* равноду́шный, безразли́чный, апати́чный.

lit I [lɪt] *past и p. p. от* light I, 3.

lit II [lɪt] *past и p. p. от* light III.

litany ['lɪtənɪ] *n церк.* моле́бствие; лита́ния.

liter ['liːtə] *амер.* = litre.

literacy ['lɪtərəsɪ] *n* гра́мотность.

literal ['lɪtərəl] **1.** *a* 1) бу́квенный; ~ error опеча́тка; 2) буква́льный, досло́вный; 3) то́чный; 4) сухо́й, педанти́чный; **2.** *n* опеча́тка.

literalism ['lɪtərəlɪzəm] *n* 1) буквали́зм; 2) понима́ние сло́ва в его́ буква́льном значе́нии; 3) то́чность изображе́ния, копи́рование приро́ды.

literary ['lɪtərərɪ] *a* 1) литерату́рный; 2) литерату́рно образо́ванный.

literate ['lɪtərɪt] **1.** *a* 1) гра́мотный; 2) образо́ванный, учёный; **2.** *n* 1) гра́мотный челове́к; 2) образо́ванный, учёный челове́к.

literati [,lɪtə'rɑːtiː] *лат. n pl* 1) литера́торы; учёные; 2) *разг.* образо́ванные лю́ди.

literatim [,lɪtə'rɑːtɪm] *лат. adv* буква́льно, сло́во в сло́во.

literature ['lɪtərɪtʃə] *n* литерату́ра.

litharge ['lɪθɑːdʒ] *n* глёт, о́кись свинца́.

lithe [laɪð] *a* 1) ги́бкий; 2) сгово́рчивый.

lithesome ['laɪðsəm] = lissom(e).

lithium ['lɪθɪəm] *n хим.* ли́тий.

lithograph ['lɪθəgrɑːf] **1.** *n* литогра́фия, литографи́рованный о́ттиск; **2.** *v* литографи́ровать.

lithographer [lɪ'θɔgrəfə] *n* лито́граф.

lithographic [,lɪθə'græfɪk] *a* литогра́фский; литографи́рованный.

lithographically [,lɪθə'græfɪkəlɪ] *adv* литогра́фским спо́собом.

lithography [lɪˈθɔgrəfɪ] n литогра́фия.

litho-print [ˈlɪθouprɪnt] = lithograph 2.

lithotomy [lɪˈθɔtəmɪ] n мед. камнесече́ние.

Lithuanian [ˌlɪθjuːˈeɪnjən] 1. a лито́вский; 2. n 1) лито́вец; лито́вка; 2) лито́вский язы́к.

litigant [ˈlɪtɪgənt] 1. n сторона́ (в суде́бном проце́ссе); 2. a тя́жущийся.

litigate [ˈlɪtɪgeɪt] v 1) суди́ться с кем-л.; быть тя́жущейся стороно́й (на суде́); 2) оспа́ривать (на суде́).

litigation [ˌlɪtɪˈgeɪʃən] n тя́жба; спор.

litigious [lɪˈtɪdʒəs] a 1) сутя́жнический; 2) спо́рный, подлежа́щий суде́бному разбира́тельству.

litmus [ˈlɪtməs] n хим. 1) ла́кмус; 2) attr. ла́кмусовый; ~ paper ла́кмусовая бума́га.

litotes [ˈlaɪtoutiːz] n ритор. лито́та.

litre [ˈliːtə] n литр.

litter [ˈlɪtə] 1. n 1) носи́лки; 2) соло́менная и т. п. подсти́лка (для скота́); 3) помёт (припло́д—щеня́т и т. п.); 4) разбро́санные ве́щи, бума́ги; сор, му́сор; беспоря́док;
2. v 1) подстила́ть, настила́ть соло́му и т. п. (обы́кн. ~ down); 2) пороси́ться, щени́ться и т. п.; 3) разбра́сывать в беспоря́дке (ве́щи; тж. ~ up); сори́ть.

littérateur [ˌlɪtəraˈtəː] фр. n литера́тор, писа́тель.

litter-bearer [ˈlɪtə,bɛərə] n амер. санита́р.

littery [ˈlɪtərɪ] a в беспоря́дке; захламлённый.

little [ˈlɪtl] 1. a (less, lesser; least) 1) ма́ленький; небольшо́й; ~ finger мизи́нец; ~ toe мизи́нец (на ноге́); ~ ones a) де́ти; б) детёныши; the ~ people a) де́ти; б) э́льфы; ~ ways ма́ленькие, смешны́е сла́бости; 2) коро́ткий (о вре́мени, расстоя́нии); come a ~ way with me проводи́те меня́ немно́го; 3) ма́лый, незначи́тельный; ~ things ме́лочи; to make ~ of smth. не принима́ть всерьёз, не придава́ть значе́ния; 4) ме́лочный, ограни́ченный; ~ things amuse ~ minds ме́лочи занима́ют (лишь) ме́лкие умы́; ◇ ~ Mary разг. желу́док; to go but a ~ way не каса́ться;
2. adv немно́го, ма́ло; I like him ~ я его́ недолю́бливаю; a ~ немно́го; rest a ~ отдохни́те немно́го; ~ less than немно́го ме́ньше, чем; ~ more than немно́го бо́льше, чем; 2) с глаго́лами know, dream, think и т. п. совсе́м не; ~ did he think that (или he ~ thought that) он и не ду́мал, что;
3. n 1) небольшо́е коли́чество; немно́гое, ко́е-что, пустя́к; ~ by ~ ма́ло-пома́лу, постепе́нно; ~ or nothing почти́ ничего́; not a ~ нема́ло; knows a ~ of everything зна́ет понемно́гу обо всём; in ~ a) в небольшо́м масшта́бе; б) жив. в миниатю́ре; 2) коро́ткое, непродолжи́тельное вре́мя; after a ~ you will feel better ско́ро вам ста́нет лу́чше; for a ~ на коро́ткое вре́мя; 3) амер. разг.: from ~ up с де́тства.

little-go [ˈlɪtlgou] n разг. пе́рвый экза́мен на сте́пень бакала́вра (в Ке́мбридже).

littleness [ˈlɪtlnɪs] n 1) ма́лая величина́, незначи́тельность; 2) ме́лочность, ни́зость.

littoral [ˈlɪtərəl] 1. a прибре́жный; 2. n побере́жье; примо́рский райо́н.

liturgy [ˈlɪtədʒɪ] n 1) литурги́я; 2) ритуа́л церко́вной слу́жбы.

livable [ˈlɪvəbl] a 1) го́дный для житья́, жилья́; 2) ужи́вчивый; общи́тельный.

live I [lɪv] v жить; существова́ть; обита́ть; to ~ in a small way жить скро́мно; to ~ within (above, beyond) one's means жить (не) по сре́дствам; to ~ on one's salary жить на жа́лованье; to ~ on bread and water пита́ться хле́бом и водо́й; to ~ on others жить на чужи́е сре́дства; to ~ to be old (seventy, eighty, etc.) дожи́ть до ста́рости (до семи́десяти, восьми́десяти лет и т. д.); to ~ to see smth. дожи́ть до чего́-л.; □ ~ by жить чем-л.; to ~ by one's wits ко́е-ка́к извора́чиваться; ~ down загла́дить, искупи́ть (свои́м поведе́нием, о́бразом жи́зни); ~ in име́ть кварти́ру по ме́сту слу́жбы; ~ out а) пережи́ть; б) прожи́ть, протяну́ть (о больно́м); в) име́ть кварти́ру отде́льно от ме́ста слу́жбы; ~ through пережи́ть; ~ up to жить согла́сно (при́нципам и т. п.); быть досто́йным чего́-л.; ◇ as I ~ by bread!, as I ~ and breathe! че́стное сло́во!; to ~ on air не име́ть средств к существова́нию; ~ and learn! ≅ век живи́, век учи́сь.

live II [laɪv] a 1) живо́й; 2) живо́й, де́ятельный, энерги́чный, по́лный сил; 3) жи́зненный, реа́льный; животрепе́щущий; ~ issue актуа́льный вопро́с; 4) горя́щий, непога́сший; ~ coal горя́щие у́гли; 5) де́йствующий; невзорва́вшийся, боево́й (о патро́не и т. п.); 6) я́ркий, нету́склый (о цве́те); 7) переме́нный, меня́ющийся (о нагру́зке); 8) эл. под напряже́нием; 9) передаю́щийся непосре́дственно в эфи́р (без предвари́тельной за́писи на плёнку—о радиопереда́че и т. п.); ◇ ~ weight живо́й вес; ~ wire энерги́чный челове́к, ого́нь.

liveable [ˈlɪvəbl] = livable.

live farming [ˈlaɪvˈfɑːmɪŋ] n животново́дческое хозя́йство.

livelihood [ˈlaɪvlɪhud] n сре́дства к жи́зни; пропита́ние; to earn an honest ~ жить че́стным трудо́м; to pick up a scanty ~ е́ле перебива́ться.

liveliness [ˈlaɪvlɪnɪs] n жи́вость, оживле́ние, весёлость.

livelong [ˈlɪvlɔŋ] a поэт. це́лый, весь; ве́чный; the ~ day день-деньско́й.

lively [ˈlaɪvlɪ] 1. a 1) живо́й (об описа́нии и т. п.); 2) оживлённый, весёлый; 3) я́ркий, си́льный (о впечатле́нии; цвете́ и т. п.); 4) бы́стрый; бы́стро отска́кивающий (о мяче́); 5) све́жий (о ветре́); ◇ to make things ~ for smb. доставля́ть кому́-л. неприя́тные мину́ты; зада́ть жа́ру кому́-л.;
2. adv ве́село, оживлённо.

liven [ˈlaɪvn] v оживи́ть(ся), развесели́ть(ся) (тж. ~ up).

live-oak [ˈlaɪvouk] n вирги́нский дуб.

liver I [ˈlɪvə] n: good ~ а) хоро́ший, доброде́тельный челове́к; б) гурма́н; loose ~ распу́щенный челове́к; close ~ скупе́ц.

liver II ['lɪvə] *n* 1) *анат.* печень; 2) печёнка (*пища*).

liver-coloured ['lɪvə,kʌləd] *a* красновáто-корúчневого цвéта.

liver-fluke ['lɪvəfluːk] *n мед.* печёночная двуýстка (*паразит*).

liveried ['lɪvərɪd] *a* носящий ливрéю, в ливрéе.

liverish ['lɪvərɪʃ] *a* страдáющий болéзнью печени.

Liverpudlian [,lɪvə'pʌdlɪən] *шутл.* 1. *n* жúтель Ливерпýля;
2. *a* ливерпýльский.

liverwort ['lɪvəwəːt] *n бот.* печёночница.

livery I ['lɪvərɪ] *a* 1) красновáто-корúчневый; 2) = liverish; 3) раздражúтельный.

livery II ['lɪvərɪ] *n* 1) ливрéя; 2) *уст.* костюм члéна гúльдии; 3) наряд, убóр; the ~ of spring весéнний наряд (*природы*); 4) прокóрм лóшади; прокáт (*лошадей, экипажей, лодок и т. п.*); at ~ помещённый в плáтную конюшню (*о лошади*); 5) *юр.* ввод во владéние; 6) *амер.* = livery stable; 7) *attr.* ливрéйный; ~ servant ливрéйный лакéй.

liveryman ['lɪvərɪmən] *n* 1) член гúльдии; 2) извозопромышленник.

livery stable ['lɪvərɪsteɪbl] *n* плáтная конюшня; извóзчичий двор.

lives [laɪvz] *pl от* life.

live-stock ['laɪvstɔk] *n* 1) живóй инвентáрь, домáшний скот; поголóвье скотá; 2) *attr.*: ~ breeding племеннóе животновóдство.

livid ['lɪvɪd] *a* 1) синевáто-багрóвый; 2) серовáто-сúний; 3) мéртвенно-блéдный; 4) *разг.* óчень сердúтый, злой.

living ['lɪvɪŋ] 1. *pres. p. от* live I;
2. *n* 1) срéдства к жúзни; to make one's ~зарабáтывать срéдства к жúзни; 2) жизнь, óбраз жúзни; plain ~ скрóмная, простáя жизнь; 3) пúща, стол; 4) *церк.* бенефúция, прихóд (*с их доходами*); 5) *attr.*: ~ wage прожúточный мúнимум;
3. *a* 1) живóй; живýщий, существýющий; the greatest ~ poet крупнéйший совремéнный поэт; 2) живóй, интерéсный; 3) óчень похóжий; he is the ~ image of his father он кóпия своегó отцá, он вылитый отéц; ◇ ~ death состояние безнадёжного страдáния; within ~ memory на пáмяти живýщих, на пáмяти нынешнего поколéния; ~ essentials предмéты пéрвой необходúмости.

living-room ['lɪvɪŋrum] *n* столóвая, óбщая кóмната (*в семье*).

living-space ['lɪvɪŋspeɪs] *n* жúзненное прострáнство.

lixiviate [lɪk'sɪvɪeɪt] *v* выщелáчивать.

lixivium [lɪk'sɪvɪəm] *n* щёлок.

lizard ['lɪzəd] *n* ящерица.

lizzie ['lɪzɪ] *n sl.* (дешёвый) автомобúль, *преим.* форд (*тж.* tin ~).

'll *сокр. разг. от* will *и* shall: he'll = he will, they'll = they will *и т. д.*

llama ['lɑːmə] *n зоол.* лáма.

llano ['lɑːnou] *n* льянóсы (*обширные равнины в Южной Америке*).

Lloyd's [lɔɪdz] *n* 1) Ллойд (*морское страховое регистрационное агентство*); 2) ллóйдовский регúстр (*тж.* ~ register):

Lo [lou] *n амер. разг.* индéец.

lo [lou] *int уст.* вот!, смотрú!, слýшай!; lo and behold! и вот!; и вдруг, о чýдо! **loach** [loutʃ] *n* голéц (*рыба*).

load [loud] 1. *n* 1) груз; 2) брéмя, тяжесть; ~ of care брéмя забóт; to take a ~ off one's mind избáвиться от (гнетýщего) беспокóйства *и т. п.*; that's a ~ off my mind ≅ тóчно кáмень с душú свалúлся; 3) вагóн, сýдно, воз (*какого-л. груза*); 4) колúчество рабóты, нагрýзка; a teaching ~ of twelve hours a week педагогúческая нагрýзка 12 часóв в недéлю; 5) *pl разг.* обúлие, мнóжество; 6) *воен.* заряд; 7) *тех.* нагрýзка;
2. *v* 1) грузúть, нагружáть; грузúться (*о корабле, вагонах*); 2) обременять (*работой*); 3) отягощáть (*напр., желудок*); наедáться; to be (*или* to get) ~ed *разг.* напúться, налúзаться; 4) осыпáть (*подарками; упрёками*); 5) заряжáть (*оружие, кассету фотоаппарата*); ~! заряжáй!; 6) наливáть свинцóм (*напр., трость*); 7) подбавлять к винý спирт, наркóтики; фальсифицúровать; 8) насыщáть; ~ed with fragrance насыщенный арóматом (*о воздухе*); 9) *жив.* класть гýсто (*краску*); ⬜ ~ up грузúться; б) мнóго пить, наедáться.

loaded ['loudɪd] 1. *p.p. от* load 2;
2. *a*: ~ dice игрáльные кóсти, налúтые свинцóм; *перен.* нечéстно добытое преимýщество.

loader ['loudə] *n* 1) грýзчик; 2) погрýзочное приспособлéние; 3) *воен.* заряжáющий (*нóмер*).

loading ['loudɪŋ] 1. *pres. p. от* load 2;
2. *n* 1) погрýзка; 2) груз, нагрýзка; 3) заряжáние; 4) *эл.* приложéние нагрýзки.

load-line ['loudlaɪn] *n* грузовáя ватерлúния.

load-on ['loudɔn] *n разг.* выпивка; to get a ~ налúзаться, напúться.

load-shedding ['loud,ʃedɪŋ] *n эл.* сброс нагрýзки; принудúтельное отключéние в часы пик.

loadstar ['loudstɑː] = lodestar.

loadstone ['loudstoun] *n* прирóдный магнúт; магнúтный железняк.

loaf I [louf] *n* (*pl* loaves) 1) бухáнка, каравáй; бýлка; ~ the ~ хлеб; 2) головá сáхару (*тж.* sugar-~); ~ sugar рафинáдный сáхар (*головами или колотый*); 3) кочáн (*капусты*); 4) *sl.* головá; use your ~ пошевелúте мозгáми; ◇ loaves and fishes *библ.* земные блáга; half a ~ is better than no bread *посл.* ≅ лýчше хоть чтó-нибудь, чем ничегó.

loaf II [louf] 1. *n* бездéльничанье; to have a ~ бездéльничать;
2. *v* 1) бездéльничать; зря терять врéмя; to ~ away one's time прáздно проводúть врéмя; 2) слоняться, шатáться.

loafer ['loufə] *n* 1) бездéльник; 2) бродяга.

loam [loum] *n* 1) жúрная глúна; clay ~ суглúнок; sandy ~ сýпесок; 2) плодорóдная земля́; гли́на и песóк с перегнóем; 3) гли́на для кирпичéй; формóвочная гли́на.

loamy ['loumɪ] *a* сугли́нистый.

loan [loun] 1. *n* 1) заём; state ~ госудáрственный заём; 2) ссýда; что-л. дáнное для вре́менного пóльзования (*напр., кни́га*); on ~ a) взаймы́; б) предостáвленный для вы́ставки (*об экспонáте*); 3) заи́мствование (*о слóве, ми́фе, обы́чае*);
2. *v* давáть взаймы́, ссужáть.

loan collection ['lounkə,lekʃən] *n* коллéкция карти́н, вре́менно предостáвленная владéльцами для вы́ставки.

loan-translation ['lountrɑːns,leɪʃən] *n* ли́нгв. кáлька.

loan-word ['lounwəːd] *n* заи́мствованное слóво.

loath [louθ] *a predic.* несклóнный, нежелáющий; неохóтный; to be ~ не хотéть; nothing ~ охóтный, охóтно.

loathe [louð] *v* 1) чýвствовать отвращéние; 2) ненави́деть; 3) *разг.* не люби́ть.

loathful ['louðful] = loathsome.

loathing ['louðɪŋ] 1. *pres. p. от* loathe;
2. *n* 1) отвращéние; to be filled with ~ испы́тывать отвращéние; 2) нéнависть.

loathsome ['louðsəm] *a* вызывáющий отвращéние; отврати́тельный, проти́вный.

loath-to-depart ['louθtədɪ'pɑːt] *n* прощáльная песнь.

loaves [louvz] *pl от* loaf I.

lob [lɔb] 1. *v* 1) идти́ *или* бежáть тяжелó, неуклю́же (*тж.* ~ along); 2) высокó подбрóсить мяч (*в те́ннисе и т. п.*);
2. *n* высокó подбрóшенный мяч (*в те́ннисе и т. п.*).

lobby ['lɔbɪ] 1. *n* 1) вестибю́ль; фойé; коридóр; 2) *парл.* кулуáры; division ~ коридóр, куда чле́ны англи́йского парлáмента выхóдят при голосовáнии; 3) *амер.* грýппа лиц, «обрабáтывающих» чле́нов конгрéсса в пóльзу тогó или инóго законопроéкта; 4) загóн для скотá;
2. *v амер.* пытáться воздéйствовать на чле́нов конгрéсса, «обрабáтывать» их; ☐ ~ through провести́ законопроéкт посрéдством закули́сных махинáций.

lobe [loub] *n* 1) дóля; ~ of the lung лёгочная дóля; ~ of the ear мóчка ýха; 2) *тех.* кулачóк.

lobelia [lou'biːljə] *n бот.* лобéлия.

loblolly ['lɔblɔlɪ] *n амер.* 1) *разг.* густáя овся́ная кáша; 2) скипидáрная соснá, соснá Флори́ды (*тж.* ~ pine); 3) *мор. sl.* лекáрство; 4) *уст.* деревéнщина.

loblolly boy ['lɔblɔlɪbɔɪ] *n мор.* судовóй фéльдшер.

lobster ['lɔbstə] *n* 1) омáр, рак; red as a ~ крáсный как рак; 2) *уст. презр.* англи́йский солдáт, «красномунди́рник»; 3) *sl.* неуклю́жий человéк; 4) *sl.* краснолѝцый человéк; ◇ ~ shift = graveyard shift [*см.* graveyard ◇].

lobster-eyed ['lɔbstəraɪd] *a* пучеглáзый.

lobule ['lɔbjuːl] *n* дóлька (*листá, плодá*).

lobworm ['lɔbwəːm] *n* пескожи́л (*червь*).

local ['loukəl] 1. *a* 1) мéстный; ~ adverb *грам.* нарéчие мéста; ~ colour мéстный колори́т; ~ committee месткóм, мéстный комитéт (*профсою́за*); ~ train пригорóдный пóезд; ~ engagement *воен.* бой мéстного значéния; ~ board *амер. воен.* участкóвая призывнáя коми́ссия; ~ defence *воен.* самооборóна; ~ government мéстное самоуправлéние; Local Government Board департáмент, вéдающий мéстным самоуправлéнием; ~ name а) назван́ие мéстности; б) мéстное назвáние; ~ option, ~ veto прáво жи́телей óкруга контроли́ровать *или* запрещáть продáжу спиртны́х напи́тков; ~ examinations экзáмены, проводи́мые в шкóлах (на местáх) представи́телями университéтов; ~ room *амер.* отдéл, редáкция мéстных новостéй (*в газéте*); 2) распространённый лишь местáми (*обы́кн.* quite ~, very ~); ~ anaesthesia мéстная анестези́я; ~ armistice *воен.* чáстное переми́рие;
2. *n* 1) мéстная парти́йная *или* профсою́зная организáция; 2) мéстный жи́тель; 3) мéстные нóвости (*в газéте*); 4) пригорóдный пóезд; 5) *разг.* мéстный тракти́р.

local(e) [lou'kɑːl] *n* мéсто (*дéйствия*).

localism ['loukəlɪzəm] *n* 1) мéстные интерéсы; мéстный патриоти́зм; 2) ýзость интерéсов, провинциали́зм; 3) *лингв.* мéстное выражéние, провинциали́зм.

locality [lou'kælɪtɪ] *n* 1) мéстность; райóн, участóк; местоположéние; defended ~ *воен.* райóн оборóны; inhabited (*или* populated) ~ населённый пункт; 2) (*чáсто pl*) окрéстность; in the ~ of побли́зости от; 3) *pl* населённые пýнкты; 4) спосóбность ориенти́роваться (*тж.* sense *или* bump of ~).

localize ['loukəlaɪz] *v* 1) локализовáть, ограни́чивать распространéние; to ~ infection ограни́чить распространéние инфéкции; 2) относи́ть к определённому мéсту; 3) определя́ть местонахождéние.

locally ['loukəlɪ] *adv* 1) в определённом мéсте; 2) в мéстном масштáбе.

locate [lou'keɪt] *v* 1) определя́ть мéсто, местонахождéние; 2) располагáть в определённом мéсте; назначáть мéсто (*для пострóйки и т. п.*); 3) посели́ть(ся); to be ~d in жить; быть располóженным в.

location [lou'keɪʃən] *n* 1) определéние мéста (*чегó-л.*); обнарýжение, нахождéние; 2) поселéние (*на жи́тельство*); 3) *преим. амер.* размещéние; 4) местожи́тельство; участóк; 5) фéрма (*в Австрáлии*); 6) *юр.* сдáча внаём; 7) *кино* натýра; on ~ на натýре (*о съёмках*).

locative ['lɔkətɪv] *грам.* 1. *a* мéстный;
2. *n* мéстный падéж.

loch [lɔk] *n шотл.* 1) óзеро; 2) ýзкий морскóй зали́в.

loci ['lousaɪ] *pl от* locus.

lock I [lɔk] *n* 1) лóкон; *pl* вóлосы; 2) пучóк (*вóлос*), клок (*шéрсти*), охáпка (*сéна*), вязáнка (*хвóросту*).

lock II [lɔk] 1. *n* 1) замóк (*тж. в орýжии*); запóр; затвóр; щеколда; under ~ and key зáпертый, под замкóм; 2) *тех.* стóпор, чекá; 3) затóр (*в у́личном движе-*

нии); 4) шлюз; плоти́на, гать; 5) венерологи́ческая лече́бница (*тж.* L. Hospital); ◇ ~, stock, and barrel *разг.* целико́м, полностью; всё вме́сте взя́тое;

2. *v* 1) запира́ть(ся) на замо́к; 2) сжима́ть (*в объятиях, в борьбе*); сти́скивать (*зубы*); 3) тормози́ть; затормози́ться; 4) соедина́ть, сплета́ть (*пальцы, руки*); 5) шлюзова́ть; to ~ up (down) проводи́ть су́дно по шлюзам вверх (вниз) по реке́, кана́лу; □ ~ away спря́тать под замо́к, запере́ть; ~ in запира́ть и не выпуска́ть из ко́мнаты *и т. п.*; ~ out а) запере́ть дверь и не впуска́ть б) объявля́ть лока́ут; ~ up а) запира́ть; б) сажа́ть в тюрьму́; заключа́ть в сумасше́дший дом; в) вложи́ть капита́л в тру́дно реализу́емые бума́ги; г) *воен.* сомкну́ть (*строй, ряды*); д) ута́ивать (*факты, сведения*); ◇ to ~ the stable door after the horse has been stolen ≅ хвати́ться сли́шком по́здно.

lockage ['lɔkɪdʒ] *n* 1) шлюзовы́е сооруже́ния и механи́змы; 2) прохожде́ние (*судна*) че́рез шлю́зы; 3) шлю́зный сбор.

lock-chamber ['lɔk͵tʃeɪmbə] *n* шлюзова́я ка́мера.

locker ['lɔkə] *n* 1) запира́ющийся шкафчик; я́щик; *мор. тж.* рунду́к; 2) холоди́льник для хране́ния свежезаморо́женных проду́ктов; ◇ not a shot in the ~ *разг.* ни гроша́ в карма́не.

locker room ['lɔkərum] *n* раздева́лка (*на заводе, стадионе и т. п. с шкафчиками для личных вещей*).

locket ['lɔkɪt] *n* медальо́н.

lockfast ['lɔkfɑːst] *a* хорошо́, основа́тельно за́пертый.

lock-gate ['lɔkgeɪt] *n* шлюзны́е воро́та.

Lock Hospital ['lɔk'hɔspɪtl] = lock II, 1, 5).

lock house ['lɔkhaus] *n* сторо́жка при шлю́зе.

locking-finger ['lɔkɪŋ͵fɪŋɡə] = finger 1, 2).

lock-jaw ['lɔkdʒɔː] *n мед.* тони́ческий спазм мышц че́люсти (*при столбняке*).

lock-keeper ['lɔk͵kiːpə] *n* сто́рож при шлю́зе.

lock-nut ['lɔknʌt] *n* контрга́йка.

lock-out ['lɔkaut] *n* лока́ут.

locksman ['lɔksmən] *n* 1) = lock-keeper; 2) *уст.* тюре́мщик.

locksmith ['lɔksmɪθ] *n* сле́сарь.

lock-stitch ['lɔkstɪtʃ] *n* маши́нный шов.

lock-up ['lɔkʌp] *n* 1) вре́мя закры́тия, прекраще́ния рабо́ты; 2)ареста́нтская ка́мера; тюрьма́; 3) мёртвый капита́л; 4) *attr.* запира́емый, запира́ющийся.

loco I ['loukou] 1. *n исп.-ам.* 1) *бот.* оди́н из америка́нских ви́дов астрага́ла, ядови́того для скота́; 2) боле́знь скота́, вызыва́емая э́тим расте́нием (*тж.* ~ disease);

2. *a sl.* сумасше́дший; to go ~ сойти́ с ума́, спя́тить.

3. *v разг.* свести́ с ума́.

loco II ['loukou] *сокр. от* locomotive 1, 1).

locomobile [͵loukə'moubɪl] 1. *n тех.* локомоби́ль.

2. *a* самодви́жущийся.

locomotion [͵loukə'mouʃən] *n* передвиже́ние; means of ~ сре́дства передвиже́ния.

locomotive ['loukə͵moutɪv] 1. *n* 1) локомоти́в, парово́з, теплово́з, электрово́з; 2) *pl sl.* но́ги;

2. *a* 1) дви́жущий(ся); ~ power дви́жущая си́ла; ~ faculty спосо́бность движе́ния; 2) *шутл.* постоя́нно путеше́ствующий.

locum ['loukəm] *лат. n:* to do ~ временно исполня́ть обя́занности (*доктора, священника и т. п.*); ~ tenens вре́менный замести́тель.

locus ['loukəs] *лат. n* (*pl* loci) 1) местоположе́ние; ~ sigili ме́сто печа́ти (*на документе*); 2) траекто́рия; 3) геометри́ческое ме́сто то́чек.

locust ['loukəst] *n* 1) саранча́ перелётная *или* обыкнове́нная; 2) *распр.* цика́да; 3) роби́ния-ложноака́ция; бе́лая ака́ция; 4) рожко́вое де́рево; honey ~ гледи́чия сла́дкая; 5) *разг.* жа́дный, вре́дный челове́к; 6) *attr.:* ~ beans плоды́ рожко́вого де́рева, царегра́дские стручки́, рожки́.

locust-tree ['loukəsttriː] = locust 3) *и* 4).

locution [lou'kjuːʃən] *n* выраже́ние, оборо́т ре́чи, идио́ма.

lode [loud] *n* 1) *геол.* (ру́дная) жи́ла; за́лежь; жи́льный по́яс; 2) = loadstone.

lodestar ['loudstɑː] *n* 1) Поля́рная звезда́; 2) путево́дная звезда́.

lodge [lɔdʒ] 1. *n* 1) до́мик; сторо́жка у воро́т; помеще́ние привра́тника; 2) охо́тничий до́мик; вре́менное жили́ще; 3) пала́тка инде́йцев, вигва́м; 4) ме́стное отделе́ние не́которых профсою́зов (*напр., железнодорожников*); 5) ло́жа (*масонская*); 6) ха́тка (*бобра*); нора́ (*выдры*); 7) ло́жа (*в театре*); 8) кварти́ра дире́ктора колле́джа (*в Кембридже*); 9) *горн.* ру́дный двор;

2. *v* 1) дать помеще́ние, приюти́ть; посели́ть; 2) квартирова́ть; вре́менно прожива́ть; снима́ть ко́мнату, у́гол (*у кого-л.*); 3) всади́ть; 4) засе́сть, застря́ть (*о пуле и т. п.*); 5) класть (*в банк*); дава́ть на хране́ние (with—*кому-л.*; in—*куда-л.*); 6) подава́ть (*жалобу, прошение*; with, in); предъявля́ть (*обвинение*); 7) положи́ть, приби́ть (*о ветре, ливне*); 8) полечь от ве́тра (*о посевах*); □ ~ out провести́ ночь в общежи́тии при вокза́ле (*о железнодорожном служащем*); to ~ power with smb. (*или* in the hands of smb.) облека́ть кого́-л. вла́стью, полномо́чиями.

lodgement ['lɔdʒmənt] = lodgment.

lodger ['lɔdʒə] *n* жиле́ц; to take in ~s сдава́ть ко́мнаты жильца́м.

lodging ['lɔdʒɪŋ] 1. *pres. p. от* lodge 2; 2. *n* 1) жили́ще; 2) *pl* (снима́емая) ко́мната, кварти́ра; dry ~ помеще́ние, сдава́емое без пита́ния; ◇ turn *ж.-д.* ночна́я сме́на, ночно́е дежу́рство.

lodging-house ['lɔdʒɪŋhaus] *n* меблиро́ванные ко́мнаты; common ~ ночле́жный дом.

lodgment ['lɔdʒmənt] *n* 1) жили́ще, кварти́ра; прию́т (*тж. перен.*); the idea found ~ in his mind мысль засе́ла в его́ мозгу; 2) про́чное положе́ние; опо́ра (для ног); 3) скопле́ние (чего-л.); зато́р; 4) воен. ист. ложеме́нт, око́п; 5) воен. крепле́ние на захва́ченной пози́ции; to find a ~ обоснова́ться, закрепи́ться; 6) воен. посто́й; 7) горн. водосбо́рник.

loess [ləs] n геол. лёсс.

loft [lɔft] 1. n 1) черда́к; 2) сенова́л; 3) голубя́тня; 4) амер. ве́рхний эта́ж (торгового помещения, склада); 5) хо́ры (в церкви); 6) мор. плаз; 7) уда́р, посыла́ющий мяч вверх (в гольфе).
2. v 1) посыла́ть мяч вверх (в гольфе); 2) держа́ть голубе́й; 3) амер., уст. помеща́ть, скла́дывать на чердаке́.

loftiness ['lɔftɪnɪs] n 1) больша́я высота́; 2) возвы́шенность (идеалов и т. п.); 3) вели́чественность; ста́тность; 4) высокоме́рие, надме́нность.

loft-room ['lɔftrum] n плодохрани́лище.

lofty ['lɔftɪ] a 1) о́чень высо́кий (не о людях); 2) возвы́шенный (об идеалах и т. п.); 3) вели́чественный; 4) высокоме́рный, надме́нный; гордели́вый.

log [lɔg] 1. n 1) бревно́; коло́да; чурба́н; кряж; 2) мор. лаг; to heave the ~ броса́ть лаг; 3) = log-book; 4) геол. разре́з бурово́й сква́жины; ◇ to keep the ~ rolling амер. рабо́тать в бы́стром те́мпе; to split the ~ амер. объясня́ть что-л.;
2. v 1) рабо́тать на лесозагото́вках; 2) мор. вноси́ть в ва́хтенный и т. п. журна́л; 3) покрыва́ть определённое расстоя́ние за день (о пароходе); □ ~ off выкорчёвывать.

loganberry ['lougənbərɪ] n амер. бот. лога́нова я́года (гибрид малины с ежевикой).

logarithm ['lɔgərɪθəm] n логари́фм.

log-book ['lɔgbuk] n 1) ва́хтенный журна́л; бортово́й журна́л (самолёта); журна́л радиоста́нции и т. п.; 2) формуля́р (автомашины, самолёта).

log frame ['lɔgfreɪm] n лесопи́льная ра́ма.

logged [lɔgd] 1. p. p. от log 2;
2. a 1) отяжеле́вший; пропита́вшийся водо́й; 2) сто́ячий (о воде); боло́тистый; 3) расчи́щенный от ле́са.

logger ['lɔgə] n амер. лесору́б.

loggerhead ['lɔgəhed] n 1) непропорциона́льно больша́я голова́; 2) род морско́й черепа́хи; 3) патаго́нская морска́я у́тка; 4) америка́нский сорокопу́т; 5) уст. болва́н; 6) мор. ла́грет; ◇ to be at ~s with smb. пререка́ться, ссо́риться с кем-л.; быть в дурны́х отноше́ниях с кем-л.; to fall (или to get, to go) to ~s дойти́ до дра́ки.

logging ['lɔgɪŋ] 1. pres. p. от log 2;
2. n 1) лесны́е разрабо́тки; лесозагото́вка; 2) = log-rolling.

log-head ['lɔghed] n болва́н, дура́к.

log hut ['lɔghʌt] n 1) сруб, бреве́нчатая изба́; 2) амер. разг. тюрьма́.

logic ['lɔdʒɪk] n ло́гика.

logical ['lɔdʒɪkəl] a 1) логи́ческий; 2) логи́чный, после́довательный.

logician [lou'dʒɪʃən] n ло́гик.

logistical [lou'dʒɪstɪkəl] a воен. относя́-

щийся к передвиже́нию и снабже́нию во́йск; ~ number но́мер, присва́иваемый при автоперево́зке.

logistics [lou'dʒɪstɪks] n pl воен. те́хника штабно́й слу́жбы, расчёты тыло́в; те́хника перево́зок и снабже́ния.

log-juice ['lɔgdʒuːs] n sl. скве́рный портве́йн.

log-man ['lɔgmən] n амер. лесору́б.

logogram ['lɔgougræm] n знак или бу́ква, заменя́ющие сло́во в стеногра́фии.

logomachy [lɔ'gɔməkɪ] n словопре́ние; спор о слова́х.

log-rolling ['lɔg,roulɪŋ] n амер. 1) перека́тка брёвен; 2) взаи́мное восхвале́ние (в печати); обою́дные услу́ги (в политике).

logwood ['lɔgwud] n бот. кампе́шевое или санда́ловое де́рево.

logy ['lougɪ] a амер. 1) тяжёлый; 2) тупо́й; 3) медли́тельный.

loin [lɔɪn] n 1) pl поясни́ца; 2) кул. филе́йная часть; ◇ to gird up one's ~s библ., поэт. препоя́сать чре́сла, собра́ться с си́лами, приступи́ть (к чему-л.); sprung from one's ~s порождённый кем-л. (о потомстве и т. п.).

loin-cloth ['lɔɪnklɔθ] n 1) набе́дренная повя́зка; 2) тру́сики, пла́вки.

loir ['lɔɪə] n зоол. со́ня.

loiter ['lɔɪtə] v 1) ме́длить, ме́шкать, копа́ться; отстава́ть; 2) слоня́ться без де́ла; to ~ away one's time безде́льничать, теря́ть да́ром вре́мя.

loll [lɔl] v сиде́ть развали́сь; стоя́ть (облокотя́сь) в лени́вой по́зе; □ ~ out a) высо́вывать язы́к; б) высо́вываться (о языке).

Lollard ['lɔləd] n ист. лолла́рд.

lollipop ['lɔlɪpɔp] n леденец; конфе́та; pl сла́сти.

Lombard ['lɔmbəd] 1. n 1) ист. лангоба́рд; 2) ломба́рдец, жи́тель Ломба́рдии; 3) уст. банки́р; меня́ла; ◇ ~ Street де́нежный ры́нок, фина́нсовый мир А́нглии (по названию улицы в лондонском Сити, на которой находится много банков);
2. a ломба́рдский.

Lombardy poplar ['lɔmbədɪ'pɔplə] n пирамида́льный то́поль.

Londoner ['lʌndənə] n ло́ндонец.

Londonism ['lʌndənɪzəm] n 1) ме́стное ло́ндонское выраже́ние; 2) ло́ндонский обы́чай.

lone [loun] a 1) уединённый; 2) поэт., ритор. одино́кий; 3) шутл. незаму́жняя или овдове́вшая.

lone electron ['louni'lektrɔn] n свобо́дный электро́н.

lonely ['lounlɪ] a 1) одино́кий; томя́щийся одино́чеством; to feel ~ чу́вствовать себя́ одино́ким, испы́тывать чу́вство одино́чества; 2) уединённый, пусты́нный.

lonesome ['lounsəm] a 1) = lonely; 2) вызыва́ющий тоску́, уны́лый.

long I [lɔŋ] 1. a 1) дли́нный; ~ measures ме́ры длины́; at ~ range на большо́м расстоя́нии; a ~ mile до́брая ми́ля; ~ waves радио дли́нные во́лны; 2) до́лгий; дли́тельный; давно́ существу́ющий; ~ look до́лгий взгляд; a ~ custom давни́шний, стари́нный обы́чай; a, ~ farewell a) до́лгое проща́ние; б) проща́ние надо́лго; a friendship (an illness) of ~ standing стари́нная дру́жба (застаре́лая боле́знь); ~ vacation ле́тние кани́кулы; 3) ме́дленный, меди́тельный; how ~ he is! как он копа́ется!; 4) име́ющий *такую-то* длину́ *или* продолжи́тельность; a mile ~ длино́й в одну́ ми́лю; an hour ~ продолжа́ющийся в тече́ние ча́са; 5) обши́рный, многочи́сленный; ~ family огро́мная семья́; ~ bill дли́нный, разду́тый счёт; 6) удлинённый, продолгова́тый; 7) ску́чный, многосло́вный; 8) *фон.*, *прос.* до́лгий (*гласный звук*); ◇ ~ ears глу́пость; ~ face мра́чная физионо́мия; to make (*или* to pull) a ~ face помрачне́ть; to make a ~ nose показа́ть «нос»; ~ greens *амер. sl.* бума́жные де́ньги; ~ head проница́тельность, предусмотри́тельность; ~ home моги́ла; ~ nine *амер. sl.* дешёвая сига́ра; ~ odds большо́е нера́венство ста́вок; нера́вные ша́нсы; L. Tom a) дальнобо́йная пу́шка; б) *sl.* дли́нная сига́ра; L. Parliament *ист.* До́лгий парла́мент; in the ~ run в конце́ концо́в; в коне́чном счёте; to make a ~ story short коро́че говоря́; ~ price непоме́рная цена́; ~ shillings хоро́ший за́работок; ~ dozen трина́дцать, чёртова дю́жина; ~ in the teeth ста́рый;

2. *adv* 1) до́лго; as ~ as пока́; stay for as ~ as you like остава́йтесь сто́лько, ско́лько вам бу́дет уго́дно; ~ live... да здра́вствует...; 2) давно́; до́лгое вре́мя (*перед*, *спустя*); ~ before задо́лго до; ~ after до́лгое вре́мя спустя́; ~ since уже́ давны́м-давно́; 3): all day (night) ~ весь день (всю ночь) напролёт; his life ~ в тече́ние всей его́ жи́зни, всю его́ жизнь; ◇ so ~ до свида́ния.

3. *n* до́лгий срок, до́лгое вре́мя; for ~ надо́лго; before ~ ско́ро; вско́ре; will not take ~ не займёт мно́го вре́мени; ◇ the ~ and the short of it коро́че говоря́, сло́вом; the ~ = ~ vacation [*см.* I, 1, 2)].

long II [lɔŋ] *v* 1) стра́стно жела́ть (*чего-л.*), стреми́ться (to, for—к *чему-л.*); 2) тоскова́ть.

long-ago [ˈlɔŋəˈgou] 1. *n* далёкое про́шлое; да́вние времена́.
2. *a* давнопроше́дший, далёкий.

longanimity [ˌlɔŋɡəˈnimiti] *n редк.* долготерпе́ние.

long-billed [ˈlɔŋˈbild] *a* с дли́нным козырько́м (*о шляпе*).

longboat [ˈlɔŋbout] *n* барка́с (*на парусном судне*).

long-bow [ˈlɔŋbou] *n* большо́й лук (*оружие*); ◇ to draw (*или* to pull) the ~ расска́зывать небыли́цы; преувели́чивать.

long-distance [ˈlɔŋˈdistəns] 1. *a* да́льний, отдалённый; ~ call междугоро́дный *или* междунаро́дный телефо́нный разгово́р; ~ telephone service междугоро́дное *или* междунаро́дное телефо́нное сообще́ние; ~ transmission да́льняя радиопереда́ча;
2. *n* междугоро́дная ста́нция.

long-drawn(-out) [ˈlɔŋˈdrɔːn(aut)] *a* затяну́вшийся, продолжи́тельный.

longer [ˈlɔŋɡə] *сравнит. ст. от* long I, 1 *и* 2; wait a while ~ подожди́те ещё немно́го; I shall not wait (any) ~ не бу́ду бо́льше ждать.

longeron [ˈlɔndʒərən] *n* (*обыкн. pl*) *ав.* лонжеро́н.

longest [ˈlɔŋɡist] *превосх. ст. от* long I, 1 *и* 2; (a week) at ~ са́мое бо́льшее (неде́лю).

longevity [lɔnˈdʒeviti] *n* долгове́чность.

longevous [lɔnˈdʒiːvəs] *a* долгове́чный.

long-hair, long-haired [ˈlɔŋhɛə, ˈlɔŋˈhɛəd] *a разг.* серьёзный (*обыкн. о музыке*).

longhand [ˈlɔŋhænd] *n* обыкнове́нное письмо́ (*противоп.* shorthand).

long-headed [ˈlɔŋˈhedid] *a* 1) длинноголо́вый, долихоцефа́льный; 2) *разг.* проница́тельный, предусмотри́тельный, хи́трый.

long hundredweight [ˈlɔŋˈhʌndrədweit] *n* англи́йский це́нтнер (*112 фунтов = 50,8 кг*).

longing [ˈlɔŋiŋ] 1. *pres. p. om* long II;
2. *n* си́льное, стра́стное жела́ние, стремле́ние;
3. *a* си́льно, стра́стно жела́ющий; ~ look горя́щий жела́нием взгляд.

longitude [ˈlɔndʒitjuːd] *n* 1) *геогр.* долгота́; 2) *шутл.* длина́.

longitudinal [ˌlɔndʒiˈtjuːdinl] 1. *a* 1) продо́льный; ~ section продо́льное сече́ние; 2) *геогр.* по долготе́;
2. *n* 1) *стр.* продо́льный брус; продо́льная ба́лка; продо́льный элеме́нт констру́кции; 2) *ав.* лонжеро́н.

long lease [ˈlɔŋliːs] *n* долгосро́чная аре́нда.

long-lived [ˈlɔŋˈlivd] *a* долгове́чный.

long-player [ˈlɔŋˈpleiə] = long-playing record.

long-playing record [ˈlɔŋpleiŋˈrekɔːd] *n* долгоигра́ющая пласти́нка.

long-play record [ˈlɔŋpleiˈrekɔːd] = long-playing record.

long-primer [ˈlɔŋˈprimə] *n полигр.* ко́рпус.

long-range [ˈlɔŋˈreindʒ] *a* да́льнего де́йствия; дальнобо́йный; ~ rocket раке́та да́льнего де́йствия; ~ thinking заблаговре́менное обду́мывание; ~ policy поли́тика да́льнего прице́ла.

longshoreman [ˈlɔŋʃɔːmən] *n* 1) порто́вый гру́зчик; 2) прибре́жный рыба́к; 3) *разг.* челове́к, живу́щий случа́йной рабо́той на морски́х куро́ртах.

long-sighted [ˈlɔŋˈsaitid] *a* 1) дальнозо́ркий; 2) дальнови́дный.

longspun [ˈlɔŋˈspʌn] *a* растя́нутый, ску́чный.

long-standing [ˈlɔŋˈstændiŋ] *a* давни́шний.

long-suffering [ˈlɔŋˈsʌfəriŋ] 1. *n* долготерпе́ние;
2. *a* долготерпели́вый; многострада́льный.

long-term [ˈlɔŋˈtəːm] *a* долгосро́чный; ~ bond *или* note обяза́тельство сро́ком не ме́нее чем на два го́да.

long-time ['lɔŋ'taɪm] = long-term.
long ton ['lɔŋ'tʌn] = gross ton.
long-tongued ['lɔŋ'tʌŋd] *а* болтли́вый, име́ющий дли́нный язы́к.
longueurs [,lɔŋ'gəːz] *фр. n pl* длиннóты.
longwall system ['lɔŋwɔl'sɪstɪm] *n горн.* сплошнóй забóй.
longways ['lɔŋweɪz] *adv* в длину́.
long-winded ['lɔŋ'wɪndɪd] *а* 1) с хорóшими лёгкими, могу́щий дóлго бежáть *или* кричáть, не задыхáясь; 2) многоречи́вый, ску́чный.
longwise ['lɔŋwaɪz] = longways.
loo [luː] *n* му́шка (*карт. игра*).
looby ['luːbɪ] *n* ду́рень; полоу́мный.
looey ['luːɪ] *сокр. от* lieutenant.
loofah ['luːfɑː] *n бот.* лю́фа.
look [luk] **1.** *n* 1) взгляд; to have (*или* to take) a ~ at посмотрéть на; ознакóмиться с; to cast a ~ брóсить взгляд, посмотрéть; to steal a ~ укрáдкой посмотрéть; 2) (*часто pl*) выражéние (*глаз, лица*); a vacant ~ отсу́тствующий взгляд; 3) вид, нару́жность; good ~s красотá; милови́дность; I don't like the ~ of him мне не нрáвится егó вид; ◇ affairs took on an ugly ~ делá пошли́ плóхо; upon the ~ в пóисках; not to have a ~ in with smb. быть ху́же, чем кто-л., не сравни́ться с кем-л.;
2. *v* 1) смотрéть, глядéть; осмáтривать; *перен.* быть внимáтельным, следи́ть; to ~ ahead смотрéть вперёд (*в бу́дущее*); ~ ahead! береги́сь!; осторóжно!; to ~ through blue coloured (rose coloured) glasses ви́деть всё в непривлекáтельном (привлекáтельном) свéте; to ~ things in the face смотрéть опáсности в глазá; 2) *как глагол-свя́зка в составнóм именнóм сказу́емом* вы́глядеть, казáться; to ~ well (ill) вы́глядеть хорошó (плóхо); to ~ big принимáть вáжный вид; to ~ small имéть глу́пый вид; to ~ like вы́глядеть как, походи́ть на, быть похóжим на; it ~s like raining похóже, что бу́дет дождь; to ~ one's age вы́глядеть не стáрше свои́х лет; to ~ black вы́глядеть мрáчным, серди́тым; хму́риться; to ~ blue вы́глядеть уны́лым; to ~ oneself again приня́ть обы́чный вид, опрáвиться; 3) выражáть (*взгля́дом, ви́дом*); he ~ed his thanks весь егó вид выражáл благодáрность; 4) выходи́ть на..., быть обращённым на...; my room ~s south моя́ кóмната выхóдит на юг; □ ~ about а) огля́дываться по сторонáм; б) осмáтриваться, ориенти́роваться; ~ after а) следи́ть глазáми, взгля́дом; б) присмáтривать за, заботи́ться о; ~ at а) смотрéть на что-л., на когó-л.; б) посмотрéть (в чём дéло), провéрить; one's way of ~ing at things чьи-л. взгля́ды; чья-л. манéра смотрéть на вéщи; ~ down а) смотрéть свысокá, презирáть (on, upon); б) *ком.* пáдать (*в ценé*); ~ for а) искáть; б) ожидáть, надéяться на; ~ forward ожидáть (to); предвку́сить; ~ in заглянýть к кому-л.; ~ into а) загля́дывать; б) исслéдовать; ~ on а) наблюдáть; б) = ~ upon; ~ out а) быть насторожé; ~ out! осторóжнее!, береги́сь!; б) имéть вид, выходи́ть

(on, over—на *что-л.*); в) подыски́вать; to ~ out for a house присмáтривать (для покýпки) дом; ~ over а) просмáтривать; б) не замéтить; в) прости́ть; ~ round а) огля́дываться круго́м; б) взвéсить всё (*прéжде чем дéйствовать*); ~ through а) смотрéть в (*окнó и т. п.*); б) просмáтривать что-л.; в) ви́деть когó-л. насквóзь; ~ to а) заботи́ться о, следи́ть за; ~ to it that this doesn't happen again смотри́те, чтóбы э́то не повтори́лось; б) рассчи́тывать на; в) надéяться на; г) стреми́ться, быть напрáвленным к чему-л., на что-л.; имéть склóнность к чему-л.; д) укáзывать на; the evidence ~s to acquittal су́дя по свидéтельским показáниям, егó оправдáют; ~ toward = ~ to г); ~ towards: 1 ~ towards you *разг.* пью за вáше здорóвье; ~ up а) смотрéть вверх, поднимáть глазá; to ~ up and down smb. смéрить взгля́дом; to ~ up to smb. смотрéть почти́тельно на когó-л.; уважáть когó-л.; считáться с кем-л.; б) искáть (*что-л. в спрáвочнике*); в) улучшáться (*о делáх*); г) повышáться (*в ценé*); д) навещáть когó-л.; ~ upon смотрéть как на; счи́тать за; he was ~ed upon as an authority на негó смотрéли как на авторитéт, егó считáли авторитéтом; ◇ ~ alive спеши́ть, торопи́ться; ~ alive! живéй!; ~ before you leap не бу́дьте опромéтчивы; ~ here! послу́шайте!; ~ sharp! живéй!; смотри́(те) в обá!; to ~ at home обрати́ться к своéй сóвести, загляну́ть себé в ду́шу; to ~ at him су́дя по егó ви́ду.
looker ['lukə] *n* 1) наблюдáтель; 2) *амер. разг.* красáвец; красáвица.
looker-on ['lukər'ɔn] *n* (*pl* ~s-on) зри́тель, наблюдáтель; ◇ lookers-on see most of the game ≌ со стороны́ виднée.
lookers-on ['lukəz'ɔn] *pl от* looker-on.
look-in ['luk'ɪn] *n* 1) взгляд мéльком; 2) корóткий визи́т; 3) шанс; to have a ~ *спорт. разг.* имéть шáнсы на успéх.
looking-for ['lukɪŋfɔː] *n* 1) пóиски; 2) ожидáния, надéжды.
looking-glass ['lukɪŋglɑːs] *n* зéркало.
look-out ['luk'aut] *n* 1) бди́тельность, насторожённость; to be on the ~ быть насторожé (for); 2) наблюдáтельный пункт; 3) наблюдáтель; вáхта; дозóрные; 4) вид; a wonderful ~ over the sea чудéсный вид нá море; 5) ви́ды, шáнсы; ◇ that's my ~ э́то моё дéло.
look-see [,luk'siː] *n sl.* 1) бéглый взгляд *или* просмóтр; 2) *мор.* периско́п; 3) бинóкль.
loom I [luːm] *n* 1) ткáцкий станóк; 2) валёк веслá; 3) *уст.* ору́дие, инструмéнт; 4) *шотл.* откры́тый сосу́д (*ведрó, бадья́ и т. п.*).
loom II [luːm] **1.** *n* 1) очертáния (*нея́сные или преувели́ченные*); 2) тень;
2. *v* 1) нея́сно вырисóвываться; мая́чить; 2) принимáть преувели́ченные, угрожáющие размéры (*тж.* ~ large).
loon I [luːn] *n шотл.* 1) неотёсанный человéк, деревéнщина; 2) пáрень.
loon II [luːn] *n* поля́рная гагáра.
loony ['luːnɪ] (*сокр. от* lunatic) *sl.* **1.** *n* сумасшéдший, помéшанный;
2. *а* сумасшéдший, безу́мный.

loop [luːp] **1.** *n* 1) пе́тля; *ав.* (мёртвая) пе́тля; 2) *физ.* пу́чность (*волны*); 3) *эл.* вито́к, ко́нтур; 4) *тех.* крюк, бу́гель, хому́т, ско́бка; 5) *ж.-д.* ве́тка (*снова соединяющаяся с главной магистралью*); 6) *анат.* га́нглий, не́рвный у́зел;
2. *v* де́лать пе́тлю, закрепля́ть пе́тлей; to ~ the ~ *ав.* де́лать мёртвую пе́тлю.
loop-aerial [ˈluːpˈɛəriəl] *n радио* ра́мочная анте́нна.
loop-hole [ˈluːphoul] **1.** *n* 1) бойни́ца, амбразу́ра; 2) лазе́йка, уве́ртка;
2. *v* проде́лывать бойни́цы.
looping [ˈluːpiŋ] **1.** *pres. p. от* loop 2;
2. *n ав.* пе́тля.
loop-light [ˈluːplait] *n* ма́ленькое, у́зкое окно́.
loop-line [ˈluːplain] = loop 1, 5).
loopy [ˈluːpi] *a* 1) име́ющий пе́тли; 2) *sl.* сумасше́дший; 3) *шотл.* хи́трый.
loose [luːs] **1.** *a* 1) свобо́дный; to break ~ вы́рваться на свобо́ду; сорва́ться с це́пи; to come ~ вырва́ться; отдели́ться; to let ~ освобожда́ть; дава́ть во́лю (*воображе́нию, гне́ву и т. п.*); 2) ненатя́нутый; (to ride) with a ~ rein (обраща́ться) мя́гко, без стро́гости; 3) просто́рный, широ́кий (*об оде́жде*); 4) нето́чный, неопределённый; сли́шком о́бщий; ~ translation a) во́льный перево́д; б) небре́жный, нето́чный перево́д; 5) небре́жный, неря́шливый; 6) распу́щенный, беспринци́пный; ~ beggar распу́щенный челове́к; ~ morals распу́щенные нра́вы; 7) непло́тный (*о тка́ни*); ры́хлый (*о по́чве*); 8) несвя́занный, пло́хо упако́ванный; не упако́ванный в я́щик, коро́бку; 9) не(пло́тно) прикреплённый; болта́ющийся, шата́ющийся; расхля́банный; обви́слый; ~ end свобо́дный коне́ц (*кана́та, тро́са и т. п.*); ~ leaf вкладно́й лист; 10) откидно́й; 11) *тех.* холосто́й; ◇ ~ bowels скло́нность к поно́су; to be ~ to smth. не проявля́ть интере́са к чему́-л.; at a ~ end a) без определённой рабо́ты, без де́ла; б) в беспоря́дке;
2. *adv* свобо́дно *и пр.* [*см.* 1];
3. *v* освобожда́ть, дава́ть во́лю; to ~ one's hold of smth. вы́пустить что-л. из рук; wine ~d his tongue вино́ развяза́ло ему́ язы́к; 2) развя́зывать, отвя́зывать; распуска́ть (*во́лосы*); открыва́ть (*задви́жку*); 3) ослабля́ть, де́лать просто́рнее (*по́яс и т. п.*); 4) вы́стрелить (*тж.* ~ off); 5) *церк.* отпуска́ть грехи́;
4. *n* 1): to give (a) ~ (to) дать во́лю (*чу́вству*); 2): to be on the ~ кути́ть, вести́ беспу́тный о́браз жи́зни.
loose box [ˈluːsbɔks] *n* денни́к (*для ло́шади*).
loose-leaf [ˈluːsˈliːf] *a* со свобо́дными, отрывны́ми листа́ми (*о блокно́те и т. п.*).
loosely [ˈluːsli] *adv* свобо́дно *и пр.* [*см.* loose 1].
loosen [ˈluːsn] *v* 1) ослабля́ть(ся), станови́ться сла́бым; to ~ discipline ослабля́ть дисципли́ну; 2) развя́зывать; 3) расша́тывать (*зуб и т. п.*); 4) вызыва́ть де́йствие (*кише́чника*); 5) разрыхля́ть; 6) *тех.* отпуска́ть.

loosener [ˈluːsnə] *n* слаби́тельное.
looseness [ˈluːsnis] *n* 1) сла́бость *и пр.* [*см.* loose 1]; 2) *разг.* поно́с.
loosestrife [ˈluːsstraif] *n бот.* 1) вербе́йник; 2) дербе́нник.
loot I [luːt] **1.** *n* 1) добы́ча; награ́бленное; 2) ограбле́ние;
2. *v* гра́бить; уноси́ть (как) добы́чу.
loot II [luːt] *n амер. sl.* лейтена́нт.
loo-table [ˈluːˌteibl] *n* род кру́глого стола́.
lop I [lɔp] **1.** *n* ме́лкие ве́тки, су́чья (*особ. отру́бленные*);
2. *v* 1) обруба́ть, подреза́ть ве́тви, су́чья; 2) очища́ть де́рево от су́чьев (*обыкн.* ~ off, ~ away); 3) обкарна́ть; 4) отруби́ть; 5) уре́зывать; сокраща́ть.
lop II [lɔp] *v* 1) свиса́ть; 2) дви́гаться неуклю́же, прихра́мывая; □ ~ about шата́ться, слоня́ться.
lop III [lɔp] *n мор.* зыбь.
lope [loup] **1.** *n* бег вприпры́жку, прыжки́, скачки́ (*особ. о живо́тных*);
2. *v* бежа́ть вприпры́жку (*особ. о живо́тных*).
lop-eared [ˈlɔpiəd] *a* вислоу́хий.
loppings [ˈlɔpiŋz] *n pl* обру́бленные су́чья.
loppy [ˈlɔpi] *a* (свобо́дно) свиса́ющий.
lop-sided [ˈlɔpˈsaidid] *a* кривобо́кий; наклонённый, накренённый.
loquacious [louˈkweiʃəs] *a* 1) болтли́вый, говорли́вый; 2) журча́щий.
loquacity [louˈkwæsiti] *n* болтли́вость.
loquitur [ˈlɔkwitə] *лат. v* говори́т (*рема́рка*).
lor [lɔː] *int разг.* (*сокр. от* lord 1): о, lor! о бо́же! (*выраже́ние удивле́ния, доса́ды и т. п.*).
lord [lɔːd] **1.** *n* 1) господи́н, влады́ка, повели́тель; власти́тель; феода́льный сеньо́р; ~ of the manor владе́лец поме́стья; the ~ of the harvest a) фе́рмер, кото́рому принадлежи́т урожа́й; б) гла́вный жнец; ~s of creation a) *поэт.* челове́ческий род; б) *шутл.* мужчи́ны (*в противополо́жность же́нщинам*); 2) лорд, пэр; член пала́ты ло́рдов; the Lords spiritual епи́скопы—чле́ны пала́ты ло́рдов; the Lords temporal све́тские чле́ны пала́ты ло́рдов; my ~ [miˈlɔːd] мило́рд (*официа́льное обраще́ние к пэ́рам, епи́скопам, су́дьям верхо́вного суда́*); 3): (the) Lords пала́та ло́рдов; 4) магна́т, коро́ль (*промы́шленности*); the cotton ~s хлопчатобума́жные магна́ты; 5) *поэт., шутл.* муж, супру́г (*тж.* ~ and master); 6) госпо́дь бог (*обыкн.* the L.); our Lord Христо́с; the Lord's day воскресе́нье; the Lord's prayer о́тче наш (*моли́тва*); the Lord's supper a) та́йная ве́черя; б) прича́стие, евхари́стия; Lord's table алта́рь;
2. *v* 1) дава́ть ти́тул ло́рда; 2) титулова́ть ло́рдом; 3): to ~ it (over) стро́ить, разы́грывать ло́рда, ва́жничать; вести́ себя́ самовла́стно; he will not be ~ed over не позво́лит, что́бы им понука́ли.
Lord Lieutenant [ˈlɔːdlefˈtenənt] *n* 1) глава́ суде́бной и исполни́тельной вла́сти в

графстве; 2) генерал-губернатор Ольстера (*Сев. Ирландия*); вице-король Ирландии (*до 1922 г.*).

lordliness ['lɔːdlɪnɪs] *n* 1) великолепие, пышность; 2) высокомерие; 3) щедрость.

lordly ['lɔːdlɪ] 1. *a* 1) присущий лорду, барственный; 2) роскошный, пышный; 3) гордый, высокомерный, надменный; 4) щедрый;
2. *adv* 1) как подобает лорду, по-барски; 2) гордо.

Lord Mayor ['lɔːd'mɛə] *n* лорд-мэр; ~'s Day 9 ноября (*день вступления в должность лондонского лорд-мэра*); ~'s show пышная процессия в день вступления в должность.

Lord Provost ['lɔːd'prɔvəst] *n* лорд-мэр больших шотландских городов.

Lord Rector ['lɔːd'rektə] *n* почётный ректор в шотландских университетах.

lordship ['lɔːdʃɪp] *n* 1) *ист.* власть феодального лорда; 2) *ист.* поместье лорда, мэнор; 3) власть (over—над); 4): your ~ ≅ ваша светлость (*официальное обращение к лордам и судьям*).

lore I [lɔː] *n* 1) знания и сведения; bird ~ орнитология; 2) *уст.* учение; 3) *уст.* эрудиция.

lore II [lɔː] *n зоол.* пространство между глазом и клювом (*у птиц*).

lorgnette [lɔː'njet] *фр. n* 1) лорнет; 2) театральный бинокль.

loricate ['lɔrɪkeɪt] *a зоол.* снабжённый защитным покровом, роговыми чешуйками *и т. п.*

lorikeet [lɔrɪ'kiːt] *n* небольшой попугай (*породы лори*).

lorn [lɔːn] *a поэт., тж. шутл.* покинутый, осиротелый, несчастный.

lorry ['lɔrɪ] *n* 1) грузовой автомобиль, грузовик (*тж.* motor ~); 2) *ж.-д.* платформа; 3) телега, полок; подвода;
2. *v* путешествовать *или* перевозить на грузовиках, автомобилях.

lorry-hop ['lɔrɪhɔp] *v* путешествовать, пользуясь бесплатно попутными автомобилями.

lory ['lɔːrɪ] *n* лори (*попугай*).

lose [luːz] *v* (lost) 1) терять, лишаться; утрачивать (*свойство, качество*); to ~ one's head потерять голову на плахе; *перен.* потерять голову; to ~ one's temper рассердиться, потерять самообладание; to be lost to (all) sense of duty (shame) (совершенно) потерять чувство долга (стыда); to be lost upon smb. пропадать, не достигать цели в отношении кого-л.; your kindness is lost upon him он не понимает, не ценит вашей доброты; to ~ one's way заблудиться; to ~ ground a) отставать; б) нести потери (*обыкн.* постепенно); I've quite lost my cold у меня совсем прошёл насморк; to ~ altitude терять высоту (*о самолёте*); to ~ (all) track (of) потерять след, ориентацию; to ~ touch with потерять связь, контакт с; 2) упустить, не воспользоваться; there is not a moment to ~ нельзя терять ни минуты; to ~ no time in doing smth. действовать немед-

ленно; 3) проигрывать; to ~ a bet проиграть пари; 4) вызывать потерю, стоить (*чего-л.*); лишать (*чего-л.*); it will ~ me my place это лишит меня места, это будет стоить мне места; 5) *pass.* погибнуть; исчезнуть, пропасть; не существовать больше; the ship was lost on the rocks корабль разбился о скалы; 6) пропустить, недослышать, не разглядеть; to ~ one's train опоздать на поезд; to ~ the end of a sentence не услышать конца фразы; 7) *refl.* заблудиться; to ~ oneself in smth. глубоко погрузиться во что-л.; 8) отставать (*о часах*); 9) забывать; ◇ to ~ sleep over smth. лишиться сна из-за чего-л.; огорчаться по поводу чего-л., упорно думать о чём-л.

loser ['luːzə] *n* теряющий, проигрывающий; проигравший; a good ~ переносящий проигрыш весело, бодро; to come off a ~ проиграть, остаться в проигрыше; to be a ~ by smth. потерять на чём-л.; потерпеть ущерб от чего-л.

losing ['luːzɪŋ] 1. *pres. p. от* lose;
2. *n* 1) проигрыш; 2) *pl* потери в игре, спекуляции *и т. п.*;
3. *a* проигрышный; to play a ~ game идти на верный проигрыш.

loss [lɔs] *n* 1) потеря, утрата; ~ of one's eyesight потеря зрения; to have a ~, to meet with a ~ понести потерю; 2) урон; проигрыш; 3) убыток; ущерб; to sell at a ~ продавать в убыток; dead ~ чистый убыток; 4) *тех.* угар; ~ in yarn *текст.* угар; 5) *воен. pl* потери; ~ of life потери в людях, потери убитыми; to suffer (*или* to sustain) ~es понести потери; 6) *attr.* ~ replacement *амер.* пополнение потерь; ◇ to be at a ~ a) быть в затруднении, в недоумении; he was at a ~ for words он не мог найти слов; б) *охот.* потерять след.

lost [lɔst] 1. *past и p. p. от* lose;
2. *a* потерянный *и пр.* [*см.* lose]; ~ effort напрасное усилие; to give smb. up for ~ считать кого-л. погибшим; ◇ the Lost and Found бюро находок.

lot [lɔt] 1. *n* 1) жребий; *перен.* участь, доля, судьба; to cast (to draw) ~s бросать (тянуть) жребий; to settle by ~ решить жеребьёвкой; to cast (*или* to throw) in one's ~ with smb. связать, разделить (свою) судьбу с кем-л.; the ~ fell upon me жребий пал на меня; 2) участок (земли); across ~s напрямик, кратчайшим путём; parking ~ стоянка автомашин; 3) вещь, продаваемая на аукционе, *или* несколько предметов, продаваемых одновременно; 4) *разг.* группа, кучка (людей); компания; 5) много, масса; a ~ (of), ~s of уйма, много; многие, ~s and ~s of *разг.* громадное количество, масса; 6) партия (*изделий*); 7) налог, пошлина; 8) территория киностудии; ◇ a bad ~ дурной, плохой человек;
2. *v* 1) делить, дробить на участки, части (*часто* ~ out); 2) *редк.* бросать жребий; 3) сортировать, подбирать; составлять список, каталог; 4) *амер. разг.* рассчитывать (оп, upon—на *что-л.*);
3. *adv* гораздо, намного; a ~ better гораздо лучше; a ~ more гораздо больше.

Iota(h) ['louta:] *n* англо-инд. небольшой медный кувшин (*шаровидной формы*).

loth [louθ] = loath.

Lothario [lou'θɑ:riou] *n* (*pl* -os[-ouz]) повеса, волокита (*тж.* gay ~).

lotion ['louʃən] *n* 1) примочка; жидкое косметическое средство; 2) *уст.* умыва́ние; 3) *sl.* спиртной напиток.

lotos ['loutəs] = lotus.

lottery ['lotəri] *n* лотерея.

lotto ['lotou] *n* лото.

lotus ['loutəs] *n* лотос.

lotus-eater ['loutəs,i:tə] *n* 1) праздный мечтатель; 2) человек, живущий в своё удовольствие.

lotus-land ['loutəslænd] *n* сказочная страна изобилия и праздности.

loud [laud] 1. *a* 1) громкий; звучный; 2) шумный; шумливый; крикливый; 3) кричащий (*о красках, наряде и т. п.*); 2. *adv* громко.

loud-hailer ['laud,heilə] *n* звукоусилитель.

loudly ['laudli] *adv* 1) громко, шумно; громогласно; 2) кричаще.

loudmouth ['laudmauθ] *n разг.* крикун.

loudmouthed ['laud,mauθt] *a разг.* громкий, крикливый.

loud speaker ['laud'spi:kə] *n радио* громкоговоритель; репродуктор.

lough [lɔk] *n ирл.* озеро; залив.

lounge [laundʒ] 1. *n* 1) праздное времяпрепровождение; 2) ленивая походка; 3) комната *или* место отдыха; 4) кресло; шезлонг; диван; 5) = lounge suit; 2. *v* 1) сидеть развалясь; стоять, опираясь на *что-л.*; 2) лениво бродить, бездельничать (*тж.* ~ about); to ~ away one's life (time) праздно проводить жизнь (время).

lounger ['laundʒə] *n* праздношатающийся (человек).

lounge suit ['laundʒ,sju:t] *n* пиджачный костюм.

loupe [lu:p] *n* лупа, увеличительное стекло.

lour ['lauə] = lower II.

louse 1. *n* [laus] (*pl* lice) вошь; 2. *v* [lauz] искать *или* вычёсывать вшей.

lousiness ['lauzinis] *n* вшивость, завшивленность.

lousy ['lauzi] *a* 1) вшивый; 2) *груб.* низкий, отвратительный; паршивый; 3) *sl.*: ~ with smth. полный, переполненный чем-л.; to be ~ with ≅ кишмя кишеть; ~ with money богатый.

lout [laut] 1. *n* неуклюжий, неотёсанный человек, деревенщина; 2. *v уст.* кланяться; выражать почтение.

loutish ['lautiʃ] *a* грубый, неотёсанный.

louver, louvre ['lu:və] *n* 1) *pl* жалюзи; 2) башенка на крыше для вентиляции (*в средневековой архитектуре*); 3) *уст., диал.* вытяжное отверстие; отверстие вытяжной трубы.

lovable ['lʌvəbl] *a* привлекательный, милый.

love [lʌv] 1. *n* 1) любовь (of, for, to, towards); there's no ~ lost between them они недолюбливают друг друга; ~ in a cottage ≅ рай в шалаше; 2) влюблённость; to be in ~ (with) быть влюблённым (в); to fall in ~ (with) влюбиться (в); to fall out of ~ with smb. разлюбить кого-л.; to make ~ to a) ухаживать за; б) добиваться физической близости; 3) любовная интрига; 4) предмет любви; дорогой, дорогая, возлюбленный, возлюбленная (*особ. в обращении* my ~); 5) *миф.* амур, купидон; 6) что-л. привлекательное; a regular ~ of a kitten прелестный котёнок; 7) *спорт.* нуль; won by four goals to ~ выиграно со счётом 4 : 0; ~ all счёт 0 : 0; ~ game «сухая»; ◇ for the ~ of ради, во имя; for the ~ of Mike ≅ ради бога; not for ~ or money, not for the ~ of Mike ни за что, ни за какие деньги, ни за какие коврижки; to give (to send) one's ~ to smb. передавать (посылать) привет кому-л.; for ~ of the game из любви к искусству; to play for ~ играть не на деньги; 2. *v* 1) любить; 2) хотеть, желать; I'd ~ to go я бы пошёл с удовольствием.

love-affair ['lʌvə,fɛə] *n* любовь; любовная интрига, любовное похождение.

love-apple ['lʌv,æpl] *n* помидор.

love-bird ['lʌvbə:d] *n* небольшой попугай.

love-child ['lʌvtʃaild] *n* дитя любви (*о внебрачном ребёнке*).

love-favour ['lʌv,feivə] *n* подарок в знак любви.

love-in-a-mist ['lʌvinə'mist] *n бот.* чернушка дамасская.

love-in-idleness ['lʌvin'aidlnis] *n бот.* фиалка трёхцветная, анютины глазки.

Lovelace ['lʌvleis] *n* ловелас, волокита (*по имени героя из романа Ричардсона «Кларисса Харлоу»*).

loveless ['lʌvlis] *a* нелюбящий; нелюбимый; без любви (*о браке*).

love-letter ['lʌv,letə] *n* любовное письмо.

love-lies-bleeding ['lʌvlaiz'bli:diŋ] *n бот.* амарант хвостатый, щирица хвостатая.

loveliness ['lʌvlinis] *n* красота; миловидность; очарование, прелесть.

lovelock ['lʌvlɔk] *n* локон, спускающийся на лоб или на щёку.

love-lorn ['lʌvlɔ:n] *a* 1) страдающий от безнадёжной любви; 2) покинутый (*любимым человеком*).

lovely ['lʌvli] 1. *a* 1) красивый, прекрасный; *разг.* восхитительный; 2) *амер.* привлекательный, милый; 2. *n разг.* красотка (*на журнальной обложке*).

love-making ['lʌv,meikiŋ] *n* 1) ухаживание; 2) физическая близость.

love-match ['lʌvmætʃ] *n* брак по любви.

lover ['lʌvə] *n* 1) любовник, возлюбленный; *pl* влюблённые; 2) любитель (чего-л.); поклонник; 3) приверженец; ~s of peace сторонники мира; 4) *уст.* друг, доброжелатель.

love-seat ['lʌvsi:t] *n* кресло, вмещающее двоих.

lovesick ['lʌvsik] *a* томящийся от любви.

love-story ['lʌv‚stɔːrɪ] *n* любо́вная исто́рия, расска́з, рома́н о любви́.

loveworthy ['lʌv‚wɜːðɪ] *a* досто́йный любви́.

loving ['lʌvɪŋ] 1. *pres. p. от* love 2; 2. *a* лю́бящий, не́жный, пре́данный.

loving-cup ['lʌvɪŋ‚kʌp] *n* кругова́я ча́ша.

low I [lou] 1. *n* мыча́ние; 2. *v* мыча́ть.

low II [lou] 1. *a* 1) ни́зкий, невысо́кий; ~ tide, ~ water ма́лая вода́; отли́в; 2) сла́бый; пода́вленный; пони́женный; ~ pulse сла́бый пульс; ~ spirits пода́вленность, уны́ние; to feel ~ чу́вствовать себя́ пода́вленным; to bring ~ подавля́ть; унижа́ть; 3) ни́зкого происхожде́ния; 4) небольшо́й, недоста́точный; ~ wages ни́зкая за́работная пла́та; 5) с глубо́ким вы́резом, с больши́м декольте́ (*о платье*); 6) ску́дный, непита́тельный (*о диете*); истощённый, опустошённый (*о запасах, кошельке*); ~ supply недоста́точное снабже́ние; in ~ supply дефици́тный; to run ~ истоща́ться (*о запасах*); 7) ти́хий, негро́мкий (*о голосе*); ни́зкий (*о ноте*); ~ whisper ти́хий шёпот; 8) *биол.* ни́зший; невысокоразви́тый; 9) вульга́рный, гру́бый; ни́зкий, по́длый; непристо́йный; ~ comedy коме́дия, грани́чащая с фа́рсом; 10) плохо́й, скве́рный; to form a ~ opinion of smb. соста́вить себе́ плохо́е мне́ние о ком-л., быть невысо́кого мне́ния о ком-л.; ◇ in ~ water на мели́, без де́нег; Low Sunday *церк.* Фомино́ воскресе́нье (*первое после пасхи*); to lay ~ а) повали́ть, опроки́нуть; б) уни́зить; в) похорони́ть; to lie ~ а) лежа́ть мёртвым; б) быть уни́женным; в) *sl.* притаи́ться, выжида́ть; 2. *adv* 1) ни́зко; to bow ~ ни́зко кла́няться; 2) уни́женно; 3) в бе́дности; to live ~ жить бе́дно; 4) сла́бо, ти́хо, чуть; to speak ~ говори́ть ти́хо; to burn ~ горе́ть сла́бо; 5) по ни́зкой цене́, дёшево; to buy ~ купи́ть дёшево; to play ~ игра́ть по ни́зкой ста́вке; 3. *n* 1) (са́мый) ни́зкий у́ровень; 2) о́бласть ни́зкого барометри́ческого давле́ния; 3) пе́рвая ско́рость (*автомобиля*); to put a car in ~ пусти́ть маши́ну на ма́лой ско́рости; 4) *карт.* мла́дший ко́зырь; 5) *спорт.* са́мый ни́зкий счёт.

low-born ['lou'bɔːn] *a* ни́зкого происхожде́ния.

lowboy ['loubɔɪ] *n амер.* туале́тный сто́лик на ни́зких но́жках с я́щиками.

low-bred ['lou'bred] *a* невоспи́танный, неотёсанный.

lowbrow ['loubrau] *разг.* 1. *n* малообразо́ванный челове́к; 2. *a* 1) малообразо́ванный; 2) непритяза́тельный.

lowbrowed ['lou‚braud] *a* 1) низколо́бый; 2) нави́сший (*об утёсе*); 3) с ни́зкой две́рью; 4) тёмный, мра́чный.

Low Church ['lou'tʃɜːtʃ] *n* направле́ние в англика́нской це́ркви с евангели́ческим укло́ном (*противоп.* High Church).

Low Countries ['lou'kʌntrɪz] *n pl* Нидерла́нды.

low-down ['loudaun] 1. *a разг.* 1) ни́зкий, бесче́стный; to play a ~ trick сыгра́ть скве́рную, злу́ю шу́тку; 2) гру́бый, вульга́рный;

2. *adv*: to play it ~ вести́ себя́ бесче́стно, посты́дно;

3. *n амер. sl.* све́дения, фа́кты, подного́тная.

lower I ['louə] 1. *a* (*сравнит. ст. от* low II, 1) 1) ни́зший; ни́жний; ~ deck ни́жняя па́луба; the ~ deck кома́нда (*на англи́йских суда́х*); L. Empire *ист.* Восто́чная Ри́мская импе́рия; ~ middle class ме́лкая буржуази́я; ~ orders ни́зшие сосло́вия, кла́ссы; ~ school пе́рвые четы́ре кла́сса в англи́йской сре́дней шко́ле; ~ boy учени́к одного́ из пе́рвых кла́ссов; L. House ни́жняя пала́та (*в двухпала́тном парла́менте*); ~ regions ад, преиспо́дняя; *шутл.* подва́льный эта́ж; ку́хня, помеще́ние для слуг; ~ world а) земля́; б) ад; 2) неда́вний (*о времени*);

2. *v* 1) спуска́ть (*шлю́пку, па́рус, флаг*); опуска́ть (*глаза́*); 2) снижа́ть(ся) (*о це́нах, зву́ке и т. п.*); уменьша́ть(ся); 3) унижа́ть; 4) разжа́ловать; 5) понижа́ть; 6) *разг.* на́спех съесть, проглоти́ть; to ~ a glass of beer осуши́ть стака́н пи́ва; to ~ a sandwich проглоти́ть бутербро́д.

lower II ['lauə] *v* 1) смотре́ть угрю́мо, хму́риться; 2) темне́ть, покрыва́ться ту́чами.

lowering I ['lauərɪŋ] 1. *pres. p. от* lower II;

2. *a* тёмный, мра́чный; ~ clouds мра́чные, грозовы́е ту́чи.

lowering II ['louərɪŋ] *pres. p. от* lower I, 2.

lowermost ['louəmoust] *a* са́мый ни́жний.

low-flying ['lou'flaɪɪŋ] *a* летя́щий на небольшо́й высоте́ (*о самолёте*).

low-grade ['lou'greɪd] 1. *a* низкосо́ртный; низкопро́бный;

2. *n* поло́гий укло́н.

low ground ['lou‚graund] *n* ни́зменность, лощи́на.

lowland ['loulənd] *n* (*обыкн. pl*) ни́зкая ме́стность, низи́на, доли́на; the Lowlands ю́жная, ме́нее гори́стая часть Шотла́ндии (*в противополо́жность* Highlands).

low life ['loulaɪf] *n* скро́мный, бе́дный о́браз жи́зни.

lowlived ['loulɪvd] *a* 1) бе́дный, захуда́лый; 2) гру́бый, по́шлый.

lowly ['loulɪ] 1. *a* 1) занима́ющий ни́зкое и́ли скро́мное положе́ние; 2) скро́мный, непритяза́тельный;

2. *adv* скро́мно.

low-minded ['lou'maɪndɪd] *a* по́шлый, вульга́рный.

low-necked ['lou'nekt] *a* декольти́рованный, с ни́зким вы́резом (*о платье*).

low-paid ['lou'peɪd] *a* низкоопла́чиваемый.

low-pitched ['lou'pɪtʃt] *a* 1) ни́зкого то́на, ни́зкий (*о звуке*); 2) поло́гий (*о крыше*); 3) с ни́зким потолко́м.

low-powered ['lou'pauəd] *a тех.* маломо́щный.

low relief ['louɪ'liːf] *n* барельéф.

low-spirited ['lou'spɪrɪtɪd] *a* подáвленный, унылый.

low-water mark ['lou'wɔːtəmɑːk] *n* нúзшая тóчка отлúва; *перен.* предéл (*чего-л.*); to be at ~ *разг.* быть совершéнно без дéнег; сесть на мель.

loyal ['lɔɪəl] *a* вéрный, прéданный, лоя́льный.

loyalist ['lɔɪəlɪst] *n* 1) монархúст; 2) верноподданный.

loyalty ['lɔɪəltɪ] *n* вéрность, прéданность, лоя́льность.

lozenge ['lɔzɪndʒ] *n* 1) ромб; ромбовúдная фигúра; косоугóльник; 2) лепёшка, таблéтка.

L. s. d., £. s. d. ['eles'diː] *n* 1) фýнты стéрлингов, шúллинги и пéнсы (*от лат.* librae, solidi, denarii); 2) *разг.* дéньги; богáтство; it is only a matter of ~ вопрóс тóлько в деньгáх.

L-square ['el,skweə] *n* угóльник для черчéния.

'lt [lt] *уст. сокр. от* wilt I.

lubber ['lʌbə] **1.** *n* 1) большóй неуклю́жий человéк, ýвалень; 2) неóпытный моря́к.

2. *a* неуклю́жий.

lubberly ['lʌbəlɪ] **1.** *a* неуклю́жий;

2. *adv* неуклю́же, неумéло.

lube [luːb] *n* машúнное мáсло (*тж.* ~ oil).

lubricant ['luːbrɪkənt] *n* смáзочный материáл, смáзка.

lubricate ['luːbrɪkeɪt] *v* 1) смáзывать (*машúну и т. п.*); 2) *разг.* «подмáзать».

lubrication [,luːbrɪ'keɪʃən] *n* смáзка, смáзывание (*машúны*).

lubricator ['luːbrɪkeɪtə] *n* 1) смáзчик; 2) смáзочное приспособлéние; маслёнка; лубрикáтор; 3) смáзочное вещество.

lubricity [luː'brɪsɪtɪ] *n* 1) смáзочные свойства, маслянúстость; 2) увёртливость, уклóнчивость; непостоя́нство; 3) похотлúвость, развращённость.

lubricous ['luːbrɪkəs] *a* 1) глáдкий, скóльзкий; 2) увёртливый, уклóнчивый; непостоя́нный; 3) похотлúвый.

luce [luːs] *n* пресновóдная рыба, *преим.* щýка.

lucent ['luːsnt] *a* 1) светя́щийся; я́ркий; 2) прозрáчный.

lucerne [luː'səːn] *n бот.* люцéрна.

lucid ['luːsɪd] *a* 1) я́сный, прозрáчный; ~ mind я́сный ум; 2) *поэт.* я́ркий; 3) поня́тный; 4) я́сный; свéтлый; ◇ ~ interval а) перúод я́сного сознáния, свéтлый промежýток (*при психóзе*); б) врéменный просвéт в ненáстную погóду.

lucidity [luː'sɪdɪtɪ] *n* 1) я́сность; прозрáчность; 2) поня́тность.

Lucifer ['luːsɪfə] *n* 1) *миф.* Люцúфер, сатанá; 2) *поэт.* ýтренняя звездá, планéта Венéра; 3) (l.) *редк.* спúчка.

luck [lʌk] *n* 1) судьбá, слýчай; bad (*или* ill) ~ несчáстье, неудáча; good ~ счастлúвый слýчай, удáча; rough ~ гóрькая дóля; to try one's ~ рискнýть, попытáть счáстья; to push (*или* to stretch) one's ~ искушáть судьбý; down on one's ~ а) удручённый

невéзением; б) в несчáстье, в бедé; 2) счáстье, удáча; a great piece of ~ большóе счáстье, большáя удáча; a run of ~ полосá счáстья, удáчи; for ~! на счáстье!; I am in (out of) ~ мне везёт (не везёт); his ~ held счáстье емý улыбнýлось; devil's own ~ необыкновéнная удáча; ≈ чертóвски повезлó; you are in ~'s way вам повезлó; ◇ as ill ~ would have it а как нарóчно, как нáзло; as ~ would have it к счáстью úли к несчáстью, как повезёт, случáйно; worse ~ к несчáстью.

luckily ['lʌkɪlɪ] *adv* к счáстью.

luckless ['lʌklɪs] *a* несчастлúвый, незадáчливый.

lucky I ['lʌkɪ] *a* 1) счастлúвый, удáчный; удáчливый; ~ beggar (*или* devil) счастлúвец, счастлúвчик; 2) принося́щий счáстье; 3) случáйный.

lucky II ['lʌkɪ] *n sl.:* to cut one's ~ удрáть, убрáться (вóвремя), смыться.

lucky-bag ['lʌkɪbæg] *n* род лотерéи (*мешóк úли сосýд, откýда наудáчу вытáскивают что-л.*).

lucrative ['luːkrətɪv] *a* прúбыльный, выгодный, дохóдный.

lucre ['luːkə] *n* прúбыль, барыш.

lucubrate ['luːkjuːbreɪt] *v* рабóтать, занимáться по ночáм; трудúться усéрдно.

lucubration [,luːkjuː'breɪʃən] *n* 1) напряжённая ýмственная рабóта, заня́тия по ночáм; 2) тщáтельно отдéланное литератýрное произведéние; 3) вымученное произведéние.

luculent ['luːkjulənt] *a редк.* я́сный, убедúтельный.

Lucullean, Lucullian [luː'kʌlɪən] *a:* ~ banquet Лукýллов пир.

Luddites ['lʌdaɪts] *n pl úст.* луддúты (*или* леддúты).

ludicrous ['luːdɪkrəs] *a* смешнóй, нелéпый, смехотвóрный.

lues ['luːiːz] *n мед.* сúфилис.

luff I [lʌf] **1.** *n мор.* передняя шкатóрина (*парусa*).

2. *v* 1) *мор.* приводúть к вéтру, идтú в навéтренную стóрону; 2) *тех.* перемещáть по горизонтáли.

luff II [lʌf] *шутл. разг. см.* lieutenant.

Luftwaffe ['luft,vɑːfə] *нем. n* лю́фтваффе (*воздýшные сúлы гитлеровской Гермáнии*).

lug I [lʌg] **1.** *n* 1) волочéние; 2) дёрганье; 3) *pl амер. разг.* вáжничанье; to put on ~s а) наряжáться; б) вáжничать, держáться высокомéрно;

2. *v* 1) тащúть, волочúть; 2) сúльно дёргать (at); □ ~ in, ~ into вмéшивать; притя́гивать некстáти; приплетáть ни к селý ни к гóроду; ~ out вытáскивать.

lug II [lʌg] *n* 1) *шотл.* ýхо; 2) рýчка; 3) *тех.* ушкó, проýшина, глазóк; 4) *тех.* подстáвка, подвéска, консóль; 5) *тех.* выступ, прúлив, утолщéние; бобышка; кулáк; 6) *тех.* хомýтик, зажúм.

luggage ['lʌgɪdʒ] *n* 1) багáж; 2) *attr.* багáжный; ~ van *ж.-д.* багáжный вагóн.

luggage office ['lʌgɪdʒ,ɔfɪs] *n* кáмера хранéния багажá.

lugger [ˈlʌgə] *n* люгер (*небольшое парусное судно*).

lugubrious [luːˈgjuːbriəs] *a* печа́льный, мра́чный; тра́урный.

lukewarm [ˈluːkwɔːm] *a* 1) теплова́тый; 2) не осо́бенно ре́вностный, равноду́шный, вя́лый.

lull [lʌl] 1. *n* 1) вре́менное зати́шье; вре́менное успокое́ние (*боли*); переры́в (*в разговоре*); 2) *редк.* колыбе́льная пе́сня; 2. *v* 1) успока́ивать (*боль*); 2) стиха́ть (*о буре, шуме, боли*); 3) убаю́кивать, ука́чивать (*ребёнка*); 4) усыпля́ть (*подозре́ния*); 5) суме́ть внуши́ть (*что-л.; into- кому-л.*).

lullaby [ˈlʌləbaɪ] *n* 1) колыбе́льная (пе́сня); 2) мя́гкие, успока́ивающие зву́ки (*журча́ние ручья́ и т. п.*).

lulu [ˈluːluː] *n амер. sl.* что-л. первокла́ссное *или* замеча́тельное.

lumbago [lʌmˈbeɪgou] *n мед.* люмба́го, простре́л.

lumbar [ˈlʌmbə] *a* поясни́чный.

lumber I [ˈlʌmbə] 1. *n* 1) нену́жные гро́моздкие ве́щи, бро́шенная ме́бель *и т.п.*; хлам; 2) *амер.* брёвна, пиломатериа́лы; 3) ли́шний жир (*особ. у лошадей*); 4) *attr.*: ~ camp лесозагото́вки, посёлок на лесозагото́вках;
2. *v* 1) загроможда́ть, сва́ливать в беспоря́дке (*часто* ~ up); 2) *амер.* вали́ть и пили́ть (*лес*).

lumber II [ˈlʌmbə] 1. *n* громыха́ющие зву́ки;
2. *v* 1) дви́гаться тяжело́, неуклю́же; 2) громыха́ть (*обыкн.* ~ along, ~ by, ~ past).

lumberer [ˈlʌmbərə] *n амер.* лесору́б.

lumbering I [ˈlʌmbərɪŋ] 1. *pres. p. от* lumber I, 2;
2. *n амер.* 1) ру́бка ле́са; лесоразрабо́тки; 2) торго́вля ле́сом.

lumbering II [ˈlʌmbərɪŋ] 1. *pres. p. от* lumber II, 2;
2. *a* 1) дви́гающийся тяжело́, шу́мно; неуклю́жий; 2) громыха́ющий.

lumberjack [ˈlʌmbədʒæk] *n амер.* лесору́б, дровосе́к.

lumberman [ˈlʌmbəmən] *n* 1) лесору́б, дровосе́к; 2) (*преим. амер.*) лесопромы́шленник; торго́вец ле́сом.

lumber-mill [ˈlʌmbəmɪl] *n* лесопи́льный заво́д.

lumber-room [ˈlʌmbərum] *n* чула́н.

lumber-yard [ˈlʌmbəˌjɑːd] *n амер.* лесно́й склад.

lumen [ˈluːmen] *n* лю́мен (*единица свето́вого потока*).

luminary [ˈluːmɪnərɪ] *n* свети́ло.

luminescence [ˌluːmɪˈnesəns] *n* свече́ние, люминесце́нция.

luminescent [ˌluːmɪˈnesənt] *a* светя́щийся, люминесце́нтный.

luminosity [ˌluːmɪˈnɔsɪtɪ] *n* я́ркость све́та.

luminous [ˈluːmɪnəs] *a* 1) светя́щийся, све́тлый; ~ body светя́щееся те́ло; раскалённое те́ло; ~ intensity си́ла све́та; 2) пролива́ющий свет (*на что-л.*); 3) я́сный, поня́тный.

lummox [ˈlʌməks] *n амер. sl.* 1) у́валень; 2) проста́к.

lummy [ˈlʌmɪ] *a sl.* первокла́ссный, замеча́тельный.

lump [lʌmp] 1. *n* 1) глы́ба, ком, кру́пный кусо́к; a ~ in the throat комо́к в го́рле; he is a ~ of selfishness он эгои́ст до мо́зга косте́й; 2) большо́е коли́чество, ку́ча; to take in (*или* by) the ~ брать о́птом, гурто́м; *перен.* рассма́тривать в це́лом; 3) чурба́н; обру́бок; 4) о́пухоль, ши́шка; 5) неуклю́жий, тупо́й челове́к; чурба́н; 6) *attr.*: ~ sugar ко́лотый *или* пилёный са́хар; 7) *attr.*: ~ sum о́бщая су́мма; де́нежная су́мма, выпла́чиваемая единовре́менно; кру́пная су́мма;
2. *v* 1) брать огу́лом, без разбо́ра; сме́шивать в ку́чу, в о́бщую ма́ссу (*обыкн.* ~ together, ~ with); 2) тяжело́ ступа́ть, идти́ (*обыкн.* ~ along); гру́зно сади́ться (*обыкн.* ~ down); ◇ to ~ it во́лей-нево́лей мири́ться с чем-л.; to ~ large име́ть ва́жный вид.

lumper [ˈlʌmpə] *n* 1) порто́вый гру́зчик; 2) подря́дчик.

lumpfish [ˈlʌmpfɪʃ] *n* пинаго́р (*рыба*).

lumping [ˈlʌmpɪŋ] 1. *pres. p. от* lump 2;
2. *a* 1) *разг.* большо́й; 2) тяжёлый (*о поступи*); 3) огу́льный.

lumpish [ˈlʌmpɪʃ] *a* 1) глыбообра́зный; 2) тяжелове́сный, неуклю́жий; 3) тупо́умный.

lumpy [ˈlʌmpɪ] *a* комкова́тый; бугорча́тый; ~ sea неспоко́йное мо́ре.

lunacy [ˈluːnəsɪ] *n* 1) безу́мие; (умо́)помеша́тельство; 2) *юр.* невменя́емость; 3) больша́я глу́пость.

lunar [ˈluːnə] *a* лу́нный; ~ distance расстоя́ние луны́ от со́лнца, от како́й-л. звезды́, плане́ты; ◇ ~ politics вопро́сы, не име́ющие практи́ческого значе́ния.

lunar caustic [ˈluːnəˈkɔːstɪk] *n хим.* ля́пис.

lunarian [luːˈnɛəriən] *n* 1) жи́тель луны́; 2) астроно́м, изуча́ющий луну́.

lunate [ˈluːneɪt] *a* в ви́де, в фо́рме полуме́сяца.

lunatic [ˈluːnətɪk] 1. *a* сумасше́дший, безу́мный; ◇ ~ fringe наибо́лее ре́вностные сторо́нники како́го-л. движе́ния;
2. *n* сумасше́дший, поме́шанный.

lunatic asylum [ˈluːnətɪkəˈsaɪləm] *n* психиатри́ческая больни́ца, сумасше́дший дом.

lunation [luːˈneɪʃən] *n* лу́нный ме́сяц.

lunch [lʌntʃ] 1. *n* второ́й за́втрак, ленч; лёгкая заку́ска; to have (*или* to take) ~ за́втракать; заку́сывать;
2. *v* 1) за́втракать; 2) *разг.* угоща́ть за́втраком.

lunch counter [ˈlʌntʃˌkauntə] *n* буфе́т (*обыкн. при бензозаправочной станции*).

luncheon [ˈlʌntʃən] *n* за́втрак (*обыкн. официальный*).

luncheonette [ˌlʌntʃəˈnet] *n* 1) лёгкая заку́ска; 2) заку́сочная.

lunchroom [ˈlʌntʃrum] *n* заку́сочная.

lunette [luːˈnet] *n* 1) *воен.* люне́т; 2) *архит.* тимпа́н.

lung [lʌŋ] *n* лёгкое; the ~s лёгкие; ◇ the ~s of London парки и скверы Лондона и его окрестностей; good ~s сильный голос.

lunge I [lʌndʒ] **1.** *n* 1) корда; 2) круг, по которому гоняют лошадь на корде; **2.** *v* гонять на корде.

lunge II [lʌndʒ] **1.** *n* 1) выпад (*в фехтовании или при ударе*); 2) прыжок (вперёд); 3) толчок, стремительное движение; 4) ныряние, погружение; **2.** *v* 1) наносить удар; делать выпад; 2) ринуться, устремиться.

lunge III [lʌndʒ] = lounge.

lunger [ˈlʌŋgə] *n амер. sl.* лёгочный больной.

lung fever [ˈlʌŋˌfiːvə] *n мед.* крупозное воспаление лёгких.

lungwort [ˈlʌŋwəːt] *n бот.* медуница аптечная; мертензия виргинская.

lunik [ˈluːnik] *n* лунник.

lunkhead [ˈlʌŋhed] *n амер. разг.* болван.

lupin(e) [ˈluːpin] *n бот.* лупин.

lupine [ˈluːpain] *a* волчий.

lupus [ˈluːpəs] *n мед.* волчанка, туберкулёз кожи.

lurch I [ləːtʃ] **1.** *n* 1) крен (*судна*); to give a ~ накрениться; 2) шаткая походка; 3) *амер.* склонность, тенденция; **2.** *v* 1) крениться; 2) идти шатаясь.

lurch II [ləːtʃ] *n*: to leave smb. in the ~ покинуть кого-л. в беде, в тяжёлом положении.

lurcher [ˈləːtʃə] *n* 1) воришка; жулик, мошенник; 2) шпион; 3) собака-ищейка (*помесь шотландской овчарки с борзой*).

lurdan [ˈləːdən] *уст.* **1.** *n* глупый, ленивый человек; **2.** *a* глупый; ленивый.

lure [ljuə] **1.** *n* 1) соблазн; соблазнительность; 2) *охот.* вабик; приманка; **2.** *v* 1) завлекать, соблазнять (*обыкн.* ~ away; ~ into, ~ to); 2) *охот.* приманивать, прикармливать.

lurid [ˈljuərid] *a* 1) мертвенно-бледный; 2) огненный; грозовой, мрачный; to cast a ~ light бросать зловещий, мрачный свет; 3) трагический, страшный; 4) преступный; 5) сенсационный.

lurk [ləːk] **1.** *v* 1) скрываться в засаде; прятаться; *перен.* оставаться незамеченным; таиться; 2) *редк.* красться; **2.** *n* 1): on the ~ тайно высматривая, подстерегая; 2) *sl.* обман.

lurking-place [ˈləːkiŋpleis] *n* потаённое место, убежище.

lurry [ˈlʌri] = lorry.

luscious [ˈlʌʃəs] *a* 1) сладкий, ароматный; 2) приторный; 3) перегруженный (*о стиле*).

lush I [lʌʃ] *a* сочный, буйный, пышный (*о растительности*).

lush II [lʌʃ] *sl.* **1.** *n* 1) спиртной напиток; 2) *амер.* пьяный; **2.** *v* напиваться.

lust [lʌst] **1.** *n* 1) вожделение, похоть; 2) *ритор.* страсть (of, for—к *чему-л.*); **2.** *v* страстно желать; испытывать вожделение; to ~ after smb. испытывать физическое влечение к кому-л.

lustful [ˈlʌstful] *a* похотливый.

lustiness [ˈlʌstinis] *n* здоровье, сила, бодрость, крепость.

lustra [ˈlʌstrə] *pl от* lustrum.

lustration [lʌsˈtreiʃən] *n* 1) очищение; принесение очистительной жертвы; 2) *шутл.* омовение.

lustre [ˈlʌstə] *n* 1) глянец, блеск; лоск; 2) слава; to add (*или* to give) ~ to smth., to throw (*или* to shed) ~ on smth. придать блеск чему-л.; прославить что-л.; 3) люстра.

lustre II [ˈlʌstə] = lustrum.

lustrine [ˈlʌstrin] *n* люстрин (*материя*).

lustrous [ˈlʌstrəs] *a* 1) блестящий; 2) глянцевитый.

lustrum [ˈlʌstrəm] *лат. n* (*pl* -tra, -trums [-trəmz]) пятилетие.

lusty [ˈlʌsti] *a* здоровый, сильный.

lute I [luːt] *n* лютня.

lute II [luːt] **1.** *n* 1) цементная *или* глиняная замазка; мастика; 2) *стр.* правило; **2.** *v* замазывать замазкой.

lutecium [ljuːˈtiːiəm] *n хим.* лютеций.

lutestring [ˈluːtstriŋ] = lustrine.

Lutetian [luːˈtiːʃən] *a* парижский.

Lutheran [ˈluːθərən] **1.** *a* лютеранский; **2.** *n* лютеранин; лютеранка.

luting [ˈluːtiŋ] **1.** *pres. p. от* lute II, 2; **2.** *n* 1) замазывание замазкой; 2) = lute II, 1.

lux [lʌks] *n опт.* люкс (*единица освещённости*).

luxate [ˈlʌkseit] *v* вывихнуть.

luxation [lʌkˈseiʃən] *n* вывих.

luxe [luks] *n*: edition de ~ роскошное издание.

luxuriance [lʌgˈzjuəriəns] *n* 1) изобилие, пышность; 2) богатство (*воображения и т. п.*).

luxuriant [lʌgˈzjuəriənt] *a* 1) плодородный; плодовитый, богатый; 2) буйный, пышный (*о растительности*); 3) цветистый (*о стиле*).

luxuriate [lʌgˈzjuərieit] *v* 1) расти буйно, пышно; 2) роскошествовать; наслаждаться (*чем-л.*), блаженствовать (in, on).

luxurious [lʌgˈzjuəriəs] *a* 1) роскошный; 2) любящий роскошь, расточительный.

luxuriously [lʌgˈzjuəriəsli] *adv* 1) роскошно; превосходно; 2) с наслаждением.

luxury [ˈlʌkʃəri] *n* 1) роскошь; in the lap of ~ в роскоши; 2) предмет роскоши; 3) роскошный образ жизни; 4) большое удовольствие, наслаждение; the ~ of a good book удовольствие, получаемое от хорошей книги.

Lyceum [laiˈsiəm] *n* 1) лицей; 2) организация (и помещение) для устройства популярных лекций-концертов; лекторий, читальня.

lychgate [ˈlitʃgeit] = lich-gate.

lychnis [ˈliknis] *n бот.* лихнис.

lyddite [ˈlidait] *n* лиддит; мелинит.

lye [lai] *n* 1) щёлок; 2) *тех.* бучение.

lying I [ˈlaiiŋ] **1.** *pres. p. от* lie I, 2; **2.** *a* ложный, лживый, обманчивый; a ~ prophet лжепророк; **3.** *n* ложь; лживость.

lying II [ˈlaiiŋ] **1.** *pres. p. от* lie II, 1; **2.** *a* лежащий; ~ dog сеттер.

lying in ['laɪŋ'ɪn] *n* роды.
lying-in ['laɪŋ'ɪn] *a* родильный; ~ hospital родильный дом.
lymph [lɪmf] *n* 1) *поэт.* источник чистой воды; 2) *физиол.* лимфа; animal ~ вакцина.
lymphatic [lɪm'fætɪk] 1. *a* 1) *физиол.* лимфатический; ~ gland лимфатическая железа; 2) флегматичный, худосочный; 2. *n* лимфатический сосуд.
lynch [lɪntʃ] *v амер.* расправляться самосудом, линчевать.
Lynch law ['lɪntʃlɔ:] *n амер.* закон или суд Линча, самосуд, линчевание.
lynx [lɪŋks] *n* рысь.

lynx-eyed ['lɪŋksaɪd] *a* с острым зрением.
Lyra ['laɪərə] *n астр.* Лира (*созвездие*).
lyre ['laɪə] *n* лира.
lyre-bird ['laɪəbə:d] *n* птица-лира, лирохвост.
lyric ['lɪrɪk] 1. *a* лирический; 2. *n* лирическое стихотворение.
lyrical ['lɪrɪkəl] *a* лирический.
lyricism ['lɪrɪsɪzəm] *n* лиризм.
lyrics ['lɪrɪks] *n pl* лирические стихи, лирика.
lyrist 1) ['laɪərɪst] играющий на лире; 2) ['lɪrɪst] лирик.
lysis ['laɪsɪs] *n мед.* лизис.

M

M, m [em] *n* (*pl* Ms, M's [emz]) 13-я буква англ. алфавита.
ma [mɑ:] *n* (*сокр. от* mamma I) *разг.* мама.
ma'am [mæm] *n* (*сокр. от* madam) сударыня, госпожа.
mac [mæk] *разг. см.* mackintosh.
macabre [mə'kɑ:br] *фр. a* мрачный, ужасный; dance ~ танец смерти.
macaco [mə'keɪkou] *n* лемур.
macadam [mə'kædəm] *n* дорожное покрытие типа макадам, щебёночное покрытие.
macadamize [mə'kædəmaɪz] *v* мостить щебнем; шоссировать.
macaque [mə'kɑ:k] *n* макака.
macaroni [,mækə'rouni] *ит. n* (*pl* -s, -es [-ɪz]) 1) макароны; 2) *уст.* франт.
macaronic [,mækə'rɒnɪk] 1. *a* макаронический, шуточный (*о стиле*); 2. *n pl* макаронические стихи (*на ломаной латыни или с большой примесью иностранных слов*).
macaroon [,mækə'ru:n] *n* миндальное печенье.
macartney [mə'kɑ:tnɪ] *n* золотистый фазан.
macassar [mə'kæsə] *n* макассаровое масло (*тж.* ~ oil).
macaw I [mə'kɔ:] *n* ара, арара (*попугай*).
macaw II [mə'kɔ:] *n* южноамериканская пальма.
Maccabeus [,mækə'bi:əs] *n библ.* Маккавей.
mace I [meɪs] *n* 1) *ист.* булава; 2) жезл; 3) мазик (*в бильярде*); 4) деревянный молоток для мягчения кожи.
mace II [meɪs] *n* мускатный «цвет» (*наружные покровы мускатного ореха*).
Macedonian [,mæsɪ'dounjən] 1. *a* македонский; 2. *n* македонец.
macerate ['mæsəreɪt] *v* 1) вымачивать; размачивать; 2) изнурять.
maceration [,mæsə'reɪʃən] *n* 1) вымачивание; размачивание; 2) истощение, изнурение.
machicolation [,mætʃɪkə'leɪʃən] *n ист.* навесная бойница.

machicoulis [,mɑ:ʃɪ'ku:lɪ] = machicolation.
machinal [mə'ʃi:nəl] *a* механический.
machinate ['mækɪneɪt] *v* интриговать, строить козни, устраивать махинации.
machination [,mækɪ'neɪʃən] *n* махинация, интрига, козни.
machine [mə'ʃi:n] 1. *n* 1) машина; станок; 2) механизм; 3) велосипед; автомобиль; самолёт; 4) швейная машин(к)а; 5) человек, работающий как машина *или* действующий машинально; 6) аппарат (*организационный и т. п.*); state ~ государственный аппарат; 7) *амер.* организация *или* партия, контролирующая политическую жизнь страны; *attr.* машинный; ~ age век машин; ~ works машиностроительный завод; 2. *v* 1) подвергать механической обработке; обрабатывать на станке; 2) шить (*на машине*); 3) печатать.
machine-gun [mə'ʃi:ngʌn] 1. *n* пулемёт; 2. *v* обстреливать из пулемёта.
machine-gunner [mə'ʃi:n,gʌnə] *n* пулемётчик.
machine-made [mə'ʃi:nmeɪd] *a* сделанный машинным или механическим способом.
machine-minder [mə'ʃi:n,maɪndə] *n* рабочий, работающий у станка.
machinery [mə'ʃi:nərɪ] *n* 1) машинное оборудование; машины; 2) механизм; 3) детали машин; 4) структура (*драмы, поэмы*); 5) аппарат (*государственный и т. п.*).
machine-shop [mə'ʃi:nʃɒp] *n* механическая мастерская; механический цех.
machine-tool [mə'ʃi:ntu:l] *n* 1) станок; 2) *attr.:* ~ plant станкостроительный завод.
machinist [mə'ʃi:nɪst] *n* 1) слесарь; квалифицированный рабочий (металлист *или* станочник); механик; рабочий у станка; 2) машинист; 3) машиностроитель; 4) шьющий на швейной машин(к)е; швея.
mach number ['mɑ:h'nʌmbə] *n ав.* число М.
macintosh ['mækɪntɒʃ] = mackintosh.
mack [mæk] *разг. см.* mackintosh.
mackerel ['mækrəl] *n* макрель, скумбрия; ◇ ~ sky небо барашками.

mackintosh ['mækɪntɔʃ] n 1) макинтош, непромокаемое пальто; 2) прорезиненная материя.

macro- ['mækrou-] в сложных словах означает большой; необыкновенно большого размера; длинный.

macrobiosis [ˌmækroubaɪ'ɔsɪs] n долголетие.

macrocephalous [ˌmækrou'sefələs] a с (ненормально) большой головой.

macrocosm ['mækrəkɔzəm] n макрокосм, вселенная.

macrocrystalline [ˌmækrou'krɪstəlaɪn] a крупнокристаллический.

macrography [mə'krɔgrəfɪ] n макроснимок.

macron ['mækrɔn] n линг. знак долготы над гласным (напр., ā).

macroscopic [ˌmækrou'skɔpɪk] a макроскопический, видимый невооружённым глазом.

macula ['mækjulə] n (pl -ae) пятно.

maculae ['mækjuliː] pl от macula.

maculated ['mækju‚leɪtɪd] a покрытый пятнами.

mad [mæd] 1. a 1) сумасшедший, безумный; to drive smb. ~ свести с ума кого-л.; 2) бешеный (о животном); 3) страстный любящий (что-л.); помешанный (after, for, on, about—на чём-л.); to run ~ after smth. быть без ума от чего-л., увлекаться чем-л.; 4) сумасбродный, безрассудный; 5) разг. рассерженный, раздосадованный (at, about—чем-л.); to get ~ рассердиться; выйти из себя; don't be ~ at me не сердитесь на меня; 6) буйно весёлый; ◇ as ~ as a wet hen взбешённый; ~ as a hatter, ~ as a March hare ≅ совсем сумасшедший, спятивший;
2. v редк. 1) сводить с ума; 2) сходить с ума; вести себя как безумный.

madam ['mædəm] n мадам, госпожа, сударыня (обыкн. как обращение).

madcap ['mædkæp] n 1) сумасброд; 2) сорванец; сорвиголова; 3) attr. сумасбродный.

madden ['mædn] v 1) сводить с ума; 2) сходить с ума; 3) раздражать; доводить до бешенства.

madder ['mædə] n 1) бот. марена (красильная); 2) крапп (краситель из марены).

made [meɪd] 1. past и p. p. от make 1; 2. a: a ~ man a) человек с упроченным положением; б) сложившийся человек; ~ fast тех. закреплённый.

madefy ['mædɪfaɪ] v смачивать, увлажнять.

Madeira [mə'dɪərə] n мадера (вино) [см. тж. Список географических названий].

mademoiselle [ˌmædəm'zel] фр. n 1) мадемуазель, незамужняя француженка или другая иностранка (перед собств. именем с прописной буквы); 2) французская гувернантка.

made up ['meɪd'ʌp] a 1) искусственный; 2) готовый (об одежде); 3) выдуманный.

madhouse ['mædhaus] n дом умалишённых, сумасшедший дом.

madia ['meɪdɪə] n бот. 1) мадия; 2) attr.: ~ oil масло из семян мадии.

madid ['mædɪd] a мокрый, влажный, сырой.

madman ['mædmən] n сумасшедший; безумец.

madness ['mædnɪs] n 1) сумасшествие, безумие; 2) бешенство.

madonna [mə'dɔnə] n мадонна.

madonna lily [mə'dɔnə‚lɪlɪ] n белая лилия.

madrasah [mɑ'dræsɑ] араб. n медресе (высшая духовная школа мусульман).

madrepore [ˌmædrɪ'pɔː] n белый коралл.

madroño [mə'drounjou] исп. n бот. земляничное дерево, земляничник.

madwoman ['mæd‚wumən] n сумасшедшая; безумная.

Maecenas [miː'siːnæs] n меценат.

maelstrom ['meɪlstroum] n водоворот, вихрь (тж. перен.).

maenad ['miːnæd] n менада.

maestoso [ˌmɑːe'stouzou] ит. adv муз. маэстозо, величественно.

maestri [mɑː'estrɪ] pl от maestro.

maestro [mɑː'estrou] ит. n (pl -ri) маэстро.

Mae West ['meɪ'west] n sl. спасательная куртка лётчиков.

maffick ['mæfɪk] v бурно праздновать, бесноваться (от радости).

mafic ['mæfɪk] a геол. мафический, тёмный (о породе).

mag I [mæg] n sl. (монета в) полпенни.

mag II [mæg] разг. 1. n 1) болтовня; 2) болтун(ья);
2. v болтать.

magazine I [ˌmægə'ziːn] n 1) склад боеприпасов; вещевой склад; 2) пороховой погреб; 3) магазинная коробка (винтовки); магазин (для патронов); 4) тех. магазин; 5) attr. тех., воен. магазинный; ~ case магазинная коробка.

magazine II [ˌmægə'ziːn] n (периодический) журнал.

magazine rifle [ˌmægə'ziːn‚raɪfl] n магазинная винтовка.

mage [meɪdʒ] n уст. волхв, маг.

magenta [mə'dʒentə] n фуксин, красная анилиновая краска.

maggot ['mægət] n 1) личинка (особ. мясной и сырной мух); 2) блажь, причуда; to have a ~ in one's brain (или head) иметь причуды.

maggoty ['mægətɪ] a 1) червивый; 2) с причудами.

magi ['meɪdʒaɪ] pl от magus.

magic ['mædʒɪk] n 1) магия, волшебство; 2) очарование.

magic(al) ['mædʒɪk(əl)] a волшебный, магический.

magician [mə'dʒɪʃən] n 1) волшебник, чародей, заклинатель; 2) фокусник.

magisterial [ˌmædʒɪs'tɪərɪəl] a 1) судебный, судейский; 2) авторитетный; 3) диктаторский, повелительный.

magistracy ['mædʒɪstrəsɪ] n 1) должность судьи; 2) магистрат.

magistral [mə'dʒɪstrəl] 1. a 1) преподавательский, учительский; the ~ staff преподавательский состав (школы и т. п.);

2) поучающий, авторитетный; 3) *мед.* специально показанный, прописанный; 4) *воен.* главный, магистральный (*о линиях укреплений*);
2. *n воен.* магистраль, магистральная линия.

magistrate ['mædʒɪstrɪt] *n* 1) судья (*преим. мировой*); 2) член городского магистрата (*в Англии*); 3) должностное лицо.

magma ['mægmə] *n геол.* магма.

Magna C(h)arta ['mægnə'kɑːtə] *n ист.* Великая хартия вольностей (*1215 г.*).

magnanimity [ˌmægnə'nɪmɪtɪ] *n* великодушие.

magnanimous [mæg'nænɪməs] *a* великодушный.

magnate ['mægneɪt] *n* магнат; oil ~ нефтяной король.

magnesia [mæg'niːʃə] *n* окись магния, жжёная магнезия.

magnesium [mæg'niːzjəm] *n* магний.

magnet ['mægnɪt] *n* магнит.

magnetic [mæg'netɪk] *a* 1) магнитный; ~ declination магнитное склонение; ~ needle магнитная стрелка; ~ storm магнитная буря; 2) притягивающий, привлекательный; магнетический.

magnetics [mæg'netɪks] *n pl* (*употр. как sing*) *физ.* магнетизм.

magnetism ['mægnɪtɪzəm] *n* 1) магнетизм; 2) магнитные свойства; 3) личное обаяние, привлекательность.

magnetite ['mægnɪtaɪt] *n мин.* магнетит, магнитный железняк.

magnetization [ˌmægnɪtaɪ'zeɪʃən] *n* 1) намагничивание; 2) притяжение.

magnetize ['mægnɪtaɪz] *v* 1) намагничивать(ся); 2) привлекать; 3) гипнотизировать.

magneto [mæg'niːtou] *n* (*pl* -os[ouz]) *эл.* магнето; индуктор.

magnetometer [ˌmægnɪ'tɔmɪtə] *n* магнитометр.

magneton ['mægnɪtɔn] *n физ.* магнетон.

magnetron ['mægnɪtrɔn] *n физ.* магнетрон.

magnification [ˌmægnɪfɪ'keɪʃən] *n* увеличение; усиление.

magnificence [mæg'nɪfɪsns] *n* великолепие.

magnificent [mæg'nɪfɪsnt] *a* 1) великолепный, величественный; 2) изумительный, прекрасный.

magnifier ['mægnɪfaɪə] *n* 1) увеличительное стекло, лупа; 2) *радио* усилитель.

magnify ['mægnɪfaɪ] *v* 1) увеличивать; 2) преувеличивать; 3) *уст.* восхвалять.

magnifying glass ['mægnɪfaɪɪŋ'glɑːs] *n* увеличительное стекло, лупа.

magniloquence [mæg'nɪləkwəns] *n* высокопарность.

magniloquent [mæg'nɪləkwənt] *a* высокопарный.

magnitude ['mægnɪtjuːd] *n* 1) величина, размеры; 2) важность; значительность; of the first ~ первостепенной важности.

magnolia [mæg'nouljə] *n* магнолия.

magnum ['mægnəm] *n* большая винная бутылка (*2 кварты* ≅ 2¹/₄ *л*).

magpie ['mægpaɪ] *n* 1) сорока; *перен.* болтун(ья); 2) *воен.* второе кольцо мишени; 3) попадание во внешний предпоследний круг мишени; 4) *sl.* полпенни.

magus ['meɪgəs] *n* (*pl* magi) маг, волхв.

Magyar ['mægjɑː] 1. *a* венгерский; мадьярский;
2. *n* 1) венгр, венгерец; мадьяр; венгерка; мадьярка; 2) венгерский язык.

Maharaja(h) [ˌmɑːhə'rɑːdʒə] *n* магараджа.

Maharanee [ˌmɑːhə'rɑːniː] *n* магарани (*супруга магараджи*).

mahogany [mə'hɔgənɪ] *n* 1) красное дерево; 2) обеденный стол; to put (*или* to stretch, to have) one's knees (*или* feet) under smb.'s ~ обедать у кого-л., пользоваться чьим-л. гостеприимством; жить на чей-л. счёт.

Mahomet [mə'hɔmɪt] *n* Магомет.

Mahometan [mə'hɔmɪtən] = Mohammedan.

mahout [mə'haut] *n англо-инд.* погонщик слонов.

maid [meɪd] 1. *n* 1) *поэт.* дева, девица, девушка; old ~ старая дева; ~ of honour а) фрейлина; б) *амер.* ≈ подружка невесты; в) род ватрушки; 2) служанка, горничная; прислуга;
2. *v* служить горничной, работать прислугой.

maiden ['meɪdn] 1. *n* 1) девица, девушка; 2) *шутл.* старая дева; 3) *ист.* род гильотины;
2. *a* 1) незамужняя; 2) относящийся к незамужней женщине *или* к девичеству женщины; девичий, девический; ~ name девичья фамилия; 3) девственный, нетронутый; ~ horse лошадь, не бравшая приза; ~ sword меч, ещё не обагрённый кровью; ~ over *спорт.* игра, в которой не открыт счёт; ~ assize *юр.* сессия, на которой не было вынесено обвинительного приговора; 4) первый; ~ attempt первая попытка; ~ battle первый бой; ~ flight первый полёт (*самолёта*); ~ voyage первое плавание, первый рейс (*нового корабля*); ~ speech первая речь (*нового члена парламента, академии и т. п.*).

maidenhair ['meɪdnhɛə] *n бот.* адиантум.

maidenhead ['meɪdnhed] *n* 1) девственность, непорочность; 2) девичество.

meidenhood ['meɪdnhud] = maidenhead.

maidenish ['meɪdnɪʃ] *a* 1) девичий; 2) стародевический.

maidenlike ['meɪdnlaɪk] *a* девичий, девический.

maidenly ['meɪdnlɪ] = maidenlike.

maid-of-all-work ['meɪdəv'ɔːlwəːk] *n* одна прислуга, «прислуга за всё».

maidservant ['meɪdˌsəːvənt] *n* служанка, прислуга.

mail I [meɪl] 1. *n* 1) кольчуга (*тж.* coat of ~); *распр.* броня; 2) *зоол.* щиток (*черепахи*); скорлупа (*рака*);
2. *v* покрывать кольчугой, бронёй.

mail II [meɪl] *n* 1) почта, почтовая корреспонденция; 2) почтовый поезд; 3) мешок с почтой; 4) *шотл.* дорожный мешок; 5) *attr.* почтовый;
2. *v* посылать по почте; сдавать на почту.

mail-boat [ˈmeilbout] *n* почто́вый паро-хо́д.

mail-car [ˈmeilkɑ:] *n* почто́вый ваго́н.

mail-cart [ˈmeilkɑ:t] *n* 1) почто́вая ка-ре́та; 2) де́тская коля́ска.

mail-clad [ˈmeil‚klæd] *a* оде́тый в коль-чу́гу, броню́.

mail-coach [ˈmeilkoutʃ] = mail-cart 1).

mailed I [meild] **1.** *p. p. om* mail I, 2; **2.** *a* 1) защищённый бронёй; 2) покры́тый чешу́йками; 3) пятни́стый; ◊ the ~ fist брони́рованный кула́к.

mailed II [meild] *p. p. om* mail II, 2.

mail order [ˈmeil‚ɔ:də] *n* зака́з на вы́сылку това́ра по по́чте.

mail-plane [ˈmeilplein] *n* почто́вый са-молёт.

mail train [ˈmeiltrein] *n* почто́вый по́езд.

maim [meim] *v* кале́чить, уве́чить.

main I [mein] **1.** *n* 1) гла́вная часть; основно́е, гла́вное; in the ~ а) в основно́м; б) бо́льшей ча́стью; в) гла́вным о́бразом; 2) магистра́ль; 3) си́ла; with might and ~ изо всех сил; 4) *поэт.* откры́тое мо́ре, океа́н; 5) = mainmast; **2.** *a* 1) гла́вный; основно́й; the ~ features основны́е черты́; ~ line гла́вная железно-доро́жная ли́ния, магистра́ль; the ~ point гла́вный пункт; the ~ body *воен.* гла́вные си́лы (*войск*); ~ dressing station *воен.* гла́в-ный перевя́зочный пункт; 2) хорошо́ раз-вито́й, си́льный (*физически*); ◊ to have an eye to the ~ chance преследовать ли́чные (*особ.* коры́стные) це́ли.

main II [mein] *n* 1) число́ очко́в, кото́рое игра́ющий в ко́сти называ́ет пе́ред броско́м; 2) петуши́ный бой.

mainland [ˈmeinlənd] *n* 1) матери́к; 2) большо́й о́стров (*среди группы небольши́х*).

mainly [ˈmeinli] *adv* 1) гла́вным о́бразом; 2) бо́льшей ча́стью.

mainmast [ˈmeinmɑ:st] *n мор.* грот-ма́чта.

mainspring [ˈmeinspriŋ] *n* 1) ходова́я пружи́на (*часового механизма*); 2) *воен.* спускова́я пружи́на, боева́я пружи́на; 3) гла́вная дви́жущая си́ла; исто́чник.

mainstay [ˈmeinstei] *n мор.* гро́та-штаг; *перен.* гла́вная подде́ржка, опо́ра, опло́т.

maintain [menˈtein] *v* 1) подде́рживать; уде́рживать; содержа́ть в испра́вности; сохраня́ть; 2) ока́зывать подде́ржку, за-щища́ть, отста́ивать; 3) утвержда́ть; 4) продолжа́ть; вести́; 5) *тех.* обслу́живать; содержа́ть, эксплуати́ровать.

maintenance [ˈmeintinəns] *n* 1) подде́рж-ка, поддержа́ние; сохране́ние; 2) содержа́-ние; сре́дства к существова́нию; 3) утвер-жде́ние; 4) *юр.* подде́ржка (одно́й из тя́-жущихся сторо́н в коры́стных це́лях); 5) *тех.* ухо́д, содержа́ние в испра́вности; теку́щий ремо́нт; 6) *тех.* эксплуата́ция; 7) эксплуатацио́нные расхо́ды (включа́я теку́щий ремо́нт); 8) *attr.* ремо́нтный; ~ force, *амер.* ~ crew *дор.* ремо́нтная брига́да.

maintop [ˈmeintɔp] *n мор.* грот-ма́чта.

main yard [ˈmeinjɑ:d] *n мор.* грот-ре́й.

maison(n)ette [meizəˈnet] *фр. n* небольшо́й дом *или* небольша́я кварти́ра.

maize [meiz] *n* кукуру́за; ма́ис.

majestic [məˈdʒestik] *a* вели́чественный.

majesty [ˈmædʒisti] *n* 1) вели́чественность; вели́чие; велича́вость; 2) вели́чество (*ти-тул*).

Majlis [mædʒˈlis] *n* медж(и)ли́с.

majolica [məˈjɔlikə] *n* майо́лика.

major I [ˈmeidʒə] *n* майо́р.

major II [ˈmeidʒə] **1.** *a* 1) бо́льший, бо́лее ва́жный; 2) ста́рший; гла́вный; ~ forces *воен.* гла́вные си́лы; 3) *муз.* мажо́р-ный; **2.** *n* 1) совершенноле́тний; 2) *лог.* гла́в-ная посы́лка (*в силлоги́зме*); 3) *амер.* про-фили́рующая дисципли́на; **3.** *v амер.* специализи́роваться в како́м-л. предме́те (*в ко́лледже*).

major-domo [ˈmeidʒəˈdoumou] *n* (*pl* -os [-ouz]) мажордо́м; дворе́цкий.

major-general [ˈmeidʒəˈdʒenərəl] *n* гене-ра́л-майо́р.

majority [məˈdʒɔriti] *n* 1) большинство́; to gain (*или* to carry) the ~ получи́ть большин-ство́ голосо́в; to win by a handsome ~ полу-чи́ть значи́тельное большинство́; 2) совер-шенноле́тие (*в Англии 21 год*); he attained his ~ он дости́г совершенноле́тия; 3) чин, зва́ние майо́ра; ◊ to join the (great) ~ уме-ре́ть.

majuscule [ˈmædʒəskju:l] *n* прописна́я бу́ква (*в средневеко́вых ру́кописях*).

make [meik] **1.** *v* (made) 1) де́лать; со-верша́ть; сде́лать; 2) производи́ть; 3) со-здава́ть, образо́вывать; составля́ть (*заве-ща́ние, докуме́нт*); 4) гото́вить, приготов-ля́ть; to ~ a bed стели́ть посте́ль; to ~ hay коси́ть се́но; 5) составля́ть, равня́ться; 2 and 3 ~ 5 два плюс три равня́ется пяти́; 6) станови́ться; де́латься; he will ~ a good musician из него́ вы́йдет хоро́ший музыка́нт; 7) полу-ча́ть, приобрета́ть, добыва́ть (*де́ньги, сре́дства*); зараба́тывать (*на жизнь*); 8) счита́ть, определя́ть, предполага́ть; what do you ~ the time? кото́рый, по-ва́шему, час?; what am I to ~ of your behaviour? как я до́лжен понима́ть ва́ше поведе́ние?; 9) назнача́ть (*на до́лжность*); производи́ть (*в чин*); 10) *разг.* успе́ть, поспе́ть (*на по́езд и т. п.*); 11) *мор.* войти́ (*в порт и т. п.*); 12) *с сло́жным дополне́нием означа́ет* за-ставля́ть, побужда́ть; ~ him repeat it за-ста́вь(те) его́ повтори́ть это; to ~ smb. understand дать кому́-л. поня́ть; to ~ one-self understood объясня́ться (*на иностра́н-ном языке́*); to ~ smth. grow выра́щивать что-л.; 13) *с ря́дом существи́тельных обра-зу́ет фразо́вый глаго́л, соотве́тствующий по значе́нию существи́тельному; напр.:* to ~ haste спеши́ть; to ~ fun высме́ивать; to ~ an answer (*или* a reply) отвеча́ть; to ~ a pause останови́ться; to ~ a denial отрица́ть; to ~ a journey путеше́ствовать; to ~ pro-gress развива́ться; де́лать успе́хи; to ~ a start начина́ть; to ~ a mistake (*или* a blunder) ошиба́ться; (с)де́лать оши́бку; 14) вести́ себя́ определённым о́бразом; to ~ an ass (*или* a fool) of oneself (с)валя́ть дурака́; (по)ста́вить себя́ в глу́пое положе́ние; оскандалиться; to ~ a beast of oneself вести себя как скотина; □ ~ after *уст.* преследовать; пускаться вслед; ~ against говорить не в пользу *кого-л.*; ~ away with избавиться, отделаться от *чего-л., кого-л.*; убить *кого-л.*; ~ back вернуться, возвратиться; а) способствовать, содействовать; б) направляться; в) нападать; набрасываться; ~ off убежать, удрать; ~ out а) разобрать; понять; б) доказывать; в) составлять (*документ*); выписывать (*счёт, чек*); г) *амер.* жить, существовать; д) справляться (*с чем-л.*); преуспевать; ~ over а) передавать; жертвовать; б) переделывать; ~ up а) пополнять, возмещать, компенсировать; навёрстывать; б) составлять, собирать; комплектовать; в) гримировать (-ся); г) подкраситься, подмазаться; д) выдумывать; е) устраивать, улаживать; ж) мириться; let us ~ it up давайте забудем это, давайте помиримся; з): to ~ up one's mind верша́ть(ся); и) шить, кроить; к) *полигр.* верстать; л) подходить, приближаться; to ~ up to smb. зайскивать, лебезить перед кем-л.; ◇ to ~ the best of *см.* best 2; to ~ a clean sweep of *см.* sweep 1, 7); to ~ a dead set at а) напасть на; б) пристать с ножом к горлу к; to ~ do with smth. *редк.* довольствоваться чем-л.; to ~ good а) сдержать слово; б) вознаградить, компенсировать (*за потерю*); в) доказать, подтвердить; г) *амер.* преуспевать; to ~ nothing of smth. а) считать что-л. пустяком; легко относиться к чему-л.; б) ничего не понять в чём-л.; to ~ oneself at home быть как дома; to ~ a poor mouth прибедняться; to ~ sure а) убеждаться; удостовериться; б) обеспечить; to ~ time out *амер.* поспешить, помчаться; 2. *n* 1) производство, работа; изделие; our own ~ нашего производства; 2) процесс становления; развитие; 3) вид, форма, фасон, марка; стиль; тип, модель; do you like the ~ of that coat? нравится ли вам фасон этого пальто?; 4) склад характера; ◇ to be on the ~ *разг.* а) заниматься чем-л. исключительно с корыстной целью; б) делать карьеру.

make-believe ['meɪkbɪˌliːv] 1. *n* 1) притворство; 2) игра, в которой дети воображают себя кем-л.; 3) воображение; фантазия;
2. *a* 1) воображаемый; 2) притворный;
3. *v* делать вид, притворяться.
makepeace ['meɪkpiːs] *n* миротворец; примиритель.
maker ['meɪkə] *n* 1) тот, кто делает что-л.; 2) создатель, творец; 3) *уст.* поэт; 4) эк. векселедатель.
makeshift ['meɪkʃɪft] *n* 1) замена; паллиатив; временное средство; 2) *attr.* временное.
make-up ['meɪkʌp] *n* 1) грим и костюм (*актёра*); 2) косметика; she had a rich ~ она была сильно накрашена; 3) состав, структура, строение; 4) натура, склад (*ума, характера*); 5) выдумка; 6) *полигр.* вёрстка; 7) *attr.*: ~ room уборная (*актёра*).
makeweight ['meɪkweɪt] *n* 1) довесок, добавка; 2) противовес.

making ['meɪkɪŋ] 1. *pres. p. от* make 1;
2. *n* 1) создание, становление; in the ~ в процессе создания, развития; 2) производство, фабрикация; 3) работа, ремесло; 4) форма; 5) *pl* задатки; 6) *pl* заработок; 7) *pl амер. разг.* бумага и табак, чтобы сделать папиросу.
mal- [mæl-] *pref* 1) плохо; плохой; to maltreat плохо, жестоко обращаться; 2) не-, без-; maladroit неловкий; бестактный.
Malacca cane [məˈlækəkeɪn] *n* коричневая трость (*из ротанга*).
malachite ['mæləkaɪt] *n* малахит.
malacology [ˌmæləˈkɔlədʒɪ] *n* малакозоология, малакология (*наука о мягкотелых, или моллюсках*).
maladjustment ['mæləˈdʒʌstmənt] *n* плохое приспособление.
maladministration ['mælədˌmɪnɪsˈtreɪʃən] *n* плохое управление.
maladroit ['mæləˈdrɔɪt] *a* неловкий; бестактный.
malady ['mælədɪ] *n* болезнь; расстройство.
Malaga ['mælədə] *n* малага (*вино*).
Malagasy [ˌmæləˈgæsɪ] 1. *a* мадагаскарский;
2. *n* 1) мальгаш (*житель о-ва Мадагаскар*); 2) мальгашский язык.
malaise [mæˈleɪz] *фр. n* недомогание.
malapert ['mæləpət] *уст.* 1. *n* дерзкий, бесстыдный человек;
2. *a* дерзкий, бесстыдный.
malapropos ['mælˈæprəpou] *фр.* 1. *adv* некстати, не вовремя;
2. *a* сделанный *или* сказанный некстати;
3. *n* совершённый некстати поступок; сказанное некстати слово.
malaria [məˈlɛərɪə] *n* малярия.
malarial [məˈlɛərɪəl] *a* малярийный.
malaria-ridden [məˈlɛərɪəˈrɪdn] *a* малярийный (*о местности*).
malarious [məˈlɛərɪəs] = malarial.
malax ['meɪlæks] *v* разминать, размягчать; смешивать.
malaxate ['mæləkseɪt] = malax.
Malay [məˈleɪ] 1. *a* малайский;
2. *n* 1) малаец; малайка; 2) малайский язык.
Malayan [məˈleɪən] = Malay.
malcontent ['mælkənˌtent] 1. *n* недовольный человек;
2. *a* недовольный.
male [meɪl] 1. *n* 1) мужчина; 2) самец;
2. *a* 1) мужской; ~ beast самец; ~ bee трутень; ~ cat кот; ~ dog кобель; ~ fern мужской папоротник; ~ pigeon голубь-самец; 2) *тех.* входящий в другую деталь, охватываемый; ~ pipe вдвинутая труба; ~ pin шип; ~ screw винт; ~ thread наружная резьба.
male- ['mæli-] *pref* зло-; maledictory злоязычный, проклинающий.
malediction [ˌmælɪˈdɪkʃən] *n* проклятие.
maledictory [ˌmælɪˈdɪktərɪ] *a* проклинающий, злоязычный.
malefactor ['mælɪˌfæktə] *n* преступник, злодей.

malefic [mə'lefɪk] *a* зловредный, пагубный.

maleficence [mə'lefɪsns] *n* зловредность.

maleficent [mə'lefɪsnt] *a* 1) пагубный (to — для); вредоносный; 2) преступный.

male tank ['meɪltæŋk] *n ист.* пушечный танк.

malevolence [mə'levələns] *n* злорадство; недоброжелательность, злоба.

malevolent [mə'levələnt] *a* злорадный; недоброжелательный, злобный.

malfeasance ['mæl'fiːzəns] *n юр.* 1) злодеяние; 2) должностное преступление.

malfeasant ['mæl'fiːzənt] 1. *a* преступный, беззаконный; 2. *n* преступник.

malformation ['mælfɔː'meɪʃən] *n* неправильное образование *или* формирование, порок развития; уродство.

malformed [mæl'fɔːmd] *a* уродливый, бесформенный, плохо сформированный.

malic ['mælɪk] *a хим.*: ~ acid яблочная кислота.

malice ['mælɪs] *n* 1) злоба; to bear ~ (to) таить злобу (против *кого-л.*), злобствовать; 2) *юр.* преступное намерение.

malicious [mə'lɪʃəs] *a* 1) злобный; 2) предумышленный.

malign [mə'laɪn] 1. *a* 1) пагубный; вредный; дурной; 2) *мед.* злокачественный; 2. *v* клеветать, злословить.

malignancy [mə'lɪɡnənsɪ] *n* 1) пагубность, зловредность; 2) злобность; 3) *мед.* злокачественность.

malignant [mə'lɪɡnənt] 1. *a* 1) злостный, злобный; 2) зловредный; 3) *мед.* злокачественный; болезнетворный; ~ bacteria вредные бактерии, болезнетворные бактерии; 2. *n ист.* прозвище английских роялистов в эпоху Кромвеля.

malignity [mə'lɪɡnɪtɪ] = malignancy.

malinger [mə'lɪŋɡə] *v* притворяться больным, симулировать болезнь.

malingerer [mə'lɪŋɡərə] *n* симулянт.

malingering [mə'lɪŋɡərɪŋ] 1. *pres. p. от* malinger; 2. *n (преим. воен.)* симуляция.

malison ['mælɪzn] *n уст.* проклятие.

mall [mɔːl] *n* 1) (тенистое) место для гулянья; 2) игра в шары; 3) *тех.* тяжёлый молот.

mallard ['mæləd] *n* дикая утка.

malleability [,mælɪə'bɪlɪtɪ] *n* 1) ковкость; тягучесть; способность деформироваться в холодном состоянии; 2) податливость; уступчивость.

malleable ['mælɪəbl] *a* 1) ковкий; тягучий; 2) податливый; уступчивый.

mallemuck ['mælɪmʌk] *n* альбатрос; буревестник.

mallet ['mælɪt] *n* деревянный молоток, колотушка.

malleus ['mælɪəs] *n анат.* молоточек *(ушная косточка)*.

mallow ['mæloʊ] *n бот.* мальва, просвирняк.

malm [mɑːm] *n геол.* 1) (М.) мальм, верхняя юра; 2) мергель, известковый песок.

malmsey ['mɑːmzɪ] *n* мальвазия *(вино)*.

malnutrition ['mæl,njuː'trɪʃən] *n* недоедание, недостаточное *или* неправильное питание.

malodorant [mæ'loʊdərənt] 1. *n* зловонное вещество; 2. *a* = malodorous.

malodorous ['mæ'loʊdərəs] *a* зловонный, вонючий.

malposition ['mælpə'zɪʃən] *n мед.* неправильное положение плода.

malpractice ['mæl'præktɪs] *n* 1) противозаконное действие; 2) небрежное лечение *(пациента)*; 3) злоупотребление доверием.

malt [mɔːlt] 1. *n* 1) солод; 2) *разг.* солодовый напиток; 3) *attr.* солодовый; 2. *v* 1) солодить; 2) солодеть.

Maltese ['mɔːl'tiːz] 1. *a* мальтийский; 2. *n* 1) мальтиец; the ~ *pl собир.* мальтийцы; 2) язык жителей о-ва Мальта.

maltha ['mælθə] *n мин.* мальта *(чёрная смолистая нефть)*.

malt-house ['mɔːlthaus] *n* солодовня.

maltose ['mɔːltous] *n хим.* мальтоза, солодовый сахар.

maltreat [mæl'triːt] *v* дурно обращаться.

maltreatment [mæl'triːtmənt] *n* дурное обращение.

maltster ['mɔːltstə] *n* солодовник.

malt-worm ['mɔːltwəːm] *n* пьяница.

malty ['mɔːltɪ] *a* 1) солодовый; 2) *sl.* пьяный.

Malvaceae [mæl'veɪsiː] *n бот.* мальвовые.

malversation [,mælvə'seɪʃən] *n* 1) злоупотребление *(по службе)*; 2) присвоение общественных *или* государственных сумм.

mama [mə'mɑː] = mamma I.

Mameluke ['mæmɪluːk] *n ист.* мамелюк.

mamma I [mə'mɑː] *n дет.* мама.

mamma II ['mæmə] *n (pl -mae)* *анат.* грудная *(или* молочная) железа.

mammae ['mæmiː] *pl от* mamma II.

mammal ['mæməl] *n* млекопитающее животное.

mammalia [mæ'meɪljə] *n pl* млекопитающие.

mammalogy [mə'mælədʒɪ] *n* учение о млекопитающих.

mammary ['mæmərɪ] *a* относящийся к грудной *(или* молочной) железе.

mammilla [mæ'mɪlə] *n (pl -lae)* *анат.* грудной сосок.

mammillae [mæ'mɪliː] *pl от* mammilla.

mammock ['mæmək] 1. *n* глыба, обломок; 2. *v* ломать, разламывать на куски; рвать в клочья.

mammon ['mæmən] *n* маммона, деньги, богатство.

mammonish ['mæmənɪʃ] *a* сребролюбивый.

mammoth ['mæməθ] 1. *n* мамонт; 2. *a* громадный, гигантский.

mammy ['mæmɪ] *n* 1) *дет.* мамочка; 2) *амер.* няня-негритянка; 3) *амер.* старая негритянка.

man [mæn] 1. *n (pl men)* 1) человек; 2) *во фразеологических сочетаниях: а) как представитель профессии:* ~ of law адвокат, юрист; ~ of letters писатель, литератор; учёный; ~ of office чиновник; ~ of the pen литератор; б) *как обладатель определённых качеств*: ~ of character человек с характером; ~ of courage храбрый, мужественный человек; ~ of decision решительный человек; ~ of distinction (*или* mark, note) выдающийся, знаменитый человек; ~ of family знатный человек; *амер.* семейный человек; ~ of genius гениальный человек; ~ of ideas изобретательный, находчивый человек; ~ of pleasure сластолюбец; ~ of principle принципиальный человек; ~ of no principles беспринципный человек; ~ of no scruples недобросовестный, бессовестный человек; ~ of sense здравомыслящий, разумный человек; ~ of straw a) соломенное чучело; б) ненадёжный человек; в) подставное, фиктивное лицо; воображаемый противник; ~ of taste человек со вкусом; ~ of worth достойный, почтенный человек; *сочетания типа* family ~, self-made ~, medical ~, leading ~, *etc. см. под* family, self-made, medical, leading, *etc.*; 3) мужчина; 4) мужественный человек; 5) человеческий род, человечество; 6) слуга, человек; I'm your ~ *разг.* я к вашим услугам, я согласен; 7) рабочий; 8) муж; ~ and wife муж и жена; 9) *pl* солдаты, рядовые; матросы; 10) *ист.* вассал; 11) пешка, шашка (*в игре*); ◇ to be one's own ~ a) быть независимым, самостоятельным; свободно распоряжаться собой; б) прийти в себя, быть в норме; держать себя в руках; ~ in the street, *амер. тж.* ~ in the car заурядный человек, обыватель; ~ about town светский человек; прожигатель жизни; ~ of the world человек, умудрённый жизненным опытом; светский человек; good ~! здорово!, здравствуй!; and boy ~ с юных лет; (all) to a ~ все до одного, как один (человек), все без исключения;

2. *v* 1) *воен., мор.* укомплектовывать личным составом; занимать людьми; поставить людей, посадить людей; 2) занять (*позиции*), стать (*к орудиям и т. п.*); 3) подбодрять; to ~ oneself мужаться, брать себя в руки; 4) *охот.* приручать.

-man [-mən] *в сложных словах означает* занятие, профессию; *напр.*: fisherman рыбак; postman почтальон.

manacle ['mænəkl] 1. *n* (*обыкн. pl*) 1) наручники, ручные кандалы; 2) путы, препятствие;

2. *v* надевать наручники.

manage ['mænɪdʒ] *v* 1) руководить, управлять, заведовать; стоять во главе; to ~ a household вести домашнее хозяйство; 2) уметь обращаться (*с чем-л.*), владеть (*оружием и т. п.*); 3) усмирять, укрощать; выезжать (*лошадь*); править (*лошадьми*); 4) справляться, ухитряться, суметь (сделать) (*часто ирон.*); he ~d to muddle it он умудрился напутать; can you ~ another slice? *разг.* вы, наверно, справитесь ещё с куском?

manageable ['mænɪdʒəbl] *a* 1) поддающийся управлению; 2) поддающийся дрессировке; послушный, смирный; a ~ horse

выезженная лошадь; 3) сговорчивый, податливый; 4) выполнимый.

management ['mænɪdʒmənt] *n* 1) управление; заведование; 2) умение владеть (*инструментом*); умение справляться (*с работой*); 3) осторожное, бережное, чуткое отношение (*к людям*); 4) (the ~) правление; дирекция, администрация.

manager ['mænɪdʒə] *n* 1) управляющий, заведующий; директор; 2) хозяин; good (bad) ~ хороший (плохой) хозяин; 3) *парл.* представитель одной из палат, уполномоченный вести переговоры по вопросу, касающемуся обеих палат; 4) импресарио.

manageress ['mænɪdʒəres] *n* заведующая; управительница.

managerial [,mænə'dʒɪərɪəl] *a* директорский, относящийся к управлению.

managing ['mænɪdʒɪŋ] 1. *pres. p. от* manage;

2. *a* 1) руководящий, ведущий; 2) деловой, энергичный; 3) экономный, бережливый.

man-at-arms ['mænət'ɑ:mz] *n* (*pl* men-at-arms) *ист.* тяжеловооружённый всадник.

manatee [,mænə'ti:] *n зоол.* ламантин.

man-carried ['mæn,kærɪd] *a* переносный.

man-child ['mæntʃaɪld] *n* (*pl* men-children) мальчик.

manciple ['mænsɪpl] *n* эконом.

Mancunian [mæŋ'kju:njən] 1. *a* манчестерский;

2. *n* житель Манчестера.

mandamus [mæn'deɪməs] *n юр.* приказ высшей судебной инстанции низшей.

mandarin I ['mændərɪn] *n* 1) *ист.* мандарин (*китайский чиновник*); 2) (M.) *уст.* мандаринское наречие китайского языка; 3) *ирон.* косный, отсталый руководитель.

mandarin II ['mændərɪn] *n* 1) мандарин (*плод*); 2) оранжевый цвет.

mandarine [,mændə'ri:n] = mandarin II.

mandatary ['mændətərɪ] *n полит.* мандатарий (*государство, получившее мандат на часть территории побеждённой страны*).

mandate ['mændeɪt] 1. *n* 1) мандат; 2) наказ (*избирателей*);

2. *v* передавать (*страну*) под мандат другого государства.

mandated ['mændeɪtɪd] 1. *p. p. от* mandate 2;

2. *a* подмандатный.

mandatory ['mændətərɪ] 1. *a* 1) мандатный; 2) обязательный, принудительный; ~ sentence окончательный приговор;

2. *n* = mandatary.

mandible ['mændɪbl] *n* нижняя челюсть (*млекопитающих и рыб*); жвало, мандибула (*насекомых*).

mandolin ['mændəlɪn] *n* мандолина.

mandoline ['mændə'li:n] = mandolin.

mandrake ['mændreɪk] *n бот.* мандрагора.

mandrel ['mændrɪl] *n* 1) *тех.* оправка; сердечник; пробойник; 2) *горн.* кайла.

mandril ['mændrɪl] = mandrel.

mandrill ['mændrɪl] *n* мандрил (*обезьяна*).

manducate ['mændjukeɪt] *v редк.* жевать.

mane [meɪn] *n* грива.

man-eater ['mæn,iːtə] *n* 1) людоед; 2) *зоол.* пила-рыба.

manège [mæ'neɪʒ] *фр. n* 1) манеж; 2) искусство верховой езды; 3) выездка лошади; 4) конный привод.

manful ['mænful] *a* мужественный; смелый, решительный.

manganese [,mæŋɡə'niːz] *n* марганец.

manganic [mæŋ'ɡænɪk] *a* марганцевый, марганцовый.

mange [meɪndʒ] *n вет.* чесотка.

mangel(-wurzel) ['mæŋɡl('wəːzl)] *нем. n* кормовая свёкла.

manger ['meɪndʒə] *n* ясли, кормушка; ◇ dog in the ~ ≅ собака на сене.

mangle I ['mæŋɡlj 1. *n* 1) каток (*для белья*); 2) *текст.* каландр;
2. *v* катать (*бельё*).

mangle II ['mæŋɡl] *v* 1) рубить, кромсать; 2) калечить; 3) искажать, портить (*цитату, текст и т. п.*).

mango ['mæŋɡou] *n* (*pl* -oes, -os [-ouz]) 1) манговое дерево; 2) манго (*плод*); 3) маринованные овощи.

mangold ['mæŋɡəld] = mangel(-wurzel).

mangonel ['mæŋɡənəl] *n ист.* баллиста.

mangrove ['mæŋɡrouv] *n бот.* ризофора.

mangy ['meɪndʒɪ] *a* 1) чесоточный, паршивый; 2) грязный, поношенный.

manhandle ['mæn,hændl] *v* 1) тащить, передвигать вручную; 2) *sl.* грубо обращаться; избивать.

manhole ['mænhoul] *n* 1) лаз, люк; горловина; 2) смотровое отверстие.

manhood ['mænhud] *n* 1) возмужалость, зрелость, зрелый возраст; 2) мужественность; 3) мужское население страны; 4) *attr.*: ~ suffrage избирательное право для всех взрослых мужчин.

manhunt ['mænhʌnt] *n* полицейская облава, преследование (*особ.* беглеца).

mania ['meɪnjə] *n* мания.

maniac ['meɪnɪæk] 1. *n* маньяк;
2. *a* помешанный; маниакальный.

maniacal [mə'naɪəkəl] *a* маниакальный.

Manichee ['mænɪ,kiː] *n ист. рел.* манихей.

manicure ['mænɪkjuə] 1. *n* 1) маникюр;
2) = manicurist.
2. *v* делать маникюр.

manicurist ['mænɪkjuərɪst] *n* маникюрша.

manifest ['mænɪfest] 1. *a* очевидный, явный; ясный;
2. *v* 1) ясно показывать; делать очевидным, обнаруживать; проявлять; 2) обнародовать; издать манифест; 3) доказывать, служить доказательством; 4) обнаруживаться, проявляться; 5) появляться (*о привидении*); 6) заносить в декларацию судового груза.
3. *n* манифест, декларация судового груза.

manifestation [,mænɪfes'teɪʃən] *n* 1) проявление; 2) манифестация; 3) обнародование.

manifesto [,mænɪ'festou] *n* (*pl* -os, -oes [-ouz]) манифест.

manifold ['mænɪfould] 1. *n тех.* 1) трубопровод; 2) колено трубы; 3) копия (*через копирку*);

2. *a* разнообразный, разнородный;
3. *v* размножать (*документ в копиях*).

manikin ['mænɪkɪn] *n* 1) человечек; карлик; 2) манекен.

Manil(l)a [mə'nɪlə] *n* 1) манильская пенька (*тж.* ~ hemp); 2) манильская сигара; [*см. тж. Список географических названий*].

manioc ['mænɪɔk] *n* маниока, тапиока.

maniple ['mænɪpl] *n ист.* манипула (*подразделение римского легиона*).

manipulate [mə'nɪpjuleɪt] *v* 1) манипулировать; умело обращаться; (*умело*) управлять (*станком и т. п.*); 2) подтасовывать.

manipulation [mə,nɪpju'leɪʃən] *n* 1) манипуляция; обращение; 2) махинация, подтасовка.

manipulator [mə'nɪpjuleɪtə] *n* 1) моторист, машинист; 2) *тех.* манипулятор; 3) *радио* ручной ключ.

mankind *n* 1) [mæn'kaɪnd] человечество; человеческий род; 2) ['mænkaɪnd] мужчины, мужской пол.

manlike ['mænlaɪk] *a* 1) мужской, подобающий мужчине; 2) мужеподобный (*о женщине*).

manliness ['mænlɪnɪs] *n* мужественность.

manly ['mænlɪ] *a* 1) мужественный, отважный; 2) мужеподобный (*о женщине*).

man-made ['mæn,meɪd] *a* искусственный, созданный руками человека; ~ noise, ~ statics *радио* искусственные, промышленные помехи.

manna ['mænə] *n* 1) *библ.* манна небесная; 2) манна (*слабительное*); 3) *бот.* ясень белый.

manna-croup ['mænəkruːp] *рус. n* манная крупа.

mannequin ['mænɪkɪn] *n* 1) манекен; 2) манекенщица.

manner ['mænə] *n* 1) способ, метод; образ действий; ~ of life (of thought) образ жизни (мыслей); 2) манера (*говорить, действовать*); in proper legal ~ в установленной законной форме; 3) *pl* (хорошие) манеры; умение держать себя; to have no ~s не уметь себя вести; he has fair ~s, but no ~ у него изящные манеры, но нет настоящего умения держать себя; 4) *pl* обычаи, нравы; 5) стиль, художественная манера; 6) *уст.* сорт, род; what ~ of man is he? что он за человек?, какой он человек?; all of... всевозможные...; ◇ after a ~ как-нибудь; by no ~ (of means) ни в коем случае; in a ~ до некоторой степени; в некотором смысле; in a ~ of speaking *уст.* так сказать; in a promiscuous ~ случайно, наудачу; no ~ of... никакой...; to have no ~ of right не иметь никакого права; to the ~ born привыкший с пелёнок.

mannered ['mænəd] *a* вычурный, манерный (*о стиле; об артисте*).

-mannered [-'mænəd] *в сложных словах означает:* имеющий такие-то манеры; *напр.:* well-~ с хорошими манерами; ill-~ с плохими манерами.

mannerism ['mænərɪzəm] *n* 1) манерность; 2) манеры; 3) *иск.* маньеризм.

mannerist ['mænərɪst] *n иск.* маньерист.

manneristic [ˌmænə'rɪstɪk] *a* манéрный.

mannerless ['mænəlɪs] *a* дýрно воспи́танный, невéжливый.

mannerliness ['mænəlɪnɪs] *n* вéжливость, воспи́танность, хорóшие манéры.

mannerly ['mænəlɪ] *a* вéжливый, воспи́танный, с хорóшими манéрами.

manning ['mænɪŋ] **1.** *pres. p. om* man 2; **2.** *n* (у)комплектовáние ли́чным состáвом.

mannish ['mænɪʃ] *a* мужеподóбная, неже́нственная (*о же́нщине*).

manoeuvrability [məˌnuːvrə'bɪlɪtɪ] *n воен.* манёвроспосóбность; удобоуправля́емость; поворóтливость.

manoeuvre [mə'nuːvə] *фр.* **1.** *n* 1) манёвр; 2) *pl воен., мор.* манёвры; 3) интри́га; **2.** *v* 1) *воен., мор.* проводи́ть манёвры; 2) *воен.* маневри́ровать, перебрáсывать войскá; 3) маневри́ровать, лóвкостью добивáться (*чего-л.*); to ~ smb. into an awkward position (сумéть) постáвить когó-л. в затрудни́тельное положéние.

man-of-war ['mænəv'wɔː] *n (pl* men-of-war) 1) воéнный корáбль; ~'s man воéнный моря́к; 2) *уст.* солдáт.

manometer [mə'nɔmɪtə] *n* манóметр.

manor ['mænə] *n* 1) (феодáльное) помéстье; 2) *уст.* = manor-house.

manor-house ['mænəhaus] *n* помéщичий дом.

manorial [mə'nɔːrɪəl] *a* манориáльный, относя́щийся к помéстью.

man-o'-war ['mænə'wɔː] = man-of-war.

manpower ['mæn,pauə] *n* 1) рабóчая си́ла; 2) живáя си́ла; 3) ли́чный состáв; людски́е ресýрсы.

mansard ['mænsɑːd] *n архит.* мансáрдная крыша; мансáрда.

manse [mæns] *n* дом (шотлáндского) пáстора.

mansion ['mænʃən] *n* большóй особня́к, большóй дом; дворéц.

mansion-house ['mænʃənhaus] *n* 1) помéщичий дом; дворéц; 2) официáльная резидéнция; the M. дом лорд-мэ́ра в Лóндоне.

man-sized ['mæn'saizd] *a* 1) большóй, для взрóслого человéка; 2) *амер. sl.* трýдный.

manslaughter ['mæn,slɔːtə] *n* 1) человекоуби́йство; 2) *юр.* непредумы́шленное уби́йство.

mansuetude ['mænswɪtjuːd] *n уст.* крóтость.

mantel ['mæntl] *n* 1) ками́н; 2) облицóвка ками́на; ками́нная доскá; 3) *тех.* кожýх, обши́вка.

mantel-board ['mæntlbɔːd] *n* деревя́нная пóлочка над ками́ном.

mantelet ['mæntlɪt] *n* 1) манти́лья; 2) *воен. ист.* мантелéт, щит.

mantelpiece ['mæntlpiːs] = mantel 1).

mantelshelf ['mæntlʃelf] *n* ками́нная пóлка.

mantes ['mæntiːz] *pl om* mantis.

mantis ['mæntis] *n (pl* -tes) *зоол.* богомóл (*насекóмое*).

mantle ['mæntl] **1.** *n* 1) наки́дка; мáнтия; 2) *перен.* покрóв; 3) *тех.* кожýх, покры́шка; 4) кали́льная сéтка (*газового фонаря*);

2. *v* 1) покрывáть; окýтывать; укрывáть; 2) покрывáться пéной, нáкипью; 3) расправля́ть кры́лья; 4) краснéть (*о лице*); приливáть к щекáм (*о крови*).

mantlet ['mæntlɪt] = mantelet.

mantrap ['mæntræp] *n* ловýшка, западня́, капкáн (*особ. на человéка*).

manual ['mænjuəl] **1.** *n* 1) руковóдство; наставлéние; спрáвочник, указáтель; учéбник; field ~ *амер.* боевóй устáв; 2) *воен.* приёмы орýжием; 3) клавиатýра (оргáна);

2. *a* ручнóй; с ручны́м управлéнием; ~ labour физи́ческий труд; ~ worker рабóтник физи́ческого трудá; ~ alphabet áзбука глухонемы́х; ~ exercise *воен.* обучéние ружéйным приёмам; ~ (fire-)engine ручнóй пожáрный насóс.

manufactory [ˌmænju'fæktərɪ] *n* 1) фáбрика; мастерскáя; цех; 2) *ист.* мануфактýра.

manufacture [ˌmænju'fæktʃə] **1.** *n* 1) производство; фабрикáция; обрабóтка; steel (cloth) ~ стальнóе (сукóнное) производство; of home (foreign) ~ отéчественного (инострáнного) производства; 2) *pl* издéлия, фабрикáты; 3) фабрикáция (*лóжных свéдений и т. п.*);

2. *v* 1) производи́ть, выдéлывать, фабриковáть; обрабáтывать, перерабáтывать; 2) фабриковáть, изобретáть (*ложь и т. п.*).

manufactured goods [ˌmænju'fæktʃəd'gudz] *n pl* фабрикáты, промы́шленные товáры.

manufacturer [ˌmænju'fæktʃərə] *n* 1) фабрикáнт, завóдчик; промы́шленник, предпринимáтель; 2) изготови́тель, производи́тель.

manufacturing [ˌmænju'fæktʃərɪŋ] **1.** *pres. p. om* manufacture 2; **2.** *n* 1) производство; выделка; обрабóтка; фабрикáция; 2) обрабáтывающая промы́шленность; **3.** *a* промы́шленный; ~ town фабри́чный гóрод; ~ water промы́шленные стóчные вóды.

manuka ['mɑːnukɑː] *n* манýка, чáйное дéрево.

manumission [ˌmænju'mɪʃən] *n ист.* 1) освобождéние (*от рабства*); предоставлéние вóльной (*крепостнóму*); 2) отпускнáя, вóльная (*грáмота*).

manumit [ˌmænju'mɪt] *v* 1) *ист.* отпускáть на вóлю; 2) освобождáть.

manure [mə'njuə] **1.** *n* навóз, удобрéние; **2.** *v* удобря́ть, унавóживать (*зéмлю*).

manuscript ['mænjuskrɪpt] **1.** *n* рýкопись; **2.** *a* рукопи́сный.

Manx [mæŋks] **1.** *a* 1) с о-ва Мэн; 2): ~ cat *зоол.* бесхвóстая кóшка;

2. *n* 1) язы́к жи́телей о-ва Мэн; 2) (*употр. как pl*): the ~ жи́тели о-ва Мэн.

Manxman ['mæŋksmən] *n* урожéнец о-ва Мэн.

many ['menɪ] **1.** *a* (more; most) мнóгие, многочи́сленные; мнóго; how ~? скóлько?; for ~ a long day в течéние дóлгого врéмени; as ~ скóлько же; as ~ as three years цéлых три гóда; not so ~ as мéньше, чем; be one too ~ *шутл.* быть ли́шним; to be one too ~ for smb. *разг.* быть сильнéе, искýснее когó-л.;

2. *n* мно́жество, мно́гие; a good ~ поря́дочное коли́чество; a great ~ грома́дное коли́чество; мно́жество; the ~ мно́жество, большинство́.

many-sided ['menɪ'saɪdɪd] *a* многосторо́нний.

many-stage ['menɪ,steɪdʒ] *a* многоступе́нчатый, многокаска́дный.

Maori ['mauri] *n* 1) (*pl* -s [-z] *или без измен.*) мао́ри; 2) язы́к мао́ри.

map [mæp] **1.** *n* 1) ка́рта (*географическая или звёздного неба*); 2) план; ◇ off the ~ а) несуществу́ющий; пре́данный забве́нию; б) устаре́лый; в) несуще́ственный; on the ~ а) существу́ющий; б) занима́ющий ва́жное *или* ви́дное положе́ние; значи́тельный, суще́ственный, ва́жный;

2. *v* 1) наноси́ть на ка́рту, черти́ть ка́рту; производи́ть съёмку; 2) составля́ть план; ▢ ~ out плани́ровать; to ~ out one's time распределя́ть своё вре́мя.

maple ['meɪpl] *n* 1) клён; 2) *attr.* клено́вый.

maple-leaf ['meɪplliːf] *n* клено́вый лист (*тж. как эмблема Канады*).

mapping ['mæpɪŋ] **1.** *pres. p. om* map 2;

2. *n* 1) нанесе́ние на ка́рту; вычёрчивание карт; съёмка пла́на *или* ка́рты; картогра́фия; 2) плани́рование.

map range ['mæp'reɪndʒ] *n воен.* горизонта́льная да́льность (*по карте*).

maquis [mɑːkiː] *фр. n* (*pl без измен.*) маки́ (*название французских партизан во второй мировой войне*).

mar [mɑː] **1.** *n* уши́б, синя́к;

2. *v* уда́рить, повреди́ть; по́ртить, искажа́ть; ◇ to make or ~ ≅ ли́бо пан, ли́бо пропа́л.

marabou ['mærəbuː] *n зоол.* марабу́.

marabout ['mærəbuːt] *n* 1) марабу́т (*мусульманский отшельник*); 2) надгро́бный па́мятник на моги́ле марабу́та.

marasmus [mə'ræzməs] *n* мара́зм, о́бщее истоще́ние, увяда́ние (*организма*).

Marathon ['mærəθən] *n* марафо́нский бег (*тж.* ~ race).

maraud [mə'rɔːd] *v* мародёрствовать.

marauder [mə'rɔːdə] *n* мародёр.

marauding [mə'rɔːdɪŋ] **1.** *pres. p. om* maraud;

2. *n* мародёрство;

3. *a* мародёрский, хи́щнический.

marble ['mɑːbl] **1.** *n* 1) мра́мор; 2) *pl* колле́кция скульпту́р из мра́мора; 3) *pl* де́тская игра́ в ша́рики; 4) *attr.* мра́морный; *перен.* кре́пкий, твёрдый; бе́лый как мра́мор; холо́дный, бесчу́вственный;

2. *v* распи́сывать под мра́мор.

marbled ['mɑːbld] **1.** *p. p. om* marble 2;

2. *a* кра́пчатый, под мра́мор; ~ edges кра́пчатый обре́з (*книги*).

marble-topped ['mɑːbl'tɔpt] *a* с мра́морным ве́рхом.

marc [mɑːk] *n* вы́жимки (*фруктов*).

marcel [mɑː'sel] **1.** *n* горя́чая зави́вка воло́с;

2. *v* завива́ть во́лосы щипца́ми.

March [mɑːtʃ] *n* 1) март; 2) *attr.* ма́ртовский.

march I [mɑːtʃ] **1.** *n* 1) *воен.* марш; по-

хо́дное движе́ние, су́точный перехо́д (*тж.* day's ~); 2) ход, разви́тие (*событий*); успе́хи (*науки и т. п.*); 3) *муз.* марш; 4) *спорт.* марширо́вка; 5) *attr.* ма́ршевый, похо́дный; ~ formation похо́дный поря́док;

2. *v* 1) марширова́ть; дви́гаться похо́дным поря́дком; 2) выводи́ть в похо́д; уводи́ть; ▢ ~ ahead идти́ вперёд; ~ off выступа́ть, уходи́ть; отводи́ть; ~ on продвига́ться вперёд; ~ out выступа́ть; ~ past проходи́ть церемониа́льным ма́ршем.

march II [mɑːtʃ] **1.** *n* (*обыкн. pl*) *ист.* ма́рка; грани́ца; пограни́чная *или* спо́рная полоса́;

2. *v* грани́чить.

marching I ['mɑːtʃɪŋ] **1.** *pres. p. om* march I, 2;

2. *n* 1) марширо́вка; передвиже́ние; 2) *attr.* похо́дный; во вре́мя похо́да; ~ fire стрельба́ на ходу́, стрельба́ во вре́мя ата́ки; ~ order а) похо́дный поря́док; б) похо́дное снаряже́ние, похо́дная фо́рма; ~ orders а) прика́з о выступле́нии (в похо́д); б): to give smb. his ~ orders *разг.* уво́лить кого́-л.

marching II ['mɑːtʃɪŋ] *pres. p. om* march II, 2.

marchioness ['mɑːʃənɪs] *n* марки́за (*в Англии*).

marchpane ['mɑːtʃpeɪn] *n* марципа́н.

march past ['mɑːtʃpɑːst] *n* прохожде́ние церемониа́льным ма́ршем.

mare [mɛə] *n* кобы́ла.

mare's-nest ['mɛəznest] *n* иллю́зия, не́что несуществу́ющее; ◇ to find a ~ ≅ попа́сть па́льцем в не́бо.

margarine [,mɑːdʒə'riːn] *n* маргари́н.

marge I [mɑːdʒ] *поэт. см.* margin 1, 1) *и* 2).

marge II [mɑːdʒ] *разг. см.* margarine.

margin ['mɑːdʒɪn] **1.** *n* 1) край; полоса́, грань; бе́рег; опу́шка (*леса*); 2) по́ле (*страницы*); 3) запа́с (*денег, времени и т. п.*); ~ of safety *тех.* надёжность, коэффицие́нт безопа́сности, запа́с про́чности; 4) ра́зница ме́жду себесто́имостью и прода́жной цено́й; при́быль;

2. *v* 1) оставля́ть запа́с; 2) де́лать заме́тки на поля́х.

marginal ['mɑːdʒɪnl] *a* 1) (напи́санный) на поля́х (*книги*); 2) находя́щийся на краю́ (*чего-л.*); 3) *мед.* маргина́льный.

marginalia [,mɑːdʒɪ'neɪljə] *n pl* 1) заме́тки на поля́х (*книги*); 2) *полигр.* маргина́лии, боковушки.

margrave ['mɑːgreɪv] *n ист.* маркгра́ф.

margravine ['mɑːgrəviːn] *n* жена́ маркгра́фа.

marguerite [,mɑːgə'riːt] *n бот.* попо́вник; златоцве́т кана́рский.

marigold ['mærɪgould] *n бот.* 1) ба́рхатцы; 2) ноготки́.

marihuanna, marijuanna [,mɑːrɪ'(h)wɑːnɑː] *исп. n* марихуа́на (*наркотик, подмешиваемый в табак*).

marimba [mə'rɪmbə] *n* разнови́дность ксилофо́на.

marinade [,mærɪ'neɪd] **1.** *n* марина́д;

2. *v* маринова́ть; соли́ть.

marine [mə'riːn] **1.** *n* 1) флот; 2) судоходство, морское дело; 3) солдат морской пехоты; the ~s морская пехота; 4) *жив.* морской пейзаж, марина; ◇ tell that to the ~s = tell that to the horse-marines [*см.* horse-marine ◇];
2. *a* 1) морской; 2) судовой; ~ stores a) подержанные корабельные принадлежности; б) судовые припасы.

mariner ['mærɪnə] *n* моряк, матрос; master ~ капитан торгового судна.

marionette [,mærɪə'net] *n* марионетка.

marital [mə'raɪtl] *a* 1) супружеский, брачный; 2) мужнин.

maritime ['mærɪtaɪm] *a* 1) морской; 2) приморский; ~ station береговая станция.

marjoram ['mɑːdʒərəm] *n бот.* майоран.

mark I [mɑːk] *n* 1) марка (*денежная единица Германии*); 2) *ист.* английская монета.

mark II [mɑːk] **1.** *n* 1) метка; знак; ~ of interrogation вопросительный знак; 2) штамп, штемпель; фабричная марка; 3) крест (*вместо подписи неграмотного, напр.*: John Smith—his ~); 4) признак, показатель; 5) цель, мишень; to hit (to miss) the ~ попасть в цель (промахнуться); far from (*или* wide of) the ~ мимо цели; *перен.* неуместно; не по существу; beside the ~ некстати; 6) граница, предел; норма; уровень; above the ~ выше принятой (*или* установленной) нормы; below the ~ не на высоте (*положения*); up to the ~ a) на должной высоте; б) в хорошем состоянии, в добром здравии; within the ~ в пределах принятой (*или* установленной) нормы; 7) *спорт.* линия старта, старт; to get off the ~ стартовать, взять старт; 8) известность; to make one's ~ выдвинуться, отличиться; сделать карьеру; приобрести известность; of ~ известный (*о человеке*); 9) балл, отметка; оценка (*знаний*); 10) стойка, веха; 11) пятно, шрам, рубец; 12) *ист.* рубеж; марка (*пограничная область*); ◇ (God) save the ~ с позволения сказать; боже упаси; soft ~, easy ~ *амер. sl.* а) лёгкая добыча; жертва; б) доверчивый человек, простак;
2. *v* 1) ставить знак; штамповать, штемпелевать; маркировать; метить (*бельё*); 2) отмечать, обозначать; to ~ time *воен.* обозначать шаг на месте; *перен.* топтаться на месте; выжидать; ~ my words! попомни(те) мои слова!; 3) оставить след, пятно, рубец; 4) (по)ставить расценку (*на товаре*); 5) ставить балл, отметку (*на школьной работе*); 6) характеризовать, отмечать; 7) записывать (*очки в игре*); 8) выслеживать (*дичь*); 9) (за)регистрировать биржевую сделку (*с включением её в официальную котировку*); □ ~ down отметить новую, пониженную расценку (*на товаре*); ~ off отделять; проводить границы; разграничивать; ~ out а) размечать; расставлять указательные знаки; б) выделять, предназначать; ~ up отметить новую, повышенную расценку (*на товаре*).

marked [mɑːkt] **1.** *p. p. от* mark II, 2;
2. *a* 1) имеющий какие-л. знаки, вехи;

замеченный, отмеченный; 2) заметный; ~ difference заметная разница; ~ disadvantage явный ущерб; явно невыгодное положение; a ~ man a) человек, за которым следят; б) видный, известный человек.

marker ['mɑːkə] *n* 1) маркёр; 2) клеймовщик; клеймовщица; 3) *школ.* лицо, отмечающее присутствующих учеников; 4) закладка (*в книге*); 5) *амер.* мемориальная доска; 6) *горн.* маркирующий горизонт; ◇ not a ~ to (*или* on) *sl.* ничто по сравнению с; в подмётки не годится.

market ['mɑːkɪt] **1.** *n* 1) рынок, базар; 2) сбыт; to come into the ~ поступить в продажу; to put on the ~ пустить в продажу; 3) торговля; brisk ~ бойкая торговля; hours of ~ часы торговли; 4) рыночные цены; the ~ rose цены поднялись; to play the ~ спекулировать на бирже; 5) продовольственный магазин; ◇ to bring one's eggs (*или* hogs, goods) to the wrong (*или* bad) ~ просчитаться; потерпеть неудачу; to be on the long side of the ~ придерживать товар в ожидании повышения цен; to find a ~ быть в спросе, пользоваться спросом;
2. *v* 1) привезти на рынок; купить *или* продать на рынке; 2) продавать; сбывать; находить рынок сбыта.

marketability [,mɑːkɪtə'bɪlɪtɪ] *n* товарность, пригодность для продажи.

marketable ['mɑːkɪtəbl] *a* 1) ходкий (*о товаре*); 2) товарный; рыночный; ~ surplus of grain товарный хлеб.

market-day ['mɑːkɪtdeɪ] *n* базарный день.

market garden ['mɑːkɪt,gɑːdn] *n* огород (*для выращивания овощей для продажи*).

marketing ['mɑːkɪtɪŋ] **1.** *pres. p. от* market 2;
2. *n* 1) торговля; 2) предметы торговли.

market-place ['mɑːkɪtpleɪs] *n* базарная, рыночная площадь.

market-price ['mɑːkɪt'praɪs] *n* рыночная цена.

marking ['mɑːkɪŋ] **1.** *pres. p. от* mark II, 2;
2. *n* 1) расцветка; окраска; 2) маркировка; разметка, отметка; 3) клеймовка; 4) метка (*на белье*).

markka ['mɑːkkɑː] *n* марка (*денежная единица Финляндии*).

marksman ['mɑːksmən] *n* меткий стрелок.

marksmanship ['mɑːksmənʃɪp] *n* меткая стрельба.

marl [mɑːl] **1.** *n геол.* мергель; рухляк; известковая глина; нечистый известняк;
2. *v* удобрять землю мергелем.

marline ['mɑːlɪn] *n мор.* марлинь.

marly ['mɑːlɪ] *a геол.* мергельный, мергелистый.

marmalade ['mɑːməleɪd] *n* 1) мармелад; 2) варенье (*особ.* апельсинное); повидло.

marmoreal [mɑː'mɔːrɪəl] *a поэт.* мраморный; подобный мрамору.

marmoset ['mɑːməzet] *n* обезьянка, мартышка.

marmot ['mɑːmət] *n* 1) *зоол.* сурок; 2) купальный чепец.

maroon I [mə'ruːn] **1.** *n* 1) каштановый цвет; 2) бурак (*в фейерверке*);
2. *a* каштанового цвета.

maroon II [mə'ruːn] **1.** *n* 1) *ист.* марон (*беглый раб-негр в Вест-Индии и Гвиане*); 2) человек, высаженный на необитаемом острове;
2. *v* 1) высаживать на необитаемый остров; 2) бездельничать, слоняться.

marplot ['mɑːplɔt] *n* 1) тот, кто расстраивает планы; 2) помеха.

marque [mɑːk] *n*: letter(s) of ~ *мор. ист.* каперское свидетельство.

marquee [mɑː'kiː] *n* большая палатка, шатёр.

marquess ['mɑːkwɪs] = marquis.

marquetry ['mɑːkɪtrɪ] *n* маркетри, мозаика (*из цветной древесины*).

marquis ['mɑːkwɪs] *n* маркиз.

marquise [mɑː'kiːz] *n* маркиза.

marquisette [,mɑːkɪ'zet] *n* маркизет.

marram (grass) ['mærəm(grɑːs)] *n бот.* песколюб песчаный.

marriage ['mærɪdʒ] *n* 1) брак; замужество; женитьба; ~ of convenience брак по расчёту; to contract a ~ заключать брак; to give in ~ выдавать замуж; 2) свадьба; 3) тесное единение, тесный союз; 4) *карт.* марьяж; 5) *attr.* брачный; ~ licence разрешение на брак; ~ bonds брачные узы; ~ lines свидетельство о браке; ~ settlement брачный контракт, касающийся имущества; закрепление определённого имущества за (будущей) женой.

marriageable ['mærɪdʒəbl] *a* взрослый, достигший брачного возраста.

married ['mærɪd] **1.** *p. p. от* marry I; **2.** *a* женатый; замужняя.

marrow I ['mærou] *n* 1) костный мозг; to the ~ of one's bones до мозга костей; до глубины души; 2) сущность; 3) *бот.* кабачок (*тж.* vegetable ~).

marrow II ['mærou] *n диал.* 1) товарищ; 2) супруг(а).

marrowbone ['mærouboun] *n* 1) мозговая кость; 2) суть, сущность; 3) *pl шутл.* колени; to bring smb. down to his ~s поставить кого-л. на колени, заставить покориться; to go (*или* to get) down on one's ~s стать на колени; 4) *pl sl.* кулаки; ◇ to ride in the ~ coach ехать «на своих двоих».

marrowfat ['mæroufæt] *n* горох мозговой.

marrow squash ['mærouskwɔʃ] *n бот.* кабачок.

marrowy ['mæroui] *a* 1) костномозговой; наполненный мозгом; 2) сильный, крепкий; содержательный.

marry I ['mærɪ] *v* 1) женить (to); выдавать замуж (to); жениться; выходить замуж; 2) *перен.* соединять; сочетать; 3) *мор.* сплеснивать.

marry II ['mærɪ] *int уст.* (*выражает удивление, негодование*) скажите пожалуйста! подумать только! (*тж.* ~ come up!).

Mars [mɑːz] *n* 1) *миф.* Марс; 2) *астр.* Марс (*планета*).

Marsala [mɑː'sɑːlə] *n* марсала (*вино*).

Marseillaise [,mɑːsə'leɪz] *фр. n* марсельеза.

marsh [mɑːʃ] *n* болото, топь.

marshal ['mɑːʃəl] **1.** *n* 1) (М.) *воен.* маршал; 2) церемониймейстер; 3) *амер.* ⇌ судебный исполнитель (*соответствует шерифу в Англии*); 4) начальник полицейского участка; 5) помощник инспектора (*в англ. университетах*);
2. *v* 1) выстраивать (*войска, процессию*); 2) располагать в определённом порядке (*факты*); размещать (*гостей на банкете и т. п.*); 3) торжественно вести, вводить (in); 4) *ж.-д.* сортировать товарные вагоны.

marshalling yard ['mɑːʃlɪŋ,jɑːd] *n ж.-д.* сортировочная станция.

marsh gas ['mɑːʃgæs] *n* болотный газ, метан.

marsh harrier ['mɑːʃ'hærɪə] *n* камышовый (*или* болотный) лунь (*птица*).

marshland ['mɑːʃlænd] *n* болотистая местность.

marsh mallow ['mɑːʃ'mælou] *n бот.* алтей аптечный.

marsh marigold ['mɑːʃ'mærɪgould] *n бот.* калужница болотная.

marshy ['mɑːʃɪ] *a* болотистый, топкий; болотный.

marsupial [mɑː'sjuːpjə] *зоол.* **1.** *n* сумчатое животное;
2. *a* сумчатый.

mart [mɑːt] *n поэт.* 1) рынок; 2) торговый центр; 3) аукционный зал.

marten ['mɑːtɪn] *n* куница.

martial ['mɑːʃəl] *a* 1) военный; ~ law военное положение; 2) воинственный; ~ spirit воинственный дух.

Martian ['mɑːʃjən] *n* марсианин.

martin ['mɑːtɪn] *n* городская ласточка.

martinet [,mɑːtɪ'net] *n* 1) сторонник строгой дисциплины; 2) педант.

martingale ['mɑːtɪngeɪl] *n* 1) мартингал; 2) удваивание ставки при проигрыше.

Martinmas ['mɑːtɪnməs] *n* 1) *церк.* Мартынов день (*11 ноября*); 2) = St. Martin's summer [*см.* St].

martlet ['mɑːtlɪt] *n* 1) стриж чёрный (*птица*); 2) *поэт.* ласточка.

martyr ['mɑːtə] **1.** *n* мученик; мученица; страдалец; страдалица; he was a ~ to gout он страдал подагрой;
2. *v* мучить.

martyrdom ['mɑːtədəm] *n* 1) мученичество; 2) мука.

martyrize ['mɑːtəraɪz] *v* мучить.

marvel ['mɑːvəl] **1.** *n* 1) чудо; диво; he's a perfect ~ он необыкновенный человек; 2) замечательная вещь; 3) *уст.* удивление;
2. *v* удивляться, изумляться; восхищаться (at).

marvellous ['mɑːvɪləs] **1.** *a* изумительный, удивительный;
2. *n* (the ~) чудесное; непостижимое.

Marxian ['mɑːksjən] **1.** *a* марксистский;
2. *n* марксист.

Marxism ['mɑːksɪzəm] *n* марксизм.

Marxism-Leninism ['mɑːksɪzəm'leninɪzəm] *n* марксизм-ленинизм.

Marxist ['mɑːksɪst] **1.** *n* марксист;
2. *a* марксистский.

marzipan [,mɑːzɪ'pæn] = marchpane.

mascara [mæs'kɑːrə] *n* краска для ресниц и бровей.

mascot ['mæskət] *n* талисма́н; челове́к *или* вещь, принося́щие сча́стье.

masculine ['mɑːskjulin] **1.** *n* 1) *грам.* мужско́й род; 2) сло́во мужско́го ро́да; **2.** *a* 1) мужско́й; 2) му́жественный; 3) мужеподо́бная (*о женщине*).

masculinity [,mæskju'liniti] *n* му́жественность.

mash [mæʃ] **1.** *n* 1) су́сло; 2) по́йло из отрубе́й; 3) (карто́фельное) пюре́; 4) меша́нина; 5) *хим.* пу́льпа; 6) *тех.* зато́р; **2.** *v* 1) зава́ривать (*солод*) кипятко́м; 2) разда́вливать, размина́ть.

mashed potatoes ['mæʃtpə'teitouz] *n pl* карто́фельное пюре́.

masher ['mæʃə] *n* 1) щёголь, фат; 2) дон-жуа́н, сердцее́д; 3) *амер. sl.* мужчи́на, гру́бо пристаю́щий к же́нщине.

mask [mɑːsk] **1.** *n* 1) ма́ска; личи́на; to throw off the ~ сбро́сить личи́ну; 2) ма́ска, уча́стник *или* уча́стница маскара́да; 3) нали́чник противога́за, противога́з; 4) ли́сья мо́рда (*как охотничий трофей*); **2.** *v* 1) маскирова́ть, скрыва́ть; 2) надева́ть ма́ску, притворя́ться; 3) *воен.* маскирова́ть; to ~ the fire загора́живать обстре́л.

masked [mɑːskt] **1.** *p. p. от* mask 2; **2.** *a* 1) переоде́тый, (за)маскиро́ванный; ~ ball бал-маскара́д; 2) *воен.* замаскиро́ванный.

masker ['mɑːskə] = masquer.

mason ['meisn] **1.** *n* 1) ка́менщик; камено-тёс; ~'s float тёрка; ~'s rule прави́ло; 2) (M.) масо́н; **2.** *v* стро́ить из ка́мня *или* кирпича́, вести́ кла́дку.

masonic [mə'sɔnik] *a* масо́нский.

masonry ['meisnri] *n* 1) ка́менная *или* кирпи́чная кла́дка; 2) (M.) масо́нство.

masque [mɑːsk] *n* ма́ска (*драматический жанр XVI—XVII вв.*).

masquer ['mɑːskə] *n* уча́стник ба́ла-маскара́да *или* ма́ски [*см.* masque].

masquerade [,mæskə'reid] **1.** *n* маскара́д; **2.** *v* 1) уча́ствовать в маскара́де; маскирова́ться; 2) притворя́ться; выдава́ть себя́ за кого́-л.

mass I [mæs] *n* ме́сса, обе́дня.

mass II [mæs] **1.** *n* 1) ма́сса; 2) гру́да; мно́жество; in the ~ в це́лом; 3) бо́льшая часть (*чего-л.*); 4) (the ~es) *pl* наро́дные ма́ссы; 5) *attr.* ма́ссовый; a ~ meeting ма́ссовый ми́тинг; ~ production пото́чное (*или* сери́йное) произво́дство; ◊ ~ of manoeuvre *воен.* мане́вренный кула́к; уда́рная гру́ппа; he is a ~ of bruises он весь в синяка́х; **2.** *v* 1) собира́ть(ся) в ку́чу; 2) *воен.* масси́ровать, сосредото́чивать.

massacre ['mæsəkə] **1.** *n* резня́; избие́ние, бо́йня; ~ of St Bartholomew *ист.* Варфоло-ме́евская ночь; **2.** *v* устра́ивать резню́.

massage ['mæsɑːʒ] *фр.* **1.** *n* масса́ж; **2.** *v* масси́ровать, де́лать масса́ж.

masseur [mæ'sə:] *фр. n* массажи́ст.

masseuse [mæ'sə:z] *фр. n* массажи́стка.

massicot ['mæsikɔt] *n* массико́т, о́кись свинца́ (*жёлтая краска*).

massif ['mæsiːf] *n* го́рный масси́в.

massive ['mæsiv] *a* 1) масси́вный, соли́дный; тяжёлый, пло́тный; 2) кру́пный; масси́рованный.

mass-produced ['mæsprə,djuːst] *a* сери́йного произво́дства.

mass-spectrograph ['mæs'spektrougrɑːf] *n физ.* масс-спектро́граф.

mass-spectrometer ['mæsspek'trɔmitə] *n физ.* масс-спектро́метр.

massy ['mæsi] *a* соли́дный, масси́вный.

mast I [mɑːst] *n с.-х.* плодоко́рм.

mast II [mɑːst] **1.** *n* 1) ма́чта; 2) *attr.* ма́чтовый; ◊ to serve (*или* to sail) before the ~ служи́ть просты́м матро́сом; **2.** *v* ста́вить ма́чту.

-masted [-'mɑːstid] *в сложных словах* -ма́чтовый; three-~ трёхма́чтовый.

master ['mɑːstə] **1.** *n* 1) хозя́ин, владе́лец; господи́н; ~ of the house глава́ семьи́; to be ~ of smth. владе́ть, облада́ть чем-л.; to be one's own ~ быть самостоя́тельным, незави́симым; 2) вели́кий худо́жник, ма́стер; old ~s a) ста́рые мастера́; б) карти́ны ста́рых мастеро́в; 3) ма́стер; квалифици́рованный рабо́чий; ~ of fence иску́сный фехтова́льщик; *перен.* спо́рщик; to make oneself ~ of smth. доби́ться соверше́нства в чём-л., овладе́ть чем-л.; 4) (шко́льный) учи́тель; 5) глава́ колле́джа; 6) капита́н торго́вого су́дна (*тж.* ~ mariner); 7) маги́стр (*учёная степень*); *напр.*: M. of Arts (*сокр.* M. A.) маги́стр иску́сств, маги́стр гуманита́рных нау́к; 8) ма́стер, господи́н (*в обращении к юноше; ставится перед именем или перед фамилией старшего сына, напр.*, M. John, M. Jones); 9) пе́рвый оригина́л (*в звукозаписи*); 10) *attr.* гла́вный, веду́щий; руководя́щий; ~ form *тех.* копи́р; шабло́н; ~ station *радио* веду́щая *или* задаю́щая радиопеленга́торная ста́нция; ◊ to be ~ of oneself прекра́сно владе́ть собо́й; **2.** *v* 1) одоле́ть; подчини́ть себе́; спра́виться; 2) владе́ть, овладева́ть (*чувствами, языком, музыкальным инструментом и т. п.*); 3) преодолева́ть (*трудности*); 4) руководи́ть, управля́ть.

masterful ['mɑːstəful] *a* 1) вла́стный, деспоти́ческий; 2) уве́ренный; 3) мастерско́й.

master-key ['mɑːstəki] *n* отмы́чка.

masterliness ['mɑːstəlinis] *n* мастерство́, соверше́нство.

masterly ['mɑːstəli] **1.** *a* мастерско́й; соверше́нный; **2.** *adv* мастерски́.

mastermind ['mɑːstəmaind] **1.** *n* 1) выдаю́щийся ум; 2) руково́дство (*особ.* скры́тое, та́йное); **2.** *v* управля́ть, руководи́ть (*особ.* та́йно).

Master of Ceremonies ['mɑːstərəv'seriməniz] *n* 1) церемониймейстер; 2) конферансье́.

Master of the Horse ['mɑːstərəvðə'hɔːs] *n* шталмейстер.

masterpiece ['mɑːstəpiːs] *n* шеде́вр.

mastership ['mɑːstəʃip] *n* 1) мастерство́; 2) главе́нство; 3) до́лжность учи́теля, дире́ктора *и т. п.*

master-spirit ['mɑːstə,spirit] *n* челове́к выдаю́щегося ума́.

·master-stroke ['mɑːstəstrouk] *n* 1) мастерской удар; 2) ловкий ход.

mastery ['mɑːstərɪ] *n* 1) мастерство; совершённое владение (*предметом*); the ~ of technique овладение техникой (*чего-л.*); 2) господство, власть; ~ of the air господство в воздухе.

mast-head ['mɑːsthed] *мор.* 1. *n* топ мачты;
2. *v* 1) посылать на топ мачты (*в наказание*); 2) поднимать на стеньгах.

mastic ['mæstɪk] *n* 1) мастика; 2) смола мастикового дерева; 3) мастиковое дерево; 4) бледно-жёлтый цвет.

masticate ['mæstɪkeɪt] *v* 1) месить; 2) жевать.

mastication [,mæstɪ'keɪʃən] *n* 1) мастикация; 2) жевание.

masticator ['mæstɪkeɪtə] *n* 1) тот, кто жуёт; 2) месилка, месильная машина.

masticatory ['mæstɪkətərɪ] *a* жевательный; ~ stomach жевательный желудок.

mastiff ['mæstɪf] *n* мастиф (*английский дог*).

mastitis [mæs'taɪtɪs] *n мед.* воспаление грудных желёз, грудница, мастит.

mastodon ['mæstədən] *n* мастодонт.

masturbation [,mæstə'beɪʃən] *n* мастурбация.

masurium [mə'zuːrɪəm] *n хим.* мазурий.

mat I [mæt] 1. *n* 1) мат; циновка; рогожа; коврик; 2) клеёнка *или* какая-л. подстилка (*под блюдо, лампу и т. п.*); 3) спутанные волосы; колтун; 4) *амер.* = mount I, 1, 2); ◇ to leave (a person) on the ~ отказаться принять (посетителя); to have smb. on the ~ распекать, бранить кого-л.; on the ~ *sl.* в беде; в затруднении;
2. *v* 1) устилать циновками, стлать циновки; прикрывать (*растение на зиму*) рогожей; 2) спутывать(ся), сбиваться.

mat II [mæt] 1. *a* матовый, неполированный, тусклый;
2. *n* 1) паспарту; 2) матовая отделка, поверхность *или* краска);
3. *v* 1) делать матовым (*стекло, золото*); 2) делать тусклыми (*краски*).

match I [mætʃ] *n* 1) спичка; to strike a ~ зажечь спичку; 2) *воен.* запальный фитиль; огнепровод.

match II [mætʃ] 1. *n* 1) человек *или* вещь, подходящие под пару; ровня; пара; he has not his ~ ему нет равного; 2) состязание, матч; 3) равносильный, достойный противник; he is more than a ~ for me он сильнее (искуснее *и т. п.*) меня; to meet (*или* to find) one's ~ встретить достойного противника; 4) брак, партия; he (she) is a good ~ он (она) хорошая партия; to make a ~ жениться; выйти замуж;
2. *v* 1) подбирать под пару, под стать; сочетать; a well (an ill) ~ed couple хорошая (плохая) пара; 2) подходить (под пару), соответствовать; these colours don't ~ эти цвета плохо сочетаются; не гармонируют; a bonnet with ribbons to ~ шляпа с подобранными к ней (в тон) лентами; 3) противопоставлять; 4) противостоять; состязаться; 5) женить; выдавать

замуж, (со)сватать; 6) *тех.* подгонять; выравнивать; 7) *редк.* спаривать, случать.

match-board ['mætʃbɔːd] *n* шпунтовая доска.

match-box ['mætʃbɔks] *n* спичечная коробка.

matchless ['mætʃlɪs] *a* несравненный, бесподобный, непревзойдённый.

matchlock ['mætʃlɔk] *n ист.* фитильный замок.

matchlock musket ['mætʃlɔk'mʌskɪt] *n ист.* мушкет с фитильным замком.

matchmaker ['mætʃ,meɪkə] *n* сват; сваха.

match-making ['mætʃ,meɪkɪŋ] *n* сватовство.

matchwood ['mætʃwud] *n* 1) древесина, годная для производства спичек; 2) спичечная соломка; to break into ~ мелко щепать; ◇ to make ~ of smth. (of smb.) разбить вдребезги что-л. (разгромить кого-л.).

mate I [meɪt] *шахм.* 1. *n* мат; fool's ~ мат со второго хода;
2. *v* сделать мат;
3. *int* мат!

mate II [meɪt] 1. *n* 1) товарищ; 2) супруг(а); 3) самец; самка; 4) *ж.-д.* (машинист-)напарник; 5) помощник; surgeon's ~ *уст.* фельдшер; 6) *мор.* помощник капитана (*в торговом флоте*); 7) *тех.* сопряжённая деталь;
2. *v* 1) сочетать(ся) браком; 2) спаривать(ся) (*о птицах*); 3) сопоставлять, сравнивать; 4) общаться (with); 5) *тех.* сопрягать; 6) сцепляться (*о зубчатых колёсах*).

matelot ['mætlou] *фр.* = matlo(w).

matelote ['mætəlout] *фр. n* 1) *кул.* мателот; 2) матлот (*матросский танец*).

mater ['meɪtə] *n школ. sl.* мать.

material [mə'tɪərɪəl] 1. *n* 1) материал; вещество; raw ~s сырой материал, сырьё; 2) *текст.* материя;
2. *a* 1) материальный; вещественный; 2) существенный, важный.

materialism [mə'tɪərɪəlɪzəm] *n* материализм.

materialist [mə'tɪərɪəlɪst] 1. *n* материалист;
2. *a* = materialistic; ~ conception of history материалистическое понимание истории.

materialistic [mə,tɪərɪə'lɪstɪk] *a* материалистический.

materiality [mə,tɪərɪ'ælɪtɪ] *n* 1) материальность; 2) важность, существенность.

materialization [mə,tɪərɪəlaɪ'zeɪʃən] *n* материализация.

materialize [mə'tɪərɪəlaɪz] *v* 1) материализовать(ся); 2) осуществлять(ся); претворять(ся) в жизнь.

materially [mə'tɪərɪəlɪ] *adv* существенным образом.

matériel [mə,tɪərɪ'el] *фр. n* материальная часть.

maternal [mə'təːnl] *a* 1) материнский; 2) с материнской стороны; ~ uncle дядя по матери.

maternity [mə'təːnɪtɪ] *n* 1) материнство; 2) *attr.:* ~ hospital, ~ home родильный дом; ~ nurse акушёрка; ~ benefit пособие роженице; ~ leave отпуск по беременности и родам.

matey ['meɪtɪ] *a разг.* общительный, компанейский, дружественный (with).

mathematical [,mæθɪ'mætɪkəl] *a* математический.

mathematician [,mæθɪmə'tɪʃən] *n* математик.

mathematics [,mæθɪ'mætɪks] *n pl (употр. как sing)* математика.

maths [mæθs] *сокр. разг. см.* mathematics.

matin ['mætɪn] *n* 1) *поэт.* утреннее щебетание птиц; 2) *церк.* (за)утреня.

matinée ['mætɪneɪ] *фр. n* 1) дневной спектакль *или* концёрт; 2) *attr.:* ~ idol актёр, имеющий большой успёх у жёнщин.

matlo(w) ['mætlou] *n мор. sl.* матрос, матросик.

matrass ['mætrəs] *n* колба с длинным горлом; пробирка.

matriarchy ['meɪtrɪɑːkɪ] *n* матриархат.

matrices ['meɪtrɪsiːz] *pl от* matrix.

matricide ['meɪtrɪsaɪd] *n* 1) матереубийца; 2) матереубийство.

matriculate [mə'trɪkjuleɪt] 1. *v* принять *или* быть принятым в высшее учебное заведёние;
2. *n* принятый в высшее учебное заведёние.

matriculation [mə,trɪkju'leɪʃən] *n* зачислёние в высшее учебное заведёние.

matrimonial [,mætrɪ'mounjəl] *a* супружеский; матримониальный.

matrimony ['mætrɪmənɪ] *n* 1) супружество; брак; 2) *карт.* марьяж.

matrix ['meɪtrɪks] *n (pl* -ies [-ɪz], -rices) 1) *анат.* матка; 2) *биол.* межклёточное веществó ткани; 3) *тех.* матрица; фóрма; 4) *стр.* раствóр, вяжущее веществó; 5) *геол.* материнская порóда; основная масса; цементирующая среда.

matron ['meɪtrən] *n* 1) замужняя жёнщина; мать семёйства, матрóна; 2) экономка; сестра-хозяйка *(больницы и т. п.);* заведующая хозяйством *(школы и т. п.).*

matronal ['meɪtrənəl] *a* подобающий почтённой жёнщине.

matronly ['meɪtrənlɪ] = matronal.

matted I ['mætɪd] 1. *p. p. от* mat I, 2;
2. *a* 1) спутанный *(о волосах);* 2) покрытый циновками, половиками.

matted II ['mætɪd] 1. *p. p. от* mat II, 3;
2. *a* матовый.

matter ['mætə] 1. *n* 1) веществó; 2) *филос.* матёрия; 3) материал; 4) предмёт *(обсуждения и т. п.);* сущность, содержание; вопрос, дёло; a ~ of valour and heroism дёло дóблести и герóйства; it is a ~ of common knowledge это общеизвёстно; it is пó *(или* no) a laughing ~ это не шутóчное дёло, тут нёчему смеяться; a ~ of dispute спóрное дёло, спóрный вопрóс; a ~ of life and death вопрóс жизни и смёрти, жизненно важный вопрóс; a ~ of taste (habit *etc.)* дёло вкуса (привычки *и т. п.);* money ~s денёжные дела; what's the ~? в чём дёло?, что случилось?; what's the ~ with you? что с вами?; 5) повод (of, for); 6)

мед. гной; 7) *полигр.* рукопись; ◊ as ~s stand при существующем положёнии (дел); in the ~ of... что касается...; for that ~, for the ~ of that что касается этого; в этом отношёнии; коли на тó пошлó; по ~ безразлично; всё равнó, неважно; по ~ what несмотря ни на что; что бы ни было;
2. *v* 1) имёть значёние; it doesn't ~ это не имёет значёния; неважно, ничегó; 2) гнóиться.

matter of course ['mætərəv'kɔːs] *n* дёло естёственное, самó собóй разумёющееся; ясное дёло.

matter-of-course ['mætərəv'kɔːs] *a* естёственный; самó собóй разумёющийся.

matter of fact ['mætərəv'fækt] *n* реальная действительность; as a ~ a) фактически, на самом дёле; б) в сущности; собственно говоря.

matter-of-fact ['mætərəv'fækt] *a* сухóй, прозаичный; лишённый фантазии.

mattery ['mætərɪ] *a* 1) существенный, значительный; 2) *мед.* гнóйный, пóлный гнóя.

matting I ['mætɪŋ] 1. *pres. p. от* mat I, 2;
2. *n* циновка; рогóжа; *собир.* циновки.

matting II ['mætɪŋ] *pres. p. от* mat II, 3.

mattock ['mætək] *n* мотыга; киркомотыга.

mattoid ['mætɔɪd] *n* 1) человёк не в пóлном сознании; 2) паранóик.

mattress ['mætrɪs] *n* 1) матрац, тюфяк; 2) *стр.* фашинный тюфяк.

maturate ['mætjureɪt] *v мед.* созрёть; нагноиться.

maturation [,mætju'reɪʃən] *n мед.* созревание; нарывание, нагноёние.

mature [mə'tjuə] 1. *a* 1) зрёлый; спёлый; выдержанный; 2) созрёвший, готóвый *(для чего-л.);* 3) подлежащий оплате *(ввиду наступившего срока — о векселе);* 4) хорошó обдуманный;
2. *v* 1) созрёть, вполнё развиться; 2) доводить до зрёлости, до пóлного развития; to ~ schemes подрóбно разработать планы; 3) наступать *(о сроке платежа).*

maturity [mə'tjuərɪtɪ] *n* 1) зрёлость, пóлная сила; 2) завершённость; 3) *ком.* срок платежа по вёкселю.

matutinal [,mætju'taɪnl] *a* 1) утренний; 2) ранний.

maty ['meɪtɪ] = matey.

maud [mɔːd] *n* 1) сёрый полосатый плед *(шотландских пастухов);* 2) дорóжный плед.

maudlin ['mɔːdlɪn] 1. *a* 1) сентиментальный; 2) плаксивый во хмелю;
2. *n* сентиментальность.

maul [mɔːl] 1. *n* большóй мóлот;
2. *v* 1) бить мóлотом; 2) избивать, калёчить; терзать; badly ~ed by a bear сильно помятый медвёдем; 3) неумёло *или* грубо обращаться; 4) жестóко критиковать.

mauler ['mɔːlə] *n* 1) тот, кто калёчит; мучитель; 2) *амер.* боксёр.

mauley ['mɔːlɪ] *n sl.* рука, кулак.

maulstick ['mɔːlstɪk] *n жив.* муштабель.

maun [mɔːn] *шотл.* = must I.

maunder ['mɔːndə] *v* 1) дёйствовать *или* двигаться лениво, как во снё; 2) говорить несвязно; бормота́ть; ☐ ~ about, ~ along броди́ть, шата́ться.

maundy ['mɔːndi] *n рел.* 1) обря́д омове́ния ног бедняка́м на страстно́й неде́ле; 2) *attr.:* ~ money ми́лостыня, раздава́емая на страстно́й неде́ле; M. week страстна́я неде́ля; M. Thursday вели́кий четве́рг (*на страстно́й неде́ле*).

Mauser ['mauzə] *n* ма́узер.

mausoleum [,mɔːsə'liəm] *n* мавзоле́й.

mauve [mouv] *a* розова́то-лило́вый.

mavis ['meivis] *n поэт.* пе́вчий дрозд.

maw [mɔː] *n* 1) утро́ба; 2) сычу́г; 3) пла́вательный пузы́рь (*у рыб*); 4) бе́здна; пучи́на.

mawkish ['mɔːkiʃ] *a* 1) проти́вный на вкус; безвку́сный; 2) сентимента́льный, слезли́вый.

mawseed ['mɔːsiːd] *n* семена́ о́пийного ма́ка.

maxilla [mæk'silə] *n* (*pl* -lae) (ве́рхняя) че́люсть (*позвоно́чных живо́тных*).

maxillae [mæk'siliː] *pl от* maxilla.

maxillary [mæk'siləri] *a* (верхне)челюстно́й.

Maxim ['mæksim] *n* станко́вый пулемёт систе́мы Ма́ксима (*тж.* ~ machine-gun).

maxim ['mæksim] *n* 1) сенте́нция, афори́зм; 2) пра́вило поведе́ния; при́нцип.

maxima ['mæksimə] *pl от* maximum.

maximize ['mæksimaiz] *v* увели́чивать до кра́йности, до преде́ла.

maximum ['mæksiməm] 1. *n* (*pl* -ima) ма́ксимум; максима́льное значе́ние; вы́сшая сте́пень; 2. *a* максима́льный.

maxwell ['mækswəl] *n эл.* ма́ксвелл.

May [mei] *n* 1) май; *перен.* расцве́т жи́зни; 2) (m.) цвето́к боя́рышника; 3) *pl* ма́йские экза́мены (*в Ке́мбридже*); 4) *pl* гребны́е го́нки (*в конце́ ма́я или в нача́ле ию́ня*); 5) *attr.* ма́йский; 6) *attr.* первома́йский.

may I [mei] *v* (might) *модальный недостаточный глагол* 1) мочь, име́ть возмо́жность; it ~ be so возмо́жно, что э́то так; he ~ arrive tomorrow возмо́жно, что он прие́дет за́втра; the train ~ be late по́езд мо́жет опозда́ть; по́езд, возмо́жно, опозда́ет; 2) *выража́ет про́сьбу или разреше́ние:* ~ I come and see you? могу́ ли я зайти́ повида́ть вас?; you ~ go if you choose вы мо́жете идти́, е́сли хоти́те; 3) *в восклица́тельных предложе́ниях выража́ет пожела́ние:* ~ theirs be a happy meeting! пусть их встре́ча бу́дет счастли́вой!; 4) *в вопроси́тельных предложе́ниях употребля́ется для смягче́ния ре́зкости задава́емого вопро́са:* who ~ that be? кто бы э́то мог быть?; 5) *употребля́ется как вспомога́тельный глаго́л для образова́ния сло́жной фо́рмы сослага́тельного наклоне́ния:* whoever he ~ be he has no right to speak like that кто бы он ни́ был, он не име́ет пра́ва говори́ть подо́бным о́бразом; ◇ be that as it ~ как бы то ни́ было.

may II [mei] *n поэт.* де́ва.

May-apple ['mei'æpl] *n бот.* подофи́л, мандраго́ра.

maybe ['meibi] *adv* мо́жет быть.

may-bloom ['mei'bluːm] *n* цвето́к боя́рышника.

May-bug ['meibʌg] *n* ма́йский жук.

May Day ['meidei] *n* пра́здник Пе́рвого ма́я.

mayflower ['mei,flauə] *n* 1) ма́йник; ла́ндыш; 2) цвето́к боя́рышника.

mayfly ['meiflai] *n* 1)=caddis fly; 2) иску́сственная нажи́вка рыболо́ва.

mayhem ['meihem] *n юр. ист.* нанесе́ние уве́чья.

mayling ['meiliŋ] *n* пра́здник ма́я, весны́.

may-lily ['mei'lili] *n* ла́ндыш.

mayonnaise [,meiə'neiz] *фр. n* майоне́з.

mayor [mɛə] *n* мэр.

mayoralty ['mɛərəlti] *n* 1) до́лжность мэ́ра; 2) срок пребыва́ния в до́лжности мэ́ра.

mayoress ['mɛəris] *n* 1) жена́ мэ́ра; 2) же́нщина-мэр.

maypole ['meipoul] *n* 1) ма́йское де́рево (*укра́шенный цвета́ми столб, вокру́г кото́рого танцу́ют 1 ма́я в А́нглии*); 2) *разг.* верзи́ла, каланча́.

May-queen ['mei'kwiːn] *n* де́вушка, и́збранная за красоту́ «короле́вой ма́я» (*в ма́йских и́грах*).

mayweed ['meiwiːd] *n бот.* пупа́вка воню́чая, соба́чья рома́шка.

mazarine [,mæzə'riːn] 1. *n* тёмно-си́ний цвет; 2. *a* тёмно-си́ний.

maze [meiz] 1. *n* 1) лабири́нт; 2) пу́таница; 2. *v* ста́вить в тупи́к, приводи́ть в замеша́тельство.

mazer ['meizə] *n ист.* ча́ша, ку́бок (*из де́рева с сере́бряными украше́ниями*).

mazurka [mə'zəːkə] *польск. n* мазу́рка.

mazy ['meizi] *a* запу́танный.

M-day ['emdei] *n амер.* пе́рвый день мобилиза́ции.

me [miː] *pron. pers.* косв. падеж от I.

mead I [miːd] *n* мёд (*напи́ток*).

mead II [miːd] *n поэт.* луг.

meadow ['medou] *n* луг, лугови́на.

meadow-grass ['medougrɑːs] *n бот.* мя́тлик лугово́й.

meadow-rue ['medou'ruː] *n бот.* васили́сник.

meadow-saffron ['medou'sæfrən] *n бот.* безвре́менник осе́нний.

meadow-saxifrage ['medou'sæksifridʒ] *n бот.* камнело́мка зерни́стая.

meadow-sweet ['medouswiːt] *n бот.* 1) та́волга; 2) лаба́зник (вязоли́стный).

meadowy ['medoui] *a* 1) лугово́й; 2) бога́тый луга́ми (*о ме́стности*).

meagre ['miːgə] *a* 1) худо́й; то́щий; 2) недоста́точный; ску́дный; 3) по́стный; 4) бе́дный содержа́нием; ограни́ченный.

meal I [miːl] 1. *n* мука́ кру́пного помо́ла; 2. *v* посыпа́ть муко́й, обва́ливать в муке́.

meal II [miːl] 1. *n* 1) приня́тие пи́щи; еда́; 2) удо́й; 2. *v* принима́ть пи́щу, есть.

mealies ['miːliz] *n pl южно-афр.* ма́ис.

mealiness ['miːlinis] *n* 1) мучни́стость; 2) рассы́пчатость (*карто́феля*).

mealtime ['mɪːltaɪm] *n* вре́мя приня́тия пи́щи (*обеда, ужина и т. п.*).

meal-worm ['mɪːlwəːm] *n* хруща́к мучно́й.

mealy ['mɪːlɪ] *a* 1) мучно́й, мучни́стый; 2) ры́хлый; рассы́пчатый (*о картофеле*); 3) бле́дный; сло́вно покры́тый муко́й; 4) сладкоречи́вый, неи́скренний.

mealy-bug ['mɪːlɪbʌg] *n зоол.* мучни́стый червёц.

mealy-mouthed ['mɪːlɪmauðd] *a* сладкоречи́вый, неи́скренний.

mean I [mɪːn] *a* 1) посре́дственный; плохо́й; сла́бый; по ~ значи́тельный; по ~ abilities хоро́шие спосо́бности; 2) ни́зкий, по́длый, нече́стный; 3) *амер. разг.* скро́мный, смуща́ющийся; to feel ~ чу́вствовать себя́ нева́жно, нело́вко; 4) скупо́й, скаре́дный.

mean II [mɪːn] **1.** *n* 1) середи́на; the golden (*или* happy) ~ золота́я середи́на; 2) *мат.* сре́днее число́; 3) *pl* (*тж. как sing*) сре́дство; спо́соб; the ~s of communication сре́дства сообще́ния; the ~s of circulation *эк.* сре́дства обраще́ния; the ~s of payment *эк.* платёжные сре́дства; the ~s and instruments of production ору́дия и сре́дства произво́дства; 4) *pl* сре́дства, состоя́ние, бога́тство; ~s of subsistence сре́дства к существова́нию; a man of ~s челове́к со сре́дствами, состоя́тельный челове́к; ◇ by all ~s а) любы́м спо́собом; б) любо́й цено́й, во что бы то ни ста́ло; в) коне́чно, пожа́луйста; by any ~s каки́м бы то ни́ было о́бразом; by ~s of... посре́дством...; by no ~s нико́им о́бразом; ни в ко́ем слу́чае; ниско́лько, отню́дь не: it is by no ~s cheap э́то отню́дь не дёшево; ~s test прове́рка нужда́емости;
2. *a* сре́дний; ~ line *мат.* биссектри́са; ~ time сре́днее (*или* со́лнечное) вре́мя; ~ water норма́льный у́ровень воды́; межень; ~ yield сре́дний урожа́й; ◇ in the ~ time тем вре́менем; ме́жду тем.

mean III [mɪːn] *v* (meant) 1) намерева́ться; име́ть в виду́; I didn't ~ to offend you я не хоте́л вас оби́деть; to ~ business *разг.* а) бра́ться (*за что-л.*) серьёзно, реши́тельно; б) говори́ть всерьёз; to ~ mischief а) име́ть дурны́е наме́рения; б) предвеща́ть дурно́е; to ~ well (ill) име́ть до́брые (дурны́е) наме́рения; 2) предназнача́ть(ся); to ~ it to be used предназнача́ть для по́льзования; 3) ду́мать, подразумева́ть; what do you ~ by that? а) что вы э́тим хоти́те сказа́ть?; б) почему́ вы поступа́ете так?; what did you ~ by looking at me like that? в чём де́ло? Почему́ ты на меня́ так посмотре́л?; 4) зна́чить, означа́ть, име́ть значе́ние.

meander [mɪ'ændə] **1.** *n* 1) *pl* извили́на (*дороги, реки*); 2) меа́ндр (*орнамент*);
2. *v* 1) извива́ться (*о реке, дороге*); 2) броди́ть без це́ли (*тж.* ~ along).

meaning ['mɪːnɪŋ] **1.** *pres. p. om* mean III;
2. *n* значе́ние; смысл; with ~ многозначи́тельно;
3. *a* зна́чащий; (мно́го)значи́тельный; вырази́тельный.

meaningless ['mɪːnɪŋlɪs] *a* бессмы́сленный.

meaningly ['mɪːnɪŋlɪ] *adv* 1) многозначи́тельно; 2) созна́тельно, наро́чно.

meanly ['mɪːnlɪ] *adv* 1) по́дло, ни́зко; 2) сла́бо, посре́дственно.

meanness ['mɪːnnɪs] *n* 1) ни́зость, по́длость; 2) убо́жество, посре́дственность.

mean-spirited ['mɪːn'spɪrɪtɪd] *a* по́длый, ни́зкий; ~ fellow подле́ц.

meant [ment] *past и p. p. om* mean III.

meantime ['mɪːn'taɪm] *adv* тем вре́менем; ме́жду тем.

meanwhile ['mɪːn'waɪl] = meantime.

mease [mɪːz] *n* 500 штук рыб, сельде́й (*как едини́ца ме́ры*).

measles ['mɪːzlz] *n pl* (*употр. как sing*) 1) корь; 2) *зоол.* фи́нны.

measly ['mɪːzlɪ] *a* 1) корево́й; 2) заражённый трихи́нами *или* фи́ннами (*о мясе*); 3) *разг.* презре́нный; него́дный; жа́лкий.

measurable ['meʒərəbl] *a* 1) измери́мый; in the ~ future в недалёком бу́дущем; within ~ distance of побли́зости от; 2) уме́ренный; не осо́бенно большо́й.

measurably ['meʒərəblɪ] *adv* до изве́стной сте́пени, в изве́стной ме́ре.

measure ['meʒə] **1.** *n* 1) ме́ра; dry (linear, liquid, square, *etc.*) ~s ме́ры сыпу́чих тел (длины́, жи́дкостей, пове́рхности *и т. п.*); to set ~s to smth. ограни́чивать что-л., ста́вить преде́л чему́-л.; beyond ~, out of ~ чрезме́рно; чрезвыча́йно; in a ~, in some ~ до не́которой сте́пени, отча́сти; full ~ по́лная ме́ра; short ~ непо́лная ме́ра; a limited ~ of success непо́лный, относи́тельный успе́х; 2) ме́рка; made to ~ сши́тый по ме́рке, сде́ланный на зака́з; to take smb.'s ~ снима́ть чью-л. ме́рку; *перен.* присма́триваться к кому́-л.; определя́ть чей-л. хара́ктер; 3) масшта́б, мери́ло, крите́рий; ~ of value мери́ло сто́имости; 4) ме́ра, мероприя́тие; to take (drastic) ~s приня́ть (реши́тельные, круты́е) ме́ры; 5) *мат.* дели́тель; greatest common ~ о́бщий наибо́льший дели́тель; 6) *прос. метр*, разме́р; 7) *муз.* такт; 8) *уст.* та́нец; 9) *pl геол.* пласты́ определённой геологи́ческой форма́ции; сви́та; 10) *полигр.* ширина́ столбца́;
2. *v* 1) измеря́ть, ме́рить; отмеря́ть (*тж.* ~ off); 2) снима́ть ме́рку; to ~ a person with one's eye сме́рить кого́-л. взгля́дом; 3) оце́нивать, определя́ть (*характер и т. п.*); 4) име́ть разме́ры; the house ~s 60 feet long дом име́ет 60 фу́тов в длину́; 5) поме́ряться си́лами (with, against ~c); to ~ swords (with) скрести́ть мечи́ (с); поме́ряться си́лами (с); 6) *поэт.* покрыва́ть (*расстояние*); □ ~ off отмеря́ть; ~ out отмеря́ть, выдава́ть по ме́рке; распределя́ть; ~ up (to; *иногда тж.* with) а) достига́ть (*уровня*); б) соотве́тствовать, отвеча́ть (*требованиям*); в) опра́вдывать (*надежды*); ◇ to ~ one's length растяну́ться во весь рост.

measured ['meʒəd] **1.** *p. p. om* measure 2;
2. *a* 1) изме́ренный; ~ profile *тех.* про́филь, сня́тый с нату́ры; 2) обду́манный,

взвешенный (*о речи*); 3) размеренный, ритмичный; ~ tread мерная поступь.

measureless ['meʒəlɪs] *a* безмерный; безграничный, неизмеримый.

measurement ['meʒəmənt] *n* 1) измерение (*действие*); 2) (*обыкн. pl*) размеры; 3) система мер; 4) *attr.*: ~ goods товары, плата за перевозку которых взимается не по весу, а по размеру.

measurer ['meʒərə] *n* измерительный прибор, измеритель.

meat [miːt] *n* 1) мясо; 2) *уст.* пища; 3) *уст.* еда; at ~ за едой, за столом; after ~ после еды; before ~ перед едой; 4) пища для размышлений; содержание; a book full of ~ содержательная книга; ◇ green ~ зелень, овощи; to be ~ and drink to smb. представлять большое удовольствие для кого-л.; ≅ хлебом не корми; one man's ~ is another man's poison *посл.* что полезно одному, то вредно другому.

meat-chopper ['miːt,tʃɔpə] *n* мясорубка.

meat-fly ['miːtflaɪ] *n* мясная муха.

meat-grinder ['miːt,graɪndə] *амер.* = meat-chopper.

meat-offering ['miːt,ɔfərɪŋ] *n библ.* жертвоприношение из муки с растительным маслом.

meat-safe ['miːtseɪf] *n* холодильник, рефрижератор.

meaty ['miːtɪ] *a* 1) мясной; 2) мясистый; 3) дающий пищу уму, содержательный (*о книге, разговоре*).

meccano [mə'kænou] *n* конструктор (*детская игрушка*).

mechanic [mɪ'kænɪk] **1.** *n* 1) механик; 2) ремесленник; мастеровой;
2. *a уст.* механический.

mechanical [mɪ'kænɪkəl] *a* 1) машинный; 2) механический; ~ engineer инженер-механик; ~ skill технический навык; ~ powers простейшие машины; 3) машинальный; 4) *филос.* механистический.

mechanician [,mekə'nɪʃən] *n* 1) конструктор-машиностроитель; 2) механик.

mechanics [mɪ'kænɪks] *n pl* (*употр. как sing*) механика.

mechanism ['mekənɪzəm] *n* 1) механизм, аппарат, устройство; *редк.* конструкция; 2) техника (*музыканта и т. п.*); 3) *филос.* механицизм.

mechanist ['mekənɪst] *n филос.* механист.

mechanistic [,mekə'nɪstɪk] *a филос.* механистический.

mechanization [,mekənaɪ'zeɪʃən] *n* механизация; моторизация.

mechanize ['mekənaɪz] *v* механизировать.

Mechlin ['meklɪn] *n* брабантское кружево (*тж.* ~ lace).

medal ['medl] *n* медаль; орден.

medalled ['medld] *a* 1) награждённый медалью *или* орденом; 2) украшенный, увешанный медалями *или* орденами.

medallion [mɪ'dæljən] *n* медальон.

medallist ['medlɪst] *n* 1) медальер; 2) получивший медаль, медалист.

meddle ['medl] *v* вмешиваться (with, in — во что-л.); соваться не в своё дело.

meddler ['medlə] *n* беспокойный, надоедливый, вмешивающийся во всё человек.

meddlesome ['medlsəm] *a* вмешивающийся не в свои дела, надоедливый.

Medea [mɪ'dɪə] *n миф.* Медея.

media I ['medɪə] *n* (*pl* -ae) 1) *фон.* звонкий согласный; 2) *анат.* средняя оболочка стенки кровеносного сосуда.

media II ['miːdjə] *pl от* medium 1.

mediae ['miːdiː] *pl от* media I.

mediaeval [,medɪ'iːvəl] = medieval.

medial ['miːdjəl] *a* 1) средний; ~ alligation *мат.* вычисление средних; 2) срединный.

median ['miːdjən] **1.** *a* срединный;
2. *n* 1) *мат.* медиана; 2) *анат.* срединная артерия.

mediastinum [,miːdɪæs'taɪnəm] *n анат.* средостение.

mediate 1. *a* ['miːdɪɪt] 1) промежуточный; посредствующий; 2) опосредствованный; не непосредственный;
2. *v* ['miːdɪeɪt] 1) посредничать; 2) служить связью; 3) занимать промежуточное положение.

mediation [,miːdɪ'eɪʃən] *n* посредничество.

mediatize ['miːdɪətaɪz] *v ист.* аннексировать, присоединять (*территорию*), сохраняя за прежним владетельным лицом титул и некоторые права.

mediator ['miːdɪeɪtə] *n* посредник, примиритель.

mediatorial [,miːdɪə'tɔːrɪəl] *a* посреднический.

mediatory ['miːdɪətərɪ] = mediatorial.

mediatrix [,miːdɪ'eɪtrɪks] *n* посредница, примирительница.

medic ['medɪk] **1.** *a поэт.* медицинский;
2. *n редк.* 1) врач, медик; 2) *амер. sl.* студент медицинского факультета.

medicable ['medɪkəbl] *a* излечимый, поддающийся излечению.

medical ['medɪkəl] **1.** *a* 1) врачебный, медицинский; ~ garden сад для выращивания лекарственных растений; ~ history а) история болезни; б) история медицины; jurisprudence судебная медицина; ~ man врач; ~ woman женщина-врач; ~ service а) медицинское обслуживание; б) санитарная часть; 2) терапевтический; ~ ward терапевтическое отделение больницы;
2. *n разг.* студент-медик.

medicament [me'dɪkəmənt] *n* лекарство.

medicaster ['medɪkæstə] *n редк.* знахарь.

medicate ['medɪkeɪt] *v* 1) лечить лекарствами; 2) насыщать, пропитывать лекарством.

medication [,medɪ'keɪʃən] *n* лечение.

medicative ['medɪkeɪtɪv] *a* лечебный, целебный; ~ herb лечебная трава; ~ plant лечебное (*или* лекарственное) растение.

medicinal [me'dɪsɪnl] *a* лекарственный; целебный.

medicine ['medsɪn] **1.** *n* 1) медицина, *особ.* терапия; 2) лекарство; to take one's ~ а) принять лекарство; б) *шутл.* глотнуть спиртного; в) понести заслуженное наказание; г) покориться неизбежности, стойко перенести что-л.; 3) колдовство, магия; 4) талисман, амулет;
2. *v уст.* лечить, давать лекарство.

medicine bag ['medsɪnbæg] *n* санитáрная сýмка.

medicine chest ['medsɪntʃest] *n* домáшняя аптéчка; ящик с медикамéнтами.

medicine dropper ['medsɪn‚drɔpə] *n* пипéтка.

médicine glass ['medsɪnglɑːs] *n* мензýрка.

medicine-man ['medsɪnmæn] *n* знáхарь, шамáн.

medico ['medɪkou] *n* (*pl* -os [-ouz]) *шутл.* дóктор.

medieval [‚medɪ'ɪːvəl] *a* средневекóвый.

medievalism [‚medɪ'ɪːvlɪzəm] *n* 1) средневекóвье; 2) увлечéние средневекóвьем.

medievalist [‚medɪ'ɪːvəlɪst] *n* специалúст по истóрии срéдних веков.

mediocre ['mɪːdɪoukə] *a* посрéдственный; ~ crop посрéдственный урожáй.

mediocrity [‚mɪːdɪ'ɔkrɪtɪ] *n* посрéдственность.

meditate ['medɪteɪt] *v* 1) размышлять, обдýмывать (on, upon); 2) замышлять.

meditation [‚medɪ'teɪʃ ən] *n* 1) размышлéние; 2) созерцáние.

meditative ['medɪtətɪv] *a* созерцáтельный; задýмчивый.

mediterranean [‚medɪtə'reɪnjən] **1.** *a* 1) удалённый от берегóв мóря; 2) внýтренний (*о море*);
2. *n*: the M. Средизéмное мóре; the M. area бассéйн Средизéмного мóря.

medium ['mɪːdjəm] **1.** *n* (*pl* -s [-z], -dia) 1) середúна, промежýточная ступéнь, срéднее числó; happy ~ золотáя середúна; 2) срéдство, спóсоб; ~ of circulation дéньги, срéдство обращéния; through (*или* by) the ~ of... чéрез посрéдство...; 3) обстанóвка, услóвия (*жизни*); 4) *физ.* средá; 5) агéнт, посрéдник; 6) мéдиум (*у спирúтов*); 7) *жив.* растворúтели (*краски*);
2. *a* 1) срéдний; промежýточный; ~ wave *радио* волнá срéдней длины (*от 100 до 800 метров*); 2) умéренный; 3) *воен.* среднекалúберный.

medlar ['medlə] *n* *бот.* мушмулá гермáнская.

medley ['medlɪ] **1.** *n* 1) смесь; мéсиво, мешанúна; 2) смéшанное óбщество; разношёрстная толпá; 3) *муз.* попуррú; 4) литератýрная смесь;
2. *a* смéшанный, разнорóдный, пёстрый;
3. *v* смéшивать, перемéшивать.

medulla [me'dʌlə] *n* 1) кóстный мозг; 2) спиннóй мозг; 3) продолговáтый мозг; 4) моровóй слой пóчки; 5) *бот.* сердцевúна.

medullary [me'dʌlərɪ] *a* 1) *анат.* мозговóй; модулярный; 2) *бот.* сердцевúнный.

medusa [mɪ'djuːzə] *n* (*pl* -ae, -s [-z]) *зоол.* медýза.

medusae [mɪ'djuːzɪ] *pl* *от* medusa.

meed [mɪːd] *n* *поэт.* 1) нагрáда; 2) заслýженная похвалá.

meek [mɪːk] *a* крóткий, мягкий; смирéнный.

meekness ['mɪːknɪs] *n* крóтость, мягкость.

meerschaum ['mɪəʃəm] *нем.* *n* 1) морскáя пéнка; 2) пéнковая трýбка.

meet I [mɪːt] **1.** *v* (met) 1) встречáть;

2) встречáться, собирáться; we seldom ~ мы рéдко вúдимся; 3) сходúться; my waistcoat won't ~ мой жилéт не схóдится; to make both ends ~ сводúть концы с концáми; 4) впадáть (*о реке*); 5) дрáться на дуэли; 6) знакóмиться; please ~ Mr X позвóльте познакóмить вас с мúстером X; 7) удовлетворять (*желания, требования*); to ~ the case отвечáть предъявляемым трéбованиям, соотвéтствовать; 8) оплáчивать; to ~ a bill оплатúть счёт; he has many expenses to ~ он несёт большúе расхóды; 9) опровергáть (*возражение*); □ ~ · together собирáться, сходúться; ~ with a) испытáть, подвéргнуться; б) встрéтиться с; наткнýться на; в) найтú; ◇ well met! *уст.* добрó пожáловать!; рад нáшей встрéче!; to ~ one's ear дойтú до слýха; быть слышным; to ~ smb. half-way пойтú навстрéчу комý-л., пойтú на компромúсс, на устýпки; to ~ a difficulty (trouble) half-way терзáться преждеврéменными сомнéниями, опасéниями *и т. п.* по пóводу ожидáемых трýдностей (несчáстья);
2. *n* мéсто сбóра (*охотников, велосипедистов и т. п.*).

meet II [mɪːt] *a* *уст.* подобáющий, подходящий.

meeting ['mɪːtɪŋ] **1.** *pres. p. от* meet I, 1;
2. *n* 1) мúтинг; собрáние, заседáние; to address the ~ обратúться с рéчью к собрáнию; 2) встрéча; 3) дуэль; 4) *спорт.* встрéча, состязáние; 5) *ж.-д.* разъéзд; 6) *тех.* стык, соединéние; 7) *attr.* встрéчный; ~ engagement *амер.* встрéчный бой; ~ point мéсто встрéчи.

meeting-house ['mɪːtɪŋhaus] *n* молúтвенный дом.

mega- ['megə-] = megalo-.

megacycle ['megə‚saɪkl] *n* мегагéрц (= *1 миллиону герц*).

megalith ['megəlɪθ] *n* *археол.* мегалúт.

megalo- ['megəlou-] *греч. в сложных словах означает*: а) *большой размер, грандиозность и т. п.*; б) *в физической терминологии меру, в миллион раз большую, чем основная мера*.

megalomania ['megəlou'meɪnjə] *n* мегаломáния, мáния величúя.

megaphone ['megəfoun] **1.** *n* мегафóн, рýпор;
2. *v* говорúть в рýпор.

megascope ['megəskoup] *n* *физ.* мегаскóп.

megascopic [‚megə'skɔpɪk] *a* 1) увелúченный; 2) вúдимый невооружённым глáзом.

megatherium [‚megə'θɪərɪəm] *n* *палеонт.* мегатéрий.

megaton ['megətʌn] *n* мегатóн (=*1 миллиону тонн*); a ten-~ nuclear bomb (термо-)ядерная бóмба с тротúловым эквивалéнтом в 10 мегатóн (*10 миллионов тонн*).

megawatt ['megəwɔt] *n* *эл.* мегавáтт (=*1 миллиону ватт*).

megger ['megə] *n* *эл.* мéггер.

megilp [mə'gɪlp] *n* *жив.* мастúчный лак (*растворитель для масляных красок*).

megohm ['megoum] *n* *эл.* мегóм (=*1 миллиону омов*).

megrim ['mɪ:grɪm] *n* 1) мигрень; 2) *pl* уныние; 3) *pl вет.* колер (*лошадей*); вертячка, ценуроз (*овец*); 4) прихоть, каприз, причуда.

melancholia [,melən'kouljə] *n* меланхолия.

melancholic [,melən'kɔlɪk] *a* подверженный меланхолии; меланхолический.

melancholy ['melənkəlɪ] 1. *n* уныние, подавленность; грусть;
2. *a* 1) мрачный, подавленный; 2) грустный; наводящий уныние.

meld [meld] *v карт.* объявлять.

mêlée ['meleɪ] *фр. n* рукопашная схватка, свалка.

melinite ['melɪnaɪt] *n* мелинит (*взрывчатое вещество*).

meliorate ['mi:lɪəreɪt] *v* 1) улучшать(ся); 2) мелиорировать.

melioration [,mi:lɪə'reɪʃən] *n* 1) улучшение; 2) мелиорация.

meliorative ['mi:lɪəreɪtɪv] *a* 1) улучшающий; 2) мелиоративный.

melliferous [me'lɪfərəs] *a* медоносный.

mellifluence [me'lɪfluəns] *n* медоточивость.

mellifluent [me'lɪfluənt] *a* медоточивый; сладкозвучный, ласкающий слух.

mellifluous [me'lɪfluəs] = mellifluent.

mellow ['melou] 1. *a* 1) спелый; зрелый, сладкий и сочный (*о фруктах*); 2) приятный на вкус; выдержанный (*о вине*); 3) мягкий, сочный, густой (*о голосе, цвете и т. п.*); 4) плодородный, жирный, рассыпчатый (*о почве*); 5) добродушный; 6) *разг.* подвыпивший;
2. *v* 1) смягчать(ся); 2) делать(ся) спелым, сочным; созревать; 3) разрыхлять (-ся) (*о почве*).

mellowness ['melounɪs] *n* 1) спелость, зрелость; 2) мягкость, сочность.

melodic [mɪ'lɔdɪk] *a* мелодический, мелодичный.

melodious [mɪ'loudjəs] *a* 1) мелодичный; 2) мягкий, нежный, певучий; 3) музыкальный (*о пьесе*).

melodist ['melədɪst] *n* 1) композитор; 2) певец.

melodize ['melədaɪz] *v* 1) делать мелодичным; 2) сочинять мелодии.

melodrama ['melə,drɑ:mə] *n* 1) мелодрама; 2) театральность (*в манерах*).

melody ['melədɪ] *n* 1) мелодия; 2) мелодичность.

melon ['melən] *n* 1) дыня; 2) = water-~; 3) *амер. sl.* тантьема; прибыль; to cut (*или* to slice) the ~ распределять дополнительные дивиденды между пайщиками; распределять крупные выигрыши между игроками.

Melpomene [mel'pɔmɪni:] *n миф.* Мельпомена.

melt [melt] 1. *v* 1) таять; 2) плавить(ся); растапливать(ся); 3) растворять(ся); 4) *перен.* смягчать(ся); слабеть, уменьшаться; 5) (*незаметно*) переходить (*о другую форму*); сливаться; 6) *sl.* тратить (*деньги*); разменивать (*банковый билет*); □ ~ away а) растаять; б) улетучиваться; исчезать из

виду; ~ down расплавлять; растворять; ~ out выплавлять;
2. *n* 1) расплавленный металл; 2) плавка.

melted butter ['meltɪd'bʌtə] *n* топлёное масло.

melted cheese ['meltɪd'tʃi:z] *n* плавленый сыр.

melting ['meltɪŋ] 1. *pres. p. om* melt 1;
2. *n* 1) плавка, плавление; 2) таяние; распускание;
3. *a* 1) плавкий; 2) плавильный; 3) тающий (во рту); 4) нежный, мягкий; чувствительный; she is in the ~ mood она готова расплакаться; 5) трогательный.

melting-house ['meltɪŋhaus] *n* плавильня.

melting-point ['meltɪŋpɔɪnt] *n* точка плавления.

melting-pot ['meltɪŋpɔt] *n* тигель; плавильный котёл; to go into the ~ *перен.* подвергнуться коренному изменению.

melton ['meltən] *n* мельтон (*род сукна*).

mem. [mem] *сокр. om* memorandum.

member ['membə] *n* 1) член (*в разн. знач.*); M. of Parliament член парламента (*сокр.* M. P., *pl* MM. P. *или* M. P.'s); ~ of sentence *грам.* член предложения; ~ of equation *мат.* член уравнения; 2) *тех.* элемент конструкции.

membership ['membəʃɪp] *n* 1) членство; звание члена; 2) количество членов; 3) рядовые члены (*партии, профсоюза*); 4) *attr.* членский; ~ card членский билет; ~ fee членский взнос.

membrane ['membreɪn] *n* 1) плева, оболочка; перепонка; плёнка; 2) *тех.* мембрана, диафрагма; 3) мездра.

membraneous, membranous [mem'breɪnjəs, mem'breɪnəs] *a* перепончатый; плёночный.

memento [mɪ'mentou] *n* (*pl* -oes, -os [-ouz]) напоминание.

memo ['mi:mou] *n сокр. om* memorandum.

memoir ['memwɑ:] *n* 1) краткая (авто-) биография; 2) *pl* мемуары, воспоминания; 3) научная статья; *pl* учёные записки (*общества*).

memoirist ['memwɑ:rɪst] *n* автор мемуаров *или* биографии.

memorability [,memərə'bɪlɪtɪ] *n* 1) достопамятность; 2) нечто достопамятное.

memorable ['memərəbl] *a* (досто)памятный, незабвенный.

memoranda [,memə'rændə] *pl om* memorandum.

memorandum [,memə'rændəm] *n* (*pl* -da, -s [-z]) 1) заметка; памятная записка; 2) меморандум; 3) дипломатическая нота.

memorial [mɪ'mɔ:rɪəl] 1. *a* напоминающий; мемориальный; устраиваемый в память; M. Day *амер.* день памяти павших в гражданской войне в США 1861-65 гг., в испано-американской и других войнах (*30 мая*);
2. *n* 1) памятник; записка; заметка; *pl* воспоминания; хроника; 2) *церк.* поминовение; 4) подробное изложение фактов в петиции; 5) *ком.* мемориал;
3. *v* составлять *или* подавать петицию.

memorialist [mɪ'mɔ:rɪəlɪst] *n* 1) мемуарист; 2) составитель петиции.

memorialize [mɪ'mɔːrɪəlaɪz] v 1) увековечивать память; 2) подавать петицию.

memorize ['meməraɪz] v 1) увековечивать память; 2) запоминать; заучивать наизусть.

memory ['memərɪ] n 1) память; in the ~ of smb., smth. в память кого-л., чего-л.; to the best of my ~ насколько я помню; within living ~ на памяти нынешнего поколения; 2) воспоминание; he has left a sad ~ behind он оставил по себе дурную память; 3) тех. память (машины), запоминающее устройство, накопитель информации; 4) тех. запись, регистрация.

men [men] pl от man 1.

menace ['menəs] 1. n угроза; опасность; 2. v угрожать, грозить.

ménage [me'nɑːʒ] фр. n 1) домашнее хозяйство; ведение хозяйства; 2) attr.: ~ man странствующий торговец, продающий в рассрочку.

menagerie [mɪ'nædʒərɪ] фр. n зверинец.

men-at-arms ['menət'ɑːmz] pl от man-at-arms.

men-children ['men,tʃɪldrən] pl от man-child.

mend [mend] 1. n 1) заштопанная дырка, заделанная трещина и т. п.; 2) улучшение (здоровья, дел); on the ~ на поправку, к лучшему;
2. v 1) исправлять, чинить; штопать; латать; ремонтировать (дорогу и т. п.); 2) улучшать(ся); поправляться (о здоровье); ◇ to ~ the fire подбросить топлива; to ~ one's pace прибавить шагу; to ~ one's ways исправиться; it is never too late to ~ посл. исправиться никогда не поздно; ~ or end либо исправить, либо положить конец; ≈ полумерами делу не поможешь; that won't ~ matters это делу не поможет.

mendacious [men'deɪʃəs] a лживый; ложный.

mendacity [men'dæsɪtɪ] n лживость; ложь.

mender ['mendə] n 1) тот, кто исправляет, чинит, штопает, латает; 2) ремонтный мастер.

mendicancy ['mendɪkənsɪ] n нищенство; попрошайничество.

mendicant ['mendɪkənt] 1. n 1) нищий; попрошайка; 2) ист. монах нищенствующего ордена;
2. a нищий, нищенствующий.

mendicity [men'dɪsɪtɪ] n нищенство.

menhaden [men'heɪdn] n американская сельдь.

menhir ['menhɪə] n археол. менгир.

menial ['miːnjəl] 1. n слуга; перен. лакей;
2. a раболепный; лакейский.

meningitis [,menɪn'dʒaɪtɪs] n мед. менингит.

menisci [mɪ'nɪsaɪ] pl от meniscus.

meniscus [mɪ'nɪskəs] n (pl menisci) физ. мениск.

men-of-war ['menəv'wɔː] pl от man-of-war.

menopause ['menoupɔːz] n мед. климактерический период.

menses ['mensiːz] n pl физиол. менструации.

menstrua ['menstruə] pl от menstruum.

menstrual ['menstruəl] a 1) физиол. менструальный; 2) астр. ежемесячный.

menstruate ['menstrueɪt] v физиол. менструировать.

menstruation [,menstru'eɪʃən] n физиол. менструации.

menstruum ['menstruəm] n (pl -rua, -s [-z]) хим. растворитель.

mensurable ['menʃurəbl] a 1) измеримый; 2) муз. ритмичный.

mensural ['menʃurəl] a 1) мерный, размеренный; 2) муз. ритмичный.

mensuration [,mensjuə'reɪʃən] n измерение.

mental I ['mentl] 1. a 1) умственный; 2) психический; ~ affection душевная болезнь; ~ patient душевнобольной; ~ specialist психиатр; 3) мнемонический; 4) производимый в уме, мысленный; ~ arithmetic, ~ calculations счёт в уме; ~ reservation мысленная оговорка;
2. n разг. душевнобольной.

mental II ['mentl] a подбородочный.

mentality [men'tælɪtɪ] n 1) способность мышления; интеллект; 2) склад ума; 3) умонастроение.

mentally ['mentəlɪ] adv мысленно.

mentation [men'teɪʃən] n 1) умственный процесс; процесс мышления; 2) умственное упражнение.

menthol ['menθɔl] n хим. ментол.

mention ['menʃən] 1. n упоминание; ссылка (на); to make ~ of упомянуть; honourable ~ похвальный отзыв;
2. v упоминать, ссылаться на; don't ~ it a) не стоит (благодарности); б) ничего, пожалуйста (в ответ на извинение); not to ~ не говоря уже о.

mentor ['mentɔː] n наставник, руководитель, воспитатель, ментор.

menu ['menjuː] фр. n меню.

Mephistophelean [,mefɪstə'fiːljən] a мефистофельский.

mephitis [me'faɪtɪs] n зловоние, ядовитые испарения; миазмы.

mercantile ['məːkəntaɪl] a 1) торговый; коммерческий; ~ law торговое законодательство; M. Marine торговый флот; ~ system эк. система меркантилизма; 2) меркантильный; торгашеский; мелочно-расчётливый.

mercenary ['məːsɪnərɪ] 1. a 1) корыстный; торгашеский; 2) наёмный;
2. n наёмник.

mercer ['məːsə] n торговец шёлком и бархатом.

mercerize ['məːsəraɪz] v текст. мерсеризовать.

mercery ['məːsərɪ] n 1) шёлковый и бархатный товар; 2) торговля шёлковым и бархатным товаром.

merchandise ['məːtʃəndaɪz] 1. n 1) товары; 2) торговля;
2. v торговать.

merchant ['məːtʃənt] 1. n 1) купец; 2) амер., шотл. лавочник; 3) sl. «тип» (о человеке);
2. a 1) торговый, коммерческий; ~ prince крупный оптовик, «король»; ~ service

торго́вый флот; ~ ship = merchantman; ~ tailor портно́й, предоставля́ющий свой материа́л; 2) = merchantable.

merchantable [ˈməːtʃəntəbl] *a* хо́дкий (*о това́ре*).

merchantman [ˈməːtʃəntmən] *n* торго́вое су́дно, «купе́ц».

Mercian [ˈməːʃjən] *ист.* 1. *a* мерси́йский; 2. *n* 1) обита́тель Ме́рсии; 2) мерси́йский диале́кт.

merciful [ˈməːsiful] *a* 1) милосе́рдный, ми́лостивый; 2) сострада́тельный; 3) благоприя́тный; 4) мя́гкий (*о наказа́нии*).

mercifulness [ˈməːsifulnis] *n* 1) милосе́рдие; 2) мя́гкость.

merciless [ˈməːsilis] *a* безжа́лостный; беспоща́дный.

mercurial [məːˈkjuəriəl] 1. *a* 1) ртутный; 2) живо́й, подвижно́й; де́ятельный; 2. *n* ртутный препара́т.

mercuriality [məːˌkjuəriˈæliti] *n* живость, подви́жность.

mercurialize [məːˈkjuəriəlaiz] *v* лечи́ть ртутью.

Mercury [ˈməːkjuri] *n* 1) *миф.* Мерку́рий; 2) *астр.* плане́та Мерку́рий; 3) *шутл.* посо́л; ве́стник (*тж. в назва́ниях газе́т*).

mercury [ˈməːkjuri] *n* 1) ртуть; ртутный столб; ртутный препара́т; 2) *бот.* проле́ска; 3) *attr.* ртутный; ◇ the ~ is rising а) дела́ улучша́ются; б) возбужде́ние растёт; в) пого́да, настрое́ние *и т. п.* улучша́ется.

mercy [ˈməːsi] *n* 1) милосе́рдие; 2) сострада́ние; 3) ми́лость, поми́лование; at the ~ of во вла́сти; to beg for ~ проси́ть поща́ды; to have ~ on (*или* upon) smb. щади́ть, ми́ловать кого́-л.; 4) уда́ча, сча́стье; that's a ~! э́то пря́мо сча́стье!; ◇ thankful for small mercies дово́льный ма́лым.

mere I [miə] *n* о́зеро; пруд; во́дное простра́нство; боло́то.

mere II [miə] *a* 1) просто́й; a ~ child could do it да́же ребёнок мог сде́лать э́то; 2) сплошно́й; я́вный; су́щий; 3): of ~ motion *юр.* доброво́льно; 4) *уст.* чи́стый.

merely [ˈmiəli] *adv* то́лько, про́сто; еди́нственно.

meretricious [ˌmeriˈtriʃəs] *a* 1) показно́й; мишу́рный; 2) распу́тный.

merganser [məːˈgænsə] *n* кроха́ль (*пти́ца*).

merge [məːdʒ] *v* 1) поглоща́ть; 2) слива́ть(ся), соединя́ть(ся).

merger [ˈməːdʒə] *n* 1) поглоще́ние; 2) слия́ние, объедине́ние (*торго́вое или промы́шленное*).

merging [ˈməːdʒiŋ] 1. *pres. p. от* merge; 2. *n* слия́ние; сра́щивание (*капита́ла*).

meridian [məˈridiən] 1. *n* 1) *геогр.* меридиа́н; 2) зени́т; 3) по́лдень; 4) вы́сшая то́чка; расцве́т (*жи́зни*); 2. *a* 1) полу́денный; 2) находя́щийся в зени́те; 3) вы́сший, кульминацио́нный.

meridional [məˈridiənl] 1. *a* 1) меридиона́льный; 2) ю́жный; 2. *n* южа́нин (*осо́б. из Ю́жной Фра́нции*).

meringue [məˈræŋ] *фр. n кул.* мере́нга.

merino [məˈriːnou] *n* 1) (*pl* -os [-ouz])

мерино́с (*поро́да ове́ц*); 2) мерино́совая шерсть; 3) *attr.* мерино́совый; ~ sheep мерино́с.

merit [ˈmerit] 1. *n* 1) заслу́га; to make a ~ of smth. ста́вить что-л. себе́ в заслу́гу; Order of M. о́рден «За заслу́ги»; 2) *pl* досто́инство; 3) ка́чество; to judge on the ~s of the case суди́ть по существу́ де́ла; 2. *v* заслужи́ть, быть досто́йным.

meritorious [ˌmeriˈtɔːriəs] *a* 1) досто́йный награ́ды; 2) похва́льный.

merle [məːl] *n уст., поэт.* чёрный дрозд.

merlin [ˈməːlin] *n зоол.* де́рбник.

merlon [ˈməːlən] *n* зубе́ц (*крепостно́й стены́*).

mermaid [ˈməːmeid] *n миф.* руса́лка, сире́на; найа́да.

merman [ˈməːmæn] *n миф.* водяно́й; трито́н.

Merovingian [ˌmerouˈvindʒiən] 1. *a* относя́щийся к фра́нкской дина́стии Мерови́нгов (*VI—VIII вв. н. э.*); 2. *n pl* Мерови́нги.

merrily [ˈmerili] *adv* ве́село, оживлённо.

merriment [ˈmerimənt] *n* весе́лье, развлече́ние.

merriness [ˈmerinis] *n* весёлость.

merry I [ˈmeri] *a* 1) весёлый; ра́достный; to make ~ весели́ться, пирова́ть; to make ~ over smb., smth. потеша́ться над кем-л., чем-л.; 2) смешно́й; 3) *разг.* навеселе́, подвы́пивший.

merry II [ˈmeri] *n* чере́шня.

merry andrew [ˈmeriˈændru] *n* шут, фигля́р, га́ер.

merry dancers [ˈmeriˈdɑːnsəz] *n pl разг.* се́верное сия́ние.

merry-go-round [ˈmerigouˌraund] *n* 1) карусе́ль; 2) вихрь (*удово́льствий и т. п.*).

merry-maker [ˈmeriˌmeikə] *n* весельча́к; заба́вник.

merry-making [ˈmeriˌmeikiŋ] *n* весе́лье, поте́ха; пра́зднество.

merry-meeting [ˈmeriˌmiːtiŋ] *n* пиру́шка.

merrythought [ˈmeriθɔːt] *n* ду́жка, ви́лочка (*груднáя кость пти́цы*).

mesa [ˈmeisə] *n геол.* столо́вая гора́.

mésalliance [meˈzæliəns] *фр. n* нера́вный брак, мезалья́нс.

meseemed [miˈsiːmd] *past от* meseems.

meseems [miˈsiːmz] *v* (meseemed) *уст.* мне ка́жется.

mesentery [ˈmesəntəri] *n анат.* брыже́йка.

mesh [meʃ] 1. *n* 1) пе́тля, яче́йка се́ти; отве́рстие, очко́ (*решета́, гро́хота*); 2) *pl* се́ти; *перен.* западня́; 3) *тех.* зацепле́ние; 2. *v* 1) пойма́ть в се́ти; опу́тывать сетя́ми; 2) запу́тываться в сетя́х; 3) *тех.* зацепля́ть(ся); сцепля́ть(ся).

meshy [ˈmeʃi] *a* се́тчатый; яче́истый.

mesial [ˈmiːzjəl] *a* сре́дний, среди́нный, медиа́льный.

mesmeric [mezˈmerik] *a* гипноти́ческий.

mesmerism [ˈmezmərizəm] *n* 1) гипноти́зм; 2) гипно́з.

mesmerist [ˈmezmərist] *n* гипнотизёр.

mesmerize [ˈmezməraiz] *v* гипнотизи́ровать; *перен.* очаро́вывать, зачаро́вывать.

meson ['mesɔn] *n физ.* мезо́н.

mesotron ['mesɔtrɔn] *n физ.* мезотро́н.

mess I [mes] 1. *n* 1) беспоря́док; кутерьма́, пу́таница; to make a ~ of things напу́тать; напо́ртить; провали́ть всё де́ло; in a ~ a) в беспоря́дке; вверх дном; б) в грязи́; в) в неприя́тном положе́нии; to clear up the ~ вы́яснить недоразуме́ние; 2) неприя́тность; to get into a ~ попа́сть в беду́; 3) *амер. sl.* тупи́ца;

2. *v* 1) производи́ть беспоря́док; па́чкать, грязни́ть; 2) по́ртить де́ло (*часто* ~ up); 3) ло́дырничать, рабо́тать с ленцо́й (*часто* ~ about).

mess II [mes] 1. *n* 1) о́бщий стол, о́бщее пита́ние (*в армии и флоте*); 2) *мор.* кают-компа́ния; 3) блю́до, ку́шанье; похлёбка; 4) болту́шка, ме́сиво (*для живо́тных*); 5) *attr.* столо́вый; ~ allowance столо́вые де́ньги; ~ gear *амер. мор.* котело́к и столо́вый прибо́р;

2. *v* обе́дать совме́стно, за о́бщим столо́м, столова́ться (with, together).

message ['mesɪʤ] 1. *n* 1) сообще́ние, донесе́ние; письмо́, посла́ние; send me a ~ извести́те меня́; 2) поруче́ние; ми́ссия; 3) *амер.* посла́ние президе́нта конгре́ссу;

2. *v* 1) посыла́ть сообще́ние, донесе́ние; 2) передава́ть сигна́лами, сигнализи́ровать; 3) телеграфи́ровать.

message bag ['mesɪʤbæg] *n ав.* вы́мпел для сбра́сывания донесе́ний.

message book ['mesɪʤbuk] *n воен.* полева́я кни́жка.

message center ['mesɪʤˌsentə] *n воен. амер.* пункт сбо́ра и отпра́вки донесе́ний; у́зел свя́зи.

messenger ['mesɪnʤə] *n* 1) ве́стник, посы́льный; курье́р; 2) предве́стник; 3) *эл., ж.-д.* несу́щий трос.

messenger-pigeon ['mesɪnʤəˌpɪʤɪn] *n* 1) почто́вый го́лубь; 2) *воен.* го́лубь свя́зи.

Messiah [mɪ'saɪə] *n рел.* мессия.

messieurs [mə'sjə:] *pl om* monsieur.

mess-jacket ['mes,ʤækɪt] *n мор.* тужу́рка.

messmate ['mesmeɪt] *n* 1) однока́шник; 2) сотрапе́зник.

mess-room ['mesrum] *n* 1) *мор.* кают-компа́ния; 2) *воен.* столо́вая.

Messrs ['mesəz] *n pl* (*сокр. om* messieurs) господа́ (*ста́вится пе́ред фами́лиями владе́льцев фи́рмы, напр.*, Messrs Chapman & Hall).

messuage ['meswɪʤ] *n юр.* уса́дьба.

messy ['mesɪ] *a* 1) гря́зный; 2) беспоря́дочный.

mestizo [mes'ti:zou] *n* (*pl* -os, -oes [-ouz]) мети́с.

met [met] *past и p. p. om* meet I, 1.

metabolic [ˌmetə'bɔlɪk] *a* относя́щийся к обме́ну веще́ств; ~ disease боле́знь обме́на веще́ств; ~ disturbance расстро́йство обме́на веще́ств.

metabolism [me'tæbəlɪzəm] *n биол.* метаболи́зм, обме́н веще́ств.

metacarpus [ˌmetə'kɑːpəs] *n анат.* пясть.

metachrosis [ˌmetə'krousɪs] *n биол.* спо́собность меня́ть окра́ску.

metagalaxy [ˌmetə'gæləksɪ] *n астр.* метагала́ктика.

metagenesis [ˌmetə'ʤenɪsɪs] *n биол.* чередова́ние поколе́ний, метагене́з.

metal ['metl] 1. *n* 1) мета́лл; 2) *pl* ре́льсы; the train left (*или* ran off) the ~s по́езд сошёл с ре́льсов; 3) ще́бень; 4) распла́вленное стекло́; 5) *ж.-д.* балла́ст; 6) пыл, рет́ивость; 7) *полигр.* гарт; 8) *pl* металли́ческий; ◇ heavy ~ тяжёлая артилле́рия;

2. *v* 1) покрыва́ть, обшива́ть мета́ллом; 2) мости́ть, шосси́ровать ще́бнем; 3) *ж.-д.* балласти́ровать.

metalled road ['metld'roud] *n* шоссе́.

metallic [mɪ'tælɪk] *a* металли́ческий.

metalliferous [ˌmetə'lɪfərəs] *a* рудоно́сный; содержа́щий мета́лл.

metalline ['metəlaɪn] *a* 1) металли́ческий; 2) содержа́щий мета́лл.

metallization [ˌmetəlaɪ'zeɪʃən] *n* металлиза́ция; гальваниза́ция.

metallize ['metəlaɪz] *v* покрыва́ть мета́ллом; металлизи́ровать.

metallography [ˌmetə'lɔgrəfɪ] *n* металлогра́фия.

metalloid ['metəlɔɪd] *n хим.* металло́ид.

metallurgical [ˌmetə'lɜːʤɪkəl] *a* металлурги́ческий; ~ engineer инжене́р-металлу́рг; ~ engineering металлу́ргия; ~ furnace металлурги́ческая печь.

metallurgist [me'tælədʒɪst] *n* металлу́рг.

metallurgy [me'tælədʒɪ] *n* металлу́ргия.

metal-worker ['metl,wə:kə] *n* рабо́чий-металли́ст.

metamerism [mɪ'tæmərɪzəm] *n хим., зоол.* метаме́рия.

metamorphose [ˌmetə'mɔːfouz] *v* подверга́ть превраще́ниям, обраща́ть (into); изменя́ть.

metamorphoses [ˌmetə'mɔːfəsiːz] *pl om* metamorphosis.

metamorphosis [ˌmetə'mɔːfəsɪs] *n* (*pl* -ses) метаморфо́з(а); превраще́ние; измене́ние фо́рмы *или* структу́ры.

metaphor ['metəfə] *n лит.* мета́фора.

metaphorical [ˌmetə'fɔrɪkəl] *a* метафори́ческий.

metaphrase ['metəfreɪz] 1. *n* 1) прозаи́ческий перево́д (*стихотворе́ния*); 2) досло́вный перево́д; 3) (нахо́дчивый) отве́т;

2. *v* переводи́ть досло́вно.

metaphysical [ˌmetə'fɪzɪkəl] *a* метафизи́ческий.

metaphysician [ˌmetəfɪ'zɪʃən] *n* метафи́зик.

metaphysics [ˌmetə'fɪzɪks] *n pl* (*часто употр. как sing*) метафи́зика.

metaplasia [ˌmetə'pleɪsɪɑ:] *n биол.* метаплази́я.

metasomatism [ˌmetə'soumətɪzəm] *n геол.* метасомати́зм, метасомато́з.

metastasis [me'tæstəsɪs] *n мед.* метаста́з.

metatarsi [ˌmetə'tɑːsaɪ] *pl om* metatarsus.

metatarsus [ˌmetə'tɑːsəs] *n* (*pl* -si) *анат.* плюсна́.

metathesis [me'tæθəsɪs] *n* 1) *фон.* переста́новка зву́ков, метате́за; 2) *хим.* замеще́ние.

métayage [ˌmeɪtə'jɑːʒ] *фр. n* аре́нда и́сполу; полови́ничество.

métayer [mei'teiə] *фр. n* испольщик, арендатор-половник.

mete I [mi:t] *n* граница; пограничный знак; ~s and bounds *юр.* границы, пределы.

mete II [mi:t] *v* 1) *поэт.* измерять; 2) отмерять, распределять (*часто* ~ out); 3) назначать (*награду, наказание*).

metempsychoses [me,tempsɪ'kousi:z] *pl om* metempsychosis.

metempsychosis [me,tempsɪ'kousɪs] *n* (*pl* -es) *рел.* метемпсихоз.

meteor ['mi:tjə] *n* 1) метеор; 2) атмосферное явление.

meteoric [,mi:tɪ'ɔrɪk] *a* 1) метеорический; 2) атмосферический; 3) сверкнувший как метеор; 4) ослепительный.

meteorite ['mi:tjərait] *n* метеорит.

meteorograph ['mi:tjərəgrɑːf] *n физ.* метеорограф.

meteorological [,mi:tjərə'lɔdʒɪkəl] *a* метеорологический; атмосферический.

meteorology [,mi:tjə'rɔlədʒɪ] *n* 1) метеорология; 2) метеорологические условия (*района, страны*).

meter ['mi:tə] *n* 1) измеритель; 2) счётчик; измерительный прибор; 3) *амер.* = metre.

metering ['mi:tərɪŋ] *n* измерение.

mete-wand ['mi:twɔnd] *n* мерило, критерий.

methane ['meθein] *n хим.* метан, болотный газ.

methinks [mɪ'θɪŋks] *v* (methought) *уст.* мне кажется.

method ['meθəd] *n* 1) метод, способ; 2) система; порядок; 3) схема классификации (в естествознании).

methodical [mɪ'θɔdɪkəl] *a* 1) систематический; 2) методический, методичный.

Methodist ['meθədɪst] *n рел.* методист.

methodize ['meθədaiz] *v* приводить в систему, в порядок.

methodology [,meθə'dɔlədʒɪ] *n* методология.

methought [mɪ'θɔːt] *past om* methinks.

Methuselah [mɪ'θjuːzələ] *n библ.* Мафусаил.

methyl ['meθɪl] *n хим.* 1) метил; 2) *attr.* метиловый; ~ alcohol метиловый (*или* древесный) спирт.

meticulous [mɪ'tɪkjuləs] *a* 1) мелочный; дотошный; 2) щепетильный; 3) *уст.* боязливый.

métier ['meitjei] *фр. n* занятие, профессия, ремесло.

metis [,mei'tiːs] *фр. n* метис.

metonymy [mɪ'tɔnɪmɪ] *n лит.* метонимия.

metope ['metoup] *n архит.* метоп.

metre ['mi:tə] *n* 1) метр (*мера*); 2) размер, ритм, метр (*в стихосложении*).

metric ['metrɪk] *a* метрический; ~ system десятичная (*или* метрическая) система мер.

metrical ['metrɪkəl] *a* 1) метровый; 2) измерительный; 3) = metric; 4) *прос.* метрический.

metrician [me'trɪʃən] *n* знаток метрики (*стихотворной*).

metrics ['metrɪks] *n pl* (*употр. как sing*) *прос.* метрика.

Metro ['metrou] *n* 1) метрополитен в Лондоне; 2) (m.) метрополитен.

metrology [mɪ'trɔlədʒɪ] *n* метрология (*учение о мерах и весах*).

metronome ['metrənoum] *n* метроном.

metronymic [,mi:trou'nɪmɪk] *a* образованный от имени матери [*ср.* patronymic 1].

metropolis [mɪ'trɔpəlɪs] *n* 1) столица; the ~ Лондон; 2) метрополия; 3) центр деятельности.

metropolitan [,metrə'pɔlɪtən] **1.** *a* 1) столичный; ~ borough муниципальный район (*в Лондоне*); 2) относящийся к метрополии; 3) епархиальный; 2. *n* 1) архиепископ; митрополит; 2) житель столицы *или* метрополии.

mettle ['metl] *n* 1) характер, темперамент; 2) пыл, ретивость; horse of ~ горячая лошадь; to be on one's ~ рваться в бой, проявлять пыл, ретивость; 3) храбрость; to put smb. on his ~ а) испытать чьё-л. мужество; б) заставить кого-л. сделать всё, что в его силах.

mettled ['metld] *a* ретивый, горячий; смелый.

mettlesome ['metlsəm] *a* смелый; рьяный.

mew I [mju:] *n поэт.* чайка.

mew II [mju:] **1.** *n* 1) клетка (*для сокола*); 2) *уст.* линька (*птиц*); 2. *v* 1) сажать в клетку; 2) *уст.* линять (*о птицах*); 3) сбрасывать рога (*об олене*); □ ~ up заключать в тюрьму.

mew III [mju:] **1.** *n* мяуканье; мяу; 2. *v* мяукать.

mewl [mju:l] *v* 1) мяукать; 2) хныкать.

mews [mju:z] *n* 1) конюшня; 2) извозчичий двор.

Mexican ['meksɪkən] **1.** *a* мексиканский; ~ tea *бот.* марь амброзиевидная; 2. *n* мексиканец.

mezzanine ['mezəni:n] *n* 1) *архит.* антресоли; 2) *театр.* помещение под сценой.

mezzo-soprano ['medzousə'prɑ:nou] *n* меццо-сопрано.

mezzotint ['medzoutɪnt] **1.** *n* меццо-тинто, глубокая печать; 2. *v* воспроизводить способом меццо-тинто.

mho [mou] *n эл.* мо (*единица проводимости*).

mi [mi:] *n муз.* ми.

miaou, miaow [mi:'au] **1.** *n* мяуканье; 2. *v* мяукать.

miasma [mɪ'æzmə] *n* (*pl* -s [-z], -ta) миазмы, вредные испарения.

miasmata [mɪ'æzmətə] *pl om* miasma.

miasmatic [mɪəz'mætɪk] *a* миазматический.

mica ['maikə] *n* 1) слюда; 2) *attr.* слюдяной.

mice [mais] *pl om* mouse 1.

micella, micelle [mai'selɑ:, mi'sel] *n биол.* мицелла, кристаллит.

Michaelmas ['mɪklməs] *n* 1) Михайлов день (*29 сентября*); 2) *attr.*: ~ daisy астра.

Michurinian, Michurinist [mɪ'ʧurɪnɪən, mɪ'ʧurɪnɪst] *n* мичуринец.

mickle ['mɪkl] *уст., шотл.* **1.** *a* большой; 2. *n* большое количество.

micro- [ˈmaɪkrou-] *в сложных словах означает:* а) ма́ленький; необыкнове́нно ма́ленького разме́ра; *напр.*: microorganism микрооргани́зм; б) *в физической терминологии* в миллио́н раз ме́ньше, чем основна́я ме́ра; *напр.*: microsecond микросеку́нда (*миллионная часть секунды*).

microbe [ˈmaɪkroub] *n* микро́б.

microbiology [ˌmaɪkroubaɪˈɔlədʒɪ] *n* микробиоло́гия.

microcephaly [ˌmaɪkrouˈsefəlɪ] *n* микроцефа́лия.

microclimate [ˈmaɪkrouˌklaɪmɪt] *n* микрокли́мат.

microcopy [ˈmaɪkrouˌkɔpɪ] *n* уме́ньшенный фотосни́мок.

microcosm [ˈmaɪkroukɔzəm] *n* 1) микроко́см; 2) что-л. в миниатю́ре.

microelement [ˌmaɪkrouˈelɪmənt] *n* микроэлеме́нт.

microfilm [ˈmaɪkrouˌfɪlm] *n* микрофи́льм.

microfilming [ˈmaɪkrouˌfɪlmɪŋ] *n* микросъёмка.

micrograph [ˈmaɪkrougrɑːf] *n* микросни́мок.

micrography [maɪˈkrɔgrəfɪ] *n* 1) микрогра́фия (*исследование с помощью микроскопа*); 2) микрофотогра́фия.

microhm [ˈmaɪkroum] *n эл.* микроо́м, микро́м (*миллионная часть ома*).

micrometer [maɪˈkrɔmɪtə] *n* 1) микро́метр; 2) микрометри́ческий винт.

micromotor [ˈmaɪkrouˌmoutə] *n* миниатю́рный электродви́гатель.

micron [ˈmaɪkrɔn] *n* микро́н (*миллионная часть метра*).

microorganism [ˈmaɪkrouˈɔːgənɪzəm] *n* микрооргани́зм.

microphone [ˈmaɪkrəfoun] *n* микрофо́н.

microphyte [ˈmaɪkrəfaɪt] *n бот.* микроскопи́ческое расте́ние.

microscope [ˈmaɪkrəskoup] *n* микроско́п.

microscopic(al) [ˌmaɪkrəˈskɔpɪk(əl)] *a* микроскопи́ческий.

microscopy [maɪˈkrɔskəpɪ] *n* микроскопи́я.

microsecond [ˈmaɪkrəˌsekənd] *n* микросеку́нда (*миллионная часть секунды*).

microtome [ˈmaɪkrətoum] *n* микрото́м.

microtomy [maɪˈkrɔtəmɪ] *n* приготовле́ние гистологи́ческих сре́зов.

microvolt [ˈmaɪkrəvoult] *n эл.* микрово́льт (*миллионная часть вольта*).

microwatt [ˈmaɪkrəwɔt] *n эл.* микрова́тт (*миллионная часть ватта*).

microwave [ˈmaɪkrəweɪv] *a радио* микроволно́вый; ~ region диапазо́н сантиметро́вых волн.

microwaves [ˈmaɪkrəweɪvz] *n pl радио* микрово́лны; сантиметро́вые во́лны; дециметро́вые во́лны.

micturition [ˌmɪktjuːˈrɪʃən] *n* 1) *мед.* боле́зненный позы́в на мочеиспуска́ние; 2) *распр.* мочеиспуска́ние.

mid I [mɪd] *a* сре́дний, среди́нный; in ~ air высоко́ в во́здухе; in ~ course в пути́; from ~ June to ~ August с середи́ны ию́ня до середи́ны а́вгуста.

mid II [mɪd] *уст., поэт. см.* amid.

mid- [mɪd-] *pref* в середи́не; mid-January в середи́не января́.

midday [ˈmɪdeɪ] *n* 1) по́лдень; 2) *attr.* полдне́вный, полу́денный.

midden [ˈmɪdn] *n диал.* ку́ча му́сора, наво́зная ку́ча.

middle [ˈmɪdl] **1.** *n* 1) середи́на; in the ~ of a) (*чего-л.*); б) во вре́мя (*какого-л. дела, занятия*); 2) та́лия; 3) *уст.* посре́дник; 4) *грам.* медиа́льный (*или* сре́дний) зало́г (*тж.* ~ voice); 5) *редк.* = middlings; 6) пода́ча мяча́ на середи́ну по́ля (*в футболе*); ◇ in the ~ of nowhere неизве́стно в како́м ме́сте; непоня́тно где;
2. *a* сре́дний; ~ class(es) сре́дняя буржуази́я; ~ peasant середня́к; the ~ peasantry сре́днее крестья́нство; the ~ reaches of the Danube сре́днее тече́ние Дуна́я; ~ finger сре́дний па́лец; ◇ ~ watch *мор.* ночна́я ва́хта (*с 24 ч. до 4 ч.*);
3. *v* 1) помести́ть в середи́ну; 2) пода́ть мяч на середи́ну по́ля (*в футболе*).

middle-aged [ˈmɪdlˈeɪdʒd] *a* сре́дних лет.

middleman [ˈmɪdlmæn] *n* комиссионе́р; посре́дник.

middlemost [ˈmɪdlmoust] *a* ближа́йший к це́нтру, центра́льный.

middle-of-the-road [ˈmɪdləvðəˈroud] *a* сре́дний; полови́нчатый.

middle-of-the-roader [ˈmɪdləvðəˈroudə] *n* челове́к, занима́ющий полови́нчатую пози́цию.

middle-weight [ˈmɪdlweɪt] *n* 1) сре́дний вес; 2) боре́ц *или* боксёр сре́днего ве́са (*68—71 кг*).

middling [ˈmɪdlɪŋ] **1.** *pres. p. от* middle 3;
2. *a* 1) сре́дний; 2) второсо́ртный; посре́дственный; 3) *разг.* сно́сный (*о здоровье*);
3. *adv* сре́дне; та́к себе, сно́сно; ~ good дово́льно хоро́ший.

middlings [ˈmɪdlɪŋz] *n pl* 1) това́р сре́днего ка́чества, второсо́ртный това́р (*особ. о муке*); 2) *горн.* промежу́точный концентра́т.

middy [ˈmɪdɪ] *сокр. разг. от* midshipman.

midge [mɪdʒ] *n* мо́шка; кома́р.

midget [ˈmɪdʒɪt] *n* 1) о́чень ма́ленькое существо́ *или* вещь; 2) ка́рлик, лилипу́т; 3) миниатю́рный разме́р фотока́рточки; 4) *амер.* = midge; 5) *attr.* миниатю́рный; ~ car малолитра́жный автомоби́ль; ~ receiver *радио* миниатю́рный приёмник.

midland [ˈmɪdlənd] **1.** *n* 1) вну́тренняя часть страны́; 2) (the ~s) *pl* центра́льные гра́фства (*Англии*);
2. *a* 1) центра́льный; удалённый от мо́ря; 2) вну́тренний (*о море*).

midmost [ˈmɪdmoust] *a* находя́щийся в са́мой середи́не.

midnight [ˈmɪdnaɪt] *n* 1) по́лночь; 2) непрогля́дная тьма; as black (*или* as dark) as ~ о́чень тёмный; 3) *attr.* полуно́чный; полно́чный.

midrib [ˈmɪdrɪb] *n бот.* сре́дняя жи́лка (*листа*).

midriff [ˈmɪdrɪf] *n анат.* диафра́гма, грудобрю́шная прегра́да.

midship [ˈmɪdʃɪp] *n мор.* 1) ми́дель, середи́на; 2) *attr.*: ~ frame ми́дель-шпанго́ут.

midshipman ['mɪdʃɪpmən] n корабельный гардемарин; *амер.* гардемарин, курсант военно-морского училища.

midships ['mɪdʃɪps] = amidships.

midst [mɪdst] 1. n середина; in the ~ of среди; in our ~, in the ~ of us в нашей среде; среди нас;
2. *prep поэт. см.* amid.

midstream ['mɪdstriːm] n середина реки.

midsummer ['mɪd,sʌmə] n 1) середина лета; 2) *разг.* летнее солнцестояние; 3) *attr.:* M. day Иванов день (*24 июня*); ~ madness *разг.* умопомешательство; чистое безумие.

midway ['mɪd'weɪ] 1. n *редк.* полпути; 2. *adv* на полпути, на полдороге.

mid-week ['mɪdwiːk] n 1) середина недели; 2) среда (*в употреблении квакеров*).

midwife ['mɪdwaɪf] n акушерка; повивальная бабка.

midwifery ['mɪdwɪfərɪ] n акушерство.

midwinter ['mɪd'wɪntə] n 1) середина зимы; 2) зимнее солнцестояние.

mien [miːn] n 1) мина, выражение лица; 2) вид, наружность; 3) манера держать себя.

miff [mɪf] *разг.* 1. n 1) лёгкая ссора, размолвка; 2) вспышка раздражения; to get a ~ надуться;
2. v 1) разозлить(ся); надуться; 2) увянуть (*о растении; тж.* ~ off);

might I [maɪt] *past om* may I.

might II [maɪt] n 1) могущество; мощь; 2) энергия; сила; with ~ and main изо всех сил.

might-have-been ['maɪtəv,biːn] n 1) упущенная возможность; 2) неудачник; 3) *attr.* неосуществившийся, несбывшийся.

mightily ['maɪtɪlɪ] *adv* 1) мощно, сильно; 2) *разг.* чрезвычайно.

mightiness ['maɪtɪnɪs] n 1) мощность; 2) величие; 3): your ~ ваше высочество, ваша светлость (*титул; часто шутл. или ирон.*).

mighty ['maɪtɪ] 1. a 1) могущественный; мощный; 2) *разг.* громадный;
2. *adv разг.* чрезвычайно, очень; that is ~ easy это очень легко.

mignonette [,mɪnjə'net] *фр.* n 1) резеда; 2) французское кружево.

migraine ['miːgreɪn] n мигрень.

migrant ['maɪgrənt] 1. a 1) кочующий; 2) перелётный (*о птице*);
2. n 1) переселенец; 2) перелётная птица.

migrate [maɪ'greɪt] v 1) мигрировать; переселяться; 2) совершать перелёт (*о птицах*).

migration [maɪ'greɪʃən] n 1) миграция; переселение; 2) перелёт (*птиц*).

migratory ['maɪgrətərɪ] a 1) = migrant 1; 2) *мед.* блуждающий.

mikado [mɪ'kɑːdou] *яп.* n микадо.

mike I [maɪk] *sl.* 1. n бездельничанье; to do (*или* to have) a ~ бездельничать;
2. v слоняться, бездельничать; отлынивать от работы.

mike II [maɪk] n *разг.* микрофон.

mil [mɪl] n 1) тысяча; per ~ на тысячу; 2) мил, одна тысячная дюйма (*единица измерения диаметра проволоки и т. п.*).

milady [mɪ'leɪdɪ] n миледи (*преим. во франц. употреблении*).

milage ['maɪlɪdʒ] = mileage.

Milanese [,mɪlə'niːz] 1. a миланский; 2. n миланец, житель Милана.

milch [mɪlʃ] n молочный (*о скоте*); ~ cow дойная корова (*тж. перен.*).

mild [maɪld] a 1) мягкий; 2) кроткий; 3) умеренный; 4) неострый (*о пище*); слабый (*о пиве, лекарстве, табаке и т. п.*); 5) тихий, мягкий (*о человеке*); 6): ~ steel мягкая сталь, малоуглеродистая сталь.

mild-cured ['maɪld'kjuəd] a малосольный.

mildew ['mɪldjuː] 1. n 1) *бот.* мильдью, ложно-мучнистая роса; 2) плесень (*на коже, бумаге*);
2. v *бот.* поражать *или* быть поражённым мильдью.

mildewy ['mɪldjuːɪ] a *бот.* поражённый мильдью.

mildness ['maɪldnɪs] n мягкость *и пр.* [*см.* mild].

mile [maɪl] n миля; English (*или* statute) ~ английская миля (=*1609 м*); Admiralty (*или* geographical, nautical, sea) ~ морская миля (=*1853 м*); ◇ ~s easier (better) в тысячу раз легче (лучше).

mileage ['maɪlɪdʒ] n 1) расстояние в милях; число (пройдённых) миль; 2) проездные деньги.

mile-post ['maɪlpoust] n мильный столб.

Milesian I [maɪ'liːzjən] a милетский.

Milesian II [maɪ'liːzjən] 1. a ирландский;
2. n ирландец.

milestone ['maɪlstoun] n 1) мильный камень *или* столб; 2) *перен.* веха.

milfoil ['mɪlfɔɪl] n *бот.* тысячелистник обыкновенный.

militancy ['mɪlɪtənsɪ] n воинственность.

militant ['mɪlɪtənt] 1. a воинствующий, воинственный;
2. n боец.

militarily ['mɪlɪtərɪlɪ] *adv* 1) воинственно; 2) с военной точки зрения; в военном отношении.

militarism ['mɪlɪtərɪzəm] n милитаризм.

militarist ['mɪlɪtərɪst] n 1) милитарист; 2) *pl* военщина.

militarization ['mɪlɪtəraɪ'zeɪʃən] n милитаризация.

militarize ['mɪlɪtəraɪz] v милитаризировать.

military ['mɪlɪtərɪ] 1. a военный, воинский; ~ age призывной возраст; ~ bearing военная выправка; ~ chest войсковая касса, казна; ~ engineering военно-инженерное дело; ~ execution приведение в исполнение приговора военного суда; ~ government военная администрация на занятой территории противника; ~ information разведывательные данные (*или* сведения); ~ oath воинская присяга; ~ post полевая почта; ~ school военно-учебное заведение, военное училище; ~ service военная служба; ~ testament, ~ will устное завещание военнослужащего; ◇ ~ fever *уст.* брюшной тиф; ~ pit волчья яма;

2. *n* 1) войска́, вое́нная си́ла (*в противоположность полицейской*); 2) (the ~) вое́нные, военнослу́жащие; 3) (*без артикля*) груб. солда́тня; солдафо́ны.

militate [ˈmɪlɪteɪt] *v* 1) боро́ться, воева́ть; 2) свиде́тельствовать, говори́ть про́тив (*об уликах, фактах*; against); 3) препя́тствовать.

militia [mɪˈlɪʃə] *n* 1) мили́ция; 2) *ист.* наро́дное ополче́ние; милицио́нная а́рмия (*в Англии*).

militiaman [mɪˈlɪʃəmən] *n* 1) *ист.* ополче́нец; солда́т милицио́нной а́рмии; 2) милиционе́р.

milk [mɪlk] **1.** *n* 1) молоко́; 2) *бот.* мле́чный сок, ла́текс; 3) *уст.* моло́ки; 4) *attr.* моло́чный; ◇ the ~ of human kindness добросерде́чие, симпа́тия, доброта́ (*часто ирон.*); ~ for babes несло́жная кни́га, статья́ *и т. п.*; ~ and honey ≅ моло́чные ре́ки, кисе́льные берега́;

2. *v* 1) дои́ть; 2) дава́ть молоко́ (*о скоте*); 3) извлека́ть вы́году (*из чего-л.*); эксплуати́ровать; 4) *sl.* перехва́тывать (*телеграфные, телефонные сообщения*); ◇ to ~ the bull (*или* the ram) ≅ ждать от козла́ молока́.

milk and water [ˈmɪlkəndˈwɔːtə] *n* 1) разба́вленное молоко́; 2) бессодержа́тельный разгово́р; бессодержа́тельная кни́га; «вода́».

milk-and-water [ˈmɪlkəndˈwɔːtə] *a* 1) сла́бый, пусто́й; 2) безво́льный, бесхара́ктерный; безли́чный; ~ girl ≅ «кисе́йная ба́рышня».

milk-brother [ˈmɪlkˌbrʌðə] *n* моло́чный брат.

milker [ˈmɪlkə] *n* 1) доя́р; доя́рка; 2) дои́льная маши́на; 3) моло́чная коро́ва.

milk-float [ˈmɪlkflout] *n* теле́жка разво́зчика молока́.

milk-gauge [ˈmɪlkgeɪdʒ] *n* лактоме́тр.

milk-livered [ˈmɪlkˌlɪvəd] *a* трусли́вый.

milkmaid [ˈmɪlkmeɪd] *n* 1) доя́рка; 2) моло́чница.

milkman [ˈmɪlkmən] *n* 1) продаве́ц молока́; 2) доя́р, дои́льщик.

milksop [ˈmɪlksɔp] *n* 1) кусо́к хле́ба, размо́ченный в молоке́; 2) бесхара́ктерный челове́к, «тря́пка», «ба́ба».

milk-sugar [ˈmɪlkˌʃugə] *n* *хим.* моло́чный са́хар, лакто́за.

milk-tooth [ˈmɪlktuːθ] *n* моло́чный зуб.

milkweed [ˈmɪlkwiːd] *n* *название многих растений, выделяющих млечный сок, напр.,* моло́чай.

milk-white [ˈmɪlkwaɪt] *a* моло́чно-бе́лый.

milky [ˈmɪlkɪ] *a* моло́чный; M. Way *астр.* Мле́чный путь.

mill I [mɪl] **1.** *n* 1) ме́льница; 2) фа́брика, заво́д; 3) (прока́тный) стан; 4) ме́льница; дроби́лка; толче́я; 5) пресс (*для выжимания раст. масла*); 6) *тех.* фре́за; 7) = treadmill; 8) *sl.* бокс; кула́чный бой; 9) *sl.* тюрьма́; 10) *attr.* ме́льничный; 11) *attr.* фабри́чный, заводско́й; ◇ to go (*или* to pass) through the ~ пройти́ суро́вую шко́лу; to put smb. through the ~ заста́вить кого́-л. пройти́ суро́вую шко́лу;

2. *v* 1) моло́ть; ру́шить (*зерно*); 2) дро-

би́ть, измельча́ть (*руду*); 3) обраба́тывать на станке́; фрезерова́ть; гурти́ть (*монету*); 4) выде́лывать, валя́ть (*сукно*); 5) бить; тузи́ть; 6) *sl.* отпра́вить в тюрьму́; 7) дви́гаться круго́м, кружи́ть (*о толпе, стаде*).

mill II [mɪl] *n амер.* ты́сячная часть до́ллара.

millboard [ˈmɪlbɔːd] *n* то́лстый карто́н.

mill cake [ˈmɪlkeɪk] *n* 1) жмых; 2) лепёшка.

mill-cog [ˈmɪlkɔg] *n* *тех.* кула́к, вы́ступ, зубе́ц (*колеса*).

mill-dam [ˈmɪldæm] *n* ме́льничная плоти́на.

millenary [mɪˈlenərɪ] **1.** *n* тысячеле́тняя годовщи́на;

2. *a* тысячеле́тний.

millennia [mɪˈlenɪə] *pl от* millennium.

millennial [mɪˈlenɪəl] *a* тысячеле́тний.

millennium [mɪˈlenɪəm] *n* (*pl* -ums [-əmz], -nia) 1) тысячеле́тие; 2) золото́й век.

millepede [ˈmɪlɪpiːd] *n* *зоол.* многоно́жка.

miller [ˈmɪlə] *n* 1) ме́льник; 2) фрезеро́вщик; 3) *тех.* фре́зерный стано́к.

miller's thumb [ˈmɪləzˈθʌm] *n* подка́менщик (*рыба*).

millesimal [mɪˈlesɪməl] **1.** *a* ты́сячный;

2. *n* ты́сячная часть.

millet [ˈmɪlɪt] *n* 1) про́со; 2) *attr.* просяно́й, из про́са; ~ beer, ~ ale буза́ (*напиток*).

mill-hand [ˈmɪlhænd] *n* фабри́чный *или* заводско́й рабо́чий.

milliard [ˈmɪljɑːd] *num. card.*, *n* миллиа́рд.

milligram(me) [ˈmɪlɪgræm] *n* миллигра́м.

millimetre [ˈmɪlɪˌmiːtə] *n* миллиме́тр.

milliner [ˈmɪlɪnə] *n* модистка.

millinery [ˈmɪlɪnərɪ] *n* 1) да́мские шля́пы; 2) прода́жа шляп; магази́н да́мских шляп.

milling [ˈmɪlɪŋ] **1.** *pres. p. от* mill I, 2;

2. *n* помо́л *и пр.* [*см.* mill I, 2].

milling cutter [ˈmɪlɪŋˈkʌtə] *n* фре́за.

milling machine [ˈmɪlɪŋməˈʃiːn] *n* фре́зерный стано́к.

million [ˈmɪljən] **1.** *num. card.* миллио́н; ten ~ books де́сять миллио́нов книг; the total is four ~ итого́ четы́ре миллио́на;

2. *n* 1) число́ миллио́н; 2): the ~ a) мно́жество, ма́сса; б) основна́я ма́сса населе́ния.

millionaire [ˌmɪljəˈnɛə] *n* миллионе́р.

millionocracy [ˌmɪljənˈɔkrəsɪ] *n* правле́ние, власть миллионе́ров.

millipede [ˈmɪlɪpiːd] = millepede.

mill-pond [ˈmɪlpɔnd] *n* ме́льничный пруд; запру́да у ме́льницы.

mill-race [ˈmɪlreɪs] *n* 1) ме́льничный лото́к; 2) пото́к воды́, приводя́щий в движе́ние ме́льничное колесо́.

millstone [ˈmɪlstoun] *n* жёрнов; ◇ between the upper and the nether ~ в безвы́ходном положе́нии; ≅ ме́жду мо́лотом и накова́льней; to see far into a ~, to look through a ~ обладать сверхъесте́ственной проница́тельностью (*обыкн. ирон.*); to have (*или* to fix) a ~ about one's neck ≅ навяза́ть себе́ ка́мень на ше́ю.

mill-stream [ˈmɪlstriːm] = mill-race 2).

mill-wheel ['mɪlwiːl] *n* ме́льничное колесо́.

millwright ['mɪlraɪt] *n* 1) те́хник-машиностройтель; 2) сле́сарь-монтёр; 3) *редк.* констру́ктор.

milord [mɪ'lɔː] *n* мило́рд (*преим. во франц. употребле́нии*).

milt [mɪlt] 1. *n* 1) моло́ки; 2) *уст.* селезёнка;
2. *v* оплодотворя́ть икру́ моло́ками.

milter ['mɪltə] *n* ры́ба-саме́ц (*во время не́реста*).

mime [maɪm] 1. *n* 1) мим (*представле́ние у дре́вних гре́ков и ри́млян*); 2) мим (*анти́чный актёр*); 3) мими́ст;
2. *v* 1) исполня́ть роль в пантоми́ме; 2) изобража́ть мими́чески; 3) подража́ть, имити́ровать; передра́знивать.

mimesis [maɪ'miːsɪs] = mimicry 2).

mimetic [mɪ'metɪk] *a* 1) подража́тельный; 2) *биол.* относя́щийся к мимикри́и.

mimic ['mɪmɪk] 1. *a* 1) подража́тельный; перей́мчивый; 2) ненастоя́щий;
2. *n* 1) имита́тор; 2) подража́тель, обезья́на;
3. *v* 1) пароди́ровать; передра́знивать; 2) *разг.* обезья́нничать; 3) *биол.* принима́ть покрови́тельственную (*или* защи́тную) окра́ску.

mimicry ['mɪmɪkrɪ] *n* 1) имити́рование; 2) *биол.* мимикри́я.

mimosa [mɪ'mouzə] *n бот.* мимо́за.

minacious [mɪ'neɪʃəs] = minatory.

minaret ['mɪnəret] *араб. n* минаре́т.

minatory ['mɪnətərɪ] *a* угрожа́ющий.

mince [mɪns] 1. *v* 1) кроши́ть, руби́ть (*мясо*); 2) смягча́ть; успока́ивать; not to ~ matters (*или* one's words) говори́ть пря́мо, без обиняко́в; 3) говори́ть, держа́ться жема́нно; 4) семени́ть нога́ми;
2. *n* фарш.

mincemeat ['mɪnsmiːt] *n* фарш из изю́ма, миндаля́, са́хара и пр. (*для начи́нки пирога́*); ◇ to make ~ of ≅ преврати́ть в котле́ту; разби́ть, уничто́жить (*проти́вника*).

mince pie [mɪns'paɪ] *n* сла́дкий пирожо́к [*см.* mincemeat].

mincing machine ['mɪnsɪŋmə'ʃiːn] *n* мясору́бка.

mind [maɪnd] 1. *n* 1) ра́зум; у́мственные спосо́бности; ум; to be in one's right ~ быть в здра́вом уме́; the great ~s of the world вели́кие умы́ челове́чества; 2) па́мять; воспомина́ние; to have (*или* to bear, to keep) in ~ по́мнить, име́ть в виду́; to bring (*или* to call) to ~ напо́мнить; to go (*или* to pass) out of ~ вы́скочить из па́мяти; time out of ~ с незапа́мятных времён; 3) мне́ние; мысль; взгляд; to be of one (*или* a) ~ (with) быть одного́ и того́ же мне́ния (с); on one's ~ на душе́, в мы́слях, на уме́; to speak one's ~ говори́ть откры́то; to give smb. a piece of one's ~ вы́сказать кому́-л. открове́нно своё мне́ние [*см. тж.* give 1◇]; to change (*или* to alter) one's ~ переду́мать; to my ~ по мо́ему мне́нию; it was not to his ~ э́то бы́ло ему́ не по вку́су; to read smb.'s ~ чита́ть чужи́е мы́сли; 4) наме́рение, жела́ние; I have a great (*или* good) ~ to do it у меня́ большо́е жела́ние э́то сде-

лать; to know one's own ~ не колеба́ться, твёрдо знать, чего́ хо́чешь; 5) дух (*душа́*); ~'s eye духо́вное о́ко, мы́сленный взгляд; ◇ many men, many ~s ≅ ско́лько голо́в, сто́лько умо́в; out of sight, out of ~ *посл.* ≅ с глаз доло́й, из се́рдца вон; to make up one's ~ реши́ть(ся); to be in two ~s колеба́ться, находи́ться в нереши́тельности;
2. *v* 1) по́мнить; ~ our agreement не забу́дьте о на́шем соглаше́нии; 2) забо́титься, занима́ться (*чем-л.*); смотре́ть (*за чем-л.*); ~ your own business занима́йся свои́м де́лом, не вме́шивайся в чужи́е дела́; please ~ the fire пожа́луйста, последи́те за ками́ном; 3) бере́ться, бере́чься; ~ the step осторо́жно! там ступе́нька! 4) (*в вопр. или отриц. предложе́нии, а та́кже в утве́рд. отве́те*) возража́ть, име́ть (*что-л.*) про́тив; do you ~ my smoking? вы не бу́дете возража́ть, е́сли я закурю́?; I don't ~ it a bit нет, ниско́лько; yes, I ~ it very much нет, я о́чень про́тив э́того; ◇ never ~ ничего́, нева́жно, не беспоко́йтесь, не беда́; never ~ the cost (*или* the expense) не остана́вливайтесь пе́ред расхо́дами; to ~ one's P's and Q's следи́ть за собо́й, за свои́ми слова́ми, соблюда́ть осторо́жность *или* прили́чия; ~ your eye! ≅ держи́ у́хо востро́!

minded ['maɪndɪd] 1. *p. p. om* mind 2;
2. *a* располо́женный, гото́вый (*что-л. сде́лать*).

-minded [-'maɪndɪd] *в сло́жных слова́х*: double-~ а) двоеду́шный; б) коле́блющийся; evil-~ злонаме́ренный; high-~ великоду́шный; low-~ ни́зкий; small-~ ме́лочный; pure-~ чистосерде́чный.

minder ['maɪndə] *n* челове́к, присма́тривающий за *чем-л.*, забо́тящийся о *ком-л.*

mindful ['maɪndful] *a* 1) по́мнящий; 2) внима́тельный (*к обя́занностям*); забо́тливый.

mindless ['maɪndlɪs] *a* 1) глу́пый, бессмы́сленный; 2) не ду́мающий (*о чём-л.*); не счита́ющийся (of — с *чем-л.*).

mine I [maɪn] *pron. poss.* (*абсолю́тная фо́рма, не употр. атрибути́вно; ср.* my) принадлежа́щий мне; мой; моя́; this is ~ э́то моё; a friend of ~ мой друг.

mine II [maɪn] 1. *n* 1) рудни́к; копь; ша́хта; при́иск; 2) за́лежь, пласт; 3) *воен.* ми́на; to lay a ~ *for воен.* ста́вить ми́ну под; *перен.* уничто́жить, разру́шить; 4) *ист.* подко́п; 5) исто́чник (*све́дений и т. п.*); 6) за́говор, интри́га;
2. *v* 1) производи́ть го́рные рабо́ты, разраба́тывать рудни́к, добыва́ть (*руду́ и т. п.*); 2) подка́пывать, копа́ть под землёй; вести́ подко́п; 3) мини́ровать; ста́вить ми́ны; 4) подка́пываться (*под кого́-л.*); подрыва́ть (*репута́цию и т. п.*); 5) зарыва́ться в зе́млю, рыть но́рку (*о живо́тных*).

mineable ['maɪnəbl] *a мор.* допуска́ющий постано́вку мин, приго́дный для постано́вки мин.

minefield ['maɪnfiːld] *n воен., мор.* ми́нное по́ле, ми́нное загражде́ние.

mine foreman ['maɪn'fɔːmən] *n горн.* штейгер.

minelayer ['maɪn,leɪə] *n мор.* ми́нный загради́тель.

miner ['maɪnə] *n* 1) горня́к; горнорабо́чий; шахтёр; рудоко́п; 2) *воен.* минёр.

mineral ['mɪnərəl] 1. *n* 1) минера́л; 2) *pl* поле́зные ископа́емые;3)руда́; 4) *pl разг.* минера́льная вода́.
2. *a* 1) минера́льный; ~ jelly вазели́н; ~ oil минера́льное ма́сло, сыра́я нефть; 2) *хим.* неоргани́ческий.

mineral-insulated ['mɪnərəl'ɪnsjuleɪtɪd] *a* с неоргани́ческой изоля́цией.

mineralization [,mɪnərəlaɪ'zeɪʃən] *n* минерализа́ция.

mineralize ['mɪnərəlaɪz] *v* 1) минерализова́ть, насыща́ть минера́льными соля́ми; 2) *геол.* вести́ разве́дку; 3) собира́ть минера́лы.

mineralogist [,mɪnə'rælədʒɪst] *n* минерало́г.

mineralogy [,mɪnə'rælədʒɪ] *n* минерало́гия.

Minerva [mɪ'nəːvə] *n миф.* Мине́рва.

minesweeper ['maɪn,swiːpə] *n мор.* ми́нный тра́льщик.

minethrower ['maɪn,θrouə] *n* миномёт.

minever ['mɪnɪvə] = miniver.

mine worker ['maɪn,wəːkə] = miner 1).

mingle ['mɪŋgl] *v* сме́шивать(ся); to ~ in (*или* with) the crowd смеша́ться с толпо́й; to ~ in society враща́ться в о́бществе; to ~ tears пла́кать вме́сте.

mingle-mangle ['mɪŋgl,mæŋgl] *n* смесь, вся́кая вся́чина; пу́таница.

mingy ['mɪndʒɪ] *a разг.* скупо́й, ме́лочный.

miniate ['mɪnɪeɪt] *v* 1) кра́сить су́риком; 2) украша́ть цветны́ми рису́нками (*ру́копись*).

miniature ['mɪnjətʃə] 1. *n* 1) миниатю́ра; in ~ в миниатю́ре; 2) заста́вка;
2. *a* миниатю́рный;
3. *v* изобража́ть в миниатю́ре.

miniaturist ['mɪnjətjuərɪst] *n* миниатюри́ст.

minify ['mɪnɪfaɪ] *v* уменьша́ть, преуменьша́ть.

minikin ['mɪnɪkɪn] 1. *n* 1) ма́ленькая вещь, ма́ленькое суще́ство; 2) *полигр.* са́мый ме́лкий шрифт ($3^1/_2$ *пу́нкта*);
2. *a* 1) ма́ленький; 2) мане́рный, жема́нный; 3) *уст.* изя́щный.

minim ['mɪnɪm] *n* 1) мельча́йшая части́ца, о́чень ма́ленькая до́ля, ка́пля; безде́лица; 2) $^1/_{60}$ дра́хмы; 3) *муз.* полови́нная но́та.

minima ['mɪnɪmə] *pl от* minimum.

minimal ['mɪnɪml] *a* 1) минима́льный; 2) о́чень ма́ленький.

minimalize ['mɪnɪməlaɪz] = minimize.

minimize ['mɪnɪmaɪz] *v* 1) доводи́ть до ми́нимума; 2) преуменьша́ть.

minimum ['mɪnɪməm] *n* (*pl* minima) 1) ми́нимум; минима́льное значе́ние; 2) *attr.* минима́льный; ~ wage прожи́точный ми́нимум.

minimus ['mɪnɪməs] 1. *a* мла́дший из трёх бра́тьев *или* однофами́льцев (*уча́щихся в одно́й шко́ле*);
2. *n анат.* мизи́нец.

mining ['maɪnɪŋ] 1. *pres. p. от* mine II, 2;
2. *n* 1) го́рное де́ло, разрабо́тка недр, го́рная промы́шленность; разрабо́тка ко́-

пей; 2) *воен., мор.* ми́нное де́ло; мини́рование; 3) *attr.* го́рный, ру́дный; ~ camp рудни́к; ~ claim зая́вка (*на откры́тие рудника́*); ~ engineer го́рный инжене́р; ~ hole бурова́я сква́жина; ~ machine вру́бовая маши́на.

minion ['mɪnjən] *n* 1) фавори́т, люби́мец; ~ of fortune ба́ловень судьбы́; 2) креату́ра; ~s of the law тюре́мщики, полице́йские; 3) *уст.* любо́вник; 4) *полигр.* миньо́н (*шрифт в 7 пу́нктов*).

minister ['mɪnɪstə] 1. *n* 1) мини́стр; the ~s прави́тельство; 2) *дип.* посла́нник; сове́тник посо́льства; 3) свяще́нник; 4) *редк.* исполни́тель, слуга́; ~ of vengeance ору́дие ме́сти.
2. *v* 1) служи́ть; помога́ть, ока́зывать по́мощь, соде́йствие; спосо́бствовать; 2) *уст.* соверша́ть богослуже́ние.

ministerial [,mɪnɪs'tɪərɪəl] *a* 1) служе́бный; подчинённый; 2) министе́рский; ~ changes измене́ния в соста́ве кабине́та; ~ cheers (cries) *парл.* возгла́сы одобре́ния (вы́крики) на министе́рских скамья́х; 3) *церк.* па́стырский.

ministerialist [,mɪnɪs'tɪərɪəlɪst] *n* сторо́нник прави́тельства.

ministration [,mɪnɪs'treɪʃən] *n* 1) оказа́ние по́мощи; по́мощь; 2) богослуже́ние.

ministry ['mɪnɪstrɪ] *n* 1) министе́рство; 2) кабине́т мини́стров; 3) служе́ние; 4) духове́нство; па́стырство.

minium ['mɪnɪəm] *n* свинцо́вый су́рик.

miniver ['mɪnɪvə] *n* горноста́евый мех (*иногда тж.* бе́личий).

mink [mɪŋk] *n* но́рка (*живо́тное и мех*).

minnesinger ['mɪnɪ,sɪŋə] *n* миннези́нгер.

Minnie ['mɪnɪ] *n воен. sl.* ми́на.

minnie ['mɪnɪ] *n сев.* ма́ма, ма́мочка.

minnow ['mɪnou] *n* 1) голья́н (*ры́ба*); 2) мелюзга́; 3) блесна́; ◇ to throw out a ~ to catch a whale ≈ рискну́ть пустяко́м ра́ди большо́го барыша́; a Triton among (*или* of) the ~s ≈ велика́н среди́ пигме́ев.

minor ['maɪnə] 1. *a* 1) незначи́тельный; второстепе́нный; 2) ме́ньший из двух; мла́дший из двух бра́тьев (*в шко́ле*); ~ court суд ни́зшей инста́нции; 3) *муз.* мино́рный; 4) гру́стный; мино́рный;
2. *n* 1) несовершенноле́тний, подро́сток; 2) *лог.* ме́ньшая посы́лка в силлоги́зме; 3) *муз.* мино́рный ключ; 4) (М.) *ист.* франциска́нец, мино́рит.

Minorca [mɪ'pɔːkə] *n* мино́рка (*поро́да кур*) [*см. тж. Спи́сок географи́ческих назва́ний*].

Minorite ['maɪnəraɪt] *n* мино́рит, франциска́нец.

minority [maɪ'nɔrɪtɪ] *n* 1) меньшинство́; ме́ньшее число́; ме́ньшая часть; 2) несовершенноле́тие.

minster ['mɪnstə] *n* 1) монасты́рская це́рковь; 2) кафедра́льный собо́р.

minstrel ['mɪnstrəl] *n* 1) менестре́ль; 2) поэ́т; певе́ц; 3) *pl* исполни́тели паро́дий на негритя́нские пе́сни.

minstrelsy ['mɪnstrəlsɪ] *n* 1) иску́сство менестре́лей; 2) *собир.* менестре́ли; 3) поэ́зия; 4) *поэт.* пе́ние птиц.

mint I [mɪnt] *n бот.* мя́та.

mint II [mınt] **1.** *n* 1) монётный двор; **2)** большáя сýмма; большóе колúчество; ~ of money большáя сýмма, кýча дéнег; ~ of trouble кýча неприя́тностей; 3) истóчник, происхождéние;
2. *v* 1) чекáнить (*монéту*); 2) создавáть (*нóвое слóво, выражéние*); 3) *пренебр.* выдýмывать.

mintage ['mıntıdʒ] *n* 1) чекáнка (*монéты*); 2) монéты однóго вы́пуска; 3) отпечáток (*на монéте*); «легéнда»; 4) пóшлина на прáво чекáнки монéты; 5) создáние, изобретéние; a word of new ~ неологúзм.

minuend ['mınjuend] *n мат.* уменьшáемое.

minuet [,mınju'et] *n* менуэ́т.

minus ['maınəs] **1.** *prep* мúнус; без; ten ~ four is six дéсять мúнус четы́ре равня́ется шестú;
2. *n* 1) знак мúнуса; мúнус (*тж. перен.*); 2) отрицáтельная величинá; 3) *воен.* недолёт;
3. *a* 1) отрицáтельный; a ~ quantity отрицáтельная величинá; ~ charge *эл.* отрицáтельный заря́д; 2) *разг.* лишённый (*чегó-л.*); he came back ~ an arm он вернýлся без рукú.

minuscule [mı'nʌskjuːl] *n* строчнáя бýква (*в средневекóвых рукопúсях*).

minute I ['mınıt] **1.** *n* 1) минýта (*тж. астр., мат.* ¹/₆₀ *часть грáдуса*); 2) мгновéние; момéнт; the ~ (that) the bell rings he gets up как тóлько прозвонúт звонóк, он встаёт; on (*или* to) the ~ пунктуáльно, минýта в минýту;
2. *v* рассчúтывать врéмя по минýтам.

minute II ['mınıt] **1.** *n* 1) набрóсок, пáмятная запúска; 2) *pl* протокóл (*собрáния*);
2. *v* 1) набрáсывать нáчерно; 2) вестú протокóл; □ ~ **down** запúсывать.

minute III [maı'njuːt] *a* 1) мéлкий, мельчáйший; ~ anatomy микроскопúческая анатóмия, гистолóгия; 2) незначúтельный; 3) подрóбный, детáльный.

minute-book ['mınıtbuk] *n* журнáл заседáний.

minute-glass ['mınıtglɑːs] *n* песóчные часы́, рассчúтанные на однý минýту.

minute-guns ['mınıtgʌnz] *n pl* чáстые пýшечные вы́стрелы (*как сигнáл бéдствия или как трáурный салю́т*).

minute-hand ['mınıthænd] *n* минýтная стрéлка.

minute-jumper ['mınıt,dʒʌmpə] *n* электрúческие часы́ (*на котóрых минýтная стрéлка передвигáется срáзу на минýту*).

minutely I ['mınıtlı] **1.** *a* ежеминýтный; **2.** *adv* ежеминýтно.

minutely II [maı'njuːtlı] *adv* 1) подрóбно; 2) тóчно.

minute-man ['mınıtmæn] *n амер.* 1) *ист.* солдáт нарóдной милúции (*эпохи войны́ за незавúсимость 1775-83 гг.*); 2) человéк, всегдá готóвый к дéйствию.

minuteness [maı'njuːtnıs] *n* 1) мáлость; незначúтельность; 2) детáльность; 3) тóчность.

minutiae [maı'njuːʃiɪ] *n pl* мéлочи; детáли.

minx [mıŋks] *n* 1) дéрзкая девчóнка; 2) кокéтка, шалýнья; 3) *уст.* распýтница.

miocene ['maıəsiːn] **1.** *n геол.* миоцéн; **2.** *a* миоцéновый.

miracle ['mırəkl] *n* 1) чýдо; to a ~ на дúво, удивúтельно хорошó; 2) удивúтельная вещь, выдающееся собы́тие; 3) *ист.* средневекóвая мистéрия *или* мирáкль (*тж.* ~ play).

miraculous [mı'rækjuləs] *a* 1) чудотвóрный, сверхъестéственный; 2) удивúтельный.

mirage ['mırɑːʒ] *n* мирáж.

mire ['maıə] **1.** *n* 1) трясúна, болóто; to find oneself (*или* to stick) in the ~ *перен.* оказáться в затруднúтельном положéнии; 2) грязь; to bring in (*или* to drag through) the ~ облúть гря́зью, вы́ставить на позóр;
2. *v* 1) завя́знуть в грязú, в трясúне (*тж.* ~ down); 2) обры́згивать гря́зью; *перен.* чернúть; 3) втянýть (*во чтó-л.*).

miriness ['maıərınıs] *n* болóтистость, тóпкость.

mirk [məːk] = murk.

mirror ['mırə] **1.** *n* 1) зéркало; false ~ кривóе зéркало; 2) зеркáльная повéрхность; 3) отображéние;
2. *v* отражáть, отображáть.

mirth [məːθ] *n* весéлье, рáдость.

mirthful ['məːθful] *a* весёлый, рáдостный.

miry ['maıərı] *a* 1) тóпкий; 2) гря́зный.

mis- [mıs-] *pref* присоединя́ется к глагóлам и отглагóльным существúтельным, придавáя значéние непрáвильно, лóжно; *напр.:* misunderstand непрáвильно поня́ть; misprint опечáтка.

misadventure ['mısəd'ventʃə] *n* несчáстье, несчáстный слýчай; *юр.:* homicide by ~ непреднамéренное убúйство.

misadvise [,mısəd'vaız] *v* давáть плохóй *или* непрáвильный совéт.

misalliance ['mısə'laıəns] = mésalliance.

misanthrope ['mızənθroup] *n* человеконенавúстник, мизантрóп.

misanthropic(al) [,mızən'θrɔpık(əl)] *a* человеконенавúстнический.

misanthropy [mı'zænθrəpı] *n* мизантрóпия.

misapplication ['mıs,æplı'keıʃən] *n* 1) непрáвильное испóльзование; 2) злоупотреблéние.

misapply ['mısə'plaı] *v* 1) непрáвильно испóльзовать; 2) злоупотребля́ть.

misapprehend ['mıs,æprı'hend] *v* поня́ть ошúбочно, преврáтно.

misapprehension ['mıs,æprı'henʃən] *n* непрáвильное представлéние; недоразумéние; to be under ~ быть в заблуждéнии.

misappropriate ['mısə'prouprıeıt] *v* незакóнно присвóить.

misappropriation ['mısə,prouprı'eıʃən] *n* незакóнное присвоéние.

misbecame ['mısbı'keım] *past om* misbecome.

misbecome ['mısbı'kʌm] *v* (misbecame) не подходúть, не приличествовать.

misbegotten ['mısbı'gɔtn] *a* рождённый вне брáка.

misbehave ['mɪsbɪ'heɪv] v дурно вести себя.

misbehaviour ['mɪsbɪ'heɪvjə] n дурное, недостойное поведение; проступок.

misbelief ['mɪsbɪ'liːf] n 1) ложное мнение; заблуждение; 2) ересь.

misbelieve ['mɪsbɪ'liːv] v 1) заблуждаться; 2) впадать в ересь.

misbeliever ['mɪsbɪ'liːvə] n еретик.

misbirth [mɪs'bəːθ] n выкидыш, аборт.

miscalculate ['mɪs'kælkjuleɪt] v ошибаться в расчёте, просчитываться.

miscalculation ['mɪs,kælkjuːleɪʃən] n ошибка в расчёте, просчёт.

miscall [mɪs'kɔːl] v 1) неверно называть; 2) диал. обзывать бранными словами.

miscarriage [mɪs'kærɪdʒ] n 1) неудача; ошибка; ~ of justice судебная ошибка; 2) недоставка по адресу; 3) выкидыш, аборт.

miscarry [mɪs'kærɪ] v 1) (по)терпеть неудачу; 2) не доходить по адресу; 3) выкинуть; сделать выкидыш.

miscegenation [,mɪsɪdʒɪ'neɪʃən] n смешанные браки между белыми и неграми.

miscellanea [,mɪsə'leɪnɪə] n pl 1) литературная смесь; разное (рубрика); 2) собрание разных заметок; сборник.

miscellaneous [,mɪsɪ'leɪnjəs] a 1) смешанный; разнообразный; 2) разносторонний.

miscellany [mɪ'selənɪ] n 1) смесь; 2) сборник, альманах.

mischance [mɪs'tʃɑːns] n неудача; несчастный случай; by ~ к несчастью, по несчастной случайности.

mischief ['mɪstʃɪf] n 1) вред; повреждение; 2) зло, беда; the ~ of it is that беда в том, что; to make ~ ссорить, сеять раздоры; вредить; 3) озорство, проказы; full of ~ озорной; бедовый; 4) озорник, бедокур; 5) разг. чёрт; what the ~ do you want? какого чёрта вам нужно?; why the ~ почему, чёрт возьми; 6) уст. болезнь.

mischief-maker ['mɪstʃɪf,meɪkə] n интриган, смутьян.

mischievous ['mɪstʃɪvəs] a 1) озорной; непослушный; 2) вредный; 3) уст. злонамеренный, злобный.

miscomprehend ['mɪskɔmprɪ'hend] v неправильно понять.

miscomprehension ['mɪskɔmprɪ'henʃən] n неправильное понимание, недоразумение.

misconceive ['mɪskən'siːv] v 1) неправильно понять; 2) иметь неправильное представление.

misconception ['mɪskən'sepʃən] n 1) неправильное представление; 2) недоразумение.

misconduct 1. n [mɪs'kɔndəkt] 1) дурное поведение, проступок; 2) супружеская неверность; 3) плохое управление; неправильное (или неумелое) обращение (с чем-л.);
2. v ['mɪskən'dʌkt] 1) дурно вести себя; 2) нарушать супружескую верность; 3) плохо управлять; плохо (или неумело) обращаться (с чем-л.).

misconstruction ['mɪskəns'trʌkʃən] n 1) неправильное построение; 2) неверное истолкование.

misconstrue ['mɪskən'struː] v неправильно истолковывать.

miscount ['mɪs'kaunt] 1. n просчёт; неправильный подсчёт;
2. v ошибаться при подсчёте.

miscreant ['mɪskrɪənt] 1. n 1) негодяй, злодей; 2) уст. еретик;
2. a 1) испорченный, развращённый; 2) уст. еретический.

miscreated ['mɪskrɪ'eɪtɪd] a уродливый, уродливо сложённый.

misdate ['mɪs'deɪt] v неверно датировать.

misdeal ['mɪs'diːl] 1. n карт. неправильная сдача;
2. v (misdealt) 1) поступать неправильно; 2) карт. ошибаться при сдаче.

misdealing ['mɪs'diːlɪŋ] 1. pres. p. от misdeal 2;
2. n нечестный поступок; беспринципное поведение.

misdealt ['mɪs'delt] past и p. p. от misdeal 2.

misdeed ['mɪs'diːd] n 1) преступление; злодеяние; 2) оплошность, ошибка.

misdeem ['mɪs'diːm] v неправильно судить, составить неправильное мнение.

misdemeanant [,mɪsdɪ'miːnənt] n юр. лицо, совершившее судебно наказуемый проступок.

misdemeanour ['mɪsdɪ'miːnə] n 1) юр. судебно наказуемый проступок, преступление; 2) разг. проступок.

misdirect ['mɪsdɪ'rekt] v 1) неверно, неправильно направлять; 2) адресовать неправильно; 3) давать неправильные указания (присяжным).

misdirection ['mɪsdɪ'rekʃən] n неправильное указание или руководство.

misdoing ['mɪs'duːɪŋ] n 1) оплошность, ошибка; 2) злодеяние.

misdoubt [mɪs'daut] уст. 1. n 1) сомнение; колебание; 2) подозрение; 3) предчувствие чего-л. дурного;
2. v 1) сомневаться; 2) подозревать; 3) иметь дурные предчувствия.

miser I ['maɪzə] n 1) скупой, скупец, скряга; 2) уст. несчастный человек, бедняга.

miser II ['maɪzə] n бур.

miserable ['mɪzərəbl] a 1) жалкий, несчастный; 2) печальный (о новостях, событиях); 3) плохой (о концерте, исполнении); убогий (о жилище и т. п.); скудный (об обеде, угощении).

miserably ['mɪzərəblɪ] adv 1) несчастно и пр. [см. miserable]; 2) очень, ужасно.

miserere [,mɪzə'rɪərɪ] лат. n 1) мольба о прощении, милосердии; 2) церк. «помилуй мя, боже», мизерере (51-й псалом в англ. библии, 50-й в русской).

miserliness ['maɪzəlɪnɪs] n скупость, скаредность.

miserly ['maɪzəlɪ] a скупой, скаредный.

misery ['mɪzərɪ] n 1) страдание; невзгода, несчастье; 2) нищета, бедность.

misfeasance ['mɪs'fiːzəns] n юр. злоупотребление властью.

misfire ['mɪs'faɪə] 1. n 1) осечка; 2) тех. пропуск вспышки; пропуск в зажигании;
2. v давать осечку; не взрываться.

misfit ['mɪsfɪt] 1. *n* 1) плохо сидящее платье; 2) что-л. неудачное, неподходящее; 3) человек, плохо приспособленный к окружающим условиям;
2. *v* плохо сидеть (*о платье*).

misfortune [mɪs'fɔːtʃən] *n* беда, неудача, несчастье; ◇ ~s never come alone (*или* singly) *посл.* беда никогда не приходит одна; ≈ пришла беда, отворяй ворота.

misgave [mɪs'geɪv] *past om* misgive.

misgive [mɪs'gɪv] *v* (misgave; misgiven) 1) внушать недоверие, опасения, дурные предчувствия; my heart ~s me моё сердце предчувствует беду; 2) *шотл.* дать осечку.

misgiven [mɪs'gɪvn] *p.p. om* misgive.

misgiving [mɪs'gɪvɪŋ] 1. *pres. p. om* misgive;
2. *n* опасение, предчувствие дурного.

misgovern ['mɪs'gʌvən] *v* плохо управлять.

misguidance [mɪs'gaɪdəns] *n* неправильное руководство.

misguide ['mɪs'gaɪd] *v* 1) неправильно направлять; 2) вводить в заблуждение; 3) *шотл.* дурно обращаться, портить.

mishandle ['mɪs'hændl] *v* 1) плохо обращаться; 2) плохо управлять.

mishap ['mɪshæp] *n* неудача, несчастье.

mishear [mɪs'hɪə] *v* (misheard) ослышаться.

misheard [mɪs'hɜːd] *past и p. p. om* mishear.

mishit [mɪs'hɪt] 1. *n* промах;
2. *v* промахнуться.

mishmash ['mɪʃˌmæʃ] *n* смесь, путаница, мешанина.

misinform ['mɪsɪn'fɔːm] *v* неправильно информировать; дезориентировать, вводить в заблуждение.

misinformation [ˌmɪsɪnfə'meɪʃən] *n* дезинформация.

misinterpret ['mɪsɪn'tɜːprɪt] *v* неверно истолковывать.

misinterpretation ['mɪsɪnˌtɜːprɪ'teɪʃən] *n* неверное истолкование.

misjudge ['mɪs'dʒʌdʒ] *v* составить себе неправильное суждение; недооценивать.

misjudgement ['mɪs'dʒʌdʒmənt] *n* неправильное суждение; недооценка.

mislaid [mɪs'leɪd] *past и p. p. om* mislay.

mislay [mɪs'leɪ] *v* (mislaid) положить не на место, заложить, потерять.

mislead [mɪs'liːd] *v* (misled) вводить в заблуждение.

misleading [mɪs'liːdɪŋ] 1. *pres. p. om* mislead;
2. *a* вводящий в заблуждение, обманчивый.

misled [mɪs'led] *past и p. p. om* mislead.

mismanage ['mɪs'mænɪdʒ] *v* плохо управлять (*чем-л.*); портить.

mismanagement ['mɪs'mænɪdʒmənt] *n* плохое управление.

misname [mɪs'neɪm] *v* неверно называть.

misnomer [mɪs'noumə] *n* неправильное употребление имени или термина.

misogamy [mɪ'sɔgəmɪ] *n* отрицание брака.

misogyny [maɪ'sɔdʒɪnɪ] *n* женоненавистничество.

misplace ['mɪs'pleɪs] *v* 1) положить, поставить не на место; 2): to ~ one's confidence довериться человеку, того не заслуживающему; 3) говорить, делать некстати, не вовремя.

misprint ['mɪsprɪnt] 1. *n* опечатка;
2. *v* напечатать неправильно; сделать опечатку.

misprise [mɪs'praɪz] = misprize.

misprision [mɪs'prɪʒən] *n* 1): ~ of treason (*или* felony) *юр.* укрывательство; недонесение; 2) *уст.* презрение; недооценка.

misprize [mɪs'praɪz] *v* 1) презирать; 2) недооценивать.

mispronounce ['mɪsprə'nauns] *v* неправильно произносить.

mispronunciation ['mɪsprəˌnʌnsɪ'eɪʃən] *n* неправильное произношение.

misquotation ['mɪskwou'teɪʃən] *n* неправильное цитирование *или* -ая цитата.

misquote ['mɪs'kwout] *v* неверно цитировать.

misread ['mɪs'riːd] *v* (misread ['mɪs'red]) 1) (про)читать неправильно; 2) неправильно истолковывать (*прочитанное*).

misrepresent ['mɪsˌreprɪ'zent] *v* представлять в ложном свете, искажать.

misrepresentation ['mɪsˌreprɪzen'teɪʃən] *n* искажение.

misrule ['mɪs'ruːl] 1. *n* 1) плохое управление; 2) беспорядок; ◇ Lord *или* Abbot, Master) of M. глава рождественских увеселений (*в старой Англии*);
2. *v* плохо управлять.

miss I [mɪs] 1. *n* 1) промах, осечка; 2) отсутствие, потеря (*чего-л.*); ◇ a ~ is as good as a mile *посл.* ≈ промах есть промах; «чуть-чуть» не считается; to give smth. a ~ избегать чего-л.; проходить мимо чего-л.;
2. *v* 1) промахнуться, не достичь цели (*тж. перен.*); to ~ fire дать осечку; *перен.* потерпеть неудачу; 2) упустить, пропустить; не заметить; не услышать; to ~ a promotion не получить повышения; to ~ an opportunity упустить возможность; to ~ smb.'s words прослушать, не расслышать, пропустить мимо ушей чьи-л. слова; to ~ the train опоздать на поезд; to ~ smb. in the crowd потерять кого-л. в толпе; to ~ the bus *перен.* прозевать удобный случай, проворонить что-л.; 3) пропустить, выпустить (*слова, буквы — при письме, чтении; тж.* ~ out); 4) чувствовать отсутствие (*кого-л., чего-л.*); скучать (*по ком-л.*); we ~ed you badly нам страшно не хватало вас; 5) избежать; he just ~ed being killed он едва не был убит.

miss II [mɪs] *n* 1) мисс, барышня (*при обращении к девушке или к незамужней женщине; при обращении к старшей дочери ставится перед фамилией — M. Jones, при обращении к остальным дочерям употребляется только с именем — M. Mary; без фамилии и имени употребляется только вульгарно*); 2) *разг.* девочка, девушка; 3) *уст.* любовница.

missal ['mɪsəl] *n* католический требник.

missel ['mɪzəl] *n* деряба (*птица*).

mis-shapen ['mɪs'ʃeɪpən] *a* уродливый.

missile ['mɪsaɪl] 1. *n* метательный снаряд; ракета; guided ~ *воен.* управляемый снаряд;
2. *a* метательный.

missing ['mɪsɪŋ] 1. *pres. p. от* miss I, 2;
2. *a* отсутствующий, недостающий; ~ link недостающее звено; there is a page ~ здесь недостаёт страницы;
3. *n* (the ~) *pl собир.* без вести пропавшие.

mission ['mɪʃən] 1. *n* 1) миссия; делегация; 2) призвание, цель (*жизни*); задача; 3) поручение; командировка; 4) миссионерская деятельность; 5) *attr.* миссионерский; ~ style *амер.* стиль (*в архитектуре, мебели и т. п.*), созданный по образцам старинных испанских католических миссий в Калифорнии;
2. *v* 1) посылать с поручением; 2) вести миссионерскую работу.

missionary ['mɪʃnərɪ] 1. *n* миссионер; проповедник;
2. *a* миссионерский.

missis ['mɪsɪz] *n* 1) миссис; хозяйка; 2) (the ~) *шутл.* жена, хозяйка.

missive ['mɪsɪv] 1. *n* официальное письмо; послание;
2. *a уст.* посланный; letter(s) ~ грамота (*послание*).

mis-spell ['mɪs'spel] *v* (mis-spelt) делать орфографические ошибки; писать с орфографическими ошибками.

mis-spelt ['mɪs'spelt] *past и p. p. от* mis-spell.

mis-spend ['mɪs'spend] *v* (mis-spent) неразумно, зря тратить.

mis-spent ['mɪs'spent] *past и p. p. от* mis-spend.

mis-state ['mɪs'steɪt] *v* делать неправильное, ложное заявление.

mis-statement ['mɪs'steɪtmənt] *n* неправильное, ложное заявление *или* показание.

mis-step ['mɪs'step] 1. *n* ложный шаг; ошибка, оплошность;
2. *v* оступиться; *перен.* сделать оплошность.

missus ['mɪsəs] = missis.

missy ['mɪsɪ] *n* мисси (*шутл., ласк., реже пренебр. обращение к молодой девушке*).

mist [mɪst] 1. *n* 1) (лёгкий) туман; дымка; мгла; пасмурность; Scotch ~ густой туман; изморось, мелкий моросящий дождь; 2) туман перед глазами;
2. *v* 1) застилать туманом; затуманивать (-ся); 2) (*в безличных оборотах*): it ~s, it is ~ing моросит.

mistake [mɪs'teɪk] 1. *n* ошибка; недоразумение, заблуждение; by ~ по ошибке; and no ~, to make no ~ *разг.* несомненно, бесспорно; непременно, обязательно;
2. *v* (mistook; mistaken) 1) ошибаться; неправильно понимать; заблуждаться; 2) принять *кого-л.* за другого, *или* что-л. за другое (for); to ~ one's man *амер.* обмануться в человеке.

mistaken [mɪs'teɪkən] 1. *p. p. от* mistake 2; you are ~ вас неправильно поняли, вы не поняты [*ср. тж.* 2, 3)];
2. *a* 1) ошибочный; 2) неуместный; 3)

ошибающийся, заблуждающийся; you are mistaken вы ошибаетесь [*ср. тж.* 1].

mistakenly [mɪs'teɪkənlɪ] *adv* 1) ошибочно; 2) неуместно.

mistaking [mɪs'teɪkɪŋ] 1. *pres. p. от* mistake 2;
2. *n* ошибка, недоразумение; there's no ~ ошибиться невозможно.

mister ['mɪstə] 1. *n* (*сокр.* Mr) мистер, господин (*ставится перед фамилией или названием должности и полностью в этом случае никогда не пишется; как обращение, без фамилии употребляется только вульгарно*: hey, mister! эй, господин!);
2. *v*: don't ~ me не употребляйте слова «мистер», обращаясь ко мне.

mistime ['mɪs'taɪm] *v* 1) сделать *или* сказать не вовремя, некстати; 2) не попадать в такт.

mistiness ['mɪstɪnɪs] *n* туманность.

mistletoe ['mɪsltou] *n бот.* омела (*в Англии традиционное украшение дома на рождество*).

mistook [mɪs'tuk] *past от* mistake 2.

mistral ['mɪstrəl] *n* мистраль (*холодный сев. или сев.-зап. ветер на юге Франции*).

mistranslate ['mɪstræns'leɪt] *v* неправильно перевести.

mistranslation ['mɪsɪræns'leɪʃən] *n* неправильный перевод.

mistreat [mɪs'triːt] *амер.* = maltreat.

mistreatment [mɪs'triːtmənt] *амер.* = maltreatment.

mistress ['mɪstrɪs] *n* 1) хозяйка (дома); *перен.* повелительница, владычица; M. of the Adriatic *ист.* Венеция; you are your own ~ вы сами себе госпожа; you are ~ of the situation вы хозяйка положения; 2) (*сокр.* Mrs ['mɪsɪz]) миссис, госпожа (*ставится перед фамилией замужней женщины и полностью в этом случае никогда не пишется*); 3) мастерица, специалистка; 4) учительница; 5) любовница; *поэт.* возлюбленная; 6) *горн. разг.* непромокаемый костюм для проходчиков.

mistrust [mɪs'trʌst] 1. *n* недоверие; подозрение;
2. *v* не доверять; сомневаться, подозревать.

mistrustful [mɪs'trʌstful] *a* недоверчивый.

misty ['mɪstɪ] *a* 1) туманный; 2) смутный, неясный; a ~ idea смутное представление; 3) затуманенный (слезами).

misunderstand ['mɪsʌndə'stænd] *v* (misunderstood) неправильно понять.

misunderstanding ['mɪsʌndə'stændɪŋ] 1. *pres. p. от* misunderstand;
2. *n* 1) неправильное понимание; 2) недоразумение; 3) размолвка.

misunderstood ['mɪsʌndə'stud] *past и p. p. от* misunderstand.

misuse 1. *n* ['mɪs'juːs] 1) неправильное употребление; 2) плохое обращение; 3) злоупотребление;
2. *v* ['mɪs'juːz] 1) неправильно употреблять; 2) дурно обращаться; 3) злоупотреблять.

mite I [maɪt] *n* 1) полушка; 2) скромная доля, лепта; let me offer my ~ позвольте мне внести свою скромную лепту; not a ~ *разг.* ничуть, нисколько; 3) маленькая вещь *или* существо; a ~ of a child малютка, крошка.

mite II [maɪt] *n* клещ.

Mithras ['mɪθræs] *n* Митра (*древнеиранский бог солнца*).

mitigate ['mɪtɪgeɪt] *v* смягчать, уменьшать; умерять (*жар, пыл*); облегчать (*боль*).

mitigation [,mɪtɪ'geɪʃən] *n* смягчение, уменьшение.

mitigatory ['mɪtɪ,geɪtərɪ] *a* 1) смягчающий; 2) *мед.* мягчительный, успокойтельный.

mitosis [mɪ'tousɪs] *n биол.* непрямое деление клетки, митоз, кариокинез.

mitrailleuse [,mɪtraɪ'əːz] *фр. n воен. ист.* митральеза.

mitral ['maɪtrəl] *a* напоминающий по форме митру; ~ valve *мед.* митральный клапан сердца.

mitre I ['maɪtə] 1. *n* 1) *церк.* митра; 2) епископский сан;
2. *v* (по)жаловать митру.

mitre II ['maɪtə] *тех.* 1. *n* 1) ус, срез, скос под углом 45°; 2) колпак на дымовой трубе, дефлектор; заслонка;
2. *v* скашивать, соединять в ус, соединять под углом 45°.

mitre-wheel ['maɪtəwiːl] *n тех.* коническое зубчатое колесо.

mitt [mɪt] (*сокр. от* mitten) *n* 1) митенка (*дамская перчатка без пальцев*); 2) *pl sl.* боксёрские перчатки; 3) *sl.* рука; кулак; to tip smb.'s ~ a) здороваться с кем-л. за руку; б) угадывать чьи-л. намерения, планы.

mitten ['mɪtn] *n* 1) рукавица; варежка; 2) *pl* боксёрские перчатки; 3) митенка (*дамская перчатка без пальцев*); 4) *ист.* латная перчатка; ◇ to get the ~ a) получить отказ (*о женихе*); б) быть уволенным с работы.

mittimus ['mɪtɪməs] *лат. n* 1) *юр.* приказ о заключении в тюрьму; 2) *разг.* извещение об увольнении.

mitt-reader ['mɪt,riːdə] *n амер. разг.* гадалка, хиромантка.

mix [mɪks] 1. *n* 1) смешивание; 2) смесь; 3) беспорядок, путаница;
2. *v* 1) смешивать, мешать, примешивать; 2) соединяться, смешиваться; oil will not ~ with water масло не соединяется с водой (*или* не растворяется в воде); 3) общаться; вращаться (*в обществе*); сходиться; 4) *с.-х.* скрещивать; □ ~ up a) хорошо перемешивать; б) спутать, перепутать; в) впутывать; to be ~ed up быть замешанным (in, with — *в чём-л.*).

mixed [mɪkst] 1. *p. p. от* mix 2;
2. *a* 1) смешанный, перемешанный; 2) разнородный; ~ brigade *воен.* сводная бригада; ~ train товаро-пассажирский поезд; 3) смешанный, для людей обоего пола; ~ school смешанная школа; ~ bathing общий пляж; 4) *разг.* одурелый; выпивший; 5) *фон.:* ~ vowel гласный звук смешанного ряда.

mixer ['mɪksə] *n* 1) *разг.* общительный человек (*тж.* good ~); bad ~ необщительный человек; 2) *тех.* смеситель, смешивающий аппарат *или* прибор, мешалка; миксер; 3) *радио* смеситель; преобразователь частоты.

mix-in ['mɪks'ɪn] *n амер. разг.* драка, потасовка.

mixture ['mɪkstʃə] *n* 1) смешивание; 2) смесь; 3) *мед.* микстура; ◇ Oxford ~ тёмно-серая материя.

mix-up ['mɪks'ʌp] *n разг.* 1) путаница, неразбериха; 2) потасовка.

miz(z)en ['mɪzn] *n мор.* бизань.

mizzle I ['mɪzl] 1. *n* изморось;
2. *v* (*в безличных оборотах*) :it ~s, it is mizzling моросит.

mizzle II ['mɪzl] *v sl.* смыться, улепетнуть.

mnemonic [niː'mɔnɪk] *a* мнемонический.

mnemonics [niː'mɔnɪks] *n pl* (*употр. как sing*) мнемоника.

mo [mou] (*сокр. разг. от* moment): wait a mo!, half a mo! подождите минутку!, одну минутку!; in a mo сейчас, один момент.

moan [moun] 1. *n* 1) стон; 2) *уст., поэт.* жалоба; to make one's ~ жаловаться; 3) воркотня, брюзжание;
2. *v* 1) стонать; 2) *поэт.* оплакивать, жаловаться.

moat [mout] 1. *n* ров (с водой);
2. *v* обносить рвом.

mob [mɔb] 1. *n* 1) толпа, сборище; 2) *презр.* чернь; 3) *sl.* воровская шайка;
2. *v* 1) толпиться; 2) нападать толпой, окружать.

mob-cap ['mɔbkæp] *n* домашний чепец.

mobile ['moubaɪl] *a* 1) подвижной; ~ mind живой ум; 2) *воен.* подвижной, мобильный; ~ warfare манёвренная война; 3) изменчивый.

mobility [mou'bɪlɪtɪ] *n* 1) подвижность; мобильность; 2) непостоянство; изменчивость; 3) возбудимость.

mobilization [,moubɪlaɪ'zeɪʃən] *n* мобилизация.

mobilize ['moubɪlaɪz] *v* 1) мобилизовать(ся); 2) (с)делать подвижным; 3) пускать (деньги) в обращение.

mob law ['mɔblɔː] *n* самосуд.

moccasin ['mɔkəsɪn] *n* 1) мокасин (*обувь индейцев*); 2) *зоол.* мокасиновая змея; water ~ водяной щитомордник.

mocha ['moukə] *n* кофе мокко (*тж.* ~ coffee).

mock [mɔk] 1. *n* уст. 1) осмеяние; насмешка; 2) посмешище; to make a ~ of вышучивать; 3) подражание; пародия;
2. *a* 1) поддельный; 2) притворный; мнимый; ложный; ◇ ~ moon = paraselene; ~ sun = parhelion;
3. *v* 1) насмехаться (at); высмеивать, осмеивать; 2) передразнивать; пародировать; 3) дразнить, обманывать.

mockery ['mɔkərɪ] *n* 1) издевательство, осмеяние; насмешка; 2) пародия; 3) посмешище; 4) бесплодная попытка.

mock-heroic ['mɔkhɪ'rouɪk] 1. *n* герои-комический стиль;
2. *a* герои-комический.

mocking-bird ['mɔkɪŋbəːd] *n* пересмёшник многоголосый (*птица*).

mock-turtle soup ['mɔk'təːtl,suːp] *n* суп из телячьей головы.

mock-up ['mɔk'ʌp] *n* макёт *или* модёль в натуральную величину.

modal ['moudl] *a* 1) касающийся фóрмы (*а не существа*); 2) *филос.*, *лингв.* модáльный; 3) *муз.* относящийся к тонáльности.

modality [mou'dælɪtɪ] *n* *филос.*, *лингв.* модáльность.

mode [moud] *n* 1) мётод, спóсоб; ~ of production спóсоб произвóдства; ~ образ дёйствий; ~ of life óбраз жизни; 3) фóрма, вид; 4) мóда; обычай; 5) *грам.* наклонёние; 6) *муз.* лад, тонáльность.

model ['mɔdl] **1.** *n* 1) модёль, макёт; шаблóн; 2) *разг.* тóчная кóпия; 3) образёц; 4) систёма; 5) натýрщик; натýрщица; 6) манекён; 7) живáя модёль (*в магазине платья*); 8) *attr.* образцóвый, примёрный; **2.** *v* 1) моделировать; лепить; 2) *тех.* формовáть; 3) оформлять; 4) создавáть по образцý (*чего-л.*; after, on); to ~ oneself (up)on smb. брать когó-л. за образёц.

modeller ['mɔdlə] *n* 1) лёпщик; 2) модёльщик.

modelling ['mɔdlɪŋ] **1.** *pres. p. om* model 2; **2.** *n* 1) исполнёние по модёли; 2) лепнáя рабóта; формóвка.

moderate 1. *n* ['mɔdərɪt] оппортунист, «умёренный»;
2. *a* ['mɔdərɪt] **1)** умёренный; выдержанный (*о человеке*); сдёржанный, воздёржанный; ~ in drinking трёзвый, воздёржанный; 2) срёдний, посрёдственный (*о качестве*); небольшóй (*о количестве, силе*); a man of ~ abilities человёк срёдних спосóбностей; ~ price достýпная цена; 3) здрáвый, трёзвый (*о мнении, точке зрёния*); 4) оппортунистический, «умёренный»;
3. *v* ['mɔdəreɪt] **1)** умерять; смягчáть; 2) сдёрживать, обуздывать; урезонивать; 3) становиться умёренным; смягчáться; стихáть (*о ветре*); 4) выступáть в рóли арбитра; 5) председáтельствовать.

moderation [,mɔdə'reɪʃən] *n* 1) умёренность; in ~ умёренно; сдёржанно; 2) сдёрживание; регулировáние; 3) воздержáние; 4) выдержка, рóвность (*характера*); 5) *физ.* замедлёние; ~ of neutrons замедлёние нейтрóнов; 6) *pl* пёрвый публичный экзáмен на стёпень бакалáвра (*в Оксфорде*).

moderator ['mɔdəreɪtə] *n* 1) арбитр; посрёдник; 2) регулятор; 3) председáтель собрáния; *амер.* председáтель собрáния горóдских избирáтелей; 4) экзаменáтор (*на публичном экзамене в Оксфорде или в Кембридже*); 5) *физ.* замедлитель (*ядерных реакций*); 6) *attr.* ~ lamp лáмпа с регулятором подáчи кероси́на.

modern ['mɔdən] **1.** *a* совремённый; нóвый; ~ languages нóвые языки; ~ school шкóла без преподавáния класси́ческих языкóв;
2. *n* 1) человёк нóвого врёмени; 2) (the ~s) *pl* совремённые писáтели, худóжники *и т. п.*

modernism ['mɔdənɪzəm] *n* 1) модернизм; новёйшие течёния; 2) *лингв.* неологи́зм.

modernist ['mɔdənɪst] *n* *иск.* модернист.

modernistic [,mɔdə'nɪstɪk] *a* *иск.* модернистский.

modernity [mɔ'dəːnɪtɪ] *n* совремённость, совремённый харáктер.

modernize ['mɔdənaɪz] *v* модернизировать.

modest ['mɔdɪst] *a* 1) скрóмный; умёренный; 2) благопристóйный; сдёржанный.

modesty ['mɔdɪstɪ] *n* 1) скрóмность; умёренность; 2) благопристóйность; сдёржанность.

modi ['moudaɪ] *pl om* modus.

modicum ['mɔdɪkəm] *n* 1) óчень мáлое количество, чýточка; 2) небольши́е срёдства.

modifiable ['mɔdɪfaɪəbl] *a* могýщий быть изменённым.

modification [,mɔdɪfɪ'keɪʃən] *n* 1) видоизменёние; изменёние; модификáция; 2) *лингв.* перегласóвка, умляут; графи́ческое обозначёние умляута.

modificatory ['mɔdɪfɪ,keɪtərɪ] *a* видоизменяющий; меняющий.

modify ['mɔdɪfaɪ] *v* 1) **видоизменять**; 2) смягчáть; 3) *лингв.* видоизменять чёрез умляут; 4) *грам.* определять.

modish ['moudɪʃ] *a* 1) мóдный; 2) гоняющийся за мóдами.

modiste [mou'diːst] *фр.* *n* 1) портниха; 2) модистка.

mods [mɔdz] *сокр. om* moderation 6).

modulate ['mɔdjuleɪt] *v* 1) модулировать; 2) *радио* понижáть частотý; 3) *муз.* переходи́ть из однóй тонáльности в другýю.

modulation [,mɔdju'leɪʃən] *n* модуляция.

module ['mɔdjuːl] *n* 1) *физ.*, *тех.* мóдуль, коэффициёнт; ~ of design мóдуль размёрности; ~ of torsion мóдуль упрýгости при кручёнии; 2) *архит.* мóдуль.

modulus ['mɔdjuləs] *n* = module 1).

modus ['moudəs] *n (pl* modi) спóсоб; образ жизни; ~ vivendi врёменное соглашёние (*спорящих сторон*).

Mogul [mou'gʌl] **1.** *n* 1) монгóл (*особ. потомок завоевателей Индии*); the Great (*или* Grand) ~ *ист.* Великий Могóл; 2) (m.) *редк.* человёк, занимáющий высóкий пост; 3) *pl* назвáние высшего сóрта игрáльных карт;
2. *a* монгóльский.

mohair ['mouhɛə] *n* 1) шерсть ангóрской козы; 2) ткань из шёрсти ангóрской козы.

Mohammed [mou'hæmed] *n* = Mahomet.

Mohammedan [mou'hæmɪdən] **1.** *a* магометáнский;
2. *n* магометáнин; магометáнка.

Mohawk ['mouhɔːk] *n* 1) индёец-могáук; 2) *спорт.* род конькобёжной фигýры; 3) = Mohock.

Mohican ['mouɪkən] *n* плёмя могикáн.

Mohock ['mouhɔk] *n* *ист.* хулигáн, *преим.* из золотóй молодёжи (*в начале XVIII в. в Лóндоне*).

moiety ['mɔɪətɪ] *a* *юр.* половина.

moil I [mɔɪl] **1.** *n* 1) тяжёлая рабóта; *перен.* мучёние; 2) пýтаница; беспорядок; 3) *диал.* пятнó;
2. *v* 1) выполнять тяжёлую рабóту (*особ. в выражении* to toil and ~); 2) *диал.* пáчкать.

moil II [mɔil] *n* кирка́.

moire [mwɑ:] *фр. n* муа́р (*ткань*).

moiré [ˈmwɑːreɪ] *фр. a* муа́ровый, с муа́ровой отде́лкой.

moist [mɔɪst] **1.** *a* 1) сыро́й; вла́жный; ~ colours акваре́льные кра́ски (*в тю́биках*); 2) дождли́вый;
2. *v* = moisten.

moisten [ˈmɔɪsn] *v* 1) увлажня́ть; сма́чивать; 2) станови́ться мо́крым, сыры́м, увлажня́ться.

moisture [ˈmɔɪstʃə] *n* вла́жность, сы́рость; вла́га.

moke [mouk] *n sl.* 1) осёл; 2) дура́к.

molar I [ˈmoulə] **1.** *n* коренно́й зуб; **2.** *a* коренно́й.

molar II [ˈmoulə] *a хим.* грамм-молекуля́рный, моля́рный.

molasses [məˈlæsɪz] *n pl (употр. как sing)* мела́сса, чёрная па́тока; ◇ (as) slow as ~ *амер.* о́чень ме́дленный.

mold I, II, III [mould] = mould I, II *и* III.

Moldavian [mɔlˈdeɪvjən] **1.** *a* молда́вский; **2.** *n* 1) молдава́нин; молдава́нка; 2) молда́вский язы́к.

mole I [moul] *n* ро́динка.

mole II [moul] **1.** *n* крот;
2. *v* копа́ть, рыть (*под землёй*).

mole III [moul] *n* 1) мол; 2) да́мба.

mole IV [moul] *n хим.* грамм-моле́кула, моль.

molecular [mouˈlekjulə] *a* молекуля́рный.

molecule [ˈmɔlɪkjuːl] *n* моле́кула.

mole-eyed [ˈmoulaɪd] *a* 1) с о́чень ма́ленькими глаза́ми (*как у крота́*); 2) подслепова́тый.

molehill [ˈmoulhɪl] *n* кротови́на.

mole-rat [ˈmoulræt] *n зоол.* слепы́ш.

moleskin [ˈmoulskɪn] *n* 1) кротовый мех; 2) *текст.* молески́н; 3) *pl* молески́новые брю́ки.

molest [mouˈlest] *v* пристава́ть; досажда́ть.

molestation [ˌmoulesˈteɪʃən] *n* пристава́ние, надоеда́ние.

molestful [mouˈlestful] *a* надое́дливый, назо́йливый.

moll [mɔl] *n* 1) = molly 1) *и* 2); 2) *амер. sl.* геро́иня га́нгстерского фи́льма.

mollification [ˌmɔlɪfɪˈkeɪʃən] *n* смягче́ние, успокое́ние.

mollify [ˈmɔlɪfaɪ] *v* смягча́ть, успока́ивать.

mollusc [ˈmɔləsk] *n* моллю́ск.

molluscous [mɔˈlʌskəs] *a* 1) *зоол.* моллю́сковый; 2) бесхара́ктерный, мягкоте́лый.

molly [ˈmɔlɪ] *n* 1) *sl.* де́вушка, молода́я же́нщина; 2) *sl.* проститу́тка; 3) изне́женный ю́ноша *или* ма́льчик, «девчо́нка»; 4) *разг.* «тря́пка», «ба́ба» (*тж.* Miss M.); 5) больша́я корзи́на (*для фру́ктов и т. п.*).

molly-coddle [ˈmɔlɪkɔdl] **1.** *n* 1) не́женка; 2) «тря́пка», «ба́ба»;
2. *v* ку́тать(ся); изне́живать, балова́ть.

Molly Maguire [ˈmɔlɪməˈgwaɪə] *n ист.* член та́йного ирла́ндского о́бщества, бо́ровшегося с англи́йским владыче́ством.

Moloch [ˈmoulɔk] *n* 1) *миф.* Моло́х (*тж. перен.*); 2) *зоол.* моло́х.

molt [moult] = moult.

molten [ˈmoultən] *a* 1) распла́вленный; 2) лито́й.

molybdenite [məˈlɪbdɪnaɪt] *n мин.* молибде́новый блеск, молибдени́т.

molybdenum [məˈlɪbdɪnəm] *n хим.* молибде́н.

moment [ˈmoumənt] *n* 1) моме́нт, миг, мгнове́ние, мину́та; at (*или* for) the ~ в да́нную мину́ту; this ~ а) неме́дленно; б) то́лько что; to the (very) ~ то́чно в ука́занный срок; at a ~'s notice в любо́й моме́нт; по пе́рвому тре́бованию; a man of the ~ челове́к, влия́тельный в да́нное вре́мя; ally of the ~ вре́менный, случа́йный сою́зник; 2) ва́жность, значе́ние; a decision of great ~ ва́жное реше́ние; it is of no ~ не име́ет значе́ния; 3) *мех., физ.* моме́нт.

momenta [mouˈmentə] *pl от* momentum.

momentarily [ˈmouməntərɪlɪ] *adv* 1) на мгнове́ние; 2) *редк.* ежемину́тно.

momentary [ˈmouməntərɪ] *a* 1) момента́льный; 2) преходя́щий, кратковре́менный.

momently [ˈmouməntlɪ] *adv* 1) с ка́ждой мину́той; 2) ежемину́тно; 3) на мгнове́ние.

momentous [mouˈmentəs] *a* ва́жный, име́ющий ва́жное значе́ние.

momentum [mouˈmentəm] *n (pl* momenta*)* 1) *физ.* коли́чество движе́ния, механи́ческий моме́нт, ине́рция (*дви́жущегося те́ла*); ско́рость движе́ния; кинети́ческая эне́ргия; 2) *разг.* толчо́к, и́мпульс; *перен.* дви́жущая си́ла; ◇ to grow in ~ усили́ваться.

monac(h)al [ˈmɔnəkl] *a* мона́шеский.

monad [ˈmɔnæd] *n* 1) *филос.* мона́да; 2) *хим.* одноа́томный элеме́нт; 3) *биол.* одноклеточный органи́зм.

monandry [mɔˈnændrɪ] *n* мона́ндрия, одному́жество.

monarch [ˈmɔnək] *n* 1) мона́рх; 2) больша́я кори́чнево-ора́нжевая ба́бочка с чёрной каймо́й на кры́лышках.

monarchal [mɔˈnɑːkəl] = monarchic(al).

monarchic(al) [mɔˈnɑːkɪk(əl)] *a* монархи́ческий.

monarchist [ˈmɔnəkɪst] *n* монархи́ст.

monarchy [ˈmɔnəkɪ] *n* мона́рхия.

monastery [ˈmɔnəstərɪ] *n* монасты́рь (*мужско́й*).

monastic [məˈnæstɪk] **1.** *a* монасты́рский, мона́шеский;
2. *n* мона́х.

Monday [ˈmʌndɪ] *n* понеде́льник; Black ~ а) *рел.* понеде́льник на фоминой неде́ле; б) *школ. sl.* пе́рвый день заня́тий по́сле кани́кул.

mondayish [ˈmʌndɪʃ] *a разг.* чу́вствующий лень при возобновле́нии рабо́ты по́сле воскре́сного о́тдыха.

mondial [ˈmɔːndɪəl] *фр. a* мирово́й, всеми́рный.

monetary [ˈmʌnɪtərɪ] *a* 1) моне́тный; де́нежный; 2) валю́тный.

monetize [ˈmʌnɪtaɪz] *v* 1) избира́ть (*мета́лл*) как осно́ву де́нежной систе́мы; 2) перечека́нивать в моне́ту.

money [ˈmʌnɪ] *n* 1) (*тк. sing*) де́ньги; 2) *pl* (-s [-z]) моне́тные систе́мы, валю́ты; 3) *pl* (monies) де́нежные су́ммы; ◇ ~ makes the mare (to) go *посл.* с деньга́ми мно́гое мо́жно сде́лать; ~ makes ~ *посл.* де́ньги к деньга́м.

money-agent [ˈmʌnɪˌeɪdʒənt] *n* банки́р.

money-bag [ˈmʌnɪbæg] *n* 1) мешо́к для де́нег; 2) *pl* бога́тство; 3) де́нежный мешо́к, бога́ч; скупе́ц.

money-bill [ˈmʌnɪbɪl] *n* фина́нсовый законопрое́кт.

money-box [ˈmʌnɪbɔks] *n* копи́лка.

money-changer [ˈmʌnɪˌtʃeɪndʒə] *n* меня́ла.

moneyed [ˈmʌnɪd] *a* 1) бога́тый; 2) де́нежный; ~ assistance материа́льная подде́ржка.

money-grubber [ˈmʌnɪˌgrʌbə] *n* стяжа́тель; скря́га.

money-grubbing [ˈmʌnɪˌgrʌbɪŋ] 1. *n* стяжа́тельство;
2. *a* стяжа́тельный.

money-lender [ˈmʌnɪˌlendə] *n* ростовщи́к.

moneyless [ˈmʌnɪlɪs] *a* не име́ющий де́нег, нужда́ющийся в деньга́х.

money-market [ˈmʌnɪˌmɑːkɪt] *n* де́нежный ры́нок.

money order [ˈmʌnɪˌɔːdə] *n* почто́вый де́нежный перево́д.

money-spinner [ˈmʌnɪˌspɪnə] *n* 1) ма́ленький кра́сный пау́к, я́кобы принося́щий сча́стье; 2) спекуля́нт; ростовщи́к.

money's-worth [ˈmʌnɪzˌwəːθ] *n* что-л., име́ющее реа́льную це́нность, опра́вдывающее затра́ту.

moneywort [ˈmʌnɪwəːt] *n* *бот.* вербе́йник, лугово́й ча́й.

monger [ˈmʌŋgə] *n* продаве́ц, торго́вец (*гл. обр. в сложных словах, напр.*: fishmonger торго́вец ры́бой; newsmonger *ирон.* спле́тник).

Mongol [ˈmɔŋgɔl] 1. *n* 1) монго́л; 2) монго́льский язы́к;
2. *a* монго́льский.

Mongolian [mɔŋˈgouljən] = Mongol.

mongoose [ˈmɔŋguːs] *n* *зоол.* мангу́ста.

mongrel [ˈmʌŋgrəl] 1. *n* 1) ублю́док, по́месь; 2) дворня́жка;
2. *a* нечистокро́вный, сме́шанный.

moni(c)ker [ˈmɔnɪkə] *n* *амер.* 1) отме́тина (*бродяги*) для нахожде́ния доро́ги; 2) *sl.* и́мя; кли́чка.

monies [ˈmʌnɪz] *pl от* money 3).

monism [ˈmɔnɪzəm] *n* *филос.* мони́зм.

monistic [mɔˈnɪstɪk] *a* *филос.* монисти́ческий.

monition [mouˈnɪʃən] *n* 1) наставле́ние; предостереже́ние; 2) вы́зов в суд; 3) *церк.* увеща́ние.

monitor [ˈmɔnɪtə] 1. *n* 1) наста́вник, сове́тник; 2) ста́рший учени́к, наблюда́ющий за поря́дком в мла́дшем кла́ссе, ста́роста в кла́ссе; 3) лицо́, слу́шающее и сообща́ющее об иностра́нных радиопереда́чах; 4) *мор.* монито́р; 5) *тех.* гидромонито́р; 6) *зоол.* вара́н; 7) *стр.* светово́й фона́рь; 8) *физ.* прибо́р для обнару́жения вре́дной для челове́ка радиоакти́вности; 9) *радио* контро́льный аппара́т; монито́р;
2. *v* 1) наставля́ть, сове́товать; 2) *радио* контроли́ровать, проверя́ть; 3) слу́шать и сообща́ть об иностра́нных радиопереда́чах; 4) *физ.* проверя́ть нали́чие вре́дной для челове́ка радиоакти́вности.

monitorial [ˌmɔnɪˈtɔːrɪəl] *a* увещева́тельный, наставля́тельный; ~ school шко́ла, в кото́рой ста́ршие ученики́ следя́т за поря́дком в мла́дших кла́ссах.

monitory [ˈmɔnɪtərɪ] 1. *a* предостерега́ющий;
2. *n* *церк.* увещева́тельное посла́ние (*тж.* ~ letter).

monk [mʌŋk] *n* мона́х.

monkery [ˈmʌŋkərɪ] *n* *разг.* 1) монасты́рская жизнь; мона́шество; 2) *собир.* мона́хи, мона́шество.

monkey [ˈmʌŋkɪ] 1. *n* (*pl* -s [-z]) 1) обезья́на; 2) *шутл. или неодобр.* шалу́н, прока́зник; 3) *тех.* копро́вая ба́ба; 4) теле́жка подъёмного кра́на; 5) гли́няный кувши́н с у́зким го́рлышком; 6) *sl.* гнев; to put smb.'s ~ up разозли́ть кого́-л.; to get one's ~ up рассерди́ться, разозли́ться; 7) *sl.* 500 фу́нтов сте́рлингов; *амер.* 500 до́лларов; 8) *sl.* закладна́я;
2. *v* 1) подшу́чивать, дура́читься; забавля́ться (with); 2) передра́знивать; 3) вме́шиваться, сова́ться.

monkey-bread [ˈmʌŋkɪbred] *n* 1) баоба́б (*дерево*); 2) плод баоба́ба.

monkey-business [ˈmʌŋkɪˌbɪznɪs] *n* *разг.* 1) валя́ние дурака́, бессмы́сленная рабо́та; 2) шутли́вая вы́ходка.

monkey-chatter [ˈmʌŋkɪˌtʃætə] *n* *радио* «(соба́чий) лай» (*помехи от интерфере́нции*).

monkeyish [ˈmʌŋkɪʃ] *a* 1) обезья́ний; 2) шаловли́вый.

monkey-jacket [ˈmʌŋkɪˌdʒækɪt] *n* коро́ткая матро́сская ку́ртка, бушла́т.

monkey-jar [ˈmʌŋkɪdʒɑː] *n* гли́няный кувши́н для воды́.

monkey-nut [ˈmʌŋkɪnʌt] *n* земляно́й оре́х.

monkey-puzzle [ˈmʌŋkɪˌpʌzl] *n* *бот.* арау́кария чили́йская.

monkey-shine [ˈmʌŋkɪʃaɪn] *амер.* = monkey-business 2).

monkey-wrench [ˈmʌŋkɪrentʃ] *n* *тех.* раздвижно́й га́ечный ключ.

monkhood [ˈmʌŋkhud] *n* мона́шество.

monkish [ˈmʌŋkɪʃ] *a* мона́шеский.

monks'-hood [ˈmʌŋkshud] *n* *бот.* акони́т, боре́ц.

mono- [ˈmɔnə-] *в сложных словах* моно-, одно-, едино-; monotheism монотеи́зм, единобо́жие.

monobasic [ˌmɔnouˈbeɪsɪk] *a* *хим.* одноосно́вный.

monochromatic [ˌmɔnoukrouˈmætɪk] *a* однокра́сочный, одноцве́тный.

monochrome [ˈmɔnəkroum] 1. *n* изображе́ние в одну́ кра́ску;
2. *a* одноцве́тный, однокра́сочный.

monocle [ˈmɔnɔkl] *n* моно́кль.

monocline [ˈmɔnəklaɪn] *n* *геол.* флексу́ра, моноклина́льная скла́дка.

monocotyledon [ˈmɔnouˌkɔtɪˈliːdən] *n* *бот.* односемядо́льное расте́ние.

monocotyledonous [ˈmɔnouˌkɔtɪˈliːdənəs] *a* *бот.* односемядо́льный.

monocracy [mɔ'nɔkrəsɪ] *n* единовла́стие, единодержа́вие.

monocular [mɔ'nɔkjulə] **1.** *a* 1) *редк.* одногла́зый; 2) монокуля́рный;
2. *n опт.* монокуля́р.

monody ['mɔnədɪ] *n* 1) о́да для одного́ го́лоса (*в древнегреческой трагедии*); 2) погреба́льная песнь.

monoecious [mɔ'niːʃəs] *a бот.* однодо́мный.

monogamist [mɔ'nɔgəmɪst] *n* сторо́нник единобра́чия.

monogamy [mɔ'nɔgəmɪ] *n* единобра́чие.

monogram ['mɔnəgræm] *n* моногра́мма.

monograph ['mɔnəgrɑːf] **1.** *n* моногра́фия;
2. *v* писа́ть моногра́фию.

monographer [mɔ'nɔgrəfə] *n* а́втор моногра́фии.

monographic [,mɔnɔu'græfɪk] *a* монографи́ческий.

monogyny [mɔ'nɔdʒɪnɪ] *n* единоже́нство.

monolith ['mɔnɔuliθ] *n* моноли́т.

monolithic [,mɔnɔu'liθɪk] *a* моноли́тный.

monologize [mɔ'nɔlədʒaɪz] *v* завладева́ть разгово́ром, не дава́ть говори́ть други́м.

monologue ['mɔnəlɔg] *n* моноло́г.

monomania ['mɔnɔu'meɪnjə] *n мед.* монома́ния (*помешательство на каком-л. одном пункте*).

monomaniac ['mɔnɔu'meɪnɪæk] *n* манья́к.

monomark ['mɔnɔumɑːk] *n эк.* усло́вный фи́рменный знак (*из букв и цифр*).

monomer ['mɔunətə] *n хим.* мономе́р, просто́е соедине́ние.

monometallic ['mɔnɔumɪ'tælɪk] *a эк.* монометалли́ческий.

monomial [mɔ'nɔumɪəl] *мат.* **1.** *n* одночле́н;
2. *a* одночле́нный.

monophase ['mɔnəfeɪz] *a эл.* однофа́зный.

monophthong ['mɔnəfθɔŋ] *n фон.* монофто́нг.

monophthongize ['mɔnəfθɔŋgaɪz] *v фон.* монофтонгизи́ровать.

monoplane ['mɔnəpleɪn] *n* монопла́н.

monopolist [mə'nɔpɔlɪst] *n* 1) монополи́ст; 2) сторо́нник систе́мы монопо́лий.

monopolize [mə'nɔpəlaɪz] *v* монополизи́ровать; to ~ the conversation завладе́ть разгово́ром, не дава́ть никому́ сказа́ть сло́ва.

monopoly [mə'nɔpəlɪ] *n* монопо́лия.

monorail ['mɔnɔureɪl] *n* 1) однорельсо́вая желе́зная доро́га; 2) подвесна́я желе́зная доро́га.

monosyllabic ['mɔnəsɪ'læbɪk] *a* односло́жный.

monosyllable ['mɔnə,sɪləbl] *n* односло́жное сло́во; to speak in ~s отвеча́ть односло́жно, нелюбе́зно.

monotheism ['mɔnɔuθiː,ɪzəm] *n* монотеи́зм, единобо́жие.

monotheistic [,mɔnɔuθiː'ɪstɪk] *a* монотеисти́ческий.

monotint ['mɔnətɪnt] *n* рису́нок *или* гравю́ра в одну́ кра́ску.

monotone ['mɔnətɔun] **1.** *n* моното́нное чте́ние, повторе́ние;

2. *a* = monotonous;

3. *v* говори́ть, чита́ть *или* петь моното́нно.

monotonous [mə'nɔtnəs] *a* моното́нный; однообра́зный; ску́чный.

monotony [mə'nɔtnɪ] *n* моното́нность; однообра́зие; ску́ка.

monotype ['mɔnətaɪp] *n* 1) *биол.* еди́нственный представи́тель (*рода, типа*); 2) *полигр.* моноти́п.

monoxide [mɔ'nɔksaɪd] *n хим.* о́кись с одни́м а́томом кислоро́да; одноо́кись.

Monroeism [mən'rɔuɪzəm] *n амер.* доктри́на Монро́э.

monsieur [mə'sjə] *фр. n* (*pl* messieurs) мосье́, господи́н.

monsoon [mɔn'suːn] *n* 1) муссо́н; 2) дождли́вый сезо́н.

monster ['mɔnstə] **1.** *n* 1) чудо́вище; *перен. тж.* и́зверг; 2) уро́д;
2. *a* исполи́нский, грома́дный.

monstrance ['mɔnstrəns] *n церк.* дароно́сица.

monstrosity [mɔns'trɔsɪtɪ] *n* 1) чудо́вищность; уро́дство; 2) чудо́вище, уро́дливая вещь.

monstrous ['mɔnstrəs] **1.** *a* 1) чудо́вищный; 2) уро́дливый; безобра́зный; 3) грома́дный, исполи́нский; 4) зве́рский; жесто́кий, ужа́сный; 5) *разг.* неле́пый, абсу́рдный;
2. *adv уст.* чрезвыча́йно, необыкнове́нно.

montage [mɔn'tɑːʒ] *n кино* монта́ж.

montane ['mɔnteɪn] *a* 1) гори́стый; 2) го́рный (*о жителях*).

Montenegrin [,mɔntɪ'niːgrɪn] **1.** *n* черного́рец;
2. *a* черного́рский.

month [mʌnθ] *n* ме́сяц; ◇ a ~ of Sundays *шутл.* до́лгий срок; in a ~ of Sundays ≅ по́сле до́ждичка в четве́рг.

monthly ['mʌnθlɪ] **1.** *a* (еже)ме́сячный; ~ nurse сиде́лка, уха́живающая в тече́ние ме́сяца за же́нщиной по́сле ро́дов);
2. *adv* ежеме́сячно; раз в ме́сяц;
3. *n* 1) ежеме́сячный журна́л; 2) *pl* менструа́ции.

monticule ['mɔntɪkjuːl] *n* 1) хо́лмик; 2) *геол.* паразити́ческий ко́нус (*вулкана*).

monument ['mɔnjumənt] *n* па́мятник; монуме́нт; надгро́бие; the M. коло́нна в Ло́ндоне в па́мять пожа́ра 1666 г.

monumental [,mɔnju'mentl] *a* 1) увекове́чивающий; ~ mason ма́стер, де́лающий надгро́бные пли́ты, па́мятники; 2) монумента́льный; 3) необыча́йный, изуми́тельный.

monumentalize [,mɔnju'mentəlaɪz] *v* увекове́чивать.

moo [muː] **1.** *n* мыча́ние;
2. *v* мыча́ть.

mooch [muːtʃ] *v sl.* 1) лентя́йничать, слоня́ться; 2) ворова́ть.

mood I [muːd] *n* настрое́ние; расположе́ние ду́ха; to be in the ~ for smth. быть располо́женным к чему́-л.; in no ~ не располо́жен; to be in the mstroeнии (сде́лать что-л.); a man of ~s челове́к настрое́ния.

mood II [muːd] *n* 1) *грам.* наклоне́ние; 2) *муз.* лад, тона́льность.

moody ['mu:dɪ] *a* 1) легко поддающийся переменам настроения; 2) унылый, угрюмый; в дурном настроении.

moollah ['mʌlə] = mullah.

moon [mu:n] 1. *n* 1) луна; to bay the ~ лаять на луну; *перен.* заниматься бессмысленным делом; to aim (*или* to level) at the ~ иметь слишком большие претензии, метить высоко; 2) *астр.* спутник (*планеты*); 3) лунный месяц; 4) *поэт. см.* month; 5) лунный свет;
2. *v* 1) бродить, двигаться, действовать как во сне (*тж.* ~ about, ~ along, ~ around); 2) проводить время в мечтаниях (*обыкн.* ~ away).

moonbeam ['mu:nbi:m] *n* полоса лунного света.

moon-blind ['mu:nblaɪnd] *a мед.* страдающий куриной слепотой.

moon-blindness ['mu:n,blaɪndnɪs] *n мед.* куриная слепота.

mooncalf ['mu:nkɑ:f] *n* 1) идиот; дурачок; 2) урод.

moon-eye ['mu:naɪ] *n* 1) *вет.* периодическое воспаление глаз (*у лошади*); 2) = moon-blindness.

moon-eyed ['mu:n,aɪd] *a* 1) страдающий куриной слепотой; 2) страдающий воспалением глаз (*о животном*); 3) с широко раскрытыми глазами, с круглыми глазами (*от страха, удивления и т. п.*).

moonfaced ['mu:n,feɪst] *a* круглолицый.

moonflaw ['mu:nflɔ:] *n уст.* приступ сумасшествия, приписывавшийся действию луны.

moonhead ['mu:nhed] *n амер. sl.* помешанный.

moonlight ['mu:nlaɪt] *n* 1) лунный свет; 2) *attr.* при лунном свете; ~ flitting (flitter) *sl.* отъезд (съезжающий) с квартиры ночью, чтобы избежать платы за неё.

moonlighters ['mu:n,laɪtəz] *n pl ист.* члены Ирландской земельной лиги, уничтожавшие по ночам, в знак протеста, посевы и скот английских помещиков.

moonlit ['mu:nlɪt] *a* залитый лунным светом.

moonscape ['mu:nskeɪp] *n* лунный ландшафт.

moonshee ['mu:nʃi:] *n англо-инд.* переводчик; учитель местного языка.

moonshine ['mu:nʃaɪn] *n* 1) лунный свет; 2) фантазия; вздор; 3) *амер. sl.* самогон; контрабандный спирт.

moonshiner ['mu:n,ʃaɪnə] *n амер. sl.* 1) самогонщик; 2) ввозящий спирт контрабандой.

moonsif(i) ['mu:nsɪf] *n англо-инд.* судья-индус.

moonstone ['mu:nstoun] *n мин.* лунный камень.

moonstruck ['mu:nstrʌk] *a* помешанный.

moony ['mu:nɪ] *a* 1) похожий на луну; 2) рассеянный, мечтательный; апатичный; 3) sl. подвыпивший.

Moor [muə] *n* 1) марокканец; 2) *ист.* мавр.

moor I [muə] *n* 1) торфянистая местность, поросшая вереском; 2) участок для охоты.

moor II [muə] *v* причалить; пришвартовать(ся); стать на якорь.

moorage ['muərɪdʒ] *n* 1) место причала; 2) плата за стоянку судна.

moor-bath ['muəbɑ:θ] *n* грязевая, иловая *или* торфяная ванна.

moorcock ['muəkɔk] *см.* moor game.

moor-fowl ['muə,faul] = moor game.

moor game ['muəgeɪm] *n* куропатка шотландская (moorcock самец, moorhen самка).

moorhen ['muəhen] *см.* moor game.

mooring-mast ['muərɪŋmɑ:st] *n* причальная мачта (*для дирижаблей*).

moorings ['muərɪŋz] *n pl мор.* мёртвые якоря; швартовы, якорные цепи, бочки и т. п.

Moorish ['muərɪʃ] *a* мавританский.

moorland ['muələnd] *n* местность, поросшая вереском.

Moorman ['muəmən] *n* магометанин (*в Индии*).

moose [mu:s] *n* американский лось.

moot I [mu:t] 1. *n* 1) *ист.* собрание свободных граждан для обсуждения дел всей общины; 2) *юр.* инсценировка судебного процесса (*в юридических школах*);
2. *a* спорный;
3. *v* ставить вопрос на обсуждение; обсуждать.

moot II [mu:t] *n* нагель, деревянный гвоздь.

mooted ['mu:tɪd] 1. *p. p. от* moot I, 3; 2. *a* = moot I, 2.

mop I [mɔp] 1. *n* 1) швабра; 2) космы, копна (*волос*);
2. *v* 1) мыть пол шваброй, подтирать (*тж.* ~ out); 2) вытирать (*слёзы, пот*); ☐ ~ up а) вытирать, осушать; б) *разг.* поглощать, присваивать; в) *разг.* приканчивать, убивать; г) *воен.* очищать (*захваченную территорию от противника*); ◇ to ~ the earth (*или* the ground, the floor) with smb. *sl.* иметь кого-л. в полном подчинении, унижать кого-л.

mop II [mɔp] 1. *n*: ~s and mows гримасы, ужимки;
2. *v*: to ~ and mow гримасничать.

mope [moup] 1. *n* 1) человек в унынии; 2) (the ~) *pl* хандра;
2. *v* хандрить; быть в подавленном состоянии, быть ко всему безучастным (*часто* ~ by oneself, ~ about).

mope-eyed ['moup,aɪd] *a* близорукий.

mopish ['moupɪʃ] *a* склонный к хандре; унылый.

moppet ['mɔpɪt] *n ласк.* ребёнок; малютка.

moraine [mɔ'reɪn] *n геол.* морена.

moral ['mɔrəl] 1. *n* 1) поучение, мораль; to draw the ~ извлекать мораль, урок; 2) *pl* нравы; нравственность; моральное состояние; 3) *pl* этика; ◇ the very ~ of *разг.* точная копия, вылитый портрет;
2. *a* 1) моральный, нравственный; этический; духовный; 2) ~ philosophy этика; 3) добродетельный, высоконравственный; a ~ life добродетельная жизнь; ◇ ~ certainty внутренняя уверенность; отсутствие сомнения.

morale [mɔ'rɑ:l] *n* моральное состояние; to undermine the ~ внести разложение.

moralist ['mɔrəlɪst] *n* 1)моралист;2) человек, ведущий высоконравственную жизнь; добродетельный человек.

morality [mə'rælɪtɪ] *n* 1) мораль; 2) *pl* основы морали; 3) *pl* нравственное поведение; 4) нравоучение; copy-book ~ прописная мораль; 5) *ист. театр.* моралите.

moralize ['mɔrəlaɪz] *v* 1) морализировать; 2) извлекать мораль, урок; 3) поучать; исправлять нравы.

morally ['mɔrəlɪ] *adv* 1) морально; нравственно; 2) в нравственном отношении; 3) по всей видимости; в сущности, фактически.

morass [mə'ræs] *n* болото, трясина (*часто перен.*).

moratorium [,mɔrə'tɔːrɪəm] *n* мораторий; отсрочка по платежам и финансовым обязательствам.

moratory ['mɔrətərɪ] *a* дающий отсрочку платежа.

Moravian [mə'reɪvjən] 1. *a* 1) моравский; 2) *ист.* относящийся к моравским братьям; 2. *n* 1) житель Моравии; 2) *pl ист.* моравские братья.

morbid ['mɔːbɪd] *a* 1) болезненный; нездоровый; 2) патологический; ~ anatomy патологическая анатомия; ~ growth *мед.* новообразование; 3) болезненно впечатлительный; склонный к меланхолии, подозрительности, страхам; 4) ужасный, отвратительный.

morbidity [mɔː'bɪdɪtɪ] *n* 1) болезненность; 2) заболеваемость.

morbidness ['mɔːbɪdnɪs] *n* болезненная впечатлительность *и пр.* [*см.* morbid 3)].

morbific [mɔː'bɪfɪk] *a* болезнетворный.

morbility [mɔː'bɪlɪtɪ] = morbidity.

mordacity [mɔː'dæsɪtɪ] *n* язвительность; колкость.

mordant ['mɔːdənt] 1. *a* 1) колкий, язвительный, саркастический; 2) *хим.* едкий; 3) *мед.* вызывающий разрушение (*ткани*); 4) закрепляющий краску; 2. *n* 1) протрава, кислота, употребляемая при гравировании; 2) морилка; 3) вещество, закрепляющее краску.

mordent ['mɔːdənt] *n муз.* трель.

more [mɔː] 1. *a* 1) (*сравнит. ст. от* much 1 *и* many 1) больший, более многочисленный; he has ~ ability than his predecessors у него больше умения, чем у его предшественников; 2) добавочный, ещё (*употр. с числительным или неопределённым местоимением*); two ~ cruisers were sunk ещё два крейсера были потоплены; bring some ~ water принесите ещё воды;
2. *adv* 1) (*сравнит. ст. от* much 2) больше; you should walk ~ вам надо больше гулять; 2) *служит для образования сравнит. ст. многосложных прилагательных и наречий:* ~ powerful более мощный; 3) ещё; опять, снова; once ~ ещё раз; ◇ ~ or less более или менее, приблизительно; the ~ ... the ~ чем больше..., тем больше; the ~ he has the ~ he wants чем больше он имеет, тем больше его он хочет; the ~ the better чем больше, тем лучше; neither ~ nor less than ни больше, ни меньше как; не что иное, как; all the ~ so тем более; never ~ никогда; he is по ~ его нет в живых;
3. *n* большее количество; ◇ what is ~ вдобавок, больше того; hope to see ~ of you надеюсь чаще вас видеть; we saw no ~ of him мы его больше не видели.

moreen [mɔː'riːn] *n* плотная (полу)шерстяная ткань (*для портьер*).

morel I [mɔ'rel] *n* сморчок (*гриб; тж.* petty ~).

morel II [mɔ'rel] *n бот.* чёрный паслён.

moreover [mɔː'rouvə] *adv* сверх того, кроме того.

mores ['mouriːz] *лат. n pl* нравы.

Moresque [mɔ'resk] 1. *a* мавританский; 2. *n* мавританский.

morganatic [,mɔːgə'nætɪk] *a* морганатический.

morgue I [mɔːg] *фр. n* 1) морг, покойницкая; 2) *амер. sl.* отдел хранения справочного материала в редакции газеты.

morgue II [mɔːg] *фр. n* надменность, высокомерие.

moribund ['mɔrɪbʌnd] *a* умирающий.

morion ['mɔrɪən] *n ист.* шишак.

Mormon ['mɔːmən] *n* 1) мормон; 2) (m.) многоженец.

morn [mɔːn] *n* 1) *поэт.* утро; 2) (the ~) *шотл.* завтра; the ~'s morning завтра утром.

morning ['mɔːnɪŋ] *n* 1) утро; good ~ с добрым утром; здравствуйте; 2) *поэт.* утренняя заря; 3) ранний период или начало (*чего-л.*); the ~ of life утро жизни; 4) *attr.* утренний; ~ coat визитка; ~ dress обыкновенное платье (*не бальное, не фрак*); ~ gown халат; ~ watch *мор.* утренняя вахта (*с 4 до 8 ч.*).

morning glory ['mɔːnɪŋ'glɔːrɪ] *n бот.* 1) вьюнок; 2) ипомея.

morning star ['mɔːnɪŋ'stɑː] *n* утренняя звезда, Венера.

morocco [mə'rɔkou] 1. *n* (*pl* -os [-ouz]) сафьян; 2. *a* сафьяновый.

moron ['mɔːrɔn] *n* слабоумный, умственно отсталый.

morose [mə'rous] *a* мрачный, угрюмый; замкнутый.

morpheme ['mɔːfiːm] *n лингв.* морфема.

Morpheus ['mɔːfjuːs] *n миф.* Морфей; in the arms of ~ в объятиях Морфея, спящий.

morphia ['mɔːfjə] = morphine.

morphine ['mɔːfiːn] *n* морфий.

morphinism ['mɔːfɪnɪzəm] *n* морфинизм, наркомания.

morphologic(al) [,mɔːfə'lɔdʒɪk (əl)] *a* морфологический.

morphology [mɔː'fɔlədʒɪ] *n* морфология.

morris ['mɔrɪs] *n* танец в костюмах героев легенды о Робин-Гуде (*тж.* ~ dance).

morrow ['mɔrou] *n* 1) *уст.* утро; 2) *поэт.* завтра, завтрашний день [*см.* tomorrow]; 3) время, наступившее непосредственно после (*какого-л.*) события; on the ~ of вслед за (*чем-л.*), по окончании (*чего-л.*).

Morse [mɔːs] *n* 1) *attr.:* ~ code, ~ alphabet азбука Морзе; ~ telegraph телеграф Морзе; 2) *разг. см.* ~ code, ~ telegraph.

morse [mɔːs] n зоол. морж.

morsel ['mɔːsəl] n кусочек.

mort [mɔːt] n диал. множество, масса.

mortal ['mɔːtl] 1. a 1) смертный; not a ~ man ни живой души; 2) смертельный; ~ agony предсмертная агония; 3) разг. ужасный; in a ~ hurry в ужасной спешке; 4) разг. скучнейший;
2. n человек, смертный;
3. adv 1) разг., диал. чрезвычайно, очень; 2) = mortally.

mortality [mɔː'tælɪtɪ] n 1) смертельность; 2) смертность; 3) падёж (скота); 4) человечество, смертные (род человеческий); 5) attr.: ~ tables статистические таблицы смертности, расположенные по возрастам.

mortally ['mɔːtəlɪ] adv смертельно.

mortar ['mɔːtə] 1. n 1) ступка, ступа; 2) известковый раствор; строительный раствор; 3) воен. мортира; миномёт;
2. v 1) скреплять известкой; 2) толочь в ступ(к)е; 3) воен. обстреливать из мортиры, из миномёта.

mortar-board ['mɔːtəbɔːd] n 1) доска для строительной извести; 2) разг. головной убор с квадратным верхом (у английских студентов и профессоров).

mortgage ['mɔːgɪdʒ] 1. n 1) заклад; ипотека; 2) закладная;
2. v 1) закладывать; 2) ручаться (словом).

mortgagee [,mɔːgə'dʒiː] n кредитор по закладной.

mortgager, mortgagor ['mɔːgɪdʒə, ,mɔːgə'dʒɔː] n закладывающий, должник по закладной.

mortice ['mɔːtɪs] = mortise.

mortician [mɔː'tɪʃən] n амер. содержатель похоронного бюро.

mortification [,mɔːtɪfɪ'keɪʃən] n 1) смирение; подавление; ~ of the flesh умерщвление плоти; 2) унижение; горькое чувство обиды, разочарования; 3) мед. омертвение; гангрена; 4) шотл. пожертвование на благотворительные цели.

mortify ['mɔːtɪfaɪ] v 1) подавлять (страсти, чувства и т. п.); умерщвлять (плоть); 2) обижать, унижать; 3) мед. омертветь, гангренизироваться; 4) шотл. жертвовать на благотворительные цели.

mortifying ['mɔːtɪfaɪɪŋ] 1. pres. p. от mortify;
2. a оскорбительный, унизительный.

mortise ['mɔːtɪs] тех. 1. n 1) паз, гнездо шипа; 2) attr.: ~ chisel долото;
2. v соединять врубкой; долбить.

mortmain ['mɔːtmeɪn] n юр. владение юридического лица недвижимостью без права передачи, «мёртвая рука».

mortuary ['mɔːtjuərɪ] 1. n 1) покойницкая, морг; 2) ист. обычай взноса наследниками приходскому священнику суммы на помин души покойника;
2. a похоронный, погребальный; ~ urn урна с прахом.

Mosaic [mə'zeɪɪk] a библ. моисеев.

mosaic [mə'zeɪɪk] 1. n 1) мозаика; 2) что-л., составленное из разных частей (напр., муз. попурри);
2. a мозаичный;

3. v выкладывать мозаикой; делать мозаичную работу.

moselle [mə'zel] n мозельвейн (вино).

Moses ['mouzɪz] v библ. Моисей.

mosey ['mouzɪ] v амер. sl. быстро уходить.

Moslem ['mɔzlem] 1. n мусульманин; мусульманка;
2. a мусульманский.

mosque [mɔsk] n мечеть.

mosquito [məs'kiːtou] n (pl -oes [-ouz]) 1) москит; комар; 2) attr. для защиты от москитов.

mosquito-craft [məs'kiːtoukrɑːft] n мор. торпедный катер; собир. торпедные катера.

mosquito-fleet [məs'kiːtoufliːt] n мор. флот мелких судов, «москитный флот» (торпедные катера).

mosquito-net [məs'kiːtounet] n сетка от комаров, москитов и т. п.

moss [mɔs] n 1) бот. мох; 2) распр. плаун; лишайник; 3) торфяное болото;
2. v зарастать, обрастать мхом.

moss-back ['mɔsbæk] n амер. 1) = menhaden; 2) (M.) sl. человек, скрывавшийся (особ. в болотах) от службы в армии южан (во время американской гражданской войны); 3) sl. крайний консерватор; старомодный человек.

moss-berry ['mɔs,berɪ] n бот. клюква (обыкновенная).

moss-grown ['mɔs,groun] a 1) поросший мхом; 2) устаревший, старомодный.

mossiness ['mɔsɪnɪs] n мшистость; пушистость.

moss-rose ['mɔs'rouz] n роза столистная (мускусная).

mosstrooper ['mɔs,truːpə] n 1) ист. разбойник (на шотландской границе в XVII в.); 2) бандит.

mossy ['mɔsɪ] a мшистый; покрытый мхом.

most [moust] 1. a (превосх. ст. от much 1, many) 1) наибольший; ~ people большинство людей; for the ~ part главным образом; большей частью;
2. adv 1) (превосх. ст. от much 2) больше всего; what ~ annoys me... что больше (или сильнее) всего раздражает меня...; 2) весьма, в высшей степени; his speech was ~ convincing его речь была весьма (или очень) убедительна; 3) служит для образования превосх. ст. многосложных прилагательных и наречий: ~ beautiful самый красивый; 4) (сокр. от almost) амер. разг. почти; 5): at ~ самое большее; не больше чем; ten at ~ самое большее десять, не больше десяти; this is at ~ a makeshift это не больше, чем паллиатив;
3. n наибольшее количество, большая часть; this is the ~ I can do это самое большее, что я могу сделать; at the ~ самое большее; ~ of them большинство из них; ◇ ~ and least поэт. все без исключения; to make the ~ of it а) использовать наилучшим образом; б) расхваливать, преувеличивать достоинства и пр.

mostly ['moustlɪ] adv по большей части, главным образом, обыкновенно, обычно.

mot [mou] фр. n (pl -s [-z]) острота; ~ juste точное выражение.

mote I [mout] *n* 1) пылинка; 2) пятнышко; ◊ to see a ~ in thy brother's eye *библ.* видеть сучок в глазу брата своего; преувеличивать чужие недостатки.

mote II, III [mout] *v уст.* = might I *u* must I; so ~ it be да будет так.

motel [mou'tel] *n амер.* придорожная гостиница для путешествующих на автомобилях, автопансионат.

motet [mou'tet] *n* песнопение.

moth [mɔθ] *n* 1) моль; 2) мотылёк.

moth-ball ['mɔθˌbɔːl] *n* нафталиновый *или* камфарный шарик.

moth-eaten ['mɔθˌiːtn] *a* 1) изъеденный молью; 2) устаревший; изношенный.

mother I ['mʌðə] *n* 1) мать; матушка; мамаша; M. Superior мать-настоятельница; 2) начало, источник; 3) инкубатор; брудер (*тж.* artificial ~); 4) *attr.*: ~ tongue a) родной язык; б) язык, от которого произошли другие языки; ◊ ~ earth мать сыра земля; every ~'s son of (you, them, *etc.*) все без исключения, все до одного; ~ wit природный ум; здравый смысл; смекалка; ~ oil сырая нефть;

2. *v* 1) усыновлять; брать на воспитание; 2) относиться по-матерински; охранять, лелеять; 3) приписывать авторство (*женщине*); this novel was ~ed on (*или* upon) Miss X. этот роман приписали мисс X.; 4) порождать.

mother II ['mʌðə] *n* маточный раствор.

mother country ['mʌðəˌkʌntrɪ] *n* 1) родина; 2) метрополия (*по отношению к колониям*).

mother-craft ['mʌðəkrɑːft] *n* умение воспитывать детей.

motherhood ['mʌðəhud] *n* материнство.

Mothering Sunday ['mʌðərɪŋˈsʌndɪ] *n рел.* четвёртое воскресенье поста.

mother-in-law ['mʌðərɪnlɔː] *n* (*pl* mothers-in-law) 1) тёща; 2) свекровь.

motherland ['mʌðəlænd] *n* родина, отчизна.

motherless ['mʌðəlɪs] *a* лишённый матери.

motherly ['mʌðəlɪ] 1. *a* материнский; 2. *adv* по-матерински.

mother of pearl ['mʌðərəvˈpɜːl] *n* перламутр.

mother-of-pearl ['mʌðərəvˈpɜːl] *a* перламутровый.

mother of thousands ['mʌðərəvˈθauzəndz] *n бот.* 1) дикий лён; 2) камнеломка.

mother ship ['mʌðəʃɪp] *n мор.* матка, плавучая база.

mothers-in-law ['mʌðəzɪnlɔː] *pl от* mother-in-law.

mother's mark ['mʌðəzmɑːk] *n* родимое пятно.

motif [mou'tiːf] *фр. n* 1) основная тема, главная мысль, лейтмотив; 2) кружевное украшение (*на платье*).

motile ['moutɪl] *a биол.* способный передвигаться, подвижный.

motion ['mouʃən] 1. *n* 1) движение; in ~ двигаясь, в движении, на ходу; 2) ход (*машины и т. п.*); to set (*или* to put) in ~ пустить (*машину*); привести в движение (*тж. перен.*); 3) телодвижение, жест;

походка; 4) побуждение; of one's own ~ по собственному побуждению; 5) предложение (*на собрании*); 6) действие (*кишечника*); 7) *pl* кал; 8) *юр.* запрос в суд; 9) *уст.* марионетка.

2. *v* показывать жестом.

motional ['mouʃənl] *a* двигательный.

motionless ['mouʃənlɪs] *a* неподвижный, без движения; в состоянии покоя.

motion picture ['mouʃənˈpɪktʃə] *n* кинокартина, фильм.

motivate ['moutɪveɪt] = motive 3.

motive ['moutɪv] 1. *n* 1) повод, мотив, побуждение; driving ~ движущая сила; 2) = motif 1);

2. *a* 1) движущий; ~ power, ~ force движущая сила; энергия; 2) двигательный;

3. *v* 1) побуждать; 2) служить мотивом *или* причиной; 3) (*преим. pass.*) мотивировать.

motiveless ['moutɪvlɪs] *a* не имеющий оснований; немотивированный; беспочвенный.

motivity [mou'tɪvɪtɪ] *n физ.* кинетическая энергия; двигательная сила.

motley ['mɔtlɪ] 1. *a* разноцветный; пёстрый (*тж. перен.*);

2. *n* 1) попурри, всякая всячина; 2) *ист.* шутовской костюм; man of ~ шут; to wear ~ быть шутом.

motoplough ['moutəˌplau] *n с.-х.* автоплуг.

motor ['moutə] 1. *n* 1) двигатель; мотор; 2) автомобиль; 3) моторная лодка (*тж.* ~ boat); 4) *анат.* двигательный мускул; двигательный нерв;

2. *a* моторный, двигательный;

3. *v* 1) ехать на автомобиле; 2) везти на автомобиле.

motor boat ['moutəbout] *n* моторная лодка.

motor bus ['moutəˈbʌs] *n* автобус.

motorcade ['moutəkeɪd] *n амер.* 1) автоколонна; 2) вереница автомобилей.

motor-car ['moutəkɑː] *n* 1) легковой автомобиль; 2) *амер.* моторный вагон (трамвая).

motor coach ['moutəˌkoutʃ] *n* автобус (*обыкн.* открытый).

motor-cycle ['moutəˌsaɪkl] *n* мотоцикл.

motorcycle ['moutəˌsaɪkl] *v* водить мотоцикл; заниматься мотоциклетным спортом.

motor-cyclist ['moutəˌsaɪklɪst] *n* мотоциклист.

motordrome ['moutədroum] *n* автодром.

motored ['moutəd] 1. *p. p. от* motor 3;

2. *a* снабжённый мотором; имеющий мотор.

motoring ['moutərɪŋ] 1. *pres. p. от* motor 3;

2. *n* 1) автомобильное дело; 2) автомобильный спорт; 3) привод мотором.

motorist ['moutərɪst] *n* автомобилист.

motorization [ˌmoutəraɪˈzeɪʃən] *n* моторизация.

motorize ['moutəraɪz] *v* моторизовать.

motorman ['moutəmən] *n амер.* вожатый (*трамвая*); водитель (*автобуса*); машинист (*электропоезда*).

motor ship ['moutəʃɪp] *n* теплоход.

motor-spirit ['moutə'spɪrɪt] *n* бензин; газолин.

motor vehicle ['moutə'viːkl] *n* автомобиль, автомашина.

motory ['moutərɪ] *a* движущий, вызывающий движение.

mottle ['mɔtl] 1. *n* крапинка, пятнышко; 2. *v* испещрять; крапать.

mottled ['mɔtld] 1. *p. p.* от mottle 2; 2. *a* 1) крапчатый, испещрённый; пёстрый; 2) половинчатый (*о чугуне*).

motto ['mɔtou] *n* (*pl* -oes [-ouz]) 1) девиз, лозунг; 2) эпиграф.

mouch [muːtʃ] = mooch.

moufflon ['muːflɔn] *n зоол.* муфлон.

mould I [mould] 1. *n* 1) взрыхлённая (садовая) земля; 2) почва; 3) *поэт.* могила; 4) *поэт.* прах; man of ~ простой смертный; 2. *v* рыхлить; насыпать землю; □ ~ up окучивать.

mould II [mould] 1. *n* плесень; плесневой грибок; 2. *v* покрываться плесенью; плесневеть; *перен.* оставаться без употребления.

mould III [mould] 1. *n* 1) (литейная) форма, опока; 2) лекало; шаблон; 3) матрица; 4) *стр.* опалубка для кладки бетона; 5) отливка; 6) формочка для пудинга, желе *и т. п.*; 7) характер; people of a special ~ люди особого склада; 2. *v* 1) отливать в форму, формовать; 2) делать по шаблону; 3) формировать (*характер*); создавать; □ ~ into превращать в; ~ on, ~ upon формировать по образцу *чего-л.*

mould-board ['mouldbɔːd] *n с.-х.* отвал плуга.

moulder I ['mouldə] *v* 1) рассыпаться, разрушаться (*часто* ~ away); 2) разлагаться (*морально*); 3) бездельничать.

moulder II ['mouldə] *n* 1) литейщик, формовщик; 2) создатель; творец; 3) стол для формовки.

moulding I ['mouldɪŋ] 1. *pres. p.* от mould III, 2; 2. *n* 1) *тех.* формовка, отливка; 2) *архит.* лепное украшение, карниз; 3) багет.

moulding II ['mouldɪŋ] *pres. p.* от mould I, 2.

moulding III ['mouldɪŋ] *pres. p.* от mould II, 2.

mouldy I ['mouldɪ] *a* 1) заплесневелый; *перен.* устаревший; старомодный; 2) *разг.* дрянной; скучный.

mouldy II ['mouldɪ] *n мор. sl.* торпеда.

moult [moult] 1. *n* линька (*птиц*). 2. *v* линять (*о птицах*).

mound I [maund] 1. *n* насыпь; холм; курган; могильный холм; 2. *v* делать насыпь; насыпать холм.

mound II [maund] *n* держава (*эмблема*).

mount I [maunt] 1. *n* 1) подъём под седлом; 2) подложка, картон *или* холст, на который наклеена картина *или* карта; 3) оправа (*камня*); 4) предметное стекло (*для микроскопического среза*); 5) *воен.* установка (*для орудия*);

2. *v* 1) взбираться, восходить, подниматься; his colour ~ed кровь бросилась ему в лицо; 2) подниматься, повышаться (*о цене*); 3) садиться на лошадь *или* на велосипед, в машину; 4) посадить на лошадь; 5) снабжать верховыми лошадьми; 6) устанавливать, монтировать; to ~ a picture наклеивать картину на картон; to ~ a specimen приготовлять препарат для исследования (*под микроскопом*); to ~ jewels вставлять драгоценные камни в оправу; 7) ставить (*пьесу*); 8) *воен.*: to ~ a gun устанавливать орудие на лафет; to ~ guard стоять на часах, охранять; 9) набивать чучело; □ ~ up накапливаться.

mount II [maunt] *n* холм; гора (*уст.*, *кроме названий, напр.*: Mount Everest гора Эверест).

mountain ['mauntin] *n* 1) гора; *перен.* масса, куча, множество; 2) (the M.) *фр. ист.* «Гора», партия монтаньяров; 3) *attr.* горный; нагорный; ◇ the ~ in labour, the ~ has brought forth a mouse ≅ гора родила мышь; to make a ~ out of a molehill ≅ делать из мухи слона; преувеличивать.

mountain ash ['mauntin'æʃ] *n бот.* 1) рябина американская; 2) рябина обыкновенная.

mountain dew ['mauntin'djuː] *n разг.* шотландское виски.

mountaineer [,maunti'niə] 1. *n* 1) альпинист; 2) горец; 2. *v* совершать восхождения на горы, лазить по горам.

mountaineering [,maunti'niəriŋ] 1. *pres. p.* от mountaineer 2; 2. *n* альпинизм.

mountain-high ['mauntinhai] *a* очень высокий.

mountainous ['mauntinəs] *a* 1) гористый; 2) громадный.

mountebank ['mauntibæŋk] 1. *n* 1) фигляр; шут; 2) шарлатан; 2. *v* валять дурака.

mounted ['mauntid] 1. *p. p.* от mount I, 2; 2. *a* 1) конный (*напр., полк*); посаженный на машину; 2) монтированный, установленный; 3): ~ gem драгоценный камень в оправе.

mounting ['mauntiŋ] 1. *pres. p.* от mount I, 2; 2. *n* 1) установка; 2) посадка на лошадь *или* в машину; 3) набивка (*чучела*); 4) монтаж; 5) оправа.

mourn [mɔːn] *v* 1) сетовать, оплакивать; 2) носить траур; 3) печалиться, горевать.

mourner ['mɔːnə] *n* 1) присутствующий на похоронах; 2) плакальщик.

mournful ['mɔːnful] *a* печальный, траурный; мрачный.

mourning ['mɔːniŋ] 1. *pres. p.* от mourn; 2. *n* 1) плач, рыдание; 2) траур; to go into ~ надеть траур; in ~ а) в трауре; б) *разг.* грязный (*о ногтях*); в) подбитый (*о глазе*); 3) *attr.* траурный.

mouse 1. *n* [maus] (*pl* mice) 1) мышь; 2) *sl.* подбитый глаз; 2. *v* [mauz] 1) ловить мышей; 2) выискивать, выслеживать.

mouser ['mauzə] *n* мышелов.

mousetrap ['maustræp] *n* мышеловка.

mousse [mu:s] *фр. n* мусс (*блюдо*).

mousseline ['mu:sli:n] *фр. n* муслин.

moustache [məs'ta:ʃ] *n* усы.

mousy ['mausɪ] 1. *n* мышка; 2. *a* 1) мышиный; 2) робкий; тихий.

mouth 1. *n* [mauθ; *pl* mauðz] 1) рот, уста; by ~, by word of ~ устно; 2) рот, едок; 3): the horse has a good (bad) ~ лошадь хорошо (плохо) слушается узды; 4) устье (*реки, шахты*); 5) вход (*в гавань, пещеру*); 6) горлышко (*бутылки*); дуло, жерло; 7) гримаса; to make ~s строить рожи, гримасничать; 8) *sl.* нахальство; 9) *тех.* устье, зев, отверстие, выходной патрубок; выливной штуцер; раструб, рупор; ◇ from ~ to ~ из уст в уста; to open one's ~ too wide а) ожидать слишком многого; б) запрашивать (*цену*); to take the words out of smb.'s ~ предвосхитить то, что другой хотел сказать;
2. *v* [mauð] 1) говорить торжественно; изрекать; 2) жевать; чавкать; 3) приучать лошадь к узде; 4) гримасничать; 5) впадать (*о реке*).

mouther ['mauðə] *n* 1) напыщенный оратор; 2) хвастун.

mouth-filling ['mauθ,fɪlɪŋ] *a* напыщенный.

mouthful ['mauθful] *n* сколько можно взять в рот; кусок; глоток; ◇ to say a ~ сказать что-л. важное, потрясающее.

mouth-organ ['mauθ,ɔ:gən] *n* 1) свирель; 2) губная гармоника.

mouthpiece ['mauθpi:s] *n* 1) мундштук; 2) рупор, глашатай; оратор (*от группы*); выразитель (*мнения, интересов и т. п.*); 3) микрофон.

mouthy ['mauðɪ] *a* 1) напыщенный; 2) болтливый, многословный.

movable ['mu:vəbl] 1. *a* 1) подвижной; переносный, передвижной; 2) движимый (*об имуществе*);
2. *n pl* движимость, движимое имущество.

move [mu:v] 1. *n* 1) движение, перемена места; to make a ~ а) отправляться; б) вставать из-за стола [*см. тж.* 3) *и* 4)]; to get a ~ on *разг.* спешить, торопиться, поторапливаться; to be on the ~ (быть) на ногах, в движении; 2) переезд (*на другую квартиру*); 3) ход (*в игре*); to make a ~ сделать ход [*см. тж.* 1) *и* 4)]; 4) поступок, шаг; to make a ~ предпринять что-л.; начать действовать [*см. тж.* 1) *и* 3)];
2. *v* 1) двигать(ся); передвигать(ся); to ~ a piece *шахм.* делать ход 2) вращаться (*напр., в литературных кругах*); приводить в движение; to ~ the bowels заставлять работать кишечник; 4) побуждать к чему-л.; 5) трогать, растрогать; 6) волновать; to ~ to anger (to laughter) рассердить (рассмешить); 7) вносить (*предложение, резолюцию*); делать заявление, обращаться (*в суд и т. п.*); 8) переезжать; переселяться; 9) развиваться (*о событиях*); идти, подвигаться (*о делах*); 10) расти; nothing is moving in the garden в салу

ещё ничто не распускается; 11) переходить в другие руки; продаваться; 12) управлять; манипулировать; □ ~ about переходить, переезжать с места на место; ~ away а) удалять(ся); уезжать; б) отодвигать; ~ back а) пятиться; б) идти задним ходом; подавать назад; в) табанить; ~ down опускать, спускать; ~ for ходатайствовать о чём-л.; ~ in а) вводить, вдвигать; б) въезжать (*в квартиру*); ~ off а) отодвигать; б) *ком.* распродаваться; ~ on (предложить) пройти дальше; ~ out а) выдвигать (*ящик и т. п.*); б) съезжать (*с квартиры*); ~ up пододвинуть; to ~ up reserves *воен.* подтягивать резервы; ◇ to ~ heaven and earth пустить всё в ход; ≈ нажать все кнопки.

moveless ['mu:vlɪs] *a* неподвижный; ~ countenance невозмутимое выражение лица.

movement ['mu:vmənt] *n* 1) движение, перемещение, передвижение; 2) движение (*общественное*); peace ~ движение сторонников мира; 3) переезд, переселение; 4) жест, телодвижение; 5) ход (*механизма*); 6) развитие действия, динамика (*литературного произведения*); 7) *ком.* оживление; 8) *муз.* темп; ритм; 9) часть музыкального произведения; 10) *мед.* действие кишечника.

mover ['mu:və] *n* 1) двигатель, движущая сила; prime ~ первичный двигатель; источник энергии; 2) инициатор, автор (*идеи и т. п.*); тот, кто вносит предложение.

moviegoer ['mu:vɪ,gouə] *n* кинозритель.

moviemaker ['mu:vɪ,meɪkə] *n* кинопромышленник.

movies ['mu:vɪz] *n pl разг.* кино.

movietone ['mu:vɪtoun] *n* звуковой фильм.

moving ['mu:vɪŋ] 1. *pres. p. от* move 2; 2. *a* 1) движущий(ся); подвижной; 2) трогательный, волнующий.

moving pictures ['mu:vɪŋ'pɪktʃəz] *n pl* кино.

moving staircase ['mu:vɪŋ'stɛəkeɪs] *n* эскалатор.

mow I [mau] 1. *n* гримаса; 2. *v* гримасничать; [*см. тж.* mop II].

mow II [mou] 1. *n* 1) стог, скирда; 2) сеновал; 2. *v* скирдовать, стоговать.

mow III [mou] *v* (mowed [-d]; mowed, mown) косить; жать; □ ~ down, ~ off а) скашивать; б) косить (*об эпидемии и т. п.*).

mower ['mouə] *n* 1) косец; 2) косилка.

mowing-machine ['mouɪŋmə,ʃi:n] *n* косилка; жнейка.

mown [moun] *p. p. от* mow III.

Mr ['mɪstə] *сокр. от* mister.

Mrs ['mɪsɪz] *сокр. от* mistress 2).

much [mʌtʃ] 1. *a* (more; most) много; ~ snow много снега; ~ time много времени; ◇ ~ cry and little wool ≈ шума много, толку мало; ~ ado about nothing много шума из ничего; ~ water has flown under the bridge since that time ≈ много воды утекло с тех пор; to be too ≈ for оказаться не по силам *кому-л.*;

2. *adv* (more; most) 1) о́чень; I am ~ obliged to you я вам о́чень благода́рен; 2) (*при сравнит. ст.*) гора́здо, значи́тельно; ~ more natural гора́здо есте́ственнее; ~ better намно́го лу́чше; 3) почти́, прибли́зительно; ~ of a size (a height *etc.*) почти́ того́ же разме́ра (той же высоты́ *и т. п.*); ◇ ~ (about) the same почти́ (одно́ и) то́ же, почти́ тако́й же; so ~ the better тем лу́чше; not ~ отню́дь нет; ни в ко́ем слу́чае;

3. *n* мно́гое; to make ~ of а) высоко́ цени́ть; быть высо́кого мне́ния; б) носи́ться с кем-л., чем-л.; ◇ he is not ~ of a scholar он не сли́шком образо́ванный челове́к; ~ of a muchness почти́ (одно́ и) то́ же; ≅ одного́ по́ля я́года; ~ will have more *посл.* ≅ де́ньги к деньга́м.

mucilage [′mju:slɪdʒ] *n* 1) слизь; 2) кле́йкое вещество́ (*растений*); расти́тельный клей.

muck [mʌk] **1.** *n* 1) наво́з; 2) *разг.* грязь; дрянь, ме́рзость; 3) *горн.* поро́да, ото́рванная шпу́рами; неу́бранная в вы́работке поро́да; 4) *attr.* наво́зный;
2. *v* 1) унаво́живать; 2) па́чкать; 3) *sl.* (ис)по́ртить (*тж.* ~ up); 4) *горн.* убира́ть поро́ду; отка́тывать; ⬜ ~ about *разг.* слоня́ться; ~ in: to ~ in (with smb.) дели́ться (с кем-л.) жильём, иму́ществом *и т. п.*

mucker [′mʌkə] **1.** *n* 1) *разг.* тяжёлое паде́ние; *перен.* больша́я неуда́ча; to come а ~ *разг.* а) тяжело́ упа́сть, разби́ться; б) попа́сть в беду́; to go а ~ сли́шком мно́го истра́тить (on, over); 2) *разг.* гру́бый, гря́зный челове́к; хам; 3) *горн.* убо́рщик (*породы*); отгре́бщик; отка́тчик;
2. *v разг.* 1) устро́ить пу́таницу, перепу́тать; провали́ть де́ло; 2) истра́тить (*часто* ~ away).

muckle [′mʌkl] = mickle.

muck-rake [′mʌkreɪk] *n* 1) гра́бли для наво́за; 2) люби́тель копа́ться в сканда́льной хро́нике и предполага́ть дурны́е моти́вы посту́пков.

muckworm [′mʌkwə:m] *n* 1) наво́зный червь; 2) скря́га.

mucky [′mʌkɪ] *a* 1) гря́зный; 2) проти́вный.

mucous [′mju:kəs] *a* сли́зистый; ~ membrane сли́зистая оболо́чка.

mucus [′mju:kəs] *n* слизь.

mud [mʌd] *n* грязь, сля́коть; ил, ти́на; to stick in the ~ завя́знуть в грязи́; *перен.* отста́ть от ве́ка; to throw (*или* to fling) ~ (at) заброса́ть гря́зью; (о)поро́чить; 2) шлам.

mud-bath [′mʌdba:θ] *n мед.* грязева́я ва́нна.

mud box [′mʌdbɔks] *n тех.* грязеви́к, грязеуло́витель.

muddle [′mʌdl] **1.** *n* 1) пу́таница в голове́; 2) неразбери́ха; беспоря́док; to make a ~ of smth. спу́тать, перепу́тать всё;
2. *v* 1) спу́тывать, пу́тать (*часто* ~ up, ~ together); 2) де́лать ко́е-ка́к; по́ртить; 3) опьяня́ть; одурма́нивать; ⬜ ~ away (one's time, money, *etc.*) зря тра́тить (вре́мя, день-

ги *и т. п.*); ~ into ввяза́ться во *что-л.* по глу́пости *или* непредусмотри́тельности; ~ on де́йствовать наобу́м, без пла́на; ~ through довести́ де́ло ко́е-ка́к до конца́, ошиба́ясь и пу́тая.

muddle-headed [′mʌdl,hedɪd] *a* бестолко́вый, тупо́й.

muddy [′mʌdɪ] **1.** *a* 1) запа́чканный, гря́зный; 2) тёмный; 3) непрозра́чный; му́тный; 4) нечи́стый (*о коже*); 5) помути́вшийся (*о рассудке*); 6) хри́плый (*о голосе*);
2. *v* 1) обры́згать гря́зью; 2) мути́ть.

mudfish [′mʌdfɪʃ] *n название многих рыб, зарывающихся в ил, напр.:* голе́ц, колю́шка, тихоокеа́нский бычо́к *и др.*

mudguard [′mʌdga:d] *n авт.* крыло́; *тех.* щит от гря́зи.

mudlark [′mʌdla:k] *n* 1) рабо́чий, прочища́ющий водосто́ки; 2) у́личный мальчи́шка, беспризо́рный.

mudsill [′mʌdsɪl] *n стр.* лёжень.

mudslinger [′mʌd,slɪŋə] *n амер. sl.* клеветни́к.

muezzin [mu:′ezɪn] *араб. n* муэдзи́н.

muff I [mʌf] *n* 1) му́фта; 2) *тех.* му́фта, ги́льза.

muff II [mʌf] **1.** *n* 1) несовла́дный, неуме́лый *или* глупова́тый челове́к; «шля́па»; *спорт.* «мази́ла»; 2) оши́бка, про́мах; неуда́ча;
2. *v* промахну́ться, проворо́нить, прома́зать (*тж.* make a ~ of the business); to ~ one's lines *театр.* сма́зать свою́ ре́плику.

muffin [′mʌfɪn] *n* горя́чая сдо́ба.

muffineer [,mʌfɪ′nɪə] *n* 1) кры́тая посу́да для пода́чи сдо́бы горя́чей; 2) сосу́д для посыпа́ния сдо́бы са́харом, со́лью *и т. п.*

muffle [′mʌfl] **1.** *n* 1) ко́жаная перча́тка *или* рукави́ца; 2) *тех.* му́фель; глуши́тель; 3) *тех.* многошки́вный блок;
2. *v* 1) заку́тывать, оку́тывать (*часто* ~ up); 2) глуши́ть, заглуша́ть (*звук*).

muffled [′mʌfld] **1.** *p. p. от* muffle 2;
2. *a* заглушённый; ~ curses прокля́тия, произнесённые сквозь зу́бы.

muffler [′mʌflə] *n* 1) кашне́, шарф; 2) рукави́ца; боксёрская перча́тка; 3) *тех.* глуши́тель; модера́тор; шумоглуши́тель; 4) *муз.* сурди́нка.

mufti [′mʌftɪ] *араб. n* 1) му́фтий; 2) *разг.* шта́тское пла́тье.

mug I [mʌg] **1.** *n* 1) кру́жка; ку́бок (*как приз*); 2) прохлади́тельный напи́ток; 3) *груб.* ха́ря, мо́рда; ры́ло; thinking ~ *sl.* башка́; 4) *sl.* рот; грима́са;
2. *v sl.* 1) дать пощёчину; 2) грима́сничать; гримирова́ть(ся); 4) *амер.* фотографи́ровать (*преступников для полицейского архива*).

mug II [mʌg] *sl.* **1.** *n* 1) зубри́ла; 2) экза́мен;
2. *v* 1) зубри́ть, уси́ленно гото́виться к экза́мену (*часто* ~ up); 2) обма́нывать, надува́ть.

mug III [mʌg] *n разг.* 1) проста́к; 2) новичо́к (*в игре*).

mugful [′mʌgful] *n* по́лная кру́жка (*чего-л.*).

mugger I [′mʌgə] *n* инди́йский крокоди́л.

mugger II ['mʌgə] n 1) торговец гончарными изделиями; 2) амер. sl. грабитель; 3) фигляр.

muggins ['mʌgɪnz] n 1) простак; 2) род карточной игры; 3) род игры в домино́.

muggy ['mʌgɪ] a сырой и тёплый (о погоде и т. п.); удушливый, спёртый (о воздухе).

mug-house ['mʌghaus] n разг. пивная.

mug-hunter ['mʌg,hʌntə] n спорт. разг. любитель призов.

mugwump ['mʌgwʌmp] n амер. 1) член партии, сохраняющий за собой право голосовать на выборах независимо от партии (первоначально о «независимых» членах республиканской партии); 2) влиятельное лицо, «шишка».

mulatto [mjuː'lætou] 1. n (pl -os [-ouz]) мула́т(ка).
2. a оливковый, бронзовый (о цвете).

mulberry ['mʌlbərɪ] n 1) бот. шелковица, тут(а); 2) тутовая ягода; 3) attr. багровый, тёмно-красный.

mulberry bush ['mʌlbərɪ'buʃ] n название детской игры.

mulch [mʌlʃ] с.-х. 1. n 1) мульча; прелая солома, прелые листья; 2) мульчирование, обкладка навозом, соломой;
2. v мульчировать, обкладывать корни растений соломой, навозом.

mulct [mʌlkt] 1. n 1) штраф; 2) незаконные поборы;
2. v 1) штрафовать; 2) лишать (чего-л., часто обманом); he was ~ed of £10 его обжулили на 10 фунтов (стерлингов).

mule I [mjuːl] n 1) мул; перен. упрямый осёл; 2) гибрид; 3) текст. мюль-машина; self-acting ~ сельфактор; 4) ж.-д. толкач.

mule II [mjuːl] n та́почка; домашняя туфля без задника.

mule III [mjuːl] = mewl.

muleteer [,mjuːlɪ'tɪə] n погонщик мулов.

muliebrity [,mjuːlɪ'ebrɪtɪ] n 1) женственность; 2) изнеженность.

mulish ['mjuːlɪʃ] a упрямый (как осёл).

mull I [mʌl] разг. 1. n путаница; to make a ~ of smth. перепутать всё;
2. v перепутать, спутать.

mull II [mʌl] v амер. разг. обдумывать, размышлять.

mull III [mʌl] n настольная табакерка из бараньего рога в серебряной оправе.

mull IV [mʌl] n сорт тонкого муслина.

mull V [mʌl] n мыс (в шотл. географических названиях).

mull VI [mʌl] v подогревать вино или пиво с пряностями.

mullah ['mʌlə] араб. n мулла.

mullein ['mʌlɪn] n бот. коровяк.

mullet ['mʌlɪt] n зоол.: striped ~ лобан; red ~ барабулька обыкновенная.

mulligatawny [,mʌlɪgə'tɔːnɪ] n англо-инд. крепкий пряный суп.

mulligrubs ['mʌlɪgrʌbz] n pl разг. 1) хандра; 2) колики; резь.

mullock ['mʌlək] n 1) отбросы, мусор; 2) австрал. горн. пустая порода.

mulse [mʌls] n подслащённое вино.

mulsh [mʌlʃ] = mulch.

mult [mʌlt] = multure.

multangular [mʌlt'æŋgjulə] a многоугольный.

multeity [mʌl'tiːɪtɪ] n многообразие; разнообразие.

multi- ['mʌltɪ-] в сложных словах много-; multinational многонациональный.

multicolour ['mʌltɪkʌlə] 1. n многокрасочность;
2. a цветной, многокрасочный.

multicoloured ['mʌltɪkʌləd] a цветной, многокрасочный.

multiengined ['mʌltɪ'endʒɪnd] a многомоторный.

multifarious [,mʌltɪ'fɛərɪəs] a разнообразный.

multiflorous [,mʌltɪ'flɔːrəs] a бот. многоцветковый.

multifold ['mʌltɪfould] a многократный.

multiform ['mʌltɪfɔːm] a многообразный.

multiformity [,mʌltɪ'fɔːmɪtɪ] n многообразие; полиморфизм.

multilateral ['mʌltɪ'lætərəl] a многосторонний.

multimillionaire ['mʌltɪmɪljə'nɛə] n мультимиллионер.

multinational ['mʌltɪ'næʃənl] a многонациональный.

multipartite [,mʌltɪ'pɑːtaɪt] a разделённый на много частей.

multiped ['mʌltɪped] n зоол. многоножка; мокрица.

multiphase ['mʌltɪfeɪz] a эл. многофазный.

multiplane ['mʌltɪpleɪn] n ав. многоплан.

multiple ['mʌltɪpl] 1. a 1) составной, складной; имеющий много отделов, частей; ~ shop магазин с филиалами; ~ manning ж.-д. обезличка; 2) многократный; многочисленный; 3) мат. кратный;
2. n мат. кратное число; least common ~ общее наименьшее кратное.

multiplex ['mʌltɪpleks] a 1) сложный; 2) многократный.

multiplicand [,mʌltɪplɪ'kænd] n мат. множимое.

multiplication [,mʌltɪplɪ'keɪʃən] n 1) умножение; 2) увеличение; 3) attr.: ~ table таблица умножения.

multiplicity [,mʌltɪ'plɪsɪtɪ] n 1) сложность; разнообразие; 2) многочисленность; a (или the) ~ of cases многочисленные случаи.

multiplier ['mʌltɪplaɪə] n 1) множитель; 2) коэффициент.

multiply ['mʌltɪplaɪ] v 1) увеличивать(ся); 2) размножать(ся); 3) мат. умножать, множить.

multi-stage ['mʌltɪsteɪdʒ] a 1) многоступенчатый; 2) многокамерный; 3) многоэтажный.

multistory ['mʌltɪ'stɔːrɪ] a многоэтажный.

multisyllable ['mʌltɪ'sɪləbl] n многосложное слово.

multitude ['mʌltɪtjuːd] n 1) множество; большое число; масса; 2) толпа; the ~ массы.

multitudinous [,mʌltɪ'tjuːdɪnəs] a многочисленный.

multocular [mʌl'tɔkjuːlə] *a* многоглá-
зый.

multure ['mʌltʃə] *n шотл., уст.* плáта
натýрой за помóл.

mum I [mʌm] **1.** *int* тúше!, тс!; ~'s the
word! (об э́том) ни гугý!, э́то секрéт;

2. *a predic.* молчалúвый; to keep ~ помáлкивать; to sit ~ сидéть молчá;

3. *v* 1) учáствовать в пантомúме; 2) ря-
дúться, маскировáться.

mum II [mʌm] *n* крéпкое пúво.

mum III [mʌm] = **mummy** II.

mumble ['mʌmbl] **1.** *n* бормотáние;

2. *v* 1) бормотáть; 2) с трудóм жевáть.

Mumbo Jumbo ['mʌmbou'dʒʌmbou] *n*
(*pl* -os [-ouz]) úдол нéкоторых западно-
африкáнских племён; *перен.* предмéт сфе-
вéрного поклонéния.

mummer ['mʌmə] *n* 1) *ист.* учáстник пан-
томúмы; 2) *пренебр.* фигляр, «актёр».

mummery ['mʌmərɪ] *n* 1) пантомúма; маск-
карáд; 2) *пренебр.* смешнóй ритуáл, «представлéние».

mummification [ˌmʌmɪfɪ'keɪʃən] *n* 1)
мумификáция; 2) высыхáние, превращéние
в мýмию.

mummify ['mʌmɪfaɪ] *v* 1) мумифицúро-
вать; 2) ссыхáться, превращáться в мýмию.

mummy I ['mʌmɪ] *n* 1) мýмия; 2) мягкая
бесфóрменная мáсса; to beat (*или* to smash)
to a ~ превратúть в бесфóрменную мáссу;
3) корúчневая крáска, мýмия.

mummy II ['mʌmɪ] *n дет.* мáма.

mump I [mʌmp] *v* дýться, быть не в дýхе.

mump II [mʌmp] *v* 1) нúщенствовать,
попрошáйничать, клянчить; 2) обмáнывать.

mumper I ['mʌmpə] *n* попрошáйка, нú-
щий.

mumper II ['mʌmpə] *n* человéк в плохóм
настроéнии, не в дýхе.

mumpish ['mʌmpɪʃ] *a* надýтый, не в дýхе.

mumps [mʌmps] *n pl* (*употр. как sing*)
1) свúнка (*болезнь*); 2) прúступ плохóго
настроéния.

munch [mʌntʃ] *v* жевáть, чáвкать.

mundane ['mʌndeɪn] *a* свéтский; мирскóй,
земнóй.

municipal [mjuː'nɪsɪpəl] *a* 1) муниципáль-
ный, городскóй; ~ engineering коммунáль-
ная тéхника; 2) самоуправляющийся.

municipality [mjuːˌnɪsɪ'pælɪtɪ] *n* 1) гóрод,
имéющий самоуправлéние; 2) муниципалитéт.

municipalize [mjuː'nɪsɪpəlaɪz] *v* муници-
пализúровать.

munificence [mjuː'nɪfɪsns] *n* щéдрость.

munificent [mjuː'nɪfɪsnt] *a* щéдрый.

muniment ['mjuːnɪmənt] *n* (*обыкн. pl*)
грáмота, докумéнт о правáх, привилéгиях
и т. п.

munition [mjuː'nɪʃən] **1.** *n* (*обыкн. pl*)
1) воéнные запáсы; снаряжéние; Ministry
of Munitions Министéрство воéнного снаб-
жéния; 2) запаснóй фонд (*особ. денежный*);

2. *v* снабжáть (*áрмию снаряжéнием*).

munitioner [mjuː'nɪʃənə] = **munition-
-worker.**

munition-factory [mjuː'nɪʃən'fæktərɪ] *n*
воéнный завóд.

munition-worker [mjuː'nɪʃən,wəkə] *n* рабóчий воéнного завóда.

munshi ['munʃiː] = moonshee.

munsif(f) ['munsif] = moonsif(f).

murage ['mjuːrɪdʒ] *n ист.* мéстный сбор на
стройтельство *или* ремóнт городскóй стены.

mural ['mjuərəl] **1.** *a* 1) стеннóй; ~ painting фрéсковая жúвопись; 2) отвéсный, крутóй;

2. *n* фрéска.

murder ['məːdə] **1.** *n* убúйство; ◇ the
~ is out секрéт раскрыт; ~ will out *посл.*
≅ шúла в мешкé не утаúшь; to cry blue
(*или* pink) ~ кричáть карáул, вопúть,
орáть;

2. *int* карáул!;

3. *v* 1) убивáть, совершáть убúйство; 2)
разг. губúть плохúм исполнéнием (*муз.
произведение и т. п.*); ковéркать (*иностранный язык*).

murderer ['məːdərə] *n* убúйца.

murderess ['məːdərɪs] *n* жéнщина-убúйца.

murderous ['məːdərəs] *a* 1) смертонóсный;
убúйственный; 2) кровожáдный; кровáвый.

mure [mjuə] *v* 1) окружáть стенóй; 2)
замурóвывать, заточáть, заключáть в тюрьмý.

muriate ['mjuərɪɪt] *n хим.* солянокúслая
соль; ~ of ammonia нашаты́рь.

muriatic [ˌmjuərɪ'ætɪk] *a хим.* соляно-
кúслый; ~ acid соляная кислотá.

murk [məːk] *уст., поэт.* **1.** *n* темнотá,
мрак;

2. *a* тёмный, мрáчный.

murky ['məːkɪ] *a* тёмный, мрáчный; пáс-
мурный.

murmur ['məːmə] **1.** *n* 1) журчáние; шóрох (*листьев*); жужжáние (*пчёл*); 2) приглушённый шум голосóв; шёпот; 3) ворчá-
ние; рóпот; 4) *мед.* шум (*в сердце*);

2. *v* 1) журчáть; шелестéть; жужжáть;
2) шептáть; 3) роптáть, ворчáть (at, against
— на).

murmurous ['məːmərəs] *a* 1) журчáщий;
2) ворчáщий, ворчлúвый.

murphy ['məːfɪ] *n разг.* картóфель.

murrain ['mʌrɪn] *n* 1) ящур; 2) чумá
(*рогатого скота*); ◇ a ~ on you! *уст. груб.*
≅ чтоб ты сдох!

murrey ['mʌrɪ] *уст.* **1.** *a* багрóвый, тёмно-
-крáсный;

2. *n* тёмно-крáсный цвет.

muscadine ['mʌskədin] *n* мускáтный
виногрáд.

muscardine ['mʌskɑːdin] *n с.-х.* мускар-
дúна.

muscat ['mʌskət] = muscatel.

muscatel [ˌmʌskə'tel] *n* мускáт (*виноград и вино*).

muscle ['mʌsl] **1.** *n* мýскул, мышца; *перен.* сúла; ~ man *амер. sl.* силáч;

2. *v*: ~ in *амер. sl.* вторгáться, врывáться
сúлой.

muscology [mʌs'kɔlədʒɪ] *n* бриолóгия
(*наука о мхах*).

muscovado [ˌmʌskou'vɑːdou] *n* неочúщенный тростникóвый сáхар.

Muscovite ['mʌskəvaɪt] 1. *n* 1) москвич(ка); 2) *уст.* русский; русская; 2. *а уст.* русский.

Muscovy ['mʌskəvɪ] *n ист.* Московское государство; ◇ ~ glass слюда; ~ duck = musk-duck.

muscular ['mʌskjulə] *а* 1) мускульный; 2) мускулистый; сильный.

muscularity [ˌmʌskju'lærɪtɪ] *n* 1) мускулатура; 2) мускулистость.

musculature ['mʌskjuləʧ(ə)n] мускулатура.

muse I [mjuːz] *n* муза.

muse II [mjuːz] 1. *v* 1) размышлять (on, upon); задумываться; 2) задумчиво смотреть; 2. *n уст.* размышление; задумчивость.

musette [mjuː'zet] *n муз.* 1) волынка; 2) пасторальная мелодия.

museum [mjuː'zɪəm] *n* музей.

museum-piece [mjuː'zɪəm,piːs] *n* музейный экспонат; музейная редкость (*тж.* перен.).

mush I [mʌʃ] *n* 1) что-л. мягкое; 2) *амер.* каша; 3) вздор, чепуха; to make a ~ спутать.

mush II [mʌʃ] *амер.* 1. *n* путешествие пешком с собаками (*по снегу*); 2. *v* путешествовать пешком с собаками (*по снегу*).

mush III [mʌʃ] *n sl.* зонтик.

mushroom ['mʌʃrum] 1. *n* 1) гриб; 2) быстро возникшее учреждение, новый дом; 3) *разг.* выскочка; 4) *разг.* женская соломенная шляпа с опущенными полями; 5) *attr.* грибной; похожий на грибы; ~ growth быстрый рост, быстрое развитие; 2. *v* 1) собирать грибы, ходить по грибы; 2) *амер.* расти (быстро) как грибы.

mushy ['mʌʃɪ] *а* 1) мягкий; 2) пористый; 3) *разг.* сентиментальный.

music ['mjuːzɪk] *n* 1) музыка; to ~ под музыку; 2) ноты; he plays without ~ он играет без нот; 3) музыкальное (-ые) произведение (-ия); 4) *уст.* оркестр, хор; ◇ to face the ~ а) встречать, не дрогнув, критику *или* трудности; б) держать ответ, расплачиваться (*за что-л.*).

musical ['mjuːzɪkəl] 1. *а* 1) музыкальный; ~ comedy оперетта; музыкальная комедия; 2) мелодичный; 2. *n разг.* музыкальный (кино)фильм.

music-case ['mjuːzɪkkeɪs] *n* папка для нот.

music-hall ['mjuːzɪkhɔːl] *n* 1) концертный зал; 2) мюзик-холл.

musician [mjuː'zɪʃən] *n* 1) музыкант; 2) композитор.

music master ['mjuːzɪk,mɑːstə] *n* преподаватель музыки.

music mistress ['mjuːzɪk,mɪstrɪs] *n* преподавательница музыки.

music-paper ['mjuːzɪk,peɪpə] *n* нотная бумага.

music-rack ['mjuːzɪkræk] = music-stand.

music-stand ['mjuːzɪkstænd] *n* пюпитр (*для нот*).

music-stool ['mjuːzɪkstuːl] *n* вращающийся табурет (*для рояля*).

musk [mʌsk] *n* 1) мускус; 2) мускусный запах.

musk-deer ['mʌsk'dɪə] *n зоол.* кабарга.

musk-duck ['mʌsk'dʌk] *n* мускусная утка.

muskeg [mʌs'keg] *n* 1) озёрное болото; 2) жидкая торфяная почва.

musket ['mʌskɪt] *n ист.* мушкет.

musketeer [ˌmʌskɪ'tɪə] *n ист.* мушкетёр.

musketry ['mʌskɪtrɪ] *n воен.* 1) *ист.* мушкетёры; 2) ружейный огонь; 3) стрелковое дело; 4) стрелковая подготовка.

musk-ox ['mʌskɔks] *n зоол.* овцебык мускусный.

musk-rat ['mʌskræt] *n зоол.* 1) ондатра; 2) выхухоль.

musk-shrew ['mʌsk,ʃruː] *n* выхухоль.

musky ['mʌskɪ] *а* мускусный.

Muslim ['muslɪm] = Moslem.

muslin ['mʌzlɪn] *n* 1) муслин; 2) *амер.* миткаль; ◇ a bit of ~ *разг.* женщина, девушка.

musquash ['mʌskwɔʃ] *n зоол.* ондатра.

muss [mʌs] *амер. разг.* 1. *n* путаница, беспорядок; 2. *v* приводить в беспорядок, путать (*обыкн.* ~ up).

mussel ['mʌsl] *n зоол.* мидия (*моллюск*).

Mussulman ['mʌslmən] 1. *n* (*pl* -s) мусульманин; 2. *а* мусульманский.

Mussulmans ['mʌslmənz] *pl от* Mussulman 1.

must I [mʌst (*полная форма*), məst (*редуцированная форма*)] *v* модальный, недостаточный глагол выражает: 1) долженствование, обязанность: I ~ go home я должен идти домой; you ~ do as you are told вы должны делать так, как вам говорят; if you ~, you ~ если надо, так надо; 2) необходимость: one ~ eat to live нужно есть, чтобы жить; 3) уверенность, очевидность: you ~ be aware of this вы, конечно, знаете об этом; you ~ have heard about it вы, должно быть, об этом слышали; 4) запрещение (*в отриц. форме*): you ~ not go there вам нельзя ходить туда; 5) непредвиденную случайность: just as I was getting better, what ~ I do, but break my leg и надо же мне было сломать себе ногу, как раз когда я начал поправляться; ◇ I ~ away я должен ехать.

must II [mʌst] *а* 1) настоятельно требующий; 2) необходимый, обязательный.

must III [mʌst] *n* плесень.

must IV [mʌst] *n* муст, виноградное сусло.

must V [mʌst] *n* бешенство в период течки.

mustache [məs'tɑːʃ] = moustache.

mustang ['mʌstæŋ] *n* 1) мустанг (*полудикая лошадь*); 2) *амер. мор. разг.* офицер, вышедший из старшин.

mustard ['mʌstəd] *n* 1) горчица; 2) *attr.* горчичный; ~ oil горчичное масло; ◇ all to the ~ ≅ хорошо, как следует; keen as ~ энтузиаст своего дела.

mustard gas ['mʌstəd,gæs] *n хим.* иприт, горчичный газ.

mustard plaster ['mʌstəd,plɑːstə] *n* 1) горчичник; 2) *разг.* навязчивый человек, «банный лист».

mustard-pot ['mʌstədpɔt] *n* 1) горчичница; 2) вспыльчивый человек, «порох».

musteline ['mʌstəlaɪn] *a*: ~ family *зоол.* семейство куниц.

muster ['mʌstə] 1. *n* 1) сбор, смотр; осмотр, освидетельствование; перекличка; to pass ~ пройти осмотр; выдержать испытания; оказаться годным; to stand ~ выстраиваться на перекличку; 2) *воен.* именной список; 3) скопление, общее число (*людей, животных*); 4) *редк.* стая; 2. *v* 1) собирать(ся); 2) проверять; □ ~ in вербовать, набирать (*войска*); ~ out увольнять, демобилизовать; ~ up собирать; to ~ up courage собрать всё своё мужество; to ~ up one's strength собраться с силами.

muster-book ['mʌstəbuk] *n* список состава вооружённых сил.

muster-roll ['mʌstəroul] *n воен.* список личного состава; *мор.* судовая роль.

mustn't ['mʌsnt] *сокр. разг.* = must not.

musty ['mʌstɪ] *a* 1) заплёсневелый; прокисший; затхлый; 2) устарелый; косный.

mutability [,mjuːtə'bɪlɪtɪ] *n* переменчивость, изменчивость.

mutable ['mjuːtəbl] *a* изменчивый, переменчивый, непостоянный.

mutate [mjuː'teɪt] *v* 1) видоизменять(ся); 2) *фон.* подвергать(ся) умляуту.

mutation [mjuː'teɪʃən] *n* 1) изменение, перемена; 2) превратность; 3) *биол.* мутация; 4) *фон.* перегласовка, умляут.

mutch [mʌtʃ] *n шотл.* чепчик, чепец.

mute I [mjuːt] 1. *a* 1) немой; 2) безмолвный, молчаливый, безгласный; ~ as a fish нем как рыба; 3) *фон.*: ~ consonant взрывной согласный; ~ letter непроизносимая буква (*как* k, e *в слове* knife); ◇ to stand ~ of malice *юр.* отказываться отвечать на вопросы суда;
2. *n* 1) немой (человек); 2) *театр.* статист; 3) наёмный участник похоронной процессии; 4) *фон.* взрывной согласный; 5) *муз.* сурдинка;
3. *v муз.* надевать сурдинку.

mute II [mjuːt] *v* мараться (*о птицах*).

muted I ['mjuːtɪd] 1. *p. p. от* mute I, 3;
2. *a* приглушённый; with ~ strings под сурдинку.

muted II ['mjuːtɪd] *p. p. от* mute II.

muteness ['mjuːtnɪs] *n* немота.

mutilate ['mjuːtɪleɪt] *v* 1) увечить, калечить; 2) искажать (*смысл*); уродовать.

mutilation [,mjuːtɪ'leɪʃən] *n* 1) увечье; 2) искажение.

mutineer [,mjuːtɪ'nɪə] 1. *n* участник мятежа; мятежник;
2. *v* поднять мятеж; взбунтоваться.

mutinous ['mjuːtɪnəs] *a* мятежный.

mutiny ['mjuːtɪnɪ] 1. *n* мятеж (*гл. обр. военный или против военных властей*); восстание; the M. *ист.* восстание сипаев.
2. *v* поднять мятеж; взбунтоваться (against).

mutism ['mjuːtɪzəm] *n* 1) немота; 2) молчание.

mutt [mʌt] *n sl.* 1) остолоп, дурак, болван; 2) собачонка.

mutter ['mʌtə] 1. *n* 1) бормотание; 2) ворчание; 3) отдалённые раскаты (*грома*);
2. *v* 1) бормотать; 2) ворчать (against).

at — на); 3) говорить тихо, невнятно; говорить по секрету; 4) грохотать.

mutton ['mʌtn] *n* 1) баранина; 2) *уст.*, *шутл.* овца, баран; 3) *attr.* бараний; ◇ let's return to our ~ вернёмся к теме нашего разговора; ~ dressed like lamb молодящаяся старушка.

mutton-bird ['mʌtnbəːd] *n мор. sl.* большой буревестник.

mutton chop ['mʌtn'tʃɔp] *n* 1) баранья отбивная; 2) *pl* бачки.

mutton-head ['mʌtnhed] *n* болван, осёл.

mutton-headed ['mʌtn'hedɪd] *a* глупый, медленно соображающий.

muttony ['mʌtənɪ] *a* похожий на баранину, с запахом *или* со вкусом баранины.

mutual ['mjuːtjuəl] *a* 1) обоюдный, взаимный; ~ relations взаимоотношения; ~ help взаимопомощь; ~ admiration society *ирон.* общество взаимного восхваления; 2) общий, совместный; our ~ friend наш общий друг; ~ wall смежная стена (*между соседними зданиями*).

mutualism ['mjuːtjuəlɪzəm] *n биол.*, *филос.* мутуализм.

mutuality [,mjuːtju'ælɪtɪ] *n* обоюдность; взаимность; взаимная зависимость.

mutually ['mjuːtjuəlɪ] *adv* взаимно; обоюдно.

muz(z) [mʌz] *n sl.* зубрила.

muzzle ['mʌzl] 1. *n* 1) морда, рыло; 2) намордник; 3) дуло, дульный срез, жерло; 4) *тех.* сопло, насадка; 5) респиратор; противогаз; 6) *attr.* дульный; ~ velocity начальная скорость, скорость у дула;
2. *v* 1) надевать намордник; 2) заставить молчать.

muzzle-loader ['mʌzl,loudə] *n* оружие *или* орудие, заряжающееся с дула.

muzzle-sight ['mʌzl,saɪt] *n воен.* мушка.

muzzy ['mʌzɪ] *a* одурелый; подвыпивший.

my [maɪ] *pron. poss.* (*употр. атрибутивно; ср.* mine I) принадлежащий мне; мой, моя, моё, мои; ◇ my!, my aunt!, my eye(s)!, my stars!, my world!, my goodness!, my lands! *восклицания, выражающие удивление*.

myalgia [maɪ'ældʒɪə] *n мед.* мускульная боль, миальгия.

myall ['maɪɔːl] *n* акация австралийская (*название многих её видов*).

mycelium [maɪ'siːlɪəm] *n бот.* мицелий, грибница.

Mycenaean [,maɪsiː'niːən] *a ист. иск.* микенский.

mycology [maɪ'kɔlədʒɪ] *n бот.* микология (*учение о грибах*).

myelitis [,maɪə'laɪtɪs] *n мед.* миелит, воспаление спинного мозга.

mynheer [maɪn'hɪə] *голл. n* 1) минхер, господин (*перед фамилией голландца*); 2) голландец.

myocarditis [,maɪəkɑː'daɪtɪs] *n мед.* миокардит.

myope ['maɪoup] *n* близорукий человек.

myopia [maɪ'oupjə] *n* близорукость.

myopic [maɪ'ɔpɪk] *a* близорукий.

myriad ['mɪrɪəd] 1. *n* 1) несметное число, мириады; 2) *редк.* десять тысяч;
2. *a* бесчисленный, несметный.

myrmidon ['mə:mɪdən] *n* 1) (M.) мирмидо́нец; 2) прислу́жник, клевре́т; ~s of the law блюсти́тели зако́на, прислу́жники вла́сти (*полицейские, судебные пристава, бейлифы и т. п.*).

myrrh [mə:] *n* ми́рра.

myrtle ['mə:tl] *n бот.* мирт.

myself [maɪ'self] *pron* 1) *refl.* себя́, меня́ самого́; -ся; себе́; I have hurt ~ я уши́бся; 2) *emph.* сам; I saw it ~ я э́то сам ви́дел; ◇ I am not ~ мне не по себе́; я сам не свой.

mysterious [mɪs'tɪərɪəs] *a* тайнственный; непостижи́мый.

mystery I ['mɪstərɪ] *n* 1) та́йна; to make a ~ of де́лать секре́т из; 2) *церк.* та́инство; 3) *ист. театр.* мисте́рия; 4) *attr.* по́лный тайн; ~ novel детекти́вный рома́н.

mystery II ['mɪstərɪ] *n уст.* ремесло́, цех.

mystery-ship ['mɪstərɪʃɪp] *n мор. ист.* (противоло́дочное) су́дно-лову́шка.

mystic ['mɪstɪk] 1. *a* 1) мисти́ческий; та́йный; 2) *поэт.* тайнственный; 2. *n* ми́стик.

mysticism ['mɪstɪsɪzəm] *n* мистици́зм.

mystification [,mɪstɪfɪ'keɪʃən] *n* мистифика́ция.

mystify ['mɪstɪfaɪ] *v* 1) мистифици́ровать; 2) окружа́ть тайнственностью; 3) озада́чивать; вводи́ть в заблужде́ние.

mystique [mɪs'tɪːk] *n* 1) осо́бый дар, осо́бое сво́йство; 2) та́йны мастерства́, изве́стные лишь немно́гим.

myth [mɪθ] *n* 1) миф; 2) мифи́ческое *или* вы́думанное лицо́; несуществу́ющая вещь.

mythical ['mɪθɪkəl] *a* 1) мифи́ческий, легенда́рный; 2) фантасти́ческий, вы́мышленный.

mythicize ['mɪθɪsaɪz] *v* 1) создава́ть миф, превраща́ть в миф; 2) объясня́ть с то́чки зре́ния мифоло́гии.

mythological [,mɪθə'lɔdʒɪkəl] *a* мифологи́ческий; мифи́ческий, легенда́рный; ◇ ~ message *амер. разг.* метеорологи́ческий бюллете́нь.

mythology [mɪ'θɔlədʒɪ] *n* 1) мифоло́гия; 2) *уст.* аллего́рия, иносказа́ние.

N

N, n [en] *n* (*pl* Ns, N's [enz]) 1) *14-я бу́ква англ. алфави́та*; 2) =en 2); 3) *мат.* неопределённая величина́; to¦ the nth a) до n-ных (*или* любы́х) преде́лов; б) *разг.* безграни́чно.

nab I [næb] *n* куро́к.

nab II [næb] *v* пойма́ть, схвати́ть на ме́сте преступле́ния; арестова́ть.

nabob ['neɪbɔb] *n* набо́б.

nacelle [nɑ'sel] *n* 1) гондо́ла дирижа́бля; 2) корзи́на аэроста́та; 3) откры́тая каби́на самолёта.

nacre ['neɪkə] *n* 1) перламу́тр; 2) перламу́тровая ра́ковина.

nacr(e)ous ['neɪkr(ɪ)əs] *a* перламу́тровый.

nadir ['neɪdɪə] *n* 1) *астр.* нади́р; 2) са́мый ни́зкий у́ровень, кра́йний упа́док; to be at the ~ of one's hopes теря́ть вся́кую наде́жду.

nag I [næg] *n разг.* (небольша́я) ло́шадь; по́ни; a wretched ~ кля́ча.

nag II [næg] 1. *n* приди́рки, (постоя́нное) ворча́ние; 2. *v* придира́ться; изводи́ть, раздража́ть; ворча́ть, «пили́ть» (at).

nagger ['nægə] *n* приди́ра, ворчу́н; ворчу́нья; сварли́вая же́нщина.

nagging ['nægɪŋ] 1. *pres. p. от* nag II, 2; 2. *n* ворча́ние; нытьё.

naiad ['naɪæd] *n* (*pl* -s [-z], -es [-ɪz]) *миф.* наяда.

naif [nɑ'ɪf] = naïve.

nail [neɪl] 1. *n* 1) но́готь;ко́готь; 2) гвоздь; 3) *уст.* ме́ра длины́ (=2¼ дюйма); ◇ ~ in smb.'s coffin что-л. приближа́ющее чью-л. смерть (*или* ги́бель); hard as ~s a) твёрдый, закалённый; б) в фо́рме (*о спортсме́не*); to hit the (right) ~ on the head попа́сть в то́чку; right as ~s a) соверше́нно пра́вильно; б) в по́лном поря́дке; в) со-

верше́нно здоро́вый; to pay (down) on the ~ распла́чиваться сра́зу; pay on the ~! ≅ де́ньги на бо́чку!;

2. *v* 1) забива́ть гво́зди; прибива́ть; пригвожда́ть; to have one's boots ~ed отда́ть подби́ть сапоги́; 2) прико́вывать (*внимание и т. п.*); 3) *разг.* схвати́ть, пойма́ть; забра́ть, арестова́ть; the police have ~ed the thief поли́ция задержа́ла во́ра; 4) *школ. sl.* обнару́жить, «накры́ть»; to be ~ed going off without leave попа́сться при попы́тке уйти́ без разреше́ния; □ ~ at пригвозди́ть; ~ down прибива́ть, закола́чивать; ~ on прибива́ть (to); ~ together (на́скоро) скола́чивать; ~ up зака́лачивать; ◇ to ~ smb. down, to ~ smb. to the wall прижа́ть кого́-л. к стене́; to ~ smb. down to his promise тре́бовать от кого́-л. выполне́ния обеща́ния; to ~ to the barndoor выставля́ть на поруга́ние; пригвожда́ть к позо́рному столбу́; to ~ to the counter опрове́ргнуть ложь *или* клевету́.

nail-brush ['neɪlbrʌʃ] *n* щёточка для ногте́й.

nail drawer ['neɪl,drɔːə] *n mex.* гвоздодёр.

nailed-up ['neɪld'ʌp] *a* сде́ланный ко́е-ка́к, сколо́ченный на́спех.

nailer ['neɪlə] *n* 1) гвозда́рь, гвозди́льщик; 2) *разг.* ма́стер (at — в чём-л.); 3) *разг.* великоле́пный экземпля́р.

nailery ['neɪlərɪ] *n* гвозди́льная фа́брика.

nail-head ['neɪlhed] *n* шля́пка гвоздя́.

nailing ['neɪlɪŋ] 1. *pres. p. от* nail 2; 2. *a разг.* превосхо́дный, замеча́тельный, прекра́сный.

nail-scissors ['neɪl,sɪzəz] *n pl* но́жницы для ногте́й.

nainsook ['neɪnsuk] *n* на́нсук (*ткань*).

naïve, naive [nɑ'ɪv, neɪv] *a* 1) найвный; простова́тый; 2) безыску́сственный;

naïveté, naïvety, naivety [naɪˈɪvteɪ, nɑːˈɪvtɪ, ˈneɪvtɪ] *n* 1) наивность; простоватость; 2) безыскусственность.

naked [ˈneɪkɪd] *a* 1) голый, нагой; обнажённый; ~ sword обнажённый меч, -ая шпага; 2) лишённый (листвы, растительности *и т. п.*); ~ room необставленная комната; 3) явный, открытый; the ~ truth неприкрашенная правда, голая истина; ~ facts голые факты; 4): with a ~ eye невооружённым глазом; 5) незащищённый, беззащитный; 6) эл. голый, неизолированный; ◇ as ~ as my mother bore me в чём мать родила.

namby-pamby [ˈnæmbɪˈpæmbɪ] 1. *n* жеманность; сентиментальность; a writer of ~ сентиментальный писатель;
2. *a* сентиментальный; жеманный.

name [neɪm] 1. *n* 1) имя (*тж.* Christian ~, *амер.* given ~, first ~); фамилия (*тж.* family ~, surname); by ~ по имени; I know him by ~ я знаю о нём понаслышке; by (*или* of, under) the ~ of под именем; in the ~ of a) во имя; in the ~ of common sense во имя здравого смысла; б) от имени; именем; in the ~ of the law именем закона; in one's own ~ от своего имени; to put one's ~ down for a) принять участие в (*сборе денег и т. п.*); подписаться под (*каким-л. воззванием и т. п.*); б) выставить свою кандидатуру на (*какой-л. пост*); without a ~ a) безымянный; б) не поддающийся описанию (*о поступке*); 2) название, наименование, обозначение; 3) *грам.* имя существительное; common ~ имя нарицательное; 4) репутация; bad (*или* ill) ~ плохая репутация; to make a good ~ for oneself завоевать доброе имя; he has a ~ for honesty он известен своей честностью; people of ~ известные люди; 5) великий человек; the great ~s of history исторические личности; 6) фамилия, род; the last of his ~ последний из рода; 7) пустой звук; there is only the ~ of friendship between them их дружба — одно название; virtuous in ~ лицемер; 8) (*обыкн. pl*) брань; to call ~s ругать(ся); ◇ to take a ~ in vain клясться, божиться; поминать имя всуе; to have not a penny to one's ~ не иметь ни гроша за душой; give a dog a bad ~ and hang him считать кого-л. плохим, потому что о нём идёт дурная слава;
2. *v* 1) называть, давать имя; to ~ after, *амер.* to ~ for (*или* from) называть в честь; 2) указывать, назначать; to ~ the day назначать день (*особ. свадьбы*); 3) назначать (*на должность*); 4) упоминать; приводить в качестве примера.

name-child [ˈneɪmtʃaɪld] *n* человек, названный в честь кого-л.

name-day [ˈneɪmdeɪ] *n* именины.

nameless [ˈneɪmlɪs] *a* 1) безымянный, неизвестный; анонимный; 2) невыразимый; несказанный; 3) отвратительный, противный.

namely [ˈneɪmlɪ] *adv* а именно, то есть.

name-part [ˈneɪmpɑːt] *n* имя главного героя, по которому названа пьеса; заглавная роль в пьесе.

name-plate [ˈneɪmpleɪt] *n* 1) дощечка с именем (*на дверях*); 2) *тех.* дощечка с заводской маркой.

namesake [ˈneɪmseɪk] *n* 1) = name-child; 2) тёзка.

nance [næns] *разг. см.* nancy.

nancy [ˈnænsɪ] *n разг.* изнеженный, женственный мужчина, «девчонка» (*тж.* Miss N.).

nanism [ˈnænɪzəm] *n* нанизм, карликовый рост.

nankeen, nankin [nænˈkiːn, nænˈkɪn] *n* 1) нанка (*ткань*); 2) *pl* нанковые брюки; 3) желтоватый цвет.

nanny [ˈnænɪ] *n детск.* нянюшка, нянечка.

nanny(-goat) [ˈnænɪ(gout)] *n* коза.

nap I [næp] 1. *n* 1) ворс (*на сукне*); 2) пушок (*на чём-л.*);
2. *v* ворсить.

nap II [næp] 1. *n* дремота; короткий сон; to take (*или* to have, to snatch) a ~ вздремнуть; to steal a ~ вздремнуть украдкой;
2. *v* дремать, вздремнуть; to be caught ~ping *перен.* быть застигнутым врасплох.

nap III [næp] *n* [*сокр. от* napoleon 1)] название карточной игры; to go ~ on *перен.* рискнуть; поставить всё на карту.

napalm [ˈneɪpɑːm] *n* 1) напалм; 2) *attr.* напалмовый; ~ bomb напалмовая бомба.

nape [neɪp] *n* затылок; задняя часть шеи (*обыкн.* ~ of the neck).

napery [ˈneɪpərɪ] *n уст., шотл.* столовое бельё.

naphtha [ˈnæfθə] *n* 1) лигроин, нефть; 2) керосин; 3) гарное масло.

naphthalene, naphthaline [ˈnæfθəliːn] *n* нафталин.

napkin [ˈnæpkɪn] *n* 1) салфетка; 2) подгузник; *pl* пелёнки; ◇ to lay up in a ~ ≅ держать под спудом.

napkin-ring [ˈnæpkɪnrɪŋ] *n* кольцо для салфетки.

napless [ˈnæplɪs] *a* 1) не имеющий ворса, без ворса; 2) потёртый, поношенный.

napoleon [nəˈpouljən] *n* 1) (N.) *название карточной игры*; 2) *ист.* наполеондор (*французская золотая монета = 20 франкам*); 3) *pl* сапоги с отворотами; 4) слоёное пирожное наполеон.

Napoleonic [nəˌpouliˈɔnɪk] *a* наполеоновский.

napoo [nɑːˈpuː] *int* (*искаж. фр.* il n'y en a plus) *воен. sl.* кончено!; пропал!; нет!; исчез!; убит!

nappe [næp] *n геол.* покров; пласт.

nappy [ˈnæpɪ] *n разг. см.* napkin 2).

narcissi [nɑːˈsɪsaɪ] *pl от* narcissus.

narcissism [nɑːˈsɪsɪzəm] *n* самовлюблённость, самолюбование.

narcissist [nɑːˈsɪsɪst] *n* самовлюблённый человек.

narcissus [nɑːˈsɪsəs] *n* (*pl* -es [-ɪz], -si) *бот.* нарцисс.

narcosis [nɑːˈkousɪs] *n* наркоз.

narcotic [nɑːˈkɔtɪk] 1. *n* наркотик; снотворное.
2. *a* наркотический, усыпляющий.

narcotism [ˈnɑːkətɪzəm] *n* наркоз.

narcotization [ˌnɑːkətaɪˈzeɪʃən] *n* наркотизация.

narcotize ['nɑːkətaɪz] v усыплять; подвергать действию наркоза; утолять боль.

nark [nɑːk] n sl. «легавый» (полицейский агент, сыщик, шпик).

narrate [næ'reɪt] v рассказывать; повествовать.

narration [næ'reɪʃən] n 1) рассказ; повествование; 2) пересказ; перечисление (событий и т. п.).

narrative ['nærətɪv] 1. n 1) рассказ; повесть; 2) изложение фактов; 2. a повествовательный.

narrator [næ'reɪtə] n рассказчик.

narrow ['nærou] 1. a 1) узкий; within ~ bounds в узких рамках; in the ~est sense в самом узком смысле; 2) тесный; ограниченный; трудный; ~ circumstances, ~ means стеснённые обстоятельства; a ~ majority незначительное большинство; ~ victory победа, доставшаяся с трудом; to have a ~ escape (или squeak) с трудом избежать опасности; быть на волоске (от чего-л.); 3) узкий; ограниченный (об интеллекте и т. п.); 4) подробный; тщательный, точный; a ~ examination строгий осмотр; тщательное обследование; 5) диал. скупой, скаредный; ◇ the ~ seas Ла-Манш и Ирландское море; the ~ bed (или home. house) могила;
2. n (обыкн. pl) узкая часть (пролива, перевала и т. п.); теснина;
3. v суживать(ся), уменьшать(ся); she ~ed her lids она прищурилась; □ ~ down свести к; to ~ an argument down свести спор к нескольким пунктам.

narrow gauge ['nærougeɪdʒ] n ж.-д. узкая колея.

narrow-gauge ['nærougeɪdʒ] a ж.-д. узкоколейный.

narrow goods ['nærougudz] n ленты, тесьма и т. п.

narrowly ['nærouli] adv 1) узко, тесно; 2) чуть; he ~ escaped drowning он чуть не утонул; 3) подробно, точно; пристально; to look at a thing ~ пристально рассматривать что-л.

narrow-minded ['nærou'maɪndɪd] a ограниченный, недалёкий, узкий; с предрассудками.

narrowness ['nærouɪns] n узость; ограниченность.

narwhal ['nɑːwəl] n зоол. нарвал.

nary ['nɛəri] a амер., диал. нисколько, ни капли; ни единого.

nasal ['neɪzəl] 1. a 1) носовой; 2) гнусавый;
2. n фон. носовой звук.

nasality [neɪ'zælɪti] n фон. носовой характер звука.

nasalization [,neɪzəlaɪ'zeɪʃən] n фон. назализация.

nasalize ['neɪzəlaɪz] v 1) говорить в нос; 2) фон. произносить в нос, назализировать.

nascency ['næsənsi] n рождение, возникновение.

nascent ['næsənt] a рождающийся, возникающий; появляющийся, образующийся; в стадии возникновения.

nastily ['nɑːstɪli] adv гадко, мерзко.

nasturtium [nəs'təːʃəm] n бот. 1) жерушник; 2) настурция, капуцин.

nasty ['nɑːsti] a 1) отвратительный, тошнотворный; противный, мёрзкий; ~ job противная, грязная работа; ~ sight ужасное, омерзительное зрелище; to leave a ~ taste in the mouth надолго оставить чувство отвращения; 2) неприятный, скверный; ~ weather скверная погода; ~ soil сырая почва; 3) непристойный, грязный; 4) злобный; своенравный; ~ remark ядовитое замечание; to turn ~ разозлиться; don't be ~ не злитесь; to play a ~ trick on smb. сделать кому-л. гадость; 5) опасный, угрожающий; a ~ fall серьёзное падение; a ~ illness тяжёлая болезнь; a ~ cut опасный порез; a ~ sea бурное море; things look ~ for me дело принимает для меня дурной оборот; ◇ a ~ one неприятность.

natal ['neɪtl] a относящийся к рождению; ~ day день рождения; ~ place место рождения.

natality [neɪ'tælɪti] n 1) рождаемость; естественный прирост населения; 2) процент рождаемости.

natation [neɪ'teɪʃən] n плавание; искусство плавания.

natatorial, natatory [,neɪtə'touriəl, 'neɪtətəri] a плавательный; плавающий; относящийся к плаванию.

nates ['neɪtiːz] n pl анат. 1) ягодицы; 2) передние бугры четырёххолмия головного мозга.

natheless, nathless ['neɪθlɪs, 'næθlɪs] adv уст., поэт. тем не менее, однако.

nation ['neɪʃən] n 1) народ, нация; народность; 2) нация, государство, страна; peace-loving ~s миролюбивые страны; most favoured ~ наиболее благоприятствуемая нация; 3) pl библ. язычники, не евреи; 4) ист. землячество (в средневековом университете).

national ['næʃənl] 1. a 1) национальный, народный; ~ assembly национальное собрание; ~ economy народное хозяйство; ~ minority национальное меньшинство; 2) государственный; ~ anthem государственный гимн; ~ bank государственный банк; ~ park амер. заповедник; ~ enterprise государственное предприятие; ~ forces вооружённые силы страны; N. Service воинская или трудовая повинность;
2. n (часто pl) 1) соотечественник, согражданин; 2) подданный (или гражданин) какого-л. государства; enemy ~s подданные враждебного государства.

nationalism ['næʃnəlɪzəm] n национализм.

nationalist ['næʃnəlɪst] 1. n националист;
2. a националистический.

nationalistic [,næʃnə'lɪstɪk] = nationalist 2.

nationality [,næʃə'nælɪti] n 1) национальность; национальная принадлежность; 2) национальные черты; 3) гражданство, подданство; 4) нация, народ; 5) национальное единство.

nationalization [,næʃnəlaɪ'zeɪʃən] n национализация.

nationalize [ˈnæʃnəlaɪz] *v* 1) национализи́ровать; 2) превраща́ть в на́цию; 3) натурализова́ть, принима́ть в по́дданство.

nationally [ˈnæʃnəlɪ] *adv* 1) с общенациона́льной (*или* общегосуда́рственной) то́чки зре́ния; 2) в национа́льном ду́хе.

nation-wide [ˈneɪʃənwaɪd] *a* 1) общенациона́льный; 2) общенаро́дный, всенаро́дный.

native [ˈneɪtɪv] **1.** *a* 1) родно́й; one's ~ land отчи́зна, ро́дина; 2) тузе́мный; ме́стный; ~ customs ме́стные обы́чаи; to go ~ переня́ть обы́чаи и о́браз жи́зни тузе́мцев (*о европе́йцах*); 3) прирождённый, приро́дный; ~ liberty исконная свобо́да; his ~ modesty его́ врождённая скро́мность; 4) чи́стый, саморо́дный (*о металла́х и т. п.*); 5) просто́й, есте́ственный; 6) *биол.* аборигéнный; 7): ~ soil *геол.* «матери́к», подпо́чва;
2. *n* 1) уроже́нец (of); 2) тузе́мец; 3) мéстное расте́ние *или* живо́тное.

native-born [ˈneɪtɪvˈbɔːn] *a* 1) тузе́мный; 2) аборигéнный.

native-grasses [ˈneɪtɪvˌɡrɑːsɪz] *n pl* ди́кие тра́вы; приро́дный (*или* есте́ственный) луг.

native-sugar [ˈneɪtɪvˌʃuːɡə] *n* неочи́щенный са́хар.

nativity [nəˈtɪvɪtɪ] *n* 1) рожде́ние; 2) (the N.) *рел.* рождество́; 3) *жив.* рождество́ Христо́во (*как сюже́т*); 4) гороско́п.

natrium [ˈneɪtrɪəm] *n хим.* на́трий.

natron [ˈneɪtrən] *n хим.* углеки́слый на́трий, натр, со́да.

natter [ˈnætə] *v* 1) ворча́ть, жа́ловаться; придира́ться; 2) *разг.* болта́ть.

natterjack [ˈnætədʒæk] *n зоол.* жа́ба камышо́вая.

natty [ˈnætɪ] *a* 1) аккура́тный, опря́тный; 2) ло́вкий, иску́сный.

natural [ˈnætʃrəl] **1.** *a* 1) есте́ственный, приро́дный; ~ death есте́ственная смерть; the term of one's ~ life вся жизнь; ~ power си́лы приро́ды; ~ resources приро́дные бога́тства; ~ weapons есте́ственное ору́жие (*кулаки́, зу́бы и т. п.*); ~ selection *биол.* есте́ственный отбо́р; ~ phenomena явле́ния приро́ды; 2) настоя́щий, натура́льный; ~ flowers живы́е цветы́; ~ teeth «свои́» зу́бы; 3) есте́ственный, относя́щийся к естествозна́нию; ~ history есте́ственная исто́рия; ~ philosophy физика; ~ philosopher физик; естествоиспыта́тель; ~ dialectics диалéктика приро́ды; 4) обы́чный, норма́льный; поня́тный; ~ mistake поня́тная, есте́ственная оши́бка; 5) ди́кий, некультиви́рованный; ~ growth ди́кая расти́тельность; 6) саморо́дный; 7) прису́щий, врождённый; with the bravery ~ to him с прису́щей ему́ хра́бростью; 8) непринуждённый, есте́ственный; it comes ~ to him а) э́то получа́ется у него́ есте́ственно; б) э́то легко́ ему́ даётся; 9) внебра́чный, незаконнорождённый; ~ child внебра́чный ребёнок; ~ son побо́чный сын; ◇ ~ steel незакалённая сталь; for the rest of one's ~ (life) до конца́ свои́х дней;
2. *n* 1) одарённый челове́к, саморо́док; 2) *муз.* ключ C; 3) *муз.* бéкар, знак бéкара;

4) идио́т от рожде́ния; дурачо́к; ◇ it's a ~! превосхо́дно!

natural bar [ˈnætʃrəlˈbɑː] *n* есте́ственный бар, о́тмель в у́стье реки́.

natural-ground [ˈnætʃrəlˈɡraund] *n* 1) матери́к; 2) про́чный грунт.

naturalism [ˈnætʃrəlɪzəm] *n* натурали́зм.

naturalist [ˈnætʃrəlɪst] **1.** *n* 1) натурали́ст (*в иску́сстве*); 2) естествоиспыта́тель; 3) владéлец зоомагази́на; продавéц живо́тных, чу́чел, разли́чных нагля́дных посо́бий; **2.** *a* = naturalistic.

naturalistic [ˌnætʃrəˈlɪstɪk] *a* натуралисти́ческий.

naturalization [ˌnætʃrəlaɪˈzeɪʃən] *n* 1) натурализа́ция; 2) акклиматиза́ция (*растений, живо́тных*); 3) ассимиля́ция но́вых слов в языкé; 4) проникнове́ние но́вых обы́чаев в жизнь.

naturalize [ˈnætʃrəlaɪz] *v* 1) натурализова́ть(ся) (*об иностра́нце*); 2) акклиматизи́ровать(ся) (*о живо́тном или расте́нии*); 3) занима́ться естествозна́нием; 4) ассимили́ровать, заи́мствовать; this word was ~d in English in the 18th century э́то сло́во вошло́ в англи́йский язы́к в XVIII вéке; 5) *филос.* рационализи́ровать.

naturally [ˈnætʃrəlɪ] *adv* 1) коне́чно, как и сле́довало ожида́ть; 2) по приро́де, от рожде́ния; 3) есте́ственно; свобо́дно, легко́.

nature [ˈneɪtʃə] *n* 1) приро́да (*при олицетворе́нии — с прописно́й бу́квы*); N.'s engineering рабо́та сил приро́ды; 2) нату́ра; естество́; органи́зм; against ~ противоесте́ственный; by ~ по приро́де, от рожде́ния; by (*или* in, from) the ~ of things (*или* of the case) неизбéжно; in the course of ~ при есте́ственном хо́де веще́й; 3) су́щность, основно́е сво́йство; 4) нату́ра, хара́ктер, нрав; good ~ доброду́шие; 5) род, сорт; класс; тип; it was in the ~ of a command э́то бы́ло нéчто вро́де приказа́ния; things of this ~ подо́бные вéщи; 6) *иск.* нату́ра; to draw from ~ рисова́ть с нату́ры; ◇ to pay one's debt to ~ отда́ть дань приро́де, умерéть; to ease ~ облегчи́ться, испражни́ться.

nature study [ˈneɪtʃəˈstʌdɪ] *n* изуче́ние приро́ды; наблюде́ние за явле́ниями приро́ды.

naught [nɔːt] *уст., поэт.* **1.** *n* 1) ничто́; all for ~ зря, да́ром; to bring to ~ свести́ на нét, дéлать тщéтным (*пла́ны и т. п.*); to come to ~ свести́сь к нулю́; to set at ~ ни в грош не ста́вить; пренебрега́ть; относи́ться с пренебреже́нием; to set a rule at ~ нару́шить пра́вило; thing of ~ нену́жная вещь; 2) = nought 3);
2. *a predic.* ничто́жный, бесполéзный.

naughtiness [ˈnɔːtɪnɪs] *n* 1) непослуша́ние; капри́зность; 2) *уст.* испо́рченность.

naughty [ˈnɔːtɪ] *a* 1) непослу́шный, капри́зный, шаловли́вый; 2) *уст.* дурно́й, испо́рченный; га́дкий; ~ story неприли́чный анекдо́т.

nausea [ˈnɔːsjə] *n* 1) тошнота́; морска́я болéзнь; 2) отвраще́ние.

nauseate [ˈnɔːsɪeɪt] *v* 1) вызыва́ть (*рéдко* чу́вствовать) **отвраще́ние; 2) вызыва́ть тошноту́; 3) чу́вствовать тошноту́.**

nauseous ['nɔːsjəs] *a* тошнотворный, отвратительный.

nautch [nɔːtʃ] *n* выступление профессиональных танцовщиц (*в Индии*).

nautch-girl ['nɔːtʃgəːl] *n* профессиональная танцовщица (*в Индии*).

nautical ['nɔːtɪkəl] *a* 1) морской; ~ mile морская миля (= *1853,6 м*); 2) мореходный.

nautically ['nɔːtɪkəlɪ] *adv* по-моряцки, по-флотски.

nautili ['nɔːtɪlaɪ] *pl от* nautilus.

nautilus ['nɔːtɪləs] *n* (*pl* -es [-ɪz], -li) *зоол.* кораблик (*моллюск*).

naval ['neɪvəl] *a* (военно-)морской, флотский; ~ architect кораблестроитель- проектировщик; ~ communications морские коммуникации; ~ forces военно-морские силы; ~ officer а) морской офицер; б) *амер.* таможенный чиновник; ~ service военно-морская служба; ~ stores шкиперское имущество.

nave I [neɪv] *n архит.* неф, корабль (*церкви*).

nave II [neɪv] *n* 1) ступица колеса; 2) *тех.* втулка.

navel ['neɪvəl] *n* пупок, пуп; *перен.* центр (*чего-л.*).

navel-cord ['neɪvəlkɔːd] = navel-string.

navel-string ['neɪvəlstrɪŋ] *n* пуповина.

navigability [ˌnævɪgə'bɪlɪtɪ] *n* 1) судоходность; 2) мореходность, мореходные качества.

navigable ['nævɪgəbl] *a* 1) судоходный; 2) лётный, доступный для полётов; 3) управляемый (*об аэростате*).

navigate ['nævɪgeɪt] *v* 1) плавать (*на судне*); летать (*на самолёте*); 2) управлять (*судном, самолётом*); 3) *разг.* проводить (*мероприятия*); направлять (*переговоры*); to ~ a bill through Parliament провести законопроект в парламенте.

navigating officer ['nævɪgeɪtɪŋ'ɔfɪsə] *n ав., мор.* штурман.

navigation [ˌnævɪ'geɪʃən] *n* 1) мореходство, судоходство, плавание; навигация; inland ~ речное судоходство; 2) кораблевождение (*наука*).

navigator ['nævɪgeɪtə] *n* 1) мореплаватель; 2) *мор., ав.* штурман.

navvy ['nævɪ] *n* 1) землекоп; чернорабочий; mere ~'s work механическая работа; 2) *тех.* землечерпалка, механический экскаватор; ◇ to work like a ~ ⪰ работать как вол.

navy ['neɪvɪ] *n* 1) военно-морской флот; the Royal N. британский флот; 2) *поэт.* эскадра, флотилия; 3) морское ведомство; адмиралтейство; 4) *attr.* военно-морской; N. Department *амер.* военно-морское министерство.

navy blue ['neɪvɪ'bluː] *n* тёмно-синий цвет.

navy-blue ['neɪvɪˌbluː] *a* тёмно-синий.

navy list ['neɪvɪ'lɪst] *n* список кораблей и командного состава военно-морского флота.

navy-yard ['neɪvɪjɑːd] *n* 1) военная верфь; 2) судостроительный и судоремонтный завод военно-морского флота.

nay [neɪ] 1. *n* отрицательный ответ; отказ; запрещение; the ~s have it большинство против (*при голосовании*); he will not take ~ он не примет отказа; to say smb. ~ отказывать *или* противоречить кому-л.; yea and ~ и да и нет;

2. *adv* 1) даже; более того; мало того; I have weighty, ~, unanswerable reasons у меня есть веские, более того, бесспорные основания; 2) *уст.* нет.

naze [neɪz] *n геогр.* нос, скалистый мыс.

Nazi ['nɑːtsɪ] 1. *n* нацист, фашист; 2. *a* нацистский, фашистский.

Nazism ['nɑːtsɪzəm] *n* нацизм, фашизм.

neap [niːp] 1. *n* квадратурный прилив (*самый низкий, к концу 1-й и 3-й четвертей луны*);

2. *v* убывать (*о приливе*); ~ed ship судно, оказавшееся на мели при отливе.

Neapolitan [nɪə'pɔlɪtən] 1. *a* неаполитанский;

2. *n* неаполитанец; неаполитанка.

neap-tide ['niːp,taɪd] = neap 1.

near [nɪə] 1. *a* 1) близкий; тесно связанный; ~ akin родственный по характеру; ~ and dear близкий и дорогой; ~ one's heart заветный; a very ~ concern of mine дело, очень близкое моему сердцу; 2) близлежащий, ближний; кратчайший, прямой (*о пути*); 3) ближайший (*о времени*); 4) близкий; сходный; приблизительно правильный; a ~ translation близкий к оригиналу перевод; a ~ resemblance близкое сходство; а ~ guess почти правильная догадка; 5) доставшийся с трудом; трудный; кропотливый; ~ victory победа, доставшаяся с трудом; ~ work кропотливая работа; 6) левый (*о ноге лошади, о колесе экипажа, о лошади в упряжке*); the ~ foreleg левая передняя нога; 7) скупой; мелочный;

2. *adv* 1) подле; близко, поблизости, недалеко; около (*по месту или времени*); to come (*или* to draw) ~ приближаться; to come ~er the end приближаться к концу; who comes ~ him in wit? кто может сравниться с ним в остроумии? 2) почти, чуть не, едва не (*обыкн.* nearly); he ~ died with fright он чуть не умер от страха; that will go ~ to killing him это может убить его; ☐ ~ by) а) рядом, близко; б) вскоре; ~ upon почти что; ◇ far and ~ повсюду; as ~ as I can guess насколько я могу догадаться; ~ at hand а) под рукой; тут, близко; б) ⪯ не за горами; на носу; скоро;

3. *prep* 1) возле, у, около (*о месте*); we live ~ the river мы живём у реки; 2) к, около, почти (*о времени, возрасте и т. п.*); it is ~ dinner-time скоро обед; the portrait does not come ~ the original портрет не похож на оригинал; ◇ to sail ~ the wind а) *мор.* идти в крутой бейдевинд; б) поступать рискованно;

4. *v* приближаться; подходить; to ~ the land приближаться к берегу; to be ~ing one's end умирать.

near-beer ['nɪə,bɪə] *n* безалкогольное пиво.

near-by ['nɪəbaɪ] *a* близкий, соседний.

near desert ['nɪə'dezət] n полупустыня.

nearly ['nɪəlɪ] adv 1) близко; ~ related а) в близком родстве; б) имеющий близкое отношение; 2) почти; приблизительно; not ~ совсем не.

near miss ['nɪə'mɪs] n попадание близ цели.

nearness ['nɪənɪs] n близость.

near sight ['nɪə'saɪt] n близорукость.

near-sighted ['nɪə'saɪtɪd] a близорукий.

near-sightedness ['nɪə'saɪtɪdnɪs] = near sight.

near-silk ['nɪəsɪlk] n искусственный шёлк.

neat I [niːt] a 1) чистый, аккуратный, опрятный; ~ handwriting аккуратный почерк; to keep smth. as ~ as a pin содержать что-л. в абсолютном порядке; 2) скромный, но изящный (о платье и т. п.); a ~ figure изящная, стройная фигура; 3) чёткий, ясный; 4) ясный, точный, лаконичный; отточенный (о стиле, языке и т. п.); 5) искусный, ловкий; 6) хорошо сделанный; to make a ~ job of it хорошо, искусно что-л. сделать; 7) неразбавленный (особ. о спиртных напитках); ~ juice (syrup) натуральный сок (сироп).

neat II [niːt] 1. n (pl без измен.) 1) вол, корова, бык; 2) собир. крупный рогатый скот;
2. a воловий и пр. [см. 1].

neath [niːθ] prep уст., поэт. (употр. вм. beneath) под, ниже.

neat-handed ['niːt'hændɪd] a ловкий, искусный.

neat-herd ['niːthəːd] n пастух.

neatly ['niːtlɪ] adv 1) аккуратно, опрятно; 2) чётко, ясно; 3) искусно, ловко.

neatness ['niːtnɪs] n 1) аккуратность, опрятность; чистоплотность; 2) чёткость; 3) искусность, ловкость.

neat's-leather ['niːts,leðə] n воловья кожа.

neat's-tongue ['niːtstʌŋ] n бычачий язык.

neb [neb] n шотл. 1) клюв; рыльце, нос; 2) кончик (пера, карандаша и т. п.).

nebula ['nebjulə] n (pl -lae) 1) астр. туманность; 2) мед. помутнение роговой оболочки (глаза).

nebulae ['nebjuliː] pl от nebula.

nebular ['nebjulə] a: ~ hypothesis небулярная космогоническая теория.

nebulizer ['nebjulaɪzə] n распылитель.

nebulosity [,nebju'lɔsɪtɪ] n 1) облачность; туманность; 2) неясность, нечёткость (мысли, выражения и т. п.).

nebulous ['nebjuləs] a 1) смутный, неясный; 2) облачный; туманный.

necessarian [,nesɪ'sɛərɪən] = necessitarian.

necessarily ['nesɪsərɪlɪ] adv 1) обязательно, непременно; 2) неизбежно.

necessary ['nesɪsərɪ] 1. a 1) необходимый, нужный; 2) неизбежный; 3) вынужденный, недобровольный;
2. n необходимое; the necessaries (of life) жизненные потребности; предметы первой необходимости; 2) (the ~) sl. деньги; 3) амер. уборная.

necessitarian [pɪ,sesɪ'tɛərɪən] филос. 1. n детерминист;
2. a детерминистский.

necessitarianism [pɪ,sesɪ'tɛərɪənɪzəm] n филос. детерминизм.

necessitate [pɪ'sesɪteɪt] v 1) делать необходимым; неизбежно влечь за собой; 2) редк. вынуждать.

necessitous [pɪ'sesɪtəs] a нуждающийся, бедный; to be in ~ circumstances быть в очень стеснённых обстоятельствах.

necessity [pɪ'sesɪtɪ] n 1) необходимость, настоятельная потребность; of ~ по необходимости; there is no ~ нет никакой необходимости; under the ~ вынужденный; 2) неизбежность; doctrine of ~ детерминизм; 3) (обыкн. pl) нужда, бедность, нищета; to be in great ~ нуждаться; 4) pl предметы первой необходимости; ~ is the mother of invention посл. ≈ голь на выдумки хитра; нужда — мать изобретательности; to make a virtue of ~ ≅ сама захотела, когда нужда повелела; делать вид, что действуешь добровольно, а не под давлением обстоятельств.

neck [nek] 1. n 1) шея; to break one's ~ свернуть себе шею; to get it in the ~ разг. получить по шее; получить здоровую взбучку; пострадать; 2) горлышко (бутылки и т. п.); горловина; 3) шейка (скрипки и т. п.); 4) ворот, воротник; 5) анат. шейка; 6) геогр. перешеек; коса; узкий пролив; 7) геол. нэк; цилиндрический интрузив; 8) тех. шейка, кольцевая канавка, горловина; 9) стр. шейка колонны; 10) разг. наглость; 11) attr. шейный; ◇ ~ and crop а) совершенно, совсем, полностью; б) быстро, стремительно; немедленно; throw him out ~ and crop! гоните его вон!; ~ and ~ спорт. голова в голову; ~ or nothing ≅ либо пан, либо пропал; to break the ~ of smth. выполнить большую или более трудную часть чего-л.; to break the ~ of winter оставить позади большую часть зимы; to risk one's ~ рисковать головой; to harden the ~ ≅ делаться ещё более упрямым; on the ~ ≅ по пятам;
2. v sl. обниматься.

neckband ['nekbænd] n ворот (рубашки).

neckcloth ['neklɔθ] n уст. галстук, шейный платок.

neck-collar ['nek,kɔlə] n хомут.

neckerchief ['nekətʃɪf] n шейный платок.

necking ['nekɪŋ] 1. pres. p. от neck 2;
2. n 1) архит. обвязка колонны; 2) амер. sl. обнимание, нежничание;
3. a: ~ party нежная, влюблённая парочка.

necklace ['neklɪs] n ожерелье.

necklet ['neklɪt] n 1) ожерелье; 2) горжетка, боа.

neckmould ['nek,mould] n архит. астрагал.

neck-piece ['nekpiːs] n горжетка; шарфик.

necktie ['nektaɪ] n галстук.

neckwear ['nekwɛə] n собир. галстуки, воротнички и т. п.

neck-yoke ['nekjouk] n хомут.

necrologist [ne'krɔlədʒɪst] n автор некролога.

necrology [ne'krɔlədʒɪ] n 1) некролог; 2) список умерших.

necromancer ['nekroʊmænsə] *n* некрома́нт; колду́н, чароде́й.

necromancy ['nekroʊmænsɪ] *n* некрома́нтия; чёрная ма́гия.

necromantic [,nekroʊ'mæntɪk] *a* 1) занима́ющийся некрома́нтией; 2) колдовско́й.

necrophagous [ne'krɔfəgəs] *a* пита́ющийся па́далью.

necropolis [ne'krɔpəlɪs] *n* (*pl* -ses [-sɪz]) некро́поль, кла́дбище.

necropsy ['nekrɔpsɪ] *n* вскры́тие тру́па.

necroscopy [ne'krɔskəpɪ] = necropsy.

necrose ['nekrous] *v мед.* 1) омертвева́ть; 2) вызыва́ть омертве́ние.

necrosis [ne'krousɪs] *n мед.* некро́з, омертве́ние.

nectar ['nektə] *n* 1) *миф.* некта́р; *перен.* чуде́сный напи́ток; 2) цвето́чный сок; медо́к; 3) газиро́ванная вода́.

nectariferous [,nektə'rɪfərəs] *a бот.* нектароно́сный, медоно́сный.

nectarine ['nektərɪn] 1. *n* гла́дкий пе́рсик; 2. *a поэт.* упои́тельный как некта́р.

nectary ['nektərɪ] *n* 1) *бот.* некта́рник; 2) *зоол.* медоно́сная железа́.

Neddy ['nedɪ] *n разг.* осёл, о́слик.

née [neɪ] *фр. a* урождённая; Mrs Brown, ~ Johnston ми́ссис Бра́ун, урождённая Джо́нстон.

need [niːd] 1. *n* 1) на́добность, нужда́; to be in ~ of, to feel the ~ of, to have ~ of нужда́ться в *чём-л.*; the house is in ~ of repair дом тре́бует ремо́нта; if ~ be (*или* were) е́сли ну́жно, е́сли потре́буется; 2) *pl* потре́бности; to meet the ~s удовлетворя́ть потре́бности; 3) недоста́ток, бе́дность, нужда́; for ~ of из-за недоста́тка; a friend in ~ is a friend indeed *посл.* и́стинные друзья́ познаю́тся в беде́;
2. *v* 1) нужда́ться (*в чём-л.*); име́ть на́добность, потре́бность; what he ~s is a good thrashing он заслу́живает хоро́шей взбу́чки; 2) тре́боваться; the book ~s correction кни́га тре́бует исправле́ния; it ~s to be done with care э́то на́до сде́лать осторо́жно; 3) нужда́ться, бе́дствовать; 4) (*как модальный глагол в вопросительных и отрицательных предложениях*) быть до́лжным, обя́занным; you ~ not trouble yourself вам не́чего (самому́) беспоко́иться; I ~ not have done it мне не сле́довало э́того де́лать; must I go there? — No, you ~ not до́лжен ли я туда́ идти́? — Нет, не ну́жно.

needful ['niːdful] 1. *a* ну́жный, необходи́мый; потре́бный, насу́щный (to, for); 2. *n* 1) необходи́мое; to do the ~ a) сде́лать то, что необходи́мо; б) *спорт.* заби́ть гол; 2) (the ~) *разг.* де́ньги.

needle ['niːdl] 1. *n* 1) иго́лка, игла́; ~'s eye иго́льное ушко́; to ply one's ~ занима́ться шитьём, шить; 2) спи́ца *или* крючо́к (*для вязания*); 3) стре́лка (*компаса или телеграфного аппарата*); true as the ~ to the pole надёжный; 4) игла́ (*хвоя*); 5) остроконе́чная верши́на, утёс; 6) шпиль; готи́ческая игла́; 7) обели́ск; 8) иго́льчатый криста́лл; 9) (the ~) *разг.* при́ступ дурно́го настрое́ния; не́рвный припа́док; to have, to get the ~ быть в дурно́м настрое-нии; быть в не́рвном состоя́нии; 10) *attr.* иго́льный, иго́льчатый; 11) *attr.* шве́йный; 12) *attr.*: ~ fall опада́ние хво́и; ◇ to look for a ~ in a haystack (*или* in a bundle, in a bottle of hay) иска́ть иго́лку в сто́ге се́на; занима́ться безнадёжным де́лом; as sharp as a ~ о́стрый, проница́тельный; наблюда́тельный;
2. *v* 1) шить, зашива́ть игло́й; 2) проти́скиваться, проника́ть (*сквозь что-л.*); 3) *амер. разг.* подбавля́ть спирт (*к пиву*); 4) *разг.* язви́ть; раздража́ть; 5) *разг.* подстрека́ть; 6) *мин.* кристаллизова́ться и́глами; 7) *мед.* снима́ть катара́кту.

needle-bath ['niːdlbɑːθ] *n* 1) душ Фра́нклина; 2) иго́льчатый душ.

needle-bearing ['niːdl,bɛərɪŋ] *n тех.* иго́льчатый подши́пник.

needle-case ['niːdlkeɪs] *n* иго́льник.

needle-fish ['niːdlfɪʃ] *n зоол.* игла́-ры́ба, морска́я игла́.

needleful ['niːdlful] *n* длина́ ни́тки, вдева́емой в иго́лку.

needle-gun ['niːdl'ɡʌn] *n ист.* иго́льчатое ружьё.

needle-lace ['niːdl'leɪs] *n* кру́жево, вя́занное крючко́м.

needle-point ['niːdlpɔɪnt] *n* острие́ иглы́.

needle-shaped ['niːdl'ʃeɪpt] *a* иглообра́зный.

needless ['niːdlɪs] *a* нену́жный, изли́шний; бесполе́зный; ~ enmity ничем не вы́званная вражда́; ~ to say... не прихо́дится и говори́ть..., не говоря́ уже́ о...

needlewoman ['niːdl,wumən] *n* швея́.

needlework ['niːdlwəːk] *n* шитьё; вышива́ние.

needments ['niːdmənts] *n pl* всё необходи́мое (*особ.* для путеше́ствия).

needs [niːdz] *adv разг.* по необходи́мости, непреме́нно, обяза́тельно (*только с* must, *часто ирон.*); he ~ must go, he must ~ go ему́ непреме́нно на́до идти́; ◇ ~ must when the devil drives ≅ про́тив рожна́ не попрёшь.

needy ['niːdɪ] *a* нужда́ющийся, бе́дствую-щий.

ne'er [nɛə] *adv* (*сокр. от* never) *поэт.* никогда́; ◇ ~ a... ни оди́н.

ne'er-do-weel, **ne'er-do-well** ['nɛəduːwiːl, 'nɛəduːwel] 1. *n* безде́льник; него́дник; 2. *a* никуда́ не го́дный.

nefarious [nɪ'fɛərɪəs] *a* 1) нечести́вый; 2) бесче́стный; ни́зкий; ~ purposes гну́сные це́ли.

negate [nɪ'ɡeɪt] *v* 1) отрица́ть, служи́ть отрица́нием; 2) отверга́ть.

negation [nɪ'ɡeɪʃən] *n* 1) отрица́ние; 2) ничто́, фи́кция; 3) *мат.* отрица́тельная величина́.

negationist [nɪ'ɡeɪʃənɪst] *n* отрица́тель; нигили́ст.

negative ['neɡətɪv] 1. *a* 1) отрица́тельный; ~ quantity отрица́тельная величина́; the ~ sign a) знак ми́нус; б) *разг. шутл.* ничто́, ничего́; ~ voice го́лос про́тив; 2) *фото* негати́вный; обра́тный (*об изображении*); 2. *n* 1) отрица́ние; отрица́тельный отве́т, факт; отрица́тельная черта́ хара́ктера *и т.п.*;

in the ~ отрица́тельно; the answer is in the ~ отве́т отрица́тельный; two ~s make an affirmative два отрица́ния равны́ утвержде́нию; he is a bundle of ~s в нём одни́ отрица́тельные черты́; 2) отка́з, несогла́сие; 3) запре́т, ве́то; 4) *грам.* отрица́ние, отрица́тельная части́ца (по, not *и пр.*); 5) *фото* негати́в; 6) *мат.* отрица́тельная величина́; 7) *эл.* отрица́тельный по́люс, като́д;
3. *v* 1) отрица́ть; возража́ть; 2) отверга́ть, опроверга́ть; 3) налага́ть ве́то; не утвержда́ть *(предложенного кандидата)*; 4) де́лать тще́тным; 5) нейтрализова́ть *(действие чего-л.)*.

negativism ['negətɪvɪzəm] *n* скло́нность к отрица́нию; негативи́зм.

negativity [ˌnegə'tɪvɪtɪ] *n* отрица́тельность.

negatory ['negətərɪ] *a* отрица́тельный.

neglect [nɪ'glekt] 1. *n* 1) пренебреже́ние; небре́жность; the ~ of one's children отсу́тствие забо́ты о де́тях; 2) запу́щенность, забро́шенность; in a state of ~ в запу́щенном состоя́нии;
2. *v* 1) пренебрега́ть *(чем-л.)*; не забо́титься *(о чём-л.)*; 2) не обраща́ть внима́ния *(на кого-л., что-л.)*; проявля́ть невнима́ние; 3) упуска́ть, не де́лать *(чего-л.)* ну́жного; не выполня́ть своего́ до́лга; запуска́ть.

neglectful [nɪ'glektful] *a* 1) невнима́тельный *(к кому-л., чему-л.)*; небре́жный; 2) нера́дивый, беззабо́тный.

négligé ['neglɪʒeɪ] *фр. n* да́мский хала́т; дома́шнее пла́тье.

negligence ['neglɪdʒəns] *n* 1) небре́жность; хала́тность; culpable *(или* criminal) ~ *юр.* престу́пная небре́жность; 2) неря́шливость; the ~ of one's attire неря́шливость в костю́ме.

negligent ['neglɪdʒənt] *a* 1) небре́жный; ~ in his dress неря́шливый в оде́жде; 2) хала́тный, беспе́чный; нера́дивый; ~ of his duties невнима́тельный к свои́м обя́занностям.

negligible ['neglɪdʒəbl] *a* незначи́тельный, не принима́емый в расчёт; ~ quantity незначи́тельное коли́чество; by a ~ margin совсе́м незначи́тельно, не на мно́го.

negotiable [nɪ'gouʃjəbl] *a* 1) могу́щий служи́ть предме́том сде́лки, могу́щий быть ку́пленным, переусту́пленным *(о векселе и т. п.)*; ~ document оборо́тный докуме́нт; 2) проходи́мый; досту́пный *(о вершинах, дорогах и т. п.)*.

negotiant [nɪ'gouʃɪənt] *n* негоциа́нт, купе́ц; опто́вый торго́вец, соверша́ющий кру́пные сде́лки.

negotiate [nɪ'gouʃɪeɪt] *v* 1) вести́ перегово́ры, догова́риваться (with); обсужда́ть усло́вия; to ~ a loan (terms of peace) догова́риваться об усло́виях за́йма (ми́ра); 2) прода́ть, реализова́ть *(вексель и т. п.)*; 3) вести́ де́ло; 4) *разг.* устра́ивать, ула́живать; преодолева́ть.

negotiated peace [nɪ'gouʃɪeɪtɪd'pɪs] *n* мир, дости́гнутый в результа́те перегово́ров.

negotiation [nɪˌgouʃɪ'eɪʃən] *n* 1) перегово́ры; обсужде́ние усло́вий; ~s are under

way веду́тся перегово́ры; to conduct ~s вести́ перегово́ры; 2) *разг.* преодоле́ние *(затруднений)*.

negotiator [nɪ'gouʃɪeɪtə] *n* 1) лицо́, веду́щее перегово́ры; 2) посре́дник.

Negress ['nɪːgrɪs] *n* негритя́нка.

Negrillo [ne'grɪlou] *n (pl* -os[-ouz]) негр ка́рликового пле́мени.

Negrito [ne'grɪtou] *n (pl* -os, -oes [-ouz]) негрито́с *(Малайского архипелага)*.

Negro ['nɪːgrou] 1. *n (pl* -oes [-ouz]) негр; 2. *a* 1) негритя́нский; темноко́жий; 2) чёрный, тёмный.

Negro-head ['nɪːgrouhed] *n* 1) тёмный, кре́пкий сорт пропи́танного па́токой таба́ка; 2) низкосо́ртная рези́на.

Negroid(al) ['nɪːgrɔɪd(əl)] *a* негро́идный.

negrophobia [ˌnɪːgrou'foubɪə] *n* негроненави́стничество, негрофо́бия.

Negus ['nɪːgəs] *n* не́гус *(император Эфиопии)*.

negus ['nɪːgəs] *n* не́гус *(род глинтвейна)*.

neigh [neɪ] 1. *n* ржа́ние; 2. *v* ржать.

neighbour ['neɪbə] 1. *n* 1) сосе́д; сосе́дка; 2) находя́щийся ря́дом предме́т; a falling tree brought down its ~ па́дая, де́рево повали́ло и сосе́днее; 3) бли́жний; duty to one's ~ долг по отноше́нию к своему́ бли́жнему; 4) *attr.* бли́жний; сосе́дний; сме́жный;
2. *v* грани́чить; находи́ться у са́мого кра́я (upon); the wood ~s upon the lake лес подхо́дит к са́мому о́зеру.

neighboured ['neɪbəd] 1. *p. p. от* neighbour 2;
2. *a*: a beautifully ~ town го́род с краси́выми окре́стностями; ill ~ име́ющий дурно́е сосе́дство; a sparsely ~ place ре́дко населённая ме́стность.

neighbourhood ['neɪbəhud] *n* 1) сосе́дство, бли́зость; in the ~ of а) по сосе́дству, побли́зости; б) о́коло, приблизи́тельно; in the ~ of £100 приблизи́тельно 100 фу́нтов сте́рлингов; 2) окру́га, райо́н, окре́стности; we live in a healthy ~ мы живём в здоро́вой ме́стности; the laughing-stock of the whole ~ посме́шище всей окру́ги; 3) сосе́ди; 4) *уст.* сосе́дские отноше́ния; good ~ добрососе́дские отноше́ния; 5) *attr.* ме́стный.

neighbourhood unit ['neɪbəhud'jʊːnɪt] *n* жило́й райо́н во вновь плани́руемых города́х.

neighbouring ['neɪbərɪŋ] 1. *pres. p. от* neighbour 2;
2. *a* сосе́дний, сме́жный.

neighbourly ['neɪbəlɪ] 1. *a* добрососе́дский, дру́жеский;
2. *adv редк.* по-добрососе́дски.

neighbourship ['neɪbəʃɪp] *n* 1) сосе́дство, бли́зость; 2) сосе́дские отноше́ния.

neither I ['naɪðə; *амер.* 'nɪːðə] *pron. nег.* 1. *как сущ.* ни оди́н *(из двух)*; никто́; ~ of you knows никто́ из вас не зна́ет; вы о́ба не зна́ете;
2. *как прил.* ни тот ни друго́й; ~ statement is true ни то, ни друго́е утвержде́ние не ве́рно;

3. *как нареч.* тáкже не; if you do not go, ~ shall I éсли вы не пойдёте, я тóже не пойдý.

neither II [ˈnaɪðə] *cj* 1): ~... пог... ни... ни...; he ~ knows nor cares знать не знáет и забóтиться не хóчет; 2) *уст.* ни; ◇ ~ here nor there ≅ ни к селý ни к гóроду, некстáти.

nek [nek] *n* южно-афр. гóрный прохóд, перевáл.

nekton [ˈnektən] *n собир. биол.* нектóн.

nelly [ˈneli] *n* исполúнский буревéстник.

nelson [ˈnelsn] *n спорт.* нельсóн (*приём в борьбе*).

Nemesis [ˈnemɪsɪs] *n миф.* Немезúда.

nenuphar [ˈnenjufɑː] *n бот.* кувшúнка.

neocene [ˈniːsiːn] *геол.* 1. *n* неоцéн; 2. *a* неоцéновый.

neodymium [ˌniːouˈdɪmɪəm] *n хим.* ниодúмий.

neolithic [ˌniːouˈlɪθɪk] *a* неолитúческий; ~ age неолитúческий век, неолúт.

neologism [niːˈɔlədʒɪzəm] *n* неологúзм.

neologize [niːˈɔlədʒaɪz] *v* вводúть нóвые словá.

neology [niːˈɔlədʒɪ] *n* 1) неологúзм; 2) употреблéние неологúзмов.

neon [ˈniːən] *n* 1) *хим.* неóн; 2) *attr.* неóновый; ~ lamp, ~ arc, ~ tube неóновая лáмпа.

neophron [ˈniːəfrɔn] *n зоол.* стервя́тник.

neophyte [ˈniːoufaɪt] *n* 1) неофúт, новообращённый; 2) новичóк.

neoplasm [ˈniːouplæzm] *n мед.* новообразовáние, óпухоль.

neoplasty [ˈniːou,plæstɪ] *n мед.* восстановлéние учáстка кóжи путём пластúческой операции.

neoteric [ˌniːouˈterɪk] *a* 1) недáвний; 2) новéйший, совремéнный.

neotropical [ˌniːouˈtrɔpɪkəl] *a зоол.* распространённый в Центрáльной и Южной Амéрике.

neozoic [ˌniːouˈzouɪk] *a геол.* кайнозóйский.

nepenthe(s) [neˈpenθɪ (-θiːz)] *n* 1) что-л., дающее успокоéние *или* забвéние; 2) *бот.* непéнтес.

nephew [ˈnevjuː] *n* племя́нник.

nephology [neˈfɔlədʒɪ] *n* нефолóгия (*наука об облаках*).

nephrite [ˈnefraɪt] *n мин.* нефрúт.

nephritic [neˈfrɪtɪk] *a мед.* пóчечный, нефритúческий.

nephritis [neˈfraɪtɪs] *n мед.* нефрúт.

nepotism [ˈnepətɪzəm] *n* кумовствó, семéйственность; непотúзм.

nepotist [ˈnepətɪst] *n* тот, кто прибегáет к кумовствý, к непотúзму.

Neptune [ˈneptjuːn] *n миф., астр.* Нептýн.

Neptunian [nepˈtjuːnjən] *a геол.* океанúческий, морскóй, вóдный.

neptunium [nepˈtjuːnjəm] *n хим.* нептýний.

nereid [ˈnɪərɪɪd] *n* 1) *миф.* нерéйда; 2) *зоол.* нерéйда, кóльчатый морскóй червь.

Nero [ˈnɪərou] *n ист.* Нерóн.

nervate [ˈnɑːveɪt] *a бот.* с жúлками.

nervation [nɑːˈveɪʃən] *n бот.* нервáция, жилковáние.

nerve [nɑːv] 1. *n* 1) нерв; 2) (*обыкн. pl*) нéрвы, нéрвность; iron (*или* steel) ~s желéзные нéрвы; a fit (*или* an attack) of ~s нéрвный припáдок; to get on one's ~s дéйствовать на нéрвы, раздражáть; to suffer from ~s страдáть расстрóйством нéрвной систéмы; 3) сúла, энéргия; to strain every ~ напрягáть все сúлы; приложúть все усилия; 4) присýтствие дýха, мýжество, хладнокрóвие; to lose one's ~ оробéть, потеря́ть самооблáдание; a man of ~ вы́держанный человéк, человéк с большúм самооблáданием; *разг.* нáглость, нахáльство, дéрзость; to have the ~ имéть нахáльство; быть нáглым; 6) *бот.* жúлка; 7) *attr.* нéрвный;

2. *v* придавáть сúлы *или* бóдрости, хráбрости; to ~ oneself собрáться с сúлами, с дýхом.

nerve-centre [ˈnɑːv,sentə] *n* нéрвный центр.

nerve-knot [ˈnɑːvnɔt] *n* нéрвный ýзел, гáнглий.

nerveless [ˈnɑːvlɪs] *a* 1) *анат.* не имéющий нéрвной систéмы; 2) *бот.* не имéющий жúлок; 3) слáбый, бессúльный; вя́лый.

nervine [ˈnɑːviːn] *мед.* 1. *a* успокáивающий нéрвы;

2. *n* лекáрство, успокáивающее нéрвы.

nervism [ˈnɑːvɪzəm] *n физиол.* нервúзм.

nervous [ˈnɑːvəs] *a* 1) нéрвный; ~ system нéрвная систéма; 2) беспокóящийся (*о чём-л.*); нéрвничающий; взволнóванный; I felt very ~ (about it) я óчень волновáлся; don't be ~ не волнýйтесь; 3) нервúрующий, дéйствующий на нéрвы; 4) вырази́тельный (*о стиле*); 5) сúльный, мýскулистый.

nervy [ˈnɑːvɪ] *a* 1) *разг.* нéрвный, возбуждённый; 2) *sl.* самоувéренный; смéлый; 3) *поэт.* сúльный.

nescience [ˈnesɪəns] *лат. n* 1) незнáние, невéдение; 2) *филос.* агностицúзм.

nescient [ˈnesɪənt] 1. *n филос.* агнóстик; 2. *a* незнáющий (of).

ness [nes] *n* мыс, нос (*только в геогр. названиях*).

nest [nest] 1. *n* 1) гнездó; 2) вы́водок; to take a ~ разоря́ть гнездó, брать яйца *или* птенцóв; 3) уютный уголóк, гнёздышко; 4) притóн; 5) грýппа, набóр однорóдных предмéтов (*напр., ящичков, вставленных один в другой*); a ~ of narrow alleys цéлый лабирúнт ýзких переýлков; ◇ to foul one's own ~ ≅ выносúть сор из избы́; to feather one's ~ нагрéть рýки, набúть себé кармáн;

2. *v* 1) вить гнездó; гнездúться; 2): to go ~ing охóтиться за гнёздами; 3) *тех.* вставля́ть однý часть мéжду другúми.

nest-doll [ˈnestdɔl] *n* кýкла.

nest-egg [ˈnesteg] *n* 1) пóдкладень (*яйцо, оставляемое в гнезде для привлечения наседки*); 2) дéньги, отлóженные на чёрный день; пéрвая сýмма, отлóженная для какóй-л. определённой цéли.

nesting box [ˈnestɪŋbɔks] *n* скворéчник.

nestle [nesl] *v* 1) уютно, удóбно устрóиться, свернýться (down, in, into, among);

2) прильну́ть, прижа́ться (against, to, close to — к); 3) юти́ться; укрыва́ться; 4) дава́ть прию́т.

nestling ['neslɪŋ] 1. *pres. p. от* nestle; 2. *n* птене́ц, пте́нчик; малы́ш.

net I [net] 1. *n* 1) сеть; тенёта; 2) се́тка *(для волос, для те́нниса и т. п.)*; 3) се́ти, западня́; 4) паути́на;
2. *v* 1) расставля́ть се́ти *(тж. перен.)*; лови́ть се́тями; покрыва́ть се́тями; 2) плести́, вяза́ть се́ти; 3) покрыва́ть се́тью *(желе́зных доро́г, радиоста́нций и т. п.)*; 4) попа́сть в се́тку *(о мяче́)*.

net II [net] 1. *a* чи́стый, не́тто *(о ве́се, дохо́де)*; at 5/-п. цена́ 5 ши́ллингов за вы́четом ски́дки; ~ cash нали́чные де́ньги; нали́чный расчёт без ски́дки; ~ cost себесто́имость; ~ efficiency *тех.* о́бщий коэффицие́нт поле́зного де́йствия; ~ load *тех.* поле́зная нагру́зка, поле́зный вес;
2. *n* чи́стый дохо́д;
3. *v* 1) приноси́ть чи́стый дохо́д; 2) получа́ть чи́стый дохо́д.

netful ['netful] *n* по́лная сеть.

nether ['neðə] *a уст., шутл.* ни́жний, бо́лее ни́зкий; ~ garments брю́ки; the ~ man но́ги; hard as a ~ millstone твёрд как креме́нь; ~ world *(или* regions) а) ад; б) *редк.* земля́.

Netherlander ['neðələndə] *n* голла́ндец.

Netherlandish ['neðələndɪʃ] *a* нидерла́ндский, голла́ндский.

nethermost ['neðəmoust] *a уст., шутл.* са́мый ни́жний.

netting I ['netɪŋ] 1. *pres. p. от* net I, 2;
2. *n* 1) плете́ние сете́й; 2) ло́вля се́тями; 3) сеть, се́тка.

netting II ['netɪŋ] *pres. p. от* net II, 3.

nettle ['netl] 1. *n* крапи́ва; small *(или* stinging) ~ жгу́чая крапи́ва; great *(или* common) ~ обыкнове́нная двудо́мная крапи́ва; ◇ to be on ~s ≅ сиде́ть как на иго́лках; to grasp the ~ реши́тельно бра́ться за тру́дное де́ло; grasp the ~ and it won't sting you *посл.* ≅ сме́лость го́рода берёт;
2. *v* 1) обжига́ть крапи́вой; 2) раздража́ть, уязвля́ть, серди́ть.

nettle-fish ['netlfɪʃ] *n* меду́за.

nettle-rash ['netlræʃ] *n мед.* крапи́вная лихора́дка.

network ['netwə:k] *n* 1) сеть, се́тка; плетёнка; 2) сеть *(желе́зных доро́г, кана́лов и т. п.)*; 3) *тех.* решётчатая систе́ма; 4) *ра́дио* сеть радиотрансляцио́нных устано́вок.

network announcer ['netwə:kə'naunsə] *n амер.* ди́ктор.

neural ['njuərəl] *a ана́т.* не́рвный, относя́щийся к не́рвной систе́ме.

neuralgia [njuə'rældʒə] *n* невралги́я.

neuralgic [njuə'rældʒɪk] *a* невралги́ческий.

neurasthenia [ˌnjuərəs'θiːnjə] *n* неврасте́ния.

neurasthenic [ˌnjuərəs'θenɪk] *a* неврасте́ни́ческий.

neuritis [njuə'raitɪs] *n мед.* неври́т.

neurologist [njuə'rɔlədʒɪst] *n* невро́лог.

neurology [njuə'rɔlədʒɪ] *n* невроло́гия.

neuroma [njuː'roumə] *n (pl* -mata, -s [-z]) *мед.* невро́ма.

neuromata [njuː'roumətə] *pl от* neuroma.

neuropath ['njuːrəpæθ] *n* страда́ющий не́рвной боле́знью; неврасте́ник.

neuropathist [njuː'rɔpəθɪst] *n* невропато́лог.

neuroses [njuə'rousiːz] *pl от* neurosis.

neurosis [njuə'rousɪs] *n (pl* -ses) невро́з; anxiety ~ невро́з стра́ха.

neurotic [njuə'rɔtɪk] 1. *a* не́рвный, невроти́ческий;
2. *n* 1) лека́рство, де́йствующее на не́рвную систе́му; 2) не́рвное заболева́ние; 3) неврасте́ник.

neuter ['njuːtə] 1. *a* 1) *грам.* сре́дний, сре́днего ро́да; 2) *грам.* непереходный *(о глаго́ле)*; 3) *бот.* беспо́лый; 4) *биол.* недора́звитый, беспло́дный; 5) *вет.* кастри́рованный; 6) *редк.* = neutral 1; to stand ~ остава́ться нейтра́льным;
2. *n* 1) *грам.* сре́дний род; существи́тельное, прилага́тельное, местоиме́ние сре́днего ро́да; 2) *грам.* непереходный глаго́л; 3) беспло́дное насеко́мое; 4) кастри́рованное живо́тное; 5) челове́к, занима́ющий нейтра́льную пози́цию.

neutral ['njuːtrəl] 1. *a* 1) нейтра́льный; 2) сре́дний, неопределённый; промежу́точный; ~ colour нейтра́льный, се́рый цвет; 3) беспо́лый;
2. *n* 1) нейтра́льное госуда́рство; 2) граждани́н *или* су́дно нейтра́льного госуда́рства.

neutrality [njuː'trælɪtɪ] *n* нейтралите́т.

neutralization [ˌnjuːtrəlaɪ'zeɪʃən] *n* 1) нейтрализа́ция; 2) *воен.* подавле́ние огнём.

neutralize ['njuːtrəlaɪz] *v* 1) нейтрализова́ть; 2) обезвре́живать; уничтожа́ть; 3) объявля́ть нейтралите́т; 4) *воен.* подави́ть огнём.

neutron ['njuːtrɔn] *n физ.* нейтро́н.

névé ['neveɪ] *фр. n* фирн, зерни́стый лёд.

never ['nevə] *adv* 1) никогда́; one ~ knows никогда́ нельзя́ зара́нее знать; 2) ни ра́зу; ~ before никогда́ ещё; well, I ~!, I ~ did! *(подразумева́ется* hear *или* see the like)* никогда́ ничего́ подо́бного не ви́дел *или* не слы́шал!; 3) *разг. для усиле́ния отрица́ния:* he answered ~ a word он ни сло́ва не отве́тил; ~ a one ни оди́н; ~ fear не беспоко́йтесь, бу́дьте уве́рены; I'll do it, ~ fear не беспоко́йтесь, я э́то сде́лаю; there's room enough for a company be it ~ so large ме́ста дово́льно, как бы велико́ о́бщество ни бы́ло; 4) коне́чно нет, не мо́жет быть; you were ~ such a fool as to lose your money? не мо́жет быть, что́бы тебя́ угора́здило потеря́ть де́ньги!; ◇ ~ mind ничего́, пустяки́! не обраща́йте внима́ния; ~ so как бы ни.

never-ceasing ['nevə'siːzɪŋ] *a* непрекраща́ющийся.

never-dying ['nevə'daɪɪŋ] *a* неумира́ющий, бессме́ртный.

never-ending ['nevər'endɪŋ] *a* непрекраща́ющийся, бесконе́чный.

never-fading ['nevə'feɪdɪŋ] *a* неувяда́ющий, неувяда́емый.

nevermore ['nevə'mɔː] *adv* никогда бо́льше, никогда́ впредь.

nevertheless [,nevəðə'les] **1.** *adv* несмотря́ на, одна́ко.
2. *cj* тем не ме́нее.

never-to-be-forgotten ['nevətəbɪfə'gɔtn] *a* незабве́нный.

new [njuː] **1.** *a* 1) но́вый; ~ discovery но́вое откры́тие; 2) ино́й, друго́й; обновлённый; he became a ~ man он стал совсе́м други́м челове́ком; ~ Parliament вновь и́збранный парла́мент; 3) неда́вний, неда́внего происхожде́ния; неда́вно приобретённый; 4) све́жий; ~ milk парно́е молоко́; ~ wine молодо́е вино́; ~ potatoes молодо́й карто́фель; 5) совреме́нный, нове́йший; ~ fashions после́дние мо́ды; 6) передово́й; 7) вновь обнару́женный, вновь откры́тый, но́вый; ~ planet но́вая плане́та; 8) незнако́мый; непривы́чный; the horse is ~ to the plough э́та ло́шадь не привы́кла к плу́гу; she is ~ to the work она́ ещё не знако́ма с э́той рабо́той; ◇ ~ soil целина́, новь; the N. World Но́вый свет, Аме́рика; there is nothing ~ under the sun ≅ ничто́ не но́во под луно́й;
2. *adv уст. (в современном употреблении в сложных словах)* 1) неда́вно, то́лько что; 2) за́ново.

new-blown ['njuː'bloun] *a* то́лько что расцве́тший.

new-born ['njuː'bɔːn] *a* 1) новорождённый; 2) возрождённый.

new-built ['njuː'bɪlt] *a* вновь вы́строенный; перестро́енный.

new-come ['njuː'kʌm] **1.** *n* = new-comer.
2. *a* вновь прибы́вший.

new-comer ['njuː'kʌmə] *n* 1) вновь прибы́вший; 2) незнако́мец.

New Deal ['njuː'diːl] *n ист.* 1) Но́вый курс (Ру́звельта); 2) прави́тельство Ру́звельта.

newel ['njuːəl] *n стр.* 1) коло́нна *или* сте́ржень винтово́й ле́стницы; 2) сто́йка пери́л на конца́х ле́стничных ма́ршей.

newel post ['njuːəl'poust] = newel.

new-fallen ['njuː'fɔːlən] *a* то́лько что вы́павший (*о снеге*).

new-fangled ['njuː'fæŋgld] *пренебр. см.* new-fashioned.

new-fashioned ['njuː'fæʃənd] *a* мо́дный, новомо́дный.

new-fledged ['njuː'fledʒd] *a* то́лько что опери́вшийся.

new-found ['njuː'faund] *a* вновь обретённый.

Newfoundland [njuː'faundlənd] *n* нью-фаундле́нд, соба́ка-водола́з [*см. тж. Список географических названий*].

Newfoundland dog [njuː'faundlənd'dɔg] = Newfoundland.

Newfoundlander [,njuːfənd'lændə] *n* 1) жи́тель Ньюфаундле́нда; 2) су́дно, принадлежа́щее Ньюфаундле́нду; 3) = Newfoundland.

Newgate ['njuːgɪt] *n* Нью́гейтская долгова́я тюрьма́ (*в Ло́ндоне*).

new growth ['njuː'grouθ] = neoplasm.

newish ['njuːɪʃ] *a* дово́льно но́вый.

new-laid ['njuː'leɪd] *a* свежеснесённый (*о яйцах*).

newly ['njuːlɪ] *adv* 1) за́ново, вновь; по-ино́му, по-но́вому; 2) неда́вно; ~ arrived вновь прибы́вший; ~ wed новобра́чные.

new-made ['njuː'meɪd] *a* 1) неда́вно сде́ланный; 2) за́ново сде́ланный.

Newmarket ['njuː,mɑːkɪt] *n* 1) дли́нное пальто́ в обтя́жку; 2) *название карто́чной игры*.

Newmarket coat ['njuː'mɑːkɪt'kout] = Newmarket 1).

new-minted ['njuː'mɪntɪd] *a* 1) то́лько что отчека́ненный (*о монете*); блестя́щий, новёхонький; 2) получи́вший но́вое значе́ние, приобрётший но́вый смысл (*о слове, выражении*).

new moon ['njuː'muːn] *n* 1) молодо́й ме́сяц; 2) новолу́ние.

newness ['njuːnɪs] *n* новизна́.

news [njuːz] *n pl (употр. как sing)* но́вость, но́вости, изве́стия; what is the ~? что но́вого?; that is no ~ э́то уже́ всем изве́стно; нашли́ чем удиви́ть; ◇ bad ~ travels quickly, ill ~ flies fast (*или* apace) *посл.* ≅ худы́е ве́сти не лежа́т на ме́сте; no ~ (is) good ~ *посл.* ≅ отсу́тствие весте́й (само́ по себе́) неплоха́я весть; Job's ~ весть о несча́стье; to be in the ~ попа́сть на страни́цы газе́т; оказа́ться в це́нтре внима́ния.

news-agent ['njuːz,eɪdʒənt] *n* газе́тчик (*имеющий киоск*).

news-boy ['njuːzbɔɪ] *n* газе́тчик, продаве́ц (*мальчик или подросток*).

newscast ['njuːzkɑːst] *n амер.* переда́ча после́дних изве́стий (*по радио*).

newscaster ['njuːz,kɑːstə] *n* 1) ди́ктор; 2) радиокоммента́тор.

news-dealer ['njuːz,diːlə] *амер.* = news-agent.

news-department ['njuːzdɪ,pɑːtmənt] *n* информацио́нный отде́л; отде́л печа́ти.

news-letter ['njuːz'letə] *n ист.* еженеде́льное письмо́ с новостя́ми, рассыла́вшееся провинциа́льным подпи́счикам в XVII в.

news-man ['njuːzmən] *n* 1) корреспонде́нт, репортёр; 2) газе́тчик, продаве́ц газе́т.

newsmonger ['njuːz,mʌŋə] *n* спле́тник; спле́тница.

newspaper ['njuːs,peɪpə] *n* 1) газе́та; 2) *attr.* газе́тный.

newspaperese [,njuːs,peɪpə'riːz] *n* газе́тный стиль, стиль, сво́йственный журнали́стам и репортёрам.

newsprint ['njuːzprɪnt] *n* газе́тная бума́га.

news-reel ['njuːzriːl] **1.** *n* хро́ника, хроника́льный фильм; киножурна́л.
2. *v* снима́ться в киножурна́ле.

news-room ['njuːzrum] *n* 1) чита́льня, где мо́жно получи́ть газе́ты и журна́лы; 2) *амер.* отде́л но́востей (*в реда́кции газеты*).

news-sheet ['njuːsʃiːt] *n* 1) листо́вка; 2) *уст., амер. разг.* газе́та.

news-stand ['njuːsstænd] *n* 1) газе́тный ларёк, кио́ск; 2) *амер.* = bookstall.

New Style ['njuː'staɪl] *n* но́вый стиль (*григориа́нский календа́рь*).

news-vendor ['njuːz,vendə] *n* продавец газет, газетчик.

newsy ['njuːzı] **1.** *a разг.* 1) богатый новостями *или* сплетнями; 2) любопытный; **2.** *n амер.* = news-boy.

newt [njuːt] *n зоол.* тритон.

Newtonian [njuː'tounjən] **1.** *a* ньютонов; **2.** *n* последователь Ньютона.

new year ['njuː'jəː] *n* Новый год.

new-year's ['njuː'jəːz] *a* новогодний; ~ eve канун Нового года; ~ day первое января.

next [nekst] **1.** *a* 1) следующий; ~ chapter следующая глава; 2) ближайший; соседний; the house ~ to ours соседний дом; my ~ neighbour мой ближайший сосед; ~ door (to) по соседству, рядом [*ср.* ~-door]; he lives ~ door он живёт в соседнем доме; 3) следующий, будущий; ~ year в будущем году; not till ~ time *шутл.* больше не буду до следующего раза; ◇ ~ to nothing, ~ to none почти ничего; the ~ man первый встречный; любой; всякий другой;

2. *adv* 1) потом, затем, после; he ~ proceeded to write a letter затем он начал писать письмо; what ~? а что дальше?; что ещё может за этим последовать?; 2) в следующий раз, снова; when I see him ~ когда я его опять увижу;

3. *prep* рядом, около; the chair ~ the fire стул около камина; she loves him ~ her own child она любит его (почти) как своего ребёнка;

4. *n* следующий *или* ближайший (*человек или предмет*); ~, please! следующий, пожалуйста!; I will tell you in my ~ я расскажу вам в следующем письме; to be concluded in our ~ (*подразумевается* issue) окончание следует; ~ of kin ближайший родственник (*к которому переходит наследство при отсутствии завещания*).

next-best ['nekst'best] *a* уступающий лишь самому лучшему.

next-door ['nekstdɔː] *a* ближайший, соседний; ~ neighbours ближайшие соседи; ~ to crime это почти преступление; [*ср.* next door, *см.* next 1, 2)].

nexus ['neksəs] *n* 1) связь; узы; звено; the cash ~ денежные отношения; causal ~ причинная зависимость; 2) *грам.* нексус.

Niagara [naı'ægərə] *n* 1) поток; водопад; 2) грохот; ◇ to shoot ~ решиться на отчаянный шаг.

nib [nıb] **1.** *n* 1) кончик, остриё пера; (металлическое) перо; 2) клюв (*птицы*); 3) выступ, клин, остриё; 4) *амер.* палец, шип; 5) *pl* молотые бобы какао [*ср.* nibs]; **2.** *v* 1) вставлять перо в ручку; 2) чинить (гусиное) перо.

nibble ['nıbl] **1.** *n* 1) обгрызание; откусывание; 2) клёв;

2. *v* 1) обгрызать; откусывать, покусывать (at); щипать (*траву*); 2) клевать (*о рыбах*); 3) есть маленькими кусочками; 4) не решаться, колебаться; 5) придираться (at).

niblick ['nıblık] *n* клюшка (*для игры в гольф*).

nibs [nıbz] *n*: his ~ *sl.* его милость; важная персона.

nice [naıs] *a* 1) хороший, приятный, милый, славный (*тж. ирон.*); a ~ boy хороший парень; ~ weather хорошая погода; a ~ home хорошенький домик; a ~ state of affairs! хорошенькое положение дел!; here is a ~ mess I am in! в хорошенькую переделку я попал!; 2) любезный, внимательный; тактичный; 3) изящный, сделанный (*о манерах, стиле*); 5) острый; тонкий; a ~ ear тонкий слух; a ~ judg(e)ment тонкое, правильное суждение; a ~ observer внимательный, тонкий наблюдатель; a ~ shade of meaning тонкий оттенок значения; a ~ taste in literature хороший, тонкий литературный вкус; 6) требующий большой точности *или* деликатности; a ~ question щекотливый вопрос; negotiations needing ~ handling переговоры, требующие осторожного и тонкого подхода; 7) точный, тонкий, чувствительный (*о механизме*); weighed in the ~st scales взвешено на самых точных весах; 8) сладкий, вкусный; 9) аккуратный; тщательный, подробный, скрупулёзный; 10) разборчивый, привередливый; придирчивый; щепетильный; he is ~ in his food он привередлив в еде; 11) *уст.* своенравный, глупый; 12): ~ and *в соединении с другим прилагательным часто означает* довольно; it is ~ and warm today сегодня довольно тепло; the train is going ~ and fast поезд идёт довольно быстро.

nice-looking ['naıs,lukıŋ] *a* привлекательный; миловидный.

nicely ['naıslı] *adv* 1) хорошо; хорошенько; she is getting on ~ а) она преуспевает; б) она поправляется; it will suit me ~ это мне как раз подойдёт; 2) мило, любезно; приятно; тонко, деликатно.

nicety ['naısıtı] *n* 1) точность, пунктуальность; аккуратность; to a ~ точно, впору, вполне, как следует; 2) разборчивость, привередливость; придирчивость; щепетильность; 3) изящество; утончённость; 4) *уст.* лакомство; 5) *pl* тонкости, детали.

niche [nıtʃ] **1.** *n* 1) ниша; *перен.* убежище; 2) надлежащее место.

2. *v* 1) поместить в нишу; 2) *refl.* найти себе убежище.

Nick [nık] *n* чёрт, дьявол (*обыкн.* Old N.).

nick [nık] **1.** *n* 1) зарубка, засечка, зазубрина; нарезка; 2) трещина, щель, прорез; 3) точный момент; критический момент; in the (very) ~ of time как раз вовремя; 4) *разг.* сужение; шейка; 5) *разг.* тюрьма; (полицейский) участок;

2. *v* 1) делать метку, зарубку; 2) попасть в точку, угадать (*обыкн.* to — it); 3) поспеть вовремя; 4) поймать (*преступника*); 5) разрезать; отрезать, подрезать; 6) *разг.* украсть, стащить; 7) *разг.* обмануть, надуть.

nickel ['nıkl] **1.** *n* 1) *хим.* никель; 2) монета в 5 центов; ◇ ~ nurser *амер. sl.* скупой, скряга; N.! *амер.* о чём задумались? [*ср.* a penny for your thoughts!];

2. *v* никелировать.

nickelage ['nıklıdʒ] = nickel-plating.

nickel-plating ['nıkl,pleıtıŋ] *n тех.* никелирование, никелировка.

nicker [ˈnɪkə] v сев. 1) ржать; 2) хохотáть, гоготáть.

nick-nack [ˈnɪknæk] = knick-knack.

nickname [ˈnɪkneɪm] 1. n 1) прóзвище; 2) уменьшительное ѝмя;
2. v давáть прóзвище.

nicotian [nɪˈkouʃən] 1. a табáчный;
2. n курѝльщик.

nicotine [ˈnɪkətiːn] n никотѝн.

nicotinism [ˈnɪkətiːnɪzəm] n отравлéние никотѝном; вред от чрезмéрного курéния.

nictate [ˈnɪkteɪt] = nictitate.

nictation [nɪkˈteɪʃən] = nictitation.

nictitate [ˈnɪktɪteɪt] v мигáть, моргáть.

nictitating membrane [ˈnɪktɪteɪtɪŋ ˈmembreɪn] n мигáтельная перепóнка (у птиц).

nictitation [ˌnɪktɪˈteɪʃən] n мигáние.

nicy [ˈnaɪsɪ] n дет. конфéтка; леденéц.

nid(d)ering [ˈnɪdərɪŋ] уст. 1. n негодáй, презрéнное существó;
2. a нѝзкий, пóдлый.

niddle-noddle [ˈnɪdl,nɔdl] 1. a трясýщийся;
2. v = nid-nod.

nidge [nɪdʒ] = nig.

nidi [ˈnaɪdaɪ] pl от nidus.

nidificate [ˈnɪdɪfɪkeɪt] v вить гнездó.

nidify [ˈnɪdɪfaɪ] = nidificate.

nid-nod [ˈnɪd,nɔd] v кивáть.

nidus [ˈnaɪdəs] лат. n (pl nidi, -es [-ɪz]) 1) зоол. гнездó (некоторых насекомых); 2) рассáдник болéзней, очáг зарáзы.

niece [niːs] n племя́нница.

nielli [nɪˈelɪ] pl от niello.

niello [nɪˈelou] ит. n (pl -li, -los [-louz]) 1) чернь (на металле); 2) рабóта чéрнью на серебрé; 3) издéлие с чéрнью.

nielloed [nɪˈeloud] a чернёный.

nifty [ˈnɪftɪ] sl. 1. n остроýмное замечáние; óстрое словцó;
2. a 1) мóдный, щегольскóй; стѝльный; 2) отлѝчный.

nig [nɪg] v обтёсывать кáмни.

niggard [ˈnɪgəd] 1. n скупéц, скря́га;
2. a скупóй.

niggardly [ˈnɪgədlɪ] 1. a 1) скупóй, скáредный; 2) скýдный;
2. adv 1) скýпо; 2) скýдно.

nigger [ˈnɪgə] n 1) негр, черномáзый (кличка, даваемая неграм американскими расистами); 2) шоколáдно-корѝчневый цвет; ◇ ~ heaven амер. галёрка.

niggle [ˈnɪgl] v 1) занимáться пустякáми, крохобóрством; размéниваться на мéлочи; 2) одурáчивать, обмáнывать.

niggling [ˈnɪglɪŋ] 1. pres. p. от niggle;
2. a 1) мéлочный; 2) трéбующий тщáтельной, кропотлѝвой рабóты; 3) неразбóрчивый (о почерке).

nigh [naɪ] уст., поэт. 1. a блѝзкий, блѝжний;
2. adv 1) блѝзко; рядом; 2) почтѝ.

night [naɪt] n 1) ночь; вéчер; ~ after ~, ~ by ~ кáждую ночь; all ~ (long) в течéние всей нóчи; всю ночь напролёт; at ~ а) нóчью; б) вéчером; by ~ а) в течéние нóчи; б) под покрóвом нóчи; o' (=on) ~s разг. по ночáм; ~ fell насту-

пѝла ночь; to have a good (bad) ~ хорошó (плóхо) спать ночь; ~ out а) ночь, провéдённая вне дóма (особ. в развлечéниях); б) выходнóй вéчер прислýги; to have a (или the) ~ out а) прокутѝть всю ночь; б) имéть выходнóй вéчер (о прислуге); to have a ~ off имéть свобóдный вéчер; last ~ вчерá вéчером; 2) темнотá, мрак; to go forth into the ~ исчéзнуть во мрáке нóчи; 3) attr. ночнóй, вечéрний; ◇ ~ and day всегдá, непрестáнно; to make a ~ of it прокутѝть всю ночь напролёт; the small ~ пéрвые часы́ пóсле полýночи (1, 2 часа нóчи).

night binoculars [ˈnaɪtbɪˈnɔkjuləz] n pl ночнóй бинóкль.

night-bird [ˈnaɪtbəːd] n 1) ночнáя птѝца; 2) ночнóй гуляка, полунóчник.

night-blindness [ˈnaɪtˈblaɪndnɪs] n мед. курѝная слепотá.

nightcap [ˈnaɪtkæp] n 1) ночнóй колпáк; 2) разг. стакáнчик спиртнóго нá ночь; 3) амер. спорт. финáльное соревновáние.

night-cart [ˈnaɪtkɑːt] n телéга для вы́воза нечистóт, ассенизациóнная телéга.

night-chair [ˈnaɪtʃɛə] n ночнáя посýда, сýдно, горшóк.

night-clothes [ˈnaɪtklouðz] n ночнóе бельё.

night-club [ˈnaɪtklʌb] n ночнóй клуб.

night-dress [ˈnaɪtdres] n ночнáя рубáшка (женская или детская).

nightfall [ˈnaɪtfɔːl] n сýмерки, наступлéние нóчи.

night-fighter [ˈnaɪt,faɪtə] n ав. ночнóй истребѝтель.

night-flower [ˈnaɪt,flauə] n ночнóй цветóк.

night-fly [ˈnaɪtflaɪ] n ночнóй мотылёк, -áя бáбочка.

night-flying [ˈnaɪt,flaɪɪŋ] n ав. ночны́е полёты.

night-glass [ˈnaɪtglɑːs] n ночнóй морскóй бинóкль.

night-gown [ˈnaɪtgaun] = night-dress.

night-hag [ˈnaɪthæg] n 1) вéдьма; 2) кошмáр.

night-hawk [ˈnaɪthɔːk] n 1) = nightjar; 2) проститýтка; 3) ночнóй извóзчик.

nightingale [ˈnaɪtɪŋgeɪl] n соловéй.

nightjar [ˈnaɪtdʒɑː] n козодóй (птица).

night-light [ˈnaɪtlaɪt] n ночнѝк.

night-line [ˈnaɪtlaɪn] n ýдочка с примáнкой, поставленная нá ночь.

night-long [ˈnaɪtlɔŋ] 1. a продолжáющийся всю ночь;
2. adv в течéние всей нóчи, всю ночь.

nightly [ˈnaɪtlɪ] 1. a 1) ночнóй; 2) ежанóщный; случáющийся кáждую ночь;
2. adv нóчью, по ночáм, еженóщно.

nightman [ˈnaɪtmən] n разг. 1) ассенизáтор; 2) ночнóй стóрож.

nightmare [ˈnaɪtmɛə] n 1) кошмáр; 2) миф. ѝнкуб.

nightmarish [ˈnaɪtmɛərɪʃ] a кошмáрный.

night-piece [ˈnaɪtpiːs] n картѝна, изображáющая ночь или вéчер.

night-rider [ˈnaɪt,raɪdə] n амер. кóнный налётчик.

night-robe [ˈnaɪtroub] = night-dress.

night-school [ˈnaɪtskuːl] *n* вечéрняя шкóла, вечéрние кýрсы.

nightshade [ˈnaɪtʃeɪd] *n бот.* паслён; black ~ чёрный паслён; deadly ~ беллáдóнна, сóнная óдурь; woody ~ слáдко-гóрький паслён.

night-shift [ˈnaɪtʃɪft] *n* ночнáя смéна.

night-shirt [ˈnaɪtʃəːt] *n* ночнáя рубáшка (*мужскáя*).

night-soil [ˈnaɪtsɔɪl] *n* нечистóты (*вывозимые нóчью*).

night stick [ˈnaɪtstɪk] *n амер.* дубúнка, котóрой полицéйский воорýжён нóчью.

night-stool [ˈnaɪtstuːl] = night-chair.

night-suit [ˈnaɪtsjuːt] *n* пижáма.

night-time [ˈnaɪttaɪm] *n* ночнóе врéмя, ночь; in the ~ нóчью.

night-walker [ˈnaɪtˌwɔːkə] *n* 1) лунáтик; 2) проститýтка; 3) ночнóй бродя́га.

night-watch [ˈnaɪtˈwɔtʃ] *n* 1) ночнóй дозóр, ночнáя вáхта; in the ~es в бессóнные часы́ нóчи; 2) ночнóй дозóрный.

night-watchman [ˈnaɪtˈwɔtʃmən] *n* ночнóй стóрож.

night-wear [ˈnaɪtwɛə] *n* ночнóе бельё.

nighty [ˈnaɪtɪ] *n* ночнáя рубашóнка.

nigrescence [naɪˈgresəns] *n* 1) почернéние; 2) чернотá.

nigrescent [naɪˈgresənt] *a* чернéющий, темнéющий; черновáтый.

nigritude [ˈnaɪgrɪtjuːd] *n* чернотá; темнотá.

nihilizm [ˈnaɪɪlɪzəm] *n* нигилúзм.

nihilist [ˈnaɪɪlɪst] *n* нигилúст.

nihilistic [ˌnaɪɪˈlɪstɪk] *a* нигилистúческий.

nihility [naɪˈhɪlɪtɪ] *n редк.* небытиé; ничтó, ничтóжность.

nil [nɪl] *n* ничегó, ноль (*особ. при счёте в игре*); ◇ vision ~ никакóй вúдимости.

nilgai [ˈnɪlgaɪ] *n зоол.* антилóпа нильгáу.

Nilotic [naɪˈlɔtɪk] *a* нúльский.

nimbi [ˈnɪmbaɪ] *n pl от* nimbus.

nimble [ˈnɪmbl] *a* 1) провóрный, лóвкий, шýстрый; лёгкий (*в движéниях*); 2) живóй, подвúжный, гúбкий (*об умé*); 3) сообразúтельный; 4) бы́стрый, находчивый (*об отвéте*).

nimbus [ˈnɪmbəs] *n* (*pl* -bi, -es [-ɪz]) 1) нимб, сия́ние, орéол; 2) *метеор.* дождевы́е облакá.

niminy-piminy [ˈnɪmɪnɪˈpɪmɪnɪ] *a* жемáнный, чóпорный, манéрный.

nincompoop [ˈnɪnkəmpuːp] *n* 1) простофúля, дурачóк; 2) бесхарáктерный человéк.

nine [naɪn] 1. *num. card.* дéвять; ◇ ~ days' wonder злóба дня, «грóмкое», но скóро забывáемое собы́тие; ~ men's morris *назвáние старúнной англúйской игры́, напоминáющей шашки*; ~ times out of ten обы́чно; ~ tenths почтú всё;
2. *n* 1) девя́тка; 2) *pl* девя́тый нóмер (*размéр перчáток и т. п.*); 3) *амер. спорт.* комáнда из 9 человéк (*в бейсбóле*); ◇ the N. *миф.* дéвять муз; up to the ~s совершéнно; чрезвычáйно; to crack one up to the ~s превозносúть когó-л. до небéс; dressed up to the ~s расфрáнчённый.

ninefold [ˈnaɪnfould] 1. *a* девятикрáтный;
2. *adv* в дéвять раз бóльше.

nine-killer [ˈnaɪnˌkɪlə] *n зоол.* сорокопýт.

ninepins [ˈnaɪnpɪnz] *n pl* кéгли.

nineteen [ˈnaɪnˈtiːn] *num. card.* девятнáдцать; ◇ to talk (*или* to go) ~ to the dozen говорúть без концá, без ýмолку, трещáть.

nineteenth [ˈnaɪnˈtiːnθ] 1. *num. ord.* девятнáдцатый;
2. *n* 1) девятнáдцатая часть; 2) (the ~) девятнáдцатое числó.

nineties [ˈnaɪntɪz] *n pl* 1) (the ~) девянóстые гóды (*особ. XIX в.*); 2) девя́тый деся́ток (*вóзраст мéжду 89 и 100 годáми*).

ninetieth [ˈnaɪntɪθ] 1. *num. ord.* девянóстый;
2. *n* девянóстая часть.

ninety [ˈnaɪntɪ] 1. *num. card.* девянóсто; ~-one девянóсто одúн; ~-two девянóсто два *и т. д.*; ◇ ~-nine out of a hundred почтú всё.
2. *n* девянóсто (*едúниц, штук*).

ninny [ˈnɪnɪ] *n* дурáк, простофúля.

ninny-hammer [ˈnɪnɪˌhæmə] = ninny.

ninth [naɪnθ] 1. *num. ord.* девя́тый;
2. *n* 1) девя́тая часть; 2) девя́тое числó.

ninthly [ˈnaɪnθlɪ] *adv* в-девя́тых.

niobium [naɪˈoubɪəm] *n хим.* ниóбий.

Nip [nɪp] *n* (*сокр. от* Nipponese) *амер. разг.* 1) япóнец; 2) *attr.* япóнский.

nip [nɪp] 1. *n* 1) щипóк, укýс; 2) откýшенный кусóк; 3) (небольшóй) глотóк; 4) кóлкость, éдкое замечáние; придúрка, обúдный упрёк; 5) рéзкое воздéйствие (*морóза, вéтра на растéния*); 6) сжáтие (*суднá во льдáх*); 7) *тех.* тискú; захвáт; 8) *геол.* нúзкий утёс; 9) *горн.* раздáвливание целикóв, завáл; ◇ ~ and tuck амер. а) плечóм к плечý; врóвень; б) во весь опóр; пóлным хóдом; to freshen the ~ опохмеля́ться;
2. *v* (nipped [-t], nipt) 1) ущипнýть; щипáть; укусúть; тя́пнуть (*о собáке*); прищемúть (*инструмéнтом*); сжимáть (*суднó во льдáх*); 2) побúть, повредúть (*вéтром, морóзом*); 3) пресéчь; to ~ in the bud пресéчь в кóрне; подавúть в зарóдыше; 4) упрекáть; придирáться; 5) отпивáть (*спиртнóе*) мáленькими глоткáми; 6) *sl.* укрáсть, стащúть, стянýть; 7) *sl.* схватúть, арестовáть; 8) *тех.* откусúть, отрéзать; захватúть, зажáть; □ ~ along бы́стро идтú; ~ away *разг.* ускользнýть, удрáть; ~ in(to) вмéшиваться в (*разговóр*); ~ off а) ощúпывать; б) отщипнýть, откусúть; в) удрáть; ~ on ahead стáраться перегнáть.

Nipper [ˈnɪpə] *n амер. разг.* япóнец.

nipper [ˈnɪpə] *n* 1) тот, кто кусáется, кусáка; то, что кусáется, щúплется; 2) *pl* острогýбцы, кусáчки; щипцы́ (*тж.* a pair of ~s); 3) *pl* пенснé (*рáка, крáба*); 5) передний зуб, резéц (*лóшади*); 6) мальчугáн; мáльчик-подрýчный; 7) *sl.* ворúшка, карманник; 8) *pl амер. разг.* кандалы́.

nipping [ˈnɪpɪŋ] 1. *pres. p. от* nip 2;
2. *a* щúплющий; ~ frost сúльный морóз.

nipple ['nɪpl] *n* 1) сосо́к (*груди*); 2) со́ска; 3) буго́р, со́пка; 4) пузы́рь (*в стекле, металле*); 5) *тех.* ни́ппель, соедини́тельная га́йка, па́трубок; 6) *воен.* боёк уда́рника.

nipplewort ['nɪplwɜːt] *n* *бот.* борода́вник.

Nipponese [,nɪpɔ'niːz] 1. *a* япо́нский; 2. *n* япо́нец; япо́нка; the ~ *pl собир.* япо́нцы.

nippy ['nɪpɪ] 1. *a* 1) моро́зный; ре́зкий (*о ветре*); ~ weather холо́дная пого́да; 2) *разг.* прово́рный; 2. *n разг.* официа́нтка, подава́льщица.

nipt [nɪpt] *past и p. p.* = nip 2.

nirvana [nɪə'vɑːnə] *n* нирва́на.

nisei ['niːseɪ] *n* америка́нец япо́нского происхожде́ния.

nisi ['naɪsaɪ] *лат. cj юр.* е́сли не; decree (order, rule) ~ постановле́ние, *особ.* о разво́де (прика́з, пра́вило), вступа́ющее в си́лу с определённого сро́ка, е́сли оно́ не отменено́ до э́того; trial at ~ prius [-'praɪəs] слу́шание гражда́нских дел выездно́й се́ссией суда́.

nit I [nɪt] *n* гни́да.

nit II [nɪt] *n шотл.* оре́х.

niton ['naɪtɔn] *n хим.* нато́н (*прежнее название радона*).

nitrate ['naɪtreɪt] *хим.* 1. *n* соль и́ли эфи́р азо́тной кислоты́; нитра́т; 2. *v* нитри́ровать;

nitration [naɪ'treɪʃən] *n хим.* азоти́рование, нитрова́ние.

nitre ['naɪtə] *n хим.* сели́тра.

nitric ['naɪtrɪk] *a хим.* азо́тный; ~ oxide о́кись азо́та.

nitrification [,naɪtrɪfɪ'keɪʃən] *n хим.* нитрифика́ция.

nitrify ['naɪtrɪfaɪ] *v хим.* 1) нитрифици́ровать; 2) превраща́ться в сели́тру.

nitrite ['naɪtraɪt] *n хим.* соль азо́тистой кислоты́.

nitrogen ['naɪtrɪdʒən] *n хим.* азо́т.

nitrogenous [naɪ'trɔdʒɪnəs] *a хим.* азо́тный.

nitroglycerine ['naɪtrouglɪsə'riːn] *n* нитроглицери́н.

nitrometer [naɪ'trɔmɪtə] *n хим.* нитро́метр.

nitron ['naɪtrɔn] *n* нитро́н (*пластический материал*).

nitrous ['naɪtrəs] *a хим.* азо́тистый; ~ oxide веселя́щий газ, за́кись азо́та.

nitty ['nɪtɪ] *a* вши́вый.

nitwit ['nɪtwɪt] *n sl.* дура́к, ничто́жество, простофи́ля.

nival ['naɪvəl] *a* сне́жный; расту́щий под сне́гом.

nix I [nɪks] *int школ. sl.* будь начеку́!, ти́хо!, осторо́жно!

nix II [nɪks] *sl.* 1. *n* ничего́; нуль; 2. *adv* нет; не.

nix III [nɪks] *n миф.* водяно́й.

nixie ['nɪksɪ] *n миф.* руса́лка.

Nizam [naɪ'zæm] *n* 1) низа́м (*титул правителя Хайдарабада*); 2) туре́цкая а́рмия; 3) (*pl без изм.*) солда́т туре́цкой а́рмии.

no [nou] 1. *adv* 1) нет; по, I cannot нет, не могу́; 2) не (*при сравнит. ст.* = not any, not at all); he is no better today сего́дня ему́ (ниско́лько) не лу́чше; I can wait no longer я не могу́ до́льше ждать; no sooner had he arrived than he fell ill едва́ он успе́л прие́хать, как заболе́л; no less than a) не ме́нее, чем; б) ни бо́льше, ни ме́ньше как; no more не́чего, ничего́ бо́льше; нет (бо́льше); I have no more to say мне не́чего бо́льше сказа́ть; he is no more его́ нет в живы́х, он у́мер; he cannot come, no more can I он не мо́жет прийти́, как и я; 2. *pron. neg.* 1) никако́й (=not any; *перед существительным передаётся обыкн. словом* нет); he has no reason to be offended у него́ нет (никако́й) причи́ны обижа́ться; 2) не (=not a); he is no fool он неглу́п, он не дура́к; no such thing ничего́ подо́бного; no doubt несомне́нно; no wonder неудиви́тельно; 3) *означает запрещение, отсутствие:* no smoking! кури́ть воспреща́ется!; no compromise! никаки́х компроми́ссов!; no special invitations «осо́бых приглаше́ний не бу́дет»; no trumps! без ко́зыря!; no two ways about it a) друго́го вы́хода нет; б) не мо́жет быть двух мне́ний насчёт э́того; by no means нико́им о́бразом; коне́чно, нет; 4) *вместе с отглагольным существительным означает невозможность:* there's no knowing what may happen нельзя́ знать, что мо́жет случи́ться; ◇ no end of о́чень мно́го, мно́жество; we had no end of good time мы превосхо́дно провели́ вре́мя; no cross, no crown *посл.* ≅ без труда́ нет плода́; ≅ го́ря боя́ться, сча́стья не вида́ть; no flies on him его́ не проведёшь; no man никто́; no man's land а) *ист.* бесхо́зная земля́; б) *воен.* «ничья́ земля́», простра́нство ме́жду транше́ями обо́их проти́вников; no matter безразли́чно, нева́жно; no odds нева́жно, не име́ет значе́ния; in no time о́чень бы́стро, в мгнове́ние о́ка; 3. *n* (*pl* noes [nouz]) 1) отрица́ние; two noes make a yes два отрица́ния равны́ утвержде́нию; 2) отка́з; he will not take no он не при́мет отка́за; 3) *pl* голосу́ющие про́тив; the noes have it большинство́ про́тив.

Noah ['nouə] *n библ.* Ной; N.'s ark Но́ев ковче́г.

nob I [nɔb] *sl.* 1. *n* 1) голова́, башка́; 2) козырно́й вале́т (*в некоторых карт. играх*); 2. *v* нанести́ уда́р в го́лову (*в боксе*).

nob II [nɔb] *n разг.* высокопоста́вленное лицо́, осо́ба, фигу́ра, ши́шка.

nobble ['nɔbl] *v sl.* 1) испо́ртить ло́шадь (*перед состязанием*); 2) подкупи́ть; 3) обману́ть; 4) укра́сть; 5) пойма́ть (*преступника и т. п.*).

nobby ['nɔbɪ] *a разг.* изя́щный; мо́дный; шика́рный; крича́щий.

nobiliary [nou'bɪlɪərɪ] *a* дворя́нский; the ~ particle, the ~ prefix дворя́нская приста́вка к и́мени.

nobility [nou'bɪlɪtɪ] *n* 1) дворя́нство; знать; the ~ класс дворя́н; титуло́ванная аристокра́тия (*в Англии; в отличие от* gentry — *нетитулованного дворянства*); 2) благоро́дство, великоду́шие; вели́чие (*ума и т. п.*).

noble I ['noubl] **1.** *a* 1) благоро́дный; великоду́шный; 2) прекра́сный, замеча́тельный; превосхо́дный; 3) вели́чественный, велича́вый; ста́тный; 4) титуло́ванный, зна́тный; 5) *хим.* ине́ртный (*газ*); 6) благоро́дный (*металл*);

2. *n* 1) = nobleman; 2) *ист.* нобль (*старинная англ. золотая монета = 6 шиллингам 8 пенсам*).

noble II ['noubl] *n амер. sl.* глава́рь штрейкбре́херов; надсмо́трщик над штрейкбре́херами.

noble fir ['noubl'fə:] *n бот.* пи́хта благоро́дная.

nobleman ['noublmən] *n* 1) дворяни́н; 2) титуло́ванное лицо́, пэр (*в Англии*).

noble-minded ['noubl'maindid] *a* великоду́шный, благоро́дный.

noble-mindedness ['noubl'maindidnis] *n* великоду́шие, благоро́дство.

nobleness ['noublnis] *n* благоро́дство *и пр.* [*см.* noble I, 1].

noblesse [nou'bles] *фр. n* дворя́нство (*особенно иностранное*);◇ ~ oblige положе́ние обя́зывает.

noblewoman ['noubl,wumən] *n редк.* дворя́нка; супру́га пэ́ра, ле́ди.

nobly ['noubli] *adv* 1) благоро́дно; 2) прекра́сно, превосхо́дно.

nobody ['noubədi] **1.** *pron. neg.* никто́; 2. *n* 1) ничто́жество; «пусто́е ме́сто»; a mere ~ по́лное ничто́жество; titled ~ титуло́ванное ничто́жество; 2) челове́к, не име́ющий ве́са в о́бществе; ◇ ~ home *амер.* ≆ не все до́ма, ви́нтика не хвата́ет.

nock [nɔk] **1.** *n* зару́бка, вы́емка на конце́ лу́ка *или* на стреле́ (*для тетивы*);

2. *v* 1) де́лать зару́бки; 2) натя́гивать тетиву́.

noctambulant [,nɔk'tæmbjulənt] **1.** *a* сомнамбули́ческий;

2. *n* сомна́мбула, луна́тик.

noctambulizm [nɔk'tæmbjulizəm] *n* сомнамбули́зм, лунати́зм.

noctiflorous [,nɔkti'flɔrəs] *a бот.* цвету́щий но́чью.

noctilucous [,nɔkti'lju:kəs] *a* светя́щийся но́чью; фосфоресце́нтный.

noctovision [,nɔktə'viʒən] *n* 1) спосо́бность ви́деть в темноте́; 2) телеви́дение в инфракра́сных луча́х.

noctule ['nɔktju:l] *n зоол.* вече́рница ры́жая.

nocturnal [nɔk'tə:nl] **1.** *a* ночно́й.

2. *n астр.* пасса́жный инструме́нт.

nocturne ['nɔktə:n] *n* 1) *муз.* нокто́рн; 2) *жив.* ночна́я сце́на.

nocuous ['nɔkjuəs] *a* 1) вре́дный; 2) ядови́тый.

nod [nɔd] **1.** *n* 1) киво́к; 2) клева́ние но́сом; дремо́та.

2. *v* 1) кива́ть голово́й (*в знак согласия, приветствия и т. п.*); 2) дрема́ть, клева́ть но́сом; 3) прозева́ть (*что-л.*); 4) наклоня́ться, кача́ться (*о деревьях*); 5) покоси́ться, грози́ть обва́лом (*о зданиях*); ◇

Homer sometimes ~s *посл.* ≆ на вся́кого мудреца́ дово́льно простоты́; вся́кий мо́жет ошиби́ться.

nodal ['noudl] *a* центра́льный; узлово́й.

noddle ['nɔdl] *разг.* **1.** *n* башка́;

2. *v* кива́ть *или* кача́ть голово́й.

noddy ['nɔdi] *n* 1) проста́к, дура́к; 2) глупы́ш (*птица*).

node [noud] *n* 1) *бот.* у́зел; 2) *физ., филос.* узлово́й пункт; 3) *мед.* наро́ст, утолще́ние; 4) *астр.* то́чка пересече́ния орби́т; 5) *мат.* то́чка пересече́ния двух ли́ний.

nodi ['noudai] *pl от* nodus.

nodical ['noudikəl] *a астр.* относя́щийся к то́чке пересече́ния орби́т.

nodose ['noudous] *a* узлова́тый.

nodosity [nou'dɔsiti] *n* 1) узлова́тость; 2) утолще́ние.

nodular, nodulated ['nɔdjulə, -leitid] *a* 1) узелко́вый, узлова́тый, желва́чный; 2) почкови́дный; ~ ore почкови́дная руда́.

nodule ['nɔdju:l] *n* 1) узело́к; 2) *мед.* узелко́вое утолще́ние; 3) *геол.* ру́дная по́чка, желва́к, конкре́ция, дру́за; валу́н, га́лька; 4) *с.-х.* наро́ст на расте́нии, кап.

nodulose, nodulous ['nɔdjulous, -ləs] *a* узлова́тый.

nodus ['noudəs] *n* (*pl* nodi) 1) у́зел; 2) затрудне́ние, сло́жное сплете́ние обстоя́тельств; у́зел (*интриги*).

noetic [nou'etik] *a* 1) духо́вный; интеллектуа́льный; 2) абстра́ктный.

nog I [nɔg] *n* 1) деревя́нный клин *или* гвоздь; на́гель; 2) *горн.* распо́рка руднично́й кре́пи.

nog II [nɔg] *n* 1) род кре́пкого пи́ва; 2) = egg-flip.

noggin ['nɔgin] *n* 1) ма́ленькая кру́жка; 2) че́тверть пи́нты (*мера жидкости = 0,12—0,14 л*); 3) *разг.* голова́.

no go ['nou'gou] безвы́ходное положе́ние, тупи́к [*см. тж.* go 2, 7)].

no good ['nou'gud] *n амер.* нестоя́щий челове́к *или* -ая вещь.

nohow ['nouhau] *adv* ника́к, нико́им о́бразом.

noil [nɔil] *n текст.* гребе́нный очёс, очёски, уга́р гребнечеса́ния.

noise [nɔiz] **1.** *n* 1) шум, гам, гро́хот; гвалт; to make a ~ about smth. поднима́ть шум из-за чего́-л.; to make a ~ in the world устра́ивать, вызыва́ть мно́го шу́ма, то́лков; 2) звук (*обыкн. неприятный*); 3) *радио* искаже́ние зву́ка; 4) *уст.* слух, молва́; ◇ a big ~ хозя́ин, «ши́шка»; to be a lot of ~ *амер.* быть болтуно́м, пустоме́лей;

2. *v* 1) разглаша́ть; распространя́ть; обнаро́довать; 2) *редк.* шуме́ть, крича́ть.

noise-killer ['nɔiz,kilə] *n* шумоглуши́тель.

noiseless ['nɔizlis] *a* 1) бесшу́мный, ти́хий; 2) беззву́чный, безмо́лвный.

noisette I [nwɑ:'zet] *фр. n* (*обыкн. pl*) тефте́ли.

noisette II [nwɑ:'zet] *n бот.* ро́за нуазе́товая.

noisome ['nɔisəm] *a* 1) вре́дный; нездоро́вый; 2) злово́нный; 3) отврати́тельный.

noisy ['nɔɪzɪ] *a* 1) шýмный, шумлúвый; галдя́щий; 2) крича́щий, я́ркий (*о цвете, костюме и т. п.*).

nolens volens ['noulenz'voulenz] = willy-nilly.

noli me tangere ['noulaɪmiː'tændʒɛriː] *лат.* (*букв.*: не прикаса́йся ко мне) *n* 1) недотро́га; 2) *бот.* недотро́га; 3) *мед.* волча́нка.

nolle prosequi ['nɔlɪ'prɔsɛkwaɪ] *лат. юр.* 1. *n* отка́з истца́ от и́ска *или* от ча́сти его́; 2. *v амер.* отказа́ться от обвине́ния (*обыкн. только* nolle *или* nolle prosse).

no-load ['nouloud] *n тех.* холосто́й ход, нулева́я нагру́зка.

nomad ['nɔməd] 1. *n* 1) коче́вник; 2) стра́нник; бродя́га; 2. *a* = nomadic.

nomadic [nou'mædɪk] *a* 1) кочево́й, кочу́ющий; 2) бродя́чий.

nomadism ['nɔmədɪzəm] *n* кочево́й о́браз жи́зни.

nomadize ['nɔmədaɪz] *v* кочева́ть, вести́ кочево́й о́браз жи́зни.

nom de plume ['nɔːmdə'pluːm] *фр. n* псевдони́м.

nomenclative ['noumen,kleɪtɪv] *a* 1) номенклату́рный; 2) терминологи́ческий.

nomenclature [nou'menklətʃə] *n* 1) номенклату́ра; 2) терминоло́гия.

nominal ['nɔmɪnl] *a* 1) номина́льный; ~ price номина́льная цена́; ~ sentence усло́вный пригово́р; 2) именно́й (*тж. грам.*); 3) нарица́тельный.

nominalism ['nɔmɪnəlɪzəm] *n филос.* номинали́зм.

nominally ['nɔmɪnəlɪ] *adv* номина́льно.

nominate ['nɔmɪneɪt] *v* 1) выставля́ть, предлага́ть кандида́та (*на выборах*); 2) назнача́ть (*дату и т. п.; тж. на должность*); 3) *уст.* именова́ть, называ́ть.

nominating ['nɔmɪneɪtɪŋ] 1. *pres. p. от* nominate; 2. *a:* ~ convention *амер.* съезд для вы́боров кандида́та в президе́нты.

nomination [,nɔmɪ'neɪʃən] *n* 1) назначе́ние (*на должность*); 2) выставле́ние кандида́та (*на выборах*); 3) пра́во назначе́ния *или* выставле́ния кандида́та (*при выборах на должность*); 4) *attr.:* ~ day день, когда́ происхо́дит выдвиже́ние кандида́тов.

nominatival [,nɔmɪnə'taɪvəl] *a грам.* относя́щийся к имени́тельному падежу́.

nominative ['nɔmɪnətɪv] 1. *n* 1) *грам.* имени́тельный паде́ж; 2) [*тж.* 'nɔmɪ,neɪtɪv] лицо́, назна́ченное (*на должность*); 2. *a* 1) *грам.* имени́тельный; 2) назна́ченный (*на до́лжность*).

nominator ['nɔmɪneɪtə] *n* лицо́, предлага́ющее кандида́та (*при выборах*) *или* назнача́ющее на до́лжность.

nominee [,nɔmɪ'niː] *n* кандида́т, предло́женный на каку́ю-л. до́лжность *или* вы́двинутый на вы́борах.

non- [nɔn-] *pref* означа́ет отрица́ние; *напр.:* non-conductor непроводни́к — conductor проводни́к; non-essential несуще́ственный — essential суще́ственный.

non-acceptance ['nɔnək'septəns] *n* неприня́тие.

non-access ['nɔn'ækses] *n* невозмо́жность полово́го обще́ния (*юр. термин в исках об отцовстве*).

non-affiliated ['nɔnə'fɪlɪeɪtɪd] *a:* ~ union *амер.* профсою́з, не входя́щий ни в одно́ профсою́зное объедине́ние.

nonage ['nounɪdʒ] *n* несовершенноле́тие; незре́лость.

nonagenarian [,nounədʒɪ'nɛərɪən] 1. *n* челове́к в во́зрасте ме́жду 89 и 100 года́ми; 90-ле́тний (стари́к, -няя стару́ха); 2. *a* в во́зрасте ме́жду 89 и 100 года́ми.

non-aggression pact ['nɔnəg're ʃən'pækt] *n* догово́р, пакт о ненападе́нии.

non-aggressive ['nɔnə'gresɪv] *a* неагресси́вный.

non-alcoholic ['nɔn,ælkə'hɔlɪk] *a* безалкого́льный.

non-appearance ['nɔnə'pɪərəns] *n юр.* нея́вка в суд.

nonary ['nounərɪ] 1. *n* гру́ппа из девяти́; 2. *a* девятери́чный (*о системе счисления*).

non-attendance ['nɔnə'tendəns] *n* непосеще́ние заня́тий.

non-believer ['nɔnbɪ'liːvə] *n* 1) неве́рующий; 2) ске́птик.

non-belligerence ['nɔnbɪ'lɪdʒərəns] *n* неуча́стие в войне́.

non-belligerent ['nɔnbɪ'lɪdʒərənt] *a* невою́ющий, не находя́щийся в состоя́нии войны́.

non-capital ship ['nɔn'kæpɪtl'ʃɪp] *n мор.* кора́бль не лине́йного кла́сса.

nonce [nɔns] *n:* for the ~ специа́льно для да́нного слу́чая; в да́нное вре́мя; вре́менно.

nonce-word ['nɔnswəd] *n* сло́во, образо́ванное то́лько для да́нного слу́чая.

nonchalance ['nɔnʃələns] *n* 1) бесстра́стность; безразли́чие; 2) беззабо́тность; беспе́чность; небре́жность.

nonchalant ['nɔnʃələnt] *a* 1) безразли́чный; бесстра́стный; 2) беззабо́тный; беспе́чный; небре́жный.

non-claim ['nɔn,kleɪm] *n юр.* просро́чка в предъявле́нии и́ска.

non-com [,nɔn'kɔm] *n* (*сокр. от* non-commissioned officer) *разг.* у́нтер-офице́р, сержа́нт.

non-combatant [nɔn'kɔmbətənt] *a* нестроево́й, тылово́й; не уча́ствующий в боевы́х опера́циях.

non-commissioned officer ['nɔnkə'mɪ ʃənd'ɔfɪsə] *n* военнослу́жащий сержа́нтского соста́ва.

non-committal ['nɔnkə'mɪtl] 1. *n* укло́нчивость; 2. *a* уклончивый.

non-communicable ['nɔnkə'mjuːnɪkəbl] *a* незара́зный.

non-compliance ['nɔnkəm'plaɪəns] *n* 1) неподчине́ние; 2) несогла́сие; 3) несоблюде́ние (*with—чего-л.*).

non compos (mentis) [,nɔn'kɔmpəs('mentɪs)] *a юр.* невменя́емый.

non-conducting ['nɔnkən'dʌktɪŋ] *a физ.* непроводя́щий.

non-conductor ['nɔnkən,dʌktə] *n физ.* непроводни́к, диэле́ктрик.

nonconformist ['nɔnkən'fɔːmɪst] *n* секта́нт, диссиде́нт.

nonconformity ['nɔnkən'fɔːmɪtɪ] *n* 1) непринадле́жность к госуда́рственной це́ркви; 2) неподчине́ние; 3) *собир.* диссиде́нты.

non-content ['nɔnkən'tent] *n* 1) недово́льный; несогла́сный; 2) голосу́ющий про́тив предложе́ния (*в пала́те ло́рдов*).

non-co-operation ['nɔnkouˌɔpə'reɪʃən] *n* поли́тика бойко́та, неповинове́ния, отка́з от сотру́дничества.

nondescript ['nɔndɪskrɪpt] 1. *n* челове́к *или* предме́т неопределённого ви́да;
2. *a* неопределённого ви́да, тру́дно определи́мый, неопису́емый.

nondurable ['nɔn'djuərəbl] *a* 1) недолговре́менный, недолгове́чный; 2) *эк.* недли́тельного по́льзования (*о това́рах*).

none [nʌn] 1. *pron. neg.* 1) никто́, ничто́; ни оди́н; he has three daughters, ~ are (*или* is) married у него́ три до́чери, ни одна́ не за́мужем; 2) никако́й; ◇ ~ but никто́ кро́ме, то́лько; ~ of that! переста́нь!;
2. *adv* ниско́лько, совсе́м не; I slept ~ that night *амер.* в ту ночь я совсе́м не спал; ◇ I am ~ the better for it мне от э́того не ле́гче; ~ the less ниско́лько не ме́ньше; тем не ме́нее.

non-effective ['nɔnɪ'fektɪv] 1. *a* недействи́тельный, неприго́дный;
2. *n* солда́т *или* матро́с, него́дный к строево́й слу́жбе (*всле́дствие ране́ния и т. п.*).

nonentity [nɔ'nentɪtɪ] *n* 1) небытие́; 2) несуществу́ющая вещь, фи́кция; 3) ничто́жество, «пусто́е ме́сто» (*о челове́ке*).

nones [nounz] *n pl* но́ны (*в дре́внеримском календаре́ 5-е число́ ме́сяца, но 7-е число́ ма́рта, ма́я, ию́ля, октября́*).

non-essential ['nɔnɪ'senʃəl] 1. *a* несуще́ственный;
2. *n* 1) пустя́к; 2) незначи́тельный челове́к.

nonesuch ['nʌnsʌtʃ] = nonsuch.

nonet [nou'net] *n муз.* нонэ́т.

nonexpendable ['nɔnɪks'pendəbl] *a тех.* не расхо́дующийся при употребле́нии.

non-feasance ['nɔn'fiːzəns] *n юр.* невыполне́ние обяза́тельства, до́лга.

non-ferrous ['nɔn'ferəs] *a* цветно́й (*о мета́лле*).

non-freezing ['nɔn'friːzɪŋ] *a* незамерза́ющий; морозосто́йкий.

non-fulfilment ['nɔnful'fɪlmənt] *n* невыполне́ние.

non-inductive ['nɔnɪn'dʌktɪv] *a* неинду́ктивный; безындукцио́нный.

non-intervention ['nɔnˌɪntə'venʃən] *n* невмеша́тельство.

nonius ['nouniəs] *n* но́ниус, вернье́р.

non-lending ['nɔn'lendɪŋ] *a* без вы́дачи книг на́ дом (*о библиоте́ке*).

non-metal ['nɔnˌmetl] *n* металло́ид, неметалли́ческий элеме́нт.

non-moral ['nɔn'mɔrəl] *a* 1) не относя́щийся к вопро́сам мора́ли, не свя́занный с мора́лью и э́тикой; 2) амора́льный.

non-observance ['nɔnəb'zɔːvəns] *n* несоблюде́ние (*пра́вил и т. п.*).

nonpareil ['nɔnpərel] 1. *n* 1) сорт я́блок; 2) *полигр.* нонпаре́ль;
2. *a* беспод́обный, несравне́нный.

non-partisan [ˌnɔnˌpɑːtɪ'zæn] *a* 1) стоя́щий вне па́ртий; беспарти́йный; 2) беспристра́стный.

non-party [nɔn'pɑːtɪ] *a* беспарти́йный.

non-persistent ['nɔnpə'sɪstənt] *a* несто́йкий; ~ gas несто́йкий газ, несто́йкое отравля́ющее вещество́.

nonplus ['nɔn'plʌs] 1. *n* замеша́тельство, затрудни́тельное положе́ние; at a ~ в тупике́;
2. *v* приводи́ть в замеша́тельство; ста́вить в тупи́к, в затрудни́тельное положе́ние.

non-pollution ['nɔnpə'luːʃən] *n* систе́ма санита́рно-техни́ческих мер (*про́тив загрязне́ния во́здуха и т. п.*).

non-productive [ˌnɔnprə'dʌktɪv] *a* 1) непроизводя́щий; 2) непроизводи́тельный; непродукти́вный.

non-prosequitur ['nɔnprou'sekwɪtə] *лат. n юр.* реше́ние, вы́несенное про́тив истца́ при его́ нея́вке в суд.

non-resident ['nɔn'rezɪdənt] *n* челове́к, не прожива́ющий постоя́нно в одно́м ме́сте; владе́лец, не прожива́ющий в своём поме́стье; свяще́нник, не прожива́ющий в своём прихо́де.

non-resistance [ˌnɔnrɪ'zɪstəns] *n* непротивле́ние; пасси́вное подчине́ние.

non-resistant [ˌnɔnrɪ'zɪstənt] 1. *n* непротивле́нец;
2. *a* не ока́зывающий сопротивле́ния, несопротивля́ющийся.

non-rigid ['nɔn'rɪdʒɪd] *a* 1) *ав.* мя́гкий, нежёсткий (*о дирижа́бле*); 2) *тех.* эласти́чный.

nonsense ['nɔnsəns] 1. *n* 1) вздор, ерунда́, чепуха́, бессмы́слица; clotted (*или* flat) ~ соверше́нная ерунда́; to talk ~ говори́ть глу́пости, нести́ чушь; 2) сумасбро́дство; бессмы́сленные посту́пки; 3) абсу́рд, абсу́рдность; 4) пустяки́;
2. *int* ерунда́!, вздор!, глу́пости, чушь!

nonsensical [nɔn'sensɪkəl] *a* бессмы́сленный, неле́пый, глу́пый.

non-skid ['nɔn'skɪd] 1. *n* приспособле́ние про́тив буксова́ния колёс.
2. *a* нескользя́щий; небуксу́ющий.

non-standard ['nɔn'stændəd] *a* не соотве́тствующий устано́вленным но́рмам (*о языке́*).

non-stop ['nɔn'stɔp] 1. *n* 1) по́езд, авто́бус *и т. п.*, иду́щий без остано́вок; 2) безостано́вочный пробе́г;
2. *a* 1) безостано́вочный; 2) *ав.* беспоса́дочный.

nonsuch ['nʌnsʌtʃ] *n* 1) верх соверше́нства, образе́ц; 2) *бот.* люце́рна хмелеви́дная.

nonsuit ['nɔn'sjuːt] *юр.* 1. *n* прекраще́ние и́ска;
2. *v* отка́зывать в и́ске; прекраща́ть де́ло.

non-term ['nɔn'təːm] *n редк.* переры́в между суде́бными се́ссиями.

non-union I ['nɔn'juːnjən] *a* не состоя́щий чле́ном профсою́за; to employ ~ labour принима́ть на рабо́ту не чле́нов профсою́за.

non-union II ['nɔn'juːnjən] *n мед.* несраста́ние (*перело́ма*).

non-unionist [ˈnɔnˈjuːnjənɪst] *n* не член профсоюза.

nonviolence [nɔnˈvaɪələns] *n* отказ от применения насильственных методов.

noodle I [ˈnuːdl] *n разг.* 1) балда, простак, дурень, блух; 2) голова, башка.

noodle II [ˈnuːdl] *n (обыкн. pl)* лапша.

nook [nuk] *n* 1) угол; 2) укромный уголок, закоулок; 3) глухое, удалённое место; 4) бухточка.

noon [nuːn] *n* 1) полдень; 2) *поэт.* полночь; 3) зенит, расцвет.

noonday [ˈnuːndeɪ] *n* 1) полдень, время около полудня; 2) время наибольшего подъема, процветания; 3) *attr.* полуденный.

no one [ˈnouwʌn] *pron. neg.* никто.

nooning [ˈnuːnɪŋ] *n амер.* 1) полдень; 2) полуденный перерыв; 3) отдых, еда *(в полдень)*

noontide [ˈnuːntaɪd] *n* 1) полдень, время около полудня; 2) *перен.* зенит, расцвет; 3) *attr.* полуденный.

noontime [ˈnuːntaɪm] *n* полдень.

noose [nuːs] 1. *n* 1) петля; аркан; лассо; 2) ловушка, силок; 3) узы супружества; ◇ to put one's neck into the ~ ≌ самому в петлю лезть;
2. *v* 1) поймать арканом, силком; заманить в ловушку; 2) повесить *(преступника).*

nopal [ˈnoupəl] *n* мексиканский кактус.

nope [noup] *adv амер. разг.* нет.

nor [nɔː] *cj* 1) *употр. для выражения отрицания в последующих отриц. предложениях, если в первом содержится* not, never *или* по и... не, также... не; you don't seem to be well. Nor am I вы, по-видимому, нездоровы, и я тоже (нездоров); 2) *употр. для усиления утверждения в отриц. предложении, следующем за утвердительным* также, тоже... не; we are young, ~ are they old мы молоды, и они также не стары; 3): neither... ~ ни... ни; neither hot ~ cold ни жарко ни холодно; 4) *(вместо* neither *в конструкции* neither nor) ни; ~ he ~ I was there ни его, ни меня не было; 5) *поэт. (при опущении предшествующего* neither) ни; thou ~ I have made the world ни ты, ни я не создали мира.

nor'- [nɔː-] *в сложных словах означает* северо-; *напр.:* nor'east северо-восток; nor'west северо-запад.

Nordic [ˈnɔːdɪk] *этн.* 1. *a* северный, нордический, скандинавский;
2. *n* представитель нордической расы.

Norfolk Howard [ˈnɔːfəkˈhauəd] *n sl.* клоп.

Norfolk jacket [ˈnɔːfəkˈdʒækɪt] *n* широкая куртка *(с поясом).*

noria [ˈnouriə] *n тех.* нория; многоковшовый элеватор.

norland [ˈnɔːlənd] *n* северный район.

norm [nɔːm] *n* норма; образец, стандарт.

normal [ˈnɔːməl] 1. *a* 1) нормальный, обыкновенный; обычный; 2) средний, среднеарифметический; 3) *геом.* перпендикулярный;
2. *n* 1) нормальное состояние; 2) нормальный тип, образец, размер; 3) *геом.* нормаль, перпендикуляр; 4) *мед.* нормальная температура; 5) *хим.* нормальный раствор.

normalcy [ˈnɔːməlsɪ] = normality.

normality [nɔːˈmælɪtɪ] *n* нормальность, обычное состояние.

normalization [ˌnɔːməlaɪˈzeɪʃən] *n* нормализация.

normalize [ˈnɔːməlaɪz] *v* нормализовать; нормировать; стандартизировать.

normal school [ˈnɔːməlˈskuːl] *n* педагогическое училище.

Norman [ˈnɔːmən] 1. *n* 1) нормандец; 2) *ист.* норманн; 3) = ~ French [*см.* 2, 2)];
2. *a* 1) нормандский; 2) *ист.* норманский; the ~ Conquest завоевание Англии норманнами *(1066 г.);* ~ French нормандский диалект; ~ style английская архитектура XII в.

Norn [nɔːn] *n (обыкн. pl)* норна *(богиня судьбы в скандинавской мифологии).*

Norse [nɔːs] 1. *n* 1) *ист., поэт.* норвежский язык; Old ~ древнескандинавский язык; 2) *собир.* скандинавы; норвежцы;
2. *a* 1) норвежский; 2) древнескандинавский.

Norseman [ˈnɔːsmən] *n* 1) норвежец; 2) древний скандинав.

north [nɔːθ] 1. *n* 1) север; *мор.* норд; 2) (N.) северная часть страны *(Англии — к северу от залива Хамбер; США — севернее р. Огайо);* 3) норд, северный ветер;
2. *a* 1) северный; 2) обращённый к северу;
3. *adv* к северу, на север, в северном направлении; ~ about *мор.* северным путём, огибая Шотландию; ~ of к северу от; lies ~ and south тянется (в направлении) с севера на юг;
4. *v* двигаться к северу.

north-east [ˈnɔːθˈiːst, *мор.* ˈnɔːrˈiːst] 1. *n* северо-восток; *мор.* норд-ост;
2. *a* северо-восточный;
3. *adv* к северо-востоку, на северо-восток.

north-easter [nɔːθˈiːstə, *мор.* nɔːrˈiːstə] *n* сильный северо-восточный ветер, норд-ост.

north-easterly [nɔːθˈiːstəlɪ, *мор.* nɔːrˈiːstəlɪ] 1. *a* 1) расположенный к северо-востоку от; 2) дующий с северо-востока.
2. *adv* в северо-восточном направлении.

north-eastern [nɔːθˈiːstən] *a* северо-восточный.

north-eastward [nɔːθˈiːstwəd] 1. *adv* в северо-восточном направлении; к северо-востоку;
2. *a* расположенный на северо-востоке;
3. *n* северо-восток.

north-eastwards [nɔːθˈiːstwədz] = north-eastward 1.

norther [ˈnɔːðə] *n* сильный северный ветер *(дующий осенью и зимой на юге США).*

northerly [ˈnɔːðəlɪ] 1. *a* 1) северный *(о ветре);* 2) направленный, обращённый к северу;
2. *adv* к северу.

northern [ˈnɔːðən] 1. *a* 1) северный; 2) дующий с севера;
2. *n* 1) житель севера; 2) северный ветер.

northerner ['nɔːðənə] *n* 1) северя́нин; жи́тель се́вера; 2) (N.) жи́тель се́верных шта́тов США.

northern lights ['nɔːðən'laɪts] *n pl* се́верное сия́ние.

northernmost ['nɔːðənmoust] *a* са́мый се́верный.

northing ['nɔːθɪŋ] *n мор.* 1) но́рдовая ра́зность широ́т; 2) дрейф на се́вер.

Northland ['nɔːθlənd] *n* 1) *поэт.* се́верные стра́ны; 2) се́верные райо́ны (*страны*); 3) скандина́вский полуо́стров.

north light(s) ['nɔːθ'laɪt(s)] *n (pl)* = northern lights.

Northman ['nɔːθmən] *n* 1) жи́тель се́верной Евро́пы; 2) *ист.* дре́вний скандина́в; 3) *ист.* норма́нн.

north-polar ['nɔːθ'poulə] *a* се́верный, поля́рный, аркти́ческий.

Northumbrian [nɔː'θʌmbrɪən] 1. *a* норту́мбрский;
2. *n* 1) жи́тель дре́вней Норту́мбрии *или* совреме́нного Норта́мберленда; 2) се́верный диале́кт а́нгло-саксо́нского языка́; 3) совреме́нный норта́мберлендский диале́кт англи́йского языка́.

northward ['nɔːθwəd] 1. *adv* к се́веру, на се́вер;
2. *a* располо́женный к се́веру от; обращённый на се́вер;
3. *n* се́верное направле́ние.

northwardly ['nɔːθwədlɪ] 1. *adv* к се́веру, на се́вер;
2. *a* 1) напра́вленный на се́вер; располо́женный на се́вере; 2) се́верный (*о ветре*).

northwards ['nɔːθwədz] = northward 1.

north-west ['nɔːθ'west, *мор.* nɔː'west] 1. *n* се́веро-за́пад; *мор.* норд-ве́ст;
2. *a* се́веро-за́падный;
3. *adv* к се́веро-за́паду, на се́веро-за́пад.

north-wester ['nɔːθ'westə, *мор.* nɔː'westə] *n* си́льный се́веро-за́падный ве́тер, норд-ве́ст.

north-westerly ['nɔːθ'westəlɪ, *мор.* nɔː'westəlɪ] 1. *a* 1) располо́женный к се́веро-за́паду от; 2) ду́ющий с се́веро-за́пада;
2. *adv* в се́веро-за́падном направле́нии.

north-western ['nɔːθ'westən] *a* се́веро-за́падный.

north-westward ['nɔːθ'westwəd] 1. *adv* в се́веро-за́падном направле́нии;
2. *a* располо́женный на се́веро-за́паде;
3. *n* се́веро-за́пад.

north-weastwards ['nɔːθ'westwədz] = north-weastward 1.

norwards ['nɔːwədz] = northward 1.

Norwegian [nɔː'wiːdʒən] 1. *a* норве́жский;
2. *n* 1) норве́жец; норве́жка; 2) норве́жский язы́к.

nor'-wester [nɔː'westə] *n* 1) = north-wester; 2) стака́н кре́пкого вина́; 3) *мор.* зюйдве́стка.

nose [nouz] 1. *n* 1) нос; to blow one's ~ сморка́ться; to speak through one's ~ гнуса́вить; говори́ть в нос; 2) обоня́ние, чутьё; to have a good ~ име́ть хоро́шее чутьё; to follow one's ~ а) руково́дствоваться ню́хом, чутьём, инсти́нктом; б) ид-

ти́ пря́мо вперёд; 3) но́сик, ры́льце (*чайника*); го́рлышко; 4) нос, пере́дняя часть (*лодки, самолёта, машины*); 5) *sl.* осведоми́тель, доно́счик; ◇ to count (*или* to tell) ~s а) подсчи́тывать число́ прису́тствующих; б) подсчи́тывать голоса́; в) подсчи́тывать число́ свои́х сторо́нников; to bite (*или* to snap) smb.'s ~ off огрызну́ться, ре́зко отве́тить; to make one's ~ swell вызыва́ть си́льную за́висть *или* ре́вность; to pay through the ~ плати́ть бе́шеную це́ну; перепла́чивать; to wipe another's ~ обма́нывать, надува́ть кого́-л.; to cut off one's ~ to spite one's face в поры́ве зло́сти де́йствовать во вред самому́ себе́; причиня́ть вред себе́, жела́я досади́ть друго́му; white ~ небольша́я волна́ с бе́лым гре́бнем; as plain as the ~ on one's face соверше́нно я́сно; to get it on the ~ получи́ть взбу́чку; to turn up one's ~ at относи́ться с презре́нием к; задира́ть нос пе́ред *кем-л.*;
2. *v* 1) обоня́ть, чу́ять, ню́хать; 2) разню́хать, вы́ведать (*тж.* ~ out); выи́скивать, высле́живать (after, for); 3) тере́ться но́сом; 4) осторо́жно продвига́ться вперёд (*о судне*); 5) сова́ть (свой) нос (into); □ ~ over *ав.* капоти́ровать; ~ up *ав.* задира́ть самолёт.

nosebag ['nouzbæg] *n* 1) то́рба (*для лошади*); 2) *sl.* противога́з; 3) *sl.* корзи́нка *или* су́мка с за́втраком.

noseband ['nouzbænd] *n* перено́сье, нахра́пник (*уздечки*).

nose-bleed ['nouzbliːd] *n* 1) кровотече́ние из но́са; 2) *бот.* тысячеле́тник.

nosedive ['nouzdaɪv] 1. *n* 1) *ав.* пики́рование, пике́; to fall into a ~ пики́ровать; 2) неожи́данное нападе́ние;
2. *v* пики́ровать.

nosegay ['nouzgeɪ] *n* буке́т цвето́в.

nose-heavy ['nouz'hevɪ] *a ав.* перетяжелённый на нос.

noseless ['nouzlɪs] *a* безно́сый.

nose-over ['nouz'ouvə] *n ав.* капоти́рование.

nose-piece ['nouzpiːs] *n* 1) = noseband; 2) носо́к (*двигателя*); пере́дняя часть; 3) *тех.* наконе́чник, сопло́, брандспо́йт.

noser ['nouzə] *n* 1) си́льный встре́чный ве́тер; 2) *sl.* челове́к, кото́рый всю́ду суёт свой нос.

noserag ['nouzræg] *n разг.* носово́й плато́к.

nosering ['nouzrɪŋ] *n* ноздрево́е кольцо́ (*для быков, волов*).

nosewarmer ['nouz,wɔːmə] *n разг.* носогре́йка.

nosey ['nouzɪ] *a разг.* 1) носа́тый; 2) облада́ющий то́нким обоня́нием; 3) любопы́тный; проны́рливый; to get ~ проню́хать; N. Parker челове́к, кото́рый всю́ду суёт свой нос; 4) ду́рно па́хнущий, сопре́вший (*о сене*); 5) арома́тный (*о чае*).

nosing I ['nouzɪŋ] 1. *pres. p. от* nose 2;
2. *n ав.* капоти́рование.

nosing II ['nouzɪŋ] *n* предохрани́тельная око́вка (*углов, ступенек и т. п.*).

nosogenic ['nɔsə'dʒenɪk] *a* патоге́нный, болезнетво́рный.

nosology [nɔ'sɔlədʒɪ] *n мед.* нозоло́гия.

nostalgia [nɔs'tældʒɪə] *n* 1) тоска́ по ро́дине, ностальги́я; 2) тоска́ по про́шлому.

nostril ['nɔstrɪl] *n* ноздря́.

nostrum ['nɔstrəm] *n* 1) патенто́ванное сре́дство, реклами́руемое как панаце́я от всех боле́зней; 2) излю́бленный приём (*политической партии*).

nosy ['nouzɪ] *a* = nosey.

not [nɔt] *adv* не, нет, ни (*в соединении с вспомогательными и модальными глаголами принимает в разг. речи форму* n't [nt]: isn't, don't, didn't, can't *и т. п.*); I know ~ *уст.* (= I do ~ know) я не зна́ю; it is cold, is it ~ (*или* isn't it)? хо́лодно, не пра́вда ли?; it is ~ cold, is it? нехо́лодно, пра́вда?; ~ a few мно́гие; нема́ло; ~ too well дово́льно скве́рно; ◇ ~ at all а) ниско́лько, ничу́ть; б) не сто́ит (благода́рности); ~ a bit of it ниско́лько; ~ but, ~ but that, ~ but what хотя́; не то что́бы; ~ half о́чень, си́льно; ещё как!; ~ for the world ни за что́ на све́те; ~ in the least ниско́лько; he won't pay you, ~ he! он-то вам не запла́тит, э́то уж пове́рьте!; I won't go there, ~ I я́-то уж не пойду́ туда́.

notability [,noutə'bɪlɪtɪ] *n* 1) знамени́тость; изве́стный, знамени́тый челове́к; 2) изве́стность; 3) значи́тельность.

notable ['noutəbl] 1. *a* 1) достопримеча́тельный, выдаю́щийся; 2) заме́тный; значи́тельный; 3) [обыкн. 'nɔtəbl] *уст.* хозя́йственный (*о женщине*);
2. *n* 1) выдаю́щийся челове́к; 2) *ист.* нота́бль.

notably ['noutəblɪ] *adv* исключи́тельно, осо́бенно, весьма́.

notarial [nou'tɛərɪəl] *a* нотариа́льный.

notarize ['noutəraɪz] *v* заве́рить, засвиде́тельствовать нотариа́льно.

notary ['noutərɪ] *n* нота́риус.

notation [nou'teɪʃən] *n* 1) нота́ция, изображе́ние усло́вными зна́ками, ци́фрами, бу́квами *и т. п.*; musical ~ но́тная за́пись; scale of ~ *мат.* систе́ма счисле́ния; 2) совоку́пность усло́вных зна́ков, применя́емых для сокращённого выраже́ния каки́х-л. поня́тий; 3) за́пись, запи́сывание; 4) примеча́ние.

notch [nɔtʃ] 1. *n* 1) вы́емка, ме́тка, зару́бка (*особ. на бирке*); зазу́брина, боро́здка, желобо́к, у́тор (*бочки*); зубе́ц (*храповика*); пропи́л, проре́з, вы́рез, паз; 2) *уст.* очко́ (*в крикете*); 3) *амер.* тесни́на, уще́лье; го́рный перева́л; 4) *разг.* ступе́нь; у́ровень; prices have reached the highest ~ це́ны дости́гли вы́сшего у́ровня; he is a ~ above the others он значи́тельно вы́ше други́х;
2. *v* зоруба́ть, де́лать ме́тку; прореза́ть.

notch wheel ['nɔtʃwi:l] *n тех.* храпови́к, храпово́е колесо́.

note [nout] 1. *n* 1) (*обыкн. pl*) заме́тка, за́пись; to take (*или* to make) a ~ of smth. приня́ть что-л. к све́дению; to take ~s of a lecture запи́сывать ле́кцию; to lecture from ~s чита́ть ле́кцию по запи́скам; 2) примеча́ние; сно́ска; 3) запи́ска; 4) распи́ска; ~ of hand, promissory ~ долгова́я

распи́ска; 5) банкно́т, ба́нковский биле́т; 6) (дипломати́ческая) но́та; 7) *муз.* но́та; 8) звук, пе́ние; крик; the raven's ~ крик (*или* ка́рканье) воро́на; 9) *поэт.* му́зыка, мело́дия; 10) сигна́л; a ~ of warning предупрежде́ние; 11) характе́рный при́знак; но́тка, тон; there's a ~ of assurance in his voice в его́ го́лосе слы́шится уве́ренность; to change one's ~ перемени́ть тон, заговори́ть по-ино́му; to strike the right ~ взять ве́рный тон; попа́сть в тон; 12) зна́мение, си́мвол, знак; 13) знак (*тж. по-лигр.*); ~ of interrogation (exclamation) вопроси́тельный (восклица́тельный) знак; 14) клеймо́; 15) репута́ция; изве́стность; a man of ~ выдаю́щийся челове́к; 16) внима́ние; to take ~ of smth. обрати́ть внима́ние на что-л.; worthy of ~ досто́йный внима́ния, ◇ to compare ~s обме́ниваться мне́ниями, впечатле́ниями;
2. *v* 1) де́лать заме́тки, примеча́ния; запи́сывать; 2) замеча́ть, обраща́ть внима́ние, отмеча́ть; 3) упомина́ть; 4) ука́зывать, обознача́ть; 5) анноти́ровать (*книгу и т.п.*); 6) *фин.* опротесто́вывать.

notebook ['noutbuk] *n* записна́я кни́жка.

notecase ['noutkeɪs] *n* бума́жник.

noted ['noutɪd] 1. *p.p. от* note 2;
2. *a* знамени́тый, (хорошо́) изве́стный.

notedly ['noutɪdlɪ] *adv* в значи́тельной сте́пени; заме́тно.

noteless ['noutlɪs] *a* 1) незаме́тный; 2) немузыка́льный.

note magnifier ['nout'mægnɪfaɪə] *n ра-дио* усили́тель звуково́й частоты́.

note-paper ['nout,peɪpə] *n* почто́вая бума́га.

note shaver ['nout,ʃeɪvə] *n амер.* ростовщи́к.

noteworthy ['nout,wə:ðɪ] *a* заслу́живающий внима́ния; достопримеча́тельный.

nothing ['nʌθɪŋ] 1. *pron. neg.* ничто́, ничего́; ~ but то́лько; ничего́ кро́ме; ~ else than не что ино́е, как; ~ very much *разг.* ничего́ осо́бенного; ~ of the kind ничего́ подо́бного; all to ~ всё ни к чему́; to come to ~ ко́нчиться ниче́м; не име́ть после́дствий; for ~ зря, без по́льзы; да́ром; из-за пустяка́; to get smth. for ~ получи́ть что-л. да́ром; to have ~ to do with не каса́ться, не име́ть никако́го отноше́ния к; не име́ть ничего́ о́бщего с; to make ~ of smth. а) ника́к не испо́льзовать что-л.; б) не поня́ть чего-л.; в) пренебрега́ть чем-л., легко́ относи́ться к чему́-л.; next to ~ почти́ ничего́; о́чень ма́ло; ◇ по ~ реши́тельно ничего́; ~ doing ничего́ не вы́йдет, но́мер не пройдёт; to be for ~ in не игра́ть никако́й ро́ли в; не ока́зывать никако́го влия́ния на; ~ venture ~ have *посл.* ≈ волко́в боя́ться — в лес не ходи́ть; кто не риску́ет, тот не име́ет;
2. *n* 1) пустяки́, ме́лочи; a mere ~ пустя́к; the little ~s of life ме́лочи жи́зни; 2) небытие́, нереа́льность; 3) ноль; пусто́е ме́сто; 4) *мат.* ноль.
3. *adv* ниско́лько, совсе́м нет; it differs ~ from э́то ниско́лько не отлича́ется от; ~ less than пря́мо-таки, положи́тельно.

nothingarian [ˌnʌθɪŋˈɛərɪən] *n* человек, не верящий ни во что.

nothingness [ˈnʌθɪŋnɪs] *n* 1) ничто, небытие; 2) несущественность; пустяки; 3) ничтожество.

notice [ˈnoutɪs] 1. *n* 1) извещение, уведомление; предупреждение; to give smb. a month's (a week's) ~ предупредить кого-л. (*часто об увольнении*) за месячный (недельный) срок; to give ~ а) извещать, уведомлять; б) предупреждать о предстоящем увольнении; at (*или* on) short ~ тотчас же; at a moment's ~ немедленно; till further ~ до особого распоряжения; 2) наблюдение; to take ~ а) наблюдать, примечать; б) проявлять признаки соображения (*о ребёнке*); 3) внимание; to bring to smb.'s ~ а) привлекать чьё-л. внимание; б) доводить до сведения кого-л.; to come into ~ привлечь внимание; to take no ~ of smb., smth. не замечать кого-л., чего-л., не обращать внимания на кого-л., что-л.; to your ~ на ваше усмотрение; 4) заметка, объявление; obituary ~ объявление о смерти; краткий некролог; 5) обозрение, рецензия;

2. *v* 1) замечать, обращать внимание; 2) отмечать, упоминать; 3) предупреждать; 4) давать обзор, рецензировать; 5) *редк.* относиться внимательно, вежливо.

noticeable [ˈnoutɪsəbl] *a* 1) достойный внимания; 2) заметный, приметный.

noticeably [ˈnoutɪsəblɪ] *adv* заметно, значительно.

notice-board [ˈnoutɪsbɔːd] *n* доска для объявлений.

notifiable [ˈnoutɪfaɪəbl] *a* подлежащий регистрации (*о некоторых инфекционных болезнях*).

notification [ˌnoutɪfɪˈkeɪʃən] *n* 1) извещение, сообщение; предупреждение; нотификация; 2) объявление.

notify [ˈnoutɪfaɪ] *v* 1) извещать, уведомлять; 2) объявлять; доводить до всеобщего сведения; 3) давать сведения.

notion [ˈnouʃən] *n* 1) понятие; представление; идея; to have no ~ of smth. не иметь ни малейшего представления о чём-л.; 2) взгляд, мнение; точка зрения; 3) знание, знакомство; 4) намерение; I have no ~ of resigning я не собираюсь подавать в отставку; 5) *pl унив. sl.* характерное выражение, обычай *или* традиция студентов Винчестерского колледжа; 6) изобретение, остроумное приспособление, прибор; 7) *pl амер.* мелкие необходимые предметы — нитки, булавки *и пр.*; галантерея; 8) *attr.*: ~ department галантерейный отдел.

notional [ˈnouʃənl] *a* 1) *филос.* умозрительный; отвлечённый; 2) воображаемый; 3) *лингв.* значимый, смысловой.

notionalist [ˈnouʃnəlɪst] *n* 1) мыслитель; 2) теоретик.

notoriety [ˌnoutəˈraɪətɪ] *n* 1) дурная слава; 2) известность; 3) знаменитость; 4) человек, пользующийся дурной славой.

notorious [nouˈtɔːrɪəs] *a* 1) известный; it is ~ that хорошо известно, что; 2) поль-

зующийся дурной славой; отъявленный, заведомый; пресловутый.

no-trump [ˈnouˈtrʌmp] *карт.* 1. *n* бескозырная игра;
2. *a* бескозырный.

notwithstanding [ˌnɔtwɪθˈstændɪŋ] 1. *prep* несмотря на, вопреки; this ~ несмотря на это;
2. *adv* тем не менее, однако;
3. *cj уст.* хотя.

nougat [ˈnuːgɑː] *n* нуга.

nought [nɔːt] *n* 1) ничто; to bring to ~ а) разорять; б) сводить на нет; to come to ~ сойти на нет; не иметь (никакого) успеха; for ~ даром; зря, без пользы; из-за пустяка; to set at ~ ни во что не ставить; 2) ничтожество (*о человеке*); 3) *мат.* ноль; ~s and crosses крестики и нолики (*игра*).

noun [naun] *n грам.* имя существительное.

nourish [ˈnʌrɪʃ] *v* 1) питать, кормить; 2) питать, лелеять (*надежду и т. п.*); 3) *уст.* выращивать.

nourishing [ˈnʌrɪʃɪŋ] 1. *pres. p. от* nourish;
2. *a* питательный.

nourishment [ˈnʌrɪʃmənt] *n* 1) питание; 2) пища; поддержка.

nous [naus] *n* 1) *филос.* ум; разум, интеллект; 2) *разг.* здравый смысл; смётка, сообразительность.

nouveau riche [ˈnuːvouˈriːʃ] *фр. n* (*pl* nouveaux riches) нувориш, богатый выскочка.

nouveaux riches [ˈnuːvouˈriːʃ] *pl от* nouveau riche.

nova [ˈnouvə] *лат. n* (*pl* -ae, -s [-z]) 1) *астр.* новооткрытая звезда *или* туманность; 2) новинка.

novae [ˈnouviː] *pl от* nova.

novation [nouˈveɪʃən] *n* 1) нововведение, новшество; 2) *юр.* новация, замена существующего обязательства новым.

novel I [ˈnɔvəl] *n* 1) роман; problem ~ тенденциозный роман; 2) новелла; 3) *pl* сборник новелл; 4) *юр.* новелла, дополнительное узаконение.

novel II [ˈnɔvəl] *a* новый, неизведанный.

novel III [ˈnɔvəl] *n* новый хлеб; зерно нового урожая.

novelese [ˌnɔvəˈliːz] *n* язык и стиль дешёвых романов.

novelet [ˈnɔvəlet] *n* повесть; рассказ; новелла.

novelette [ˌnɔvəˈlet] = novelet.

novelise [ˈnɔvəlaɪz] = novelize.

novelist [ˈnɔvəlɪst] *n* писатель-романист.

novelize I [ˈnɔvəlaɪz] *v* придавать (*произведению*) форму романа.

novelize II [ˈnɔvəlaɪz] *v* 1) обновлять; 2) вводить новшество.

novelty [ˈnɔvəltɪ] *n* 1) новизна; 2) новость, новинка, новшество; 3) *attr.*: ~ counter прилавок с разложенными на нём новинками; ~ store магазин новинок.

novel-writer [ˈnɔvəlˌraɪtə] *n* романист.

November [nouˈvembə] *n* 1) ноябрь; 2) *attr.* ноябрьский.

novennial [nouˈvenjəl] *a* повторяющийся каждые девять лет.

novercal [nou'vɜːkəl] *a* прису́щий, сво́йственный ма́чехе (*об отношении и т. п.*).

novice ['nɔvɪs] *n* 1) начина́ющий, новичо́к; 2) послу́шник; послу́шница; 3) новообращённый.

noviciate, novitiate [nou'vɪʃɪɪt] *n* 1) послу́шничество; 2) испыта́ние, и́скус; 3) учени́чество, перио́д учени́чества; 4) послу́шник; послу́шница.

now [nau] **1.** *adv* 1) тепе́рь, сейча́с; 2) то́тчас же, сию́ же мину́ту; 3): just (*или* but) ~ то́лько что; 4) тогда́, в то вре́мя (*в повествовании*); it was ~ clear that... тогда́ ста́ло я́сно, что...; ◇ ~ and again, ~ and then вре́мя от вре́мени; ~... ~... то... то...; ~ hot, ~ cold то жа́рко, то хо́лодно; ~ (then)! а) ну!; б) скоре́й!; дава́йте!; ~ then так вот, ита́к;

2. *cj* когда́, раз; I need not stay, ~ you are here мне не́чего остава́ться, раз вы здесь; ~ you mention it I do remember тепе́рь, когда́ вы упомяну́ли об э́том, я припомина́ю;

3. *n* настоя́щее вре́мя; да́нный моме́нт; before ~ ра́ньше; by ~ к э́тому вре́мени; ere ~ пре́жде; till ~, up to ~ до сих пор.

nowaday ['nauədeɪ] *a* тепе́решний.

nowadays ['nauədeɪz] **1.** *adv* в на́ше вре́мя; в на́ши дни; тепе́рь;

2. *n* настоя́щее вре́мя.

noway(s) ['nouweɪ(z)] = nowise.

nowhere ['nouwɛə] *adv* нигде́; никуда́; ~ near нигде́ поблизости; б) ни ка́пли, ниско́лько; to be (*или* to come in) ~ а) не попа́сть в список уча́стников состяза́ния; б) безнадёжно отста́ть; в) потерпе́ть пораже́ние.

nowhither ['nouwɪðə] *adv* уст. нигде́; никуда́.

nowise ['nouwaɪz] *adv* нико́им о́бразом, ни в ко́ем слу́чае; во́все нет.

noxious ['nɔkʃəs] *a* вре́дный, па́губный, нездоро́вый; ~ air ядови́тый рудни́чный во́здух; ~ plants ядови́тые расте́ния.

noxiousness ['nɔkʃəsnɪs] *n* вред.

noyau ['nwaiou] *фр. n* ликёр (*на персиковых косточках*).

nozzle ['nɔzl] *n* 1) но́сик (*напр., чайника*); 2) *тех.* наса́дка, сопло́, форсу́нка; выпускно́е отве́рстие; брандспо́йт, наконе́чник; 3) розе́тка (*подсвечника*); 4) *sl.* нос; ры́ло.

n't [nt] *разг. см.* not.

nth [enθ] *a мат.* э́нный; ◇ to the ~ degree до после́дней сте́пени.

nuance [njuː'ãːns] *фр. n* нюа́нс, отте́нок.

nub [nʌb] *n* 1) *редк.* ши́шка; утолще́ние; 2) = nubble; 3) *амер. разг.* суть, соль (*дела, рассказа*).

nubbin ['nʌbɪn] *n амер.* 1) кусо́чек, ко́мочек; 2) небольшо́й незре́лый поча́ток кукуру́зы.

nubble ['nʌbl] *n* небольшо́й комо́к, кусо́к (*особ. угля*).

nubbly ['nʌblɪ] *a* 1) узлова́тый; ши́шкова́тый; 2) кусково́й, в куска́х.

nubia ['njuːbjə] *n* лёгкий же́нский шерстяно́й шарф.

Nubian ['njuːbjən] **1.** *a* нуби́йский; **2.** *n* нуби́ец.

nubile ['njuːbɪl] *a* 1) бра́чный (*о возрасте*); 2) дости́гший бра́чного во́зраста.

nubility [njuː'bɪlɪtɪ] *n* бра́чный во́зраст.

nuchal ['njuːkəl] *a* заты́лочный.

nuciferous [njuː'sɪfərəs] *a бот.* орехопло́дный.

nucivorous [njuː'sɪvərəs] *a зоол.* пита́ющийся оре́хами.

nuclear ['njuːklɪə] *a* 1) я́дерный; ~ energy эне́ргия а́томного ядра́; я́дерная эне́ргия, внутриа́томная эне́ргия; ~ fission а) я́дерное деле́ние; б) при́нцип устро́йства а́томной бо́мбы; ~ fuel я́дерное горю́чее, я́дерное то́пливо; ~ physics я́дерная фи́зика; ~ reactor я́дерный реа́ктор; ~ test испыта́ние термоя́дерной бо́мбы; ~ weapons я́дерное ору́жие; 2) содержа́щий ядро́.

nucleate ['njuːklɪeɪt] **1.** *v* образо́вывать ядро́;

2. *a* = nuclear.

nuclei ['njuːklɪaɪ] *pl от* nucleus.

nucleonics [,njuːklɪ'ɔnɪks] *n pl* (*употр. как sing*) я́дерная фи́зика и те́хника.

nucleus ['njuːklɪəs] *лат. n* (*pl* -lei) 1) ядро́; центр; 2) ядро́ а́тома, а́томное ядро́; 3) *бот.* ко́сточка (*плода*); 4) *биол.* заро́дыш; 5) не́рвный центр (*в головно́м мозгу́*).

nucule ['njuːkjuːl] *n* оре́шек, ме́лкий оре́х.

nude [njuːd] **1.** *n* 1) обнажённая фигу́ра (*в жи́вописи, скульпту́ре*); the ~ а) обнажённая фигу́ра (*в жи́вописи, скульпту́ре*); б) обнажённое те́ло; in the ~ в го́лом ви́де; 2) *pl* то́нкие чулки́, «паути́нка»;

2. *a* 1) наго́й; обнажённый; го́лый; 2) теле́сного цве́та; 3) *бот.* лишённый ли́стьев; 4) *зоол.* лишённый воло́с, пе́рьев, чешуи́ *и т. п.*; 5) неприкры́тый, я́сный; a ~ fact очеви́дный факт; a ~ statement определённое, я́сное заявле́ние; 6) *юр.* недействи́тельный.

nudge [nʌdʒ] **1.** *n* лёгкий толчо́к ло́ктем; to give a ~ подтолкну́ть;

2. *v* слегка́ подта́лкивать ло́ктем (*особ. чтобы привле́чь чьё-л. внима́ние*).

nudity ['njuːdɪtɪ] *n* 1) нагота́; 2) обнажённая часть те́ла.

nuf sed, nuff said ['nʌf,sed] *int амер. sl.* (*испорч.* enough said) доста́точно; я понима́ю; «договори́лись».

nugatory ['njuːgətərɪ] *a* 1) пустя́чный; 2) недействи́тельный; 3) бесполе́зный, тще́тный.

nuggar ['nʌgə] *n* ни́льская ба́ржа.

nugget ['nʌgɪt] *n* саморо́док (*зо́лота*).

nuisance ['njuːsns] *n* 1) доса́да; неприя́тность; what a ~! кака́я доса́да!; 2) надое́дливый челове́к; to make a ~ of oneself надоеда́ть; 3) поме́ха, неудо́бство; public ~ наруше́ние обще́ственного поря́дка.

null [nʌl] *a* 1) недействи́тельный; ~ and void потеря́вший зако́нную си́лу (*о догово́ре*); 2) несуществу́ющий; 3) нехаракте́рный, невырази́тельный.

nullah ['nʌlə] *n* англо-инд. 1) руче́й, пото́к; 2) уще́лье, образова́вшееся от пото́ка; 3) вы́сохшее ру́сло.

nullification [,nʌlɪfɪ'keɪʃən] *n* аннули́рование, уничтоже́ние.

nullify ['nʌlɪfaɪ] *v* аннули́ровать; де́лать недействи́тельным; своди́ть к нулю́.

nullity ['nʌlɪtɪ[*n* 1) ничто́жность; 2) *юр.* недействи́тельность; ~ of marriage недействи́тельность бра́ка; 3) ничто́жество (*о челове́ке*); 4) *attr.*:~ suit де́ло о призна́нии недействи́тельным (*докуме́нта, бра́ка и т. п.*).

numb [nʌm] **1.** *a* 1) онеме́лый, оцепене́лый; 2) окочене́лый (*от хо́лода*);
2. *v* вызыва́ть онеме́ние *или* окочене́ние; *перен.* поража́ть, ошеломля́ть.

number ['nʌmbə] **1.** *n* 1) число́, коли́чество; in ~ чи́сленно, коли́чеством; in (great) ~s a) в большо́м коли́честве; б) значи́тельными си́лами; out of ~ без числа́; a ~ (*или* ~s) of people мно́го наро́ду; 2) но́мер; motor-car's ~ но́мер автомаши́ны; 3) *мат.* су́мма, число́, ци́фра; science of ~ арифме́тика; 4) вы́пуск, но́мер, экземпля́р (*журна́ла и т. п.*); 5) *грам.* число́; 6) *pl прос.* стихи́; 7) *прос.* ритм, разме́р; 8) *разг.* образе́ц, обра́зчик; ◇ ~ опе (*или* No. 1) своё «я»; со́бственная персо́на; his ~ goes up *sl.* он умира́ет; to lose the ~ of one's mess *sl.* умере́ть;
2. *v* 1) нумерова́ть; 2) *воен.* рассчи́тываться; to ~ off де́лать перекли́чку по номера́м; 3) чи́слиться, быть в числе́ (among, in); 4) насчи́тывать; the population ~s 5000 населе́ние составля́ет 5000 челове́к; 5) *уст.* счита́ть, пересчи́тывать; his days are ~ed его́ дни сочтены́; 6) причисля́ть, зачисля́ть; to be ~ed with быть сопричи́сленным к.

numberless ['nʌmbəlɪs] *a* 1) бесчи́сленный, неисчисли́мый; 2) не име́ющий но́мера.

numb-fish ['nʌmfɪʃ] *n зоол.* электри́ческий скат.

numbness ['nʌmnɪs] *n* 1) оцепене́ние, нечувстви́тельность; 2) окочене́ние.

numdah ['nʌmdɑː] = numnah.

numerable ['njuːmərəbl] *a* исчисли́мый, поддаю́щийся счёту.

numeral ['njuːmərəl] **1.** *n* 1) ци́фра; the Arabic (Roman) ~s ара́бские (ри́мские) ци́фры; 2) *грам.* и́мя числи́тельное;
2. *a* числово́й; цифрово́й.

numerate ['njuːməreɪt] *v* 1) счита́ть; 2) обознача́ть ци́фрами.

numeration [ˌnjuːmə'reɪʃən] *n* 1) исчисле́ние, счёт; decimal ~ десяти́чная систе́ма счисле́ния; 2) нумера́ция.

numerator ['njuːməreɪtə] *n* 1) *мат.* числи́тель; 2) вычисли́тель; 3) *тех.* нумера́тор, счётчик.

numerical [njuː'merɪkəl] *a* числово́й; цифрово́й.

numerically [njuː'merɪkəlɪ] *adv* 1) с по́мощью цифр, в ци́фрах; expressed ~ вы́раженный в ци́фрах; 2) в числово́м отноше́нии.

numerous ['njuːmərəs] *a* 1) многочи́сленный; 2) *уст., поэт.* ритми́чный.

numerously ['njuːmərəslɪ] *adv* в большо́м коли́честве.

numismatic [ˌnjuːmɪz'mætɪk] *a* нумизмати́ческий.

numismatics [ˌnjuːmɪz'mætɪks] *n pl* (*употр. как sing*) нумизма́тика.

numismatist [njuː'mɪzmətɪst] *n* нумизма́т.

nummary, nummulary ['nʌmərɪ, 'nʌmjulərɪ] *a* де́нежный, моне́тный.

numnah ['nʌmnɑː] *n* англо-инд. 1) во́йлок, гру́бое сукно́; 2) потни́к (*под седло́м*).

numskull ['nʌmskʌl] *n* о́лух, дура́цкая башка́, тупи́ца.

nun [nʌn] *n* 1) мона́хиня; 2) *зоол.* лазо́ревка.

nun-bird ['nʌnbəːd] *n* вдо́вушка (*пти́ца*).

nun-buoy ['nʌnbɔɪ] *n мор.* кони́ческий буй.

nuncheon ['nʌnʃən] *n диал.* за́втрак.

nunciature ['nʌnʃɪətʃə] *n* до́лжность ну́нция.

nuncio ['nʌnʃɪou] *n* (*pl* -os [-ouz]) па́пский ну́нций.

nuncupate ['nʌŋkjuːpeɪt] *v* 1) де́лать у́стное завеща́ние (*в прису́тствии свиде́телей*); 2) дава́ть у́стное обеща́ние; у́стно принима́ть на себя́ обяза́тельство.

nuncupation [ˌnʌŋkjuː'peɪʃən] *n* у́стное завеща́ние.

nuncupative ['nʌŋkjuːpeɪtɪv] *a* слове́сный, у́стный (*о завеща́нии*).

nundinal ['nʌndɪnəl] *a* я́рмарочный; ры́ночный.

nunnery ['nʌnərɪ] *n* же́нский монасты́рь.

nun's veiling ['nʌnz'veɪlɪŋ] *n* вуа́ль (*тонкая шерстяна́я ткань*).

nuptial ['nʌpʃəl] **1.** *a* бра́чный, сва́дебный; **2.** *n* (*обыкн. pl*) сва́дьба.

nurse I [nəːs] **1.** *n* 1) ня́ня, ня́нька; at ~ на попече́нии ня́ни; to put out to ~ отда́ть на попече́ние ня́ни; 2) корми́лица, ма́мка; 3) сиде́лка; медици́нская сестра́; (*реже*) брат милосе́рдия (*тж.* male ~); 4) ня́нченье, пе́стование; *перен.* колыбе́ль; the ~ of liberty колыбе́ль свобо́ды; 6) *зоол.* рабо́чая пчела́, -ий мураве́й; 7) де́рево, поса́женное для того́, чтобы дать тень други́м дере́вьям;
2. *v* 1) корми́ть, выка́рмливать (*ребёнка*); 2) ня́нчить; 3) быть сиде́лкой; уха́живать (*за больны́м*); 4) лечи́ть (*на́сморк, простуду*); 5) выра́щивать (*растение*); 6) леле́ять (*мысль, наде́жду*); пита́ть, таи́ть (*злобу*); 7) уделя́ть большо́е внима́ние; стара́ться задо́брить; 8) эконо́мно хозя́йничать; 9) осторо́жно вести́ (*машину*); сберега́ть си́лы (*лошади*); 10) погла́живать, гла́дить.

nurse II [nəːs] *n* гренла́ндская *или* вест-и́ндская аку́ла.

nurse-child ['nəːstʃaɪld] *n* пито́мец, приёмыш.

nurse-dietitian ['nəːsˌdaɪɪ'tɪʃən] *n* диетсестра́.

nurseling ['nəːslɪŋ] *n* 1) пито́мец; 2) грудно́й ребёнок; 3) люби́мец; 4) молодо́е расте́ние.

nursemaid ['nəːsmeɪd] *n* ня́ня.

nurse-pond ['nəːspɔnd] *n* садо́к (*для рыб*).

nursery ['nəːsrɪ] *n* 1) де́тская (*ко́мната*); 2) расса́дник, пито́мник; 3) я́сли (*для детей*); 4) инкуба́тор, бру́дер; 5) садо́к (*для рыб*).

nursery garden ['nəːsrɪ'gɑːdn] *n* пито́мник, садово́дство.

nursery governess ['nəːsrɪ'gʌvənɪs] *n* бо́нна; воспита́тельница.

nurserymaid [ˈnəːsrɪmeɪd] *n* ня́ня.

nurseryman [ˈnəːsrɪmən] *n* владе́лец пито́мника.

nursery rhymes [ˈnəːsrɪˈraɪmz] *n pl* де́тские стишки́, прибау́тки.

nursery school [ˈnəːsrɪˈskuːl] *n* де́тский сад *(для дете́й от двух до пяти́ лет).*

nursing bottle [ˈnəːsɪŋˈbɔtl] *n* рожо́к *(де́тский).*

nursing home [ˈnəːsɪŋhoum] *n* ча́стная лече́бница.

nursling [ˈnəːslɪŋ] = nurseling.

nurture [ˈnəːtʃə] **1.** *n* 1) воспита́ние; обуче́ние; 2) выра́щивание; 3) пита́ние, пи́ща; **2.** *v* 1) воспи́тывать; обуча́ть; 2) выра́щивать; вына́шивать *(план и т. п.);* 3) пита́ть.

nut [nʌt] **1.** *n* 1) оре́х; 2) *sl.* голова́; to be off one's ~ спя́тить; 3) *амер.* чуда́к; сумасбро́д; 4) *pl разг.* дурачо́к, «псих»; 5) *sl. ирон.* фат, щёголь; 6) *pl* ме́лкий у́голь; 7) *тех.* га́йка; му́фта; ◇ a hard ~ to crack а) «кре́пкий оре́шек»; «не по зуба́м»; тру́дная зада́ча; б) тру́дный челове́к; ~s! *разг.* великоле́пно!; to be ~s to *разг.* о́чень нра́виться; доставля́ть большо́е удово́льствие, ра́дость; to be (dead) ~s on *разг.* а) о́чень люби́ть; б) ≅ знать как свой пять па́льцев; быть в чём-л. больши́м знатоко́м, ма́стером; not for ~s ни за что́; **2.** *v* собира́ть оре́хи; to go ~ting отпра́виться по оре́хи.

nutate [njuːˈteɪt] *v* 1) колеба́ться, пока́чиваться; 2) кива́ть *(голово́й).*

nutation [njuːˈteɪʃən] *n* 1) наклоне́ние, пока́чивание *(головы́);* киво́к; 2) *астр., бот.* нута́ция.

nut-brown [ˈnʌtbraun] *a* оре́хового, кори́чневого цве́та.

nutcracker [ˈnʌtˌkrækə] *n* 1) *(обыкн. pl)* щипцы́ для оре́хов; 2) оре́ховка *(пти́ца).*

nut-gall [ˈnʌtɡɔːl] *n* черни́льный оре́х.

nuthatch [ˈnʌthætʃ] *n* зоол. по́ползень.

nutlet [ˈnʌtlɪt] *n* оре́шек.

nutmeg [ˈnʌtmeɡ] *n* муска́тный оре́х.

nut-oil [ˈnʌtˌɔɪl] *n* оре́ховое ма́сло.

nut-pine [ˈnʌtpaɪn] *n* сосна́ италья́нская, пи́ния.

nutria [ˈnjuːtrɪə] *n* ну́трия *(живо́тное и мех).*

nutrient [ˈnjuːtrɪənt] **1.** *n* пита́тельное вещество́; **2.** *a* пита́тельный.

nutriment [ˈnjuːtrɪmənt] *n* пи́ща; корм.

nutrition [njuːˈtrɪʃən] *n* 1) пита́ние; 2) пи́ща.

nutritious [njuːˈtrɪʃəs] *a* пита́тельный.

nutritive [ˈnjuːtrɪtɪv] **1.** *n* пита́тельное вещество́; **2.** *a* 1) пита́тельный; 2) пищево́й.

nutshell [ˈnʌtʃel] *n* оре́ховая скорлупа́; ◇ in a ~ кра́тко, в двух слова́х.

nutting [ˈnʌtɪŋ] **1.** *pres. p. от* nut 2; **2.** *n* сбор оре́хов.

nut-tree [ˈnʌttriː] *n* оре́шник.

nutty [ˈnʌtɪ] *a* 1) име́ющий вкус оре́ха; вку́сный; 2) интере́сный, пика́нтный; 3) *разг.* наря́дный, щегольско́й; 4) *разг.* увлека́ющийся (upon); 5) *разг.* рехну́вшийся; 6) *амер. разг.* о́стрый; пря́ный.

nutwood [ˈnʌtwud] *n* 1) оре́шник; 2) оре́ховое де́рево *(древеси́на).*

nuzzle [ˈnʌzl] *v* 1) ню́хать, води́ть но́сом *(о соба́ках);* 2) ры́ть(ся) ры́лом; 3) сова́ть нос (at, against, into); 4) прижа́ться; приюти́ться, прикорну́ть.

nyctalopia [ˌnɪktəˈloupɪə] *n* мед. 1)= night-blindness; 2) *(в непра́вильном употребле́нии)* спосо́бность ви́деть то́лько но́чью.

nylghau [ˈnɪlɡau] = nilgai.

nylon [ˈnaɪlən] *n* 1) нейло́н; 2) *pl* нейло́новые чулки́.

nymph [nɪmf] *n* 1) *миф.* ни́мфа; 2) *поэт.* краси́вая, изя́щная де́вушка; 3) ку́колка, ни́мфа, личи́нка *(насеко́мого).*

nystagmus [nɪsˈtæɡməs] *n* мед. ниста́гм.

O

O, o I [ou] *n (pl* Os, O's, Oes [ouz]) 15-я *бу́ква англ. алфави́та;* ◇ an o, a round o круг, нуль.

O II [ou] *int (если восклица́ние отделено зна́ком препина́ния —* oh): O my!, O dear me! бо́же мой!; oh, what a lie! кака́я ложь!; oh, is that so? ра́зве?

O' [ou-] *pref пе́ред ирла́ндскими имена́ми, напр.:* O'Conner О'Ко́ннер.

o' [ə-] 1) *сокр. от* of; six o'clock шесть часо́в; 2) *сокр. от* on; to sleep o'nights спать по ноча́м.

oaf [ouf] *n (pl* oafs [-s], oaves) 1) уро́дливый и́ли глу́пый ребёнок; дурачо́к; 2) неотёсанный, неуклю́жий челове́к; 3) *миф.* ребёнок, подменённый э́льфами.

oafish [ˈoufɪʃ] *a* 1) придуркова́тый; 2) неуклю́жий, нескла́дный.

oak [ouk] *n* 1) дуб; dyer's ~, black ~ краси́льный дуб; 2) древеси́на ду́ба; 3) изде́лия из ду́ба *(напр.,* ме́бель *и т. п.);* 4) дубо́вые ли́стья; 5) *унив. разг.* нару́жная дверь; 6) (the Oaks) *pl* эпсо́мские ска́чки для трёхле́тних кобы́л; 7) *attr.* дубо́вый.

oak-apple [ˈoukˌæpl] *n* черни́льный оре́шек; *pl* га́ллы, наро́сты на ли́стьях ду́ба.

oaken [ˈoukən] *a* дубо́вый.

oakery [ˈoukərɪ] *n* дубня́к, дубра́ва; ме́стность, поро́сшая дубняко́м.

oak-fig [ˈoukfɪɡ] = oak-apple.

oak-gall [ˈoukɡɔːl] = oak-apple.

oaklet, oakling [ˈouklɪt, ˈouklɪŋ] *n* молодо́й дуб, дубо́к.

oak-nut [ˈouknʌt] = oak-apple.

oak-tree [ˈouktriː] = oak 1).

oakum [ˈoukəm] *n* па́кля; to pick ~ щипа́ть па́клю *(труд като́ржан).*

oak-wart [ˈoukwɔːt] = oak-apple.

oak-wood ['oukwud] *n* 1) дубра́ва, дубо́вая ро́ща; 2) = oak 2).

oaky ['ouki] *a* дубо́вый, кре́пкий.

oar [ɔː] 1. *n* 1) весло́ (*непарное*); to pull a good ~ хорошо́ грести́; to rest (*или* to lie) on one's ~s суши́ть вёсла; *перен.* безде́йствовать, почи́ть на ла́врах; ~s! *мор.* суши́ вёсла! 2) гребе́ц; a good ~ хоро́ший гребе́ц; ◇ chained to the ~ вы́нужденный тяну́ть ля́мку, прико́ванный к тяжёлой и дли́тельной рабо́те; to have an ~ in every man's boat постоя́нно лезть не в своё де́ло; to put in one's ~ вме́шиваться в разгово́р *или* в чужи́е дела́;
2. *v* грести́.

oarage ['ɔːrɪdʒ] *n* 1) *поэт.* гре́бля; 2) компле́кт вёсел.

oared [ɔːd] 1. *p. p. от* oar 2;
2. *a* весе́льный.

oarer ['ɔːrə] = oarsman.

oarlock ['ɔːlɔk] *n* уключина.

oarsman ['ɔːzmən] *n* гребе́ц.

oarsmanship ['ɔːzmənʃɪp] *n* уме́ние грести́, иску́сство гре́бли.

oases [ou'eɪsiːz] *pl от* oasis.

oasis [ou'eɪsɪs] *n* (*pl* oases) оа́зис.

oast [oust] *n* печь для су́шки хме́ля *или* со́лода.

oast-house ['ousthaus] *n* суши́лка для хме́ля.

oat [out] *n* 1) (*обыкн. pl*) овёс; 2) *поэт.* свире́ль из стебля́ соло́мы; пасту́ший рожо́к; 3) пастора́ль; 4) *attr.* овся́ный, овсяно́й; 5) *attr.* соло́менный; ◇ to feel one's ~s а) быть весёлым, оживлённым; б) чу́вствовать свою́ си́лу; to smell one's ~s напря́чь после́дние си́лы (*при приближении к цели*).

oatcake ['out'keɪk] *n* овся́ная лепёшка.

oaten ['outn] *a уст., поэт.* 1) овся́ный, овсяно́й; 2) соло́менный.

oat-flakes ['out'fleɪks] *n* геркуле́с (*овся́ная крупа́*).

oath [ouθ; *pl* ouðz] *n* 1) кля́тва; прися́га; on ~ под прися́гой; ~ of allegiance прися́га на ве́рность; во́инская прися́га; ~ of office прися́га при вступле́нии в до́лжность; to make (*или* to take, to swear) an ~ дать кля́тву; to put smb. on ~, to administer the ~ to smb. привести́ кого́-л. к прися́ге; 2) божба́; 3) богоху́льство; прокля́тия, руга́тельства.

oath-breaker ['ouθ,breɪkə] *n* клятвопресту́пник.

oath-breaking ['ouθ,breɪkɪŋ] *n* наруше́ние кля́твы *или* прися́ги.

oatmeal ['outmiːl] *n* 1) овся́ная мука́, толокно́; 2) овся́нка, овся́ная ка́ша.

oaves [ouvz] *pl от* oaf.

obduracy ['ɔbdjurəsi] *n* 1) закосне́лость; чёрствость; ожесточе́ние; 2) упря́мство.

obdurate ['ɔbdjurɪt] *a* 1) закосне́лый; чёрствый; ожесточённый; 2) упря́мый.

obedience [o'biːdjəns] *n* послуша́ние, повинове́ние, поко́рность; ◇ in ~ to согла́сно.

obedient [o'biːdjənt] *a* послу́шный, поко́рный; your ~ servant Ваш поко́рный слуга́ (*в официа́льном письме́*).

obedientiary [ou,biːdɪ'enʃəri] *n* мона́х, занима́ющий каку́ю-л. до́лжность в монастыре́.

obeisance [ou'beɪsəns] *n* 1) револа́нс; почти́тельный покло́н; 2) почте́ние, уваже́ние; to do (*или* to make, to pay) ~ вы́разить почте́ние.

obeli ['ɔbɪlaɪ] *pl от* obelus.

obelisk ['ɔbɪlɪsk] 1. *n* 1) обели́ск; 2) *полигр.* знак — *или* знак ÷ (*ста́вится в ру́кописях про́тив сомни́тельного сло́ва*); знак ссы́лки, кре́стик;
2. *v* = obelize.

obelize ['ɔbəlaɪz] *v* отмеча́ть кре́стиком.

obelus ['ɔbɪləs] *n* (*pl* -li) = obelisk 1, 2).

obese [ou'biːs] *a* ту́чный, по́лный.

obesity [ou'biːsɪti] *n* ту́чность, полнота́; ожире́ние.

obey [ə'beɪ] *v* 1) повинова́ться, подчиня́ться; слу́шаться; выполня́ть приказа́ние; 2) *мат.* удовлетворя́ть усло́виям уравне́ния.

obfuscate ['ɔbfʌskeɪt] *v* 1) затемня́ть (*свет; вопро́с и т. п.*); 2) сбива́ть с то́лку; тума́нить рассу́док.

obi ['oubi] *яп. n* широ́кий я́ркий по́яс.

obiter ['ɔbɪtə] *лат. adv* ме́жду про́чим. мимохо́дом; ~ dictum а) *юр.* неофициа́льное мне́ние; б) случа́йное замеча́ние.

obituarist [ə'bɪtjuərɪst] *n* а́втор некроло́га.

obituary [ə'bɪtjuəri] 1. *n* 1) некроло́г; 2) спи́сок уме́рших;
2. *a* 1) похоро́нный; 2) некрологи́ческий.

object I ['ɔbdʒɪkt] *n* 1) предме́т; вещь; 2) объе́кт (*изуче́ния и т. п.*); 3) цель; to fail in one's ~ не дости́чь це́ли; 4) *филос.* объе́кт (*в противополо́жность субъе́кту*); 5) *грам.* дополне́ние; 6) *разг.* челове́к *или* вещь необы́чного, жа́лкого, смешно́го и т.п. ви́да; what an ~ you look in that hat! ну и вид же у тебя́ в э́той шля́пе!

object II [əb'dʒekt] *v* 1) возража́ть, протестова́ть (to, against); I ~ to smoking я возража́ю про́тив куре́ния; 2) не люби́ть, не переноси́ть.

object-finder ['ɔbdʒɪkt,faɪndə] *n фото* видоиска́тель.

object-glass ['ɔbdʒɪktglaːs] *n опт.* объекти́в.

objectify [əb'dʒektɪfaɪ] *v* воплоща́ть.

objection [əb'dʒekʃən] *n* 1) возраже́ние, проте́ст; to take ~ возража́ть; to raise по ~ не возража́ть; 2) неодобре́ние, нелюбо́вь.

objectionable [əb'dʒekʃnəbl] *a* 1) вызыва́ющий возраже́ния; нежела́тельный; 2) предосуди́тельный; 3) неприя́тный, неудо́бный.

objective [əb'dʒektɪv] 1. *n* 1) цель; стремле́ние; 2) *воен.* объе́кт; цель; 3) *грам.* объе́ктный (*или* ко́свенный) паде́ж; 4) *опт.* объекти́в;
2. *a* 1) объекти́вный; 2) целево́й; ~ point *воен.* цель движе́ния, объе́кт де́йствий; *перен.* коне́чная цель; 3) предме́тный; веще́ственный; ~ table предме́тный сто́лик (*микроско́па*); 4) *грам.* относя́щийся к дополне́нию; ~ case объе́ктный (*или* ко́с-

ренный) падёж; 5) *филос.* объективный; реальный, действительный; ~ method индуктивный метод.

objective-lens [ɔb'dʒektɪv'lenz] *n опт.* лйнза объектива.

objectivism [ɔb'dʒektɪvɪzəm] *n* 1) стремление к объективности; 2) объективизм.

objectivity ['ɔbdʒek'tɪvɪtɪ] *n* объективность.

objectless ['ɔbdʒɪktlɪs] *a* беспредметный, бесцельный.

object-lesson ['ɔbdʒɪkt,lesn] *n* 1) наглядный урок, урок с демонстрацией изучаемых предметов; 2) *перен.* наглядное доказательство.

objector [əb'dʒektə] *n* возражающий, тот, кто возражает.

objurgate ['ɔbdʒəːgeɪt] *v* журить, бранить, упрекать.

objurgation [,ɔbdʒəː'geɪʃən] *n* упрёк, выговор.

objurgatory [ɔb'dʒəːgətərɪ] *a* укоризненный.

oblate ['ɔbleɪt] *а* 1) *церк.* посвятивший себя (*монашеской жизни и т. п.*); 2) *геом.* сплющенный (*у полюсов*).

oblation [ou'bleɪʃən] *n* 1) жёртва; жертвоприношёние; 2) пожёртвование на церковь *или* на благотворительные дела;3) *церк.* евхаристия, причащёние.

oblational [ou'bleɪʃənl] *a* жёртвенный.

oblatory ['ɔblətərɪ] = oblational.

obligate ['ɔblɪgeɪt] *v* обязывать.

obligation [,ɔblɪ'geɪʃən] *n* 1) обязательство; to repay an ~ выполнить обязательство, уплатить по обязательству; to undertake ~s принимать обязательства; 2) обязанность; долг; to be under an ~ быть в долгу(*перед кем-л.*); 3) принудительная сила, обязательность (*закона, договора и т. п.*); of ~ обязательный.

obligatory [ɔ'blɪgətərɪ] *a* 1) обязательный; 2) обязывающий.

oblige [ə'blaɪdʒ] *v* 1) обязывать; связывать обязательством; принуждать, заставлять; to be ~d быть обязанным [*ср. тж.* 3)]; 2) делать одолжёние, угождать; ~ me by closing the door закройте, пожалуйста, дверь; will you ~ us with a song? не споёте ли вы нам?; 3) *разг.:* to be ~d быть благодарным [*ср. тж.* 1)]; I am much ~d (to you) очень (вам) благодарен.

obligee [,ɔblɪ'dʒiː] *n юр.* лицо, по отношёнию к которому имёется обязательство.

obliging [ə'blaɪdʒɪŋ] 1. *pres. p. от* oblige; 2. *a* обязательный, услужливый, любёзный.

obligingly [ə'blaɪdʒɪŋlɪ] *adv* любёзно, услужливо; вёжливо.

obligor [,ɔblɪ'gɔː] *n юр.* лицо, принявшее на себя обязательство.

oblique [ə'bliːk] 1. *a* 1) косой, наклонный; ~ fire *воен.* косоприцёльный огонь; ~ photography перспективная фотосъёмка; 2) окольный; непрямой; 3) *грам.* косвенный; ~ case косвенный падёж; ~ oration (*или* narration, speech) косвенная речь; 4) *геом.* непрямой, острый *или* тупой (*угол*); наклонный(*о плоскости*);

2. *v* 1) отклоняться (*от прямой линии*); 2) *воен.* продвигаться вкось.

obliquity [ə'blɪkwɪtɪ] *n* 1) косое направлёние; отклонёние от прямого пути; 2) *тех.* скос; конусность; 3) *астр.* наклонёние эклиптики.

obliterate [ə'blɪtəreɪt] *v* 1) вычёркивать, стирать; уничтожать; 2) изглаживать(ся); time ~s sorrow ≅ врёмя — лучший лёкарь; со врёменем гóре проходит.

obliteration [ə,blɪtə'reɪʃən] *n* 1) вычёркивание, стирание; уничтожёние; 2) забвёние.

oblivion [ə'blɪvɪən] *n* забвёние; Act of O. амнистия; to fall (*или* to sink) into ~ быть прёданным забвёнию; быть забытым; 2) забывчивость.

oblivious [ə'blɪvɪəs] *a* 1) забывчивый; непомнящий, забывающий (of); рассёянный; 2) дающий забвёние.

oblong ['ɔblɔŋ] 1. *a* продолговатый; удлинённый;

2. *n* продолговатая фигура, продолговатый предмёт.

obloquy ['ɔbləkwɪ] *n* 1) злословие, поношёние; оскорблёние; 2) позор.

obmutescence [ɔbmjuː'tesəns] *n уст.* упорное молчание.

obmutescent [ɔbmjuː'tesənt] *a уст.* упорно молчащий, хранящий упорное молчание.

obnoxious [əb'nɔkʃəs] *a* 1) неприятный, противный, несносный; 2) *уст.* подвёрженный (*какой-л. опасности и т. п.*).

oboe ['oubou] *ит.* = hautboy 1).

obol ['ɔbɔl] *n ист.* обол (*греческая монета*).

obscene [ɔb'siːn] *a* непристойный, бесстыдный, непотрёбный; неприличный, грязный.

obscenity [ɔb'siːnɪtɪ] *n* непристойность, бесстыдство, цинизм.

obscurant [ɔb'skjuərənt] *n* мракобёс, обскурант.

obscurantism [,ɔbskjuə'ræntɪzəm] *n* мракобёсие, обскурантизм.

obscurantist [,ɔbskjuə'ræntɪst] 1. *n* = obscurant;

2. *a* обскурантйстский.

obscuration [,ɔbskjuə'reɪʃən] *n* 1) помрачёние; 2) *астр.* затмёние.

obscure [əb'skjuə] 1. *a* 1) мрачный, тёмный; тусклый; 2) неясный, смутный; непонятный; невразумительный; 3) незамётный; неизвёстный, ничём не прослáвленный, безвёстный; 4) скрытый, уединённый;

2. *v* 1) затемнять; 2) делать неясным (*о значении*); 3) помрачáть; затмевáть.

obscure rays [əb'skjuə'reɪz] *n pl физ.* лучи невидимой части спёктра, невидимые лучи.

obscurity [əb'skjuərɪtɪ] *n* 1) мрак; тьма, темнотá; 2) неясность, непонятность; of battle *воен.* невыясненность боевой обстановки; 3) неизвёстность, безвёстность; незамётность.

obsecration [,ɔbsɪ'kreɪʃən] *n* 1) просьба, мольбá; 2) умилостивлёние (*богов*).

obsequial [ɔb'siːkwɪəl] *a* похоронный, погребáльный.

obsequies ['ɔbsɪkwɪz] *n pl* пóхороны; погребéние.

obsequious [əb'si:kwɪəs] *a* 1) раболéпный, подобострáстный; 2) *уст.* послýшный, исполнúтельный.

obsequiousness [əb'si:kwɪəsnɪs] *n* раболéпие, подобострáстие, низкопоклóнство.

observable [əb'zə:vəbl] *a* 1) замéтный, различúмый; 2) трéбующий соблюдéния; 3) достóйный внимáния.

observance [əb'zə:vəns] *n* 1) соблюдéние (*закона, обычая и т. п.*; of); 2) обрáд, ритуáл; 3) *уст.* почтéние.

observant [əb'zə:vənt] **1.** *a* 1) наблюдáтельный, внимáтельный; 2) исполняющий (*законы, предписания и т. п.*); 3) исполнúтельный;
2. *n* францискáнец сáмого стрóгого тóлка.

observation [‚ɔbzə:'veɪʃən] *n* 1) наблюдéние; to keep under ~ держáть под наблюдéнием; 2) наблюдáтельность; a man of no ~ ненаблюдáтельный человéк; 3) замечáние, выскáзывание; 4) определéние координáт по высотé сóлнца; 5) *attr.* наблюдáтельный; ~ balloon *воен.* аэростáт наблюдéния; ~ plane *воен.* самолёт блúжней развéдки.

observational [‚ɔbzə:'veɪʃənl] *a* наблюдáтельный.

observatory [əb'zə:vətrɪ] *n* 1) обсерватóрия; 2) наблюдáтельный пункт.

observe [əb'zə:v] *v* 1) наблюдáть, замечáть; следúть (*за чем-л.*); 2) соблюдáть (*законы и т. п.*); to ~ good manners быть утончённо вéжливым; to ~ silence хранúть молчáние; to ~ the time быть óчень пунктуáльным; 3) замéтить, сказáть; allow me to ~ разрешúте мне замéтить; it will be ~d прихóдится, нáдо отмéтить; 4) изучáть (*с помощью наблюдения*).

observed [əb'zə:vd] **1.** *p. p. om* observe;
2. *n*: the ~ of all observers центр всеóбщего внимáния.

observer [əb'zə:və] *n* 1) наблюдáтель; 2) соблюдáющий (*что-л.*; of); an ~ of his promises человéк, всегдá выполняющий обещáния; 3) обозревáтель (*в газете*).

obsess [əb'ses] *v* завладéть, преслéдовать, мýчить (*о навязчивой идее и т. п.*); овладéть, обуять (*о страхе*).

obsession [əb'seʃən] *n* 1) одержúмость (*желанием и т. п.*); 2) навязчивая идéя.

obsidian [ɔb'sɪdɪən] *n мин.* обсидиáн, вулканúческое стеклó.

obsolescence [‚ɔbsə'lesns] *n* устаревáние.

obsolescent [‚ɔbsə'lesnt] *a* выходящий из употреблéния; устаревáющий, отживáющий.

obsolete ['ɔbsəli:t] *a* 1) вышедший из употреблéния; устарéлый; 2) изнóшенный; 3) атрофúрованный.

obstacle ['ɔbstəkl] *n* 1) препятствие, помéха; to throw ~s in smb.'s way чинúть препятствия комý-л.; 2) *attr.:* ~ course *спорт.* полосá препятствий.

obstacle-race ['ɔbstəklreɪs] *n* бег *или* скáчки с препятствиями.

obstetric(al) [ɔb'stetrɪk(əl)] *a* родовспомогáтельный; акушéрский.

obstetrician [‚ɔbste'trɪʃən] *n* акушéр; акушéрка.

obstetrics [ɔb'stetrɪks] *n pl* (*употр. как sing*) акушéрство.

obstinacy ['ɔbstɪnəsɪ] *n* упрямство; настóйчивость, *реже* упóрство.

obstinate ['ɔbstɪnɪt] *a* 1) упрямый; настóйчивый, *реже* упóрный; 2) трудноизлечúмый.

obstipation [‚ɔbstɪ'peɪʃən] *n мед.* сúльный запóр.

obstreperous [əb'strepərəs] *a* шýмный, беспокóйный; бýйный.

obstruct [əb'strʌkt] *v* 1) загражáть, прегражáть, загромождáть (*проход*); препятствовать (*продвижению*); 2) затруднять, мешáть; заслонять; to ~ the light загорáживать свет; to ~ the view заслонять вид; 3) *парл.* устрáивать обстрýкцию; 4) *мед.* засорять (*желудок*), вызывáть запóр.

obstruction [əb'strʌkʃən] *n* 1) затруднéние *или* преграждéние прохóда, продвижéния; 2) заграждéние, помéха; препятствие; 3) *парл.* обстрýкция; 4) *мед.* закýпорка; 5) *мед.* запóр.

obstructionism [əb'strʌkʃənɪzəm] *n парл.* систéма борьбы посрéдством обстрýкции, обструкционúзм.

obstructionist [əb'strʌkʃənɪst] *n парл.* обструкционúст.

obstructive [əb'strʌktɪv] **1.** *a* 1) препятствующий *и пр.* [*см.* obstruct]; 2) *парл.* обструкциóнный;
2. *n* = obstructionist.

obstructor [əb'strʌktə] *n* тот, кто мешáет, препятствует, стоúт на путú прогрéсса.

obtain [əb'teɪn] *v* 1) получáть; добывáть; приобретáть; to ~ a prize получúть приз; to ~ a commission *воен.* быть произведённым в офицéры; получúть офицéрский чин, -ое звáние; 2) достигáть, добивáться; 3) существовáть, быть в обычае; быть прúзнанным; применяться; these views no longer ~ эти взгляды устарéли; the same rule ~s regarding... то же прáвило отнóсится и к...

obtainable [əb'teɪnəbl] *a* достýпный, достижúмый.

obtest [əb'test] *v уст.* 1) призывáть (нéбо) в свидéтели; заклинáть; 2) протестовáть.

obtestation [‚ɔbtes'teɪʃən] *n* 1) заклинáние, мольбá; 2) протéст.

obtrude [əb'tru:d] *v* 1) навязывать(ся) (on, upon); to ~ one's opinions навязывать свой мнéния; to ~ oneself навязываться; 2) вторгáться.

obtruncate [əb'trʌŋkeɪt] *v* обрезáть; срезáть вершúну.

obtrusion [əb'tru:ʒən] *n* 1) навязывание; 2) вторжéние.

obtrusive [əb'tru:sɪv] *a* навязчивый.

obturate ['ɔbtjuəreɪt] *v* 1) затыкáть, закрывáть; 2) уплотнять; 3) *арт.* обтюрúровать.

obturation [‚ɔbtjuə'reɪʃən] *n* 1) закрытие отвéрстия; 2) *арт.* обтюрáция.

obturator ['ɔbtjuəreɪtə] *n* 1) затычка, прóбка, приспособлéние для закрытия отвéрстий; 2) *тех.* уплотняющее устрóйство; 3) *фото* затвóр; 4) *арт., мед.* обтюрáтор.

obtuse [əb'tjuːs] *a* 1) тупой;~ angle тупой угол; 2) тупой, глупый, бестолковый; 3) заглушённый (*о звуке*).

obverse ['ɔbvəːs] 1. *n* 1) лицевая сторона, лицо; передняя *или* верхняя сторона; 2) дополнение; составная часть;
2. *a* 1) лицевой, обращённый наружу; 2) дополнительный, являющийся составной частью.

obviate ['ɔbvɪeɪt] *v* избегать, устранять, избавляться (*от опасности*).

obvious ['ɔbvɪəs] *a* очевидный, явный, ясный.

ocarina [,ɔkə'riːnə] *ит. n муз.* окарина.

occasion [ə'keɪʒən] 1. *n* 1) случай, возможность; to choose one's ~ выбрать подходящий момент; not the ~ for rejoicing нечему радоваться; on ~ при случае, иногда; on the ~ of... по случаю...; to profit by the ~ воспользоваться случаем; to seize the ~ *или* to take ~ (by the forelock) воспользоваться случаем; использовать благоприятный момент; 2) обстоятельство; 3) основание, причина; to give ~ to служить основанием для; 4) повод; 5) событие; this festive ~ этот праздник; 6) *pl уст.* дела; ◇ to rise to the ~ быть на высоте положения;
2. *v* служить поводом, давать повод; вызывать; причинять.

occasional [ə'keɪʒənl] *a* 1) случающийся время от времени, иногда; 2) случайный, редкий; an ~ visitor случайный посетитель; 3) приуроченный к определённому событию; сделанный для определённой цели; ~ ode ода на какое-л. событие.

occasionalism [ə'keɪʒnəlɪzəm] *n филос.* окказионализм.

occasionally [ə'keɪʒnəlɪ] *adv* изредка, время от времени; случайно.

Occident ['ɔksɪdənt] *n* Запад; страны Запада.

occidental [,ɔksɪ'dentl] 1. *a* западный; 2. *n* 1) (O.) уроженец или житель Запада; 2) (O.) *уст.* западная держава.

occidentalism [,ɔksɪ'dentəlɪzəm] *n* обычаи, нравы, идеалы *и т. п.* западноевропейских народов.

occipital [ɔk'sɪpɪtl] *a* затылочный.

occiput ['ɔksɪpʌt] *n* затылок.

occlude [ɔ'kluːd] *v* 1) преграждать, закрывать (*отверстие, проход*); закупоривать; 2) *хим.* поглощать (*газы*), сорбировать.

occlusion [ɔ'kluːʒən] *n* 1) преграждение; 2) *хим.* окклюзия; сорбция, поглощение (*газов*); 3) *мед.* закупорка.

occult [ɔ'kʌlt] 1. *a* 1) тайный, сокровенный; 2) таинственный, тёмный; оккультный;
2. *v астр.* заслонять, затемнять.

occulting light [ɔ'kʌltɪŋ'laɪt] *n* затмевающийся огонь маяка.

occultism ['ɔkəltɪzəm] *n* оккультизм.

occupancy ['ɔkjupənsɪ] *n* 1) занятие; завладение; 2) временное владение; аренда; 3) оккупация.

occupant ['ɔkjupənt] *n* 1) житель; жилец; обитатель; 2) временный владелец; арендатор; 3) занимающий какую-л. должность; 4) лицо, присвоившее себе имущество, не имеющее владельца; 5) оккупант.

occupation [,ɔkju'peɪʃən] *n* 1) (*тж. pl*) занятия; род занятий, профессия; 2) завладение; 3) временное пользование (*домом и т. п.*); период проживания; 4) занятие, оккупация; army of ~ оккупационная армия; 5) *attr.*: ~ bridge (road) мост (дорога) частного пользования; ~ franchise избирательное право арендатора.

occupational [,ɔkju'peɪʃənl] *a* профессиональный; ~ deferment отсрочка от призыва (по роду занятий); ~ disease профессиональное заболевание; ~ therapy трудотерапия.

occupier ['ɔkjupaɪə] *n* 1) жилец; 2) арендатор; временный владелец.

occupy ['ɔkjupaɪ] *v* 1) занимать, завладевать; оккупировать; 2) занимать (*дом, квартиру*); арендовать; 3) занимать (*пространство, время*); the garden occupies 5 acres под садом занято 5 акров земли; 4) занимать (*мысли, ум*); to ~ oneself with smth., to be occupied in smth. заниматься чем-л.; 5) занимать (*пост*).

occur [ə'kəː] *v* 1) встречаться, попадаться; 2) случаться, происходить; to ~ again повторяться; 3) приходить на ум; it ~red to me мне пришло в голову; 4) *геол.* залегать.

occurrence [ə'kʌrəns] *n* 1) случай, происшествие; an everyday ~ обычное явление; strange ~ странное происшествие; 2) местонахождение; распространение; 3) *геол.* месторождение, залегание.

ocean ['ouʃən] *n* 1) океан; 2) огромное пространство, огромное количество, множество, масса; an ~ of tears море слёз; 3) *attr.* океанский; относящийся к океану; ~ bed дно океана; ~ deeps *геол.* абиссальные глубины; ~ lane океанский путь.

ocean-going ['ouʃən,gouɪŋ] *a* океанский (*о пароходе*).

Oceanian [,ouʃɪ'eɪnjən] 1. *a* относящийся к Океании;
2. *n* житель Океании, житель тихоокеанских островов.

oceanic [,ouʃɪ'ænɪk] *a* 1) океанский; океанический; 2) (O.)= Oceanian 1.

oceanography [,ouʃjə'nɔgrəfɪ] *n* океанография.

ocelot ['ousɪlət] *n зоол.* оцелот.

ochlocracy [ɔk'lɔkrəsɪ] *греч. n* охлократия.

ochre ['oukə] *n* 1) охра; 2) бледный коричневато-жёлтый цвет; 3) *sl.* золото, деньги.

o'clock [ə'klɔk]: what ~ is it? который час?; it is six ~ шесть часов·.

octa- ['ɔktə-] *pref* восьми-.

octagon ['ɔktəgən] *n* восьмиугольник.

octagonal [ɔk'tægənl] *a* восьмиугольный.

octahedral [,ɔktə'hedrəl] *a* восьмигранный.

octahedron [,ɔktə'hedrən] *n* восьмигранник, октаэдр.

octal ['ɔktəl] *a* октальный, восьмигранный.

octane ['ɔkteɪn] *n хим.* 1) октан; 2) *attr.* октановый; ~ number (*или* value) октановое число.

octangular [ɔk'tæŋgjulə] = octagonal.

octant ['ɔktənt] *n* 1) октант (*угломерный инструмент*); 2) восьмая часть круга, дуга в 45°.

octarchy ['ɔktɑːkɪ] *n* правление, осуществляемое восьмью лицами.

octave ['ɔktɪv] *n* 1) *муз.* октава; 2) *прос.* восьмистишие, октава; 3) ['ɔkteɪv] *церк.* восьмой день после праздника; неделя, следующая за праздником; 4) восемь предметов; 5) (последний) приём в фехтовании; 6) винная бочка (*ёмкостью около 61 л*).

octavo [ɔk'teɪvou] *n* формат (*книги*) в ¹/₈ долю листа; in ~ ин-октаво, в ¹/₈ долю листа.

octennial [ɔk'tenjəl] *a* 1) восьмилетний; 2) повторяющийся, происходящий каждые восемь лет.

octet(te) [ɔk'tet] *n* 1) *муз.* октет; 2) *прос.* первые восемь стихов сонета.

octillion [ɔk'tɪljən] *n мат.* миллион в восьмой степени (*единица с 48 нулями*).

October [ɔk'toubə] *n* 1) октябрь; 2) *attr.* октябрьский; the Great ~ Socialist Revolution Великая Октябрьская социалистическая революция.

octodecimo ['ɔktou'desɪmou]*n(pl*-os[-ouz]) формат (*книги*) в ¹/₁₈ долю листа.

octogenarian [,ɔktoudʒɪ'nɛərɪən] 1. *a* восьмидесятилетний;
2. *n* восьмидесятилетний старик, -яя старуха.

octonarian [,ɔktou'nɛərɪən] *прос.* 1. *a* восьмистопный;
2. *n* восьмистопный стих.

octopus ['ɔktəpəs] *n* осьминог, спрут.

octoroon [,ɔktə'ruːn] *n* цветной, цветная (*с ¹/₈ негритянской крови*).

octosyllabic ['ɔktousɪ'læbɪk] 1. *a* восьмисложный;
2. *n* восьмисложный стих.

octosyllable ['ɔktou,sɪləbl] 1. *n* восьмисложное слово;
2. *a* = octosyllabic 1.

octroi ['ɔktrwɑː] *фр. n ист.* 1) октруа, городская пошлина (*на ввозимые товары*); 2) городская таможня.

octuple ['ɔktjuːpl] *a* восьмикратный; восьмеричный.

ocular ['ɔkjulə] 1. *n* окуляр;
2. *a* 1) глазной; окулярный; 2) наглядный (*о доказательстве и т. п.*).

oculi ['ɔkjulaɪ] *pl от* oculus.

oculist ['ɔkjulɪst] *n* окулист.

oculus ['ɔkjuləs] *n* (*pl* -li) *архит.* окулус.

odalisque ['oudəlɪsk] *n* одалиска.

odd [ɔd] 1. *a* 1) нечётный; ~ and (or) even чёт и (или) нечет; ~ houses дома с нечётными номерами; ~ months месяцы, имеющие 31 день; 2) непарный, разрозненный; ~ volumes разрозненные тома; 3) лишний, добавочный, остающийся (*сверх суммы или определённого количества*); three pounds ~ три с лишним фунта; три фунта, не считая шиллингов и пенсов; twenty ~ years

двадцать с лишним лет; forty ~ сверх сорока, сорок с лишним; ~ money сдача, мелочь; 4) незанятый, свободный; ~ moments минуты досуга; at ~ times a) на досуге, между делом; б) время от времени; 5) случайный; ~ job случайная работа; ~ man (*или* lad, hand) человек, выполняющий случайную работу [*ср. тж.* ◇]; 6) необычайный, странный, эксцентричный; that's very ~ очень странно; ◇ the ~ man решающий голос [*ср. тж.* 5)]; ~ man out выбор одного из нескольких посредством бросания монет, пока у остальных не совпадёт орёл или решка;
2. *n* 1) *карт.* решающая взятка (*в висте*); 2) удар, дающий перевес (*в гольфе*) [*см. тж.* odds].

odd-come-short ['ɔdkʌm'ʃɔːt] *n* 1) остаток; 2) *pl* остатки, обрывки, хлам.

odd-come-shortly ['ɔdkʌm'ʃɔːtlɪ] *n* (в) ближайший день; one of these odd-come-shortlies вскоре.

oddfellow ['ɔd,felou] *n* член тайного братства (*типа масонского ордена*).

oddish ['ɔdɪʃ] *a* странный, чудаковатый; эксцентричный.

oddity ['ɔdɪtɪ] *n* 1) странность, чудаковатость; 2) чудак; 3) причудливая вещь; странный случай.

oddments ['ɔdmənts] *n pl* остатки; разрозненные предметы, хлам.

odds [ɔdz] *n pl* (*обыкн. употр. как sing*) 1) неравенство; разница; with heavy ~ against them a) против значительно превосходящих сил; б) в исключительно неблагоприятных условиях; to make ~ even устранить различия; by long ~ значительно, решительно; несомненно; it is (*или* makes) no ~ не составляет никакой разницы; несущественно; what's the ~? a) в чём разница?; какое это имеет значение?; б) *спорт.* какой счёт?; 2) разногласие; to be at ~ with smb. не ладить с кем-л., ссориться с кем-л. (about—из-за *чего-л.*); 3) преимущество; гандикап; the ~ are in our favour перевес на нашей стороне; to give (to receive) ~ предоставлять (получать) преимущество; 4) шансы; the ~ are (*или* it is ~) that he will do it вероятнее всего, что он это сделает; long ~ неравные шансы; short ~ почти равные шансы; ◇ ~ and ends остатки; обрезки; обрывки; хлам; случайные предметы и т. п.; to shout the ~ хвастать.

ode [oud] *n* ода.

odea [ou'diə] *pl от* odeum.

odeum [ou'diːəm] *n* (*pl* -s [-z], odea) 1) *др.-греч.* одеон; 2) концертный *или* зрительный зал.

Odin ['oudɪn] *n миф.* Один.

odious ['oudjəs] *a* 1) ненавистный, гнусный, отвратительный; 2) одиозный.

odium ['oudjəm] *лат. n* 1) ненависть; отвращение; to bring ~ on, to expose to ~ навлечь недоброжелательство; сделать ненавистным; 2) позор [*или*] ; to bear the ~ of... нести позор...; 3) одиозность.

odometer [ɔ'dɔmɪtə] *n* 1) одометр; 2) *авт.* счётчик пройденного пути.

odontic [ɔ'dɔntɪk] *a* зубно́й.

odontoid [ɔ'dɔntɔɪd] *a* зубови́дный.

odontology [‚ɔdɔn'tɔlədʒɪ] *n* одонтоло́гия (*учение о зубах и их болезнях*).

odor ['oudə] *амер.* = odour.

odorant ['oudərənt] *a ист.* благоуха́ющий, паху́чий.

odoriferous [‚oudə'rɪfərəs] *a* 1) души́стый, благово́нный; благоуха́ющий; 2) *редк.* во-ню́чий.

odorous ['oudərəs] *поэт. см.* odoriferous 1).

odour ['oudə] *n* 1) за́пах; арома́т, благоуха́ние; 2) душо́к, при́вкус, налёт; 3) сла́ва, репута́ция; good ~ ми́лость; bad (*или* ill) ~ неми́лость; to be in bad (*или* ill) ~ with быть непопуля́рным среди́; быть в неми́лости у.

odourless ['oudəlɪs] *a* без за́паха, непаху́щий.

Odysseus [ə'dɪsjuːs] *n миф.* Одиссе́й.

Odyssey ['ɔdɪsɪ] *n* Одиссе́я (*тж. перен.*).

oecumenical [‚iːkjuː'menɪkəl] *a* 1) всеми́рный; 2) *рел.* вселе́нский; ~ council вселе́нский собо́р.

oecumenicity [‚iːkjuːmɪ'nɪsɪtɪ] *n* всеми́рность; всео́бщность.

oedema [iː'diːmə] *n* (*pl* -ata) *мед.* отёк.

oedemata [iː'diːmətə] *pl от* oedema.

Oedipus ['iːdɪpəs] *n миф.* Эди́п.

o'er ['ouə] *поэт. см.* over.

oersted ['əːsted] *n эл.* эрстед (*единица напряжённости магнитного поля*).

oesophagi [iː'sɔfəgaɪ] *pl от* oesophagus.

oesophagus [iː'sɔfəgəs] *n* (*pl* -gi, -es [-ɪz]) *анат.* пищево́д.

oestrum, oestrus ['iːstrəm, 'iːstrəs] *n* 1) о́вод; 2) сти́мул, побужде́ние; 3) страсть; стра́стное жела́ние; 4) *биол.* те́чка.

of [ɔv (*полная форма*); əv (*редуци́рованная форма*)] *prep* 1) *указывает на принадле́жность; передаётся род. падежом:* the house of my ancestors дом мои́х пре́дков; articles of clothing предме́ты оде́жды; 2) *указывает на авторство; передаётся род. падежом:* the works of Shakespeare произведе́ния Шекспи́ра; 3) *указывает на объект де́йствия; передаётся род. падежом:* a creator of a new current in art созда́тель но́вого направле́ния в иску́сстве; in search of a dictionary в по́исках словаря́; a lover of poetry люби́тель поэ́зии; 4) *указывает на де́ятеля; передаётся род. падежом:* the deeds of our heroes по́двиги на́ших геро́ев; 5) *указывает на отношение части и целого; передаётся род. раздели́тельным:* a pound of sugar фунт са́хару; some of us не́которые из нас; a member of congress член конгре́сса; 6) *указывает на содержимое какого-л. вмести́лища; передаётся род. падежом:* a glass of milk стака́н молока́; a pail of water ведро́ воды́; 7) *указывает на материал, из кото́рого что-л. сде́лано:* из; a dress of silk пла́тье из шёлка; a wreath of flowers вено́к из цвето́в; 8) *указывает на качество, свойство, возраст; передаётся род. паде́жом:* a man of his word челове́к сло́ва; a girl of ten де́вочка лет десяти́; 9) *указывает на причину:* от; из-за; в результа́те,

по причи́не; he died of pneumonia он у́мер от воспале́ния лёгких; he did it of necessity он сде́лал э́то по необходи́мости; 10) *указывает на источник:* от, у; I learned it of him я узна́л э́то от него́; he asked it of me он спроси́л э́то у меня́; 11) *указывает на происхожде́ние:* из; he comes of a worker's family он из рабо́чей семьи́; 12) *указывает на направле́ние, положение в простра́нстве, расстоя́ние:* от; south of Moscow к ю́гу от Москвы́; within 50 miles of London в 50 ми́лях от Ло́ндона; 13) *указывает на объект избавле́ния:* от; to cure of a disease, illness вы́лечить от боле́зни; to get rid of a cold изба́виться от просту́ды; 14) *указывает на объект лише́ния; передаётся род. падежом:* the loss of power поте́ря вла́сти; 15) *указывает на количество единиц измере́ния:* в; a farm of 100 acres фе́рма пло́щадью в 100 а́кров; a fortune of 1000 pounds состоя́ние в 1000 фу́нтов; 16) о, об, относи́тельно; he thinks of his friend он ду́мает о своём дру́ге; I have heard of it я слы́шал об э́том; the news of the victory весть о побе́де; 17) *указывает на время:* of an evening ве́чером; of late неда́вно; all of a sudden внеза́пно; 18) в; to suspect of theft подозрева́ть в воровстве́; to accuse of a lie обвиня́ть во лжи; to be guilty of bribery быть вино́вным во взя́точничестве; to be sure of the fact быть уве́ренным в э́том (*фа́кте*); 19) *указывает на вкус, запах и т. п.; передаётся твор. падежом:* to smell of flowers па́хнуть цвета́ми; he reeks of tobacco от него́ рази́т табако́м; 20): it is nice of you э́то любе́зно с ва́шей стороны́; it is clever of him to go there умно́, что он туда́ пое́хал; 21) *вводит приложе́ние:* the city of New York го́род Нью-Йо́рк; by the name of John по и́мени Джон; 22) *употребляется в неразложи́мых словосочета́ниях с предшеству́ющим определя́ющим существи́тельным:* a fool of a man глу́пый челове́к, про́сто ду́рень; the devil of a worker не рабо́тник, а про́сто дья́вол; a beauty of a girl краса́вица; a mouse of a woman похо́жая на мы́шку же́нщина; ◇ holy of holies свята́я святы́х; he of all men кто уго́дно, но не он; that he of all men should do it! ме́ньше всего́ я ожида́л э́того от него́.

off [ɔːf (*полная форма*); əf (*редуци́рованная форма*)] 1. *adv указывает на:* 1) *удале́ние, отделе́ние:* I must be ~ я до́лжен уходи́ть; ~ you go!, be ~!, get ~!, ~ with you! убира́йтесь!; уходи́те!; they are ~ они́ отпра́вились; to run ~ убежа́ть; to keep ~ держа́ться в отдале́нии; держа́ться в стороне́; my hat is ~ у меня́ слете́ла шля́па; the cover is ~ кры́шка снята́; the gilt is ~ позоло́та сошла́; *перен.* наступи́ло разочарова́ние; 2) *расстоя́ние:* a long way ~ далеко́; five miles ~ за пять миль, в пяти́ ми́лях; 3) *прекраще́ние, переры́в, оконча́ние де́йствия:* to break ~ negotiations прерва́ть перегово́ры; to break ~ замолча́ть, оборва́ть разгово́р; to cut ~ supplies прекрати́ть снабже́ние; 4) *заверше́ние де́йствия:* to pay ~ вы́платить (*до конца́*); to drink ~ вы́пить (*до дна*); to polish ~ отполирова́ть;

to finish ~ покончить; 5) *избавление*: to throw ~ reserve осмелеть, расхрабриться; 6) *выключение, разъединение какого-л. аппарата или механизма*: to switch ~ the light выключить свет; the radio was ~ the whole day радио не было включено весь день; 7) *снятие предмета одежды*: take ~ your coat! снимите пальто!; hats ~! шапки долой!; 8): he is badly ~ он очень нуждается; Tom is comfortably ~ Том хорошо зарабатывает, хорошо обеспечен; ◇ ~ and on время от времени, нерегулярно, с перерывами; to go ~ a) портиться; б) отправиться спать;

2. *prep указывает на*: 1) *расстояние* от; a mile ~ the road на расстоянии мили от дороги; ~ the beaten track в стороне от большой дороги; *перен.* в малоизвестных областях; ~ the coast неподалёку от берега; the street ~ the Strand улица, идущая от Стрэнда *или* выходящая на Стрэнд; 2) *удаление с поверхности* с; take your hands ~ the table убери руки со стола; they pushed me ~ my seat они столкнули меня с моего места; 3) *отклонение от нормы*: one's head вне себя; сумасшедший; ~ one's balance потерявший равновесие; ~ one's feed без аппетита; ~ the point а) далеко от цели; б) не относящийся к делу; ~ the mark a) не в цель (*о выстреле*); *перен.* неправильно, неверно; б) быстро, без промедления; 4) *неучастие в чём-л.*: he is ~ gambling он не играет в азартные игры; ~ duty не при исполнении служебных обязанностей; ◇ ~ the cuff без подготовки;

3. *a* 1) дальний, более удалённый; an ~ road отдалённая дорога; 2) свободный (*о времени, часах*); an ~ day выходной, свободный день; 3) снятый, отделённый; the wheel is ~ колесо снято, соскочило; 4) неурожайный (*о годе*); мёртвый (*о сезоне*); 5) второстепенный; an ~ street переулок; that is an ~ issue это второстепенный вопрос; 6) правый; the ~ hind leg задняя правая нога; the ~ side правая сторона; *мор.* борт корабля, обращённый к открытому морю; 7) маловероятный; on the ~ chance *разг.* на всякий случай; 8) несвежий; the fish is a bit ~ рыба не совсем свежая; I am feeling rather ~ today я сегодня неважно себя чувствую; 9) *спорт.* противоположный той, на которой стоит игрок с битой (*о части крикетного поля*);

4. *n спорт.* часть поля, противоположная той, на которой стоит игрок с битой (*в крикете*);

5. *v* 1) *разг.* прекращать (*переговоры и т. п.*); идти на попятный; 2) *мор.* удаляться от берега, уходить в открытое море;

6. *int* прочь, вон!

offal ['ɔfəl] *n* 1) отбросы; 2) требуха; гольё, потроха; 3) дешёвая рыба; 4) падаль; 5) отруби.

off-black ['ɔf‚blæk] *a* не совсем чёрный (*об оттенке*).

offcast ['ɔfkɑːst] 1. *a* отвергнутый; 2. *n* отверженный.

off-chance ['ɔftʃɑːns] *n* некоторый шанс.

off colour ['ɔf'kʌlə] *a* 1) необычного цве-

та; 2) имеющий нездоровый вид; 3) дурно настроенный; 4) неисправный, дефектный; 5) рискованный, сомнительный; непристойный; 6) небезупречный; his reputation was a trifle ~ у него не совсем безукоризненная репутация; 7) худшего качества; нечистой воды (*о бриллиантах*).

offence [ə'fens] *n* 1) обида, оскорбление; to cause ~, to give ~ (to) оскорбить, нанести обиду; to take ~ (at) обижаться (на); a just cause of ~ справедливый повод к обиде; I meant no ~, no ~ was meant я не хотел обидеть; too quick to take ~ обидчивый; without ~ не в обиду будь сказано; без намерения оскорбить; 2) проступок, нарушение (*чего-л.*; against); преступление; 3) *воен.* нападение; наступление; 4) *библ.* камень преткновения.

offend [ə'fend] *v* 1) обижать, оскорблять; вызывать раздражение, отвращение; to ~ smb.'s sense of justice оскорбить чьё-л. чувство справедливости; to be ~ed быть обиженным (by, at— *чем-л.*; by, with— *кем-л.*); 2) погрешить; совершить проступок; нарушить (*закон*; against); to ~ against custom нарушить обычай.

offender [ə'fendə] *n* 1) обидчик, оскорбитель; 2) правонарушитель, преступник; first ~ преступник, судимый впервые; juvenile ~ малолетний преступник; old ~ рецидивист.

offensive [ə'fensɪv] 1. *n воен.* наступление, наступательная операция; to act on the ~ наступать; to take the ~ перейти в наступление; *перен.* занять наступательную (*или* агрессивную) позицию;

2. *a* 1) оскорбительный, обидный; 2) отвратительный, противный; ~ sight отвратительное зрелище; 3) наступательный, агрессивный; ~ defensive *воен.* активная оборона; ~ return переход в контратаку; переход в контрнаступление; ~ stroke удар по противнику; ~ war наступательная война.

offer ['ɔfə] 1. *n* 1) предложение; 2) предложение цены; 3) попытка; ◇ on ~ в продаже;

2. *v* 1) предлагать; выражать готовность; to ~ one's hand a) протянуть руку; б) сделать предложение; to ~ an opinion выразить мнение; to ~ an apology извиняться; to ~ a free pardon обещать полное прощение; to ~ battle дать бой; 2) пытаться; пробовать; to ~ resistance оказывать сопротивление; to ~ to strike пытаться ударить; 3) выдвигать, предлагать вниманию; 4) случаться, являться; as chance (*или* opportunity) ~s при случае; 5) предлагать для продажи по определённой цене; предлагать определённую цену; 6) приносить (*жертву*; *особ.* ~ up); возносить (*молитвы*); to ~ prayers молиться.

offering ['ɔfərɪŋ] 1. *pres. p. от* offer 2; 2. *n* 1) предложение; 2) подношение; 3) жертва; 4) жертвоприношение.

offertory ['ɔfətərɪ] *n* церковные пожертвования; деньги, собранные во время церковной службы.

off-hand, offhand ['ɔf'hænd] 1. *a* 1) импровизированный, сделанный без подготóвки, экспрóмтом; 2) бесцеремóнный; an ~ manner бесцеремóнная манéра;

2. *adv* 1) экспрóмтом; тóтчас; 2) бесцеремóнно.

offhanded ['ɔːf'hændɪd] = off-hand 1.

offhandedly ['ɔːf'hændɪdlɪ] *adv* небрéжно; бесцеремóнно.

office ['ɔfɪs] *n* 1) слýжба, дóлжность; an ~ under Government мéсто на госудáрственной слýжбе; an honorary ~ почётная дóлжность; to hold ~ занимáть пост; to leave (*или* to resign) ~ уйти с дóлжности; to take ~, to enter upon ~ вступáть в дóлжность; to be in ~ быть у влáсти; to get (*или* to come) into ~ принять делá, приступить к исполнéнию служéбных обязанностей; 2) обязанность, долг; фýнкция; it is my ~ to open the mail в мои обязанности вхóдит вскрывáть пóчту; 3) контóра, канцелярия; *амер.* кабинéт врачá; to be in the ~ служить в контóре, в канцелярии; dentist's ~ *амер.* зубоврачéбный кабинéт; editorial ~ редáкция; publishing ~ издáтельство; recruiting ~ призывнóй пункт; public ~ учреждéние; inquiry ~ спрáвочное бюрó; 4) вéдомство, министéрство; управлéние; Foreign O. министéрство инострáнных дел (*в Англии*); Record O. госудáрственный архив; O. of Education Федерáльное управлéние просвещéния (*в США*); 5) услýга; good ~ любéзность, одолжéние; ill ~ плохáя услýга; 6) *pl* слýжбы при дóме (*кладовые и т. п.*); 7) церкóвная слýжба; обряд; O. for the Dead заупокóйная слýжба; the O. of the Mass обéдня; the last ~s похорóнный обряд; 8) *sl.* намёк, знак; to give (to take) the ~ сдéлать (понять) намёк.

office-bearer ['ɔfɪs,bɛərə] *n* чинóвник, должностнóе лицó.

office-boy ['ɔfɪsbɔɪ] *n* рассыльный, посыльный.

office-copy ['ɔfɪs,kɔpɪ] *n* завéренная кóпия докумéнта.

office-holder ['ɔfɪs,houldə] = office-bearer.

officer ['ɔfɪsə] 1. *n* 1) чинóвник, должностнóе лицó; служащий; ~ of the court судéбный исполнитель *или* судéбный пристав; the great ~s of state высшие санóвники госудáрства; medical ~, ~ of health санитáрный инспéктор; returning ~ председáтель избирáтельной комиссии (*в Англии*); 2) офицéр; *pl* офицéры, офицéрский состáв; ~ of the day дежýрный офицéр; billeting ~ квартирьéр; 3) полицéйский; 4) *мор.* капитáн на торгóвом сýдне; first ~ стáрший помóщник; mercantile-marine ~s комáндный состáв торгóвого флóта;

2. *v* (*обыкн. pass.*) 1) обеспéчивать, укомплектóвывать офицéрским состáвом; the regiment was well ~ed полк был хорошó укомплектóван офицéрским состáвом; 2) комáндовать.

office seeker ['ɔfɪs,siːkə] *n* претендéнт на дóлжность.

office studies ['ɔfɪs,stʌdɪz] *n pl геол.* камерáльная обрабóтка.

official [ə'fɪʃəl] 1. *a* 1) служéбный; связанный с исполнéнием служéбных обя-

занностей; ~ duties служéбные обязанности; 2) официáльный; ~ representative официáльный представитель; ~ statement официáльное заявлéние; 3) формáльный, «казённый»; ~ circumlocution бюрократическая волокита; ~ red tape волокита; бюрократизм; канцелярщина; 4) принятый в медицине и фармакопéе;

2. *n* должностнóе лицó; (крýпный) чинóвник; служащий (*государственный, банковский и т. п.*).

officialdom [ə'fɪʃəldəm] *n* 1) чинóвничество; 2) бюрократизм.

officialese [ə,fɪʃə'liːz] *n* 1) канцелярский стиль; стиль официáльных докумéнтов; 2) чинóвничий, служéбный жаргóн.

officialism [ə'fɪʃəlɪzəm] *n* 1) = officialdom 2); 2) чинóвничье самодовóльство.

officially [ə'fɪʃəlɪ] *adv* официáльно.

officiant [ə'fɪʃɪənt] *n* священник, совершáющий богослужéние.

officiary [ə'fɪʃɪərɪ] *a* связанный с дóлжностью (*о титуле*).

officiate [ə'fɪʃɪeɪt] *v* 1) исполнять обязанности; to ~ as host быть за хозяина; 2) совершáть богослужéние.

officinal [,ɔfɪ'saɪnl] *a* 1) лекáрственный (*о траве*); 2) = official 1,4).

officious [ə'fɪʃəs] *a* 1) назóйливый; навязчивый; вмéшивающийся не в свои делá; 2) официóзный, неофициáльный; 3) *уст.* услýжливый; дружéственный.

offing ['ɔfɪŋ] *n* взмóрье; мóре, видимое с бéрега до горизóнта; in the ~ а) на значительном расстоянии от бéрега; в видý бéрега; б) недалекé; в) в недалёком бýдущем; to keep a good ~ держáться в видý бéрега, не приближáясь к немý; ◇ to gain (*или* to get) an ~ получить возмóжность.

offish ['ɔfɪʃ] *a разг.* 1) холóдный, сдéржанный в обращéнии, чóпорный; 2) нелюдимый, зáмкнутый.

off-licence ['ɔf,laɪsəns] *n* патéнт на продáжу спиртных напитков на вынос.

off-load ['ɔːfloud] *v* разгружáть.

off-position ['ɔːfpə,zɪʃən] *n тех.* положéние выключéния.

off-print ['ɔːfprɪnt] *n* отдéльный óттиск (*статьи и т. п.*).

offreckoning ['ɔːf,rekniŋ] *n* (*обыкн. pl*) вычет.

offscourings ['ɔːf,skauəriŋz] *n pl* отбрóсы; подóнки.

offset ['ɔːfset] 1. *n* 1) побéг; óтпрыск; 2) ответвлéние; 3) отрóг; 4) óтрасль; 5) отвóд (*трубы*); 6) противовéс; контрáст; 7) возмещéние, вознаграждéние; 8) *полигр.* офсéт; 9) *attr. полигр.* офсéтный; ~ printing офсéтная печáть;

2. *v* 1) возмещáть, вознаграждáть; компенсировать; 2) сводить балáнс; 3) *полигр.* печáтать офсéтным спóсобом; ◇ to ~ the illegalities противостоять незакóнным дéйствиям; парализовáть, свести на нéт незакóнные дéйствия.

offshoot ['ɔːfʃuːt] *n* 1) = offset 1, 1), 2) *и* 3); 2) боковáя ветвь (*рода*).

off-shore ['ɔːfʃɔː] 1. *a* находящийся на расстоянии от бéрега; двигающийся в на-

правле́нии от бе́рега; an ~ wind ве́тер с бе́рега; ◇ ~ purchases *амер.* прави́тельственные заку́пки за грани́цей, *особ.* зака́зы прави́тельства США, свя́занные с выполне́нием вое́нной програ́ммы;
2. *adv* в откры́том мо́ре.

off side ['ɔːf'said] *n* спорт. (положе́ние) вне игры́.

offspring ['ɔːfspriŋ] *n* 1) о́тпрыск, пото́мок; 2) проду́кт, результа́т, плод.

offspur ['ɔːfspəː] *n* отро́г.

off-white ['ɔːf,wait] *a* не совсе́м бе́лый (об отте́нке).

oft [ɔːft] *adv поэт.* ча́сто; many a time and ~ неоднокра́тно.

oft- [ɔft-] *в соединении с причастием означает* ча́сто, *напр.*: oft-recurring ча́сто повторя́ющийся; oft-told неоднокра́тно (рас)ска́занный *и т. п.*

often ['ɔːfn] *adv* ча́сто, мно́го раз; ~ and ~ весьма́ ча́сто.

oftentimes ['ɔːfntaimz] *adv* ча́сто; мно́го раз.

oft-recurring ['ɔftri'kəːriŋ] *a* ча́сто повторя́ющийся.

oft-times ['ɔːfttaimz] *поэт. см.* oftentimes.

ogam ['ɔgəm] = ogham.

ogee ['oudʒiː] *n* 1) архит. си́нус, гусёк, стре́лка (*свода*); 2) S-обра́зная крива́я.

ogham ['ɔgəm] *n* о́гам (*древний ирландский и кельтский алфавит*).

ogival [ou'dʒaivəl] *a* архит. ожива́льный, стре́льчатый.

ogive ['oudʒaiv] *n* архит. стре́лка (*свода*); стре́льчатый свод.

ogle ['ougl] 1. *n* влюблённый взгляд; 2. *v* не́жно погля́дывать; стро́ить гла́зки.

ogre ['ougə] *n* велика́н-людое́д.

ogress ['ougris] *n* велика́нша-людое́дка.

oh [ou] *см.* O II.

ohm [oum] *n* эл. ом (*единица измерения сопротивления*).

oho [ou'hou] *int* ого́!

oil [ɔil] 1. *n* ма́сло (*обыкн. растительное или минеральное*); sweet ~ прова́нское, оли́вковое ма́сло; whale ~ кито́вый жир; ~ of vitriol купоро́сное ма́сло; ~ of turpentine скипида́рное ма́сло; blasting ~ нитроглицери́н; fixed ~s жи́рные масла́; volatile ~s эфи́рные масла́; 2) нефть; 3) жи́дкая сма́зка; 4) обыкн. pl ма́сляная кра́ска; to paint in ~(s) писа́ть ма́слом; 5) attr. ма́сляный; нефтяно́й; ◇ ~ and vinegar непримири́мые противополо́жности; ~ of birch ≈ берёзовая ка́ша, по́рка; to pour ~ on troubled waters умиротворя́ть; успока́ивать волне́ние;
2. *v* 1) сма́зывать; to ~ the wheels сма́зать колёса; *перен.* ула́дить де́ло (*взяткой и т. п.*); to ~ smb.'s hand (*или* fist, palm) «подма́зать», дать кому́-л. взя́тку; to ~ one's tongue льстить; 2) пропи́тывать ма́слом; 3) заправля́ть(ся).

oil-bearing ['ɔil,bɛəriŋ] *a* нефтено́сный.

oilcake ['ɔilkeik] *n* жмых.

oilcan ['ɔilkæn] *n тех.* маслёнка, бидо́н для ма́сла.

oil-car ['ɔil'kɑː] *n ж.-д.* нефтеналивна́я цисте́рна.

oilcloth ['ɔilklɔθ] *n* клеёнка; род линоле́ума; прома́сленная ткань.

oil-coat ['ɔilkout] *n* дождеви́к.

oil-colour ['ɔil,kʌlə] *n* (обыкн. pl) ма́сляная кра́ска.

oil-derrick ['ɔil,derik] *n* нефтяна́я вы́шка.

oiled [ɔild] 1. *p. p. от* oil 2;
2. *a* пропи́танный ма́слом, прома́сленный; ◇ well ~ *sl.* изря́дно вы́пивший.

oil(-)engine ['ɔil,endʒin] *n тех.* дви́гатель жи́дкого то́плива.

oiler ['ɔilə] *n* 1) сма́зчик; 2) маслодёл; 3) маслоторго́вец; 4) = oilskin 2); 5) *амер.* = oil-well; 6) нефтеналивно́е су́дно; нефтяно́й та́нкер; 7) = oil(-)engine; 8) *тех.* маслёнка.

oilfield ['ɔilfiːld] *n* 1) месторожде́ние не́фти; 2) нефтяно́й про́мысел.

oil-filler ['ɔil,filə] *n тех.* маслёнка; маслоналивно́й патру́бок.

oil-gland ['ɔilglænd] *n* са́льная железа́.

oil-hole ['ɔilhoul] *n тех.* сма́зочное отве́рстие.

oilman ['ɔilmən] *n* 1) продаве́ц ма́сел и ма́сляных кра́сок, москате́льщик; 2) сма́зчик; 3) *амер.* рабо́чий-нефтя́ник.

oil-meal ['ɔilmiːl] = oilcake.

oil-paint ['ɔil'peint] = oil-colour.

oil-painting ['ɔil'peintiŋ] *n* 1) карти́на, напи́санная ма́сляными кра́сками; 2) жи́вопись ма́сляными кра́сками.

oil-paper ['ɔil,peipə] *n* прома́сленная бума́га; вощёнка.

oilplant ['ɔil'plɑːnt] *n* масли́чное расте́ние.

oil-press ['ɔilpres] *n* пресс для выжима́ния ма́сла.

oil seal ['ɔil'siːl] *n тех.* са́льник.

oilskin ['ɔilskin] *n* 1) клеёнка; 2) pl клеёнчатый костю́м; мор. дождево́е пла́тье; 3) attr. клеёнчатый.

oil-stained ['ɔil,steind] *a* пропи́танный не́фтью.

oil station ['ɔil'steiʃən] *n* (бензо)запра́вочный пункт.

oil-stone ['ɔilstoun] *n* осело́к, точи́льный ка́мень.

oil-tanker ['ɔil,tæŋkə] *n* нефтеналивно́е су́дно, та́нкер.

oil tar ['ɔil'tɑː] *n* дёготь.

oil-well ['ɔilwel] *n* нефтяна́я сква́жина.

oily ['ɔili] *a* 1) ма́сляный, масляни́стый, жи́рный; 2) еле́йный, льсти́вый, вкра́дчивый.

ointment ['ɔintmənt] *n* мазь; пома́да; притира́ние.

O.K. ['ou'kei] *разг.* 1. *n* одобре́ние;
2. *a predic.* всё в поря́дке; хорошо́; пра́вильно;
3. *v* (past и p. p. O.K.'d [-d]) одобря́ть (устно или письменно);
4. *int* хорошо́!, ла́дно!, есть!, идёт!

okapi [ou'kɑːpi] *n зоол.* ока́пи.

okay [ou'kei] *см.* O.K.

okie ['ouki] *n амер.* стра́нствующий сельскохозя́йственный рабо́чий (*преим. из шта́та Оклахо́ма*).

okie doke ['ouki'douk] *амер.* = O.K. 4.

old [ould] 1. *a* (older [-ə]; elder; oldest;

[-ıst], eldest) 1) ста́рый; ~ people старики́; ~ age ста́рость; to grow ~ ста́риться; ~ campaigner ста́рый служа́ка, ветера́н; *перен.* быва́лый челове́к; an ~ shoe *шутл.* ста́рая кало́ша; an ~ head on young shoulders му́дрость не по во́зрасту; 2) ста́рческий, старообра́зный; 3) занима́вшийся дли́тельное вре́мя (*чем-л.*); о́пытный; an ~ hand о́пытный челове́к (*в чём-л.*); 4) *при вопросе о возрасте и при указании возраста*: how ~ is he? ско́лько ему́ лет?; he is ten years ~ ему́ де́сять лет; 5) стари́нный, давни́шний; an ~ family стари́нный род; of the ~ school старомо́дный; 6) бы́вший, пре́жний; ~ boy бы́вший учени́к шко́лы [*ср. тж.* 10)]; 7) ста́рый, вы́держанный; 8) поно́шенный, потрёпанный, обветша́лый; 9) закоренéлый (*тж.* ~ in, ~ at); 10) *придаёт ласкательное или усилительное значение существительному:* ~ boy дружи́ще [*ср. тж.* 6)]; ~ thing голу́бушка, дружо́к; ~ man старина́; *мор. sl.* капита́н; *разг.* стари́к (*муж или отец*); ~ woman стару́ха (*жена*); ~ lady мать (*в обращении и в третьем лице*); to have a rare ~ time *разг.* хорошо́ повесели́ться; ◇ ~ as the hills старо́, как мир; о́чень ста́рый; ~ bean *sl.* старина́, дружи́ще; ~ bird стреля́ный воробе́й; о́пытный, осторо́жный челове́к; ~ bones *шутл.* а) ста́рость; she wouldn't make ~ bones она́ не доживёт до ста́рости; б) стари́к; стару́ха; ~ the country ро́дина, оте́чество; ~ man of the sea неотвя́зный челове́к; ~ Harry, O. Gentleman, O. Nick дья́вол; the O. Lady of Threadneedle Street Англи́йский банк; ~ soldier *sl.* а) быва́лый челове́к; б) пуста́я буты́лка; в) оку́рок; O. Tom сорт джи́на;

2. *n* 1) (the ~) *pl собир.* старики́; 2): of ~ пре́жде, в пре́жнее вре́мя; from of ~ и́сстари; in the days of ~ в старину́; men of ~ лю́ди пре́жнего вре́мени.

old-age [ˈould͵eidʒ] *a:* ~ pension пе́нсия по ста́рости.

old-clothesman [ˈouldˈklouðzmæn] *n* старьёвщик.

old-clothesshop [ˈouldˈklouðzʃɔp] *n* ла́вка поде́ржанных веще́й.

olden [ˈouldən] 1. *a уст.* ста́рый, было́й; бо́лее ра́ннего пери́ода;
2. *v редк.* старе́ть.

old-established [ˈouldɪsˈtæbliʃt] *a* давно́ устано́вленный, давни́шний.

old-fashioned [ˈouldˈfæʃənd] *a* устаре́лый, старомо́дный; стари́нный.

old-gold [ˈouldˈgould] *a* цве́та ста́рого зо́лота.

old-hat [ˈouldˈhæt] *a разг.* устаре́лый.

oldish [ˈouldɪʃ] *a* старова́тый.

old-maidish [ˈouldˈmeidɪʃ] *a* стародéвичий.

old man's beard [ˈouldˈmænzˈbɪəd] *n бот.* 1) ломоно́с виноградноли́стный; 2) луизиа́нский мох.

oldster [ˈouldstə] *n разг.* пожило́й челове́к.

old-time [ˈouldtaim] *a* стари́нный, пре́жних времён.

old-timer [ˈouldˈtaimə] *n* старожи́л.

Old World [ˈouldwəːld] *n* Ста́рый Свет, Восто́чное полуша́рие.

old-world [ˈouldwəːld] *a* 1) стари́нный, дре́вний, относя́щийся к старине́; 2) *амер.* относя́щийся к Ста́рому Све́ту.

oleaginous [͵ouliˈædʒinəs] *a* 1) масляни́стый; жи́рный; 2) елéйный.

oleander [͵ouliˈændə] *n бот.* олеа́ндр.

oleaster [͵ouliˈæstə] *n бот.* 1) ди́кая масли́на; 2) лох узколи́стный.

oleograph [ˈouliougraːf] *n* олеогра́фия.

oleomargarine [ˈouliou͵maːdʒəˈriːn] *n* олеомаргари́н.

olericulture [ˈɔləri͵kʌltʃə] *n* овощево́дство, выра́щивание зе́лени.

oleum [ˈouliəm] *n хим.* о́леум, дымя́щая се́рная кислота́.

olfact [ɔlˈfækt] *v уст.* ню́хать, обоня́ть.

olfactory [ɔlˈfæktəri] 1. *a* обоня́тельный; ~ organ о́рган обоня́ния, нос;
2. *n* (*обыкн. pl*) о́рган(ы) обоня́ния.

olid [ˈɔlid] *a* злово́нный.

oligarch [ˈɔligaːk] *греч. n* олига́рх.

oligarchic(al) [͵ɔliˈgaːkik(əl)] *греч. a* олигархи́ческий.

oligarchy [ˈɔligaːki] *греч. n* олига́рхия.

olio [ˈouliou] *n* (*pl* -os [-ouz]) 1) смесь, вся́кая вся́чина; 2) *муз.* попурри́; 3) *уст.* мя́со, тушёное с овоща́ми.

olitory [ˈɔlitəri] *a уст.* овощно́й, огоро́дный.

olivaceous [͵ɔliˈveiʃəs] *a* оли́вковый, оли́вкового цве́та.

olivary [ˈɔlivəri] *a анат.* име́ющий фо́рму масли́ны, ова́льный.

olive [ˈɔliv] 1. *n* 1) масли́на, оли́ва (*дерево и плод*); 2) = olive-branch; 3) оли́вковая ро́ща; 4) *pl* блю́до из мя́са, напомина́ющее голубцы́ *или* лу́ковники; 5) застёжка (*в форме масли́ны*); 6) оли́вковый цвет;
2. *a* оли́вковый, оли́вкового цве́та.

olive-branch [ˈɔlivbraːntʃ] *n* 1) оли́вковая, масли́чная ветвь (*как символ ми́ра*); to hold out the ~ де́лать ми́рные предложе́ния; пыта́ться ула́дить де́ло ми́ром; 2) (*обыкн. pl*) *шутл.* де́ти.

olive oil [ˈɔlivˈɔil] *n* оли́вковое, прова́нское ма́сло.

olive-tree [ˈɔlivtriː] *n* оли́ва, масли́на (*дерево*).

olivet(te) [ˈɔlivet] = olive 1,5).

olive-wood [ˈɔlivwud] *n* 1) древеси́на оли́вкового де́рева; 2) оли́вковая ро́ща.

olla podrida [ˈɔləpɔˈdriːdə] *исп.* = olio.

ology [ˈɔlədʒi] *n* (*обыкн. pl*) *шутл.* нау́ка, нау́ки.

olympiad [ouˈlimpiæd] *n* олимпиа́да.

Olympian [ouˈlimpiən] 1. *a* 1) олимпи́йский; 2) вели́чественный; снисходи́тельный;
2. *n* гре́ческий бог, олимпи́ец.

Olympic [ouˈlimpik] *a* олимпи́йский; ~ games олимпи́йские и́гры; ◇ ~ green *мин.* медя́нка; изумру́дная *или* малахи́товая зе́лень.

Olympus [ouˈlimpəs] *n миф.* Оли́мп.

ombre [ˈɔmbə] *n карт.* ло́мбер.

omega [ˈoumigə] *n* 1) оме́га (*последняя бу́ква гре́ческого алфави́та*); 2) коне́ц, заверше́ние [*см. тж.* alpha].

omelet(te) ['ɔmlɪt] *n* омлёт, яичница; savoury ~ омлёт с душистыми травами; sweet ~ омлёт с вареньем *или* с сахаром; ◇ you can't make an ~ without breaking eggs *посл.* ≅ лес рубят—щёпки летят.

omen ['oumen] 1. *n* предзнаменование, знак; to be of good (ill) ~ служить хорошей (дурной) приметой;
2. *v* служить предзнаменованием, предвещать.

ominous ['ɔmɪnəs] *a* зловещий, угрожающий.

omissible [ou'mɪsɪbl] *a* такой, которым можно пренебречь.

omission [ou'mɪʃən] *n* 1) пропуск; 2) упущение; оплошность.

omit [ou'mɪt] *v* 1) пренебрегать, упускать; to ~ doing (*или* to do) smth. не сделать чего-л.; 2) пропускать, не включать.

omnibus ['ɔmnɪbəs] 1. *n* 1) омнибус; 2) автобус; 3) объёмистый сборник, однотомник (*в дешёвом издании*);
2. *a* 1) охватывающий несколько предметов *или* пунктов; an ~ bill a) законопроект по разным вопросам; б) счёт по разным статьям; ~ box *театр.* очень большая ложа; ~ edition полное собрание сочинений; an ~ resolution общая резолюция по целому ряду вопросов; ~ train пассажирский поезд, останавливающийся на всех станциях; 2) общедоступный.

omnidirectional, omnidirective [,ɔmnɪdɪ-'rekʃənl, ,ɔmnɪdɪ'rektɪv] *a тех.* действующий по всем направлениям; не имеющий определённого направления действия.

omnifarious [,ɔmnɪ'fɛərɪəs] *a* всевозможный; разнообразный.

omnigraph ['ɔmnɪgrɑːf] *n радио* автоматический передатчик.

omnipotence [ɔm'nɪpətəns] *n* всемогущество.

omnipotent [ɔm'nɪpətənt] *a* всемогущий.

omnipresence ['ɔmnɪ'prezəns] *n* вездесущность.

omnipresent ['ɔmnɪ'prezənt] *a* вездесущий.

omnirange ['ɔmnɪreɪndʒ] *n* всенаправленный радиомаяк.

omniscience [ɔm'nɪsɪəns] *n* всеведение.

omniscient [ɔm'nɪsɪənt] *a* всеведущий.

omnium gatherum ['ɔmnɪəm'gæðərəm] *n шутл.* 1) мешанина, смесь; всякая всячина; 2) смешанное, пёстрое общество.

omnivorous [ɔm'nɪvərəs] *a* 1) всеядный; всепожирающий; 2) усваивающий, поглощающий всё; an ~ reader читатель, глотающий книги.

omphalocele ['ɔmfələ,siːl] *n мед.* пупочная грыжа.

omphalos ['ɔmfələs] *греч. n* 1) пуп, пупок; 2) центральный пункт; средоточие; 3) ступица (*колеса*).

omul ['ɔməl] *n зоол.* омуль.

on [ɔn] 1. *prep* 1) *в пространственном значении указывает на:* а) *нахождение на поверхности какого-л. предмета* на; the cup is on the table чашка на столе; the picture hangs on the wall картина висит на стене; he has a blister on the sole of his foot у него волдырь на пятке; б) *нахождение около какого-л. водного пространства* на, у; the town lies on lake Michigan город находится на озере Мичиган; a house on the river дом у реки; в) *направление* на; the boy threw the ball on the floor мальчик бросил мяч на пол; the door opens on a lawn дверь выходит на лужайку; on the right направо; on the North на севере; 2) *во временном значении указывает на:* а) *определённый день недели, определённую дату, точный момент* в; on Tuesday во вторник; on another day в другой день; on the 5th of December 5-го декабря; on Christmas eve в канун рождества; on the morning of the 5th of December утром 5-го декабря; on time вовремя; on the minute точно; on the instant тотчас; б) *последовательность, очерёдность наступления действий* по, после; on my return I met many friends по возвращении я встретил много друзей; on examining the box closer I found it empty осмотрев внимательно ящик, я убедился, что в нём ничего нет; в) *одновременность действий* во время, в течение; on my way home по пути домой; 3) *указывает на цель, объект действия* по, на; he went on business он отправился по делу; on errand a) на посылках; б) по поручению; they rose on their enemies они поднялись на своих врагов; 4) *указывает на состояние, процесс, характер действия* в, на; on fire в огне; the dog is on the chain собака на цепи; on sale в продаже; on duty при исполнении служебных обязанностей; на дежурстве; to be on the go a) быть в движении, в работе; б) собираться уходить; (to be) on the move a) (быть) на ногах, в движении; б) (быть) в развитии; to be on strike бастовать; on leave в отпуске; on trial на испытании; on the trial под следствием; 5) *указывает на основание, причину, источник* из, на, в, по, у; it is all clear on the evidence всё ясно из показаний; on good authority из достоверного источника; on that ground на этом основании; on no account без всякой причины; I heard it on some air show я слышал это в какой-то радиопостановке; on suspicion по подозрению; he borrowed money on his friend он занял деньги у своего друга; 6) в (*составе, числе*); on the commission в составе комиссии; on the delegation в составе делегации; on the jury в числе присяжных; on the list в списке; 7) о, об, относительно, касательно, по; to talk on many subjects говорить о многом; my opinion on that question моё мнение по этому вопросу; a book on phonetics книга по фонетике; a joke on me шутка на мой счёт; I congratulate you on your success поздравляю вас с успехом; 8) *указывает на направление действия; передаётся дат. падежом:* he turned his back on them он повернулся к ним спиной; she smiled on me она мне улыбнулась; 9) за (*что-л.*), на (*что-л.*), to live on 5 £ a week жить на 5 фунтов в неделю; she got it on good terms она получила это на выгодных условиях; interest on capital процент на капитал;

tax on imports налог на импорт; ◇ on high вверху, на высоте; to be on it быть подготовленным, искусным (в чём-л.);

2. *adv указывает на*: 1) *движение дальше, далее, вперёд*; to send one's luggage on послать багаж вперёд, заранее; on and on не останавливаясь; 2) *продолжение или развитие действия* to walk on продолжать идти; go on! продолжай(те); the battle is on сражение продолжается; 3) *отправную точку или момент*: from this day on с этого дня; 4): Macbeth is on tonight сегодня идёт Макбет; what is on in London this spring? какие пьесы идут этой весной в Лондоне?; 5) *включение, соединение (об аппарате, механизме)*: turn on the gas! включи газ!; the light is on свет горит, включён; 6) *наличие какой-л. одежды на ком-л.*: what had he on? во что он был одет?; she had a green hat on на ней была зелёная шляпа; ◇ he goes on two ему скоро исполнится два года; on and off время от времени, иногда; and so on и так далее;

3. *a* 1) *амер. sl.* знающий тайну, секрет; 2) *sl.* желающий принять участие (*особ. в рискованном деле*); 3) *спорт.* на которой стоит игрок с битой (*о части крикетного поля*).

onager ['ɔnəgə] *n* (*pl* -s [-z], -gri) *зоол.* онагр.

onagri ['ɔnəgraɪ] *pl om* onager.

once [wʌns] 1. *adv* 1) (один) раз; ~ again, ~ more ещё раз; ~ and again a) несколько раз; б) иногда, изредка; ~ every day раз в день; ~ (and) for all раз (и) навсегда; ~ in a while (*или* way) иногда, изредка; ~ or twice несколько раз; more than ~ не раз, неоднократно; not ~ ни разу, никогда; 2) некогда, когда-то; однажды; ~ (upon a time) ≅ жил-был (*начало сказок*); I was ~ very fond of him я когда-то очень любил его; 3) *служит для усиления*: (if) ~ you hesitate you are lost стоит вам заколебаться, и вы пропали; when ~ he understands стоит ему только понять; ◇ all at ~ неожиданно; at ~ a) сразу; do it at ~, please сделайте это немедленно, пожалуйста; б) в то же время, вместе с тем; at ~ stern and tender строгий и вместе с тем нежный; ~ bit twice shy ≅ обжёгшись на молоке, будешь дуть и на воду; пуганая ворона куста боится;

2. *n* один раз; for (this) ~ на этот раз, в виде исключения; ~ is enough for me одного раза с меня вполне достаточно;

3. *a уст.* прежний, тогдашний; my ~ master мой прежний учитель *или* хозяин.

once-over ['wʌns,ouvə] *n амер. разг.* беглый (предварительный) осмотр; быстрый, но внимательный взгляд.

oncer ['wʌnsə] *n разг.* тот, кто посещает церковь только по воскресеньям.

oncological [,ɔnkə'lɔdʒɪkəl] *a* онкологический.

oncology [ɔn'kɔlədʒɪ] *n* онкология.

oncoming ['ɔn,kʌmɪŋ] 1. *n* приближение; 2. *a* надвигающийся, приближающийся.

oncost ['ɔnkɔst] = overhead 3.

ondatra [ɔn'dætrɑː] *n зоол.* ондатра.

ondometer [ɔn'dɔmɪtə] *n радио* волномер.

one [wʌn] 1. *num. card.* 1) один; ~ hundred сто, сотня; ~ in a thousand один на тысячу; редкостный; 2) номер один, первый; room ~ комната номер один; volume ~ первый том; 3): I'll meet you at ~ я встречу тебя в час; Pete will be ~ in a month Пете через месяц исполнится год; ◇ ~ too many слишком много; ~ or two немного, несколько; number ~ сам, собственная персона;

2. *n* 1) единица, число один; write down two ~s напишите две единицы; 2) один, одиночка; ~ by ~ поодиночке; they came by ~s and twoes приходили по одному и по двое; 3) *употр. как слово-заместитель*: а) *во избежание повторения ранее упомянутого существительного*: I am through with this book, will you let me have another ~? я кончил эту книгу, не дадите ли вы мне другую?; б) *в знач.* «человек»: he is the ~ I mean он тот самый (человек), которого я имею в виду; the little ~s дети; the great ~s and the little ~s большие и малые; my little ~ дитя моё (*в обращении*); the great ~s of the earth великие мира сего; ◇ at ~ в согласии; all in ~ всё вместе; to be made ~ пожениться, повенчаться; I for ~ что касается меня; ~ up to smb. одно очко (один гол *и т. п.*) в чью-л. пользу; ~ down to smb. одно очко (один гол *и т. п.*) не в чью-л. пользу;

3. *a* 1) единственный; there is only ~ way to do it есть единственный способ это сделать; 2) единый; to cry out with ~ voice единодушно воскликнуть; ~ and undivided единый и неделимый; 3) одинаковый, такой же; it is all ~ to me мне совершенно безразлично; to remain for ever ~ оставаться всегда самим собой; 4) неопределённый, какой-то; at ~ time I lived in Moscow одно время (прежде) я жил в Москве; ~ fine morning в одно прекрасное утро;

4. *pron. indef.* 1) некто, некий, кто-то; I showed the ring to ~ Jones я показал кольцо некоему Джонсу; ~ came running кто-то вбежал; 2) *употр. в неопределённо-личных предложениях*: ~ never knows what may happen никогда не знаешь, что может случиться; if ~ wants a thing done ~ had best do it himself если хочешь, чтобы дело было сделано, сделай его сам; ~ must observe the rules нужно соблюдать правила; ◇ in the year ~ очень давно.

one-aloner ['wʌnə'lounə] *n* совершенно одинокий человек, одиночка.

one-decker ['wʌn,dekə] *n* однопалубное судно.

one-eyed ['wʌn'aɪd] *a* 1) одноглазый; кривой; 2) *sl.* нечестный, недобросовестный.

one-figure ['wʌn,fɪgə] *n* однозначное число.

onefold ['wʌnfould] *a* 1) простой, несложный; 2) простой, простодушный, искренний.

one-handed ['wʌn'hændɪd] *a* 1) однорукий; 2) сделанный одной рукой; рассчитанный на работу одной рукой.

one-horse(d) ['wʌn'hɔːs(t)] *a* 1) имеющий одну лошадь; одноконный; 2) в одну лошадиную силу; 3) маломощный; 4) *разг.*

бе́дный; второстепе́нный; незначи́тельный; ме́лкий; захолу́стный.

one-idea'd, one-ideaed ['wʌnaɪ'dɪəd] *a* 1) одержи́мый одно́й иде́ей; 2) у́зкий (*о мировоззре́нии*); ограни́ченный (*о челове́ке*).

one-legged ['wʌn'legd] *a* 1) одноно́гий; 2) *перен.* односторо́нний, однобо́кий; полови́нчатый.

one-man ['wʌn'mæn] *a* 1) одино́чный; относя́щийся к одному́ челове́ку; 2) производи́мый одни́м челове́ком; ~ show представле́ние с одни́м де́йствующим лицо́м; 3) одноме́стный.

oneness ['wʌnnɪs] *n* 1) еди́нство; то́ждество; неизменя́емость; 2) исключи́тельность; 3) одино́чество; 4) согла́сие.

one-piece ['wʌn'piːs] *a* состоя́щий из одного́ куска́.

oner ['wʌnə] *n* 1) *sl.* ре́дкий челове́к *или* предме́т; 2) *sl.* тяжёлый уда́р; caught him a ~ on the head здо́рово хвати́л его́ по голове́; 3) *sl.* на́глая ложь; 4) *разг.* уда́р со счётом в одно́ очко́ (*особ. в кри́кете*).

onerous ['ɒnərəs] *a* обремени́тельный; затрудни́тельный, тя́гостный.

oneself [wʌn'self] *pron* 1) *refl.* себя́; -ся; себе́; to excuse ~ извиня́ться; 2) *emph.* сам, (са́мому) себе́; (самого́) себя́; one might wear the articles ~ челове́к мо́жет и сам носи́ть свои́ ве́щи; there are things one can't do for ~ есть ве́щи, кото́рые нельзя́ сде́лать для самого́ себя́.

one-sided ['wʌn'saɪdɪd] *a* 1) однобо́кий; односторо́нний; кривобо́кий; ~ street у́лица, застро́енная дома́ми то́лько с одно́й стороны́; 2) односторо́нний, ограни́ченный (*о челове́ке*); 3) пристра́стный, несправедли́вый.

one-time ['wʌn'taɪm] *a* бы́вший; было́й, про́шлый.

one-track ['wʌn'træk] *a* 1) ж.-д. одноколе́йный; 2): ~ mind челове́к с у́зким кругозо́ром.

one-way ['wʌn'weɪ] *a* односторо́нний (*о свя́зи, движе́нии*).

onfall ['ɒnfɔːl] *n* нападе́ние.

onflow ['ɒnfloʊ] *n* тече́ние.

ongoings ['ɒn.goʊɪŋz] = goings-on.

onhanger ['ɒn.hæŋə] = hanger-on.

onion ['ʌnjən] 1. *n* 1) лук; лу́ковица; 2) *sl.* голова́; to be off one's ~ свихну́ть го́лову, спя́тить; 3) *воен. sl.* зажига́тельная раке́та.

2. *v* 1) приправля́ть лу́ком; 2) натира́ть себе́ глаза́ лу́ком (*что́бы вы́звать слёзы*).

onion-skin ['ʌnjənskɪn] *n* 1) лу́ковичная шелуха́; 2) то́нкая гла́дкая бума́га.

oniony ['ʌnjənɪ] *a* лу́ковый; лу́ковичный.

onlay ['ɒnleɪ] *n* накла́дка; отде́лка.

on-licence ['ɒn.laɪsəns] *n* пате́нт на прода́жу спиртны́х напи́тков распи́вочно (*не на вы́нос*).

onlooker ['ɒn.lʊkə] *n* зри́тель, наблюда́тель.

only ['oʊnlɪ] 1. *a* еди́нственный; an ~ son еди́нственный сын; one and ~ оди́н еди́нственный; уника́льный.

2. *adv* то́лько, исключи́тельно; еди́нственно; ◇ ~ just то́лько что; to be ~ just in time едва́ поспе́ть; ~ not чуть не, едва́ не, почти́; I am ~ too pleased я о́чень рад; if ~ е́сли бы то́лько;

3. *cj* но; I would do it with pleasure, ~ I am too busy я сде́лал бы э́то с удово́льствием, но я сли́шком за́нят; ~ that за исключе́нием того́, что; е́сли бы не то, что.

onomatopoeia [.ɒnoʊmætəʊ'piːə] *греч. n* лингв. звукоподража́ние; ономатопе́я (*напр.*, cuckoo, buzz).

onomatopoeic(al) [.ɒnoʊmætəʊ'piːk(əl)] *a* звукоподража́тельный.

on-position ['ɒnpə.zɪʃən] *n* тех. рабо́чее положе́ние.

onrush ['ɒnrʌʃ] *n* ата́ка, на́тиск.

onset ['ɒnset] *n* 1) на́тиск, ата́ка, нападе́ние; ~ of wind поры́в ве́тра; 2) нача́ло; at the first ~ сра́зу же.

onslaught ['ɒnslɔːt] *n* бе́шеная ата́ка; нападе́ние.

onto ['ɒntu] *prep* на; to get ~ a horse сесть на ло́шадь; the boat was driven ~ the rocks ло́дку вы́бросило на ска́лы.

ontogenesis, ontogeny [ɒntoʊ'dʒenɪsɪs, ɒn'tɒdʒɪnɪ] *n* биол. онтогене́з.

ontology [ɒn'tɒlədʒɪ] *греч. n филос.* онтоло́гия.

onus ['oʊnəs] *лат. n* (*тк.* sing) бре́мя; отве́тственность; долг.

onward ['ɒnwəd] 1. *a* продвига́ющийся, иду́щий вперёд; прогресси́вный; ~ movement движе́ние вперёд.

2. *adv* вперёд, впереди́, да́лее.

onwards ['ɒnwədz] = onward 2.

onyx ['ɒnɪks] *n мин.* о́никс.

oodles ['uːdlz] *n pl разг.* огро́мное коли́чество, мно́жество; ~ of money ку́ча де́нег.

oof [uːf] *n sl.* де́ньги, бога́тство.

oofy ['uːfɪ] *a sl.* бога́тый.

oolite ['oʊəlaɪt] *n геол.* ооли́т.

oolitic [.oʊə'lɪtɪk] *a геол.* ооли́товый.

oology [oʊ'ɒlədʒɪ] *n* коллекциони́рование *или* изуче́ние пти́чьих яи́ц.

oolong ['uːlɒŋ] *n* сорт чёрного кита́йского ча́я.

oon [uːn] *диал.* = one.

oont [uːnt] *n англо-инд.* верблю́д.

ooze [uːz] 1. *n* 1) ли́пкая грязь; ил, ти́на; 2) ме́дленное тече́ние; проса́чивание, выделе́ние вла́ги; 3) дуби́льный отва́р, дуби́льная жи́дкость.

2. *v* 1) ме́дленно течь; ме́дленно вытека́ть; сочи́ться; 2) *перен.* утека́ть, убыва́ть; исчеза́ть; his strength ~d away си́лы покину́ли его́; the secret ~d out секре́т откры́лся.

oozy ['uːzɪ] *a* 1) и́листый, ти́нистый; 2) выделя́ющий вла́гу.

opacity [oʊ'pæsɪtɪ] *n* 1) непрозра́чность; acoustic ~ звуконепроница́емость; 2) затенённос, темнота́; 3) нея́сность, сму́тность (*мы́сли, о́браза*).

opal ['oʊpəl] *n* 1) *мин.* опа́л; 2) *attr.* опа́ловый; с моло́чным отте́нком; ~ glass моло́чное стекло́.

opalescent [.oʊpə'lesnt] *a* опа́ловый, име́ющий моло́чный отли́в.

opalesque [.oʊpə'lesk] = opalescent.

opaline 1. *n* ['oupəliːn] 1) моло́чное стекло́; 2) *мин.* опали́н;

2. *a* ['oupəlain] = opalescent.

opaque [ou'peik] **1.** *a* 1) непрозра́чный, светонепроница́емый; тёмный; 2) тупо́й, глу́пый;

2. *n* (the ~) темнота́, мрак.

ope [oup] *поэт.* *см.* open 3.

open ['oupən] **1.** *a* 1) откры́тый; ~ sore откры́тая ра́на; я́зва; *перен.* злоупотребле́ние; обще́ственное зло; ~ question откры́тый вопро́с; in the ~ air на откры́том во́здухе; to break (*или* to throw) ~ распахну́ть (*дверь, окно*); to tear ~ распеча́тывать (*письмо, пакет*); with ~ eyes с откры́тыми глаза́ми; *перен.* созна́тельно, учи́тывая все после́дствия; ~ boat беспа́лубное су́дно; ~ bridge мост с ездо́й по́низу; ~ circuit *эл.* разо́мкнутая цепь; 2) откры́тый, досту́пный; незаня́тый; ап ~ port откры́тый порт; ~ market во́льный ры́нок; the post is still ~ ме́сто ещё не за́нято; ~ to persuasion подда́ющийся убежде́нию; ~ season сезо́н охо́ты; 3) откры́тый, открове́нный; и́скренний; ~ contempt я́вное презре́ние; ап ~ countenance откры́тое лицо́; to be ~ with smb. быть открове́нным с кем-л.; 4) свобо́дный (*о пути*); ~ water вода́, очи́стившаяся ото льда; 5) откры́тый, непересечённый (*о ме́стности*); ~ field откры́тое по́ле; ~ space незагоро́женное ме́сто; 6) ще́дрый; гостеприи́мный; to welcome with ~ arms встреча́ть тепло́, раду́шно; ап ~ house откры́тый дом; ап ~ hand ще́драя рука́; 7) мя́гкий (*о земле*); 8) *фон.* откры́тый (*о сло́ге*); ◇ he is an ~ book его́ легко́ поня́ть; to force an ~ door ломи́ться в откры́тую дверь; ~ champion победи́тель в откры́том состяза́нии; ~ ice лёд, не меша́ющий навига́ции; ~ order *воен.* расчленённый строй; ~ verdict *юр.* призна́ние нали́чия преступле́ния без установле́ния престу́пника; ~ weather (winter) мя́гкая пого́да (зима́);

2. *n* 1) отве́рстие; 2) (the ~) откры́тое простра́нство *или* перспекти́ва; откры́тое мо́ре; 3): in the ~ на откры́том во́здухе; ◇ to come into the ~ быть открове́нным;

3. *v* 1) открыва́ть(ся); раскрыва́ть(ся); to ~ an abscess вскрыва́ть нары́в; to ~ the bowels очи́стить кише́чник; to ~ a prospect открыва́ть перспекти́ву, бу́дущность; to ~ the door to smth. *перен.* откры́ть путь чему́-л.; сде́лать что-л. возмо́жным; to ~ the mind расши́рить кругозо́р; to ~ one's mind to подели́ться свои́ми мы́слями с; 2) начина́ть(ся); to ~ the ball открыва́ть бал; *перен.* начина́ть де́йствовать; брать на себя́ инициати́ву; to ~ the debate откры́ть пре́ния; to ~ an attack *воен.* начина́ть наступле́ние; to ~ fire откры́ть ого́нь; 3) открыва́ть, осно́вывать; to ~ a shop откры́ть магази́н; to ~ an account откры́ть счёт (*в ба́нке*); □ ~ into сообща́ться с (*о ко́мнатах*); вести́ в (*о две́ри*); ~ on выходи́ть, открыва́ться на (*о две́ри*); ~ out развёртывать(ся); раскрыва́ть(ся); to ~ out one's arms открыва́ть объя́тия; to ~ out the wings расправля́ть кры́лья; ~ up а) сде́лать(ся) досту́пным; раскрыва́ть(ся); обнару́живаться; б)

разоткрове́нничаться; ◇ to ~ ground а) вспа́хивать *или* вска́пывать зе́млю; б) подгота́вливать по́чву; начина́ть де́йствовать.

open-air ['oupn'ɛə] *a*: ап ~ life жизнь на откры́том во́здухе.

open-armed ['oupn'ɑːmd] *a* с распростёртыми объя́тиями; ап ~ welcome раду́шный приём.

opencast ['oupənkɑːst] *a* *горн.* добы́тый откры́тым спо́собом; ~ mining откры́тые го́рные рабо́ты.

open-eared ['oupn'iəd] *a* внима́тельно слу́шающий.

opener ['oupnə] *n* ключ *или* маши́нка для открыва́ния консе́рвных ба́нок.

open-eyed ['oupn'aid] *a* 1) с широко́ раскры́тыми (от удивле́ния) глаза́ми; 2) бди́тельный.

open-faced ['oupn'feist] *a* име́ющий откры́тое лицо́.

open-field ['oupn'fiːld] *a* *ист.*: ~ system систе́ма неогоро́женных уча́стков, превраща́емых по́сле сня́тия урожа́я в о́бщий вы́гон.

open-handed ['oupn'hændid] *a* ще́дрый.

open-hearted ['oupən,hɑːtid] *a* 1) с откры́той душо́й, чистосерде́чный; 2) великоду́шный.

opening ['oupniŋ] **1.** *pres. p. от* open 3;

2. *n* 1) отве́рстие; щель; 2) расще́лина; прохо́д (*в гора́х*); 3) нача́ло; вступле́ние; вступи́тельная часть; 4) откры́тие (*вы́ставки, конфере́нции и т. п.*); 5) удо́бный слу́чай, благоприя́тная возмо́жность; 6) вака́нсия; 7) *амер.* вы́ставка мод в универма́гах; 8) *амер.* вы́рубка (*в лесу́*); 9) *юр.* предвари́тельное изложе́ние де́ла защи́тником; 10) *шахм.* дебю́т; 11) кана́л; проли́в; 12) *радио* размыка́ние; 13) *полигр.* разворо́т;

3. *a* 1) нача́льный, пе́рвый; the ~ day of the exhibition день откры́тия вы́ставки; 2) вступи́тельный, открыва́ющий; 3) исхо́дный.

openly ['oupnli] *adv* 1) откры́то, публи́чно; 2) открове́нно.

open-minded ['oupn'maindid] *a* 1) с широ́ким кругозо́ром; 2) непредубеждённый; 3) восприи́мчивый.

open-mouthed ['oupn'mauðd] *a* 1) рази́нув(ший) рот от удивле́ния; 2) жа́дный.

openness ['oupnnis] *n* 1) открове́нность; прямота́; 2) я́вность.

open work, open-work ['oupnwəːk] *n* 1) прорезна́я *или* ажу́рная гладь, стро́чка; мере́жка; 2) *горн.* откры́тые рабо́ты, откры́тая разрабо́тка; 3) *attr.* ажу́рный; ~ cloth ажу́рная ткань.

opera ['ɔpərə] *n* 1) о́пера; 2) (*обыкн.* the ~) о́перное иску́сство.

operable ['ɔpərəbl] *a* 1) де́йствующий, находя́щийся в де́йствии; 2) *мед.* операбельный.

opera-cloak ['ɔpərəklouk] *n* манто́ для вы́ездов, наки́дка.

opera-glass(es) ['ɔpərə,glɑːs(iz)] *n* (*pl*) театра́льный бино́кль.

opera-hat ['ɔpərəhæt] *n* шапокля́к, складно́й цили́ндр.

opera-house ['ɔpərəhaus] *n* óперный теáтр.

operand ['ɔpərənd] *n мат.* исхóдное числó.

operate ['ɔpəreit] *v* 1) рабóтать; дéйствовать; to ~ under a theory дéйствовать на основáнии какóй-л. теóрии; 2) управля́ть, завéдовать; 3) окáзывать влия́ние, дéйствовать (on, upon); the medicine did not ~ лекáрство не подéйствовало; 4) *хир.* оперúровать (on); 5) производúть операции (*стратегúческие, финáнсовые*); 6) приводúть(ся) в движéние; управля́ть(ся); эксплуатúровать (*машúну и т. п.*); 7) разрабáтывать, эксплуатúровать.

operated ['ɔpəreitid] 1. *p.p. om* operate;

2. *a* управля́емый; remotely ~ с дистанциóнным управлéнием, управля́емый на расстоя́нии.

operatic [,ɔpə'rætik] *a* óперный; an ~ singer óперный певéц.

operating ['ɔpəreitiŋ] 1. *pres. p. om* operate;

2. *a* 1) операциóнный; ~ knife хирургúческий нож; ~ table операциóнный стол; ~ surgeon *хир.* оперáтор; 2) *амер.* текущий; ~ costs текущие расхóды; эксплуатациóнные расхóды; 3) рабóчий (*о режúме и т. п.*); ~ personnel технúческий персонáл, обслуживающий персонáл.

operating-room ['ɔpəreitiŋrum] *n* операциóнная.

operating-theatre ['ɔpəreitiŋ,θiətə] *n* операциóнная (*для показáтельных операций*).

operation [,ɔpə'reiʃən] *n* 1) дéйствие, операция; рабóта; приведéние в дéйствие; to come into ~ начáть дéйствовать; to call into ~ привестú в дéйствие; in ~ в дéйствии; 2) процéсс; 3) операция (*хирургúческая*); 4) проведéние óпыта, эксперимéнта; 5) *мат.* дéйствие; 6) разрабóтка, эксплуатáция; 7) управлéние (*предприя́тием и т. п.*); 8) *attr.* эксплуатациóнный; ~ costs расхóды по эксплуатáции.

operative ['ɔpərətiv] 1. *a* 1) дéйствующий; действúтельный; дéйственный; to become ~ входúть в сúлу (*о закóне*); 2) оперативный; *хир.* операциóнный, оперативный; ~ treatment оперативное вмешáтельство; 4) дéйствующий, рабóтающий, двúжущий; ~ condition испрáвное состоя́ние, рабóчее состоя́ние;

2. *n* 1) рабóчий-станóчник; 2) ремéсленник.

operatize ['ɔpərətaiz] *v* написáть óперу по какóму-л. произведéнию.

operator ['ɔpəreitə] *n* 1) рабóтающий на машúне, управля́ющий машúной *или* механúзмом; ~'s position рабóчее мéсто; 2) телефонúст; телеграфúст; радúст; свя́зист; 3) то, что окáзывает дéйствие; 4) *хир.* оперáтор; 5) биржевóй мáклер *или* делéц; 6) *амер.* владéлец предприя́тия *или* егó управля́ющий; 7) срéдство управлéния; ◇ big ~s *амер.* крупные чинóвники; высóкие должностны́е лúца; big-time ~ первоклáссный жулик.

opercula [ɔ'pəkjulə] *pl om* operculum.

operculum [ɔ'pəkjuləm] *n* (*pl* -la) 1) *зоол.* жáберная крышка; 2) *бот.* оболóчка (*споrangиев спорóвых растéний*).

operetta [,ɔpə'retə] *n* оперéтта.

operose ['ɔpərous] *a уст.* 1) трудолюбúвый; дéятельный; зáнятый; 2) многотрудный, тя́гостный.

ophidian [ɔ'fidiən] *зоол.* 1. *a* относя́щийся к отря́ду змей;

2. *n* змея́.

ophiolatry [,ɔfi'ɔlətri] *n* змеепоклóнство.

ophite ['ɔfait] *n мин.* офúт.

ophthalmia [ɔf'θælmiə] *n мед.* офтальмúя, воспалéние глáза.

ophthalmic [ɔf'θælmik] *a мед.* глазнóй.

ophthalmologist [,ɔfθæl'mɔlədʒist] *n* офтальмóлог.

ophthalmology [,ɔfθæl'mɔlədʒi] *n* офтальмолóгия.

opiate ['oupiit] 1. *n* опиáт; наркóтик; *перен.* óпиум;

2. *a уст., поэт.* 1) содержáщий óпиум; 2) снотвóрный, наркотúческий;

3. *v редк.* 1) смéшивать с óпиумом; 2) усыпля́ть.

opine [ou'pain] *v* выскáзывать мнéние, полагáть.

opinion [ə'pinjən] *n* 1) мнéние; public ~ обществ́енное мнéние; to be of ~ that полагáть, что; to have no settled ~s не имéть определённых взгля́дов; to have no ~ of быть невысóкого мнéния о; in my ~ по моему́ мнéнию, по-мóему; 2) мнéние, заключéние специалúста; counsel's ~ мнéние адвокáта о дéле; to have the best ~ обратúться к лучшему специалúсту (*врачу и т. п.*); to have (*или* to get) another ~ приглашáть ещё однóго специалúста; ◇ ~s differ *посл.* о вкусах не спóрят; a matter of ~ спóрный вопрóс.

opinionated [ə'pinjəneitid] *a* чрезмéрно самоувéренный; упря́мый; своевóльный.

opium ['oupjəm] *n* óпиум, óпий.

opium den ['oupjəmden] *n* курúльня óпиума.

opium-eater ['oupjəm,itə] *n* курúльщик óпиума.

opium joint ['oupjəmdʒɔint] *амер.* = opium den.

opodeldoc [,ɔpou'deldɔk] *n фарм.* оподельдóк.

opossum [ə'pɔsəm] *n зоол.* опóссум; сумчатая крыса [*см. тж.* possum].

oppidan ['ɔpidən] 1. *n* 1) *редк.* горожáнин. 2) ученúк Итóнского коллéджа, живущий на чáстной квартúре;

2. *a редк.* городскóй.

opponent [ə'pounənt] 1. *n* оппонéнт, протúвник;

2. *a* 1) располóженный напрóтив, противополóжный; 2) враждéбный.

opportune ['ɔpətjun] *a* своеврéменный, благоприя́тный; подходя́щий; an ~ moment подходя́щий момéнт; ~ rain своеврéменный дождь.

opportunism ['ɔpətjuːnizəm] *n* оппортунúзм.

opportunist ['ɔpətjuːnist] 1. *n* оппортунúст;

2. *a* оппортунистúческий.

opportunity [,ɔpə'tjuːniti] *n* удóбный случай; благоприя́тная возмóжность; to take the ~ (of) воспóльзоваться случаем.

opposable [ə'pouzəbl] *a* 1) представляющий возможность для оказания противодействия; 2) могущий быть противопоставленным.

oppose [ə'pouz] *v* 1) противопоставлять (with, against); 2) оказывать сопротивление, сопротивляться, противиться; 3) препятствовать; мешать; to ~ the resolution отклонить резолюцию.

opposed [ə'pouzd] 1. *p. p. от* oppose; 2. *a* 1) противоположный, противный; 2) встречающий сопротивление; ~ landing *мор.* высадка десанта с боем; 3) враждебный (to).

opposeless [ə'pouzlɪs] *a поэт.* непреоборимый.

opposite ['ɔpəzɪt] 1. *a* 1) расположенный, находящийся напротив, противоположный; 2) противоположный; обратный; ~ poles *эл.* разноимённые полюсы; ◊ ~ number лицо, занимающее такую же должность в другом учреждении, государстве *и т. п.*; 2. *n* противоположность; direct ~ прямая противоположность; 3. *adv* напротив; the house ~ дом напротив; ~ prompter *театр.* справа от актёра (*т. е.* в левой части сцены); 4. *prep* 1) против, напротив; 2) на; the cheque was made ~ my name чек был выписан на моё имя.

opposition [ˌɔpə'zɪʃən] *n* 1) контраст, противоположность; противоположение; 2) сопротивление, противодействие; вражда; 2) оппозиция; his Majesty's ~ *парл.* оппозиция его Величества; 4) *астр.* противостояние; 5) *attr.* относящийся к оппозиции; the ~ benches *парл.* скамьи оппозиции.

oppositionist [ˌɔpə'zɪʃənɪst] *n* оппозиционер.

oppress [ə'pres] *v* 1) притеснять, угнетать; to feel ~ed with the heat томиться от жары; 2) удручать, угнетать; 3) *уст.* сокрушать.

oppression [ə'preʃən] *n* 1) притеснение, угнетение, гнёт; 2) угнетённость; подавленность; томление.

oppressive [ə'presɪv] *a* 1) гнетущий, угнетающий, тягостный; ~ weather душная, знойная погода; 2) деспотический.

oppressiveness [ə'presɪvnɪs] *n* гнетущая атмосфера.

oppressor [ə'presə] *n* угнетатель, притеснитель.

opprobrious [ə'proubrɪəs] *a* 1) оскорбительный; ~ language ругательства; 2) *редк.* позорящий.

opprobrium [ə'proubrɪəm] *n* позор; посрамление.

oppugn [ɔ'pjuːn] *v* 1) возражать (*против чего-л.*), оспаривать; 2) *редк.* нападать; вести борьбу; 3) *редк.* сопротивляться.

opt [ɔpt] *v редк.* выбирать.

optation [ɔp'teɪʃən] *n* выбор; оптация.

optative ['ɔptətɪv] *грам.* 1. *n* оптатив, желательное наклонение. 2. *a* оптативный, желательный; ~ mood оптатив, желательное наклонение.

optic ['ɔptɪk] 1. *a* глазной, зрительный; 2. *n шутл.* глаз.

optical ['ɔptɪkəl] *a* зрительный, оптический; ~ illusion оптический обман; ~ disc *тех.* стробоскоп.

optician [ɔp'tɪʃən] *n* оптик.

optics ['ɔptɪks] *n pl* (*употр. как sing*) оптика.

optimism ['ɔptɪmɪzəm] *n* оптимизм.

optimist ['ɔptɪmɪst] *n* оптимист.

optimistic(al) [ˌɔptɪ'mɪstɪk(əl)] *a* оптимистичный, оптимистический.

optimum ['ɔptɪməm] *n* 1) наиболее благоприятные условия; 2) *attr.* оптимальный.

option ['ɔpʃən] *n* 1) выбор, право выбора *или* замены; I have no ~ but to у меня нет другого выбора, как; 2) *юр.* оптация; 3) *ком.* опцион; приобретаемая при уплате известной премии привилегия на покупку товара по заранее установленной цене в определённый срок.

optional ['ɔpʃənl] *a* необязательный; факультативный; ~ exercises *спорт.* произвольные упражнения.

optophone ['ɔptəfoun] *n* оптофон (*прибор для чтения печатного текста слепыми*).

opulence ['ɔpjuləns] *n* изобилие, богатство; состоятельность.

opulent ['ɔpjulənt] *a* 1) богатый, обильный; 2) пышный; an ~ vegetation роскошная растительность; 3) напыщенный (*о стиле*).

opus ['oupəs] *лат. n* (*тк. sing*) музыкальное произведение, опус; ~ magnum крупное *или* главное произведение (*обыкн. литературное*).

opuscule [ɔ'pʌskjuːl] *n* небольшое литературное *или* музыкальное произведение.

or I [ɔː] *cj* или; or else иначе; make haste or else you will be late торопитесь, иначе вы опоздаете.

or II [ɔː] *cj уст.* прежде чем, до (*обыкн. поэт.* or ever, or e'er).

or III [ɔː] *n геральд.* золотой *или* жёлтый цвет.

orach ['ɔrɪtʃ] *n бот.* лебеда (поникшая).

oracle ['ɔrəkl] *n* 1) оракул; 2) предсказание, прорицание; 3) непреложная истина; 4) *библ.* святая святых; ◊ to work the ~ нажать тайные пружины; использовать влияние.

oracular [ɔ'rækjulə] *a* 1) пророческий; 2) претендующий на непогрешимость; догматический; 3) двусмысленный; 4) неясный, загадочный.

oral ['ɔːrəl] 1. *a* 1) устный; словесный; 2) *мед.* стоматический. 2. *n разг.* устный экзамен.

orally ['ɔːrəli] *adv* устно.

Orange ['ɔrɪndʒ] *n ист.* 1) Оранская династия; 2) *attr.*: ~ lodge Оранжистская ложа [*см.* Orangeman].

orange ['ɔrɪndʒ] 1. *n* 1) апельсин; blood ~ апельсин-королёк; 2) апельсинное дерево; 3) оранжевый цвет; ◊ ~s and lemons *название детской песенки и игры*; Blenheim ~ крупный сорт десертных яблок; 2. *a* оранжевый; ◊ ~ book отчёт министерства земледелия (*в оранжевом переплёте*).

orangeade ['ɔrɪndʒ'eɪd] *n* оранжад (*напиток*).

orange-blossom ['ɔrɪndʒ,blɔsəm] *n* 1) померáнцевый цвет; 2) флёрдорáнж (*украшение невесты*).

orange-fin ['ɔrɪndʒɪn] *n зоол.* разновидность форéли.

orange lily ['ɔrɪndʒ'lɪlɪ] *n бот.* крáсная лилия; шафрáнная лилия.

Orangeman ['ɔrɪndʒmən] *n ист.* оранжист (*член Ирландской ультрапротестантской партии*).

orange melon ['ɔrɪndʒ'melən] *n бот.* дыня цукáтная.

orange-peel ['ɔrɪndʒpiːl] *n* 1) апельсинная кóрка; 2) апельсинный цукáт.

orangery ['ɔrɪndʒərɪ] *n* 1) апельсинный сад *или* -ая плантáция; 2) оранжерéя (*для выращивания апельсинных деревьев*).

orange-tip ['ɔrɪndʒtɪp] *n зоол.* белянка.

orang-outang, orang-utan ['ɔːrəŋ'uːtæŋ, 'uːtæŋ] *n зоол.* орангутáнг.

orate [ɔː'reɪt] *v шутл.* произносить речь, орáторствовать, разглагóльствовать.

oration [ɔː'reɪʃən] *n* 1) речь (*особ.* торжéственная); 2) *грам.*: direct ~ прямáя речь; indirect ~ кóсвенная речь.

orator ['ɔrətə] *n* орáтор; ~ in esse *он* плохóй орáтор; Public O. официáльный представитель университéта в торжéственных случáях.

oratorical [,ɔrə'tɔrɪkəl] *a* 1) орáторский; 2) риторический.

oratorio [,ɔrə'tɔːrɪou] *n* (*pl* -os [-ouz]) *муз.* оратóрия.

oratory I ['ɔrətərɪ] *n* красноречие; орáторское искýсство, риторика.

oratory II ['ɔrətərɪ] *n* часóвня, молéльня.

orb [ɔːb] 1. *n* 1) шар; сфéра; 2) небéсное светило; 3) орбита; круг, оборóт; 4) держáва (*королевская регалия*); 5) *поэт.* глаз, глазнóе яблоко; 6) *архит.* глухáя аркáда;
2. *v* заключить в круг *или* в шар.

orbed [ɔːbd] 1. *p. p. от* orb 2;
2. *a* окрýглый, шарообрáзный, сферический.

orbicular [ɔː'bɪkjulə] *a* 1) сферический, шаровóй, крýглый; ~ muscle *анат.* кольцевóй мýскул; 2) образýющий закóнченное цéлое.

orbit ['ɔːbɪt] 1. *n* 1) орбита; 2) *анат.* глазнáя впáдина; 3) сфéра, размáх дéятельности;
2. *v* 1) выводить на орбиту; 2) выходить на орбиту.

Orcadian [ɔː'keɪdjən] 1. *a* оркнéйский;
2. *n* урожéнец, житель Оркнéйских островóв.

orchard ['ɔːtʃəd] *n* фруктóвый сад.

orcharding ['ɔːtʃədɪŋ] *n* плодовóдство.

orchardman ['ɔːtʃədmən] *n* садовóд.

orchestic [ɔː'kestɪk] *a* танцевáльный.

orchestics [ɔː'kestɪks] *n pl* (*употр. как* sing) танцевáльное искýсство.

orchestra ['ɔːkɪstrə] *n* 1) оркéстр; 2) мéсто для оркéстра *или* хóра; 3) *амер.* партéр (*тж.* ~ chairs, ~ stalls); 4) орхéстра (*место хора в др.-греч. театре*).

orchestral [ɔː'kestrəl] *a* оркестрóвый.

orchestrate ['ɔːkɪstreɪt] *v* оркестровáть, инструментовáть.

orchestration [,ɔːkes'treɪʃən] *n* оркестрóвка, инструментóвка.

orchestrelle [ɔːkɪstrəl] *n амер.* 1) небольшóй оркéстр; 2) эстрáдный оркéстр.

orchestrion [ɔː'kestrɪən] *n муз.* оркестриóн.

orchid ['ɔːkɪd] *n бот.* орхидéя.

orchidaceous [,ɔːkɪ'deɪʃəs] *a* орхидéйный.

orchil ['ɔːtʃɪl] *n* орсéль (*фиолетово-красная краска*).

orchis ['ɔːkɪs] *n бот.* ятрышник.

ordain [ɔː'deɪn] *v* 1) посвящáть в духóвный сан; 2) предопределять; предписывать; 3) *уст.* распоряжáться.

ordeal [ɔː'diːl] *n* 1) тяжёлое испытáние; 2) *ист.* «суд бóжий» (*испытание огнём и водой*).

order ['ɔːdə] 1. *n* 1) порядок; послéдовательность; 2) порядок, исправность; to get out of ~ испóртиться; in bad ~ в неисправности; 3) хорóшее физическое состояние; his liver is out of ~ у негó больнáя пéчень; 4) порядок; спокóйствие; to keep ~ соблюдáть порядок; to call to ~ призвáть к порядку [*см. тж.* 5)]; ~!, ~! к порядку!; 5) порядок (*ведения собрания и т. п.*); реглáмент; устáв; ~ of business, ~ of the day повéстка, порядок дня [*см. тж.* 8)]; breach of ~ нарушéние реглáмента; to call to ~ *амер.* открыть (*собрание*) [*см. тж.* 4)]; to rise to a point of ~ взять слóво к порядку вéдения собрáния; 6) *воен.* строй, боевóй порядок; close ~ сóмкнутый строй; extended ~ рассыпнóй строй; marching ~ а) похóдный порядок; б) похóдная фóрма; parade ~ развёрнутый строй на смотрý; 7) слой óбщества; социáльная грýппа; the lower ~s простóй нарóд; 8) приказ, распоряжéние; предписáние; O. in Council закóн, издавáемый от имени английского короля и тáйного совéта и прошéдший чéрез парлáмент без обсуждéния; ~ of the day *воен.* приказ по части *или* соединéнию [*см. тж.* 5)]; one's ~s *амер. воен.* полýченные распоряжéния; under the ~s of... под комáндой...; 9) закáз; made to ~ сдéланный на закáз; on ~ закáзанный, но не дóставленный; repeat ~ повтóрный закáз; 10) óрдер; cheque to (a person's) ~ *фин.* óрдерный чек; postal (*или* money) ~ почтóвый перевóд; 11) óрдер; разрешéние; прóпуск; 12) закáз порциóнного блюда (*в ресторане*); 13) знак отличия, óрден; O. of Lenin óрден Лéнина; 14) рыцарский *или* религиóзный óрден; 15) род, сорт; свóйство; talent of another ~ талáнт инóго порядка; 16) ранг; 17) *церк.* духóвный сан; to be in ~s (to take) ~s быть (стать) духóвным лицóм; to confer ~s рукополагáть; 18) *мат.* порядок; стéпень; 19) *зоол., бот.* отряд; подклáсс; 20) *архит.* óрдер; ◇ in ~ *амер.* надлежáщим óбразом; in ~ that с тем, чтобы; in ~ to для того, чтобы; of the ~ of примéрно; in short ~ быстро; *амер.* немéдленно, тóтчас же; to be under ~s *воен.* дожидáться назначéния;
2. *v* 1) приводить в порядок; 2) прикáзывать; предписывать; распоряжáться; 3) направлять; to be ~ed abroad быть на-

правленным за границу; 4) заказывать; 5) назначать, прописывать (*лекарство и т. п.*); 6) предопределять; □ ~ about командовать, помыкать.

order-book ['ɔːdəbuk] *n* 1) книга заказов; 2) *воен.* книга распоряжений; приказная книга.

order-form ['ɔːdəfɔːm] *n* бланк заказа, бланк требования.

orderliness ['ɔːdəlɪnɪs] *n* 1) аккуратность, порядок; 2) подчинение законам.

orderly ['ɔːdəlɪ] 1. *n* 1) *воен.* вестовой, ординарец; санитар; 2) уборщик улиц (*тж.* street ~);

2. *a* 1) аккуратный, опрятный; 2): ~ bin мусорная урна (*на улице*); 3) спокойный; благонравный, хорошего поведения; дисциплинированный; 4) организованный; 5) регулярный, методичный; правильный; 6) дежурный; ~ book = order-book 2); ~ man *воен.* вестовой, ординарец; дневальный; санитар (*в госпитале*); ~ officer дежурный офицер; *редк.* ординарец.

orderly-room ['ɔːdəlɪrum] *n* канцелярия роты *или* батальона.

ordinal ['ɔːdɪnl] 1. *a* порядковый; 2. *n* порядковое числительное.

ordinance ['ɔːdɪnəns] *n* 1) указ, декрет; *амер.* местное муниципальное постановление; 2) обряд, таинство; 3) план, расположение частей.

ordinarily ['ɔːdnrɪlɪ] *adv* обычно; обыкновенно, обычным путём.

ordinary ['ɔːdnrɪ] 1. *a* 1) обычный, обыкновенный; привычный; простой; нормальный; ~ seaman матрос 2 класса; ~ call *тел.* частный разговор; 2) заурядный, посредственный;

2. *n* 1) резерв; 2) дежурное блюдо; 3): in ~ постоянный; out of the ~ необычный; Surgeon in O. to the King лейб-медик; professor in ~ ординарный профессор; 4) *церк.* требник; устав церковной службы; 5) *юр., церк.* судья, исполняющий обычную для него судебную обязанность (*местный судья или (архи)епископ в своей епархии, священник в своём приходе*); 6) *уст.* таверна с общим столом за твёрдую плату.

ordination [,ɔːdɪ'neɪʃən] *n* посвящение, рукоположение в духовный сан.

ordnance ['ɔːdnəns] *n* 1) артиллерийские орудия, артиллерия; материальная часть артиллерии; артиллерийское и техническое снабжение; naval ~ морская артиллерия; 2) *attr.* артиллерийский; ◇ O. Survey Государственное картографическое управление (*в Англии*); ~ survey военно-топографическая съёмка.

ordure ['ɔːdjuə] *n* 1) навоз; отбросы; грязь; 2) грязь, распутство; 3) сквернословие; 4) непристойность.

ore [ɔː] *n* 1) руда; 2) *поэт.* (драгоценный) металл; 3) *attr.* рудный; ~ mining рудное дело.

oread ['ɔːrɪæd] *n* миф. ореада (*нимфа гор*).

ore body ['ɔː'bɔdɪ] *n* геол. рудный шток, сплошное месторождение.

ore-dressing ['ɔː,dresɪŋ] *n* обогащение руд;

механическая обработка полезных ископаемых.

organ ['ɔːgən] *n* 1) орган; ~s of speech органы речи; 2) орган, учреждение; governmental ~s правительственные органы; 3) голос; 4) *муз.* орган; American ~ фисгармония; mouth ~ губная гармоника; street ~ шарманка; 5) печатный орган; газета.

organ-blower ['ɔːgən,blouə] *n* раздувальщик мехов (*у органа*).

organdie, organdy ['ɔːgəndɪ] *n* тонкая кисея, органди.

organ-grinder ['ɔːgən,graɪndə] *n* шарманщик.

organic [ɔː'gænɪk] *a* 1) органический; входящий в органическую систему; 2) организованный; систематизированный; 3) согласованный; взаимозависимый; 4) *амер. юр.*: ~ law основной закон, конституция; ~ act закон об образовании новой «территории» *или* превращении «территории» в штат.

organism ['ɔːgənɪzəm] *n* организм.

organist ['ɔːgənɪst] *n* органист.

organization [,ɔːgənaɪ'zeɪʃən] *n* 1) организация; 2) устройство; 3) организм; 4) *амер.* избрание главных должностных лиц и комиссий конгресса; 5) *амер.* партийный аппарат; 6) *attr.* организационный.

organization chart [,ɔːgənaɪ'zeɪʃən'tʃɑːt] *n* устав.

organize ['ɔːgənaɪz] *v* 1) организовывать; устраивать; 2) *амер.* проводить организационные мероприятия; to the House избирать главных должностных лиц и комиссии конгресса; 3) делать(ся) органическим, превращать(ся) в живую ткань.

organized ['ɔːgənaɪzd] 1. *p. p. от* organize;

2. *a* 1) организованный; ~ labour члены профсоюза; 2): ~ matter живая материя.

organizer ['ɔːgənaɪzə] *n* организатор.

organ-loft ['ɔːgənlɔft] *n* галерея в церкви для органа, хоры.

organotherapy [,ɔːgənou'θerəpɪ] *n* мед. органотерапия.

organ-player ['ɔːgən,pleɪə] = organist.

orgasm ['ɔːgæzəm] *греч. n* оргазм.

orgeat ['ɔːʒæt] *n* оршад (*напиток*).

orgy ['ɔːdʒɪ] *n* 1) оргия; разгул; 2) вереница, множество (*развлечений и т. п.*); a regular ~ of parties and concerts бесконечные вечера и концерты.

oriel ['ɔːrɪəl] *n* архит. 1) углубление, альков; 2) закрытый балкон, эркер.

orient 1. *n* ['ɔːrɪənt] 1) (the O.) Восток, страны Востока; 2) высший сорт жемчуга;

2. *a* ['ɔːrɪənt] 1) *поэт.* восточный; 2) восходящий, поднимающийся; the ~ sun восходящее солнце; 3) блестящий, яркий; 4) высшего качества (*о жемчуге*);

3. *v* ['ɔːrɪent] 1) ориентировать; определять местонахождение (*по компасу*); to ~ oneself ориентироваться; 2) строить здание фасадом на восток.

oriental [,ɔːrɪ'entl] 1. *a* восточный, азиатский;

2. *n* (O.) житель Востока.

orientalism [‚ɔːrɪ'entəlɪzəm] *n* 1) обычаи или выражения, характерные для Востока; 2) востоковедение.

orientalist [‚ɔːrɪ'entəlɪst] *n* востоковед.

orientalize [‚ɔːrɪ'entəlaɪz] *v* придавать или приобретать восточный *или* азиатский характер.

orientate ['ɔːrɪenteɪt] = orient 3.

orientation [‚ɔːrɪen'teɪʃən] *n* ориентировка, ориентация, ориентирование.

orifice ['ɔrɪfɪs] *n* 1) отверстие; 2) устье; выход; проход; 3) *тех.* сопло, насадка, жиклёр.

oriflamme ['ɔrɪflæm] *n ист.* орифламма.

origan, origanum ['ɔrɪgən, ɔ'rɪgənəm] *n бот.* душица обыкновенная.

origin ['ɔrɪdʒɪn] *n* 1) источник; начало; 2) происхождение; of humble ~ незнатного происхождения.

original [ə'rɪdʒənl] 1. *n* 1) подлинник, оригинал; 2) первоисточник; 3) чудак, оригинал;
2. *a* 1) первоначальный; the ~ edition первое издание; ~ sin *рел.* первородный грех; 2) подлинный; the ~ picture подлинник картины; 3) оригинальный; самобытный; 4) новый, свежий; 5) творческий.

originality [ə‚rɪdʒɪ'nælɪtɪ] *n* 1) подлинность; 2) оригинальность; самобытность; 3) новизна, свежесть.

originally [ə'rɪdʒnəlɪ] *adv* 1) первоначально; 2) по происхождению; 3) оригинально.

originate [ə'rɪdʒɪneɪt] *v* 1) давать начало, порождать; создавать; 2) брать начало, происходить, возникать (from, in — от чего-л.; from, with — от кого-л.).

origination [ə‚rɪdʒɪ'neɪʃən] *n* 1) начало, происхождение; 2) порождение.

originative [ə'rɪdʒɪneɪtɪv] *a* 1) дающий начало, порождающий; 2) изобретательный.

originator [ə'rɪdʒɪneɪtə] *n* 1) автор; создатель, изобретатель; 2) инициатор.

orinasal [‚ɔurɪ'neɪzəl] *a* ротоносовой; ~ vowel *фон.* назализированный гласный.

oriole ['ɔːrɪoul] *n* 1) йволга; 2) *амер.* вид скворца.

Orion [ə'raɪən] *n астр.* созвездие Ориона.

orison ['ɔrɪzən] *n (обыкн. pl) поэт.* молитва.

orlop ['ɔːlɔp] *n мор.* 1) нижняя палуба; 2) *ист.* кубрик.

orlop-deck ['ɔːlɔpdek] = orlop.

ormolu ['ɔːməluː] *n* 1) сплав меди, олова и свинца для золочения; позолотная бронза; порошкообразное золото для золочения; 2) золочёная бронза; 3) мебель с украшениями из золочёной бронзы.

ornament 1. *n* ['ɔːnəmənt] 1) украшение, орнамент; 2) (*обыкн. pl*) церковная утварь, ризы;
2. *v* ['ɔːnəment] украшать.

ornamental [‚ɔːnə'mentl] *a* служащий украшением, орнаментальный; декоративный.

ornamentation [‚ɔːnəmen'teɪʃən] *n* 1) украшение (*действие*); 2) *собир.* украшения.

ornate [ɔː'neɪt] *a* 1) богато украшенный; 2) витиеватый (*о стиле*).

ornithic [ɔː'nɪθɪk] = ornithological.

ornithological [‚ɔːnɪθə'lɔdʒɪkl] *a* орнитологический.

ornithologist [‚ɔːnɪ'θɔlədʒɪst] *n* орнитолог.

ornithology [‚ɔːnɪ'θɔlədʒɪ] *n* орнитология.

ornithopter [‚ɔːnɪ'θɔptə] *n ав.* орнитоптер.

ornithorhyncus [‚ɔːnɪθou'rɪŋkəs] *n зоол.* утконос.

orogenesis [‚ɔrou'dʒenɪsɪs] *n геол.* горообразование, орогенезис.

orographic(al) [‚ɔrou'græfɪk(əl)] *a геол.* орографический.

orography [ɔ'rɔgrəfɪ] *n* орография.

oroide ['ɔurouɪd] *n* золотистый сплав меди и цинка.

orotund ['ɔroutʌnd] *a* 1) звучный, полнозвучный; 2) высокопарный, напыщенный; претенциозный.

orphan ['ɔːfən] 1. *n* сирота;
2. *a* сиротский;
3. *v* делать сиротой; лишать родителей.

orphanage ['ɔːfənɪdʒ] *n* 1) сиротство; 2) приют для сирот.

orphaned ['ɔːfənd] 1. *p. p. от* orphan 3;
2. *a* осиротелый, лишившийся родителей.

orphanhood ['ɔːfənhud] *n* сиротство.

Orphean [ɔː'fiːən] *a* чарующий, как музыка Орфея.

Orpheus ['ɔːfjuːs] *n миф.* Орфей.

Orphic ['ɔːfɪk] *a* 1) орфический; 2) пророческий.

orpin(e) ['ɔːpɪn] *n бот.* заячья капуста.

Orpington ['ɔːpɪŋtən] *n* орпингтон (*порода кур*).

orrery ['ɔrərɪ] *n* планетарий.

orris ['ɔrɪs] *n* 1) *бот.* касатик флорентийский; 2) фиалковый корень; 3) порошок из фиалкового корня.

orris-powder ['ɔrɪs‚paudə] = orris 3).

orris-root ['ɔrɪsruːt] = orris 2).

orthodox ['ɔːθədɔks] *a* 1) ортодоксальный; правоверный; общепринятый; 2) *рел.* православный.

orthodoxy ['ɔːθədɔksɪ] *n* 1) ортодоксальность; 2) *рел.* православие.

orthoepy ['ɔːθouepɪ] *n линг.* орфоэпия.

orthogenesis [‚ɔːθou'dʒenɪsɪs] *n биол.* ортогенез.

orthogonal [ɔː'θɔgənəl] *a* прямоугольный, ортогональный.

orthographic(al) [‚ɔːθə'græfɪk(əl)] *a* орфографический.

orthography [ɔː'θɔgrəfɪ] *n* орфография, правописание.

orthop(a)edic [‚ɔːθou'piːdɪk] *a мед.* ортопедический.

orthop(a)edist [‚ɔːθou'piːdɪst] *n* ортопед.

orthop(a)edy ['ɔːθoupiːdɪ] *n мед.* ортопедия.

orthoptic [ɔː'θɔptɪk] *a* для нормального зрения.

ortolan ['ɔːtələn] *n* 1) садовая овсянка (*птица*); 2) *амер.* = bobolink.

oryctognosy [‚ɔrɪk'tɔgnəsɪ] *n* минералогия.

oryx ['ɔrɪks] *n зоол.* антилопа бейза.

oscillate ['ɔsɪleɪt] *v* 1) качать(ся); 2) вибрировать; колебаться (*тж. перен.*).

oscillation [ˌɔsɪl'leɪʃən] *n* 1) качáние; вибрáция, колебáние; 2) *attr.* колебáтельный; ~ frequency частотá колебáний.

oscillator ['ɔsɪleɪtə] *n* 1) *тех.* осцилля́тор, вибрáтор; 2) *радио* генерáтор колебáний.

oscillatory ['ɔsɪlətərɪ] *a* колебáтельный; ~ circuit *радио* колебáтельный кóнтур.

oscillograph [ɔ'sɪləgrɑːf] *n* осцилло́граф.

oscillotron [ɔ'sɪlətrɔn] *n* электрóнно-лучевáя трýбка.

osculant ['ɔskjulənt] *a* 1) соприкасáющийся; касáющийся; касáтельный; 2) *биол.* промежýточный.

oscular ['ɔskjulə] *a* 1) *анат.* ротовóй; 2) *шутл.* целовáльный.

oscularity [ˌɔskju'lærɪtɪ] *n* *редк.* 1) целовáние, лобызáние; 2) поцелýи.

osculate ['ɔskjuleɪt] *v* 1) *шутл.* целовáться, лобызáться; 2) соприкасáться.

osculation [ˌɔskju'leɪʃən] *n* 1) *шутл.* лоб(ы)зáние, поцелýй; 2) соприкосновéние.

osier ['ouʒə] *n* 1) ѝва; 2) лозá (*ивы*); 3) *attr.* ѝвовый.

osier-bed ['ouʒəbed] *n* ивня́к.

Osiris [ou'saɪərɪs] *n* *миф.* Озѝрис.

osmium ['ɔzmɪəm] *n* *хим.* óсмий.

osmose, osmosis ['ɔsmous,ɔz'mousɪs] *n* *физ.* óсмос.

osmotic [ɔz'mɔtɪk] *a* *физ.* осмотѝческий.

osmund, osmunda ['ɔzmənd, ɔz'mʌndə] *n* *бот.* чистоýст.

osophone ['ɔsəfoun] *n* отофóн (*прибор для тугоýхих*).

osprey ['ɔsprɪ] *n* 1) *зоол.* скопá; 2) эгрéт (*из перьев цáпли*).

osseous ['ɔsɪəs] *a* 1) костѝстый; 2) кóстный.

ossicle ['ɔsɪkl] *n* *анат.* кóсточка.

ossification [ˌɔsɪfɪ'keɪʃən] *n* окостенéние.

ossifrage ['ɔsɪfrɪdʒ] = osprey 1).

ossify ['ɔsɪfaɪ] *v* превращáть(ся) в кость; костенéть.

ossuary ['ɔsjuərɪ] *n* 1) склеп; пещéра с костя́ми; 2) кремациóнная ýрна.

osteitis [ˌɔstɪ'aɪtɪs] *n* *мед.* воспалéние кóсти.

ostensible [ɔs'tensəbl] *a* 1) слýжащий предлóгом; мнѝмый; показнóй; ~ purpose официáльная цель; 2) *уст.* очевѝдный, я́вный.

ostensory [ɔs'tensərɪ] *n* *церк.* дарохранѝтельница.

ostentation [ˌɔsten'teɪʃən] *n* показнóе проявлéние; хвастовствó.

ostentatious [ˌɔsten'teɪʃəs] *a* показнóй; нарочѝтый.

osteography [ˌɔstɪ'ɔgrəfɪ] *n* остеогрáфия.

osteology [ˌɔstɪ'ɔlədʒɪ] *n* остеолóгия.

ostler ['ɔslə] *n* кóнюх (*на постоя́лом дворé*).

ostracism ['ɔstrəsɪzəm] *n* 1) остракѝзм; 2) изгнáние из óбщества.

ostracize ['ɔstrəsaɪz] *v* 1) подвергáть остракѝзму; 2) изгоня́ть из óбщества.

ostreiculture ['ɔstrɪˌkʌltʃə] *n* разведéние ýстриц.

ostrich ['ɔstrɪtʃ] *n* стрáус; ◇ the digestion of an ~ ≈ «лужёный» желýдок; ~

policy полѝтика, оснóванная на самообмáне.

ostrich-farm ['ɔstrɪtʃfɑːm] *n* фéрма, где разводя́т стрáусов.

ostrich-plume ['ɔstrɪtʃpluːm] *n* стрáусовое перó; стрáусовые пéрья.

Ostrogoth ['ɔstrəgɔθ] *n* *ист.* остгóт.

other ['ʌðə] 1. *a* 1) другóй, инóй; ~ things being equal при прóчих рáвных услóвиях; the ~ world потусторóнний мир, «тот свет»; every ~ day чéрез день; ~ times, ~ manners инь́е временá — инь́е нрáвы; 2) (*с сущ. во мн. ч.*) остальнь́е; the ~ students остальнь́е студéнты; ◇ the ~ day на дня́х, недáвно;

2. *pron. indef.* другóй; no ~ than никтó другóй, как; someone (something) or ~ ктó-нибудь (чтó-нибудь); one or ~ of us will be there ктó-л. из нас бýдет там; some day (*или* some time) or ~ когдá-нибудь, рáно ѝли пóздно; you are the man of all ~s for the work вы сáмый подходя́щий человéк для э́того дéла; think of ~s не будь эгоѝстом;

3. *adv* (*сокр. от* otherwise) инáче; I can't do ~ than accept я не могý не приня́ть.

othergates ['ʌðəgeɪts] *уст.* 1. *adv* инáче, по-другóму;

2. *a* инóй, другóй.

otherguess ['ʌðəges] = othergates 2.

otherness ['ʌðənɪs] *n* *редк.* разлѝчие, отлѝчие; непохóжесть.

otherwhence ['ʌðəwens] *adv* *редк.* из другóго мéста.

otherwhere(s) ['ʌðəwɛə(z)] *adv* *поэт.* в другóм мéсте; в другóе мéсто.

otherwhile(s) ['ʌðəwaɪl(z)] *adv* *уст.* 1) в другóй раз, когдá-нибудь; 2) иногдá.

otherwise ['ʌðəwaɪz] *adv* 1) инáче, инь́м спóсобом; инь́м óбразом, по-другóму; 2) в другѝх отношéниях; 3) ѝли же, в протѝвном слýчае; go at once, ~ you will miss your train идѝте немéдленно, инáче опоздáете на пóезд; 4): tracts agricultural and ~ пáхотные и прóчие зéмли.

otherwise-minded ['ʌðəwaɪzˌmaɪndɪd] *a* инакомь́слящий.

other-worldly ['ʌðəˌwəːldlɪ] *a* 1) «не от мѝра сегó»; 2) духóвный; 3) потусторóнний.

otic ['outɪk] *a* *анат.* ушнóй; слуховóй.

otiose ['ouʃious] *a* 1) бесполéзный, ненýжный; 2) прáздный, ленѝвый.

otioseness ['ouʃiousnɪs] *n* 1) бесполéзность, тщéтность; 2) прáздность.

otiosity [ˌouʃi'ɔsɪtɪ] = otioseness.

otologist [ou'tɔlədʒɪst] *n* специалѝст по ушнь́м болéзням.

otology [ou'tɔlədʒɪ] *n* отолóгия (*учение о стрóении, фýнкциях и болéзнях ýха*).

otophone ['outəfoun] *n* отофóн (*прибор для тугоýхих*).

otoscope ['outəskoup] *n* *мед.* отоскóп.

otter ['ɔtə] *n* 1) вь́дра; 2) мех вь́дры; 3) рыболóвная снасть (*рéйка-поплавóк с многочѝсленными крючкáми с насѝвкой*).

otter-dog ['ɔtədɔg] *n* вь́дровая собáка.

otter-hound ['ɔtəhaund] = otter-dog.

otto ['ɔtou] = attar.

Ottoman [ˈɔtəmən] **1.** *n* оттома́н, ту́рок; **2.** *a* оттома́нский, туре́цкий.

ottoman [ˈɔtəmən] *n* оттома́нка, тахта́, дива́н.

oubliette [ˌuːbliˈet] *фр.* *n* потайна́я, подзе́мная темни́ца с лю́ком.

ouch I [autʃ] *n уст.* 1) пря́жка; бро́шка; 2) опра́ва драгоце́нного ка́мня.

ouch II [autʃ] *int* ай!, ой!

ought I [ɔːt] *n разг. см.* nought.

ought II [ɔːt] *v модальный глагол выражает:* 1) *долженствование:* I ~ to go there мне сле́довало бы пойти́ туда́; 2) *вероятность:* the telegram ~ to reach him within two hours он, вероя́тно, полу́чит телегра́мму не по́зже, чем че́рез два часа́; 3) *упрёк:* you ~ to have written to her тебе́ сле́довало написа́ть ей (а ты э́того не сде́лал).

ounce I [auns] *n* 1) у́нция (=*28,3 г*); 2) ка́пля, чу́точка; he hasn't got an ~ of sense у него́ нет ни ка́пли здра́вого смы́сла; ◇ an ~ of practice is worth a pound of theory ≅ день пра́ктики сто́ит го́да тео́рии.

ounce II [auns] *n* барс; *распр. тж.* рысь.

our [ˈauə] *pron. poss. (употр. атрибутивно; ср.* ours) наш.

ours [ˈauəz] *pron. poss. (абсолютная форма, не употр. атрибутивно; ср.* our) наш; ~ is a large family на́ша семья́ больша́я; this garden is ~ э́тот сад наш; it is no business of ~ э́то не на́ше де́ло; Jones of ~ Джо́унз из на́шего полка́.

ourself [ˌauəˈself] *pron см.* ourselves.

ourselves [ˌauəˈselvz] *pron* 1) *refl.* себя́, -ся; себе́; we shall only harm ~ мы то́лько повреди́м себе́; 2) *emph.* са́ми; let us do it ~ дава́йте сде́лаем э́то са́ми.

ousel [ˈuːzl] = ouzel.

oust [aust] *v* 1) выгоня́ть, занима́ть *(чьё-л.)* ме́сто; вытесня́ть; to ~ the worms выгоня́ть глисто́в; 2) *юр.* выселя́ть.

ouster [ˈaustə] *n юр.* выселе́ние, отня́тие иму́щества *(особ. незаконное).*

out [aut] **1.** *adv* 1) вне, снару́жи; нару́жу; вон; *передаётся тж. приставкой* вы-; to be ~ не быть до́ма; he is ~ он вы́шел; the chicken is ~ цыплёнок вы́лупился; the book is ~ кни́га вы́шла из печа́ти; the eruption is ~ all over him сыпь вы́ступила у него́ по всему́ те́лу; the floods are ~ реко́й вы́ступила из берего́в; ~ at sea в откры́том мо́ре; ~ with him! вон его́!; the journey ~ путеше́ствие «туда́» *(в противоп.* «обра́тно»); ~ and home туда́ и обра́тно; the ball is ~ мяч за преде́лами по́ля; the secret is ~ та́йна раскры́та; 2) *придаёт действию характер завершённости; передаётся приставкой* вы-; to pour ~ вы́лить; to fill ~ a) заполня́ть(ся); б) расши́ря́ть(ся); 3) *означает окончание, завершение чего-л.:* before the week is ~ до конца́ неде́ли; 4) *означает истощение, прекращение действия чего-л.:* the money is ~ де́ньги вы́шли; the fire (candle) is ~ ого́нь (свеча́) поту́х(ла); the lease is ~ срок аре́нды ко́нчился; 5) *означает уклонение от какой-л. нормы, правил, истины:* crinolines are ~ криноли́ны вы́шли из мо́ды; my watch is five minutes ~ мои́ часы́ «врут» на 5 мину́т; to be ~ быть без

созна́ния, потеря́ть созна́ние; ◇ ~ and about попра́вившийся по́сле боле́зни; ~ and away несравне́нно, намно́го, гора́здо; ~ and in = in and ~ [*см.* in 2 ◇]; ~ and ~ a) вполне́; б) несомне́нно; to be ~ for, to be ~ to все́ми си́лами стреми́ться к *чему-л.*; to be ~ with smb. быть с кем-л. в ссо́ре, не в лада́х;

2. *prep:* ~ of *указывает на:* а) *положение вне другого предмета* вне, за, из; he lives ~ of town он живёт за го́родом; б) *движение за какие-л.* [*пределы* из; they moved ~ of town они́ вы́ехали из го́рода; she took the money ~ of the bag она́ вы́нула де́ньги из су́мки; в) *материал, из которого сделан предмет* из; this table is made ~ of different kinds of wood э́тот стол сде́лан из разли́чных поро́д де́рева; г) *соотношение части и целого* из; five pupils were absent ~ of thirty отсу́тствовало пять ученико́в из тридцати́; д) *причину, основание действия* из-за, всле́дствие; ~ of envy из за́висти; ~ of necessity по необходи́мости; е) *отсутствие какого-л. предмета или признака* без, вне; ~ of money без де́нег; ~ of work без рабо́ты; ~ of time α) несвоевре́менно; β) не в такт; ~ of date устаре́вший; ~ of fashion немо́дный, вы́шедший из мо́ды; ~ of use неупотреби́тельный, вы́шедший из употребле́ния; ~ of health больно́й; ~ of mind α) из па́мяти вон; β) забы́тый; to be ~ of one's mind быть не в своём уме́;

3. *а* 1) вне́шний, кра́йний, нару́жный; ~ match выездно́й матч; 2) необы́чный; ~ size· разме́р бо́льше обы́чного; 3) *тех.* вы́ключенный;

4. *n* 1) вы́ход; лазе́йка; 2) (the ~s)*pl парл.* оппози́ция; 3) *полигр.* про́пуск; 4) *амер.* недоста́ток; ◇ at ~s, on the ~s в натя́нутых, дурны́х отноше́ниях;

5. *int уст.* вон!; ~ upon you! стыди́тесь!;

6. *v разг.* 1) выгоня́ть; ~ that man! вы́ставьте э́того челове́ка!; 2) нокаути́ровать; he was ~ed in the first round его́ нокаути́ровали в пе́рвом ра́унде.

out- [aut-] *pref* 1) *придаёт глаголам значение:* а) *превосходства* пере-; to outshout перекрича́ть; to outrun перегна́ть; б) *завершённости* вы-; to outspeak выска́зывать (-ся); 2) *существительным и прилагательным придаёт значение:* а) *выхода, проявления:* outburst взрыв чувств *и т. п.;* б) *отдалённости:* outbuilding надво́рное строе́ние; outlying отдалённый.

outage [ˈautidʒ] *n* 1) просто́й; остано́вка рабо́ты; 2) утру́ска, уте́чка; 3) выпускно́е отве́рстие, вы́пуск.

out-and-out [ˈautənˈaut] *a* соверше́нный, по́лный.

out-and-outer [ˈautənˈautə] *n* 1) *разг.* превосхо́дный экземпля́р; что-л., не име́ющее себе́ подо́бного *или* ра́вного); 2) *sl.* первостепе́нный негодя́й.

out-argue [autˈɑːgjuː] *v* переспо́рить.

outbade [autˈbeid] *past om* outbid.

outbalance [autˈbæləns] *v* 1) переве́шивать; 2) превосходи́ть.

outbid [autˈbid] *v* (outbid, outbade; outbid, outbidden) 1) перебива́ть це́ну; 2) превзойти́, перещеголя́ть.

outbidden [aut'bɪdn] *p. p. от* outbid.

outboard ['autbɔːd] *adv* за бортом; ближе к борту.

outbound ['autbaund] *a* 1) уходящий в дальнее плавание *или* за границу (*о корабле*); 2) подлежащий отправке *или* отгрузке (*о товаре*).

outbrave [aut'breɪv] *v* 1) превосходить храбростью; 2) относиться пренебрежительно *или* вызывающе; 3) не побояться, выдержать угрозу.

outbreak ['autbreɪk] 1. *n* 1) взрыв, вспышка (*гнева*); 2) (внезапное) начало (*войны, болезни и т. п.*); вспышка (*эпидемии*); массовое появление (*с.-х. вредителей*); ~ of hostilities начало военных действий; 3) восстание; 4) *геол.* выход пласта на поверхность; 5) *геол.* извержение, выброс;
2. *v поэт.* = break out [*см.* break I,2].

outbuilding ['aut,bɪldɪŋ] = outhouse.

outburst ['autbɑːst] *n* взрыв, вспышка; ~ of tears поток слёз.

outcast ['autkɑːst] 1. *n* 1) изгнанник, пария; 2) отбросы;
2. *a* 1) изгнанный, отверженный; бездомный; 2) негодный.

outclass [aut'klɑːs] *v* 1) оставить далеко позади; превзойти; 2) *спорт.* принадлежать к более высокому классу.

outcollege [aut'kɔlɪdʒ] *a* живущий не в колледже, а на частной квартире.

outcome ['autkʌm] *n* 1) результат, последствие, исход; 2) выход, выпускное отверстие.

outcrop ['autkrɔp] 1. *n* 1) *геол.* обнажение пород; 2) выявление;
2. *v* 1) *геол.* обнажаться, выходить на поверхность; 2) случайно выявляться, обнаруживаться.

outcry ['autkraɪ] 1. *n* 1) громкий крик; выкрик; 2) протест;
2. *v* 1) громко кричать, выкрикивать; 2) протестовать; 3) перекричать.

outdance [aut'dɑːns] *v* протанцевать дольше других; танцевать лучше других.

outdare [aut'dɛə] *v* превосходить дерзостью, смелостью.

outdated [aut'deɪtɪd] *a* устарелый, устаревший.

outdid [aut'dɪd] *past от* outdo.

out-distance [aut'dɪstəns] *v* обогнать; перегнать.

outdo [aut'duː] *v* (outdid, outdone) 1) превзойти; 2) изощряться.

outdone [aut'dʌn] *p. p. от* outdo.

outdoor ['autdɔː] *a* 1) находящийся *или* совершающийся вне дома, на открытом воздухе; ~ games игры на открытом воздухе; an ~ life жизнь вне дома (*связанная с нахождением в лесу, поле и т. п.*); 2) внешний, наружный; ~ aerial *радио* наружная антенна; ~ pick-up внестудийная радиопередача; ◇ an ~ agitation агитация вне парламента; ~ relief пособие бедняку, не живущему в богадельне *или* работном доме; ~ hands обветренные руки.

outdoors ['aut'dɔːz] 1. *adv* на открытом воздухе;

2. *n* двор, улица (*в противоположность закрытому помещению*); the ~ lighted на улице посветлело; ◇ all ~ *амер.* весь мир, всё.

outdrive [aut'draɪv] *v* (outdrove; outdriven) обогнать.

outdriven [aut'drɪvn] *p. p. от* outdrive.

outdrove [aut'drouv] *past от* outdrive.

outer ['autə] 1. *a* 1) внешний, наружный; ~ coverings наружные покровы; the ~ world a) внешний, материальный мир; б) внешний мир, общество, люди; the ~ man внешний вид, костюм; the ~ wood опушка леса; 2) физический (*в противоп. психическому*); 3) *филос.* объективный;
2. *n воен.* 1) внешний круг мишени; 2) попадание во внешний круг мишени.

outermost ['autəmoust] *a* самый дальний от середины, от центра.

outerwear ['autəwɛə] *n* верхняя одежда.

outface [aut'feɪs] *v* 1) смутить, сконфузить пристальным *или* дерзким взглядом; 2) держаться нагло, вызывающе.

outfall ['autfɔːl] *n* 1) устье; 2) водоотвод; канава, жёлоб.

outfield ['autfiːld] *n* 1) отдалённое поле; 2) неизведанная, неизученная область; 3) *спорт.* часть поля, отдалённая от воротцев (*в крикете*).

outfit ['autfɪt] 1. *n* 1) снаряжение (*для экспедиции*); экипировка; 2) обмундирование; 3) агрегат; оборудование, принадлежности, набор (*приборов, инструментов*); a carpenter's ~ инструменты плотника; 4) *амер. разг.* организованная группа; компания, экспедиция; *воен.* часть, подразделение; ◇ mental ~ умственный багаж;
2. *v* 1) снаряжать, экипировать; 2) обмундировать; 3) снабжать оборудованием.

outfitter ['aut,fɪtə] *n* 1) поставщик снаряжения, обмундирования; 2) розничный торговец, продающий одежду, галантерею *и т. п.*; a gentleman's ~ торговец принадлежностями мужского туалета.

outflank [aut'flæŋk] *v* 1) *воен.* охватывать фланг, обходить фланг, выйти во фланг (*противника*); 2) перехитрить.

outflow 1. *n* ['autflou] истечение; выход; an ~ of language поток слов;
2. *v* [aut'flou] истекать, вытекать.

outgeneral [aut'dʒenərəl] *v* добиться преимущества благодаря превосходству тактики.

outgiving ['aut,gɪvɪŋ] *n* заявление, высказывание.

outgo 1. *n* ['autgou] (*pl* -oes[-ouz]) 1) уход, выход; отъезд, отправление; 2) расход, издержки;
2. *v* [aut'gou] (outwent; outgone) превосходить, опережать.

outgoing [aut'gouɪŋ] 1. *pres. p. от* outgo 2;
2. *a* 1) уходящий; уезжающий; отбывающий; 2) исходящий (*о бумагах, почте*); 3) *тех.* отработанный, отходящий;
3. *n pl* издержки.

outgone [aut'gɔn] *p. p. от* outgo 2.

outgrew [aut'gruː] *past от* outgrow.

outgrow [aut'grou] *v* (outgrew; outgrown) 1) перерастать; вырастать (*из платья*);

my family has ~n our house дом стал тесен для моей разросшейся семьи; 2) отделываться с возрастом (*от дурной привычки и т. п.*).

outgrown [aut'groun] *p. p. от* outgrow.

outgrowth ['autɡrouθ] *n* 1) отросток; отпрыск; 2) продукт, результат; 3) нарост.

out-Herod [aut'herəd] *v* превзойти Ирода в жестокости; быть воплощением какого-л. дурного качества.

outhouse ['authaus] *n* 1) надворное строение, службы; 2) крыло здания; флигель; 3) *амер.* уборная в отдельной постройке.

outing ['autiŋ] *n* 1) загородная прогулка, экскурсия, пикник; 2) *редк.* выход; извержение.

out-jockey [aut'dʒɔkɪ] *v разг.* перехитрить, превзойти ловкостью.

outlaid [aut'leɪd] *past и p. p. от* outlay 2.

outlandish [aut'lændɪʃ] *a* 1) заморский, чужестранный, чужеземный; 2) странный; диковинный, необычайный; 3) нелепый, чудной; 4) малокультурный; глухой (*о местности*).

outlast [aut'lɑːst] *v* 1) продолжаться дольше, чем (*что-л.*); 2) пережить (*что-л.*); 3) прожить; he will not ~ six months он не протянет и шести месяцев.

outlaw ['autlɔː] 1. *n* 1) человек вне закона; изгой; изгнанник; беглец; *распр.* разбойник; 2) организация, объявленная вне закона; 3) *амер. sl.* рабочий, попавший в «чёрный список»;
2. *a* незаконный; ~ strike *амер.* забастовка, не согласованная с профсоюзом;
3. *v* 1) объявлять (*кого-л.*) вне закона; изгонять из общества; 2) *амер.* лишать законной силы.

outlawry ['autlɔːrɪ] *n* объявление вне закона, изгнание из общества.

outlay 1. *n* ['autleɪ] издержки, расходы;
2. *v* [aut'leɪ] (outlaid) тратить.

outlet ['autlet] *n* 1) выпускное *или* выходное отверстие; 2) *перен.* выход, отдушина; 3) сток, вытекание; 4) рынок сбыта; 5) *тех.* штепсельная розетка.

outlier ['aut,laɪə] *n* 1) солдат, не живущий в казармах (по месту службы); 2) посторонний; 3) *геол.* останец тектонического покрова, холмик-свидетель.

outline ['autlaɪn] 1. *n* 1) (*часто pl*) очертание, контур; абрис; in ~ а) в общих чертах; б) контурный (*о рисунке*); 2) набросок; эскиз; очерк; 3) схема, план, конспект; 4) *pl* основы; основные принципы;
2. *v* 1) нарисовать контур; 2) обрисовать, наметить в общих чертах; сделать набросок.

outlive [aut'lɪv] *v* 1) пережить (*кого-л., что-л.*); 2) выжить.

outlook ['autluk] *n* 1) вид, перспектива; 2) перспектива; виды на будущее; 3) наблюдение; 4) наблюдательный пункт; 5) точка зрения; world ~ мировоззрение; 6) кругозор.

outlying ['aut,laɪiŋ] *a* удалённый, далёкий; отдалённый.

outmachine [,autmə'ʃiːn] *v воен.* иметь пре-

восходство в технике, *особ.* в бронесилах.

outmanoeuvre [,autmə'nuːvə] *v* 1) получить преимущество более искусным маневрированием; 2) перехитрить.

outmarch [aut'mɑːtʃ] *v* 1) маршировать *или* двигаться быстрее (*кого-л.*); пройти дальше (*кого-л.*); 2) опередить.

outmatch [aut'mætʃ] *v* превосходить.

outmoded [aut'moudɪd] *a* вышедший из моды, старомодный.

outmost ['autmoust]=outermost

outness ['autnɪs] *n* внешний мир; объективная действительность.

outnumber [aut'nʌmbə] *v* превосходить численностью, количеством.

out-of-date ['autəv'deɪt] *a* устарелый; старомодный.

out-of-door(s) ['autəv'dɔː(z)] 1. *a* = out-door;
2. *adv* = outdoors 1;
3. *n* = outdoors 2.

out-of-the-way ['autəvðə'weɪ] *a* 1) отдалённый; далёкий; трудно находимый; 2) странный, необычный.

out-of-truth ['autəv'truːθ] *тех.* 1. *a* плохо установленный; плохо пригнанный;
2. *adv* неправильно.

out-of-work ['autəv'wɔːk] 1. *a* безработный, не имеющий работы;
2. *n* безработный.

outpace [aut'peɪs] *v* опережать, идти быстрее.

out-patient ['aut,peɪʃənt] *n* амбулаторный больной.

outperform [,autpə'fɔːm] *v* делать лучше, чем другой.

outplay [aut'pleɪ] *v* обыграть.

outpost ['autpoust] *n* 1) аванпост; 2) *pl* (*амер. sing*) *воен.* сторожевое охранение; сторожевая застава.

outpour 1. *n* ['autpɔː] 1) поток; 2) излияние;
2. *v* [aut'pɔː] 1) выливать; 2) изливать.

outpouring ['aut,pɔːrɪŋ] 1. *pres. p. от* outpour 2;
2. *n* (*обыкн. pl*) излияние (*чувств*).

output ['autput] *n* 1) продукция; продукт; выпуск; выработка; the literary ~ of the year литературная продукция за год; 2) *тех.* производительность; мощность, отдача; пропускная способность; ёмкость; 3) *горн.* добыча; 4) *мат.* результат вычисления.

outrage ['autreɪdʒ] 1. *n* 1) грубое нарушение закона *или* чужих прав; 2) насилие; 3) поругание; оскорбление;
2. *v* 1) преступать, нарушать закон; 2) производить насилие; 3) оскорбить; надругаться.

outrageous [aut'reɪdʒəs] *a* 1) неистовый, жестокий; 2) возмутительный; оскорбительный.

outran [aut'ræn] *past от* outrun.

outrange [aut'reɪndʒ] *v* 1) *воен.* бить дальше (*чем другое орудие*); 2) перегнать (*судно в состязании*).

outrank [aut'ræŋk] *v* 1) иметь более высокий ранг *или* чин; быть старше в звании; 2) превосходить.

outré ['uːtrei] *фр. a* 1) переступа́ющий грани́цы, наруша́ющий (*прили́чия и т. п.*); эксцентри́чный; ап ~ dress эксцентри́чный костю́м; 2) преувели́ченный.

out-relief ['autrɪ,liːf] = outdoor relief [*см.* outdoor ◇].

outridden [aut'rɪdn] *p. p. от* outride.

outride [aut'raid] *v* (outrode; outridden) 1) перегна́ть, опереди́ть; 2) вы́держать, сто́йко перенести́ (*шторм; несча́стье и т.п.*).

outrider ['aut,raɪdə] *n* 1) верхово́й, сопровожда́ющий экипа́ж; 2) коммивоя́жёр.

outrigger ['aut,rɪgə] *n* 1) *мор.* утлега́рь; 2) аутри́гер (*шлю́пка с выносны́ми уключи́нами*); 3) *стр.* консо́льная ба́лка; 4) валёк (*для посто́рок*); 5) выносна́я стрела́ (*подъёмного кра́на*).

outright 1. *a* ['autrait] 1) прямо́й, откры́тый; 2) по́лный, соверше́нный; he gave an ~ denial он наотре́з отказа́лся; an ~ rogue отъя́вленный моше́нник;
2. *adv* [aut'rait] 1) вполне́, соверше́нно; до конца́; 2) откры́то; пря́мо; 3) сра́зу; 4) раз навсегда́.

outrival [aut'raɪvəl] *v* превзойти́.

outrode [aut'roud] *past от* outride.

outrun [aut'rʌn] *v* (outran; outrun) 1) перегна́ть; опереди́ть; обогна́ть; 2) убежа́ть (*от кого́-л.*); 3) преступа́ть преде́лы *или* грани́цы.

outrunner ['autrʌnə] *n* 1) скорохо́д; 2) пристяжна́я ло́шадь; 3) соба́ка-вожа́к (*в упря́жке*).

outsail [aut'seɪl] *v* перегна́ть (*о су́дне*).

outsat [aut'sæt] *past и p.p. от* outsit.

outsell [aut'sel] *v* (outsold) продава́ться лу́чше *или* доро́же, чем друго́й това́р.

outset ['autset] *n* 1) отправле́ние, нача́ло; at the ~ внача́ле; from the ~ с са́мого нача́ла; 2) у́стье ша́хты, возвыша́ющееся над по́чвой; 3) *полигр.* бокови́к; заголо́вок, помещённый на поля́х страни́цы; маргина́л.

outshine [aut'ʃain] *v* (outshone) затми́ть.

outshone [aut'ʃɔn] *past и p. p. от* outshine.

outside ['aut'said] 1. *n* 1) нару́жная часть *или* сторона́; вне́шняя пове́рхность; the ~ of an omnibus империа́л о́мнибуса); 2) вне́шний мир; объекти́вная реа́льность; impressions from the ~ впечатле́ния вне́шнего ми́ра; 3) нару́жность, вне́шность; rough ~ гру́бая вне́шность; 4) кра́йность; the (very) ~ са́мое бо́льшее; в кра́йнем слу́чае; 5) пассажи́р империа́ла; 6) *pl* нару́жные листы́ (*в сто́пе бума́ги*);
2. *a* 1) нару́жный, вне́шний; ~ repairs нару́жный ремо́нт; ~ work рабо́та на во́здухе; ~ broadcast радиопереда́ча не из сту́дии; 2) кра́йний; находя́щийся с кра́ю; ~ seat кра́йнее ме́сто; ~ left (right) *спорт.* ле́вый (пра́вый) кра́йний (напада́ющий); 3) вне́шний; посторо́нний; не свя́занный с учрежде́нием; ~ help по́мощь извне́; ~ broker ма́клер, не явля́ющийся чле́ном би́ржи; 4) наибо́льший, преде́льный, кра́йний; ~ prices кра́йние це́ны;
3. *adv* 1) снару́жи, извне́; нару́жу; put those flowers ~ вы́ставьте (из ко́мнаты)

э́ти цветы́; 2) на (откры́том) во́здухе; на дворе́; 3) *мор.* в откры́том мо́ре; ◇ come ~! *sl.* выходи́! (*вы́зов на дра́ку*);
4. *prep* 1) вне, за преде́лами, за преде́лы (*тж.* ~ of); ~ the door за дверью; 2) кро́ме (*тж.* ~ of); no one knows it ~ one or two persons никто́ э́того не зна́ет, за исключе́нием одного́ или двух челове́к; ◇ ~ of a horse *sl.* верхо́м; to get ~ of *sl.* а) съесть, вы́пить; б) *амер. разг.* пости́чь.

outsider ['aut'saɪdə] *n* 1) посторо́нний (челове́к), не принадлежа́щий к да́нному учрежде́нию, кру́гу, па́ртии; 2) аутса́йдер; 3) неспециали́ст, люби́тель; профа́н; 4) *разг.* невоспи́танный челове́к; 5) спортсме́н, не име́ющий ша́нсов на успе́х в состяза́нии; скакова́я *или* бегова́я ло́шадь, не явля́ющаяся фавори́том.

outsit [aut'sɪt] *v* (outsat) пересиде́ть (*други́х госте́й*); засиде́ться.

outsized ['autsaizd] *a* бо́льше станда́ртного разме́ра (*осо́б. о гото́вом пла́тье*); нестанда́ртный.

outskirts ['autskɜːts] *n pl* 1) окра́ина, предме́стья (*го́рода*); 2) опу́шка (*ле́са*).

outsmart [aut'smɑːt] *v амер. разг.* перехитри́ть.

outsold [aut'sould] *past и p. p. от* outsell.

outspan [aut'spæn] *v южно-афр.* распряга́ть.

outspoken [aut'spoukən] *a* 1) вы́сказанный; вы́раженный; 2) и́скренний, открове́нный, прямо́й.

outspread ['aut'spred] 1. *n* распростране́ние; расшире́ние;
2. *a* распростёртый, расстила́ющийся; разбро́санный;
3. *v* (outspread) 1) распространя́ть(ся); 2) простира́ть(ся); расстила́ть(ся).

outstanding [aut'stændɪŋ] *a* 1) выдаю́щийся, знамени́тый; 2) выступа́ющий (*над чем-л.*); 3) неупла́ченный; просро́ченный; 4) невы́полненный; остаю́щийся неразрешённым, спо́рным.

outstay [aut'stei] *v* 1) = outsit; to ~ smb.'s welcome злоупотребля́ть гостеприи́мством, остава́ться до́льше, чем прия́тно хозя́евам; 2) превосходи́ть выно́сливостью; вы́держать, вы́стоять.

outstep [aut'step] *v* переступа́ть (грани́цы); выходи́ть за преде́лы.

outstretched [aut'stretʃt] *a* 1) протя́нутый; 2) растяну́вшийся, растя́нутый.

outstrip [aut'strip] *v* 1) обгоня́ть, опережа́ть; 2) превосходи́ть (*в чём-л.*).

out-talk [aut'tɔːk] *v* заговори́ть (*кого́-л.*); не дать сказа́ть сло́ва (*друго́му*).

out-to-out ['auttə'aut] *n тех.* наибо́льший габари́тный разме́р.

out-top [aut'tɔp] *v* 1) быть вы́ше (*кого́-л., чего́-л.*); 2) превосходи́ть.

out-turn ['auttɜːn] = output 1), 2) *и* 3).

outvalue [aut'vælju:] *v* сто́ить доро́же.

outvie [aut'vai] *v* превзойти́ в состяза́нии.

outvoice [aut'vɔis] *v* перекрича́ть.

outvote [aut'vout] *v* 1) име́ть переве́с голосо́в; 2) забаллоти́ровать.

outvoter ['aut,voutə] *n* парл. избиратель, не живущий в избирательном округе.

outwalk [aut'wɔːk] *v* идти дальше *или* быстрее (*кого-л.*).

outward ['autwəd] **1.** *a* 1) внешний, наружный; поверхностный; ~ form внешность; ~ things окружающий мир; to ~ seeming судя по внешности; 2) направленный наружу; 3) видимый; ◇ the ~ man a) тело; б) *шутл.* одежда;
2. *n* 1) внешний вид, внешность; 2) *pl* внешний мир;
3. *adv* = outwards.

outward-bound ['autwəd'baund] *a* мор. уходящий в плавание *или* за границу (*о корабле*).

outwardly ['autwədlɪ] *adv* внешне, снаружи, на вид.

outwardness ['autwədnɪs] *n* 1) внешность; 2) объективность.

outwards ['autwədz] *adv* наружу, за пределы.

outwash [aut'wɔʃ] *v* отмывать; смывать; отчищать.

outwatch [aut'wɔtʃ] *v* 1) не ложиться спать дольше *кого-л.*; бодрствовать (*всю ночь*); 2) следить (*за предметом, пока он не исчезнет из виду*).

outwear [aut'wɛə] *v* (outwore; outworn) 1) изнашивать; 2) (*обыкн. р. р.*) истощать (*терпение*); 3) быть прочнее, носиться дольше (*о вещи*).

outweigh [aut'weɪ] *v* 1) быть тяжелее, превосходить в весе; 2) перевешивать; быть более влиятельным, важным *и т. п.*

outwent [aut'went] *past om* outgo 2.

outwit [aut'wɪt] *v* перехитрить; провести (*кого-л.*).

outwore [aut'wɔː] *past om* outwear.

outwork 1. *n* ['autwəːk] 1) работа вне мастерской; 2) *воен.* внешнее укрепление;
2. *v* [aut'wəːk] работать лучше и быстрее (*чем кто-л.*).

outworker ['aut,wəːkə] *n* надомник; надомница.

outworn 1. [aut'wɔːn] *р. р. om* outwear;
2. *a* ['autwɔːn] 1) изношенный; негодный к употреблению; 2) устарелый (*о понятиях*); 3) изнуренный.

ouzel ['uːzl] *n* дрозд (*особ.* чёрный).

ova ['ouvə] *pl om* ovum.

oval ['ouvəl] **1.** *a* овальный;
2. *n* овал.

ovariotomy [ou,vɛərɪ'ɔtəmɪ] *n* мед. удаление яичника, овариотомия.

ovary ['ouvərɪ] *n* 1) анат. яичник; 2) бот. завязь.

ovate ['ouveɪt] *бот. см.* oval 1.

ovation [ou'veɪʃən] *n* овация.

oven ['ʌvn] *n* 1) печь; 2) *attr.*: ~ loss упёк.

oven-bird ['ʌvnbəːd] *n* зоол. 1) печник (*птица*); 2) ополовник, длиннохвостая синица.

over ['ouvə] **1.** *prep* 1) *указывает на взаимное положение предметов:* а) над, выше; ~ our heads α) над нашими головами; β) сверх, выше нашего понимания; γ) *разг.* не посоветовавшись с нами; б) через; a bridge ~ the river мост через реку;
в) по ту сторону, за, через; a village ~ the river деревня по ту сторону реки; he lives ~ the road он живёт через дорогу; г) у, при, за; they were sitting ~ the fire они сидели у камина; 2) *указывает на характер движения:* а) через, о; he jumped ~ the ditch он перепрыгнул через канаву; to flow ~ the edge бежать через край; to stumble ~ a stone споткнуться о камень; б) поверх, на; he pulled his hat ~ his eyes он надвинул шляпу на глаза; в) по, по всей поверхности; ~ the whole country, all ~ the country по всей стране; 3) *указывает на промежуток времени, в течение которого происходило действие* за, в течение; he packed ~ two hours он собрался за два часа; to stay ~ the whole week оставаться в течение всей недели; 4) *указывает на количественное или числовое превышение* свыше, сверх, больше; ~ two years больше двух лет; ~ five millions свыше пяти миллионов; 5) *указывает на превосходство в положении, старшинство и т. п.* над; a general is ~ a colonel генерал старше по чину, чем полковник; they want a good chief ~ them им нужен хороший начальник; 6) *указывает на источник, средство и т. п.* через, посредством; I heard it ~ the radio я слышал это по радио; 7) относительно, касательно; to talk ~ the matter говорить относительно этого дела; ◇ ~ the signature за подписью; she was all ~ him она не знала, как лучше угодить ему;
2. *adv* 1) *указывает на движение через что-л., передаётся приставками* пере-, вы-; to jump ~ перепрыгнуть; to swim ~ переплыть; to boil ~ разг. убегать (*о молоке и т. п.*); 2) *указывает на повсеместность или всеохватывающий характер действия или состояния:* hills covered all ~ with snow холмы, сплошь покрытые снегом; paint the cup ~ покрась всю чашку; 3) *указывает на доведение действия до конца, передаётся приставкой* про-; to read the story ~ прочитать рассказ до конца; to think ~ продумать; 4) *указывает на окончание, прекращение действия:* the meeting is ~ собрание окончено; it is all ~ всё кончено; всё пропало; 5) снова, вновь, ещё раз; the work is badly done, it must be done ~ работа сделана плохо, её нужно переделать; 6) вдобавок, сверх, слишком, чересчур; I paid my bill and had five shillings ~ я заплатил по счёту, и у меня ещё осталось пять шиллингов; he is ~ polite он чрезвычайно любезен; 7) *имеет усилительное значение:* ~ there вон там; let him come ~ here пусть-ка он придёт сюда; take it ~ to the post-office отнеси-ка это на почту; hand it ~ to them передай-ка им это; □ ~ against a) против, напротив; б) по сравнению; ◇ ~ and ~ (again) много раз, снова и снова; ~ and above а) в добавление, к тому же; б) с лихвой; it can stand ~ это может подождать; that is Tom all ~ это так характерно для Тома, это так похоже на Тома;
3. *n* 1) излишек, приплата; 2) *воен.* перелёт;

4. *a* 1) вéрхний; 2) вышестоя́щий; 3) изл́шний, избы́точный; 4) чрезмéрный.

over- [ˈouvə-] *pref* сверх-, над-, чрезмéрно, пере-

overabundance [ˈouvərəˈbʌndəns] *n* сверхизобилие; избы́ток.

overabundant [ˈouvərəˈbʌndənt] *a* избы́точный.

overact [ˈouvərˈækt] *v* перейгрывать (*роль*).

over-active [ˈouvərˈæktɪv] *a* сверхакти́вный.

overage [ˈouvəreɪdʒ] *n* перерóсток.

overall 1. *n* [ˈouvərɔːl] рабóчий хала́т; спецодéжда; прозодéжда; *pl* широкие рабóчие *или* кавалерийские брю́ки; комбинезóн;
2. *a* [ˈouvərɔːl] 1) пóлный, óбщий, предéльный; ~ dimensions габари́тные размéры; ~ housing *стр.* тепля́к; 2) всеóбщий; всеобъéмлющий; всеохва́тывающий;
3. *adv* [ˌouvərˈɔːl] 1) повсю́ду; повсемéстно; 2) пóлностью.

overanxious [ˈouvərˈæŋkʃəs] *a* 1) слишком обеспокóенный; панически настрóенный; 2) óчень стара́тельный.

overarch [ˌouvərˈɑːtʃ] *v* 1) покрыва́ть свóдом; 2) образóвывать свод, а́рку.

overarm [ˈouvərɑːm] *n спорт.* овера́рм (*стиль плавания*).

overate [ˈouvərˈet] *past om* overeat.

overawe [ˌouvərˈɔː] *v* держа́ть в благоговéйном стра́хе; внуша́ть благоговéйный страх.

overbalance [ˌouvəˈbæləns] **1.** *n* перевéс; избы́ток;
2. *v* 1) перевéшивать, превосходи́ть; 2) вы́вести из равновéсия; 3) потеря́ть равновéсие и упа́сть.

overbear [ˌouvəˈbɛə] *v* (overbore; overborne) 1) переси́ливать; превозмога́ть; 2) подавля́ть; he overbore all my arguments егó дóводы оказа́лись убеди́тельнее всех мойх; он меня́ переубеди́л; 3) превосходи́ть.

overbearing [ˌouvəˈbɛərɪŋ] **1.** *pres. p. om* overbear;
2. *a* вла́стный, повели́тельный.

overblown [ˈouvəˈbloun] *a* 1) пронéсшийся (*о буре и т. п.*); 2) непомéрно разду́тый.

overboard [ˈouvəbɔːd] *adv* за́ борт; за бóртом; man ~! человéк за бóртом!; to throw ~ выбра́сывать за́ борт; *перен.* покида́ть, броса́ть.

overboil [ˈouvəˈbɔɪl] *v* перекипéть; *разг.* убежа́ть (*о молоке и т. п.*).

overbold [ˈouvəˈbould] *a* 1) слишком смéлый, дéрзкий; 2) опромéтчивый.

overbore [ˌouvəˈbɔː] *past om* overbear.

overborne [ˌouvəˈbɔːn] *p. p. om* overbear.

overbought [ˌouvəˈbɔːt] *past и p. p. om* overbuy.

overbridge [ˈouvəbrɪdʒ] *n стр.* путепровóд.

overbrim [ˈouvəˈbrɪm] *v* переполня́ть (-ся); перелива́ть(ся) чéрез край.

overbuild [ˈouvəˈbɪld] *v* (overbuilt) 1) надстра́ивать; 2) (чрезмéрно) застра́ивать.

overbuilt [ˈouvəˈbɪlt] *past и p. p. om* overbuild.

overburden [ˌouvəˈbəːdn] *v* 1) перегружа́ть; 2) отягоща́ть.

overbuy [ˌouvəˈbaɪ] *v* (overbought) 1) *уст.* покупа́ть слишком дóрого; 2) покупа́ть в слишком большóм количестве.

overcame [ˌouvəˈkeɪm] *past om* overcome.

over-capitalize [ˌouvəˈkæpɪtəlaɪz] *v* определя́ть капита́л (*компании и т. п.*) слишком высокó.

overcast [ˈouvəkɑːst] **1.** *a* покры́тый облака́ми; мра́чный, хму́рый (*о небе*);
2. *v* (overcast) 1) покрыва́ть(ся), закрыва́ть(ся); затемня́ть; 2) темнéть; 3) запоши́вать (*край*); сшива́ть чéрез край.

overcharge [ˈouvəˈtʃɑːdʒ] **1.** *v* 1) брать *или* запра́шивать чрезмéрную цéну; 2) перегружа́ть; 3) загроможда́ть дета́лями, преувели́чивать (*в описании и т. п.*); 4) *эл.* перезаряжа́ть; 5) *тех.* перегружа́ть; 6) *воен.* заряжа́ть усиленным заря́дом.
2. *n* 1) слишком высóкая цена́, запрóс; 2) *эл.* перезаря́д.

overcloud [ˌouvəˈklaud] *v* 1) застила́ть (-ся) облака́ми; 2) омрача́ть(ся).

overcoat [ˈouvəkout] *n* 1) пальтó; 2) шинéль.

overcoating [ˈouvəkoutɪŋ] *n* материа́л на пальтó.

over-colour [ˈouvəˈkʌlə] *v* сгуща́ть кра́ски; преувели́чивать.

overcome [ˌouvəˈkʌm] *v* (overcame; overcome) 1) поборóть, победи́ть; превозмóчь; преодолéть; 2) охвати́ть, обуя́ть (*о чувстве*); 3) *pass.* истощи́ть, лиши́ть самооблада́ния; ~ by hunger истощённый гóлодом; ~ by (*или* with) drink пья́ный; 4): he was ~ его́ стошни́ло.

overcrop [ˌouvəˈkrɔp] *v* истоща́ть зéмлю.

overcrow [ˌouvəˈkrou] *v* торжествова́ть (*над соперником и т. п.*).

overcrowd [ˌouvəˈkraud] *v* 1) переполня́ть (*помещение и т. п.*); 2) толпи́ться.

overdevelop [ˈouvədɪˈveləp] *v фото* передержа́ть (*при проявлении*).

overdid [ˌouvəˈdɪd] *past om* overdo.

overdo [ˌouvəˈduː] *v* (overdid; overdone) 1) заходи́ть слишком далекó; «переборщи́ть», перестара́ться, переусéрдствовать; 2) утри́ровать; преувели́чивать; 3) пережа́ривать; 4) переутомля́ть.

overdone 1. [ˌouvəˈdʌn] *p. p. om* overdo;
2. *a* [ˈouvəˈdʌn] 1) преувели́ченный, утри́рованный; 2) пережа́ренный.

overdose 1. *n* [ˈouvədous] слишком больша́я, врéдная дóза;
2. *v* [ˈouvəˈdous] дава́ть слишком больши́ю, врéдную дóзу.

overdraft [ˈouvədrɑːft] *n* 1) превышéние своегó крéдита в ба́нке; 2) *тех.* вéрхнее дутьé.

overdrank [ˈouvəˈdræŋk] *past om* overdrink.

overdraw [ˈouvəˈdrɔː] *v* (overdrew; overdrawn) 1) превы́сить свой крéдит в ба́нке; 2) преувели́чивать.

overdrawn [ˈouvəˈdrɔːn] *p. p. om* overdraw.

overdress 1. *n* ['ouvədres] вéрхняя одéжда;

2. *v* ['ouvə'dres] одевáться слѝшком нарядно.

overdrew ['ouvə'druː] *past om* overdraw.

overdrink ['ouvə'drɪŋk] *v* (overdrank; overdrunk) 1) слѝшком мнóго пить; вы́пить бóльше другóго; 2) *refl.* перепѝться.

overdrive ['ouvə'draɪv] *v* (overdrove; overdriven) 1) переутомля́ть, изнуря́ть; 2) загна́ть (*лошадь*).

overdriven ['ouvə'drɪvn] *p. p. om* overdrive.

overdrove ['ouvə'drouv] *past om* overdrive.

overdrunk ['ouvə'drʌŋk] *p. p. om* overdrink.

overdue ['ouvə'djuː] *a* 1) запоздáлый; the train is ~ пóезд запáздывает; 2) просрóченный.

overdye [‚ouvə'daɪ] *v* 1) перекрáсить в другóй цвет; 2) сдéлать слѝшком тёмным.

overeat ['ouvər'iːt] *v refl.* (overate; overeaten) переедáть, объедáться.

overeaten ['ouvər'iːtn] *p. p. om* overeat.

over-estimate 1. *n* ['ouvər'estɪmɪt] 1) слѝшком высóкая оцéнка; 2) раздýтая смéта.

2. *v* ['ouvər'estɪmeɪt] 1) переоцéнивать; 2) составля́ть раздýтую смéту.

over-expose ['ouvərɪks'pouz] *v фото* передéрживать (*при съёмке*).

over-exposure ['ouvərɪks'pouʒə] *n фото* передéржка (*при съёмке*).

overfall ['ouvəfɔːl] *n* 1) водослѝв; 2) *мор.* быстринá.

overfed ['ouvə'fed] *past и p. p. om* overfeed.

overfeed ['ouvə'fiːd] *v* (overfed) 1) перекáрмливать; 2) *refl.* объедáться, переедáть.

overfill [‚ouvə'fɪl] *v* переполня́ть.

overfish ['ouvə'fɪʃ] *v* ловѝть рыбу до истощéния водоёма.

overflow 1. *n* ['ouvəflou] 1) вытекáние чéрез край; 2) разлѝв; 3) избы́ток; 4) *attr.*: ~ weir *гидр.* водослѝвная плотѝна;

2. *v* [‚ouvə'flou] 1) переливáться (*чéрез край*); 2) заливáть, затопля́ть; разливáться (*о рекé*); 3) переполня́ть; to ~ with smth. быть перепóлненным чем-л.; to ~ with kindness быть преиспóлненным добротьi.

overflowing [‚ouvə'flouɪŋ] 1. *pres. p. om* overflow 2;

2. *a* 1) лью́щийся чéрез край; бью́щий чéрез край; 2) перепóлненный.

overfreight ['ouvə‚freɪt] = overload.

overfulfil ['ouvəful'fɪl] *v* перевыполня́ть.

overfulfilment ['ouvəful'fɪlmənt] *n* перевыполнéние.

overgild ['ouvə'gɪld] *v* (overgilded[-ɪd], overgilt) позолотѝть.

overgilt ['ouvə'gɪlt] *past и p. p. om* overgild.

overgrew ['ouvə'gruː] *past om* overgrow.

overground I ['ouvəgraund] *a* надзéмный; ◇ still ~ *разг.* ещё здрáвствующий.

overground II [‚ouvə'graund] *a* измóлотый *или* измельчённый до пы́ли.

overgrow ['ouvə'grou] *v* (overgrew; overgrown) 1) растѝ слѝшком бы́стро; to ~ oneself чрезмéрно выя́гиваться (*о дéтях*); 2) перерастáть (*что-л.*); вырастáть (*из чегó-л.*); to ~ one's clothes вырастáть из плáтья; 3) заглушáть (*о растéниях*).

overgrown ['ouvə'groun] 1. *p. p. om* overgrow;

2. *a* 1) перерóсший; 2) растýщий без ухóда, не подстри́женный (*о растéниях*); 3) зарóсший.

overgrowth ['ouvəgrouθ] *n* 1) чрезмéрный, беспоря́дочный рост; 2) нарóст.

overhang 1. *n* ['ouvəhæŋ] вы́ступ, свес;

2. *v* ['ouvə'hæŋ] (overhung) выступáть над *чем-л.*, нависáть (*тж. перен.*); выдавáться, свéшиваться; overhung with creepers покры́тый вью́щимися растéниями.

overhaul 1. *n* ['ouvə'hɔːl] 1) подрóбный осмóтр; ревѝзия; 2) капитáльный ремóнт; 3) пересмóтр;

2. *v* [‚ouvə'hɔːl] 1) разбирáть, тщáтельно осмáтривать (*чáсто с цéлью ремóнта*); to ~ state of accounts произвестѝ ревѝзию бухгалтéрии; to be ~ed by a doctor быть на осмóтре у врачá; 2) капитáльно ремонтѝровать; перестрáивать, реконструѝровать; 3) *мор.* догоня́ть, догнáть.

overhead 1. *a* ['ouvəhed] 1) вéрхний; 2) воздýшный; надзéмный; ~ wire воздýшный прóвод; ~ railway надзéмная желéзная дорóга; ~ road эстакáда; ~ irrigation дождевáние; ~ crane мостовóй кран; 3): ~ charges, ~ costs, ~ expenses накладны́е расхóды;

2. *adv* ['ouvə'hed] наверхý, над головóй; в вéрхнем этажé; на нéбе;

3. *n* ['ouvəhed] накладны́е расхóды.

overhear [‚ouvə'hɪə] *v* (overheard) 1) подслýшивать; 2) нечáянно услы́шать.

overheard [‚ouvə'həd] *past и p. p. om* overhear.

overheat ['ouvə'hiːt] 1. *n* перегрéв;

2. *v* перегревáть(ся).

overhung ['ouvə'hʌŋ] *past и p. p. om* overhang 2.

over-indulgence ['ouvərɪn'dʌldʒəns] *n* чрезмéрное увлечéние, злоупотреблéние.

overissue ['ouvər'ɪsjuː] *фин.* 1. *n* чрезмéрный вы́пуск;

2. *v* выпускáть сверх дозвóленного колѝчества (*áкции, банкнóты и т. п.*).

overjoy [‚ouvə'dʒɔɪ] *v* осчастлѝвить, óчень обрáдовать.

overjoyed [‚ouvə'dʒɔɪd] 1. *p. p. om* overjoy;

2. *a* вне себя́ от рáдости, óчень довóльный, счастлѝвый (at).

overjump ['ouvə'dʒʌmp] *v* 1) перепры́гивать, перескáкивать; 2) пропускáть, игнорѝровать.

overknee ['ouvə'niː] *a* доходя́щий вы́ше колéн.

overlabour [‚ouvə'leɪbə] *v* 1) переутомля́ть рабóтой; 2) слѝшком тщáтельно отдéлывать.

overladen [‚ouvə'leɪdn] *a* перегрýженный.

overlaid [‚ouvə'leɪd] *past* и *p. p. om* overlay I, 2.

overlain [‚ouvə'leɪn] *p. p. om* overlie.

overland 1. *a* ['ouvəlænd] сухопутный; проходящий целиком *или* бо́льшей ча́стью по су́ше;
2. *adv* [‚ouvə'lænd] по су́ше, на су́ше.

overlap 1. *v* [‚ouvə'læp] 1) части́чно покрыва́ть; заходи́ть оди́н за друго́й; перекрыва́ть; 2) части́чно совпада́ть;
2. *n* ['ouvəlæp] *тех.* нахлёстка, перекры́шка.

overlay I 1. *n* ['ouvəleɪ] 1) покры́шка; 2) *шотл.* га́лстук; 3) *полигр.* припра́вка;
2. *v* [‚ouvə'leɪ] (overlaid) 1) покрыва́ть (*краской и т. п.*); 2) *непр. вм.* overlie.

overlay II [‚ouvə'leɪ] *past om* overlie.

overleaf ['ouvə'liːf] *adv* на обра́тной стороне́ листа́, на оборо́те страни́цы.

overleap [‚ouvə'liːp] *v* 1) перепры́гивать; перескакивать; 2) пропуска́ть; ◇ to ~ oneself переоцени́ть свои́ возмо́жности.

overlie [‚ouvə'laɪ] *v* (overlay; overlain) 1) лежа́ть на *чём-л.*, над *чем-л.*; 2) задуши́ть (*ребёнка*) во вре́мя сна, заспа́ть.

overling ['ouvəlɪŋ] *n* влия́тельное *или* высокопоста́вленное лицо́.

overlive [‚ouvə'lɪv] *v* 1) пережи́ть; 2) прожига́ть жизнь.

overload 1. *n* ['ouvəloud] перегру́зка;
2. *v* ['ouvə'loud] перегружа́ть.

overlook [‚ouvə'luk] *v* 1) возвыша́ться (*над городом, местностью и т. п.*); 2) обозрева́ть; смотре́ть све́рху (*на что-л.*); a view ~ing the town вид на го́род све́рху; 3) выходи́ть на, в; my windows ~ the garden мои́ о́кна выхо́дят в сад; 4) надзира́ть; смотре́ть (*за чем-л.*); 5) не заме́тить, прогляде́ть; не обрати́ть внима́ния; 6) смотре́ть сквозь па́льцы; to ~ an offence проща́ть, не взы́скивать за просту́пок *или* оби́ду; 7) *разг.* сгла́зить.

overlord ['ouvələːd] 1. *n* сюзере́н; верхо́вный влады́ка; повели́тель, господи́н;
2. *v* домини́ровать; госпо́дствовать.

overly ['ouvəlɪ] *adv* 1) *разг.* чрезме́рно; 2) *шотл.* случа́йно.

overman I ['ouvəmæn] *n* 1) деся́тник, надзира́тель; 2) арби́тр; 3) «сверхчелове́к».

overman II ['ouvəmæn] *v* нанима́ть сли́шком мно́го рабо́чих; раздува́ть шта́ты.

overmantel ['ouvə‚mæntl] *n* резно́е украше́ние над ками́ном.

overmasted [‚ouvə'mɑːstɪd] *a* име́ющий сли́шком высо́кие *или* сли́шком тяжёлые ма́чты.

overmaster [‚ouvə'mɑːstə] *v* 1) покори́ть, подчини́ть себе́; 2) овладе́ть всеце́ло.

overmastering [‚ouvə'mɑːstərɪŋ] 1. *pres. p. om* overmaster;
2. *a* непреодоли́мый; an ~ passion непреодоли́мая страсть.

overmatch ['ouvə'mætʃ] 1. *n* тот, кто превосхо́дит друго́го;
2. *v* превосходи́ть си́лой, уме́нием.

overmature ['ouvəmə'tjuə] *a* перезре́лый; ~ forest перестойный лес.

over-measure ['ouvə‚meʒə] *n* 1) прида́ча, изли́шек; 2) припуск.

overmuch ['ouvə'mʌtʃ] *adv* чрезме́рно, сли́шком мно́го.

over-nice ['ouvə'naɪs] *a* 1) сли́шком разбо́рчивый; придирчивый; 2) изощрённый.

overnight ['ouvə'naɪt] 1. *a* происходи́вший накану́не ве́чером; an ~ conversation бесе́да накану́не ве́чером;
2. *adv* 1) накану́не ве́чером; 2) с ве́чера (и всю ночь); всю ночь; to stay ~ ночева́ть; 3) бы́стро, ско́ро.

overpaid [‚ouvə'peɪd] *past* и *p. p. om* overpay.

overpass [‚ouvə'pɑːs] *v* 1) переходи́ть, проходи́ть, пересека́ть; 2) преодолева́ть; 3) превосходи́ть, превыша́ть; 4) оставля́ть без внима́ния, проходи́ть ми́мо.

overpast ['ouvə'pɑːst] *a* проше́дший, про́шлый.

overpay ['ouvə'peɪ] *v* (overpaid) перепла́чивать.

overpeer [‚ouvə'pɪə] *v* 1) возвыша́ться; 2) превосходи́ть; 3) смотре́ть свысока́.

overpeopled [‚ouvə'piːpld] *a* перенаселённый.

over-persuade ['ouvəpə'sweɪd] *v* переубежда́ть; склоня́ть (*к чему-л.*).

overplus ['ouvəplʌs] *n* изли́шек, избы́ток.

overpoise ['ouvə'pɔɪz] 1. *n* переве́с;
2. *v* переве́шивать.

overpopulation ['ouvə‚pɔpju'leɪʃən] *n* перенаселённость.

overpower [‚ouvə'pauə] *v* переси́ливать, брать верх; подавля́ть; the heat ~ed me жара́ одоле́ла меня́.

overpowering [‚ouvə'pauərɪŋ] 1. *pres. p. om* overpower;
2. *a* непреодоли́мый, подавля́ющий.

overpraise ['ouvə'preɪz] *v* перехва́ливать, захва́ливать.

overpressure ['ouvə‚preʃə] *n* 1) чрезме́рное давле́ние; избы́точное давле́ние; 2) сли́шком большо́е у́мственное *или* не́рвное напряже́ние.

overprize ['ouvə'praɪz] *v* 1) переоце́нивать; 2) *уст.* быть бо́лее це́нным.

over-produce ['ouvəprə'djuːs] *v* перепроизводи́ть.

over-production ['ouvəprə'dʌkʃən] *n* перепроизво́дство.

over-proof ['ouvə'pruːf] *a* вы́ше устано́вленного гра́дуса (*о спирте и т. п.*).

overran [‚ouvə'ræn] *past om* overrun.

overrate ['ouvə'reɪt] *v* переоце́нивать.

overreach 1. *n* ['ouvə‚riːtʃ] 1) обма́н; 2) хи́трость; 3) засе́чка (*у лошади*);
2. *v* [‚ouvə'riːtʃ] 1) достига́ть; распространя́ть(ся); выходи́ть за преде́лы; 2) перехитри́ть; to ~ oneself просчита́ться, обману́ться; 3) дости́чь незако́нным, моше́нническим путём; 4) овладева́ть (*аудито́рией и т. п.*); 5) *refl.* взять на себя́ непоси́льную зада́чу, зарва́ться; 6) *refl.* растяну́ть себе́ сухожи́лие; засека́ться (*о лоша́ди*).

over-refine ['ouvərɪ'faɪn] *v* вдава́ться в изли́шние то́нкости.

overrent [‚ouvə'rent] *v* брать сли́шком высо́кую аре́ндную *или* кварти́рную пла́ту.

overridden [‚ouvə'rɪdn] *p. p. om* override.

override [͵ouvə'raɪd] *v* (overrode; overridden) 1) переéхать, задавить лóшадью; 2) попирáть (ногáми); 3) отвергáть, не принимáть во внимáние; 4) заéздить (*верховую лошадь*).

overripe [͵ouvə'raɪp] *a* перезрéлый; перестóйный; ~ wood перестóйный лес.

overrode [͵ouvə'roud] *past от* override.

overrotten ['ouvə'rɔtn] *a* перегнивший.

overrule [͵ouvə'ru:l] *v* 1) госпóдствовать, верховéнствовать; 2) брать верх; 3) аннулировать, считáть недействительным; 4) отвергáть, отклонять предложéние.

overrun [͵ouvə'rʌn] *v* (overran; overrun) 1) переливáться чéрез край; наводнять; 2) переходить дозвóленные границы *или* устанóвленные срóки; 3) кишéть; 4) заполнять; глушить (*о сорных травах*); 5) опустошáть (*страну—о неприятеле*); 6) *полигр.* перебрáсывать.

oversaw ['ouvə'sɔ:] *past от* oversee.

oversea(s) ['ouvə'si:(z)] **1.** *a* замóрский, заокеáнский; заграничный; ~ trade внéшняя торгóвля; ~ contingents войскá колóний и доминиóнов;~ service служба радиовещáния для зарубéжных стран (*в Англии*).
2. *adv* зá морем, чéрез мóре; за границей, за границу; to go ~ éхать зá море, за океáн.

oversee ['ouvə'si:] *v* (oversaw; overseen) 1) надзирáть, наблюдáть; 2) подсмáтривать; 3) случáйно увидеть.

overseen ['ouvə'si:n] *p. p. от* oversee.

overseer ['ouvəsɪə] *n* надзирáтель; надсмóтрщик; ~ of the poor *ист.* завéдующий призрéнием бéдных (*в прихóде*).

oversell [͵ouvə'sel] *v* (oversold) запродáть бóльше (*акций, товара*), чем имéется в наличности.

overset [͵ouvə'set] *v* (overset) 1) нарушáть порядок; 2) повергáть в смущéние, расстрóйство; 3) опрокидывать(ся).

oversew [͵ouvə'sou] *v* (oversewed [-d]; oversewed, oversewn) сшивáть чéрез край.

oversewn [͵ouvə'soun] *p. p. от* oversew.

overshadow [͵ouvə'ʃædou] *v* 1) затемнять, затмевáть; 2) омрачáть; 3) *редк.* защищáть от нападéния.

overshoe ['ouvəʃu:] *n* галóша, бóт(ик).

overshoot ['ouvə'ʃu:t] *v* (overshot) 1) промахнýться (*при стрельбе*); to ~ the mark, to ~ oneself взять вы́ше *или* дáльше цéли; *перен.* зайти слишком далекó; «пересолить»; впасть в ошибку [*см. тж.* 3)]; 2) стрелять лýчше (*кого-л.*); 3) превышáть, превосходить; to ~ the mark превы́сить, превзойти (*определённый*) ýровень [*см. тж.* 1)].

overshot ['ouvə'ʃɔt] *past и p. p. от* overshoot.

overshot wheel ['ouvə͵ʃɔt'wi:l] *n* наливнóе (*или* верхнебóйное) колесó.

overside [͵ouvə'saɪd] *мор.* **1.** *a* грузящийся чéрез борт; ~ delivery вы́грузка на другóе сýдно;
2. *adv* чéрез борт, зá борт.

oversight ['ouvəsaɪt] *n* 1) недосмóтр, оплóшность; 2) *редк.* надзóр.

over-simplify [͵ouvə'sɪmplɪfaɪ] *v* упрощáть; понимáть слишком упрощённо.

oversize(d) ['ouvəsaɪz(d)] *a* 1) бóльше

обы́чного размéра; 2) *тех.* с преувеличéнием прóтив допустимых предéлов.

overslaugh ['ouvəslɔ:] *v* 1) *воен.* освобождáть от какóй-л. обязанности ввидý наличия бóлее вáжной; 2) *амер. воен.* чинóм, не дать хорóшего назначéния; 3) *амер. полит.* препятствовать прохождéнию законопроéкта.

oversleep ['ouvə'sli:p] *v refl.* (overslept) проспáть, заспáться.

oversleeve ['ouvəsli:v] *n* нарукáвник.

overslept ['ouvə'slept] *past и p. p. от* oversleep.

oversmoke [͵ouvə'smouk] *v* 1) слишком мнóго курить; 2) *refl.* накуриться (*до одурéния*).

oversold [͵ouvə'sould] *past и p. p. от* oversell.

overspend ['ouvə'spend] *v* (overspent) 1) трáтить чрезмéрно мнóго; сорить деньгáми; 2) *refl.* расстрóить своё состояние *или* здорóвье.

overspent ['ouvə'spent] *past и p. p. от* overspend.

overspill ['ouvəspɪl] *n* 1) то, что прóлито; 2) (эмигрирующий) избы́ток населéния.

overspread [͵ouvə'spred] *v* (overspread) 1) покрывáть; 2) распространять(ся); 3) простирáть(ся); 4) разбрáсывать.

overstaid ['ouvə'steɪd] *уст. past и p. p. от* overstay.

overstate ['ouvə'steɪt] *v* преувеличивать.

overstatement ['ouvə'steɪtmənt] *n* преувеличéние.

overstay ['ouvə'steɪ] *v* (overstayed [-d], overstaid) загоститься, засидéться; to ~ smb.'s welcome злоупотреблять чьим-л. гостеприимством.

overstep ['ouvə'step] *v* 1) переступить, перешагнýть; 2) *перен.* переходить границы.

overstock ['ouvə'stɔk] **1.** *n* излишний запáс, избы́ток (*товара*);
2. *v* дéлать слишком большóй запáс; забивáть товáром (*магазин, рынок*).

overstrain 1. *n* ['ouvəstreɪn] чрезмéрное напряжéние;
2. *v* ['ouvə'streɪn] переутомлять, перенапрягáть; to ~ oneself переутомляться; this argument is greatly ~ed э́то слишком натянутый аргумéнт.

overstrung ['ouvə'strʌŋ] *a* слишком напряжённый (*о нервах и т. п.*).

oversubscribe ['ouvəsəb'skraɪb] *v* превы́сить намéченную сýмму (*при подписке и т. п.*); подписáться на бóльшую сýмму, чем трéбуется.

overt ['ouvə:t] *a* 1) откры́тый; неприкры́тый; 2) явный, очевидный, нескрывáемый.

overtake [͵ouvə'teɪk] *v* (overtook; overtaken) 1) догнáть, наверстáть; it's a job you could doubtless ~ with the others э́то дéло, котóрое вы моглú бы несомнéнно вы́полнить одноврéменно с другими; 2) застигнýть врасплóх; 3) овладéть; to be ~n by terror быть охвáченным стрáхом; ~n in (*или* with) drink пьяный.

overtaken [͵ouvə'teɪkən] *p. p. от* overtake.

overtask ['ouvə'tɑːsk] *v* перегружа́ть рабо́той; дава́ть непоси́льное зада́ние.

overtax ['ouvə'tæks] *v* 1) обременя́ть чрезме́рными нало́гами; 2) сли́шком напряга́ть си́лы *и т. п.*

overthrew [,ouvə'θruː] *past om* overthrow 2.

overthrow 1. *n* ['ouvəθrou] пораже́ние; ниспроверже́ние;
2. *v* [,ouvə'θrou] (overthrew; overthrown) 1) опроки́дывать; 2) сверга́ть; побежда́ть; уничтожа́ть.

overthrown [,ouvə'θroun] *p. p. om* overthrow 2.

overtime ['ouvətaim] 1. *n* 1) сверхуро́чные часы́; сверхуро́чное вре́мя; 2) *attr.* сверхуро́чный; ~ pay сверхуро́чная опла́та;
2. *adv* сверхуро́чно;
3. *v* 1) передержа́ть; 2) перевари́ть.

overtly ['ouvətli] *adv* откры́то, публи́чно.

overtone ['ouvətoun] *n муз.* оберто́н.

overtook [,ouvə'tuk] *past om* overtake.

overtop ['ouvə'tɔp] *v* 1) превыша́ть; превосходи́ть; 2) превосходи́ть, затмева́ть.

overtrain [,ouvə'trein] *v спорт.* надорва́ться во вре́мя трениро́вки, перетрениро́ваться.

overtrump ['ouvə'trʌmp] *v* перекрыва́ть ста́ршим ко́зырем.

overture ['ouvətjuə] *n* 1) (*обыкн. pl*) нача́ло перегово́ров; официа́льное предложе́ние; 2) *муз.* увертю́ра.

overturn 1. *n* ['ouvətəːn] 1) пораже́ние; ниспроверже́ние; сверже́ние; 2) *амер.* переворо́т;
2. *v* [,ouvə'təːn] 1) опроки́дывать(ся); па́дать; 2) ниспроверга́ть, сверга́ть; 3) подрыва́ть; уничтожа́ть; опроверга́ть; to ~ a theory опрове́ргнуть тео́рию.

overvalue ['ouvə'væljuː] 1. *n* переоце́нка;
2. *v* переоце́нивать, сли́шком высоко́ оце́нивать; придава́ть сли́шком большо́е значе́ние.

overwatched [,ouvə'wɔtʃt] *a* изнурённый чрезме́рным бо́дрствованием *или* бессо́нницей.

overweening [,ouvə'wiːniŋ] *a* высокоме́рный, самонадея́нный; ~ ambition чрезме́рное тщесла́вие.

overweight 1. *n* ['ouvəweit] 1) изли́шек ве́са, избы́точный вес; 2) переве́с, преоблада́ние;
2. *a* [,ouvə'weit] ве́сящий бо́льше но́рмы; тяжеле́е обы́чного; ~ luggage опла́чиваемый изли́шек багажа́;
3. *v* ['ouvə'weit] (*обыкн. p. p.*) перегружа́ть; обременя́ть.

overwhelm [,ouvə'welm] *v* 1) овладева́ть, переполня́ть (*о чувстве*; with); 2) потряса́ть, ошеломля́ть, поража́ть; his kindness quite ~ed me его́ доброта́ меня́ про́сто порази́ла; 3) подавля́ть; сокруша́ть, разбива́ть (*неприятеля*); 4) губи́ть, разоря́ть; 5) забра́сывать (*вопросами и т. п.*); 6) зали́вать; 7) зава́ливать.

overwhelming [,ouvə'welmiŋ] 1. *pres. p. om* overwhelm;
2. *a* 1) несме́тный; 2) подавля́ющий; ~ majority подавля́ющее большинство́; 3) непреодоли́мый.

overwind [,ouvə'waind] *v* перекрути́ть заво́д (*часов и т. п.*).

overwinter [,ouvə'wintə] *v* перезимова́ть.

overwork 1. *n* 1) ['ouvəwəːk] чрезме́рная *или* сверхуро́чная рабо́та; 2) ['ouvə'wəːk] перегру́зка, перенапряже́ние; переутомле́ние;
2. *v* ['ouvə'wəːk] 1) сли́шком мно́го рабо́тать; переутомля́ться (*тж.* ~ oneself); 2) переутомля́ть.

overwrite [,ouvə'rait] *v* (overwrote; overwritten) 1) сли́шком мно́го писа́ть (*о чём-л.*); 2) *refl.* испи́сываться (*о писателе и т. п.*).

overwritten [,ouvə'ritn] *p. p. om* overwrite.

overwrote [,ouvə'rout] *past om* overwrite.

overwrought ['ouvə'rɔːt] *a* 1) переутомлённый рабо́той; 2) возбуждённый (*о нервах*); 3) перегру́женный дета́лями; 4) сли́шком тща́тельно отде́ланный.

oviduct ['ouvidʌkt] *n анат.* яйцево́д; фалло́пиева труба́.

oviform ['ouvifɔːm] *a* яйцеви́дный, яйцеобра́зный, ова́льный.

ovine ['ouvain] *a* ове́чий.

oviparous [ou'vipərəs] *a* яйцено́сный.

oviposit [,ouvi'pɔzit] *v зоол.* откла́дывать яйца.

ovipositor [,ouvi'pɔzitə] *n зоол.* яйцекла́д.

ovoid ['ouvɔid] *a* яйцеви́дный, яйцеобра́зный.

ovule ['ouvjuːl] *n* 1) *бот.* семяпо́чка; 2) *биол.* кле́тка яйца́.

ovum ['ouvəm] *n* (*pl* ova) *биол.* яйцо́.

owe [ou] *v* 1) быть до́лжным (*кому-л.*); быть в долгу́ (*перед кем-л.*); 2) быть обя́занным; we ~ to Newton the principle of gravitation откры́тием зако́на тяготе́ния мы обя́заны Нью́тону.

owing ['ouiŋ] 1. *pres. p. om* owe;
2. *a* 1) до́лжный, причита́ющийся, оста́вшийся неупла́ченным; how much is ~ to you? ско́лько вам ещё причита́ется?; 2) обя́занный (*кому-л.*); 3) происходя́щий (to—от);
3.: ~ to (*употр. как prep*) по причи́не, всле́дствие, благодаря́.

owl [aul] *n* 1) сова́; 2) о́лух; 3) полуно́чник; ◇ ~ train *амер.* ночно́й по́езд; ~ car *амер.* а) ночно́й трамва́й; б) ночно́е такси́.

owlet ['aulit] *n* молода́я сова́, совёнок.

owlish ['auliʃ] *a* похо́жий на сову́.

owl-light ['aullait] *n* су́мерки.

own [oun] 1. *a* (*после притяжа́тельных местоиме́ний и существи́тельных в possessive case*) 1) свой со́бственный; to love truth for its ~ sake люби́ть пра́вду ра́ди неё само́й; name your ~ price назови́те свою́ це́ну; to make one's ~ clothes шить сами́й себе́; he is his ~ man он сам себе́ хозя́ин; 2) родно́й; my ~ father мой родно́й оте́ц; 3) люби́мый; излю́бленный; farewell my ~ проща́й, дорого́й; 4) со́бственный, оригина́льный; it was his ~ idea э́то была́ его́ со́бственная иде́я;
2. *v*: to come into one's ~ получи́ть до́лжное; to hold one's ~ сохраня́ть свои́ пози́ции, своё досто́инство, самооблада́ние;

стоя́ть на своём; the patient is holding his ~ больно́й бо́рется с неду́гом; I have nothing of my ~ у меня́ ничего́ нет (никако́й со́бственности); on one's ~ разг. самостоя́тельно, на со́бственную отве́тственность;

3. v 1) владе́ть; име́ть, облада́ть; to ~ lands владе́ть землёй; 2) признава́ть (ся); to ~ a child признава́ть своё отцо́вство; to ~ one's faults признава́ть свои́ недоста́тки; to ~ to smth. признава́ться в чём-л.; to ~ to the theft признава́ться в кра́же; □ ~ up разг. а) открове́нно признава́ться; б) безро́потно подчиня́ться; ◇ to ~ it охот. напа́сть на след.

owner ['ounə] n 1) владе́лец; со́бственник, хозя́ин; joint ~ совладе́лец; 2) (the ~) мор. sl. команди́р корабля́.

ownerless ['ounəlis] a 1) бесхозя́йный, бесхо́зный; 2) беспризо́рный.

ownership ['ounəʃip] n 1) со́бственность; владе́ние; 2) пра́во со́бственности.

ox [ɔks] n (pl oxen) 1) бык; 2) вся́кий представи́тель семе́йства быко́в: вол, бу́йвол, бизо́н и т. п.; ◇ the black ox а) ста́рость; б) несча́стье; the black ox has trodden on my foot меня́ пости́гло несча́стье; you cannot flay the same ox twice посл. с одного́ вола́ двух шкур не деру́т.

oxalic [ɔk'sælik] a хим. щаве́левый.

oxbow ['ɔksbou] n 1) ярмо́; 2) стари́ца, слепо́й рука́в реки́; за́водь.

oxcart ['ɔkskɑːt] n пово́зка, запряжённая вола́ми.

oxen ['ɔksən] n pl 1) pl от ox; 2) собир. рога́тый скот.

oxer ['ɔksə] = ox-fence.

ox-eye ['ɔksai] n 1) бы́чий или воло́вий глаз; 2) архит. кру́глое или ова́льное окно́; 3) больша́я сини́ца; 4) бот. теле́кия; yellow ~ нивя́ник посевно́й.

ox-eyed ['ɔksaid] a волоо́кий, большегла́зый.

ox-driver ['ɔks,draivə] n пого́нщик воло́в.

ox-fence ['ɔksfens] n и́згородь для рога́того скота́.

oxford ['ɔksfəd] n 1) полуботи́нок (тж. O. shoe); 2) (O.) attr. оксфо́рдский; O. man челове́к, получи́вший образова́ние в Оксфо́рдском университе́те; O. gray се́рый, стально́й цвет.

oxherd ['ɔkshəːd] n пасту́х.

oxhide ['ɔkshaid] n воло́вья шку́ра.

oxidate ['ɔksideit] = oxidize.

oxidation [,ɔksi'deiʃən] n окисле́ние.

oxide ['ɔksaid] n хим. о́кись, о́кисел.

oxidization [,ɔksidai'zeiʃən] = oxidation.

oxidize ['ɔksidaiz] v окисля́ть(ся); окиси́ровать.

Oxonian [ɔk'sounjən] 1. n студе́нт (тж. бы́вший) Оксфо́рдского университе́та; 2. a оксфо́рдский.

oxtail ['ɔksteil] n 1) воло́вий хвост; 2) attr.: ~ soup суп из воло́вьего хвоста́.

oxter ['ɔkstə] шотл. 1. n подмы́шки; вну́тренняя часть плеча́; 2. v 1) подде́рживать, взя́вши за́ руки или под мы́шки; 2) обнима́ть, сжима́ть в объя́тиях.

oxygen ['ɔksidʒən] n хим. - 1) кислоро́д; 2) attr. кислоро́дный; ~ mask кислоро́дная ма́ска; ~ welding тех. автоге́нная сва́рка.

oxygenate [ɔk'sidʒineit] v окисля́ть; насыща́ть кислоро́дом.

oxygenize [ɔk'sidʒinaiz] = oxygenate.

oxygenous [ɔk'sidʒinəs] a кислоро́дный.

oxygon ['ɔksigən] n остроуго́льный треуго́льник.

oxymoron [,ɔksi'mɔːrɔn] n ритор. окси́морон.

oyster ['ɔistə] n у́стрица; ◇ close as an ~ ≅ нем как ры́ба.

oyster-bank ['ɔistəbæŋk] n у́стричная о́тмель; у́стричный садо́к.

oyster-bed ['ɔistəbed] = oyster-bank.

oyster-farm ['ɔistəfɑːm] n у́стричный садо́к.

ozocerite, ozokerite [ou'zoukərit] n геол. озокери́т.

ozone ['ouzoun] n хим. озо́н.

ozonize ['ouzənaiz] v хим. озони́ровать.

P

P,p [piː] n (pl Ps, P's [piːz]) 16-я бу́ква англ. алфави́та.

pa [pɑː] n (сокр. от papa) разг. па́па, па́почка.

pabular(y) ['pæbjulə(ri)] a пищево́й, съестно́й; кормово́й.

pabulum ['pæbjuləm] n пи́ща (преим. перен.); mental ~ пи́ща для ума́.

pace I [peis] **1.** n 1) шаг; длина́ ша́га; 2) шаг, похо́дка, по́ступь; snail's ~ черепа́ший шаг; to put on ~ приба́вить ша́гу; to mend one's ~ ускоря́ть шаг; ~ of the warp текст. ход осно́вы; 3) ско́рость, темп; to go (или to hit) the ~ мча́ться; перен. прожига́ть жизнь; to keep ~ with идти́ наравне́ с, не отстава́ть от; to set the ~ задава́ть темп (в гре́бле и т. п.); перен. задава́ть тон; 4) аллю́р (лошади); 5) ино-

ход; 6) возвыше́ние на полу́; площа́дка, широ́кая ступе́нька (лестницы); ◇ to put smb. through his ~s, to try smb.'s ~s подве́ргнуть кого́-л. испыта́нию; «прощу́пать» кого́-л.;

2. v 1) шага́ть; расха́живать, 2) измеря́ть шага́ми (тж. ~ out); 3) идти́ и́ноходью (о лошади); 4) задава́ть темп, вести́ (в состяза́нии).

pace II ['peisi] лат. prep с позволе́ния (кого́-л.).

pace-maker ['peis,meikə] n задаю́щий темп.

pacer ['peisə] n 1) инохо́дец; 2) = pace-maker.

pacha ['pɑːʃə] = pasha.

pachyderm ['pækidəːm] n зоол. толстоко́жее (живо́тное).

pachydermatous [ˌpækɪ'dɑːmətəs] *a* толстокожий.

pacific [pə'sɪfɪk] 1. *a* 1) спокойный, тихий; 2) мирный, миролюбивый; 3) (Р.) тихоокеанский;
2. *n* (the Р.) Тихий океан.

pacification [ˌpæsɪfɪ'keɪʃən] *n* 1) умиротворение, успокоение; 2) усмирение.

pacificator [ˌpæsɪfɪ'keɪtə] *n* миротворец.

pacificatory [pə'sɪfɪkətərɪ] *a* примирительный; успокойтельный.

pacificism [pə'sɪfɪsɪzəm] = pacifism.

pacificist [pə'sɪfɪsɪst] = pacifist.

pacifism ['pæsɪfɪzəm] *n* пацифизм.

pacifist ['pæsɪfɪst] *n* пацифист.

pacify ['pæsɪfaɪ] *v* 1) умиротворять, успокаивать; укрощать (*гнев*); 2) восстанавливать порядок *или* мир; 3) усмирять.

pack [pæk] 1. *n* 1) тюк; вьюк; связка, кипа, узел; пакет; пачка; 2) *воен.* сумка, ранец; 3) группа; банда; moneyed ~ кучка богачей; ~ of crooks банда жуликов; 4) множество, масса; ~ of lies сплошная ложь; 5) свора (*гончих*); стая (*волков и т. п.*); ~ of submarines *воен.* подразделение подводных лодок; 6) колода (*карт*); 7) = pack-ice; 8) *ком.* кипа (*мера веса*); 9) количество заготовленных в течение сезона консервов (*рыбных, фруктовых*); 10) *горн.* закладка; 11) тампон; 12) *стр.* бутовая кладка; 13) *attr.* упаковочный; ~ paper обёрточная бумага; 14) *attr.* вьючный;
2. *v* 1) упаковывать(ся), запаковывать (-ся), тюковать (*часто* ~ up); 2) (легко) укладываться, (хорошо) поддаваться упаковке; 3) консервировать; 4) заполнять, набивать, переполнять (*пространство*; with); 5) уплотнять(ся), скучивать(ся); 6) сворить (*гончих*); 7) собираться стаями (*о волках*); 8) навьючивать (*лошадь*); 9) заполнять своими сторонниками (*собрание, съезд и т. п.*); подбирать состав присяжных (*для вынесения противозаконного решения*); 10) *мед.* завёртывать в (мокрые) простыни (*пациента*); □ ~ off выпроваживать, прогонять; ~ up *разг.* а) упаковывать(ся); б) испортиться, выйти из строя (*о механизме*); в) умереть; ◇ to send smb. ~ing выпроводить, уволить кого-л.; to ~ a thing up покончить с чем-л.; ~ it up! *груб.* (по)придержи язык!

package ['pækɪdʒ] 1. *n* 1) тюк; кипа; посылка; место (*багажа*); 2) пакет, свёрток; пачка (*сигарет*); 3) упаковка; 4) расходы по упаковке; 5) пошлина с товарных тюков;
2. *v* упаковывать.

pack-animal ['pæk,ænɪməl] *n* вьючное животное.

pack-artillery ['pækɑːˌtɪlərɪ] *n воен.* вьючная артиллерия.

packer ['pækə] *n* 1) упаковщик (*особ. на пищевом комбинате*); 2) (*преим. амер.*) заготовитель; экспортёр пищевых продуктов (*особ. мясных*); 3) *амер.* рабочий (мясо-)консервного завода; 4) машина для упаковки; 5) *разг.* шулер.

packet ['pækɪt] *n* 1) пакет, связка; 2) = packet-boat; 3) *sl.* сумма денег, куш;

4) *воен. sl.* пуля; снаряд; to stop (*или* to catch) a ~ быть раненным *или* убитым (пулей, осколком *и т. п.*).

packet-boat ['pækɪtbout] *n* почтовый пароход, пакетбот.

pack-horse ['pækhɔːs] *n* вьючная лошадь.

pack-ice ['pækaɪs] *n* масса плавучего льда; паковый лёд, пак.

packing ['pækɪŋ] 1. *pres. p. от* pack 2;
2. *n* 1) упаковка; укупорка; I must do my ~ я должен собрать вещи, уложиться; ~ not included цена без упаковки, без тары; 2) упаковочный материал; 3) *тех.* набивка (*сальника и т. п.*); прокладка; уплотнение; 4) *attr.* упаковочный.

packing-case ['pækɪŋkeɪs] *n* ящик (*для упаковки*).

packing-needle ['pækɪŋˌniːdl] *n* упаковочная, кулевая игла.

packing-sheet ['pækɪŋʃiːt] *n* 1) упаковочный холст; 2) *мед.* мокрая простыня, влажная ткань.

packman ['pækmən] *n* разносчик.

pack-saddle ['pækˌsædl] *n* вьючное седло.

packthread ['pækθred] *n* бечёвка, шпагат.

pack-train ['pæktreɪn] *n* караван, вьючный обоз.

pact [pækt] *n* пакт, договор; Pact of Peace Пакт Мира; non-aggression ~ договор о ненападении; to enter into a ~ заключить договор.

pad I [pæd] 1. *n* 1) мягкая прокладка *или* набивка; 2) подушка, подушечка; sanitary ~ *мед.* гигиеническая подушечка; 3) мягкое седло; седёлка; 4) турнюр; 5) блокнот промокательной, почтовой, рисовальной бумаги; бювар; 6) лапа (*зайца и т. п.*); 7) подушечка (*на подошве некоторых животных*); 8) *бот.* плавающий лист (*кувшинки и т. п.*); 9) *тех.* лапа, подкладка, буртик;
2. *v* 1) подбивать *или* набивать волосом *или* ватой; подкладывать что-л. мягкое (*тж.* ~ out); 2) перегружать пустыми словами, излишними подробностями (*рассказ, речь и т. п.; обыкн.* ~ out); 3) раздувать (*штаты и т. п.*).

pad II [pæd] 1. *n* 1) *sl.* дорога; gentleman (*или* knight, squire) of the ~ разбойник с большой дороги; 2) спокойная лошадь;
2. *v* брести, идти пешком; to ~ the hoof *разг.* ходить, бродить по дорогам.

pad III [pæd] *n* корзинка (*как мера*).

pad IV [pæd] *n амер. sl.* притон, курильня опиума *и т. п.*

padded ['pædɪd] 1. *p. p. от* pad I, 2;
2. *a* 1): ~ cell палата, обитая войлоком (*для психически больных*); 2): ~ bills раздутые счета.

padding I ['pædɪŋ] 1. *pres. p. от* pad I, 2;
2. *n* 1) набивка, набивочный материал; 2) литературный материал, вставляемый для заполнения места, «вода»; многословие; 3) *текст.* плюсование; 4) *тех.* наварка «подушки».

padding II ['pædɪŋ] *pres. p. от* pad II, 2.

paddle I ['pædl] 1. *n* 1) гребок (*короткое весло с широкой лопастью*); double

~ двусторо́ннее весло́; 2) гре́бля; 3) ло́пасть *или* лопа́тка *(гребного колеса);* 4) лопа́тка *(для размешивания);* валёк *(для стирки белья);* 5) затво́р *(шлюза);* 6) *зоол.* плавни́к; ласт; пла́вательная пласти́нка;

2. *v* 1) грести́ одни́м весло́м; плыть на байда́рке; 2) передвига́ться при по́мощи гребны́х колёс; ◇ to ~ one's own canoe ни от кого́ не зави́сеть; де́йствовать незави́симо.

paddle II ['pædl] 1. *n амер.* трость для наказа́ний;

2. *v* 1) шлёпать по воде́, плеска́ться; 2) не́рвно тереби́ть па́льцы (in, on, about); 3) ковыля́ть *(о ребёнке);* 4) *амер.* отшлёпать.

paddle-boat ['pædlbout] *n* колёсный парохо́д.

paddle-box ['pædlbɔks] *n* кожу́х гребно́го колеса́.

paddle-wheel ['pædlwiːl] *n* гребно́е колесо́.

paddock ['pædək] *n* 1) вы́гон, заго́н *(особ. при ко́нном заводе);* 2) лужо́к *(при ипподроме);* 3) *австрал.* огоро́женный уча́сток земли́; 4) *горн.* квадра́тный шурф.

Paddy ['pædɪ] *n разг.* ирла́ндец.

paddy I ['pædɪ] *n* рис *(на корню́ или в шелухе́).*

paddy II ['pædɪ] *n разг.* при́ступ гне́ва, я́рость.

paddy III ['pædɪ] *n* бурово́й инструме́нт.

paddywhack ['pædɪwæk] = paddy II.

Padishah ['pɑːdɪʃɑː] *перс. n* падиша́х.

padlock ['pædlɔk] 1. *n* вися́чий замо́к; 2. *v* запира́ть на вися́чий замо́к.

padre ['pɑːdrɪ] *исп. n разг.* 1) полково́й *или* судово́й свяще́нник; 2) католи́ческий свяще́нник.

padrone [pə'drounɪ] *um. n (pl -ni)* 1) капита́н *(средиземноморского торгового судна);* 2) хозя́ин италья́нской гости́ницы; 3) предпринима́тель, эксплуати́рующий у́личных музыка́нтов, ни́щенствующих дете́й, рабо́чих-эмигра́нтов.

padroni [pə'drouniː] *pl om* padrone.

padronism ['pɑːdrouniːzəm] *n* эксплуата́ция у́личных музыка́нтов *и пр. [см.* padrone)].

Padshah ['pɑːdʃɑː] = Padishah.

paean ['piːən] *n* пеа́н; побе́дная песнь.

paederasty ['piːdəræstɪ] *n* педера́стия.

paediatrician [,piːdɪə'trɪʃən] *n* педиа́тр, врач по де́тским боле́зням.

paediatrics [,piːdɪ'ætrɪks] *n pl (употр. как sing)* педиатри́я, уче́ние о де́тских боле́знях.

paedology [pɪ'dɔlədʒɪ] *n* педоло́гия.

paeon ['piːən] *n прос.* пеа́н.

pagan ['peɪgən] 1. *n* 1) язы́чник; 2) тёмный, непросвещённый челове́к; 2. *a* язы́ческий.

pagandom ['peɪgəndəm] *n* язы́ческий мир.

paganish ['peɪgənɪʃ] *a* язы́ческий.

paganism ['peɪgənɪzəm] *n* язы́чество.

paganize ['peɪgənaɪz] *v* 1) обраща́ть в язы́чество; 2) придава́ть язы́ческий хара́ктер.

page I [peɪdʒ] 1. *n* страни́ца; 2. *v* нумерова́ть страни́цы.

page II [peɪdʒ] 1. *n* 1) паж; 2) ма́льчик-слуга́; 3) *амер.* служи́тель *(в законода́тельном собрании);* 2. *v* 1) сопровожда́ть в ка́честве пажа́; 2) *амер.* вызыва́ть *(кого́-л.),* гро́мко выкли́кая фами́лию; ~ Dr. Jones! вы́зовите до́ктора Джо́унз!

pageant ['pædʒənt] *n* 1) пы́шное зре́лище; пы́шная проце́ссия; 2) карнава́льное ше́ствие; маскара́д; 3) инсцениро́вка; жива́я карти́на *(представляющая истори́ческий эпизод);* 4) показно́е, бессодержа́тельное зре́лище, пусто́й блеск; 5) *ист.* подвижна́я сце́на *(на колёсиках).*

pageantry ['pædʒəntrɪ] *n* 1) пы́шное зре́лище, великоле́пие, блеск; шик; по́мпа; 2) пуста́я ви́димость; фи́кция, блеф.

pagehood ['peɪdʒhud] *n* положе́ние пажа́.

pageship ['peɪdʒʃɪp] *n* до́лжность пажа́.

paginal ['pædʒɪnl] *a* (по)страни́чный; ~ reference ссы́лка на страни́цу.

paginate ['pædʒɪneɪt] *v* нумерова́ть страни́цы.

pagination [,pædʒɪ'neɪʃən] *n* нумера́ция страни́ц.

pagoda [pə'goudə] *n* 1) па́года; 2) *название ста́ринной инди́йской золото́й моне́ты с изображе́нием пагоды;* 3) лёгкая постро́йка, кио́ск для прода́жи газе́т, табака́ *и т. п. (напоминающие по форме пагоду).*

pagoda-tree [pə'goudətriː] *n* инди́йская смоко́вница; ◇ to shake the ~ бы́стро разбога́теть.

pagurian [pə'gjuːrɪən] *зоол.* 1. *n* рак-отше́льник; 2. *a* из семе́йства ра́ков-отше́льников.

pah I [pɑː] *int* тьфу!, фу!

pah II [pɑː] *n* укреплённая тузе́мная дере́вня *(в Но́вой Зела́ндии).*

paid [peɪd] 1. *past u p. p. om* pay I, 2; 2. *a* опла́чиваемый; на́нятый.

paideutics [peɪ'djuːtɪks] *n pl (употр. как sing)* педаго́гика.

paid-up ['peɪd'ʌp] *a* опла́ченный, вы́плаченный; ~ capital опла́ченная часть акционе́рного капита́ла; ~ shares по́лностью опла́ченные а́кции.

pail [peɪl] *n* ведро́; бадья́.

pailful ['peɪlful] *n* по́лное ведро́.

paillasse [pæl'jæs] = palliasse.

paillette [pæl'jet] *n* 1) фо́льга, подкла́дываемая под эма́ль; 2) блёстка.

pain [peɪn] 1. *n* 1) боль, страда́ние; 2) страда́ние, огорче́ние, го́ре; to be in ~ испы́тывать боль, страда́ть; 3) *pl* стара́ния, труды́; уси́лия; to take ~s, to be at the ~s прилага́ть уси́лия; брать на себя́ труд, стара́ться; to be a fool for one's ~s, to have one's labour for one's ~s напра́сно потруди́ться; to save one's ~s эконо́мить свои́ си́лы; 4): on *(или* under) ~ of death под стра́хом сме́ртной ка́зни; 5) *pl* родовы́е му́ки; ◇ ~s and penalties наказа́ния и взыска́ния; to give smb. a ~ (in the neck) докуча́ть кому́-л.; раздража́ть кого́-л.; a ~ in the neck надое́дливый челове́к;

2. *v* 1) му́чить, огорча́ть; 2) причиня́ть боль; боле́ть; my tooth doesn't ~ me now сейча́с зуб у меня́ не боли́т.

pained [peɪnd] **1.** *p. p. om* pain 2;
2. *a* огорчённый; оби́женный; he looked ~ его́ лицо́ выража́ло страда́ние.

painful [′peɪnful] *a* 1) причиня́ющий боль, мучи́тельный, боле́зненный; ~ problem больно́й вопро́с; 2) тя́гостный, тяжёлый; 3) тру́дный.

pain-killer [′peɪn,kɪlə] *n разг.* болеутоля́ющее сре́дство.

painless [′peɪnlɪs] *a* безболе́зненный; ~ dentistry безболе́зненное лече́ние и удале́ние зубо́в.

painstaking [′peɪnz,teɪkɪŋ] **1.** *n* стара́ние, усе́рдие;
2. *a* 1) стара́тельный, усе́рдный; 2) тща́тельный, кропотли́вый.

paint [peɪnt] **1.** *n* 1) кра́ска; окра́ска; 2) *pl* кра́ски; a box of ~s набо́р кра́сок; 3) румя́на; ◇ as smart, pretty, *etc.* as ~ о́чень краси́вый, очарова́тельный, как карти́нка;
2. *v* 1) писа́ть кра́сками, занима́ться жи́вописью; 2) кра́сить, окра́шивать; распи́сывать (*сте́ну и т. п.*); 3) опи́сывать, изобража́ть; to ~ in bright colours опи́сывать я́ркими кра́сками; *перен.* предста́вить в ро́зовом све́те; приукра́сить; 4) кра́ситься, румя́ниться; □ ~ in впи́сывать кра́сками; ~ out закра́шивать (*на́дпись и т. п.*); ◇ to ~ the lily пыта́ться укра́сить и́ли улу́чшить что-л. уже́ доста́точно хоро́шее; занима́ться беспло́дным де́лом.

paint-box [′peɪntbɔks] *n* коро́бка кра́сок.

paintbrush [′peɪntbrʌʃ] *n* маля́рная кисть.

painted [′peɪntɪd] **1.** *p. p. om* paint 2;
2. *a* 1) покра́шенный; разукра́шенный; 2) притво́рный; ◇ ~ sepulchre а) *библ.* гроб пова́пленный; б) лицеме́р.

Painted Lady [′peɪntɪd′leɪdɪ] *n* репе́йница (*ба́бочка*).

painter I [′peɪntə] *n* 1) живопи́сец, худо́жник; 2) маля́р; ◇ ~'s colic *мед.* отравле́ние свинцо́м.

painter II [′peɪntə] *n мор.* фа́линь; бакшто́в; ◇ to cut the ~ порва́ть связь, отдели́ться; отложи́ться от метропо́лии (*о коло́нии*).

painting [′peɪntɪŋ] **1.** *pres. p. om* paint 2;
2. *n* 1) жи́вопись; 2) ро́спись; карти́на; 3) окра́ска; 4) маля́рное де́ло.

paintress [′peɪntrɪs] *n* худо́жница.

painty [′peɪntɪ] *a* 1) свежевы́крашенный; a ~ smell за́пах кра́ски; 2) перегру́женный кра́сками (*о карти́не*).

pair [pɛə] **1.** *n* 1) па́ра; in ~s па́рами; a carriage and ~ каре́та, запряжённая па́рой; 2) вещь, состоя́щая из двух часте́й; па́рные предме́ты; па́ра; a ~ of scissors (spectacles, compasses, scales) но́жницы (очки́, ци́ркуль, весы́); a ~ of socks (shoes, gloves) па́ра носко́в (боти́нок, перча́ток); 3) (супру́жеская) чета́; жени́х с неве́стой; 4) ~ of stairs, ~ of steps марш, эта́ж; 5) *pl* партне́ры (*в ка́ртах*); 6) *парл.* два чле́на проти́вных па́ртий, не уча́ствующие в голосова́нии по соглаше́нию; 7) сме́на, брига́да (*рабо́чих*); 8) *attr.* па́рный;

2. *v* 1) располага́ть(ся) па́рами; подбира́ть под па́ру; 2) соединя́ть(ся) по́ двое; 3) сочета́ть(ся) бра́ком; 4) спа́ривать(ся), случа́ть; □ ~ off а) разделя́ть(ся) на па́ры; уходи́ть па́рами; б) *разг.* жени́ться, вы́йти за́муж (with).

-pair [-pɛə] *в сло́жных слова́х означа́ет* ко́мната; one- (two-, three-)~ front (back) ко́мната во второ́м (тре́тьем, четвёртом) этаже́ на у́лицу (во двор).

pair-horse [′pɛəhɔ:s] *a* па́рный, для па́ры лошаде́й.

pair-oar [′pɛərɔ:] *n спорт.* дво́йка, двухвесе́льная ло́дка.

pajamas [pə′dʒɑ:məz] = pyjamas.

Pakistani [,pɑːkɪs′tɑːnɪ] **1.** *n* пакиста́нец; **2.** *a* пакиста́нский.

pal [pæl] *разг.* **1.** *n* това́рищ, прия́тель; **2.** *v* дружи́ть, подружи́ться (*обыкн.* ~ up; with, to—с *кем-л.*).

palace [′pælɪs] *n* 1) дворе́ц, черто́г; 2) роско́шное зда́ние, особня́к; 3) официа́льная резиде́нция (*высокопоста́вленного духо́вного лица́*); 4) *attr.* дворцо́вый.

paladin [′pælədɪn] *n ист.* палади́н; ры́царь.

palaeogene [′pælɪədʒiːn] *n геол.* палеоге́н, палеоге́новый пери́од.

palaeographer [,pælɪ′ɔgrəfə] *n* палео́граф.

palaeography [,pælɪ′ɔgrəfɪ] *n* палеогра́фия.

palaeolith [′pælɪəliθ] *n геол.* палеоли́т, палеолити́ческий пери́од.

palaeolithic [,pælɪou′lɪθɪk] *a* палеолити́ческий.

palaeontologist [,pælɪɔn′tɔlədʒɪst] *n* палеонто́лог.

palaeontology [,pælɪɔn′tɔlədʒɪ] *n* палеонтоло́гия.

palaeozoic [,pælɪou′zouɪk] *геол.* **1.** *a* палеозо́йский;
2. *n* палеозо́й, палеозо́йская э́ра.

palaestra [pə′lestrə] *n* (*pl* -trae) *др.-греч.* пале́стра.

palaestrae [pə′lestriː] *pl om* palaestra.

palankeen, palanquin [,pælən′kiːn] *n* пала́нкин, носи́лки.

palatable [′pælətəbl] *a* 1) вку́сный, аппети́тный; 2) прия́тный.

palatal [′pælətl] **1.** *a* 1) нёбный; 2) *фон.* палата́льный;
2. *n фон.* палата́льный звук.

palatalization [′pælətəlaɪ′zeɪʃən] *n фон.* смягче́ние, палатализа́ция.

palatalize [′pælətəlaɪz] *v фон.* смягча́ть, палатализова́ть.

palate [′pælɪt] *n* 1) *анат.* нёбо; 2) вкус; 3) скло́нность, интере́с.

palatial [pə′leɪʃəl] *a* 1) дворцо́вый; 2) роско́шный, великоле́пный.

palatinate [pə′lætɪnɪt] *n ист.* палатина́т; пфальцгра́фство.

palatine I [′pælətaɪn] *n* 1) (P.) *ист.* пфальцгра́ф (*тж.* Count и́ли Earl P.); County P. пфальцгра́фство; 2) палантин; мехова́я пелери́на.

palatine II [′pælətaɪn] *анат.* **1.** *a* нёбный; ~ bones нёбные ко́сти;
2. *n pl* нёбные ко́сти.

palaver [pə'lɑːvə] 1. n 1) совещание, переговоры (особ. в Африке с туземцами); 2) пустая болтовня; 3) лесть; лживые слова; 4) sl. дело;
2. v 1) болтать; 2) льстить; заговаривать зубы.

pale I [peɪl] 1. n 1) кол; свая; 2) редк. частокол; ограда; 3) граница, черта, пределы; черта оседлости; beyond the ~ of smth. за пределами чего-л.; within the ~ of smth. в пределах чего-л.; 4): the (English) P. ист. часть Ирландии, подвластная Англии; 5) геральд. широкая вертикальная полоса посредине щита;
2. v обносить палисадом, оградой, частоколом, огораживать.

pale II [peɪl] 1. a 1) бледный; 2) слабый, тусклый (о свете, цвете и т. п.);
2. v 1) бледнеть; 2) тускнеть; 3) заставить побледнеть; бледнить.

paleaceous [ˌpeɪlɪ'eɪʃəs] a мякинный, похожий на мякину.

paled I [peɪld] 1. p. p. от pale I, 2;
2. a огороженный (частоколом).

paled II [peɪld] p. p. от pale II, 2.

pale-face ['peɪlfeɪs] n бледнолицый, человек белой расы (в романах из жизни американских индейцев).

Palestinian [ˌpæles'tɪnɪən] 1. a палестинский;
2. n житель Палестины.

palestra [pə'lestrə] = palaestra.

paletot ['pæltou] фр. n свободное, широкое пальто.

palette ['pælɪt] n 1) палитра; 2) тех. грудной упор для коловорота.

palette-knife ['pælɪtnaɪf] n жив. мастихин.

palfrey ['pɔːlfrɪ] n уст., поэт. верховая лошадь (преим. дамская).

Pali ['pɑːlɪ] n пали (индийский диалект, священный язык буддистов).

palimpsest ['pælɪmpsest] греч. 1. n палимпсест;
2. a написанный на месте прежнего текста.

palindrome ['pælɪndroum] греч. n палиндром.

paling I ['peɪlɪŋ] 1. pres. p. от pale I, 2;
2. n 1) палисад, забор, частокол; тын; 2) кол; колья.

paling II ['peɪlɪŋ] pres. p. от pale II, 2.

palingenesis [ˌpælɪn'dʒenɪsɪs] n 1) возрождение, перерождение; 2) биол. палингенез(ис), возрождение, регенерация организма или его части.

palinode ['pælɪnoud] греч. n 1) палинодия; 2) отречение, отказ от своих слов, взглядов.

palisade [ˌpælɪ'seɪd] 1. n 1) частокол, палисад; 2) кол (для палисада); 3) pl амер. ряд отвесных скал;
2. v обносить частоколом.

palisander [ˌpælɪ'sændə] n бот. палисандр; палисандровое дерево.

palish ['peɪlɪʃ] a бледноватый.

pall I [pɔːl] 1. n 1) покров (на гробе); 2) завеса, пелена; покров; 3) мантия, облачение;

2. v 1) покрывать, окутывать покровом; 2) затемнять.

pall II [pɔːl] v 1) надоедать (обыкн. ~ оп); 2) пресыщать(ся).

palladia [pə'leɪdjə] pl от palladium I.

palladium I [pə'leɪdjəm] n (pl -dia) залог безопасности; щит, защита.

palladium II [pə'leɪdjəm] n хим. палладий.

Pallas ['pæləs] n миф. Паллада.

pallet I ['pælɪt] n 1) соломенная постель, соломенный тюфяк; 2) койка, нары.

pallet II ['pælɪt] n 1) = palette; 2) тех. подпятник; шпатель; плитка (конвейера); 3) якорь телеграфного аппарата.

pallet-bed ['pælɪtbed] n 1) = pallet I,1); 2) жалкое ложе, жёсткое ложе и т. п.

pallia ['pælɪə] pl от pallium.

palliasse [pæl'jæs] n соломенный тюфяк.

palliate ['pælɪeɪt] v 1) временно облегчать (болезнь); 2) извинять, смягчать (преступление, вину); 3) покрывать, замалчивать.

palliation [ˌpælɪ'eɪʃən] n 1) временное облегчение (болезни); 2) оправдание (преступления).

palliative ['pælɪətɪv] 1. a 1) паллиативный; 2) смягчающий;
2. n паллиатив, полумера; 2) смягчающее обстоятельство.

pallid ['pælɪd] a (мертвенно-)бледный.

pallidness ['pælɪdnɪs] n ужасающая бледность.

pallium ['pælɪəm] лат. n (pl pallia) 1) плащ; 2) зоол. мантия (моллюсков).

pall-mall ['pel'mel] n название старинной игры в шары.

pallor ['pælə] n бледность.

pally ['pælɪ] a разг. дружеский, дружественный.

palm I [pɑːm] 1. n 1) ладонь; 2) мор. лапа (якоря); 3) лопасть (весла); ◇ to grease (или to oil) smb.'s ~ дать взятку кому-л., подмазать кого-л.; to have an itching ~ быть взяточником; быть корыстолюбивым, жадным;
2. v 1) прятать в руке (карты и т. п.); 2) трогать ладонью, гладить; 3) подкупать; □ ~ off сбывать, подсовывать (оп, upon—кому-л.).

palm II [pɑːm] n 1) пальма, пальмовое дерево; 2) пальмовая ветвь; перен. победа, триумф; to bear (или to carry) the ~ получить пальму первенства; одержать победу; to yield the ~ уступить пальму первенства; признать себя побеждённым; 3) веточка пальмы; 4) attr. пальмовый; ◇ P. Sunday церк. вербное воскресенье.

palmaceous [pæl'meɪʃəs] a бот. пальмовый.

Palma Christi ['pælmə'krɪstɪ] n бот. клещевина.

palmar ['pælmə] a анат. ладонный.

palmary ['pælmərɪ] a заслуживающий пальму первенства, превосходный.

palmate, palmated ['pælmɪt, -ɪd] a 1) бот. лапчатый, пальчатый; 2) зоол. снабжённый плавательной перепонкой (о ногах птицы).

palm-cat ['pɑːmkæt] = palm-civet.
palm-civet ['pɑːm,sɪvɪt] *n зоол.* пальмовая куница, страннохвост.
palmcrist ['pɑːmkrɪst] = Palma Christi.
palmer ['pɑːmə] *n* 1) паломник; 2) *зоол.* гусеница.
palmetto [pæl'metou] *n* (*pl* -os [-ouz]) *бот.* карликовая пальма; ◇ P. State *амер.* *шутливое название штата Южная Каролина.*
palmful ['pɑːmful] *n* горсть.
palm-grease ['pɑːmgriːs] = palm-oil 2).
palmiped(e) ['pælmɪped (-piːd)] *зоол.* 1. *a* лапчатоногий;
2. *n* лапчатоногая птица.
palmist ['pɑːmɪst] *n* хиромант.
palmistry ['pɑːmɪstrɪ] *n* хиромантия.
palmitic [pæl'mɪtɪk] *a хим.* пальмитиновый.
palm-oil ['pɑːmɔɪl] *n* 1) пальмовое масло; 2) *разг.* взятка.
palm-tree ['pɑːmtriː] = palm II,1).
palm-worm ['pɑːmwɜːm] = palmer 2).
palmy ['pɑːmɪ] *a поэт.* пальмовый; изобилующий пальмами; 2) счастливый, цветущий; (one's) ~ days период расцвета.
palmyra [pæl'maɪərə] *n бот.* пальма-пальмира.
palp [pælp] *n зоол.* щупальце.
palpability [,pælpə'bɪlɪtɪ] *n* 1) осязаемость; 2) очевидность.
palpable ['pælpəbl] *a* 1) осязаемый, ощутимый; 2) очевидный, явный.
palpal ['pælpəl] *a зоол.* осязательный.
palpate ['pælpeɪt] *v* ощупывать.
palpation [pæl'peɪʃ ən] *n* ощупывание.
palpi ['pælpaɪ] *pl от* palpus.
palpitate ['pælpɪteɪt] *v* 1) биться, пульсировать; 2) трепетать; дрожать (*от страха, радости и т. п.*; with).
palpitating ['pælpɪteɪtɪŋ] 1. *pres. p. от* palpitate;
2. *a* животрепещущий; ~ interest животрепещущий интерес.
palpitation [,pælpɪ'teɪʃ ən] *n* 1) сердцебиение; пульсация; 2) трепет, дрожь.
palpus ['pælpəs] *n* (*pl* -pi) = palp.
palsgrave ['pɔːlzgreɪv] *n ист.* пфальцграф.
palstave ['pɔːlsteɪv] *n археол.* каменное *или* бронзовое долото.
palsy ['pɔːlzɪ] 1. *n* 1) паралич; 2) параличное дрожание; 3) *перен.* состояние полной беспомощности;
2. *v* 1) парализовать; разбивать параличом; 2) *перен.* делать беспомощным.
palter ['pɔːltə] *v* 1) кривить душой; плутовать, хитрить; to ~ with facts увиливать от правды; 2) торговаться; 3) заниматься пустяками.
paltry ['pɔːltrɪ] *a* 1) пустяковый, ничтожный, мелкий, незначительный; 2) жалкий; 3) презренный.
paludal [pæ'ljuːdl] *a* 1) болотный; болотистый; 2) малярийный.
paludicolous [,pælju:'dɪkələs] *a* болотный, растущий на болоте.
paludism ['pæljudɪzəm] *n* болотная лихорадка, малярия.

paly ['peɪlɪ] *a поэт.* бледный; бледноватый.
pampas ['pæmpəz] *n pl* пампасы.
pampas-grass ['pæmpəzgrɑːs] *n* пампасовая трава.
pamper ['pæmpə] *v* баловать, изнеживать.
pampero I [pɑːm'peɪrou] *исп. n* (*pl* -os [-ouz]) индеец из области пампасов.
pampero II [pɑːm'peɪrou] *исп. n* (*pl* -os [-ouz]) пампеРо (*холодный ветер, дующий с Анд к Атлантическому океану*).
pamphlet ['pæmflɪt] *n* 1) брошюра; 2) памфлет; 3) технический проспект.
pamphleteer [,pæmflɪ'tɪə] 1. *n* 1) автор (полемических) брошюр; 2) памфлетист;
2. *v* 1) писать брошюры; 2) полемизировать.
Pan [pæn] *n* 1) *миф.* Пан; 2) язычество.
pan [pæn] 1. *n* 1) кастрюля; миска, таз; сковорода; противень; 2) чашка (*весов*); 3) котловина; 4) небольшая плавучая (блинчатая) льдина; 5) *амер. sl.* голова; 6) *тех.* лоток, поддон; ковш; 7) *геол.* подпочвенный пласт; ортштейн; 8) *метал.* под печи, ванна; 9) полка (*в кремнёвом ружье*);
2. *v* 1) готовить *или* подавать в кастрюле; 2) промывать (*золотоносный песок*); 3) *разг.* задать жару, подвергнуть резкой критике; □ ~ out a) намывать; б) давать золото (*о песке*); в) преуспевать; удаваться, устраиваться; the business did not ~ out дело не выгорело, не удалось.
panacea [,pænə'sɪə] *n* панацея, универсальное средство.
panache [pə'næʃ] *n* 1) плюмаж, султан; 2) рисовка, щегольство.
panada [pə'nɑːdə] *n* хлебный пудинг.
Panama [,pænə'mɑː] *n* 1) панама (*шляпа; тж.* ~ hat); 2) панама, крупное мошенничество.
Panamanian [,pænə'meɪnjən] 1. *a* панамский;
2. *n* житель Панамы.
Pan-American ['pænə'merɪkən] *a* панамериканский.
pancake ['pænkeɪk] 1. *n* 1) блин; оладья; flat as a ~ совершенно плоский; 2) *ав. sl.* потеря скорости из-за преждевременного выравнивания при посадке, парашютирование;
2. *v ав. sl.* потерять скорость из-за преждевременного выравнивания при посадке, парашютировать.
panchayat [pʌn'tʃaɪət] *n англо-инд.* туземный сельский суд *или* совет (*из пяти заседателей*).
panchromatic ['pænkrou'mætɪk] *a фото* панхроматический.
pancratium [pæn'kreɪʃɪəm] *n др.-греч.* атлетическое состязание.
pancreas ['pæŋkrɪəs] *n анат.* поджелудочная железа.
panda ['pændə] *n* панда, кошачий медведь; giant ~ гигантская панда.
pandal ['pændəl] *n* навес, сарай, шалаш.
Pandean [pæn'diːən] *a:* ~ pipe свирель Пана.

pandect ['pændekt] *n* (*обыкн. pl*) 1) *ист.* Юстиниа́новы панде́кты; 2) ко́декс зако́нов.

pandemic [pæn'demɪk] *мед.* 1. *n* пандеми́я; 2. *a* пандеми́ческий.

pandemonium [,pændɪ'mounjəm] *n* 1) обита́лище де́монов, ад; 2) ад кроме́шный; столпотворе́ние.

pander ['pændə] 1. *n* 1) сво́дник; 2) посо́бник; 2. *v* 1) сво́дничать; 2) потво́рствовать (to—*чему-л.*).

pandit ['pʌndɪt] = pundit.

pandora, pandore [pæn'dɔːrə, pæn'dɔː] *n* банду́ра.

Pandora's box [pæn'dɔːrəz'bɔks] *n миф.* я́щик Пандо́ры, исто́чник вся́ческих бед.

pandowdy [pæn'daudɪ] *n амер. разг.* я́блочный пу́динг *или* пиро́г.

pane [peɪn] *n* 1) око́нное стекло́; 2) кле́тка (*в узоре*); 3) грань (*брильянта, гайки*); 4) *тех.* ли́цо (*или* боёк) молотка́; 5) = panel 1, 1).

panegyric [,pænɪ'dʒɪrɪk] 1. *n* панеги́рик, похвала́; 2. *a* хвале́бный.

panegyrical [,pænɪ'dʒɪrɪkəl] *a* хвале́бный.

panegyrist [,pænɪ'dʒɪrɪst] *n* панегири́ст.

panegyrize ['pænɪdʒɪraɪz] *v* восхваля́ть.

panel ['pænl] 1. *n* 1) пане́ль, филёнка; 2) то́нкая доска́ для жи́вописи; панно́; 3) полоса́ друго́го материа́ла *или* цве́та в пла́тье; 4) фотосни́мок большо́го форма́та; 5) полоса́ перга́мента; 6) спи́сок прися́жных (заседа́телей); прися́жные заседа́тели; 7) *шотл.* подсуди́мый; обвиня́емый; 8) спи́сок враче́й страховы́х касс; 9) ли́чный соста́в, персона́л; коми́ссия; 10) *тех.* щит управле́ния; распредели́тельная доска́; прибо́рная доска́; 11) *тех.* кессо́н, щит; 2. *v* 1) обшива́ть пане́лями, филёнками; 2) отде́лывать полосо́й друго́го материа́ла *или* цве́та; 3) составля́ть спи́сок прися́жных (заседа́телей); включа́ть в спи́сок прися́жных (заседа́телей); 4) *шотл.* предъявля́ть обвине́ние.

panel doctor ['pænl'dɔktə] *n* врач страхка́ссы.

panelling ['pænlɪŋ] 1. *pres. p. от* panel 2; 2. *n* пане́льная обши́вка.

panful ['pænful] *n* по́лная кастрю́ля *и пр.* [*см.* pan 1, 1)].

pang [pæŋ] *n* 1) внеза́пная о́страя боль; 2) *pl* угрызе́ния (со́вести).

pangolin [pæŋ'goulɪn] *n зоол.* я́щер.

panhandle ['pæn,hændl] 1. *n* 1) ру́чка кастрю́ли; 2) *амер.* дли́нный у́зкий вы́ступ террито́рии ме́жду двумя́ други́ми террито́риями; ◇ P. State *амер. шутливое назва́ние штата* За́падная Вирги́ния; 2. *v амер. разг.* проси́ть ми́лостыню.

panhandler ['pæn,hændlə] *n амер. разг.* ни́щий, попроша́йка.

panic I ['pænɪk] 1. *n* па́ника; 2. *a* пани́ческий; 3. *v* 1) пуга́ть, наводи́ть па́нику; 2) *sl.* приводи́ть в восто́рг (*публику*); вызыва́ть аплодисме́нты.

panic II ['pænɪk] *n бот.* щети́нник италья́нский, мога́р, про́со италья́нское.

panicky ['pænɪkɪ] *a разг.* пани́ческий.

panicle ['pænɪkl] *n бот.* метёлка.

panic-monger ['pænɪk,mʌŋgə] *n* паникёр.

panic-stricken ['pænɪk,strɪkən] *a* охва́ченный па́никой.

paniculate [pə'nɪkjuleɪt] *a бот.* метёльчатый.

panjandrum [pən'dʒændrəm] *n ирон.* ва́жная персо́на, «ши́шка».

panmixia [pæn'mɪksɪə] *n биол.* беспоря́дочное скре́щивание.

pannage ['pænɪdʒ] *n* 1) пастьба́ свине́й в лесу́; 2) пла́та за пастьбу́ свине́й в лесу́; 3) плодоко́рм (*жёлуди, кашта́ны, оре́хи*).

panne [pæn] *n* панба́рхат.

pannier ['pænɪə] *n* 1) корзи́на (*особ. на вьючном животном*); коро́б; 2) панье́ (*часть юбки*); 3) *ист.* плетёный щит (*лучника*).

pannikin ['pænɪkɪn] *n* 1) жестяна́я кру́жка; кастрю́лька; ми́сочка; 2) *sl.* голова́.

panoplied ['pænəplɪd] *a* во всеору́жии.

panoply ['pænəplɪ] *n* доспе́хи (*часто перен.*).

panopticon [pæn'ɔptɪkən] *n* 1) пано́птикум; 2) кру́глая тюрьма́ с помеще́нием для смотри́теля в це́нтре.

panorama [,pænə'rɑːmə] *n* панора́ма.

panoramic [,pænə'ræmɪk] *a* панора́мный.

pan-pipe ['pænpaɪp] *n* свире́ль.

pansy ['pænzɪ] 1. *n* 1) аню́тины гла́зки, фиа́лка трёхцве́тная; 2) *разг.* же́нственный мужчи́на; гомосексуали́ст; 2. *a* мо́дный, лю́бящий наряжа́ться.

pant [pænt] *v* 1) ча́сто и тяжело́ дыша́ть, задыха́ться; 2) пыхте́ть; 3) стра́стно жела́ть, тоскова́ть (for, after — *о чём-л.*); 4) трепета́ть, си́льно би́ться (*о сердце*); 5) говори́ть задыха́ясь; выпа́ливать (*обыкн.* ~ out); 2. *n* 1) оды́шка; тяжёлое, затруднённое дыха́ние; 2) пыхте́ние; 3) бие́ние (*се́рдца*).

pantalet(te)s [,pæntə'lets] *n pl* де́тские *или* да́мские пантало́ны.

pantaloon [,pæntə'luːn] *n* 1) *pl* (*особ. амер.*) брю́ки; *редк.* кальсо́ны; 2) (*тж. pl*) *ист.* пантало́ны в обтя́жку; *pl* рейту́зы; 3) (P.) Пантало́не (*персонаж итальянской комедии*); 4) (P.) второ́й клоун.

pantechnicon [pæn'teknɪkən] *n* 1) склад для хране́ния ме́бели; 2) фурго́н для ме́бели (*тж.* ~ van).

pantheism ['pænθɪɪzəm] *n* пантеи́зм.

pantheist ['pænθɪɪst] *n* пантеи́ст.

pantheistic(al) [,pænθɪ'ɪstɪk(əl)] *a* пантеисти́ческий.

pantheon [pæn'θɪən] *n* пантео́н.

panther ['pænθə] *n зоол.* 1) панте́ра; леопа́рд; барс; 2) *амер.* пу́ма; кугуа́р; ягуа́р.

panties ['pæntɪz] *n pl разг.* де́тские штани́шки; пантало́ны.

pantile ['pæntaɪl] *n* голла́ндская черепи́ца, желобча́тая кро́вельная черепи́ца.

panto- ['pæntə-] *pref* все-, обще-, пан-.

pantograph ['pæntəgrɑːf] *n* 1) панто́граф (*прибор для пересъёмки чертежей и рисунков в другом масштабе*); 2) *эл.* панто́граф, токоприёмник.

pantomime ['pæntəmaɪm] **1.** *n* 1) пантоми́ма; 2) представле́ние для дете́й (*на рождестве в Англии*); 3) язы́к же́стов; to express oneself in ~ объясня́ться же́стами; 4) *ист.* мими́ческий актёр;
2. *v* объясня́ться же́стами.
pantomimic [,pæntə'mɪmɪk] *a* пантоми-ми́ческий.
pantry ['pæntrɪ] *n* 1) буфе́тная (*для посуды и т. п.*); 2) кладова́я (*для провизии*).
pantryman ['pæntrɪmən] *n* буфе́тчик.
pants [pænts] *n pl* (*сокр. от* pantaloons) 1) *амер. разг.* брю́ки, штаны́; 2) кальсо́ны; 3) *ав. sl.* обтека́тели сто́ек шасси́.
panzer ['pæntsə] *нем.* **1.** *n pl разг.* броне-си́лы;
2. *a* брониро́ванный; (броне)та́нковый; ~ troops бронета́нковые войска́.
pap I [pæp] *n* 1) ка́шка (*для детей или больных*); 2) полужи́дкая ма́сса, па́ста, эму́льсия; 3) *амер. разг.* дохо́ды или приви́легии, получа́емые от госуда́рственной слу́жбы.
pap II [pæp] *n* 1) *уст.* сосо́к (*груди*); 2) *тех.* ступи́ца, вту́лка.
papa [pə'pɑː] *n детск.* па́па.
papacy ['peɪpəsɪ] *n* па́пство.
papal ['peɪpəl] *a* па́пский.
papalism ['peɪpəlɪzəm] *n* папи́зм.
papaveraceous [pə,peɪvə'reɪʃəs] *a бот.* из семе́йства ма́ковых.
papaverous [pə'peɪvərəs] *a* ма́ковый.
papaya [pə'paɪə] *n* 1) ды́нное де́рево; 2) плод ды́нного де́рева.
paper ['peɪpə] **1.** *n* 1) бума́га; correspondence ~ пи́счая бума́га высо́кого ка́чества; ruled ~ лино́ванная бума́га; section ~ бума́га в кле́тку; rotogravure ~ *полигр.* бума́га для глубо́кой печа́ти; 2) газе́та; 3) нау́чный докла́д; статья́; диссерта́ция; 4) экзаменацио́нный биле́т; 5) обо́и; 6) бума́жный паке́т; а ~ of needles паке́тик иго́лок; 7) *собир.* векселя́, банкно́ты, креди́тные бума́ги; бума́жные де́ньги; 8) докуме́нт; мемора́ндум; *pl* ли́чные *или* служе́бные докуме́нты; to send in one's ~s пода́ть в отста́вку; first ~s *амер.* пе́рвые докуме́нты, подава́емые уроже́нцем друго́й страны́, хода́тайствующим о приня́тии в гражда́нство США; 9) *sl.* папильо́тки; 10) *sl.* про́пуск, контрама́рка; 11) *sl.* контрама́рочники;
2. *a* 1) бума́жный; ~ money, ~ currency (бума́жные де́ньги; ~ shot *арт.* снаря́д из бума́жной ма́ссы (*испытательный*); ~ work а) канцеля́рская рабо́та; б) прове́рка документа́ции, пи́сьменных рабо́т *и т. п.*; 2) существу́ющий то́лько на бума́ге; газе́тный; ~ war, ~ warfare газе́тная война́; 4) то́нкий как бума́га;
3. *v* 1) завёртывать в бума́гу; 2) окле́ивать обо́ями, бума́гой; 3) *sl.* заполня́ть теа́тр контрама́рочниками.
paper-back ['peɪpəbæk] *n* кни́га в обло́жке.
paper-boy ['peɪpəbɔɪ] = news-boy.
paper-chase ['peɪpətʃeɪs] *n спорт.* кросс, в кото́ром бегу́щие впереди́ оставля́ют за собо́й след из клочко́в бума́ги.

paper-cutter ['peɪpə,kʌtə] *n* 1) = paper-knife; 2) бумагоре́зальная маши́на.
paper-fastener ['peɪpə,fɑːsnə] *n* скре́пка для бума́г.
paper-hanger ['peɪpə,hæŋə] *n* обо́йщик.
paper-hangings ['peɪpə,hæŋɪŋz] *n pl* обо́и.
paper-knife ['peɪpənaɪf] *n* разрезно́й нож, нож для бума́ги.
paper-mill ['peɪpəmɪl] *n* бума́жная фа́брика.
paper-stainer ['peɪpə,steɪnə] *n* 1) фабрика́нт обо́ев; 2) *шутл.* бумагомара́ка.
paper-weight ['peɪpəweɪt] *n* пресс-папье́.
papery ['peɪpərɪ] *a* похо́жий на бума́гу, то́нкий.
papier mâché ['pæpjeɪ'mɑːʃeɪ] *фр.* папье́-маше́.
papilionaceous [pə,pɪlɪə'neɪʃəs] *a бот.* мотылько́вый.
papilla [pə'pɪlə] *n* (*pl* -lae) *анат., зоол., бот.* сосо́чек, бугоро́к.
papillae [pə'pɪliː] *pl от* papilla.
papillary [pə'pɪlərɪ] *a* сосоко́видный.
papillate [pə'pɪleɪt] *a* покры́тый сосо́чками; сосоко́видный.
papillose ['pæpɪlous] *a* покры́тый сосо́чками; буго́рчатый.
papist ['peɪpɪst] *n* папи́ст.
papistic(al) [pə'pɪstɪk(əl)] *a* папи́стский.
papistry ['peɪpɪstrɪ] *n* папи́зм.
papoose [pə'puːs] *n* инде́йский ребёнок.
pappose ['pæpous] *a бот.* снабжённый хохолко́м.
pappus ['pæpəs] *n бот.* хохоло́к.
pappy ['pæpɪ] *a* 1) кашицеобра́зный; 2) мя́гкий, не́жный.
paprika ['pæprɪkə] *венг. n* плоды́ стручко́вого (кра́сного) пе́рца, кра́сный пе́рец.
Papuan ['pæpjuən] **1.** *a* папуа́сский; **2.** *n* папуа́с, папуа́ска.
papula ['pæpjulə] *n* (*pl* -lae) *мед.* па́пула, пры́щик.
papulae ['pæpjuliː] *pl от* papula.
papular ['pæpjulə] *a мед.* папулёзный.
papule ['pæpjuːl] = papula.
papulose, papulous ['pæpjulous, -ləs] *a* 1) *мед.* папулёзный; бугорко́вый; 2) *бот.* буго́рчатый.
papyraceous [,pæpɪ'reɪʃəs] *a* похо́жий на бума́гу.
papyri [pə'paɪəraɪ] *pl от* papyrus.
papyrus [pə'paɪərəs] *n* (*pl* -ri) папи́рус.
par I [pɑː] *n* 1) ра́венство; on a ~ наравне́; на одно́м у́ровне (with); 2) парите́т, норма́льный сравни́тельный курс двух валю́т (*обыкн.* ~ of exchange); 3) номина́льная сто́имость; at ~ по номина́льной сто́имости, альпа́ри; above (below) ~ вы́ше (ни́же) номина́льной сто́имости; 4) норма́льное состоя́ние; on a ~ в сре́днем; I feel below (*или* under) ~ я себя́ пло́хо чу́вствую; up to ~ в норма́льном состоя́нии.
par II [pæ] *n* (*сокр. от* paragraph) *разг.* газе́тная заме́тка.
par III [pɑː] = parr.
parable ['pærəbl] *n* при́тча, иносказа́ние; to take up one's ~ нача́ть говори́ть, рассужда́ть.
parabola [pə'ræbələ] *n геом.* пара́бола.

parabolic [,pærə'bɔlɪk] *a* 1) *геом.* параболический; 2) = parabolical 1).

parabolical [,pærə'bɔlɪkəl] *a* 1) иносказательный; 2) *редк.* = parabolic 1).

paraboloid [pə'ræbəlɔɪd] *n* *геом.* параболоид.

paracentric(al) [,pærə'sentrɪk(əl)] *a* парацентрический, эллиптический.

parachronism [pə'rækrənɪzəm] *n* парахронизм, хронологическая ошибка (*отнесение какого-л. события к более позднему времени*).

parachute ['pærəʃuːt] 1. *n* 1) парашют; 2) *attr.* парашютный; ~ jump прыжок с парашютом; ~ landing a) приземление с парашютом; б) парашютный десант; ~ troops парашютно-десантные войска;

2. *v* парашютировать; спускаться с парашютом; сбрасывать на парашюте; to ~ to safety спастись на парашюте.

parachute-jumper ['pærəʃuːt,dʒʌmpə] = parachutist.

parachuter ['pærəʃuːtə] *n* парашютист.

parachutist ['pærəʃuːtɪst] *n* парашютист.

paraclete ['pærəkliːt] *n* заступник, утешитель.

parade [pə'reɪd] 1. *n* 1) парад; 2) выставление напоказ; to make a ~ of smth. выставлять что-л. напоказ, щеголять, кичиться чем-л.; 3) *воен.* построение; 4) плац-парад; 5) место для гулянья; 6) гуляющая публика; 7) *амер.* процессия.

2. *v* 1) *воен.* строить(ся); проходить строем; маршировать; 2) выставлять напоказ; 3) шествовать; разгуливать.

parade-ground [pə'reɪdgraund] *n* плац-парад, учебный плац.

paradigm ['pærədaɪm] *n* 1) пример, образец; 2) *грам.* парадигма.

paradisaic(al) [,pærədɪ'seɪk(əl)] = paradisiac(al).

paradise ['pærədaɪs] *n* 1) рай; 2) *sl.* галёрка, раёк (*в театре*); 3) декоративный сад.

paradisiac(al), paradisial, paradisian, paradisic(al) [,pærə'dɪsɪæk (,pærədɪ'saɪəkəl), -'dɪsɪəl, -'dɪzɪən, -'dɪzɪk'(əl)] *a* райский.

parados ['pærədɔs] *n* *воен.* тыльный траверс.

paradox ['pærədɔks] *n* парадокс.

paradoxical [,pærə'dɔksɪkəl] *a* парадоксальный.

paraffin ['pærəfɪn] 1. *n* 1) *хим.* парафин; 2) керосин; 3) *attr.* парафиновый;

2. *v* покрывать *или* пропитывать парафином.

paraffin oil ['pærəfɪn,ɔɪl] *n* парафиновое масло; керосин.

paragon ['pærəgən] 1. *n* 1) образец (*совершенства, добродетели*); 2) алмаз без изъянов, весом свыше 100 каратов; 3) *полигр.* парагон (*шрифт размером в 20 пунктов*);

2. *v* *поэт.* 1) сравнивать; 2) быть равным, соответствовать.

paragraph ['pærəgrɑːf] 1. *n* 1) абзац; to begin a new (*или* fresh) ~ начать с новой строки; 2) параграф, пункт; 3) *полигр.* корректурный знак, требующий абзаца; 4) газетная заметка;

2. *v* 1) помещать маленькую заметку; 2) разделять на абзацы.

paragraphic(al) [,pærə'græfɪk(əl)] *a* состоящий из параграфов, пунктов *или* отдельных заметок.

paraguay ['pærəgwaɪ] *n* *бот.* матé, парагвайский чай (*тж.* P. tea).

Paraguayan [,pærə'gwaɪən] 1. *a* парагвайский;

2. *n* парагваец; парагвайка.

parakeet ['pærəkiːt] *n* *зоол.* длиннохвостый попугай.

parakite ['pærəkaɪt] *n* *ав.* система воздушных змеев для подъёма наблюдателя.

parallax ['pærəlæks] *n* *астр.* параллакс.

parallel ['pærəlel] 1. *n* 1) параллель; соответствие, аналогия; in ~ параллельно; to draw a ~ between сравнивать с; 2) параллельная линия; 3) *геогр.* параллель; 4) *эл.* параллельное соединение; 4) *полигр.* знак ‖;

2. *a* 1) параллельный (to); 2) подобный, аналогичный; ~ instance подобный случай;

3. *v* 1) проводить параллель (*между чем-л.*); сравнивать (with); 2) находить параллель (*чему-л.*); 3) соответствовать; 4) быть параллельным, проходить параллельно; the road ~s the river дорога проходит параллельно реке; 5) *эл.* (при)соединять параллельно, шунтировать.

parallelepiped [,pærəle'lepɪped] *n* *геом.* параллелепипед.

parallelism ['pærəlelɪzəm] *n* параллелизм.

parallelogram [,pærə'leləgræm] *n* *геом.* параллелограмм.

paralogism [pə'rælədʒɪzəm] *n* паралогизм, неправильное умозаключение.

paralogize [pə'rælədʒaɪz] *v* делать ложное умозаключение.

paralyse ['pærəlaɪz] *v* поражать параличом, парализовать.

paralyses [pə'rælɪsiːz] *pl* *от* paralysis.

paralysis [pə'rælɪsɪs] *n* (*pl* -yses) паралич.

paralytic [,pærə'lɪtɪk] 1. *a* параличный, бессильный;

2. *n* паралитик.

paramagnetic [,pærəmæg'netɪk] *a* парамагнетический.

paramatta [,pærə'mætə] *n* лёгкая полушерстяная ткань.

parameter [pə'ræmɪtə] *n* *мат.*, *тех.* параметр.

paramo ['pærəmou] *исп.* *n* (*pl* -os [-ouz]) безлесное плоскогорье (*в Южной Америке*).

paramount ['pærəmaunt] *a* верховный; высший; первостепенный; of ~ importance первостепенной важности; his influence became ~ его влияние сделалось преобладающим; ~ arm *воен.* основной род войск.

paramour ['pærəmuə] *n* любовник; любовница.

parang ['pɑːræŋ] *n* большой малайский нож.

paranoia [,pærə'nɔɪə] *n* *мед.* паранойя, параноидная шизофрения.

parapack ['pærəpæk] *n* ранец парашюта.

parapet ['pærəpɪt] *n* 1) парапет, перила; 2) тротуар; 3) *воен.* бруствер.

paraph ['pærəf] 1. *n* ро́счерк;
2. *v* парафи́ровать, подпи́сывать инициа́лами (*договор*).

paraphernalia [,pærəfə'neıljə] *n pl* 1) ли́чное иму́щество; 2) убра́нство; 3) принадле́жности.

paraphrase ['pærəfreɪz] 1. *n* переска́з, парафра́за;
2. *v* переска́зывать, парафрази́ровать.

paraphrastic [,pærə'fræstɪk] *a* парафрасти́ческий.

paraplegia [,pærə'pliːdʒɪə] *n мед.* параплеги́я.

paraselenae [,pærəsɪ'liːniː] *pl от* paraselene.

paraselene [,pærəsɪ'liːni] *n* (*pl* -nae) *астр.* параселе́на, ло́жная луна́.

parashoot ['pærəʃuːt] *v* стреля́ть по парашюти́стам.

parasite ['pærəsaɪt] *n* 1) *биол.* парази́т; 2) парази́т, туне́ядец.

parasitic [,pærə'sɪtɪk] *a* паразити́ческий, парази́тный.

parasiticide [,pærə'sɪtɪsaɪd] *n* сре́дство для уничтоже́ния парази́тов.

parasitism ['pærəsaɪtɪzəm] *n* паразити́зм.

parasitize ['pærəsaɪtaɪz] *v биол.* парази́тировать.

parasol [,pærə'sɔl] *n* 1) небольшо́й зо́нтик (*от солнца*); 2) *ав.* самолёт с крыло́м параса́ль.

parataxis [,pærə'tæksɪs] *n грам.* парата́ксис, бессою́зное сочине́ние *или* подчине́ние.

parathyroid [,pærə'θaɪrɔɪd] *n анат.* околощитови́дная железа́.

paratrooper ['pærə,truːpə] *n* парашюти́ст.

paratroops ['pærətruːps] *n pl* парашю́тные ча́сти.

paratyphoid ['pærə'taɪfɔɪd] *n мед.* парати́ф.

paravane ['pærəveɪn] *n мор.* парава́н.

par avion ['pɑːr,ɑːvj'ɔːŋ] *фр. adv* возду́шной по́чтой.

parboil ['pɑːbɔɪl] *v* 1) обва́ривать кипятко́м, слегка́ прова́ривать; 2) перегрева́ть, перекаля́ть; 3) жа́рить, печь (*о солнце*).

parbuckle ['pɑː,bʌkl] 1. *n* 1) приспособле́ние для подъёма *или* спу́ска бо́чек; 2) подъёмный строп;
2. *v* поднима́ть *или* опуска́ть на стро́пе.

parcel ['pɑːsl] 1. *n* 1) паке́т, свёрток; тюк, у́зел; 2) посы́лка; 3) па́ртия (*товара*); 4) уча́сток (*земли*); 5) гру́ппа, ку́чка; a ~ of scamps ша́йка негодя́ев; 6) *уст.* часть; part and ~ неотъе́млемая часть;
2. *adv уст.* части́чно; ~ gilt позоло́ченный то́лько изнутри́ (*о посуде*);
3. *v* 1) дели́ть на ча́сти, дроби́ть (*обыкн.* ~ out); 2) завёртывать в паке́т; 3) *мор.* класть клетневину́.

parcelling ['pɑːslɪŋ] 1. *pres. p. от* parcel 3;
2. *n мор.* клетневина́.

parcel post ['pɑːsl'poust] *n* почто́во-посы́лочная слу́жба.

parcenary ['pɑːsənərɪ] *n юр.* сонаследо́вание.

parcener ['pɑːsənə] *n юр.* сонасле́дник.

parch [pɑːtʃ] *v* 1) слегка́ поджа́ривать (*ячмень и т. п.*); 2) иссуша́ть, пали́ть, жечь (*о солнце*); 3) пересыха́ть (*о языке, горле*); запека́ться (*о губах*); □ ~ up высыха́ть, со́хнуть.

parched 1. *p. p. от* parch;
2. *a* 1) сожжённый, опалённый; 2) пересо́хший; ~ wayfarer томи́мый жа́ждой пу́тник.

parching ['pɑːtʃɪŋ] 1. *pres. p. от* parch;
2. *a* паля́щий.

parchment ['pɑːtʃmənt] *n* 1) пергаме́нт; 2) ру́копись на пергаме́нте; 3) перга́ментная бума́га; 4) кожура́ кофе́йного боба́; 5) *attr.* перга́ментный.

parcook ['pɑː,kuk] *v* слегка́ провари́ть, наполови́ну свари́ть.

pard I [pɑːd] *n уст., поэт.* леопа́рд.

pard II [pɑːd] *n амер. sl* компаньо́н, това́рищ.

pardon ['pɑːdn] 1. *n* 1) проще́ние, извине́ние; I beg your ~ извини́те; 2) *юр.* поми́лование; general ~ амни́стия; 3) *ист.* индульге́нция;
2. *v* 1) проща́ть, извиня́ть; ~ me прошу́ проще́ния, извини́те меня́; 2) (по)ми́ловать; оставля́ть без наказа́ния.

pardonable ['pɑːdnəbl] *a* прости́тельный.

pardoner ['pɑːdnə] *n ист.* продаве́ц индульге́нций.

pare [pɛə] *v* 1) подреза́ть (*ногти*); 2) среза́ть ко́рку, кожуру́; чи́стить; обчища́ть; 3) уре́зывать, сокраща́ть (*часто* ~ away, ~ down); □ ~ away, ~ off a) среза́ть, обчища́ть; б) уре́зывать, сокраща́ть.

paregoric [,pærə'gɔrɪk] *мед.* 1. *a* болеутоля́ющий;
2. *n* болеутоля́ющее сре́дство.

parenchyma [pə'reŋkɪmə] *n анат., бот.* паренхи́ма.

parent ['pɛərənt] *n* 1) роди́тель; роди́тельница; 2) *pl* роди́тели; 3) пра́отец; пре́док; 4) живо́тное *или* расте́ние, от кото́рого произошли́ други́е; 5) исто́чник, причи́на (*зла и т. п.*); 6) *attr.* роди́тельский; 7) *attr.* исхо́дный; явля́ющийся исто́чником; ~ rock *геол.* матери́нская, ма́точная поро́да; жи́льная поро́да; ~ plant *с.-х.* исхо́дное расте́ние (*при гибридиза́ции*); 8) *attr.* основно́й; ~ metal основно́й мета́лл; ~ shop *воен.* основна́я масте́рская; ~ station *ав.* своя́ ба́за, свой аэродро́м; ◇ ~ state метропо́лия.

parentage ['pɛərəntɪdʒ] *n* 1) происхожде́ние, ли́ния родства́, родосло́вная; 2) *редк.* отцо́вство; матери́нство; 3) *собир. редк.* роди́тели.

parental [pə'rentl] *a* 1) роди́тельский; отцо́вский; матери́нский (*о чувстве*); 2) явля́ющийся исто́чником.

parentheses [pə'renθɪsiːz] *pl от* parenthesis.

parenthesis [pə'renθɪsɪs] *n* (*pl* -theses) 1) *грам.* вво́дное сло́во *или* предложе́ние; 2) (*обыкн. pl*) кру́глые ско́бки; 3) интерме́дия, эпизо́д; интерва́л.

parenthesize [pə'renθɪsaɪz] *v* 1) вставля́ть (*вводное слово*); 2) заключа́ть в ско́бки.

parenthetic(al) [,pærən'θetɪk(əl)] *a* 1) вво́дный, заключённый в ско́бки; 2) изоби́лующий вво́дными предложе́ниями; 3) вставленный мимоходом; 4) *шутл.* кривой (*о ногах и т. п.*).

parenthood ['pɛərənthud] *n* отцовство; материнство.

paresis ['pærɪsɪs] *n мед.* парез, полупаралич.

par excellence [pɑːr'eksəlɑ̃ns] *фр. adv* по преимуществу; главным образом; в особенности.

parfleche [pɑː'fleʃ] *фр. n* 1) буйволовая кожа; 2) изделие из буйволовой кожи.

parget ['pɑdʒɪt] 1. *n* 1) штукатурка, обмазка, гипс; 2) белила;
2. *v* 1) штукатурить; 2) украшать лепкой.

pargetting ['pɑdʒɪtɪŋ] 1. *pres. p. от* parget 2;
2. *n* (орнаментная) штукатурка.

parhelia [pɑː'hiːljə] *pl от* parhelion.

parhelion [pɑː'hiːljən] *n* (*pl* -lia) *астр.* паргелий, ложное солнце.

pariah ['pærɪə] *n* пария.

pariah-dog ['pærɪədɔg] *n* бродячая собака.

Parian ['pɛərɪən] 1. *a* паросский;
2. *n* род фарфора.

paries ['peɪrɪːz] *n* (*pl* -etes) *биол.* стенка (полости органа, лабиринта).

parietal [pə'raɪtl] *a* 1) *анат.* теменной; 2) *бот.* пристенный, пристеночный, стенной.

parietes [pə'raɪətiːz] *pl от* paries.

paring ['pɛərɪŋ] 1. *pres. p. от* pare;
2. *n* 1) подрезание, срезывание; 2) *pl* обрезки, кожура, корка, шелуха; очистки.

Paris ['pærɪs] *n миф.* Парис (*см. тж. Список географических названий*).

Paris doll ['pærɪsdɔl] *n* манекен; кукла, на которой демонстрируется модель одежды.

parish ['pærɪʃ] *n* 1) церковный приход; 2) прихожане; 3) (гражданский) округ; 4) *attr.* приходский; ~ clerk псаломщик; ◇ to go on the ~ получать пособие по бедности; ~ lantern *шутл.* луна.

parishioner [pə'rɪʃənə] *n* прихожанин; прихожанка.

parish register ['pærɪʃ'redʒɪstə] *n* метрическая книга.

Parisian [pə'rɪzjən] 1. *a* парижский;
2. *n* парижанин; парижанка.

parity I ['pærɪtɪ] *n* 1) равенство; 2) параллелизм, аналогия; соответствие; by ~ of reasoning по аналогии; 3) *эк.* паритет, равноценность.

parity II ['pærɪtɪ] *n мед.* способность к деторождению.

park [pɑːk] 1. *n* 1) парк (*тж. автомобильный, артиллерийский и т. п.*); 2) заповедник; 3) устричный садок; 4) *амер.* высокогорная долина;
2. *v* 1) разбивать парк, огораживать под парк (*землю*); 2) ставить на (длительную) стоянку (*автомобиль*); 3) *разг.* оставлять; 4) *воен.* ставить парком (*артиллерию*).

parka ['pɑːkə] *n* парка (*одежда эскимосов*).

parkin ['pɑːkɪn] *n* пирог из овсяной муки на патоке.

parking ['pɑːkɪŋ] 1. *pres. p. от* park 2;
2. *n* 1) стоянка; по ~ (allowed) стоянка

автотранспорта запрещена (*надпись*); 2) *амер.* газон (с деревьями), тянущийся посредине улицы.

parkway ['pɑːkweɪ] *n амер.* аллея, бульвар.

parky ['pɑːkɪ] *a разг.* холодный (*о погоде*).

parlance ['pɑːləns] *n* язык, манера говорить *или* выражаться; in legal ~ на юридическом языке; in common ~ в просторечии.

parlay ['pɑːleɪ] *амер.* 1. *n* пари;
2. *v* держать пари.

parley ['pɑːlɪ] 1. *n* переговоры (*особ. воен.*); to beat (*или* to sound) a ~ давать сигнал барабанным боем *или* звуком трубы о желании вступить в переговоры;
2. *v* 1) вести переговоры, договариваться; 2) говорить (*на иностранном языке*).

parleyvoo [,pɑːlɪ'vuː] (*испорч. фр.* parlez-vous) *шутл.* 1. *n* 1) французский язык; 2) француз;
2. *v* болтать по-французски.

parliament I ['pɑːləmənt] *n* 1) парламент; 2) *attr.* парламентский.

parliament II ['pɑːləmənt] *n* имбирный пряник.

parliamentarian [,pɑːləmen'tɛərɪən] 1. *n* 1) парламентарий; 2) знаток парламентской практики; 3) *ист.* сторонник парламента (*в Англии*);
2. *a* парламентский.

parliamentarism [,pɑːlə'mentərɪzəm] *n* парламентаризм.

parliamentary [,pɑːlə'mentərɪ] *a* 1) парламентский, парламентарный; old ~ hand опытный парламентарий; ~ language язык, допустимый в парламенте; 2) *разг.* вежливый; ◇ ~ train *уст.* установленный парламентом дешёвый поезд 3-го класса.

parliament-cake ['pɑːləməntkeɪk] = parliament II.

parlo(u)r ['pɑːlə] *n* 1) скромная гостиная, общая комната; 2) приёмная (*в гостинице*); 3) *амер.* зал, ателье, кабинет; hairdresser's ~ парикмахерская; photographer's ~ фотоателье.

parlo(u)r boarder ['pɑːlə,bɔːdə] *n* школьник-пансионер, живущий в семье хозяина пансиона.

parlo(u)r car ['pɑːləkɑː] *n амер. ж.-д.* салон-вагон.

parlo(u)rmaid ['pɑːləmeɪd] *n* горничная.

parlous ['pɑːləs] *уст., шутл.* 1. *a* 1) опасный; 2) затруднительный; 3) слишком умный *или* хитрый; 4) ужасный, потрясающий;
2. *adv* очень, ужасно.

parly ['pɑːlɪ] *sl. сокр. от* parliamentary train [*см.* parliamentary ◇].

Parmesan [,pɑːmɪ'zæn] *n* пармезан (*сыр*).

Parnassian [pɑː'næsɪən] *лит.* 1. *a* парнасский;
2. *n* парнасец.

Parnassus [pɑː'næsəs] *n миф.* Парнас.

parochial [pə'roukjəl] *a* 1) приходский; 2) местный, узкий, ограниченный.

parochialism [pə'roukjəlızəm] *n* ограниченность интересов, узость.

parodist ['pærədıst] *n* пародист.

parody ['pærədı] 1. *n* пародия; 2. *v* пародировать.

parole [pə'roul] 1. *n* 1) честное слово, обещание (*тж.* ~ of honour); on ~ (освобождённый) под честное слово; 2) обязательство пленных не участвовать в военных действиях; 3) *воен.* пароль; 4) *attr.*: ~ officer *амер.* офицер, имеющий право давать льготы арестованным; ~ system *амер.* система, по которой заключённые освобождаются на известных условиях досрочно; 2. *v* освобождать под честное слово.

parolee [pə,rou'li:] *n* освобождённый под честное слово.

paronomasia [,pærənou'meızıə] *греч.* *n* каламбур, игра слов.

paronym ['pærənım] *n* 1) *лингв.* пароним, производное слово того же корня; 2) *лингв. редк.* омофон; 3) *шутл.* однофамилец, тёзка.

paroquet ['pærəkıt] = parakeet.

parotid [pə'rɔtıd] *анат.* 1. *n* околоушная железа; 2. *a* околоушный.

parotitis [,pærə'taıtıs] *n мед.* воспаление околоушных желёз, свинка.

paroxysm ['pærəksızəm] *n* пароксизм, припадок, приступ (*болезни, смеха*).

paroxysmal [,pærək'sızməl] *a* появляющийся пароксизмами; судорожный.

parpen ['pɑːpən] *n архит.* камень во всю толщину стены.

parquet ['pɑːkeı] 1. *n* 1) паркет; 2) передние ряды партера; 3) *attr.* паркетный; ◇ ~ circle задние ряды партера, амфитеатр; 2. *v* настилать паркет.

parquetry ['pɑːkıtrı] *n* паркет.

parr [pɑː] *n* молодой лосось.

parrel ['pɑːrəl] *n мор.* бейфут.

parricidal [,pærı'saıdl] *a* отцеубийственный.

parricide ['pærısaıd] *n* 1) отцеубийца; матереубийца; 2) изменник родины; 3) отцеубийство; матереубийство; 4) измена родине.

parrot ['pærət] 1. *n* попугай; 2. *v* 1) повторять как попугай (*тж.* ~ it); 2) учить (*кого-л.*) бессмысленно повторять (*что-л.*).

parrotry ['pærətrı] *n* бессмысленное повторение чужих слов.

parry ['pærı] 1. *n* парирование, отражение удара, увёртка; 2. *v* отражать, парировать (*удар*); to ~ a question уклоняться от ответа, отвечать на вопрос вопросом.

parse [pɑːz] *v* делать грамматический разбор.

Parsee [pɑː'si:] *n* парс (*последователь учения Зороастра в Индии*).

Parseeism [pɑː'si:ızm] *n* парсизм, религия парсов.

parsimonious [,pɑːsı'mounjəs] *a* 1) бережливый, экономный; 2) скупой.

parsimony ['pɑːsımənı] *n* 1) бережливость,

экономия; to exercise ~ (of phrase) быть скупым на слова; 2) скупость, скряжничество.

parsing ['pɑːzıŋ] 1. *pres. p. om* parse; 2. *n* грамматический разбор.

parsley ['pɑːslı] *n бот.* петрушка кудрявая.

parsnip ['pɑːsnıp] *n бот.* пастернак посевной.

parson ['pɑːsn] *n* 1) приходский священник, пастор; 2) *разг.* священник, проповедник.

parsonage ['pɑːsnıdʒ] *n* дом приходского священника, пасторат.

parsonic [pɑː'sɔnık] *a* пасторский.

parson's nose ['pɑːsnz'nouz] *n разг.* гузка (*ср.* pope's nose; *см.* pope I, ◇).

part [pɑːt] 1. *n* 1) часть, доля; for the most ~ большей частью; in ~ частично, частью; 2) часть (*книги*); выпуск; 3) часть тела, член, орган; the (privy) ~s половые органы; 4) участие, доля в работе; обязанность, дело; to take ~ (*или* to have) ~ in smth. участвовать в чём-л.; it was not my ~ to interfere не моё было дело вмешиваться; to do one's ~ (с)делать своё дело; 5) роль; to play (*или* to act) a ~ а) играть роль; б) притворяться; 6) сторона (*в споре и т. п.*); for my ~ с моей стороны, что касается меня; on the ~ of smb. с чьей-л. стороны; to take the ~ of smb., to take ~ with smb. стать на чью-л. сторону; 7) *pl* края, местность; in foreign ~s в чужих краях; 8) запасная часть; 9) *pl уст.* способности; a man of (good) ~s способный человек; 10) *амер.* пробор (*в волосах*); 11) *грам.*: ~ of speech часть речи; ~ of the sentence член предложения; 12) *муз.* партия, голос; 13) *архит.* $1/_{30}$ часть модуля; ◇ on the one ~... on the other ~... с одной стороны..., с другой стороны...; to have neither ~ nor lot in smth. не иметь ничего общего с чем-л.; in good ~ без обиды; благосклонно; милостиво; in bad (*или* evil) ~ с обидой; неблагосклонно; to take in good ~ не обидеться; to take in bad (*или* evil) ~ обидеться; 2. *adv* частью, отчасти; частично; 3. *v* 1) разделять(ся); отделять(ся); расступаться; разрывать(ся); разнимать; разлучать(ся); let us ~ friends расстанемся друзьями; 2) расчёсывать на пробор; 3) *разг.* расставаться (*с деньгами и т. п.*); платить; he won't ~ он не заплатит; 4) *уст.* делить (*между кем-л.*); 5) умирать; ☐ ~ from расстаться (*или* распрощаться) с кем-л.; ~ with a) = ~ from; б) отдавать, передавать что-л.; в) отпускать (*прислугу*); ◇ to ~ brass rags with smb. *мор. sl.* порвать дружбу с кем-л.; to ~ company with расстаться с; прекратить знакомство с.

partake [pɑː'teık] *v* (partook; partaken) 1) принимать участие (in, of—в чём-л.); разделять (with — с кем-л.); 2) воспользоваться (*гостеприимством и т. п.*; of); 3) отведать, съесть, выпить (of—что-л.); 4) иметь примесь (*чего-л.*); отзываться (*чем-л.*); the vegetation ~s of a tropical character растительность имеет до некоторой степени тропический характер.

partaken [pɑː'teɪkən] *p. p. om* partake.

partaker [pɑː'teɪkə] *n* участник.

partan ['pɑːtn] *n шотл.* краб.

parted ['pɑːtɪd] **1.** *p. p. om* part 3; **2.** *a 1)* разделённый; ~ lips полуоткрытый рот; 2) разлучённый..

parterre [pɑː'tɛə] *фр. n 1)* партер; 2) *амер.* задние ряды партера, амфитеатр; 3) цветник.

parthenogenesis ['pɑːθɪnouˈdʒenɪsɪs] *n биол.* партеногенез.

Parthian ['pɑːθjən] *a* парфянский; ~ shaft (*или* shot, arrow) *перен.* парфянская стрела (*замечание и т. п., приберегаемое к моменту ухода*).

parti ['pɑːtiː] *фр. n* партия (*в браке*).

partial ['pɑːʃəl] *a 1)* частичный, неполный; частный; 2) пристрастный; 3) неравнодушный (to —к чему-л., кому-л.); he is very ~ to sport он очень любит спорт.

partiality [ˌpɑːʃɪ'ælɪtɪ] *n 1)* пристрастие; 2) склонность (for—к).

partible ['pɑːtɪbl] *a 1)* делимый; 2) подлежащий делению (*особ. о наследстве*).

participant [pɑː'tɪsɪpənt] *n* участник, участвующий.

participate [pɑː'tɪsɪpeɪt] *v 1)* участвовать (in); 2) разделять (in —что-л., with —c кем-л.); 3) пользоваться (in—чем-л.); 4) *редк.* иметь общее (of—c чем-л.).

participation [pɑːˌtɪsɪ'peɪʃən] *n* участие; соучастие.

participator [pɑː'tɪsɪpeɪtə] *n* участник.

participial [ˌpɑːtɪ'sɪpɪəl] *a грам.* причастный; деепричастный.

participle ['pɑːtsɪpl] *n грам.* причастие; деепричастие.

particle ['pɑːtɪkl] *n 1)* частица; крупица; ~ of dust пылинка; 2) *грам.* неизменяемая частица; суффикс; префикс; 3) статья (*документа*).

particoloured ['pɑːtɪˌkʌləd] *a* пёстрый, разноцветный.

particular [pə'tɪkjulə] **1.** *a 1)* специфический, особый, особенный; определённый; 2) индивидуальный, частный, отдельный; 3) особый, исключительный; заслуживающий особого внимания; it is of no ~ importance особой важности это не имеет; he is a ~ friend of mine он мой близкий друг; for no ~ reason без особого основания; 4) подробный, детальный, обстоятельный; 5) тщательный; to be ~ in one's speech тщательно выбирать выражения; очень следить за своей речью; 6) разборчивый, привередливый; ~ about what (*или* ~ as to what) one eats разборчивый в еде;
2. *n 1)* частность; подробность, деталь; in ~ в частности, в особенности; to go into ~s вдаваться в подробности; 2) *pl* подробный отчёт; to give all the ~s давать подробный отчёт; ◇ London ~ *разг.* лондонский туман.

particularism [pə'tɪkjulərɪzəm] *n 1)* исключительная приверженность (*к кому-л., чему-л.*); 2) *полит.* партикуляризм, сепаратизм.

particularity [pəˌtɪkju'lærɪtɪ] *n 1)* подробность; особенность; специфика; 2) тщательность; обстоятельность; 3) *редк.* разборчивость.

particularize [pə'tɪkjuləraɪz] *v* подробно останавливаться (*на чём-л.*), вдаваться в подробности.

particularly [pə'tɪkjuləlɪ] *adv 1)* очень, чрезвычайно; особенно, в особенности; 2) особенно, особым образом; 3) индивидуально, лично; в отдельности; generally and ~ в общем и в частности; 4) подробно, детально.

parting ['pɑːtɪŋ] **1.** *pres. p. om* part 3; **2.** *n 1)* расставание, разлука; отъезд; прощание; at ~ на прощание; 2) разделение; разветвление; the ~ of the ways разветвление дороги; перепутье, распутье (*часто перен.*); 3) пробор (*в волосах*); 4) *уст.* смерть; 5) *тех.* отделение, отрезание (*резцом*); 6) *геол.* отдельность, разделяющая пласты; пустая порода;
3. *a 1)* прощальный; 2) уходящий, умирающий; угасающий; ~ day день, склоняющийся к вечеру; 3) разделяющий; разветвляющийся, расходящийся (*о дороге*).

parti pris [ˌpɑːtiː'priː] *фр. n* предвзятое мнение.

partisan I [ˌpɑːtɪ'zæn] **1.** *n 1)* приверженец, сторонник; ~s of peace сторонники мира; 2) партизан;
2. *a 1)* партизанский; 2) фанатичный; слепо верящий (*чему-л.*).

partisan II ['pɑːtɪzn] *n ист.* протазан, алебарда.

partisanship [ˌpɑːtɪ'zænʃɪp] *n* приверженность.

partite ['pɑːtaɪt] *a бот., зоол.* дольный, раздельный.

partition [pɑː'tɪʃən] **1.** *n 1)* расчленение; разделение; 2) раздел; 3) часть, подразделение; 4) отделение (*в ящике стола, в шкафу и т. п.*); ячейка; 5) перегородка, переборка, простенок, внутренняя стена (*в строении*);
2. *v 1)* делить; 2) расчленять, разделять; □ ~ off отделять, отгораживать перегородкой.

partitive ['pɑːtɪtɪv] **1.** *a 1) грам.* разделительный, партитивный; ~ genitive родительный разделительный; 2) дробный; частный;
2. *n грам.* разделительное слово.

Partlet ['pɑːtlɪt] *n уст. 1)* курица; 2) (старая) женщина.

partly ['pɑːtlɪ] *adv 1)* частью, частично; 2) отчасти, до некоторой степени.

partner ['pɑːtnə] **1.** *n 1)* участник; соучастник (in, of — в чём-л.); товарищ (*по делу, работе*; with); 2) компаньон; secret (*или* sleeping, dormant) ~ компаньон, не участвующий активно в деле и мало известный; silent ~ компаньон, не участвующий активно в деле, не пайщик; predominant ~ «главный компаньон» (*Англия как часть Великобритании*); 3) контрагент; 4) супруг(а); 5) партнёр (*в танцах, игре*); напарник; 6) *pl мор.* пяртнерс;

2. *v* 1) ста́вить в па́ру (with — с *кем-л.*); де́лать (*чьим-л.*) партнёром; 2) быть парт- нёром.

partnership ['pɑːtnəʃɪp] *n* 1) уча́стие; 2) това́рищество, компа́ния.

partook [pɑː'tuk] *past om* partake.

part-owner ['pɑːt‚ounə] *n* совладе́лец.

partridge ['pɑːtrɪdʒ] *n* зоол. 1) (се́рая) куропа́тка; 2) ке́клик.

partridge-wood ['pɑːtrɪdʒwud] *n* кра́сное де́рево (*древесина некоторых тропических деревьев*).

part-song ['pɑːtsɔŋ] *n* муз. вока́льное произведе́ние для трёх *или* бо́лее голосо́в.

part time ['pɑːt'taɪm] *n* непо́лный рабо́- чий день.

part-time ['pɑːt'taɪm] *a:* ~ worker рабо́- чий, за́нятый непо́лный рабо́чий день.

part-timer ['pɑːt'taɪmə] = part-time work- er [*см.* part-time].

parturient [pɑː'tjuərɪənt] *a* 1) разреша́ю- щаяся от бре́мени, рожа́ющая; 2) свя́зан- ный с ро́дами; родово́й; послеродово́й; ~ infection роди́льная горя́чка; 3) тво́рче- ский (*об уме*); в му́ках тво́рчества; на гра́ни откры́тия.

parturifacient [pɑː‚tjuərɪ'feɪʃənt] *n* мед. сре́дство, вызыва́ющее *или* облегча́ющее ро́ды.

parturition [‚pɑːtjuə'rɪʃən] *n* ро́ды.

party I ['pɑːtɪ] **1.** *n* па́ртия; the Commu- nist Party of the Soviet Union Коммунисти́- ческая па́ртия Сове́тского Сою́за; **2.** *a* парти́йный; ~ affiliation парти́й- ная принадле́жность; ~ card парти́йный биле́т; ~ dues парти́йные взно́сы; ~ leader вождь па́ртии; ~ man (*или* member) член па́ртии; ~ membership парти́йность, при- надле́жность к па́ртии; ~ organization парти́йная организа́ция; ~ local (*или* unit) ме́стная, низова́я парти́йная организа́ция; ~ nucleus парти́йная яче́йка.

party II ['pɑːtɪ] *n* 1) отря́д, кома́нда; гру́ппа, па́ртия; 2) компа́ния; 3) приём госте́й; ве́чер, вечери́нка; to give a ~ уст- ро́ить вечери́нку; 4) сопровожда́ющие ли́- ца; the minister and his ~ мини́стр и сопро- вожда́ющие его́ ли́ца; 5) юр. сторона́; the parties to a contract догова́ривающиеся сто́роны; 6) уча́стник; to be a ~ to smth. уча́ствовать, принима́ть уча́стие в чём-л.; 7) груб. челове́к, особа, субъе́кт (*тж. шутл.*); an old ~ with spectacles старика́ш- ка в очка́х; 8) воен. sl. возду́шный бой.

party-coloured ['pɑːtɪ‚kʌləd] = particol- oured.

party line I ['pɑːtɪlaɪn] *n* ли́ния па́ртии.

party line II ['pɑːtɪlaɪn] *n* 1) грани́ца ме́жду ча́стными владе́ниями; 2) = party wire.

party-liner ['pɑːtɪ‚laɪnə] *n* сторо́нник ли́нии па́ртии.

party wall ['pɑːtɪ'wɔːl] *n* о́бщая стена́ (*двух смежных зданий*).

party wire ['pɑːtɪ‚waɪə] *n* амер. о́бщий телефо́нный про́вод (*у нескольких абонен- тов*).

parvenu ['pɑːvənjuː] *фр. n* вы́скочка, парвеню́.

parvis ['pɑːvɪs] *n* 1) церко́вный двор; 2) па́перть.

pas [pɑː] *фр. n* 1) пе́рвенство, преиму́- щество; to give the ~ уступи́ть пе́рвенство; to take the ~ име́ть преиму́щество (of — пе́ред *кем-л.*); 2) па (*в танцах*).

paschal ['pɑːskəl] *a* пасха́льный.

pas de deux ['pɑːdə'dɜː] *фр. n* па-де-де́, бале́тный но́мер, исполня́емый двумя́ парт- нёрами.

pash [pæʃ] *n* (*сокр. от* passion) sl.: to have a ~ for smb., smth. быть стра́стно увлечённым кем-л., чем-л.; име́ть пристра́- стие к чему́-л.

pasha ['pɑːʃə] *тур. n* паша́; ~ of three tails (of two tails, of one tail) *ист.* трёх- (двух-, одно)бунчу́жный паша́, паша́ 1-го (2-го, 3-го) ра́нга (*по числу бунчуков*).

pashm [pʌʃm] *перс. n* подшёрсток каш- ми́рской козы́ (*употребляется для шалей*).

pasque-flower ['pæsk‚flauə] *n* бот. про- стре́л.

pasquinade [‚pæskwɪ'neɪd] **1.** *n* па́сквиль;

2. *v* высме́ивать в па́сквиле.

pass [pɑːs] **1.** *v* 1) дви́гаться вперёд; проходи́ть, проезжа́ть ‘(by — ми́мо *чего-л.*; along — вдоль *чего-л.*; across, over — че́рез *что-л.*); протека́ть; минова́ть; no food has ~ed my lips во рту ма́ковой роси́нки не́ было, я ничего́ не ел; a change ~ed over his countenance у него́ измени́лось выра- же́ние лица́; 2) пересека́ть; переходи́ть, переезжа́ть (*через что-л.*); переправля́ть (-ся); to ~ a mountain range перевали́ть че́рез хребе́т; 3) перевози́ть; 4) превраща́ть- ся, переходи́ть (*из одного состояния в дру- гое*); it has ~ed into a proverb э́то вошло́ в погово́рку; 5) переходи́ть (*в другие руки и т. п.*; into, to); 6) происходи́ть, случа́ть- ся, име́ть ме́сто; I saw (heard) what was ~ing я ви́дел (слы́шал), что происходи́ло; 7) произноси́ть; few words ~ed было ма́ло ска́зано; 8) обгоня́ть, опережа́ть; 9) пре- выша́ть, выходи́ть за преде́лы; he has ~ed sixteen ему́ уже́ бо́льше шестна́дцати; it ~es my comprehension э́то вы́ше моего́ понима́ния; it ~es belief э́то невероя́тно; 10) вы́держать, пройти́ (*испытание*); удо- влетворя́ть (*требованиям*); to ~ the tests (*или* standard) сдава́ть но́рмы; to ~ muster пройти́ осмо́тр; вы́держать испыта́ние; ока- за́ться го́дным; 11) вы́держать экза́мен (in — по *какому-л. предмету*); 12) ста́вить за- чёт; пропуска́ть (*экзаменующегося*); 13) про- води́ть (*время, лето и т. п.*); 14) проха- ди́ть (*о времени*); time ~es rapidly вре́мя бы́стро лети́т; 15) передава́ть; read this and ~ it on прочти́те (э́то) и переда́йте да́ль- ше; to ~ the word передава́ть приказа́ние; 16) принима́ть (*закон, резолюцию и т. п.*); 17) быть при́нятым, получа́ть одобре́ние (*законодательного органа*); the bill ~ed the Commons пала́та общи́н утверди́ла законопрое́кт; 18) выноси́ть (*решение, при- говор*; often, on); 19) быть вы́несенным (*о приговоре*); the verdict ~ed for the plain- tiff реше́ние бы́ло вы́несено в по́льзу истца́; 20) пуска́ть в обраще́ние; 21) быть в обращéнии, имéть хождéние (*о деньгах*); this coin will not ~ э́ту монéту не при́мут; 22) исчезáть; прекращáться; the pain ~ed боль прошлá; to ~ out of sight исчезáть и́з виду; to ~ out of use выходи́ть из употреблéния; 23) пропускáть; опускáть; 24) кончáться, умирáть (*обыкн.* ~ hence, ~ from among us, *etc.*); 25) проходи́ть незамéченным, сходи́ть; but let that ~ не бýдем об э́том говори́ть; that won't ~ э́то недопусти́мо; 26) проводи́ть (*рукой*); he ~ed his hand across his forehead он провёл рукóй по лбу; 27): ~ your eyes (*или* glance) over this letter просмотри́те э́то письмó; 28) *карт.*, *спорт.* пасовáть; 29) *спорт.* дéлать вы́пад (*в фехтовании*); 30) давáть (*слово, клятву, обещание*); to ~ one's word обещáть; ручáться, поручи́ться (for); 31) *амер.* не объявля́ть (*дивиденды*); ☐ ~ away a) исчезáть, прекращáться, проходи́ть; б) скончáться, умерéть; в) проходи́ть, истекáть (*о времени*); ~ by a) проходи́ть ми́мо; б) оставля́ть без внимáния, пропускáть; to ~ by in silence обходи́ть молчáнием; ~ for считáться, слыть кем-л.; ~ in умерéть (*тж.* ~ in one's checks); ~ into превращáться в, переходи́ть в; дéлаться; ~ off a) постепéнно прекращáться, проходи́ть (*об ощущениях и т. п.*); б) пронести́сь, пройти́ (*о дожде, буре*); в) хорошó пройти́ (*о мероприятии, событии*); г) сбывáть, подсóвывать (upon); д) выдавáть (for, as—за *кого-л.*); he ~ed himself off as a doctor он выдавáл себя́ за дóктора; е) отвлекáть внимáние от *чего-л.*; ж) оставля́ть без внимáния, пропускáть ми́мо ушéй; з) *разг.* сдать (*экзамен*); ~ on a) проходи́ть дáльше; ~ on, please! проходи́те!, не останáвливайтесь!; б) переходи́ть (*к другому вопросу и т. п.*); в) передавáть дáльше; г) умерéть; д) выноси́ть (*решение*); ~ out a) успéшно пройти́ (*курс обучения*); б) сбыть, продáть (*товар*); в) *амер. sl.* напи́ться до потéри сознáния; г) *амер. sl.* умерéть; ~ over a) проходи́ть; переправля́ться; б) передавáть; в) умерéть; г) пропускáть, оставля́ть без внимáния; обходи́ть молчáнием (*тж.* ~ over in silence); д) *хим.* дистилли́роваться; ~ round a) передавáть друг дрýгу; пусти́ть по крýгу; to ~ round the hat пусти́ть шáпку по крýгу; устрóить сбор пожéртвований; б) обмáтывать; обводи́ть; to ~ a rope round a cask обмотáть бочóнок канáтом; ~ through a) пересекáть; переходи́ть; б) проходи́ть чéрез *что-л.*, испы́тывать, переживáть; they are ~ing through times of troubles они́ переживáют беспокóйное врéмя; в) пропускáть, просéивать, процéживать сквозь *что-л.*; г) продевáть; д) пронзá́ть; ~ up *амер.* откáзываться от *чего-л.*; отвергáть *что-л.*; ◇ to ~ by the name of... быть извéстным под и́менем..., называ́ться...; to ~ by on the other side не оказáть пóмощи, не проя́ви́ть сочýвствия; to ~ on the torch передавáть знáния, тради́ции; to ~ the buck *амер.* свали́ть отвéтственность на другóго;

2. *n* 1) прохóд; 2) ущéлье, дефилé; перевáл; 3) фарвáтер, проли́в, судохóдное

рýсло (*особ. в устье реки*); 4) прохóд для ры́бы в плоти́не; 5) сдáча экзáмена без отли́чия; посрéдственная оцéнка; 6) прóпуск; 7) бесплáтный билéт; контрамáрка; 8) пасс (*движение рук гипнотизёра*); 9) фóкус; 10) (крити́ческое) положéние; to bring to ~ совершáть, осуществля́ть; to come to ~ произойти́, случи́ться; things have come to a pretty ~ делá при́няли сквéрный оборóт; 11) *карт., спорт.* пас; 12) *спорт.* вы́пад (*в фехтовании*); to make a ~ at smb. a) дéлать вы́пад прóтив когó-л.; б) *sl.* пристава́ть к комý-л.; 13) *воен.* разрешéние не прису́тствовать на повéрке; *амер.* краткосрóчный óтпуск; 14) *тех.* кали́бр; ручéй; ◇ ~ in review *амер. воен.* прохождéние на смотрý, прохождéние торжéственным мáршем; to hold the ~ защищáть своё дéло, to sell the ~ обманýть довéрие; изменить своемý дéлу, соверши́ть предáтельство.

passable ['pɑːsəbl] *a* 1) проходи́мый; проéзжий; судохóдный; 2) снóсный, удовлетвори́тельный; 3) имéющий хождéние.

passado [pə'sɑːdou] *n* (*pl* -os, -oes [-ouz]) *спорт.* вы́пад (*в фехтовании*).

passage I ['pæsidʒ] **1.** *n* 1) прохождéние; прохóд, проéзд, перехóд;, 2) переéзд; рейс (*морской или воздушный*); поéздка (*по морю*); a rough ~ переéзд, перехóд по бýрному мóрю; to book (*или* to pay, to take) one's ~ взять билéт на парохóд; 3) перелёт (*птиц*); bird of ~ перелётная пти́ца; 4) путь, дорóга, прохóд, перевáл, перепрáва; 5) коридóр, пассáж, галерéя; перéдняя; 6) вход, вы́ход; прáво прохóда; по ~ проéзд закры́т, прохóда нет (*надпись*); he was refused a ~ его́ не пропусти́ли; 7) ход, течéние (*событий, времени*); 8) перехóд, превращéние; 9) проведéние, утверждéние (*закона*); 10) происшéствие, собы́тие, эпизóд; 11) *pl* разговóр; сты́чка; to have stormy ~s with smb. имéть крýпный разговóр с кем-л.; ~ of (*или* at) arms сты́чка, столкновéние; 12) мéсто, отры́вок (*из книги и т. п.*); 13) *муз.* пассáж; 14) *attr.*: ~ days *мор.* дни, проведённые в мóре;

2. *v* совершáть переéзд; пересекáть (*море, канал и т. п.*).

passage II ['pæsidʒ] *v* 1) принимáть впрáво *или* влéво, дви́гаться бóком (*о лошади или всаднике*); 2) заставля́ть (*лошадь*) принимáть впрáво *или* влéво.

passage boat ['pæsidʒbout] *n* парóм.

passage-way ['pæsidʒwei] *n* 1) коридóр, прохóд; пассáж; 2) *горн.* откáточный путь; 3) *тех.* перепускнóй канáл; уравни́тельный канáл.

passant ['pæsənt] *a геральд.* идýщий с пóднятой прáвой перéдней лáпой и смотря́щий впрáво (*о животном*).

passbook ['pɑːsbuk] *n* 1) бáнковская расчётная кни́жка; 2) *амер.* забóрная кни́жка.

pass-check ['pɑːstʃek] = pass-out.

passé ['pɑːsei] *фр. a* 1) поблёкший; 2) устарéлый, устарéвший.

passée ['pɑːsei] *ж. к* passé.

passementerie [pæs'mentri] *фр. n* отдéлка басóном, би́сером, галунóм.

passenger ['pæsɪndʒə] *n* 1) пассажи́р; седо́к; 2) *разг.* плохо́й гребе́ц; 3) неспосо́бный член (*организации, команды и т. п.*); 4) *attr.* пассажи́рский.

passenger-pigeon ['pæsɪndʒə,pɪdʒɪn] *n зоол.* стра́нствующий го́лубь.

passe-partout ['pæspɑtuː] *фр. n* 1) отмы́чка; 2) карто́нная ра́мка; паспарту́.

passer ['pɑːsə] *n* 1) = passer-by; 2) челове́к, сда́вший экза́мены без отли́чия; 3) контролёр гото́вой проду́кции; брако́вщик.

passer-by ['pɑːsə'baɪ] *n* (*pl* passers-by) (случа́йный) прохо́жий, прое́зжий.

passerine ['pæsəraɪn] 1. *a* воробьи́ный; 2. *n* пти́ца из отря́да воробьи́ных.

passers-by ['pɑːsəz'baɪ] *pl от* passer-by.

pas seul [,pɑː'sɜːl] *фр. n* со́льный бале́тный но́мер.

passible ['pæsɪbl] *a* спосо́бный чу́вствовать *или* страда́ть.

passim ['pæsɪm] *лат. adv* повсю́ду, везде́; в ра́зных места́х (*употр. при ссы́лке на а́втора и т. п.*).

passimeter [pə'sɪmɪtə] *n* автома́т для прода́жи железнодоро́жных биле́тов.

passing ['pɑːsɪŋ] 1. *pres. p. от* pass 1; 2. *n* 1) прохожде́ние; in ~ мимохо́дом; ме́жду про́чим; 2) протека́ние, полёт; the ~ of time полёт вре́мени; 3) брод; 4) *поэт.* смерть.
3. *a* 1) преходя́щий, мимолётный, мгнове́нный; 2) бе́глый, случа́йный; a ~ reference упомина́ние мимохо́дом; 3) *уст.* превосходя́щий;
4. *adv уст.* о́чень, чрезвыча́йно; ~ rich чрезвыча́йно бога́тый.

passing-bell ['pɑːsɪŋbel] *n* похоро́нный звон.

passingly ['pɑːsɪŋlɪ] *adv* 1) мимохо́дом; 2) *уст.* о́чень.

passing-note ['pɑːsɪŋnout] *n муз.* перехо́дная но́та.

passing track ['pɑːsɪŋtræk] *n ж.-д.* разъездно́й путь.

passion ['pæʃən] 1. *n* 1) страсть, стра́стное увлече́ние (for — *чем-л., кем-л.*); 2) страсть, пыл, стра́стность, энтузиа́зм; 3) предме́т стра́сти; взрыв чувств; си́льное душе́вное волне́ние; she burst into a ~ of tears она́ разрыда́лась; a ~ of grief при́ступ го́ря; 5) вспы́шка гне́ва; to fall (*или* to fly) into a ~ вспыли́ть, прийти́ в я́рость; 6) *редк.* пасси́вное состоя́ние; 7) (the P.) *рел.* стра́сти госпо́дни, кре́стные му́ки; 8) *attr. рел.:* P. Sunday 5-е воскресе́нье вели́кого поста́; P. Week страстна́я неде́ля, 6-я неде́ля вели́кого поста́;
2. *v поэт.* чу́вствовать *или* выража́ть страсть.

passional I ['pæʃənl] *n* жития́ му́чеников и святы́х.

passional II ['pæʃənl] *a* стра́стный.

passionary ['pæʃnərɪ] = passional I.

passionate ['pæʃənɪt] *a* 1) стра́стный, пы́лкий; 2) влюблённый; 3) вспы́льчивый, горя́чий.

passion-flower ['pæʃən,flauə] *n бот.* страстоцве́т, пассифло́ра.

passionless ['pæʃənlɪs] *a* бесстра́стный, невозмути́мый.

passion-play ['pæʃənpleɪ] *n ист.* мисте́рия, представля́ющая стра́сти госпо́дни.

passivation [,pæsɪ'veɪʃən] *n тех.* пасси́вирование, пове́рхностная протра́вка, декапиро́вка.

passive ['pæsɪv] 1. *a* 1) пасси́вный, ине́ртный; безде́ятельный; 2) поко́рный; 3) *грам.* страда́тельный (*о залоге*); 4) беспроце́нтный (*о долге и т. п.*);
2. *n грам.* страда́тельный зало́г; пасси́вная фо́рма.

passivity [pæ'sɪvɪtɪ] *n* 1) пасси́вность, ине́ртность; безде́ятельность; 2) поко́рность.

passkey ['pɑːskiː] *n* 1) отмы́чка; 2) ключ от францу́зского замка́; 3) *attr.:* ~ man вор-взло́мщик.

passman ['pɑːsmæn] *n* получа́ющий дипло́м *или* сте́пень без отли́чия.

pass-out ['pɑːs,aut] *n* контрама́рка (*для обра́тного вхо́да*).

pass-out check ['pɑːs,aut'tʃek] *амер.* = pass-out.

passover ['pɑːs,ouvə] *n* 1) евре́йская па́сха; 2) пасха́льный а́гнец.

passport ['pɑːspɔːt] *n* 1) па́спорт; 2) ли́чные ка́чества, дарова́ния челове́ка, кото́рые це́нят окружа́ющие.

password ['pɑːswəd] *n* паро́ль, про́пуск.

past [pɑːst] 1. *n* 1) про́шлое; it is now a thing of the ~ э́то де́ло про́шлого; a man with a ~ челове́к с (ду́рным) про́шлым; 2) *грам.* (обыкн. the ~) проше́дшее вре́мя;
2. *a* 1) про́шлый, мину́вший; исте́кший; for some time ~ (за) после́днее вре́мя; his prime is ~ его́ мо́лодость прошла́; 2) *грам.* проше́дший; ~ participle прича́стие проше́дшего вре́мени;
3. *adv* ми́мо; he walked ~ он прошёл ми́мо; the years flew ~ го́ды пролете́ли;
4. *prep* 1) ми́мо; he ran ~ the house он пробежа́л ми́мо до́ма; 2) за, по ту сто́рону; the station is ~ the river ста́нция нахо́дится за реко́й; 3) по́сле, за; it is ~ two тепе́рь тре́тий час; he stayed till ~ two o'clock бы́ло бо́льше двух, когда́ он ушёл; half ~ two полови́на тре́тьего; the train is ~ due по́езд опозда́л; he is ~ sixty ему́ за шестьдеся́т; 4) свы́ше, сверх; за преде́лами (достижи́мого); ~ the wit of man свы́ше челове́ческого разуме́ния; he is ~ cure он неизлечи́м; it is ~ endurance э́то нестерпи́мо.

paste [peɪst] 1. *n* 1) те́сто (*сдо́бное*); 2) пастила́, халва́ *и т. п.*; 3) па́ста; масти́ка; 4) клей; кле́йстер; 5) страз; 6) мя́тая гли́на; 7) *эл.* акти́вная ма́сса (*для аккумуля́торных пласти́н*); 8) *sl.* уда́р кулако́м;
2. *v* 1) накле́ивать, прикле́ивать *или* скле́ивать кле́йстером; обкле́ивать (with); 2) *sl.* изби́ть, исколоти́ть; □ ~ up раскле́ивать; to ~ up notices раскле́ивать объявле́ния.

pasteboard ['peɪstbɔːd] *n* 1) карто́н; 2) *sl.* визи́тная ка́рточка; 3) *sl.* игра́льная ка́рта; 4) *sl.* железнодоро́жный биле́т; 5) *attr.* карто́нный; *перен.* непро́чный, ша́ткий.

pastel [pæs'tel] *n* 1) пасте́ль; 2) *бот.* ва́йда; 3) си́няя кра́ска из ва́йды.

pastel(l)ist ['pæstəlɪst] *n* худо́жник, рису́ющий пасте́лью.

paster ['peɪstə] *n* 1) *амер.* кле́йкая поло́ска бума́ги (*особ. для заклеивания фамилии в избирательном списке*); 2) рабо́чий, накле́ивающий ярлыки.

pastern ['pæstəːn] *n* 1) ба́бка (*лошади*); 2) *уст.* пу́ты.

pasteurization [,pæstəraɪ'zeɪʃən] *n* пастеризáция.

pasteurize ['pæstəraɪz] *v* 1) пастеризовáть (*молоко*); 2) де́лать приви́вку по ме́тоду Пасте́ра (*преим. от бешенства*).

pasteurizer ['pæstəraɪzə] *n* пастеризáтор, аппарáт для пастеризáции.

pasticcio, pastiche [pæs'tɪtʃou,-'tiːʃ] *n* 1) смесь; попурри́; 2) худо́жественная имитáция, стилизáция (*особ. литературная*).

pastil(le) [pæs'tiːl] *n* 1) кури́тельная све́чка; 2) лепёшка, табле́тка.

pastime ['pɑːstaɪm] *n* прия́тное времяпрепровожде́ние, развлече́ние; игрá.

pastiness ['peɪstɪnɪs] *n* кле́йкость, ли́пкость.

past master ['pɑːst'mɑːstə] *n* (непревзойдённый) мáстер (in — в *чём-л.*).

pastor ['pɑːstə] *n* 1) пáстырь; 2) пáстор; 3) ро́зовый скворе́ц.

pastoral ['pɑːstərəl] 1. *a* 1) пасту́шеский; 2) пасторáльный;
2. *n* 1) пасторáль; 2) *церк.* послáние.

pastorale [,pæstə'rɑːlɪ] *n* (*pl* -li, -s [-z]) *муз.* пасторáль.

pastorali [,pæstə'rɑːliː] *pl от* pastorale.

pastorate ['pæstərɪt] *n* 1) пáсторство; 2) *собир.* пáсторы.

pastorship ['pɑːstəʃɪp] = pastorate 1).

pastry ['peɪstrɪ] *n* 1) конди́терские изде́лия (*пирожные, печенье и т. п.*); 2) пиро́жное.

pastry-cook ['peɪstrɪkuk] *n* конди́тер.

pasturable ['pɑːstʃərəbl] *a* пáстбищный.

pasturage ['pɑːstjurɪdʒ] *n* 1) пáстбище; 2) подно́жный корм; 3) пастьбá.

pasture ['pɑːstʃə] 1. *n* 1) пáстбище, вы́гон; 2) подно́жный корм;
2. *v* пасти́(сь).

pasty I ['pæstɪ] *n* 1) паштéт; 2) пиро́г (*особ. с мясом*).

pasty II ['peɪstɪ] *a* 1) тестообрáзный; вя́зкий; 2) блéдный, одутловáтый.

pasty-faced ['peɪstɪ,feɪst] = pasty II, 2).

Pat [pæt] *n разг.* ирлáндец.

pat I [pæt] 1. *n* 1) похло́пывание; хло́панье, шлёпанье; 2) хлопо́к, шлепо́к (*звук*); 3) кусо́к, кружо́чек (*сбитого масла*).
2. *v* шлёпать, похло́пывать; to ~ smb. on the back похло́пывать кого́-л. по спине́, вы́разить кому́-л. одобре́ние.

pat II [pæt] 1. *adv* 1) кстáти; «в то́чку»; своевре́менно; удáчно; the story came ~ to the occasion расскáз оказáлся о́чень кстáти; 2) бы́стро, свобо́дно; с гото́вностью; to know a lesson off ~ хорошо́ знать уро́к; 3) *карт.*: to stand ~ не меня́ть карт в по́кере; *перен.* проти́виться переме́нам; не

меня́ть свое́й пози́ции, держáться своего́ реше́ния; проводи́ть свою́ ли́нию;
2. *a* подходя́щий; уме́стный; удáчный; своевре́менный.

patball ['pætbɔːl] *n* игрá, напоминáющая бейсбо́л.

patch [pætʃ] 1. *n* 1) заплáта; 2) обры́вок, клочо́к, лоску́т; 3) пятно́ непрáвильной фо́рмы; 4) кусо́чек наклéенного плáстыря; 5) му́шка (*на лице*); 6) повя́зка (*на глазу*); 7) небольшо́й учáсток земли́; ~ of potatoes учáсток под картóфелем; 8) *геол.* включéние поро́ды; ◇ a purple ~ лу́чшее ме́сто (*в литературном произведении*); not a ~ on smth. *разг.* ничто́ в сравнéнии с чéм-л.;
2. *v* латáть; стáвить заплáты; hills ~ed with snow холмы́, местáми покры́тые сне́гом; □ ~ up а) чини́ть на ско́рую ру́ку; задéлывать; б) улáживать (*ссору*).

patchouli ['pætʃulɪ] *n* пачу́ли (*растение и духи*).

patch-pocket ['pætʃ,pɔkɪt] *n* наклдно́й кармáн.

patchwork ['pætʃwəːk] *n* 1) лоску́тная рабо́та; одея́ло, ко́врик *и т. п.* из разноцве́тных лоску́тов; 2) мешани́на; ералáш; 3) *attr.* сши́тый из лоску́тов, лоску́тный, пёстрый.

patchy ['pætʃɪ] *a* 1) испещрённый пя́тнами, пятни́стый; 2) неоднорóдный, пёстрый, разношёрстный; 3) обры́вочный, случáйный (*о знаниях*).

pate [peɪt] *n разг.* 1) головá, башкá; 2) макýшка; 3) ум, рассýдок.

pâté [,pɑː'teɪ] *фр. n* паштéт.

paten ['pætən] *n* 1) металли́ческий кружо́к, диск; 2) *церк.* ди́скос.

patency ['peɪtənsɪ] *n* 1) я́вность, очеви́дность; 2) *мед.* раскры́тое состоя́ние.

patent ['peɪtənt] 1. *a* 1) откры́тый; досту́пный; 2) я́вный, очеви́дный; 3) патентóванный; 4) со́бственного изобрете́ния; 5) *разг.* остроу́мный; но́вый);
2. *n* [*часто* 'pætənt] 1) жáлованная грáмота; дипло́м; патéнт; 2) прáво (*на что-л.*), получáемое благодаря́ патéнту; исключи́тельное прáво; 3) знак, печáть (*ума, гениальности*); 4) *амер.* пожáлование земли́ правительством; 5) *attr.*: ~ office бюро́ патéнтов; ~ right *амер.* патéнт;
3. *v* [*тж.* 'pætənt] патентовáть; брать патéнт (*на что-л.*).

patentee [,peɪtən'tiː] *n* владéлец патéнта.

patenting ['peɪtəntɪŋ, *тж.* 'pætəntɪŋ] 1. *pres. p. от* patent 3;
2. *n* 1) патентовáние; 2) *тех.* закáлка с охлаждéнием в метáллах (*напр., в свинце*).

patent leather ['peɪtənt'leðə] *n* лакиро́ванная кóжа, лак.

patent-leather ['peɪtənt,leðə] *a* лакиро́ванный.

patent letters ['peɪtənt'letəz] *n pl* жáлованная грáмота; патéнт.

patently ['peɪtəntlɪ] *adv* я́вно, очеви́дно; откры́то.

pater ['peɪtə] *n школ. sl.* отéц.

patera ['pætərə] *n* (*pl* -ае) *архит.* пáтера, кру́глый орнáмент (*в виде тарелки*).

paterae ['pætəriː] *pl от* patera.

paterfamilias [ˌpeɪtəfə'mɪlɪæs] *n* (*pl* patresfamilias) *шутл.* отец семейства, хозяин дома.

paternal [pə'tɜːnl] *a* 1) отцовский; 2) родственный по отцу; ~ aunt тётка со стороны отца; 3) отеческий; ◇ ~ legislation излишне мелочное законодательство.

paternalism [pə'tɜːnəlɪzəm] *n* отеческое попечение, излишне мелочная опека.

paternity [pə'tɜːnɪtɪ] *n* 1) отцовство; 2) происхождение по отцу; the ~ of the child is unknown неизвестно, кто отец ребёнка; 3) *перен.* авторство; источник.

paternoster [ˌpætə'nɔstə] *n* 1) «отче наш»; 2) заклятие; магическая формула; 3) чётки; 4) рыболовная леса с рядом крючков; 5) *тех.* патерностер, лифт с несколькими непрерывно движущимися кабинками.

path [pɑːθ; *pl* pɑːðz] *n* 1) тропинка; тропа; дорожка; 2) гаревая (*или* беговая) дорожка; 3) путь; стезя; to enter on (*или* to take) the ~ вступить на путь; to cross smb.'s ~ стать кому-л. поперёк дороги; 4) линия поведения *или* действия; 5) траектория.

pathetic [pə'θetɪk] *a* 1) трогательный, жалкий; 2) душераздирающий; 3) *уст.* патетический; ◇ the ~ fallacy олицетворение природы; ~ strike забастовка солидарности.

pathetics [pə'θetɪks] *n pl* (*употр. как sing*) патетика.

pathfinder [pɑːθˌfaɪndə] *n* 1) исследователь (*малоизученной страны*); следопыт; 2) указатель курса (*в радиолокации*); 3) *ав.* вооружённый радиолокационной станцией головной самолёт.

pathless [pɑːθlɪs] *a* 1) бездорожный, непроходимый; 2) непроторённый; неисследованный.

pathological [ˌpæθə'lɔdʒɪkəl] *a* патологический.

pathologist [pə'θɔlədʒɪst] *n* патолог.

pathology [pə'θɔlədʒɪ] *n* патология.

pathos [ˈpeɪθɔs] *n* 1) что-л., вызывающее грусть, печаль *или* сострадание; 2) пафос; 3) чувство.

pathway [ˈpɑːθweɪ] *n* 1) тропа; тропинка; дорожка; дорога, путь; 2) траектория; 3) *тех.* мостки для сообщения, рабочий мосток.

patience [ˈpeɪʃəns] *n* 1) терпение, терпеливость; I have no ~ with him он меня выводит из терпения; I am out of ~ with him я потерял 'с ним всякое терпение; 2) настойчивость; 3) *карт.* пасьянс; to play ~ раскладывать пасьянс.

patient [ˈpeɪʃənt] 1. *a* 1) терпеливый; he is ~ under adversity он терпеливо переносит несчастье; 2) упорный; настойчивый; 3) терпящий, допускающий (of); the facts are ~ of various interpretations факты допускают различное толкование; 2. *n* пациент, больной.

patina [ˈpætɪnə] *n* патина (*налёт на бронзе*), чернь.

patio [ˈpɑːtɪou] *исп. n* (*pl* -os [-ouz]) внутренний дворик.

patois [ˈpætwɑː] *фр. n* местный говор.

patresfamilias [ˌpeɪtriːzfə'mɪlɪæs] *pl от* paterfamilias.

patriarch [ˈpeɪtrɪɑːk] *n* 1) глава рода, общины, семьи; 2) родоначальник; основатель; 3) *церк.* патриарх.

patriarchal [ˌpeɪtrɪ'ɑːkəl] *a* 1) патриархальный; 2) патриарший; 3) почтенный.

patriarchate [ˈpeɪtrɪɑːkɪt] *n* 1) патриаршество; 2) резиденция патриарха; патриархия.

patriarchy [ˈpeɪtrɪɑːkɪ] *n* 1) патриархат; 2) = patriarchate 1).

patrician [pə'trɪʃən] 1. *n* 1) патриций; 2) аристократ; 2. *a* 1) патрицианский; 2) аристократический.

patricidal [ˌpætrɪ'saɪdəl] = parricidal.

patricide [ˈpætrɪsaɪd] *n* 1) отцеубийство; 2) отцеубийца.

patrimonial [ˌpætrɪ'mounjəl] *a* родовой, наследственный.

patrimony [ˈpætrɪmənɪ] *n* 1) родовое, наследственное имение, вотчина; 2) *распр.* наследство; 3) наследие.

patriot [ˈpeɪtrɪət] *n* патриот.

patriotic [ˌpætrɪ'ɔtɪk] *a* патриотический; the Great P. War Великая Отечественная война.

patriotism [ˈpætrɪətɪzəm] *n* патриотизм.

patristic [pə'trɪstɪk] *a* принадлежащий «отцам церкви».

patrol [pə'troul] 1. *n* 1) *воен.* дозор; разъезд; патруль; on ~ в дозоре; 2) патрулирование; 3) *attr.* патрульный, дозорный; ~ wagon *амер.* тюремная карета; 2. *v* патрулировать; охранять *или* осматривать дозорами.

patrol-bomber [pə'troulˌbɔmə] *n мор.* разведчик-бомбардировщик дальнего действия.

patrolman [pə'troulmæn] *n амер.* полицейский.

patron [ˈpeɪtrən] *n* 1) покровитель; патрон, шеф; заступник; 2) постоянный покупатель, клиент; постоянный посетитель.

patronage [ˈpætrənɪdʒ] *n* 1) покровительство, попечительство, шефство; заступничество; 2) право назначения на должности; 3) клиентура; постоянные покупатели *или* посетители (*определённого театра, кино и т. п.*); 4) покровительственное отношение; покровительственный вид; 5) частная финансовая поддержка (*учреждений, предприятий, отдельных лиц и т. п.*).

patroness [ˈpeɪtrənɪs] *n* покровительница, патронесса.

patronize [ˈpætrənaɪz] *v* 1) покровительствовать, опекать; 2) относиться свысока, покровительственно, снисходительно; 3) быть постоянным покупателем *или* посетителем (*определённого заведения*); 4) оказывать частную финансовую поддержку (*учреждениям, предприятиям, отдельным лицам и т. п.*).

patronymic [ˌpætrə'nɪmɪk] 1. *a* 1) образованный от имени отца, предка (*об имени*); 2) указывающий на происхождение (*о префиксе или суффиксе, как напр.:* Mac-, O', -son);

2. *n* 1) фамилия, образованная от имени предка; родовое имя; 2) отчество.

patten ['pætn] *n* 1) деревянный башмак; башмак на деревянной подошве, укреплённой железным кольцом (*вместо калош*); 2) *стр.* база колонны.

patter I ['pætə] **1.** *n* 1) условный язык; жаргон; 2) говорок; скороговорка; 3) *разг.* слова песни, комедии; 4) *разг.* болтовня; краснобайство;
2. *v* говорить скороговоркой; тараторить; бормотать (*часто молитвы*).

patter II ['pætə] **1.** *n* 1) стук (*дождевых капель*); 2) топотание;
2. *v* 1) барабанить, стучать (*о дождевых каплях*); 2) топотать, семенить (*о ребёнке*).

pattern ['pætən] **1.** *n* 1) образец, пример; 2) модель, шаблон; 3) образчик; 4) выкройка; to take a ~ of скопировать; снять выкройку с *чего-л.*; 5) рисунок, узор (*на материи и т. п.*); 6) стиль, характер (*литературного произведения и т. п.*); 7) *амер.* отрез, купон на платье; 8) *тех.* шаблон, лекало; 9) *метал.* модель (*для литья*); 10) *attr.* образцовый, примерный;
2. *v* 1) делать по образцу, копировать (after, on, upon); 2) *редк.* следовать примеру (by); 3) украшать узором.

pattern-maker ['pætən,meikə] *n* метал. модельщик.

pattern-shop ['pætənʃɔp] *n* метал. модельный цех, модельная мастерская.

patty ['pæti] *n* пирожок; лепёшечка.

pattypan ['pætipæn] *n* форма для пирожков.

paucity ['pɔːsiti] *n* малочисленность, малое количество.

paunch [pɔːntʃ] **1.** *n* 1) живот, пузо; брюшко; 2) первый желудок, рубец (*у жвачных*);
2. *v* потрошить.

paunchy ['pɔːntʃi] *a* с брюшком.

pauper ['pɔːpə] *n* 1) бедняк, нищий; 2) живущий на пособие.

pauperism ['pɔːpərizəm] *n* нищета; пауперизм.

pauperization [,pɔːpərai'zeiʃən] *n* обнищание, пауперизация.

pauperize ['pɔːpəraiz] *v* доводить до нищеты.

pause [pɔːz] **1.** *n* 1) пауза, перерыв, остановка; перемена, передышка; 2) замешательство; to give ~ to приводить в нерешительность; at ~ в нерешительности, неподвижно; молча; 3) *лит.* цезура; 4) *муз.* фермата;
2. *v* 1) делать паузу, останавливать(ся) (on, upon); to ~ upon smth. задержаться на чём-л.; to ~ upon a note продлить ноту; 2) находиться в нерешительности; медлить.

pavan ['pævən] *n* павана (*старинный испанский танец*).

pave [peiv] *v* 1) мостить, замащивать; 2) выстилать (*пол*); 3) устилать (*цветами и т. п.*); ◇ to ~ the way прокладывать путь, подготовлять почву (for, to — для проведения *чего-л.*).

pavement ['peivmənt] *n* 1) тротуар, панель; 2) пол, выложенный мозаикой

и т. п.; 3) *амер.* мостовая; 4) *горн.*, *геол.* почва; ◇ on the ~ без пристанища, на улице.

pavement-artist ['peivmənt,ɑːtist] *n* художник, рисующий на тротуаре, чтобы заработать на жизнь.

paver ['peivə] *n* 1) мостильщик; 2) камень, кирпич и т. п. для мощения; 3) *стр.* дорожная бетономешалка.

pavilion [pə'viljən] **1.** *n* 1) палатка, шатёр; 2) павильон; 3) госпитальный барак;
2. *v* 1) укрывать(ся) (*в павильоне, палатке и т. п.*); 2) строить павильоны; разбивать палатки.

paving ['peiviŋ] **1.** *pres. p. om* pave;
2. *n* 1) мостовая; дорожное покрытие; 2) материал для мостовой; 3) *attr.*: ~ stone булыжник, брусчатка.

paviour ['peivjə] *n редк.* мостильщик.

Pavlovian [pæv'louvjən] *a*: ~ reflex условный рефлекс.

pavonine ['pævənain] *a* 1) павлиний; 2) радужный.

paw [pɔː] **1.** *n* 1) лапа; 2) *разг.* рука; почерк;
2. *v* 1) трогать, скрести лапой; 2) бить копытом (*о лошади*); 3) *разг.* хватать руками, лапать, шарить (*часто* ~ over).

pawky ['pɔːki] *a шотл.* лукавый, иронический.

pawl [pɔːl] **1.** *n* 1) *тех.* собачка; предохранитель; 2) *мор.* пал (*шпиля*);
2. *v тех.* останавливать посредством собачки.

pawn I [pɔːn] *n шахм.* пешка (*тж. перен.*).

pawn II [pɔːn] **1.** *n* залог, заклад; in ~, at ~ в закладе;
2. *v* 1) закладывать, отдавать в залог; 2) ручаться; to ~ one's word давать слово; to ~ one's life ручаться жизнью.

pawnbroker ['pɔːn,broukə] *n* ростовщик, ссужающий деньги под залог; at the ~'s в ломбарде.

pawnee [pɔː'niː] *n* закладчик.

pawnshop ['pɔːnʃɔp] *n* ломбард, ссудная касса.

pax [pæks] *лат.* **1.** *n* мир; символ мира;
2. *int школ. sl.* мир!, перемирие!; чур-чура!, чур меня!; тише!

pay I [pei] **1.** *n* 1) плата, выплата, уплата; 2) жалованье, заработная плата; what is the ~? какое жалованье?; in the ~ of smb. на жалованье у кого-л.; нанятый кем-л.; deferred ~ a) пособие, выплачиваемое военнослужащему при увольнении *или* его семье после его смерти; б) пенсия государственного служащего; take-home ~ *амер. разг.* зарплата, получаемая рабочим на руки (*после вычетов*); call ~ гарантированный минимум зарплаты (*при вынужденном простое*); 3) отплата, возмездие; 4) плательщик долга; good ~ *разг.* исправный плательщик; 5) *attr. амер.* платный; 6) *attr.* рентабельный, выгодный для разработки; промышленный (*о месторождении*);
2. *v* (paid) 1) платить (for — за *что-л.*); 2) уплачивать (*долг, налог*); оплачивать (*работу, счёт*); to ~ in kind платить нату-

рой; 3) вознаграждать, отплачивать; возмещать; 4) окупаться, быть выгодным; приносить доход; it will never ~ to work this mine разработка этого рудника не окупится; the shares ~ 5 per cent акции приносят 5% дохода; 5) поплатиться; who breaks ~s ≅ сам заварил кашу, сам и расхлёбывай; виновный должен поплатиться; 6) оказывать, обращать (*внимание*; to—на); свидетельствовать (*почтение*); делать (*комплимент*); наносить (*визит*); to ~ serious consideration обращать серьёзное внимание; ~ attention to what I tell you слушайте, что я вам говорю; he ~s attention (*или* his addresses, court) to her он ухаживает за ней; he went to ~ his respects to them он пошёл засвидетельствовать им своё почтение; □ ~ away = ~ out в); ~ back а) возвращать (*деньги*); б) отплачивать; ~ down платить наличными; ~ for а) оплачивать; окупать; it has been paid for за это было уплачено; б) поплатиться; ~ in вносить на текущий счёт; ~ off а) расплачиваться сполна; рассчитываться с *кем-л.*; покрывать (*долг*); б) отплатить, отомстить; в) распускать (*команду корабля*); г) *мор.* уклоняться, уваливаться под ветер; ~ out а) выплачивать; б) отплачивать; в) *мор.* (*past и р. р. тж.* payed) травить; ~ up а) выплачивать сполна (*недоимку и т. п.*); б) выплачивать вовремя; ◇ to ~ for a dead horse платить за что-л., потерявшее свою цену; to ~ (down) on the nail платить немедленно; to ~ one's way жить по средствам; to ~ the piper нести расходы и распоряжаться; he who ~s the piper calls the tune *посл.* кто платит, тот и распоряжается; to ~ smb. back in his own coin отплатить кому-л. той же монетой; не остаться у кого-л. в долгу.

pay II [peɪ] *v мор.* смолить.

payable ['peɪəbl] *a* 1) подлежащий уплате; 2) доходный, выгодный; промышленный (*о рудном месторождении и т. п.*); 3) *редк.* могущий быть уплаченным.

pay-bill ['peɪbɪl] = pay-sheet.

pay-box ['peɪbɔks] *n амер.* театральная касса.

pay-day ['peɪdeɪ] *n* день платежа, платёжный день; день выплаты жалованья.

pay-desk ['peɪdesk] = pay-office.

pay-dirt ['peɪdəːt] *n горн.* богатая рудная полоса, богатая струя в россыпи.

payee [peɪ'iː] *n* получатель (*денег*); предъявитель чека (*или* векселя).

pay-envelope ['peɪ,envɪloup] *n* конверт с заработной платой (*амер.*).

payer ['peɪə] *n* плательщик.

paying I ['peɪɪŋ] **1.** *pres. p. от* pay I, 2; **2.** *a* выгодный, доходный.

paying II ['peɪɪŋ] *pres. p. от* pay II.

paying capacity ['peɪɪŋkə'pæsɪtɪ] *n* платёжеспособность.

pay-list ['peɪlɪst] = pay-sheet.

pay load ['peɪloud] *n* 1) полезный груз; 2) платный *или* коммерческий груз.

paymaster ['peɪ,mɑːstə] *n* 1) кассир, казначей; 2) лицо, покрывающее издержки.

paymaster general ['peɪ,mɑːstə'dʒenərəl] *n* главный казначей.

payment ['peɪmənt] *n* 1) уплата, платёж, плата; 2) вознаграждение; возмездие.

pay-off ['peɪ,ɔf] *n амер.* 1) выплата; 2) время выплаты; 3) *разг.* что-л. неожиданное *или* непостижимое; неожиданный результат.

pay-office ['peɪ,ɔfɪs] *n* касса.

pay-out ['peɪ,aut] *n* выплата.

pay-packet ['peɪ,pækɪt] = pay-envelope.

pay phone ['peɪfoun] *n амер.* телефон-автомат.

pay-roll ['peɪroul] = pay-sheet; to be off the ~ быть безработным *или* уволенным.

pay-sheet ['peɪʃiːt] *n* платёжная ведомость.

pea [piː] *n* 1) горох; горошина; split ~s лущёный горох; 2) = pea-jacket; ◇ as like as two ~s ≅ как две капли воды.

peace [piːs] *n* 1) мир; ~ will triumph over war мир победит войну; ~ with honour почётный мир; at ~ with в мире с; to make ~ а) заключать мир; б) мириться(ся); to make one's ~ with smb. мириться с кем-л.; 2) спокойствие, тишина, общественный порядок (*тж.* the ~); ~ of mind спокойствие духа; ~! тише!, замолчите!; to hold one's ~ а) молчать; б) соблюдать спокойствие; in ~ в покое; to keep the ~ сохранять мир; соблюдать порядок; 3) мир, покой; may he rest in ~! мир праху его!; 4) (*обыкн.* P.) мирный договор; 5) *attr.* мирный; ~ treaty мирный договор; ~ movement движение за мир; ~ establishment штаты мирного времени; ◇ to be sworn of the ~ а) патент на звание мирового судьи; б) коллегия мировых судей.

peaceable ['piːsəbl] *a* миролюбивый, мирный.

peaceful ['piːsful] *a* мирный, спокойный.

peace-lover ['piːs,lʌvə] *n* сторонник мира.

peace-loving ['piːs,lʌvɪŋ] *a* миролюбивый.

peacemaker ['piːs,meɪkə] *n* 1) примиритель, миротворец; 2) *шутл.* револьвер; 3) *шутл.* военное судно *и т. п.*

peace-offering ['piːs,ɔfərɪŋ] *n* 1) умилостивительная жертва; 2) искупительная жертва.

peace-officer ['piːs,ɔfɪsə] *n* блюститель порядка (*полицейский*).

peace-pipe ['piːspaɪp] *n* трубка мира.

peace-time ['piːstaɪm] *n* 1) мирное время; 2) *attr.* относящийся к мирному времени; мирного времени; ~ strength численность армии мирного времени.

peach I [piːtʃ] *n* 1) персик; 2) персиковое дерево; 3) *разг.* «первый сорт»; 4) *разг.* красавица; 5) *attr.* персиковый.

peach II [piːtʃ] *v sl.* ябедничать, доносить (against, on, upon —на *сообщника*).

peach-coloured ['piːtʃ,kʌləd] *a* персикового цвета.

pea-chick ['piːtʃɪk] *n* молодой павлин *или* -ая пава.

peach stone ['piːtʃstoun] *n мин.* хлоритовый сланец.

peach-tree ['piːtʃtriː] *n* персиковое дерево.

peachy ['piːtʃɪ] *a* 1) пéрсиковый, похóжий на пéрсик; 2) *разг.* приятный, превосхóдный, отлúчный.

pea coal ['piːkoul] *n* «горóшек» (*вид антрацита*).

pea-coat ['piːkout] = pea-jacket.

peacock ['piːkɔk] **1.** *n* 1) павлúн; proud as a ~ спесúвый; вáжный как павлúн; 2) *attr.* павлúний;
2. *v* 1) вáжничать, чвáниться; задавáться; 2) вáжно расхáживать; позúровать.

peacock blue ['piːkɔk'bluː] *n* перелúвчатый сúний цвет.

peacockery ['piːkɔkərɪ] *n* чвáнство; позёрство.

peafowl ['piːfaul] *n* павлúн; пáва.

peahen ['piː'hen] *n* пáва.

pea-jacket ['piːˌdʒækɪt] *n* 1) *мор.* бушлáт; 2) кýртка, тужýрка.

peak I [piːk] *n* 1) пик; остроконéчная вершúна; острие; 2) высшая тóчка, мáксимум; вершúна (*кривой*); 3) козырёк (*кепки, фуражки*); 4) кóнчик (*бороды*); 5) грéбень (*волны*); 6) *мор.* форпúк *или* ахтерпúк; нок (*гафеля*); нок-бéнзельный ýгол (*паруса*); 7) *тех.* мáксимум (*нагрузки*).

peak II [piːk] *v* 1) *мор.* отóпить (*реи*); 2) брать «на валёк» (*вёсла*); 3) поднимáть хвост прямо вверх (*о ките*).

peak III [piːk] *v* чáхнуть, слабéть; to ~ and pine чáхнуть и томúться.

peaked I [piːkt] *a* остроконéчный; ~ сар фуражка, кéпка.

peaked II [piːkt] **1.** *p. p. от* peak III; **2.** *a* осýнувшийся, измождённый.

peaked III [piːkt] *p. p. от* peak II.

peaky I ['piːkɪ] = peaked I.

peaky II ['piːkɪ] = peaked II.

peal [piːl] **1.** *n* 1) звон колоколóв; трезвóн; 2) подбóр колоколóв; 3) раскáт (*грома*); грóхот (*орудий*); ~ of laughter взрыв смéха;
2. *v* 1) раздавáться, гремéть, трезвóнить; 2) возвещáть трезвóном (*часто* ~ out); to ~ smb.'s fame трубúть о чьей-л. слáве.

peanut ['piːnʌt] *n* 1) арáхис, земляной орéх; 2) *attr.* арáхисовый; ◇ ~ politician *амер.* мéлкий, продáжный политикáн.

pear [pɛə] *n* 1) грýша; 2) грýшевое дéрево.

pearl [pəːl] **1.** *n* 1) жéмчуг; жемчýжина, перл; жемчýжина ~ искýсственный жéмчуг; 2) перламýтр; 3) крупúнка, зёрнышко; 4) кáпля росы; слезá; 5) *полигр.* перл (*шрифт в 5 пунктов*); 6) *attr.* жемчýжный; перламýтровый; ◇ to cast ~s before swine метáть бúсер пéред свúньями;
2. *v* 1) искáть (*или* добывáть) жéмчуг; 2) осыпáть, украшáть жемчýжными кáплями; ~ed with dew покрытый жемчýжными кáплями росы; 3) выступáть жемчýжными кáплями; 4) дéлать похóжим на жéмчуг; 5) рýшить (*ячмень и т. п.*); □ ~ off отсéивать.

pearl-ash ['pəːlæʃ] = potash.

pearl-barley ['pəːl'baːlɪ] *n* перлóвая крупá.

pearl-button ['pəːl'bʌtn] *n* перламýтровая пýговица.

pearl-diver ['pəːlˌdaɪvə] *n* искáтель, ловéц жéмчуга; водолáз, добывáющий жéмчуг.

pearler ['pəːlə] = pearl-fisher.

pearl-fisher ['pəːlˌfɪʃə] *n* ловéц жéмчуга.

pearl-fishery ['pəːlˌfɪʃərɪ] *n* лóвля жéмчуга.

pearlies ['pəːlɪz] *n pl* 1) перламýтровые пýговицы; 2) одéжда ýличного торгóвца, укрáшенная мнóжеством перламýтровых пýговиц.

pearl-oyster ['pəːlˌɔɪstə] *n* жемчýжница (*моллюск*).

pearl-powder ['pəːlˌpaudə] *n* жемчýжные белúла (*косметика*).

pearl-sago ['pəːlˌseɪgou] *n* сáго (*крупа*).

pearl-shell ['pəːlʃel] *n* перламýтр.

pearl type ['pəːl'taɪp] = pearl 1, 5).

pearl-white ['pəːlwaɪt] *n хим.* 1) оснóвнóй азотнокúслый вúсмут, вúсмутовые белúла; 2) хлорóкись вúсмута.

pearly ['pəːlɪ] *a* 1) жемчýжный; похóжий на жéмчуг; 2) укрáшенный жéмчугом.

pear-shaped ['pɛəˌʃeɪpt] *a* грушевúдный.

peart [pɪət] *a разг.* 1) в хорóшем расположéнии дýха, весёлый, оживлённый; 2) лóвкий; 3) сообразúтельный, быстро схвáтывающий.

pear-tree ['pɛətriː] *n* грýшевое дéрево.

peasant ['pezənt] *n* 1) крестьянин; 2) *attr.* крестьянский, сéльский; ~ woman крестьянка.

peasantry ['pezəntrɪ] *n* крестьянство.

pease [piːz] *n* 1) горóх; 2) *attr.* горóховый.

pease-pudding ['piːzˌpudɪŋ] *n* горóховый пýдинг.

peashooter ['piːˌʃuːtə] *n* игрýшечное (духовóе) ружьё.

pea soup ['piː'suːp] *n* горóховый суп.

pea-souper ['piːˌsuːpə] *n разг.* густóй жёлтый тумáн.

pea-soupy ['piː'suːpɪ] *a* густóй и жёлтый (*о тумане*).

peat [piːt] *n* 1) торф; 2) брикéт тóрфа; 3) *attr.* торфянóй.

peatbog ['piːtbɔg] *n* торфянúк, торфянóе болóто.

peatery ['piːtərɪ] *n* торфяные разрабóтки.

peat-hag ['piːthæg] *n* забрóшенные (*или* вырабóтанные) торфяные разрабóтки.

pea-time ['piːtaɪm] *n амер.*: the last of ~ послéдний этáп (*чего-л.*); конéц жúзни; ~'s past врéмя óно кóнчено.

peatman ['piːtmən] *n* 1) рабóчий-торфянúк; 2) продавéц тóрфа.

peatmoss ['piːt'mɔs] *n* торфянóй мох.

peaty ['piːtɪ] *a* торфянóй; похóжий на торф.

pebble ['pebl] **1.** *n* 1) голыш, гáлька; булыжник; 2) гóрный хрустáль, употребляемый для очкóв; 3) лúнза из гóрного хрусталя; 4) вид агáта;
2. *v* мостúть булыжником; посыпáть гáлькой.

pebblestone ['peblstoun] = pebble 1, 1).

pebbly ['peblɪ] *a* покрытый гáлькой.

pecan [pɪ'kæn] *n бот.* орéх пекáн.

peccability [ˌpekə'bɪlɪtɪ] *n* грéшность, грехóвность.

peccable ['pekəbl] *a* грéшный, грехóвный.

peccadillo [ˌpekə'dɪlou] n (pl -oes, -os [-ouz]) грешóк; пустячный просту́пок.

peccancy ['pekənsɪ] n 1) гре́шность, грехóвность; 2) грех, прегреше́ние; просту́пок.

peccant ['pekənt] a 1) гре́шный, грехóвный; 2) непра́вильный; the ~ string детони́рующая струна́; 3) вызыва́ющий болéзнь; нездорóвый, врéдный.

peccary ['pekərɪ] n пéкари (разновидность американской дикой свиньи).

peck I [pek] n 1) мéра сыпу́чих тел (=¹/₄ бу́шеля или 9,08 л); 2) мнóжество, ма́сса, ку́ча; a ~ of troubles ма́сса неприя́тностей.

peck II [pek] 1. n 1) клевóк; 2) шутл. лёгкий поцелу́й; 3) sl. пи́ща;
2. v 1) клева́ть (at), долби́ть клю́вом; to ~ a hole продолби́ть ды́рку; 2) шутл. легкó поцелова́ть; 3) разг. отщи́пывать (пищу); ма́ло есть; 4) копа́ть ки́ркой (обыкн. ~ up, ~ down).

peck III [pek] v sl. броса́ть (камни); броса́ться камня́ми (at).

pecker ['pekə] n 1) пти́ца, котóрая долби́т (обыкн. в сложных словах, напр.: wood-~ дя́тел); 2) ки́рка; 3) sl. клюв; нос; keep your ~ up! не вéшай нóса!; 4) sl. едóк; обжóра; ◇ to put up smb.'s ~ рассерди́ть когó-л.; вы́вести когó-л. из себя́.

peckish ['pekɪʃ] a разг. голóдный; to feel ~ проголода́ться.

Pecksniff ['peksnɪf] n елéйный лицемéр (по имени персонажа из романа Диккенса «Мартин Чезлвит»).

pectin ['pektɪn] n хим. пекти́н.

pectinate, pectinated ['pektɪneɪt, -ɪd] a бот., зоол. гребéнчатый.

pectination [ˌpektɪ'peɪʃən] n гребéнчатость; гребень.

pectoral ['pektərəl] 1. n 1) нагру́дное украшéние; 2) pl грудны́е плавники́;
2. a 1) груднóй; относя́щийся к груднóй клéтке; 2) дéйствующий на óрганы груднóй клéтки; 3) иду́щий от души́; субъекти́вный, вну́тренний; 4) нагру́дный; церк. напéрсный.

peculate ['pekjuleɪt] v присва́ивать, растра́чивать общéственные дéньги.

peculation [ˌpekju'leɪʃən] n растра́та, казнокра́дство.

peculator ['pekjuleɪtə] n растра́тчик, казнокра́д, расхити́тель.

peculiar [pɪ'kjuːljə] 1. a 1) специфи́ческий; осóбенный, своеобра́зный; необы́чный; a point of ~ interest момéнт, представля́ющий осóбый интерéс; 2) принадлежа́щий или свóйственный исключи́тельно (to—кому-л., чему-л.); ли́чный, сóбственный; индивидуа́льный; my own ~ property моё ли́чное иму́щество; 3) стра́нный, эксцентри́чный; he has ~ ways он со стра́нностями; ◇ ~ people библ. «и́збранный нарóд»; P. People религиóзная сéкта без церкóвной организа́ции;
2. n 1) ли́чная сóбственность; 2) осóбая привилéгия.

peculiarity [pɪˌkjuːlɪ'ærɪtɪ] n 1) специфи́ч-

ность; осóбенность; 2) ли́чное ка́чество, свóйство; характéрная черта́; 3) стра́нность.

peculiarly [pɪ'kjuːljəlɪ] adv 1) осóбенно; бóльше обы́чного; 2) стра́нно; 3) ли́чно; he is ~ interested in that affair он ли́чно заинтересóван в э́том дéле.

pecuniary [pɪ'kjuːnjərɪ] a 1) дéнежный; ~ aid дéнежная пóмощь; 2) облага́емый штра́фом.

pedagogic(al) [ˌpedə'gɔdʒɪk(əl)] a педагоги́ческий.

pedagogics [ˌpedə'gɔdʒɪks] n pl (употр. как sing) педагóгика.

pedagogue ['pedəgɔg] n 1) учи́тель, педагóг (обыкн. неодобр.); 2) педа́нт.

pedagogy ['pedəgɔgɪ] n педагóгика.

pedal ['pedl] 1. n педа́ль; ножнóй рыча́г;
2. a 1) педа́льный; 2) анат., зоол. ножнóй;
3. v 1) нажима́ть педа́ли, рабóтать педа́лями; 2) разг. éхать на велосипéде.

pedant ['pedənt] n 1) педа́нт; 2) доктринёр.

pedantic [pɪ'dæntɪk] a педанти́чный.

pedantry ['pedəntrɪ] n педанти́чность, педанти́зм.

peddle ['pedl] v 1) торгова́ть вразнóс; 2) занима́ться пустяка́ми, разме́ниваться на мéлочи; 3) разноси́ть слу́хи и т. п.; переска́зывать всем встрéчным.

peddler ['pedlə] = pedlar.

peddlery ['pedlərɪ] = pedlary.

peddling ['pedlɪŋ] 1. pres. p. от peddle;
2. n мéлочная торгóвля;
3. a 1) мéлочный; 2) пустякóвый, несущéственный.

pedestal ['pedɪstl] 1. n 1) пьедеста́л, поднóжие, подста́вка, цóколь; 2) ба́за, основа́ние, оснóва; 3) ту́мбочка для ночнóго горшка́; ночнóй стóлик;
2. v ста́вить, водружа́ть на пьедеста́л.

pedestrian [pɪ'destrɪən] 1. a 1) пéший, пешехóдный; 2) прозаи́ческий, ску́чный;
2. n 1) пешехóд; 2) уча́стник соревнова́ний по спорти́вной ходьбé.

pediatrics [ˌpiːdɪ'ætrɪks] n pl (употр. как sing) педиатри́я.

pedicel ['pedɪsəl] n бот. стебелёк, (цвето)нóжка.

pedicellate ['pedɪsəleɪt] a бот. стебелькóвый, стеблевóй.

pedicle ['pedɪkl] = pedicel.

pedicular [pɪ'dɪkjulə] a вши́вый.

pediculous [pɪ'dɪkjuləs] = pedicular.

pedicure ['pedɪkjuə] 1. n педикю́р;
2. v дéлать педикю́р.

pedigree ['pedɪgriː] n 1) родослóвная, генеалóгия; 2) происхождéние; этимолóгия (слова); 3) attr. племеннóй (о скоте).

pedigreed ['pedɪgriːd] a порóдистый.

pediment ['pedɪmənt] n архит. фронтóн.

pedlar ['pedlə] n 1) коробéйник, разнóсчик; 2) разнóсчик сплéтен, сплéтник; ◇ ~'s French воровскóй жаргóн.

pedlary ['pedlərɪ] n 1) торгóвля вразнóс; 2) товáры у́личного торгóвца; мéлкий товáр.

pedology I [pɪ'dɔlədʒɪ] = paedology.

pedology II [pɪ'dɔlədʒɪ] *n* почвоведение.

pedometer [pɪ'dɔmɪtə] *n* шагомер, педометр.

peduncle [pɪ'dʌŋkl] *n бот.* цветоножка; плодоножка.

peduncular, pedunculate [pɪ'dʌŋkjulə, -leɪt] *a бот.* снабжённый ножкой, стебельком.

peek [piːk] **1.** *n* взгляд украдкой; быстрый взгляд;
2. *v* заглядывать (*обыкн.* ~ in); выглядывать (*обыкн.* ~ out).

peek-a-boo ['piːkə'buː] *n амер.* вид игры в прятки, распространённый в США.

peel I [piːl] **1.** *n* корка, кожица, шелуха;
2. *v* 1) снимать корку, кожицу, шелуху; очищать (*фрукты, овощи*); 2) шелушиться, лупиться, сходить (*о коже; тж.* ~ off); 3) *sl.* раздеваться(ся).

peel II [piːl] *n ист.* четырёхугольная башня на границе Англии и Шотландии.

peel III [piːl] *n* 1) пекарская лопата; 2) *амер.* лопасть весла.

peeler I ['piːlə] *n* инструмент *или* машина для удаления шелухи, коры *и т. п.*; обдирочная машина.

peeler II ['piːlə] *n sl.* полицейский.

peeling ['piːlɪŋ] **1.** *pres. p. от* peel I, 2;
2. *n* 1) корка, кожа, шелуха; potato ~s картофельные очистки; 2) отставший слой.

peep I [piːp] **1.** *n* 1) взгляд украдкой; to get a ~ увидеть; to have (*или* to take) a ~ at smth. взглянуть на что-л.; 2) первое появление; проблеск; ~ of day (*или* of dawn, of morning) рассвет; 3) скважина, щель; 4) = peeper 2);
2. *v* 1) заглядывать; смотреть прищурясь (at, into); смотреть сквозь маленькое отверстие (through); подглядывать; 2) проглядывать, появляться, выглядывать (*о солнце*); 3) проявляться (*о качестве и т. п.; часто* ~ out); □ ~ into заглядывать, заходить (*куда-л.*); ~ out выглядывать.

peep II [piːp] **1.** *n* писк; чириканье;
2. *v* чирикать; пищать.

peeper ['piːpə] *n* 1) подсматривающий; 2) *sl.* глаз.

peep-hole ['piːphoul] *n* глазок; смотровое отверстие *или* щель.

Peeping Tom ['piːpɪŋ'tɔm] *n* чрезмерно любопытный человек.

peep-show ['piːpʃou] *n* кинетоскоп.

peer I [pɪə] **1.** *n* 1) ровня, равный; you will not find his ~ вы не найдёте равного ему; without ~ несравненный; to be tried by one's ~s быть судимым равными (себе по рангу); 2) пэр, лорд;
2. *v* 1) равняться (*с кем-л.*), быть равным; 2) делать пэром.

peer II [pɪə] *v* 1) вглядываться, всматриваться (at, into, through); 2) показываться, проглядывать, выглядывать (*о солнце*).

peerage ['pɪərɪdʒ] *n* 1) сословие пэров; знать; 2) звание пэра; 3) книга пэров.

peeress ['pɪərɪs] *n* супруга пэра, леди.

peerless ['pɪəlɪs] *a* несравненный, бесподобный.

peeve [piːv] *разг.* **1.** *n* 1) раздражающее

обстоятельство; 2) жалоба; ◇ my pet ~ ≅ любимая мозоль, больное место;
2. *v* (*обыкн. р. р.*) раздражать, надоедать.

peeved [piːvd] **1.** *p. p. от* peeve 2;
2. *a разг.* раздражённый.

peevish ['piːvɪʃ] *a* 1) сварливый, раздражительный, брюзгливый; 2) капризный, неуживчивый; 3) свидетельствующий о дурном характере, настроении *и т. п.* (*о замечании, взгляде и т. п.*).

peewit ['piːwɪt] = pewit.

peg [peg] **1.** *n* 1) колышек; деревянный гвоздь; затычка, втулка (*бочки*); 2) вешалка; крючок (*вешалки*); 3) коньяк с содовой водой; 4) *разг.* зуб; 5) *разг.* нога; 6) *sl.* деревянная нога; 7) колок (*музыкального инструмента*); 8) *тех.* нагель, шпилька, штифт, чека; ◇ a ~ to hang a thing on предлог, зацепка, тема (*для речи и т. п.*); to take smb. down a ~ or two осадить кого-л., сбить спесь с кого-л.; to come down a ~ сбавить тон; a round ~ in a square hole, a square ~ in a round hole человек не на своём месте; to buy (clothes) off the ~ покупать готовое (платье);
2. *v* 1) прикреплять колышком (*обыкн.* ~ down, ~ in, ~ out); 2) *бирж.* искусственно поддерживать цену на одном уровне; охранять от колебаний (*курс, цену*); 3) *разг.* швырять, бросать; 4) протыкать; □ ~ at *разг.* целиться во что-л.; бросать камнями в; ~ away упорно, настойчиво добиваться; упорно работать, корпеть (at); ~ down а) закреплять колышками; б) связывать, стеснять, ограничивать; ~ in(to) вбивать, вколачивать; ~ out а) отмечать колышками (*участок*); б) убить шар (*в крокете в конце игры*); в) выдохнуться; умереть; г) быть разорённым.

pegamoid ['pegəmɔɪd] *n* пегамоид (*искусственная кожа*).

Pegasus ['pegəsəs] *n миф.* Пегас (*тж. перен.*).

pegging ['pegɪŋ] **1.** *pres. p. от* peg 2;
2. *n* 1) колья; материал для кольев; 2) закрепление кольями *или* колышками; 3): ~ of prices искусственная поддержание цен на определённом уровне.

pegmatite ['pegmətaɪt] *n мин.* пегматит.

peg-top ['pegtɔp] *n* юла, волчок (*игрушка*); ◇ ~ trousers брюки широкие в бёдрах и узкие внизу, галифе.

peignoir ['peɪnwɑː] *фр. n* пеньюар.

pejorative ['piːdʒə,reɪtɪv] *a* уничижительный.

Pekinese, Pekingese I [,piːkɪ'niːz, ,piːkɪŋ'iːz] **1.** *a* пекинский;
2. *n* житель Пекина.

Pekinese, Pekingese II [,piːkɪ'niːz, ,piːkɪŋ'iːz] *n* китайский мопс (*порода собак*).

pekoe ['piːkou] *n* высший сорт чёрного чая.

pelage ['pelɪdʒ] *n* мех, шкура, шерсть (*животных*).

pelagian [pɪ'leɪdʒɪən] **1.** *a* пелагический;
2. *n* животные и растения, населяющие открытое море.

pelagic [pe'lædʒɪk] *a* пелагический (*о фауциях*), морской, океанический; ~ sealing охота на тюленей в открытом море.

pelargonium [ˌpelə'gounjəm] *n бот.* пеларгония; герань.

Pelasgian, Pelasgic [pe'læzgɪən, -gɪk] *a ист.* пелазгический.

pelerine ['peləriːn] *n* пелерина.

pelf [pelf] *n* 1) *презр.* деньги, презренный металл; богатство; 2) *уст.* краденое добро.

pelican ['pelɪkən] *n зоол.* пеликан.

pelisse [pe'liːs] *n* 1) длинная мантилья; ротонда; 2) детское пальто; 3) гусарский ментик.

pellagra [pɪ'lægrə] *n мед.* пеллагра.

pellet ['pelɪt] 1. *n* 1) шарик, катышек (*из бумаги, хлеба и т. п.*); 2) пилюля; 3) дробинка; пулька;
2. *v* обстреливать (*бумажными катышками и т. п.*).

pellicle ['pelɪkl] *n* кожица, плева, плёнка.

pell-mell ['pel'mel] 1. *n* путаница; мешанина; неразбериха;
2. *a* беспорядочный;
3. *adv* 1) беспорядочно, вперемешку, как попало; 2) очертя голову.

pellucid [pe'ljuːsɪd] *a* 1) прозрачный; 2) ясный, понятный.

pelt I [pelt] *n* 1) шкура; кожа; 2) *шутл.* человеческая кожа.

pelt II [pelt] 1. *n* 1) обстрел; 2) сильный удар; ◇ (at) full ~ полным ходом;
2. *v* 1) бросать (*в кого-л.*), забрасывать (*камнями, грязью*); обстреливать; 2) колотить, барабанить (*о граде и т. п.*); лить (*о дожде*); 3) обрушиться (*на кого-л. с упрёками и т. п.*); 4) *амер. разг.* спешить.

peltate ['pelteɪt] *a бот.* щитовидный.

pelting ['peltɪŋ] 1. *pres. p. от* pelt II, 2;
2. *a* проливной; ~ rain проливной дождь.

peltry ['peltrɪ] *n* 1) меха, пушнина; 2) шкурка пушного зверя.

pelves ['pelviːz] *pl от* pelvis.

pelvic ['pelvɪk] *a анат.* тазовый.

pelvis ['pelvɪs] *n* (*pl* -ves) *анат.* 1) таз; 2) почечная лоханка.

Pembroke table ['pembruk,teɪbl] *n* раскладной стол.

pemphigus ['pemfɪgəs] *n мед.* пузырчатка, пемфигус.

pen I [pen] 1. *n* 1) перо (*писчее*); ручка с пером; рейсфедер (*чертёжный*); 2) литературный труд; литературный стиль; fluent ~ бойкое перо; to live by one's ~ жить литературным трудом; to put ~ to paper взяться за перо, начать писать; 3) писатель; the best ~s of the day лучшие современные писатели;
2. *v* писать, сочинять.

pen II [pen] 1. *n* 1) небольшой загон (*для скота, птицы*); 2) небольшая огороженная площадка *и т. п.*; ~ for the accomodation of submarines *мор.* убежище для подводных лодок; 3) плантация, ферма (*на Ямайке*); 4) помещение для арестованных при полицейском участке;
2. *v* (penned [-d], pent) 1) запирать, заключать (*часто* ~ up, ~ in); 2) загонять (*скот*) в загон.

pen III [pen] *n* самка лебедя.

penal ['piːnl] *a* 1) уголовный; карательный; ~ servitude каторжные работы; 2) уголовно-наказуемый (*о преступлении*).

penalize ['piːnəlaɪz] *v* 1) делать наказуемым; наказывать; штрафовать; 2) ставить в невыгодное положение; 3) *спорт.* штрафовать.

penalty ['penltɪ] *n* 1) наказание; взыскание; штраф; on (*или* under) ~ of под страхом (*такого-то наказания*); 2) *спорт.* штраф; 3) *attr.* наказуемый; ~ envelope *амер.* специальный конверт для правительственной корреспонденции (*использование которого для других целей карается законом*); 4) *attr. спорт.* штрафной; ~ area штрафная площадка; ~ kick одиннадцатиметровый удар; ~ goal гол, забитый в результате одиннадцатиметрового удара.

penance ['penəns] 1. *n* епитимья;
2. *v* налагать епитимью.

pen and ink ['penənd'ɪŋk] *n* 1) письменные принадлежности; 2) литературная работа.

pen-and-ink ['penənd'ɪŋk] *a* сделанный пером (*о рисунке*); написанный пером; письменный.

Penates [pe'neɪtiːz] *n pl др.-рим. миф.* пенаты.

pence [pens] *pl от* penny 1).

penchant ['pɑ̃ŋʃɑ̃ŋ] *фр. n* склонность (for—к *чему-л., кому-л.*); a slight ~ маленькое увлечение.

pencil ['pensl] 1. *n* 1) карандаш; in ~ (*написанный*) карандашом; 2) кисть (*живописца*); 3) манера, стиль (*живописца*); 4) *опт.* (сходящийся) пучок лучей;
2. *v* 1) рисовать, писать карандашом; вычерчивать; 2) (*обыкн. p. p.*) тушевать; накладывать.

pencil-case ['penslkeɪs] *n* пенал.

penciler ['penslə] = penciller.

pencilled ['pensld] 1. *p. p. от* pencil 2;
2. *a* тонко очерченный.

penciller ['penslə] *n sl.* помощник букмекера (*на скачках*).

pencraft ['penkrɑːft] *n* 1) искусство письма; 2) литературный стиль.

pendant ['pendənt] 1. *n* 1) подвеска; висюлька; кулон, брелок; 2) *архит.* орнаментная отделка в виде подвески; 3) пара (*к какому-л. предмету*); дополнение; 4) *мор.* вымпел; 5) *мор.* шкентель;
2. *a* = pendent 2.

pendency ['pendənsɪ] *n* состояние неопределённости, нерешённости.

pendent ['pendənt] 1. *n* = pendant 1;
2. *a* 1) висячий, свисающий; нависающий; 2) нерешённый, ожидающий решения; 3) *грам.* незаконченный (*о предложении*);

pending ['pendɪŋ] 1. *a* 1) висячий, свешивающийся; 2) незаконченный, ожидающий решения; a suit was then ~ в то время шла тяжба; patent ~ патент заявлен (*заявка на патент сделана*); 3) предстоящий, неминуемый;
2. *prep* 1) в продолжение; в течение; ~ these negotiations пока продолжались эти переговоры; 2) (вплоть) до; в ожидании; ~ the completion of the agreement до заключения соглашения; ~ his return в ожидании его возвращения.

pen-driver ['pen,draɪvə] *n презр.* клерк; канцелярист; писака.

pendulate ['pendjuleɪt] *v* 1) качаться как маятник; 2) колебаться; быть нерешительным.

pendulous ['pendjuləs] *a* 1) подвесной; висячий (*о гнезде, цветке*); 2) качающийся.

pendulum ['pendjuləm] *n* 1) маятник; swing of the ~ а) качание маятника; б) *перен.* чередование стоящих у власти политических партий; the ~ of public opinion swung in his favour общественное мнение изменилось в его пользу; the ~ swung положение изменилось; 2) неустойчивый человек *или* предмет.

Penelope [pɪ'neləpɪ] *n миф.* Пенелопа; (*нарицательно тж.*) верная жена.

peneplain [,piːnə'pleɪn] *n геол.* пенеплен, предельная равнина.

penes ['piːniːz] *pl* от penis.

penetrability [,penɪtrə'bɪlɪtɪ] *n* проницаемость.

penetrable ['penɪtrəbl] *a* проницаемый.

penetralia [,penɪ'treɪljə] *n pl* святилище; тайники.

penetrate ['penɪtreɪt] *v* 1) проникать внутрь, проходить сквозь, пронизывать; 2) входить, проходить (into, through, to); 3) пропитывать (*чем-л.*; with); 4) глубоко трогать; охватывать (with); 5) постигать, понимать; вникать (*во что-л.*).

penetrating ['penɪtreɪtɪŋ] 1. *pres. p.* от penetrate;
2. *a* 1) проникающий; 2) проницательный; острый (*о взгляде и т. п.*); 3) пронзительный, резкий (*о звуке*).

penetration [,penɪ'treɪʃən] *n* 1) проникание; проникновение; 2) проницаемость; 3) проницательность; острота (*взгляда и т. п.*); 4) *тех.* глубина разрушения; провар; 5) *воен.* наступление с целью прорыва; прорыв.

penetrative ['penɪtrətɪv] *a* 1) проникающий; 2) пронзительный, резкий (*о звуке*); 3) проницательный.

pen-feather ['pen,feðə] *n* маховое перо.

pen friend ['penfrend] *n* знакомый *или* друг по переписке.

penguin ['peŋgwɪn] *n* 1) *зоол.* пингвин; 2) *ав.* учебный макет самолёта.

penholder ['pen,houldə] *n* ручка (*для пера*).

penicillin [,penɪ'sɪlɪn] *n фарм.* пенициллин.

peninsula [pɪ'nɪnsjulə] *n* полуостров; the P. Пиренейский полуостров.

peninsular [pɪ'nɪnsjulə] 1. *a* полуостровной;
2. *n* житель полуострова.

penis ['piːnɪs] *n* (*pl* penes) *анат.* половой член.

penitence ['penɪtəns] *n* раскаяние; покаяние.

penitent ['penɪtənt] 1. *a* раскаивающийся; кающийся;
2. *n* кающийся грешник.

penitential [,penɪ'tenʃəl] *a* покаянный.

penitentiary [,penɪ'tenʃərɪ] 1. *n* 1) исправительный дом; 2) каторжная тюрьма; 3) папский трибунал;

2. *a* 1) исправительный; 2) пенитенциарный.

penknife ['pennaɪf] *n* перочинный ножик.

penman ['penmən] *n* 1) каллиграф, писец; he is a good ~ у него хороший почерк; 2) писатель.

penmanship ['penmənʃɪp] *n* 1) каллиграфия; чистописание; искусство письма; 2) почерк; 3) стиль *или* манера писателя.

pen-name ['penneɪm] *n* литературный псевдоним.

pennant ['penənt] *n* 1) = pendant 1, 4) *и* 5); 2) = pennon; 3) *амер.* знамя (*приз в состязании*).

pennies ['penɪz] *pl* от penny.

penniless ['penɪlɪs] *a* без гроша, безденежный; нуждающийся; бедный.

pennon ['penən] *n* флажок (*часто с длинным узким полотнищем; иногда треугольной формы*); флаг; вымпел.

penn'orth ['penəθ] *разг. см.* pennyworth.

penny ['penɪ] *n* 1) (*pl* пенсе—*о денежной сумме, пишется слитно с числительным от* twopence *до* elevenpence; pennies—*об отдельных монетах*) пенни, пенс (*бронзовая монета = ¹/₁₂ шиллинга, условное обозначение после цифр*—d., *от* denarius, *напр.*, 6d. шесть пенсов); 2) (*pl* pennies) *амер. разг.* монета в 1 цент; ◇ a pretty ~ кругленькая сумма, изрядная сумма; to turn a useful ~ (by) неплохо зарабатывать (*чем-л.*); to turn an honest ~ честно зарабатывать; б) подрабатывать (*тж.* to turn a ~); not a ~ to bless oneself with ни гроша за душой; not a ~ the worse нисколько не хуже; ~ blood (*или* dreadful) *sl.* дешёвый сенсационный роман; a ~ for your thoughts! о чём задумались?; a ~ saved is a ~ gained *посл.* сбережённое всё равно, что пенни заработанное; a ~ soul never came to twopence *посл.* ≈ мелочный человек никогда не достигнет успеха; in for a ~, in for a pound *посл.* ≈ назвался груздём, полезай в кузов.

penny-a-line ['penɪə'laɪn] *a* дешёвый, низкопробный (*о произведении*).

penny-a-liner ['penɪə'laɪnə] *n* наёмный писака.

pennydog ['penɪdɔg] *n разг.* помощник мастера.

penny-in-the-slot(machine) ['penɪɪnðə'slɔt(mə'ʃiːn)] *n* автомат для продажи штучных товаров (*в который опускают пенни*).

penny post ['penɪ'poust] *n* почтовая оплата в 1 пенни.

pennyroyal ['penɪ'rɔɪəl] *n бот.* 1) мята болотная; 2) *амер.* блоховник.

pennyweight ['penɪweɪt] *n* 24 грана (= 1,5552*г*).

penny wise ['penɪ'waɪz] *a* мелочный; ◇ ~ and pound foolish экономный в мелочах и расточительный в крупном.

pennywort ['penɪwəːt] *n бот.* пупочная трава (*тж.* wall ~).

pennyworth, penny-worth ['penəθ] *n* 1) количество товара, которое можно купить на 1 пенни; 2) *attr.* грошовый; ◇ a good (bad) ~ выгодная (невыгодная) сделка;

not a ~ ни чу́точки; to get one's ~ разг.
а) получи́ть сполна́; б) получи́ть нагоня́й.

penology [pɪˈnɔlədʒɪ] n нау́ка о наказа́-
ниях и тюрьмах, пеноло́гия.

pensile [ˈpensɪl] a 1) вися́чий (о гнезде
и т. п.); свиса́ющий; 2) стро́ящий вися́чие
гнёзда (о птице).

pension 1. n 1) [ˈpenʃən] пе́нсия; посо́-
бие; 2) [ˈpɑ̃sɪɔ̃:ŋ] пансио́н;
2. v [ˈpenʃən] назнача́ть пе́нсию; субси-
ди́ровать; □ ~ off увольня́ть на пе́нсию.

pensionable [ˈpenʃənəbl] a 1) даю́щий
пра́во на пе́нсию; 2) име́ющий пра́во на
пе́нсию.

pensionary [ˈpenʃənərɪ] 1. n 1) пенсионе́р;
2) наёмник;
2. a пенсио́нный.

pensioner [ˈpenʃənə] n 1) пенсионе́р;
2) студе́нт, опла́чивающий обуче́ние и со-
держа́ние (в Кембриджском университете);
3) уст. наёмник.

pensive [ˈpensɪv] a заду́мчивый; печа́ль-
ный.

penstock [ˈpenstɔk] n 1) шлюз, шлюзный
затво́р; 2) жёлоб; 3) тех. напо́рный трубо-
прово́д; подводя́щий кана́л (для турбин).

pen-swan [ˈpenswɔn] = pen III.

pent [pent] 1. past и p. p. от pen II, 2;
2. a заключённый, за́пертый.

penta- [ˈpentə-] pref пяти-.

pentachord [ˈpentəkɔːd] n пентахо́рд
(пятиструнный музыкальный инструмент).

pentad [ˈpentæd] n 1) число́ пять; 2) гру́п-
па из пяти́; 3) промежу́ток вре́мени в пять
дней или пять лет; 4) хим. пятивале́нтный
элеме́нт.

pentagon [ˈpentəgən] n 1) пятиуго́льник;
2) (the P.) зда́ние вое́нного министе́рства,
вое́нное министе́рство США; перен. аме-
рика́нский милитари́зм.

pentagonal [penˈtægənl] a пятиуго́льный.

pentagram [ˈpentəgræm] n пентагра́мма.

pentahedral [ˌpentəˈhiːdrəl] a геом. пяти-
гра́нный.

pentahedron [ˌpentəˈhiːdrən] n геом. пен-
та́эдр, пятигра́нник.

pentameter [penˈtæmɪtə] n прос. пента́-
метр.

pentangular [penˈtæŋjuələ] a пятиуго́ль-
ный.

pentasyllable [ˈpentəˌsɪləbl] n пятисло́ж-
ное сло́во.

Pentateuch [ˈpentətjuːk] n библ. пяти-
кни́жие.

pentathlon [penˈtæθlɔn] n спорт. пя-
тибо́рье.

Pentecost [ˈpentɪkɔst] n церк. пятидеся́т-
ница.

penthouse [ˈpenthaus] n наве́с; тент; над-
стро́йка на кры́ше; зонт над дверьми́.

pentode [ˈpentoud] n эл. пятиэлектро́дная
ла́мпа, пенто́д.

penult(imate) [pɪˈnʌlt(ɪmɪt)] грам. 1. a
предпосле́дний;
2. n предпосле́дний слог.

penumbra [pɪˈnʌmbrə] n полуте́нь, полу-
све́т.

penurious [pɪˈnjuərɪəs] a 1) скупо́й; 2)
бе́дный, ску́дный.

penury [ˈpenjurɪ] n 1) бе́дность, нужда́;
2) недоста́ток, отсу́тствие (of).

penwiper [ˈpenˌwaɪpə] n перочи́стка.

peon I [ˈpiːən] n 1) пехоти́нец; 2) полице́й-
ский; 3) вестово́й.

peon II [ˈpiːən] n батра́к, подёнщик, пео́н
(в Южной Америке).

peonage [ˈpiːənɪdʒ] n крепостно́й труд пе-
о́нов; батра́чество; кабала́.

peony [ˈpɪənɪ] n бот. пио́н.

people [ˈpiːpl] 1. n 1) наро́д, на́ция; 2)
(употр. как pl) лю́ди; населе́ние; жи́тели;
young ~ молодёжь; country ~ дереве́нские
жи́тели; ~ say that говоря́т, что; 3) (употр.
как pl) родны́е, ро́дственники, роди́тели
(обыкн. my ~, his ~ и т. п.); 4) сви́та;
слу́ги, служа́щие; (вооружённые) сторо́н-
ники; прихожа́не; 5) (P.) амер. юр. обще́-
ственное обвине́ние, госуда́рство (как сторона на процессе);
2. v заселя́ть, населя́ть.

pep [pep] разг. 1. n бо́дрость ду́ха,
эне́ргия, си́ла;
2. v уси́ливать, подгоня́ть, оживля́ть,
стимули́ровать, вселя́ть бо́дрость ду́ха
(обыкн. ~ up).

peperino [ˌpepəˈriːnou] n мин. пепери́но.

pepper [ˈpepə] 1. n 1) пе́рец; 2) острота́,
е́дкость; 3) вспы́льчивость; 4) жи́вость;
эне́ргия, темпера́мент;
2. v 1) пе́рчить; 2) усыпа́ть; осыпа́ть;
3) брани́ть, распека́ть; «зада́ть пе́рцу».

pepper-and-salt [ˈpepərəndˈsɔːlt] 1. n
кра́пчатая шерстяна́я мате́рия;
2. a 1) кра́пчатый; 2) с про́седью (о волосах).

pepperbox [ˈpepəbɔks] n 1) пе́речница;
2) шутл. ба́шенка.

pepper-caster, pepper-castor [ˈpepəˌkɑːstə]
= pepperbox 1).

peppercorn [ˈpepəkɔːn] n зёрнышко пе́рца,
перчи́нка; ◇ ~ rent номина́льная аре́нд-
ная пла́та.

peppermint [ˈpepəmɪnt] n 1) бот. пе́реч-
ная мя́та; 2) мя́тная лепёшка.

pepper-pot [ˈpepəpɔt] n 1) = pepperbox
1); 2) вест-индское пря́ное ку́шанье из мя́са
или ры́бы; 3) sl. вспы́льчивый челове́к;
4) прозвище жителя Ямайки.

peppery [ˈpepərɪ] a 1) напе́рченный;
о́стрый, е́дкий; 2) вспы́льчивый, раздра-
жи́тельный.

peppy [ˈpepɪ] a sl. энерги́чный; бо́дрый;
в хоро́шем настрое́нии.

pepsin [ˈpepsɪn] n физиол. пепси́н.

peptic [ˈpeptɪk] 1. a физиол. 1) пище-
вари́тельный; 2) пепси́новый;
2. n pl шутл. пищевари́тельные о́рганы.

peptone [ˈpeptoun] n физиол. пепто́ны.

per [pəː] prep 1) по, че́рез, посре́дством;
~ post (rail, steamer, carrier) по по́чте (по
желе́зной доро́ге, парохо́дом, че́рез посыль-
ного); 2) согла́сно (обыкн. as ~); as ~
usual шутл. по обыкнове́нию; 3) за, на,
в, с (каждого); 60 miles ~ hour 60 миль
в час; a shilling ~ man по ши́ллингу с че-
лове́ка; 4) в лати́нских выраже́-
ниях: ~ capita [pəːˈkæpɪtə] на че-
лове́ка, на ду́шу, за ка́ждого; ~ contra

[pə'kɔntrə] на другой стороне счёта; с другой стороны; ~ diem [pə'daɪem] в день; ~ annum [pəɡ'ænəm] в год, ежегодно; ~ mensem [pə'mensəm] в месяц; ~ mille [pə'mɪl] на тысячу, ⁰/₀₀; ~ procurationem ['pə'prɔkjuəreɪʃɪ'ouпem] через своего представителя, через посредство (сокр. per pro., per proc., p.p., напр., Jones & Co. p. p. A. Smith по поручению Джоунза и К° подписал А. Смит); ~ saltum [pə'sæltəm] сразу, одним махом; ~ se [pə'siː] сам по себе, по существу.

peradventure [pərəd'ventʃə] уст. **1.** n неизвестность; сомнение; beyond (или without) (all) (all) несомненно;
2. adv возможно, может быть; if ~ если бы; lest ~ что бы ни случилось.

perambulate [pə'ræmbjuleɪt] v 1) ходить взад и вперёд, расхаживать; 2) обходить границы (владений и т. п.); объезжать (территорию с целью проверки, инспектирования и т. п.); 3) катать коляску.

perambulation [pə,ræmbju'leɪʃən] n 1) ходьба, прогулка; 2) обход (особ. границ); поездка с целью осмотра и инспектирования.

perambulator ['præmbjuleɪtə] n 1) детская коляска; 2) шагомер.

percale [pə'kɑːl] n текст. перкаль.

perceive [pə'siːv] v 1) постигать, воспринимать, понимать, осознавать; 2) ощущать; чувствовать, различать.

per cent [pə'sent] n процент, на сотню, %; three ~ три процента.

percentage [pə'sentɪdʒ] n 1) процент; процентное отношение; процентное содержание; 2) разг. часть, количество.

percept ['pəsept] n филос. объект или результат перцепции.

perceptibility [pə,septə'bɪlɪtɪ] n ощутимость, воспринимаемость.

perceptible [pə'septəbl] a ощутимый, заметный; различимый.

perception [pə'sepʃən] n 1) восприятие, ощущение; сознавание; понимание; 2) филос. перцепция; 3) юр. сбор.

perceptional [pə'sepʃənl] a перцептивный.

perceptive [pə'septɪv] a воспринимающий, восприимчивый.

perceptivity [,pæsep'tɪvɪtɪ] n восприимчивость, понятливость.

perch I [pətʃ] **1.** n 1) жердь, шест, веха; 2) насест; 3) высокое или прочное положение; 4) дрога, дрожина (в телеге); 5) мера длины (=5,03 м); square ~ мера площади (=25,3 м²); 6) архит. карниз, выступ; ◇ come off your ~ не задирайте носа; to hop the ~ умереть;
2. v 1) садиться (о птице); 2) усесться, взгромоздиться; опереться (обо что-л.); 3) сажать на насест; 4) (обыкн. р. р.) помещать высоко; town ~ed on a hill город, расположенный на холме.

perch II [pətʃ] n окунь.

perchance [pə'tʃɑːns] adv уст. 1) случайно; 2) быть может, возможно.

perchloric [pə'klɔːrɪk] a: ~ acid хим. хлорная кислота.

percipient [pə'sɪpɪənt] **1.** a воспринимающий, способный воспринимать, сознавать;
2. n человек, способный легко воспринимать, осознавать.

percolate ['pəkəleɪt] v 1) просачиваться, проникать сквозь; 2) процеживать, фильтровать; перколировать; 3) выщелачивать.

percolation [,pəkə'leɪʃən] n 1) просачивание; 2) процеживание, фильтрование.

percolator ['pəkəleɪtə] n 1) процеживатель; фильтровальная машина; фильтр; 2) ситечко в кофейнике; 3) кофейник с ситечком.

percuss [pə'kʌs] v мед. выстукивать.

percussion [pə'kʌʃən] n 1) столкновение (двух тел), удар; сотрясение; 2) мед. выстукивание, перкуссия; 3) собир. муз. ударные инструменты; 4) attr. ударный; взрывной; ~ action ударное действие (снаряда); ~ cap пистон, капсюль; ~ fuze ударный взрыватель; ~ instrument муз. ударный инструмент; ~ boring (или drilling) ударное бурение.

percussive [pə'kʌsɪv] a ударный.

percutaneous [,pəkju'teɪnjəs] a подкожный (о впрыскивании и т. п.).

perdition [pə'dɪʃən] n 1) гибель; погибель; 2) рел. смерть без надежды на воскресение, вечная смерть; 3) проклятие.

perdu(e) [pə'djuː] a predic. притаившийся; to lie ~ a) уст. лежать в засаде; б) притаиться; в) стараться не быть в центре внимания.

perdurable [pə'djuərəbl] a очень прочный; вечный; постоянный.

peregrinate ['perɪgrɪneɪt] v шутл. путешествовать, странствовать.

peregrination [,perɪgrɪ'neɪʃən] n шутл. путешествие, странствие.

peregrinator ['perɪgrɪneɪtə] n шутл. странник.

peregrin(e) ['perɪgrɪn] **1.** n зоол. сапсан (тж. ~ falcon).
2. a уст. чужеземный; привезённый из-за границы.

peremptory [pə'remptərɪ] **1.** a 1) безапелляционный, не допускающий возражения; 2) повелительный, властный; 3) догматический; доктринёрский; 4) юр. окончательный, безусловный;
2. n юр. отвод присяжного.

perennial [pə'renjəl] **1.** a 1) длящийся круглый год; 2) не пересыхающий летом; 3) вечный, неувядаемый; 4) бот. многолетний;
2. n бот. многолетнее растение.

perennially [pə'renjəlɪ] adv всегда, вечно; постоянно.

perfect 1. a ['pəfɪkt] 1) совершенный, идеальный, безупречный; 2) законченный; цельный; 3) точный, абсолютный, полный; ~ fifth муз. чистая квинта; ~ square точный квадрат; a ~ stranger совсем чужой человек; 4) настоящий, истинный; 5) хорошо подготовленный; достигший совершенства; 6) грам. перфектный, обозначающий действие, уже законченное по отношению к данному времени;
2. n ['pəfɪkt] грам. перфект;

3. *v* [pə'fekt] 1) **совершенствовать; улучшать;** 2) завершать, заканчивать, выполнять.

perfectibility [pə,fektı'bılıtı] *n* способность к совершенствованию.

perfectible [pə'fektəbl] *a* способный к совершенствованию.

perfection [pə'fekʃən] *n* 1) совершенство, безупречность; to ~ в совершенстве; 2) законченность; 3) высшая ступень, верх (*чего-л.*; of); 4) завершение; 5) совершенствование.

perfectly ['pɑ:fıktlı] *adv* совершенно, вполне, отлично; ~ well отлично.

perfidious [pɑ:'fıdıəs] *a* вероломный, предательский.

perfidy ['pɑ:fıdı] *n* вероломство, измена, предательство.

perforate ['pɑ:fəreıt] *v* 1) просверливать *или* пробивать отверстия, пробуравливать; 2) проникать (into, through).

perforated ['pɑ:fəreıtıd] 1. *p. p.* от perforate.

2. *a* перфорированный, дырчатый, просверлённый.

perforation [,pɑ:fə'reıʃən] *n* 1) просверливание, пробивание отверстий, пробуравливание; 2) отверстие; 3) *мед.* прободение.

perforator ['pɑ:fəreıtə] *n* 1) бурав, сверло; перфоратор; 2) *редк.* сверлильный станок; 3) дыропробивной станок.

perforce [pə'fɔ:s] 1. *adv* по необходимости, волей-неволей;

2. *n редк.* необходимость; of ~, by ~ по необходимости.

perform [pə'fɔ:m] *v* 1) исполнять, выполнять (*обещание, приказание и т. п.*); совершать; 2) представлять; играть, исполнять (*пьесу, роль и т. п.*); 3) делать трюки (*о дрессированных животных*); 4) *спорт.* достигнуть, показать результат.

performance [pə'fɔ:məns] *n* 1) исполнение, выполнение; 2) игра, исполнение; 3) действие; поступок; подвиг; 4) *театр.* представление; 5) трюки; 6) *спорт.* достижение; 7) *тех.* характеристика (*работы машины и т. п.*); эксплуатационные качества; 8) *тех.* работа, производительность; коэффициент полезного действия; 9) *ав.* лётные данные, лётные качества.

performer [pə'fɔ:mə] *n* исполнитель.

performing [pə'fɔ:mıŋ] 1. *pres. p.* от perform;

2. *a* дрессированный, учёный (*о животном*).

perfume 1. *n* ['pɑ:fju:m] 1) благоухание, аромат; запах; 2) духи;

2. *v* [pə'fju:m] душить (*духами и т. п.*); делать благоуханным.

perfumed 1. [pə'fju:md] *p. p.* от perfume 2;

2. *a* ['pɑ:fju:md] 1) надушенный; 2) душистый; благоуханный.

perfumer [pə'fju:mə] *n* парфюмер.

perfumery [pə'fju:mərı] *n* парфюмерия.

perfunctory [pə'fʌŋktərı] *a* поверхностный, невнимательный, механический, небрежный; ~ inspection поверхностный осмотр; in a ~ manner небрежно.

perfuse [pə'fju:z] *v* 1) обрызгивать (with); 2) заливать (*светом и т. п.*).

pergameneous [,pɑ:gə'mi:nıəs] *a* пергаментный.

pergola ['pɑ:gələ] *n* беседка *или* крытая аллея из вьющихся растений.

perhaps [pə'hæps, præps] 1. *adv* может быть, возможно;

2. *n* предположение, возможность.

peri ['pıərı] *перс.* *n* 1) *миф.* пери; 2) красавица.

perianth ['perıænθ] *n бот.* околоцветник.

periapt ['perıæpt] *n* амулет.

pericardia [,perı'kɑ:dıə] *pl от* pericardium.

pericarditis [,perıkɑ:'daıtıs] *n мед.* перикардит.

pericardium [,perı'kɑ:djəm] *n* (*pl* -dia) *анат.* околосердечная сумка, перикард(ий).

pericarp ['perıkɑ:p] *n бот.* перикарпий, околоплодник.

pericope [pe'rıkəpı] *n* короткий отрывок, абзац; отрывок из священного писания, который читают во время богослужения.

pericrania [,perı'kreınıə] *pl от* pericranium.

pericranium [,perı'kreınıəm] *n* (*pl* -nia) 1) *анат.* надкостница черепа; 2) *шутл.* череп; мозг; ум.

peridot ['perıdɔt] *n мин.* перидот, оливин.

perigee ['perıdʒi:] *n астр.* перигей.

perihelia [,perı'hi:lıə] *pl от* perihelion.

perihelion [,perı'hi:ljən] *n* (*pl* -lia) *астр.* перигелий.

peril ['perıl] 1. *n* опасность; риск; at the ~ of one's life с опасностью для жизни; at one's ~ на свой собственный риск;

2. *v* подвергать опасности.

perilous ['perıləs] *a* опасный, рискованный.

perimeter [pə'rımıtə] *n* 1) *геом.* периметр; 2) внешняя граница лагеря *или* укрепления; 3) *attr.* круговой.

perimorph ['perımɔ:f] *n геол.* периморфоза.

perinea [,perı'nıə] *pl от* perineum.

perineum [,perı'nıəm] *n* (*pl* -nea) *анат.* промежность.

period ['pıərıəd] 1. *n* 1) период; промежуток времени; 2) время, эпоха; the girl of the ~ тип современной девушки; 3) круг, цикл; 4) *pl* риторическая речь; 5) *pl* менструации; 6) *грам.* период, большое сложное законченное предложение; 7) пауза в конце периода; точка; to put a ~ to smth. поставить точку; положить конец чему-л.; 8) *мат., астр., геол.* период;

2. *a* относящийся к определённому периоду (*о мебели, платье и т. п.*).

periodic I [,pıərı'ɔdık] *a* 1) периодический; ~ law периодическая система элементов Менделеева; 2) циклический; 3) *разг.* периодический, встречающийся (*или* появляющийся) время от времени; 4) риторический (*о стиле*).

periodic II [,pɑ:raı'ɔdık] *a*: ~ acid *хим.* йодная кислота.

periodical [,pıərı'ɔdıkəl] 1. *a* периодический; появляющийся через определённые промежутки времени; выпускаемый через определённые промежутки времени;

2. *n* периодическое издание.

periodically [,pɪərɪ'ɔdɪkəlɪ] *adv* 1) че́рез определённые промежу́тки вре́мени; периоди́чески; 2) вре́мя от вре́мени.

periodicity [,pɪərɪə'dɪsɪtɪ] *n* 1) периоди́чность, частота́; 2) *эл.* число́ пери́одов, периоди́чность.

periostea [,perɪ'ɔstɪə] *pl от* periosteum.

periosteum [,perɪ'ɔstɪəm] *n* (*pl* -tea) *анат.* надко́стница.

periostitis [,perɪɔs'taɪtɪs] *n мед.* периости́т, воспале́ние надко́стницы.

peripatetic [,perɪpə'tetɪk] **1.** *a* 1) (*обыкн.* Р.) *филос.* аристо́телевский, перипатети́ческий; 2) стра́нствующий; **2.** *n* 1) *филос.* перипате́тик; 2) *шутл.* стра́нник; стра́нствующий торго́вец.

peripeteia, peripetia [,perɪpə'taɪjə] *n* перипети́я.

peripheral [pə'rɪfərəl] *a* перифери́йный, окружно́й; ~ speed окружна́я ско́рость, ско́рость по окру́жности.

periphery [pə'rɪfərɪ] *n* перифери́я, окру́жность.

periphrases [pə'rɪfrəsiːz] *pl от* periphrasis.

periphrasis [pə'rɪfrəsɪs] *n* (*pl* -ses) перифра́з(а).

periphrastic [,perɪ'fræstɪk] *a* 1) изоби́лующий перифра́зами; око́личный; иносказа́тельный; 2) *грам.*: ~ conjugation спряже́ние с по́мощью вспомога́тельного глаго́ла.

peripteral [pə'rɪptərəl] *a* окружённый коло́ннами (*особ. об античном храме*).

periscope ['perɪskoup] *n* периско́п.

perish ['perɪʃ] *v* 1) погиба́ть, умира́ть; 2) безвре́менно поги́бнуть *или* сконча́ться; 3) (*обыкн. pass.*) губи́ть; изнуря́ть; we were ~ed with hunger (cold *etc.*) мы страда́ли от го́лода (хо́лода *и т. п.*).

perishable ['perɪʃəbl] **1.** *a* 1) тле́нный, бре́нный, непро́чный; 2) скоропортя́щийся; **2.** *n pl* скоропо́ртящийся това́р *или* груз.

perisher ['perɪʃə] *n sl.* неприя́тный, ну́дный челове́к.

perishing ['perɪʃɪŋ] **1.** *pres. p. от* perish; **2.** *a sl.* ужа́сный, ско́вывающий (*о хо́лоде*); in ~ cold в ужа́сном хо́лоде.

peristalsis [,perɪ'stælsɪs] *n физиол.* периста́льтика.

peristaltic [,perɪ'stæltɪk] *a физиол.* перистальти́ческий.

peristyle ['perɪstaɪl] *n архит.* перисти́ль.

periton(a)eum [,perɪtou'niːəm] *n* (*pl* -nea) *анат.* брюши́на.

peritonea [,perɪtou'nɪə] *pl от* periton(a)eum.

peritoneal [,perɪtə'nɪəl] *a анат.* брюши́нный.

peritonitis [,perɪtə'naɪtɪs] *n мед.* воспале́ние брюши́ны, перитони́т.

periwig ['perɪwɪg] *n* пари́к.

periwigged ['perɪwɪgd] *a* в парике́.

periwinkle I ['perɪ,wɪŋkl] *n бот.* барви́нок ма́лый.

periwinkle II ['perɪ,wɪŋkl] *n зоол.* литори́на (*моллюск*).

perjure ['pədʒə] *v refl.* ло́жно кля́сться, лжесвиде́тельствовать; наруша́ть кля́тву.

perjured ['pədʒəd] **1.** *p. p. от* perjure;

2. *a* вино́вный в клятвопреступле́нии, клятвопресту́пный.

perjurer ['pədʒərə] *n* клятвопресту́пник, лжесвиде́тель.

perjury ['pədʒərɪ] *n* 1) клятвопреступле́ние, лжесвиде́тельство; 2) вероло́мство, наруше́ние кля́твы.

perk I [pək] *v разг.* (*тж.* ~ up) 1) задира́ть (*го́лову*) кве́рху с бо́йким *или* наха́льным ви́дом; 2) воспря́нуть ду́хом, оживи́ться; 3) прихора́шиваться.

perk II [pək] *sl.* (*обыкн. pl*) *сокр. от* perquisite.

perky ['pəkɪ] *a* 1) весёлый, бо́йкий; 2) де́рзкий; самоуве́ренный, на́глый.

perm [pəm] *n разг.* (*сокр. от* permanent wave) «перма́нент».

permalloy ['pəməlɔɪ] *n метал.* пермалло́й.

permanence ['pəmənəns] *n* неизме́нность, про́чность, постоя́нство.

permanency ['pəmənənsɪ] *n* 1) = permanence; 2) постоя́нная рабо́та, постоя́нная организа́ция *и т. п.*

permanent ['pəmənənt] *a* 1) постоя́нный, неизме́нный; долговре́менный; пермане́нтный; ~ secretary непреме́нный секрета́рь; ~ wave зави́вка «перма́нент»; ~ way желе́знодоро́жное полотно́; ~ teeth коренны́е зу́бы; ~ repair теку́щий ремо́нт; 2) оста́точный; ~ magnetism оста́точный магнети́зм.

permanently ['pəmənəntlɪ] *adv* постоя́нно, надо́лго, навсегда́.

permanganate [pə'mæŋgənɪt] *n хим.* перманга́нат, соль марга́нцовой кислоты́.

permanganic [,pəmæŋ'gænɪk] *a хим.*: ~ acid марга́нцовая кислота́.

permeability [,pəmjə'bɪlɪtɪ] *n* проница́емость.

permeable ['pəmjəbl] *a* проница́емый.

permeance ['pəmɪəns] *n эл.* магни́тная проница́емость.

permeate ['pəmɪeɪt] *v* 1) проника́ть, проходи́ть сквозь, пропи́тывать; 2) распространя́ться (among, through, into).

permeation [,pəmɪ'eɪʃən] *n* проника́ние.

Permian ['pəmɪən] *a геол.* пе́рмский.

permissibility [pə,mɪsɪ'bɪlɪtɪ] *n* позволи́тельность.

permissible [pə'mɪsəbl] *a* позволи́тельный, допусти́мый.

permission [pə'mɪʃən] *n* позволе́ние, разреше́ние.

permissive [pə'mɪsɪv] *a* 1) дозволя́ющий, позволя́ющий, разреша́ющий; 2) рекоменду́ющий (но не предпи́сывающий в обяза́тельном поря́дке); 3) факультати́вный, необяза́тельный.

permit **1.** *n* ['pəmɪt] 1) про́пуск; 2) разреше́ние;

2. *v* [pə'mɪt] 1) позволя́ть, разреша́ть, дава́ть разреше́ние; I may be ~ted я позво́лю себе́, я беру́ на себя́ сме́лость; 2) позволя́ть, дава́ть возмо́жность; the words hardly ~ doubt по́сле э́тих слов едва́ ли мо́жно сомнева́ться в том...; weather ~ting е́сли пого́да бу́дет благоприя́тствовать; 3) допуска́ть (of).

permittance [pə'mɪtəns] *n* 1) *уст.* разрешéние, позволéние; 2) *эл.* ёмкостная проводимость; 3) *эл.* ёмкость.

permittivity [,pə:mɪ'tɪvɪtɪ] *n эл.* 1) диэлектрическая постоянная; диэлектрическая проницáемость; 2) удéльная проводимость.

permutation [,pə:mju:'teɪʃən] *n* 1) перемéна, изменéние; 2) *мат.* перестанóвка.

permute [pə'mju:t] *v* переставлять; менять порядок.

pern [pə:n] *n* осоéд (*птица*).

pernicious [pə:'nɪʃəs] *a* пáгубный, врéдный; ~ anaemia злокáчественная анемия.

pernickety [pə'nɪkɪtɪ] *a разг.* 1) придирчивый, разбóрчивый, приверéдливый; 2) педантичный; 3) суетливый; 4) тóнкий, трéбующий осторóжности и тщáтельности; щекотливый.

perorate ['perəreɪt] *v* 1) орáторствовать; разглагóльствовать; 2) дéлать заключéние в рéчи, резюмировать.

peroration [,perə'reɪʃən] *n* 1) разглагóльствование; 2) заключéние, заключительная часть рéчи.

peroxide [pə'rɔksaɪd] *n хим.* пéрекись, *часто* пéрекись водорóда.

perpend [pə:'pend] *v уст., шутл.* обдýмывать, размышлять.

perpendicular [,pə:pən'dɪkjulə] **1.** *n* 1) перпендикуляр; отвéс; out of the ~ не вертикáльный, не под прямым углóм; 2) *sl.* закýсывание стóя, едá стóя;
2. *a* 1) перпендикулярный; 2) почти вертикáльный, крутóй.

perpendicularity ['pə:pən,dɪkju'lærɪtɪ] *n* перпендикулярность.

perpetrate ['pə:pɪtreɪt] *v* совершáть (*преступлéние, ошибку и т. п.*); ◇ to ~ a pun сочинить каламбýр.

perpetration [,pə:pɪ'treɪʃən] *n* 1) совершéние (*преступлéния*); 2) преступлéние.

perpetrator ['pə:pɪtreɪtə] *n* нарушитель, престýпник.

perpetual [pə'petjuəl] *a* 1) вéчный, бесконéчный; ~ motion «вéчное движéние», перпéтуум-мóбиле; 2) пожизненный; 3) *разг.* беспрестáнный, непрекращáющийся; постоянный; нескончáемый; this ~ nagging это вéчное нытьé.

perpetuate [pə'petjueɪt] *v* увековéчивать; сохранять навсегдá.

perpetuation [pə,petju'eɪʃən] *n* увековéчение; сохранéние навсегдá.

perpetuity [,pə:pɪ'tju:ɪtɪ] *n* 1) вéчность, бесконéчность; in (*или* to, for) ~ навсегдá; навéчно; 2) владéние на неограниченный срок; 3) пожизненная рéнта.

perplex [pə'pleks] *v* 1) стáвить в тупик, приводить в недоумéние; смущáть; ошеломлять, сбивáть с тóлку; 3) запýтывать, усложнять;

perplexed [pə'plekst] **1.** *p. p. om* perplex;
2. *a* 1) ошеломлённый, сбитый с тóлку, растéрянный; 2) запýтанный; слóжный; a ~ question запýтанный вопрóс.

perplexedly [pə'pleksɪdlɪ] *adv* недоумéнно; растéрянно.

perplexity [pə'pleksɪtɪ] *a* 1) недоумéние; растéрянность; смущéние; 2) затруднéние, дилéмма.

perquisite ['pə:kwɪzɪt] *n* 1) прирабóток; случáйный дохóд; 2) то, что по использовании перехóдит в распоряжéние подчинённых, слуг; 3) чаевьíе.

perquisition [,pə:kwɪ'zɪʃən] *n* 1) тщáтельный обыск; 2) опрóс; расслéдование.

perron ['perən] *n архит.* нарýжная лéстница подъéзда, крыльцá.

perry ['perɪ] *n* грýшевый сидр.

perse [pə:s] *a уст.* серовáто-синий.

persecute ['pə:sɪkju:t] *v* 1) преслéдовать, подвергáть гонéниям (*особ. за убеждéния*); 2) докучáть, надоедáть.

persecution [,pə:sɪ'kju:ʃən] *n* 1) преслéдование, гонéние; 2) *attr.:* ~ complex мáния преслéдования.

persecutor ['pə:sɪkju:tə] *n* преслéдователь, гонитель.

Perseus ['pə:sju:s] *n миф.* Персéй.

perseverance [,pə:sɪ'vɪərəns] *n* настойчивость, стóйкость, упóрство.

persevere [,pə:sɪ'vɪə] *v* стóйко, упóрно продолжáть, упóрно добивáться (in, with).

persevering [,pə:sɪ'vɪərɪŋ] **1.** *pres. p. om* persevere;
2. *a* упóрный, стóйкий.

Persian ['pə:ʃən] **1.** *a* персидский; ирáнский; ~ rug (*или* carpet) персидский ковёр; ◇ ~ blinds жалюзи;
2. *n* 1) перс; персиянка; the ~s *pl собир.* пéрсы; 2) персидский язьíк.

persiennes [,pə:sɪ'enz] *фр. n pl* жалюзи.

persiflage [,peəsɪ'flɑ:ʒ] *фр. n* подшýчивание; лёгкая шýтка.

persilicic [,pə:sɪ'lɪsɪk] *a мин.* кислый (*об изверженных порóдах*).

persimmon [pə:'sɪmən] *n бот.* персиммóн, хурмá япóнская.

persist [pə'sɪst] *v* 1) упóрствовать, настóйчиво, упóрно продолжáть (in); he ~ed in his opinion он упóрно стоял на своём; 2) оставáться, продолжáть существовáть, устоять; the tendency still ~s эта тендéнция всё ещё существýет.

persistence, -cy [pə'sɪstəns, -sɪ] *n* 1) упóрство, настойчивость; 2) выносливость; живýчесть; 3) постоянство; продолжительность; сохранéние эффéкта пóсле устранéния причины, вьíзвавшей егó; ~ of vision инéрция зрительного восприятия.

persistent [pə'sɪstənt] *a* 1) упóрный, настóйчивый; 2) стóйкий; устóйчивый, постоянный; 3) *бот.* неопадáющий (*о листве и т. п.*); ~ leaf многолéтний, неопадáющий лист.

persnickety [pə:'snɪkətɪ] *разг. см.* pernickety.

person ['pə:sn] *n* 1) человéк; личность, осóба; субъéкт; in (one's own) ~ лично, собственной персóной; not a single ~ ни одной души, никогó; 2) внéшность; he has a fine ~ он красив; 3) действующее лицó; персонáж; 4) *грам.* лицó; 5) юридическое лицó; 6) *зоол.* осóбь.

persona [pə:'sounə] *лат. n:* ~ (non) grata *дип.* персóна (нон) грáта.

personable ['pɜːsnəbl] *a* красивый, с привлекательной внешностью; представительный.

personage ['pɜːsnɪdʒ] *n* 1) выдающаяся личность; (важная) персона; 2) человек; особа; 3) персонаж, действующее лицо.

personal ['pɜːsnl] 1. *a* 1) личный; ~ labour личный труд; ~ opinion личное мнение; 2) задевающий, затрагивающий личности; ~ remarks замечания, имеющие целью задеть *или* обидеть кого-л.; to become ~ задевать кого-л., переходить на личности; 3) *грам.* личный; ~ pronoun личное местоимение; 4) *юр.* движимый (*об имуществе*); 2. *n* (*обыкн.* pl) *амер.* заметка в газете о личных делах.

personality [ˌpɜːsə'nælɪtɪ] *n* 1) личность, индивидуальность; 2) личные свойства, особенности характера; 3) (известная) личность, персона; 4) (*обыкн.* pl) выпад(ы) (*против кого-л.*).

personalize ['pɜːsənəlaɪz] *v* олицетворять.

personally ['pɜːsnəlɪ] *adv* 1) лично, собственной персоной, сам; 2) что касается меня (его *и т. п.*); ~ I differ from you что касается меня, то я расхожусь с вами во мнении.

personalty ['pɜːsnəltɪ] *n* *юр.* движимое имущество.

personate ['pɜːsəneɪt] *v* 1) играть роль; 2) выдавать себя за *кого-л.*

personation [ˌpɜːsə'neɪʃən] *n* 1) выдавание себя за другого; 2) воплощение.

personification [pɜːˌsɔnɪfɪ'keɪʃən] *n* олицетворение; воплощение.

personify [pə'sɔnɪfaɪ] *v* олицетворять; воплощать.

personnel [ˌpɜːsə'nel] 1. *n* 1) персонал, личный состав; 2) *attr. воен.*: ~ bomb осколочная бомба; ~ mine противопехотная мина; ~ shelter укрытие для личного состава; ~ target живая цель; 2. *v* укомплектовывать личным составом.

perspective [pə'spektɪv] 1. *n* 1) перспектива; 2) вид; 2. *a* перспективный; ~ geometry аксонометрия.

perspicacious [ˌpɜːspɪ'keɪʃəs] *a* проницательный.

perspicacity [ˌpɜːspɪ'kæsɪtɪ] *n* проницательность.

perspicuity [ˌpɜːspɪ'kjuːɪtɪ] *n* 1) ясность, понятность; 2) прозрачность; 3) проницательность.

perspicuous [pə'spɪkjuəs] *a* 1) ясный, понятный; 2) ясно выражающий свои мысли; 3) прозрачный.

perspirable [pəs'paɪərəbl] *a* 1) пропускающий испарину; 2) выходящий испариной.

perspiration [ˌpɜːspə'reɪʃən] *n* 1) потение; 2) пот, испарина.

perspire [pəs'paɪə] *v* потеть; быть в испарине.

persuadable [pə'sweɪdəbl] *a* поддающийся убеждению.

persuade [pə'sweɪd] *v* 1) убеждать (that—в чём-л.); I am ~d that it is true я убеждён, что это верно; 2) склонить, уговорить

(into); 3) отговорить (from, out of—от чего-л.).

persuader [pə'sweɪdə] *n* 1) убеждающий, уговаривающий; 2) *pl sl.* шпоры; 3) *разг.* рекламная литература.

persuasion [pə'sweɪʒən] *n* 1) убеждение; 2) убедительность; 3) вероисповедание; 4) *шутл.* род, сорт.

persuasive [pə'sweɪsɪv] 1. *a* убедительный; 2. *n* побуждение, мотив.

persuasiveness [pə'sweɪsɪvnɪs] *n* убедительность.

pert [pɜːt] *a* дерзкий; нахальный; бойкий, развязный.

pertain [pə'teɪn] *v* 1) принадлежать, иметь отношение (to—к чему-л.); 2) подходить, подобать.

pertinacious [ˌpɜːtɪ'neɪʃəs] *a* упрямый, неуступчивый.

pertinacity [ˌpɜːtɪ'næsɪtɪ] *n* упрямство, неуступчивость.

pertinence, -cy ['pɜːtɪnəns, -sɪ] *n* 1) уместность (*замечания и т. п.*); 2) связь, отношение; it is of no ~ to us это нас не касается.

pertinent ['pɜːtɪnənt] 1. *a* 1) уместный; подходящий; 2) имеющий отношение, относящийся к делу; ~ remark замечание по существу; 2. *n* (*обыкн.* pl) принадлежности.

perturb [pə'tɜːb] *v* 1) возмущать, приводить в смятение, нарушать (спокойствие); 2) волновать, беспокоить, смущать.

perturbation [ˌpɜːtə'beɪʃən] *n* 1) волнение, расстройство, смятение; 2) *астр.*,*тех.* пертурбация, возмущение.

peruke [pə'ruːk] *n* парик.

perusal [pə'ruːzəl] *n* 1) внимательное чтение; прочтение; 2) *редк.* рассматривание.

peruse [pə'ruːz] *v* 1) внимательно прочитывать; 2) внимательно рассматривать (*лицо человека и т. п.*).

Peruvian [pə'ruːvjən] 1. *a* перуанский; ◇ ~ bark хинная корка; 2. *n* перуанец; перуанка.

pervade [pɜː'veɪd] *v* 1) распространяться, охватывать; пропитывать; наполнять собой; 2) *редк.* проходить (*по, через*).

pervasion [pɜː'veɪʒən] *n* распространение и пр. [*см.* pervade].

pervasive [pə'veɪsɪv] *a* проникающий, распространяющийся повсюду.

perverse [pə'vɜːs] *a* 1) упрямый, упорствующий (*особ.* в своей неправоте); несговорчивый, капризный; извращённый; 2) порочный; извращённый; 3) превратный; ошибочный (*о приговоре и т. п.*).

perversion [pə'vɜːʃən] *n* 1) извращение; искажение; 2) извращённость.

perversity [pə'vɜːsɪtɪ] *n* 1) упрямство, своенравие; несговорчивость; 2) извращённость; порочность.

perversive [pə'vɜːsɪv] *a* извращающий.

pervert 1. *n* ['pɜːvɜːt] 1) отступник, ренегат; 2) извращённый человек; человек, страдающий половым извращением; 2. *v* [pə'vɜːt] 1) извращать; 2) совращать, развращать.

pervertible [pə'vɜːtəbl] *a* извратимый.

pervious ['pəːvjəs] *a* 1) проходи́мый, проница́емый (to); пропуска́ющий (*влагу и т. п.*); 2) поддаю́щийся (*влия́нию и т. п.*); восприи́мчивый.

peseta [pə'seitə] *исп. n* песе́та, пезе́та (*испанская монета*).

pesky ['peskɪ] *a амер. разг.* надое́дливый, доку́чливый; доса́дный.

peso ['peisou] *исп. n* (*pl* -os [-ouz]) пе́со (*монета, имеющая хождение в некоторых странах Латинской Америки и на Филиппинах*).

pessary ['pesərɪ] *n мед.* песса́рий.

pessimism ['pesɪmɪzəm] *n* пессими́зм.

pessimist ['pesɪmɪst] *n* пессими́ст.

pessimistic [,pesɪ'mɪstɪk] *a* пессимисти́ческий.

pest [pest] *n* 1) бич; я́зва, парази́т; ~s of society туне́я́дцы, парази́ты; 2) что-л. надое́дливое; надое́дливый челове́к; 3) парази́т, вреди́тель; 4) *уст.* мор, чума́.

pester ['pestə] *v* докуча́ть, надоеда́ть.

pesthole ['pesthoul] *n* оча́г зара́зы, эпиде́мии.

pest-house ['pesthaus] *n уст.* больни́ца для зара́зных больны́х; чумно́й бара́к.

pesticide ['pestɪsaid] *n с.-х.* (хими́ческое) сре́дство для борьбы́ с вреди́телями.

pestiferous [pes'tɪfərəs] *a* 1) распространя́ющий зара́зу; злово́нный; 2) вре́дный, опа́сный; 3) *разг.* надое́дливый, доку́чливый.

pestilence ['pestɪləns] *n* 1) (бубо́нная) чума́; мор; 2) эпиде́мия, пове́трие.

pestilent ['pestɪlənt] *a* 1) смертоно́сный; ядови́тый; 2) па́губный, вре́дный; тлетво́рный; 3) *разг.* назо́йливый, надое́дливый, неприя́тный.

pestilential [,pestɪ'lenʃəl] *a* 1) чумно́й, распространя́ющий зара́зу; злово́нный; 2) *разг.* отврати́тельный.

pestle ['pesl] **1.** *n* пе́стик (*ступки*); **2.** *v* толо́чь.

pet I [pet] **1.** *n* 1) люби́мец, ба́ловень; 2) люби́мое живо́тное; люби́мая вещь; 3) *attr.* люби́мый; ~ name ласка́тельное и́мя; 4) *attr.* ручно́й, ко́мнатный (*о живо́тном*); ◇ one's ~ aversion са́мая си́льная антипа́тия; ~ corn *шутл.* люби́мая мозо́ль; **2.** *v* 1) балова́ть, ласка́ть; 2) *амер.* предава́ться ла́скам; обнима́ть, целова́ть *и т. п.*

pet II [pet] *n* оби́да, раздраже́ние; дурно́е настрое́ние; to be in a ~ серди́ться, ду́ться; быть в дурно́м настрое́нии.

petal ['petl] *n бот.* лепесто́к.

petard [pe'tɑːd] *n* 1) пета́рда; 2) род фейерве́рка, хлопу́шка.

peter ['piːtə] *v sl.:* ~ out исся́ка́ть, истоща́ться; бедне́ть, уменьша́ться (*о запасах*).

Peter's fish ['piːtəzfɪʃ] *n зоол.* пи́кша.

petersham ['piːtəʃəm] *n* 1) то́лстое сукно́; 2) пальто́ *или* брю́ки из грубошёрстного сукна́; 3) ре́псовая ле́нта.

Peter('s)-penny ['piːtə(z)'penɪ] *n ист.* «ле́пта св. Петра́» (*ежегодная подать в папскую казну*).

petiole ['petioul] *n бот.* черешо́к (*листа*).

petition [pɪ'tɪʃən] **1.** *n* 1) пети́ция; проше́ние, хода́тайство; a ~ in bankruptcy за-

явле́ние о банкро́тстве; 2) моли́тва; 3) мольба́; **2.** *v* 1) обраща́ться с пети́цией; подава́ть проше́ние, хода́тайствовать; 2) умоля́ть.

petitionary [pɪ'tɪʃnərɪ] *a* содержа́щий про́сьбу, проси́тельный.

petitioner [pɪ'tɪʃnə] *n* 1) проси́тель; 2) *юр.* исте́ц.

petrel ['petrəl] *n зоол.* 1) вилохво́стая ча́рка; 2): stormy ~ буреве́стник.

petrifaction [,petrɪ'fækʃən] *n* 1) окамене́ние; 2) окамене́лость; 3) оцепене́ние.

petrify ['petrɪfai] *v* 1) превраща́ть(ся) в ка́мень, окаменева́ть; 2) приводи́ть в оцепене́ние, поража́ть, ошеломля́ть; 3) остолбене́ть, оцепене́ть.

petrographer [pɪ'trɔgrəfə] *n* петро́граф.

petrography [pɪ'trɔgrəfɪ] *n* петрогра́фия.

petrol ['petrəl] **1.** *n* 1) бензи́н; to draw ~ заправля́ться горю́чим; 2) *уст.* = petroleum; 3) *attr.* бензи́новый, кероси́новый; ~ container балло́н, цисте́рна для горю́чего; **2.** *v* снабжа́ть бензи́ном.

petrolatum [,petrə'leitəm] *n* вазели́н.

petroleum [pɪ'trouljəm] *n* 1) нефть; 2) кероси́н; 3) *attr.* нефтяно́й.

petrolic [pɪ'trɔlik] *a* бензи́новый; нефтяно́й.

petroliferous [,petrə'lɪfərəs] *a геол.* нефтено́сный.

petrology [pɪ'trɔlədʒɪ] *n* петроло́гия.

petrous ['petrəs] *a* окамене́лый, затверде́вший, твёрдый как ка́мень.

petticoat ['petikout] *n* 1) (ни́жняя) ю́бка; де́тская ю́бочка; I have known him since he was in ~s ≅ я зна́ю его́ с пелёнок; 2) *шутл.* же́нщина, де́вушка, *pl* же́нский пол; 3) *тех.* ко́локол; труба́ с кони́ческим растру́бом; 4) *attr.* же́нский; ~ influence *разг.* же́нское влия́ние; ~ government ≅ ба́бье ца́рство.

petties ['petiz] *n pl* ме́лкие расхо́ды.

pettifog ['petifɔg] *v* 1) занима́ться крючкотво́рством, кля́узами; сутя́жничать; 2) вздо́рить из-за пустяко́в.

pettifogger ['petifɔgə] *n* крючкотво́р, кля́узник.

pettifogging ['petifɔgiŋ] **1.** *pres. p. от* pettifog; **2.** *a* 1) занима́ющийся крючкотво́рством; 2) ме́лкий, ничто́жный; ме́лочный.

pettish ['petiʃ] *a* оби́дчивый; раздражи́тельный.

pettitoes ['petitouz] *n pl* свины́е но́жки (*кушанье*).

petty ['peti] *a* 1) ме́лкий, незначи́тельный, малова́жный; ~ cash ме́лкие статьи́ (*прихода, расхода*); 2) ме́лкий, небольшо́й; ~ farmer ме́лкий фе́рмер; ~ warfare ма́лая война́; 3) ме́лочный; у́зкий, ограни́ченный; ◇ ~ officer старшина́ (*во флоте*).

petty jury ['peti'dʒuəri] *n* 12 прися́жных, вынося́щих верди́кт по гражда́нским и уголо́вным дела́м.

petulance ['petjuləns] *n* раздраже́ние; капри́зность, раздражи́тельность; нетерпели́вость.

petulant ['petjulənt] *a* 1) раздражи́тельный, нетерпели́вый, оби́дчивый; 2) *редк.* де́рзкий, на́глый.

petunia [pɪ'tjuːnjə] *n* 1) *бот.* пету́ния, пету́нья; 2) *attr.* тёмно-фиолéтовый, пурпу́рный.

petunise [pe'tuntsə] *n мин.* китáйский кáмень.

pew [pjuː] *n* 1) церкóвная скамья́ со спи́нкой; 2) постоя́нное мéсто в цéркви (*занимаемое важным лицом и т. п.*); 3) *разг.* сидéнье, стул; take a ~ садúтесь; ◇ in the right church but in the wrong ~ ≌ в óбщем прáвильно, но невéрно в детáлях.

pewit ['piːwɪt] *n зоол.* чúбис, пигáлица.

pewit (gull) ['piːwɪt('gʌl)] *n зоол.* чáйка обыкновéнная.

pew-rent ['pjuːrent] *n* плáта за мéсто в цéркви.

pewter ['pjuːtə] *n* 1) сплав óлова со свинцóм; сплав на оловя́нной оснóве; 2) оловя́нная посýда; оловя́нная крýжка; 3) *sl.* приз; призовы́е дéньги; 4) *attr.* оловя́нный.

pfennig, pfenning ['pfenɪg, 'pfenɪŋ] *нем. n* пфéнниг (*немецкая монета = 0,01 марки*).

phaeton ['feɪtn] *n* фаэтóн.

phagocyte ['fægəsaɪt] *n физиол.* фагоцúт.

phalange ['fælændʒ] = phalanx 3).

phalanges ['fælændʒɪz] *pl от* phalanx 3).

phalanstery ['fælənstərɪ] *n* фаланстéр.

phalanx ['fælæŋks] *n* (*pl* -xes [-ksɪz]) 1) фалáнга; 2) = phalanstery; 3) (*pl обыкн.* -nges) *анат., зоол.* фалáнга, сустáв пáльца.

phalli ['fælaɪ] *pl от* phallus.

phallus ['fæləs] *n* (*pl* -li) фáллос.

phanerogam ['fænərougæm] *n бот.* явнобрáчное растéние.

phanerogamic, phanerogamous [,fænərou'gæmɪk, ,fænə'rɔgəməs] *a бот.* явнобрáчный.

phantasm ['fæntæzəm] *n* 1) фантóм, прúзрак; 2) иллю́зия; кáжущееся схóдство.

phantasmagoria [,fæntæzmə'gɔrɪə] *n* фантасмагóрия.

phantasmagoric [,fæntæzmə'gɔrɪk] *a* фантасмагорúческий.

phantasmal [fæn'tæzməl] *a* прúзрачный.

phantasy ['fæntəsɪ] = fantasy.

phantom ['fæntəm] *n* 1) фантóм, прúзрак; 2) иллю́зия; 3) *attr.* прúзрачный, иллюзóрный; 4) *attr. тех.* прозрáчный (*об изображении*).

Pharaoh ['fɛərou] *n ист.* фараóн.

Pharisaic(al) [,færɪ'seɪɪk(əl)] *a* фарисéйский, хáнжеский.

Pharisaism ['færɪseɪɪzəm] *n* фарисéйство.

Pharisee ['færɪsiː] *n* фарисéй, ханжá.

pharmaceutical [,fɑːmə'sjuːtɪkəl] *a* фармацевтúческий; ~ scales аптéкарские весы́.

pharmaceutics [,fɑːmə'sjuːtɪks] *n pl(употр. как sing)* фармацéвтика.

pharmaceutist [,fɑːmə'sjuːtɪst] *n* фармацéвт.

pharmacologist [,fɑːmə'kɔlədʒɪst] *n* фармакóлог.

pharmacology [,fɑːmə'kɔlədʒɪ] *n* фармаколóгия.

pharmacopoeia [,fɑːməkə'piːə] *n* фармакопéя.

pharmacy ['fɑːməsɪ] *n* 1) фармацúя; 2) аптéка.

pharos ['fɛərɔs] *греч. n поэт., ритор.* маяк, свéточ.

pharyngitis [,færɪn'dʒaɪtɪs] *n мед.* фарингúт.

pharynx ['færɪŋks] *n анат.* глóтка, зев.

phase [feɪz] 1. *n* 1) фáза; 2) перúод, стáдия; 3) аспéкт; 4) *астр., физ.* фáза; 5) *геол.* фáция; разновúдность;

2. *v* фазúровать.

phasic ['feɪzɪk] *a* фáзный, стадúйный.

pheasant ['feznt] *n зоол.* фазáн.

phenol ['fiːnɔl] *n хим.* фенóл, карбóловая кислотá.

phenology [fiː'nɔlədʒɪ] *n* фенолóгия.

phenomena [fɪ'nɔmɪnə] *pl от* phenomenon.

phenomenal [fɪ'nɔmɪnl] *a* феноменáльный, необыкновéнный.

phenomen(al)ism [fɪ'nɔmɪn(əl)ɪzəm] *n филос.* феноменалúзм.

phenomenon [fɪ'nɔmɪnən] *n* (*pl* -ena) 1) явлéние; 2) необыкновéнное явлéние; фенóмен; infant ~ вундеркúнд, чýдо-ребёнок.

phew [fjuː] *int* фу!; ну и нý!

phi [faɪ] *n* фúта (*греческая буква* Ф).

phial ['faɪəl] *n* 1) склянка, пузырёк; 2) фиáл.

philander [fɪ'lændə] *v* флиртовáть; волочúться.

philanderer [fɪ'lændərə] *n* волокúта, ухажёр, донжуáн.

philanthrope ['fɪlənθroup] = philanthropist.

philanthropic [,fɪlən'θrɔpɪk] *a* филантропúческий.

philanthropist [fɪ'lænθrəpɪst] *n* филантрóп.

philanthropize [fɪ'lænθrəpaɪz] *v* 1) занимáться филантрóпией; 2) покровúтельствовать (*кому-л.*).

philanthropy [fɪ'lænθrəpɪ] *n* филантрóпия.

philatelic [,fɪlə'telɪk] *a* филателистúческий.

philatelist [fɪ'lætəlɪst] *n* филателúст.

philately [fɪ'lætəlɪ] *n* филатéлия.

philharmonic [,fɪlɑː'mɔnɪk] 1. *a* 1) любящий мýзыку; 2) филармонúческий, музыкáльный (*об обществе*);

2. *n* 1) филармóния; 2) *разг.* концéрт; 3) меломáн.

philhellenic [,fɪlhe'liːnɪk] *a* филэллúнский.

philippic [fɪ'lɪpɪk] *n* (*обыкн. pl*) филúппика, обличúтельная речь.

Philippine ['fɪlɪpiːn] *a* филиппúнский.

Philistine ['fɪlɪstaɪn] *n* 1) филúстер, обывáтель, мещанúн; 2) *шутл.* (беспощáдный) враг (*напр., критик, бейлиф и т. п.*); 3) *библ.* филистимля́нин; ◇ to fall among ~s ≌ попáсть в передéлку, попáсть в тяжёлое положéние;

2. *a* филúстерский, обывáтельский, мещáнский.

Philistinism ['fɪlɪstɪnɪzəm] *n* филúстерство, мещáнство.

Philistinize ['fɪlɪstɪnaɪz] *v* дéлать филúстером.

philobiblic [ˌfɪlə'bɪblɪk] *a* любящий кни́ги.

philogynist [fɪ'lɔdʒɪnɪst] *n* женолю́б.

philological [ˌfɪlə'lɔdʒɪkəl] *a* филологи́ческий, языкове́дческий.

philologist [fɪ'lɔlədʒɪst] *n* фило́лог, языкове́д.

philologize [fɪ'lɔlədʒaɪz] *v* занима́ться филоло́гией.

philology [fɪ'lɔlədʒɪ] *n* филоло́гия.

Philomel, Philomela ['fɪləmel, ˌfɪlou'miːlə] *n* поэт. филоме́ла, солове́й.

philoprogenitive [ˌfɪləprə'dʒenɪtɪv] *a* 1) плодови́тый; 2) чадолюби́вый.

philosopher [fɪ'lɔsəfə] *n* 1) фило́соф; natural ~ физик; естествоиспыта́тель; ~s' stone филосо́фский ка́мень; 2) челове́к с филосо́фским подхо́дом к жи́зни.

philosophic(al) [ˌfɪlə'sɔfɪk(əl)] *a* филосо́фский.

philosophize [fɪ'lɔsəfaɪz] *v* филосо́фствовать, у́мствовать; морализи́ровать.

philosophy [fɪ'lɔsəfɪ] *n* филосо́фия; Marxist-Leninist ~ маркси́стско-ле́нинская филосо́фия.

philtre ['fɪltə] *n* любо́вный напи́ток, приворо́тное зе́лье.

phiz [fɪz] *n* (*сокр. от* physiognomy) *разг.* лицо́, физионо́мия, «фи́зия».

phlebitis [flɪ'baɪtɪs] *n мед.* воспале́ние ве́ны, флеби́т.

phlebotomize [flɪ'bɔtəmaɪz] *v мед.* пуска́ть кровь.

phlebotomy [flɪ'bɔtəmɪ] *n мед.* кровопуска́ние.

phlegm [flem] *n* 1) мокро́та, слизь; 2) фле́гма, флегмати́чность; хладнокро́вие, бесстра́стие.

phlegmatic [fleg'mætɪk] *a* флегмати́чный, вя́лый.

phlegmon ['flegmɔn] *n мед.* флегмо́на.

phloem ['flouəm] *n бот.* флоэ́ма.

phlogistic [flɔ'dʒɪstɪk] *a мед.* воспали́тельный.

phlogiston [flɔ'dʒɪstən] *n* флогисто́н.

phlox [flɔks] *n бот.* флокс.

phobia ['foubɪə] *n мед.* невро́з стра́ха.

Phoebe ['fiːbiː] *n* 1) *миф.* Фе́ба; 2) *поэт.* луна́.

Phoebus ['fiːbəs] *n* 1) *миф.* Феб; 2) *поэт.* со́лнце.

Phoenician [fɪ'nɪʃɪən] 1. *a* финики́йский; 2. *n* 1) финики́янин; финики́янка; 2) финики́йский язы́к.

phoenix ['fiːnɪks] *n* 1) *миф.* фе́никс; 2) образе́ц соверше́нства, чу́до.

phonal ['founəl] *a* голосово́й.

phone I [foun] *n фон.* звук ре́чи.

phone II [foun] *разг.* 1) телефо́н (-ная тру́бка); on the ~ у телефо́на; by (*или* over) the ~ по телефо́ну; to get smb. on the ~ дозвони́ться к кому́-л. по телефо́ну; to hang up the ~ пове́сить тру́бку; 2) ак. фон;
2. *v* телефони́ровать.

phoneme ['founiːm] *n лингв.* фоне́ма.

phonemic [fou'niːmɪk] *a лингв.* фонема́тический.

phonetic [fou'netɪk] *a* фонети́ческий.

phonetician [ˌfounɪ'tɪʃən] *n* фонети́ст.

phoneticize [fou'netɪsaɪz] *v* транскриби́ровать фонети́чески.

phonetics [fou'netɪks] *n pl* (*употр. как sing*) фоне́тика.

phoney ['founɪ] *см.* phony.

phonic ['founɪk] *a* 1) акусти́ческий, фони́ческий; 2) голосово́й.

phonics ['founɪks] *n pl* (*употр. как sing*) аку́стика.

phonogram ['founəgræm] *n* 1) фоногра́мма; звукоза́пись; 2) телефоногра́мма; 3) граммофо́нная пласти́нка.

phonograph ['founəgrɑːf] *n* 1) фоно́граф; 2) *амер.* граммофо́н, патефо́н.

phonographic [ˌfounə'græfɪk] *a* фонографи́ческий.

phonography [fou'nɔgrəfɪ] *n* 1) фоногра́фия; 2) стеногра́фия по систе́ме Пи́тмена.

phonologic(al) [ˌfounə'lɔdʒɪk(əl)] *a* фонологи́ческий.

phonology [fou'nɔlədʒɪ] *n* фоноло́гия.

phonometer [fou'nɔmɪtə] *n* фоно́метр.

phonopathy [fou'nɔpəθɪ] *n мед.* расстро́йство о́рганов ре́чи.

phonoscope ['founəskoup] *n* фоноско́п.

phony ['founɪ] *разг.* 1. *a* ло́жный, подде́льный; фальши́вый; ду́тый (*об акциях*); 2. *n* 1) обма́н; подде́лка; 2) жу́лик, обма́нщик.

phosgene ['fɔzdʒiːn] *n хим.* фосге́н.

phosphate ['fɔsfeɪt] *n хим.* 1. *n* фосфа́т, соль (орто)фо́сфорной кислоты́;
2. *a* фосфорноки́слый.

phosphide ['fɔsfaɪd] *n хим.* фо́сфористое соедине́ние, фосфи́д.

phosphite ['fɔsfaɪt] *n хим.* соль фо́сфористой кислоты́.

Phosphor ['fɔsfə] *n поэт.* у́тренняя звезда́.

phosphorate ['fɔsfəreɪt] *v хим.* насыща́ть фо́сфором, соединя́ть с фо́сфором.

phosphor-bronze ['fɔsfə'brɔnz] *n метал.* фо́сфористая бро́нза.

phosphoresce [ˌfɔsfə'res] *v* фосфоресци́ровать, свети́ться.

phosphorescence [ˌfɔsfə'resns] *n* фосфоресце́нция, свече́ние.

phosphorescent [ˌfɔsfə'resnt] *a* фосфоресци́рующий.

phosphoric [fɔs'fɔrɪk] *a* 1) фосфори́ческий; фосфоресци́рующий; 2) *хим.* фо́сфорный.

phosphorite ['fɔsfəraɪt] *n мин.* фосфори́т.

phosphorous ['fɔsfərəs] *a хим.* фо́сфористый.

phosphorus ['fɔsfərəs] *n хим.* фо́сфор.

phot [fɔt] *n физ.* фот, едини́ца освещённости.

photic ['foutɪk] *a* светово́й, относя́щийся к све́ту.

photo ['foutou] *n* (*pl* -os [-ouz]) *сокр. разг. от* photograph 1.

photoactive ['foutə'æktɪv] *a* светочувстви́тельный.

photobiotic ['foutəbaɪ'ɔtɪk] *a биол.* спосо́бный жить то́лько при све́те.

photocell ['foutəsel] = photo-electric cell [*см.* photo-electric].

photochemistry [ˌfoutə'kemɪstrɪ] *n* фотохи́мия.

photochromy ['foutəkroumɪ] n цветная фотография, фотохромия.

photoconductivity ['foutəkɔndʌk'tɪvɪtɪ] n фотопроводимость.

photo-electric [,foutəɪ'lektrɪk] a фотоэлектрический; ~ cell фотоэлемент.

photo-electricity ['foutə,elɪk'trɪsɪtɪ] n фотоэлектричество.

photofinish [,foutə'fɪnɪʃ] n спорт. фотофиниш.

photogenic [,foutə'dʒenɪk] a 1) фотогеничный; 2) биол. фосфоресцирующий.

photograph ['foutəgraːf] 1. n фотографический снимок, фотография;
2. v 1) фотографировать, снимать; 2) выходить на фотографии (хорошо, плохо); I always ~ badly я всегда плохо выхожу на фотографиях.

photographer [fə'tɔgrəfə] n фотограф.

photographic [,foutə'græfɪk] a фотографический.

photography [fə'tɔgrəfɪ] n фотографирование, фотография.

photogravure [,foutəgrə'vjuə] 1. n фотогравюра;
2. v фотогравировать.

photolithography [,foutəlɪ'θɔgrəfɪ] n фотолитография.

photolysis [fou'tɔlɪsɪs] n хим. разложение под влиянием света, фотолиз.

photomechanical ['foutəmə'kænɪkl] a фотомеханический.

photomechanics [,foutəmɪ'kænɪks] n pl (употр. как sing) фотомеханика.

photometer [fou'tɔmɪtə] n фотометр.

photometric [,foutə'metrɪk] a фотометрический.

photometry [fou'tɔmɪtrɪ] n фотометрия.

photomicrograph [,foutə'maɪkrougraːf] n микрофотографический снимок.

photomicrography [,foutəmaɪ'krɔgrəfɪ] n микрофотография, микрофотографирование.

photomontage ['foutəmɔn'taːʒ] n фотомонтаж.

photon ['foutɔn] n физ. фотон.

photophobia [,foutə'foubɪə] n мед. светобоязнь, фотофобия.

photoplay ['foutəpleɪ] n фильм-спектакль.

photoprint ['foutəprɪnt] n фотогравюра.

photosensitive ['foutə'sensɪtɪv] a светочувствительный.

photosphere ['foutousfɪə] n астр. фотосфера.

photostat ['foutoustæt] n фотостат.

photosynthesis [,foutə'sɪnθɪsɪs] n биол. фотосинтез.

phototelegraphy [,foutətɪ'legrəfɪ] n фототелеграфия, бильдтелеграфия.

phototherapy ['foutə'θerəpɪ] n светолечение.

phototube [,foutə'tjuːb] n фотоэлемент.

phototype ['foutətaɪp] n полигр. 1) фототипия; 2) attr. фототипический; ~ edition фототипическое издание.

photovision ['foutəvɪʒən] n телевидение.

photoxylography [,foutəzaɪ'lɔgrəfɪ] n полигр. фотоксилография.

photozincography [,foutəzɪŋ'kɔgrəfɪ] n полигр. фотоцинкография.

phrase [freɪz] 1. n 1) фраза, выражение; оборот; идиоматическое выражение; 2) фразировка, язык, стиль; in simple ~ простыми словами, простым языком; 3) pl пустые слова; 4) муз. фраза;
2. v 1) выражать (словами); thus he ~d it вот как он это выразил; 2) муз. фразировать.

phrase-book ['freɪzbuk] n (двуязычный) словарь специфических оборотов и идиоматических выражений.

phrase-man ['freɪzmən] = phrase-monger.

phrase-monger ['freɪz,mʌŋgə] n фразёр.

phrase-mongering ['freɪz,mʌŋgərɪŋ] 1. n фразёрство;
2. a фразёрский; ~ statement красивая фраза.

phraseological [,freɪzɪə'lɔdʒɪkəl] a фразеологический.

phraseology [,freɪzɪ'ɔlədʒɪ] n 1) фразеология; 2) язык, слог.

phrenetic [frɪ'netɪk] 1. a 1) исступлённый, неистовый; маниакальный, безумный; 2) фанатичный;
2. n маньяк.

phrenic ['frenɪk] a анат. относящийся к диафрагме, грудобрюшный.

phrenological [,frenə'lɔdʒɪkəl] a френологический.

phrenologist [frɪ'nɔlədʒɪst] n френолог.

phrenology [frɪ'nɔlədʒɪ] n френология.

Phrygian ['frɪdʒɪən] 1. a фригийский; ~ cap фригийский колпак;
2. n фригиец.

phthisical ['θaɪsɪkəl] a мед. туберкулёзный; чахоточный.

phthisis ['θaɪsɪs] n мед. чахотка.

phut [fʌt] 1. n свист, треск;
2. adv: to go ~ лопнуть; потерпеть крах, неудачу; кончиться ничем.

phyla ['faɪlə] pl от phylum.

phylactery [fɪ'læktərɪ] n 1) рел. филактерия; 2) амулет, талисман; ◇ to make broad one's ~ (или phylacteries) выставлять напоказ свою набожность.

phyllophagous [fɪ'lɔfəgəs] a листоядный.

phylloxera [,fɪlɔk'sɪərə] n зоол. филлоксера.

phylogenesis [,faɪlə'dʒenɪsɪs] n биол. филогенез.

phylum ['faɪləm] n (pl phyla) биол. тип.

physic ['fɪzɪk] 1. n 1) медицина; 2) разг. лекарство, обыкн. слабительное; 3) sl. взбучка;
2. v 1) давать лекарство; лечить; 2) sl. всыпать, задать жару; 3) sl. «облегчить» от денег (кого-л. в карт. игре).

physical ['fɪzɪkəl] a физический; материальный, телесный; ~ chemistry физическая химия; ~ culture физическая культура; ~ training физическая подготовка; ~ examination врачебный (или медицинский) осмотр; ~ exercise моцион; ~ drill, sl. ~ jerks гимнастические упражнения; ~ therapy лечение физическими методами, физиотерапия.

physician [fɪ'zɪʃən] n 1) врач, доктор; 2) (ис)целитель.

physicist ['fɪzɪsɪst] *n* физик.
physicky ['fɪzɪkɪ] *a* отзывающийся лекарством.
physics ['fɪzɪks] *n pl* (*употр. как sing*) физика.
physiocrat ['fɪzɪəkræt] *n* физиократ.
physiognomic(al) [,fɪzɪə'nɔmɪk(əl)] *a* физиономический.
physiognomist [,fɪzɪ'ɔnəmɪst] *n* физиономист.
physiognomy [,fɪzɪ'ɔnəmɪ] *n* 1) физиогномика; 2) физиономия, тип лица; 3) *груб.* рожа, физия; 4) *редк.* облик.
physiographer [,fɪzɪ'ɔgrəfə] *n* физиограф.
physiographic(al) [,fɪzɪə'græfɪk(əl)] *a* физиографический.
physiography [,fɪzɪ'ɔgrəfɪ] *n* физическая география, физиография.
physiologic(al) [,fɪzɪə'lɔdʒɪk(əl)] *a* физиологический.
physiologist [,fɪzɪ'ɔlədʒɪst] *n* физиолог.
physiology [,fɪzɪ'ɔlədʒɪ] *n* физиология.
physiotherapy [,fɪzɪə'θerəpɪ] *n* лечение физическими методами, физиотерапия.
physique [fɪ'ziːk] *n* телосложение, конституция, внешность.
phytogeny [faɪ'tɔdʒɪnɪ] *n* происхождение и теория развития растений.
phytophagous [faɪ'tɔfəgəs] *a* растениеядный.
pi I [paɪ] *n* 1) пи (*греч. буква* π); 2) *мат.* π (= *3,1415926*).
pi II [paɪ] *a школ. sl.* набожный, религиозный; ◇ **pi jaw** нравоучение.
piaffe [pɪ'æf] *v* идти медленной рысью.
pia mater ['paɪə'meɪtə] *n* 1) *анат.* мягкая мозговая оболочка; 2) мозг, ум.
pianette [pɪə'net] *n* маленькое пианино.
pianino [,pɪə'niːnou] *n* (*pl* -os [-ouz]) пианино.
pianissimo [pjæ'nɪsɪmou] *ит. adv, n муз.* пианиссимо.
pianist ['pjænɪst] *n* пианист; пианистка.
piano I ['pjænou] *n* (*pl* -os [-ouz]) фортепьяно.
piano II ['pjɑːnou] *ит. adv, n муз.* пиано.
pianoforte [,pjænou'fɔːtɪ] = piano I.
pianola [pjæ'noulə] *n муз.* пианола.
piano organ ['pjænou,ɔːgən] *n* шарманка.
piano-player ['pjænou,pleɪə] *n* 1) пианист; 2) пианола.
piaster [pɪ'æstə] = piastre.
piastre [pɪ'æstə] *n* пиастр (*монета в Турции, Румынии, Египте*).
piazza [pɪ'ædzə] *ит. n* 1) (базарная) площадь (*особ. в Италии*); 2) *амер.* веранда.
pibroch ['piːbrɔk] *n шотл.* 1) *муз.* вариации для волынки; 2) *шутл.* волынка.
pica I ['paɪkə] *n мед., вет.* извращённый аппетит.
pica II ['paɪkə] *n полигр.* цицеро.
picador [,pɪkə'dɔː] *исп. n* пикадор.
picaresque [,pɪkə'resk] *a* авантюрный, плутовской (*обыкн. о романе*).
picaroon-[,pɪkə'ruːn] *n* 1) плут, авантюрист; 2) пират; 3) пиратский корабль;
2. *v* 1) жить плутовством; 2) совершать пиратские набеги.
picayune [,pɪkə'juːn] *амер.* 1. *n* 1) *ист.*

название серебряной монеты (= 5 *центам*); 2) *разг.* пустяк;
2. *a* 1) пустяковый, ерундовый; 2) низкий, презренный.
piccalilli ['pɪkəlɪlɪ] *n* острые пикули с пряностями.
piccaninny ['pɪkənɪnɪ] 1. *n* негритёнок; 2. *a* очень маленький.
piccolo ['pɪkəlou] *n* (*pl* -os [-ouz]) *муз.* пикколо, малая флейта.
pice [paɪs] *n англо-инд. название медной монеты* (= 1/4 *анны*).
pichiciago [,pɪtʃɪsɪ'eɪgou] *n зоол.* панцирная мышь, щитоносец.
pick I [pɪk] *n* 1) кирка; кайла; киркомотыга; 2) остроконечный инструмент; 3) зубочистка; 4) *текст.* удар *или* кидка челнока; 5) *полигр.* нечистота на литерах (*при печатании*).
pick II [pɪk] 1. *v* 1) выбирать, отбирать, подбирать; to ~ one's words тщательно подбирать слова; to ~ one's way (*или* one's steps) выбирать дорогу (*чтобы не попасть в грязь*); to ~ and choose быть разборчивым; 2) искать, выискивать; to ~ a quarrel with выискивать повод для ссоры с; 3) собирать, снимать (*плоды*); срывать (*цветы, фрукты*); подбирать (*зерно—о птицах*); 4) долбить, продалбливать, протыкать, просверливать; пробуравливать; 5) ковырять; сковыривать; to ~ one's teeth ковырять в зубах; 6) разрыхлять (*киркой*); 7) обгладывать (*кость*); 8) чистить (*ягоды*); очищать, обдирать; ощипывать (*птицу*); 9) обворовывать, красть; очищать (*карманы*); to ~ and steal заниматься мелкими кражами; to ~ smb.'s brains присваивать чужие мысли; 10) открывать замок отмычкой (*тж.* ~ a lock); 11) расщипывать; to ~ to pieces распарывать; *перен.* раскритиковать; разнести в пух и прах; 12) клевать (*зёрна*); есть (*маленькими кусочками*), отщипывать; *разг.* есть; 13) *амер.* перебирать струны (*банджо и т. п.*); □ ~ **at** *амер.* а) придираться; б) ворчать, пилить; в) вертеть в руках, перебирать; ~ **off** а) отрывать, сдирать; б) стрелять, тщательно прицеливаясь, снимать, подстрелить; в) перестрелять (*одного за другим*); ~ **on** а) выбирать, отбирать; б) докучать, дразнить; ~ **out** а) выдёргивать; б) выбрать; в) различать; г) понимать, схватывать (*значение*); д) подбирать по слуху (*мотив*); е) оттенять; ~ **over** отбирать (*лучшие экземпляры*); выбрать; ~ **up** а) разрыхлять (*киркой*); б) поднимать, подбирать; to ~ oneself up подняться после падения; в) заехать за кем-л.; I'll ~ you up at five o'clock я заеду за вами в пять часов; г) приобретать; to ~ up a livelihood зарабатывать на пропитание; to ~ up flesh пополнеть; д) поймать (*прожектором, по радио и т. п.*); е) подцепить (*выражение*); научиться (*приёмам*); ж) добывать (*сведения*); з) снова найти (*дорогу*); и) познакомиться (*with—с кем-л.*); к) восстанавливать силы; л) подбодрить, поднять настроение; м) *амер.* прибирать комнату; н) ускорять (*движение*); ◇ **to have**

a bone to ~ with smb. име́ть счёты с кем-л.; to ~ up the thread of возобнови́ть знако́мство с; to ~ holes in выи́скивать недоста́тки в; критикова́ть;

2. *n* 1) вы́бор; take your ~ выбира́йте; 2) что-л. отбо́рное, лу́чшая часть (*чего-л.*); the ~ of the basket, the ~ of the bunch лу́чшая часть чего-л.; the ~ of the Army цвет а́рмии, отбо́рные войска́; 3) уда́р (*чем-л. о́стрым*).

pick-a-back ['pɪkəbæk] *adv* на спине́, за плеча́ми.

pickaninny ['pɪkənɪnɪ] = piccaninny.

pickax(e) ['pɪkæks] 1. *n* кирка́, моты́га; кайла́;
2. *v* разрыхля́ть киркомоты́гой.

picked [pɪkt] 1. *p. p. от* pick II, 1;
2. *a* 1) ото́бранный, подо́бранный; со́бранный; 2) отбо́рный; ~ troops отбо́рные войска́; 3) *уст.* остроконе́чный; 4) *с.-х.* пересаженный;

picker ['pɪkə] *n* 1) сбо́рщик хло́пка; сбо́рщик фру́ктов; 2) сортиро́вщик; 3) кирка́, моты́га; кайла́; 4) *горн.* забу́рник; 5) кайло́вщик; 6) *горн.* породоотбо́рочная маши́на; 7) *текст.* трепа́льная маши́на; 8) *текст.* гонок.

pickerel ['pɪkərəl] *n* молода́я щу́ка, щу́чка.

picket ['pɪkɪt] 1. *n* 1) кол; 2) пике́т; 3) пике́тчик; 4) *воен.* сторожева́я заста́ва;
2. *v* 1) выставля́ть пике́т(ы); расставля́ть заста́вы *и т. п.*; 2) пикети́ровать; 3) обноси́ть частоко́лом; 4) привя́зывать к колу́.

picking ['pɪkɪŋ] 1. *pres. p. от* pick II, 1;
2. *n* 1) собира́ние, отбо́р; сбор; 2) воровство́; ~ and stealing ме́лкая кра́жа; 3) *pl* ме́лкая пожи́ва; 4) *pl* оста́тки, объе́дки; 5) *горн.* ручна́я рудоразбо́рка, сортиро́вка.

pickle ['pɪkl] 1. *n* 1) рассо́л; у́ксус для марина́да; 2) (*обыкн. pl*) соле́нье, марина́д, пи́кули; солёные *или* марино́ванные огурцы́; 3) неприя́тное положе́ние; плаче́вное состоя́ние; to be in a pretty ~ попа́сть в беду́; 4) *разг.* шалу́н, озорни́к; 5) *амер. sl.* опьяне́ние; 6) *тех.* протра́ва, кисло́тная ва́нна; ◇ to have a rod in ~ (for) держа́ть ро́згу нагото́ве;
2. *v* 1) соли́ть, маринова́ть; 2) *амер. sl.* опьяня́ть; 3) *уст.* натира́ть со́лью, у́ксусом (*после по́рки*); 4) *тех.* трави́ть кислото́й; протра́вить, декапи́ровать.

pickled ['pɪkld] 1. *p. p. от* pickle 2;
2. *a* 1) солёный; марино́ванный; 2) *амер. sl.* пья́ный.

picklock ['pɪklɔk] *n* 1) взло́мщик; 2) отмы́чка.

pick-me-up ['pɪkmiːʌp] *n* возбужда́ющее сре́дство; что-л., поднима́ющее настрое́ние.

pickpocket ['pɪkˌpɔkɪt] *n* вор-карма́нник.

pickthank ['pɪkθæŋk] *n уст.* льстец, уго́дник.

pick-up ['pɪkʌp] *n* 1) случа́йное знако́мство; 2) что-л., полу́ченное по слу́чаю; уда́чная поку́пка; 3) *разг. см.* pick-me-up; 4) улучше́ние; восстановле́ние; 5) *авт.*

пика́п; 6) *тех.* захва́тывающее приспособле́ние; да́тчик; 7) проце́сс ускоре́ния движе́ния; ускоре́ние; 8) *радио* чувстви́тельность, восприя́тие; 9) телевизио́нная передаю́щая тру́бка; 10) *радио* ада́птер, звукоснима́тель; 11) микрофо́н; 12) *с.-х.* пика́п, подбо́рщик (*хле́ба*).

Pickwickian [pɪk'wɪkɪən] *a*: in a ~ sense не буква́льно, не пря́мо; не совсе́м я́сно.

picnic ['pɪknɪk] 1. *n* 1) пикни́к; 2) прия́тное времяпрепровожде́ние; удово́льствие; по ~ нелёгкое де́ло; 3) *attr.*: ~ hamper корзи́на с прови́зией для пикника́;
2. *v* 1) уча́ствовать в пикнике́; 2) вести́ беспоря́дочный о́браз жи́зни.

picnicker ['pɪknɪkə] *n* уча́стник пикника́.

picotee [ˌpɪkə'tiː] *n бот.* садо́вая гвозди́ка (*бе́лая или жёлтая*).

picric ['pɪkrɪk] *a хим.* пикри́новый.

pictography [pɪk'tɔgrəfɪ] *n* пиктогра́фия.

pictorial [pɪk'tɔːrɪəl] 1. *a* 1) живопи́сный; изобрази́тельный; ~ art жи́вопись; 2) иллюстри́рованный; 3) я́ркий, живо́й (*о стиле и т. п.*);
2. *n* иллюстри́рованное периоди́ческое изда́ние.

picture ['pɪktʃə] 1. *n* 1) карти́на; изображе́ние; рису́нок; 2) портре́т; *перен. тж.* ко́пия; she is a ~ of her mother она́ вы́литая мать; 3) что-л. о́чень краси́вое, карти́нка; 4) воплоще́ние, олицетворе́ние (*здоро́вья, отча́яния и т. п.*); he is the (very) ~ of health он олицетворе́ние, воплоще́ние здоро́вья; 5) *кино* съёмочный кадр; moving ~s, the ~s кино́ (*или* not in) the ~ дисгармони́рующий; to pass from the ~ сойти́ со сце́ны; to put (*или* to keep) smb. in the ~ осведомля́ть, информи́ровать кого́-л.; держа́ть кого́-л. в ку́рсе де́ла;
2. *v* 1) изобража́ть на карти́не; 2) опи́сывать, живописа́ть; 3) представля́ть себе́ (*тж.* ~ to oneself).

picture-book ['pɪktʃəbuk] *n* де́тская кни́жка с карти́нками.

picture-card ['pɪktʃəkɑːd] *n карт.* фигу́рная ка́рта, фигу́ра.

picture-gallery ['pɪktʃəˌgælərɪ] *n* карти́нная галере́я.

picture-palace ['pɪktʃəˌpælɪs] *n* кинотеа́тр.

picture postcard ['pɪktʃə'poustkɑːd] *n* худо́жественная откры́тка.

picture show ['pɪktʃə'ʃou] *n* 1) = picture-palace; 2) кинофи́льм.

picturesque [ˌpɪktʃə'resk] *a* 1) живопи́сный; 2) колори́тный; 3) я́ркий, о́бразный (*о языке́*).

picture-theatre ['pɪktʃəˌθɪətə] = picture-palace.

picture-writing ['pɪktʃəˌraɪtɪŋ] *n* ра́ннее иероглифи́ческое письмо́.

piddle ['pɪdl] *v* 1) *уст.* занима́ться пустяка́ми; 2) *разг.* мочи́ться.

piddling ['pɪdlɪŋ] 1. *pres. p. от* piddle;
2. *a* ме́лкий, пустя́чный.

piddock ['pɪdək] *n зоол.* фала́да, камнето́чик.

Pidgin English ['pɪdʒɪn'ɪŋglɪʃ] *n* (*непр. вм.* business English) ло́маный а́нгло-кита́йский жарго́н.

pie I [paı] *n* 1) паштет; пирог, пирожок; 2) *амер.* торт, сладкий пирог; Eskimo ~ эскимо (*мороженое*); 3) *sl.* что-л. очень хорошее *или* лёгкое; ◇ to have a finger in the ~ быть замешанным в каком-л. деле.

pie II [paı] *n* сорока.

pie III [paı] *n полигр.* груда смешанного шрифта (*тж.* printer's ~); *перен.* хаос, ералаш.

pie IV [paı] *n англо-инд.* название самой мелкой медной монеты (= 1/12 анны).

piebald ['paıbɔ:ld] 1. *a* 1) пегий (*о лошади*); 2) *перен.* пёстрый; разношёрстный.
2. *n* пегая лошадь; пёгое животное.

piece [pi:s] 1. *n* 1) кусок, часть; a ~ of water пруд, озерко; ~ by ~ по кускам, постепенно, частями; 2) обломок, обрывок; a ~ of paper клочок бумаги; in ~s разбитый на части; to ~s на части, вдребезги [*см. тж.* ◇]; 3) участок (*земли*); 4) штука, кусок, определённое количество; ~ of wallpaper рулон обоев; 5) отдельный предмет, штука; a ~ of furniture мебель (*отдельная вещь, напр., стул, стол и т. п.*); a ~ of plate посудина; by the ~ поштучно, сдельно; 6) картина; литературное *или* музыкальное произведение (*обыкн.* короткое); пьеса; a ~ of art художественное произведение; a ~ of poetry стихотворение; a dramatical ~ драма, драматическое произведение; a museum ~ музейная вещь *или* редкость (*тж. перен.*); 7) образец, пример; a ~ of impudence образец наглости; 8) a ~ of luck удача; a ~ of news новость; a ~ of work (*отдельно выполненная*) работа, произведение; 9) шахматная фигура; 10) монета (*тж.* a ~ of money); 11) *воен.* орудие, огневое средство; винтовка; 12) *амер.* музыкальный инструмент; 13) бочонок вина; 14) вставка, заплата; 15) *тех.* обрабатываемое изделие, патрубок; 16) *sl.* девушка, женщина [*см. тж.* ◇]; ◇ of a ~, of one ~ with a) одного и того же качества с; б) в согласии с *чем-л.*; в) образующий единое целое с *чем-л.*; all to ~s a) вдребезги; б) измученный, в изнеможении; в) совершенно, полностью, сначала до конца [*см. тж.* 2)]; to give a ~ of one's mind высказаться напрямик; отчитать (*кого-л.*); [*см. тж.* give 1 ◇]; to go to ~s пропасть, погибнуть; a ~ of goods *шутл.* девушка, женщина [*см. тж.* 16)];
2. *v* 1) чинить, латать (*платье; тж.* ~ up); 2) соединять в одно целое, собирать из кусочков; комбинировать; 3) присучивать (*нить*); □ ~ **down** надставлять (*одежду*); ~ **on** прилаживать (to-к *чему-л.*); ~ **out** а) восполнять; б) надставлять; в) составлять (*целое из частей*); ~ **together** соединять; ~ **up** починять, латать.

piece-goods ['pi:sgudz] *n pl* штучный товар; ткани в кусках.

piecemeal ['pi:smi:l] 1. *adv* 1) по частям, постепенно (*тж.* by ~); to work ~ работать сдельно; в куски, на части;
2. *a* 1) сделанный по частям; ~ action несогласованные действия; 2) частичный, постепенный.

piece-rate ['pi:sreıt] *a* сдельный (*об оплате*).

piece-work ['pi:swə:k] *n* 1) сдельная работа, сдельщина; штучная работа; 2) *attr.*: ~ man = piece-worker.

piece-worker ['pi:s,wə:kə] *n* сдельщик.

piecrust ['paıkrʌst] *n* корочка пирога; ◇ promises are like ~, made to be broken *посл.* ≅ обещания для того и дают, чтобы их не выполнять.

pied [paıd] *a* пёстрый; разноцветный.

pieman ['paımən] *n* пирожник; продавец паштетов.

pieplant ['paıpla:nt] *n бот.* ревень овощной.

pier [pıə] *n* 1) устой, столб, контрфорс; 2) бык (*моста*); волнолом; 3) простенок; междуоконный столб; 4) мол, волнорез; дамба; 5) *мор.* пирс; 6) пристань.

pierage ['pıərıdʒ] *n* плата за пользование пристанью.

pierce [pıəs] *v* 1) пронзать, протыкать, прокалывать; 2) пробуравливать, просверливать; пробивать отверстие; 3) проникать (through, into); 4) пронизывать (*о холоде, взгляде и т. п.*); 5) прорываться, проходить (*сквозь что-л.*).

piercer ['pıəsə] *n тех.* пробойник; бородок; шило; бурав.

piercing ['pıəsıŋ] 1. *pres. p. от* pierce.
2. *n* 1) прокол, укол; 2) *тех.* диаметр в свету;
3. *a* 1) пронзительный, острый; 2) пронизывающий (*о взгляде, холоде*); 3) проницательный; 4) *воен.* бронебойный.

pier-glass ['pıəgla:s] *n* трюмо.

Pierian [paı'erıən] *a* пиерийский, относящийся к музам; ~ spring источник вдохновения.

pierrette [pıə'ret] *фр. n* Пьеретта.

pierrot ['pıərou] *фр. n* Пьеро.

pietism ['paıətızəm] *n* пиетизм; ложное, притворное благочестие, ханжество.

pietist ['paıətıst] *n* пиетист.

piety ['paıətı] *n* 1) благочестие, набожность; 2) почтительность к родителям.

piezochemistry [paı'izou'kemıstrı] *n* пьезохимия.

piezoelectricity [paı'izou,ılek'trısıtı] *n* пьезоэлектричество.

piezometer [,paıı'zɔmıtə] *n* пьезометр.

piffle ['pıfl] *разг.* 1. *n* болтовня, вздор;
2. *v* 1) болтать пустяки; 2) действовать необдуманно; глупо поступать.

pig [pıg] 1. *n* 1) (молодая) свинья; поросёнок; 2) свинья, нахал; 3) *шутл.* свинина; поросятина; 4) долька, ломтик (*апельсина*); 5) *sl.* офицер полиции; сыщик; провокатор; 6) *тех.* болванка, чушка; штык; брусок; 7) *ж.-д.* толкач; 8) *ав. sl.* аэростат заграждения; ◇ in ~ супоросая (*о свинье*); to make a ~ of oneself объедаться, обжираться; to buy a ~ in a poke ≅ покупать кота в мешке; ~s might fly *шутл.* бывает, что коровы летают;
2. *v* 1) пороситься; 2) жить по-свински, в грязи (*часто* ~ it).

pigeon ['pıdʒın] 1. *n* 1) голубь; 2) простак, шляпа; to pluck a ~ обобрать простака; ◇ that's my (his *etc.*) ~ это уж моё (его *и т. д.*) дело; little ~s can carry great messages *посл.* ≅ мал, да удал; ~'s milk «птичье молоко»;

2. *v* надувать, обманывать.

pigeon-breasted ['pɪdʒɪn,brestɪd] *a* с куриной грудью (*о человеке*).

Pigeon English ['pɪdʒɪn'ɪŋglɪʃ] = Pidgin English.

pigeongram ['pɪdʒɪngræm] *n* сообщение, посланное с голубем.

pigeon-hearted ['pɪdʒɪn'hɑ:tɪd] *a* трусливый, робкий.

pigeon-hole ['pɪdʒɪnhoul] **1.** *n* 1) голубиное гнездо; 2) отделение письменного стола, ящика (*для бумаг*);

2. *v* 1) раскладывать (*бумаги*) по ящикам; 2) класть под сукно, откладывать в долгий ящик; 3) классифицировать, приклеивать ярлыки.

pigeon pair ['pɪdʒɪnpɛə] *n* мальчик и девочка (*близнецы или единственные дети в семье*).

pigeonry ['pɪdʒɪnrɪ] *n* голубятня.

pigeon-toed ['pɪdʒɪn,toud] *a* с пальцами ног, обращёнными внутрь.

piggery ['pɪgərɪ] *n* свинарник, хлев.

piggish ['pɪgɪʃ] *a* 1) свинский, грязный; 2) жадный; 3) упрямый.

piggy ['pɪgɪ] *n* 1) свинка, поросёнок; 3) игра в чижи.

piggy-wiggy ['pɪgɪ,wɪgɪ] *n* 1) свинка, поросёнок; 2) грязнуля, поросёнок (*о ребёнке*).

pigheaded ['pɪg'hedɪd] *a* тупоумный; упрямый.

pig-iron ['pɪg,aɪən] *n* чугун в чушках *или* штыках.

pigling ['pɪglɪŋ] *n* поросёнок.

pigment ['pɪgmənt] *n* пигмент.

pigmental, pigmentary [pɪg'mentl, 'pɪgməntərɪ] *a* пигментный.

pigmentation [,pɪgmən'teɪʃən] *n* пигментация.

pigmy ['pɪgmɪ] = pygmy.

pignut ['pɪgnʌt] *n* земляной каштан.

pigpen ['pɪgpen] = pigsty.

pigskin ['pɪgskɪn] *n* 1) свиная кожа; 2) *разг.* седло; 3) *амер. разг.* футбольный мяч.

pigsticker ['pɪg,stɪkə] *n* 1) охотник на кабанов; 2) большой карманный нож.

pigsticking ['pɪg,stɪkɪŋ] *n* охота на кабанов с копьём.

pigsty ['pɪgstaɪ] *n* свинарник; хлев.

pig's wash ['pɪgz'wɔʃ] *n* помои.

pigtail ['pɪgteɪl] *n* 1) косичка, коса; 2) табак, свёрнутый в трубочку.

pigwash ['pɪgwɔʃ] = pig's wash.

pigweed ['pɪgwiːd] *n бот.* марь.

pike I [paɪk] *n* щука.

pike II [paɪk] **1.** *n* 1) пика, копьё; 2) пик (*в местных геогр. названиях*); 3) *диал.* кирка; 4) шип, колючка; 5) вилы;

2. *v* закалывать пикой.

pike III [paɪk] *n* 1) застава, где взимается подорожный сбор; 2) подорожный сбор.

pikelet ['paɪklɪt] *n* булочка.

piker ['paɪkə] *n амер.* 1) осторожный *или* робкий (биржевой) игрок; 2) трус.

pikestaff ['paɪkstɑ:f] *n* древко пики; ◇ plain as a ~ ≅ ясный как день, очевидный.

pilaff ['pɪlæf] *перс. n* плав, плов.

pilaster [pɪ'læstə] *n архит.* пилястра.

pilau, pilaw [pɪ'lau, pɪ'lɔ, pɪ'lou] = pilaff.

pilch [pɪlʧ] *n* фланелевая пелёнка *или* фланелевый подгузник.

pilchard ['pɪlʧəd] *n зоол.* сардина.

pile I [paɪl] **1.** *n* 1) куча, груда; штабель; столбик (*монет*); кипа (*бумаг*); пачка, связка, пакет; 2) погребальный костёр (*тж.* funeral ~); 3) огромное здание; громада зданий; 4) *разг.* множество, большое количество; 5) *разг.* состояние; to make one's ~ нажить состояние; 6) *эл.* батарея; 7) ядерный реактор (*тж.* atomic ~); 8) *воен.* ружейная пирамида;

2. *v* 1) складывать, сваливать в кучу; to ~ arms *воен.* составлять винтовки в козлы; 2) накоплять (*часто* ~ up); 3) нагружать; заваливать; громоздить (on, upon); □ ~ on: to ~ it on перейти границу (*в критике, упрёках и т. п.*); ~ up а) нагромождать (-ся); б) накоплять; в) перегружать (*подробностями*); г) перепутывать; д) наскочить на мель (*о корабле*).

pile II [paɪl] **1.** *n* свая, столб, кол;

2. *v* вбивать, вколачивать сваи.

pile III [paɪl] *n* 1) шерсть, волос, пух; 2) ворс.

pile IV [paɪl] *n мед.* 1) геморроидальная шишка; 2) *pl* геморрой.

pile V [paɪl] *n уст.* обратная сторона монеты; cross or ~ орёл или решка.

piled I, II [paɪld] *p. p. от* pile I, 2 *и* II, 2.

piled III [paɪld] *a* ворсистый (*о ткани*).

pile-driver ['paɪl,draɪvə] *n тех.* копёр.

pile-dwelling ['paɪl,dwelɪŋ] *n* свайная постройка.

pilfer ['pɪlfə] *v* воровать, таскать; стянуть.

pilferage ['pɪlfərɪdʒ] *n* мелкая кража.

pilferer ['pɪlfərə] *n* мелкий жулик.

pilgrim ['pɪlgrɪm] *n* пилигрим, паломник, странник; ◇ P. Fathers *ист.* английские колонисты, поселившиеся в Америке в 1620 г.

pilgrimage ['pɪlgrɪmɪdʒ] **1.** *n* паломничество;

2. *v* паломничать.

pill I [pɪl] **1.** *n* 1) пилюля; 2) *разг.* ядро; пуля; шарик; мяч; баллотировочный шар; 3) *pl* бильярд; 4) *разг.* неприятный человек; 5) (*тж. pl*) *sl.* доктор (*тж.* ~ shooter); ◇ a ~ to cure an earthquake жалкая полумера; a bitter (*или* hard) ~ to swallow горькая пилюля, тягостная необходимость;

2. *v* 1) давать пилюли; 2) *sl.* забаллотировать.

pill II [pɪl] *v* 1) *уст.* грабить, мародёрствовать; 2) *разг.* обобрать, обставить.

pillage ['pɪlɪdʒ] **1.** *n* грабёж, мародёрство;

2. *v* грабить, мародёрствовать.

pillar ['pɪlə] **1.** *n* 1) столб, колонна; стойка, опора, подпора; 2) столп, опора; ~s of society столпы общества; 3) *горн.* целик; 4) *мор.* пиллерс; ◇ Pillars of Hercules Геркулесовы столбы, Гибралтарский пролив; from ~ to post а) от одной трудности к друго́й, от одного́ де́ла к друго́му; б) туда́-сюда́;

2. *v* подпира́ть, подде́рживать; украша́ть коло́ннами.

pillar-box [ˈpɪləbɔks] *n* почто́вый я́щик.

pillbox [ˈpɪlbɔks] *n* 1) коро́бочка для пилю́ль; 2) *шутл.* како́е-л. небольшо́е сооруже́ние; небольшо́й экипа́ж, ма́ленький автомоби́ль; до́мик; 3) *воен.* дот; 4) *амер. sl.* врач.

pillion [ˈpɪljən] *n* 1) да́мское седло́; *уст.* седе́льная поду́шка; 2) за́днее сиде́нье (*мотоци́кла*).

pilliwinks [ˈpɪlɪwɪŋks] *n* *ист.* ору́дие пы́тки для сти́скивания па́льцев.

pillory [ˈpɪlərɪ] 1. *n* позо́рный столб; to be in the ~ быть посме́шищем; to put (*или* to set) in the ~ пригвозди́ть к позо́рному столбу́, сде́лать посме́шищем;

2. *v* 1) поста́вить, пригвозди́ть к позо́рному столбу́; 2) вы́ставить на посмея́ние.

pillow [ˈpɪlou] 1. *n* 1) поду́шка; 2) *тех.* подши́пник, вкла́дыш; подкла́дка, поду́шка; ◇ to take counsel of one's ~ ≅ у́тро ве́чера мудрене́е; отложи́ть реше́ние до утра́;

2. *v* 1) класть го́лову на *что-л.*; 2) служи́ть поду́шкой; 3) подложи́ть поду́шку.

pillow-block [ˈpɪloublɔk] *n тех.* 1) (опо́рный) подши́пник; 2) поду́шка, опо́рная плита́.

pillow-case [ˈpɪloukeɪs] *n* на́волочка.

pillow-sham [ˈpɪlouʃæm] *n* накидка ·(*на поду́шку*).

pillow-slip [ˈpɪlouslɪp] = pillow-case.

pillowy [ˈpɪloui] *a* мя́гкий; пода́тливый.

pillule [ˈpɪljuːl] = pilule.

pilose [ˈpaɪlous] *a* *бот., зоол.* волоси́стый, мохна́тый, шерсти́стый.

pilot [ˈpaɪlət] 1. *n* 1) ло́цман; 2) *ав.* пило́т, лётчик; 3) о́пытный проводни́к; 4) *поэт.* ко́рмчий; 5) *амер. ж.-д.* скотосбра́сыватель; 6) *тех.* вспомога́тельный кла́пан, механи́зм; 7) *attr.*: ~ plant о́пытный заво́д, о́пытная устано́вка; 8) *attr.* ло́цманский; штурма́нский; ~ chart штурма́нская ка́рта; ◇ to drop the ~ отве́ргнуть ве́рного сове́тчика;

2. *v* вести́, управля́ть; пилоти́ровать; to ~ one's way прокла́дывать себе́ доро́гу.

pilotage [ˈpaɪlətɪdʒ] *n* 1) прово́дка судо́в; ло́цманское де́ло; 2) ло́цманский сбор; 3) *ав.* пилоти́рование; 4) руково́дство.

pilot-balloon [ˈpaɪlətbəˌluːn] *n* 1) *ав.* шар-пило́т; 2) *перен.* про́бный шар.

pilot-cloth [ˈpaɪlətklɔθ] *n* то́лстое си́нее сукно́.

pilot engine [ˈpaɪlətˌerdʒɪn] *n* 1) вспомога́тельный дви́гатель; 2) *ж.-д.* снегоочисти́тель; 3) маневро́вый локомоти́в.

pilot-fish [ˈpaɪlətfɪʃ] *n зоол.* ры́ба-ло́цман.

pilot-house [ˈpaɪləthaus] *n* рулева́я ру́бка.

pilous [ˈpaɪləs] = pilose.

pilule [ˈpɪljuːl] *n* небольша́я пилю́ля.

pimento [pɪˈmentou] *n* (*pl* -os [-ouz]) стручко́вый (кра́сный) пе́рец.

pimp [pɪmp] 1. *n* сво́дник;

2. *v* сво́дничать.

pimpernel [ˈpɪmpənel] *n бот.* о́чный цвет (полево́й).

pimping I [ˈpɪmpɪŋ] *pres. p. от* pimp 2.

pimping II [ˈpɪmpɪŋ] *a* 1) ма́ленький; жа́лкий; 2) боле́зненный, сла́бый.

pimple [ˈpɪmpl] *n* прыщ, па́пула, у́горь.

pimpled, pimply [ˈpɪmpld, ˈpɪmplɪ] *a* прыщева́тый, прыща́вый.

pin [pɪn] 1. *n* 1) була́вка; шпи́лька; прище́пка; кно́пка; *редк.* гвоздь; 2) *pl разг.* но́ги; he is quick on his ~s он бы́стро бе́гает; he is weak on his ~s он пло́хо де́ржится на нога́х; 3) бочо́нок в 4½ галло́на; 4) ке́гля; 5) бро́шка, значо́к; 6) *муз.* коло́к; 7) шпиль; 8) ска́лка; 9) пробо́йник; 10) *тех.* па́лец; штифт, болт; шкво́рень, ось; ца́пфа; ше́йка; пята́; чека́, шплинт; 11) *радио* вы́вод, штырёк; in (a) merry ~ в весёлом настрое́нии; ~s and needles колотьё в коне́чностях (*по́сле онеме́ния*); to be on ~s and needles сиде́ть как на иго́лках; I don't care a ~ мне наплева́ть; not a ~ to choose between them они́ похо́жи как две ка́пли воды́; not worth a row of ~s никуда́ не годи́тся; you might have heard a ~ fall ≅ слы́шно бы́ло, как му́ха пролети́т;

2. *v* 1) прика́лывать (*обыкн.* ~ up; to, on); скрепля́ть була́вкой (*обыкн.* ~ together); 2) прока́лывать; (*обыкн.* ~) пригвожда́ть; 4) прижима́ть (*к стене и т. п.*; against); to ~ down (to a promise) свя́зывать (обеща́нием); ◇ to ~ smth. on smb. взлага́ть на кого́-л. вину́ за что́-л.; to ~ one's faith on smb., smth. сле́по полага́ться на кого́-л., что́-л.

pinafore [ˈpɪnəfɔː] *n* пере́дник (*особ.* де́тский), фа́ртук.

pinaster [paɪˈnæstə] *n* примо́рская сосна́.

pince-nez [ˈpɛ̃ːnsneɪ] *фр. n* пенсне́.

pincers [ˈpɪnsəz] *n pl* 1) (*тж.* a pair of ~) клещи́; щипцы́; щи́пчики; пинце́т; 2) клешни́; 3) = pincers movement.

pincers movement [ˈpɪnsəzˈmuːvmənt]. *n воен.* двусторо́нний охва́т, клещи́.

pincette [ˌpæŋˈset] *фр. n* щи́пчики, пинце́т.

pinch [pɪntʃ] 1. *n* 1) щипо́к; 2) щепо́тка (*соли и т. п.*); 3) кра́йняя нужда́; стеснённое положе́ние; at a ~ в слу́чае нужды́, в кра́йнем слу́чае; 4) суже́ние, сжа́тие; 5) *sl.* кра́жа; 6) *sl.* аре́ст; 7) *амер. sl.* «изю́минка»; «соль»; 8) *геол.* выкли́нивание; 9) лом; рыча́г (*тж.* ~ bar); 10) щипцы́, клещи́;

2. *v* 1) ущипну́ть; прищеми́ть; ущеми́ть; 2): to be ~ed with cold (hunger) иззя́бнуть (изголода́ться); 3) сда́вливать, сжима́ть; жать (*напр., об о́буви*); 4) ограни́чивать, стесня́ть; 5) поджима́ть (*ло́шадь, особ. на ска́чках*); 6) скупи́ться; 7) вымога́ть (*де́ньги*); 8) *sl.* укра́сть; огра́бить; 9) *sl.* арестова́ть, «заца́пать»; 10) передвига́ть тя́жести рычаго́м, ва́гой; ◇ that is where the shoe ~es ≅ вот в чём загво́здка.

pinchbeck [ˈpɪntʃbek] 1. *n* 1) томпа́к; 2) фальши́вые драгоце́нности, подде́лка;

2. *a* подде́льный, показно́й.

pinchers [ˈpɪntʃəz] = pincers 1).

pincushion [ˈpɪnˌkuʃɪn] *n* поду́шечка для була́вок.

Pindaric [pɪnˈdærɪk] 1. *a* пиндари́ческий;

2. *n* (*обыкн. pl*) пиндари́ческие стихи́, о́ды.

pine I [paɪn] *n* 1) сосна́; 2) *разг. см.* pineapple; 3) *attr.* сосно́вый; ~ bath хво́йная ва́нна.

pine II [paɪn] *v* 1) ча́хнуть, томи́ться; изнемога́ть, изныва́ть, иссыха́ть (*тж.* ~ away); 2) жа́ждать (*чего-л.*), тоскова́ть (for, after— по *чему-л.*).

pineal [ˈpɪnɪəl] *a анат.* шишкови́дный.

pineapple [ˈpaɪnˌæpl] *n* 1) анана́с; 2) *воен. sl.* ручна́я грана́та, «лимо́нка»; бо́мба; 3) *attr.* анана́сный.

pine-cone [ˈpaɪnkoun] *n* сосно́вая ши́шка.

pine-needle [ˈpaɪnˌniːdl] *n* (*обыкн. pl*) сосно́вая хво́я.

pinery [ˈpaɪnərɪ] *n* 1) сосно́вое насажде́ние; 2) анана́сная тепли́ца.

pine spruce [ˈpaɪnˌspruːs] *n* ель кана́дская (*или* бе́лая).

pine-tree [ˈpaɪntriː] = pine I, 1).

pinfold [ˈpɪnfould] 1. *n* заго́н для скота́; 2. *v* держа́ть (скот) в заго́не.

ping [pɪŋ] 1. *n* свист (*пули*); гуде́ние (*комара*);
2. *v* свисте́ть; гуде́ть.

ping-pong [ˈpɪŋpɔŋ] *n* насто́льный те́ннис, пинг-по́нг.

pirguid [ˈpɪŋwɪd] *a* 1) жи́рный, масляни́стый (*обыкн. шутл.*); 2) бога́тый, плодоро́дный (*о почве*).

pin-head [ˈpɪnhed] *n* 1) була́вочная голо́вка; 2) ме́лочь; *sl.* тупи́ца, дура́к.

pin-hole [ˈpɪnhoul] *n* 1) була́вочное отве́рстие; 2) *тех.* отве́рстие под штифт; отве́рстие ма́лого диа́метра.

pinion I [ˈpɪnjən] *n тех.* 1) шестерня́, ме́ньшее зубча́тое колесо́ па́ры; 2) *ист.* зубе́ц стены́.

pinion II [ˈpɪnjən] 1. *n* 1) оконе́чность пти́чьего крыла́; 2) перо́; 3) *поэт.* крыло́;
2. *v* 1) подре́зать кры́лья; 2) свя́зывать (*руки*); 3) кре́пко привя́зывать.

pink I [pɪŋk] 1. *n* 1) *бот.* гвозди́ка; 2) ро́зовый цвет; 3) (the ~) верх, вы́сшая сте́пень; in the ~ *разг.* в прекра́сном состоя́нии (*о здоровье*); the ~ of perfection верх соверше́нства; 4) кра́сный камзо́л (*надеваемый при охоте на лисиц*) (*или* в кра́сном камзо́ле); 5) уме́ренный радика́л;
2. *a* 1) ро́зовый; 2) либера́льничающий.

pink II [pɪŋk] 1. *n* глазо́к, очко́;
2. *v* 1) протыка́ть, прока́лывать; 2) украша́ть ды́рочками, фесто́нами, зубца́ми (*тж.* ~ out).

pink III [pɪŋk] *v* рабо́тать с детона́цией (*о двигателе*).

pink IV [pɪŋk] *n* молодо́й лосо́сь.

pink V [pɪŋk] *n мор.* пи́нка.

pink-eye [ˈpɪŋkaɪ] *n мед.*, *вет.* о́стрый инфекцио́нный конъюнкти́вит.

pinkish [ˈpɪŋkɪʃ] *a* розова́тый.

Pinkster [ˈpɪŋkstə] *n амер. церк.* тро́ицын день.

pinkster flower [ˈpɪŋkstəˌflauə] *n амер. бот.* ро́зовая аза́лия.

pinky [ˈpɪŋkɪ] = pinkish.

pin-money [ˈpɪnˌmʌnɪ] *n* де́ньги на ме́лкие расхо́ды, на була́вки.

pinna [ˈpɪnə] *n* (*pl* pinnae) *анат.* ушна́я ра́ковина.

pinnace [ˈpɪnɪs] *n мор.* 1) пина́с, полубарка́с; 2) *ист.* пина́сса.

pinnacle [ˈpɪnəkl] 1. *n* 1) остроконе́чная ба́шенка, бельведе́р, шпиц; 2) верши́на; кульминацио́нный пункт;
2. *v* 1) возноси́ть; 2) украша́ть ба́шенками.

pinnae [ˈpɪniː] *pl от* pinna.

pinnate, pinnated [ˈpɪnɪt, ˈpɪneɪtɪd] *a бот.* пе́ристый.

pinner [ˈpɪnə] *n* 1) *уст.* род че́пчика; 2) *диал.* пере́дник.

pinniped [ˈpɪnɪped] *зоол.* 1. *a* ластоно́гий;
2. *n* ластоно́гое живо́тное.

pinnothere [ˈpɪnəθɪə] *n зоол.* раку́шковый краб.

pinnule [ˈpɪnjuːl] *n* дио́птр (*угломерного инструмента*).

pinny [ˈpɪnɪ] *n дет.* пере́дничек.

pinoc(h)le [ˈpiːnəkl] *n* ка́рточная игра́ вро́де бе́зика.

pinole [pɪˈnoulɪ] *n исп.-ам.* ку́шанье из поджа́ренного ма́иса с са́харом *и т. п.*

pin-point [ˈpɪnpɔɪnt] 1. *n* 1) остриё була́вки; 2) что-л. о́чень ма́ленькое, незначи́тельное;
2. *a воен.* то́чный, прице́льный;
3. *v воен.* 1) то́чно определи́ть положе́ние це́ли; 2) попада́ть в цель с большо́й то́чностью; 3) ука́зать то́чно.

pinprick [ˈpɪnprɪk] *n* 1) була́вочный уко́л; 2) ме́лкая неприя́тность, доса́да.

pint [paɪnt] *n* пи́нта (*мера ёмкости: в Англии = 0,57 л; в США = 0,47 л для жидкостей и 0,55 л для сыпучих тел*); ◇ to make a ~ measure hold a quart стара́ться сде́лать что-л. невозмо́жное.

pintado [pɪnˈtɑːdou] *n* (*pl* -os [-ouz]) *зоол.* 1) ка́пский голубо́к (*тж.* ~ bird, ~ petrel); 2) цеса́рка.

pintail [ˈpɪnteɪl] *n зоол.* 1) шилохво́сть; 2) ря́бок белобрю́хий.

pintle [ˈpɪntl] *n* 1) *тех.* ось; ца́пфа, штифт; болт; шкво́рень; 2) *мор.* рулево́й крюк.

pinto [ˈpɪntou] *a амер.* пе́гий, пятни́стый.

pin-up [ˈpɪnʌp] 1. *n* 1) хоро́шенькая, очарова́тельная де́вушка; 2) портре́т хоро́шенькой де́вушки;
2. *a* хоро́шенький, очарова́тельный (*о женщине*).

piny [ˈpaɪnɪ] *a* сосно́вый; поро́сший со́снами.

pioneer [ˌpaɪəˈpɪə] 1. *n* 1) пионе́р, пе́рвый поселе́нец *или* иссле́дователь; инициа́тор; 2) пионе́р (*член пионерской организации*); 3) *воен.* сапёр; 4) *attr.* пионе́рский; 5) *attr. воен.* сапёрный; ~ tools ша́нцевый инструме́нт; 6) *attr. горн.*: ~ well разве́дочная сква́жина;
2. *v* 1) прокла́дывать путь, быть пионе́ром; 2) вести́, руководи́ть.

pious [ˈpaɪəs] 1. *a* набо́жный, благочести́вый; религио́зный;
2. *n* (the ~) *pl собир.* благочести́вые; *ирон.* свято́ши.

pip I [pɪp] *n* типу́н (*птичья болезнь*); ◇ to have the ~ *разг.* чу́вствовать себя́ пло́хо, быть не в свое́й таре́лке; быть в плохо́м настрое́нии.

pip II [pɪp] *n* ко́сточка, зёрнышко (*плода*).

pip III [pɪp] *n* 1) очко́ (*в ка́ртах, домино́*); 2) звёздочка (*на пого́нах*); 3) *тех.* бобы́шка, отро́сток, сосо́к.

pip IV [pɪp] *v разг.* 1) подстрели́ть, ра́нить; 2) положи́ть коне́ц, пресе́чь; 3) победи́ть; разру́шить (*чьи-л.*) пла́ны; 4) забаллоти́ровать.

pip V [pɪp] 1. *n* высо́кий коро́ткий звук радиосигна́ла;
2. *v* пища́ть, чири́кать.

pipage [ˈpaɪpɪdʒ] *n* 1) перека́чка по трубопрово́ду (*не́фти, га́за и т. п.*); 2) пла́та, взима́емая за перека́чку по трубопрово́ду.

pipe [paɪp] 1. *n* 1) труба́; трубопрово́д; the ~s радиа́тор; 2) кури́тельная тру́бка; 3) свире́ль; ду́дка, свисто́к; 4) *pl* волы́нка; 5) *мор.* бо́цманская ду́дка; 6) пе́ние; свист; 7) *pl* дыха́тельные пути́ (*тж.* ~ one's eye); 8) о́тделывать ка́нтом (*платье*); 9) снабжа́ть тру́бами; 10) пуска́ть по тру́бам; 11) *метал.* дава́ть уса́дочные ра́ковины.; □ ~ away *мор.* дава́ть сигна́л к отплы́тию; ~ down сни́зить тон, стать ме́нее самоуве́ренным; ~ up а) заигра́ть, запе́ть; б) *sl.* запе́ть, загово́рить.

pipeclay [ˈpaɪpkleɪ] 1. *n* 1) бе́лая тру́бочная гли́на (*употр. тж. для чи́стки снаряже́ния*); 2) *воен. разг.* увлече́ние вне́шней вы́правкой; 3) *attr.* сде́ланный из бе́лой гли́ны;
2. *v* бели́ть тру́бочной гли́ной.

pipe dream [ˈpaɪpdriːm] *n* несбы́точная мечта́; план, постро́енный на песке́.

pipe-fish [ˈpaɪpfɪʃ] *n зоол.* морска́я игла́.

pipefitter [ˈpaɪpˌfɪtə] *n* сле́сарь-водопрово́дчик.

pipeful [ˈpaɪpful] *n* по́лная тру́бка (*табаку́*).

pipe-laying [ˈpaɪpˌleɪŋ] *n* 1) прокла́дка труб; 2) *амер. sl.* полити́ческие интри́ги.

pipeline [ˈpaɪplaɪn] 1. *n* трубопрово́д; нефтепрово́д;
2. *v* 1) перека́чивать по трубопрово́ду; 2) прокла́дывать по трубопрово́ду.

pip emma [pɪpˈemə] *sl. см.* post meridiem.

piper [ˈpaɪpə] *n* 1) волы́нщик, ду́дочник, игро́к на свире́ли, флейти́ст; 2) запалённая ло́шадь; 3) *горн.* тре́щина проса́чивания руди́чного га́за.

pipette [pɪˈpet] 1. *n* пипе́тка;

2. *v* ка́пать из пипе́тки; □ ~ off отса́сывать пипе́ткой.

piping [ˈpaɪpɪŋ] 1. *pres. p. от* pipe 2;
2. *n* 1) игра́ (*на ду́дке и т. п.*); 2) насви́стывание; писк; 3) пе́ние (*птиц*); 4) трубопрово́д; тру́бы, систе́ма труб; 5) кант (*на пла́тье*); 6) са́харный узо́р (*на то́рте*); 7) *метал.* уса́дочная ра́ковина; образова́ние уса́дочных ра́ковин;
3. *a* пронзи́тельный, пискли́вый; ◇ ~ hot ≅ а) с пы́лу, с жа́ру; о́чень горя́чий; б) соверше́нно но́вый *или* све́жий; the ~ time(s) of peace ми́рные времена́;
4. *adv* со сви́стом, с шипе́нием.

pipit [ˈpɪpɪt] *n* конёк, щеври́ца (*птица*).

pipkin [ˈpɪpkɪn] *n* гли́няный горшо́чек, ми́сочка.

pippin [ˈpɪpɪn] *n* 1) пепи́н (*сорт я́блок*); 2) *разг.* куми́р.

pippin-faced [ˈpɪpɪnˌfeɪst] *a* с кру́глым кра́сным лицо́м.

pip-squeak [ˈpɪpskwiːk] *n sl.* что-л. незначи́тельное, презре́нное.

pipy [ˈpaɪpɪ] *a* 1) тру́бчатый; 2) ре́зкий, зы́чный.

piquancy [ˈpiːkənsɪ] *n* пика́нтность, острота́.

piquant [ˈpiːkənt] *a* пика́нтный, о́стрый.

pique [piːk] 1. *n* 1) заде́тое самолю́бие; оби́да, доса́да, раздраже́ние; 2) *редк.* размо́лвка;
2. *v* 1) уколо́ть, заде́ть (*самолю́бие*); возбужда́ть (*любопы́тство*); 3) *св.* пики́ровать; ◇ to ~ oneself on smth. горди́ться, чва́ниться чем-л.

piqué [ˈpiːkeɪ] *фр. n* пике́ (*ткань*).

piquet I [pɪˈket] *n карт.* пике́т.

piquet II [ˈpɪkɪt] = picket.

piracy [ˈpaɪərəsɪ] *n* 1) пира́тство; 2) нару́шение а́вторского пра́ва.

piragua [pɪˈrægwə] *n* пиро́га (*лодка*).

pirate [ˈpaɪərɪt] 1. *n* 1) пира́т; 2) пира́тское су́дно; 3) наруши́тель а́вторского пра́ва; 4) (*ча́стный*) авто́бус, курси́рующий по чужи́м маршру́там;
2. *v* 1) занима́ться пира́тством; гра́бить; обкра́дывать; 2) самово́льно переиздава́ть, наруша́ть а́вторское пра́во.

piratic(al) [paɪˈrætɪk(əl)] *a* пира́тский; ~ edition незако́нно переи́зданная кни́га.

pirn [pɜːn] *n текст.* це́вка, шпу́лька.

pirogue [pɪˈroug] = piragua.

pirouette [ˌpɪruˈet] 1. *n* пируэ́т;
2. *v* де́лать пируэ́ты.

piscatorial, piscatory [ˌpɪskəˈtɔːrɪəl, ˈpɪskətərɪ] *a* 1) рыболо́вный; 2) рыба́цкий.

Pisces [ˈpɪsiːz] *n pl* Ры́бы (*созве́здие и знак зодиа́ка*).

pisciculture [ˈpɪsɪkʌltʃə] *n* рыбово́дство.

pisciculturist [ˌpɪsɪˈkʌltʃərɪst] *n* рыбово́д.

piscina [pɪˈsiːnə] *n* (*pl* -пае, -s [-z]) 1) ры́бный садо́к; 2) *др.-рим.* бассе́йн для купа́ния; 3) *церк.* умыва́льница (*в ри́знице*).

piscinae [pɪˈsiːniː] *pl от* piscina.

piscine I [ˈpɪsiːn] *n* бассе́йн для купа́ния.

piscine II [ˈpɪsaɪn] *a* ры́бный.

piscivorous [pɪˈsɪvərəs] *a* рыбоя́дный.

pisé [pɪ'zeɪ] *фр. n* 1) битая глина; 2) *attr.* глинобитный; ~ building глинобитная постройка.

pish [pɪʃ] 1. *int* тьфу!; фи!;
2. *v* говорить «тьфу», «фи».

pishogue [pɪ'ʃoug] *ирл. n* колдовство; заклинание.

pisiform ['pɪsɪfɔːm] *a* имеющий форму горошины; гороховидный; ~ bone *анат.* гороховидная кость.

pismire ['pɪsmaɪə] *n* муравей.

pisolite ['paɪsoulaɪt] *n мин.* гороховый камень; известковый натёк, оолит.

piss [pɪs] *груб.* 1. *n* моча;
2. *v* 1) мочиться; 2) выделять с мочой.

pissed [pɪst] 1. *p. p. от* piss 2;
2. *a sl.* пьяный.

piss-pot ['pɪspɔt] *n* ночной горшок.

pistachio [pɪs'taːʃɪou] *n* (*pl* -os [-ouz]) 1) *бот.* фисташка настоящая; 2) фисташка (*плод*); 3) фисташковый цвет.

pistil ['pɪstɪl] *n бот.* пестик.

pistillate ['pɪstɪleɪt] *a бот.* пестиковый, пестичный.

pistol ['pɪstl] 1. *n* пистолет; револьвер;
2. *v* стрелять из пистолета *или* револьвера.

pistole [pɪs'toul] *n ист.* пистоль (*исп. золотая монета*).

pistolgraph ['pɪstlgraːf] *n уст.* аппарат для моментальных снимков.

pistol-shot ['pɪstlʃɔt] *n* пистолетный выстрел.

piston ['pɪstən] *n* 1) *тех.* поршень; плунжер; 2) пистон, клапан (*корнет-а-пистона*).

piston-rod ['pɪstənrɔd] *n тех.* поршневой шток, шатун.

pit I [pɪt] 1. *n* 1) яма; углубление; впадина; air ~ воздушная яма; 2) шахта, копь; карьер, шурф; open ~ карьер, открытая разработка; 3) волчья яма; западня; 4) (the ~) преисподняя (*тж.* the ~ of hell); 5) *анат.* ямка, впадина; the ~ of the stomach подложечная ямка; in the ~ of the stomach под ложечкой; 6) оспина, рябина (*на коже*); 7) раковина (*на отливке*); 8) арена для петушиных боёв; 9) партер (*особ. задние ряды за креслами*); 10) место для оркестра (*в театре*); 11) запра-вочно-ремонтный пункт (*в автомобильных гонках*); 12) *амер.* отдел товарной биржи; 13) *уст.* тюрьма; ~ and gallow *шотл. ист.* право баронов топить *или* вешать преступников; 14) *attr.* шахтный; ~ mouth устье шахты; ~ wood *горн.* крепёжный лес; ◇ to dig a ~ for smb. рыть кому-л. яму;
2. *v* 1) складывать в яму (*для хранения; особ. об овощах и т. п.*); 2) рыть ямы; 3) (*особ. р. р.*) покрывать(ся) ямками; ~ted with smallpox рябой; 4) стравливать (*петухов*); выставлять в качестве противника (against); to ~ one's strength against an enemy сразиться с врагом; to ~ oneself against heavy odds бороться с огромными трудностями.

pit II [pɪt] *амер.* 1. *n* фруктовая косточка;
2. *v* вынимать косточки.

pit-a-pat ['pɪtə'pæt] 1. *adv*: to go ~ затрепетать (*о сердце*); his feet went ~ ноги у него подкосились;
2. *n* биение, трепет.

pitch I [pɪtʃ] 1. *n* смола; древесная смола, вар; пек; ◇ ~ darkness тьма кромешная;
2. *v* смолить.

pitch II [pɪtʃ] 1. *n* 1) падение; килевая качка (*судна*); the ship gave a ~ корабль зарылся носом; 2) высота (*тона, звука и т. п.*); степень, уровень, напряжение; absolute ~ а) абсолютная высота тона; б) абсолютный слух; the noise rose to a deafening ~ шум сделался оглушительным; 3) уклон, скат, наклон, покатость, угол наклона; 4) бросок; 5) *спорт.* подача; 6) партия товара; 7) обычное место (*уличного торговца и т. п.*); 8) *спорт.* часть крикетного поля между линиями подающих; 9) наклон самолёта относительно поперечной оси; 10) *тех.* шаг винтовой линии, шаг винтовой резьбы; диаметральный шаг; шаг заклёпочного шва *и т. п.*; 11) *горн.* наклонный прожилок;
2. *v* 1) разбивать (*палатки, лагерь*); располагаться лагерем; ~ one's tent поселиться; 2) ставить (*крикетные воротца и т. п.*); 3) бросать; кидать; 4) *спорт.* подавать; 5) выставлять на продажу; 6) падать (on, into); погружаться; 7) подвергаться килевой качке (*о корабле*); 8) *муз.* давать основной тон; 9) придавать определённую высоту; 10) *sl.* рассказывать (*сказки*); to ~ it strong *разг.* преувеличивать; the description is ~ed too high описание преувеличено; 11) мостить брусчаткой; 12) *тех.* зацеплять (*о зубцах*); □ ~ in *разг.* энергично браться за что-л., налегать на что-л.; ~ into *разг.* набрасываться; нападать; ~ upon случайно выбирать; останавливаться на чём-л.

pitch-and-toss ['pɪtʃən'tɔs] *n* игра в расшибалочку (*типа орлянки*).

pitch black ['pɪtʃ'blæk] *a* чёрный как смоль.

pitchblende ['pɪtʃblend] *n мин.* уранит, урановая смоляная обманка (*урановая руда*).

pitch-dark ['pɪtʃ'daːk] *a* очень тёмный.

pitched I [pɪtʃt] 1. *p. p. от* pitch II, 2;
2. *a* 1): a high ~ voice высокий голос; 2): the roof is ~ крыша слишком крута; 3): ~ battle заранее подготовленное сражение на определённом участке.

pitched II [pɪtʃt] *p.p. от* pitch I, 2.

pitcher I ['pɪtʃə] *n* кувшин; ◇ little ~s have long ears ≅ а) дети любят подслушивать; б) стены имеют уши; the ~ goes often to the well (but is broken at last) *посл.* повадился кувшин по воду ходить (тут ему и голову сломить).

pitcher II ['pɪtʃə] *n* 1) *спорт.* подающий мяч; 2) уличный торговец (*торгующий на определённом месте*); 3) каменный брусок.

pitchfork ['pɪtʃfɔːk] 1. *n* 1) вилы; 2) камертон; ◇ it rains ~s *амер.* льёт как из ведра; идёт проливной дождь;
2. *v* 1) взбрасывать вилами; 2) посадить на неподходящую должность; 3) поставить в неожиданное положение.

pitch indicator [ˈpɪtʃˈɪndɪkeɪtə] *n* 1) *ав.* указатель продольного крена; 2) *тех.* измеритель шага винта.

pitchman [ˈpɪtʃmən] *амер.* = pitcher II, 2).

pitch-pine [ˈpɪtʃpaɪn] *n* смолистая сосна.

pitch-pipe [ˈpɪtʃpaɪp] *n* камертон-дудка.

pitchy [ˈpɪtʃɪ] *a* 1) смолистый; 2) смоляной; 3) чёрный как смоль.

pit coal [ˈpɪtkoul] *n* каменный, битуминозный уголь.

piteous [ˈpɪtɪəs] *a* жалкий, жалобный, достойный сожаления.

pitfall [ˈpɪtfɔːl] *n* 1) волчья яма; 2) рытвина; 3) *перен.* ловушка, западня.

pith [pɪθ] **1.** *n* 1) сердцевина (*растения*); 2) спинной мозг; 3) суть, сущность (*часто* the ~ and marrow of); значение; 4) сила, энергия;
2. *v* убивать (*животных*) посредством прокалывания спинного мозга.

pithecanthrope [ˌpɪθɪkænˈθroup] *n* питекантроп, обезьяночеловек.

pithecoid [pɪˈθiːkɔɪd] *a* обезьяноподобный.

pith fleck [ˈpɪθflek] *n* червоточина.

pithily [ˈpɪθɪlɪ] *adv* в точку, по существу.

pithless [ˈpɪθlɪs] *a* 1) без сердцевины; 2) бесхребетный; слабый, вялый; 3) бессодержательный.

pithy [ˈpɪθɪ] *a* 1) с сердцевиной; губчатый; 2) сильный, энергичный; 3) содержательный; сжатый (*о стиле*).

pitiable [ˈpɪtɪəbl] *a* жалкий, несчастный, ничтожный.

pitiful [ˈpɪtɪful] *a* 1) сострадательный, жалостливый; 2) жалостный; 3) жалкий, ничтожный, презренный.

pitiless [ˈpɪtɪlɪs] *a* безжалостный.

pitman [ˈpɪtmən] *n* 1) (*pl* pitmen) шахтёр; углекоп; подземный рабочий; 2) (*pl* pitmans) *тех.* сошка, шатун, соединительная тяга.

pit-pat [ˈpɪtˈpæt] = pit-a-pat.

pittance [ˈpɪtəns] *n* 1) скудное вспомоществование *или* жалованье; жалкие гроши (*обыкн.* a mere ~); 2) небольшая часть *или* небольшое количество.

pitter-patter [ˈpɪtəˌpætə] **1.** *n* 1) частое лёгкое постукивание;
2. *adv* часто и легко (*ударять, стучать и т. п.*).

pittite [ˈpɪtaɪt] *n* зритель последних рядов партера.

pituitary [pɪˈtjuːɪtərɪ] *a* слизистый; ~ body (*или* gland) *анат.* гипофиз.

pity [ˈpɪtɪ] **1.** *n* 1) жалость, сострадание, сожаление; for ~'s sake! умоляю вас!; to take ~, to have ~ сжалиться (on—над кем-л.); 2) печальный факт; it is a ~ жаль; it is a thousand pities очень жаль; more's the ~ тем хуже; what a ~!, the ~ of it! как жалко!;
2. *v* жалеть, соболезновать.

pitying [ˈpɪtɪɪŋ] **1.** *pres. p. от* pity 2;
2. *a* выражающий *или* испытывающий жалость, сожаление.

pityingly [ˈpɪtɪɪŋlɪ] *adv* с жалостью, с сожалением.

pivot [ˈpɪvət] **1.** *n* 1) точка вращения, точка опоры; 2) стержень, короткая ось; шкворень; 3) *перен.* основной пункт, центр;
2. *v* 1) надеть на стержень; 2) вертеться; вращаться (*тж. перен.*; ирон).

pivotal [ˈpɪvətl] *a* 1) центральный; осевой; 2) *перен.* кардинальный, основной; центральный.

pixie [ˈpɪksɪ] *n* *диал.* эльф, фея.

pixilated [ˈpɪksɪleɪtɪd] *a* 1) одержимый, со странностями; 2) *sl.* пьяный.

pixy [ˈpɪksɪ] = pixie.

pizzicato [ˌpɪtsɪˈkɑːtou] *ит. adv, n муз.* пиццикато.

placability [ˌplækəˈbɪlɪtɪ] *n* кротость, незлопамятность; благодушие.

placable [ˈplækəbl] *a* кроткий, незлопамятный; благодушный.

placard [ˈplækɑːd] **1.** *n* афиша, плакат;
2. *v* 1) расклеивать (*объявления*); 2) использовать плакаты для рекламы.

placate [pləˈkeɪt] *v* 1) умиротворять; располагать в свою пользу; 2) *амер.* задобрить; дать отступного (*противнику*); заручиться поддержкой (*противника*).

place [pleɪs] **1.** *n* 1) место; to give ~ to smb. уступить место кому-л.; to take the ~ of smb. занять чьё-л. место, заместить кого-л.; in ~ а) на месте; б) уместный; out of ~ а) не на месте; б) неуместный [*ср. тж.* 5)]; 2) жилище; усадьба; загородный дом; come down to my ~ tonight приходи ко мне сегодня вечером; 3) город, местечко, селение; what ~ do you come from? откуда вы родом?; 4) площадь (*в названиях*, *напр.*, Gloucester P.); 5) положение, должность, место, служба; out of ~ безработный [*ср. тж.* 1)]; 6) сиденье, место (*в экипаже, за столом и т. п.*); six ~s were laid стол был накрыт на шесть приборов; to engage (*или* to secure) ~s заказать билеты; 7) место в книге, страница, отрывок; 8) *мат.*: calculated to five decimal ~s с точностью до одной стотысячной; 9) *спорт.* одно из первых мест (*в состязании*); to get a ~ прийти к финишу в числе первых; 10) *горн.* забой; ◇ in ~ of вместо; in the first (the second) ~ во-первых (во-вторых); in the next ~ затем; to keep smb. in his ~ не давать кому-л. зазнаваться; to know one's ~ знать своё место; to take ~ состояться, иметь место; there is no ~ like home ≈ в гостях хорошо, а дома лучше; another ~ *парл.* другая палата;
2. *v* 1) помещать, размещать; ставить, класть; to ~ in the clearest light полностью осветить (*вопрос, положение и т. п.*); 2) помещать на должность, устраивать; 3) определять место, положение, дату; относить к определённым обстоятельствам; 4) сбывать (*товар*); 5) *спорт.* занять одно из призовых мест; 6) *спорт.* присудить одно из первых мест; to be ~d прийти к финишу в числе первых трёх; 7) *амер.*: to ~ a call заказать разговор по телефону; ◇ to ~ confidence in smb. доверяться кому-л.

placebo [pləˈsiːbou] *n* (*pl* -os, -oes [-ouz]) безвредное лекарство, прописываемое для успокоения больного.

place-card ['pleɪskɑːd] *n* ка́рточка на официа́льном приёме, ука́зывающая ме́сто го́стя за столо́м.

place-hunter ['pleɪs,hʌntə] *n* карьери́ст.

placeman ['pleɪsmən] *n* должностно́е лицо́, чино́вник (*обыкн. пренебр.*).

placenta [plə'sentə] *n* (*pl* -s [-z], -tae) 1) де́тское ме́сто, после́д, плаце́нта; 2) *бот.* семяно́сец.

placentae [plə'sentiː] *pl* от placenta.

place of arms ['pleɪsəv'ɑːmz] *n* плацда́рм.

placer ['pleɪsə] *n* (золото́й) при́иск, ро́ссыпь.

placet ['pleɪset] *лат.* 1. *n* го́лос «за»; 2. *int* за!

placid ['plæsɪd] *a* споко́йный, ми́рный, безмяте́жный.

placidity [plæ'sɪdɪtɪ] *n* споко́йствие, безмяте́жность.

placket ['plækɪt] *n* 1) карма́н в ю́бке; 2) разре́з в ю́бке (*све́рху*); разре́з карма́на (*в ю́бке*).

placket-hole ['plækɪthoul] = placket 2).

plafond [plɑː'fɔ̃ːŋ] *фр. n архит.* плафо́н, потоло́к.

plage [plɑːʒ] *фр. n* пляж.

plagiarism ['pleɪdʒərɪzəm] *n* плагиа́т.

plagiarist ['pleɪdʒərɪst] *n* плагиа́тор.

plagiarize ['pleɪdʒəraɪz] *v* занима́ться плагиа́том, заи́мствовать (*чужо́е*).

plagiary ['pleɪdʒərɪ] *n редк.* 1) плагиа́т; 2) плагиа́тор.

plague [pleɪg] 1. *n* 1) чума́, морова́я я́зва; мор; the ~ бубо́нная чума́; 2) бе́дствие, бич, наказа́ние; a ~ of rats наше́ствие крыс; 3) *разг.* неприя́тность, доса́да; беспоко́йство; ◇ ~ on him! чтоб ему́ пу́сто бы́ло!;

2. *v* 1) зачумля́ть; 2) насыла́ть бе́дствие, му́чить; 3) *разг.* досажда́ть, надоеда́ть, беспоко́ить.

plaguesome ['pleɪgsəm] *a разг.* неприя́тный, доса́дный, надое́дливый.

plague-spot ['pleɪgspɔt] *n* 1) чумно́е пятно́; 2) зачумлённая ме́стность; 3) *перен.* исто́чник зара́зы; 4) при́знак мора́льного разложе́ния.

plaguy ['pleɪgɪ] *разг.* 1. *a* неприя́тный, доса́дный; чорто́вский;

2. *adv* чорто́вски, о́чень.

plaice [pleɪs] *n* ка́мбала.

plaid [plæd] *n* 1) плед; 2) *текст.* шотла́ндка.

plain I [pleɪn] 1. *a* 1) я́сный, я́вный, очеви́дный; to make it ~ вы́явить, разъясни́ть; 2) просто́й; поня́тный; ~ writing разбо́рчивый по́черк; 3) незамыслова́тый, обыкнове́нный; ~ water обыкнове́нная вода́; ~ card нефигу́рная игра́льная ка́рта; ~ clothes шта́тское пла́тье; ~ work просто́е шитьё (*в отли́чие от выши́вания*); 4) одноцве́тный, без узо́ра (*о материи*); 5) гла́дкий, ро́вный (*о ме́стности*); 6) просто́й, скро́мный (*о пи́ще и т. п.*); 7) прямо́й, откро́венный; ~ dealing прямота́, че́стность; ~ speaking разгово́р в откры́тую; to be ~ with smb. говори́ть кому́-л. неприя́тную пра́вду; 8) некраси́вый; ◇ ~ sailing a)

мор. пла́вание по локсодро́мии; б) лёгкий, просто́й путь; it will be all ~ sailing ≅ всё пойдёт как по ма́слу;

2. *n* 1) равни́на; 2) *поэт.* по́ле; 3) пло́скость;

3. *adv* 1) я́сно, разбо́рчиво, отчётливо; 2) откро́венно.

plain II [pleɪn] *v поэт.* се́товать; жа́ловаться; плака́ться; хны́кать.

plain-clothes man ['pleɪn,kloudz'mæn] *n* сы́щик; переоде́тый полице́йский; шпик.

plainly ['pleɪnlɪ] *adv* пря́мо, откро́венно.

plainness ['pleɪnnɪs] *n* 1) простота́; поня́тность; 2) очеви́дность; 3) прямота́; 4) некраси́вость.

plainsman ['pleɪnzmən] *n* жи́тель равни́н.

plain-song ['pleɪnsɔŋ] *n* просто́е хорово́е церко́вное пе́ние.

plain-spoken ['pleɪn'spoukən] *a* откро́венный, прямо́й.

plaint [pleɪnt] *n* 1) *юр.* иск; 2) *поэт.* се́тование, плач, стена́ние.

plaintiff ['pleɪntɪf] *n юр.* исте́ц; исти́ца.

plaintive ['pleɪntɪv] *a* жа́лобный, заунывный.

plait [plæt] 1. *n* 1) коса́ (*во́лос*); 2) скла́дка (*на пла́тье*);

2. *v* 1) заплета́ть, плести́; 2) закла́дывать скла́дки.

plan [plæn] 1. *n* 1) план; прое́кт; counter ~ встре́чный план; 2) за́мысел, наме́рение; предположе́ние; 3) спо́соб де́йствий; 4) схе́ма, диагра́мма, чертёж; 5) систе́ма; ◇ American ~ *амер.* (гости́ница) с обяза́тельным пансио́ном; European ~ *амер.* (гости́ница) с необяза́тельным пансио́ном;

2. *v* 1) составля́ть план, плани́ровать, проекти́ровать; 2) стро́ить пла́ны; наде́яться; намерева́ться; затева́ть.

planch [plɑːnʃ] *n* доще́чка, пла́нка.

plane I [pleɪn] 1. *n* 1) пло́скость (*тж. перен.*); on a new ~ на но́вой осно́ве; 2) прое́кция; 3) у́ровень (*разви́тия, зна́ний и т. п.*); 4) *разг.* самолёт; 5) *ав.* пло́скость, несу́щая пове́рхность; крыло́ (*самолёта*); 6) *горн.* укло́н, бре́мсберг, гла́вная отка́точная вы́работка;

2. *a* пло́ский; пло́скостный;

3. *v* 1) *ав.* скользи́ть; плани́ровать; идти́ на реда́не; 2) *разг.* путеше́ствовать в самолёте.

plane II [pleɪn] 1. *n* 1) *тех.* руба́нок; шерхе́бель; фуга́нок; струг; нож; 2) *стр.* гладилка, мастеро́к;

2. *v* 1) строга́ть, выра́внивать; выска́бливать; выгла́живать; 2) *полигр.* выкола́чивать (*фо́рму*); □ ~ away, ~ down состру́гивать.

plane III [pleɪn] *n* плата́н.

plane geometry ['pleɪndʒɪ'ɔmɪtrɪ] *n* планиме́трия.

planer ['pleɪnə] *n* 1) *тех.* строга́льный стано́к; 2) строга́льщик (*рабо́чий*); 3) *полигр.* вы́колотка; 4) доро́жный утю́г.

planet ['plænɪt] *n* плане́та; major (minor) ~s больши́е (ма́лые) плане́ты.

plane-table ['pleɪn,teɪbl] *геод.* 1. *n* ме́нзула;

2. *v* производи́ть ме́нзульную съёмку.

planetaria [ˌplænɪ'tɛərɪə] *pl om* planetarium.
planetarium [ˌplænɪ'tɛərɪəm] *n* (*pl* -ria)
планетáрий.
planetary ['plænɪtərɪ] *a* 1) планéтный,
планетáрный; ~ system сóлнечная систéма;
2) находя́щийся в орбите какóй-л. планéты;
перен. находя́щийся в сфéре влия́ния;
3) блужда́ющий.
plane-tree ['pleɪntriː] = plane III.
planetoid ['plænɪtɔɪd] *n* мáлая планéта.
planet-stricken ['plænɪt,strɪkən] *a* охвáченный пáникой, запýганный.
planet-struck ['plænɪt,strʌk] = planet-
-stricken.
plangent ['plændʒənt] *a* 1) с шýмом раз-
бивáющийся о бéрег (*о прибое*); 2) про-
тя́жный; звýчный.
planish ['plænɪʃ] *v* 1) прáвить; выправ-
ля́ть, рихтовáть (*металл*); 2) шлифовáть,
полировáть, лощи́ть; накáтывать (*фотографии*).
plank [plæŋk] 1. *n* 1) (обшивнáя) доскá,
плáнка; 2) пункт партийной прогрáммы;
2. *v* 1) настилáть; выстилáть, обшивáть
дóсками; 2) *sl.* выклáдывать, платить
(*обыкн.* ~ down, ~ out); 3) *амер.* жáрить
рыбу *или* птицу, наниáзывая её на пáлочки.
plank bed ['plæŋkbed] *n* нáры.
planking ['plæŋkɪŋ] 1. *pres. p. om* plank 2;
2. *n* 1) обши́вка дóсками, покры́тие
дóсками; 2) *собир.* дóски.
plankton ['plæŋktən] *n* биол. планктóн.
planned [plænd] 1. *p. p. om* plan 2;
2. *a* плáновый; плани́рованный; ~ production плáновое произвóдство.
planner ['plænə] *n* 1) плани́рóвщик;
2) планови́к; 3) либретти́ст (*в кино*).
planoconcave [ˌpleɪnou'kɔnkeɪv] *a* плóско-
-вóгнутый.
planoconvex [ˌpleɪnou'kɔnveks] *a* плóско-
-вы́пуклый.
plant [plɑːnt] 1. *n* 1) растéние; сáженец;
in ~ растýщий; в сокý; 2) завóд, фáбрика;
3) оборýдование; устанóвка; комплéкт ма-
ши́н; 4) агрегáт; 5) *sl.* ловýшка; мошéнничество; надувáтельство; 6) *sl.* сы́щик;
7) *sl.* полицéйская засáда.
2. *v* 1) сажáть (*растения*); засáживать
(with); насаждáть (*сад*); 2) пускáть (*рыбу*)
для разведéния; 3) прóчно стáвить, устá-
нáвливать (in, on); to ~ a standard водру-
зи́ть знáмя; to ~ oneself стать, заня́ть
пози́цию; 4) всáживать, втыкáть; 5) оснóвы-
вать (колóнию *и т. п.*); заселя́ть; поселя́ть;
6) внедря́ть, насаждáть (in); 7) пристá-
вить (*кого-л., особ. как шпиона*); 8) внушáть (*мысль*); 9) наноси́ть (*удар*); 10) *sl.*
прáтать (*добычу*); 11) *sl.* подстрáивать
(*махинáцию*); 12) бросáть, покидáть; 13)
sl. хорони́ть; □ ~ on подсóвывать, сбывáть; ~ out высáживать в грунт.
plantain I ['plæntɪn] *n бот.* подорóжник.
plantain II ['plæntɪn] *n бот.* банáн
плодóвый.
plantar ['plæntə] *a анат.* подошвенный.
plantation [plæn'teɪʃən] *n* 1) плантáция;
2) насаждéние; 3) *ист.* колонизáция; 4)
ист. колóния.

planter ['plɑːntə] *n* 1) плантáтор; 2)
учреди́тель, основáтель; 3) *с.-х.* сажáлка;
4) *с.-х.* сажáльщик.
plantigrade ['plæntɪgreɪd] *зоол.* 1. *a*
стопоходя́щий;
2. *n* стопоходя́щее живóтное.
plant-louse ['plɑːnt,laus] *n* тля.
plantocracy [plæn'tɔkrəsɪ] *n* 1) плантáто-
ры; земéльная аристокрáтия; 2) власть
плантáторов.
plant pathology ['plɑːntpə'θɔlədʒɪ] *n* фито-
патолóгия.
plaque [plɑːk] *n* 1) металли́ческий *или*
фарфóровый диск, тарéлка (*как стéнное
украшéние*); 2) дощéчка, пласти́нка с фа-
ми́лией *или* назвáнием учреждéния; memorial ~ мемориáльная доскá; 3) почётный
значóк; 4) *мед.* бля́шка.
plash I [plæʃ] 1. *n* 1) плеск, всплеск;
2) лýжа.
2. *v* плескáть(ся).
plash II [plæʃ] *v* сплетáть; плести́.
plasm ['plæzəm] = plasma.
plasma ['plæzmə] *n* 1) *физиол.* плáзма;
2) *биол.* протоплáзма; 3) *мин.* гелиотрóп,
зелёный халцедóн.
plaster ['plɑːstə] 1. *n* 1) штукатýрка;
Paris ~, ~ of Paris (обожжённый) гипс;
алебáстр; 2) плáстырь;
2. *v* 1) штукатýрить; 2) наклáдывать
плáстырь; 3) намáзывать; покрывáть; 4)
грýбо льстить (*тж.* ~ with praise); 5) пáчкать; 6) подмéшивать гипс (*в вино*); 7) дать
сдáчи, отомсти́ть.
plastered ['plɑːstəd] 1. *p. p. om* plaster 2;
2. *a sl.* пья́ный; to get ~ напи́ться, на-
клю́каться.
plasterer ['plɑːstərə] *n* штукатýр.
plastic ['plæstɪk] 1. *a* 1) пласти́ческий;
~ skill иску́сство вая́ния; ~ surgery пласти́-
ческая (*или* восстанови́тельная) хирурги́я;
~ flow *тех.* пласти́ческая текýчесть; 2)
пласти́чный, ги́бкий; ~ clay а) сугли́нок;
б) гли́на для лéпки, горшéчная гли́на;
3) лепнóй, скульптýрный; 4) послýшный,
подáтливый;
2. *n* 1) (*тж. pl*) пластмáсса; 2) пласти́ч-
ность.
plasticine ['plæstɪsɪn] *n* пластели́н.
plasticity [plæs'tɪsɪtɪ] *n* пласти́чность,
ги́бкость.
plastron ['plæstrən] *n* 1) пластрóн, ма-
ни́шка; 2) *ист.* лáтный нагрýдник; 3) ни́ж-
ний щит черепáхи.
plat I [plæt] 1. *n* 1) (небольшóй) учáсток
земли́; 2) *амер.* план, кáрта; съёмка в гори-
зонтáльной проéкции; 3) *метал.* рýдный
двор;
2. *v амер.* снимáть план.
plat II [plæt] = plait 1, 1) *и* 2, 1).
plat III [plɑː] *n* блюдо с едóй.
platan ['plætən] = plane III.
platband ['plætbænd] *n* 1) *стр.* нали́чник
(*двери*); приòлока; 2) *архит.* глáдкий пóяс.
plate [pleɪt] 1. *n* 1) пласти́нка; дощéчка;
2) тарéлка; 3) столóвое серебрó; металли́-
ческая (*преим. серебряная или золотáя*)
посýда; 4) фотоплáстинка; 5) плитá, лист,
полосá (*металла*); листовóе желéзо; 6)

гравю́ра, эста́мп; 7) вкле́йка, иллюстра́-
ция на отде́льном листе́; 8) экслибрис;
9) *полигр.* печа́тная фо́рма; доска́ (*гравировальная, стереоти́пная*); 10) призово́й ку́-
бок; 11) ска́чки на приз; 12) вставна́я
че́люсть; 13) *радио* ано́д ла́мпы; 14) *стр.*
подстропи́льная вя́зка;
   2. *v* 1) око́вывать, брони́ровать; 2) на-
кла́дывать серебро́, зо́лото; луди́ть; 3) *полигр.* стереоти́пировать; 4) плю́щить
(*металл*), раско́вывать в листы́; 5) галь-
ванизи́ровать, покрыва́ть мета́ллом.
   plateau ['plætou] *n* (*pl* -s [-z], -x) плато́,
пло́ская возвы́шенность, плоского́рье.
   plateaux ['plætouz] *pl от* plateau.
   plate-basket ['pleɪt,bɑːskɪt] *n* корзи́нка
для ви́лок, ноже́й *и т. п.*
   plateful ['pleɪtful] *n* по́лная таре́лка.
   plate glass ['pleɪtglɑːs] *n* зерка́льное сте-
кло́.
   platelayer ['pleɪt,leɪə] *n* ремо́нтный *или*
доро́жный рабо́чий; укла́дчик ре́льсового
пути́.
   plate-mark ['pleɪtmɑːk] *n* пробирное
клеймо́, про́ба.
   platen ['plætən] *n* 1) *полигр.* пиа́н; 2)
ва́лик (*пишущей машины*); 3) стол (*станка*);
сто́лик (*прибора*).
   plate-powder ['pleɪt,paudə] *n* 1) порошо́к
для чи́стки серебра́; 2) пласти́нчатый по́-
рох.
   plater I ['pleɪtə] *n* луди́льщик.
   plater II ['pleɪtə] *n* ло́шадь, пока́зывае-
мая на ска́чках при ко́нном заво́де (*особ.
с це́лью прода́жи*).
   plate-rack ['pleɪtræk] *n* суши́лка для по-
су́ды.
   platform ['plætfɔːm] *n* 1) платфо́рма,
перро́н; 2) платфо́рма; помо́ст; 3) трибу́-
на; сце́на; 4) полити́ческая платфо́рма,
пози́ция; 5) площа́дка (*трамвая, железно-
доро́жного ваго́на*); 6) оруди́йная площа́дка;
7) пло́ская возвы́шенность; 8) *attr.:* ~ ticket перро́нный биле́т; ~ car ваго́н-плат-
фо́рма.
   plating ['pleɪtɪŋ] **1.** *pres. p. от* plate 2;
   2. *n* 1) покры́тие мета́ллом; никелиро́вка,
золоче́ние, серебре́ние; 2) листова́я обши́в-
ка.
   platinize ['plætɪnaɪz] *v* покрыва́ть пла́ти-
ной, платини́ровать.
   platinoid ['plætɪnɔɪd] *n* сплав ме́ди,
ци́нка, ни́келя и вольфра́ма.
   platinum ['plætɪnəm] *n* 1) пла́тина; 2)
attr. пла́тиновый; ~ metal мета́лл пла́ти-
новой гру́ппы; ~ black пла́тиновая чернь;
~ blonde *разг.* о́чень све́тлая блонди́нка.
   platitude ['plætɪtjuːd] *n* бана́льность,
пло́скость, по́шлость.
   platitudinarian ['plætɪ,tjuːdɪ'nɛərɪən] **1.**
a бана́льный, по́шлый;
   2. *n* челове́к, говоря́щий по́шлости, пло́-
скости, бана́льности; пошля́к.
   platitudinous [,plætɪ'tjuːdɪnəs] *a* пло́ский,
по́шлый, бана́льный.
   Plato ['pleɪtou] *n* Плато́н.
   Platonic [plə'tɔnɪk] **1.** *a* 1) платони́-
ческий; 2) ограни́чивающийся слова́ми,
теорети́ческий;

   2. *n* 1) учени́к Плато́на; 2) *pl разг.* пла-
тони́ческие разгово́ры.
   platoon [plə'tuːn] *n воен.* 1) взвод; 2) по-
лице́йский отря́д.
   platter ['plætə] *n уст., амер.* 1) деревя́н-
ная таре́лка; 2) доска́ для хле́ба.
   platypus ['plætɪpəs] *n зоол.* утконо́с.
   plaudit ['plɔːdɪt] *n* (*обыкн. pl*) 1) руко-
плеска́ния, аплодисме́нты; 2) си́льное выра-
же́ние одобре́ния.
   plausibility [,plɔːzə'bɪlɪtɪ] *n* 1) правдо-
подо́бие; вероя́тность; 2) благови́дность;
3) уме́ние внуша́ть дове́рие.
   plausible ['plɔːzəbl] *a* 1) правдоподо́бный;
вероя́тный; 2) благови́дный; 3) уме́ющий
внуша́ть дове́рие.
   play [pleɪ] **1.** *n* 1) игра́; заба́ва, шу́тка;
they are at ~ они́ игра́ют; out of ~ вне
игры́; 2) аза́ртная игра́; 3) пье́са, дра́ма;
представле́ние, спекта́кль; to go to the ~
идти́ в теа́тр; 4) шу́тка; a ~ upon words
игра́ слов, каламбу́р; in ~ в шу́тку; 5) по-
веде́ние; fair ~ че́стность; 6) де́йствие, де́-
ятельность; to bring (*или* to call) into ~
приводи́ть в де́йствие, пуска́ть в ход; to
come into ~ нача́ть де́йствовать; in full ~
в де́йствии, в разга́ре; 7) свобо́да, просто́р;
to give free ~ to one's imagination дать
по́лный просто́р своему́ воображе́нию; 8)
перели́вы, игра́; плеск (*воды*); ~ of colours
перели́вы кра́сок; ~ of the waves плеск волн;
9) *диал.* прекраще́ние рабо́ты, забасто́вка;
10) *тех.* зазо́р; игра́; люфт; мёртвый ход;
шата́ние (*части механизма, прибора*); от-
клоне́ние от норма́льного положе́ния;
   2. *v* 1) игра́ть, резви́ться, забавля́ться;
the cat ~s with its tail ко́шка игра́ет со
свои́м хвосто́м; 2) игра́ть (*во что-л., на
что-л.*), уча́ствовать в игре́; to ~ tennis
игра́ть в те́ннис; to ~ in a set of tennis уча́-
ствовать в игре́ в те́ннис; I ~ed him for
championship я игра́л с ним на зва́ние
чемпио́на; 3) игра́ть в аза́ртные и́гры;
4) исполня́ть (*роль, музыка́льное произве-
де́ние*); she ~ed Juliet она́ игра́ла роль
Джулье́тты; the boy ~ed a concerto ма́льчик
исполня́л конце́рт; 5) игра́ть на музы-
ка́льном инструме́нте; he ~s the violin он
игра́ет на скри́пке; 6) игра́ть роль (*кого-л.*),
быть (*кем-л.*); to ~ the fool валя́ть дурака́;
to ~ the man поступа́ть, как подоба́ет муж-
чи́не; 7) дава́ть представле́ние (*о труппе*);
8) сыгра́ть (*шу́тку*), разыгра́ть; he ~ed a
practical joke on us он над на́ми подшути́л;
to ~ a trick on smb. наду́ть, обману́ть кого́-
-либо; 9) поступа́ть, де́йствовать; to ~ fair
поступа́ть че́стно; to ~ foul поступа́ть не-
че́стно, жу́льничать; to ~ false преда́ть
(*кого-л.*), поки́нуть в беде́; 10) подходи́ть
для игры́, быть в хоро́шем состоя́нии; the
ground ~s well спорти́вная площа́дка в хо-
ро́шем состоя́нии; the piano ~s well у э́то-
го роя́ля хоро́ший звук; the drama ~s well
э́та дра́ма о́чень сцени́чна; 11) порха́ть,
носи́ться; танцева́ть; butterflies ~ among
flowers среди́ цвето́в порха́ют ба́бочки;
12) перелива́ться, игра́ть; мелька́ть; lightning ~s in the sky в не́бе сверка́ет мо́лния;
a smile ~ed on his lips на его́ губа́х игра́ла

улы́бка; 13) свобо́дно дви́гаться (*о части механизма*); де́йствовать, приходи́ть в движе́ние, идти́ (*о машине, механизме*); 14) свобо́дно владе́ть; to ~ a good stick хорошо́ дра́ться на шпа́гах; to ~ a good knife and fork упи́сывать за о́бе щёки; есть с аппети́том; 15) приводи́ть в де́йствие, пуска́ть; to ~ a record поста́вить пласти́нку; 16) бить (*о фонтане*); 17) направля́ть (*свет и т. п.*; on, over, along — на *что-л.*); обстре́ливать (on, upon); to ~ a searchlight upon a boat напра́вить прожéктор на ло́дку; to ~ guns upon the fort обстре́ливать форт; to ~ a hose полива́ть водо́й из пожа́рного рукава́; 18) ходи́ть (*шашкой, картой*); 19) принима́ть в игру́ (*игрока*); 20) *спорт.* отбива́ть, подава́ть (*мяч*); 21) дать (вре́мя) (*рыбе*) хорошо́ клю́нуть (*тж. перен.*); 22) *диал.* бастова́ть; ☐ ~ along подыгрывать, подда́кивать; ~ around *разг.* флиртова́ть, заводи́ть любо́вную интри́жку; ~ off a) разы́грывать (*кого-л.*); б) заставля́ть прояви́ть себя́ с невы́годной стороны́; в) выдава́ть за *что-л.*; г) натра́вливать (against—на); to ~ off one person against another стра́вливать кого́-л. в свои́х интере́сах; д) сыгра́ть повто́рную па́ртию по́сле ничье́й; ~ on = ~ upon; ~ up a) принима́ть де́ятельное уча́стие (*в разговоре, деле*); б) *амер.* реклами́ровать; в) вести́ себя́ му́жественно, геройски; ~ upon игра́ть (на *чьих-л. чувствах*); to ~ upon words каламбу́рить; ~ up to подыгрывать; *перен.* подли́зываться; ◇ to ~ smb. up a) дразни́ть, пристава́ть; б) *амер.* испо́льзовать; to ~ fast and loose a) де́йствовать безотве́тственно; быть непосле́довательным; говори́ть одно́, а де́лать друго́е; вести́ двойну́ю игру́; б) наруша́ть (*обеща́ния, обяза́тельства*); to ~ for time оття́гивать вре́мя, пыта́ться вы́играть вре́мя; to ~ havoc (*или* hell, the devil, the mischief) производи́ть дья́вольский беспоря́док, перевора́чивать всё вверх дном; разруша́ть, губи́ть; to ~ one's cards well испо́льзовать обстоя́тельства наилу́чшим о́бразом; to ~ the wrong card *перен.* сде́лать неве́рную ста́вку; to ~ one's hand for all it is worth по́лностью испо́льзовать обстоя́тельства; пусти́ть в ход все сре́дства; to ~ into the hands of smb. сыгра́ть на́ руку кому́-л.; to ~ it low on smb. *разг.* по́дло поступи́ть по отноше́нию к кому́-л.; to ~ politics вести́ полити́ческую игру́; to ~ safe де́йствовать наверняка́; to ~ ball *амер.* сотру́дничать; to ~ both ends against the middle в со́бственных интере́сах натра́вливать друг на дру́га сопе́рничающие гру́ппы.

playable [ˈpleɪəbl] *a* го́дный, подходя́щий для игры́ (*о площадке*).

play-actor [ˈpleɪˌæktə] *n* 1) пренебр. актёр, комедиа́нт; 2) нейскренний челове́к.

playbill [ˈpleɪbɪl] *n* 1) театра́льная афи́ша; 2) театра́льная програ́мма.

play-boy [ˈpleɪbɔɪ] *n* пове́са.

play-by-play [ˈpleɪbaɪˈpleɪ] *a амер.*: ~ story репорта́ж по ра́дио (*о состязании, матче*).

play-day [ˈpleɪdeɪ] *n* пра́здник, нерабо́-

чий день; день, свобо́дный от заня́тий в шко́ле.

played-out [ˈpleɪdˈaut] *a разг.* измо́танный, вы́дохшийся; устаре́вший; бо́льше ни на что не го́дный.

player [ˈpleɪə] *n* 1) игро́к; 2) актёр; музыка́нт.

playfellow [ˈpleɪˌfelou] *n* друг де́тства; това́рищ де́тских игр.

play-field [ˈpleɪfiːld] = playing-field.

playful [ˈpleɪful] *a* игри́вый, весёлый, шутли́вый, шаловли́вый.

playgame [ˈpleɪgeɪm] *n* де́тская игра́, пустяки́, ерунда́.

playgoer [ˈpleɪˌgouə] *n* театра́л.

playground [ˈpleɪgraund] *n* площа́дка для игр; спорти́вная площа́дка.

playhouse [ˈpleɪhaus] *n* теа́тр (*драмати́ческий*).

playing-card [ˈpleɪɪŋkɑːd] *n* игра́льная ка́рта.

playing-field [ˈpleɪɪŋfiːld] *n* спортплоща́дка, футбо́льное по́ле и т. п.

playlet [ˈpleɪlɪt] *n* небольша́я пьеса.

playmate [ˈpleɪmeɪt] *n* 1) = playfellow; 2) партнёр (*в спортивных играх*).

play-off [ˈpleɪˌɔf] *n спорт.* повто́рная игра́ по́сле ничье́й.

plaything [ˈpleɪθɪŋ] *n* игру́шка (*тж. перен.*).

playtime [ˈpleɪtaɪm] *n* вре́мя о́тдыха, развлече́ния.

playwright [ˈpleɪraɪt] *n* драмату́рг.

plaza [ˈplɑːzə] *исп. n* (ры́ночная) пло́щадь.

plea [pliː] *n* 1) оправда́ние, ссы́лка, предло́г; до́вод; a ~ was advanced бы́ло вы́двинуто положе́ние; on the ~ of под предло́гом; 2) мольба́; про́сьба; 3) *юр.* сло́во для защи́ты.

pleach [pliːtʃ] *v* сплета́ть (*особ. ветви*).

plead [pliːd] *v* (pleaded [-ɪd], pled) 1) отвеча́ть на обвине́ние; обраща́ться к суду́; to ~ (not) guilty (не) признава́ть себя́ вино́вным (to—в *чём-л.*); 2) защища́ть (*в суде*); 3) проси́ть, умоля́ть (with—*кого-л.*, for—о *чём-л.*); 4) обраща́ться с про́сьбой, хода́тайствовать; 5) ссыла́ться (на *что-л.*), приводи́ть (*что-л.*) в оправда́ние.

pleader [ˈpliːdə] *n* 1) защи́тник, адвока́т; 2) проси́тель; хода́тай.

pleading [ˈpliːdɪŋ] 1. *pres. p. от* plead; 2. *n* 1) защи́та; 2) засту́пничество, хода́тайство; мольба́; 3) *pl юр.* заявле́ния истца́ и отве́тчика; суде́бные пре́ния; суде́бная процеду́ра;

3. *a* умоля́ющий, проси́тельный.

pleasance [ˈplezəns] *n уст.* 1) удово́льствие; 2) сад (*в имении*).

pleasant [ˈpleznt] *a* 1) прия́тный; 2) ми́лый, сла́вный; 3) весёлый, оживлённый; 4) *уст.* шутли́вый.

pleasantly [ˈplezntlɪ] *adv* 1) любе́зно; 2) ве́село, прия́тно.

pleasantness [ˈplezntnɪs] *n* прия́тность.

pleasantry [ˈplezntrɪ] *n* 1) шутли́вость; 2) шу́тка; шутли́вое замеча́ние; коми́ческая вы́ходка.

please [pliːz] *v* 1) нра́виться; 2) *pass.* получа́ть удово́льствие; I shall be ~d to do it я с удовольствием сделаю это; 3) угождать, доставлять удовольствие; радовать; to ~ oneself делать по своему желанию; 4) хотеть, изволить; it ~d him to do so ему было угодно это сделать; let him say what he ~s пусть (он) говорит, что угодно; (may it) ~ your honour с вашего разрешения; если вам будет угодно; ~! пожалуйста!, будьте добры!; if you ~! a) с вашего позволения, если вы разрешите; б) *ирон.* (только) представьте себе!; to be ~d to do smth. соизволить, соблаговолить сделать что-л.

pleasing ['pliːzɪŋ] 1. *pres. p. от* please; 2. *a* 1) приятный, доставляющий удовольствие; 2) нравящийся, привлекательный.

pleasurable ['pleʒərəbl] *a* доставляющий удовольствие; приятный.

pleasure ['pleʒə] 1. *n* 1) удовольствие, наслаждение; развлечение; man of ~ жуир; сибарит; to take ~ in smth. находить удовольствие в чём-л.; 2) воля, соизволение; желание; what is your ~? что вам угодно?; I shall not consult his ~ я не буду считаться с его желаниями; at ~ по желанию; during smb.'s ~ так долго, как кому-л. угодно; 3) *attr.* увеселительный; ~ car спортивный автомобиль для прогулок; ~ trip увеселительная поездка; 2. *v* 1) доставлять удовольствие; 2) находить удовольствие (in); 3) *разг.* искать развлечений.

pleasure-boat ['pleʒəbout] *n* лодка, яхта для катания, для прогулок.

pleasure-ground ['pleʒəgraund] *n* 1) площадка для игр; 2) сад, парк.

pleat [pliːt] 1. *n* складка (*на платье*); 2. *v* делать складки; плиссировать.

pleb [pleb] *sl. сокр. от* plebeian 1.

plebeian [plɪ'biːən] 1. *n* плебей; 2. *a* плебейский.

plebiscite ['plebɪsɪt] *n* плебисцит.

pled [pled] *разг., диал., амер. past и p. p. от* plead.

pledge [pledʒ] 1. *n* 1) залог; заклад; to put in ~ заложить; to take out of ~ выкупить из заклада; ~ of love, ~ of union залог любви, союза (*ребёнок*); 2) поручительство; 3) дар, подарок; 4) тост; 5) обет; обещание; under ~ of secrecy с обязательством сохранения тайны; 6): to take the ~ дать зарок воздержания от спиртных напитков; 7) *полит.* публичное обещание лидера партии придерживаться определённой политики; 2. *v* 1) отдавать в залог, закладывать; 2) связывать обещанием; давать торжественное обещание; to ~ one's word, to ~ one's honour ручаться, давать слово; 3) пить за (*чьё-л.*) здоровье.

pledgee [ple'dʒiː] *n* залогоприниматель.

pledget ['pledʒɪt] *n* компресс; тампон.

Pleiad ['plaɪəd] *n* (*pl* -ds [-dz], -des) 1) *pl астр.* Плейды; 2) (*тж.* p.) *перен.* плеяда.

Pleiades ['plaɪədiːz] *pl от* Pleiad.

pleistocene ['plaɪstousiːn] *n геол.* плейстоцен.

plena ['pliːnə] *pl от* plenum 1.

plenary ['pliːnərɪ] *a* 1) полный, неограниченный, безоговорочный; ~ powers полномочия; 2) пленарный (*о заседании и т. п.*).

plenipotentiary [.plenɪpə'tenʃərɪ] 1. *a* 1) полномочный; 2) неограниченный, абсолютный; ~ power неограниченная власть; 2. *n* полномочный представитель; посол.

plenishing ['plenɪʃɪŋ] *n* (*обыкн. pl*) *шотл.* домашняя утварь и мебель.

plenitude ['plenɪtjuːd] *n* полнота; изобилие; in the ~ of one's power в расцвете сил.

plenteous ['plentjəs] *a поэт.* 1) изобильный; 2) урожайный.

plentiful ['plentɪful] *a* 1) обильный, изобильный; examples are ~ за примерами далеко ходить не приходится; 2) богатый (*чем-л.*).

plenty ['plentɪ] 1. *n* 1) (из)обилие; достаток; horn of ~ рог изобилия; 2) множество; избыток; ~ of много; to be in ~ of time (food) располагать достаточным запасом времени (пищи); 2. *a амер.* обильный; многочисленный; 3. *adv разг.* 1) вполне; довольно; 2) очень, чрезвычайно; крепко, основательно.

plenum ['pliːnəm] 1. *n* (*pl* -s [-z], -na) 1) пленум; 2) полнота; 3) *стр.* приточная вентиляция воздуха; 2. *a тех.* нагнетательный (*о вентиляции*).

pleonasm ['pliːənæzəm] *n лингв.* плеоназм.

pleonastic [pliə'næstɪk] *a* излишний, многословный.

plethora ['pleθərə] *n* 1) *мед.* полнокровие; 2) изобилие, большой избыток.

plethoric [ple'θɔrɪk] *a* 1) полнокровный; 2) бьющий через край.

pleura ['pluərə] *n* (*pl* -ae) *анат.* плевра.

pleurae ['pluəriː] *pl от* pleura.

pleurisy ['pluərɪsɪ] *n мед.* плеврит.

pleuritic [pluə'rɪtɪk] *a мед.* плевритный.

pleuro-pneumonia ['pluərounjuː'mounjə] *n мед.* плевропневмония.

plexiglass ['pleksɪglɑːs] *n* плексиглас, синтетическое стекло.

plexor ['pleksə] *n мед.* молоточек для выстукивания.

plexus ['pleksəs] *n* 1) сплетение (*нервов и т. п.*); 2) переплетение, запутанность.

pliability [.plaɪə'bɪlɪtɪ] *n* 1) гибкость, пластичность, ковкость; 2) = pliancy 2).

pliable ['plaɪəbl] *a* 1) = pliant 1); 2) легко поддающийся влиянию; уступчивый, сговорчивый (*часто в отрицательном смысле*).

pliancy ['plaɪənsɪ] *n* 1) гибкость; 2) податливость, уступчивость.

pliant ['plaɪənt] *a* 1) гибкий; 2) податливый, уступчивый, мягкий.

plica ['plaɪkə] *n* (*pl* plicae) 1) *анат.* складка; 2) *мед.* колтун.

plicae ['plaɪsiː] *pl от* plica.

plicate, plicated [plaɪ'keɪt, -'keɪtɪd] *a бот., зоол.* складчатый.

plication [plɪ'keɪʃən] *n* 1) складка; 2) *pl геол.* складки.

pliers ['plaɪəz] *n pl* щипцы; клещи; плоскогубцы.

plight I [plaɪt] **1.** *n* 1) обязательство; 2) помолвка;

2. *v* 1) связывать обещанием; 2) помолвить; ~ed lovers помолвленные; 3) давать в залог.

plight II [plaɪt] *n* состояние, положение (*обыкн.* плохое, затруднительное).

Plimsoll line ['plɪmsəl'laɪn] *n мор.* грузовая марка (*на торговых судах*).

plimsolls ['plɪmsəlz] *n pl* дешёвые парусиновые туфли на резиновой подошве.

Plimsoll's mark ['plɪmsəlz'maːk]=Plimsoll line.

plinth [plɪnθ] *n стр.* нижний обрез стены.

pliocene ['plaɪəsiːn] *n геол.* плиоцен.

pliofilm ['plaɪəfɪlm] *n* плиофильм (*прозрачный материал, идущий на плащи, обёртку и т. п.*).

plod [plɔd] **1.** *n* 1) тяжёлая походка; 2) тяжёлая работа;

2. *v* 1) брести, тащиться (on, along); 2) упорно работать, корпеть (at).

plodder ['plɔdə] *n* 1) труженик, работяга; 2) флегматичный, скучный человек.

plodding ['plɔdɪŋ] **1.** *pres. p. от* plod 2;

2. *a* 1) медленный и тяжёлый (*о походке*); 2) трудолюбивый, усидчивый.

plonk [plɔŋk] *v sl.* бросать, швырять.

plop [plɔp] **1.** *n* 1) звук от падения в воду без всплеска; 2) падение в воду;

2. *adv* 1) без всплеска; 2) внезапно;

3. *v* бултыхнуть(ся), хлопнуть(ся), шлёпнуться;

4. *int* бултых!, шлёп!

plosive ['plousɪv] *фон.* **1.** *a* взрывной (*о согласном звуке*);

2. *n* взрывной звук.

plot [plɔt] **1.** *n* 1) участок земли; делянка; 2) *амер.* план, чертёж; набросок; график, диаграмма; 3) заговор; интрига; 4) фабула, сюжет;

2. *v* 1) составлять план; 2) наносить (*на план*); чертить, вычерчивать кривую *или* диаграмму; 3) составлять заговор; замышлять, интриговать; придумывать; ☐ ~ out делить на участки, распределять.

plotter ['plɔtə] *n* 1) заговорщик; интриган; 2) съёмщик, прибор для механического решения треугольников.

plotting paper ['plɔtɪŋ,peɪpə] *n* миллиметровая бумага.

plough [plau] **1.** *n* 1) плуг; 2) снегоочиститель; 3) вспаханное поле; 4) *sl.* провал (*на экзамене*); 5) (the P.) *астр.* Большая Медведица; 6) *эл.* токосниматель; ◇ to put one's hand to the ~ взяться за работу;

2. *v* 1) пахать; 2) поддаваться вспашке; the land ~s hard after the drought после засухи землю трудно пахать; 3) бороздить; 4) пробивать, прокладывать с трудом (*тж.* ~ through); to ~ one's way прокладывать себе путь; 5) рассекать (*волны*); 6) *sl.* провалиться (*на экзамене*); ☐ ~ through а) продвигаться с трудом; б) осилить (*книгу*); ~ under а) выкорчёвывать; б) подрывать; ~ up взрывать (*землю*); ◇ to ~ a lonely furrow ≅ одиноко следовать своим собственным путём; to ~ the sand(s) ≅

переливать из пустого в порожнее; зря трудиться; заниматься бесполезным делом.

plough-boy ['plaubɔɪ] *n* 1) поводырь при лошадях с плугом; 2) крестьянский парень.

plough-land ['plaulænd] *n* пахотная земля.

ploughman ['plaumən] *n* 1) пахарь; 2) рабочий на ферме.

ploughshare ['plauʃɛə] *n с.-х.* лемех.

plough-tail ['plauteɪl] *n* ручки плуга; at the ~ за плугом, в полевой работе; from the ~ от сохи.

plover ['plʌvə] *n зоол.* ржанка, зуёк.

plow [plau] = plough.

ploy [plɔɪ] *n сев.* 1) поездка; 2) дело, работа; 3) проделка; приключение.

pluck [plʌk] **1.** *n* 1) дёрганье, дёргающее усилие; 2) ливер; потроха; 3) смелость, отвага; мужество; 4) провал (*на экзамене*);

2. *v* 1) срывать, собирать (*цветы*); 2) выдёргивать (*волос, перо*); 3) щипать, перебирать (*струны*); 4) ощипывать (*птицу*); 5) обирать; обмануть; to ~ a pigeon обобрать простака; 6) проваливать (*на экзамене*); ☐ ~ at дёргать; хватать(ся); ~ up: to ~ up one's heart (*или* courage, spirits) собираться с духом, набраться храбрости.

plucky ['plʌkɪ] *a* смелый, отважный; решительный.

plug [plʌg] **1.** *n* 1) затычка, пробка; втулка; стопор; 2) (пожарный) кран; 3) прессованный табак (*для жевания*); 4) *тех.* болт, штифт, палец; 5) *эл.* штепсель; штепсельная вилка; пробка; 6) *радио* штеккер; 7) *амер.* поршневой затвор; 8) *геол.* масса изверженной породы, застывшая в воронке вулкана; 9) *авт.* запальная свеча; 10) *амер. sl.* цилиндр (*шляпа*); 11) *разг.* назойливая реклама; 12) *sl.* удар; 13) *sl.* книга, не имеющая сбыта; 14) *амер. sl.* кляча;

2. *v* 1) затыкать, закупоривать (*часто* ~ up); законопачивать; 2) *разг.* корпеть (*часто* ~ away); 3) *разг.* популяризировать, вводить в моду (*о песне*); 4) *разг.* назойливо рекламировать; 5) *sl.* застрелить; подстрелить; 6) *sl.* ударить кулаком; ☐ ~ in вставлять штепсель; ~ up закупоривать.

plug-chain ['plʌgtʃeɪn] *n* цепочка стопора ванны, умывальника *и т. п.*

plug-hat ['plʌghæt] = plug 1, 10).

plug-switch ['plʌgswɪtʃ] *n* штепсельный выключатель.

plug-ugly ['plʌg,ʌglɪ] *n амер. sl.* хулиган.

plum I [plʌm] *n* 1) слива; French ~ чернослив; 2) сливовое дерево; 3) изюм; 4) лакомый кусочек; нечто самое лучшее; «сливки»; to pick (*или* to take) the ~s отобрать самое лучшее; 5) тёмно-фиолетовый цвет; 6) *sl.* сто тысяч фунтов стерлингов; 7) *attr.* сливовый.

plum II [plʌm] *a диал.* полный, тучный.

plumage ['pluːmɪdʒ] *n* оперение, перья.

plumb [plʌm] **1.** *n* 1) отвес; 2) лот, грузило; ◇ ~ off, ~ out of ~ не вертикально;

2. *a* 1) вертикальный, отвесный; 2) абсолютный, явный;

3. *adv* 1) отвесно; 2) точно, как раз; 3) *амер. sl.* совершенно, окончательно, совсем; ~ crazy абсолютно ненормальный;

4. *v* 1) ставить по отвесу, устанавливать вертикально; 2) измерять глубину, бросать лот; 3) вскрывать; проникать в глубь (чего-л.); 4) работать водопроводчиком.

plumbaginous [plʌm'bædʒɪnəs] *a* графитный.

plumbago [plʌm'beɪɡou] *n* (*pl* -os [-ouz]) 1) *мин.* графит; 2) рисунок карандашом; 3) *бот.* свинцовый корень.

plumbeous ['plʌmbɪəs] *a* свинцовый, свинцового цвета.

plumber ['plʌmə] *n* 1) водопроводчик; 2) паяльщик.

plumbery ['plʌmərɪ] *n* 1) водопроводное дело; 2) *редк.* паяльная мастерская.

plumbic ['plʌmbɪk] *a хим.* свинцовый, содержащий свинец.

plumbing ['plʌmɪŋ] **1.** *pres. p. om* plumb 4; **2.** *n* 1) водопровод, водопроводная система; 2) водопроводное дело; 3) *разг.* уборная; 4) измерение глубины (океана).

plumbless ['plʌmlɪs] *a поэт.* бездонный.

plumb-line ['plʌmlaɪn] *n* 1) отвес, лот, грузило; 2) мерило, критерий.

plumbum ['plʌmbəm] *n* свинец.

plum cake ['plʌmkeɪk] *n* кекс с изюмом.

plum duff ['plʌmdʌf] *n* пудинг с изюмом.

plume [pluːm] **1.** *n* 1) перо; 2) плюмаж, султан; 3) струйка пара изо рта в холодную погоду; a ~ of smoke дымок; ◇ in borrowed ~s ≅ «ворона в павлиньих перьях»;

2. *v* 1) украшать плюмажем; 2) чистить клювом (перья); 3) ощипывать; ◇ to ~ oneself on smth. кичиться чем-л.

plumelet ['pluːmlɪt] *n* пёрышко.

plummer-block ['plʌməblɔk] *n тех.* подшипник скольжения; опорный подшипник.

plummet ['plʌmɪt] *n* 1) свинцовый отвес; гирька отвеса; 2) лот; грузило (удочки); 3) *перен.* тяжесть, мёртвый груз.

plummy ['plʌmɪ] *a* 1) изобилующий сливами; 2) *разг.* хороший, выгодный; завидный.

plumose ['pluːmous] *a* оперённый; перистый.

plump I [plʌmp] **1.** *a* полный, толстый, округлый, пухлый.

2. *v* 1) вскармливать (*тж.* ~ up); 2) толстеть, полнеть (*тж.* ~ out, ~ up).

plump II [plʌmp] **1.** *a* прямой, решительный, безоговорочный (об отказе и т. п.);

2. *adv* 1) внезапно; he fell ~ into the water он бултыхнулся в воду; 2) прямо, без обиняков;

3. *n* тяжёлое падение.

4. *v* 1) бухать(ся); 2) попасть, влопаться (into); 3) нагрянуть (upon); 4) голосовать только за одного, решительно предпочитать (for).

plumper ['plʌmpə] *n* 1) голосующий только за одного кандидата; 2) *sl.* наглая ложь.

plum pudding ['plʌm'pudɪŋ] *n* пудинг с изюмом (*тж.* рождественский).

plum-tree ['plʌmtriː] = plum I, 2).

plumule ['pluːmjuːl] *n* 1) пёрышко; 2) *бот.* первичная листовая почка.

plumy ['pluːmɪ] *a* 1) перистый; 2) покрытый *или* украшенный перьями.

plunder ['plʌndə] **1.** *n* 1) грабёж; 2) награбленное добро, добыча; 3) *sl.* барыш;

2. *v* грабить (особ. на войне); воровать; расхищать.

plunderage ['plʌndərɪdʒ] *n* 1) грабёж; 2) хищение товаров на корабле; 3) добыча.

plunge [plʌndʒ] **1.** *n* 1) ныряние; 2) погружение; ◇ to take the ~ сделать решительный шаг;

2. *v* 1) нырять; 2) окунать(ся); погружать(ся); 3) бросаться, врываться (into); to ~ into a difficulty попасть в трудное положение; 4) ввергать (in, into); to ~ one's family into poverty довести свою семью до нищеты; 5) бросаться вперёд (о лошади); 6) *разг.* азартно играть; влезать в долги; □ ~ down круто спускаться (о дороге и т. п.); ~ up круто подниматься (о дороге и т. п.).

plunge-bath ['plʌndʒbɑːθ] *n* глубокая ванна.

plunger ['plʌndʒə] *n* 1) *разг.* азартный игрок; 2) *sl.* кавалерист; 3) *тех.* плунжер, скалка, скальчатый поршень; 4) *тех.* штемпель пресса; 5) водолаз.

plunging ['plʌndʒɪŋ] **1.** *pres. p. om* plunge 2;

2. *a воен.* навесный (огонь).

plunk [plʌŋk] **1.** *n* 1) звон; перебор (струн); 2) *разг.* сильный удар; 3) *амер. sl.* доллар;

2. *v* 1) бухнуть(ся); шлёпнуть(ся); 2) резко толкать, бросать; сильно ударять; 3) звенеть; 4) перебирать (струны).

pluperfect ['pluː'pəːfɪkt] *грам.* **1.** *n* давнопрошедшее время (то же что Past Perfect); **2.** *a* давнопрошедший, предпрошедший.

plural ['pluərəl] **1.** *a* множественный; многочисленный; ~ offices несколько должностей по совместительству; ~ vote подача голоса одним лицом в нескольких избирательных округах;

2. *n грам.* 1) множественное число; 2) слово, стоящее во множественном числе.

pluralism ['pluərəlɪzəm] *n* 1) совместительство; 2) *филос.* плюрализм.

plurality [pluə'rælɪtɪ] *n* 1) множественность; 2) множество; 3) совместительство (часто о священнике, обслуживающем несколько приходов); 4) большинство голосов; 5) *амер.* относительное большинство голосов.

plus [plʌs] **1.** *n* 1) знак плюс; 2) добавочное количество; 3) положительная величина; to total all the ~es подвести итог; 4) положительное качество; 5) *арт.* перелёт;

2. *a* 1) добавочный, дополнительный; 2) *ком.*: on the ~ side of the account на приходе счёта; 3) *мат., эл.* положительный;

3. *prep* плюс.

plus-fours ['plʌs'fɔːz] *n pl* брюки гольф.

plush [plʌʃ] *n* 1) ворсовая ткань, плюш, плис; 2) *pl* плисовые штаны; 3) *attr.* плюшевый, плисовый.

Pluto ['pluːtou] *n* 1) *миф.* Плутон; 2) *астр.* планета Плутон.

plutocracy [plu:'tɔkrəsı] *n* плутокра́тия.

plutocrat ['plu:təkræt] *n* плутокра́т.

Plutonian [plu:'tounjən] *a* 1) плуто́нов, а́дский; 2) = Plutonic 1).

Plutonic [plu:'tɔnɪk] *a* 1) *геол.* плутони́ческий, глуби́нный; 2) = Plutonian·1).

plutonium [plu:'tounjəm] *n хим.* плуто́ний.

pluvial ['plu:vjəl] **1.** *a* 1) дождево́й; 2) *геол.* плювиа́льный;

2. *n церк. уст.* ри́за свяще́нника.

pluviometer [,plu:vı'ɔmɪtə] *n* дождеме́р.

pluvious ['plu:vjəs] *a* дождли́вый.

ply I [plaı] *n* 1) сгиб, скла́дка, слой; 2) прядь *(троса);* 3) оборо́т, пе́тля, вито́к *(верёвки и т. п.);* 4) укло́н; скло́нность, спосо́бность, жи́лка; to take a ~ взять укло́н, направле́ние.

ply II [plaı] *v* 1) усе́рдно рабо́тать *(чем-л.);* to ~ one's oars налега́ть на вёсла; 2) занима́ться *(работой, ремеслом);* 3) засыпа́ть, забра́сывать *(вопросами);* 4) по́тчевать, уси́ленно угоща́ть; 5) курси́ровать (between — ме́жду, from... to— от... до); to ~ a voyage соверша́ть рейс *(о корабле);* 6) стоя́ть в ожида́нии нанима́теля, покупа́теля; иска́ть покупа́телей; 7) *мор.* лави́ровать; 8) *тех.* эксплуати́ровать *(машину).*

Plymouth Rock ['plımǝθ 'rɔk] *n* плимутро́к *(порода кур).*

plywood ['plaıwud] *n* (клеёная) фане́ра.

pneumatic [nju:'mætık] **1.** *a* пневмати́ческий; возду́шный; ~ hammer пневмати́ческий мо́лот;

2. *n* пневмати́ческая ши́на.

pneumatics [nju:'mætıks] *n pl (употр. как sing)* пневма́тика.

pneumonia [nju:'mounjə] *n мед.* воспале́ние лёгких, пневмони́я.

pneumonic [nju:'mɔnık] *a мед.* пневмони́ческий; ~ plague лёгочная чума́.

poach I [poutʃ] *v* 1) браконье́рствовать, незако́нно охо́титься; вторга́ться в чужи́е владе́ния; 2) вме́шиваться; to ~ in other people's business вме́шиваться в чужи́е дела́; to ~ on smb's preserves вме́шиваться в ли́чную жизнь кого́-л.; 3) перенима́ть *(чужие идеи);* захва́тывать не по пра́вилам *(преимущество в состязании);* 4) взрыва́ть копы́тами; 5) де́латься изры́тым *(о почве);* 6) мять *(глину);* 7) отбе́ливать бума́жную ма́ссу.

poach II [poutʃ] *v* вари́ть *(яйца)* без скорлупы́ в кипятке́.

poached egg ['poutʃt,eg] *n* яйцо́-пашо́т.

poacher I ['poutʃə] *n* браконье́р.

poacher II ['poutʃə] *n* сосу́д для ва́рки яиц без скорлупы́.

poachy ['poutʃı] *a* вла́жный, сыро́й.

pochard ['poutʃəd] *n зоол.* ныро́к красноголо́вый.

pock [pɔk] *n* 1) о́спина; 2) вы́боина, щерби́на.

pocket ['pɔkıt] **1.** *n* 1) карма́н; карма́шек; *перен.* де́ньги; empty ~s безде́нежье; deep ~ бога́тство; to be out of ~ а) быть в убы́тке, потеря́ть, прогада́ть; б) не име́ть де́нег; to be in ~ а) быть в вы́игрыше, вы́гадать; б) име́ть де́ньги, быть при деньга́х;

to put one's hand in one's ~ раскоше́ливаться; 2) мешо́к *(особ. как мера);* 3) лу́за *(бильярда);* 4) возду́шная я́ма; 5) *амер.* ложби́на; 6) ларь, бу́нкер; 7) вы́боина *(на дорожной поверхности);* 8) *горн., геол.* карма́н, гнездо́, небольша́я за́лежь; 9) *attr.* карма́нный; ◇ in smb.'s ~ в рука́х у кого́-л.; to keep hands in ~s лоды́рничать; to put one's pride in one's ~ подави́ть самолю́бие; проглоти́ть оби́ду; to be in one another's ~ быть вы́нужденным не расстава́ться; торча́ть друг у дру́га на глаза́х;

2. *v* 1) класть в карма́н; 2) присва́ивать, прикарма́нивать; 3) проглоти́ть *(обиду);* 4) подавля́ть *(гнев и т. п.);* 5) загоня́ть в лу́зу *(в бильярде);* 6) *амер.* заде́рживать подписа́ние законопрое́кта до ро́спуска конгре́сса; класть под сукно́.

pocket-book ['pɔkıtbuk] *n* 1) бума́жник; 2) записна́я кни́жка.

pocket-camera ['pɔkıt,kæmərə] *n* карма́нный, портати́вный, малогабари́тный фотоаппара́т.

pocketful ['pɔkıtful] *n* по́лный карма́н *(чего-л.).*

pocket-knife ['pɔkıtnaıf] *n* карма́нный нож.

pocket-money ['pɔkıt,mʌnı] *n* де́ньги на ме́лкие расхо́ды, карма́нные де́ньги, ме́лочь.

pocket-piece ['pɔkıtpi:s] *n* моне́тка, кото́рую на сча́стье но́сят в карма́не.

pocket-pistol ['pɔkıt,pıstl] *n* 1) карма́нный пистоле́т; 2) *шутл.* карма́нная фля́жка *(для спиртного).*

pocket-size ['pɔkıtsaız] *a* карма́нного разме́ра; уме́ньшенных габари́тов; миниатю́рный.

pocket veto ['pɔkıt'vi:tou] *n амер.* заде́ржка президе́нтом подписа́ния законопрое́кта до ро́спуска конгре́сса.

pockety ['pɔkıtı] *a* ду́шный, за́тхлый.

pock-mark ['pɔkmɑ:k] = pock 1).

pock-marked ['pɔk,mɑ:kt] *a* рябо́й.

pocky ['pɔkı] = pock-marked.

pococurante ['poukoukjuə'ræntı] *ит.* **1.** *a* равноду́шный, безразли́чный;

2. *n* равноду́шный, безразли́чный челове́к.

pod I [pɔd] **1.** *n* 1) стручо́к; шелуха́, кожура́; 2) ко́кон *(шелковичного червя);* 3) ве́рша *(для угрей);* 4) *груб.* брю́хо;

2. *v* 1) покрыва́ться стручка́ми; 2) лущи́ть *(горох).*

pod II [pɔd] *n* 1) небольшо́е ста́до *(китов, моржей);* 2) ста́йка.

podagra [pə'dægrə] *n* пода́гра.

podagric [pə'dægrık] *a* подагри́ческий.

podded ['pɔdıd] **1.** *р. р. от* pod I, 2;

2. *a* 1) стручко́вый; 2) состоя́тельный.

poddy ['pɔdı] *n австрал.* телёнок *(отня́тый от матери).*

podge [pɔdʒ] *n разг.* толстя́к-коротышка.

podgy ['pɔdʒı] *a разг.* 1) приземистый и то́лстый; 2) коро́ткий и то́лстый *(о пальцах).*

podzol [pɔd'zɔl] *рус. а* подзо́листый *(о почве).*

poem ['pouım] *n* 1) поэ́ма; стихотворе́ние; 2) что-л. прекра́сное, поэти́ческое.

poesy ['pouizi] *n уст.* 1) поэзия; 2) стихотворе́ние.

poet ['pouit] *n* поэ́т; Poet's Corner а) часть Вестми́нстерского абба́тства, где нахо́дятся гробни́цы поэ́тов; б) *шутл.* отде́л поэзии (*в газете*).

poetaster [,poui'tæstə] *n* рифмоплёт.

poetess ['pouitis] *n* поэте́сса.

poetic [pou'etik] *a* 1) поэти́ческий; 2) поэти́чный; 3) = poetical 1).

poetical [pou'etikəl] *a* 1) стихотво́рный; 2) = poetic 1); 3) = poetic 2).

poeticize [pou'etisaiz] *v* поэтизи́ровать.

poetics [pou'etiks] *n pl* (*употр. как sing*) поэ́тика.

poetize ['pouitaiz] *v* 1) писа́ть стихи́; 2) воспева́ть в стиха́х; 3) = poeticize.

poetry ['pouitri] *n* 1) поэзия; стихи́; 2) поэти́чность.

poignancy ['pɔinənsi] *n* 1) острота́, е́дкость, пика́нтность; 2) мучи́тельность; 3) ре́зкость (*боли*); 4) проница́тельность, острота́.

poignant ['pɔinənt] *a* 1) о́стрый, е́дкий, пика́нтный; 2) го́рький, мучи́тельный; 3) ре́зкий (*о боли*); 4) проница́тельный, о́стрый; ~ wit о́стрый ум; 5) живо́й (*об интересе*).

poignantly ['pɔinəntli] *adv* 1) о́стро, ко́лко, е́дко; 2) мучи́тельно.

point [pɔint] **1.** *n* 1) то́чка; four ~ six (4.6) четы́ре и шесть деся́тых (4,6); full ~ то́чка (*знак препинания*); exclamation ~ *амер.* восклица́тельный знак; 2) пункт, моме́нт, вопро́с; де́ло; sore ~ больно́й вопро́с; fine ~ дета́ль, ме́лочь; то́нкость; ~ of honour де́ло че́сти; 3) гла́вное; то, о чём идёт речь; суть; «соль» (*рассказа, шутки*); смысл; that is just the ~ в э́том-то и де́ло; he does not see my ~ он не понима́ет меня́; to come to the ~ дойти́ до гла́вного, до су́ти де́ла; his remarks lack ~ его́ замеча́ния пло́ски; there is no ~ in doing that не име́ет смы́сла де́лать э́то; 4) то́чка, ме́сто, пункт; *амер.* ста́нция; a ~ of departure пункт отправле́ния; 5) моме́нт (*времени*); at this ~ he went out в э́тот моме́нт он вы́шел; at the ~ of death при сме́рти; 6) очко́ в *give* ~s to дава́ть не́сколько очко́в вперёд; *перен.* ≅ заткну́ть за́ пояс; 7) преиму́щество, досто́инство; he has got ~s у него́ есть досто́инства; singing was not his strong ~ он не был силён в пе́нии; 8) осо́бенность; 9) ко́нчик; остриё, о́стрый коне́ц; наконе́чник; 10) ответвле́ние оле́ньего ро́га; a buck of eight ~s оле́нь с рога́ми, име́ющими во́семь ответвле́ний; 11) мыс, выступа́ющая морска́я коса́; стре́лка; 12) верши́на горы́; 13) (гравирова́льная) игла́, резе́ц (*гравёра*); 14) стре́лка, перо́ *или* остря́к железнодоро́жной стре́лки; 15) деле́ние шкалы́; 16) *мор.* румб; 17) едини́ца продово́льственной *или* промтова́рной ка́рточки; free from ~s ненорми́рованный; 18) вид кру́жева; 19) *мор.* ре́дька (*оплетённый конец снасти*); 20) *ист.* шнуро́к с наконе́чником (*заменя́вший пу́говицы*); 21) статья́ (*животного*); *pl* экстерье́р (*лошади*); 22) *охот.* сто́йка

(*собаки*); to come to a ~, to make a ~ де́лать сто́йку [*ср. тж.* ◇]; 23) *воен.* головна́я заста́ва; 24) *pl амер. воен.* зна́ки разли́чия; 25) *полигр.* пункт (*единица измерения*); 26) *attr.*: ~s verdict *спорт.* присужде́ние побе́ды по очка́м (*в боксе*); ◇ ~ of view то́чка зре́ния; ~ of war *уст.* вое́нный сигна́л (*на трубе*); at the ~ of the sword си́лой ору́жия; at all ~s а) во всех отноше́ниях; б) повсю́ду; armed at all ~s во всеору́жии; at ~ гото́вый (*к чему-л.*); to be on the ~ of doing smth. собира́ться сде́лать что-л.; to carry one's ~ отстоя́ть свои́ пози́ции; доби́ться своего́; to gain one's ~ дости́чь це́ли; off the ~ некста́ти; to the ~ кста́ти, уме́стно; in ~ подходя́щий; to the ~ в отноше́нии; in ~ of fact факти́чески; to make a ~ доказа́ть положе́ние [*ср. тж.* 22)]; to make a ~ of smth. счита́ть что-л. обяза́тельным для себя́; not to put too fine a ~ upon it говоря́ напрямы́к.

2. *v* 1) пока́зывать па́льцем; ука́зывать (*тж.* ~ out; at, to); 2) направля́ть (*оружие*; at); наводи́ть, це́литься, прице́ливаться; 3) быть напра́вленным; 4) говори́ть, свиде́тельствовать (to—o); 5) (за)точи́ть, (за)остри́ть; наточи́ть; 6) чини́ть (*карандаш*); 7) оживля́ть; придава́ть остроту́; 8) ста́вить знаки препина́ния; 9) де́лать сто́йку (*о собаке*); 10) *стр.* расшива́ть швы; □ ~ off отделя́ть то́чкой; ~ out ука́зывать; пока́зывать; обраща́ть (*чьё-л.*) внима́ние.

point-blank ['pɔint'blæŋk] **1.** *a* 1) реши́тельный, ре́зкий, категори́ческий; 2) *воен.* горизонта́льный (*о выстреле*);

2. *adv* 1) пря́мо, реши́тельно, ре́зко, категори́чески, наотре́з; 2) *воен.* прямо́й наво́дкой, в упо́р.

point-device ['pɔintdɪ,vais] *уст.* **1.** *a* тща́тельный, аккура́тный, то́чный;

2. *adv* тща́тельно, аккура́тно, то́чно.

point-duty ['pɔint,dju:ti] *n* 1) дежу́рство на посту́; 2) обя́занности регулиро́вщика (*движения*).

pointed ['pɔintid] **1.** *p. p. от* point 2;

2. *a* 1) остроконе́чный; ~ arch стре́льчатая а́рка, готи́ческая а́рка; the ~ style готи́ческий стиль; 2) о́стрый, заострённый; 3) ко́лкий, крити́ческий (*о замечании*); 4) подчёркнутый; соверше́нно очеви́дный; 5) напра́вленный про́тив (*о высказывании, эпиграмме и т. п.*); 6) наведённый (*об орудии*).

pointedly ['pɔintidli] *adv* 1) о́стро; 2) по существу́; 3) стара́ясь подчеркну́ть; многозначи́тельно.

pointer ['pɔintə] *n* 1) указа́тель; 2) стре́лка (*часов, весов и т. п.*); 3) ука́зка; 4) по́йнтер (*порода собак*); 5) *разг.* своевре́менный намёк, указа́ние; 6) *pl астр.* две звезды́ Большо́й Медве́дицы, находя́щиеся на одно́й ли́нии с Поля́рной звездо́й; 7) *воен.* наво́дчик; 8) *attr.* стре́лочный; ~ instrument стре́лочный прибо́р.

pointful ['pɔintful] *a* уме́стный; уда́чный, подходя́щий.

pointing ['pɔintiŋ] **1.** *pres. p. от* point 2;

2. *n* 1) указа́ние (*направления, места и т. п.*); 2) *разг.* намёк; 3) пунктуа́ция, расстано́вка зна́ков препина́ния; 4) *стр.* расши́вка швов.

pointless ['pɔɪntlɪs] *a* 1) неостроу́мный, пло́ский; 2) бессмы́сленный; бесце́льный; 3) *спорт.* не вы́игравший ни одного́ очка́; 4) *редк.* тупо́й.

pointsman ['pɔɪntsmən] *n* 1) стре́лочник; 2) постово́й полице́йский, регулиро́вщик.

poise [pɔɪz] 1. *n* 1) равнове́сие; 2) уравно́вешенность; стаби́льность; 3) поса́дка головы́; оса́нка; 4) состоя́ние нереши́тельности, колеба́ние; 5) ги́ря; 6) *уст.* вес, тя́жесть;
2. *v* 1) уравнове́шивать; 2) баланси́ровать; держа́ть равнове́сие; 3) держа́ть (*го́лову*); 4) висе́ть в во́здухе; 5) пари́ть (*в во́здухе*); 6) подня́ть для броска́ (*копьё, пику*); 7) *перен.* взве́шивать.

poison ['pɔɪzn] 1. *n* яд, отра́ва; cumulative (*или* slow) ~ яд кумуляти́вного де́йствия (*де́йствующий при повто́рных приёмах*); ◇ to hate like ~ смерте́льно ненави́деть;
2. *a* 1) ядови́тый; 2) отравля́ющий;
3. *v* 1) отравля́ть; 2) по́ртить, развраща́ть.

poisoner ['pɔɪznə] *n* отрави́тель.

poison gas ['pɔɪzn'gæs] *n* ядови́тый газ.

poisoning ['pɔɪznɪŋ] 1. *pres. p. om* poison 3;
2. *n* 1) отравле́ние; 2) по́рча, развраще́ние.

poisonous ['pɔɪznəs] *a* 1) ядови́тый; 2) *разг.* отврати́тельный, проти́вный.

poison pen ['pɔɪznpen] *n* анони́мный писа́ка, пасквиля́нт.

poke I [pouk] 1. *n* 1) толчо́к, тычо́к; 2) выступа́ющее вперёд по́ле высо́кой же́нской шля́пы; 3) *разг.* лентя́й, ло́дырь; копу́ша;
2. *v* 1) сова́ть, пиха́ть, ты́кать, толка́ть (*тж.* ~ in, ~ up, ~ down, *etc.*); 2) протыка́ть (*тж.* ~ through); 3) меша́ть (*кочерго́й*); 4) шурова́ть (*то́пку*); 4) идти́ *или* иска́ть (*что-л.*) о́щупью (*тж.* ~ about, ~ around); 5) *sl.* уда́рить кулако́м; □ ~ about люботы́тствовать; ~ into иссле́довать, разузнава́ть; ~ through проткну́ть; ~ up а) сова́ть, пиха́ть; толка́ть; б) *разг.* запира́ть (*в те́сном помеще́нии*); ◇ to ~ (one's nose) into other people's business, to ~ and pry сова́ть нос в чужи́е дела́; to ~ fun at smb. подшу́чивать над кем-л.; to ~ one's head суту́литься.

poke II [pouk] *n* диал. мешо́к.

poker I ['poukə] 1. *n* 1) кочерга́; 2) прибо́р для выжига́ния по де́реву; ◇ as stiff as a ~ чо́порный; ≅ сло́вно арши́н проглоти́л; by the holy ~! *шутл.* ≅ кляну́сь бородо́й проро́ка!;
2. *v* выжига́ть по де́реву.

poker II ['poukə] *n* по́кер (*ка́рточная игра́*).

poker face ['poukəfeɪs] *n амер.* бесстра́стное, ничего́ не выража́ющее лицо́.

poker-work ['poukəwəːk] *n* выжига́ние по де́реву.

poky ['poukɪ] *a* 1) те́сный, убо́гий; a ~ hole of a place захолу́стье, дыра́; 2) незначи́тельный, ме́лкий, се́рый; 3) неря́шливый,

неопря́тный (*об оде́жде*); 4) лени́вый, меди́тельный.

polar ['poulə] *a* 1) поля́рный; 2) по́люсный; 3) диаметра́льно противополо́жный; ◇ ~ beaver *sl.* седоборо́дый челове́к.

polar bear ['poulə'bɛə] *n* бе́лый медве́дь.

polar fox ['poulə'fɔks] *n* песе́ц.

polarity [pou'lærɪtɪ] *n* 1) *физ.* поля́рность; 2) соверше́нная противополо́жность.

polarization [,poulərɪ'zeɪʃən] *n физ.* поляриза́ция.

polarize ['poulərаɪz] *v* 1) *физ.* поляризова́ть; 2) придава́ть произво́льное значе́ние *или* направле́ние.

polar lights ['poulə'lаɪts] *n* се́верное сия́ние.

polder ['pɔldə] *голл. n* по́льдер (*плодоро́дный уча́сток су́ши, располо́женный ни́же у́ровня мо́ря и изре́занный кана́лами*).

Pole [poul] *n* поля́к; по́лька; the ~s *pl собир.* поля́ки.

pole I [poul] 1. *n* 1) столб, шест, жердь; кол, ве́ха; 2) баго́р; 3) ды́шло; 4) ме́ра длины́ (=5,029 *м*); ◇ under bare ~s *мор.* без парусо́в; up the ~ *sl.* а) не в своём уме́; б) пья́ный; в) в безвы́ходном положе́нии;
2. *v* 1) подпира́ть шеста́ми; 2) передвига́ть су́дно багра́ми.

pole II [poul] *n* 1) по́люс; unlike ~s *физ.* разноимённые по́люсы; 2) *attr.* по́люсный; ~ extension *эл.* по́люсный наконе́чник, по́люсный башма́к; ◇ to be ~s asunder быть диаметра́льно противополо́жным; as wide as the ~s apart диаметра́льно противополо́жные.

pole-ax(e) ['poulæks] 1. *n* 1) боево́й топо́р, берды́ш; секи́ра, алеба́рда; 2) реза́к мясника́;
2. *v* 1) убива́ть бердышо́м *и т. п.*; 2) ре́зать (*скот*).

polecat ['poulkæt] *n зоол.* хорёк (*или* хорь).

pole jump ['poul'dʒʌmp] = pole vault.

pole-jump ['poul'dʒʌmp] = pole-vault.

pole-jumping ['poul,dʒʌmpɪŋ] = pole-vaulting.

polemic [pɔ'lemɪk] 1. *a* полеми́ческий;
2. *n* 1) поле́мика, спор, диску́ссия; 2) *pl* полемизи́рование; иску́сство поле́мики; 3) полеми́ст.

polemical [pɔ'lemɪkəl] = polemic 1.

polenta [pɔ'lentə] *um. n* поле́нта (*ка́ша из кукуру́зы, ячменя́*).

pole-star ['poulstɑː] *n* 1) Поля́рная звезда́; 2) *перен.* путево́дная звезда́.

pole vault ['poul'vɔːlt] *n* прыжо́к с шесто́м.

pole-vault ['poulvɔːlt] *v* пры́гать с шесто́м.

pole-vaulting ['poul,vɔːltɪŋ] *n* прыжки́ с шесто́м.

police [pɔ'liːs] 1. *n* 1) поли́ция; military ~ вое́нная поли́ция; 2) (*употр. с гл. во мн. ч.*) полице́йские; 3) *воен.* наря́д; 4) *амер. воен.* убо́рка, подде́ржание чистоты́; 5) *attr.* полице́йский; ~ constable полице́йский; ~ power *амер.* охра́на госуда́рственного правово́го поря́дка;
2. *v* 1) охраня́ть; 2) подде́рживать поря́док (*в стране́*); 3) обеспе́чивать поли́цией

(*город, район*); 4) *перен.* управля́ть; 5) *амер. воен.* чи́стить, приводи́ть в поря́док.

police-court [pə'liːskɔːt] *n* полице́йский суд.

police-magistrate [pə'liːs,mædʒɪstrɪt] *n* председа́тель полице́йского суда́.

policeman [pə'liːsmən] *n* полице́йский, полисме́н.

police-office [pə'liːs,ɔfɪs] *n* полице́йское управле́ние (*города*).

police-officer [pə'liːs,ɔfɪsə] *n* полице́йский.

police-station [pə'liːs,steɪʃən] *n* полице́йский уча́сток.

policlinic [,pɔlɪ'klɪnɪk] *n* поликли́ника.

policy I ['pɔlɪsɪ] *n* 1) поли́тика; peace ~ поли́тика ми́ра, ми́рная поли́тика; for reasons of ~ по полити́ческим соображе́ниям; tough ~ твёрдая поли́тика; 2) поли́тика, ли́ния поведе́ния, курс; 3) благоразу́мие, полити́чность; хи́трость, ло́вкость; 4) *шотл.* парк (*вокруг уса́дьбы*); 5) *attr.*: ~ statement официа́льное прави́тельственное заявле́ние.

policy II ['pɔlɪsɪ] *n* 1) страхово́й по́лис; 2) *амер.* род аза́ртной игры́.

policy-holder ['pɔlɪsɪ,houldə] *n* владе́лец (*или* держа́тель) страхово́го по́лиса.

policy-shop ['pɔlɪsɪ,ʃɔp] *n* и́горный дом.

polio ['pouliou] *n разг.* 1) *сокр. от* poliomyelitis; 2) больно́й полиомиели́том.

poliomyelitis ['poulioumaɪə'laɪtɪs] *n* полиомиели́т, де́тский парали́ч.

Polish ['pouliʃ] **1.** *a* по́льский; **2.** *n* по́льский язы́к.

polish ['pɔliʃ] **1.** *n* 1) гля́нец; 2) полиро́вка, шлифо́вка; чи́стка; 3) политу́ра; лак; вещество́ для чи́стки; 4) лоск, изы́сканность; 5) отде́лка; **2.** *v* 1) полирова́ть, шлифова́ть, наводи́ть лоск, гля́нец; 2) станови́ться гла́дким, шлифо́ванным; 3) чи́стить (*обувь*); 4) отёсывать, де́лать изы́сканным; отде́лывать (*тж.* ~ up); ☐ ~ **off** *разг.* а) поко́нчить, бы́стро спра́виться (*с чем-л.*); to ~ **off** a bottle of sherry распи́ть буты́лку хе́реса; б) изба́виться (*от конкурента и т. п.*).

polished ['pɔliʃt] **1.** *p. p. от* polish 2; **2.** *a* 1) (от)полиро́ванный; гла́дкий, блестя́щий; 2) изы́сканный; элега́нтный; ~ manners изы́сканные мане́ры; 3) безупре́чный.

polite [pə'laɪt] *a* 1) ве́жливый, любе́зный, благовоспи́танный; the ~ thing *разг.* благовоспи́танность; to do the ~ *разг.* стара́ться вести́ себя́ благовоспи́танно; 2) изя́щный; ~ letters (*или* literature) изя́щная литерату́ра, беллетри́стика; ~ learning класси́ческое образова́ние; 3) изы́сканный (*об о́бществе, компа́нии*); 4) *редк.* гла́дкий.

politely [pə'laɪtlɪ] *adv* ве́жливо, любе́зно.

politeness [pə'laɪtnɪs] *n* ве́жливость, воспи́танность.

politic ['pɔlɪtɪk] *a* 1) расчётливый, обду́манный; 2) ло́вкий, хи́трый, полити́чный; ◇ body ~ госуда́рство.

political [pə'lɪtɪkəl] *a* 1) полити́ческий; госуда́рственный; ~ science госуда́рственное пра́во; ~ agent, ~ resident полити́ческий аге́нт.

political economy [pə'lɪtɪkəlɪ'kɔnəmɪ] *n* политэконо́мия.

politically [pə'lɪtɪkəlɪ] *adv* 1) с госуда́рственной *или* полити́ческой то́чки зре́ния; 2) расчётливо, обду́манно, хи́тро.

politician [,pɔlɪ'tɪʃən] *n* 1) поли́тик; 2) госуда́рственный де́ятель; 3) политика́н.

politicize [pə'lɪtɪsaɪz] *v* 1) обсужда́ть полити́ческие вопро́сы; 2) принима́ть уча́стие в полити́ческой де́ятельности; 3) придава́ть полити́ческий хара́ктер.

politico [pə'lɪtɪkou] *n амер.* политика́н.

politics ['pɔlɪtɪks] *n pl* 1) поли́тика; to go into ~ посвяти́ть себя́ полити́ческой де́ятельности; 2) полити́ческие убежде́ния; what are his ~? каковы́ его́ полити́ческие убежде́ния?; 3) *амер.* полити́ческие махина́ции.

polity ['pɔlɪtɪ] *n* 1) госуда́рственное устро́йство, о́браз правле́ния; 2) госуда́рство.

polk [pɔlk] *v* танцева́ть по́льку.

polka ['pɔlkə] *n* 1) по́лька (*танец и музыка́льная фо́рма*); 2) облега́ющий жаке́т (*обыкн.* вя́заный).

polka-dot ['pɔlkədɔt] *n* 1) отде́льная кра́пинка в узо́ре «в горо́шек»; 2) материа́л в горо́шек.

Poll I [pɔl] *n обычная кличка попугая* (≅ по́пка).

Poll II [pɔl] *n унив. sl.* 1) (the ~) *pl собир.* студе́нты, око́нчившие без отли́чия (*в Ке́мбридже*); to go out in the ~ получи́ть сте́пень без отли́чия; 2) *attr.*: ~ degree сте́пень без отли́чия.

poll [poul] **1.** *n* 1) спи́сок избира́телей; 2) регистра́ция избира́телей; 3) голосова́ние; баллотиро́вка; to go to the ~s а) идти́ на вы́боры (*голосова́ть*); б) выставля́ть свою́ кандидату́ру (*на вы́борах*); exclusion from the ~ лише́ние пра́ва го́лоса; 4) подсчёт голосо́в; 5) число́ голосо́в; heavy (light) ~ высо́кий (ни́зкий) проце́нт уча́стия в вы́борах; 6) (*обыкн. pl*) *амер.* помеще́ние для голосова́ния, избира́тельный пункт; 7) *диал., шутл.* голова́; 8) безро́гое живо́тное; **2.** *v* 1) проводи́ть голосова́ние; подсчи́тывать голоса́; the constituency was ~ed to the last man все до после́днего челове́ка уча́ствовали в вы́борах; 2) получа́ть (*голоса́*); he ~ed a large majority он получи́л подавля́ющее большинство́ голосо́в; 3) голосова́ть (*тж.* ~ one's vote); 4) подреза́ть верху́шку (*дерева*); 5) (*особ. р. р.*) среза́ть рога́; 6) *уст.* стричь во́лосы.

pollack ['pɔlək] *n* са́йда (*рыба*).

pollard ['pɔləd] **1.** *n* 1) подстри́женное де́рево; 2) безро́гое живо́тное; оле́нь, сбро́сивший рога́; 3) о́труби (*с мукой*); **2.** *v* подстрига́ть (*дерево*).

poll-beast ['poulbiːst] = poll 1, 8).

poll-cow ['poulkau] *n* безро́гая, комо́лая коро́ва.

pollen ['pɔlɪn] **1.** *n бот.* пыльца́; **2.** *v* опыля́ть.

pollinate ['pɔlɪneɪt] *v бот.* опыля́ть.

pollination [,pɔlɪ'neɪʃən] *n бот.* опыле́ние.

polling ['poulɪŋ] **1.** *pres. p. от* poll 2; **2.** *n* голосова́ние.

polling-booth ['pouliŋbuːð] *n* кабина для голосования.

pollock ['pɔlək] = pollack.

poll-ox ['pouloks] *n* безрогий вол.

poll parrot ['poul‚pærət] *n* разг. приручённый попугай.

poll-tax ['poultæks] *n* 1) подушный налог; 2) избирательный налог.

pollute [pə'luːt] *v* 1) загрязнять; 2) осквернять; 3) развращать.

pollution [pə'luːʃən] *n* 1) загрязнение; 2) осквернение; 3) физиол. поллюция.

Polly ['pɔlɪ] = Poll I.

polo ['poulou] *n* поло (игра).

polo mallet ['poulou'mælɪt] = polo-stick.

polonaise [‚pɔlə'neɪz] *n* полонез (танец и музыкальная форма).

polonium [pə'lounɪəm] *n* хим. полоний.

polony [pə'louni] *n* польская колбаса.

polo-stick ['pouloustɪk] *n* клюшка для игры в поло.

poltroon [pɔl'truːn] *n* трус.

poltroonery [pɔl'truːnərɪ] *n* трусость.

poly- ['pɔlɪ-] *в сложных словах означает* много-, поли-; polysemantic полисемантичный, многозначный.

polyadelphous [‚pɔlɪə'delfəs] *a* бот. многобрачный.

polyandry ['pɔlɪændrɪ] *n* многомужие.

polyanthus [‚pɔlɪ'ænθəs] *n* бот. 1) первоцвет высокий; 2) нарцисс константинопольский, нарцисс тацетта.

polyatomic [‚pɔlɪə'tɔmɪk] *a* многоатомный.

polychromatic [‚pɔlɪkrə'mætɪk] *a* многоцветный, многокрасочный.

polychrome ['pɔlɪkroum] 1. *a* = polychromatic;
2. *n* раскрашенная статуя, ваза и т. п.

polygamous [pɔ'lɪɡəməs] *a* многобрачный.

polygamy [pɔ'lɪɡəmɪ] *n* полигамия, многобрачие.

polyglot ['pɔlɪɡlɔt] 1. *n* полиглот;
2. *a* многоязычный; говорящий на многих языках.

polygon ['pɔlɪɡən] *n* многоугольник.

polygonal [pɔ'lɪɡənl] *a* многоугольный.

polygyny [pɔ'lɪdʒɪnɪ] *n* многожёнство.

polyhedra ['pɔlɪ'hedrə] *pl om* polyhedron.

polyhedral ['pɔlɪ'hedrəl] *a* многогранный.

polyhedron ['pɔlɪ'hedrən] *n* (*pl* -ra, -rons [-rənz]) многогранник.

polyhistor [‚pɔlɪ'hɪstə] *n* эрудит.

polymer ['pɔlɪmə] *n* полимер.

polymeric [‚pɔlɪ'merɪk] *a* хим. полимерный, состоящий из укрупнённых молекул.

polymerization [‚pɔlɪmərɪ'zeɪʃən] *n* хим. полимеризация.

polymerize ['pɔlɪməraɪz] *v* хим. полимеризовать (ся).

polymorphism [‚pɔlɪ'mɔːfɪzəm] *n* полиморфизм.

polymorphous [‚pɔlɪ'mɔːfəs] *a* полиморфный.

Polynesian [‚pɔlɪ'niːzjən] 1. *a* полинезийский;
2. *n* полинезиец; полинезийка.

polynia [pou'lɪnjɑː] *рус. n* полынья.

polynomial [‚pɔlɪ'noumjəl] *мат.* 1. *a* многочленный;
2. *n* многочлен.

polyp(e) ['pɔlɪp] *n* зоол. полип.

polyphonic [‚pɔlɪ'fɔnɪk] *a* 1) многоголос(н)ый; 2) соответствующий нескольким звукам (о букве в разных положениях); 3) муз. полифонический.

polyphony [pə'lɪfənɪ] *n* 1) многозвучие; 2) муз. полифония.

polypi ['pɔlɪpaɪ] *pl om* polypus.

polypody ['pɔlɪpədɪ] *n* бот. многоножка.

polypoid, polypous ['pɔlɪpɔɪd, -pəs] *a* зоол., мед. полипообразный.

polypus ['pɔlɪpəs] *n* (*pl* -pi, -es [-ɪz]) мед. полип (нарост).

polysemantic [‚pɔlɪsɪ'mæntɪk] *a* многозначный, полисемантический.

polysemy ['pɔlɪsɪmɪ] *n* многозначность, полисемия.

polyspast ['pɔlɪspæst] *n* тех. таль, полиспаст.

polysyllabic ['pɔlɪsɪ'læbɪk] *a* многосложный.

polysyllable ['pɔlɪ‚sɪləbl] *n* многосложное слово.

polytechnic [‚pɔlɪ'teknɪk] 1. *a* политехнический;
2. *n* политехникум.

polytheism ['pɔlɪθiːɪzəm] *n* политеизм, многобожие.

polyvalent [pɔ'lɪvələnt] *a* хим. многовалентный.

polyzonal [‚pɔlɪ'zounl] *a* многозональный.

pom [pɔm] *сокр. от* Pomeranian 2.

pomace ['pʌmɪs] *n* 1) яблочные выжимки (при изготовлении сидра); 2) рыбные остатки, тук (после отжимания жира, используемые в качестве удобрения); 3) жмыхи.

pomade [pə'mɑːd] 1. *n* помада.
2. *v* помадить.

pomander [pou'mændə] *n ист.* 1) ароматический шарик (как средство против заразы); 2) золотой, серебряный и т. п. круглый футлярчик, в котором носили ароматический шарик.

pomatum [pə'meɪtəm] = pomade.

pomegranate ['pɔm‚ɡrænɪt] *n* 1) гранат (плод); 2) гранатовое дерево.

pomelo ['pɔmɪlou] *n* (*pl* -os [-ouz]) бот. грейпфрут.

Pomeranian [‚pɔmə'reɪnjən] 1. *a* померанский;
2. *n* шпиц (собака; тж. ~ dog).

pomiculture ['poumɪ‚kʌltʃə] *n* плодоводство.

pommel ['pʌml] 1. *n* 1) головка (эфеса шпаги); 2) передняя лука (седла).
2. *v* бить, колотить, расколачивать; разминать (напр., кожу).

pommy ['pɔmɪ] *n sl.* англичанин, иммигрировавший в Австралию или Новую Зеландию.

pomology [pə'mɔlədʒɪ] *n* помология (наука о сортах плодовых деревьев и кустарников).

pomp [pɔmp] *n* помпа, великолепие, пышность.

pompier (ladder) [' pɔmpjə('læd)] *n* пожа́рная ле́стница.

pom-pom [' pɔmpɔm] *n* 37—40-мм автомати́ческая пу́шка.

pompon [' pɔ̃:mpɔ̃:ŋ] *фр. n* помпо́н.

pomposity [pɔm'pɔsiti] *n* напы́щенность, помпе́зность.

pompous [' pɔmpəs] *a* 1) напы́щенный; 2) *редк.* пы́шный, великоле́пный.

ponce [pɔns] *n sl.* сутенёр.

ponceau [pɔ̃'sou] *фр. n* пунцо́вый цвет, цвет кра́сного ма́ка.

poncho [' pɔntʃou] *n* (*pl* -os [-ouz]) по́нчо (*южноамериканский плащ*).

pond [pɔnd] 1. *n* 1) пруд; водоём, бассе́йн; запру́да; 2) *уст.* садо́к, сажа́лка (*для разведения рыбы*); 3) *шутл.* мо́ре;
2. *v* 1) запру́живать; 2) образо́вывать пруд.

pondage [' pɔndidʒ] *n* запа́с воды́ в пруде́ *или* резервуа́ре.

ponder [' pɔndə] *v* обду́мывать, взве́шивать, размышля́ть (on, upon, over).

ponderability [,pɔndərə'biliti] *n* весо́мость.

ponderable [' pɔndərəbl] 1. *a* 1) весо́мый; 2) могу́щий быть оценённым, взве́шенным; предви́димый;
2. *n pl* то, что мо́жно зара́нее взве́сить, предусмотре́ть.

ponderate [' pɔndərit] *a* осторо́жный, обду́манный.

ponderation [,pɔndə'reiʃən] *n* взве́шивание (*тж. перен.*).

ponderosity [,pɔndə'rɔsiti] *n* 1) вес, тя́жесть; 2) тяжелове́сность.

ponderous [' pɔndərəs] *a* 1) тяжёлый; громо́здкий; уве́систый; 2) тяжелове́сный; 3) ску́чный, тягу́чий; *a* ~ speech ску́чный, ну́дный докла́д.

pone [poun] *n* 1) кукуру́зная лепёшка; 2) сдо́ба.

pongee [pɔn'dʒiː] *n* шёлковая ткань ти́па чесучи́.

pongo [' pɔŋgou] *n зоол.* больша́я челове́кообра́зная африка́нская обезья́на.

poniard [' pɔnjəd] 1. *n* кинжа́л;
2. *v* зака́лывать кинжа́лом.

pontiff [' pɔntif] *n* 1) ри́мский па́па (*тж.* sovereign ~); 2) епи́скоп, архиере́й; 3) первосвяще́нник; ◊ the ~s of science жрецы́ нау́ки.

pontifical [pɔn'tifikəl] 1. *a* 1) па́пский; 2) кардина́льный; епи́скопский; 3) первосвяще́ннический;
2. *n* 1) архиере́йский обря́дник; 2) *pl* епи́скопское облаче́ние.

pontificalia [pɔn,tifi'keiliə] *лат. n pl* епи́скопское *или* па́пское облаче́ние.

pontificate [pɔn'tifikit] *n* понтифика́т.

ponton [' pɔntən] *амер.* = pontoon I.

pontoon I [pɔn'tuːn] *n* 1) понто́н; понто́нный мост, наплавно́й мост (*тж.* ~ bridge); 2) плашко́ут; 3) кессо́н; 4) поплаво́к (*напр., гидросамолёта*).

pontoon II [pɔn'tuːn] *n карт.* два́дцать одно́.

pony [' pouni] 1. *n* 1) по́ни, малоро́слая ло́шадь; Jerusalem ~ *шутл.* осёл; 2) *sl.* 25 фу́нтов сте́рлингов; 3) *разг.* небольшо́й стака́нчик для вина́ *или* пи́ва, сто́пка; 4) *амер. разг.* подстро́чник, шпарга́лка.
2. *a* 1) ма́ленький, ма́лого разме́ра; ~ size ма́лого разме́ра, уме́ньшенного габари́та; 2) *тех.* вспомога́тельный, дополни́тельный;
3. *v амер. разг.* отвеча́ть уро́к по шпарга́лке; переводи́ть, по́льзуясь подстро́чником.

pooch [puːtʃ] *n амер. sl.* соба́ка, дворня́жка.

pood [puːd] *n рус. n* пуд.

poodle [' puːdl] *n* пу́дель.

poogye [' puːgiː] *n* инди́йская фле́йта.

pooh [puː] *int* уф!; тьфу!

Pooh-Bah [' puː'bɑː] *n* занима́ющий не́сколько должносте́й; совмести́тель (*по имени персонажа в комической опере «Микадо»*).

pooh-pooh [puː'puː] *v разг.* относи́ться с пренебреже́нием *или* презре́нием (*к чему-л.*).

pool I [puːl] *n* 1) лу́жа, прудо́к; 2) о́мут; заводь; 3) *спорт.* (пла́вательный) бассе́йн (*тж.* swimming ~); 4) *гидр.* бьеф; 5) *геол.* месторожде́ние, нефтяна́я за́лежь.

pool II [puːl] 1. *n* 1) объединённый фонд; объединённый резе́рв; 2) пул (*соглашение между предпринимателями для устранения конкуренции*); 3) гру́ппа предпринима́телей *или* не́сколько фирм, объедини́вшихся для борьбы́ с конкуре́нцией; 4) совоку́пность ста́вок (*в картах, на скачках*), пу́лька (*в карточной игре*); 5) пул, род билья́рдной игры́;
2. *v* объединя́ть в о́бщий фонд, скла́дываться; to ~ interests де́йствовать сообща́.

poolroom [' puːlrum] *n амер.* 1) помеще́ние для игры́ в пул; 2) ме́сто, где заключа́ют пари́ (*перед скачками, спортивными состязаниями и т. п.*).

poop I [puːp] *мор.* 1. *n* полуют; корма́;
2. *v* 1) захлёстывать корму́ (*о волне*); 2) черпну́ть кормо́й (*о судне*).

poop II [puːp] *sl. см.* nincompoop.

poop III [puːp] = pope II.

poor [puə] *a* 1) бе́дный, неиму́щий; ~ peasant крестья́нин-бедня́к; 2) бе́дный (in—*чем-л.*); 3) несча́стный; ~ fellow! бедня́га!; 4) жа́лкий, невзра́чный; 5) ни́зкий, плохо́й, скве́рный (*об урожае; о качестве*); 6) неплодоро́дный (*о почве*); 7) ску́дный, жа́лкий, плохо́й; ничто́жный; убо́гий; in my ~ opinion *шутл.* по моему́ скро́мному мне́нию; *a* ~ £ 1 a week жа́лкий фунт сте́рлингов в неде́лю; 8) недоста́точный, непита́тельный (*о пище*); ◊ ~ fish *амер.* простофи́ля.
2. *n* (the ~) *pl собир.* бе́дные, бедняки́, беднота́, неиму́щие.

poor-box [' puəbɔks] *n* кру́жка для сбо́ра на бе́дных.

poor-house [' puəhaus] *n* богаде́льня; рабо́тный дом.

poor-law [' puəlɔː] *n* зако́н о бе́дных.

poorly [' puəli] 1. *adv* ску́дно, пло́хо, жа́лко; неуда́чно;
2. *a predic.* нездоро́вый; I feel rather ~ мне нездоро́вится.

poor-rate ['puəreıt] *n* нало́г в по́льзу бе́дных.

poor-spirited ['puə'spırıtıd] *a* ро́бкий, трусли́вый.

pop I [pɔp] **1.** *n* 1) отры́вистый звук (*хлопушки и т. п.*); 2) вы́стрел; 3) *разг.* шипу́чий напи́ток; 4) *sl.* закла́д; 5) *сокр. от* poppycock;
2. *v* 1) хло́пать, выстре́ливать (*о пробке*); 2) тре́скаться (*о каштанах в огне и т. п.*); 3) пали́ть, стреля́ть (*тж.* ~ off); 4) сова́ть, всо́вывать (in, into); 5) броса́ться; шныря́ть; 6) *разг.* внеза́пно спроси́ть, огоро́шить вопро́сом; 7) *sl.* закла́дывать; 8) *амер.* поджа́ривать кукуру́зные зёрна; □ ~ **in** внеза́пно появи́ться; ~ **out** а) внеза́пно удали́ться, отпра́виться; б) внеза́пно пога́снуть; ◇ to ~ the question сде́лать предложе́ние о бра́ке; to ~ off (the hooks) ≅ протяну́ть но́ги, умере́ть;
3. *adv* с шу́мом, внеза́пно; to go ~ а) хло́пнуть, вы́стрелить; б) внеза́пно умере́ть; в) разори́ться; ◇ ~ goes the weasel *название деревенского танца*;
4. *int* хлоп!

pop II [pɔp] *n разг.* популя́рный конце́рт.

pop III [pɔp] *n амер. разг.* 1) па́па; 2) папа́ша (*в обращении*).

popcorn ['pɔpkɔːn] *n амер.* жа́реные кукуру́зные зёрна.

pope I [poup] *n* 1) ри́мский па́па; 2) свяще́нник; поп; ◇ ~'s eye жи́рная часть бара́ньей ноги́; ~'s head метла́ для обмета́ния потолка́; ~'s nose *разг.* гу́зка (жа́реной) пти́цы [*ср.* parson's nose]; P. Joan *название карточной игры*.

pope II [poup] **1.** *n* пах;
2. *v* уда́рить в пах.

popery ['poupərı] *n пренебр.* папи́зм, католици́зм.

pop-eyed ['pɔp,aıd] *a амер. разг.* 1) с широко́ откры́тыми глаза́ми, напу́ганный, удивлённый; 2) пучегла́зый.

popgun ['pɔpɡʌn] *n* 1) пуга́ч (*игрушка*); 2) плохо́е ружьё.

popinjay ['pɔpındʒeı] *n* 1) фат, хлыщ, щёголь; 2) *диал., амер.* дя́тел; 3) *уст.* попуга́й.

popish ['poupıʃ] *a* папи́стский.

poplar ['pɔplə] *n* то́поль; black ~ чёрный то́поль, осоко́рь.

poplin ['pɔplın] *n* попли́н (*ткань*).

popliteal [pɔp'lıtıəl] *a анат.* подколе́нный.

poppa ['pɔpə] = pop III.

poppet ['pɔpıt] *n* 1) *уст.* ку́кла; 2) *диал.* кро́шка, мила́шка (*особ. как обращение* my ~); 3) *тех.* за́дняя ба́бка станка́; 4) *тех.* таре́лочный кла́пан (*тж.* ~ valve).

poppet-head ['pɔpıthed] = poppet 3).

poppied ['pɔpıd] *a* 1) поро́сший ма́ком; 2) снотво́рный, со́нный.

popple ['pɔpl] **1.** *n* плеска́ние, плеск;
2. *v* 1) плеска́ться, волнова́ться; 2) вскипа́ть, бурли́ть.

poppy ['pɔpı] *n бот.* 1) мак; 2) *attr.* ма́ковый.

poppycock ['pɔpıkɔk] *n амер. разг.* вздор, чепуха́.

popshop ['pɔpʃɔp] *n* ломба́рд.

populace ['pɔpjuləs] *n* 1) просто́й наро́д; ма́ссы; 2) населе́ние.

popular ['pɔpjulə] *a* 1) наро́дный; 2) популя́рный; he is ~ with his pupils он по́льзуется любо́вью свои́х ученико́в; 3) общедосту́пный; at ~ prices по общедосту́пным це́нам; 4) общераспространённый.

popularity [,pɔpju'lærıtı] *n* популя́рность.

popularization [,pɔpjularaı'zeıʃən] *n* популяриза́ция.

popularize ['pɔpjularaız] *v* 1) популяризи́ровать; 2) излага́ть в общедосту́пной фо́рме.

popularly ['pɔpjulalı] *adv* 1) всем наро́дом, всенаро́дно; 2) популя́рно.

populate ['pɔpjuleıt] *v* населя́ть; заселя́ть.

population [,pɔpju'leıʃən] *n* 1) (народо-) населе́ние; жи́тели; 2) заселе́ние.

populist ['pɔpjulıst] *n* 1) *ист.* попули́ст (*в США*); 2) *ист.* наро́дник (*в России*).

populous ['pɔpjuləs] *a* гу́сто населённый; (много)лю́дный.

porbeagle ['pɔːbiːɡl] *n зоол.* сельдева́я аку́ла.

porcelain ['pɔːslın] *n* 1) фарфо́р; 2) фарфо́ровое изде́лие; 3) *attr.* фарфо́ровый; *перен.* хру́пкий; изя́щный; ~ clay фарфо́ровая гли́на, каоли́н.

porcellaneous [,pɔːsə'leınıəs] *a* фарфо́ровый.

porch [pɔːtʃ] *n* 1) подъе́зд, крыльцо́; 2) по́ртик; кры́тая галере́я; 3) *амер.* вера́нда; балко́н.

porcine ['pɔːsaın] *a* 1) свино́й; 2) сви́нский.

porcupine ['pɔːkjupaın] *n* 1) *зоол.* дикобра́з; 2) *текст.* ножо́вый бараба́н.

pore I [pɔː] *n* по́ра, сква́жина.

pore II [pɔː] *v* 1) сосредото́ченно изуча́ть, обду́мывать (over, upon); poring over books погрузи́вшись, углуби́вшись в кни́ги; 2) *уст.* сосредото́ченно разгля́дывать (at, on, over).

poriferous [pə'rıfərəs] *a* по́ристый, име́ющий мно́го пор.

pork [pɔːk] *n* 1) свини́на; 2) *амер. разг.* «кормушка»; 3) *разг.* прави́тельственные дота́ции, привиле́гии *и т. п.*, предоставля́емые по полити́ческим соображе́ниям; 4) *attr.* сде́ланный из свини́ны, свино́й.

porker ['pɔːkə] *n* отко́рмленная на убо́й свинья́ (*особ.* молода́я).

pork pie ['pɔːkpaı] *n* пиро́г со свини́ной.

pork pie hat ['pɔːkpaı'hæt] *n* шля́па с кру́глой пло́ской тулье́й и за́гнутыми поля́ми.

porky ['pɔːkı] *a* 1) свино́й; 2) *разг.* жи́рный, мяси́стый.

pornographic [,pɔːnə'ɡræfık] *a* порнографи́ческий.

pornography [pɔː'nɔɡrəfı] *n* порногра́фия.

porosity [pɔː'rɔsıtı] *n* по́ристость.

porous ['pɔːrəs] *a* по́ристый; сква́жистый, ноздрева́тый; гу́бчатый.

porphyry ['pɔːfırı] *n мин.* порфи́р.

porpoise ['pɔːpəs] 1. *n* морска́я свинья́; бу́рый дельфи́н;

2. *v ав.* подпры́гивать, ба́рсить, козли́ть.

porpoising ['pɔːpəsɪŋ] 1. *pres. p. от* porpoise 2;

2. *n ав.* барс (*подпрыгивание при взлёте*).

porridge ['pɔrɪdʒ] *n* (овся́ная) ка́ша; ◇ to keep one's breath to cool one's ~ пома́лкивать, не сова́ться с сове́том.

porringer ['pɔrɪndʒə] *n* супова́я ча́шка, ми́сочка.

port I [pɔːt] *n* 1) порт, га́вань; ~ of entry, ~ of destination, ~ of call порт назначе́ния; P. of London Authority управле́ние ло́ндонского по́рта; close ~ морско́й порт на реке́; free ~ во́льная га́вань, по́рто-фра́нко; 2) прию́т, убе́жище; 3) *attr.* порто́вый; ◇ any ~ in a storm ≅ в беде́ любо́й вы́ход хоро́ш.

port II [pɔːt] *n* 1) *уст., шотл.* воро́та; 2) = porthole; 3) *тех.* отве́рстие; прохо́д.

port III [pɔːt] 1. *n* 1) *уст., шотл.* оса́нка, мане́ра держа́ться; 2) *воен.* положе́ние винто́вки к осмо́тру;

2. *v воен.* держа́ть (*оружие*) пе́ред собо́й (для осмо́тра); ~ arms! на грудь!

port IV [pɔːt] *мор.* 1. *n* 1) ле́вый борт; (put the) helm to ~! ле́во руля́!; 2) *attr.* ле́вый;

2. *v* повора́чивать *или* класть (руля́) нале́во.

port V [pɔːt] *n* портве́йн.

portability [,pɔːtə'bɪlɪtɪ] *n* портати́вность.

portable ['pɔːtəbl] *a* портати́вный, перено́сный, передвижно́й; съёмный, складно́й, разбо́рный; ~ engine локомоби́ль.

port admiral ['pɔːt'ædmərəl] *n* команди́р по́рта.

portage ['pɔːtɪdʒ] 1. *n* 1) перено́ска, перево́зка; прово́з, тра́нспорт; 2) сто́имость перево́зки; 3) во́лок; 4) жа́лованье матро́сам во вре́мя стоя́нки в порту́;

2. *v* переправля́ть во́локом.

portal I ['pɔːtl] 1. *n* 1) порта́л, гла́вный вход; воро́та; 2) та́мбур (*дверей*); 3) *тех.* порта́льная ра́ма; 4) *attr.* порта́льный;

2. *a*: ~ crane порта́льный кран.

portal II ['pɔːtl] *a*: ~ vein *анат.* воро́тная ве́на.

portative ['pɔːtətɪv] *a* портати́вный, передвижно́й.

portcrayon [,pɔːt'kreɪən] *фр. n* рейсфе́дер (*для карандаша*).

portcullis [pɔːt'kʌlɪs] *n* опускна́я решётка (*в крепостных воротах*).

Porte [pɔːt] *n*: The (Sublime *или* Ottoman) ~ *ист.* Блиста́тельная (Высо́кая *или* Оттома́нская) По́рта (*название султанской Турции*).

portend [pɔː'tend] *v* предвеща́ть, предзнаменова́ть.

portent ['pɔːtənt] *n* 1) предзнаменова́ние, зна́мение; ~s of war предве́стники войны́; 2) чу́до.

portentous [pɔː'tentəs] *a* 1) предска́зывающий дурно́е; злове́щий; 2) удиви́тельный, необыкнове́нный; 3) ва́жный, напы́щенный (*о человеке*).

porter I ['pɔːtə] *n* привра́тник, швейца́р.

porter II ['pɔːtə] *n* 1) носи́льщик; гру́зчик; ~'s knot наплечна́я поду́шка гру́зчика; 2) *амер.* проводни́к (*спального вагона*).

porter III ['pɔːtə] *n* по́ртер (*чёрное пиво*).

porterage ['pɔːtərɪdʒ] *n* 1) перено́ска гру́за; 2) пла́та носи́льщику.

porter-house ['pɔːtəhaus] *n* 1) пивна́я; рестора́н; 2) отбо́рная часть филе́я (*тж.* ~ steak).

portfire ['pɔːtfaɪə] *n* запа́л, огнепрово́дный шнур.

portfolio [pɔːt'fouljou] *n* (*pl* -os [-ouz]) 1) портфе́ль; 2) па́пка, «де́ло»; 3) до́лжность мини́стра; minister without ~ мини́стр без портфе́ля; 4) портфе́ль це́нных бума́г (*банка и т. п.*).

porthole ['pɔːthoul] *n мор.* оруди́йный порт; амбразу́ра (*башни*).

portico ['pɔːtikou] *n* (*pl* -oes, -os [-ouz]) *архит.* по́ртик, галере́я.

portière [pɔː'tjɛə] *фр. n* портье́ра.

portion ['pɔːʃən] 1. *n* 1) часть, до́ля; наде́л; 2) по́рция; 3) прида́ное; 4) уде́л, у́часть;

2. *v* 1) дели́ть на ча́сти; 2) выделя́ть часть, до́лю; 3) наделя́ть, дава́ть прида́ное (with); □ ~ out производи́ть разде́л (*имущества*).

portionless ['pɔːʃənlɪs] *a* без прида́ного (*о невесте*).

Portland (cement) ['pɔːtlənd(sɪ'ment)] *n* портла́нд-цеме́нт.

portliness ['pɔːtlɪnɪs] *n* 1) ту́чность, полнота́; 2) соли́дность; представи́тельность.

portly ['pɔːtlɪ] *a* 1) по́лный, доро́дный; 2) представи́тельный; оса́нистый.

portmanteau [pɔːt'mæntou] *n* (*pl* -s [-z], -x) 1) чемода́н; 2) языкова́я контамина́ция (*искусственное слово, составленное из двух слов, напр.*: slanguage = slang + language).

portmanteaux [pɔːt'mæntouz] *pl от* portmanteau.

portrait ['pɔːtrɪt] *n* 1) портре́т; 2) изображе́ние; описа́ние.

portraitist ['pɔːtrɪtɪst] *n* портрети́ст.

portraiture ['pɔːtrɪtʃə] *n* 1) портре́тная жи́вопись; 2) портре́т; 3) *собир.* портре́ты; 4) описа́ние, изображе́ние.

portray [pɔː'treɪ] *v* 1) рисова́ть портре́т; 2) подража́ть; 3) изобража́ть, опи́сывать; 4) изобража́ть на сце́не.

portrayal [pɔː'treɪəl] *n* 1) срисо́вывание; рисова́ние (*портре́та*); 2) изображе́ние; описа́ние.

portreeve ['pɔːtriːv] *n* 1) помо́щник мэ́ра (*в некоторых городах*); 2) *ист.* мэр го́рода (*преим. Лондона*).

portress ['pɔːtrɪs] *n* привра́тница.

Portuguese [,pɔːtju'giːz] 1. *a* португа́льский;

2. *n* 1) португа́лец; португа́лка; the ~ *pl собир.* португа́льцы; 2) португа́льский язы́к.

pose I [pouz] 1. *v* 1) формули́ровать, излага́ть; 2) ста́вить, предлага́ть (*вопрос, задачу*); 3) ста́вить в определённую по́зу (*натурщика*); 4) пози́ровать; 5) принима́ть по́зу, вид (*кого-л.*; as);

2. *n* по́за (*тж. перен.*).

pose II [pouz] *v* (по)ста́вить в тупи́к, озада́чить.

poser ['pouzə] *n* тру́дный вопро́с, тру́дная зада́ча, пробле́ма.

poseur [pou'zə:] *фр. n* позёр.

posh [pɔʃ] *sl.* 1. *n* де́ньги (*мелочь*); 2. *a* превосхо́дный, шика́рный.

posit ['pɔzit] *v* 1) класть в осно́ву до́водов, постули́ровать; утвержда́ть; 2) ста́вить.

position [pə'ziʃən] 1. *n* 1) положе́ние, местоположе́ние; ме́сто; расположе́ние, пози́ция; in (out of) ~ в пра́вильном (непра́вильном) ме́сте; 2) *перен.* положе́ние, пози́ция; to put in a false ~ поста́вить в ло́жное положе́ние; 3) обы́чное, пра́вильное ме́сто; the players were in ~ игроки́ бы́ли на свои́х места́х; 4) возмо́жность; to be in a ~ to do smth. быть в состоя́нии, име́ть возмо́жность сде́лать что-л.; 5) положе́ние; до́лжность; 6) отноше́ние, то́чка зре́ния; to define one's ~ on smth. определи́ть своё отноше́ние к чему́-л.; to take up the ~ (that) стать на то́чку зре́ния (что), утвержда́ть (что); 2. *v* 1) ста́вить, помеща́ть; 2) определя́ть местоположе́ние.

positional [pə'ziʃənl] *a* позицио́нный.

positive ['pɔzətiv] 1. *a* 1) положи́тельный; 2) определённый, то́чный; 3) уве́ренный; I am ~ that this is so я уве́рен, что э́то так; 4) самоуве́ренный; 5) *разг.* абсолю́тный, в по́лном смы́сле сло́ва; 6) позити́вный; ~ philosophy позитиви́зм; 7) *грам.* положи́тельный (*о степени*); 8) *мат.* положи́тельный; ~ sign знак плюс; 9) *фото* позити́вный; 10) *тех.* с принуди́тельным движе́нием; нагнета́тельный; 2. *n* 1) *грам.* положи́тельная сте́пень; 2) *фото* позити́в.

positively ['pɔzətivli] *adv* 1) положи́тельно, несомне́нно, с уве́ренностью; 2) реши́тельно, категори́чески; безусло́вно.

positivism ['pɔzitivizəm] *n* филос. позитиви́зм.

positron ['pɔzitrɔn] *n* физ. позитро́н.

posse ['pɔsi] *n* 1) ополче́ние, созыва́емое шери́фом (*для подавле́ния беспоря́дков*); 2) отря́д (*полице́йских*); 3) гру́ппа вооружённых люде́й, наделённая определёнными права́ми.

possess [pə'zes] *v* 1) облада́ть, владе́ть; to be ~ed of smth. облада́ть чем-л.; every human being ~ed of reason вся́кий разу́мный челове́к; to ~ oneself of smth. овладе́ть чем-л.; to ~ oneself (*или* one's soul, one's mind) владе́ть собо́й; запасти́сь терпе́нием; 2) овладева́ть, захва́тывать (*о чу́встве, настрое́нии и т. п.*); to be ~ed by (*или* with) smth. быть одержи́мым чем-л.; you are surely ~ed ва́с у ума́ сошли́! what ~ed him to do it? что его́ дёрнуло сде́лать э́то?

possessed [pə'zest] 1. *p. p. от* possess. 2. *a* одержи́мый; ненорма́льный; рехну́вшийся.

possession [pə'zeʃən] *n* 1) владе́ние, облада́ние; in ~ of smth. владе́ющий чем-л.; in the ~ of smb., in smb.'s ~ в чьём-л. владе́нии; to take ~ of вступи́ть во владе́ние; овладе́ть; 2) *pl* со́бственность; иму́щество; 3) (*часто pl*) владе́ния, зави́симая тер-

рито́рия; 4) самооблада́ние; 5) одержи́мость.

possessive [pə'zesiv] *a* 1) со́бственнический; 2) *грам.* притяжа́тельный; ~ case притяжа́тельный паде́ж; ~ pronoun притяжа́тельное местоиме́ние.

possessor [pə'zesə] *n* владе́лец, облада́тель.

possessory [pə'zesəri] *a* владе́льческий.

posset I ['pɔsit] *n* горя́чий напи́ток из молока́, вина́ и пря́ностей.

posset II ['pɔsit] *v* свёртываться (*о молоке́, кро́ви*).

possibility [,pɔsə'biliti] *n* возмо́жность, вероя́тность.

possible ['pɔsəbl] 1. *a* 1) возмо́жный, вероя́тный; if ~ е́сли э́то возмо́жно; as early as ~ как мо́жно ра́ньше; ~ ore *геол.* возмо́жные неразве́данные запа́сы руды́; 2) *разг.* сно́сный, терпи́мый. 2. *n* возмо́жное; to do one's ~ сде́лать всё возмо́жное.

possibly ['pɔsəbli] *adv* возмо́жно; мо́жет быть; how can I ~ do it? как я могу́ сде́лать э́то?

possum ['pɔsəm] *n разг.* опо́ссум; ◇ to play ~ а) притворя́ться больны́м *или* мёртвым; б) прики́дываться не понима́ющим *или* не зна́ющим (*чего-л.*); to play ~ with a person обману́ть кого́-л.

post I [poust] 1. *n* 1) столб, сто́йка, ма́чта, сва́я, подпо́рка; starting ~ ста́ртовый столб; 2) *спорт.* столб у фи́ниша; to be beaten on the ~ отста́ть на са́мую ма́лость; 3) це́лик у́гля *или* руды́; 4) *геол.* известня́к с то́нкими просло́йками сла́нца, мелкозерни́стый песча́ник; ◇ as deaf as a ~ глухо́й как пень, соверше́нно глухо́й.

2. *v* 1) выве́шивать, раскле́ивать (*афи́ши; обы́кн.* ~ up); реклами́ровать с по́мощью афи́ш и плака́тов; 2) закле́ивать афи́шами *или* плака́тами (*стену и т. п.*); 3) объяви́ть о ги́бели су́дна; 4) *амер.* объявля́ть о запреще́нии охо́ты; 5) включа́ть в выве́шенные спи́ски имена́ провали́вшихся на экза́мене студе́нтов.

post II [poust] 1. *n* 1) по́чта; 2) почто́вое отделе́ние; 3) почто́вый я́щик; 4) доста́вка по́чты; by return of ~ с обра́тной по́чтой; 5) форма́т бума́ги (*писчей — 15^1/₂ д. × 19 д.; печа́тной — 15^1/₂ д. × 19^1/₂ д.*); 6) *attr.* почто́вый; ◇ Job's ~ челове́к, принося́щий дурны́е ве́сти.

2. *v* 1) отправля́ть по по́чте; опусти́ть в почто́вый я́щик; 2) е́хать на почто́вых; 3) спеши́ть, мча́ться; 4) (*часто pass.*) осведомля́ть, дава́ть по́лную информа́цию (*тж.* ~ up); to be ~ed as to smth. быть в ку́рсе чего́-л.; 5) *бухг.* переноси́ть (*за́пись*) в гроссбу́х (*тж.* ~ up).

3. *adv* 1) по́чтой; 2) на почто́вых; 3) поспе́шно.

post III [poust] 1. *n* 1) пост, до́лжность; положе́ние; 2) *воен.* пост; пози́ция; укреплённый у́зел; форт; 3) *амер. воен.* гарнизо́н; постоя́нная стоя́нка; 4) *ж.-д.* блокпо́ст; 5) *тех.* пункт управле́ния.

2. *v* 1) располага́ть, расставля́ть, ста́вить (*солда́т и т. п.*); 2) *воен.* назнача́ть

post- [poust-] *pref* после-, по-; ~-glacial *геол.* послеледниковый.

postage ['poustɪdʒ] *n* почтовая оплата, почтовые расходы; inland ~ внутренний почтовый тариф.

postage stamp ['poustɪdʒ'stæmp] *n* почтовая марка.

postal ['poustəl] 1. *a* почтовый; ~ card *амер.* почтовая открытка; ~ order денежный перевод по почте; (Universal) P. Union Международный почтовый союз;
2. *n амер. разг.* открытка.

post-bag ['poustbæg] *n* сумка почтальона.

post-bellum ['poust'beləm] *a* послевоенный; происшедший после войны, *особ.* после гражданской войны в США.

post-boy ['poustbɔɪ] *n* 1) почтальон; 2) форейтор.

post captain ['poust'kæptɪn] *n мор. ист.* 1) командир корабля с 20 пушками; 2) капитан 1 ранга.

postcard ['poustkɑːd] *n* 1) почтовая карточка, открытка; 2) *амер.* открытка, изданная частным лицом.

post-chaise ['poustʃeɪz] *n* почтовая карета, дилижанс.

post-coach ['poustkoutʃ] = post-chaise.

post-date ['poust'deɪt] 1. *n* дата, проставленная более поздним числом;
2. *v* датировать более поздним числом.

postdiluvial ['poustdaɪ'luːvjəl] *a* 1) *геол.* постделювиальный; 2) *библ.* после потопа.

post-diluvian ['poustdaɪ'luːvjən] = postdiluvial 2).

poster ['poustə] 1. *n* 1) расклейщик афиш; 2) объявление, плакат, афиша; 3) мяч, проходящий над штангой при попытке забить гол (*в футболе*);
2. *v* 1) рекламировать; 2) оклеивать рекламами.

poste restante ['poust'restɑːnt] *фр. n* 1) отделение на почте для корреспонденции до востребования; 2) «до востребования» (*надпись на конверте*).

posterior [pɔs'tɪərɪə] 1. *a* 1) задний; 2) последующий; позднейший;
2. *n* зад, ягодицы.

posteriority [pɔs,tɪərɪ'ɔrɪtɪ] *n* следование (*за чем-л.*); позднейшее обстоятельство.

posteriorly [pɔs'tɪərɪəlɪ] *adv* сзади.

posterity [pɔs'terɪtɪ] *n* потомство; последующие поколения.

postern ['poustən] *n уст.* 1) задняя дверь; 2) боковая дорога *или* боковой вход; 3) *attr.* задний.

Post Exchange ['poustɪks'tʃeɪndʒ] *n амер.* гарнизонная лавка.

post-free ['poust'friː] *a, adv* без почтовой оплаты.

post-glacial ['poust'gleɪsjəl] *a геол.* послеледниковый.

post-graduate ['poust'grædjuɪt] 1. *n* аспирант;
2. *a* 1) изучаемый, проходимый после окончания университета; ~ courses курсы усовершенствования; 2) аспирантский.

post-haste ['poust'heɪst] *adv* с большой поспешностью, сломя голову.

post-horse ['pousthɔs] *n* почтовая лошадь.

post-house ['pousthaus] *n* почтовая станция.

posthumous ['pɔstjuməs] *a* 1) посмертный; 2) рождённый после смерти отца.

postil(l)ion [pəs'tɪljən] *n* форейтор.

postman ['poustmən] *n* почтальон.

postmark ['poustmɑːk] 1. *n* почтовый штемпель;
2. *v* штемпелевать (*письмо*).

postmaster ['poust,mɑːstə] *n* почтмейстер; начальник почтового отделения.

Postmaster General ['poust,mɑːstə'dʒenərəl] *n* министр почт.

postmeridian ['poustmə'rɪdɪən] *a* послеполуденный.

post meridiem ['poustmə'rɪdɪəm] *лат. adv* после полудня (*обыкн. сокр.* р. m.).

postmistress ['poust,mɪstrɪs] *n* женщина—начальник почтового отделения.

post mortem ['poust'mɔːtem] *лат. adv* после смерти.

post-mortem ['poust'mɔːtem] 1. *n* 1) вскрытие трупа, аутопсия; 2) *шутл.* обсуждение игры (*особ. карточной*) после её окончания;
2. *a* посмертный;
3. *v* подвергать вскрытию, производить вскрытие (*трупа*).

post-natal ['poust'neɪtl] *a* происходящий после рождения, послеродовой.

post-nuptial ['poust'nʌpʃəl] *a* после заключения брака.

post-obit ['poust,ɔbɪt] 1. *n* обязательство уплатить кредитору по получении наследства;
2. *a* вступающий в силу после смерти (*кого-л.*).

Post-Office ['poust,ɔfɪs] *n* министерство почт.

post-office ['poust,ɔfɪs] *n* 1) почта, почтовая контора; почтовое отделение; general ~ почтамт; 2) *attr.* почтовый; ~ order денежный перевод; ~ box абонементный почтовый ящик; ~ savings-bank сберегательная касса при почтовом отделении.

post-paid ['poust'peɪd] *a* с оплаченными почтовыми расходами.

postpone ['poust'poun] *v* 1) откладывать, отсрочивать; 2) *уст.* считать второстепенным.

postponement ['poust'pounmənt] *n* отсрочка.

postposition ['poustpə'zɪʃən] *n* 1) помещение позади; 2) *лингв.* постпозиция; энклитика (*напр.*, -wards); послелог.

postpositive ['poust'pɔzɪtɪv] *a грам.* постпозитивный, постпозиционный.

post-postscript ['poust'pousskrɪpt] *n* второй постскриптум (*сокр.* Р. Р. S.).

postprandial ['poust'prændɪəl] *a шутл.* послеобеденный.

postscript ['pousskrɪpt] *n* постскриптум (*сокр.* Р. S.).

post-town ['pousttaun] *n* город, имеющий почтамт.

postulant ['pɔstjulənt] *n* кандидат (*особ. на поступление в религиозный орден*).

postulate 1. *n* ['pɔstjulɪt] 1) постулат; 2) предварительное условие;

2. *v* ['pɔstjuleɪt] 1) постули́ровать, принима́ть без доказа́тельства; 2) ста́вить усло́вием (for); 3) (обыкн. *p. p.*) тре́бовать.

posture ['pɔstʃə] 1. *n* 1) по́за, положе́ние; 2) состоя́ние, положе́ние; the present ~ of affairs (настоя́щее) положе́ние веще́й;

2. *v* 1) ста́вить в по́зу; 2) пози́ровать.

post-war ['poust'wɔː] *a* послевое́нный;

posy ['pouzɪ] *n* 1) буке́т цвето́в; 2) *уст.* деви́з (*на кольце и т. п.*).

pot [pɔt] 1. *n* 1) горшо́к; котело́к; ба́нка; кру́жка; 2) ночно́й горшо́к; 3) *спорт. разг.* ку́бок, приз; 4) напи́ток; 5) *разг.* кру́пная су́мма; ~ (*или* ~s) of money больша́я су́мма; ку́ча де́нег; 6) *разг.* совоку́пность ста́вок (*на скачках, в картах*); 7) *тех.* ти́гель; 8) дефле́ктор, зонт дымово́й трубы́; 9) *геол.* ку́пол; ◇ a big ~ ва́жная персо́на, «ши́шка»; to go to ~ *sl.* а) вы́лететь в трубу́, разори́ться, поги́бнуть; б) разру́шиться; all gone to ~ ≅ всё пошло́ к чертя́м; to keep the ~ boiling (*или* on the boil) а) зараба́тывать на пропита́ние; б) энерги́чно продолжа́ть; to make the ~ boil, to boil the ~ а) зараба́тывать сре́дства к жи́зни; б) подраба́тывать, халту́рить; the ~ calls the kettle black ≅ не сме́йся горо́х, не лу́чше бобо́в; уж кто бы говори́л, а ты бы пома́лкивал (*т. е. сам то́же хоро́ш*);

2. *v* 1) класть в горшо́к *или* котело́к; 2) консерви́ровать, заготовля́ть впрок; 3) вари́ть в котелке́; 4) сажа́ть в горшо́к (*цветы*); 5) загоня́ть в лу́зу (*шар в билья́рде*); 6) стреля́ть, застрели́ть (*на бли́зком расстоя́нии*); 7) захва́тывать, завладева́ть.

potability [,poutə'bɪlɪtɪ] *n* приго́дность для питья́.

potable ['poutəbl] 1. *a* го́дный для питья́; питьево́й; ~ water питьева́я вода́;

2. *n pl* напи́тки.

potash ['pɔtæʃ] *n хим.* пота́ш, углеки́слый ка́лий.

potash-soap ['pɔtæʃ'soup] *n* кали́йное мы́ло, зелёное мы́ло.

potass ['pɔtæs] *уст.* = potash.

potassium [pə'tæsjəm] *n хим.* 1) ка́лий; 2) *attr.* кали́йный.

potation [pou'teɪʃən] *n* 1) питьё, вы́пивка; 2) (*обыкн. pl*) пья́нство; 3) глото́к; 4) спиртно́й напи́ток.

potato [pə'teɪtou] *n* (*pl* -oes [-ouz]) 1) карто́фель (*растение*); 2) карто́фелина; *pl* карто́фель; 3) *pl амер. sl.* де́ньги; 4) *attr.* карто́фельный; ◇ small ~ (~es а) пустяки́; б) ме́лкие людишки; quite the ~ *разг.* как раз то, что на́до; not (quite) the clean ~ *разг.* подозри́тельная ли́чность, непоря́дочный челове́к.

potato-box [pə'teɪtouboks] *n sl.* рот.

potatory ['poutətɪɪ] *a* питейный.

potato-trap [pə'teɪtoutræp] = potato-box.

pot-belly ['pɔt,belɪ] *n* 1) большо́й живо́т; 2) пуза́тый челове́к.

pot-boiler ['pɔt,bɔɪlə] *n разг.* 1) халту́ра; 2) халту́рщик.

pot-boy ['pɔtbɔɪ] *n* ма́льчик, прислу́живающий в кабаке́.

poteen [pɔ'tiːn] *n* ирла́ндский самого́н.

potency ['poutənsɪ] *n* си́ла, могу́щество.

potent ['poutənt] *a* 1) могу́щественный; мо́щный; 2) сильноде́йствующий; кре́пкий (*о спиртных напитках*); ~ drug сильноде́йствующее лека́рство; 3) убеди́тельный.

potentate ['poutənteɪt] *n* власте́лин, мона́рх.

potential [pə'tenʃəl] 1. *n* 1) возмо́жность; 2) потенциа́л; 3) *эл.* потенциа́л, напряже́ние;

2. *a* 1) потенциа́льный; возмо́жный; 2) *эл.:* ~ difference ра́зность потенциа́лов.

potentiality [pə,tenʃɪ'ælɪtɪ] *n* потенциа́льность; возмо́жность.

potentiate [pə'tenʃɪeɪt] *v* 1) придава́ть си́лу; 2) де́лать возмо́жным.

potentiometer [pə,tenʃɪ'ɔmɪtə] *n эл.* потенцио́метр.

pot hat ['pɔthæt] *n* котело́к (*шляпа*).

potheen [pɔ'tiːn] = poteen.

pother ['pɔðə] 1. *n* 1) уду́шливый дым; 2) облако пы́ли; 3) шум; 4) суматоха, волне́ние;

2. *v* 1) волнова́ть; беспоко́ить; 2) волнова́ться, суети́ться.

pot-herb ['pɔthəːb] *n* о́вощ, зе́лень.

pot-hole ['pɔthoul] *n* ры́твина, вы́боина.

pot-hook ['pɔthuk] *n* 1) крюк над очаго́м; 2) крючо́к с дли́нной ру́чкой (*чтобы доставать из очага котелки и т. п.*); 3): ~s and hangers крючки и па́лочки (*в обучении письму*); кара́кули.

pot-house ['pɔthaus] *n* пивна́я, каба́к.

pot-hunter ['pɔt,hʌntə] *n* 1) охо́тник, убива́ющий вся́кую дичь без разбо́ра; 2) *спорт.* люби́тель призо́в.

potion ['pouʃən] *n* до́за лека́рства *или* я́да.

pot luck ['pɔt'lʌk] *n* всё, что име́ется на обе́д; come and take ~ with us ≅ чем бога́ты, тем и ра́ды, пообе́дайте с на́ми.

potman ['pɔtmən] *n* подру́чный в кабаке́.

pot paper ['pɔt,peɪpə] *n* потт.

pot-pourri [pou'puːrɪ] *фр. n* 1) ароматическая смесь (*из сухих лепестков*); 2) смесь, мешани́на; 3) попурри́.

pot-roast ['pɔt'roust] *n* тушёное мя́со (*обыкн. говядина*).

potsherd ['pɔtʃəːd] *n* черепо́к.

pot-shot ['pɔt'ʃɔt] *n* 1) вы́стрел по бли́зкой *или* неподви́жной це́ли; 2) вы́стрел науга́д; 3) попы́тка «на аво́сь».

pot-still ['pɔtstɪl] *n* перего́нный куб.

pott [pɔt] *n* форма́т пи́счей бума́ги (*12,5 д.* × *15,5 д.*).

pottage ['pɔtɪdʒ] *n уст.* похлёбка.

pottah ['pɔtə] *n англо-инд.* докуме́нт, удостоверя́ющий пра́во по́льзования.

potted ['pɔtɪd] 1. *p. p. от* pot 2;

2. *a* 1) консерви́рованный; ~ meat мясны́е консе́рвы; 2) *sl.* пья́ный.

potter I ['pɔtə] *n* гонча́р; ~'s clay гонча́рная *или* горше́чная гли́на; ~'s lathe гонча́рный стано́к; ~'s wheel гонча́рный круг.

potter II ['pɔtə] *v* 1) рабо́тать беспоря́дочно (at, in — над *чем-л.*); 2) рабо́тать лени́во, ло́дырничать (*тж.* ~ about); 3) бесце́льно тра́тить вре́мя.

pottery ['pɔtərɪ] *n* 1) глиняные изделия, фаянс; 2) керамика, гончарное дело; 3) гончарня, гончарная мастерская.

pottle ['pɔtl] *n* 1) *уст.* полгаллона; кружка в полгаллона; 2) корзинка (*для ягод*).

potto ['pɔtou] *n* (*pl* -os [-ouz]) *зоол.* 1) западноафриканский лемур; 2) кинкажу, цепкохвостый енот.

potty I ['pɔtɪ] *дет. см.* pot 1, 2).

potty II ['pɔtɪ] *a разг.* 1) мелкий, захудалый; 2) лёгкий, пустячный; 3) ненормальный, не в своём уме.

pot-valiant ['pɔt,væljənt] *a* храбрый во хмелю.

pot valour ['pɔt,vælə] *n* хмельной задор.

pouch [pautʃ] 1. *n* 1) сумка; мешочек; 2) *воен.* подсумок; 3) кисет; 4) мешок с почтой; 5) *шотл.* карман; 6) *уст.* кошелёк;
2. *v* 1) класть в сумку; 2) присваивать, прикарманивать; 3) *sl.* давать на чай; 4) делать напуск (*на платье*); 5) висеть мешком.

pouchy ['pautʃɪ] *a* мешковатый.

poulard [puːˈlɑːd] *фр. n* пулярка.

poult [poult] *n* цыплёнок, индюшонок *и т. п.*

poulterer ['poultərə] *n* торговец домашней птицей.

poultice ['poultɪs] 1. *n* припарка;
2. *v* класть припарки.

poultry ['poultrɪ] *n* 1) домашняя птица; 2) *attr.:* ~ farm птицеводческая ферма; ~ house птичник; ~ yard птичий двор; вольер(а).

pounce I [pauns] 1. *n* 1) коготь (*ястреба и т. п.*); 2) внезапный прыжок, наскок;
2. *v* 1) набрасываться, налетать, обрушиваться, внезапно атаковать (оп, upon, at); 2) схватить в когти; 3) ухватиться (upon — за), воспользоваться (*ошибкой, промахом и т. п.*; upon); 4) придираться (upon).

pounce II [pauns] 1. *n* 1) *тех.* сандарак; 2) угольный порошок;
2. *v* 1) затирать сандараком; 2) переводить, копировать (*узор*) угольным порошком.

pounce III [pauns] 1. *n* вытисненное *или* вырезанное отверстие (*узора*);
2. *v* пробивать, просверливать.

pound I [paund] *n* 1) фунт (*англ.* = *453,6 г*); 2) фунт стерлингов (= *20 шиллингам*); five shillings in the ~ пять шиллингов *или* 25% с каждого фунта; 3) фунт (*денежная единица Австралии, Египта, Ирландии и некоторых др. стран*); ◇ ~ of flesh точное количество, причитающееся по закону.

pound II [paund] 1. *n* 1) загон (*для скота*); 2) тюрьма;
2. *v* 1) загонять в загон; 2) заключать в тюрьму.

pound III [paund] 1. *v* 1) толочь; 2) бить, колотить; 3) колотиться, сильно биться (*о сердце*); 4) бомбардировать (at, on); 5) тяжело скакать, с трудом продвигаться (along); □ ~ out a) расплющивать, распрямлять (*ударами*); б) колотить (*по роялю*);

2. *n* тяжёлый удар.

poundage ['paundɪdʒ] *n* 1) процент с фунта стерлингов; 2) плата, взимаемая за перевод денег по почте в зависимости от переводимой суммы; 3) пошлина с веса.

pound-cake ['paundkeɪk] *n* торт, в котором по фунту *или* поровну основных составных частей.

pounder I ['paundə] *n* предмет весом в один фунт.

pounder II ['paundə] *n* 1) пестик; 2) ступка; дробилка.

-pounder [-'paundə] *в сложных словах означает:* а) весящий *столько-то* фунтов; б) со снарядом, весящим *столько-то* фунтов (*о пушке*); *напр.:* ope-~ 37-мм пушка; в) стоящий *столько-то* фунтов (*о предмете*); г) обладающий состоянием, равным *стольким-то* фунтам.

pound foolish ['paund,fuːlɪʃ] *a:* penny wise and ~ *см.* penny wise.

pour [pɔː] 1. *v* 1) лить(ся), вливать(ся); it is ~ing (wet *или* with rain) льёт как из ведра; 2) наливать (into); 3) разливать (*чай и т. п.*); □ ~ forth извергать (*слова*), сыпать (*словами*); ~ in a) валить (*о дыме, о толпе*); б) сыпаться (*о новостях и т. п.*); letters ~ in from all quarters письма сыплются отовсюду; ~ out a) наливать, разливать (*чай, вино*); отливать; выливать; б) валить наружу (*о толпе*); ◇ ~ through литься сквозь (*о свете*); ~ cold water on smb. расхолаживать кого-л.; it never rains but it ~s *посл.* ≅ беда не приходит одна;
2. *n* 1) ливень; 2) *метал.* отливка, литьё; литник.

pouring ['pɔːrɪŋ] 1. *pres. p. от* pour 1;
2. *a* проливной (*о дожде*).

pourparler [puəˈpɑːleɪ] *фр. n* (*обыкн. pl*) предварительные неофициальные переговоры.

pout [paut] 1. *n* недовольная гримаса; to be in the ~s дуться;
2. *v* надуть губы.

pouter ['pautə] *n* 1) недовольный, надутый человек; 2) зобастый голубь.

poverty ['pɔvətɪ] *n* 1) бедность; 2) скудность; оскудение.

poverty-stricken ['pɔvətɪ,strɪkən] *a* бедный.

powder ['paudə] 1. *n* 1) порошок; пыль; 2) пудра; 3) порох; smokeless ~ бездымный порох; ◇ food for ~ пушечное мясо; not worth ~ and shot ≅ овчинка выделки не стоит; не стоит усилий; put more ~ into it! бейте сильнее!; smell of ~ боевой опыт;
2. *v* 1) посыпать (*порошком*); солить; 2) пудрить(ся); припудривать; 3) испещрять; 4) превращать в порошок, толочь.

powdered ['paudəd] 1. *p. p. от* powder 2;
2. *a* 1) порошкообразный; ~ milk молочный порошок; ~ soap мыльный порошок; ~ sugar сахарная пудра; 2) *диал.* солёный; ~ beef солонина.

powder-flask ['paudəflɑːsk] *n* пороховница.

powder-horn ['paudəhɔːn] *n* пороховой рог.

powder-magazine ['paudəmægə‚zi:n] *n*
1) пороховой погреб; 2) *мор.* зарядный погреб; крюйт-камера.

powder·mill ['paudəmɪl] *n* пороховой завод.

powder-monkey ['paudə'mʌŋkɪ] *n мор. ист.* мальчик, подносящий порох.

powder-puff ['paudərʌf] *n* пуховка.

powder-room ['paudərum] *n* 1) дамская туалетная комната; 2) *мор.* зарядный погреб.

powdery ['paudərɪ] *a* 1) рассыпчатый; порошкообразный; похожий на пудру; 2) посыпанный порошком.

power ['pauə] **1.** *n* 1) сила; мощность, энергия; производительность; by ~ механической силой, приводом от двигателя; without ~ с выключенным двигателем; the mechanical ~s простые машины; 2) могущество, власть (*тж.* государственная); supreme ~ верховная власть; the party in ~ партия, стоящая у власти; 3) полномочие; the ~ of attorney мандат; 4) держава; the Great Powers великие державы; 5) способность; возможность; I will do all in my ~ я сделаю всё, что в моих силах; it is beyond my ~ это не в моей власти; 6) *разг.* много, множество; a ~ of money куча денег; a ~ of good много пользы; 7) *мат.* степень; eight is the third ~ of two восемь представляет собой два в третьей степени; 8) *опт.* сила увеличения (*линзы, микроскопа и т. п.*); 9) *attr.* силовой, энергетический; моторный; машинный; ◇ ~ politics политика с позиции силы; more ~ to your elbow! желаю успеха!; the ~s that be власти предержащие; merciful ~s! силы небесные!;
2. *v* снабжать силовым двигателем.

power-boat ['pauəbout] *n* моторный катер.

power circuit ['pauə‚sə:kɪt] *n эл.* силовая цепь.

power-dive ['pauədaɪv] *n ав.* пикирование с работающим двигателем.

powerful ['pauəful] *a* 1) сильный, могучий, мощный; 2) могущественный; 3) сильнодействующий; 4) яркий (*о речи, описании*).

power-house ['pauəhaus] *n* 1) электрическая станция; 2) *разг.* очень энергичный человек.

powerless ['pauəlɪs] *a* бессильный.

power-plant ['pauəpla:nt] *n* 1) силовая установка; 2) электростанция.

power-saw ['pauəsɔ:] *n тех.* мотопила.

power-shovel ['pauə‚ʃʌvl] *n* экскаватор.

power-station ['pauə‚steɪʃən] = power--house 1).

powwow ['pauwau] **1.** *n* 1) знахарь, колдун (*у североамериканских индейцев*); 2) собрание (*у индейцев*); 3) *амер.* совещание, конференция; обсуждение;
2. *v* 1) заниматься знахарством; 2) совещаться, разговаривать; обсуждать.

pox [pɔks] *n разг.* сифилис.

pozzy ['pɔzɪ] *n sl.* варенье, джем.

praam [prɑ:m] = pram I.

practicability [‚præktɪkə'bɪlɪtɪ] *n* 1) осуществимость; 2) целесообразность; 3) проходимость.

practicable ['præktɪkəbl] *a* 1) осуществимый, реальный; 2) полезный; могущий быть использованным; 3) проходимый, проезжий (*о дороге*); 4) *театр.* настоящий, не декоративный (*об окне, двери и т. п.*).

practical ['præktɪkəl] *a* 1) практический; 2) целесообразный, полезный; 3) практичный; 4) фактический; ◇ ~ joke (грубая) шутка (*сыгранная с кем-л.*).

practically ['præktɪkəlɪ] *adv* 1) практически; 2) [-klɪ] фактически; ~ speaking в сущности; 3) почти; ~ no changes почти никаких изменений.

practice ['præktɪs] **1.** *n* 1) практика, действие, применение; in ~ на практике, на деле; to put in(to) ~ осуществлять; 2) практика, упражнение, тренировка; to be out of ~ не упражняться, не иметь практики; 3) привычка, обычай; установленный порядок; it was then the ~ это было тогда принято; to put into ~ ввести в обиход, в обращение; 4) практика, деятельность по специальности (*юриста, врача*); 5) (*обыкн. pl*) происки, интриги; corrupt ~s взяточничество; discreditable ~s тёмные дела; sharp ~ мошенничество; 6) *воен.* учение; учебная стрельба; 7) *attr.* учебный, практический; опытный; ~ ground a) *воен.* учебный плац; б) *с.-х.* опытное поле; ~ march учебный марш; ◇ ~ makes perfect *посл.* ≅ навык мастера ставит;
2. *v* = practise.

practician [præk'tɪʃən] *n* практик.

practise ['præktɪs] *v* 1) применять, осуществлять; to ~ what one preaches жить согласно своим взглядам; 2) заниматься (*чем-л.*), практиковать; to ~ law быть юристом; 3) практиковать(ся), упражнять(ся); тренировать(ся); ☐ ~ upon обманывать; злоупотреблять *чем-л.*

practised ['præktɪst] **1.** *p. p. от* practise;
2. *a* опытный, умелый.

practitioner [præk'tɪʃnə] *n* 1) практикующий врач *или* юрист; general ~ врач общей практики (*терапевт и хирург*); 2) *редк.* профессионал.

praepostor [pri:'pɔstə] *n* старший ученик, наблюдающий за дисциплиной.

praetor ['pri:tə] *n др.-рим. ист.* претор.

praetorian [pri:'tɔ:rɪən] *др.-рим. ист.* **1.** *a* преторианский;
2. *n* преторианец.

pragmatic [præg'mætɪk] *a* 1) *филос.* прагматический; 2) *редк.* = pragmatical 1) и 2).

pragmatical [præg'mætɪkəl] *a* 1) назойливый, вмешивающийся в чужие дела; 2) догматичный; 3) *редк.* = pragmatic 1).

pragmatism ['prægmətɪzəm] *n* 1) *филос.* прагматизм; 2) назойливость; 3) догматизм.

prairie ['prɛərɪ] *n* 1) прерия, степь; 2) *attr.* степной, живущий в прерии.

prairie-chicken ['prɛərɪ‚tʃɪkɪn] *n зоол.* луговой тетерев.

prairie-dog ['prɛərɪdɔg] *n зоол.* степная собака.

prairie-hen ['prɛərɪhen] *n* самка лугового тетерева.

prairie-schooner ['prɛərɪ'sku:nə] *n амер. ист.* фургон переселенцев.

prairie-wolf ['prɛərɪwulf] *n* койот, луговой волк.

praise [preɪz] **1.** *n* хвала; восхваление; beyond ~ выше всякой похвалы; to be loud in one's ~s, to sing one's ~s восхвалять;

2. *v* хвалить; восхвалять; превозносить; to ~ to the skies превозносить до небес.

praiseworthy ['preɪz,wə:ðɪ] *a* достойный похвалы; похвальный.

Prakrit ['prɑ:krɪt] *n лингв.* пракрит.

praline ['prɑ:li:n] *n* пралине (*кондитерские изделия*).

pram I [prɑ:m] *n* плоскодонное судно, плашкоут.

pram II [præm] *разг. см.* perambulator 1).

prance [prɑ:ns] **1.** *n* 1) скачок; 2) гордая походка; 3) надменная манера, надменность;

2. *v* 1) становиться на дыбы, гарцевать; 2) ходить гоголем, важничать, задаваться; 3) *разг.* танцевать; прыгать.

prancing ['prɑ:nsɪŋ] **1.** *pres. p. om* prance 2);

2. *a* 1) скачущий; 2) важный (*о походке, манере держаться*).

prandial ['prændɪəl] *a шутл.* обеденный.

prang [præŋ] *ав. sl.* **1.** *n* 1) бомбардировка; 2) авария;

2. *v* поразить; разрушить; разбомбить; сбить (*самолёт*).

prank I [præŋk] *n* выходка, проказа, проделка, шалость; шутка; to play ~s a) откалывать штуки; б) капризничать (*о машине*).

prank II [præŋk] *v* украшать; наряжать (-ся), разряжаться (*часто* ~ out, ~ up).

prankish ['præŋkɪʃ] *a* 1) шаловливый; озорной; 2) шутливый.

praps [præps] *разг. см.* perhaps.

prase [preɪz] *n мин.* празем, зеленоватый кварц.

praseodymium [,preɪzɪou'dɪmɪəm] *n хим.* празеодимий.

prate [preɪt] **1.** *n* пустословие, болтовня; 2. *v* болтать, нести чепуху; разбалтывать.

praties ['preɪtɪz] *n pl ирл. разг.* картофель.

pratincole ['prætɪŋkoul] *n* тиркушка луговая (*птица*).

pratique ['præti:k] *фр. n мор.* свидетельство о снятии карантина; разрешение на сообщение с берегом.

prattle ['prætl] **1.** *n* 1) лепет; 2) болтовня; 2. *v* 1) лепетать; 2) болтать.

prattler ['prætlə] *n* 1) ребёнок; 2) болтун.

prawn [prɔ:n] **1.** *n зоол.* пильчатая креветка;

2. *v* ловить креветок.

praxis ['præksɪs] *n* 1) практика; 2) обычай; 3) *грам.* примеры (*для упражнения*).

pray [preɪ] *v* 1) молиться; 2) просить, молить, умолять; ~! пожалуйста!, прошу вас!; to ~ in aid of smb. *уст.* призывать кого-л. на помощь.

praya ['praɪə] *n англо-инд.* набережная.

prayer I [prɛə] *n* 1) молитва; 2) просьба; мольба.

prayer II ['preɪə] *n* 1) молящийся; 2) проситель.

prayer-book ['prɛəbuk] *n* требник.

prayerful ['prɛəful] *a* 1) богомольный; 2) молитвенный.

praying ['preɪŋ] **1.** *pres. p. om* pray;

2. *n* моление; ◇ he is beyond ~ он безнадёжен (*о больном или шутл.—о глупце*).

pre- [prɪ-] *pref* до-, пред-, впереди, заранее; *напр.:* prehistoric доисторический; preheat предварительно нагревать.

preach [pri:tʃ] *v* проповедовать; поучать; □ ~ down выступать против *чего-л.*; осуждать; ~ up восхвалять.

preacher ['pri:tʃə] *n* проповедник.

preaching ['pri:tʃɪŋ] **1.** *pres. p. om* preach;

2. *n* 1) проповедование; 2) проповедь.

preachment ['pri:tʃmənt] *n* проповедь (*особ.* скучная); нравоучение.

preachy ['pri:tʃɪ] *a* любящий проповедовать, поучать.

pre-admission [,pri:əd'mɪʃən] *n тех.* предварение впуска (*пара, горючей смеси*).

preamble [pri:'æmbl] *n* 1) преамбула; 2) предисловие, вступление;

2. *v* делать предисловие.

pre-arrange [pri:ə'reɪndʒ] *v* заранее подготавливать, планировать.

pre-arranged ['pri:ə'reɪndʒd] **1.** *p. p. om* pre-arrange;

2. *a* плановый, заранее подготовленный.

pre-audience [pri:'ɔ:djəns] *n юр.* право (*адвоката*) быть выслушанным раньше другого.

prebend ['prebənd] *n* 1) пребенда (*в католической церкви*); 2) земля или налог, дающие пребенду.

prebendary ['prebəndərɪ] *n* пребендарий.

pre-capitalist ['pri:'kæpɪtəlɪst] *a* докапиталистический.

precarious [prɪ'kɛərɪəs] *a* 1) случайный; ненадёжный, непрочный; 2) рискованный, опасный; 3) необоснованный.

precatory ['prekətərɪ] *a* просительный.

precaution [prɪ'kɔ:ʃən] *n* 1) предосторожность; to take ~s against smth. принять меры предосторожности против *чего-л.*; 2) предостережение.

precautionary [prɪ'kɔ:ʃnərɪ] *a* предупредительный; ~ measures меры предосторожности.

precede [pri:'si:d] *v* 1) предшествовать, стоять *или* идти перед (*чем-л.*), впереди (*кого-л.*); 2) превосходить (*по важности и т. п.*); занимать более высокое положение (*по должности*); быть впереди (*в каком-л. отношении*); 3) предпосылать (by); расчищать путь (with, by—для *чего-л.*).

precedence [pri:'si:dəns] *n* 1) предшествование; 2) первенство, превосходство (*в знаниях и т. п.*); более высокое положение (*по должности*); старшинство; to take ~ of a) превосходить; б) предшествовать.

precedent 1. *n* ['presɪdənt] прецедент;

2. *a* [prɪ'si:dənt] *редк.* предшествующий; condition ~ предварительное условие.

preceding [priːˈsiːdɪŋ] 1. *pres. p. om* precede;

2. *a* предшествующий.

precentor [priˈsentə] *n* регент хора.

precept [ˈpriːsept] *n* 1) наставление, правило, указание; инструкция; 2) заповедь; 3) *юр.* предписание.

preceptive [prɪˈseptɪv] *a* наставительный.

preceptor [prɪˈseptə] *n* наставник.

preceptorial [ˌpriːsepˈtɔːrɪəl] *a* наставнический.

preceptress [prɪˈseptrɪs] *n* наставница.

precession [prɪˈseʃən] *n астр.* прецессия (*тж.* ~ of the equinoxes).

pre-Christian [ˈpriːˈkrɪstjən] *a* дохристианский.

precinct [ˈpriːsɪŋkt] *n* 1) огороженная территория, прилегающая к зданию (*особ. к церкви*); 2) *pl* окрестности; 3) *амер.* полицейский *или* избирательный участок, округ; 4) предел, граница.

preciosity [ˌpreʃɪˈɔsɪtɪ] *n* изысканность, утончённость, изощрённость (*языка, стиля*).

precious [ˈpreʃəs] 1. *a* 1) драгоценный; ~ stone драгоценный камень; 2) дорогой; любимый; a ~ friend you have been! *ирон.* хорош друг!; 3) манерно-изысканный; 4) *разг. употр. для усиления*: do not be in such a ~ hurry не спешите так; he has got into a ~ mess он попал в весьма трудное положение;

2. *n* любимый; my ~ мой милый;

3. *adv* очень, здорово.·

precipice [ˈpresɪpɪs] *n* обрыв, пропасть.

precipitance, -cy [prɪˈsɪpɪtəns, -sɪ] *n* 1) стремительность; 2) опрометчивость.

precipitant [prɪˈsɪpɪtənt] *a* 1) стремительный; 2) действующий опрометчиво.

precipitate 1. *n* [prɪˈsɪpɪtɪt] *хим.* осадок.

2. *a* [prɪˈsɪpɪtɪt] 1) стремительный; 2) опрометчивый, неосмотрительный;

3. *v* [prɪˈsɪpɪteɪt] 1) низвергать, повергать; бросать; to ~ oneself бросаться вниз головой; 2) ускорять, торопить; 3) *хим.* осаждать(ся); отмучивать.

precipitation [prɪˌsɪpɪˈteɪʃən] *n* 1) низвержение; 2) стремительность; 3) ускорение, увеличение (*темпа*); 4) *хим.* осаждение; 5) *метеор.* выпадение осадков; осадки; annual ~ годовое количество осадков.

precipitous [prɪˈsɪpɪtəs] *a* крутой; обрывистый; отвесный.

précis [ˈpreɪsiː] *фр.* 1 *n* краткое изложение, конспект;

2. *v* составлять конспект.

precise [prɪˈsaɪs] *a* 1) точный; определённый; 2) аккуратный, пунктуальный; 3) чёткий, ясный; 4) тщательный; 5) педантичный; щепетильный.

precisely [prɪˈsaɪslɪ] *adv* 1) точно; 2) именно, совершенно верно (*как ответ*).

precisian [prɪˈsɪʒən] *n* формалист, педант.

precisianism [prɪˈsɪʒənɪzəm] *n* формализм, педантизм.

precision [prɪˈsɪʒən] *n* 1) точность; чёткость; 2) меткость; 3) *attr.* точный; меткий; ~ balance точные весы; ~ instrument точный инструмент, прецизионный инстру-

мент; ~ bombing прицельное бомбометание; ~ fire точный огонь, меткий огонь.

preclude [prɪˈkluːd] *v* 1) предотвращать, устранять; 2) мешать (from); this will ~ me from coming это помешает мне прийти.

preclusion [prɪˈkluːʒən] *n* препятствие, помеха.

precocious [prɪˈkouʃəs] *a* 1) рано развившийся; не по годам развитой; 2) преждевременный.

precocity [prɪˈkɔsɪtɪ] *n* раннее развитие, скороспелость.

preconceive [ˈpriːkənˈsiːv] *v* представлять себе заранее.

preconceived [ˈpriːkənˈsiːvd] 1. *p. p. om* preconceive;

2. *a* предвзятый; ~ notion предвзятое мнение.

preconception [ˈpriːkənˈsepʃən] *n* предвзятое мнение; предубеждение.

pre-concert [ˈpriːkənˈsɜːt] *v* уславливаться заранее.

pre-concerted [ˈpriːkənˈsɜːtɪd] 1. *p. p. om* pre-concert;

2. *a* обусловленный заранее.

pre-condemn [ˈpriːkənˈdem] *v* заранее осуждать.

pre-condition [ˈpriːkənˈdɪʃən] *n* предварительное *или* непременное условие, предпосылка.

pre-conquest [ˈpriːˈkɔŋkwest] *a ист.* донорманский, относящийся к периоду до норманского завоевания 1066 г.

pre-contract [ˈpriːˈkɔntrækt] 1. *n* более ранний контракт (*как препятствие к заключению нового*);

2. *v* заключить контракт заранее.

pre-costal [ˈpriːˈkɔstəl] *a анат.* предрёберный.

precursor [priːˈkɜːsə] *n* 1) предтеча, предшественник; 2) предвестник.

precursory [priːˈkɜːsərɪ] *a* 1) предвещающий (of); предшествующий; 2) предварительный.

predacious [priːˈdeɪʃəs] *a* хищный; хищнический.

predator [ˈpredətə] *n* хищник (*тж. перен.*).

predatory [ˈpredətərɪ] *a* 1) грабительский; 2) хищный.

predawn [priːˈdɔːn] *a* предутренний.

predecease [ˈpriːdɪˈsiːs] 1. *n* смерть (*кого-л.*), предшествовавшая смерти другого;

2. *v* умереть раньше другого.

predecessor [ˈpriːdɪsesə] *n* 1) предшественник; 2) предок.

predestination [priːˌdestɪˈneɪʃən] *n* предопределение.

predestine [priːˈdestɪn] *v* предопределять.

predetermine [ˈpriːdɪˈtɜːmɪn] *v* 1) предопределять, предрешать; 2) повлиять (*на кого-л.*); направить (*чьи-л.*) действия и *т. п.* в определённую сторону.

predial [ˈpriːdɪəl] 1. *n уст.* крепостной;

2. *a* 1) земельный; сельский; аграрный; 2) прикреплённый к земле (*о крепостном*).

predicament [prɪˈdɪkəmənt] *n* 1) затруднительное положение; затруднение; what a ~! какая досада!; 2) *лог.* категория.

predicant ['predɪkənt] 1. *n* проповедник; 2. *a* проповеднический.

predicate 1. *n* ['predɪkɪt] 1) *грам.* сказуемое, предикат; 2) *лог.* утверждение; 2. *v* ['predɪkeɪt] 1) утверждать (*тж. лог.; of, about*); 2) *амер.* основываться (upon).

predication [,predɪ'keɪʃən] *n* 1) утверждение (*тж. лог.*); 2) *грам.* предикация, сказуемостность.

predicative [prɪ'dɪkətɪv] *грам.* 1. *a* предикативный; 2. *n* предикативный член, именная часть составного сказуемого.

predict [prɪ'dɪkt] *v* предсказывать.

predicted [prɪ'dɪktɪd] 1. *p. p. от* predict; 2. *a:* ~ fire *воен.* стрельба по исчисленным данным; ~ interval *воен.* величина упреждения.

prediction [prɪ'dɪkʃən] *n* 1) предсказание; прогноз; 2) *воен.* вычисление данных для стрельбы; определение упреждения.

predictive [prɪ'dɪktɪv] *a* предсказывающий; пророческий.

predictor [prɪ'dɪktə] *n* предсказатель.

predilection [,priːdɪ'lekʃən] *n* пристрастие, склонность (for—к *чему-л.*).

predispose ['priːdɪs'pouz] *v* предрасполагать (to—к *чему-л.*).

predisposition ['priː,dɪspə'zɪʃən] *n* предрасположение, склонность.

predominance [prɪ'dɔmɪnəns] *n* превосходство, преобладание, господство.

predominant [prɪ'dɔmɪnənt] *a* преобладающий, доминирующий, господствующий (over—над).

predominate [prɪ'dɔmɪneɪt] *v* 1) господствовать, преобладать (over—над).

predominatingly [prɪ'dɔmɪ,neɪtɪŋlɪ] *adv* преимущественно.

pre-election [,priːɪ'lekʃən] *n* 1) предварительные выборы; 2) *attr.* предвыборный.

pre-eminence [priː'emɪnəns] *n* (огромное) превосходство.

pre-eminent [priː'emɪnənt] *a* выдающийся, превосходящий других.

pre-empt [priː'empt] *v* 1) покупать раньше других; 2) завладевать раньше других; 3) *амер.* приобретать преимущественное право на покупку государственной земли.

pre-emption [priː'empʃən] *n* 1) покупка прежде других; 2) преимущественное право на покупку (*амер.* на покупку государственной земли).

preen [priːn] *v* 1) чистить (*перья*) клювом; 2) (*обыкн. refl.*) прихорашиваться.

pre-establish ['priːɪs'tæblɪʃ] *v* устанавливать заранее.

pre-exist ['priːɪg'zɪst] *v* существовать до (*чего-л.*).

pre-existence ['priːɪg'zɪstəns] *n* предсуществование.

prefab ['priː'fæb] *сокр. разг. от* prefabricated house [*см.* prefabricated 2].

prefabricate ['priː'fæbrɪkeɪt] *v* изготовлять заранее, изготовлять заводским способом.

prefabricated ['priː'fæbrɪkeɪtɪd] 1. *p. p. от* prefabricate;

2. *a* изготовленный заранее, изготовленный заводским способом; ~ house сборный, стандартный дом.

preface ['prefɪs] 1. *n* 1) предисловие; вводная часть; 2) *перен.* пролог. 2. *v* 1) снабжать (*книгу и т. п.*) предисловием; 2) начинать (by, with); предпосылать; 3) делать предварительные замечания.

prefatory ['prefətərɪ] *a* вступительный, вводный.

prefect ['priːfekt] *n* 1) префект; 2) *школ.* старший ученик, следящий за дисциплиной.

prefecture ['priːfektjuə] *n* префектура.

prefer [prɪ'fəː] *v* 1) предпочитать; 2) повышать (*в чине*); продвигать (*по службе*); 3) представлять, подавать (*прошение, жалобу*); выдвигать (*требование*).

preferable ['prefərəbl] *a* предпочтительный.

preferably ['prefərəblɪ] *adv* предпочтительно, лучше.

preference I ['prefərəns] *n* 1) предпочтение; for ~ предпочтительно; 2) то, чему отдаётся предпочтение; of the two, this is my ~ из этих двух я предпочитаю вот это; 3) преимущественное право (*особ. на оплату долга*); 4) льготная таможенная пошлина; imperial ~ имперские преференции, взаимные таможенные льготы Великобритании и доминионов; 5) *attr.* привилегированный; ~ share привилегированная акция.

preference II ['prefərəns] *n карт.* преферанс.

preferential [,prefə'renʃəl] *a* 1) пользующийся предпочтением; предпочтительный; ~ shop *амер.* предприятие, администрация которого обязуется по договору с профсоюзом отдавать предпочтение членам профсоюза (*при приёме на работу, повышении в должности и т. п.*); 2) льготный (*о ввозных пошлинах*).

preferment [prɪ'fəːmənt] *n* продвижение по службе, повышение.

preferred [prɪ'fəːd] 1. *p. p. от* prefer; 2. *a* эк. привилегированный; ~ stock *амер.* привилегированные акции.

prefix 1. *n* ['priːfɪks] 1) *грам.* префикс, приставка; 2) слово, стоящее перед именем и указывающее на звание, положение и т. п. (*напр.*, Dr., Sir *и т. п.*); 2. *v* [priː'fɪks] 1) предпосылать; 2) приставлять спереди; прибавлять префикс.

preform [priː'fɔːm] *v* формировать заранее.

pregnable ['pregnəbl] *a* не неприступный (*о крепости и т. п.*); уязвимый.

pregnancy ['pregnənsɪ] *n* 1) беременность; 2) чреватость; 3) богатство (*воображения и т. п.*); содержательность.

pregnant ['pregnənt] *a* 1) беременная; 2) чреватый (with); 3) богатый (*о воображении и т. п.*); содержательный; 4) полный смысла, значения.

preheat [priː'hiːt] *v* предварительно нагревать, подогревать.

prehensile [prɪ'hensaɪl] *a зоол.* цепкий; приспособленный для хватания; хватательный.

prehension [prɪ'henʃən] *n* 1) *зоол.* хвата́ние; схва́тывание, захва́тывание; 2) спосо́бность схва́тывать, понима́ние.

prehistoric ['priːhɪs'tɔrɪk] *a* доистори́ческий.

pre-human [priː'hjuːmən] *a* существова́вший на земле́ до появле́ния челове́ка.

prejudge ['priː'dʒʌdʒ] *v* осужда́ть, не вы́слушав; предреша́ть.

prejudice ['predʒudɪs] 1. *n* 1) предубежде́ние; ~ in favour of smb. пристра́стное, незаслу́женно хоро́шее отноше́ние к кому́-л.; 2) предрассу́док; 3) уще́рб, вред; to the ~ of, in ~ of в уще́рб; without ~ to без уще́рба для (кого́-л., чего́-л.);

2. *v* 1) предубежда́ть (against—про́тив); 2) располага́ть (in favour of smb.—в чью́-л. по́льзу); 3) ста́вить под сомне́ние; 4) наноси́ть уще́рб, причиня́ть вред.

prejudicial [ˌpredʒu'dɪʃəl] *a* нанося́щий уще́рб, вре́дный, па́губный.

prelacy ['preləsɪ] *n* 1) прела́тство; 2) епископа́льное управле́ние це́рковью.

prelate ['prelɪt] *n* 1) прела́т; 2) *амер.* свяще́нник.

prelect [priː'lekt] *v* чита́ть ле́кцию.

prelection [priː'lekʃən] *n* ле́кция (*особ. в университе́те*).

prelector [priː'lektɔ] *n* ле́ктор.

prelim [prɪ'lɪm] *сокр. разг. от* preliminary examination [*см.* preliminary 2].

preliminary [prɪ'lɪmɪnərɪ] 1. *n* 1) (*часто pl*) подготови́тельное мероприя́тие; 2) *pl* предвари́тельные перегово́ры; прелимина́рии; 3) = ~ examination [*см.* 2];

2. *a* предвари́тельный; ~ examination вступи́тельный экза́мен.

prelude ['preljuːd] 1. *n* 1) вступле́ние; 2) *муз.* прелю́дия;

2. *v* 1) служи́ть вступле́нием; 2) начина́ть (with).

prelusive [prɪ'ljuːsɪv] *a* вступи́тельный.

premature [ˌpremə'tjuə] 1. *a* преждевре́менный; поспе́шный, непроду́манный;

2. *n воен.* преждевре́менный разры́в (*снаря́да и т. п.*).

prematurity [ˌpremə'tjuərɪtɪ] *n* преждевре́менность.

premeditate [priː'medɪteɪt] *v* обду́мывать, проду́мывать зара́нее.

premeditated [priː'medɪteɪtɪd] 1. *p. p. от* premeditate;

2. *a* преднаме́ренный, обду́манный зара́нее.

premeditation [priːˌmedɪ'teɪʃən] *n* преднаме́ренность.

premier ['premjə] 1. *n* 1) премье́р-мини́стр; 2) *амер.* госуда́рственный секрета́рь;

2. *a* пе́рвый.

première[prə'mjɛə] *фр. n театр.* премье́ра.

premise 1. *n* ['premɪs] 1) *лог.* (пред)посы́лка; 2) *pl юр.* вступи́тельная часть докуме́нта; 3) *pl* помеще́ние, дом (*с прилега́ющими пристро́йками и уча́стком*); ◇ to be consumed (*или* drunk) on the ~s прода́ётся распи́вочно; to be drunk to the ~s ≅ допи́ться до чёртиков; to see smb. off the ~s вы́проводить кого́-л.;

2. *v* [prɪ'maɪz] предпосыла́ть (that).

premiss ['premɪs] = premise 1, 1).

premium ['priːmjəm] *n* 1) награ́да; пре́мия; to put a ~ on smth. поощря́ть что-л., подстрека́ть к чему́-л.; 2) пла́та (*за обуче́ние и т. п.*); 3) страхова́я пре́мия; 4) *фин.* а́жио, лаж; ◇ at a ~ а) вы́ше номина́льной сто́имости; б) в большо́м спро́се, в большо́м почёте.

premonition [ˌpriːmə'nɪʃən] *n* 1) предупрежде́ние; 2) предчу́вствие.

premonitory [prɪ'mɔnɪtərɪ] *a* 1) предваря́ющий; предостерега́ющий; 2) *мед.* продрома́льный.

pre-natal ['priː'neɪtl] *a* происше́дший до рожде́ния; предродово́й; внутриутро́бный; ~ care наблюде́ние за бере́менной же́нщиной; гигие́на бере́менной.

prentice ['prentɪs] *n уст.* подмасте́рье; ◇ a ~ hand а) неуме́лая рука́; б) нело́вкая попы́тка (*сде́лать что-л.*).

preoccupation [priːˌɔkju'peɪʃən] *n* 1) за́нятие (*ме́ста*) ра́ньше (*кого́-л.*); 2) рассе́янность, озабо́ченность.

preoccupied [prɪ'ɔkjupaɪd] 1. *p. p. от* preoccupy;

2. *a* поглощённый мы́слями; озабо́ченный.

preoccupy [priː'ɔkjupaɪ] *v* 1) заня́ть, захвати́ть ра́ньше (*кого́-л.*); 2) занима́ть, поглоща́ть внима́ние.

pre-ordain ['priːɔː'deɪn] *v* предопределя́ть.

preordination [priːˌɔːdɪ'neɪʃən] *n* предопределе́ние.

prep [prep] 1. *n школ. sl.* 1) приготовле́ние уро́ков; 2) приготови́тельная шко́ла;

2. *a разг.* приготови́тельный.

prepacks [priː'pæks] *n pl* расфасо́ванные това́ры; полуфабрика́ты.

prepaid ['priː'peɪd] *past и p. p. от* prepay.

preparation [ˌprepə'reɪʃən] *n* 1) приготовле́ние, подгото́вка; to make ~s for гото́виться к, проводи́ть подгото́вку к; 2) приготовле́ние уро́ков; 3) препара́т; 4) лека́рство; 5) *горн.* обогаще́ние.

preparative [prɪ'pærətɪv] 1. *a* приготови́тельный, подготови́тельный; подгота́вливающий;

2. *n* приготовле́ние.

preparatory [prɪ'pærətərɪ] 1. *a* 1) приготови́тельный, предвари́тельный, подготови́тельный; 2): ~ to (*употр. как prep*) пре́жде чем, до того́ как;

2. *n* приготови́тельная шко́ла.

prepare [prɪ'pɛə] *v* 1) пригота́вливать(ся); I am not ~d to say я ещё не могу́ сказа́ть; 2) гото́вить(ся), подгота́вливать(ся); 3) гото́вить (*обе́д, лека́рство*); составля́ть (*смесь и т. п.*).

preparedness [prɪ'pɛədnɪs] *n* гото́вность, подгото́вленность.

prepay ['priː'peɪ] *v* (prepaid) 1) плати́ть вперёд; 2) франки́ровать.

prepense [prɪ'pens] *a* предумы́шленный; of malice ~ со злым у́мыслом.

pre-plan [priː'plæn] *v* предвари́тельно плани́ровать, намеча́ть зара́нее.

preponderance [prɪ'pɔndərəns] *n* переве́с, превосхо́дство, преоблада́ние.

preponderant [prɪ'pɔndərənt] *a* преобла́дающий, име́ющий переве́с, превосхо́дство.

preponderate [prɪ'pɔndəreɪt] v 1) перевешивать, иметь перевес; 2) превосходить, превышать (over—что-л.), преобладать.

preposition n грам. 1) [ˌprepə'zɪʃən] предлог; 2) [ˌpriːpə'zɪʃən] препозиция.

prepositional [ˌprepə'zɪʃənl] a грам. предложный.

prepositive [prɪ'pɔzɪtɪv] a грам. препозитивный, препозиционный.

prepossess [ˌpriːpə'zes] v 1) овладевать (о чувстве, идее, мысли и т. п.); 2) вдохновлять; внушать (чувство, мнение и т. п.); 3) производить благоприятное впечатление; располагать к себе; 4) предрасполагать; 5) иметь предубеждение.

prepossessing [ˌpriːpə'zesɪŋ] 1. pres. p. от prepossess;
2. a располагающий.

prepossession [ˌpriːpə'zeʃən] n 1) предвзятое отношение; предубеждение; 2) предрасположение.

preposterous [prɪ'pɔstərəs] a несообразный, нелепый, абсурдный.

prepotency [prɪ'poutənsɪ] n биол. преобладание, доминирование (признаков).

prepotent [prɪ'poutənt] a 1) очень могущественный; 2) более сильный; 3) биол. преобладающий, доминантный, доминирующий.

prepuce ['priːpjuːs] n анат. крайняя плоть.

Pre-Raphaelite ['priː'ræfəlaɪt] иск. 1. n прерафаэлит;
2. a прерафаэлитский.

prerequisite ['priː'rekwɪzɪt] 1. n предпосылка;
2. a необходимый как условие.

prerogative [prɪ'rɔgətɪv] n прерогатива, исключительное право; привилегия;
2. a обладающий прерогативой; ~ right преимущественное право.

presage ['presɪdʒ] 1. n 1) предзнаменование, предсказание; 2) предчувствие;
2. v 1) предзнаменовать, предвещать; предсказывать; 2) предчувствовать.

presbyopia [ˌprezbɪ'oupjə] n пресбиопия; старческая дальнозоркость.

presbyter ['prezbɪtə] n рел. пресвитер; священник; старейшина.

Presbyterian [ˌprezbɪ'tɪərɪən] рел. 1. n пресвитерианин;
2. a пресвитерианский.

presbytery ['prezbɪtərɪ] n рел. 1) пресвитерия; 2) собрание старейшин; 3) дом католического священника.

preschool ['priː'skuːl] a дошкольный; ~ child дошкольник, ребёнок дошкольного возраста.

prescience ['presɪəns] n предвидение.

prescient ['presɪənt] a предвидящий.

prescind [prɪ'sɪnd] v 1) отделять; 2) отвлекать внимание (from); 3) абстрагировать.

prescribe [prɪs'kraɪb] v 1) предписывать; 2) прописывать (лекарство; to, for—кому-л.; for—против чего-л.); 3) юр. требовать на основании права давности.

prescript ['priːskrɪpt] n предписание, постановление.

prescription [prɪs'krɪpʃən] n 1) предписывание; предписание; 2) мед. рецепт; 3) юр. право давности (тж. positive ~); negative ~ ограничение срока, в продолжение которого право имеет силу; 4) неписаный закон.

prescriptive [prɪs'krɪptɪv] a 1) предписывающий; 2) основанный на праве давности или давнем обычае.

preselection [ˌpriːsɪ'lekʃən] n предварительный отбор; предварительный подбор.

presence ['prezns] n 1) присутствие; наличие; ~ of mind присутствие духа; 2) присутствие, соседство, непосредственная близость; общество (какого-л. лица); I was admitted to his ~ я был допущен к нему; in this ~ в присутствии этого лица; 3) осанка, внешний вид.

presence-chamber ['prezns,tʃeɪmbə] n приёмный зал.

present I ['preznt] 1. n 1) настоящее время; at ~ в данное время; for the ~ на этот раз, пока; 2) юр.: these ~s сей документ; know all men by these ~s настоящим объявляется; 3): those (here) ~ присутствующие; 4) = tense [см. 2, 5)];
2. a 1) присутствующий, имеющийся налицо; to be ~ at присутствовать на (собрании и т. п.); to be ~ to the imagination жить в воображении; 2) теперешний, настоящий; современный; существующий; ~ boundaries существующие границы; 3) данный, этот самый; the ~ volume данная книга; the ~ writer пишущий эти строки; 4) уст. быстрый, надёжный; 5) грам.: ~ tense настоящее время; ~ participle причастие настоящего времени; ◇ ~ company excepted о присутствующих не говорят; all ~ and correct a) воен. все налицо (доклад начальнику); б) всё в порядке.

present II 1. n ['preznt] подарок; to make a ~ of smth. дарить что-л.;
2. v [prɪ'zent] 1) преподносить; дарить (with); to ~ one's compliment (или regards) свидетельствовать своё почтение; to ~ with a fait accompli [...,feɪ'ɑːkɔːŋ'pliː] ставить перед совершившимся фактом; 2) подавать; передавать на рассмотрение (заявление, законопроект, прошение и т. п.); 3) представлять (to—кому-л.); to ~ oneself представляться, являться; 4) представлять, являть собой; they ~ed a different aspect они выглядели иначе; 5) ставить (пьесу).

present III [prɪ'zent] воен. 1. n 1) взятие на караул; 2) взятие на прицел;
2. v 1) держать на караул; 2) целиться.

presentable [prɪ'zentəbl] a приличный; презентабельный.

presentation [ˌprezen'teɪʃən] n 1) представление; 2) подношение (подарка); 3) подарок; 4) театр. представление; 5) attr.: ~ copy экземпляр, подаренный автором.

present-day ['preznt'deɪ] a современный.

presentee I [ˌprezən'tiː] n получатель подарка.

presentee II [ˌprezən'tiː] n 1) кандидат (на должность); 2) лицо, представленное ко двору.

presentiment [prɪ'zentɪmənt] n предчувствие (особ. дурное).

presently ['prezntlɪ] *adv* 1) вскóре, немнóго врéмени спустя́; 2) тепéрь, сейчáс.

presentment [prɪ'zentmənt] *n* 1) представлéние, исполнéние (*в теáтре*); 2) изложéние, изображéние; 3) *юр.* заявлéние (*присяжных*); 4) официáльная жáлоба епúскопу.

preservation [,prezə:'veɪʃən] *n* 1) сохранéние; предохранéние; 2) сохрáнность; in (a state of) fair ~ хорошó сохранúвшийся; 3) консервúрование; 4) *уст.* заповéдник.

preservative [prɪ'zə:vətɪv] **1.** *a* предохранúтельный;
2. *n* предохранúтельное срéдство.

preserve [prɪ'zə:v] **1.** *n* 1) (*обыкн. pl*) консéрвы; варéнье; 2) охóтничий *или* рыболóвный заповéдник;
2. *v* 1) сохраня́ть, охраня́ть; оберегáть; 2) хранúть (*овощи, продукты*); **3) заготовля́ть впрок; консервúровать; 4) охраня́ть** от браконьéров.

preside [prɪ'zaɪd] *v* 1) председáтельствовать (at, over—на); 2) осуществля́ть контрóль, руковóдство.

presidency ['prezɪdənsɪ] *n* 1) председáтельство; 2) президéнтство; 3) *ист.* óкруг (*в Индии*).

president ['prezɪdənt] *n* 1) председáтель; 2) президéнт; 3) рéктор (*коллéджа*); 4) *амер.* президéнт, председáтель правлéния бáнка *или* компáнии; 5) *ист.* губернáтор (*колóнии*).

president elect ['prezɪdəntɪ'lekt] *n* úзбранный, но ещё не вступúвший в дóлжность президéнт.

presidential [,prezɪ'denʃəl] *a* президéнтский; ~ year год вы́боров президéнта.

presidio [prɪ'sɪdɪou] *исп. n* (*pl* -os [-ouz]) крéпость, форт.

presidium [prɪ'sɪdɪəm] *n* презúдиум; the Presidium of the Supreme Soviet of the USSR Президиум Верхóвного Совéта СССР.

press I [pres] **1.** *n* 1) дáвка; свáлка; 2) толпá; 3) спéшка; there is a great ~ of work мнóго неотлóжной рабóты; 4) надáвливание; give it a slight ~ слегкá нажмúте; 5) *тех.* пресс; 6) *спорт.* жим. штáнги; 7) печáтный станóк; печáтная маши́на; 8) типогрáфия; 9) печáть, печáтание; to correct the ~ прáвить коррéкту́ру; 10) печáть, прéсса; to have a good ~ получúть благоприя́тные óтзывы в прéссе; in the ~ в печáти; yellow ~ жёлтая прéсса; 11) шкаф (*часто в стене*); 12) *мор.*: ~ of sail максимáльное колúчество парусóв;
2. *v* 1) жать, нажимáть, прижимáть; 2) давúть, выдáвливать, выжимáть; to ~ home *тех.* вы́жать до концá, до откáза; 3) прессовáть; выдáвливать, штамповáть; 4) толкáть (*тж.* ~ up, ~ down); 5) *уст.* теснúть(ся) (*тж.* ~ round, ~ up); 6) (*часто pass.*) стесня́ть, затрудня́ть; hard ~ed в трýдном положéнии; to be ~ed for money испы́тывать дéнежные затруднéния; to be ~ed for time располагáть незначúтельным врéменем, óчень торопúться; 7) торопúть, трéбовать немéдленных дéйствий; time ~es врéмя не тéрпит; nothing remains that ~es бóльше не остáлось ничегó спéшного; 8) на-

стáивать; to ~ the words настáивать на буквáльном значéнии слов; 9) навя́зывать (оп, upon); 10) глáдить (*утюгóм*); 11) *спорт.* жать, выжимáть штáнгу; ☐ ~ down втúскивать; ~ forward протáлкиваться; ~ on спешúть; ~ out а) выжимáть; б) решúтельно продолжáть; ~ to понуждáть; ~ upon тяготúть.

press II [pres] *ист.* **1.** *v* 1) вербовáть сúлой, насúльно; to ~ into the service of *перен.* испóльзовать для; 2) реквизúровать;
2. *n* вербóвка сúлой.

press agency ['pres,eɪdʒənsɪ] *n* газéтное агéнтство.

press agent ['pres,eɪdʒənt] *n* агéнт по печáти и реклáме.

press-bed ['presbed] *n* **складнáя** кровáть (*убирáющаяся в шкаф*).

press-box ['presbɔks] *n* местá для представúтелей печáти (*на состяза́ниях, спектáклях и т. п.*).

press-button ['pres,bʌtn] *n* 1) контáктная кнóпка; 2) *attr.* кнóпочный.

press-clipping ['pres,klɪpɪŋ] = press-cutting.

press-conference ['pres'kɔnfərəns] *n* пресс-конферéнция.

press-corrector ['preskə,rektə] *n полигр.* коррéктор.

press-cutting ['pres,kʌtɪŋ] *n* 1) газéтная вы́резка; 2) *attr.*: ~ agency бюрó вы́резок.

press-gallery ['pres,gælərɪ] *n* местá для представúтелей печáти (*в парлáменте, на съéзде и т. п.*).

press-gang ['presgæŋ] *n ист.* отря́д вербóвщиков.

pressing I ['presɪŋ] **1.** *pres. p. от* press I, 2;
2. *a* 1) неотлóжный, спéшный; 2) настоя́тельный;
3. *n* óттиск (*в звукозáписи*).

pressing II ['presɪŋ] *pres. p. от* press II, 1.

pressman ['presmən] *n* 1) журналúст, репортёр, газéтчик; 2) печáтник; 3) прессóвщик.

pressmark ['presmɑːk] *n* шифр (*кнúги*).

press proof ['prespruːf] *n полигр.* свóдка.

pressroom ['presrum] *n* 1) кóмната для журналúстов; 2) *полигр.* печáтный цех.

pressure ['preʃə] *n* 1) давлéние; 2) сжáтие, стúскивание; 3) *перен.* давлéние; to act under ~ дéйствовать под давлéнием, недобровóльно; to bring ~ to bear upon smb., to put ~ upon smb. окáзывать давлéние на когó-л.; 4) стеснённость, затруднúтельные обстоя́тельства; financial ~ дéнежные затруднéния; 5) гнёт; 6) *уст.* отпечáток; 7) *физ.* давлéние; сжáтие; 8) *метеор.* атмосфéрное давлéние; 9) *тех.* прессовáние; тиснéние; 10) *эл.* напряжéние; 11) *attr.*: ~ group влия́тельная клúка, окáзывающая давлéние на полúтику (*преим. путём закулúсных интрúг*); ◇ to work at high (low) ~ рабóтать бы́стро, энергúчно (вя́ло, с прохлáдцей).

pressure-cooker ['preʃə,kukə] *n* гермети́ческая кастрю́ля для бы́строго приготовлéния пúщи.

pressure-cooking ['preʃə,kukɪŋ] *n* приготовлéние пúщи в гермети́ческой кастрю́ле.

pressure-gauge ['preʃə,geidʒ] *n тех.* манометр.

prestidigitation ['presti,didʒi'teiʃən] *n* ловкость рук; показывание фокусов.

prestidigitator [,presti'didʒiteitə] *n* фокусник.

prestige [pres'tiːʒ] *фр. n* престиж.

presto ['prestou] *um. adv, n муз.* престо.

presumable [pri'zjuːməbl] *a* возможный, вероятный.

presumably [pri'zjuːməbli] *adv* предположительно; по-видимому.

presume [pri'zjuːm] *v* 1) предполагать, полагать; допускать; считать доказанным; 2) осмеливаться, позволять себе; □ ~ upon a) слишком полагаться на; б) злоупотреблять; to ~ upon a short acquaintance фамильярничать.

presumedly [pri'zjuːmidli] *adv* предположительно; вероятно.

presuming [pri'zjuːmiŋ] 1. *pres. p. от* presume;
2. *a* самонадеянный.

presumption [pri'zʌmpʃən] *n* 1) самонадеянность; 2) предположение; 3) основание для предположения; вероятность; there's a strong ~ against it это маловероятно; 4) *юр.* презумпция.

presumptive [pri'zʌmptiv] *a* предполагаемый; предположительный; ~ evidence показания, основанные на догадках.

presumptuous [pri'zʌmptjuəs] *a* самонадеянный; нахальный.

presuppose [,priːsə'pouz] *v* 1) предполагать; 2) заключать в себе, включать в себя.

presupposition [,priːsʌpə'ziʃən] *n* предположение.

pretence [pri'tens] *n* 1) отговорка; under the ~ of под предлогом; под видом; 2) притворство; обман; on (*или* under) false ~s обманным путём; 3) претензия; требование; to make no ~ of smth. не претендовать на что-л.; 4) претенциозность.

pretend [pri'tend] *v* 1) ссылаться на, использовать в качестве предлога; 2) притворяться, делать вид; симулировать; 3) претендовать (to—на *что-л.*); 4) решиться, позволить себе; 5) прикидываться, разыгрывать из себя.

pretended [pri'tendid] 1. *p. p. от* pretend; 2. *a* поддельный, притворный, лицемерный.

pretender [pri'tendə] *n* 1) притворщик, симулянт; 2) претендент; the Old (the Young) P. *ист.* старший сын (внук) Иакова II.

pretense [pri'tens] *амер.* = pretence.

pretension [pri'tenʃən] *n* 1) претензия, притязание; предъявление прав (to—на *что-л.*); 2) притворство; 3) претенциозность.

pretentious [pri'tenʃəs] *a* претенциозный.

pretentiousness [pri'tenʃəsnis] *n* претенциозность.

preterhuman [,priːtə'hjuːmən] *a* нечеловеческий, сверхчеловеческий.

preterit(e) ['pretərit] *n грам.* форма прошедшего времени.

pretermission [,priːtə'miʃən] *n* 1) упущение, небрежность; ~ of duty нерадение по службе; 2) перерыв, пропуск.

pretermit [,priːtə'mit] *v* 1) пропустить, не упомянуть; 2) пренебречь; бросить; 3) прервать.

preternatural [,priːtə'nætʃrəl] *a* сверхъестественный; противоестественный.

pretext 1. *n* ['priːtekst] предлог, отговорка; on (*или* under, upon) the ~ of (*или* that) под тем предлогом, что;
2. *v* [pri'tekst] приводить в качестве отговорки.

prettify ['pritifai] *v* принаряжать, украшать.

prettily ['pritili] *adv* красиво; привлекательно.

pretty ['priti] 1. *a* 1) хорошенький, прелестный; 2) приятный; хороший (*тж. ирон.*); a ~ business! хорошенькое дело!; 3) *разг.* значительный, изрядный; a ~ penny, a ~ sum кругленькая сумма;
2. *n* 1): my ~ душка (*в обращении*); 2) *pl* красивые вещи, платья; 3) *амер.* безделушка, хорошенькая вещица.
3. *adv разг.* довольно, достаточно (*тк. с прил. и нареч.*); ~ much очень, в большой степени; I feel ~ sick about it мне это очень надоело; I'm feeling ~ well я хорошо себя чувствую; that is ~ much the same thing это почти то же самое.

pretty-pretty ['priti,priti] *разг.* 1. *a* аффектированный, слащаво красивый; just a ~ face кукольное личико;
2. *n pl* безделушки.

prevail [pri'veil] *v* 1) преобладать, господствовать, превалировать (over); 2) превозмогать, одолевать; 3) торжествовать (over); достигать цели; 4) существовать; быть распространённым; □ ~ (up)on убедить, уговорить.

prevailing [pri'veiliŋ] 1. *pres. p. от* prevail;
2. *a* 1) господствующий; превалирующий; преобладающий; 2) широко распространённый.

prevalence ['prevələns] *n* 1) широкое распространение; распространённость; 2) *редк.* господство, преобладание.

prevalent ['prevələnt] *a* 1) (широко) распространённый; 2) *редк.* преобладающий; превалирующий.

prevaricate [pri'værikeit] *v* говорить *или* действовать уклончиво; увиливать, кривить душой.

prevarication [pri,væri'keiʃən] *n* увиливание; уклончивость.

prevaricator [pri'værikeitə] *n* лукавый человек; человек, уклоняющийся от истины.

prevenance ['previnəns] *n* 1) услужливость; вежливость; 2) одолжение.

prevent [pri'vent] *v* 1) предотвращать, предохранять, предупреждать; препятствовать (from — *чему-л.*); не допускать.

preventer [pri'ventə] *n мор.* предохранитель (*тросовый или цепной*); предохранительный трос.

prevention [pri'venʃən] *n* предотвращение, предохранение, предупреждение; ~ of accidents техника безопасности; ◇ ~ is better than cure *посл.* предупрежде́ние лу́чше лече́ния.

preventive [prɪ'ventɪv] 1. *a* 1) предупреди́тельный; ~ measure предупреди́тельная ме́ра; 2) *мед.* профилакти́ческий; 3) превенти́вный; 4) противоконтраба́ндный; P. Service слу́жба берегово́й охра́ны;
2. *n* 1) предупреди́тельная ме́ра; 2) *мед.* профилакти́ческое сре́дство; 3) берегова́я охра́на.

preview ['pri:vju:] *n* 1) закры́тый просмо́тр кинофи́льма до пока́за его́ на экра́нах; закры́тый просмо́тр но́вых мод *и т. п.*; 2) рекла́мный пока́з отры́вков из кинокарти́ны, предназна́ченной к демонстри́рованию в ближа́йшем бу́дущем.

previous ['pri:vjəs] 1. *a* 1) предыду́щий; предше́ствующий (to); 2) *разг.* преждевре́менный, поспе́шный, опроме́тчивый; ◇ P. Examination пе́рвый экза́мен на сте́пень бакала́вра (*в Ке́мбриджском университе́те*); the ~ question *парл.* вопро́с о постано́вке на голосова́ние гла́вного пу́нкта обсужде́ния (*в Англии—с це́лью отклоне́ния гла́вного вопро́са без голосова́ния, в США — с це́лью сокраще́ния пре́ний и ускоре́ния голосова́ния*);
2. *adv:* ~ to до, пре́жде, ра́нее.

previously ['pri:vjəslɪ] *adv* зара́нее, предвари́тельно.

previse [pri:'vaɪz] *v редк.* 1) предви́деть; 2) предостерега́ть.

prevision [pri:'vɪʒən] *n* предви́дение.

pre-war ['pri:'wɔ:] *a* довое́нный.

prex [preks] *n амер. sl.* глава́ (*колле́джа, университе́та*).

prexy ['preksɪ] = prex.

prey [preɪ] 1. *n* 1) добы́ча; 2) же́ртва; to be (to become, to fall) a ~ to smth. быть (сде́латься) же́ртвой чего́-л.;
2. *v* (*обыкн.* ~ on, ~ upon) 1) охо́титься, лови́ть; 2) обма́нывать, вымога́ть; 4) гра́бить; 4) терза́ть, му́чить; his misfortune ~s on his mind его́ несча́стье гнетёт его́.

price [praɪs] 1. *n* 1) цена́; above (*или* beyond, without) ~ бесце́нный; at a ~ по дорого́й цене́; 2) це́нность; of great ~ *уст.* драгоце́нный; 3) цена́, же́ртва; at any ~ любо́й цено́й, во что́ бы то ни ста́ло; not at any ~ ни за что́;
2. *v* назнача́ть це́ну, оце́нивать.

price-boom ['praɪsbu:m] *n* высо́кий у́ровень цен.

price current ['praɪs,kʌrənt] *n* прейскура́нт.

price-cutting ['praɪs,kʌtɪŋ] *n* сниже́ние цен.

priced [praɪst] 1. *p. p. от* price 2;
2. *a* оценённый; ~ catalogue катало́г с расце́нкой.

priceless ['praɪslɪs] *a* 1) бесце́нный; неоцени́мый; 2) *sl.* о́чень заба́вный; абсу́рдный, неле́пый.

price level ['praɪs,level] *n* у́ровень цен.

price-list ['praɪslɪst] = price current.

price-ring ['praɪsrɪŋ] *n эк.* монополисти́ческое объедине́ние промы́шленников с це́лью повыше́ния цен *или* уде́ржания их на определённом у́ровне.

price-slashing ['praɪs,slæʃɪŋ] = price-cutting.

price-wave ['praɪsweɪv] *n* колеба́ние цен.

prick [prɪk] 1. *n* 1) уко́л, проко́л; 2) остриё, игла́ (*для прочи́стки*); 3) *бот.* шип, колю́чка, игла́; 4) о́страя боль (как) от уко́ла; 5) *груб.* полово́й член; ◇ the ~s of conscience угрызе́ния со́вести; to kick against the ~s ≅ лезть на рожо́н; сопротивля́ться во вред себе́;
2. *v* 1) (у)коло́ть(ся); 2) прока́лывать; просве́рливать, прочища́ть (*отве́рстие*); 3) му́чить, терза́ть; my toe is ~ing with the gout у меня́ подагри́ческая боль в па́льце ноги́; my conscience ~ed me меня́ му́чила со́весть; 4) нака́лывать (*узо́р*); 5) де́лать поме́тки (*в спи́ске и т. п.*); to ~ smb. for sheriff назнача́ть кого́-л. шери́фом (*отмеча́я его́ и́мя в спи́ске*); 6) закова́ть (*ло́шадь*); 7) *уст.* пришпо́ривать (*тж.* ~ on, ~ forward); □ ~ in, ~ off сажа́ть расса́ду; пикирова́ть се́янцы; ~ out a) = ~ in, ~ off; б) пока́зывать, появля́ться (в ви́де то́чек); ◇ to ~ a (*или* the) bladder (*или* bubble) показа́ть пустоту́, ничто́жество (*кого́-л., чего́-л.*); to ~ up one's ears навостри́ть у́ши, насторожи́ться.

prick-eared ['prɪk,ɪəd] *a* 1) с торча́щими вверх уша́ми, остроу́хий; 2) с откры́тыми уша́ми (*про́звище пурита́н XVII в.*).

prick-ears ['prɪk'ɪəz] *n pl* 1) остроконе́чные у́ши; 2) *перен.* «у́шки на маку́шке».

pricker ['prɪkə] *n* 1) о́стрый инструме́нт, ши́ло *и т. п.*; 2) боде́ц, стрека́ло.

pricket ['prɪkɪt] *n* 1) годова́лый оле́нь; 2) остриё, на кото́рое наса́живается свеча́.

pricking ['prɪkɪŋ] 1. *pres. p. от* prick 2;
2. *n* 1) прока́лывание; 2) пока́лывание.

prickle ['prɪkl] 1. *n* шип, колю́чка; и́глы (*ежа́, дикобра́за и т. п.*);
2. *v* 1) коло́ть, прока́лывать; 2) испы́тывать пока́лывание, колотьё; 3) подстрека́ть.

prickly ['prɪklɪ] *a* 1) име́ющий шипы́, колю́чки; 2) колю́чий.

prickly heat ['prɪklɪ'hi:t] *n мед.* тропи́ческий лиша́й; потни́ца.

prickly pear ['prɪklɪ'pɛə] *n* опу́нция (*род ка́ктуса*).

pride [praɪd] 1. *n* 1) го́рдость; чу́вство удовлетворе́ния; to take (a) ~ in smth. а) горди́ться чем-л.; испы́тывать чу́вство го́рдости за что-л.; б) получа́ть удовлетворе́ние от чего́-л.; 2) горды́ня; спесь; ~ of place высо́кое положе́ние; упоённость со́бственным положе́нием; высокоме́рие; 3) чу́вство со́бственного досто́инства (*тж.* proper ~); false — чва́нство; тщесла́вие; 4) предме́т го́рдости; 5) верх, вы́сшая сте́пень; са́мое лу́чшее состоя́ние *или* положе́ние; in the ~ of one's youth в расцве́те сил; ◇ ~ of the morning тума́н *или* дождь на рассве́те; to put one's ~ in one's pocket, to swallow one's ~ подави́ть самолю́бие; проглоти́ть оби́ду;
2. *v refl.* горди́ться (on, upon — кем-л., чем-л.).

priest [pri:st] *n* 1) свяще́нник; 2) жрец.

priestcraft ['pri:stkrɑ:ft] *n* вмеша́тельство духове́нства в све́тские дела́; интри́ги и ко́зни духове́нства.

priestess ['pri:stɪs] *n* жрица.

priesthood ['pri:sthud] *n* 1) священство; 2) духовенство.

priestling ['pri:stlɪŋ] *n* пренебр. попик, поп.

priestly ['pri:stlɪ] *a* священнический; приличествующий духовному лицу.

priest-ridden ['pri:st,rɪdn] *a* находящийся под властью духовенства, испытывающий на себе тиранию церкви.

prig [prɪg] **1.** *n* 1) педант, формалист; ограниченный и самодовольный человек; 2) *sl.* вор;
2. *v sl.* воровать.

priggish ['prɪgɪʃ] *a* педантичный; самодовольный.

prill [prɪl] *n* горн. самородок; небольшой кусок руды; образец, проба.

prim [prɪm] **1.** *a* 1) чопорный; натянутый; 2) аккуратный; ◇ ~ and proper жеманный;
2. *v* 1) принимать натянутый вид; 2): to ~ one's lips поджимать губы.

primacy ['praɪməsɪ] *n* 1) первенство; 2) сан архиепископа.

prima donna ['pri:mə'dɔnə] *шт. n* (*pl* prima donnas) примадонна.

primaeval [praɪ'mi:vəl] = primeval.

primage ['praɪmɪdʒ] *n* мор. прибавка к фрахту (*за пользование грузовыми устройствами судна*); вознаграждение капитану с фрахта.

primal ['praɪməl] *a* 1) примитивный, первобытный; 2) главный, основной.

primarily ['praɪmərɪlɪ] *adv* 1) первоначально, сперва, сначала; 2) первым делом, главным образом.

primary ['praɪmərɪ] **1.** *n* 1) что-л. имеющее первостепенное значение; 2) *амер.* предвыборное собрание избирателей, принадлежащих к одной политической партии, для выдвижения кандидатов; 3) основной цвет; 4) *астр.* планета, вращающаяся вокруг солнца; 5) *эл.* первичная обмотка (*трансформатора*); 6) *геол.* палеозойская эра;
2. *a* 1) первоначальный, первичный; ~ school начальная школа; *геол.* первичные породы; 2) основной; важнейший, главный; ~ colours основные цвета; the ~ planets планеты, вращающиеся вокруг солнца; of ~ importance первостепенной важности; 3) *биол.* простейший.

primate ['praɪmɪt] *n* архиепископ, примас.

primates [praɪ'meɪti:z] *n pl зоол.* приматы.

prime [praɪm] **1.** *n* 1) расцвет; in the ~ of life во цвете лет; 2) лучшая часть, цвет; 3) начало, весна; ~ of the year весна; 4) *церк.* заутреня (*у католиков*); 5) первая позиция (*в фехтовании*); 6) *мат.* простое число;
2. *a* 1) главный; P. Minister премьер-министр; 2) основной, важнейший; ~ advantage важнейшее преимущество; 3) превосходный, лучший; in ~ condition в прекрасном состоянии; ~ crop первоклассный урожай; 4) первоначальный, первич-

ный; ~ cause первопричина; ~ cost *полит.-эк.* себестоимость; ~ mover *тех.* первичный двигатель; пусковой двигатель; *перен.* душа какого-л. дела; ~ number *мат.* простое число;
3. *v* 1) наполнять; ~d with a hearty meal плотно поевши; 2) закладывать мину; вставлять запал *или* взрыватель; 3) *жив., стр.* грунтовать; 4) заливать (*двигатель и т. п. перед пуском*); 5) заранее снабжать информацией, инструкциями *и т. п.*; натаскивать, учить готовым ответам; 6) *воен. уст.* затравливать порохом.

primely ['praɪmlɪ] *adv разг.* превосходно.

primer I ['praɪmə] *n* 1) букварь; начальный учебник; 2) ['prɪmə] *полигр.*: great ~ шрифт в 18 пунктов; long ~ корпус; 3) *жив., стр.* грунтовка.

primer II ['praɪmə] *n* пистон; капсюль, запал; инициирующее взрывчатое вещество.

primeval [praɪ'mi:vəl] *a* первобытный.

priming ['praɪmɪŋ] **1.** *pres. p. от* prime 3; **2.** *n* 1) *жив., стр.* грунт, грунтовка; 2) *тех.* заправка, заливка, заполнение; 3) *воен. уст.* затравка.

primitive ['prɪmɪtɪv] **1.** *a* 1) примитивный; 2) первобытный; 3) старомодный; простой, грубый; 4) основной; 5) *геол.* первозданный;
2. *n* 1) основной цвет; 2) *жив.* примитив; 3) *жив.* примитивист.

primness ['prɪmnɪs] *n* чопорность; жеманство.

primogenitor [,praɪmou'dʒenɪtə] *n* (древнейший) предок.

primogeniture [,praɪmou'dʒenɪtʃə] *n* 1) первородство; 2) право старшего сына на наследование недвижимости.

primordial [praɪ'mɔ:djəl] *a* 1) изначальный, исконный; 2) первобытный.

primrose ['prɪmrouz] *n* 1) *бот.* первоцвет; 2) *attr.* бледно-жёлтый; ◇ P. Day 19-е апреля (*день памяти Дизраэли*); the ~ path путь наслаждений.

primula ['prɪmjulə] *n бот.* первоцвет, примула.

primus ['praɪməs] *n* примус.

prince [prɪns] *n* 1) принц; P. of Wales принц Уэльский, наследник английского престола; 2) князь; 3) *уст.* государь, правитель; 4) выдающийся деятель (*литературы, искусства и т. п.*); 5) король, магнат, крупный предприниматель *и т. п.*; ◇ P. of the Church кардинал; P. of darkness (*или* of the air, of the world) сатана; Hamlet without the P. of Denmark что-л. лишённое самого важного, самой сути.

princeling ['prɪnslɪŋ] *n пренебр.* князёк.

princely ['prɪnslɪ] *a* 1) царственный; 2) великолепный, роскошный.

princess I [prɪn'ses] *n* принцесса; княгиня; княжна; ~ royal ['prɪnses'rɔɪəl] старшая дочь английского короля.

princess II [prɪn'ses] *n* сорт кровельной черепицы.

principal ['prɪnsəpəl] **1.** *n* 1) глава, начальник; патрон; принципал; 2) ректор университета; директор колледжа *или* школы; 3) *театр.* главное действующее лицо; 4) *юр.* гла́вный вино́вник; 5) *эк.* основна́я су́мма, капита́л (*сумма, на кото́рую начисля́ются проце́нты*); 6) *стр.* стропи́льная фе́рма;

2. *a* 1) гла́вный, основно́й; ~ sum основно́й капита́л; 2) веду́щий; 3) *грам.* гла́вный; ~ clause гла́вное предложе́ние; ~ parts of the verb основны́е фо́рмы глаго́ла.

principality [‚prɪnsɪ'pælɪtɪ] *n* кня́жество; the P. Уэ́льс.

principally ['prɪnsəplɪ] *adv* гла́вным о́бразом, преиму́щественно.

principle ['prɪnsəpl] *n* 1) при́нцип; пра́вило, зако́н; unanimity ~ при́нцип единогла́сия; in ~ в при́нципе; on ~ из при́нципа; of ~ принципиа́льный; a question of ~ принципиа́льный вопро́с; a man of no ~s беспринци́пный челове́к; 2) первопричи́на; причи́на, исто́чник; 3) *хим.* составна́я часть, элеме́нт; 4) при́нцип устро́йства (*машины и т. п.*).

principled ['prɪnsəpld] *a* принципиа́льный; с твёрдыми усто́ями.

pringle ['prɪŋgl] *v* 1) неприя́тно пока́лывать, пощи́пывать; 2) издава́ть неприя́тный звук.

prink [prɪŋk] *v* 1) чи́стить пе́рья (*о пти́цах*); 2) наряжа́ть(ся), прихора́шивать(ся).

print [prɪnt] **1.** *n* 1) о́ттиск; отпеча́ток; след; 2) шрифт, печа́ть; small (large, close) ~ ме́лкая (кру́пная, убо́ристая) печа́ть; 3) печа́тание, печа́ть; in ~ а) в печа́ти; б) в прода́же (*о книге, брошю́ре и т. п.*); out of ~ распро́данный; разоше́дшийся; to rush into ~ отдава́ть сли́шком поспе́шно материа́л в печа́ть (*особ. недоста́точно обрабо́танный*); 4) гравю́ра, эста́мп; 5) (*преим. амер.*) печа́тное изда́ние; газе́та; 6) штамп; 7) фотографи́ческая ка́рточка; 8) набивна́я ткань, си́тец; 9) *attr.* си́тцевый; 10) *attr.* печа́тный; ~ hand письмо́ печа́тными бу́квами;

2. *v* 1) печа́тать; 2) запечатлева́ть; 3) писа́ть печа́тными бу́квами; 4) *фото* отпеча́тывать(ся) (*тж.* ~ out, ~ off); 5) набива́ть (*ситец*).

printer ['prɪntə] *n* 1) печа́тник; типо́граф; 2) *текст.* набо́йщик; ◇ to spill ~'s ink печа́таться; ~'s devil учени́к в типогра́фии.

printing ['prɪntɪŋ] **1.** *pres. p. om* print 2; **2.** *n* 1) печа́тание, печа́ть; 2) печа́тное изда́ние; 3) тира́ж; 4) печа́тное де́ло.

printing-house ['prɪntɪŋ‚haus] *n* типогра́фия.

printing-ink ['prɪntɪŋ‚ɪŋk] *n полигр.* печа́тная кра́ска.

printing-machine ['prɪntɪŋmə‚ʃiːn] = printing-press.

printing-press ['prɪntɪŋ‚pres] *n* печа́тный стано́к, печа́тная маши́на.

print-seller ['prɪnt‚selə] *n* продаве́ц гравю́р.

print-shop ['prɪntʃɔp] *n* 1) типогра́фия; 2) магази́н гравю́р.

print-works ['prɪntwəːks] *n pl* (*употр. как sing и как pl*) ситценаби́вная фа́брика.

prior I ['praɪə] *a* 1) пре́жний; предше́ствующий; 2) бо́лее ва́жный, ве́ский; a ~ claim бо́лее ве́ская прете́нзия; 3): ~ to

(*употр. как prep*) ра́ньше, пре́жде, до; ~ to my arrival до моего́ прие́зда.

prior II ['praɪə] *n* настоя́тель, прио́р.

prioress ['praɪərɪs] *n* настоя́тельница.

priority [praɪ'ɔrɪtɪ] *n* 1) приорите́т, старшинство́; 2) поря́док сро́чности, очерёдности; to take ~ of... а) предше́ствовать...; б) по́льзоваться преиму́ществом...

priory ['praɪərɪ] *n* монасты́рь, прио́рат.

prise [praɪz] = prize III.

prism ['prɪzəm] *n* при́зма.

prismatic [prɪz'mætɪk] *a* призмати́ческий.

prison ['prɪzn] **1.** *n* 1) тюрьма́; 2) *attr.* тюре́мный; ~ hospital тюре́мная больни́ца; ~ camp ла́герь военнопле́нных;

2. *v поэт.* заключа́ть в тюрьму́.

prison-breaker ['prɪzn‚breɪkə] *n* бежа́вший из тюрьмы́.

prison-breaking ['prɪzn‚breɪkɪŋ] *n* побе́г из тюрьмы́.

prisoner ['prɪznə] *n* 1) заключённый, подсуди́мый, аресто́ванный (*тж.* ~ at the bar); ~ on bail подсуди́мый, отпу́щенный на пору́ки; ~ of State госуда́рственный престу́пник, полити́ческий заключённый; 2) (вое́нно)пле́нный (*тж.* ~ of war); 3) *перен.* лишённый свобо́ды де́йствия; he is a ~ to his chair он прико́ван (боле́знью) к кре́слу.

prison-house ['prɪznhaus] *n ритор.* тюрьма́.

pristine ['prɪstaɪn] *a* 1) дре́вний, первонача́льный; 2) чи́стый, нетро́нутый; неиспо́рченный.

prithee ['prɪðiː] *int* (*сокр. от* I pray thee) *уст.* прошу́.

privacy ['praɪvəsɪ] *n* 1) уедине́ние, уединённость; 2) та́йна, секре́тность; in the ~ of one's thoughts в глубине́ души́.

private ['praɪvɪt] **1.** *a* 1) ча́стный, ли́чный; ~ bill парла́ментский законопрое́кт, каса́ющийся отде́льных лиц *или* корпора́ций; ~ life ли́чная жизнь; ~ means ли́чное состоя́ние; ~ property ча́стная со́бственность; ~ office ли́чный кабине́т; ~ (medical) practitioner частнопрактику́ющий врач; ~ secretary ли́чный секрета́рь; ~ view просмо́тр карти́н (*до официа́льного откры́тия вы́ставки*); 2) не находя́щийся на госуда́рственной слу́жбе, не занима́ющий официа́льного поста́; ~ member член парла́мента, не занима́ющий никако́го госуда́рственного поста́; 3) уединённый; 4) та́йный, конфиденциа́льный; for one's own ~ ear по секре́ту; to keep a thing ~ держа́ть что-л. в та́йне; ◇ a ~ soldier рядово́й.

2. *n* 1) рядово́й; 2) *pl* половы́е о́рганы; ◇ in ~ а) наедине́; конфиденциа́льно; б) в ча́стной жи́зни; в дома́шней обстано́вке.

privateer [‚praɪvə'tɪə] *n ист.* 1) ка́пер; 2) капита́н *или* член экипа́жа ка́пера.

privateering [‚praɪvə'tɪərɪŋ] *ист.* **1.** *n* ка́перство;

2. *a* занима́ющийся ка́перством.

privation [praɪ'veɪʃən] *n* 1) лише́ние, нужда́; 2) недоста́ток, отсу́тствие (*чего-л.*).

privative ['prɪvətɪv] *a грам.* отрица́тельный (*об аффиксах и т. п.*).

privet ['prɪvɪt] *n бот.* бирючи́на.

privilege ['prɪvɪlɪdʒ] 1. *n* привиле́гия; преиму́щество; ~ of Parliament депута́тская неприкоснове́нность и не́которые други́е привиле́гии чле́нов парла́мента; breach of ~ наруше́ние прав парла́мента; bill of ~ пети́ция пэ́ра о том, чтобы его́ суди́л суд пэ́ров; writ of ~ прика́з об освобожде́нии из-под аре́ста привилегиро́ванного лица́, аресто́ванного по гражда́нскому де́лу; to listen to him was a ~ слу́шать его́ бы́ло исключи́тельным удово́льствием;
2. *v* дава́ть привиле́гию; освобожда́ть (*от чего-л.*).

privileged ['prɪvɪlɪdʒd] 1. *p. p. от* privilege ·2;
2. *a* привилегиро́ванный; ◇ ~ communication а) све́дения, сообщённые пацие́нтом врачу́; б) све́дения, сообщённые адвока́ту его́ клие́нтом.

privity ['prɪvɪtɪ] *n* 1) секре́тность, та́йна; 2) осведомлённость; соуча́стие, прикоснове́нность (to); with (without) the ~ с (без) ве́дома.

privy ['prɪvɪ] 1. *a* 1) та́йный, сокрове́нный; скры́тый; конфиденциа́льный; P. Council та́йный сове́т; ~ councillor (*или* counsellor) член та́йного сове́та; 2) ча́стный; уединённый; 3) посвящённый (то́во *что-л.*); ~ to a contract уча́ствующий в контра́кте; 4): ~ parts половы́е о́рганы; ◇ ~ purse а) су́ммы, ассигно́ванные на ли́чные расхо́ды короля́; б) храни́тель де́нег на ли́чные расхо́ды короля́; P. Seal а) ма́лая госуда́рственная печа́ть; б) лорд храни́тель печа́ти (*тж.* Lord P. Seal);
2. *n* 1) *уст.* убо́рная; 2) *юр.* заинтере́со́ванное лицо́.

prize I [praɪz] 1. *n* 1) награ́да, приз, пре́мия; the International Lenin Peace P. Междунаро́дная Ле́нинская пре́мия ми́ра; 2) вы́игрыш; нахо́дка, неожи́данное сча́стье; 3) предме́т вожделе́ний; жела́нная добы́ча; 4) *attr.* премиро́ванный, удосто́енный пре́мии, награ́ды; ~ poem стихотворе́ние, удосто́ен-ное пре́мии; ~ fellowship стипе́ндия, назна́ченная за отли́чные успе́хи; 5) *attr.* прекра́сный, досто́йный награ́ды (*тж. иро́н.*);
2. *v* 1) высоко́ цени́ть; 2) оце́нивать.

prize II [praɪz] *n мор.* 1) приз; трофе́й, захва́ченное су́дно *или* иму́щество; to become a ~ (of) быть захва́ченным; to make (a) ~ of... захвати́ть...; to place in ~ рассма́тривать в ка́честве приза; 2) *attr.* призово́й; ~ proceeding призо́вое судопроизво́дство; naval ~ law морско́е призово́е пра́во.

prize III [praɪz] 1. *n* рыча́г;
2. *v* вскрыва́ть, взла́мывать *или* передвига́ть посре́дством рычага́ (*обыкн.* ~ open, ~ up).

prize-court ['praɪzkɔːt] *n* призово́й суд.
prize-fight ['praɪzfaɪt] *n* состяза́ние профессиона́льных боксёров на приз.
prize-fighter ['praɪz,faɪtə] *n* боксёр-профессиона́л.
prize-fighting ['praɪz,faɪtɪŋ] *n* профессиона́льный бокс.

prizeman ['praɪzmən] *n* челове́к, получи́вший пре́мию *или* приз; лауреа́т.
prize-money ['praɪz,mʌnɪ] *n* призовы́е де́ньги.
prize-ring ['praɪzrɪŋ] *n спорт.* 1) ринг; 2) = prize-fighting.
prizewinner ['praɪz,wɪnə] *n* челове́к, получи́вший пре́мию *или* приз; лауреа́т.
pro [prou] *сокр. разг. от* professional 2.
pro- [prou-] *pref со значением:* а) явля́ющийся сторо́нником за, про-; pro-tariff-reform явля́ющийся сторо́нником тари́фных рефо́рм; б) замеща́ющий вме́сто; pro-rector проре́ктор, замести́тель ре́ктора.
proa ['prouə] *n* про́а (*малайское парусное судно*).
pro and con ['prouənd'kɔn] *adv* за и про́тив.
probability [,prɔbə'bɪlɪtɪ] *n* 1) вероя́тность; in all ~ по всей вероя́тности; 2) правдоподо́бие.
probable ['prɔbəbl] 1. *a* 1) вероя́тный, возмо́жный; 2) предполага́емый; 3) правдоподо́бный;
2. *n* вероя́тный кандида́т, вы́бор *и т. п.*
probably ['prɔbəblɪ] *adv* вероя́тно.
probate ['proubɪt] 1. *n* 1) официа́льное утвержде́ние завеща́ния; 2) заве́ренная ко́пия завеща́ния;
2. *v амер.* утвержда́ть завеща́ние.
probation [prə'beɪʃ(ə)n] *n* 1) испыта́ние, стажи́рование; 2) испыта́тельный срок; 3) *юр.* усло́вное освобожде́ние на пору́ки несовершенноле́тнего престу́пника; 4) *церк.* послу́шничество; и́скус.
probationary [prə'beɪʃnərɪ] *a* 1) испыта́тельный; ~ sentence усло́вный пригово́р; ~ ward *мед.* изоля́тор; 2) находя́щийся на испыта́нии, подверга́ющийся испыта́нию, испыту́емый.
probationer [prə'beɪʃnə] *n* 1) испыту́емый; стажёр; кандида́т в чле́ны (*тж.* ~ member); 2) *юр.* усло́вно осуждённый престу́пник; 3) *церк.* послу́шник.
probation officer [prə'beɪʃ(ə)n'ɔfɪsə] *n* инспе́ктор, наблюда́ющий за поведе́нием усло́вно осуждённых несовершенноле́тних престу́пников.
probative ['proubətɪv] *a* 1) доказа́тельный; 2) слу́жащий для испыта́ния.
probe [proub] *n* 1) *мед.* зонд; 2) *тех.* зонд, щуп; 3) зонди́рование; 4) *амер.* рассле́дование;
2. *v* 1) *мед.* зонди́ровать; 2) иссле́довать; рассле́довать (into).
probity ['proubɪtɪ] *n* че́стность; неподку́пность.
problem ['prɔbləm] *n* 1) пробле́ма; вопро́с; зада́ча; 2) сло́жная ситуа́ция; 3) тру́дный слу́чай; 4) *мат.* зада́ча; 5) *attr.* пробле́мный; ~ novel пробле́мный рома́н; 6) *attr.:* ~ child тру́дный ребёнок.
problematic(al) [,prɔblɪ'mætɪk(əl)] *a* проблемати́чный; сомни́тельный.
problematically [,prɔblɪ'mætɪkəlɪ] *adv* проблемати́чно; сомни́тельно.
problem(at)ist ['prɔblɪm(ət)ɪst] *n* тот, кто составля́ет *или* реша́ет зада́чи (*особ.* ша́хматные).

proboscidean, proboscidian [ˌproubə'sɪdɪən]
1. *a* хо́ботный;

2. *n* хо́ботное живо́тное.

proboscis [prə'bɔsɪs] *n* 1) хо́бот; 2) хобо-
то́к (*насекомых*); 3) *шутл.* нос.

procedural [prə'siːdʒərəl] *a* процеду́рный.

procedure [prə'siːdʒə] *n* 1) о́браз де́йствия;
2) проце́сс произво́дства рабо́ты, техноло-
ги́ческий проце́сс; 3) мето́дика проведе́-
ния (*опыта, анализа*); 4) *юр., парл.* про-
цеду́ра.

proceed [prə'siːd] *v* 1) продолжа́ть (гово-
ри́ть); please ~ продолжа́йте, пожа́луй-
ста; 2) отправля́ться (да́льше); 3) возоб-
новля́ть (*дело, игру и т. п.*; with, in);
приступи́ть, перейти́ (to—к *чему-л.*; *тж.*
c inf.); to ~ to go to bed отпра́виться спать;
he ~ed to give me a good scolding он при-
ня́лся меня́ брани́ть; 4) происходи́ть;
развива́ться; исходи́ть (from); from what
direction did the shots ~? отку́да слы́ша-
лись вы́стрелы?; 5) де́йствовать, посту-
па́ть; 6) пресле́довать суде́бным поря́дком
(against); 7) получа́ть учёную сте́пень.

proceeding [prə'siːdɪŋ] 1. *pres. p. om*
proceed;

2. *n* 1) посту́пок; 2) *pl*: legal ~s судо-
произво́дство; to take (*или* to institute)
legal ~s (against) нача́ть суде́бное пресле́-
дование; 3) *pl* рабо́та (*комиссии*); заседа́-
ние; 4) *pl* труды́, запи́ски (*научного об-ва*).

proceeds ['prousiːdz] *n pl* дохо́д, вы́ру-
ченная су́мма.

process 1. *n* ['prouses] 1) проце́сс; состоя́-
ние, ста́дия; changes are in ~ происхо́дят
переме́ны; 2) движе́ние, тече́ние; in ~ of
time с тече́нием вре́мени; 3) *юр.* вы́зов
(*в суд*); предписа́ние; суде́бный проце́сс;
4) *анат., зоол., бот.* отро́сток; 5) *тех.*
технологи́ческий проце́сс, приём, спо́соб;
6) *полигр.* фотомехани́ческий спо́соб;

2. *v* [prə'ses] 1) *юр.* возбужда́ть проце́сс;
2) подверга́ть (како́му-л. техни́ческому)
проце́ссу; обраба́тывать; 3) *амер.* оформ-
ля́ть; 4) *разг.* уча́ствовать в проце́ссии;
5) *полигр.* воспроизводи́ть фотомехани́че-
ским спо́собом.

process cheese ['prouses'tʃiːz] *n* пла́в-
леный сыр.

processing [prə'sesɪŋ] 1. *pres. p. om* process 2;

2. *n* обрабо́тка; перерабо́тка проду́ктов.

procession [prə'seʃən] 1. *n* проце́ссия;
2. *v* уча́ствовать в проце́ссии.

processional [prə'seʃənl] 1. *a* относя́-
щийся к проце́ссии;

2. *n* 1) обря́довая церко́вная кни́га (*у католиков*); 2) церко́вный гимн.

processionist [prə'seʃənɪst] *n* уча́стник
проце́ссии.

process-server ['prouses,səːvə] *n* посы́ль-
ный из суда́, вруча́ющий пове́стки, пред-
писа́ния и т. п.

procès-verbal [prə'seɪve'baːl] *фр. n* (*pl*
-verbaux) протоко́л.

procès-verbaux [prə'seɪve'bou] *pl om* procès-verbal.

proclaim [prə'kleɪm] *v* 1) провозгла-
ша́ть; объявля́ть; 2) свиде́тельствовать,

говори́ть (*о чём-л.*); his manners ~ed him
a military man его́ мане́ры облича́ли в нём
вое́нного; 3) объявля́ть на чрезвыча́йном
положе́нии; 4) запреща́ть (*собрание и т. п.*);
объявля́ть вне зако́на.

proclamation [ˌprɔklə'meɪʃən] *n* 1) воз-
зва́ние; 2) посла́ние; 3) официа́льное объяв-
ле́ние; деклара́ция; провозглаше́ние.

proclitic [prou'klɪtɪk] *лингв.* 1. *a* прокли-
ти́ческий;

2. *n* прокли́тика.

proclivity [prə'klɪvɪtɪ] *n* скло́нность, на-
кло́нность (to, towards).

proconsul [prou'kɔnsəl] *n* 1) *др.-рим.*
прокóнсул; 2) *ритор.* губерна́тор коло́нии.

proconsular [prou'kɔnsjulə] *a* проко́н-
сульский.

proconsulate [prou'kɔnsjulɪt] *n* проко́н-
сульство.

procrastinate [prou'kræstɪneɪt] *v* откла́-
дывать (со дня на́ день), ме́шкать.

procrastination [prou,kræstɪ'neɪʃən] *n* от-
кла́дывание со дня на́ день.

procreate ['proukrɪeɪt] *v* 1) производи́ть
пото́мство; 2) порожда́ть.

procreation [ˌproukrɪ'eɪʃən] *n* 1) произ-
ве́дение пото́мства; 2) порожде́ние.

Procrustean [prou'krʌstɪən] *a*: ~ bed
прокру́стово ло́же.

proctor ['prɔktə] *n* 1) про́ктор; инспе́ктор
(*в Оксфордском и Кембриджском университетах*); 2) пове́ренный (*особ. в церковном суде*).

proctorial [prɔk'tɔːrɪəl] *a* про́кторский.

proctorship ['prɔktəʃɪp] *n* зва́ние, до́лж-
ность про́ктора.

proctoscope ['prɔktəskoup] *n мед.* ректо-
ско́п.

procumbent [prou'kʌmbənt] *a* 1) лежа́-
щий ничко́м, распростёртый; 2) *бот.*
сте́лющийся.

procurable [prə'kjuərəbl] *a* досту́пный,
могу́щий быть приобретённым.

procuration [ˌprɔkjuə'reɪʃən] *n* 1) веде́-
ние дел по дове́ренности; 2) полномо́чие,
дове́ренность; 3) приобрете́ние, получе́ние;
4) сво́дничество.

procurator ['prɔkjuəreɪtə] *n* 1) *юр.* пове́-
ренный; 2) *юр.* прокуро́р (*тж.* public ~);
the ~'s office прокурату́ра; 3) *др.-рим.*
прокура́тор.

procure [prə'kjuə] *v* 1) достава́ть, достав-
ля́ть; добыва́ть; обеспе́чивать; 2) сво́д-
ничать; 3) *поэт., уст.* производи́ть; при-
чиня́ть.

procurement [prə'kjuəmənt] *n* 1) приоб-
рете́ние; 2) *амер.* заку́пка, загото́вка;
3) сво́дничество.

procurer [prə'kjuərə] *n* 1) поставщи́к;
2) сво́дник.

procuress [prə'kjuərɪs] *n* сво́дница, сво́д-
ня.

prod [prɔd] 1. *n* 1) тычо́к; a ~ with a
bayonet уко́л штыко́м; 2) инструме́нт для
прока́лывания; ши́ло и т. п.; 3) стрека́ло;

2. *v* 1) коло́ть; пронза́ть; 2) подгоня́ть;
подстрека́ть.

prodigal ['prɔdɪgəl] 1. *a* 1) расточи́-
тельный; 2) ще́дрый; ~ of favours ще́дрый

на ми́лости; 3) чрезме́рный, оби́льный; ◇ the ~ son *библ.* блу́дный сын;

2. *п* мот, пове́са.

prodigality [ˌprɔdɪˈgælɪtɪ] *n* 1) расточи́тельность, мотовство́; 2) ще́дрость; 3) изоби́лие.

prodigally [ˈprɔdɪgəlɪ] *adv* 1) расточи́тельно; 2) бога́то, оби́льно.

prodigious [prəˈdɪdʒəs] *a* 1) удиви́тельный, изуми́тельный; 2) грома́дный, огро́мный; 3) чудо́вищный.

prodigy [ˈprɔdɪdʒɪ] *n* 1) чу́до; 2) одарённый челове́к; an infant ~ чу́до-ребёнок, вундерки́нд; 3) *attr.* необыкнове́нно одарённый; ~ violinist замеча́тельный скрипа́ч.

prodrome [ˈprɔudrɔum] *n* 1) кни́га *или* статья́, явля́ющиеся введе́нием к бо́лее обши́рному труду́; 2) *редк.* предве́стник; 3) *мед.* при́знак, предше́ствующий нача́лу заболева́ния; продрома́льное явле́ние.

produce 1. *n* [ˈprɔdjuːs] 1) проду́кция, проду́кт; 2) результа́т;

2. *v* [prəˈdjuːs] 1) производи́ть, дава́ть; выраба́тывать; создава́ть; to ~ on the line осуществля́ть ма́ссовое произво́дство; 2) написа́ть, изда́ть (*кни́гу*); 3) поста́вить (*пье́су, кинокарти́ну*); 4) вызыва́ть, быть причи́ной; hard work ~s success успе́х явля́ется результа́том упо́рного труда́; 5) предъявля́ть, представля́ть; to ~ reasons привести́ до́воды; to ~ one's ticket предъяви́ть биле́т; 6) достава́ть; 7) *геом.* продолжа́ть (*ли́нию или пло́скость*).

producer [prəˈdjuːsə] *n* 1) производи́тель, поставщи́к; 2) режиссёр, постано́вщик; 3) *амер.* хозя́ин *или* дире́ктор теа́тра; владе́лец киносту́дии; 4) *тех.* (га́зо)генера́тор; 2) *attr.* генера́торный.

producible [prəˈdjuːsəbl] *a* могу́щий быть произведённым; производи́мый.

product [ˈprɔdəkt] *n* 1) проду́кт; проду́кция, изде́лие, фабрика́т; 2) результа́т, плоды́; 3) *мат.* произведе́ние; 4) *хим.* проду́кт реа́кции.

production [prəˈdʌkʃən] *n* 1) произво́дство; изготовле́ние; 2) проду́кция; изде́лие; 3) производи́тельность; вы́работка, добы́ча; 4) (худо́жественное) произведе́ние; постано́вка (*пье́сы, кинокарти́ны*); 6) *attr.* производ́ственный.

productive [prəˈdʌktɪv] *a* 1) производи́тельный, продукти́вный; 2) плодоро́дный; 3) плодови́тый; 4) производя́щий; 5) причиня́ющий, влеку́щий за собо́й (of); 6) плодотво́рный (*о влия́нии*).

productivity [ˌprɔdʌkˈtɪvɪtɪ] *n* производи́тельность, продукти́вность; labour ~ производи́тельность труда́.

proem [ˈprɔuem] *n* 1) предисло́вие, введе́ние, вступле́ние; 2) нача́ло; прелю́дия.

prof [prɔf] (*сокр. разг. от* professor 1).

profanation [ˌprɔfəˈneɪʃən] *n* профана́ция, оскверне́ние, опошле́ние.

profane [prəˈfeɪn] 1. *a* 1) мирско́й, све́тский; 2) непосвящённый; 3) нечести́вый, богоху́льный; 4) язы́ческий;

2. *v* оскверня́ть; профани́ровать.

profanity [prəˈfænɪtɪ] *n* богоху́льство.

profess [prəˈfes] *v* 1) откры́то признава́ть(ся), заявля́ть; 2) испове́довать (*ве́ру*); 3) претендова́ть (*на учёность и т. п.*); 4) притворя́ться, изобража́ть; 5) занима́ться како́й-л. де́ятельностью, избра́ть свое́й профе́ссией; 6) обуча́ть, преподава́ть; 7) (*обыкн. pass.*) принима́ть в религио́зный о́рден.

professed [prəˈfest] 1. *p. p. от* profess; 2. *a* 1) откры́тый, откры́то зая́вленный; 2) мни́мый, я́кобы существу́ющий.

professedly [prəˈfesɪdlɪ] *adv* я́вно, откры́то; по со́бственному призна́нию.

profession [prəˈfeʃən] *n* 1) профе́ссия; the learned ~s богосло́вие, пра́во, медици́на; liberal ~s свобо́дные профе́ссии; 2) ли́ца како́й-л. профе́ссии; the ~ *театр. sl.* актёры; 3) заявле́ние (*о свои́х чу́вствах и т. п.*); 4) (ве́ро)испове́дание; 5) вступле́ние в религио́зный о́рден; обе́т.

professional [prəˈfeʃənl] 1. *a* 1) профессиона́льный; 2) име́ющий профе́ссию *или* специа́льность; the ~ classes адвока́ты, учителя́ *и т. п.*;

2. *n* 1) профессиона́л; 2) специали́ст.

professionalism [prəˈfeʃnəlɪzəm] *n* 1) профессионали́зм; 2) профессионализа́ция.

professionalize [prəˈfeʃnəlaɪz] *v* превраща́ть (*како́е-л. заня́тие*) в профе́ссию.

professionally [prəˈfeʃnəlɪ] *adv* профессиона́льно; как специали́ст; we consulted him ~ мы обрати́лись к нему́ как к специали́сту.

professor [prəˈfesə] *n* 1) профе́ссор; преподава́тель; 2) испове́дующий (*рели́гию*).

professorate [prəˈfesərɪt] *n* 1) профе́ссорство; 2) *собир.* профессу́ра.

professorial [ˌprɔfeˈsɔːrɪəl] *a* профе́ссорский.

professoriate [ˌprɔfeˈsɔːrɪɪt] *n собир.* профессу́ра.

professorship [prəˈfesəʃɪp] *n* профессу́ра (*до́лжность, зва́ние*).

proffer [ˈprɔfə] 1. *n* предложе́ние;

2. *v* предлага́ть.

proficiency [prəˈfɪʃənsɪ] *n* о́пытность; уме́ние, сноро́вка.

proficient [prəˈfɪʃənt] 1. *a* иску́сный, уме́лый, о́пытный;

2. *n* знато́к, специали́ст.

profile [ˈprɔufiːl] 1. *n* 1) про́филь; 2) очерта́ние, ко́нтур, габари́т; 3) кра́ткий биографи́ческий о́черк; 4) *тех.* вертика́льный разре́з, сече́ние; 5) *attr. тех.* фасо́нный;

2. *v* 1) рисова́ть в про́филь; изобража́ть в про́филе, в разре́зе; 2) *тех.* профили́ровать, обраба́тывать по шабло́ну.

profiler [ˈprɔufiːlə] *n тех.* копирова́льно-фре́зерный стано́к.

profiling machine [ˈprɔufiːlɪŋməˈʃiːn] = profiler.

profit [ˈprɔfɪt] 1. *n* 1) по́льза, вы́года; to make a ~ on извле́чь вы́году из; 2) (*обыкн. pl*) при́быль; дохо́д; бары́ш; gross ~s валово́й дохо́д; net ~ чи́стый дохо́д; 3) проце́нты, начисле́ния.

2. *v* 1) приноси́ть по́льзу, быть поле́зным; it ~s little to advise him бесполе́зно дава́ть ему́ сове́ты; 2) по́льзоваться, извле-

кáть пóльзу; 3) воспóльзоваться (by—*чем-
-либо*).

profitable ['prɔfɪtəbl] *a* 1) прибыльный,
выгодный, доходный; 2) полéзный; благоприятный.

profitably ['prɔfɪtəblɪ] *adv* выгодно; с
выгодой, с прибылью.

profiteer [ˌprɔfɪ'tɪə] 1. *n* спекулянт; барышник;
2. *v* спекулировать.

profit-sharing ['prɔfɪtˌʃɛərɪŋ] *n* учáстие
в прибылях.

profligacy ['prɔflɪgəsɪ] *n* 1) распýтство;
2) расточительность.

profligate ['prɔflɪgɪt] 1. *a* 1) распýтный;
2) расточительный;
2. *n* 1) распýтник; 2) расточитель.

profound [prə'faund] 1. *a* 1) глубóкий;
to make a ~ reverence отвéсить низкий поклóн; 2) глубóкий; мýдрый; 3) пóлный,
абсолютный; ~ ignorance пóлное невéжество; 4) проникновéнный;
2. *n поэт.* глубинá.

profoundness [prə'faundnɪs] = profundity.

profundity [prə'fʌndɪtɪ] *n* 1) (огрóмная)
глубинá; 2) прóпасть.

profuse [prə'fjuːs] *a* 1) изобильный, богáтый (*чем-л.*); 2) щéдрый; расточительный
(in).

profusely [prə'fjuːslɪ] *adv* обильно, щéдро;
чрезмéрно.

profusion [prə'fjuːʒən] *n* 1) изобилие,
богáтство; избыток; 2) чрезмéрная рóскошь;
3) щéдрость, расточительность.

prog I [prɔg] *n sl.* едá; пища; провизия
на дорóгу *или* для пикникá.

prog II [prɔg] *студ. sl. см.* proctor 1).

progenitive [prou'dʒenɪtɪv] *a* спосóбный
дать потóмство.

progenitor [prou'dʒenɪtə] *n* 1) прародí-
тель; основáтель рóда; 2) предшéственник.

progenitress, progenitrix [prou'dʒenɪtrɪs,
-trɪks] *n* прародительница.

progeny ['prɔdʒɪnɪ] *n* 1) потóмство; потóмок; 2) послéдователи, ученики; 3) результáт, исхóд.

proggins ['prɔgɪnz] *студ. sl. см.* proctor 1).

prognathous [prɔg'neɪθəs] *a* 1) с выдаю-
щимися челюстями; 2) выдающийся (*о челюсти*).

prognoses [prɔg'nousiːz] *pl от* prognosis.

prognosis [prɔg'nousɪs] *n* (*pl* -ses) прогнóз.

prognostic [prɔg'nɔstɪk] 1. *a* служащий
предвéстником; предвещáющий;
2. *n* 1) предвéстие, предзнаменовáние;
предвéстник; 2) предвещáние, предсказáние.

prognosticate [prɔg'nɔstɪkeɪt] *v* предскáзывать, предвещáть.

prognostication [prɔgˌnɔstɪ'keɪʃən] *n* 1)
предзнаменовáние; предсказáние.

program(me) ['prougræm] 1. *n* 1) прогрáмма; 2) афиша; 3) план; 4) *разг.*: what
is the ~? ну, чем займёмся?; a full ~ мнóжество занятий, дел *и т. п.*; 5) *attr.* про-
грáммный;
2. *v* составлять прогрáмму *или* план.

program-music ['prougræmˌmjuːzɪk] *n* про-
грáммная мýзыка.

progress 1. *n* ['prougres] 1) прогрéсс,
развитие; движéние вперёд; to be in ~
выполняться, быть в процéссе становлéния,
в развитии; changes are in ~ вводятся
изменéния; preparations are in ~ ведýтся
приготовлéния; 2) продвижéние; 3) достижéния, успéхи; to make ~ дéлать успéхи;
4) течéние, ход событий; 5) *редк.* стрáнствие, путешéствие; 6) *ист.* путешéствие
короля по странé;
2. *v* [prə'gres] 1) прогрессировать, развивáться; совершéнствоваться; 2) продвигáться; 3) дéлать успéхи.

progression [prə'greʃən] *n* 1) продвижéние; движéние, ход вперёд; 2) послéдовательность (*событий и т. п.*); 3) *редк.*
прогрéсс; 4) *мат.* прогрéссия.

progressionist [prə'greʃnɪst] *n* 1) прогрес-
сист; 2) человéк, убеждённый в непрерывности прогрéсса.

progressive [prə'gresɪv] 1. *a* 1) прогрессивный; 2) поступáтельный (*о движéнии*); ~ rotation вращáтельно-поступá-
тельное движéние; 3) прогрессирующий;
4) постепéнный;
2. *n* 1) прогрессивный дéятель; 2) (P.)
член прогрессивной пáртии.

prohibit [prə'hɪbɪt] *v* 1) запрещáть;
2) препятствовать, мешáть (from).

prohibition [ˌprouɪ'bɪʃən] *n* 1) запрещéние; 2) запрещéние продáжи спиртных
напитков.

prohibitionist [ˌprouɪ'bɪʃnɪst] *n* сторóнник запрещéния продáжи спиртных напитков.

prohibitive [prə'hɪbɪtɪv] *a* 1) запрети-
тельный; 2) препятствующий, запрещáю-
щий.

prohibitory [prə'hɪbɪtərɪ] = prohibitive.

project 1. *n* ['prɔdʒekt] 1) проéкт, план;
2) новострóйка; осуществляемое стройтельство;
2. *v* [prə'dʒekt] 1) проектировать; составлять проéкт, обдýмывать план; 2) бросáть, отражáть (*тень, луч свéта и т. п.*);
3) выбрáсывать, выпускáть (*снаряд*); 4)
выдавáться, выступáть; 5) *refl.* перенестись
мысленно (*в бýдущее и т. п.*).

projectile 1. *n* ['prɔdʒɪktaɪl] снаряд, пýля;
2. *a* [prə'dʒektaɪl] метáтельный.

projection [prə'dʒekʃən] *n* 1) метáние;
бросáние; 2) проектирование; 3) проéкт,
план; 4) проéкция; 5) выступ, выдающá-
яся часть; 6) *кино, телев.* проéкция изо-
бражéния.

projector [prə'dʒektə] *n* 1) проектирóв-
щик; составитель проéктов, плáнов; 2)
прожектёр; 3) проекциóнный, «волшéб-
ный» фонáрь; 4) прожéктор; 5) *воен.* газо-
мéт.

prolapse ['proulæps] *мед.* 1. *n* пролáпс,
выпадéние какóго-л. óргана;
2. *v* выпадáть.

prolapsus ['proulæpsəs] = prolapse 1.

prolate ['prouleɪt] *a* 1) вытянутый (*подóбно сферóиду*); растянутый; 2) широкó
распространённый.

prolegomena [ˌproule'gɔmɪnə] *n pl* введéние, предварительные свéдения.

proletarian [,proule'tɛərɪən] 1. *n* пролетáрий;
2. *a* пролетáрский.

proletarianization [,proule,tɛərɪənaɪ'zeɪ-ʃən] *n* пролетаризáция.

proletariat(e) [,proule'tɛərɪət] *n* пролетариáт.

proletary ['proulɪtərɪ] = proletarian.

proliferate [prou'lɪfəreɪt] *v* 1) *биол.* пролифери́ровать, размножáться, разрастáться путём новообразовáний; 2) распространя́ться (*о знаниях и т. п.*); 3) бы́стро увели́чиваться.

proliferation [prə,lɪfɪ'reɪʃən] *n* 1) *биол.* пролиферáция, размножéние, разрастáние путём новообразовáний; 2) бы́строе увеличéние; ~ of radio frequencies усилéние радиочастóтности.

proliferous [prə'lɪfərəs] *a бот.* óтпрысковый, бы́стро размножáющийся.

prolific [prə'lɪfɪk] *a* 1) плодорóдный; 2) плодови́тый; 3) изоби́лующий (in, of — *чем-л.*).

prolificacy [prə'lɪfɪkəsɪ] *n* 1) плодорóдность; 2) плодови́тость.

prolix ['proulɪks] *a* 1) многослóвный; ну́дный, тягу́чий; ску́чный; 2) (изли́шне) подрóбный.

prolixity [prou'lɪksɪtɪ] *n* многослóвие; ну́дность, тягу́честь.

prolocutor [prou'lɔkjutə] *n* 1) орáтор; 2) председáтель (*особ.* церкóвного собóра).

prologize ['proulədʒaɪz] *v* писáть *или* произноси́ть пролóг.

prologue ['proulɔg] *n* пролóг.

prolong [prə'lɔŋ] *v* 1) продлевáть; 2) продолжáть, протя́гивать дáльше.

prolongation [,proulɔŋ'geɪʃən] *n* 1) продлéние; пролонгáция; отсрóчка; 2) продолжéние (*линии и т. п.*).

prolonged [prə'lɔŋd] 1. *p. p. от* prolong; 2. *a* затяну́вшийся, дли́тельный; ~ visit затяну́вшееся посещéние.

prolusion [prə'ljuːʒən] *n* 1) вступи́тельная статья́; предвари́тельные замечáния; 2) предвари́тельная попы́тка.

promenade [,prɔmɪ'nɑːd] 1. *n* 1) прогу́лка; гуля́нье; 2) мéсто для гуля́нья; 3) вéрхняя палу́ба; 4) *разг.* бал, весéлье; *амер.* студéнческий курсовóй бал; 5) *attr.*: ~ deck — 3); ~ concert концéрт, во врéмя котóрого пу́блика мóжет свобóдно ходи́ть по зáлу, входи́ть и выходи́ть;
2. *v* 1) прогу́ливаться; разгу́ливать; 2) води́ть гуля́ть, выводи́ть на прогу́лку.

Promethean [prə'miːθjən] *a*: ~ fire прометéев огóнь.

Prometheus [prə'miːθjuːs] *n миф.* Прометéй.

prominence ['prɔmɪnəns] *n* 1) вы́ступ; 2) вы́пуклость, нерóвность, возвышéние; 3) выдаю́щееся положéние; 4) = protuberance 2).

prominency ['prɔmɪnənsɪ] = prominence 1), 2) *и* 3).

prominent ['prɔmɪnənt] *a* 1) выдаю́щийся; ви́дный, извéстный; 2) выступáющий; торчáщий; 3) вы́пуклый, рельéфный.

promiscuity [,prɔmɪs'kjuːɪtɪ] *n* 1) разнорóдность; разношёрстность; 2) смéшанность;
3) беспоря́дочность, неразбóрчивость (*в знакомствах, связях и т. п.*); 4) промискуитéт.

promiscuous [prə'mɪskjuəs] *a* 1) разнорóдный; разношёрстный; 2) смéшанный; ~ bathing совмéстное купáние; 3) беспоря́дочный, неразбóрчивый (*в знакомствах, связях и т. п.*); 4) *разг.* случáйный.

promise ['prɔmɪs] 1. *n* 1) обещáние; to make a ~ обещáть; to keep one's ~ сдержáть обещáние, исполня́ть обéщанное; to break one's ~ не сдержáть обещáния; 2) перспекти́ва; a young man of ~ многообещáющий молодóй человéк; a pupil of ~ in music учени́к, подаю́щий больши́е надéжды в му́зыке; ◇ land of ~ *библ.* земля́ обетовáнная;
2. *v* 1) обещáть; 2) *разг.* уверя́ть; I ~ you уверя́ю вас; 3) подавáть надéжды.

promised ['prɔmɪst] 1. *p.p. от* promise 2;
2. *a* обéщанный; ◇ ~ land = land of promise [см. promise 1, ◇].

promisee [,prɔmɪ'siː] *n юр.* лицó, котóрому даю́т обещáние.

promising ['prɔmɪsɪŋ] 1. *pres. p. от* promise 2;
2. *a* многообещáющий, подаю́щий надéжды.

promisor ['prɔmɪsə] *n* лицó, даю́щее обещáние *или* обязáтельство.

promissory ['prɔmɪsərɪ] *a* заключáющий в себé обещáние *или* обязáтельство; ~ note долговóе обязáтельство; вéксель.

promontory ['prɔməntrɪ] *n геогр.* мыс.

promote [prə'mout] *v* 1) спосóбствовать, помогáть, поддéрживать; содéйствовать распространéнию, развúтию *и т. п.*; 2) выдвигáть; продвигáть; повышáть в чúне *или* звáнии; he was ~d major (*или* to the rank of major) ему́ присвóили звáние майóра; 3) переводи́ть в слéдующий класс (*ученика*); 4) *хим.* ускоря́ть (*реáкцию*).

promoter [prə'moutə] *n* 1) тот, кто *или* то, что спосóбствует (*чему-л.*); покрови́тель, патрóн; 2) подстрекáтель; 3) *хим.* активáтор.

promotion [prə'mouʃən] *n* 1) продвижéние; поощрéние; содéйствие; 2) повышéние в звáнии; произвóдство в чин; 3) перевóд (*ученика*) в слéдующий класс.

promotion man [prə'mouʃən'mæn] *n* посрéдник, агéнт.

prompt I [prɔmpt] 1. *a* 1) провóрный; бы́стрый; исполни́тельный; 2) бы́стро *или* немéдленно сдéланный; ~ assistance немéдленная пóмощь; 2) оплáченный *или* достáвленный немéдленно; for ~ cash за нали́чный расчёт.
2. *adv* 1) бы́стро; 2) тóчно; рóвно.

prompt II [prɔmpt] 1. *n* 1) напоминáние; 2) подскáзка;
2. *v* 1) побуждáть; толкáть; внушáть; вызывáть (*мысль и т. п.*); 2) подскáзывать; 3) *театр.* суфли́ровать.

prompt-book ['prɔmptbuk] *n* суфлёрский экземпля́р пьéсы.

prompt-box ['prɔmptbɔks] *n* суфлёрская бу́дка.

prompter ['prɔmptə] *n* 1) суфлёр; 2) *разг.* подскáзчик; 3) лицó, побуждáющее к дéйствию.

prompting ['prɔmptɪŋ] **1.** *pres. p. om* prompt II, 2;

2. *n* побуждение.

promptitude ['prɔmptɪtjuːd] *n* быстрота, проворство; готовность; ~ in paying аккуратность во взносе платежей.

promptly ['prɔmptlɪ] *adv* 1) сразу, быстро; 2) точно.

prompt side ['prɔmpt'saɪd] *n* 1) левая (*от актёра*) сторона сцены; 2) *амер.* правая (*от актёра*) сторона сцены.

promulgate ['prɔmǝlgeɪt] *v* 1) объявлять, провозглашать, опубликовывать; обнародовать; 2) распространять.

promulgation [,prɔmǝl'geɪʃǝn] *n* 1) обнародование; опубликование; 2) распространение.

prone [prǝun] *a* 1) (лежащий) ничком; распростёртый; to fall ~ пасть ниц; 2) наклон(ён)ный, покатый; 3) (*обыкн. predic.*) склонный; he is ~ to prompt action он склонен к быстрым действиям; ~ to anger вспыльчивый.

prong [prɔŋ] **1.** *n* 1) зубец (*вилки и т. п.*); зуб; 2) заострённый инструмент; 3) выступ; 4) вилы; 5) *амер.* рукав (*реки*).

2. *v* 1) поднимать, поворачивать вилами; 2) протыкать.

pronged [prɔŋd] **1.** *p. p. om* prong 2;

2. *a* снабжённый зубцами, остриём *и т. п.*

pronominal [prǝ'nɔmɪnl] *a* грам. местоименный.

pronoun ['prǝunaun] *n грам.* местоимение.

pronounce [prǝ'nauns] *v* 1) произносить, выговаривать; 2) объявлять; заявлять; to ~ a sentence объявить приговор; to ~ a curse (upon) проклинать; 3) высказываться (on—o; for—за; against—против).

pronounceable [prǝ'naunsǝbl] *a* удобопроизносимый.

pronounced [prǝ'naunst] **1.** *p. p. om* pronounce;

2. *a* 1) резко выраженный; 2) ясный, определённый, явный; ~ tendency явная тенденция.

pronouncedly [prǝ'naunstlɪ] *adv* 1) определённо, явно; 2) подчёркнуто; решительно.

pronouncement [prǝ'naunsmǝnt] *n* 1) произнесение, объявление (*решения или приговора*); 2) решение, · официальное заявление.

pronouncing [prǝ'naunsɪŋ] **1.** *pres. p. om* pronounce;

2. *n* 1) произношение; произнесение; 2) объявление, заявление; 3) *attr.*: ~ dictionary орфоэпический словарь, словарь с указанием произношения.

pronto ['prɔntǝu] *adv исп.-ам. разг.* быстро, без промедления.

pronunciation [prǝ,nʌnsɪ'eɪʃǝn] *n* 1) произношение; выговор; 2) произнесение.

proof [pruːf] **1.** *n* 1) доказательство; this requires no ~ это не требует доказательства; 2) свидетельское показание; 3) испытание; проба; to put smth. to the ~ испытать что-л., подвергнуть что-л. испытанию; 4) установленный градус крепости спирта; above (under) ~ выше (ниже) установленного градуса; 5) пробирка; 6)

мат. проверка; 7) корректура; гранка; пробный оттиск (*гравюры*);

2. *a* 1) непроницаемый (against); непробиваемый; 2) недоступный, не поддающийся (*лести и т. п.*); 3) установленного градуса;

3. *v* делать непроницаемым *и пр.* [*см.* 2].

-proof [-pruːf] *в сложных словах* означает устойчивый, непроницаемый, не поддающийся действию (*чего-л.*); waterproof водонепроницаемый.

proof-read ['pruːf,riːd] *v* держать корректуру, читать гранки.

proof-reader ['pruːf,riːdǝ] *n* корректор; ~'s mark *полигр.* корректурный знак.

proof-reading ['pruːf,riːdɪŋ] **1.** *pres. p. om* proof-read;

2. *n* читка корректуры.

proof-room ['pruːfrum] *n* корректорская.

proof-sheet ['pruːfʃiːt] *n* корректурный оттиск, гранка.

prop I [prɔp] **1.** *n* 1) подпорка; опора; стойка; подставка; 2) опора, столп; 3) *pl горн.* рудничный лес; крепь, стойки; 4) *pl sl.* ноги;

2. *v* (*тж.* ~ up) 1) подпирать; снабжать подпорками; 2) поддерживать, помогать.

prop II [prɔp] *сокр. школ. sl. см.* proposition 3).

prop III [prɔp] *сокр. ав. sl. см.* propeller.

prop IV [prɔp] *сокр. театр. sl. см.* property 3).

propaedeutic(al) [,prǝupiː'djuːtɪk(ǝl)] *a* пропедевтический, вводный.

propaedeutics [,prǝupiː'djuːtɪks] *n pl* (*употр. как sing*) пропедевтика, вводный курс.

propaganda [,prɔpǝ'gændǝ] *n* пропаганда.

propagandist [,prɔpǝ'gændɪst] *n* пропагандист.

propagandize [,prɔpǝ'gændaɪz] *v* пропагандировать.

propagate ['prɔpǝgeɪt] *v* 1) размножать (-ся); разводить; to ~ by seeds размножаться семенами; 2) распространять(ся); 3) передавать по наследству (*качества, свойства*); 4) *физ.* передавать на расстояние через среду (*звук, свет, тепло*).

propagation [,prɔpǝ'geɪʃǝn] *n* 1) размножение; разведение; 2) распространение (*тж. физ.*); ~ of sound распространение звука.

propel [prǝ'pel] *v* 1) продвигать вперёд; толкать; приводить в движение; 2) двигать; стимулировать.

propellent [prǝ'pelǝnt] **1.** *n* метательное взрывчатое вещество;

2. *a* двигательный, способный двигать; метательный.

propeller [prǝ'pelǝ] *n* 1) двигатель; 2) пропеллер, воздушный *или* гребной винт; 3) *attr.* двигательный; ~ turbine турбовинтовой двигатель.

propelling [prǝ'pelɪŋ] **1.** *pres. p. om* propel;

2. *a* движущий; метательный.

propensity [prǝ'pensɪtɪ] *n* склонность, расположение (to—к *чему-л.*); пристрастие (for—к *чему-л.*).

proper ['prɔpə] *a* 1) присýщий, свóйственный; 2) прáвильный, дóлжный; надлежáщий; подходящий; ~ behaviour прилично́е поведéние; in the ~ way надлежáщим óбразом; ~ fraction *мат.* прáвильная дробь; 3) пристóйный, приличный; 4) тóчный, истинный; 5) употреблённый в сóбственном смысле слóва; architecture ~ архитектýра в ýзком смысле слóва; China ~ сóбственно Китáй; 6) *разг.* совершéнный, настоящий; he was in a ~ rage он был в совершённом бéшенстве; 7) *уст.* сóбственный; with my own ~ eyes свои́ми сóбственными глазáми; 8) *уст.* краси́вый; 9) *грам.* сóбственный; ~ name, ~ noun и́мя сóбственное.

properly ['prɔpəlɪ] *adv* 1) дóлжным óбразом; как слéдует; прáвильно; 2) пристóйно; прили́чно; 3) *разг.* здóрово; хорошéнько; 4) сóбственно; в ýзком смысле слóва; ~ speaking сóбственно говоря; стрóго говоря.

propertied ['prɔpətɪd] *a* имéющий сóбственность; имýщий; the ~ classes имýщие клáссы.

property ['prɔpətɪ] *n* 1) имýщество; сóбственность; хозяйство; a ~ земéльная сóбственность, помéстье; имéние; a man of ~ сóбственник; богáч; the news soon became a common ~ извéстие вскóре стáло всеóбщим достоянием; 2) свóйство, кáчество; the chemical properties of iron хими́ческие свóйства желéза; 3) (*обыкн. pl*) *театр.* бутафóрия; реквизи́т; 4) *attr.* имýщественный; ~ qualification имýщественный ценз; ~ tax поимýщественный налóг.

property-man ['prɔpətɪmæn] *n* бутафóр.

property-master ['prɔpətɪ,mɑːstə] = property-man.

property-room ['prɔpətɪrum] *n* бутафóрская.

prophecy ['prɔfɪsɪ] *n* прорóчество.

prophesy ['prɔfɪsaɪ] *v* прорóчить, предскáзывать.

prophet ['prɔfɪt] *n* 1) прорóк; the Prophets кни́ги прорóков Вéтхого завéта; 2) предсказáтель; 3) *sl.* «жучóк» (*на скáчках*).

prophetess ['prɔfɪtɪs] *n* прорóчица.

prophetic(al) [prə'fetɪk(əl)] *a* прорóческий.

prophylactic [,prɔfɪ'læktɪk] **1.** *a* профилакти́ческий; предохрани́тельный; **2.** *n* профилакти́ческое срéдство, профилакти́ческая мéра.

prophylaxis [,prɔfɪ'læksɪs] *n* профилáктика.

prophylaxy ['prɔfɪlæksɪ] = prophylaxis.

propinquity [prə'pɪŋkwɪtɪ] *n* 1) бли́зость; 2) подóбие; родствó.

propitiate [prə'pɪʃɪeɪt] *v* 1) умилостивлять; умиротворять; 2) примирять.

propitiation [prə,pɪʃɪ'eɪʃən] *n* 1) умилостивлéние; 2) *уст.* умилостиви́тельная жéртва.

propitiator [prə'pɪʃɪeɪtə] *n* умиротвори́тель; примири́тель.

propitiatory [prə'pɪʃɪətərɪ] *a* умилостиви́тельный.

propitious [prə'pɪʃəs] *a* 1) благосклóнный; 2) благоприятный; подходящий; ~ weather благоприятная погóда.

propolis ['prɔpəlɪs] *n* прóполис (*пчели́ный клей*).

propone [prə'poʊn] *v шотл.* 1) излагáть; 2) предлагáть на обсуждéние.

proponent [prə'poʊnənt] *n* 1) защи́тник, сторóнник; 2) предлагáющий что-л. на обсуждéние.

proportion [prə'pɔːʃən] **1.** *n* 1) пропóрция; соотношéние; коли́чественное отношéние; 2) прáвильное соотношéние, соразмéрность; in ~ to соразмéрно; соотвéтственно; out of ~ to несоразмéрно, несоизмери́мо; чрезмéрно; 3) *pl* размéр(ы); 4) часть, дóля; 5) *мат.* пропóрция; 6) *мат.* тройнóе прáвило;
2. *v* 1) соразмерять (to—c *чем-л.*); 2) распределять.

proportionable [prə'pɔːʃnəbl] *редк.* = proportional 1.

proportional [prə'pɔːʃənl] **1.** *a* пропорциональный; ~ representation систéма пропорциональ́ного представи́тельства;
2. *n мат.* член пропóрции.

proportionality [prə,pɔːʃə'nælɪtɪ] *n* пропорциональность.

proportionate 1. *a* [prə'pɔːʃnɪt] соразмéрный, пропорциональный (to);
2. *v* [prə'pɔːʃneɪt] соразмерять, дéлать пропорциональным.

proposal [prə'poʊzəl] *n* 1) предложéние; план; 2) предложéние (*о брáке*); 3) *амер.* заявка на подряд.

propose [prə'poʊz] *v* 1) предлагáть; вноси́ть предложéние; to ~ the health of smb. провозгласи́ть тост за когó-л.; to ~ a riddle загадáть загáдку; the object I ~ to myself цель, котóрую я себé стáвлю; 2) предполагáть, намеревáться; I ~ to make a journey this summer лéтом я намéрен попутешéствовать; 3) дéлать предложéние (*о брáке*; to); 4) представлять (*кандидáта на дóлжность*).

proposition [,prɔpə'zɪʃən] *n* 1) предложéние; 2) утверждéние, заявлéние; 3) *мат.* теорéма; доказáтельство теорéмы; 4) план, проéкт; задáча; 5) *редк.* предприятие; 6) *амер. разг.* дéло, проблéма; he's a tough ~ с ним трýдно имéть дéло.

propound [prə'paʊnd] *v* 1) предлагáть на обсуждéние; 2) *уст.* выдвигáть (*теорию, проблéму*); 3) *юр.* предъявлять завещáние на утверждéние.

propraetor [proʊ'priːtə] *n др.-рим.* пропрéтор.

proprietary [prə'praɪətərɪ] **1.** *a* 1) сóбственнический; составляющий чью-л. сóбственность; чáстный; ~ rights правá сóбственности; 2): ~ medicine патентóванное срéдство;
2. *n* 1) прáво сóбственности; 2) сóбственник; 3) класс сóбственников (*тж.* the ~ classes); 4) патентóванное срéдство.

proprietor [prə'praɪətə] *n* сóбственник, владéлец; хозяин.

proprietorship [prə'praɪətəʃɪp] *n* сóбственность.

proprietress [prə'praɪətrɪs] *n* cóбственница, владélица; хозя́йка.

propriety [prə'praɪətɪ] *n* 1) пра́вильность, уме́стность; 2) присто́йность; the proprieties прили́чия; 3) *уст.* пра́во со́бственности.

props [prɔps] *n pl* (*сокр. от* properties) *театр. sl.* реквизи́т, бутафо́рия.

propulsion [prə'pʌlʃən] *n* 1) продвижéние, движéние впере́д; 2) толчо́к; 3) дви́жущая си́ла (*тж. перен.*).

propulsive [prə'pʌlsɪv] *a* 1) приводя́щий в движéние; продвига́ющий, побужда́ющий; пропульси́вный; ~ force дви́жущая си́ла, пропульси́вная си́ла; ~ coefficient а) *мор.* пропульси́вный коэффициéнт; б) *ав.* коэффициéнт тя́ги, тя́говый коэффициéнт полéзного дéйствия.

pro rata ['prou'rɑːtə] *adv* в соотвéтствии, в пропóрции, пропорциона́льно.

pro-rate [,prou'reɪt] *v* (*преим. амер.*) распределя́ть пропорциона́льно.

prorogation [,prourə'geɪʃən] *n* 1) переры́в в рабóте парла́мента по королéвскому прика́зу; 2) отсро́чка.

prorogue [prə'roug] *v* 1) назна́чить переры́в в рабóте парла́мента; 2) отсро́чить, отложи́ть.

pros [prouz] *n pl*: the ~ and cons дóводы за́ и прóтив.

prosaic [prou'zeɪɪk] *a* 1) прозаи́ческий; 2) прозаи́чный, ску́чный; повседнéвный; ~ speaker ску́чный ора́тор.

prosaically [prou'zeɪkəlɪ] *adv* прозаи́чно.

prosaism ['prouzeɪɪzəm] *n* прозаи́зм.

prosaist ['prouzeɪɪst] *n* 1) проза́ик; 2) ску́чный, прозаи́ческий человéк.

proscenia [prou'siːnjə] *pl от* proscenium.

proscenium [prou'siːnjəm] *n* (*pl* -ia)1)авансцéна; 2) *ист.* просцéниум.

proscribe [prous'kraɪb] *v* 1) объявля́ть вне закóна; изгоня́ть; высыла́ть; 2) осуди́ть и запрети́ть; 3) *ист.* оглаша́ть (*фамилии преступников*).

proscription [prous'krɪpʃən] *n* 1) объявлéние вне закóна; изгна́ние; опа́ла; 2) *ист.* проскри́пция.

prose [prouz] 1. *n* 1) прóза; 2) прозаи́чность; the ~ of existence прóза жи́зни; 3) *attr.* прозаи́чный;
2. *v* 1) ску́чно говори́ть *или* писа́ть; 2) писа́ть прóзой; 3) перекла́дывать стихи́ на прóзу.

prosector [prou'sektə] *n* прозéктор.

prosecute ['prɔsɪkjuːt] *v* 1) вести́, проводи́ть; выполня́ть; продолжа́ть (*занятие и т. п.*); to ~ an inquiry проводи́ть расслéдование; 2) преслéдовать судéбным поря́дком; to ~ a claim for damages возбуди́ть иск об убы́тках.

prosecution [,prɔsɪ'kjuːʃən] *n* 1) ведéние; выполнéние; рабóта (of — над *чем-л.*); ~ of war ведéние войны́; 2) судéбное преслéдование; 3) *юр.* сторона́, предъявля́ющая иск; to appear for the ~ выступа́ть от лица́ истца́; 4) (the ~) обвинéние (*сторона в судебном процессе*).

prosecutor ['prɔsɪkjuːtə] *n* 1) обвини́тель; public ~ прокурóр; 2) истéц.

proselyte ['prɔsɪlaɪt] 1. *n* новообращённый, прозели́т;
2. *v редк.* = proselytize.

proselytize ['prɔsɪlɪtaɪz] *v* обраща́ть в свою́ вéру.

prosify ['prouzɪfaɪ] *v* 1) перекла́дывать стихи́ на прóзу; 2) писа́ть прóзой; 3) сдéлать прозаи́чным, обы́денным.

prosit ['prousɪt] *лат. int* пью (пьём) за Ва́ше здорóвье!

prosody ['prɔsədɪ] *n* просóдия.

prosopopoeia [,prɔsoupou'piːə] *n ритор.* просопопéя; олицетворéние.

prospect 1. *n* ['prɔspekt] 1) вид; панора́ма; перспекти́ва; 2) (*часто pl*) перспекти́ва; наде́жда; ви́ды, пла́ны на бу́дущее; in ~ в дальнéйшем, в перспекти́ве; what are your ~s for tomorrow? что вы собира́етесь дéлать за́втра?; no ~s of success никаки́х надéжд на успéх; a map of no ~s человéк, не имéющий никаки́х надéжд на бу́дущее; 3) предполага́емый клиéнт, подпи́счик и т. п.; 4) *горн., геол.* изыска́ние, развéдка; 5) *горн.* рудни́к, цéнность котóрого ещё не извéстна;
2. *v* [prəs'pekt] *горн.* 1) исслéдовать; дéлать изыска́ния; развéдывать; to ~ for gold иска́ть зóлото; 2) быть перспекти́вной (*о шахте и т. п.*).

prospective [prəs'pektɪv] *a* 1) бу́дущий; ожида́емый, предполага́емый; 2) относя́щийся к бу́дущему, каса́ющийся бу́дущего; this law is purely ~ э́тот закóн не имéет обра́тной си́лы.

prospector [prəs'pektə] *n горн., геол.* развéдчик, изыска́тель; стара́тель; золотоиска́тель.

prospectus [prəs'pektəs] *n* (*pl* -es [-ɪz]) проспéкт (*книги*); проéкт.

prosper ['prɔspə] *v* 1) процвета́ть, преуспева́ть; 2) благоприя́тствовать.

prosperity [prɔs'perɪtɪ] *n* 1) процвета́ние, благосостоя́ние; 2) проспéрити; 3) *pl редк.* благоприя́тные обстоя́тельства.

prosperous ['prɔspərəs] *a* 1) процвета́ющий; 2) имéющий уда́чу, успéшный; 3) состоя́тельный, зажи́точный; 4) благоприя́тный; попу́тный (*о ветре*).

prostate ['prɔsteɪt] *n анат.* предста́тельная железа́, проста́та.

prosthesis ['prɔsθɪsɪs] *n* 1) протéз; 2) протези́рование; 3) *грам.* прéфикс.

prosthetic [prɔs'θetɪk] *a* протéзный; ~ appliance протéз.

prostitute ['prɔstɪtjuːt] 1. *n* 1) проститу́тка; публи́чная жéнщина; 2) найми́т, прода́жный человéк; человéк, продаю́щий свои́ убеждéния;
2. *v* 1) занима́ться проститу́цией; 2) проституи́ровать.

prostitution [,prɔstɪ'tjuːʃən] *n* 1) проститу́ция; 2) проституи́рование.

prostrate 1. *a* ['prɔstreɪt] 1) распростёртый; 2) повéрженный; пóпранный; 3) изнеможённый, обесси́ленный; в простра́ции; ~ with grief уби́тый гóрем; 4) *бот.* стéлющийся;
2. *v* [prɔs'treɪt] 1) поверга́ть ниц; подчиня́ть; унижа́ть; 2) *refl.* па́дать ниц;

унижа́ться; 3) истоща́ть (*о болезни, горе и т. п.*).

prostration [prɔs'treiʃən] *n* 1) распростёртое положе́ние; 2) изнеможе́ние; упа́док сил; простра́ция; 3) пове́рженное состоя́ние.

prostyle ['proustail] *n архит.* прости́ль.

prosy ['prouzi] *a* 1) прозаи́чный, бана́льный; ску́чный; 2) прозаи́ческий.

protactinium [‚proutæk'tiniəm] *n хим.* протоакти́ний.

protagonist [prou'tægənist] *n* 1) гла́вный геро́й; 2) актёр, игра́ющий гла́вную роль; 3) *непр.* побо́рник.

protases ['prɔtəsiːz] *pl от* protasis.

protasis ['prɔtəsis] *n (pl* -ses) *грам.* часть усло́вного предложе́ния, содержа́щая усло́вие.

protean [prou'tiːən] *a* подо́бный Проте́ю; многообра́зный, изме́нчивый.

protect [prə'tekt] *v* 1) защища́ть (from— от, against—про́тив); огражда́ть; 2) предохраня́ть; 3) покрови́тельствовать.

protection [prə'tekʃən] *n* 1) защи́та; огражде́ние; 2) предохране́ние; 3) прикры́тие; 4) покрови́тельство; охра́на; охране́ние; 5) охра́нная гра́мота; про́пуск; па́спорт; 6) = protectionism; ◇ to live under the ~ of smb. быть чьей-л. содержа́нкой.

protectionism [prə'tekʃənizəm] *n эк.* протекциони́зм.

protectionist [prə'tekʃənist] *n* сторо́нник протекциони́зма.

protective [prə'tektiv] *a* 1) защи́тный; прикрыва́ющий; ~ device защи́тное устро́йство; ~ barrage *воен.* огнева́я заве́са, загради́тельный ого́нь; ~ deck *мор.* бронева́я па́луба; 2) *эк.* защи́тный, огради́тельный, защити́тельный; покрови́тельственный; ~ tariff покрови́тельственный тари́ф; 3) *зоол., бот.:* ~ colouration (*или* colouring) покрови́тельственная, защи́тная окра́ска.

protector [prə'tektə] *n* 1) защи́тник; 2) покрови́тель; 3) *ист.* ре́гент А́нглии; 4) (Р.) *ист.* проте́ктор (*титул Оли́вера Кро́мвеля и его́ сы́на Ри́чарда; тж.* Lord P.); 5) защи́тное устро́йство; предохрани́тель; чехо́л; 6) *тех.* проте́ктор.

protectorate [prə'tektərit] *n* протектора́т.

protectorship [prə'tektəʃip] *n* 1) протектора́т; 2) покрови́тельство; патрона́т; 3) *ист.* зва́ние ре́гента; 4) *ист.* пери́од ре́гентства.

protectory [prə'tektəri] *n* заведе́ние для беспризо́рных дете́й и несовершеннолетних правонаруши́телей.

protectress [prə'tektris] *n* защи́тница, покрови́тельница.

protégé ['proutеʒеi] *фр. n (ж.* -ée) протеже́.

protégée ['prouteʒei] *ж. к* protégé.

proteid ['proutiːd] *уст.* = protein.

protein ['proutiːn] *n хим.* протеи́н, бело́к.

pro tem [prou'tem] = pro tempore.

pro tempore [prou'tempəri] *лат. adv* на вре́мя, пока́.

protest 1. *n* ['proutest] 1) проте́ст; to enter (*или* to lodge) a ~ заявля́ть проте́ст;

under ~ вы́нужденно, про́тив во́ли; 2) опротестова́ние, проте́ст (*векселя*); 3) *юр.* торже́ственное заявле́ние.

2. *v* [prə'test] 1) протестова́ть, возража́ть; заявля́ть проте́ст (against); 2) опротесто́вывать (*вексель*); 3) *юр.* торже́ственно заявля́ть; to ~ one's innocence заявля́ть о свое́й невино́вности; 4) *уст., разг.* уверя́ть, говори́ть; I ~ I'm sick of the whole business уверя́ю вас, мне всё э́то надое́ло.

Protestant ['prɔtistənt] *рел.* 1. *n* протеста́нт;
2. *a* протеста́нтский.

protestant ['prɔtistənt] 1. *n* тот, кто протесту́ет, протесту́ющий;
2. *a* протесту́ющий.

Protestantism ['prɔtistəntizəm] *n рел.* протеста́нтство.

protestantize ['prɔtistəntaiz] *v рел.* 1) обраща́ть в протеста́нтство; 2) испове́довать протеста́нтство.

protestation [‚proutes'teiʃən] *n* 1) торже́ственное заявле́ние (of—о; that); 2) *редк.* проте́ст, возраже́ние (against).

Proteus ['proutjuːs] *n миф.* Проте́й.

protista [prou'tistə] *n pl биол.* проти́сты, просте́йшие однокле́точные органи́змы.

protocol ['proutəkɔl] 1. *n* 1) протоко́л; 2) *дип.* протоко́л; прелимина́рные усло́вия догово́ра *или* соглаше́ния; дополни́тельное междунаро́дное соглаше́ние; 3) (the P.) протоко́льный отде́л министе́рства иностра́нных дел; 4) пра́вила дипломати́ческого этике́та;
2. *v* протоколи́ровать, вести́ протоко́л.

proton ['proutɔn] *n физ.* прото́н.

protoplasm ['proutəplæzəm] *n биол.* протопла́зма.

protoplasmatic [‚proutəplæz'mætik] = protoplasmic.

protoplasmic [‚proutə'plæzmik] *a биол.* протопла́зменный.

protoplast ['proutəplæst] *n* 1) пе́рвый челове́к; 2) прототи́п, первообра́з; 3) оригина́л, образе́ц; 4) *биол.* протопла́ст.

protoplastic [‚proutə'plæstik] *a* 1) первообра́зный; первонача́льный; 2) *биол.* протопла́зменный.

prototype ['proutətaip] *n* прототи́п.

protoxide [prou'tɔksaid] *n хим.* за́кись, ни́зшая о́кись.

protozoa [‚proutə'zouə] *n pl зоол.* протозо́а, просте́йшие однокле́точные живо́тные органи́змы.

protozoology [‚proutəzou'ɔlədʒi] *n* протозооло́гия.

protract [prə'trækt] *v* 1) тяну́ть; затя́гивать; ме́длить; 2) черти́ть (*план*); 3) продолжа́ть, откла́дывать (*линию*); 4) *редк.* растя́гивать.

protracted [prə'træktid] 1. *p.p. от* protract;
2. *a* 1) затяну́вшийся; 2) дли́тельный, затяжно́й.

protractedly [prə'træktidli] *adv* дли́тельно.

protractile [prə'træktil] *a* растя́гиваемый; подве́рженный растяже́нию (*об о́ргане и т. п.*).

protraction [prə'trækʃən] n 1) проволо́чка; промедле́ние; 2) удлине́ние; продолже́ние; 3) нанесе́ние на план *или* чертёж; начерта́ние; 4) де́йствие разгиба́тельной мы́шцы.

protractor [prə'træktə] n 1) *тех.* транспорти́р; угломе́р; 2) *анат.* разгиба́тельная мы́шца; 3) *хир.* инструме́нт для удале́ния из ра́ны инородного те́ла.

protrude [prə'truːd] v 1) высо́вывать(ся); 2) выдава́ться, торча́ть.

protruding [prə'truːdɪŋ] 1. *pres. p.* от protrude;
2. *a* 1) выдаю́щийся, выступа́ющий впере́д; 2) вы́сунутый нару́жу.

protrusion [prə'truːʒən] n 1) вы́ступ; 2) высо́вывание.

protrusive [prə'truːsɪv] a выдаю́щийся впере́д; выступа́ющий, торча́щий.

protuberance [prə'tjuːbərəns] n 1) вы́пуклость; 2) опу́хлость; о́пухоль; 3) *астр.* протубера́нец.

protuberant [prə'tjuːbərənt] a вы́пуклый, выдаю́щийся впере́д.

proud [praud] a 1) го́рдый; испы́тывающий зако́нную го́рдость; the ~ father счастли́вый оте́ц; to be ~ горди́ться (of, *тж. c inf.*); 2) го́рдый, надме́нный, высокоме́рный, самодово́льный; 3) великоле́пный; горделивый, велича́вый; 4) подня́вшийся (*об уро́вне воды́*); вздувшийся; ~ sea вздыма́ющееся мо́ре; ◇ ~ flesh ди́кое мя́со; ~ horse *поэт.* рети́вый конь; to do smb. ~ ока́зывать честь кому́-л.; you do me ~ вы ока́зываете мне честь.

proudly ['praudlɪ] adv го́рдо; с го́рдостью; вели́чественно.

proud-spirited ['praud'spɪrɪtɪd] a го́рдый, надме́нный, зано́счивый.

proud-stomached ['praud'stʌməkt] a надме́нный, высокоме́рный, зано́счивый.

prove [pruːv] v 1) дока́зывать; удостоверя́ть; the exception ~s the rule исключе́ние лишь подтвержда́ет пра́вило; 2) испы́тывать, про́бовать; 3) ока́зываться; the play ~d a success пье́са име́ла успе́х; 4) *мат.* проверя́ть; 5) *юр.* утвержда́ть (*завеща́ние*); 6) *полигр.* де́лать про́бный о́ттиск; □ ~ out подтвержда́ть(ся).

proven ['pruːvən] a дока́занный; not ~ *шотл. юр.* (преступле́ние) не дока́зано.

provenance ['prɔvɪnəns] n происхожде́ние; исто́чник.

Provençal [,prɔvɑ̃ːn'sɑːl] *фр.* 1. a прова́нский;
2. n 1) провансале́ц; 2) провансальский язы́к.

provender ['prɔvɪndə] n 1) корм, фура́ж; 2) *шутл.* пи́ща.

provenience [prou'viːnɪəns] = provenance.

proverb ['prɔvəb] n 1) посло́вица; 2) pl игра́ в посло́вицы; 3): Book of Proverbs *библ.* Кни́га при́тчей Соломо́новых; ◇ to a ~ преде́льно, в вы́сшей сте́пени; he is avaricious to a ~ его́ ску́пость вошла́ в погово́рку.

proverbial [prə'vəːbjəl] a воше́дший в погово́рку; общеизве́стный; легенда́рный.

provide [prə'vaɪd] v 1) заготовля́ть, запаса́ть(ся); to ~ an excuse (зара́нее)

пригото́вить извине́ние; 2) снабжа́ть; обеспе́чивать; he has well ~d for his family он хорошо́ обеспе́чил семью́; 3) доставля́ть, дава́ть; his father ~d him with a good education оте́ц дал ему́ хоро́шее образова́ние; 4) принима́ть ме́ры (against—про́тив чего́-л.); предусма́тривать (for); 5) ста́вить усло́вием (that).

provided I [prə'vaɪdɪd] 1. *p. p.* от provide;
2. a обеспе́ченный; ~ school нача́льная шко́ла, кото́рая соде́ржится на ме́стные сре́дства.

provided II [prə'vaɪdɪd] cj при усло́вии, е́сли то́лько, в том слу́чае, е́сли.

providence ['prɔvɪdəns] n 1) предусмотри́тельность; 2) бережли́вость; 3) (P.) провиде́ние.

provident ['prɔvɪdənt] a 1) предусмотри́тельный; осторо́жный; 2) расчётливый; бережли́вый.

providential [,prɔvɪ'denʃəl] a 1) провиденциа́льный; предопределённый; 2) счастли́вый, благоприя́тный.

providently ['prɔvɪdəntlɪ] adv 1) предусмотри́тельно, осторо́жно; 2) расчётливо.

provider [prə'vaɪdə] n поставщи́к.

providing I [prə'vaɪdɪŋ] *pres. p.* от provide.

providing II [prə'vaɪdɪŋ] = provided II.

province ['prɔvɪns] n 1) о́бласть, прови́нция; 2) pl прови́нция, перифери́я; the ~s вся страна́ за исключе́нием столи́цы; 3) о́бласть (*зна́ний и т. п.*); сфе́ра де́ятельности, компете́нция; it is out of my ~ э́то вне мое́й компете́нции; 4) архиепи́скопская епа́рхия.

provincial [prə'vɪnʃəl] 1. a провинциа́льный; ме́стный;
2. n 1) провинциа́л; 2) *церк.* архиепи́скоп.

provincialism [prə'vɪnʃəlɪzəm] n 1) провинциа́льность; 2) провинциали́зм, областно́е выраже́ние.

provinciality [prə,vɪnʃɪ'ælɪtɪ] n провинциа́льность.

provincialize [prə'vɪnʃəlaɪz] v де́лать провинциа́льным.

provision [prə'vɪʒən] 1. n 1) снабже́ние, обеспе́чение; to make ample ~ for one's family вполне́ обеспе́чить семью́; 2) заготовле́ние, заготовка; 3) pl прови́зия; запа́сы провиа́нта; 4) положе́ние, усло́вие (*догово́ра и т. п.*); постановле́ние; to agree on the following ~s прийти́ к соглаше́нию по сле́дующим пу́нктам; 5) ме́ра предосторо́жности (for, against); to make ~s предусма́тривать, постановля́ть;
2. v снабжа́ть продово́льствием.

provisional [prə'vɪʒənl] a 1) вре́менный; 2) предвари́тельный, усло́вный.

provisionality [prə,vɪʒə'nælɪtɪ] n вре́менность.

proviso [prə'vaɪzou] n (pl -os [-ouz], -oes [-ouz]) усло́вие; огово́рка.

provisory [prə'vaɪzərɪ] a 1) усло́вный; 2) вре́менный.

provitamin [prou'vaɪtəmɪn] n провитами́н.

provocation [,prɔvə'keɪʃən] n 1) вы́зов; побужде́ние; 2) провока́ция; 3) раздраже́ние.

provocative [prə'vɔkətɪv] **1.** *a* 1) вызывающий (*о поведении и т. п.*); 2) провокационный; 3) возбуждающий (of—*что-л.*); стимулирующий; 4) раздражающий;

2. *n* 1) возбудитель; 2) возбуждающее средство.

provoke [prə'vouk] *v* 1) вызывать, возбуждать; 2) провоцировать; 3) сердить, раздражать; 4) побуждать.

provoking [prə'voukɪŋ] **1.** *pres. p. от* provoke;

2. *a* раздражающий; досадный; неприятный.

provost ['prɔvəst] *n* 1) ректор (*в некоторых университетских колледжах*); 2) *шотл.* мэр; 3) *церк.* настоятель; 4) *воен.* [prə'vou] офицер военной полиции; 5) *attr.* военно-полицейский; ~ marshal начальник военной полиции; ~ prison военная тюрьма; ~ corps военная полиция, полевая жандармерия.

prow [prau] *n* 1) нос (*судна, самолёта*); 2) *поэт.* корабль.

prowess ['prauis] *n* доблесть, удаль, отвага.

prowl [praul] **1.** *v* красться, бродить (*в поисках добычи; тж.* ~ about); идти крадучись;

2. *n*: on the ~ крадучись; to take a ~ round the streets пойти бродить по улицам.

prowl car ['praul'kɑː] *n* машина полицейского патруля.

prowler ['praulə] *n* 1) бродяга; 2) мародёр.

proximate ['prɔksɪmɪt] *a* ближайший; непосредственный; следующий.

proximity [prɔk'sɪmɪtɪ] *n* близость; ~ of blood близкое родство.

proximo ['prɔksɪmou] *лат. a* следующего месяца; on the 10th ~ 10-го числа следующего месяца.

proxy ['prɔksɪ] *n* 1) полномочие; передача голоса; доверенность; by ~ по доверенности; to vote by ~ а) передать свой голос; б) голосовать за другого (*по доверенности*); 2) заместитель, доверенный, уполномоченный; to be (*или* to stand) ~ for smb. быть чьим-л. представителем, уполномоченным; 3) *attr.* сделанный, совершённый, выданный по доверенности.

prude [pruːd] *n* жеманница; не в меру щепетильная, притворно стыдливая женщина.

prudence ['pruːdəns] *n* 1) благоразумие, предусмотрительность; 2) осторожность, осмотрительность; 3) расчётливость, бережливость.

prudent ['pruːdənt] *a* 1) благоразумный, предусмотрительный; 2) осторожный; 3) расчётливый, бережливый.

prudential [pruː'denʃəl] **1.** *a* продиктованный благоразумием, благоразумный;

2. *n* (*обыкн.* pl) благоразумное соображение; благоразумный подход;

prudery ['pruːdərɪ] *n* притворная стыдливость; излишняя щепетильность.

prudish ['pruːdɪʃ] *a* не в меру щепетильный, не в меру стыдливый.

prune I [pruːn] *n* 1) чернослив; 2) красно-

вато-лиловый цвет; ◇ ~s and prism(s) жеманная манера говорить.

prune II [pruːn] *v* 1) обрезать; подрезать (*деревья и т. п.*); 2) сокращать; 3) удалять (*всякого рода излишества*), упрощать (*обыкн.* ~ away, ~ down).

prunella [pruː'nelə] *n* прюнель (*материя*).

prurience, -cy ['pruəriəns, -sɪ] *n* 1) непреодолимое желание; 2) похотливость.

prurient ['pruəriənt] *a* похотливый.

Prussian ['prʌʃən] **1.** *a* прусский; ◇ P. blue берлинская лазурь;

2. *n* пруссак.

prussic acid ['prʌsik'æsid] *n* синильная кислота.

pry I [prai] **1.** *n* любопытный (*шутл. тж.* Paul P.);

2. *v* 1) подглядывать, подсматривать (*часто* ~ about, ~ into); 2) осматривать с излишним любопытством; любопытствовать; 3) совать нос (*в чужие дела; обыкн.* ~ into); □ ~ out допытываться, выведывать.

pry II [prai] **1.** *n* 1) рычаг; 2) средство достижения цели;

2. *v* 1) поднимать, передвигать, вскрывать *или* взламывать при помощи рычага; 2) извлекать с трудом.

pryism ['praiizəm] *n*: Paul P. *шутл.* любопытство.

psalm [sɑːm] *n* псалом.

psalmist ['sɑːmist] *n* псалмопевец.

psalmody ['sælmədi] *n* пение псалмов.

psalter ['sɔːltə] *n* псалтырь.

psaltery ['sɔːltəri] *n* псалтерион (*древний муз. инструмент типа цитры*).

pseud(o)- ['psjuːdou-] *pref* псевдо-, ложно-.

pseudomorphism ['psjuːdou'mɔːfizəm] *n* *мин.* псевдоморфизм.

pseudonym ['psjuːdənim] *n* псевдоним.

pseudonymous [psjuː'dɔniməs] *a* пишущий *или* изданный под псевдонимом.

pshaw [pʃɔː] **1.** *int* выражает пренебрежение *или* нетерпение;

2. *v* выражать пренебрежение, фыркать (*часто* ~ at).

psittacosis [,psitə'kousis] *n* *мед.* попугайная болезнь, пситтакоз.

psora ['psourə] *n* *мед.* 1) чесотка; 2) = psoriasis.

psoriasis [psɔ'raiəsis] *n* *мед.* псориаз.

Psyche ['saiki] *n* *миф.* Психея.

psyche ['saiki] *n* высокое зеркало на ножках, психе.

psychiatric(al) [,saiki'ætrik(əl)] *a* психиатрический.

psychiatrist [sai'kaiətrist] *n* психиатр.

psychiatry [sai'kaiətri] *n* психиатрия.

psychic ['saikik] **1.** *a* = psychical;

2. *n* медиум.

psychical ['saikikəl] *a* психический.

psychics ['saikiks] *n pl* (*употр. как sing*) психология.

psycho ['saikou] *n* *разг.* сумасшедший, психопат.

psycho-analysis [,saikouə'næləsis] *n* психоанализ.

psycho-analyst [,saikou'ænəlist] *n* специалист по психоанализу.

psychological [ˌsaɪkə'lɔdʒɪkəl] *a* психологический; ~ moment *шутл.* самый удобный момент.

psychologist [saɪ'kɔlədʒɪst] *n* 1) психолог; 2) лицо, занимающееся психоанализом.

psychology [saɪ'kɔlədʒɪ] *n* психология.

psychopath ['saɪkoupæθ] *n* психопат.

psychoses [saɪ'kousiːz] *pl om* psychosis.

psychosis [saɪ'kousɪs] *n* (*pl* -ses) психоз.

psychosomatic [ˌsaɪkousə'mætɪk] *a* психосоматический.

ptarmigan ['tɑːmɪgən] *n* белая куропатка.

pterodactyl [ˌpterou'dæktɪl] *n зоол.* птеродактиль.

pterosaur ['pterəsɔː] *n зоол.* птерозавр.

ptisan [tɪ'zæn] *n* 1) питательный (*особ.* ячменный) отвар; 2) чай из ромашки.

Ptolemaic [ˌtɔlɪ'meɪɪk] *a* птолемеев.

ptomaine ['toumeɪn] *n* птомаин, трупный яд.

pub [pʌb] *n* (*сокр. от* public house) 1) *разг.* пивная, кабак; трактир; 2) *sl.* гостиница.

puberty ['pjuːbətɪ] *n* половая зрелость.

pubescence [pjuː'besns] *n* 1) половое созревание; 2) пушок (*на растениях*).

pubescent [pjuː'besnt] *a* 1) достигающий *или* достигший половой зрелости; 2) *бот., зоол.* покрытый пушком, волосиками.

public ['pʌblɪk] **1.** *a* 1) общественный; государственный; ~ man общественный деятель; ~ office государственное, муниципальное *или* общественное учреждение; ~ official государственный служащий; ~ opinion общественное мнение; ~ peace общественный порядок; ~ debt государственный долг; 2) народный, общенародный; ~ ownership общенародное достояние; ~ spirit дух патриотизма; 3) публичный, общедоступный; ~ library публичная библиотека; ~ lecture публичная лекция; ~ road большая дорога; 4) коммунальный; ~ service коммунальные услуги; ~ utilities a) коммунальные сооружения, предприятия; б) коммунальные услуги; 5) открытый, гласный; ~ protest открытый протест; to give smth. ~ utterance предать что-л. гласности;

2. *n* 1) публика; общественность; to appeal to the ~ обратиться, апеллировать к обществу; in ~ открыто, публично; 2) народ; the British ~ английский народ; 3) *разг. см.* public house.

publican ['pʌblɪkən] *n* 1) трактирщик; 2) *др.-рим.* откупщик; 3) *библ.* мытарь.

publication [ˌpʌblɪ'keɪʃən] *n* 1) опубликование, издание; 2) оглашение; публикация; 3) издание (*книга и т. п.*).

public enemy ['pʌblɪk'enɪmɪ] *n* 1) вражеская страна; 2) социально опасный элемент.

public health ['pʌblɪk'helθ] *n* здравоохранение; санитарное дело.

public house ['pʌblɪk'haus] *n* трактир; кабак, пивная; таверна.

publicist ['pʌblɪsɪst] *n* 1) специалист по международному праву; 2) публицист; журналист; 3) агент по рекламе.

publicity [pʌb'lɪsɪtɪ] *n* 1) публичность, гласность; to give ~ to разглашать *что-л.*; предавать *что-л.* гласности; 2) реклама; 3) *attr.*: ~ agent агент по рекламе.

publicize ['pʌblɪsaɪz] *v* 1) рекламировать; 2) разглашать; оглашать; 3) оповещать; извещать.

publicly ['pʌblɪklɪ] *adv* публично; открыто.

public relations ['pʌblɪkrɪ'leɪʃənz] *n* 1) общественная информация; 2) *attr.* рекламный, относящийся к рекламе *или* информации; ~ department а) пресс-бюро; отдел информации; б) отдел информации коммерческого предприятия; ~ officer служащий отдела информации; ~ unit *воен.* подразделение информации; ~ man агент по рекламе.

public school ['pʌblɪk'skuːl] *n* 1) закрытое среднее учебное заведение для мальчиков (*в Англии*); 2) бесплатная государственная школа (*в США, Шотландии и колониях*).

publish ['pʌblɪʃ] *v* 1) публиковать; оглашать; 2) издавать, опубликовывать; 3) печатать свой произведения, печататься (*об авторе*); 4) *амер.* пускать в обращение.

publisher ['pʌblɪʃə] *n* 1) издатель; 2) *амер.* владелец газеты.

publishing ['pʌblɪʃɪŋ] **1.** *pres. p. om* publish;
2. *a:* ~ house (*или* office) издательство.

publishment ['pʌblɪʃmənt] *n* 1) издание, выпуск в свет; опубликование; 2) *амер.* официальное объявление о предстоящем бракосочетании.

puce [pjuːs] **1.** *n* красновато-коричневый цвет;
2. *a* красновато-коричневый.

Puck [pʌk] *n* эльф, дух-проказник (*в фольклоре*).

puck [pʌk] *n спорт.* шайба (*в хоккее*).

pucka ['pʌkə] *a англо-инд.* настоящий; первоклассный; полновесный.

pucker ['pʌkə] **1.** *n* 1) морщина; 2) складка; сборка; 3) *разг.* раздражённое состояние; смущение; растерянность; беспокойство;
2. *v* 1) морщить(ся); 2) делать складки, собирать в сборку.

puckish ['pʌkɪʃ] *a* 1) плутовской; хитрый; 2) проказливый.

pud [pʌd] *n дет.* ручка; лапка.

puddening ['pudnɪŋ] *n мор.* кранец.

pudding ['pudɪŋ] *n* 1) пудинг; 2) что-л., напоминающее пудинг (*по форме, консистенции*); 3) вид колбасы; 4) = puddening; ◇ ~ face толстая круглая физиономия; more praise than ~ ≈ из спасиба шубу не сошьёшь; благодарность на словах; the proof of the ~ is in the eating ≈ не попробуешь, не узнаешь.

pudding-head ['pudɪŋhed] *n* олух, болван.

pudding-stone ['pudɪŋstoun] *n геол.* швейцарский песчаник.

puddingy ['pudɪŋɪ] *a* 1) похожий на пудинг; 2) *перен.* тяжеловесный; тупой.

puddle ['pʌdl] **1.** *n* 1) лужа; 2) *разг.* грязь; 3) водонепроницаемая обкладка *или* обмазка из глины с гравием для дна прудов и т. п.; 4) *метал.* пудлинговая крица;

2. *v* 1) мутить (*воду*); 2) барахтаться в воде (*тж.* ~ about, ~ in); 3) месить (*глину*); 4) обкладывать (*дно канала и т. п.*) смесью глины и гравия; 5) *перен.* пачкать; 6) смущать, сбивать с толку; 7) трамбовать; 8) *метал.* пудлинговать.

puddling furnace ['pʌdlɪŋ'fɑːnɪs] *n* пудлинговая печь.

puddly ['pʌdlɪ] *a* покрытый лужами.

pudency ['pjuːdənsɪ] *n* стыдливость.

pudenda [pjuː'dendə] *pl от* pudendum.

pudendum [pjuː'dendəm] *n* (*pl* -da; *обыкн. pl*) половые органы.

pudge [pʌdʒ] *n разг.* толстяк; коротышка.

pudgy ['pʌdʒɪ] *a* коротенький и толстый.

pueblo [pu'eblou] *исп. n* (*pl* -os [-ouz]) 1) индейская деревня *или* поселение; 2) житель индейской деревни.

puerile ['pjuərail] *a* ребяческий; пустой.

puerility [pjuə'rɪlɪtɪ] *n* ребячество.

puerperal [pjuː'əːpərəl] *a* родильный; ~ fever родильная горячка.

Puerto Rican ['pwɑːtou'riːkən] **1.** *a* пуэрториканский.

2. *n* пуэрториканец; пуэрториканка.

puff [pʌf] **1.** *n* 1) дуновение (*ветра*); 2) порыв, струя воздуха; 3) дымок, клуб дыма; 4) пуховка; 5) буф (*на платье*); 6) слойка; jam ~ слоёный пирожок с вареньем; 7) незаслуженная похвала; дутая реклама;

2. *v* 1) дуть порывами; 2) пыхтеть; to ~ and blow, to ~ and pant тяжело дышать; to be ~ed запыхаться; 3) дымить, пускать клубы дыма; 4) курить; 5) преувеличенно расхваливать, рекламировать; 6) кичиться, важничать; □ ~ away a) двигаться, оставляя за собой клубы дыма; б) to ~ away at a cigar попыхивать сигарой; ~ out a) задувать (*свечу*); б) надувать, выпячивать; ~ed out with self-importance полный чванства; в) выбиваться порывами, клубами; ~ up a) подниматься клубами (*о дыме и т. п.*); б): ~ed up самодовольный, полный самомнения.

puff-adder ['pʌf͵ædə] *n* африканская гадюка.

puff-ball ['pʌfbɔːl] *n* дождевик (*гриб*).

puff-box ['pʌfbɔks] *n* пудреница.

puffed [pʌft] **1.** *p. p. от* puff 2;

2. *a* 1) с буфами (*о рукавах*); 2) запыхавшийся.

puffery ['pʌfərɪ] *n* рекламирование; дутая реклама.

puffin ['pʌfɪn] *n зоол.* 1) тупик; 2) топорок.

puff paste ['pʌf'peɪst] *n* слоёное тесто.

puffy ['pʌfɪ] *a* 1) порывистый (*о ветре*); 2) одутловатый; отёкший; толстый; 3) запыхавшийся; страдающий одышкой; 4)*редк.* надутый, важный; кичливый; 5) напыщенный, высокопарный; ~ style напыщенный стиль.

pug I [pʌg] *n* 1) мопс; 2) = pug-nose.

pug II [pʌg] **1.** *n* 1) мятая глина; 2) обмазка глиной;

2. *v* мять глину.

pug III [pʌg] *англо-инд.* **1.** *n* след зверя; 2. *v* идти по следам, преследовать.

pug IV [pʌg] *sl. сокр. от* pugilist.

pug-dog ['pʌgdɔg] = pug I, 1).

pugg(a)ree ['pʌg(ə)rɪ] *n англо-инд.* 1) лёгкий тюрбан; 2) шарф вокруг шляпы, спущенный сзади (*для защиты шеи от солнца*).

pugilism ['pjuːdʒɪlɪzəm] *n* бокс; кулачный бой.

pugilist ['pjuːdʒɪlɪst] *n* 1) боксёр; 2) яростный спорщик.

pugilistic [͵pjuːdʒɪ'lɪstɪk] *a* кулачный.

pug-mill ['pʌgmɪl] *n* глиномялка.

pugnacious [pʌg'neɪʃəs] *a* драчливый.

pugnacity [pʌg'næsɪtɪ] *n* драчливость.

pug-nose ['pʌgnouz] *n* курносый нос.

pug-nosed ['pʌgnouzd] *a* 1) курносый; 2) с приплюснутым носом.

puisne ['pjuːnɪ] **1.** *a* 1) *юр.* младший; P. judge младший судья; 2) *уст.* = puiny; 2. *n* младший судья.

puissance ['pjuːɪsns] *n уст., поэт.* могущество.

puissant ['pjuːɪsnt] *a уст., поэт.* могущественный; влиятельный.

puke [pjuːk] **1.** *n* рвота; 2. *v* рвать, тошнить.

pukka(h) ['pʌkə] = pucka.

pulchritude ['pʌlkrɪtjuːd] *лат. n* красота, миловидность.

pule [pjuːl] *v* хныкать; скулить; пищать.

pull [pul] **1.** *n* 1) тяга, натяжение; тянущая сила; to give a ~ at the bell дёрнуть звонок; 2) тяга (*дымовой трубы*); 3) растяжение; 4) напряжение; a long ~ uphill трудный подъём в гору; 5) гребля; прогулка на лодке; 6) удар весла; 7) глоток; затяжка (*табачным дымом*); to have a ~ at the bottle глотнуть, выпить (*спиртного*); 8) шнурок, ручка (*звонка и т. п.*); 9) притяжение; 10) *разг.* протекция, влияние; 11) *разг.* преимущество (on, upon, over — перед кем-л.); 12) *полигр.* пробный оттиск;

2. *v* 1) тянуть, тащить; натягивать; to ~ a cart везти тележку; to ~ the horse натягивать поводья, вожжи; the horse ~s лошадь натягивает поводья, вожжи; 2) надвигать, натягивать; he ~ed his hat over his eyes он нахлобучил шляпу на глаза; 3) вытаскивать, выдёргивать; to ~ a cork вытащить пробку; he had two teeth ~ed ему удалили два зуба; 4) дёргать; to ~ smb.'s hair дёргать кого-л. за волосы; to ~ a bell звонить; 5) растягивать; to ~ to pieces разорвать на куски; *перен.* раскритиковать, разнести; he ~ed his muscle in the game во время игры он растянул мышцу; 6) рвать, собирать (*цветы, фрукты*); 7) тянуть, иметь тягу; my pipe ~s badly моя трубка плохо тянет; 8) притягивать, присасывать; 9) грести; идти на вёслах; плыть (*о лодке с гребцами*); to ~ a good oar быть хорошим гребцом; 10) *разг.* совершать налёт; 11) *sl.* арестовывать; 12) *полигр.* делать оттиски; 13) *спорт.* отбивать мяч (*влево — в крикете, гольфе*); □ ~ about a) таскать туда и сюда; б) гру́бо обращаться; ~ apart

а) разрыва́ть; б) придира́ться, критикова́ть; ~ at а) дёргать; б) затя́гиваться (папиро́сой и т. п.); в) тяну́ть (из буты́лки); ~ back а) оття́гивать; б) отступа́ть; в) таба́нить; ~ down а) сноси́ть (зда́ние); б) сбива́ть (спесь); в) понижа́ть, снижа́ть (в цене́, чине́ и т. п.); г) изнуря́ть, ослабля́ть; ~ in а) оса́живать (ло́шадь); б) втя́гивать; перен. зараба́тывать, загреба́ть; I don't know what you are ~ing in now не зна́ю, ско́лько вы тепе́рь зараба́тываете; в) сде́рживать себя́; г) сокраща́ть (расхо́ды); д) sl. аресто́вывать; е) прибыва́ть (на ста́нцию и т. п.—о по́езде); ~ off а) снима́ть, ста́скивать; б) доби́ться, несмотря́ на тру́дности; в) вы́играть (приз, состяза́ние); г) удаля́ться; the boat ~ed off from the shore ло́дка отча́лила от бе́рега; the horseman ~ed off the road вса́дник съе́хал с доро́ги; ~ on а) натя́гивать; б) тяну́ть ру́чку на себя́, к себе́; ~ out а) выта́скивать; удаля́ть (зу́бы); the drawer won't ~ out я́щик не выдвига́ется; б) вырыва́ть; выщи́пывать; в) удлиня́ть; г) удаля́ться; отходи́ть (от ста́нции—о по́езде); д) выходи́ть на вёслах; е) ав. выходи́ть из пике́; ~ over а) надева́ть че́рез го́лову; б) перета́скивать, перетя́гивать; ~ round а) поправля́ться (по́сле боле́зни); б) выле́чивать; the doctors tried in vain to ~ him round врачи́ безуспе́шно стара́лись спасти́ его́; ~ through а) вы́жить; б) спасти́(сь) от (опа́сности и т. п.), вы́путать(ся); преодоле́ть (тру́дности и т. п.); we shall ~ through somehow мы уж ка́к-нибудь вы́вернемся; б) refl. взять себя́ в ру́ки, встряхну́ться; ~ together а) рабо́тать дру́жно; б) refl. взять себя́ в ру́ки, встряхну́ться; ~ up а) выдёргивать; б) подтя́гивать; в) идти́ вперёд други́х, идти́ наравне́ с други́ми (в состяза́ниях); г) остана́вливать(ся); д) сде́рживаться; е) оса́живать; ж) sl. аресто́вывать; з) де́лать вы́говор; ◊ to ~ the strings (или the ropes, the wires) нажима́ть та́йные пружи́ны; влия́ть на ход де́ла; быть скры́тым дви́гателем (чего́-л.); to ~ one's weight исполня́ть свою́ до́лю рабо́ты; to ~ anchor сня́ться с я́коря, отпра́виться; to ~ a face, to ~ faces грима́сничать, стро́ить ро́жи; he ~ed a long face у него́ вы́тянулась физионо́мия; у него́ был огорчённый, уны́лый вид; ~ devil!, ~ baker! поднажми́!, дава́й!, а ну ещё! (возгла́сы одобре́ния на состяза́ниях); to ~ smb.'s leg моро́чить, одура́чивать, мистифици́ровать кого́-л.; to ~ the nose (о)дура́чить.

pull-back ['pulbæk] n 1) препя́тствие; поме́ха; 2) невы́годное положе́ние; 3) приспособле́ние для оття́гивания.

pulled [puld] 1. p. p. от pull 2;
2. a: ~ bread сухари́ из хле́бного мя́киша; ~ chicken ощи́панный цыплёнок; ~ figs прессо́ванный инжи́р, ви́нные я́годы.

puller ['pulə] n 1) тот, кто та́щит; 2) гребе́ц; 3) приспособле́ние для выта́скивания (кле́щи, што́пор и т. п.); инструме́нт для выта́скивания; съёмник; 4) ав. самолёт с тя́нущим винто́м.

pullet ['pulɪt] n моло́дка (ку́рица).

pulley ['pulɪ] 1. n шкив, блок; во́рот; driving ~ веду́щий шкив;
2. v де́йствовать посре́дством бло́ка, шки́ва.

pullicate ['pʌlɪkɪt] n 1) материа́л для цветны́х носовы́х платко́в; 2) цветно́й носово́й плато́к.

Pullman ['pulmən] n пу́льмановский спа́льный ваго́н (тж. ~ car).

pull-out ['pulaut] n 1) ав. вы́ход из пики́рования; 2) полигр. вкле́йка большо́го форма́та.

pull-over ['pul,ouvə] n пуло́вер, сви́тер.

pull-through ['pulθru:] n воен. проти́рка.

pullulate ['pʌljuleɪt] v 1) прораста́ть; размножа́ться; 2) кише́ть; 3) возника́ть, появля́ться (о тео́риях и т. п.).

pull-up ['pulʌp] n 1) натяже́ние (про́водов); 2) ав. перехо́д к набо́ру высоты́; 3) зае́зжий двор, гости́ница; 4) attr. складно́й; а ~ chair складно́й стул.

pully-hauly ['pulɪ,hɔ:lɪ] n мор. разг. такела́жное де́ло.

pulmonary ['pʌlmənərɪ] a мед. лёгочный.

pulmotor ['pulmoutə] n аппара́т для произво́дства иску́сственного дыха́ния.

pulp [pʌlp] 1. n 1) мя́коть плода́; 2) мя́гкая бесфо́рменная ма́сса; каши́ца; 3) анат. пу́льпа; 4) бума́жная, древе́сная ма́сса; 5) метал. шлам; ил; пу́льпа; ◊ to beat smb. to a ~ изби́ть кого́-л. до неузнава́емости; to be reduced to a ~ быть соверше́нно измоча́ленным, обесси́леть;
2. v 1) превраща́ть(ся) в мя́гкую ма́ссу; 2) очища́ть от мя́коти.

pulpit ['pulpɪt] n 1) ка́федра (пропове́дника); 2) (the ~) церко́вное красноре́чие; 3) (the ~) pl собир. пропове́дники; 4) ав. sl. каби́на лётчика.

pulpiteer [,pulpɪ'tɪə] пренебр. 1. n пропове́дник;
2. v быть пропове́дником, пропове́довать.

pulpy ['pʌlpɪ] a мя́гкий, мяси́стый.

pulsate [pʌl'seɪt] v 1) пульси́ровать, би́ться; вибри́ровать; 2) волнова́ться.

pulsatile ['pʌlsətaɪl] a 1) пульси́рующий; 2) муз. уда́рный (об инструме́нте).

pulsation [pʌl'seɪʃən] n 1) пульса́ция; 2) эл. углова́я частота́.

pulsatory ['pʌlsətərɪ] a пульси́рующий.

pulse I [pʌls] 1. n 1) пульс; пульса́ция; бие́ние; to feel the ~ щу́пать пульс; перен. разузнава́ть наме́рения, жела́ния, «прощу́пывать»; 2) бие́ние (жи́зни и т. п.); 3) и́мпульс; толчо́к; 4) чу́вство, настрое́ние; 5) ритм уда́ров (ве́сел и т. п.); 6) муз., прос. ритм;
2. v пульси́ровать, би́ться.

pulse II [pʌls] n собир. бот. бобо́вые.

pulton, pultun ['pʌltən] n инди́йский пехо́тный полк.

pulverization [,pʌlvəraɪ'zeɪʃən] n 1) пульвериза́ция; 2) превраще́ние в порошо́к.

pulverize ['pʌlvəraɪz] v 1) растира́ть, размельча́ть; превраща́ть(ся) в порошо́к; 2) распыля́ть(ся); 3) сокруша́ть, разбива́ть (до́воды проти́вника).

pulverizer ['pʌlvəraɪzə] n 1) распыли́тель, пульвериза́тор; 2) форсу́нка.

pulverulent [pʌl'verulənt] *a* пылеви́дный.

pulwar [pʌl'wɑː] *n англо-инд.* лёгкая ло́дка.

puma ['pjuːmə] *n зоол.* пу́ма, кугуа́р.

pumice ['pʌmɪs] **1.** *n* пе́мза;
2. *v* чи́стить, шлифова́ть пе́мзой.

pumice-stone ['pʌmɪsstoun] = pumice 1.

pummel ['pʌml] *v* бить (*особ.* кулака́ми); тузи́ть.

pump I [pʌmp] **1.** *n* 1) насо́с; по́мпа; 2) *attr.* насо́сный; ~ duty рабо́та *или* производи́тельность насо́са;
2. *v* 1) рабо́тать насо́сом; кача́ть; выка́чивать; 2) нагнета́ть (*воздух и т. п.*); 3) (*обыкн. р. р.*) приводи́ть в изнеможе́ние (*тж.* ~ out); ☐ ~ out а) выка́чивать; б) выве́дывать, выспра́шивать (of); ~ up нака́чивать; to ~ up a tire нака́чивать ши́ну; ◇ to ~ lead into smb. *sl.* вса́живать в кого́-л. пу́лю за пу́лей.

pump II [pʌmp] *n* лёгкая ба́льная ту́фля (*обыкн.* лакиро́ванная).

pump-handle ['pʌmp͵hændl] **1.** *n* ру́чка насо́са.
2. *v разг.* до́лго трясти́ (*чью-л.*) ру́ку.

pumpkin ['pʌmpkɪn] *n* ты́ква (обыкнове́нная).

pump-room ['pʌmprum] *n* 1) галере́я на куро́ртах, где отпуска́ются минера́льные во́ды; 2) насо́сное отделе́ние.

pun [pʌn] **1.** *n* игра́ слов; каламбу́р;
2. *v* каламбу́рить.

Punch [pʌntʃ] *n* 1) Панч (*Петрушка*); ~ and Judy *персонажи кукольной комедии;* 2) «Панч» (*название английского юмористического журнала*); ◇ as pleased as ~ о́чень дово́льный; as proud as ~ о́чень го́рдый.

punch I [pʌntʃ] **1.** *n* 1) уда́р кулако́м; 2) *разг.* си́ла, эне́ргия; эффекти́вность;
2. *v* 1) бить кулако́м; 2) *амер.* гнать скот.

punch II [pʌntʃ] **1.** *n* 1) компо́стер; 2) *тех.* ке́рнер, пробо́йник; пуансо́н; штемпель; 3) = punch press; 4) *полигр.* пуансо́н;
2. *v* проде́лывать *или* пробива́ть отве́рстия; 'компости́ровать; штампова́ть; ☐ ~ in вбива́ть (*гвоздь и т. п.*); ~ out выбива́ть (*гвоздь и т. п.*).

punch III [pʌntʃ] *n* пунш.

punch IV [pʌntʃ] *n* 1) ломова́я ло́шадь, тяжелово́з (*особ.* Suffolk ~); 2) корена́стый *или* по́лный челове́к небольшо́го ро́ста; коро́тышка.

punch-bowl ['pʌntʃboul] *n* ча́ша для пу́нша.

puncheon I ['pʌntʃən] *n уст.* больша́я бо́чка.

puncheon II ['pʌntʃən] *n* 1) подпо́рка; 2) *редк.* пуансо́н, чека́н; пробо́йник.

puncher ['pʌntʃə] *n* 1) компо́стер; 2) *амер.* ковбо́й; 3) *тех.* пробо́йник; дыроко́л; перфора́тор; пневмати́ческий молото́к; 4) *горн.* уда́рная врубовая маши́на.

punch house ['pʌntʃhaus] *n англо-инд.* гости́ница, тракти́р (*особ. для моряков*).

Punchinello [͵pʌntʃɪ'nelou] *um. n* (*pl* -os [-ouz]) полишине́ль.

punching-ball ['pʌntʃɪŋbɔːl] *n спорт.* пенчингбо́л, гру́ша (*для тренировки боксёра*).

punch press ['pʌntʃ͵pres] *n* 1) дыропроби́вной стано́к; штампо́вочный пресс; 2) *attr.:* ~ operator штампо́вщик; штампо́вщица.

punctate(d) ['pʌŋkteɪt(ɪd)] *a бот., зоол.* пятни́стый.

punctilio [pʌŋk'tɪlɪou] *n* (*pl* -os [-ouz]) форма́льность, педанти́чность; щепети́льность.

punctilious [pʌŋk'tɪlɪəs] *a* педанти́чный, щепети́льный до мелоче́й.

punctual ['pʌŋktjuəl] *a* пунктуа́льный, то́чный.

punctuality [͵pʌŋktju'ælɪtɪ] *n* пунктуа́льность, то́чность.

punctuate ['pʌŋktjueɪt] *v* 1) ста́вить зна́ки препина́ния; 2) подчёркивать, акценти́ровать; 3) прерыва́ть, перемежа́ть; the audience ~d the speech by outbursts of applause собра́ние сопровожда́ло речь взры́вами аплодисме́нтов.

punctuation [͵pʌŋktju'eɪʃən] *n* 1) пунктуа́ция; 2) *attr.* пунктуацио́нный; ~ marks зна́ки препина́ния.

puncture ['pʌŋktʃə] **1.** *n* 1) проко́л (*особ. шины*); 2) *эл.* пробо́й (*изоляции*).
2. *v* 1) прока́лывать; пробива́ть отве́рстие; 2) получа́ть проко́л; the tire ~d a mile from home ши́на ло́пнула в ми́ле от до́ма.

punctured ['pʌŋktʃəd] **1.** *p. p. om* puncture 2;
2. *a* проко́лотый, ко́лотый; ~ wound ко́лотая ра́на.

pundit ['pʌndɪt] *n* 1) *англо-инд.* учёный инду́с, брами́н; 2) *шутл.* учёный муж.

pungency ['pʌndʒənsɪ] *n* острота́, е́дкость; ~ of pepper о́стрый вкус пе́рца; ~ of wit острота́, це́пкость ума́.

pungent ['pʌndʒənt] *a* о́стрый, пика́нтный; е́дкий.

Punic ['pjuːnɪk] *a* пуни́ческий; карфаге́нский; ◇ ~ faith вероло́мство; ~ apple *бот. уст.* грана́т.

punish ['pʌnɪʃ] *v* 1) нака́зывать; налага́ть взыска́ние; 2) *разг.* зада́ть пе́рцу; причиня́ть поврежде́ния; наноси́ть уда́ры; суро́во обраща́ться (*с кем-л.*); 3) *разг.* изнуря́ть, изма́тывать (*противника и т. п.*); 4) мно́го есть, нава́литься на еду́.

punishable ['pʌnɪʃəbl] *a* наказу́емый, заслу́живающий наказа́ния.

punishment ['pʌnɪʃmənt] *n* 1) наказа́ние; 2) *воен.* взыска́ние; 3) *разг.* суро́вое обраще́ние.

punitive ['pjuːnɪtɪv] *a* кара́тельный; ~ expedition кара́тельная экспеди́ция.

Punjabi [pʌn'dʒɑːbɪ] **1.** *a* пенджа́бский;
2. *n* 1) пенджа́бец; 2) пенджа́би (*язык*).

punk [pʌŋk] **1.** *n* 1) *амер.* гнило́е де́рево; гнилу́шка; гниль́е; трут; 2) *что-л.* нену́жное, никчёмное; чепуха́; 3) *sl.* нео́пытный юне́ц; 4) *амер. sl.* хлеб;
2. *a амер. sl.* плохо́й.

punka(h) ['pʌŋkə] *n англо-инд.* подве́шенное опаха́ло.

punnet ['pʌnɪt] *n* кру́глая корзи́нка (*для фруктов*).

punster ['pʌnstə] *n* остря́к, каламбури́ст.

punt I [pʌnt] **1.** *n* плоскодо́нная ло́дка; **2.** *v* плыть (на плоскодо́нке), отта́лкиваясь шесто́м.

punt II [pʌnt] *спорт.* **1.** *n* уда́р ного́й (*по мячу́*); выбива́ние (*мяча́*) из рук; **2.** *v* поддава́ть ного́й (*мяч*); выбива́ть (*мяч*) из рук.

punt III [pʌnt] **1.** *n* ста́вка; **2.** *v* **1)** *карт.* понти́ровать; **2)** ста́вить ста́вку на ло́шадь.

punter ['pʌntə] *n* профессиона́льный игро́к; понтёр.

puny ['pjuːnɪ] *a* ма́ленький, сла́бый, хи́лый, тщеду́шный.

pup [pʌp] **1.** *n* **1)** щено́к; **2)** *pl* разг. соба́чьи го́нки; ◇ to sell smb. a ~ *разг.* наду́ть при прода́же; **2.** *v* щени́ться.

pupa ['pjuːpə] *n* (*pl* -ae) *зоол.* ку́колка.

pupae ['pjuːpiː] *pl om* pupa.

pupal ['pjuːpəl] *a*: ~ chamber ко́кон.

pupate ['pjuːpeɪt] *v зоол.* превраща́ться в ку́колку, оку́кливаться.

pupation [pjuː'peɪʃən] *n зоол.* образова́ние ку́колки, оку́кливание.

pupil I ['pjuːpl] *n* **1)** учени́к; уча́щийся; воспи́танник; **2)** *юр.* малоле́тний.

pupil II ['pjuːpl] *n* зрачо́к.

pupil(l)age ['pjuːpɪlɪdʒ] *n* **1)** учени́чество; **2)** малоле́тство, несовершенноле́тие.

pupil(l)ary I ['pjuːpɪlərɪ] *a* **1)** учени́ческий; **2)** находя́щийся под опе́кой.

pupil(l)ary II ['pjuːpɪlərɪ] *a* зрачко́вый.

puppet ['pʌpɪt] *n* **1)** марионе́тка, ку́кла; **2)** *attr.* ку́кольный (*о теа́тре*); **3)** *attr.* марионе́точный (*о прави́тельстве и т. п.*).

puppet-play ['pʌpɪtpleɪ] *n* **1)** ку́кольная коме́дия; **2)** ку́кольный теа́тр.

puppetry ['pʌpɪtrɪ] *n* **1)** ку́кольная коме́дия; **2)** лицеме́рие; ханжество́.

puppet-show ['pʌpɪtʃou] *n* ку́кольный теа́тр.

puppy ['pʌpɪ] *n* **1)** щено́к; **2)** молодо́й морж; **3)** молокосо́с; глу́пый юне́ц; самодово́льный фат.

puppyism ['pʌpɪɪzəm] *n* фатовство́.

purblind ['pɜːblaɪnd] *a* **1)** подслепова́тый; **2)** недальнови́дный; тупо́й.

purchasable ['pɜːtʃəsəbl] *a* **1)** могу́щий быть приобретённым за де́ньги; **2)** прода́жный; подку́пный.

purchase ['pɜːtʃəs] **1.** *n* **1)** поку́пка; заку́пка; приобрете́ние; **2)** ку́пленная вещь; **3)** годово́й дохо́д с земли́; the land is bought at 20 years' ~ име́ние окупится в тече́ние 20 лет; **4)** це́нность, сто́имость; the man's life is not worth a day's ~ он и дня не проживёт; **5)** вы́игрыш в си́ле; **6)** механи́ческое приспособле́ние для подня́тия и перемеще́ния гру́зов (*напр.*, та́ли, рыча́г, во́рот *и т. п.*); **7)** то́чка опо́ры; то́чка приложе́ния си́лы; to get a ~ with one's feet найти́ то́чку опо́ры для ног; **8)** *attr.*: ~ department отде́л снабже́ния; **2.** *v* **1)** покупа́ть, закупа́ть; приобрета́ть; **2)** приобрести́, завоева́ть (*дове́рие*); **3)** *тех.* тяну́ть лебёдкой; поднима́ть рычаго́м.

purchaser ['pɜːtʃəsə] *n* покупа́тель.

purchasing power ['pɜːtʃəsɪŋ'pauə] *n* эк. покупа́тельная спосо́бность.

purdah ['pɜːdɑː] *n англо-инд.* **1)** занаве́ска; **2)** паранджа́; чадра́; **3)** затво́рничество же́нщин; **4)** полоса́тая мате́рия для занаве́сок.

pure [pjuə] *a* **1)** чи́стый; беспри́месный; **2)** чистокро́вный; **3)** просто́й (*о сти́ле*); отчётливый; я́сный (*о зву́ке*); **4)** непоро́чный, целому́дренный; **5)** безупре́чный; ~ taste безупре́чный вкус; **6)** чисте́йший, полне́йший; ~ imagination чисте́йшая вы́думка; ~ accident соверше́нная случа́йность.

purebred ['pjuəbred] *a* чистокро́вный, поро́дистый.

purée ['pjuəreɪ] *фр. n* суп-пюре́; пюре́.

purely ['pjuəlɪ] *adv* **1)** исключи́тельно, соверше́нно, целико́м, вполне́; **2)** чи́сто.

pure-minded ['pjuə'maɪndɪd] *a* чи́стый се́рдцем.

purfle ['pɜːfl] *уст.* **1.** *n* вы́шитая кайма́ (*на оде́жде*); **2.** *v* украша́ть каймо́й.

purgation [pɜː'geɪʃən] *n* очище́ние.

purgative ['pɜːgətɪv] **1.** *a* **1)** слаби́тельный; **2)** очисти́тельный; **2.** *n* слаби́тельное (*лека́рство*).

purgatorial [‚pɜːgə'tɔːrɪəl] *a* очисти́тельный; искупи́тельный.

purgatory ['pɜːgətərɪ] **1.** *n* **1)** чисти́лище; **2)** ме́сто пы́ток и муче́ний; ад; **3)** *амер.* уще́лье; **2.** *a* очисти́тельный.

purge [pɜːdʒ] **1.** *n* **1)** очище́ние; очи́стка; **2)** *полит.* чи́стка; **3)** слаби́тельное; **2.** *v* **1)** очища́ть (of, from—от *чего-л.*); прочища́ть; сщища́ть, удаля́ть (*что-л.*; *обыкн.* ~ away, ~ off, ~ out); **2)** освобожда́ть, избавля́ть (of—от *кого-л.*); **3)** искупа́ть (*вину*); опра́вдывать; to ~ oneself of suspicion снять с себя́ подозре́ние; **4)** *полит.* проводи́ть чи́стку; **5)** дава́ть слаби́тельное; **6)** сла́бить.

purification [‚pjuərɪfɪ'keɪʃən] *n* **1)** очище́ние, очи́стка; **2)** *хим.* ректифика́ция.

purificatory ['pjuərɪfɪkeɪtərɪ] *a* очисти́тельный.

purifier ['pjuərɪfaɪə] *n тех., хим.* очисти́тель.

purify ['pjuərɪfaɪ] *v* **1)** очища́ть(ся) (of, from—от *чего-л.*); **2)** *церк.* соверша́ть обря́д очище́ния.

purism ['pjuərɪzəm] *n* пури́зм.

purist ['pjuərɪst] *n* пури́ст.

puristic [pjuə'rɪstɪk] *a* скло́нный к пури́зму; пуристи́ческий.

Puritan ['pjuərɪtən] **1.** *n* **1)** пурита́нин; **2)** (*р.*) свято́ша; **2.** *a* (*р.*) пурита́нский.

puritanic(al) [‚pjuərɪ'tænɪk(əl)] *a* пурита́нский.

Puritanism ['pjuərɪtənɪzəm] *n* **1)** пурита́нство; **2)** (*р.*) стро́гие нра́вы.

purity ['pjuərɪtɪ] *n* **1)** чистота́; **2)** непоро́чность; **3)** беспри́месность; **4)** про́ба (*драгоце́нных мета́ллов*).

purl I [pɜːl] **1.** *n* **1)** галу́н; бахрома́; вы́шивка; **2)** вяза́ние с наки́дкой;

2. *v* 1) нашивать галун; 2) вязать с накидкой.

purl II [pəːl] **1.** *n* журчание;
2. *v* журчать.

purl III [pəːl] *n* горячее пиво с джином и полынью.

purl IV [pəːl] **1.** *n разг.* падение вниз головой;
2. *v* перевернуть(ся); упасть вниз головой; тяжело шлёпнуться.

purler [ˈpəːlə] *n* = purl IV, 1; to come (*или* to take) a ~ упасть вниз головой.

purlieu [ˈpəːljuː] *n* 1) *pl* окрестности, окраины; предместье, пригород; 2) трущобы; 3) *ист.* участки земли, смежные с королевским лесом.

purlin [ˈpəːlin] *n стр.* обрешётина.

purloin [pəːˈlɔin] *v* воровать, похищать.

purple [ˈpəːpl] **1.** *n* 1) пурпурный цвет, пурпур; ancient ~ багрец (*краска из багрянки*); 2) фиолетовый цвет; 3) порфира; 4) одеяние *или* сан кардинала; to raise to the ~ сделать кардиналом;
2. *a* 1) пурпурный; багровый; to turn ~ with rage побагроветь от ярости; 2) фиолетовый; 3) пышный; изобилующий украшениями; 4) *поэт.* порфироносный; царский;
3. *v* 1) окрашивать в пурпурный цвет; 2) багроветь.

purple-fish [ˈpəːplfiʃ] *n* багрянка (*моллюск*).

purport [ˈpəːpət] **1.** *n* 1) смысл, содержание; 2) *юр.* текст документа; 3) *редк.* цель, намерение;
2. *v* 1) свидетельствовать, говорить; this book ~s to be... содержание этой книги показывает, что...; 2) означать; подразумевать; this letter ~s to be written by you письмо это написано якобы вами; 3) *редк.* иметь целью.

purpose [ˈpəːpəs] **1.** *n* 1) намерение, цель, назначение; novel with a ~ тенденциозный роман; of set ~ с умыслом, предумышленно; on ~ нарочно; on ~ to... с целью...; to answer (*или* to serve) the ~ годиться, отвечать цели; to the ~ кстати; к делу; beside the ~ нецелесообразно; 2) результат; успех; to little ~ почти безрезультатно; to no ~ напрасно, тщетно; to some ~ не без успеха; 3) целеустремлённость, воля; wanting in ~ слабовольный, нерешительный.
2. *v* иметь целью; намереваться; I ~ to go to Moscow я намереваюсь отправиться в Москву.

purposeful [ˈpəːpəsful] *a* 1) целеустремлённый; имеющий намерение; 2) умышленный, преднамеренный; 3) полный значения, важный.

purposefulness [ˈpəːpəsfulnis] *n* 1) целеустремлённость, целенаправленность; 2) преднамеренность; 3) значительность, важность.

purposeless [ˈpəːpəslis] *a* 1) бесцельный; бесполезный; 2) непреднамеренный.

purposely [ˈpəːpəsli] *adv* нарочно, с целью; преднамеренно.

purposive [ˈpəːpəsiv] *a* 1) служащий определённой цели; 2) намеренный; 3) решительный.

purr [pəː] **1.** *n* мурлыканье;
2. *v* мурлыкать.

purree [ˈpəːriː] *n* жёлтое красящее вещество, употребляемое в Индии и Китае.

purse [pəːs] **1.** *n* 1) кошелёк; to open one's ~ раскошеливаться; the public ~ казна; to have a common ~ делить поровну все расходы; 2) деньги, богатство (*тж.* fat ~, heavy ~, long ~); lean (*или* light, slender) ~ бедность; 3) денежный фонд; собранные средства; приз, премия; to make up a ~ собрать деньги (*по подписке*); to give (*или* to put up) a ~ присуждать премию, давать деньги; 4) мешок, сумка (*тж. зоол.*); ~s under the eyes мешки под глазами; 5) мотня (*в неводе*);
2. *v* морщить(ся) (*часто* ~ up); to ~ (up) one's mouth поджать губы.

purse-bearer [ˈpəːsˌbɛərə] *n* казначей.

purse-proud [ˈpəːspraud] *a* гордый своим богатством; зазнавшийся (*богач*).

purser [ˈpəːsə] *n* казначей, эконом (*на корабле*).

purse-strings [ˈpəːsstriŋz] *n pl* ремешки, которыми в старину затягивался кошелёк; to hold the ~ распоряжаться расходами; to tighten (to loosen) the ~ скупиться, экономить, сокращать (не скупиться, увеличивать) расходы.

purslane [ˈpəːslin] *n бот.* портулак.

pursuance [pəˈsjuːəns] *n* 1) выполнение; исполнение; in ~ of smth. выполняя что-л., следуя чему-л., согласно чему-л.; во исполнение чего-л.; 2) преследование.

pursuant [pəˈsjuːənt] *adv:* ~ to (*употр. как prep*) соответственно, согласно (*чему-л.*).

pursue [pəˈsjuː] *v* 1) преследовать; следовать неотступно за; гнаться; бежать за; ill health ~d him till death плохое здоровье мучило его всю жизнь; 2) преследовать (*цель*); следовать по намеченному пути; to ~ a scheme выполнять план, проект, программу; to ~ the policy of peace вести, проводить политику мира; to ~ pleasure искать удовольствий; 3) продолжать (*обсуждение, занятие, поездку, путешествие*); 4) заниматься (*чем-л.*); иметь профессию; 5) (*преим. шотл.*) *юр.* вести (*следствие*).

pursuer [pəˈsjuːə] *n* 1) преследователь; преследующий; 2) гонитель; 3) *шотл. юр.* истец.

pursuit [pəˈsjuːt] *n* 1) преследование; погоня; the ~ of happiness поиски счастья; in ~ of в поисках; в погоне за, преследуя; 2) занятие; daily ~s повседневные дела, занятия.

pursuit plane [pəˈsjuːtˈplein] *n амер. ав.* истребитель.

pursuivant [ˈpəːsivənt] *n* 1) *поэт.* последователь; 2) служащий в коллегии герольдии.

pursy I [ˈpəːsi] *a* 1) страдающий одышкой; 2) тучный.

pursy II [ˈpəːsi] *a* 1) богатый, гордый своим богатством; 2) сморщенный.

purtenance [ˈpəːtinəns] *n уст.* потроха, внутренности животного.

purulent ['pjuərulənt] *a* гнойный, гноящийся.

purvey [pə:'veı] *v* 1) поставлять, снабжать (*особ. провизией*); 2) быть поставщиком; 3) заготовлять.

purveyance [pə:'veıəns] *n* 1) ·поставка, снабжение; 2) запасы; 3) заготовка; 4) *ист.* реквизиция для нужд королевского двора.

purveyor [pə:'veıə] *n* поставщик.

purview ['pə:vju:] *n* 1) *юр.* часть статута, заключающая самое постановление; 2) сфера, компетенция, область (действия); границы; 3) кругозор.

purwannah [pʌ'waːnɑː] *n* англо-инд. 1) приказ; 2) пропуск.

pus [pʌs] *n* гной.

push [puʃ] 1. *v* 1) толкать; to ~ aside all obstacles устранять, сметать все препятствия; to ~ a door toзакрыть дверь; 2) нажимать; 3) продвигать(ся); проталкивать(ся); выдвигать(ся); to ~ one's claims выставлять свои притязания; to ~ one's fortune всячески улучшать своё благосостояние; to ~ oneself стараться выдвинуться, «вылезать»; to ~ one's way протискиваться; прокладывать себе путь; 4) рекламировать; to ~ one's wares рекламировать свой товары; 5): to be ~ed for time (money) иметь мало времени (денег); 6) притеснять; торопить (*должника и т. п.*); □ ~ away отталкивать; ~ forward а) торопиться; стремиться вперёд; б) продвигать; способствовать осуществлению; ~ in приближаться (*к берегу — о лодке и т. п.*); ~ off а) отталкиваться (*от берега*); б) отталкивать; в) *разг.* убираться, исчезать; г) сбывать (*товары*); ~ on а) спешить (*вперёд*); б) проталкивать, ускорять; ~ ~ things on ускорять ход вещей; ~ out а) выпускать; б) давать ростки (*о растении*); в) выступать, выдаваться вперёд; ~ through проталкивать(ся); пробиваться; to ~ the matter through довести дело до конца; ~ upon: to ~ smth. upon smb. навязывать что-л. кому-л.; ◇ to ~ to the wall припереть к стенке.
2. *n* 1) толчок; удар; 2) давление, нажим; напор; натиск; напряжение; 3) усилие, энергичная попытка; to make a ~ приложить большое усилие; 4) *воен.* атака; 5) поддержка; протекция; 6) критическое положение; решающий момент; 7) *разг.* увольнение; to give the ~ увольнять; to get the ~ быть уволенным; 8) *sl.* шайка, банда (*воров, хулиганов*); 9) *тех.* нажимная кнопка.

push-ball ['puʃbɔːl] *n* спорт. пушбол.

push-bicycle ['puʃ,baısıkl] *n* велосипед (*в противоположность мотоциклу*).

push-button ['puʃ,bʌtn] *n* кнопка (*звонка и т. п.*); 2) *attr.* кнопочный (*об управлении*).

push-cart ['puʃkɑːt] *n* 1) ручная тележка; 2) *attr.:* ~ man *амер.* уличный торговец.

push-chair ['puʃtʃεə] *n* детский складной стул на колёсиках.

pusher ['puʃə] *n* 1) толкач; толкатель; эжектор, выбрасыватель; 2) самоуверенный, напористый человек; 3) *ав.* самолёт

с толкающим винтом; 4) толкающий воздушный винт; 5) маневровый паровоз.

pushful ['puʃful] *a* очень предприимчивый, сверхинициативный.

pushing ['puʃıŋ] 1. *pres. p. от* push 1; 2. *a* 1) предприимчивый, энергичный, инициативный; 2) напористый.

pushover ['puʃ,ouvə] *n амер. разг.* 1) пустяковое дело; 2) слабый игрок; слабый противник.

push-pin ['puʃpın] *n* 1) *амер.* кнопка (*для прикрепления бумаги*); 2) *название детской игры*.

push-pull ['puʃpul] *a радио* двухтактный.

Pushtoo, Pushtu ['pʌʃtuː] *n* язык пушту; афганский язык.

push-up ['puʃʌp] *n амер. воен. sl.* зарядка.

pusillanimity [,pjuːsılə'nımıtı] *n* малодушие, трусость.

pusillanimous [,pjuːsı'lænıməs] *a* малодушный.

puss [pus] *n* 1) кошечка, киска; 2) *охот.* заяц; 3) *шутл.* кокетливая девушка (*особ.* sly ~); ◇ ~ in the corner игра в «свой соседи»; P. in Boots кот в сапогах.

pussy I ['pʌsı] *a* гнойный; гноевидный.

pussy II ['pusı] *n* 1) = puss; 2) серёжка на вербе; 3) мягкий, пушистый предмет.

pussy-cat ['pusıkæt] *n* кошка, кошечка, киска.

pussyfoot ['pusıfut] *амер. sl.* 1. *n* 1) осторожный человек; 2) сторонник сухого закона; 3) сухой закон; 2. *v* 1) красться по-кошачьи; 2) действовать осторожно.

pussy-willow ['pusı,wılou] *n* верба.

pustular ['pʌstjulə] *a* прыщавый.

pustulate 1. *v* ['pʌstjuleıt] покрываться прыщами; 2. *a* ['pʌstjulıt] покрытый прыщами.

pustule ['pʌstjuːl] *n мед.* пустула, прыщ.

pustulous ['pʌstjuləs] = pustular.

put I [put] *v* (put) 1) класть, положить; (по)ставить; ~ more sugar in your tea положи ещё сахару в чай; to ~ a thing in its right place поставить вещь на место; to ~ smb. in charge of... поставить кого-л. во главе...; to ~ a child to bed уложить ребёнка спать; 2) помещать, сажать; to ~ to prison сажать в тюрьму; it's time he was ~ to school пора определить его в школу; to ~ a boy as apprentice определить мальчика в ученики; ~ yourself in his place поставь себя на его место; to ~ on the market выпускать в продажу; he ~ his money into land он поместил свой деньги в земельную собственность; ~ it out of your mind выкинь это из головы; 3) двигать в определённом направлении; пододвигать, прислонять; to ~ a glass to one's lips поднести стакан к губам; 4) выражать (*словами, в письменной форме*); излагать; переводить (ftom... into—с *одного языка* на *другой*); класть (*слова на музыку*); to ~ it in black and white написать чёрным по белому; I don't know how to ~ it не знаю, как это выразить; I ~ it to you that... я говорю вам, что...; 5) предлага́ть, ста́вить на обсужде́ние; to ~ a question зада́ть вопро́с; to ~ to vote поста́вить на голосова́ние; 6) направля́ть, заставля́ть де́лать; to ~ a horse to (*или* at) a fence заста́вить ло́шадь взять барье́р; to ~ one's mind on (*или* to) a problem ду́мать над разре́шением пробле́мы; to ~ smth. to use испо́льзовать что-л.; 7) *спорт.* броса́ть, мета́ть; толка́ть; 8) вса́живать; to ~ a knife into всади́ть нож в; to ~ a bullet through smb. застрели́ть кого́-л.; 9) снабжа́ть; to ~ a new handle to a knife приде́лать но́вую руко́ятку к ножу́; 10) приводи́ть (*в определённое состояние или положение*); to ~ in order приводи́ть в поря́док; to ~ an end to smth. прекрати́ть что-л.; to ~ a stop to smth. останови́ть что-л.; to ~ to sleep усыпи́ть; to ~ to the blush заста́вить покрасне́ть от стыда́, пристыди́ть; to ~ to shame пристыди́ть; to ~ out of countenance приводи́ть в замеша́тельство, смуща́ть; to ~ to death предава́ть сме́рти, убива́ть, казни́ть; to ~ to flight обрати́ть в бе́гство; to ~ into a rage разгне́вать; to ~ a man wise (about, on) вы́вести кого́-л. из заблужде́ния; to ~ smb. at his ease дать кому́-л. почу́вствовать себя́ непринуждённо; to ~ the horse to the cart запряга́ть ло́шадь; 11) подверга́ть (to); to ~ to torture подве́ргнуть пы́тке, пыта́ть; to ~ to expense ввести́ в расхо́д; to ~ to inconvenience причини́ть неудо́бство; to ~ to test подве́ргнуть испыта́нию; to ~ to trial преда́ть суду́; 12) оце́нивать, исчисля́ть, определя́ть (at—в); счита́ть; I ~ his income at £ 5000 a year я определя́ю его́ годово́й дохо́д в 5000 фу́нтов сте́рлингов; □ ~ about a) распространя́ть (*слух и т. п.*); б) (*обыкн. р. р.*) *разг.* надоеда́ть, беспоко́ить; в) *мор.* изменя́ть курс, повора́чивать(ся) в другу́ю сто́рону; ~ across а) перевози́ть, переправля́ть (*на лодке, пароме*); б) проводи́ть (*какие-л. мероприятия*); ~ aside а) отстраня́ть; б) откла́дывать (в сто́рону); в) отводи́ть (*довод*); г) копи́ть (*деньги*); ~ away а) убира́ть; пря́тать; б) отде́лываться, избавля́ться; в) откла́дывать (*сбережения*); г) оставля́ть (*привычку и т. п.*); д) *разг.* помеща́ть (*в тюрьму, сумасшедший дом и т. п.*); е) *разг.* убива́ть; ж) *разг.* поглоща́ть; съеда́ть, выпива́ть; з) *разг.* закла́дывать; ~ back а) ста́вить на ме́сто; б) заде́рживать; в) передвига́ть наза́д (*стрелки часов*); г) *мор.* возвраща́ться (*в гавань, к берегу*); ~ by а) отстраня́ть; б) откла́дывать на чёрный день; в) избега́ть (*разговора*); г) стара́ться не замеча́ть; ~ down а) запи́сывать; б) подпи́сываться на определённую су́мму; в) подавля́ть (*восстание и т. п.*); г) заста́вить замолча́ть; д) уре́зывать (*расходы*); снижа́ть (*цены*); е) *уст.* понижа́ть (*в должности и т. п.*); сверга́ть; ж) счита́ть; I ~ him down for a fool я счита́ю его́ глу́пым; з) припи́сывать (*чему-л.*); и) *разг.* пить потихо́ньку; к) *ав.* сни́зиться; соверши́ть поса́дку; л) сбить (*самолёт противника*); ~ forth

а) напряга́ть (*силы*); испо́льзовать; б) проявля́ть; в) пуска́ть (*побеги*); г) пуска́ть в ход, в обраще́ние; д) пуска́ться (*в море*); ~ forward а) выдвига́ть, предлага́ть; б) спосо́бствовать, соде́йствовать; в) передвига́ть вперёд (*о стрелках часов*); ~ in а) вставля́ть, всо́вывать; б) представля́ть (*документ*); в) предъявля́ть (*претензию*); подава́ть (*жалобу*); г) вводи́ть (*в действие*); to ~ in the attack предприня́ть наступле́ние; д) разг. исполня́ть (*работу*); е) *разг.* проводи́ть вре́мя (за каким-л. делом); ж) поста́вить (*у власти, на должность*); з) вы́двинуть свою́ кандидату́ру, претендова́ть (for—на); и) *мор.* входи́ть в порт; ~ off а) снима́ть с себя́ *что-л.*; б) откла́дывать; в) отде́лываться; to ~ off with a jest отде́латься шу́ткой; г) вызыва́ть отвраще́ние; her face quite ~s me off её лицо́ меня́ отта́лкивает; д) отгова́ривать (from—от *чего-л.*); е) подсо́вывать, всу́чивать (upon—кому-л.); ж) *мор.* отча́ливать; ~ on а) надева́ть; б): to ~ on face употребля́ть косме́тику; приводи́ть себя́ в поря́док (*пудриться, румяниться и т. п.*); в) принима́ть вид; напуска́ть на себя́; to ~ on airs and graces мане́рничать; ва́жничать; his modesty is all ~ on его́ скро́мность напускна́я; г) ста́вить (*на сцене*); to ~ a play on the stage поста́вить пье́су; to ~ on an act *амер.* разыгра́ть сце́ну; д) ста́вить (*на лошадь и т. п.*); е) облага́ть (*налогом*); ж) возлага́ть; to ~ the blame on smb. возлага́ть вину́ на кого́-л.; з) прибавля́ть(ся); to ~ on flesh (*или* weight) толсте́ть; to ~ on the pace прибавля́ть ша́гу; to ~ it on у) повыша́ть це́ну; β) преувели́чивать (*свои чувства, боль и т. п.*); и) передвига́ть вперёд (*стрелки часов*); к) побужда́ть; to ~ smb. on doing smth. побужда́ть кого́-л. (с)де́лать что-л.; to ~ smb. on his honour not to do smth. взять с кого́-л. че́стное сло́во не де́лать чего́-л.; л) испо́льзовать; применя́ть; to ~ on more trains пусти́ть бо́льше поездо́в; ~ out а) выгоня́ть; удаля́ть, устраня́ть; убира́ть; б) выкла́дывать (*вещи*); в) вы́тянуть (*руку*); высо́вывать (*рожки—об улитке*); г) дава́ть побе́ги (*о растении*); д) вы́вихнуть (*плечо и т. п.*); е) туши́ть (*огонь*); ж) меша́ть *кому-л.*; з) раздража́ть; и) *амер.* отправля́ться; к) выпуска́ть, издава́ть; л) дава́ть де́ньги под определённый проце́нт (at); м) выходи́ть в мо́ре; н) *спорт.* запятна́ть; ~ over а) перепра́вить(ся); б) успе́шно осуществи́ть (*постановку и т. п.*); в) *refl.* произвести́ впечатле́ние, доби́ться успе́ха у пу́блики; г) *амер.* заверши́ть (*что-л.*); дости́чь це́ли; ~ through а) вы́полнить, зако́нчить (*работу*); б) соедини́ть (*по телефону*); ~ together а) соединя́ть; сопоставля́ть; б) компили́ровать; в) собира́ть (*механизм*); ~ up а) поднима́ть; б) стро́ить, воздвига́ть (*здание и т. п.*); в) ста́вить (*пьесу*); г) пока́зывать, выставля́ть; выве́шивать (*объявление*); д) возноси́ть (*молитвы*); е) продава́ть с аукцио́на; ж) пря́тать, упако́вывать (*вещи*); класть в но́жны (*меч*); з) выставлять (*кандидатуру на выборах*); и) принимать, давать приют (*гостям*); к) останавливаться в гостинице *и т. п.* (at); л) закладывать (*в ломбарде*); м) терпеть; мириться, примириться (with—с); н) фабриковать; ~ **upon** а) обременять; б) обманывать; ◇ to ~ one's hand to браться за работу над; to ~ it across smb. а) наказывать кого-л., сводить счёты с кем-л.; б) беспощадно критиковать кого-л.; в) *амер. sl.* вводить в заблуждение; to ~ heads together совещаться; to ~ two and two together сообразить, сделать вывод из фактов; to ~ on paper записывать; to ~ smb. up to smth. а) открывать кому-л. глаза на что-л.; б) побуждать, подстрекать кого-л. к чему-л.; to ~ smb. up to the ways of the place знакомить кого-л. с местными обычаями; to ~ smb. on his guard предостеречь кого-л.; to ~ smb. off his guard усыпить чьё-л. внимание, бдительность; to ~ one's best foot forward а) прибавить шагу; поторопиться; б) делать всё возможное, всё от себя зависящее; to ~ one's foot down быть полным решимости; to ~ one's hand into one's pocket раскошеливаться; to ~ in the picture осведомлять, информировать; to ~ one's name to оказывать поддержку; to ~ smb.'s back up рассердить, раздражать кого-л.; to ~ in one's oar вмешиваться.

put II [put] *n* метание (*камня и т. п.*).

put III [pʌt] = putt.

putative [ˈpjuːtətɪv] *a* предполагаемый, мнимый.

putlog [ˈputlɒg] *n стр.* палец строительных лесов.

put-off [ˈput‚ɔf] *n* 1) уловка; 2) откладывание.

putrefaction [ˌpjuːtrɪˈfækʃən] *n* гниение; разложение; гнилость.

putrefactive [ˌpjuːtrɪˈfæktɪv] *a* вызывающий гниение.

.**putrefy** [ˈpjuːtrɪfaɪ] *v* 1) гнить, разлагаться (*о трупе*); 2) вызывать гниение; 3) разлагаться (*морально*); подвергнуться действию коррупции.

putrescence [pjuːˈtresns] *n* гниение.

putrescent [pjuːˈtresnt] *a* 1) портящийся, гниющий, разлагающийся; 2) вонючий.

putrid [ˈpjuːtrɪd] *a* 1) гнилой; 2) вонючий; 3) испорченный; 4) *sl.* отвратительный; ◇ ~ fever *уст.* сыпной тиф.

putridity [pjuːˈtrɪdɪtɪ] *n* гниль; гнилость.

putsch [putʃ] *нем. n* путч.

putt [pʌt] 1. *n* удар, загоняющий мяч в лунку (*в гольфе*); 2. *v* гнать мяч в лунку (*в гольфе*).

puttee [ˈpʌtɪ] *n* 1) ножная обмотка; 2) крага.

putter I [ˈpʌtə] *n* короткая клюшка (*для гольфа*).

putter II [ˈpʌtə] *v* трудиться впустую (over—над); □ ~ **about** бродить без цели.

puttie [ˈpʌtɪ] = puttee.

puttier [ˈpʌtɪə] *n* стекольщик.

putting [ˈputɪŋ] 1. *pres. p. от* put I; 2. *n спорт.* толкание; ~ the shot толкание ядра.

putting-green [ˈpʌtɪŋgriːn] *n* ровная лужайка (*вокруг лунки в гольфе*).

putting-stone [ˈputɪŋstoun] *n спорт.* ядро.

putty [ˈpʌtɪ] 1. *n* 1) (оконная) замазка, шпаклёвка (*тж.* glazier's ~); 2) порошок, мастика *или* смесь для шлифовки *или* полировки (*тж.* jeweller's ~); ◇ ~ medal незначительная награда за незначительные услуги;

2. *v* замазывать замазкой; шпаклевать.

put-up [ˈputˈʌp] *a разг.* задуманный, заранее спланированный; сфабрикованный; a ~ affair (*или* job) махинация, судебная инсценировка; подстроенное дело.

puzzle [ˈpʌzl] 1. *n* 1) недоумение, затруднение; замешательство; 2) вопрос, ставящий в тупик; загадка, головоломка; 3) головоломка (*игрушка*); Chinese ~ китайская головоломка;

2. *v* 1) приводить в затруднение, ставить в тупик; озадачивать; to ~ one's brains over smth. ломать себе голову над чем-л.; биться над чем-л.; 2) запутывать, усложнять; □ ~ **out** распутать (*что-л.*), разобраться в (*чём-л.*).

puzzle-headed [ˈpʌzl‚hedɪd] *a* запутавшийся; не разбирающийся в самых простых вещах; сумбурный.

puzzlement [ˈpʌzlmənt] *n* замешательство; смущение.

puzzle-pated [ˈpʌzl‚peɪtɪd] = puzzle-headed.

puzzler [ˈpʌzlə] *n* трудная задача; трудный вопрос.

puzzling [ˈpʌzlɪŋ] 1. *pres. p. от* puzzle 2; 2. *a* приводящий в замешательство; сбивающий с толку.

pyaemia [paɪˈiːmjə] *n мед.* пиемия.

pyedog [ˈpaɪdɔg] *n англо-инд.* бродячая собака.

pygm(a)ean [pɪgˈmiːən] *a* карликовый.

pygmy [ˈpɪgmɪ] *n* 1) пигмей, карлик; 2) ничтожество, пигмей; 3) *attr.* карликовый.

pyjamas [pəˈdʒɑːməz] *n pl* пижама.

pylon [ˈpaɪlən] *n* 1) *архит.* пилон, опора; 2) *ав.* кабанчик.

pylorus [paɪˈlɔːrəs] *n анат.* привратник желудка.

pyramid [ˈpɪrəmɪd] 1. *n* 1) пирамида; 2) что-л. напоминающее по форме пирамиду; 3) *pl* пирамида, игра на бильярде в 15 шаров;

2. *v* 1) *амер. бирж.* увеличивать, накапливать (*запас акций*); 2) ставить на карту, рисковать.

pyramidal [pɪˈræmɪdl] *a* пирамидальный.

pyre [ˈpaɪə] *n* погребальный костёр.

pyretic [paɪˈretɪk] *a* 1) лихорадочный; 2) жаропонижающий.

pyrites [paɪˈraɪtiːz] *n* серный *или* железный колчедан, пирит.

pyro-electricity [ˈpaɪrouˌlekˈtrɪsɪtɪ] *n* пироэлектричество.

pyrometer [paɪˈrɔmɪtə] *n тех.* пирометр.

pyrotechnic(al) [ˌpaɪrouˈteknɪk(əl)] *a* пиротехнический; ~ pistol ракетный пистолет.

pyrotechnics [,paɪrou'teknɪks] n pl (употр. как sing) пиротéхника.

pyrotechnist [,paɪrou'teknɪst] n пиротéхник.

pyroxene ['paɪrɔksiːn] n хим. пироксéны.

pyroxylin [paɪ'rɔksɪlɪn] n хим. пироксилин.

Pyrrhic I ['pɪrɪk] n 1) древнегрéческий воéнный тáнец; 2) прос. пиррихий (тж. ~ foot).

Pyrrhic II ['pɪrɪk] a: ~ victory пиррова побéда.

Pyrrhonism ['pɪrənɪzəm] n учéние грéческого филóсофа Пиррóна; скептицизм.

Pyrrhonist ['pɪrənɪst] n послéдователь Пиррóна; скéптик.

Pythagorean [paɪ,θægə'riːən] 1. a пифагорéйский; ~ proposition геом. пифагóрова теорéма;
2. n пифагорéец.

Pythian ['pɪθɪən] a пифический.

python ['paɪθən] n 1) зоол. питóн; 2) миф. Пифóн; 3) прорицáтель.

pythoness ['paɪθənes] n пифия; прорицáтельница, вещýнья.

pyx [pɪks] 1. n 1) церк. дарохранительница; 2) ящик для прóбной монéты (на монéтном двóре); the trial of the ~ пробирóвка, прóба монéт; 3) мор. нактóуз;
2. v производить прóбу (монéт).

pyxis ['pɪksɪs] лат. n мáленький ящичек (для драгоцéнностей и т. п.).

Q

Q, q [kjuː] n (pl Qs, Q's [kjuːz]) 17-я буква англ. алфавита; ◇ Q and reverse Q конькобéжная фигýра «восьмёрка»; Q department разг. управлéние глáвного квартирмéйстера.

Q-boat ['kjuːbout] = Q-ship.

Q-ship ['kjuːʃɪp] n мор. ист. противолóдочное сýдно-ловýшка.

qua [kweɪ] лат. adv в кáчестве.

quack I [kwæk] 1. n 1) кряканье (уток); 2) разг. кряква, ýтка;
2. v 1) крякать (об утках); 2) трещáть, болтáть.

quack II [kwæk] 1. n 1) знáхарь; шарлатáн; 2) attr. шарлатáнский; ~ doctor врач-шарлатáн; ~ medicine, ~ remedy шарлатáнское срéдство или лекáрство;
2. v 1) лечить снáдобьями; 2) шарлатáнить, мошéнничать.

quackery ['kwækərɪ] n шарлатáнство, знáхарство.

quack-quack ['kwæk'kwæk] n дет. кря-кря, ýтка.

quacksalver ['kwæk,sælvə] = quack II, 1.

quad [kwɔd] n 1) сокр. от quadrangle; 2) сокр. от quadrat; 3) четвёрка (лошадéй); 4) эл. четвёрка (скрученные вмéсте четыре изолированные жилы в кáбелях связи); 5) артиллерийский грузовик-тягáч.

quadragenarian [,kwɔdrədʒɪ'nɛərɪən] 1. a сорокалéтний;
2. n сорокалéтний человéк.

Quadragesima [,kwɔdrə'dʒesɪmə] n рел. 1) воскресéнье пéрвой недéли великого постá (тж. ~ Sunday); 2) уст. великий пост.

quadragesimal [,kwɔdrə'dʒesɪməl] a 1) рел. длящийся сóрок дней (особ. о великом посте); 2) рел. великопóстный.

quadrangle ['kwɔ,dræŋgl] n 1) четырёхугольник; 2) четырёхугольный двор.

quadrangular [kwɔ'dræŋgjulə] a четырёхугольный.

quadrant ['kwɔdrənt] n 1) квадрáнт, четвéрть крýга, сéктор в 90°; 2) тех. гитáра, большóй трéнзель; 3) эл. единица самоиндýкции.

quadrat ['kwɔdrət] n полигр. шпáция.

quadrate 1. n ['kwɔdrɪt] 1) квадрáт; 2) мат. уст. квадрáт, 2-ая стéпень; 3) анат. квадрáтная кость;
2. a ['kwɔdrɪt] квадрáтный, четырёхугóльный (преим. о мышце или кости);
3. v [kwɔ'dreɪt] 1) дéлать квадрáтным; 2) согласовáть(ся); соотвéтствовать (with, to).

quadratic [kwə'drætɪk] мат. 1. a квадрáтный; квадратический; ~ equation квадрáтное уравнéние, уравнéние вторóй стéпени;
2. n = ~ equation [см. 1].

quadrature ['kwɔdrətʃə] n мат., астр. квадратýра; ~ of the circle квадратýра крýга.

quadrennial [kwɔd'renɪəl] a 1) длящийся четыре гóда; 2) происходящий раз в четыре гóда; ~ election выборы, происходящие кáждые четыре гóда.

quadriga [kwə'drɪgə] n (pl -gae) др.-рим. квадрига (двухколёсная колесница, запряжённая четвёркой лошадéй).

quadrigae [kwə'drɪdʒiː] pl от quadriga.

quadrilateral [,kwɔdrɪ'lætərəl] 1. n четырёхугольник;
2. a четырёхсторóнний.

quadrille [kwə'drɪl] n кадриль.

quadrillion [kwə'drɪljən] n мат. квадрильóн.

quadripartite [,kwɔdrɪ'pɑːtaɪt] a состоящий из четырёх частéй; разделённый на четыре чáсти.

quadripole ['kwɔdrɪpoul] n эл. четырёхпóлюсник.

quadrisyllable ['kwɔdrɪ,sɪləbl] n четырёхслóжное слóво.

quadrivalent [kwɔd'rɪvələnt] a хим. четырёхвалéнтный.

quadroon [kwɔ'druːn] n квартерóн (родившийся от мулáтки и бéлого).

quadruped ['kwɔdruped] 1. n четверонóгое живóтное. (особ. млекопитáющее);
2. a четверонóгий.

quadrupedal [kwɔ'druːpɪdəl] a 1) четверонóгий; 2) на четверéньках (о человéке).

quadruple [ˈkwɔdrupl] 1. *n* учетверённое количество;
2. *a* 1) четверной; 2) учетверённый (of, to); 3) состоящий из четырёх частей; 4) четырёхсторонний (*о соглашении*); 5) четырёхкратный (*о буквопечатающем аппарате*);
3. *v* учетверять.

quadruplets [ˈkwɔdruplɪts] *n pl* четверня.

quadruplicate 1. *n* [kwɔˈdruːplɪkɪt] 1): in ~ в четырёх экземплярах; 2) *pl* четыре одинаковых экземпляра;
2. *a* [kwɔˈdruːplɪkɪt] учетверённый;
3. *v* [kwɔˈdruːplɪkeɪt] учетверять, множить на четыре; делать в четырёх экземплярах.

quads [kwɔdz] *разг. см.* quadruplets.

quaere [ˈkwɪərɪ] *лат.* 1. *n* вопрос;
2. *v* желательно знать, спрашивается; most interesting, but ~, is it true? это очень интересно, но, спрашивается, верно ли это?

quaestor [ˈkwiːstə] *n др.-рим.* квестор.

quaff [kwɑːf] *v* пить большими глотками; осушать залпом.

quag [kwæg] = quagmire 1).

quagga [ˈkwægə] *n зоол.* квагга (*зебра*).

quaggy [ˈkwægɪ] *a* 1) трясинный, топкий, болотистый; 2) текущий по болотистой местности; 3) дряблый (*о теле*).

quagmire [ˈkwægmaɪə] *n* 1) болото, трясина; 2) затруднительное положение.

quail I [kweɪl] *n* 1) перепел; 2) *амер. унив. sl.* студентка.

quail II [kweɪl] *v* 1) дрогнуть; струсить, спасовать (before, to); 2) *редк.* запугать; 3) *уст.* свёртываться, створаживаться.

quail-call [ˈkweɪlkɔːl] = quail-pipe.

quail-pipe [ˈkweɪlpaɪp] *n* дудочка для приманивания перепелов.

quaint [kweɪnt] *a* 1) странный, необычный; 2) странный, но привлекательный; причудливый.

quake [kweɪk] 1. *n* 1) дрожание; дрожь; 2) *разг.* подземный удар, землетрясение; обвал;
2. *v* трястись, дрожать; to ~ with cold дрожать от холода.

Quaker [ˈkweɪkə] *n* 1) квакер; 2) (q.) = quaker-gun; 3) *attr.* квакерский; Q. City *амер. разг. г.* Филадельфия.

Quakeress [ˈkweɪkərɪs] *n* квакерша.

quaker-gun [ˈkweɪkəgʌn] *n амер.* бутафорское орудие.

Quakerish [ˈkweɪkərɪʃ] *a* квакерский; по-квакерски скромный.

Quakerism [ˈkweɪkərɪzəm] *n* квакерство.

Quaker-meeting [ˈkweɪkəˈmiːtɪŋ] = quakers' meeting.

Quakers' meeting [ˈkweɪkəzˈmiːtɪŋ] *n* 1) собрание квакеров; 2) собрание, в котором разговор *или* прения не клеятся.

quaking [ˈkweɪkɪŋ] 1. *pres. p. om* quake 2;
2. *a* дрожащий, трясущийся; ◇ ~ ash (*или* asp) осина.

quaking-grass [ˈkweɪkɪŋgrɑːs] *n бот.* трясунка.

quaky [ˈkweɪkɪ] *a* дрожащий, трясущийся.

qualification [ˌkwɔlɪfɪˈkeɪʃən] *n* 1) квалификация; пригодность; 2) особое свойство, качество; 3) оговорка; 4) определение, характеристика (*деятельности, взглядов и т. п.*); 5) избирательный ценз; 6) *спорт.* квалификационные соревнования.

qualificatory [ˈkwɔlɪfɪkətərɪ] *a* 1) квалифицирующий; 2) ограничивающий.

qualified [ˈkwɔlɪfaɪd] 1. *p. p. om* qualify;
2. *a* 1) подходящий, пригодный; 2) ограниченный.

qualify [ˈkwɔlɪfaɪ] *v* 1) определять; квалифицировать; называть (as); 2) готовить(ся); делать(ся) правомочным (as, for); 3) ограничивать; 4) видоизменять; ослаблять, смягчать; 5) разбавлять; 6) *грам.* определять.

qualifying [ˈkwɔlɪfaɪɪŋ] 1. *pres. p. om* qualify;
2. *a* квалификационный; ~ examination экзамен на получение какой-л. квалификации.

qualitative [ˈkwɔlɪtətɪv] *a* качественный.

quality [ˈkwɔlɪtɪ] *n* 1) качество (*тж. филос.*); сорт; of good ~ высокосортный; 2) свойство; особенность; характерная черта; to give a taste of one's ~ показать себя, свои способности *и т. п.*; 3) высокое качество, достоинство; 4) *уст.* положение в обществе; people of ~, the ~ высшие классы общества, знать, господа (*противоп.* the common people); a lady of ~ знатная дама; 5) *уст.* актёрская профессия; *собир.* актёры; 6) *ак.* тембр; the ~ of a voice тембр голоса.

qualm [kwɔːm] *n* 1) приступ дурноты, тошноты; 2) приступ малодушия *или* растерянности; 3) (*обыкн.* pl) сомнение в своей правоте; ~s of conscience угрызения совести.

qualmish [ˈkwɔːmɪʃ] *a* 1) чувствующий приступ тошноты; 2) испытывающий угрызения совести.

qualmishness [ˈkwɔːmɪʃnɪs] *n* тошнота.

quandary [ˈkwɔndərɪ] *n* затруднительное положение; затруднение; недоумение; to be in a ~ быть в затруднении, не знать, как поступить.

quant [kwɔnt] 1. *n* шест с диском, которым отталкиваются на лодках, баржах;
2. *v* двигаться, отпихиваясь шестом.

quanta [ˈkwɔntə] *pl om* quantum.

quantify [ˈkwɔntɪfaɪ] *v* определять количество.

quantitative [ˈkwɔntɪtətɪv] *a* количественный.

quantity [ˈkwɔntɪtɪ] *n* 1) количество (*тж. филос.*); размер; negligible ~ незначительное количество; величина, которой можно пренебречь; *перен.* человек, с которым не считаются; человек, не имеющий веса; 2) *мат.* величина; incommensurable quantities несоизмеримые величины; unknown ~ a) неизвестная величина; б) человек, о котором ничего не известно *или* действия которого нельзя предусмотреть; 3) большое количество; a ~ of множество; in quantities в большом количестве; 4) *фон.* долгота звука, количество звука; 5) *attr.*: ~ production массовое производство.

quantum ['kwɔntəm] *лат. n* (*pl* -ta) 1) количество, сумма; 2) доля, часть; 3) *физ.* квант; 4) *attr.* квантовый; ~ theory квантовая теория; ~ number квантовое число.

quarantine ['kwɔrəntiːn] **1.** *n* 1) карантин; 2) *юр. ист.* сорокадневный период; 3) *attr.*: ~ flag жёлтый карантинный флаг; **2.** *v* 1) подвергать карантину; 2) подвергать изоляции (*страну и т. п.*).

quarenden, quarender ['kwɔrəndən, -də] *n* ранний сорт яблок.

quarrel I ['kwɔrəl] **1.** *n* ссора, перебранка (with, between); повод к вражде; раздоры, спор; to espouse another's ~ заступаться за кого-л.; to seek (*или* to pick) a ~ with искать повод для ссоры с; to make up a ~ помириться, перестать враждовать; to find ~ in a straw быть придирчивым; **2.** *v* 1) ссориться (with—с *кем-л.*, about, for—из-за *чего-л.*); 2) придираться, спорить; I would find difficulty to ~ with this statement трудно не согласиться с этим утверждением; ◇ to ~ with one's bread and butter бросать занятие, дающее средства к существованию, идти против собственных интересов.

quarrel II ['kwɔrəl] *n ист.* стрела самострела.

quarrelsome ['kwɔrəlsəm] *a* вздорный, сварливый, придирчивый; драчливый.

quarry I ['kwɔrɪ] **1.** *n* 1) каменоломня, открытая разработка, карьер; 2) источник сведений; **2.** *v* 1) разрабатывать карьер, добывать (*камень из карьера*); 2) рыться (*в книгах и т. п.*); выискивать (*что-л.*; for).

quarry II ['kwɔrɪ] *n* 1) добыча; преследуемый зверь; 2) намеченная жертва; 3) внутренности дичи, бросаемые собакам; 4) *уст.* куча убитой дичи.

quart *n* 1) [kwɔːt] кварта (=¹/₄ *галлона* = *2 пинтам = 1,14 л*); сосуд ёмкостью в 1 кварту; to try to put a ~ into a pint pot ≅ стараться сделать невозможное; 2) [kɑːt] кварта (*четвёртая позиция или фигура в фехтовании*); 3) [kɑːt] кварт (*четыре карты одной масти подряд в пикете*).

quartan ['kwɔːtn] *a*: ~ ague, ~ fever перемежающаяся лихорадка с приступами через каждые три дня.

quarter ['kwɔːtə] **1.** *n* 1) четверть (of); a ~ of a century четверть века; to divide into ~s разделить на четыре части; for a ~ (of) the price, for ~ the price за четверть цены; 2) четверть часа; a ~ to one, *амер.* a ~ of one без четверти час; a bad ~ of an hour несколько неприятных минут; неприятное переживание; 3) квартал (*года*); *школ.* четверть; to be several ~s in arrear задолжать за несколько кварталов (*квартирную плату и т. п.*); 4) квартал (*города*); residential ~ квартал жилых домов; 5) страна света; 6) *pl* квартира, помещение, жилище; at close ~s в тесном соседстве (*ср. тж.* ◇); to beat up the ~s

of навещать (*кого-л.*); to take up one's ~s with smb. поселиться у кого-л. *или* с кем-л.; 7) *pl воен.* квартиры, казармы; стоянка; *мор.* пост; to beat to ~s *мор.* бить сбор; to sound off ~s *мор.* бить отбой; 8) место, сторона; from every ~ со всех сторон; from no ~ ниоткуда, ни с чьей стороны; we learned from the highest ~s мы узнали из авторитетных источников; 9) пощада; to ask for ~, to cry ~ просить пощады; to give ~ пощадить кого-л. (*сдавшегося на милость победителя*); no ~ to be given пощады не будет; 10) приём; обхождение; 11) четверть (*туши*); fore ~ лопатка; hind ~ задняя часть; horse's (hind) ~s ляжки лошади; 12) четверть (*мера сыпучих тел = 2,9 гектолитра; мера веса = 12,7 кг; мера длины:* ¹/₄ *ярда = 22,86 см,* ¹/₄ *мили = 402,24 м*); 13) *мор.* четверть румба; from what ~ does the wind blow? откуда дует ветер?; 14) *амер.* (монета в) 25 центов; 15) бег на четверть мили; 16) *мор.* кормовая часть судна; 17) задник (*сапога*); 18) *геральд.* четверть геральдического щита; 19) *стр.* деревянный четырёхгранный брус; ◇ not a ~ so good as далеко не так хорош, как; at close ~s в непосредственном соприкосновении (*особ. с противником*) [*ср. тж.* 6)]; to come to close ~s a) вступить в рукопашную; б) сцепиться в споре; в) столкнуться лицом к лицу; **2.** *v* 1) делить на четыре (равные) части; 2) *ист.* четвертовать; 3) расквартировывать (*особ. войска*), помещать на квартиру; 4) квартировать (at); 5) рыскать по всем направлениям (*об охотничьих собаках*); 6) уступать дорогу, сворачивать, чтобы разъехаться; 7) *геральд.* делить (щит) на четверти; помещать в одной из четвертей щита.

quarterage ['kwɔːtərɪdʒ] *n* 1) расквартирование; 2) выплата (пенсии *и т. п.*) по кварталам.

quarter-bill ['kwɔːtəbɪl] *n мор.* боевое расписание.

quarter binding ['kwɔːtə'baɪndɪŋ] *n* переплёт с кожаным корешком.

quarter-day ['kwɔːtədeɪ] *n* день, начинающий квартал года (*срок платежей*).

quarter-deck ['kwɔːtədek] *n мор.* шканцы; ют.

quarterly ['kwɔːtəlɪ] **1.** *n* журнал, выходящий раз в три месяца; **2.** *a* трёхмесячный, квартальный; **3.** *adv* раз в квартал, раз в три месяца.

quartermaster ['kwɔːtə,mɑːstə] *n* 1) *воен.* квартирмейстер; начальник (хозяйственного) снабжения; интендант; 2) *мор.* старшина-рулевой.

quartern ['kwɔːtən] *n* 1) четырёхфунтовый хлеб (*тж.* ~ loaf); 2) четверть пинты; 3) четверть листа (*бумаги*).

quarter-plate ['kwɔːtəpleɪt] *n* фотографическая пластинка 3¹/₄ × 4¹/₄ дюйма.

quarter sessions ['kwɔːtə'seʃənz] *n* сессии мировых судей (*раз в три месяца*).

quarterstaff ['kwɔːtəstɑːf] *n* дубина 1,8 — 2,4 м.

quartet(te) [kwɔːˈtet] *n муз.* квартет.

quarto ['kwɔːtou] n (pl -os [-ouz]) (сокр. 4to) 1) четвертушка листа; 2) книга в четвёртую долю листа.

quartz [kwɔːts] n мин. кварц.

quash [kwɔʃ] v 1) юр. аннулировать, отменять; 2) подавлять.

quasi ['kwɑːzi] лат. adv как будто; как бы, якобы; почти.

quasi- ['kwɑːzi-] pref квази-; почти.

quasi-conductor ['kwɑːzikən'dʌktə] n полупроводник.

Quasimodo [ˌkwæsiˈmoudou] n рел. фомино воскресенье.

quassia ['kwɔʃə] n 1) бот. квассия; 2) горький отвар из квассии.

quater-centenary ['kwætəsen'tiːnəri] n 400-летний юбилей; 400-летие.

quaternary [kwə'tɜːnəri] 1. a 1) состоящий из четырёх частей; четвертной; 2) геол. четвертичный;
2. n 1) комплект из четырёх предметов; четвёрка; 2) (Q.) геол. четвертичный период, четвертичная система.

quaternion [kwə'tɜːnjən] n 1) четвёрка, четыре; 2) мат. кватернион.

quatrain ['kwɔtrein] n четверостишие.

quaver ['kweivə] 1. n 1) дрожание голоса; 2) трель; 3) муз. восьмая ноты;
2. v 1) дрожать, вибрировать; 2) делать трели; 3) произносить дрожащим голосом.

quavery ['kweivəri] a дрожащий.

quay [kiː] n мол, причал, набережная (для причала судов).

quayage ['kiːidʒ] n 1) сбор за причал к набережной; 2) длина причальной линии.

quayside ['kiːsaid] n мол; пристань.

quean [kwiːn] n 1) уст. распутница; 2) шотл. здоровая молодая женщина, девушка.

queasily ['kwiːzili] adv 1) тошнотворно; 2) в состоянии дурноты; 3) привередливо.

queasy ['kwiːzi] a 1) слабый (о желудке); 2) испытывающий тошноту, недомогание; 3) вызывающий тошноту; 4) щепетильный; деликатный; 5) привередливый, разборчивый.

quebracho [kə'brɑːtʃou] n 1) квебрахо (очень твёрдая древесина некоторых южноамериканских деревьев); 2) кора квебрахо (применяется в медицине и в качестве дубителя).

queek [kwiːk] v кричать (о сове).

queen [kwiːn] 1. n 1) королева; Queen's head sl. марка с головой королевы; 2) дама сердца; 3) карт. дама; ~ of hearts а) дама червей; б) покорительница сердец; 4) шахм. ферзь; 5) матка (у пчёл); ◇ Queen Anne is dead! ≡ открыл Америку! (ответ на запоздавшую новость); when Queen Anne was alive ≡ при царе Горохе;
2. v 1) делать королевой; 2) править (over), быть королевой; царить (тж. ~ it); 3) шахм. проводить (пешку) или проходить в ферзи.

queen-apple ['kwiːnˌæpl] n ранет.

queenhood ['kwiːnhud] n 1) положение королевы; 2) период царствования королевы.

queening I ['kwiːniŋ] pres. p. от queen 2.

queening II ['kwiːniŋ] n название сорта яблок.

queenly ['kwiːnli] a подобающий королеве, царственный.

queer [kwiə] 1. a 1) странный, чудаковатый, эксцентричный; ∙ ~ customer чудак, странный чудак, человек с причудами, со странностями; 2) чувствующий недомогание, головокружение и т. п.; 3) сомнительный; подозрительный; something ~ about him с ним что-то неладно; в нём есть что-то странное, подозрительное; 4) sl. пьяный; 5) поддельный; подложный; ~ money фальшивые деньги; ◇ in Queer street sl. а) в затруднительном положении; в беде; б) в долгах;
2. n pl сумасшедшие;
3. v sl. 1) портить; to ~ the pitch for smb. ≡ подложить свинью кому-л.; расстроить чьи-л. планы; to ~ oneself with smb. поставить себя в неловкое положение перед кем-л.; 2) надувать, обманывать.

quell [kwel] v подавлять, уничтожать.

quench [kwentʃ] v 1) гасить, тушить; 2) утолять (жажду); 3) охлаждать (пыл); 4) закаливать (сталь); 5) быстро охлаждать; 5) подавлять (желание, чувства); 6) sl. заставить замолчать, заткнуть рот.

quencher ['kwentʃə] n 1) гаситель, тушитель и пр. [см. quench]; 2) sl. питьё.

quenchless ['kwentʃlis] a неугасимый; неутолимый.

quenelle [kə'nel] n кул. кнель.

quercitron ['kwɔːsitrən] n 1) амер. дуб бархатистый (или красильный); 2) кора этого дерева; кверцитрон (жёлтое красящее вещество).

querist ['kwiərist] n задающий вопросы.

quern [kwəːn] n ручная мельница.

querulous ['kweruləs] a постоянно недовольный, жалующийся, ворчливый; раздражительный.

query ['kwiəri] 1. n 1) вопрос; I have heard the rumour, but ~, is it true? я слышал этот слух, но спрашивается, верен ли он?; 2) вопросительный знак;
2. v 1) спрашивать (if, whether); осведомляться; 2) выражать сомнение, подвергать сомнению (about; as to); 3) ставить вопросительный знак.

quest [kwest] 1. n 1) поиски; in ~ of в поисках; 2) искомый предмет; 3) отъезд рыцаря на поиски приключений (в рыцарских романах); 4) уст. дознание; crowner's ~ (непр. вм. coroner's inquest) дознание коронера;
2. v 1) искать; производить поиски, разыскивать; 2) искать дичь (о собаках); искать пищу (о животных); 3) производить сбор подаяний (в католической церкви).

question ['kwestʃən] 1. n 1) вопрос; ask me no ~s не задавайте мне вопросов; to put a ~ to задавать вопрос [см. тж. 2)]; indirect (или oblique) ~ косвенный вопрос; leading ~ наводящий вопрос; 2) проблема, дело, обсуждаемый вопрос;

nice ~ щекотли́вый вопро́с; the ~ is де́ло
в том; that is not the ~ де́ло не в э́том;
this is out of the ~ об э́том не мо́жет быть
и ре́чи; it is merely a ~ of time э́то уже́
то́лько вопро́с вре́мени; it is only a ~ of
(doing smth.) де́ло то́лько в том (что́бы);
to come into ~ подверга́ться обсужде́нию;
to go into the ~ заня́ться вопро́сом; the
person (the matter) in ~ лицо́ (вопро́с),
о кото́ром идёт речь; to put the ~ ста́вить
на голосова́ние [см. тж. 1)]; 3) сомне́ние;
beyond all (или out of, past, without) ~
вне сомне́ния; to call in ~ подверга́ть сом-
не́нию; возража́ть; тре́бовать доказа́тельств;
to make no ~ of не сомнева́ться, вполне́
допуска́ть; 4) ист. пы́тка; to put to the ~
пыта́ть;
2. v 1) спра́шивать, задава́ть вопро́с;
вопроша́ть; 2) допра́шивать; 3) иссле́-
довать (явле́ния, фа́кты); 4) подверга́ть
сомне́нию, сомнева́ться; to ~ the honesty
of smb. сомнева́ться в чьей-л. че́стности;
3. int: ~! a) к де́лу!; б) э́то ещё вопро́с!
questionable ['kwestʃənəbl] a сомни́тель-
ный; подозри́тельный; по́льзующийся пло-
хо́й репута́цией.
questioner ['kwestʃənə] n 1) тот, кто
спра́шивает, ведёт допро́с и пр. [см. question 2]; 2) интервьюе́р, корреспонде́нт.
questionless ['kwestʃənlis] 1. a несом-
не́нный; бесспо́рный.
2. adv несомне́нно; бесспо́рно.
question-mark ['kwestʃənmɑːk] n знак
вопро́са, вопроси́тельный знак.
questionnaire [,kwestɪə'nɛə] фр. n во-
про́сник, анке́та.
quetzal [ket'sɑːl] n кветца́л (де́нежная
едини́ца Гватема́лы).
queue [kjuː] 1. n 1) коса́ (во́лос); коси́чка
(пари́ка); 2) о́чередь, хвост; to stand
in a ~ стоя́ть в о́череди;
2. v 1) заплета́ть (в) ко́су; 2) стоя́ть
в о́череди, станови́ться в о́чередь (ча́сто
~ on, ~ up); 3) сле́довать, идти́ за.
quibble ['kwibl] 1. n 1) игра́ слов; калам-
бу́р; 2) софи́зм; уве́ртка.
2. v 1) уст. игра́ть слова́ми; 2) уклоня́ть-
ся от су́ти вопро́са, уклоня́ться от прямо́го
отве́та посре́дством софи́зма.
quick [kwik] 1. a 1) бы́стрый, ско́рый;
~ step ско́рый шаг; ~ luncheon за́втрак
на ско́рую ру́ку; ~ fire амер. бе́глый ого́нь;
~ march ско́рый шаг (осо́б. как ко-
ма́нда); ~ time воен. движе́ние ско́рым
ша́гом (4 ми́ли в час); to be ~ спеши́ть;
do be ~! поторопи́тесь!; 2) бы́стрый, про-
во́рный, живо́й; to sympathize отзы́вчи-
вый; ~ to take offence оби́дчивый; 3) сооб-
рази́тельный, смышлёный; нахо́дчивый; a
~ child смышлёный ребёнок; to learn
бы́стро схва́тывающий; 4) о́стрый (о зре́нии,
слу́хе, уме́); to have ~ wit име́ть о́стрый
ум; 5) уст. живо́й; ~ with child (первонач.
with ~ child) бере́менная; 6) плыву́чий,
сыпу́чий; мя́гкий (о поро́де); 7) отры́вистый;
2. adv бы́стро; ско́ро; please come ~
иди́те скоре́й;
3. n 1) (the ~) pl собир. живы́е; the ~
and the dead живы́е и мёртвые; 2) «жи-

во́е мя́со», чувстви́тельное ме́сто; to cut
(или to touch) to the ~ заде́ть за
живо́е; to the ~ до мо́зга косте́й;
4. int скоре́е; now then, ~! живо!
quick bread ['kwik'bred] n пече́нье из
пре́сного те́ста.
quick-change ['kwiktʃeindʒ] a: ~ artist
трансформа́тор (арти́ст).
quicken I ['kwikən] v 1) оживля́ть(ся);
ожива́ть; 2) начина́ть чу́вствовать движе́ние
плода́ (при бере́менности); 3) возбужда́ть,
стимули́ровать; 4) разжига́ть; 5) уско-
ря́ть(ся); his pulse ~ed его́ пульс уча-
сти́лся.
quicken II ['kwikən] n ряби́на обыкно-
ве́нная.
quick-fence ['kwikfens] n жива́я и́згоро-
дь.
quick-firer ['kwik,faɪərə] n воен. скоро-
стре́льное ору́жие.
quick-firing ['kwik,faɪərɪŋ] a скорострель́-
ный.
quick-freeze ['kwikfriːz] v бы́стро замо-
ра́живать (проду́кты); бы́стро замерза́ть
(о проду́ктах).
quickie ['kwiki] n разг. халту́ра, на́спех
вы́пущенная, недоброка́чественная проду́к-
ция (гл. обр., литерату́рная, театра́ль-
ная или кино́).
quicklime ['kwiklaim] n негашёная и́з-
весть.
quickly ['kwikli] adv бы́стро.
quickness ['kwiknis] n быстрота́ и пр.
[см. quick 1].
quicksand ['kwiksænd] n плыву́н, зыбу́-
чий песо́к.
quickset ['kwikset] n 1) черено́к (осо́б.
боя́рышника); 2) жива́я и́згородь.
quicksilver ['kwik,silvə] 1. n ртуть; ◇
to have ~ in one's veins быть о́чень жи-
вы́м, подви́жным челове́ком;
2. v наводи́ть рту́тную амальга́му.
quicktempered ['kwik'tempəd] a вспы́ль-
чивый, раздражи́тельный.
quickwitted ['kwik'witid] a нахо́дчивый,
остроу́мный.
quid I [kwid] n кусо́к прессо́ванного та-
бака́ для жева́ния.
quid II [kwid] n (pl без изме́н.) sl. со-
ве́рен или фунт сте́рлингов.
quiddity ['kwiditi] n 1) су́щность; 2)
= quibble 1.
quidnunc ['kwidnʌŋk] лат. n спле́тник.
quid pro quo ['kwidprou'kwou] лат. n
1) услу́га за услу́гу, компенса́ция; 2)
квипрокво́, недоразуме́ние, осно́ванное на
приня́тии одно́й ве́щи за другу́ю.
quiescence, -cy [kwai'esns, -si] n по-
ко́й, неподви́жность.
quiescent [kwai'esnt] a находя́щийся
в поко́е, неподви́жный; ~ load тех. ста-
ти́ческая нагру́зка, постоя́нная нагру́зка.
quiet ['kwaiət] 1. a 1) споко́йный; ти́хий,
бесшу́мный; неслы́шный; keep ~ не шуми́-
те; the sea is ~ мо́ре споко́йно; 2) споко́й-
ный, скро́мный; a ~ dinner-party инти́мный
обе́д; a ~ wedding скро́мная сва́дьба; 3)
нея́ркий, не броса́ющийся в глаза́; ~ colours споко́йные цвета́; 4) та́йный, скры́-

тый; укро́мный; to keep smth. ~ ута́ивать, ума́лчивать; in a ~ corner в укро́мном уголке́; 5) ми́рный, споко́йный, ниче́м не нарушаемый; a ~ cup of tea ча́шка, ча́я, вы́питая на досу́ге, в тишине́;

2. *n* тишина́, безмо́лвие; поко́й, споко́йствие; мир; ◇ on the ~ (сокр. *sl.* on the q. t.) а) тайко́м, втихомо́лку; под больши́м секре́том; б) в тиши́;

3. *v* успока́ивать(ся); to ~ down утиха́ть, успока́иваться;

4. *int* ти́ше!, не шуме́ть!

quieten ['kwaɪətn] *v разг.* успока́ивать (-ся).

quietism ['kwaɪɪtɪzəm] *n филос.* квиети́зм.

quietly ['kwaɪətlɪ] *adv* споко́йно, ти́хо.

quietness ['kwaɪətnɪs] *n* споко́йствие, тишина́, поко́й.

quietude ['kwaɪɪtjuːd] *n* поко́й, тишина́, мир.

quietus [kwaɪˈiːtəs] *n* 1) коне́ц, смерть; to get one's ~ умере́ть; 2) *sl.* после́дний уда́р; 3) *уст.* квита́нция, распи́ска в упла́те (до́лга).

quill [kwɪl] 1. *n* 1) пти́чье перо́; ствол пера́; 2) игла́ дикобра́за; 3) сте́ржень поплавка́ (*удочки*); 4) зубочи́стка; 5) перо́, употребля́емое как плектр; 6) (гуси́ное) перо́ для письма́; to drive a ~ быть писа́телем; 7) кру́глая скла́дка; 8) *текст.* шпу́лька, кату́шка, це́вка; 9) *тех.* вту́лка; челно́к, пустоте́лый вал;

2. *v* 1) гофрирова́ть, плойть; 2) *текст.* нама́тывать на кату́шку.

quill-driver ['kwɪl,draɪvə] *n шутл. или пренебр.* щелкопёр, писе́ц, писа́ка.

quillet ['kwɪlɪt] *уст.* = quibble 1.

quilling ['kwɪlɪŋ] 1. *pres. p. от* quill 2; 2. *n* рюш.

quilt [kwɪlt] 1. *n* стёганое одея́ло;

2. *v* 1) стега́ть; подбива́ть ва́той; 2) зашива́ть в подкла́дку пла́тья, в по́яс *и т. п.*; 3) *разг.* компили́ровать; 4) *sl.* колоти́ть.

quinary ['kwaɪnərɪ] *a* пятери́чный, состоя́щий из пяти́.

quince [kwɪns] *n бот.* айва́.

quincentenary [,kwɪnsenˈtiːnərɪ] *n* 500--ле́тний юбиле́й; 500-ле́тие.

quincunx ['kwɪnkʌŋks] 1. *n* расположе́ние по угла́м квадра́та с пя́тым предме́том посреди́не; расположе́ние в ша́хматном поря́дке;

2. *v* располага́ть в ша́хматном поря́дке.

quinine [kwɪˈniːn] *n* хини́н.

quininize ['kwɪniːnaɪz] *v* хинизи́ровать.

quinism ['kwɪnɪzəm] *n* шум в уша́х от чрезме́рного употребле́ния хини́на.

quinize ['kwɪnaɪz] = quininize.

quinquagenarian ['kwɪŋkwədʒɪˈneərɪən] 1. *a* пятидесятиле́тний;

2. *n* челове́к пятидесяти́ лет.

quinquennia [kwɪŋˈkwenɪə] *pl от* quinquennium.

quinquennial [kwɪŋˈkwenɪəl] 1. *a* пятиле́тний;

2. *n* пятиле́тие.

quinquennium [kwɪŋˈkwenɪəm] *n* (*pl* -nia) пятиле́тие.

quinquina [kwɪŋˈkwaɪnə] *n* хи́нное де́рево.

quinquivalent [kwɪŋˈkwɪvələnt] *a хим.* пятивале́нтный.

quinsy ['kwɪnzɪ] *n мед.* анги́на; гно́йный тонзилли́т.

quint *n* 1) [kwɪnt] *муз.* кви́нта; 2) [kɪnt] *карт.* квинт (*пять карт одно́й ма́сти в пике́те*); 3) [kɪnt] кви́нта (*пятая фигура или позиция в фехтова́нии*).

quintain ['kwɪntɪn] *n ист.* столб с мише́нью для уда́ра копьём.

quintal ['kwɪntl] *n* це́нтнер, квинта́л (*англ.* = 50,8 *кг;* *амер.* = 45,36 *кг;* *метри́ческий* = 100 *кг*).

quintan ['kwɪntən] 1. *n* перемежа́ющаяся лихора́дка с при́ступами че́рез ка́ждые четы́ре дня;

2. *а* пятидне́вный.

quintessence [kwɪnˈtesns] *n* квинтэссе́нция.

quintessential [,kwɪntɪˈsenʃəl] *a* явля́ющийся квинтэссе́нцией.

quintet(te) [kwɪnˈtet] *n муз.* квинте́т.

quintuple ['kwɪntjupl] 1. *a* 1) пятикра́тный; 2) состоя́щий из пяти́ предме́тов, часте́й;

2. *v* увели́чивать(ся) в пять раз.

quintuplet ['kwɪntjuplɪt] *n* 1) набо́р из пяти́ предме́тов; 2) *pl* пять близнецо́в.

quip [kwɪp] 1. *n* 1) саркасти́ческое замеча́ние; эпигра́мма; 2) уве́ртка, софи́зм; 3) что-л. стра́нное;

2. *v* де́лать ко́лкие замеча́ния; насмеха́ться.

quire I ['kwaɪə] *n* 1) десть (*бумаги*); 2) (сфальцо́ванный) печа́тный лист; in ~s не сброшюро́ванный, не переплётенный, в листа́х.

quire II ['kwaɪə] = choir.

quirk [kwəːk] *n* 1) игра́ слов, каламбу́р; 2) причу́да; вы́верт; 3) ро́счерк пера́, завито́к (*рисунка*); 4) *архит.* небольшо́й желобо́к; га́лтель.

quirt [kwəːt] 1. *n* ара́пник;

2. *v* хлеста́ть, поро́ть ара́пником.

quisle ['kwɪzl] *v* быть преда́телем, де́йствовать преда́тельски.

quisling ['kwɪzlɪŋ] *n* кви́слинг, преда́тель.

quit [kwɪt] 1. *n* ухо́д с рабо́ты, со слу́жбы;

2. *a predic.* свобо́дный, отде́лавшийся (*от чего-л., от кого-л.*); to get ~ of one's debts разде́латься с долга́ми; he was ~ for a cold in the head он отде́лался на́сморком;

3. *v* (quitted[-ɪd], *амер. разг.* quit) 1) покида́ть, оставля́ть; to ~ the army вы́ходить в отста́вку; to ~ hold of отпуска́ть, выпуска́ть (*из рук*); to ~ a house съе́хать с кварти́ры, вы́ехать из до́ма; 2) броса́ть, прекраща́ть (*рабо́ту, слу́жбу*); 3) *поэт.* отпла́чивать; *редк.* погаша́ть (*долг*); to ~ love with hate плати́ть не́навистью за любо́вь; death ~s all scores смерть прекраща́ет все счёты; 4) *уст.* вести́ себя́.

quitch [kwɪtʃ] *n бот.* пыре́й ползу́чий.

quitch-grass ['kwɪtʃgrɑːs] = quitch.

quitclaim ['kwɪtkleɪm] **1.** *n* формальный отказ от права;

2. *v* отказаться от права.

quite [kwaɪt] *adv* вполне, совершенно, совсем; полностью; всецело; ~ a long time довольно долго; ~ a long time ago очень давно; ~ so! совершенно верно!; ~ some много; ~ a few довольно много, порядочно; it is ~ the thing это модно, это так полагается; not ~ the thing to do это не совсем прилично; oh, ~! oh, ~!, да!, вполне!; ~ another совсем другой.

quits [kwɪts] *a predic.*: to be ~ расквитаться, быть в расчёте *(с кем-л.)*; I will be ~ with him some day я ему когда-нибудь отплачу; to cry ~ a) предложить мировую, пойти на мировую; б) расквитаться; ~! (будем) квиты!

quittance ['kwɪtəns] *n уст.* 1) квитанция; 2) возмещение, отплата; 3) освобождение *(от обязательства, платы и т. п.)*.

quitter ['kwɪtə] *n амер. разг.* 1) человек без выдержки, легко бросающий начатое дело; трус; 2) прогульщик, лодырь.

quiver I ['kwɪvə] **1.** *n* 1) дрожь, трепет; 2) *редк.* дрожание голоса.

2. *v* дрожать мелкой дрожью, трепетать; трястись; колыхаться.

quiver II ['kwɪvə] *n* колчан; an arrow left in one's ~ *перен.* средство, оставшееся про запас; ◇ a ~ full of children см. quiverful 2).

quiverful ['kwɪvəful] *n* 1) количество стрел, которое умещается в колчане; 2) *шутл.* большая семья.

qui vive [kiː'viːv] *фр. n*: on the ~ настороже.

Quixote, quixote ['kwɪksət] *n* донкихот.

quixotic [kwɪk'sɔtɪk] *a* донкихотский.

quixotics [kwɪk'sɔtɪks] = quixotism.

quixotism, quixotry ['kwɪksətɪzəm, -trɪ] *n* донкихотство.

quiz I [kwɪz] **1.** *n* 1) насмешка; шутка; мистификация; 2) насмешник; 3) *уст.* чудак;

2. *v* 1) насмехаться *или* подшучивать *(над чем-л.)*; 2) смотреть насмешливо *или* с любопытством.

quiz II [kwɪz] *амер.* **1.** *n* 1) предвари-

тельный экзамен; 2) проверочные вопросы; опрос;

2. *v* 1) производить опрос; 2) проводить проверочные испытания.

quizzee [kwɪ'ziː] *n амер. разг.* 1) участвующий в опросе; 2) участник проверочного испытания.

quizzical ['kwɪzɪkəl] *a* 1) насмешливый, шутливый; лукавый; 2) чудаковатый.

quizzing-glass ['kwɪzɪŋglɑːs] *n уст.* монокль.

quoad ['kwouæd] *лат. prep* что касается, по отношению.

quod [kwɔd] *sl.* **1.** *n* тюрьма;

2. *v* сажать в тюрьму.

quoin [kɔɪn] *n* 1) внешний угол здания; 2) угловой камень *или* кирпич; 3) *редк.* замок свода; 4) клин.

quoit [kɔɪt] *n* 1) метательное кольцо с острыми краями; 2) *pl* метание колец в цель *(игра)*.

quondam ['kwɔndæm] *лат. a* бывший.

Quonset hut ['kwɔnsɪt'hʌt] *n амер.* сборный цельнометаллический дом казарменного типа.

quorum ['kwɔːrəm] *лат. n* кворум.

quota ['kwoutə] *n* доля, часть, квота.

quotable ['kwoutəbl] *a* 1) заслуживающий цитирования; 2) допускающий цитирование.

quotation [kwou'teɪʃən] *n* 1) цитирование; 2) цитата; 3) *бирж.* котировка, курс.

quotation-marks [kwou'teɪʃən'mɑːks] *n pl* кавычки.

quote [kwout] **1.** *v* 1) цитировать; ссылаться *(на кого-л.)*; 2) открывать кавычки; брать в кавычки; 3) назначать цену; давать расценку; котировать (at);

2. *n разг.* 1) цитата; 2) *pl* кавычки.

quoth [kwouθ] *v уст.* (я, он *и т. д.*) сказал, (про)молвил.

quotha ['kwouθə] *int уст. ирон.* действительно!, нечего сказать!

quotidian [kwɔ'tɪdɪən] **1.** *a* 1) ежедневный; 2) банальный;

2. *n* малярия с ежедневными приступами.

quotient ['kwouʃənt] *n* 1) *мат.* частное; 2) коэффициент.

quotum ['kwoutəm] *n* квота.

R

R, r [ɑː] *n (pl* Rs, R's [ɑːz]) *18-я буква англ. алфавита;* ◇ the three R's *разг.* чтение, письмо и арифметика (reading, (w)riting, (a)rithmetic).

rabbet ['ræbɪt] **1.** *n* 1) желобок, фальц, шпунт, выемка; 2) *стр.* оконный притвор, четверть; 3) копь, рудник;

2. *v* вырезать желобок, делать шпунт, шпунтовать.

rabbi ['ræbaɪ] *n* раввин; равви *(обращение)*.

rabbin ['ræbɪn] *n* раввин.

rabbinate ['ræbɪneɪt] *n* сан раввина.

rabbinic(al) [ræ'bɪnɪk(əl)] *a* раввинский.

rabbit ['ræbɪt] **1.** *n* 1) кролик; 2) трусливый, слабый человек; 3) *sl.* плохой, слабый игрок; 4) *sl.* простофиля; ◇ to breed like ~s быстро размножаться; Welsh ~ гренки с сыром *[см. тж.* rarebit];

2. *v* охотиться на кроликов *(тж.* to go ~ing).

rabbit-fever ['ræbɪt,fiːvə] *n мед.* туляремия.

rabbit-fish ['ræbɪtfɪʃ] *n* химера *(рыба)*.

rabbit-hutch ['ræbɪthʌtʃ] *n* клетка для домашних кроликов.

rabbit-warren ['ræbɪt,wɔrɪn] *n* кроличий садок.

rabbity ['ræbɪtɪ] *a* 1) изобилующий кроликами; 2) кроличий.

rabble I ['ræbl] *n* 1) толпа; 2) (the ~) сброд, чернь.

rabble II ['ræbl] *n* метал. механическая мешалка (*в печи*), кочерга.

rabid ['ræbɪd] *a* 1) неистовый, яростный; ~ hatred безумная ненависть; 2) бешеный (*о собаке*).

rabidity [ræ'bɪdɪtɪ] *n* ярость, бешенство, неистовство.

rabies ['reɪbiːz] *n* бешенство, водобоязнь.

raccoon [rə'kuːn] = racoon.

race I [reɪs] 1. *n* 1) состязание в беге, в скорости; гонки; Marathon ~ марафонский бег; ~ for power борьба за власть; armaments (*или* arms) ~ гонка вооружений; 2) *pl* скачки; obstacle ~s скачки с препятствиями; 3) быстрое движение, быстрое течение (*в море, реке*); стремительный поток; 4) путь; жизненный путь; his ~ is nearly over его жизненный путь почти окончен; 5) *ав.* поток, струя за винтом; 6) (искусственное) русло; быстроток, подводящий канал; 7) *тех.* обойма подшипника; дорожка качения на кольце подшипника; 8) *attr.:* ~ reader радиокомментатор по скачкам;
2. *v* 1) состязаться в скорости (with); 2) участвовать в скачках (*о лошадях*); 3) увлекаться скачками; 4) мчаться; 5) гнать (*лошадь*); давать полный газ (*двигателю*); гнать машину; □ ~ away промотать на скачках (*состояние и т. п.*); ◇ to ~ the bill through the House протащить, провести законопроект в спешном порядке через парламент.

race II [reɪs] *n* 1) раса; the human ~ человечество, род человеческий; 2) потомство, род; 3) происхождение; 4) порода, сорт; 5) особый аромат, особый стиль; ~ of wine букет вина.

race III [reɪs] *n* корень (*особ. имбиря*).

race-card ['reɪskɑːd] *n* программа скачек.

racecourse ['reɪskɔːs] *n* 1) беговая дорожка, трек; 2) скаковой круг, ипподром.

race-hatred ['reɪs,heɪtrɪd] *n* расовая, национальная вражда.

racehorse ['reɪshɔːs] *n* скаковая лошадь.

racemation [,ræsɪ'meɪʃən] *n* уст. 1) кисть, гроздь (*напр., винограда*); 2) сбор винограда.

raceme [rə'siːm] *n* бот. кисть.

race-meeting [reɪs,miːtɪŋ] *n* день скачек.

racemose ['ræsɪmous] *a* бот. кистеносный.

racer ['reɪsə] *n* 1) гонщик; 2) скаковая *или* беговая лошадь; гоночная яхта, гоночный автомобиль *и т. п.*; 3) *амер.* змея (*Coluber constrictor*); 4) *тех.* обойма *или* кольцо подшипника.

race-suicide ['reɪs,sjuːsaɪd] *n* вымирание, вырождение народа.

racetrack ['reɪstræk] = racecourse.

race-way ['reɪsweɪ] *амер.* = mill-race.

rachitis [ræ'kaɪtɪs] *n* мед. рахит.

racial ['reɪʃəl] *a* расовый.

racialism ['reɪʃəlɪzəm] *n* расизм.

racialist ['reɪʃəlɪst] *n* расист.

racing ['reɪsɪŋ] 1. *pres. p. от* race I, 2; 2. *n* 1) игра на бегах, на скачках; 2) *тех.* разбег (двигателя), разнос.

racism ['reɪsɪzəm] *n* расизм.

racist ['reɪsɪst] *n* расист.

rack I [ræk] 1. *n* 1) кормушка; 2) вешалка; 3) подставка, полка; стеллаж; сетка для вещей (*в железнодорожных вагонах*); 4) стойка; штатив; рама; каркас; козлы; 5) решётка; 6) *тех.* зубчатая рейка; кремальера; 7) *горн.* рудопромывочный аппарат; 8) *ав.* бомбодержатель; ◇ ~ of bones *амер. sl.* кожа да кости;
2. *v* 1) класть (*что-л.*) в сетку, на полку (*железнодорожного вагона и т. п.*); to ~ hay класть сено в ясли; to ~ plates ставить тарелки на полку; 2) *тех.* перемещать при помощи зубчатой рейки.

rack II [ræk] 1. *n* ист. дыба; перен. пытка, мучение; to be on the ~ мучиться; to put to the ~ подвергать пытке, мучениям;
2. *v* 1) пытать, мучить; 2) заставлять работать сверх сил, изнурять; истощать; to ~ tenants драть с арендаторов *или* жильцов непомерно высокую плату; to ~ one's brains (*или* wits) ломать себе голову.

rack III [ræk] *v* сцеживать вино (*часто* ~ off).

rack IV [ræk] *n* 1) несущиеся облака; 2) разорение; ~ and ruin полное разорение; to go to ~ (and ruin) разориться, погибнуть.

rack V [ræk] 1. *n* иноходь;
2. *v* идти иноходью.

racket I ['rækɪt] *n* 1) ракетка (*для игры в теннис*); 2) *pl* род тенниса.

racket II ['rækɪt] 1. *n* 1) шум, гам; to kick up a ~, to make a ~ поднять шум, скандал; 2) рассеянный образ жизни; to go on the ~ вести рассеянный образ жизни, окунуться в вихрь удовольствий; 3) *амер.* предприятие, организация, основанные с целью получения доходов жульническим путём; 4) *амер.* шантаж, вымогательство; мошенничество, обман; 5) *амер. sl.* лёгкий заработок, сомнительный источник дохода; ◇ to stand (*или* to face) the ~ а) расплачиваться, отвечать за что-л.; б) выпутаться, удачно отделаться;
2. *v* вести шумный, разгульный образ жизни (*часто* ~ about).

racketeer [,rækɪ'tɪə] *n амер.* 1) участник жульнического предприятия [*см.* racket II, 1, 3)]; 2) гангстер; бандит-вымогатель.

racketeering [,rækɪ'tɪərɪŋ] *n амер.* 1) участие в предприятии жульнического характера [*см.* racket II, 1, 3)]; 2) бандитизм; политический подкуп и террор; вымогательство.

rackety ['rækɪtɪ] *a* шумный, беспорядочный, рассеянный.

racking I ['rækɪŋ] 1. *pres. p. от* rack II, 2; 2. *a* мучительный; a ~ headache сильная головная боль.

racking II ['rækɪŋ] *pres. p. от* rack I, 2.

racking III ['rækɪŋ] *pres. p. от* rack III.

racking IV ['rækɪŋ] *pres. p. от* rack V, 2.

rack-rail ['rækreɪl] *n* зубчатый рельс.

rack-railway ['ræk,reɪlweɪ] *n* зубчáтая желéзная дорóга.

rack-rent ['rækrent] **1.** *n* непомéрная арéндная *или* квартúрная плáта; **2.** *v* взимáть непомéрную арéндную *или* квартúрную плáту.

rack-wheel ['rækwɪl] *n* зубчáтое колесó.

racoon [rə'kuːn] *n* енóт.

racquet ['rækɪt] = racket I.

racy ['reɪsɪ] *a* 1) характéрный, сохранúвший следы́ своегó происхождéния; ~ of the soil a) простóй, нарóдный; б) колорúтный (*о речи*); 2) крéпкий; душúстый; пикáнтный, прянный, вкýсный; 3) *амер.* скабрёзный; 4) *амер.* похотлúвый, сладострáстный.

radar ['reɪdə] *n* 1) радиолокáтор, радáр; радиолокациóнная устанóвка; 2) радиолокáция.

raddle ['rædl] = ruddle.

raddled ['rædld] *a sl.* пьяный.

radial ['reɪdjəl] *a* 1) радиáльный; лучúстый; звездообрáзный; 2) *анат.* лучевóй.

radian ['reɪdjən] *n мат.* радиáн.

radiance, -cy ['reɪdjəns, -sɪ] *n* 1) сияние; 2) великолéпие, блеск.

radiant ['reɪdjənt] *a* 1) лучúстый, излучáющий; ~ energy лучúстая энéргия; 2) сияющий, лучезáрный;
2. *n* 1) *физ.* истóчник теплá, свéта; 2) *астр.* истóчник дождя метеóров, радиáнт.

radiate 1. *a* ['reɪdɪɪt] лучúстый; лучевóй.
2. *v* ['reɪdɪeɪt] 1) исходúть из цéнтра (*о лучах*); расходúться из цéнтра подóбно рáдиусам; 2) излучáть (*свет, тепло*); сиять (*тж. перен.*); she ~s health онá пы́шет здорóвьем.

radiation [,reɪdɪ'eɪʃən] *n* 1) излучéние, лучеиспускáние, радиáция; atomic ~ áтомная радиáция; 2) сияние; 3) *attr.* лучевóй; ~ illness (*или* sickness) лучевáя болéзнь; ~ hazard опáсность пораже́ния лучевóй болéзнью.

radiative ['reɪdɪətɪv] *a* 1) излучáющий; 2) излучённый.

radiator ['reɪdɪeɪtə] *n тех.* 1) радиáтор; батарéя (*отопления*); 2) излучáтель.

radical ['rædɪkəl] **1.** *n* 1) *полит.* радикáл; 2) *мат.* знак кóрня, кóрень (*числа*); 3) *хим.* радикáл; 4) *лингв.* кóрень (*слова*).
2. *a* 1) кореннóй; основнóй; 2) фундаментáльный, пóлный; радикáльный; 3) *бот.* растýщий из кóрня, корневóй; 4) *мат.* относящийся к кóрню числá; ~ sign знак кóрня; 5) *лингв.* корневóй.

radicalism ['rædɪkəlɪzəm] *n полит.* радикалúзм.

radices ['reɪdɪsiːz] *pl om* radix.

radicle ['rædɪkl] *n* 1) корешóк; 2) *анат.* начáльное разветвлéние нéрва, вéны; 3) *бот.* корешóк, зарóдышевый кóрень (*в сéмени*).

radii ['reɪdɪaɪ] *pl om* radius.

radio ['reɪdɪou] **1.** *n* 1) рáдио; радиовещáние; 2) радиоприёмник; 3) радиогрáмма.
2. *v* передавáть по рáдио; посылáть радиогрáмму, радúровать.

radio- ['reɪdɪou-] *в сложных словах* радио-.

radio-active ['reɪdɪou'æktɪv] *a* радиоактúвный.

radio-activity ['reɪdɪouæk'tɪvɪtɪ] *n* радиоактúвность.

radio aerial ['reɪdɪou'ɛərɪəl] *n* 1) радиосéть; 2) антéнна.

radio beacon ['reɪdɪou'biːkən] *n* радиомаяк.

radio-controlled ['reɪdɪoukən'trould] *a* управляемый по рáдио.

radiogenic ['reɪdɪou'dʒenɪk] *a* 1) *физ.* радиогéнный; 2) удóбный для передáчи по рáдио.

radiogram I ['reɪdɪougræm] *n* 1) радиогрáмма; 2) рентгéновский снúмок.

radiogram II ['reɪdɪougræm] *n* (*сокр. от* radiogramophone) радиóла.

radiograph ['reɪdɪougraːf] **1.** *n* = radiogram I, 2);
2. *v* дéлать рентгéновский снúмок.

radio-location ['reɪdɪoulou'keɪʃən] *n* радиолокáция.

radio-locator ['reɪdɪoulou'keɪtə] *n* радиолокáтор.

radiology [,reɪdɪ'ɔlədʒɪ] *n* радиолóгия, рентгенолóгия.

radioman ['reɪdɪoumən] *n* радúст.

radiometer [,reɪdɪ'ɔmɪtə] *n* радиóметр.

radio net(work) ['reɪdɪou'net('wəːk)] *n* радиосéть.

radiophare ['reɪdɪoufɛə] *n* радиомаяк, радиопрожéктор.

radiophone ['reɪdɪoufoun] *n* радиотелефóн.

radioscopy [,reɪdɪ'ɔskəpɪ] *n* исслéдование рентгéновыми лучáми.

radiosensitive [,reɪdɪou'sensɪtɪv] *a мед.* чувствúтельный к лучúстой энéргии, поддающийся лечéнию рентгéном.

radio show ['reɪdɪou,ʃou] *n* радиопостанóвка.

radiosonde ['reɪdɪousɔnd] *n метеор.* радиозóнд.

radiospectroscopy ['reɪdɪou,spek'trɔskəpɪ] *n* радиоспектроскопúя, тéхника панорáмного приёма (*электромагнитной энергии*).

radio-telegraph ['reɪdɪou'telɪgraːf] *n* радиотелегрáф.

radio-therapeutics ['reɪdɪou,θerə'pjuːtɪks] *n pl* (*употр. как sing*) лечéние рáдием *или* рентгéновыми лучáми; радиотерапúя; рентгенотерапúя.

radio-therapy ['reɪdɪou'θerəpɪ] = radio-therapeutics.

radiotrician [,reɪdɪou'trɪʃən] *n* радиотéхник.

radiotron ['reɪdɪoutrɔn] *n физ.* радиотрóн (*трёхэлектродная лампа*).

radish ['rædɪʃ] *n* редúска.

radium ['reɪdjəm] *n хим.* рáдий.

radius ['reɪdjəs] *n* (*pl* radii) 1) рáдиус; within a ~ of three miles from Oxford на 3 мúли вокрýг Óксфорда; within the ~ of knowledge в предéлах познáния; 2) спúца (*колеса*); 3) *анат.* лучевáя кость; 4) *тех.* закруглéние; вы́лет (*стрелы и т. п.*); 5) лимб (*угломерного инструмента*).

radix ['reɪdɪks] *n* (*pl* radices) 1) кóрень; 2) истóчник; *мат.* основáние систéмы счислéния.

radon ['reɪdən] *n хим.* радóн, эманáция рáдия.

rafale [‚rɑː'fɑːl] *n воен.* шквáльный огóнь; огневóй шквал.

raff [ræf] 1. *n* = riff-raff 1;
2. *v* беспýтничать.

raffia ['ræfɪə] *n* рáфия.

raffish ['ræfɪʃ] *a* 1) беспýтный; 2) нúзкий; 3) вульгáрный.

raffle ['ræfl] 1. *n* лотерéя;
2. *v* 1) разы́грывать в лотерéе; 2) уча́ствовать в лотерéе.

raft I [rɑːft] 1. *n* 1) плот; 2) парóм;
2. *v* 1) составля́ть *или* гнать плот; сплавля́ть (*лес*); 2) переправля́ть (ся) на парóме.

raft II [rɑːft] *n амер.* 1) *разг.* ýйма, кýча; мнóжество; мáсса; 2) толпá; 3) *sl.* многожéнство.

rafter I ['rɑːftə] *n* 1) плотовщúк; 2) парóмщик.

rafter II ['rɑːftə] 1. *n стр.* стропúло; бáлка; ◇ from cellar to ~ во всём дóме, свéрху дóнизу;
2. *v стр.* снабжáть стропúлами.

rafting ['rɑːftɪŋ] 1. *pres. p. om* raft I, 2;
2. *n* лесосплáв; сплóтка лéса.

raftsman ['rɑːftsmən] = rafter I.

rag I [ræg] *n* 1) тря́пка, лоскýт; 2) *pl* тряпьё, вéтошь; 3) *pl* отрéпья; лохмóтья; in ~s a) разóрванный; б) в лохмóтьях; glad ~s *sl.* лýчшее плáтье; 4) *пренебр.* тря́пка (*о театрáльном занавесе*); лоскýт (*о парýсе*); бумáжки (*о деньгáх*); листóк (*о газéте и т. п.*); 5) обры́вок, клочóк; *перен.* небольшóе колúчество, незначúтельный остáток; there is not a ~ of evidence нет ни малéйших улúк; 6) *attr.* тря́почный, тряпúчный; a ~ doll тряпúчная кýкла; ◇ to chew the ~ *sl.* завестú волы́нку; пилúть (*когó-л.*); твердúть ворчлúво об однóм и том же; to cram on every ~ поднять все парусá; to get one's ~ out *разг.* разозлúться, вы́йти из себя́; he has not a ~ to his back у негó совсéм нет одéжды; емý нéчего носúть.

rag II [ræg] *sl.* 1. *n* 1) грýбые шýтки, грýбое весéлье; to say smth. only for a ~ сказáть что-л. в шýтку; 2) (студéнческий) скандáл; шум;
2. *v* 1) бранúть; дразнúть; 2) устрáивать кавардáк, шум, скандáл.

rag III [ræg] 1. *n* твёрдый, слойстый известня́к, крупнозернúстый песчáник;
2. *v* 1) дробúть кáмни; дробúть рудý (*для сортирóвки*); 2) *тех.* снимáть заусéнцы.

ragamuffin ['ræga‚mʌfɪn] *n* оборвáнец.

rag-and-bone-man [‚rægən'bounmæn] *n* тряпúчник, старьёвщик.

rag-baby ['ræg‚beɪbɪ] *n* тряпúчная кýкла.

rag-bolt ['rægboult] *n тех.* áнкерный болт, ёрш.

rage [reɪdʒ] 1. *n* 1) я́рость, гнев; прúступ сúльного гнéва; неúстовство; to fly into a ~ прийтú в я́рость; 2) повáльное увлечéние (*чем-л., кем-л.*); предмéт óбщего увлечéния; all the ~ послéдний крик мóды; bicycles were (all) the ~ then в те дни все помешáлись на велосипéдах;
2. *v* 1) беснúться, злúться (at, against); 2) бушевáть, свирéпствовать (*о бýре, эпи-*

демии); 3) *refl.*: to ~ itself out успокóиться, затúхнуть (*гл. обр. о бýре*).

rag fair ['rægfɛə] *n* барахóлка, толкýчка.

ragged I ['rægɪd] *a* 1) нерóвный, зазýбренный; шероховáтый; 2) рвáный, изóрванный; поношенный; 3) одéтый в лохмóтья; обóрванный; 4) нечёсаный, космáтый; 5) небрéжный, неотдéланный (*о стúле*); 6) рвáный (*о рáне*).

ragged II, III [rægd] *p. p. om* rag II, 2 *и* III, 2.

ragged robin ['rægɪd'rɔbɪn] *n бот.* горицвéт, кукýшкин цвет.

raggery ['rægərɪ] *n разг.* одéжда (*осóб. жéнская*), тря́пки.

ragging I ['rægɪŋ] 1. *pres. p. om* rag III, 2;
2. *n горн.* дроблéние рудь́.

ragging II ['rægɪŋ] *pres. p. om* rag II, 2.

raging ['reɪdʒɪŋ] 1. *pres. p. om* rage 2;
2. *a* я́ростный, сúльный; ~ pain сúльная боль.

raglan ['ræglən] *n* пальтó-реглáн; reversible ~ двойнóй реглáн (*двухсторóнний*).

ragman ['rægmən] = rag-and-bone-man.

ragout ['ræguː] *фр. n* рагý.

rag paper ['ræg‚peɪpə] *n* тряпúчная бумáга.

rag-picker ['ræg‚pɪkə] *n* тряпúчник, старьёвщик.

rags-to-riches ['rægztə'rɪtʃɪz] *a:* ~ story расскáз, в котóром геройня из бéдной семьú станóвится богáтой.

ragtag ['rægtæg] *n разг.* сброд, подóнки óбщества, шýшера (*тж.* ~ and bobtail).

ragtime ['rægtaɪm] *n* синкопúрованный танцевáльный ритм.

ragweed ['rægwiːd] *n бот.* 1) крестóвник луговóй; 2) *амер.* амбрóзия полыннолúстная.

rag-wheel ['rægwiːl] *n тех.* цепнóе колесó.

ragwort ['rægwəːt] = ragweed 1).

rah [rɑː] *int (сокр. om* hurrah) *sl.* урáл

rah-rah boys ['rɑː'rɑː'bɔɪz] *n амер.* студéнты, предпочитáющие заня́тиям весёлое времяпрепровождéние; бездéльники.

raid [reɪd] 1. *n* 1) налёт; облáва; 2) набéг, рейд;
2. *v* 1) дéлать налёт, набéг, облáву; 2) вторгáться (into); to ~ the market произвестú пáнику на ры́нке.

raider ['reɪdə] *n* 1) учáстник налёта, набéга, облáвы; 2) *мор.* рéйдер; 3) *ав.* самолёт, совершáющий налёт.

rail I [reɪl] 1. *n* 1) перúла; огрáда; порýчни; 2) рельс; железнодорóжный путь; by ~ по желéзной дорóге; off the ~s сошéдший с рéльсов; *перен.* дезорганизóванный, вы́битый из колéй; 3) попербчина, переклáдина; полосá, брусóк; 4) вéшалка; 5) *pl ком.* железнодорóжные áкции; ◇ thin as a ~ худóй как щéпка;
2. *v* 1) обносúть перúлами, забóром, отгорáживать (*обыкн.* ~ in, ~ off); 2) путешéствовать по желéзной дорóге; 3) перевозúть *или* посылáть по желéзной дорóге; 4) проклáдывать рéльсы.

rail II [reɪl] *v* ругáть(ся), бранúть(ся) (at, against).

rail III [reɪl] *n* водяной пастушок (*птица*).

railage ['reɪlɪdʒ] *n* 1) перевозка по железной дороге; 2) оплата железнодорожной перевозки.

rail-chair ['reɪltʃɛə] *n* ж.-д. рельсовая подушка.

railhead ['reɪlhed] *n* 1) временный конечный пункт строящейся железной дороги; 2) *воен.* станция снабжения; 3) головка рельса.

railing I ['reɪlɪŋ] 1. *pres. p. от* rail I, 2; 2. *n* ограда, перила.

railing II ['reɪlɪŋ] *pres. p. от* rail II.

raillery ['reɪlərɪ] *n* добродушная насмешка, шутка, подшучивание.

rail mill ['reɪlmɪl] *n* рельсопрокатный стан.

railroad ['reɪlroud] *амер.* 1. *n* 1) железная дорога; 2) *attr.* железнодорожный; 2. *v* 1) путешествовать по железной дороге; 2) перевозить *или* посылать по железной дороге; 3) строить железную дорогу; 4) провести (*законопроект*) в спешном порядке; протолкнуть (*дело*); 5) *sl.* посадить в тюрьму по ложному обвинению.

railroader ['reɪlroudə] *n амер.* 1) железнодорожник; 2) владелец железной дороги.

railrolling mill ['reɪlˌroulɪŋ'mɪl] = rail mill.

railway ['reɪlweɪ] 1. *n* 1) железная дорога; железнодорожный путь; рельсовый путь; 2) *attr.* железнодорожный; ~ bed железнодорожное полотно; ~ mounting *воен.* железнодорожная орудийная установка; ~ system железнодорожная сеть; at ~ speed очень быстро; 2. *v* 1) строить железную дорогу; 2) путешествовать по железной дороге.

railway-yard ['reɪlweɪˌjɑːd] *n* сортировочная станция, железнодорожный парк.

raiment ['reɪmənt] *n поэт., ритор.* одежда, одеяние.

rain [reɪn] 1. *n* 1) дождь; ~ or shine какая бы ни была погода; *перен.* что бы ни было; the ~s период тропических дождей; to be caught in the ~ попасть под дождь, быть застигнутым дождём; to keep the ~ out укрыться от дождя; 2) потоки, ручьи (*слёз*), град (*ударов*) *и т. п.*; 3) капёж; ◊ right as ~ *разг.* совершенно здоровый; в полном порядке; 2. *v* 1) (*в безл. оборотах*): it ~s, it is ~ing идёт дождь; 2) сыпать(ся); литься; blows ~ed upon him удары сыпались на него градом; ◊ it ~s cats and dogs, *амер.* it ~s pitchforks ≈ дождь льёт как из ведра; it never ~s but it pours *посл.* ≈ пришла беда — растворяй ворота.

rainbow ['reɪnbou] *n* 1) радуга; 2) *attr.* радужный, многоцветный; ◊ ~ hunt погоня за недосягаемым; to come to the end of one's ~ дойти до точки, до предела.

rainbow trout ['reɪnbou'traut] *n зоол.* радужная форель.

raincoat ['reɪnkout] *n* непромокаемое пальто, плащ.

raindrop ['reɪndrɔp] *n* дождевая капля,

rainfall ['reɪnfɔːl] *n* 1) ливень; 2) количество осадков.

rain-gauge ['reɪngeɪdʒ] *n метеор.* дождемер.

rain-glass ['reɪnglɑːs] *n* барометр.

rainless ['reɪnlɪs] *a* засушливый; без дождя.

rainproof ['reɪnpruːf] *a* непроницаемый для дождя, непромокаемый.

rain-storm ['reɪnstɔːm] *n* ливень с ураганом.

raintight ['reɪntaɪt] = rainproof.

rain-water ['reɪnˌwɔːtə] *n* дождевая вода.

rainwear ['reɪnwɛə] *n* непромокаемая одежда.

rain-worm ['reɪnwəːm] *n* дождевой червь.

rainy ['reɪnɪ] *a* 1) дождливый; ~ weather дождливая погода; 2) дождевой (*о туче, ветре*); ◊ for a ~ day на чёрный день.

raise [reɪz] 1. *v* 1) поднимать; to ~ one's glass to smb.'s health пить за чьё-л. здоровье; to ~ anchor сниматься с якоря; to ~ bread ставить тесто на дрожжах; to ~ the eyebrows (удивлённо) поднимать брови; to ~ an issue, to ~ a point выдвигать, поднимать вопрос; to ~ a claim предъявить претензию; 2) будить; 3) воздвигать (*здание и т. п.*); 4) выращивать; 5) извлекать, добывать из земли; 6) воспитывать; выращивать; 7) повышать; возвышать; 8) поднимать (*на защиту и т. п.*); 9) вызывать (*смех*); 10) собирать (*налоги и т. п.*); to ~ money добывать деньги; to ~ troops набирать войска; to ~ a unit *воен.* сформировать часть; 11) запеть, начать (*песню*); издать (*крик*); 12) *текст.* ворсовать, начёсывать; ◊ to ~ Cain, to ~ hell, to ~ the devil, *амер.* to ~ a big smoke, to ~ the roof поднять шум, начать буянить, скандалить; to ~ the wind раздобыть денег; to ~ a check *амер.* подделать чек; to ~ the blockade снимать блокаду; to ~ the siege снимать осаду; to ~ a ghost вызвать духа.

2. *n* 1) подъём; 2) повышение, поднятие; увеличение; 3) *горн.* гезенк; ◊ to make a ~ раздобыть, получить взаймы.

raised [reɪzd] 1. *p. p. от* raise 1; 2. *a* 1) поставленный на дрожжах; 2) рельефный, лепной.

raisin ['reɪzn] *n* 1) (обыкн. pl) изюм; 2) изюминка.

rait [reɪt] = ret.

raj [rɑːdʒ] *n англо-инд.* господство; владычество.

raja(h) ['rɑːdʒə] *n англо-инд.* раджа.

Rajpoot, Rajput ['rɑːdʒpuːt] *n англо-инд.* раджпут.

rake I [reɪk] 1. *n* 1) грабли; скребок; 2) кочерга; 3) лопаточка крупье; 4) очень худой человек, скелет; as lean as a ~ худ как щепка.

2. *v* 1) сгребать, загребать; заравнивать, подчищать граблями (*тж.* ~ level, ~ clean); чистить скребком; 2) собирать (обыкн. ~ up, ~ together); 3) тщательно искать, рыться (in, among — в чём-л.); 4) *воен., мор.* обстреливать продольным огнём, сметать; □ ~ out выгребать;

перен. выйскивать, добывать с трудом;
to ~ out the fire выгребать уголь, золу;
~ up a) сгребать; to ~ up the fire шуровать уголь в топке; загребать жар; б) оживлять *или* растравлять (*старые воспоминания*); ◇ to ~ over the coals делать выговор.

rake II [reɪk] **1.** *n* 1) *мор.* наклон (*мачты и т. п.*); 2) отклонение от перпендикуляра; уклон от отвесной линии; 3) *тех.* передний угол (*резца*), угол уклона; 4) *тех.* скос; **2.** *v* отклоняться от отвесной линии.

rake III [reɪk] **1.** *n* повеса, распутник; **2.** *v* вести распутный образ жизни, повесничать.

rakehell [ˈreɪkhel] *уст.* = rake III, 1.

rake-off [ˈreɪkˌɔːf] *n амер. разг.* доля посредника в доходе; взятка.

raker [ˈreɪkə] *n* 1) грабли; 2) работающий граблями; 3) *разг.* гребёнка.

rakish I [ˈreɪkɪʃ] *a* 1) распутный; распущенный; 2) щегольской; лихой, ухарский.

rakish II [ˈreɪkɪʃ] *a мор.* быстроходный.

râle [rɑːl] *фр. n мед.* хрип.

rallicar(t) [ˈrælɪkɑː(t)] *n* рессорная двуколка для четверых.

rally I [ˈrælɪ] **1.** *n* 1) восстановление (*сил, энергии*); 2) объединение; 3) съезд, собрание, слёт; *амер.* массовый митинг; 4) оживление (*на бирже, на рынке*); 5) быстрый обмен ударами (*в теннисе*); 6) *воен.* сбор;
2. *v* 1) вновь собирать(ся) *или* сплачивать(ся) (*для совместных усилий*); возобновлять борьбу после поражения; 2) овладевать собой, оправляться (*от страха, горя, болезни*); 3) повышаться в спросе (*о товарах*).

rally II [ˈrælɪ] *v* шутить, иронизировать (*над кем-л.*).

ram [ræm] **1.** *n* 1) баран; 2) (the R.) Овен (*созвездие и знак зодиака*); 3) таран; 4) *тех.* чугунная баба, гидравлический таран; 5) *метал.* коксовыталкиватель; 6) *тех.* ползун, плунжер; 7) подъёмник, силовой цилиндр;
2. *v* 1) таранить; 2) забивать, вколачивать; to ~ into smb. вбивать кому-л. в голову; to ~ it home убеждать, доказать; 3) трамбовать, утрамбовывать.

ramble [ˈræmbl] **1.** *n* 1) прогулка, поездка (*без определённой цели*); 2) экскурсия;
2. *v* 1) бродить без цели, для удовольствия; 2) говорить бессвязно, перескакивать с одной мысли на другую; 3) ползти, виться (*о растениях*).

rambler [ˈræmblə] *n* 1) праздношатающийся; 2) ползучее растение, *особ.* вьющаяся роза.

rambling [ˈræmblɪŋ] **1.** *pres. p. от* ramble I, 2;
2. *a* 1) слоняющийся; бродячий; 2) разбросанный, беспорядочно выстроенный; 3) бессвязный; 4) ползучий (*о растении*).

rambunctious [ræmˈbʌŋkʃəs] *a амер. разг.* 1) сердитый, раздражительный; 2) непокорный; буйный; 3) очень шумный.

ramie [ˈræmɪ] *n* 1) рами, китайская крапива; 2) волокно из китайской крапивы.

ramification [ˌræmɪfɪˈkeɪʃən] *n* 1) разветвление; ответвление; отросток; 2) *собир.* ветви дерева.

ramify [ˈræmɪfaɪ] *v* разветвляться.

rammaged [ˈræmɪdʒd] *a sl.* пьяный.

rammer [ˈræmə] *n* 1) трамбовка, баба; 2) *арт.* прибойник; шомпол; 3) *sl.* рука.

rammish [ˈræmɪʃ] *a* 1) дурно пахнущий; 2) похотливый.

ramose [ˈreɪmous] *a* ветвистый.

ramp I [ræmp] **1.** *n* 1) скат, уклон; наклонная плоскость; аппарель; 2) *ж.-д.* остряк (*рельса*); 3) *авт.* борт; 4) лестница на колёсах для посадки в самолёт;
2. *v* 1) стоять на задних лапах (*о геральдическом животном*); принимать угрожающую позу; 2) *шутл.* неистовствовать, бросаться, бушевать; угрожать; 3) злобно коситься; 4) ползти, виться (*о растениях*).

ramp II [ræmp] *sl.* **1.** *n* 1) вымогательство; непомерная цена; 2) ограбление;
2. *v* 1) вымогать; 2) грабить.

rampage [ræmˈpeɪdʒ] **1.** *n* сильное возбуждение; неистовство, ярость; буйство; to be on ~ неистовствовать;
2. *v* быть в сильном возбуждении, неистовствовать, буйствовать.

rampageous [ræmˈpeɪdʒəs] *a* неистовый, буйный.

rampancy [ˈræmpənsɪ] *n* 1) неистовство, чрезмерность; 2) агрессивность.

rampant [ˈræmpənt] **1.** *a* 1) неистовый, безудержный; 2) буйно разросшийся; 3) сильно распространённый, гнездящийся (*о болезнях, пороках*); 4) стоящий на задних лапах (*о геральдическом животном*); 5) *архит.* с устоями, расположенными не на одном уровне (*о своде*);
2. *n архит., стр.* 1) ползучий свод, ползучая арка; 2) парапетная стенка; 3) пандус.

rampart [ˈræmpɑːt] **1.** *n* 1) (крепостной) вал; 2) оплот, защита;
2. *v* защищать, укреплять валом.

ramper [ˈræmpə] *n sl.* 1) вымогатель; 2) грабитель.

ramping I [ˈræmpɪŋ] **1.** *pres. p. от* ramp I, 2;
2. *a* буйный, неистовый.

ramping II [ˈræmpɪŋ] *pres. p. от* ramp II, 2.

ramrod [ˈræmrɔd] *n* 1) шомпол; 2) *арт.* прибойник.

ramshackle [ˈræmˌʃækl] *a* 1) ветхий, разваливающийся; 2) еле живой.

ran [ræn] *past от* run.

ranch [rɑːntʃ] **1.** *n* 1) ранчо, американская или канадская скотоводческая ферма (*в западных штатах — любая ферма*);
2. *v* 1) заниматься скотоводством; 2) жить на ферме.

rancher [ˈrɑːntʃə] *n* 1) хозяин ранчо; 2) работник на ранчо.

ranchman [ˈrɑːntʃmən] *n* = rancher.

rancid [ˈrænsɪd] *a* прогорклый, протухший.

rancidity [rænˈsɪdɪtɪ] *n* прогорклость.

rancidness [ˈrænsɪdnɪs] *n* = rancidity.

rancorous [ˈræŋkərəs] *a* злобный, враждебный.

rancour ['ræŋkə] *n* злоба, затаённая вражда.

rand [rænd] *n* край; рант.

randan I [ræn'dæn] *n* четырёхвесельная лодка при трёх гребцах.

randan II [ræn'dæn] *n sl.* попойка, кутёж; to go on the ~ кутить.

random ['rændəm] 1. *n:* at ~ наугад, наобум, наудачу;
2. *a* сделанный *или* выбранный наугад, случайный; беспорядочный; ~ bullet шальная пуля.

randy ['rændɪ] *сев.* 1. *a* грубый, крикливый;
2. *n* 1) сварливая женщина; 2) бродяга; назойливый нищий.

ranee ['rɑːniː] *n* англо-инд. супруга раджи.

rang [ræŋ] *past om* ring II, 2.

range [reɪndʒ] 1. *n* 1) ряд, линия (*домов*); цепь (*гор и т. п.*); 2) линия, направление; 3) обширное пастбище; 4) область распространения (*растения, животного*); сфера, зона; 5) предел, амплитуда; диапазон (*голоса*); 6) сфера, область, круг; that is out of my ~ это не по моей части; в этой области я не специалист; 7) протяжение, пространство; радиус действия; ~ of vision кругозор, поле зрения; (to be) in ~ of... (быть) в пределах досягаемости...; 8) кухонная плита (*тж.* kitchen ~); 9) решето; сито; 10) стрельбище, полигон, тир; 11) *мор.* створ; 12) *воен.* дальность, дальнобойность, досягаемость; 13) *радио* дальность передачи; 14) *ав.* дальность полёта; 15) *ав.* относ бомбы; 16) *attr. воен.:* ~ card схема ориентиров; ~ elevation установка прицела; ~ table таблица стрельбы;
2. *v* 1) выстраивать(ся) в ряд; ставить, располагать в порядке; 2) классифицировать; 3) *refl.* примыкать, присоединяться; 4) бродить; странствовать, скитаться; рыскать (*обыкн.* ~ over, ~ through); 5) колебаться в известных пределах; prices ~ from a shilling to a pound цены от шиллинга до фунта; 6) плыть (*обыкн.* ~ along, ~ with); 7) простираться; тянуться (*обыкн.* ~ along, ~ with); the path ~s with the brook дорожка тянется вдоль ручья; 8) *зоол., бот.* водиться, встречаться в определённых границах; 9) быть на одном уровне; he ~s with the great writers его можно поставить в один ряд с великими писателями; 10) *воен.* пристреливаться; бить на какое-л. расстояние.

range-finder ['reɪndʒ,faɪndə] *n воен.* 1) дальномер; 2) дальномерщик; 3) *фото* экспонометр.

range-pole ['reɪndʒpoul] *n геод.* дальномерная рейка; створная веха.

ranger ['reɪndʒə] *n* 1) бродяга; скиталец; странник; 2) лесничий королевского парка; 3) *pl* кавалерийская часть; 4) *амер. воен.* боец диверсионно-десантной группы.

rangy ['reɪndʒɪ] *a* 1) бродячий; 2) стройный, мускулистый (*о животных*); 3) обширный, пространный; 4) *австрал.* гористый, горный.

rani ['rɑːnɪ] = ranee.

rank I [ræŋk] 1. *n* 1) ряд; 2) звание, чин; of higher ~ выше чином, вышестоящий; honorary ~ почётное звание; to hold ~ занимать должность, иметь чин; 3) категория, ранг, разряд, степень, класс; a poet of the highest ~ первоклассный поэт; to take ~ with быть в одной категории с; 4) высокое положение; persons of ~ аристократия; ~ and fashion высшее общество; 5) *воен.* шеренга; to break ~s выйти из строя, нарушить строй; to fall into ~ построиться (*о солдатах и т. п.*); ◊ the ~s, the ~ and file a) солдаты, рядовые; б) рядовые члены партии и т. п.; в) рядовые люди, масса; to rise from the ~s a) *воен.* выдвинуться из рядовых в офицеры; б) *разг.* выйти в люди;
2. *v* 1) строить(ся) в шеренгу, выстраивать(ся) в ряд, в линию; 2) классифицировать; давать определённую оценку; his abilities very high я высоко ценю его способности; занимать какое-л. место; he ~s high as a lawyer (scholar) он видный адвокат (учёный); a general ~s with an admiral генерал по чину (*или* званию) равняется адмиралу; 4) *амер.* занимать первое *или* более высокое место; стоять выше других; a captain ~s a lieutenant капитан по чину (*или* званию) выше лейтенанта.

rank II [ræŋk] *a* 1) роскошный, буйный (*о растительности*); 2) заросший; a garden ~ with weeds сад, заросший сорными травами; 3) жирный, плодородный (*о почве*); 4) прогорклый (*о масле*); 5) отвратительный, противный; грубый; циничный; 6) явный, сущий; отъявленный; ~ nonsense явная чушь.

ranker ['ræŋkə] *n* унтер-офицер, выдвинувшийся из рядовых.

rankle ['ræŋkl] *v* 1) гноиться (*о ране*); 2) терзать, мучить (*об обиде, ревности, зависти*); the memory of the insult still ~s in his heart воспоминание об оскорблении всё ещё гложет его сердце.

ransack ['rænsæk] *v* 1) искать; обыскивать (*дом, комнату*); рыться в поисках потерянного; to ~ one's brains *амер.* ломать (себе) голову; стараться вспомнить; 2) очистить (*квартиру*), ограбить.

ransom ['rænsəm] 1. *n* 1) выкуп; to hold smb. to ~ требовать выкупа за кого-л.; a king's ~ огромная сумма, большой куш; 2) *церк.* искупление;
2. *v* 1) выкупать, освобождать за выкуп; 2) искупать.

rant [rænt] 1. *n* 1) напыщенная речь; громкие слова; декламация; 2) шумная проповедь; 3) *шотл.* кутёж.
2. *v* 1) говорить напыщенно; декламировать; 2) проповедовать; 3) *шотл.* шумно веселиться; громко петь.

ranter ['ræntə] *n* 1) говорящий напыщенно, высокопарно; 2) напыщенный проповедник.

ranunculi [rə'nʌŋkjulaɪ] *pl om* ranunculus.

ranunculus [rə'nʌŋkjuləs] *n* (*pl* -ses [-sɪz], -li) лютик.

rap I [ræp] **1.** *n* 1) лёгкий удáр; to get (to give) a ~ over (*или* on) the knuckles а) получи́ть (удáрить) по рукáм; б) получи́ть (сдéлать) вы́говор, замечáние; 2) стук; a ~ on the window негрóмкий стук в окнó; 3) *амер. sl.* обвинéние;
2. *v* 1) слегкá ударя́ть; 2) стучáть (at, on); 3) выстýкивать (*о духах на спирити́ческом сеáнсе*); 4) рéзко отвечáть (*обыкн.* ~ out); 5)] дéлать вы́говор; □ ~ out а) вы́крикнуть, испусти́ть крик; б) вы́ругаться.

rap II [ræp] *n* ист. мéлкая обесцéненная монéта (*в Ирлáндии в XVIII в.*); ◇ not a ~ ≅ ни грошá; I don't care a ~ мне на э́то наплевáть; it does not matter a ~ э́то не имéет никакóго значéния.

rap III [ræp] *n* мотóк пря́жи в 120 я́рдов.

rapacious [rə'peɪʃəs] *a* 1) жáдный, 2) прожóрливый; 3) хи́щный (*о живóтных*).

rapacity [rə'pæsɪtɪ] *n* 1) жáдность; 2) прожóрливость.

rape I [reɪp] **1.** *n* 1) изнаси́лование; 2) *поэт.* похищéние;
2. *v* 1) наси́ловать; 2) *поэт.* похищáть.

rape II [reɪp] *n бот.* 1) рапс; 2) капýста полевáя, сурéпица.

rape III [reɪp] *n* вы́жимки виногрáда, испóльзуемые для изготовлéния ýксуса.

rape-oil ['reɪpɔɪl] *n* сурéпное, рáпсовое мáсло.

rapid ['ræpɪd] **1.** *a* 1) бы́стрый, скóрый; 2) крутóй (*о склóне*);
2. *n* (*обыкн. pl*) порóг реки́, стремни́на.

rapid-firing ['ræpɪd,faɪərɪŋ] *a* скорострéльный.

rapidity [rə'pɪdɪtɪ] *n* быстротá, скóрость; ~ of fire *воен.* скорострéльность.

rapier ['reɪpjə] *n* рапи́ра.

rapier-thrust ['reɪpjəθrʌst] *n* 1) удáр рапи́рой; 2) *перен.* лóвкий вы́пад; острoýмный, нахóдчивый отвéт.

rapine ['ræpaɪn] *n* 1) грабёж; 2) похищéние.

rappee [ræ'piː] *n* сорт крéпкого нюхáтельного табакá.

rapport [ræ'pɔː] *фр. n* связь, взаимоотношéния.

rapprochement [rə'prɔʃmɑ̃:ŋ] *фр. n* восстановлéние *или* возобновлéние дрýжественных отношéний (*осóб. междý госудáрствами*).

rapscallion [ræp'skæljən] *n* мошéнник, бездéльник.

rapt [ræpt] *a* 1) восхищённый, увлечённый; 2) поглощённый (*мы́слью и т. п.*); he is ~ in reading он поглощён чтéнием; ~ attention сосредотóченное внимáние; 3) похи́щенный; 4) *библ.* взя́тый живы́м на нéбо.

raptorial [ræp'tɔːrɪəl] *a* хи́щный (*о пти́цах, живóтных*).

rapture ['ræptʃə] *n* 1) востóрг, выражéние востóрга; экстáз; to be in ~s, to go into ~s (over smth.) быть в востóрге, приходи́ть в востóрг (от чегó-л.); 2) похищéние; 3) *библ.* взя́тие живы́м на нéбо.

rapturous ['ræptʃərəs] *a* востóрженный.

rara avis ['rɛərə'eɪvɪs] *n* (*лат.* «рéдкая пти́ца») рéдкость, дикóвина, человéк *или* вещь, рéдко встречáющиеся.

rare I [rɛə] **1.** *a* 1) рéдкий, разрежённый, негустóй; ~ gas *хим.* инéртный газ; the ~ atmosphere of the mountain tops разрежённый вóздух на гóрных вершúнах; 2) рéдкий, необы́чный, необыкновéнный; 3) исключи́тельно хорóший, замечáтельный, превосхóдный; to have a ~ time (*или* fun) здóрово повесели́ться;
2. *adv разг.* исключи́тельно; a ~ fine view исключи́тельно краси́вый вид.

rare II [rɛə] *a амер.* недожáренный, недовáренный (*о мя́се*); ~ eggs *уст.* я́йца всмя́тку.

rarebit ['rɛəbɪt] *n* грéнки с сы́ром (*тж.* Welsh ~).

raree-show ['rɛəriː,ʃou] *n* 1) кýкольный теáтр; раёк (*я́щик с передви́жными карти́нками*); 2) зрéлище; 3) ýличное представлéние.

rarefaction [,rɛərɪ'fækʃən] *n* 1) разрежéние, разжижéние; 2) разрежённость.

rarefy ['rɛərɪfaɪ] *v* 1) разрежáть(ся), разжижáть(ся); 2) *перен.* очищáть, утончáть.

rarely ['rɛəlɪ] *adv* 1) рéдко, не чáсто; 2) необычáйно, исключи́тельно; we dined ~ мы исключи́тельно хорошó пообéдали.

rareness ['rɛənɪs] *n* рéдкостность; рéдкость.

rareripe ['rɛəraɪp] **1.** *a* скороспéлый, рáнний;
2. *n* скороспéлка.

rarity ['rɛərɪtɪ] *n* 1) рéдкость; 2) антиквáрная вещь; 3) разрежённость (*вóздуха*).

rascal ['rɑːskəl] *n* 1) мошéнник; 2) *шутл.*: you lucky ~! ах ты, счастли́вец!

rascaldom ['rɑːskəldəm] *n* 1) мошéнничество; 2) *собир.* мошéнники.

rascality [rɑːs'kælɪtɪ] *n* мошéнничество.

rascally ['rɑːskəlɪ] *a* мошéннический, нечéстный.

rase [reɪz] = raze.

rash I [ræʃ] *a* стреми́тельный; поспéшный; опромéтчивый, необдýманный, неосторóжный.

rash II [ræʃ] *n* сыпь.

rash III [ræʃ] *n* шуршáние.

rasher ['ræʃə] *n* тóнкий лóмтик бекóна *или* ветчины́.

rashness ['ræʃnɪs] *n* стреми́тельность и пр. [*см.* rash I].

rasp [rɑːsp] **1.** *n* 1) дребезжáние; скрéжет; скребýщий звук; 2) *тех.* рáшпиль;
2. *v* 1) скрести́, терéть; подпи́ливать, соскáбливать, строгáть (*обыкн.* ~ off, ~ away); 2) дребезжáть, издавáть рéзкий, скрежéщущий звук; 3) раздражáть, рéзать ýхо; 4) пили́кать (*на скри́пке и т. п.*).

raspberry ['rɑːzbərɪ] *n* 1) мали́на; 2) *sl.* прищёлкивание языкóм в знак пренебрежéния; 3) *sl.* неприя́тность; нагоня́й, головомóйка.

raspberry-cane ['rɑːzbərɪkeɪn] *n* (*обыкн. pl*) кусты́ мали́ны, мали́нник.

rasper ['rɑːspə] *n* 1) большóй рáшпиль *или* тёрка; 2) человéк, рабóтающий рáшпилем; 3) *разг.* неприя́тный, рéзкий человéк *или* харáктер.

rasping ['rɑ:spiŋ] 1. *pres. p. om* rasp 2; 2. *n* (*обыкн. pl*) *тех.* опи́лки.

rat I [ræt] 1. *n* 1) кры́са; 2) преда́тель; штрейкбре́хер; челове́к, покида́ющий организа́цию в тяжёлое вре́мя; 3) *разг.* шпио́н; доно́счик; перебе́жчик; 4): ~s! *sl.* вздор!, чепуха́!; 5) *attr.* крыси́ный, мыши́ный; ~ гасе мыши́ная возня́; ◇ like a drowned ~ промо́кший до косте́й; like a ~ in a hole в безвы́ходном положе́нии; to smell a ~ чу́ять недо́брое; подозрева́ть; 2. *v* 1) истребля́ть крыс (*обыкн. собаками*); 2) преда́ть; поки́нуть организа́цию в тяжёлое вре́мя; to ~ on smb. преда́ть кого́-л., донести́ на кого́-л.

rat II [ræt] = drat.

ratable ['reitəbl] *a* 1) подлежа́щий обложе́нию нало́гом, сбо́ром; 2) *уст.* пропорциона́льный.

ratafee, ratafia [,rætə'fiː, -'fiə] *n* 1) род нали́вки; 2) минда́льное пече́нье.

ratal ['reitəl] *n* су́мма обложе́ния.

rataplan [,rætə'plæn] 1. *n* 1) бараба́нный бой; 2) стук; 2. *v* бить в бараба́н.

rat-catcher ['ræt,kætʃə] *n* крысоло́в (*о челове́ке*).

ratch(et) ['rætʃ(it)] *n* *тех.* трещо́тка, храпови́к, храпово́й механи́зм.

ratchet-wheel ['rætʃitwiːl] *n* *тех.* храпово́е колесо́, храпови́к.

rate I [reit] 1. *n* 1) но́рма; ста́вка, тари́ф; расце́нка, цена́; the ~ of wages per week ста́вка неде́льной за́работной пла́ты; ~ of exchange валю́тный курс; ~ of surplus value *полит.-эк.* но́рма приба́вочной сто́имости; average ~ of profit *полит.-эк.* сре́дняя но́рма при́были; at an easy ~ дёшево, легко́; to live at a high ~ жить на широ́кую но́гу; 2) соотве́тственная часть; пропо́рция; коэффицие́нт, сте́пень, проце́нт; до́ля; 3) ме́стный нало́г; 4) темп; ход, ско́рость; at the ~ of 40 miles an hour со ско́ростью 40 миль в час; ~ of fire *воен.* ско́рость стрельбы́, режи́м огня́; ~ of climb *ав.* скороподъёмность, вертика́льная ско́рость; 5) разря́д, класс; сорт; 6) паёк; по́рция; 7) *тех.* расхо́д (*воды*); ◇ at any ~ во вся́ком слу́чае; по ме́ньшей ме́ре; at this (*или* that) ~ в тако́м слу́чае; при таки́х усло́виях;
2. *v* 1) оце́нивать, исчисля́ть, определя́ть, устана́вливать; the copper coinage was then ~d above its real value ме́дная моне́та стоя́ла тогда́ вы́ше свое́й реа́льной сто́имости; 2) счита́ть; расце́нивать; рассма́тривать; he was ~d the best poet of his time его́ счита́ли лу́чшим поэ́том эпо́хи; I ~ his speech very high я счита́ю его́ речь о́чень уда́чной; 3) (*преим. pass.*) облага́ть (ме́стным) нало́гом; 4) определя́ть класс, катего́рию.

rate II [reit] *v* брани́ть; задава́ть головомо́йку.

rate III [reit] = ret.

rateable ['reitəbl] = ratable.

ratepayer ['reit,peiə] *n* налогоплате́льщик.

rater ['reitə] *n* руга́тель.

-rater [-,reitə] *n* *в сло́жных слова́х*: first-

-rater я́хта, су́дно пе́рвого разря́да; ten-rater я́хта в 10 тонн.

rat-face ['rætfeis] *n* *амер. sl.* хи́трый, опа́сный челове́к, бе́стия.

rath [rɑ:θ] = rathe.

rathe [reið] *a поэт.* 1) у́тренний; 2) ра́нний; 3) бы́стрый, стреми́тельный.

rather ['rɑ:ðə] *adv* 1) скоре́е, предпочти́тельно, лу́чше, охо́тнее; would you ~ take tea or coffee? что вы предпочита́ете: чай и́ли ко́фе?; I'd ~ you came tomorrow меня́ бо́льше устро́ило бы, е́сли бы вы пришли́ за́втра; 2) верне́е, скоре́е, пра́вильнее; this is not the result, ~ it is the cause э́то не результа́т, а скоре́е (верне́е) причи́на; late last night or ~ early this morning вчера́ по́здно но́чью и́ли, пра́вильнее сказа́ть, сего́дня ра́но у́тром; 3) до не́которой сте́пени, слегка́, не́сколько, пожа́луй, дово́льно; I feel ~ better today мне сего́дня пожа́луй лу́чше; I know him ~ well я его́ дово́льно хорошо́ зна́ю; 4) *разг.* (*в ответ на вопро́с, предложе́ние*) коне́чно, да; ещё бы!; do you know him?—Rather! вы его́ зна́ете?—Да, коне́чно; ◇ the ~ that... тем бо́лее, что...

rathe-ripe ['reiðraip] = rareripe.

rathskeller ['rɑ:ts,kelə] *нем. n* пивна́я и́ли рестора́н в подва́льном этаже́.

ratification [,rætifi'keiʃən] *n* утвержде́ние, ратифика́ция.

ratify ['rætifai] *v* утвержда́ть, ратифици́ровать; скрепля́ть (*по́дписью, печа́тью*).

ratine [ræ'tiːn] *фр. n текст.* 1) эпо́нж; букле́; 2) рати́н.

rating I ['reitiŋ] 1. *pres. p. om* rate I, 2; 2. *n* 1) оце́нка, отнесе́ние к тому́ и́ли ино́му кла́ссу, разря́ду; 2) обложе́ние нало́гом; су́мма нало́га (*особ. городско́го*); 3) положе́ние; класс, разря́д, ранг; 4) *амер.* отме́тка (*в шко́ле*); 5) *мор.* зва́ние рядово́го *или* старши́нского соста́ва; 6) класс (*я́хты*); 7) *тех.* мо́щность; производи́тельность; номина́льное значе́ние како́го-либо пара́метра.

rating II ['reitiŋ] 1. *pres. p. om* rate II; 2. *n* вы́говор, нагоня́й; to give smb. a severe ~ да́ть кому́-л. здоро́вый нагоня́й.

ratio ['reiʃiou] *n* (*pl* -os [-ouz]) *мат.* отноше́ние, пропо́рция; коэффицие́нт; соотноше́ние; ~ of exchange *эк.* (коли́чественное) мено́вое отноше́ние; in direct ~ пря́мо пропорциона́льно; in inverse ~ обра́тно пропорциона́льно; 2) *тех.* переда́точное число́.

ratiocinate [,ræti'ɔsineit] *v* рассужда́ть форма́льно, логи́чески; испо́льзовать силлоги́змы в рассужде́ниях.

ratiocination [,rætiɔsi'neiʃən] *n* логи́ческое рассужде́ние.

ration ['ræʃən] 1. *n* 1) паёк, по́рция, рацио́н; emergency ~, iron ~ неприкоснове́нный запа́с; 2) *pl* прови́зия, пи́ща; продово́льствие; 2. *v* 1) выдава́ть паёк; снабжа́ть продово́льствием; 2) *редк.* получа́ть паёк; 3) норми́ровать (*проду́кты, промтова́ры*)

rational ['ræʃənl] 1. *a* 1) разу́мный; целесообра́зный, рациона́льный; 2) *мат.*

рациона́льный; ~ fraction пра́вильная дробь; 3) уме́ренный;

2. *n pl* удо́бная, соотве́тствующая оде́жда.

rationale [,ræʃɪə'nɑːli] *n* 1) разу́мное объясне́ние; 2) рассужде́ние, размышле́ние; 3) основна́я причи́на.

rationalism ['ræʃnəlɪzəm] *n* рациона-ли́зм.

rationalist ['ræʃnəlɪst] 1. *n* рациона-ли́ст;

2. *a* рационалисти́ческий.

rationalistic [,ræʃnə'lɪstɪk] = rationalist 2.

rationality [,ræʃə'nælɪti] *n* разу́мность, рациона́льность; норма́льность.

rationalization [,ræʃnəlaɪ'zeɪʃən] *n* 1) рационализа́ция; 2) рационалисти́ческое объясне́ние; 3) *мат.* освобожде́ние от иррациона́льности.

rationalize ['ræʃnəlaɪz] *v* 1) рационализи́ровать; 2) дава́ть рационалисти́ческое объясне́ние; 3) *мат.* освобожда́ть от иррациона́льности.

rationalizer ['ræʃnəlaɪzə] *n* рационализа́тор.

rationally ['ræʃnəlɪ] *adv* рациона́льно; разу́мно.

ration book ['ræʃənbuk] *n* продово́льственная *или* промтова́рная кни́жка, забо́рная кни́жка (*на нормированные товары*).

ration-card ['ræʃənkɑːd] *n* продово́льственная *или* промтова́рная ка́рточка.

rationing ['ræʃnɪŋ] 1. *pres. p. от* ration 2;

2. *n* нормирова́ние проду́ктов *или* промтова́ров.

ratlin(e) ['rætlɪn] *n* (обыкн. *pl*) *мор.* вы́бленка; вы́бленочный трос; линь.

ratsbane ['rætsbeɪn] *n* 1) отра́ва для крыс; крыси́ный яд; 2) *разг.* ядови́тое расте́ние.

rat's-tail ['rætsteɪl] *n* 1) крыси́ный хвост; 2) что-л. похо́жее на крыси́ный хвост; что-л. име́ющее су́живающийся коне́ц; 3) *attr.*:~ file *тех.* кру́глый то́нкий напи́льник.

rattan [rə'tæn] *n* 1) рота́нг (*род пальмы*); 2) трость из рота́нга.

rat-tat ['ræt'tæt] *n* (гро́мкий) стук в дверь.

ratteen [ræ'tiːn] = ratine.

ratten ['rætn] *v* саботи́ровать; по́ртить *или* пря́тать маши́ны, чтобы доби́ться усту́пок.

ratter ['rætə] *n* крысоло́в (*особ. о собаке*).

rattle ['rætl] 1. *n* 1) треск, гро́хот; дребезжа́ние; стук; 2) шу́мная болтовня́, весе́лье, сумато́ха; 3) де́тская погрему́шка; 4) трещо́тка (*ночного сторожа и т. п.*); 5) ко́льца на хвосте́ грему́чей зме́й; 6) трещо́тка, болту́н, пустоме́ля;

2. *v* 1) треща́ть, грохота́ть; греме́ть (*посудой, ключами и т. п.*); дребезжа́ть; си́льно стуча́ть; 2) дви́гаться, мча́ться *или* па́дать с гро́хотом (обыкн. ~ down, ~ over, ~ along, ~ past); the train ~d past пое́зд с гро́хотом промча́лся ми́мо; 3) говори́ть бы́стро, гро́мко, болта́ть (обыкн. ~ on,

~ away, ~ along); отбараба́нить (*урок, речь, стихи, муз. пьесу*; обыкн. ~ out, ~ away, ~ over, ~ off); 4) поспе́шно де́лать (*что-л.*); ускоря́ть (*что-л.*); to ~ the bill through the House протащи́ть, провести́ в спе́шном поря́дке законопрое́кт че́рез парла́мент; 5) пресле́довать, заставля́ть убега́ть (*лису и т. п.*); 6) *разг.* смуща́ть, волнова́ть, пуга́ть; to get ~d теря́ть споко́йствие, не́рвничать;

rattle-box ['rætlbɔks] *n* 1) де́тская погрему́шка; 2) *бот.* погремо́к; 3) *разг.* болту́н, трещо́тка, пустоме́ля.

rattlebrained ['rætlbreɪnd] *a* пустоголо́вый и крикли́вый.

rattleheaded ['rætl'hedɪd] = rattlebrained.

rattler ['rætlə] *n* 1) *разг.* что-л. грохо́чущее: ста́рый, громо́здкий экипа́ж; по́езд; 2) болту́н, трещо́тка; 3) *амер. разг.* грему́чая змея́; 4) необыча́йное происше́ствие, сенса́ция; 5) сокруши́тельный уда́р; 6) победи́тель (*на скачках*); великоле́пная ло́шадь; 7) *горн.* ке́ннельский га́зовый у́голь; 8) *тех.* бараба́н для очи́стки отли́вок.

rattlesnake ['rætlsneɪk] *n* грему́чая змея́.

rattletrap ['rætltræp] 1. *n* 1) расша́танный, ве́тхий экипа́ж; 2) = rattle-box 3); 3) *sl.* рот; 4) *pl* безделу́шки;

2. *a* расша́танный, дребезжа́щий, ве́тхий.

rattling ['rætlɪŋ] 1. *pres. p. от* rattle 2;

2. *a* 1) грохо́чущий, шу́мный; 2) си́льный (*о ветре*); бы́стрый, энерги́чный (*о походке, движениях*); 3) *разг.* замеча́тельный; we had a ~ time мы великоле́пно провели́ вре́мя.

rat-trap ['rættræp] *n* 1) крысоло́вка; 2) велосипе́дная педа́ль с зубца́ми; 3) *sl.* рот, пасть.

ratty ['rætɪ] *a* 1) крыси́ный; 2) киша́щий кры́сами; 3) *sl.* жа́лкий, мизе́рный; 4) *sl.* серди́тый, раздражи́тельный.

raucous ['rɔːkəs] *a* хри́плый.

raupo ['rɑːrou] *n* *бот.* рого́з узколи́стный.

ravage ['rævɪdʒ] 1. *n* 1) опустоше́ние, уничтоже́ние; ~ of weeds уничтоже́ние сорняко́в; 2) (обыкн. *pl*) разруши́тельное де́йствие;

2. *v* опустоша́ть, разоря́ть.

rave [reɪv] 1. *v* 1) бре́дить, говори́ть бессвя́зно; 2) неи́стовствовать (about, of, against); to ~ against one's fate проклина́ть судьбу́; to ~ oneself hoarse договори́ться до хрипоты́; 3) говори́ть восто́рженно, с энтузиа́змом (about); 4) неи́стовствовать, реве́ть, выть, бушева́ть (*о море, ветре*);

2. *n* рёв, шум (*ветра, моря*).

ravel ['rævəl] 1. *n* 1) пу́таница; 2) обры́вок ни́тки;

2. *v* 1) запу́тывать(ся); усложня́ть (*вопрос и т. п.*); 2) разрыва́ть, распу́тывать (обыкн. ~ out); 3) протира́ться (*о ткани*); ☐ ~ out a) разделя́ть на воло́кна; to ~ all this matter out распу́тать всё э́то де́ло; б) располза́ться по шва́м.

ravelin ['rævlɪn] *n* *воен.* равели́н.

raven I ['reɪvn] 1. *n* во́рон;

2. *a* чёрный с блестящим отливом; цвета воронова крыла.

raven II ['rævn] *v* 1) грабить; искать добычу (after); набрасываться (*на что-л.*); 2) пожирать; 3) есть с жадностью; иметь волчий аппетит (for).

ravenous ['rævɪnəs] *a* 1) грабительский; 2) хищный; жадный; 3) прожорливый; ~ appetite волчий аппетит.

ravin ['rævɪn] *n уст., поэт.* 1) добыча; 2) грабёж.

ravine [rə'viːn] *n* ущелье; овраг, лощина; дефиле́.

raving ['reɪvɪŋ] 1. *pres. p. от* rave 1; 2. *n* 1) бред; 2) неистовство; рёв (*бури*); 3. *a* бредовой; ~ madness буйное сумасшествие.

ravish ['rævɪʃ] *v* 1) похищать; 2) (из-) насиловать; 3) приводить в восторг, восхищать.

ravishing ['rævɪʃɪŋ] 1. *pres. p. от* ravish; 2. *a* восхитительный.

ravishment ['rævɪʃmənt] *n* 1) изнасилование; 2) похищение (*обыкн. женщины*); 3) восторг, восхищение.

raw [rɔː] 1. *a* 1) сырой, недоваренный; непропечённый, недожаренный; 2) необработанный, необогащённый (*о руде*); ~ material (*или* stuff) сырьё; ~ brick необожжённый кирпич; ~ hide a) недублёная, сыромятная кожа; б) кнут из сыромятной кожи; ~ ore необогащённая руда; ~ spirit неразбавленный спирт; he drank it ~ он выпил (*спирт, виски и т. п.*), не добавляя воды; ~ sugar нерафинированный сахар; ~ silk шёлк-сырец; 3) необученный; неопытный; 4) ободранный, лишённый кожи, кровоточащий; чувствительный (*о ране, коже*); 5) сырой, холодный (*о ветре, погоде*); 6) *амер. sl.* нечестный; a ~ deal нечестная сделка; ◇ to pull a ~ one *амер. sl.* рассказать неприличный анекдот; ~ head and bloody bones изображение черепа с двумя скрещёнными костями; что-л. страшное (*особ. для детей*); 2. *n* 1) что-л. необработанное, сырое; 2) ссадина; больное место; to touch smb. on the ~ задеть кого-л. за живое; 3. *v* сдирать кожу.

raw-boned ['rɔː'bound] *a* очень худой, костлявый.

rawhide ['rɔːhaɪd] 1. *n* = raw hide [*см.* raw 1, 2)];
2. *a* сделанный из сыромятной кожи.

rawness ['rɔːnɪs] *n* 1) необработанность; 2) неопытность; 3) ссадина; больное место; 4) промозглая сырость.

rax [ræks] *v шотл.* 1) растягивать(ся), протягивать(ся); потягиваться (*после сна*); 2) *refl.* напрягаться.

ray I [reɪ] 1. *n* 1) луч; 2) проблеск; not a ~ of hope ни малейшей надежды; 3) *зоол.* луч (*в плавниках рыбы*); 4) *редк.* радиус; 2. *v* 1) излучать(ся); 2) расходиться лучами; 3) подвергать действию лучей; облучать.

ray II [reɪ] *n* скат (*рыба*).

Rayah ['raɪɑː] *n* турецкий подданный немагометанин.

rayon ['reɪɔn] *n* искусственный шёлк, вискоза.

raze [reɪz] *v* 1) разрушать до основания; сносить; to ~ a town to the ground стереть город с лица земли; 2) *редк.* соскребать; 3) изглаживать; стирать, вычёркивать (*обыкн. перен.*); 4) скользить по поверхности, слегка касаться, задевать.

razee [rei'ziː] *ист.* 1. *n* корабль со срезанной верхней палубой;
2. *v* 1) срезать верхнюю палубу (*корабля*); 2) *перен.* сокращать.

razor ['reɪzə] 1. *n* бритва;
2. *v редк.* брить, пользоваться бритвой.

razor-back ['reɪzəbæk] *n* 1) острый хребет; 2) полосатик (*вид кита*).

razor-bill ['reɪzəbɪl] *n зоол.* гагарка.

razor-edge ['reɪzər'edʒ] *n* 1) остриё бритвы, ножа; острый край (*чего-л.*); 2) острый горный кряж; 3) резкая грань; to keep on the ~ of smth. не переходить грани чего-л.; 4) опасное положение; to be on a ~ (*или* razor's edge) быть в опасности, на краю гибели.

razor-strop ['reɪzəstrɔp] *n* ремень для правки бритв.

razz [ræz] *амер. sl.* 1. *v* дразнить; подшучивать; высмеивать, насмехаться;
2. *n:* to get the ~ for fair быть высмеянным.

razzia ['ræzɪə] *араб. n* 1) набег; 2) полицейская облава.

razzle-dazzle ['ræzl,dæzl] *n sl.* 1) суетня, суматоха; 2) кутёж; to go on the ~ кутить; 3) карусель.

re I [riː] *n муз.* ре.

re II [riː] *prep юр., ком.* относительно, о, ссылаясь на (*тж.* in re); *разг.* касательно; re your letter of the 2nd instant... касательно вашего письма от второго сего месяца...

re- ['riː-] *pref* снова, заново, ещё раз, обратно; re-collect снова собрать; re-form заново формировать; re-import ввозить обратно; re-read перечитывать; renew возобновлять.

reach I [riːtʃ] 1. *n* 1) протягивание (*руки и т. п.*); to make a ~ for smth. протянуть руку, потянуться за чем-л.; 2) предел досягаемости, досягаемость; within easy ~ of the railway неподалёку от железной дороги; within ~ of one's hand под рукой; out of ~ of the guns вне досягаемости огня орудий; 3) область влияния, охват; кругозор; сфера; such subtleties are beyond my ~ такие тонкости выше моего понимания; 4) протяжение, пространство; a ~ of woodland широкая полоса лесов; 5) плёс, колено реки; 6) бьеф; 7) *мор.* галс; ◡ радиус действия;
2. *v* 1) протягивать, вытягивать (*часто* ~ out); to ~ one's hand across the table протянуть руку через стол; 2) доставать; брать; 3) передавать, подавать; ~ me the mustard, please передайте мне, пожалуйста, горчицу; 4) достигать, доходить; he is so tall he ~es the ceiling он так высок, что достаёт до потолка; to ~ old age дожить до старости; as far as the eye can ~ наскол-

ко мо́жет охвати́ть взор; the memory ~es back over many years в па́мяти сохраня́ется далёкое про́шлое; your letter ~ed me yesterday ва́ше письмо́ дошло́ (то́лько) вчера́; 5) заста́ть, насти́гнуть; 6) доезжа́ть до; the train ~es Oxford at six по́езд прихо́дит в О́ксфорд в 6 часо́в; 7) простира́ться; 8) составля́ть (*сумму*); 9) тро́гать; ока́зывать влия́ние; 10) связа́ться (*с кем-л.*, *напр.*, *по телефо́ну*); устана́вливать конта́кт; сноси́ться, сообща́ться (*с кем-л.*); □ ~ after тяну́ться за *чем-л.*; *перен.* стреми́ться к *чему-л.*; ~ for протя́гивать ру́ку за *чем-л.*, достава́ть *что-л.* (*с по́лки, со шка́фа*).

reach II [ri:tʃ] = retch 2.

reachless [′ri:tʃlıs] *a* недостижи́мый.

reach-me-down [′ri:tʃmı′daun] *разг.* **1.** *n* гото́вое пла́тье;
2. *a* гото́вый (*о пла́тье*).

react [rɪ′ækt] *v* 1) реаги́ровать; 2) взаимоде́йствовать (on, upon); 3) *хим.* вызыва́ть реа́кцию; 4) противоде́йствовать; ока́зывать сопротивле́ние; стреми́ться в обра́тном направле́нии *или* наза́д (against); 5) *воен.* производи́ть контратаку.

reactance [rɪ′æktəns] *n* *эл.* реакти́вное сопротивле́ние.

reaction I [rɪ′ækʃən] *n* 1) реа́кция; chain ~ цепна́я реа́кция; what was his ~ to this news? как он реаги́ровал на э́то?; to suffer a ~ си́льно реаги́ровать; 2) обра́тное де́йствие; реакти́вное де́йствие; ~ propelled с реакти́вным дви́гателем, реакти́вный; 3) взаимоде́йствие; 4) противоде́йствие; action and ~ де́йствие и противоде́йствие; 5) *радио* де́йствие обра́тной свя́зи; 6) *воен.* контруда́р; 7) *attr.* реакти́вный.

reaction II [rɪ′ækʃən] *n полит.* реа́кция.

reactionary I [rɪ′ækʃnərı] *a* противоде́йствующий, даю́щий обра́тную реа́кцию.

reactionary II [rɪ′ækʃnərı] *полит.* **1.** *n* реакционе́р;
2. *a* реакцио́нный.

reactionist [rɪ′ækʃənıst] = reactionary II, 1.

reactive [rɪ′æktıv] *a* 1) реаги́рующий; 2) противоде́йствующий, возвра́тный; 3) *эл.* реакти́вный.

reactivity [,rɪæk′tıvıtı] *n* реакти́вность.

reactor [rɪ′æktə] *n* 1) реа́ктор, а́томный котёл; 2) *эл.* стабилиза́тор.

read I [ri:d] **1.** *v* (read) 1) чита́ть; to ~ aloud, to ~ out (loud) чита́ть вслух; to ~ smb. to sleep усыпля́ть кого́-л. чте́нием; to ~ oneself hoarse (stupid) дочита́ться до хрипоты́ (одуре́ния); to ~ to oneself чита́ть про себя́; to ~ a piece of music *муз.* разобра́ть пье́су; the bill was read *парл.* законопроект был предста́влен на обсужде́ние; 2) толкова́ть; объясня́ть; my silence is not to be read as consent моё молча́ние не сле́дует принима́ть за согла́сие; it is intended to be read... э́то на́до понима́ть в том смы́сле, что...; to ~ one's thoughts into a poet's words вкла́дывать со́бственный смысл в слова́ поэ́та; to ~ a riddle разгада́ть зага́дку; to ~ the cards гада́ть на ка́ртах; 3) гласи́ть; the passage quoted ~s as follows цита́та гласи́т сле́дующее; 4) пока́зывать

(*о прибо́ре и т. п.*); the thermometer ~s three degrees above freezing-point термо́метр пока́зывает три гра́дуса вы́ше нуля́; 5) снима́ть показа́ния (*прибо́ра и т. п.*); to ~ the electric meter снима́ть показа́ния электри́ческого счётчика; to ~ smb.'s blood pressure измеря́ть кровяно́е давле́ние; 6) изуча́ть; he is ~ing law он изуча́ет пра́во; to ~ for the bar гото́виться к адвокату́ре; □ ~ off *разг.* объясня́ть, выража́ть; his face doesn't ~ off его́ лицо́ ничего́ не выража́ет; ~ up специа́льно изуча́ть; to ~ up for examinations гото́виться к экза́менам; ~ with занима́ться с *кем-л.*; ◇ to ~ smb. a lesson сде́лать вы́говор, внуше́ние кому́-л.;
2. *n* чте́ние; вре́мя, проведённое в чте́нии.

read II [red] **1.** *past и p.p. от* read I, 1;
2. *a* (*в сочета́ниях*) начи́танный, све́дущий, зна́ющий, образо́ванный; he is poorly ~ in history он сла́бо зна́ет исто́рию.

readability [,rɪdə′bılıtı] *n* 1) удобочита́емость; 2) чита́бельность.

readable [′rɪdəbl] *a* 1) чёткий; a ~ handwriting разбо́рчивый по́черк; 2) хорошо́ напи́санный, интере́сный.

reader [′rɪdə] *n* 1) чита́тель; люби́тель книг; he is not much of a ~ он не осо́бенно люби́т чте́ние; 2) чтец; 3) рецензе́нт; 4) корре́ктор; 5) ле́ктор; 6) хрестома́тия; 7) *sl.* записна́я кни́жка.

readership [′rɪdəʃıp] *n* 1) до́лжность ле́ктора; 2) *собир.* чита́тели.

readily [′redılı] *adv* 1) охо́тно, бы́стро, ве́село, с гото́вностью; 2) легко́, без труда́; the facts may ~ be ascertained фа́кты мо́жно легко́ установи́ть.

readiness [′redınıs] *n* 1) гото́вность, охо́та; 2) подгото́вленность; all is in ~ всё гото́во; 3) нахо́дчивость, быстрота́, жи́вость; 4) согла́сие.

reading [′rɪdıŋ] **1.** *pres. p. от* read I, 1;
2. *n* 1) чте́ние; close ~ внима́тельное чте́ние; 2) начи́танность, зна́ния; a man of wide ~ челове́к, начи́танный в ра́зных областя́х; 3) публи́чное чте́ние; ле́кция; penny ~ ле́кция с пла́той за вход в 1 пе́нни; 4) вариа́нт те́кста, разночте́ние; 5) показа́ние, отсчёт показа́ний измери́тельного прибо́ра; 6) толкова́ние, понима́ние (*чего́-л.*); what is your ~ of the facts? как вы понима́ете, толку́ете э́ти фа́кты?; 7) чте́ние (*законопрое́кта*) в парла́менте; first, second, third ~ пе́рвое, второ́е, тре́тье чте́ние.

reading-desk [′rɪdıŋdesk] *n* пюпи́тр.

reading-glass [′rɪdıŋglɑːs] *n* большо́е увеличи́тельное стекло́.

reading-lamp [′rɪdıŋlæmp] *n* насто́льная ла́мпа.

reading-room [′rɪdıŋrum] *n* 1) чита́льный зал, чита́льня; 2) корре́кторская.

readjust [′rɪə′dʒʌst] *v* 1) переде́лывать, исправля́ть (за́ново), изменя́ть; сно́ва приводи́ть в поря́док; 2) (за́ново) приспоса́бливать, пригоня́ть, прила́живать; 3) подрегули́ровать.

readjustee [′rɪədʒʌs′tiː] *n амер. разг.* челове́к, верну́вшийся по́сле до́лгого пребыва́ния в а́рмии и приспосо́бившийся вновь к гражда́нской жи́зни.

readjustment ['riːə'dʒʌstmənt] *n* 1) переделка, исправление; 2) приспособление; регулировка; 3) реорганизация; перегруппировка.

ready ['redɪ] 1. *a* 1) готовый, приготовленный; to get (*или* to make) ~ приготовлять; 2) согласный, готовый (*на что-л.*); податливый, склонный; he gave a ~ assent он охотно согласился; he is ~ to go anywhere он готов пойти куда угодно; 3) лёгкий, быстрый; проворный; to have a ~ answer for any question иметь на всё готовый ответ; ≅ не лезть за словом в карман; to have a ~ wit быть находчивым; he is too ~ to suspect он страдает излишней подозрительностью; ~ solubility in water быстрая растворимость в воде; 4): ~ at hand, ~ to hand(s) находящийся под рукой; тут же, под рукой;
2. *n* (the ~) 1) *sl.* наличные (деньги); 2) *воен.* положение винтовки наготове;
3. *v sl.* 1): to ~ a horse тренировать лошадь; 2) платить быстро, платить наличными, звонкой монетой; 3) подкупать.

ready-for-service ['redɪfə'sɜːvɪs] *амер.* = ready-made.

ready-made ['redɪ'meɪd] *a* готовый; ~ clothes готовое платье; ~ shop магазин готового платья.

ready money ['redɪ'mʌnɪ] *n* наличные деньги.

ready reckoner ['redɪ'rekənə] *n* (арифметические) таблицы (*готовых расчётов*).

ready-to-cook ['redɪtə'kuk] *a* ~ food полуфабрикаты.

ready-to-serve ['redɪtə'sɜːv] *a*: ~ food кулинарные изделия.

ready-to-wear ['redɪtə'weə] *амер.* = ready-made.

ready-witted ['redɪ'wɪtɪd] *a* сообразительный, находчивый.

reaffirm ['riːə'fɜːm] *v* вновь подтверждать.

reagent [riː'eɪdʒənt] *n хим.* реактив; реагент.

real I [rɪəl] 1. *a* 1) действительный, настоящий, реальный, подлинный, истинный, неподдельный, несомненный; the ~ state of affairs действительное положение вещей; the actor drank ~ wine on the stage актёр пил настоящее вино на сцене; 2) недвижимый (*об имуществе*); ~ property, ~ estate недвижимость; ◇ the ~ thing первоклассная вещь; the ~ Simon Pure не подделка, нечто настоящее;
2. *n* (the ~) действительность;
3. *adv амер. разг.* очень, действительно, совсем.

real II [reɪ'ɑːl] *n* реал (*старая испанская монета*).

realgar [rɪ'ælgə] *n хим.* реальгар.

realign [ˌriːə'laɪn] *v* перестраивать.

realignment [ˌriːə'aɪnmənt] *n* перестройка.

realism ['rɪəlɪzəm] *n* реализм.

realist ['rɪəlɪst] 1. *n* реалист;
2. *a* = realistic.

realistic [rɪə'lɪstɪk] *a* реалистичный; реалистический.

reality [rɪ'ælɪtɪ] *n* 1) действительность, реальность; нечто реальное; in ~ действительно, фактически, на самом деле; 2) истинность, подлинная сущность; 3) неподдельность; 4) реализм.

realizable ['rɪəlaɪzəbl] *a* 1) могущий быть реализованным; осуществимый; 2) поддающийся пониманию *или* осознанию.

realization [ˌrɪəlaɪ'zeɪʃən] *n* 1) осознание, понимание; to have a true ~ of one's danger ясно сознавать опасность; 2) осуществление; выполнение (*плана и т. п.*); 3) реализация.

realize ['rɪəlaɪz] *v* 1) представлять себе; понимать (ясно, в деталях); 2) осуществлять; выполнять (*план, намерение*); 3) реализовать; 4) приносить доход (*об имуществе*); 5) получать прибыль; накапливать (*состояние*).

really ['rɪəlɪ] *adv* действительно, в самом деле, право; ~ and truly да право же; ~? вы так думаете?; это так?

realm [relm] *n* 1) королевство, государство; *перен.* царство; 2) область, сфера; the ~s of fancy область фантазии, воображения.

realtor ['rɪəltə] *n амер.* агент по продаже недвижимости.

realty ['rɪəltɪ] *n* недвижимое имущество.

ream I [riːm] *n* 1) стопа (*бумаги*); 2) *pl* большое количество бумаги; ~s of verses *пренебр.* куча стихов.

ream II [riːm] *v* 1) *тех.* рассверливать, развёртывать; 2) *горн.* расширять скважину.

reamer ['riːmə] *n* 1) *тех.* развёртка, зенковка; 2) *горн.* инструмент для расширения скважин.

reanimate [rɪ'ænɪmeɪt] *v* оживить, вернуть к жизни; вдохнуть новую жизнь, воодушевить.

reap [riːp] *v* 1) жать, снимать урожай; 2) пожинать плоды; to ~ as one has sown ≅ что посеешь, то и пожнёшь; to ~ where one has not sown пожинать плоды чужого труда.

reaper ['riːpə] *n* 1) жнец; жница; 2) жатвенная машина, жатка.

reaping-hook ['riːpɪŋˌhuk] *n* серп.

reaping-machine ['riːpɪŋməˌʃiːn] *n* жатвенная машина, жатка.

reappear ['riːə'pɪə] *v* снова появляться, показываться.

rear I [rɪə] *v* 1) поднимать (голову, руку); возвышать (голос); возносить; 2) воздвигать; сооружать; 3) воспитывать; выводить, культивировать, выращивать; 4) становиться на дыбы (обыкн. ~ up).

rear II [rɪə] *n* 1) тыл; to bring up the ~, to follow in the ~ замыкать шествие; to take in the ~ нападать с тыла; 2) задняя сторона; at the ~ of the house позади дома; 3) спина; 4) огузок; 5) *разг.* уборная; 6) *attr.* задний, расположенный сзади; тыльный; *воен.* тыловой; ~ arch задняя лука седла; ~ sight *воен.* прицел; ~ party *воен.* тыльная застава.

rear-admiral ['rɪə'ædmərəl] *n* контр-адмирал.

rearer ['rɪərə] *n* 1) *с.-х.* культива́тор; 2) инкуба́тор; 3) задо́к (*телеги*); 4) норови́стая ло́шадь.

rearguard ['rɪəgɑːd] *n* арьерга́рд; ~ action арьерга́рдный бой.

rearm ['riː'ɑːm] *v* перевооружа́ть (ся).

rearmament ['riː'ɑːməmənt] *n* перевооруже́ние.

rearmost ['rɪəmoust] *a* са́мый за́дний, после́дний; ты́льный.

rearmouse ['rɪəmaus] *n* лету́чая мышь.

rear-view mirror ['rɪəvjuː'mɪrə] *n* авт. зе́ркало за́дней обзо́рности.

rearward ['rɪəwəd] 1. *n* тыл; замыка́ющая часть; арьерга́рд;
2. *a* за́дний; тылово́й;
3. *adv* = rearwards.

rearwards ['rɪəwədz] *adv* наза́д, в тыл, в сто́рону ты́ла.

reason ['riːzn] 1. *n* 1) ра́зум, рассу́док; благоразу́мие; to bring to ~ образу́мить; to hear (*или* to listen to) ~ дать убеди́ть себя́; it stands to ~ я́сно, очеви́дно; to lose one's ~ сойти́ с ума́; bereft of ~ a) умалишённый; б) без созна́ния, без чувств; 2) причи́на, по́вод, основа́ние; соображе́ние, моти́в; до́вод, аргуме́нт; оправда́ние; by ~ of по причи́не; из-за; by ~ of its general sense по своему́ о́бщему смы́слу; with ~, not without ~ не без основа́ния; he complains with ~ он име́ет все основа́ния жа́ловаться; to give ~s for smth. объясни́ть причи́ны чего́-л., сообщи́ть свои́ соображе́ния по по́воду чего́-л.;
2. *v* 1) рассужда́ть (about, of, upon— о чём-л.); 2) обсужда́ть; 3) убежда́ть, угова́ривать (into); to ~ out of smth. разубежда́ть в чём-л.; 4) резюми́ровать, заключа́ть; ☐ ~ out проду́мать до конца́.

reasonable ['riːznəbl] *a* 1) (благо)разу́мный; рассуди́тельный; уме́ренный; 2) прие́млемый, сно́сный; недорого́й (*о цене*); 3) облада́ющий ра́зумом.

reasonably ['riːznəblɪ] *adv* 1) разу́мно; 2) уме́ренно; 3) прие́млемо, сно́сно.

reasoning ['riːznɪŋ] 1. *pres. p. от* reason 2;
2. *n* 1) рассужде́ние; 2) объясне́ния; аргумента́ция; the pupils understood the teacher's ~ ученики́ по́няли объясне́ния учи́теля;
3. *a* мы́слящий, спосо́бный рассужда́ть.

reassert [riːə'səːt] *v* подтвержда́ть, вновь заявля́ть; заверя́ть.

reassurance [riːə'ʃuərəns] *n* 1) увере́ние, завере́ние; успока́ивание; увеща́ние; 2) восстано́вленное дове́рие; 3) вновь обретённая уве́ренность, сме́лость.

reassure [riːə'ʃuə] *v* заверя́ть, уверя́ть, убежда́ть; успока́ивать; ободря́ть.

Réaumur ['reɪəmjuə] *n* термо́метр Реому́ра; температу́рная шкала́ Реому́ра.

reave [riːv] *v* (reft) *уст., поэт.* 1) похища́ть (*обыкн.* ~ away, from); отнима́ть; 2) = reive.

reaver ['riːvə] = reiver.

rebate 1. *n* ['riːbeɪt] 1) ски́дка, усту́пка; 2) *тех.* шпунт, фальц, усту́п;
2. *v* [rɪ'beɪt] *уст.* 1) уменьша́ть, сбавля́ть, сокраща́ть (*силу, энергию*); 2) де-

лать ски́дку, усту́пку; 3) притупля́ть, тупи́ть; 4) *тех.* де́лать шпунт *или* фальц.

rebec(k) ['riːbek] *n* стари́нная трёхстру́нная скри́пка.

rebel 1. *n* ['rebl] 1) повста́нец; 2) бунтовщи́к; мяте́жник; 3) *амер. sl.* жи́тель ю́жных шта́тов; 4) *attr.* мяте́жный; бунта́рский; повста́нческий;
2. *v* [rɪ'bel] 1) восстава́ть (against); 2) протестова́ть, противоде́йствовать; ока́зывать сопротивле́ние; 3) *разг.* возмуща́ться (against—чем-л.).

rebellion [rɪ'beljən] *n* 1) восста́ние; бунт; the Great R. гражда́нская война́ в А́нглии (*1642—60 гг.*); 2) сопротивле́ние; 3) возмуще́ние.

rebellious [rɪ'beljəs] *a* · 1) мяте́жный; повста́нческий, бунту́ющий; 2) недисциплини́рованный; непослу́шный; 3) упо́рный; не поддаю́щийся лече́нию (*о боле́зни*).

rebellow ['riː'belou] *v поэт.* отдава́ться гро́мким э́хом.

rebound [rɪ'baund] 1. *n* 1) отско́к, отда́ча, рикоше́т; to hit on the ~ бить *или* ударя́ть рикоше́том; 2) реа́кция, пода́вленность по́сле возбужде́ния; to take smb. on (*или* at) the ~ оказа́ть давле́ние на кого́-либо, воспо́льзовавшись его́ сла́бостью;
2. *v* 1) отска́кивать, рикошети́ровать; 2) отпря́нуть, отступи́ть; 3) нака́тываться (*об арт. орудиях*); 4) име́ть обра́тное де́йствие.

rebuff [rɪ'bʌf] 1. *n* 1) отпо́р, ре́зкий отка́з; 2) неожи́данная неуда́ча;
2. *v* 1) дава́ть отпо́р; 2) отка́зывать на́отрез; 3) *воен.* отража́ть ата́ку.

rebuild ['riː'bɪld] *v* (rebuilt) отстро́ить за́ново, восстанови́ть.

rebuilt ['riː'bɪlt] *past u p. p. от* rebuild.

rebuke [rɪ'bjuːk] 1. *n* 1) упрёк; without ~ безупре́чный; 2) вы́говор;
2. *v* 1) упрека́ть; 2) де́лать вы́говор.

rebus ['riːbəs] *n* ре́бус.

rebut [rɪ'bʌt] *v* 1) дава́ть отпо́р; отража́ть; 2) опроверга́ть (*обвинение и т. п.*).

rebutment [rɪ'bʌtmənt] *n* опроверже́ние (*обвинения и т. п.*).

rebutter [rɪ'bʌtə] *n юр.* возраже́ние истца́ на заявле́ние отве́тчика.

recalcitrance, -cy [rɪ'kælsɪtrəns, -sɪ] *n* непоко́рность; упо́рство.

recalcitrant [rɪ'kælsɪtrənt] 1. *a* непоко́рный; упо́рный; упо́рствующий в неподчине́нии (*чему-л.*);
2. *n* непоко́рный челове́к.

recalcitrate [rɪ'kælsɪtreɪt] *v* упо́рствовать; сопротивля́ться.

recalescence [riːkə'lesəns] *n метал.* рекалесце́нция.

recall [rɪ'kɔːl] 1. *n* 1) призы́в верну́ться; 2) отозва́ние (*депутата, посланника и т. п.*); letters of ~ отзывны́е гра́моты; 3) *воен.* сигна́л к возвраще́нию; отбо́й; 4) *театр.* вы́зов исполни́теля на бис; ◇ beyond ~, past ~ a) непоправи́мый; б) забы́тый;
2. *v* 1) призыва́ть обра́тно; 2) отзыва́ть (*депутата, должностное лицо*); 3) вызо-

дить (*из задумчивости*); 4) вспоминать (*сказанное*); напоминать, воскрешать (*в памяти*); 5) отменять (*приказ и т. п.*); 6) брать обратно (*подарок; свои слова*); 7) *воен.* призывать (*запасных*).

recant [rɪ'kænt] *v* отрекаться; отказываться от своего мнения (*особ.* публично).

recantation [ˌriːkæn'teɪʃən] *n* отречение.

recap ['riː'kæp] *v авт.* возобновить протектор, наложить новый протектор (на покрышку).

recapitulate [ˌriːkə'pɪtjuleɪt] *v* 1) повторять, перечислять; 2) резюмировать, суммировать; конспектировать.

recapitulation ['riːkəˌpɪtjuː'leɪʃən] *n* краткое повторение; суммирование; вывод, резюме.

recapitulative [ˌriːkə'pɪtjulətɪv] *a* повторительный; конспективный; суммирующий.

recapitulatory [ˌriːkə'pɪtjuleɪtərɪ] = recapitulative.

recaption ['riː'kæpʃən] *n юр.* возвращение мирным путём товаров и т. п., несправедливо захваченных другим лицом.

recapture ['riː'kæptʃə] 1. *n* 1) взятие обратно; 2) то, что взято обратно; 2. *v* брать обратно.

recast ['riː'kɑːst] 1. *n* 1) придание (*чему-либо*) новой, исправленной формы; 2) переделка; 2. *v* (recast) 1) придавать новую форму (*чему-л.*), исправлять; to ~ a book переделать книгу; to ~ a play заново поставить пьесу, поставить пьесу с новым составом исполнителей; 2) пересчитывать; 3) *тех.* отлить заново.

re-cede ['riː'siːd] *v* возвращать захваченное.

recede [riː'siːd] *v* 1) отступать, удаляться; ретироваться; to ~ into the background а) отойти на задний план; б) терять значение, интерес; 2) отказываться (*от договорённости, от мнения*); 3) падать в цене.

receipt [rɪ'siːt] 1. *n* 1) расписка в получении; квитанция; 2) получение; on — по получении; 3) (*обыкн. pl*) приход; —s and expenses приход и расход; 4) рецепт (*особ.* кулинарный); 5) средство для достижения какой-л. цели; 6) средство для излечения; 2. *v* дать расписку в получении; to ~ a bill расписаться на счёте.

receipt-book [rɪ'siːtbuk] *n* квитанционная книжка.

receivable [rɪ'siːvəbl] *a* могущий быть полученным; годный к приёмке.

receive [rɪ'siːv] *v* 1) получать; 2) принимать; to ~ stolen goods укрывать краденое; 3) воспринимать; 4) вмещать; 5) признавать правильным, принимать; 6) принимать (*гостей*).

received [rɪ'siːvd] 1. *p. p. от* receive; 2. *a* общепринятый, общепризнанный, считающийся правильным, истинным.

receiver [rɪ'siːvə] *n* 1) получатель; 2) *юр.* судебный исполнитель; 3) укрыватель краденого; 4) телефонная трубка; 5) радиоприёмник; 6) *тех.* приёмник; резервуар; ресивер; 7) ствольная коробка (*винтовки*).

receiving-order [rɪ'siːvɪŋˌɔːdə] *n* исполнительный лист.

recency ['riːnsɪ] *n* новизна, свежесть.

recension [rɪ'senʃən] *n* 1) просмотр и исправление текста; 2) просмотренный и исправленный текст.

recent ['riːsnt] *a* недавний, последний; новый, свежий, современный.

recently ['riːsntlɪ] *adv* недавно; на днях.

receptacle [rɪ'septəkl] *n* 1) вместилище; приёмник; хранилище; 2) коробка, ящик; мешок; сосуд; 3) штепсельная розетка, патрон; 4) *бот.* цветоложе.

reception [rɪ'sepʃən] *n* 1) получение; 2) приём (*тж. в члены*); принятие; warm ~ горячий приём; *ирон.* сильное сопротивление; the play met with a cold ~ пьеса была холодно принята; 3) приём (*гостей*); вечеринка, встреча; 4) восприятие; 5) *радио, тел.* приём.

receptionist [rɪ'sepʃənɪst] *n* секретарь в приёмной (*у врача, фотографа и т. п.*).

reception-room [rɪ'sepʃənrum] *n* гостиная, приёмная.

receptive [rɪ'septɪv] *a* 1) восприимчивый; 2) рецептивный.

receptivity [ˌriːsep'tɪvɪtɪ] *n* 1) восприимчивость; 2) *тех.* поглощательная способность; ёмкость.

recess [rɪ'ses] 1. *n* 1) перерыв в занятиях (*особ. парламента*); 2) *амер.* каникулы (*в школе, университете*); 3) *амер.* (большая) перемена в школе; 4) уединённое место; глухое место; укромный уголок; in the secret ~es of the heart в тайниках, в глубине души; 5) углубление; ниша, альков; in the ~ в глубине; 6) маленькая бухта; 7) *анат., бот.* углубление, ямка; 8) *тех.* шейка, прорезь, выемка; выточка; 2. *v* 1) делать углубление; 2) помещать в укромном месте; 3) отодвигать назад; 4) делать перерыв в занятиях; 5) *тех.* делать выемку, углублять.

recession [rɪ'seʃən] *n* 1) удаление, уход; 2) отступление (*моря, ледника*); 3) углубление; 4) *амер.* спад, снижение спроса.

recessional [rɪ'seʃənl] *a* каникулярный.

recessive [rɪ'sesɪv] *a* удаляющийся, отступающий.

réchauffé [ˌriː, ʃou'feɪ] *фр. n* 1) разогретое кушанье; 2) что-л., переделанное из старого; переработанное своего *или* чужого литературного произведения.

recherché [rə'ʃɛəʃeɪ] *фр. a* отборный; изысканный (*о вкусе, о блюдах и т. п.*).

recidivism [rɪ'sɪdɪvɪzəm] *n* рецидивизм.

recidivist [rɪ'sɪdɪvɪst] *n* рецидивист.

recipe ['resɪpɪ] *n* 1) рецепт (*тж. кулинарный*); 2) средство; способ (*достигнуть чего-л.*).

recipience, -cy [rɪ'sɪpɪəns, -sɪ] *n* 1) получение; 2) восприимчивость.

recipient [rɪ'sɪpɪənt] 1. *n* 1) получатель; 2) приёмник; 2. *a* 1) получающий; 2) восприимчивый.

reciprocal [rɪ'sɪprəkəl] 1. *a* 1) взаимный, обоюдный; ответный; 2) эквивалентный, соответственный; 3) *юр.* взаимно обязыıаоций; 4) *грам.* взаймный (*о местоимениях*); 5) *мат.* обра́тный;

2. *n мат.* обра́тная величина́.

reciprocate [rɪ'sɪprəkeɪt] *v* 1) дви́гать (ся) взад и вперёд; име́ть возвра́тно-поступа́тельное движе́ние; 2) отпла́чивать; to ~ smb.'s feeling отвеча́ть взаймностью (на чьё-л. чу́вство); to every attack he ~d with a blow на ка́ждое нападе́ние он отвеча́л уда́ром; 3) обме́ниваться (*услугами, любезностями*).

reciprocating engine [rɪ'sɪprəkeɪtɪŋ 'endʒɪn] *n* поршнева́я маши́на; маши́на с возвра́тно-поступа́тельным движе́нием.

reciprocation [rɪ,sɪprə'keɪʃən] *n* 1) возвра́тно-поступа́тельное движе́ние; 2) отве́тное де́йствие; 3) взаймный обме́н (*услугами, любезностями*).

reciprocity [,resɪ'prɔsɪtɪ] *n* 1) взаймность; 2) взаимоде́йствие; 3) взаймный обме́н (*услугами и т. п.*); 4) *attr.:* ~ principle при́нцип обратимости.

recital [rɪ'saɪtl] *n* 1) изложе́ние, повествова́ние; 2) подро́бное перечисле́ние фа́ктов; 3) расска́з, описа́ние; 4) конце́рт одного́ арти́ста; конце́рт, посвящённый одному́ компози́тору.

recitation [,resɪ'teɪʃən] *n* 1) деклама́ция; публи́чное чте́ние; 2) прорабо́тка материа́ла на семина́ре; опро́с ученико́в; 3) *attr.:* ~ room аудито́рия.

recitative [,resɪtə'tiːv] *n* речитати́в.

recite [rɪ'saɪt] *v* 1) деклами́ровать; повторя́ть по па́мяти; 2) расска́зывать, излага́ть; 3) перечисля́ть фа́кты; 4) отвеча́ть уро́к.

reciter [rɪ'saɪtə] *n* 1) деклама́тор; чтец; 2) хрестома́тия для деклама́ции.

reck [rek] *v поэт., уст.* (*тк. в отриц. и вопр. предложениях*) обраща́ть внима́ние (*на что-л.*), принима́ть во внима́ние (*of* — *что-л.*); he ~ed not of the danger он и не ду́мал об опа́сности; it ~s him not what others think ему́ безразли́чно, что други́е ду́мают; what ~s him that..? како́е ему́ де́ло, что..?

reckless ['reklɪs] *a* 1) безрассу́дный, опроме́тчивый; 2) отва́жный; 3) пренебрега́ющий пра́вилами (*езды и т. п.*).

reckling ['reklɪŋ] *диал.* *n* 1) сла́бый, ма́ленький, нужда́ющийся в ухо́де детёныш; 2) мла́дший ребёнок в семье́; 3) безрассу́дный челове́к;

2. *a* сла́бый, ча́хлый.

reckon ['rekən] *v* 1) счита́ть; подсчи́тывать, исчисля́ть; подводи́ть ито́г (*обыкн.* ~ up); насчи́тывать; 2) рассма́тривать, счита́ть за; ду́мать, предполага́ть, приде́рживаться мне́ния; to be ~ed a clever person счита́ться у́мным челове́ком; 3) полага́ться, рассчи́тывать (upon); 4) рассчи́тываться, распла́чиваться, своди́ть счёты (with — с *кем-л.*); 5) принима́ть во внима́ние (with); he is to be ~ed with с ним на́до счита́ться; ◻ — among, — in причисля́ть к; ~ up подсчи́тывать; ◇ to — without one's host недооце́нивать тру́дности; просчита́ться.

reckoner ['rekənə] *n* 1) челове́к, де́лающий подсчёты; 2) = ready reckoner.

reckoning ['rekənɪŋ] 1. *pres. p. от* reckon; 2. *n* 1) счёт, расчёт, вычисле́ние; by my ~ по моему́ расчёту; to make no ~ of smth. не принима́ть в расчёт что-л.; не придава́ть значе́ния чему́-л.; to be good at ~ хорошо́ счита́ть; to be out in one's ~ ошиби́ться в расчётах; 2) счёт, *особ.* счёт в гости́нице; 3) распла́та; 4) определе́ние местонахожде́ния *или* счисле́ние пути́ (*в штурманском деле*).

re-claim ['riː'kleɪm] *v* тре́бовать обра́тно.

reclaim [rɪ'kleɪm] 1. *v* 1) исправля́ть; восстана́вливать; 2) прируча́ть; смягча́ть; цивилизова́ть; 3) поднима́ть (*неудобные, заброшенные земли*); проводи́ть мелиора́цию; 4) регенери́ровать; 5) утилизи́ровать, испо́льзовать;

2. *n:* it is beyond (*или* past) ~ э́то непоправи́мо.

reclamation [,reklə'meɪʃən] *n* 1) исправле́ние; 2) подъём (*неудобных, заброшенных земель*); осу́шка, мелиора́ция (*земли*); 3) *ком.* реклама́ция, заявле́ние прете́нзий.

réclame [,reɪ'klɑːm] *фр.* *n* рекла́ма.

recline [rɪ'klaɪn] *v* 1) облока́чивать (ся); отки́дываться наза́д; опира́ться (on — against smth. полулежа́ть, опира́ясь на что-л.; сиде́ть, отки́нувшись на что-л.; 2) полага́ться (on — на); 3) отки́дывать (*голову*).

recluse [rɪ'kluːs] 1. *n* затво́рник; затво́рница; отше́льник; отше́льница;

2. *a* живу́щий в уедине́нии; уединённый.

recoal ['riː'koul] *v* брать, грузи́ть све́жий запа́с у́гля.

recognition [,rekəg'nɪʃən] *n* 1) узнава́ние; опозна́ние; 2) призна́ние; одобре́ние; to win (to receive, to meet with) ~ from the public завоева́ть (получи́ть) призна́ние пу́блики; 3) официа́льное призна́ние (*независимости и суверенитета страны*).

recognizable ['rekəgnaɪzəbl] *a* могу́щий быть у́знанным.

recognizance [rɪ'kɔgnɪzəns] *n* 1) призна́ние; 2) обяза́тельство (*данное суду*); 3) зало́г.

recognize ['rekəgnaɪz] *v* 1) узнава́ть; 2) признава́ть (*кем-л.*; as); 3) выража́ть призна́ние, ободре́ние; 4) осознава́ть; to ~ one's duty понима́ть свой долг.

recoil [rɪ'kɔɪl] 1. *n* 1) отско́к; отда́ча, отка́т; 2) у́жас; отвраще́ние (*к чему-л.*); 2. *v* 1) отскочи́ть; отпря́нуть, отшатну́ться; 2) отдава́ть (*о ружье*); отка́тываться (*об орудии*); 3) испы́тывать у́жас (*перед чем-л.*); чу́вствовать отвраще́ние (from — к *чему-л.*); 4) *редк.* отступа́ть.

re-collect ['riːkə'lekt] *v* 1) вновь собра́ть, объедини́ть; 2) *refl.* прийти́ в себя́, опо́мниться.

recollect [,rekə'lekt] *v* вспомина́ть, припомина́ть.

recollection [,rekə'lekʃən] *n* 1) воспомина́ние; па́мять; within my ~ на мое́й па́мяти; outside my ~ не на мое́й па́мяти; 2) *pl* мемуа́ры.

recommend [,rekə'mend] *v* 1) рекомендова́ть; сове́товать; 2) представля́ть (*к награде и т. п.*); 3) поруча́ть (*чьему-л.*) попече́нию; 4) говори́ть в (*чью-л.*) по́льзу.

recommendation [ˌrekəmen'deɪʃən] *n*
1) рекомендация; совет; 2) представление
(*ног*—к *награде и т. п.*); 3) качества, говорящие в пользу (*кого-л.*).

recommendatory [ˌrekə'mendətərɪ] *a* рекомендательный.

recommit [ˌriːkə'mɪt] *v парл.* возвращать законопроект в комиссию на вторичное рассмотрение.

recommitment [ˌriːkə'mɪtmənt]=recommittal.

recommittal [ˌriːkə'mɪtl] *n парл.* возвращение законопроекта на вторичное рассмотрение в комиссию.

recompense ['rekəmpens] **1.** *n* вознаграждение; компенсация;
2. *v* вознаграждать; компенсировать; отплачивать.

reconcilability [ˌrekənsaɪlə'bɪlɪtɪ] *n* примиримость; совместимость.

reconcilable ['rekənsaɪləbl] *a* примиримый; совместимый.

reconcile ['rekənsaɪl] *v* 1) примирять (with, to); to ~ oneself, to become (*или* to be) ~d to примиряться с; 2) улаживать (*ссору, спор*); 3) согласовывать (*мнения, заявления*).

reconcilement ['rekən,saɪlmənt] *n* 1) примирение; 2) улаживание; 3) согласование.

reconciliation [ˌrekənsɪlɪ'eɪʃən] *n* примирение.

recondite [rɪ'kɔndaɪt] *a* 1) тёмный, неясный; трудный для понимания; 2) малопонятный (*о писателе*).

recondition [ˌriːkən'dɪʃən] *v* 1) ремонтировать, переоборудовать, приводить в исправное состояние (*особ. судно*); 2) переделывать, перестраивать; 3) восстанавливать силы, здоровье.

reconnaissance [rɪ'kɔnɪsəns] *n* 1) разведка; рекогносцировка; 2) разведывательная партия; 3) *attr.* разведывательный.

reconnoitre [ˌrekə'nɔɪtə] *v* производить, вести разведку, разведывать.

reconsider ['riːkən'sɪdə] *v* пересматривать (заново).

reconstruct ['riːkəns'trʌkt] *v* 1) перестраивать, реконструировать; 2) восстанавливать (*по данным*), воссоздавать.

reconstruction ['riːkəns'trʌkʃən] *n* 1) перестройка, реконструкция; реорганизация; 2) восстановление, воссоздание; 3) (R.) *амер.* реконструкция Юга после гражданской войны; 4) что-л. перестроенное; 5) *attr.*: ~ area местность, восстанавливаемая после войны.

reconversion ['riːkən'vɜːʃən] *n* возвращение к условиям мирного времени.

record 1. *n* ['rekɔːd] 1) запись; летопись; мемуары, рассказ о событиях; to bear ~ to свидетельствовать, удостоверять истинность (*фактов и т. п.*); a matter of ~ зарегистрированный факт; (up)on ~ записанный, зарегистрированный; 2) протокол (*заседания и т. п.*); to enter on the ~s занести в протокол; 3) официальный документ, запись, отчёт; off the ~ *амер.* а) не подлежащий оглашению (*в печати*); б) неофициально, неофициальным путём; 4): to keep to

the ~ держаться сути дела; to travel out of the ~ вводить что-л., не относящееся к делу; 5) факты, данные (*о ком-л.*); характеристика; to have a good (bad) ~ иметь хорошую (плохую) репутацию; his ~ is against him его прошлое говорит против него; ~ of service послужной список; трудовая книжка; 6) памятник прошлого; 7) граммофонная пластинка; запись на граммофонной пластинке; 8) рекорд; to beat (*или* to break, to cut) the ~ побить рекорд; 9) *юр.* документ, дающий право на владение; 10) *attr.* рекордный; 11) *attr.*: (Public) R. Office Государственный архив;
2. *v* [rɪ'kɔːd] 1) записывать, регистрировать; протоколировать; заносить в список, в протокол; 2) записывать на пластинку, на плёнку; 3) увековечивать.

recorder [rɪ'kɔːdə] *n* 1) регистратор; протоколист; учётчик; 2) главный (уголовный) судья города; 3) *тех.* регистрирующий, самопишущий прибор; пишущий телеграфный аппарат; фототелеграфный приёмник; 4) род старинной флейты; 5) *кино* звукозаписывающий аппарат.

record film ['rekɔːd'fɪlm] *n* документальный фильм.

record-holder ['rekɔːd,houldə] *n* обладатель рекорда, рекордсмен.

recording [rɪ'kɔːdɪŋ] **1.** *pres. p. от* record 2;
2. *n* регистрация, запись;
3. *a* регистрирующий, записывающий.

record-player ['rekɔːd,pleɪə] *n* проигрыватель граммофонных пластинок.

recordsman ['rekɔːdzmən] *n* рекордсмен.

re-count ['riː'kaunt] **1.** *n* пересчёт голосов при выборах;
2. *v* пересчитывать (*особ.* голоса при выборах).

recount [rɪ'kaunt] *v* рассказывать, излагать подробно.

recoup [rɪ'kuːp] *v* 1) компенсировать, возмещать; to ~ a person for loss (*или* damage) возмещать кому-л. убытки; 2) *юр.* удерживать часть должного, вычитать.

recoupment [rɪ'kuːpmənt] *n* 1) возмещение (*убытков и т. п.*), компенсация; 2) *юр.* удержание части должного.

recourse [rɪ'kɔːs] *n* 1) обращение за помощью; to have ~ to прибегать к помощи; 2) прибежище; his last ~ will be... единственным выходом, последним прибежищем для него будет...

re-cover ['riː'kʌvə] *v* снова покрывать, перекрывать.

recover [rɪ'kʌvə] *v* 1) обретать снова, возвращать себе, получать обратно; to ~ control of one's temper овладеть собой; to ~ oneself, to ~ consciousness приходить в себя (*после падения, болезни*); 2) выздоравливать, оправляться (from); to ~ one's health восстановить здоровье; 3) навёрстывать; 4) *юр.* добиваться возмещения (*чего-либо*) *или* возмещения (*убытков*); выиграть (*дело*); получить по суду оправдание, возмещение убытков *и т. п.*; 5) *воен.* вновь овладеть, отбить; 6) *воен.* держать (*оружие*) «подвы́сь»; 7) *тех.* регенери́ровать; извлека́ть (*из скважин*); утилизи́ровать (*отходы*); 8) *горн.* добыва́ть.

recovered [rɪ'kʌvəd] **1.** *p. p. от* recover; **2.** *a* вы́здоровевший.

recovery [rɪ'kʌvərɪ] *n* 1) выздоровле́ние; 2) восстановле́ние; 3) возмеще́ние; возвраще́ние (*утраченного*); 4) *тех.* регенера́ция; извлече́ние материа́ла, испо́льзование отхо́дов; 5) *горн.* добыва́ние, добы́ча; 6) *тех.* восстановле́ние первонача́льного объёма *или* фо́рмы; 7) *ав.* вы́ход *или* вы́вод самолёта из што́пора.

recreancy ['rekrɪənsɪ] *n поэт.* 1) тру́сость; малоду́шие; 2) изме́на, отсту́пничество.

recreant ['rekrɪənt] *поэт.* **1.** *n* 1) трус; 2) отсту́пник, изме́нник; **2.** *a* 1) трусли́вый, малоду́шный; 2) преда́тельский, отсту́пнический.

re-create ['riːkrɪ'eɪt] *v* вновь создава́ть.

recreate ['rekrɪeɪt] *v* 1) восстана́вливать си́лы, освежа́ть; 2) *refl.* отдыха́ть, освежа́ться; 3) занима́ть, развлека́ть; 4) *refl.* развлека́ться.

re-creation ['riːkrɪ'eɪʃən] *n* созда́ние за́ново.

recreation [,rekrɪ'eɪʃən] *n* 1) восстановле́ние сил, освеже́ние; 2) развлече́ние, о́тдых; 3) переме́на (*между уроками*); 4) *attr.:* ~ centre клуб, дворе́ц культу́ры; ~ center *амер. воен.* ба́за о́тдыха; ~ ground площа́дка для игр.

recreative ['rekrɪeɪtɪv] *a* 1) восстана́вливающий си́лы, освежа́ющий; 2) развлека́ющий, занима́ющий; заба́вный; занима́тельный.

recrement ['rekrɪmənt] *n* 1) отбро́сы, оста́тки; 2) шлак; ока́лина; при́меси в руде́; 3) *физиол.* секрето́рный проду́кт, кото́рый части́чно сно́ва вса́сывается в кровь.

recriminate [rɪ'krɪmɪneɪt] *v* обвиня́ть друг дру́га; отвеча́ть обвине́нием.

recrimination [rɪ,krɪmɪ'neɪʃən] *n* взаи́мное *или* встре́чное обвине́ние.

recriminative [rɪ'krɪmɪnətɪv] = recriminatory.

recriminatory [rɪ'krɪmɪnətərɪ] *a* отвеча́ющий обвине́нием на обвине́ние.

recrudesce [,riːkruː'des] *v* 1) сно́ва открыва́ться, появля́ться *или* обостря́ться (*после временного улучшения—о ране, нарыве, болезни*); рецидиви́ровать; 2) сно́ва появля́ться, оживля́ться, распространя́ться.

recrudescence [,riːkruː'desns] *n* 1) *мед.* рециди́в, но́вая вспы́шка; 2) рециди́в, втори́чное проявле́ние.

recruit [rɪ'kruːt] **1.** *n* 1) ре́крут, новобра́нец; 2) но́вый член (*партии, общества и т. п.*); 3) новичо́к (*часто* raw ~); **2.** *v* 1) вербова́ть (*новобранцев*); 2) комплектова́ть (*часть*); пополня́ть (*ряды, запасы*); 3) укрепля́ть (*здоровье*); take a holiday and try to ~ возьми́те о́тпуск и постара́йтесь попра́виться.

recruital [rɪ'kruːtəl] *n* набо́р, вербо́вка, рекрути́рование.

recruitment [rɪ'kruːtmənt] *n* 1) набо́р новобра́нцев; 2) пополне́ние, подкрепле́ние; 3) восстановле́ние здоро́вья,

recta ['rektə] *pl от* rectum.

rectal ['rektəl] *a анат.* относя́щийся к прямо́й кишке́; прямокише́чный.

rectangle ['rek,tæŋgl] *n* прямоуго́льник.

rectangular [rek'tæŋgjulə] *a* прямоуго́льный; ~ axes прямоуго́льная систе́ма координа́т, координа́тные о́си; ~ timber оканто́ванный пилёный лесоматериа́л.

rectification [,rektɪfɪ'keɪʃən] *n* 1) исправле́ние; 2) *хим.* ректифика́ция, очище́ние; 3) *эл.* выпрямле́ние (*тока*); 4) *радио* детекти́рование.

rectifier ['rektɪfaɪə] *n* 1) *хим.* ректифика́тор, очисти́тель; 2) *эл.* выпрями́тель; 3) *радио* детеќтор; 4) приспособле́ние *или* стано́к для пра́вки инструме́нта.

rectify ['rektɪfaɪ] *v* 1) исправля́ть; to ~ a chronometer выверя́ть хроно́метр; 2) *хим.* ректифици́ровать, очища́ть; 3) *эл.* выпрямля́ть (*ток*); 4) *радио* детекти́ровать.

rectilineal [,rektɪ'lɪnɪəl] *a* прямолине́йный.

rectilinear [,rektɪ'lɪnɪə]=rectilineal.

rection ['rekʃən] *n грам.* управле́ние.

rectitude ['rektɪtjuːd] *n* 1) че́стность, прямота́; высо́кая нра́вственность; 2) *редк.* пра́вильность.

recto ['rektou] *n* (*pl* -os [-ouz]) *полигр.* пра́вая страни́ца.

rector ['rektə] *n* 1) ре́ктор; 2) прихо́дский па́стор *или* свяще́нник (*получающий десяти́ну*).

rectorial [rek'tɔːrɪəl] *a* ре́кторский.

rectorship ['rektəʃɪp] *n* до́лжность *или* зва́ние ре́ктора.

rectory ['rektərɪ] *n* 1) дохо́д свяще́нника; 2) дом свяще́нника, па́стора.

rectum ['rektəm] *n* (*pl* -ta) *анат.* пряма́я кишка́.

recumbency [rɪ'kʌmbənsɪ] *n* лежа́чее положе́ние.

recumbent [rɪ'kʌmbənt] *a* лежа́чий; лежа́щий, отки́нувшийся (*на что-л.*).

recuperate [rɪ'kjuːpəreɪt] *v* 1) восстана́вливать си́лы, оправля́ться; выздора́вливать; 2) *тех.* восстана́вливать, регенери́ровать, рекупери́ровать.

recuperation [rɪ,kjuːpə'reɪʃən] *n* 1) восстановле́ние сил; выздоровле́ние; 2) *тех.* восстановле́ние, регенера́ция, рекупера́ция; 3) *эл.* возвраще́ние эне́ргии в сеть.

recuperative [rɪ'kjuːpərətɪv] *a* 1) восстана́вливающий си́лы, укрепля́ющий; 2) *тех.* рекуперати́вный.

recuperator [rɪ'kjuːpəreɪtə] *n* 1) *тех.* рекупера́тор; 2) *воен.* нака́тник.

recur [rɪ'kəː] *v* 1) возвраща́ться (to — к чему-л.); сно́ва приходи́ть на ум; сно́ва возника́ть; 2) повторя́ться, происходи́ть вновь; 3) *мед.* рецидиви́ровать.

recurrence [rɪ'kʌrəns] *n* 1) возвраще́ние, повторе́ние; 2) возвра́т, рециди́в; 3) *уст.* обраще́ние за по́мощью; to have ~ to... обраща́ться за по́мощью к...

recurrent [rɪ'kʌrənt] *a* 1) повторя́ющийся вре́мя от вре́мени, периоди́ческий; 2) *мед.* возвра́тный, рециди́вный; ~ fever возвра́тный тиф.

recurring decimal [rɪˈkəːrɪŋˈdesɪməl] *n мат.* периодическая бесконечная десятичная дробь.

recurvate [riːˈkəːveɪt] *a бот.* загнутый, отогнутый назад (*о листе или стебле*).

recurvature [riːˈkəːvətʃə] *n бот.* изгиб назад.

recurve [riːˈkəːv] *v* загибаться назад, в обратном направлении.

recusancy [ˈrekjuzənsɪ] *n* 1) неподчинение; 2) *ист.* учение нонконформистов.

recusant [ˈrekjuzənt] 1. *a* отказывающийся подчиняться законам, власти; 2. *n ист.* нонконформист.

red I [red] 1. *a* 1) красный; ~ flag, ~ banner красный флаг; 2) багровый; румяный; ~ cheeks румяные щёки; ~ eyes покрасневшие глаза; to become ~ in the face побагроветь; ~ with anger побагровевший от гнева; 3) рыжий; 4) окровавленный; ~ hands окровавленные руки; ◇ to see ~ обезуметь, прийти в ярость, в бешенство; to paint the town ~ предаваться весёлью, устраивать шумную попойку; 2. *n* 1) красный цвет; Turkey ~ красный цвет с оранжевым оттенком; 2) (the Reds) *pl амер.* индейцы; 3) красный шар (*в бильярде*); «красный» (*в рулетке*); 4) железный сурик; 5) *sl.* золото; ◇ to be in (the) ~ а) *амер.* быть убыточным, приносить дефицит; б) иметь задолженность, быть должником; to go into (the) ~ *амер.* приносить дефицит, становиться убыточным.

red II [red] 1. *a* революционный, красный; 2. *n* (the Reds) *pl* революционеры, красные.

redact [rɪˈdækt] *v* облекать в литературную форму, редактировать, готовить к печати.

redaction [rɪˈdækʃən] *n* 1) редактирование; 2) новое, пересмотренное издание.

redactor [rɪˈdæktə] *n* редактор.

red admiral [ˈredˈædmərəl] *n* адмирал (*бабочка*).

redan [rɪˈdæn] *n* уступ, редан.

Red Army [ˈredˈɑːmɪ] *n* Красная Армия.

Red Army Man [ˈredˈɑːmɪˈmæn] *n* красноармеец.

redbait [ˈredˌbeɪt] *v амер.* преследовать прогрессивные элементы.

redbaiting [ˈredˌbeɪtɪŋ] *амер.* 1. *pres. p. от* redbait; 2. *n* травля, преследование прогрессивных элементов.

red bark [ˈredˈbɑːk] *n* красная перуанская кора (*разновидность хинной коры*).

red bilberry [ˈredˈbɪlbərɪ] *n* брусника.

red-blindness [ˈredˌblaɪndnɪs] *n мед.* дальтонизм, слепота на красный цвет.

red-blooded [ˈredˈblʌdɪd] *a амер.* 1) сильный, энергичный, храбрый; 2) полный событий, захватывающий (*о романе и т. п.*).

red box [ˈredˈbɔks] *n* ящик для официальных бумаг членов английского правительства.

red brass [ˈredˈbrɑːs] *n* томпак, красная латунь.

redbreast [ˈredbrest] *n* малиновка (*птица*).

red cedar [ˈredˈsiːdə] *n* 1) красный кедр; 2) кедровый вереск; 3) виргинский можжевельник.

red cent [ˈredˈsent] *n амер.* (медная) монета в 1 цент; ◇ I don't care a ~ (for) мне наплевать (на); not worth a ~ гроша медного не стоит.

redcoat [ˈredkout] *n* английский солдат.

Red Crescent [ˈredˈkresnt] *n* Красный Полумесяц.

Red Cross [ˈredˈkrɔs] *n* 1) Красный Крест; 2) крест св. Георгия (*национальная эмблема Англии*).

red currant [ˈredˈkʌrənt] *n* красная смородина.

red deer [ˈredˈdɪə] *n зоол.* благородный олень.

redden [ˈredn] *v* 1) окрашивать(ся) в красный цвет; 2) краснеть.

reddening [ˈrednɪŋ] 1. *pres. p. от* redden; 2. *n* покраснение.

reddish [ˈredɪʃ] *a* красноватый.

reddle [ˈredl] = ruddle.

rede [riːd] *уст.* 1. *n* 1) совет; рассуждение; 2) план; 3) рассказ; поговорка, изречение; 4) объяснение, разгадка; 2. *v* 1) советовать; 2) рассказывать; 3) объяснять, разгадывать.

redeem [rɪˈdiːm] *v* 1) выкупать (*заложенные вещи и т. п.*); выплачивать (*долг по закладной*); 2) возмещать; возвращать; to ~ one's good name вернуть себе доброе имя; 4) выполнять (*обещание*); 5) искупать (*грехи и т. п.*); to ~ an error исправить ошибку; 6) спасать, избавлять, освобождать (за выкуп); to ~ a prisoner освободить заключённого.

redeemer [rɪˈdiːmə] *n* 1) избавитель, спаситель; 2) искупитель.

redemption [rɪˈdempʃən] *n* 1) выкуп; выплата; 2) искупление; 3) освобождение; спасение; beyond ~, past ~ без надежды на исправление, улучшение.

re-deploy [ˈriːdɪˈplɔɪ] *v воен.* передислоцировать(ся).

re-deployment [ˈriːdɪˈplɔɪmənt] *n воен.* передислокация.

redeye [ˈredaɪ] *n амер. sl.* крепкое дешёвое виски.

red gum [ˈredˈgʌm] *n* 1) сыпь у детей; 2) *бот.* австралийский эвкалипт; красное камедное дерево; 3) акароидная смола.

red-handed [ˈredˈhændɪd] *a* 1) с окровавленными руками; 2) в момент совершения преступления; to be caught ~ быть пойманным на месте преступления, быть захваченным с поличным.

red hardness [ˈredˈhɑːdnɪs] *n тех.* красностойкость.

red herring [ˈredˈherɪŋ] *n* 1) копчёная селёдка; 2) *уст. sl.* солдат; ◇ to draw a ~ across the path отвлекать внимание от обсуждаемого вопроса.

red-hot [ˈredˈhɔt] *a* 1) накалённый докрасна; 2) разгорячённый, возбуждённый; 3) горячий, пламенный.

red huckleberry [ˈredˈhʌklberɪ] = red bilberry.

re-did [ˈriːˈdɪd] *past om* re-do.

Red Indian ['red'ındjən] n (североамериканский) индеец, краснокожий.

redintegrate [re'dıntıgreıt] v восстанавливать (цельность, единство); воссоединять.

redistribute ['riːdıs'trıbjuːt] v перераспределять.

redistribution ['riː,dıstrı'bjuːʃən] n перераспределение, передёл.

red lamp ['red'læmp] n 1) красный фонарь, горящий ночью у квартиры доктора или у дверей аптеки; 2) красный свет как сигнал опасности на железной дороге ночью; 3) sl. красный фонарь, публичный дом.

red lane ['red'leın] n горло.

red lead ['red'led] n свинцовый сурик.

red-legged ['red'legd] a красноногий; ~ partridge каменная куропатка.

red-letter ['red'letə] a отмеченный красными буквами или цифрами в календаре; праздничный; перен. памятный, счастливый; ~ day праздничный или счастливый день.

red light ['red'laıt] n 1) красный свет (сигнал опасности); to see the ~ предчувствовать приближение опасности, беды и т. п.; 2) амер. = red lamp 3).

red-light ['red'laıt] a амер.: ~ district квартал публичных домов.

red liquor ['red'lıkə] n 1) уксуснокислый алюминий (протрава); 2) амер. sl. крепкий напиток, особ. виски.

redly ['redlı] adv красновато.

red man ['red'mæn] n красножий, (североамериканский) индеец.

red meat ['red'miːt] n чёрное мясо (баранина, говядина).

redneck ['rednek] n амер. разг. неотёсанный человек, деревенщина.

red-necked ['red'nekt] a 1) имеющий красную шею; 2) амер. sl. сердитый, злой.

redness ['rednıs] n краснота.

re-do ['riː'duː] v (re-did; re-done) делать вновь, переделывать.

red ochre ['red'oukə] n красная охра, железный сурик.

redolence ['redouləns] n благоухание, аромат.

redolent ['redoulənt] a 1) издающий (сильный) запах; ароматный, благоухающий; flowers ~ of springtime цветы, распространяющие весеннее благоухание; 2) напоминающий, вызывающий воспоминания (of—о чём-л.).

re-done ['riː'dʌn] p. p. от re-do.

re-double ['riː'dʌbl] v 1) вторично удваивать(ся); 2) сложить ещё раз.

redouble [rı'dʌbl] v 1) усиливать(ся), увеличивать(ся), возрастать; to ~ one's efforts удваивать свои усилия; 2) усугублять(ся); 3) складывать(ся) вдвое.

redoubt [rı'daut] n воен. редут.

redoubtable [rı'dautəbl] a грозный, устрашающий, опасный.

redoubted [rı'dautıd] уст. = redoubtable.

redound [rı'daund] v 1) способствовать, содействовать, помогать (to—чему-л.); to ~ to smb.'s advantage благоприятствовать кому-л., способствовать чьей-л. выгоде; that ~s to his honour это делает ему честь,

2) стремиться назад, возвращаться (upon); these crimes will ~ upon their authors эти преступления падут на голову тех, кто их совершил.

redpoll ['redpoul] n 1) чечётка (птица); 2) pl красный комолый скот (порода).

red rag ['red'ræg] n 1) «красная тряпка»; то, что приводит в бешенство (как быка красный цвет); 2) sl. язык.

redress [rı'dres] 1. n 1) исправление; восстановление; 2) возмещение, удовлетворение;
2. v 1) исправлять; восстанавливать; to ~ the balance восстанавливать равновесие; 2) возмещать, компенсировать; to ~ a wrong загладить обиду; 3) радио выпрямлять; 4) выравнивать (самолёт).

red-rogue ['redroug] n sl. золотая монета.

red rot ['red'rɔt] n краснуха, красная гниль (древесины).

redshank ['redʃæŋk] n зоол. травник, красноножка; to run like a ~ бежать очень быстро.

red-short ['red'ʃɔːt] a тех. красноломкий.

redskin ['redskın] n (североамериканский) индеец, краснокожий.

red soil ['red'sɔıl] n краснозём.

redstart ['redstɑːt] n зоол. горихвостка.

red tape ['red'teıp] n бюрократизм, канцелярщина, волокита.

red-tape ['red'teıp] a бюрократический, канцелярский.

reduce [rı'djuːs] v 1) понижать, ослаблять, уменьшать, сокращать; to ~ one's expenditure сокращать свой расходы; to ~ prices снижать цены; to ~ the length of a skirt укоротить юбку; to ~ the term of imprisonment сократить срок тюремного заключения; to ~ the temperature снизить температуру; to ~ the vitality понижать жизнеспособность; 2) понижать в должности и т. п.; to ~ to the ranks разжаловать в рядовые; 3) приводить в определённое состояние; сводить, приводить (to—к); to ~ to begging довести до нищеты; to ~ to silence заставить замолчать; to ~ to submission принудить к повиновению; to ~ to an absurdity доводить до абсурда; to ~ to elements разложить на части; 4) ослабить; вызвать похудание; he is greatly ~d by illness во время болезни он очень похудел; 5) похудеть; to be ~d to a shadow (или to a skeleton) быть измученным, истощённым; 6) покорять, побеждать; 7) мед. вправлять (вывих); 8) мат. превращать (именованные числа); приводить к общему знаменателю; 9) хим. раскислять, восстанавливать; 10) тех. прокатывать (железо).

reduced [rı'djuːst] 1. p. p. от reduce;
2. a 1) уменьшенный, пониженный; 2) стеснённый; ~ circumstances стеснённые обстоятельства; ~ покорённый.

reducible [rı'djuːsəbl] a допускающий уменьшение и пр. [см. reduce].

reducing agent [rı'djuːsıŋ'eıdʒənt] n хим. восстановитель.

reducing gear [rı'djuːsıŋ'gıə] n тех. замедляющая передача, редуктор.

reduction [rɪ'dʌkʃən] *n* 1) сниже́ние, пониже́ние; уменьше́ние, сокраще́ние; ~ of armaments сокраще́ние вооруже́ний; 2) пониже́ние в до́лжности *и т. п.*; ~ from rank *воен.* разжа́лование; ~ in rank сниже́ние в чи́не; ~ to the ranks разжа́лование в рядовы́е; 3) ски́дка; 4) превраще́ние; измене́ние фо́рмы *или* состоя́ния; 5) покоре́ние, подавле́ние; 6) уменьше́нная ко́пия (*с карти́ны и т. п.*); 7) *мед.* вправле́ние (вы́виха); 8) *хим.* раскисле́ние, восстановле́ние; 9) *мат.* приведе́ние к одному́ знамена́телю; превраще́ние (*именованных чисел*); 10) *тех.* обжа́тие; 11) *метал.* проце́сс отделе́ния мета́лла от руды́; переде́л.

redundance, -cy [rɪ'dʌndəns, -sɪ] *n* 1) чрезме́рность; избы́ток; 2) многосло́вие.

redundant [rɪ'dʌndənt] *a* 1) изли́шний, чрезме́рный; ли́шний; 2) многосло́вный.

reduplicate [rɪ'djuːplɪkeɪt] *v* 1) удва́ивать; повторя́ть; 2) *грам.* удва́ивать.

reduplication [rɪ,djuːplɪ'keɪʃən] *n* 1) удвое́ние; повторе́ние; 2) *грам.* удвое́ние.

reduplicative [rɪ'djuːplɪkətɪv] *a* удва́ивающийся.

red-wing ['redwɪŋ] *n зоол.* дрозд белобро́вый.

redwood ['redwud] *n* 1) *лес.* разли́чные дере́вья с краснова́той древеси́ной; 2) *бот.* секво́йя вечнозелёная.

ree [riː] = reeve I.

re-echo ['riː'ekou] 1. *n* э́хо, повто́рное э́хо; 2. *v* отдава́ться э́хом.

reed [riːd] 1. *n* 1) тростни́к, камы́ш; тростнико́вые за́росли; 2) тростни́к *или* соло́ма для крыш; 3) *поэт.* стрела́; 4) свире́ль; 5) буколи́ческая поэ́зия; 6) *муз.* язычо́к; 7) *pl* язычко́вые музыка́льные инструме́нты; 8) *горн.* запа́льный шнур; 9) *текст.* бёрдо; ◇ a broken ~ а) ненадёжный челове́к; б) непро́чная вещь; to lean on a ~ полага́ться на что-л. ненадёжное; 2. *v* покрыва́ть (*крыши*) тростнико́м *или* соло́мой.

reeded ['riːdɪd] 1. *p. p. om* reed 2; 2. *a* 1) заро́сший тростнико́м; 2) кры́тый тростнико́м; 3) *муз.* язычко́вый.

re-edify ['riː'edɪfaɪ] *v* 1) вновь стро́ить, отстра́ивать; 2) восстана́вливать; возрожда́ть (*наде́жды и т. п.*).

reed-mace ['riːdmeɪs] *n бот.* рого́з широколи́стный.

reed-pipe ['riːdpaɪp] *n* 1) свире́ль; 2) *муз.* язычко́вая тру́бка орга́на.

reed-stop ['riːdstop] *n муз.* орга́нный реги́стр с язычко́выми тру́бками.

re-educate ['riː'edjukeɪt] *v* перевоспи́тывать.

re-education ['riː,edjuː'keɪʃən] *n* перевоспита́ние.

reedy ['riːdɪ] *a* 1) заро́сший тростнико́м; 2) тростнико́вый; 3) то́нкий, стро́йный как тростни́к (*обыкн. поэт.*); 4) пронзи́тельный.

reef I [riːf] *n* 1) риф, подво́дная скала́; 2) ру́дная жи́ла; золотоно́сный пласт; 3) *геол.* пусты́е сла́нцы, окружа́ющие алмазосодержа́щую бре́кчию.

reef II [riːf] 1. *n* риф (*на парусе*); to let out a ~ а) отпуска́ть риф; б) *разг.* распу-

сти́ть по́яс (*после сы́тного обе́да*); to take in a ~ а) брать риф; б) де́йствовать осторо́жно; в) *разг.* затяну́ть, подтяну́ть по́яс; 2. *v мор.* брать ри́фы.

reefer ['riːfə] *n* 1) матро́с, беру́щий ри́фы; 2) *мор.* гардемари́н, корабе́льный курса́нт; 3) двубо́ртная тужу́рка; бушла́т.

reef-knot ['riːfnɔt] *n* ри́фовый у́зел.

reefy ['riːfɪ] *a* опа́сный из-за мно́жества ри́фов.

reek [riːk] 1. *n* 1) пар; 2) испаре́ния; 3) вонь, за́тхлость; 4) .*поэт.*, *шотл.* дым; 5) *sl.* де́ньги; 2. *v* 1) дыми́ть, кури́ться; 2) испуска́ть пар, испаре́ния; 3) отдава́ть чем-л. неприя́тным (of); it ~s of murder тут па́хнет уби́йством.

Reekie ['riːkɪ] *n*: Auld ~ *шотл. разг.* г. Эдинбу́рг.

reeky ['riːkɪ] *a* 1) дымя́щийся; испуска́ющий пар; 2) ды́мный; закопчённый.

reel I [riːl] 1. *n* 1) *текст.* кату́шка, шпу́лька, боби́на; 2) *тел.* кату́шка для про́вода; 3) *тех.* бараба́н, во́рот, кабеста́н; 4) *с.-х.* мотови́ло; 5) мукомо́льный бура́т; 6) руле́тка; 7) *кино* кату́шка для фи́льма; часть кинофи́льма (*обыкн. около 1000 фу́тов*); ◇ off the ~ — безостано́вочно, без переры́ва; 2. *v* 1) нама́тывать на кату́шку (*тж.* ~ in, ~ up); разма́тывать, сма́тывать (*тж.* ~ off); 2) расска́зывать *или* чита́ть бы́стро, без остано́вки, треща́ть (*тж.* ~ off).

reel II [riːl] 1. *n* 1) шата́ние, колеба́ние; 2) вихрь; 3) рил (*бы́стрый шотла́ндский та́нец*); 2. *v* 1) кружи́ться, верте́ться; everything ~ed before his eyes всё заверте́лось у него́ перед глаза́ми; 2) танцева́ть рил; 3) чу́вствовать головокруже́ние; 4) кача́ться; покачну́ться (*от уда́ра*); 5) шата́ться, идти́ пошаты́ваясь, спотыка́ться.

re-elect ['riːɪ'lekt] *v* переизбира́ть, избира́ть сно́ва.

re-election ['riːɪ'lekʃən] *n* переизбра́ние, втори́чное избра́ние.

re-engage ['riːɪn'geɪdʒ] *v* 1) *тех.* вновь сцепля́ть(ся), вновь включа́ть; 2) *воен.* сно́ва вводи́ть в бой; 3) *воен.* остава́ться на сверхсро́чной слу́жбе; сно́ва поступа́ть на вое́нную слу́жбу.

re-entrant [riː'entrənt] *геом.* 1. *a* входя́щий; 2. *n* входя́щий у́гол.

re-establish ['riːɪs'tæblɪʃ] *v* восстана́вливать.

reeve I [riːv] *n* са́мка турухта́на.

reeve II [riːv] *n* 1) *ист.* гла́вный магистра́т (*города́ или о́круга в Англии*); 2) *уст.* управля́ющий име́нием; 3) церко́вный ста́роста; 4) председа́тель се́льского *или* городско́го сове́та (*в Кана́де*); 5) ста́рший шахтёр.

reeve III [riːv] *v* (rove, reeved [-d]) *мор.* пропуска́ть(ся), проводи́ть, быть пропу́щенным, проходи́ть (*о тро́се*).

refection [rɪ'fekʃən] *n* заку́ска.

refectory [rɪ'fektərɪ] *n* тра́пезная (*в монастыре*); столо́вая (*в университе́те, шко́ле*).

refer [rɪ'fəː] *v* 1) посыла́ть, отсыла́ть (to — к кому́-л., чему́-л.); направля́ть (за информацией и т. п.); I was ~red to the secretary меня напра́вили к секретарю́; the asterisk ~s to the foot-note звёздочка отсыла́ет к подстро́чному примеча́нию; 2) передава́ть на рассмотре́ние; 3) обраща́ться; he ~red to me for help он обрати́лся ко мне за по́мощью; 4) наводи́ть спра́вку, справля́ться; 5) припи́сывать (чему-л.), объясня́ть (чем-либо); 6) име́ть отноше́ние, относи́ться; his words ~red to me only его́ слова́ относи́лись то́лько ко мне; 7) ссыла́ться (to — на кого-л., на что-л.); 8) говори́ть (о чём-л.), упомина́ть; 9) уст. откла́дывать; ◇ ~ to drawer обрати́тесь к чекода́телю (отме́тка ба́нка на неопла́ченном че́ке).

referable [rɪ'fəːrəbl] a могу́щий быть припи́санным или отнесённым (to—к кому-л., чему-л.).

referee [,refə'riː] 1. n 1) трете́йский судья́; 2) спорт. судья́. 2. v спорт. быть судьёй, суди́ть.

reference ['refrəns] 1. n 1) ссы́лка; сно́ска; cross ~ перекрёстная ссы́лка; with ~ to ссыла́ясь на [ср. тж. 6)]; to make ~ ссыла́ться; 2) спра́вка; a book of ~ спра́вочник; 3) упомина́ние; намёк; to make no ~ to не упомяну́ть о чём-л.; 4) рекоменда́ция; highest ~s required необходи́мы отли́чные рекоменда́ции; 5) лицо́, даю́щее рекоменда́цию; 6) отноше́ние; in (или with) ~ to относи́тельно; что каса́ется [ср. тж. 1)]; without ~ to безотноси́тельно к; незави́симо от; 7) переда́ча на рассмотре́ние в другу́ю инста́нцию, арби́тру и т. п.; 8) полномо́чия, компете́нция арби́тра или инста́нции; terms of ~ компете́нция, ве́дение; 9) эталóн; 10) attr. спра́вочный; ~ book спра́вочник; ~ library спра́вочная библиоте́ка (без вы́дачи книг на дом); ~ point ориенти́р. 2. v 1) снабжа́ть (текст) ссы́лками; 2) находи́ть по ссы́лке, справля́ться.

reference mark ['refrəns'mɑːk] n полигр. знак сно́ски.

referendary [,refə'rendərɪ] n ист. референда́рий; храни́тель печа́ти.

referendum [,refə'rendəm] n полит. рефере́ндум.

refill 1. n ['riːfɪl] дополне́ние, пополне́ние; ~ of fuel запра́вка горю́чим. 2. v ['riː'fɪl] наполня́ть вновь; пополня́ть (-ся) горю́чим.

refine [rɪ'faɪn] v 1) очища́ть, рафини́ровать; повыша́ть ка́чество; облагора́живать; 2) де́лать(ся) бо́лее изя́щным, утончённым; 3) усоверше́нствовать (upon, on); 4) вдава́ться в то́нкости.

refined [rɪ'faɪnd] 1. p. p. от refine; 2. a 1) очи́щенный, рафини́рованный; ~ oil рафини́рованное ма́сло; ~ salt очи́щенная соль, столо́вая соль; ~ sugar са́хар-рафина́д; 2) усоверше́нствованный; 3) утончённый, изя́щный, изы́сканный; ~ manners изя́щные мане́ры.

refinement [rɪ'faɪnmənt] n 1) очище́ние, рафини́рование; обрабо́тка, отде́лка; повыше́ние ка́чества; 2) усоверше́нствование; 3) утончённость, изя́щество; изы́сканность; ~ of cruelty утончённая жесто́кость.

refiner [rɪ'faɪnə] n 1) метал. рафини́ро́вочная печь; 2) кри́чный ма́стер; 3) рафинёр (в бума́жном произво́дстве); 4) рез. рифа́йнер.

refinery [rɪ'faɪnərɪ] n очисти́тельный заво́д; рафини́ро́вочный заво́д; рафина́дный заво́д.

refit ['riː'fɪt] 1. n 1) почи́нка, ремо́нт; 2) снаряже́ние. 2. v 1) снаряжа́ть за́ново; 2) ремонти́ровать.

refitment ['riː'fɪtmənt] = refit 1, 2).

reflect [rɪ'flekt] v 1) отража́ть (свет, тепло, звук); 2) отража́ть(ся), дава́ть отраже́ние (о зе́ркале); 3) отража́ть, изобража́ть (в литерату́ре и т. п.); 4) броса́ть тень (on, upon—на); his conduct ~s great dishonour on him его́ поведе́ние позо́рит его́; 5) размышля́ть, разду́мывать (on).

reflection [rɪ'flekʃən] n 1) отраже́ние; о́тблеск; о́тсвет; 2) физ. рефле́ксия; 3) отраже́ние, о́браз; 4) размышле́ние, обду́мывание; разду́мье; on ~ поду́мав; 5) порица́ние; 6) тень, пятно́.

reflective [rɪ'flektɪv] a 1) отража́ющий; 2) размышля́ющий, мы́слящий; 3) заду́мчивый (о ви́де).

reflector [rɪ'flektə] n физ., тех. рефле́ктор, отража́тель; экра́н.

reflet [re'fle] фр. n перели́вчатая глазу́рь на гли́няной посу́де.

reflex ['riːfleks] 1. n 1) отраже́ние, о́браз; 2) о́тсвет; о́тблеск; 3) жив. рефле́кс; 4) физиол. рефле́кс; 2. a 1) рефлекто́рный; непроизво́льный; 2) интроспекти́вный; 3) отражённый; представля́ющий собо́й реа́кцию.

reflexion [rɪ'flekʃən] = reflection.

reflexive [rɪ'fleksɪv] грам. 1. a возвра́тный; 2. n 1) возвра́тный глаго́л; 2) возвра́тное местоиме́ние.

refluent ['refluənt] a отлива́ющий.

reflux ['riːflʌks] n отли́в.

reforest [rɪ'fɔrɪst] v восстана́вливать лесны́е масси́вы, насажда́ть леса́.

reforestation [rɪ,fɔrɪ'steɪʃən] n восстановле́ние лесны́х масси́вов, лесонасажде́ние.

re-form ['riː'fɔːm]=reform II.

reform I [rɪ'fɔːm] 1. n 1) рефо́рма, преобразова́ние; 2) исправле́ние, улучше́ние; 3) amep.: R. Bill (или Act) рефо́рма избира́тельной систе́мы в А́нглии (1831—32 гг.); 2. v 1) улучша́ть(ся); реформи́ровать, преобразо́вывать; 2) искореня́ть (злоупотребле́ния); 3) исправля́ть(ся) (о лю́дях).

reform II ['riː'fɔːm] v 1) вновь формирова́ть, переде́лывать; 2) воен. перестра́ивать(ся).

reformation [,refə'meɪʃən] n 1) преобразова́ние; 2) исправле́ние (мора́льное); 3) (the R.) ист. Реформа́ция.

reformative [rɪ'fɔːmətɪv] a 1) реформи́рующий; преобразу́ющий; 2) исправи́тельный.

reformatory [rɪ'fɔːmətərɪ] 1. n исправи́тельное заведе́ние для малоле́тних престу́пников; 2. a исправи́тельный.

reformed I [rɪ'fɔːmd] 1. p.p. от reform I, 2; 2. a 1) испра́вленный, преобразо́ванный;

2) испра́вившийся; ◇ R. Faith протестантизм.

reformed II [ri:'fɔːmd] *p.p. от* reform II.

reformer [ri'fɔːmə] *n* 1) преобразова́тель, реформа́тор; 2) *ист.* де́ятель эпо́хи Реформа́ции; 3) сторо́нник рефо́рмы избира́тельной систе́мы в А́нглии (*1831—32 гг.*).

reformist [ri'fɔːmist] *n полит.* реформи́ст.

refract [ri'frækt] *v физ.* преломля́ть (*лучи*).

refraction [ri'frækʃən] *n физ.* преломле́ние, рефра́кция.

refractional [ri'frækʃənl] = refractive.

refractive [ri'fræktiv] *a* преломля́ющий; ~ medium преломля́ющая среда́.

refractor [ri'fræktə] *n* рефра́ктор.

refractoriness [ri'fræktərinis] *n* 1) стропти́вость, непоко́рность; упо́рство; 2) *тех.* тугопла́вкость; огнеупо́рность, огнесто́йкость.

refractory [ri'fræktəri] 1. *n* огнеупо́рный строи́тельный материа́л, огнеупо́р(ы); 2. *a* 1) упря́мый, непоко́рный; 2) упо́рный (*о боле́зни*); 3) кре́пкий (*об органи́зме*); 4) *тех.* тугопла́вкий; огнесто́йкий, огнеупо́рный.

refrain I [ri'frein] *v* 1) возде́рживаться (from—от *чего-л.*); удержа́ться (from—от *чего-л.*); he could not ~ from saying (going, *etc.*) он не мог не сказа́ть (не пойти́ *и т. п.*); 2) *уст.* сде́рживать; обу́здывать; уде́рживать (from—от *чего-л.*).

refrain II [ri'frein] *n* припе́в, рефре́н.

refrangible [ri'frændʒibl] *a* преломля́емый (*о луча́х*).

refresh [ri'freʃ] *v* 1) освежа́ть, оживля́ть; подкрепля́ть(ся); to ~ oneself подкрепля́ться (*едо́й, питьём*); I ~ed his memory я напо́мнил ему́; 2) за́ново снабжа́ть припа́сами; 3) подновля́ть, подправля́ть.

refresher [ri'freʃə] *n* 1) что-л. освежа́ющее; освежа́ющий напи́ток; 2) напомина́ние; па́мятка; повтори́тельный курс; 3) дополни́тельный гонора́р адвока́ту (*в затяну́вшемся проце́ссе*); 4) *разг.* вы́пивка; 5) *attr.* повто́рный; ~ course ку́рсы повыше́ния квалифика́ции.

refreshment [ri'freʃmənt] *n* 1) подкрепле́ние; восстановле́ние сил; о́тдых; 2) что-л. освежа́ющее, восстана́вливающее си́лы; 3) (*обыкн. pl*) заку́ска; освежа́ющий напи́ток; 4) *attr.*: ~ room буфе́т (*на вокза́ле и т. п.*); ~ car ваго́н-рестора́н.

refrigerant [ri'fridʒərənt] 1. *n* 1) охлажда́ющее вещество́, охлади́тель; 2) *мед.* жаропонижа́ющее сре́дство; 2. *a* охлажда́ющий, холоди́льный.

refrigerate [ri'fridʒəreit] *v* 1) охлажда́ть (-ся); замора́живать; 2) храни́ть в холо́дном ме́сте.

refrigeration [ri,fridʒə'reiʃən] *n* охлажде́ние; замора́живание.

refrigerator [ri'fridʒəreitə] *n* 1) холоди́льник, рефрижера́тор; 2) конденса́тор.

refrigerator-car [ri'fridʒəreitə'ka:] *n* ваго́н-холоди́льник.

refrigeratory [ri'fridʒərətəri] 1. *n* 1) конденса́тор; 2) рефрижера́тор; 2. *a* холоди́льный.

reft [reft] *past и p. p. от* reave.

refuel ['ri:'fjuəl] *v* заправля́ться горю́чим *или* то́пливом.

refuge ['refjudʒ] 1. *n* 1) убе́жище; *перен.* прибе́жище; to take ~ найти́ убе́жище; to give ~ дать убе́жище; to take ~ in lying прибе́гнуть ко лжи; to take ~ in silence отма́лчиваться; 2) «остро́вок спасе́ния» (*на у́лицах с больши́м движе́нием*); 2. *v редк.* 1) дава́ть убе́жище; *перен.* служи́ть прибе́жищем; 2) находи́ть убе́жище.

refugee [,refju:'dʒi:] *n* 1) бе́женец; 2) эмигра́нт.

refulgence [ri'fʌldʒəns] *n* сия́ние, я́ркость.

refulgent [ri'fʌldʒənt] *a* сия́ющий, сверка́ющий.

refund 1. *n* ['ri:fʌnd] 1) упла́та; 2) возвраще́ние (*де́нег*); возмеще́ние (*расхо́дов*); 2. *v* [ri:'fʌnd] возвраща́ть, возмеща́ть.

refundment [ri:'fʌndmənt]=refund 1.

refusal [ri'fju:zəl] *n* 1) отка́з; to take no ~ не принима́ть отка́за, быть насто́йчивым; 2) пра́во пе́рвого вы́бора; to have (to give) the ~ of smth. име́ть (предоставля́ть) пра́во выбира́ть что-л. пе́рвым.

re-fuse ['ri:'fju:z] *v* вновь пла́вить; переплавля́ть.

refuse I [ri'fju:z] *v* 1) отка́зывать, отверга́ть; 2) отка́зываться; отрица́ть; 3) заарта́читься (*о ло́шади пе́ред препя́тствием*).

refuse II ['refju:s] 1. *n* 1) отбро́сы, оста́тки; му́сор; вы́жимки, подо́нки; брак; 2) *текст.* очёски, уга́р; 3) *горн.* отва́л поро́ды; 2. *a* него́дный; ничего́ не сто́ящий.

refutable ['refjutəbl] *a* опроверж́имый.

refutation [,refju:'teiʃən] *n* опроверже́ние.

refute [ri'fju:t] *v* опроверга́ть.

regain [ri'gein] *v* 1) получи́ть обра́тно; вновь приобрести́; to ~ consciousness очну́ться, прийти́ в себя́; to ~ one's health попра́виться; 2) сно́ва дости́чь (*бе́рега, до́ма*); возврати́ться; 3) *воен.* сно́ва завладе́ть.

regal ['ri:gəl] *a* 1) короле́вский, ца́рский; 2) ца́рственный.

regale [ri'geil] 1. *n* 1) пир; угоще́ние; 2) изы́сканное блю́до; 2. *v* 1) угоща́ть, по́тчевать (with; *тж. ирон.*); 2) пирова́ть; 3) ласка́ть, услажда́ть (*слух, зре́ние*).

regalia I [ri'geiljə] *n pl* 1) рега́лии; 2) *ист.* короле́вские права́ и привиле́гии.

regalia II [ri'geiljə] *исп. n* больша́я сига́ра хоро́шего ка́чества.

regality [ri'gæliti] *n* 1) короле́вский суверените́т; 2) *ист.* короле́вские привиле́гии.

regally ['ri:gəli] *adv* по-ца́рски.

regard [ri'ga:d] 1. *n* 1) взгляд, взор (*при́стальный, многозначи́тельный*); 2) внима́ние, забо́та; must be paid to... необходи́мо обрати́ть внима́ние на...; to pay no ~ to... не обраща́ть внима́ния на..., пренебрега́ть; 3) уваже́ние, расположе́ние; to have a great ~ for smb. быть о́чень расположенным к кому́-л.; to have high (low) ~, to hold a high (low) ~ быть высо́кого (ни́зкого) мне́ния; out of ~ for smb.

из уважéния к комý-л.; 4) *pl* поклóн, привéт; give my best ~s (to) передáйте мой сердéчный привéт; 5) отношéние; in (*или* with) ~ to относи́тельно; в отношéнии; что касáется; in this ~ в э́том отношéнии;

2. *v* 1) смотрéть на (*кого-л., что-л.*), разгля́дывать; 2) принимáть во внимáние, считáться (*с кем-л., чем-л.; обыкн. с отрицáнием*); he is much ~ed он пóльзуется больши́м уважéнием; I do not ~ his opinion я не считáюсь с его́ мнéнием; 3) рассмáтривать; считáть; 4) относи́ться; I still ~ him kindly я по-прéжнему отношу́сь к немý хорошó; 5) касáться, имéть отношéние (*к комý-л., чемý-л.*); it does not ~ me э́то меня́ не касáется; as ~s что касáется.

regardant [rɪˈgɑːdənt] *a* 1) при́стально наблюдáющий; 2) герáльд. смотря́щий назáд.

regardful [rɪˈgɑːdful] *a* внимáтельный; забóтливый.

regarding [rɪˈgɑːdɪŋ] **1.** *pres. p. от* regard 2; **2.** *prep* относи́тельно, о.

regardless [rɪˈgɑːdlɪs] *a* 1) не обращáющий внимáния, не считáющийся (of); 2): ~ of (*употр. как adv*) а) не обращáя внимáния, не дýмая; б) не взирáя на; не считáясь с; ~ of danger не считáясь с опáсностью.

regatta [rɪˈgætə] *n* пáрусные *или* гребны́е гóнки, регáта.

regelate [ˈriːdʒɪleɪt] *v* смерзáться.

regency [ˈriːdʒənsɪ] *n* рéгентство.

regenerate 1. *a* [rɪˈdʒenərɪt] 1) возрождённый духóвно; 2) преобразóванный, улýчшенный;

2. *v* [rɪˈdʒenəreɪt] 1) снóва порождáть; 2) перерождáть(ся); возрождáть(ся) духóвно; 3) *тех., хим.* регенери́ровать; восстанáвливать.

regeneration [rɪˌdʒenəˈreɪʃən] *n* 1) духóвное возрождéние; 2) *тех., хим.* регенерáция, рекуперáция; восстановлéние.

regenerative [rɪˈdʒenərətɪv] *a* 1) возрождáющий, восстанáвливающий; 2) *тех.* регенерати́вный, рекуперати́вный.

regenerator [rɪˈdʒenəreɪtə] *n тех.* регенерáтор; преобразовáтель; восстанови́тель.

regent [ˈriːdʒənt] *n* 1) рéгент; 2) *амер.* член правлéния в нéкоторых америкáнских университéтах.

regicide [ˈredʒɪsaɪd] *n* 1) цареуби́йца; 2) цареуби́йство.

régie [reɪˈʒiː] *фр. n* госудáрственная монопóлия, *особ.* на табáк и соль.

régime, regime [reɪˈʒiːm] *фр. n* 1) режи́м; строй; 2) прави́тельство.

regimen [ˈredʒɪmen] *n* 1) *уст.* правлéние, систéма правлéния; 2) *мед.* режи́м; диéта; 3) *грам.* управлéние.

regiment [ˈredʒɪmənt] **1.** *n* 1) полк; (*в Áнглии тж.*) батальóн; 2) (*часто pl*) мáсса, мнóжество; 3) *уст.* правлéние;

2. *v* 1) формировáть, своди́ть в полк; 2) организóвывать, распределя́ть по грýппам.

regimental [ˌredʒɪˈmentl] *a* полковóй; (*в Áнглии тж.*) батальóнный.

regimentals [ˌredʒɪˈmentlz] *n pl* полковáя фóрма.

regimentation [ˌredʒɪmenˈteɪʃən] *n* 1) сведéние в полк(и́); формировáние полкóв; 2) организáция групп; 3) регламентáция; 4) субординáция, пáлочная дисципли́на.

region [ˈriːdʒən] *n* 1) странá; край; óбласть; óкруга; *перен.* сфéра, óбласть; in the ~ of а) поблизости; б) в сфéре, в óбласти; 2) райóн (*страны*); 3) слой (*атмосфéры*); 4) зóна, полосá; the abdominal ~ брюшнáя пóлость.

regional [ˈriːdʒənl] *a* областнóй; мéстный; региональный; райóнный.

register [ˈredʒɪstə] **1.** *n* 1) журнáл (*записей*); официáльный спи́сок; óпись; реéстр; метри́ческая кни́га; to be on the ~ *амер.* находи́ться под подозрéнием; быть взя́тым на замéтку; ship's ~ судовóй регистр; 2) зáпись (*в журнáле и т. п.*); 3) *муз.* реги́стр; 4) *тех.* счётчик, счётный механи́зм; cash ~ кáссовый аппарáт; 5) заслóнка (*в печи и т. п.*); 6) *полигр.* приводка; 7) *attr.:* ~ office=registry 1); ~ ton реги́стровая тóнна (=2, 8 *м³*);

2. *v* 1) регистри́ровать(ся); заноси́ть в спи́сок; to ~ oneself а) вноси́ть своё и́мя в спи́сок избирáтелей; б) зарегистри́роваться, отмéтиться; 2) покáзывать, отмечáть, регистри́ровать (*о прибóре*); 3) сдавáть на хранéние (*багáж*); 4) кинó выражáть ми́микой; 5) запечатлевáть(ся).

registered [ˈredʒɪstəd] **1.** *p. p. от* register 2; **2.** *a* зарегистри́рованный; отмéченный; ~ letter заказнóе письмó.

registrant [ˈredʒɪstrənt] *n* лицó, получи́вшее патéнт (*на что-л.*).

registrar [ˈredʒɪsˈtrɑː] *n* 1) архивáриус; 2) чинóвник-регистрáтор.

registration [ˌredʒɪsˈtreɪʃən] *n* 1) регистрáция; зáпись; 2) *воен.* пристрéлка (*тж.* ~ fire).

registry [ˈredʒɪstrɪ] *n* 1) регистратýра; отдéл зáписи áктов граждáнского состоя́ния (*тж.* ~ office); servants' ~ бюрó по приискáнию мест для прислýги; 2) регистрáция; регистрациóнная зáпись; 3) журнáл зáписей, реéстр.

Regius [ˈriːdʒəs] *a:* ~ Professor профéссор, кáфедра котóрого учрежденá одни́м из англи́йских королéй.

regnal [ˈregnəl] *a* относя́щийся к цáрствованию короля́; ~ year год, в котóром корóль вступи́л на престóл; ~ day день вступлéния на престóл.

regnant [ˈregnənt] *a* 1) цáрствующий; 2) преобладáющий; широкó распространённый.

regorge [rɪˈgɔːdʒ] *v* 1) изрыгáть; 2) течь обрáтно; 3) *редк.* снóва проглáтывать.

regress 1. *n* [ˈriːgres] 1) возвращéние; обрáтное движéние; 2) регрéсс; упáдок;

2. *v* [rɪˈgres] 1) дви́гаться обрáтно; регресси́ровать; 2) *астр.* дви́гаться с востóка на зáпад.

regression [rɪˈgreʃən] *n* 1) = regress 1; 2) возвращéние в прéжнее состоя́ние; возвращéние к бóлее рáнней стáдии развития.

regressive [rɪˈgresɪv] *a* регресси́вный; обрáтный.

regret [rɪ'gret] 1. *n* 1) сожалéние, гóре; 2) раскáяние, сожалéние; to my ~ к моемý сожалéнию; 3) (*обыкн. pl*) извинéния; to express ~ for smth. сожалéть о чём-л., извиняться, проси́ть прощéния за что-л.; he sent his ~s он присла́л свои́ извинéния;
2. *v* 1) сожалéть, горевáть (*о чём-л.*); I ~ to say с сожалéнию, дóлжен сказáть; 2) раскáиваться.

regretful [rɪ'gretful] *a* 1) пóлный сожалéния, опечáленный; 2) раскáивающийся, пóлный раскáяния.

regrettable [rɪ'gretəbl] *a* прискóрбный.

regroup ['riː'gruːp] *v* перегруппирóвывать.

regrouping ['riː'gruːpɪŋ] 1. *pres. p. om* regroup;
2. *n* перегруппирóвка.

regulable ['regjuləbl] *a* регули́руемый.

regular ['regjulə] 1. *a* 1) прáвильный, нормáльный; регуля́рный; системат́ический; he keeps ~ hours, he is a ~ man он ведёт регуля́рный óбраз жи́зни; 2) очередной, обы́чный; 3) квалифици́рованный; профессионáльный; 4) соглáсный с этикéтом, формáльный; официáльный; 5) постоя́нный; ~ army регуля́рная áрмия, постоя́нная áрмия; 6) *разг.* настоя́щий, сýщий; a ~ guy, a ~ fellow *амер.* молодéц; слáвный мáлый; 7) монáшеский; the ~ clergy чёрное духовéнство; 8) *грам.* прáвильный;
2. *n* 1) (*обыкн. pl*) монáх; 2) (*обыкн. pl*) солдáт регуля́рной áрмии; кáдровый военнослýжащий; 3) *pl* регуля́рные войскá; 4) *амер.* прéданный сторóнник (*какой-л. пáртии*).

regularity [,regju'lærɪtɪ] *n* 1) прáвильность, регуля́рность; 2) непреры́вность; 3) поря́док, систéма.

regularize ['regjuləraɪz] *v* дéлать прáвильным, упоря́дочивать.

regulate ['regjuleɪt] *v* 1) регули́ровать, упоря́дочивать; 2) приспосáбливать (*к трéбованиям, услóвиям*); соразмеря́ть; 3) выверя́ть, регули́ровать (*механи́зм и т. п.*).

regulation [,regju'leɪʃən] *n* 1) регули́рование; приведéние в поря́док; ~ of currency *эк.* регули́рование срéдств обращéния; 2) предписáние, прáвило; 3) *pl* устáв; инстрýкция, обязáтельные постановлéния; 4) *attr.* предпи́санный; устанóвленный; устанóвленного образцá; *воен.* строевóго образцá, фóрменный; to exceed the ~ speed превышáть устанóвленную скóрость; of the ~ size полóженного размéра.

regulative ['regjuleɪtɪv] *a* регули́рующий.

regulator ['regjuleɪtə] *n* 1) тот, кто регули́рует; регулирóвщик; 2) *тех.* регуля́тор.

reguli ['regjulaɪ] *pl om* regulus.

regulus ['regjuləs] *n* (*pl* -li) *метал.* 1) королёк (*метáлла*); 2) штейн.

regurgitate [rɪ'gəːʤɪteɪt] *v* 1) хлы́нуть обрáтно; 2) изверга́ть(ся); изрыга́ть.

rehabilitate [,riːə'bɪlɪteɪt] *v* 1) реабилити́ровать; 2) восстанáвливать в правáх; 3) исправля́ть, перевоспи́тывать (*престýпника*); 4) ремонти́ровать; реконструи́ровать; восстанáвливать; 5) восстанáвливать здорóвье.

rehabilitation ['riːə,bɪlɪ'teɪʃən] *n* 1) реабилитáция; 2) восстановлéние в правáх; 3) ремóнт; реконстрýкция, восстановлéние.

rehandle [riː'hændl] *v* переде́лывать.

rehash ['riː'hæʃ] 1. *n* переде́лка (*чего-л. стáрого*) на нóвый лад;
2. *v* переде́лывать; перекрáивать (по-нóвому); пересказывать (*что-л. стáрое*) по-нóвому.

rehear ['riː'hɪə] *v* (reheard) 1) слýшать вторúчно (*судéбное дéло*); 2) вновь слы́шать.

reheard ['riː'həːd] *past u p.p. om* rehear.

rehearsal [rɪ'həːsəl] *n* 1) репети́ция; dress ~ генерáльная репети́ция; 2) повторéние; перечислéние; 3) перескáз.

rehearse [rɪ'həːs] *v* 1) репети́ровать; 2) повторя́ть; перечисля́ть; 3) перескáзывать.

reheat ['riː'hiːt] *v* вторúчно нагревáть; подогревáть.

rehouse ['riː'hauz] *v* пересели́ть в нóвые домá.

rehousing ['riː'hauzɪŋ] 1. *pres. p. om* rehouse;
2. *n* 1) переселéние в нóвый дом; предоставлéние нóвого жилья́; 2) *attr.*: ~ problem проблéма обеспéчения жи́телей трущóб нóвыми жили́щами.

Reichschancellor [raɪks'ʧɑːnsələ] *нем. n* рейхскáнцлер.

Reichstag ['raɪkstɑːg] *нем. n* рейхстáг.

reif [riːf] *n* *шотл.* грабёж.

reify ['riːɪfaɪ] *v* материализовáть, превращáть в нéчто конкрéтное.

reign [reɪn] 1. *n* 1) цáрствование; in the ~ of smb. в цáрствование когó-л.; 2) власть; under the ~ под влáстью; the ~ of law власть закóна;
2. *v* 1) цáрствовать (over); 2) цари́ть, господствовать.

reimburse [,riːɪm'bəːs] *v* возвращáть, возмещáть (*сýмму*).

reimbursement [,riːɪm'bəːsmənt] *n* компенсáция, возмещéние.

rein [reɪn] 1. *n* (*чáсто pl*) 1) пóвод, повóдья; вожжá; to draw ~ а) натянýть повóдья; б) умéньшить скóрость, останови́ть лóшадь; *перен.* останови́ться, сократи́ть расхóды; to give horse the ~(s) отпусти́ть повóдья, отдáть пóвод; 2) уздá; то, что сдéрживает; срéдство контрóля; the ~s of government браздá правлéния; a tight ~ стрóгая дисципли́на; to keep a tight ~ on smb. стрóго контроли́ровать, держáть в уздé когó-л.; to give ~ (*или* the ~s) to one's imagination (passions) дать вóлю воображéнию (чýвствам); 3) *тех.* рýчка, рукоя́ть клещéй и т. п.;
2. *v* 1) прáвить, управля́ть вожжáми; 2) управля́ть, сдéрживать; держáть в уздé (*тж.* ~ in); □ ~ up останáвливать(ся).

reincarnate 1. *v* [riː'ɪnkɑːneɪt] перевоплощáть, воплощáть снóва.
2. *a* ['riːɪn'kɑːnɪt] перевоплощённый.

reincarnation ['riːɪnkɑː'neɪʃən] *n* перевоплощéние.

reindeer ['reɪndɪə] *n* 1) сéверный олéнь; 2) *attr.* олéний; ~ moss, ~ lichen олéний мох, я́гель.

reinforce [,riːn'fɔːs] 1. *v* 1) усиливать; подкреплять; укреплять; 2) *стр.* армировать (*бетон*); 2. *n* 1) что-л., служащее для укрепления; 2) *воен.* утолщённая казённая часть ствола.

reinforced concrete [,riːn'fɔːst'kɔnkriːt] *n* железобетон.

reinforcement [,riːn'fɔːsmənt] *n* 1) укрепление; 2) (*обыкн. pl*) *воен.* усиление; подкрепление; пополнение; 3) *стр.* арматура (*железобетона*); 4) *attr.*: ~ bar *стр.* стержень арматуры.

reinless ['reinlis] *a* 1) без вожжей, без поводьев; 2) без контроля, без управления, без узды.

reins [reinz] *n pl уст.* 1) почки; 2) поясница; чресла.

reinstate ['riːn'steit] *v* 1) восстанавливать в прежнем положении, в правах (in, to); 2) восстанавливать (*порядок*); 3) поправлять, восстанавливать (*здоровье*).

reinstatement ['riːn'steitmənt] *n* восстановление *и пр.* [*см.* reinstate].

reinsurance ['riːn'ʃuərəns] *n* перестраховка, вторичная страховка.

reinsure ['riːn'ʃuə] *v* перестраховывать, вторично страховать.

reinterment ['riːn'təːmənt] *n* вторичное захоронение; перенос останков на новое место захоронения.

reiterate [riː'itəreit] *v* повторять; делать снова и снова.

reiteration [riː,itə'reiʃən] *n* 1) повторение (*многократное*); 2) то, что повторяется.

reiterative [riː'itərətiv] *a* повторяющийся.

reive [riːv] *v* опустошать, грабить.

reiver ['riːvə] *n* грабитель.

reject 1. *n* ['riːdʒekt] 1) признанный негодным (*особ.* к военной службе); 2) уценённый товар; 2. *v* [ri'dʒekt] 1) отвергать, отказывать; to ~ an offer отклонять предложение; отказываться; 2) отбрасывать, забраковывать; 3) извергать, изрыгать.

rejectamenta [ri,dʒektə'mentə] *лат. n pl* 1) отбросы; 2) экскременты.

rejectee [,ridʒek'tiː] *n амер.* негодный к военной службе.

rejection [ri'dʒekʃən] *n* 1) отказ; отклонение, непринятие; 2) отсортировка, браковка; признание негодным; 3) извержение; 4) отражение (*тж. тех.*).

rejector [ri'dʒektə] *n* 1) тот, кто отвергает, отказывает; 2) *тех.* отражатель; 3) *эл.* заграждающий фильтр; *радио* фильтр-пробка.

rejoice [ri'dʒɔis] *v* 1) радовать(ся), веселиться; праздновать (*событие*); to ~ in (*или* at) smth. наслаждаться чем-л., радоваться чему-л.; 2) *шутл.* обладать (in — *чем-л.*).

rejoicing [ri'dʒɔisiŋ] 1. *pres. p. от* rejoice; 2. *n* (*часто pl*) веселье; празднование.

rejoicingly [ri'dʒɔisiŋli] *adv* радостно, с радостью; весело.

re-join ['riː'dʒɔin] *v* снова соединять(ся), воссоединять(ся).

rejoin [ri'dʒɔin] *v* 1) возвращаться к; to ~ the colours *воен.* явиться из запаса на действительную службу; 2) присоединиться, примкнуть; you go on and I will ~ you later вы идите, а я приду немного погодя; 3) отвечать, возражать; 4) *юр.* отвечать на обвинение.

rejoinder [ri'dʒɔində] *n* 1) ответ, возражение; 2) *юр.* возражения ответчика в ответ на возражение истца.

rejuvenate [ri'dʒuːvineit] *v* омолаживать (-ся).

rejuvenation [ri,dʒuːvi'neiʃən] *n* омоложение; восстановление сил, здоровья.

rejuvenescence [,ridʒuːvi'nesns] *n* 1) омолаживание; восстановление здоровья и сил; 2) *биол* образование новых клеток из протоплазмы старых.

rejuvenescent [,ridʒuːvi'nesnt] *a* 1) молодеющий; 2) придающий жизненную силу, живость.

relapse [ri'læps] 1. *n* повторение; рецидив (*особ. мед.*); 2. *v* (снова) впадать (*в какое-л. состояние*); (снова, вторично) заболевать; (снова) предаваться (*пьянству и т. п.*); to ~ into silence снова замолчать.

relapsing fever [ri'læpsiŋ'fiːvə] *n мед.* возвратный тиф.

relate [ri'leit] *v* 1) рассказывать; 2) приводить в связь, устанавливать отношение (to, with — между *чем-л.*); 3) (*обыкн. р.р.*) быть связанным, состоять в родстве; we are distantly ~d мы дальние родственники; 4) относиться, иметь отношение.

related [ri'leitid] 1. *р. р. от* relate; 2. *a* 1) связанный; 2) родственный.

relation [ri'leiʃən] *n* 1) отношение; связь, зависимость; ~ of forces соотношение сил; ~s of production *полит.-эк.* производственные отношения; it is out of all ~ to, it bears no ~ to это не имеет никакого отношения к; strained ~s натянутые отношения; 2) повествование, изложение; рассказ; 3) родственник; родственница; 4) *редк.* родство; ◇ in ~ to относительно; что касается.

relational [ri'leiʃənl] *a* относительный.

relationship [ri'leiʃənʃip] *n* 1) родство; 2) *собир.* родня, родственники; 3) отношение, взаимоотношение; связь.

relatival [,relə'taivəl] *a грам.* относительный.

relative ['relətiv] 1. *n* 1) родственник; родственница; а remote ~ дальний родственник; 2) *грам.* относительное местоимение (~ pronoun).

2. *a* 1) относительный; сравнительный; ~ surplus value *полит.-эк.* относительная прибавочная стоимость; 2) соотносительный, взаимный; связанный один с другим; 3) соответственный; 4) *грам.* относительный.

relatively ['relətivli] *adv* 1) относительно, по поводу; 2) относительно, сравнительно; 3) соответственно.

relativism ['relətivizəm] *n филос.* релятивизм.

relativity [,relə'tiviti] *n* 1) относительность; 2) теория относительности.

relax [ri'læks] *v* 1) ослаблять(ся); уменьшать напряжение; расслаблять; to ~

international tension смягчи́ть междунаро́дную напряжённость; 2) слабе́ть; 3) де́лать переды́шку; 4) смягча́ть(ся), де́лать (-ся) ме́нее стро́гим; 5) де́лать(ся) ме́нее церемо́нным; ◇ to ~ the bowels очи́стить кише́чник.

relaxing [rɪ'læksɪŋ] **1.** *pres. p. от* relax; **2.** *а* смягча́ющий, расслабля́ющий; ~ climate расслабля́ющий кли́мат.

relaxation [ˌriːlæk'seɪʃən] *n* 1) ослабле́ние; уменьше́ние напряже́ния; 2) о́тдых от рабо́ты, переды́шка; 3) смягче́ние; 4) *юр.* части́чное *или* по́лное освобожде́ние от штра́фа.

re-lay ['riː'leɪ] *v* сно́ва класть; перекла́дывать.

relay 1. *n* [rɪ'leɪ] 1) сме́на (*особ. лошаде́й*); 2) сме́на (*рабо́чих*); 3) *спорт.* эстафе́та; 4) ['riː'leɪ] *эл.* реле́; переключа́тель; 5) ['riː'leɪ] *радио* (ре)трансля́ция; 6) *attr.*: ~ system систе́ма смен (*на предприя́тии*); 7) *attr.*: ~ box *эл.* коро́бка реле́; **2.** *v* [rɪ'leɪ] 1) сменя́ть, обеспе́чивать сме́ну; 2) передава́ть (*да́льше*); 3) ['riː'leɪ] *радио* трансли́ровать; 4) *эл.* устра́ивать защи́ту, ста́вить реле́.

relay-race ['riːleɪreɪs] *n* эстафе́тный бег, эстафе́та.

relay station ['riː'leɪˈsteɪʃən] *n* *радио* ретрансляцио́нная ста́нция.

release [rɪ'liːs] **1.** *n* 1) освобожде́ние (*из заключе́ния*); 2) освобожде́ние, избавле́ние (*от забо́т, обя́занностей и т. п.*); 3) облегче́ние (*бо́ли, страда́ний*); 4) оправда́тельный докуме́нт, распи́ска; докуме́нт о переда́че пра́ва *или* иму́щества; 5) *тех.* выключа́ющий автома́т; расцепля́ющий механи́зм; 6) *тех.* разъедине́ние; разобще́ние, расцепле́ние; 7) отбо́й; 8) сбра́сывание (*авиабо́мбы*); **2.** *v* 1) освобожда́ть, выпуска́ть на во́лю; 2) избавля́ть (from); 3) облегча́ть (*боль, страда́ния*); 4) *воен.* увольня́ть, демобилизова́ть; 5) отпуска́ть, выпуска́ть, пуска́ть; сбра́сывать (*авиабо́мбы*); to ~ an arrow from a bow пусти́ть стрелу́ из лу́ка; 6) выпуска́ть (*из печа́ти и т. п.*); выпуска́ть фильм (на экра́н); 7) проща́ть (*долг*); отка́зываться (*от пра́ва*); передава́ть друго́му (*иму́щество*); 8) раскрыва́ть (*парашю́т*); 9) *тех.* разобща́ть, расцепля́ть.

release gear [rɪ'liːsˈgɪə] *n* *ав.* бомбосбра́сыватель.

relegate ['relɪgeɪt] *v* 1) отсыла́ть, направля́ть; to ~ to the reserve перевести́ в запа́с; 2) предава́ть забве́нию, сдава́ть в архи́в; 3) разжа́ловать; 4) ссыла́ть, высыла́ть; 5) передава́ть (*де́ло, вопро́с*) для реше́ния *или* исполне́ния.

relegation [ˌrelɪ'geɪʃən] *n* 1) вы́сылка, изгна́ние; 2) разжа́лование; 3) переда́ча (*де́ла, вопро́са*) для реше́ния *или* исполне́ния.

relent [rɪ'lent] *v* смягча́ться.

relentless [rɪ'lentlɪs] *a* 1) безжа́лостный, непрекло́нный, неумоли́мый; 2) неослабева́ющий, неосла́бный; неуста́нный; неотсту́пный.

relevance, -cy ['relɪvəns, -sɪ] *n* уме́стность.

relevant ['relɪvənt] *a* уме́стный, относя́щийся к де́лу.

reliability [rɪˌlaɪə'bɪlɪtɪ] *n* 1) надёжность; про́чность; 2) достове́рность; 3) *attr.*: ~ trial про́бный, испыта́тельный пробе́г (*автомоби́ля и т. п.*).

reliable [rɪ'laɪəbl] *a* 1) надёжный; 2) про́чный; 3) заслу́живающий дове́рия, достове́рный.

reliance [rɪ'laɪəns] *n* 1) дове́рие, уве́ренность (upon, on, in); to place (*или* to have, to feel) ~ in (*или* upon, on) smb., smth. наде́яться на кого́-л., что́-л.; 2) опо́ра, наде́жда.

reliant [rɪ'laɪənt] *a* 1) уве́ренный; 2) самоуве́ренный, самонаде́янный.

relic ['relɪk] *n* 1) след, оста́ток; пережи́ток; 2) *pl* мо́щи; 3) *pl* рели́квии; 4) суве́ни́р; 5) *pl* поэт. оста́нки; 6) *геол.* рели́кт.

relict ['relɪkt] **1.** *n уст.*, *шутл.* вдова́; **2.** *а геол.* рели́ктовый.

reliction [rɪ'lɪkʃən] *n* 1) ме́дленное и постепе́нное отступа́ние воды́ с образова́нием су́ши; 2) земля́, обнажённая отступи́вшим мо́рем.

relief I [rɪ'liːf] *n* 1) облегче́ние (*бо́ли, страда́ния, беспоко́йства*); по́мощь; утеше́ние; to bring (*или* to give) ~ принести́ облегче́ние; 2) посо́бие (*безрабо́тным*); indoor ~ по́мощь, ока́зываемая бе́дным в рабо́тных дома́х; to put on ~ включи́ть в спи́сок для получе́ния посо́бия по безрабо́тице; 3) разнообра́зие, переме́на (*прия́тная*); 4) освобожде́ние (*от упла́ты штра́фа*); 5) подкрепле́ние; 6) сме́на (*дежу́рных, карау́льных*); освобожде́ние (*от обя́занностей*); in the ~ при сме́не, во вре́мя сме́ны; 7) *воен.* сня́тие оса́ды; 8) *attr.*: ~ cut сокраще́ние посо́бия; ~ fund фонд по́мощи.

relief II [rɪ'liːf] *n* 1) релье́ф (*изображе́ние*); релье́фность; in ~ релье́фно, вы́пукло; in ~ against the sky выступа́ющий на фо́не не́ба; 2) релье́ф, хара́ктер ме́стности; 3) *attr.* релье́фный; ~ work чека́нная рабо́та.

reliefer [rɪ'liːfə] *n* получа́ющий посо́бие.

relief-works [rɪ'liːfwəːks] *n pl* обще́ственные рабо́ты для безрабо́тных.

relieve [rɪ'liːv] *v* 1) облегча́ть, уменьша́ть (*тя́жесть, давле́ние*); ослабля́ть (*напряже́ние*); to ~ a person of his cash (*или* of his purse) *шутл.* обокра́сть кого́-л.; 2) успока́ивать; to ~ one's feelings отвести́ ду́шу; 3) ока́зывать по́мощь, выруча́ть; 4) *воен.* снима́ть оса́ду; 5) сменя́ть (*на посту́*); to ~ a guard сменя́ть карау́л; 6) лиша́ть, освобожда́ть (*от чего́-либо*); увольня́ть; to ~ a person of his position лиши́ть кого́-л. ме́ста; освободи́ть кого́-л. от до́лжности; 7) вноси́ть разнообра́зие, оживля́ть; 8) *тех.* деблоки́ровать; ◇ to ~ nature испражни́ться; помочи́ться.

relieve II [rɪ'liːv] *v* 1) де́лать релье́фным; 2) быть релье́фным; выступа́ть (*на фо́не*).

relieving officer [rɪ'liːvɪŋˈɔfɪsə] *n* попечи́тель, ве́дающий по́мощью бе́дным (*в прихо́де, в райо́не*).

relievo [rɪ'liːvou] *ит.* = relief II.

relight ['ri:'laɪt] *v* 1) снóва зажéчь; 2) снóва загорéться.

religion [rɪ'lɪdʒən] *n* 1) релúгия; to get ~ *разг.* стать религиóзным; 2) монáшество; to enter into ~ постричься в монáхи; to be in ~ быть монáхом; 3) культ, святыня; to make a ~ of smth. считáть что-л своéй свящéнной обязанностью; сдéлать культ из чегó-л.

religioner [rɪ'lɪdʒənə] *n* 1) религиóзный человéк; 2) монáх

religionism [rɪ'lɪdʒənɪzəm] *n* чрезмéрная религиóзность.

religious [rɪ'lɪdʒəs] 1. *a* 1) религиóзный; 2) монáшеский; 3) благоговéйный; 2. *n* (*pl. без измен.*) монáх.

religiousness [rɪ'lɪdʒəsnɪs] *n* религиóзность.

relinquish [rɪ'lɪŋkwɪʃ] *v* 1) сдавáть; 2) оставлять (*надежду*); 3) бросáть (*привычку*); 4) откáзываться (*от права*); уступáть, передавáть (*кому-л.*); 5) выпускáть; to ~ one's hold выпускáть из рук

reliquary ['relɪkwərɪ] *n* рáка, гробнúца, ковчéг (*для мощей*).

reliquiae [rɪ'lɪkwiɪ] *лат. n pl* 1) релúквии, остáнки; 2) литератýрное наслéдие áвтора. 3) *геол.* окаменелости живóтных и растéний.

relish ['relɪʃ] 1. *n* 1) (приятный) вкус, привкус, зáпах; 2) приправа, сóус; 3) привлекáтельность; to lose its ~ терять свою прéлесть; 4) стúмул; 5) пристрáстие, вкус, склóнность (for—к *чему-л.*); with great ~ с удовóльствием, с увлечéнием; ◊ hunger is the best ~ ≅ гóлод-лýчший пóвар; 2. *v* 1) служúть припрáвой придавáть вкус, дéлать óстрым; 2) получáть удовóльствие (*от чего-л.*), наслаждáться, смаковáть, находúть приятным; I do not ~ the prospect мне не улыбáется эта перспектúва; 3) имéть вкус, отзывáться (of — *чем-л.*).

reload ['ri:'loud] *v* 1) перегружáть, нагружáть снóва; 2) перезаряжáть.

reluctance [rɪ'lʌktəns] *n* 1) неохóта, нежелáние; нерасположéние, отвращéние; with ~ неохóтно; 2) *эл.* магнúтное сопротивлéние.

reluctant [rɪ'lʌktənt] *a* 1) дéлающий (*что-л.*) с неохóтой, неохóтный, вынýжденный (*о согласии и т. п.*); 2) сопротивляющийся; 3) упóрный, не поддающийся (*лечению и т. п.*).

reluctantly [rɪ'lʌktəntlɪ] *adv.* неохóтно, с неохóтой, без желáния.

reluctivity [,rɪlʌk'tɪvɪtɪ] *n эл.* удéльное магнúтное сопротивлéние.

relume [rɪ'lju:m] *v уст., поэт.* 1) снóва зажигáть; 2) вновь освещáть.

rely [rɪ'laɪ] *v* полагáться, доверять, быть увéренным (on, upon); on that you may ~ мóжете положúться на это; ~ upon it бýдьте увéрены в этом; уверяю вас.

remade [rɪ'meɪd] *past и p.p. от* remake 1.

remain [rɪ'meɪn] *v* оставáться; I ~ yours truly остаюсь прéданный вам (*в заключéние письмá*); let it ~ as it is пусть всё остаётся, как есть.

remainder [rɪ'meɪndə] 1. *n* 1) остáток;

остáтки; 2) нераспрóданные остáтки тиражá кнúги; 3) *юр.* прáво наслéдования тúтула; 4) *attr* остáвшийся; остальнóй; 2. *v* распродавáть остáтки тиражá кнúги по дешёвой ценé.

remains [rɪ'meɪnz] *n pl* 1) остáток; остáтки; 2) релúквии, следы прóшлого; 3) пережúтки; 4) остáнки, прах; 5) посмéртные произведéния

remake ['ri:'meɪk] 1. *v* (remade) передéлывать, дéлать зáново; 2. *n* 1) передéлывание, передéлка; 2) что-л передéланное, *особ.* переснятый фильм.

reman ['ri:'mæn] *v* 1) *воен., мор.* (вновь) укомплектóвывать людьмú; подкрепля́ть людьмú; 2) *воен* вновь занять (*войсками, гарнизоном*); 3) подбодря́ть, вселя́ть мýжество.

remand [rɪ'mɑːnd] 1. *n* 1) *юр.* отсы́лка (*заключённого*) под стрáжу; a person on ~ подслéдственный; 2) *воен.* отчислéние, исключéние из спúсков;
2. *v* 1) *юр.* отсылáть обрáтно под стрáжу (*для продолжéния слéдствия*); 2) *уст.* отсылáть снóва *или* обрáтно; отзывáть; 3) вновь отсылáть.

remark [rɪ'mɑːk] 1. *n* 1) замечáние; to make no ~ ничегó не сказáть; to pass a ~ вы́сказать своё мнéние; 2) замéтка; 3) примечáние; помéтка; ссы́лка;
2. *v* 1) замечáть, наблюдáть, отмечáть; 2) дéлать замечáние, выскáзываться (on, upon—о *чём-л.*).

remarkable [rɪ'mɑːkəbl] *a* 1) замечáтельный, удивúтельный; 2) выдающийся

remarkably [rɪ'mɑːkəblɪ] *adv* замечáтельно, удивúтельно; в высшей стéпени; необыкновéнно.

remediable [rɪ'miːdjəbl] *a* поправúмый, излечúмый.

remedial [rɪ'miːdjəl] *a* 1) лечéбный, излéчивающий, исправля́ющий; 2) исправúтельный; 3) *тех.* ремóнтный.

remediless ['remɪdɪlɪs] *a поэт.* неисправúмый, неизлечúмый.

remedy ['remɪdɪ] 1. *n* 1) срéдство от болéзни, лекáрство; 2) срéдство, мéра (*против чего-л.*); 3) *юр.* возмещéние ущéрба, удовлетворéние;
2. *v* 1) вылéчивать; 2) исправля́ть; 3) возмещáть.

remember [rɪ'membə] *v* 1) пóмнить, вспоминáть; to ~ oneself опóмниться; 2) передавáть привéт; ~ me to your father передáйте привéт вáшему отцý; 3) дарúть; завещáть; давáть на чай; to ~ a child on its birthday послáть ребёнку ко дню рождéния; to ~ smb. in one's will завещáть комý-л.

remembrance [rɪ'membrəns] *n* 1) воспоминáние; пáмять; to put in ~ напоминáть; 2) *pl* привéт (*через кого-л.*); 3) сувенúр, подáрок на пáмять; 4) *attr.*: ~ card открытка с напоминáнием о чём-л.

remilitarize ['ri:'mɪlɪtəraɪz] *v* ремилитаризúровать.

remilitarization ['ri:,mɪlɪtəraɪ'zeɪʃən] *n* ремилитаризáция.

remind [rɪ'maɪnd] *v* напоминáть (of).

reminder [rɪ'maɪndə] *n* напоминáние; gentle ~ намёк.

remindful [rɪ'maɪndful] *a* напоминáющий; вызывáющий воспоминáния.

reminiscence [ˌremɪ'nɪsns] *n* 1) воспоминáние; 2) чертá, напоминáющая что-л.; 3) *pl* мемуáры, воспоминáния.

reminiscent [ˌremɪ'nɪsnt] *a* 1) вспоминáющий; склóнный к воспоминáниям; 2) напоминáющий (of); вызывáющий воспоминáния.

remise [rɪ'maɪz] *v юр.* уступáть, передавáть (*право, имущество*).

remiss [rɪ'mɪs] *a* 1) нерадúвый, невнимáтельный; 2) вя́лый, слáбый; 3) *тех.* раствóренный, разжúженный.

remissible [rɪ'mɪsɪbl] *a* простúтельный, позволúтельный.

remission [rɪ'mɪʃən] *n* 1) прощéние; отпущéние (*грехóв*); 2) освобождéние от уплáты, от наказáния; отмéна *или* смягчéние (*пригóвора*); 3) уменьшéние, ослаблéние.

remissive [rɪ'mɪsɪv] *a* 1) прощáющий, освобождáющий; 2) ослабля́ющий, уменьшáющий.

remit [rɪ'mɪt] *v* 1) прощáть; отпускáть (*грехи*); 2) воздéрживаться (*от наказания, взыскáния дóлга*); слагáть (*недóимки*); 3) уменьшáть(ся); смягчáть(ся); ослабля́ть(ся) (*об усúлиях и т. п.*); прекращáть (-ся) (*юр.* отклáдывать (*дéло*); отсылáть обрáтно в нúзшую инстáнцию; 5) передавáть на решéние какóму-л. авторитéтному лицý; 6) пересылáть (*товáры*); посылáть по пóчте (*дéньги*); kindly ~ to Mr. N прошý (*или* прóсим) уплатúть мúстеру N.

remittance [rɪ'mɪtəns] *n* 1) пересы́лка, перевóд дéнег; *воен.* перевóд дéнег по аттестáту; 2) переводúмые дéньги, дéнежный перевóд.

remittance-man [rɪ'mɪtənsmæn] *n* эмигрáнт, живýщий на дéньги, присылáемые с рóдины.

remittee [ˌrɪmɪ'tiː] *n* получáтель дéнежного перевóда; получáтель дéнег по аттестáту.

remittent [rɪ'mɪtənt] 1. *a* перемежáющийся; ~ fever=2; 2. *n* перемежáющаяся лихорáдка.

remitter [rɪ'mɪtə] *n* 1) отправúтель дéнежного перевóда; 2) *юр.* передáча дéла из однóй инстáнции в другýю.

remnant ['remnənt] *n* 1) остáток; отрéзок; 2) елед, остáток; 3) пережúток.

remodel [riː'mɔdl] *v* передéлывать; реконструúровать.

remonstrance [rɪ'mɔnstrəns] *n* 1) протéст; возражéние; 2) увещáние.

remonstrant [rɪ'mɔnstrənt] 1. *a* протестýющий, возражáющий; 2. *n* тот, кто протестýет, возражáет.

remonstrate [rɪ'mɔnstreɪt] *v* 1) протестовáть, возражáть (against); 2) убеждáть, увещевáть (with—*когó-л.*).

remorse [rɪ'mɔːs] *n* 1) угрызéние сóвести; раскáяние; 2) сожалéние, жáлость; without ~ безжáлостно, беспощáдно, бессердéчно.

remorseful [rɪ'mɔːsful] *a* 1) пóлный раскáяния; 2) пóлный сожалéния, сострадáтельный.

remorseless [rɪ'mɔːslɪs] *a* 1) безжáлостный, беспощáдный; 2) не испы́тывающий раскáяния.

remote [rɪ'mout] *a* 1) отдалённый, дáльний; уединённый; the ~ past далёкое прóшлое; 2) слáбый; not the ~st idea ни малéйшего поня́тия; ~ resemblance отдалённое схóдство; 3) маловероя́тный; not the ~st chance of success ни малéйшего шáнса на успéх; 4) *тех.* дистанциóнный; действýющий на расстоя́нии; ~ control дистанциóнное управлéние, телеуправлéние.

remount I [riː'maunt] *v* 1) снóва всходúть, поднимáться (*по лестнице и т. п.*); 2) снóва сесть на лóшадь; 3) восходúть (*к бóлее рáннему перúоду*).

remount II 1. *n* ['riːmaunt] 1) запаснáя лóшадь; 2) *воен.* ремóнтная лóшадь *или* ремóнтные лóшади, кóнский ремóнт, кóнское пополнéние; 2. *v* [riː'maunt] *воен.* ремонтúровать (*кавалéрию*).

removability [rɪˌmuːvə'bɪlɪtɪ] *n* сменя́емость; перемещáемость, подвúжность.

removable [rɪ'muːvəbl] 1. *a* 1) передвигáемый, подвижнóй, съёмный; 2) устранúмый; сменя́емый; 3) *тех.* смéнный; 2. *n* сменя́емый судья́ (*в Ирлáндии*).

removal [rɪ'muːvəl] *n* 1) перемещéние; переéзд; *of* furniture вы́воз мéбели (*из дóма*); 2) смещéние (*судьú и т. п.*); 3) убóрка, удалéние; снос; 4) устранéние; 5) *горн.* вскры́ша; вы́емка.

removal-van [rɪ'muːvəl'væn] *n* грузовúк, фургóн для перевóзки мéбели.

remove [rɪ'muːv] 1. *n* 1) ступéнь, шаг; стéпень отдалéния; at many ~s на далёком расстоя́нии; but one ~ from всегó одúн шаг до; 2) поколéние, колéно; 3) перевóд ученикá в слéдующий класс; he has not got his ~ он остáлся на вторóй год; 4) класс (*в нéкоторых англúйских шкóлах*); 5) слéдующее блю́до (*за обéдом*); 2. *v* 1) передвигáть; перемещáть; убирáть, уносúть; to ~ oneself удалúться; 2) снимáть; to ~ one's hat снять шля́пу (*для приветствия*); 3) отодвигáть, убирáть; to ~ one's hand убрáть рýку; to ~ one's eyes отвестú глазá; 4) устраня́ть, удаля́ть; to ~ all doubts уничтóжить все сомнéния; 5) стирáть, выводúть (*пя́тна*); 6) увольня́ть, смещáть; 7) переезжáть; she removed to Glasgow онá переéхала в Глáзго; ◇ to ~ mountains гóру сдвúнуть, дéлать чудесá.

removed [rɪ'muːvd] 1. *p.p. от* remove 2; 2. *a* 1) удалённый, отдалённый; несвя́занный; far ~ from далёкий от; 2): once ~ двою́родный; twice ~ трою́родный.

remover [rɪ'muːvə] *n* 1) перевóзчик мéбели (*тж.* furniture ~); 2) растворúтель, удалúтель (*пя́тен и т. п.*); пятновыводúтель; 3) *тех.* съёмник.

remunerate [rɪ'mjuːnəreɪt] *v* вознаграждáть, оплáчивать, компенсúровать.

remuneration [rɪˌmjuːnə'reɪʃən] *n* вознаграждéние, оплáта, компенсáция; зáработная плáта.

remunerative [rɪ'mjuːnərətɪv] *a* 1) вознаграждающий; 2) хорошо оплачиваемый, выгодный.

renaissance [rə'neɪsəns] *n* 1) (R.) эпоха Возрождения, Ренессанс; 2) возрождение, оживление; 3) (R.) *attr.* относящийся к эпохе Возрождения; R. architecture архитектура Возрождения.

renal ['riːnəl] *a* почечный.

rename ['riː'neɪm] *v* дать новое имя; переименовать.

renascence [rɪ'næsns] *n* 1) возрождение, оживление, возобновление; 2) (R.) = renaissance 1).

renascent [rɪ'næsnt] *a* возрождающийся; ~ enthusiasm новый энтузиазм.

rencontre [ren'kɔntə] *фр. n* 1) дуэль, стычка, столкновение; 2) случайная встреча.

rencounter [ren'kauntə] **1.** *n уст.* = rencontre;
2. *v* 1) встречаться враждебно; 2) случайно сталкиваться.

rend [rend] **1.** *n редк.* щель, трещина;
2. *v* (rent) 1) рвать, раздирать; разрывать; it ~s my heart это терзает меня; 2) расщеплять, раскалывать; делить; □ ~ away, ~ fromушибить.

render ['rendə] **1.** *n* 1) отдача; оплата; 2) штукатурка; 3) растопленное сало, жиры;
2. *v* 1) воздавать, платить, отдавать; to ~ good for evil платить добром за зло; 2) оказывать (*помощь и т. п.*); to ~ a service оказать услугу; 3) представлять; to ~ thanks приносить благодарность; to ~ judgement выносить приговор; to ~ an account for payment представлять счёт к оплате; to ~ an account докладывать, давать отчёт; 4) делать (*чем-л.*); обращать, превращать (*во что-л.*); to ~ active активизировать; to be ~ed speechless with rage онеметь от ярости; climbing ~s me giddy подъём вызывает у меня головокружение; 5) воспроизводить, изображать, передавать; 6) исполнять (*роль*); 7) переводить (*на другой язык*); 8) *уст.* сдавать(ся) (*часто* ~ up); 9) топить (*сало*); 10) *мор.* травить канат через блок; 11) *стр.* штукатурить; обмазывать.

rendering ['rendərɪŋ] **1.** *pres. p. от* render 2;
2. *n* 1) перевод, передача; 2) исполнение; изображение; толкование (*образа произведения*); 3) оказание (*услуги, помощи и т. п.*); 4) вытапливание (*сала*); 5) *стр.* штукатурка без драни, обмазка; 6) *мор.* пропускание троса через блок.

rendezvous ['rɔndɪvuː] *фр.* **1.** *n* 1) свидание; 2) место свидания; место встреч; 3) сбор войск *или* кораблей в назначенном месте;
2. *v* встречаться в назначенном месте.

rendition [ren'dɪʃən] *n* 1) перевод; толкование; передача; изображение; 2) *редк.* передача, выдача (*особ. беглых преступников иностранному правительству*).

renegade ['renɪgeɪd] **1.** *n* ренегат, изменник; отступник; перебежчик;

2. *a* предательский, изменнический.

renew [rɪ'njuː] *v* 1) обновлять; восстанавливать; реставрировать; заменять новым; 2) повторять; 3) возрождать; возобновлять; to ~ correspondence возобновить переписку; 4) оживить, вызвать вновь (*чувства и т. п.*); 5) продлить срок действия (*договора об аренде и т. п.*); 6) пополнять запас.

renewal [rɪ'njuːəl] *n* 1) возобновление, возрождение, восстановление; 2) повторение; 3) обновление; 4) замена изношенного оборудования новым; капитальный, восстановительный ремонт.

rennet I ['renɪt] *n* сычужок.

rennet II ['renɪt] *n* ранет (*сорт яблок*).

renounce [rɪ'nauns] **1.** *v* 1) отказываться (*от своих прав, требований, привычек и т. п.*); 2) отрекаться (*от друзей*); 3) не признавать (*власть*); отвергать, отклонять (*мнение и т. п.*); 4) *карт.* делать ренонс;
2. *n карт.* ренонс.

renouncement [rɪ'naunsmənt] *n* отречение, отказ.

renovate ['renouveɪt] *v* восстанавливать, починять, подновлять, освежать.

renovation [ˌrenou'veɪʃən] *n* восстановление, починка; реконструкция.

renovator ['renouveɪtə] *n* 1) восстановитель; 2) реставратор; 3) *разг.* портной, принимающий платье в починку, перелицовку.

renown [rɪ'naun] *n* слава, известность; a man of ~ знаменитый человек.

renowned [rɪ'naund] *a* известный, знаменитый, прославленный.

rent I [rent] **1.** *past u p.p. от* rend 2;
2. *n* 1) дыра, прореха; прорезь; щель; 2) разрыв (*в облаках*); 3) расселина, трещина; 4) пройма; 5) несогласие, разрыв.

rent II [rent] **1.** *n* 1) арендная плата; квартирная плата; 2) рента; ground ~ земельная рента; ~ in kind натуральная рента; 3) *амер.* наём, прокат; плата за прокат; for ~ внаём; напрокат; 4) *sl.* грабёж;
2. *v* 1) брать в аренду, нанимать; 2) сдавать в аренду; 3), *амер.* давать напрокат; 4) *sl.* грабить на дорогах.

rentable ['rentəbl] *a* 1) могущий быть сданным в аренду; 2) могущий приносить рентный доход.

rental ['rentl] *n* 1) сумма арендной платы; рентный доход; 2) список арендаторов.

renter ['rentə] *n* съёмщик; арендатор.

rent-free ['rent'friː] **1.** *a* освобождённый от арендной *или* квартирной платы;
2. *adv* с освобождением от арендной *или* квартирной платы.

rentier ['rɔntɪeɪ] *фр. n* рантье.

rent-ower ['rent,ouə] *n* лицо, задолжавшее арендную *или* квартирную плату.

rent-roll ['rentroul] *n* 1) список земель и доходов от их аренды; 2) доход, получаемый от сдачи в аренду.

renumber ['riː'nʌmbə] *v* перенумеровать.

renunciation [rɪ,nʌnsɪ'eɪʃən] *n* отказ, (само)отречение.

renunciative [rɪ'nʌnʃɪətɪv] = renunciatory.

renunciatory [rɪ'nʌnʃɪətərɪ] *a* содержащий отказ, уступку, отречение.

reopen ['riː'oupən] v 1) открыва́ть(ся) вновь; 2) возобнови́ть, нача́ть сно́ва.

reorganization ['riːˌɔ:gənaɪ'zeɪʃən] n реорганиза́ция, преобразова́ние.

reorganize ['riː'ɔːgənaɪz] v реорганизо́вывать, преобразо́вывать; to ~ a ministry реорганизова́ть министе́рство.

rep I [rep] n репс (ткань).

rep II [rep] школ. sl. сокр. от repetition 2).

rep III [rep] sl. см. repertory theatre.

re-paid ['riː'peɪd] past и p.p. от re-pay.

repaid [riː'peɪd] past и p.p. от repay.

repair I [rɪ'pɛə] 1. n 1) (часто pl) ремо́нт; почи́нка; under ~ в ремо́нте; ~s done while you wait ремо́нт в прису́тствии зака́зчика; closed during ~s закры́то на ремо́нт; 2) восстановле́ние; ~ of one's health восстановле́ние здоро́вья, сил; 3) го́дность, испра́вность; in good ~ в хоро́шем состоя́нии; in bad ~, out of ~ в неиспра́вном состоя́нии; to keep in ~ содержа́ть в испра́вности; 4) attr. запа́сный, запасно́й; ~ parts запасны́е ча́сти; 5) attr. ремо́нтный; ~ shop ремо́нтная мастерска́я;

2. v 1) ремонти́ровать; починя́ть, исправля́ть; to ~ a house ремонти́ровать дом; to ~ clothes чини́ть бельё; 2) восстана́вливать; to ~ one's health восстанови́ть своё здоро́вье; 3) возмеща́ть; 4) исправля́ть; to ~ an injustice испра́вить несправедли́вость.

repair II [rɪ'pɛə] v 1) отправля́ться, направля́ться; they ~ed homewards они́ напра́вились домо́й; 2) посеща́ть, навеща́ть; 3) прибега́ть (to—к чему́-л.).

repairable [rɪ'pɛərəbl] a поддаю́щийся ремо́нту; the house is not ~ дом уже́ нельзя́ отремонти́ровать.

repairer [rɪ'pɛərə] n производя́щий почи́нку или ремо́нт, ма́стер; watch ~ часово́й ма́стер, часовщи́к; cabinet ~ ма́стер по ремо́нту ме́бели.

reparable ['repərəbl] a поправи́мый; a ~ mistake поправи́мая оши́бка.

reparation [ˌrepə'reɪʃən] n 1) исправле́ние; 2) (обыкн. pl) возмеще́ние, репара́ции.

repartee [ˌrepɑː'tiː] n 1) остроу́мный отве́т; 2) остроу́мие, нахо́дчивость.

repast [rɪ'pɑːst] n 1) еда́ (обед, ужин и т. п.); 2) тра́пеза; пи́ршество.

repatriable [riː'pætrɪəbl] a подлежа́щий репатриа́ции.

repatriate [riː'pætrɪeɪt] 1. n репатриа́нт; 2. v возвраща́ть на ро́дину, репатрии́ровать.

repatriation ['riːpætrɪ'eɪʃən] n возвраще́ние на ро́дину, репатриа́ция.

re-pay ['riː'peɪ] v (re-paid) плати́ть втори́чно.

repay [riː'peɪ] v (repaid) 1) отдава́ть долг (to); 2) отпла́чивать; вознагражда́ть; возмеща́ть; I don't know how to ~ you for your kindness не зна́ю, как отблагодари́ть вас за ва́шу доброту́; 3) возвраща́ть; to ~ a visit отда́ть визи́т.

repayable [riː'peɪəbl] a подлежа́щий упла́те, возмеще́нию.

repayment [riː'peɪmənt] n 1) опла́та; 2) возмеще́ние, вознагражде́ние.

repeal [rɪ'piːl] 1. n аннули́рование, отме́на; 2. v аннули́ровать, отменя́ть (закон и т. п.).

repealer [rɪ'piːlə] n 1) тот, кто отменя́ет; 2) ист. сторо́нник расторже́ния у́нии ме́жду Великобрита́нией и Ирла́ндией.

repeat [rɪ'piːt] 1. n 1) разг. повторе́ние; то, что повторя́ется; 2) исполне́ние на бис; 3) амер. sl. репети́ция; 4) амер. унив. sl. студе́нт-второго́дник; 5) муз. повторе́ние; знак повторе́ния; 6) повторе́ние радиопрогра́ммы;

2. v 1) повторя́ть; 2) refl. повторя́ться; he does nothing but ~ himself он то́лько повторя́ется; history ~s itself исто́рия повторя́ется; 3) говори́ть наизу́сть; to ~ one's lesson отвеча́ть уро́к; 4) повторя́ться; вновь случа́ться; 5) передава́ть, расска́зывать; to ~ a secret рассказа́ть (кому́-л.) секре́т; 6) незако́нно голосова́ть на вы́борах не́сколько раз; 7) мор. репетова́ть (сигналы).

repeated [rɪ'piːtɪd] 1. p.p. от repeat 2; 2. a повто́рный; ча́стый; on ~ occasions неоднокра́тно.

repeatedly [rɪ'piːtɪdlɪ] adv повто́рно, не́сколько раз, неоднокра́тно.

repeater [rɪ'piːtə] n 1) тот, кто или то, что повторя́ет; 2) амер. разг. студе́нт-второго́дник; 3) рециди́вист; 4) репети́р, часы́ с репети́цией; 5) амер. sl. незако́нно голосу́ющий не́сколько раз на вы́борах; 6) мат. непреры́вная дробь; 7) магази́нная винто́вка; 8) радио трансляцио́нный усили́тель; 9) эл. реле́, переда́тчик, каска́д усиле́ния.

repeating rifle [rɪ'piːtɪŋ'raɪfl] n магази́нная винто́вка.

repeating watch [rɪ'piːtɪŋ'wɔtʃ] n репети́р, часы́ с репети́цией.

repel [rɪ'pel] v 1) отгоня́ть; отта́лкивать; отбра́сывать, отража́ть; to ~ an attack отрази́ть нападе́ние; 2) отверга́ть, отклоня́ть; to ~ an offer отклони́ть предложе́ние; to ~ an accusation отве́ргнуть обвине́ние; 3) вызыва́ть отвраще́ние, неприя́знь; 4) физ. отта́лкивать; 5) амер. спорт. sl. побе́дить.

repellent [rɪ'pelənt] a 1) вызыва́ющий отвраще́ние, отта́лкивающий; возмути́тельный; 2) водоотта́лкивающий (о материале).

repent I ['riːpənt] a 1) бот. ползу́чий; 2) зоол. пресмыка́ющийся.

repent II [rɪ'pent] v раска́иваться; сокруша́ться; сожале́ть; ~ я раска́иваюсь; I ~ me (или it ~s me) that I did it уст. сожале́ю, что сде́лал э́то; you shall ~ this (или of this) вы раска́етесь в э́том, вы пожале́ете об э́том; he has nothing to ~ of ему́ не́ в чем раска́иваться.

repentance [rɪ'pentəns] n покая́ние; раска́яние, сожале́ние.

repentant [rɪ'pentənt] a 1) ка́ющийся, раска́ивающийся; 2) выража́ющий раска́яние; ~ tears слёзы раска́яния.

repercussion [ˌriːpə'kʌʃən] n 1) отда́ча (после удара); 2) о́тзвук; э́хо; 3) отраже́ние, влия́ние (события и т. п.).

repertoire ['repətwɑ:] *фр.* *n* репертуа́р.

repertory ['repətərɪ] *n* 1) склад, храни́лище; 2) спра́вочник, сбо́рник; рее́стр, катало́г; 3) репертуа́р.

repertory theatre ['repətərɪ'θɪətə] *n* теа́тр с постоя́нной тру́ппой и подгото́вленным для сезо́на репертуа́ром.

repetition [,repɪ'tɪʃən] *n* 1) повторе́ние; 2) повторе́ние наизу́сть; зау́чивание наизу́сть; 3) отры́вок, зау́ченный наизу́сть *или* для зау́чивания наизу́сть; 4) *редк.* ко́пия.

repetition work [,repɪ'tɪʃən'wə:k] *n* *тех.* ма́ссовое произво́дство; сери́йное произво́дство; шабло́нная рабо́та.

repine [rɪ'paɪn] *v* ропта́ть, жа́ловаться (at, against).

replace [rɪ'pleɪs] *v* 1) ста́вить *или* класть обра́тно на ме́сто; 2) верну́ть; восстанови́ть; to ~ money borrowed верну́ть за́нятые де́ньги; 3) заменя́ть, замеща́ть (by, with); impossible to ~ незамени́мый.

replaceable [rɪ'pleɪsəbl] *a* замени́мый.

replacement [rɪ'pleɪsmənt] *n* 1) замеще́ние, заме́на; 2) *воен.* пополне́ние; прибы́вший на пополне́ние; 3) *геол.* замеще́ние (*руды́*); выполне́ние (*ма́гмой*).

replant ['ri:'plɑ:nt] *v* переса́живать (*расте́ние*).

replay ['ri:'pleɪ] *v* переигра́ть (*матч и т. п.*).

replenish [rɪ'plenɪʃ] *v* сно́ва наполня́ть, пополня́ть (with).

replenishment [rɪ'plenɪʃmənt] *n* наполне́ние, пополне́ние.

replete [rɪ'pli:t] *a* 1) напо́лненный, насы́щенный; перепо́лненный (with); пресы́щенный; to be ~ (with) изоби́ловать; 2) хорошо́ обеспе́ченный *или* снабжённый (*чем-либо*; with).

repletion [rɪ'pli:ʃən] *n* пресыще́ние, переполне́ние.

replica ['replɪkə] *n* 1) *жив.* ре́плика, то́чная ко́пия; репроду́кция; 2) *тех.* моде́ль, копи́р.

replicate ['replɪkeɪt] *v* *жив.* повторя́ть, де́лать ре́плику, копи́ровать.

replication [,replɪ'keɪʃən] *n* 1) *жив.* ко́пия, ре́плика; 2) копи́рование; 3) отве́т, возраже́ние; 4) *юр.* возраже́ние истца́ отве́тчику.

reply [rɪ'plaɪ] 1. *n* отве́т; in ~ в отве́т; in ~ to your letter в отве́т на ва́ше письмо́; ~ paid с опла́ченным отве́том; 2. *v* 1) отвеча́ть; 2) *юр.* возража́ть; □ ~ for отвеча́ть за *кого-л.*, за *что-л.*; ~ to отвеча́ть на *что-л.*

report [rɪ'pɔ:t] 1. *n* 1) отчёт (on—о); сообще́ние, докла́д; 2) *воен.* донесе́ние; ра́порт; 3) молва́, слух; the ~ goes говоря́т; хо́дит слух; 4) репута́ция, сла́ва; 5) та́бель успева́емости; 6) звук взры́ва, вы́стрела; 2. *v* 1) сообща́ть; расска́зывать, опи́сывать; it is ~ed а) сообща́ется; б) говоря́т; 2) де́лать официа́льное сообще́ние; докла́дывать; представля́ть отчёт; to ~ a bill докла́дывать законопрое́кт в парла́менте пе́ред тре́тьим чте́нием; the Commission ~s tomorrow коми́ссия де́лает докла́д за́втра; 3) *воен.* доноси́ть; рапортова́ть; 4) явля́ться; to ~ oneself заявля́ть о своём прибы́тии (to); to ~ for work явля́ться на рабо́ту; to ~ to the police регистри́роваться в поли́ции; 5) передава́ть что-л., ска́занное други́м лицо́м; 6) составля́ть, дава́ть отчёт (*для пре́ссы*); to ~ (badly) well дава́ть (не)благоприя́тный о́тзыв (о *чём-л.*); 7) жа́ловаться на, выставля́ть обвине́ние; ◇ ~ progress а) сообща́ть о положе́нии дел; б) *парл.* прекраща́ть пре́ния по законопрое́кту с тем, что́бы перенести́ их на друго́е вре́мя; в) отложи́ть что-л. до бо́лее подходя́щего вре́мени; to move to ~ progress *парл.* внести́ предложе́ние о прекраще́нии деба́тов (*ча́сто с це́лью обстру́кции*).

reportage [,repɔ:'tɑ:ʒ] *фр.* *n* репорта́ж.

report card [rɪ'pɔ:t'kɑ:d]=report 1, 5).

report centre [rɪ'pɔ:t'sentə] *n* *амер. воен.* пункт сбо́ра донесе́ний.

reported [rɪ'pɔ:tɪd] 1. *p.p. от* report 2; 2. *a грам.*: ~ speech ко́свенная речь.

reporter [rɪ'pɔ:tə] *n* 1) докла́дчик; 2) репортёр.

reposal I [rɪ'pouzl] *n* упова́ние, наде́жды; ~ of trust, ~ of confidence оказа́ние дове́рия.

reposal II [rɪ'pouzl] *n уст.* о́тдых, отдохнове́ние.

repose I [rɪ'pouz] *v*: to ~ trust in (*или* on) smb. доверя́ться кому́-л., полага́ться на кого́-л.

repose II [rɪ'pouz] 1. *n* 1) о́тдых, переды́шка; 2) сон; поко́й; 3) тишина́, споко́йствие; ◇ angle of ~ *тех.* у́гол есте́ственного отко́са; 2. *v* 1) отдыха́ть, ложи́ться отдохну́ть (*тж.* to ~ oneself); 2) дава́ть о́тдых; класть; to ~ one's head on the pillow положи́ть го́лову на поду́шку; 3) лежа́ть, поко́иться (on—на); 4) остана́вливаться, заде́рживаться (on—на *чём-л.*; *о па́мяти, воспомина́ниях*); his mind ~d on the past его́ мы́сли задержа́лись на про́шлом; 5) полага́ться (in—на что-л.), быть уве́ренным (in—в *чём-л.*); 6) осно́вываться, держа́ться (on—на).

reposeful [rɪ'pouzful] *a* 1) успокои́тельный; 2) споко́йный.

repository [rɪ'pɔzɪtərɪ] *n* 1) храни́лище; вмести́лище; склад; 2) тот, кому́ что-л. доверя́ют.

repoussé [rə'pu:seɪ] *фр.* 1. *n* штампо́ванное изде́лие; барелье́ф на мета́лле; штампо́вка; 2. *a* штампо́ванный (*о мета́лле*).

repp [rep]=rep I.

reprehend [,reprɪ'hend] *v* де́лать вы́говор; порица́ть.

reprehensible [,reprɪ'hensəbl] *a* досто́йный порица́ния, предосуди́тельный.

reprehension [,reprɪ'henʃən] *n* порица́ние, осужде́ние.

represent [,reprɪ'zent] *v* 1) изобража́ть, представля́ть в определённом све́те (as); 2) представля́ть, олицетворя́ть; вообража́ть; 3) символизи́ровать; олицетворя́ть; 4) исполня́ть (*роль*); 5) быть представи́телем, представля́ть (*како́е-л. лицо́ или организа́цию*).

representation [,reprɪzen'teɪʃən] *n* 1) изображе́ние; о́браз; 2) представле́ние (*тж.*

театральное); 3) утверждёние, заявлёние; 4) представительство.

representative [ˌreprɪˈzentətɪv] **1.** *n* 1) представитель; делегат; уполномоченный; 2) образёц, типичный представитель; 3) *амер.* член палаты представителей; House of Representatives палата представителей;

2. *a* 1) характёрный, показательный; 2) представляющий, изображающий; символизирующий; 3) *полит.* представительный.

repress [rɪˈpres] *v* 1) подавлять (*восстание и т. п.*); 2) сдёрживать (*слёзы и т. п.*).

represser [rɪˈpresə] *n* 1) угнетатель, тиран; 2) усмиритель.

repression [rɪˈpreʃən] *n* 1) подавлёние; репрёссия; 2) сдёрживание (*чувств, импульсов*); 3) *тех.* допрессовка (*кирпича*).

repressive [rɪˈpresɪv] *a* репрессивный.

reprieve [rɪˈpriːv] **1.** *n* 1) *юр.* отмёна *или* замёна (смёртного) приговора; отсрочка в исполнёнии приговора; 2) передышка, врёменное облегчёние;

2. *v* 1) *юр.* откладывать исполнёние (смёртного) приговора; 2) дать человёку передышку, доставить врёменное облегчёние.

reprimand [ˈreprɪmɑːnd] **1.** *n* выговор, замечание;

2. *v* дёлать *или* объявлять выговор.

reprint [ˈriːprɪnt] **1.** *n* 1) переиздание; перепечатка; новое неизменённое издание; 2) отдёльный оттиск (*статьи и т. п.*);

2. *v* выпускать новое издание, переиздавать; перепечатывать.

reprisal [rɪˈpraɪzəl] *n* репрессалия.

reproach [rɪˈprouʧ] **1.** *n* 1) упрёк; попрёк; укор; to heap ~es on засыпать упрёками; 2) позор; срам; to bring ~ on позорить;

2. *v* упрекать, укорять, попрекать, бранить (with).

reproachful [rɪˈprouʧful] *a* 1) укоризненный; 2) заслуживающий упрёков; позорный, недостойный, постыдный.

reproachfully [rɪˈprouʧfulɪ] *adv* укоризненно.

reprobate [ˈreproubeɪt] **1.** *n* 1) распутник; 2) негодяй, подлёц; 3) нечестивец;

2. *a* 1) безнравственный, распутный; 2) подлый, низкий; 3) *рел.* отвёрженный, коснёющий в грехё;

3. *v* 1) порицать, осуждать, корить; 2) *рел.* лишать спасёния; не принимать в своё лоно.

reprobation [ˌreprouˈbeɪʃən] *n* порицание, осуждёние.

reprocess [rɪˈprouses] *v* подвёргнуть переработке *или* повторной обработке.

reproduce [ˌriːprəˈdjuːs] *v* 1) воспроизводить; to ~ a play возобновить постановку; 2) дёлать копию; 3) производить, порождать; to ~ oneself размножаться; 4) восстанавливать; lobsters are able to ~ claws when these are torn off у раков вновь отрастают оторванные клешни.

reproducer [ˌriːprəˈdjuːsə] *n* 1) воспроизводитель; 2) репродуктор, громкоговори-

тель; 3) воспроизводящее устройство; colour ~ цветовоспроизводящее устройство.

reproduction [ˌriːprəˈdʌkʃən] *n* 1) воспроизведёние, размножёние; 2) копия, репродукция; 3) *эк.* воспроизводство; simple ~ простое воспроизводство.

reproductive [ˌriːprəˈdʌktɪv] *a* 1) воспроизводительный; ~ organs *биол.* органы размножёния; 2) плодовитый.

reproof [rɪˈpruːf] *n* порицание; выговор, укор, упрёк; with ~ с укоризной.

reprove [rɪˈpruːv] *v* порицать; дёлать выговор, корить; бранить.

reprover [rɪˈpruːvə] *n* тот, кто порицает, осуждает; хулитель.

reps [reps]=rep I.

reptile [ˈreptaɪl] **1.** *n* 1) пресмыкающееся; 2) раболёпный, подлый человёк, подхалим;

2. *a* 1) пресмыкающийся; 2) подлый, продажный; the ~ press продажная прёсса.

reptilian [repˈtɪlɪən] **1.** *n* рептилия, пресмыкающееся;

2. *a* относящийся к рептилиям, подобный рептилиям.

republic [rɪˈpʌblɪk] *n* 1) республика; People's ~ народная республика; 2) группа людёй с общими интерёсами; the ~ of letters литературный мир.

republican [rɪˈpʌblɪkən] **1.** *a* 1) республиканский; 2) (R.) *амер.* республиканский, связанный с республиканской партией;

2. *n* 1) республиканец; 2) (R.) *амер.* член республиканской партии.

republicanism [rɪˈpʌblɪkənɪzəm] *n* 1) республиканство, республиканский дух; 2) республиканская система правлёния.

repudiate [rɪˈpjuːdɪeɪt] *v* 1) отрекаться от (*чего-л.*); 2) отвергать, не признавать (*теорию и т. п.*); 3) отказываться признать (*что-л.*) *или* подчиниться (*чему-л.*); 4) дать развод женё; 5) отказываться от уплаты долга, от обязательства.

repudiation [rɪˌpjuːdɪˈeɪʃən] *n* 1) отрицание; отречёние (*от чего-л.*); 2) отказ признать *или* подчиниться; 3) развод, даваемый мужем женё; 4) отказ от долга, от обязательств; аннулирование долгов.

repugnance, -cy [rɪˈpʌgnəns, -sɪ] *n* 1) отвращёние, антипатия; нерасположёние (for, to, against); 2) противорёчие, несовместимость; непослёдовательность (between, of).

repugnant [rɪˈpʌgnənt] *a* 1) противный, отвратительный, невыносимый (to); 2) несовместимый, противорёчащий (with, to).

repulse [rɪˈpʌls] **1.** *n* 1) отпор, отражёние; to suffer a ~ терпёть поражёние; 2) отказ;

2. *v* 1) отражать (*атаку*), разбивать (*противника*); 2) отвергать, опровергать (*обвинения*); 3) отталкивать; не принимать; to ~ a request отказывать в просьбе.

repulsion [rɪˈpʌlʃən] *n* 1) отвращёние, антипатия; 2) *физ.* отталкивание.

repulsive [rɪˈpʌlsɪv] *a* 1) отталкивающий, омерзительный; 2) отражающий; отвергающий; 3) *уст., поэт.* сопротивляющийся; 4) *физ.:* ~ force сила отталкивания.

repurchase [ˈriːˈpɜːʧeɪs] *v* покупать обратно (*ранее проданный товар*).

reputable ['repjutəbl] *a* почтённый, достойный уважёния.

reputation [,repju:'teiʃən] *n* репутация; слава, доброе имя, почтённость; to have a ~ for wit славиться остроумием; a person of ~ почтённый человёк; a person of no ~ тёмная лйчность; a scientist of world-wide ~ извёстный всему мйру учёный, учёный с мировым именем.

repute [ri'pju:t] 1. *n* общее мнёние, репутация; authors of ~ извёстные, знаменитые писатели; bad ~ дурная слава; a firm of ~ извёстная фирма;
2. *v* (*обыкн.* *pass.*) считать, полагать.

reputed [ri'pju:tid] 1. *p.p. от* repute 2;
2. *a* 1) имёющий хорошую репутацию; извёстный; 2) считающийся (*кем-л.*); предполагаемый; his ~ father его предполагаемый отёц, человёк, которого считают его отцом.

request [ri'kwest] 1. *n* 1) просьба; трёбование; at (*или* by) ~ по просьбе; to make a ~ обратйться с просьбой [*ср. тж.* 2)]; 2) запрос; заявка; to make a ~ сдёлать заявку [*ср. тж.* 1)]; 3) *ком.* спрос; in great ~ в большом спросе, популярный;
2. *v* 1) просить позволёния, просить (*о чём-л.*); 2) запрашивать; 3) предлагать (*вежливо приказывать*); I must ~ you to obey orders предлагаю вам выполнить приказания; your presence is ~ed immediately вас просят немёдленно явиться.

requiem ['rekwiem] *n* рёквием.

require [ri'kwaiə] *v* 1) приказывать, трёбовать; you are ~d to go there вам приказано отправиться туда; 2) нуждаться (*в чём-л.*); трёбовать; it ~s careful consideration это трёбует тщательного рассмотрёния; 3) завйсеть, находйться в завйсимости (*от чего-л.*).

required [ri'kwaiəd] 1. *p.p. от* require;
2. *a* необходймый; обязательный; ~ studies *амер. унив.* обязательные курсы.

requirement [ri'kwaiəmənt] *n* 1) трёбование; необходймое услóвие; what are his ~s? каковы его услóвия?; 2) нужда, потрёбность.

requisite ['rekwizit] 1. *n* то, что необходймо; всё необходймое; the ~s for a long journey всё необходймое для длйтельного путешёствия;
2. *a* трёбуемый, необходймый; the number of votes ~ for election необходймое для избрания число голосов.

requisition [,rekwi'ziʃən] 1. *n* 1) официальное предписание; 2) трёбование, заявка; спрос; to be in ~ пóльзоваться спросом; 3) реквизйция (*особ. для армии*); to put in ~, to bring (*или* to call) into ~ a) реквизйровать; б) пускать в оборóт, использовать; 4) *attr.*: ~ forms бланки заявок, трёбований;
2. *v* 1) реквизйровать; 2) представлять заявку.

requital [ri'kwaitl] *n* 1) воздаяние; вознаграждёние; отплата; 2) возмёздие.

requite [ri'kwait] *v* 1) отплачивать (for ~ за *что-л.*; with ~ *чем-л.*); вознаграждать;

to ~ like for like ≅ платйть той же монётой; 2) мстить, отомстйть.

re-read ['ri:'ri:d] *v* (re-read ['ri:'red]) перечйтывать.

resale [ri:'seil] *n* перепродажа.

rescind [ri'sind] *v* аннулйровать, отменять.

rescission [ri'siʒən] *n* аннулйрование, отмёна.

rescript ['ri:skript] *n* рескрйпт.

rescue ['reskju:] 1. *n* 1) спасёние; освобождёние, избавлёние; to come (*или* to go) to the ~ помогать, приходйть на помощь; 2) *attr.* спасательный; ~ party спасательная экспедйция;
2. *v* 1) спасать; избавлять, освобождать; выручать; 2) *юр.* незакóнно освобождать (*арестóванного*); 3) *юр.* отнимать сйлой (*имущество*).

rescuer ['reskjuə] *n* спасйтель, избавйтель.

research [ri'sə:tʃ] 1. *n* 1) (*обыкн. pl*) (научное) исслёдование; изучёние; изыскание; исслёдовательская работа; to be engaged in ~ заниматься научно-исслёдовательской работой; his ~es have been fruitful его изыскания были плодотвóрными; 2) тщательные пóиски (after, for); 3) *attr.* исслёдовательский; ~ work (научно-)исслёдовательская работа;
2. *v* исслёдовать; заниматься исслёдованиями (into).

researcher [ri'sə:tʃə] *n* исслёдователь.

reseat ['ri:'si:t] *v* 1) посадйть обратно; 2) сдёлать нóвое сидёнье к стулу; 3) поставить нóвые крёсла, ряды (*в театре и т. п.*); 4) *тех.* пригонять, притирать.

resect [ri:'sekt] *v* хир. произвестй резёкцию.

resection [ri:'sekʃən] *n* 1) хир. резёкция; 2) топ. засёчка.

reseda ['residə] *n* резеда.

resell ['ri:'sel] *v* (resold) перепродавать.

resemblance [ri'zembləns] *n* схóдство; to bear (*или* to show) ~ имёть схóдство, быть похóжим; to have a strong ~ to smb. быть óчень похóжим на когó-л.

resemble [ri'zembl] *v* походйть, имёть схóдство.

resent [ri'zent] *v* негодовать, возмущаться; обижаться.

resentful [ri'zentful] *a* 1) обйженный; возмущённый; 2) злопамятный; затайвший злóбу; обйдчивый.

resentment [ri'zentmənt] *n* негодование, возмущёние; чувство обйды; to have no ~ against smb. не чувствовать обйды на когó-л.; не тайть злóбы прóтив когó-л.

reservation [,rezə'veiʃən] *n* 1) оговóрка; without ~ безоговóрочно; with the mental ~ мысленно сдёлав оговóрку, подумав про себя; 2) скрывание; умалчивание; сокрытие; 3) (со)хранёние в запасе; 4) сдёржанность; 5) резервйрование; 6) *амер.* предварйтельный заказ (*мест на парохóде, в гостйнице и т. п.*); make a ~ забронйровать; 7) (*тж. pl*) заранее заказанное мёсто (*на парохóде, в гостйнице и т. п.*); 8) *юр.* сохранёние какóго-л. права; 9) территория, отведённая для индейцев (*в США*), резервация; 10) заповедник (*в США и Канаде*).

reserve [rɪ'zəːv] **1.** *n* 1) запас, резерв; the gold ~ золотой запас; in ~ в запасе; to keep a ~ иметь запас; 2) (*тж. pl*) *воен., мор.* резерв; запас; 3) заповедник; 4) оговорка, условие, исключение, изъятие; ограничение; without ~ безоговорочно, полностью [*ср. тж.* 6)]; 5) сдержанность, скрытность; осторожность; 6) умолчание; without ~ откровенно, ничего не скрывая [*ср. тж.* 4)]; 7) *фин.* резервный фонд; 8) *спорт.* запасной игрок; 9) *attr.* запасный, запасной, резервный; 10) *attr.*: ~ price резервированная цена; низшая отправная цена (*ниже которой продавец отказывается продать свой товар на аукционе*); **2.** *v* 1) сберегать, приберегать; откладывать; запасать; to ~ oneself for беречь свои силы для *чего-л.*; 2) резервировать; заказывать заранее; to ~ a seat a) заранее взять *или* заказать билет; б) занять *или* обеспечить место; 3) предназначать (for); a great future is ~d for you вас ожидает большое будущее; 4) откладывать (*на будущее*), переносить (*на более отдалённое время*); 5) *юр.* сохранять за собой (*право владения или контроля*); оговаривать; to ~ the right оговаривать право; сохранять право.

reserved [rɪ'zəːvd] **1.** *p.p. от* reserve 2; **2.** *a* 1) скрытный, сдержанный, замкнутый, необщительный; осторожный; 2) заказанный заранее; ~ seat a) нумерованное место; б) плацкарта; в) заранее взятый билет в театр; 3) резервный, запасный, запасной; ~ list список морских офицеров запаса.

reservedly [rɪ'zəːvɪdlɪ] *adv* осторожно, сдержанно.

reservist [rɪ'zəːvɪst] *n* резервист, запасной (*солдат или* матрос).

reservoir ['rezəvwɑː] *фр.* **1.** *n* 1) резервуар; бассейн; водохранилище; 2) запас, источник (*знаний, энергии и т. п.*); склад, сокровищница; ~ of strength источник силы; **2.** *v* хранить в резервуаре.

reset ['riː'set] *v* (reset) 1) вновь устанавливать; 2) (вновь) вставлять в оправу; 3) вправлять (*сломанную руку и т. п.*).

reshape ['riː'ʃeɪp] *v* 1) приобретать новый вид *или* иную форму; меняться; 2) придавать новый вид *или* иную форму.

reside [rɪ'zaɪd] *v* 1) проживать, жить (*где-л.*); пребывать, находиться (in, at); 2) принадлежать (*о правах и т. п.*; in—*кому-л.*); 3) быть присущим, свойственным (in); 4) *хим. уст.* осаждаться на дно.

residence ['rezɪdəns] *n* 1) местожительство; резиденция; местопребывание; to take up one's ~ поселиться; to have one's ~ проживать; 2) проживание; пребывание; ~ is required a) должностное лицо должно жить по месту службы; б) учащийся должен жить при учебном заведении; in ~ a) проживающий по месту службы; б) проживающий по месту учёбы; 3) время, длительность пребывания; 4) *хим. уст.* осадок, отстой.

residency ['rezɪdənsɪ] *n* резидентство (*местопребывание представителя колониальной державы в полузависимой стране*).

resident ['rezɪdənt] **1.** *n* 1) постоянный житель; 2) резидент; 3) неперелётная птица; **2.** *a* 1) проживающий; постоянно живущий; ~ physician врач, живущий при больнице; the ~ population постоянное население; 2) неперелётный (*о птице*); 3) присущий; ◇ ~ minister дипломатический представитель (*тж.* minister ~).

residential [,rezɪ'denʃəl] *a* 1) состоящий из жилых домов (*о районе города*); 2): ~ rental *амер.* квартирная плата; 3) связанный с местом жительства; ~ qualification ценз оседлости.

residentiary [,rezɪ'denʃərɪ] *a* 1) относящийся к местожительству; связанный с местом жительства; 2) обязанный проживать в своём приходе.

residua [rɪ'zɪdjuə] *pl от* residuum.

residual [rɪ'zɪdjuəl] **1.** *n* остаток; разность; **2.** *a* 1) оставшийся необъяснённым (*об ошибке в вычислении*); 2) оставшийся после вычитания; 3) остаточный; 4)=residuary.

residuary [rɪ'zɪdjuərɪ] *a* оставшийся, остающийся; ~ legatee *юр.* наследник имущества, оставшегося после уплаты долгов и налогов.

residue ['rezɪdjuː] *n* 1)=residuum 1) *и* 2); 2) *юр.* наследство, очищенное от долгов и налогов.

residuum [rɪ'zɪdjuəm] *n* (*pl* -dua) 1) остаток; 2) *хим.* осадок; отстой; вещество, оставшееся после сгорания *или* выпаривания; 3) *мат.* остаток от вычитания; 4) = residue 2); 5) *уст.* низшие классы; подонки общества.

resign I [rɪ'zaɪn] *v* 1) отказываться (*от должности, права*); слагать (*с себя обязанности*); уходить в отставку; 2) отказываться (*от мысли*); оставлять (*надежду*); to ~ all hope оставить всякую надежду; 3) уступать, передавать (*обязанности, права*; to — *кому-л.*); 4): to ~ oneself подчиняться, покоряться (to — *чему-л.*), примиряться (to — с *чем-л.*).

resign II ['riː'saɪn] *v* вновь подписывать.

resignation [,rezɪg'neɪʃən] *n* 1) отказ от (*или уход с*) должности; отставка; 2) заявление об отставке; to send in one's ~ подать прошение об отставке; 3) покорность; смирение; with ~ покорно.

resigned I [rɪ'zaɪnd] **1.** *p.p. от* resign I; **2.** *a* покорный, безропотный; смирившийся.

resigned II [rɪ'saɪnd] *p.p. от* resign II.

resilience, -cy [rɪ'zɪlɪəns, -sɪ] *n* 1) упругость, эластичность; 2) способность быстро восстанавливать физические и душевные силы; 3) *тех.* упругая деформация; ударная вязкость.

resilient [rɪ'zɪlɪənt] *a* 1) упругий, эластичный; 2) жизнерадостный, неунывающий.

resin ['rezɪn] **1.** *n* смола, камедь; **2.** *v* 1) смолить; 2) канифолить (*смычок*).

resinaceous [,rezɪ'neɪʃəs]=resinous.

resinous ['rezɪnəs] *a* смолистый.

resist [rɪ'zɪst] *v* 1) сопротивляться; противиться; препятствовать; 2) противостоять; устоять против (*чего-л.*); не поддаваться; to ~ disease не поддаваться болезни; thatch ~s heat better than tiles соломенная крыша предохраняет от жары лучше черепичной; 3) отбивать, отбрасывать; the enemy was ~ed неприятель был отбит; 4) (*обыкн. с отрицанием*) воздерживаться (*от чего-л.*); he can never ~ making a joke он не может не пошутить.

resistance [rɪ'zɪstəns] *n* 1) сопротивление; противодействие; to offer ~ оказывать сопротивление; line of least ~ линия наименьшего сопротивления; 2) сопротивляемость (*организма*); 3) *тех.* сопротивление; ~ to wear сопротивление износу, прочность на износ; 4) = resistor.

resistant [rɪ'zɪstənt] *a* сопротивляющийся; стойкий, прочный.

resistible [rɪ'zɪstɪbl] *a* отразимый.

resistive [rɪ'zɪstɪv] *a* 1) могущий оказать сопротивление; 2) *эл.* имеющий сопротивление.

resistivity [ˌrɪzɪs'tɪvɪtɪ] *n* *эл.* удельное сопротивление.

resistless [rɪ'zɪstlɪs] *a* 1) непреодолимый; неизбежный; 2) неспособный сопротивляться.

resistor [rɪ'zɪstə] *n* *эл.* сопротивление (*в электрической цепи*); катушка сопротивления.

resold ['riː'sould] *past* и *p.p. от* resell.

resole ['riː'soul] *v* ставить новые подмётки.

resoluble [rɪ'zɔljubl] *a* разложимый (into-на); растворимый.

resolute ['rezəluːt] *a* твёрдый, решительный, непоколебимый.

resolution [ˌrezə'luːʃən] *n* 1) решение, резолюция; 2) решительность, решимость, твёрдость (*характера*); 3) разложение на составные части (into); анализ; 4) раствор; 5) разборка, демонтаж; 6) разрешение (*проблемы*); 7) *мед.* разрешение, рассасывание; прекращение воспалительных явлений; 8) *прос.* замена долгого слога двумя короткими; 9) *муз.* разрешение, переход в консонанс.

resolve [rɪ'zɔlv] 1. *n* 1) решение; to make good ~s быть полным добрых намерений; 2) *поэт.* решительность, смелость, решимость;

2. *v* 1) решать(ся); принимать решение; to be ~d твёрдо решиться; the question ~s itself into this вопрос сводится к этому; 2) решать голосованием; 3) побуждать; 4) разрешать (*сомнения и т. п.*); 5) распадаться, разлагать(ся) (into-на); растворять(ся); 6) *мед.* рассасывать(ся); 7) *муз.* разрешать(ся) в консонанс.

resolved [rɪ'zɔlvd] 1. *p.p. от* resolve 2; 2. *a* решительный, твёрдый.

resolvent [rɪ'zɔlvənt] *n* 1) *хим.* растворитель; 2) *мед.* противовоспалительное средство.

resonance ['rezənəns] *n* резонанс.

resonant ['reznənt] *a* 1) раздающийся, звучащий; 2) резонирующий (with); с хорошим резонансом.

resonator ['rezəneɪtə] *n* резонатор.

re-sort ['riː'sɔːt] *v* пересортировать.

resort [rɪ'zɔːt] 1. *n* 1) прибежище; утешение; надежда; in the last ~ в крайнем случае; как последнее средство; without ~ to force не прибегая к насилию; 2) обращение (*за помощью*); 3) посещаемое место; курорт (*тж.* health ~); summer ~ дачное место;

2. *v* 1) прибегать (*к чему-л.*), обращаться за помощью (to); to ~ to force, to compulsion прибегнуть к насилию, принуждению; 2) посещать.

resound [rɪ'zaund] *v* 1) звучать, оглашать(-ся) (with); 2) повторять, отражать (*звук*); 3) греметь; производить сенсацию; 4) прославлять; to ~ smb.'s praises петь хвалу кому-л.

resource [rɪ'sɔːs] *n* 1) (*обыкн. pl*) ресурсы, средства, запасы, возможности; natural ~s естественные богатства; 2) ресурс, способ, средство; to be at the end of one's ~s исчерпать все возможности; 3) способ времяпрепровождения; развлечение; reading is a great ~ in illness чтение — хорошее занятие во время болезни; 4) находчивость, изобретательность; full of ~ изобретательный.

resourceful [rɪ'sɔːsful] *a* находчивый, изобретательный.

resourcefulness [rɪ'sɔːsfulnɪs] *n* находчивость, изобретательность.

respect [rɪs'pekt] 1. *n* 1) уважение; to hold in ~ уважать; to be held in ~ пользоваться уважением; to have ~ for one's promise держать слово; 2) *pl* почтение; my best ~s to him передайте ему мой привет; to pay one's ~s засвидетельствовать своё почтение; 3) отношение; касательство; to have ~ to a) касаться; б) принимать во внимание; without ~ to безотносительно, не принимая во внимание; in ~ of (*или* to), with ~ to что касается; in all ~s во всех отношениях; in ~ that учитывая, принимая во внимание; ◇ ~ of persons лицеприятие; without ~ of persons не взирая на лица;

2. *v* 1) уважать; почитать; to ~ oneself уважать себя; 2) щадить, беречь.

respectability [rɪsˌpektə'bɪlɪtɪ] *n* почтённость, приличие; респектабельность (*тж. ирон.*); порядочность, честность.

respectable [rɪs'pektəbl] *a* 1) почтённый; представительный; порядочный; респектабельный (*тж. ирон.*); 2) заслуживающий уважения; 3) приличный, приемлемый, сносный; 4) порядочный, значительный (*о количестве и т. п.*).

respecter [rɪs'pektə] *n* уважающий других, почтительный человек; ~ of persons проявляющий пристрастное отношение; he is no ~ of persons он беспристрастный человек; он не смотрит на чины и звания.

respectful [rɪs'pektful] *a* почтительный; вежливый; at a ~ distance на почтительном расстоянии.

respectfully [rɪs'pektfulɪ] *adv* почтительно; yours ~ с уважением (*в письмах перед подписью*).

respectfulness [rɪs'pektfulnɪs] *n* почти́тельность.

respecting [rɪs'pektɪŋ] 1. *pres. p. от* respect 2;

2. *prep* относи́тельно.

respective [rɪs'pektɪv] *a* соотве́тственный; in their ~ places ка́ждый на своём ме́сте.

respectively [rɪs'pektɪvlɪ] *adv* 1) относи́тельно ка́ждого в отде́льности; 2) соотве́тственно, в ука́занном поря́дке.

respiration [ˌrespə'reɪʃən] *n* 1) дыха́ние; 2) вдох и вы́дох.

respirator ['respəreɪtə] *n* 1) респира́тор; 2) противога́з.

respiratory [rɪs'paɪərətərɪ] *a* дыха́тельный.

respire [rɪs'paɪə] *v* 1) дыша́ть; 2) отды-ша́ться, переводи́ть дыха́ние; 3) приободри́ться, воспря́нуть ду́хом.

respite ['respaɪt] 1. *n* 1) переды́шка; 2) отсро́чка; вре́менная приостано́вка (*особ.* ка́зни);

2. *v* 1) дать отсро́чку; to ~ a condemned man отложи́ть казнь; 2) доста́вить вре́менное облегче́ние; 3) *воен. уст.* задержа́ть (*выдачу де́нег*).

resplendence, -cy [rɪs'plendəns, -sɪ] *n* блеск, блиста́ние; великоле́пие.

resplendent [rɪs'plendənt] *a* блестя́щий, блиста́тельный; сверка́ющий, великоле́пный.

respond [rɪs'pɔnd] *v* 1) отвеча́ть; to ~ with a blow нанести́ отве́тный уда́р; 2) реаги́ровать, отзыва́ться (to); to ~ to kindness отзыва́ться на доброту́; to ~ to treatment поддава́ться лече́нию; 3) *редк.* соотве́тствовать; быть подходя́щим.

respondent [rɪs'pɔndənt] 1. *a* 1) отвеча́ющий; реаги́рующий; 2) отзы́вчивый; 3) *юр.* выступа́ющий отве́тчиком;

2. *n* *юр.* отве́тчик.

response [rɪs'pɔns] *n* 1) отве́т; in ~ to в отве́т на; 2) отве́тное чу́вство; о́тклик, реа́кция.

responsibility [rɪsˌpɔnsə'bɪlɪtɪ] *n* 1) отве́тственность; a position of ~ отве́тственное положе́ние; on one's own ~ по со́бственной инициати́ве, на свой страх; to take the ~ взять на себя́ отве́тственность; 2) обя́занности; обяза́тельства.

responsible [rɪs'pɔnsəbl] *a* 1) отве́тственный (to—перед *кем-л.*); to be ~ for smth. a) быть отве́тственным за что-л.; б) быть инициа́тором, а́втором чего-л.; they are ~ for increased output благодаря́ им был увели́чен вы́пуск проду́кции; 2) разу́мный; досто́йный дове́рия; 3) отве́тственный; ва́жный; a ~ post отве́тственный пост.

responsive [rɪs'pɔnsɪv] *a* 1) отве́тный; 2) отзы́вчивый; легко́ реаги́рующий; чувстви́тельный.

ressala [rə'sɑːlɑ] *n* кавалери́йский эскадро́н (*в Индии*).

ressaldar [ˌresəl'dɑː] *n* капита́н кавале́рии (*в Индии*).

rest I [rest] 1. *n* 1) поко́й, о́тдых; сон; at ~ a) в поко́е; б) неподви́жный; мёртвый; to go (*или* to retire) to ~ ложи́ться отдыха́ть, спать; to take a ~ спать, отдыха́ть; without ~ без о́тдыха, без переды́шки; to

set smb.'s mind at ~ успока́ивать кого-л.; to set a question at ~ ула́живать вопро́с; day of ~ день о́тдыха, выходно́й день, воскресе́нье; 2) крова́ть; ло́же; 3) моги́ла; he has gone to his ~ он у́мер; to lay to ~ хорони́ть; 4) неподви́жность; to bring to ~ остана́вливать (*экипа́ж и т. п.*); 5) ме́сто для о́тдыха и развлече́ния; 6) *муз., прос.* па́уза; перепы́в; 7) опо́ра; подста́вка, подпо́рка; упо́р; сто́йка; 8) *тех.* су́ппорт.

2. *v* 1) поко́иться, лежа́ть; отдыха́ть; to ~ from one's labours отдыха́ть от трудо́в; never let your enemy ~ не дава́йте поко́я врагу́; 2) дава́ть о́тдых, поко́й; ~ your men for an hour да́йте лю́дям передохну́ть часо́к; 3) остава́ться без измене́ний; let the matter ~ не бу́дем э́то тро́гать, оста́вим так, как есть; the matter cannot ~ here де́ло должно́ быть продо́лжено; 4) держа́ть (-ся), осно́вывать(ся), лежа́ть на; опира́ться (on, upon — на); to ~ one's elbow on the table опира́ться ло́ктем о стол; 5) поко́иться (*о взгля́де*); остана́вливаться, быть прико́ванным (*о внима́нии, мы́слях*; on, upon); 6) находи́ться, остава́ться; 7) возлага́ть наде́жды (in — на); 8) *с.-х.* остава́ться, находи́ться под па́ром.

rest II [rest] 1. *n* 1) (the ~) оста́ток; остально́е; остальны́е, други́е; the ~ of us остальны́е; the ~ (*или* all the ~) of it и всё друго́е, остально́е, и про́чее; for the ~ что до остально́го, что же каса́ется остально́го; 2) *фин.* резе́рвный фонд.

2. *v* 1) остава́ться; this ~s a mystery э́то остаётся та́йной; you may ~ assured мо́жете быть уве́рены; 2): it ~s with you to decide за ва́ми пра́во реше́ния; the next move ~s with you сле́дующий шаг за ва́ми; 3) *амер. юр.* заключа́ть (*обвине́ние и т. п.*).

rest III [rest] *n ист.* со́шка (*подпо́рка для мушке́та*).

restate ['riː'steɪt] *v* вновь заяви́ть.

restaurant ['restərɔ̃ːŋ] *фр. n* рестора́н; столо́вая.

rest-cure ['restˌkjuə] *n* лече́ние поко́ем.

rest-day ['restdeɪ] *n* день о́тдыха.

rested I ['restɪd] 1. *p.p. от* rest I, 2; 2. *a* отдохну́вший; to feel thoroughly ~ отли́чно отдохну́ть.

rested II ['restɪd] *p.p. от* rest II, 2.

restful ['restful] *a* 1) успокои́тельный, успока́ивающий; 2) споко́йный, ти́хий; a ~ life споко́йная жизнь.

rest-harrow ['restˌhærou] *n бот.* ста́льник па́шенный.

rest(-)home ['resthoum] *n* дом о́тдыха.

rest-house ['resthaus] *n* гости́ница для путеше́ственников.

resting-place ['restɪŋpleɪs] *n* 1) ме́сто о́тдыха; one's last ~ моги́ла; 2) площа́дка на ле́стнице.

restitution [ˌrestɪ'tjuːʃən] *n* 1) возвраще́ние (*утра́ченного*); восстановле́ние; 2) удовлетворе́ние; возмеще́ние убы́тков; рести́туция; to make ~ возмести́ть убы́тки; 3) *физ.* восстановле́ние.

restive ['restɪv] *a* 1) своенра́вный, упря́мый (*о челове́ке*); 2) норови́стый (*о ло́шади*); 3) *непр.* беспоко́йный.

restless ['restlıs] *a* 1) беспокойный, неугомонный; 2) неспокойный; нетерпеливый.

restlessness ['restlısnıs] *n* неугомонность; нетерпеливость.

restock ['riː'stɔk] *v* пополнять запасы.

restoration [ˌrestə'reıʃən] *n* 1) реставрация; the R. *ист.* реставрация монархии (*в 1660 г. в Англии*); 2) восстановление, возобновление, реконструкция.

restorative [rıs'tɔrətıv] 1. *a* укрепляющий, тонический;
2. *n* укрепляющее лекарство.

restore [rıs'tɔː] *v* 1) восстанавливать(ся); 2) возвращать (на прежнее место); отдавать обратно; возмещать; 3) реставрировать (*картину и т. п.*); 4) реконструировать; 5) возрождать (*обычаи, традиции и т. п.*).

restorer [rıs'tɔːrə] *n* реставратор.

re-strain ['riː'streın] *v* снова затягивать.

restrain [rıs'treın] *v* 1) сдерживать, держать в границах; обуздывать; удерживать (from); to ~ one's temper подавлять своё раздражение; сдерживаться; 2) ограничивать; 3) подвергать заключению; задерживать; изолировать; mad people have to be ~ed сумасшедших приходится изолировать.

re-strained ['riː'streınd] *p.p.* *от* re-strain.

restrained [rıs'treınd] 1. *p. p.* *от* restrain;
2. *a* 1) сдержанный, умеренный; 2) ограниченный.

restraint [rıs'treınt] *n* 1) сдержанность, самообладание; 2) замкнутость; 3) строгость (*литературного стиля*); 4) ограничение; стеснение; обуздание; сдерживающее начало *или* влияние; the ~s of poverty тиски нужды; without ~ а) свободно; б) без удержу; 5) мера пресечения; заключение (*в тюрьму и т. п.*); 6) сжатие, суживание, стягивание.

restrict [rıs'trıkt] *v* ограничивать; заключать (*в пределы*); to ~ to a diet посадить на диету.

restricted [rıs'trıktıd] 1. *p.p.* *от* restrict;
2. *a* узкий, ограниченный; a ~ application узкое применение; ~ (publication) (издание) для служебного пользования; ~ hotel гостиница для ограниченного круга лиц, *часто* только для белых.

restriction [rıs'trıkʃən] *n* ограничение; without ~ без ограничения; to impose ~s вводить ограничения; to lift ~s снимать ограничения.

restrictive [rıs'trıktıv] *a* 1) ограничительный; 2) сдерживающий.

rest-room ['restrum] *n* 1) комната отдыха, помещение для отдыха; 2) уборная (*в театре и т. п.*).

result [rı'zʌlt] 1. *n* 1) результат, исход; следствие; without ~ безрезультатно; as a ~ of в результате; 2) результат вычисления, итог;
2. *v* 1) следовать, происходить в результате, проистекать (from); nothing has ~ed from my efforts из моих усилий ничего не вышло; 2) кончаться, иметь результатом (in).

resultant [rı'zʌltənt] 1. *a* 1) получающийся в результате; проистекающий; 2) *физ.* равнодействующий;
2. *n* *физ.* равнодействующая (*тж.* ~ force).

resume [rı'zjuːm] *v* 1) возобновлять, продолжать (*после перерыва*); to ~ a story продолжать прерванный рассказ; well, to ~ ну, значит, дальше; 2) получать, брать обратно; to ~ one's health поправиться; 3) подводить итог, резюмировать.

résumé ['rezjuːmeı] *фр.* *n* резюме; итог, сводка; конспект.

resumption [rı'zʌmpʃən] *n* 1) возобновление; продолжение (*после перерыва*); 2) возвращение; получение обратно.

resumptive [rı'zʌmptıv] *a* суммирующий, обобщающий.

re-surface ['riː'səːfıs] *v* 1) покрывать заново; вновь заасфальтировать; 3) вновь всплыть на поверхность воды (*о подводной лодке*).

resurgence [rı'səːdʒəns] *n* 1) возрождение (*надежд и т. п.*); 2) восстановление (*сил*).

resurgent [rı'səːdʒənt] *a* 1) возрождающийся (*о надеждах и т. п.*); 2) оправляющийся (*после поражения*); оживающий; 3) восстающий.

resurrect [ˌrezə'rekt] *v* *разг.* 1) воскресать; 2) воскрешать (*старый обычай, память о чём-л.*); 3) *редк.* вырывать (*тело из могилы*).

resurrection [ˌrezə'rekʃən] *n* 1) воскресение (*из мёртвых*); 2) воскрешение (*обычая и т. п.*); 3) *редк.* выкапывание трупов; 4) *attr.*: ~ man = resurrectionist; ◇ ~ pie пирог из остатков.

resurrectionist [ˌrezə'rekʃənıst] *n* *уст.* человек, похищающий трупы из могил для продажи в анатомические театры.

resuscitate [rı'sʌsıteıt] *v* 1) воскрешать, оживлять; 2) воскресать, оживать.

ret [ret] *v* мочить (*лён, коноплю и т. п.*).

retail 1. *n* ['riːteıl] 1) розничная продажа; at ~ в розницу; 2) *attr.* розничный; ~ price розничная цена; ~ dealer розничный торговец; ~ stock расходный запас;
2. *v* [riː'teıl] 1) продавать(ся) в розницу; 2) распространять, пересказывать (*новости*); to ~ gossip передавать сплетни; 3) разделять на части;
3. *adv* ['riːteıl] в розницу.

retailer [riː'teılə] *n* 1) мелочной торговец, лавочник; 2) сплетник; болтун.

retain [rı'teın] *v* 1) удерживать, поддерживать; 2) сохранять; 3) помнить; 4) приглашать, нанимать (*особ. адвоката*).

retainer [rı'teınə] *n* 1) *юр.* договор с адвокатом; 2) = retaining fee; 3) *ист.* слуга; вассал; 4) приверженец; 5) *тех.* обойма (*подшипника*); 6) *тех.* замок, стопор.

retaining fee [rı'teınıŋ'fiː] *n* предварительный гонорар адвоката.

retaining wall [rı'teınıŋ'wɔːl] *n* подпорная стенка.

retaliate [rı'tælıeıt] *v* 1) отплачивать, отвечать тем же самым; мстить; 2) предъявлять встречное обвинение; 3) применять репрессалии, вести таможенную войну.

retaliation [rɪ,tælɪ'eiʃən] *n* 1) отплата, воздаяние, возмездие; 2) репрессалия.

retaliatory [rɪ'tælɪətərɪ] *a* 1) ответный; 2) репрессивный; ~ tariff карательный тариф.

retard [rɪ'tɑːd] *v* 1) задерживать, замедлять; тормозить (*развитие и т. п.*); 2) запаздывать; отставать.

retardation [,riːtɑː'deiʃən] *n* 1) замедление, задержка, задерживание, помеха; препятствие; 2) запаздывание; опаздывание.

retardment [rɪ'tɑːdmənt]=retardation.

retch [riːʧ] 1. *n* рвота, позывы на рвоту; 2. *v* рыгать; тужиться (*при рвоте*).

retention [rɪ'tenʃən] *n* 1) удерживание, удержание; сохранение; 2) *мед.* задержание, задержка (*мочи*).

retentive [rɪ'tentɪv] *a* 1) удерживающий, сохраняющий; ~ of хорошо удерживающий (*влажность и т. п.*); 2) хороший (*о памяти*).

reticence ['retɪsəns] *n* 1) сдержанность; 2) скрытность, молчаливость; 3) умалчивание.

reticent ['retɪsənt] *a* 1) сдержанный; 2) скрытный; 3) умалчивающий (*о чём-л.*).

reticle ['retɪkl] *n* сетка, перекрестье, крест визирных нитей (*оптического прибора*).

reticulate 1. *a* [rɪ'tɪkjulɪt] сетчатый; 2. *v* [rɪ'tɪkjuleɪt] покрывать сетчатым узором.

reticulated [rɪ'tɪkjuleɪtɪd] 1. *p.p.* от reticulate 2; 2. *a* сетчатый.

reticulation [rɪ,tɪkju'leiʃən] *n* сетчатый узор; сетчатое строение.

reticule ['retɪkjuːl] *n* 1) сумочка, ридикюль; 2)=reticle.

retina ['retɪnə] *n* (*pl* -s [-z], -ae) *анат.* сетчатка, сетчатая оболочка (*глаза*).

retinae ['retɪniː] *pl от* retina.

retinue ['retɪnjuː] *n* свита, кортеж.

retip [rɪ'tɪp] *v* отбивать (*косу, сошник у плуга*).

retire [rɪ'taɪə] 1. *v* 1) удаляться, уходить; to ~ for the night ложиться спать; 2) оставлять (*должность*); уходить в отставку; 3) уединяться; to ~ into oneself уходить в себя; 4) *воен.* отступать; дать приказ об отступлении; 5) увольнять(ся); 6) *эк.* изымать из обращения;
2. *n воен.* приказ об отступлении; сигнал «отхода», отбой.

retired [rɪ'taɪəd] 1. *p.p. от* retire 1;
2. *a* 1) удалившийся от дел; отставной, в отставке; ~ list список офицеров, находящихся в отставке; ~ pay пенсия офицерам, находящимся в отставке; 2) уединённый; скрытый; 3) замкнутый, скрытный.

retirement [rɪ'taɪəmənt] *n* 1) отставка; 2) уединение; уединённая жизнь; 3) *воен.* отступление, отход; 4) *attr.*: ~ age пенсионный возраст.

retiring [rɪ'taɪərɪŋ] 1. *pres. p. от* retire 1; 2. *a* 1) скромный, застенчивый; 2) склонный к уединению.

retiring-room [rɪ'taɪərɪŋrum] *n* уборная.

retool [riː'tuːl] *v* приспосабливать оборудование предприятия для выпуска новой продукции; оснащать новой техникой.

retort I [rɪ'tɔːt] 1. *n* 1) возражение; резкий ответ; 2) остроумная реплика, находчивый ответ; 3) отплата; отместка;
2. *v* 1) резко возражать; отпарировать (*колкость*); 2) отвечать на оскорбление или обиду тем же; бить противника его же оружием.

retort II [rɪ'tɔːt] *хим.* 1. *n* реторта;
2. *v* перегонять.

retortion [rɪ'tɔːʃən] *n* 1) загибание назад; 2) репрессалия (*по отношению к иностранцам*).

retouch ['riːtʌʧ] 1. *n* ретушь; ретуширование;
2. *v* 1) ретушировать; 2) подкрашивать (*о волосах, ресницах*); 3) делать поправки (*в картине, стихах и т. п.*).

retoucher ['riːtʌʧə] *n* ретушёр.

retrace [rɪ'treis] *v* 1) проследить (*что-л.*) до источника; 2) восстанавливать в памяти; 3) возвращаться по пройденному пути; to ~ one's steps вернуться; 4) повторять (*сказанное ранее*); 5) сделать снова.

retract [rɪ'trækt] *v* 1) втягивать; оттягивать, отводить назад; the cat ~s its claws кошка прячет когти; 2) брать назад (*слова и т. п.*), отрекаться, отказываться (*от чего-л.*); отменять.

retractation [,riːtræk'teiʃən] *n* отречение, отказ (*от своих слов и т. п.*).

retractile [rɪ'træktail] *a* способный сокращаться, втягиваться.

retractility [,riːtræk'tɪlɪtɪ] *n* способность сокращаться, втягиваться.

retraction [rɪ'trækʃən] *n* 1) втягивание; 2) стягивание, сокращение; 3)=retractation.

retractive [rɪ'træktɪv] *a* 1) *анат.* сократительный; 2) втяжной.

retractor [rɪ'træktə] *n* *анат.* сократительная мышца.

retraining [rɪ'treinɪŋ] *n* переподготовка.

retranslate ['riːtræns'leit] *v* 1) вновь перевести; 2) сделать обратный перевод.

re-tread ['riː'tred] *авт.* 1. *n* новая покрышка; новый протектор;
2. *v* сменить покрышку; возобновить протектор.

retreat I [rɪ'triːt] 1. *n* 1) отступление; to intercept the ~ (of) отрезать путь к отступлению; to make good one's ~ благополучно отступить; *перен.* уходить отделаться; 2) *воен.* сигнал к отступлению, отбой; to sound the ~ трубить отступление, отбой; to beat a ~ бить отбой; *перен.* идти на попятный; 3) уединение; убежище; приют, пристанище; 5) *воен.* вечерняя заря; спуск флага; 6) засада;
2. *v* 1) уходить, отходить; отступать; 2) удаляться.

retreat II [riː'triːt] *горн.* 1. *n* переработка;
2. *v* перерабатывать.

retreating I [riː'triːtɪŋ] 1. *pres. p. от* retreat I, 2;
2. *a*: ~ chin срезанный подбородок; ~ forehead покатый лоб.

retreating II [rɪ'trːtɪŋ] *pres. p. от* retreat II, 2.

retrench [rɪ'trenʃ] *v* 1) сокращать, урезывать; экономить; 2) *воен.* окапываться.

retrenchment [rɪ'trenʃmənt] *n* 1) сокращение (*расходов и т. п.*); экономия; 2) *воен. ист.* ретраншемент, окоп.

retrial ['riː'traɪəl] *n* пересмотр судебного дела.

retribution [,retrɪ'bjuːʃən] *n* возмездие, воздаяние, кара.

retributive [rɪ'trɪbjutɪv] *a* карательный.

retrievable [rɪ'trɪvəbl] *a* восстановимый; поправимый.

retrieval [rɪ'trɪvəl] *n* 1) возвращение; 2) исправление; 3) находка.

retrieve [rɪ'trɪv] 1. *v* 1) (снова) найти; вернуть себе; взять обратно; 2) восстанавливать, исправлять; возвращать в прежнее состояние; 3) реабилитировать, восстанавливать; to ~ one's character восстановить свою репутацию; 4) спасать; 5) находить и подавать (*дичь — о собаке*);
2. *n*: beyond ~, past ~ безвозвратно, непоправимо.

retriever [rɪ'trɪvə] *n* 1) охотничья собака; 2) человек, занимающийся сбором чего-л.; 3) *attr.*: ~ company *амер. воен.* рота по сбору механизированных средств на поле боя.

retroaction [,retrou'ækʃən] *n* 1) обратная реакция; обратное действие; 2) *юр.* обратная сила (*закона*); 3) *радио* обратная связь.

retrograde ['retrougreid] 1. *a* 1) направленный назад; 2) ретроградный; реакционный; 3) *воен.* отступательный;
2. *v* 1) двигаться назад; 2) регрессировать; 3) ухудшаться; 4) *воен.* отступать, отходить.

retrogress [,retrou'gres] *v* 1) двигаться назад; 2) регрессировать; 3) ухудшаться.

retrogression [,retrou'greʃən] *n* 1) обратное движение; 2) регресс, упадок.

retrogressive [,retrou'gresiv] *a* 1) возвращающийся обратно; 2) регрессирующий.

retroject ['riːtrədʒekt] *v* бросать, выбрасывать обратно.

retrospect ['retrouspekt] *n* 1) взгляд назад, в прошлое; in ~ ретроспективно; 2) обозрение прошедшего.

retrospection [,retrou'spekʃən] *n* размышление о прошлом.

retrospective [,retrou'spektɪv] *a* 1) ретроспективный; 2) относящийся к прошлому; 3) *юр.* имеющий обратную силу.

retroussé [rə'truːseɪ] *фр. a* вздёрнутый, курносый (*о носе*).

retry ['riː'traɪ] *v* снова разбирать (*судебное дело*).

rettery ['retərɪ] *n* мочильня.

return [rɪ'təːn] 1. *n* 1) возвращение; обратный путь; by ~ of post обратной почтой; 2) отдача, возврат; возмещение; in ~ в оплату; в обмен [*ср. тж.* 3)]; 3) возражение, ответ; in ~ в ответ [*ср. тж.* 2)]; 4) оборот; доход, прибыль; small profits and quick ~s небольшая прибыль, но быстрый оборот; 5) официальный отчёт; рапорт; tax ~ налоговая декларация (*по-*

даваемая налогоплательщиком для исчисления причитающегося с него налога*); 6) результат выборов; 7) отдача мяча (*в теннисе и т. п.*); 8) pl низший сорт трубочного табака; 9) *эл.* обратный провод; обратная сеть; 10) *горн.* вентиляционный просек *или* ходок; 11) *attr.* обратный; ~ ticket обратный билет; ~ match (*или* game) *спорт.* реванш; ~ water *гидр.* обратная *или* отработавшая вода; ◇ many happy ~s (of the day) ≅ поздравляю с днём рождения, желаю вам долгих лет жизни;
2. *v* 1) возвращать; отдавать, отплачивать; to ~ a ball отбить мяч (*в теннисе и т. п.*); to ~ a bow ответить на поклон; *перен.* поддержать (*чьё-л.*) начинание; to ~ thanks a) прочесть молитву (*после обеда*); б) отвечать на тост; to ~ smb.'s love (*или* affection) отвечать кому-л. взаимностью; 2) возвращаться; идти обратно; 3) повторяться (*о приступах болезни*); 4) приносить (*доход*); 5) отвечать, возражать; 6) давать ответ, докладывать; официально заявлять; to ~ guilty признать виновным; to ~ a soldier as killed внести солдата в список убитых; 7) избирать (*в парламент*); 8) *карт.*: to ~ one's lead ходить в масть; *перен.* поддерживать (*чьё-л.*) начинание; ◇ to ~ like for like ≅ платить той же монетой; ~ swords! *воен.* шашки в ножны!

returnee [rɪtəː'niː] *n* демобилизованный, возвращающийся домой.

returning officer [rɪ'təːnɪŋ'ɔfɪsə] *n* чиновник, контролирующий парламентские выборы.

reunify ['riː'juːnɪfaɪ] *v* воссоединять.

reunion ['riː'juːnjən] *n* 1) воссоединение; 2) собрание; встреча друзей; вечеринка; a family ~ сбор всей семьи; 3) примирение.

reunite ['riːjuː'naɪt] *v* 1) (вос)соединять(-ся); 2) собираться.

rev [rev] *разг.* 1. *n* оборот (*мотора*);
2. *v* 1) вращать(ся); 2) *ав.* быстро кружить; □ ~ up увеличивать скорость, число оборотов.

revamp [rɪ'væmp] *v* починять, поправлять, ремонтировать.

revanche [rə'vãːʃ] *фр. n* реванш.

reveal I [rɪ'viːl] *v* 1) открывать; разоблачать; to ~ a secret выдать секрет; 2) показывать, обнаруживать; to ~ itself появиться, обнаружиться.

reveal II [rɪ'viːl] *n стр.* притолока, четверть (*окна или двери*).

reveille [rɪ'vælɪ] *n воен.* побудка, подъём, утренняя заря.

revel ['revl] 1. *n* 1) веселье; 2) (*часто* pl) пирушка; 3) pl *уст.* (придворные)театральные празднества;
2. *v* 1) пировать, бражничать; кутить; 2) веселиться; упиваться, наслаждаться (in).

revelation [,revɪ'leɪʃən] *n* 1) откровение; the Revelations *библ.* апокалипсис; 2) открытие; обнаружение.

revelry ['revlrɪ] *n* пирушка, попойка, гулянка, веселье; разгул.

revenge [rɪ'vendʒ] **1.** *n* 1) мщéние, месть, отмщéние; to take (one's) ~ on (*или* upon) smb. отомстить комý-л.; in ~ в отмéстку; 2) ревáнш; to give smb. his ~ дать ревáнш, дать возмóжность отыгрáться;

2. *v* мстить, отомстить; to ~ an insult отомстить за оскорблéние; to ~ oneself отомстить (on, upon—комý-л.; for—за что-л.).

revengeful [rɪ'vendʒful] *a* мстительный.

revenger [rɪ'vendʒə] *n* мститель.

revenue ['revɪnjuː] *n* 1) годовой дохóд (*особ.* госудáрственный); 2) *pl* дохóдные статьи; 3) департáмент госудáрственных сбóров; 4) *attr.* тамóженный; ~ cutter сторожевóе тамóженное сýдно; ~ officer тамóженный чинóвник.

reverberant [rɪ'vəːbərənt] *a поэт.* отражáющий (*звук и т. п.*).

reverberate [rɪ'vəːbəreɪt] *v* 1) отражáть (-ся); 2) отдавáть (*о звуке*); 2) плáвить (*в отражáтельной печи*); 3) *редк.* отскáкивать (*о мяче*); 4) *редк.* воздéйствовать, влиять.

reverberating [rɪ'vəːbəreɪtɪŋ] **1.** *pres. p. от* reverberate;

2. *a* 1) отражáющийся; ~ furnace = reverberatory furnace; 2) звучáщий; ~ peal of thunder грохóчущий раскáт грóма; 3) гремящий; грóмкий (*о славе и т. п.*).

reverberation [rɪ,vəːbə'reɪʃən] *n* 1) отражéние; реверберáция; 2) раскáт (*грóма*); 3) э́хо, óтзвук.

reverberator [rɪ'vəːbəreɪtə] *n* 1) рефлéктор; 2)=reverberatory furnace.

reverberatory furnace [rɪ'vəːbərətərɪ-'fəːnɪs] *n метал.* отражáтельная печь.

revere [rɪ'vɪə] *v* уважáть; почитáть, чтить; благоговéть.

reverence ['revərəns] **1.** *n* 1) почтéние; почтительность; благоговéние; to hold in ~, to regard with ~ почитáть; 2) поклóн, ревэрáнс; 3) *уст., шутл.*: your R. преподóбие (*обращéние к свящéннику*);

2. *v* почитáть, уважáть.

reverend ['revərənd] *a* 1) почтéнный; 2) (R.) преподóбный (*титул свящéнника*); the R. gentleman свящéнник, о котóром идёт речь.

reverent ['revərənt] *a* почтительный; пóлный благоговéния.

reverential [,revə'renʃəl]=reverent.

reverie ['revərɪ] *n* 1) мечтáтельность, задýмчивость; 2) мечты; to be lost in ~ мечтáть; to indulge in ~ предавáться мечтáм.

reversal [rɪ'vəːsəl] *n* 1) изменéние; перестанóвка; 2) отмéна, аннулирование; the ~ of judgement отмéна решéния судá; 3) *ав.* изменéние направлéния вéтра на 180° по мéре увеличéния высоты; 4) *тех.* перемéна направлéния движéния на обрáтное, рéверс.

reverse [rɪ'vəːs] **1.** *n* 1) (the ~) противопóложное, обрáтное; quite the ~, very much the ~ совсéм наоборóт; 2) обрáтная сторонá (*монеты и т. п.*); 3) перемéна (*к хýдшему*); 4) неудáча, преврáтность; to meet with a ~ потерпéть неудáчу; to have (*или* to experience) ~s понести дéнежные потéри; 5) *воен.* поражéние, провáл; 6) зáдний *или* обрáтный ход; in ~, on the ~ зáдним хóдом; 7) тыл; to take in the ~ *воен.* атаковáть *или* открыть огóнь с тыла; 8) *тех.* реверсирование; механизм перемéны хóда.

2. *a* обрáтный; перевёрнутый; противополóжный; ~ side обрáтная сторонá; ~ motion движéние в обрáтную стóрону; ~ fire *воен.* тыльный огóнь; ~ turn *ав.* иммельмáн;

3. *v* 1) перевёртывать; вывёртывать; переставлять; to ~ arms *воен.* повернýть винтóвку приклáдом вверх; 2) менять, изменять; positions are ~d позиции переменились; to ~ a policy изменить политику; to ~ the order постáвить в обрáтном порядке; 3) опрокидывать; 4) аннулировать, отменять; 5) *тех.* дать зáдний *или* обрáтный ход (*машине*); реверсировать.

reversibility [rɪ,vəːsə'bɪlɪtɪ] *n* 1) обратимость; 2) *тех.* реверсивность.

reversible [rɪ'vəːsəbl] *a* 1) обратимый; 2) одинáковый с двух сторóн (*о ткани*); 3) *тех.* с передним и зáдним хóдом, реверсивный.

reversion [rɪ'vəːʃən] *n* 1) возвращéние (*к прéжнему состоянию*); 2) *биол.* атавизм (*тж.* ~ to type); 3) *юр.* возвращéние имéния к дарителю *или* его наслéдникам; 4) страхóвка, выплáчиваемая пóсле смéрти.

reversionary [rɪ'vəːʃnərɪ] *a* обрáтный.

revert [rɪ'vəːt] *v* 1) возвращáться (*в прéжнее состояние*); 2) возвращáться (*к ранее высказанной мысли*); 3) *юр.* переходить к прéжнему владéльцу; 4) *редк.* повернýть назáд; ~ the eyes a) посмотрéть назáд; б) отвернýться; отвести глазá.

revet [rɪ'vet] *v* облицóвывать, выклáдывать кáмнем; to ~ a trench одевáть траншéю мешкáми с песком *и т. п.*

revetment [rɪ'vetmənt] *n* облицóвка, обшивка; покрытие, одéжда откóсов.

review [rɪ'vjuː] **1.** *n* 1) обзóр; обозрéние; to pass in ~ рассмáтривать, обозревáть [*ср. тж.* 6)]; 2) просмóтр, провéрка; 3) рецéнзия; 4) периодический журнáл; обозрéние; 5) *шкóл.* повторéние; 6) *воен.* смотр; парáд; to pass in ~ дéлать смотр; пропускáть торжéственным мáршем [*ср. тж.* 1)]; 7) *юр.* пересмóтр; 8) *теáтр.* обозрéние;

2. *v* 1) обозревáть; осмáтривать; 2) просмáтривать, проверять; 3) пересмáтривать; 4) рецензировать, дéлать (критический) обзóр; 5) повторять; 6) производить смотр (*войскáм и т. п.*); принимáть парáд.

reviewer [rɪ'vjuːə] *n* обозревáтель; рецензéнт.

revile [rɪ'vaɪl] *v* оскорблять; ругáть(ся).

revise [rɪ'vaɪz] **1.** *n* вторáя корректýра; свéрка;

2. *v* 1) исправлять, проверять; 2) изменять, перераáбатывать.

revised [rɪ'vaɪzd] **1.** *p. p. от* revise 2;

2. *a* испрáвленный; ~ edition = revision 3).

reviser [rɪ'vaɪzə] *n* ревизиóнный коррéктор.

revision [rɪ'vɪʒən] *n* 1) пересмóтр; 2) осмóтр; ревизия; 3) просмóтренное и испрáвленное издáние.

revisionism [rɪ'vɪʒənɪzəm] *n полит.* ревизионизм.

revisionist [rɪ'vɪʒənɪst] **1.** *n* ревизионист; **2.** *a* ревизионистский.

revisit ['ri:'vɪzɪt] *v* снова посетить.

revisory [rɪ'vaɪzərɪ] *a* ревизионный.

revival [rɪ'vaɪvəl] *n* 1) возрождение; оживление; R. of learning эпоха Возрождения; 2) восстановление (*сил, энергии*); 3) возобновление (*постановки*); 4) *attr.*: R. style *архит.* стиль Ренессанс.

revive [rɪ'vaɪv] *v* 1) приходить в себя; 2) приводить в чувство; 3) оживать, воскресать (*о надеждах и т. п.*); 4) оживлять; возрождать, воскрешать (*моду и т. п.*); 5) восстанавливать (*силы, энергию*); 6) восстанавливать, возобновлять; to ~ a play возобновлять постановку.

reviver [rɪ'vaɪvə] *n* 1) тот, кто оживляет, возрождает *и пр.* [*см.* revive]; 2) *sl.* крепкий напиток.

revivification [rɪ:ˌvɪvɪfɪ'keɪʃən] *n* 1) возвращение к жизни, оживление; 2) *хим.* восстановление; регенерация.

revivify [ri:'vɪvɪfaɪ] *v* 1) оживлять; 2) *хим.* восстанавливать(ся).

revocable ['revəkəbl] *a* подлежащий отмене.

revocation [ˌrevə'keɪʃən] *n* отмена, аннулирование (*закона и т. п.*).

revoke [rɪ'vouk] **1.** *v* 1) отменять (*закон, приказ и т. п.*); 2) брать назад (*обещание*); 3) *карт.* объявлять ренонс при наличии требуемой масти;
2. *n карт.* ренонс при наличии требуемой масти.

revolt [rɪ'voult] **1.** *n* 1) восстание, мятеж; in ~ восставший; охваченный восстанием; to rise in ~ восставать; 2) отвращение;
2. *v* 1) восставать (against); 2) отпасть, отложиться (from); 3) отворачиваться, чувствовать отвращение (at); 4) испытывать возмущение (against, from); отталкивать; возмущать.

revolted [rɪ'voultɪd] **1.** *p.p. от* revolt 2; **2.** *a* восставший.

revolting [rɪ'voultɪŋ] **1.** *pres. p. от* revolt 2;
2. *a* отвратительный; возмутительный; отталкивающий.

revolution I [ˌrevə'lu:ʃən] *n* 1) революция; 2) переворот; palace ~ дворцовый переворот.

revolution II [ˌrevə'lu:ʃən] *n* 1) круговое вращение; 2) полный оборот; ~s per minute число оборотов в минуту; 3) периодическое возвращение; the ~ of the seasons смена времён года; 4) севооборот; 5) *attr.*: ~ counter *тех.* счётчик оборотов.

revolutionary I [ˌrevə'lu:ʃnərɪ] **1.** *n* революционер;
2. *a* революционный; ~ ideas революционные идеи; ~ discoveries открытия, производящие переворот в науке.

revolutionary II [ˌrevə'lu:ʃnərɪ] *a* вращающийся.

revolutionism [ˌrevə'lu:ʃnɪzəm] *n* революционность.

revolutionist [ˌrevə'lu:ʃnɪst] *n* революционер.

revolutionize [ˌrevə'lu:ʃnaɪz] *v* 1) революционизировать; 2) производить коренную ломку.

revolve [rɪ'vɔlv] *v* 1) вращать(ся); вертеть(ся); 2) периодически возвращаться *или* сменяться; 3) обдумывать (*тж.* ~ in the mind).

revolver [rɪ'vɔlvə] *n* 1) револьвер; 2) *тех.* барабан.

revolving [rɪ'vɔlvɪŋ] **1.** *pres. p. от* revolve;
2. *a* 1) обращающийся; 2) вращающийся, поворотный; ~ door вращающаяся (*или* поворотная) дверь.

revue [rɪ'vju:] *фр. n театр.* обозрение.

revulsion [rɪ'vʌlʃən] *n* 1) внезапное сильное изменение (*чувств и т. п.*); 2) *мед.* отвлечение (*боли и т. п.*); отлив (*крови*).

revulsive [rɪ'vʌlsɪv] *мед.* **1.** *a* отвлекающий;
2. *n* отвлекающее средство.

reward [rɪ'wɔ:d] **1.** *n* 1) награда; 2) вознаграждение; in ~ for smth. в награду за что-л.; 3) *редк.* возмездие;
2. *v* 1) награждать; 2) вознаграждать; воздавать (*за что-л.*).

rewarding [rɪ'wɔ:dɪŋ] **1.** *pres. p. от* reward 2;
2. *a* стоящий.

reword ['ri:'wɔ:d] *v* 1) выразить другими словами *или* в другой форме; 2) повторить.

rewrite ['ri:'raɪt] *v* (rewrote; rewritten) 1) переписать; 2) переделать, переработать.

rewritten ['ri:'rɪtn] *p.p. от* rewrite.

rewrote ['ri:'rout] *past от* rewrite.

Reynard ['renəd, 'reɪnɑ:d] *n прозвище лисы в фольклоре.*

rhapsode ['ræpsoud] *греч. n* рапсод.

rhapsodic(al) [ræp'sɔdɪk(əl)] *a* 1) восторженный; напыщенный; 2) *уст.* сумбурный.

rhapsodize ['ræpsədaɪz] *v* говорить *или* писать напыщенно (*обыкн.* ~ about, ~ on).

rhapsody ['ræpsədɪ] *n* 1) рапсодия; 2) восторженная *или* напыщенная речь.

Rhenish ['ri:nɪʃ] *уст.* **1.** *a* рейнский;
2. *n* =Rhine wine.

rhenium ['ri:nɪəm] *n хим.* рений.

rheostat ['ri:oustæt] *n* 1) *эл.* реостат; 2) пусковое устройство.

rhesus ['ri:səs] *n зоол.* резус.

rhetor ['ri:tə] *др.-греч. n* 1) ритор; 2) профессиональный оратор.

rhetoric ['retərɪk] *n* риторика.

rhetorical [rɪ'tɔrɪkəl] *a* риторический.

rhetorician [ˌretə'rɪʃən] *n* ритор; краснобай.

rheum [ru:m] *n уст.* 1) выделения (*слизистых оболочек*); 2) насморк.

rheumatic [ru:'mætɪk] 1. *a* ревматический;
2. *n* 1) ревматик; 2) *pl разг.* ревматизм.

rheumaticky [ru:'mætɪkɪ] *a разг.* ревматический.

rheumatism ['ru:mətɪzəm] *n* ревматизм.

rheumatiz ['ru:mətɪz] *непр. вм.* rheumatism.

Rhinestone ['raɪnstoun] *n* фальши́вый бриллиа́нт.

Rhine wine ['raɪn'waɪn] *n* ре́йнское (вино́), рейнве́йн.

rhino I ['raɪnou] *n* (*pl* -os [-ouz]) *sl.* *сокр. от* rhinoceros.

rhino II ['raɪnou] *n sl.* де́ньги.

rhinoceros [raɪ'nɔsərəs] *n* носоро́г.

rhodium ['roudjəm] *n хим.* ро́дий.

rhododendron [,roudə'dendrən] *n бот.* рододе́ндрон.

rhodonite ['roudənaɪt] *n мин.* родони́т.

rhomb [rɔm] *n* ромб.

rhombi ['rɔmbaɪ] *pl от* rhombus.

rhombic ['rɔmbɪk] *a* ромби́ческий.

rhomboid ['rɔmbɔɪd] *n* ромбо́ид.

rhombus ['rɔmbəs] *n* (*pl* -buses [-bəsɪz], -bi) ромб.

rhubarb ['ruːbɑːb] *n* реве́нь.

rhumb [rʌm] *n мор.* румб.

rhyme [raɪm] **1.** *n* 1) ри́фма, рифмо́ванный стих; double (*или* female, feminine) ~ же́нская ри́фма; single (*или* male, masculine) ~ мужска́я ри́фма; imperfect ~ непо́лная ри́фма; 2) (*часто pl*) рифмо́ванное стихотворе́ние; 3) поэ́зия; ◇ neither ~ nor reason ни скла́ду ни ла́ду; without ~ or reason без смы́сла, необъясни́мо; **2.** *v* 1) писа́ть рифмо́ванные стихи́; 2) рифмова́ть (with, to—с).

rhymed [raɪmd] **1.** *p.p. от* rhyme 2; **2.** *a* рифмо́ванный.

rhymer ['raɪmə] *n пренебр.* рифмоплёт.

rhymester ['raɪmstə]=rhymer.

rhyming ['raɪmɪŋ] **1.** *pres. p. от* rhyme 2; **2.** *a* рифму́ющий; ~ dictionary слова́рь рифм.

rhythm ['rɪðəm] *n* 1) ритм; 2) разме́р (*стиха*).

rhythmic(al) ['rɪðmɪk(əl)] *a* ритми́ческий, ритми́чный, ме́рный.

rial ['raɪəl] *n* риа́л (*денежная единица Ирана*).

riant ['raɪənt] *a* улыба́ющийся, весёлый (*о лице, глазах*).

rib [rɪb] **1.** *n* 1) ребро́; false (*или* floating, short) ~ ло́жное ребро́; 2) о́стрый край; ребро́ (*чего-л.*); 3) *шутл.* жена́; 4) *бот.* жи́лка листа́; 5) *стр.* ребро́; 6) *мор.* шпангоу́т; 7) *тех.* ребро́ (*жёсткости*), скре́па; 8) *ав.* нервю́ра; 9) *горн.* столб, цели́к; 10) по́ле наре́за (*в стволе орудия*); **2.** *v* 1) укрепля́ть, уси́ливать, придава́ть жёсткость; 2) *sl.* высме́ивать, шути́ть, иронизи́ровать; разы́грывать.

ribald ['rɪbəld] **1.** *n* 1) скверносло́в; грубия́н; 2) *уст.* распу́тник, развра́тник; **2.** *a* гру́бый, непристо́йный; неприли́чный, поха́бный.

ribaldry ['rɪbəldrɪ] *n* 1) скверносло́вие; поха́бство; непристо́йное поведе́ние; 2) *уст.* распу́тство, разврат.

riband ['rɪbənd] = ribbon.

ribband ['rɪbənd] *n* стро́ительная ры́бина (*в судостроении*).

ribbed [rɪbd] **1.** *p.p. от* rib 2; **2.** *a* 1) ребри́стый; ру́бчатый; рифлёный; с насе́чкой; 2) полоса́тый.

ribbing ['rɪbɪŋ] **1.** *pres. p. от* rib 2;

2. *n* 1) рёбра; 2) ребри́стость; 3) *тех.* укрепле́ние рёбрами.

ribbon ['rɪbən] **1.** *n* 1) ле́нта; у́зкая поло́ска; typewriter ~ ле́нта для пи́шущей маши́нки; 2) *pl* кло́чья; ~s of mist кло́чья тума́на; torn to ~s разо́рванный в кло́чья; 3) *pl разг.* во́жжи; to handle (*или* to take) the ~s пра́вить; 4) *attr.* ле́нточный; из ле́нт(ы); ◇ R. Society североирла́ндское та́йное католи́ческое о́бщество (*начала XIX в.*); blue ~ а) ле́нта о́рдена Подвя́зки; б) отли́чие, награ́да; гла́вный приз; в) приз кораблю́ за ско́рость; г) значо́к тре́звенника; red ~ ле́нта о́рдена Ба́ни; **2.** *v* украша́ть ле́нтами.

ribboned ['rɪbənd] **1.** *p.p. от* ribbon 2; **2.** *a* укра́шенный ле́нтами.

rice [raɪs] *n* 1) рис; 2) *attr.* ри́совый; ~ field ри́совое по́ле.

rice-flakes ['raɪsfleɪks] *n pl кул.* ри́совые хло́пья.

rice-paper ['raɪs,peɪpə] *n* ри́совая бума́га.

rice-water ['raɪs,wɔːtə] *n* ри́совый отва́р.

rich [rɪtʃ] **1.** *a* 1) бога́тый (in — *чем-л.*); 2) роско́шный; 3) це́нный; сто́ящий; a ~ suggestion це́нное предложе́ние; 4) оби́льный, изоби́лующий; плодоро́дный; ~ soil ту́чная по́чва; ~ harvest бога́тый урожа́й; 5) жи́рный; сдо́бный; ~ milk жи́рное молоко́; ~ dish пита́тельное блю́до; ~ cream густы́е сли́вки; 6) пря́ный; 7) мя́гкий, ни́зкий, глубо́кий (*о тоне*); густо́й (*о красках*); 8) со́чный (*о фруктах*); 9) *разг.* заба́вный (*о происшествии, мысли, предложении и т. п.*); that's ~ вот э́то заба́вно!; **2.** *n* (the ~) *pl собир.* богачи́, бога́тые.

Richard Roe ['rɪtʃəd'rou] *n юр.* отве́тчик в суде́бном проце́ссе (*употр. нарицательно*) [*см. тж.* John Doe].

riches ['rɪtʃɪz] *n pl* 1) бога́тство, оби́лие; 2) бога́тства, сокро́вища; the ~ of the soil сокро́вища недр.

richly ['rɪtʃlɪ] *adv* 1) бога́то, роско́шно; 2) вполне́, основа́тельно; по́лностью; he ~ deserves punishment он вполне́ заслу́живает наказа́ния.

richness ['rɪtʃnɪs] *n* 1) бога́тство (*чего-л.*); я́ркость, жи́вость (*красок и т. п.*); 2) плодоро́дие; 3) сдо́бность, жи́рность (*пищи*); 4) со́чность (*плода*).

rick I [rɪk] **1.** *n* стог; скирда́; **2.** *v* скла́дывать в стог.

rick II [rɪk]=wrick.

rickets ['rɪkɪts] *n* (*употр. как sing и как pl*) *мед.* рахи́т.

rickety ['rɪkɪtɪ] *a* 1) рахити́чный; 2) расша́бленный; хру́пкий (*о здоровье*); 3) ша́ткий, неусто́йчивый (*о мебели*).

ricksha(w) ['rɪkʃɔː] *яп. n* ри́кша.

ricochet ['rɪkəʃet] **1.** *n* рикоше́т; **2.** *v* де́лать рикоше́т, бить рикоше́том.

rictus ['rɪktəs] *лат. n* ротово́е отве́рстие.

rid [rɪd] *v* (rid, ridded [-ɪd]) освобожда́ть, избавля́ть (of — от *чего-л.*); to get ~ of smb., smth. отде́лываться, избавля́ться от кого́-л., чего́-л.

ridable ['raɪdəbl] *a* приго́дный для верхово́й езды́.

riddance ['rɪdəns] *n* избавле́ние; устране́ние; a good ~ избавле́ние (*от чего-л. неприятного*); good ~! тем лу́чше, хорошо́, что изба́вились!; ≅ ска́тертью доро́га.

riddel ['rɪdəl] *n церк.* заве́са (у алтаря́).

ridden ['rɪdn] *p.p. от* ride 2.

-ridden [-,rɪdn] *в сложных словах означает* под вла́стью (*чего-л.*); одержи́мый (*чем-л.*); bed-ridden прико́ванный к посте́ли; fear-ridden охва́ченный стра́хом.

riddle I ['rɪdl] 1. *n* зага́дка; to talk in ~s говори́ть зага́дками;
2. *v* 1) говори́ть зага́дками; 2) разга́дывать (*зага́дки*).

riddle II ['rɪdl] 1. *n* 1) решето́, гро́хот; си́то; 2) экра́н; щит;
2. *v* 1) просе́ивать, грохоти́ть; 2) изреше́чивать (*пу́лями*); 3) забра́сывать возраже́ниями; подверга́ть суро́вой кри́тике; дока́зывать непра́воту.

ride [raɪd] 1. *n* 1) прогу́лка (*особ. верхо́м, на велосипе́де*); to go for a ~ прокати́ться; to take smb. for a ~, to give smb. a ~ а) прокати́ть кого́-л.; б) *амер. sl.* уби́ть, прико́нчить кого́-л.; в) *sl.* отчита́ть, вы́бранить кого́-л.; г) *sl.* подня́ть кого́-л. на́ смех; 2) езда́; пое́здка; 3) доро́га, алле́я (*особ. для верхово́й езды́*);
2. *v* (rode; ridden) 1) е́хать верхо́м; сиде́ть верхо́м (*на чём-л.*); to ~ full speed скака́ть во весь опо́р; to ~ a race уча́ствовать в ска́чках; to ~ a horse to death загна́ть ло́шадь; to ~ a joke to death *шутл.* заезди́ть шу́тку; 2) е́хать (*в автобусе, в трамва́е, на велосипе́де, в по́езде, на парохо́де и т. п.*); 3) ката́ть (*на спине́ и т. п.*); 4) носи́ться, плыть; скользи́ть; the moon was riding high луна́ плыла́ высоко́; the ship ~s the waves су́дно скользи́т по волна́м; 5) стоя́ть на я́коре; the ship ~s (at anchor) кора́бль стои́т на я́коре; 6) управля́ть; 7) угнета́ть; 8) быть приго́дным для верхово́й езды́; 9) ве́сить (*о вса́днике*); 10) *разг.* насмеха́ться; 11) *разг.* жесто́ко критикова́ть; □ ~ at направля́ть на; to ~ one's horse at a fence вести́ ло́шадь на барье́р; ~ **down** а) нагна́ть верхо́м; оста́вить далеко́ позади́; б) сшиби́ть с ног, задави́ть; ~ **out** а) благополу́чно перенести́ (*шторм — о корабле́*); б) вы́йти из затрудни́тельного положе́ния; ◇ to ~ to hounds охо́титься верхо́м с соба́ками; to ~ hell for leather нести́сь во весь опо́р; to ~ for a fall a) нести́сь, как безу́мный, неосторо́жно е́здить верхо́м; б) де́йствовать безрассу́дно; обрека́ть себя́ на неуда́чу; to ~ off on a side issue заговори́ть о второстепе́нном, что́бы увильну́ть от гла́вного (вопро́са); to ~ a hobby сесть на своего́ люби́мого конька́; to ~ the whirlwind держа́ть в рука́х и направля́ть что́-л. (восста́ние и т. п.); let it ~ пусто́е, нева́жно; каки́е пустяки́.

ridel ['rɪdəl] =riddel.

rider ['raɪdə] *n* 1) нае́здник, вса́дник; 2) седо́к; 3) доба́вочная статья́, дополне́ние, попра́вка (*к докуме́нту*); 4) вы́вод, заключе́ние; *юр.* осо́бое мне́ние; 5) *редк.* коммивояжёр; 6) *мат.* дополни́тельная зада́ча для прове́рки зна́ний уча́щегося;

дополни́тельная теоре́ма, необходи́мая для доказа́тельства основно́й; 7) *мор.* ри́дерс; 8) рейтер, нае́здник (*в веса́х*).

riderless ['raɪdəlɪs] *a* без вса́дника (*о ло́шади, потеря́вшей вса́дника*).

ridge [rɪdʒ] 1. *n* 1) гре́бень горы́; го́рный кряж, хребе́т; гряда́ гор; водоразде́л; 2) подво́дная скала́; 3) конёк (*кры́ши*); 4) гря́дка; гре́бень борозды́; 5) ру́бчик (*на мате́рии*); то́лстая кро́мка; край, ребро́; 6) *sl.* де́ньги, гине́я; 7) *горн.* потоло́к вы́работки;
2. *v* образо́вывать скла́дки *или* бо́розды; топо́рщиться.

ridged [rɪdʒd] 1. *p.p. от* ridge 2;
2. *a* 1) остроконе́чный, хребтообра́зный; 2) конько́вый (*о кры́ше*).

ridge-pole ['rɪdʒpoul] *n* растя́жка, распо́рка (*у пала́тки*).

ridgy ['rɪdʒɪ] =ridged 2.

ridicule ['rɪdɪkjuːl] 1. *n* 1) осмея́ние; насме́шка; to hold up to ~ де́лать посме́шищем; 2) *уст.* смехотво́рность;
2. *v* осме́ивать; высме́ивать, поднима́ть на́ смех.

ridiculous [rɪ'dɪkjuləs] *a* смехотво́рный, смешно́й, неле́пый; don't be ~ не бу́дьте смешны́.

riding I ['raɪdɪŋ] 1. *pres. p. от* ride 2;
2. *n* 1) верхова́я езда́; 2) доро́га для верхово́й езды́;
3. *a* верхово́й; для верхово́й езды́; ~ horse верхова́я ло́шадь.

riding II ['raɪdɪŋ] *n* администрати́вная едини́ца гра́фства Йо́ркшир.

riding-breeches ['raɪdɪŋ,brɪtʃɪz] *n pl* рейту́зы.

riding-habit ['raɪdɪŋ,hæbɪt] *n* амазо́нка (*да́мский костю́м для верхово́й езды́*).

riding-hag ['raɪdɪŋhæg] *n sl.* кошма́р.

riding hall ['raɪdɪŋ'hɔːl] *n* (кры́тый) мане́ж.

riding-master ['raɪdɪŋ,mɑːstə] *n* инстру́ктор по верхово́й езде́; бере́йтор.

Riesling ['riːslɪŋ] *n* ри́слинг.

rife [raɪf] *a predic.* 1) обы́чный, ча́стый; распространённый; to be (to grow *или* to wax) ~ быть (де́латься) обы́чным; 2) изоби́лующий; his language is ~ with maxims его́ язы́к изоби́лует изрече́ниями.

riffle ['rɪfl] *n тех.* желобо́к, кана́вка.

riff-raff ['rɪfræf] 1. *n* подо́нки о́бщества, отбро́сы;
2. *a разг.* никчёмный, никуды́шный.

rifle ['raɪfl] 1. *n* 1) винто́вка; нарезно́е ору́жие; 2) *pl воен.* стрелко́вая часть; стрелки́; 3) *attr.* руже́йный; стрелко́вый; винто́вочный; ~ company стрелко́вая ро́та;
2. *v* 1) стреля́ть из винто́вки; 2) нареза́ть (*ствол ору́жия*); 3) обы́скивать с це́лью грабежа́; 4) обдира́ть (*кору́ и т. п.*).

rifle(-)green ['raɪflgriːn] *a* тёмно-зелёный (*цве́та мунди́ра англи́йских стрелко́в*).

rifle-grenade ['raɪflgrɪ,neɪd] *n* руже́йная грана́та.

rifleman ['raɪflmən] *n воен.* стрело́к; expert ~ отли́чный стрело́к.

rifle-pit ['raɪflpɪt] *n* стрелко́вая яче́йка, одино́чный око́пчик.

rifle-range ['raiflreindʒ] *n* тир, стрельбище.

rifle-shot ['raiflʃɔt] *n* 1) ружейный выстрел; 2) дальность ружейного выстрела; 3) стрелóк из винтóвки.

rifling ['raifliŋ] 1. *pres. p. om* rifle 2; 2. *n* нарéзка (*в оружии*).

rift [rift] 1. *n* 1) трéщина; рассéлина; щель; сквáжина; a ~ in the lute *перен.* незначительное обстоятельство, ведущее к разлáду, распáду; начáло разлáда *или* болéзни; 2) ущéлье; порóг, перекáт (*реки*); 4) *геол.* отдéльность, спáйность, кливáж;
2. *v* раскáлывать(ся); расщеплять(ся).

rig I [rig] 1. *n* 1) оснáстка; пáрусное вооружéние; снаряжéние; 2) одéжда, костюм, внéшний вид человéка; 3) выезд, упряжка; 4) буровáя вышка; буровóй станóк; 5) борозда; 6) *тех.* приспособлéния; оборудование;
2. *v* оснащáть; вооружáть (*судно*); □ ~ out снаряжáть; ~ged out разодéтый; ~ up снаряжáть *или* строить нáспех, из чего попáло.

rig II [rig] 1. *n* 1) продéлка, улóвка; плутни; to rig a ~ *уст.* резвиться, откáлывать штучки; плутовáть, надувáть; 2) *разг.* плут, жулик; 3) спекулятивная скупка товáров;
2. *v* дéйствовать плутовствóм, нечéстно; to ~ the market искусственно повышáть *или* понижáть цéны.

rigger ['rigə] *n* 1) такелáжник; 2) авиамехáник.

rigging I ['rigiŋ] 1. *pres. p. om* rig I, 2;
2. *n* 1) *мор.* такелáж, оснáстка, снáсти; 2) *разг.* снаряжéние; 3) одéжда, «тряпки».

rigging II ['rigiŋ] *pres. p. om* rig II, 2.

riggish ['rigiʃ] *a уст.* распущенный, беспутный.

right [rait] 1. *n* 1) прáво; справедливое трéбование (to); ~ to work прáво на труд; ~s and duties правá и обязанности; by ~ of по прáву (*чего-л.*); to be in the ~ быть прáвым; in one's own ~ в своём прáве; to reserve the ~ оставлять за собóй прáво; Declaration (*или* Bill) of Rights *ист.* Деклара́ция прав (*1689 г. в Англии*); under a ~ in international law в соотвéтствии с нóрмами междунарóдного прáва; 2) справедливость; прáвильность; to do smb. ~ отдавáть комý-л. дóлжное, справедливость; 3) (*обыкн. pl*) истинное положéние, действительность; the ~s of the case положéние дéла; *pl* порядок; to set (*или* to put) to ~s навести порядок; привести в порядок; to be to ~s быть в порядке; 5) прáвая сторонá; прáвая рукá; to the ~ напрáво (*куда*); on the ~ напрáво (*где*); 6) (the Rights) *pl собир. полит.* прáвые;
◇ by ~ or wrong всéми прáвдами и непрáвдами;
2. *a* 1) прáвый, справедливый; to be ~ быть прáвым; 2) вéрный, прáвильный; ~ use of words прáвильное употреблéние слов; to do what is ~ дéлать то, что прáвильно; he is always ~ он всегдá прав; ~ you are! *разг.* а) вéрно!, вáша прáвда; б) идёт!, есть такóе дéло!; 3) прáвый (*в противоположность лéвому*); ~ hand, ~ arm прáвая рукá; to the ~ hand напрáво (*куда*); оn (*или* at) the ~ hand напрáво (*где*); 4) прáвый, лицевóй; ~ side up лицóм квéрху; 5) именно тот, котóрый нужен (*или* имéется в виду); подходящий, надлежáщий; умéстный; be sure you bring the ~ book смотрите, принесите ту книгу, котóрую нужно; the ~ size нужный размéр; the ~ man in the ~ place человéк на своём мéсте, подходящий для дáнного дéла; not the ~ Mr Jones не тот м-р Джóунз; 6) прямóй (*о линии, об угле*); ~ angle под прямым углóм; 7) здорóвый, в хорóшем состоянии; исправный; to put ~ испрáвить; are you ~ now? удóбно ли вам тепéрь?; I feel all ~ я чувствую себя хорошó; to be all ~ а) быть в порядке; б) чувствовать себя хорошó; if it's all ~ with you éсли это вас устрáивает, éсли вы соглáсны; in one's ~ mind в здрáвом умé; 8) *полит.* прáвый, реакциóнный;
◇ on the ~ side of thirty молóже 30 лет;
3. *adv* 1) прáвильно, вéрно; справедливо; to get it ~ понять прáвильно; to get (*или* to do) a sum ~ вéрно решить задáчу; to guess ~ прáвильно угадáть; it serves him ~ поделóм емý, так емý и нáдо; to set (*или* to put) oneself ~ with smb. a) снискáть чью-л. благосклóнность; б) помириться с кем-л.; 2) надлежáщим *или* дóлжным óбразом; 3) прямо; go ~ ahead идите прямо вперёд; 4) напрáво; ~ form! воен. напрáво стрóйся!; ~ and left a) спрáва и слéва; б) во все стóроны; ~ turn! воен. напрáво!; 5) тóчно, как раз; ~ in the middle как раз в середине; 6) совершéнно, пóлностью; ~ to the end до сáмого концá; 7) óчень; I know ~ well я óчень хорошó знáю; 8) *в титулах*: the R. Honourable достопочтéнный (*о пэрах*); the R. Reverend егó высокопреподóбие; □ ~ away, ~ off срáзу; немéдленно; ~ off the bat *амер.* ≈ с мéста в карьéр; срáзу же; ◇ ~ here как раз здесь; б) в эту минуту; ~ now в этот момéнт; come ~ in *амер.* входите;
4. *v* 1) выпрямлять(ся); исправлять(ся); to ~ oneself а) восстановить своё равновéсие; б) реабилитировать себя; to ~ a wrong исправить несправедливость; заглáдить обиду; 2) защищáть правá; to ~ the oppressed заступáться за угнетённых;
5. *int* 1) ~!, all ~!, ~ oh! *разг.* лáдно!, хорошó!; 2) *амер. воен.* есть!, слушаюсь!, так тóчно!

right-about ['raitəbaut] 1. *a*: ~ face а) поворóт (напрáво) кругóм; б) *перен.* крутóй поворóт; пóлная перемéна; ~ turn поворóт напрáво кругóм.
2. *n*: to send (to the) ~(s) прогнáть, выпроводить.

right-and-left ['raitənd'left] 1. *n* выстрел из обóих ствóлов; удáр обéими рукáми;
2. *a* имéющий прáвый и лéвый ход.

right-angled ['rait'æŋgld] *a* прямоугóльный.

right-down ['rait'daun] *a разг.* совершéнный; отъявленный.

righteous [ˈraɪtʃəs] *a* 1) пра́ведный; 2) справедли́вый; ~ indignation справедли́вое негодова́ние.

righteousness [ˈraɪtʃəsnɪs] *n* 1) пра́ведность; 2) справедли́вость.

rightful [ˈraɪtful] *a* 1) зако́нный; ~ heir зако́нный насле́дник; 2) принадлежа́щий по пра́ву; 3) справедли́вый.

right-hand [ˈraɪthænd] *a* 1) пра́вый; ~ man а) сосе́д спра́ва (*в строю*); б) «пра́вая рука́», помо́щник; 2) *тех.* с пра́вым хо́дом; с пра́вой наре́зкой.

right-handed [ˈraɪthændɪd] *a* 1) по́льзующийся пра́вой руко́й; 2) правосторо́нний.

right-hander [ˈraɪthændə] *n разг.* уда́р пра́вой руко́й.

rightist [ˈraɪtɪst] *n полит.* пра́вый, реакционе́р.

right-lined [ˈraɪtlaɪnd] *a* образо́ванный прямы́ми ли́ниями.

rightly [ˈraɪtlɪ] *adv* 1) справедли́во; 2) пра́вильно; 3) до́лжным о́бразом.

right-minded [ˈraɪtmaɪndɪd] *a* 1) благонаме́ренный; 2) уравнове́шенный.

right-of-way [ˈraɪtəvˈweɪ] *n* 1) пра́во прохо́да *или* прое́зда че́рез чужу́ю зе́млю; 2) полоса́ отчужде́ния.

rightwards [ˈraɪtwədz] *adv* напра́во.

right-wing [ˈraɪtˈwɪŋ] *a полит.* пра́вый, реакцио́нный.

rigid [ˈrɪdʒɪd] *a* 1) жёсткий, негну́щийся, неги́бкий; твёрдый; неподви́жный; 2) непрекло́нный, сто́йкий; суро́вый; ~ discipline суро́вая дисципли́на; ~ economy стро́гая эконо́мия; 3) ко́сный.

rigidity [rɪˈdʒɪdɪtɪ] *n* 1) жёсткость; твёрдость; 2) сто́йкость, непрекло́нность; стро́гость.

rigman [ˈrɪgmən] = rigger.

rigmarole [ˈrɪgməroul] *n* 1) болтовня́; вздор; 2) *attr.* бессвя́зный.

rigor [ˈraɪgə] *n мед.* озно́б; ◊ ~ mortis тру́пное окочене́ние.

rigorism [ˈrɪgərɪzəm] *n* 1) стро́гость (*поведения*); ригори́зм; 2) высо́кие тре́бования (*к стилю*).

rigorous [ˈrɪgərəs] *a* 1) суро́вый; ~ climate суро́вый кли́мат; 2) стро́гий; 3) то́чный; ~ scientific method то́чный нау́чный ме́тод.

rigour [ˈrɪgə] *n* 1) суро́вость; 2) стро́гость; 3) *pl* стро́гие ме́ры.

rigsdag [ˈrɪgzdɑːg] *дат. n* ригсда́г.

riksdag [ˈrɪksdɑːg] *швед. n* риксда́г.

rile [raɪl] *v разг.* 1) серди́ть, раздража́ть; 2) мути́ть (*воду и т. п.*).

rill [rɪl] 1. *n* ручеёк; родни́к, исто́чник; 2. *v* течь ручейко́м; стру́иться.

rim [rɪm] 1. *n* 1) ободо́к, край; обо́д (*колеса*); банда́ж (*обода*); опра́ва (*очков*); 2) скоба́, кольцо́; 3) *мор.* во́дная пове́рхность;
2. *v* 1) снабжа́ть ободко́м, о́бодом *и т. п.*; 2) служи́ть о́бодом, обрамля́ть.

rime I [raɪm] = rhyme.

rime II [raɪm] *поэт.* 1. *n* и́ней; и́зморозь; 2. *v* покрыва́ть и́неем.

rimer [ˈraɪmə] = reamer.

rimless [ˈrɪmlɪs] *a* не име́ющий о́бода *или* опра́вы; ~ eye-glasses пенсне́ *или* очки́ без опра́вы.

-rimmed [-rɪmd] *в сло́жных слова́х означа́ет* в опра́ве; gold-~ spectacles очки́ в золото́й опра́ве.

rimy [ˈraɪmɪ] *a* зайндеве́вший, моро́зный.

rind [raɪnd] 1. *n* 1) кора́; кожура́; 2) ко́рка;
2. *v* сдира́ть кору́; очища́ть ко́жицу, снима́ть кожуру́.

rinderpest [ˈrɪndəpest] *n* чума́ рога́того скота́.

ring I [rɪŋ] 1. *n* 1) кольцо́; круг; о́бруч, ободо́к; 2) опра́ва (*очко́в*); 3) циркова́я аре́на; площа́дка (*для борьбы́*), ринг; бегово́й круг; 4) (the R.) бокс; 5) (the ~) *pl собир.* профессиона́льные игроки́ на ска́чках, букме́керы; 6) объедине́ние предпринима́телей для совме́стного контро́ля над ры́нком; 7) кли́ка; ша́йка; ба́нда; 8) *тех.* фла́нец, обо́йма, хому́т; 9) годи́чное кольцо́ (*де́рева*); годи́чный слой (*древеси́ны*); 10) *архит.* архиво́льт (*арки*); 11) *мор.* рым; ◊ to run (*или* to make) ~s round *разг.* за́ пояс заткну́ть; намно́го опереди́ть, обогна́ть; to keep (*или* to hold) the ~ соблюда́ть нейтралите́т;
2. *v* 1) окружа́ть кольцо́м (*обыкн.* ~ in, ~ round, ~ about); обводи́ть кружко́м; 2) надева́ть кольцо́; 3) продева́ть кольцо́ в нос (*живо́тному*); ◊ to ~ the rounds *разг.* опереди́ть, обогна́ть.

ring II [rɪŋ] 1. *n* 1) звон; звуча́ние; the ~ of his voice звук его́ го́лоса; 2) (телефо́нный) звоно́к; to give a ~ позвони́ть по телефо́ну; 3) подбо́р колоколо́в (*в це́ркви*); благове́ст; 4) впечатле́ние, намёк на; it has the ~ of truth about it э́то звучи́т правдоподо́бно;
2. *v* (rang, *редк.* rung; rung) 1) звене́ть; звуча́ть; to ~ true (false *или* hollow) звуча́ть и́скренне (фальши́во); 2) оглаша́ться (with); the air rang with shouts во́здух огласи́лся кри́ками; 3) раздава́ться; 4) звони́ть; to ~ the alarm уда́рить в наба́т; to ~ the bell звони́ть (в ко́локол); to ~ a chime прозвони́ть (*о ба́шенных часа́х*); to ~ the knell of чита́ть отхо́дную; to ~ a peal трезво́нить; □ ~ at звони́ть (*у две́рей до́ма и т. п.*); ~ down: to ~ the curtain down дать звоно́к к спу́ску за́навеса; *перен.* положи́ть коне́ц (*чему́-л.*) [*ср. тж.* ~ up в)]; ~ for тре́бовать *или* вызыва́ть звонко́м; ~ in а) *разг.* вводи́ть, представля́ть; б) ознамено́вывать колоко́льным зво́ном; ~ off дава́ть отбо́й (*по телефо́ну*); ве́шать тру́бку; ~ off! *груб.* замолчи́(те), заткни́(те)сь! ~ out а) прозвуча́ть; б) провожа́ть колоко́льным зво́ном; ~ up а) разбуди́ть звонко́м; б) звони́ть, вызыва́ть по телефо́ну; в): to ~ the curtain up дать звоно́к к подня́тию за́навеса; *перен.* нача́ть (*что́-л.*) [*ср. тж.* ~ down]; ◊ to ~ the bell (with smb.) име́ть успе́х (у кого́-л.); to ~ (the) changes (on smth.) повторя́ть (одно́ и то же) на все лады́.

ring-bolt [ˈrɪŋboult] *n мор.* рым-бо́лт.

ring-bone [ˈrɪŋboun] *n* мозоли́стый наро́ст на ба́бке (*ло́шади*).

ring-dove ['rɪŋdʌv] *n зоол.* 1) вяхирь, витютень; 2) горлица кольчатая.

ringed [rɪŋd] 1. *p. p. om* ring I, 2;
2. *a* 1) отмеченный кружком; 2) с кольцом, в кольцах; *перен.* обручённый (*с кем--либо*); женатый; замужняя.

ringer ['rɪŋə] *n* 1) звонок (*телефонный*); 2) звонарь; 3) тот, кто звонит; 4) *разг.* первоклассная вещь; замечательный человек; 5) *амер. sl.* лошадь, незаконно участвующая в состязании; спортсмен, незаконно участвующий в матче; 6) *амер. sl.* человек, незаконно голосующий несколько раз; 7) *амер. sl.* точная копия (*кого-л.*); he is a ~ for his father он вылитый отец.

ring-fence ['rɪŋfens] *n* ограда (*окружающая что-л. со всех сторон*).

ring-finger ['rɪŋ,fɪŋgə] *n* безымянный палец (*особ. на левой руке*).

ringing I ['rɪŋɪŋ] *pres. p. om* ring I, 2.
ringing II ['rɪŋɪŋ] 1. *pres. p. om* ring II, 2•
2. *n* 1) звон, трезвон; 2) вызов; посылка вызова *или* вызывного сигнала;
3. *a* звонкий; звучный; громкий; a ~ cheer громкое ура; a ~ frost трескучий мороз.

ringleader ['rɪŋ,li:də] *n* главарь, вожак, зачинщик, коновод.

ringlet ['rɪŋlɪt] *n* 1) колечко; 2) локон.

ringleted, ringlety ['rɪŋlɪtɪd, -tɪ] *a* завитой, в локонах; курчавый.

ring-mail ['rɪŋmeɪl] *n* кольчуга.

ring-master ['rɪŋ,mɑ:stə] *n* инспектор манежа (*в цирке*).

ring-net ['rɪŋnet] *n* сачок для ловли бабочек.

ring ouzel ['rɪŋ'u:zl] *n* дрозд белозобый.

ringtail ['rɪŋteɪl] *n зоол.* самка луня.

ringworm ['rɪŋwə:m] *n мед.* стригущий лишай.

rink [rɪŋk] 1. *n* каток, скетинг-ринк;
2. *v* кататься на роликах.

rinse [rɪns] 1. *n* 1) полоскание; to give a ~ прополоскать; 2) *sl.* питьё, напиток;
2. *v* полоскать, промывать (*часто ~ out*); to ~ out one's mouth выполоскать рот.

rinsing ['rɪnsɪŋ] 1. *pres. p. om* rinse 2;
2. *n* 1) полоскание; 2) *pl* вода, оставшаяся после полоскания; 3) *pl* остатки, последние капли.

riot ['raɪət] 1. *n* 1) бунт; мятеж; 2) *юр.* нарушение общественной тишины и порядка; 3) разгул; необузданность; to run ~ а) вести себя буйно; б) свирепствовать (*о болезни*); в) буйно разрастись; the grass ran ~ in our garden трава буйно разрослась в нашем саду; г) давать волю (*фантазии и т. п.*); his fancy ran ~ он дал волю своему воображению; 4) *attr.:* R. Act закон о нарушении общественной тишины и порядка; to read the R. Act а) предупредить толпу о необходимости разойтись; б) *разг.* дать нагоняй; ~-call *амер.* вызов подкрепления для подавления восстания; ◇ ~ of colours изобилие, богатство красок;
2. *v* 1) бунтовать; принимать участие в бунте; 2) буйствовать, шуметь; предаваться разгулу.

rioter ['raɪətə] *n* мятежник; бунтовщик.

riotous ['raɪətəs] *a* буйный; шумливый; разгульный.

rip I [rɪp] 1. *n* разрыв, разрез;
2. *v* 1) разрезать, распарывать, рвать (*одним быстрым движением; тж.* ~ up); 2) раскалывать (*дрова*); 3) рваться, пороться; cloth that ~s at once материя, которая сразу разлезается; 4) лопаться, раскалываться; 5) распиливать вдоль волокон (*дерево*); 6) мчаться, нестись вперёд; let her (*или* it) ~ *разг.* а) давай полный ход; б) не вмешивайтесь; в) не задерживайте; □ ~-off сдирать; ~ out выдирать; вырывать; б) испускать (*крик*); в) отпускать (*ругательство*); ~ up а) распарывать; б) вскрывать; to ~ up old wounds бередить старые раны; ◇ to let things ~ быть беспечным.

rip II [rɪp] *n* 1) кляча; 2) распутник.

riparian [raɪ'pεərɪən] 1. *a* прибрежный;
2. *n* владелец прибрежной полосы.

rip-cord ['rɪp'kɔ:d] *n* вытяжной трос (*парашюта*); разрывная верёвка (*аэростата*).

ripe [raɪp] *a* 1) спелый; ~ lips губы (*красные*) как вишни; 2) зрелый, возмужалый; of ~ age зрелого возраста; persons of ~ years взрослые, возмужалые люди; 3) выдержанный; ~ cheese выдержанный сыр; 4) готовый (for); time is ~ for наступило время для.

ripen ['raɪpən] *v* 1) зреть; созревать; 2) делать зрелым.

ripeness ['raɪpnɪs]• *n* 1) зрелость; 2) законченность.

riposte [rɪ'poust] 1. *n* ответный выпад (*в фехтовании*); *перен. тж.* находчивый ответ;
2. *v* парировать удар (*в фехтовании; тж. перен.*).

ripper ['rɪpə] *n* 1) тот, кто распарывает; Jack the R. *ист.* Джек-Потрошитель; 2) *разг.* превосходный человек; превосходная вещь; 3) = rip-saw; 4) *стр.* рыхлитель, риппер.

ripping ['rɪpɪŋ] 1. *pres. p. om* rip I, 2;
2. *a* великолепный, превосходный;
3. *adv* чрезвычайно; a ~ good story превосходнейшая история.

ripple I ['rɪpl] 1. *n* 1) рябь, зыбь; 2) волнистость (*волос*); 3) журчание; a ~ of laughter серебристый смех; 4) пульсация;
2. *v* 1) покрывать(ся) рябью; 2) струиться; 3) журчать.

ripple II ['rɪpl] 1. *n* мыканица, чесалка (*для льна*).
2. *v* мыкать, чесать (*лён*).

ripply ['rɪplɪ] *a* 1) покрытый рябью; 2) волнистый.

riprap ['rɪpræp] *n стр.* отсыпь, каменная наброска.

rip-saw ['rɪpsɔ:] *n тех.* продольная пила.

rise [raɪz] 1. *n* 1) повышение, возвышение, подъём, поднятие; увеличение; to be on the ~ подниматься (*о ценах и т. п.*); *перен.* идти в гору; the ~ to power приход к власти (*влияния*); приобретение веса (*в обществе*); улучшение (*положения*); 3) прибавка (*к жалованью*); 4) выход на поверхность; 5) восход (*солнца, луны*);

6) возвы́шенность, холм; to look down from the ~ смотре́ть с горы́; 7) происхожде́ние, нача́ло; to give ~ to smth. a) вызыва́ть что-л.; дава́ть нача́ло чему́-л.; б) дава́ть по́вод к чему́-л.; to take its ~ in smth. брать нача́ло в чём-л.; 8) исто́к (реки́); 9) горн., геол. вы́работка вверх; восста́ние (пласта́); 10) тех., стр. стрела́ (арки, провеса, подъёма); вы́нос, прове́с (провода); 11) лес. сбег (ствола, бревна); ◇ to take (или to get) a ~ out of smb. раздразни́ть кого́-л.; вы́вести кого́-л. из себя́;

2. v (rose; risen) 1) поднима́ться; встава́ть; 2) возвыша́ться; to ~ above smth. a) возвыша́ться над чем-л.; б) перен. быть вы́ше чего́-л.; to ~ above the prejudices быть вы́ше предрассу́дков; 3) встава́ть, в(о)сходи́ть; the sun ~s со́лнце всхо́дит; 4) поднима́ться (о це́нах, у́ровне и т. п.); увели́чиваться; 5) приобрета́ть вес, влия́ние (в о́бществе); to ~ in the world преуспева́ть; 6) восстава́ть; to ~ in arms восстава́ть с ору́жием в рука́х; 7) закрыва́ться, прекраща́ть рабо́ту (о съе́зде, се́ссии и т. п.); Parliament will ~ next week се́ссия парла́мента закрыва́ется на бу́дущей неде́ле; 8) происходи́ть, начина́ться (in, from); the river ~s in the hills река́ берёт своё нача́ло в гора́х; 9) поднима́ться на пове́рхность; 10) поднима́ться, подходи́ть (о те́сте); ◇ to ~ to smth. оказа́ться соотве́тствующим чему́-л., быть в состоя́нии спра́виться с чем-л.; to ~ to the occasion быть на высоте́ положе́ния; to ~ to the bait (или to the fly) попа́сться на у́дочку; to ~ to it отве́тить на вызыва́ющее замеча́ние; his gorge (или stomach) ~s он чу́вствует отвраще́ние; ему́ прети́т; to ~ in applause встреча́ть ова́цией.

risen [ˈrɪzn] p.p. от rise 2.

riser [ˈraɪzə] n 1) тот, кто встаёт; he is an early ~ он встаёт ра́но; 2) стр. подступе́нь ле́стницы; подъём ступе́ни ле́стницы; стоя́к (вертикальная труба́); 3) эл. колле́кторный гребешо́к или петушо́к; 4) ж.-д. поду́шка; 5) метал. вы́пор; при́быль (на отли́вке).

risibility [ˌrɪzɪˈbɪlɪtɪ] n смешли́вость.

risible [ˈrɪzɪbl] a 1) смешли́вый; 2) редк. смешно́й; смехотво́рный.

rising [ˈraɪzɪŋ] **1.** pres. p. от rise 2; **2.** n 1) восста́ние; 2) встава́ние; 3) восхо́д; the ~ of the sun восхо́д со́лнца; 4) возвыше́ние, повыше́ние; подня́тие; 5) пры́щик; о́пухоль;

3. a 1) возраста́ющий; 2) поднима́ющийся, восходя́щий; the ~ generation подраста́ющее поколе́ние; 3) приобрета́ющий вес, влия́ние и т. п.; ~ lawyer (doctor) юри́ст (врач), начина́ющий приобрета́ть изве́стность; 4) приближа́ющийся к определённому во́зрасту; ~ forty приближа́ющийся к сорока́ года́м, под со́рок.

rising arch [ˈraɪzɪŋˈɑːtʃ] n стр. ползу́чая а́рка.

risk [rɪsk] **1.** n риск; at one's own ~ на свой страх и риск; at the ~ of one's life рискуя́ жи́знью; to take ~s, to run ~s рискова́ть; at owner's ~ ком. на риск владе́льца;

2. v 1) рискова́ть (чем-л.); to ~ one's health рискова́ть здоро́вьем; 2) отва́живаться (на что-л.); to ~ a stab in the back подставля́ть спи́ну под уда́р.

riskiness [ˈrɪskɪnɪs] n риско́ванность, опа́сность.

risky [ˈrɪskɪ] a риско́ванный, опа́сный.

risqué [ˌriːsˈkeɪ] фр. a риско́ванный (об остроте, шу́тке).

rissole [ˈrɪsoul] n котле́та.

rite [raɪt] n обря́д, церемо́ния; ритуа́л; the ~s of hospitality обы́чаи гостеприи́мства.

ritual [ˈrɪtjuəl] **1.** n 1) ритуа́л; 2) церк. тре́бник;

2. a обря́довый, ритуа́льный; ◇ ~ talk арго́, жарго́н.

ritualism [ˈrɪtjuəlɪzəm] n обря́дность.

ritualist [ˈrɪtjuəlɪst] n приве́рженец обря́дности.

rival [ˈraɪvəl] **1.** n 1) сопе́рник; конкуре́нт; without a ~ a) не име́ющий сопе́рника; б) вне конкуре́нции; 2) воен. проти́вник;

2. a сопе́рничающий; конкури́рующий; ~ firms конкури́рующие фи́рмы;

3. v сопе́рничать; конкури́ровать.

rivalry [ˈraɪvəlrɪ] n сопе́рничество; конкуре́нция; friendly ~ дру́жеское соревнова́ние.

rive [raɪv] **1.** n тре́щина, щель;

2. v (rived [-d]; rived, riven) раска́лывать(ся); расщепля́ть(ся); разруба́ть; разрыва́ть(ся), отрыва́ть(ся) (тж. ~ away, ~ off; from).

rivel [ˈrɪvl] v уст. коро́бить(ся).

riven [ˈrɪvən] **1.** p.p. от rive 2;

2. a поэт. раско́лотый.

river [ˈrɪvə] n 1) река́; пото́к; to cross the ~ a) перепра́виться че́рез ре́ку; б) перен. преодоле́ть препя́тствие; в) умере́ть; 2) attr. речно́й.

riverain [ˈrɪvəreɪn] **1.** n челове́к, живу́щий на берегу́ реки́;

2. a речно́й, прибре́жный.

river-bed [ˈrɪvəˈbed] n ру́сло реки́.

river-horse [ˈrɪvəhɔːs] n бегемо́т, гиппопота́м; 2) миф. водяно́й.

riverine [ˈrɪvəraɪn] = riverain 2.

riverside [ˈrɪvəsaɪd] n 1) прибре́жная полоса́, бе́рег реки́; 2) attr. прибре́жный; находя́щийся на берегу́; ~ villa ви́лла на берегу́ реки́.

rivet [ˈrɪvɪt] **1.** n заклёпка;

2. v 1) клепа́ть, заклёпывать; 2) прико́вывать (взор, внима́ние).

rivière [ˈriːvjɛə] фр. n ожере́лье (обыкн. из не́скольких ните́й).

rivulet [ˈrɪvjulɪt] n ручёк; речу́шка.

roach I [routʃ] n зоол. плотва́ (тж. European ~); ◇ as sound as a ~ ≅ здоро́в как бык.

roach II [routʃ] n мор. вы́емка (у паруса).

roach III [routʃ] сокр. от cockroach.

road [roud] n 1) доро́га, путь; шоссе́; country ~ просёлочная доро́га; to be on the ~ a) быть в доро́ге, в пути́; б) быть на гастро́лях, соверша́ть турне́; to take the ~ a) отпра́виться в путь; б) вести́ бродя́-

чий образ жизни; сделаться бродягой, бродячим актёром; to take to the ~ *уст.* стать разбойником с большой дороги; to be in the ~, to get in one's ~ стоять поперёк дороги; мешать, препятствовать; get out of my ~ уйдите с моей дороги; 2) *амер.* железная дорога; 3) улица, мостовая (*в противоположность тротуару*); to cross the ~ перейти улицу; 4) путь (*к чему-л.*), способ (*достижения чего-л.*); по royal ~ to smth. нелёгкий способ достижения чего-л.; 5) (*обыкн. pl*) *мор.* рейд; 6) *горн.* ходовой или откаточный штрек; 7) *attr.* дорожный.

road-bed ['roudbed] *n* полотно дороги.

Road-Board ['roudbɔːd] *n* управление шоссейных дорог.

road-book ['roudbuk] *n* дорожный справочник.

road clearance ['roud'kliərəns] *n* *авт.* дорожный просвет, клиренс.

road hog ['roudhɔg] *n* неосторожный автомобилист, лихач, нарушитель дорожных правил.

road house ['roudhaus] *n* придорожная закусочная, буфет.

roadless ['roudlis] *a* бездорожный.

roadman ['roudmən] *n* дорожный рабочий.

road-metal ['roud,metl] *n* щебень.

road roller ['roud'roulə] *n* тяжёлый дорожный каток.

road scraper ['roud'skreipə] *n* *тех.* скрепер.

road-show ['roudʃou] *n* 1) представление гастролирующей труппы; 2) гастролирующая эстрадная труппа.

roadside ['roudsaid] **1.** *n* край дороги, обочина;

2. *a* придорожный.

roadstead ['roudsted] *n* *мор.* рейд.

roadster ['roudstə] *n* 1) завзятый путешественник (*по дорогам*); 2) дорожный велосипед; экипаж или лошадь для дальних поездок; 3) родстер (*автомобиль с открытым двухместным кузовом, складным верхом и откидным задним сиденьем*); 4) корабль, стоящий на рейде.

road-test ['roudtest] *v* *амер. разг.* испытывать автомашину в естественных условиях.

Road up ['roud'ʌp] *n* «путь закрыт» (*дорожный знак*).

roadway ['roudwei] *n* шоссе; мостовая; проезжая часть дороги.

roam [roum] **1.** *n* странствование, скитание;

2. *v* бродить, странствовать, скитаться.

roan I [roun] **1.** *n* чалая лошадь;

2. *a* чалый.

roan II [roun] *n* мягкая овечья кожа (*для переплётов*).

roar [rɔː] **1.** *n* 1) рёв; шум; 2) хохот; ~s of laughter взрывы смеха, хохота.

2. *v* 1) реветь, орать; рычать; to ~ with laughter хохотать во всё горло; to ~ with pain реветь от боли; 2) храпеть (*о больной лошади*).

roarer ['rɔːrə] *n* 1) *разг.* крикун, горлопан; 2) *вет.* запалённая лошадь.

roaring ['rɔːriŋ] **1.** *pres. p. от* roar 2;

2. *n* 1) рёв; свист; шум; 2) *вет.* запал (*болезнь лошадей*);

3. *a* 1) шумный, буйный, бурный; the ~ forties *мор.* от 40—50° северной широты в Атлантическом океане (*область распространения сильных вестовых ветров*); 2) живой; кипучий; ~ trade оживлённая торговля.

roast [roust] **1.** *n* 1) жаркое, жареное; *амер.* большой кусок мяса; 2) *амер.* жестокая критика; 3) *тех.* обжиг; ◇ to rule the ~ задавать тон; возглавлять дело; руководить;

2. *a* жареный; ~ beef ростбиф;

3. *v* 1) жарить(ся); печь(ся); греть(ся); 2) *разг.* высмеивать (*кого-л.*); издеваться; дразнить; 3) *амер.* жестоко критиковать; 4) следить, не спуская глаз; 5) *тех.* обжигать; выжигать; кальцинировать.

roaster ['roustə] *n* 1) жаровня; 2) *метал.* обжигательная печь; 3) молочный поросёнок *или* молодой петушок (*для жаркого*).

roasting-jack ['roustiŋdʒæk] *n* вертел.

rob [rɔb] *v* 1) грабить; обкрадывать; 2) отнимать; лишать (*чего-л.*); to ~ smb. of his rights лишить кого-л. прав; 3) *горн.* вести очистные работы; хищнически вырабатывать (богатую) руду; ◇ to ~ the cradle совращать младенца; to ~ Peter to pay Paul облагодетельствовать одного за счёт другого.

robber ['rɔbə] *n* грабитель, разбойник.

robbery ['rɔbəri] *n* кража; грабёж; *перен. тж.* непомерно высокая цена.

robe [roub] **1.** *n* 1) (*обыкн. pl*) мантия; широкая одежда; the long ~ мантия судьи; ряса священника; gentlemen of the (long) ~ судьи, юристы; 2) *амер.* халат; 3) *уст., амер.* женское платье; детское платьице; 4) *поэт.* одеяние; 5) *амер.* меховая полость (*у саней*);

2. *v* облачать(ся), надевать.

robin ['rɔbin] *n* 1) *зоол.* малиновка (*тж.* ~ redbreast); 2) *sl.* пенни.

robot ['roubɔt] *n* 1) робот, автомат со сложными функциями; 2) автоматический сигнал уличного движения; 3) *attr.* автоматический; ~ bomb реактивный снаряд дальнего действия; ~ tank танкетка-торпеда; ~ plane управляемый на расстоянии самолёт.

robust [rə'bʌst] *a* 1) крепкий, здоровый; сильный, дюжий; 2) здравый, ясный (*об уме*).

robustious [rou'bʌstʃəs] *a* *уст., шутл.* буйный, шумный; экспансивный.

гос [rɔk] *араб. n* рух (*огромная сказочная птица*).

rocambole ['rɔkəmboul] *n* лук причесночный, лук-рокамболь.

rochet ['rɔtʃit] *n* 1) стихарь с узкими рукавами; 2) мантия английских пэров.

rock I [rɔk] *n* 1) скала, утёс; 2) (the R.) Гибралтар; 3) опора, нечто надёжное; 4) горная порода; 5) *амер.* камень; булыжник; 6) (*обыкн. pl*) *амер. разг.* деньги; 7) *разг.* бриллиант; 8) *разг.* твёрдая конфета; 9) *attr.* горный; каменный; ◇ on the ~s

≅ «на мели»; в стеснённых обстоятельствах; to run (*или* to go) upon the ~s а) потерпеть крушение; б) натыкаться на непреодолимые препятствия; to see ~s ahead видеть перед собой опасности.

rock II [rɔk] *v* 1) качать(ся), колебать(ся); трясти(сь); he ~ed with laughter он затрясся от смеха; 2) укачивать, убаюкивать; ◇ ~ed in security беспечный, не подозревающий об опасности.

rock III [rɔk] *n уст.* прялка.

rock-and-roll ['rɔkn'roul] = rock'n'roll.

rock-bottom ['rɔk'bɔtəm] *n* 1) твёрдое основание; 2) *attr. разг.* очень низкий (*о ценах*).

rock-cork ['rɔkkɔːk] *n мин.* пробковый камень.

rock-crystal ['rɔk,krɪstl] *n* горный хрусталь.

rock-drill ['rɔkdrɪl] *n* долото для бурения, перфоратор.

rocker ['rɔkə] *n* 1) качалка (*колыбели*); 2) кресло-качалка; 3) лоток (*для промывания золота*); 4) конёк с сильно изогнутым полозом; 5)=rocking-turn; 6) *sl.* голова; off one's ~ помешанный; 7) *тех.* балансир, коромысло; кулиса; шатун; 8) *текст.* трепало.

rocket I ['rɔkɪt] 1. *n* 1) ракета; 2) *attr.* ракетный; реактивный; ~ projector ракетный станок; реактивный миномёт; ~ airplane реактивный самолёт; ~ bomb ракетный снаряд; ~ site база ракетных снарядов;

2. *v* 1) взмывать, взлетать; 2) пускать ракеты.

rocket II ['rɔkɪt] *n бот.* вечерница—ночная фиалка.

rocketer ['rɔkɪtə] *n* птица, взлетающая прямо вверх.

rocket-launcher ['rɔkɪt,lɑːntʃə] *n воен.* реактивное противотанковое ружьё.

rock-hewn ['rɔkhjuːn] *a* высеченный из камня.

Rockies ['rɔkɪz] *n pl амер. разг.* (*сокр. от* Rocky Mountains) Скалистые горы.

rocking-chair ['rɔkɪŋtʃeə] *n* кресло-качалка.

rocking-horse ['rɔkɪŋhɔːs] *n* игрушечная лошадь-качалка.

rocking-turn ['rɔkɪŋtəːn] *n* «крюк» (*сложная конькобежная фигура*).

rock'n'roll ['rɔkn'roul] *n* рок-н-ролл.

rock-oil ['rɔkɔɪl] *n* нефть.

rock-salt ['rɔksɔːlt] *n* каменная соль.

rock-tar ['rɔktɑː] *n* сырая нефть.

rocky I ['rɔkɪ] *a* 1) скалистый, каменистый; 2) крепкий, твёрдый, непоколебимый; неподатливый.

rocky II ['rɔkɪ] *a* 1) неустойчивый, качающийся (*о предмете*); 2) *разг.* пошатнувшийся (*о здоровье, делах и т. п.*).

rococo [rə'koukou] 1. *n* стиль рококо;
2. *a* 1) выдержанный в стиле рококо; 2) безвкусно пышный, вычурный, претенциозный; 3) *уст.* устаревший.

rod [rɔd] *n* 1) жезл; стержень; брус; 2) розга; *перен.* наказание; the ~ порка розгами; 3) удочка; 4) мера длины (≅ *5 м*);

5) палочка (*микроб*); 6) *анат.* палочка (*сетчатой оболочки*); 7) *тех.* рейка, тяга; шток; рычаг; sounding ~ футшток; 8) *амер. sl.* револьвер; ◇ to kiss the ~ безропотно переносить наказание; to make a ~ for one's own back наказать самого себя; to rule with a ~ of iron управлять железной рукой; to spare the ~ and spoil the child ≅ пожалеешь розгу, испортишь ребёнка, баловством портить ребёнка.

rode [roud] *past от* ride 2.

rodent ['roudənt] *n* грызун.

rodeo [rou'deɪou] *исп. n* (*pl* -os [-ouz]) 1) загон для клеймения скота; 2) фигурная езда, состязания ковбоев в верховой езде, набрасывании лассо *и т. п.*

rodomontade [,rɔdəmɔn'teɪd] 1. *n* хвастовство, бахвальство;
2. *a* хвастливый;
3. *v* бахвалиться.

roe I [rou] *n* косуля.

roe II [rou] *n* 1) икра (*тж.* hard ~); 2) молоки (*тж.* soft ~); 3) косослой (*в древесине*).

roebuck ['roubʌk] *n* самец косули.

roentgen ['rɔntjən] *n физ.* рентген.

Roentgen rays ['rɔntjən'reɪz] *n pl* рентгеновы лучи.

roe-stone ['roustoun] *n мин.* икряной камень, оолит.

rogation [rou'geɪʃən] *n* молебствие.

Roger ['rɔdʒə] *n* 1) *название английского деревенского танца* (*тж.* Sir ~ de Coverley); 2): the jolly ~ пиратский флаг (*череп и две скрещённые кости на чёрном фоне*); 3) *ав. sl.* всё в порядке; сигнал понят.

rogue [roug] *n* 1) жулик, мошенник; негодяй; 2) бродяга; 3) *шутл.* плутишка, шалун; проказник; to play the ~ проказничать; 4) *с.-х.* сортовая примесь; инородная культура, примесь; 5) пугливая скаковая лошадь *или* охотничья собака; ◇ ~ house тюрьма.

roguery ['rougərɪ] *n* 1) мошенничество; жульничество; 2) проказы.

roguish ['rougɪʃ] *a* 1) жуликоватый; 2) проказливый; шаловливый.

roil [rɔɪl] *v* 1) мутить (*воду*); взбалтывать; 2) досаждать, сердить, раздражать.

roily ['rɔɪlɪ] *a* мутный.

roister ['rɔɪstə] *v* бесчинствовать.

roisterer ['rɔɪstərə] *n* гуляка, бражник.

roistering ['rɔɪstərɪŋ] 1. *pres. p. от* roister;
2. *n* бесчинство;
3. *a* шумный; буйный.

Roland ['roulənd] *n ист.* Роланд; ◇ a ~ for an Oliver достойный ответ; to give smb. a ~ for an Oliver дать достойный ответ, удачно отпарировать; ответить ударом на удар.

role [roul] *фр. n* роль.

roll [roul] 1. *n* 1) свиток; свёрток (*материи, бумаги и т. п.*); связка (*соломы*); 2) катышек (*масла, воска*); 3) рулон; катушка; 4) реестр, каталог; список; ведомость; to call the ~s перекличка; быть в списке; ~ of honour список убитых на войне; the Rolls *уст.* архив; Master of the

Rolls храни́тель судéбного архи́ва; to call the ~ дéлать перекли́чку; вызыва́ть по спи́ску; to strike off the ~s дисквалифи-ци́ровать юри́ста; 5) враще́ние; ката́ние; ка́чка; крен; 6) бу́лочка; 7) *pl разг.* бу́-лочник, пéкарь; 8) бортова́я ка́чка; 9) по-хо́дка враза́лку; 10) раска́т грóма *или* гó-лоса; грóхот бараба́на; 11) *амер. sl.* дéньги, *особ.* па́чка дéнег; 12) *воен.* ска́тка; 13) *тех.* валóк (*прокáтного стана*); вал, бараба́н, цили́ндр, рóлик; вальцы́; катóк; 14) *ав.* бóчка, двойнóй переворóт чéрез крылó; 15) *архит.* завитóк иони́ческой капитéли;
2. *v* 1) кати́ть(ся); вертéть(ся), враща́ть (-ся); to ~ downhill (с)кати́ться с горы́; to ~ in the mud валя́ться в грязи́; to ~ in mоney купа́ться в зóлоте; to ~ one's eyes враща́ть глаза́ми; 2) свéртывать(ся); за-вёртывать (*тж.* ~ up); to ~ a cigarette скрути́ть папирóсу; to ~ oneself up заку́-таться; заверну́ться (in — во *что-л.*); to ~ oneself in a rug закута́ться в плед; to ~ smth. in a piece of paper заверну́ть что-л. в бума́гу; to ~ wool into a ball смота́ть шерсть в клубóк; the kitten ~ed itself into a ball котёнок сверну́лся в клубóк; 3) ука́-тывать (*дорогу и т. п.*); 4) раска́тывать (*тéсто*); 5) прока́тывать (*метáлл*); валь-цева́ть, плю́щить; 6) испы́тывать бортову́ю ка́чку; 7) идти́ пока́чиваясь *или* враза́лку (*часто* ~ along); 8) волнова́ться (*о мóре*); 9) пла́вно течь, кати́ть свои́ вóлны; 10) быть холми́стым (*о мéстности*); 11) гремéть, грохота́ть; произноси́ть грóмко; to ~ one's r's раска́тисто произноси́ть звук «р»; ☐ ~ away а) отка́тывать(ся); б) рассéиваться (*о тумáне*); ~ **back** а) отка́тывать(ся) на-за́д; б) снижа́ть цéны до прéжнего у́ровня; ~ **by** = ~ on; ~ **in** а) приходи́ть, сходи́ться в большóм коли́честве; offers ~ed. in пред-ложéния так и посы́пались; б) *разг.* имéть в большóм коли́честве, изоби́ловать; ~ **on** проходи́ть (*о врéмени и т. п.*); ~ **out** а) рас-ка́тывать; б) произноси́ть отчётливо, вну-ши́тельно; ~ **over** а) перека́тывать(ся); ворóчаться; б) опроки́нуть *когó-л.*; ~ **up** а) ска́тывать, свёртывать(ся); завёртывать; б) *разг.* появи́ться (*на сцéне*); в) *разг.* появи́ться внеза́пно, заяви́ться; ◇ to ~ logs for smb. дéлать тяжёлую рабóту за когó-л.

roll-call ['roulkɔ:l] *n* перекли́чка.

roll cloud ['roul'klaud] *n метеор.* шква́-ловый воротни́к.

roll-collar ['roul¸kɔlə] *n* отложнóй во-ротничóк.

rolled [rould] **1.** *p.p. от* roll 2;
2. *a тех.* листовóй, ка́таный; ~ gold накладнóе зóлото, позолóта.

roller ['roulə] *n* 1) волна́, вал, буру́н; 2) *разг. см.* roll-call; 3) маши́на для стри́ж-ки газóнов; 4) *зоол.* сизоворóнка; 5) *тех.* враща́ющийся цили́ндр, рóлик; вал; бегу-нóк; 6) *мор.* рóульс; 7) *attr. тех.* рóлико-вый; вальцóвый; ~ bearing рóликовый под-ши́пник.

roller-skate ['rouləskeit] **1.** *n* конёк на рóликах;
2. *v* ката́ться на рóликах.

roller towel ['roulə'tauəl] *n* полотéнце на рóлике.

rolley ['rɔli]=rulley.

rollick ['rɔlik] **1.** *n* 1) весéлье; 2) шаль-на́я вы́ходка;
2. *v* весел</i>и́ться, резви́ться, шумéть.

rollicking ['rɔlikiŋ] **1.** *pres. p. от* rol-lick 2;
2. *a* 1) бесшаба́шный (*о лю́дях*); 2) раз-уха́бистый (*о пéснях и т. п.*).

rolling ['rouliŋ] **1.** *pres. p. от* roll 2;
2. *n* 1) бортова́я ка́чка; 2) *тех.* ката́ние, прока́тывание, прока́тка;
3. *a* холми́стый;

rolling-mill ['rouliŋmil] *n тех.* прока́т-ный стан.

rolling-pin ['rouliŋpin] *n* ска́лка.

rolling-stock ['rouliŋstɔk] *n ж.-д.* под-вижнóй соста́в.

rolling-stone ['rouliŋstoun] *n* перекати́-пóле (*о человéке*).

roll-top desk ['roultɔp'desk] *n* пи́сьмен-ный стол-бюрó с кры́шкой на рóликах.

roly-poly ['rouli'pouli] **1.** *n* 1) пу́динг с варéньем (*тж.* ~ pudding); 2) корóтышка (*о человéке*);
2. *a* пу́хлый (*о ребёнке*).

Rom [rɔm] *n* (*pl* Roma) цыга́н.

Roma ['rɔmə] *pl от* Rom.

Romaic [rou'meiik] **1.** *a* новогрéческий;
2. *n* новогрéческий язы́к.

Roman ['roumən] **1.** *n* 1) ри́млянин; 2) като́лик; 3) прямóй свéтлый шрифт;
2. *a* 1) ри́мский; ~ alphabet лати́нский алфави́т; ~ candles ри́мские свéчи (*фейер-вéрк*); ~ cement *тех.* рома́н-цемéнт; ~ law *юр.* ри́мское пра́во; ~ letters (*или* type) *полигр.* прямóй свéтлый шрифт; ~ nose орли́ный нос; ~ numerals ри́мские ци́фры; 2) католи́ческий.

Roman balance ['roumən'bæləns] *n* без-мéн, пружи́нные весы́.

Roman Catholic ['roumən'kæθəlik] **1.** *n* като́лик;
2. *a* католи́ческий.

Roman-Catholicism ['roumənkə'θɔli-sizəm] *n* католи́чество.

Romance [rə'mæns] **1.** *n собир.* рома́нские языки́;
2. *a* рома́нский;

romance [rə'mæns] **1.** *n* 1) ры́царский рома́н (*обыкн. в стиха́х*); 2) рома́н (*герои-ческого жа́нра; про́тивоп.* novel рома́н бытовóй); 3) романи́ческий эпизóд, любóв-ная истóрия; 4) *муз.* рома́нс; 5) рома́нтика; 6) вы́думка, небыли́ца;
2. *v* 1) преувели́чивать, прикра́шивать действи́тельность; 2) выду́мывать, фанта-зи́ровать, сочиня́ть.

romancer [rə'mænsə] *n* 1) сочини́тель средневекóвых рома́нов; 2) фантазёр, вы́-думщик.

Romanes ['rɔmənes] *n* цыга́нский язы́к.

Romanesque [¸roumə'nesk] *архит.* **1.** *a* рома́нский (*о сти́ле*);
2. *n* рома́нский стиль.

Romanic [rou'mænik] *a* рома́нский;
2. *n* рома́нские языки́.

Romanism ['roumənizəm] *n* католици́зм.

Romanist ['roumənist] *n* католик.

Romanize ['roumənaiz] *v* 1) романизировать, латинизировать; 2) обращать в католичество; 3) переходить в католичество.

romantic [rə'mæntik] **1.** *a* 1) романтичный; романтический; 2) фантастический (*о проекте и т. п.*);
2. *n* 1) романтик; 2) *pl* преувеличенные чувства и речи.

romanticism [rə'mæntisizəm] *n* романтизм.

romanticist [rə'mæntisist] *n* романтик.

Romany ['rɔməni] **1.** *n* 1) цыган; цыганка; the ~ *собир.* цыгане; 2) цыганский язык;
2. *a* цыганский.

Romish ['roumiʃ] *a* папистский.

romp [rɔmp] **1.** *n* 1) возня, шумная игра; 2) сорванец, сорвиголова;
2. *v* 1) возиться, шумно играть (*о детях*); 2): to ~ home *sl.*, to ~ in, to ~ away выиграть с лёгкостью (*о лошади*); to ~ past, to ~ along легко бежать (*о лошади*).

romper ['rɔmpə] *n* (*обыкн. pl*) детский комбинезон.

rondeau ['rɔndou] *n прос.* рондо.

rondel ['rɔndl] = rondeau.

rondo ['rɔndou] *n* (*pl* -os [-ouz]) *муз.* рондо.

rondure ['rɔndjuə] *n поэт.* круг.

röntgen ['rɔntjən] = roentgen.

Röntgen rays ['rɔntjən'reiz] = Roentgen rays.

rood [ruːd] *n* 1) четверть акра; 2) клочок земли; 3) = rod 4); 4) *уст.* крест; распятие.

rood-loft ['ruːdlɔft] *n* хоры в церкви.

rood-screen ['ruːdskriːn] *n* перегородка, отделяющая алтарь от церкви.

roof [ruːf] **1.** *n* 1) крыша, кровля; *перен.* кров; under a ~ под крышей; under one's ~ в своём доме; the ~ of the mouth нёбо; the ~ of heaven свод неба; ~ of the world крыша мира (*о высокой горной цепи*); under a ~ of foliage под сенью листвы; 2) империал (*дилижанса и т. п.*); 3) *ав.* крыша; 4) *горн.* кровля (*выработки*); висячий бок;
2. *v* 1) крыть, настилать крышу; 2) покрывать (*тж.* ~ in); служить крышей, кровом.

roofer ['ruːfə] *n* 1) кровельщик; 2) *разг.* письмо, выражающее благодарность за гостеприимство.

roofing ['ruːfiŋ] **1.** *pres. p. от* roof 2;
2. *n* 1) кровельный материал; 2) покрытие крыши; кровельные работы; 3) кровля.

roofless ['ruːflis] *a* 1) без крыши; 2) не имеющий крова; бездомный.

rooinek ['ruːinek] *n* 1) вновь прибывший в Южную Африку эмигрант; 2) *прозвище, данное бурами английским солдатам* (*букв.* красная шея).

rook I [ruk] *n шахм.* ладья.

rook II [ruk] **1.** *n* 1) грач; 2) мошенник, шулер;
2. *v* обманывать; нечестно играть (*в карты*); выманивать деньги; обдирать (*покупателя*).

rookery ['rukəri] *n* 1) грачёвник; 2) место, где пингвины *или* тюлени выращивают детёнышей; 3) птичий базар; 4) густонаселённый ветхий дом; трущобы; куча домишек; 5) притон (*воровской, игорный*).

rookie ['ruki] *n воен. sl.* новобранец, новичок, рекрут.

rooky ['ruki] *амер.* = rookie.

room [rum] **1.** *n* 1) комната; камера; 2) *pl* помещение; квартира; 3) место, пространство; there is ~ for one more in the car в машине есть место ещё для одного человека; to make ~ for посторониться, дать место; no ~ to turn in, no ~ to swing a cat негде повернуться; 4) возможность; there is ~ for improvement могло бы быть и лучше; there is no ~ for dispute нет почвы для разногласий; ◊ in the ~ of вместо; to keep the ~ hole ~ laughing развлекать всё общество; to prefer a man's ~ to his presence предпочитать не видеть кого-л.; I would rather have his ~ than his company я предпочитаю, чтобы он ушёл;
2. *v амер.* жить на квартире; занимать комнату; to ~ with smb. жить с кем-л. (*в одной комнате*).

room-and-pillar-system ['rumənd'pilə'sistim] *n горн.* камерно-столбовая система разработки.

-roomed [-rumd] *в сложных словах означает* состоящий из стольких-то комнат; one-roomed однокомнатный; three-roomed трёхкомнатный.

roomer ['rumə] *n* жилец.

roomette [ruː'met] *n* купе.

roomful ['rumful] *n* полная комната.

roominess ['ruminis] *n* вместительность, ёмкость.

rooming-house ['rumiŋhaus] *n амер.* меблированные комнаты.

room-mate ['rummeit] *n* товарищ по комнате, сожитель.

roomy ['rumi] *a* просторный, свободный; вместительный.

roost [ruːst] **1.** *n* 1) насест; at ~ на насесте [*ср. тж.* 2)]; 2) спальня, постель; to go to ~ удаляться на покой; ложиться спать; at ~ в постели [*ср. тж.* 1)]; ◊ to rule the ~ командовать, распоряжаться; задавать тон; curses come home to ~ *посл.* ≅ не рой другому яму, сам в неё попадёшь; проклятия рушатся на голову проклинающего;
2. *v* 1) усаживаться на насест; 2) устраиваться на ночлег; поселяться.

rooster ['ruːstə] *n* петух.

root [ruːt] **1.** *n* 1) корень; ~ of a mountain подножие горы; to lay axe to ~ выкорчёвывать; to take (*или* to strike) ~ пускать корни, укореняться; to pull up by the ~s вырывать с корнем; подрубить под самый корень; выкорчёвывать; 2) *pl* корнеплоды; 3) причина, источник, корень; the ~ of the matter сущность вопроса; 4) *мат.* корень; square (*или* second) ~ квадратный корень; cube (*или* third) ~ кубический корень; 5) *тех.* вершина (*сварочного шва*); корень, основание, ножка (*зуба шестерни*); 6) *attr.* коренной, основной; the ~ principle основной принцип; ◊ ~ and branch основательно, коренным образом;

2. *v* 1) пуска́ть ко́рни; вкореня́ть(ся); 2) прико́вывать; пригвожда́ть; fear ~ed him to the ground страх прикова́л его́ к ме́сту; 3) *амер.* подд́ерживать; поощря́ть, ободря́ть (for); 4) рыть зе́млю ры́лом, подрыва́ть ко́рни (*о свинье*); □ ~ away = ~ out a); ~ out, ~ up a) вырыва́ть с ко́рнем, уничтожа́ть; б) выи́скивать.

root crop ['ruːt'krɔp] *n* корнепло́д.

rooted ['ruːtɪd] 1. *p.p. от* root 2; **2.** *a* 1) вкорени́вшийся; кореня́щийся (in—в *чём-л.*); про́чный; 2) глубо́кий (*о чувстве*).

rooter ['ruːtə] *n* 1) живо́тное, ро́ющееся в земле́; 2) тот, кто искореня́ет, вырыва́ет с ко́рнем; 3) доро́жный плуг; 4) *амер. спорт. sl.* боле́льщик.

rootless ['ruːtlɪs] *a* без корне́й, не име́ющий корне́й.

rootlet ['ruːtlɪt] *n* корешо́к.

rooty I ['ruːtɪ] *a* корни́стый; с мно́жеством корне́й.

rooty II ['ruːtɪ] *n воен. sl.* хлеб.

rope [roup] 1. *n* 1) кана́т; верёвка; трос; on the ~ свя́занные верёвкой (*об альпини́стах*); the ~s кана́ты, огражд́ающие аре́ну (*в цирке*); 2) ни́тка, вя́зка; a ~ of onion вя́зка лу́ка; a ~ of hair жгут воло́с; a ~ of pearls ни́тка жемчуга; 3) *pl мор.* сна́сти, такела́ж; осна́стка; 4) тягу́чая кле́йкая жи́дкость; 5) *attr.* кана́тный; верёвочный; ◇ to know (*или* to learn) the ~s хорошо́ ориенти́роваться (*в чём-л.*); знать все ходы́ и вы́ходы; ~ of sand обма́нчивая про́чность; иллю́зия; give a fool ~ enough and he'll hang himself *посл.* дай дураку́ во́лю, он сам себя́ загу́бит; to give smb. (plenty of) ~ дать кому́-л. свобо́ду де́йствий (*рассчи́тывая, что он совершит оши́бку*); on the high ~s a) в припо́днятом настрое́нии; б) надме́нный;
2. *v* 1) привя́зывать (кана́том); свя́зывать верёвкой; to ~ a box перевяза́ть я́щик верёвкой, 2) связа́ть(ся) друг с дру́гом верёвкой (*об альпини́стах*); 3) тяну́ть на верёвке, кана́те; 4) лови́ть арка́ном; 5) умы́шленно отстава́ть (*в состяза́нии*); 6) густе́ть, станови́ться кле́йким (*о жи́дкости*); 7) *sl.* ве́шать; □ ~ in a) окружа́ть кана́том; б) зама́нивать, втя́гивать, вовлека́ть; to ~ smb. in втя́гивать кого́-л. в предприя́тие; ~ off = ~ in a).

rope-dancer ['roup,dɑːnsə] *n* канатохо́дец, кана́тный пляс́ун.

rope-drive ['roupdraɪv] *n тех.* кана́тная переда́ча.

rope-ladder ['roup,lædə] *n* 1) верёвочная ле́стница; 2) *мор.* штормтра́п.

ropemanship ['roupmənʃɪp] *n* 1) иску́сство хожде́ния по кана́ту; 2) иску́сство альпини́стов.

roper ['roupə] *n* 1) кана́тный ма́стер; 2) упако́вщик; 3) *амер. диал.* ковбо́й.

rope's-end ['roups'end] *n мор.* линёк.

rope-walker ['roup,wɔːkə]=rope-dancer.

ropeway ['roupweɪ] *n* кана́тная доро́га.

rope-yarn ['roupjɑːn] *n мор.* ка́болка.

ropy ['roupɪ] *a* тягу́чий, кле́йкий (*о жи́дкости*); ли́пкий.

Roquefort ['rɔkfɔː] *n* рокфо́р (*сорт сы́ра*).

roquet ['rouki] 1. *n* крокиро́вка; **2.** *v* крокирова́ть (*в кроке́те*).

rorqual ['rɔːkwəl] *n* полоса́тик (*кит*).

rorty ['rɔːti] *a sl.* 1) весёлый, благоду́шный (*о челове́ке*); 2) прия́тный, весёлый (*о вре́мени и т. п.*).

rosace ['rouzeis] *n* 1)=rose window; 2) розе́тка (*орна́мент*).

rosaceous [rou'zeiʃəs] *a бот.* принадлежа́щий к семе́йству роз.

rosarian [rou'zɛəriən] *n* люби́тель роз.

rosarium [rou'zɛəriəm] *n* роза́рий.

rosary ['rouzəri] *n* 1) сад *или* гря́дка с ро́зами, роза́рий; 2) чётки; 3) вено́к, гирля́нда; 4) антоло́гия.

rose I [rouz] **1.** *n* 1) ро́за (*тж. как эмбле́ма Англии*); the ~ of пе́рвая краса́вица в; 2) *pl* румя́нец; she has ~s in her cheeks румя́нец игра́ет на её щека́х, она́ пы́шет здоро́вьем; 3) ро́зовый цвет; 4) розе́тка; 5) се́тка (*ду́ша или ле́йки*); разбры́згиватель; 6) = rose window; 7) (the ~) ро́жа, ро́жистое воспале́ние; ◇ bed of ~s, path strewn with ~s лёгкая, прия́тная жизнь; life is not all ~s в жи́зни не одни́ то́лько удово́льствия; under the ~ по секре́ту, тайко́м; втихомо́лку; born under the ~ рождённый вне бра́ка, «незаконнорождённый»; **2.** *a* ро́зовый; **3.** *v* де́лать ро́зовым, придава́ть ро́зовый отте́нок.

rose II [rouz] *past от* rise 2.

roseate ['rouziɪt] *a* 1) ро́зовый; 2) све́тлый, ра́достный.

rosebud ['rouzbʌd] *n* 1) буто́н ро́зы; 2) краси́вая молоде́нькая де́вушка; 3) *амер.* дебюта́нтка; 4) *attr.* похо́жий на (*или све́жий, как*) буто́н ро́зы.

rose-bush ['rouzbuʃ] *n* ро́зовый куст, куст роз.

rose-colour ['rouz,kʌlə] *n* 1) ро́зовый цвет; 2) привлека́тельный вид; 3) что-л. прия́тное.

rose-coloured ['rouz,kʌləd] *a* 1) ро́зовый; 2) ра́дужный; жизнера́достный; to see things (*или* everything) through ~ spectacles смотре́ть сквозь ро́зовые очки́; 3): ~ starling *зоол.* ро́зовый скворе́ц.

rose-drop ['rouzdrɔp] *n* ро́зовая сыпь.

rose-leaf ['rouzliːf] *n* лепесто́к ро́зы; ◇ crumpled ~ пустяко́вая неприя́тность, омрача́ющая о́бщую ра́дость.

rosemary ['rouzməri] *n бот.* розмари́н.

roseola [rou'ziːələ] *n мед.* 1) розео́ла; 2) красну́ха.

rose-rash ['rouzræʃ] *n* 1) розео́льная сыпь; 2)=roseola 2).

rose-tree ['rouztriː] *n* ро́зовый куст.

rosette [rou'zet] *n* 1) ро́за; 2) ро́зочка.

rose-water ['rouz,wɔːtə] *n* 1) ро́зовая вода́; 2) притво́рная чувстви́тельность; прито́рная любе́зность.

rose window ['rouz'windou] *n архит.* кру́глое окно́ с радиа́льными горбылька́ми; кру́глое окно́, запо́лненное ажу́рными ка́менными элеме́нтами.

rosewood ['rouzwud] *n* палиса́ндровое де́рево, ро́зовое де́рево (*древеси́на*).

rosin ['rɔzɪn] 1. *n* смола́, канифо́ль; 2. *v* натира́ть канифо́лью (*смычок*).

roster ['roustə] *n* 1) *воен.* расписа́ние наря́дов, дежу́рств; 2) спи́сок.

rostra ['rɔstrə] *pl от* rostrum.

rostral ['rɔstrəl] *a* 1) ростра́льный (*о колонне*); 2) *зоол.* относя́щийся к клю́ву; клювови́дный.

rostrate(d) ['rɔstreɪt(ɪd)] *a* 1) = rostral 1); 2) *зоол.* име́ющий клюв.

rostriform ['rɔstrɪfɔːm] *a* клювообра́зный.

rostrum ['rɔstrəm] *n* (*pl* -ra, -rums [-rəmz]) 1) трибу́на; ка́федра; 2) нос корабля́; 3) клюв.

rosy ['rouzɪ] *a* 1) ро́зовый; румя́ный; цвету́щий (*о человеке*); 2) я́сный, све́тлый; 3) ра́дужный; благоприя́тный.

rot [rɔt] 1. *n* 1) гние́ние, гниль; труха́; 2) шелуди́вость; боле́знь пе́чени (*у овец*); 3) *разг.* вздор, неле́пость (*тж.* tommy ~); don't talk ~ не мели́те вздо́ра; 4) прова́л, неуда́ча (*в состязаниях*); a ~ set in нача́лась полоса́ неуда́ч; 2. *v* 1) гнить, по́ртиться; *перен.* разлага́ться; 2) гнои́ть; по́ртить; 3) *sl.* дразни́ть; подшу́чивать; иронизи́ровать; 4) *sl.* дура́чить, обма́нывать; ☐ ~ about растра́чивать вре́мя; ~ away ги́бнуть; ~ off увяда́ть.

rota ['routə] *n* расписа́ние дежу́рств.

rotaplane ['routəpleɪn] *n ав.* ротопла́н.

rotary ['routərɪ] *a* враща́тельный; ротацио́нный; ~ engine ротацио́нная маши́на; ~ press *полигр.* рота́ция; ~ pump центробе́жный насо́с; ~ current *эл.* многофа́зный ток.

rotate 1. *v* [rou'teɪt] 1) враща́ть(ся); 2) чередова́ть(ся); сменя́ть(ся) по о́череди; 2. *a* ['routeɪt] *бот.* колесови́дный.

rotation [rou'teɪʃən] *n* 1) враще́ние; 2) чередова́ние; периоди́ческое повторе́ние; ~ of crops севооборо́т; by (*или* in) ~ попереме́нно; по о́череди.

rotational [rou'teɪʃənl] *a* 1) переме́нный, чередую́щийся; 2) враща́ющийся.

rotative ['routətɪv] *a* 1) = rotational; 2) враща́тельный.

rotator [rou'teɪtə] *n* 1) *анат.* враща́ющая мы́шца; 2) *метал.* враща́ющаяся отража́тельная печь.

rotatory ['routətərɪ] *a* 1) враща́тельный, коловра́тный; ~ current *эл.* многофа́зный ток; 2) враща́ющий.

rote I [rout] *n* шум прибо́я.

rote II [rout] *n* механи́ческое запомина́ние; by ~ наизу́сть (*не понимая существа вопроса, дела и т. п.*).

rotograph ['routəgrɑːf] *n* рото́граф; отпеча́ток на светочувстви́тельной бума́ге (*без негати́ва*).

rotor ['routə] *n* 1) *тех.* ро́тор; рабо́чее колесо́ турби́ны; 2) *эл.* я́корь; 3) *ав.* ро́тор геликопте́ра.

rotor plane ['routə'pleɪn] *n ав.* автожи́р.

rotten ['rɔtn] *a* 1) гнило́й, прогни́вший; испо́рченный, ту́хлый; 2) нра́вственно испо́рченный; нече́стный; 3) него́дный, сла́бый; 4) *разг.* неприя́тный, отврати́тельный; to feel ~ отврати́тельно себя́ чу́вствовать;

5) мя́гкий, сла́бый, вы́ветрившийся (*о горной поро́де*); ◇ ~ borough *ист.* «гнило́е месте́чко» (*город, который факти́чески уже не существова́л, но от имени которого продолжа́ли посыла́ть депута́тов в парламе́нт*).

rottenness ['rɔtnnɪs] *n* 1) гни́лость; испо́рченность; 2) ни́зость, нече́стность.

rotter ['rɔtə] *n sl.* дрянь (*о человеке*).

rotund [rou'tʌnd] *a* 1) по́лный, то́лстый; кру́глый, пу́хлый; 2) зву́чный; полнозву́чный; 3) округлённый (*о фра́зе*); высокопа́рный (*о сти́ле*); 4) *редк.* кру́глый, сфери́ческий, шарообра́зный.

rotunda [rou'tʌndə] *n архит.* рото́нда.

rotundity [rou'tʌndɪtɪ] *n* полнота́, округлённость.

rouble ['ruːbl] *рус. n* рубль.

roué [ruː'eɪ] *фр. n* по́веса, распу́тник.

rouge I [ruːʒ] *фр.* 1. *n* 1) румя́на; 2) губна́я пома́да; 2. *v* 1) румя́ниться; 2) кра́сить гу́бы.

rouge II [ruːʒ] *n* схва́тка вокру́г мяча́ (*в футбо́ле*).

rouge-et-noir [,ruːʒeɪ'nwɑː] *фр. n* «кра́сное и чёрное» (*аза́ртная ка́рточная игра*).

rough [rʌf] 1. *a* 1) гру́бый; ~ food гру́бая пи́ща; 2) неро́вный, шерша́вый; камени́стый (*о доро́ге*); ~ country пересечённая ме́стность; ~ edge зазу́бренный край; 3) косма́тый; 4) бу́рный (*о мо́ре*); ре́зкий (*о ве́тре, пого́де*); суро́вый (*о кли́мате*); ~ passage перее́зд по бу́рному мо́рю; 5) ре́жущий у́хо (*о зву́ке*); 6) гру́бый, неотёсанный, грубова́тый; невежливый, недели́катный; a ~ customer а) гру́бый челове́к; б) тру́дный субъе́кт; ~ usage гру́бое обраще́ние; 7) те́рпкий; 8) неотде́ланный, необрабо́танный, черново́й; приблизи́тельный; ~ copy черновик; ~ draft эски́з, набро́сок; ~ diamond неотшлифо́ванный алма́з; *перен.* челове́к, облада́ющий вну́тренними досто́инствами, но грубова́тый в обраще́нии *и т. п.*; ~ estimate приблизи́тельная сме́та; ~ and ready а) сде́ланный ко́е-ка́к, на́спех; б) грубова́тый, но энерги́чный; 9) тяжёлый; ~ labour тяжёлый физи́ческий труд; 10) тру́дный, го́рький, неприя́тный; ~ luck го́рькая до́ля, неуда́ча; невезе́ние; it is ~ on him э́то незаслу́женно тяжёлая у́часть для него́; to have a ~ time терпе́ть лише́ния *или* плохо́е обраще́ние; ◇ to take over a ~ road *амер.* а) дава́ть нагоня́й; б) (по)ста́вить в тяжёлое положе́ние;

2. *n* 1) неро́вность (*ме́стности*); 2) гру́бость, неотде́ланность; in the ~ в незако́нченном ви́де; 3) черново́й набро́сок; 4) неприя́тная сторона́ (*чего-л.*); to take the ~ with the smooth сто́йко переноси́ть превра́тности судьбы́; споко́йно встреча́ть невзго́ды; 5) буя́н, грубия́н; хулига́н, головоре́з; 6) *спорт.* неро́вное по́ле (*в го́льфе*); 7) шип (*в подко́ве*);

3. *adv* гру́бо *и пр.* [*см.* 1]; to live ~ жить без удо́бств; to treat ~ суро́во обходи́ться (*с кем-л.*);

4. *v* 1) отде́лывать вчерне́; 2) подко́вывать на ши́пы; 3) объезжа́ть (*ло́шадь*);

4) допуска́ть гру́бость (*особ. в футбо́ле*; *тж.* ~ up); 5): to ~ it мири́ться с лише́ниями, обходи́ться без (обы́чных) удо́бств; □ ~ in набра́сывать; ~ out черти́ть на́черно; ~ up a) всклоко́чивать (*во́лосы*); б) взъеро́шивать (*пе́рья*); в) *разг.* раздража́ть (*кого́-л.*).

roughage ['rʌfɪdʒ] *n* 1) гру́бые корма́; 2) гру́бая пи́ща; 3) гру́бый, жёсткий материа́л.

rough-and-tumble ['rʌfənd'tʌmbl] **1.** *n* 1) сва́лка, дра́ка; 2) суматóха, неразбери́ха;
2. *a* беспоря́дочный.

roughcast ['rʌfkɑːst] **1.** *n* 1) первонача́льный набро́сок; гру́бая моде́ль; 2) гру́бая штукату́рка просты́м намётом;
2. *a* 1) на́черно разрабо́танный (*о пла́не*); 2) гру́бо оштукату́ренный;
3. *v* 1) набра́сывать (*план*), намеча́ть; 2) штукату́рить намётом.

rough-draft ['rʌfdrɑːft] *v* де́лать черново́й чертёж.

rough-dry ['rʌf'draɪ] **1.** *a* вы́сушенный, но не вы́глаженный (*о белье́*);
2. *v* суши́ть без гла́женья.

roughen ['rʌfn] *v* де́лать(ся) гру́бым, шерохова́тым; грубе́ть.

rough-hew ['rʌf'hjuː] *v* гру́бо обтёсывать.

rough house ['rʌf'haus] *n sl.* сканда́л, шум.

rough-house ['rʌfhaus] *v sl.* 1) обраща́ться пло́хо; 2) буя́нить, хулига́нить, сканда́лить.

roughly ['rʌflɪ] *adv* 1) гру́бо; небре́жно; 2) неро́вно; 3) бу́рно, ре́зко; 4) гру́бо, неве́жливо; 5) приблизи́тельно; ~ speaking приме́рно.

rough-neck ['rʌfnek] *n амер. разг.* хулига́н, буя́н.

roughness ['rʌfnɪs] *n* 1) гру́бость; неотде́ланность; 2) неро́вность; шерша́вость; 3) бу́рность, ре́зкость; 4) гру́бость, грубова́тость; 5) те́рпкость.

rough-rider ['rʌf,raɪdə] *n* бере́йтор.

roughshod ['rʌfʃɔd] *a* подко́ванный на ши́пы (*о ло́шади*); ◇ to ride ~ over де́йствовать деспоти́чески, самоупра́вствовать, обходи́ться гру́бо.

rough-spoken ['rʌf'spoukən] *a* выража́ющийся гру́бо.

roulade [ruː'lɑːd] *фр. n* рула́да.

rouleau [ruː'lou] *фр. n* (*pl* -leaus [-louz], -leaux) 1) сто́пка моне́т, завёрнутых в бума́гу; 2) (моне́тный) сто́лбик из эритроци́тов (*в крови́*).

rouleaux [ruː'louz] *pl от* rouleau.

roulette [ruː'let] *фр. n* руле́тка (*игра́*).

Roumanian [ruː'meɪnjən] **1.** *a* румы́нский;
2. *n* 1) румы́н; румы́нка; 2) румы́нский язы́к.

round I [raund] **1.** *a* 1) кру́глый; шарообра́зный; сфери́ческий; ~ back (*или* shoulders) суту́лость; ~ hand (*или* text) кру́глый по́черк; *полигр.* рондо́; ~ timber кругля́к, кру́глый лесоматериа́л; ~ arch *архит.* полукру́глая а́рка; 2) кругово́й;

~ dance вальс; ~ game игра́ в ка́рты, в кото́рой принима́ет уча́стие неограни́ченное коли́чество игроко́в; ~ tour кругова́я пое́здка; ~ towel = roller towel; ~ trip *амер.* пое́здка туда́ и обра́тно; пое́здка в о́ба конца́; 3) мя́гкий, ни́зкий, бархати́стый (*о го́лосе*); 4) по́лный; кру́пный, кру́гленький (*о су́мме*); 6) кру́глый (*о ци́фрах*); округлённый (*о чи́слах*); 7) закруглённый, округлённый (*о фра́зе*); гла́дкий, пла́вный (*о сти́ле*); 8) прия́тный (*о вине́*); 9) прямо́й, открове́нный, и́скренний; грубова́тый; a ~ oath кре́пкое руга́тельство; in ~ terms в си́льных выраже́ниях; 10): a ~ trot кру́пная рысь; at a ~ pace кру́пным аллю́ром; 11) *фон.* округлённый; ◇ a ~ peg in a square hole челове́к не на своём ме́сте;

2. *n* 1) круг, окру́жность; очерта́ние, ко́нтур; 2) кругово́е движе́ние; цикл; 3) обхо́д; прогу́лка; to go the ~s идти́ в обхо́д, соверша́ть обхо́д; to go (*или* to make) the ~ of обходи́ть; циркули́ровать; to go for a good (*или* long) ~ предприня́ть дли́нную прогу́лку; visiting ~s прове́рка часовы́х; дозо́р для свя́зи; 4) цикл, ряд; the daily ~ круг ежедне́вных заня́тий; 5) тур; ра́унд; рейс; 6) ло́мтик, кусо́чек; ~ of toast кру́глый ло́мтик поджа́ренного хле́ба; ~ of beef ссек говя́дины; 7) ступе́нька ле́стницы (*тж.* ~ of a ladder); 8) *воен.* патро́н; вы́стрел; о́чередь; 20 ~s of ball cartridges 20 боевы́х патро́нов; 9) снаря́д, раке́тный снаря́д; ballistic ~ баллисти́ческий снаря́д; ◇ ~ of cheers взрыв аплодисме́нтов;

3. *v* 1) округля́ть(ся) (*тж.* ~ off); to ~ a sentence закругли́ть фра́зу; 2) огиба́ть; обходи́ть круго́м; повёртывать(ся); 3) *фон.* округля́ть; □ ~ off округля́ть(ся), закругля́ть(ся); to ~ off the evening with a dance зако́нчить ве́чер та́нцами; ~ on a) сде́лать неожи́данное возраже́ние; б) *разг.* доноси́ть; ~ out закругля́ть(ся), де́лать(ся) кру́глым; ~ to *мор.* приводи́ть к ве́тру; ~ up a) сгоня́ть (*скот*); б) окружа́ть, производи́ть обла́ву; ~ upon внеза́пно и преда́тельски напада́ть на;

4. *adv* 1) вокру́г; ~ about вокру́г (да о́коло); ~ and ~ круго́м; со всех сторо́н; to argue ~ and ~ the subject верте́ться вокру́г да о́коло, говори́ть не по существу́; all (*или* right) ~ круго́м; all the year ~ кру́глый год; a long way ~ кру́жным путём; to sleep the clock ~ проспа́ть 12 часо́в *или* су́тки подря́д; the wheel turns ~ колесо́ враща́ется; the wind has gone ~ to the north ве́тер поверну́л на се́вер; 2) круго́м; 3) обра́тно; 4): to bring ~ пода́ть, принести́, привести́; to come ~ a) приходи́ть, заходи́ть; б) приходи́ть в себя́;

5. *prep* вокру́г, круго́м; ~ the world вокру́г све́та; ~ the corner за́ угол, за угло́м.

round II [raund] *v уст.* говори́ть шёпотом, таи́нственно.

roundabout ['raundəbaut] **1.** *a* 1) око́льный; кру́жный; обхо́дный; 2) то́лстый, доро́дный;

2. *n* 1) окольный путь; 2) карусель; 3) *амер.* куртка, жакет;

3. *adv* примерно, приблизительно.

roundel ['raundl] *n* 1) что-л. круглое (*напр.*, кружок, медальон, круглый поднос); 2) = rondeau.

roundelay ['raundɪleɪ] *n* 1) коротенькая песенка с припевом; 2) пение птицы; 3) хороводный танец.

rounders ['raundəz] *n pl* английская лапта.

roundhead ['raundhed] *n ист.* кругло-головый, пуританин.

round-house ['raundhaus] *n* 1) *мор.* кормовая рубка; 2) *амер. ж.-д.* паровозное депо; 3) *уст.* арестантская.

roundish ['raundɪʃ] *a* круглова́тый, округлый.

roundly ['raundlɪ] *adv* 1) кругло; 2) напрямик, резко, откровенно; 3) энергично, основательно; полностью, окончательно.

round robin ['raund'rɔbɪn] *n* петиция с подписями, расположенными кружком (*чтобы скрыть, кто подписался первым*).

round-shot ['raundʃɔt] *n* пушечное ядро́.

round-shouldered ['raund'ʃouldəd] *a* сутулый.

roundsman ['raundzmən] *n* 1) торговый агент, сборщик заказов; 2) *амер.* старший полицейский, полицейский инспектор.

round-table ['raund'teɪbl] *a* (происходящий) за круглым столом.

round-the-clock ['raundðəklɔk] *a* круглосуточный.

round-trip ['raund'trɪp] *a амер.* обратный; ~ ticket обратный билет.

round-up ['raundʌp] *n* 1) округление, закругление; 2) *амер.* загон скота (*для клеймения и т. п.*); 3) облава; 4) сводка новостей (*по радио, в газете*); press ~ обзор печати; 5) сбор; сборище; a ~ of old friends встреча старых друзей.

roup I [ru:p] *шотл.* **1.** *n* аукцион; **2.** *v* продавать с аукциона.

roup II [ru:p] *n* оспа-дифтерия птиц.

rouse I [rauz] **1.** *v* 1) будить; 2) пробуждаться (*тж.* ~ up); 3) побуждать (to); воодушевлять; возбуждать; to ~ oneself стряхнуть лень, встряхнуться; 4) вспугивать дичь; 5) раздражать, выводить из себя; **2.** *n воен.* подъём, побудка.

rouse II [rauz] *n уст.* 1) тост; to give a ~ пить за здоровье; 2) попойка.

rousing ['rauzɪŋ] **1.** *pres. p. om* rouse I, 1; **2.** *a* 1) воодушевляющий; возбуждающий; a ~ welcome горячий, восторженный приём; 2) *разг.* поразительный; **3.** *n* встряска; he wants ~ ему надо встряхнуться.

roustabout ['raustə,baut] *n амер.* рабочий (*на пристани, на пароходе*), подсобный рабочий.

rout I [raut] **1.** *n* разгром, поражение; беспорядочное бегство; to put to ~ разгромить наголову, обратить в бегство; **2.** *v* разбить наголову; обращать в бегство.

rout II [raut] *n* 1) пирушка, шумное сборище; 2) *уст.* раут.

rout III [raut] *v* взрывать землю (*рылом*); □ ~ out вытаскивать; выкапывать.

route [ru:t] **1.** *n* маршрут, курс, путь, дорога; en route [ɑ:ŋ'ru:t] по пути, по дороге; в пути;

2. *v* [*часто* raut] *амер.* 1) направлять (*по определённому маршруту*); 2) распределять.

route-march ['ru:tmɑ:tʃ] *n* 1) марш в мирной обстановке *или* в тылу; 2) *амер.* походный порядок, движение в походном порядке.

routine [ru:'ti:n] *n* 1) заведённый порядок; установившаяся практика; определённый режим; 2) рутина; шаблон; 3) *воен.* распорядок службы; 4) *attr.* определённый, установленный, обычный, шаблонный; текущий (*об осмотре, ремонте и т. п.*).

rove I [rouv] **1.** *n* странствие;

2. *v* 1) скитаться; странствовать; бродить; 2) блуждать (*о взгляде*).

rove II [rouv] *n* 1) *тех.* шайба; 2) *текст.* ровница.

rove III [rouv] *past и p. p. om* reeve III.

rover ['rouvə] *n* 1) скиталец; странник; 2) пират, морской разбойник; 3) разбойник (*в крокете*).

row I [rou] *n* 1) ряд; in a ~ в ряд; in ~s рядами; 2) ряд домов, улица; ◇ to have a hard ~ to hoe *амер.* стоять перед трудной задачей; it does not amount to a ~ of beans (*или* pins) *амер.* ≅ ломаного гроша не стоит.

row II [rou] **1.** *n* 1) гребля; 2) прогулка на лодке; to go for a ~ кататься на лодке;

2. *v* 1) грести; to ~ race участвовать в гребных гонках; 2) перевозить в лодке; □ ~ down перегнать на лодке (*в гребле*); ~ out устать от гребли; ~ over легко победить в гонке; ◇ to ~ up Salt River *амер. sl.* «прокатить» на выборах; нанести поражение.

row III [rau] *разг.* **1.** *n* 1) шум, гвалт; to kick up (*или* to make) a ~ поднимать скандал, шум; протестовать; what's the ~? в чём дело?; 2) спор; ссора; свалка; to have a ~ with smb. поссориться с кем-л.; 3) нагоняй; to get into a ~ получить нагоняй;

2. *v* 1) скандалить, шуметь; 2) *разг.* делать выговор; отчитывать.

rowan ['rauən] *n шотл.* рябина.

rowan-tree ['rauəntri] = rowan.

row-boat ['roubout] *n* гребная лодка; *мор.* гребная шлюпка.

rowdy ['raudɪ] **1.** *n* хулиган, буян; головорез;

2. *a* шумный; буйный.

rowdyism ['raudɪɪzəm] *n* хулиганство.

rowel ['rauəl] *n* колёсико шпоры.

rower ['rouə] *n* гребец.

rowing I ['rouɪŋ] **1.** *pres. p. om* row II, 2; **2.** *n* гребля.

rowing II ['rauɪŋ] **1.** *pres. p. om* row III, 2; **2.** *n* нагоняй, выговор.

rowing-boat ['rouɪŋbout] = row-boat.

rowlock ['rɔlək] *n* уключина.

royal ['rɔɪəl] **1.** *a* 1) королевский; царский; R. Society Королевское общество (содействия успехам естествознания); R.

Standard короле́вский штанда́рт; 2) брита́нский (*о флоте, войсках, авиации и т. п.*); 3) великоле́пный; ца́рственный; ◇ ~ blue чи́стый, я́ркий отте́нок си́него цве́та; R. Exchange зда́ние ло́ндонской би́ржи; ~ mast *мор.* бом-брам-сте́ньга; ~ road са́мый лёгкий путь (*к достиже́нию чего́-л.*);
2. *n* 1) (the Royals) *pl собир. уст.* пе́рвый пехо́тный полк; 2) *разг.* член короле́вской семьи́; 3) большо́й форма́т бума́ги (*тж.* ~ paper); 4) = ~ stag; 5) = ~ mast [*см.* 1 ◇].

royalist ['rɔɪəlɪst] *n* 1) рояли́ст; 2) *амер.* твердоло́бый; 3) *attr.* роялисти́ческий.

royalistic [ˌrɔɪə'lɪstɪk] *a* роялисти́ческий.

royal stag ['rɔɪəl'stæg] *n* благоро́дный оле́нь (*не моло́же шести́ лет*).

royalty ['rɔɪəltɪ] *n* 1) короле́вское досто́инство; короле́вская власть; 2) член(ы) короле́вской семьи́; 3) (*обыкн. pl*) короле́вские привиле́гии и прерогати́вы; 4) вели́чие, ца́рственность; 5) а́вторский гонора́р (*процент с каждого проданного экземпляра*); отчисле́ние а́втору пье́сы (*за каждую постановку*); отчисле́ния владе́льцу пате́нта; 6) *ист.* аре́ндная пла́та землевладе́льцу за разрабо́тку недр.

rub [rʌb] 1. *n* 1) тре́ние; 2) натира́ние; растира́ние; give it a ~! потри́те!; 3) стира́ние; the ~ of a brush чи́стка щёткой; 4) натёртое ме́сто; 5) неро́вность по́чвы (*мешающая игре*); 6) *разг.* затрудне́ние; препя́тствие; поме́ха; ка́мень преткнове́ния; there is the ~ ≅ вот где соба́ка зары́та, ту́т-то и загво́здка; 7) *диал.* осело́к.
2. *v* 1) тере́ть(ся) (against, on, over— обо *что-л.*); to ~ one's hands потира́ть ру́ки; to ~ the wrong way гла́дить про́тив ше́рсти; раздража́ть; 2) натира́ть, начища́ть (*тж.* ~ up); 3) стира́ть(ся) (*тж.* ~ away, ~ off); 4) протира́ть; 5) натира́ть; to ~ sore натира́ть до́ кро́ви; 6) соприкаса́ться; задева́ть; to ~ elbows with smb. якша́ться с кем-л.; to ~ shoulders with smb. ста́лкиваться, обща́ться с кем-л.; 7) копи́ровать рису́нок (*с меди или камня*), притира́я к нему́ бума́гу карандашо́м; ☐ ~ along а) ла́дить, ужива́ться; б) *разг.* продвига́ться, пробира́ться с трудо́м, продира́ться; ~ away а) стира́ть (*ворс*); б) *перен.* лиша́ть(ся) новизны́, стира́ться; ~ down а) вытира́ть до́суха; б) чи́стить ло́шадь; в) стира́ть шерохова́тости; г) что́чить, шлифова́ть; ~ in а) втира́ть (*мазь*); б) убежда́ть; вда́лбливать (*особ. что-л. неприя́тное*); don't ~ it in не растравля́йте ра́ну; ~ off стира́ть(ся); выводи́ть (*пятно*); ~ through протира́ть (*сквозь сито*); ~ together тере́ть (*предметы*) друг о дру́га; ~ up а) начища́ть, полирова́ть; б) освежа́ть (*в памяти что-л.*); в) растира́ть (*краску*); ◇ ~ smb.'s nose into the fact *амер. разг.* ткнуть кого́-л. но́сом, указа́ть кому́-л. на факт.

rub-a-dub ['rʌbə,dʌb] *n* бараба́нный бой, ≅ трам-там-та́м.

rubber I ['rʌbə] 1. *n* 1) рези́на; каучу́к; 2) рези́нка; 3) *pl* гало́ши; 4) *pl* рези́новые

изде́лия; 5) массажи́ст; to have a ~ подверга́ться масса́жу; 6) осело́к; 7) приспособле́ние для тре́ния; 8) *attr.* рези́новый; прорези́ненный; ◇ it's a ~ drum that you beat with a sponge э́то соверше́нно бесполе́зно;
2. *v* 1) покрыва́ть рези́ной, прорези́нивать; 2) *амер. sl.* вытя́гивать ше́ю (*из любопы́тства*); гла́зеть; любопы́тствовать.

rubber II ['rʌbə] *n карт.* ро́ббер.

rubber-insulated cable ['rʌbə,ɪnsjuleɪtɪd'keɪbl] *n* ка́бель с рези́новой изоля́цией.

rubberized ['rʌbəraɪzd] *a* 1) прорези́ненный; покры́тый рези́ной; 2) вулканизи́рованный.

rubberneck ['rʌbənek] *амер. sl.* 1. *n* 1) любопы́тный челове́к (*особ. о тури́сте*); 2) *attr.*: ~ car, ~ auto, ~ bus автомоби́ль *или* авто́бус для тури́стов;
2. *v* = rubber I, 2, 2).

rubber plant ['rʌbə'plɑːnt] *n* каучуконо́сное расте́ние, каучуконо́с.

rubber-stamp ['rʌbəstæmp] *v* 1) ста́вить печа́ть; 2) *перен.* штампова́ть.

rubber tree ['rʌbə'triː] *n* каучу́ковое де́рево, каучуконо́с.

rubber-vine ['rʌbəvaɪn] = rubber tree.

rubbing ['rʌbɪŋ] 1. *pres. p. om* rub 2;
2. *n* 1) тре́ние; натира́ние; 2) рису́нок, копи́рованный притира́нием [*см.* rub 2, 7)]; to take (*или* to make) ~s срисо́вывать, де́лать ко́пии; 3) *текст.* ссу́чивание.

rubbish ['rʌbɪʃ] *n* 1) хлам; му́сор; 2) вздор; ерунда́; oh, ~! чепуха́!; 3) *sl.* де́ньги; 4) *горн.* пуста́я поро́да; закла́дка.

rubbishy ['rʌbɪʃɪ] *a* дрянно́й; никуда́ не го́дный; пустяко́вый; вздо́рный.

rubble ['rʌbl] *n* 1) бут, булы́жник, рва́ный ка́мень; балла́ст; 2) га́лька, валу́н; 3) *геол.* обло́мочные ро́ссыпи.

rube [ruːb] *n амер. разг.* дереве́нщина.

rubefy, rubify ['ruːbɪfaɪ] *v* де́лать кра́сным; вызыва́ть покрасне́ние.

Rubicon ['ruːbɪkən] *n* Рубико́н; to pass (*или* to cross) the ~ перейти́ Рубико́н.

rubicund ['ruːbɪkənd] *a* румя́ный.

rubidium [ruː'bɪdɪəm] *n хим.* руби́дий.

rubiginous [ruː'bɪdʒɪnəs] *a* ржа́вого цве́та.

rubious ['ruːbɪəs] *a поэт.* руби́нового цве́та.

ruble ['ruːbl] = rouble.

rubric ['ruːbrɪk] *n* 1) ру́брика; заголо́вок; 2) абза́ц; 3) *мин.* кра́сный железня́к.

rubricate ['ruːbrɪkeɪt] *v* 1) разбива́ть на абза́цы; 2) снабжа́ть подзаголо́вками.

ruby ['ruːbɪ] 1. *n* 1) руби́н; 2) я́рко-кра́сный цвет; 3) кра́сный пры́щик; 4) кра́сное вино́; 5) *полигр.* руби́н (*кегль, шрифт размером 5$\frac{1}{2}$ пунктов, амер. 3$\frac{1}{2}$ пункта*); ◇ above rubies неоцени́мый;
2. *a* руби́новый, я́рко-кра́сный;
3. *v* окра́шивать в я́рко-кра́сный цвет.

ruche [ruːʃ] *фр. n* рюш.

ruck I [rʌk] *n* 1) толпа́; да́вка; 2) вздор, чепуха́; 3) *спорт.* ло́шади, оста́вшиеся за фла́гом.

ruck II [rʌk] = ruckle I.

ruckle I ['rʌkl] 1. *n* скла́дка, морщи́на;
2. *v* де́лать скла́дки, морщи́ны.

ruckle II ['rʌkl] **1.** *n* хрип, хрипе́ние (*особ. умира́ющего*);

2. *v* хрипе́ть, издава́ть хрипя́щие зву́ки.

rucksack ['ruksæk] *нем. n* рюкза́к, похо́дный мешо́к.

ruction ['rʌkʃən] *n разг.* 1) препира́тельство, возраже́ния, проте́ст; 2) гам, гомон, гвалт.

rudder ['rʌdə] *n* 1) руль; 2) *ав.* руль поворо́та; elevating ~ руль высоты́; 3) руководя́щий при́нцип.

rudderless ['rʌdəlɪs] *a* без руля́; *перен.* без руково́дства.

rudder-post ['rʌdəpoust] *n* 1) *мор.* ру́дерпост; ру́дерпис; 2) *ав.* рулева́я сто́йка.

ruddiness ['rʌdɪnɪs] *n* 1) краснота́; 2) румя́нец.

ruddle ['rʌdl] **1.** *n* кра́сная *или* жжёная о́хра;

2. *v* 1) кра́сить о́хрой; 2) ме́тить (*овец*).

ruddock ['rʌdək] *n* мали́новка (*птица*).

ruddy ['rʌdɪ] **1.** *a* 1) румя́ный; 2): ~ health цвету́щее здоро́вье; 3) я́рко-кра́сный; 4) краснова́то-кори́чневый; 5) *sl.* прокля́тый;

2. *v* де́лать(ся) кра́сным.

rude [ruːd] *a* 1) гру́бый; невоспи́танный; оскорби́тельный; to be ~ to smb. груби́ть кому́-л.; 2) суро́вый; жесто́кий; свире́пый; 3) си́льный, ре́зкий; 4) неотде́ланный, неотёсанный; 5) примити́вный, гру́бый; 6) внеза́пный; ~ shock внеза́пный уда́р; ~ reminder неожи́данное напомина́ние; ~ awakening си́льное разочарова́ние; 7) кре́пкий (*о здоровье*).

rudeness ['ruːdnɪs] *n* 1) гру́бость; 2) неучти́вость; 3) суро́вость; жесто́кость; свире́пость.

rudiment ['ruːdɪmənt] *n* 1) рудимента́рный о́рган; 2) *pl* нача́тки, зача́тки; элемента́рные зна́ния.

rudimentary [,ruːdɪ'mentərɪ] *a* 1) зача́точный, рудимента́рный, недора́звитый; 2) элемента́рный.

rue I [ruː] **1.** *n уст.* 1) сострада́ние, жа́лость; 2) раска́яние, сожале́ние; crowned with ~ *поэт.* по́лный раска́яния.

2. *v* раска́иваться, сожале́ть; печа́литься, горева́ть; I ~d the day when... я про́клял тот день, когда́...

rue II [ruː] *n бот.* ру́та (души́стая).

rueful ['ruːful] *a* уны́лый, печа́льный; жа́лкий; жа́лобный; го́рестный; разочаро́ванный; a ~ countenance печа́льный о́блик.

ruefully ['ruːfulɪ] *adv* 1) печа́льно, уны́ло; 2) с сожале́нием, с сочу́вствием.

ruff I [rʌf] *n* 1) бры́жи; рюш; 2) кольцо́ пе́рьев *или* ше́рсти вокру́г ше́и (*у птиц и животных*); 3) турухта́н (*птица*); 4) *тех.* гре́бень, кругово́й вы́ступ на валу́.

ruff II [rʌf] *n* ёрш (*рыба*).

ruff III [rʌf] *карт.* **1.** *n* ко́зырь. **2.** *v* бить ко́зырем.

ruffed I [rʌft] *p. p. от* ruff III, 2.

ruffed II [rʌft] *a* гри́вистый (*о птицах*).

ruffian ['rʌfjən] *n* хулига́н, головоре́з, негодя́й.

ruffianism ['rʌfjənɪzəm] *n* хулига́нство, гру́бость.

ruffianly ['rʌfjənlɪ] *a* хулига́нский.

ruffle I ['rʌfl] **1.** *n* 1) рябь; 2) кружевна́я гофриро́ванная манже́тка, обо́рка; 3) сумато́ха, волне́ние; without ~ or excitement без суеты́, споко́йно; 4) *sl.* нару́чник;

2. *v* 1) ряби́ть (*воду*); 2) еро́шить (*волосы*); мо́рщить; 3) наруша́ть споко́йствие; a man impossible to ~ челове́к, кото́рого невозмо́жно вы́вести из себя́; 4) гофрирова́ть, собира́ть сбо́рки; 5) *разг.* перека́ться; 6) *разг.* хорохо́риться, вести́ себя́ зано́счиво, задо́рно; ~ it out чва́ниться, вести́ себя́ высокоме́рно; 7) трепыха́ться.

ruffle II ['rʌfl] *n* дробь бараба́на.

ruffler ['rʌflə] *n* 1) хвасту́н; 2) задира; хулига́н.

rufous ['ruːfəs] *a* краснова́то-кори́чневый; ры́жий.

rug [rʌg] *n* 1) ковёр, ко́врик; 2) плед; 3) мехова́я по́лость.

Rugby ['rʌgbɪ] *n спорт.* ре́гби (*тж.* ~ football).

rugged ['rʌgɪd] *a* 1) неро́вный, негла́дкий, шерохова́тый; шерша́вый; ~ verses неотде́ланные стихи́; ~ country, *амер.* ~ terrain *воен.* пересечённая ме́стность; 2) суро́вый, ре́зкий; бу́рный, нена́стный; 3) гру́бый; морщи́нистый; ~ features гру́бые, ре́зкие черты́ лица́; 4) про́чный, масси́вный; 5) бу́рный, я́ростный; 6) тяжёлый, тру́дный (*о жизни*); 7) *амер.* си́льный, кре́пкий.

rugger ['rʌgə] *разг. см.* Rugby.

rugose ['ruːgous] *a* морщи́нистый; скла́дчатый.

rugosity [ruː'gɔsɪtɪ] *n* 1) морщи́нистость; 2) морщи́на.

rugous ['ruːgəs] = rugose.

ruin ['ruɪn] **1.** *n* 1) ги́бель; круше́ние (*надежд и т. п.*); разоре́ние; крах; to bring to ~ разори́ть, погуби́ть; 2) (*часто pl*) разва́лина; руи́ны; in ~s в разва́линах; 3) причи́на ги́бели;

2. *v* 1) разруша́ть, разоря́ть; to ~ oneself разори́ться; 2) (по)губи́ть; to ~ a girl обесче́стить де́вушку; 3) по́ртить; 4) *поэт.* ру́хнуть.

ruination [ruɪ'neɪʃən] *n разг.* (по)ги́бель; круше́ние; по́лное разоре́ние.

ruinous ['ruɪnəs] *a* 1) разори́тельный; губи́тельный, разруши́тельный; 2) разру́шенный, развали́вшийся.

rule [ruːl] **1.** *n* 1) пра́вило; уста́в; при́нцип; но́рма; образе́ц; it is a ~ with us у нас тако́е пра́вило; ~ of the road a) пра́вила движе́ния; б) *мор.* пра́вила расхожде́ния судо́в; ~ of three *мат.* тройно́е пра́вило; ~s of the game пра́вила игры́; ~ of decorum пра́вила прили́чия, пра́вила этике́та; as a ~ как пра́вило, обы́чно; by ~ по (устано́вленным) пра́вилам; hard and fast ~ то́чный крите́рий, твёрдо устано́вленная фо́рма; international ~s in force де́йствующие но́рмы междунаро́дного пра́ва; standing ~ постоя́нно де́йствующие пра́вила; пра́вила, устано́вленные како́й-л. корпора́цией; to make ~s устана́вливать пра́вила; to make it a ~ взять за пра́вило; I make it a ~ to get up early я обы́чно ра́но встаю́; 2) постановле́ние, реше́ние суда́ *или* судьй; ~ **absolute** *юр.* судебное постановление, прекращающее действие условного постановления; ~ **nisi** *см.* nisi; 3) правление, власть; владычество, господство; the ~ **of the people** власть народа; the ~ **of force** власть силы; 4) устав (*общества, ордена*); 5) (масштабная) линейка; наугольник; масштаб; 6) *полигр.* линейка; шпон; ◇ ~ **of thumb** а) кустарный способ; б) приближённый подсчёт;

2. *v* 1) управлять, править, властвовать; руководить; господствовать; 2) постановлять (that); устанавливать правило; 3) линовать, графить; 4) стоять на определённом уровне (*о ценах*); □ ~ **out** исключать.

ruler I ['ruːlə] *n* правитель.

ruler II ['ruːlə] *n* линейка.

ruling ['ruːlɪŋ] **1.** *pres. p. от* rule 2;
2. *n* 1) управление; 2) постановление; судебное решение; постановление судьи;
3. *a* господствующий, преобладающий; ~ **passion** преобладающая страсть; ~ **gradient** *ж.-д.* руководящий подъём.

rulley ['rulɪ] *n* ломовая телега.

rum I [rʌm] *n* 1) ром; 2) *амер.* спиртной напиток.

rum II [rʌm] *a разг.* странный, чудной; подозрительный; ~ **customer** странный, подозрительный субъект; ~ **member** чудак; ~ **start** удивительный случай; he feels ~ ему не по себе.

Rumanian [ruːˈmeɪnjən] = Roumanian.

rumba ['rʌmbə] **1.** *n* румба (*танец и музыкальная форма*).
2. *v* танцевать румбу.

rumble I ['rʌmbl] **1.** *n* 1) громыханье, грохотанье, грохот; 2) сиденье *или* место для багажа *или* слуги позади экипажа; 3) *авт.* откидное сиденье (*тж.* ~ seat).
2. *v* 1) громыхать, грохотать; 2) сказать громко (*тж.* ~ out, ~ forth); 3) урчать.

rumble II ['rʌmbl] *v разг.* видеть насквозь, всё понимать.

rumble-tumble ['rʌmbl͵tʌmbl] *n* 1) тряска; 2) громоздкий тряский экипаж.

rumbustious [rʌmˈbʌstjəs] *a разг.* шумливый, шумный.

rumen ['ruːmen] *n* рубец (*первый отдел желудка жвачных*).

ruminant ['ruːmɪnənt] **1.** *a* 1) жвачный; 2) задумчивый.
2. *n* жвачное животное.

ruminate ['ruːmɪneɪt] *v* 1) жевать жвачку; 2) раздумывать, размышлять (over, of, on, about—о чём-л.).

rumination [͵ruːmɪˈneɪʃən] *n* 1) жевание жвачки; 2) размышление.

rummage ['rʌmɪdʒ] **1.** *n* 1) поиски, обыск; обшаривание; таможенный осмотр; 2) хлам, всякая ерунда;
2. *v* 1) рыться, искать (*обыкн.* ~ about, ~ in); 2) вылавливать, вытаскивать (*обыкн.* ~ out, ~ up).

rummage sale ['rʌmɪdʒ'seɪl] *n* распродажа случайных вещей (*обыкн.* с благотворительной целью).

rummer ['rʌmə] *n* кубок.

rummy ['rʌmɪ] = rum II.

rumormongering ['ruːmə͵mʌŋgərɪŋ] *n амер.* распространение слухов.

rumour ['ruːmə] **1.** *n* слух, молва, толки; ~s **are about** (*или* afloat) ходят слухи; **there is a** ~ говорят;
2. *v* распространять слухи; рассказывать новости; **it is** ~ed **that** ходят слухи, что.

rumoured ['ruːməd] **1.** *p. p. от* rumour 2;
2. *a:* the ~ **disaster** бедствие, о котором прошёл слух.

rump [rʌmp] *n* 1) крестец; огузок; 2) (the R.) *ист.* «охвостье», остатки Долгого парламента.

rumple ['rʌmpl] *v* 1) мять; приводить в беспорядок; 2) ерошить волосы.

rump steak ['rʌmpsteɪk] *n* кусок вырезки, ромштекс.

rumpus ['rʌmpəs] *n разг.* суматоха; шум, гам; ссора.

rumpus room ['rʌmpəsrum] *n* комната для игр и развлечений (*в квартире*).

rumrunner ['rʌm͵rʌnə] *n амер. разг.* перевозчик запрещённых спиртных напитков.

rum-tum ['rʌm'tʌm] *n* лёгкая лодка (*на Темзе*).

run [rʌn] **1.** *n* 1) бег, пробег; **at a** ~ бегом [*см. тж.* ◇]; **on the** ~ на ходу, в движении; **on the** ~ **all day** весь день в беготне; **to keep smb. on the** ~ не давать кому-л. остановиться; **to go for a** ~ пробежаться; **to give smb. a** ~ дать пробежаться; **to come down with a** ~ быстро падать; 2) короткая поездка; **a** ~ **up to town** кратковременная поездка в город; 3) ход, работа, действие (*машины, мотора*); 4) течение, продолжение; период времени; ряд; линия; ~ **of luck** полоса везения, удачи; **a long** ~ **of power** долгое пребывание у власти; **the play has a** ~ **of 50 nights** пьеса идёт 50 вечеров подряд; 5) спрос; ~ **on the bank** наплыв в банк требований о возвращении вкладов; **the book has a considerable** ~ книга хорошо распродаётся; 6) средний тип *или* разряд; **the common** ~ **of men** обыкновенные люди; 7) стая (*рыб*); 8) партия (*изделий*); 9) огороженное место (*для кур и т. п.*); загон *или* пастбище для овец; 10) *амер.* ручей, поток; 11) жёлоб, лоток, труба *и т. п.*; 12) разрешение пользоваться (*чем-л.*); **to have the** ~ **of smb.'s books** иметь право пользоваться чьими-л. книгами; 13) направление; **the** ~ **of the hills is N. E.** холмы тянутся на северо-восток; **the** ~ **of the market** общая тенденция рыночных цен; 14) уклон; трасса; 15) *амер.* спустившаяся петля на чулке; 16) *муз.* рулада; 17) *ж.-д.* пробег (*паровоза, вагона*); отрезок пути; прогон; 18) *ав.* заход на цель; 19) *горн.* бремсберг; 20) длина (*провода*); 21) *геол.* направление жилы руды; 22) кормовое заострение (*корпуса*); 23) *тех.* погон, фракция (*напр., нефти*); ◇ **at a** ~ подряд [*см. тж.* 1)]; **in the long** ~ в конце концов; в общем; **to go with a** ~ идти как по маслу; **to take the** ~ **for one's money** получить полное удовольствие за свои деньги; **to be out of the** ~ *амер.* выйти из колеи, отстать;

2. *v* (гап; run) 1) бежа́ть; бе́гать; a cold shiver ran down his spine холо́дная дрожь пробежа́ла у него́ по спине́; 2) дви́гаться, передвига́ться (*обыкн. бы́стро*); things must ~ their course на́до предоста́вить собы́тия их есте́ственному хо́ду; to ~ counter идти́ про́тив; to ~ before the wind *мор.* идти́ на фордеви́нд; 3) ходи́ть; курси́ровать; пла́вать; 4) кати́ться; 5) спаса́ться бе́гством, убега́ть; to ~ for it *разг.* иска́ть спасе́ния в бе́гстве; 6) бы́стро распространя́ться (*об огне́, пла́мени; о нóвостях*); 7) проходи́ть, бежа́ть, лете́ть (*о времени*); пронести́сь, промелькну́ть (*о мы́сли*); how fast the years ~ by! как бы́стро летя́т го́ды!; 8) течь, ли́ться, сочи́ться, струи́ться; 9) пролива́ть(ся) (*о крóви*); 10) расплыва́ться (*о черни́лах*); линя́ть (*о рису́нке на мате́рии*); 11) тяну́ться, проходи́ть, простира́ться, расстила́ться; to ~ zigzag располага́ть(ся) зигзагообра́зно; 12) тяну́ться, расти́, обвива́ться (*о расте́ниях*); 13) враща́ться, рабо́тать, де́йствовать, нести́ нагру́зку (*о маши́не*); to leave the engine (of a motor-car) ~ning не выключа́ть мото́ра; 14) идти́ гла́дко; all my arrangements ran smoothly всё шло как по ма́слу; 15) гласи́ть (*о докуме́нте, те́ксте*); this is how the verse ~s вот как звучи́т стих; 16) быть действи́тельным в изве́стный срок; the lease ~s for seven years аре́нда действи́тельна на семь лет; 17) идти́ (*о пье́се*); the play ran for six months пье́са шла шесть ме́сяцев; 18) *употр. как глаго́л-свя́зка:* to ~ cold (по-)холоде́ть; to ~ dry высыха́ть; иссяка́ть; to ~ mad сходи́ть с ума́; to ~ high a) поды́ма́ться (*о прили́ве*); б) волнова́ться (*о мо́ре*); в) возраста́ть (*о це́нах*); г) разгора́ться (*о страстя́х*); to ~ low a) понижа́ться, опуска́ться; б) истоща́ться, иссяка́ть (*о пи́ще, де́ньгах и т. п.*); to ~ a fever лихора́дить; 19) уча́ствовать (*в соревнова́ниях, ска́чках, бега́х*); 20) выставля́ть (свою́) кандидату́ру на вы́борах (for); 21) *амер.* спусти́ться (*о пе́тле*); her stocking ran у неё на чулке́ спусти́лась пе́тля; 22) напра́вить движе́ние *или* тече́ние (*чего́-л.*); заста́вить дви́гаться; to ~ the car in the garage ввести́ автомоби́ль в гара́ж; 23) направля́ть; управля́ть (*маши́ной*); to ~ the vacuum sweeper чи́стить пылесо́сом; 24) вести́ (*де́ло, предприя́тие*), эксплуати́ровать; to ~ a hotel держа́ть гости́ницу; 25) быть инициа́тором; 26) гнать, подгоня́ть; 27) пла́вить, лить (*мета́лл*); выпуска́ть мета́лл (*из пе́чи*); 28) нака́пливаться, образова́ться (*о до́лге*); to ~ (up) a bill задолжа́ть (at — *портно́му и т. п.*); 29) втыка́ть, вонза́ть (into); продева́ть (*ни́тку в иго́лку*); 30) пресле́довать, трави́ть (*зве́ря*); 31) пуска́ть ло́шадь (*на бега́ или ска́чки*); 32) прорыва́ть; пробива́ться сквозь; to ~ the blockade прорва́ть блока́ду; ☐ ~ **about** a) суети́ться, бе́гать туда́-сюда́; б) игра́ть, резви́ться (*о де́тях*); ~ **across** (случа́йно) встре́титься с *кем-л.*, натолкну́ться на *кого́-л.*; ~ **after** a) пресле́довать; б) бе́гать, уха́жи-

вать за *кем-л.*; ~ **against** ста́лкиваться; ната́лкиваться на; to ~ one's head against a wall сту́кнуться голово́й об сте́ну; *перен.* проши́ба́ть лбом сте́ну; ~ **at** набра́сываться, наки́дываться на *кого́-л.*; ~ **away** a) убега́ть (with—с *кем-л., чем-л.*); похища́ть; б) понести́ (*о ло́шади*); в) намно́го обогна́ть (*други́х уча́стников соревнова́ния*); ~ **away with** a) заста́вить потеря́ть самооблада́ние; his temper ran away with him он не суме́л сдержа́ться; б) увле́чься мы́слью; в) приня́ть необду́манное реше́ние; ~ **back** a) восходи́ть к (*определённому пери́оду;* to); б) просле́живать до (*исто́чника, нача́ла и т. п.;* to); ~ **down** a) сбежа́ть; б) съе́здить ненадо́лго; съе́здить из Ло́ндона в прови́нцию; в) остана́вливаться (*о маши́не, часа́х и т. п.*); г) догна́ть, насти́гнуть; д) столкну́ться; е) унижа́ть, относи́ться презри́тельно; ж) уничтожа́ть; з) переутомля́ть(ся); истоща́ть(ся), изнуря́ть(ся); и) опроки́дывать; к) (*обыкн. p. p.*) перее́хать, задави́ть; ~ **in** a) броса́ться врукопа́шную; б) *разг.* провести́ кандида́та (*на вы́борах*); в) *разг.* аресто́вать и посади́ть в тюрьму́; г) навести́ть, загляну́ть; д) втя́гивать, убира́ть внутрь; е) соглаша́ться, сходи́ться, совпада́ть (with—c); ж): ~ in debt влеза́ть в долги́; з) *тех.* запусти́ть мото́р; ~ **into** a) впада́ть в; to ~ into debt влеза́ть в долги́; б) нае́хать, наскочи́ть; в) доходи́ть до, достига́ть; the book ran into five editions кни́га вы́держала пять изда́ний; ~ **off** a) удира́ть, убега́ть; сбега́ть (with—c); б) сходи́ть (с ре́льсов); в) отцеживать; г) отвлека́ться от предме́та (*разгово́ра*); д) строчи́ть стихи́; гла́дко деклами́ровать; е) реша́ть исхо́д го́нки; ~ **on** a) продолжа́ть; б) говори́ть без у́молку; в) постоя́нно возвраща́ться (*к те́ме, мы́сли и т. п.*); г) полигр. набира́ть «в подбо́р»; д) писа́ться сли́тно (*о бу́квах*); ~ **out** a) выбега́ть; б) вытека́ть; в) истоща́ться; истека́ть (*о вре́мени*); г) выдвига́ться, выступа́ть (*о строе́нии и т. п.*); д) зако́нчить го́нку; ~ **out of** истощи́ть свой запа́с; ~ **over** a) перелива́ться че́рез край; б) перее́хать, задави́ть (*кого́-л.*); в) просма́тривать, повторя́ть (*глаза́ми; па́льцами по кла́вишам и т. п.*); to ~ an eye over smth. оки́нуть взгля́дом, бе́гло осмотре́ть что-л.; д) съе́здить, сходи́ть; ~ **through** a) прока́лывать; б) промота́ть (*состоя́ние*); в) бе́гло прочи́тывать *или* просма́тривать; г) зачеркну́ть (*напи́санное*); ~ **to** a) достига́ть (*су́ммы, ци́фры*); б) ударя́ться в кра́йность *и т. п.*); to ~ to extremes впада́ть в кра́йности; в) идти́ (*в ли́стья, семена́*); to ~ to fat превраща́ться в жир; *разг.* жире́ть, толсте́ть; to ~ to seed пойти́ в семена́; *перен.* переста́ть развива́ться; опусти́ться; пойти́ пра́хом; ~ **up** a) съе́здить (*в го́род*); б) бы́стро расти́; увели́чиваться; в) поднима́ть(ся); г) вздува́ть (*це́ны*); д) доходи́ть (to—до); е) скла́дывать (*столбе́ц цифр*); ж) возводи́ть спе́шно (*постро́йку*); ~ **upon** a) верте́ться вокру́г *чего́-л.*, возвраща́ться к *чему́-л.* (*о мы́слях*);

б) неожи́данно *или* внеза́пно встре́титься; ◇ to ~ a risk рискова́ть; to ~ errands (*или* messages) быть на посы́лках; to ~ in the blood быть насле́дственным; to ~ it close (*или* fine) име́ть в обре́з (*вре́мени, де́нег и т. п.*); to ~ up(on) the rocks a) потерпе́ть круше́ние; б) наткну́ться на непреодоли́мые препя́тствия; to ~ riot *см.* riot 1,3); to ~ a thing close быть почти́ ра́вным (*по ка́честву и т. п.*); to ~ a person close a) быть чьим-л. опа́сным сопе́рником; б) быть почти́ ра́вным кому́-л.; to ~ a person off his legs загоня́ть кого́-л. до изнеможе́ния; to ~ too far заходи́ть сли́шком далеко́.

runabout [ˈrʌnəbaut] **1.** *n* 1) бродя́га; праздношата́ющийся; 2) небольшо́й автомоби́ль; 3) мото́рная ло́дка;
2. *a* скита́ющийся; бродя́чий.

runagate [ˈrʌnəgeit] *n уст.* бродя́га.

runaway [ˈrʌnəwei] **1.** *n* 1) бегле́ц; 2) дезерти́р; 3) ло́шадь, несу́щаяся закуси́в удила́; 4) стреми́тельный, неудержи́мый рост;
2. *a* 1) убежа́вший; бе́глый; ~ marriage сва́дьба уво́дом; 2) неудержи́мый, бы́стро расту́щий; ~ inflation безуде́ржная инфля́ция; 3) лёгкий, доста́вшийся легко́; ~ victory *спорт.* лёгкая побе́да.

run-down [ˈrʌndaun] **1.** *n* кра́ткое изложе́ние;
2. *a* 1) захуда́лый, жа́лкий; 2) уста́вший, истощённый.

rune [ruːn] *n лингв.* ру́на.

rung I [rʌŋ] *n* 1) ступе́нька; перекла́дина; гря́дка приставно́й ле́стницы; 2) спи́ца колеса́; 3) *attr.:* ~ ladder стремя́нка.

rung II [rʌŋ] *past и p. p. от* ring II, 2.

runic [ˈruːnik] *a лингв.* руни́ческий.

run-in [ˈrʌnˈin] *n* схва́тка, ссо́ра.

runlet I [ˈrʌnlit] *n* ручеёк.

runlet II [ˈrʌnlit] *n уст.* ви́нный бочо́нок.

runnables [ˈrʌnəblz] *n pl разг.* трикота́жные изде́лия.

runnel [ˈrʌnl] *n* 1) ручеёк; 2) кана́ва, сток.

runner [ˈrʌnə] *n* 1) бегу́н, уча́стник состяза́ния в бе́ге; a poor ~ плохо́й бегу́н; a fast ~ хоро́ший бегу́н; 2) скорохо́д; 3) посы́льный; гоне́ц; 4) *уст.* полице́йский; 5) контрабанди́ст; 6) по́лоз (*сане́й*); 7) доро́жка (*на столе́; на полу́*); 8) *тех.* бегуно́к; ходово́й ро́лик; рабо́чее колесо́ (*турби́ны*); ро́тор, ве́рхний жёрнов; 9) ползу́чее расте́ние; сте́лющийся побе́г (*с корня́ми*); 10) ус (*земляни́ки, клубни́ки*); 11) *мор.* ходово́й коне́ц (*сна́сти*).

runner-up [ˈrʌnəˈrʌp] *n* уча́стник состяза́ния, заня́вший второ́е ме́сто.

running [ˈrʌniŋ] **1.** *pres. p. от* run 2;
2. *n* 1) бе́ганье; бег (á), беготня́; 2) ход, рабо́та, де́йствие; враще́ние (*маши́ны, мото́ра и т. п.*); состоя́ние установи́вшегося движе́ния; 3) течь, выделе́ние; ◇ to be in the ~ име́ть ша́нсы на вы́игрыш; to be out of the ~ не име́ть ша́нсов на вы́игрыш; to make the ~ a) доби́ться хоро́ших результа́тов (*о жоке́е, скаково́й ло́шади*); б) доби́ться успе́ха, преуспева́ть; to make

good one's ~ не отстава́ть; преуспева́ть; to take up the ~ a) вести́ (*в го́нке*); б) брать инициати́ву в свои́ ру́ки;
3. *a* 1) бегу́щий; 2) бегово́й; ~ track, ~ path бегова́я доро́жка; 3) теку́щий; ~ account теку́щий счёт; 4) после́довательный, непреры́вный; ~ commentary радиорепорта́ж; ~ fire бе́глый ого́нь; ~ hand бе́глый по́черк; 5) пла́вный; 6) теку́чий; 7): ~ eyes слезя́щиеся глаза́; ~ sore гноя́щаяся ра́на; 8) ползу́чий, выо́щийся (*о расте́нии*); 9) подвижно́й, рабо́тающий; ~ rigging *мор.* бегу́чий такела́ж; 10) *predic.* после́довательный, иду́щий подря́д; four days ~ четы́ре дня подря́д; 11) *тех.* эксплуатацио́нный.

running-board [ˈrʌniŋbɔːd] *n* подно́жка (*автомоби́ля*).

running knot [ˈrʌniŋˈnɔt] *n* затяжно́й у́зел, уда́вка.

running mate [ˈrʌniŋˈmeit] *n* 1) челове́к, кото́рого ча́сто ви́дят в компа́нии друго́го; 2) *амер.* кандида́т на пост ви́це-президе́нта.

running title [ˈrʌniŋˈtaitl] *n полигр.* колонти́тул.

runny [ˈrʌni] *a* 1) теку́чий, жи́дкий; 2) слезя́щийся.

run-on [ˈrʌnˈɔn] **1.** *n* приложе́ние;
2. *a* дополни́тельный.

run-out [ˈrʌnˌaut] *n* 1) изна́шивание, изно́с; 2) вы́ход, вы́пуск; 3) движе́ние по ине́рции; 4) *тех.* диффу́зор.

runt [rʌnt] *n* 1) малоро́слое живо́тное; 2) *разг.* челове́к ни́зкого ро́ста; коро́ты́шка.

run-through [ˈrʌnˌθruː] *n* 1) просмо́тр; 2) *разг.* репети́ция.

run-up [ˈrʌnˌʌp] *n* 1) разбе́г; 2) *ав.* захо́д на цель.

runway [ˈrʌnwei] *n* 1) *ав.* взлётно-поса́дочная доро́жка; 2) спуск для гидросамолётов; 3) *тех.* подкра́новый путь; *ж.-д.* подъездно́й путь; 4) *спорт.* доро́жка для разбе́га; 5) тропи́нка к водопо́ю; доро́жка, прохо́д.

rupee [ruːˈpiː] *n* ру́пия (*де́нежная едини́ца Индии, Пакиста́на, Индоне́зии, Цейло́на*).

rupture [ˈrʌpʧə] **1.** *n* 1) перело́м; пролом; 2) разры́в; ~ between friends ссо́ра друзе́й; 3) *мед.* гры́жа; прободе́ние; разры́в; the ~ of a blood-vessel разры́в кровено́сного сосу́да; 4) *эл.* пробо́й (*изоля́ции*);
2. *v* 1) прорыва́ть (*оболо́чку*); 2) порыва́ть (*связь, отноше́ния*); 3) *мед.* вызыва́ть гры́жу.

rural [ˈruərəl] **1.** *a* се́льский, дереве́нский; ~ economy се́льское хозя́йство;
2. *n pl* се́льская ме́стность.

ruse [ruːz] *n* уло́вка, хи́трость.

rush I [rʌʃ] *n* 1) *бот.* тростни́к; камы́ш; си́тник, рого́з; 2) соверше́нный пустя́к, ме́лочь; not to care a ~ быть равноду́шным; not to give a ~ for smth. не придава́ть значе́ния чему́-л.; it's not worth a ~ гроша́ не сто́ит; 3) *attr.* тростнико́вый; камышо́вый.

rush II [rʌʃ] **1.** *n* 1) стреми́тельное движе́ние; бросо́к; на́тиск, наплы́в, напо́р; we saw his ~ for the door мы ви́дели, как он бро́сился к две́ри; ~ for wealth пого́ня за богатством; ~ of armaments гонка вооружений; gold ~ золотая лихорадка; flowers came out with a ~ цветы буйно распустились; 2) *воен.* стремительная атака; 3) *воен.* перебежка; 4) *амер. унив.* состязание, соревнование; 5) *горн.* внезапная осадка кровли; 6) *attr.* спешный, срочный, требующий быстрых действий; ~ work *амер.* напряжённая, спешная работа; ~ meeting *амер.* наспех созванное собрание;

2. *v* 1) бросаться, мчаться, нестись, устремляться (*тж. перен.*); an idea ~ed into my mind мне вдруг пришло на ум; words ~ed to his lips слова так и посыпались из его уст; 2) действовать, выполнять слишком поспешно; to ~ to a conclusion делать поспешный вывод; to ~ into an undertaking необдуманно бросаться в какое-л. предприятие; to ~ into print слишком поспешно отдавать в печать; to ~ a bill through the House провести в спешном порядке законопроект через парламент; 3) устремиться, хлынуть; 4) увлекать, стремительно тащить, торопить; to refuse to be ~ed отказываться делать (*что-л.*) второпях; 5) *воен.* брать стремительным натиском; to be ~ed подвергнуться внезапному нападению; 6) дуть порывами (*о ветре*); 7) *sl.* обдирать (*покупателя*).

rush candle [ˈrʌʃˈkændl] = rushlight 1).

rush-hours [ˈrʌʃˌauəz] *n pl* часы пик.

rushlight [ˈrʌʃlait] *n* 1) свеча с фитилём из сердцевины ситника; 2) слабый свет; слабый проблеск (*разума и т. п.*); скудные сведения.

rushy [ˈrʌʃi] *a* 1) заросший камышом, тростником; 2) тростниковый; камышовый.

rusk [rʌsk] *n* сухарь.

russet [ˈrʌsit] 1. *n* 1) красновато-коричневый цвет; 2) коричневое яблоко; 3) грубая красновато-коричневая ткань;

2. *a* 1) красновато-коричневый; 2) *уст.* деревенский, простой.

Russian [ˈrʌʃən] 1. *a* русский;

2. *n* 1) русский; русская; the ~s *pl собир.* русские; 2) русский язык.

russule [ˈrʌsjuːl] *n бот.* сыроежка.

rust [rʌst] 1. *n* 1) ржавчина; 2) *бот.* ржа; головня;

2. *v* 1) ржаветь, делаться ржавым; 2) ржавить, делать ржавым; 3) портиться, притупляться (*от бездействия*).

rust-free [ˈrʌstˈfriː] *a* нержавеющий.

rustic [ˈrʌstik] 1. *a* 1) простой, просто-

ватый; грубый; 2) сельский, деревенский; 3) грубо сработанный; неотёсанный; нескладный; ~ masonгy кладка из неотёсанного камня, рустовка;

2. *n* 1) сельский житель, крестьянин; 2) грубо отёсанный камень, руст.

rusticate [ˈrʌstikeit] *v* 1) удалиться в деревню, жить в деревне; 2) временно исключать (*студента*) из университета; 3) *стр.* рустовать.

rustication [ˌrʌstiˈkeiʃ(ə)n] *n* 1) удаление в деревню; 2) временное исключение (*студента*) из университета; 3) *стр.* рустовка.

rusticity [rʌsˈtisiti] *n* 1) безыскусственность, простота; 2) деревенские нравы.

rustle [ˈrʌsl] 1. *n* шелест, шорох; шуршание;

2. *v* 1) шелестеть; шуршать; 2) *амер. разг.* действовать быстро и энергично; 3) *амер.* красть (*скот*).

rustler [ˈrʌslə] *n амер.* 1) человек, занимающийся кражей и клеймением чужого скота; 2) *sl.* делец, не теряющий ни минуты; энергичный человек.

rustless [ˈrʌstlis] = rustproof.

rustproof [ˈrʌstpruːf] *a* нержавеющий.

rusty I [ˈrʌsti] *a* 1) заржавленный, ржавый; 2) цвета ржавчины; порыжевший (*о материи*); 3) запущенный; his French is a little ~ он немного забыл французский язык; 4) устаревший; 5) хриплый; 6) *разг.* угрюмый, грубый; to turn ~ надуться; to cut up ~ *sl.* разозлиться, рассвирепеть.

rusty II [ˈrʌsti] *a* прогорклый.

rut I [rʌt] 1. *n* 1) колея, борозда; 2) привычка; что-л. обычное, привычное; to move in a ~ идти по проторённой дороге; 3) *тех.* жёлоб, фальц, выемка;

2. *v* оставлять колей, проводить борозды.

rut II [rʌt] *зоол.* 1. *n* течка;

2. *v* быть в охоте.

rutabaga [ˌruːtəˈbeigə] *n амер.* брюква.

ruth [ruːθ] *n уст.* жалость, сострадание.

ruthenium [ruːˈθiːniəm] *n хим.* рутений.

ruthless [ˈruːθlis] *a* безжалостный, жестокий.

rutted I [ˈrʌtid] 1. *p. p. от* rut I, 2;

2. *a* изрезанный колеями.

rutted II [ˈrʌtid] *p. p. от* rut II, 2.

rutty [ˈrʌti] = rutted I, 2.

rye [rai] *n* 1) рожь; 2) *амер.* хлебная водка; 3) *attr.* ржаной; ◊ ~ on the rocks *амер.* коктейль (*виски со льдом*).

rye-bread [ˈraibred] *n* ржаной хлеб.

ryot [ˈraiət] *n* индийский крестьянин; земледелец.

S

S, s [es] *n* (*pl* Ss, S's [ˈesiz]) 1) 19-я буква англ. алфавита; 2) предмет или линия в виде буквы S; the river makes a great S река прихотливо извивается.

's [z *после гласных и звонких согласных*, s *после глухих согласных*] *сокр. разг.* 1) =

is в форме Present Continuous, в функции глагола-связки в сложном сказуемом или в обороте there is: he's (= he is) going to London one of these days он на днях едет в Лондон; she's (= she is) gone она ушла; it's (= it is) time to get up пора вставать; there's (= there is) no use не стоит; 2) = has *в форме Present Perfect*: she's (= she has) taken it она взяла это; 3) = us *в сочетании* let us: let's (= let us) have a look давайте посмотрим; 4) = does *в вопр. предл.*: what's (= what does) he say about it? что он говорит по этому поводу?

sabbath ['sæbəθ] *n* 1) суббота (*у евреев*); 2) воскресенье (*у протестантов*); 3) время отдыха; 4) шабаш ведьм (*тж.* witches' ~).

sabbath school ['sæbəθ'sku:l] *n* воскресная школа.

sabbatic(al) [sə'bætɪk(əl)] *a* 1) субботний (*у евреев*); 2) воскресный (*у протестантов*); ◇ ~ year *а*) *библ.* каждый седьмой год; *б*) *амер.* (каждый седьмой) год, когда профессор университета свободен от лекций.

saber ['seɪbə] *амер.* = sabre.

sable I ['seɪbl] *n* 1) соболь; 2) соболий мех; 3) *attr.* соболий.

sable II ['seɪbl] *поэт.* 1. *n* 1) чёрный цвет; *pl* траур;
2. *a* чёрный, траурный; мрачный; ◇ his ~ Majesty дьявол.

sabot ['sæbou] *фр. n* деревянный башмак.

sabotage ['sæbətɑ:ʒ] *фр.* 1. *n* 1) саботаж; 2) диверсия; act of ~ диверсионный акт;
2. *v* саботировать.

saboteur [,sɑ:bə'tɜ:] *фр. n* диверсант.

sabre ['seɪbə] 1. *n* 1) сабля, шашка; 2) *pl* кавалеристы;
2. *v* рубить саблей.

sabre-rattle ['seɪbə,rætl] *v* бряцать оружием.

sabre-rattling ['seɪbə,rætlɪŋ] 1. *pres. p. от* sabre-rattle;
2. *n* бряцание оружием.

sabretache ['sæbətæʃ] *n воен. ист.* ташка.

sabre-tooth ['seɪbətu:θ] *n* (ископаемый) саблезубый тигр.

sabulous ['sæbjuləs] *a* песчаный.

sac [sæk] *n* 1) *биол.* мешочек, сумка; 2) сак (*пальто*).

saccate ['sækeɪt] *a биол.* 1) мешкообразный; 2) заключённый в мешочек.

saccharic [sə'kærɪk] *a*: ~ acid *хим.* сахарная кислота.

saccharify [sə'kærɪfaɪ] *v хим.* превращать (*крахмал*) в сахар.

saccharin ['sækərɪn] *n* сахарин.

saccharine I ['sækərɪn] = saccharin.

saccharine II ['sækəraɪn] *a* сахарный, сахаристый.

saccharose ['sækərous] *n хим.* сахароза, тростниковый сахар.

sacciform ['sæksɪfɔ:m] *a биол.* мешкообразный.

sacerdotage [,sæsə'doutɪdʒ] *n* пренебр. засилье духовенства.

sacerdotal [,sæsə'doutl] *a* священнический, жреческий.

sachem ['seɪtʃəm] *n амер.* 1) вождь индейцев; 2) важная персона; 3) (политический) заправила.

sack I [sæk] 1. *n* 1) мешок, куль; 2) вещевой мешок; 3) сак (*пальто*); 4) *sl.*

спальный мешок; постель; ◇ to get the ~ быть уволенным; to give smb. the ~ уволить кого-л.;
2. *v* 1) класть *или* ссыпать в мешок; 2) *разг.* уволить; 3) *разг.* победить (*в состязании*).

sack II [sæk] 1. *n* разграбление; to put to ~ разграбить;
2. *v* 1) грабить; 2) отдавать на разграбление (*побеждённый город*).

sack III [sæk] *n уст.* белое сухое вино, импортировавшееся из Испании и с Канарских островов.

sackcloth ['sækklɔθ] *n* 1) холст; мешковина; 2) дерюга; 3) *библ.* власяница.

sack-coat ['sækkout] *n* широкое, свободное пальто.

sackful ['sækful] *n* полный мешок (*чего-л.*); ~s of grain полные мешки зерна.

sacking I ['sækɪŋ] 1. *pres. p. от* sack I, 2; 2. *n* 1) материал для мешков, мешковина; 2) насыпка в мешки.

sacking II ['sækɪŋ] *pres. p. от* sack II, 2.

sack-race ['sækreɪs] *n спорт.* бег в мешках.

sacra ['seɪkrə] *pl от* sacrum.

sacral ['seɪkrəl] *a* 1) связанный с религиозными обрядами, сакральный; 2) *анат.* крестцовый.

sacrament ['sækrəmənt] 1. *n* 1) *церк.* таинство; причастие; 2) символ, знак; 3) клятва;
2. *v* (*особ. p. p.*) связывать клятвой.

sacramental [,sækrə'mentl] *a* 1) сакраментальный, священный; 2) клятвенный.

sacred ['seɪkrɪd] *a* 1) священный; святой; it's my ~ duty to do this мой священный долг сделать это; ~ music духовная музыка; 2) неприкосновенный; 3) посвящённый (to).

sacrifice ['sækrɪfaɪs] 1. *n* 1) жертва; to make a ~ приносить жертву; at the ~ of smth. пожертвовав чем-л.; the great ~, the last ~ смерть в бою за родину; to sell at a ~ продавать себе в убыток; 2) жертвоприношение;
2. *v* 1) приносить в жертву, жертвовать; to ~ oneself жертвовать собой; 2) совершать жертвоприношение.

sacrificial [,sækrɪ'fɪʃəl] *a* жертвенный.

sacrilege ['sækrɪlɪdʒ] *n* святотатство, кощунство.

sacrilegious [,sækrɪ'lɪdʒəs] *a* святотатственный, кощунственный.

sacring ['seɪkrɪŋ] *n уст.* 1) *рел.* освящение даров; 2) посвящение (*епископа*); 3) коронование.

sacrist, sacristan ['sækrɪst, 'sækrɪstən] *n церк.* ризничий.

sacristy ['sækrɪstɪ] *n* ризница.

sacrosanct ['sækrousæŋkt] *a* священный.

sacrum ['seɪkrəm] *n* (*pl* -rums [-rəmz], -ra [-rəmz], -ra) *анат.* крестец.

sad [sæd] *a* 1) печальный; унылый; грустный; a ~ mistake досадная ошибка; 2) *разг.*, *шутл.* ужасный, отчаянный; ~ coward отчаянный трус; he writes ~ stuff он пишет ужасно; 3) тяжёлый, с закалом (*о хлебе*); 4) тусклый, тёмный (*о краске*);

5) *уст.* серьёзный; ◇ in ~ earnest совершённо серьёзно; ~ dog повеса, шалопай.

sadden ['sædn] *v* печалить(ся).

saddle ['sædl] **1.** *n* 1) седло; 2) седёлка; 3) *геол.* свод, антиклинальная складка; седловина (*в горной цепи*); 4) *стр.* подушка на вершине пилона висячего моста; 5) *тех.* подкладка, подпятник, башмак; салазки; суппорт (*станка*); гнездо (*клапана*); 6) союзка (*башмака*); white shoes with brown ~s белые туфли с коричневыми союзками; 7) *кул.* седло; ~ of mutton седло барашка; ◇ to put the ~ on the right horse обвинять кого следует; обвинять справедливо; to be in the ~ a) верховодить; б) работать с увлечением;
2. *a* вьючный;
3. *v* 1) седлать (*тж.* ~ up); садиться в седло; 2) взваливать (upon); обременять (with).

saddleback ['sædlbæk] **1.** *n* седловина (*горы*);
2. *a* седлистый; с седловиной:
3. *adv* на спине.

saddle-bag ['sædlbæg] *n* 1) седельный вьюк; перемётная сума; 2) ковровая материя.

saddle-blanket ['sædl,blæŋkɪt] *n* потник.

saddle-bow ['sædlbou] *n* седельная лука.

saddle-cloth ['sædlklɔθ] *n* чепрак.

saddlefast ['sædlfɑːst] *a* крепко держащийся в седле.

saddle-girth ['sædlɡəːθ] *n* подпруга.

saddle-horse ['sædlhɔːs] *n* верховая лошадь.

saddle-pillar, saddle-pin ['sædl,pɪlə, -pɪn] *n* опорная стойка седла (*у велосипеда и т. п.*).

saddler ['sædlə] *n* 1) седельный мастер, шорник; 2) *амер.* верховая лошадь.

saddlery ['sædlərɪ] *n* 1) шорное дело; 2) шорная мастерская; 3) седельное снаряжение.

saddle shoes ['sædl ʃuːz] *n pl* туфли с цветными союзками.

saddle-spring ['sædlsprɪŋ] *n* седельный амортизатор (*у велосипеда и т. п.*).

saddle strap ['sædl stræp] *n* вьючный ремень.

saddle-tree ['sædltriː] *n* 1) каркас сиденья (*велосипеда и т. п.*); 2) *бот.* лириодендрон тюльпанный, тюльпанное дерево.

sad-iron ['sæd,aɪən] *n* массивный утюг.

sadism ['sædɪzəm] *n* садизм.

sadist ['sædɪst] *n* садист.

sadness ['sædnɪs] *n* печаль, уныние.

safari [sə'fɑːrɪ] *араб. n* охотничья экспедиция.

safe [seɪf] **1.** *n* 1) сейф, несгораемый ящик *или* шкаф; 2) холодильник;
2. *a* 1) невредимый; ~ and sound цел(ый) и невредим(ый); 2) сохранный; в безопасности; now we are (can feel) ~ теперь мы (можем чувствовать себя) в безопасности; 3) безопасный; верный, надёжный; ~ method надёжный метод; ~ place надёжное место; it is ~ to say можно с уверенностью сказать; I have got him ~ он

не убежит; он ничего не сможет сделать; for the sake of being on the ~ side на всякий случай; для большей верности; 4) осторожный; положительный (*о человеке*); as ~ as houses ≅ можно положиться как на каменную стену; совершенно надёжный.

safe clearance ['seɪf'klɪərəns] *n тех.* допускаемый габарит; допускаемый зазор.

safe conduct ['seɪf'kɔndəkt] *n* охранное свидетельство.

safe-conduct ['seɪf'kɔndəkt] *v* снабжать охранным свидетельством.

safe deposit ['seɪfdɪ,pɔzɪt] *n* хранилище, сейф.

safeguard ['seɪfɡɑːd] **1.** *n* 1) гарантия; охрана; 2) охранное свидетельство; 3) предосторожность; 4) предохранитель; предохранительное устройство;
2. *v* охранять, гарантировать (against).

safely ['seɪflɪ] *adv* 1) в сохранности; 2) безопасно; благополучно; it may ~ be said можно с уверенностью сказать.

safety ['seɪftɪ] *n* безопасность; сохранность; with ~ безопасно, без риска; in ~ в безопасности; to play for ~ избегать риска; ~ first! соблюдайте осторожность!; ◇ there is ~ in numbers *посл.* ≅ один в поле не воин.

safety-belt ['seɪftɪbelt] *n* 1) спасательный пояс; 2) *ав.* привязной ремень.

safety-bolt ['seɪftɪboult] *n* предохранительный болт.

safety curtain ['seɪftɪ,kəːtn] *n театр.* противопожарный асбестовый занавес.

safety film ['seɪftɪfɪlm] *n* безопасная, невоспламеняющаяся киноплёнка.

safety fuse ['seɪftɪ'fjuːz] *n* 1) *горн.* безопасный зажигательный шнур, бикфордов шнур; 2) *эл.* плавкий предохранитель.

safety glass ['seɪftɪɡlɑːs] *n* небьющееся, безосколочное стекло.

safety island ['seɪftɪ'aɪlənd] *n* «островок спасения».

safety-lamp ['seɪftɪlæmp] *n* безопасная лампа, рудничная лампа.

safety match ['seɪftɪmætʃ] *n* (безопасная) спичка.

safety-nut ['seɪftɪnʌt] *n тех.* контргайка.

safety-pin ['seɪftɪpɪn] *n* безопасная, английская булавка.

safety razor ['seɪftɪ,reɪzə] *n* безопасная бритва.

safety strip ['seɪftɪstrɪp] *n* полоса безопасности (*вырубка для предупреждения распространения лесного пожара*).

safety-valve ['seɪftɪvælv] *n* 1) предохранительный клапан; 2) *перен.* выход, отдушина; to sit on the ~ a) не давать выхода страстям, чувствам *и т. п.*; б) проводить политику репрессий.

saffian ['sæfiən] *рус. n* сафьян.

saffron ['sæfrən] **1.** *n* 1) *бот.* шафран посевной; 2) шафранный цвет.
2. *a* шафранный, шафрановый;
3. *v* окрашивать шафраном *или* в шафрановый цвет.

sag [sæɡ] **1.** *n* 1) прогиб, провес; 2) перекос; оседание; 3) падение цен; 4) *тех.*

стрела́ проги́ба *или* провёса; 5) *мор.* ува́ливание *или* дрейф под ве́тер; уклоне́ние от ку́рса;
2. *v* 1) прогиба́ть(ся); the beams have begun to ~ ба́лки начина́ют прогиба́ться; 2) осе́сть; покоси́ться; 3) свиса́ть; обвиса́ть; the dress ~s at the back пла́тье свиса́ет сза́ди; 4) *амер.* ослабева́ть; 5) тащи́ться, плести́сь; 6) па́дать в цене́; 7) *мор.* отклоня́ться от ку́рса; ува́ливаться под ве́тер.
saga ['sɑːgə] *n* са́га, сказа́ние.
sagacious [sə'geiʃəs] *a* 1) проница́тельный; дальнови́дный; прозорли́вый; 2) сообрази́тельный, смышлёный; 3) у́мный (*о живо́тном*).
sagacity [sə'gæsiti] *n* 1) проница́тельность; прозорли́вость; 2) сообрази́тельность, нахо́дчивость; 3) практи́ческий ум.
sagamore ['sægəmɔː] = sachem.
sage I [seidʒ] *n бот.* 1) шалфе́й апте́чный; 2) = sage-brush.
sage II [seidʒ] 1. *n* мудре́ц;
2. *a* му́дрый, глубокомы́сленный (*часто ирон.*).
sage-brush ['seidʒbrʌʃ] *n бот.* разнови́дность полы́ни (*покрыва́ющая солончако́вые пусты́ни се́веро-за́пада США*).
sage-green ['seidʒ'griːn] 1. *a* серова́то-зелёный;
2. *n* серова́то-зелёный цвет (*цвет шалфе́йного ли́ста*).
sage tea ['seidʒ'tiː] *n* насто́й шалфе́я.
saggar, sagger ['sægə] *n* ка́псюль для о́бжига фая́нсовых изде́лий.
sagittal ['sædʒitl] *a* 1) стрелови́дный; 2) *анат.* сагитта́льный.
Sagittarius [,sædʒi'tɛəriəs] *n* Стреле́ц (*созве́здие и знак зодиа́ка*).
sago ['seigou] *n* (*pl* -os [-ouz]) 1) са́го (*крупа́*); 2) *attr.*: ~ palm са́говая па́льма.
sahib ['sɑːhib] *n* англо-инд. 1) ти́тул, прибавля́емый к имена́м высокопоста́вленных *или* должностны́х лиц (Raja S., the Colonel S.); 2) (S.) саги́б, европе́ец.
said [sed] 1. *past и p. p. от* say 1;
2. *a*: the ~ (вы́ше)упомя́нутый, (вы́ше-)ука́занный; the ~ witness вышеука́занный свиде́тель; the ~ sum of money вышеупомя́нутая су́мма.
sail [seil] 1. *n* 1) па́рус(а́); to hoist (*или* to make) ~ ста́вить паруса́; *перен.* уходи́ть, убира́ться восвоя́си; it's time to hoist ~ пора́ уходи́ть (*или* идти́); to crowd ~ форси́ровать паруса́; ста́вить все нали́чные паруса́; to carry ~ нести́ паруса́ (*о корабле́*); to shorten ~ убавля́ть парусо́в; to strike ~ убра́ть паруса́; *перен.* призна́ть свою́ непра́воту; призна́ть себя́ побеждённым; (in) full ~ на всех паруса́х; under ~ под паруса́ми; to set ~ отправля́ться в пла́вание; to take in ~ а) убира́ть паруса́; б) уме́рить пыл; сба́вить спе́си; 2) па́русное су́дно; ~ hol ви́ден кора́бль!; 3) *собир.* па́русные суда́; a fleet of 30 ~ флоти́лия из 30 корабле́й; 4) пла́вание; we went for a ~ мы отпра́вились ката́ться на па́русной ло́дке; 5) крыло́ ветряно́й ме́льницы;
2. *v* 1) идти́ под паруса́ми; 2) пла́вать; отплыва́ть; to ~ uncharted seas пла́вать по

неиссле́дованным моря́м; 3) нести́сь, лете́ть; 4) пла́вно дви́гаться, выступа́ть, «плыть»; ше́ствовать; 5) управля́ть (*судно́м*); 6) пуска́ть (*кора́блики*); ⬜ ~ in принять реши́тельные ме́ры, вмеша́ться; ~ into *разг.* набра́сываться.
sail-arm ['seilɑːm] *n* крыло́ ветряка́.
sail-axle ['seil,æksl] *n тех.* ось ветряка́.
sailboat ['seilbout] *n* па́русная шлю́пка.
sail-cloth ['seilklɔθ] *n* паруси́на.
sailer ['seilə] *n* па́русное су́дно; bad (good) ~ плохо́й (хоро́ший) ходо́к (*о па́русном су́дне*).
sailing ['seiliŋ] 1. *pres. p. от* sail 2;
2. *n* 1) пла́вание; морехо́дство; 2) отхо́д, отплы́тие; 3) кораблевожде́ние; навига́ция; 4) па́русный спорт;
3. *a* 1) па́русный; 2) относя́щийся к ре́йсу корабля́; ~ orders инстру́кция капита́ну пе́ред вы́ходом в мо́ре.
sailing-craft ['seiliŋkrɑːft] *n* па́русное су́дно.
sailing-master ['seiliŋ,mɑːstə] *n* шту́рман.
sailing-ship ['seiliŋʃip] *n* па́русное су́дно, па́русник.
sailing-vessel ['seiliŋ,vesl] = sailing-ship.
sailor ['seilə] *n* 1) матро́с, моря́к; fresh-water ~ новичо́к, нео́пытный моря́к; ~ before the mast (рядово́й) матро́с; 2) *attr.* матро́сский; ~ suit матро́ска; ~ hat да́мская соло́менная шля́па с ни́зкой тулье́й и у́зкими *или* по́днятыми поля́ми; ◇ I am a bad ~ я о́чень подве́ржен морско́й боле́зни.
sailor-man ['seiləmæn] *n груб., шутл.* моря́к.
sail-plane ['seilplein] *n* планёр.
sainfoin ['sænfɔin] *n бот.* эспарце́т ви́колистный *или* посевно́й.
saint [seint, *перед и́менем* snt, sint] *n* свято́й (*см. тж. ни́же* St).
sainted ['seintid] *a* 1) свято́й; 2) канонизи́рованный.
sainthood ['seinthud] *n* свя́тость.
saintlike ['seintlaik] = saintly.
saintly ['seintli] *a* безгре́шный, свято́й.
saith [seθ] *уст.* 3-е л. ед. ч. настоя́щего вре́мени гл. to say.
sake [seik] *n*: for the ~ of, for one's ~ ра́ди; do it for Mary's ~ сде́лайте э́то ра́ди Мэ́ри; for our ~s ра́ди нас; for God's ~, for goodness ~, for heaven's ~ ра́ди бо́га, ра́ди всего́ свято́го (*для выраже́ния раздраже́ния, доса́ды, мольбы́*); for pity's ~ умоля́ю вас; for conscience' ~ для успоко́ения со́вести; for old ~ в па́мять про́шлого; for the ~ of glory ра́ди сла́вы; for the ~ of making money из-за де́нег; ◇ ~s alive! *амер.* вот тебе́ раз!, ну и ну!; вот так так!
sal [sæl] *n хим., фарм.* соль [*ср.* sal volatile].
salaam [sə'lɑːm] 1. *n* селя́м (*восто́чное приве́тствие*);
2. *v* приве́тствовать.
salable ['seiləbl] *a* 1) по́льзующийся спро́сом; хо́дкий (*о това́ре*); 2) схо́дный (*о цене́*).

salacious [sə'leɪʃəs] *a* 1) похотли́вый, сладостра́стный; 2) непристо́йный.

salacity [sə'læsɪtɪ] *n* 1) похотли́вость, сладостра́стие; 2) непристо́йность.

salad ['sæləd] *n* сала́т; винегре́т.

salad-bowl ['sælədboul] *n* сала́тница.

salad-days ['sæləddeɪz] *n* пора́ ю́ношеской нео́пытности.

salad-dressing ['sæləd,dresɪŋ] *n* запра́вка к сала́ту.

salad-oil ['sæləd,ɔɪl] *n* прова́нское ма́сло; ма́сло для сала́та.

salamander ['sælə,mændə] *n* 1) *зоол.* салама́ндра; 2) *метал.* козёл; на́стыль; 3) жаро́вня.

salame [sɑ'lɑːmɪ] *ит. n* саля́ми (*сорт копчёной колбасы*).

sal-ammoniac [,sælə'mouniæk] *n* наша-ты́рь.

salariat [sə'lɛərɪæt] *n* слу́жащие, получа́ющие жа́лованье.

salaried ['sælərɪd] *a* получа́ющий жа́лованье, находя́щийся на жа́лованье, окла́де; ~ personnel слу́жащие.

salary ['sælərɪ] 1. *n* жа́лованье; 2. *v* плати́ть жа́лованье.

sale [seɪl] *n* 1) прода́жа; сбыт; to be for (*или* on) ~ продава́ться; 2) аукцио́н; to put up for ~ продава́ть с молотка́; 3) распрода́жа по пони́женной цене́ в конце́ сезо́на (*тж.* bargain ~, clearance ~).

saleable ['seɪləbl] = salable.

sale-price ['seɪlpraɪs] *n* 1) *эк.* прода́жная цена́; 2) сни́женная цена́; to sell at ~ продава́ть по цене́ сезо́нной распрода́жи.

sale-room ['seɪlrum] *n* помеще́ние, где происхо́дит аукцио́н.

saleslady ['seɪlz,leɪdɪ] *амер. разг. см.* saleswoman 1).

salesman ['seɪlzmən] *n* 1) продаве́ц; 2) комиссионе́р; *амер.* коммивояжёр (*тж.* travelling ~).

salesmanship ['seɪlzmənʃɪp] *n* 1) иску́сство находи́ть покупа́телей; уме́ние продава́ть, показа́ть това́р лицо́м; 2) *перен.* уме́ние убежда́ть; уме́ние пода́ть материа́л.

salespeople ['seɪlz,piːpl] *n pl собир. амер.* продавцы́.

salesroom ['seɪlzrum] = sale-room.

saleswoman ['seɪlz,wumən] *n* 1) продавщи́ца; 2) комиссионе́рша.

Salic ['sælɪk] *a ист., геол.* сали́ческий.

salicylic [,sælɪ'sɪlɪk] *a*: ~ acid салици́ловая кислота́.

salience ['seɪljəns] *n* 1) вы́пуклость; 2) вы́ступ; клин.

salient ['seɪljənt] 1. *a* 1) выдаю́щийся, выступа́ющий; ~ angle выступа́ющий у́гол, ребро́; 2) вы́пуклый, заме́тный; those were the ~ points in his speech э́ти моме́нты в его́ ре́чи бы́ли наибо́лее вы́пуклыми; 2. *n* вы́ступ; релье́ф.

saline 1. *n* [sə'laɪn] 1) солонча́к; солёное о́зеро; солёный исто́чник; 2) *хим.* соль; 3) *мед.* физиологи́ческий раство́р. 2. *a* ['seɪlaɪn] 1) соляно́й, солево́й; 2) солёный.

salinity [sə'lɪnɪtɪ] *n* солёность.

saliva [sə'laɪvə] *n* слюна́.

salivary ['sælɪvərɪ] *a* слю́нный; ~ glands слю́нные же́лезы.

salivate ['sælɪveɪt] *v* 1) вызыва́ть слюноотече́ние; 2) выделя́ть слюну́.

salivation [,sælɪ'veɪʃən] *n* слюнотече́ние.

sallow I ['sælou] *n бот.* и́ва.

sallow II ['sælou] 1. *a* желтова́тый, боле́зненный (*о цвете лица́*); 2. *v* де́лать(ся) жёлтым, желте́ть.

sally ['sælɪ] 1. *n* 1) *воен.* вы́лазка; 2) прогу́лка, экску́рсия; 3) вспы́шка (*гнева и т. п.*); 4) неожи́данная ре́плика, острота́; 2. *v* 1) *воен.* де́лать вы́лазку (*часто* ~ out); 2) отправля́ться (*обыкн.* ~ forth, ~ out).

Sally Lunn ['sælɪ'lʌn] *n разг.* сла́дкая бу́лочка.

sally-port ['sælɪpɔːt] *n* воро́та для вы́лазок (*в укреплении*).

salmagundi [,sælmə'gʌndɪ] *фр. n* 1) ку́шанье из ру́бленого мя́са, яи́ц, лу́ка; 2) смесь, вся́кая вся́чина.

salmi ['sælmɪ] *фр. n* рагу́ из ди́чи.

salmon ['sæmən] 1. *n* (*pl без изме́н.*) лосо́сь; сёмга; dog ~ *амер.* ке́та; red (*или* blueback) ~ не́рка; humpback ~ *амер.* горбу́ша; 2. *a* ора́нжево-ро́зовый, цве́та сомо́н.

salmon-coloured ['sæmən'kʌləd] = salmon 2.

salmon trout ['sæmən'traut] *n зоол.* ку́мжа, лосо́сь-тайме́нь.

salon [sæ'lɔ̃ːŋ] *фр. n* 1) гости́ная; приёмная; 2) сало́н; 3) (the S.) ежего́дная вы́ставка изобрази́тельного иску́сства в Пари́же; 4) *attr.* сало́нный.

saloon [sə'luːn] *n* 1) зал; 2) сало́н (*на парохо́де*); 3) сало́н-ваго́н; 4) *амер.* тракти́р; бар, пивна́я; 5) *авт.* седа́н (*тип закры́того ку́зова*).

saloon-car, saloon-carriage [sə'luːn,kɑ, sə'luːn,kærɪdʒ] = saloon 3.

saloon deck [sə'luːn'dek] *n* пассажи́рская па́луба 1 кла́сса.

saloon-keeper [sə'luːn,kiːpə] *n амер.* тракти́рщик; содержа́тель пивно́й.

Salopian [sə'loupjən] *n* уроже́нец гра́фства Шро́пшир *или* го́рода Шру́сбери.

salsify ['sælsɪfɪ] *n бот.* козлоборо́дник поррейоли́стный, овся́ный ко́рень.

salt [sɔːlt] 1. *n* 1) соль, поваренная соль; white ~ пищева́я соль; table ~ столо́вая соль; in ~ засо́ленный; 2) засоленность (*по́чвы*); 3) *pl мед.* нюха́тельная соль; слаби́тельная соль; 4) остроу́мие; 5) *разг.* быва́лый моря́к, морско́й волк (*часто* old ~); ◇ above (below) the ~ — а) на ве́рхнем (ни́жнем) конце́ стола́; б) высо́кое (весьма́ ни́зкое) положе́ние в о́бществе; to eat smb.'s ~ — а) быть чьим-л. го́стем; б) зави́сеть от кого́-л.; to earn one's ~ не да́ром есть хлеб; true to one's ~ пре́данный своему́ хозя́ину; to put ~ on smb.'s tail *шутл.* насыпа́ть со́ли на хвост; излови́ть, пойма́ть; the ~ of the earth *библ.* соль земли́; not worth one's ~ никуда́ не го́дный; ничего́ не сто́ящий; to take smth.

with a grain of ~ относи́ться к чему́-л. крити́чески, недове́рчиво; to take a story with a grain of ~ счита́ть расска́з преувели́ченным, сомни́тельным; I am not made of ~ ≅ не са́харный, не раста́ю;

2. *a* 1) солёный; ~ as brine (*или* as a herring) о́чень солёный; ≅ одна́ соль; 2) жгу́чий, е́дкий; ~ tears го́рькие слёзы; 3) засо́ленный (*о почве*); 4) морско́й; ~ water морска́я вода́; *перен.* слёзы; 5) *sl.* сли́шком дорого́й;

3. *v* 1) соли́ть; 2) соли́ть, заса́ливать; 3) *ком. sl.* преувели́чивать (*прихо́д и т. п.*); to ~ prices назнача́ть це́ны с запро́сом; ☐ ~ away, ~ down а) копи́ть, откла́дывать; б) *амер.* зада́ть головомо́йку; взду́ть; ◇ to ~ a mine иску́сственно повы́сить содержа́ние проб с це́лью вы́дать рудни́к за бо́лее бога́тый (*при прода́же*).

saltation [sæl'teɪʃən] *n* 1) пры́ганье, пля́ска; 2) скачо́к, прыжо́к; 3) неожи́данное измене́ние движе́ния, разви́тия.

saltatory ['sæltətərɪ] *a* 1) пры́гательный; 2) скачкообра́зный, ре́зко меня́ющийся; ~ evolution скачкообра́зное разви́тие.

salt beef ['sɔːlt'biːf] *n* солони́на.

salt-cake ['sɔːltkeɪk] *n хим.* сернокислый на́трий.

salt-cat ['sɔːltkæt] *n* прима́нка для голубе́й.

salt-cellar ['sɔːlt,selə] *n* соло́нка.

salted ['sɔːltɪd] 1. *p. p. от* salt 3; 2. *a* 1) солёный; 2) закалённый, прожжённый.

saltern ['sɔːltən] *n* солева́рня.

salt-glaze ['sɔːltgleɪz] *n* обли́вка, глазу́рь.

salt-horse ['sɔːlt'hɔːs] *sl. см.* salt beef.

salting ['sɔːltɪŋ] 1. *pres. p. от* salt 3; 2. *n* иску́сственное повыше́ние содержа́ния проб [*см.* salt 3 ◇].

salt junk ['sɔːltdʒʌŋk] *n мор. sl.* солони́на.

salt-lick ['sɔːltlɪk] *n* ме́сто, где собира́ются ди́кие живо́тные, привлека́емые выступа́ющей на пове́рхность земли́ со́лью.

salt-marsh ['sɔːltmɑːʃ] *n* солонча́к; низи́на, затопля́емая солёной водо́й.

salt-mine ['sɔːltmaɪn] *n* соляна́я ша́хта.

salt-pan ['sɔːltpæn] *n* 1) чрен, ва́рница; 2) соляно́е о́зеро.

saltpetre ['sɔːlt,piːtə] *n хим.* сели́тра.

salt-pond ['sɔːltpɔnd] *n* соляно́й пруд.

salt-spoon ['sɔːltspuːn] *n* ло́жечка для со́ли.

salt-water ['sɔːlt'wɔːtə] *a* морско́й.

salt-works ['sɔːltwəːks] = saltern.

saltwort ['sɔːltwɔːt] *n бот.* соля́нка, солеро́с.

salty ['sɔːltɪ] *a* солёный.

salubrious [sə'luːbrɪəs] *a* здоро́вый, поле́зный для здоро́вья.

salubrity [sə'luːbrɪtɪ] *n* 1) кре́пкое здоро́вье; 2) усло́вия *или* сво́йства, благоприя́тные для здоро́вья.

salutary ['sæljutərɪ] *a* цели́тельный; благотво́рный, поле́зный.

salutation [,sæljuː'teɪʃən] *n* приве́тствие.

salutatory [sə'ljuːtətərɪ] *a* приве́тственный.

salute [sə'luːt] 1. *n* 1) приве́тствие; 2) салю́т; 3) *воен.* отда́ние че́сти; 4) *уст., шутл.* поцелу́й;

2. *v* 1) приве́тствовать, здоро́ваться; 2) салютова́ть; 3) *воен.* отдава́ть честь; 4) *уст.* целова́ть; 5) встреча́ть; находи́ть; a gloomy view ~d us нам предста́вилось мра́чное зре́лище.

salvage ['sælvɪdʒ] 1. *n* 1) спасе́ние иму́щества (*на мо́ре или от огня́*); 2) вознагражде́ние за спасе́ние иму́щества; 3) спасённое иму́щество; to make ~ (of) спаса́ть (*что-л.*); 4) подъём затону́вших судо́в; 5) сбор и испо́льзование утильсырья́; 6) *воен.* трофе́и; сбор трофе́ев, ору́жия и боево́го утиля́;

2. *v* 1) спаса́ть (*кора́бль, иму́щество*); 2) *воен.* собира́ть трофе́и, ору́жие и боево́й утиль; вывози́ть подби́тую маши́ну; 3) *воен. sl.* присва́ивать, красть.

salvation [sæl'veɪʃən] *n* спасе́ние.

Salvation Army [sæl'veɪʃən'ɑːmɪ] *n* А́рмия спасе́ния (*религио́зно-благотвори́тельная организа́ция в А́нглии и США*).

Salvationist [sæl'veɪʃnɪst] *n* член А́рмии спасе́ния.

salve I [sɑːv] 1. *n* 1) *уст.* целе́бная мазь; 2) сре́дство для успокое́ния; *поэт.* бальза́м;

2. *v* 1) *уст.* сма́зывать (*ма́зью*); врачева́ть; 2) успока́ивать (*со́весть*); 3) сгла́живать, разреша́ть (*тру́дности, сомне́ния*).

salve II [sælv] = salvage 2, 1).

salver ['sælvə] *n* подно́с.

salvo I ['sælvou] *n* (*pl* -os [-ouz]) 1) огово́рка; with an express ~ с осо́бой огово́ркой; 2) уве́ртка; сла́бая отгово́рка, сла́бое оправда́ние.

salvo II ['sælvou] *n* (*pl* -oes, -os [-ouz]) 1) залп, батаре́йная о́чередь; 2) бо́мбовый залп; 3) группово́й прыжо́к с парашю́тами; 4) взрыв аплодисме́нтов.

sal volatile [,sælvə'lætəlɪ] *n* ки́слый углеки́слый аммо́ний, ню́хательная соль.

salvor ['sælvə] *n* 1) спаса́тельный кора́бль; 2) челове́к, уча́ствующий в спасе́нии (*корабля́, иму́щества*).

samara ['sæmərə] *n бот.* крыла́тка.

samarium [sə'meɪrɪəm] *n хим.* сама́рий.

sambo *n* (*pl* -os, -oes [-ouz]) 1) са́мбо, пото́мство от сме́шанных бра́ков ме́жду не́грами и инде́йцами; 2) (S.) *разг.* негр.

Sam Browne ['sæm'braun] *n* 1) офице́рский похо́дный поясно́й реме́нь (*тж.* ~ belt); 2) *амер. разг.* офице́р.

same I [seɪm] *pron. demonstr.* 1. *как прил.* тот (же) са́мый; одина́ковый; the ~ causes produce the ~ effects одни́ и те же причи́ны порожда́ют одина́ковые сле́дствия; the ~ observations are true of the others also э́ти же наблюде́ния ве́рны и в отноше́нии други́х слу́чаев; they belong to the ~ family они́ принадлежа́т к одно́й и той же семье́; to say the ~ thing twice over повтори́ть одно́ и то же два́жды; to me she was always the ~ little girl для меня́ она́ остава́лась всё той же ма́ленькой де́вочкой; a symptom of the ~ nature аналогичный симптом; the ~ as так же, как; to give the ~ answer as before ответить так же, как и раньше; all the ~ a) всё--таки; тем не менее; thank you all the ~ всё же разрешите поблагодарить вас; б) всё равно; безразлично; it is all the ~ to me мне всё равно; just the ~ a) точно такой же; I want just the ~ hat you have мне хочется точно такую же шляпу, как у вас; б) всё-таки; в) всё равно; much the ~ почти такой же; the patient is much about the ~ состояние больного почти такое же; the very ~ точно такой же;

2. *как сущ.* одно и то же, то же самое; we must all say (do) the ~ мы все должны говорить (делать) одно и то же; he would do the ~ again он бы снова сделал то же самое.

same II [seɪm] 1. *a* однообразный; the life is perhaps a little ~ жизнь, пожалуй, довольно однообразна;

2. *n юр., ком.* вышеупомянутый; он, его *и т. п.*

samel ['sæməl] *a* плохо обожжённый, мягкий (*о черепице, кирпиче и т. п.*).

sameness ['seɪmnɪs] *n* 1) одинаковость, сходство, единообразие; тождество; 2) однообразие.

samisen ['sæmɪsen] *n* трёхструнная японская гитара.

samite ['sæmaɪt] *n уст.* парча.

samlet ['sæmlɪt] *n* молодой лосось.

Sammy ['sæmɪ] *n sl.* 1) *воен. прозвище американского солдата;* 2) блух.

samp [sæmp] *n амер.* майсовая крупа или каша.

sampan ['sæmpæn] *n* сампан, китайская лодка.

samphire ['sæmfaɪə] *n бот.* 1) солерос европейский; 2) критмум морской.

sample ['sɑːmpl] 1. *n* 1) образец, образчик; book of ~s альбом образцов; 2) проба; 3) шаблон, модель;

2. *v* 1) отбирать образцы, брать образчик; 2) подбирать, сравнивать; 3) пробовать, испытывать.

sampler ['sɑːmplə] *n* 1) образчик вышивки; 2) *тех.* модель, шаблон; 3) *тех.* коллектор, пробоотборщик.

sampling ['sɑːmplɪŋ] 1. *pres. p. от* sample 2;

2. *n* отбор проб *или* образцов.

Sam(p)son ['sæm(p)sn] *n библ.* Самсон.

Samuel ['sæmjuəl] *n библ.* Самуил.

samurai ['sæmuraɪ] *яп. n* (*pl без измен.*) самурай.

sanative ['sænətɪv] *a* целебный, оздоровляющий.

sanatoria [ˌsænə'tɔːrɪə] *pl от* sanatorium.

sanatorium [ˌsænə'tɔːrɪəm] *n* (*pl* -ria) санаторий.

sanatory ['sænətərɪ] = sanative.

sanctified ['sæŋktɪfaɪd] 1. *p. p. от* sanctify;

2. *a* 1) посвящённый; освящённый; 2) ханжеский.

sanctify ['sæŋktɪfaɪ] *v* 1) освящать; 2) очищать от порока; 3) посвящать; 4) санкционировать.

sanctimonious [ˌsæŋktɪ'mounjəs] *a* ханжеский.

sanctimony ['sæŋktɪmənɪ] *n* ханжество.

sanction ['sæŋkʃən] 1. *n* 1) санкция, утверждение; 2) одобрение, поддержка (*чего-л.*); 3) (*обыкн. pl*) санкция, карательное мероприятие; 4) *юр.* санкция;

2. *v* 1) санкционировать, утвердить; 2) одобрить.

sanctity ['sæŋktɪtɪ] *n* 1) святость; 2) *pl* святые обязанности.

sanctuary ['sæŋktjuərɪ] *n* 1) святилище; 2) убежище; to break the ~ нарушать право убежища; to take ~ искать убежища; 3) заповедник; bird ~ птичий заповедник.

sanctum (**sanctorum**) ['sæŋktəm(sæŋk'tɔːrəm)] *n* 1) *рел.* святая святых; 2) кабинет.

sand [sænd] 1. *n* 1) песок; гравий; 2) песчинка; numberless as the ~(s) бесчисленные, как песок морской; 3) *pl* песчаный пляж; отмель; 4) *pl* пески; пустыня; shifting ~s зыбучие, движущиеся пески; 5) *pl* время; the ~s are running out a) время подходит к концу; б) дни сочтены; конец близок; 6) *амер. разг.* настойчивость; мужество, стойкость; 7) песочный цвет; ◇ built on ~ построенный на песке; непрочный; to throw ~ in the wheels *амер.* ≅ ставить палки в колёса; создавать искусственные препятствия;

2. *v* 1) посыпать песком; зарывать в песок; 2) чистить *или* шлифовать песком; 3) подмешивать песок.

sandal ['sændl] 1. *n* 1) сандалия; 2) ремешок (*сандалии и т. п.*);

2. *v* (*особ. р. р.*) надевать сандалии.

sandal (**wood**) ['sændl(wud)] *n* сандаловое дерево.

sandarac(h) ['sændəræk] *n* 1) *хим. уст.* реальгар, минерал сернистый мышьяк; 2) сандарак.

sand-bag ['sændbæg] *n* 1) мешок с песком; 2) балластный мешок; 3) орудие оглушения жертвы.

sandbag ['sændbæg] *v* 1) защищать мешками с песком; 2) оглушать ударом мешка с песком.

sandbank ['sændbæŋk] *n* песчаная отмель, банка.

sand-bar ['sændbɑː] *n* отмель в устье реки.

sand-bath ['sændbɑːθ] *n тех.* песчаная баня.

sand-bed ['sændbed] *n* 1) песчаное дно, русло; 2) *метал.* литейный двор.

sand-blast ['sændblɑːst] *тех.* 1. *n* струя воздуха с песком, выбрасываемая пескоструйным аппаратом;

2. *v* обдувать песочной струёй.

sand-blast machine ['sændblɑːstmə'ʃiːn] *n тех.* пескоструйный аппарат.

sand-blind ['sænd'blaɪnd] *a* плохо видящий; подслеповатый.

sand-box ['sænd'bɔks] *n* 1) *ж.-д.* песочница; 2) *ист.* песочница с промокательным песком; 3) литейная форма с песком.

sandboy ['sændbɔɪ] •*n:* jolly (*или* happy) as a ~ жизнерадостный, беззаботный.

sand-crack ['sændkræk] *n* 1) трещина· на копыте у лошади; 2) трещина в кирпиче (*до обжига*).

sand-dune ['sænddjuːn] *n* дюна.

sanded ['sændɪd] **1.** *p.p. om* sand 2; **2.** *a* 1) посыпанный, покрытый песком; 2) смешанный с песком.

sand-eel ['sænd‚iːl] *n* пескорой (*рыба*).

sanders(wood) ['sɑːndəz(wud)] = sandal (wood).

sand-glass ['sændglɑːs] *n* песочные часы.

sand-hill ['sændhɪl] *n* дюна.

sand hog ['sænd'hɔg] *n амер. sl.* рабочий, занятый на кессонных и подземных работах.

sandman ['sændmæn] *n*: the ~ is about *шутл.* ≅ детям пора спать.

sand-martin ['sænd'mɑːtɪn] *n* ласточка береговая.

sandpaper ['sænd‚peɪpə] *n* наждачная бумага, шкурка.

sandpiper ['sænd‚paɪpə] *n зоол.* перевозчик (*птица*).

sand-pit ['sændpɪt] *n* песчаный карьер.

sand-shoes ['sændʃuːz] *n* текстильные туфли на резиновой подошве для пляжа.

sand-spout ['sændspaut] *n* песчаный смерч.

sandstone ['sændstoun] *n* песчаник.

sand-storm ['sændstɔːm] *n* самум; песчаная буря.

sandwich ['sænwɪdʒ] **1.** *n* 1) сандвич, бутерброд; ham (egg, caviare, *etc.*) ~ бутерброд с ветчиной (яйцом, икрой *и т. п.*); 2): to ride (to sit) ~ ехать (сидеть) втиснутым между двумя соседями; 4) = sandwich-man; 4) *attr. mex.* многослойный; **2.** *v* помещать посередине, вставлять (между).

sandwich-board ['sænwɪdʒbɔːd] *n* реклама на досках (*прикрепляемых спереди и сзади к несущему их человеку*).

sandwich-man ['sænwɪdʒmæn] *n* человек-реклама [*см. тж.* sandwich-board].

Sandy ['sændɪ] *n* прозвище шотландца.

sandy ['sændɪ] *a* 1) песчаный; песочный; 2) рыжеватый.

sane [seɪn] *a* 1) нормальный, в своём уме; 2) здравый; здравомыслящий; разумный.

sanforize ['sænfəraɪz] *v текст.* подвергать механической обработке для предотвращения усадки.

sanforized ['sænfəraɪzd] **1.** *p. p. om* sanforize; **2.** *a текст.* безусадочной отделки.

sang [sæŋ] *past om* sing 1.

sanga(r) ['sæŋgə] *n англо-инд.* каменный бруствер.

sanguinary ['sæŋgwɪnərɪ] *a* 1) кровавый, кровопролитный; 2) кровожадный; 3) проклятый.

sanguine ['sæŋgwɪn] **1.** *a* 1) сангвинический; 2) оптимистический; ~ of success уверенный в успехе; 3) румяный; 4) *поэт.* кроваво-красный; **2.** *n иск.* сангвин(а); **3.** *v поэт.* окрасить(ся) в кроваво-красный цвет.

sanguineous [sæŋ'gwɪnɪəs] *a* 1) полнокровный; 2) *мед.* кровяной; 3) *бот.* кроваво-красный.

sanguivorous [‚sæŋ'gwɪvərəs] *a* кровососущий (*о насекомых*).

sanhedrim ['sænɪdrɪm] *n ист.* синедрион.

sanies ['seɪniːz] *n* сукровица.

sanitaria [‚sænɪ'tɛərɪə] *pl om* sanitarium.

sanitarian [‚sænɪ'tɛərɪən] **1.** *n* 1) санитарный инспектор; 2) гигиенист; **2.** *a* санитарный.

sanitarium [‚sænɪ'tɛərɪəm] *n* (*pl* -ia, -s [-z]) *амер.* = sanatorium.

sanitary ['sænɪtərɪ] *a* санитарный, гигиенический; ~ belt гигиенический пояс; ~ engineering санитарная техника.

sanitate ['sænɪteɪt] *v* 1) улучшать санитарное состояние; 2) оборудовать санитарный узел в помещении.

sanitation [‚sænɪ'teɪʃən] *n* оздоровление, улучшение санитарных условий, санитария.

sanitize ['sænɪtaɪz] = sanitate.

sanity ['sænɪtɪ] *n* 1) здоровье; 2) нормальная психика; 3) здравый ум, здравомыслие.

sank [sæŋk] *past om* sink 2.

sans [sænz] *prep уст., поэт.* без; ~ teeth беззубый.

Sanscrit ['sænskrɪt] **1.** *n* санскрит; **2.** *a* санскритский.

sansculotte [‚sɑːŋkju'lɔt] *фр. n* санкюлот.

Sanskrit ['sænskrɪt] = Sanscrit.

Santa Claus [‚sæntə'klɔːz] *n* Санта Клаус, дед-мороз, рождественский дед.

Saorstat Eireann ['sɛəstɔːt'ɛərən] *ирл. n* Ирландское свободное государство.

sap I [sæp] **1.** *n* 1) сок (*растений*); живица; 2) жизненные силы; жизнеспособность; 3) *поэт.* кровь; 4) = sap-wood; 5) *разг.* простак; дурак; **2.** *v* 1) лишать сока; сушить; 2) истощать; 3) стёсывать заболонь; 4) *разг.* оказаться в дураках.

sap II [sæp] **1.** *n* 1) *воен.* сапа, подкоп; крытая траншея; 2) *перен.* подрыв; **2.** *v воен.* вести сапу (-ы), подкапывать; подрывать (*тж. перен.*).

sap III [sæp] *школ. sl.* **1.** *n* 1) зубрила; 2) зубрёжка; скучная работа; it is such a ~, it is too much a ~ скучнейшее занятие; **2.** *v* корпеть (*над чем-л.*), зубрить.

sap-green ['sæpgriːn] *n* зелёная краска из ягод крушины.

sap-head ['sæphed] *n* 1) *воен.* голова сапы; 2) *разг.* блух, дурак.

sapid ['sæpɪd] *a* 1) вкусный; 2) интересный, содержательный.

sapidity [sə'pɪdɪtɪ] *n* 1) вкус; 2) содержательность.

sapience ['seɪpjəns] *n* мудрость (*обыкн. ирон.*).

sapient ['seɪpjənt] *a* мудрый, мудрствующий (*обыкн. ирон.*).

sapiential [‚seɪpɪ'enʃəl] *a* мудрый, поучительный.

sapless ['sæplɪs] *a* 1) худосо́чный; истощённый; 2) бессодержа́тельный.

sapling ['sæplɪŋ] *n* 1) молодо́е деревцо́; 2) молодо́е существо́; 3) борза́я однолётка.

saponaceous [,sæpou'neɪʃəs] *a* 1) мы́льный; 2) *шутл.* еле́йный.

saponify [sə'pɒnɪfaɪ] *v хим.* омыля́ть(ся).

sapor ['seɪpə] *n* вкус.

sapper ['sæpə] *n* сапёр.

sapphire ['sæfaɪə] 1. *n* сапфи́р; 2. *a* тёмно-си́ний.

sappy ['sæpɪ] *a* 1) со́чный; 2) си́льный, молодо́й; по́лный сил, в соку́; 3) *разг.* глу́пый.

saprogenic, saprogenous [,sæprou'dʒenɪk, sə'prɒdʒɪnəs] *a* вызыва́ющий гние́ние; гнилостный.

saprophyte ['sæprəfaɪt] *n биол.* сапрофи́т.

sap-rot ['sæprɒt] *n* червото́чина.

sap-wood ['sæpwud] *n бот.* забо́лонь.

saraband ['særəbænd] *n* сараба́нда (*танец и музыка́льная фо́рма*).

Saracen ['særəsn] *n ист.* сараци́н; ◇ ~ согn гречи́ха.

Saracenic [,særə'senɪk] *a ист.* сараци́нский.

sarafan [,sɑːrɑː'fɑːn] *рус. n* сарафа́н.

Saratoga [,særə'tougə] *n* большо́й чемода́н, доро́жный сунду́к (*тж.* ~ trunk).

sarcasm ['sɑːkæzəm] *n* сарка́зм.

sarcastic [sɑː'kæstɪk] *a* саркасти́ческий.

sarcenet ['sɑːsnɪt] *n* подкла́дочный шёлк.

sarcoma [sɑː'koumə] *n* (*pl* '-ata) *мед.* сарко́ма.

sarcomata [sɑː'koumətə] *pl от* sarcoma.

sarcophagi [sɑː'kɒfəgaɪ] *pl от* sarcophagus.

sarcophagus [sɑː'kɒfəgəs] *n* (*pl* -agi) саркофа́г.

Sard [sɑːd] = Sardinian.

sardine [sɑː'diːn] *n* сарди́на; ◇ packed like ~s ≅ (набиты) как сельди в бо́чке.

Sardinian [sɑː'dɪnjən] 1. *a* сарди́нский; 2. *n* 1) сарди́нец; 2) сарди́нский диале́кт италья́нского языка́.

sardonic [sɑː'dɒnɪk] *a* сардони́ческий.

sardonyx ['sɑːdənɪks] *n мин.* сардони́кс.

sargasso [sɑː'gæsou] *n* (*pl* -os, -oes [-ouz]) *бот.* сарга́ссум.

sari ['sɑːriː] *n* са́ри (*инди́йская же́нская оде́жда из лёгкой тка́ни, оку́тывающая фигу́ру*).

sarong [sə'rɒŋ] *мала́йск. n* саро́нг (*кусок полоса́той или кле́тчатой тка́ни, носи́мой вокру́г бёдер мужчи́нами и же́нщинами*).

sarsaparilla [,sɑːsəpə'rɪlə] *n бот.* сассапаре́ль.

sarsenet ['sɑːsnɪt] = sarcenet.

sartor ['sɑːtə] *n шутл.* портно́й.

sartorial [sɑː'tɔːrɪəl] *a* портня́жный, портно́вский.

sash I [sæʃ] 1. *n* куша́к, шарф; 2. *v* украша́ть ле́нтой, по́ясом.

sash II [sæʃ] *n* 1) око́нный перепле́т; 2) скользя́щая ра́ма в подъёмном окне́.

sash-door ['sæʃdɔː] *n* застеклённая дверь.

sash-frame ['sæʃfreɪm] = sash II, 2).

sash-tool ['sæʃtuːl] *n* небольша́я маля́рная кисть.

sash-window ['sæʃ,wɪndou] *n* подъёмное окно́.

saskatoon [,sæskə'tuːn] *n бот.* ирга́ ольхоли́стная (*тж.* ~ berry).

sassafras ['sæsəfræs] *n бот.* сассафра́с.

Sassenach ['sæsənæk] *n ирл., шотл.* англича́нин.

sat [sæt] *past и p. p. от* sit.

Satan ['seɪtən] *n* сатана́.

Satanic [sə'tænɪk] *a* сатани́нский.

satchel ['sætʃəl] *n* су́мка, ра́нец (*для книг*).

satchelled ['sætʃəld] *a* с ра́нцем, с су́мкой.

sate [seɪt] *v* 1) насыща́ть; 2) пресыща́ть; to ~ oneself with smth. пресы́титься чем-л.

sateen [sæ'tiːn] *n* сати́н.

sateless ['seɪtlɪs] *a поэт.* ненасы́тный.

satellite ['sætəlaɪt] *n* 1) приспе́шник, приве́рженец; сателли́т; 2) *астр.* спу́тник; 3) *attr.* второстепе́нный, втори́чный.

satellite town ['sætəlaɪt'taun] *n* го́род-спу́тник.

satiable ['seɪʃjəbl] *a редк.* насыти́мый.

satiate ['seɪʃɪeɪt] 1. *v* = sate; 2. *a* пресы́щенный.

satiation [,seɪʃɪ'eɪʃən] *n* 1) насыще́ние; 2) пресыще́ние.

satiety [sə'taɪətɪ] *n* насыще́ние; пресыще́ние; to ~ до́сыта, до отва́ла; до отка́за.

satin ['sætɪn] 1. *n* 1) атла́с; 2) *бот.* лу́нник (*тж.* white ~); 3) *sl.* джин (*тж.* white ~); a yard of ~ стака́н джи́на; 4) *attr.* атла́сный, атла́систый; 2. *v* сатини́ровать.

satinet(te) [,sætɪ'net] *n текст.* сатине́т.

satin-flower ['sætɪn,flauə] = satin 1, 2).

satin paper ['sætɪn,peɪpə] *n* сатини́рованная бума́га.

satin-wood ['sætɪnwud] *n* атла́сное де́рево *или* его́ древеси́на.

satiny ['sætɪnɪ] *a* атла́систый, шелкови́стый.

satire ['sætaɪə] *n* 1) сати́ра; 2) иро́ния, насме́шка (on, upon).

satiric(al) [sə'tɪrɪk(əl)] *a* сатири́ческий.

satirist ['sætərɪst] *n* сати́рик.

satirize ['sætəraɪz] *v* высме́ивать.

satis ['sætɪs] *лат. adv* доста́точно.

satisfaction [,sætɪs'fækʃən] *n* 1) удовлетворе́ние (at, with); to the ~ of smb. к чьему́-л. удовлетворе́нию; if you can prove it to my ~ е́сли вы мо́жете убеди́ть меня́ в э́том; it is a ~ to know that прия́тно знать, что; to demand ~ тре́бовать извине́ния и́ли дуэ́ли; to give ~ а) удовлетворя́ть, дава́ть удовлетворе́ние; б) приня́ть вы́зов на дуэ́ль; 2) упла́та до́лга; исполне́ние обяза́тельства; in ~ of в упла́ту; to make ~ возмеща́ть; 3) *уст.* распла́та (for).

satisfactory [,sætɪs'fæktərɪ] *a* 1) удовлетвори́тельный; доста́точный; 2) прия́тный, хоро́ший.

satisfy ['sætɪsfaɪ] *v* 1) удовлетворя́ть; соотве́тствовать, отвеча́ть (*тре́бованиям*); to rest satisfied удовлетворя́ться; не предпринима́ть дальне́йших шаго́в, не предъявля́ть но́вых тре́бований; 2) утоля́ть (*го́лод, любопы́тство и т. п.*); 3) погаша́ть (*долг*); 4) выполня́ть (*обяза́тельство*); 5) убежда́ть (of—в; that); to ~ oneself убеди́ться; I am satisfied that я бо́льше не сомнева́юсь, что; 6) рассе́ивать (*страх и т. п.*).

satrap ['sætrəp] *n* сатра́п.

satrapy ['sætrəpɪ] *n* сатра́пия.

saturate ['sætʃəreɪt] **1.** *v* 1) насыща́ть, пропи́тывать; 2) *хим.* нейтрализова́ть; 3) нейтрализова́ть, подавля́ть (*огонь проти́вника*) пло́тной бомбёжкой;
2. *a поэт.* насы́щенный.

saturated ['sætʃəreɪtɪd] **1.** *p.p. om* saturate 1;
2. *a* глубо́кий, ро́вный (*об окраске, цве́те*).

saturation [,sætʃə'reɪʃən] *n* 1) насыще́ние, насы́щенность; to ~ до (по́лного) насыще́ния; 2) *attr.* поглоща́тельный; ~ capacity поглоща́тельная спосо́бность.

Saturday ['sætədɪ] *n* суббо́та.

Saturn ['sætən] *n астр., миф.* Сату́рн.

saturnalia [,sætə'neɪljə] *n pl* 1) (S.) *др.--рим.* сатурна́лии; 2) (*часто употр. как sing*) разгу́л, вакхана́лия.

saturnine ['sætəːnaɪn] *a* 1) мра́чный; 2) свинцо́вый; ~ red су́рик.

saturnism ['sætəːnɪzəm] *n мед.* отравле́ние свинцо́м.

satyr ['sætə] *n* сати́р.

satyric [sə'tɪrɪk] *a* сатири́ческий.

sauce [sɔːs] **1.** *n* 1) со́ус; *перен.* припра́ва; 2) *разг.* гарни́р из овоще́й (*тж.* garden ~); 3) на́глость, де́рзость; none of your ~! ну, ну, без наха́льства!; 4) то, что придаёт интере́с, остроту́; 5) *амер.* фру́ктовое пюре́; 6) *амер. разг.* спиртно́е, спиртно́й напи́ток; to get on the ~ *прист.* пристрасти́ться к алкого́лю; ◇ to serve with the same ~ отплати́ть той же моне́той; what's ~ for the goose is ~ for the gander *посл.* ме́рка, примени́мая к одному́, должна́ применя́ться и к друго́му;
2. *v* 1) приправля́ть со́усом; *перен.* придава́ть пика́нтность; 2) *разг.* дерзи́ть.

sauce-boat ['sɔːsbout] *n* со́усник.

saucebox ['sɔːsbɒks] *n* наха́л(ка).

saucepan ['sɔːspən] *n* кастрю́ля.

saucer ['sɔːsə] *n* 1) блю́дце; 2) поддо́нник; 3) *тех.* пя́та; 4) *attr.*: ~ eyes больши́е, кру́глые глаза́.

saucy ['sɔːsɪ] *a* 1) де́рзкий, наха́льный; 2) живо́й, весёлый; 3) *sl.* наря́дный; мо́дный.

sauerkraut ['sauəkraut] *нем. n* ки́слая капу́ста.

saunter ['sɔːntə] **1.** *n* прогу́лка;
2. *v* прогу́ливаться, проха́живаться, флани́ровать.

sauntering ['sɔːntərɪŋ] **1.** *pres. p. om* saunter 2;
2. *n* прогу́лка;
3. *a* лени́вый (*о походке*).

saurel ['sɔːrəl] *n* ставри́да (*рыба*).

saurian ['sɔːrɪən] *n* живо́тное из отря́да я́щеровых.

saury ['sɔːrɪ] *n зоол.* макрелещу́ка.

sausage ['sɔsɪdʒ] *n* 1) колбаса́; соси́ска; 2) *воен. sl.* привязно́й аэроста́т, колбаса́.

sausage-meat ['sɔsɪdʒ'miːt] *n* фарш (*для колбас и т. п.*).

sausage-poisoning ['sɔsɪdʒ'pɔɪznɪŋ] *n мед.* ботули́зм, отравле́ние колба́сным я́дом.

sausage roll ['sɔsɪdʒ'roul] *n* пирожо́к с (колба́сным) фа́ршем.

savage ['sævɪdʒ] **1.** *a* 1) ди́кий, первобы́тный; 2) свире́пый, жесто́кий, беспоща́дный; 3) *разг.* взбешённый;
2. *n* дика́рь;
3. *v* 1) жесто́ко обходи́ться, применя́я си́лу; 2) куса́ть, топта́ть (*о лошади*).

savagery ['sævɪdʒərɪ] *n* 1) ди́кость; 2) жесто́кость.

savanna(h) [sə'vænə] *n* сава́нна.

savant ['sævənt] *фр. n* учёный.

save [seɪv] *v* 1) спаса́ть; my life was ~d by good nursing моя́ жизнь была́ спасена́ благодаря́ хоро́шему ухо́ду; to ~ the situation спасти́ положе́ние; 2) бере́чь; to ~ time эконо́мить вре́мя; to ~ oneself бере́чь себя́; to ~ one's pains не труди́ться понапра́сну; 3) откла́дывать, эконо́мить (*тж.* ~ up); to ~ one's pocket стара́ться не тра́тить ли́шнего; 4) избавля́ть (*от чего́--либо*); предупрежда́ть (*что-л.*); you have ~d me trouble вы изба́вили меня́ от хлопо́т; 5) успе́ть во́время, не опозда́ть, не пропусти́ть; 6) отбива́ть нападе́ние (*в футболе*); ☐ ~ up де́лать сбереже́ния; копи́ть; ◇ to ~ appearances соблюда́ть ви́димость, прили́чия; де́лать вид, что ничего́ не произошло́; to ~ one's bacon спаса́ть свою́ шку́ру; the mark с позволе́ния сказа́ть; бо́же сохрани́ (что́бы); to ~ one's face избежа́ть позо́ра, спасти́ репута́цию, прести́ж; to ~ one's breath промолча́ть, не тра́тить ли́шних слов; ~ us! *восклицание изумле́ния*;
2. *n* предотвраще́ние проры́ва (*в футболе, крике́те*);
3. *prep, cj уст., поэт.* 1) за исключе́нием, кро́ме, без; ~ and except исключа́я; 2) е́сли бы не.

saveloy ['sævɪlɔɪ] *n* вы́держанная суха́я колбаса́.

saver ['seɪvə] *n* 1) бережли́вый челове́к; 2) вещь, помога́ющая сбере́чь де́ньги, труд *и т. п.*; a washing-machine is a ~ of time and strength стира́льная маши́на эконо́мит вре́мя и си́лы.

savin ['sævɪn] *n бот.* можжеве́льник каза́цкий.

saving ['seɪvɪŋ] **1.** *pres. p. om* save 1;
2. *a* 1) спаси́тельный; the ~ grace of humour спаси́тельная си́ла ю́мора; 2) сберега́ющий; бережли́вый, эконо́мный; 3) вно́сящий огово́рку; ~ clause статья́, содержа́щая огово́рку;
3. *n* 1) спасе́ние; 2) эконо́мия, сбереже́ние; at a ~ с вы́годой; 3) *pl* сбереже́ния;
4. *prep* исключа́я, кро́ме; ◇ ~ your presence, ~ your reverence извини́те за выраже́ние;
5. *cj* е́сли не счита́ть, исключа́я.

savings-bank ['seɪvɪŋzbæŋk] *n* сберега́тельная ка́сса.

savior ['seɪvjə] *амер.* = saviour.

saviour ['seɪvjə] *n* спаси́тель.

savor ['seɪvə] *амер.* = savour.

savory I ['seɪvərɪ] *n бот.* чабёр садо́вый.

savory II ['seɪvərɪ] *амер.* = savoury.

savour ['seɪvə] 1. *n* 1) вкус, привкус; 2) *уст.* аромат; 3) пикантность; 4) оттенок; примесь; 5) *поэт.* репутация;

2. *v* 1) отзываться (of—*чем-л.; тж. перен.*); the soup ~s of onion суп попахивает луком; his remarks ~ of insolence в его замечаниях сквозит высокомерие; 2) смаковать; 3) *уст.* приправлять.

savourless ['seɪvəlɪs] *a* пресный (*тж. перен.*).

savoury ['seɪvərɪ] 1. *a* 1) вкусный; 2) пикантный; 3) приятный, привлекательный (*обыкн. ирон. или с отриц.*); ~ reputation подмоченная репутация;

2. *n* острая закуска.

savoy [sə'vɔɪ] *n* савойская капуста.

Savoyard [sə'vɔɪɑːd] *n* савояр, уроженец Савойи.

savvey, savvy ['sævɪ] *разг.* 1. *n* сообразительность, ум;

2. *v* понимать, знать; по ~ не понимаю, не понимаешь *и т. д.*

saw I [sɔː] *past om* see I.

saw II [sɔː] *n* поговорка (*обыкн. в сочетании* old *или* wise ~ старая *или* мудрая поговорка).

saw III [sɔː] 1. *n* пила; cross-cut ~ поперечная пила; crown ~ продольная пила; cylinder ~ цилиндрическая пила; musical ~, singing ~ обычная двуручная пила, из которой с помощью скрипичного смычка можно извлекать музыкальные звуки;

2. *v* (sawed [-d]; sawed, sawn) пилить (-ся); распиливать; ◇ to ~ the air размахивать руками; сильно жестикулировать; to ~ wood *амер.* заниматься собственными делами.

saw-blade ['sɔːbleɪd] *n* полотно пилы.

sawbones ['sɔːbəunz] *n разг., шутл.* хирург.

saw-buck ['sɔːbʌk] = saw-horse.

sawder ['sɔːdə] *n* лесть, комплименты (*тж.* soft ~).

sawdust ['sɔːdʌst] *n* опилки; ◇ to let the ~ out of smb. сбить спесь с кого-л.

saw-edged ['sɔː'edʒd] *a* зазубренный; пилообразный.

sawfish ['sɔːfɪʃ] *n* пила-рыба.

saw-fly ['sɔːflaɪ] *n* пилильщик (*насекомое*).

saw-frame ['sɔːfreɪm] *n тех.* лесопильная рама.

saw-gate ['sɔːgeɪt] = saw-frame.

saw-gin ['sɔːdʒɪn] *n текст.* пильный волокноотделитель.

saw-horse ['sɔːhɔːs] *n* козлы для пилки дров.

sawing jack ['sɔːɪŋ'dʒæk] = saw-horse.

sawmill ['sɔːmɪl] *n* лесопильный завод; лесопилка.

sawn [sɔːn] *p.p. om* saw III, 2.

Sawney ['sɔːnɪ] *n* 1) *презр.* шотландец; 2) простак, простофиля.

saw-set ['sɔːset] *n* разводка для пилы (*инструмент*).

saw-tones ['sɔːtəunz] *n pl* визгливый тон, голос; to speak (*или* to utter) in ~ говорить визгливым голосом.

saw-tooth ['sɔːtuːθ] *n* зуб пилы.

saw-wort ['sɔːwɔːt] *n бот.* серпуха красильная.

saw-wrest ['sɔːrest] = saw-set.

sawyer ['sɔːjə] *n* 1) пильщик; 2) усач (*насекомое*); 3) *амер.* коряга (*в реке*).

sax [sæks] *n* молоток для кровельных работ.

Saxe [sæks] *n* 1) сакс (*сорт фарфора*); 2) = Saxon blue.

saxhorn ['sækshɔːn] *n* саксгорн (*муз. инструмент*).

saxifrage ['sæksɪfrɪdʒ] *n бот.* камнеломка.

Saxon ['sæksn] 1. *n* 1) *ист.* сакс; 2) англичанин (*в противоположность ирландцу или валлийцу*); 3) шотландец из Южной Шотландии (*в противоположность шотландцу-горцу*); 4) саксонец; 5) англосаксонский язык; германский элемент в английском языке; ◇ plain ~ безыскусная речь; in plain ~ без обиняков;

2. *a* (англо)саксонский; германский.

Saxon blue ['sæksn'bluː] *n* тёмно-голубой цвет (*о краске; тж.* Saxe blue).

saxony ['sæksnɪ] *n* тонкая шерстяная пряжа *или* ткань.

say [seɪ] 1. *v* (said) 1) говорить, сказать; they ~, it is said говорят; it ~s in the book в книге говорится; what do you ~ to a game of billiards? не хотите ли сыграть в бильярд?; (let us) ~ скажем, например; a few of them, ~ a dozen несколько из них, скажем, дюжина; well, ~ it were true, what then? ну, допустим, что это верно, что же из этого?; to ~ a good word for замолвить словечко за; to ~ no a) отрицать; б) отказать; to ~ no more замолчать; to ~ nothing of не говоря о; to ~ smb. nay отказать кому-л. в просьбе; to have nothing to ~ for oneself a) не иметь, что сказать в свою защиту; б) *разг.* быть неразговорчивым; 2) произносить, повторять наизусть; декламировать; to ~ one's lesson отвечать урок; to ~ grace прочесть молитву (*перед трапезой*); to ~ the word отдать приказание; □ ~ on продолжать говорить; ~ out откровенно высказать; ~ over повторять; ◇ I ~!, *амер.* ~! послушайте! ну и ну!; you don't ~ (so)! да ну!, не может быть!; you said it *разг.* вот именно; you may well ~ so совершенно верно; what I ~ is по-моему; I should ~ a) я полагаю; б) ничего себе, нечего сказать; I should ~ so ещё бы, конечно; to hear ~ слышать; no sooner said than done сказано — сделано; that is to ~ то есть; easier said than done легче сказать, чем сделать; before you could ~ Jack Robinson (*или* knife) моментально; не успеешь оглянуться, как; и опомниться не успеешь, как; ~s you *амер. sl.* рассказывайте, я вам не верю;

2. *n* мнение, слово; право голоса; let him have his ~ пусть он выскажется; to have the ~ *амер.* распоряжаться; to have no ~ in the matter не участвовать в обсуждении.

saying ['seɪɪŋ] 1. *pres. p. om* say 1;

2. *n* поговорка, присловье; as the ~ is (*или* goes) как говорится; it goes without ~ само собой разумеется; there is no ~ трудно, невозможно сказать.

saying-lesson ['seɪɪŋ,lesn] n заученный урок; to recite a ~ повторять заученный урок.

scab [skæb] 1. n 1) струп (на язве); 2) парша, чесотка, короста; 3) болезнь растений (характеризующаяся коркообразными пятнами); corky ~ парша обыкновенная; 4) штрейкбрехер; 5) уст. негодяй; 6) метал. раковина; 7) соединительная планка, скоба;
2. v 1) покрываться струпьями; 2) быть штрейкбрехером; 3) тесать камень.

scabbard ['skæbəd] n ножны; to throw away the ~ вступать в решительный бой.

scabby ['skæbɪ] a 1) покрытый струпьями; шелудивый; 2) паршивый.

scabies ['skeɪbɪiːz] n мед. чесотка.

scabious ['skeɪbjəs] n бот. скабиоза.

scabrous ['skeɪbrəs] a 1) шершавый, шероховатый; 2) скабрёзный.

scad [skæd] = saurel.

scads [skædz] n pl амер. sl. 1) деньги; 2) очень большое количество.

scaffold ['skæfəld] 1. n 1) эшафот; плаха; to go to (или to mount) the ~ сложить голову на плахе; окончить жизнь на виселице; to bring to the ~ довести до виселицы; to send to the ~ приговорить к смерти; 2) подмостки; 3) = scaffolding 2;
2. v 1) обстраивать лесами; 2) поддерживать, подпирать, нести (на себе) нагрузку.

scaffolding ['skæfəldɪŋ] 1. pres. p. om scaffold 2;
2. n стр. леса, подмости.

scalar ['skeɪlə] a мат. скалярный.

scalawag ['skæləwæg] = scallywag.

scald I [skɔːld] 1. n ожог (кипящей жидкостью или паром);
2. v 1) обваривать, ошпаривать; 2) пастеризовать.

scald II [skɔːld] n скальд.

scald III [skɔːld] n уст. короста.

scalded ['skɔːldɪd] 1. p.p. om scald I, 2;
2. a 1) обваренный; 2) пастеризованный; ~ cream пастеризованные сливки.

scald-head ['skɔːldhed] = scald III.

scalding ['skɔːldɪŋ] 1. pres. p. om scald I, 2;
2. a 1) обжигающий; 2) жгучий; ~ tears жгучие слёзы.

scale I [skeɪl] 1. n 1) чешуя (у рыб и т. п.); 2) pl перен. пелена; ~s fell from his eyes пелена спала с его глаз; 3) pl щёчки, накладки (на рукоятке складного ножа); 4) шелуха; 5) камень (на зубах); 6) тех. окалина; накипь;
2. v 1) чистить, соскабливать чешую; 2) лущить; 3) снимать окалину, ·накипь и т. п.; 4) образовывать окалину, накипь; 5) шелушиться.

scale II [skeɪl] 1. n 1) чаш(к)а весов; to turn the ~ at so many pounds весить столько-то фунтов; to turn the ~ склонить чашу весов, оказаться решающим фактором; 2) pl весы; 3) (the Scales) = Libra; ◊ the turning of a ~ чуть-чуть; немного; to hold the ~s even судить беспристрастно;
2. v 1) взвешивать; 2) весить.

scale III [skeɪl] 1. n 1) лестница; to be high in the social ~ занимать высокое положение в обществе; to sink in the ~ опуститься на низкую ступень; утратить (прежнее) значение, опуститься; 2) масштаб; размер; on a large (или grand) ~ в большом масштабе; on a small ~ в маленьком масштабе; the ~ to be 1 : 50 000 в масштабе 1 : 50 000; to ~ по масштабу; 3) шкала; ~ of wages шкала заработной платы; rate ~ шкала расценок; 4) линейка; 5) муз. гамма; 6) мат. система счисления (тж. ~ of notation);
2. v 1) подниматься, взбираться (по лестнице и т. п.); 2) сводить к определённому масштабу; определять масштаб; to ~ down prices понижать цены; to ~ up wages повышать заработную плату; 3) быть соизмеримыми, сопоставимыми.

scale-beam ['skeɪlbiːm] n коромысло (весов).

scale-board ['skeɪlbɔːd] n тонкая доска, защищающая зеркало или холст картины с обратной стороны.

scale-borer ['skeɪl,bɔːrə] n тех. шарошка, абразивный круг для снятия накипи в трубках паровых котлов.

scaled I [skeɪld] 1. p.p. om scale I, 2;
2. a = scaly.

scaled II, III [skeɪld] p.p. om scale II, 2 и III, 2.

scalene ['skeɪliːn] a геом. неравносторонний, косоугольный.

scale-winged ['skeɪl'wɪŋd] зоол. 1. n собир. чешуекрылые, бабочки;
2. a чешуекрылый.

scale-work ['skeɪlwək] n орнамент в виде чешуи.

scaling-ladder ['skeɪlɪŋ,lædə] n 1) стремянка; 2) пожарная лестница.

scallop ['skɔləp] n 1) зоол. гребешок (моллюск); 2) створка раковины гребешка; 3) фарфоровая посуда в форме раковины; 4) pl фестоны, зубцы;
2. v 1) запекать в раковине; 2) украшать фестонами; вырезать зубцы.

scalloping ['skɔləpɪŋ] 1. pres. p. om scallop 2;
2. n фестоны, зубцы.

scallop-shell ['skɔləpʃel] n раковина гребешка [ср. scallop 1, 1)].

scallywag ['skælɪwæg] n 1) заморыш (о животном); 2) разг. бездельник, прохвост.

scalp [skælp] 1. n 1) кожа головы; 2) скальп; to be out for ~s перен. быть агрессивно или очень критически настроенным; to take smb.'s ~ одержать верх над кем-л.;
2. v 1) скальпировать; 2) обдирать (напр., шелуху); обнажать, лишать травяного покрова; 3) раскритиковать; 4) амер. разг. лишать влияния или положения; 5) амер. sl. наживаться путём мелкой спекуляции.

scalpel ['skælpəl] n хир. скальпель.

scalper ['skælpə] n 1) с.-х. обдирочный постав; 2) амер. разг. спекулянт железнодорожными или театральными билетами.

scaly ['skeɪlɪ] a 1) чешуйчатый; чешуеобразный; 2) покрытый накипью, отложениями.

scamp I [skæmp] *n* безде́льник, мерза́вец.

scamp II [skæmp] *v* рабо́тать спустя́ рукава́, ко́е-ка́к.

scamper ['skæmpə] **1.** *n* 1) поспе́шное бе́гство; 2) гало́п; 3) бе́глое чте́ние; **2.** *v* бежа́ть стремгла́в; удира́ть.

scampish ['skæmpɪʃ] *a* беспу́тный, непутёвый; плутова́тый.

scan [skæn] **1.** *v* 1) сканди́ровать(ся); 2) при́стально разгля́дывать, огля́дывать, изуча́ть; 3) *телев.* разлага́ть изображе́ние; **2.** *n телев.* развёртка *или* разложе́ние изображе́ния.

scandal ['skændl] *n* 1) позо́р; неприли́чный посту́пок; (публи́чный) сканда́л; what a ~!, it is a perfect ~! како́й позо́р!; 2) злосло́вие, спле́тни; to talk ~ злосло́вить, спле́тничать.

scandal-bearer ['skændl,bɛərə] = scandalmonger.

scandalize I ['skændəlaɪz] *v* скандализи́ровать, шоки́ровать.

scandalize II ['skændəlaɪz] *v мор. разг.* непо́лностью убра́ть па́рус.

scandalmonger ['skændl,mʌŋgə] *n* спле́тник.

scandalous ['skændələs] *a* 1) сканда́льный; 2) клеветни́ческий.

Scandinavian [,skændɪ'neɪvjən] **1.** *a* скандина́вский; **2.** *n* 1) скандина́в; скандина́вка; 2) скандина́вские языки́.

scandium ['skændɪəm] *n хим.* ска́ндий.

scanner ['skænə] *n телев.* 1) развёртывающий механи́зм; 2) = scanning-disk.

scanning ['skænɪŋ] **1.** *pres. p. om* scan 1; **2.** *n телев.* 1) развёртывающий механи́зм; развёртка; 2) разложе́ние изображе́ния; **3.** *a телев.* развёртывающий, разлага́ющий.

scanning-disk ['skænɪŋdɪsk] *n телев.* развёртывающий диск.

scansion ['skænʃən] *n* сканди́рование.

scansorial [skæn'sɔːrɪəl] *a зоол.* 1) ла́зающий; 2) це́пкий.

scant [skænt] **1.** *a* ску́дный, недоста́точный, ограни́ченный; жи́денький; ~ eyebrows ре́дкие бро́ви; ~ foothold ненадёжная опо́ра; with ~ courtesy нелюбе́зно; ~ of breath задыха́ющийся; **2.** *v уст.* скупи́ться (*на что-л.*); ограни́чивать.

scantling ['skæntlɪŋ] *n* 1) образе́ц; трафаре́т; 2) весьма́ небольшо́е коли́чество; 3) ме́ра, разме́р; 4) пило- *или* лесоматериа́л ме́лких разме́ров; 5) стелла́ж для бо́чек.

scanty ['skæntɪ] *a* ску́дный, недоста́точный, ограни́ченный.

scape I [skeɪp] *n* 1) сте́бель (*растения*); черешо́к; 2) сте́ржень.

scape II [skeɪp] *уст.* = escape.

scapegoat ['skeɪpgout] *n* козёл отпуще́ния.

scapegrace ['skeɪpgreɪs] *n* пове́са, шалопа́й, него́дник.

scaphander [skə'fændə] *n* 1) скафа́ндр, водола́зный костю́м; 2) про́бковый по́яс.

scaphoid ['skæfɔɪd] *a анат.* ладьеобра́зный.

scapula ['skæpjulə] *n* (*pl* -lae) *анат.* лопа́тка.

scapulae ['skæpjuliː] *pl om* scapula.

scapular ['skæpjulə] **1.** *a анат.* плечево́й; **2.** *n* (мона́шеский) наплечник.

scar I [skɑː] **1.** *n* шрам, рубе́ц; **2.** *v* 1) покрыва́ть рубца́ми; 2) рубцева́ться, зарубцо́вываться.

scar II [skɑː] *n* утёс, скала́.

scarab ['skærəb] *n* скарабе́й.

scaramouch ['skærəmauʃ] *n уст.* 1) шут, фигля́р; 2) хвастли́вый трус.

scarce [skɛəs] **1.** *a* 1) (*обыкн. predic.*) недоста́точный, ску́дный; money is ~ де́нег ма́ло; 2) ре́дкий, ре́дко встреча́ющийся; дефици́тный; ~ book ре́дкая кни́га; ◇ to make oneself ~ *разг.* ретирова́ться; удали́ться, уйти́; не попада́ться на глаза́; **2.** *adv поэт. см.* scarcely.

scarcely ['skɛəslɪ] *adv* 1) едва́, как то́лько; то́лько что; he had ~ arrived when he was told that едва́ (*или* как то́лько) он вошёл, ему́ сказа́ли, что; 2) не; едва́ ли, вряд ли; I ~ think so не ду́маю; I ~ know what to say я пря́мо не зна́ю, что сказа́ть; you will ~ maintain that едва́ ли вы ста́нете утвержда́ть э́то.

scarcity ['skɛəsɪtɪ] *n* 1) недоста́ток, нехва́тка (of); дефици́т; 2) го́лод; 3) ре́дкость.

scare [skɛə] **1.** *n* внеза́пный испу́г; па́ника; to throw a ~ (into) *амер.* пуга́ть, запу́гивать; to get a ~ перепуга́ться; **2.** *v* 1) пуга́ть; 2) отпу́гивать, вспу́гивать (*тж.* ~ away, ~ off); □ ~ up *амер. разг.* отыска́ть.

scarecrow ['skɛəkrou] *n* пу́гало.

scared [skɛəd] **1.** *p.p. om* scare 2; **2.** *a* испу́ганный; ~ face, ~ expression испу́ганное лицо́.

scare-head(ing) ['skɛə,hed(ɪŋ)] *n* сенсацио́нный заголо́вок (*в газете*).

scaremonger ['skɛə,mʌŋgə] *n* паникёр.

scare story ['skɛə'stɔːrɪ] *n* сенсацио́нный материа́л (*в газете*).

scarf I [skɑːf] *n* (*pl* -s [-s], scarves) 1) шарф; 2) га́лстук.

scarf II [skɑːf] **1.** *n* 1) скос, косо́й край *или* срез; 2) соедине́ние замко́м; **2.** *v* 1) ре́зать вкось, ска́шивать; отёсывать края́, углы́; 2) де́лать пазы́, вы́емки; 3) соединя́ть замко́м, сра́щивать; 4) сдира́ть ко́жу (*при разде́лке ту́ши кита́*).

scarf-pin ['skɑːfpɪn] *n* була́вка для га́лстука.

scarf-skin ['skɑːfskɪn] *n* нару́жный слой ко́жи, эпиде́рма.

scarf-weld ['skɑːfweld] *n тех.* сва́рка внахлёстку.

scarification [,skɛərɪfɪ'keɪʃən] *n* 1) *хир.* насе́чка; 2) *с.-х.* разрыхле́ние по́чвы скарифика́тором.

scarifier ['skɛərɪfaɪə] *n с.-х.* скарифика́тор.

scarify ['skɛərɪfaɪ] *v* 1) *хир.* де́лать насе́чки, надре́зы; 2) раскритикова́ть; 3) *с.-х.* разрыхля́ть по́чву скарифика́тором.

scarlet ['skɑːlɪt] **1.** *n* а́лый цвет; 2) ткань *или* оде́жда а́лого цве́та; **2.** *a* а́лый; to turn ~ гу́сто покрасне́ть.

scarlet-bean ['skɑːlɪtbiːn] = scarlet runner.

scarlet fever ['skɑːlɪt'fiːvə] *n* 1) скарлати́на; 2) *шутл.* пристра́стие к вое́нным.

scarlet hat ['skɑːlɪt'hæt] *n* кардина́льская ша́пка.

scarlet runner ['skɑːlɪt'rʌnə] *n бот.* о́гненные бобы́.

scarlet whore ['skɑːlɪt'hɔː] *n* 1) *библ.* блудни́ца в пу́рпуре; 2) *презр.* ри́мско-католи́ческая це́рковь; папи́зм.

scarlet woman ['skɑːlɪt'wumən] = scarlet whore.

scarp [skɑːp] 1. *n* 1) круто́й отко́с; 2) *воен.* эска́рп.
2. *v* 1) де́лать отве́сным *или* круты́м; 2) *воен.* эскарпи́ровать; 3) *sl.* укра́сть.

scarring ['skɑːrɪŋ] 1. *pres. p. от* scar I, 2; 2. *n* 1) рубцева́ние; 2) рубцы́.

scarves [skɑːvz] *pl от* scarf I.

scary ['skɛərɪ] *a разг.* 1) жу́ткий; 2) пугли́вый.

scat I [skæt] 1. *n* ли́вень (с ве́тром);
2. *adv*: to go ~ a) рассы́паться, развали́ться; б) обанкро́титься.

scat II [skæt] *int* брысь!; (поди́) прочь!; ◇ (it will be over) before you can say ~ ≅ и рта раскры́ть не успе́ешь (, как всё бу́дет ко́нчено).

scathe [skeið] 1. *n уст.* ущерб, вред; without ~ невреди́мый.
2. *v* причиня́ть вред, губи́ть.

scatheless ['skeiðlɪs] *a* (*обыкн. predic.*) невреди́мый.

scathing ['skeiðɪŋ] 1. *pres. p. от* scathe 2; 2. *a* е́дкий, злой, жесто́кий; ~ criticism ре́зкая кри́тика; ~ sarcasm е́дкий сарка́зм; ~ look уничтожа́ющий взгляд.

scatter ['skætə] *v* 1) разбра́сывать (on, over); 2) посыпа́ть (with); 3) разбры́згивать; 4) рассе́ивать, разгоня́ть; the police ~ed the demonstration поли́ция разогнала́ демонстра́цию; 5) рассе́иваться; броса́ться врассыпну́ю; 6) расточа́ть; сори́ть (деньга́ми); to ~ one's inheritance промота́ть насле́дство; 7) разбива́ться, терпе́ть крах; all our hopes and plans were ~ed все на́ши наде́жды рассе́ялись, пла́ны потерпе́ли крах.

scatter-brain ['skætəbreɪn] *n* вертопра́х, ве́тренник.

scatter-brained ['skætə'breɪnd] *a* легкомы́сленный, ве́треный.

scattered ['skætəd] 1. *p.p. от* scatter; 2. *a* 1) рассы́панный, разбро́санный (*о дома́х, предме́тах*); 2) отде́льный, разро́зненный; ~ instances отде́льные, изоли́рованные слу́чаи; ~ clouds разо́рванные облака́.

scatter-gun ['skætəgʌn] *n* ружьё-дробови́к.

scattery ['skætərɪ] *a разг.* рассе́янный, разбро́санный.

scaup(-duck) ['skɔːp(-dʌk)] *n зоол.* че́рнеть морска́я.

scaur [skɔː] = scar II.

scavenge ['skævɪndʒ] *v* 1) убира́ть му́сор (*с улиц*); 2) *тех.* продува́ть (*цили́ндр*); удаля́ть отрабо́танные га́зы.

scavenger ['skævɪndʒə] 1. *n* 1) убо́рщик му́сора, мете́льщик у́лиц; 2) живо́тное,

пита́ющееся па́далью; 3) писа́тель, находя́щий удово́льствие в гря́зных те́мах;
2. *v* 1) убира́ть му́сор; 2) *разг.* досма́тривать прибыва́ющие гру́зы.

scavenger's daughter ['skævɪndʒəz'dɔːtə] *n ист.* ≅ тиски́ (*ору́дие пы́тки, по своему́ де́йствию противополо́жное ды́бе*).

scavenging ['skævɪndʒɪŋ] 1. *pres. p. от* scavenge;
2. *n* 1) убо́рка му́сора; 2) *тех.* продувка (*цили́ндра*).

scenario [sɪ'nɑːrɪou] *um. n* (*pl* -os [-ouz]) сцена́рий.

scenarist ['siːnərɪst] *n* сценари́ст.

scene [siːn] *n* 1) ме́сто де́йствия; the ~ is laid in France де́йствие происхо́дит во Фра́нции; the ~ of operations теа́тр вое́нных де́йствий; 2) сце́на, явле́ние (*пье́сы*); carpenter ~ *театр.* проходна́я сце́на, игра́емая на просце́ниуме; 3) декора́ция; behind the ~s за кули́сами; 4) пейза́ж, карти́на, зре́лище; a woodland ~ лес; striking ~ потряса́ющее зре́лище; 5) сце́на, сканда́л; to make a ~ устро́ить сце́ну; 6) *уст.* сце́на; to appear on the ~ появи́ться на сце́не; to quit the ~ сойти́ со сце́ны; *перен.* умере́ть; 7) *телев.* объе́кт переда́чи.

scene-designer ['siːndɪˌzaɪnə] *n* худо́жник-декора́тор.

scene-dock ['siːndɔk] *n* склад декора́ций.

scene-painter ['siːnˌpeɪntə] *n* худо́жник-декора́тор.

scenery ['siːnərɪ] *n* 1) пейза́ж; 2) декора́ции.

scene-shifter ['siːnˌʃɪftə] *n* рабо́чий сце́ны.

scenic(al) ['siːnɪk(əl)] *a* 1) сцени́ческий; сцени́чный; театра́льный; 2) живопи́сный; 3) декорати́вный.

scent [sent] 1. *n* 1) за́пах; 2) духи́; 3) след; to be on the ~ идти́ по сле́ду; *перен.* быть на пра́вильном пути́; to get the ~ (of) напа́сть на след (*тж. перен.*); to put (*или* to throw) off the ~ сбить со сле́да; hot blazing ~ све́жий, горя́чий след; false ~ ло́жный след; 4) чутьё, нюх;
2. *v* 1) чу́ять; 2) ню́хать; 3) наполня́ть благоуха́нием *или* злово́нием; 4) души́ть (*плато́к и т. п.*); 5) идти́ по сле́ду; □ ~ out узна́ть, разню́хать.

sceptic ['skeptɪk] *n* ске́птик.

sceptical ['skeptɪkəl] *a* скепти́ческий.

scepticism ['skeptɪsɪzəm] *n* скептици́зм.

sceptre ['septə] *n* ски́петр; to wield the ~ пра́вить, ца́рствовать.

schedule ['ʃedjuːl, *амер.* 'skedjuːl] 1. *n* 1) расписа́ние, табли́ца, гра́фик; план; to be behind ~ запа́здывать; on ~ то́чно, во́время; 2) о́пись, инвента́рь, спи́сок, пе́речень; 3) *тех.* режи́м;
2. *v* 1) составля́ть (*или* включа́ть в) расписа́ние; 2) назнача́ть, намеча́ть, плани́ровать; the journey is ~d for five days путеше́ствие рассчи́тано на пять дней.

schematic [skɪ'mætɪk] *a* схемати́ческий.

scheme [skiːm] *n* 1) план, прое́кт; програ́мма; to lay a ~ составля́ть план, заду́мывать, замышля́ть; 2) схе́ма; 3) систе́ма; under the present ~ of society при совреме́нном устро́йстве о́бщества; 4) интри́га, про́иски; bubble ~ ду́тое предприя́тие;

2. *v* 1) плани́ровать, проекти́ровать; 2) замышля́ть (*что-л. плохое*); интригова́ть, вести́ интри́ги.

schemer ['ski:mə] *n* 1) интрига́н; 2) прожектёр.

Schiedam [ski'dæm] *n* голла́ндский джин.

schilling ['ʃɪlɪŋ] *нем. n* ши́ллинг (*денежная единица Австрии*).

schism ['sɪzəm] *n* схи́зма, раско́л, е́ресь.

schismatic [sɪz'mætɪk] **1.** *a* раско́льнический;

2. *n* раско́льник, схизма́тик.

schist [ʃɪst] *n* сла́нец, ши́фер, а́спид.

schistose, schistous ['ʃɪstous, -təs] *a* 1) сла́нцевый; 2) сло́йстый.

schizocarp ['skɪzoukɑːp] *n бот.* распада́ющийся плод.

scholar ['skɔlə] *n* 1) учёный; 2) фило́лог-кла́ссик; 3) *разг.* грамоте́й; I'm not much of a ~ я не о́чень-то гра́мотен; 4) *разг.* знато́к (*языка*); 5) стипендиа́т; 6) учени́к; 7) *'уст., разг.* шко́льник; шко́льница.

scholarly ['skɔləlɪ] *a* учёный; сво́йственный учёным.

scholarship ['skɔləʃɪp] *n* 1) учёность, эруди́ция; 2) стипе́ндия.

scholastic [skə'læstɪk] **1.** *a* 1) схоласти́ческий; 2) учи́тельский, шко́льный; *a* ~ institution уче́бное заведе́ние; 3) учёный; ~ degree учёная сте́пень;

2. *n* схола́стик.

scholasticism [skə'læstɪsɪzəm] *n* схола́стика.

scholia ['skouljə] *pl om* scholium.

scholiast ['skouliæst] *n* коммента́тор (*дре́вних а́второв*).

scholium ['skouljəm] *n* (*pl* -lia) коммента́рий (*дре́внего грамма́тика*), схо́лия.

school I [sku:l] **1.** *n* 1) шко́ла; secondary ~, *амер.* high ~ сре́дняя шко́ла; higher ~ вы́сшая шко́ла; elementary ~, primary ~ нача́льная шко́ла; to go to ~ а) ходи́ть в шко́лу; поступи́ть в шко́лу; to go to ~ to smb. учи́ться у кого́-л.; to attend ~ ходи́ть в шко́лу; учи́ться в шко́ле; to leave ~ ко́нчить уче́ние в шко́ле; 2) класс (*помеще́ние*); 3) заня́тия в шко́ле; there will be no ~ today сего́дня заня́тий не бу́дет; 4) (the ~s) *pl* средневеко́вые университе́ты; 5) шко́ла (*в науке, литерату́ре, иску́сстве*); of the old ~ а) ста́рой шко́лы (*о произведе́ниях иску́сства и т. п.*); б) старомо́дный; 6) *собир.* уча́щиеся одно́й шко́лы; 7) *attr.* шко́льный, уче́бный; ~ house а) кварти́ра учи́теля; б) пансиона́т при шко́ле;

2. *v* 1) дисциплини́ровать, обу́здывать; приуча́ть; шко́лить; 2) учи́ть(ся) в шко́ле.

school II [sku:l] **1.** *n* ста́я, кося́к (*рыб*);

2. *v* собира́ться ста́ями.

schoolable ['sku:ləbl] *a* подлежа́щий обяза́тельному шко́льному обуче́нию.

school-board ['sku:lbɔːd] *n* ме́стный шко́льный сове́т.

school-book ['sku:lbuk] *n* уче́бник, уче́бное посо́бие.

schoolboy ['sku:lbɔɪ] *n* 1) шко́льник; 2) *attr.* шко́льнический, мальчи́шеский.

schoolfellow ['sku:l,felou] *n* шко́льный това́рищ, соучени́к.

school form ['sku:lfɔːm] *n* па́рта.

schoolgirl ['sku:lgə:l] *n* шко́льница.

schoolhouse ['sku:lhaus] *n* зда́ние шко́лы.

schooling ['sku:lɪŋ] **1.** *pres. p. om* school I, 2;

2. *n* 1) (шко́льное) обуче́ние; 2) пла́та за обуче́ние; 3) вы́говор.

school-leaves ['sku:lli:vz] *n pl* ока́нчивающие шко́лу.

school-ma'am ['sku:lmɑːm] *n разг.* учи́тельница.

schoolman ['sku:lmən] *n* 1) схола́стик; 2) *амер.* = schoolmaster.

school-marm ['sku:lmɑːm] =school-ma'am.

schoolmaster ['sku:l,mɑːstə] *n* шко́льный учи́тель; педаго́г, руководи́тель; наста́вник.

schoolmasterly ['sku:l,mɑːstəlɪ] *a* наста́внический.

school-mate ['sku:lmeit] *n* шко́льный това́рищ.

school miss ['sku:l'mis] *n* 1) шко́льница; 2) засте́нчивая, наи́вная де́вочка.

schoolmistress ['sku:l,mistris] *n* шко́льная учи́тельница.

school pence ['sku:l'pens] *n* еженеде́льный взнос за уче́ние в нача́льной шко́ле.

schoolroom ['sku:lrum] *n* класс; аудито́рия; кла́ссная ко́мната.

schools [sku:lz] *n pl* экза́мены на учёную сте́пень.

school-ship ['sku:lʃɪp] *n мор.* уче́бное су́дно.

school-teacher ['sku:l,ti:tʃə] *n* шко́льный учи́тель, педаго́г.

schoolteacherly ['sku:l'ti:tʃəlɪ] *a* наста́внический, учи́тельский.

school-time ['sku:ltaim] *n* 1) часы́ заня́тий; 2) го́ды уче́ния, шко́льные го́ды.

schooner I ['sku:nə] *n* 1) шху́на; 2) = prairie-schooner.

schooner II ['sku:nə] *n разг.* высо́кий стака́н для пи́ва.

sciagram, sciagraph ['skaiəgræm, -grɑːf] *n* рентгеногра́мма.

sciagraphy [skai'ægrəfi] *n* 1) рентгеногра́фия; 2) наложе́ние тене́й (*в рису́нке*).

sciatic [sai'ætik] *a анат.* седа́лищный.

sciatica [sai'ætikə] *n мед.* невралги́я седа́лищного не́рва, и́шиас.

science ['saiəns] *n* 1) нау́ка; man of ~ учёный; applied ~ прикладна́я нау́ка; 2) есте́ственные нау́ки (*тж.* natural ~ *или* ~s, physical ~s); 3) уме́ние, ло́вкость; 4) *уст.* позна́ния.

sciential [sai'enʃəl] *a* 1) нау́чный; 2) зна́ющий.

scientific [,saiən'tifik] *a* 1) нау́чный; 2) иску́сный, уме́лый.

scientist ['saiəntist] *n* 1) учёный; Honoured S. заслу́женный де́ятель нау́ки; 2) естествоиспыта́тель, натурали́ст.

scilicet ['sailiset] *лат. adv* то́ есть; а и́менно.

scimitar ['simitə] *n* крива́я восто́чная са́бля.

scintilla [sɪn'tɪlə] *n* и́скра; крупи́нка; not a ~ of smth. ни ка́пельки чего́-л., ни намёка на что-л.

scintillate ['sɪntɪleɪt] *v* 1) сверка́ть; и́скриться; to ~ pleasure (*или* delight) сия́ть от удово́льствия; to ~ anger вспы́хнуть от гне́ва; 2) мерца́ть.

scintillation [,sɪntɪ'leɪʃən] *n* 1) сверка́ние, вспы́шка; 2) мерца́ние.

sciolism ['saɪəlɪzəm] *n* мни́мая учёность; пове́рхностное зна́ние; всезна́йство.

sciolist ['saɪəlɪst] *n* дилета́нт; лжеучёный; всезна́йка.

scion ['saɪən] *n* 1) побе́г (*растения*); черено́к; 2) о́тпрыск, пото́мок.

scission ['sɪʒən] *n* разреза́ние, разделе́ние.

scissor ['sɪzə] *v разг.* 1) ре́зать но́жницами (*обыкн.* ~ off, ~ up); выреза́ть но́жницами (*обыкн.* ~ out); 2) *разг.* идти́ бы́стрым, реши́тельным ша́гом.

scissors ['sɪzəz] *n pl* 1) но́жницы (*тж.* a pair of ~); ~ and paste компиля́ция; 2) *воен. sl.* стереотруба́.

Sclav, Sclavonic [sklɑːv,sklɑː'vɒnɪk]= Slav, Slavonic.

scleroses [sklɪə'rousiːz] *pl om* sclerosis.

sclerosis [sklɪə'rousɪs] *n* (*pl* -ses) *мед.* склеро́з.

sclerotic [sklɪə'rɒtɪk] 1. *a* пло́тный, твёрдый; склероти́ческий;
2. *n анат.* скле́ра.

scobs [skɒbz] *n pl* 1) опи́лки, стру́жки; 2) шлак, ока́лина.

scoff [skɒf] 1. *n* 1) насме́шка; 2) посме́шище; 3) *sl.* еда́, пи́ща;
2. *v* 1) глуми́ться, насмеха́ться, издева́ться; 2) *sl.* есть жа́дно.

scoffer ['skɒfə] *n* 1) насме́шник; 2) безбо́жник.

scold [skould] 1. *v* брани́ть(ся), распека́ть;
2. *n* сварли́вая же́нщина.

scolding ['skouldɪŋ] 1. *pres. p. om* scold 1;
2. *n* нагоня́й; брань.

scollop ['skɒləp] = scallop.

scon [skɒn] = scone.

sconce I [skɒns] *n* 1) наве́с; шала́ш; бу́дка; 2) убе́жище, прию́т; укры́тие, закры́тие; 3) *воен.* ша́нец, реду́т, форт.

sconce II [skɒns] *n* 1) канделя́бр; подсве́чник; 2) *уст.* фона́рь.

sconce III [skɒns] *n* 1) шлем; 2) *уст. шутл.* голова́, башка́.

sconce IV [skɒns] 1. *n* штраф (*обыкн.* кружка пива) за наруше́ние пра́вил за столо́м (*в Оксфордском университете*);
2. *v* штрафова́ть [*см.* 1].

scone [skɒn] *n* ячме́нная *или* пшени́чная лепёшка.

scoop [skuːp] 1. *n* 1) сово́к, лопа́тка; 2) черпа́к, ковш (*тж. экскаватора*); ло́жка; 3) черпа́ние; with a ~, at one ~ одни́м взма́хом; 4) *хир.* ло́жечка; 5) котлова́н; углубле́ние, впа́дина; 6) *sl.* большо́й куш; больша́я при́быль; 7) *sl.* сенсацио́нная но́вость, опублико́ванная в газе́те до её появле́ния в други́х газе́тах; 8) *тех.* диапазо́н измере́ний (*измерительных приборов*);

2. *v* 1) че́рпать, заче́рпывать; выче́рпывать (*обыкн.* ~ up, ~ out); 2) копа́ть; выка́пывать; 3) выда́лбливать, высве́рливать; 4) *sl.* сорва́ть куш; 5) *sl.* обста́вить (*конкуре́нта*); □ ~ in собира́ть; ~ up собра́ть, подня́ть.

scoop-net ['skuːpnet] *n* сачо́к.

scoop shovel ['skuːp'ʃʌvl] *n* экскава́тор; землечерпа́лка.

scoot [skuːt] *v sl.* бежа́ть; бро́ситься бежа́ть; удира́ть.

scooter ['skuːtə] *n* 1) самока́т (*игрушка*); 2) *спорт.* ску́тер.

scop [skɒp] *n* средневеко́вый англи́йский поэ́т; менестре́ль.

scope I [skoup] *n* 1) кругозо́р; сфе́ра; разма́х, охва́т; просто́р; a mind of wide ~ широ́кий ум; it is beyond my ~ э́то вне мое́й компете́нции; he has full (*или* free) ~ ему́ предоста́влена по́лная свобо́да де́йствий; ~ of fire *воен.* по́ле обстре́ла; 2) *уст.* цель.

scope II [skoup] *n* 1) (*сокр. om* telescope) вся́кий опти́ческий прибо́р; 2) (*сокр. om* periscope) периско́п.

scorbute ['skɔːbjuːt] *n мед. уст.* цинга́, скорбу́т.

scorbutic [skɔː'bjuːtɪk] *мед.* 1. *a* цинго́тный;
2. *n* цинго́тный больно́й.

scorch [skɔːtʃ] 1. *n* 1) ожо́г; 2) *sl.* бе́шеная езда́; 3) пригора́ние, подгора́ние;
2. *v* 1) опаля́ть(ся), подпа́ливать(ся); обжига́ть, выжига́ть; 2) выгора́ть; коро́биться (от жары́); 3) ре́зко критикова́ть, руга́ть; 4) *sl.* бе́шено нести́сь, «жа́рить».

scorched [skɔːtʃt] 1. *p.p. om* scorch 2;
2. *a* спалённый, вы́жженный; ~ earth policy *воен.* страте́гия вы́жженной земли́.

scorcher ['skɔːtʃə] *n* 1) жа́ркий день; 2) *разг.* лиха́ч (*об автомобилисте и т. п.*).

scorching ['skɔːtʃɪŋ] 1. *pres. p. om* scorch 2;
2. *a* 1) паля́щий; зно́йный; 2) жесто́кий, суро́вый (*о критике*).

score [skɔː] *n* 1) зару́бка, боро́здка; ме́тка; черта́; 2) счёт (*особ. отме́тка на две́ри в таве́рне*); 3) счёт очко́в (*в игре*); to keep the ~ вести́ счёт; 4) остро́та на чужо́й счёт; he is given to making ~s он лю́бит остри́ть на чужо́й счёт; 5) уда́ча; what a ~! повезло́!; 6) два деся́тка; three ~ and ten се́мьдесят лет; a ~ or two of instances не́сколько деся́тков приме́ров; 7) *pl* мно́жество; ~s of times мно́го раз; 8) причи́на, основа́ние; on the ~ of по причи́не; on that ~ на э́тот счёт, в э́том отноше́нии; 9) *муз.* партиту́ра; ◇ to go off at full ~, to start off from ~ ри́нуться; с жа́ром начина́ть (*что-л.*); to make a ~ off one's own bat сде́лать что-л. без по́мощи други́х; to pay off (*или* to wipe off) old ~s свести́ счёты;

2. *v* 1) де́лать зару́бки, отме́тки; отмеча́ть; 2) боро́здить; 3) *перен.* оставля́ть след; 4) засчи́тывать (*тж.* ~ up); вести́ счёт (*в игре*); 5) запомина́ть (*обиду*); 6) выи́грывать; име́ть успе́х, уда́чу; to ~ a point вы́играть очко́; to ~ an advantage (a success) получи́ть преиму́щество (до-

стигнуть успеха); you have ~d вам повезло; we ~d heavily by it это нам было очень на руку; 7) *амер.* бранить; 8) *муз.* оркестровать; □ ~ **off** *разг.* одержать верх; ~ **out** вычёркивать; ~ **under** подчёркивать.

scorer ['skɔːrə] *n* счётчик (*в играх*), маркёр.

scoria ['skɔːrɪə] *n* (*pl* -ae) 1) шлак, окалина; 2) *pl* шлаковые обломки вулканического происхождения.

scoriae ['skɔːrɪiː] *pl от* scoria.

scorify ['skɔːrɪfaɪ] *v тех.* шлаковать.

scorn [skɔːn] 1. *n* 1) презрение; to think ~ **of** *уст.* презирать; 2) насмешка; 3) объект презрения;

2. *v* презирать; to ~ **lying** не унижаться до лжи.

scornful ['skɔːnful] *a* презрительный; насмешливый.

Scorpio ['skɔːpɪou] = scorpion 2).

scorpion ['skɔːpjən] *n* 1) скорпион; to chastise with ~s бичевать; 2) (S.) Скорпион (*созвездие и знак зодиака*).

Scot [skɔt] *n* 1) шотландец; 2) *ист.* скотт.

scot [skɔt] *n ист.* налог, подать; to pay ~ **and lot** платить городские налоги; *перен.* нести общее бремя.

Scotch [skɔtʃ] 1. *a* шотландский; ~ **broth** перловый суп; ~ **fir** сосна лесная (*или* обыкновенная); ~ **kale** краснокочанная капуста;

2. *n* 1) (the ~) *pl собир.* шотландцы; 2) шотландский диалект; 3) *разг.* шотландское виски; a ~ **and soda** виски с содовой (водой).

scotch [skɔtʃ] 1. *n* 1) надрез; 2) черта (*на земле*); 3) чурка, клин (*как тормоз под колесо и т. п.*);

2. *v* 1) ранить; калечить; to ~ **a snake** обезвредить змею; 2) подавлять; I don't ~ **my mind** я говорю прямо, без обиняков; 3) тормозить; 4) *уст.* надрезать.

Scotchman ['skɔtʃmən] *n* шотландец; ◇ flying ~ экспресс Лондон-Эдинбург.

Scotchwoman ['skɔtʃ,wumən] *n* шотландка.

scoter ['skoutə] *n зоол.* синьга американская (*или* тихоокеанская).

scot-free ['skɔt'friː] 1. *a* 1) невредимый; 2) ненаказанный;

2. *adv* безнаказанно.

Scoticè ['skɔtɪsiː] *adv* на шотландском диалекте.

Scotland Yard ['skɔtlənd 'jɑːd] *n* Скотленд-Ярд (*центр английской полиции и сыскное отделение*).

Scots [skɔts] 1. *n* шотландский диалект; 2. *a* шотландский.

Scotsman ['skɔtsmən] = Scotchman.

Scotswoman ['skɔts,wumən] = Scotchwoman.

Scotticè ['skɔtɪsiː] = Scoticè.

Scotticism ['skɔtɪsɪzəm] *n* шотландское слово, выражение.

Scotticize ['skɔtɪsaɪz] *v* 1) прививать шотландские обычаи *или* шотландское наречие; 2) подражать шотландцам.

Scottish ['skɔtɪʃ] *a* шотландский; ~ **dialect** шотландский диалект.

scoundrel ['skaundrəl] *n* негодяй, подлец.

scoundrelly ['skaundrəlɪ] *a* подлый.

scour I ['skauə] 1. *n* 1) чистка, мытьё; 2) эрозивное действие; 3) промоина; 4) вещество для мытья ткани; 5) понос (*у скота*);

2. *v* 1) чистить, прочищать; отчищать; оттирать; 2) мыть; смывать; 3) мездрить (*кожу*).

scour II ['skauə] *v* рыскать (*тж.* ~ **about**); to ~ **the woods** рыскать по́ лесу.

scourer ['skaurə] *n* 1) мездрильщик (*в кожевенной промышленности*); 2) металлическая мочалка для чистки кухонной посуды.

scourge [skəːdʒ] 1. *n* 1) *уст.* плеть; 2) бич, бедствие; кара, наказание;

2. *v* 1) *уст.* бичевать; 2) карать, наказывать.

scout I [skaut] 1. *n* 1) разведчик (*тж.* о *самолёте и корабле*); 2) бойскаут; 3): on the ~ в разведке; 4) служитель (*в Оксфордском университете*); 5) *амер. sl.* парень, малый;

2. *v* производить разведку; □ ~ **about, ~ round** рыскать в поисках (*чего-л.*).

scout II [skaut] *v* отвергать (*что-л.*), пренебрегать (*чем-л.*).

scout III [skaut] *n зоол.* чистик, тупик, кайра.

scoutmaster ['skaut,mɑːstə] *n* начальник отряда бойскаутов.

scow [skau] *n* шаланда.

scowl [skaul] 1. *n* хмурый вид; сердитый взгляд;

2. *v* хмуриться, смотреть сердито (at, on).

scrab [skræb] *v* царапать.

scrabble ['skræbl] 1. *n* каракули;

2. *v* 1) царапать; писать каракулями; 2) рыться (*обыкн.* ~ **about**); 3) карабкаться; 4) сгребать.

scrag [skræg] 1. *n* 1) живой скелет, кощей; тощее животное; хилое растение; 2) баранья шея; 3) *sl.* шея;

2. *v* 1) *спорт.* зажимать шею (*противника*) под мышкой; 2) *sl.* вздёрнуть на виселице; задушить; свернуть шею.

scraggy ['skrægɪ] *a* тощий.

scram [skræm] *int амер. разг.* уходи(те)!, убирайся!

scramble ['skræmbl] 1. *n* 1) свалка, драка, борьба (*за захват чего-л.*); 2) карабканье;

2. *v* 1) карабкаться; продираться, протискиваться; 2) ползти; цепляться (*о растениях*); 3) драться, бороться за захват (for — *чего-л.*); 4) швырять в толпу (*монеты*); 5) сгребать; 6) делать яичницу-болтунью.

scrambled eggs ['skræmbld 'egz] *n pl* яичница-болтунья.

scran [skræn] *n sl.* еда, пища; объедки; ◇ **bad** ~ **to you!** *ирл.* ≅ чтоб тебе пусто было!

scranch [skrænʃ] *v* грызть, хрустеть.

scrannel ['skrænl] *a уст.* 1) тощий; жалкий; 2) скрипучий.

scranny ['skrænɪ] = scrawny.

scrap I [skræp] 1. *n* 1) клочок, кусочек, лоскуток; 2) *pl* остатки, объедки; 3) вырезка из газеты; 4) *собир.* металлический лом, скрап; 5) (*тж. pl*) рыбные отжимки; 2. *v* 1) отдавать на слом; превращать в лом; 2) выбрасывать.

scrap II [skræp] *sl.* 1. *n* драка; стычка; ссора;
2. *v* драться.

scrap-book ['skræpbuk] *n* альбом газетных вырезок.

scrape [skreip] 1. *n* 1) скобление *и пр.* [*см.* 2]; 2) царапина; 3) скрип; 4) шарканье; 5) затруднение, беда; to get into a ~ попасть в переделку;
2. *v* 1) скоблить, скрести(сь); to ~ one's chin бриться; to ~ one's boots счищать грязь с подошв о железную скобу у входа; to ~ one's plate выскрести свою тарелку; 2) задевать (against, along); 3) шаркать; 4) пиликать (*на скрипке*); 5) экономить, скаредничать; 6) брести с трудом; to ~ home с трудом добраться домой; 7) *тех.* шабрить, пришабривать; обтёсывать; □ ~ away, ~ down отчищать, отскабливать; ~ through а) с трудом пробраться; б) еле выдержать (*экзамен*); ~ together, ~ up наскрести; накопить по мелочам; ◇ to ~ acquaintance with smb. навязываться в знакомые к кому-л.; to bow and ~ раболепствовать.

scrape-penny ['skreip,peni] *n* скряга.

scraper ['skreipə] *n* 1) железная скоба у входа для счищания грязи с подошв обуви; 2) скряга; 3) *тех.* скребок, шабер, скобель; 4) кирка, мотыга; 5) *тех.* скрепер, волокуша; 6) *attr.* скребковый; ~ conveyance *горн.* скребковый транспортёр.

scrap-heap ['skræphiːp] *n* свалка, помойка; to throw on the ~ выкинуть за ненадобностью; ◇ ~ policy отбрасывание использованного, устарелого.

scrap-iron ['skræp,aiən]=scrap I, 1, 4).

scrapman ['skræpmən] *n* 1) скупщик металлического лома; 2) старьёвщик.

scrap-metal ['skræp,metl] = scrap I, 1, 4).

scrapple ['skræpl] *n амер.* кушанье из свинины с кукурузной крупой и кореньями.

scrappy ['skræpi] *a* 1) отрывочный, бессвязный; 2) состоящий из остатков.

Scratch [skrætʃ] *n*: Old ~ дьявол.

scratch [skrætʃ] 1. *n* 1) царапина; to get off with a ~ отделаться царапиной; легко отделаться; 2) росчерк; пометка; a ~ of the pen росчерк пера; 3) почёсывание, расчёсывание; 4) скрип, царапанье; *спорт.* черта, отмечающая старт; to come (up) to the ~ а) подойти к черте, отмечающей старт; б) встретить противника во всеоружии; в) принять определённое решение, действовать решительно; to toe the ~ а) встать на черту, отмечающую старт; б) строго придерживаться правил; подчиняться требованиям; to start from ~ а) не иметь преимущества; б) начать с начала; 6) *спорт.* участник состязания, не получающий преимущества (*тж.* ~ man); 7) *pl вет.* мокрец (*у лошади*); 8) нарезка, метка; 9) ясли, решётка для сена; 10) удачно сыгранный шар (*на бильярде*); *перен.* счастливая случайность; 11) = scratch-

-wig; ◇ no great ~ не очень хорошая вещь; так себе, ничего особенного; up to the ~ на должной высоте; в хорошем виде;
2. *a* 1) случайный; 2) разношёрстный, сборный; ~ crew (*или* team, pack) *разг.* случайно *или* наспех подобранная спортивная команда; 3) импровизированный; ~ dinner обед, приготовленный из продуктов, имевшихся под рукой;
3. *v* 1) царапать(ся), скрести(сь); расцарапать(ся); to ~ the surface of smth. а) не проникать глубже поверхности чего-л.; б) относиться поверхностно к чему-л.; 2) нацарапать (*письмо, рисунок*); 3) чесать(ся); to ~ one's head почесать затылок (*тж. перен.*); 4) рыть когтями; 5) скрипеть (*о пере*); 6) чиркать; 7) вычёркивать (*из списка участников, кандидатов; тж.* ~ off, ~ out, ~ through); 8) отказываться (*от чего-л.*); бросать; □ ~ along *sl.* перебиваться; ~ out вычёркивать; ~ together, ~ up наскрести, накопить; ◇ ~ my back and I will ~ yours ≅ услуга за услугу.

scratch-cat ['skrætʃkæt] *n* злюка, мегера.

scratch-race ['skrætʃreis] *n* состязание без гандикапа.

scratch-wig ['skrætʃwig] *n* накладка из волос.

scratch-work ['skrætʃwəːk] *n иск.* сграффито.

scratchy ['skrætʃi] *a* 1) грубый, неискусный (*о рисунке*); 2) скрипучий, царапающий (*о пере*); 3) шершавый (*о ткани*); 4) разношёрстный, плохо подобранный.

scrawl [skrɔːl] 1. *n* каракули; небрежная записка;
2. *v* писать каракулями.

scrawny ['skrɔːni] *a амер.* костлявый, сухопарый.

scray [skrei] *n зоол.* крачка речная (*или* обыкновенная).

screak [skriːk] 1. *n* пронзительный скрип;
2. *v* визжать, пронзительно скрипеть.

scream [skriːm] 1. *n* 1) вопль, крик; визг; ~s of laughter неудержимый хохот; 2) *sl.* умора; 3) *амер. разг.* прелесть, эффектная, красивая вещь;
2. *v* пронзительно кричать, вопить; реветь (*о свистке, сирене*); to ~ with laughter неудержимо хохотать.

screamer ['skriːmə] *n* 1) тот, кто кричит, крикун; 2) *sl.* превосходный экземпляр; 3) *разг.* книга, кинофильм *и т. п.*, производящие сильное впечатление *или* вызывающие смех; 4) *амер.* сенсационный заголовок; 5) *спорт.* великолепный удар, бросок, прыжок *и т. п.*; 6) *полигр. sl.* восклицательный знак.

screaming ['skriːmiŋ] 1. *pres. p. от* scream 2;
2. *a* 1) кричащий; 2) уморительный; ~ fun, ~ farce уморительный фарс.

screamy ['skriːmi] *a* 1) крикливый, истеричный; 2) кричащий (*о красках*).

scree [skriː] *n* каменистая осыпь; щебень.

screech [skriːtʃ] 1. *n* 1) крик; 2) скрип;
2. *v* пронзительно *или* зловеще кричать.

screech-owl ['skriːtʃaul] *n* 1) *зоол.* сипуха; 2) что-л., предсказывающее несчастье.

screechy ['skri:tʃı] *a* рéзкий, пронзительный, скрипýчий.

screed [skri:d] *n* 1) длúнная скýчная речь, разглагóльствование; 2) *стр.* маяк (*при штукатýрных рабóтах*); 3) разрáвниватель (*в дорóжном дéле*).

screen [skri:n] 1. *n* 1) шúрма; экрáн; щит; доскá (*для объявлéний*); 2) кинó, эл., *радио* экрáн; 3) (the ~) кинó; 4) перегорóдка; 5) плетéнь; 6) прикрытие, заслóн, завéса; under (the) ~ of night под покрóвом нóчи; to put on a ~ of indifference принять нарочúто безразлúчный вид; 7) сéтка от насекóмых; 8) грóхот, сúто, решетó; 9) корóткий коридóр, тáмбур; 10) *attr.*: ~ time врéмя демонстрáции фúльма;
2. *v* 1) прикрывáть, укрывáть, защищáть; 2) просéивать, сортировáть, грохотúть; 3) производúть провéрку политúческой благонадёжности; 4) *воен.* проводúть отбóр новобрáнцев; 5) производúть киносъёмку; 6) демонстрúровать на экрáне; 7) *радио* экранúровать; 8) *горн.* обогащáть рудý.

screening ['skri:nıŋ] 1. *pres. p. om* screen 2;
2. *n* 1) *pl* высевки; 2) просéивание; 3) отсéв, отбóр; 4) провéрка политúческой благонадёжности; 5) экранизáция; 6) *горн.* обогащéние рудý.

screenplay ['skri:npleı] *n* сценáрий.

screenwriter ['skri:n,raıtə] *n* сценарúст.

screw [skru:] 1. *n* 1) винт (*тж.* male ~, exterior ~); болт, шурýп; female (*или* interior) ~ гáйка; to turn (*или* to apply) the ~, to put the ~(s) on ≅ завернýть, подкрутúть гáйку; *перен.* оказáть давлéние, нажáть; 2) *тех.* шнек, червяк; 3) = thumbscrew; 4) *ав.* (воздýшный) винт; *мор.* (гребнóй) винт; 5) поворóт винтá; to give a nut a (good) ~ покрéпче завернýть гáйку; 6) небольшóй свёрток, бумáжный пакéт, «фýнтик»; a ~ of tobacco пáчка табакý; 7) скряга; 8) *sl.* кляча; 9) *разг.* гонорáр; жáлованье; 10) *амер. sl.* придúрчивый экзаменáтор; 11) *attr.* винтовóй; ◇ he has a ~ loose у негó вúнтика не хватáет; to have a ~ loose on smth. *разг.* помешáться на чём-л.; there is a ~ loose somewhere чтó-то не в порядке;
2. *v* 1) привúнчивать, завúнчивать, скреплять винтáми; навúнчивать; to ~ the lid on the jar завинтúть крышку бáнки; 2) нарезáть резьбý; 3) выжимáть; to ~ water out of a sponge выжáть гýбку; 4) нажимáть; притеснять; 5) скряжничать; 6) крутúть(ся), вертéть(ся); to ~ smb.'s arm выкрýчивать комý-л. рýку; □ ~ out вымогáть (*дéньги, соглáсие*; ~ у когó-л.); ~ up а) завúнчивать; подвúнчивать (*болт, гáйку и т. п.*); навúнчивать (*крышку и т. п.*); б) подтягивать, укреплять; to ~ up one's courage подбодрúть, набрáться хрáбрости; to ~ oneself up to do smth. застáвить себя сдéлать что-л.; в) мóрщить (*лицó*); поджимáть (*гýбы*); to ~ up one's eyes прищýриться; ◇ his head is ~ed on the right way он не дурáк.

screw-ball ['skru:bɔːl] 1. *n* 1) сумасбрóдство; 2) сумасбрóд;
2. *a* сумасбрóдный, эксцентрúчный.

screw-bolt ['skru:boult] *n* нормáльный болт.

screw coupling ['skru:,kʌplıŋ] *n* *тех.* винтовáя мýфта, винтовáя стяжка.

screw-cutter ['skru:,kʌtə] *n* 1) = screw-die; 2) винторéзный станóк.

screw-die ['skru:daı] *n* *тех.* винторéзная головка, клупп.

screw-down ['skru:daun] *n* с завúнчивающейся крышкой (*о сосýде, отвéрстии и т. п.*).

screwdriver ['skru:,draıvə] *n* отвёртка.

screwed [skru:d] 1. *p. p. om* screw 2;
2. *a* *sl.* пьяный; подвыпивший.

screw-jack ['skru:dʒæk] *n* винтовóй домкрáт.

screw-nail ['skru:neıl] *n* шурýп для дéрева.

screw-nut ['skru:nʌt] *n* гáйка.

screw-plate ['skru:pleıt] *n* винтовáльная доскá.

screw press ['skru:pres] *n* *тех.* винтовóй пресс (*напр., переплётный*).

screw-propeller ['skru:prə,pelə] *n* гребнóй винт.

screw steamer ['skru:,sti:mə] *n* винтовóй парохóд.

screw-tap ['skru:tæp] *n* *тех.* мéтчик.

screw-thread ['skru:θred] *n* *тех.* резьбá, винтовáя нарéзка.

screw valve ['skru:vælv] *n* *тех.* винтовóй клáпан.

screw-wheel ['skru:wi:l] *n* червячное колесó.

screw-wrench ['skru:rentʃ] *n* *тех.* раздвижнóй гáечный ключ.

screwy ['skru:ı] *a* 1) скрýченный; 2) скупóй; 3) никчёмный; 4) *sl.* пьяный.

scribal ['skraıbəl] *a* относящийся к перепúсчику, сдéланный перепúсчиком.

scribble I ['skrıbl] 1. *n* карáкули; мазня;
2. *v* 1) писáть карáкулями, небрéжно; 2) быть писáкой.

scribble II ['skrıbl] *v текст.* грýбо чесáть.

scribbler I ['skrıblə] *n* писáка, бумагомарáтель.

scribbler II ['skrıblə] *n* *текст.* пéрвая чесáльная машúна, полукáрда.

scribe [skraıb] 1. *n* 1) писéц; перепúсчик; 2) грамотéй; I am no great ~ я не мáстер писáть; 3) *библ.* кнúжник; 4) *шутл.* писáтель;
2. *v геом.* впúсывать; опúсывать.

scrim [skrım] *n* 1) *текст.* грýбый холст; 2) маскирóвочная сéтка.

scrimmage ['skrımıdʒ] 1. *n* 1) дрáка, свáлка; ссóра; 2) *спорт.* свáлка вокрýг мячá (*в рéгби*);
2. *v* 1) учáствовать в схвáтке; 2) *спорт.* сгрудúться вокрýг мячá.

scrimp [skrımp] 1. *n* *амер. разг.* скряга;
2. *v* 1) скупúться (*на что-л.*); урéзывать; 2) укорáчивать.

scrimpy ['skrımpı] *a* 1) скýдный; 2) скупóй.

scrimshank ['skrımʃæŋk] *v sl.* уклоняться от обязанностей.

scrimshaw ['skrımʃɔː] 1. *n* резьбá на рáковинах, слонóвой кóсти и т. п.;
2. *v* вырезáть на рáковинах, слонóвой кóсти и т. п.

scrip I [skrɪp] *n уст.* сума́.

scrip II [skrɪp] *n фин.* 1) квита́нция о подпи́ске на а́кции; 2) *ист.* бума́жная разме́нная моне́та (*в США*); 3) бума́жные де́ньги, выпуска́емые оккупацио́нными властя́ми.

script [skrɪpt] 1. *n* 1) по́черк; рукопи́сный шрифт; 2) *юр.* по́длинник (*документа*); 3) пи́сьменная рабо́та экзамену́ющегося; 4) *кино* сцена́рий; 5) *радио* текст ле́кции *или* бесе́ды для переда́чи по ра́дио;
2. *v* написа́ть сцена́рий (*тж. по литера́турному произведе́нию*).

scripter ['skrɪptə] *n* 1) сценари́ст; 2) а́втор бесе́ды *или* ле́кции по ра́дио.

scriptoria [skrɪp'tɔːrɪə] *pl om* scriptorium.

scriptorium [skrɪp'tɔːrɪəm] *n* (*pl* -s [-z], -ria) помеще́ние для перепи́ски ру́кописей (*в средневековых монастырях*).

scriptural ['skrɪptʃərəl] *a* библе́йский.

scripture ['skrɪptʃə] *n* 1) свяще́нное писа́ние; би́блия; Mohammedan ~s кора́н; 2) *уст.* цита́та из би́блии; 3) *уст.* на́дпись; 4) *attr.* библе́йский.

scriptwriter ['skrɪpt,raɪtə] = scripter.

scrivener ['skrɪvnə] *n уст.* 1) писе́ц; нота́риус; 2) ростовщи́к; ◇ ~'s palsy *мед.* писча́я су́дорога.

scrofula ['skrɔfjulə] *n мед.* золоту́ха.

scrofulous ['skrɔfjuləs] *a мед.* золоту́шный.

scroll [skroul] 1. *n* 1) сви́ток (*пергамента, бумаги*); 2) *поэт.* спи́сок; 3) черново́й набро́сок; 4) инвента́рь, пе́речень; 5) изображе́ние ле́нты с на́дписью; 6) *архит.* завито́к, волю́та; 7) спира́ль; 8) *тех.* пло́ская резьба́;
2. *v* украша́ть завитка́ми.

scroll-sawing ['skroul,sɔːɪŋ] *n амер.* резно́е украше́ние.

scroll-work ['skroulwəːk] *n архит.* орна́мент в ви́де завитко́в.

scroop [skruːp] 1. *n* скрип;
2. *v* скрипе́ть.

scrota ['skroutə] *pl om* scrotum.

scrotum ['skroutəm] *n* (*pl* -ta) *анат.* мошо́нка.

scrounge [skraundʒ] *v sl.* 1) ворова́ть; 2) попроша́йничать; 3) жить на чужо́й счёт.

scrub I [skrʌb] 1. *n* 1) куста́рник, по́росль; 2) малоро́слое существо́; 3) ничто́жный челове́к; 4) *амер.* мла́дшая футбо́льная *или* бейсбо́льная кома́нда колле́джа; 5) *амер.* игро́к кома́нды [*см.* 4)];
2. *a амер.* = scrubby 1).

scrub II [skrʌb] 1. *n* 1) чи́стка щёткой; 2) жёсткая щётка; 3) исполня́ющий тяжёлую рабо́ту;
2. *v* 1) тере́ть, скрести́, чи́стить, мыть щёткой; 2) *тех.* промыва́ть газ; 3) *амер.* жить скаре́дно; эконо́мить.

scrubber ['skrʌbə] *n тех.* 1) газопромыва́тель; 2) скребо́к.

scrubbing-brush ['skrʌbɪŋbrʌʃ] *n* жёсткая щётка.

scrub-brush ['skrʌbbrʌʃ] *амер.* = scrubbing-brush.

scrubby ['skrʌbɪ] *a* 1) низкоро́слый; 2) ничто́жный, заху́далый; 3) поро́сший куста́рником.

scrub-team ['skrʌbtiːm] = scrub 1, 1, 4).

scrub-up ['skrʌbʌp] *n* основа́тельная чи́стка.

scrubwoman ['skrʌb,wumən] *n амер.* подёнщица для рабо́ты по до́му; убо́рщица.

scruff I [skrʌf] *n* ши́ворот; to take by the ~ of the neck взять за ши́ворот.

scruff II [skrʌf] = scurf.

scruffy ['skrʌfɪ] = scurfy.

scrum [skrʌm] = scrimmage 1.

scrummage ['skrʌmɪdʒ] = scrimmage.

scrummy ['skrʌmɪ] *a sl.* великоле́пный, превосхо́дный.

scrumptious ['skrʌmpʃəs] *a sl.* великоле́пный, восхити́тельный.

scrunch [skrʌntʃ] = crunch.

scruple ['skruːpl] 1. *n* 1) скру́пул (*мера веса = 20 гранам*); 2) *уст.* крупи́ца; 3) сомне́ния, колеба́ния; щепети́льность; угрызе́ния со́вести; to make no ~ to do smth. де́лать что-л. без колеба́ний; не постесня́ться сде́лать что-л.; without ~ без стесне́ния; to have ~s стесня́ться, со́веститься, не реша́ться (*на что-л.*); a man of no ~s челове́к, не разбо́рчивый в сре́дствах; недобросо́вестный челове́к;
2. *v* стесня́ться, со́веститься, не реша́ться (*на что-л.*).

scrupulosity [,skruːpju'lɔsɪtɪ] *n* 1) щепети́льность; 2) добросо́вестность.

scrupulous ['skruːpjuləs] *a* 1) щепети́льный; 2) добросо́вестный; со́вестливый; 3) тща́тельный, скрупулёзный.

scrutator [skruː'teɪtə] *n* = scrutineer.

scrutineer [,skruːtɪ'nɪə] *n* 1) внима́тельный и добросо́вестный иссле́дователь; 2) пове́рщик вы́боров; 3) инспе́ктор (*при международной организации*); наблюда́тель за выполне́нием пра́вил.

scrutinize ['skruːtɪnaɪz] *v* 1) рассма́тривать; 2) тща́тельно иссле́довать.

scrutiny ['skruːtɪnɪ] *n* 1) испыту́ющий взгляд; 2) внима́тельный осмо́тр; иссле́дование; 3) прове́рка пра́вильности вы́боров.

scry [skraɪ] *v* смотре́ть в маги́ческий криста́лл, гада́ть по стеклу́.

scud [skʌd] 1. *n* 1) стреми́тельный бег; 2) *школ.* быстроно́гий бегу́н; 3) гони́мые ве́тром облака́; 4) *стр.* просло́ек у́гля *или* гли́ны; 5) удале́ние воло́с, жи́ра *и т. п.* с намо́ченных шкур;
2. *v* 1) нести́сь, скользи́ть, лете́ть; 2) *мор.* идти́ под ве́тром.

scuff [skʌf] *v* 1) идти́, волоча́ но́ги; 2) *амер.* истере́ть(ся) (*от носки, употребления*).

scuffle ['skʌfl] 1. *n* дра́ка;
2. *v* дра́ться.

scull I [skʌl] 1. *n* 1) па́рное весло́; 2) кормово́е весло́;
2. *v* 1) грести́ па́рными вёслами; 2) гала́нить, юли́ть (*веслом*).

scull II [skʌl] *n шотл.* больша́я пло́ская корзи́на для прови́зии.

sculler ['skʌlə] *n спорт.* 1) гребе́ц; 2) ма́ленькая двухвесе́льная ло́дка.

scullery ['skʌlərɪ] *n* 1) помеще́ние при ку́хне для мытья́ посу́ды; 2) *уст.* буфе́тная.

scullion ['skʌljən] *n уст.* 1) поварёнок; 2) судомо́йка.

sculp [skʌlp] *v разг.* ваять.

sculptor ['skʌlptə] *n* скульптор, ваятель.

sculptress ['skʌlptrɪs] *n* женщина-скульптор.

sculptural ['skʌlptʃərəl] *a* скульптурный.

sculpture ['skʌlptʃə] 1. *n* 1) скульптура, ваяние; 2) скульптура, изваяние;
2. *v* 1) ваять, высекать, лепить; 2) украшать скульптурной работой; 3) выветривать; размывать.

sculpturesque [ˌskʌlptʃəˈresk] *a* похожий на изваяние, скульптурный.

scum [skʌm] 1. *n* 1) пена; накипь; 2) подонки (*общества*); 3) мерзавец; 4) *метал.* окалина;
2. *v* 1) снимать пену; 2) пениться.

scumble ['skʌmbl] *v жив.* слегка покрывать краской, лессировать.

scummy ['skʌmɪ] *a* пенистый.

scunner ['skʌnə] *сев.* 1. *n* 1) отвращение; to take a ~ испытывать отвращение (at, against); 2) предмет, внушающий отвращение;
2. *v* испытывать отвращение, тошноту.

scupper ['skʌpə] 1. *n мор.* шпигат;
2. *v воен. sl.* 1) напасть врасплох и перебить; 2) вывести из строя; 3) потопить (*судно и команду*).

scurf [skɜːf] *n* 1) перхоть; 2) налёт, отложения; 3) инкрустация на металле; 4) *sl.* опустившийся, неопрятный человек.

scurfy ['skɜːfɪ] *a* 1) покрытый перхотью; 2) пыльный (*об улице и т. п.*).

scurrility [skʌˈrɪlɪtɪ] *n* грубое шутовство; непристойность.

scurrilous ['skʌrɪləs] *a* грубый, непристойный.

scurry ['skʌrɪ] *n* 1) быстрое стремительное движение; 2) беготня; суетня; 3) что-л., быстро несущееся по воздуху; неожиданный ливень *или* снегопад с сильным ветром;
2. *v* 1) быстро бегать, сновать; суетиться; 2) спешить; делать кое-как, наспех.

scurvied ['skɜːvɪd] *a* цинготный.

scurvy ['skɜːvɪ] 1. *n* 1) *мед.* цинга; 2) низкий, гнусный человек;
2. *a* низкий, подлый.

scut [skʌt] *n* короткий хвост (*особ. зайца, кролика, оленя*).

scuta ['skjuːtə] *pl от* scutum.

scutate ['skjuːteɪt] *a бот.* щитовидный.

scutch [skʌtʃ] 1. *n* 1) трепало; 2) молоток каменщика;
2. *v* трепать, мять (*лён, коноплю и т. п.*).

scutcheon ['skʌtʃən] *n* 1) щит герба; 2) дощечка с фамилией.

scutcher ['skʌtʃə] *n* трепало, трепальная машина; льномялка.

scute [skjuːt] = scutum.

scutter ['skʌtə] *v* удирать.

scuttle I ['skʌtl] *n* ведёрко угля (*тж. как мера*).

scuttle II ['skʌtl] 1. *n* 1) люк; 2) *мор.* порт (*отверстие в борту*);
2. *v* пробивать борт судна; затопить судно, пробив борт.

scuttle III ['skʌtl] 1. *n* 1) торопливая походка; 2) стремительное бегство;

2. *v* 1) поспешно удирать; бежать от опасности, трудностей; 2) спешить, суетиться.

scuttle-butt ['skʌtlbʌt] *n* 1) *мор.* бачок с питьевой водой; 2) *амер. sl.* сплетня.

scutum ['skjuːtəm] *лат. n* (*pl* -ta) 1) щит; 2) *зоол.* щиток; 3) *анат.* коленная чашка.

scythe [saɪð] *с.-х.* 1. *n* коса;
2. *v* косить.

scytheman ['saɪðmən] *n* косец.

Scythian ['sɪðɪən] 1. *a* скифский;
2. *n* 1) скиф; 2) язык скифов.

sea [siː] *n* 1) море; at ~ в море; beyond (*или* over) the sea(s) за морем; за море; by ~ морем; by the ~ у моря; to go to ~ стать моряком; to follow the ~ быть моряком; the (high) ~s море за пределами территориальных вод; открытое море; on the ~ a) в море; б) на морском берегу; to put (*или* to stand) out to ~ пускаться в плавание; to take the ~ выйти в море; closed ~ внутреннее море; free ~ море, свободное для прохода кораблей всех стран; the four ~s четыре моря, окружающие Великобританию; the seven ~s северная и южная части Атлантического океана, северная и южная части Тихого океана, Северный Ледовитый океан, моря Антарктики и Индийский океан; 2) волнение (*на море*); волна; a high (*или* heavy, rolling) ~ сильное волнение (*на море*); a short ~ бурное море с короткими волнами; a ~ struck us нас захлестнула волна; 3) *уст.* прилив; at full ~ в прилив; 4) огромное количество (*чего-л.*); a ~ of troubles бесчисленные беды; a ~ of flame море огня; ~s of blood море крови; 5) *attr.* морской; приморский; ~ air морской воздух; ◊ when the ~ gives up its dead когда врет вернёт всех погибших в нём (*т. е. никогда*); half ~s over под хмельком; there's as good fish in the ~ as ever came out of it не следует опасаться недостатка (*чего-л.*), всего предостаточно; ≈ хоть пруд пруди; to be all at ~ не знать, что делать, недоумевать.

sea-anchor ['siːˌæŋkə] *n* плавучий якорь.

sea-ape ['siːeɪp] *n* калан, морская выдра.

sea-bank ['siːbæŋk] *n* 1) берег моря; 2) дамба.

sea-bathing ['siːˌbeɪðɪŋ] *n* морские купания.

sea bear ['siːbɛə] *n* 1) морской котик; 2) белый медведь.

sea-biscuit ['siːˌbɪskɪt] *n* морской сухарь.

seaboard ['siːbɔːd] 1. *n* берег моря, побережье; приморье;
2. *a* приморский; прибрежный.

sea-born ['siːbɔːn] *a поэт.* рождённый морем; the ~ town Венеция.

sea-borne ['siːbɔːn] *a* перевозимый морем; ~ trade морская торговля.

sea-breeze ['siːbriːz] *n* ветер, дующий днём в сторону суши.

sea-calf ['siːkɑːf] *n* тюлень (обыкновенный).

sea captain ['siːˈkæptɪn] *n* 1) капитан дальнего плавания; 2) *поэт.* флотоводец.

seacard ['siːkɑːd] *n* 1) картушка компаса; 2) морская карта.

sea-chest ['siːtʃest] *n* матросский сундучок.

sea-cloth ['siːklɔθ] *n театр.* задник, изображающий мо́ре.

sea-club ['siːklʌb] *n* дры́галка (*дубина, которой бьют котиков*).

sea-cock ['siːkɔk] *n* 1) *мор.* кингсто́н, забо́ртный кла́пан; 2) морско́й волк.

sea cook ['siːkuk] *n мор. sl.*: son of a ~ ≅ су́кин сын.

sea-cow ['siːˈkau] *n зоол.* 1) ламанти́н; 2) дюго́нь; 3) морж; 4) морска́я коро́ва.

sea-craft I ['siːkrɑːft] *n собир.* морски́е суда́.

sea-craft II ['siːkrɑːft] *n* иску́сство кораблевожде́ния.

sea cucumber ['siːˌkjuːkəmbə] *n зоол.* морско́й огуре́ц.

sea-dog ['siːdɔg] *n* 1) тюле́нь обыкнове́нный; 2) морско́й пёс, соба́чья аку́ла; 3) колю́чая аку́ла; 4) *перен.* морско́й волк.

seadrome ['siːdroum] *n* плаву́чий аэродро́м.

sea elephant ['siːˈelɪfənt] *n зоол.* морско́й слон.

seafarer ['siːˌfɛərə] *n поэт.* моря́к, мореплаватель.

seafaring ['siːˌfɛərɪŋ] 1. *n* морепла́вание; 2. *a* морехо́дный.

sea-fight ['siːfait] *n* морско́й бой.

sea-fire ['siːˌfaiə] *n* ночно́е свече́ние мо́ря.

sea-floor ['siːflɔː] *n* морско́е дно.

sea-folk ['siːfouk] *n* (*употр. с гл. во мн. ч.*) моряки́.

sea-food ['siːfuːd] *n амер.* блю́да, приготовленные из ры́бы, съедо́бных моллю́сков, кра́бов *и т. п.*

sea front ['siːfrʌnt] *n* примо́рская часть го́рода; примо́рский бульва́р.

sea-gauge ['siːgeidʒ] *n* футшто́к; лот.

sea-girt ['siːˈgəːt] *a поэт.* опоя́санный моря́ми.

seagoing ['siːˌgouiŋ] 1. *n* морепла́вание; 2. *a* да́льнего пла́вания (*о судне*), морехо́дный.

sea-green ['siːˈgriːn] 1. *n* цвет морско́й волны́; 2. *a* цве́та морско́й волны́.

sea-gull ['siːgʌl] *n* ча́йка.

sea-hare ['siːhɛə] *n зоол.* 1) лахта́к, морско́й за́яц; 2) род моллю́ска.

sea-horse ['siːhɔːs] *n* 1) морско́й конёк; 2) морж.

sea-jelly ['siːˌdʒeli] *n* меду́за.

sea kale ['siːˈkeil] *n бот.* крамбе́ примо́рская.

sea-king ['siːkiŋ] *n* ви́кинг.

seal I [siːl] 1. *n* 1): common ~ тюле́нь обыкнове́нный; eared ~ не́рпа; сивуч; fur ~ ко́тик; 2) ко́тиковый мех; 2. *v* охо́титься на тюле́ней, ко́тиков.

seal II [siːl] 1. *n* 1) печа́ть; клеймо́; Great S., State S. больша́я госуда́рственная печа́ть; Privy S. ма́лая госуда́рственная печа́ть; to receive (to return) the ~s приня́ть (сдать) до́лжность ка́нцлера *или* мини́стра; to set one's ~ to поста́вить печа́ть, удостове́рить; under my hand and ~ за мое́й со́бственноручной по́дписью и с приложе́нием печа́ти; under the ~ of secrecy (*или* confidence, silence) с усло́вием храни́ть та́йну,

молча́ние; 2) *тех.* изоли́рующий слой, изоля́ция; 3) *тех.* перемы́чка; затво́р; 4) обтюра́тор; ◇ ~ of love печа́ть любви́ (поцелу́й, рожде́ние ребёнка *и т. п.*); ~ of death in one's face печа́ть сме́рти на лице́; 2. *v* 1) ста́вить печа́ть, скрепля́ть печа́тью; 2) скрепля́ть (*сде́лку и т. п.*); 3) запеча́тывать (*тж.* ~ up); my lips are ~ed ≅ на мои́х уста́х печа́ть молча́ния; я до́лжен молча́ть; 4) опеча́тывать, пломбирова́ть; 5) гермети́чески закрыва́ть, изоли́ровать; обтюри́ровать, зама́зывать, запа́ивать, заку́поривать (*тж.* ~ up); 6) смежа́ть, закрыва́ть (*глаза*); 7) запечатлева́ть; отмеча́ть печа́тью; his fate is ~ed его́ судьба́ решена́.

sea-lane ['siːlein] *n* 1) морско́й путь; морско́й прохо́д (*между острова́ми, отме́лями и т. п.*); 2) свобо́дный прохо́д для лави́рования на стоя́нке корабле́й.

sea lawyer ['siːˈlɔːjə] *n мор. sl.* приди́ра, критика́н.

sealed I [siːld] *p. p. om* seal I, 2.

sealed II [siːld] 1. *p. p. om* seal II, 2; 2. *a* 1) запеча́танный; 2) неизве́стный, непоня́тный; it is a ~ book to me э́то для меня́ кни́га за семью́ печа́тями.

sea-legs ['siːlegz] *n pl*: to find (*или* to get, to have) one's ~ привы́кнуть к морско́й ка́чке.

sealer ['siːlə] *n* 1) охо́тник на тюле́ней; 2) охо́тничье су́дно.

sealery ['siːləri] *n* тюле́нье ле́жбище.

sea-letter ['siːˌletə] *n* охра́нное свиде́тельство (*выдава́емое нейтра́льному кораблю́*).

seal-fishery ['siːlˌfiʃəri] *n* тюле́ний и ко́тиковый про́мысел.

sea-line I ['siːlain] *n* 1) берегова́я ли́ния; 2) ли́ния горизо́нта (*в море*).

sea-line II ['siːlain] *n* 1) леса́; 2) *мор.* линь.

sealing-wax ['siːliŋwæks] *n* сургу́ч.

seal-ring ['siːlriŋ] *n* пе́рстень с печа́тью.

seal-rookery ['siːlˌrukəri] = sealery.

sealskin ['siːlskin] *n* ко́тиковый мех.

seam [siːm] 1. *n* 1) шов; 2) рубе́ц, морщи́на; 3) *геол.* просло́йка, пласт; 4) *тех.* паз; спай; 2. *v* 1) борозди́ть; 2) сшива́ть.

seaman ['siːmən] *n* моря́к; матро́с.

seamanship ['siːmənʃip] *n* иску́сство мореплавания; морска́я пра́ктика.

sea-mark ['siːmɑːk] *n* 1) ма́як; береговой знак; сигна́льный ого́нь; 2) ли́ния у́ровня по́лной воды́.

sea-mew ['siːmjuː] = sea-gull.

seamless ['siːmlis] *a* 1) без шва; из одного́ куска́; 2) цельнотя́нутый (*о трубах*).

seamstress ['semstris] *n* швея́.

seamy ['siːmi] *a* покры́тый шва́ми; the ~ side изна́нка.

Seanad Eireann ['sænəd'ɛərin] *ирл. n* сена́т (*или* ве́рхняя пала́та) Ирла́ндской Респу́блики.

séance ['seiɑːns] *фр. n* 1) заседа́ние; собра́ние; 2) спирити́ческий сеа́нс; 3) сеа́нс.

sea-pay ['siːpei] *n мор.* жа́лованье во вре́мя пла́вания.

sea-pen ['si:pen] *n зоол.* морское перо (*полип*).

sea-pie ['si:paɪ] *n* 1) блюдо из солонины с клёцками; запеканка из солонины с овощами; 2) *зоол.* кулик-сорока.

sea-piece ['si:pi:s] *n жив.* марина, морской пейзаж.

sea-pike ['si:paɪk] *n* сарган (*рыба*).

seaplane ['si:pleɪn] *n* гидросамолёт.

seaport ['si:pɔ:t] *n* портовый город, морской порт.

sea power ['si:,pauə] *n* морская держава.

sear I [sɪə] 1. *a* увядший, сухой; ◇ the ~ and yellow leaf пожилой возраст;
2. *v* 1) *редк.* иссушать; 2) прижигать, опалять; 3) притуплять.

sear II [sɪə] *n* спусковой рычаг; (автоматический) спуск.

search [sə:tʃ] 1. *n* 1) поиски; I am in ~ of a house я ищу себе дом; 2) обыск; right of ~ *юр.* право обыска нейтральных судов; 3) исследование, изыскание; 4) *attr.* поисковый;
2. *v* 1) искать (*тж.* ~ out; for); 2) шарить; обыскивать; 3) исследовать; зондировать (*рану*); 5) проникать; the cold ~ed his marrow он продрог до мозга костей; 6) осматривать вещи на таможне; □ ~ out а) искать; б) найти; ◇ ~ me! *амер. разг.* почём я знаю!

searching ['sə:tʃɪŋ] 1. *pres. p. от* search 2;
2. *a* 1) тщательный (об *исследовании*); 2) испытующий (о *взгляде*); 3) пронизывающий (о *ветре*);
3. *n:* ~s of the heart угрызения совести.

searchlight ['sə:tʃlaɪt] *n* прожектор.

search-party ['sə:tʃ,pɑ:tɪ] *n* поисковая группа.

search-warrant ['sə:tʃ,wɔrənt] *n* ордер на обыск.

seared [sɪəd] 1. *p. p. от* sear I, 2;
2. *a* притупленный, ослабленный; ~ conscience уснувшая совесть.

sea-sand ['si:sænd] *n* морской песок; прибрежный песок.

sea-scape ['si:skeɪp] = sea-piece.

seaserpent ['si:'sə:pənt] *n* 1) морская змея; 2) змеевидный (морской) угорь.

seashore ['si:'ʃɔ:] *n* 1) морской берег; побережье; 2) *юр.* полоса берега, покрываемая приливом.

seasickness ['si:,sɪknɪs] *n* морская болезнь.

seaside ['si:'saɪd] *n* 1) = seashore 1); 2) морской курорт (*тж.* ~ resort); 3) *attr.* приморский.

sea-snake ['si:sneɪk] = sea serpent 1).

season ['si:zn] 1. *n* 1) время года; 2) время, период; for a ~ некоторое время; 3) *разг.* см. season-ticket; 4) сезон; the (London) ~ лондонский сезон (*май — июль*); the dead (*или* off, dull) ~ мёртвый сезон; 5) подходящее время, подходящий момент; out of ~ не вовремя; in ~ and out of ~ кстати и некстати; постоянно, всегда; a word in ~ своевременный совет; 6) *attr.* сезонный;
2. *v* 1) закалять; акклиматизировать; приучать; cattle ~ed to diseases скот, не подверженный заболеваниям; 2) выдерживать (*лесной материал, вино и т. п.*);

сушить(ся); 3) приправлять; придавать интерес, пикантность; ~ your egg with salt положите соли в яйцо; 4) *уст.* смягчать.

seasonable ['si:znəbl] *a* 1) своевременный; 2) по сезону.

seasonal ['si:zənl] *a* сезонный.

seasoned ['si:znd] 1. *p. p. от* season 2;
2. *a* 1) выдержанный (о *вине и т. п.*); 2) закалённый, бывалый; ~ soldier закалённый боец; with ~ eye намётанным глазом.

seasoning ['si:znɪŋ] 1. *pres. p. от* season 2;
2. *n* 1) выдерживание (*лесного материала, вина и т. п.*); 2) приправа; 3) обработка кожи.

season-ticket ['si:zn'tɪkɪt] *n* сезонный билет.

sea-stick ['si:stɪk] *n* сорт копчёной селёдки.

seat [si:t] 1. *n* 1) сиденье; стул; to have (*или* to take) а (*или* one's) ~ садиться; garden ~ а) садовая скамейка; б) место в империале омнибуса; jump ~ откидное кресло; to keep one's ~ остаться сидеть; to keep a ~ warm for smb. приберечь место для кого-л. (*тж. перен.*); to be on the anxious ~ *амер.* сидеть, как на иголках; мучиться неизвестностью; 2) место (в *театре, парламенте и т. п.*); he has taken two ~s for Macbeth он взял два билета на Макбета; he has a ~ on the Board он член правления; to win а ~ быть избранным в парламент; to lose one's ~ не быть переизбранным в парламент; to secure (*или* to book) ~s купить, заказать билеты; 3) седалище; 4) посадка (на *лошади*); 5) местонахождение; the liver is the ~ of the disease; the disease has its ~ in the liver болезнь локализована в печени; the ~ of war театр военных действий; the ~ of the Government местопребывание правительства; 6) усадьба; 7) *тех.* гнездо *или* седло клапана; 8) *тех.* опорная поверхность, основание, подставка; подкладка; 9) *горн.* подстилающая порода; ◇ to take a back ~ стушеваться; отойти на задний план;
2. *v* 1) усаживать; to ~ oneself сесть, усесться; (pray) be ~ed присядьте; 2) проводить (*кандидата в парламент и т. п.*); 3) снабжать стульями; 4) вмещать; this hall will ~ 5000 в этом зале 5000 мест; 5) чинить сиденье; 6) поселять; 7) быть расположенным.

-seater [-'si:tə] *в сложных словах означает* транспортное средство на столько-то мест; two~, four~ двухместный, четырёхместный автомобиль *или* самолёт.

seat-stick ['si:tstɪk] *n* трость-сиденье.

sea-turn ['si:tə:n] *n* резкий ветер с моря.

sea-urchin ['si:'ə:tʃɪn] *n* морской ёж.

sea-wall ['si:'wɔ:l] *n* дамба.

seaward ['si:wəd] 1. *a* направленный к морю;
2. *adv* к морю.

seawards ['si:wədz] = seaward 2.

sea-way ['si:weɪ] *n* 1) (открытое) море; морской путь; 2) движение судна вперёд; 3) волнение на море; in a heavy ~ в сильную волну.

seaweed ['siːwiːd] *n* морская водоросль.

seaworthy ['siːˌwəːðɪ] *a* обладающий хорошими мореходными качествами.

sebaceous [sɪ'beɪʃəs] *a физиол.* сальный; ~ glands сальные железы; ~ humour секрет сальных желёз.

sec [sek] *фр. а* сухой (*о вине*).

secant ['siːkənt] *мат.* 1. *n* секущая; секанс;
2. *a* секущий, пересекающий.

secateur(s) ['sekətəː(z)] *фр. n (pl)* садовые ножницы, секатор.

secede [sɪ'siːd] *v* отделяться, откалываться, отпадать (from — от *союза и т. п.*).

secernent [sɪ'səːnənt] *физиол.* 1. *n* 1) секреторный орган; 2) средство, усиливающее секрецию;
2. *a* выделительный.

secession [sɪ'seʃən] *n* отделение; раскол.

secessionist [sɪ'seʃnɪst] *n* отступник, раскольник.

seclude [sɪ'kluːd] *v* уединять; изолировать, отделять (from); to ~ oneself from society удаляться от общества.

secluded [sɪ'kluːdɪd] 1. *p. p. от* seclude;
2. *a* уединённый; укромный.

seclusion [sɪ'kluːʒən] *n* 1) отделение; 2) уединение; to live in ~ жить в одиночестве, в уединении.

second I ['sekənd] 1. *num. ord.* второй; the ~ day of the week второй день недели; the ~ seat in the ~ row второе кресло во втором ряду;
2. *a* 1) второй, другой; ~ thoughts пересмотр мнения, решения; on ~ thoughts по зрелом размышлении; ~ birth возрождение; to be in ~ childhood впасть в детство; in the ~ place во-вторых; 2) вторичный; ~ ballot перебаллотировка; 3) дополнительный; a ~ pair of shoes вторая (*или* другая) пара обуви; ~ advent (*или* coming) *рел.* второе пришествие; 4) второстепенный; уступающий (to); ~ cabin каюта второго класса; ~ lieutenant младший лейтенант; the ~ officer (on a ship) старший помощник капитана; ~ division а) низший разряд государственных служащих; б) вторая (*средняя*) степень тюремного заключения (*в Англии*); at ~ hand из вторых рук; ~ violin, ~ fiddle вторая скрипка; to play ~ fiddle играть вторую скрипку; ~ string а) дублёр; б) дублёт; ◇ ~ teeth постоянные (не молочные) зубы; ~ cousin троюродный брат; троюродная сестра; ~ sight ясновидение; ~ to none непревзойдённый;
3. *n* 1) помощник; следующий по рангу; ~ in command *воен.* заместитель командира; 2) получивший второй приз, вторую награду; he was a good ~ он пришёл к финишу почти вместе с первым; 3) *унив.* вторая награда; 4) второй класс (*в поезде, на пароходе и т. п.*); to go ~ ехать вторым классом; 5) секундант; 6) второе число; 7) *pl* товар второго сорта, низшего качества; мука грубого помола; these stockings are ~s and have some slight defects эти чулки второго сорта и имеют незначительные дефекты; 8) *муз.* второй голос; альт;

4. *v* 1) поддерживать, помогать; to ~ a motion поддержать предложение; 2) подкреплять; to ~ words with deeds подкреплять слова делами; 3) быть секундантом; 4) петь партию второго голоса; 5) [*обыкн.* sɪ'kɔnd] *воен.* переводить (офицера) из строя в штаб;
5. *adv* 1) во-вторых; 2) вторым номером; во второй группе.

second II ['sekənd] *n* секунда; момент, мгновение; wait a ~ сейчас; подождите минуту.

secondary ['sekəndərɪ] 1. *a* 1) вторичный, второстепенный; побочный; ~ colours составные цвета; ~ planet спутник планеты; 2) средний (*об образовании*); ~ school средняя школа; 3) *геол.* мезозойский;
2. *n* 1) подчинённый; 2) представитель; 3) помощник.

second-best ['sekənd'best] *a* второго сорта; ◇ to come off ~ потерпеть поражение.

second-chop ['sekənd'tʃɔp] *a sl.* второсортный.

second-class ['sekənd'klaːs] *a* второклассный, второсортный.

seconder ['sekəndə] *n* поддерживающий предложение, выступающий за (*проект, предложение*).

second-hand I ['sekənd'hænd] *a* 1) подержанный; ~ bookseller букинист; 2) из вторых рук (*об информации и т. п.*).

second-hand II ['sekəndhænd] *n* секундная стрелка.

secondly ['sekəndlɪ] *adv* во-вторых.

second-mark ['sekənd'maːk] *n* значок секунды (″).

second-rate ['sekənd'reɪt] *a* 1) второсортный; 2) посредственный.

second-rater ['sekənd'reɪtə] *n разг.* посредственная вещь (*о картине, драгоценном камне и т. п.*).

seconds-hand ['sekəndzhænd] = second-hand II.

secrecy ['siːkrɪsɪ] *n* 1) тайна; секретность; in ~ в секрете, тайно; there can be no ~ about it в этом нет ничего секретного; he promised ~ он обещал хранить тайну; 2) умение хранить тайну; 3) скрытность.

secret ['siːkrɪt] 1. *n* тайна, секрет; to be in the ~ быть посвящённым в тайну; to keep a ~ сохранять тайну; an open ~ ≅ секрет полишинеля;
2. *a* 1) тайный, секретный; ~ service секретная служба, сыскная служба; разведка и контрразведка; ~ marriage тайный брак; ~ treaty тайный договор; to keep ~ держать в тайне; 2) потайной, скрытый; ~ скрытный; 4) уединённый, укромный.

secretaire [ˌsekrɪ'tɛə] *фр. n* секретёр, бюро, письменный стол.

secretarial [ˌsekrə'tɛərɪəl] *a* секретарский.

secretariat(e) [ˌsekrə'tɛərɪət] *n* 1) секретариат; 2) секретарство.

secretary I ['sekrɪtrɪ] *n* 1) секретарь; ~ general генеральный секретарь; 2) министр; S. of State министр (*в Англии*); государственный секретарь, министр иностранных дел (*в США*); S. of State for Foreign Affairs министр иностра́нных дел (*в Англии*); S. of State for Home Affairs, Home S. ми-ни́стр вну́тренних дел; S. of State for War *уст.* вое́нный мини́стр; the S. of the Army (*до 1947 г.* S. of War) *амер.* вое́нный ми-ни́стр; S. of Defense *амер.* мини́стр оборо́ны; S. of the Navy *амер.* военно-морско́й ми-ни́стр; S. of the Air Force *амер.* мини́стр авиа́ции.

secretary II ['sekrətrɪ] *амер.*=secretaire.

secretary-bird ['sekrətrɪ'bɜːd] *n* секрета́рь (*птица*).

secretaryship ['sekrətrɪʃɪp] *n* до́лжность, обя́занности *или* квалифика́ция секретаря́.

secrete [sɪ'kriːt] *v* 1) *физиол.* выделя́ть; 2) *уст.* пря́тать.

secretion [sɪ'kriːʃən] *n* 1) *физиол.* выделе́-ние, секре́ция; 2) *уст.* сокры́тие.

secretive [sɪ'kriːtɪv] *a* 1) скры́тный; 2) = secretory.

secretly ['siːkrɪtlɪ] *adv* незаме́тно для други́х; скры́тно.

secretory [sɪ'kriːtərɪ] *a* физиол. выдели́-тельный.

sect [sekt] *n* се́кта.

sectarian [sek'tɛərɪən] **1.** *a* секта́нтский; **2.** *n* секта́нт; фана́тик.

sectarianism [sek'tɛərɪənɪzəm] *n* секта́нт-ство.

sectary ['sektərɪ] *n* уст. секта́нт.

section ['sekʃən] **1.** *n* 1) рассече́ние; 2) (попере́чное) сече́ние, разре́з (*в чертеже*); срез; microscopic ~ срез для микроско-пи́ческого ана́лиза; 3) про́филь; 4) отре́зок; сегме́нт; часть; 5) се́кция, отде́л; часть (*стандартного сооружения, мебели и т. п.*); built in ~s разбо́рный; 6) пара́граф; раз-де́л кни́ги; 7) *воен.* катего́рия запа́са; 8) *амер.* кварта́л (*города*); райо́н; 9) уча́сток железнодоро́жного пути́; 10) *амер.* купе́ спа́льного ваго́на; 11) *воен.* взвод; отделе́ние (*в пехоте и кавалерии*; *амер.* полувзво́д; **2.** *v* дели́ть на ча́сти, подразделя́ть.

sectional ['sekʃənl] *a* 1) секцио́нный; 2) группово́й, ме́стный; 3) да́нный в разре́зе; ~ view вид в разре́зе; ~ area пло́щадь по-пере́чного сече́ния; ~ drawing вид в разре́зе, разре́з (*чертежа*); 4) разбо́рный.

sectionalism ['sekʃnəlɪzəm] *n* группов-щи́на.

section-mark ['sekʃənmɑːk] *n* знак §.

sector ['sektə] *n* 1) се́ктор; 2) часть, уча́сток; 3) *тех.* кули́са.

secular ['sekjulə] **1.** *a* 1) веково́й (*про-тивоп.* periodical, cyclic); the ~ bird *миф.* пти́ца-фе́никс; 2) происходя́щий раз в 100 лет; 3) мирско́й, све́тский; ~ interests мирски́е (*т. е. не церковные*) интере́сы; the ~ arm *ист.* гражда́нская власть, при-води́вшая в исполне́ние пригово́ры церко́в-ных судо́в; ~ clergy бе́лое духове́нство; **2.** *n* 1) миря́нин; 2) принадлежа́щий к бе́лому духове́нству.

secularism ['sekjulərɪzəm] *n* борьба́ за незави́симую от це́ркви шко́лу.

secularist ['sekjulərɪst] *n* сторо́нник свет-ской шко́лы.

secularization ['sekjuləraɪ'zeɪʃən] *n* се-куляриза́ция.

secularize ['sekjuləraɪz] *v* секуляризо-ва́ть.

secure [sɪ'kjuə] **1.** *a* 1) споко́йный; to feel ~ about (*или* as to) the future не беспо-ко́иться о бу́дущем; to live a ~ life жить, ни о чём не забо́тясь; 2) уве́ренный (of — в *чём-л.*); ~ of success уве́ренный в успе́хе; 3) безопа́сный, надёжный; ~ hiding-place надёжное укры́тие; the town is now ~ го́-род тепе́рь в безопа́сности; ~ from (*или* against) attack в безопа́сности от нападе́-ния; 4) про́чный, надёжный; ве́рный; ~ investment ве́рное помеще́ние капита́ла; the boards of the bridge do not look ~ до́ски моста́ не произво́дят впечатле́ния надёж-ных; ~ foundation незы́блемая осно́ва; ~ stronghold непристу́пная тверды́ня; 5) (*обыкн.* predic.) сохра́нный, в надёжном ме́сте; I have got him ~ он не убежи́т; 6) гаранти́рованный, застрахо́ванный;
2. *v* 1) охраня́ть; гаранти́ровать, обеспе́-чивать, страхова́ть; to ~ oneself against all risks застрахова́ть себя́ от вся́кой слу-ча́йности; loan ~d on landed property заём, обеспе́ченный недви́жимостью; 2) обеспе́-чивать безопа́сность; укрепля́ть (*город и т. п.*); 3) закрепля́ть, прикрепля́ть; запи-ра́ть; загражда́ть; to ~ a vein *хир.* перевя́-зывать ве́ну; to ~ a mast укрепи́ть ма́чту; 4) брать под стра́жу; 5) доста́вать, полу-ча́ть; to ~ tickets for a play получи́ть (*или* доста́ть) биле́ты на спекта́кль; 6) овладе-ва́ть, завладева́ть; 7): to ~ one's object дости́чь це́ли; to ~ a victory одержа́ть по-бе́ду;
3. *n* амер. отбо́й.

securiform [sɪ'kjuːərɪfɔːm] *a* в ви́де топора́.

security [sɪ'kjuərɪtɪ] *n* 1) безопа́сность; надёжность; 2) уве́ренность; 3) охра́на, защи́та; 4) обеспе́чение, гара́нтия; зало́г; in ~ for в зало́г; в ка́честве гара́нтии; 5) поручи́тель; 6) *pl* це́нные бума́ги; 7) *attr.* относя́щийся к охра́не, защи́те; ~ suspect обвиня́емый в подрывно́й де́ятельности; ~ officer офице́р контрразве́дки.

Security Council [sɪ'kjuərɪtɪ'kaunsl] *n* Сове́т Безопа́сности.

sedan [sɪ'dæn] *n* 1) *авт.* седа́н (*тип закры́того ку́зова*); 2) *ист.* портше́з; 3) но-си́лки, пала́нкин.

sedan-chair [sɪ'dæntʃɛə] = sedan 2).

sedate [sɪ'deɪt] *a* споко́йный, степе́нный, уравнове́шенный, невозмути́мый.

sedation [sɪ'deɪʃən] *n мед.* поко́й.

sedative ['sedətɪv] **1.** *a* 1) успока́иваю-щий; 2) снотво́рный;
2. *n* успока́ивающее *или* снотво́рное сре́дство.

sedentary ['sedntərɪ] *a* сидя́чий; ~ life сидя́чий о́браз жи́зни.

sedge [sedʒ] *n бот.* 1) осо́ка; 2) камы́ш.

sedgy ['sedʒɪ] *a* 1) из осо́ки; похо́жий на осо́ку; 2) поро́сший осо́кой; ~ brook ручеёк, поро́сший осо́кой.

sediment ['sedɪmənt] *n* 1) оса́док, от-сто́й; 2) *геол.* оса́дочная поро́да, отложе́ние.

sedimentary [ˌsedɪ'mentərɪ] *a* оса́дочный.

sedimentation [ˌsedɪmen'teɪʃən] *n* осаж-де́ние; отложе́ние оса́дка.

sedition [sı'dıʃ*ə*n] *n* 1) призы́в к мятежу́, бу́нту; антиправи́тельственная агита́ция; 2) подрывна́я де́ятельность.

seditious [sı'dıʃ*ə*s] *a* бунта́рский, мяте́жный.

seduce [sı'dju:s] *v* соблазня́ть; обольща́ть; совраща́ть.

seduction [sı'dʌkʃ*ə*n] *n* 1) обольще́ние; 2) собла́зн.

seductive [sı'dʌktıv] *a* соблазни́тельный.

sedulity [sı'dju:lıtı] *n* усе́рдие, прилежа́ние.

sedulous ['sedjul*ə*s] *a* приле́жный, усе́рдный, стара́тельный.

see I [si:] *v* (saw; seen) 1) ви́деть; смотре́ть; гляде́ть; наблюда́ть; to ~ visions быть ясновидя́щим, провидцем; 2) осма́тривать; to ~ the sights осма́тривать достопримеча́тельности; let me ~ the book покажи́те мне кни́гу [*ср. тж.* 4)]; the doctor must ~ him at once до́ктор до́лжен неме́дленно осмотре́ть его́; 3) понима́ть, узнава́ть, знать; уразуме́ть; I ~ я понима́ю; you see, it is like this ви́дите ли, де́ло обстои́т таки́м о́бразом; he cannot ~ the joke он не понима́ет э́той шу́тки; now you see what it is to be careless тепе́рь ты ви́дишь, что зна́чит быть неосторо́жным; as far as I can ~ наско́лько я могу́ суди́ть; don't you ~? ра́зве вы не понима́ете?; I do not ~ how to do it не зна́ю, как э́то сде́лать; 4) поду́мать, размы́слить; let me ~ да́йте поду́мать; позво́льте, постойте [*ср. тж.* 2)]; we must ~ what could be done сле́дует поразмы́слить, что мо́жно сде́лать; 5) вообрази́ть, предста́вить себе́; I ~ him clearly ~ him doing it я я́сно себе́ представля́ю, как он э́то де́лает; 6) приде́рживаться определённого взгля́да; I ~ life (things) differently now я тепе́рь ина́че смотрю́ на жизнь (на ве́щи); 7) повида́ть(ся); навести́ть; we went to ~ her мы пошли́ к ней в го́сти; when will you come and ~ us? когда́ вы придёте к нам?; can I ~ you on business? могу́ я уви́деться с ва́ми по де́лу?; 8) встреча́ться; вида́ться; we have not ~n each other for ages мы давно́ не встреча́лись; to ~ much (little) of smb. ча́сто (ре́дко) быва́ть в чьём-л. о́бществе; you ought to ~ more of him вам сле́дует ча́ще с ним встреча́ться; I'll be ~ing you увижу; ~ you later (*или* again, soon) до ско́рой встре́чи; 9) сове́товаться, консульти́роваться; to ~ a doctor (a lawyer) посове́товаться с врачо́м (адвока́том); 10) принима́ть (*посетителя*); I am ~ing no one today я сего́дня никого́ не принима́ю; 11) провожа́ть; may I ~ you home? мо́жно мне проводи́ть вас домо́й?; 12) позабо́титься (*о чём-л.*); посмотре́ть (*за чем-л.*); to ~ the work done, to ~ that the work is done проследи́ть за выполне́нием рабо́ты; 13) испыта́ть, пережи́ть; to ~ life повида́ть свет; позна́ть жизнь; 14) счита́ть, находи́ть; to ~ good (*или* fit, proper, right *и т. п.*) счесть ну́жным (*сде́лать что-л.; с inf.*); □ ~ about a позабо́титься о чём-л.; б) проследи́ть за чем-л.; ~ after смотре́ть, следи́ть за чем-л.; ~ after

the luggage присмотри́те за багажо́м; ~ into вника́ть в, рассма́тривать; ~ off провожа́ть; to ~ smb. off at the station проводи́ть кого́-л. на вокза́л; to ~ smb. off the premises вы́проводить кого́-л.; ~ out а) проводи́ть (*до две́рей*); б) пережи́ть; в) пересиде́ть (*кого́-л.*); г) досиде́ть до конца́; д) доводи́ть до конца́; ~ over осма́тривать (*зда́ние*); ~ through а) ви́деть наскво́зь; б) доводи́ть до конца́; to ~ smb. through smth. помога́ть кому́-л. в чём-л.; ~ to присма́тривать за, забо́титься о; ◇ he ~s double у него́ двои́тся в глаза́х; I saw stars ≅ у меня́ и́скры из глаз посы́пались; ~ here! *амер.* послу́шайте!; to ~ the colour of smb.'s money получи́ть де́ньги от кого́-л.; to ~ eye to eye with smb. сходи́ться во взгля́дах с кем-л.; to ~ the back of smb. изба́виться от чьего́-л. прису́тствия; to ~ the light а) уви́деть свет; роди́ться; б) жить; в) поня́ть; to ~ red, to ~ scarlet *sl.* прийти́ в я́рость, в бе́шенство; to ~ the red light предчу́вствовать приближе́ние опа́сности, беды́; to ~ service а) быть о́пытным служа́кой; б) быть в долго́м употребле́нии; изна́шиваться; he has ~n better days он ви́дел лу́чшие времена́; these things have ~n better days э́ти ве́щи поизноси́лись, поистрепа́лись; to ~ things галлюцини́ровать; to ~ the way to do(ing) smth. найти́ возмо́жным сде́лать что-л.; (I will) ~ you damned (*или* farther, further, elsewhere) first *разг.* ≅ иди́те вы к чёрту!, как бы не так!, держи́ карма́н ши́ре!

see II [si:] *n* 1) епа́рхия; 2) престо́л (*епи́скопа и т. п.*); the Holy S. па́пский престо́л.

seed [si:d] 1. *n* 1) се́мя, зерно́; *собир.* семена́; to keep for (*as*) ~ храни́ть для посе́ва; to go (*или* to run) to ~ пойти́ в семена́; *перен.* переста́ть развива́ться; опусти́ться, обрю́згнуть *и т. п.*; to sow the ~s of strife (*или* discord) се́ять семена́ раздо́ра; 2) зароды́ш, нача́ло (*чего-л.*); 3) *редк.* = semen; 4) *библ.* пото́мок, пото́мство; to raise up ~ име́ть пото́мство;

2. *v* 1) семени́ться, пойти́ в се́мя; 2) роня́ть семена́; 3) се́ять, засева́ть (*по́ле*); 4) очища́ть от зёрнышек (*изю́м и т. п.*); 5) отделя́ть семена́ от воло́кон (*льна*); 6) *спорт.* отбира́ть (*бо́лее си́льных уча́стников состяза́ния*).

seedage ['si:dıʤ] *n* размноже́ние расте́ний семена́ми *или* спо́рами.

seed-bed ['si:dbed] *n* гря́дка с расса́дой; парни́к.

seed-cake ['si:d'keık] *n* бу́лочка с тми́ном.

seed-case ['si:dkeıs] *n* семенна́я коро́бочка.

seed-corn ['si:dkɔ:n] *n* посевно́е зерно́.

seed-drill ['si:ddrıl] *n* рядова́я се́ялка.

seeder ['si:d*ə*] *n* 1) се́ятель; рабо́чий на се́ялке; 2) рядова́я се́ялка; 3) приспособле́ние для удале́ния зёрен, ко́сточек из фру́ктов; 4) = seed-fish.

seed-fish ['si:dfıʃ] *n* нерестя́щаяся ры́ба.

seeding-machine ['si:dıŋm*ə*,ʃi:n] *n* се́ялка.

seed-leaf ['si:dli:f] *n* 1) *бот.* семядо́ля (*разви́вшаяся*); 2) *амер.* сорт табака́.

seedless ['siːdlɪs] *a* не имеющий семян; без зёрнышек (*о винограде, хлопке и т. п.*).

seedling ['siːdlɪŋ] *n* сеянец; рассада.

seed-lobe ['siːdloub] *n* бот. семядоля.

seed-oil ['siːdɔɪl] *n* растительное масло.

seed-pearl ['siːd'pəːl] *n* мелкий жемчуг.

seed-plot ['siːdplɔt] *n* питомник; рассадник (*тж. перен.*).

seed-potatoes ['siːdpə'teɪtouz] *n pl* посевной картофель.

seedsman ['siːdzmən] *n* торговец семенами.

seed-time ['siːdtaɪm] *n* время посева; посевной сезон.

seed-vessel ['siːd,vesl] *n* бот. семенная коробочка; околоплодник, зерновик.

seedy ['siːdɪ] *a* 1) наполненный семенами; 2) нездоровый; to feel ~ плохо себя чувствовать; to look ~ плохо выглядеть; 3) *разг.* потрёпанный, обносившийся.

seeing ['siːɪŋ] 1. *pres. p. om* see I;
2. *n* видение; зрение, зрительный процесс; ~ is believing ≅ пока не увижу, не поверю;
3. *prep, cj* ввиду того, что; принимая во внимание, поскольку; ~ (that) it is ten o'clock, we will not wait for him any longer так как уже десять часов, мы больше не будем ждать его.

seek [siːk] *v* (sought) 1) искать, разыскивать; разузнавать; it is yet to ~ это ещё не найдено; этого ещё нет, это ещё поискать надо; to ~ safety искать убежища; 2) предъявлять иск; to ~ damages of smb. требовать возмещения убытков с кого-л.; 3) пытаться, стараться, стремиться (*c inf.*); to ~ to make peace пытаться помирить; □ ~ after, ~ for добиваться *чего-л.*; ~ out а) искать, домогаться (*чьего-л. общества*); б) разыскать *кого-л.*; ~ through обыскивать (*место и т. п.*); ◇ to ~ smb.'s life покушаться на чью-л. жизнь; ~ dead! *охот.* ищи!

seeker ['siːkə] *n* разг. самонаводящийся снаряд.

seel I [siːl] *v* уст. 1) охот. сомкнуть глаза (*сокола*); 2) завязать (глаза).

seel II [siːl] *v* дать резкий крен.

seem [siːm] *v* 1) казаться, представляться; they ~ to be living in here кажется, они живут здесь; he ~s to be tired он, по-видимому, устал; I ~ to hear singing мне послышалось (*или* показалось), что кто-то поёт; 2) *употр. как глагол-связка*: she ~s tired она выглядит усталой; she ~s young она выглядит молодо; ◇ it ~s по-видимому, кажется; it should (*или* would) ~ казалось бы.

seeming ['siːmɪŋ] 1. *pres. p. om* seem;
2. *a* кажущийся, ненастоящий, мнимый, притворный.

seemingly ['siːmɪŋlɪ] *adv* 1) на вид; 2) по-видимому.

seemly ['siːmlɪ] *a* подобающий, приличествующий, приличный.

seen [siːn] *p. p. om* see I.

seep [siːp] *v* 1) просачиваться (*тж. перен.*); протекать, капать, течь; 2) стекать.

seepage ['siːpɪdʒ] *n* 1) просачивание; фильтрация; стекание; течь; утечка; ~ of water

ключ, родник; 2) просачивающаяся влага; 3) *геол.* выход (*нефти*).

seer I ['siːə] *n* провидец, пророк.

seer II [siə] *n* 1) мера веса (*в Индии ок. 2 фунтов*); 2) мера жидкости (= *1 л*).

seersucker ['siːə,sʌkə] *n* текст. индийская льняная полосатая ткань.

seesaw ['siːsɔː] 1. *n* 1) качание на доске (*игра*); to play (at) ~ качаться на доске; 2) детские качели; 3) возвратно-поступательное движение;
2. *a* двигающийся вверх и вниз *или* взад и вперёд (*как пила*); имеющий возвратно-поступательное движение; ◇ ~ policy неустойчивая политика;
3. *v* 1) качаться (на доске); 2) двигаться вверх и вниз *или* взад и вперёд; 3) проявлять нерешительность, колебаться;
4. *adv* вверх и вниз, взад и вперёд; to go ~ колебаться.

seethe [siːð] *v* (seethed [-d], *уст.* sod; seethed, *уст.* sodden) кипеть, бурлить; madness ~d in his brain безумие охватило его.

segment ['segmənt] 1. *n* 1) часть, кусок, отрезок; 2) доля (*апельсина и т. п.*); 3) *геом.* сегмент, отрезок; 4) *тех.* сегмент, сектор; 5) *эл.* пластина коллектора;
2. *v* делить(ся) на сегменты.

segregate 1. *a* ['segrɪgɪt] 1) отдельный, отделённый; 2) *зоол.* простой, одиночный;
2. *v* ['segrɪgeɪt] 1) отделять(ся); выделять(ся); изолировать; 2) *тех.* зейгероваться, ликвировать; 3) *геол.* скопляться.

segregation [,segrɪ'geɪʃən] *n* 1) отделение, выделение, изоляция, сегрегация; 2) *тех.* сегрегация, ликвация, зейгерование.

segregative ['segrɪgeɪtɪv] *a* 1) способствующий отделению; 2) необщительный.

seiche [seɪʃ] *n* геогр. сейша (*колебание уровня*).

seigneur ['seɪnjəː]=seignior.

seignior ['seɪnjə] *n* ист. феодальный властитель, сеньор; grand ~ важная персона.

seigniorage ['seɪnjərɪdʒ] *n* 1) *ист.* право сеньора; 2) налог за право чеканки монеты.

seigniorial [seɪ'njɔːrɪəl] *a* сеньоральный; феодальный; барский.

seigniory ['seɪnjərɪ] *n* ист. 1) феодальное владение; 2) власть сеньора; 3) сеньория.

seine [seɪn] 1. *n* сеть; кошельковый невод;
2. *v* ловить неводом, сетью.

seiner ['seɪnə] *n* сейнер.

seise [siːz] = seize II).

seisin ['siːzɪn] = seizin.

seism ['saɪzm] *n* землетрясение.

seismic ['saɪzmɪk] *a* сейсмический.

seismograph ['saɪzməgrɑːf] *n* сейсмограф.

seismology [saɪz'mɔlədʒɪ] *n* сейсмология.

seize [siːz] *v* 1) хватать, схватить; 2) захватывать; завладевать; to ~ a fortress взять крепость; ~ хвататься (*за что-л.*), всспользоваться (*случаем, предлогом; тж.* ~ upon); 4) понять (*мысль*); 5) (*обыкн. pass.*) охватить, обуять (*о страхе, панике; with*); 6) конфисковать, налагать арест (*на что-л.*); 7) (*обыкн. p. р.*) *юр.* вводить во владение; to be (*или* to stand) ~d of smth. владе́ть чем-л.; 8) *мор.* найто́вить; 9) *тех.* заеда́ть (*о подшипниках*); горе́ть (*о буксах*).

seizin ['siːzin] *n юр.* владе́ние земе́льной собственностью.

seizing ['siːziŋ] 1. *pres. p. от* seize; 2. *n мор.* бе́нзель.

seizure ['siːʒə] *n* 1) конфиска́ция, наложе́ние аре́ста; 2) захва́т; 3) апоплекси́ческий уда́р; припа́док.

sejant ['siːdʒənt] *a геральд.* сидя́щий.

selachian [se'leikiən] *n* хрящепёрая ры́ба.

seldom ['seldəm] *adv* ре́дко.

select [si'lekt] 1. *a* 1) отбо́рный; и́збранный; 2) разбо́рчивый; 3) досту́пный то́лько для и́збранных; 2. *v* отбира́ть, выбира́ть, подбира́ть, избира́ть.

selected [si'lektid] 1. *p. p. от* select 2; 2. *a* 1) ото́бранный, подо́бранный; 2) и́збранный; исключи́тельный.

selectee [ˌselek'tiː] *n амер.* при́званный на вое́нную слу́жбу.

selection [si'lekʃən] *n* 1) вы́бор, подбо́р; набо́р (*каких-л. вещей*); 2) сбо́рник и́збранных произведе́ний; 3) *биол.* отбо́р, селе́кция.

selectionist [si'lekʃənist] *n* селекционе́р.

selective [si'lektiv] *a* 1) отбо́рный; 2) отбира́ющий; 3) *радио* селекти́вный, избира́тельный; ◇ S. Service System *амер.* систе́ма призы́ва в а́рмию.

selectman [si'lektmən] *n амер.* член городско́го управле́ния (*в штатах Новой Англии*).

selector [si lektə] *n* 1) отбо́рщик; 2) ме́лкий фе́рмер (*в Австралии*); 3) *эл.* селе́ктор, иска́тель; 4) *радио* ру́чка настро́йки.

selenium [si'liːnjəm] *n хим.* селе́н.

selenography [ˌseli'nɔgrəfi] *n* селеногра́фия, описа́ние пове́рхности Луны́.

self [self] 1. *n* (*pl* selves) 1) со́бственная ли́чность, сам; the study of the ~ самоана́лиз; my own ~, my very ~ я сам, моя́ со́бственная персо́на; to have no thought of ~ не ду́мать о себе́; one's better ~ лу́чшее, что есть в челове́ке; one's former ~ то, чем челове́к был ра́ньше; one's second ~ бли́зкий друг, пра́вая рука́; 2) *ком.* = myself *и т. д.*; cheque drawn to ~ чек, вы́писанный на себя́; your good selves Вы (*в коммерческих письмах*); ◇ ~ comes first, ~ before all ≅ своя́ руба́шка бли́же к те́лу; 2. *a* 1) сплошно́й, одноро́дный (*о цвете*); 2) одноцве́тный (*о цветке*).

self- [self-] *в сложных словах выражает:* 1) *направленность действия на самого себя, связь с самим собой* само-, себя-; свое-; self-violence самоуби́йство; self-love себялю́бие; self-will своево́лие; 2) *отсутствие посредничества, самопроизвольность, автоматический характер действия или состояния* само-; self-binder жне́йка-сноповяза́лка; self-loading machine автопогру́зчик; self-healing самозажива́ние; self-winding с автомати́ческим заво́дом.

self-abandonment ['selfə'bændənmənt] *n* самозабве́ние.

self-abasement ['selfə'beismənt] *n* самоуниже́ние.

self-abnegation ['self,æbni'geiʃən] *n* 1) самоотрече́ние; 2) самопоже́ртвование.

self-acting ['self'æktiŋ] *a* автомати́ческий, самоде́йствующий.

self-action ['self'ækʃən] *n* самопроизво́льное де́йствие.

self-adjusting ['selfə'dʒʌstiŋ] *a* с автомати́ческой регулиро́вкой (*о приборе, устройстве и т. п.*).

self-affirmation ['self,æfə'meiʃən] *n* самоутвержде́ние.

self-assertion ['selfə'saʃən] *n* отста́ивание свои́х прав, притяза́ний.

self-assumption ['selfə'sʌmpʃən] *n* чва́нство, высокоме́рие.

self-assurance ['selfə'ʃuərəns] *n* самоуве́ренность; самонаде́янность.

self-balanced ['self'bælənst] *a* автомати́чески уравнове́шивающийся.

self-binder ['self'baində] *n* 1) жне́йка-сноповяза́лка; 2) скоросшива́тель.

self-centering ['self'sentəriŋ] *a* самоцентри́рующийся.

self-centred ['self'sentəd] *a* эгоцентри́чный.

self-closing ['self'klouziŋ] *a* закрыва́ющий(ся) автомати́чески.

self-cocker ['self'kɔkə] *n* пистоле́т-самовзво́д.

self-collected ['selfkə'lektid] *a* сде́ржанный, хорошо́ владе́ющий собо́й; вы́держанный; со́бранный.

self-coloured ['self'kʌləd] *a* 1) одноцве́тный; 2) есте́ственной окра́ски.

self-command ['selfkə'maːnd] *n* самооблада́ние, уме́ние владе́ть собо́й.

self-communion ['selfkə'mjuːnjən] *n* размышле́ние, разду́мье (о себе́).

self-complacency ['selfkəm'pleisnsi] *n* самодово́льство.

self-conceit ['selfkən'siːt] *n* самомне́ние, зано́счивость.

self-concentration ['self,kɔnsen'treiʃən] *n* самосозерца́ние.

self-condemnation ['self,kɔndem'neiʃən] *n* самоосужде́ние.

self-confident ['self'kɔnfidənt] *a* самоуве́ренный; самонаде́янный.

self-conscious ['self'kɔnʃəs] *a* нело́вкий, засте́нчивый.

self-contained ['selfkən'teind] *a* 1) необщи́тельный, за́мкнутый; 2) *тех.* незави́симый, самостоя́тельный, не тре́бующий вспомога́тельных приспособле́ний или механи́змов; 3) *воен.* снабжённый всем необходи́мым.

self-contradiction ['self,kɔntrə'dikʃən] *n* вну́треннее противоре́чие.

self-control ['selfkən'troul] *n* самооблада́ние.

self-cooling ['self'kuːliŋ] *a тех.* с возду́шным охлажде́нием.

self-criticism ['self'kritisizəm] *n* самокри́тика.

self-deceit, self-deception ['selfdi'siːt, 'selfdi'sepʃən] *n* самообма́н.

self-defence ['selfdi'fens] *n* самооборо́на, самозащи́та.

self-denial ['selfdı'naıəl] *n* самоотрече́ние.

self-destruction ['selfdıs'trʌkʃən] *n* 1) самоуничтоже́ние; 2) самоуби́йство.

self-determination ['selfdı,təːmı'neıʃən] *n* самоопределе́ние.

self-determined ['selfdı'təːmınd] *a* незави́симый, де́йствующий по своему́ усмотре́нию.

self-devotion ['selfdı'vouʃən] *n* 1) пре́данность, посвяще́ние себя́ всего́ (*какому-л. делу*); 2) самопоже́ртвование.

self-drive ['self'draıv] *a*: ~ car автомаши́на, кото́рая даётся напрока́т без шофёра.

self-educated ['self'edjukeıtıd] *a* вы́учившийся самостоя́тельно, самоу́чкой.

self-effacement ['selfı'feısmənt] *n* самоуничиже́ние; жела́ние стушева́ться.

self-esteem ['selfıs'tiːm] *n* уваже́ние к себе́; чу́вство со́бственного досто́инства.

self-evident ['self'evıdənt] *a* очеви́дный сам по себе́, самоочеви́дный.

self-expression ['selfıks'preʃən] *n* самовыраже́ние.

self-feeder ['self'fiːdə] *n тех.* самоподаю́щий механи́зм; автомати́ческий пита́тель.

self-firer ['self'faıərə] *n воен.* автомати́ческое ору́жие.

self-flagellation ['self,flædʒe'leıʃən] *n* самобичева́ние.

self-governing ['self'gʌvənıŋ] *a* самоуправля́ющийся.

self-government ['self'gʌvnmənt] *n* самоуправле́ние.

self-heal ['self'hiːl] *n бот.* черноголо́вка обыкнове́нная.

self-healing ['self'hiːlıŋ] *n* самозаживле́ние.

self-help ['self'help] *n* самопо́мощь.

selfhood ['selfhud] *n редк.* ли́чность; индивидуа́льность.

self-humiliation ['selfhjuː,mılı'eıʃən] *n* самоуничиже́ние.

self-immolation ['self,ımou'leıʃən] *n* 1) самосожже́ние; 2) самопоже́ртвование.

self-importance ['selfım'pɔːtəns] *n* самомне́ние, ва́жничанье.

self-induction ['selfın'dʌkʃən] *n эл.* самоинду́кция.

self-indulgence ['selfın'dʌldʒəns] *n* потака́ние свои́м сла́бостям, потво́рство свои́м жела́ниям.

self-infection ['selfın'fekʃən] *n мед.* аутоинфе́кция.

self-interest ['self'ıntrıst] *n* своекоры́стие; эгои́зм.

self-invited ['selfın'vaıtıd] *a* напроси́вшийся, незва́ный.

selfish ['selfıʃ] *a* эгоисти́чный.

selfishness ['selfıʃnıs] *n* эгои́зм.

self-knowledge ['self'nɔlıdʒ] *n* самопозна́ние.

selfless ['selflıs] *a* самоотве́рженный.

self-lighting ['self'laıtıŋ] *a* самовоспламеня́ющийся.

self-loading ['self'loudıŋ] *a* самозаря́дный.

self-love ['self'lʌv] *n* себялю́бие.

self-luminous ['self'luːmınəs] *a* самосветя́щийся.

self-made ['self'meıd] *a* обя́занный всем самому́ себе́.

self-mastery ['self'mɑːstərı] *n* уме́ние владе́ть собо́й.

self-motion ['self'mouʃən] *n* самопроизво́льное движе́ние.

self-murder ['self'məːdə] *n* самоуби́йство.

self-offence ['selfə'fens] *n* 1) то, что де́лается в уще́рб со́бственным интере́сам; 2) недооце́нка самого́ себя́.

self-opinionated ['selfə'pınjəneıtıd] *a* самоуве́ренный, упря́мый.

self-pity ['self'pıtı] *n* жа́лость к себе́.

self-pollination ['self,pɔlı'neıʃən] *n бот.* самоопыле́ние.

self-portrait ['self'pɔtrıt] *n* автопортре́т.

self-possessed ['selfə'zest] *a* име́ющий самооблада́ние, хладнокро́вный, вы́держанный.

self-possession ['selfə'zeʃən] *n* самооблада́ние, хладнокро́вие.

self-praise ['self'preız] *n* самовосхвале́ние.

self-preservation ['self,prezəː'veıʃən] *n* самосохране́ние.

self-propelled, self-propelling ['selfprə'peld, -prə'pelıŋ] *a* самохо́дный (*об артилле́рии, ору́диях*).

self-realization ['self,rıəlaı'zeıʃən] *n* разви́тие свои́х спосо́бностей.

self-recording ['selfrı'kɔdıŋ] *a* самопи́шущий.

self-regard ['selfrı'gɑːd] *n* эгои́зм.

self-reliance ['selfrı'laıəns] *n* уве́ренность в свои́х си́лах.

self-reliant ['selfrı'laıənt] *a* уве́ренный в себе́.

self-renunciation ['selfrı,nʌnsı'eıʃən] *n* самоотрече́ние.

self-repugnant ['selfrı'pʌgnənt] *a* непосле́довательный; содержа́щий противоре́чия.

self-respect ['selfrıs'pekt] *n* чу́вство со́бственного досто́инства.

self-restraint ['selfrıs'treınt] *n* воздержа́ние, сде́ржанность.

self-righteous ['self'raıtʃəs] *a* 1) самодово́льный; уве́ренный в свое́й правоте́; 2) фарисе́йский.

self-righting ['self'raıtıŋ] *a* осто́йчивый (*о су́дне*); самовыпрямля́ющийся.

self-rigorous ['self'rıgərəs] *a* тре́бовательный к себе́.

self-sacrifice ['self'sækrıfaıs] *n* самопоже́ртвование.

selfsame ['selfseım] *a* тот же са́мый.

self-seeking ['self'siːkıŋ] *a* своекоры́стный.

self-service ['self'səːvıs] *n* 1) самообслу́живание; 2) *attr.*: ~ shop магази́н без продавцо́в, магази́н самообслу́живания.

self-sown ['self'soun] *a* самосе́вный, вы́росший самосе́вом.

self-starter ['self'stɑːtə] *n тех.* автомати́ческий заво́д, ста́ртер, самопу́ск.

self-styled ['self'staıld] *a* самозва́нный; мни́мый.

self-sufficiency ['selfsə'fiʃənsɪ] *n* 1) независимость, самостоятельность; 2) самонадеянность; 3) *эк.* самообеспеченность.

self-sufficient ['selfsə'fiʃənt] *a* 1) самостоятельный; самодовлеющий; 2) независимый в экономическом отношении; 3) самонадеянный, самодовольный.

self-sufficing ['selfsə'faɪsɪŋ] *a* самостоятельный, самодовлеющий.

self-suggestion ['selfsə'dʒestʃən] *n* самовнушение.

self-support ['selfsə'pɔːt] *n* независимость, самостоятельность.

self-surviving ['selfsə'vaɪvɪŋ] *a* переживший самого себя.

self-taught ['self'tɔːt] *a* выучившийся самостоятельно, самоучкой.

self-violence ['self'vaɪələns] *n* самоубийство.

self-will ['self'wɪl] *n* своеволие, упрямство.

self-willed ['self'wɪld] *a* своевольный.

self-winding ['self'waɪndɪŋ] *a* с автоматическим заводом.

sell [sel] 1. *v* (sold) 1) продавать (ся); the house is to ~ дом продаётся; to ~ like wildfire (*или* hot cakes) быть нарасхват (*о товаре*); to ~ time *амер.* предоставлять за плату возможность выступать по радио в определённое время; 2) торговать; 3) рекламировать; популяризовать; 4) *разг.* обманывать, надувать; разыгрывать; 5) предавать (*дело и т. п.*); to ~ the pass обмануть доверие; предать, изменить своему делу, совершить предательство; 6) *амер. sl.* внушать (*мысль*); ☐ ~ off распродавать со скидкой; ~ on уговорить, уломать; couldn't I ~ you on one more coffee? неужели вы не выпьете ещё чашку кофе? ~ out продавать весь свой товар, все акции; ~ up продавать с торгов; ◊ I'm not sold on this я от этого отнюдь не в восторге; 2. *n разг.* надувательство, обман.

seller ['selə] *n* 1) торговец, продавец; 2) ходкий товар; ходкая книга (*тж.* best ~).

seller's market ['seləz'mɑːkɪt] *n эк.* рынок, на котором спрос превышает предложение.

sell-out ['sel,aut] *n разг.* 1) *амер.* распродажа; 2) пьеса, выставка, пользующаяся большим успехом.

seltzer ['seltsə] *n* сельтерская вода (*тж.* ~ water).

selvage, selvedge ['selvɪdʒ] *n* 1) кромка; кайма; 2) *горн.* краевая часть (жилы); зальбанд.

selves [selvz] *pl от* self 1.

semantic [sɪ'mæntɪk] *a лингв.* семантический.

semantics [sɪ'mæntɪks] *n pl* (*употр. как* sing) *лингв.* семантика.

semaphore ['seməfɔː] 1. *n* семафор; 2. *v* сигнализировать, семафорить.

semasiology [sɪ,meɪsɪ'ɔlədʒɪ] *n лингв.* семасиология.

semblance ['sembləns] *n* 1) вид, наружность; 2) видимость; under the ~ of под видом; to put on a ~ (of) сделать вид; 3) подобие, сходство; a feeble ~ of smth. слабое подобие чего-л.

semen ['siːmen] *n* семя, сперма.

semester [sɪ'mestə] *n* семестр.

semi- ['semɪ] *pref* полу-.

semi-annual ['semɪ'ænjuəl] *a* полугодовой.

semi-automatic ['semɪ,ɔːtə'mætɪk] 1. *a* полуавтоматический; 2. *n воен.* полуавтомат.

semi-centennial ['semɪsen'tenjəl] 1. *a* полувековой; 2. *n амер.* пятидесятилетний юбилей.

semicircle ['semɪ,sɜːkl] *n* полукруг.

semicircular ['semɪ'sɜːkjulə] *a* полукруглый; ~ canals *анат.* полукружные каналы.

semicolon ['semɪ'koulən] *n* точка с запятой.

semiconductor ['semɪkən'dʌktə] *n физ.* полупроводник.

semi-conscious ['semɪ'kɔnʃəs] *a* полубессознательный.

semi-detached ['semɪdɪ'tætʃt] *a*: ~ house один из двух особняков, имеющих общую стену.

semi-diurnal [,semɪdaɪ'ɜːnl] *a* полусуточный.

semifinal ['semɪ'faɪnl] *n спорт.* 1) полуфинал; 2) предпоследний круг (*в состязании*).

semi-fluid ['semɪ'fluːɪd] *a* полужидкий, вязкий.

semilucent ['semɪ'luːsnt] *a* полупрозрачный.

semi-manufactured ['semɪ,mænju'fæktʃəd] *a*:~ goods полуфабрикаты.

semi-monthly ['semɪ'mʌnθlɪ] 1. *a* выходящий два раза в месяц (*о периодическом издании*); 2. *n* журнал, бюллетень *и т. п.*, выходящий два раза в месяц; 3. *adv* дважды в месяц.

seminal ['siːmɪnl] *a* 1) семенной; ~ fluid *физиол.* семя; 2) зародышевый; in the ~ state рудиментарный, недоразвитый; в зачаточном состоянии; 3) плодотворный.

seminar ['semɪnɑː] *n* семинар.

seminary ['semɪnərɪ] *n* 1) духовная семинария (*особ. католическая*); 2) *амер.* частная средняя школа; 3) *уст.* рассадник; питомник.

semination [,semɪ'neɪʃən] *n бот.* обсеменение.

seminiferous [,semɪ'nɪfərəs] *a бот.* семеносный.

semioccasionally ['semɪə'keɪʒnəlɪ] *adv амер. разг.* время от времени, иногда.

semi-official ['semɪə'fiʃəl] *a* полуофициальный; официозный; ~ newspaper официоз.

semiprecious ['semɪ'preʃəs] *a* самоцветный; ~ stone самоцвет.

semiquaver ['semɪ,kweɪvə] *n муз.* шестнадцатая нота.

semi-rigid ['semɪ'rɪdʒɪd] *a* полужёсткий (*о дирижабле*).

Semite ['siːmaɪt] *n* семит.

semitic [sɪ'mɪtɪk] *a* семитический.

semitone ['semɪtoun] *n муз.* полутóн.

semitrailer [,semɪ'treɪlə] *n* полуприцéп.

semivowel ['semɪ'vauəl] *n* полуглáсный (звук).

semola ['semələ] = semolina.

semolina [,semə'liːnə] *n* мáнная крупá.

sempiternal [,sempɪ'təːnl] *a ритор.* вéчный.

sempstress ['sempstrɪs] = seamstress.

sen [sen] *n* япóнская мéдная монéта (= *0,01 иены*).

senary ['siːnərɪ] *a* шестернóй.

senate ['senɪt] *n* 1) сенáт; 2) совéт (*в университетах*).

senator ['senətə] *n* сенáтор.

senatorial [,senə'təːrɪəl] *a* сенáторский.

send I [send] *v* (sent) 1) посылáть, отправлять; отсылáть; to ~ a letter airmail послáть письмó воздýшной пóчтой; to ~ word сообщáть, извещáть; she sent the children into the garden онá отпрáвила детéй в сад погулять; to ~ to the chair *амер.* приговорить к кáзни на электрическом стýле; 2) ниспосылáть (*дождь*); насылáть (*чуму*); 3) бросáть, посылáть (*мяч и т. п.*); to ~ a bullet through прострелить; 4) приводить в какóе-л. состояние; to ~ flying а) сообщить предмéту стремительное движéние; б) рассéять; разбросáть; обратить в бéгство; в) отшвырнýть; to ~ smb. sprawling сбить когó-л. с ног; to ~ to sleep усыпить; 5) *радио* передавáть; □ ~ away а) посылáть, высылáть; б) прогонять; ~ down а) исключáть *или* врéменно отчислять из университéта; б) понижáть (*напр., цены*); ~ for послáть за, вызывáть; ~ forth испускáть, издавáть; ~ in подавáть (*заявление*); представлять (*экспонат на выставку*); ~ in one's name записываться (*на конкурс и т. п.*); ~ off а) отсылáть (*письмо, посылку и т. п.*); б) прогонять; в) устрáивать прóводы; г) испускáть; ~ out а) выпускáть, испускáть; излучáть; the tree ~s out leaves на дéреве распускáются листья; б) отправлять; ~ up а) направлять вверх; б) *амер. sl.* приговорить к тюрéмному заключéнию; ◇ to ~ smb. to Coventry прекратить общéние с кем-л.; бойкотировать когó-л.; to ~ smb. about his business, to ~ smb. packing, to ~ smb. to the right-about прогнáть, выпроводить когó-л.

send II [send] *мор.* **1.** *n* толчóк, сообщáемый волнóй;

2. *v* поднимáться на грéбень волны.

sender ['sendə] *n* 1) отправитель; 2) передающий прибóр; телегрáфный аппарáт, передáтчик.

send-off ['send'ɔːf] *n* 1) прóводы; 2) хвалéбная рецéнзия.

senega ['senɪgə] *n бот.* сенéга.

senescence [se'nesəns] *n* старéние.

senescent [se'nesənt] *a* 1) старéющий; 2) ущерблённый (*о луне*).

seneschal ['senɪʃəl] *n ист.* сенешáль.

senile ['siːnaɪl] *a* стáрческий; дряхлый.

senility [sɪ'nɪlɪtɪ] *n* стáрость; дряхлость.

senior ['siːnjə] **1.** *a* 1) стáрший (*противоп.* junior млáдший); John Smith ~ Джон Смит

отéц; he is two years ~ to me он стáрше меня на два гóда; ~ classic (wrangler) лауреáт по классической литератýре (по математике) в Кéмбриджском университéте; ~ man стáрый студéнт, не новичóк; ~ partner глава фирмы; the ~ service английский воéнно-морскóй флот (*старший из трёх видов вооружённых сил*); 2) *амер.* выпускнóй, послéдний (*о классе, курсе, семестре*); the ~ class послéдний год учéния в шкóле; the Senior Prom вéчер выпускникóв шкóлы;

2. *n* 1) пожилóй человéк; 2) стáрший; he is my ~ он стáрше меня; 3) лауреáт Кéмбриджского университéта; 4) *амер.* ученик выпускнóго клáсса; студéнт послéднего кýрса.

seniority [,siːnɪ'ɔrɪtɪ] *n* 1) старшинствó; 2) *амер.* трудовóй стаж.

senna ['senə] *n фарм.* александрийский лист.

sennet ['senɪt] *n уст.* трýбный сигнáл (*ремарка в старых пьесах*).

sennight ['senaɪt] *n уст.* недéля; today ~ а) чéрез недéлю; б) недéлю томý назáд.

sennit ['senɪt] *n мор.* плетёнка.

sensation [sen'seɪʃən] *n* 1) ощущéние, чýвство; 2) сенсáция.

sensational [sen'seɪʃənl] *a* 1) сенсациóнный; 2) *predic.* великолéпный, поразительный; 3) *филос.* сенсуáльный.

sensationalism [sen'seɪʃnəlɪzəm] *n филос.* сенсуализм.

sensation-monger [sen'seɪʃən,mʌŋgə] *n* распространитель сенсациóнных слýхов.

sense [sens] **1.** *n* 1) чýвство; ощущéние; the five ~s пять чувств; sixth ~ шестóе чýвство, интуиция; to have keen (*или* quick) ~s óстро чýвствовать, ощущáть; a ~ of duty чýвство дóлга; a ~ of humour чýвство юмора; a ~ of failure сознáние неудáчи; a ~ of proportion чýвство мéры; 2) *pl* сознáние; рáзум; in one's ~s в своём умé; have you taken leave (*или* are you out) of your ~s? с умá вы сошли?; to come to one's ~s а) прийти в себя; б) взяться за ум; to frighten (*или* to scare) smb. out of his ~s напугáть когó-л. до потéри сознáния; 3) здрáвый смысл (*тж.* common ~, good ~); ум; a man of ~ разýмный человéк; to talk ~ говорить дéльно, разýмно; he is talking ~ он дéло говорит; 4) смысл, значéние; it makes no ~ в этом нет смысла; in the strict (*или* true) ~ of the word в (сáмом) тóчном значéнии слóва; in a good ~ в хорóшем смысле (слóва); in a literal ~ в буквáльном смысле слóва; in a ~ в извéстном смысле, в известной стéпени; in all ~s во всех смыслах, во всех отношéниях; in no ~ ни в какóм отношéнии; 5) настроéние; to take the ~s of the meeting определить настроéние собрáния посрéдством голосовáния.

2. *v* 1) ощущáть, чýвствовать; 2) понимáть.

senseless ['senslɪs] *a* 1) бесчýвственный, нечувствительный; to knock ~ оглушить; 2) бессмысленный; бессодержáтельный.

sen-sen ['sen'sen] n крупинки пряного вещества для удаления алкогольного запаха изо рта.

sense-organ ['sens,ɔːgən] n орган чувств (зрения, слуха и т. п.).

sensibility [,sensı'bılıtı] n 1) чувствительность; 2) точность (прибора).

sensible ['sensəbl] a 1) (благо)разумный, здравомыслящий; 2) сознающий, чувствующий (of); to be ~ of one's peril сознавать опасность; 3) ощутимый, заметный; a ~ change for the better заметное улучшение; a ~ difference in temperature значительная разность температур.

sensitive ['sensıtıv] a 1) чувствительный; восприимчивый; a ~ ear (болезненно) тонкий слух; ~ market эк. неустойчивый рынок; ~ paper светочувствительная бумага; ~ plant бот. мимоза стыдливая; 2) очень нежный, легко поддающийся раздражению; a ~ skin нежная кожа; 3) обидчивый; 4) тех. прецизионный, точный.

sensitiveness, sensitivity ['sensıtıvnıs, ,sensı'tıvıtı] n чувствительность.

sensitize ['sensıtaız] v 1) делать чувствительным, повышать чувствительность; 2) делать светочувствительной (бумагу).

sensory ['sensərı] a 1) чувствительный; 2) физиол. сенсорный.

sensual ['sensjuəl] a 1) чувственный, плотский; 2) сладострастный; 3) филос. сенсуалистический.

sensualist ['sensjuəlıst] n 1) сластолюбец; 2) филос. сенсуалист.

sensuality [,sensju'ælıtı] n чувственность.

sensuous ['sensjuəs] a 1) чувственный (о восприятии); 2) эстетический.

sent [sent] past и p. p. от send I.

sentence ['sentəns] 1. n 1) приговор; to pass ~ upon smb. выносить приговор кому-л.; to serve one's ~ отбывать срок наказания; life ~ пожизненное заключение; 2) уст. сентенция, изречение; 3) грам. предложение;
2. v осуждать, приговаривать.

sententious [sen'tenʃəs] a нравоучительный; сентенциозный.

sentience ['senʃəns] n чувствительность.

sentient ['senʃənt] a чувствующий, ощущающий.

sentiment ['sentımənt] n 1) чувство; отношение, настроение, мнение; the ~ of pity (of respect) чувство жалости (уважения); these are (или шутл. them's) my ~s вот моё мнение; 2) сентиментальность, сентименты; 3) мысль; 4) тост, пожелание.

sentimental [,sentı'mentl] a сентиментальный.

sentimentality [,sentımen'tælıtı] n сентиментальность.

sentinel ['sentınl] 1. n часовой; страж; to stand ~ over охранять;
2. v охранять, стоять на страже.

sentry ['sentrı] n воен. 1) часовой; 2) караул.

sentry-box ['sentrıbɔks] n будка часового.

sentry-go ['sentrıgou] n 1) пост (сторожевой); 2) дежурство на посту.

sentry-line ['sentrılaın] n воен. цепь сторожевых постов.

sentry-unit ['sentrı,juːnıt] n воен. сторожевое подразделение.

sepal ['sepəl] n бот. чашелистик.

separability [,sepərə'bılıtı] n отделимость.

separable ['sepərəbl] a отделимый.

separata [,sepə'reıtə] pl от separatum.

separate 1. a ['seprıt] 1) отдельный; cut it into four ~ parts разрежьте это на четыре части; ~ maintenance содержание, назначаемое жене при разводе; 2) особый, индивидуальный; самостоятельный; these are two entirely ~ questions это два совершенно самостоятельных вопроса; 3) изолированный; уединённый; 4) сепаратный;
2. n ['seprıt] отдельный оттиск (статьи);
3. v ['sepəreıt] 1) отделять(ся); разделять(ся), разлучать(ся); расходиться; 2) сортировать, отсеивать; to ~ chaff from grain очищать зерно от мякины; 3) разлагать (на части); 4) воен.: to ~ from active service, амер. to ~ from the service увольнять, демобилизовывать.

separatee [,sepərə'tiː] n демобилизованный.

separation [,sepə'reıʃən] n 1) отделение, разделение; разлучение; сепарация, разобщение; 2) разложение на части; 3) раздельное жительство супругов; развод; 4) горн. обогащение; 5) attr.: ~ allowance пособие жене солдата.

separatism ['sepərətızəm] n сепаратизм.

separatist ['sepərətıst] n сепаратист.

separator ['sepəreıtə] n 1) сепаратор, сортировочный аппарат; 2) решето, сито, грохот; 3) трйер, зерноочиститель; молотилка (в комбайне); 4) прокладка, отделитель.

separatum [,sepə'reıtəm] n (pl -ta) отдельный оттиск (статьи).

sepia ['siːpjə] n сепия (краска).

sepoy ['siːpɔı] n сипай.

sepsis ['sepsıs] n мед. сепсис.

sept [sept] n (ирландский) клан.

septa ['septə] pl от septum.

septan ['septən] 1. a семидневный;
2. n перемежающаяся лихорадка с приступами через каждые шесть дней.

septangle ['septæŋgl] n семиугольник.

septate ['septeıt] a биол. разделённый перегородкой.

September [səp'tembə] n 1) сентябрь; 2) attr. сентябрьский.

septenary [sep'tenərı] a семеричный.

septennate [sep'teneıt] n семилетний срок.

septennial [sep'tenjəl] a семилетний.

septentrional [sep'tentrıənəl] a уст. северный.

septet(te) [sep'tet] n муз. септет.

septic ['septık] a мед. септический.

septicaemia [,septı'siːmıə] n мед. заражение крови, сепсис, септицемия.

septilateral [,septı'lætərəl] a семисторонний.

septuagenarian [,septjuədʒı'neərıən] 1. a семидесятилетний; в возрасте между 69 и 80 годами;
2. n человек в возрасте между 69 и 80 годами.

septum ['septəm] *n* (*pl* -ta) *биол.* перегородка.

septuple ['septjupl] **1.** *a* семикратный; **2.** *n* семикратное количество; **3.** *v* множить на семь; увеличивать в семь раз.

sepulchral [sɪ'pʌlkrəl] *a* могильный; погребальный; ~ mound могильный холм; ~ voice замогильный голос.

sepulchre ['sepəlkə] **1.** *n* 1) могила, гробница; whited (*или* painted) ~ a) *библ.* гроб повапленный; б) лицемер; 2) *редк.* погребение. **2.** *v* погребать, класть в гробницу.

sepulture ['sepəltʃə] *n* погребение.

sequacious [sɪ'kweɪʃəs] *a* 1) послушный, податливый; ~ zeal раболепное усердие; 2) последовательный.

sequel ['siːkwəl] *n* 1) продолжение; the book is a ~ to (*или* of) the author's last novel эта книга является продолжением последнего романа писателя; 2) последующее событие; in the ~ впоследствии; 3) последствие, результат.

sequela [sɪ'kwiːlə] *лат. n* (*pl* -lae; *обыкн. pl*) последствие, осложнение (*болезни*).

sequelae [sɪ'kwiːliː] *pl om* sequela.

sequence ['siːkwəns] *n* 1) последовательность; следование; порядок (следования); ряд; ~ of events ход событий; ~ of tenses *грам.* последовательность времён; in ~ один за другим; in historical ~ в исторической (*или* хронологической) последовательности; 2) (по)следствие, результат; 3) *муз.* секвенция; 4) *кино* эпизод.

sequent ['siːkwənt] *a* 1) следующий; 2) являющийся следствием.

sequential [sɪ'kwenʃəl] *a* 1) являющийся продолжением; 2) последовательный.

sequester [sɪ'kwestə] *v* 1) *редк.* уединять, изолировать; 2)= sequestrate.

sequestered [sɪ'kwestəd] **1.** *p. p. om* sequester; **2.** *a* изолированный; уединённый; ~ life уединённая жизнь.

sequestra [sɪ'kwestrə] *pl om* sequestrum.

sequestrable [sɪ'kwestrəbl] *a* *юр.* подлежащий секвестру.

sequestrate [sɪ'kwestreɪt] *v* *юр.* секвестровать; конфисковать.

sequestration [ˌsiːkwes'treɪʃən] *n* 1) *юр.* секвестр; конфискация; 2) *мед.* изоляция, карантин.

sequestrum [sɪ'kwestrəm] *n* (*pl* -ra) *мед.* омертвевшая часть кости, секвестр.

sequin ['siːkwɪn] *n* 1) *ист.* цехин (*венецианская золотая монета*); 2) блёстка на платье.

sequoia [sɪ'kwɔɪə] *n* *бот.* секвойя, мамонтово дерево.

sera ['sɪərə] *pl om* serum.

seraglio [se'rɑːlɪou] *n* (*pl* -os[-ouz]) сераль.

serai I [se'raɪ] *n* караван-сарай.

serai II [se'raɪ] *n* англо-инд. глиняный сосуд для воды.

seraph ['serəf] *n* (*pl* -phim, -phs [-fs]) серафим.

seraphic [se'ræfɪk] *a* серафический, ангельский, неземной.

seraphim ['serəfɪm] *pl om* seraph.

Serb [sɑːb] = Serbian.

Serbian ['sɑːbjən] **1.** *a* сербский; **2.** *n* 1) серб; сербка; 2) сербский язык.

Serbonian bog [sɑː'bounjən'bɔg] *n* 1) *название ныне высохшего огромного болота в Египте*; 2) безвыходное положение; 3) сумбур; столпотворение.

sere I [sɪə] *a* сухой, увядший.

sere II [sɪə] = sear II.

serein [se'reɪn] *n* моросящий дождь при безоблачном небе.

serenade [ˌserɪ'neɪd] **1.** *n* серенада; **2.** *v* исполнять серенаду.

serene [sɪ'riːn] **1.** *a* 1) ясный, спокойный, тихий; безоблачный; безмятежный; all ~ *разг.* всё в порядке; 2): His S. Highness его светлость (*титул*); **2.** *n* *поэт.* безоблачное небо; спокойное море; **3.** *v* *поэт.* прояснять.

serenity [sɪ'renɪtɪ] *n* 1) ясность, безмятёжность; 2) (S.) светлость (*титул*).

serf [sɑːf] *n* 1) крепостной; 2) раб.

serfage, serfdom, serfhood ['sɑːfɪdʒ,-dəm, -hud] *n* 1) крепостное право; 2) рабство.

serge [sɑːdʒ] *n* *текст.* 1) саржа; 2) серж (*шерстяная костюмная ткань*).

sergeant ['sɑːdʒənt] *n* 1) сержант; ~ major старшина (*подразделения*); first ~ *амер.* старшина (*подразделения*); staff ~ *амер.* сержант штабной службы; 2) (*обыкн.* serjeant) *уст.* адвокат высшего разряда; Common S. судейский чиновник Лондонского муниципалитета.

Sergeant-at-arms ['sɑːdʒəntət'ɑːmz] *n* парламентский пристав.

serial ['sɪərɪəl] **1.** *a* 1) серийный; 2) последовательный; ~ number порядковый номер; 3) выходящий выпусками; **2.** *n* роман в нескольких частях; фильм в нескольких сериях.

serialize ['sɪərɪəlaɪz] *v* 1) издавать выпусками (*книгу*); 2) располагать в последовательном порядке.

seriate, seriated ['sɪərɪeɪt, ˌsɪərɪ'eɪtɪd] *a* расположенный по порядку.

seriatim [ˌsɪərɪ'eɪtɪm] *adv* пункт за пунктом, по порядку; to consider (examine, discuss) ~ рассматривать (изучать, обсуждать) по пунктам.

sericeous [sə'rɪʃəs] *a* шелковистый.

sericulture ['serɪˌkʌltʃə] *n* шелководство.

series ['sɪəriːz] *n* (*pl без измен.*) 1) ряд; серия; a ~ of stamps (coins) серия марок (монет); a ~ of misfortunes полоса неудач; in ~ последовательно, по порядку; 2) *геол.* свита, отдел; группа, система; 3) *эл.* последовательное соединение; 4) *мат.* прогрессия.

serin ['serɪn] *n* *зоол.* вьюрок канареечный.

seringa [sɪ'rɪŋgə] *n* *бот.* гевея.

serio-comic ['sɪərɪou'kɔmɪk] *a* шутливо-серьёзный.

serious ['sɪərɪəs] *a* 1) серьёзный; and now to be ~ однако, шутки в сторону; 2) важный; 3) вызывающий опасение; опасный.

seriousness ['sɪərɪəsnɪs] *n* серьёзность.

serjeant ['sɑːdʒənt] = sergeant.

Serjeant-at-law ['sɑːdʒəntət'lɔː] = sergeant 2).

sermon ['sɑːmən] **1.** *n* пропоþедь; поучéние;
2. *v* читáть прóповедь.

sermonize ['sɑːmənaɪz] *v* 1) проповéдовать; 2) морализúровать.

serotinous [se'rɔtɪnəs] *a бот.* пóздний.

serous ['sɪərəs] *a физиол.* серóзный.

serpent ['sɑːpənt] *n* 1) змея, змей; 2) злой, ядовúтый человéк; 3) змий, дьявол (*тж.* the old S.).

serpent-charmer ['sɑːpənt‚tʃɑːmə] *n* заклинáтель змей.

serpentine ['sɑːpəntaɪn] **1.** *a* 1) змейный; 2) змеевúдный; извивáющийся, извилúстый; 3) хúтрый; ковáрный, предáтельский;
2. *n* 1) *мин.* серпентúн, змеевúк; 2) *тех.* змеевúк;
3. *v* извивáться.

serrate ['serɪt, se'reɪtɪd] *a* зубчáтый; зазýбренный.

serration [se'reɪʃən] *n* 1) зубчáтость; 2) зубéц.

serried ['serɪd] *a* сóмкнутый (*плечом к плечу*); in ~ ranks сóмкнутыми рядáми.

serrulate, serrulated ['seruleɪt, -leɪtɪd] *a* мелкозýбчатый.

serum ['sɪərəm] *n* (*pl* -s [-z], sera) *физиол.* сыворотка.

servant ['sɑːvənt] *n* слугá, служúтель, прислýга; civil ~ государственный служащий; public ~s должностные лúца; general ~ «прислýга за всё».

servant-maid ['sɑːvəntmeɪd] *n* служáнка.

serve [sɑːv] **1.** *v* 1) служúть; быть полéзным; in doing this he ~d his country дéлая это, он служúл своéй рóдине; to ~ as smb., smth. служúть в кáчестве когó-л., чегó-л.; 2) годúться, удовлетворять; it will ~ a) это то, что нýжно; б) этого бýдет достáточно; as occasion ~s когдá предстáвляется слýчай; to ~ no purpose никудá не годúться; 3) благоприятствовать (*о ветре и т. п.*); 4) служúть в áрмии; he ~d in North Africa он проходúл воéнную слýжбу в Сéверной Áфрике; to ~ in the ranks служúть рядовым; to ~ under smb. служúть под начáльством когó-л.; 5) подавáть (*на стол*); dinner is ~d! кýшать пóдано!; 6) обслýживать; to ~ a customer занимáться с покупáтелем, клиéнтом; this busline ~s a large district эта автóбусная лúния обслýживает большóй райóн; 7) обслýживать, управлять; to ~ a gun стрелять из орýдия; 8) отбывáть (*срок; тж.* to ~ one's term *или* time); 9) обходúться с, поступáть; he ~d me shamefully он обошёлся со мной отвратúтельно; 10) *церк.* служúть слýжбу; 11) *юр.* вручáть (*повéстку комý-л.*; on); to ~ notice формáльно, официáльно извещáть; 12) подавáть мяч (*в теннисе и др. играх*); 13) *мор.* клетневáть; □ ~ for a) годúться для *чегó-л.*; б) служúть в кáчестве *чегó-л.*; the bundle ~d him for a pillow свёрток служúл емý подýшкой; ~ out a) раздавáть, распределять; б) *разг.* отплатúть; ~ round обносúть кругóм (*блюда*); ~ up подавáть на стол; ~ with подавáть; снабжáть; ◊ it ~s him (her) right! поделóм емý (ей)!; to ~ with the same sauce ≅ отплатúть той же монéтой; to ~ smb. a trick сыгрáть с кем-л. штýку.
2. *n спорт.* подáча (*мяча*).

Servian ['sɑːvjən] = Serbian.

service I ['sɑːvɪs] **1.** *n* 1) слýжба; to take into one's ~ нанимáть; to take ~ with smb. поступáть на слýжбу к комý-л.; 2) обслýживание, сéрвис; 3) услýга, одолжéние; at your ~ к вáшим услýгам; to be of ~ быть полéзным; 4) слýжба (*область рабóты и т. п.*); Civil S. государственная граждáнская слýжба; National S. вóинская *или* трудовáя повúнность (*в Англии*); 5) *воен.* род войск; the (fighting) ~s áрмия, флот и воéнная авиáция; 6) сéрвиз; 7) судéбное извещéние; 8) *мор.* клéтень; 9) *спорт.* подáча (*мяча*); 10) дéйствие, фýнкция; 11) *рел.* слýжба; to say a ~ отправлять богослужéние; 12) *фин.* процéнты по госудáрственным долгáм; 13) *attr.* служéбный; ~ record послужнóй спúсок;
2. *v* 1) обслýживать; 2) проводúть осмóтр и текýщий ремóнт (*машины и т. п.*); 3) заправлять (*горючим*); 4) случáть.

service II ['sɑːvɪs] = service-tree.

serviceable ['sɑːvɪsəbl] *a* 1) полéзный, пригóдный; 2) услýжливый; 3) прóчный; ~ fabric прóчная матéрия.

service-book ['sɑːvɪsbuk] *n* молúтвенник.

service dress ['sɑːvɪs'dres] *n* фóрменная одéжда.

service entrance ['sɑːvɪs'entrəns] *n* 1) служéбный вход; 2) чёрный ход.

service flat ['sɑːvɪs'flæt] *n* квартúра в дóме с óбщим обслýживанием и готóвым питáнием.

serviceman ['sɑːvɪsmæn] *n амер.* военнослýжащий.

service medal ['sɑːvɪs'medl] *n амер. воен.* пáмятная медáль (*за учáстие в какóй-л. кампáнии или воéнной операции*).

service pipe ['sɑːvɪs'paɪp] *n* домóвая водопровóдная *или* газопровóдная трубá.

service stair ['sɑːvɪs'stɛə] *n* чёрная лéстница.

service station ['sɑːvɪs'steɪʃən] *n* стáнция обслýживания (*автомобúлей*).

service-tree ['sɑːvɪstriː] *n бот.* рябúна домáшняя.

service uniform ['sɑːvɪs'juːnɪfɔːm] *n амер. воен.* повседнéвная фóрма одéжды.

servidor ['sɑːvɪdɔː] *n амер.* дверь (*обыкн. в гостúницах*) с внýтренним ящиком (*в котóрый изнутрú кладётся, а снарýжи вынимáется одéжда для чúстки, причём, дверь для этого не открывáют*).

serviette [‚sɑːvɪ'et] *фр.* *n* салфéтка.

servile ['sɑːvaɪl] *a* рáбский; раболéпный; подобострáстный, холóпский.

servility [sɑː'vɪlɪtɪ] *n* 1) рáбство; 2) раболéпство, подобострáстие.

servitor ['sɑːvɪtə] *n* 1) *уст.* слугá; приближённый; 2) *ист.* студéнт, рабóтающий служúтелем за стипéндию.

servitude ['sɑːvɪtjuːd] *n* рáбство; порабощéние.

servo ['sə:vou] **1.** *n сокр. разг. от* servo-mechanism *u* servo-motor;
2. *a* вспомога́тельный.

servo-mechanism ['sə:vou͵mekənɪzəm] *n тех.* вспомога́тельный механи́зм.

servo-motor ['sə:vou͵moutə] *n* вспомога́тельный мото́р.

sesame ['sesəmɪ] *n бот.* кунжу́т восто́чный.

sesquialteral [͵seskwɪ'æltərəl] *a* полу́торный.

sesquipedalian ['seskwɪpɪ'deɪljən] *a* 1) полуторафу́товый; 2) о́чень дли́нный, неудобопоня́тный (*о слове*).

sessile ['sesaɪl] *a бот., зоол.* сидя́чий.

session ['seʃən] *n* 1) заседа́ние; to be in ~ заседа́ть, быть в сбо́ре; 2) се́ссия (*парламентская, судебная*); Court of S. Шотла́ндский Верхо́вный гражда́нский суд; petty ~s колле́гия из двух-трёх мировы́х суде́й без прися́жных; 3) уче́бный год (*в шотл. и некоторых англ. университетах*); summer ~ ле́тние ку́рсы при университе́те; 4) *амер.* заня́тия, уче́бное вре́мя в шко́ле; 5) *разг.* вре́мя, за́нятое чем-л. (*особ. чем-л. неприя́тным*).

sesterce ['sestə:s] *n ист.* сесте́рций (*римская монета*).

sestertii [ses'tə:ʃɪaɪ] *pl от* sestertius.

sestertius [ses'tə:ʃɪəs] *n* (*pl* -tii) = sesterce.

sestet [ses'tet] *n муз.* сексте́т.

set I [set] **1.** *n* 1) направле́ние (*течения, ветра*); накло́нность, тенде́нция, устано́вка; a ~ of public feeling тенде́нция обще́ственного мне́ния; a ~ of public feeling тенде́нция обще́ственного мне́ния; 2) конфигура́ция, очерта́ние, строе́ние (*гор и т. п.*); 3) поса́дка (*головы*); 4) покро́й; 5) искривле́ние, заги́б, сдвиг; 6) *поэт.* захо́д (*солнца*); at ~ of sun пе́ред захо́дом со́лнца; 7) са́женец; 8) молодо́й побе́г (*растения*), за́вязь (*плода*); 9) сто́йка (*собаки*); 10) *горн.* крепёжная ра́ма; 11) *воен.* ми́нная ра́ма; 12) *тех.* ширина́ разво́да (*пилы*); 13) *стр.* оса́дка; 14) *тех.* оста́точная деформа́ция; 15) *тех.* обжи́мка, держа́вка; 16) *текст.* съём; ◊ to make a dead ~ at a) подверга́ть ре́зкой кри́тике; напада́ть на; б) стреми́ться подчини́ть своему́ влия́нию;

2. *a* 1) неподви́жный, засты́вший (*о взгляде, улыбке*); 2) обду́манный (*о намерении*); of ~ purpose с у́мыслом, предумы́шленный; 3) зара́нее пригото́вленный, соста́вленный (*о речи*); 4) устано́вленный, назна́ченный, предпи́санный; 5) постро́енный; 6) устано́вившийся; ~ fair установи́вшийся (*о погоде*); 7) твёрдый, реши́тельный, непоколеби́мый; 8) сло́женный; a heavy ~ man челове́к пло́тного сложе́ния; 9) сверну́вшийся (*о молоке*); 10) затверде́вший (*о цеме́нте*); 11) заше́дший (*о солнце*); 12) реши́вшийся дости́чь (*чего-л.*); 13) поглощённый (оn, upon — *чем-л.*);

3. *v* (set) 1) ста́вить, класть, помеща́ть; расставля́ть, устана́вливать; располага́ть; размеща́ть; to ~ foot on smth. наступи́ть на что-л.; not to ~ foot in smb.'s house не переступа́ть поро́га чьего-л. до́ма; to

~ sail a) ста́вить паруса́; б) пуска́ться в пла́вание; to ~ the signal подáть, установи́ть сигна́л; to ~ the table накрыва́ть на стол; to ~ to zero a) установи́ть на нуль; б) привести́ к нулю́; to ~ on stake ста́вить на ка́рту; to ~ one's name (*или* hand) to a document поста́вить свою́ по́дпись под докуме́нтом; to ~ bounds (to) ограни́чивать; to ~ a limit (to) положи́ть преде́л, пресе́чь; 2) приводи́ть в определённое состоя́ние; to ~ in motion приводи́ть в движе́ние; to ~ in order приводи́ть в поря́док; to ~ at (his) ease успоко́ить, ободри́ть кого-л.; he ~ people at once on their ease with him лю́дям в его́ прису́тствии сра́зу де́лалось легко́ и удо́бно; to ~ at rest a) успоко́ить; б) ула́дить (*вопрос*); to ~ at variance поссо́рить; вы́звать конфли́кт; to ~ free освобожда́ть; to ~ loose отпуска́ть; to ~ right a) приводи́ть в поря́док, исправля́ть; б) выводи́ть из заблужде́ния; to ~ one's hat (tie *etc.*) straight (*или* right) попра́вить шля́пу (га́лстук *и т. п.*); to ~ laughing рассмеши́ть; to ~ on fire поджига́ть; the news ~ her heart beating при э́том изве́стии у неё заби́лось се́рдце; the answer ~ the audience in a roar услы́шав отве́т, все прису́тствующие разрази́лись хо́хотом; to ~ a machine going пуска́ть маши́ну; 3) устана́вливать, нала́живать; to ~ the hands of a clock устана́вливать стре́лки часо́в; to ~ a razor пра́вить бри́тву; 4) пригоня́ть; вправля́ть, прикрепля́ть; вставля́ть в ра́му *или* опра́ву; 5) вправля́ть (*кость*); 6) сажа́ть (*растение*); 7) посади́ть (*курицу на яйца*); 8) втыка́ть; 9) точи́ть, разводи́ть (*пилу*); 10) дви́гаться в изве́стном направле́нии; име́ть скло́нность; to ~ course лечь на курс; opinion is ~ ting against it обще́ственное мне́ние про́тив э́того; 11) поверну́ть, напра́вить; to ~ one's face towards the sun поверну́ться лицо́м к со́лнцу; to ~ one's mind (*или* brain) on (*или* to) smth. сосредото́чить мысль на чём-л.; 12) подноси́ть, приближа́ть; to ~ a glass to one's lips поднести́ стака́н к губа́м; to ~ a pen to paper нача́ть писа́ть; 13) прикла́дывать (*печать*); 14) сти́скивать, сжима́ть (*зубы*); 15) назнача́ть, устана́вливать (*цену, время и т. п.*); to ~ the value of smth. at a certain sum оцени́ть что-л., установи́ть це́ну чего-л.; to ~ a punishment налага́ть взыска́ние; 16) задава́ть (*работу, задачу*); to ~ to work усади́ть за де́ло; you have ~ me a difficult job вы за́дали мне тру́дную рабо́ту; 17) подава́ть (*пример*); 18) сиде́ть (*о платье*); 19) сади́ться, заходи́ть (*о солнце, луне; тж. перен.*); his star has ~ его́ звезда́ закати́лась; 20) положи́ть на му́зыку (*тж.* ~ to music); 21) де́лать твёрдым, густы́м, про́чным; to ~ milk for cheese створа́живать молоко́ для сы́ра; 22) тверде́ть, застыва́ть, затверде́ть; схва́тываться (*о цеме́нте, бето́не*); his face ~ его́ лицо́ при́няло засты́вшее выраже́ние; 23) оформля́ться, сложи́ться; 24) завя́зываться (*о плоде*); 25) коро́биться; 26) де́лать сто́йку (*о собаке*); 27) изгото́вля́ть (*чучело*); 28) *мор.* пеленгова́ть; 29) *мор.* тяну́ть (*такелаж*); 30) *полигр.* набира́ть; 31) *стр.* производи́ть кла́дку; □ ~ **about** а) начина́ть, приступа́ть к *чему-л.*; б) побужда́ть (*кого-л.*) нача́ть; в) *разг.* напа́сть, нача́ть дра́ку с *кем-л.*; г) распространя́ть (*слух*); ~ **against** а) противопоставля́ть; б) восстана́вливать про́тив *кого-л.*; ~ **apart** а) откла́дывать в сто́рону; б) приберега́ть; в) отделя́ть; г) разнима́ть (*дерущихся*); ~ **aside** а) откла́дывать; б) отверга́ть, оставля́ть без внима́ния; в) аннули́ровать; ~ **at** а) напада́ть, набра́сываться на; б) натра́вливать на; ~ **back** препя́тствовать, заде́рживать; ~ **before** представля́ть, излага́ть (*факты*); ~ **by** откла́дывать, приберега́ть; ~ **down** а) положи́ть, бро́сить (*на землю*); б) отложи́ть; в) выса́живать (*пассажира*); г) запи́сывать, пи́сьменно излага́ть; д) осади́ть, обре́зать (*кого-л.*); е): ~ down as счита́ть *чем-л.*; ж) приписывать (to — *чему-л.*); з) предпи́сывать; и) *метал.* выса́живать, раско́вывать; ~ **forth** а) излага́ть, объясня́ть; б) отправля́ться; в) выставля́ть (*напоказ*); г) хвали́ть, рекомендова́ть; ~ **forward** а) продвига́ть; б) выдвига́ть (*предложение*); в) отправля́ться; ~ **in** начина́ться; наступа́ть; устана́вливаться; the tide ~ in на́чался прили́в; rain ~ in пошёл обложно́й дождь; установи́лась дождли́вая пого́да; ~ **off** а) отмеча́ть; размеча́ть; б) отправля́ть(ся); в) откла́дывать; г) уравнове́шивать; д) противопоставля́ть; е) выделя́ть(ся); оттеня́ть; the frame ~s off the picture карти́на в э́той ра́ме выи́грывает; ж) пуска́ть (*ракету*); з) побуди́ть к *чему-л.*; to ~ off laughing рассмеши́ть; ~ **on** а) подстрека́ть; натра́вливать; б) напада́ть; в) навести́ (*на след*); ~ **out** а) выставля́ть напока́з; б) выставля́ть на прода́жу; в) излага́ть; г) отпра́виться, вы́ехать, вы́лететь; д) намерева́ться; ~ **over** ста́вить во главе́; ~ **to** а) вступа́ть в бой; б) бра́ться за (*работу, еду*); to ~ oneself to smth. принима́ться за что-л.; ~ **up** а) воздвига́ть; б) учрежда́ть; в) нача́ть *или* помо́чь нача́ть предприя́тие; г) возвы́сить(ся) (*над кем-л.*); д) причиня́ть (*боль и т. п.*); е) снабжа́ть, обеспе́чивать (in, with — *чем-л.*); ж) поднима́ть (*шум*); з) выдвига́ть (*теорию*); и) восстана́вливать си́лы, оживля́ть; к) *полигр.* набира́ть; л) *воен.* развёртывать(ся) (*о полевом учреждении*); ~ **up for** выдава́ть себя́ за *кого-л.*; he ~s up for a scholar он претенду́ет на учёность; ~ **upon** = ~ on; ~ **with** усы́пать (*блёстками, цветами и т. п.*); ◇ to ~ **by the ears** поссо́рить; to ~ one's face (*или* oneself) against (a proposal *etc.*) реши́тельно воспроти́виться (приня́тию предложе́ния *и т. п.*); to ~ one's face like a flint приня́ть твёрдое реше́ние, быть непрекло́нным; to ~ on foot пусти́ть в ход, нача́ть, организова́ть; to ~ smb. on his feet поста́вить кого́-л. на́ ноги; помо́чь кому́-л. в дела́х; to ~ one's heart (*или* mind) on smth. стра́стно жела́ть чего́-л.; стреми́ться к чему́-л.; to ~ one's hopes on smb., smth. возла-

га́ть наде́жды на кого́-л., что-л.; to ~ one's life on a chance рискова́ть жи́знью; to ~ one's cap at smb. добива́ться чьей-л. благоскло́нности; to ~ much by smth., to ~ store by smth. (высоко́) цени́ть что-л.; to ~ little by smth. быть невысо́кого мне́ния о чём-л.; to ~ at defiance, to ~ at naught (*или* nought) пренебрега́ть, не счита́ться; ни во что́ не ста́вить; to ~ eyes on a) уви́деть; б) уста́виться на.

set II [set] *n* 1) набо́р, компле́кт, гарниту́р; ~ of teeth ряд зубо́в; ~ of drawing instruments готова́льня; ~ of studs гарниту́р за́понок; ~ of fire-irons ками́нный прибо́р; 2) ряд, се́рия; систе́ма; ~ of lectures цикл ле́кций; 3) гру́ппа, компа́ния; круг (*лиц*); the literary ~ литерату́рные круги́; the racing ~ завсегда́таи ска́чек; 4) *театр.* декора́ция; 5) сет (*в теннисе*); 6) *тех.* прибо́р, аппара́т; устано́вка, агрега́т; 7) радиоприёмник, радиоаппара́т.

seta ['si:tə] *n* (*pl* -tae) *бот., зоол.* щети́н(к)а.

setaceous [sɪ'teɪʃəs] *a бот., зоол.* щети́нистый.

setae ['si:ti:] *pl от* seta.

set-back ['setbæk] *n* заде́ржка (*развития и т. п.*); регре́сс; препя́тствие.

set-down ['set'daun] *n* 1) отпо́р; ре́зкий отка́з; 2) упрёк, вы́говор.

set-off ['set'ɔf] *n* 1) украше́ние; 2) контра́ст; противопоставле́ние, противове́с; 3) *стр.* усту́п, вы́ступ.

setose ['si:tous] = setaceous.

set-out [set'aut] *n* 1) нача́ло; at the first ~ в са́мом нача́ле; 2) вы́ставка; витри́на.

set screw ['set'skru:] *n тех.* устано́вочный винт.

set square ['set'skwɛə] *n* уго́льник.

sett [set] *n* брусча́тка, ка́менная ша́шка.

settee [se'ti:] *n* небольшо́й дива́н.

setter ['setə] *n* 1) се́ттер (*собака*); 2) разво́дка (*для пилы*); 3) прибо́р для устано́вки; 4) *воен.* устано́вщик.

setterwort ['setəwə:t] *n бот.* моро́зник воню́чий.

setting ['setɪŋ] **1.** *pres. p. от* set I, 3; **2.** *n* 1) окружа́ющая обстано́вка, окруже́ние; 2) декора́ции и костю́мы; худо́жественное оформле́ние (*спектакля*); 3) опра́ва (*камня*); 4) му́зыка на слова́ (*стихотворения*); 5) сочине́ние му́зыки на слова́ (*стихотворения*); 6) захо́д (*солнца*); 7) кла́дка (*каменная*); 8) сгуще́ние, затверде́ва́ние, застыва́ние; схва́тывание (*цемента*); 9) регули́рование, устано́вка; пуск в ход; 10) *тех.* са́дка, загру́зка.

setting-rule ['setɪŋru:l] *n полигр.* набо́рная лине́йка.

setting-stick ['setɪŋstɪk] *n полигр.* верста́тка.

setting-up ['setɪŋ'ʌp] *n тех.* сбо́рка, монта́ж.

settle I ['setl] *n* скамья́ (-ларь).

settle II ['setl] *v* 1) посели́ть(ся), водвори́ть(ся), обоснова́ться (*тж.* ~ down); 2) регули́ровать(ся); приводи́ть(ся) в поря́док; ула́живать(ся); устана́вливать(ся);

to ~ one's affairs a) устро́ить свои́ дела́; б) соста́вить завеща́ние; to ~ one's feet in the stirrups вдева́ть но́ги в стремена́; things will soon ~ into shape положе́ние ско́ро определи́тся; 3) успока́ивать(ся) (*тж.* ~ down); 4) уса́живать(ся); to ~ an invalid among the pillows усади́ть больно́го в поду́шках; 5) бра́ться за определё́нное де́ло (*часто* ~ down); 6) реша́ть, назнача́ть, определя́ть; приходи́ть *или* приводи́ть к реше́нию; to ~ smb.'s doubts разреши́ть чьи-л. сомне́ния; that ~s the matter (*или* the question) вопро́с исче́рпан; to ~ the day определи́ть срок, назна́чить день; 7) заселя́ть, колонизова́ть; 8) отста́иваться; осажда́ться, дава́ть оса́док; 9) оседа́ть, опуска́ться ко дну; 10) дава́ть отстоя́ться; очища́ть от му́ти; 11) разде́лываться; to ~ smb.'s hash разде́латься с кем-л., уби́ть кого́-л.; погуби́ть кого́-л.; 12) опла́чивать (*счёт*); распла́чиваться; to ~ an old score свести́ ста́рые счёты; 13) *юр.* закрепля́ть (*за кем-л.*); завеща́ть; to ~ an annuity on smb. назна́чить ежего́дную ре́нту кому́-л.; □ ~ down а) посели́ть(ся), обоснова́ться; б) успоко́иться; в) устро́иться, привы́кнуть к окружа́ющей обстано́вке; to ~ down to married life обзавести́сь семьёй; г) приступа́ть (*к чему́-л.*); бра́ться (*за что-л.*); ~ in всели́ть(ся).

settled ['setld] 1. *p.p. от* settle II;
2. *a* 1) усто́йчивый; 2) определё́нный, постоя́нный; 3) осе́длый; 4) споко́йный, уравнове́шенный.

settlement ['setlmənt] *n* 1) поселе́ние, коло́ния; 2) *ист.* се́ттльмент (*европейский квартал в некоторых городах стран Востока*); 3) упла́та, расчё́т; 4) оса́дка (*грунта*); оседа́ние; 5) урегули́рование; реше́ние; to tear up the ~ порва́ть, нару́шить соглаше́ние; 6) да́рственная за́пись; Act of S. зако́н о престолонасле́дии в А́нглии (*1701 г.*); 7) небольшо́й посёлок, гру́ппа домо́в.

settler ['setlə] *n* 1) поселе́нец; 2) *sl.* реша́ющий до́вод; реша́ющий уда́р; 3) *тех.* отсто́йник; сепара́тор.

settling ['setliŋ] 1. *pres.p. от* settle II;
2. *n* 1) оса́дка, оседа́ние; 2) осажде́ние; 3) (*обыкн. pl*) оса́док, налё́т; 4) стабилиза́ция.

settling-day ['setliŋdei] *n* расчё́тный день (*на бирже*).

set-to ['set'tu:] *n* (*pl* -tos, -to's [-tu:z]) *разг.* кула́чный бой; схва́тка.

set-up ['setʌp] 1. *n* 1) оса́нка; 2) = setting-up; 3) организа́ция, устро́йство; структу́ра, положе́ние; 4) *разг.* соревнова́ние, исхо́д кото́рого соверше́нно я́сен (*т. к. силы участников не равны*); 5) *разг.* что-л. о́чень лё́гкое;
2. *a* 1) сложё́нный (*о человеке*); a well ~ figure стро́йная фигу́ра; 2) весё́лый; навеселе́.

seven ['sevn] 1. *num. card.* семь;
2. *n* 1) семё́рка; 2) *pl* седьмо́й но́мер (*размер перчаток и т. п.*).

sevenfold ['sevnfould] 1. *a* семикра́тный;

2. *adv* в семь раз (бо́льше).

seven-league ['sevn'li:g] *a:* ~ strides ≅ семими́льные шаги́.

seventeen ['sevn'ti:n] *num. card.* семна́дцать.

seventeenth ['sevn'ti:nθ] 1. *num. ord.* семна́дцатый;
2. *n* 1) семна́дцатая часть; 2) (the ~) семна́дцатое число́.

seventh ['sevnθ] 1. *num. ord.* седьмо́й;
2. *n* 1) седьма́я часть; 2) (the ~) седьмо́е число́.

seventies ['sevntiz] *n pl* 1) (the ~) семидеся́тые го́ды; 2) седьмо́й деся́ток (*возраст между 69 и 80 годами*).

seventieth ['sevntiiθ] 1. *num. ord.* семидеся́тый;
2. *n* семидеся́тая часть.

seventy ['sevnti] 1. *num. card.* се́мьдесят; ~-one се́мьдесят оди́н, ~-two се́мьдесят два *и т. п.*; he is over ~ ему́ за се́мьдесят;
2. *n* се́мьдесят (*единиц, штук*).

sever ['sevə] *v* 1) разъединя́ть, отделя́ть, разлуча́ть; to ~ a friendship порва́ть дру́жбу; to ~ oneself from отдели́ться, отколо́ться от; 2) рва́ть(ся); перереза́ть; отруба́ть, отка́лывать.

several I ['sevrəl] *pron. indef.* 1. *как прил.* не́сколько; ~ people не́сколько челове́к; the ~ members of the Board отде́льные чле́ны правле́ния;
2. *как сущ.* не́сколько, не́которое коли́чество; ~ of you не́которые из вас.

several II ['sevrəl] *a* отде́льный, со́бственный, свой, индивидуа́льный; each has his ~ ideal у ка́ждого свой идеа́л; they went their ~ ways ка́ждый из них пошё́л свое́й доро́гой; collective and ~ responsibility солида́рная и ли́чная отве́тственность.

severally ['sevrəli] *adv* в отде́льности.

severance ['sevərəns] *n* 1) отделе́ние, разделе́ние, разры́в; 2) *attr.:* ~ pay выходно́е посо́бие.

severe [si'viə] *a* 1) стро́гий, суро́вый; ~ punishment суро́вое наказа́ние; to be ~ with относи́ться со стро́гостью к; to be ~ uроn критикова́ть, брани́ть; 2) жесто́кий, тяжё́лый (*о болезни, утрате и т. п.*); ~ loss кру́пный убы́ток; 3) ре́зкий, си́льный; ~ storm си́льный шторм; ~ weather суро́вая пого́да; ~ headache си́льная головна́я боль; ~ competition жесто́кая конку́ренция; 4) стро́гий, просто́й, сжа́тый (*о стиле, манерах, одежде и т. п.*); ~ pattern незате́йливый узо́р; 5) е́дкий, сарка́сти́ческий; 6) тру́дный; ~ test тяжё́лое испыта́ние.

severely [si'viəli] *adv* стро́го и пр. [*см.* severe]; to leave (*или* to let) ~ alone оста́вить без внима́ния в знак неодобре́ния; *шутл.* оста́вить в поко́е (*что-л. трудное*).

severity [si'veriti] *n* стро́гость, суро́вость; жесто́кость.

Sèvres [seivr] *n* се́врский фарфо́р.

sew I [sou] *v* (sewed [-d]; sewed, sewn) шить, сшива́ть, зашива́ть, пришива́ть; □ ~ down пришива́ть; ~ in вшива́ть; to ~ in a patch наложи́ть запла́тку; ~ on = ~ down; ~ together сшива́ть; ~ up а) заши-

вать; б) *разг.* полностью контролировать;
◇ ~ed up *sl.* а) пьяный; б) измученный.

sew II [sju:] *v* 1) осушать (*пруд*), спускать (*воду*); 2): to be ~ed up *мор.* стоять на мели.

sewage ['sju:ɪdʒ] 1. *n* сточные воды; 2. *v* орошать, удобрять сточными водами.

sewage-farm ['sju:ɪdʒfɑ:m] *n* поля орошения.

sewer I ['souə] *n* швец; швея.

sewer II ['sjuə] 1. *n* коллектор, канализационная труба; сточная труба; 2. *v* канализировать.

sewer III ['sjuə] *n ист.* мажордом.

sewerage ['sjuərɪdʒ] *n* канализация.

sewing-cotton ['souɪŋ,kɔtn] *n* бумажная нитка.

sewing kit ['souɪŋ'kɪt] *n воен.* пакет с принадлежностями для мелкого ремонта одежды.

sewing-machine ['souɪŋmə,ʃi:n] *n* швейная машина.

sewing silk ['souɪŋ'sɪlk] *n* крученые шелковые нитки.

sewn [soun] *p.p. от* sew I.

sex [seks] *n биол.* 1) пол; the ~ *шутл.* женщины; the sterner (*или* stronger) ~ мужчины; 2) *attr.* половой; ~ instinct половой инстинкт; ~ intergrade гермафродит.

sexagenarian [,seksədʒɪ'nɛərɪən] 1. *a* шестидесятилетний (*в возрасте между 59 и 70 годами*); 2. *n* человек в возрасте между 59 и 70 годами.

sexagenary [sek'sædʒɪnərɪ] 1. *a* 1) относящийся к шестидесяти; образующий шестьдесят; ~ cycle шестидесятилетний *или* шестидесятидневный период; 2) = sexagenarian 1; 2. *n* = sexagenarian 2.

sexagesimal [,seksə'dʒesɪməl] 1. *a* шестидесятый; 2. *n* шестидесятая часть.

sex appeal ['seksə'pi:l] *n* физическая привлекательность.

sexennial [seks'enɪəl] *a* шестилетний; происходящий каждые шесть лет.

sexiness ['seksɪnɪs] *n* чувственность.

sexless ['sekslɪs] *a* 1) бесполый; 2) холодный в сексуальном отношении.

sextain ['sekstein] *n прос.* строфа из шести строк.

sextan ['sekstən] 1. *a* происходящий на шестой день; шестидневный; 2. *n* шестидневная лихорадка.

sextant ['sekstənt] *n* 1) секстант; 2) шестая часть окружности.

sextet(te) [seks'tet] *n муз.* секстет.

sexto ['sekstou] *n* (*pl* -os [-ouz]) формат книги в ¹/₆ долю листа.

sextodecimo ['sekstou'desɪmou] *n* (*pl* -os [-ouz]) формат книги в ¹/₁₆ долю листа.

sexton ['sekstən] *n* церковный сторож; пономарь; могильщик.

sextuple ['sekstjupl] *a* шестикратный.

sexual ['seksjuəl] *a* половой, сексуальный.

Seym [seɪm] *польск. n* сейм.

sgraffito [zgrɑ:'fi:tou] *ит. n* архит. сграффито.

shabby ['ʃæbɪ] *a* 1) потёртый, потрёпанный; поношенный; 2) обносившийся; 3) запущенный, захудалый, убогий (*о доме и т. п.*); 4) жалкий; ничтожный; 5) низкий, подлый; ~ treatment гнусное обращение.

shabby-genteel ['ʃæbɪdʒen'ti:l] *a* старающийся замаскировать бедность.

shabrack ['ʃæbræk] *n* чепрак.

shack I [ʃæk] *n* 1) лачуга, хижина; 2) будка.

shack II [ʃæk] 1. *n диал.* падалица (опавшие жёлуди, орехи; осыпавшееся зерно из колосьев *и т. п.*); 2. *v* падать, выпадать.

shack III [ʃæk] *n* отбросы улова рыбы, употребляемые для приманки.

shack IV [ʃæk] *v амер. разг.* перехватить, отбить (*мяч и т. п.*).

shack V [ʃæk] 1. *n* бродяга; 2. *v* скитаться, бродяжничать.

shackle ['ʃækl] 1. *n* 1) (*обыкн. pl*) кандалы; 2) *pl* оковы, узы; 3) *тех.* хомут(ик); карабин; вертлюг; соединительная скоба; 2. *v* 1) заковывать в кандалы; 2) мешать, стеснять; сковывать; 3) сцеплять, соединять.

shad [ʃæd] *n* шэд (*западноевропейская сельдь*).

shadberry ['ʃædbərɪ] *n бот.* ирга.

shaddock ['ʃædək] *n бот.* грейпфрут, пампельмус.

shade [ʃeɪd] 1. *n* 1) тень; полумрак; light and ~ *жив.* свет и тени (*тж. перен.*); to throw (*или* to cast, to put) into the ~ затмевать; 2) тень, намёк; оттенок, нюанс; незначительное отличие; silks in all ~s of blue шёлковые нитки всех оттенков синего цвета; people of all ~s of opinion люди всевозможных убеждений; a ~ better чуть-чуть лучше; there is not a ~ of doubt нет и тени сомнения; the shadow of a ~ нечто совершенно нереальное; 3) *миф., поэт.* бесплотный дух; тень умершего; among the ~s в царстве теней; 4) экран, щит; абажур; стеклянный колпак; 5) маркиза, полотняный навес над витриной магазина; 6) *амер.* штора; 7) защитное стекло (*на опт. приборе*); бленда; 8) тень, прохлада; in the ~ of a tree в тени дерева; 2. *v* 1) заслонять от света; затенять; 2) омрачать, отуманивать; 3) штриховать, тушевать; 4) незаметно переходить (*into* — в *другой цвет*); незаметно исчезать (*обыкн.* ~ away, ~ off); смягчать (*обыкн.* ~ away, ~ down); 5) *амер.* слегка понижать (*цену*).

shadoof [ʃə'du:f] *араб. n* колодец.

shadow ['ʃædou] 1. *n* 1) тень; to cast a ~ отбрасывать *или* бросать тень; to be afraid of one's own ~ бояться собственной тени; to live in the ~ оставаться в тени; the ~s of evening ночные тени; 2) тень, полумрак; her face was in deep ~ лицо её скрывалось в глубокой тени; to sit in the ~ сидеть в полумраке, не зажигая огня; 3) тот, кто следует по пятам *или* следит тайно; he is his mother's ~ он как тень ходит за матерью; 4) призрак; to catch a ~ гоняться за призраками, мечтать о несбыточном; a ~ of death призрак смерти; he is a mere ~

of his former self от него осталась одна тень; 5) тень, намёк; there is not a ~ of doubt нет ни малейшего сомнения; 6) сень, защита.

2. *v* 1) *поэт.* осенять, затенять; 2) излагать туманно *или* аллегорически (*обыкн.* ~ forth, ~ out); 3) следовать по пятам; следить тайно.

shadow-boxing ['ʃædou‚bɔksıŋ] *n* 1) *спорт.* тренировочный бой с воображаемым противником (*в боксе*); 2) показная борьба, видимость борьбы.

shadow cabinet ['ʃædou'kæbınıt] *n полит.* «теневой кабинет» (*состав кабинета министров, намечаемый лидерами оппозиции*).

shadow factory ['ʃædou'fæktərı] *n* предприятие, построенное на случай войны и временно законсервированное.

shadowgraph ['ʃædougrɑ:f] *n* рентгеновский снимок.

shadow pantomime ['ʃædou'pæntəmaım] *n театр.* представление театра теней (*тж.* shadow play).

shadowy ['ʃædouı] *a* 1) призрачный; 2) смутный, неясный; ~ past туманное прошлое; 3) тенистый, тёмный; 4) мрачный.

shady ['ʃeıdı] *a* 1) тенистый; 2)· сомнительный; ~ transaction тёмное дело; 3) плохой; ~ egg несвежее яйцо; ◇ on the ~ side of forty (fifty *etc.*) за сорок (пятьдесят *и т. д.*) лет.

shaft [ʃɑːft] *n* 1) древко (*копья*); 2) *поэт.* копьё; стрела (*тж. перен.*); ~s of satire стрелы сатиры; 3) ручка, рукоятка; черенок; 4) луч (*света*); 5) вспышка молнии; 6) ствол, стебель; 7) колонна; стержень колонны; столб; 8) шпиль, шпиц; 9) дышло, оглобля; 10) печная труба; 11) *горн.* шахта, ствол шахты; 12) *тех.* вал, ось, шпиндель.

shaft furnace ['ʃɑːft'fɜːnıs] *n тех.* шахтная печь.

shaft-horse ['ʃɑːfthɔːs] *n* коренная лошадь, коренник.

shafting ['ʃɑːftıŋ] *n тех.* трансмиссионная передача; приводные валы.

shag I [ʃæg] *n* 1) лохматая шевелюра; 2) *уст.* жёсткая мохнатая шерсть; 3) махорка.

shag II [ʃæg] *n зоол.* баклан хохлатый *или* длинноносый.

shagged ['ʃægıd] *a* 1) косматый; 2) шершавый; 3) *разг.* измученный.

shaggy ['ʃægı] *a* 1) косматый, лохматый; 2) волосатый· 3) шершавый.

shag-haired ['ʃæg'hɛəd] *a* косматый.

shagreen [ʃæ'griːn] *n* шагрень.

shah [ʃɑː] *перс. n* шах.

shake [ʃeık] **1.** *n* 1) встряска; 2) *разг.* толчок, потрясение, шок; 3) кивок; with a ~ of the head кивнув головой; 4) рукопожатие; 5) дрожь; all of a ~ дрожа; 6): the ~s *разг.* а) лихорадка, озноб; б) страх; to give smb. the ~s нагнать на кого-л. страху; 7) трещина; щель; 8) *разг.* мгновение; in a brace of ~s, in two ~s в один миг; 9) *лес.* ветреница; морозобоина; 10) *муз.* трель; ◇ no great ~s неважный, нестоящий.

2. *v* (shook; shaken) 1) трясти(сь); встряхивать; сотрясать(ся); качать(ся);

to ~ hands пожать руки друг другу; обменяться рукопожатием; to ~ smb. by the hand пожать руку кому-л.; to ~ oneself free from smth. стряхнуть с себя что-л.; to ~ one's head покачать головой (*в знак неодобрения или отрицания*); to ~ one's sides трястись от смеха; to ~ dice встряхивать кости в руке (*перед тем, как бросить*); 2) дрожать; to ~ with fear (cold) дрожать от страха (холода); 3) потрясать, волновать; 4) поколебать, ослабить; □ ~ down а) стряхивать (*плоды с дерева*); б) разрушать (*дом*); в) постилать (*на полу-солому, одеяло и т. п.*); г) утрясать(ся); д) освоиться; сжиться; е) вымогать (деньги); заставить раскошелиться; ~ off а) стряхивать (*пыль*); to ~ off the dust from one's feet отрясти прах от ног своих; б) избавляться; ~ out а) вытряхивать; to ~ smth. out of one's head выбросить что-л. из головы; отмахнуться от неприятной мысли о чём-л.; б) развёртывать (*парус, флаг*); в): to ~ out into a fighting formation *воен.* развернуться в боевой порядок; ~ up а) встряхивать; б) *перен.* расшевелить; в) *sl.* разругать; ◇ to ~ in one's shoes дрожать от страха; to ~ a leg *разг.* танцевать; ~ a leg! живей!, живей поворачивайся!; to ~ the plum-tree *амер. разг.* раздавать должности.

shakedown ['ʃeık'daun] *n* 1) импровизированная постель (*из соломы и т. п.*); 2) *амер.* вымогание (*денег*); 3) *attr. мор.*: ~ cruise первый рейс, пробное плавание.

shaken ['ʃeıkən] *p.p. om* shake 2.

shaker ['ʃeıkə] *n* 1) (S.) шейкер (*член американской религиозной секты*); 2) *тех.* качающийся грохот; 3) сосуд для приготовления коктейля.

Shakespearian [ʃeıks'pıərıən] *a* шекспировский; ~ scholar шекспировед, шекспиролог.

shake-up ['ʃeık'ʌp] *n амер.* 1) встряска; 2) перемещение должностных лиц; чистка государственного аппарата.

shako ['ʃækou] *n* (*pl* -os [-ouz]) *воен.* кивер.

shaky ['ʃeıkı] *a* 1) шаткий, нетвёрдый; to feel ~ чувствовать себя плохо, неуверенно; to be ~ on one's pins нетвёрдо держаться на ногах; 2) трясущийся; 3) трякий; 4) ненадёжный, сомнительный; 5) дрожащий, вибрирующий; 6) треснувший, растрескавшийся (*о дереве или минерале*).

shale [ʃeıl] *n мин.* (глинистый) сланец, сланцеватая глина.

shale-gas ['ʃeıl'gæs] *n* промышленный газ из сланцев.

shale-oil ['ʃeıl'ɔıl] *n* сланцевое масло; нефть из сланцев.

shall [ʃæl (*полная форма*); ʃəl, ʃl (*редуцированные формы*)] *v* (should) 1) вспомогательный глагол; служит для образования будущего времени в 1 л. ед. и мн. ч.: 1 ~ go я пойду; 2) модальный глагол; выражает намерение, уверенность, приказание во 2 и 3 л. ед. и мн. ч.: you ~ not catch me again я вам не дам себя поймать снова; he ~ be told about it ему непременно скажут об этом.

shalloon [ʃə'luːn] *n* лёгкая шерстяная материя.

shallop ['ʃæləp] *n поэт.* лодка, ладья.

shallot [ʃə'lɔt] *n бот.* шалот (*лук*).

shallow ['ʃælou] 1. *a* 1) мелкий; ~ draft *мор.* небольшая осадка; 2) поверхностный, пустой; ~ mind поверхностный, неглубокий ум;
2. *n* мелкое место, мель; отмель;
3. *v* 1) мелеть; 2) уменьшать глубину.

shalt [ʃælt] *уст. 2-е л. ед. ч. настоящего времени гл.* shall.

sham [ʃæm] 1. *n* 1) притворство; 2) обман, мошенничество; 3) подделка; 4) притворщик, симулянт; 5) обманщик; мошенник;
2. *a* 1) притворный; 2) поддельный; ~ diamond поддельный брильянт; 3) бутафорский; ~ fight, *амер.* ~ battle показной, учебный бой; 4) притворяющийся, прикидывающийся; ~ doctor врач-шарлатан;
3. *v* притворяться, прикидываться, симулировать; to ~ illness, to ~ Abraham притворяться больным, симулировать.

shaman ['ʃæmən] *n* шаман.

shamble I ['ʃæmbl] 1. *n* неуклюжая походка;
2. *v* волочить ноги, тащиться.

shamble II ['ʃæmbl] *n* 1) прилавок, стойка мясника на рынке; 2) *pl* мясной рынок; мясные ряды; 3) *pl* (*часто употр. как sing*) бойня (*тж. перен.*).

shame [ʃeɪm] 1. *n* 1) стыд; ~!, for ~!, fie, for ~! стыдно!; ~ on you! как вам не стыдно!; to think ~ to do smth. постыдиться сделать что-л.; 2) позор; to put to ~ посрамить; to bring to ~ опозорить; to bring ~ to smb. покрыть позором кого-л.; 3) досада; неприятность; it is a ~ he is so clumsy жаль, что он так неловок; what a ~ you can't come earlier какая досада, что вы не можете прийти пораньше;
2. *v* 1) стыдить; пристыдить; 2) посрамить; позорить; 3) *уст.* стыдиться; ◇ (to tell the truth and) ~ the devil сказать всю правду.

shamefaced ['ʃeɪm,feɪst] *a* 1) застенчивый, робкий; стыдливый; 2) *поэт.* скромный, незаметный (*о цветке и т. п.*).

shameful ['ʃeɪmful] *a* позорный; скандальный.

shameless ['ʃeɪmlɪs] *a* бесстыдный.

shammer ['ʃæmə] *n* притворщик, симулянт.

shammy ['ʃæmɪ] *n* замша.

shammy-leather ['ʃæmɪ,leðə] = shammy.

shampoo [ʃæm'puː] 1. *n* 1) мытьё головы; 2) шампунь, жидкое мыло;
2. *v* (shampooed [-d], shampoo'd [-d]) 1) мыть (*голову*); 2) массировать.

shamrock ['ʃæmrɔk] *n* 1) *бот.* кислица обыкновенная; 2) *бот.* клевер сомнительный; 3) трилистник (*эмблема Ирландии*).

shandrydan ['ʃændrɪdæn] *n шутл.* ветхая колымага.

shandy(gaff) ['ʃændɪ(gæf)] *n* смесь простого пива с имбирным.

shanghai [ʃæŋ'haɪ] *v sl.* 1) опоив, отправить матросом в плавание; 2) добиться (*чего-л.*) нечестным путём *или* принуждением.

Shangri-La ['ʃæŋgrɪ'lɑː] *n* 1) райский уголок; 2) секретная военно-воздушная база.

shank [ʃæŋk] 1. *n* 1) голень; 2) нога; 3) плюсна; 4) узкая часть подошвы между каблуком и стопой; 5) стержень; ствол; 6) черенок, хвостовик (*инструмента*); 7) трубка (*ключа*); 8) веретено (*якоря*); 9) накидная петля для пуговицы; 10) *амер. разг.* остаток; оставшаяся часть; the ~ of the evening конец вечера; ◇ on Shanks's mare (*или* pony) на своих на двоих, пешком;
2. *v* 1) улепётывать, пуститься бежать (*тж.* ~ it); 2) опадать (*обыкн.* ~ off).

shan't [ʃɑːnt] *сокр. разг.* = shall not.

shantung [ʃæn'tʌŋ] *n текст.* род чесучи из шёлка-сырца.

shanty I ['ʃæntɪ] *n* 1) хибарка, лачуга; 2) *attr.* жалкий; грязный.

shanty II ['ʃæntɪ] *n* хоровая рабочая песнь матросов.

shape [ʃeɪp] 1. *n* 1) форма, очертание; вид; образ; to get one's ideas into ~ привести в порядок свои мысли; in the ~ of smth. в форме чего-л.; a reward in the ~ of a sum of money награда в виде суммы денег; spherical in ~ сферический по форме; in no ~ or form в каком бы ни было виде; to put into ~ а) придавать форму; б) приводить в порядок; to take ~ принять определённую форму, воплотиться; 2) призрак; 3) *разг.* состояние, положение; in bad ~ в плохом состоянии; in any ~ во всяком случае; 4) образец, модель, шаблон; 5) форма (*утварь*); 6) торт, желе, вынутые из формы; 7) профиль;
2. *v* 1) создавать, делать (*из чего-л.*); 2) придавать форму, формировать; делать по какому-л. образцу; to ~ into a ball придавать форму шара; to ~ one's course устанавливать курс; брать курс; 3) принимать форму, вид; получаться; to ~ well складываться удачно; 4) приспосабливать (to); 5) *уст.* кроить.

shaped [ʃeɪpt] 1. *p. p. от* shape 2;
2. *a* имеющий определённую форму; ~ like a pear грушевидный.

-shaped [-ʃeɪpt] *в сложных словах означает* имеющий *такую-то* форму; *напр.*: cone--shaped конусообразный.

shapeless ['ʃeɪplɪs] *a* бесформенный.

shapely ['ʃeɪplɪ] *a* 1) хорошо сложённый; 2) приятной формы.

shapen ['ʃeɪpən] *уст. p. p. от* shape 2.

shaping ['ʃeɪpɪŋ] 1. *pres. p. от* shape 2. 2. *n* 1) придание формы; 2) *тех.* пластическая обработка, обработка давлением.

shaping-machine ['ʃeɪpɪŋmə,ʃiːn] *n* поперечно-строгальный станок; шепинг.

shard [ʃɑːd] *n* 1) *уст.* черепок; 2) надкрылье (*жука*).

share I [ʃeə] 1. *n* 1) доля, часть; he has a large ~ of self-esteem у него очень развито чувство собственного достоинства; to go ~s делиться поровну; 2) участие; he does more than his ~ of the work он делает больше, чем должен (*или* чем от него требуется); 2) акция; пай; on ~s на паях; preferred ~s привилегиро́ванные а́кции; ◇ ~ and ~ alike на ра́вных права́х; ~s! чур, по́ровну!;

2. *v* дели́ть(ся), разделя́ть; уча́ствовать; быть па́йщиком; to ~ profits and losses уча́ствовать в при́былях и убы́тках; to ~ a room with smb. жить в одно́й ко́мнате с кем-л.; ☐ ~ out раздава́ть.

share II [ʃɛə] *n* ле́мех, сошни́к (*плуга*).

share bone [ˈʃɛəˈboun] *n* анат. лобко́вая кость.

sharecropper [ˈʃɛəˌkrɔpə] *n* амер. испо́льщик; издо́льщик.

shareholder [ˈʃɛəˌhouldə] *n* акционе́р; па́йщик.

share-list [ˈʃɛəlist] *n* 1) фо́ндовая курсова́я табли́ца; 2) спи́сок а́кций.

share-out [ˈʃɛəraut] *n* распределе́ние дивиде́нда.

sharepusher [ˈʃɛəˌpuʃə] *n* ма́клер, занима́ющийся распростране́нием ненадёжных а́кций.

shark [ʃɑːk] 1. *n* 1) аку́ла; 2) вымога́тель; моше́нник; шу́лер; 3) амер. sl. блестя́щий знато́к (*чего-л.*);

2. *v* 1) пожира́ть; 2) моше́нничать; вымога́ть.

shark-oil [ˈʃɑːkɔil] *n* ры́бий жир, добыва́емый из пе́чени аку́лы.

sharkskin [ˈʃɑːkskin] *n* 1) аку́лья ко́жа; 2) гла́дкая блестя́щая ткань из иску́сственного шёлка.

sharny [ˈʃɑːni] *a* диал. наво́зный; ~ peat брике́т из наво́за, сме́шанного с у́глем.

sharp [ʃɑːp] 1. *a* 1) о́стрый; остроконе́чный, отто́ченный; 2) определённый, отчётливый (*о различии, очертании и т. п.*); 3) круто́й (*о повороте, подъёме и т. п.*); 4) е́дкий, ки́слый (*о вкусе*); 5) ре́зкий (*о боли, звуке, ветре*); пронзи́тельный; ~ frost си́льный моро́з; 6) о́стрый, то́нкий (*о зрении, слухе и т. п.*); 7) ко́лкий (*о замеча́ниях, слова́х*); раздражи́тельный (*о хара́ктере*); to have ~ words with smb. кру́пно поговори́ть с кем-л.; 8) жесто́кий (*о борьбе́*); 9) о́стрый, проница́тельный, наблюда́тельный; as ~ as a needle о́чень у́мный, проница́тельный; 10) продувно́й, хи́трый; недобросо́вестный; he was too ~ for me он меня́ перехитри́л; ~ practice моше́нничество; 11) бы́стрый, энерги́чный; ~ work горя́чая рабо́та; 12) муз. сли́шком высо́кий; име́ющий дие́з; ◇ ~'s the word! живе́й!;

2. *n* 1) ре́зкий, пронзи́тельный звук; 2) муз. дие́з; ~s and flats дие́зы и бемо́ли; 3) дли́нная то́нкая шве́йная игла́; 4) дуэ́льная рапи́ра; 5) pl дуэ́ль; 6) разг. жу́лик; 7) амер. шутл. знато́к; 8) pl с.-х. вы́севки, ме́лкие о́труби;

3. *adv* 1) то́чно, ро́вно; at six o'clock ~ ро́вно в 6 часо́в; 2) кру́то; to turn ~ round кру́то поверну́ться; 3) муз. в сли́шком высо́ком то́не; ◇ look ~! а) живе́й!; б) смотри́(те) в о́ба!;

4. *v* плутова́ть.

sharp-cut [ˈʃɑːpˈkʌt] *a* 1) отто́ченный, о́стрый; 2) отчётливый, отто́ченный (*о выраже́нии, формулиро́вке*).

sharpen [ˈʃɑːpən] *v* 1) точи́ть, заостря́ть; 2) обостря́ть.

sharper [ˈʃɑːpə] *n* 1) шу́лер; жу́лик; 2) жа́дный (*до чего-л.*) челове́к.

sharp-eyed [ˈʃɑːpˈaid] *a* облада́ющий о́стрым зре́нием.

sharp-ground [ˈʃɑːpˈgraund] *a* остроотто́ченный.

sharp-set [ˈʃɑːpˈset] *a* испы́тывающий о́стрый го́лод.

sharp-shooter [ˈʃɑːpˌʃuːtə] *n* ме́ткий стрело́к, сна́йпер.

shatter [ˈʃætə] 1. *v* 1) разби́ть(ся) вдре́безги; раздробля́ть; 2) расстра́ивать (*здоровье*); разруша́ть (*надежды*); to ~ confidence подорва́ть дове́рие;

2. *n* pl оско́лки.

shatter-brain [ˈʃætəbrein] = scatter-brain.

shave [ʃeiv] 1. *n* 1) бритьё; to have a ~ побри́ться; to get a close ~ чи́сто вы́бриться; 2): close (*или* near, narrow) ~ опа́сность, кото́рую с трудо́м удало́сь избежа́ть; he had a close ~ of it, he missed it by a close ~ он был на волоско́к от э́того; we won by a close ~ мы чуть не проигра́ли; 3) разг. обма́н, мистифика́ция; 4) стру́жка; 5) тех. ско́бель, струг;

2. *v* (shaved [-d]; shaved, shaven) 1) бри́ть(ся); 2) строга́ть; скобли́ть; 3) среза́ть, стричь; коси́ть; 4) почти́ заде́ть; we managed to ~ past нам удало́сь проскользну́ть, не заде́в; 5) sl. обира́ть.

shaveling [ˈʃeivliŋ] *n* уст. «бри́тый» (*прозвище като́лических мона́хов*).

shaven [ˈʃeivn] *p. p. om* shave 2.

shaver [ˈʃeivə] *n* 1) тот, кто бре́ет(ся); 2) моше́нник, плут; 3) разг. юне́ц, парене́к (*обыкн.* young ~).

shavetail [ˈʃeivteil] *n* 1) необъе́зженный мул; 2) воен. sl. (мла́дший) лейтена́нт (*тж.* ~ lieutenant).

Shavian [ˈʃeivjən] 1. *n* после́дователь, покло́нник Берна́рда Шо́у;

2. *a* в сти́ле, в мане́ре Шо́у; име́ющий отноше́ние к тво́рчеству *или* ли́чности Берна́рда Шо́у.

shaving [ˈʃeiviŋ] 1. *pres. p. om* shave 2;

2. *n* 1) бритьё; 2) pl стру́жка; 3) тех. шевингова́ние (*зу́бчатых колёс*); обре́зка (*зау́сенцев*).

shaving-brush [ˈʃeiviŋbrʌʃ] *n* ки́сточка для бритья́.

shaving-cream [ˈʃeiviŋkriːm] *n* крем для бритья́.

shaw [ʃɔː] *n* 1) поэт. за́росль, ро́ща; 2) шотл. ботва́.

shawl [ʃɔːl] 1. *n* шаль, плато́к;

2. *v* одева́ть плато́к, уку́тывать в шаль.

shawm [ʃɔːm] *n* средневеко́вый музыка́льный инструме́нт ти́па гобо́я.

shay [ʃei] *n* шутл., разг. фаэто́н.

she [ʃiː] 1. *pron. pers.* 1) она́ (*о существе́ же́нского по́ла, тж. о не́которых неодушевлённых предме́тах при персонифика́ции; косв. п.* her её *и т. п.*); косв. п. употр. *в разгово́рной ре́чи как имени́т. п.:* that's her э́то она́; 2) поэт. та (кото́рая); ~ of the golden hair та с золоти́стыми волоса́ми;

2. *n* же́нщина; the not impossible ~ бу́дущая избра́нница.

she- [ʃɪ-] *в сложных словах означает самку животного; напр.:* she-goat коза; she-wolf волчица.

shea [ʃɪə] *n бот.* сальное дерево (*тж.* shea tree).

sheading ['ʃɪːdɪŋ] *n* округ (*на о-ве Мэн*).

sheaf [ʃɪːf] **1.** *n* (*pl* sheaves) 1) сноп; вязанка; 2) пачка, связка; пучок; 3) *воен.* сноп траекторий; батарейный веер (*тж.* ~ of fire);
2. *v* вязать в снопы.

sheaf-binder ['ʃɪːf,baɪndə] *n* сноповязалка.

shear [ʃɪə] **1.** *n* 1) стрижка; 2) *pl* ножницы; 3) *тех.* сдвиг, срез, срезающее усилие; 4) *горн.* вертикальный вруб (*в забое*); 5) *pl* = shear-legs 1);
2. *v* (sheared [-d], *уст.* shore; shorn, sheared) 1) стричь (*обыкн. овец*); 2) резать; срезать; 3) обирать как липку; 4) лишать чего-л.; 5) *шотл., диал.* жать серпом; 6) *поэт.* рассекать, рубить; the sword shore its way меч проложил себе путь; 7) *горн.* делать вертикальный вруб.

-shear [-ʃɪə] *в сложных словах означает стриженный столько-то раз; напр.:* a two-shear ram двухлетний баран (*дважды стриженный*).

shear-hulk ['ʃɪəhʌlk] *n мор.* плашкоут с подъёмной стрелой.

shear-legs ['ʃɪəlegz] *n pl* 1) *мор.* временная стрела; 2) тренога.

shearling ['ʃɪəlɪŋ] *n* барашек после первой стрижки.

sheat-fish ['ʃɪːtfɪʃ] *n* сом.

sheath [ʃɪːθ; *pl* ʃɪːðz] *n* 1) ножны; 2) футляр; 3) *амер.* презерватив; 4) *анат.* оболочка; 5) *зоол.* надкрылье; 6) *тех.* обшивка.

sheathe [ʃɪːð] *v* 1) вкладывать в ножны, в футляр; to ~ the sword вложить меч в ножны; *перен.* кончить войну; 2) заключать в оболочку, защищать; 3) *тех.* обшивать.

sheave I [ʃɪːv] *n* 1) *тех.* шкив, блок, ролик; 2) шпуля, катушка; 3) *с.-х.* костра.

sheave II [ʃɪːv] = sheaf 2.

sheaves [ʃɪːvz] *pl от* sheaf 1.

shebang [ʃɪ'bæŋ] *n амер. sl.* 1) дом, жильё; 2) заведение, дело; 3) притон; публичный дом; 4) устройство, приспособление.

shebeen [ʃɪ'biːn] *ирл. n* кабак, где незаконно торгуют спиртными напитками.

shed I [ʃed] *v* (shed) 1) ронять, терять (*зубы, шерсть, волосы, листья*); сбрасывать (*одежду, кожу*); 2) проливать, лить (*слёзы, кровь*); 3) распространять; излучать, проливать (*свет, тепло и т. п.*).

shed II [ʃed] *n* 1) навес, сарай; 2) ангар; эллинг; гараж; депо; 3) *эл.* юбка (*изолятора*).

sheen [ʃɪːn] **1.** *n* 1) блеск, сияние; 2) блестящий, сверкающий наряд, одеяние;
2. *a уст.* красивый; блестящий;
3. *v уст.* блестеть.

sheeny ['ʃɪːnɪ] *a* 1) блестящий, сияющий; 2) имеющий лоск (*об одежде*).

sheep [ʃɪːp] *n* (*pl без измен.*) 1) овца; баран; to follow like ~ слепо следовать (*за кем-л.*); 2) робкий, застенчивый человек;

3) (*обыкн. pl*) паства (*часто шутл.*); 4) овчина; 5) шевро (*сорт кожи*); ◇ wolf in ~'s clothing волк в овечьей шкуре; the black ~ (of a family) выродок (в семье); to cast (*или* to make) ~'s eyes at smb. бросать влюблённые взгляды на кого-л.; as well to be hanged for a ~ as for a lamb ≅ семь бед — один ответ.

sheep-cote ['ʃɪːpkout] *уст.* = sheep-fold.

sheep-dog ['ʃɪːpdɔg] *n* овчарка.

sheep-faced ['ʃɪːp'feɪst] *a* робкий, застенчивый.

sheep-fold ['ʃɪːpfould] *n* загон для овец, овчарня.

sheep-hook ['ʃɪːphuk] *n* пастушеский посох.

sheepish ['ʃɪːpɪʃ] *a* 1) робкий, застенчивый; 2) глуповатый.

sheepman ['ʃɪːpmæn] *n амер.* овцевод.

sheep-run ['ʃɪːprʌn] *n* овечье пастбище.

sheepshank ['ʃɪːpʃæŋk] *n мор.* колышка (*узел для временного укорочения снасти*).

sheep's-head ['ʃɪːpshed] *n* «баранья голова», дурак.

sheepskin ['ʃɪːpskɪn] *n* 1) овчина; 2) баранья кожа; 3) пергамент; 4) *амер. студ. разг.* диплом.

sheep-walk ['ʃɪːpwɔːk]=sheep-run.

sheer I [ʃɪə] *a* 1) сущий, явный; 2) абсолютный, полнейший; by ~ force одной только силой; ~ waste of time совершенно бесполезная трата времени; ~ exhaustion полное истощение; a ~ impossibility абсолютная невозможность; 4) отвесный, перпендикулярный; 4) прозрачный, лёгкий (*о тканях*);
2. *adv* 1) полностью, абсолютно; 2) отвесно, перпендикулярно.

sheer II [ʃɪə] *мор.* **1.** *n* 1) отклонение от курса; 2) кривизна, изгиб;
2. *v* отклоняться от курса; □ ~ off *перен.* отходить, удаляться, уединяться.

sheer-hulk ['ʃɪəhʌlk]=shear-hulk.

sheer-legs ['ʃɪəlegz]=shear-legs 1).

sheet I [ʃɪːt] **1.** *n* 1) простыня; between the ~s в постели; as white as a ~ бледный как полотно; 2) лист (*бумаги, стекла, металла*); листок; 3) печатный лист (*тж.* printer's ~); 4) газета; 5) широкая полоса, пелена, обширная поверхность (*воды, снега, пламени*); 6) ведомость, таблица; 7) *поэт.* парус; 8) *геол.* пласт; 9) *эл.* пластина коллектора; 10) *attr.* листовой; ~ iron (тонкое) листовое железо; ~ rubber листовая резина; ◇ a clean ~ безупречное прошлое; to stand in a white ~ публично каяться;
2. *v* покрывать (простынёй, брезентом, снегом).

sheet II [ʃɪːt] *мор.* **1.** *n* шкот; ◇ three ~s in the wind, three ~s in the wind's eye *sl.* вдрызг пьяный;
2. *v* выбирать шкоты.

sheet-anchor ['ʃɪːt,æŋkə] *n* 1) *мор.* запасный становой якорь; 2) якорь спасения; единственная надежда.

sheeted I [ʃɪːtɪd] **1.** *p. p. от* sheet I, 2;
2. *a* 1) покрытый; 2) сплошной; ~ rain сплошная сетка дождя.

sheeted II [ʃɪːtɪd] *p. p. от* sheet II, 2.

sheeting I ['ʃɪːtɪŋ] **1.** *pres. p. от* sheet I, 2;

2. *n* 1) защи́тное покры́тие; 2) простынное полотно́.

sheeting II [´ʃiːtɪŋ] *pres. p. om* sheet II, 2.

sheet lightning [´ʃiːt´laɪtnɪŋ] *n* зарни́ца.

sheet music [´ʃiːt´mjuːzɪk] *n* небольшо́е, отде́льно и́зданное музыка́льное произведе́ние.

sheet-proofs [´ʃiːtpruːfs] *n pl* корректу́ра.

sheet-sham [´ʃiːtʃæm] *n* покрыва́ло (*на постель*).

sheik(h) [ʃeɪk] *араб. n* шейх.

shekaree, shekarry [ʃɪ´kærɪ]=shikaree.

shekel [´ʃekl] *n* 1) си́кель (*др.-евр. мера веса и монета*); 2) *pl разг.* де́ньги.

sheldrake [´ʃeldreɪk] *n зоол.* печа́нка.

shelf [ʃelf] *n* (*pl* shelves) 1) по́лка; 2) усту́п; 3) вы́ступ; 3) риф; (от)мель; 4) *геол.* пласт поро́ды; шельф; 5) *мор.* прива́льный брус; 6) *attr.:* ~ ice пла́вающие масси́вные глы́бы прибре́жного льда; ◇ to lay (*или* to put) on the ~ а) сдава́ть в архи́в; б) увольня́ть.

shell [ʃel] **1.** *n* 1) скорлупа́, шелуха́; 2) оболо́чка; ко́рка; 3) ра́ковина; 4) па́нцирь, щит (*черепахи*); 5) о́стов; карка́с; 6) ги́льза (*патрона*); патро́н; тру́бка (*ракеты*); 7) артиллери́йский снаря́д; 8) гроб; 9) *тех.* нару́жная часть маши́ны; кожу́х; 10) *pl sl.* де́ньги; 11) лёгкая го́ночная ло́дка; 12) *attr.* име́ющий оболо́чку; ~ egg натура́льное яйцо́ (*в противоположность яичному порошку и т. п.*); ◇ to come out of one's ~ вы́йти из свое́й скорлупы́, переста́ть быть за́мкнутым, стесни́тельным;

2. *v* 1) очища́ть от скорлупы́; лущи́ть; 2) обстре́ливать артиллери́йским огнём; ◇ ~ off шелуши́ться; ~ out а) *воен.* выбива́ть огнём артилле́рии; б) *sl.* раскоше́ливаться.

shellac [ʃə´læk] **1.** *n* шелла́к;

2. *v* 1) покрыва́ть шелла́ком; 2) *амер. sl.* поби́ть, одержа́ть побе́ду в дра́ке.

shellback [´ʃelbæk] *n sl.* ста́рый моря́к, «морско́й волк».

shell-body [´ʃel,bɔdɪ] *n ав.* фюзеля́ж-монокóк.

shell crater [´ʃel´kreɪtə] *n* воро́нка от снаря́да.

shelled [ʃeld] **1.** *p. p. om* shell 2;

2. *a* покры́тый ра́ковиной, па́нцирем.

shellfish [´ʃelfɪʃ] *n* живо́тное, име́ющее ра́ковину *или* па́нцирь (*устрица, краб и т. п.*).

shell-gun [´ʃelɡʌn] *n ав.* малокали́берная автомати́ческая пу́шка.

shell-hit [´ʃelhɪt] *n воен.* попада́ние снаря́да.

shell-hole [´ʃelhoul] *n* пробо́ина; воро́нка от снаря́да.

shell-pit [´ʃelpɪt]=shell crater.

shell-proof [´ʃelpruːf] *a* защищённый от артиллери́йского огня́, брони́рованный.

shell-shock [´ʃelʃɔk] *n* шок от конту́зии; конту́зия.

shell-work [´ʃelwəːk] *n* украше́ние из ра́ковин.

shelly [´ʃelɪ] **1.** *a* 1) изоби́лующий ра́ковинами; 2) похо́жий на ра́ковину;

2. *n* га́лька.

shelter [´ʃeltə] **1.** *n* 1) прию́т, кров; убе́-

жище; to find ~ найти́ себе́ прию́т, убе́жище; 2) прикры́тие; укры́тие; under the ~ (of) под прикры́тием, под защи́той; 3) бомбоубе́жище;

2. *v* 1) приюти́ть, дать прию́т; служи́ть убе́жищем, прикры́тием; укрыва́ть; прикрыва́ть; 2) приюти́ться, укры́ться (under, in).

sheltered [´ʃeltəd] **1.** *p. p. om* shelter 2;

2. *a эк.* покрови́тельствуемый.

shelter tent [´ʃeltə´tent] *n амер. воен.* полева́я пала́тка.

shelve [ʃelv] *v* 1) ста́вить на по́лку; 2) откла́дывать, класть в до́лгий я́щик; 3) увольня́ть; 4) снабжа́ть по́лками; 5) отло́го спуска́ться.

shelved [ʃelvd] **1.** *p.p. om* shelve;

2. *a* 1) находя́щийся на по́лке; 2) отло́гий.

shelves [ʃelvz] *pl om* shelf.

shepherd [´ʃepəd] **1.** *n* 1) пасту́х; ~'s crook пасту́шеский по́сох с крючко́м; 2) па́стырь; ◇ ~'s pie карто́фельная запека́нка с мя́сом; ~'s plaid (шерстяна́я) ткань в ме́лкую чёрную и бе́лую кле́тку;

2. *v* 1) пасти́; 2) смотре́ть, присма́тривать (*за кем-л.*); 3) вести́, гнать (*людей и т. п.*); 4) *sl.* та́йно следи́ть.

shepherdess [´ʃepədɪs] *n* пасту́шка.

Sheraton [´ʃerətn] *n* шерато́н (*стиль мебели XVIII в.*).

sherbet [´ʃəːbət] *n* шербе́т.

sherd [ʃəːd]=shard.

sheriff [´ʃerɪf] *n* шери́ф.

sherry [´ʃerɪ] *n* хе́рес.

sherry-cobbler [´ʃerɪ´kɔblə] *n* ше́рри-ко́блер (*название коктейля*).

sherry party [´ʃerɪ´pɑːtɪ] *n* приём с кокте́йлями во второ́й полови́не дня.

shew [ʃou] *v* (shewed [-d]; shewn)=show 2.

shewn [ʃoun] *p. p. om* shew.

shibboleth [´ʃɪbəleθ] *n* 1) приме́та для опозна́ния; 2) та́йный паро́ль.

shield [ʃiːld] **1.** *n* 1) щит; 2) защи́та; защи́тник; 3) *амер.* значо́к полице́йского; 4) *тех.* экра́н; ◇ the other side of the ~ друга́я сторона́ вопро́са.

2. *v* 1) защища́ть, заслоня́ть; 2) покрыва́ть, укрыва́ть; 3) *тех.* экрани́ровать.

shieling [´ʃiːlɪŋ] *n шотл.* 1) па́стбище; 2) хи́жина пастуха́; 3) наве́с для ове́ц.

shier [´ʃaɪə] *сравнит. ст. om* shy I, 1.

shiest [´ʃaɪəst] *превосх. ст. om* shy I, 1.

shift [ʃɪft] **1.** *n* 1) измене́ние, перемеще́ние, сдвиг; ~ of fire *воен.* перено́с огня́; 2) сме́на, переме́на; чередова́ние; ~ of clothes сме́на белья́; ~ of crops севооборо́т; the ~s and changes of life превра́тности жи́зни; 3) (рабо́чая) сме́на; eight-hour ~ восьмичасово́й рабо́чий день; 4) рабо́чие одно́й сме́ны; 5) сре́дство, спо́соб; the last ~(s) после́днее сре́дство; 6) уло́вка, хи́трость; to make one's way by ~s изворáчиваться; to make (а) ~ а) ухитря́ться; б) перебива́ться ко́е-ка́к, дово́льствоваться (with — *чем-л.*); в) обходи́ться (without — без *чего-л.*); 7) *уст.* соро́чка; 8) *геол.* косо́е смеще́ние; 9) *стр.* разго́нка швов в кла́дке;

2. *v* 1) перемеща́ть(ся), сдвига́ть(ся); передава́ть (*другому*); перекла́дывать (в другу́ю руку); to ~ the fire *воен.* переноси́ть огóнь; 2) устранять, избавлять от; перекла́дывать (*на кого-л.*; *тж.* ~ off); to ~ the blame свали́ть вину́ (на другóго); 3) меня́ть(ся); колеба́ться (*часто* ~ about); to ~ one's lodging перемени́ть кварти́ру; to ~ one's ground переменить позицию в спóре; to ~ the scene *театр.* меня́ть декора́ции; 4) извора́чиваться, ухищря́ться; to ~ for oneself обходи́ться без посторóнней пóмощи; 5) *тех.* переключа́ть; переводи́ть; □ ~ off снима́ть с себя́ (*ответственность и т. п.*); избавля́ться (*от чего-л.*).

shifting [ˈʃɪftɪŋ] **1.** *pres. p. от* shift 2; **2.** *a* 1) непостоя́нный, меня́ющийся; 2) дви́жущийся; ~ sands дви́жущиеся пески́.

shift-key [ˈʃɪftkiː] *n* кла́виша в пи́шущей маши́нке для сме́ны регистра.

shiftless [ˈʃɪftlɪs] *a* 1) беспомóщный; неумéлый; 2) бесхи́тростный.

shifty [ˈʃɪftɪ] *a* 1) изобрета́тельный; лóвкий; 2) изворóтливый, хи́трый; 3) переме́нчивый, ненадёжный; ~ eyes бéгающие глаза́.

shikar [ʃɪˈkɑː] *англо-инд.* **1.** *n* охóта; **2.** *v* охóтиться.

shikaree, shikari [ʃɪˈkærɪ] *n англо-инд.* охóтник-тузéмец.

shillelagh [ʃɪˈleɪlə] *ирл. n* дуби́нка.

shilling [ˈʃɪlɪŋ] *n* 1) ши́ллинг (*англ. серéбряная монéта*=¹/₂₀ *фýнта стéрлингов*= 12 *пéнсам*); every ~ всё до послéднего ши́ллинга; 2) *attr.*: ~ shocker=shocker 1); ◇ to cut off with a ~ лиши́ть наслéдства; to take the King's (*или* the Queen's) ~ поступи́ть на воéнную слýжбу.

shilling's-worth [ˈʃɪlɪŋzwəːθ] *n* что-л. стóимостью в ши́ллинг; на ши́ллинг чегó-л.

shilly-shally [ˈʃɪlɪˌʃælɪ] **1.** *n* нереши́тельность; **2.** *a* нереши́тельный; **3.** *v* колеба́ться, быть нереши́тельным.

shim [ʃɪm] *тех.* **1.** *n* клин; тóнкая прокла́дка; ша́йба; **2.** *v* закли́нивать.

shimmer [ˈʃɪmə] **1.** *n* мерца́ние; мерца́ющий свет; **2.** *v* мерца́ть.

shimmy [ˈʃɪmɪ] **1.** *n* 1) *разг.* руба́шка; 2) *тех.* вибра́ция, колеба́ние управля́емых колёс автомоби́ля; **2.** *v* вибри́ровать, колеба́ться.

shin [ʃɪn] **1.** *n* гóлень; **2.** *v* 1) (вс)кара́бкаться (*обыкн.* ~ up); 2) ударя́ть в гóлень; ударя́ться гóленью; 3) *sl.* ходи́ть, бéгать; 4) *амер. sl.* занима́ть у всех дéньги.

shin-bone [ˈʃɪnboun] *n* большеберцóвая кость.

shindig [ˈʃɪndɪg] *n амер. sl.* весéлье; шýмное сбóрище.

shindy [ˈʃɪndɪ] *n* сканда́л, сумато́ха, дра́ка, сва́лка; to kick up a ~ затéять сва́лку; подня́ть шум.

shine [ʃaɪn] **1.** *n* 1) сия́ние; (сóлнечный, лýнный) свет; rain or ~ при любóй погóде; 2) блеск, гля́нец, лоск; to get a ~ почи́стить сапоги́ (*у чисти́льщика*); to take the ~ out of smth. a) лиши́ть что-л. блéска, новизны́; б) затми́ть; 3) блеск, великолéпие; 4) *sl.*

шум, сканда́л; 5) *амер. разг.* расположéние; he took a ~ to you вы ему́ понра́вились; **2.** *v* (shone) 1) свети́ть(ся); сия́ть, блестéть; 2) блиста́ть (*в óбществе, разговóре*); 3) (*амер. past и p. p.* shined [-d]) *разг.* придава́ть блеск, полирова́ть; чи́стить (*óбувь*).

shiner [ˈʃaɪnə] *n sl.* 1) (золота́я) монéта; 2) *pl* дéньги; 3) *амер.* подби́тый глаз, «фона́рь».

shingle I [ˈʃɪŋgl] **1.** *n* 1) крóвельная дрань, гонт; 2) корóткая да́мская стри́жка; 3) *амер. разг.* вы́веска; to hang out a ~ заня́ться ча́стной пра́ктикой (*о врачé, адвока́те*); **2.** *v* 1) крыть, обшива́ть гóнтом, крыть щепóй; 2) корóтко постри́чь вóлосы; обкарна́ть.

shingle II [ˈʃɪŋgl] *n* га́лька, голы́ш.

shingles [ˈʃɪŋglz] *n pl мед.* опоя́сывающий лиша́й.

shingly [ˈʃɪŋglɪ] *a* покры́тый га́лькой.

shining [ˈʃaɪnɪŋ] **1.** *pres. p. от* shine 2; **2.** *a* я́ркий, сия́ющий; блестя́щий; ~ example я́ркий (*или* блестя́щий) примéр.

shinny, shinty [ˈʃɪnɪ, ˈʃɪntɪ] *n* род хоккéя.

shiny [ˈʃaɪnɪ] *a* 1) сóлнечный; 2) блестя́щий; 3) лосня́щийся.

ship [ʃɪp] **1.** *n* 1) кора́бль, сýдно; to take ~ сесть на кора́бль; 2) кома́нда корабля́; 3) *sl.* (гóночная) лóдка; 4) *амер.* самолёт; 5) *attr.* кора́бельный, судовóй; ◇ old ~ старина́, дружи́ще (*шутли́вое обраще́ние к моряку́*); ~ of the desert «кора́бль пусты́ни» (*верблюд*); ~s that pass in the night мимолётные, случа́йные встрéчи; when my ~ comes home когда́ сча́стье мне улыбнётся; **2.** *v* 1) грузи́ть, производи́ть поса́дку (*на кора́бль*); 2) перевози́ть, отправля́ть (*груз и т. п.*); 3) сади́ться на кора́бль; 4) нанима́ть (*матрóсов*); 5) поступа́ть матрóсом; 6) ста́вить (*ма́чту, руль*); 7) вставля́ть в уклю́чины (*вёсла*); ◇ to ~ a sea черпнýть воды́ (*о корабле́, лóдке*).

ship biscuit [ˈʃɪpˌbɪskɪt] *n* корабéльный суха́рь.

shipboard [ˈʃɪpbɔːd] *n*: on ~ на корабле́.

ship-broker [ˈʃɪpˌbroukə] *n* судовóй ма́клер.

shipbuilder [ˈʃɪpˌbɪldə] *n* кораблестрои́тель.

shipbuilding [ˈʃɪpˌbɪldɪŋ] *n* судострое́ние.

ship-chandler [ˈʃɪpˌtʃɑːndlə] *n* судовóй поставщи́к.

shipmaster [ˈʃɪpˌmɑːstə] *n* хозя́ин, капита́н *или* шки́пер торгóвого сýдна.

shipmate [ˈʃɪpmeɪt] *n* това́рищ по пла́ванию.

shipment [ˈʃɪpmənt] *n* 1) погру́зка (*на кора́бль*); отпра́вка (*товаров*); 2) груз; 3) *амер.* перевóзка товáров.

ship-money [ˈʃɪpˌmʌnɪ] *n ист.* корабéльная подать.

shipowner [ˈʃɪpˌounə] *n* судовладéлец.

shipper [ˈʃɪpə] *n* грузоотправи́тель.

shipping [ˈʃɪpɪŋ] **1.** *pres. p. от* ship 2; **2.** *n* 1) (торгóвый) флот, суда́; 2) погру́зка, перевóзка грýза; to take ~ сесть на кора́бль.

shipping-articles ['ʃɪpɪŋ,ɑːtɪklz] *n pl* догово́р о на́йме на су́дно.

shipping-bill ['ʃɪpɪŋbɪl] *n* деклара́ция судово́го гру́за.

shipshape ['ʃɪpʃeɪp] 1. *a predic.* находя́щийся в по́лном поря́дке, аккура́тный;
2. *adv* в по́лном поря́дке, аккура́тно.

ship-way ['ʃɪpweɪ] *n* ста́пель.

shipwreck ['ʃɪprek] 1. *n* 1) кораблекруше́ние; *перен.* круше́ние (*наде́жд и т. п.*); ги́бель; to make ~ поги́бнуть, разори́ться; 2) обло́мки кораблекруше́ния;
2. *v* 1) потерпе́ть кораблекруше́ние; *перен.* потерпе́ть неуда́чу, круше́ние; 2) быть причи́ной кораблекруше́ния; 3) причини́ть вред.

shipwright ['ʃɪpraɪt] *n* 1) корабе́льный пло́тник; 2) кораблестрои́тель.

shipyard ['ʃɪpjɑːd] *n* верфь.

shir [ʃəː]=shirr.

shire ['ʃaɪə] *n уст.* гра́фство; the ~s центра́льные гра́фства А́нглии.

shirk [ʃəːk] 1. *v* увиля́ть, уклоня́ться (*от чего́-л.*); to ~ responsibility уклоня́ться от отве́тственности;
2. *n*=shirker.

shirker ['ʃəːkə] *n* увиля́ющий, уклоня́ющийся (*от чего́-л.*).

shirr [ʃəː] *амер.* 1. *n* 1) рези́новая ни́тка; 2) сбо́рки;
2. *v* собира́ть (*мате́рию*) в сбо́рки.

shirt [ʃəːt] 1. *n* руба́шка (*мужска́я*); блу́за; in one's ~ в одно́й руба́хе; ◇ to have not a ~ to one's back≈не име́ть ни гроша́ за душо́й; to have (*или* to get) one's ~ out вы́йти из себя́; to keep one's ~ on сохраня́ть споко́йствие, не волнова́ться, не не́рвничать; to put one's ~ (on a horse) поста́вить всё на ка́рту, рискну́ть всем, что име́ешь; to give smb. a wet ~ заста́вить кого́-л. рабо́тать до седьмо́го по́та; to take smb.'s ~ присту́нить, прибра́ть к рука́м кого́-л.;
2. *v* надева́ть руба́ху.

shirt-band ['ʃəːtbænd] *n* во́рот руба́шки.

shirt-front ['ʃəːtfrʌnt] *n* 1) крахма́льная грудь руба́шки, пластро́н; 2) мани́шка.

shirting ['ʃəːtɪŋ] 1. *pres. p. от* shirt 2;
2. *n* мате́рия для руба́шек.

shirt-sleeves ['ʃəːtsliːvz] *n pl*: in one's ~ без пиджака́ (*в жиле́те или в руба́шке*).

shirt-tail ['ʃəːt,teɪl] *n* низ руба́шки.

shirt-waist ['ʃəːtweɪst] *n амер.* же́нская блу́за.

shirty ['ʃəːtɪ] *a разг.* рассе́рженный, раздражённый.

shiver I ['ʃɪvə] 1. *n* (*ча́сто pl*) дрожь, тре́пет; to give a (little) ~ поёжиться; it gives me the ~s э́то вызыва́ет у меня́ дрожь;
2. *v* 1) дрожа́ть, вздра́гивать, трясти́сь; трепета́ть; 2) полоска́ть(ся) (*о паруса́х*).

shiver II ['ʃɪvə] 1. *n* 1) (*обыкн. pl*) обло́мок, оско́лок; to break to ~s разбива́ть(ся) вдре́безги; 2) *мин.* сла́нец, ши́фер;
2. *v* разбива́ть(ся) вдре́безги.

shivery I ['ʃɪvərɪ] *a* дрожа́щий, трепе́щущий.

shivery II ['ʃɪvərɪ] *a* хру́пкий, ло́мкий.

shoal I [ʃoul] 1. *n* 1) ме́лкое ме́сто, мелково́дье; 2) мель, ба́нка; 3) (*обыкн. pl*) скры́тая опа́сность;
2. *a* ме́лкий, мелково́дный;
3. *v* меле́ть.

shoal II [ʃoul] 1. *n* 1) ста́я, кося́к (*ры́бы*); 2) ма́сса, толпа́, мно́жество;
2. *v* 1) собира́ться ста́ями (*о ры́бе*); 2) толпи́ться.

shock I [ʃɔk] 1. *n* 1) уда́р, толчо́к; сотрясе́ние; ~s of earthquake подзе́мные толчки́ (*при землетрясе́нии*); to collide (*или* to clash) with a tremendous ~ столкну́ться со стра́шной си́лой; 2) потрясе́ние; the news came upon him with a ~ но́вость потрясла́ его́; 3) *мед.* шок; 4) *attr.* уда́рный; сокруши́тельный; ~ wave *физ.* уда́рная взрывна́я волна́; ~ absorber амортиза́тор; ~ action a) уда́рное де́йствие; б) *воен.* ата́ка в ко́нном строю́; ~ tactics *воен.* та́ктика сокруши́тельных ата́к; ~ troops *воен.* уда́рные войска́; 5) *attr. мед.* шо́ковый; ~ treatment шокотерапи́я;
2. *v* 1) потряса́ть, поража́ть; 2) возмуща́ть, шоки́ровать; 3) *поэт.* ста́лкиваться, сшиба́ться.

shock II [ʃɔk] 1. *n* 1) копна́ (*из 12 сно́пов*);
2. *v* ста́вить в ко́пны.

shock III [ʃɔk] *n* 1) копна́ воло́с; 2) мохна́тая соба́ка.

shock-brigade ['ʃɔkbrɪ,geɪd] *n* уда́рная брига́да.

shocker ['ʃɔkə] *n разг.* 1) дешёвый бульва́рный рома́н; 2) о́чень плохо́й экземпля́р *или* образе́ц (*чего́-л.*).

shocking I ['ʃɔkɪŋ] 1. *pres. p. от* shock I, 2;
2. *a* потряса́ющий, сканда́льный, ужа́сный;
3. *adv разг.* о́чень.

shocking II ['ʃɔkɪŋ] *pres. p. от* shock II, 2.

shock-worker ['ʃɔk,wəːkə] *n* уда́рник.

shod [ʃɔd] *past и p. p. от* shoe 2.

shoddy ['ʃɔdɪ] 1. *n* 1) иску́сственная шерсть, шо́дди; волокно́ из шерстяны́х тря́пок; 2) хлам; 3) *стр.* грани́тная плита́;
2. *a* 1) подде́льный; 2) дрянно́й.

shoe [ʃuː] 1. *n* 1) полуботи́нок, ту́фля; *амер. тж.* боти́нок; башма́к; high ~ *амер.* боти́нок; low ~ *амер.* полуботи́нок, ту́фля; 2) подко́ва; 3) желе́зный по́лоз; 4) *тех.* коло́дка, башма́к; ◇ to be in smb.'s ~s оказа́ться в положе́нии друго́го; to know where the ~ pinches знать, в чём тру́дность; знать причи́ну беспоко́йства; to put the ~ on the right foot обвиня́ть кого́ сле́дует, справедли́во обвиня́ть; to wait for dead men's ~s наде́яться получи́ть насле́дство по́сле чьей-л. сме́рти; наде́яться заня́ть чьё-л. ме́сто по́сле его́ сме́рти; to fill smb.'s ~s замени́ть кого́-л.; to step into smb.'s ~s заня́ть чьё-л. ме́сто; the ~ is on the other foot a) тепе́рь не то, обстоя́тельства измени́лись; б) отве́тственность лежи́т на друго́м; that's another pair of ~s ≅ э́то совсе́м друго́е де́ло;
2. *v* (shod) 1) обува́ть; 2) подко́вывать; 3) подбива́ть (*чем-л.*).

shoeblack ['ʃuːblæk] *n* чи́стильщик сапо́г.

shoehorn ['ʃuːhɔːn] *n* рожо́к (*для о́буви*).

shoe-lace ['ʃuːleɪs] *n* шнуро́к для боти́нок.

shoe-leather ['ʃuːˌleðə] *n* сапо́жная ко́жа; ◇ as good a man as ever trod ~ прекра́снейший челове́к.

shoeless ['ʃuːlɪs] *a* 1) без о́буви, босико́м; 2) не име́ющий о́буви.

shoemaker ['ʃuːˌmeɪkə] *n* сапо́жник.

shoe-nail ['ʃuːneɪl] *n* 1) сапо́жный гвоздь; 2) ко́вочный гвоздь.

shoe-parlo(u)r ['ʃuːˌpɑːlə] *n амер.* зал для чи́стки о́буви.

shoe polish ['ʃuːˈpɒlɪʃ] *n* крем для чи́стки о́буви.

shoe-shine boy ['ʃuːʃaɪn'bɔɪ] *n амер.* чи́стильщик сапо́г.

shoestring ['ʃuːstrɪŋ] *n амер.* шнуро́к для боти́нок; on a ~ *разг.* с небольши́ми сре́дствами.

shoe-thread ['ʃuːθred] *n* дра́тва.

shone [ʃɒn] *past и p. p. от* shine 2.

shoo [ʃuː] 1. *int* кш-ш! (*при вспу́гивании птиц*);
2. *v* вспу́гивать, прогоня́ть.

shook [ʃuk] *past от* shake 2.

shoot [ʃuːt] 1. *n* 1) росто́к, побе́г; 2) стремни́на; 3) охо́та; 4) состяза́ние в стрельбе́; стрельба́; 5) *тех.* накло́нный сток, жёлоб, лото́к; 6) *геол.* удлинённое ру́дное те́ло, иду́щее вниз;
2. *v* (shot) 1) стреля́ть; застрели́ть (*тж.* ~ down); расстреля́ть; he was shot in the chest пу́ля попа́ла ему́ в грудь; to ~ in sight расстре́ливать на ме́сте; 2) внеза́пно появи́ться, пронести́сь, промелькну́ть, промча́ться (*тж.* ~ along, ~ forth, ~ out, ~ past); 3) распуска́ться (*о дере́вьях, по́чках*); пуска́ть ростки́ (*тж.* ~ out); 4) боле́ть, дёргать; 5) сбра́сывать, ссыпа́ть (*му́сор и т. п.*); слива́ть; выбра́сывать; 6) задвига́ть (*засо́в*); 7) *разг.* фотографи́ровать; 8) снима́ть фильм; 9) посыла́ть (*мяч*); ▢ ~ away расстреля́ть (*патро́ны*); ~ down а) сбить огнём; застрели́ть; расстреля́ть; б) вта́йне не одобря́ть; в) *разг.* одержа́ть верх в спо́ре; г) *sl.* завле́чь и обману́ть; ~ forth а) пронести́сь, промелькну́ть; б) пуска́ть (*по́чки*); ~ in простре́ливаться; ~ out а) выска́кивать, вылета́ть; б) выдава́ться (*о мы́се и т. п.*); в) выбра́сывать; высо́вывать; пуска́ть (*ростки́*); to ~ out one's lips презри́тельно выпя́чивать гу́бы; г): to ~ a way out проби́ться, вы́рваться (*из окруже́ния и т. п.*); ~ up а) бы́стро расти́; б) взлета́ть, вздыма́ться (*о пла́мени и т. п.*); в) *воен.* разби́ть огнём; г) терроризи́ровать стрельбо́й; ◇ to ~ dice игра́ть в ко́сти; to ~ the cat *sl.* рвать, блева́ть; to ~ fire мета́ть и́скры (*о глаза́х*); to ~ the breeze ве́село провести́ вре́мя; to ~ Niagara реши́ться на отча́янный шаг; подверга́ться огро́мному ри́ску; I'll be shot if... провали́ться мне на э́том ме́сте, е́сли...; to ~ the moon *sl.* съе́хать с кварти́ры но́чью, что́бы не плати́ть за неё; ~ craps! *sl.* прекрати́ э́то!; to ~ oneself clear *ав.* скатапульти́рoваться из самолёта.

shooter ['ʃuːtə] *n* 1) стрело́к; 2) револьве́р; 3) *sl.* чёрная визи́тка.

-shooter [-ˌʃuːtə] *в сло́жных слова́х*: six-shooter шестизаря́дный револьве́р.

shooting ['ʃuːtɪŋ] 1. *pres. p. от* shoot 2;
2. *n* 1) стрельба́; 2) охо́та; 3) пра́во охо́ты; 4) внеза́пная о́страя боль; 5) *горн.* пале́ние шпу́ров; 6) *кино* съёмка.

shooting-box ['ʃuːtɪŋbɒks] *n* охо́тничий до́мик.

shooting-gallery ['ʃuːtɪŋˌgælərɪ]=shooting-range.

shooting-iron ['ʃuːtɪŋˌaɪən] *n sl.* огнестре́льное ору́жие.

shooting-range ['ʃuːtɪŋreɪndʒ] *n* тир.

shooting-saloon ['ʃuːtɪŋsəˌluːn] = shooting-range.

shooting star ['ʃuːtɪŋ'stɑː] *n* метео́р.

shooting-stick ['ʃuːtɪŋstɪk] *n* трость-табуре́т.

shooting war ['ʃuːtɪŋ'wɔː] *n* «горя́чая» война́ (*в противополо́жность «холо́дной» войне́*).

shop [ʃɒp] 1. *n* 1) ла́вка, магази́н; 2) мастерска́я, цех; closed ~ *амер.* предприя́тие, где рабо́тают то́лько чле́ны профсою́за; oreп ~ *амер.* предприя́тие, принима́ющее на рабо́ту не чле́нов профсою́за наряду́ с чле́нами; 3) *разг.* заведе́ние, учрежде́ние; 4) *attr.* цехово́й; ~ committee цехово́й комите́т; ~ chairman *амер.* цехово́й ста́роста; ◇ all over the ~ разбро́санный повсю́ду, в беспоря́дке; to come to the wrong ~ обрати́ться не по а́дресу; to talk ~ говори́ть (в о́бществе) о свои́х служе́бных дела́х; каса́ться у́зко профессиона́льных тем во вре́мя о́бщего разгово́ра; to get a ~ *театр.* получи́ть ангажеме́нт; to lift a ~ соверши́ть кра́жу в магази́не; to shut up ~ а) закры́ть ла́вочку; прекрати́ть всё; б) уйти́ в отста́вку;
2. *v* 1) де́лать поку́пки (*обы́кн.* go ~ping); 2) *амер.* ходи́ть по магази́нам, что́бы ознако́миться с це́нами, присмотре́ть вещь; 3) *sl.* сажа́ть в тюрьму́; 4) *sl.* выдава́ть (*сообщника*); 5) принима́ть на рабо́ту; 6) увольня́ть с рабо́ты; ▢ ~ around *амер.* иска́ть рабо́ту, ме́сто.

shop-assistant ['ʃɒpəˌsɪstənt] *n* продаве́ц; продавщи́ца.

shop-girl ['ʃɒpgɜːl] *n* продавщи́ца.

shopkeeper ['ʃɒpˌkiːpə] *n* ла́вочник.

shop-lifter ['ʃɒpˌlɪftə] *n* магази́нный вор.

shopman ['ʃɒpmən] *n* 1) продаве́ц; 2) *редк.* ла́вочник; 3) *амер.* рабо́чий.

shopper ['ʃɒpə] *n* покупа́тель.

shopping ['ʃɒpɪŋ] 1. *pres. p. от* shop 2;
2. *n* посеще́ние магази́на с це́лью поку́пки (*чего́-л.*); to do one's ~ де́лать поку́пки.

shoppy ['ʃɒpɪ] 1. *a* 1) с больши́м коли́чеством магази́нов (*о райо́не го́рода*); 2) *разг.* профессиона́льный (*о разгово́ре*);
2. *n sl.* продавщи́ца.

shop-steward ['ʃɒpstjuəd] *n* цехово́й ста́роста.

shopwalker ['ʃɒpˌwɔːkə] *n* дежу́рный администра́тор универма́га.

shop window ['ʃɒp'wɪndou] *n* витри́на; ◇ to have everything in the ~, to have all one's goods in the ~ быть пове́рхностным челове́ком; выставля́ть всё напока́з.

shore I [ʃɔː] *n* бéрег (*моря, озера*); on ~ на берегу; in ~ у бéрега; блúже к бéрегу.
shore II [ʃɔː] **1.** *n* подпóрка, опóра, подкóс; креплéние;
2. *v* подпирáть; окáзывать поддéржку (*обыкн.* ~ up).
shore III [ʃɔː] *уст. past от* shear 2.
shore-leave [ʃɔːliːv] *n мор.* óтпуск на бéрег.
shoreless [ʃɔːlis] *a* безбрéжный.
shoreman [ʃɔːmən]=shoresman.
shore patrol [ʃɔːpəˈtroul] *n амер.* береговóй дозóр.
shoresman [ʃɔːzmən] *n* 1) прибрéжный рыбáк; 2) лóдочник; 3) грýзчик.
shoreward [ʃɔːwəd] **1.** *a* двúжущийся по направлéнию к бéрегу;
2. *adv* по направлéнию к бéрегу.
shorn [ʃɔːn] *p.p. от* shear 2.
short [ʃɔːt] **1.** *a* а) корóткий; крáткий; краткосрóчный; a ~ way off недалекó; a ~ time ago недáвно; time is ~ врéмя не тéрпит; ~ story расскáз, новéлла; ~ cut а) сокращéние, уменьшéние путú *или* врéмени; б) кратчáйшее расстоя́ние; 2) нúзкого рóста (*о человеке*); 3) недостáточный, непóлный; имéющий недостáток (of — в *чём-л.*); не достигáющий (of — *чего-л.*); ~ weight недовéс; ~ measure недомéр; in ~ supply дефицúтный; ~ sight близорýкость; ~ views недальновúдность; ~ memory корóткая пáмять; ~ of breath запыхáвшийся; страдáющий оды́шкой; to keep smb. ~ скýдно снабжáть; we are ~ of cash у нас не хватáет дéнег; to jump ~ недопры́гнуть; to run ~ истощáться; иссякáть; не хватáть; to come (*или* to fall) ~ of smth. а) не хватáть, имéть недостáток в чём-л.; б) уступáть в чём-л.; this book is ~ of satisfactory э́та кнúга неудовлетворúтельна; в) не достúгнуть цéли; г) не оправдáть ожидáний; 4) крáткий; отры́вистый, сухóй (*об ответе, приёме*); грýбый, рéзкий (*о речи*); ~ word брáнное-слóво; 5) хрýпкий, лóмкий; рассы́пчатый (*о печенье, о глине*); biscuit eats ~ печéнье растáется во рту; 6) *sl.* крéпкий (*о напитке*); something ~ крéпкий напúток; ◇ in the ~ run вскóре; at ~ notice немéдленно; ~ wind оды́шка; ~ temper несдéржанность, вспы́льчивый харáктер; to make a long story ~ корóче говоря́; to make ~ work of smth. бы́стро спрáвиться, бы́стро раздéлаться с чем-л.; this is nothing ~ of a swindle э́то пря́мо надувáтельство; ~ of а) исключáя; б) не доезжáя; somewhere ~ of London гдé-то не доезжáя Лóндона;
2. *adv* рéзко, крýто, внезáпно; преждеврéменно; to stop ~ внезáпно прекратúть; to cut smb. ~ прервáть, оборвáть когó-л.;
3. *n* 1) крáткость; for ~ в крáткости; in ~ корóче говоря́; вкрáтце; 2) крáткий глáсный *или* слог; 3) знак крáткости; 4) *разг.* корóткое замыкáние; 5) недолёт; 6) короткометрáжный фильм; 7) *pl* мéлкие óтруби; 8) *pl* смéтки, отхóды.
shortage [ʃɔːtidʒ] *n* нехвáтка, недостáток.
shortbread [ʃɔːtbred] *n* песóчное печéнье.
shortcake [ʃɔːtkeik] *n* 1) = shortbread;

2) *амер.* слоёный торт с фруктóвой начúнкой и крéмом.
short circuit [ʃɔːtˈsəːkit] *n эл.* корóткое замыкáние.
short-circuit [ʃɔːtˈsəːkit] *v эл.* 1) замкнýть нáкоротко, сдéлать корóткое замыкáние; 2) упростúть; укоротúть.
shortcoming [ʃɔːtˈkʌmiŋ] *n* 1) недостáток; дефéкт; 2) простýпок; 3) нехвáтка.
short-cut 1. *n* [ʃɔːtkʌt] 1) мéлкая крóшка (*сорт табака*); 2) = short cut [*см.* short 1, 1)];
2. *a* [ʃɔːtˈkʌt] 1) укорóченный; сокращённый; 2) мéлко накрóшенный (*о табаке и т. п.*).
short-dated [ʃɔːtˈdeitid] *a* краткосрóчный (*о векселе и т. п.*).
short dead end [ʃɔːtˈdedend] *n ж.-д.* тупúк.
shorten [ʃɔːtn] *v* 1) укорáчивать(ся), сокращáть(ся); 2) добавля́ть к тéсту жир для придáния емý рассы́пчатости.
shortening [ʃɔːtniŋ] **1.** *pres. p. от* shorten;
2. *n* жир, добавля́емый в тéсто для придáния емý рассы́пчатости.
shorthand [ʃɔːthænd] *n* стеногрáфия.
short-handed [ʃɔːtˈhændid] *a* испы́тывающий недостáток в рабóчих рукáх, нуждáющийся в рабóчей сúле.
shorthorn [ʃɔːthɔːn] *n* 1) короткорóгий скот; 2) *амер. sl.* новоприбы́вший, новичóк.
shortlived [ʃɔːtˈlivd] *a* недолговéчный; мимолётный; ~ commodities скоропóртящиеся продýкты.
shortly [ʃɔːtli] *adv* 1) вскóре; незадóлго; 2) кóротко, сжáто; 3) отры́висто, рéзко.
short-paid [ʃɔːtˈpeid] *a* доплатнóй (*о почтовом отправлении*).
short-rib [ʃɔːtrib] *n анат.* корóткое ребрó, лóжное ребрó.
shorts [ʃɔːts] *n pl* трýсики.
short-sighted [ʃɔːtˈsaitid] *a* 1) близорýкий; 2) недальновúдный.
short-spoken [ʃɔːtˈspoukən] *a* лаконúчный, лаконúческий.
short-tempered [ʃɔːtˈtempəd] *a* несдéржанный, вспы́льчивый.
short-term [ʃɔːtˈtəːm] *a* краткосрóчный.
short ton [ʃɔːtˈtʌn] *n* корóткая (америкáнская *или* канáдская) тóнна (=907,2 *кг*).
short wave [ʃɔːtˈweiv] *n радио* корóткая волнá.
short-wave [ʃɔːtˈweiv] *a радио* коротковóлновый; ~set коротковóлновый приёмник.
short-winded [ʃɔːtˈwindid] *a* страдáющий оды́шкой.
shorty [ʃɔːti] *n разг.* короты́шка.
shot I [ʃɔt] **1.** *n* 1) пýшечное ядрó; 2) (*pl* без измен.) дробúнка; *собир.* дробь; 3) *спорт.* ядрó для толкáния; 4) вы́стрел; *перен.* удáр; preliminary ~ *воен.* пристрéлка; 5) попы́тка (*угадáть и т. п.*); to take (*или* to have, to try) a ~ сдéлать попы́тку; to make a good (bad) ~ at smth. отгадáть (не отгадáть) что-л.; не ошибúться (ошибúться) в чём-л.; 6) стрелóк; 7) небольшáя дóза; 8) глотóк спиртнóго; 9) *кино* кадр; 10) фотоснúмок; 11) *горн.* взрыв; вы́пал (*шпура*); шпур; ◇ like a ~ бы́стро, стремúтельно,

сразу; в одну минуту; очень охотно; а ~ in the blue ≅ пальцем в небо; оплошность, промах; by a long ~ намного; not by a long ~ отнюдь не; not a ~ in the locker ≅ ни гроша в кармане; 2. *v* 1) заряжать; 2) подвешивать дробинки (*к лесе*).

shot II [ʃɔt] 1. *past и p. p. от* shoot 2; 2. *a* переливчатый; ~ with silver с серебристым отливом.

shot III [ʃɔt] *n* счёт; to pay one's ~ расплачиваться (*в гостинице*).

shot-gun [ʃɔtgʌn] *n* дробовик (*ружьё*); ◇ ~ marriage вынужденный брак.

shot-in-the-arm [ʃɔtɪnðɪ'ɑːm] *n разг.* возбуждающее средство.

shot-up [ʃɔt'ʌp] *a воен.* подбитый (*о самолёте*).

should [ʃud (*полная форма*); ʃəd, ʃd (*редуцированные формы*)] (*past от* shall) 1) *вспомогательный глагол; служит для образования будущего в прошедшем в 1 л. ед. и мн. ч.*: I said I ~ be at home next week я сказал, что буду дома на следующей неделе; 2) *вспомогательный глагол; служит для образования:* а) *условного наклонения в 1 л. ед. и мн. ч.*: I ~ be glad to play if I could я бы сыграл, если бы умел; б) *сослагательного наклонения*: it is necessary that he ~ go home at once необходимо, чтобы он сейчас же шёл домой; 3) *модальный глагол, выражающий:* а) *долженствование:* ~ be punctual мы должны быть аккуратны; б) *некоторую неуверенность:* I ~ hardly think so насколько я могу судить, вряд ли (это так).

shoulder [ʃouldə] 1. *n* 1) плечо; ~ to ~ плечом к плечу; 2) лопатка (*в мясной туше*); 3) уступ, выступ; 4) обочина (*дороги*); 5) *тех.* буртик, фланец; поясок; 6) плечики для одежды, вешалка; ◇ head and ~s (above) намного (выше); to lay the blame on the right ~s обвинять кого следует; справедливо обвинять; to put (*или* to set) one's ~ to the wheel энергично взяться за работу; приналечь; to rub ~s with общаться с; straight from the ~ a) сплеча; б) без утайки, откровенно; to give the cold ~ to smb. оказать холодный приём кому-л.; холодно встретить кого-л.; 2. *v* 1) отталкивать в сторону; проталкиваться (*тж.* ~ one's way); 2) взвалить на плечи; брать на себя (*ответственность, вину*); to ~ arms брать к плечу (*винтовку*).

shoulder-belt [ʃouldəbelt] *n* 1) перевязь через плечо; 2) *воен.* (плечевая) портупея.

shoulder-blade [ʃouldəbleid] *n анат.* лопатка.

shoulder-loop [ʃouldəluːp] *амер.* = shoulder-strap 1).

shoulder-mark [ʃouldəmɑːk] *n мор.* наплечный знак различия (*во флоте США*).

shoulder-strap [ʃouldəstræp] *n* 1) *воен.* погон; 2) *pl* бретельки; плечики; a dress without ~s платье с открытыми плечами.

shout [ʃaut] 1. *n* крик, возглас; ◇ my ~ *sl.* моя очередь платить; 2. *v* кричать (at—на); to ~ with laughter громко хохотать; □ ~ **down** заставить замолчать; ~ **for** *амер.* горячо поддерживать (*возгласами и т. п.*).

shouting [ʃautɪŋ] 1. *pres. p. от* shout 2; 2. *n* крики; возгласы одобрения, приветствия; it's all over but the ~ все трудности позади, можно ликовать.

shove [ʃʌv] 1. *n* 1) толчок; толкание; 2) *с.-х.* костра (льна); 2. *v* 1) пихать; толкать(ся); 2) *разг.* совать; засовывать; 3) *разг.* спихнуть; всучить (onto — кому-л.); □ ~ **off** а) отталкиваться (*от берега — в лодке*); б) убираться подобру-поздорову.

shove-halfpenny [ʃʌv'heɪpnɪ] = shovelboard.

shovel [ʃʌvl] 1. *n* 1) лопата; совок; 2) *с.-х.* лемех; 2. *v* 1) копать, рыть; 2) сгребать (*тж.* ~ up, ~ in); to ~ up food *разг.* уплетать.

shovelboard [ʃʌvlbɔːd] *n* игра, в которой толкают деревянные *или* металлические диски по размеченной поверхности.

shovel hat [ʃʌvl'hæt] *n* шляпа с широкими полями (*у англ. духовных лиц*).

shoveller [ʃʌvlə] *n* широконоска (*птица*).

show [ʃou] 1. *n* 1) показ, показывание; to vote by ~ of hands голосовать поднятием руки; 2) зрелище; спектакль; moving-picture ~ киносеанс; 3) выставка; 4) витрина; 5) внешний вид, видимость; for ~ для видимости; there is a ~ of reason in it в этом есть видимость смысла; he made a great ~ of zeal он делал вид, что очень старается; 6) показная пышность, парадность; 7) *sl.* предприятие, организация; to put up a good ~ добиться положительных результатов; to give away the ~ *разг.* выдать, разболтать секрет; разболтать о недостатках (*какого-л. предприятия*); to run (*или* to boss) the ~ вести дело; быть хозяином; 8) *разг.* возможность проявить свои силы; удобный случай; 9) *воен. sl.* сражение, кампания; 2. *v* (showed [-d]; showed, shown) 1) показывать; to ~ oneself появляться в обществе; to ~ the way провести, показать дорогу; *перен.* надоумить; 2) проявлять; выставлять, демонстрировать; to ~ cause привести оправдание; 3) доказывать; 4) проводить, ввести (into — куда-л.); вывести (out of — откуда-л.); 5) быть видным; появляться; казаться; the stain will never ~ пятно будет незаметно; buds are just ~ing почки только ещё появляются; □ ~ **down** открыть карты; ~ **in** ввести, провести (*в комнату*); ~ **off** а) показывать в выгодном свете; б) пускать пыль в глаза; ~ **out** проводить, вывести (*из комнаты*); ~ **round** показывать (*кому-л. город, музей*); ~ **up** а) изобличать; б) выделяться (*на фоне*); в) *разг.* (по)являться; объявиться неожиданно; ◇ ~ a leg вставай с постели; to ~ smb. the door указать кому-либо на дверь, попросить кого-л. выйти вон; to ~ one's hand (*или* cards) раскрыть свои карты; to ~ one's teeth проявить враждебность; огрызнуться; to ~ fight оказывать сопротивление; to have nothing to ~ for it не достичь никаких результатов.

show-bill ['ʃoubɪl] *n* афиша.

showboat ['ʃoubout] *n* плавучий театр (*напр., на Миссисипи*).

show-card ['ʃoukɑːd] *n* 1) реклама; 2) щиток с образцами товаров.

show-case ['ʃoukeɪs] *n* витрина.

show-down ['ʃoudaun] *n* 1) раскрытие карт; 2) откровенный обмен мнениями.

shower I ['ʃouə] *n* тот, кто показывает.

shower II ['ʃauə] 1. *n* 1) ливень; a ~ of hail град; 2) душ; 3) град (*пуль, вопросов*); 4) *физ.* поток (*электронов*);

2. *v* 1) лить(ся) ливнем; 2) поливать, орошать; 3) осыпать; забрасывать; to be ~ed with telegrams быть засыпанным телеграммами; to be ~ed with stones быть заброванным камнями; 4) принять душ.

shower-bath ['ʃauəbɑːθ] *n* душ.

shower-party ['ʃauə͵pɑːtɪ] *n амер.* приём (*особ.* устраиваемый новобрачными), на котором хозяйке дома преподносят подарки.

shower stall ['ʃauə'stɔːl] *n* душевая.

showery ['ʃauərɪ] *a* дождливый.

showground ['ʃougraund] *n театр.* игровая площадка.

showing ['ʃouɪŋ] 1. *pres. p. от* show 2; 2. *n* 1) киносеанс; 2) показание; on his own ~ как он сам признаёт.

showman ['ʃoumən] *n* хозяин цирка, аттракциона *и т. п.*; балаганщик.

shown [ʃoun] *p. p. от* show 2.

show-room ['ʃourum] *n* выставочный зал; демонстрационный зал для показа образцов товара.

showtime ['ʃoutaɪm] *n* начало сеанса, представления.

show-window ['ʃou͵wɪndou] *n* окно магазина, витрина.

showy ['ʃouɪ] *a* 1) эффектный, яркий; 2) кричащий; бьющий на эффект; 3) пёстрый, безвкусный.

shram [ʃræm] *v* (*обыкн. p.p.*) *диал.* приводить в оцепенение; ~med with cold окоченевший от холода.

shrank [ʃræŋk] *past от* shrink.

shrapnel ['ʃræpnl] *n* шрапнель.

shred [ʃred] 1. *n* лоскуток, клочок, кусок; to tear to ~s разорвать в клочки; to tear an argument to ~s полностью опровергнуть довод;

2. *v* (shredded [-ɪd], shred) 1) кромсать; резать *или* рвать на клочки; 2) расползаться (*о материи*); 3) рассеиваться (*тж.* ~ away).

shredded ['ʃredɪd] 1. *p. p. от* shred 2; 2. *a* дроблёный; расщеплённый; ~ wheat *кул.* пшеничные хлопья.

shrew [ʃruː] *n* 1) *зоол.* землеройка; 2) сварливая женщина.

shrewd [ʃruːd] *a* 1) проницательный, умный; хитрый, тонкий; 2) сильный, жестокий (*о боли, холоде*); 3) *уст.* злобный; ~ tongue злой язык.

shrewish ['ʃruːɪʃ] *a* сварливый.

shrew mole ['ʃruːmoul] *n амер.* крот.

shrew-mouse ['ʃruːmaus]=shrew 1).

shriek [ʃriːk] 1. *n* пронзительный крик, визг;

2. *v* пронзительно кричать, визжать; to ~ with laughter громко *или* истерически хохотать.

shrievalty ['ʃriːvəltɪ] *n* должность шерифа.

shrift [ʃrɪft] *n* 1) *уст.* исповедь; 2) short ~ короткий срок между приговором и казнью; to give short ~ to smb. быстро расправиться с кем-л.

shrike [ʃraɪk] *n* сорокопут (*птица*).

shrill [ʃrɪl] 1. *a* 1) пронзительный, резкий; 2) настойчивый, назойливый;

2. *v* пронзительно кричать, визжать.

shrimp [ʃrɪmp] 1. *n* 1) *зоол.* креветка; 2) малютка, крошка; 3) ничтожество;

2. *v* ловить креветок.

shrine [ʃraɪn] 1. *n* 1) рака; гробница; 2) место поклонения, святыня;

2. *v* 1) заключать в раку; 2) благоговейно хранить.

shrink [ʃrɪŋk] *v* (shrank, shrunk; shrunk) 1) сокращать(ся), сморщивать(ся); 2) садиться (*о материи*), давать усадку; 3) усыхать; 4) отпрянуть, отступить (*от чего-л.*); 5) избегать; уклоняться (*from — от чего-л.*); I ~ from telling her у меня не хватает духу сказать ей; 6) *тех.* надевать нагретый бандаж, шину (*обыкн.* ~ on); ◇ to ~ into oneself уйти в себя.

shrinkage ['ʃrɪŋkɪdʒ] *n* 1) сокращение; сжатие; 2) усушка, усадка.

shrive [ʃraɪv] *v* (shrived [-d], shrove; shrived, shriven) *уст.* исповедовать, отпускать грехи.

shrivel ['ʃrɪvl] *v* 1) сморщивать(ся); съёживаться, ссыхаться; 2) делать(ся) бесполезным.

shriven ['ʃrɪvn] *p.p. от* shrive.

shroff [ʃrɔf] *n* меняла (*на Востоке*).

shroud [ʃraud] 1. *n* 1) саван; 2) пелена; покров; wrapped in a ~ of mystery окутанный тайной; 3) *pl мор.* ванты; 4) *тех.* кожух, каркас;

2. *v* 1) завёртывать в саван; 2) окутывать.

shrove [ʃrouv] *past от* shrive.

Shrovetide ['ʃrouvtaɪd] *n* масленица.

shrub I [ʃrʌb] *n* куст, кустарник.

shrub II [ʃrʌb] *n уст.* напиток из фруктового сока и рома.

shrubbery ['ʃrʌbərɪ] *n* 1) кустарник; 2) аллея, обсаженная кустарником.

shrubby ['ʃrʌbɪ] *a* 1) поросший кустарником; 2) кустарниковый.

shrug [ʃrʌg] 1. *n* пожимание (*плечами*); 2. *v* пожимать (*плечами*).

shrunk [ʃrʌŋk] *past и p. p. от* shrink.

shrunken ['ʃrʌŋkən] *a* сморщенный.

shuck [ʃʌk] 1. *n* 1) *амер.* створка устрицы, жемчужницы *и т. п.*; ◇ ~! *амер. разг.* а) чёрт!; б) ерунда!; no great ~s не блестящий, не выдающийся;

2. *v* 1) лущить, очищать от шелухи (*тж.* 2): to ~ off from sleep стряхнуть с себя сон.

shudder ['ʃʌdə] 1. *n* дрожь, содрогание; 2. *v* дрожать, содрогаться; I ~ to think of it я содрогаюсь при мысли об этом.

shuffle ['ʃʌfl] 1. *n* 1) шарканье; 2) тасование (*карт*); 3) трюк, увёртка; 4) перемена мест;

2. *v* 1) волочи́ть (*ноги*); ша́ркать (*ногами*); 2) ёрзать; 3) тасова́ть (*карты*); 4) переме́шивать; перемеща́ть; 5) колеба́ться, виля́ть, изворачиваться, хитри́ть; □ ~ off а) сбро́сить (*одежду*); б) свали́ть (*ответственность*); в) изба́виться; ~ on наки́нуть (*одежду*).

shuffler ['ʃʌflə] *n* 1) игро́к, тасу́ющий ка́рты; 2) пройдо́ха; казуи́ст.

shun [ʃʌn] *v* избега́ть, остерега́ться.

'shun [ʃʌn] *int* (*сокр. от* attention) *воен. разг.* сми́рно!

shunless ['ʃʌnlɪs] *a поэт.* неизбе́жный.

shunt [ʃʌnt] 1. *n* 1) *ж.-д.* перево́д на запа́сный путь; стре́лка; 2) *эл.* шунт;

2. *v* 1) *ж.-д.* переводи́ть *или* переходи́ть на запа́сный путь, маневри́ровать; 2) *эл.* шунти́ровать; 3) откла́дывать, класть под сукно́; 4) перебра́сывать (на другу́ю рабо́ту); 5) *разг.* удали́ться.

shunter ['ʃʌntə] *n* 1) *ж.-д.* стре́лочник; сце́пщик; составитель поездо́в; 2) *sl.* уме́лый организа́тор.

shunting-yard ['ʃʌntɪŋjɑːd] *n ж.-д.* сортиро́вочная ста́нция, маневро́вые пути́.

shush [ʃʌʃ] *v* переби́ть, не дать говори́ть; заши́кать.

shut [ʃʌt] 1. *v* (shut) 1) затворя́ть(ся); закрыва́ть(ся); запира́ть(ся); 2) скла́дывать, закрыва́ть; to ~ a fan сложи́ть ве́ер; to ~ an umbrella закры́ть зо́нтик; □ ~ **down** а) закрыва́ть; захло́пывать; б) прекраща́ть рабо́ту (*на предприя́тии*); в) выключа́ть, остана́вливать; ~ in а) запира́ть; б) загора́живать (*свет и т. п.*); ~ into а) запира́ть; б) прищемля́ть; ~ off а) выключа́ть (*воду, ток, пар и т. п.*); б) изоли́ровать (from); ~ out а) не допуска́ть; не впуска́ть; б) исключа́ть (*возможность*); в) загора́живать; ~ to закрыва́ть(ся) на́глухо; ~ the box to закро́йте я́щик; ~ up а) забить, заколоти́ть; б) закры́ть (*магазин, предприя́тие*); в) заключи́ть (*в тюрьму́*); г) *разг.* (заста́вить) замолча́ть; ~ up! замолчи́!, заткни́сь!;◇ to ~ the door upon smb., smth. не принима́ть кого́-л., чего́-л.; отка́зываться от чего́-л.; to ~ one's ears to smth. не слу́шать, игнори́ровать, пропуска́ть ми́мо уше́й; to ~ one's eyes to smth. закрыва́ть глаза́ на что́-л., не замеча́ть чего́-л.;

2. *a* закры́тый, за́пертый.

shut-down ['ʃʌt͵daun] *n* 1) закры́тие (*предприя́тия*); 2) выключе́ние.

shut-eye ['ʃʌt'aɪ] *n разг.* сон.

shut-in ['ʃʌt'ɪn] 1. *n амер.* больно́й, инвали́д;

2. *a* 1) больно́й; 2) за́мкнутый.

shut-out ['ʃʌt'aut] *n* лока́ут.

shutter ['ʃʌtə] 1. *n* 1) ста́вень; *pl* жалюзи́; to put up the ~s *перен.* закры́ть предприя́тие; 2) задви́жка, засло́нка; затво́р (*напр., фотообъекти́ва*);

2. *v* закрыва́ть ста́внями.

shuttle ['ʃʌtl] *n* 1) челно́к (*тка́цкого станка, швейной машины*); 2) затво́р шлю́за; 3) *амер.* = shuttle train.

shuttle bus ['ʃʌtl'bʌs] *n* при́городный авто́бус.

shuttlecock ['ʃʌtlkɔk] *n* вола́н (*игра*).

shuttle train ['ʃʌtl'treɪn] *n* при́городный по́езд.

shy I [ʃaɪ] 1. *a* 1) пугли́вый; 2) засте́нчивый, ро́бкий; осторо́жный, нереши́тельный; to be ~ of smth. а) избега́ть чего́-л., не реша́ться на что́-л.; б) *амер.* недостава́ть, не хвата́ть (*тж.* to be ~ on smth.);

2. *n* пугли́вость;

3. *v* броса́ться в сто́рону, пуга́ться.

shy II [ʃaɪ] *разг.* 1. *n* 1) бросо́к; 2) *разг.* попы́тка; to have a ~ at smth. попро́бовать доби́ться чего́-л.; 3) насме́шливое, ко́лкое замеча́ние;

2. *v* броса́ть (*ка́мень, мяч*).

shyer ['ʃaɪə] *n* пугли́вая ло́шадь.

shyster ['ʃaɪstə] *n амер. sl.* стря́пчий по тёмным дела́м.

si [siː] *n муз.* си.

Siamese [͵saɪə'miːz] 1. *a* сиа́мский; ~ twins сиа́мские близнецы́;

2. *n* 1) (*pl без измен.*) сиа́мец; сиа́мка; the ~ *pl собир.* сиа́мцы; 2) сиа́мский язы́к.

Siberian [saɪ'bɪərɪən] 1. *a* сиби́рский; ~ dog сиби́рская ла́йка; ~ plague сиби́рская я́зва;

2. *n* сибиря́к; сибиря́чка.

sibilant ['sɪbɪlənt] 1. *a* свистя́щий, шипя́щий;

2. *n* свистя́щий, шипя́щий звук.

sibilate ['sɪbɪleɪt] *v* произноси́ть с при́свистом.

sibyl ['sɪbɪl] *n* сиви́лла; предсказа́тельница; колду́нья.

sibylline [sɪ'bɪlaɪn] *a* проро́ческий.

siccative ['sɪkətɪv] 1. *a* суши́льный;

2. *n* суши́льное сре́дство, сиккати́в.

sice I [saɪs] *n* шесть очко́в (*на игра́льных ко́стях*).

sice II [saɪs] *n англо-инд.* грум, ко́нюх.

Sicilian [sɪ'sɪljən] 1. *a* сицили́йский;

2. *n* жи́тель Сици́лии.

sick I [sɪk] *a* 1) больно́й; 2) чу́вствующий тошноту́; to feel (*или* to turn) ~ испы́тывать тошноту́; to be as ~ as a dog (по)чу́вствовать себя́ скве́рно; 3) боле́зненный; 4) относя́щийся к больно́му; свя́занный с боле́знью; 5) пресы́щенный, уста́вший (of — от чего́-л.); I am ~ of waiting мне надое́ло ждать; 6) тоску́ющий (for — по чему́-л.); to be ~ at heart тоскова́ть; 7) *sl.* раздоса́дованный; 8) бле́дный, сла́бый (*о цве́те, све́те и т. п.*).

sick II [sɪk] *v:* ~ him! *охот.* ату́!, возьми́ его́!

sick-bay ['sɪkbeɪ] *n мор.* лазаре́т.

sick-bed ['sɪkbed] *n* посте́ль больно́го.

sick-benefit ['sɪk'benɪfɪt] *n* посо́бие по боле́зни.

sick-call ['sɪk'kɔːl] *n воен.* вы́зов больны́х к врачу́.

sicken ['sɪkn] *v* 1) заболева́ть; 2) чу́вствовать тошноту́, отвраще́ние; 3) вызыва́ть тошноту́, отвраще́ние; 4) ча́хнуть (*о расте́нии*); 5) пресы́титься (of).

sickener ['sɪknə] *n* 1) *разг.* то, что вызыва́ет отвраще́ние, отвраще́ние; 2) *школ. sl.* неприя́тный, надое́дливый челове́к.

sick-flag ['sɪkflæg] *n* каранти́нный флаг.

sick headache ['sɪk'hedeɪk] n мигрéнь.

sickle ['sɪkl] n серп.

sick-leave ['sɪkliːv] n óтпуск по болéзни.

sick-list ['sɪk'lɪst] n 1) спи́сок больны́х; 2) больни́чный лист; to be on the ~ не прису́тствовать по болéзни, быть на больни́чном листé.

sickly ['sɪklɪ] a 1) болéзненный; 2) нездорóвый (о климате); 3) тошнотвóрный; 4) сентиментáльный.

sickness ['sɪknɪs] n 1) болéзнь; 2) тошнотá.

sick-room ['sɪkrum] n кóмната больнóго.

side [saɪd] 1. n 1) сторонá; бок; край; ~ by ~ ря́дом; бок ó бок; from all ~s, from every ~ со всех сторóн, отовсю́ду; ~ of the page пóле страни́цы; the right (wrong) ~ of cloth прáвая (лéвая) сторонá матéрии, лицó (изнáнка) матéрии; to make a little money on the ~ подрабóтать немнóго дéнег на сторонé; 2) пози́ция, тóчка зрéния, подхóд; 3) склон (горы); 4) половина тéла, мяснóй тýши и т. п.; 5) стéнка; 6) сторонá (в процессе, спóре и т. п.); 7) мор. борт; 8) sl. чвáнство, высокомéрие; to put on ~ вáжничать; 9) attr. боковóй; 10) attr. побóчный; ◇ to put on one ~ игнори́ровать; to get on the right ~ of smb. расположи́ть когó-л. к себé; to take ~s стать на чью-л. стóрону; примкну́ть к той и́ли другóй пáртии; the weather is on the cool ~ погóда довóльно прохлáдная; on the ~ амер. попýтно, мéжду прóчим; дополни́тельно, в придáчу; to be on the heavy ~ утяжеля́ть, перегружáть; to speak out of the ~ of one's mouth сказáть по секрéту; to be on the ~ of the angels придéрживаться традициóнных (антинаýчных) взгля́дов;

2. v примкну́ть к комý-л., быть на чьей-л. сторонé (with).

side-arms ['saɪdɑːmz] n воен. орýжие, носи́мое на портупéе или поясном ремнé (шашка, сабля, амер. тж. револьвер, пистолет).

sideboard ['saɪdbɔːd] n 1) буфéт; 2) поднóжка.

sideboard-runner ['saɪdbɔːd,rʌnə] n дорóжка на буфéте.

sideburns ['saɪdbɔːnz] n pl амер. бáчки.

side-car ['saɪdkɑː] n 1) коля́ска мотоци́кла; 2) род коктéйля.

side-issue ['saɪd,ɪsjuː] n побóчный или второстепéнный, несущéственный вопрóс.

sidelight ['saɪdlaɪt] n 1) боковóй фонáрь; 2) побóчные свéдения, пролива́ющие свет на что-л.; 3) мор. отличи́тельный огóнь.

side-line ['saɪdlaɪn] n 1) побóчная рабóта; 2) товáры, не составля́ющие глáвный предмéт торгóвли в дáнном магази́не; 3) ж.-д. боковáя вéтка; 4) спорт. боковáя ли́ния игрового пóля.

sideling ['saɪdlɪŋ] a наклóнный; непрямóй (тж. перен.).

sidelong ['saɪdlɔŋ] 1. a боковóй, косóй, напрáвленный в стóрону; a ~ glance косóй взгляд;

2. adv вкось.

sidereal [saɪ'dɪərɪəl] a звёздный.

siderography [,saɪdə'rɔgrəfɪ] n гравировáние на стáли.

side-saddle ['saɪd,sædl] n дáмское седлó.

side-show ['saɪdʃou] n интермéдия, вставнóй нóмер.

side-slip ['saɪdslɪp] 1. n 1) боковóе скольжéние; 2) ав. скольжéние на крылó;

2. v 1) скользи́ть вбок; 2) ав. скользи́ть на крылó.

sidesman ['saɪdzmən] n церкóвный служи́тель.

side-splitting ['saɪd,splɪtɪŋ] a разг. уморительный.

side-step ['saɪdstep] 1. n 1) шаг в стóрону; принимáние в стóрону; 2) спорт. подъём «лéсенкой» (на лыжах);

2. v 1) отступáть в стóрону; уступáть дорóгу; 2) сторони́ться; избегáть; 3) амер. обойти́ (вопрос и т. п.); откла́дывать решéние.

side-track ['saɪdtræk] 1. n запáсный путь; разъéзд; обхóдный путь;

2. v 1) переводи́ть на запáсный путь; 2) амер. разг. откла́дывать рассмотрéние (предложения); 3) разг. переменить разговóр; to ~ attention отвлéчь внимáние.

side-up ['saɪd'ʌp] adv нáбок, бóком.

side-view ['saɪdvjuː] n прóфиль, вид сбóку.

sidewalk ['saɪdwɔːk] n тротуáр.

sideward(s) ['saɪdwəd(z)] = sideways.

sideways ['saɪdweɪz] adv в стóрону, вкось, бóком.

side wind ['saɪd'wɪnd] n 1) вéтер сбóку; 2) посторóннее влия́ние; by a ~ сторонóю.

side-winder ['saɪd,waɪndə] n sl. удáр сбóку.

siding ['saɪdɪŋ] 1. pres. p. от side 2;

2. n 1) ж.-д. запáсный, подъезднóй путь; вéтка; 2) боковáя стéнка, боковина; 3) амер. нарýжная обши́вка.

sidle ['saɪdl] v (под)ходи́ть бочкóм (тж. ~ along, ~ up to).

sidy ['saɪdɪ] a разг. вáжничающий.

siege [siːdʒ] 1. n 1) осáда; to lay ~ to осади́ть; to raise the ~ снять осáду; to stand a ~ выдéрживать осáду; 2) мéдленно тя́нущееся, неприя́тное врéмя;

2. v уст. осади́ть.

siege-train ['siːdʒtreɪn] n воен. осáдный парк.

sienna [sɪ'enə] n сиéна, óхра (краска).

sierra ['sɪərə] исп. n гóрная цепь.

siesta [sɪ'estə] исп. n сиéста, полýденный óтдых (в южных странах).

sieve [sɪv] 1. n 1) си́то; 2) болтýн;

2. v просéивать.

sift [sɪft] v 1) просéивать; отсéивать (from); 2) сы́пать, посыпáть (сахаром и т. п.); 3) тщáтельно рассмáтривать, анализи́ровать (факты); 4) пáдать (о снеге и т. п.).

siftings ['sɪftɪŋz] n pl вы́севки.

sigh [saɪ] 1. n вздох;

2. v 1) вздыхáть; 2) тосковáть (for — по ком-л.).

sight [saɪt] 1. n 1) зрéние; long ~ дальнозóркость; short (или near) ~ близорýкость; loss of ~ потéря зрéния, слепотá;

2) по́ле зре́ния; in ~ в по́ле зре́ния; to come in ~ появи́ться; to put out of ~ пря́тать; to lose ~ of a) потеря́ть и́з виду; б) забы́ть, упусти́ть и́з виду; out of my ~! прочь с глаз мои́х!; 3) взгляд; рассма́тривание; at (или on) ~ при ви́де; payable at ~ подлежа́щий опла́те по предъявле́нии; at first ~ с пе́рвого взгля́да; to know by ~ знать то́лько в лицо́; to catch (или to gain, to get) ~ of уви́деть; заме́тить; to play music at ~ муз. игра́ть с листа́; 4) вид; зре́лище; I hate the ~ of him я ви́деть его́ не могу́; it was a ~ to see э́то бы́ло настоя́щее зре́лище, э́то сто́ило посмотре́ть; these clothes make you look a perfect ~ разг. у вас стра́нный вид в э́том костю́ме; a ~ for sore eyes прия́тное зре́лище; жела́нный посети́тель; 5) pl достопримеча́тельности; to see the ~s осма́тривать достопримеча́тельности; 6) взгляд, то́чка зре́ния; do what is right in your own ~ де́лайте так, как счита́ете ну́жным; 7) разг. большо́е коли́чество; to cost a ~ of money сто́ить мно́го де́нег; a long ~ better мно́го лу́чше; 8) прице́л; to take a careful ~ тща́тельно прице́ливаться; 9) pl разг. очки́; 10) геод. маркше́йдерский знак; ◇ out of ~ out of mind ≅ с глаз доло́й — из се́рдца вон; not by a long ~ отню́дь нет; ~ unseen амер. загла́зно, за глаза́; 2. v 1) уви́деть, вы́смотреть; 2) наблюда́ть; 3) прице́ливаться; наводи́ть (орудие).

sightless ['saitlis] a 1) невидя́щий, слепо́й; 2) поэт. неви́димый.

sightly ['saitli] a краси́вый, прия́тный на вид; ви́дный.

sightseeing ['sait‚si:iŋ] n осмо́тр достопримеча́тельностей; to go ~ осма́тривать достопримеча́тельности.

sightseer ['sait‚si:ə] n тури́ст, осма́тривающий достопримеча́тельности.

sign [sain] 1. n 1) знак; си́мвол; to give a ~ сде́лать знак; ~ and countersign паро́ль и о́тзыв; ~ manual собственнору́чная по́дпись; 2) при́знак; приме́та; to make no ~ а) не подава́ть при́знаков жи́зни; б) не протестова́ть; 3) знаме́ние; чу́до; the ~s of the times знаме́ние вре́мени; 4) вы́веска; 5) мед. симпто́м; 6) след; 2. v 1) подпи́сывать(ся); 2) выража́ть зна́ком; подава́ть знак (to — кому́-л.); 3) отмеча́ть; ста́вить знак; □ ~ away подпи́сывать отка́з (от прав в чью-л. по́льзу), передава́ть (право, собственность); ~ off а) радио объявля́ть о конце́ переда́чи; б) разг. переста́ть разгова́ривать, замолча́ть; ~ on нанима́ть(ся) на рабо́ту.

signal ['signl] 1. n 1) сигна́л, знак; ~ of distress сигна́л бе́дствия; 2) pl воен. связь; войска́ свя́зи;
2. a 1) выдаю́щийся, замеча́тельный; ~ victory блестя́щая побе́да; ~ service а) отли́чная слу́жба; б) воен. слу́жба свя́зи; 2) сигна́льный; ◇ ~ punishment досто́йное наказа́ние; ~ villain отъя́вленный него́дяй;
3. v сигнализи́ровать, дава́ть сигна́л; the train is ~led дан сигна́л о прибы́тии по́езда.

signal-book ['signlbuk] n код, сигна́льная кни́га, сбо́рник сигна́лов.

signal-box ['signlbɔks] n ж.-д. блокпо́ст; пост централиза́ции.

signalize ['signəlaiz] v 1) отмеча́ть; прославля́ть; ознаменова́ть; 2) сигнализи́ровать.

signaller ['signələ] n воен. 1) связи́ст; 2) сигна́льщик.

signal letters ['signl'letəz] n pl позывны́е сигна́лы.

signal-man ['signlmən] n сигна́льщик.

signatory ['signətəri] 1. n сторона́, подписа́вшая како́й-л. докуме́нт (особ. догово́р); joint ~ совме́стно подписа́вший;
2. a подписа́вший (какой-л. документ, особ. договор).

signature ['signitʃə] n 1) по́дпись; to bear the ~ (of) быть подпи́санным (кем-л.); over the ~ за по́дписью; 2) полигр. сигнату́ра; 3) муз. ключ; 4) радио музыка́льная ша́пка.

signboard ['sainbɔːd] n вы́веска.

signer ['sainə] n 1) лицо́ или ли́ца, подписа́вшие како́й-л. докуме́нт; 2) (S.) ист. оди́н из пяти́десяти шести́ подписа́вших Деклара́цию незави́симости США в 1776 г.

signet ['signit] n печа́тка, печа́ть.

significance [sig'nifikəns] n 1) значе́ние; смысл; 2) ва́жность, значи́тельность; to attach ~ to smth. придава́ть значе́ние чему́-л.; 3) многозначи́тельность; вырази́тельность.

significant [sig'nifikənt] a 1) значи́тельный, ва́жный, суще́ственный; знамена́тельный; 2) многозначи́тельный, вырази́тельный; 3) значи́мый (о суффиксе и т. п.).

signification [‚signifi'keiʃən] n 1) значе́ние, смысл; 2) значи́мость.

significative [sig'nifikətiv] a ука́зывающий (of — на что-л.); свиде́тельствующий (of — о чём-л.).

signify ['signifai] v 1) зна́чить, означа́ть; 2) име́ть значе́ние; it doesn't ~ э́то не име́ет значе́ния, э́то нева́жно; 3) выка́зывать; to ~ one's consent вы́разить своё согла́сие; 4) предвеща́ть.

sign-painter ['sain‚peintə] n живопи́сец вы́весок.

signpost ['sainpoust] n указа́тельный столб.

sign-writer ['sain‚raitə] = sign-painter.

Sikh [si:k] n сикх (член индийской религиозной секты, последователь Гуру Нанака); жи́тель Пенджа́ба.

silage ['sailidʒ] 1. n си́лос;
2. v силосова́ть.

silence ['sailəns] 1. n 1) молча́ние; безмо́лвие, тишина́; to break (to keep) ~ наруша́ть (храни́ть) молча́ние; to put to ~ заста́вить замолча́ть; 2) забве́ние, отсу́тствие све́дений; to pass into ~ быть пре́данным забве́нию; ◇ ~ gives consent молча́ние — знак согла́сия.
2. v 1) заста́вить замолча́ть; 2) заглуша́ть.

silencer ['sailənsə] n 1) тех. (шумо)глуши́тель; 2) муз. сурди́нка.

silent ['sailənt] a 1) безмо́лвный; немо́й; ~ film немо́й фильм; 2) молчали́вый; to be (*или* to keep) ~ молчáть; умáлчивать; 3) не выскáзывающий; the report was ~ on that point об э́том в доклáде ничегó нé было скáзано; 4) не вы́сказанный вслух; 5) непроизносимый (*о букве*); 6) бесшу́мный, ти́хий; ~ approach *ав.* бесшу́мный вы́ход на цель (*планирование с выключенным мотором*); ◇ ~ partner *см.* partner 1, 2); the ~ service *разг.* подвóдный флот.

silhouette [,sɪluː'et] *фр.* 1. *n* силуэ́т; 2. *v* (*обыкн. р. р.*) 1) изображáть в ви́де силуэ́та; 2) вырисóвываться (*на фоне чего-л.*).

silica ['sɪlɪkə] *n* хим., мин. кремнезём, кварц.

silicate ['sɪlɪkɪt] *n* 1) силикáт; 2) *attr.* силикáтовый.

siliceous [sɪ'lɪʃəs] *a* кремни́стый, кремнезёмистый, содержáщий крéмний.

silicic [sɪ'lɪsɪk] *a* крéмниевый.

silicon ['sɪlɪkən] *n* хим. крéмний; силикóн.

silk [sɪlk] 1. *n* 1) шёлк; 2) *pl* шёлковые ни́тки; 3) *разг.* королéвский адвокáт; to take ~ стать королéвским адвокáтом; 2. *a* шёлковый; ~ hat цили́ндр; ~ stocking шёлковый чулóк [*ср. тж.* silk-stocking].

silken ['sɪlkən] *a* 1) *поэт.* шёлковый; 2) шелкови́стый; 3) мя́гкий, вкрáдчивый; 4) нéжный; 5) элегáнтный, шикáрный.

silk-mill ['sɪlkmɪl] *n* шелкопряди́льная фáбрика.

silk-stocking ['sɪlk'stɔkɪŋ] 1. *n* шикáрный, богáтый человéк; 2. *a амер.* фешенéбельный; привилегирóванный; ~ section фешенéбельный райóн гóрода.

silkworm ['sɪlkwəːm] *n* зоол. ту́товый шелкопря́д.

silky ['sɪlkɪ] *a* 1) шелкови́стый; 2) вкрáдчивый; 3) бархати́стый (*о вине и т. п.*).

sill [sɪl] *n* 1) подокóнник; 2) порóг (*двери, шлюза и т. п.*); 3) *стр.* лéжень, ни́жний брус; 4) *горн.* пóчва у́гольного пластá.

sillabub ['sɪləbʌb] *n* 1) (сби́тые) сли́вки с винóм и сáхаром; 2) напы́щенный стиль.

siller ['sɪlə] *n шотл.* 1) серебрó; 2) дéньги.

sillery ['sɪlərɪ] *n* сорт шампáнского.

silliness ['sɪlɪnɪs] *n* глу́пость.

sillograph ['sɪləgrɑːf] *n* сати́рик.

silly ['sɪlɪ] 1. *a* 1) глу́пый; слабоу́мный; 2) *уст.* простóй, бесхи́тростный; безоби́дный; ◇ the ~ season зати́шье в прéссе (*особ. в конце лета*); 2. *n разг.* глупéц.

silo ['saɪlou] 1. *n* (*pl* -os [-ouz]) си́лосная я́ма; си́лос; 2. *v* силосовáть.

silt [sɪlt] 1. *n* ил, осáдок, нанóсы; 2. *v* засоря́ть(ся) и́лом (*обыкн.* ~ up); □ ~ through просáчиваться.

siltage ['sɪltɪdʒ] *n геол.* осáдочная порóда.

Silurian [saɪ'ljuərɪən] *геол.* 1. *a* силури́йский; 2. *n* силури́йский перио́д.

silvan ['sɪlvən] *a* леснóй, леси́стый.

silver ['sɪlvə] 1. *n* 1) серебрó; 2) серéбряная монéта; 3) серéбряные издéлия; table ~ столóвое серебрó; 4) цвет серебрá. 2. *a* 1) серéбряный; 2) серебри́стый; ~ sand тóнкий бéлый песóк; 3) седóй (*о волосах*); ◇ the ~ streak *разг.* Ла-Мáнш; 3. *v* 1) серебри́ть; 2) покрывáть (*зеркало*) амальгáмой рту́ти; 3) серебри́ться; 4) седéть.

silver fir ['sɪlvə'fəː] *n* пи́хта бéлая (*или* европéйская, гребéнчатая).

silver fox ['sɪlvə'fɔks] *n* черно-бу́рая лиси́ца.

silver gilt ['sɪlvə'gɪlt] *a* из позолóченного серебрá.

silvern ['sɪlvən] *a поэт.* серéбряный.

silver paper ['sɪlvə'peɪpə] *n* 1) тóнкая папирóсная бумáга; 2) серéбряная бумáга, металлизи́рованная бумáга; 3) оловя́нная фóльга, станиóль.

silver-plate ['sɪlvə'pleɪt] *v* покрывáть серебрóм, серебри́ть.

silver point ['sɪlvə'pɔɪnt] *n* рису́нок серéбряным карандашóм.

silver side ['sɪlvə'saɪd] *n* 1) лу́чшая часть ссéка говя́дины; 2) солони́на из лу́чшей части ссéка говя́дины.

silversmith ['sɪlvəsmɪθ] *n* серéбряных дел мáстер.

silver-tongued ['sɪlvə'tʌŋd] *a* сладкозву́чный; красноречи́вый.

silverware ['sɪlvəwɛə] *n* издéлия из серебрá; столóвое серебрó.

silvery ['sɪlvərɪ] *a* серебри́стый.

silviculture ['sɪlvɪ,kʌltʃə] *n* лесовóдство.

simian ['sɪmɪən] 1. *a* обезья́ний, обезьяноподóбный; 2. *n* обезья́на.

similar ['sɪmɪlə] *a* 1) подóбный (to); схóдный, похóжий; одноро́дный; 2) *геом.* подóбный; ~ triangles подóбные треугóльники.

similarity [,sɪmɪ'lærɪtɪ] *n* 1) схóдство, подóбие; 2) *геом.* подóбие.

similarly ['sɪmɪləlɪ] *adv* так же, подóбным óбразом.

simile ['sɪmɪlɪ] *n лит.* сравнéние.

similitude [sɪ'mɪlɪtjuːd] *n* 1) схóдство, подóбие; 2) óбраз, вид; in the ~ of smb., smth. в óбразе когó-л., чегó-л.; to assume the ~ of приня́ть вид; 3) *редк.* = simile.

similize ['sɪmɪlaɪz] *v* пóльзоваться фигу́рой сравнéния.

simitar ['sɪmɪtə] = scimitar.

simmer ['sɪmə] 1. *n* закипáние; 2. *v* 1) закипáть; кипéть на мéдленном огнé; 2) кипяти́ть на мéдленном огнé; 3) éле сдéрживать (*гнев или смех*); he was ~ing with anger он éле сдéрживал свой гнев; □ ~ down переставáть кипéть, остывáть.

simon-pure ['saɪmən'pjuə] *a* настоя́щий, пóдлинный.

simony ['saɪmənɪ] *n ист.* симóния.

simoom, simoon [sɪ'muːm, sɪ'muːn] *n* самýм.

simp [sɪmp] *n* (*сокр. от* simpleton) *амер. разг.* простáк.

simper ['sɪmpə] 1. *n* жемáнная *или* глу́пая улы́бка; 2. *v* притвóрно *или* глу́по улыбáться.

simple ['sɪmpl] **1.** *a* 1) простой, несложный; 2) элементарный, неразложимый; ~ fraction *мат.* правильная дробь; a ~ quantity *мат.* однозначное число; ~ equation *мат.* уравнение 1-й степени; 3) простодушный, наивный; глуповатый; he is not so ~ as you suppose он не так прост, как вы думаете; ~ Simon простак; 4) прямой, честный; 5) незамысловатый, незатейливый; простой, скромный; ~ food простая пища; 6) простой, незнатный; 7) явный; истинный; it is a ~ lie это просто ложь; the ~ truth истинная правда.
2. *n* 1) простодушный человек; 2) лекарственная трава; 3) *pl* основы, самые элементарные сведения.

simple-hearted ['sɪmpl'hɑːtɪd] *a* простодушный.

simple-minded ['sɪmpl'maɪndɪd] = simple-hearted.

•simpleton ['sɪmpltən] *n* простак.

simplicity [sɪm'plɪsɪtɪ] *n* 1) простота; 2) простодушие, наивность.

simplification [,sɪmplɪfɪ'keɪʃən] *n* упрощение.

simplify ['sɪmplɪfaɪ] *v* упрощать.

simplism ['sɪmplɪzəm] *n* упрощенчество.

simply ['sɪmplɪ] *adv* 1) просто, легко; I did it quite ~ я сделал это очень просто; 2) глупо; 3) *употр. для усиления*: I ~ wouldn't stand it я просто не мог перенести это.

simulacra [,sɪmju'leɪkrə] *pl от* simulacrum.

simulacrum [,sɪmju'leɪkrəm] *лат.* *n* (*pl* -cra) подобие.

simulant ['sɪmjulənt] *a* имеющий вид (of — кого-л., чего-л.).

simulate ['sɪmjuleɪt] *v* 1) симулировать; притворяться; 2) иметь вид (чего-л.), походить (на что-л.).

simulation [,sɪmju'leɪʃən] *n* симуляция; притворство.

simulator ['sɪmjuleɪtə] *n* 1) притворщик; симулянт; 2) *тех.* моделирующее, копирующее устройство.

simultaneity [,sɪməltə'nɪətɪ] *n* одновременность.

simultaneous [,sɪməl'teɪnjəs] *a* одновременный.

sin [sɪn] **1.** *n* грех; in ~ в незаконном браке; like ~ *sl.* очень сильно;
2. *v* (co)грешить.

sinapism ['sɪnəpɪzəm] *n* горчичник.

since [sɪns] **1.** *adv* 1) с тех пор; I have not seen him ~ я его не видел с тех пор; he has (*или* had) been healthy ever ~ с тех пор он (всё время) был здоров; 2) тому назад; he died many years ~ он умер много лет назад; I saw him not long ~ я видел его недавно.
2. *prep* с; после; I have been here ~ ten o'clock я здесь с 10 часов; ~ seeing you I have (*или* had) heard после того, как я видел вас, я узнал;
3. *cj* 1) с тех пор как; it is a long time ~ I saw him last прошло много времени с тех пор, как я его видел в последний раз; 2) так как; ~ you are ill, I will go alone

поскольку вы больны, я пойду один; 3) хотя.

sincere [sɪn'sɪə] *a* искренний, чистосердечный.

sincerity [sɪn'serɪtɪ] *n* искренность.

sinciput ['sɪnsɪpʌt] *n анат.* передняя и верхняя часть черепа, темя.

sine I [saɪn] *n мат.* синус.

sine II ['saɪnɪ] *лат.* *prep* без; ~ die ['saɪnɪ'daɪiː] на неопределённый срок; ~ qua non ['saɪnɪkweɪ'nɒn] обязательное условие.

sinecure ['saɪnɪkjuə] *n* синекура.

sinew ['sɪnjuː] **1.** *n* 1) сухожилие; 2) *pl* мускулатура; физическая сила; 3) *pl* двигательная сила; the ~s of war деньги и материальные ресурсы;
2. *v* служить опорой, сдерживать.

sinewy ['sɪnjuː] *a* 1) мускулистый; 2) яркий, живой (о стиле).

sinful ['sɪnful] *a* грешный, греховный.

sing [sɪŋ] *v* (sang; sung) 1) петь; to ~ flat (*или* sharp) фальшивить; to ~ smb. to sleep убаюкать кого-л. пением; 2) воспевать (обыкн. ~ of); 3) ликовать; 4) гудеть (о ветре); свистеть (о пуле); звенеть (в ушах); to make one's head ~ вызвать звон в ушах; □ ~ out выкликать; кричать; ◇ to ~ small, to ~ another tune (*или* song) сбавить тон; присмиреть;
2. *n* 1) свист (пули); шум (ветра); звон (в ушах); 2) *разг.* спевка, пение.

singe [sɪndʒ] **1.** *n* ожог.
2. *v* опалять(ся); палить; to ~ one's reputation запятнать свою репутацию; ◇ to ~ one's feathers (*или* wings) обжечься на чём-л.

singer ['sɪŋə] *n* 1) певец; певица; 2) поэт; 3) певчая птица.

Singhalese [,sɪŋgə'liːz] = Sinhalese.

singing ['sɪŋɪŋ] **1.** *pres. p. от* sing 1;
2. *n* пение.

singing-master ['sɪŋɪŋ,mɑːstə] *n* учитель пения.

single ['sɪŋgl] **1.** *a* 1) один; единственный; одинокий, одиноко стоящий; there is not a ~ one left не осталось ни одного; in ~ file гуськом; a ~ eye-glass монокль; ~ combat единоборство; by instalments or in a ~ sum в рассрочку или единовременно; 2) одиночный, предназначенный для одного; ~ bed односпальная кровать; ~ room комната для одного человека; 3) единый; ~ tax *эк.* единый земельный налог; 4) годный в один конец (о билете); 5) одинокий; холостой; незамужняя; ~ blessedness *шутл.* безбрачие, холостая жизнь; 6) бесхитростный, искренний;
2. *n* 1) партия (в теннисе, гольфе), в которой участвуют только два противника; 2) билет в один конец;
3. *v* выбирать, отбирать (*тж.* ~ out).

single-acting ['sɪŋgl'æktɪŋ] *a тех.* одностороннего действия.

single-breasted ['sɪŋgl'brestɪd] *a* однобортный.

single-decker ['sɪŋgl,dekə] *n ав.* моноплан.

single-eyed ['sɪŋgl'aɪd] *a* 1) одноглазый; 2) честный, прямой; прямолинейный; 3) целеустремлённый.

single-gauge ['sɪŋgl'geɪdʒ] *a ж.-д.* одно-путный, одноколейный.

single-handed ['sɪŋgl'hændɪd] **1.** *a* 1) однорукий; 2) сделанный без посторонней помощи;

2. *adv* без посторонней помощи.

single-hearted ['sɪŋgl'hɑːtɪd] *a* 1) прямодушный; 2) преданный своему делу.

single-minded ['sɪŋgl'maɪndɪd] = single--hearted.

singleness ['sɪŋglnɪs] *n* 1) одиночество; 2) прямодушие, искренность; 3): ~ of purpose целеустремлённость.

single-seater ['sɪŋgl,siːtə] *n* одноместный самолёт *или* автомобиль.

single-stage ['sɪŋglsteɪdʒ] *a* одноступенчатый.

singlestick ['sɪŋglstɪk] *n* 1) палка с рукояткой (*для фехтования*); 2) фехтование.

single-sticker ['sɪŋgl,stɪkə] *n мор. разг.* сторожевой одномачтовый корабль.

singlet ['sɪŋglɪt] *n* фуфайка.

singleton ['sɪŋgltən] *n* 1) *карт.* единственная карта данной масти; 2) одиночка; 3) единственный ребёнок.

single-tree ['sɪŋgltriː] *n* оглобля.

single-winged ['sɪŋgl'wɪŋd] *a* одностворчатый.

singly ['sɪŋglɪ] *adv* 1) отдельно, поодиночке; 2) без помощи других.

singsong ['sɪŋsɒŋ] **1.** *n* 1) монотонное чтение *или* пение; 2) импровизированный концерт;

2. *a* монотонный;

3. *v* читать стихи, говорить *или* петь монотонно.

singular ['sɪŋgjulə] **1.** *n грам.* 1) единственное число; 2) слово в единственном числе;

2. *a* 1) необычайный, исключительный; 2) странный, своеобразный; 3) *грам.* единственный.

singularity [,sɪŋgju'lærɪtɪ] *n* необычайность, странность; своеобразие; особенность.

Sinhalese [,sɪnhə'liːz] **1.** *a* цейлонский; **2.** *n* 1) сингалез; 2) сингалезский язык.

sinister ['sɪnɪstə] *a* 1) зловещий; 2) злой, дурной; 3) *уст., шутл.* левый; 4) *геральд.* находящийся на правой (*от зрителя*) стороне герба.

sink [sɪŋk] **1.** *n* 1) раковина (*для стока воды*); 2) сточная труба; 3) клоака; ~ of iniquity притон, вертеп; 4) низина;

2. *v* (sank; sunk) 1) опускать(ся), снижать(ся); падать (*о цене, стоимости, барометре и т. п.*); my spirits (*или* heart) sank я упал духом; to ~ in smb.'s estimation упасть в чьём-л. мнении; the sun sank below a cloud солнце зашло за тучу; 2) тонуть (*о корабле и т. п.*); погружаться; he sank into a chair он опустился в кресло; 3) топить (*судно*); затоплять (*местность*); 4) спадать (*о воде*); убывать, уменьшаться; the lake ~s вода в озере убывает; 5) оседать (*о фундаменте*); 6) впитываться (*о жидкостях, краске*); 7) ослабевать, гибнуть; he is ~ing он умирает; to ~ into = впадать в обморок; 8) впадать, западать; 9) проникать; to ~ into the mind запасть в память; 10) опускаться, низко падать; to ~ into poverty впадать в нищету; 11) погрязнуть; 12) замалчивать (*факт*); скрывать (*своё имя и т. п.*); игнорировать; to ~ one's own interests, to ~ oneself не думать о своих интересах; to ~ the shop скрывать свои занятия, свою профессию; 13) невыгодно поместить (*капитал*); 14) погашать (*долг*); 15) проходить (*шахту*); рыть (*колодец*); прокладывать (*трубу*); 16) вырезать (*штамп*); ◇ to ~ a feud забыть вражду, помириться; ~ or swim ≅ либо пан, либо пропал.

sinker ['sɪŋkə] *n* 1) грузило; 2) *sl.* фальшивая монета; *амер.* серебряный доллар; 3) *амер. sl.* пышка, лепёшка (*часто непропечённая*); 4) *мор.* якорь (*мины, сети*); 5) *горн.* проходчик.

sinking ['sɪŋkɪŋ] **1.** *pres. p. от* sink 2; **2.** *n* 1) опускание *и пр.* [*см.* sink 2]; 2) внезапная слабость.

sinking-fund ['sɪŋkɪŋfʌnd] *n* амортизационный фонд, фонд погашения.

sinner ['sɪnə] *n* грешник.

Sinn Fein ['ʃɪn'feɪn] *n* ирландское националистическое движение шинфейнеров.

Sinn Feiner ['ʃɪn'feɪnə] *n* шинфейнер.

sin-offering ['sɪn,ɔfərɪŋ] *n* искупительная жертва.

sinologist [sɪ'nɔlədʒɪst] *n* китаист, синолог.

sinologue ['sɪnələg] = sinologist.

sinology [sɪ'nɔlədʒɪ] *n* китаеведение.

sinter ['sɪntə] *n* 1) шлак, окалина, накипь; 2) *геол.* туф.

sinuosity [,sɪnju'ɔsɪtɪ] *n* 1) извилистость; 2) извилина, изгиб.

sinuous ['sɪnjuəs] *a* извилистый; волнообразный, волнистый.

sinus ['saɪnəs] (*pl* -es [-ɪz], sinus ['saɪnəz]) *n* 1) *анат.* пазуха; 2) *мед.* свищ.

Sioux [suː] *n* (*pl* Sioux [suːz]) сиукс (*индеец одного из североамериканских племён*).

sip [sɪp] **1.** *n* маленький глоток; **2.** *v* потягивать, прихлёбывать.

siphon ['saɪfən] **1.** *n* сифон; **2.** *v* 1) переливать через сифон; 2) течь через сифон.

sippet ['sɪpɪt] *n* 1) кусочек хлеба, обмакнутый в подливку, молоко *и т. п.*; 2) гренок.

sir [sə (*полная форма*); sə (*редуцированная форма*)] **1.** *n* сэр, господин, сударь (*как обращение; перед именем обозначает титул* knight *или* baronet, *напр.*, S. John); dear ~ милостивый государь;

2. *v* величать сэром.

sircar ['səːkɑː] *n англо-инд.* 1) индийское правительство; 2) глава правительства; 3) глава семьи.

sirdar ['səːdɑː] *n* 1) командир, начальник (*на Востоке*); 2) *ист.* главнокомандующий (*англо-*)египетской армией.

sire ['saɪə] **1.** *n* 1) ваше величество (*обращение к королю*); 2) *поэт.* отец; предок; 3) производитель (*о жеребце и т. п.*);

2. *v* быть производителем (*о жеребце и т. п.*).

siren ['saɪərɪn] *n* 1) сирена; 2) сигнал воздушной тревоги; 3) *миф.* сирена; *перен.* красивая бездушная женщина.

sirloin ['səːlɔɪn] *n* филе́й.
sirocco [sɪ'rɔkou] *n* (*pl* -os[-ouz]) сиро́к-
ко.
sirrah ['sɪrə] *n уст. презр.* эй, ты (су́-
дарь)!
sirup ['sɪrəp] = syrup.
sisal ['saɪsəl] *n* сиза́ль, обрабо́танные
воло́кна тексти́льных ага́в.
siskin ['sɪskɪn] *n* чиж.
sissy ['sɪsɪ] *n амер. разг.* 1) сестрёнка;
2) изне́женный ма́льчик *или* мужчи́на;
не́женка; 3) *attr.* не́жный.
sister ['sɪstə] *n* 1) сестра́; full ~ ,
german родна́я сестра́; half ~ сестра́ то́ль-
ко по одному́ из роди́телей; 2) (ста́ршая)
медици́нская сестра́; сиде́лка; 3) *разг.*
де́вушка (*как обраще́ние*); 4) член рели-
гио́зной общи́ны; мона́хиня; 5) *attr.* ро́д-
ственный; па́рный; материа́льно и органи-
заци́онно свя́занный (*о предприя́тии*); ~
ships одноти́пные суда́.
sisterhood ['sɪstəhud] *n* 1) ро́дственная
связь сестёр; they lived in loving ~ они́
бы́ли лю́бящими сёстрами; 2) религио́зная
се́стринская общи́на.
sister-in-law ['sɪstərɪnlɔː] *n* (*pl* sisters-
-in-law) неве́стка (*жена́ бра́та*); золо́вка;
своя́ченица.
sisterly ['sɪstəlɪ] *a* се́стринский.
sisters-in-law ['sɪstəzɪnlɔː] *pl от* sister-
-in-law.
Sisyphean [ˌsɪsɪ'fiːən] *a миф.* сизи́фов
(*труд*).
sit [sɪt] *v* (sat) 1) сиде́ть; to ~ oneself
сади́ться, уса́живаться; 2) сиде́ть на я́йцах
(*о пти́це*); 3) сажа́ть на я́йца (*пти́цу*);
4) пози́ровать; 5) находи́ться, быть распо-
ло́женным; стоя́ть; 6) сиде́ть (*о пла́тье*);
to ~ ill on smb. сиде́ть на; 7) обреме-
ня́ть; his principles ~ loosely on him он
себя́ свои́ми при́нципами не стесня́ет; 8)
заседа́ть (*о суде́ или парла́менте; тж.* ~
in session); 9) быть аренда́тором; 10) при-
сма́тривать за ребёнком в отсу́тствие роди́-
телей (*тж.* ~ in); 11) держа́ться на ло́ша-
ди; 12) име́ть пра́вильную пози́цию (*о гребе́-
це*); 13) прожива́ть, арендова́ть; □ ~ **back**
безде́льничать, ≈ сиде́ть у мо́ря и ждать
пого́ды; ~ **down** а) сади́ться; б) сиде́ть;
в) *разг.* приземля́ться, де́лать поса́дку
(*о самолёте*); г): to ~ down before a town
(a fortress) обложи́ть го́род (кре́пость); ~
for а) представля́ть в парла́менте (*о́круг*);
б): to ~ for an examination экзаменова́ть-
ся; ~ **in** а) присма́тривать за ребёнком
в отсу́тствие роди́телей; б) заседа́ть, быть
чле́ном комите́та, коми́ссии *и т. п.* (on);
~ **on** а) быть чле́ном (*коми́ссии*); б) раз-
бира́ть (*де́ло*); в) *sl.* осади́ть; вы́бранить;
~ **out** а) не уча́ствовать (*в та́нцах*); б)
вы́сидеть, пересиде́ть; то ~ smb. out пере-
сиде́ть кого́-л.; ~ **through** вы́держать, вы́-
сидеть до конца́; ~ **under** слу́шать про́по-
веди; ~ **up** а) приподня́ться, сесть (*в по-
сте́ли*); б) не ложи́ться спать; заси́жи-
ваться до по́здней но́чи; бо́дрствовать;
в) сиде́ть пря́мо; to make smb. ~ up *перен.
разг.* а) зада́ть тяжёлую рабо́ту кому́-л.;
б) дать кому́-л. встря́ску; в) *разг.* (вне-

за́пно) заинтересова́ться (*тж.* ~ up and
take notice); ~ **upon** = ~ on; ◊ to ~ in
judgement осужда́ть; критикова́ть; to ~
tight *разг.* твёрдо держа́ться; не сдава́ть
свои́х пози́ций; to ~ on one's hands не
аплоди́ровать; возде́рживаться от выра-
же́ния одобре́ния; to ~ at smb.'s feet быть
в по́лной зави́симости от кого́-л.; прислу́-
живать, предупрежда́ть чьё-л. мале́йшее
жела́ние; to ~ down hard on smth. реши́-
тельно воспроти́виться чему́-л.; to ~ down
under (an insult) безотве́тно стерпе́ть
(оби́ду).
sit-down ['sɪtdaun] *n* 1) сиде́ние; стоя́-
ние на ме́сте; 2) *attr.* сидя́чий; ~ strike
италья́нская забасто́вка.
site [saɪt] **1.** *n* 1) местоположе́ние, ме-
стонахожде́ние; 2) уча́сток (*для строи́-
тельства*); 3) склон, бок, сторона́.
2. *v* 1) располага́ть; 2) выбира́ть ме́сто.
sitringee [ˌsɪtrɪn'dʒiː] *n англо-инд.* (поло-
са́тый) цветно́й полови́к.
sitter ['sɪtə] *n* 1) тот, кто пози́рует ху-
до́жнику, фото́графу; нату́рщик; 2) на-
се́дка; 3) = sitter-in; 4) сидя́щая дичь;
5) *разг.* гости́ная; 6) *разг.* лёгкая рабо́та,
несло́жное де́ло.
sitter-in ['sɪtər'ɪn] *n* ня́ня, присма́три-
вающая за детьми́ в отсу́тствие роди́телей.
sitting ['sɪtɪŋ] **1.** *pres. p. от* sit;
2. *n* 1) заседа́ние; 2) сеа́нс; at a ~ в оди́н
присе́ст; 3) высиживание цыпля́т.
sitting-room ['sɪtɪŋrum] *n* 1) о́бщая ко́м-
ната в кварти́ре; гости́ная; 2) ме́сто, по-
меще́ние для сиде́ния.
situated ['sɪtjueɪtɪd] *a* располо́женный;
находя́щийся в определённых обстоя́тель-
ствах, усло́виях; thus ~ в таки́х обстоя́-
тельствах.
situation [ˌsɪtju'eɪʃən] *n* 1) местополо-
же́ние, ме́сто; 2) положе́ние, состоя́ние,
ситуа́ция; to come out of a difficult ~ with
credit с че́стью вы́йти из тру́дного поло-
же́ния; to do with the ~ быть на высоте́
положе́ния; спра́виться с положе́нием; 3)
слу́жба, до́лжность, ме́сто (*особ. о при-
слу́ге*); to find a ~ найти́ рабо́ту, устро́ить-
ся на ме́сто; 4) *воен.* обстано́вка.
sitzkrieg ['zɪtskriːg] *нем. n* «сидя́чая»
война́ (*о нача́льном пери́оде второ́й миро-
во́й войны́*).
six [sɪks] **1.** *num. card.* шесть;
2. *n* 1) шестёрка; 2) *pl* шесто́й но́мер
(*разме́р перча́ток и т. п.*); ◊ at ~es and
sevens в беспоря́дке, вверх дном; it is ~ of
one and half a dozen of the other э́то одно́
и то же, ра́зница то́лько в назва́нии.
six-by-six ['sɪksbaɪ'sɪks] *n амер. sl.*
шестиколёсный грузови́к.
sixer ['sɪksə] *n разг.* шесть очко́в.
sixfold ['sɪksfould] **1.** *a* шестикра́тный;
2. *adv* вше́стеро.
six-footer ['sɪks'futə] *n разг.* 1) челове́к
шести́ фу́тов ро́стом; 2) гроб.
sixpence ['sɪkspəns] *n* сере́бряная моне́та
в 6 пе́нсов *или* ¹/₂ ши́ллинга; ◊ it doesn't
matter ~ нева́жно, не обраща́йте внима́ния.
six-shooter ['sɪks'ʃuːtə] *n* шестизаря́дный
револьве́р.

sixteen ['sıks'tiːn] *num. card.* шестна́дцать.

sixteenmo [sıks'tiːnmou] = sextodecimo.

sixteenth ['sıks'tiːnθ] 1. *num. ord.* шестна́дцатый;
2. *n* 1) шестна́дцатая часть; 2) (the ~) шестна́дцатое число́.

sixth [sıks θ] 1. *num. ord.* шесто́й; ◇ ~ column а) «шеста́я коло́нна», посо́бники «пя́той коло́нны»; б) организа́ция, бо́рющаяся про́тив «пя́той коло́нны»;
2. *n* 1) шеста́я часть; 2) (the ~) шесто́е число́.

sixthly ['sıksθlı] *adv* в-шесты́х.

sixties ['sıkstız] *n pl* 1) (the ~) шестидеся́тые го́ды; 2) седьмо́й деся́ток (*возраст между 59 и 70 годами*).

sixtieth ['sıkstıθ] 1. *num. ord.* шестидеся́тый;
2. *n* шестидеся́тая часть.

sixty ['sıkstı] 1. *num. card.* шестьдеся́т; ~-one шестьдеся́т оди́н; ~-two шестьдеся́т два *и т. д.*; he is over ~ ему́ за шестьдеся́т;
2. *n* шестьдеся́т (*единиц, штук*); ◇ like ~ *амер. sl.* стреми́тельно, с большо́й си́лой; чрезвыча́йно.

sizable ['saızəbl] *a* поря́дочного разме́ра.

sizar ['saızə] *n* студе́нт, освобождённый от пла́ты за обуче́ние, пита́ние *и т. п.*

size I [saız] 1. *n* 1) разме́р, величина́; объём; 2) форма́т, кали́бр; 3) *полигр.* кегль; 4) но́мер (*перчаток и т. п.*); 5) *разг.* и́стинное положе́ние веще́й; ◇ that's about the ~ of it вот что э́то тако́е;
2. *v* сортирова́ть по величине́; □ ~ up а) определя́ть разме́р, величину́; б) *разг.* соста́вить мне́ние (*о ком-л.*).

size II [saız] 1. *n* клей, шли́хта;
2. *v* прокле́ивать, шлихтова́ть.

sizzle ['sızl] *разг.* 1. *n* 1) шипе́ние; 2) испепеля́ющий жар;
2. *v* шипе́ть.

sizzling ['sızlıŋ] 1. *pres.p.* от sizzle 2;
2. *a* испепеля́ющий, обжига́ющий; ~ hot раскалённый.

sjambok ['ʃæmbɔk] *южно-афр.* 1. *n* плеть, бич;
2. *v* стега́ть бичо́м.

skald [skɔːld] = scald II.

skat [skɑːt] *n карт.* скат.

skate I [skeıt] *n* скат (*рыба*).

skate II [skeıt] 1. *n* 1) конёк; 2) ката́ние на конька́х;
2. *v* 1) ката́ться на конька́х; 2) скользи́ть; to ~ over smth. упомяну́ть что-л. вскользь.

skater ['skeıtə] *n* 1) тот, кто ката́ется на конька́х; 2) конькобе́жец.

skating-rink ['skeıtıŋrıŋk] *n* ске́тинг-ри́нк; като́к.

skedaddle [skı'dædl] *v разг.* удира́ть, улепётывать.

skein [skeın] *n* 1) мото́к пря́жи; tangled ~ *перен.* паути́на; запу́танный клубо́к; 2) ста́я ди́ких гусе́й.

skeletal ['skelıtl] *a* 1) скеле́тный; 2) скелетообра́зный.

skeleton ['skelıtn] 1. *n* 1) скеле́т, костя́к; о́стов, карка́с; 2) набро́сок, план; ◇ ~ at

the feast то, что по́ртит удово́льствие; ~ in the cupboard, family ~ семе́йная та́йна; та́йна, тща́тельно скрыва́емая от посторо́нних;
2. *a* решётчатый, ажу́рный.

skeletonize ['skelıtənaız] *v* 1) препари́ровать скеле́т; 2) де́лать набро́сок.

skeleton key ['skelıtn'kiː] *n* отмы́чка.

skeptic ['skeptık] = sceptic.

skerry ['skerı] *n* шхе́ра, риф.

sketch [sketʃ] 1. *n* 1) эски́з, набро́сок; кроки́; 2) бе́глый о́черк; отры́вок; 3) *театр.* скетч.
2. *v* рисова́ть эски́зы, де́лать набро́ски.

sketch-book ['sketʃbuk] *n* альбо́м.

sketch-map ['sketʃmæp] *n* схемати́ческая ка́рта.

sketchy ['sketʃı] *a* 1) эски́зный; отры́вочный; to be on the ~ side быть негла́дким, неро́вным (*о речи*); 2) пове́рхностный.

skew [skjuː] 1. *n* 1) укло́н; 2) уко́с;
2. *a* 1) косо́й; 2) асимметри́чный;
3. *v* 1) уклоня́ться, отклоня́ться; свора́чивать в сто́рону; 2) перека́шивать; 3) искажа́ть; извраща́ть; 4) *диал.* смотре́ть и́скоса; коси́ть глаза́ми.

skewbald ['skjuːbɔːld] *a* пе́гий.

skewer ['skjuə] 1. *n* 1) небольшо́й ве́ртел; 2) *шутл.* шпа́га; 3) *текст.* неподви́жное веретено́; шпи́лька для ро́вницы;
2. *v* 1) наса́живать (*на что-л.*); 2) пронза́ть.

skew-eyed ['skjuːaıd] *a* косогла́зый.

ski [skiː] 1. *n* (*pl* skis *или без измен.*) лы́жа;
2. *v* (ski'd) ходи́ть на лы́жах.

skiagram, skiagraph ['skaıəgræm, -grɑːf] *n* рентге́новский сни́мок.

skibby ['skıbı] *n амер. презр. прозвище японца.*

skiborne ['skiːbɔːn] *a воен.* передвига́ющийся на лы́жах (*о войсках*).

skid [skıd] 1. *n* 1) тормозна́я коло́дка; 2) направля́ющая ре́йка, направля́ющий рельс; доска́ (*для спуска груза*); 3) юз, буксова́ние, скольже́ние колёс; 4) *ав.* хвостово́й косты́ль; 5) *авт.* зано́с, забра́сывание; ◇ to put the ~s under *амер.* изба́виться, бы́стро отде́латься; on the ~s обречённый на прова́л, ги́бель *и т. п.*;
2. *v* 1) тормози́ть; 2) буксова́ть; 3) *авт.* заноси́ть; the car ~ded маши́ну занесло́.

ski'd [skiːd] *past и p. p.* от ski 2.

skier ['skiːə] *n* лы́жник.

skiff [skıf] *n* я́лик; *спорт.* скиф.

skiffle-group ['skıflgruːp] *n* самоде́ятельный инструмента́льно-вока́льный анса́мбль.

skiffle-player ['skıfl,pleıə] *n* арти́ст самоде́ятельного инструмента́льно-вока́льного анса́мбля.

ski-joring ['skiː,dʒɔːrıŋ] *n* бег на лы́жах на букси́ре.

ski-jumping ['skiː,dʒʌmpıŋ] *n* прыжки́ на лы́жах.

skilful ['skılful] *a* иску́сный, уме́лый.

skill [skıl] 1. *n* иску́сство, мастерство́; уме́ние; ло́вкость;
2. *v*: it ~s not *уст.* а) э́то безразли́чно; б) э́то бесполе́зно.

skilled [skɪld] *a* квалифици́рованный, иску́сный.

skillet [ˈskɪlɪt] *n* 1) небольша́я кастрю́ля с дли́нной ру́чкой; 2) сковорода́.

skilly [ˈskɪlɪ] *n* жи́дкая похлёбка.

skim [skɪm] **1.** *v* 1) снима́ть (*накипь и т. п.*); to ~ milk снима́ть сли́вки с молока́; to ~ the cream off снима́ть сли́вки (*тж. перен.*); 2) едва́ каса́ться, нести́сь, скользи́ть (along, over — по *чему-л.*); 3) бе́гло прочи́тывать; перели́стывать (*книгу*);
2. *a*: ~ milk снято́е молоко́.

skimble-skamble [ˈskɪmblˈskæmbl] *a* бессвя́зный.

skimmer [ˈskɪmə] *n* 1) шумо́вка; 2) сепара́тор; 3) *ав. разг.* гли́ссер; гидросамолёт.

skimming-dish [ˈskɪmɪŋdɪʃ] *n sl.* плоскодо́нная го́ночная я́хта.

skimp [skɪmp] *v* ску́дно снабжа́ть; уре́зывать; скупи́ться.

skimpy [ˈskɪmpɪ] *a* 1) ску́дный; 2) у́зкий; 3) худо́й.

skin [skɪn] **1.** *n* 1) ко́жа; шку́ра; outer ~ *анат.* эпиде́рма; 2) кожура́, ко́жица; 3) нару́жный слой, оболо́чка; 4) мех (*для вина́*); 5) *sl.* кля́ча; 6) *амер.* скря́га; 7) *sl.* жу́лик; 8) *метал.* плена́ (*при прока́тке*); ко́рка (*сли́тка*); ◇ in (*или* with) a whole ~ цел и невреди́м; to escape (*или* by) the ~ of one's teeth е́ле-е́ле спасти́сь; to get under the ~ досажда́ть, раздража́ть, де́йствовать на не́рвы; to jump out of one's ~ а) быть вне себя́ (*от ра́дости, удивле́ния*); б) подскочи́ть, вздро́гнуть (*от ра́дости, неожи́данности*); to change one's ~ неузнава́емо измени́ться; to have a thick (thin) ~ быть нечувстви́тельным (о́чень чувстви́тельным); to keep a whole ~, to save one's ~ спасти́ свою́ шку́ру; mere (*или* only) ~ and bone ко́жа да ко́сти;
2. *v* 1) покрыва́ть(ся) ко́жей (*обыкн.* ~ over); 2) зарубцева́ться (*обыкн.* ~ over); 2) сдира́ть ко́жу, шку́ру; снима́ть кожуру́; 3) *sl.* обобра́ть до́чиста; 4) *sl.* вы́сосать, вы́пить (*напи́ток*); ◇ to ~ a flint скря́жничать, быть ска́редным; to keep one's eyes ~ned *sl.* смотре́ть в о́ба.

skin-deep [ˈskɪnˈdiːp] **1.** *a* пове́рхностный; **2.** *adv* пове́рхностно.

skin-diver [ˈskɪnˌdaɪvə] *n* ловец же́мчуга.

skinflint [ˈskɪnflɪnt] *n* скря́га.

skinful [ˈskɪnful] *n* по́лный мех (*вина́*).

skin-game [ˈskɪngeɪm] *n* 1) бой без пер ча́ток (*в бо́ксе*); 2) борьба́ не на жизнь, а на смерть; 3) *амер. sl.* моше́нничество, обма́н.

skin-grafting [ˈskɪnˌɡrɑːftɪŋ] *n мед.* переса́дка ко́жи.

skinner [ˈskɪnə] *n* 1) скорня́к; 2) *амер.* пого́нщик вью́чного живо́тного; 3) *разг.* обма́нщик.

skinny [ˈskɪnɪ] *a* то́щий, ко́жа да ко́сти.

skip I [skɪp] **1.** *n* прыжо́к, скачо́к;
2. *v* 1) скака́ть, пры́гать; 2) переска́кивать (*в разгово́ре*; *обыкн.* ~ off, ~ from); to ~ a grade перескочи́ть че́рез класс (*в шко́ле*); 3) пропуска́ть; he ~s as he reads

он чита́ет не всё подря́д; 4) *разг.* съе́здить; 5) *sl.* удра́ть; ◇ ~ it! ла́дно!, нева́жно!

skip II [skɪp] *n горн.* бадья́; скип; ваго́нетка с откидыва́ющимся ку́зовом.

skipjack [ˈskɪpdʒæk] *n* 1) пры́гающая игру́шка; 2) *общее назва́ние пры́гающих жуко́в и рыб.*

skipper [ˈskɪpə] *n* шки́пер, капита́н (*торго́вого су́дна*); *мор. разг.* команди́р корабля́; ◇ ~'s daughters высо́кие во́лны с бе́лыми гре́бнями.

skipping-rope [ˈskɪpɪŋɡroup] *n* скака́лка.

skirl [skɜːl] **1.** *n* звук волы́нки;
2. *v* издава́ть звук на волы́нке.

skirmish [ˈskɜːmɪʃ] **1.** *n* 1) сты́чка, схва́тка; перестре́лка; 2) *attr.*: ~ line стрелко́вая цепь;
2. *v* 1) перестре́ливаться; 2) сража́ться ме́лкими отря́дами.

skirmisher [ˈskɜːmɪʃə] *n* 1) стрело́к в цепи́; 2) *ист.* застре́льщик.

skirt [skɜːt] **1.** *n* 1) ю́бка; divided ~ широ́кие брю́ки; 2) пола́, подо́л; 3) *sl.* же́нщина; 4) (*часто pl*) край, окра́ина; on the ~s of the wood на опу́шке ле́са; 5) *тех.* ю́бка (*поршня́, изоля́тора*);
2. *v* 1) быть располо́женным на опу́шке, на краю́; 2) грани́чить; 3) идти́ вдоль кра́я, окаймля́ть, опоя́сывать.

skirting-board [ˈskɜːtɪŋbɔːd] *n архит.* плинтус; пане́ль.

ski-run [ˈskiːrʌn] *n* лыжня́.

ski-running [ˈskiːˌrʌnɪŋ] *n* ходьба́ на лы́жах.

skit I [skɪt] *n* 1) шу́тка, сати́ра, паро́дия; 2) скетч.

skit II [skɪt] *n разг.* мно́жество, толпа́.

skitter [ˈskɪtə] *v* нести́сь с пле́ском по воде́ (*о пти́це*).

skittish [ˈskɪtɪʃ] *a* 1) игри́вый *или* пугли́вый (*о ло́шади*); 2) живо́й, игри́вый; коке́тливый; капри́зный.

skittle [ˈskɪtl] **1.** *n pl* ке́гли; ◇ ~! *разг.* вздор!; not all beer and ~s не всё заба́вы и развлече́ния;
2. *v*: to ~ away *разг.* растранжи́рить; упусти́ть.

skittle-alley [ˈskɪtlˌælɪ] *n* кегельба́н.

skittle-ground [ˈskɪtlɡraund] = skittle-alley.

skive [skaɪv] *v* 1) разреза́ть ко́жу; 2) ста́чивать (*грань драгоце́нного ка́мня*).

skiver [ˈskaɪvə] *n* 1) нож для разреза́ния ко́жи; 2) то́нкая ко́жа.

skivvies [ˈskɪvɪz] *n pl мор. sl.* ни́жнее бельё.

skivvy [ˈskɪvɪ] *n разг. пренебр.* прислу́га.

sklent [sklent] **1.** *n* 1) непра́вда; 2) *attr.* лжи́вый, неве́рный;
2. *v* лгать.

skoal [skoul] *int* ва́ше здоро́вье!

skua [ˈskjuə] *n зоол.* помо́рник большо́й.

skulduggery [ˈskʌlˌdʌɡərɪ] = skullduggery.

skulk [skʌlk] *v* 1) скрыва́ться; пря́таться (за чужу́ю спи́ну); уклоня́ться от отве́тственности, рабо́ты *и т. п.*; 2) кра́сться.

skull [skʌl] *n* че́реп; ~ and cross-bones че́реп и ко́сти (*эмбле́ма сме́рти*); ◇ thick ~ ≅ ме́дный лоб, ту́пость.

skull-cap [ˈskʌlkæp] *n* ермо́лка, тюбетейка.

skullduggery [ˈskʌlˌdʌɡərɪ] *n* шутл. надувательство.

skunk [skʌŋk] **1.** *n* !) зоол. воню́чка, скунс; 2) ску́нсовый мех; 3) разг. подле́ц; 4) амер. разг. по́лное пораже́ние;
2. *v* амер. разг. нанести́ пораже́ние; обыгра́ть в пух и прах.

sky [skaɪ] **1.** *n* 1) не́бо, небеса́; 2) кли́мат; under warmer ~ в бо́лее тёплом кли́мате; ◇ to laud (*или* to extol, to praise) to the skies превозноси́ть до небе́с; if the ~ fall we shall catch larks разг. ≅ е́сли бы, да кабы́; out of a clear ~ соверше́нно неожи́данно; ни с того́ ни с сего́;
2. *v* 1) высо́ко забро́сить (*мяч*); 2) ве́шать под потоло́к (*картину*).

sky army [ˈskaɪˈɑːmɪ] *n* авиавойска́.

sky-blue [ˈskaɪˈbluː] **1.** *n* лазу́рь;
2. *a* лазу́рный.

sky-born [ˈskaɪˈbɔːn] *a* поэт. боже́ственного (*или* небе́сного) происхожде́ния.

sky-clad [ˈskaɪklæd] *a* шутл. наго́й.

skyer [ˈskaɪə] *n* высо́ко забро́шенный мяч.

skyey [ˈskaɪ] *a* 1) небе́сный; небе́сно-голубо́й; 2) возвы́шенный.

sky-high [ˈskaɪˈhaɪ] **1.** *a* высо́кий, достига́ющий не́ба;
2. *adv* до небе́с; о́чень высо́ко.

skylark [ˈskaɪlɑːk] **1.** *n* жа́воронок;
2. *v* забавля́ться, выки́дывать шту́ки, резви́ться.

skylight [ˈskaɪlaɪt] *n* стр. 1) ве́рхний свет, застеклённая кры́ша; 2) мор. све́тлый люк.

skyline [ˈskaɪlaɪn] *n* 1) горизо́нт, ли́ния горизо́нта; 2) очерта́ние на фо́не не́ба.

sky pilot [ˈskaɪˈpaɪlət] *n* 1) sl. свяще́нник; 2) пило́т.

sky-rocket [ˈskaɪˌrɔkɪt] **1.** *n* раке́та (*в пироте́хнике*);
2. *v* 1) устремля́ться ввысь; 2) амер. стреми́тельно поднима́ться, бы́стро расти́ (*о ценах, проду́кции и т. п.*).

skyscape [ˈskaɪskeɪp] *n* карти́на, изобража́ющая не́бо.

sky-scraper [ˈskaɪˌskreɪpə] *n* небоскрёб.

sky truck [ˈskaɪˈtrʌk] *n* амер. разг тра́нспортный самолёт.

skyward(s) [ˈskaɪwəd(z)] *adv* к не́бу.

sky wave [ˈskaɪˈweɪv] *n* радио волна́, отражённая от ве́рхних слоёв атмосфе́ры.

sky-wave [ˈskaɪˌweɪv] *a:* ~ communication связь на отражённой волне́.

skyways [ˈskaɪˌweɪz] *n pl* возду́шные пути́.

sky-writer [ˈskaɪˌraɪtə] *n* самолёт для возду́шной рекла́мы.

sky-writing [ˈskaɪˌraɪtɪŋ] *n* дымова́я на́дпись, вычерчиваемая в во́здухе самолётом; возду́шная рекла́ма.

slab [slæb] **1.** *n* 1) плита́; пласти́на; 2) разг. ло́моть; 3) стр. горбы́ль; 4) метал. сляб; пло́ская загото́вка;
2. *v* спи́ливать горбы́ль.

slab-sided [ˈslæbˈsaɪdɪd] *a* 1) име́ющий пло́ские сто́роны; 2) разг. худоща́вый; высо́кий и то́нкий.

slack I [slæk] **1.** *a* 1) сла́бый; дря́блый;

to feel ~ чу́вствовать себя́ разви́нченным; 2) вя́лый (*о торго́вле, ры́нке*); а ~ season пери́од зати́шья; 3) ненатя́нутый (*о кана́те, вожжа́х*); ненапряжённый (*о мы́шцах*); to keep a ~ hand (*или* a ~ rein) опусти́ть пово́дья; 4) ме́дленный; at a ~ pace ме́дленным ша́гом; ~ water а) стоя́чая вода́; б) вре́мя ме́жду прили́вом и отли́вом; 5) разг. расхля́банный; небре́жный; ~ in duty неради́вый; 6) недопечённый (*о хле́бе*); 7) откры́тый (*о гла́сном*); 8) расслабля́ющий (*о пого́де*);
2. *n* 1) осла́бнувшая верёвка, слабина́; 2) зати́шье (*в торго́вле*); 3) безде́йствие; безде́лье; to have a good ~ безде́льничать, ничего́ не де́лать; 4) = ~ water [*см.* 1, 4)];
3. *v* 1) ослабля́ть, распуска́ть; 2) сла́бнуть; 3) замедля́ть(ся); 4) утоля́ть (*жа́жду*); 5) разг. ло́дырничать; 6) гаси́ть (*и́звесть*); □ ~ away мор. трави́ть, потра́вливать; ~ off а) ослабля́ть своё рве́ние, напряже́ние и т. п.; б) = ~ away; ~ up замедля́ть ход.

slack II [slæk] *n* у́гольная пыль.

slack-baked [ˈslækˈbeɪkt] *a* 1) недопечённый; 2) недора́звитый.

slacken [ˈslækən] *v* 1) ослабля́ть; 2) сла́бнуть; 3) замедля́ть.

slacker [ˈslækə] *n* разг. 1) ло́дырь, безде́льник; 2) воен. уклоня́ющийся от призы́ва.

slack lime [ˈslækˈlaɪm] *n* гашёная и́звесть.

slacks [slæks] *n pl* широ́кие (спорти́вные) брю́ки.

slack suit [ˈslækˈsjuːt] *n* широ́кий костю́м спорти́вного покро́я.

slag [slæɡ] *n* шлак, вы́гарки, ока́лина.

slain [sleɪn] *p.p. om* slay 1.

slake [sleɪk] *v* 1) утоля́ть (*жа́жду*); 2) гаси́ть (*и́звесть*); 3) туши́ть (*ого́нь*).

slalom [ˈsleɪləm] *n* спорт. сла́лом.

slam [slæm] **1.** *n* 1) хло́панье (*дверьми́*); 2) карт. шлем; 3) разг. кри́тика;
2. *v* 1) хло́пать, захло́пывать(ся); 2) sl. уда́рить; 3) разг. раскритикова́ть.

slander [ˈslɑːndə] **1.** *n* клевета́, злосло́вие;
2. *v* клевета́ть, поро́чить репута́цию.

slanderous [ˈslɑːndərəs] *a* клеветни́ческий.

slang [slæŋ] **1.** *n* слэнг, жарго́н;
2. *a* относя́щийся к слэ́нгу, вульга́рный; ~ word вульгари́зм;
3. *v* разг. обруга́ть.

slanguage [ˈslæŋɡwɪdʒ] шутл. см. slang 1.

slangy [ˈslæŋɪ] *a* 1) жарго́нный, вульга́рный; 2) употребля́ющий жарго́нные выраже́ния, слэнг; 3) крича́щий (*о пла́тье*).

slant [slɑːnt] **1.** *n* 1) склон, укло́н; on the ~ ко́со; в накло́нном положе́нии; 2) амер. бы́стрый взгляд; to take a ~ взгляну́ть; 3) амер. то́чка зре́ния; скло́нность; тенде́нция;
2. *a* косо́й; накло́нный;
3. *v* 1) идти́ вкось; 2) направля́ть вкось; 3) искажа́ть, тенденцио́зно представля́ть.

slantingdicular [ˌslɑːntɪŋˈdɪkjulə] *a* шутл. косо́й.

slantwise ['slɑːntwaɪz] *adv* ко́со.
slap [slæp] 1. *n* шлепо́к; a ~ in the face пощёчина; *перен.* ре́зкий отпо́р; оскорбле́ние;
2. *v* хло́пать, шлёпать;
3. *adv разг.* вдруг; пря́мо; to hit smb. ~ in the eye уда́рить кого́-л. пря́мо в глаз; to run ~ into smb. налете́ть с разма́ху на кого́-л.
slap-bang ['slæp'bæŋ] *adv* со всего́ разма́ху; с шу́мом.
slapdash ['slæpdæʃ] 1. *a* стреми́тельный, поспе́шный;
2. *adv* очертя́ го́лову, как попа́ло, ко́е-ка́к.
slapjack ['slæpdʒæk] *n* 1) *амер.* блин, ола́дья; 2) де́тская ка́рточная игра́.
slapper ['slæpə] *n разг.* не́что сногсшиба́тельное.
slapping ['slæpɪŋ] 1. *pres.p. om* slap 2;
2. *a разг.* сногсшиба́тельный.
slapstick ['slæpstɪk] *n* 1) хлопу́шка; 2) фарс (*тж.* ~ comedy).
slap-up ['slæpʌp] *a sl.* шика́рный.
slash I [slæʃ] 1. *n* 1) уда́р сплеча́; 2) разре́з; про́резь; 3) ра́на; 4) вы́рубка;
2. *v* 1) руби́ть (*саблей*); полосова́ть; 2) коси́ть; 3) хлеста́ть; 4) ре́зко критикова́ть; 5) *амер.* сокраща́ть; снижа́ть (*це́ны, нало́ги и т. п.*); 6) де́лать разре́зы (*в пла́тье*).
slash II [slæʃ] *n амер.* боло́тистое ме́сто.
slashing ['slæʃɪŋ] 1. *pres. p. om* slash I, 2;
2. *n* ру́бка са́блей; се́ча;
3. *a* 1) стреми́тельный, си́льный; ~ rain хле́щущий дождь; 2) сокруши́тельный, ре́зкий; ~ criticism беспоща́дная кри́тика; 3) *разг.* огро́мный; ~ dinner о́чень сы́тный обе́д.
slat I [slæt] *n* 1) перекла́дина, пла́нка, филёнка, доще́чка; 2) *ав.* предкры́лок; 3) *pl sl.* рёбра.
slat II [slæt] *v* хло́пать (*о па́русе*).
slate [sleɪt] 1. *n* 1) *мин.* сла́нец, ши́фер; ши́ферная плита́; 2) гри́фельная доска́; 3) *амер.* спи́сок кандида́тов (*на вы́борах*); 4) се́ро-голубо́й цвет; ◊ a clean ~ безупре́чная репута́ция; to have a ~ loose ≅ ви́нтика не хвата́ет; to clean the ~, to wipe off the ~ изба́виться от всех ста́рых обяза́тельств;
2. *v* 1) крыть ши́ферными пли́тами; 2) *амер.* выдвига́ть в кандида́ты; 3) заноси́ть в спи́сок; 4) *разг.* раскритикова́ть; вы́бранить.
slate-club ['sleɪtklʌb] *n* ка́сса взаимопо́мощи.
slate-pencil ['sleɪt,pensl] *n* гри́фель.
slater ['sleɪtə] *n* 1) кро́вельщик; 2) суро́вый кри́тик.
slather ['slæðə] 1. *n* (*обыкн. pl*) *амер. разг.* большо́е коли́чество.
2. *v* тра́тить, расхо́довать в больши́х коли́чествах.
slattern ['slætən] *n* неря́ха, грязну́ля.
slatternly ['slætənlɪ] *a* неря́шливый.
slaty ['sleɪtɪ] *a* 1) сла́нцевый; ши́ферный; 2) тёмно-се́рый; 3) сло́истый, пласти́нчатый.

slaughter ['slɔːtə] 1. *n* 1) резня́, кровопроли́тие; избие́ние; 2) убо́й (*скота́*);
2. *v* 1) устра́ивать резню́, кровопроли́тие; 2) убива́ть, ре́зать (*скот*).
slaughter-house ['slɔːtəhaus] *n* бо́йня.
slaughterous ['slɔːtərəs] *a ритор.* 1) кровопроли́тный; 2) кровожа́дный.
Slav [slɑːv] 1. *n* славяни́н; славя́нка; the ~s *pl собир.* славя́не;
2. *a* славя́нский.
Slavdom ['slɑːvdəm] *n* славя́нство.
slave [sleɪv] 1. *n* 1) раб, нево́льник; 2) *attr.* ра́бский; ~ labour поднево́льный труд;
2. *v* рабо́тать как раб.
slave-born ['sleɪv'bɔːn] *a* рождённый в ра́бстве.
slave-driver ['sleɪv,draɪvə] *n* 1) надсмо́трщик над раба́ми; 2) эксплуата́тор.
slave-holder ['sleɪv,houldə] *n* рабовладе́лец.
slaver I ['sleɪvə] *n* 1) работорго́вец; 2) = slave-ship.
slaver II ['slævə] 1. *n* 1) слю́ни; 2) гру́бая лесть;
2. *v* 1) пуска́ть слюну́; слюня́вить; 2) подли́зываться.
slavery ['sleɪvərɪ] *n* 1) ра́бство; 2) тяжё́лый поднево́льный труд.
slave-ship ['sleɪvʃɪp] *n* нево́льничье су́дно.
slave-trade ['sleɪvtreɪd] *n* работорго́вля.
slavey ['sleɪvɪ] *n разг.* служа́нка.
Slavic ['slævɪk] *a* = Slavonic.
slavish ['sleɪvɪʃ] *a* ра́бский; ~ imitation ра́бское подража́ние.
Slavonian [slə'vounɪən] 1. *a* 1) слове́нский; 2) славя́нский;
2. *n* 1) слове́нец; слове́нка; 2) славяни́н; славя́нка; 3) гру́ппа славя́нских языко́в.
Slavonic [slə'vɒnɪk] 1. *a* славя́нский;
2. *n* гру́ппа славя́нских языко́в.
Slavophil ['slævəfɪl] *n* славянофи́л.
Slavophobe ['slævəfoub] *n* славянофо́б.
slaw [slɔː] *n амер.* сала́т из капу́сты.
slay I [sleɪ] *v* (slew; slain) убива́ть.
slay II [sleɪ] *n текст.* бата́н.
slayer ['sleɪə] *n* уби́йца.
sleazy ['sliːzɪ] *a* то́нкий, непро́чный (*о тка́ни; тж. перен.*).
sled [sled] = sledge I.
sledding ['sledɪŋ] *n* 1) езда́, ката́ние на саня́х, на сала́зках; 2) са́нный путь; ◊ hard ~ *амер.* тру́дное положе́ние, затрудне́ние.
sledge I [sledʒ] 1. *n* са́ни, сала́зки;
2. *v* 1) е́хать на саня́х; 2) вози́ть на саня́х.
sledge II [sledʒ] = sledge-hammer.
sledge-car ['sledʒkɑː] *n* автоса́ни.
sledge-hammer ['sledʒ,hæmə] *n* 1) кува́лда, кузне́чный мо́лот; 2) *attr.* сокруши́тельный; ~ blow сокруши́тельный уда́р; ~ argument уничтожа́ющий аргуме́нт.
sleek [sliːk] 1. *a* 1) гла́дкий, лосня́щийся; прили́занный; 2) еле́йный;
2. *v* пригла́живать; наводи́ть лоск.
sleeken ['sliːkən] = sleek 2.
sleeky ['sliːkɪ] *a* 1) гла́дкий, прили́занный; 2) вкра́дчивый; хи́трый.

sleep [sliːp] 1. *n* 1) сон; to go to ~ заснуть; to get a ~ поспать; in one's ~ во сне; to send smb. to ~ усыпить кого-л.; to put to ~ уложить спать; the last ~, ~ that knows not breaking вечный сон, смерть; 2) спячка; 2. *v* (slept) 1) спать, засыпать; to ~ with one eye open чутко спать; to ~ like a log (*или* top) спать мёртвым сном; to ~ the sleep of the just спать сном праведника; to ~ the clock round проспать двенадцать часов; 2) покоиться (*в могиле*); 3) ночевать (at, in); 4) предоставлять ночлег; the hotel can ~ 300 men в гостинице могут разместиться 300 человек; □ ~ away проспать; ~ in а) ночевать на работе; б): to be slept in быть занятым, использованным для сна; his bed has not been slept in он не ночевал дома; ~ off отоспаться; ~ on, ~ over отложить рассмотрение *чего-л.* до утра.

sleeper [ˈsliːpə] *n* 1) спящий; light (heavy) ~ спящий чутко (крепко); 2) соня; 3) = sleeping-car; 4) нечто, неожиданно приносящее большую прибыль (*напр.,* лошадь, неожиданно пришедшая первой на скачках, неожиданно нашумевшая книга, кинокартина и т. п.); 5) ж.-д. шпала.

sleeperette [ˌsliːpəˈret] *n* откидывающееся кресло в самолёте или междугородном автобусе.

sleeping-bag [ˈsliːpɪŋbæg] *n* спальный мешок.

sleeping-car [ˈsliːpɪŋkɑː] *n* спальный вагон.

sleeping-draught [ˈsliːpɪŋdrɑːft] *n* снотворное средство.

sleeping partner [ˈsliːpɪŋˈpɑːtnə] *см.* partner 1, 2).

sleeping-pills [ˈsliːpɪŋpɪlz] *n pl* снотворные таблетки.

sleeping-sickness [ˈsliːpɪŋˌsɪknɪs] *n* сонная болезнь.

sleepless [ˈsliːplɪs] *a* бессонный; бодрствующий.

sleep-walker [ˈsliːpˌwɔːkə] *n* лунатик.

sleepy [ˈsliːpɪ] *a* 1) сонный, сонливый; a ~ little town тихий, сонный городок; ~ sickness эпидемический энцефалит; 2) перезрелый (*о фруктах*).

sleepyhead [ˈsliːpɪhed] *n разг.* соня.

sleet [sliːt] 1. *n* дождь со снегом, крупа; 2. *v* (*в безл. оборотах*): it ~s идёт дождь со снегом.

sleety [ˈsliːtɪ] *a* слякотный.

sleeve [sliːv] *n* 1) рукав; to turn (*или* to roll) up one's ~s засучить рукава (*перен.* приготовиться к борьбе, к работе); 2) *тех.* муфта, втулка, гильза; ◇ to have smth. up one's ~ незаметно держать что-л. наготове; иметь что-л. про запас; he has smth. up his ~ у него что-то на уме; to laugh in one's ~ смеяться в кулак, исподтишка; радоваться втихомолку.

sleeveprotectors [ˈsliːvprəˌtektəz] *n pl* нарукавники.

sleigh [sleɪ] = sledge I.

sleigh-bell [ˈsleɪbel] *n* бубенчик.

sleight [slaɪt] *n уст.* ловкость; фокус.

sleight-of-hand [ˈslaɪtəvˈhænd] *n* ловкость рук, жонглёрство.

slender [ˈslendə] *a* 1) тонкий, стройный; 2) скудный, слабый; небольшой, незначительный; ~ means скудные средства; ~ income маленький доход; ~ hope слабая надежда.

slenderize [ˈslendəraɪz] *v* 1) худеть, терять в весе; 2) делать тонким.

slept [slept] *past и p.p. от* sleep 2.

sleuth [sluːθ] 1. *n* 1) собака-ищейка; 2) *разг.* сыщик; 2. *v* быть сыщиком.

sleuth-hound [ˈsluːθˈhaund] = sleuth 1.

slew I [sluː] 1. *n* поворот, поворотное движение; 2. *v* поворачивать(ся); вращать(ся).

slew II [sluː] *past от* slay I.

slew III [sluː] *n амер. разг.* завод; болото.

slew IV [sluː] *n амер. разг.* большое количество, очень много.

slice [slaɪs] 1. *n* 1) ломтик, ломоть; тонкий слой (*чего-л.*); 2) часть; a ~ of territory (of the profits) часть территории (прибыли); 3) широкий нож; 4) неправильный удар (*в гольфе*); 2. *v* 1) резать ломтиками (*тж.* ~ up); отрезать; 2) делить на части; 3) неправильно ударять (*по воде веслом, по мячу в гольфе*).

slick [slɪk] 1. *a* 1) гладкий, блестящий; 2) ловкий; быстрый; 3) хитрый; 4) *sl.* превосходный; привлекательный; 2. *adv* прямо, ловко, гладко; the machine goes very ~ машина работает без перебоев; 3. *v* 1) делать гладким, блестящим; 2) *амер. разг.* убирать, прикрашивать; приводить в порядок (*обыкн.* ~ up); 4. *n амер. sl.* роскошный журнал (*тж.* ~ paper).

slicker [ˈslɪkə] *n амер.* 1) макинтош; 2) *разг.* ловкий обманщик.

slid [slɪd] *past и p. p. от* slide 2.

slide [slaɪd] 1. *n* 1) скольжение; 2) ледяная гора *или* дорожка; каток; 3) спускной жёлоб; наклонная плоскость; 4) оползень; 5) диапозитив; 6) предметное стекло (микроскопа); 7) затворная рама пулемёта; 8) *тех.* скользящая часть механизма; суппорт; салазки; золотник; 9) *attr.*: ~ lecture лекция, сопровождаемая демонстрацией диапозитивов; 2. *v* (slid) 1) скользить; to ~ over delicate questions обойти щекотливые вопросы; 2) кататься по льду; 3) поскользнуться; выскользнуть; 4) незаметно проходить мимо; the years ~ past, the years ~ by годы проходят незаметно; 5) идти беспрепятственно, гладко; to let things ~ а) предоставлять вещи их естественному ходу; б) относиться к чему-л. небрежно; 6) незаметно переходить из одного состояния в другое; 7) вдвигать, всовывать; to ~ the drawer into its place задвинуть ящик (шкафа, комода).

slide-block [ˈslaɪdblɔk] *n тех.* ползун, крейцкопф.

slide-fastener [ˈslaɪdˌfɑːsnə] *n* застёжка-молния.

slide rule [ˈslaɪdˈruːl] = sliding rule.

slide-valve [ˈslaɪdvælv] *n тех.* золотник.

sliding rule [ˈslaɪdɪŋˈruːl] *n* логарифмическая линейка.

sliding scale ['slaɪdɪŋ'skeɪl] n 1) скользя́щая шкала́; 2) подвижна́я счётная табли́ца.

sliding seat ['slaɪdɪŋ'siːt] n слайд (подвижное сиде́нье гребно́й гоночной лодки).

slight [slaɪt] 1. n пренебреже́ние, неуваже́ние, невнима́ние; to put a ~ upon smb. вы́сказать неуваже́ние к кому́-л.;

2. a 1) незначи́тельный, лёгкий, сла́бый; not the ~est doubt ни мале́йшего сомне́ния; a ~ cold небольшо́й на́сморк; not by the ~est ни на йо́ту; 2) то́нкий; хру́пкий;

3. v пренебрега́ть; трети́ровать; to ~ one's work недобросо́вестно относи́ться к свои́м обя́занностям.

slightly ['slaɪtlɪ] adv слегка́, немно́го; I know him ~ я немно́го зна́ю его́.

slim [slɪm] 1. a 1) то́нкий, стро́йный; 2) сла́бый, ску́дный; a ~ chance of success сла́бая наде́жда на успе́х; 3) амер. лёгкий (о завтраке и т. п.); 4) диал. хи́трый;

2. v (по)худе́ть, (по)теря́ть в ве́се.

slime [slaɪm] 1. n слизь; ли́пкий ил; шлам, муть;

2. v 1) покрыва́ть сли́зью; 2) sl. проскользну́ть (обыкн. ~ through); ускользну́ть (обыкн. ~ away, ~ past).

slimy ['slaɪmɪ] a 1) сли́зистый, вя́зкий; ско́льзкий; 2) разг. подобостра́стный, еле́йный.

sling I [slɪŋ] 1. n 1) праща́; амер. тж. рога́тка; 2) бросо́к; уда́р; 3) ремня́, кана́т; 4) пе́ревязь; he had his arm in a ~ у него́ рука́ была́ на пе́ревязи; 5) мор. строп;

2. v (slung) 1) швыря́ть; to ~ a man out of the room вы́швырнуть кого́-л. из ко́мнаты; 2) мета́ть из пращи́; 3) подве́шивать (гамак и т. п.); 4) ве́шать че́рез плечо́; 5) воен. взять на реме́нь; 6) поднима́ть с по́мощью ремня́, кана́та; ◇ to ~ ink sl. ча́сто выступа́ть в печа́ти.

sling II [slɪŋ] n напи́ток из джи́на, воды́, са́хара, муска́тного оре́ха.

slingshot ['slɪŋʃɔt] n рога́тка.

slink I [slɪŋk] v (slunk) кра́сться, идти́ кра́дучись (обыкн. ~ off, ~ away, ~ by).

slink II [slɪŋk] 1. n недоно́сок (о животном);

2. v вы́кинуть (о животном).

slip [slɪp] 1. n 1) скольже́ние; to give smb. the ~ разг. ускользну́ть, улизну́ть от кого́-л.; 2) сдвиг, смеще́ние; 3) оши́бка, про́мах; ~ of the pen (tongue) опи́ска (обмо́лвка); 4) ли́фчик; 5) ни́жняя ю́бка; комбина́ция (бельё); 6) де́тский пере́дник; 7) на́волочка; 8) pl пла́вки; 9) побе́г, черено́к; 10) поэт. о́тпрыск; 11) дли́нная у́зкая поло́ска (чего-л.); лучи́на, ще́па; a ~ of paper поло́ска бума́ги; листо́к, бланк; ка́рточка (регистрацио́нная и т. п.); to get the pink ~ разг. получи́ть уведомле́ние об увольне́нии; 13) (обыкн. pl) сво́ра (для охо́тничьих собак); 14) амер. дли́нная, у́зкая скамья́; 15) pl театр. кули́сы; 16): a ~ of a girl ху́денькая или стро́йная де́вочка; a ~ of a boy ху́денький или стро́йный ма́льчик; bastard ~ внебра́чный ребёнок; 17) полигр. гра́нка (оттиск); 18) мор. э́ллинг, ста́пель; 19) тех. уменьше́ние числа́ оборо́тов (ко-

леса́ и т. п.); буксова́ние; скольже́ние (винта́); ◇ there is many a ~ 'twixt the cup and the lip ≅ не говори́ «гоп», пока́ не перепры́гнешь;

2. v 1) скользи́ть; поскользну́ться; my foot ~ped я поскользну́лся; 2) проскользну́ть; исче́знуть; 3) вы́скользнуть; соскользну́ть (тж. ~ off); ускользну́ть (тж. ~ away); the knot ~ped у́зел развяза́лся; the dog ~ped the chain соба́ка сорвала́сь с це́пи; it has ~ped my attention я э́того ка́к-то не заме́тил; it ~ped my memory, it ~ped from my mind я совсе́м забы́л об э́том; to let the chance ~ упусти́ть удо́бный слу́чай; 4) проноси́ться, лете́ть (о времени; тж. ~ away); 5) пла́вно переходи́ть (из одного состояния в другое, от одного к другому); the tango ~ped into a waltz та́нго перешло́ в вальс; 6) су́нуть (руку в карман, записку в книгу и т. п.); she ~ped the letter into her pocket она́ су́нула письмо́ в карма́н; 7) ошиба́ться; he ~s in his grammar он де́лает граммати́ческие оши́бки; 8) разг. ухудша́ться, уменьша́ться; 9) буксова́ть (о колёсах); 10) вы́травить (якорную цепь); 11) спуска́ть (собак); 12) выпуска́ть (стрелу́); 13) вы́кинуть (о животном); □ ~ along мча́ться; ~ away а) ускользну́ть; б) уйти́, не проща́ясь; в) проноси́ться, лете́ть (о времени); ~ by бежа́ть (о времени); ~ in а) вкра́сться (об ошибке); б) незаме́тно войти́; в) легко́ задвига́ться (о ящике); ~ off а) ускользну́ть; б) соскользну́ть; в) сбро́сить (платье); ~ on наки́нуть, наде́ть; ~ out а) вы́скользнуть, незаме́тно уйти́; б) легко́ выдвига́ться (о ящике); ~ up а) споткну́ться; б) соверши́ть оши́бку.

slip-carriage ['slɪp,kærɪdʒ] n ваго́н, отцепля́емый на ста́нции без остано́вки по́езда.

slip-cover ['slɪp,kʌvə] n 1) чехо́л (для мебели); 2) суперобло́жка.

slip-knot ['slɪpnɔt] n 1) скользя́щий у́зел; 2) передвижна́я пе́тля на верёвке.

slip-on ['slɪp,ɔn] 1. n 1) сви́тер; блу́зка (надевающаяся через голову); 2) свобо́дное пла́тье;

2. a 1) надева́ющийся че́рез го́лову; 2) широ́кий, свобо́дный.

slipover ['slɪp,ouvə] n 1) футля́р; 2) сви́тер, пуло́вер.

slipper ['slɪpə] 1. n 1) ко́мнатная ту́фля; 2) тех. ползу́н, кре́йцкопф; 3) то́рмоз;

2. v разг. отшлёпать ту́флей.

slippery ['slɪpərɪ] a 1) ско́льзкий; 2) уверт́ливый; 3) ненадёжный.

slippy ['slɪpɪ] a разг. ско́льзкий; ◇ to look (или to be) ~ sl. спеши́ть, торопи́ться.

slipshod ['slɪpʃɔd] a 1) неря́шливо оде́тый; в сто́птанных башмака́х; 2) неря́шливый, небре́жный.

slipslop ['slɪpslɔp] разг. 1. n 1) сла́бый напи́ток; по́йло; бурда́; 2) глу́пая или сентимента́льная болтовня́; 3) неря́шливая рабо́та;

2. a 1) вздо́рный, глу́пый; сентимента́льный (о книге, болтовне); 2) неря́шливый.

slipsole ['slɪpsoul] n сте́лька.

slip-up ['slɪp,ʌp] n разг. оши́бка, про́мах; неуда́ча.

slipway ['slɪpweɪ] *n мор.* слип, судоподъёмный эллинг.

slit [slɪt] **1.** *n* 1) длинный разрез; щель; 2) *attr.*: ~ skirt юбка с разрезом;
2. *v* (slitted [-ɪd], slit) 1) разрезать в длину; нарезать узкими полосами; 2) рваться; 3) расщеплять, раскалывать.

slither ['slɪðə] *v* скользить; скатываться.

slit trench ['slɪt'trentʃ] *n воен.* щелевое убежище.

sliver ['slɪvə] **1.** *n* 1) щепка, лучина; 2) лента; 3) прядь (*шерсти*); 4) ветвь, отросток;
2. *v* откалывать(ся), расщеплять(ся).

slob [slɔb] *n* 1) грязь, слякоть; 2) *презр.* неряха; слюнтяй.

slobber ['slɔbə] **1.** *n* 1) слюни; 2) сентиментальная болтовня;
2. *v* 1) пускать слюни, слюнявить; 2) распустить нюни; 3) плохо выполнять какое-л. дело, плохо работать.

slobbery ['slɔbərɪ] *a* слюнявый.

sloe [slou] *n* тёрн, терновая ягода.

slog [slɔg] **1.** *n* сильный удар;
2. *v* 1) сильно ударять; 2) упорно работать (*тж.* ~ at one's work, ~ away, ~ on).

slogan ['slougən] *n* 1) лозунг, призыв; девиз; 2) боевой клич (*шотл. горцев*).

sloop [sluːp] *n мор.* 1) шлюп; 2) сторожевой корабль; ~ of war военный шлюп.

slop I [slɔp] **1.** *n* 1) лужа; 2) *pl* помои; to empty the ~s выносить помои; 3) *pl* жидкая пища; 4) *pl* сентименты, излияния (*чувств*);
2. *v* проливать(ся), расплёскивать(ся) (*часто* ~ over, ~ out); □ ~ over ныть, плакаться; изливать свои чувства.

slop II [slɔp] *n sl.* полицейский.

slop-basin ['slɔp,beɪsn] *n* полоскательница.

slope [sloup] **1.** *n* 1) наклон, склон, скат; ~ of a roof скат крыши; ~ of a river падение реки; 2) *горн.* наклонная выработка, бремсберг; 3) *воен.* положение с винтовкой на плечо;
2. *v* 1) клониться; иметь наклон; отлого подниматься (*обыкн.* ~ up) *или* опускаться (*обыкн.* ~ down); 2) ставить в наклонное положение; 3) скашивать; скашивать; 4) *sl.* удрать; 5) слоняться (*обыкн.* ~ about).

sloping ['sloupɪŋ] **1.** *pres. p. от* slope 2;
2. *a* наклонный, покатый; ~ face *горн.* крутопадающий пласт.

slop-pail ['slɔp,peɪl] *n* помойное ведро.

sloppy ['slɔpɪ] *a* 1) покрытый лужами, мокрый (*о дороге*); забрызганный, залитый (*о столе, скатерти*); 2) жидкий (*о пище*); 3) неряшливый, небрежный (*о работе и т. п.*); 4) сентиментальный.

slops [slɔps] *n pl* 1) широкая, свободная одежда; 2) дешёвая готовая одежда; 3) *уст.* широкие штаны.

slop-shop ['slɔpʃɔp] *n* магазин дешёвого готового платья.

slopwork ['slɔpwɜːk] *n* 1) производство дешёвого готового платья; 2) неряшливо, наспех сделанная работа.

slosh [slɔʃ] = slush.

slot I [slɔt] **1.** *n* 1) щёлка, прорез, паз; отверстие (*автомата*) для опускания монеты; 2) *ав.* щель *или* разрез крыла; 3) *театр.* люк; 4) запор, засов;
2. *v* прорезать, желобить, продалбливать.

slot II [slɔt] *n* след (*зверя*).

sloth [slouθ] *n* 1) лень, леность; 2) медлительность; 3) *зоол.* ленивец.

sloth-bear ['slouθbɛə] *n* медведь-губач.

slothful ['slouθful] *a* ленивый.

slot-machine ['slɔtmə,ʃiːn] *n* автомат (*выбрасывающий при опускании монеты определённый предмет*).

slouch [slautʃ] **1.** *n* 1) неуклюжая походка; 2) сутулость; 3) увалень; he is no ~ он молодец; 4) опущенные поля (*шляпы*);
2. *v* 1) свисать; 2) неуклюже держаться, сутулиться; 3) надвигать (*шляпу*); опускать поля; ~ about слоняться.

slouch hat ['slautʃ'hæt] *n* шляпа с широкими опущенными полями.

slough I [slau] *n* 1) болото, топь, трясина; омут; 2) депрессия, уныние, отчаяние (*тж.* the S. of Despond).

slough II [slʌf] **1.** *n* 1) сброшенная кожа (*змеи*); 2) струп; 3) забытая привычка;
2. *v* 1) сбрасывать (*кожу*), линять; 2) сходить (*о коже*), шелушиться (*часто* ~ off, ~ away).

sloughy I ['slauɪ] *a* топкий.

sloughy II ['slʌfɪ] *a* струпный.

Slovak ['slouvæk] **1.** *n* 1) словак; словачка; 2) словацкий язык;
2. *a* словацкий.

sloven ['slʌvn] *n* неряха.

Slovene ['slouviːn] *n* словенец; словенка.

Slovenian [slou'viːnjən] **1.** *a* словенский;
2. *n* словенский язык.

slovenly ['slʌvnlɪ] *a* неряшливый.

slovenry ['slʌvnrɪ] *n* неряшество.

slow [slou] **1.** *a* 1) медленный, тихий; постепенный; 2) медлительный, неторопливый; 3) неспешащий; ~ as in arriving он запоздал; he is not ~ to defend himself он себя в обиду не даст; 4) (*обыкн. predic.*): the clock is 20 minutes ~ часы отстают на 20 минут; 5) идущий с малой скоростью (*о поезде и т. п.*); 6) тупой, несообразительный (*тж.* ~ of wit); 7) скучный, неинтересный; 8) *амер.* отсталый; 9) вялый (*о торговле*); ◇ ~ but steady медленно, но верно; ~ and steady wins the race ≈ тише едешь, дальше будешь;
2. *adv* медленно; to go ~ быть осмотрительным;
3. *v* замедлять(ся) (*обыкн.* ~ down, ~ up, ~ off).

slowcoach ['sloukoutʃ] *n* медлительный, туповатый *или* отсталый человек.

slowdown ['sloudaun] *n разг.* замедление.

slow goods ['slou'gudz] *n pl* груз малой скорости.

slow-match ['sloumætʃ] *n* бикфордов шнур.

slow-poke ['sloupouk] *n разг.* копуша.

slow-witted ['slou'wɪtɪd] *a* тупой.

slow-worm ['slouwɜːm] *n зоол.* веретеница ломкая.

slubber ['slʌbə] *v* 1) слюнявить, пачкать; 2) делать небрежно.

sludge [slʌdʒ] *n* 1) густа́я грязь; 2) са́ло (*плаваю́щий лёд*); 3) ти́на, ил; 4) отсто́й, шлам; 5) *attr.*: ~ pump *горн.* жело́нка.

sludgy [ˈslʌdʒɪ] *a* гря́зный.

slue [sluː] = slew I.

slug I [slʌg] 1. *n* 1) *зоол.* сли́зень полево́й; 2) кусо́к мета́лла (*неправильной формы*), саморо́док; 3) пу́ля; 4) *амер.* жето́н сто́имостью в 5 це́нтов (*для телефонов-автома́тов*); 5) *амер.* глото́к; 6) *полигр.* строка́, отли́тая на линоти́пе; 7) *полигр.* шпон;
2. *v* 1) истребля́ть сли́зней; 2) *разг.* прохлажда́ться; 3) *воен.* обстре́ливать.

slug II [slʌg] = slog.

slug-abed [ˈslʌgəˌbed] *n уст.* со́ня, лежебо́ка, лентя́й.

sluggard [ˈslʌgəd] *n* лентя́й, безде́льник.

sluggish [ˈslʌgɪʃ] *a* 1) ме́дленный, вя́лый; 2) медли́тельный; ине́ртный.

sluice [sluːs] 1. *n* 1) шлюз, перемы́чка; затво́р шлю́за; воро́та до́ка; 2) (иску́сственный) кана́л; 3) промы́вка; 4) *горн.* рудопромыва́льный жёлоб;
2. *v* 1) снабжа́ть шлю́зами; шлюзова́ть; 2) отводи́ть во́ду шлю́зами, выпуска́ть, спуска́ть (*через шлюз*) (*обыкн.* ~ off); 3) залива́ть; облива́ть; 4) вытека́ть (*обыкн.* ~ out).

sluice-gate (door) [ˈsluːsgeɪt (dɔː)] *n* щитово́й затво́р шлю́за, шлю́зные воро́та.

sluice-way [ˈsluːsweɪ] = sluice 1, 2.

slum I [slʌm] 1. *n* (*обыкн. pl*) трущо́ба;
2. *v* посеща́ть трущо́бы (*с благотвори́тельной целью*; *обыкн.* go ~ming).

slum II [slʌm] *n воен. sl.* похлёбка.

slumber [ˈslʌmbə] 1. *n* (*часто pl*) сон; дремо́та;
2. *v* спать, дрема́ть; □ ~ away проспа́ть, да́ром потеря́ть вре́мя.

slumberette [ˌslʌmbəˈret] *n* кре́сло с откидыва́ющейся спи́нкой в самолёте *или* автобусе.

slumberous [ˈslʌmbərəs] *a* 1) навева́ющий сон; 2) со́нный.

slumber-suit [ˈslʌmbəsjuːt] *n* пижа́ма.

slummock [ˈslʌmək] *v разг.* 1) жа́дно прогла́тывать; 2) говори́ть бессвя́зно, сумбу́рно.

slump [slʌmp] 1. *n* 1) ре́зкое паде́ние цен, спро́са *или* интере́са; кри́зис; 2) паде́ние в во́ду *или* в грязь; 3) ополза́ние (*грунта*); 4) *уст.* уса́дка (*бетона*);
2. *v* 1) ре́зко па́дать; 2) тяжело́ опуска́ться (*на стул*); 3) *уст., диал.* прова́ливаться, терпе́ть неуда́чу.

slung [slʌŋ] *past и p.p. от* sling I, 2.

slunk [slʌŋk] *past и p.p. от* slink I, 2.

slur [sləː] 1. *n* 1) пятно́ (*на репутации*); to put a ~ (upon) опоро́чить; 2) (*расплы́вшееся*) пятно́; 3) *полигр.* мара́шка; 4) слия́ние (*звуков, слов*); 5) *муз.* лега́то;
2. *v* 1) слива́ть; глота́ть (*слова*); 2) писа́ть неразбо́рчиво; 3) сма́зывать, стира́ть (*различие и т. п.*; *часто* ~ over); 4) опуска́ть, пропуска́ть; 5) *уст.* черни́ть, умаля́ть; 6) *муз.* свя́зывать но́ты.

slurry [ˈsləːrɪ] *n стр.* жи́дкое цеме́нтное те́сто; жи́дкая гли́на.

slush [slʌʃ] 1. *n* 1) сля́коть, грязь; 2) та́лый снег; шуга́, ледяно́е са́ло; 3) *разг.* (сентимента́льный) вздор; 4) оста́тки, обро́сы жи́ра; 5) *тех.* смесь свинцо́вых бели́л с и́звестью; 6) *тех.* защи́тное покры́тие;
2. *v* 1) сма́зывать; 2) ока́тывать гря́зью *или* водо́й; 3) *стр.* цементи́ровать (*обыкн.* ~ up); 4) *стр.* расшива́ть швы.

slush fund [ˈslʌʃˈfʌnd] *n* 1) *воен., мор.* экономи́ческие су́ммы; 2) *амер.* де́ньги, предназна́ченные для взя́ток.

slushy [ˈslʌʃɪ] 1. *a* 1) сля́котный; 2) *разг.* сентимента́льный;
2. *n мор. sl.* корабе́льный по́вар, кок.

slut [slʌt] *n* 1) неря́ха (*о женщине*); 2) *шутл.* девчо́нка; 3) су́ка.

sluttery [ˈslʌtərɪ] *n* неря́шество.

sluttish [ˈslʌtɪʃ] *a* неря́шливый.

sly [slaɪ] 1. *a* 1) хи́трый, лука́вый; лицеме́рный; ~ dog челове́к, скрыва́ющий свои́ грешки́; 2) доброду́шно подшу́чивающий; ирони́ческий; ~ humour иро́ния; 3) та́йный, незако́нный, запрещённый;
2. *n*: on the ~ тайко́м.

slyboots [ˈslaɪbuːts] *n шутл.* хитре́ц, плут.

slype [slaɪp] *n* кры́тая арка́да.

smack I [smæk] 1. *n* 1) вкус; при́вкус; за́пах; при́месь; 2) немно́го еды́, глото́к питья́;
2. *v* 1) па́хнуть, отдава́ть, отзыва́ться (*чем-л.*); име́ть при́месь (of — *чего-л.*); 2) име́ть отдалённое схо́дство.

smack II [smæk] 1. *n* 1) чмо́канье; 2) зво́нкий поцелу́й; 3) гро́мкий уда́р; зво́нкий шлепо́к;
2. *v* 1) чмо́кать губа́ми (*тж.* ~ one's lips); 2) щёлкать (*бичом*); 3) хло́пать; шлёпать;
3. *adv разг.* 1) с тре́ском; 2) в са́мую то́чку, пря́мо.

smack III [smæk] *n мор.* смэк (*одномачтовое рыболо́вное су́дно*).

smacker [ˈsmækə] *n sl.* 1) зво́нкий поцелу́й *или* шлепо́к; 2) кру́пный экземпля́р чего-л.; 3) *амер.* до́ллар.

small [smɔːl] 1. *a* 1) ма́ленький; небольшо́й; ~ boy малы́ш; ~ craft ло́дки; ~ capitals *полигр.* капите́ль; ~ tools ручно́й инструме́нт, слеса́рный инструме́нт; 2) ме́лкий; ~ change ме́лкие де́ньги, ме́лочь; *перен.* ме́лочи; ~ coal штыб, у́гольная пыль; ~ rock ще́бень; 3) незначи́тельный; ма́лый, ничто́жный; he has ~ Latin он пло́хо зна́ет латы́нь; he drank a ~ whiskey он вы́пил глото́к ви́ски; in a ~ way в небольшо́м масшта́бе, скро́мно; on the ~ side бо́лее чем скро́мных разме́ров; 4) ничто́жный, жа́лкий, прини́женный; to feel ~ чу́вствовать себя́ прини́женным; чу́вствовать себя́ нело́вко; to look ~ име́ть глу́пый вид; 5) то́нкий; ~ waist то́нкая та́лия; 6) сла́бый; ~ beer *уст.* сла́бое пи́во; *перен.* пустяки́; мелюзга́, ничто́жество; to chronicle ~ beer отмеча́ть вся́кие ме́лочи; занима́ться пустяка́ми; to think no ~ beer of oneself быть о себе́ высо́кого мне́ния; ~ voice сла́бый го́лос; 7) ме́лочный; it is ~ of you э́то ме́лко с ва́шей стороны́; 8) немногочи́сленный; 9) непродолжительный; 10) небрёжный; ~ hand небрёжный, неразбóрчивый пóчерк; ◇ (and) ~ wonder (и) неудивительно, нет ничегó удивительного; the ~ hours глубóкая ночь (*время от часу до 4 часов утра*); the still ~ voice сóвесть; ~ fry *шутл.* мелкотá; мелюзгá; мéлкая сóшка; ~ potatoes а) пустякú; б) мéлкие людúшки; in ~ а) в небольшúх размéрах; б) *жив.* в миниатюре; ~ talk пустóй, бессодержáтельный, свéтский разговóр;

2. *n* 1): ~ of the back поясница; 2) *pl* = small-clothes; 3) *pl разг.* пéрвый экзáмен на стéпень бакалáвра (*в Оксфорде*).

small and early ['smɔːlənd'ɑːlɪ] *n* рáно закáнчивающаяся вечерúнка с небольшúм числóм приглашённых.

small arms ['smɔːl'ɑːmz] *n pl* стрелкóвое орýжие.

small-bore ['smɔːlbɔː] *a воен.* малокалúберный.

small-clothes ['smɔːl‚klouðz] *n pl ист.* корóткие штаны в обтяжку.

small holder ['smɔːl‚houldə] *n* мéлкий сóбственник; мéлкий арендáтор.

small-minded ['smɔːl'maɪndɪd] *a* мéлкий, мéлочный.

smallpox ['smɔːlpɔks] *n* óспа.

small-sword ['smɔːlsɔːd] *n* рапúра, шпáга.

small-tooth comb ['smɔːl‚tuːθ'koum] *n* чáстый грéбень.

smalt [smɔːlt] *n* смáльта.

smarm [smɑːm] *v* 1) прилúзывать, приглáживать; 2) ублажáть; прислýживаться, подлизываться.

smarmy ['smɑːmɪ] *a разг.* льстúвый; елéйный, вкрáдчивый.

smart [smɑːt] 1. *n* жгýчая боль; ◇ right ~ of smth. мнóго, большóе колúчество чегó-л.;

2. *a* 1) рéзкий, сúльный (*об ударе, боли*); 2) сурóвый (*о наказании*); 3) быстрый, провóрный; you'd better be pretty ~ about the job с этим вам нýжно поспешúть; to make a ~ job of it быстро и хорошó выполнить рабóту; 4) остроýмный, нахóдчивый; 5) лóвкий, продувнóй; 6) щеголевáтый; нарядный; мóдный; the ~ set *разг.* фешенéбельное óбщество; ◇ a ~ few *амер.* довóльно мнóго;

3. *adv* изящно, щеголевáто;

4. *v* 1) испытывать жгýчую боль; болéть; страдáть; 2) причинять жгýчую боль; the insult ~s yet обúда ещё живá; □ ~ for поплатúться за *что-л.*

smart aleck ['smɑːt'ælɪk] *n амер. разг.* самоувéренный человéк; хлыщ.

smart-alecky ['smɑːt'ælɪkɪ] *a амер. разг.* нахáльный; развязно-самоувéренный.

smarten ['smɑːtn] *v* 1) прихорáшивать(ся); 2) отшлифовáть (*манеры и т. п.*).

smart-money ['smɑːt‚mʌnɪ] *n* 1) компенсáция за увéчье; 2) отступные дéньги; 3) штраф.

smash [smæʃ] 1. *n* 1) битьё вдрéбезги; 2) внезáпное падéние; грóхот; 3) столкновéние; катастрóфа; 4) банкрóтство; 5) сокрушúтельный удáр; 6) удáр по мячý свéрху вниз, смэш (*в теннисе*);

2. *v* 1) разбивáть(ся) вдрéбезги (*часто ~*

up); 2) стáлкиваться (into); 3) разбúть, сокрушúть протúвника; 4) обанкрóтиться; 5) *разг.* ударять изо всéх сил; 6) ударять по мячý свéрху вниз, гасúть (*в теннисе*); 7) *sl.* дéлать фальшúвые дéньги; □ ~ in вломúться, ворвáться сúлой; to ~ in a door взломáть дверь; ~ up разбивáть(ся) вдрéбезги;

3. *adv* с размáху; вдрéбезги; to go (*или* to come) ~ а) врéзаться с размáху; б) потерпéть пóлный провáл; разорúться.

smasher ['smæʃə] *n разг.* 1) нéчто сногсшибáтельное; 2) сокрушúтельный удáр *или* дóвод; 3) фальшивомонéтчик.

smashing ['smæʃɪŋ] 1. *pres. p. от* smash 2; 2. *a* 1) сокрушúтельный; ~ blow сокрушúтельный удáр; 2) *разг.* превосхóдный; великолéпный.

smatterer ['smætərə] *n* 1) дилетáнт; 2) всезнáйка.

smattering ['smætərɪŋ] *n* 1) повéрхностное знáние; 2) *разг.* небольшóе числó; кóе-чтó.

smear [smɪə] 1. *n* 1) вязкое *или* лúпкое вещество; 2) пятнó; мазóк; 3) клеветá, бесчéстье;

2. *v* 1) мáзать, пáчкать; 2) позóрить, бесчéстить; 3) *амер. sl.* (раз)громúть; подавúть.

smeary ['smɪərɪ] *a* грязный.

smectite ['smektaɪt] *n* сукновáльная глúна.

smeech [smiːtʃ] *n диал.* гарь, чад.

smell [smel] 1. *n* 1) обоняние; 2): to take a ~ (at) понюхать; 3) зáпах;

2. *v* (smelt, smelled [-d]) 1) чýвствовать зáпах, чýять; обонять; 2) нюхать (at); 3) пáхнуть (of); □ ~ about принюхиваться; разнюхивать, выслéживать; ~ out разнюхать, выслéдить, учуять; ◇ to ~ a rat чуять недóброе; подозревáть; to ~ powder «понюхать пóроху»; to ~ of the lamp (*или* of the candle, of oil) быть вымученным (*о слоге и т. п.*).

smeller ['smelə] *n sl.* 1) нос; 2) удáр пó носу; 3) нéчто замечáтельное по сúле; 4) человéк, сýющий нос в чужúе делá.

smelling-bottle ['smelɪŋ‚bɔtl] *n* флакóн с нюхáтельной сóлью.

smelling-salts ['smelɪŋsɔːlts] *n* нюхáтельная соль.

smelly ['smelɪ] *a разг.* зловóнный.

smelt I [smelt] 1. *n* плáвка, расплáвленный метáлл;

2. *v* плáвить (*руду*); выплавлять (*металл*).

smelt II [smelt] *n* корюшка.

smelt III [smelt] *past и p.p. от* smell 2.

smelter ['smeltə] *n* 1) сталевáр; плавúльщик; 2) плавúльня.

smeltery ['smeltərɪ] *n* плавúльня, плавúльный завóд.

smew [smjuː] *n* лýток (*птица*).

smile [smaɪl] 1. *n* 1) улыбка; to be all ~s имéть довóльный вид; 2) благоволéние; the ~s of fortune ≅ улыбка фортýны;

2. *v* 1) улыбáться; 2) выражáть улыбкой (*согласие и т. п.*); to ~ farewell улыбнýться на прощáние; 3) *амер. sl.* выпивáть (with—с *кем-л.*); □ ~ at пренебрегáть *чем-л.*; ~ on, ~ upon выкáзывать благо-

воле́ние; благоприя́тствовать; fortune has
~d upon him from his birth сча́стье улыба́-
лось ему́ с рожде́ния.

smirch [smɜːtʃ] **1.** *n* пятно́;
2. *v* па́чкать, пятна́ть.

smirk [smɜːk] **1.** *n* самодово́льная, де́лан-
ная *или* глу́пая улы́бка;
2. *v* ухмыля́ться.

smitch [smitʃ] = smeech.

smite [smaɪt] **1.** *v* (smote; smitten) 1)
поэт., шутл. ударя́ть; 2) разбива́ть; раз-
руша́ть; to ~ (enemies) hip and thigh
беспоща́дно бить (враго́в), разби́ть (врага́)
на́голову; 3) *(обыкн. р. р.)* охва́тывать, по-
ража́ть; smitten with palsy разби́тый пара-
личо́м; smitten with fear охва́ченный стра́-
хом; he seems to be quite smitten with her
он, ка́жется, без па́мяти влюблён в неё;
an idea smote her ee осени́ло; 4) кара́ть;
нака́зывать; his conscience smote him он
почу́вствовал угрызе́ния со́вести; 5) уби-
ва́ть;
2. *n разг.* 1) си́льный уда́р; 2) попы́тка.

smith [smiθ] **1.** *n* 1) кузне́ц; 2) меха́ник;
3) сле́сарь;
2. *v* кова́ть.

smithereens ['smɪðə'riːnz] *n pl* оско́лки;
черепки́; to smash to *(или* into) ~ разби́ть
вдре́безги.

smithery ['smɪθərɪ] *n* 1) кузне́чное де́ло;
2) ку́зница.

smithy ['smɪðɪ] *n* 1) ку́зница; 2) *амер.*
накова́льня.

smitten ['smɪtn] *p. p. от* smite 1.

smock [smɔk] **1.** *n* 1) де́тский хала́т;
2) = smock-frock; 3) *уст.* же́нская руба́шка;
2. *v* 1) наки́нуть *(или* набро́сить) хала́т;
2) украша́ть обо́рками.

smock-frock ['smɔk'frɔk] *n* холщёвый
хала́т *(для работы).*

smog [smɔg] *n* густо́й тума́н с ды́мом
и ко́потью.

smoke [smouk] **1.** *n* 1) дым, ко́поть;
2) куре́ние; to have a ~ покури́ть; 3) *разг.*
сигаре́та, папиро́са, сига́ра; 4) *редк.* пары́,
испаре́ние; ◊ to end *(или*
to go up) in — ко́нчиться ниче́м; like —
а) бы́стро, момента́льно; б) с лёгкостью;
there is no ~ without fire нет ды́ма без
огня́; from — into smother из огня́ да
в по́лымя; to sell ~ занима́ться мошенни́-
чеством;
2. *v* 1) дыми́ть(ся); 2) копти́ть (*о лампе
и т. п.*); 3) кури́ть; 4) оку́ривать; 5) вы-
ку́ривать (*тж.* ~ out); 6) подверга́ть коп-
че́нию; 7) *школ. sl.* красне́ть; 8) подозре-
ва́ть, чу́ять; 9) обнару́живать, раскры-
ва́ть; 10) *уст.* дразни́ть.

smoke-ball ['smoukbɔːl] *n воен.* дымово́й
снаря́д, дымова́я бо́мба.

smoke-black ['smoukblæk] *n* са́жа.

smoke-cloud ['smoukklaud] *n* дымово́е облако, дымова́я заве́са.

smoke-consumer ['smoukkən,sjuːmə] *n* ды-
мопоглоща́ющее устро́йство.

smoked [smoukt] **1.** *р.р. от* smoke 2;
2. *a* = smoke-dried.

smoke-dried ['smouk'draɪd] *a* копчёный.

smoke-dry ['smouk,draɪ] *v* копти́ть.

smoke-ho ['smoukhou] *n австрал. разг.*
коро́ткий переры́в для куре́ния во вре́мя
рабо́ты, переку́р.

smoke-house ['smoukhaus] *n* копти́льня.

smokeless ['smouklɪs] *a* безды́мный; ~
powder безды́мный по́рох.

smoker ['smoukə] *n* 1) кури́льщик; 2)
копти́льщик; 3) = smoking-car.

smoke-screen ['smoukskriːn] *n воен.* дымо-
ва́я заве́са *(тж. перен.).*

smoke-stack ['smoukstæk] *n* дымова́я
труба́.

smoke-tube ['smouktjuːb] *n тех.* дымога́р-
ная труба́ *(в котле).*

smoking-car ['smoukiŋ,kɑː] *n* ваго́н для
куря́щих.

smoking-carriage ['smoukiŋ,kærɪdʒ] = smoking-car.

smoking-room ['smoukiŋ,rum] *n* кури́-
тельная (ко́мната).

smoky ['smoukɪ] *a* 1) ды́мный; закопте́-
лый; коптя́щий; 2) ды́мчатый.

smolder ['smouldə] *амер.* = smoulder.

smooth 1. *a* [smuð] 1) гла́дкий, ро́вный;
2) одноро́дный; ~ paste те́сто без комко́в;
3) пла́вный, споко́йный; беспрепя́тствен-
ный; to get to ~ water вы́браться из за-
трудне́ний; 4) нете́рпкий (*о вине*); 5) урав-
нове́шенный, споко́йный; 6) вкра́дчивый,
льсти́вый; 7) *sl.* о́чень прия́тный, привле-
ка́тельный;
2. *n* [smuð] 1) прила́живание; 2) гла́д-
кая пове́рхность;
3. *v* [smuð] 1) прила́живать; сгла́жи-
вать(ся), разгла́живать(ся) (*часто* ~ out,
~ over, ~ down, ~ away) 2) смягча́ть, сма́-
зывать (*обыкн.* ~ over); 3) успока́ивать
(-ся) (*обыкн.* ~ down); 4) *тех.* полирова́ть,
шлифова́ть, лощи́ть.

smooth-bore ['smuːðbɔː] *n* гладкосте́н-
ное ружьё.

smoothfaced ['smuːðfeɪst] *a* 1) бри́тый;
2) моложа́вый; 3) вкра́дчивый.

smoothspoken ['smuːð,spoukən] = smooth-
-tongued.

smooth-tongued ['smuːðtʌŋd] *a* сладко-
речи́вый, льсти́вый.

smote [smout] *past от* smite 1.

smother ['smʌðə] **1.** *v* 1) души́ть; 2) задох-
ну́ться; 3) туши́ть; 4) подавля́ть (*зевок,
гнев*); 5) замя́ть (*факт*); 6) гу́сто покры-
ва́ть; 7) оку́тывать (*дымом*); 8) уку́тывать;
2. *n уст.* 1) тле́ющая зола́; 2) густо́е облако ды́ма *или* пы́ли.

smothered mate ['smʌðəd'meɪt] *n шахм.*
спёртый мат.

smothery ['smʌðərɪ] *a* ду́шный; удушли́вый.

smoulder ['smouldə] **1.** *n* тле́ющий ого́нь;
2. *v* тлеть.

smouldering ['smouldəriŋ] **1.** *pres. p. от*
smoulder 2;
2. *a* тле́ющий; раскалённый под пе́плом;
~ hatred затаённая не́нависть.

smudge I [smʌdʒ] **1.** *n* гря́зное пятно́;
2. *v* па́чкать(ся), ма́зать(ся).

smudge II [smʌdʒ] **1.** *n* костёр (*зажига́е-
мый, чтобы отогна́ть насеко́мых*);
2. *v* 1) отгоня́ть ды́мом; 2) оку́ривать.

smudgy ['smʌdʒɪ] *a* гря́зный.

smug [smʌg] 1. *a* 1) опрятный, подтянутый; щеголеватый; 2) самодовольный, ограниченный; 3) чопорный;
2. *n* 1) *sl.* необщительный человек; 2) *унив. sl.* не спортсмен; студент, отдающий всё своё время занятиям и избегающий развлечений.

smuggle ['smʌgl] *v* 1) заниматься контрабандой; 2) протащить (into); вытащить (out of); □ ~ away спрятать.

smuggler ['smʌglə] *n* контрабандист.

smut [smʌt] 1. *n* 1) сажа; 2) грязное пятно; 3) что-л. непристойное; 4) *с.-х.* ржавчина, головня;
2. *v* 1) пачкать(ся) сажей; 2) повреждаться головнёй *или* ржавчиной.

smutch [smʌtʃ] = smudge I.

smutty ['smʌtɪ] *a* 1) грязный, чёрный; 2) непристойный; 3) *с.-х.* заражённый ржавчиной.

snack [snæk] *n* 1) лёгкая закуска; to have a ~ перекусить на ходу; 2) доля, часть; to go ~s делиться; ~s! чур, поровну!

snack bar ['snæk`bɑ:] *n* закусочная, буфет.

snaffle I ['snæfl] *n* трензель, уздечка; ◇ to ride smb. on the ~ мягко управлять кем-л.

snaffle II ['snæfl] *v sl.* 1) своровать; стянуть; урвать; 2) поймать, задержать.

snaffle-bit ['snæflbɪt] = snaffle I.

snag [snæg] 1. *n* 1) коряга, топляк (*на дне реки*); сучок, пенёк; 2) обломанный зуб; 3) препятствие;
2. *v* 1) налететь на корягу; 2) очищать от коряг *или* от сучков.

snaggy ['snægɪ] *a* 1) сучковатый; 2) изобилующий корягами, засорённый (*о реке*).

snail [sneɪl] *n* 1) улитка; 2) *разг.* тихоход, медлительный человек; 3) *тех.* спираль; ◇ at the ~'s pace (*или* gallop) ≅ черепашьим шагом.

snake [sneɪk] *n* 1) змея; 2) злобный, неблагодарный человек; ◇ ~ in the grass скрытая опасность; скрытый враг; to raise (*или* to wake) ~s поднять скандал; to see ~s *разг.* ≅ допиться до чёртиков.

snakebite ['sneɪkbaɪt] *n* укус ядовитой змеи.

snake-charmer ['sneɪk͵tʃɑ:mə] *n* заклинатель змей.

snake-headed ['sneɪk`hedɪd] *a амер.* разгневанный, сердитый.

snaky ['sneɪkɪ] *a* 1) змейный; 2) кишащий змеями; 3) извилистый; 4) коварный.

snap [snæp] 1. *n* 1) щёлканье; треск; 2) застёжка; защёлка; 3) сухое хрустящее печенье; 4) род карточной игры; 5) внезапное похолодание (*обыкн.* cold ~); 6) энергичность, живость; 7) моментальный снимок; 8) *амер. sl.* лёгкая работа (*обыкн.* soft ~); 9) *тех.* зажим, клемма; обжимка (*клепальная*); 10) *attr.* поспешный; неожиданный, без предупреждения (*особ. о голосовании в парламенте*); 11) *амер. sl.* простой, лёгкий; ◇ not a ~ нисколько; ничуть;
2. *v* 1) щёлкать (*чем-л.*); the pistol ~ped пистолет дал осечку; 2) защёлкивать(ся) (*тж.* ~ to); 3) цапнуть, укусить (at); 4) огрызаться (at); 5) ухватиться

(at—за *предложение и т. п.*); 6) сломать (-ся), порвать(ся); 7) делать моментальный снимок; □ ~ off a) отломать; б) откусить; ~ out отрезать; ~ to защёлкивать(ся); ~ up a) подхватить, перехватить; б) резко остановить, перебить (*говорящего*); ◇ to ~ one's fingers at smb. игнорировать, «плевать» на кого-л.; to ~ off smb.'s nose (*или* head) оборвать кого-л.; огрызнуться, резко ответить кому-л.; to ~ into it *амер. sl.* броситься бежать; to ~ out of it *амер. sl.* отделаться от привычки; освободиться (от дурного настроения *и т. п.*);
3. *adv* внезапно, с треском; ~ went an oar весло с треском сломалось.

snap-beans ['snæpbi:nz] *n pl* ломкая фасоль.

snapdragon ['snæp͵drægən] *n* 1) *бот.* львиный зев; 2) рождественская игра, в которой хватают изюминки с блюда с горящим спиртом.

snappish ['snæpɪʃ] *a* 1) кусающийся; 2) раздражительный, придирчивый.

snappy ['snæpɪ] *a* 1) = snappish; 2) живой, энергичный; 3) *разг.* модный, щегольской.

snap-roll ['snæproul] *n ав.* бочка.

snap shot ['snæp`ʃɔt] *n* выстрел без прицела.

snapshot ['snæpʃɔt] 1. *n* моментальный снимок;
2. *v* делать моментальный снимок.

snare [snɛə] 1. *n* силок, западня, ловушка; 2. *v* поймать в ловушку.

snarl I [snɑ:l] *n* 1) рычание; 2) ворчание;
2. *v* 1) рычать; огрызаться; 2) сердито ворчать.

snarl II [snɑ:l] 1. *n* 1) спутанные нитки, клубок; 2) *амер.* путаница, беспорядок;
2. *v* 1) смешивать, спутывать; 2) *амер.* приводить в беспорядок.

snatch [snætʃ] 1. *n* 1) хватание; to make a ~ at smth. пытаться схватить что-л.; 2) обрывок; 3) (*обыкн. pl*) короткий промежуток (*времени*); to work in (*или* by) ~es работать урывками;
2. *v* 1) хватать(ся); урывать; ухватить (-ся) (at); 2) срывать; вырывать; 3) протягивать руки, чтобы схватить что-л.

snatchy ['snætʃɪ] *a* отрывистый; отрывочный.

snath [snæθ] *n* косовище.

snathe [sneɪð] = snath.

sneak [sni:k] 1. *n* 1) трус; подлец; 2) *школ. sl.* ябедник, фискал; 3) *sl.* воришка; 4) брошенный по земле мяч (*в крикете*);
2. *v* 1) красться; to ~ out of danger ускользнуть от опасности; 2) *школ. sl.* ябедничать, фискалить; 3) *sl.* стащить, украсть.

sneakers ['sni:kəz] *n pl* тапочки, туфли на резиновой подошве; теннисные туфли.

sneaking ['sni:kɪŋ] 1. *pres. p. от* sneak 2;
2. *a* 1) подлый; 2) тайный; 3) необъяснимый (*о чувстве*).

sneaky ['sni:kɪ] *a* трусливый; подлый.

sneck [snek] *шотл.* 1. *n* задвижка, запор;
2. *v* запирать.

sneer [sniə] 1. *n* 1) усмéшка; 2) насмéшка; глумлéние;

2. *v* 1) усмехáться; 2) насмéшливо улыбáться; насмехáться, глумúться (at — над).

sneering ['sniəriŋ] 1. *pres. p. om* sneer 2; 2. *a* насмéшливый.

sneeze [sni:z] 1. *n* чихáнье;

2. *v* чихáть; ◊ he is not to be ~d at с ним нáдо считáться; to ~ into a basket *эвф.* быть гильотинúрованным.

sneezing gas ['sni:ziŋ'gæs] *n воен.* чихáтельное отравляющее веществó.

snick [snik] 1. *n* надрéз, зарýбка;

2. *v* слегкá надрéзать; ◊ to ~ and snee дрáться на ножáх и шпáгах.

snicker ['snikə] 1. *n* 1) ржáние; 2) хихúканье, смешóк;

2. *v* 1) тúхо ржáть; 2) хихúкать.

snickersnee ['snikə'sni:] *n шутл.* длúнный нож, кинжáл.

snide [snaid] *sl.* 1. *n* фальшúвая драгоцéнность *или* монéта;

2. *a* фальшúвый.

snidesman ['snaidzmən] *n sl.* фальшивомонéтчик.

sniff [snif] *n* сопéние; 2) (презрúтельное) фырканье; 3) вдох нóсом;

2. *v* 1) сопéть; 2) (презрúтельно) фыркать; 3) вдыхáть нóсом; 4) нюхать, чуять.

sniffy ['snifi] *a разг.* 1) фыркающий, презрúтельный; 2) подпáхивающий.

snifter ['sniftə] *n* 1) сúльный удáр; 2) *pl* нáсморк; 3) глубóкий вздох; 4) *sl.* глотóк спиртнóго; 5) *sl.* бокáл с винóм.

snifting-valve ['sniftiŋvælv] *n* всáсывающий *или* фыркающий клáпан.

snigger ['snigə] 1. *n* хихúканье, подáвленный смешóк;

2. *v* хихúкать.

sniggle ['snigl] *v* ловúть угрéй.

snip [snip] 1. *n* 1) надрéз; 2) обрéзок; кусóк; 3) *разг.* портнóй; *pl* нóжницы (*для металла, проволоки*); 5) *sl.* пóлная увéренность (*на скáчках*);

2. *v* рéзать (нóжницами).

snipe [snaip] 1. *n* 1) (*pl без измен.*) бекáс; great (*или* double) ~ дýпель; half ~ гáршнеп; 2) простофúля; 3) *амер. sl.* окýрок;

2. *v* 1) стрелять бекáсов; 2) *воен.* стрелять из укрытия.

sniper ['snaipə] *n* мéткий стрелóк, снáйпер.

snipper ['snipə] *n* 1) портнóй; 2) *воен.* рéзчик прóволоки.

snipper-snapper ['snipə'snæpə] *n* нестоящий человéк, надýтое ничтóжество.

snippet ['snipit] *n* 1) отрéзок; лоскýт; 2) *pl* обрывки (*свéдений и т. п.*).

snippy ['snipi] *a* 1) обрывочный; крáткий; 2) *диал.* скупóй; мéлочный; 3) *разг.* надмéнный, вáжничающий; 4) раздражúтельный.

snip-snap-snorum [,snip,snæp'snourəm] *n* род кáрточной игры.

snitch [snitʃ] *v sl.* 1) укрáсть, стащúть; 2) ябедничать, доносúть.

snivel ['snivl] 1. *n* 1) хныканье; 2) лицемéрная болтовня; 3) сóпли;

2. *v* 1) хныкать, плáкаться; 2) притвóрно раскáиваться; 3) пускáть сóпли.

snob [snɔb] *n* сноб.

snobbery ['snɔbəri] *n* снобúзм.

snood [snud] *n шотл., поэт.* лéнта (*на головé*); сéтка (*для волóс*).

snook [snuk] *n sl.* нос; to cock (*или* to make, to cut) a ~ (*или* ~s) at smb. показáть длúнный нос комý-л.

snooker ['snu:kə] *n* вид билльярдной игры.

snoop [snu:p] *амер. разг.* 1. *n* человéк, вéчно сýющий нос не в своё дéло;

2. *v* совáть нос в чужúе делá.

snoopy ['snu:pi] *a амер. разг.* навязчивый, назойливый.

snoot [snu:t] *разг.* 1. *n* 1) = snout 1); 2) = snout 2); 3) гримáса; to make a ~ гримáсничать;

2. *v* гримáсничать.

snooty ['snu:ti] *a разг.* презрúтельный, высокомéрный.

snooze [snu:z] *разг.* 1. *n* корóткий сон (*днём*);

2. *v* вздремнýть.

snore [snɔ:] 1. *n* храп;

2. *v* храпéть.

snore-piece ['snɔ:pi:s] *n* храпóк, всáсывающая трубá насóса.

snort [snɔ:t] 1. *n* фырканье; храпéние;

2. *v* 1) фыркать; храпéть; 2) пыхтéть (*о машúне*).

snorter ['snɔ:tə] *n разг.* 1) нéчто сногсшибáтельное, óчень шýмное, большóе *и т. п.;* 2) сúльный шторм.

snorting ['snɔ:tiŋ] 1. *pres. p. om* snort 2; 2. *a* необыкновéнный, сногсшибáтельный.

snot [snɔt] *n груб.* сóпли.

snot-rag ['snɔtræg] *n груб.* носовóй платóк.

snotty ['snɔti] 1. *a груб.* 1) соплúвый; 2) протúвный;

2. *n мор. sl.* корабéльный гардемарúн, корабéльный курсáнт.

snout [snaut] *n* 1) рыло; мóрда; 2) *пренебр.* нос; 3) *тех.* соплó, дýльце, мундштýк.

snow I [snou] 1. *n* 1) снег; to be caught in the ~ попáсть в сúльные занóсы в метéль; 2) *поэт.* белизнá; седúна; 3) *sl* кокаúн; 3) *attr.* снéжный;

2. *v* 1) (*в безл. оборóтах*): it ~s, it is ~ing идёт снег; 2) сыпаться (как снег); 3) (*обыкн. р. р.*) заносúть снéгом (*часто* ~ up, ~ in, ~ under); □ ~ under *амер.* провалúть (*огрóмным большинствóм*).

snow II [snou] *n мор. ист.* снóу, бриг с грот-трúселем.

snowball ['snoubɔ:l] 1. *n* 1) снежóк, снéжный ком; 2) дéнежный сбор, при котóром кáждый учáстник обязýется привлéчь ещё нéскольких учáстников;

2. *v* игрáть в снежкú.

snow-bank ['snoubæŋk] *n* снéжный занóс, сугрóб.

snow-bird ['snoubə:d] *n* 1) пýночка (*птúца*); 2) рябúнник (*птúца*); 3) *sl.* кокаинúст.

snow-blind ['snou'blaind] *a* ослеплённый сверкáющим снéгом.

snow-boots ['snoubuːts] *n pl* сукóнные бóты.

snow-bound ['snoubaund] *a* 1) заснежённый, занесённый снéгом; 2) задéржанный снéжными занóсами.

snow-break ['snoubreik] *n* 1) óттепель; тáяние снéга; 2) снегозащи́тное заграждéние (*у шоссе, полотна железной дороги*).

snow-broth ['snoubrɔθ] *n* 1) снéжная сля́коть; 2) *амер.* си́льно охлаждённый спиртнóй напи́ток.

snowbunny ['snou,bʌni] *n* неóпытная лы́жница.

snow-capped ['snoukæpt] *a* покры́тый снéгом (*о горах*).

snow-drift ['snoudrift] *n* снéжный сугрóб.

snowdrop ['snoudrɔp] *n* *бот.* подснéжник (снеговóй).

snow-fall ['snoufɔːl] *n* снегопáд.

snow-fence ['snoufens] *n* *ж.-д.* снегозащи́тное заграждéние.

snow-flake ['snoufleik] *n* снежи́нка; *pl* хлóпья снéга.

snow man ['snou'mæn] *n* ≅ снéжная бáба.

snowman ['snoumən] *n* снéжный человéк.

snow-plough ['snou'plau] *n* 1) снеговóй плуг; снегоочисти́тель; 2) *спорт.* «плуг».

snow-shoes ['snouʃuːz] *n pl* 1) снегостýпы; 2) *редк.* лы́жи.

snow-slide ['snouslaid] = snow-slip.

snow-slip ['snouslip] *n* лави́на.

snow-storm ['snoustɔːm] *n* метéль, бурáн.

snow-white ['snou'wait] *a* белоснéжный.

snowy ['snoui] *a* 1) снéжный, покры́тый снéгом; 2) белоснéжный.

snub I [snʌb] 1. *n* 1) пренебрежи́тельное обхождéние; 2) вы́говор; 3) внезáпная останóвка;
2. *v* 1) осади́ть, обрéзать; уни́зить; 2) дéлать вы́говор, отчи́тывать; 3) *тех., мор.* крýто застопóрить; погаси́ть инéрцию хóда.

snub II [snʌb] *a* вздёрнутый (*о носе*).

snub-nosed ['snʌbnouzd] *a* курнóсый.

snuff I [snʌf] 1. *n* 1) ню́хательный табáк *или* порошóк; 2) поню́шка; to take ~ ню́хать табáк; ◇ he is up to ~ *sl.* егó не проведёшь;
2. *v* 1) вдыхáть; 2) ню́хать (*табак*).

snuff II [snʌf] 1. *n* нагáр на свечé;
2. *v* снимáть нагáр (*со свечи*); □ ~ out а) потуши́ть (*свечу*); б) *sl.* разрýшить; подави́ть; в) *sl.* умерéть.

snuff-box ['snʌfbɔks] *n* табакéрка.

snuff-colour ['snʌf,kʌlə] *n* табáчный цвет.

snuffer ['snʌfə] *n* тот, кто ню́хает табáк.

snuffers ['snʌfəz] *n pl* щипцы́ (*для снятия нагара*).

snuffle ['snʌfl] 1. *n* 1) сопéние; 2) гнусáвость; 3) (the ~s) *pl* нáсморк;
2. *v* 1) сопéть; 2) говори́ть в нос, гнусáвить.

snuffle valve ['snʌfl'vælv] *n* *тех.* выдувнóй *или* фы́ркающий клáпан.

snuffy ['snʌfi] *a* 1) пожелтéвший от ню́хательного табакá; 2) *разг.* серди́тый; неприя́тный.

snug [snʌg] 1. *a* 1) ую́тный; удóбный; 2) аккурáтный, чи́стый; 3) достáточный;

a ~ income прили́чный дохóд; 4) плóтно лежáщий, прилегáющий; 5) скры́тый, укры́тый; ◇ to be as ~ as a bug in a rug óчень ую́тно устрóиться;
2. *v* приводи́ть в поря́док, придавáть ую́т; устрáивать ую́тно, удóбно.

snuggery ['snʌgəri] *n* ую́тная кóмната.

snuggle ['snʌgl] *v* прижáть(ся), ую́тно устрóить(ся), укутáть(ся), сверну́ться.

so [sou] 1. *adv* 1) так, таки́м óбразом; if so! раз так!; is that so? рáзве?; 2) тóже, тáкже; you are young and so am I вы мóлоды и я тóже; 3) так, настóлько; why are you so late? почемý вы так опоздáли?; 4) итáк; so you are back итáк, вы верну́лись; 5) поэ́тому, таки́м óбразом; так что; I was ill and so I could not come я был бóлен, поэ́тому я не мог прийти́; 6) *употр. для усиления*: why so? почемý?; how so? как так?; 7): or so (*после указания количества*) приблизи́тельно, óколо э́того; he must be forty or so емý лет сóрок и́ли чтó-то в э́том рóде; □ so as, so that с тем чтóбы; I tell you that so as to avoid trouble я предупреждáю вас об э́том, с тем чтóбы избежáть неприя́тностей; so far as настóлько, наскóлько; so far as I know наскóлько мне извéстно; ◇ so be it быть по семý; so far до сих пóр; покá; so much for that довóльно (говори́ть) об э́том; so that's that *разг.* тáк-то вот; so to say так скáзать; and so on, and so forth и так дáлее, и томý подóбное;
2. *pron* э́то; так; I don't think so я не дýмаю; ◇ you don't say so не мóжет быть;
3. *cj уст.* éсли тóлько; so it be done, it matters not how лишь бы э́то бы́ло сдéлано, невáжно как;
4. *int* так!, лáдно!

soak [souk] 1. *n* 1) промáчивание, мóчка; to give a ~ вы́мочить; 2) впи́тывание, всáсывание; 3) *разг.* проливнóй дождь; 4) *разг.* вы́пивка; 5) *разг.* пья́ница; 6) *sl.* заклáд; to put in ~ отдавáть в заклáд; 7) *амер. sl.* си́льный удáр;
2. *v* 1) впи́тывать(ся), всáсывать(ся) (*тж.* ~ up, ~ in); 2) пропи́тывать(ся); погружáть в жи́дкость; промáчивать насквóзь (*о дожде*); to ~ oneself in a subject тщáтельно изучи́ть предмéт; 3) просáчиваться; 4) *разг.* пья́нствовать; 5) *sl.* выкáчивать дéньги (*с помощью высоких цен, налогов и т. п.*); 6) *sl.* отдавáть в заклáд; 7) *амер. sl.* околоти́ть, отдýть.

soaker ['soukə] *n* *разг.* 1) проливнóй дождь; 2) пья́ница.

so-and-so ['souənsou] 1. *n* такóй-то (*вместо имени*);
2. *adv* тáк-то. К

soap [soup] 1. *n* 1) мы́ло; Castille ~ марсéльское мы́ло; 2) *разг.* лесть; 3) *амер. sl.* дéньги; взя́тка; ◇ to wash one's hands in invisible ~ потирáть рýки; по ~ *sl.* не пойдёт;
2. *v* 1) намы́ливать; мыть(ся) мы́лом; 2) *разг.* льсти́ть.

soap-boiler ['soup,bɔilə] *n* мыловáр.

soap-box ['soupbɔks] *n* 1) я́щик для мы́ла; 2) импровизи́рованная трибýна; 3) *attr.*: ~ orator = soapboxer.

soapboxer ['soup,bɔksə] *n амер.* у́личный ора́тор.

soap-bubble ['soup,bʌbl] *n* мы́льный пузы́рь.

soap opera ['soup,ɔpərə] *n амер. разг.* рекла́мная радиопостано́вка (*для дома́шних хозя́ек*).

soap-stone ['soupstoun] *n* мы́льный ка́мень.

soap-suds ['soupsʌdz] *n pl* мы́льная пе́на, обмы́лки.

soap-works ['soupwəːks] *n pl* (*употр. как sing и как pl*) мылова́ренный заво́д.

soapy ['soupɪ] *a* 1) мы́льный; 2) *разг.* еле́йный, вкра́дчивый.

soar [sɔː] *v* 1) пари́ть, высоко́ лета́ть; поднима́ться ввысь; 2) (стреми́тельно) повыша́ться; поднима́ться (*выше обы́чного у́ровня*); 3) *ав.* плани́ровать.

soaring ['sɔːrɪŋ] 1. *pres. p. от* soar; 2. *n ав.* паре́ние, паря́щий полёт (*тж.* ~ flight); 3. *a* 1) паря́щий; летя́щий ввысь; 2) высо́кий, вы́ше обы́чного у́ровня.

s-o-b [sɔb] *n* (*pl* s-o-b's) (*сокр. от* son of a bitch) *амер. разг.* су́кин сын.

sob [sɔb] 1. *n* рыда́ние; всхли́пывание; 2. *v* рыда́ть; всхли́пывать.

sober ['soubə] 1. *a* 1) тре́звый; 2) уме́ренный; 3) рассуди́тельный; здра́вый; 4) споко́йный (*о красках*); ◇ as ~ as a judge абсолю́тно тре́звый; 2. *v* вытрезвля́ть(ся); отрезвля́ть (*тж. перен.*).

sober-blooded ['soubə'blʌdɪd] *a* споко́йный, хладнокро́вный.

sober-minded ['soubə'maɪndɪd] *a* уравнове́шенный.

sober-sides ['soubəsaɪdz] *n разг.* степе́нный челове́к.

sobriety [sou'braɪətɪ] *n* 1) тре́звость; 2) уме́ренность; 3) здра́вость, уравнове́шенность.

sobriquet ['soubrɪkeɪ] *фр. n* прозва́ние, про́звище, кли́чка.

sob-sister ['sɔb,sɪstə] *n амер.* писа́тельница сентимента́льно-сенсацио́нных стате́й, расска́зов.

sob-stuff ['sɔbstʌf] *n амер.* сентимента́льщина.

so-called ['sou'kɔːld] *a* так называ́емый.

soccer ['sɔkə] = socker.

sociability [,souʃə'bɪlɪtɪ] *n* общи́тельность.

sociable ['souʃəbl] 1. *a* 1) общи́тельный; 2) дру́жеский (*о встре́че и т. п.*); 2. *n* 1) откры́тый экипа́ж с боковы́ми сиде́ньями друг про́тив дру́га; 2) трёхколёсный велосипе́д с двумя́ сиде́ньями; 3) козе́тка; 4) *амер. разг.* вечери́нка.

social ['souʃəl] 1. *a* 1) обще́ственный; социа́льный; ~ science социоло́гия; ~ security а) социа́льное страхова́ние; б) социа́льное обеспе́чение; ~ welfare а) социа́льное обеспе́чение; б) патрона́ж (*с благотвори́тельными и воспита́тельными це́лями*); ~ evil проститу́ция; 2) общи́тельный; 3) све́тский; ~ evening вечери́нка; 2. *n* 1) обще́ственное собра́ние; 2) *разг.* вечери́нка.

social democracy ['souʃəldɪ'mɔkrəsɪ] *n* социа́л-демокра́тия.

social democrat ['souʃəl'deməkræt] *n* социа́л-демокра́т.

social democratic ['souʃəl,demə'krætɪk] *a* социа́л-демократи́ческий.

socialism ['souʃəlɪzəm] *n* социали́зм.

socialist ['souʃəlɪst] 1. *n* социали́ст; 2. *a* социалисти́ческий; ~ emulation социалисти́ческое соревнова́ние; ~ revolution социалисти́ческая револю́ция.

socialistic [,souʃə'lɪstɪk] *a* социалисти́ческий.

socialite ['souʃəlaɪt] *n амер. разг.* лицо́, занима́ющее ви́дное положе́ние в обще́стве.

sociality [,souʃɪ'ælɪtɪ] *n* 1) обще́ственность; обще́ственный хара́ктер; обще́ственный инсти́нкт; 2) общи́тельность.

socialization [,souʃəlaɪ'zeɪʃən] *n* обобществле́ние, социализа́ция.

socialize ['souʃəlaɪz] *v* 1) обобществля́ть, социализи́ровать; 2) обща́ться.

socially ['souʃəlɪ] *adv* 1) социа́льно; ~ necessary labour time *эк.* обще́ственно необходи́мое рабо́чее вре́мя; 2) в обще́стве; 3) приве́тливо.

society [sə'saɪətɪ] *n* 1) о́бщество; socialist ~ социалисти́ческое о́бщество; 2) обще́ственность; 3) свет, све́тское о́бщество; 4) о́бщество, объедине́ние, организа́ция; 5) *attr.* све́тский; ◇ S. of Jesus иезуи́ты.

sociologist [,sousɪ'ɔlədʒɪst] *n* социо́лог.

sociology [,sousɪ'ɔlədʒɪ] *n* социоло́гия.

sock I [sɔk] *n* 1) носо́к; 2) сте́лька; 3) *ист.* санда́лия коми́ческого актёра (*в гре́ческом теа́тре*); ◇ the buskin and the ~ траге́дия и коме́дия.

sock II [sɔk] *sl.* 1. *n* уда́р; to give one ~(s) вздуть кого́-л.; 2. *v* швырну́ть (at—в); хвати́ть, уда́рить (*ка́мнем*); 3. *adv* с разма́ху, пря́мо.

sock III [sɔk] *n шко́л. sl.* еда́, *осо́б.* сла́дкое, сла́дости.

sock IV [sɔk] *n с.-х.* ле́мех, сошни́к.

sockdolager, sockdologer [sɔk'dɔlədʒə] *n амер. sl.* 1) реша́ющий уда́р *или* до́вод; 2) не́что огро́мное.

socker ['sɔkə] *n* футбо́л.

socket ['sɔkɪt] *n* 1) впа́дина; углубле́ние, гнездо́; 2) патро́н (*электри́ческой ла́мпы*); розе́тка; 3) *тех.* му́фта, растру́б, па́трубок.

socket-joint ['sɔkɪtdʒɔɪnt] *n тех.* шарни́рное соедине́ние.

socle ['sɔkl] *n* 1) цо́коль, ту́мба, пьедеста́л; 2) пли́нтус.

sod I [sɔd] 1. *n* 1) дёрн; дерни́на; 2) *поэт.* земля́; under the ~ в моги́ле; 2. *v* обкла́дывать дёрном.

sod II [sɔd] *past om* seethe.

sod III [sɔd] *груб. см.* sodomite.

soda ['soudə] *n* 1) со́да, углеки́слый на́трий; 2) со́довая вода́.

soda biscuit ['soudə'bɪskɪt] *n* пече́нье на со́де.

soda-fountain ['soudə,fauntɪn] *n* сатура́тор, теле́жка с сатура́тором для прода́жи газиро́ванной воды́; сто́йка, где продаётся газиро́ванная вода́.

soda jerk(er) ['soudə'dʒɜːk(ə)] n продавец газированной воды.

sodality [sou'dælɪtɪ] n братство, община.

soda-water ['soudə,wɔːtə] = soda 2).

sodden I ['sɔdn] 1. a 1) промокший, пропитанный; 2) непропечённый, сырой (о хлебе); 3) отупевший (от усталости, пьянства); 2. v пропитывать(ся); мокнуть.

sodden II ['sɔdn] p. p. от seethe.

sodium ['soudjəm] n хим. натрий.

sodomite ['sɔdəmaɪt] n педераст, гомосексуалист.

sodomy ['sɔdəmɪ] n педерастия.

soever [sou'evə] adv 1) любым способом; 2) присоединяясь к словам who, what, when, how, служит для усиления: in what place ~ где бы то ни было.

sofa ['soufə] n софа, диван.

sofa bed ['soufə'bed] n диван-кровать.

soffit ['sɔfɪt] n архит. соффит.

soft [sɔft] 1. a 1) мягкий; ~ palate заднее (или мягкое) нёбо; 2) нежный; тихий (о звуке); ~ nothings комплименты, нежности; ~ things (или words) нежности; 3) приятный; 4) отзывчивый, кроткий; 5) влюблённый (о взгляде); 6) неустойчивый; легко поддающийся влиянию; 7) дряблый, изнеженный; 8) слабый, слабого здоровья; 9) неяркий (о цвете и т. п.); 10) мягкий (о линии); неконтрастный (о фотоснимке); 11) дождливый, сырой (о погоде); a ~ day сырой, но тёплый день; a ~ breeze тёплый влажный ветерок; 12) разг. слабоумный, придурковатый; 13) разг. лёгкий; ~ thing, амер. ~ snap лёгкая работа; 14) разг. безалкогольный (о напитках); 15) фон. палатализованный, смягчённый; 16) тех. ковкий; гибкий; ◊ ~ corn мокнущая мозоль; to boil an egg ~ варить яйцо всмятку; ~er sex слабый пол; 2. n придурковатый человек; 3. adv мягко, тихо; to lie ~ лежать на мягкой постели; 4. int тише!, тихонько!

soften ['sɔfn] v 1) смягчать(ся); 2) воен. ослаблять сопротивление противника (тж. ~ up).

softening ['sɔfnɪŋ] 1. pres. p. от soften; 2. n 1) смягчение; 2) фон. палатализация; ◊ ~ of the brain размягчение мозга.

soft goods ['sɔft'gudz] n pl текстильные изделия.

softhead ['sɔfthed] n дурачок, придурковатый человек.

soft-headed ['sɔft,hedɪd] a придурковатый.

softhearted ['sɔft'hɑːtɪd] a мягкосердечный, отзывчивый.

soft money ['sɔft'mʌnɪ] n амер. разг. бумажные деньги.

soft pedal ['sɔft'pedl] n 1) муз. педаль; 2) sl. запрет, ограничение.

soft-pedal ['sɔft'pedl] v 1) муз. нажимать на педаль; 2) sl. смягчать.

soft sawder ['sɔft'sɔːdə] n лесть, комплименты.

soft soap ['sɔft'soup] 1. n 1) мягкое, жидкое мыло; зелёное мыло; 2) разг. лесть; 2. v 1) мыть жидким мылом; 2) разг. льстить.

soft-spoken ['sɔft,spoukən] a 1) произнесённый тихо; 2) сладкоречивый.

softwood ['sɔftwud] n мягкая древесина.

softy ['sɔftɪ] n разг. 1) дурак; 2) слабый человек.

soggy ['sɔgɪ] a 1) сырой, мокрый, пропитанный водой; 2) амер. ав. трудно управляемый.

soil I [sɔɪl] n почва, земля; one's native ~ родина.

soil II [sɔɪl] 1. n грязь; пятно; 2. v пачкать(ся), грязнить(ся); перен. запятнать; to ~ one's hands with smth. марать руки чем-л.

soil III [sɔɪl] v кормить свежескошенной травой.

soilage ['sɔɪlɪdʒ] n корм из свежескошенной травы.

soilless ['sɔɪlɪs] a незапятнанный.

soil-pipe ['sɔɪlpaɪp] n канализационная труба.

soirée ['swɑːreɪ] фр. n вечеринка.

sojourn ['sɔdʒɜːn] 1. n (временное) пребывание; 2. v (временно) жить, проживать.

Sol [sɔl] n шутл. солнце.

sol I [sɔl] n муз. соль.

sol II [sɔl] n хим. золь.

sol III [sɔl] n соль (денежная единица Перу).

solace ['sɔləs] 1. n утешение; 2. v утешать; развлекать.

solan(-goose) ['soulən(guːs)] n олуша, глупыш (морская птица).

solar ['soulə] a солнечный; ◊ ~ plexus анат. солнечное сплетение.

solaria [sou'lɛərɪə] pl от solarium.

solarium [sou'lɛərɪəm] лат. n (pl -ria) солярий.

solarize ['souləraɪz] v 1) подвергать воздействию солнца; 2) фото передержать.

solatia [sou'leɪʃjə] pl от solatium.

solatium [sou'leɪʃjəm] лат. n (pl -tia) возмещение, компенсация.

sold [sould] past и p.p. от sell 1.

solder ['sɔldə] 1. n припой (обыкн. мягкий); 2. v паять, спаивать.

soldering-iron ['sɔldərɪŋ,aɪən] n паяльник.

soldi ['sɔldiː] pl от soldo.

soldier ['souldʒə] 1. n 1) солдат; рядовой; to go for a ~ разг. поступить в армию; to play at ~s играть в солдатики; 2) военный; 3) воин; 4) полководец; 5) sl. копчёная селёдка; ◊ ~ of fortune наёмник; кондотьер; old ~ а) бывалый человек; to come the old ~ over командовать (кем-л.) на правах опытного человека; б) пустая бутылка; в) окурок; 2. v 1) служить в армии; 2) чистить (снаряжение); 3) увиливать от работы; притворяться больным.

soldier crab ['souldʒə'kræb] n рак-отшельник.

soldierlike ['souldʒəlaɪk] = soldierly.

soldierly ['souldʒəlɪ] a 1) воинский; с военной выправкой; 2) воинственный; храбрый; решительный.

soldiership ['souldʒəʃıp] *n* военное искусство.

soldiery ['souldʒərı] *n* *собир.* солдаты; военные.

soldo ['sɔldou] *n* (*pl* -di) сольдо (*итальянская монета, равная* ¹/₂₀ *лиры*).

sole I [soul] **1.** *n* 1) подошва; 2) подмётка; 3) нижняя часть; 4) *тех.* дно, лёжень, пята, основание; **2.** *v* ставить подмётку.

sole II [soul] *n* морской язык (*рыба*).

sole III [soul] *a* 1) единственный; 2) исключительный; 3) *уст., поэт.* одинокий; уединённый; ◇ ~ weight собственный вес.

solecism ['sɔlısızəm] *n* 1) солецизм, грамматическая ошибка; 2) нарушение приличий.

solely ['soullı] *adv* единственно; только, исключительно.

solemn ['sɔləm] *a* 1) торжественный; on ~ occasions в торжественных случаях; 2) важный; серьёзный; 3) формальный; законный; отвечающий всем требованиям закона; to take a ~ oath торжественно поклясться; 4) тёмный, мрачный; ◇ ~ fool напыщенный дурак.

solemnity [sə'lemnıtı] *n* 1) торжественность; 2) важность, серьёзность; 3) (*обыкн. pl*) торжество, торжественная церемония; 4) *юр.* формальность.

solemnization ['sɔləmnaı'zeıʃən] *n* празднование.

solemnize ['sɔləmnaız] *v* 1) праздновать; торжественно отмечать; 2) придавать серьёзность, торжественность.

solenoid ['soulınɔıd] *n* *эл.* соленоид.

sol-fa [sɔl'fɑ:] *муз.* **1.** *n* сольфеджио; **2.** *v* петь сольфеджио.

soli ['souli:] *pl от* solo.

solicit [sə'lısıt] *v* 1) просить, упрашивать; выпрашивать; 2) требовать; ходатайствовать; 3) приставать (*к мужчине на улице*).

solicitation [sə,lısı'teıʃən] *n* 1) настойчивая просьба, ходатайство; 2) приставание (*на улице*).

solicitor [sə'lısıtə] *n* 1) стряпчий (*дающий советы клиентам и подготовляющий дела для адвоката, но имеющий право выступать только в низших судах*); поверенный; 2) *амер.* агент фирмы, домогающийся заказов; 3) проситель, ходатай.

Solicitor-General [sə'lısıtə'dʒenərəl] *n* 1) заместитель министра юстиции, защищающий интересы государства в судебных процессах; 2) *амер.* главный прокурор (*некоторых штатов*).

solicitous [sə'lısıtəs] *a* 1) полный желания (*сделать что-л.*), желающий (of—*чего-л.*); 2) добивающийся (*чего-л.*), стремящийся (*к чему-л.*); 3) заботливый, беспокоящийся (about, concerning, for).

solicitude [sə'lısıtju:d] *n* заботливость, озабоченность; беспокойство, забота (for—о чём-л.).

solid ['sɔlıd] **1.** *a* 1) твёрдый (*не жидкий, не газообразный*); ~ state твёрдое состояние; to become ~ on cooling твердеть при охлаждении; 2) сплошной; цельный; ~ colour сплошной, ровный цвет; ~ printing *полигр.* набор без шпонов; ~ square *воен.* (сплошное) каре; ~ tire сплошная шина; 3) непрерывный; ~ line of defence непрерывная линия обороны; for a ~ hour (day) в течение часа (дня) без перерыва; 4) массивный (*не полый*); 5) прочный, крепкий; плотный, солидный; to have a ~ meal плотно поесть; a man of ~ build человек плотного сложения; 6) основательный, надёжный; солидный; веский; ~ argument веский довод; ~ grounds реальные основания; a man of ~ sense человек трезвого ума; 7) сплочённый, единогласный; ~ party сплочённая партия; the decision was passed by a ~ vote решение было принято единогласно; to be ~ for стоять твёрдо за; 8) пишущийся вместе, без дефиса; 9) *sl.* хороший, отличный; 10) *мат.* трёхмерный, пространственный, кубический; ~ angle телесный угол, пространственный угол; ~ foot кубический фут; ~ geometry стереометрия; ◇ to be ~ with *амер.* быть в милости у кого-л.; **2.** *n* 1) *физ.* твёрдое тело; 2) геометрическое тело; regular ~ правильное геометрическое тело; 3) массивная резиновая шина; 4) целик, порода, массив (*угля или руды*); **3.** *adv* единогласно; to vote ~ голосовать единогласно.

solidarity [,sɔlı'dærıtı] *n* солидарность; сплочённость.

solid-hoofed ['sɔlıd'hu:ft] *a* *зоол.* однокопытный.

solidify [sə'lı:dıfaı] *v* делать(ся) твёрдым, твердеть, застывать.

solidity [sə'lıdıtı] *n* твёрдость и пр. [*см.* solid 1].

soliloquize [sə'lıləkwaız] *v* 1) произносить монолог; 2) говорить с самим собой.

soliloquy [sə'lıləkwı] *n* 1) монолог; 2) разговор с самим собой.

solipsism ['soulıpsızəm] *n* *филос.* солипсизм.

solitaire [,sɔlı'tɛə] *n* 1) солитер (*бриллянт*); 2) игра для одного человека; 3) *амер.* пасьянс; 4) *редк.* отшельник.

solitary ['sɔlıtərı] **1.** *a* 1) одинокий; уединённый; a ~ life уединённая жизнь; 2) единичный, отдельный; ~ instance единичный случай; ~ confinement одиночное заключение; **2.** *n* 1) отшельник; 2) *sl. см.* solitary confinement [*см.* 1, 2)].

solitude ['sɔlıtju:d] *n* 1) одиночество, уединение; 2) уединённое место.

solo ['soulou] **1.** *n* (*pl* -os [-ouz], -li) 1) *муз.* соло, сольный номер; 2) *attr.* сольный; 3) *attr. ав.* одиночный, самостоятельный (*о полёте без инструктора или механика*); **2.** *v* *ав.* летать в одиночку.

soloing ['soulouıŋ] 1. *pres.p. от* solo 2; **2.** *n* *ав.* самостоятельный полёт (*без инструктора или механика*).

soloist ['soulouıst] *n* 1) солист; 2) лётчик, летающий в одиночку (*без инструктора или механика*).

Solomon ['sɔləmən] *n* *библ.* Соломон.

Solomon's Seal [ˈsɔləmənzˈsiːl] *n* 1) шестиконечная звезда, образованная из двух переплетённых треугольников; 2) *бот.* купена.

so long [ˈsouˈlɔŋ] *int разг.* пока!, до свидания!

solstice [ˈsɔlstɪs] *n астр.* солнцестояние.

solubility [ˌsɔljuˈbɪlɪtɪ] *n* растворимость.

soluble [ˈsɔljubl] *a* 1) растворимый; 2) разрешимый, объяснимый.

solus [ˈsouləs] *лат. a predic.* один, в единственном числе.

solute [ˈsɔljuːt] *n* раствор.

solution [səˈluːʃən] *n* 1) раствор; 2) растворение; распускание; 3) решение, разрешение (*вопроса и т. п.*); объяснение; his ideas are in ~ его взгляды ещё не установились; 4) *мед.* окончание болезни, разрешение; 5) *мед.* микстура, жидкое лекарство.

solvability [ˌsɔlvəˈbɪlɪtɪ] *n* разрешимость.

solvable [ˈsɔlvəbl] *a* 1) разрешимый; 2) *редк.* растворимый.

solve [sɔlv] *v* 1) решать, разрешать (*проблему и т. п.*); находить выход; объяснять; 2) оплатить (*долг*); 3) *редк.* растворять.

solvency [ˈsɔlvənsɪ] *n* платёжеспособность.

solvent [ˈsɔlvənt] 1. *n* растворитель; *перен.* то, что смягчает;
2. *a* 1) растворяющий; 2) платёжеспособный.

somatic [souˈmætɪk] *a* телесный, соматический.

sombre [ˈsɔmbə] *a* 1) тёмный, мрачный; ~ sky пасмурное небо; 2) угрюмый; a man of ~ character угрюмый человек.

sombrero [sɔmˈbrɛərou] *исп. n* (*pl* -os [-ouz]) сомбреро (*широкополая шляпа*).

some [sʌm] *pron. indef.* 1. *как сущ.* 1) кое-кто, некоторые, одни, другие; ~ came early некоторые пришли рано; 2) *амер.* большое количество; and (then) ~ *sl.* и ещё много в придачу; вдобавок; ◇ ~ of these days вскоре, на днях, в ближайшие дни; когда-нибудь;
2. *как прил.* 1) некий, некоторый, какой--то, какой-нибудь; I saw it in ~ book (or other) я видел это в какой-то книге; ~ day, ~ time (or other) когда-нибудь; one какой-нибудь (один); ~ people некоторые люди; ~ way out какой-нибудь выход; 2) некоторый, несколько; *часто не переводится*; I have ~ money to spare у меня есть лишние деньги; I saw ~ people in the distance я увидел людей вдали; I would like ~ strawberries мне хотелось бы клубники; 3) несколько, немного; ~ few несколько; ~ miles more to go осталось пройти ещё несколько миль; ~ years ago несколько лет тому назад; 4) немало, порядочно; you'll need ~ courage вам потребуется немало мужества; 5) *разг.* замечательный, в полном смысле слова, стоящий (*часто ирон.*); ~ battle крупное сражение; ~ scholar! ну и учёный!; this is ~ picture! вот это действительно картина!;
3. *как нареч.* 1) *разг.* несколько, до некоторой степени. отчасти; ~ colder немного

холоднėй; he seemed annoyed ~ он казался немного раздосадованным; 2) около, приблизительно; there were ~ 20 persons present присутствовало около 20 человек.

somebody [ˈsʌmbədɪ] 1. *pron. indef.* кто--то, кто-нибудь;
2. *n* важная персона.

somehow [ˈsʌmhau] *adv* как-нибудь; как-то; почему-то; ~ or other так или иначе.

someone [ˈsʌmwʌn] = somebody 1.

someplace [ˈsʌmpleɪs] *adv разг.* где--нибудь, куда-нибудь.

somersault [ˈsʌməsɔːlt] 1. *n* прыжок кувырком, кувырканье; to turn a ~ перекувырнуться;
2. *v* кувыркаться.

somerset [ˈsʌməsɪt] = somersault.

something [ˈsʌmθɪŋ] *pron. indef.* 1. *как сущ.* что-то, кое-что, нечто, что-нибудь; ~ else что-нибудь другое; to be up to ~ замышлять что-то недоброе; he is ~ in the Record Office он занимает какую-то должность в Архиве; he is ~ of a painter он до некоторой степени художник; I felt there was a little ~ wanting я чувствовал, что чего-то не хватал; it is ~ to be safe home again приятно вернуться домой целым и невредимым; there is ~ about it in the papers об этом упоминается в газетах; there is ~ in what you say в ваших словах есть доля правды; ◇ to think oneself ~, to think ~ of oneself быть высокого мнения о себе;
2. *как нареч. разг.* 1) до некоторой степени, несколько, немного; ~ like немного похожий; ~ too much of this слишком много этого; приблизительно; it must be ~ like six o'clock должно быть около шести часов; 3) великолепно; that's ~ like a hit! вот это удар!

some time [ˈsʌmˈtaɪm] 1. *n* некоторое время;
2. *adv* 1) в течение некоторого времени; 2) = sometime 1, 1).

sometime [ˈsʌmtaɪm] 1. *adv* 1) когда--нибудь; 2) *уст.* когда-то; некогда, прежде;
2. *a* бывший, прежний.

sometimes [ˈsʌmtaɪmz] *adv* иногда, по временам.

someway [ˈsʌmweɪ] *adv* каким-то образом; как-нибудь.

somewhat [ˈsʌmwɔt] *pron. indef.* 1. *как сущ.* что-то; кое-что; he is ~ of a connoisseur он до некоторой степени знаток;
2. *как нареч.* отчасти, до некоторой степени; he answered ~ hastily он ответил несколько поспешно; it is ~ difficult это довольно трудно.

somewhere [ˈsʌmwɛə] *adv* где-то; куда-то, куда-нибудь; ~ else где-то в другом месте.

somewise [ˈsʌmwaɪz] *adv:* in ~ каким-то образом.

somite [ˈsoumaɪt] *n зоол.* сегмент, сомит.

sommelier [ˈsɔməˈljeɪ] *фр. n* дворецкий.

somnambulism [sɔmˈnæmbjulɪzəm] *n* сомнамбулизм, лунатизм.

somnambulist [sɔmˈnæmbjulɪst] *n* лунатик.

somnifacient [ˌsɔmnɪˈfeɪʃənt] 1. *a* снотворный;

2. *n* снотво́рное сре́дство.

somniferous [sɔm'nifərəs] *a* снотво́рный, усыпля́ющий.

somnolence, -cy ['sɔmnələns, -sɪ] *n* сонли́вость; дремо́та, со́нное состоя́ние.

somnolent ['sɔmnələnt] *a* 1) со́нный, дре́млющий; 2) усыпля́ющий.

son [sʌn] *n* 1) сын; ~ and heir ста́рший сын; he is a true ~ of his father, he is his father's own ~ он вы́литый оте́ц; 2) сыно́к (*в обращении*); 3): ~ of the soil a) ме́стный уроже́нец; б) земледе́лец; ~ of toil трудя́щийся; тру́женик; the ~s of men челове́ческий род; ◇ ~ of a bitch *груб.* су́кин сын.

sonant ['sounənt] *фон.* 1. *a* зво́нкий; 2. *n* зво́нкий согла́сный.

sonar ['souna:] *n* ра́дио сона́р (*система звуково́й лока́ции в США*).

sonata [sə'na:tə] *n муз.* сона́та.

song [sɔŋ] *n* 1) пе́ние; to burst forth(*или* to break) into ~ запе́ть; 2) пе́сня, рома́нс; 3) стихотворе́ние; ◇ to buy (*или* to get) for a mere ~ (*или* for an old ~) купи́ть за бесце́нок; not worth an old ~ грош цена́; nothing to make a ~ about что-л. не заслу́живающее внима́ния; there is no use making a ~ about it из э́того не сто́ит создава́ть исто́рии.

song-bird ['sɔŋbə:d] *n* пе́вчая пти́ца.

songful ['sɔŋful] *a* мелоди́чный.

songster ['sɔŋstə] *n* 1) певе́ц; 2) пе́вчая пти́ца; 3) поэ́т.

songstress ['sɔŋstrɪs] *n* певи́ца.

sonic ['sɔnɪk] *a* звуково́й; име́ющий ско́рость зву́ка.

soniferous [sə'nifərəs] *a* 1) передаю́щий звук; звуча́щий; 2) зву́чный, зво́нкий.

son-in-law ['sʌnɪnlɔ] *n* (*pl* sons-in-law) зять (*муж до́чери*).

sonnet ['sɔnɪt] *n* соне́т.

sonneteer [,sɔnɪ'tɪə] 1. *n* сочини́тель соне́тов; *пренебр.* стихоплёт; 2. *v* писа́ть соне́ты.

sonny ['sʌnɪ] *n разг.* сыно́к (*в обращении*).

sonometer [sou'nɔmɪtə] *n* прибо́р для иссле́дования слу́ха.

sonority [sə'nɔrɪtɪ] *n* зву́чность, зво́нкость.

sonorous [sə'nɔːrəs] *a* 1) зву́чный, зво́нкий; 2) высокопа́рный (*о сти́ле, языке́*).

sons-in-law ['sʌnzɪnlɔ] *pl от* son-in-law.

sonsy ['sɔnsɪ] *a шотл.* пу́хлый, по́лный и доброду́шный.

soojee ['su:dʒi:] *n англо-инд.* мука́ из инди́йской пшени́цы.

soon [su:n] *adv* 1) ско́ро, вско́ре; бы́стро; as ~ as как то́лько, не по́зже; do it as ~ as possible сде́лайте э́то как мо́жно быстре́е; so ~ as (ever) как то́лько; no ~er than как то́лько; he had no ~er got well than he fell ill again не успе́л он вы́здороветь, как сно́ва заболе́л; 2) ра́но; if we come too ~ we'll have to wait е́сли мы придём сли́шком ра́но, нам придётся ждать; the ~er, the better чем ра́ньше, тем лу́чше; ~er or later ра́но йли по́здно, в конце́ концо́в; 3) охо́тно; I would just as ~ not go я охо́тно не пошёл бы совсе́м; ◇ no ~er said than done ≈ ска́зано—сде́лано.

soot [sut] 1. *n* са́жа; ко́поть; 2. *v* 1) покрыва́ть са́жей; 2) удобря́ть са́жей.

sooth [su:θ] *n уст.* и́стина, пра́вда; in (good) ~ в са́мом де́ле, пойсти́не; ~ to say по пра́вде говоря́.

soothe [su:ð] *v* 1) успока́ивать, утеша́ть; 2) смягча́ть; облегча́ть (*боль*); 3) те́шить (*тщесла́вие*).

soother ['su:ðə] *n* 1) льстец; 2) пусты́шка, со́ска.

soothing ['su:ðɪŋ] 1. *pres. p. от* soothe; 2. *a* успокои́тельный; успока́ивающий.

soothsay ['su:θ,seɪ] *v* предска́зывать.

soothsayer ['su:θ,seɪə] *n* предсказа́тель.

soot pit ['sut'pɪt] *n тех.* зо́льник.

sooty ['sutɪ] *a* 1) покры́тый ко́потью, запа́чканный са́жей, зако́пченный; 2) чёрный как са́жа; 3) чернова́тый.

sooty shearwater ['sutɪ 'ʃɪəwɔːtə] *n зоол.* буреве́стник се́рый.

sop [sɔp] 1. *n* 1) кусо́к (*хле́ба и т. п.*), обмакну́тый в подли́вку, молоко́ и т. п.; ~ in the pan поджа́ренный хлеб; 2) подли́вка; 3) взя́тка; to give (*или* to throw) a ~ to Cerberus умиротворя́ть взя́ткой; 2. *v* 1) мака́ть, обма́кивать (*хлеб и т. п.*); 2) впи́тывать, вбира́ть; to ~ up подбира́ть жи́дкость (*гу́бкой и т. п.*); 3) нама́чивать, мочи́ть; 4) промока́ть; his clothes are ~ping wet его́ оде́жда промо́кла до ни́тки.

soph [sɔf] *n сокр. разг. от* sophomore.

sophism ['sɔfɪzəm] *n* софи́зм.

sophist ['sɔfɪst] *n* софи́ст.

sophistic(al) [sə'fɪstɪk(əl)] *a* софи́стский.

sophisticate [sə'fɪstɪkeɪt] 1. *v* 1) извраща́ть, подде́лывать; 2) фальсифици́ровать, по́ртить; 3) лиша́ть простоты́; де́лать искушённым в жите́йских дела́х; 2. *n* искушённый челове́к.

sophisticated [sə'fɪstɪkeɪtɪd] 1. *р. р. от* sophisticate 1; 2. *a* 1) лишённый наи́вности *или* простоты́; искушённый в жите́йских дела́х; 2) усложнённый, утончённый; ~ apparatus сло́жная аппарату́ра.

sophistication [sə,fɪstɪ'keɪʃən] *n* 1) софи́стика; 2) фальсифика́ция; извраще́ние.

sophistry ['sɔfɪstrɪ] *n* софи́стика.

sophomore ['sɔfəmɔː] *n амер.* студе́нт-второку́рсник.

sopor ['soupə] *n* тяжёлый, кре́пкий сон.

soporific [,soupə'rɪfɪk] 1. *a* усыпля́ющий, наркоти́ческий; 2. *n* снотво́рное сре́дство, нарко́тик.

sopping ['sɔpɪŋ] 1. *pres. p. от* sop 2; 2. *a* мо́крый, промо́кший (*наскво́зь*).

soppy ['sɔpɪ] *a* 1) мо́крый, промо́кший наскво́зь; 2) *разг.* сентимента́льный, слаща́вый; to be ~ on smb. быть влюблённым в кого́-л.

soprani [sə'pra:ni:] *pl от* soprano.

soprano [sə'pra:nou] *n* (*pl* -os [-ouz], -ni) сопра́но; ди́скант.

sorb [sɔːb] *n* ряби́на.

sorbefacient [,sɔːbɪ'feɪʃənt] *мед.* 1. *a* спосо́бствующий вса́сыванию; 2. *n* сре́дство, спосо́бствующее вса́сыванию.

sorcerer ['sɔːsərə] *n* колду́н, чароде́й, волше́бник.

sorceress ['sɔːsərɪs] *n* колду́нья, чароде́йка.

sorcery ['sɔːsərɪ] *n* колдовство́, волшебство́; ча́ры.

sord [sɔːd] *уст.* = sward.

sordid ['sɔːdɪd] *a* 1) гря́зный, проти́вный; 2) жа́лкий, убо́гий; 3) ни́зкий, по́длый; коры́стный; ~ desires ни́зменные жела́ния.

sordine ['sɔːdiːn] *n муз.* сурди́нка.

sore [sɔː] 1. *n* боля́чка, ра́на, я́зва; an open ~ откры́тая ра́на; *перен.* злоупотребле́ние; to re-open old ~s береди́ть ста́рые ра́ны;

2. *a* 1) чувстви́тельный, боле́зненный; 2) больно́й, воспалённый; ~ feet стёртые, уста́лые от ходьбы́ но́ги; I have a ~ throat у меня́ боли́т го́рло; 3) огорчённый, оби́женный; to feel ~ about smth. страда́ть, му́читься, быть оби́женным чем-л.; with a ~ heart с тяжёлым се́рдцем, с бо́лью в се́рдце; 4) раздража́ющий; тя́гостный; ~ point, ~ subject больно́й вопро́с; 5) *поэт.* тя́жкий, мучи́тельный; to be in ~ need of о́чень нужда́ться в; ◇ like a bear with a ~ head о́чень серди́тый;

3. *adv поэт.* жесто́ко, тя́жко; ~ afflicted в большо́м го́ре.

sorehead ['sɔːhed] *амер. разг.* 1. *n* ны́тик, брюзга́;

2. *a* раздражённый и разочаро́ванный.

sorely ['sɔːlɪ] *adv* глубоко́, тя́жко, о́чень; I am ~ perplexed я в кра́йнем недоуме́нии.

soreness ['sɔːnɪs] *n* 1) чувстви́тельность, боле́зненность; 2) раздражи́тельность; 3) чу́вство оби́ды.

sorgho ['sɔːgou] = sorghum.

sorghum ['sɔːgəm] *n* со́рго (*хлебный злак*).

sorgo ['sɔːgou] = sorghum.

sori ['sɔːraɪ] *pl от* sorus.

sorites [sou'raɪtiːz] *n филос.* сори́т.

sorority [sə'rɔːrɪtɪ] *n* 1) сестри́нская общи́на; 2) *амер.* университе́тский же́нский клуб.

sorra ['sɔːrə] *ирл. adv разг.* 1) ни; ~ a bit ни кусо́чка; ~ a one ни одного́; 2) никогда́.

sorrel I ['sɔːrəl] *n* щаве́ль.

sorrel II ['sɔːrəl] 1. *n* гнеда́я ло́шадь; 2. *a* гнедо́й.

sorrel-top ['sɔːrəltɔp] *n амер.* рыжеволо́сый челове́к.

sorrow ['sɔːrou] 1. *n* 1) печа́ль, го́ре, скорбь; to feel ~ испы́тывать печа́ль; 2) сожале́ние, грусть; to express ~ at (*или* for) smth. вы́разить сожале́ние по по́воду чего́-л.;

2. *v* горева́ть, скорбе́ть, печа́литься.

sorrowful ['sɔːrəful] *a* 1) печа́льный; уби́тый го́рем, огорчённый; 2) ско́рбный; 3) тра́урный; зауны́вный.

sorry ['sɔːrɪ] *a* 1) *predic.* огорчённый, по́лный сожале́ния; (I'm) ~, (I'm) so ~ винова́т, прости́те; to feel ~ (со)жале́ть; you will be ~ for this some day вы пожале́ете об э́том когда́-нибудь; I am so ~ мне так жаль; I am ~ to say he is ill он, к сожале́нию, бо́лен; 2) жа́лкий, несча́стный; пло-

хо́й; ~ excuse неуда́чное оправда́ние; ~ sight жа́лкое зре́лище; 3) мра́чный, гру́стный.

sort [sɔːt] 1. *n* 1) род, сорт, вид, разря́д; of ~s ра́зных сорто́в, сме́шанный; all ~s and conditions of men, people of every ~ and kind всевозмо́жные лю́ди; 2) ка́чество, хара́ктер; a good ~ *разг.* сла́вный ма́лый; the better ~ *разг.* выдаю́щиеся лю́ди; he's not my ~ *разг.* он не в моём ду́хе; 3) *редк.* о́браз, мане́ра; after a ~ а) не́которым о́бразом; б) по о́бразу и подо́бию; in ~ в изве́стной ме́ре; 4) *pl полигр.* ли́теры; ◇ ~ of как бы, как бу́дто; he ~ of hinted *разг.* он как бу́дто намекну́л; a ~ of что́-то вро́де; that ~ of thing тому́ подо́бное; nothing of the ~ ничего́ подо́бного; to be out of ~s а) быть не в ду́хе; б) пло́хо себя́ чу́вствовать; that's your ~! вот э́то здо́рово!;

2. *v* 1) сортирова́ть; разбира́ть; классифици́ровать; 2) *уст.* соотве́тствовать; his actions ~ ill with his professions его́ де́йствия пло́хо согласу́ются с его́ слова́ми; □ ~ out распределя́ть по сорта́м, рассортиро́вывать.

sorter ['sɔːtə] *n* сортиро́вщик.

sortie ['sɔːtiː] *фр. n* 1) *воен.* вы́лазка; 2) *ав.* вы́лет, самолётовы́лет.

sortilege ['sɔːtɪlɪdʒ] *n* колдовство́; ворожба́, гада́ние.

sortition [sɔː'tɪʃən] *n* жеребьёвка; распределе́ние по жре́бию.

sorus ['sɔːrəs] *n* (*pl* sori) *бот.* спороку́чка (*па́поротника*), со́рус.

SOS ['es'ou'es] 1. *n* (ра́дио)сигна́л бе́дствия;

2. *v* дава́ть (ра́дио)сигна́л бе́дствия.

so-so ['sousou] 1. *a predic.* нева́жный; та́к себе́, сно́сный;

2. *adv* та́к себе́, нева́жно.

sot [sɔt] 1. *n* го́рький пья́ница;

2. *v* пить, выпива́ть.

sottish ['sɔtɪʃ] *a* отупе́вший от пья́нства.

sotto voce ['sɔtou'voutʃɪ] *ит. adv* вполго́лоса; про себя́.

sou [suː] *фр. n* су (*ме́лкая моне́та*); he hasn't a ~ *разг.* у него́ нет ни гроша́.

sou' [sau-] *в сло́жных слова́х* юго-; sou'-east юго-восто́к; sou'west юго-за́пад.

souchong ['suː'ʃɔŋ] *кит. n* отбо́рный чай.

Soudanese [ˌsuːdə'niːz] = Sudanese.

sou'easter ['sau'iːstə] *мор.* = south-easter.

souffle ['suːfl] *n мед.* шум; дыха́тельный шум.

soufflé ['suːfleɪ] *фр. n* суфле́.

sough I [sau] 1. *n* ше́лест, лёгкий шум (*ве́тра*);

2. *v* шелесте́ть.

sough II [sau] *n* 1) сто́чный кана́л; дрена́жная труба́; 2) *горн.* водоотли́вная што́льня.

sought [sɔːt] *past и p. p. от* seek.

sought-after ['sɔːt'ɑːftə] *a* 1) име́ющий большо́й спрос (*о това́ре*); 2) по́льзующийся успе́хом; жела́нный.

soul [soul] *n* 1) душа́, дух; I wonder how he keeps body and ~ together удивля́юсь, в чём у него́ душа́ де́ржится; twin ~ родственная душа; 2) человек; be a good ~ and help me будь добр, помоги мне; he is a simple (an honest) ~ он простодушный (честный) человек; the poor little ~ бедняжка; the ship was lost with two hundred ~s on board погиб пароход, на борту которого было двести пассажиров; don't tell a ~ никому не говори; 3) воплощение, образец; she is the ~ of kindness она воплощение доброты; 4) энергия, энтузиазм; she put her whole ~ into her work она вкладывала всю душу в свою работу; ◇ not to be able to call one's ~ one's own быть в полном подчинении; upon my ~! a) честное слово!, клянусь!; б) не может быть! soulful ['soulful] a эмоциональный; сентиментальный.

soulless ['soullɪs] a бездушный.

sound I [saund] 1. n 1) звук; шум; within ~ of на расстоянии слышимости; 2) значение, содержание (чего-л. услышанного, прочитанного и т. п.); 3) attr. звуковой; 2. v 1) звучать, издавать звук, звенеть; it ~s like thunder похоже на гром; the trumpets ~ раздаются звуки труб; 2) извлекать звук; давать сигнал; to ~ the alarm бить тревогу; to ~ a bell звонить в колокол; 3) звучать, иметь смысл; the excuse ~s very hollow извинение звучит очень фальшиво; 4) произносить; the h in hour is not ~ed в слове hour h не произносится; 5) разглашать; прославлять; 6) выстукивать (о колесе вагона и т. п.); 7) мед. выслушивать; выстукивать (больного); □ ~ off разг. болтать, шуметь.

sound II [saund] 1. a 1) здоровый, крепкий; 2) неиспорченный; прочный; ~ fruit неиспорченные фрукты; ~ machine исправная машина; 3) крепкий, глубокий (о сне); 4) правильный; здравый, логичный; ~ argument обоснованный довод; ~ scholar серьёзный учёный; 5) сильный, хороший; ~ flogging здоровая порка; 6) глубокий, тщательный (об анализе и т. п.); 7) платёжеспособный, надёжный; his financial position is perfectly ~ его финансовое положение очень прочно; 8) юр. законный, действительный; ~ title to land законное право на землю; ◇ ~ as a bell вполне здоровый; ~ in life and limb невредимый; 2. adv крепко; to be ~ asleep крепко спать.

sound III [saund] 1. n зонд; щуп; 2. v 1) измерять глубину (лотом); 2) мед. исследовать (рану и т. п.); 3) зондировать, осторожно выспрашивать (on, as to, about); стараться выяснить (мнение, взгляд); 4) испытать, проверить; 5) нырять (особ. о ките); опускаться на дно.

sound IV [saund] n 1) узкий пролив; 2) плавательный пузырь (у рыб).

sound engineer ['saund,endʒɪ'nɪə] n звукооператор.

sounder I ['saundə] n слуховой телеграфный аппарат, клопфер.

sounder II ['saundə] n уст. стадо диких свиней.

sound-film ['saundfɪlm] n звуковой фильм.

sounding I ['saundɪŋ] 1. pres. p. от sound I, 2; 2. a 1) звучащий, издающий звук; 2) звучный; громкий; 3) пустой, звонкий; ~ promises громкие обещания; ~ rhetoric трескучие фразы.

sounding II ['saundɪŋ] 1. pres. p. от sound III, 2; 2. n 1) промер глубины лотом; 2) глубина по лоту; 3) pl место, где возможен промер лотом; 4) запрос с целью выяснения; выспрашивание.

sounding-balloon ['saundɪŋbə,luːn] n метеор. шар-зонд.

sounding-board ['saundɪŋbɔːd] n резонатор, дека.

soundless ['saundlɪs] a беззвучный.

sound-locator ['saundlou,keitə] n звукоуловливатель; звукопеленгатор, шумопеленгатор.

sound man ['saund'mæn] n амер. радио, телев. 1) звукооператор; 2) звукорежиссёр.

sound-proof ['saundpruːf] 1. a звуконепроницаемый; 2. v придавать звуконепроницаемость.

sound rocket ['saund'rɔkɪt] n воен. звуковая сигнальная ракета.

sound-track ['saundtræk] n кино звуковая дорожка.

sound-wave ['saundweiv] n звуковая волна.

soup I [suːp] n 1) суп; 2) sl. густой туман; 3) sl. нитроглицерин; ◇ in the ~ sl. в затруднении.

soup II [suːp] v sl.: ~ up a) увеличивать мощность (двигателя и т. п.); б) увеличивать скорость (самолёта, ракеты и т. п.); в) придавать силу, живость.

soup-kitchen ['suːp,kɪtʃɪn] n 1) бесплатная столовая для нуждающихся; 2) амер. воен. разг. походная кухня.

soup-plate ['suːppleit] n глубокая тарелка.

soupspoon ['suːpspuːn] n столовая ложка.

soup-stock ['suːpstɔk] = stock 1, 16.

soup-ticket ['suːp,tɪkit] n талон на бесплатный обед.

sour ['sauə] 1. a 1) кислый; ~ cream сметана; 2) прокисший; 3) сердитый, раздражительный; угрюмый; 4) кислый, болотистый (о почве); 5) сырой и холодный (о погоде); 6) амер. sl. ничего не стоящий, невыгодный; ~ contract необдуманно заключённый контракт; ◇ the grapes are ~ ≅ зелен виноград; 2. v 1) закисать, прокисать; скисать; 2) заквашивать; 3) делать(ся) раздражительным; озлоблять(ся); ~ed by misfortune озлобленный жизненными неудачами; 4) хим. окислять.

source [sɔːs] n 1) исток, верховье; 2) ключ, источник; 3) первопричина, начало, источник; reliable ~ of information надёжный источник сведений.

sourdine [suə'diːn] = sordine.

sour dock ['sauədɔk] n щавель.

sourdough ['sauədou] n 1) диал. закваска; 2) амер. старожил (на Аляске).

souse I [saus] **1.** *n* 1) рассо́л; 2) соле́нье; 3) погруже́ние в во́ду, в рассо́л; 4) *sl.* опьяне́ние; 5) *амер. sl.* пья́ница;
2. *v* 1) соли́ть, маринова́ть; 2) окуна́ть (-ся); ока́чивать; мочи́ть; промочи́ть; to ~ to the skin промо́кнуть до косте́й; 3) *sl.* напива́ться пья́ным.

souse II [saus] **1.** *n* 1) устремле́ние вниз; 2) *ав.* пики́рование;
2. *v* 1) *редк.* устремля́ться вниз, броса́ться с налёту (*о птице*); 2) *ав.* пики́ровать;
3. *adv* с налёту, стреми́тельно, пря́мо.

soused I [saust] **1.** *p. p. от* souse I, 2;
2. *a sl.* пья́ный.

soused II [saust] *p. p. от* souse II, 2.

sousing I ['sausiŋ] **1.** *pres. p. от* souse I, 2;
2. *n:* to get a (thorough) ~ промо́кнуть до ни́тки.

sousing II ['sausiŋ] *pres. p. от* souse II, 2.

soutache [suː'taːʃ] *фр. n* сута́ж.

soutane [suː'taːn] *n* сута́на.

souteneur [ˌsuːtə'nəː] *фр. n* сутенёр.

south [sauθ] **1.** *n* 1) юг; *мор.* зюйд; 2) (S). ю́жная часть страны́, *особ.* юг, ю́жные шта́ты США; 3) зюйд; ю́жный ве́тер;
2. *a* 1) ю́жный; 2) обращённый к ю́гу;
3. *adv* на юг, к ю́гу, в ю́жном направле́нии;
4. *v* [*тж.* sauð] 1) дви́гаться к ю́гу; 2) *астр.* пересека́ть меридиа́н.

southdown ['sauθdaun] *n* англи́йская поро́да безро́гих короткошёрстных ове́ц.

south-east ['sauθ'iːst] **1.** *n* юго-восто́к; *мор.* зюйд-ост;
2. *a* юго-восто́чный;
3. *adv* на юго-восто́к, в юго-восто́чном направле́нии, к юго-восто́ку.

south-easter [sauθ'iːstə] *n* юго-восто́чный ве́тер; *мор.* зюйд-ост.

south-easterly [sauθ'iːstəlɪ, *мор.* sau'iːstəlɪ] **1.** *a* 1) располо́женный к юго-восто́ку; 2) ду́ющий с юго-восто́ка;
2. *adv* в юго-восто́чном направле́нии.

south-eastern [sauθ'iːstən] *a* юго-восто́чный.

south-eastward ['sauθ'iːstwəd] **1.** *adv* в юго-восто́чном направле́нии;
2. *a* располо́женный на юго-восто́ке;
3. *n* юго-восто́к.

south-eastwards [sauθ'iːstwədz] = south-eastward 1.

souther ['sauðə] *n* си́льный ю́жный ве́тер.

southerly ['sʌðəlɪ] **1.** *a* ю́жный;
2. *adv* к ю́гу, в ю́жном направле́нии.

southern ['sʌðən] **1.** *a* ю́жный;
2. *n* = southerner.

southerner ['sʌðənə] *n* 1) южа́нин; жи́тель ю́га; 2) (S.) жи́тель ю́жных шта́тов США.

southernmost ['sʌðənmoust] *a* са́мый ю́жный.

southernwood ['sʌðənwud] *n бот.* куста́рниковая полы́нь.

southing ['sauðiŋ] **1.** *pres. p. от* south 4;
2. *n* 1) *мор.* зю́йдовая ра́зность широ́т; продвиже́ние на юг; 2) *астр.* прохожде́ние че́рез меридиа́н.

southland ['sauθlənd] *n* страна́, о́бласть на ю́ге.

southpaw ['sauθpɔː] *a спорт. sl.* по́льзующийся ле́вой руко́й (*при толка́нии ядра́, уда́ре и т. п.*).

southron ['sʌðrən] *n шотл.* 1) южа́нин; 2) англича́нин.

southward ['sauθwəd] **1.** *adv* к ю́гу, на юг;
2. *a* располо́женный к ю́гу от; обращённый на юг;
3. *n* ю́жное направле́ние.

southwardly ['sauθwədlɪ] *adv* к ю́гу, на юг.

southwards ['sauθwədz] = southward 1.

south-west ['sauθ'west] **1.** *n* юго-за́пад; *мор.* зюйд-вест;
2. *a* юго-за́падный;
3. *adv* на юго-за́пад, в юго-за́падном направле́нии, к юго-за́паду.

south-wester [sauθ'westə] *n* юго-за́падный ве́тер; *мор.* зюйд-вест.

south-westerly [sauθ'westəlɪ, *мор.* sau'westəlɪ] **1.** *a* 1) располо́женный к юго-за́паду от; 2) ду́ющий с юго-за́пада;
2. *adv* в юго-за́падном направле́нии.

south-western [sauθ'westən] *a* юго-за́падный.

south-westward [sauθ'westwəd] **1.** *adv* в юго-за́падном направле́нии;
2. *a* располо́женный на юго-за́паде;
3. *n* юго-за́пад.

south-westwards [sauθ'westwədz] = south-westward 1.

souvenir ['suːvənɪə] *фр. n* 1) сувени́р, пода́рок на па́мять; 2) *воен. шутл.* пу́ля, снаря́д.

sou'wester [sau'westə] *n мор.* 1) = south-wester; 2) зюйд-ве́стка.

sovereign ['sɔvrɪn] **1.** *n* 1) мона́рх; повели́тель; 2) сове́рен (*золота́я моне́та в оди́н фунт сте́рлингов*);
2. *a* 1) верхо́вный, наивы́сший; ~ power верхо́вная власть; 2) сувере́нный, держа́вный, полновла́стный; незави́симый; ~ States сувере́нные госуда́рства; 3) высокоме́рный; ~ contempt беспреде́льное презре́ние; 4) превосхо́дный; ~ remedy великоле́пное сре́дство.

sovereignty ['sɔvrəntɪ] *n* 1) верхо́вная власть; 2) суверените́т; 3) сувере́нное госуда́рство.

Soviet ['souviet] *рус.* **1.** *n* сове́т (*о́рган госуда́рственной вла́сти в СССР*);
2. *a* сове́тский; ~ Government Сове́тское прави́тельство; ~ power сове́тская власть; ~ Union Сове́тский Сою́з; ~ man сове́тский челове́к.

sow I [sou] *v* (sowed [-d]; sown, sowed) 1) се́ять; засева́ть; to ~ the field with wheat засе́ять по́ле пшени́цей; 2) се́ять, распространя́ть; насажда́ть; to ~ (the seeds of) dissention се́ять раздо́р; □ ~ out высева́ть; ◇ to ~ the wind and to reap the whirlwind ≅ посе́ешь ве́тер — пожнёшь бу́рю; понести́ жесто́кое возме́здие.

sow II [sau, *амер.* sou] *n* 1) свинья́; свинома́тка; 2) *метал.* козёл; на́стыль; сви́нка, чу́шка; ◇ to take (*или* to get) the wrong ~ by the ear ≅ попа́сть па́льцем в не́бо; ошиби́ться; обрати́ться не по а́дресу; напасть не на того, на кого следует; to take (*или* to get) the right ~ by the ear ≅ попасть в точку; напасть на нужного человека *или* вещь.

sowar ['souwɑ:] *n* кавалерист, конный полицейский, конный ординарец (*в Индии*).

sowbelly ['sau,belɪ] *n амер. разг.* бекон.

sowbread ['saubred] *n бот.* цикламен.

sower ['souə] *n* 1) сеятель; 2) сеялка.

sowing ['souɪŋ] 1. *pres. p. от* sow I; 2. *n* 1) посев; засев; засевание; 2) *attr.*: ~ time сев.

sowing-machine ['souɪŋmə,ʃi:n] *n* сеялка.

sown [soun] *p.p. от* sow I; the sky ~ with stars небо, усеянное звёздами.

sow-thistle ['sou,θɪsl] *n бот.* осот.

soy [sɔɪ] *n* соя.

soya ['sɔɪə] *n* соевый боб.

soy-bean ['sɔɪbi:n] *редк.* = soya.

sozzle ['sɔzl] *амер., диал.* 1. *n* 1) помои; 2) неряшливость; 3) неряха;
2. *v* 1) мочить; плескать; 2) опьянять; to be ~d быть под хмельком; 3) делать (*что-л.*) неряшливо.

spa [spɑ:] *n* 1) курорт с минеральными водами; 2) минеральный источник; 3) *амер.* место продажи прохладительных напитков.

space [speɪs] 1. *n* 1) пространство; to vanish into ~ исчезать; 2) расстояние; протяжение; for the ~ of a mile на протяжении мили; 3) место, площадь; for want of ~ за недостатком места; open ~s открытые пространства, пустыри; 4) интервал; промежуток времени, срок; after a short ~ вскоре; within the ~ of в течение (определённого промежутка времени); in the ~ of an hour в течение часа, через час; 5) место, сиденье (*в поезде, самолёте и т. п.*); 6) количество строк, отведённое под объявления (*в газете, журнале*); 7) *полигр.* шпация.
2. *v* 1) оставлять промежутки, расставлять с промежутками; 2) *полигр.* разбивать на шпации; набирать в разрядку (*часто* ~ out).

space-bar ['speɪsbɑ:] *n* клавиша для интервалов (*на пишущей машинке*).

space fiction ['speɪs'fɪkʃən] *n* фантастические романы и рассказы о межпланетных путешествиях.

spaceless ['speɪslɪs] *a* 1) бесконечный, беспредельный; 2) замкнутый, закрытый, лишённый пространства.

spacer ['speɪsə] *n* 1) распорка, прокладка; 2) = space-bar.

space-rate ['speɪsreɪt] *n* построчная оплата.

space rocket ['speɪs'rɔkɪt] *n* космическая ракета.

space satellite ['speɪs'sætəlaɪt] *n* искусственный спутник Земли.

spaceship ['speɪsʃɪp] *n* межпланетный корабль.

space-writer ['speɪs,raɪtə] *n* репортёр, получающий построчный гонорар.

spacious ['speɪʃəs] *a* 1) просторный, обширный; поместительный; 2) *перен.* широкий, большой; ~ mind широкий кругозор.

spade I [speɪd] 1. *n* 1) лопата; заступ; 2) *pl карт.* пики; 3) *воен.* сошник орудия; ◇ to call a ~ a ~ называть вещи своими именами;
2. *v* копать лопатой.

spade II [speɪd] = spado.

spadeful ['speɪdful] *n* полная лопата.

spade-work ['speɪdwə:k] *n* кропотливая подготовительная работа.

spadger ['spædʒə] *n sl.* воробей; воробушек.

spado ['speɪdou] *лат. n* (*pl* -dones) 1) кастрат; 2) кастрированное животное; 3) *юр.* импотент.

spadones [speɪ'douni:z] *pl от* spado.

spaghetti [spə'getɪ] *um. n* спагетти.

spake [speɪk] *уст. past от* speak.

spall [spɔ:l] 1. *n* 1) осколок; обломок; 2) щепка, лучина;
2. *v* 1) откалывать; 2) расщеплять; 3) *горн.* дробить руду (*для ручной сортировки*).

spalpeen [spɑl'pi:n] *ирл. n* негодяй.

spam [spæm] *n разг.* американские консервы.

span I [spæn] *past от* spin 2.

span II [spæn] 1. *n* 1) пядь (= *9 дюймам*); 2) короткий промежуток времени; период времени; his life had well-nigh completed its ~ жизнь его уже близилась к концу; 3) короткое расстояние; 4) длина моста, ширина реки, размах рук *и т. п.*; 5) *ав.* размах (крыльев); 6) пролёт (*моста*); расстояние между опорами (*арки, свода*); 7) *мор.* штаг-корнак; топреп; 8) *амер.* пара лошадей, волов *и т. п.* (*как упряжка*); 9) *ж.-д.* перегон; 10) *мат.* хорда;
2. *v* 1) измерять пядями; *перен.* измерять; охватывать; his eye ~ned the intervening space он глазами смерил расстояние; 2) перекрывать (*об арке, крыше и т. п.*); соединять берега (*о мосте*); to ~ a river with a bridge построить мост через реку; 3) *муз.* взять октаву; 4) *мор.* крепить; привязывать; затягивать.

spandrel ['spændrəl] *n архит.* пазуха свода; надсводное строение.

spang [spæŋ] *adv разг.* прямо; he ran ~ into me он наткнулся на меня.

spangle ['spæŋgl] 1. *n* блёстка;
2. *v* 1) украшать блёстками; the heavens ~d with stars небо, усыпанное звёздами; 2) блестеть.

Spaniard ['spænjəd] *n* испанец; испанка.

spaniel ['spænjəl] *n* спаньель (*порода собак*); ◇ a tame ~ низкопоклонник, льстец.

Spanish ['spænɪʃ] 1. *a* испанский; ◇ ~ fly шпанская муха;
2. *n* испанский язык.

spank [spæŋk] 1. *n* шлепок;
2. *v* 1) хлопать, (от)шлёпать (ладонью); 2) торопить, подгонять (шлепками); 3) быстро двигаться (*тж.* ~ along); быстро бежать (*о лошади*).

spanker ['spæŋkə] *n* 1) тот, кто шлёпает; 2) хороший бегун; рысак; 3) *разг.* выдающийся экземпляр (*чего-л.*); 4) *разг.* человек, чем-л. отличающийся от других.

spanking ['spæŋkɪŋ] 1. *pres. p. om* spank 2;
2. *n* сильные шлепки; трёпка;
3. *a* 1) быстрый; ~ trot крупная рысь;
2) *разг.* свежий, сильный (*о ветре*); 3)
разг. превосходный.

spanless ['spænlɪs] *a поэт.* неизмеримый,
необъятный.

spanner ['spænə] *n* 1) гаечный ключ;
2) перекладина.

span-new ['spæn'njuː] *a* совершенно новый; только что купленный.

span roof ['spæn'ruːf] *n* двускатная крыша.

span-worm ['spænwəːm] *n зоол.* гусеница
пяденицы.

spar I [spɑː] 1. *n* 1) *мор.* рангоутное
дерево; 2) *ав.* лонжерон (крыла);
2. *v мор.* устанавливать перекладины.

spar II [spɑː] *n мин.* шпат.

spar III [spɑː] 1. *n* 1) тренировочное состязание в боксе; 2) наступательный *или*
оборонительный приём в боксе; 3) петуши-
ный бой;
2. *v* 1) боксировать, драться, биться на
кулачках; делать (притворный) выпад ку-
лаком (at); 2) драться шпорами (*о пету-
хах*); 3) спорить, препираться; to ~ at
each other пикироваться, пререкаться друг
с другом.

sparable ['spærəbl] *n* мелкий сапожный
гвоздь.

spar-deck ['spɑːdek] *n мор.* спардек.

spare [spɛə] 1. *n* 1) запас, резерв; 2)
запасная часть (*машины*); 3) запасная
комната; запасное помещение; 4) *спорт.*
запасной игрок;
2. *a* 1) запасной, запасный; резервный;
лишний, свободный; ~ cash лишние деньги;
~ parts запасные части; ~ room комната
для гостей; ~ time свободное время; 2)
скудный, скромный; ~ diet скудное питание; 3) худощавый; ~ frame сухощавое
телосложение;
3. *v* 1) экономить, жалеть; to ~ neither
trouble nor expense не жалеть ни трудов,
ни расходов; 2) обходиться (*без чего-л.*);
уделять (*что-л. кому-л.*); I have no time
to ~ today у меня нет сегодня свободного
времени; I cannot ~ another shilling мне
нужны все мои деньги до последнего шиллинга; 3) щадить, беречь; избавлять (*от
чего-л.*); ~ his blushes не заставляйте его
краснеть; ~ me пощадите меня; to ~ oneself не утруждать себя; not to ~ oneself
а) быть требовательным к себе; б) не жалеть своих сил; 4) *редк.* воздерживаться
(*от чего-л.*); you need not ~ to ask my help
не стесняйтесь просить меня о помощи; ◇
if I am ~d если мне суждено ещё прожить.

sparge [spɑːdʒ] *v* обрызгивать, брызгать.

sparger ['spɑːdʒə] *n* разбрызгиватель.

sparing ['spɛərɪŋ] 1. *pres. p. om* spare 3;
2. *a* 1) скудный, недостаточный; 2) умеренный; 3) бережливый.

spark I [spɑːk] 1. *n* 1) искра; the vital
~ жизнь; 2) вспышка, проблеск; he showed
not a ~ of interest он не высказал ни малейшего интереса; 3) *pl* (Sparks) *разг.*
радист; 4) *attr.*: ~ guard *амер.* каминная

решётка; ◇ to strike ~s out of smb. заставить кого-л. блеснуть (*чем-л.; особ. в разговоре*);
2. *v* 1) искриться; 2) зажигать искрой;
3) искрить, давать искры; вспыхивать;
4) зажигать, воодушевлять других своим
примером.

spark II [spɑːk] 1. *n* 1) щёголь; a gay
young ~ молодой франт; 2): to play the ~
to ухаживать за;
2. *v* 1) щеголять; 2) ухаживать.

spark-arrester ['spɑːkə‚restə] *n тех.* искроуловитель, искрогаситель.

spark-coil ['spɑːkkɔɪl] *n эл.* индукцион-
ная катушка.

sparker ['spɑːkə] *n* искроуловитель.

spark-gap ['spɑːkgæp] *n эл.* 1) искровый
промежуток; 2) разрядник.

sparking-plug ['spɑːkɪŋplʌg] *n* запальная свеча.

sparkle ['spɑːkl] 1. *n* 1) искорка; 2) блеск,
сверкание; 3) искрение;
2. *v* 1) искриться; 2) сверкать; 3) играть,
искриться (*о вине*).

sparklet ['spɑːklɪt] *n* искорка.

sparkling ['spɑːklɪŋ] 1. *pres. p. om*
sparkle 2;
2. *a* 1) сверкающий, блестящий; 2) шипучий, искристый, искрящийся.

spark-plug ['spɑːkplʌg] *n амер.* 1) =
sparking-plug; 2) человек, заражающий
других своей кипучей энергией.

sparring I ['spɑːrɪŋ] *pres. p. om* spar I, 2.

sparring II ['spɑːrɪŋ] 1. *pres. p. om* spar
III, 2;
2. *a* учебный, тренировочный (*в боксе*);
~ bout учебный бой; ~ partner партнёр
для тренировки; ~ ring учебно-трениро-
вочный ринг; ~ gloves тренировочные перчатки.

sparrow ['spærou] *n* воробей.

sparrow-grass ['spærougrɑːs] *n разг.*
спаржа.

sparrow-hawk ['spærouhɔːk] *n* ястреб-
-перепелятник.

sparry ['spɑːrɪ] *a мин.* шпатовый.

sparse [spɑːs] *a* редкий, разбросанный.

Spartacist ['spɑːtəsɪst] *n ист.* спартаковец.

Spartan ['spɑːtən] 1. *a* спартанский;
2. *n* спартанец.

spasm ['spæzəm] *n* 1) спазма, судорога;
2) приступ; порыв.

spasmodic [spæz'mɔdɪk] *a* 1) спазмати-
ческий, судорожный; 2) перемежающийся;
характеризующийся сменой подъёма и
упадка (*настроения и т. п.*).

spastic ['spæstɪk] *a мед.* спастический.

spat I [spæt] *n* 1) устричная икра;
2) молодая устрица.
2. *v* метать икру (*об устрицах*).

spat II [spæt] *past u p. p. om* spit II, 2.

spat III [spæt] *амер.* 1. *n* лёгкая ссора;
2. *v* 1) похлопать, пошлёпать; 2) побра-
ниться, слегка поссориться.

spatchcock ['spætʃkɔk] 1. *n* зарезанная
и сразу зажаренная (на рашпере) птица;
2. *v* 1) жарить свежезарезанную птицу;
2) *разг.* наспех вставлять (*фразу в теле-
грамму и т. п.*).

spate [speɪt] *n* 1) (внеза́пный) разли́в реки́, наводне́ние; 2) внеза́пный ли́вень; 3) неудержи́мый пото́к красноре́чия.

spathic ['spæθɪk] *a* шпа́товый.

spatial ['speɪʃəl] *a* простра́нственный.

spatio-temporal ['speɪʃɪou'tempərəl] *a* простра́нственно-временно́й.

spats [spæts] *сокр. от* spatterdashes.

spattee [spæ'ti:] = spatterdashes.

spatter ['spætə] 1. *n* 1) бры́зги (*гря́зи, дождя́*); 2) бры́зганье; 2. *v* 1) забры́згивать, разбры́згивать, бры́згать; распле́скивать; 2) возводи́ть клевету́, черни́ть; to ~ a man's good name опоро́чить челове́ка.

spatterdashes ['spætə,dæʃɪz] *n pl* ге́тры.

spatter-dock ['spætədɔk] *n бот.* кубы́шка пришла́я.

spatula ['spætjulə] *n* шпа́тель, лопа́точка.

spavin ['spævɪn] *n вет.* шпат.

spavined ['spævɪnd] *a вет.* страда́ющий шпа́том.

spawn [spɔ:n] 1. *n* 1) икра́; 2) *презр.* пото́мство, порожде́ние, отро́дье; 3) *бот.* мице́лий, грибни́ца; 2. *v* 1) мета́ть икру́; 2) размножа́ться, плоди́ться (*презр. о лю́дях*).

spawning ['spɔ:nɪŋ] 1. *pres. p. от* spawn 2; 2. *n* не́рест.

spay [speɪ] *v* удаля́ть яи́чники (*у живо́тных*).

speak [spi:k] *v* (spoke, *уст.* spake; spoken) 1) говори́ть, разгова́ривать; to ~ by the book, to ~ like a book говори́ть как по пи́саному; to ~ without book говори́ть по па́мяти; to ~ smb. fair любе́зно говори́ть с кем-л.; English is spoken here здесь говоря́т по-англи́йски; Dixon ~ing Ди́ксон у телефо́на; 2) сказа́ть; выска́зывать(ся); сообща́ть; to ~ ill (*или* evil) of smb. ду́рно отзыва́ться о ком-л.; to ~ one's mind выска́зываться открове́нно; to ~ the word вы́разить жела́ние; to ~ for oneself a) говори́ть о со́бственных чу́вствах; б) говори́ть за себя́; ~ for yourself не припи́сывайте други́м ва́ших мне́ний; 3) произноси́ть речь, выступа́ть (*на собра́нии*); 4) говори́ть, свиде́тельствовать; the facts ~ for themselves фа́кты говоря́т са́ми за себя́; this ~s him generous э́то говори́т о его́ ще́дрости; to ~ volumes (for) говори́ть красноречи́вее вся́ких слов (о); быть весьма́ многозначи́тельным; 5): legally ~ing с юриди́ческой то́чки зре́ния; strictly ~ing стро́го говоря́; generally ~ing вообще́ говоря́; roughly ~ing в о́бщих черта́х; 6) звуча́ть (*о музыка́льных инструме́нтах*); 7) *мор.* оклика́ть; перегова́риваться с други́м су́дном; □ ~ at выгова́ривать *кому́-л.*; ~ for a) говори́ть за (*или от лица́*) *кого́-л.*; б): to ~ well for говори́ть в по́льзу; ~ of упомина́ть; nothing to ~ of су́щий пустя́к; ~ out a) выска́зываться; б) говори́ть гро́мко; ~ to a) обраща́ться к *кому́-л.*, говори́ть с *кем-л.*; б) подтвержда́ть *что-л.*; ~ up a) говори́ть гро́мко и отчётливо; б) выска́заться; ◇ to ~ straight from the shoulder ≅ ру-

би́ть с плеча́; ре́зко выска́зывать своё мне́ние; so to ~ так сказа́ть.

speak-easy ['spi:k,i:zɪ] *n амер. sl.* бар, где незако́нно торгу́ют спиртны́ми напи́тками.

speaker ['spi:kə] *n* 1) ора́тор; he is no ~ он плохо́й ора́тор; 2) тот, кто говори́т, говоря́щий; 3) (the S.) спи́кер (*председа́тель пала́ты общи́н в А́нглии; председа́тель пала́ты представи́телей в США*); 4) *ра́дио* ди́ктор; 5) громкоговори́тель; 6) ру́пор.

speakies ['spi:kɪz] = talkies.

speaking ['spi:kɪŋ] 1. *pres. p. от* speak; 2. *a* говоря́щий; ~ acquaintance, ~ terms знако́мство, даю́щее пра́во на разгово́р; not on ~ terms в ссо́ре; ~ likeness живо́й портре́т; ~ look вырази́тельный взгляд; 3. *n* разгово́р; plain ~ разгово́р начистоту́; in a manner of ~ е́сли мо́жно так вы́разиться; course in public ~ курс ора́торского иску́сства.

speaking-trumpet ['spi:kɪŋ,trʌmpɪt] *n* ру́пор.

speaking-tube ['spi:kɪŋtju:b] *n* перегово́рная тру́бка.

spear [spɪə] 1. *n* 1) копьё; дро́тик; 2) острога́; гарпу́н; 3) *поэт.* копе́йщик; 4) *бот.* побе́г, о́тпрыск; стре́лка; ◇ ~ side мужска́я ли́ния (ро́да); 2. *v* 1) пронза́ть копьём; 2) бить острого́й (*ры́бу*); 3) пойти́ в стре́лку, выбра́сывать стре́лку.

spearhead ['spɪəhed] *n* 1) острие́, наконе́чник копья́; 2) *воен.* передово́й отря́д, острие́ кли́на (*тж.* ~ of the attack).

spearman ['spɪəmən] *n* копьено́сец.

spearmint ['spɪəmɪnt] *n бот.* мя́та курча́вая.

spec [spek] *n разг.* спекуля́ция; on ~ a) науда́чу, на риск; б) с расчётом на вы́году.

special ['speʃəl] 1. *a* 1) специа́льный; осо́бый; to be of ~ interest представля́ть осо́бый интере́с; ~ course of study специа́льный предме́т; ~ anatomy анато́мия отде́льных о́рганов; ~ hospital специализи́рованная больни́ца; ~ correspondent специа́льный корреспонде́нт; ~ licence разреше́ние на венча́ние без оглаше́ния; ~ pleading предвзя́тая односторо́нняя аргумента́ция; 2) осо́бенный; индивидуа́льный; my ~ chair мой люби́мый стул; 3) э́кстренный; ~ delivery *амер.* сро́чная доста́вка (*почто́вого отправле́ния*); ~ edition э́кстренный вы́пуск; ~ train э́кстренный по́езд; специа́льный по́езд; 4) определённый; 2. *n* 1) э́кстренный вы́пуск; 2) э́кстренный по́езд; 3) специа́льный корреспонде́нт.

specialism ['speʃəlɪzm] *n* 1) специализа́ция; 2) о́бласть специализа́ции.

specialist ['speʃəlɪst] *n* специали́ст.

speciality [,speʃɪ'ælɪtɪ] *n* 1) специа́льность; to make a ~ of smth. специализи́роваться в чём-л.; 2) отличи́тельная черта́, осо́бенность; 3) *pl* дета́ли, подро́бности; 4) специа́льный ассортиме́нт (*това́ров*).

specialization [,speʃəlaɪ'zeɪʃən] *n* специализа́ция.

specialize ['speʃəlaɪz] v 1) делать специфичным; 2) ограничивать, суживать; 3) специализировать(ся) (in); 4) приспосабливать(ся); 5) биол. приспосабливать(ся), адаптироваться.

specially ['speʃəlɪ] adv 1) специально; 2) особенно.

specialty ['speʃəltɪ] n 1) особенность; 2) специальность; 3) специальный ассортимент; 4) юр. документ; договор.

specie ['spiːʃɪ] n 1) (тк. sing) звонкая монета; 2) attr.: ~ payments уплата звонкой монетой.

species ['spiːʃɪz] n (pl без измен.) 1) биол. вид; 2) род; порода; the ~, our ~ человеческий род; 3) вид, разновидность; ~ of cunning своего рода хитрость.

specific [spɪ'sɪfɪk] 1. a 1) особый, особенный, специфический; with no ~ aim без какой-л. особой цели; ~ cause специфическая причина (определённой болезни); ~ remedy (medicine) специфическое средство (лекарство); 2) характерный, особенный; 3) определённый, точный, конкретный; ограниченный; ~ aim определённая цель; ~ statement точно сформулированное утверждение; 4) биол. видовой; ~ difference видовое различие; the ~ name of a plant видовое название растения; 5) физ. удельный; ~ gravity, ~ weight удельный вес; ~ heat удельная теплоёмкость. 2. n 1) специфическое средство, лекарство; 2) специальное сообщение.

specification [ˌspesɪfɪ'keɪʃən] n 1) спецификация, детализация; детализирование; 2) деталь, подробность (контракта и т. п.); 3) pl спецификация, инструкция по обращению.

specify ['spesɪfaɪ] v 1) точно определять, устанавливать; he specified the reasons of their failure он проанализировал причины их неудачи; 2) указывать, отмечать; 3) специально упоминать; 4) специфицировать, давать спецификацию; приводить номинальные или паспортные данные; 5) придавать особый характер.

speciology [ˌspeʃɪ'ɔlədʒɪ] n наука о происхождении и развитии видов.

specious ['spiːʃəs] a 1) благовидный, правдоподобный; ~ excuse благовидный предлог; ~ tale правдоподобный рассказ; 2) показной.

speck I [spek] 1. n 1) пятнышко, крапинка; 2) частичка, крупинка; ~ of dust пылинка; 2. v пятнать, испещрять.

speck II [spek] n амер., южно-афр. 1) ворвань; 2) жирное мясо, шпик, бекон.

speckle ['spekl] 1. n пятнышко, крапинка; 2. v пятнать, испещрять.

speckled ['spekld] 1. p. p. от speckle 2; 2. a крапчатый; ~ hen пёстрая, рябая курица.

specs [speks] n pl разг. очки.

spectacle ['spektəkl] n 1) зрелище; to be a sad ~ возбуждать жалость; to make a ~ of oneself обращать на себя внимание; 2) pl очки (тж. pair of ~s); to see through rose-coloured ~s видеть всё в розовом свете; 3) pl цветные стёкла светофора.

spectacled ['spektəkld] a 1) носящий очки, в очках; 2) очковый (о змее).

spectacular [spek'tækjulə] 1. a 1) эффектный, импозантный; 2) захватывающий; 2. n эффектное зрелище.

spectator [spek'teɪtə] n 1) зритель; 2) очевидец, наблюдатель.

spectatress [spek'teɪtrɪs] n зрительница.

spectra ['spektrə] pl от spectrum.

spectral ['spektrəl] a 1) призрачный; 2) физ. спектральный.

spectre ['spektə] n привидение, призрак.

spectrometer [spek'trɔmɪtə] n спектрометр.

spectroscope ['spektrəskoup] n спектроскоп.

spectrum ['spektrəm] n (pl -га) физ. 1) спектр; 2) attr. спектральный; ~ analysis спектральный анализ.

specula ['spekjulə] pl от speculum.

specular ['spekjulə] a 1) зеркальный; ~ surface отражающая поверхность; 2) мед. произведённый с помощью расширителя.

speculate ['spekjuleɪt] v 1) размышлять, раздумывать, делать предположения (on, upon, about); 2) спекулировать; играть на бирже; to ~ in shares спекулировать акциями.

speculation [ˌspekju'leɪʃən] n 1) размышление; 2) теория, предположение; 3) спекуляция, игра на бирже; on ~ = on spec [см. spec].

speculative ['spekjulətɪv] a 1) умозрительный; 2) теоретический; 3) спекулятивный; 4) рискованный.

speculator ['spekjuleɪtə] n 1) мыслитель; 2) спекулянт; играющий на бирже.

speculum ['spekjuləm] n (pl -la) 1) рефлектор; 2) мед., расширитель, зеркало; 3) глазок (на крыле птицы).

sped [sped] past и p. p. от speed 2.

speech [spiːtʃ] n 1) речь, способность речи; речевая деятельность; 2) говор, произношение; манера говорить; to be slow of ~ говорить медленно; his ~ is indistinct он говорит невнятно, у него плохая дикция; 3) речь, ораторское выступление; to deliver (или to make, to give) a ~ произносить речь; set ~ заранее составленная речь; ~ from the throne тронная речь; 4) язык; диалект; 5) театр. реплика; 6) звучание (муз. инструмента); 7) attr. речевой; ~ habits речевые навыки.

speech-day ['spiːtʃdeɪ] n акт, актовый день.

speechify ['spiːtʃɪfaɪ] v 1) ирон. ораторствовать, разглагольствовать; 2) амер. разг. произносить напыщенную речь.

speechless ['spiːtʃlɪs] a 1) немой; 2) безмолвный; ~ entreaty немая мольба; 3) онемевший; ~ with rage онемевший от ярости; 4) невыразимый; 5) *sl.* мертвецки пьяный.

speed [spiːd] **1.** *n* 1) скорость; скорость хода; быстрота; with all ~ поспешно; at full ~ полным ходом; at great ~ на большой скорости; to gather ~ ускорять ход, набирать скорость; to put in the first (second) ~ включить первую (вторую) скорость; 2) *уст.* успех; to wish good ~ желать успеха; 3) *тех.* число оборотов;

2. *v* (sped) 1) спешить, идти поспешно; an arrow sped past мимо пролетела стрела; he sped down the street он поспешно направился вниз по улице; 2) ускорять (*особ.* ~ up); 3) (speeded [-ɪd]) устанавливать скорость; 4) увеличивать (*выпуск продукции*); 5) *уст.* успевать; преуспевать; to ~ well преуспевать; how have you sped? как ваши дела?; 6) *уст.* содействовать (*чему-л.*).

-speed [-spiːd] *в сложных словах*: three-speed engine трёхскоростной двигатель.

speed-boat [ˈspiːdbout] *n* быстроходный катер.

speed-cop [ˈspiːdkɔp] *n sl.* полицейский, следящий за скоростью движения.

speeder [ˈspiːdə] *n* 1) *тех.* передача; регулятор скорости; 2) *текст.* банкаброш.

speedily [ˈspiːdɪlɪ] *adv* быстро, поспешно.

speeding [ˈspiːdɪŋ] **1.** *pres. p. от* speed 2; **2.** *n* 1) поспешность; 2) увеличение скорости; 3) езда на большой скорости; 4) успех.

speed-limit [ˈspiːd,lɪmɪt] *n* дозволенная скорость (*езды*).

speedometer [spɪˈdɔmɪtə] *n* спидометр.

speed-reducer [ˈspiːdrɪ,djuːsə] *n тех.* редуктор.

speedster [ˈspiːdstə] *n* 1) *разг.* быстроходное судно; 2) *авт.* спидстер.

speed-up [ˈspiːdʌp] *n* 1) ускорение; 2) увеличение выпуска продукции, производительности труда.

speed-up system [ˈspiːdʌpˈsɪstɪm] = sweating system.

speedway [ˈspiːdweɪ] *n* дорожка для мотоциклетных гонок, гоночный трек.

speedwell [ˈspiːdwel] *n бот.* вероника.

speedy [ˈspiːdɪ] *a* 1) быстрый, скорый; проворный; 2) поспешный.

spelaean [spɪˈliːən] *a* пещерный, живущий в пещере.

spell I [spel] **1.** *n* 1) заклинание; 2) чары; обаяние; under a ~ зачарованный; to cast a ~ on (*или* over) smb. очаровать, околдовать кого-л.

2. *v* очаровывать.

spell II [spel] *v* (spelt, spelled [-d]) 1) писать *или* произносить (*слово*) по буквам; читать (*слово*) по складам; how do you ~ your name? как пишется ваше имя?; we do not pronounce as we ~ мы произносим не так, как пишем; to ~ backward писать *или* читать (*буквы слова*) в обратном порядке; *перен.* извращать смысл; толковать неправильно; 2) образовывать, составлять (*слово по буквам*; *напр.*: o-n-e ~s one); 3) означать, влечь за собой; □ ~ out a) читать по складам, с трудом; б) расши-

фровать, разобрать (*обыкн.* с трудом); в) продиктовать *или* произнести по буквам; ◇ to ~ for an invitation напроситься на приглашение; to ~ baker *амер.* выполнять трудную задачу, сталкиваться с трудностями.

spell III [spel] **1.** *n* 1) короткий промежуток времени; ~ of fine weather период хорошей погоды; ~ of illness приступ болезни; leave it alone for a ~ оставьте это в покое на время; 2) перерыв; 3) смена; 4) короткое расстояние;

2. *v амер.*, *редк.* 1) сменять; заменять; 2) дать передышку; 3) передохнуть, отдохнуть.

spellbind [ˈspelbaɪnd] *v* (spellbound) очаровывать.

spellbinder [ˈspel,baɪndə] *n амер.* оратор, увлекающий свою аудиторию.

spellbound [ˈspelbaund] **1.** *past и p. p. от* spellbind; **2.** *a* 1) очарованный; 2) ошеломлённый.

speller [ˈspelə] *n* 1): a good (bad) ~ грамотно (неграмотно) пишущий человек; 2) = spelling-book.

spelling I [ˈspelɪŋ] *pres. p. от* spell I, 2.

spelling II [ˈspelɪŋ] **1.** *pres. p. от* spell II, 2. **2.** *n* правописание, орфография; variant ~ of a word другое написание (одного) слова.

spelling III [ˈspelɪŋ] **1.** *pres. p. от* spell III, 2.

2. *n* 1) тот, кто замещает, заменяет (*кого-л.*); 2) отдых от работы, передышка.

spelling-bee [ˈspelɪŋbiː] *n* конкурсный диктант.

spelling-book [ˈspelɪŋbuk] *n* 1) орфографический справочник; 2) сборник упражнений по правописанию.

spelt I [spelt] *n бот.* пшеница спельта, полба.

spelt II [spelt] *past и p. p. от* spell II.

spelter [ˈspeltə] *n* 1) технический цинк (*в чушках или плитках*); 2) *тех.* цинковый припой.

spencer [ˈspensə] *n* спенсер (*короткая шерстяная куртка*).

spend [spend] *v* (spent) 1) тратить, расходовать; to ~ much trouble on smth. тратить немало труда на что-л.; 2) проводить (*время*); to ~ a sleepless night провести бессонную ночь; 3) истощать; to ~ oneself устать, вымотаться; the storm has spent itself буря улеглась; 4) метать икру; 5) *мор.* потерять (*мачту*).

spender [ˈspendə] *n* мот, транжира.

spendthrift [ˈspendθrɪft] **1.** *n* расточитель, мот;

2. *a* расточительный.

Spenserian [spenˈsɪərɪən] *a*: ~ stanza *прос.* спенсерова строфа.

spent [spent] **1.** *past и p. p. от* spend. **2.** *a* 1) истощённый; использованный; ~ bullet пуля на излёте; ~ steam отработанный пар; the night is far ~ *поэт.* ночь на исходе; a well ~ life хорошо прожитая жизнь; 2) усталый.

sperm I [spəːm] *n биол.* сперма.

sperm II [spəːm] = sperm-whale.

spermaceti [,spəːmə'setɪ] *n* спермацет.
spermatic [spəː'mætɪk] *a* биол. семенной.
spermatorrhoea [,spəːmətə'rɪə] *n* мед. спермaторея.
spermatozoa [,spəːmətou'zouə] *pl* от spermatozoon.
spermatozoon [,spəːmətou'zouɔn] *n* (*pl* -zoa) биол. спермaтозоид.
sperm-whale ['spəːmweɪl] *n* зоол. кашалот.
spew [spjuː] 1. *n* рвота, блевотина;
2. *v* 1) блевать, изрыгать; 2) *тех* шприцевать, выдавливать; 3) *воен.* опускаться, прогибаться (*о дульной части*).
sphacelate ['sfæsɪleɪt] *v* вызывать гангрену, омертвение.
sphagna ['sfægnə] *pl* от sphagnum.
sphagnum ['sfægnəm] *n* (*pl* -na) бот. сфагнум.
sphenoid ['sfiːnɔɪd] анат. 1. *a* клиновидный;
2. *n* основная, клиновидная кость.
spheral ['sfɪərəl] *a* 1) сферический; 2) симметричный, гармоничный;
sphere [sfɪə] 1. *n* 1) сфера; шар; doctrine of the ~ сферическая геометрия и тригонометрия; 2) глобус; 3) планета; небесное светило; 4) *поэт.* небо, небеса; 5) небесная сфера (*тж.* celestial ~); 6) сфера, круг, поле деятельности; he has done much in his particular ~ он многое сделал в своей области; that is out of my ~ это вне моей компетенции; 7) социальная среда, круг; he moves in quite another ~ он вращается в совершенно другой среде;
2. *v* 1) замыкать в круг; 2) придавать форму шара; 3) *поэт.* превозносить (до небес).
spheric ['sferɪk] *a* поэт. небесный.
spherical ['sferɪkəl] *a* сферический, шарообразный.
sphericity [sfɪ'rɪsɪtɪ] *n* сферичность, шарообразность.
spherics ['sferɪks] *n pl* (*употр. как sing*) сферическая геометрия и тригонометрия.
spheroid ['sfɪərɔɪd] *n* сфероид.
spheroidal [sfɪə'rɔɪdl] *a* сфероидальный, шаровидный.
spherule ['sferjuːl] *n* шарик, небольшой шар.
sphincter ['sfɪŋktə] *n* анат. сфинктер.
sphinges ['sfɪndʒiːz] *pl* от sphinx.
sphinx [sfɪŋks] *n* (*pl* -es [-ɪz], sphinges) 1) сфинкс; 2) загадочное существо; непонятный человек.
spice [spaɪs] 1. *n* 1) специя, пряность; *собир.* специи; 2) оттенок (*чего-л.*); привкус, примесь (of);
2. *v* 1) приправлять (*пряностями*); 2) придавать пикантность.
spicery ['spaɪsərɪ] *n* пряности.
spick and span ['spɪkənd'spæn] *a* щегольской, с иголочки.
spicy ['spaɪsɪ] *a* 1) пряный, ароматичный; 2) пикантный, острый; ~ bits of scandal злые сплетни; 3) *амер. sl.* вспыльчивый.
spider ['spaɪdə] *n* 1) паук; ~'s web= spider-web; 2) таган; 3) *тех.* звезда; крестовина.
spider-crab ['spaɪdəkræb] *n* зоол. морской паук.

spider-web ['spaɪdəweb] *n* паутина.
spidery ['spaɪdərɪ] *a* 1) паучий, паукообразный; 2) тонкий.
spiel [spiːl] *нем.* 1. *n* амер. sl. 1) игра; 2) разговор; 3) речь в пользу (*кого-л.*); 4) объявление; 5) *attr.*: ~ truck агитационный автомобиль;
2. *v* амер. sl. рассказывать; ораторствовать.
spieler ['spiːlə] *нем. n* амер. sl. 1) оратор; 2) зазывала.
spier ['spaɪə] *n* шпион.
spigot ['spɪgət] *n* тех. 1) втулка, втулочное соединение, пробка (*крана*); центрирующий выступ; 2) амер. кран.
spike [spaɪk] 1. *n* 1) острый выступ, остриё; 2) шип, гвоздь (*на подошве*); 3) костыль, гвоздь; 4) клин; 5) *воен.* ёрш для забивки запала; 6) бот. колос, колосовое цветорасположение;
2. *v* 1) снабжать остриями, шипами; 2) закреплять *или* прибивать гвоздями *или* шипами; 3) пронзать, прокалывать; 4) выводить из строя, делать бесполезным; to ~ smb.'s plans расстроить чьи-л. планы; to ~ smb.'s guns расстроить чьи-л. (злые) замыслы; 5) *воен.* забивать (запал) ершом; ◇ to ~ a rumour амер. sl. а) опровергать слух; б) заставлять замолчать.
spiked [spaɪkt] 1. *p. p.* от spike 2;
2. *a* с остриями, с шипами; ~ shoes ботинки на шипах.
spikenard ['spaɪknɑːd] *n* нард (*растение и ароматическое масло*).
spikewise ['spaɪkwaɪz] *adv* в виде острия.
spiky ['spaɪkɪ] *a* 1) заострённый, остроконечный; усаженный остриями; 2) сварливый; обидчивый; 3) *разг.* непримиримый в вопросах церкви.
spile [spaɪl] *n* 1) втулка, затычка; 2) кол, свая.
spill I [spɪl] 1. *n* 1) *разг.* падение; to have (*или* to get) a ~ упасть; 2) *разг.* поток, ливень; 3) = spillway;
2. *v* (spilt, spilled [-d]) 1) проливать (-ся), разливать(ся), расплёскивать(ся); рассыпать(ся); to ~ blood проливать кровь; to ~ the blood of smb. убить кого-л.; 2) болтать; to ~ the beans *sl.* разболтать секрет; 3) *разг.* сбросить, вывалить (*седока*); 4) *sl.* проигрывать (*пари и т. п.*); 5) *мор.* обезветрить (*парус*).
spill II [spɪl] *n* 1) лучина; скрученный кусочек бумаги (*для зажигания трубки и т. п.*); 2) затычка, деревянная пробка; 3) *метал.* непровар; волосовина.
spillikin ['spɪlɪkɪn] *n* 1) бирюлька; 2) *pl* игра в бирюльки.
spillway ['spɪlweɪ] *n* гидр. водослив.
spilt [spɪlt] *past и p. p.* от spill I, 2.
spilth [spɪlθ] *n уст.* то, что пролито.
spin [spɪn] 1. *n* 1) кружение, верчение; 2) короткая прогулка, быстрая езда (*на автомашине, велосипеде, лодке*); to go for a ~ a car прокатиться на автомашине; 3) *ав.* штопор; 4) *физ.* спин.
2. *v* (spun, span; spun) 1) прясть, сучить; 2) прясть, плести (*о пауке*); to ~ a cocoon запрясться (*о шелковичном черве*); 3) кру-

ти́ть(ся), верте́ть(ся), опи́сывать круги́; пуска́ть волчо́к; to ~ a coin подбра́сывать моне́ту; to send smb. ~ning отбро́сить кого́-л. уда́ром; 4) *sl.* прова́ливать (*на экза́мене*); 5) *разг.* нести́сь, бы́стро дви́гаться (*на велосипе́де и т. п.*); 6) лови́ть (*ры́бу*) на блесну́; 7) *тех.* прока́тывать (*на станке́*); □ ~ in *ав.* войти́ в што́пор; ~ off *ав.* вы́йти из што́пора; ~ out растя́гивать; до́лго и ну́дно расска́зывать *что-л.*; ◇ to ~ a story, to ~ a yarn расска́зывать, приду́мывать исто́рию; расска́зывать небыли́цы.

spinach, **spinage** ['spɪnɪdʒ] *n* шпина́т.
spinal ['spaɪnl] *a* анат. спинно́й; ~ column спинно́й хребе́т; позвоно́чный столб; ~ cord спинно́й мозг; ~ fluid спинномозгова́я жи́дкость.
spindle ['spɪndl] 1. *n* 1) веретено́; 2) *амер.* иго́лка для нака́лывания бума́г; 3) ме́ра пря́жи; 4) сто́йка пери́л; 5) *тех.* ось, вал, шпи́ндель; ◇ ~ side же́нская ли́ния (ро́да);
2. *v* вытя́гиваться; де́латься дли́нным и то́нким.
spindle-legged ['spɪndl,legd] *a* 1) с журавли́ными нога́ми (*о челове́ке*); 2) с то́нкими но́жками (*о столе́ и т. п.*).
spindle-legs ['spɪndl,legz] *n pl* (*употр. как sing*) *разг.* долговя́зый челове́к.
spindle-shanked ['spɪndl,ʃæŋkt] = spindle-legged 1).
spindle-shanks ['spɪndlʃæŋks] = spindle-legs.
spindling ['spɪndlɪŋ] 1. *pres. p. от* spindle 2;
2. *n* 1) долговя́зый челове́к; 2) то́нкий побе́г; то́нкое и высо́кое де́рево;
3. *a* 1) худо́й и высо́кий (*о челове́ке*); 2) то́нкий и высо́кий (*о де́реве и т. п.*).
spindly ['spɪndlɪ] *a* дли́нный и то́нкий; веретенообра́зный.
spindrift ['spɪndrɪft] *n* 1) пе́на *или* бры́зги морско́й воды́; 2) *attr.*: ~ clouds пе́ристые облака́.
spine [spaɪn] *n* 1) *анат.* спинно́й хребе́т; позвоно́чный столб; 2) *бот.* шип, игла́, колю́чка; 4) *зоол.* игла́; 5) гре́бень (*горы́*); 6) корешо́к (*переплёта*).
spinel [spɪ'nel] *n мин.* шпине́ль.
spineless ['spaɪnlɪs] *a* 1) *зоол.* беспозвоно́чный; 2) бесхребе́тный, бесхара́ктерный, мягкоте́лый; 3) *бот., зоол.* не име́ющий колю́чек *или* игл.
spinet [spɪ'net] *n* спине́т (*род клавикордов*).
spinnaker ['spɪnəkə] *n мор.* спи́накер (*треуго́льный па́рус*).
spinner ['spɪnə] *n* 1) пряди́льщик; пряди́льщица; 2) пря́ха; 3) пряди́льная маши́на; 4) пряди́льный о́рган (*у паука́, шелкови́чного червя́*); 5) *ав.* обтека́тель вту́лки возду́шного винта́.
spinneret ['spɪnəret] = spinner 4).
spinney ['spɪnɪ] *n* ро́щица, за́росль.
spinning ['spɪnɪŋ] 1. *pres. p. от* spin 2;
2. *n* пряде́ние.
3. *a* пряди́льный.
spinning-jenny ['spɪnɪŋ,dʒenɪ] *n* пряди́льный стано́к периоди́ческого де́йствия.

spinning-machine ['spɪnɪŋmə,ʃiːn] *n* пряди́льная маши́на.
spinning-wheel ['spɪnɪŋwiːl] *n* пря́лка, самопря́лка.
spinster ['spɪnstə] *n* ста́рая де́ва; *юр.* незаму́жняя (же́нщина).
spintharioscope [spɪn'θærɪskoup] *n* спинтарископ, прибо́р для иссле́дования радиоакти́вных излуче́ний.
spiny ['spaɪnɪ] *a* 1) колю́чий; покры́тый шипа́ми *или* и́глами; 2) затрудни́тельный, щекотли́вый.
spiracle ['spaɪərəkl] *n* 1) отду́шина; 2) ды́хальце (*у насеко́мых*); 3) дыха́тельное отве́рстие (*у кита́*).
spiraea [spaɪ'rɪə] *n бот.* та́волга.
spiral ['spaɪərəl] 1. *n* 1) спира́ль; heating ~ нагрева́тельный змееви́к; 2) *ав.* спира́льный спуск; 3) *эк.* постепе́нно уско́ряющееся паде́ние *или* повыше́ние (*цен, зарпла́ты и т. п.*);
2. *a* спира́льный, винтово́й, винтообра́зный; ~ balance пружи́нные весы́, безме́н.
spirant ['spaɪərənt] *n фон.* спира́нт.
spire I ['spaɪə] *n* 1) шпиль, шпиц; 2) остриё, стре́лка; 3) остроконе́чная верши́на; го́рный пик.
spire II ['spaɪə] *n* 1) спира́ль; 2) вито́к.
spirilla [spaɪ'rɪlə] *pl от* spirillum.
spirillum [spaɪ'rɪləm] *n* (*pl* -la) *бакт.* спири́лла.
spirit ['spɪrɪt] 1. *n* 1) дух; духо́вное нача́ло; душа́; in (the) ~ мы́сленно, в душе́; 2) привиде́ние, дух; 3) челове́к (*с то́чки зре́ния душе́вных или нра́вственных ка́честв*); one of the greatest ~s of his day оди́н из велича́йших умо́в своего́ вре́мени; 4) смысл; to take smth. in the wrong ~ непра́вильно толкова́ть *что-л.*; 5) хара́ктер; a man of an unbending ~ несгиба́емый челове́к, непрекло́нный хара́ктер; 6) мне́ние; public ~ обще́ственное мне́ние; 7) (*ча́сто pl*) настрое́ние, душе́вное состоя́ние; to be in high (*или* good) ~s быть в весёлом, припо́днятом настрое́нии; to be in low ~s, to be out of ~s быть в пода́вленном настрое́нии; it shows a kindly ~ э́то пока́зывает доброжела́тельное отноше́ние; to keep up smb.'s ~s поднима́ть чьё-л. настрое́ние, ободря́ть кого́-л.; 8) хра́брость; воодушевле́ние, жи́вость; to go at smth. with ~ энерги́чно взя́ться за что́-л.; people of ~ му́жественные, хра́брые лю́ди; to speak with ~ говори́ть с жа́ром; 9) дух, о́бщая тенде́нция; the ~ of progress дух прогре́сса; the ~ of times дух вре́мени; 10) (*обы́кн. pl*) алкого́ль, спирт, спиртно́й напи́ток; ~ of camphor ка́мфарный спирт; ~(s) of wine ви́нный спирт; 11) *редк.* бензи́н; 12) *attr.* спирити́ческий; 13) *attr.* спиртово́й.
2. *v* 1) воодушевля́ть, ободря́ть; одобря́ть (*ча́сто* ~ up); 2) та́йно похища́ть (*обы́кн.* ~ away, ~ off).
spirited ['spɪrɪtɪd] 1. *p. p. от* spirit 2;
2. *a* живо́й, сме́лый, энерги́чный; горя́чий (*о ло́шади*); ~ reply бо́йкий отве́т; ~ translation я́ркий перево́д; ~ speech воодушевлённая речь.

-spirited [-,spɪrɪtɪd] в сложных словах означает имеющий такой-то характер или находящийся в таком-то расположении духа; low-spirited в подавленном состоянии.

spiritism ['spɪrɪtɪzəm] n спиритизм.

spirit-lamp ['spɪrɪtlæmp] n спиртовка.

spiritless ['spɪrɪtlɪs] a 1) безжизненный, вялый; 2) робкий.

spirit-level ['spɪrɪt,levl] n спиртовой уровень.

spirit-rapping ['spɪrɪt,ræpɪŋ] n столоверчение, спиритизм.

spiritual ['spɪrɪtjuəl] 1. a 1) духовный; 2) одухотворённый; 3) религиозный, церковный; ~ court церковный суд; lords ~ епископы—члены парламента; 2. n 1) амер. религиозная песнь негров; 2) pl церковные дела.

spiritualism ['spɪrɪtjuəlɪzəm] n 1) филос. спиритуализм; 2) = spiritism.

spiritualistic [,spɪrɪtjuə'lɪstɪk] a 1) филос. спиритуалистический; 2) спиритический.

spirituality [,spɪrɪtju'ælɪtɪ] n 1) духовность; 2) одухотворённость.

spiritualize ['spɪrɪtjuəlaɪz] v одухотворять.

spirituous ['spɪrɪtjuəs] a спиртной, алкогольный (о напитках).

spirt [spəːt] 1. n = spurt 1, 1); 2. v = spurt 2, 1).

spit I [spɪt] 1. n 1) вертел; 2) длинная отмель; намывная коса, стрелка; 3) лопата, заступ; 4) слой земли в глубину, который можно захватить лопатой; 2. v насаживать на вертел; пронзать, протыкать.

spit II [spɪt] 1. n 1) плевание; 2) слюна, плевок; 3) небольшой дождик или снег; ◊ ~ and polish) воен. разг. чистка оружия; б) мор. идеальная чистота; the ~ and image of smb. живой портрет, точная копия кого-л.; to be the dead (или the very) ~ быть точной копией; he is the very ~ of his father он вылитый отец; 2. v (spat) 1) плевать(ся); to ~ blood харкать кровью; 2) фыркать; 3) трещать, шипеть (об огне, свечке и т. п.); 4) моросить; брызгать; □ ~ at проявлять враждебность к кому-л.; ~ out а) выплёвывать; б) амер. sl. выдавать (секрет); в): to ~ it out sl. говорить, высказывать; ~ it out! говорите громче! ~ upon наплевать на что-л.; относиться с презрением к кому-л.

spite [spaɪt] 1. n 1) злоба, злость; to have a ~ against smb. иметь зуб против кого-л.; in (или for, from) ~ назло; 2): in ~ of (употр. как prep и cj) несмотря на; 2. v досаждать, делать назло.

spiteful ['spaɪtful] a 1) злобный; 2) злорадный, недоброжелательный; 3) язвительный.

spitfire ['spɪtfaɪə] n злючка; вспыльчивый, раздражительный человек.

spittle ['spɪtl] n слюна; плевок.

spittoon [spɪ'tuːn] n плевательница.

spitz [spɪts] n шпиц.

spitz-dog ['spɪtsdɔg] = spitz.

spiv [spɪv] n sl. 1) спекулянт; тот, кто занимается тёмными делишками; 2) attr. спекулятивный.

spivvery ['spɪvərɪ] n sl. спекуляция; тёмные делишки.

splanchnic ['splæŋknɪk] a относящийся к внутренностям.

splash [splæʃ] 1. n 1) брызги, брызганье; 2) плеск, всплеск; to fall into water with a ~ бултыхнуться в воду; 3) пятно грязи; 4) красочное пятно; 5) пудра для лица; 6) немного, небольшое количество (обыкн. a ~ of); 7) показ, возможность проявить себя; ◊ to make a ~ вызвать сенсацию; 2. v 1) забрызгивать; брызгать(ся); to ~ a page with ink залить страницу чернилами; 2) плескать(ся); 3) шлёпать (по грязи или воде; обыкн. ~ through, ~ across); to ~ one's way through the mud шлёпать по грязи; 4) шлёпнуться, бултыхнуться (into); 5) расцвечивать отдельными пятнами; fields ~ed with poppies поля, усеянные маками.

splash-board ['splæʃbɔːd] n 1) крыло, щиток (экипажа); 2) гидр. шлюзный щит.

splasher ['splæʃə] n грязевой щиток; крыло автомашины.

splatter ['splætə] v 1) плескаться; журчать; 2) говорить невнятно, бормотать.

splay [spleɪ] 1. n 1) скос, откос; 2) тех. набров (колеса); 2. a 1) косой, скошенный, расширяющийся; 2) вывернутый наружу; 3) неуклюжий; 3. v 1) скашивать края (отверстия); 2) скашиваться; 3) вывихнуть; 4) выворачивать носки наружу (при ходьбе).

splay-foot(ed) ['spleɪ,fut(ɪd)] a косолапый, имеющий плоские вывернутые ступни.

spleen [spliːn] n 1) анат. селезёнка; 2) сплин, хандра; 3) злоба; раздражение; to vent one's ~ upon smb. сорвать злобу на ком-л.

spleenful ['spliːnful] a мрачный, жёлчный.

splendent ['splendənt] a блестящий, сверкающий.

splendid ['splendɪd] a великолепный; роскошный; блестящий.

splendiferous [splen'dɪfərəs] a шутл. отличный, превосходный.

splendour ['splendə] n 1) блеск; 2) великолепие; пышность; 3) красота, благородство.

splenetic [splɪ'netɪk] 1. a 1) селезёночный; 2) раздражительный, жёлчный; хандрящий; 2. n 1) страдающий болезнью селезёнки; 2) раздражительный, сердитый человек; 3) мед. средство против болезни селезёнки.

splenic ['spliːnɪk] a селезёночный.

splice [splaɪs] 1. n 1) мор. сплесень; 2) стр. соединение внакрой, сращивание; 2. v 1) мор. сплеснивать, сращивать (концы тросов); 2) стр. соединять внакрой; сращивать; 3) разг. (по)женить(ся).

splint [splɪnt] 1. *n* 1) осколок; щепа́; 2) лубо́к (*для плетения корзин*); 3) *хир.* лубо́к, ши́на; 4) = splinter-bone; 5) *вет.* накостник; 6) *тех.* чека́, шплинт; 2. *v* *хир.* накла́дывать ши́ну.

splinter ['splɪntə] 1. *n* 1) осколок; 2) зано́за; 3) ще́пка, лучи́на; 4) *attr.* осколочный; ~ effect *воен.* оско́лочное де́йствие; 2. *v* расщепля́ть(ся); раска́лывать(ся); разбива́ться.

splinter-bone ['splɪntəboun] *n* *анат.* малоберцо́вая кость.

splintery ['splɪntərɪ] *a* 1) похо́жий на ще́пку *или* осколок; 2) легко́ расщепля́ющийся *или* разлета́ющийся на оско́лки.

split [splɪt] 1. *n* 1) раска́лывание; 2) тре́щина, щель, расще́лина; про́резь; 3) раско́л; 4) ще́пка, лучи́на (*для корзин*); 5) полбуты́лки газиро́ванной воды́; полстака́на, по́рция конья́ка *и т. п.*; 6) эл. разветвле́ние; 7) *pl* спорт. шпага́т; 8) сла́дкое блю́до (*из фруктов, мороженого, орехов*); 2. *a* расщеплённый, раско́лотый; раздро́бленный; разделённый попола́м; ~ decision реше́ние, при кото́ром голоса́ раздели́лись; ~ second кака́я-то до́ля секу́нды; 3. *v* (split) 1) раска́лывать(ся); расщепля́ть(ся) (*тж.* ~ asunder); разбива́ть (-ся), тре́скаться; to ~ smb.'s ears оглуша́ть кого́-л.; to ~ one's forces дроби́ть си́лы; my head is ~ting у меня́ раска́лывается голова́ от бо́ли; 3) дели́ть на ча́сти; to ~ one's vote (*или* ticket) голосова́ть одновре́менно за кандида́тов ра́зных па́ртий; to ~ the profits подели́ть дохо́ды; to ~ the difference а) дели́ть сре́днюю величину́; б) идти́ на компроми́сс; 4) *разг.* дели́ться (*чем-л.*); 5) поссо́рить; раска́лывать (*на группы, фракции и т. п.*); 6) распи́ть (*вино*); □ ~ off отка́лывать(ся); отделя́ть; ~ on *sl.* выдава́ть (*сообщника*); ~ up разделя́ть(ся), раска́лывать(ся); ◇ to ~ hairs, to ~ straws спо́рить о мелоча́х; вдава́ться в сли́шком ме́лкие подро́бности; быть педанти́чным; to ~ one's sides надрыва́ться от хо́хота; the rock on which we ~ ка́мень преткнове́ния; причи́на несча́стий.

split infinitive ['splɪtɪn'fɪnɪtɪv] *n* грам. инфинити́в с отделённой части́цей to (*напр.,* I wish to highly recommend him).

split key ['splɪt'kiː] *n* *тех.* разводна́я чека́.

split pin ['splɪt'pɪn] *n* *тех.* шплинт.

split ring ['splɪt'rɪŋ] *n* кольцо́ для ключе́й.

splitter ['splɪtə] *n* 1) раско́льник; 2) челове́к, придаю́щий изли́шнее значе́ние мелоча́м; 3) тяжёлая головна́я боль.

splitting ['splɪtɪŋ] 1. *pres. p.* *от* split 3; 2. *a* 1) пронзи́тельный, оглуши́тельный; 2) головокружи́тельный; 3) тяжёлый, си́льный (*о головной боли*); 4) раско́льнический.

splodge [splɔdʒ] = splotch.

splosh [splɔʃ] *n* *sl.* де́ньги; незако́нные дохо́ды.

splotch [splɔtʃ] *n* гря́зное пятно́.

splotchy ['splɔtʃɪ] *a* покры́тый пя́тнами; запа́чканный.

splurge [spləːdʒ] *разг.* 1. *n* выставле́ние напока́з, хвастовство́;

2. *v* выставля́ть напока́з, хва́стать.

splutter ['splʌtə] = sputter.

spoil [spɔɪl] 1. *n* 1) (обыкн. *pl* или собир.) добы́ча, награ́бленное добро́; the ~s of war вое́нная добы́ча, трофе́и; 2) при́быль, вы́года, полу́ченная в результа́те конкуре́нции с кем-л.; 3) предме́т иску́сства, ре́дкая кни́га *и т. п.*, приобретённые с трудо́м; 4) *pl* амер. госуда́рственные до́лжности, распределя́емые среди́ сторо́нников па́ртии, победи́вшей на вы́борах; ~s system распределе́ние госуда́рственных до́лжностей среди́ сторо́нников па́ртии, победи́вшей на вы́борах; предоставле́ние госуда́рственных до́лжностей за полити́ческие услу́ги; 5) земля́, вы́нутая при земляны́х рабо́тах; пуста́я поро́да; 2. *v* (spoilt, spoiled [-d]) 1) по́ртить; 2) балова́ть; 3) по́ртиться (*о продуктах*); 4) *sl.* искале́чить; уби́ть; 5) *уст., книжн.* гра́бить, отбира́ть; to ~ the Egyptians библ. обкра́дывать свои́х враго́в или угнета́телей; пожи́виться за счёт врага́; ◇ to be ~ing for *разг.* си́льно жела́ть чего́-л.; изголода́ться по чему́-л.; to be ~ing for a fight лезть в дра́ку.

spoilage ['spɔɪlɪdʒ] *n* 1) по́рча; 2) испо́рченный това́р.

spoilsman ['spɔɪlzmən] *n* амер. челове́к, получа́ющий до́лжность в награ́ду за полити́ческие услу́ги.

spoil-sport ['spɔɪlspɔːt] *n* тот, кто по́ртит удово́льствие.

spoilt [spɔɪlt] 1. *past и p. p.* *от* spoil 2; 2. *a* испо́рченный; избало́ванный; the ~ child of fortune ба́ловень судьбы́.

spoke I [spouk] 1. *n* 1) спи́ца (*колеса*); 2) ступе́нька, перекла́дина (*приставной лестницы*); 3) па́лка для торможе́ния колеса́; ◇ to put a ~ in smb.'s wheel ста́вить кому́-л. па́лки в колёса; 2. *v* 1) снабжа́ть спи́цами; 2) тормози́ть (*палкой*).

spoke II [spouk] *past* *от* speak.

spoke-bone ['spoukboun] *n* анат. лучева́я кость.

spoken ['spoukən] 1. *p. p.* *от* speak; 2. *a* у́стный; ~ language у́стная речь.

spokesman ['spouksmən] *n* представи́тель, делега́т; ора́тор (*от группы лиц*).

spoliation [spouli'eɪʃən] *n* 1) грабёж, захва́т иму́щества (*особ.* нейтра́льных судо́в во вре́мя войны́); 2) юр. преднаме́ренное уничтоже́ние или искаже́ние докуме́нта (*чтобы он не мог служить доказательством*).

spondaic [spɔn'deɪɪk] *a* прос. спонде́йческий.

spondee ['spɔndiː] *n* прос. спонде́й.

spondulicks [spɔn'djuːlɪks] *n* *pl* амер. *sl.* де́ньги.

spondyl(e) ['spɔndɪl] 1. *n* 1) гу́бка; 2) гу́бчатое вещество́; 3) обтира́ние гу́бкой; to have a ~ down обтере́ться гу́бкой; 4) что-л. похо́жее на гу́бку, *напр.* ноздрева́тое подня́вшееся те́сто, взби́тые белки́ *и т. п.*; 5) прижива́льщик; парази́т, нахле́бник; 6) «гу́бка», челове́к, легко́ воспринима́ющий *что-л.*,

sponge [spʌndʒ] 1. *n* 1) гу́бка; 2) гу́бчатое вещество́; 3) обтира́ние гу́бкой; to have a ~ down обтере́ться гу́бкой; 4) что-л. похо́жее на гу́бку, *напр.* ноздрева́тое подня́вшееся те́сто, взби́тые белки́ *и т. п.*; 5) прижива́льщик; парази́т, нахле́бник; 6) «гу́бка», челове́к, легко́ воспринима́ющий *что-л.*, быстро усва́ивающий зна́ния; ◇ to pass the ~ over smth. преда́ть забве́нию что-л.; to chuck (*или* to throw up) the ~ призна́ть себя́ побеждённым;

2. *v* 1) вытира́ть, мыть, чи́стить гу́бкой; 2) собира́ть гу́бки; □ ~ down обтира́ть(ся) мо́крой гу́бкой; ~ off чи́стить гу́бкой; ~ on жить на чужо́й счёт; ~ out a) стира́ть гу́бкой; б) изгла́дить; ~ up впи́тывать гу́бкой; ◇ to ~ it *амер. sl.* прости́ть.

sponge-cake ['spʌndʒ'keɪk] *n* бискви́т.

sponger ['spʌndʒə] *n* 1) = sponge 1, 5); 2) тот, кто собира́ет гу́бки.

sponging-house ['spʌndʒɪŋhaus] *n ист.* дом предвари́тельного заключе́ния для должнико́в.

spongy ['spʌndʒɪ] *a* 1) гу́бчатый, по́ристый, ноздрева́тый; 2) то́пкий, болоти́стый.

sponsion ['spɒnʃən] *n* поручи́тельство.

sponsor ['spɒnsə] 1. *n* 1) поручи́тель; 2)попечи́тель, покрови́тель; 3) крёстный (оте́ц); крёстная (мать); 4) устро́итель; организа́тор; 5) зака́зчик радиорекла́мы;

2. *v* 1) руча́ться (*за кого-л.*); 2) устра́ивать, организо́вывать (*концерты, митинги и т. п.*); 3) подде́рживать; субсиди́ровать.

spontaneity [,spɒntə'niːɪtɪ] *n* 1) самопроизво́льность, спонта́нность; 2) непосре́дственность.

spontaneous [spɒn'teɪnjəs] *a* 1) самопроизво́льный, спонта́нный; ~ combustion самовозгора́ние; ~ generation самозарожде́ние; 2) доброво́льный; 3) непосре́дственный, непринуждённый; стихи́йный; ~ enthusiasm и́скренний энтузиа́зм; ~ movement а) поры́в; б) стихи́йное движе́ние.

spontoon [spɒn'tuːn] *n воен. ист.* эспонто́н, полупи́ка.

spoof [spuːf] *разг.* 1. *n* 1) мистифика́ция; шу́тка; надува́тельство; 2) *attr.* вы́думанный, шутли́вый;

2. *v* мистифици́ровать; обма́нывать, надува́ть.

spook [spuːk] *n шутл.* привиде́ние.

spool [spuːl] 1. *n* шпу́лька, кату́шка;

2. *v* нама́тывать на кату́шку, шпу́льку.

spoon I [spuːn] 1. *n* 1) ло́жка; 2) широ́кая изо́гнутая ло́пасть (*весла*); 3) *спорт.* род клю́шки; 4) блесна́; 5) *стр.* ло́жечный бур; жело́нка; ◇ to be born with a silver ~ in one's mouth ≅ роди́ться в соро́чке;

2. *v* 1) че́рпать ло́жкой (*обыкн.* ~ up, ~ out); 2) *спорт.* подта́лкивать (*шар в кроке́те*); слегка́ подки́дывать мяч (*в крике́те*); 3) лови́ть ры́бу на блесну́.

spoon II [spuːn] 1. *n* 1) простофи́ля, проста́к; 2) глу́по *или* сентимента́льно влюблённый челове́к; *pl* влюблённость; сентимента́льность; to be ~s on smb. быть влюблённым в кого́-л.; to be on the ~ уха́живать.

2. *v* уха́живать.

spoon-bait ['spuːnbeɪt] *n* блесна́.

spoon-bill ['spuːnbɪl] *n зоол.* колпи́ца.

spoon-drift ['spuːndrɪft] = spindrift.

spoonerism ['spuːnərɪzəm] *n* непроизво́льная перестано́вка зву́ков (*напр.,* blushing crow *вм.* crushing blow).

spoon-fed ['spuːnfed] *a* 1) получа́ющий пи́щу с ло́жки (*о больно́м и т. п.*); 2) нужда́ющийся в постоя́нной опе́ке и по́мощи; иску́сственно подде́рживаемый (*о промы́шленности*); 3) *амер. разг.* избало́ванный.

spoonful ['spuːnful] *n* по́лная ло́жка.

spoon-meat ['spuːnmiːt] *n* жи́дкая пи́ща, пи́ща для младе́нца.

spoons [spuːnz] *n pl амер. sl.* де́ньги.

spoony ['spuːnɪ] 1. *a* 1) глу́пый; 2) влюблённый; сентимента́льный;

2. *n* 1) простофи́ля, ду́рень; 2) влюблённый.

spoor [spuə] 1. *n* след (*зве́ря*);

2. *v* выслёживать, идти́ по сле́ду.

sporadic(al) [spə'rædɪk(əl)] *a* споради́ческий.

sporangia [spə'rændʒɪə] *pl от* sporangium.

sporangium [spə'rændʒɪəm] *n (pl* -gia) *бот.* спора́нгий.

spore [spɔː] *n биол.* спо́ра.

sporran ['spɒrən] *n* ко́жаная су́мка с ме́хом (*часть костю́ма шотла́ндского горца*).

sport [spɔːt] 1. *n* 1) спорт; охо́та; рыбная ло́вля; спорти́вные и́гры; athletic ~s атле́тика; спорти́вные и́гры; to go in for ~s занима́ться спо́ртом; to have good ~ хорошо́ поохо́титься; 2) *pl* спорти́вные состяза́ния; 3) *разг.* спортсме́н; 4) *разг.* сла́вный ма́лый; 5) *амер.* игро́к; 6) заба́ва, развлече́ние, шу́тка; to become the ~ of fortune стать игру́шкой судьбы́; in ~ в шу́тку; what ~! как ве́село!; 7) посме́шище; to make ~ of высме́ивать; 8) *разг.* боле́льщик; 9) фат, щёголь; 10) *биол.* отклоне́ние от норма́льного ти́па; разнови́дность;

2. *a* спорти́вный; ~ clothes спорти́вная оде́жда;

3. *v* 1) игра́ть, весели́ться, резви́ться; развлека́ться; 2) занима́ться спо́ртом; 3) шути́ть; 4) носи́ть, выставля́ть напока́з; to ~ a rose in one's buttonhole щеголя́ть ро́зой в петли́це; 5) *биол.* отклоня́ться от норма́льного ти́па; □ ~ away прома́тывать, растра́чивать; ◇ to ~ one's oak *унив. sl.* закры́ть дверь для посети́телей; to ~ a stone house *sl.* жить в ка́менном до́ме.

sportful ['spɔːtful] *a* весёлый; заба́вный.

sporting ['spɔːtɪŋ] 1. *pres. p. от* sport 3;

2. *a* 1) спорти́вный; охо́тничий; 2) предприи́мчивый; ~ chance риско́ванный шанс; ◇ ~ house a) иго́рный дом; б) публи́чный дом.

sporting goods ['spɔːtɪŋ'gudz] *n pl амер.* спорти́вные принадле́жности.

sportive ['spɔːtɪv] *a* 1) игри́вый, весёлый; 2) спорти́вный.

sports [spɔːts] = sport 2.

sportsman ['spɔːtsmən] *n* 1) спортсме́н; охо́тник; рыболо́в; 2) че́стный, поря́дочный челове́к.

sportsmanlike ['spɔːtsmənlaɪk] *a* 1) спортсме́нский; 2) че́стный, поря́дочный, благоро́дный; му́жественный.

sportsmanship ['spɔːtsmənʃɪp] *n* 1) спорти́вная ло́вкость; 2) увлече́ние спо́ртом; 3) че́стность, пряма́я.

sportswoman ['spɔːts,wumən] *n* спортсме́нка.

sporty ['spɔːtɪ] *a* 1) спортсме́нский; 2) лихо́й, удало́й; 3) показно́й, щегольско́й.

spot [spɔt] **1.** *n* 1) пятно́; пя́тнышко; кра́пинка; 2) позо́р, пятно́; without a ~ on his reputation с незапя́тнанной репута́цией; 3) пры́щик; a face covered with ~s прыщева́тое лицо́; 4) кра́пчатая мате́рия; 5) ме́сто; a retired ~ уединённое ме́сто; on the ~ на ме́сте; сра́зу, неме́дленно [*ср. тж.* 7)]; to act on the ~ де́йствовать без промедле́ния; to be on the ~ a) быть очеви́дцем; б) не зева́ть; быть на высоте́ положе́ния; the people on the ~ лю́ди, живу́щие на ме́сте и знако́мые с обстоя́тельствами; tender (*или* weak) ~ *перен.* больно́е ме́сто; to touch the ~ попа́сть в цель; blind ~ a) мёртвая то́чка; б) *радио* зо́на молча́ния; 6) *разг.* небольшо́е коли́чество еды́ *или* питья́; how about a ~ of lunch? не поза́втракать ли?; won't you have a ~ of whisky? не вы́пьете ли?; 7) *амер. sl.* затрудни́тельное положе́ние; on (*или* upon) the ~ в опа́сности, в затрудни́тельном положе́нии [*ср. тж.* 5)]; 8) *pl ~* goods [*см.* 9)]; 9) *attr.* нали́чный; име́ющийся на скла́де; ~ cash нали́чный расчёт; ~ goods нали́чный това́р; това́р, сдава́емый сра́зу по́сле прода́жи; ~ price цена́ при усло́вии неме́дленной упла́ты нали́чными; 10) *attr. радио* ме́стный; ~ broadcasting переда́ча ме́стной ста́нции;

2. *v* 1) пятна́ть, па́чкать, покрыва́ть(ся) пя́тнами; this silk ~s with water на э́том шёлке от воды́ остаю́тся пя́тна; 2) пятна́ть, позо́рить; 3) *разг.* уви́деть, узна́ть; отмеча́ть, опознава́ть; to ~ the cause of the trouble определи́ть причи́ну непола́док; to ~ the winner определи́ть зара́нее бу́дущего победи́теля в состяза́нии; I ~ted his roguery as soon as I met him я догада́лся о его́ моше́нничестве, как то́лько его́ уви́дел; 4) *воен.* корректи́ровать стрельбу́; □ ~ out очи́щать от пя́тен.

spotless ['spɔtlɪs] *a* 1) без еди́ного пя́тнышка; 2) безупре́чный; незапя́тнанный.

spotlight ['spɔtlaɪt] **1.** *n* 1) *театр.* проже́ктор для подсве́тки; 2) центр внима́ния; выдаю́щееся положе́ние; to be in the ~ быть в це́нтре внима́ния; 3) *авт.* подвижна́я фа́ра;

2. *v* освети́ть, оттени́ть.

spotted ['spɔtɪd] **1.** *p. p. от* spot 2;

2. *a* 1) пятни́стый, кра́пчатый; 2) запа́чканный, запя́тнанный.

spotted fever ['spɔtɪd'fiːvə] *n* 1) сыпно́й тиф; 2) цереброспина́льный менинги́т.

spotter ['spɔtə] *n* 1) *sl.* наво́дчик; 2) *амер.* сы́щик, детекти́в; 3) самолёт-корректиро́вщик; 4) *арт.* наблюда́тель за разры́вами.

spotty ['spɔtɪ] *a* 1) пятни́стый; пёстрый; 2) прыщева́тый; 3) неоднор о́дный.

spouse [spauz] *n* 1) супру́г; супру́га; 2) *pl* супру́жеская чета́.

spout [spaut] **1.** *n* 1) но́сик, го́рлышко, ры́льце; 2) водосто́чная труба́ *или* жёлоб; рука́в; выпускно́е отве́рстие; жёлоб *или* небольшо́й лифт в ломба́рде для подъёма зало́женных веще́й; 4) *sl.* ломба́рд; up the ~ в закла́де; *перен.* разорённый; ко́нчен-

ный, сда́нный в архи́в; to put up the ~ закла́дывать; 5) струя́; столб воды́; водяно́й смерч; 6) *зоол.* дыха́тельное отве́рстие (*у кита*);

2. *v* 1) бить струёй; струи́ться, ли́ться пото́ком; испуска́ть струю́; the volcano ~s lava вулка́н изверга́ет ла́ву; 2) *разг.* разглаго́льствовать, ора́торствовать; to ~ poetry деклами́ровать стихи́; 3) *sl.* закла́дывать.

spraddle ['sprædl] *v* широко́ расставля́ть но́ги.

sprain [spreɪn] **1.** *n* растяже́ние свя́зок; **2.** *v* растяну́ть свя́зки.

sprang [spræŋ] *past от* spring I, 2.

sprat [spræt] *n* 1) ки́лька, шпро́та; вся́кая ме́лкая ры́ба, похо́жая на ки́льку; 2) *шутл.* ма́ленький ребёнок; *презр.* челове́чек; ◇ to throw (*или* to risk) a ~ to catch a whale ≅ рискну́ть пустяко́м ра́ди большо́го бары́ша.

sprat-day ['sprætdeɪ] *n* 9 ноября́, день нача́ла ло́вли ки́льки.

sprawl [sprɔːl] **1.** *n* неуклю́жая по́за; неуклю́жее движе́ние;

2. *v* 1) растяну́ть(ся); развали́ться (*о челове́ке*); to send one ~ing сбить кого́-л. с ног; 2) раски́дывать (*ру́ки, но́ги*) небре́жно *или* неуклю́же; 3) располза́ться во все сто́роны.

sprawling ['sprɔːlɪŋ] **1.** *pres. p. от* sprawl 2; **2.** *a* располза́ющийся; ползу́чий; ~ handwriting разма́шистый по́черк; ~ shoots стле́ющиеся побе́ги.

spray I [spreɪ] *n* 1) ве́тка, побе́г; 2) узо́р в ви́де ве́точки.

spray II [spreɪ] **1.** *n* 1) водяна́я пыль; бры́зги; 2) жи́дкость для пульвериза́ции; 3) пульвериза́тор, распыли́тель; 4) *воен.* разлёт оско́лков снаря́дов;

2. *v* 1) распыля́ть, пульверизи́ровать; 2) обры́згивать, опыля́ть.

sprayer ['spreɪə] *n* 1) пульвериза́тор, распыли́тель; 2) *тех.* форсу́нка.

spread [spred] **1.** *n* 1) распростране́ние; the ~ of learning распростране́ние зна́ний; 2) разма́х (*кры́льев и т. п.*); 3) протяже́ние, простра́нство; объём, простира́ние; протяжённость; a wide ~ of country широ́кий просто́р; 4) то, что мо́жно нама́зать на хлеб (*варе́нье, ма́сло и т. п.*); 5) *разг.* оби́льное угоще́ние, пир горо́й; he gave us no end of a ~ он нас роско́шно угости́л; 6) расшире́ние, растяже́ние; 7) покрыва́ло; ска́терть; 8) материа́л *или* объявле́ние (*длино́й в не́сколько газе́тных столбцо́в*); 9) разворо́т газе́ты; 10) *амер. эк.* ра́зница ме́жду себесто́имостью и прода́жной цено́й;

2. *v* (spread) 1) развёртывать(ся); раски́дывать(ся); простира́ться; расстила́ть(ся); to ~ a banner разверну́ть зна́мя; to ~ one's hands to the fire протяну́ть ру́ки к огню́; to ~ a sail подня́ть па́рус; a broad plain ~s before us пе́ред на́ми расстила́ется широ́кая равни́на; the peacock ~s its tail павли́н распуска́ет хвост; the river ~s to a width of half a mile ширина́ реки́ в э́том ме́сте достига́ет полуми́ли; 2) распространя́ть(ся), разноси́ть(ся); to ~ oneself a) разбра́сываться; б) *sl.* говори́ть зано́счиво *или* о́чень подробно; в) стараться понравиться; г) *амер. sl.* угощать; to ~ rumours распространять слухи; to ~ disease распространять болезнь; 3) покрывать, устилать, усеивать; to ~ the table накрывать на стол; to ~ a carpet on the floor расстилать ковёр на полу; to ~ manure over a field разбрасывать навоз по полю; a meadow ~ with daisies луг, усеянный маргаритками; 4) размазывать(ся); намазывать(ся); to ~ butter on bread намазать хлеб маслом; the paint ~s well краска хорошо ложится; 5) продолжаться; продлевать; the course of lectures ~s over a year курс лекций продолжается год; 6) *амер.* записывать; to ~ on the records внести в записи; 7) *тех.* растягивать, расширять, вытягивать, расплющивать; □ ~ out a) развёртывать(ся); to ~ out a map разложить карту; to ~ out one's legs вытянуть ноги; the branches ~ out like a fan ветви расходятся веером; б) разбрасывать.

spread eagle ['spred'i:gl] *n* орёл с распростёртыми крыльями (*на государственных гербах*).

spread-eagle ['spred'i:gl] 1. *a разг.* высокопарный; хвастливый; ура-патриотический;

2. *v* распластать.

spread-eagleism ['spred,i:glizəm] *n разг.* ура-патриотизм.

spreader ['spredə] *n* 1) распространитель; 2) *тех.* приспособление для раскладки; распределитель; распорка; 3) *с.-х.* разбрасыватель; 4) *ж.-д.* спредер; 5) *рез.* шпрединг-машина, шпредер.

spree [spri:] 1. *n* веселье, шалости; кутёж; to go (*или* to be) on the ~ кутить; what a ~! как весело!;

2. *v* кутить.

sprig [sprig] 1. *n* 1) веточка, побег; 2) узор в виде веточки; 3) штифтик, гвоздь без шляпки; 4) молодой человек, юноша; 5) *шутл., пренебр.* отпрыск;

2. *v* 1) украшать узором в виде веточек; 2) прибивать штифтиками.

sprightly ['spraɪtlɪ] 1. *a* оживлённый, весёлый;

2. *adv* оживлённо, весело.

spring I [sprɪŋ] 1. *n* 1) прыжок, скачок; to take a ~ прыгнуть; to rise with a ~ подскочить; 2) пружина; рессора; 3) упругость, эластичность; 4) живость, энергия; his mind has lost its ~ он потерял всякую инициативу; 5) источник, родник, ключ; 6) мотив, причина; начало; the ~s of action побудительные причины; 7) *мор.* трещина, течь;

2. *v* (sprang, sprung; sprung) 1) прыгать, вскакивать; бросаться; to ~ at (*или* upon) smb. наброситься на кого-л.; to ~ to one's feet вскочить на ноги; to ~ over a fence перескочить через забор; to ~ up into the air подскочить в воздух; 2) бить ключом; 3) брать начало; происходить, возникать (*обыкн.* ~ up); his mistakes ~ from carelessness его ошибки — результат небрежности; 4) появляться; many new houses have sprung in this district в этом районе появилось

много новых домов; where do you ~ from? откуда вы появились?; 5) возвышаться; 6) быстро и неожиданно перейти в другое состояние; to ~ into fame стать известным; 7) давать ростки, побеги; прорастать; всходить; the buds are ~ing появляются почки; 8) коробиться (*о доске*); 9) давать трещину, трескаться, раскалывать(ся); to ~ a leak дать течь (*о судне*); 10) взорвать (-ся) (*о мине*); 11) вспугивать (*дичь*); 12) отпускать пружину; the door sprang to дверь захлопнулась (*на пружине*); 13) пружинить; 14) бросаться (*в голову*); брызнуть (*о крови*); 15) внезапно или неожиданно открыть, сообщить (upon); to ~ surprises делать сюрпризы; the news was sprung upon me новость застала меня врасплох; 16) *sl.* выпустить из тюрьмы; 17) *тех.* подвешивать, снабжать пружиной или рессорами, подрессоривать; устанавливать на пружине; □ ~ back отпрянуть; ~ out *перен.* вытекать, следовать (*из чего-л.*); ~ up а) возникать (*об обычае и т. п.*); б) внезапно вырастать, появляться.

spring II [sprɪŋ] *n* 1) весна; 2) *attr.* весенний.

spring balance ['sprɪŋ'bæləns] *n* пружинные весы, безмен.

spring bed ['sprɪŋ'bed] *n* пружинный матрац.

spring-board ['sprɪŋbɔːd] *n* 1) трамплин; 2) *воен.* плацдарм.

springbok ['sprɪŋbɔk] *n* 1) *зоол.* прыгун, южноафриканская газель; 2) (Springboks) *pl шутл.* южноафриканцы, *особ.* южноафриканские спортсмены.

springbuck ['sprɪŋbʌk] = springbok.

spring chicken ['sprɪŋ'tʃɪkɪn] *n* 1) цыплёнок; 2) наивный, неопытный человек (*особ. о женщине*).

springe [sprɪndʒ] *n* силок, западня.

springer ['sprɪŋə] *n* 1) прыгун; 2) = springbok 1); 3) собака из породы спаньелей; 4) цыплёнок; 5) *стр.* пятовый камень арки.

spring-halt ['sprɪŋhɔːlt] *n вет.* шпат.

springhead ['sprɪŋhed] *n* источник.

springization [,sprɪŋɡɪ'zeɪʃən] *n* яровизация.

spring tide ['sprɪŋ'taɪd] *n мор.* сизигийный прилив.

springtide ['sprɪŋtaɪd] *n поэт.* весна.

springtime ['sprɪŋtaɪm] *n* весна, весенняя пора.

spring water ['sprɪŋ'wɔːtə] *n* ключевая вода.

springy ['sprɪŋɪ] *a* 1) упругий, эластичный; 2) пружинный.

sprinkle ['sprɪŋkl] 1. *n* небольшое количество (of); ~ of rain несколько капель дождя; ~ of snow лёгкий снежок, пороша;

2. *v* 1) брызгать, кропить; 2) посыпать (with—чем-л.); разбрасывать (on); 3) брызгать, накрапывать.

sprinkler ['sprɪŋklə] *n* 1) разбрызгиватель; 2) sprinkling-machine; street ~ автоцистерна с приспособлением для поливки улиц, поливочная машина; 3) *attr.*: ~ system противопожарная система.

sprinkling ['sprɪŋklɪŋ] 1. *pres. p. om* sprinkle 2;

2. *n* = sprinkle 1.

sprinkling-machine ['sprɪŋklɪŋmə,ʃiːn] *n* дождева́льная устано́вка; маши́на для дождева́ния.

sprint [sprɪnt] 1. *n* бег на коро́ткую диста́нцию, спринт;

2. *v* бежа́ть на коро́ткую диста́нцию, спринтова́ть.

sprinter ['sprɪntə] *n* бегу́н на коро́ткие диста́нции, спри́нтер.

sprit [sprɪt] *n мор.* шпринто́в.

sprite [spraɪt] *n* эльф.

sprocket ['sprɒkɪt] *n тех.* цепно́е *или* зубча́тое колесо́.

sprocket-wheel ['sprɒkɪtwiːl] *n тех.* цепно́е колесо́.

sprout [spraut] 1. *n* 1) отро́сток, росто́к, побе́г; 2) *pl* брюссе́льская капу́ста (*тж.* Brussels ~s);

2. *v* 1) пуска́ть ростки́, расти́; 2) отра́щивать.

spruce I [spruːs] 1. *a* щеголева́тый; элега́нтный, наря́дный;

2. *v* 1) приводи́ть в поря́док (*обыкн.* ~ up); 2) наряжа́ться.

spruce II [spruːs] *n* ель.

sprue I [spruː] *n метал.* вертика́льный ли́тник; ли́тниковый кана́л.

sprue II [spruː] *n мед.* я́звенный стомати́т, молочни́ца.

spruit ['spruːɪt] *n южно-афр.* ручеёк (*обыкн.* пересо́хший).

sprung [sprʌŋ] 1. *past и p. p. om* spring I, 2;

2. *a* 1) тре́снувший (*о бите, ракетке*); 2) *разг.* захмеле́вший.

spry [spraɪ] *a* 1) живо́й, подви́жный; прово́рный; look ~! шевели́тесь!; 2) сме́тливый, сообрази́тельный.

spud [spʌd] 1. *n* 1) моты́га; небольша́я лопа́та; 2) *разг.* карто́фелина; *pl* карто́шка; 3) *тех.* прижи́мная пла́нка;

2. *v* копа́ть, вска́пывать.

spuddle ['spʌdl] *v диал.* моты́жить; копа́ться в земле́;

spue [spjuː] = spew.

spume [spjuːm] 1. *n* пе́на; на́кипь;

2. *v* пе́ниться.

spumous ['spjuːməs] *a* пе́нистый; покры́тый пе́ной.

spumy ['spjuːmɪ] = spumous.

spun [spʌn] 1. *past и p. p. om* spin 2;

2. *a:* ~ casting *метал.* центробе́жное литьё; ~ cotton бума́жная пря́жа; ~ gold канитéль, золота́я нить; ~ yarn *мор.* шки́мушка.

spunk [spʌŋk] *n* 1) трут; 2) пыл; му́жество; 3) раздражи́тельность, гнев.

spunky ['spʌŋkɪ] *a* му́жественный, хра́брый; пы́лкий.

spur [spɜː] 1. *n* 1) шпо́ра; to put (*или* to set) ~s to пришпо́ривать; to win one's ~s *ист.* заслужи́ть зва́ние ры́царя; *перен.* доби́ться призна́ния, приобрести́ и́мя; 2) отро́сток (*на крыле или ноге*); петуши́ная шпо́ра; 3) верши́на, отро́г *или* усту́п горы́; 4) сти́мул, побужде́ние; on the ~ of the mo-ment а) под влия́нием мину́ты; б) экспро́мтом, сра́зу; 5) *горн.* ответвле́ние жи́лы; 6) *бот.* спорынья́; 7) = ~ line; ◇ to need the ~ быть медли́тельным;

2. *v* 1) пришпо́ривать; 2) снабжа́ть шпо́рами; 3) побужда́ть, подстрека́ть (to ~ к чему́-л.); 4) спеши́ть, мча́ться (*тж.* ~ on, ~ forward); ◇ to ~ a willing horse ⟺ ломи́ться в откры́тую дверь; быть изли́шне насто́йчивым.

spurge [spɜːdʒ] *n бот.* молоча́й.

spur gear ['spɜː'gɪə] *n тех.* цилиндри́ческая шестерня́.

spurious ['spjuərɪəs] *a* 1) подде́льный, подло́жный; ~ coin фальши́вая моне́та; ~ manuscript непо́длинная ру́копись; ~ sentiment притво́рное чу́вство; 2) незако́нный; 3) *бот.* ло́жный.

spur line ['spɜː'laɪn] *n* железнодоро́жная ве́тка, подъездно́й путь.

spurn [spɜːn] 1. *v* 1) отверга́ть с презре́нием; отта́лкивать; 2) отпи́хивать ного́й; to ~ the ground пры́гнуть;

2. *n* 1) презри́тельный отка́з, отклоне́ние; 2) пино́к ного́й.

spurrier ['spɜːrɪə] *n* рабо́чий-шпо́рник.

spurt [spɜːt] 1. *n* 1) струя́; 2) внеза́пное спазмати́ческое уси́лие; рыво́к; 3) поры́в ве́тра;

2. *v* 1) бить струёй (*тж.* ~ down, ~ out); выбра́сывать (*пламя*); 2) де́лать внеза́пное уси́лие; надда́ть хо́ду.

spur track ['spɜː'træk] = spur line.

spur-wheel ['spɜːwiːl] = spur gear.

sputa ['spjuːtə] *pl om* sputum.

sputter ['spʌtə] 1. *n* 1) бры́зги; 2) шипе́ние; 3) бессвя́зная речь, лопота́нье; 4) сумато́ха; шум;

2. *v* 1) бры́згать слюно́й, плева́ться; 2) шипе́ть, треща́ть (*об огне*); 3) говори́ть бы́стро *или* бессвя́зно; лопота́ть.

sputum ['spjuːtəm] *n* (*pl* -ta) 1) слюна́; 2) *мед.* мокро́та.

spy [spaɪ] 1. *n* шпио́н; та́йный аге́нт;

2. *v* 1) шпио́нить, следи́ть; 2) заме́тить, уви́деть, разгляде́ть; to ~ faults замеча́ть недоста́тки; □ ~ into рассле́довать та́йно; ~ out высле́живать, разузнава́ть; to ~ out the land иссле́довать ме́стность; ~ upon следи́ть за *кем-л.*

spyglass ['spaɪglɑːs] *n* подзо́рная труба́.

spyhole ['spaɪhoul] *n* глазо́к.

squab [skwɒb] 1. *n* 1) неопери́вшийся го́лубь *или* грач; 2) невысо́кого ро́ста толстя́к *или* толсту́шка; 3) ту́го наби́тая поду́шка; 4) куше́тка.

2. *a* коро́ткий и то́лстый; призе́мистый.

squabble ['skwɒbl] 1. *n* перебра́нка, ссо́ра из-за пустяко́в;

2. *v* 1) вздо́рить, пререка́ться из-за пустяко́в; 2) *полигр.* рассы́пать(ся) (*о наборе*).

squabby ['skwɒbɪ] *a* коро́ткий и то́лстый.

squab pie ['skwɒb'paɪ] *n* 1) пиро́г с голубя́ми; 2) пиро́г с бара́ниной, я́блоками и лу́ком.

squad [skwɒd] 1. *n* 1) *воен.* гру́ппа; кома́нда; *амер.* отделе́ние; оруди́йный расчёт; awkward ~ *разг.* взвод новобра́нцев; *перен.* новички́, нео́пытные лю́ди; flying ~

а) лету́чий отря́д; б) дежу́рная полице́йская маши́на; 2) брига́да (рабо́чих); 3) *амер.* спорти́вная кома́нда;

2. *v воен.* своди́ть в уче́бные гру́ппы.

squad car ['skwɔd'kɑ:] *n* полице́йская автомаши́на.

squad drill ['skwɔd'drɪl] *n* обуче́ние новобра́нцев стро́ю.

squadron ['skwɔdrən] **1.** *n* 1) *воен.* эскадро́н; *амер.* кавалери́йский дивизио́н; 2) *мор.* эска́дра, соедине́ние (*корабле́й*); 3) *ав.* эскадри́лья; 4) *attr. воен.* эскадро́нный; *амер.* дивизио́нный; 5) *attr. мор.* эска́дренный;

2. *v воен.* своди́ть в эскадро́ны.

squadron-leader ['skwɔdrən,liːdə] *n* команди́р эскадри́льи; майо́р авиа́ции.

squalid ['skwɔlɪd] *a* 1) гря́зный, запу́щенный; 2) ни́щенский; жа́лкий; убо́гий; ~ lodgings убо́гая кварти́ра; 3) проти́вный; опусти́вшийся.

squall I [skwɔːl] **1.** *n* вопль, пронзи́тельный крик; визг;

2. *v* 1) вопи́ть, пронзи́тельно крича́ть; визжа́ть (*о де́тях*); 2) петь ре́зким го́лосом.

squall II [skwɔːl] *n* 1) шквал; 2) *разг.* волне́ние, беспоря́дки; ◇ look out for ~s береги́тесь опа́сности; бу́дьте насторо́же.

squally ['skwɔːlɪ] *a* бу́рный, поры́вистый.

squalor ['skwɔlə] *n* 1) грязь, запу́щенность; 2) нищета́; убо́жество.

squama ['skweɪmə] *n* (*pl* -mae) чешуя́.

squamae ['skweɪmiː] *pl от* squama.

squander ['skwɔndə] **1.** *n* расточи́тельство; 2. *v* расточа́ть, прома́тывать; to ~ time тра́тить вре́мя зря.

square [skweə] **1.** *n* 1) квадра́т; 2) прямоуго́льник; кле́тка; ~ of glass кусо́к стекла́; 3) пло́щадь, сквер; 4) кварта́л (*го́рода*); 5) *воен.* каре́; 6) науго́льник; 7) *мат.* квадра́т числа́; three ~ is nine три в квадра́те равно́ девяти́; 8) ме́ра пове́рхности (= *100 фута́м*^{2} = *9,29 м*^{2}); 9) плотная еда́; ◇ on the ~ че́стно, без обма́на; out of ~ непра́вильно, не в поря́дке;

2. *a* 1) квадра́тный; в квадра́те; ~ inch квадра́тный дюйм; a table four feet ~ стол в 4 фу́та в длину́ и 4 в ширину́; 2) прямоуго́льный; 3) паралле́льный *или* перпендикуля́рный (with, to—*чему́-л.*); keep your face ~ to the camera держи́те лицо́ пря́мо про́тив фотоаппара́та; the picture is not ~ with the ceiling карти́на виси́т кри́во; 4) пра́вильный, ро́вный, то́чный; to get one's accounts ~ привести́ счета́ в поря́док; to get ~ with smb. свести́ счёты с кем-л.; to call it ~ расквита́ться, рассчита́ться; 5) че́стный, прямо́й, недвусмы́сленный; ~ deal че́стная сде́лка; ~ refusal категори́ческий отка́з; 6) пло́тный, оби́льный; to have a ~ meal пло́тно пое́сть;

3. *adv* 1) пря́мо; to stand ~ стоя́ть пря́мо; 2) че́стно; 3) лицо́м к лицу́; 4) пря́мо, непосре́дственно; 5) твёрдо;

4. *v* 1) придава́ть квадра́тную фо́рму; де́лать прямоуго́льным; to ~ the circle иска́ть квадрату́ру кру́га; *перен.* добива́ться я́вно невозмо́жного; 2) поднима́ть, распрямля́ть; to ~ one's elbows вы́ставить лок-

ти; to ~ one's shoulders распра́вить пле́чи; 3) обтёсывать по науго́льнику (*бревно́*); 4) приводи́ть в поря́док *или* опла́чивать (*счёт*); to ~ accounts with smb. свести́ счёты с кем-л., отомсти́ть кому́-л.; 5) согласо́вывать(ся), принора́вливать(ся); his description does not ~ with yours его́ описа́ние не схо́дится с ва́шим; I decline to ~ my conduct to (*или* with) his principles я отка́зываюсь сообразова́ть своё поведе́ние с его́ при́нципами; 6) удовлетворя́ть (*напр., кредито́ров*); 7) *разг.* подкупа́ть; 8) *мат.* возводи́ть в квадра́т; □ ~ off a) станови́ться в по́зу (*в бо́ксе*); б) пригото́виться к нападе́нию *или* к защи́те; в) наце́ливаться; г) *ав.* пики́ровать; ~ up a) приня́ть вертика́льное положе́ние; б) распла́титься, урегули́ровать расчёты (*с кем-л.*); в) приня́ть оборони́тельное положе́ние; г) = ~ off a); д) реши́тельно бра́ться за что́-л.

square-built ['skweə'bɪlt] *a* корена́стый, широкопле́чий.

squarehead ['skweəhed] *n амер. разг.* 1) скандина́в; 2) не́мец.

square-rigged ['skweə'rɪgd] *a мор.* с прямы́м па́русным вооруже́нием.

square shooter ['skweə'ʃuːtə] *n разг.* че́стный, справедли́вый челове́к.

square-toed ['skweə'toud] *a* 1) с тупы́ми, широ́кими носка́ми (*об о́буви*); 2) педанти́чный; щепети́льный; 3) старомо́дный.

square-toes ['skweətouz] *n* 1) формали́ст; педанти́чный челове́к; 2) старомо́дный челове́к.

squarrose ['skwærous] *a* 1) *бот., зоол.* име́ющий чешуеобра́зный покро́в; 2) *мед.* покры́тый стру́пьями.

squarson ['skwɑːsn] *n* (*сокр. от* squire *и* parson) *шутл.* свяще́нник-поме́щик.

squash I [skwɔʃ] **1.** *n* 1) разда́вленная ма́сса, «ка́ша»; 2) фрукто́вый напи́ток; lemon ~ лимона́д; orange ~ апельси́новый напи́ток; 3) толпа́; да́вка; су́толока; 4) игра́ в мяч (*вро́де те́нниса; тж.* ~ rackets);

2. *v* 1) разда́вливать, расплю́щивать, сжима́ть; 2) толпи́ться; 3) прота́лкиваться; вти́скиваться; 4) заста́вить замолча́ть, обре́зать; 5) подави́ть.

squash II [skwɔʃ] *n бот.* кабачо́к; ты́ква.

squash hat ['skwɔʃ'hæt] *n* мя́гкая фе́тровая шля́па.

squashy ['skwɔʃɪ] *a* мя́гкий, мяси́стый.

squat [skwɔt] **1.** *n* 1) сиде́нье на ко́рточках; 2) нора́, берло́га;

2. *v* 1) сиде́ть на ко́рточках; припада́ть к земле́ (*о живо́тных*); 2) сели́ться самово́льно на чужо́й земле́; незако́нно вселя́ться в дом; 3) *амер., австрал.* сели́ться на госуда́рственной земле́; 4) *разг.* сади́ться;

3. *a* коро́ткий и то́лстый, призе́мистый.

squatter ['skwɔtə] *n* 1) сидя́щий на ко́рточках; 2) посели́вшийся незако́нно на неза́нятой земле́; незако́нно вселя́вшийся в дом; 3) *амер., австрал.* посели́вшийся на госуда́рственной земле́ с це́лью её приобре́тения; 4) *австрал.* овцево́д.

squatty ['skwɔtɪ] *a* = squat 3.

squaw [skwɔː] *n* 1) индиа́нка (*жи́тельница Аме́рики*); 2) *амер. шутл.* же́нщина, жена́.

squawk [skwɔ:k] **1.** *n* 1) пронзительный крик (*птицы*); 2) *sl.* жалоба, протест; 2. *v* 1) пронзительно кричать (*о птице*); 2) *sl.* жаловаться, протестовать.

squaw-man ['skwɔ:'mæn] *n амер.* белый, женатый на индианке.

squeak [skwi:k] **1.** *n* 1) писк; 2) скрип; ◇ to have a narrow (*или* a near) ~ быть на волосок (*от гибели и т. п.*); 2. *v* 1) пищать; пропищать; 2) скрипеть; 3) *sl.* доносить, выдавать.

squeaker ['skwi:kə] *n* 1) пискун; 2) птенец (*обыкн.* голубя); 3) *sl.* доносчик.

squeaky ['skwi:kɪ] *a* 1) писклявый; 2) скрипучий.

squeal [skwi:l] **1.** *n* 1) визг, пронзительный крик; 2) *sl.* доносчик. 2. *v* 1) визжать, пронзительно кричать; визгливо произносить; 2) *sl.* жаловаться, протестовать; 3) *sl.* доносить; выдавать (on —*кого-л.*); to make smb. ~ шантажировать, вымогать деньги.

squealer ['skwi:lə] *n* 1) визгун; 2) = squeaker 2); 3) нытик.

squeamish ['skwi:mɪʃ] *a* 1) подверженный тошноте; слабый (*о желудке*); I feel ~ меня тошнит; 2) щепетильный; брезгливый, привередливый, разборчивый; 3) обидчивый.

squeegee ['skwi:'dʒi:] *n* 1) деревянный скребок с резиновой пластинкой; 2) *фото* накатной ролик.

squeezability [ˌskwi:zə'bɪlɪtɪ] *n* сжимаемость.

squeezable ['skwi:zəbl] *a* 1) могущий быть сжатым *или* выдавленным; 2) легко поддающийся давлению; податливый, уступчивый; ~ person податливый человек.

squeeze [skwi:z] **1.** *n* 1) сжатие, пожатие; давление, сдавливание; to give a ~ пожать (руку); 2) выдавленный сок; 3) *разг.* давление, принуждение; вымогательство; шантаж; 4) теснота, давка; 5) *разг.* тяжёлое положение; затруднение (*тж.* tight ~); 6) оттиск (*монеты и т. п.*); 7) *горн.* осадка кровли; 2. *v* 1) сжимать; сдавливать; стискивать; to ~ smb.'s hand пожать кому-л. руку; 2) ~ moist clay мять сырую глину; 2) выжимать(ся); выдавливать; the sponge ~s well эта губка легко выжимается; to ~ out a tear притворно плакать; to ~ out of отжать; to extract a confession выжидать; вымогать (out of); 3) вынуждать; вымогать (out of); to ~ a confession выжудить признание; 4) обременять (*налогами и т. п.*); 5) втискивать, впихивать (in, into); протискиваться (past, through); 6) делать оттиск (*монеты и т. п.*).

squeezed [skwi:zd] **1.** *p.p. от* squeeze 2; 2. *a* выжатый; ◇ ~ orange ≅ «выжатый лимон»; ненужный больше (*или* использованный) человек.

squeezer ['skwi:zə] *n* 1) тот, кто сжимает, выжимает *и пр.* [*см.* squeeze 2]; 2) выжималка (*для сока*); 3) *pl* игральные карты с обозначением достоинства в правом верхнем углу; 4) *тех.* фальцовочный станок; отжимная машина.

squelch [skwelʧ] **1.** *n* 1) хлюпанье; 2) сокрушительный удар; 3) уничтожающий ответ, остроумная реплика.

2. *v* 1) хлюпать по грязи; 2) раздавить ногой, уничтожить; 3) *амер.* подавить восстание (*часто* ~ out); 4) привести в замешательство, заставить замолчать.

squelcher ['skwelʧə] = squelch 1, 3).

squib [skwɪb] **1.** *n* 1) петарда, шутиха; 2) эпиграмма; памфлет; пасквиль; 3) *воен.* запал; 2. *v* 1) писать памфлеты, эпиграммы, пасквили; 2) взрываться; 3) метаться.

squiffed [skwɪft] *a sl.* пьяный.

squiffer ['skwɪfə] *n sl.* концертино (*шестигранная гармоника*).

squiffy ['skwɪfɪ] *a sl.* слегка подвыпивший.

squill [skwɪl] *n бот.* морской лук.

squint [skwɪnt] **1.** *n* 1) косоглазие; to have a bad ~ сильно косить; 2) взгляд украдкой, искоса; let me have a ~ at it дайте мне поглядеть; 2. *v* 1) косить (*глазами*); 2) *разг.* (при-)щуриться (*от избытка света и т. п.*); 3) смотреть искоса, украдкой (at); 4) *амер.* намекать; 3. *a* косой, раскосый.

squint-eyed ['skwɪntaɪd] *a* 1) косой, косоглазый; 2) зловещий, злой; 3) подозрительный; предубеждённый.

squire ['skwaɪə] **1.** *n* 1) сквайр, помещик; the ~ a) главный землевладелец прихода; б) *амер. вежливая форма обращения к какому-л. выдающемуся гражданину штата, преим. к мировому судье;* 2) *ист.* оруженосец; 3) галантный кавалер. 2. *v* ухаживать; to ~ a dame сопровождать даму.

squirearchy ['skwaɪərɑ:kɪ] *n* 1) аграрии, помещичий класс; 2) засилие землевладельцев.

squireen [ˌskwaɪə'ri:n] *n* мелкопоместный помещик (*преим. в Ирландии*).

squirm [skwə:m] **1.** *n* изгиб, извив; to give a ~ извиваться; 2. *v разг.* 1) извиваться (как червяк); корчиться; 2) проявлять сильное смущение *или* неудовольствие.

squirrel ['skwɪrəl] *n* белка.

squirt [skwə:t] **1.** *n* 1) струя; to take a ~ at smb. *воен.* обстрелять кого-л.; 2) шприц; спринцовка; 3) *разг.* мелкий, самодовольный человек; выскочка; наглец; 4) *sl. см.* squirt-plane. 2. *v* 1) пускать струю, бить струёй; 2) спринцевать; разбрызгивать.

squirt-plane ['skwə:tpleɪn] *n* реактивный самолёт.

squish [skwɪʃ] *n разг.* мармелад.

squit [skwɪt] *n sl.* ничтожный человек, мелюзга.

St [sənt, sɪnt, snt] *сокр. от* Saint; ◇ St Bernard сенбернар (*порода собак*); St John's evil эпилепсия; St Luke's summer, St Martin's summer ≅ бабье лето (*примерно между 18 октября и 11 ноября*); St Stephen's палата общин; St Vitus's dance *мед.* виттова пляска.

stab [stæb] **1.** *n* 1) удар (*острым оружием*); ~ in the back a) удар в спину, предательское нападение; б) клевета; 2) внеза́пная о́страя боль; 3) *амер. разг.* попы́тка; to have (*или* to make) a ~ at smth. попыта́ться сде́лать что-л.;

2. *v* 1) вонза́ть (into); ра́нить (*острым оружием*), зака́лывать; наноси́ть уда́р (*кинжалом и т. п.*; at); to ~ in the back a) всади́ть нож в спи́ну; нанести́ преда́тельский уда́р; б) злосло́вить за спино́й; 2) напада́ть; вреди́ть; наноси́ть уще́рб; to ~ smb.'s reputation повреди́ть чьей-л. репута́ции; 3) стреля́ть, пульси́ровать (*о боли*); 4) *амер. разг.* пыта́ться.

stability [stə'bılıtı] *n* 1) усто́йчивость, стаби́льность; постоя́нство; 2) про́чность, усто́йчивость; 3) твёрдость, непоколеби́мость (*характера, решения*); 4) *мор.* осто́йчивость.

stabilization [͵steıbılaı'zeıʃən] *n* 1) стабилиза́ция, упро́чение; 2) *воен.* образова́ние про́чного фро́нта; перехо́д к позицио́нной войне́.

stabilizator [͵steıbılaı'zeıtə] = stabilizer.

stabilize ['steıbılaız] *v* стабилизи́ровать, де́лать усто́йчивым.

stabilized ['steıbılaızd] 1. *p. p. от* stabilize;

2. *a* стаби́льный, усто́йчивый; ~ warfare позицио́нная война́.

stabilizer ['steıbılaızə] *n ав.* стабилиза́тор.

stable I ['steıbl] *a* 1) сто́йкий; усто́йчивый; 2) про́чный, кре́пкий; ~ foundation кре́пкий фунда́мент; 3) постоя́нный; 4) твёрдый, непоколеби́мый; реши́тельный.

stable II ['steıbl] 1. *n* 1) коню́шня; хлев; 2) беговы́е ло́шади, принадлежа́щие одному́ владе́льцу, коню́шня;

2. *v* ста́вить в коню́шню *или* хлев; держа́ть в коню́шне *или* в хлеву́.

stable-companion ['steıblkəm͵pænjən] *n* 1) ло́шадь той же коню́шни; 2) *разг.* това́рищ (*по школе, клубу*); однока́шник.

stable-man ['steıblmən] *n* ко́нюх.

stabling ['steıblıŋ] 1. *pres. p. от* stable II, 2;

2. *n* коню́шня; коню́шни.

staccato [stə'kɑːtou] *ит. adv, n муз.* стакка́то.

stack [stæk] 1. *n* 1) стог, скирда́, омёт; 2) ку́ча, гру́да; ~ of wood шта́бель дров; поле́нница; ~ of papers ку́ча бума́г; 3) *разг.* ма́сса, мно́жество; ~s (*или* a whole ~) of work ма́сса рабо́ты; ~ of bones *амер. sl.* изможённый челове́к, «скеле́т», ко́жа да ко́сти; 4) *воен.* винто́вки, соста́вленные в ко́злы; 5) стелла́ж; книгохрани́лище; 6) стек (*единица объёма для дров и угля = 4 ярдам³ = 3,05 м³*); 7) дымова́я труба́ (*особ.* парово́зная *или* парохо́дная); ряд дымовы́х труб; 8) *тех.* гради́рня;

2. *v* 1) скла́дывать в стог *и пр.* [*см.* 1]; 2) *воен.*: ~ arms! соста́вь!; 3): ~ the cards подтасо́вывать ка́рты (*тж. перен.*); ▢ ~ up располага́ть(ся) оди́н над други́м.

stack-yard ['stækjɑːd] *n* гумно́.

stadholder ['stæd͵houldə] = stadtholder.

stadia I ['steıdıə] *n* дальноме́рная лине́йка.

stadia II ['steıdjə] *pl от* stadium.

stadium ['steıdjəm] *n* (*pl* -dia) 1) стадио́н;

2) ста́дий (*др.-греч. мера длины*); 3) *мед.* ста́дия.

stadtholder ['stæd͵houldə] *n ист.* штатга́льтер.

staff I [stɑːf] *n* 1) (*pl тж.* staves) по́сох, па́лка; with swords and staves с меча́ми и дреко́льем; 2) жезл; 3) флагшто́к; дре́вко; 4) столп, опо́ра, подде́ржка; 5) (*pl* staves) *муз.* пять но́тных лине́ек; 6) *геод.* нивели́рная ре́йка; ◇ ~ of life хлеб.

staff II [stɑːf] 1. *n* 1) штат слу́жащих; служе́бный персона́л; to be on the ~ быть в шта́те; the ~ of a newspaper сотру́дники газе́ты; 2) *воен.* штаб;

2. *a* 1) шта́тный; ~ writer шта́тный сотру́дник газе́ты; 2) *воен.* штабно́й; 3) испо́льзуемый персона́лом; ~ room преподава́тельская (ко́мната); 4): ~ suggestion scheme систе́ма рационализа́торских предложе́ний;

3. *v* укомплекто́вывать шта́ты; обеспе́чивать персона́лом.

stag [stæg] 1. *n* 1) оле́нь-саме́ц (*с пятого года*); 2) вол; 3) биржево́й спекуля́нт; 4) холостя́цкая вечери́нка; 5) кавале́р без да́мы (*на вечеринке и т. п.*); 6) *attr.* холостя́цкий;

2. *v* 1) спекули́ровать на би́рже; 2) приходи́ть на вечери́нку без да́мы; 3) *sl.* следи́ть, шпио́нить, высле́живать.

stag-beetle ['stæg͵bıtl] *n* жук-оле́нь.

stage [steıdʒ] 1. *n* 1) помо́сти, помо́ст; платфо́рма; hanging ~ лю́лька (*для маляров*); 2) сце́на, эстра́да, театра́льные подмо́стки; 3) теа́тр, драмати́ческое иску́сство, профе́ссия актёра; to be (to go) on the ~ быть (сде́латься) актёром; to quit the ~ уйти́ со сце́ны; *перен.* умере́ть; 4) аре́на, по́прище; 5) ме́сто де́йствия, аре́на; 6) фа́за, ста́дия, пери́од, эта́п, ступе́нь; initial ~ нача́льная ста́дия; final ~ коне́чная ста́дия; 7) перего́н; остано́вка, ста́нция; 8) = stage-coach; 9) *эл.* каска́д; 10) предме́тный сто́лик (*микроскопа*); ◇ by easy ~s а) не торопя́сь, с ча́стыми остано́вками; б) не спеша́, с переры́вами;

2. *v* 1) ста́вить (*пьесу*); инсцени́ровать; 2) быть сцени́чным; the play ~s well э́та пье́са сцени́чна; 3) подготавливать и осуществля́ть.

stage-coach ['steıdʒkoutʃ] *n* почто́вая каре́та, дилижа́нс.

stagecraft ['steıdʒkrɑːft] *n* мастерство́ драмату́рга *или* режиссёра.

stage direction ['steıdʒdı'rekʃən] *n* 1) сцени́ческая рема́рка; 2) режиссёрское иску́сство.

stage director ['steıdʒdı'rektə] *n* режиссёр, постано́вщик.

stage door ['steıdʒ'dɔː] *n* вход на сце́ну.

stage effect ['steıdʒı'fekt] *n* сцени́ческий эффе́кт.

stage fever ['steıdʒ'fiːvə] *n* непреодоли́мое влече́ние к сце́не.

stage fright ['steıdʒfraıt] *n* волне́ние пе́ред вы́ходом на сце́ну.

stagehand ['steıdʒhænd] *n* рабо́чий сце́ны.

stage-manage ['steıdʒ͵mænıdʒ] *v* быть распоряди́телем (*на свадьбе и т. п.*).

stage manager ['steɪdʒ'mænɪdʒə] *n* режиссёр.

stager ['steɪdʒə] *n* о́пытный, быва́лый челове́к (*обыкн.* old ~).

stage right ['steɪdʒ'raɪt] *n* исключи́тельное пра́во теа́тра на постано́вку пье́сы.

stage-struck ['steɪdʒstrʌk] *a* увлека́ющийся теа́тром, стремя́щийся к сцени́ческой де́ятельности.

stage whisper ['steɪdʒ'wɪspə] *n* 1) театра́льный шёпот; 2) слова́, предназна́ченные не тому́, к кому́ они́ обращены́.

stagey ['steɪdʒɪ] = stagy.

stagger ['stægə] 1. *n* 1) шата́ние, поша́тывание; 2) *pl* головокруже́ние; 3) зигзагообра́зное расположе́ние; 4) *амер. sl.* попы́тка; 5) *pl вет.* ко́лер (*у лошаде́й*); вертя́чка (*у ове́ц*); 6) *ав.* вы́нос крыла́;
2. *v* 1) шата́ться; идти́ шата́ясь; 2) расшата́ть, лиши́ть усто́йчивости; 3) колеба́ться, быть в нереши́тельности; 4) поколеба́ть; вы́звать сомне́ния; 5) потряса́ть, поража́ть; ошеломля́ть; 6) располага́ть зигзагообра́зно, располага́ть ступе́нями или усту́пами; 7) регули́ровать часы́ рабо́ты (*учрежде́ния, магази́нов и т. п.*); 8) *тех.* соверша́ть комбини́рованные движе́ния вокру́г продо́льной и попере́чной оси.

staggerer ['stægərə] *n* 1) шата́ющийся; 2) си́льный уда́р; потряса́ющее изве́стие *или* собы́тие; 3) тру́дный вопро́с.

stagger formation ['stægəfə'meɪʃən] *n ав.* эшелони́рованный строй (*зве́ньев, эскадри́лий*).

stag-horn ['stæghɔːn] *n бот.* роголи́стный па́поротник.

staging ['steɪdʒɪŋ] 1. *pres. p. от* stage 2; 2. *n* 1) постано́вка пье́сы; 2) *стр.* подмо́сти, леса́.

stagnancy ['stægnənsɪ] *n* 1) засто́йность, ко́сность; 2) ине́ртность.

stagnant ['stægnənt] *a* 1) стоя́чий (*о воде́*); 2) ко́сный; 3) ине́ртный, вя́лый; тупо́й.

stagnate ['stægneɪt] *v* 1) де́латься засто́йным, заста́иваться (*о воде́*); 2) косне́ть, быть безде́ятельным; остана́вливаться (*о жи́зни*).

stagnation [stæg'neɪʃən] *n* 1) засто́й, засто́йность; 2) ко́сность.

stag-party ['stæg,pɑːtɪ] = stag 1, 4).

stagy ['steɪdʒɪ] *a* театра́льный, неесте́ственный.

staid [steɪd] *a* положи́тельный, степе́нный, уравнове́шенный.

stain [steɪn] 1. *n* 1) пятно́; 2) позо́р, пятно́; without a ~ on one's character с незапя́тнанной репута́цией; 3) кра́ска, кра́сящее вещество́; цветна́я политу́ра, протра́ва;
2. *v* 1) па́чкать(ся); 2) пятна́ть, по́ртить (*репута́цию и т. п.*); 3) кра́сить; окра́шивать(ся); 4) набива́ть (*рису́нок*).

stained [steɪnd] 1. *p.p. от* stain 2;
2. *a* 1) испа́чканный, в пя́тнах; 2) запя́тнанный, опозо́ренный; 3) окра́шенный, подкра́шенный; ~ glass цветно́е стекло́.

stainless ['steɪnlɪs] *a* 1) че́стный; 2) безупре́чный, незапя́тнанный; 3) нержаве́ющий; ~ steel нержаве́ющая сталь.

stair [steə] *n* 1) ступе́нька (*ле́стницы*); 2) ле́стничный марш (*тж.* flight of ~s);

3) (*преим. pl*) ле́стница; схо́дни; *мор.* трап; the ~s are steep ле́стница крута́я; winding ~ винтова́я ле́стница; below ~s а) в полуподва́льном помеще́нии; б) ку́хня и помеще́ние для прислу́ги.

staircase ['steəkeɪs] *n* 1) ле́стница; corkscrew ~, spiral ~ винтова́я ле́стница; principal ~ пара́дная ле́стница; 2) ле́стничная кле́тка.

stairhead ['steəhed] *n* ве́рхняя площа́дка ле́стницы.

stair-rod ['steərɔd] *n* металли́ческий прут для укрепле́ния ковра́ на ле́стнице.

stairway ['steəweɪ] = staircase.

stake [steɪk] 1. *n* 1) кол, столб; сто́йка; 2) столб, к кото́рому привя́зывали присуждённого к сожже́нию; 3) (the ~) смерть на костре́, сожже́ние за́живо; 4) небольша́я перено́сная накова́льня; 5) (*ча́сто pl*) ста́вка (*в ка́ртах и т. п.*); закла́д (*в пари́*); to be at ~ быть поста́вленным на ка́рту; быть в опа́сности; he plays for high (low) ~s он игра́ет по большо́й (по ма́ленькой); 6) до́ля капита́ла в предприя́тии; 7) *pl* приз (*на ска́чках и т. п.*); 8) *pl* ска́чки на приз; ◇ to pull up ~s *амер.* сня́ться с ме́ста; смота́ть у́дочки;
2. *v* 1) укрепля́ть *или* подпира́ть коло́м, сто́йкой; 2) сажа́ть на́ кол; 3) ста́вить на ка́рту, рискова́ть (*чем-л.*); 4) *карт.* де́лать ста́вку; 5) *sl.* подде́рживать материа́льно, финанси́ровать (*что-л.*); □ ~ in огора́живать ко́льями; ~ off, ~ out отмеча́ть грани́цу (*чего-л.*) ве́хами; to ~ out a claim а) отмеча́ть ве́хами грани́цу уча́стка (*на при́исках и т. п.*); б) заявля́ть свои́ права́ (*на что-л.*); ~ up загора́живать ко́льями.

stalactite ['stæləktaɪt] *n геол.* сталакти́т.

stalagmite ['stæləgmaɪt] *n геол.* сталагми́т.

stale I [steɪl] 1. *a* 1) несве́жий; ~ bread чёрствый хлеб; 2) спёртый; ~ air спёртый, тяжёлый во́здух; 3) вы́дохшийся; перетрени́ровавшийся (*о спортсме́не*); 4) изби́тый, утра́тивший новизну́;
2. *v* 1) изна́шивать(ся); 2) лиша́ть(ся) све́жести, черстве́ть; 3) утра́чивать новизну́, станови́ться неинтере́сным.

stale II [steɪl] 1. *n* моча́ (*скота́*);
2. *v* мочи́ться (*о ското́*).

stale III [steɪl] *n уст.* 1) прима́нка; 2) обма́нутый проста́к, посме́шище.

stale IV [steɪl] *n уст.* ру́чка, рукоя́тка, дре́вко.

stalemate ['steɪl'meɪt] 1. *n* 1) *шахм.* пат; 2) мёртвая то́чка; безвы́ходное положе́ние;
2. *v* 1) *шахм.* де́лать пат; 2) поста́вить в безвы́ходное положе́ние.

stalk I [stɔːk] *n* 1) сте́бель, черено́к; cabbage ~ кочеры́жка; 2) *зоол.* но́жка; 3) но́жка (*рю́мки и т. п.*); 4) ствол (*пера́*); 5) фабри́чная труба́.

stalk II [stɔːk] 1. *n* 1) надме́нная, велича́вая по́ступь; 2) подкра́дывание;
2. *v* 1) ше́ствовать, го́рдо выступа́ть (*ча́сто* ~ along); 2) подкра́дываться (*к ди́чи*); идти́ кра́дучись.

stalking-horse ['stɔːkɪŋhɔːs] *n* 1) *охот.* заслонная лошадь; 2) личина; предлог, отговорка.

stall [stɔːl] **1.** *n* 1) стойло; 2) ларёк, палатка, прилавок; 3) кресло в партере; orchestra ~ кресло в первых рядах; pit ~ кресло в задних рядах; 4) сиденье в алтаре (*для духовных лиц*); 5) сан каноника; 6) место стоянки автомашин; 7) *амер. sl.* увёртка, предлог; 8) = finger-stall; 9) *горн.* забой; 10) *ав.* потеря скорости;

2. *v* 1) ставить в стойло; 2) делать стойло в конюшне; 3) застревать (*в грязи, глубоком снеге и т. п.*); the car was ~ed in the mud машина застряла в грязи; 4) *амер.* останавливать, задерживать; 5) *разг.* вводить в заблуждение, обманывать; уклоняться; 6) *ав.* терять скорость.

stall-feed ['stɔːlfiːd] *v с.-х.* 1) поставить на откорм; 2) откармливать грубыми кормами.

stallion ['stæljən] *n* жеребец.

stalwart ['stɔːlwət] **1.** *n* 1) человек крепкого здоровья; 2) стойкий член партии;

2. *a* 1) рослый, дюжий, здоровенный; 2) стойкий, верный, решительный.

stamen ['steɪmen] *n бот.* тычинка.

stamina ['stæmɪnə] *n* запас жизненных сил, выносливость, выдержка.

stammer ['stæmə] **1.** *n* заикание;

2. *v* 1) заикаться; 2) запинаться (*тж.* ~ out); to ~ out an excuse заикаясь, запинаясь, произнести извинение.

stammerer ['stæmərə] *n* заика.

stamp [stæmp] **1.** *n* 1) штамп, штемпель, печать; клеймо; 2) оттиск, отпечаток; 3) пломба *или* ярлык (*на товаре*); 4) марка; postage ~ почтовая марка; 5) характерное отличие, печать; the statement bears the ~ of truth утверждение похоже на правду; 6) род, сорт; men of that ~ люди такого склада; 7) топанье, топот; 8) *горн.* толчея;

2. *v* 1) штамповать, штемпелевать; клеймить, чеканить; 2) отпечатывать, оттискивать; 3) запечатлевать(ся); отражать(ся); the scene is ~ed on my memory эта сцена запечатлелась в моей памяти; 4) характеризовать; his acts ~ him as an honest man его поступки характеризуют его как честного человека; 5) топать ногой; бить копытами (*о лошади*); to ~ the grass flat примять траву; 6) наклеивать марку; 7) дробить (*руду и т. п.*); 8) вырезать штампом (*обыкн.* ~ out); 9) *тех.* тиснить; □ ~ down притоптать; ~ out а) подавлять, уничтожать; to ~ a fire out потушить огонь; to ~ out a rebellion подавить восстание; б) вырезать штампом.

stamp act ['stæmp'ækt] *n* закон о гербовом сборе.

stamp-collector ['stæmpkə,lektə] *n* коллекционер почтовых марок.

stamp-duty ['stæmp,djuːtɪ] *n* гербовый сбор.

stampede [stæm'piːd] **1.** *n* 1) паническое бегство; 2) стихийное массовое движение;

2. *v* обращать(ся) в паническое бегство.

stamped paper ['stæmpt'peɪpə] *n* гербовая бумага.

stamping-ground ['stæmpɪŋgraund] *n* часто посещаемое место.

stamp-mill ['stæmpmɪl] = stamp 1, 8).

stanch I [stɑːntʃ] *v* останавливать кровотечение (*из раны*).

stanch II [stɑːntʃ] = staunch I.

stanchion ['stɑːnʃən] *n* 1) стойка; столб; подпорка; 2) *мор.* пиллерс.

stand [stænd] **1.** *n* 1) остановка; to be (*или* to come) to a ~ остановиться; to bring to a ~ остановить; 2) сопротивление; to make a ~ сопротивляться (against); 3) позиция, место; to take one's ~ занять место; б) основываться (оп, упорна) [*ср. тж.* 5)]; 4) стоянка (*такси и т. п.*); 5) взгляд, точка зрения; to take one's ~ стать на какую-л. точку зрения [*ср. тж.* 3)]; 6) пьедестал; подставка; этажерка; подпора, консоль, стойка; 7) ларёк, киоск; *амер.* стенд; 8) трибуна (*на скачках и т. п.*); 9) = standing 9) урожай на корню; a good ~ of clover густой клевер; 11) лесонасаждение; 12) *амер.* место свидетеля в суде; 13) *театр.* остановка в каком-л. месте для гастрольных представлений; место гастрольных представлений; 14) *тех.* станина; ◇ ~ of arms вооружение одного солдата; ~ of colours знамена полка;

2. *v* (stood) 1) стоять; to ~ in smb.'s light загораживать кому-л. свет; *перен.* мешать, стоять на чьей-л. дороге; to ~ in one's own light вредить самому себе; to ~ out of the path сойти с дороги; to ~ on end стоять дыбом (*о волосах*); 2) ставить, помещать; 3) вставать (*обыкн.* ~ up); at the first note all stood как только зазвучала первая нота, все встали; 4) останавливаться (*обыкн.* ~ still); 5) быть высотой в...; he ~s six feet three его рост 6 футов 3 дюйма; 6) быть расположенным, находиться; 7) держаться; быть устойчивым, прочным; устоять; to ~ fast стойко держаться; the house still ~s дом ещё держится; these boots have stood a good deal of wear эти сапоги хорошо послужили; this colour will ~ эта краска не слиняет; not a stone was left ~ing камня на камне не осталось; 8) выдерживать, выносить, терпеть; подвергаться; to ~ fire а) *воен.* выдерживать огонь неприятеля; б) *тех.* выдерживать высокие температуры (*при обжиге в печи*); в) выдерживать критику, испытание; to ~ the test выдержать испытание; how does he ~ pain? как он переносит боль?; I can't ~ him я его не выношу; 9) находиться в каком-л. состоянии; to ~ in awe of smth. бояться чего-л.; to ~ convicted of treason быть осуждённым за измену; to ~ corrected признать ошибку; (*о)сознать справедливость (замечания и т. п.*); to ~ in need of нуждаться в; to ~ one's friend быть другом; to ~ ready быть наготове; to ~ well with smb. а) быть в хороших отношениях с кем-л.; б) быть на хорошем счету у кого-л.; the factory is ~ing idle фабрика не работает; 10) (*обыкн. как глагол-связка*) занимать определённое место, положение; he ~s first in his class он занимает первое место в классе; to ~ alone а) быть одиноким; б) быть выдающимся,

непревзойдённым; to ~ aloof держа́ться
в стороне́, пода́ль; to ~ aside отступа́ть
в сто́рону; to ~ clear отойти́; to ~ high
а) быть в почёте; б) corn ~s high this year
в э́том году́ це́ны на кукуру́зу высо́кие;
11) занима́ть определённую пози́цию; here
I ~ вот моя́ то́чка зре́ния; 12) остава́ться
в си́ле, быть действи́тельным (тж. ~ good);
that translation may ~ э́тот перево́д мо́жет
оста́ться без измене́ний; 13) де́лать сто́йку
(о соба́ке); 14) мор. идти́, держа́ть курс;
15) разг. угоща́ть; to ~ treat заплати́ть за
угоще́ние; to ~ dinner угости́ть обе́дом; □
~ against проти́виться, сопротивля́ться;
~ away, ~ back отступа́ть, держа́ться сза́-
ди; ~ behind отстава́ть; ~ between быть по-
сре́дником ме́жду; ~ by присутствовать,
быть безуча́стным зри́телем; б) защища́ть,
помога́ть, подде́рживать; to ~ by one's friend
быть ве́рным дру́гом; в) держа́ть, выпол-
ня́ть; приде́рживаться; to ~ by one's
promise сдержа́ть обеща́ние; г) быть нагото́-
ве; д) радио быть гото́вым нача́ть или
принима́ть переда́чу; ~ down покида́ть
свиде́тельское ме́сто (в суде́); ~ for а) под-
де́рживать, стоя́ть за; б) символизи́ровать,
означа́ть; в) быть кандида́том; г) разг.
терпе́ть, выноси́ть; ~ in а) сто́ить; б) быть
в хоро́ших отноше́ниях, подде́рживать хо-
ро́шие отноше́ния; в) принима́ть уча́стие,
помога́ть (with); г) мор. идти́ к бе́регу, под-
ходи́ть к по́рту; д) связа́ть свою́ судьбу́
(with); ~ off а) держа́ться на расстоя́нии
от; отодви́нуться от; б) отби́ть (ата́ку); в)
мор. удаля́ться от бе́рега; ~ on а) наста́-
ивать на чём-л.; б) осно́вываться на чём-л.,
зави́сеть от чего́-л.; в) мор. идти́ пре́жним
ку́рсом; г) то́чно соблюда́ть; to ~ on сеге-
тому церемо́ниться; ~ out а) выделя́ться,
выступа́ть; to ~ out against a background
выделя́ться на фо́не; б) не сдава́ться; дер-
жа́ться; he stood out for better terms он
стара́лся доби́ться лу́чших усло́вий; в)
мор. удаля́ться от бе́рега; ~ over остава́ть-
ся нерешённым; быть отло́женным, отсро́-
ченным; let the matter ~ over отложи́те
э́то де́ло; ~ to а) держа́ться чего́-л.; to ~ to
one's colours не отступа́ть, твёрдо дер-
жа́ться свои́х при́нципов; to ~ to it твёрдо наста́ивать на чём-л.; б) подде́рживать
что-л.; в) держа́ть, выполня́ть (обеща́ние
и т. п.); ~ up а) встава́ть; б) ока́зы-
ваться удовлетвори́тельным, про́чным и
т. п.; в) sl.: to ~ smb. up подвести́ кого́-л.;
~ up for защища́ть, отста́ивать; ~ upon
= ~ on; to ~ upon one's right отста́ивать
(или стоя́ть за) свои́ права́; ~ up to сме́ло
встреча́ть; быть на высоте́; ◇ to ~ Sam sl.
плати́ть за угоще́ние; how do matters ~?
как обстоя́т дела́?; to ~ on one's own bottom
быть незави́симым; полага́ться то́лько на
себя́; to have not a leg to ~ on не быть до-
ста́точно обосно́ванным, не име́ть оправда́-
ния, извине́ния; ~ and deliver! ру́ки вверх!;
«кошелёк и́ли жизнь!»; to ~ one in good
stead быть поле́зным, пригоди́ться; to ~ to
lose идти́ на ве́рное пораже́ние; to ~ to reason быть я́сным, очеви́дным для вся́кого;

it ~s to reason that само́ собо́й разуме́ется,
что; to ~ to win име́ть все ша́нсы на вы́и-
грыш.

standard ['stændəd] **1.** n 1) зна́мя, штан-
да́рт; to march under the ~ of smb. перен.
быть после́дователем кого́-л.; to raise the
~ of revolt подня́ть зна́мя восста́ния;
2) станда́рт, но́рма, образе́ц, мери́ло; ~ of
culture, ~ of education культу́рный у́ро-
вень; ~ of height но́рма ро́ста; ~ of life, ~
of living жи́зненный у́ровень; ~ of price эк.
у́ровень цен; ~s of weight ме́ры ве́са; to
fall short of accepted ~s не соотве́тствовать
при́нятым но́рмам; up to (below) ~ со-
отве́тствует (не соотве́тствует) при́нято-
му станда́рту; 3) коло́нна, сто́йка, подста́в-
ка; 4) класс (в нача́льной шко́ле); 5) шта́м-
бовое расте́ние; 6) де́нежная систе́ма, де́-
нежный станда́рт; 7) тех. стани́на;
2. а 1) станда́ртный, типово́й; норма́ль-
ный; ~ shape (size) станда́ртная фо́рма (раз-
ме́р); ~ gauge ж.-д. норма́льная коле́я;
2) образцо́вый; the ~ book on the subject
образцо́вый труд по да́нному вопро́су; ~
English образцо́вый англи́йский язы́к (осо́б.
в смы́сле произноше́ния); 3) стоя́чий; ~ lamp
стоя́чая ла́мпа; 4) шта́мбовый (о расте́ниях).

standard-bearer ['stændəd,bɛərə] n 1)
знамено́сец; 2) руководи́тель движе́ния
и т. п.

standardization ['stændədaɪ'zeɪʃən] n
стандартиза́ция, нормализа́ция.

standardize ['stændədaɪz] v стандартизи́-
ровать; калиброва́ть.

standard time ['stændəd'taɪm] n поясно́е
вре́мя.

stand-by ['stændbaɪ] **1.** n 1) надёжная
опо́ра; 2) запа́с;
2. а запа́сный, запасно́й, резе́рвный.

standee [stæn'diː] n амер. разг. 1) стоя́щий
пассажи́р; 2) теа́тр. стоя́щий зри́тель.

standfast ['stændfɑːst] **1.** n про́чное по-
ложе́ние;
2. а про́чный, твёрдый; надёжный.

stand-in ['stænd'ɪn] n 1) благоприя́тное
положе́ние; 2) кино дублёр (заменя́ющий
актёра, пока́ иду́т приготовле́ния к съёмке).

standing ['stændɪŋ] **1.** pres. p. от stand V.
2. n 1) стоя́ние; 2) положе́ние, вес;
a person of high ~ высокопоста́вленное
лицо́; 3) продолжи́тельность; a quarrel
of long ~ давни́шняя ссо́ра; 4) стаж;
5) нахожде́ние, (ме́сто)положе́ние; ◇ to
have no ~ не име́ть ве́са; быть неубеди́тель-
ным;
3. а 1) стоя́щий; ~ corn хлеб на корню́;
2) постоя́нный; устано́вленный; ~ army
постоя́нная а́рмия; ~ committee постоя́н-
ная коми́ссия; ~ dish дежу́рное блю́до;
перен. обы́чная те́ма; ~ jest неистощи́мый
объе́кт для шу́ток; ~ menace ве́чная угро́за;
3) неподви́жный; несдвига́емый; ~ barrage
воен. неподви́жный загради́тельный ого́нь;
4) простаива́ющий, нерабо́тающий; 5) про-
изводи́мый из стоя́чего положе́ния; ~
jump прыжо́к с ме́ста; 6) стоя́чий, непро-
то́чный (о воде́).

standing gear ['stændɪŋ'gɪə] = standing
rigging.

standing order ['stændɪŋ'ɔːdə] *n* 1) *воен.* приказ-инструкция; 2) *pl парл.* правила процедуры.

standing rigging ['stændɪŋ'rɪgɪŋ] *n мор.* стоячий такелаж.

standing-room ['stændɪŋrum] *n* место для стояния (*особ. в театре*).

standing-vice ['stændɪŋvaɪs] *n тех.* стуловые тиски.

standish ['stændɪʃ] *n уст.* чернильный прибор; чернильница.

stand-off ['stænd'ɔːf] 1. *n* 1) *спорт.* ничья; 2. *a* сдержанный; холодный.

stand-offish ['stænd'ɔːfɪʃ] *a* сдержанный; неприветливый; надменный.

stand-out ['stænd'aut] *n* 1) что-л. замечательное (*по качеству, вкусу и т. п.*); 2) *разг.* человек, упрямо настаивающий на своём.

standpatter ['stænd,pætə] *n амер. разг.* 1) сторонник неизменности партийных установок; 2) противник реформ, в особенности в отношении тарифов.

stand-pipe ['stændpaɪp] *n тех.* напорная *или* водоподъёмная труба.

standpoint ['stændpɔɪnt] *n* точка зрения.

standstill ['stændstɪl] *n* остановка, бездействие, застой; to come to a ~ оказаться в тупике; work was at a ~ работа остановилась на мёртвой точке.

stand-up ['stændʌp] *a* 1) прямой; 2) стоячий; ~ collar стоячий воротничок; 3): ~ fight кулачный бой; ~ meal закуска стоя, на ходу; ~ buffet буфет, где едят стоя.

stanhope ['stænəp] *n* лёгкий открытый одноместный экипаж.

stank [stæŋk] *past от* stink 2.

stannary ['stænərɪ] *n* оловянный рудник.

stannic ['stænɪk] *a хим.* оловянный.

stanniferous [stæ'nɪfərəs] *a* содержащий олово.

stanza ['stænzə] *n прос.* строфа, станс.

staple I ['steɪpl] *n* скобка, скоба, крюк; колено; ушко.

staple II ['steɪpl] 1. *n* 1) главный продукт *или* один из главных продуктов, производимых в данном районе; 2) основной предмет торговли; 3) главный элемент (*чего-л.*); the ~ of conversation главная тема разговора; 4) сырьё; 5) *уст.* важнейший рынок, торговый центр; 6) *текст.* волокно; качество волокна *или* нити; 2. *a* основной.

star [stɑː] 1. *n* 1) звезда; светило; fixed ~s неподвижные звёзды; shooting ~ падающая звезда; 2) *перен.* светило; звезда; film ~ кинозвезда; 3) *полигр.* звёздочка; 4) что-л. напоминающее звезду; звёздочка (*белая отметина на лбу животного*); 5) судьба, рок; to have one's ~ in the ascendant преуспевать; to thank (*или* to bless) one's ~s благодарить судьбу; ◇ ~s and stripes государственный флаг США; I saw ~s ≅ у меня искры посыпались из глаз; my ~! *восклицание, выражающее удивление*; 2. *a* 1) звёздный; 2) выдающийся; великолепный; ведущий; ~ witness главный свидетель; 3): ~ system *театр.* труппа

с одним, двумя первоклассными актёрами и слабым ансамблем; 3. *v* 1) украшать звёздами; 2) отмечать звёздочкой; 3) *театр.* быть звездой; to ~ in the provinces гастролировать в провинции в главных ролях; 4) предоставлять главную роль; to ~ it выступать в главной роли.

starboard ['stɑːbəd] *мор.* 1. *n* правый борт; 2. *a* лежащий направо; правого борта; 3. *v* класть руль направо.

starch [stɑːtʃ] 1. *n* 1) крахмал; 2) чопорность, церемонность; 3) *амер. sl.* энергия, живость; ◇ to take the ~ out of smb. *амер.* осадить, сбить спесь с кого-л.; 2. *v* крахмалить.

Star Chamber ['stɑː'tʃeɪmbə] *n ист.* Звёздная палата.

starchy ['stɑːtʃɪ] *a* 1) крахмалистый, содержащий крахмал; 2) накрахмаленный; 3) чопорный.

star connection ['stɑːkə,nekʃən] *n эл.* соединение звездой.

stardom ['stɑːdəm] *n* 1) ведущее положение в театре *или* кино, положение звезды; 2) *собир.* звёзды (*в театре, кино*).

stare [stɛə] 1. *n* изумлённый *или* пристальный взгляд; 2. *v* 1) смотреть пристально; глазеть; таращить *или* пялить глаза (at, upon—на); to ~ smb. in the face а) смотреть (*на кого-л.*) неузнающим *или* дерзким взглядом; б) быть явным, очевидным; ruin ~s him in the face ему угрожает гибель; to ~ smb. out of countenance смутить кого-л. пристальным взглядом; to ~ straight before one смотреть в одну точку; to ~ with astonishment широко открыть глаза от удивления; to make people ~ удивлять, поражать людей; 2) торчать (*о волосах и т. п.*); □ ~ down смутить взглядом.

starfish ['stɑːfɪʃ] *n зоол.* морская звезда.

star-gazer ['stɑː,geɪzə] *n* 1) астролог; звездочёт; 2) *шутл.* астроном; 3) идеалист, мечтатель.

star-gazing ['stɑː,geɪzɪŋ] *n* 1) созерцание звёзд; 2) *шутл.* астрономия; 3) мечтательность; 4) рассеянность.

staring ['stɛərɪŋ] 1. *pres. p. от* stare 2; 2. *a* 1) широко раскрытый (*о глазах*); пристальный (*о взгляде*); 2) кричащий, бросающийся в глаза, яркий; 3. *adv*: ~ mad совершенно сумасшедший.

stark [stɑːk] 1. *a* 1) окоченевший, застывший; 2) полный, абсолютный; ~ nonsense чистейший вздор; 3) *поэт.* сильный, решительный, непреклонный; 2. *adv* совершенно.

starless ['stɑːlɪs] *a* беззвёздный.

starlet ['stɑːlɪt] *n* 1) небольшая звезда; 2) талантливая молодая киноактриса, будущая звезда.

starlight ['stɑːlaɪt] 1. *n* свет звёзд; 2. *a* звёздный; ~ night звёздная ночь.

starling I ['stɑːlɪŋ] *n* скворец.

starling II ['stɑːlɪŋ] *n* водорез, ледорез, волнорез.

starlit ['stɑːlɪt] *a* звёздный, освещённый светом звёзд.

starred [stɑːd] 1. *p. p. от* star 3;
2. *a* 1) усеянный, усыпанный звёздами; украшенный, отмеченный звездой; 2) *театр., кино* являющийся звездой.

starry ['stɑːrɪ] *a* 1) звёздный; 2) яркий, сияющий как звёзды, лучистый (*о глазах*); 3) звездообразный.

star shell ['stɑː'ʃel] *n воен.* осветительный снаряд.

star-spangled ['stɑːˌspæŋgld] *a* усыпанный звёздами; the ~ banner государственный флаг США.

start [stɑːt] 1. *n* 1) отправление, начало; to make a ~ начать; отправиться; from ~ to finish с начала до конца; ~ in life начало карьеры; to give smb. a ~ in life помочь встать на ноги; 2) *спорт.* старт; 3) преимущество; to get the ~ of smb. опередить кого-л., получить преимущество перед кем-л.; he gave me a ~ of 10 yards он дал мне фору 10 ярдов; 4) пуск, трогание с места; 5) *ав.* взлёт; 6) вздрагивание; толчок; to give smb. a ~ испугать кого-л.; to give a ~ вздрогнуть; ◇ by fits and ~s урывками; неравномерно;
2. *v* 1) начинать; браться (*за что-л.*); to ~ a quarrel затеять ссору; to ~ a subject начать разговор о чём-л.; to ~ working взяться за работу; 2) начинаться; the fire ~ed in the kitchen сначала загорелось в кухне; 3) отправляться, пускаться в путь; трогаться (*о трамвае, поезде и т. п.*); the train has just ~ed поезд только что ушёл; to ~ on a journey отправиться путешествовать; to ~ for Leningrad отправиться в Ленинград; 4) учреждать, открывать (*предприятие и т. п.*); 5) пускать (*машину; тж.* ~ up); 6) *спорт.* давать старт; 7) *спорт.* стартовать; 8) помогать (*кому-л.*) начать (*какое-л. дело и т. п.*); 9) *ав.* взлетать; 10) вздрагивать, содрогаться; to ~ in one's seat привскочить на стуле; 11) вскочить, броситься (*тж.* ~ up); to ~ back отпрянуть, отскочить назад; to ~ forward броситься вперёд; 12) вспугивать; to ~ a hare *охот.* поднять зайца; 13) расшатать (-ся); 14) коробиться (*о дереве*); 15) разойтись (*о шве*); □ ~ in *разг.* начинать, приниматься; just ~ in and clean the room примитесь-ка за уборку комнаты; ~ out а) *разг.* собираться сделать (*что-л.*); he ~ed out to write a book он собрался написать книгу; б) отправиться в путь; в) *амер.* начинать; ~ up а) вскакивать; б) появляться; a new idea has ~ed up возникла новая идея; в) пускать в ход; to ~ up an engine запустить мотор; ~ with а): to ~ with начать с того...; прежде всего; you have no right to go there, to ~ with нужно начать с того, что вы не имеете права ходить туда; б) начинать с *чего-л.*; we had six members to ~ with у нас сперва было шесть членов; ◇ to ~ another hare поднять новый вопрос для обсуждения; переменить тему разговора.

starter ['stɑːtə] *n* 1) *спорт.* стартер, стартёр; 2) участник состязания; 3) *тех.* пусковой прибор; стартер (*у автомобиля*); 4) диспетчер.

starting-gate ['stɑːtɪŋgeɪt] *n* барьер на старте.

starting-lever ['stɑːtɪŋˌliːvə] *n тех.* пусковой рычаг.

starting-point ['stɑːtɪŋpɔɪnt] *n* отправной пункт, отправная точка.

starting-post ['stɑːtɪŋpoust] *n* стартовый столб.

startle ['stɑːtl] 1. *n* испуг;
2. *v* 1) испугать, сильно удивить; I was ~d by the news я был поражён известием; 2) возбуждать; to ~ a person out of his apathy вывести кого-л. из состояния апатии; 3) вздрагивать.

startler ['stɑːtlə] *n* сенсационное событие *или* заявление.

startling ['stɑːtlɪŋ] 1. *pres. p. от* startle 2;
2. *a* 1) потрясающий, ужасающий; 2) поразительный.

star turn ['stɑː'təːn] *n* главный номер программы.

starvation [stɑː'veɪʃən] *n* 1) голод; голодание; 2) голодная смерть.

starve [stɑːv] *v* 1) умирать от голода; 2) голодать; 3) *разг.* чувствовать голод; 4) морить голодом; to ~ into surrender взять измором; 5) лишать пищи, истощать (*тж. перен.*); 6) жаждать (for—*чего-л.*); 7) *уст.* умирать; to ~ with cold умирать от холода.

starveling ['stɑːvlɪŋ] 1. *n* 1) изнурённый, голодный человек; истощённое животное; 2) заморыш;
2. *a* голодный, изнурённый.

stash [stæʃ] *v амер. sl.* 1) копить, откладывать (*тж.* ~ away); 2) прекращать.

state I [steɪt] *n* 1) состояние; ~ of mind душевное состояние; things were in an untidy ~ всё было в беспорядке; in a ~ а) в беспорядке; б) в затруднении; в) в волнении, в возбуждении; to work oneself into a ~ взвинтить себя; what a ~ you are in! в каком вы виде!; ~ of emergency чрезвычайное положение; 2) строение, структура, форма; 3) положение, ранг; in a style befitting his ~ как подобает человеку его положения; persons in every ~ of life люди разного звания; 4) великолепие, пышность; in ~ с помпой; to lie in ~ быть выставленным для прощания (*о покойнике*); to receive in ~ устраивать торжественный приём;
2. *a* парадный; торжественный; ~ coach парадная карета;
3. *v* 1) заявлять, сообщать; this condition was expressly ~d это условие было специально оговорено; 2) констатировать; формулировать; излагать; to ~ one's case изложить своё дело; 3) *мат.* формулировать, выражать знаками.

state II [steɪt] 1. *n* 1) (*тж.* S.) государство; 2) штат; States General *ист.* Генеральные штаты;
2. *a* 1) государственный; S. Department государственный департамент (*министерство иностранных дел США*); ~ business дело государственной важности; ~ prisoner государственный преступник; ~ trial суд над государственным преступником; 2) *амер.* относящийся к отдельному штату

(*в отличие от* federal); S. rights автономия отдельных штатов США; S. Board of Education управление по делам образования в штате.

state-aided ['steɪt,eɪdɪd] *a* получающий субсидию от государства.

statecraft ['steɪtkrɑːft] *n* искусство управлять государством.

stated ['steɪtɪd] 1. *p. p. от* state I, 3; 2. *a* 1) установленный; назначенный; регулярный; at ~ intervals через определённые промежутки времени; ~ office hours определённые часы работы (*в учреждении*); 2) сформулированный; зафиксированный; 3) высказанный.

State-house ['steɪthaus] *n амер.* здание законодательного органа штата.

stately ['steɪtlɪ] *a* величавый, величественный, полный достоинства.

statement ['steɪtmənt] *n* 1) утверждение, заявление; to make a ~ заявлять, делать заявление; 2) изложение, формулировка; 3) официальный отчёт, бюллетень.

state-room ['steɪtrum] *n* 1) парадный зал; 2) отдельная каюта; 3) *амер.* купе.

stateside ['steɪtsaɪd] *разг.* 1. *a* относящийся к США; полученный из США; направляющийся в США; 2. *adv* из США; в США.

statesman ['steɪtsmən] *n* 1) государственный (*амер. тж.* политический) деятель; 2) мелкий землевладелец в Северной Англии.

statesmanship ['steɪtsmənʃɪp] = state-craft.

static(al) ['stætɪk(əl)] *a* статический, стационарный, неподвижный.

statics I ['stætɪks] *n pl* (*употр. как sing*) статика.

statics II ['stætɪks] *n pl радио* атмосферные помехи.

station ['steɪʃən] 1. *n* 1) место, пост; battle ~ боевой пост; he took up a convenient ~ он занял удобную позицию; they returned to their several ~s они вернулись на свои места; 2) станция, пункт; dressing ~ перевязочный пункт; wireless ~ радиостанция; 3) остановка (*автобуса и т. п.*); 4) железнодорожная станция, вокзал (*тж.* railway ~); 5) *амер.* почтовое отделение; 6) военно-морская база (*тж.* naval ~); 7) военный пост *или* форт (*в Индии*); 8) *австрал.* овцеводческая ферма; овечье пастбище; 9) геодезический пункт; 10) общественное положение; профессия, звание; 11) *биол.* ареал; 12) *attr.* станционный;

2. *v* 1) ставить на (*определённое*) место; помещать; to ~ oneself расположиться; 2) *воен.* размещать; to ~ a guard выставить караул.

stationary ['steɪʃnərɪ] *a* 1) неподвижный, закреплённый, стационарный; ~ troops местные войска; 2) постоянный, неизменный; ~ air воздух, остающийся в лёгких после нормального выдоха; ~ temperature постоянная температура; 3): ~ warfare позиционная война.

stationer ['steɪʃnə] *n* 1) торговец канце-

лярскими принадлежностями; 2) *уст.* книгоиздатель; книготорговец.

stationery ['steɪʃnərɪ] *n* 1) канцелярские принадлежности; 2) писчебумажный магазин.

station-house ['steɪʃənhaus] *n* полицейский участок.

station-master ['steɪʃən,mɑːstə] *n ж.-д.* начальник станции.

station-wagon ['steɪʃən,wægən] *n* большой автомобиль (*с багажником и откидным сиденьем*).

statist ['steɪtɪst] = statistician.

statistic(al) [stə'tɪstɪk(əl)] *a* статистический.

statistician [,stætɪs'tɪʃən] *n* статистик.

statistics [stə'tɪstɪks] *n pl* 1) (*употр. как sing*) статистика; 2) статистические данные.

statuary ['stætjuərɪ] 1. *n* 1) *собир.* скульптура; 2) скульптура (*вид искусства*); 3) скульптор;

2. *a* 1) скульптурный; 2) пригодный для скульптурных работ (*о материале*).

statue ['stætjuː] *n* статуя, изваяние.

statuesque [,stætju'esk] *a* величавый.

statuette [,stætju'et] *n* статуэтка.

stature ['stætʃə] *n* рост, стан, фигура; to grow in ~ расти; above average ~ выше среднего роста.

status ['steɪtəs] *n* 1) статус, общественное положение; 2) состояние, положение дел; 3) *юр.* установленное законом отношение лица к другим лицам *или* к государству.

status quo ['steɪtəs'kwou] *лат. n* статус кво.

statute ['stætjuːt] *n* 1) статут; закон, законодательный акт парламента; 2) устав.

statute-book ['stætjuːtbuk] *n* свод законов.

statute law ['stætjuːt'lɔː] *n* писаный закон (*противоп.* common law).

statutory ['stætjutərɪ] *a* установленный (законом).

staunch I [stɔːntʃ] *a* 1) водонепроницаемый; 2) верный, стойкий; лояльный; 3) прочный, основательный.

staunch II [stɔːntʃ] = stanch I.

stave [steɪv] 1. *n* 1) бочарная доска, клёпка; 2) перекладина (*приставной лестницы*); 3) *прос.* строфа; = staff I,5); 2. *v* (staved [-d], stove) снабжать бочарными клёпками; □ ~ in разбить, проломить (*бочку, лодку и пр.*); ~ off a) предотвратить *или* отсрочить (*бедствие и т. п.*); б) отбросить (*противника*).

staves [steɪvz] *pl от* staff I, 5).

stay I [steɪ] 1. *n* 1) пребывание; I shall make a week's ~ there я пробуду там неделю; 2) остановка; стоянка; 3) узда, преграда; 4) *юр.* отсрочка, приостановка судопроизводства; 5) выносливость; выдержка; 6) опора, поддержка; 7) связь; оттяжка; 8) *pl* корсет (*тж.* pair of ~s); 9) *тех.* люнет;

2. *v* 1) останавливать, сдерживать; задерживать; to ~ one's hand воздерживаться от действия; 2) оставаться, задерживаться (*тж.* ~ on); ~ here till I return побудьте

здесь, пока́ я не верну́сь; to ~ put *амер.*
а) остава́ться неподви́жным, замере́ть на
ме́сте; б) остава́ться неизме́нным; to ~ calm
(cool) сохраня́ть споко́йствие (хладнокро́-
вие); to come to ~ войти́ в употребле́ние,
укорени́ться, приви́ться, получи́ть призна́-
ние; it has come to ~ *разг.* э́то надо́лго;
3) остана́вливаться, жить (at); гости́ть
(with); 4) (*особ. в повел. накл.*) ждать,
ме́длить; ~! not so fast! подожди́те!, не так
бы́стро!; куда́ вы торо́питесь?; 5) *разг.*
выде́рживать, выноси́ть, быть в состоя́нии
продолжа́ть; не отстава́ть; 6) придава́ть
жёсткость, сто́йкость *или* про́чность кон-
стру́кции; подде́рживать, укрепля́ть, свя́-
зывать; 7) подде́рживать; 8) затя́гивать
в корсе́т; 9) утоля́ть (*боль, голод и т. п.*);
to ~ one's stomach ≅ замори́ть червячка́;
10) *юр.* приостана́вливать судопроизво́д-
ство; □ ~ away не приходи́ть, не явля́ть-
ся; to ~ away from smth., smb. держа́ться
пода́льше от чего́-л., кого́-л.; ~ in остава́ть-
ся до́ма, не выходи́ть; ~ on продолжа́ть
остава́ться; заде́рживаться; ~ out а) не
возвраща́ться домо́й; б) отсу́тствовать;
в) пересиде́ть (*други́х госте́й*); ~ up не ло-
жи́ться.
   stay II [steɪ] *мор.* **1.** *n* штаг; a ship in
~s лави́рующее су́дно;
   2. *v* 1) укрепля́ть; оття́гивать; 2) де́-
лать поворо́т оверштаг.
   stay-at-home ['steɪəthoum] **1.** *n* домо-
се́д(ка).
   2. *a:* he is not the ~ sort он не лю́бит
сиде́ть до́ма.
   stay-bolt ['steɪboult] *n тех.* а́нкерный
болт, распо́рный болт.
   stay-down ['steɪ'daun] *a:* ~ strike италь-
я́нская забасто́вка.
   stayed I [steɪd] **1.** *p. p. от* stay I, 2;
   2. *a* затя́нутый в корсе́т.
   stayed II [steɪd] *p. p. от* stay II, 2.
   stayer ['steɪə] *n* 1) выно́сливый челове́к
или живо́тное; 2) *спорт.* ста́йер.
   staying I ['steɪɪŋ] **1.** *pres. p. от* stay I, 2;
   2. *a* 1) остана́вливающий(ся), заде́ржи-
вающий(ся); сде́рживающий(ся); 2) оста-
ю́щийся неизме́нным, неослабева́ющий; ~
power(s) выно́сливость, вы́держка; спо-
со́бность к дли́тельному де́йствию с не-
ослабева́ющей си́лой.
   staying II ['steɪɪŋ] *pres. p. от* stay II, 2.
   stay-lace ['steɪleɪs] *n* шнуро́вка для кор-
се́та.
   staysail ['steɪsl] *n мор.* ста́ксель.
   stead [sted] *n:* in smb.'s ~, in ~ of smb.
вме́сто кого́-л., за кого́-л.; to stand smb.
in good ~ пригоди́ться, оказа́ться поле́з-
ным кому́-л.
   steadfast ['stedfəst] *a* 1) твёрдый; про́ч-
ный; усто́йчивый; ~ gaze при́стальный
взгляд; 2) сто́йкий, непоколеби́мый; ~
faith непоколеби́мая ве́ра.
   steading ['stedɪŋ] *n* фе́рма, уса́дьба, ху́-
тор.
   steady ['stedɪ] **1.** *a* 1) усто́йчивый; уста-
нови́вшийся; 2) равноме́рный, ро́вный;
3) постоя́нный, неизме́нный, неукло́нный;
~ flow of talk непреры́вный пото́к слов;

4) твёрдый, ве́рный, непоколеби́мый; ~
hand а) твёрдая рука́; б) твёрдое руково́д-
ство; ~ resolve непрекло́нное реше́ние;
~ as a rock твёрдый как скала́; 5) степе́н-
ный, споко́йный; a ~ young fellow уравно́-
ве́шенный молодо́й челове́к; 6) тре́звый,
серьёзный, надёжный;
   2. *v* 1) де́лать(ся) твёрдым, усто́йчи-
вым; the boat steadied ло́дка пришла́ в равнове́-
сие; 2) остепени́ться; he will soon ~ (down)
он ско́ро остепени́тся;
   3. *n* 1) *амер. разг.* жени́х; неве́ста; воз-
лю́бленный; возлю́бленная; 2) *тех.* опо́ра,
люне́т;
   4. *int* осторо́жно!
   steak [steɪk] *n* 1) кусо́к мя́са *или* ры́бы
(*для жаре́нья*); 2) бифште́кс.
   steal [stiːl] **1.** *v* (stole; stolen) 1) воро-
ва́ть, красть; 2) сде́лать (*что́-л.*) незаме́т-
но, укра́дкой; тайко́м доби́ться (*чего́-л.*);
to ~ a glance взгляну́ть укра́дкой; to ~
a ride е́хать за́йцем; to ~ a march on smb.
опереди́ть кого́-л. (*в чём-л.*); 3) кра́сться,
прокра́дываться (*тж.* ~ up); 4) посте́пенно
овладева́ть, захва́тывать (*о чу́встве и т. п.*);
a sense of peace stole over him им овладе́ло
чу́вство споко́йствия; 5) овладева́ть, за-
владева́ть, добива́ться (*тж.* ~ away);
   □ ~ away а) незаме́тно ускользну́ть;
б) овладева́ть, завладева́ть, добива́ться;
~ by проскользну́ть ми́мо; ~ in войти́
кра́дучись; ~ out улизну́ть; ~ up подкра́сть-
ся;
   2. *n разг.* 1) воровство́; 2) укра́денный
предме́т; 3) что́-л., ку́пленное о́чень дёшево.
   stealing ['stiːlɪŋ] **1.** *pres. p. от* steal 1;
   2. *n* 1) воровство́; 2) (*обыкн. pl*) укра́-
денное, кра́деные ве́щи.
   stealth [stelθ] *n:* by ~ укра́дкой, втихо-
мо́лку, тайко́м.
   stealthily ['stelθɪlɪ] *adv* укра́дкой, та́йно,
втихомо́лку.
   stealthy ['stelθɪ] *a* 1) та́йный, скры́тый;
~ glance взгляд укра́дкой; ~ whisper
осторо́жный шёпот; 2) бесшу́мный.
   steam [stiːm] **1.** *n* 1) пар; live ~ о́стрый
пар; saturated ~ насы́щенный пар; wet ~
вла́жный пар; full ~ ahead! вперёд на всех
пара́х!; to get up ~ развести́ пары́; *перен.*
собра́ться с си́лами; разви́ть эне́ргию;
to let (*или* to blow) off ~ вы́пустить пары́;
перен. дать вы́ход свои́м чу́вствам; to put on
~ подба́вить па́ру; 2) испаре́ние; 3) *разг.*
энтузиа́зм; эне́ргия;
   2. *a* парово́й;
   3. *v* 1) выпуска́ть пар; 2) поднима́ться
в ви́де па́ра; 3) дви́гаться посре́дством па́ра;
идти́ под пара́ми; 4) *разг.* развива́ть боль-
шу́ю эне́ргию, «жа́рить»; 5) вари́ть на па-
ру́; 6) запотева́ть, отпотева́ть; 7) подвер-
га́ть де́йствию па́ра; па́рить, выпа́ривать;
to ~ open откле́ивать с по́мощью па́ра;
   □ ~ away выкипа́ть.
   steamboat ['stiːmbout] *n* парохо́д.
   steam-boiler ['stiːm,bɔɪlə] *n* парово́й котёл.
   steam-coal ['stiːmkoul] *n* парови́чный
у́голь.

steam-driven ['stiːm,drɪvn] *a* приводимый в движе́ние па́ром.

steam-engine ['stiːm,endʒɪn] *n* парова́я маши́на, парово́й дви́гатель.

steamer ['stiːmə] *n* 1) парохо́д; 2) котёл для ва́рки на пару́.

steam-gauge ['stiːmgeɪdʒ] *n* мано́метр.

steam-hammer ['stiːmˈhæmə] *n* парово́й мо́лот; ◇ to use a ~ to crack nuts ≡ стреля́ть из пу́шек по воробья́м.

steam-heat ['stiːmhiːt] *n* тепло́, отдава́емое па́ром при конденса́ции.

steam-jacket ['stiːmˌdʒækɪt] *n тех.* парова́я руба́шка.

steam-launch ['stiːmlɔːnʃ] *n* парово́й ка́тер.

steam navvy ['stiːmˈnævɪ] *n* землечерпа́лка, механи́ческий экскава́тор.

steam-power ['stiːmˌpauə] *n* эне́ргия па́ра.

steam-roller ['stiːmˌroulə] *n* 1) парово́й като́к; 2) *перен.* непреодоли́мая си́ла.

steamship ['stiːmʃɪp] *n* парохо́д.

steamshop ['stiːmʃɔp] *n* коте́льная, кочега́рка.

steam shovel ['stiːmˈʃʌvl] = steam navvy.

steam table ['stiːmˈteɪbl] *n* марми́т (*подогрева́тельный шкаф в столо́вых, рестора́нах*).

steam-tight ['stiːmtaɪt] *a* паронепроница́емый.

steam-turbine ['stiːm,tɜːbɪn] *n* парова́я турби́на.

steamy ['stiːmɪ] *a* 1) парообра́зный; 2) насы́щенный пара́ми; 3) испаря́ющийся.

stearin ['stɪərɪn] *n* стеари́н.

steatite ['stɪətaɪt] *n мин.* мы́льный ка́мень, стеати́т, жирови́к.

steed [stiːd] *n поэт., шутл.* конь.

steel [stiːl] 1. *n* 1) сталь; a grip of ~ желе́зная хва́тка; true as ~ абсолю́тно пре́данный и ве́рный; 2) меч, шпа́га; cold ~ холо́дное ору́жие; a foeman worthy of one's ~ досто́йный проти́вник; 3) точи́ло; 4) огни́во; 5) стальна́я планше́тка; 6) *тех.* стально́й бур;
2. *a* 1) стально́й; 2) жесто́кий;
3. *v* 1) покрыва́ть ста́лью; снабжа́ть стальны́м наконе́чником *и т. п.*; 2) закаля́ть; ожесточа́ть; to ~ one's heart, to ~ oneself against pity (fear) заста́вить себя́ забы́ть жа́лость (страх).

steel-blue ['stiːlˈbluː] 1. *n* синева́то-стально́й цвет;
2. *a* синева́то-стально́го цве́та.

steel-clad ['stiːlklæd] *a* брониро́ванный, зако́ванный в броню́.

steel-engraving ['stiːlɪnˈgreɪvɪŋ] *n* гравю́ра на ста́ли.

steel-gray ['stiːlˈgreɪ] 1. *n* се́рый цвет с голубы́м отли́вом;
2. *a* се́рый с голубы́м отли́вом.

steel-plated ['stiːlˈpleɪtɪd] *a* брониро́ванный, обши́тый ста́лью.

steel wool ['stiːlˈwul] *n* то́нкая стальна́я стру́жка для чи́стки кастрю́ль *и т. п.*

steelwork ['stiːlwɜːk] *n* 1) *собир.* стальны́е изде́лия, стальна́я констру́кция, фе́рма *и т. п.*; 3) *pl* (*употр. как sing и как pl*) сталелите́йный заво́д.

steely ['stiːlɪ] *a* 1) стально́й, из ста́ли; 2) непрекло́нный, суро́вый; твёрдый как сталь.

steelyard ['stiːljɑːd] *n* безме́н.

steep I [stiːp] 1. *a* 1) круто́й; 2) *разг.* чрезме́рный, непоме́рно высо́кий; it seems a bit ~ э́то уже́ сли́шком; 3) невероя́тный, преувели́ченный, неправдоподо́бный;
2. *n* кру́ча, стремни́на.

steep II [stiːp] 1. *n* 1) погруже́ние (в жи́дкость); пропи́тка; 2) ва́нна для пропи́тки;
2. *v* 1) погружа́ть (в жи́дкость); пропи́тывать; 2) погружа́ться, уходи́ть с голово́й; погря́знуть; to ~ in prejudice погря́знуть в предрассу́дках; to ~ in slumber погрузи́ться в сон; to be ~ed in literature уйти́ с голово́й в литерату́ру; 3) бу́чить, выщела́чивать.

steepen ['stiːpən] *v* де́лать(ся) кру́че.

steeple ['stiːpl] *n* 1) пирамида́льная кры́ша, шпиц, шпиль; 2) колоко́льня.

steeplechase ['stiːpltʃeɪs] *n* бег *или* ска́чки с препя́тствиями.

steeplechaser ['stiːplˌtʃeɪsə] *n* 1) уча́стник ска́чек *или* бе́га с препя́тствиями; 2) ло́шадь, уча́ствующая в ска́чках с препя́тствиями.

steeplejack ['stiːpldʒæk] *n* верхола́з.

steer I [stɪə] 1. *v* 1) пра́вить рулём, управля́ть (*автомоби́лем и т. п.*); вести́ су́дно; 2) слу́шаться управле́ния; this car ~s easily э́той маши́ной легко́ пра́вить; 3) направля́ться; *перен.* предпринима́ть шаги́ в изве́стном направле́нии; to ~ clear избега́ть, сторони́ться; to ~ a middle course избега́ть кра́йностей; to ~ a steady course неукло́нно идти́ свое́й доро́гой; 4) направля́ть уси́лия, контроли́ровать де́йствия, руково́дить;
2. *n амер. sl.* намёк, подска́зка.

steer II [stɪə] *n* кастри́рованный бычо́к; молодо́й вол.

steerage ['stɪərɪdʒ] *n* 1) управле́ние рулём; 2) си́ла руля́; 3) четвёртый класс (*па́лубные пассажи́рские места́ на парохо́де*).

steering committee ['stɪərɪŋkəˈmɪtɪ] *n* коми́ссия по вы́работке регла́мента.

steering-gear ['stɪərɪŋgɪə] *n* рулево́й меха́низм; *мор.* рулево́е устро́йство.

steering-wheel ['stɪərɪŋwiːl] *n* 1) рулево́е колесо́; 2) *мор., ав.* штурва́л, колесо́ штурва́ла.

steersman ['stɪəzmən] *n* рулево́й.

stein [staɪn] *нем. n* пивна́я кру́жка.

stelae ['stiːliː] *pl от* stele I.

stele I ['stiːlɪ] *греч. n* (*pl* -ae) 1) надгро́бный обели́ск, коло́нна; 2) *бот.* сте́ла.

stele II [stiːl] *n* рукоя́тка; дре́вко копья́.

stellar ['stelə] *a* 1) звёздный; 2) звездообра́зный; 3) веду́щий, гла́вный (*об арти́сте, ро́ли и т. п.*).

stellate, stellated ['stelɪt, 'steleɪtɪd] *a* звездообра́зный; расходя́щийся луча́ми в ви́де звезды́.

stellular ['steljuːlə] *a* 1) = stellate; 2) усы́панный, покры́тый звёздочками.

stem I [stem] 1. *n* 1) ствол; сте́бель; 2) черено́к, рукоя́тка (*инструме́нта*); 3) но́жка (*бокала и т. п.*); 4) голо́вка часо́в; 5) род; пле́мя; 6) гроздь (*или* сопло́дие) бана́нов; 7) *грам.* осно́ва; 8) *мор.* форштё́вень, нос; from ~ to stern по всему́ су́дну; 9) *тех.* сте́ржень, вал; коро́ткая соедини́тельная дета́ль; 10) *полигр.* вертика́льный штрих бу́квы;

2. *v* 1) происходи́ть (from, out of); 2) чи́стить я́годы; 3) приде́лывать стебельки́ (*к искусственным цветам*); 4) *уст.* расти́ пря́мо (*как стебель*).

stem II [stem] **1.** *v* 1) запру́живать; заде́рживать; to ~ the tide станови́ться на пути́, препя́тствовать разви́тию, движе́нию *и т. п.*; 2) идти́ про́тив тече́ния, сопротивля́ться; to ~ difficulties боро́ться с тру́дностями; 3) *спорт.* тормози́ть лы́жами;

2. *n* = stem-turn.

stem-plough ['stemplau] *n спорт.* поворо́т на лы́жах «в плу́ге».

stem-turn ['stemtə:n] *n спорт.* поворо́т (на лы́жах) упо́ром.

stench [stentʃ] *n* злово́ние.

stencil ['stensl] **1.** *n* 1) шабло́н, трафаре́т; 2) узо́р *или* на́дпись по трафаре́ту;

2. *v* наноси́ть узо́р *или* на́дпись по трафаре́ту.

stencil-plate ['stenslpleit] = stencil 1, 1).

stenograph ['stenəgraːf] **1.** *n* 1) стенографи́ческий знак; 2) стенографи́ческая за́пись;

2. *v* стенографи́ровать.

stenographer [ste'nɔgrəfə] *n* стенографи́ст(ка).

stenographic [ˌstenɔ'græfik] *a* стенографи́ческий.

stenography [ste'nɔgrəfi] *n* стеногра́фия.

stenosis [sti'nousis] *n мед.* стено́з.

stentorian [sten'tɔːriən] *a* громово́й, зы́чный (*о голосе*).

step [step] **1.** *n* 1) шаг; ~ by ~ шаг за ша́гом; at every ~ на ка́ждом шагу́; in ~ a) в но́гу; б): to be in ~ соотве́тствовать; out of ~ не в но́гу; to keep ~ with идти́ в но́гу с; to turn one's ~s напра́виться; to bring into ~ согласова́ть во вре́мени; 2) звук шаго́в; 3) по́ступь, похо́дка; 4) след (*ноги*); to follow smb.'s ~s, to tread in the ~s of smb. *перен.* идти́ по чьим-л. стопа́м; 5) коро́ткое расстоя́ние; it is but a few ~s to my house до моего́ до́ма всего́ два шага́; 6) па (*в танцах*); 7) шаг, посту́пок; ме́ра; a false ~ ло́жный шаг; to take ~s принима́ть ме́ры; to watch one's ~s де́йствовать осторо́жно; 8) ступе́нь, ступе́нька; подно́жка, приступа́ка; поро́г; подъём; flight of ~s марш ле́стницы; 9) pl стремя́нка (*тж.* a pair of ~s); 10) *мор.* сте́пс, гнездо́ (*мачты*); 11) *тех.* ход (*спирали*); ◇ to get one's ~ получи́ть повыше́ние; it is the first ~ that costs *посл.* ≅ тру́ден то́лько пе́рвый шаг;

2. *v* 1) шага́ть, ступа́ть; to ~ high высоко́ поднима́ть но́ги (*особ. о рысаке*); to ~ short не рассчита́ть длину́ ша́га; to ~ lightly ступа́ть легко́; to ~ out briskly идти́ бы́стро; ~ lively! *амер.* живе́й!; потора́пливайтесь!; 2) де́лать па (*в танце*); to ~ it a)

танцева́ть; б) идти́ пешко́м; 3) измеря́ть шага́ми (*тж.* ~ out); 4) *мор.* ста́вить ма́чту в степс; 5) *эл.* трансформи́ровать (*ток*); □ ~ aside посторони́ться; *перен.* уступи́ть доро́гу друго́му; ~ back отступи́ть; б) уступи́ть; ~ down a) спусти́ться; б) вы́йти (*из экипажа*); в) *эл.* понижа́ть напряже́ние; ~ in a) входи́ть; б) включа́ться (*в дело и т. п.*); в) вме́шиваться; ~ into входи́ть; ~ off a) сходи́ть; б) *амер. sl.* сде́лать оши́бку; в) умере́ть; ~ on наступа́ть на́ ноги (*в танце и т. п.*; *тж.* перен.); I hate to be ~ped on я не переношу́ толкотни́; ~ out a) выходи́ть (*особ. ненадолго*); б) шага́ть больши́ми шага́ми; прибавля́ть ша́гу; б) ме́рить шага́ми; ~ up a) подойти́, б) *амер.* продвига́ть; подводи́ть; в) *амер.* увели́чивать(ся); ускоря́ть(ся); г) *эл.* повыша́ть напряже́ние; ◇ ~ on it! *разг.* живе́й!, потора́пливайся!, поворачивайся!

stepbrother ['step,brʌðə] *n* сво́дный брат.

stepchild ['stepʃaild] *n* па́сынок; па́дчерица.

stepdame ['stepdeim] *уст.* = stepmother.

stepdaughter ['step,dɔːtə] *n* па́дчерица.

step-down transformer ['step'dauntræns-'fɔːmə] *n эл.* понижа́ющий трансформа́тор.

stepfather ['step,fɑːðə] *n* о́тчим.

step-in ['step'in] *n* предме́т да́мского белья́ (*резиновый пояс и т. п.*).

step-ladder ['step,lædə] *n* (ле́стница-)стремя́нка.

stepmother ['step,mʌðə] *n* ма́чеха.

stepmotherly ['step,mʌðəli] *a* незабо́тливый; неприя́зненный.

stepney ['stepni] *n* запасно́е автомоби́льное колесо́.

steppe [step] *рус. n* степь.

stepping-stone ['stepiŋstoun] *n* 1) ка́мень, поло́женный для перехо́да че́рез ре́чку; 2) что-л., спосо́бствующее улучше́нию положе́ния *или* состоя́ния; сре́дство к достиже́нию це́ли.

stepsister ['step,sistə] *n* сво́дная сестра́.

stepson ['stepsʌn] *n* па́сынок.

step-up transformer ['step'ʌptræns'fɔːmə] *n эл.* повыша́ющий трансформа́тор.

stereo ['stiəriou] *n сокр. разг.* 1) см. stereoscope; 2) см. stereoscopic; 3) см. stereotype.

stereochemistry [ˌstiəri'kemistri] *n* стереохи́мия.

stereography [ˌstiəri'ɔgrəfi] *n* стереогра́фия.

stereometry [ˌstiəri'ɔmitri] *n* стереоме́трия.

stereophonic [ˌstiəriə'fɔnik] *a* стереофони́ческий.

stereoscope ['stiəriəskoup] *n* стереоско́п.

stereoscopic [ˌstiəriəs'kɔpik] *a* стереоскопи́ческий; ~ telescope стереотруба́.

stereotype ['stiəriətaip] **1.** *n полигр.* стереоти́п.

2. *a полигр.* стереоти́пный (*тж. перен.*);

3. *v* 1) *полигр.* стереотипи́ровать; 2) *полигр.* печа́тать со стереоти́па; 3) устана́вливать постоя́нную фо́рму (*чего-л.*); придава́ть шабло́нность.

stereotyped ['stiəriətaipt] **1.** *p.p. от* stereotype 3;

2. *a* 1) *полигр.* стереоти́пный; 2) стереоти́пный, неоригина́льный, шабло́нный.

sterile ['sterail] *a* 1) беспло́дный, неспосо́бный к оплодотворе́нию; 2) безрезульта́тный; 3) стери́льный, стерилизо́ванный.

sterility [ste'rılıtı] *n* 1) беспло́дие; 2) беспло́дность; 3) стери́льность.

sterilization [,sterılaı'zeıʃən] *n* стерилиза́ция.

sterilize ['sterılaız] *v* 1) де́лать беспло́дным; 2) стерилизова́ть.

sterilizer ['sterılaızə] *n* стерилиза́тор.

sterlet ['stɑːlıt] *рус. n* стёрлядь.

sterling ['stɑːlıŋ] **1.** *a* 1) устано́вленной про́бы, полнове́сный, полноце́нный (*об англ. монетах*); pound ~ фунт сте́рлингов; in ~ coin of the realm полнове́сной англи́йской моне́той; 2) надёжный; соли́дный; ~ fellow надёжный челове́к; a work of ~ merit произведе́ние высо́кого досто́инства; 2. *n* 1) англи́йская валю́та; 2) *attr.* сте́рлинговый; ~ area сте́рлинговая зо́на.

stern I [stɑːn] *a* стро́гий, суро́вый; неумоли́мый; ~ resolve непрекло́нное реше́ние; the ~er sex си́льный пол (*мужчины*).

stern II [stɑːn] *n* 1) *мор.* корма́; 2) зад (*животного*); 3) хвост, пра́вило (*у гончей*); 4) *attr.* кормово́й, за́дний.

sterna ['stɑːnə] *pl от* sternum.

stern-post ['stɑːnpoust] *n* 1) *мор.* ахтершто́вень; 2) *ав.* хвостова́я замыка́ющая сто́йка.

sternum ['stɑːnəm] *n* (*pl* -na) *анат.* груди́на.

sternutation [,stɑːnjuː'teıʃən] *n* чиха́нье.

sternutative, sternutatory [stə'njutətıv, -tərı] *a* вызыва́ющий чиха́нье.

stertorous ['stɑːtərəs] *a* тяжёлый, хрипя́щий, затруднённый (*о дыхании*).

stethoscope ['steθəskoup] *мед.* **1.** *n* стетоско́п; **2.** *v* выслу́шивать стетоско́пом.

stevedore ['stiːvıdɔː] **1.** *n* порто́вый гру́зчик; **2.** *v* быть порто́вым гру́зчиком.

stew I [stjuː] **1.** *n* 1) тушёное мя́со; Irish ~ тушёная бара́нина с лу́ком и карто́фелем; 2) *разг.* беспоко́йство, волне́ние; in a ~ в беспоко́йстве; как на иго́лках; 2. *v* 1) туши́ть(ся), вари́ть(ся); 2) поте́ть, изнемога́ть от жары́; 3) волнова́ться, беспоко́иться; взви́нчивать себя́ (*тж.* ~ up); ◇ to ~ in one's own juice а) вари́ться в со́бственном соку́; б) страда́ть от свои́х со́бственных де́йствий.

stew II [stjuː] *n* живоры́бный *или* у́стричный садо́к.

stew III [stjuː] *n уст.* 1) (*обыкн. pl*) публи́чный дом; 2) проститу́тка.

steward [stjuəd] *n* 1) управля́ющий (*имением и т. п.*); 2) заве́дующий хозя́йством; эконо́м (*клуба и т. п.*); 3) официа́нт (*на парохо́де*); 4) распоряди́тель (*на ска́чках, бала́х и т. п.*); 5) сенеша́ль; Lord High S. of England а) лорд-распоряди́тель на корона́ции; б) председа́тель суда́ пэ́ров; Lord S. of the Household гла́вный камерге́р.

stewardess ['stjuədıs] *n* го́рничная (*на парохо́де*); стюарде́сса, бортпроводни́ца.

stewardship ['stjuədʃıp] *n* 1) до́лжность управля́ющего *и пр.* [*см.* steward]; 2) управле́ние.

stewed [stjuːd] **1.** *p. p. от* stew I, 2; **2.** *a* 1) тушёный; ~ fruit компо́т; 2) *sl.* пья́ный.

stew-pan ['stjuːpæn] *n* кастрю́ля; соте́йник.

stew-pot ['stjuːpɔt] = stew-pan.

stick [stık] **1.** *n* 1) па́лка; прут; трость; стек; ко́лышек; по́сох; жезл; 2) брусо́к, па́лочка (*сургуча́, мы́ла для бритья́ и т. п.*); ~ of chocolate пли́тка шокола́да; ~ of chewing gum пли́точка жева́тельной рези́нки; 3) ве́точка, ве́тка; 4) *разг.* вя́лый *или* тупова́тый челове́к; тупи́ца; недалёкий *или* ко́сный челове́к; 5) *муз.* дирижёрская па́лочка; 6) *тех.* рукоя́тка; 7) *текст.* трепа́ло, мя́лка; 8) *полигр.* верста́тка; 9) *мор. разг.* ма́чта; *воен.* се́рия (*бомб*); ◇ to cut one's ~ *sl.* удра́ть, улизну́ть;

2. *v* (stuck) 1) втыка́ть, вка́лывать, вонза́ть; натыка́ть, наса́живать (*на острие́*); утыка́ть; 2) торча́ть (*тж.* ~ out); 3) коло́ть, зака́лывать; to ~ pigs а) зака́лывать свине́й; б) охо́титься на кабано́в верхо́м с копьём; 4) *разг.* класть, ста́вить, сова́ть; 5) прикле́ивать; накле́ивать, раскле́ивать; 6) ли́пнуть; приса́сываться; прикле́иваться; to be stuck with smth. не име́ть возмо́жности отде́латься от чего́-л.; the envelope won't ~ конве́рт не закле́ивается; the nickname stuck (to him) про́звище приста́ло к нему́; to ~ on (a horse) *разг.* кре́пко сиде́ть (на ло́шади); 7) остава́ться; to ~ at home торча́ть до́ма; 8) держа́ться, приде́рживаться (to—чего́-л.); упо́рствовать (to—в чём-л.); остава́ться ве́рным (*дру́гу, сло́ву, до́лгу*); to ~ to one's friends in trouble не оставля́ть друзе́й в беде́; friends ~ together друзья́ де́ржатся вме́сте; to ~ to business не отвлека́ться; to ~ to it упо́рствовать, стоя́ть на чём-л.; to ~ to the point держа́ться бли́же к де́лу; 9) застря́ть, завя́знуть; to ~ fast основа́тельно застря́ть; the door ~s дверь заеда́ет; the key has stuck in the lock ключ застря́л в замке́; 10) *разг.* терпе́ть, выде́рживать; to ~ it терпели́во выноси́ть; I could not ~ it any longer я бо́льше не смог э́того вы́терпеть; 11) озада́чить, поста́вить в тупи́к; 12) залежа́ться (о това́ре); 13) *разг.* обма́нывать; 14) *разг.* заста́вить (кого́-л.) заплати́ть; 15) *полигр.* вставля́ть в верста́тку; □ ~ around *sl.* слоня́ться побли́зости, не уходи́ть; ~ at упо́рно продолжа́ть; to ~ at a piece of work насто́йчиво рабо́тать над каки́м-л. объе́ктом; to ~ at nothing ни пе́ред чем не остана́вливаться; ~ on припи́сывать к счёту; ~ out а) высо́вывать(ся); торча́ть; to ~ out one's chest выпя́чивать грудь; б) не поддава́ться; в) бастова́ть; ~ out for наста́ивать на чём-л.; ~ up а) выдава́ться, торча́ть; his hair stuck up on end у него́ во́лосы стоя́ли торчко́м; б) ста́вить торчко́м; в) *sl.* ста́вить в тупи́к; г)*sl.* остана́вливать с це́лью ограбле́ния; ~ up for защища́ть, поддержи́вать; to ~ up for one's rights защища́ть свои права́; ~ up to не подчиня́ться; ока́зывать сопротивле́ние; ◇ to ~ out a mile быть соверше́нно очеви́дным; to ~ smb. for money кля́нчить у кого́-л., пыта́ться одолжи́ть де́ньги; stuck on *амер. sl.* влюблённый.

sticker [ˈstɪkə] *n* 1) колю́чка, шип; 2) расклейщик афи́ш; 3) *амер.* афи́ша; объявле́ние (*расклеиваемое на улице*); 4) засиде́вшийся гость; 5) упо́рный, насто́йчивый челове́к; 6) забасто́вщик.

stickful [ˈstɪkful] *n полигр.* по́лная верста́тка.

sticking-plaster [ˈstɪkɪŋˌplɑːstə] *n* ли́пкий пла́стырь.

stick-in-the-mud [ˈstɪkɪnðəmʌd] **1.** *n* 1) ко́сный челове́к; отста́лый челове́к; 2) *sl.*: Mr S. как бишь его́;
2. *a* отста́лый; ко́сный.

stickjaw [ˈstɪkdʒɔː] *n разг.* тяну́чка.

stickle [ˈstɪkl] *v* 1) возража́ть, упря́мо спо́рить; 2) сомнева́ться, колеба́ться.

stickleback [ˈstɪklbæk] *n* ко́люшка (*рыба*).

stickler [ˈstɪklə] *n* я́рый сторо́нник, защи́тник (for-*чего-л.*).

stickpin [ˈstɪkpɪn] *n амер.* була́вка для га́лстука.

stick-up [ˈstɪkʌp] *n* 1) *разг.* стоя́чий воротни́к; 2) *sl.* налёт, ограбле́ние.

sticky [ˈstɪkɪ] *a* 1) ли́пкий, кле́йкий; 2) нереши́тельный; 3) придирчивый, нетерпи́мый; 4) жа́ркий и вла́жный; 5) *разг.* о́чень неприя́тный; ~ end катастро́фа; неприя́тность; ~ wicket сло́жная обстано́вка, щекотли́вое положе́ние.

stiff [stɪf] **1.** *a* 1) туго́й, неги́бкий, неэласти́чный; жёсткий; ~ cardboard негну́щийся карто́н; 2) окостене́вший; одеревене́лый; ~ in death окочене́вший (*о трупе*); ~ joints окостене́вшие суста́вы; I have a ~ neck мне надуло ше́ю; I feel ~ у меня́ всё те́ло но́ет; 3) пло́тный, густо́й; ~ dough густо́е те́сто; 4) непрекло́нный, непоколеби́мый; ~ denial реши́тельный отка́з; 5) натя́нутый, принуждённый, чо́порный; ~ bow холо́дный покло́н; 6) тру́дный; ~ task нелёгкая зада́ча; ~ examination тру́дный экза́мен; 7) си́льный (*о ветре*); 8) сильноде́йствующий; кре́пкий (*о напитке*); ~ a doze of medicine си́льная до́за лека́рства; 9) чрезме́рный (*о требовании и т. п.*); 10) высо́кий (*о ценах*); усто́йчивый (*о ценах, рынке*); 11) стро́гий (*о наказании, пригово́ре и т. п.*); 12) *predic. разг.* до изнеможе́ния, до́ смерти; they bored me ~ я чуть не у́мер от тоски́, ску́ки; I was scared ~ я перепуга́лся до́ смерти; ◇ to keep a ~ upper lip а) проявля́ть твёрдость, упо́рство; б) не теря́ть му́жества; as ~ as a poker ≅ сло́вно арши́н проглоти́л; чо́порный; that's a bit ~! *разг.* э́то несправедли́во!; а ~ un *sl.* труп;
2. *n sl.* 1) бума́жные де́ньги; 2) труп; 3) неуклю́жий челове́к; 4) безнадёжный, неисправи́мый челове́к.

stiffen [ˈstɪfn] *v* де́лать(ся) неги́бким, жёстким *и пр.* [*см.* stiff 1]; to ~ linen with starch крахма́лить бельё; his resolution ~ed его́ реше́ние ста́ло бо́лее твёрдым.

stiff-necked [ˈstɪfˈnekt] *a* упря́мый.

stifle I [ˈstaɪfl] *v* 1) души́ть, удуша́ть; 2) задыха́ться; 3) туши́ть (*огонь*); 4) замя́ть (*дело и т. п.*); 5) подавля́ть; to ~ rebellion подави́ть восста́ние; 6) остана́вливать; to ~ a yawn подави́ть зево́к.

stifle II [ˈstaɪfl] *n* коле́нная ча́шка (*у лошади*); коле́нный суста́в (*у лошади*).

stifle-joint [ˈstaɪflˌdʒɔɪnt] = stifle II.

stifling [ˈstaɪflɪŋ] **1.** *pres. p. om* stifle I;
2. *a* ду́шный.

stigma [ˈstɪɡmə] *n* (*pl* -mas [-məz], -mata) 1) *ист.* вы́жженное клеймо́ (*у преступника*); 2) позо́р, пятно́; 3) (*pl* -ata: *обыкн. pl*) *церк.* стигма́ты; 4) трахе́я (*насекомого*); 5) *бот.* ры́льце.

stigmata [ˈstɪɡmətə] *pl om* stigma.

stigmatize [ˈstɪɡmətaɪz] *v* клейми́ть, поноси́ть, бесче́стить.

stile [staɪl] *n* 1) ступе́ньки для перехо́да че́рез забо́р *или* сте́ну; перела́з; 2) турнике́т.

stiletto [stɪˈletou] *ит. n* (*pl* -os, -oes [-ouz]) стиле́т.

still I [stɪl] **1.** *a* 1) ти́хий, бесшу́мный; to keep ~ не шуме́ть; 2) неподви́жный, споко́йный; to stand ~ останови́ться; 3) не игри́стый (*о вине*); ◇ ~ waters run deep ≅ в ти́хом о́муте че́рти во́дятся;
2. *n* 1) тишина́, безмо́лвие; in the ~ of night в ночно́й тиши́; 2) = still picture; 3) *разг. см.* still life;
3. *v* 1) успока́ивать; утихоми́ривать; to ~ a child убаю́кивать ребёнка; 2) успока́ивать, утоля́ть; to ~ hunger утоли́ть го́лод; 3) *редк.* успока́иваться; when the tempest ~s когда́ бу́ря ути́хнет;
4. *adv* 1) до сих пор, (всё) ещё, по-пре́жнему; 2) всё же, тем не ме́нее, одна́ко; 3) ещё (*в сравнении*); ~ longer ещё длинне́е; ~ further ещё да́льше; бо́лее того́.

still II [stɪl] **1.** *n* 1) перего́нный куб; дистилля́тор; 2) винокуренный заво́д;
2. *v* перегоня́ть, опресня́ть, дистилли́ровать.

still III [stɪl] *n* 1) рекла́мный кадр; 2) кадр диапозити́ва.

still birth [ˈstɪlbəːθ] *n* рожде́ние мёртвого плода́.

still-born [ˈstɪlbɔːn] *a* мертворождённый.

still life [ˈstɪlˈlaɪf] *n жив.* натюрмо́рт.

still picture [ˈstɪlˌpɪktʃə] *n* фотосни́мок.

still-room [ˈstɪlrum] *n* 1) помеще́ние для перего́нки; 2) кладова́я.

stilly [ˈstɪlɪ] **1.** *adv* ти́хо, безмо́лвно;
2. *a поэт.* ти́хий.

stilt [stɪlt] *n* 1) (*обыкн. pl*) ходу́ли; on ~s на ходу́лях; *перен.* высокопа́рный; 2) *pl* дли́нные но́ги; 3) ходу́лочник (*птица*).

stilt-bird [ˈstɪltbəːd] = stilt 3).

stilted [ˈstɪltɪd] *a* ходу́льный, напы́щенный, высокопа́рный.

Stilton [ˈstɪltn] *n* сти́льтон (*сорт жи́рного сыра; тж.* ~ cheese).

stilt-plover [ˈstɪltˌplʌvə] = stilt 3).

stimulant [ˈstɪmjulənt] **1.** *n* 1) возбужда́ющее сре́дство; 2) спиртно́й напи́ток; he never takes ~s он никогда́ не употребля́ет спиртны́х напи́тков; 3) сти́мул;
2. *a* возбужда́ющий, стимули́рующий.

stimulate ['stɪmjuleɪt] v 1) побуждать; 2) возбуждать; стимулировать; 3) поощрять.

stimulation [,stɪmju'leɪʃən] n 1) возбуждение; 2) поощрение.

stimuli ['stɪmjulaɪ] pl om stimulus.

stimulus ['stɪmjuləs] n (pl -li) 1) стимул, побудитель; влияние; 2) возбудитель.

sting [stɪŋ] 1. n 1) жало; 2) бот. жгучий волосок; 3) укус; ожог крапивой; 4) муки; острая боль; the ~s of hunger муки голода; 5) ядовитость, колкость; 6) острота, сила; the breeze has a ~ in it воздух приятно бодрит;
2. v (stung) 1) жалить; жечь (о крапиве и т. п.); 2) причинять острую боль; 3) чувствовать острую боль; 4) уязвлять, терзать; to be stung by remorse мучиться угрызениями совести; 5) возбуждать; побуждать; the insult stung him into a reply оскорбление побудило его ответить; 6) sl. обмануть, надуть, обобрать, «нагреть».

stinger ['stɪŋə] n 1) жало (насекомого); 2) жалящее насекомое и т. п.; 3) разг. резкий удар; 4) язвительный ответ; 5) sl. виски с содой.

stinging ['stɪŋɪŋ] 1. pres. p. om sting 2; 2. a 1) жалящий; жгучий; ~ words язвительные слова; 2) имеющий жало.

stingo ['stɪŋgou] n уст. крепкое пиво.

stingy ['stɪndʒɪ] a 1) скаредный, скупой; 2) необильный, скудный; ~ сгор скудный урожай.

stink [stɪŋk] 1. n 1) зловоние, вонь; 2) pl sl. химия; естественные науки; ◇ to raise a ~ а) критиковать; б) жаловаться; причинять неприятности;
2. v (stank, stunk; stunk) 1) вонять; смердеть; to ~ in smb.'s nostrils быть отвратительным кому-л.; to ~ of money sl. быть очень богатым; 2) sl. узнавать по запаху; □ ~ out выгонять, выкуривать.

stinkard ['stɪŋkəd] n 1) низкий, подлый человек; 2) зоол. вонючка.

stink-ball ['stɪŋkbɔːl] n ручная бомба с удушливыми газами.

stinker ['stɪŋkə] n 1) = stinkpot; 2) = stinkard.

stinking ['stɪŋkɪŋ] 1. pres. p. om stink 2; 2. a 1) вонючий; 2) разг. противный, отвратительный.

stinkpot ['stɪŋkpɔt] n 1) = stink-ball; 2) груб. гадина.

stink-stone ['stɪŋkstoun] n вонючий известняк.

stink-wood ['stɪŋkwud] n стинк-дерево, африканский орех.

stint [stɪnt] 1. n 1) ограничение; предел, граница; to labour without ~ работать, не жалея сил; 2) урочная работа, урок; to do one's daily ~ выполнить дневной урок;
2. v урезывать, скупиться; ограничивать; he does not ~ his praise он не скупится на похвалы.

stipe [staɪp] n бот. ножка, пенёк (гриба).

stipend ['staɪpend] n 1) жалованье (особ. священника); 2) стипендия.

stipendiary [staɪ'pendjərɪ] 1. a 1) оплачиваемый; 2) получающий жалованье;

2. n 1) должностное лицо, находящееся на жалованье правительства; 2) стипендиат.

stipple ['stɪpl] 1. n работа, гравирование пунктиром;
2. v рисовать или гравировать пунктиром.

stipulate ['stɪpjuleɪt] v ставить условием, обусловливать, оговаривать в качестве особого условия (that); □ ~ for выговаривать себе что-л.

stipulation [,stɪpju'leɪʃən] n 1) обусловливание; 2) условие, соглашение.

stipule ['stɪpjuːl] n бот. прилистник.

stir I [stəː] 1. n 1) движение; движение; not a ~ ничто не шелохнётся; 2) размешивание; 3) суматоха, суета, переполох; to create a ~ произвести сенсацию; to make a ~ возбудить общий интерес;
2. v 1) шевелить(ся); двигать(ся); to ~ one's stumps разг. пошевеливаться, поторапливаться; he never ~s out of the house он никогда не выходит из дому; 2) мешать, помешивать, размешивать; взбалтывать; 3) волновать, возбуждать (тж. ~ up); to ~ the blood возбуждать энтузиазм; □ ~ up а) хорошенько размешивать, взбалтывать; б) возбуждать (любопытство и т. п.); в) раздувать (ссору).

stir II [stəː] n sl. тюрьма, кутузка.

stir-about ['stəːrə,baut] 1. n каша;
2. a шумный, суетливый.

stirrer-up ['stəːrər'ʌp] n виновник; возбудитель.

stirring ['stəːrɪŋ] 1. pres. p. om stir I, 2;
2. n помешивание, взбалтывание;
3. a 1) деятельный, активный; занятый; 2) волнующий; ~ times времена, полные событий.

stirrup ['stɪrəp] n 1) стремя; 2) тех. скоба, серьга, бугель, хомут; мор. подпёрток.

stirrup-cup ['stɪrəpkʌp] n прощальный кубок.

stirrup-leather ['stɪrəp,leðə] n путлище, стремянный ремень.

stitch [stɪtʃ] 1. n 1) стежок, стёжка; шов; to put in several ~es хир. наложить швы; to take out the ~es хир. снять швы; 2) петля (в вязанье); to drop a ~ спустить петлю; to take up a ~ поднять петлю; 3) разг. малость, немножко; he has not done a ~ of work он не сделал ровно ничего; without a ~ of clothing, not a ~ on совершенно голый; 4) острая боль, колотьё в боку; ◇ he has not a dry ~ on он промок до нитки; he has not a ~ to his back ≅ гол как сокол; a ~ in time saves nine посл. один стежок, сделанный вовремя, стоит девяти;
2. v шить; стегать; вышивать; □ ~ up а) зашивать; б) полигр. брошюровать.

stitcher ['stɪtʃə] n 1) строчильщик; 2) строчильная машина; 3) брошюровщик.

stithy ['stɪðɪ] n уст., поэт. 1) кузница; 2) наковальня.

stiver ['staɪvə] голл. n самая мелкая монета; not worth a ~ гроша не стоит.

St-John's-wort [snɪ'dʒɔnz'wəːt] n бот. зверобой.

stoat I [stout] *n* горностáй (*в летнем одеянии*).

stoat II [stout] *v* зашивáть, штóпать, штуковáть.

stock [stɔk] **1.** *n* 1) глáвный ствол (*дерева*); 2) опóра, подпóра; 3) рýчка; ружéйная лóжа; 4) *уст.* пень; бревнó; 5) род, семья́; of good ~ из хорóшей семьи́; 6) *биол.* порóда; плéмя; 7) грýппа рóдственных языкóв; 8) запáс; инвентáрь; word ~ запáс слов; basic word ~ основнóй словáрный фонд; dead ~ (мёртвый) инвентáрь; in ~ в налúчии (*о товарах и т. п.*); под рукóй; out of ~ распрóдано; to lay in ~ дéлать запáсы; to take ~ а) инвентаризи́ровать; дéлать переучёт; б) крити́чески оцéнивать, рассмáтривать (of—*что-л.*); пригля́дываться (of—*к чему-л.*); 9) ассортимéнт (*товаров*); 10) скот, поголóвье скотá (*тж.* live ~); 11) парк (*вагонов и т. п.*); подвижнóй состáв; 12) сырьё; paper ~ бумáжное сырьё (*тряпьё и т. п.*); 13) *эк.* акционéрный капитáл (*тж.* joint ~); áкции; основнóй капитáл; фóнды; the ~s государственный долг; to take ~ in а) покупáть áкции; вступáть в пай; б) *разг.* вéрить; 14) левкóй; 15) широ́кий гáлстук *или* шарф; 16) крéпкий бульóн из костéй; 17) *sl.* интерéс, значéние; to set great ~ by smth. придавáть большóе значéние чему́-л.; 18) часть колóды карт, не рóзданная игрокáм; 19) = ~ company 2); 20) *pl* ист. колóдки; 21) *pl* мор. стáпель; to be on the ~s стоя́ть на стáпеле; *перен.* готóвиться; 22) *горн.* среднесу́точная добы́ча; 23) *тех.* бáбка (*станка*); 24) *тех.* при́пуск; 25) шток (*якоря*); 26) *метал.* ши́хта, колóша; 27) *бот.* подвóй; привóй; ◇ ~ lock, ~ and barrel целикóм, пóлностью; всё вмéсте взя́тое; ~s and stones а) неодушевлённые предмéты; б) бесчу́вственные лю́ди;

2. *v* 1) снабжáть; to ~ a farm оборýдовать хозя́йство; 2) имéть в налúчии, в продáже; the shop ~s only cheap goods лáвка дéржит тóлько дешёвые товáры; 3) храни́ть на склáде; 4) придéлывать рýчку *и т. п.*

3. *a* 1) имéющийся в налúчии, наготóве; 2) изби́тый, шаблóнный, заéзженный.

stockade [stɔ'keid] **1.** *n* 1) частокóл; 2) *амер.* кáторжная тюрьмá;

2. *v* огорáживать *или* укрепля́ть частокóлом.

stock-breeder ['stɔk,briːdə] *n* животновóд.

stockbroker ['stɔk,broukə] *n* биржевóй мáклер.

stock-car ['stɔk,kɑː] *n* вагóн для скотá.

stock company ['stɔk'kʌmpəni] *n* 1) акционéрная компáния; 2) театрáльная трýппа, обы́чно выступáющая в однóм теáтре; театрáльная трýппа со срéдним состáвом актёров (*без звёзд*).

stockdove ['stɔkdʌv] *n* клинтýх (*птица*).

stock exchange ['stɔkiks'tʃeindʒ] *n* фóндовая би́ржа.

stock-farm ['stɔkfɑːm] *n* животновóдческое хозя́йство, скотовóдческая фéрма.

stockfish ['stɔkfiʃ] *n* вя́леная трескá.

stockholder ['stɔk,houldə] *n* акционéр.

stockinet [,stɔki'net] *n* трикотáж, трикотáжное полотнó.

stocking I ['stɔkiŋ] *n* 1) чулóк; a horse with one white ~ лóшадь с бéлым чулкóм; 2) *attr.*: ~ cap дéтская *или* спорти́вная вя́заная шáпочка; in one's ~ feet в одни́х чулкáх.

stocking II ['stɔkiŋ] *pres. p. от* stock 2.

stockinged ['stɔkiŋd] *a* в чулкé.

stock-in-trade ['stɔkin'treid] *n* 1) запáс товáров; 2) шаблóнные улóвки *или* манéры, прису́щие определённым ли́цам; 3) оборýдование, инвентáрь.

stockjobber ['stɔk,dʒɔbə] *n* биржевóй спекуля́нт.

stockjobbery, stockjobbing ['stɔk,dʒɔbəri, -,dʒɔbiŋ] *n* спекуляти́вные биржевы́е сдéлки.

stocklist ['stɔklist] *n* биржевóй бюллетéнь.

stockman ['stɔkmæn] *n* (*преим. австрал.*) скотовóд.

stock-market ['stɔk,mɑːkit] *n* 1) фóндовая би́ржа; 2) у́ровень цен на би́рже.

stockpile ['stɔkpail] **1.** *n* 1) запáс, резéрв; 2) *горн.* штáбель; отвáл;

2. *v* 1) накáпливать, дéлать запáсы; 2) *горн.* штабели́ровать.

stockpiling ['stɔk,pailiŋ] **1.** *pres. p. от* stockpile 2;

2. *n* накоплéние.

stock-raising ['stɔk,reiziŋ] **1.** *n* животновóдство, скотовóдство;

2. *a* животновóдческий, скотовóдческий.

stockrider ['stɔk,raidə] *n* австрал. кóнный пастýх, ковбóй.

stockroom ['stɔkrum] *n* склад, кладовáя.

stock-still ['stɔk'stil] *adv* неподви́жно; как столб; he stood ~ он стоя́л как вкóпанный.

stock-taking ['stɔk,teikiŋ] *n* 1) переучёт товáра; провéрка инвентаря́; 2) обзóр результáтов.

stock-whip ['stɔkwip] *n* бич пастухá.

stocky ['stɔki] *a* призéмистый, коренáстый.

stockyard ['stɔkjɑːd] *n* скотопригóнный двор.

stodge [stɔdʒ] *школ. sl.* **1.** *n* тяжёлая *или* сы́тная едá;

2. *v* жáдно есть, уплетáть.

stodgy ['stɔdʒi] *a* 1) тяжёлый (*о пище*); 2) наби́тый до откáза; 3) перегру́женный (*деталями*); ску́чный; тяжелове́сный.

stoep [stuːp] *n* южно-афр. верáнда пéред дóмом.

stogie, stogy ['stoudʒi] *n* амер. 1) тяжёлый сапóг; 2) дешёвая сигáра.

stoic ['stouik] **1.** *n* стóик.

2. *a* стои́ческий.

stoical ['stouikəl] = stoic 2.

stoicism ['stouisizəm] *n* стоици́зм.

stoke [stouk] *v* 1) поддéрживать огóнь (*в топке*); забрáсывать тóпливо; шуровáть; топи́ть; 2) *разг.* закýсывать (*наспех*); ☐ ~ up поддéрживать, придавáть си́лы.

stokehold ['stoukhould] *n* кочегáрка.

stokehole ['stoukhoul] = stokehold.

stoker ['stoukə] *n* 1) кочегáр; истопни́к; котéльный машини́ст; 2) механи́ческая тóпка, стóкер.

stole I [stoul] *n* 1) *др.-рим.* стóла; 2) боá, меховáя наки́дка; 3) *церк.* епитрахи́ль, орáрь.

stole II [stoul] *past om* steal 1.

stolen ['stoulən] *p. p. om* steal 1.

stolid ['stɔlɪd] *a* флегмати́чный, бесстрáстный, вя́лый, тупóй.

stolidity [stɔ'lɪdɪtɪ] *n* флегмати́чность *и пр.* [*см.* stolid].

stomach ['stʌmək] 1. *n* 1) желу́док; in the pit of the ~ под лóжечкой; to turn one's ~ вызывáть тошнотý; 2) живóт; 3) аппети́т, вкус (*к чему-л.*); to have ~ for имéть желáние; 4) *уст.* отвáга, мýжество; ◇ proud (*или* high) ~ высокомéрие.
2. *v* 1) быть в состоя́нии съесть; быть в состоя́нии перевари́ть; 2) стерпéть, снести́; to ~ an insult проглоти́ть оби́ду.

stomach-ache ['stʌmәkeɪk] *n* боль в животé.

stomacher ['stʌmәkә] *n ист.* сýживающийся кни́зу перёд корсáжа; корсáж.

stomachic [stɔ'mækɪk] 1. *a* 1) желу́дочный; 2) возбуждáющий пищеварéние;
2. *n* желу́дочное срéдство.

stomach-pump ['stʌmәkrʌmp] *n* желу́дочный зонд.

stomach-tooth ['stʌmәktuːθ] *n* ни́жний клык (*молочный*).

stomatitis [,stoumә'taɪtɪs] *n мед.* стомати́т.

stomatology [,stoumә'tɔlәdʒɪ] *n* стоматолóгия.

stone [stoun] 1. *n* 1) кáмень; to break ~s бить щéбень; *перен.* выполня́ть тяжёлую рабóту; зарабáтывать тяжёлым трудóм; 2) драгоцéнный кáмень; 3) кáмень (*материал*); to build of ~ стрóить из кáмня; heart of ~ кáменное сéрдце; 4) кóсточка (*сливы и т. п.*); зёрнышко (*плода*); 5) грáдина; 6) *мед.* кáмень; 7) кáменная болéзнь; 8) (*pl обыкн. без измен.*) стóун (*мера веса = 14 англ. фунтам = 6,34 кг*); ◇ to leave no ~ unturned испрóбовать всевозмóжные срéдства; приложи́ть все старáния;
2. *a* кáменный; ~ implements кáменные орýдия;
3. *v* 1) облицóвывать *или* мости́ть кáмнем; 2) вынимáть кóсточки (*из фруктов*); 3) побивáть камня́ми.

Stone Age ['stoun'eɪdʒ] *n* кáменный век.

stone-blind ['stoun'blaɪnd] *a* совершéнно слепóй.

stone-broke ['stoun'brouk] *a sl.* пóлностью разорённый, остáвшийся без каки́х-л. срéдств.

stone-cast ['stounkɑːst] *n* расстоя́ние, на котóрое мóжно брóсить кáмень.

stone-chat ['stountʃæt] *n зоол.* лазóревка; чекáн черноголóвый.

stone-coal ['stounkoul] *n* антраци́т.

stone-cold ['stoun'kould] *a* холóдный как лёд.

stonecrop ['stounkrɔp] *n бот.* очи́ток éдкий.

stone-cutter ['stoun,kʌtә] *n* каменотёс.

stoned [stound] 1. *p.p. om* stone 3;
2. *a* очи́щенный от кóсточек.

stone-dead ['stoun'ded] *a* мёртвый.

stone-deaf ['stoun'def] *a* совершéнно глухóй.

stone-fruit ['stounfruːt] *n бот.* костя́нка, кóсточковый плод.

stone-jug ['stoundʒʌg] *n sl.* тюрьмá.

stone-mason ['stoun,meɪsn] *n* кáменщик.

stone-pine ['stounpaɪn] *n бот.* соснá италья́нская, пи́ния; соснá кедрóвая европéйская, кедр европéйский.

stone-pit ['stounpɪt] *n* каменолóмня, карьéр.

stone's cast ['stounzkɑːst] = stone-cast.

stone's throw ['stounz'θrou] = stone-cast.

stone-still ['stoun'stɪl] *a* как вкóпанный.

stonewalling ['stoun'wɔːlɪŋ] *n* (*особ. австрал.*) парлáментская обстрýкция; оппози́ция, сопротивлéние.

stoneware ['stounwɛә] *n* гончáрные издéлия из кремни́стой гли́ны, гли́няная посýда.

stonework ['stounwәk] *n* кáменная клáдка; кáменные рабóты.

stony ['stounɪ] *a* 1) камени́стый; 2) кáменный; твёрдый; 3) холóдный, неподви́жный; ~ stare неподви́жный, не узнаю́щий взгляд; 4) = stone-broke.

stony-broke ['stounɪbrouk] = stone-broke.

stony-hearted ['stounɪ,hɑːtɪd] *a* жестокосéрдый.

stood [stud] *past и p. p. om* stand 2.

stooge [stuːdʒ] *разг.* 1. *n* 1) лицó, игрáющее подчинённую роль; марионéтка; 2) посмéшище; 3) подставнóе лицó;
2. *v* 1) игрáть подчинённую роль; быть марионéткой; 2) быть посмéшищем; 3) быть подставны́м лицóм.

stook [stuk] *сев.* 1. *n* копнá;
2. *v* стáвить кóпны.

stool [stuːl] *n* 1) табурéтка; ~ of repentance *ист.* позóрный стул в шотлáндских церквáх; *перен.* публи́чное униже́ние; 2) скамéечка; 3) сýдно, стульчáк; 4) *мед.* стул, дéйствие кишéчника; to go to ~ испражня́ться; 5) кóрень *или* пень, пускáющий побéги; ◇ to fall between two ~s сесть мéжду двух стýльев.

stool-ball ['stuːlbɔːl] *n* стари́нная игрá врóде кри́кета.

stool-pigeon ['stuːl,pɪdʒɪn] *n* 1) гóлубь, служáщий для примáнивания други́х голубéй; 2) провокáтор, осведоми́тель.

stoop I [stuːp] 1. *n* 1) сутýлость; 2) *уст., поэт.* стреми́тельный полёт вниз, падéние (*сокола и т. п.*); 3) *горн.* предохрани́тельный цéлик;
2. *v* 1) наклоня́ть(ся), нагибáть(ся); 2) сутýлить(ся); 3) унижáть(ся); 4) снисходи́ть (to—до); 5) *уст., поэт.* устремля́ться вниз (*тж.* ~ down).

stoop II [stuːp] *n амер.* крыльцó со стýпеньками; верáнда.

stop [stɔp] 1. *n* 1) останóвка, задéржка, прекращéние; конéц; to bring to a ~ останови́ть; to come to a ~ останови́ться; to put a ~ to smth. положи́ть чему́-л. конéц;

the train goes through without a ~ поезд идёт без остано́вок; 2) па́уза, переры́в; 3) коро́ткое пребыва́ние, остано́вка; 4) остано́вка (трамва́я и т. п.); 5) гости́ница; 6) знак препина́ния; full ~ то́чка; to come to a full ~ перен. зайти́ в тупи́к; 7) тон, мане́ра разгово́ра; 8) = stopper 1, 1); 9) муз. кла́пан, ве́нтиль (духово́го инструме́нта), лад (стру́нного инструме́нта); кла́виша, педа́ль (орга́на); 10) фон. взрывно́й согла́сный звук (тж. ~ consonant); 11) = stop-order 1); 12) тех. остано́в, ограничи́тель, сто́пор; 13) фото диафра́гма;

2. v 1) остана́вливать(ся); to ~ short, to ~ dead внеза́пно, ре́зко останови́ться; not to ~ short of anything ни перед чём не остана́вливаться; ~ the thief! держи́ во́ра!; do not ~ продолжа́йте; the train ~s five minutes по́езд стои́т пять мину́т; ~ a moment! постойте!; 2) прекраща́ть(ся); конча́ть (-ся); ~ grumbling! переста́ньте ворча́ть!; to ~ payment прекрати́ть платежи́, обанкро́титься; 3) разг. остана́вливаться, остава́ться непродолжи́тельное вре́мя; гости́ть; to ~ with friends гости́ть у друзе́й; to ~ at home остава́ться до́ма; 4) уде́рживать, вычита́ть; уре́зывать; the cost must be ~ped out of his salary сто́имость должна́ быть уде́ржана из его́ жа́лованья; 5) уде́рживать (from—от чего́-л.); I could not ~ him from doing it я не мог удержа́ть его́ от э́того; 6) прегражда́ть; блоки́ровать; to ~ the way прегражда́ть доро́гу; 7) затыка́ть, заде́лывать (тж. ~ up); зама́зывать, шпаклева́ть; to ~ a gap запо́лнить пробе́л; to ~ a hole заде́лывать отве́рстие; to ~ a leak останови́ть течь; to ~ one's ears затыка́ть у́ши; to ~ smb.'s mouth заткну́ть кому́-л. рот; to ~ a tooth запломбирова́ть зуб; to ~ a wound остана́вливать кровотече́ние из ра́ны; 8) ста́вить зна́ки препина́ния; 9) отража́ть (уда́р в бо́ксе); 10) муз. зажима́ть струну́, кла́пан или ве́нтиль музыка́льного инструме́нта; 11) мор. сто́порить, закрепля́ть; □ ~ by амер. загляну́ть, зайти́; ~ down фото затемня́ть ли́нзу диафра́гмой; ~ in = ~ by; ~ off амер. останови́ться в пути́; ~ out покрыва́ть предохрани́тельным сло́ем (при травле́нии на мета́лле); ~ over = ~ up a) затыка́ть, заде́лывать; б) разг. не ложи́ться спать; ◇ to ~ a blow with one's head шутл. получи́ть уда́р в го́лову; to ~ a bullet, to ~ a shell sl. быть ра́неным или уби́тым.

stopcock ['stɔpkɔk] n запо́рный кран.

stopgap ['stɔpgæp] n 1) затычка; 2) вре́менная ме́ра (тж. ~ measure); паллиати́в; 3) заме́на; вре́менный замести́тель.

stop-light ['stɔplaɪt] n 1) кра́сный сигна́л светофо́ра; 2) авт. стоп-сигна́л.

stop-off ['stɔp,ɔf] = stop-over.

stop-order ['stɔp,ɔːdə] n 1) инстру́кция ба́нку о прекраще́нии платеже́й; 2) поруче́ние биржево́му ма́клеру прода́ть или купи́ть це́нные бума́ги в связи́ с измене́нием ку́рса на би́рже.

stop-over ['stɔp,ouvə] n амер. 1) остано́вка в пути́ (с пра́вом испо́льзования того́ же биле́та); 2) биле́т, допуска́ющий остано́вку в пути́; транзи́тный биле́т; 3) sl. краткосро́чное тюре́мное заключе́ние.

stoppage ['stɔpɪdʒ] n 1) остано́вка, заде́ржка; 2) тех. засоре́ние; 3) прекраще́ние рабо́ты, забасто́вка; 4) вы́чет, удержа́ние.

stopper ['stɔpə] 1. n 1) про́бка; заты́чка; to put a ~ on smth. разг. положи́ть коне́ц чему́-л.; 2) мор. сто́пор.
2. v заку́поривать; затыка́ть про́бкой.

stopping ['stɔpɪŋ] 1. pres. p. от stop 2;
2. n 1) остано́вка, затыка́ние и пр. [см. stop 2]; 2) зубна́я пло́мба.

stopple ['stɔpl] редк. 1. n заты́чка, про́бка;
2. v затыка́ть, заку́поривать.

stop-press ['stɔp,pres] n экстренное сообще́ние в газе́те, «в после́днюю мину́ту».

stop-watch ['stɔpwɔtʃ] n секундоме́р.

storage ['stɔːrɪdʒ] n 1) хране́ние; 2) склад, храни́лище; cold ~ a) холоди́льник; б) хране́ние в холоди́льнике; 3) пла́та за хране́ние в холоди́льнике или на скла́де; 4) накопле́ние; аккумули́рование.

storage battery ['stɔːrɪdʒ'bætərɪ] n эл. аккумуля́торная батаре́я.

storage reservoir ['stɔːrɪdʒ'rezəvwɑː] n водохрани́лище.

store [stɔː] 1. n 1) запа́с; изоби́лие; in ~ нагото́ве, про запа́с; to lay in ~ for the winter запаса́ть на́ зиму; I have a surprise in ~ for you у меня́ для вас пригото́влен сюрпри́з; 2) pl запа́сы, припа́сы; иму́щество; marine ~s ста́рые корабе́льные материа́лы; 3) склад, пакга́уз; to deposit one's furniture in a ~ сдать ме́бель на хране́ние на склад; 4) амер. магази́н, ла́вка; 5) (the ~s) pl универма́г; 6) большо́е коли́чество; 7) attr. запа́сный, запасно́й; оста́вленный про запа́с; оста́вленный для испо́льзования впосле́дствии; 8) attr. амер. гото́вый, ку́пленный в магази́не; ~ clothes гото́вое пла́тье; ◇ to set (great) ~ by придава́ть (большо́е) значе́ние; (высоко́) цени́ть.
2. v 1) снабжа́ть; наполня́ть; his mind is well ~d with knowledge он о́чень све́дущ; 2) запаса́ть, откла́дывать (тж. ~ up); the harvest has been ~d урожа́й у́бран; 3) отдава́ть на хране́ние, храни́ть на скла́де; 4) вмеща́ть.

store cattle ['stɔː'kætl] n скот, предназна́ченный для отко́рма.

storehouse ['stɔːhaus] n 1) склад; амба́р; кладова́я; 2) сокро́вищница; кла́дезь.

storekeeper ['stɔː,kiːpə] n 1) амер. ла́вочник; 2) кладовщи́к.

store-room ['stɔːrum] n кладова́я; цейхга́уз.

store-ship ['stɔːʃɪp] n мор. тра́нспорт с запа́сами.

storey ['stɔːrɪ] n эта́ж; я́рус; ◇ the upper ~ шутл. мозги́; he is a little wrong in the upper ~ у него́ не все до́ма, он немно́го не в своём уме́.

-storeyed [-'stɔːrɪd] в сло́жных слова́х -эта́жный; one-storeyed одноэта́жный.

storied ['stɔːrɪd] a 1) легенда́рный; изве́стный по преда́ниям; 2) укра́шенный историческими *или* легендарными сюжетами.

-storied [-'stɔːrɪd] = -storeyed.

storiette [,stɔːrɪ'et] *n* короткий рассказ.

stork [stɔːk] *n* аист.

storm [stɔːm] 1. *n* 1) буря, гроза, ураган; *мор.* шторм; 2) взрыв, град *(чего-л.)*; ~ of applause взрыв аплодисментов; ~ of arrows град стрел; ~ of shells ураган снарядов; 3) сильное волнение, смятение; 4) *воен.* штурм; to take by ~ взять штурмом; *перен.* увлечь, захватить; 5) *радио* возмущение; ◇ a ~ in a teacup буря в стакане воды;

2. *v* 1) бушевать, свирепствовать; 2) кричать, горячиться (at); 3) стремительно нестись, проноситься; 4) *воен.* брать приступом, штурмовать.

storm-beaten ['stɔːm,biːtn] *a* 1) потрёпанный бурей (-ями); 2) много переживший, видавший виды.

storm-belt ['stɔːmbelt] *n* пояс бурь.

storm-boat ['stɔːmbout] *n* быстроходная штурмовая лодка.

stormbound ['stɔːmbaund] *a* задержанный штормом.

storm-centre ['stɔːm,sentə] *n* 1) *метеор.* центр циклона; 2) центр споров; 3) очаг *(восстания, эпидемии)*.

storm-cloud ['stɔːmklaud] *n* 1) грозовая туча; 2) туча на горизонте, нечто, предвещающее беду.

storm-cone ['stɔːmkoun] *n* штормовой сигнал.

storm-drum ['stɔːmdrʌm] *n* штормовой сигнальный цилиндр.

storm-finch ['stɔːmfɪntʃ] = stormy petrel.

storm-ladder ['stɔːm,lædə] *n мор.* штормтрап.

stormovik ['stɔːməvɪk] *рус. n ав.* штурмовик.

storm-petrel ['stɔːm,petrəl] = stormy petrel.

storm-proof ['stɔːmpruːf] *n* способный выдержать шторм.

storm-troops ['stɔːmtruːps] *n pl* штурмовые отряды; ударные части.

storm-window ['stɔːm,windou] *n* вторая оконная рама.

stormy ['stɔːmɪ] *a* 1) бурный; штормовой; 2) предвещающий бурю *(тж. перен)*; ~ sunset закат, предвещающий бурю; 3) яростный, неистовый.

stormy petrel ['stɔːmɪ'petrəl] *n зоол.* буревестник, качурка малая.

stort(h)ing ['stɔːtɪŋ] *n* стортинг *(парламент Норвегии)*.

story I ['stɔːrɪ] *n* 1) рассказ, повесть; short ~ короткий рассказ, новелла; a good *(или* funny) ~ анекдот; Canterbury ~ = Canterbury tale *[см.* tale ◇]; 2) история; предание; сказка; the ~ goes that предание гласит; his is an eventful ~ его биография богата событиями; according to his ~ по его словам; tell me a ~! расскажите мне сказку!; they all tell the same ~ они все говорят одно и то же; 3) фабула, сюжет; 4) *разг.* выдумка, ложь; don't tell stories не сочиняйте; 5) *амер.* газет-

ный материал; ◇ that is another ~ это другое дело; it is quite another ~ now положение теперь изменилось; to make a long ~ short короче говоря.

story II ['stɔːrɪ] = storey.

story-book ['stɔːrɪbuk] *n* сборник рассказов, сказок.

story-teller ['stɔːrɪ,telə] *n* 1) рассказчик; 2) автор рассказов; 3) сказочник; 4) лгун, выдумщик.

stoup [stuːp] *n уст.* стопка, бокал для вина.

stout [staut] 1. *a* 1) крепкий, прочный, плотный; 2) отважный, решительный, сильный; ~ heart смелость; ~ opponent стойкий противник; ~ resistance упорное сопротивление; 3) полный, тучный, дородный;

2. *n* 1) полный человек; 2) крепкий портер.

stout-hearted ['staut'hɑːtɪd] *a* стойкий, смелый.

stoutness ['stautnɪs] *n* 1) прочность, крепость; 2) отвага, стойкость; 3) полнота, тучность.

stove I [stouv] *n* 1) печь, печка; кухонная плита; 2) теплица; 3) сушилка; 4) *attr.* печной; ~ heating печное отопление.

stove II [stouv] *past и p. p. от* stave 2.

stove-pipe ['stouvpaɪp] *n* 1) дымоход, железная дымовая труба; 2) *амер. разг.* цилиндр *(шляпа; тж.* ~ hat).

stover ['stouvə] *n* (сухой) корм для скота.

stow [stou] *v* 1) укладывать, складывать; 2) наполнять, набивать (with); to ~ a ship грузить судно; 3) *sl.* прекращать; ~ that nonsense бросьте эти глупости; □ ~ away а) прятать; б) ехать на пароходе без билета.

stowage ['stouɪdʒ] *n* 1) складывание, укладка; 2) *мор.* штивка; 3) складочное место; 4) плата за укладку *или* хранение на складе; 5) *горн.* закладка.

stowaway ['stouəweɪ] *n* безбилетный пассажир *(особ. на пароходе)*.

straddle ['strædl] 1. *n* 1) стояние, сидение *или* ходьба с широко расставленными ногами; 2) *разг.* колебания, двойственная политика; 3) *арт.* накрывающая группа (разрывов снарядов); *мор.* накрывающий залп;

2. *v* 1) широко расставлять ноги; 2) *разг.* колебаться, вести двойственную политику; 3) *арт.* захватывать (цель) в вилку.

strafe [strɑːf] *нем. 1. n sl.* 1) ураганный огонь; 2) наказание;

2. *v sl.* 1) бомбардировать, обстреливать; наносить поражение; 2) разносить, ругать; наказывать; oh, ~ you! ах, чтоб тебя!

straggle ['strægl] 1. *n* разбросанная группа *(предметов)*;

2. *v* 1) отставать, идти вразброд, двигаться в беспорядке; 2) быть разбросанным, тянуться беспорядочно; 3) расти одиноко *(о дереве и т. п.)*.

straggler ['stræglə] *n* 1) отставший (солдат); отставшее судно; 2) *амер. уст.* бродяга.

straggling ['stræglɪŋ] 1. *pres. p. от* straggle 2;

2. *n* разбро́санный, беспоря́дочный; ~ village широко́ раски́нувшаяся дере́вня.

straight [streɪt] 1. *a* 1) прямо́й, неизо́гнутый; 2) прямо́й, невью́щийся (*о воло́сах*); 3) пра́вильный; находя́щийся в поря́дке; ~ eye ве́рный глаз; put the picture ~ попра́вьте карти́ну; to put a room ~ привести́ ко́мнату в поря́док; 4) че́стный, прямо́й, и́скренний; a ~ question прямо́й вопро́с; ~ dealing че́стность; ~ talk открове́нный разгово́р; ~ fight че́стный бой; ~ speaking и́скренность; прямота́; ~ goods *амер. sl.* надёжный, че́стный челове́к; to keep ~ остава́ться че́стным; 5) *разг.* надёжный, ве́рный; ~ tip све́дения из достове́рных исто́чников; 6) *амер. полит.* неукло́нно подде́рживающий реше́ния свое́й па́ртии; пре́данный свое́й па́ртии; to vote the ~ ticket голосова́ть за спи́сок кандида́тов свое́й па́ртии; 7) *амер.* неразба́вленный; ~ whisky неразба́вленное ви́ски; 8) *амер. sl.* пошту́чный (*о цене́*); cigars ten cents ~ сига́ры сто́имостью де́сять це́нтов за шту́ку; ◇ ~ face ничего́ не выража́ющее лицо́;

2. *adv* 1) пря́мо, по прямо́й ли́нии; to ride ~ е́хать напрями́к; to hit ~ нанести́ прямо́й уда́р; 2) пра́вильно, то́чно, ме́тко; to shoot ~ ме́тко стреля́ть; 3) пря́мо, че́стно, откры́то; tell me ~ what you think скажи́те мне пря́мо, что вы ду́маете; to run ~ че́стно вести́ себя́; 4) немéдленно, сра́зу; □ ~ away *разг.* сра́зу, то́тчас; ~ off сра́зу, не обду́мав; ~ out напрями́к, пря́мо;

3. *n* 1) прямизна́; 2) пряма́я ли́ния; 3) пряма́я (*перед фи́нишем на ска́чках*); 4) (the ~) *амер.* пра́вда, и́стина; ве́рное, пра́вильное утвержде́ние.

straightaway ['streɪtəweɪ] *a* 1) прямо́й; 2) че́стный.

straight-cut ['streɪt'kʌt] *a* продо́льно наре́занный (*о табаке́*).

straight-edge ['streɪtedʒ] *n* лине́йка, прави́ло.

straighten ['streɪtn] *v* 1) выпрямля́ть(ся); 2) выправля́ть, приводи́ть в поря́док; 3) *амер. sl.* испра́виться.

straightforward [streɪt'fɔːwəd] 1. *a* 1) прямо́й; дви́жущийся *или* веду́щий пря́мо вперёд; 2) че́стный, прямо́й, открове́нный; 3) просто́й; ~ style просто́й стиль;

2. *adv* пря́мо, откры́то.

straight-out ['streɪt'aut] *a амер. разг.* 1) прямо́й, откры́тый; 2) без компроми́ссов и огово́рок, по́лный.

straightway ['streɪtweɪ] 1. *a амер.* иду́щий по прямо́й;

2. *adv уст.* сра́зу, немéдленно.

strain I [streɪn] 1. *n* 1) натяже́ние, растяже́ние; the rope broke under the ~ верёвка ло́пнула от натяже́ния; 2) напряже́ние; to bear the ~ выде́рживать напряже́ние; 3) *тех.* деформа́ция; 4) состоя́ние теку́чести (*мета́лла*);

2. *v* 1) натя́гивать; растя́гивать(ся); to ~ a tendon растяну́ть сухожи́лие; 2) напряга́ть(ся); переутомля́ть(ся); стара́ться

изо всех сил; the masts ~ and groan ма́чты гну́тся и скрипя́т; to ~ under a load напря́чь уси́лия под тя́жестью но́ши; 3) превыша́ть; злоупотребля́ть; наси́ловать; to ~ the law допусти́ть натя́жку в истолкова́нии зако́на; to ~ a person's patience испы́тывать чьё-л. терпе́ние; 4) обнима́ть, сжима́ть; to ~ smb. in one's arms сжать кого́-л. в объя́тиях; to ~ to one's heart прижа́ть к се́рдцу; 5) процежива́ть(ся); фильтрова́ть(ся); проса́чиваться; 6) *тех.* сгиба́ть, скру́чивать, деформи́ровать; □ ~ after тяну́ться за *чем-л.*; стреми́ться к *чему-л.*; ~ at натя́гивать, тяну́ть изо всех сил; the rowers ~ at the oars гребцы́ налега́ют на вёсла; ~ off отце́живать; ◇ to ~ at a gnat переоце́нивать ме́лочи; быть ме́лочным.

strain II [streɪn] *n* 1) поро́да, пле́мя, род; 2) насле́дственная черта́; черта́ хара́ктера; накло́нность; a ~ of cruelty не́которая жесто́кость, элеме́нт жесто́кости; 3) *биол.* штамм; 4) стиль, тон ре́чи; much more in the same ~ и мно́го ещё в том же ду́хе; he spoke in a dismal ~ он говори́л в меланхоли́ческом то́не; 5) (*обы́кн. pl*) *муз., поэт.* напе́в, мело́дия; поэ́зия, стихи́; the ~s of the harp зву́ки а́рфы; martial ~s во́инственные напе́вы.

strained [streɪnd] 1. *p. p. от* strain I, 2;

2. *a* 1) натя́нутый, напряжённый; неесте́ственный; ~ cordiality напускна́я серде́чность; ~ relations натя́нутые отноше́ния; ~ smile де́ланная улы́бка; 2) иска́жённый; 3) профильтро́ванный, проце́женный; 4) *тех.* деформи́рованный.

strainer ['streɪnə] *n* 1) си́то; фильтр; 2) стя́жка; натяжно́е приспособле́ние.

straining ['streɪnɪŋ] 1. *pres. p. от* strain I, 2;

2. *n* напряже́ние *и пр.* [*см.* strain I, 2]; do your best without ~ сде́лайте, что мо́жете, но не напряга́йтесь.

strait [streɪt] 1. *n* 1) (*ча́сто pl*) проли́в; 2) (*обы́кн. pl*) затрудни́тельное положе́ние, стеснённые обстоя́тельства, нужда́; in great ~s в бе́дственном положе́нии; 3) *ре́дк.* переше́ек;

2. *a уст.* 1) у́зкий, те́сный; 2) стро́гий.

straiten ['streɪtn] *v* 1) су́живать, ограни́чивать; 2) стесня́ть.

straitened ['streɪtnd] 1. *p. p. от* straiten;

2. *a* стеснённый; ~ circumstances стеснённые обстоя́тельства.

strait jacket ['streɪt'dʒækɪt] *n* смири́тельная руба́шка.

strait-laced ['streɪtleɪst] *a* 1) стро́гий, пурита́нский, нетерпи́мый в вопро́сах нра́вственности; 2) *уст.* ту́го затя́нутый, зашнуро́ванный.

strait waistcoat ['streɪt'weɪskout] = strait jacket.

stramineous [strə'mɪnɪəs] *a* 1) соло́менный; 2) соло́менно-жёлтый; 3) не име́ющий значе́ния, ве́са.

stramonium [strə'mouniəm] *n* 1) *бот.* дурма́н; 2) *фарм.* страмо́ний.

strand I [strænd] 1. *n* бе́рег, прибре́жная полоса́;

2. *v* 1) сесть на мель (*тж. перен.*); 2) посадить на мель (*тж. перен.*); 3) выбросить на берег.

strand II [strænd] **1.** *n* 1) прядь; стренга (*троса, кабеля*); ~s of hair пряди волос; 2) нитка (*бус*); 3) черта характера;

2. *v* вить, скручивать.

stranded I ['strændɪd] **1.** *p. p. от* strand I, 2;

2. *a* 1) сидящий на мели; выброшенный на берег; 2) без средств, в затруднительном положении.

stranded II ['strændɪd] **1.** *p. p. от* strand II, 2;

2. *a* скрученный, витой.

strange [streɪndʒ] *a* 1) чужой; чуждый; незнакомый, неизвестный; чужеземный; in ~ lands в чужих краях; this handwriting is ~ to me этот почерк мне неизвестен; 2) странный, необыкновенный; удивительный; ~ to say удивительно, что; 3) *predic.* непривычный, незнакомый; to feel ~ in company стесняться в обществе; he is ~ to the job он незнаком с делом; I feel ~ мне не по себе; 4) сдержанный, холодный; ◇ ~ woman блудница.

stranger ['streɪndʒə] *n* 1) чужестранец, чужой; незнакомец; посторонний (человек); the little ~ *шутл.* новорождённый; you are quite a ~ here вы редко здесь показываетесь; 2) человек, незнакомый с чем-л.; he is a ~ to fear он не знает страха; he is no ~ to sorrow он знает, что такое горе; 3) *амер. разг.* сударь; ◇ to make a ~ of smb. холодно обходиться с кем-л.; to spy (*или* to see) ~s *парл.* требовать удаления посторонней публики из палаты.

strangle ['stræŋgl] *v* 1) задушить, удавить; 2) задыхаться; 3) жать (*о воротничке и т. п.*); 4) подавлять.

stranglehold ['stræŋglhould] *n* удушение (*обыкн. перен.*).

strangulate ['stræŋgjuleɪt] *v* 1) *мед.* сжимать, перехватывать (*кишку, вену и т. п.*); 2) *редк.* душить.

strangulation [ˌstræŋgjuˈleɪʃən] *n* 1) *мед.* зажимание, перехватывание; ущемление; 2) удушение.

strangury ['stræŋgjurɪ] *n* болезненное, затруднённое мочеиспускание.

strap [stræp] **1.** *n* 1) ремень, ремешок; 2) полоска материи *или* металла; штрипка; 3) завязка; 4) *воен.* погон; 5) ремень для правки бритв; 6) (the ~) порка ремнём; 7) *тех.* крепительная планка; скоба; 8) *мор., ав.* строп.

2. *v* 1) стягивать ремнём (*тж.* ~ down, ~ up); 2) править (бритву) на ремне; 3) хлестать ремнём; 4) стягивать края раны липким пластырем.

straphanger ['stræpˌhæŋə] *n разг.* 1) стоящий пассажир, держащийся за ремень; 2) лёгкое чтиво.

strap-oil ['stræpɔɪl] *n* порка.

strapontin [ˌstræˈpɔnˈtæŋ] *фр. n* приставной стул (*в театре*); откидное сиденье.

strappado [stræˈpeɪdou] *n* (*pl* -os, -oes [-ouz]) дыба.

strapper ['stræpə] *n* 1) здоровяк, здоровый, рослый парень; 2) чудовищная ложь.

strapping ['stræpɪŋ] **1.** *pres. p. от* strap 2; **2.** *n* 1) *собир.* ремни; 2) прикрепление *или* стягивание ремнями; 3) липкий пластырь в виде ленты; 4) наложение повязки из липкого пластыря; 5) порка ремнём; **3.** *a* рослый; сильный.

strata ['strɑːtə] *pl от* stratum.

stratagem ['strætɪdʒəm] *n* (военная) хитрость; уловка; he devised a ~ он придумал уловку.

strategic(al) [strəˈtiːdʒɪk(əl)] *a* стратегический; оперативный; ~ map оперативная карта; ~ raw material стратегическое сырьё.

strategics [strəˈtiːdʒɪks] *n pl* (*употр. как sing*) стратегия.

strategist ['strætɪdʒɪst] *n* стратег.

strategy ['strætɪdʒɪ] **1.** *n* стратегия; оперативное искусство;

2. *v редк.* маневрировать.

strath [stræθ] *n шотл.* широкая горная долина с протекающей по ней рекой.

strathspey [stræθˈspeɪ] *n* быстрый шотландский танец (*медленнее, чем reel*).

strati ['streɪtaɪ] *pl от* stratus.

stratification [ˌstrætɪfɪˈkeɪʃən] *n геол.* стратификация; напластование, залегание.

stratify ['strætɪfaɪ] *v геол.* наслаиваться, напластовываться.

stratigraphy [strəˈtɪgrəfɪ] *n* стратиграфия (*отдел геологии*).

stratocracy [strəˈtɔkrəsɪ] *n* диктатура военщины.

stratosphere ['strætousfɪə] *n* стратосфера.

stratum ['strɑːtəm] *n* (*pl* -ta) 1) *геол.* пласт, напластование, формация; 2) (*обыкн. pl*) слой (*общества*).

stratus ['streɪtəs] *n* (*pl* -ti) слоистые облака.

straw [strɔː] **1.** *n* 1) солома; соломка; 2) соломинка; 3) соломенная шляпа; 4) пустяк, мелочь; not worth a ~ ничего не стоящий; ◇ to catch at a ~ хвататься за соломинку; the last ~ последняя капля; a man of ~ а) соломенное чучело; б) ненадёжный человек; в) подставное, фиктивное лицо; г) воображаемый противник; not to care a ~ относиться совершенно безразлично; a ~ in the wind намёк, указание;

2. *a* 1) соломенный; 2) желтоватый, цвета соломы; 3) ненадёжный, сомнительный; ~ bail *амер. sl.* ненадёжное, «липовое» поручительство; ◇ ~ vote *амер.* предварительное голосование (*для выяснения настроения*).

strawberry ['strɔːbərɪ] *n* 1) земляника; клубника; wild ~ лесная земляника; crushed ~ цвет давленой земляники; ~ *attr.* земляничный; клубничный; ~ leaves земляничные листья; *перен.* герцогское достоинство (*от эмблемы в виде листьев земляники на герцогской короне*).

strawberry-mark ['strɔːbərɪmɑːk] *n* красноватое родимое пятно.

strawberry-tree ['strɔːbərɪtriː] *n бот.* земляничник крупноплодный.

strawberry vine ['strɔːbərɪ'vaɪn] *n* ус земляни́чного куста́.

straw-colour ['strɔː,kʌlə] *n* бле́дно-жёлтый, соло́менный цвет.

straw-coloured ['strɔː'kʌləd] *a* бле́дно-жёлтый.

strawy ['strɔːɪ] *a* 1) соло́менный, похо́жий на соло́му; 2) травяни́стый (*о вкусе чая и т. п.*); 3) пусто́й, ничто́жный.

stray [streɪ] 1. *n* 1) заблуди́вшееся *или* отби́вшееся от ста́да живо́тное; 2) заблуди́вшийся ребёнок; 3) *pl юр.* вы́морочное иму́щество; 4) *pl радио* парази́тная ёмкость; поме́хи;
2. *a* 1) заблуди́вшийся, заблу́дший; бездо́мный; 2) случа́йный; ~ thoughts бессвя́зные мы́сли; a few ~ instances не́сколько отде́льных приме́ров;
3. *v* 1) сби́ться с пути́, заблуди́ться; отби́ться; don't ~ from the road не сбе́йтесь с доро́ги; the sheep has ~ed from the flock овца́ отби́лась от ста́да; 2) *поэт.* блужда́ть; броди́ть, скита́ться; 3) сби́ться с пути́ и́стинного.

strayed [streɪd] 1. *p. p. от* stray 3;
2. *a* заблуди́вшийся.

streak [striːk] 1. *n* 1) поло́ска (*обыкн. неровная, изогнутая*); жи́лка, прожи́лка; a ~ of lightning вспы́шка мо́лнии; like a ~ of lightning с быстрото́ю мо́лнии; 2) черта́ (*характера*); he has a ~ of obstinacy ему́ прису́ще (не́которое) упря́мство; yellow ~ *амер.* скло́нность к вероло́мству, тру́сости; 3) желобо́к; 4) цара́пина; 5) ступе́нька приставно́й ле́стницы; 6) *амер. разг.* пери́од, промежу́ток; ~ of luck везе́ние, пери́од, полоса́ уда́ч; ◇ the silver ~ Ла-Ма́нш; to go a good ~ *амер.* мча́ться;
2. *v* 1) проводи́ть по́лосы, испещря́ть; прочерти́ть (*о молнии*); 2) проноси́ться, мелька́ть.

streaked [striːkt] 1. *p. p. от* streak 2;
2. *a* покры́тый поло́сами; ~ with dirt вы́мазанный гря́зью.

streaky ['striːkɪ] *a* 1) полоса́тый; 2) с просло́йками; 3) изме́нчивый, непостоя́нный; 4) *sl.* раздражи́тельный.

stream [striːm] 1. *n* 1) пото́к, река́, ручей; струя́; a ~ of blood (lava) пото́к кро́ви (ла́вы); the ~ of time тече́ние вре́мени; in a ~, in ~s пото́ком, ручья́ми; 2) пото́к, верени́ца; a ~ of cars пото́к маши́н; 3) шко́ла, тече́ние; 4) *школ.* паралле́льный класс, сформиро́ванный с учётом спосо́бностей уча́щихся (*в англ. школах*); ◇ to go with (against) the ~ плыть по тече́нию (про́тив тече́ния);
2. *v* 1) течь, вытека́ть, ли́ться, стру́иться; light ~ed through the window свет стру́ился в окно́; people ~ed out of the building пу́блика пото́ком повали́ла из зда́ния; 2) лить, источа́ть; his eyes ~ed tears слёзы текли́ по его́ щека́м; wounds ~ing blood кровоточа́щие ра́ны; 3) развева́ть(ся); 4) проноси́ться.

streamer ['striːmə] *n* 1) вы́мпел; дли́нная у́зкая ле́нта; 2) транспара́нт, ло́зунг; 3) *амер. sl.* газе́тный загодо́вок во всю

ширину́ страни́цы, «ша́пка»; 4) столб се́верного сия́ния.

stream-gold ['striːmgould] *n* рассыпно́е зо́лото.

streaming ['striːmɪŋ] 1. *pres. p. от* stream 2;
2. *a* теку́чий *и пр.* [*см.* stream 2]; ~ eyes слезя́щиеся глаза́;
3. *n* распределе́ние уча́щихся по паралле́льным кла́ссам с учётом их спосо́бностей (*в англ. школах*).

streamlet ['striːmlɪt] *n* ручеёк.

streamline ['striːmlaɪn] 1. *n* 1) направле́ние (*воздушного течения*); 2) ли́ния обтека́ния, ли́ния возду́шного пото́ка; 3) *воен.* речно́й рубе́ж;
2. *a* обтека́емый;
3. *v* 1) придава́ть обтека́емую фо́рму; 2) *амер.* ускоря́ть, рационализи́ровать (*производственные процессы и т. п.*).

streamlined ['striːmlaɪnd] 1. *p.p. от* streamline 3;
2. *a* 1) обтека́емый; 2) *амер.* хорошо́ нала́женный.

streamliner ['striːm,laɪnə] *n* авто́бус, самолёт *или* по́езд обтека́емой фо́рмы.

streamy ['striːmɪ] *a* 1) изоби́лующий ручья́ми, пото́ками; 2) стру́ящийся, бегу́щий.

street [striːt] *n* 1) у́лица; on the ~s живу́щая проститу́цией; in the ~ на у́лице (*особ. о внебиржевых сделках*); 2) (the S.) *амер.* биржеви́к, фина́нсовые круги́; 3) *attr.* у́личный; ~ fighting у́личные бои́; ~ cries кри́ки разно́счиков; ◇ the man in the ~ обыва́тель; заур́ядный челове́к; he's ~s ahead of anyone in the field он опереди́л всех в э́той о́бласти; to be in the same ~ with smb. быть в одина́ковом положе́нии с кем-л.; not in the same ~ with несравне́нно ни́же, слабе́е *или* ху́же.

street arab ['striːt'ærəb] *n* беспризо́рник.

streetcar ['striːtkɑː] *n амер.* трамва́й.

street-door ['striːtdɔː] *n* пара́дное, пара́дная дверь.

street orderly ['striːt'ɔːdəlɪ] *n* мете́льщик у́лиц.

street-railway ['striːt,reɪlweɪ] *n амер.* трамва́йная ли́ния.

street-singer ['striːt,sɪŋə] *n* у́личный певе́ц.

street-sweeper ['striːt,swiːpə] *n* 1) маши́на для подмета́ния у́лиц; 2) мете́льщик у́лиц.

streetwalker ['striːt,wɔːkə] *n* проститу́тка.

strength [streŋθ] *n* 1) си́ла; ~ of mind си́ла ду́ха; on the ~ of в си́лу, на основа́нии; 2) про́чность; кре́пость; 3) *тех.* сопротивле́ние; ~ of materials сопротивле́ние материа́лов; 4) непристу́пность; 5) чи́сленность, чи́сленный соста́в; in full ~ в по́лном соста́ве; on the ~ *воен.* в шта́те, в спи́сках; what is your ~? ско́лько вас?

strengthen ['streŋθən] *v* уси́ливать(ся); укрепля́ть(ся); крепи́ть.

strenuous ['strenjuəs] *a* си́льный, энерги́чный; усе́рдный; напряжённый; тре́бующий уси́лий; ~ efforts всеме́рные уси́лия; ~ life де́ятельная жизнь.

streptococci [ˌstreptouˈkɔkaı] *pl* *от* streptococcus.

streptococcus [ˌstreptouˈkɔkəs] *n* (*pl* -ci) стрептоко́кк.

streptomycin [ˌstreptouˈmaısın] *n* *фарм.* стрептомици́н.

stress [stres] **1.** *n* 1) давле́ние, нажи́м; under the ~ of poverty под гнётом нищеты́; under the ~ of weather под влия́нием непого́ды; 2) напряже́ние; 3) ударе́ние; *перен.* значе́ние; to lay ~ on подчёркивать, придава́ть осо́бое (*или* большо́е) значе́ние; 4) *муз.* акце́нт; **2.** *v* 1) подчёркивать; ста́вить ударе́ние; 2) *тех.* подверга́ть напряже́нию *или* давле́нию.

stretch [stretʃ] **1.** *n* 1) вытя́гивание, растя́гивание, удлине́ние; with a ~ and a yawn потя́гиваясь и зева́я; 2) напряже́ние; nerves on the ~ напряжённые не́рвы; 3) натя́жка; преувеличе́ние; ~ of authority превыше́ние вла́сти; a ~ of imagination полёт фанта́зии; 4) промежу́ток вре́мени; at a ~ без переры́ва, подря́д; в один присе́ст; 5) протяже́ние, простира́ние; простра́нство; ~ of open country откры́тая ме́стность; home ~ после́дний, заключи́тельный эта́п; 6) прогу́лка, разми́нка; 7) *sl.* срок заключе́ния; 8) *мор.* галс в бейдеви́нд; **2.** *v* 1) растя́гивать(ся), вытя́гивать(ся), удлиня́ть; тяну́ть(ся); to ~ oneself потя́гиваться; 2) натя́гивать; 3) име́ть протяже́ние, простира́ться, тяну́ться; 4) увели́чивать, уси́ливать; напряга́ть, превыша́ть; to ~ the law допусти́ть натя́жку в истолкова́нии зако́на; to ~ a point вы́йти за преде́лы дозво́ленного; не так стро́го соблюда́ть пра́вила; превыша́ть свои́ права́; заходи́ть далеко́ в усту́пках; 6) преувели́чивать (*тж.* ~ the truth); 7) *разг.* ве́шать; ~ to hemp *sl.* быть пове́шенным; 8) *sl.* свали́ть, повали́ть (*ударом*); to ~ smb. on the ground повали́ть кого́-л.; ☐ ~ **out** a) протя́гивать; б) удлиня́ть шаг; ◇ to ~ one's legs размя́ть но́ги, прогуля́ться.

stretcher [ˈstretʃə] *n* 1) приспособле́ние для растя́гивания; 2) носи́лки; 3) упо́р для ног гребца́; 4) ложо́к (*кирпи́чная кла́дка*); 5) *жив.* подра́мник; 6) *разг.* преувеличе́ние, ложь.

stretcher-bearer [ˈstretʃəˌbeərə] *n* носи́лочный санита́р.

stretch-out [ˈstretʃˈaut] *n* *амер.* *разг.* систе́ма, при кото́рой рабо́чий выполня́ет дополни́тельную рабо́ту без осо́бой опла́ты *или* за незначи́тельную опла́ту.

strew [struː] *v* (strewed [-d]; strewed, strewn) 1) разбра́сывать; разбры́згивать; 2) посыпа́ть (*песко́м*), усыпа́ть (*цвета́ми*); 3) расстила́ть.

strewn [struːn] *p. p. от* strew.

stria [ˈstraıə] *n* (*pl* striae) *биол.* поло́ска, боро́здка.

striae [ˈstraıiː] *pl от* stria.

striated [straıˈeıtıd] *a биол.* боро́здчатый, полоса́тый.

striation [straıˈeıʃən] *n биол.* боро́здчатость, полоса́тость.

stricken [ˈstrıkən] **1.** *p. p. от* strike I, 1; **2.** *a* 1) больно́й, нетрудоспосо́бный; ра́неный; ~ in years *уст.* престаре́лый; ~ with paralysis разби́тый параличо́м; 2) *амер.* вы́черкнутый (*обыкн.* ~ out); ◇ ~ field реши́тельное сраже́ние; по́ле бра́ни.

-stricken [-strıkən] *в сло́жных слова́х означа́ет* охва́ченный, поражённый чем-л., подве́ргшийся чему-л.; awe-stricken охва́ченный у́жасом; drought-stricken поражённый за́сухой.

strickle [ˈstrıkl] *n* 1) гребо́к (*для сгреба́ния ли́шнего зерна́ в ме́ре*); 2) точи́льный брусо́к, осело́к; 3) ско́бель.

strict [strıkt] *a* 1) то́чный, определённый; ~ truth и́стинная пра́вда; in the ~ sense в стро́гом смы́сле; 2) стро́гий, тре́бовательный; he was given ~ orders ему́ бы́ло стро́го-на́строго прика́зано.

stricture [ˈstrıktʃə] *n* 1) (*обыкн.* pl) стро́гая кри́тика, осужде́ние; 2) *мед.* суже́ние сосу́дов.

stridden [ˈstrıdn] *p. p. от* stride 2.

stride [straıd] **1.** *n* 1) большо́й шаг; to take an obstacle in one's ~ a) перешагну́ть одни́м ма́хом; б) преодоле́ть тру́дности без уси́лия; 2) расстоя́ние ме́жду расста́вленными нога́ми; 3) *pl* успе́хи; to make great (*или* rapid) ~s де́лать больши́е успе́хи; great ~s in education больши́е успе́хи в о́бласти образова́ния; ◇ to get into one's ~ принима́ться за де́ло; **2.** *v* (strode; stridden) 1) шага́ть (больши́ми шага́ми); 2) перешагну́ть (*тж.* ~ across, ~ over); 3) *редк.* сиде́ть верхо́м.

strident [ˈstraıdnt] *a* ре́зкий, скрипу́чий.

strife [straıf] *n* борьба́; спор, раздо́р.

strike I [straık] **1.** *v* (struck; struck, *уст.* stricken) 1) ударя́ть(ся); бить; to ~ a blow нанести́ уда́р; to ~ back нанести́ отве́тный уда́р, дать сда́чи; to ~ a blow for smb., smth. вы́ступить в защи́ту кого́-л., чего́-л.; to ~ the first blow быть зачи́нщиком; the ship struck a rock су́дно наско́чило на скалу́; 2) ударя́ть (*по кла́вишам, стру́нам*); to ~ a note *перен.* вы́звать определённое впечатле́ние; 3) бить (*о часа́х*); it has just struck four то́лько что проби́ло четы́ре; the hour has struck проби́л час; наста́ло вре́мя; his hour has struck его́ сме́ртный час проби́л; 4) высека́ть (*ого́нь*), зажига́ть(ся); to ~ a match чи́ркнуть спи́чкой, заже́чь спи́чку; the match won't ~ спи́чка не зажига́ется; 5) чека́нить, выбива́ть; 6) найти́; наткну́ться на, случа́йно встре́тить; to ~ the eye броса́ться в глаза́; to ~ oil откры́ть нефтяно́й исто́чник; *перен.* дости́чь успе́ха; преуспе́ть; 7) приходи́ть в го́лову; an idea suddenly struck me меня́ внеза́пно осени́ла мысль; 8) производи́ть впечатле́ние; the story ~s me as ridiculous расска́з поража́ет меня́ свое́й неле́постью; how does it ~ you? что вы об э́том ду́маете?; how does his playing ~ you? как вам нра́вится его́ игра́?; 9) вселя́ть (*у́жас и т. п.*); 10) порази́ть, сража́ть; to ~ dumb лиши́ть да́ра сло́ва; ошара́шить (*кого́-л.*); to ~ smb. all of a heap *разг.* ошеломля́ть кого́-л.; 11) спуска́ть (*флаг*);

убира́ть (паруса и т. п.); to ~ one's flag
а) мор. сдава́ть кома́ндование; б) сдава́ться,
покоря́ться; to ~ camp, to ~ one's tent сня́ть-
ся с ла́геря; 12) подводи́ть (баланс); заклю-
ча́ть (сделку); to ~ an average выводи́ть
сре́днее число́; 13) амер. sl. шантажи́ро-
вать, вымога́ть; 14) sl. проси́ть, иска́ть
проте́кции; he struck his friend for a job
он попроси́л прия́теля подыска́ть ему́
рабо́ту; 15) пуска́ть (корни); 16) сажа́ть;
17) направля́ться (тж. ~ out); ~ to the
left поверни́те нале́во; 18) проника́ть; про-
ни́зывать; the light ~s through the darkness
свет пробива́ется сквозь темноту́; 19) рав-
ня́ть гребко́м (меру зерна); 20) подсе-
ка́ть (рыбу); 21) эл. образо́вывать дугу́;
□ ~ at наноси́ть уда́р, напада́ть; ~ down
свали́ть с ног, срази́ть; ~ in вме́шиваться
(в разговор); ~ into a) вонза́ть; б) вселя́ть
(ужас и т. п.); в) направля́ться, углуб-
ля́ться; г) начина́ть; ~ into a gallop
пуска́ться в гало́п; ~ off a) отруба́ть
(ударом меча, топора); б) вычёркивать;
в) вычита́ть (из счёта); г) импровизи́ро-
вать; д) полигр. отпеча́тывать; ~ out
а) вы́черкнуть; б) изобрести́, приду́мать;
to ~ out a new idea изобрести́ но́вый план;
в) направля́ться; to ~ out for the shore
направля́ться к бе́регу; ~ through зачёркивать; ~ up a) начина́ть; to ~ up an
acquaintance завяза́ть знако́мство; the
band struck up орке́стр заигра́л; б) амер.
sl. случа́йно встре́титься (with); ~ upon
а) па́дать на (о свете); б) достига́ть (о звуке);
в) приду́мывать (план); г) напа́сть на
(мысль); ◇ to ~ it rich а) напа́сть на жи́лу;
б) преуспева́ть; to ~ out in a line of one's
own а) быть самобы́тным; б) быть само-
стоя́тельным; to ~ home a) попа́сть в цель;
б) бо́льно заде́ть, заде́ть за живо́е; to ~
hands уст. уда́рить по рука́м; to ~ an attitude приня́ть (театра́льную) по́зу; ~
the iron while it is hot посл. куй желе́зо,
пока́ горячо́;
2. n 1) откры́тие месторожде́ния не́фти
или руды́; 2) неожи́данная уда́ча; 3) амер.
sl. вымога́тельство; 4) геол. простира́ние
жи́лы или пласта́; 5) ме́ра ёмкости (раз-
ная в разных районах Англии).
strike II [straɪk] 1. n 1) забасто́вка,
ста́чка; to be on ~ бастова́ть; to go on ~
объявля́ть забасто́вку, забасто́вать; 2) кол-
лекти́вный отка́з (от чего-л.), бойко́т;
buyers' ~ бойкоти́рование покупа́телями
определённых това́ров или магази́нов; 3)
attr. забасто́вочный, ста́чечный; ~ struggle
ста́чечная борьба́.
2. v бастова́ть; объявля́ть забасто́вку;
to ~ work прекраща́ть рабо́ту.
strike benefit ['straɪk'benɪfɪt] = strike
pay.
strikebound ['straɪk,baʊnd] a охва́чен-
ный забасто́вкой.
strike-breaker ['straɪk,breɪkə] n штрейк-
бре́хер.
strike-breaking ['straɪk,breɪkɪŋ] n подав-
ле́ние забасто́вки.
strike-committee ['straɪkkə'mɪtɪ] n ста́-
чечный комите́т.

strike pay ['straɪk'peɪ] n посо́бие, выдава́е-
мое профсою́зом свои́м басту́ющим чле́нам.
striker I ['straɪkə] n 1) молотобо́ец;
2) воен. уда́рник; 3) амер. воен. ордина́-
рец; 4) гарпунёр.
striker II ['straɪkə] n забасто́вщик.
striking I ['straɪkɪŋ] 1. pres. p. от strike
I, 1;
2. a 1) (по)разительный, замечательный;
2) уда́рный; ~ force воен. уда́рная гру́ппа;
3): ~ distance досяга́емость, преде́л до-
сяга́емости; beyond ~ distance вне преде́-
лов досяга́емости.
striking II ['straɪkɪŋ] pres. p. от strike
II, 2.
string [strɪŋ] 1. n 1) верёвка, бечёвка;
тесёмка, завя́зка, шнуро́к; to pull the ~s
перен. нажима́ть та́йные пружи́ны; влия́ть
на ход де́ла; быть скры́тым дви́гателем;
2) тетива́ (лука); 3) муз. струна́; to touch
the ~s (на арфе и т. п.); to harp
on the same ~ перен. тяну́ть всё ту же пе́с-
ню; to touch a ~ перен. затро́нуть стру́нку;
4) pl муз. стру́нные инструме́нты орке́стра;
5) ни́тка (бус и т. п.); 6) верени́ца, ряд;
a ~ of people верени́ца люде́й; a ~ of bursts
пулемётная о́чередь; 7) волокно́, жи́лка;
8) амер. разг. усло́вие, ограниче́ние; 9) sl.
обма́н, мистифика́ция; 10) ло́шади, при-
надлежа́щие одному́ владе́льцу (на скачках); 11) тетива́, косоу́р (лестницы);
12) attr. стру́нный; ~ band стру́нный ор-
ке́стр; ◇ on a ~ в по́лной зави́симости;
под контро́лем; first ~ гла́вный ресу́рс;
second ~ a) запасно́й ресу́рс; б) театр.
дублёр; to have two ~s to one's bow име́ть
на вся́кий слу́чай каки́е-л. дополни́тель-
ные ресу́рсы, сре́дства;
2. v (strung) 1) завя́зывать, привя́зы-
вать; шнурова́ть; 2) снабжа́ть струно́й,
тетиво́й и т. п.; 3) натя́гивать (струну);
4) напряга́ть (тж. ~ up); 5) нани́зывать
(бусы); 6) ве́шать; to ~ a picture пове́сить
карти́ну; 7) амер. sl. обма́нывать; води́ть
за́ нос; □ ~ along with быть пре́данным
кому-л.; сле́довать за кем-л.; ~ out растя́-
гивать(ся) верени́цей; the programme was
strung out too long програ́мма была́ сли́ш-
ком растя́нута; ~ together свя́зывать;
~ up a) взви́нчивать, напряга́ть (нервы
и т. п.); б) разг. вздёрнуть, пове́сить.
string-bag ['strɪŋbæg] n се́тка (сумка
для продуктов).
string-course ['strɪŋkɔːs] n архит. поя-
со́к.
stringed [strɪŋd] a стру́нный.
stringency ['strɪndʒənsɪ] n 1) стро́гость;
2) недоста́ток де́нег; 3) убеди́тельность,
ве́скость.
stringent ['strɪndʒənt] a 1) стро́гий; обя-
за́тельный, то́чный; ~ regulations обя-
за́тельные постановле́ния; 2) стеснённый
недоста́тком средств; 3) убеди́тельный,
ве́ский.
stringer ['strɪŋə] n 1) продо́льная ба́лка;
тетива́ (лестницы); 2) мор., ав. стри́нгер.
string-halt ['strɪŋhɔːlt] = spring-halt.
stringy ['strɪŋɪ] a 1) волокни́стый; 2) тя-
гу́чий, вя́зкий.

strip [strɪp] 1. *n* 1) длинный узкий кусок; полоса; лента; полоска; ~ of board планка; ~ of garden полоска сада; 2) страничка юмора (*в газете, журнале*); 3) взлётно-посадочная площадка (*тж.* air ~, landing ~); 4) порча, разрушение;
2. *v* 1) сдирать, обдирать; снимать; обнажать; 2) лишать (*чего-л.*); ~ped of fine names, it is a swindle выражаясь попросту — это надувательство; 3) отнимать; грабить; 4) раздевать(ся); ~ped to the skin раздетый донага; to be ~ped of leaves стоять голым (*о дереве*); 5) разбирать (на части); 6) разоружать; 7): to ~ a cow выдаивать корову; 8) *тех.* свернуть *или* сорвать нарезку (*у винта*); □ ~ off сдирать; соскабливать.

stripe [straɪp] 1. *n* 1) полоса; 2) нашивка; шеврон; to get (to lose) one's ~s быть произведённым (разжалованным); 3) *уст.* удар бичом; *pl* порка; 4) полосатый материал; 5) *амер.* тип, характер; 6) *pl разг.* тигр;
2. *v* испещрять полосами.

striped [straɪpt] 1. *p. p. от* stripe 2;
2. *a* полосатый.

striper ['straɪpə] *n амер. sl.* морской офицер.

-striper [-,straɪpə] *амер. в сложных словах означает* имеющий *столько-то* нашивок (*о морском офицере*); four-striper капитан 2 ранга.

stripling ['strɪplɪŋ] *n* юноша, подросток.

strip map ['strɪp'mæp] *n* карта маршрута, фотоплан маршрута.

strip mining ['strɪp'maɪnɪŋ] *n* открытая добыча угля.

strip-tease ['strɪp'tiːz] *n театр.* представление-бурлеск, в котором актриса постепенно раздевается на сцене.

strive [straɪv] *v* (strove; striven) 1) стараться; прилагать усилия; to ~ for victory стремиться к победе; 2) бороться (against, with—против).

striven ['strɪvn] *p. p. от* strive.

strode [stroud] *past от* stride 2.

stroke [strouk] 1. *n* 1) удар; a finishing ~ а) удар, сражающий противника; б) решающий довод; [*ср. тж.* 6)]; 2) *мед.* удар, паралич; heat ~ тепловой удар; he had a ~ у него был удар; 3) взмах; отдельное движение *или* усилие; the ~ of an oar взмах весла; they have not done a ~ of work ≅ они палец о палец не ударили; with one ~ of the pen одним росчерком пера; 4) приём, ход; a clever ~ ловкий ход; it was a ~ of genius это было гениально; a ~ of luck удача; 5) *тех.* ход поршня; up (down) ~ ход поршня вверх (вниз); 6) штрих, мазок, черта; finishing ~s последние штрихи, отделка [*ср. тж.* 1)]; to portray with a few ~s обрисовать несколькими штрихами; 7) бой часов; it is on the ~ of nine сейчас пробьёт девять; 8) поглаживание (*рукой*); 9) загребной; to row (*или* to pull) the ~ задавать такт гребцам;
2. *v* 1) гладить (*рукой*), поглаживать, ласкать; to ~ smb. down успокоить чьё-л. раздражение; 2) задавать такт (*гребцам*); ◊ to ~ smb. the wrong way, to ~ smb.'s

hair (*или* fur) the wrong way гладить кого-л. против шерсти; раздражать кого-л.

stroll [stroul] 1. *n* прогулка.
2. *v* 1) прогуливаться, бродить; 2) странствовать, давая представления (*о труппе*).

stroller ['stroulə] *n* 1) прогуливающийся; 2) бродяга; 3) странствующий актёр; 4) лёгкая детская коляска.

strolling ['stroulɪŋ] 1. *pres. p. от* stroll 2;
2. *a* бродячий; ~ musicians бродячие музыканты.

strong [strɔŋ] 1. *a* 1) сильный, обладающий большой физической силой; 2) здоровый; are you quite ~ again? вы вполне окрепли?; 3) сильный; имеющий силу, преимущество, шансы *и т. п.*; ~ candidate кандидат, имеющий большие шансы; ~ literary style энергичный, выразительный стиль; 4) сильный (*в чём-л.*); he is ~ in chemistry он хорошо знает химию; 5) решительный, энергичный; крутой, строгий; ~ measures крутые меры; ~ man а) властный человек; б) решительный администратор; ~ castle хорошо укреплённый замок; ~ design прочная конструкция; 7) крепкий; неразведённый; ~ coffee крепкий кофе; ~ remedy сильнодействующее средство; ~ drinks, ~ waters спиртные напитки; 8) острый, едкий; ~ cheese острый сыр; 9) крепкий, грубый; ~ language сильные выражения; 10) твёрдый, убеждённый; ревностный, усердный (*приверженец, сторонник и т. п.*); 11) сильный, веский; глубоко прочувствованный; ~ sense of disappointment сильное разочарование; ~ reason веская причина; 12) ясный, сильный, определённый; a ~ resemblance сильное сходство; 13) громкий (*о голосе*); 14) устойчивый, твёрдый (*о рынке, ценах*); растущий (*о ценах*); 15) обладающий определённой численностью; battalions a thousand ~ батальоны численностью в тысячу человек каждый; how many ~ are you? сколько вас?; 16) *грам.* сильный; ◊ by the ~ arm (*или* hand) силой; ~ meat ≅ орех не по зубам;
2. *n* (the ~) *pl собир.* 1) сильные, здоровые; 2) сильные, власть имущие;
3. *adv разг.* сильно, решительно; to be going ~ *sl.* быть в полной силе; to go it ~ *sl.* а) действовать решительно; б) поступать безрассудно; to come it ~ *sl.* а) зайти слишком далеко; хватить через край; б) сильно преувеличивать.

strong-arm ['strɔŋ'aːm] *разг.* 1. *a* применяющий силу;
2. *v* применять силу.

strong-box ['strɔŋbɔks] *n* сейф.

stronghold ['strɔŋhould] *n* 1) крепость, твердыня, цитадель; оплот; the Soviet Union is the ~ of peace Советский Союз — оплот мира; 2) *воен.* опорный пункт.

strong-minded ['strɔŋ'maɪndɪd] *a* энергичный, умный (*особ. о женщине*).

strong point ['strɔŋ'pɔɪnt] *n* 1) *воен.* опорный пункт; огневая точка, дот *или* дзот; 2) *перен.* сильное место.

strong-room ['strɔŋrum] *n* кладовая (*для хранения ценностей в банке и т. п.*).

strong-willed ['strɔŋ'wɪld] *a* 1) решительный; волевой; 2) упрямый.

strontium ['strɔnʃjəm] *n хим.* стронций.

strop [strɔp] 1. *n* 1) ремень для правки бритв; 2) *мор.* строп;
2. *v* править (бритву).

strophe ['stroufɪ] *n прос.* строфа.

strove [strouv] *past от* strive.

struck [strʌk] *past и p. p. от* strike I,1.

structural ['strʌktʃərəl] *a* 1) структурный; ~ formula структурная формула; 2) строительный; ~ features конструктивные детали; ~ mechanics строительная механика.

structure ['strʌktʃə] *n* 1) структура; устройство; social ~ социальный строй; the ~ of a language строй языка; the ~ of a sentence структура предложения; 2) здание, сооружение, строение.

struggle ['strʌgl] 1. *n* 1) борьба; class ~ классовая борьба; the ~ for existence борьба за существование; 2) напряжение, усилие;
2. *v* 1) бороться; to ~ for peace бороться за мир; to ~ against difficulties бороться с трудностями; to ~ for one's living биться из-за куска хлеба; 2) биться, отбиваться; 3) делать усилия, стараться изо всех сил; to ~ to one's feet с трудом встать на ноги; to ~ with a mathematical problem биться над задачей; he ~d to make himself heard он всячески старался, чтобы его услышали; 4) пробиваться (through).

strum [strʌm] 1. *n* бренчание, тренканье;
2. *v* бренчать, тренькать.

strumpet ['strʌmpɪt] *n* проститутка.

strung [strʌŋ] *past и p. p. от* string 2.

strut I [strʌt] 1. *n* важная *или* неестественная походка;
2. *v* ходить с важным, напыщенным видом.

strut II [strʌt] 1. *n* подпорка, стойка; *стр.* подкос, сжатый элемент;
2. *v* подпирать.

strutter ['strʌtə] *n разг.* задавака.

strychnine ['strɪkniːn] *n* стрихнин.

stub [stʌb] 1. *n* 1) пень; 2) обломок; 3) короткий тупой обломок *или* остаток; 4) корень (зуба); 5) огрызок (карандаша); 6) окурок; 7) *амер.* корешок (квитанционной книжки и т. п.); 8) *тех.* головка шатуна;
2. *v* 1) выкорчёвывать, вырывать с корнем (тж. ~ up); 2) ударяться ногой обо что-л. твёрдое; to ~ one's toe on (или against) smth. споткнуться обо что-л.; 3) погасить окурок (тж. ~ out).

stubble ['stʌbl] *n* 1) жнивьё, стерня; 2) коротко остриженные волосы; давно небритая борода, щетина.

stubbly ['stʌblɪ] *a* 1) пожнивный, покрытый стернёй; 2) торчащий, щетинистый (о бороде и т. п.).

stubborn ['stʌbən] *a* 1) упрямый, неподатливый; 2) упорный; ~ resistance упорное сопротивление.

stubbornness ['stʌbənnɪs] *n* 1) упрямство; 2) упорство.

stubby ['stʌbɪ] *a* 1) усеянный пнями; 2) похожий на обрубок; коренастый; a short ~ figure коренастая фигура.

stucco ['stʌkou] 1. *n* (*pl* -oes [-ouz]) наружная штукатурка;
2. *v* штукатурить.

stucco-work ['stʌkouwəːk] *n* лепная работа.

stuck [stʌk] *past и p. p. от* stick 2.

stuck-up ['stʌk'ʌp] *a разг.* высокомерный, самодовольный, заносчивый.

stud I [stʌd] 1. *n* 1) гвоздь с большой шляпкой; штифт; кнопка; 2) запонка; 3) *тех.* распорка (в звене цепи); 4) стойка (в деревянной перегородке);
2. *v* 1) обивать; 2) усеивать, усыпать.

stud II [stʌd] *n* 1) конный завод; конюшня; 2) *амер.* = stud-horse.

stud-book ['stʌdbuk] *n* племенная книга (лошадей).

studding-sail ['stʌdɪŋseɪl] *n мор.* лисель.

student ['stjuːdənt] *n* 1) студент; 2) изучающий (что-л.; of); учёный; 3) стипендиат (в некоторых английских колледжах).

studentship ['stjuːdəntʃɪp] *n* 1) студенческие годы; 2) стипендия.

stud farm ['stʌd'faːm] *n* конный завод.

stud-horse ['stʌdhɔːs] *n* племенной жеребец.

studied ['stʌdɪd] 1. *p. p. от* study 2;
2. *a* 1) обдуманный, преднамеренный; ~ insult умышленное оскорбление; 2) деланный; ~ politeness нарочитая любезность; 3) изучаемый; 4) *редк.* начитанный, знающий.

studio ['stjuːdɪou] *n* (*pl* -os [-ouz]) 1) студия; ателье, мастерская; 2) радиостудия; киностудия; телестудия.

studio couch ['stjuːdɪou'kautʃ] *n* тахта-кровать.

studious ['stjuːdjəs] *a* 1) занятый наукой; 2) старательный, прилежный, усердный; 3) = studied 2,1) и 2).

study ['stʌdɪ] 1. *n* 1) изучение, исследование (of); научные занятия; to make a ~ of тщательно изучать; much given to ~ of увлекающийся научными занятиями; 2) (обыкн. pl) приобретение знаний; обучение; to begin one's studies приступать к учёбе; 3) наука; область науки; 4) предмет (достойный) изучения; his face was a perfect ~ на его лицо стоило посмотреть; 5) цель усилий; старание; her constant ~ was to work well она всегда старалась хорошо работать; 6) научная работа, монография; 7) глубокая задумчивость; in a brown ~ в (мрачном) раздумье; в размышлении; 8) рабочий кабинет; 9) очерк; 10) *иск.* этюд, эскиз, набросок; 11) *муз.* этюд, упражнение; 12) *театр.* тот, кто заучивает роль; he is a good ~ он быстро заучивает роль;
2. *v* 1) изучать, исследовать; рассматривать; обдумывать; 2) заниматься, учиться; 3) готовиться (к экзамену и т. п.; for); he is ~ing for the bar он готовится к карьере адвоката; 4) заботиться (о чём-л.); стремиться (к чему-л.), стараться; ~ to wrong no man старайтесь никого не обидеть;

to ~ another's comfort заботиться об удобстве других; to ~ one's own interests преследовать собственные интересы; 5) заучивать наизусть; 6) *уст.* размышлять; □ ~ out выяснить; разобрать; ~ up готовиться к экзамену.

stuff [stʌf] **1.** *n* 1) материал; вещество; to collect the ~ for a book собирать материал для книги; raw ~ сырьё; green ~, garden ~ овощи; he is made of sterner ~ than his father у него более решительный характер, чем у его отца; a man with plenty of good ~ in him человек больших достоинств; this book is poor ~ эта книга ничего не стоит; 2) вещи, имущество; 3) лекарство (*тж.* doctor's ~); 4) дрянь, хлам, чепуха; ~ and nonsense! вздор!; do you call this ~ butter? неужели вы называете эту дрянь маслом?; 5) материя (*особ.* шерстяная); 6) *тех.* набивочный материал, прокладочный материал; 7) обращение, поведение; this is the sort of ~ to give them так и надо поступать с ними; они не заслуживают лучшего обращения; 8) *разг.* обман, надувательство; ◇ small ~ мелочи жизни, пустяки;
2. *v* 1) набивать, заполнять, забивать; начинять, фаршировать; 2) втискивать, засовывать; to ~ one's clothes into a suitcase запихивать вещи в чемодан; 3) затыкать; he ~ed his fingers into his ears он заткнул уши пальцами; 4) объедаться; жадно есть; 5) закармливать, кормить на убой; to ~ a child with sweets пичкать ребёнка сладостями; 6) пломбировать зуб; 7) *разг.* мистифицировать, обманывать; 8) *амер.* наполнять избирательные урны фальшивыми бюллетенями.

stuffed shirt ['stʌf'ʃəːt] *n sl.* напыщенное ничтожество.

stuffing ['stʌfɪŋ] **1.** *pres. p. от* stuff 2; **2.** *n* 1) набивка (*подушки и т. п.*); прокладка; 2) начинка; 3) *амер.* наполнение избирательных урн фальшивыми бюллетенями.

stuffing-box ['stʌfɪŋbɔks] *n тех.* сальник.

stuffy ['stʌfɪ] *a* 1) спёртый, душный; 2) *разг.* щепетильный, обидчивый; 3) *разг.* строгий, пуританский.

stultification [ˌstʌltɪfɪ'keɪʃən] *n* выставление в смешном виде *и пр.* [*см.* stultify].

stultify ['stʌltɪfaɪ] *v* 1) выставлять в смешном виде; 2) сводить на нет (*результат работы и т. п.*).

stum [stʌm] **1.** *n* муст, виноградное сусло; **2.** *v* предупреждать *или* прекращать брожение.

stumble ['stʌmbl] **1.** *n* 1) спотыкание; запинка; задержка; 2) ложный шаг, ошибка; **2.** *v* 1) спотыкаться, оступаться (*тж. перен.*); 2) запинаться; ошибаться; to ~ through a lesson отвечать урок с запинкой; □ ~ across, ~ against случайно найти, натолкнуться на; ~ along ковылять; идти спотыкаясь; ~ at усомниться в чём-л.; сомневаться, колебаться; ~ (up)on наткнуться на.

stumbling-block ['stʌmblɪŋblɔk] *n* камень преткновения.

stumbling-stone ['stʌmblɪŋstoun] *редк.* = stumbling-block.

stumer ['stjuːmə] *n sl.* 1) поддельная монета, банкнот *или* чек; 2) негодный человек.

stump [stʌmp] **1.** *n* 1) пень; 2) обрубок; культя, ампутированная конечность; 3) пенёк (*зуба*); 4) окурок; 5) огрызок (*карандаша*); 6) коротышка; 7) *pl шутл.* ноги; to stir one's ~s *разг.* поторапливаться, пошевеливаться; 8) тяжёлый шаг; 9) импровизированная трибуна; to go (*или* to be) on the ~ вести агитацию; 10) *амер.* вызов на соревнование (*в спорте, танце и т. п.*); 11) спица крикетных ворот; to draw ~s кончать игру (*в крикете*); 12) растушёвка, палочка для тушёвки; 13) *горн.* целик; ◇ to be up a ~ находиться в безвыходном положении, в растерянности;
2. *v* 1) срубать (*дерево*); обрубать (*сучья*); 2) корчевать; 3) ковылять, тяжело ступать (*тж.* ~ along); 4) *разг.* ставить в тупик; I am ~ed for an answer не знаю, что ответить; 5) совершать поездки, выступая с речами, агитировать; 6) *амер.* вызывать на соревнование; подзадоривать; 7) выбивать из игры (*в крикете*); □ ~ up *sl.* выкладывать деньги, платить; переплачивать.

stumper ['stʌmpə] *n разг.* озадачивающий вопрос; трудная работа.

stump orator ['stʌmp'ɔrətə] *n* оратор, выступающий с импровизированной трибуны; агитатор.

stump oratory ['stʌmp'ɔrətərɪ] *n* зажигательные речи; ходульные речи.

stump puller ['stʌmp'pulə] *n* корчеватель.

stump speech ['stʌmp'spiːtʃ] *n* 1) речь с импровизированной трибуны; 2) напыщенная, ходульная речь.

stumpy ['stʌmpɪ] *a* коренастый, приземистый; короткий и толстый; ~ fingers короткие, толстые пальцы.

stun [stʌn] *v* оглушать, ошеломлять.

stung [stʌŋ] *past и p. p. от* sting 2.

stunk [stʌŋk] *past и p. p. от* stink 2.

stunner ['stʌnə] *n sl.* 1) изумительный экземпляр; 2) замечательный человек; 3) потрясающее зрелище.

stunning ['stʌnɪŋ] **1.** *pres. p. от* stun; **2.** *a* 1) оглушающий, ошеломляющий; a ~ blow ужасное потрясение; 2) *разг.* сногсшибательный; 3) *разг.* великолепный.

stunt I [stʌnt] **1.** *n* остановка в росте, задержка роста; **2.** *v* останавливать рост.

stunt II [stʌnt] *разг.* **1.** *n* 1) выступление (*на спортивных соревнованиях*); 2) штука, трюк, фокус; 3) *ав.* фигура высшего пилотажа;
2. *v* 1) демонстрировать смелость, ловкость; 2) показывать фокусы; 3) *ав.* совершать фигурные полёты.

stunted I ['stʌntɪd] **1.** *p. p. от* stunt I, 2; **2.** *a* низкорослый, чахлый.

stunted II ['stʌntɪd] *p. p. от* stunt II, 2.

stupe I [stjuːp] **1.** *n* припарка; **2.** *v* класть припарку.

stupe II [stjuːp] *n sl.* дурак.

stupefaction [ˌstjuːpɪ'fækʃən] *n* оцепенение, остолбенение.

stupefy ['stjuːpɪfaɪ] *v* 1) изумлять, поражать; ошеломлять; 2) притуплять ум *или* чувства.

stupendous [stjuː'pendəs] *a* изумительный; громадный; огромной важности.

stupid ['stjuːpɪd] *a* 1) глупый, тупой, бестолковый; дурацкий; 2) оцепеневший; ~ with sleep осовелый.

stupidity [stjuː'pɪdɪtɪ] *n* глупость, тупость.

stupor ['stjuːpə] *n* 1) оцепенение, остолбенение; 2) *мед.* ступор.

sturdy I ['stəːdɪ] *a* 1) сильный, крепкий, здоровый; *a* ~ child крепыш; 2) стойкий, твёрдый.

sturdy II ['stəːdɪ] *n вет.* вертячка.

sturgeon ['stəːdʒən] *n* осётр.

stutter ['stʌtə] 1. *n* заикание; 2. *v* заикаться; запинаться; to ~ an apology неуверенно пробормотать извинение.

stutterer ['stʌtərə] *n* заика.

sty I [staɪ] *n* 1) свиной хлев; 2) грязное помещение.

sty II [staɪ] *n мед.* ячмень (*на глазу*).

stye [staɪ] = sty II.

Stygian ['stɪdʒɪən] *a миф.* стигийский; *перен.* адский, мрачный.

style [staɪl] 1. *n* 1) стиль; слог; манера (*петь и т. п.*); 2) направление, школа (*в искусстве*); 3) мода, фасон; покрой; 4) изящество, вкус; шик, блеск; in ~ с шиком; to live in grand ~ жить на широкую ногу; 5) род, сорт, тип; that ~ of thing такого рода вещь; a gentleman of the old ~ джентльмен старой школы; 6) стиль (*способ летосчисления*); 7) стиль (*остроконечная палочка для писания у древних греков и римлян*); 8) *поэт.* перо, карандаш; 9) граммофонная иголка; 10) гравировальная игла; 11) *мед.* игла; 12) титул; give him his full ~ величайте его полным титулом; 2. *v* 1) титуловать; величать; 2) шить по моде; вводить в моду.

stylet ['staɪlɪt] *n* стилет.

stylish ['staɪlɪʃ] *a* модный, элегантный; шикарный.

stylist ['staɪlɪst] *n* 1) стилист; 2) модельер; 3) декоратор (*по украшению помещений и т. п.*).

stylistic [staɪ'lɪstɪk] *a* стилистический.

stylize ['staɪlaɪz] *v иск.* изображать в традиционном стиле.

stylo ['staɪlou] *сокр. разг. см.* stylograph.

stylograph ['staɪləgrɑːf] *n* 1) стилограф; 2) вечное перо.

stylus ['staɪləs] *n* граммофонная иголка.

stymie, stymy ['staɪmɪ] *v* срывать; задерживать (*план и т. п.*).

styptic ['stɪptɪk] 1. *a* кровоостанавливающий; 2. *n* кровоостанавливающее средство.

Styx [stɪks] *n миф.* Стикс; ◊ to cross the ~ умереть.

suability [ˌsjuːə'bɪlɪtɪ] *n* подсудность.

suable ['sjuːəbl] *a* 1) ответственный перед судом; 2) подсудный.

suasion ['sweɪʒən] *n* уговаривание; moral ~ увещевание.

suave [swɑːv] *a* 1) учтивый, обходительный; вкрадчивый; 2) мягкий (*о вине и т.п.*).

suavity ['swævɪtɪ] *n* обходительность и пр. [*см.* suave].

sub [sʌb] *сокр. разг.* 1. *n* 1) *см.* submarine 1; 2) *см.* subordinate 2; 3) *см.* subway; 4) *см.* subaltern 1; 5) *см.* sublieutenant; 6) *см.* subscription; 7) *см.* subscriber; 8) *см.* substitute 1; 2. *v см.* substitute 2.

sub- [sʌb-] *pref указывает на*: 1) *положение ниже чего-л. или под чем-л.*: subway а) подземная железная дорога; б) подземный ход; subcutaneous подкожный; 2) *подчинение по службе, низший чин*: subeditor помощник редактора; 3) *более мелкое подразделение*: subcommittee подкомиссия; subdivide подразделять(ся); 4) *передачу другому лицу*: subcontract передоверенный контракт; sublease субаренда; 5) *недостаточное количество вещества в данном соединении*: suboxide недокись; 6) *незначительную степень, малое количество*: subaudible едва слышный.

subahdar [ˌsuːbɑː'dɑː] *n англо-инд. ист.* субадар, старший офицер-индус роты сипаев.

subaltern ['sʌbltən] 1. *n воен.* младший офицер; 2. *a* подчинённый.

subaqueous ['sʌb'eɪkwɪəs] *a* подводный.

subarctic ['sʌb'ɑːktɪk] *a* субарктический, предполярный.

subaudition ['sʌbɔː'dɪʃən] *n* подразумевание.

subchaser ['sʌb'tʃeɪsə] *n амер.* (морской) охотник (*корабль*).

subchloride ['sʌb'klɔːraɪd] *n хим.* закись хлора.

sub-commissioner ['sʌbkə'mɪʃnə] *n* помощник комиссара.

subcommittee ['sʌbkə,mɪtɪ] *n* подкомиссия.

subconscious ['sʌb'kɔnʃəs] *a* подсознательный.

subcontract 1. *n* ['sʌb'kɔntrækt] передоверенный контракт *или* договор; 2. *v* ['sʌbkən'trækt] заключать передоверенный контракт *или* договор.

subcutaneous ['sʌbkjuː'teɪnjəs] *a* подкожный.

subdivide ['sʌbdɪ'vaɪd] *v* подразделять (-ся).

subdivisible ['sʌbdɪ'vɪzəbl] *a* поддающийся дальнейшему подразделению.

subdivision ['sʌbdɪ,vɪʒən] *n* подразделение.

subdual [səb'djuːəl] *n* подчинение, покорение.

subduct [səb'dʌkt] *v редк.* вычитать.

subdue [səb'djuː] *v* 1) подчинять, покорять; to ~ nature покорять природу; 2) смягчать; снижать, ослаблять; to ~ the enemy fire подавить огонь противника; 3) обрабатывать землю.

subdued [səb'djuːd] 1. *p. p. от* subdue; 2. *a* 1) подчинённый, покорённый; 2) пониженный, ослабленный; мягкий; ~

spirits пониженное настроение; ~ voices приглушённые голоса.

subedit ['sʌb'edɪt] v редактировать отдел (газеты и т. п.).

subeditor ['sʌb'edɪtə] n редактор отдела; помощник редактора.

subfamily ['sʌb,fæmɪlɪ] n биол. подсемейство.

subgroup ['sʌbgruːp] n подгруппа.

subhead ['sʌbhed] n 1) подзаголовок; 2) заместитель директора школы.

subjacent [sʌb'dʒeɪsənt] a расположенный ниже, у основания.

subject 1. n ['sʌbdʒɪkt] 1) тема; предмет разговора; сюжет; to dwell on a sore ~ останавливаться на больном вопросе; to change the ~ переменить тему разговора; to traverse a ~ обсудить вопрос; 2) повод (for—к чему-л.); on the ~ of по поводу; 3) объект, предмет (of); 4) предмет, дисциплина; mathematics is my favourite ~ математика мой любимый предмет; 5) подданный; 6) субъект, человек; 7) грам. подлежащее; 8) филос. субъект; 9) муз. главная тема; 10) труп (для вскрытия в анатомическом театре);
2. a ['sʌbdʒɪkt] 1) подчинённый, подвластный; ~ nations несамостоятельные государства; 2) подверженный (to); 3) подлежащий (to); 4): ~ to (употр. как adv) при условии, допуская, если;
3. v [səb'dʒekt] 1) подчинять, покорять (to); 2) подвергать (воздействию, влиянию и т. п.); 3) представлять; to ~ a plan for consideration представить план на рассмотрение.

subject-heading ['sʌbdʒɪkt,hedɪŋ] n предметный указатель, индекс.

subjection [səb'dʒekʃən] n 1) покорение, подчинение; 2) зависимость; 3) подвергание.

subjective [sʌb'dʒektɪv] a 1) субъективный; 2) грам. свойственный подлежащему; ~ case именительный падеж.

subjectivism [sʌb'dʒektɪvɪzəm] n филос. субъективизм.

subjectivity [,sʌbdʒek'tɪvɪtɪ] n субъективность.

subject-matter ['sʌbdʒɪkt,mætə] n тема, содержание (книги, разговора и т. п.); предмет (дискуссии, обсуждения и т. п.).

subjoin ['sʌb'dʒɔɪn] v добавлять; приписывать в конце.

subjugate ['sʌbdʒugeɪt] v покорять, порабощать, подчинять.

subjugation [,sʌbdʒu'geɪʃən] n покорение, подчинение.

subjugator ['sʌbdʒugeɪtə] n покоритель, поработитель.

subjunctive [səb'dʒʌŋktɪv] грам. 1. n сослагательное наклонение;
2. a сослагательный.

sublease ['sʌb'liːs] 1. n субаренда;
2. v 1) брать на правах субаренды; 2) сдавать на правах субаренды.

sublessee ['sʌble'siː] n субарендатор.

sublessor ['sʌble'sɔː] n отдающий в субаренду.

sublet ['sʌb'let] v передавать в субаренду.

sublibrarian ['sʌblaɪ'brɛərɪən] n помощник библиотекаря.

sublieutenant ['sʌble'tenənt] n мор. младший лейтенант.

sublimate 1. n ['sʌblɪmɪt] хим. 1) сублимат, возгон; 2) сулема;
2. v ['sʌblɪmeɪt] 1) хим. сублимировать, возгонять; 2) перен. возвышать, очищать.

sublimation [,sʌblɪ'meɪʃən] n хим. возгонка, сублимация.

sublime [sə'blaɪm] 1. a 1) величественный, высокий, возвышенный, грандиозный; the S. Porte см. Porte; 2) гордый, надменный; ~ indifference высокомерное равнодушие;
2. n: the ~ возвышенное, великое;
3. v = sublimate 2.

subliminal [sʌb'lɪmɪnl] a подсознательный.

sublimity [sə'blɪmɪtɪ] n возвышенность, величественность.

sublunar [sʌb'luːnə] редк. = sublunary.

sublunary [sʌb'luːnərɪ] a подлунный, земной.

submachine-gun ['sʌbmə'ʃiːngʌn] n пистолет-пулемёт, автомат.

submarine ['sʌbməriːn] 1. n 1) подводная лодка; 2) подводное растение или животное;
2. a подводный; ~ speed скорость под водой; ~ force подводный флот; ~ base база подводных лодок; ~ chaser морской охотник (корабль);
3. v потопить подводной лодкой.

submerge [səb'mɜːdʒ] v 1) затоплять; 2) погружа(ся);

submerged [səb'mɜːdʒd] 1. p. p. от submerge;
2. a 1) затопленный; погружённый; 2) обременённый долгами; the ~ tenth беднейшая часть населения.

submergence [səb'mɜːdʒəns] n 1) погружение в воду; 2) затопление.

submerse [səb'mɜːs] 1. a = submersed 2;
2. v редк. погружать в воду.

submersed [səb'mɜːst] 1. p. p. от submerse 2;
2. a растущий под водой, подводный.

submersible [səb'mɜːsɪbl] 1. a пригодный для действия под водой;
2. n редк. подводная лодка.

submersion [səb'mɜːʃən] = submergence.

submission [səb'mɪʃən] n 1) подчинение; 2) повиновение, покорность; with all due ~ с должным смирением и уважением; 3) представление, подача (документов и т. п.).

submissive [səb'mɪsɪv] a покорный; смирный.

submit [səb'mɪt] v 1) подчинять(ся), покорять(ся); I will not ~ to such treatment я не потерплю такого обращения; 2) представлять на рассмотрение; to ~ a question задать вопрос в письменном виде; 3) почтительно указывать; I ~ that a material fact has been passed over я смею утверждать, что существенный факт был пропущен.

submontane [sʌb'mɔnteɪn] a находящийся у подножия горы.

subnormal ['sʌb'nɔːməl] 1. a ниже нормального;
2. n мат. поднормаль.

suborder ['sʌb'ɔ:də] n биол. подотряд.

subordinate 1. a [sə'bɔ:dnɪt] 1) подчинённый (to); 2) второстепенный, низший; 3) грам. придаточный; ~ clause придаточное предложение;
2. n [sə'bɔ:dnɪt] подчинённый;
3. v [sə'bɔ:dɪneɪt] подчинять.

subordination [sə,bɔ:dɪ'neɪʃən] n 1) подчинение, субординация; подчинённость; 2) грам. подчинение.

suborn [sʌ'bɔ:n] v подкупать; склонять к (клятво)преступлению.

subornation [,sʌbɔ:'neɪʃən] n подкуп; попытка склонить к незаконному действию (особ. к клятвопреступлению).

suborner [sə'bɔ:nə] n дающий взятку, взяткодатель.

suboxide [sʌb'ɔksɪd] n хим. недокись.

subpoena [səb'pi:nə] 1. n повестка с вызовом в суд;
2. v вызывать в суд.

subpolar ['sʌb'poulə] a субполярный.

subreption [səb'repʃən] n искажение фактов; неправильная интерпретация.

subscribe [səb'skraɪb] v 1) подписывать (-ся) (под чем-л.); 2) подписываться (to, for—на газеты, журналы и т. n.); 3) жертвовать деньги; 4) присоединяться, соглашаться (to).

subscriber [səb'skraɪbə] n 1) подписчик; 2) абонент; 3) жертвователь.

subscription [səb'skrɪpʃən] n 1) подписание; 2) подпись (на документе); 3) подписка; взнос; to take up (или to make) а ~ собирать деньги (для кого-л.); 4) общая сумма подписки; 5) attr. подписной; ~ list подписной лист.

subsection ['sʌb,sekʃən] n подсекция.

subsequent ['sʌbsɪkwənt] a последующий; ~ to his death после его смерти; ~ upon являющийся результатом; ~ reinforcement воен. пополнения из тыла.

subsequently ['sʌbsɪkwəntlɪ] adv впоследствии, потом, позже.

subserve [səb'sə:v] v содействовать.

subservience, -cy [səb'sə:vjəns, -sɪ] n 1) подхалимство, раболепство; 2) полезность, содействие (цели).

subservient [səb'sə:vjənt] a 1) раболепный; 2) служащий средством, содействующий (to).

subside [səb'saɪd] v 1) падать, убывать; the fever has ~d температура спала; 2) утихать, умолкать; the gale ~d буря утихла; 3) оседать (о почве и т. n.); 4) (обыкн. шутл.) опускаться; he ~d into an arm-chair он опустился в кресло.

subsidence [səb'saɪdəns] n падение и пр. [см. subside].

subsidiary [səb'sɪdjərɪ] 1. a 1) вспомогательный, дополнительный; 2) субсидируемый;
2. n = subsidiary company.

subsidiary company [səb'sɪdjərɪ'kʌmpənɪ] n филиал.

subsidize ['sʌbsɪdaɪz] v субсидировать.

subsidy ['sʌbsɪdɪ] n субсидия, денежное ассигнование, дотация.

subsist [səb'sɪst] v 1) существовать;

2) жить, кормиться (пищей; on); жить (by—чем-л.); 3) прокормить; содержать.

subsistence [səb'sɪstəns] n 1) существование, пропитание; 2) средства к существованию (тж. means of ~).

subsoil ['sʌbsɔɪl] n подпочва.

substance ['sʌbstəns] n 1) вещество; 2) филос. материя, вещество, субстанция; 3) сущность, суть, содержание; in ~ по существу, по сути; devoid of ~ лишённый основания; to have no ~ не иметь основания; 4) реальность, действительность; реальная ценность; 5) имущество, состояние; a man of ~ состоятельный человек.

substandard ['sʌb'stændəd] a 1) ниже установленного стандарта; 2) лингв. не соответствующий языковой норме.

substantial [səb'stænʃəl] a 1) реальный, вещественный; 2) существенный, важный, значительный; ~ contribution большой вклад; ~ improvement заметное улучшение; 3) прочный, крепкий; 4) состоятельный; 5) питательный.

substantiality [səb,stænʃɪ'ælɪtɪ] n реальность и пр. [см. substantial].

substantially [səb'stænʃəlɪ] adv 1) по существу, в основном, в значительной степени; 2) прочно, основательно.

substantiate [səb'stænʃɪeɪt] v 1) приводить достаточные основания, доказывать, подтверждать; this view is ~d эта точка зрения подтверждается; 2) придавать конкретную форму, делать реальным.

substantiation [səb,stænʃɪ'eɪʃən] n 1) доказывание; 2) доказательство.

substantival [,sʌbstən'taɪvəl] a грам. употребляемый как существительное, относящийся к существительному.

substantive ['sʌbstəntɪv] 1. a 1) самостоятельный, независимый; ~ rank воен. действительный чин, звание; 2) грам.: ~ verb глагол to be; noun ~ имя существительное;
2. n грам. имя существительное.

substation [sʌb'steɪʃən] n эл. подстанция.

substitute ['sʌbstɪtju:t] n 1) заместитель; 2) замена; 3) заменитель; суррогат;
2. v 1) заменять; замещать (for—кого-л.); 2) подставлять.

substitution [,sʌbstɪ'tju:ʃən] n 1) замена, замещение; 2) мат. подстановка; 3) attr. подстановочный; ~ tables подстановочные таблицы.

substrata ['sʌb'strɑ:tə] pl от substratum.

substratosphere [sʌb'strætousfɪə] n субстратосфера.

substratum ['sʌb'strɑ:təm] n (pl -ta) 1) нижний слой; 2) основание; 3) подпочва; 4) филос. субстрат.

substruction ['sʌb'strʌkʃən] = substructure.

substructure ['sʌb,strʌktʃə] n фундамент, основание.

subsume ['sʌb'sju:m] v относить к какой-л. категории.

subsurface ['sʌb'sə:fɪs] a 1) находящийся, лежащий под поверхностью; 2) подводный.

subtenant ['sʌb'tenənt] n субарендатор.

subtend [səb'tend] v геом. стя́гивать (дугу́); противолежа́ть.

subtense [səb'tens] n геом. хо́рда или сторона́ треуго́льника (противоположная углу).

subterfuge ['sʌbtəfjuːdʒ] n уве́ртка, отгово́рка.

subterranean [ˌsʌbtə'reinjən] a 1) подзе́мный; 2) секре́тный, подпо́льный.

subterraneous [ˌsʌbtə'reinjəs] = subterranean.

subtil(e) ['sʌtl] уст. = subtle.

subtilize ['sʌtilaiz] v 1) утонча́ть; 2) вдава́ться в то́нкости, мудри́ть.

subtitle ['sʌb,taitl] n 1) подзаголо́вок; 2) субти́тр.

subtle ['sʌtl] a 1) то́нкий, не́жный, неулови́мый; 2) о́стрый, то́нкий (об уме, замечании и т. п.); 3) утончённый; ~ delight утончённое наслажде́ние; 4) иску́сный; ~ device хитроу́мное приспособле́ние; ~ fingers ло́вкие па́льцы; 5) тру́дный, запу́танный; 6) хи́трый, кова́рный; вкра́дчивый.

subtlety ['sʌtlti] n 1) то́нкость, не́жность; 2) острота́, то́нкость (ума, восприя́тия); 3) утончённость; 4) то́нкое разли́чие; 5) иску́сность; 6) хи́трость, кова́рство.

subtorrid ['sʌb'tɔrid] = subtropical.

subtract [səb'trækt] v мат. вычита́ть.

subtraction [səb'trækʃən] n мат. вычита́ние.

subtrahend ['sʌbtrəhend] n мат. вычита́емое.

subtropical ['sʌb'trɔpikəl] a субтропи́ческий.

subulate ['sjuːbjuːleit] a шилови́дный.

suburb ['sʌbəːb] n 1) при́город; 2) pl предме́стья, окре́стности; 3) attr. при́городный.

suburban [sə'bəːbən] 1. a 1) при́городный; 2) у́зкий, ограни́ченный, провинциа́льный; 2. n жи́тель при́города.

suburbanite ['sʌbəːbənait] n жи́тель при́города.

subvene [sʌb'viːn] v соде́йствовать, помога́ть, случа́йно оказа́вшись поблизости.

subvention [səb'venʃən] n субси́дия, дота́ция.

subversion [sʌb'vəːʃən] n ниспроверже́ние, сверже́ние; ги́бель.

subversive [sʌb'vəːsiv] a 1) разруши́тельный, ги́бельный, губи́тельный; 2) подрывно́й; ~ activities подрывна́я де́ятельность.

subvert [sʌb'vəːt] v сверга́ть, ниспроверга́ть; разруша́ть.

subway ['sʌbwei] n 1) тонне́ль; 2) амер. метрополите́н.

succeed [sək'siːd] v 1) сле́довать за чем-л., кем-л.; быть прее́мником, сменя́ть; the generation that ~s us бу́дущее поколе́ние; 2) амер.: to ~ oneself быть переизбра́нным; 3) насле́довать (to); 4) достига́ть це́ли, преуспева́ть (in); име́ть успе́х; to ~ in life преуспе́ть в жи́зни, сде́лать карье́ру, вы́двинуться.

success [sək'ses] n 1) успе́х, уда́ча; to be crowned with ~ увенча́ться успе́хом; 2) челове́к, по́льзующийся успе́хом; произведе́ние, получи́вшее призна́ние и т. п.;

the experiment is a ~ о́пыт уда́лся; I count that book among my ~es я счита́ю, что э́та кни́га моя́ больша́я уда́ча; she was a great ~ as a singer её пе́ние име́ло большо́й успе́х; ◇ nothing succeeds like ~ посл. успе́х влечёт за собо́й но́вый успе́х; ~ is never blamed посл. ≅ победи́теля не су́дят.

successful [sək'sesful] a 1) успе́шный, уда́чный; to be ~ име́ть успе́х; 2) уда́чливый, преуспева́ющий; I was not ~ я не доби́лся успе́ха.

succession [sək'seʃən] n 1) после́довательность; 2) непреры́вный ряд; in ~ подря́д; a ~ of disasters непреры́вная цепь несча́стий; 3) прее́мство, прее́мственность; пра́во насле́дования; поря́док престолонасле́дия; in ~ to smb. в ка́честве чьего́-л. прее́мника, насле́дника; 4) attr.: ~ duties нало́г на насле́дство; ◇ the S. States ист. госуда́рства, образова́вшиеся по́сле распа́да А́встро-Ве́нгрии.

successive [sək'sesiv] a 1) после́дующий; 2) сле́дующий оди́н за други́м, после́довательный; it has rained for three ~ days дождь идёт три дня подря́д.

successor [sək'sesə] n прее́мник, насле́дник (to, of).

succinct [sək'siŋkt] a 1) сжа́тый, кра́ткий; 2) поэт. опоя́санный.

succinite ['sʌksinait] n мин. сукцини́т; уст. янта́рь.

succory ['sʌkəri] n цико́рий.

succotash ['sʌkətæʃ] n амер. блю́до из зелёной кукуру́зы, бобо́в и солёной свини́ны.

succour ['sʌkə] 1. n 1) по́мощь, ока́занная в тяжёлую мину́ту; 2) pl уст. подкрепле́ния; 2. v помога́ть, приходи́ть на по́мощь; подде́рживать.

succulence ['sʌkjuləns] n со́чность, мяси́стость.

succulent ['sʌkjulənt] a со́чный.

succumb [sə'kʌm] v 1) быть побеждённым; уступа́ть, не выде́рживать (to); to ~ to temptation подда́ться искуше́нию; 2) умере́ть (to—от чего-л.); to ~ to pneumonia умере́ть от воспале́ния лёгких.

such [sʌtʃ] 1. a 1) тако́й; don't be in ~ a hurry не спеши́те так; there are no ~ doings now тепе́рь подо́бных веще́й не быва́ет; and ~ things и тому́ подо́бное; ~ as а) как наприме́р; б) тако́й, как; her conduct was ~ as might be expected она́ вела́ себя́ так, как э́того мо́жно бы́ло ожида́ть; в) тот, кото́рый; he will have no books but ~ as I'll let him have он не полу́чит никаки́х книг, кро́ме тех, кото́рые я разрешу́ ему́ взять; 2) тако́й далёкий, тако́й многочи́сленный и т. п.; it was ~ miles away э́то бы́ло так далеко́; ◇ ~ master ~ servant посл. како́в хозя́ин, тако́в и слуга́.

2. pron. demonstr. таково́й; ~ was the agreement таково́ бы́ло соглаше́ние; all ~ таки́е лю́ди; and ~ разг. и тому́ подо́бные; as ~ как таково́й; по существу́; there are no hotels as ~ in this town в э́том го́роде нет настоя́щих гости́ниц; we note your remarks and in reply to ~... мы принима́ем

к све́дению ва́ши замеча́ния и в отве́т на них...

such-and-such [ˈsʌtʃənsʌtʃ] *a* тако́й-то.

suchlike [ˈsʌtʃlaɪk] 1. *a* подо́бный, тако́й; 2. *n*: and ~ и тому́ подо́бные.

suck [sʌk] 1. *n* 1) соса́ние; to take a ~ пососа́ть; 2) вса́сывание, заса́сывание; 3) небольшо́й глото́к; 4) мате́ринское молоко́; to give ~ (to) корми́ть гру́дью; 5) *школ. sl.* неприя́тность; прова́л; what a ~ (*или* ~s)! попа́лся!; 6) *школ. sl.* сла́сти; 2. *v* 1) соса́ть; вса́сывать (*тж.* ~ in); the pump ~s насо́с вбира́ет во́здух вме́сто воды́; 2): to ~ dry вы́сосать, истощи́ть; □ ~ at соса́ть, поса́сывать (*тру́бку и т. п.*); ~ in a) вса́сывать, впи́тывать (*тж.* зна́ния *и т. п.*); б) заса́сывать (*о водоворо́те*); в) *sl.* обману́ть, обста́вить; г) *амер. разг.* всему́ ве́рить; ~ out выса́сывать; to ~ advantage out of smth. извлека́ть вы́году из чего́-л.; ~ up a) вса́сывать; поглоща́ть; б) *школ. sl.* подли́зываться; ◇ to ~ smb.'s brain присва́ивать чужи́е мы́сли.

sucked [sʌkt] 1. *p. p. от* suck 2; 2. *a* вы́сосанный; a ~ orange ≅ «вы́жатый лимо́н».

sucker [ˈsʌkə] *n* 1) сосу́н(о́к) (*особ. моло́чный поросёнок или детёныш кита́*); 2) ледене́ц на па́лочке; 3) *разг.* парази́т; 4) *sl.* молокосо́с, проста́к; 5) *зоол.* присо́сок; 6) *бот.* отро́сток; боково́й побе́г; 7) *тех.* по́ршень насо́са; 8) вса́сывающая труба́.

sucking [ˈsʌkɪŋ] 1. *pres. p. от* suck 2; 2. *a* 1) грудно́й (*о ребёнке*); 2) нео́пытный, начина́ющий; 3) *тех.* вса́сывающий.

sucking-pig [ˈsʌkɪŋpɪg] *n* моло́чный поросёнок.

suckle [ˈsʌkl] *v* 1) корми́ть гру́дью; 2) дава́ть соса́ть вы́мя; 3) вска́рмливать.

suckling [ˈsʌklɪŋ] *n* 1) грудно́й ребёнок; 2) сосу́н(о́к).

suck-up [ˈsʌkʌp] *n* *школ. sl.* подли́за.

sucre [ˈsuːkreɪ] *n* сукре́ (*де́нежная едини́ца Эквадо́ра*).

suction [ˈsʌkʃən] *n* 1) соса́ние, вса́сывание; приса́сывание; 2) *attr.* вса́сывающий.

suctorial [sʌkˈtɔːrɪəl] *a* *зоол.* сосу́щий; приспосо́бленный для соса́ния.

Sudanese [ˌsuːdəˈniːz] 1. *a* суда́нский; 2. *n* суда́нец; суда́нка; the ~ *pl собир.* суда́нцы.

Sudani [suːˈdɑːnɪ] 1. *n* суда́нский диале́кт ара́бского языка́; 2. *a* = Sudanese 1.

sudatoria [ˌsjuːdəˈtɔːrɪə] *pl от* sudatorium.

sudatorium [ˌsjuːdəˈtɔːrɪəm] *n* (*pl* -ria) пари́льня (*в ба́не*).

sudd [sʌd] *n* ма́сса плаву́чих расте́ний на Бе́лом Ни́ле.

sudden [ˈsʌdn] 1. *a* 1) внеза́пный, неожи́данный; 2) стреми́тельный, поспе́шный; to be ~ in one's actions быть о́чень стреми́тельным в свои́х де́йствиях; 2. *n*: (all) of a ~, on a ~ внеза́пно, вдруг.

suddenly [ˈsʌdnlɪ] *adv* внеза́пно, вдруг.

sudoriferous [ˌsjuːdəˈrɪfərəs] *a* 1) *анат.* пото́вый; 2) *мед.* потого́нный.

sudorific [ˌsjuːdəˈrɪfɪk] 1. *a* потого́нный; 2. *n* потого́нное сре́дство.

suds [sʌdz] *n pl* мы́льная пе́на *или* вода́; ◇ to be in the ~ быть в затрудне́нии, в замеша́тельстве.

sudsy [ˈsʌdsɪ] *a* мы́льный, пе́нистый.

sue [sjuː] *v* 1) пресле́довать суде́бным поря́дком; возбужда́ть де́ло (*про́тив кого́-л.*); to ~ a person for libel возбужда́ть про́тив кого́-л. де́ло за клевету́; 2) проси́ть (to- кого́-л., for- о чём-л.); to ~ a law-court for redress иска́ть защи́ты у суда́; □ ~ out вы́хлопотать (*в суде́*).

suède [sweɪd] *фр. n* 1) за́мша; 2) *attr.* за́мшевый.

suet [sjuːt] *n* по́чечное *или* нутряно́е са́ло.

suffer [ˈsʌfə] *v* 1) страда́ть; испы́тывать, претерпева́ть; he ~s from headaches он страда́ет от головны́х боле́й; to ~ a loss потерпе́ть убы́ток; 2) позволя́ть, дозволя́ть; терпе́ть, сноси́ть; I cannot ~ him я его́ не выношу́; 3) *уст.* быть казнённым.

sufferance [ˈsʌfərəns] *n* 1) терпе́ние, терпели́вость; it is beyond ~ э́то невозмо́жно терпе́ть; 2) *уст.* молчали́вое согла́сие, попусти́тельство; he is here on (*или* upon) ~ его́ здесь те́рпят.

sufferer [ˈsʌfərə] *n* 1) страда́лец; 2) пострада́вший.

suffering [ˈsʌfərɪŋ] 1. *pres. p. от* suffer; 2. *n* страда́ние; 3. *a* страда́ющий.

suffice [səˈfaɪs] *v* быть доста́точным, хвата́ть; удовлетворя́ть; ~ it to say доста́точно сказа́ть.

sufficiency [səˈfɪʃənsɪ] *n* 1) доста́точность; доста́ток; 2) *уст.* спосо́бность, уме́ние.

sufficient [səˈfɪʃənt] 1. *a* 1) доста́точный; he had not ~ courage for it на э́то у него́ не хвати́ло сме́лости; 2) име́ющий (*что-л.*) в доста́точном коли́честве; 3) *уст.* уме́лый, подходя́щий; 2. *n разг.* доста́точное коли́чество.

suffix [ˈsʌfɪks] *грам.* 1. *n* су́ффикс; 2. *v* прибавля́ть (су́ффикс).

suffocant [ˈsʌfəkənt] 1. *a* уду́шливый, удуша́ющий; 2. *n* отравля́ющее вещество́ удуша́ющего де́йствия.

suffocate [ˈsʌfəkeɪt] *v* 1) души́ть, уду́шать; 2) задыха́ться.

suffocation [ˌsʌfəˈkeɪʃən] *n* 1) удуше́ние; 2) уду́шье.

suffragan [ˈsʌfrəgən] *n* вика́рный епи́скоп (*тж.* ~ bishop).

suffrage [ˈsʌfrɪdʒ] *n* 1) пра́во го́лоса, избира́тельное пра́во; manhood (womanhood) ~ избира́тельное пра́во для всех взро́слых мужчи́н (же́нщин); universal ~ всео́бщее избира́тельное пра́во; 2) го́лос (*особ. в защи́ту чего́-л.*); 3) одобре́ние, согла́сие; 4) (*тж. pl*) *церк.* ектенья́.

suffragette [ˌsʌfrəˈdʒet] *n* суффражи́стка.

suffragist [ˈsʌfrədʒɪst] *n* сторо́нник равнопра́вия же́нщин.

suffuse [səˈfjuːz] *v* залива́ть (*слеза́ми*); покрыва́ть (*румя́нцем, кра́ской*).

suffusion [səˈfjuːʒən] *n* 1) кра́ска, румя́нец; 2) покры́тие.

sugar [ˈʃugə] 1. *n* 1) са́хар; 2) лесть; 3) *хим.* сахаро́за; 4) *attr.* са́харный;

2. *v* 1) обса́харивать, подсла́щивать; 2) льсти́ть; 3) *sl.* рабо́тать с прохла́дцей, выезжа́ть на други́х.

sugar-basin ['ʃugə,beɪsn] *n* са́харница.

sugar-beet ['ʃugəbi:t] *n* са́харная свёкла.

sugar-bowl ['ʃugəboul] = sugar-basin.

sugar candy ['ʃugə'kændɪ] *n* ледене́ц.

sugar-cane ['ʃugəkeɪn] *n* са́харный тростни́к.

sugar-coat ['ʃugəkout] *v* 1) покрыва́ть са́харом; 2) приукра́шивать.

sugar-daddy ['ʃugə,dædɪ] *n амер. sl.* пожило́й покло́нник молодо́й же́нщины, де́лающий бога́тые пода́рки.

sugar-house ['ʃugəhaus] *n* са́харный заво́д.

sugar-loaf ['ʃugəlouf] *n* 1) голова́ са́хару; 2) со́пка, остроконе́чный холм; 3) шля́па с конусообра́зной тулье́й.

sugar-pine ['ʃugəpaɪn] *n* сосна́ са́харная.

sugarplum ['ʃugəplʌm] *n* 1) кру́глый ледене́ц; 2) комплиме́нт; пода́рок; 3) *разг.* взя́тка.

sugar-refinery ['ʃugərɪ,faɪnərɪ] *n* рафина́дный заво́д.

sugar-tongs ['ʃugətɔŋz] *n* щипцы́ для са́хара.

sugary ['ʃugərɪ] *a* 1) са́харный, сла́дкий; 2) сахари́стый; 3) прито́рный, льсти́вый.

suggest [sə'dʒest] *v* 1) предлага́ть, сове́товать (that); 2) внуша́ть, вызыва́ть; подска́зывать (*мысль*); намека́ть; наводи́ть на мысль; говори́ть о, означа́ть; does the name ~ nothing to you? ра́зве э́то и́мя вам ничего́ не говори́т?; an idea ~ed itself to me мне пришла́ в го́лову мысль; it will not be ~ed тру́дно допусти́ть.

suggestibility [sə,dʒestɪ'bɪlɪtɪ] *n* внуша́емость.

suggestible [sə'dʒestɪbl] *a* 1) поддаю́щийся внуше́нию; 2) могу́щий быть внушённым.

suggestion [sə'dʒestʃən] *n* 1) сове́т, предложе́ние; to make a ~ а) пода́ть мысль; б) внести́ предложе́ние; 2) намёк, указа́ние; there was a ~ of truth in what he said в его́ слова́х была́ до́ля пра́вды; full of ~ многозначи́тельный; наводя́щий на размышле́ние; 3) внуше́ние; 4) собла́зн.

suggestive [sə'dʒestɪv] *a* 1) вызыва́ющий мы́сли; this book is very ~ э́та кни́га заставля́ет ду́мать; 2) намека́ющий на что-л. непристо́йное; неприли́чный.

suicidal [sjuɪ'saɪdl] *a* 1) самоуби́йственный; 2) уби́йственный; губи́тельный, ги́бельный.

suicide ['sjuɪsaɪd] 1. *n* 1) самоуби́йство; to commit ~ поко́нчить с собо́й; 2) самоуби́йца; 3) прова́л пла́нов, крах наде́жд *и т. п.* по со́бственной вине́.
2. *v амер.* поко́нчить с собо́й.

suit [sjuːt] 1. *n* 1) проше́ние; хода́тайство; ~ for pardon хода́тайство о поми́ловании; to grant smb.'s ~ испо́лнить чью-л. про́сьбу; to make ~ to сми́ренно проси́ть; сватовство́; уха́живание; to press one's ~ добива́ться благоскло́нности; to prosper in one's ~ доби́ться успе́ха в сватовстве́; 3) *юр.* тя́жба, проце́сс; to bring a ~ against smb. предъяви́ть иск кому́-л.; to be at ~ су-

ди́ться; 4) набо́р, компле́кт; 5) мужско́й костю́м (*тж.* ~ of clothes); a ~ of dittos по́лный костю́м из одного́ материа́ла; dress ~ мужско́й вече́рний туале́т, фрак; a two-piece ~ да́мский костю́м (*юбка и жакет*); 6) согла́сие, гармо́ния; in ~ with smb. заодно́ с кем-л.; of a ~ with smth. схо́дный, гармони́рующий с чем-л.; 7) *карт.* масть; to follow ~ ходи́ть в масть; *перен.* сле́довать приме́ру; подража́ть; long ~ си́льная масть; short ~ сла́бая масть; ◇ in one's birthday ~ го́лый, в чём мать родила́;
2. *v* 1) удовлетворя́ть тре́бованиям; быть удо́бным, устра́ивать; will that time ~ you? э́то вре́мя вас устро́ит?; to ~ oneself выбира́ть по вку́су; ~ yourself де́лайте, как вам нра́вится; 2) быть поле́зным, приго́дным; meat does not ~ me мя́со мне вре́дно; 3) годи́ться; соотве́тствовать, подходи́ть; быть к лицу́; 4) приспоса́бливать; to ~ the action to the word подкрепля́ть слова́ дела́ми; приводи́ть в исполне́ние; he is not ~ed to be (*или* for) a teacher учи́теля из него́ не полу́чится.

suitable ['sjuːtəbl] *a* подходя́щий, соотве́тствующий, го́дный.

suitcase ['sjuːtkeɪs] *n* небольшо́й пло́ский чемода́н; ◇ to live out of a ~ быть комми-вояжёром.

suite [swiːt] *n* 1) сви́та; 2) набо́р, компле́кт; ~ of furniture гарниту́р ме́бели; ~ of rooms *а* анфила́да ко́мнат, апарта́менты; б) ко́мнаты, занима́емые одни́м челове́ком (*в гостинице*); поко́и; 3) *муз.* сюи́та; 4) *геол.* се́рия, сви́та.

suited ['sjuːtɪd] 1. *p. p. от* suit 2;
2. *a* подходя́щий, соотве́тствующий, го́дный.

suiting ['sjuːtɪŋ] 1. *pres. p. от* suit 2;
2. *n* (*часто pl*) материа́л для костю́мов.

suitor ['sjuːtə] *n* 1) покло́нник; 2) проси́тель; 3) *юр.* исте́ц.

sulfa ['sʌlfə] = sulpha.

sulfa drugs ['sʌlfə'drʌgz] = sulpha drugs.

sulk [sʌlk] 1. *n* (*обыкн. pl*) дурно́е настрое́ние; to take the ~s ду́ться; быть серди́тым; in the ~s в плохо́м настрое́нии;
2. *v* ду́ться; быть серди́тым, мра́чным.

sulky I ['sʌlkɪ] *a* 1) наду́тый, угрю́мый, мра́чный; 2) мра́чный, гнету́щий (*о погоде и т. п.*); a ~ day су́мрачный день.

sulky II ['sʌlkɪ] *n* одноме́стная двуко́лка.

sullen ['sʌlən] 1. *a* 1) угрю́мый, за́мкнутый, серди́тый; 2) мра́чный, нея́ркий (*о цвете*); приглушённый (*о звуке*); 3) злове́щий; 4) ме́дленный;
2. *n* (the ~s) *pl* = sulk 1.

sully ['sʌlɪ] *v* па́чкать, пятна́ть.

sulpha ['sʌlfə] 1. *a фарм.* сульфами́дный;
2. *n* = sulpha drugs.

sulpha drugs ['sʌlfə'drʌgz] *n pl фарм.* лека́рственные сульфами́дные препара́ты.

sulphate ['sʌlfeɪt] *n хим.* соль се́рной кислоты́, сульфа́т; ~ of copper (iron, zinc) ме́дный (желе́зный, ци́нковый) купоро́с.

sulphide ['sʌlfaɪd] *n хим.* сульфи́д, серни́стое соедине́ние.

sulphite ['sʌlfaɪt] *n хим.* сульфи́т, соль серни́стой кислоты́.

sulphur [ˈsʌlfə] 1. *n* 1) *хим.* сéра; flowers of ~ сéрный цвет; 2) зеленовáто-жёлтый цвет; 3) бáбочка из семéйства белянок;
2. *a* зеленовáто-жёлтый;
3. *v* окýривать сéрой.

sulphurate [ˈsʌlfjʊəreɪt] *v* 1) пропитывать сéрой; 2) окýривать сéрой.

sulphureous [sʌlˈfjʊərɪəs] *a* 1) *хим.* сернистый; 2) зеленовáто-жёлтый.

sulphuretted [ˈsʌlfjʊretɪd] *a хим.* сульфированный; ~ hydrogen сероводорóд.

sulphuric [sʌlˈfjʊərɪk] *a хим.* сéрный; ~ acid сéрная кислотá.

sulphurize [ˈsʌlfəraɪz] = sulphurate.

sulphurous [ˈsʌlfərəs] *a* 1)=sulphureous; 2) *перен.* накалённый; 3) *перен.* стрáстный; óгненный.

sulphur-spring [ˈsʌlfəsprɪŋ] *n* сéрный истóчник.

sulphury [ˈsʌlfərɪ] *a* похóжий на сéру; сéрный, сернистый.

sultan [ˈsʌltən] *n* 1) султáн; 2) порóда бéлых кур.

sultana [sʌlˈtɑːnə] *n* 1) султáнша; женá, дочь, сестрá *или* мать султáна; 2) фаворитка; 3) [səlˈtɑːnə] сорт бессемянного изюма.

sultanate [ˈsʌltənɪt] *n* султанáт, султáнство, владéния *и* власть султáна.

sultriness [ˈsʌltrɪnɪs] *n* духотá.

sultry [ˈsʌltrɪ] *a* 1) знóйный, дýшный; 2) стрáстный (*о темперáменте и т. п.*).

sum [sʌm] 1. *n* 1) сýмма, количество; итóг; ~ total óбщая сýмма; 2) сýщность; ~ and substance сáмая суть; in ~ в óбщем, кóротко говоря; 3) арифметическая задáча; to do ~s решáть задáчи; 4) *pl* арифмéтика, решéние задáч; he is good at ~s он силён в арифмéтике;
2. *v* склáдывать, подводить итóг (*часто* ~ up); □ ~ up резюмировать, суммировать.

sumach [ˈsuːmæk] *n бот.* сумáх.

summarize [ˈsʌməraɪz] *v* суммировать, резюмировать, подводить итóг.

summary [ˈsʌmərɪ] 1. *n* крáткое изложéние, резюмé, конспéкт, свóдка;
2. *a* 1) суммáрный, крáткий; ~ account крáткий отчёт; 2) сдéланный без дальнéйших отлагáтельств и промедлéния; 3): ~ court дисциплинáрный суд; ~ punishment дисциплинáрное взыскáние.

summation [sʌˈmeɪʃən] *n* 1) подведéние итóга, суммирование; 2) совокýпность, итóг.

summer I [ˈsʌmə] 1. *n* 1) лéто; 2) расцвéт, период процветáния; 3) *поэт.* год; a woman of some twenty ~s жéнщина лет двадцати; 4) *attr.* лéтний; ~ house дáча; ~ time «лéтнее врéмя» (*когда часы переведены на час вперёд*) [*ср. тж.* summer-time];
2. *v* 1) проводить лéто; 2) пасти (*скот*) лéтом.

summer II [ˈsʌmə] *n стр.* бáлка, переклáдина.

summer-house [ˈsʌməhaus] *n* бесéдка.

summer lightning [ˈsʌmə ˈlaɪtnɪŋ] *n* зарница.

summerly [ˈsʌməlɪ] *a* лéтний.

summersault [ˈsʌməsɔːlt] = somersault.

summer school [ˈsʌmə ˈskuːl] *n* сéрия лéкций в университéте (*во время лéтних каникул*).

summerset [ˈsʌməset] = somersault.

summer-time, summertime [ˈsʌmətaɪm] *n* лéтнее врéмя, лéто [*ср. тж.* summer I, 1, 4)].

summer-tree [ˈsʌmətriː] = summer II.

summit [ˈsʌmɪt] *n* 1) вершина; 2) предéл; верх; 3) *полит.* вы́сшие сфéры; 4) *attr. полит.* проходящий на высóком ýровне; ~ talks переговóры глав прави́тельств; ~ conference (*или* meeting) встрéча глав прави́тельств.

summon [ˈsʌmən] *v* 1) вызывáть (*в суд*); 2) трéбовать исполнéния (*чего-л.*); to ~ the garrison to surrender трéбовать сдáчи крéпости; 3) созывáть (*собрание и т. п.*); 4) собирáть, призывáть (*часто* ~ up); to ~ up courage собрáться с дýхом.

summons [ˈsʌmənz] 1. *n* 1) вы́зов (*особ.* в суд); 2) судéбная повéстка; to serve a witness with a ~ вызывáть свидéтеля повéсткой в суд; 3) *воен.* предложéние сдáться;
2. *v* вызывáть в суд повéсткой.

sump [sʌmp] *n* 1) клоáка; 2) *тех.* грязевик, грязеотстóйник; маслосбóрник; 3) *горн.* зумпф, отстóйник.

sumpter [ˈsʌmptə] *n уст.* вью́чное живóтное; вью́чная лóшадь.

sumpter-horse [ˈsʌmptəhɔːs] *n* вью́чная лóшадь.

sumption [ˈsʌmpʃən] *n лог.* большáя посы́лка (*силлогизма*).

sumptuary [ˈsʌmptjʊərɪ] *a* касáющийся расхóдов, регулирующий расхóды.

sumptuous [ˈsʌmptjʊəs] *a* 1) роскóшный; дорогостóящий; 2) пы́шный; великолéпный.

sun [sʌn] 1. *n* 1) сóлнце; against the ~ прóтив часовóй стрéлки; with the ~ по часовóй стрéлке; to take (*или* to shoot) the ~ *мор.* измерять высотý сóлнца секстáнтом; mock ~ *астр.* лóжное сóлнце; under the ~ а) под сóлнцем, на нáшей планéте, в э́том мире; б) *употр. для усилéния:* nothing under the ~ ничтó на свéте; nothing new under the ~ ≅ ничтó не нóво под лунóй; 2) сóлнечный свет; сóлнечные лучи; ~'s backstays (*или* eyelashes) ~ drawing water *мор.* сóлнечные лучи, прорéзающие облакá; in the ~ на сóлнце; to bask in the ~ грéться на сóлнце; to take the ~ загорáть; to live in the ~ жить в тёплых краях; to close the shutters to exclude the ~ закры́ть стáвни, чтóбы затемни́ть кóмнату; 3) *уст.* восхóд *или* закáт сóлнца; to rise with the ~ рáно вставáть; from ~ to ~ от восхóда (и) до закáта (сóлнца); 4) *поэт.* год, день; ◇ to hail (*или* to adore) the rising ~ зáискивать перед нóвой влáстью; his ~ is rising егó звездá восхóдит; his ~ is set егó звездá закати́лась; a place in the ~ ≅ тёпленькое местéчко; вы́годное положéние; to hold a candle to the ~ занимáться ненýжным дéлом, зря трáтить си́лы; to see the ~ роди́ться; let not the ~ go down upon your wrath *шутл.* не серди́тесь бóльше одногó дня; the morning ~ never lasts a day *посл.* ≅ ничтó не вéчно под лунóй;

2. *v* 1) гре́ть(ся) на со́лнце; to ~ oneself гре́ться; 2) выставля́ть на со́лнце; подверга́ть де́йствию со́лнца.

sun-and-planet gear ['sʌnənd‚plænɪt'gɪə] *n тех.* планета́рная переда́ча.

sun-baked ['sʌnbeɪkt] *a* вы́сушенный на со́лнце.

sun-bath ['sʌnbɑːθ] *n* со́лнечная ва́нна.

sunbeam ['sʌnbiːm] *n* со́лнечный луч.

sun-blind ['sʌnblaɪnd] *n* марки́за, тент.

sun-blinkers ['sʌn‚blɪŋkəz] *n pl* защи́тные очки́ от со́лнца.

sunburn ['sʌnbəːn] *n* зага́р.

sunburnt ['sʌnbəːnt] *a* загоре́лый.

sunburst ['sʌnbəːst] *n* 1) я́ркие со́лнечные лучи́, неожи́данно появи́вшиеся из-за туч; 2) ювели́рное изде́лие в ви́де со́лнца с луча́ми.

sun-cult ['sʌnkʌlt] *n* поклоне́ние со́лнцу, культ со́лнца.

sun-cured ['sʌn'kjuəd] *a* вя́леный на со́лнце.

sundae ['sʌndeɪ] *n* сли́вочное моро́женое с фру́ктами, сиро́пом, оре́хами *и т. п.*

Sunday ['sʌndɪ] *n* 1) воскресе́нье; 2) *attr.* воскре́сный; ~ best *шутл.* лу́чший костю́м *или* пла́тье; пра́здничное пла́тье; ◇ to look two ways to find ~ *разг.* коси́ть (*глаза́ми*).

Sunday-school ['sʌndɪskuːl] *n* воскре́сная шко́ла.

sunder ['sʌndə] *v поэт.* разделя́ть(ся); разъединя́ть, разлуча́ть.

sundew ['sʌndjuː] *n бот.* рося́нка.

sun-dial ['sʌndaɪəl] *n* со́лнечные часы́.

sun-dog ['sʌndɔg] *n астр.* ло́жное со́лнце.

sundown ['sʌndaun] *n* 1) зака́т, захо́д со́лнца; 2) *амер.* да́мская широкопо́лая шля́па; 3) *attr.:* ~ party ра́нняя вечери́нка.

sundowner ['sʌn‚daunə] *n* 1) *амер.* специали́ст, состоя́щий на госуда́рственной слу́жбе и занима́ющийся ча́стной пра́ктикой во внеслуже́бное вре́мя; 2) *австрал.* лентя́й, приходя́щий на фе́рму по́сле оконча́ния рабо́чего дня пря́мо к у́жину; 3) вы́пивка по́сле захо́да со́лнца.

sun-dried ['sʌn'draɪd] *a* вы́сушенный на со́лнце; вя́леный.

sundry ['sʌndrɪ] 1. *a* разли́чный, ра́зный (*обыкн. шутл.*); to talk of ~ matters говори́ть о ра́зных веща́х;

2. *n* 1) *pl* вся́кая вся́чина, ра́зное; 2) *разг., шутл.:* all and ~ все вме́сте и ка́ждый в отде́льности; все без исключе́ния.

sunfish ['sʌnfɪʃ] *n* луна́-ры́ба.

sunflower ['sʌn‚flauə] *n* 1) подсо́лнечник; 2) *attr.* подсо́лнечный; ~ seeds се́мечки; to nibble ~ seeds грызть се́мечки.

sung [sʌŋ] *p. p. от* sing 1.

sun-hat ['sʌnhæt] *n* широкопо́лая шля́па от со́лнца.

sunk [sʌŋk] 1. *p. p. от* sink 2;

2. *a* ни́же у́ровня; погружённый, пото́пленный; ~ fence и́згородь по дну кана́вы.

sunken ['sʌŋkən] *a* 1) затону́вший; погружённый; ~ rock подво́дная скала́; ~ battery *воен.* батаре́я, вры́тая в зе́млю; 2) осе́вший; 3) впа́лый, запа́вший; ~ cheeks впа́лые щёки; ~ eyes запа́вшие глаза́.

sunlight ['sʌnlaɪt] *n* со́лнечный свет.

sunlit ['sʌnlɪt] *a* освещённый со́лнцем.

sunn [sʌn] *n бот.* кротала́рия инди́йская (*тж.* ~ hemp).

sunny ['sʌnɪ] *a* 1) со́лнечный, освещённый со́лнцем; 2) ра́достный, весёлый; ~ disposition жизнера́достный хара́ктер; to look on the ~ side of things смотре́ть бо́дро на жизнь, быть оптими́стом; ◇ she is on the ~ side of forty (fifty *etc.*) ей ещё нет сорока́ (пяти́десяти *и т. д.*) (лет).

sun-parlour ['sʌn‚pɑːlə] *n* застеклённая терра́са; ко́мната с больши́м коли́чеством о́кон, располо́женная на со́лнечной стороне́.

sunproof ['sʌnpruːf] *a* 1) непроница́емый для со́лнечных луче́й; 2) не выгора́ющий на со́лнце.

sunrise ['sʌnraɪz] *n* 1) восхо́д со́лнца; у́тренняя заря́; 2) восто́к.

sunset ['sʌnset] *n* 1) захо́д со́лнца; зака́т; вече́рняя заря́; 2) цвет зака́тного не́ба; 3) за́пад; 4) зака́т, коне́ц; после́дний пери́од; 5) *attr.* зака́тный; *перен.* прекло́нный.

sunshade ['sʌnʃeɪd] *n* 1) зо́нтик (*от со́лнца*); 2) наве́с, тент.

sunshine ['sʌnʃaɪn] *n* 1) со́лнечный свет; in the ~ на со́лнце; 2) хоро́шая пого́да; 3) весе́лье, ра́дость; процвета́ние.

sun-spot ['sʌnspɔt] *n* 1) *астр.* пятно́ на со́лнце; 2) весну́шка; 3) *attr.:* ~ activity де́йствие со́лнечных пя́тен.

sun-stone ['sʌnstoun] *n* со́лнечный ка́мень.

sunstroke ['sʌnstrouk] *n* со́лнечный уда́р.

sun-tan ['sʌntæn] *n* зага́р; to get a ~ загора́ть.

sun-up ['sʌnʌp] *n диал.* восхо́д со́лнца.

sunward ['sʌnwəd] 1. *a* обращённый к со́лнцу;

2. *adv* по направле́нию к со́лнцу.

sunwards ['sʌnwədz] = sunward 2.

sunwise ['sʌnwaɪz] *adv* по часово́й стре́лке.

sun-worship ['sʌn‚wəːʃɪp] *n* солнцепокло́нничество.

Suomi ['swɔːmɪ] *n* 1) фи́нский язы́к; 2) *pl* фи́нны.

sup [sʌp] 1. *n* глото́к; ◇ neither bit(e) nor ~ не пи́вши, не е́вши;

2. *v* 1) отхлёбывать, прихлёбывать; to ~ sorrow хлебну́ть го́ря; 2) у́жинать; 3) корми́ть у́жином.

super ['sjuːpə] 1. *n разг.* 1) (*сокр. от* supernumerary) *театр.* стати́ст; 2) ли́шний *или* нену́жный челове́к; 3) (*сокр. от* superintendent) дире́ктор, управля́ющий; 4) первокла́ссный това́р; 5) *см.* super-film;

2. *a* 1) вы́сшего ка́чества; 2) квадра́тный (*о ме́рах*).

super- ['sjuːpə-] *pref* над-, сверх-; supernatural сверхъесте́ственный; superimpose накла́дывать.

superannuate [‚sjuːpə'rænjueɪt] *v* 1) увольня́ть по ста́рости, переводи́ть на пе́нсию; *перен.* сдава́ть в архи́в; 2) исключа́ть из шко́лы как переро́стка.

superannuated [‚sjuːpə'rænjueɪtɪd] 1. *p. p. от* superannuate;

2. *a* 1) престаре́лый; 2) устаре́лый.

superannuation [ˌsjuːpəˌrænjuˈeɪʃən] *n* 1) увольнение по старости; 2) пенсия лицу, уволенному по старости.

superb [sjuːˈpəːb] *a* великолепный, роскошный, прекрасный; благородный, величественный.

superbomb [ˈsjuːpəbɔm] *n* водородная бомба.

supercargo [ˈsjuːpəˌkɑːɡou] *n* (*pl* -oes [-ouz]) *мор.* заведующий приёмом и выдачей грузов (*на судне*).

supercharge [ˈsjuːpəˈtʃɑːdʒ] *v* *тех.* 1) перегружать; 2) работать с наддувом.

supercharger [ˈsjuːpəˌtʃɑːdʒə] *n* *тех.* нагнетатель.

superciliary [ˌsjuːpəˈsɪliəri] *a* *анат.* бровный, надглазный.

supercilious [ˌsjuːpəˈsɪliəs] *a* высокомерный, презрительный, надменный.

superconductivity [ˈsjuːpəˌkɔndʌkˈtɪvɪti] *n* *физ.* сверхпроводимость.

supercool [ˌsjuːpəˈkuːl] *v* переохлаждать (-ся).

superelevation [ˌsjuːpərˌelɪˈveɪʃən] *n* 1) поперечный уклон дороги на кривой; возвышение наружного рельса на кривой; 2) *арт.* разность настоящего и упреждённого углов места.

supererogation [ˌsjuːpərˌerəˈɡeɪʃən] *n* превышение требований долга; выполнение излишнего.

supererogatory [ˈsjuːpəreˈrɔɡətəri] *a* превышающий требование долга; излишний, дополнительный.

superfatted [ˌsjuːpəˈfætɪd] *a* пережиренный (*о мыле и т. п.*).

superficial [ˌsjuːpəˈfɪʃəl] *a* 1) поверхностный, неглубокий, внешний; ~ knowledge поверхностные знания; 2) *геол.* наносный, аллювиальный.

superficiality [ˌsjuːpəˌfɪʃɪˈælɪti] *n* поверхностность.

superficies [ˌsjuːpəˈfɪʃiːz] *n* (*pl без измен.*) поверхность.

super-film [ˈsjuːpəfɪlm] *n* *кино* боевик.

superfine [ˈsjuːpəˈfaɪn] *a* 1) чрезмерно утончённый; слишком тонкий; 2) высшего сорта; тончайший.

superfluidity [ˈsjuːpəfluːˈɪdɪti] *n* *физ.* сверхтекучесть.

superfluity [ˌsjuːpəˈfluːɪti] *n* 1) избыточность, обилие; 2) избыток; излишек; 3) (*обыкн. pl*) излишество.

superfluous [sjuːˈpəːfluəs] *a* излишний, чрезмерный, ненужный.

superfortress [ˌsjuːpəˈfɔːtrɪs] *n* *ав.* сверхмощная летающая крепость.

superheat [ˌsjuːpəˈhiːt] 1. *n* перегрев; 2. *v* перегревать.

superheater [ˌsjuːpəˈhiːtə] *n* *тех.* пароперегреватель.

superheterodyne [ˈsjuːpəˈheterədaɪn] *n* *радио* супергетеродин; супергетеродинный приёмник.

superhuman [ˌsjuːpəˈhjuːmən] *a* сверхчеловеческий.

superimpose [ˌsjuːpərɪmˈpouz] *v* 1) накладывать; 2) переносить, наносить (на карту, схему *и т. п.*).

superincumbent [ˌsjuːpərɪnˈkʌmbənt] *a* лежащий, покоящийся (*на чём-л.*).

superinduce [ˌsjuːpərɪnˈdjuːs] *v* вводить дополнительно, привносить.

superintend [ˌsjuːprɪnˈtend] *v* управлять, заведовать (of); смотреть (of—за чем-л.); надзирать.

superintendence [ˌsjuːprɪnˈtendəns] *n* надзор; заведование, управление.

superintendent [ˌsjuːprɪnˈtendənt] *n* 1) заведующий, управляющий, директор; 2) старший полицейский офицер (*следующий чин после инспектора*).

superior [sjuːˈpɪəriə] 1. *a* 1) высший, старший; 2) лучший, высшего качества; made of ~ cloth сделанный из сукна высшего качества; a very ~ man незаурядный человек; 3) превосходный; превосходящий; больший; ~ forces превосходящие силы; ~ strength превосходящая сила; 4) самодовольный, высокомерный; 5) недосягаемый, стоящий выше; to be ~ to prejudice быть выше предрассудков; 6) *зоол.* верхний, расположенный над другим органом; ~ wings надкрылья (*у насекомых*); 7) *астр.* отстоящий от солнца дальше, чем земля; 8) *полигр.* надстрочный.
2. *n* 1) старший, начальник; 2) превосходящий другого; he has no ~ in wit никто его не превзойдёт в остроумии; 3) настоятель(ница); Father S. игумен; Mother S. игуменья; 4) *полигр.* надстрочный знак.

superioress [sjuːˈpɪəriəris] *n* *редк.* игуменья, настоятельница монастыря.

superiority [sjuːˌpɪəriˈɔrɪti] *n* 1) старшинство; превосходство; 2) зависящая от стажа очерёдность при получении должности (*на железных дорогах*); 3) *attr.*: ~ complex *психол.* чувство превосходства над окружающими.

superiorly [sjuːˈpɪəriəli] *adv* сверху, выше; лучше.

superlative [sjuːˈpəːlətɪv] 1. *a* 1) величайший, высочайший; a ~ chapter in the history of architecture блестящая страница в истории зодчества; 2) *грам.* превосходный (*о степени*);
2. *n* 1) вершина, кульминация, высшая точка; 2) *грам.* превосходная степень; 3) *грам.* прилагательное *или* наречие в превосходной степени; to speak in ~s преувеличивать.

superlunary [ˌsjuːpəˈluːnəri] *a* 1) *астр.* надлунный; 2) неземной.

superman [ˈsjuːpəmæn] *n* 1) сверхчеловек; 2) супермен, герой американских комиксов.

supermarket [ˈsjuːpəˌmɑːkɪt] *n* магазин без продавцов; магазин самообслуживания.

supermundane [ˌsjuːpəˈmʌndeɪn] *a* неземной; не от мира сего.

supernaculum [ˌsjuːpəˈnækjuːləm] *лат. adv* до последней капли (*до дна*).

supernal [sjuːˈpəːnl] *a* *поэт.* божественный, небесный; высокий, возвышенный.

supernatant [ˌsjuːpəˈneɪtənt] *a* всплывающий, плавающий на поверхности.

supernatural [ˌsjuːpəˈnætʃrəl] *a* сверхъестественный.

supernormal ['sjuːpə'nɔːməl] *a* превышающий норму (*по количеству, качеству и т. п.*); ~ pupil одарённый ученик.

supernumerary [ˌsjuːpə'njuːmərərɪ] 1. *n* 1) сверхштатный работник; временный заместитель; 2) *театр.* статист; статистка; 2. *a* сверхштатный, лишний; дополнительный.

superphosphate [ˌsjuːpə'fɔsfeɪt] *n хим.* суперфосфат.

superpose ['sjuːpə'pouz] *v* накладывать (*одну вещь на другую*).

superposition [ˌsjuːpəpə'zɪʃən] *n* 1) *мат.* наложение; 2) *геол.* напластование.

superprofit ['sjuːpə'prɔfɪt] *n* сверхприбыль.

superrealism [ˌsjuːpə'rɪəlɪzəm]=surrealism.

supersaturate [ˌsjuːpə'sætjureɪt] *v* перенасыщать (*раствор*).

superscribe ['sjuːpə'skraɪb] *v* надписывать, адресовать, делать надпись сверху.

superscription [ˌsjuːpə'skrɪpʃən] *n* надпись (*на чём-л.*); адрес.

supersede [ˌsjuːpə'siːd] *v* 1) заменять; смещать, увольнять (*работника*); 2) вытеснять; занимать (*чьё-л.*) место.

supersensible [ˌsjuːpə'sensəbl] *a* сверхчувственный.

supersonic [ˌsjuːpə'sɔnɪk] *a* сверхзвуковой.

supersound ['sjuːpəsaund] *n физ.* ультразвук.

superstition [ˌsjuːpə'stɪʃən] *n* суеверие, религиозный предрассудок.

superstitious [ˌsjuːpə'stɪʃəs] *a* суеверный.

superstrata [ˌsjuːpə'streɪtə] *pl от* superstratum.

superstratum [ˌsjuːpə'streɪtəm] *n* (*pl* -ta) *геол.* вышележащий пласт *или* слой.

superstructure ['sjuːpəˌstrʌktʃə] *n* 1) надстройка; часть здания выше фундамента; 2) *филос.* надстройка; 3) пролётное строение (*моста*); 4) верхнее строение (*ж.-д. пути*); 5) *мор.* надпалубные сооружения, *обыкн.* орудийные башни боевого корабля.

supertax ['sjuːpətæks] *n* налог на сверхприбыль.

supervacaneous ['sjuːpəvə'keɪnɪəs] *a* излишний, ненужный.

supervene [ˌsjuːpə'viːn] *v* происходить вслед за *чем-л.*; вытекать из *чего-л.*, следовать за *чем-л.*

supervenient [ˌsjuːpə'viːnjənt] *a* следующий за *чем-л.*; возникающий как нечто новое в дополнение к прежнему *или* известному.

supervention [ˌsjuːpə'venʃən] *n* появление в дополнение к *чему-л.*, за *чем-л.*; действие *и т. п.*, возникающее как следствие другого.

supervise ['sjuːpəvaɪz] *v* смотреть, наблюдать (*за чем-л.*); надзирать; заведовать.

supervising ['sjuːpəvaɪzɪŋ] 1. *pres. p. от* supervise; 2. *a* наблюдающий, надзирающий (*за чем-л., кем-л.*); ~ instructor классный наставник.

supervision [ˌsjuːpə'vɪʒən] *n* надзор, наблюдение; заведование; under the ~ of smb.

в ведении кого-л.; под наблюдением, под руководством кого-л.

supervisor ['sjuːpəvaɪzə] *n* 1) надсмотрщик, надзиратель; контролёр; 2) инспектор школы.

supervisory [ˌsjuːpə'vaɪzərɪ] *a* наблюдательный, контролирующий; a ~ body контрольный орган.

supine I [sjuː'paɪn] *a* 1) лежащий навзничь; 2) ленивый, косный; 3) безразличный, инертный, вялый.

supine II ['sjuːpaɪn] *n грам.* супин.

supper ['sʌpə] *n* ужин.

supplant [sə'plɑːnt] *v* выжить, вытеснить; занять (*чьё-л.*) место (*особ. хитростью*).

supple ['sʌpl] 1. *a* 1) гибкий; ~ leather мягкая кожа; 2) податливый, уступчивый; ~ horse хорошо выезженная лошадь; 3) льстивый; угодливый; 4) ловкий.
2. *v* делать (ся) гибким, мягким.

supple-jack ['sʌpldʒæk] *n* 1) несколько видов ползучих растений, отличающихся прочным гибким стеблем; 2) трость из стеблей ползучих растений.

supplement 1. *n* ['sʌplɪmənt] 1) добавление, дополнение; приложение; 2) *геом.* дополнительный угол.
2. *v* ['sʌplɪment] пополнять, добавлять.

supplemental [ˌsʌplɪ'mentl] *a* дополнительный; ~ angle = supplement 1, 2); S. Estimates дополнительные бюджетные ассигнования.

supplementary [ˌsʌplɪ'mentərɪ] = supplemental.

suppliant ['sʌplɪənt] 1. *a* умоляющий, просительный;
2. *n* проситель.

supplicant ['sʌplɪkənt] = suppliant.

supplicate ['sʌplɪkeɪt] *v* молить, просить.

supplication [ˌsʌplɪ'keɪʃən] *n* мольба, просьба.

supplicatory ['sʌplɪkətərɪ] *a* умоляющий, просительный.

supply I [sə'plaɪ] 1. *n* 1) снабжение; поставка; 2) *pl* припасы, продовольствие, провиант (*особ. для армии*); 3) запас; 4) *эк.* предложение; ~ and demand спрос и предложение; 5) *pl* содержание (*денежное*); 6) *pl* утверждаемые парламентом ассигнования; 7) временный заместитель (*напр., учителя*); 8) *тех.* подача, питание, приток, подвод; 9) *attr.* питающий, подающий; снабжающий; ~ canal подводящий канал; ~ pressure *эл.* напряжение в сети; ~ ship, ~ train *и т. п.* транспорт снабжения;
2. *v* 1) снабжать (with); 2) поставлять; доставлять; давать; 3) восполнять, возмещать (*недостаток*); удовлетворять (*нужду*); 4) замещать; to ~ the place of smb. заменять кого-л.; 5) *тех.* подавать, подводить (*напр., ток*), питать.

supply II ['sʌplɪ] *adv* гибко *и пр.* [*см.* supple 1].

support [sə'pɔːt] 1. *n* 1) поддержка; in ~ of в подтверждение; to speak in ~ of... поддерживать, защищать; to lend (*или* to give) ~ (to) оказывать поддержку; 2) кормилец (*семьи*); 3) опора, оплот; 4) подста́вка; подпо́рка; опо́рная сто́йка; су́ппорт (*станка*); 5) *воен.* прикры́тие артилле́рии;

2. *v* 1) подде́рживать; спосо́бствовать, соде́йствовать; 2) помога́ть, подде́рживать (*материа́льно*); содержа́ть (*напр., семью́*); to ~ an institution же́ртвовать на учрежде́ние; 3) подде́рживать, подкрепля́ть; подтвержда́ть; 4) подде́рживать, подпира́ть; 5) выде́рживать, сноси́ть; 6) *театр. редк.* игра́ть (*роль*).

supporter [sə'pɔːtə] *n* 1) сторо́нник, приве́рженец; 2) *геральд.* живо́тное на гербе́ (*обыкн.* подде́рживающее щит).

supporting [sə'pɔːtɪŋ] 1. *pres. p. от* support 2;

2. *a* подде́рживающий, помога́ющий; ~ point опо́рный пункт.

suppose [sə'pouz] *v* 1) предполага́ть; полага́ть, допуска́ть, ду́мать; I ~ so вероя́тно, должно́ быть; what do you ~ this means? что э́то, по-ва́шему, зна́чит?; 2) *в imp. выража́ет предложе́ние:* ~ we go to the theatre! а не пойти́ ли нам в теа́тр? 3) *pass.:* to be ~d (*с inf.*) име́ть определённые обя́занности, забо́ты *и т. n.*; she is not ~d to do the cooking приготовле́ние пи́щи не вхо́дит в её обя́занности.

supposed [sə'pouzd] 1. *p. p. от* suppose; 2. *a* 1) мни́мый; 2) предполага́емый.

supposedly [sə'pouzɪdlɪ] *adv* по о́бщему мне́нию; предположи́тельно.

supposing [sə'pouzɪŋ] 1. *pres. p. от* suppose;

2. *cj* е́сли (бы); ~ it were true, how we should laugh! как бы мы смея́лись, е́сли бы э́то была́ пра́вда!; always ~ при усло́вии, что.

supposition [ˌsʌpə'zɪʃən] *n* предположе́ние; on the ~ of smth. в ожида́нии чего́-л., предполага́я что-л.

suppositional [ˌsʌpə'zɪʃənl] *a* предположи́тельный; предполага́емый.

supposititious [sə,pɔzɪ'tɪʃəs] *a* подде́льный, подло́жный, фальши́вый; подменённый.

suppository [sə'pɔzɪtərɪ] *n мед.* суппозито́рий, свеча́.

suppress [sə'pres] *v* 1) пресека́ть; сде́рживать; to ~ a yawn подави́ть зево́ту; 2) подавля́ть (*восста́ние и т. n.*); 3) запреща́ть (*газе́ту*); конфискова́ть, изыма́ть из прода́жи (*кни́гу и т. n.*); 4) скрыва́ть, зама́лчивать (*пра́вду и т. n.*).

suppression [sə'preʃən] *n* 1) подавле́ние *и пр.* [*см.* suppress]; 2) *юр.:* ~ of civic rights поражение в права́х.

suppurate ['sʌpjuəreɪt] *v* гно́иться.

suppuration [ˌsʌpjuə'reɪʃən] *n* нагное́ние.

supra ['sjuːprə] *лат. adv* вы́ше, ра́нее (*в кни́гах, докуме́нтах и т. n.*).

supremacy [sju'preməsɪ] *n* 1) верхове́нство; верхо́вная власть; Act of S. зако́н о гла́венстве англи́йского короля́ над це́рковью; 2) превосхо́дство.

supreme [sju'priːm] *a* 1) верхо́вный; вы́сший; Supreme Soviet of the USSR Верхо́вный Сове́т СССР; 2) высоча́йший; кра́йний; наибо́лее ва́жный; at the ~ moment в после́дний, крити́ческий моме́нт.

sura(h) ['sjuərə] *n* су́ра (*глава́ кора́на*).

surcease [sə'siːs] *уст.* 1. *n* прекраще́ние, остано́вка;

2. *v* прекраща́ть(ся).

surcharge 1. *n* ['sɔːtʃɑːdʒ] 1) доба́вочная нагру́зка, перегру́зка; 2) припла́та, допла́та (*за письмо́*); 3) штраф, пе́ня; 4) перерасхо́д, изде́ржки сверх сме́ты; 5) надпеча́тка (*на ма́рке*); 6) *эл.* перезаря́дка;

2. *v* [sɔː'tʃɑːdʒ] 1) перегружа́ть; 2) штрафова́ть; взы́скивать (*перерасхо́дованные су́ммы*); 3) надпеча́тывать (*ма́рку*); 4) *эл.* перезаряжа́ть.

surcingle ['sɔːsɪŋgl] 1. *n* подпру́га;

2. *v* стя́гивать подпру́гой.

surd [sɔːd] *n* 1) *мат.* иррациона́льное число́; 2) *фон.* глухо́й звук;

2. *a* 1) *мат.* иррациона́льный; 2) *фон.* глухо́й.

sure [ʃuə] 1. *a* 1) ве́рный, безоши́бочный; надёжный, безопа́сный; a ~ method ве́рный ме́тод; ~ shot ме́ткий стрело́к; 2) (*обыкн. predic.*) несомне́нный; to be ~ ра́зумеется, коне́чно; be ~ to tell me непреме́нно скажи́те мне; he is ~ to come он обяза́тельно придёт; ~ thing! наверняка́!, коне́чно!, несомне́нно!; 3) уве́ренный; ~ of убеждённый в; ~ of oneself самоуве́ренный; to feel ~ (that) быть уве́ренным (что); to make ~ a) убеди́ться, удостове́риться; б) обеспе́чить; I must make ~ of a house for winter я до́лжен обеспе́чить себе́ жильё на́ зиму; ◇ well, to be ~! вот те ра́з!; одна́ко!; a ~ draw a) лес, в кото́ром наверняка́ есть лиси́цы; б) замеча́ние, кото́рое рассчи́тано на то, что́бы заста́вить кого́-л. проболта́ться, вы́дать себя́; ~ bind, ~ find *посл.* ≅ кре́пче запрёшь, верне́е найдёшь;

2. *adv* 1) коне́чно, несомне́нно, действи́тельно (*уст. за исключе́нием выраже́ний*): ~ enough действи́тельно, коне́чно; as ~ as ве́рно, как); 2) *употр. для усиле́ния:* I ~ am sorry about it я о́чень сожале́ю об э́том; ◇ as ~ as eggs is eggs *шутл.* ≅ как два́жды два четы́ре; as ~ as a gun *sl.* безусло́вно; as ~ as fate, as ~ as death несомне́нно;

3. *int* безусло́вно!

sure-fire ['ʃuəˌfaɪə] *a амер. разг.* безоши́бочный, ве́рный.

sure-footed ['ʃuə'futɪd] *a* усто́йчивый, не спотыка́ющийся (*тж. перен.*).

surely ['ʃuəlɪ] *adv* 1) несомне́нно, ве́рно; неизбе́жно; slowly but ~ ме́дленно, но ве́рно; 2) коне́чно, наве́рно; to know full ~ знать наверняка́; 3) безопа́сно; надёжно; 4) *уст.* обяза́тельно, непреме́нно (*в отве́тах*).

surety ['ʃuətɪ] *n* 1) пору́ка; поручи́тель; to stand ~ for smb. взять кого́-л. на пору́ки; поручи́ться за кого́-л.; 2) *редк.* зало́г, поручи́тельство; 3) *уст.* уве́ренность; of a ~ наве́рно, несомне́нно.

surf [sɔːf] *n* прибо́й; буруны́.

surface ['sɔːfɪs] 1. *n* 1) пове́рхность; an uneven ~ неро́вная пове́рхность; 2) вне́шность; he looks at the ~ only он обраща́ет внима́ние то́лько на вне́шнюю сто́рону веще́й; on the ~ вне́шне; 3) *геом.* пове́рхность; 4) *attr.* вне́шний; пове́рхностный; ~ politeness показна́я любе́зность;

2. *v* 1) отделывать поверхность; отесывать; 2) всплывать на поверхность (*о подводной лодке*); 3) заставить всплыть.

surface-car ['sə:fıskɑ:] *n амер.* трамвайный вагон (*в отличие от вагонов воздушной и подземной железных дорог*).

surface-man ['sə:fısmən] *n* 1) железнодорожный сторож, путевой обходчик; 2) *горн.* рабочий на поверхности.

surface-tension ['sə:fıs,tenʃən] *n* поверхностное натяжение.

surface-to-air ['sə:fıstə'ɛə] *a:* ~ (guided) missile управляемый снаряд класса «земля (*или* вода)—воздух».

surface-to-surface ['sə:fıstə'sə:fıs] *a:* ~ (guided) missile межконтинентальный управляемый снаряд класса «земля (*или* вода) — земля (*или* вода)».

surface-water ['sə:fıs wɔːtə] *n геол.* поверхностная вода, верхняя вода.

surfeit ['sə:fıt] **1.** *n* 1) излишество, неумеренность (*особ. в пище и питье*); a ~ of advice слишком много советов; 2) пресыщение;

2. *v* 1) переедать, объедаться; 2) пресыщать(ся) (with); 3) перекармливать.

surge [sə:dʒ] **1.** *n* 1) большая волна; волны; a ~ of anger волна гнева; 2) *поэт.* море;

2. *v* 1) подниматься, вздыматься; 2) волноваться (*о толпе*); 3) *мор.* травить, ослаблять (*снасти*); □ ~ forward ринуться вперёд.

surgeon ['sə:dʒən] *n* 1) хирург; 2) военный, военно-морской врач, офицер медицинской службы.

surgeoncy ['sə:dʒənsı] *n* обязанности военного врача; должность военного врача.

surgery ['sə:dʒərı] *n* 1) хирургия; 2) кабинет *или* приёмная врача с аптекой.

surgical ['sə:dʒıkəl] *a* хирургический; ~ treatment хирургическое вмешательство; ~ fever травматическая лихорадка; ~ bag санитарная сумка.

surly ['sə:lı] *a* угрюмый, сердитый; грубый.

surma ['suəmə] *n англо-инд.* сурьма.

surmise 1. *n* ['sə:maız] предположение, подозрение, догадка;

2. *v* [sə:'maız] предполагать, подозревать, высказывать догадку.

surmount [sə:'maunt] *v* 1) преодолевать; to ~ difficulties (an obstacle) преодолевать трудности (препятствие); 2) (*преим. pass.*) увенчивать; peaks ~ed with snow остроконечные снежные вершины.

surmountable [sə:'mauntəbl] *a* преодолимый.

surmullet [sə:'mʌlıt] *n* барабулька (обыкновенная) (*рыба*).

surname ['sə:neım] **1.** *n* 1) фамилия; 2) прозвище;

2. *v* давать прозвище.

surpass [sə:'pɑːs] *v* 1) превосходить, превышать; 2) перегонять.

surpassing [sə:'pɑːsıŋ] **1.** *pres. p. от* surpass;

2. *a* превосходный, исключительный.

surplice ['sə:pləs] *n церк.* стихарь.

surplice-fee ['sə:pləs,fiː] *n* вознаграждение, получаемое духовным лицом за обряд бракосочетания, похорон *и т. п.*

surplus ['sə:pləs] **1.** *n* излишек, остаток; **2.** *a* 1) излишний, избыточный; добавочный; ~ kit *амер. воен.* запасное обмундирование; 2) *полит.-эк.* прибавочный; ~ value прибавочная стоимость.

surplusage ['sə:pləsıdʒ] *n* излишек, избыток.

surprise [sə'praız] **1.** *n* 1) удивление; to my great ~ к моему величайшему удивлению; to show ~ удивиться; 2) неожиданность, сюрприз; 3) неожиданное нападение; by ~ врасплох; to take smb. by ~ захватить кого-л. врасплох; 4) *attr.* неожиданный, внезапный; a ~ visit неожиданный визит; ~ effect эффект внезапности; ~ attack внезапная атака;

2. *v* 1) удивлять, поражать; I am ~d at you вы меня удивляете; I shouldn't be ~d if... меня нисколько не удивило бы, если...; 2) нагрянуть неожиданно; нападать *или* заставать врасплох; I ~d him in the act я накрыл его на месте преступления; □ ~ into вынудить (*неожиданным вопросом и т. п.*); to ~ a person into a confession вынудить признание у кого-л., застав его врасплох.

surprising [sə'praızıŋ] **1.** *pres. p. от* surprise 2;

2. *a* неожиданный; удивительный, поразительный.

surprisingly [sə'praızıŋlı] *adv* удивительно, необычайно; неожиданно.

surra ['surə] *n вет.* трипаносомоз.

surrealism [sə'rıəlızəm] *n иск.* сюрреализм.

surrebutter [,sʌrı'bʌtə] *n юр.* ответ истца на возражение ответчика.

surrejoinder [,sʌrı'dʒɔındə] *n юр.* ответ истца на ответное возражение ответчика.

surrender [sə'rendə] **1.** *n* 1) сдача; капитуляция; 2) отказ (*от чего-л.*); 3) сдача (части) продукции государству по твёрдой цене; 4) *attr.:* ~ value сумма, причитающаяся (*или* часть премии, возвращаемая) отказавшемуся от страхового полиса.

2. *v* 1) сдавать(ся); to ~ at discretion сдаваться на милость победителя; 2) уступать, подчиниться; to ~ one's bail явиться в срок, будучи отпущенным на поруки; 3) *refl.* поддаваться, предаваться; to ~ oneself to despair впасть в отчаяние; to ~ oneself over to smb.'s influence подпасть под чьё-л. влияние; 4) отказываться; to ~ hope отказываться от надежды; to ~ a right отказываться от права; 5) сдавать часть производимой продукции государству по твёрдой цене.

surreptitious [,sʌrəp'tıʃəs] *a* тайный; сделанный тайком, исподтишка; ~ look взгляд исподтишка; by ~ methods тайными методами.

surrey ['sʌrı] *n амер.* лёгкий двухместный экипаж.

surrogate ['sʌrəgıt] **1.** *n* 1) заместитель; 2) заменитель, суррогат; 3) *амер.* судья по делам о наследстве и опеке;

2. *v* замещать; заменять.

surround [sə'raund] *v* окружа́ть; обступа́ть.

surrounding [sə'raundɪŋ] 1. *pres. p. от* surround;
2. *a* близлежа́щий, сосе́дний.

surroundings [sə'raundɪŋz] *n pl* 1) окре́стности; 2) среда́; окруже́ние.

surtax ['sɜːtæks] 1. *n* доба́вочный подохо́дный нало́г;
2. *v* облага́ть доба́вочным подохо́дным нало́гом.

surveillance [sɜː'veɪləns] *n* надзо́р, наблюде́ние (*за подозреваемым в чём-л.*); under ~ под надзо́ром (*полиции*).

survey 1. *n* ['sɜːveɪ] 1) обозре́ние, осмо́тр; 2) обозре́ние, обзо́р; 3) обсле́дование; инспекти́рование; 4) отчёт об обсле́довании; 5) межева́ние, съёмка; проме́р; 6) план; 7) топографи́ческое управле́ние; 8) *attr.* обзо́рный; a ~ course in history обзо́рные ле́кции по исто́рии;
2. *v* [sɜː'veɪ] 1) обозрева́ть, осма́тривать; изуча́ть с какой-л. це́лью; to ~ the situation ознако́миться с положе́нием; 2) инспекти́ровать; 3) производи́ть землеме́рную съёмку; межева́ть; 4) производи́ть изыска́ния *или* иссле́дования.

surveyor [sɜː'veɪə] *n* 1) землеме́р; топо́граф, маркше́йдер; съёмщик; 2) инспе́ктор; ~ of weights and measures контролёр мер и весо́в; 3) *амер.* тамо́женный чино́вник.

survival [sə'vaɪvəl] *n* 1) выжива́ние; the ~ of the fittest *биол.* есте́ственный отбо́р; 2) пережи́ток.

survive [sə'vaɪv] *v* 1) пережи́ть (*современников, свою славу и т. п.*); he ~d his wife for many years он пережи́л свою́ жену́ на мно́го лет; 2) пережи́ть, вы́держать, перенести́; 3) оста́ться в живы́х; продолжа́ть существова́ть; уцеле́ть; the custom still ~s э́тот обы́чай ещё существу́ет.

survivor [sə'vaɪvə] *n* оста́вшийся в живы́х, уцеле́вший.

susceptibility [sə,septə'bɪlɪtɪ] *n* 1) впечатли́тельность, восприи́мчивость; 2) чувстви́тельность, оби́дчивость; 3) *pl* больно́е, уязви́мое ме́сто.

susceptible [sə'septəbl] *a* 1) впечатли́тельный, восприи́мчивый; 2) чувстви́тельный (to); оби́дчивый; 3) влю́бчивый; 4) *predic.* допуска́ющий; поддаю́щийся (of); a theory ~ of proof легко́ доказу́емая тео́рия.

susceptive [sə'septɪv] *a* восприи́мчивый.

suslik ['suslɪk] *рус. n* су́слик.

suspect 1. *n* ['sʌspekt] подозрева́емый *или* подозри́тельный челове́к;
2. *a predic.* ['sʌspekt] подозри́тельный; подозрева́емый;
3. *v* [səs'pekt] 1) подозрева́ть; to ~ smb. of smth. подозрева́ть кого́-л. в чём-л.; 2) сомнева́ться в и́стинности, не доверя́ть; I ~ the authenticity of the document я сомнева́юсь в по́длинности докуме́нта; 3) ду́мать, предполага́ть; you are pretty tired after your journey, I ~ я полага́ю, вы о́чень уста́ли от пое́здки.

suspend [səs'pend] *v* 1) ве́шать, подве-

шивать; 2) приостана́вливать; откла́дывать; (временно) прекраща́ть; to ~ judgement откла́дывать пригово́р; to ~ one's judgement возде́рживаться от реше́ния; to ~ payment прекрати́ть платежи́; призна́ть себя́ неплатёжеспосо́бным; 3) (временно) отстраня́ть от до́лжности; to ~ a student вре́менно отстрани́ть студе́нта от заня́тий.

suspended [səs'pendɪd] 1. *p.p. от* suspend;
2. *a* 1) подве́шенный, вися́щий; 2) подвесно́й, вися́чий; 3) приостано́вленный; 4) *хим.* взве́шенный; ~ matter взвесь.

suspender [səs'pendə] *n* 1) подвя́зка; 2) *pl* (*особ. амер.*) подтя́жки, по́мочи.

suspense [səs'pens] *n* 1) неизве́стность, неопределённость; беспоко́йство; ожида́ние; нереши́тельность; the question is in ~ вопро́с ещё не решён; 2) вре́менное прекраще́ние, приостано́вка.

suspension [səs'penʃən] *n* 1) ве́шание; подве́шивание; 2) приостано́вка; прекраще́ние; вре́менная отста́вка; ~ of arms *воен.* коро́ткое переми́рие; 3) *эк.* прекраще́ние платеже́й; банкро́тство; 4) *хим.* взве́шенное состоя́ние, суспе́нзия; 5) *attr.* подвесно́й, вися́чий; ~ bridge вися́чий мост.

suspension point [səs'penʃən'pɔɪnt] *n* многото́чие.

suspensive [səs'pensɪv] *a* 1) приостана́вливающий; 2) нереши́тельный.

suspensory [səs'pensərɪ] *мед.* 1. *a* подде́рживающий, подве́шивающий;
2. *n* подде́рживающая повя́зка; суспензо́рий.

suspicion [səs'pɪʃən] *n* 1) подозре́ние; his character is above ~ он вы́ше подозре́ний; on ~ по подозре́нию; 2) чу́точка; при́вкус, оттёнок.

suspicious [səs'pɪʃəs] *a* подозри́тельный.

suspire [səs'paɪə] *v поэт.* вздыха́ть.

sustain [səs'teɪn] *v* 1) подде́рживать, подпира́ть; 2) подкрепля́ть, подде́рживать; to ~ life подде́рживать жизнь; to ~ a conversation подде́рживать разгово́р; 3) испы́тывать, выноси́ть; выде́рживать; to ~ injuries потерпе́ть уве́чье; to ~ a loss понести́ поте́рю; 4) подтвержда́ть, дока́зывать, подде́рживать; the court ~ed his claim суд реши́л в его́ по́льзу; to ~ a theory подде́рживать, подтвержда́ть тео́рию; 5) выде́рживать (*роль, характер и т. п.*).

sustained [səs'teɪnd] 1. *p. p. от* sustain;
2. *a* дли́тельный, непреры́вный; ~ effort дли́тельное уси́лие; ~ fire непреры́вный ого́нь; ~ defence стаби́льная оборо́на.

sustaining [səs'teɪnɪŋ] 1. *pres. p. от* sustain;
2. *a* 1) подде́рживающий, подпира́ющий; ~ power сто́йкость, выно́сливость; ~ program радиопрогра́мма, составля́емая и опла́чиваемая радиокомпа́нией; 2) подтвержда́ющий, дока́зывающий.

sustenance ['sʌstɪnəns] *n* 1) сре́дства к существова́нию; 2) пита́ние; пи́ща; 3) подержа́ние, подде́ржка.

sustentation [,sʌstən'teɪʃən] *n* 1) поддержа́ние жи́зни; 2) подде́ржка; прокормле́ние.

sustention [səs'tenʃən] n поддéржка; поддержáние в том же состоянии.

sustentive [səs'tentɪv] a даю́щий, окáзывающий поддéржку; подкрепля́ющий.

susurration [ˌsjuːsə'reɪʃən] n редк. 1) шёпот; 2) лёгкий шóрох.

sutler ['sʌtlə] n маркитáнт.

Sutra ['suːtrə] санскр. n сýтры, собрáние изречéний (в дрéвней санскритской литературе).

suttee ['sʌtiː] n англо-инд. 1) обы́чай самосожжéния вдовы́ вмéсте с трýпом мýжа; 2) вдовá, сжигáющая себя́ вмéсте с трýпом мýжа.

suture ['sjuːtʃə] 1. n 1) анат., бот. шов; 2) хир. наложéние шва; 3) нить для сшивáния рáны;
2. v хир. наклáдывать шов, зашивáть.

suzerain ['suːzəreɪn] n 1) феодáльный власти́тель, сюзерéн; 2) сюзерéнное госудáрство.

suzerainty ['suːzəreɪntɪ] n 1) власть сюзерéна; 2) сюзеренитéт.

svelte [svelt] a стрóйный, ги́бкий.

swab [swɔb] 1. n 1) швáбра; 2) мед. тампóн; 3) мор. sl. погóн; 4) мор. sl. моря́к; амер. офицéр; 5) мор. sl. ýвалень; 6) воен. щётка бáнника; 7) метал. кисть для формóвочных чернил, помазóк;
2. v мыть швáброй (тж. ~ down); подтирáть швáброй (тж. ~ up).

swabber ['swɔbə] n 1) убóрщик; 2) ýвалень.

swad [swɔd] n амер. sl. солдáт.

swaddle ['swɔdl] 1. n = swaddling-clothes;
2. v пеленáть, свивáть (младéнца).

swaddling-bands ['swɔdlɪŋbændz] = swaddling-clothes.

swaddling-clothes ['swɔdlɪŋkləuðz] n 1) pl свивáльники, пелёнки; 2) ограничéние, контрóль; ◇ still in ~, hardly (или just) out of ~ ≅ ещё молокó на губáх не обсóхло.

Swadeshi [swə'deɪʃɪ] n свадéши (движéние за бойкóт английских товáров с цéлью поощрéния индийской промышленности).

swag [swæg] n sl. 1) награ́бленное добрó; добы́ча; 2) взя́тка; 3) австрал. пожи́тки, поклáжа.

swage [sweɪdʒ] тех. 1. n 1) штампóвочный мóлот; кóвочный штамп; мáтрица; 2) обжи́мка;
2. v штамповáть в горя́чем ви́де.

swagger ['swægə] 1. n 1) вáжная похóдка; чвáнство; 2) развя́зность; 3) щегольствó;
2. v 1) расхáживать с вáжным ви́дом (тж. ~ about, ~ in, ~ out); вáжничать; чвáниться; 2) хвáстать (about);
3. a разг. щегольскóй, наря́дный, шикáрный.

swagger-cane ['swægəkeɪn] n трóсточка.

swaggerer ['swægərə] n 1) хвастýн; 2) щёголь.

swagger-stick ['swægəstɪk] = swagger-cane.

swain [sweɪn] n 1) деревéнский пáрень; 2) пастушóк (в буколической поэзии); 3) шутл. обожáтель.

swale [sweɪl] n амер. болóтистая низи́на.

swallow I ['swɔlou] 1. n 1) глотóк; at a ~ одни́м глоткóм; зáлпом; 2) глотáние; 3) глóтка; 4) геол. ры́хлая или пóристая часть жи́лы;
2. v 1) глотáть, проглáтывать; 2) поглощáть (обыкн. ~ up); 3) стерпéть; to ~ an insult проглоти́ть оби́ду; 4) принимáть на вéру; ◇ to ~ the bait ≅ попáсться на ýдочку; to ~ one's words брать свои́ словá обрáтно.

swallow II ['swɔlou] n лáсточка; ◇ one ~ does not make a summer посл. однá лáсточка ещё не дéлает весны́.

swallow dive ['swɔloudaɪv] n прыжóк в вóду лáсточкой.

swallow-tail ['swɔlouteɪl] n 1) раздвóенный хвост; 2) (тж. pl) разг. фрак (тж. swallow-tailed coat).

swam [swæm] past от swim 2.

swamp [swɔmp] 1. n 1) болóто, топь; 2) attr. болóтный; болóтистый; ~ fever маляри́я; ~ ore болóтная желéзная рудá, лимони́т;
2. v 1) заливáть, затопля́ть; 2) (обыкн. p.p.) засыпáть, завáливать (письмами, заявлениями и т. п.); 3) (обыкн. p.p.) засáсывать.

swamper ['swɔmpə] n амер. 1) убóрщик; 2) мóйщик маши́н, рабóчий на автóбусной стáнции.

swampy ['swɔmpɪ] a болóтистый.

swan [swɔn] n 1) лéбедь; black ~ чёрный лéбедь; перен. аномáлия, стрáнное явлéние; mute ~ лéбедь-шипýн; whooping ~ лéбедь-кликýн; 2) (S.) астр. созвéздие Лéбедя; ◇ the S. of Avon Шекспи́р.

swank [swæŋk] sl. 1. n хвастовствó, бахвáльство;
2. a шикáрный, роскóшный;
3. v хвáстать, бахвáлиться.

swanky ['swæŋkɪ] a sl. шикáрный, мóдный, щегольскóй.

swannery ['swɔnərɪ] n садóк для лебедéй.

swan's-down ['swɔnzdaun] n 1) лебя́жий пух; 2) мя́гкая шерстянáя или вигóневая ткань; пике́ с подчёсом.

swan-shot ['swɔnʃɔt] n крýпная дробь.

swan-skin ['swɔnskɪn] n вид мя́гкого сукнá.

swan song ['swɔn'sɔŋ] n лебеди́ная песнь.

swap [swɔp] = swop.

Swaraj [swaː'raːdʒ] санскр. n ист. движéние за самоуправлéние Индии.

Swarajist [swaː'raːdʒɪst] санкр. n ист. сторóнник самоуправлéния Индии.

sward [swɔːd] 1. n газóн; дёрн;
2. v покрывáть дёрном, травóй; засáживать газóн.

sware [swɛə] уст. past от swear 2.

swarf [swɔːf] n мéлкая металли́ческая стрýжка; мéлкие металли́ческие опи́лки.

swarm I [swɔːm] 1. n 1) рой; стáя; толпá; 2) пчели́ный рой; 3) (часто pl) кýча, мáсса;
2. v 1) толпи́ться; to ~ over the position воен. прорвáться мáссой чéрез пози́цию; 2) кишéть (with); 3) рои́ться.

swarm II [swɔːm] v лезть, карáбкаться (тж. ~ up).

swart [swɔːt] *уст.* = swarthy.

swarthy [ˈswɔːðɪ] *a* смуглый; тёмный.

swash [swɔʃ] 1. *n* 1) плеск; 2) прибой, сильное течение; 3) отмель; 4) *уст.* сильный удар;
2. *v* 1) плескать(ся); 2) *уст.* ударять с силой.

swashbuckler [ˈswɔʃˌbʌklə] *n* головорез.

swasher [ˈswɔʃə] = swashbuckler.

swashing [ˈswɔʃɪŋ] 1. *pres. p. om* swash 2;
2. *a* сильный (*об ударе*).

swastika [ˈswæstɪkə] *n* свастика.

swat [swɔt] 1. *n* сильный, тяжёлый удар;
2. *v* тяжело ударять.

swatch [swɔtʃ] *n* (*преим. сев.*) образчик (*ткани*).

swath [swɔːθ] *n* 1) полоса скошенной травы, прокос, ряд; 2) *редк.* взмах косы;
◇ to cut a ~ *амер.* щеголять, красоваться; бахвалиться, пускать пыль в глаза.

swathe [sweɪð] 1. *n* бинт; обмотка;
2. *v* 1) бинтовать; 2) закутывать, обматывать, пеленать.

swatter [ˈswɔtə] *n* хлопушка для мух.

sway [sweɪ] 1. *n* 1) качание, колебание; взмах; 2) власть, влияние; правление;
2. *v* 1) качать(ся), колебать(ся); to ~ to and fro вестись с переменным успехом (*о бое*); 2) иметь влияние (*на кого-л., что-л.*); he is not to be ~ed by argument or entreaty его нельзя поколебать ни доводами, ни мольбой; 3) *поэт.* управлять; править; to ~ the sceptre царствовать; 4) *тех.* направлять, перетягивать; поворачивать в горизонтальном направлении.

sway-beam [ˈsweɪbiːm] *n тех.* балансир.

swear [swɛə] 1. *n разг.* 1) клятва; божба; 2) богохульство; ругательство;
2. *v* (swore, *уст.* sware; sworn) 1) клясться; присягать; to ~ an oath давать клятву; to ~ allegiance клясться в верности; to ~ a charge (*или* accusation) against smb. обвинять кого-л. под присягой; 2) ручаться; 3) заставлять поклясться (to—в *чём-л.*); приводить к присяге (*тж.* ~ in); to ~ a person to secrecy (fact) заставлять кого-л. поклясться в сохранении тайны (в правильности факта); to ~ (in) a witness привести свидетеля к присяге; 4) ругаться; ругать (at—*кого-л.*); богохульствовать; □ ~ by а) клясться чем-л.; б) *разг.* постоянно обращаться к чему-л., рекомендовать что-либо; безгранично верить чему-л.; he ~s by quinine for malaria он очень рекомендует принимать хинин от малярии; ~ in приводить к присяге при вступлении в должность; ~ off *разг.* давать зарок; to ~ off drink дать зарок не пить; ~ to утверждать под присягой; ◇ it is enough to make smb. ~ этого достаточно, чтобы вывести кого-л. из себя; (not) enough to ~ by ≈ кот наплакал; незначительное количество.

swear-word [ˈswɛəwəːd] *n* ругательство, бранное слово.

sweat [swet] 1. *n* 1) пот, испарина; in (*или* by) the ~ of one's brow (*или* face) в поте лица своего; in a ~ весь в поту; *перен.* полный нетерпения; 2) потение;

3) *разг.* тяжёлый труд, чёрная работа; трудное упражнение; 4) *разг.* опасение, беспокойство; 5) запотевание, выделение *или* осаждение влаги (*на поверхности чего-л.*);
2. *v* 1) потеть; to ~ blood покрываться кровавым потом; to ~ with fear обливаться холодным потом от страха; 2) заставлять потеть; to ~ a horse загнать лошадь; 3) трудиться; исполнять чёрную работу; «потеть» (*над чем-л.*); 4) эксплуатировать; 5) быть в ужасе; испытывать страдание, раскаяние и т. п.; 6) выделять влагу; сыреть; запотевать (*о стекле*); 7) *амер. sl.* допрашивать с применением пыток; 8) *тех.* припаивать (in, on); □ ~ out вымогать; выматывать.

sweat-band [ˈswetbænd] *n* кожаная лента внутри шляпы.

sweat-box [ˈswetbɔks] *n разг.* карцер.

sweat-cloth [ˈswetklɔθ] *n* потник.

sweated [ˈswetɪd] 1. *past и p. p. om* sweat 2;
2. *a* 1) потогонный *или* применяющий потогонную систему; ~ industry отрасль промышленности, в которой применяется потогонная система; 2) подвергающийся жестокой эксплуатации, являющийся жертвой потогонной системы.

sweater I [ˈswetə] *n* свитер.

sweater II [ˈswetə] *n* эксплуататор.

sweater girl [ˈswetəˈɡəːl] *n разг.* девушка с высоким бюстом.

sweat-gland [ˈswetɡlænd] *n анат.* потовая железа.

sweating system [ˈswetɪŋˈsɪstɪm] *n* усиленная эксплуатация; потогонная система.

sweat shirt [ˈswetˈʃəːt] *n* бумажный спортивный свитер.

sweat-shop [ˈswetʃɔp] *n* предприятие, на котором существует потогонная система.

sweaty [ˈswetɪ] *a* потный.

Swede [swiːd] *n* швед; шведка.

swede [swiːd] *n бот.* брюква (рутабага).

swedge [swedʒ] *n тех.* оправка.

Swedish [ˈswiːdɪʃ] 1. *a* шведский;
2. *n* шведский язык.

Swedish turnip [ˈswiːdɪʃˈtəːnɪp] = swede.

sweeny [ˈswiːnɪ] *n амер. вет.* атрофия мускула (*особ. плечевого у лошади*).

sweep [swiːp] 1. *n* 1) размах, взмах; 2) охват, кругозор; 3) распространение; охват; развитие; 4) течение; непрестанное движение; 5) протяжение, пролёт; 6) кривая; изгиб; поворот (*дороги*); the graceful ~ of draperies красивые складки драпри; 7) выметание; подметание; чистка; to make a clean ~ of smth. избавиться от чего-л.; окончательно отделаться от чего-л.; 8) трубочист; a regular little ~ чумазый ребёнок; 9) *pl* мусор; 10) *разг. см.* sweepstake(s); 11) чертёжное лекало; 12) длинное весло; 13) крыло ветряной мельницы; 14) журавль (*колодца*); 15) *тех.* шаблон; 16) *ав.* снос (*ветром*);
2. *v* (swept) 1) нестись, мчаться, проноситься (*тж.* ~ along, ~ over); the cavalry swept down the valley кавалерия устремилась по долине; to ~ the seas избороздить

все моря́ и океа́ны [ср. тж. 8)]; 2) обуя́ть, охвати́ть; a deadly fear swept over him его́ обуя́л смерте́льный страх; 3) охва́тывать; оки́дывать взгля́дом; he swept the valley он оки́нул взгля́дом доли́ну; 4) каса́ться, проводи́ть (руко́й); to ~ one's hand across one's face провести́ руко́й по лицу́; 5) простира́ться, тяну́ться; 6) ходи́ть велича́во; 7) гнуть в дугу́; изгиба́ть(ся); 8) мести́, подмета́ть, чи́стить, прочища́ть; to ~ a chimney чи́стить дымохо́д; to ~ (out) a room подмета́ть ко́мнату; to ~ the seas очи́стить мо́ре от неприя́теля [ср. тж. 1)]; 9) смета́ть, уничтожа́ть, сноси́ть; смыва́ть (волно́й) (тж. ~ away, ~ off, ~ down); he was swept off his feet by a wave волна́ сби́ла его́ с ног; to ~ the board карт. сорва́ть банк, завладе́ть всем; to ~ away slavery уничто́жить ра́бство; 10) увлека́ть (тж. ~ along, ~ away); he swept his audience along with him он увлёк свои́х слу́шателей; to ~ a constituency получи́ть большинство́ голосо́в; 11) мор. тра́лить (мины); 12) воен. обстре́ливать, простре́ливать.

sweeping ['swiːpɪŋ] 1. pres. p. от sweep 2; 2. n 1) убо́рка, подмета́ние; 2) pl му́сор; 3. a 1) широ́кий, с больши́м охва́том; ~ changes радика́льные переме́ны; 2) стреми́тельный, бы́стрый; 3) не де́лающий разли́чий, огу́льный; ~ statements огу́льные утвержде́ния.

sweep-net ['swiːpnet] n 1) не́вод; 2) сачо́к для ба́бочек.

sweepstake(s) ['swiːpsteɪk(s)] n пари́ на ска́чках, тотализа́тор.

sweet [swiːt] 1. a 1) сла́дкий; 2) души́стый; 3) све́жий; неиспо́рченный; ~ butter несолёное ма́сло; ~ water пре́сная вода́; is the milk ~? молоко́ не ски́сло?; to keep the room ~ хорошо́ прове́тривать ко́мнату; 4) мелоди́чный, благозву́чный; 5) люби́мый; ми́лый, прия́тный; ла́сковый; ~ disposition мя́гкий хара́ктер; ~ face привлека́тельное лицо́; ~ words ла́сковые слова́; ~ one люби́мый, люби́мая (в обраще́нии); 6) разг. бесшу́мный (о мото́ре и т. п.); легко́ управля́емый; 7) плодоро́дный (о по́чве); ◇ a ~ one sl. си́льный уда́р кулако́м; to have a ~ tooth быть сластёной; at one's own ~ will как взду́мается, науга́д; to be ~ on smb. быть влюблённым в кого́-л.; 2. n 1) ледене́ц; конфе́та; 2) (обыкн. pl) сла́дкое (как блюдо); 3) сла́дость, сла́дкий вкус; 4) pl наслажде́ния; 5) (обыкн. pl) арома́ты; 6) возлю́бленный; возлю́бленная.

sweet bay ['swiːt'beɪ] n бот. 1) лавр благоро́дный; 2) магно́лия вирги́нская.

sweet-bow ['swiːtbau] n ра́нний сорт я́блок.

sweetbread ['swiːtbred] n сла́дкое мя́со.

sweet-briar ['swiːt'braɪə] = sweet-brier.

sweet-brier ['swiːt'braɪə] n ро́за эгланте́рия.

sweeten ['swiːtn] v 1) подсла́щивать; 2) наполня́ть благоуха́нием; 3) смягча́ть; 4) освежа́ть, прове́тривать; 5) удобря́ть; 6) карт. увели́чивать ста́вку.

sweetening ['swiːtnɪŋ] 1. pres. p. от sweeten; 2. n 1) подсла́щивание; 2) то, что придаёт сла́дость.

sweetheart ['swiːthɑːt] n возлю́бленный, возлю́бленная; дорого́й, дорога́я (в обраще́нии).

sweetie ['swiːtɪ] разг. см. sweetheart.

sweeting ['swiːtɪŋ] n 1) сорт сла́дких я́блок; 2) уст. = sweetheart.

sweetish ['swiːtɪʃ] a сладкова́тый.

sweetly ['swiːtlɪ] adv 1) сла́дко и пр. [см. sweet 1]; ~ pretty очарова́тельный; 2) гла́дко, пла́вно (о хо́де маши́ны).

sweetmeat ['swiːtmiːt] n 1) конфе́та; леденёц; 2) pl заса́харенные фру́кты.

sweet oil ['swiːt'ɔɪl] n прова́нское ма́сло.

sweet pea ['swiːt'piː] n бот. чи́на души́стая, души́стый горо́шек.

sweet-root ['swiːtruːt] n бот. солодка го́лая.

sweet-scented ['swiːt'sentɪd] a души́стый.

sweet-shop ['swiːtʃɔp] n конди́терская.

sweet-stuff ['swiːtstʌf] n сла́сти.

sweet-tempered ['swiːt'tempəd] a ла́сковый, с мя́гким хара́ктером.

sweet-william ['swiːt,wɪljəm] n бот. туре́цкая гвозди́ка, гвозди́ка борода́тая.

sweety ['swiːtɪ] n конфе́тка.

swell [swel] 1. n 1) возвыше́ние, вы́пуклость; the ~ of the ground приго́рок, холм(ик); 2) редк. нараста́ние, разбуха́ние; 3) о́пухоль; 4) волне́ние, зыбь; 5) усиле́ние и ослабле́ние зву́ка; 6) разг. щёголь; све́тский челове́к; 7) разг. ва́жная персо́на, ши́шка; 2. a разг. 1) щегольско́й; шика́рный; 2) отли́чный, превосхо́дный; some ~ fellows замеча́тельные ребя́та; ~ society вы́сшее о́бщество; 3. v (swelled [-d]; swollen) 1) надува́ть(-ся); раздува́ться, поднима́ться; 2) увели́чивать(ся); разраста́ться; набуха́ть; the river is swollen река́ взду́лась; 3) быть преиспо́лненным чу́вствами; the heart ~s се́рдце перепо́лнено; to ~ with indignation едва́ сде́рживать негодова́ние; to ~ with pride наду́ться от го́рдости; 4) разг. ва́жничать; 5) нараста́ть (о зву́ке); 6) то усиливаться, то затуха́ть (о зву́ке).

swell-box ['swelbɔks] n педа́ль орга́на.

swelldom ['sweldəm] n sl. фешене́бельное о́бщество.

swelled head ['sweld'hed] n разг. самомне́ние.

swelling ['swelɪŋ] 1. pres. p. от swell 3; 2. n 1) о́пухоль; 2) вы́пуклость, возвыше́ние; 3) разбуха́ние, увеличе́ние; 3. a 1) вздыма́ющийся, набуха́ющий; нараста́ющий; 2) высокопа́рный; ~ oratory напы́щенное красноре́чие.

swell mob ['swel'mɔb] n sl. шика́рн оде́тые жу́лики; афери́сты.

swelter ['sweltə] 1. n зной, духота́; 2. v изнемога́ть от зно́я.

swept [swept] past и p. p. от sweep 2.

swerve [swəːv] 1. n отклоне́ние; 2. v отклоня́ться от прямо́го пути́, свора́чивать в сто́рону.

swift [swɪft] 1. *a* скорый, быстрый; ~ anger скоропроходящий гнев; ~ to anger вспыльчивый; ~ to take offence обидчивый; ◇ be ~ to hear, slow to speak побольше слушай, поменьше говори;

2. *adv* быстро, поспешно;

3. *n* 1) *зоол.* стриж; 2) *текст.* барабан, мотовило, шпулька;

4. *v мор.* 1) зарифить; 2) обтягивать; стягивать.

swift-handed [′swɪft′hændɪd] *a* скорый, ловкий.

swig [swɪg] *sl.* 1. *n* глоток (*спиртного*); to take a ~ at smth. выпить что-л.;

2. *v* потягивать (*вино*).

swill [swɪl] 1. *n* 1) полоскание, обливание водой; 2) помои (*для свиней*), пойло; 2. *v* 1) полоскать, обливать водой (*часто* ~ out); 2) жадно пить, лакать.

swim [swɪm] 1. *n* 1) плавание; to go for a ~ (пойти) поплавать; to have (*или* to take) a ~ поплавать; 2) омут, в котором водится рыба; 3) головокружение; обморок; 4) *редк.* = swimming-bladder; ◇ to be in the ~ быть в курсе дела; быть в центре (*событий, общественной жизни и т. п.*); to be out of the ~ быть не в курсе дела; стоять вне жизни; to put smb. in the ~ ввести кого-л. в курс дела;

2. *v* (swam; swum) 1) плавать, плыть; переплывать; to ~ like a stone *шутл.* ≊ плавать как топор; идти ко дну; to ~ a person a hundred yards состязаться с кем-л. в плавании на сто ярдов; to ~ a race участвовать в состязании по плаванию; 2) заставлять плыть; to ~ a horse across a river заставить лошадь переплыть реку; 3) быть залитым (in, with — чем-л.); the meat ~s in gravy мясо залито подливкой; to ~ in luxury утопать в роскоши; 4) чувствовать головокружение; кружиться (*о голове*); everything swam before his eyes всё поплыло у него перед глазами; ◇ to ~ with (*или* against) the tide (*или* the stream) примкнуть к большинству; to ~ against the stream идти против большинства; sink or ~ *см.* sink 2, ◇.

swimmer [′swɪmə] *n* 1) пловец; 2) поплавок.

swimming [′swɪmɪŋ] 1. *pres. p. от* swim 2;

2. *n* 1) плавание; 2) головокружение;

3. *a* 1) плавающий; 2) предназначенный для плавания, плавательный; 3) залитый; ~ eyes глаза, залитые слезами; 4) испытывающий головокружение.

swimming-bath [′swɪmɪŋbɑːθ] = swimming-pool.

swimming-bladder [′swɪmɪŋ,blædə] *n* плавательный пузырь (*у рыб*).

swimmingly [′swɪmɪŋlɪ] *adv* гладко, без помех; превосходно; things went ~ всё шло как по маслу.

swimming-pool [′swɪmɪŋpuːl] *n* бассейн для плавания.

swindle [′swɪndl] 1. *n* надувательство;

2. *v* обманывать, надувать; to ~ money out of a person выманить у кого-л. деньги.

swindler [′swɪndlə] *n* мошенник, жулик.

swine [swaɪn] *n* (*pl без измен.*) 1) *уст.* = pig 1, 1; 2) *pl* свиньи; 3) свинья, нахал.

swine-bread [′swaɪnbred] *n* трюфель (*гриб*).

swine-breeding [′swaɪn,briːdɪŋ] *n* свиноводство.

swineherd [′swaɪnhəd] *n* свинопас.

swinery [′swaɪnərɪ] *n* свинарник.

swing [swɪŋ] 1. *n* 1) качание; колебание; 2) размах; взмах; ход; in full ~ в полном разгаре; to give full ~ to smth. дать волю чему-л.; 3) естественный ход; let it have its ~ пусть исчерпает свой запас энергии; 4) свобода действий; he gave us a full ~ in the matter в этом деле он предоставил нам полную свободу действий; 5) ритм; 6) мерная, ритмичная походка; 7) качели; 8) *физ.* амплитуда качания; 9) *тех.* максимальное отклонение стрелки (*прибора*); 10) свинг (*в боксе*); 11) = swing music; ◇ to go with a ~ идти как по маслу; what you lose on the ~s you make up on the roundabouts потери в одном возмещаются выигрышем в другом;

2. *v* (swung) 1) качать(ся), колебать(ся); размахивать; to ~ a bell раскачивать колокол; to ~ one's legs болтать ногами; to ~ one's arms размахивать руками; 2) вешать, подвешивать; *разг.* быть повешенным; he shall ~ for it *разг.* его повесят за это; 3) вертеть(ся); поворачивать (-ся); to ~ into line *воен.* развертывать (-ся) в шеренгу; to ~ a ship about поворачивать судно; to ~ open распахиваться; to ~ shut, to ~ to захлопываться; 4) идти мерным шагом; 5) *амер.* успешно провести (*что-л.*); 6) исполнять джазовую музыку; ◇ to ~ the lead *sl.* симулировать; no room to ~ a cat in ≊ яблоку негде упасть; повернуться негде.

swing bridge [′swɪŋ′brɪdʒ] *n* поворотный мост.

swing-door [′swɪŋdɔː] *n* вращающаяся дверь, дверь, открывающаяся в любую сторону (*обыкн. двустворчатая*).

swinge [swɪndʒ] *v уст.* сильно ударять.

swingeing [′swɪndʒɪŋ] 1. *pres. p. от* swinge;

2. *a* 1) сильный, ошеломляющий (*об ударе*); 2) *разг.* громадный; ~ majority подавляющее большинство; 3) замечательный, первоклассный.

swinging [′swɪŋɪŋ] 1. *pres. p. от* swing 2;

2. *n* качание, колебание; размахивание;

3. *a* качающийся, колеблющийся; поворотный.

swing joint [′swɪŋ′dʒɔɪnt] *n тех.* шарнирное соединение.

swingle [′swɪŋgl] 1. *n* трепало;

2. *v* трепать (*лён*).

swingletree [′swɪŋgltriː] = swing-tree.

swing music [′swɪŋ′mjuːzɪk] *n* разновидность джазовой музыки.

swing shift [′swɪŋ′ʃɪft] *n* вторая смена на фабрике *или* заводе (*с 4 часов дня до 12 ночи*).

swing-span [′swɪŋspæn] *n амер.* разводной пролёт поворотного моста.

swing-tree [′swɪŋtriː] *n тех.* вага.

swinish ['swaınıʃ] *a* свинский.

swipe [swaıp] 1. *n* 1) сильный удáр; 2) *тех.* вóрот, коромысло;
2. *v* 1) ударять с сйлой; 2) *амер. sl.* красть.

swipes [swaıps] *n pl* водянйстое мýтное пйво, испóрченное пйво.

swirl [swəːl] 1. *n* 1) водоворóт; кружéние; 2) ворóнки (*на воде*); след сýдна; клубы дыма;
2. *v* 1) кружйть(ся) в водоворóте; 2) образóвывать водоворóт.

swish I [swıʃ] 1. *n* 1) свист (*хлыста и т. п.*); взмах (*косы и т. п.*) со свйстом; 2) шéлест, шуршáние; ◇ to have a ~ on *sl.* спешйть, торопйться;
2. *v* 1) рассекáть вóздух со свйстом; 2) размáхивать (*тростью, палкой*); 3) сечь (*розгой*); □ ~ off скáшивать, сбивáть со свйстом.

swish II [swıʃ] *a sl.* шикáрный.

Swiss [swıs] 1. *a* швейцáрский; ◇ ~ roll рулéт с варéньем;
2. *n* швейцáрец; швейцáрка; the ~ *pl собир.* швейцáрцы.

switch [swıtʃ] 1. *n* 1) прут; хлыст; 2) фальшйвая косá; наклáдка (*волос*); 3) вéничек, сбивáлка (*для яиц, сливок*); 4) эл. выключáтель; переключáтель; коммутáтор; 5) *ж.-д.* стрéлка;
2. *v* 1) ударять прутóм *или* хлыстóм; отстегáть прутóм; 2) махáть, размáхивать; 3) сбивáть (*яйца, сливки*); 4) внезáпно напрáвить (*мысли, разговор*) в другýю стóрону, изменйть направлéние (*тж.* ~ off); 5) переводйть (*поезд*) на другóй путь; 6) эл. переключáть; включáть; выключáть; □ ~ off а) выключáть ток; б) разъединять телефóнного абонéнта; в) давáть отбóй; г) выключáть радиоприёмник; ~ on а) включáть ток; б) соединять абонéнта; ~ onto настрóиться на радиопередáчу.

switchback ['swıtʃbæk] *n* американские гóры.

switchboard ['swıtʃbɔːd] *n* эл. коммутáтор; распределйтельный щит.

switch-fuse ['swıtʃfjuːz] *n* эл. плáвкий предохранйтель-распределйтель.

switch lamp ['swıtʃ'læmp] *n ж.-д.* стрéлочный фонáрь.

switch-lever ['swıtʃ,levə] *n ж.-д.* переводнóй рычáг стрéлки.

switch-man ['swıtʃmæn] *n* стрéлочник.

switch-over ['swıtʃ,ouvə] *n* перехóд. (*к чему-л.*).

switch-plug ['swıtʃplʌg] *n* эл. стеннáя штéпсельная розéтка с выключáтелем; штéпсель.

switch-tender ['swıtʃ,tendə] = switch-man.

switch tower ['swıtʃ'tauə] *n* амер. бýдка стрéлочника.

switchyard ['swıtʃjɑːd] *амер.* = shunting-yard.

swivel ['swıvl] *n* 1) *тех.* вертлюг, шарнйрное соединéние; 2) *attr.* вращáющееся, поворóтный; ~ seat поворóтное сидéнье.

swivel-eyed ['swıvl'aıd] *a разг.* косящий, раскóсый.

swizzle ['swızl] 1. *n* род алкогóльного напйтка;
2. *v* опьянять; to get ~d выпить, напйться.

swob [swɔb] = swab.

swollen ['swoulən] 1. *p. p. от* swell 3;
2. *a* вздýтый, раздýтый; непомéрно высóкий.

swoon [swuːn] 1. *n* óбморок;
2. *v* 1) пáдать в óбморок; 2) *поэт.* замирáть (*о звуке*).

swoop [swuːp] 1. *n* устремлéние вниз; внезáпное нападéние, налёт; at (*или* in) one fell ~ однйм удáром, однйм мáхом;
2. *v* 1) устремляться вниз (*обыкн.* ~ down); налетáть, бросáться (*обыкн.* ~ on, ~ upon); 2) хватáть, подхвáтывать (*обыкн.* ~ up); □ ~ down *ав.* пикйровать.

swop [swɔp] *разг.* 1. *n* обмéн;
2. *v* менять, обмéниваться; will you ~ places? не помéняетесь ли местáми? ◇ never ~ horses while crossing the stream не слéдует производйть крýпные перемéны в неподходящее врéмя.

sword [sɔːd] *n* 1) меч; шпáга, рапйра; палáш; шáшка; сáбля; cavalry ~ сáбля; court ~ шпáга; duelling ~ рапйра; the ~ of justice меч правосýдия, судéбная власть; at ~'s points на ножáх; враждéбный, готóвый к враждéбным дéйствиям; to cross (*или* to measure) ~s начáть борьбý; скрестйть мечй; to draw the ~ обнажйть меч; *перен.* начáть войнý; to put to the ~ предáть мечý; to sheathe the ~ вложйть меч в нóжны; *перен.* кóнчить войнý; to throw one's ~ into the scale брóсить меч на весы; поддержáть свой притязáния сйлой орýжия; 2) (the ~) сйла орýжия; войнá; 3) *воен. sl.* штык.

sword-arm ['sɔːd,ɑːm] *n* прáвая рукá.

sword-bayonet ['sɔːd,beıənıt] *n* клинкóвый штык, штык-тесáк.

sword-bearer ['sɔːd,bɛərə] *n* 1) оруженóсец; меченóсец; 2) милитарйст.

sword-belt ['sɔːdbelt] *n* портупéя.

sword-cane ['sɔːdkeın] *n* трость с вкладнóй шпáгой.

sword-cut ['sɔːdkʌt] *n* 1) рéзаная рáна; 2) рубéц.

sword-dance ['sɔːddɑːns] *n* тáнец с мечáми.

sword-fish ['sɔːdfıʃ] *n* меч-рыба.

sword-guard ['sɔːdgɑːd] *n* чáшка шпáги.

sword-hand ['sɔːdhænd] = sword-arm.

sword-hilt ['sɔːdhılt] *n* эфéс.

sword-knot ['sɔːdnɔt] *n* темляк.

sword-law ['sɔːdlɔː] *n* прáво сйльного.

sword-lily ['sɔːd,lılı] *n бот.* гладиóлус; шпáжник.

sword-play ['sɔːdpleı] *n* 1) фехтовáние; 2) пикирóвка; состязáние в остроýмии.

swordsman ['sɔːdzmən] *n* фехтовáльщик.

swordsmanship ['sɔːdzmənʃıp] *n* искýсство фехтовáния.

sword-stick ['sɔːdstık] = sword-cane.

swore [swɔː] *past от* swear 1.

sworn [swɔːn] 1. *p. p. от* swear 2;
2. *a* присягнýвший; поклявшийся; ~ broker присяжный мáклер; ~ brothers

назва́ные бра́тья; побрати́мы; ~ friends закады́чные друзья́; ~ enemies закля́тые враги́; ~ evidence (или oath) показа́ния под прися́гой.

swot [swɔt] *sl.* **1.** *n* 1) тру́дная рабо́та; 2) зубрёжка; 3) зубри́ла-му́ченик; **2.** *v* зубри́ть, долби́ть; подзубри́ть (обыкн. ~ up).

swum [swʌm] *p. p. от* swim 2.

swung [swʌŋ] *past u p. p. от* swing 2.

sybarite ['sɪbərait] *n* сибари́т.

sybaritic [ˌsɪbə'rɪtɪk] *a* сибари́тский; изне́женный.

sybil ['sɪbɪl] = sibyl.

sycamine ['sɪkəmain] *n библ.* смоко́вница.

sycamore ['sɪkəmɔː] *n бот.* 1) сикомо́р (тж. ~ fig); 2) клён я́вор (тж. ~ maple); 3) плата́н.

syce [sais] = sice II.

sycophancy ['sɪkəfənsɪ] *n* низкопокло́нство, лесть.

sycophant ['sɪkəfənt] *n* льстец, подхали́м; лизоблю́д.

sycosis [sai'kousis] *n мед.* сико́з.

syenite ['saiinait] *n мин.* сиени́т.

syllabary ['sɪləbərɪ] *n* слогова́я а́збука.

syllabi ['sɪləbai] *pl от* syllabus.

syllabic [sɪ'læbɪk] *a* слогово́й; силлаби́ческий.

syllabicate [sɪ'læbɪkeɪt] *v* разделя́ть на сло́ги; произноси́ть по слога́м.

syllabication [sɪˌlæbɪ'keɪʃən] = syllabification.

syllabification [sɪˌlæbɪfɪ'keɪʃən] *n* разделе́ние на сло́ги.

syllabify [sɪ'læbɪfai] = syllabicate.

syllabize ['sɪləbaiz] = syllabicate.

syllable ['sɪləbl] **1.** *n* 1) слог; 2) *перен.* звук, сло́во; he never uttered a ~ он не произнёс ни зву́ка; **2.** *v* произноси́ть по слога́м.

-syllabled [-'sɪləbld] *в сло́жных слова́х означает* состоя́щий из *сто́льких-то* сло́гов; one-syllabled односло́жный; two-syllabled двусло́жный *и т. п.*

syllabub ['sɪləbʌb] = sillabub.

syllabus ['sɪləbəs] *n* (*pl* -bi, -es [-ɪz]) 1) програ́мма (*курса, лекций*); 2) конспе́кт, план; 3) расписа́ние.

syllogism ['sɪlədʒɪzəm] *n* 1) *лог.* силлоги́зм; 2) то́нкий, хи́трый ход для подтвержде́ния *или* доказа́тельства (*чего-л.*).

syllogize ['sɪlədʒaiz] *v* выража́ть в фо́рме силлоги́зма.

sylph [sɪlf] *n* 1) сильф; 2) грацио́зная же́нщина.

sylvan ['sɪlvən] = silvan.

sylviculture ['sɪlvɪˌkʌltʃə] = silviculture.

symbiosis [ˌsɪmbɪ'ousɪs] *n биол.* симбио́з.

symbol ['sɪmbəl] *n* 1) си́мвол, эмбле́ма; 2) обозначе́ние, знак.

symbolic(al) [sɪm'bɔlɪk(əl)] *a* символи́ческий.

symbolism ['sɪmbəlɪzəm] *n* символи́зм.

symbolist ['sɪmbəlɪst] *n* символи́ст.

symbolize ['sɪmbəlaiz] *v* 1) символизи́ровать; 2) изобража́ть символи́чески.

symmetric(al) [sɪ'metrɪk(əl)] *a* симме́тричный, симметри́ческий.

symmetrize ['sɪmɪtraiz] *v* де́лать симме́тричным; располага́ть симметри́чно.

symmetry ['sɪmɪtrɪ] *n* 1) симме́трия; 2) соразме́рность.

sympathetic [ˌsɪmpə'θetɪk] *a* 1) сочу́вственный; по́лный сочу́вствия; вы́званный сочу́вствием; ~ strike забасто́вка солида́рности; 2) симпати́чный; 3) *физиол.* симпати́ческий; 4) *физ.* отве́тный; ~ vibration отве́тная вибра́ция.

sympathetic ink [ˌsɪmpə'θetɪk'ɪŋk] *n* симпати́ческие черни́ла.

sympathize ['sɪmpəθaiz] *v* 1) сочу́вствовать, выража́ть сочу́вствие (with); 2) симпатизи́ровать (with).

sympathizer ['sɪmpəθaizə] *n* сочу́вствующий; сторо́нник.

sympathy ['sɪmpəθɪ] *n* 1) сочу́вствие (with); сострада́ние (for); симпа́тия; a man of ready ~ отзы́вчивый челове́к; 2) взаи́мное понима́ние; о́бщность (*в чём-л.*); in ~ with в по́лном согла́сии с; out of ~ в разла́де.

symphonic [sɪm'fɔnɪk] *a* симфони́ческий; ~ music симфони́ческая му́зыка; симфони́ческое произведе́ние.

symphony ['sɪmfənɪ] *n* 1) симфо́ния; 2) *attr.* симфони́ческий; ~ orchestra симфони́ческий орке́стр.

symposia [sɪm'pouzjə] *pl от* symposium.

symposium [sɪm'pouzjəm] *n* (*pl* -sia) 1) филосо́фская *или* ина́я дру́жеская бесе́да; 2) сбо́рник стате́й разли́чных а́второв на о́бщую те́му; 3) *др.-греч.* пир.

symptom ['sɪmptəm] *n* симпто́м; при́знак.

symptomatic [ˌsɪmptə'mætɪk] *a* симптомати́ческий.

synagogue ['sɪnəgɔg] *n* синаго́га.

sync, synch [sɪŋk] *кино, телев. разг.* **1.** *n* 1) синхрониза́ция; 2) синхрониза́тор; **2.** *v* синхронизи́ровать.

synchrocyclotron ['sɪŋkrou'saikloutrɔn] *n физ.* синхроциклотро́н.

synchronism ['sɪŋkrənɪzəm] *n* синхрони́зм, одновре́менность.

synchronize ['sɪŋkrənaiz] *v* 1) синхронизи́ровать; совпада́ть во вре́мени; 2) координи́ровать, согласо́вывать во вре́мени; 3) устана́вливать одновре́менность собы́тий; 4) пока́зывать одина́ковое вре́мя (*о часах*); 5) сверя́ть (*часы*).

synchronizer ['sɪŋkrənaizə] *n* синхрониза́тор.

synchronoscope [sɪŋ'krənə,skoup] = synchroscope.

synchronous ['sɪŋkrənəs] *a* синхро́нный, одновреме́нный.

synchrophasotron ['sɪŋkrou'feizoutrɔn] *n физ.* синхрофазотро́н.

synchroscope ['sɪŋkrouskoup] *n ав.* синхроско́п.

synchrotron ['sɪŋkroutrɔn] *n физ.* синхротро́н.

syncopate ['sɪŋkəpeit] *v* 1) *грам.* сокраща́ть сло́во, опуска́я звук *или* слог в середи́не его́; 2) *муз.* синкопи́ровать.

syncope ['sɪŋkəpɪ] *n* 1) *грам., муз.* синко́па; 2) *мед.* о́бморок.

syncretism ['sɪŋkrətɪzəm] *n филос.* синкретизм.

syncro-mesh ['sɪŋkrou'meʃ] *n авт.* синхронизатор, синхронизирующее приспособление.

syndetic [sɪn'detɪk] *a грам.* союзный; соединительный; ~ word союзное слово.

syndic ['sɪndɪk] *n* синдик, старшина; член магистрата.

syndicalism ['sɪndɪkəlɪzəm] *n* синдикализм.

syndicalist ['sɪndɪkəlɪst] *n* синдикалист.

syndicate 1. *n* ['sɪndɪkɪt] 1) синдикат; 2) организация, приобретающая информацию, статьи *и т. п.* и продающая их различным газетам для одновременной публикации;
2. *v* ['sɪndɪkeɪt] 1) объединять в синдикаты, синдицировать; 2) приобретать информацию *и пр.* [*см.* 1, 2)].

syndrome ['sɪndroum] *n мед.* синдром, комплекс симптомов.

syne [saɪn] *шотл.* = since.

synecdoche [sɪ'nekdəkɪ] *n прос.* синекдоха.

syngenesis [sɪn'dʒenɪsɪs] *n* 1) *биол.* половое размножение; 2) *геол.* сингенез.

synod ['sɪnəd] *n* 1) собор духовенства; синод; 2) съезд, совет.

synonym ['sɪnənɪm] *n* синоним.

synonymic [,sɪnə'nɪmɪk] = synonymous.

synonymous [sɪ'nɔnɪməs] *a* синонимический, синонимичный.

synonymy [sɪ'nɔnɪmɪ] *n* 1) синонимичность; 2) синонимика.

synopses [sɪ'nɔpsiːz] *pl от* synopsis.

synopsis [sɪ'nɔpsɪs] *n* (*pl* -ses) конспект, краткий обзор; синопсис.

synoptic(al) [sɪ'nɔptɪk(əl)] *a* синоптический, конспективный.

syntactic(al) [sɪn'tæktɪk(əl)] *a* синтаксический.

syntax ['sɪntæks] *n* синтаксис.

syntheses ['sɪnθɪsiːz] *pl от* synthesis.

synthesis ['sɪnθɪsɪs] *n* (*pl* -ses) синтез.

synthetic(al) [sɪn'θetɪk(əl)] *a* 1) *лингв., хим.* синтетический; 2) искусственный.

synthetics [sɪn'θetɪks] *n pl* синтетические материалы (*пластмассы и др.*).

syntonic [sɪn'tɔnɪk] *a радио* синтонический, настроенный в тон.

syntonize ['sɪntənaɪz] *v радио* настраивать в тон, на волну.

syphilis ['sɪfɪlɪs] *n* сифилис.

syphilitic [,sɪfɪ'lɪtɪk] *a* сифилитический.

syphon ['saɪfən] = siphon.

syren ['saɪərɪn] = siren.

Syriac ['sɪrɪæk] 1. *a* древнесирийский (*тк. о языке*);
2. *n* древнесирийский язык.

Syrian ['sɪrɪən] 1. *a* сирийский;
2. *n* сириец; сирийка.

syringa [sɪ'rɪŋgə] *n бот.* чубушник.

syringe ['sɪrɪndʒ] 1. *n* 1) шприц; спринцовка; hypodermic ~ шприц для подкожных впрыскиваний; 2) пожарный насос;
2. *v* спринцевать; впрыскивать.

syringes I ['sɪrɪndʒɪz] *pl от* syringe 1.

syringes II [sɪ'rɪndʒiːz] *pl от* syrinx.

syringitis [,sɪrɪn'dʒaɪtɪs] *n мед.* воспаление евстахиевой трубы.

syrinx ['sɪrɪŋks] *n* (*pl* -es [-ɪz], -inges) 1) свирель (Пана); флейта; 2) нижняя гортань певчих птиц; 3) *анат.* евстахиева труба; 4) *хир.* фистула, свищ.

syrup ['sɪrəp] *n* 1) сироп; 2) очищенная патока; golden ~ светлая патока.

systaltic [sɪs'tæltɪk] *a* попеременно расширяющийся и сокращающийся; пульсирующий, систальтический.

system ['sɪstɪm] *n* 1) система; ~ of axes система координат; what ~ do you go on? какому методу вы следуете?; 2) сеть (*дорог и т. п.*); 3) организм; 4) мир, вселенная; 5) *геол.* система, формация.

systematic [,sɪstɪ'mætɪk] *a* систематический.

systematize ['sɪstɪmətaɪz] *v* систематизировать.

systemic [sɪs'temɪk] *a физиол.* систематический; относящийся ко всему организму; соматический.

systole ['sɪstəlɪ] *n физиол.* систола.

T

T, t [tiː] *n* (*pl* Ts, T's [tiːz]) 20-я буква англ. алфавита; ◇ to mark with a T *ист.* выжигать вору клеймо в виде буквы T (*по первой букве слова* thief); to cross the T's *перен.* ≅ ставить точку над i; (right) to a T в совершенстве; точь-в-точь; как раз; в точности.

T- [tiː-] *в сложных словах, обозначающих предметы, имеющие форму буквы T, напр.:* T-beam таврóвая балка; T-joint тройник(овая муфта); T-square рейсшина.

't [t] *сокр. разг.* = it *в сочетаниях* 'tis, 'twas, on't *и т. п.*

tab [tæb] 1. *n* 1) вешалка; петелька; ушко; 2) наконечник; 3) ухо (*шапки*); 4) петлица (*на воротнике*); red ~ *перен.* штабной офицер; 5) *амер. разг.* счёт; чек;

to keep ~(s) on a) вести счёт; б) *перен.* следить за; 6) *ав.* триммер;
2. *v разг.* 1) фиксировать; 2) располагать в виде таблицы, диаграммы.

tabard ['tæbəd] *n ист.* 1) плащ, носимый рыцарями поверх лат; 2) камзол герольда.

tabby ['tæbɪ] *n* 1) муар; 2) пёстрая кошка; 3) сплетница, *особ.* болтливая старая дева; 4) *стр.* смесь гравия, песка и ракушек, скреплённая известкой; смесь глины, песка и щебня, земляной бетон.

tabernacle ['tæbə,nækl] *n* 1) временное переносное жильё; шатёр; 2) сосуд, человек (*как вместилище души*); 3) молельня (*протестантских сектантов*); 4) *церк.* дарохранительница; 5) *церк.* рака; 6) tab — 1003 — tac

библ. скиния; ◇ Feast of Tabernacles праздник кущей.

tabes ['teıbiːz] *n мед.* табес, сухотка спинного мозга.

tabescence [tə'besəns] *n мед.* исхудание, истощение.

tabetic [tə'betık] *мед.* **1.** *n* табетик; **2.** *a* страдающий табесом.

table ['teıbl] **1.** *n* 1) стол; to be (*или* to sit) at ∼ быть за столом, обедать *и т. п.*; 2) пища, стол; to keep a good ∼ держать хороший стол; unfit for ∼ несъедобный; 3) общество за столом; to keep the ∼ amused развлекать гостей за столом; 4) доска (*тж. для настольных игр*); 5) плита; дощечка; надпись на плите, дощечке; скрижаль; the ten ∼s *библ.* десять заповедей; 6) таблица; расписание; табель; ∼ of contents оглавление; 7) плоская поверхность; 8) горное плато, плоскогорье; 9) *тех.* стол (*станка*); планшайба; рольганг; 10) *attr.* столовый; ◇ to lay on the ∼ *парл.* отложить обсуждение (*законопроекта*); to lie (up)on the ∼ *парл.* быть отложенным, не обсуждаться (*о законопроекте*); upon the ∼ публично обсуждаемый; общеизвестный; to take from the ∼ *амер.* вернуться к обсуждению (*законопроекта*); to turn the ∼s on (*или* upon) smb. повернуть противника его же оружием; поменяться ролями; under the ∼ «под столом», в состоянии опьянения;

2. *v* 1) класть на стол; 2) представлять отчёт, доклад; 3) составлять таблицы, расписание; 4) *амер.* откладывать в долгий ящик.

tableau ['tæblou] *фр. n (pl -x)* 1) живописная картина, яркое изображение; 2) живая картина (*тж.* ∼ vivant); 3) неожиданная сцена; ◇ ∼ curtains *театр.* раздвижной занавес.

tableaux ['tæblouz] *pl от* tableau.

table-beer ['teıbl,bıə] *n* столовое пиво.

table-book ['teıblbuk] *n* 1) хорошо изданная книга с иллюстрациями (*лежащая обычно на столе*); 2) сборник таблиц *и т. п.*

table-cloth ['teıblklɔθ] *n* скатерть.

table-cover ['teıbl,kʌvə] *n* нарядная скатерть.

table d'hôte ['tɑːbl'dout] *фр. n* табльдот.

table-flap ['teıblflæp] *n* откидная доска стола.

tableful ['teıblful] *n* полный стол (*угощений*).

table-knife ['teıblnaıf] *n* столовый нож.

tableland ['teıbllænd] *n* плоскогорье, плато.

table-leaf ['teıblliːf] *n* 1) вкладная доска раздвижного стола; 2) = table-flap.

table-linen ['teıbl,lının] *n* столовое бельё.

tableman ['teıblmən] *n* табельщик.

table-money ['teıbl,mʌnı] *n воен.* добавочные деньги на представительство.

table-napkin ['teıbl,næpkın] *n* салфетка.

table-spoon ['teıblspuːn] *n* столовая ложка.

table-stone ['teıblstoun] *n археол.* дольмен.

tablet ['tæblıt] *n* 1) дощечка (*с надписью*); 2) блокнот; 3) таблетка; 4) кусок (*мыла и т. п.*).

table-talk ['teıbltɔːk] *n* застольная беседа.

table tennis ['teıbl'tenıs] *n* настольный теннис.

table-ware ['teıblwɛə] *n* посуда, вилки, ложки *и т. п.*

table-water ['teıbl,wɔːtə] *n* минеральная вода (*для стола*).

table-work ['teıblwəːk] *n полигр.* табличный набор.

tabloid ['tæblɔıd] **1.** *n* 1) таблетка; 2) бульварная газета; **2.** *a* сжатый; in ∼ form а) в сжатом виде; б) в форме таблетки.

taboo [tə'buː] **1.** *n* табу; запрещение; остракизм; **2.** *a* 1) запрещённый; 2) священный; **3.** *v* подвергать табу; бойкотировать; запрещать.

tabor ['teıbə] *ист.* **1.** *n* маленький барабан; **2.** *v* барабанить.

tabouret ['tæbərıt] *n* 1) скамеечка, табурет; 2) пяльцы.

tabu [tə'buː] = taboo.

tabular ['tæbjulə] *a* 1) в виде таблиц, табличный; 2) имеющий плоскую форму *или* поверхность; 3) пластинчатый, слоистый.

tabulate ['tæbjuleıt] **1.** *v* 1) располагать в виде таблиц и диаграмм; 2) придавать плоскую поверхность; **2.** *a* плоский; пластинчатый.

tabulation [,tæbju'leıʃən] *n* составление таблиц, сведение в таблицы.

tabulator ['tæbjuleıtə] *n* 1) тот, кто составляет таблицы; 2) табулятор (*в пишущих машинках*).

tachometer [tæ'kɔmıtə] *n тех.* тахометр.

tacit ['tæsıt] *a* 1) не выраженный словами; подразумеваемый; 2) молчаливый.

taciturn ['tæsıtəːn] *a* молчаливый, неразговорчивый.

taciturnity [,tæsı'təːnıtı] *n* молчаливость, неразговорчивость.

tack I [tæk] **1.** *n* 1) гвоздик с широкой шляпкой, кнопка; 2) стежок (*особ. при намётке*); *pl* намётка (*при шитье*); 3) *мор.* галс; 4) курс, политическая линия; to take a wrong (right) ∼ взять неправильный (правильный) курс; 5) липкость, клейкость;

2. *v* 1) прикреплять гвоздиками, кнопками (*часто* ∼ down); 2) смётывать на живую нитку (*тж.* ∼ together); примётывать (to); 3) добавлять, присоединять (to, on to); *парл.* присоединять к законопроекту дополнительную статью финансового характера, чтобы обеспечить его принятие палатой лордов; 4) *мор.* поворачивать на другой галс; 5) изменить линию поведения; изменить мнение; менять политический курс; □ ∼ about *мор.* делать поворот оверштаг.

tack II [tæk] *n мор.* пища; hard ~ морской сухарь; soft ~ хлеб.

tackle ['tækl] **1.** *n* 1) принадлежности, инструмент; оборудование; *разг.* снаряжение; 2) *разг.* цепочка для карманных часов; 3) *мор.* такелаж; тали; 4) *тех.* полиспаст; 5) нападающий (*в футболе*); **2.** *v* 1) закреплять снасти; 2) схватить, пытаться удержать; 3) энергично браться (*за что-л.*); биться (*над чем-л.*); we ~d the cold beef мы набросились на холодную говядину; to ~ the problem взяться за дело, за решение задачи; 4) пытаться убедить (*кого-л.*); 5) перехватывать мяч, овладевать мячом (*в футболе*).

tacky ['tækɪ] *a* липкий.

tact [tækt] *n* 1) такт, тактичность; 2) *муз.* такт.

tactful ['tæktful] *a* тактичный.

tactical ['tæktɪkəl] *a* 1) *воен.* тактический; боевой; ~ efficiency боеспособность; 2) ловкий.

tactician [tæk'tɪʃən] *n* 1) тактик; 2) ловкий, умелый администратор, организатор.

tactics ['tæktɪks] *n pl* (*употр. как sing и как pl*) тактика.

tactile ['tæktaɪl] *a* осязательный; осязаемый.

tactless ['tæktlɪs] *a* бестактный.

tactual ['tæktjuəl] *a* осязательный.

tad [tæd] *n амер.* ребёнок.

Ta(d)jik [tɑ:'dʒɪk] **1.** *a* таджикский; **2.** *n* 1) таджик; таджичка; the ~(s) *pl собир.* таджики; 2) таджикский язык.

tadpole ['tædpoul] *n* головастик.

ta'en [teɪn] *поэт. см.* taken.

tafferel ['tæfərəl] *n мор.* гакаборт.

taffeta ['tæfɪtə] *n* тафта.

taffrail ['tæfreɪl] = tafferel.

Taffy ['tæfɪ] *n разг.* валлиец.

taffy ['tæfɪ] *n амер.* 1) = toffee; 2) *разг.* лесть.

tafia ['tæfɪə] *n* вид дешёвого рома.

tag [tæg] **1.** *n* 1) свободный, болтающийся конец; 2) ярлычок, этикетка; 3) петля, ушко; 4) металлический наконечник на шнурке; 5) кончик хвоста (*животного*); 6) избитая фраза, цитата; 7) припев; 8) игра в салки, в пятнашки; 9) *театр.* реплика *или* окончание реплики партнёра; 10) *театр.* заключительные слова, обращённые к публике; мораль (*пьесы и т. п.*); **2.** *v* 1) прикреплять ярлык, ушко; 2) *разг.* следовать по пятам (after—за); 3) поймать игрока (*в салках*).

tag day ['tæg'deɪ] *амер.* = flag-day.

tagged ['tægd] **1.** *p. p. от* tag 2; **2.** *a* 1) снабжённый ярлыком, этикеткой; 2) *физ.* меченый; ~ atoms меченые атомы.

tagger ['tægə] *n* 1) водящий (*в салках*); 2) *pl* (очень) тонкие листы железа.

taiga ['taɪgə] *рус. n* тайга.

tail I [teɪl] **1.** *n* 1) хвост; at the ~ of smb., close on smb.'s ~ следом, по пятам за кем-л.; 2) коса, косичка; 3) нижняя задняя часть, оконечность; ~ of a cart задок телеги; ~ of one's eye внешний угол глаза; out of (*или* with) the ~ of one's eye украдкой, уголком глаза; 4) пола, фалда; *pl* фрак; to go into ~s начать носить одежду взрослых (*о мальчиках*); 5) свита; 6) очередь, «хвост»; 7) хвостик (*буквы, нотного знака и т. п.*); 8) менее влиятельная часть (*политической партии*); более слабая часть (*спортивной команды*); 9) *pl sl.* зад; 10) *ав.* хвостовое оперение, хвост; 11) (*обыкн. pl*) обратная сторона (*монеты*); 12) *полигр.* нижний обрез страницы; 13) *attr.* задний; хвостовой; ◇ ~s up *разг.* весёлый; в хорошем настроении; to turn ~ дать стрекача, удрать, убежать (*струсив*); to have the ~ between the legs поджать хвост, струсить; **2.** *v* 1) снабжать хвостом; 2) отрубать *или* подрезать хвост; остригать хвостики плодов, ягод; 3) идти следом; выслеживать; 4) тянуться длинной лентой (*о процессии и т. п.*); □ ~ after неотступно следовать за кем-л., тащиться за кем-л.; ~ away а) отставать, исчезать вдали; б) убывать; ~ off = ~ away; ~ on присоединять(ся) (to — к чему-л.); ~ out поспешно уйти, улизнуть.

tail II [teɪl] *юр.* **1.** *n* ограничительное условие наследования имущества; ~ male (female) владение с правом передачи только по мужской (женской) линии; **2.** *a* ограниченный определённым условием при передаче по наследству.

tail-board ['teɪlbɔ:d] *n* откидной задок (*телеги*); откидной борт (*грузовика*).

tail-coat ['teɪl'kout] *n* фрак.

tail-end ['teɪl'end] *n* конец; хвост (*процессии*).

tailings ['teɪlɪŋz] *n pl* 1) остатки; отбросы; 2) *метал.* остаток после обогащения; хвосты; 3) *с.-х.* сходы, охвостье, недомолоченные колосья.

tail-lamp ['teɪllæmp] = tail-light.

tailless ['teɪllɪs] *a* бесхвостый.

tail-light ['teɪllaɪt] *n* 1) *ж.-д.* буферный фонарь (*красный*); 2) *авт.* задний фонарь; 3) *ав.* хвостовой огонь.

tailor ['teɪlə] **1.** *n* портной; ◇ the ~ makes the man *посл.* ≅ наряди пень, и пень хорош будет; одежда красит человека; **2.** *v* 1) портняжничать; 2) специально приготовлять; приспосабливать, изменять (*для определённой цели*).

tailored ['teɪləd] **1.** *p. p. от* tailor 2; **2.** *a* сделанный портным; a faultlessly ~ man безупречно одетый человек.

tailoring ['teɪlərɪŋ] **1.** *pres. p. от* tailor 2; **2.** *n* портняжное дело.

tailor-made ['teɪləmeɪd] **1.** *a* 1) мужского покроя (*особ. о строгой женской одежде*); 2) специально приготовленный, сделанный по заказу; приспособленный (*для определённой цели*); a score ~ for radio музыка, написанная по заказу радио; 3) фабричного производства; машинной набивки (*о папиросе*); **2.** *n разг.* папироса фабричного производства.

tailpiece ['teɪlpi:s] *n* 1) заключительная часть (*чего-л.*); 2) *полигр.* концовка.

tail-plane ['teɪlpleɪn] *n ав.* стабилиза́тор; хвостово́е опере́ние.

tail-slide ['teɪlslaɪd] *n ав.* скольже́ние на хвост.

tail-spin ['teɪlspɪn] *n ав.* што́пор на хвост.

tail-wind ['teɪlwɪnd] *n* попу́тный ве́тер.

tain [teɪn] *n* оловя́нная амальга́ма.

taint [teɪnt] **1.** *n* 1) пятно́, поро́к; 2) *уст.* налёт (*чего-л. нежела́тельного, неприя́тного*); 3) зара́за; испо́рченность; 4) боле́знь в скры́том состоя́нии;
2. *v* заража́ть(ся), по́ртить(ся).

tainted ['teɪntɪd] **1.** *p. p. от* taint 2;
2. *a* испо́рченный.

taintless ['teɪntlɪs] *a* безупре́чный.

take [teɪk] **1.** *v* (took; taken) 1) брать; 2) взять, захвати́ть, овладе́ть; to ~ prisoner взять в плен; to ~ in charge аресто́ва́ть; 3) лови́ть; to ~ fish лови́ть ры́бу; to ~ in the act (of) заста́ть на ме́сте преступле́ния; 4) получи́ть; вы́играть; to ~ a prize получи́ть приз; 5) достава́ть, добыва́ть; to ~ coal добыва́ть у́голь; 6) принима́ть, соглаша́ться (*на что-л.*); to ~ an offer приня́ть предложе́ние; they will not ~ such treatment они́ не потерпя́т тако́го отноше́ния; 7) потребля́ть; принима́ть внутрь, глота́ть; to ~ wine пить вино́; to ~ medicine принима́ть лека́рство; 8) занима́ть, отнима́ть (*место, время; тж.* ~ up); тре́бовать (*терпения, храбрости и т. п.*); it will ~ two hours to translate this article перево́д э́той статьи́ займёт два часа́; he took half an hour over his dinner обе́д о́тнял у него́ полчаса́; 9) по́льзоваться (*транспортом*); испо́льзовать (*средства передвижения*); to ~ a train (a bus, a ship) сесть в по́езд (в авто́бус, на парохо́д); е́хать по́ездом (авто́бусом, парохо́дом); 10) снима́ть (*квартиру, дачу и т. п.*); 11) выбира́ть (*путь, способ*); to ~ the shortest way вы́брать кратча́йший путь; 12) доставля́ть (*куда-л.*); брать с собо́й; I'll ~ her to the theatre я поведу́ её в теа́тр; 13) полага́ть, счита́ть; понима́ть; you were late, I ~ it вы опозда́ли, на́до полага́ть; do you ~ me? *разг.* вы меня́ понима́ете?; 14) принима́ть; реаги́ровать (*на что-л.*); относи́ться (*к чему-л.*); how did he ~ it? как он отнёсся к э́тому?; to ~ coolly относи́ться хладнокро́вно; 15) де́йствовать, ока́зывать де́йствие; the vaccination did not ~ приви́вка не поде́йствовала; 16) име́ть успе́х; нра́виться, увлека́ть; the play didn't ~ пье́са не име́ла успе́ха; 17) подверга́ться; поддава́ться (*отде́лке и т. п.*); воспринима́ть; I ~ cold easily я легко́ просту́живаюсь; 18) покупа́ть; получа́ть регуля́рно (*тж.* ~ in); I ~ a newspaper and two magazines я получа́ю газе́ту и два журна́ла; 19) отнима́ть, вычита́ть (*тж.* ~ off; from); 20) фотографи́ровать; изобража́ть; рисова́ть; 21) выходи́ть на фотогра́фии; he does not ~ well он пло́хо выхо́дит на ка́рточках; 22) измеря́ть; to ~ one's temperature измеря́ть температу́ру; to ~ measurements снима́ть ме́рку; 23) *тех.* тверде́ть, схва́тываться (*о цементе и т. п.*); 24) *образует с рядом конкретных*

и абстрактных существительных фразовые глаголы: to ~ a walk гуля́ть; to ~ action де́йствовать; принима́ть ме́ры; to ~ part уча́ствовать, принима́ть уча́стие; to ~ effect вступи́ть в си́лу; возыме́ть де́йствие; to ~ a holiday отдыха́ть; to ~ leave уходи́ть; проща́ться (of); to ~ notice замеча́ть; to ~ vote голосова́ть; to ~ a breath вдохну́ть; перевести́ дыха́ние; to ~ root пусти́ть ко́рни; to ~ place случа́ться; to ~ shelter укры́ться; to ~ a shot вы́стрелить; to ~ a step шагну́ть; to ~ steps принима́ть ме́ры; to ~ a seat сади́ться, занима́ть ме́сто; to ~ pity on smb. сжа́литься над кем-л.; to ~ an oath кля́сться; to ~ offense обижа́ться; to ~ a run at smth. *разг.* попыта́ться заня́ться чем-л.; to ~ a tan загоре́ть; □ ~ **aback** захвати́ть враспло́х; порази́ть, ошеломи́ть; ~ **after** походи́ть на кого-л.; ~ **away** а) удаля́ть; б) вычита́ть; в) отнима́ть; ~ **down** а) снима́ть (*со стены, полки и т. п.*); б) сноси́ть, разруша́ть; в) разбира́ть (*маши́ну и т. п.*); г) *полигр.* разбира́ть (*набор*); д) запи́сывать; е) прогла́тывать; ж) снижа́ть (*цену*), уступа́ть; ~ **in** а) принима́ть го́стя; б) брать (*жильца, работу на дом и т. п.*); в) регуля́рно получа́ть; г) занима́ть (*террито́рию*); д) включа́ть, содержа́ть; е) поня́ть су́щность (*факта, довода*); ж) пове́рить (*ложным заявле́ниям*); з) обману́ть; to be ~n in быть обма́нутым; и) ушива́ть (*одежду*); к) убира́ть (*паруса*); л) смотре́ть, ви́деть; м) *амер.* посети́ть, побыва́ть; осма́тривать (*достопримеча́тельности*); to ~ in a movie пойти́ в кино́; ~ **off** а) снима́ть; to ~ off one's hands изба́виться (*от чего-л.*); сбыть с рук; б) уменьша́ть(ся); потеря́ть (*в весе*); в) сбавля́ть (*цену*); г) уничтожа́ть, губи́ть, убива́ть; д) подража́ть; передра́знивать; е) *ав.* взлете́ть, оторва́ться от земли́ или воды́; ~ **on** а) принима́ть на слу́жбу; б) поступа́ть на слу́жбу; в) *мор.* принима́ть на борт; г) предпринима́ть (*дело*); д) ва́жничать, задира́ть нос; е) име́ть успе́х, станови́ться популя́рным; ж) полне́ть; з) си́льно волнова́ться, огорча́ться, расстра́иваться; и) *воен.* откры́ть ого́нь; ~ **out** а) вынима́ть; б) выводи́ть (*пятно́*); в) выводи́ть на прогу́лку; г) пригласи́ть, повести́ (*в теа́тр, рестора́н*); д) выбира́ть, выпи́сывать (*цитаты*); е) брать (*патент*); ~ **over** а) принима́ть (*до́лжность и т. п.*) от друго́го; б) перевози́ть на друго́й бе́рег; ~ **through** заста́вить сде́лать (*уро́ки, зада́ние и т. п.*); ~ **to** а) пристрасти́ться к чему-л.; приобрести́ привы́чку; б) прибе́гнуть к чему-л.; to ~ to one's bed заболе́ть, слечь; ~ **up** а) поднима́ть; б) занима́ть, принима́ть; to ~ up an attitude заня́ть пози́цию; в) занима́ть, отнима́ть (*время, место и т. п.*); г) принима́ть (*пассажи́ра*); д) принима́ть под покрови́тельство; е) брать на что-л.; ж) возвраща́ться к на́чатому; з) прерва́ть; оберну́ть; и) аресто́вывать; к) впи́тывать вла́гу; л) to ~ up with smb. α) сближа́ться с кем-л.; β) быть дово́льным, удовлетворённым кем-л.; ~ **upon:** to ~ upon oneself брать на себя́; ◇ to ~ the

chair быть председа́телем; to ~ it получа́ть
уда́ры, побо́и; to ~ it into one's head за-
бра́ть себе́ в го́лову, возыме́ть жела́ние;
to ~ part with smb., to ~ the part of smb.,
to ~ sides with smb. встать на чью-л. сто́-
рону; to ~ badly, to ~ to heart принима́ть
бли́зко к се́рдцу; to ~ oneself off ухо-
ди́ть, уезжа́ть; to ~ the sea a) выходи́ть
в мо́ре; б) быть спу́щенным на́ воду; to ~
a back seat отойти́ на за́дний план; сту-
шева́ться, заня́ть скро́мное положе́ние; to ~
earth a) скры́ться в нору́ (о лисице и т. п.);
б) спря́таться; притаи́ться; to ~ a hand
in smth. вме́шиваться во что-л.; принима́ть
уча́стие в чём-л.; ока́зывать влия́ние на
что-л.; to ~ in hand предпринима́ть,
бра́ться за что-л.; to ~ it easy a) не спе-
ши́ть, не усе́рдствовать; б) относи́ться спо-
ко́йно, не принима́ть бли́зко к се́рдцу,
про́ще смотре́ть на ве́щи; to ~ down a peg
or two сбить спесь; to ~ the measure of
a person's foot стара́ться распозна́ть чело-
ве́ка, узна́ть его́ сла́бые сто́роны; to ~
smb.'s dust амер. отстава́ть, плести́сь в
хвосте́; to ~ leave of smb.'s senses спя́тить;
to ~ the field a) нача́ть вое́нные де́йствия;
б) вы́йти на по́ле (о футбольной команде);
to ~ to the woods амер. уклоня́ться от
свои́х обя́занностей (особ. от голосова́ния);
~ it from me разг. ве́рьте мне; to ~ one's
time де́йствовать не спеша́; не торопи́ться;
to ~ for granted счита́ть само́ собо́й разу-
ме́ющимся; принима́ть на ве́ру; to ~ too
much for granted быть сли́шком самона-
де́янным; позволя́ть себе́ ли́шнее; to ~ one's
hook sl. дать тя́гу, улизну́ть, смы́ться; to ~
too much злоупотребля́ть спиртны́ми на-
пи́тками; to ~ the biscuit sl. взять пе́рвый
приз; to ~ the wind распространя́ться,
станови́ться изве́стным; to ~ the wind out
of smb.'s sails ≅ вы́бить по́чву из-под ног;
поста́вить в безвы́ходное положе́ние; по-
меша́ть; ~ it or leave it как хоти́те; ли́-
бо да, ли́бо нет;
  2. n 1) уло́в (рыбы); добы́ча (на охоте);
2) сбор (театра́льный); 3) pl бары́ш,
полу́чка; 4) полигр. уро́к набо́рщика; 5) кино часть сце́ны, засня́тая за оди́н приём.
  take-down ['teɪk'daun] 1. n 1) униже́-
ние; 2) разбо́рка;
  2. a разбо́рный.
  take-in ['teɪk'ɪn] n обма́н.
  taken ['teɪkən] p. p. от take 1.
  take-off ['teɪkɔːf] n 1) подража́ние; ка-
рикату́ра; 2) ме́сто, от кото́рого отта́лки-
вается де́лающий прыжо́к; 3) ав. взлёт.
  taker ['teɪkə] n 1) беру́щий и пр. [см.
take 1]; 2) вор; 3) тот, кто принима́ет
пари́.
  taking ['teɪkɪŋ] 1. pres. p. от take 1;
  2. n 1) захва́т; 2) аре́ст; 3) разг. волне́-
ние, беспоко́йство; 4) pl бары́ш; 5) уло́в;
  3. a 1) привлека́тельный, зама́нчивый;
2) зара́зный.
  talari ['tɑːlərɪ] n та́лари (денежная единица Эфиопии).
  talc [tælk] 1. n мин. тальк, жирови́к,
стеати́т;
  2. v посыпа́ть, обраба́тывать та́льком.

  talcum ['tælkəm] n 1)=talc 1; 2) тальк,
гигиени́ческая пу́дра (тж. ~ powder).
  tale [teɪl] n 1) расска́з; по́весть; a twice
told ~ ста́рая исто́рия; 2) (часто pl) вы́-
думки, ро́ссказни; 3) спле́тня; to tell ~s
спле́тничать; to tell ~s out of school ≅ вы-
носи́ть сор из избы́; 4) уст., поэт. число́,
коли́чество; the ~ is complete все в сбо́ре;
◇ Canterbury ~ вы́мысел, ска́зки, ба́сни.
  talebearer ['teɪl,bɛərə] n 1) спле́тник;
2) я́бедник; доно́счик.
  talent ['tælənt] n 1) тала́нт; 2) собир. та-
ла́нтливые лю́ди; 3) тала́нт (самая крупная
в древности денежная и весовая единица
Греции, Месопотамии, Сирии и Египта).
  talented ['tæləntɪd] a тала́нтливый, одарённый.
  talentless ['tæləntlɪs] a безда́рный, лишённый тала́нта.
  tales ['teɪliːz] лат. n pl юр. 1) (употр.
как sing) вы́зов запасны́х прися́жных засе-
да́телей для уча́стия в суде́бном заседа́-
нии; 2) спи́сок запасны́х прися́жных.
  talesman ['teɪliːzmən] n запасно́й при-
ся́жный заседа́тель.
  taleteller ['teɪl,telə] n 1) расска́зчик;
вы́думщик; 2)=tellbearer.
  tali I, II ['teɪlaɪ] pl от talus I и II.
  taliped ['tælɪped] a мед. страда́ющий ко-
солапостью.
  talipes ['tælɪpiːz] n мед. изуро́дованная
ступня́; косола́пость.
  talipot ['tælɪpɔt] n тали́потовая па́льма.
  talisman ['tælɪzmən] n талисма́н.
  talk [tɔːk] 1. n 1) разгово́р; бесе́да; it
will end in ~ э́то не пойдёт да́льше разго-
во́ров; a heart-to-heart ~ разгово́р по
душа́м; to fall into ~ разговори́ться; 2) pl
перегово́ры; 3) слух; there is a ~ of... есть
слух...; 4) предме́т разгово́ров; 5) attr.
говоря́щий; ~ film звуково́й фильм; ◇
the ~ of the town при́тча во язы́цех;
all ~ and no cider шу́му мно́го, а то́лку
ма́ло;
  2. v 1) говори́ть; разгова́ривать (about,
of—о чём-л.; with—с кем-л.); to ~ English
говори́ть по-англи́йски; to ~ oneself hoarse
договори́ться до хрипоты́; to ~ from the
point отвле́чься (от темы, вопроса и т. п.);
to ~ politics говори́ть о поли́тике; 2) пого-
ва́ривать; 3) спле́тничать, распространя́ть
слу́хи; 4) обсужда́ть, совеща́ться; ☐ ~
away заговори́ться, заболта́ться; продол-
жа́ть разгова́ривать; ~ back возража́ть,
дерзи́ть; ~ down перекрича́ть (кого-л.);
~ into уговори́ть, убеди́ть; to ~ smb. into
doing smth. уговори́ть кого́-л. сде́лать
что-л.; ~ out парл. затя́гивать пре́ния
с тем, что́бы отсро́чить голосова́ние; ~ out
of отговори́ть, разубеди́ть; to ~ smb. out
of doing smth. отговори́ть кого́-л. от чего́-л.;
~ over a) обсуди́ть (подро́бно); б) убеди́ть;
~ round a) говори́ть простра́нно, избега́я
каса́ться основно́й це́ли разгово́ра; б) пе-
реубеди́ть (кого-л.); в) исче́рпать те́му;
~ to выгова́ривать, брани́ть; ~ up a) хва-
ли́ть, расхва́ливать; б) говори́ть гро́мко
и я́сно; ◇ to ~ big (или large, tall) a) хва́-
стать; б) разгова́ривать высокоме́рно, над-

ме́нно; ~ of the devil (and he is sure to appear)! лёгок на поми́не!; to ~ against time а) говори́ть с це́лью заде́ржки (*напр., ради обстру́кции*) *или* чтобы вы́играть вре́мя; **б**) стара́ться уложи́ться в устано́вленное вре́мя (*об ора́торе*); to ~ smb.'s head off, to ~ a donkey's hind leg off заговори́ть до́ сме́рти; how you ~! расска́зывай!, ври бо́льше!; to ~ turkey *амер.* а) говори́ть де́ло, разгова́ривать по-делово́му; **б**) говори́ть начистоту́; **в**) говори́ть неприя́тные ве́щи; now you are ~ing! *sl.* вот э́то де́ло!; you can't ~ *sl.* не тебе́ говори́ть, ты бы лу́чше пома́лкивал; to ~ at smb. говори́ть о ком-л. ду́рно в расчёте на то, что он э́то услы́шит; ~ing of it кста́ти.

talkative ['tɔːkətɪv] *a* болтли́вый.

tal-kee-tal-kee ['tɔːkɪ'tɔːkɪ] *n* 1) болтовня́; 2) ло́маный англи́йский язы́к.

talker ['tɔːkə] *n* 1) тот, кто говори́т; 2) разгово́рчивый челове́к; болту́н; 3) хоро́ший ора́тор; ◇ good ~s are little doers *посл.* тот, кто мно́го говори́т, ма́ло де́лает.

talkies ['tɔːkɪz] *n pl разг.* звуково́е кино́.

talking ['tɔːkɪŋ] 1. *pres. p. от* talk 2; ·2. *a* 1) говоря́щий; ~ film звуково́й фильм; 2) разгово́рчивый; 3) вырази́тельный; ~ eyes вырази́тельные глаза́.

talking machine ['tɔːkɪŋmə'ʃiːn] *n* граммофо́н; фоно́граф.

talking-to ['tɔːkɪŋtuː] *n* вы́говор.

tall [tɔːl] 1. *a* 1) высо́кий; 2) *sl.* невероя́тный; чрезме́рный; экстравага́нтный; a ~ story небыли́ца; a ~ order тру́дная зада́ча; чрезме́рное тре́бование; 3) *sl.* хвастли́вый; ~ talk а) хвастовство́; **б**) преувеличе́ние;
2. *adv sl.* хвастли́во.

tallboy ['tɔːlbɔɪ] *n* 1) высо́кий комо́д; 2) бока́л на высо́кой но́жке.

talliar ['tælɪə] *n англо-инд.* сто́рож.

tallow ['tælou] 1. *n* 1) жир, са́ло (*для свече́й, мы́ла*); 2) ко́ломазь;
2. *a* жи́рный;
3. *v* 1) сма́зывать са́лом; 2) отка́рмливать (*скот*).

tallow-chandler ['tælou,tʃɑːndlə] *n* торго́вец са́льными свеча́ми.

tallow-face ['tæloufeɪs] *n* челове́к с бле́дным одутлова́тым лицо́м.

tallowy ['tælouɪ] *a* 1) са́льный; 2) жи́рный.

tally ['tælɪ] 1. *n* 1) би́рка; 2) ко́пия, дублика́т; 3) опознава́тельный ярлы́к (*на това́ре*); доще́чка с назва́нием расте́ния; 4) едини́ца счёта (*напр., деся́ток, дю́жина, два́дцать штук*);
2. *v* 1) подсчи́тывать (*ча́сто* ~ up); *уст.* вести́ счёт по би́ркам; 2) соотве́тствовать, совпада́ть (with); 3) прикрепля́ть ярлы́к.

tally-ho ['tælɪ'hou] 1. *int охот.* ату́!;
2. *v* нау́ськивать соба́к;
3. *n* больша́я каре́та, запряжённая четвёркой.

tally-shop ['tælɪʃɔp] *n* магази́н, где това́ры продаю́тся в рассро́чку.

tally trade ['tælɪ'treɪd] *n* торго́вля с рассро́чкой платежа́.

talma ['tælmə] *фр. n* та́льма.

talon ['tælən] *n* 1) (*обыкн. pl*) ко́готь; 2) тало́н (*от квита́нции, биле́та*); 3) ка́рты, оста́вшиеся в коло́де по́сле сда́чи.

taluk [tɑːˈiuk] *n англо-инд.* 1) нало́говый о́круг; 2) насле́дственное име́ние.

talukdar [,tɑːlukˈdɑː] *n англо-инд.* 1) нало́говый чино́вник; 2) поме́щик, землевладе́лец.

talus I ['teɪləs] *n* (*pl* -li) 1) *анат.* тара́нная кость; 2) бе́дренная кость (*у живо́тных*).

talus II ['teɪləs] *n* (*pl* -li) 1) отко́с, скат; овра́г; 2) *геол.* о́сыпь, делю́вий; 3) *стр.* ка́менная набро́ска.

tamable ['teɪməbl] *a* укроти́мый.

tamarack ['tæməræk] *n бот.* ли́ственница америка́нская.

tamarind ['tæmərɪnd] *n бот.* тамари́нд.

tamarisk ['tæmərɪsk] *n бот.* тамари́ск, тамари́кс.

tambour ['tæmbuə] 1. *n* 1) бараба́н; 2) кру́глые пя́льцы (*для вышива́ния*); 3) вы́шивка та́мбурным швом; 4) *стр.* та́мбур;
2. *v* вышива́ть (*на пя́льцах*).

tambourine [,tæmbəˈriːn] *n* тамбури́н, бу́бен.

tame [teɪm] 1. *a* 1) ручно́й; приручённый; 2) поко́рный, пасси́вный; 3) ску́чный, неинтере́сный; бана́льный; 4) *с.-х.* культу́рный, культиви́руемый (*о расте́нии*);
2. *v* 1) прируча́ть, дрессирова́ть; 2) смиря́ть(ся); 3) смягча́ть; 4) де́лать неинтере́сным.

tameable ['teɪməbl]=tamable.

tameless ['teɪmlɪs] *a* 1) ди́кий, неприручённый; 2) неукроти́мый.

tamer ['teɪmə] *n* укроти́тель; дрессиро́вщик.

Tamil ['tæmɪl] 1. *n* 1) тами́л; 2) тами́льский язы́к;
2. *a* тами́льский.

Tamilian [təˈmɪljən] *a* тами́льский.

Tammany ['tæmənɪ] *n амер.* 1) организа́ция демократи́ческой па́ртии в Нью-Йо́рке; 2) систе́ма по́дкупов в полити́ческой жи́зни.

Tammany Hall ['tæmənɪ'hɔːl] *n амер.* 1) штаб демократи́ческой па́ртии в Нью-Йо́рке; 2) = Tammany 1).

tammy I ['tæmɪ] = tam-o'-shanter.

tammy II ['tæmɪ] *n* цеди́лка, си́то (*из тка́ни*).

tam-o'-shanter [,tæməˈʃæntə] *n* шотла́ндский бере́т.

tamp [tæmp] *v* 1) трамбова́ть; набива́ть; 2) *горн.* забива́ть шпур гли́ной *и т. п.*; 3) *ж.-д.* подбива́ть.

tampan ['tæmpæn] *n* южноафрика́нский ядови́тый клещ.

tamper I ['tæmpə] *v* 1) вме́шиваться; вноси́ть самово́льные измене́ния (with); 2) тро́гать, по́ртить; smb. had ~ed with the lock кто́-то пыта́лся откры́ть замо́к; 3) подде́лывать (*докуме́нт*; with); 4) подкупа́ть, ока́зывать та́йное давле́ние (with).

tamper II ['tæmpə] *n* трамбо́вка; пест.

tampion ['tæmpɪən] *n* 1) заты́чка, вту́лка; 2) *воен.* ду́льная про́бка.

tampon ['tæmpən] *мед.* 1. *n* тампон;
2. *v* вставлять тампон, тампонировать.

tamtam ['tæmtæm]=tomtom.

tan [tæn] 1. *n* 1) корьё, толчёная дубовая кора; 2) рыжевато-коричневый цвет; 3) загар; 4) (the ~) *sl.* цирк;
2. *a* рыжевато-коричневый;
3. *v* 1) дубить (*кожу*); 2) загорать; 3) обжигать кожу (*о солнце*); 4) *разг.* дубасить; to ~ smb.'s hide отколотить, исполосовать кого-л.

tana ['tɑːnɑ] *n англо-инд.* 1) полицейский участок; 2) военный пост.

tanadar [ˌtɑːnɑːˈdɑː] *n англо-инд.* начальник полицейского участка *или* военного поста.

tandem ['tændəm] 1. *n* 1) экипаж, запряжённый парой лошадей цугом; 2) тандем (*велосипед для двоих или троих*); 3)*тех.* тандем, расположение гуськом;
2. *adv* цугом, гуськом.

tang I [tæŋ] *n* 1) часть инструмента, прилаживаемая к ручке; стержень, хвост (*стамески, напильника и т. п.*); 2) резкий привкус; особый вкус.

tang II [tæŋ] 1. *n* звон;
2. *v* 1) звенеть; громко звучать; 2) звонить.

tangent ['tændʒənt] 1. *n* 1) *мат.* касательная; 2) *мат.* тангенс; 3) *амер. разг.* прямолинейный участок железнодорожного пути; ◊ to fly (*или* to go) off at a ~ внезапно отклониться (*от темы и т. п.*);
2. *a мат.* касательный.

tangential [tænˈdʒenʃəl] *a мат.* 1) направленный по касательной к данной кривой; 2) тангенциальный.

Tangerine [ˌtændʒəˈriːn] *n* уроженец Танжера.

tangerine [ˌtændʒəˈriːn] *n* мандарин (*плод*).

tangibility [ˌtændʒɪˈbɪlɪtɪ] *n* 1) осязаемость; 2) реальность.

tangible ['tændʒəbl] 1. *a* 1) осязаемый, материальный; 2) ясный; ощутительный, заметный; реальный;
2. *n pl* нечто ощутимое, реальное, осязаемое.

tangle ['tæŋgl] 1. *n* 1) спутанный клубок; 2) сплетение, путаница, неразбериха; in a ~ запутанный; 3) драга для исследования морского дна; 4) ламинария.
2. *v* запутывать(ся), усложнять(ся).

tanglefoot ['tæŋglfut] *n амер.* 1) *sl.* виски; 2) липкая бумага от мух.

tangleleg ['tæŋglleg]=tanglefoot.

tangly ['tæŋglɪ] *a* запутанный.

tango ['tæŋgou] *n* (*pl* -os [-ouz]) танго.

tan-house ['tænhaus] *n* tannery.

tank I [tæŋk] 1. *n* 1) цистерна, бак, резервуар; 2) водоём (*в Индии*); 3) *радио* колебательный контур.
2. *v* 1) наливать в бак; 2) сохранять в баке; обрабатывать в баке.

tank II [tæŋk] *n* 1) танк; 2) *attr.* танковый; ~ destroyer самоходное противотанковое орудие.

tankage ['tæŋkɪdʒ] *n* 1) ёмкость цистерны, бака *и т. п.*; 2) хранение в цистернах, баках *и т. п.*; 3) плата за хранение в ци-

стернах; 4) осадок в баке; 5) отбросы боен, идущие на удобрение (*мясо-костная мука*).

tankard ['tæŋkəd] *n* высокая пивная кружка (*часто с крышкой*); cold (*или* cool) ~ прохладительный напиток (*из вина, воды и лимонного сока*).

tank-borne ['tæŋkbɔːn] *a*: ~ infantry танковый десант.

tank-car ['tæŋkkɑː] *n* 1) *ж.-д.* цистерна; 2) автоцистерна.

tanked [tæŋkt] 1. *p. p. от* tank I, 2;
2. *a амер. sl.* пьяный.

tank engine ['tæŋkˌendʒɪn] *n* 1) паровоз без тендера, танк-паровоз; 2) танковый мотор.

tanker I ['tæŋkə] *n* 1) танкер, (нефте-) наливное судно; 2) *ж.-д. амер.* цистерна; 3) *тех.* топливозаправщик.

tanker II ['tæŋkə] *n* танкист (*в армии США*).

tankman ['tæŋkmən] *n* танкист.

tanna ['tɑːnɑ] = tana.

tanner I ['tænə] *n* дубильщик.

tanner II ['tænə] *n sl.* монета в 6 пенсов.

tannery ['tænərɪ] *n* сыромятня.

tannin ['tænɪn] *n* танин.

tansy ['tænzɪ] *n бот.* пижма обыкновенная, дикая рябина.

tantalize ['tæntəlaɪz] *v* подвергать танталовым мукам, дразнить ложными надеждами.

tantalum ['tæntələm] *n хим.* тантал.

Tantalus ['tæntələs] *n миф.* Тантал.

tantalus ['tæntələs] *n* стеклянный шкафчик для графинов с вином (*из которого их нельзя вынуть без ключа*).

tantamount ['tæntəmaunt] *a* равносильный, равноценный (to).

tantivy [tæn'tɪvɪ] 1. *n* быстрый галоп;
2. *a* быстрый;
3. *adv* вскачь.

tantrum ['tæntrəm] *n разг.* вспышка раздражения; to fly into a ~ вспыхнуть, разразиться гневом.

tap I [tæp] 1. *n* 1) втулка; 2) кран; on ~ а) распивочно (*о вине*); б) *перен.* готовый к немедленному употреблению, использованию, находящийся под рукой; 3) сорт, марка (*вина, пива*); beer of the first ~ пиво высшего сорта; 4) = taproom; 5) *тех.* метчик, винторез; 6) *эл.* отвод, ответвление; зажим.
2. *v* 1) вставлять кран, починять бочонок; 2) наливать пиво, прислуживать в баре; 3) делать прокол (*для выпускания жидкости у больного*); 4) делать надрез на дереве; 5) перехватывать (*сообщения*); to ~ the wire перехватывать телеграфные сообщения; to ~ the line подслушивать телефонный разговор; 6) выпрашивать деньги; 7) *тех.* нарезать внутреннюю резьбу; 8) *метал.* пробивать лётку; выпускать расплавленный металл (*из печи*); ◊ to ~ the house совершить кражу со взломом.

tap II [tæp] 1. *n* 1) лёгкий стук *или* удар; 2) *pl амер.* сигнал тушить огни (*в казармах, дортуарах*); 3) набойка (*на каблуке*);

2. *v* 1) стуча́ть, посту́кивать, обсту́кивать; хло́пать; to ~ at the door тихо́нько постуча́ть в дверь; to ~ on the shoulder похло́пать по плечу́; 2) набива́ть набо́йку (*на каблук*).

tap-dance ['tæpdɑːns] *n* чечётка.

tape [teɪp] **1.** *n* 1) тесьма́; 2) телегра́фная ле́нта; 3) ле́нточка у фи́ниша; to breast the ~ прийти́ к фи́нишу; 4)=tape-line; 5) *сокр. от* red tape; 6) *sl.* джин, спиртно́й напи́ток;

2. *v* 1) свя́зывать шнуро́м, тесьмо́й; 2) измеря́ть руле́ткой; ▢ ~ up бинтова́ть, забинто́вывать.

tape-line ['teɪplaɪn] *n* руле́тка, ме́рная ле́нта.

tape-machine ['teɪpmə,ʃiːn] =tape-recorder.

tape-measure ['teɪp,meʒə] =tape-line.

tape needle ['teɪp'niːdl] *n* амер. упако́вочная игла́.

taper ['teɪpə] **1.** *n* 1) то́нкая свеча́; 2) сла́бый свет; 3) кони́ческая фо́рма;

2. а 1) су́живающийся к одному́ концу́, конусообра́зный; 2) то́нкий и дли́нный (*напр., о пальцах руки*);

3. *v* су́живать(ся) к концу́ (*часто* ~ off, ~ down, ~ away) заостря́ть.

tape-recorder ['teɪprɪ,kɔːdə] *n* магнитофо́н.

tapestry ['tæpɪstrɪ] **1.** *n* 1) за́тканная от руки́ мате́рия; гобеле́н; 2) обо́и *или* ткань, имити́рующие гобеле́н;

2. *v* (*особ. р.р.*) украша́ть, уве́шивать гобеле́нами.

tapeworm ['teɪpwɜːm] *n* мед. ле́нточный червь, солитёр.

tap-hole ['tæphoul] *n* метал. лётка; выпускно́е отве́рстие.

taphouse ['tæphaus] =taproom.

tapioca [,tæpɪ'oukə] *n* тапио́ка (*крупа*).

tapir ['teɪpə] *n зоол.* тапи́р.

tapis ['tæpiː] *фр. n*: to be (*или* to come) on (*или* upon) the ~ быть на рассмотре́нии, обсужда́ться.

tapper ['tæpə] *n* телегра́фный ключ.

tappet ['tæpɪt] *n тех.* толка́тель кла́пана, кулачо́к.

taproom ['tæprum] *n* пивна́я, бар.

tap-root ['tæpruːt] *n бот.* стержнево́й ко́рень.

tapster ['tæpstə] *n* буфе́тчик; каба́тчик.

tar I [tɑː] **1.** *n* смола́; дёготь; гудро́н; to beat the ~ out of smb. изби́ть до полусме́рти, исколоти́ть, исколошма́тить кого́-л.;

2. *v* ма́зать дёгтем; смоли́ть; to ~ and feather вы́мазав дёгтем, обваля́ть в пе́рьях (*способ самосуда в США*); ◇ ~red with the same brush (*или* stick) ≅ одни́м ми́ром ма́заны; одни́м лы́ком ши́ты.

tar II [tɑː] *n разг.* моря́к.

taradiddle ['tærədɪdl] *разг.* **1.** *n* ложь, враньё;

2. *v* врать.

tarantella [,tærən'telə] *n* таранте́лла.

tarantula [tə'ræntjulə] *n зоол.* тара́нтул.

taraxacum [tə'ræksəkəm] *n* 1) *бот.* одува́нчик; 2) *мед.* лека́рство из одува́нчика.

tarboosh [tɑː'buːʃ] *n* фе́ска.

tar-brush ['tɑːbrʌʃ] *n* кисть для сма́зки дёгтем.

tardigrade ['tɑːdɪgreɪd] *a зоол.* ме́дленный, передвига́ющийся ме́дленно.

tardy ['tɑːdɪ] *a* 1) медли́тельный; 2) запозда́лый, по́здний; to make a ~ appearance прийти́ с опозда́нием; 3) отста́лый.

tare I [tɛə] *n* 1) *бот.* ви́ка (посевна́я), горо́шек посевно́й; 2) *pl* пле́велы.

tare II [tɛə] **1.** *n* 1) вес та́ры, та́ра; 2) ски́дка на та́ру; ~ and tret ски́дка на та́ру и утёчку;

2. *v* 1) тари́ровать, определя́ть вес та́ры; 2) де́лать ски́дку на та́ру.

targe [tɑːdʒ] *n ист.* ма́ленький кру́глый щит.

target ['tɑːgɪt] *n* 1) цель, мише́нь (*тж. перен.*); off the ~ ми́мо це́ли; 2) зада́ние, план; to beat the ~ перевы́полнить зада́ние; 3)=targe; 4) *ж.-д.* сигна́льный диск, сигна́л (*стрелочный*); 5) *attr.* пла́новый; ~ figure пла́новое зада́ние; 6) *attr. воен.*: ~ hit попада́ние в цель *или* мише́нь; ~ practice стрельба́ по мише́ням.

Tarheel(er) ['tɑː,hiːl(ə)] *n амер. разг.* про́звище уроже́нца *или* жи́теля Се́верной Кароли́ны.

tariff ['tærɪf] **1.** *n* 1) тари́ф; preferential ~ преференциа́льный тамо́женный тари́ф; 2) расце́нка; 3) *attr.* тари́фный; ~ reform протекциони́стская рефо́рма (*в Англии*);

2. *v* 1) включи́ть в тари́ф; 2) произвести́ оце́нку; установи́ть расце́нку.

tarlatan ['tɑːlətən] *n* тарлата́н (*сильно прокрахма́ленная кисея́*).

tarmac ['tɑːmæk] *сокр. см.* tar macadam.

tar macadam ['tɑːmə'kædəm] *n* гудрони́рованное шоссе́.

tarn [tɑːn] *n* небольшо́е го́рное о́зеро.

tarnation [tɑː'neɪʃən] = damnation.

tarnish ['tɑːnɪʃ] **1.** *n* 1) ту́склость; 2) *перен.* пятно́;

2. *v* 1) лиша́ть(ся) бле́ска, тускне́ть; 2) поро́чить.

tar paper ['tɑː'peɪpə] *n стр.* толь.

tarpaulin [tɑː'pɔːlɪn] *n* 1) брезе́нт, просмолённая паруси́на; 2) матро́сская ша́пка *или* ку́ртка; 3) *уст.* моря́к; матро́с.

tarpon ['tɑːpɔn] *n* больша́я морска́я ры́ба из семе́йства сельдевы́х.

tarragon ['tærəgən] *n бот.* полы́нь эстраго́н.

tarrock ['tærək] *n название нескольких северных морских птиц*: кра́чка (*настоя́щая, хохла́тая, чёрная*), трёхпа́лая ча́йка.

tarry I ['tærɪ] *v книжн.* 1) ме́длить, ме́шкать; 2) жда́ть, дожида́ться (for); 3) жить, прожива́ть (at, in).

tarry II ['tɑːrɪ] *a* покры́тый *или* вы́мазанный дёгтем.

tarsi ['tɑːsaɪ] *pl от* tarsus.

tarsia ['tɑːsɪə] *ит. n* инта́рсия, деревя́нная моза́ика.

tarsus ['tɑːsəs] *n (pl -si)* 1) *анат.* предплю́сна; 2) *зоол.* го́лень пти́цы; ни́жний чле́ник ла́пки насеко́мого.

tart I [tɑːt] *a* 1) ки́слый; те́рпкий; е́дкий; 2) ре́зкий, ко́лкий (*ответ, возраже́ние и т. п.*).

tart II [tɑːt] *n* 1) пиро́г (*с фру́ктами, я́годами или варе́ньем*), дома́шний торт; jam ~ пиро́г с варе́ньем; 2) кусо́чек то́рта; фрукто́вое пиро́жное.

tart III [tɑːt] *n sl.* проститу́тка.

tartan [ˈtɑːtən] *n* 1) кле́тчатая шерстяна́я мате́рия, шотла́ндка; 2) шотла́ндский плед; 3) шотла́ндский го́рец; 4) *attr.* сде́ланный из шотла́ндки.

Tartar [ˈtɑːtə] **1.** *n* 1) тата́рин; тата́рка; 2) челове́к неприя́тного раздражи́тельного нра́ва; бурбо́н; 3) мегéра, фу́рия; ◇ young ~ тру́дный, капри́зный ребёнок; to catch a ~ столкну́ться с бо́лее си́льным проти́вником, встре́тить си́льный отпо́р; **2.** *а* тата́рский.

tartar [ˈtɑːtə] *n* ви́нный ка́мень.

Tartarean [tɑːˈtɛərɪən] *а* а́дский.

tartar emetic [ˈtɑːtərɪˈmetɪk] *n* рво́тный ка́мень.

Tartarian [tɑːˈtɛərɪən] *а* тата́рский.

Tartarus [ˈtɑːtərəs] *n миф.* та́ртар, преиспо́дняя.

tartlet [ˈtɑːtlɪt] *n* тартале́тка, небольшо́й откры́тый пиро́г.

task [tɑːsk] **1.** *n* 1) уро́чная рабо́та; зада́ча; зада́ние; уро́к; to set a ~ before smb. дать зада́ние, поста́вить зада́чу пе́ред кем-л.; ~ in hand а) на́чатая рабо́та; б) ближа́йшая зада́ча; 2) *амер.* но́рма (*рабо́чего*); ◇ to take (*или* to call) smb. to ~ сде́лать вы́говор, дать нагоня́й кому́-л.; ~ force *воен.* отря́д осо́бого назначе́ния; **2.** *v* 1) зада́ть рабо́ту; 2) *редк.* обременя́ть, перегружа́ть; it ~s my power э́то мне не под си́лу, э́то сли́шком тру́дно.

taskmaster [ˈtɑːskˌmɑːstə] *n* 1) бригади́р, деся́тник; 2) надсмо́трщик.

taskwork [ˈtɑːskwəːk] *n* 1) уро́чная рабо́та; 2) сде́льная рабо́та.

tassel [ˈtæsəl] *n* 1) ки́сточка (*как украше́ние*); 2) закла́дка (*в кни́ге*).

taste [teɪst] **1.** *n* 1) вкус; to the ~ на вкус; 2) вкус; скло́нность; a man of ~ челове́к со вку́сом; in bad ~ безвку́сно; in good ~ со вку́сом; very much to my ~ как раз то, что мне по вку́су; to have a ~ for (music, literature, *etc.*) име́ть скло́нность к (му́зыке, литерату́ре *и т. п.*); ~s differ, there is no accounting for ~s о вку́сах не спо́рят, у вся́кого свой вкус; 3) небольшо́й кусо́чек; про́ба; give me a ~ of the pudding да́йте мне кусо́чек пу́динга; 4) представле́ние; пе́рвое знако́мство (*с чем-л.*); to give a ~ of smth. дава́ть не́которое представле́ние о чём-л.; ◇ a ~ *разг.* чу́точку; a ~ higher чу́точку вы́ше; to leave a nasty ~ in the mouth оста́вить неприя́тное впечатле́ние; **2.** *v* 1) (по)про́бовать (на вкус); отве́дать; *перен.* вкуси́ть, испыта́ть; to ~ of danger *уст.* подве́ргнуться опа́сности; 2) чу́вствовать вкус; 3) име́ть вкус, при́вкус; to ~ sour быть ки́слым на вкус, име́ть ки́слый вкус; the soup ~s of onions в су́пе (о́чень) чу́вствуется лук; 4) быть профессиона́льным дегуста́тором.

tasteful [ˈteɪstful] *а* 1) сде́ланный со вку́сом; 2) облада́ющий вку́сом.

tasteless [ˈteɪstlɪs] *а* 1) безвку́сный; 2) лишённый вку́са; 3) беста́ктный; 4) дурно́го то́на.

taster [ˈteɪstə] *n* 1) дегуста́тор; 2) реце́нзент изда́тельства; 3) дегустацио́нный бока́л.

tasty [ˈteɪstɪ] *а* 1) вку́сный; 2) прия́тный; 3) *редк.* име́ющий хоро́ший вкус; 4) изя́щный.

tat I [tæt] *v* плести́ кру́жево.

tat II [tæt] *n sl.* игра́льная кость.

Tatar [ˈtɑːtə] = Tartar.

tatter [ˈtætə] **1.** *n* 1) (*обыкн. pl*) лохмо́тья, кло́чья; to tear to ~s изорва́ть в кло́чья; *перен.* разби́ть в пух и прах; 2) *разг.* оборва́нец; 3) старьёвщик; **2.** *v* превраща́ть(ся) в лохмо́тья; рва́ть(ся) в кло́чья.

tatterdemalion [ˌtætədəˈmeɪljən] *n* оборва́нец.

tattered [ˈtætəd] **1.** *p. p.* от tatter 2; **2.** *а* обо́рванный, в лохмо́тьях.

tatting [ˈtætɪŋ] **1.** *pres. p.* от tat I; **2.** *n* плетёное кру́жево.

tattle [ˈtætl] **1.** *n* болтовня́; пусто́й разгово́р; спле́тни; **2.** *v* болта́ть, суда́чить; спле́тничать.

tattler [ˈtætlə] *n* болту́н; спле́тник.

tattoo I [təˈtuː] *n* 1) сигна́л вече́рней зари́; **2.** *v* 1) бить, игра́ть зо́рю; 2) бараба́нить па́льцами; отбива́ть такт ного́й (*тж.* beat the devil's ~).

tattoo II [təˈtuː] **1.** *n* татуиро́вка; **2.** *v* 1) татуи́ровать; 2) очерни́ть.

tatty [ˈtætɪ] *n англо-инд.* намо́ченная цино́вка из души́стой травы́ (*ве́шается на окно́ или на дверь для охлажде́ния во́здуха в ко́мнате*).

taught [tɔːt] *past и p. p. от* teach.

taunt I [tɔːnt] **1.** *n* 1) насме́шка, язви́тельное замеча́ние; «шпи́лька»; 2) предме́т насме́шек; **2.** *v* насмеха́ться, говори́ть ко́лкости.

taunt II [tɔːnt] *а мор.* о́чень высо́кий (*о ма́чте*).

tauromachy [tɔːˈrɔməkɪ] *греч. n* бой быко́в.

Taurus [ˈtɔːrəs] *n* Теле́ц (*созве́здие и знак зодиа́ка*).

taut [tɔːt] *а* 1) ту́го натя́нутый, упру́гий; 2) в хоро́шем состоя́нии; испра́вный; подтя́нутый; аккура́тный; 3) стро́гий; неукосни́тельно выполня́ющий долг.

taut airship [ˈtɔːtˈɛəʃɪp] *n* дирижа́бль мя́гкой систе́мы.

tauten [ˈtɔːtn] *v* ту́го натя́гивать(ся).

tautologize [tɔːˈtɔlədʒaɪz] *v* повторя́ться.

tautology [tɔːˈtɔlədʒɪ] *n* тавтоло́гия.

tavern [ˈtævən] *n* 1) таве́рна; 2) небольша́я гости́ница.

taw I [tɔː] *n* 1) ша́рики (*де́тская игра́*); 2) черта́, с кото́рой броса́ют ша́рики.

taw II [tɔː] *v* выде́лывать ко́жу без дубле́ния.

tawdry [ˈtɔːdrɪ] **1.** *а* мишу́рный, крича́ще безвку́сный; **2.** *n* дешёвый шик; безвку́сные украше́ния.

tawny ['tɔːnɪ] *a* рыжевато-коричневый.

tawny owl ['tɔːnɪ'aul] *n* зоол. неясыть серая *или* обыкновенная.

tax [tæks] **1.** *n* 1) (государственный) налог; пошлина; сбор; direct (indirect) ~es прямые (косвенные) налоги; single ~ единый земельный налог; to levy ~es взимать налоги; heavy ~ большой, обременительный налог; nuisance ~ *амер.* мелкий косвенный налог; 2) напряжение, бремя, испытание; it is a great ~ on my time это требует от меня слишком много времени; **2.** *v* 1) облагать налогом; таксировать; 2) чрезмерно напрягать, подвергать испытанию; утомлять; the work ~es my powers эта работа слишком тяжела для меня; I cannot ~ my memory не могу вспомнить; 3) испытывать (*терпение и т. п.*); 4) *амер. разг.* спрашивать, назначать цену; what will you ~ me? сколько это будет (мне) стоить?; 5) обвинять, осуждать (with); 6) *юр.* определять размер убытков, штрафа *и т. п.*; определять размер судебных издержек.

taxability [,tæksə'bɪlɪtɪ] *n* облагаемость.

taxable ['tæksəbl] *a* облагаемый налогом; подлежащий обложению налогом.

taxation [tæk'seɪʃən] *n* 1) обложение налогом; взимание налога; 2) размер, сумма налога.

tax-collector ['tækskə,lektə] *n* сборщик налогов.

taxed cart ['tækst'kɑːt] *n* двуколка фермера *или* торговца (*название связано со старой системой налогового обложения*).

tax-farmer ['tæks,fɑːmə] *n* откупщик.

tax-free ['tæks'friː] *a* освобождённый от налогов.

tax-gatherer ['tæks,gæðərə] = tax-collector.

taxi ['tæksɪ] **1.** *n* такси; **2.** *v* 1) ехать на такси; 2) везти на такси; 3) *ав.* рулить.

taxi-cab ['tæksɪkæb]=taxi 1.

taxi-dance hall ['tæksɪ,dɑːns'hɔːl] *n амер.* третьеразрядный дансинг с профессиональными партнёршами *или* партнёрами.

taxi-dancer ['tæksɪ,dɑːnsə] *n амер.* профессиональная партнёрша, профессиональный партнёр (*в дансинге, кабаре и т. п.*).

taxidermist ['tæksɪdəːmɪst] *n* набивщик чучел.

taxidermy ['tæksɪdəːmɪ] *n* набивка чучел.

taxi-driver ['tæksɪ,draɪvə] *n* шофёр такси.

taxi-man ['tæksɪmən]=taxi-driver.

taximeter ['tæksɪ,miːtə] *n* таксометр, счётчик.

taxing ['tæksɪŋ] **1.** *pres. p. om* tax 2; **2.** *n* обложение налогом; **3.** *a* налоговый; ~ district *амер.* налоговый округ.

taxing-master ['tæksɪŋ,mɑːstə] *n* чиновник, определяющий размеры судебных издержек.

taxis ['tæksɪs] *n* 1) *ист.* подразделение в древнегреческой армии; 2) *биол.* ответная реакция организма.

taxpayer ['tæks,peɪə] *n* налогоплательщик.

tea [tiː] *n* 1) чай; afternoon ~, high (*или* meat) ~ плотный ужин с чаем; low ~ *амер.* лёгкий ужин с чаем; tile ~ кирпичный, плиточный чай; broken ~ спитой чай; Russian ~ чай с лимоном без молока (*подаётся в стаканах*); 2) настой; крепкий отвар *или* бульон; ◇ to take ~ with smb. а) общаться с кем-л.; б) схватиться с кем-л.; not smb.'s cup of ~ *sl.* не по вкусу кому-л.; another cup of ~ совсем другое дело.

tea-biscuit ['tiː,bɪskɪt] *n* печенье к чаю.

tea-board ['tiːbɔːd] = tea-tray.

tea-bread ['tiːbred] *n* сдобный хлебец *или* булочка к чаю.

tea-cake ['tiːkeɪk] *n* булочка к чаю.

teach [tiːtʃ] *v* (taught) 1) учить, обучать; давать уроки, преподавать; to ~ smb. French обучать кого-л. французскому языку; to ~ school *амер.* заниматься преподавательской деятельностью, быть преподавателем; 2) учить, приучать; 3) проучить; I will ~ him a lesson я проучу его.

teachable ['tiːtʃəbl] *a* 1) подлежащий обучению; 2) способный к учению; понятливый; прилежный.

teacher ['tiːtʃə] *n* учитель(ница); преподаватель(ница).

teaching ['tiːtʃɪŋ] **1.** *pres. p. om* teach; **2.** *n* 1) обучение; to take up ~ стать преподавателем; 2) учение, доктрина.

tea-clipper ['tiː,klɪpə] *n* быстроходное судно, перевозящее чай.

tea-cloth ['tiːklɔθ] *n* 1) чайная скатерть *или* салфетка; 2) полотенце для чайной посуды.

tea-cosy ['tiː,kouzɪ] *n* стёганый чехольчик (*на чайник*).

teacup ['tiːkʌp] *n* (чайная) чашка.

tea-dealer ['tiː,diːlə] *n* чаеторговец.

tea-fight ['tiːfaɪt] *разг. см.* tea-party 1).

tea-garden ['tiː,gɑːdn] *n* 1) чайная с садом; ресторан на открытом воздухе; 2) чайная плантация.

tea-ho ['tiːhou] *n австрал.* перерыв на чай.

tea-house ['tiːhaus] *n* чайная, закусочная.

teak [tiːk] *n* тик(овое дерево).

tea-kettle ['tiː,ketl] *n* чайник (*для кипячения воды*).

teal [tiːl] *n зоол.* чирок.

tea-leaf ['tiːliːf] *n* 1) чайный лист; 2) *pl* спитой чай.

team [tiːm] **1.** *n* 1) упряжка, запряжка (*лошадей, волов*); *амер.* упряжка с экипажем, выезд; 2) спортивная команда; 3) бригада, артель (*рабочих*); 4) экипаж судна; 5) *воен.* группа из разных родов войск; усиленная часть; **2.** *v* 1) запрягать; 2) объединяться в бригаду, команду *и т. п.*; to ~ up with smb. *амер.* объединиться с кем-л.; 3) быть погонщиком, возницей.

team-mate ['tiːmmeɪt] *n* игрок той же команды; член той же бригады, звена *и т. п.*

teamster ['tiːmstə] *n* погонщик; возница.

teamwise ['tiːmwaɪz] *adv* 1) сообща, вместе; 2) бригадами, бригадным методом.

team-work ['tiːmwəːk] *n* 1) совместная бригадная *или* конвейерная работа; 2) согласованная работа; совместные усилия; взаимодействие.

tea-party ['tiː‚pɑːtɪ] *n* 1) званый чай; 2) общество, приглашённое на чай.

teapot ['tiːpɔt] *n* чайник (*для заварки*).

teapoy ['tiːpɔɪ] *n* англо-инд. небольшой столик (*особ. для чая*).

tear I [tɛə] 1. *n* 1) прорез, дыра, прореха; 2) устремление; full ~ объреметью; 3) неистовство; 4) *амер. sl.* кутёж; 5) *тех.* задирание, износ;

2. *v* (tore; torn) 1) рвать(ся), срывать, отрывать(ся) (*тж.* ~ off); to ~ asunder (*или* in two) разорвать надвое; to ~ in (*или* to) pieces изорвать в клочки; *перен.* ≅ разбить в пух и прах; раскритиковать; 2) отнимать; выхватывать (*тж.* ~ out); 3) поранить, оцарапать; I have torn my finger я поранил себе палец; 4) *перен.* раздирать; a heart torn by anxiety сердце, разрывающееся от тревоги; to be torn between разрываться на части; колебаться между (*двумя желаниями и т. п.*); 5) рваться; изнашиваться, срабатываться; 6) мчаться (*тж.* ~ along, ~ down); □ ~ about носиться; ~ along бросаться, устремляться, мчаться; to ~ along the street мчаться по улице; ~ at тащить, тянуть с силой; ~ away отрывать; to ~ oneself away с трудом оторваться; ~ down а) срывать, сносить (*постройку*); б) опровергать (*пункт за пунктом*); в) нестись, мчаться; ~ out вырывать; выхватывать; ~ up а) вырвать; a tree torn up by the roots дерево, вырванное с корнем; б) изорвать; ◇ to ~ it *sl.* расстроить планы; to ~ off a strip *sl.* отругать, сделать замечание.

tear II [tɪə] *n* 1) слеза; in ~s в слезах; bitter (*или* poignant) ~s горькие слёзы; to break into ~s залиться слезами, разрыдаться; to give smb. a ~ пытаться разжалобить кого-л.; 2) капля (*росы*).

tear-drop ['tɪədrɔp] *n* слеза, слезинка.

tear-duct ['tɪədʌkt] *n* анат. слёзный проток.

tearful ['tɪəful] *a* 1) плачущий; 2) полный слёз; готовый расплакаться; 3) печальный.

tear-gas ['tɪəˈgæs] *n* слезоточивый газ.

tearing ['tɛərɪŋ] 1. *pres. p. от* tear I, 2; 2. *a разг.* неистовый, бешеный.

tearless ['tɪəlɪs] *a* 1) без слёз; 2) бесчувственный.

tea-room ['tiːrum] *n* кафе-кондитерская.

tea-rose ['tiːrouz] *n* чайная роза.

tear-sheet ['tɛəʃiːt] *n амер.* рекламное объявление в газете, которое может быть вырезано читателем и направлено фирме в качестве заказа.

tear-shell ['tɪəˈʃəl] *n* снаряд со слезоточивым газом.

tear-stained [tɪəsteɪnd] *a* со следами слёз, заплаканный.

tease [tiːz] 1. *v* 1) дразнить; поддразнивать; 2) надоедать, приставать; надоедать просьбами; выпрашивать; 3) чесать (*шерсть*); 4) ворсить;

2. *n* 1) = teaser 1); 2) попытка раздразнить.

teasel ['tiːzl] 1. *n* 1) *бот.* ворсянка; 2) *текст.* ворсильная шишка, ворсовальная шишка;

2. *v* ворсить.

teaseler ['tiːzlə] *n* ворсильщик.

teaser ['tiːzə] *n* 1) любитель подразнить; задира; 2) *разг.* трудная задача, головоломка; 3) попрошайка; 4) *разг.* рекламное объявление; 5) = teaseler.

tea-service ['tiː‚səːvɪs] *n* чайный сервиз.

tea-set ['tiːset]=tea-service.

tea-shop ['tiːʃɔp] *n* магазин чая.

tea-spoon ['tiːspuːn] *n* чайная ложка.

tea-strainer ['tiː‚streɪnə] *n* чайное ситечко.

teat [tiːt] *n* 1) сосок; 2) *тех.* бобышка; цапфа.

tea-table ['tiː‚teɪbl] *n* 1) чайный стол; 2) общество за чаем; 3) *attr.*: ~ conversation беседа за чаем.

tea-things ['tiːθɪŋz] *n pl* чайный сервиз.

tea-tray ['tiːtreɪ] *n* чайный поднос.

tea-urn ['tiːəːn] *n* кипятильник, титан; бак для воды.

tea wagon ['tiːˈwæɡən] *n* столик на колёсиках для чая и лёгкой закуски.

teazel, teazle ['tiːzl] = teasel.

technical ['teknɪkəl] 1. *a* 1) технический; промышленный; 2) специальный; относящийся к определённой области знаний *или* определённому виду искусства (*о терминологии*); ~ terms of law юридическая терминология;

2. *n pl* 1) специальная терминология; 2) технические подробности.

technicality [‚teknɪˈkælɪtɪ] *n* 1) техническая сторона дела; 2) *pl* технические детали, формальности; 3) *pl* специальная терминология.

technician [tekˈnɪʃən] *n* человек, хорошо знакомый с техникой своего дела.

Technicolor ['teknɪ‚kʌlə] *n* 1) цветная фотография; цветное кино; 2) *attr.* цветной; ~ film цветной фильм.

technics [ˈteknɪks] *n pl* (*употр. как sing*) 1) техника, технические науки; 2) = technique; 3) = technology 3).

technique [tekˈniːk] *n* техника, технические приёмы.

technologist [tekˈnɔlədʒɪst] *n* технолог.

technology [tekˈnɔlədʒɪ] *n* 1) техника, технические и прикладные науки; 2) технология; 3) специальная терминология.

techy ['tetʃɪ] *a* обидчивый; раздражительный; ~ horse лошадь с норовом; ◇ ~ subject щекотливая тема.

tectonic [tekˈtɔnɪk] *a* 1) структурный; архитектурный; 2) *геол.* тектонический.

tectonics [tekˈtɔnɪks] *n pl* (*употр. как sing*) строительные науки и искусства.

ted [ted] *v* ворошить (*сено*).

tedder ['tedə] *n* сеноворошилка.

Teddy bear ['tedɪˈbɛə] *n* медвежонок (*детская игрушка*).

teddy boy ['tedɪˈbɔɪ] *n* пижон, стиляга.

tedious ['tiːdjəs] *a* скучный, утомительный.

tedium ['tiːdjəm] *n* скука, утомительность.

tee I [tiː] 1. *n* 1) *название буквы* T; 2) вещь, имеющая форму буквы T; тройник; 2. *a тех.* тавровый; T-образный.

tee II [tiː] 1. *n* мишень (*в играх*); метка для мяча в гольфе; to a ~ точно; 2. *v* класть мяч для первого удара; □ ~ off, ~ up делать первый удар (*в гольфе*).

teem I [tiːm] *v* 1) кишеть, изобиловать (with — *чем-л.*); 2) быть плодовитым; быть плодородным.

teem II [tiːm] *v метал.* разливать.

teeming I ['tiːmɪŋ] 1. *pres. p. от* teem I; 2. *a* переполненный, битком набитый.

teeming II ['tiːmɪŋ] *pres. p. от* teem II.

teen [tiːn] *n уст.* горе, несчастье.

teen-age ['tiːneɪdʒ] *a* находящийся в возрасте от 13 до 19 лет.

teen-ager ['tiːn,eɪdʒə] *n* подросток.

teener ['tiːnə] = teen-ager.

teens [tiːnz] *n pl* возраст от 13 до 19 лет; she is still in her ~ ей ещё нет 20 лет; she is out of her ~ ей уже исполнилось двадцать лет.

teeny ['tiːni] *a разг.* крошечный.

teeny-weeny ['tiːni'wiːni] = teeny.

teeter ['tiːtə] *амер., диал.* 1. *n* детские качели; 2. *v* 1) качаться на качелях; 2) *разг.* качаться, колебаться; 3) делать зигзаги.

teeth [tiːθ] *pl om* tooth 1.

teethe [tiːð] *v* 1) прорезываться (*о зубах*); 2) начинаться; намечаться.

teethridge ['tiːθrɪdʒ] *n* 1) альвеолярные лунки; 2) *фон.* альвеолярная выпуклость.

teetotal [tiː'toutl] *a* 1) трезвый, непьющий; 2) *разг.* полный, абсолютный.

teetotal(l)er [tiː'toutlə] *n* трезвенник.

teetotum ['tiːtou'tʌm] *n* вид волчка.

teg [teg] *n* 1) овца по второму году; 2) *уст.* оленья самка по второму году.

tegular ['tegjulə] *a* черепичный.

tegument ['tegjumənt] *n* (*сокр. om* integument) оболочка, покров.

tehee [tiː'hiː] 1. *n* хихиканье; 2. *v* хихикать.

telautogram [te'lɔːtəgræm] *n* телеавтограмма (*переданный на расстояние рисунок, письмо и т. п.*); фототелеграмма.

telautograph [te'lɔːtəgraːf] *n* телеавтограф; фототелеграф.

tele ['teli] *сокр. om* television.

telecast ['telikaːst] 1. *n* телевизионная передача; телевизионное вещание; 2. *v* передавать телевизионную программу.

telecasting ['telikaːstɪŋ] 1. *pres. p. om* telecast 2; 2. *n* 1) = telecast 1; 2) *attr.* телевизионный; ~ studio телевизионная студия.

telecommunication ['telikə,mjuːni'keɪʃən] *n* дальняя связь.

telecontrol [,telikən'troul] *n* телеуправление, дистанционное управление.

telecruiser [,teli'kruːzə] *n* передвижная телевизионная станция.

telefilm ['telifilm] *n* фильм, передаваемый по телевидению.

telegenic [,teli'dʒenik] *a* подходящий для телевизионной передачи, «телегеничный».

telegram ['teligræm] *n* телеграмма.

telegraph ['teligraːf] 1. *n* 1) телеграф; 2) *attr.* телеграфный; 2. *v* 1) телеграфировать; 2) сигнализировать.

telegrapher [ti'legrəfə] = telegraphist.

telegraphese ['teligraː'fiːz] *n разг.* «телеграфный» стиль.

telegraphic [,teli'græfik] *a* телеграфный.

telegraphist [ti'legrəfist] *n* телеграфист.

telegraph-line ['teligraːflaɪn] *n* телеграфная линия.

telegraph-pole ['teligraːfpoul] *n* телеграфный столб.

telegraph-post ['teligraːfpoust] = telegraph-pole.

telegraph-wire ['teligraːf,waɪə] *n* телеграфный провод.

telegraphy [ti'legrəfi] *n* телеграфия; телеграфирование.

telemechanics [,telimi'kæniks] *n pl* (*употр. как sing*) телемеханика.

telemeter [te'lemitə] *n* дальномер.

telemetering [,teli'miːtərɪŋ] *n* дистанционное измерение.

teleology [,teli'ɔlədʒi] *n* телеология.

telepathy [ti'lepəθi] *n* телепатия.

telephone ['telifoun] 1. *n* 1) телефон; 2) *attr.* телефонный; 2. *v* телефонировать.

telephonee [,telifou'niː] *n* тот, кому звонят.

telephone set ['telifoun'set] *n* телефонный аппарат; deckstand ~ настольный телефонный аппарат; dial ~ телефонный аппарат с диском; call-back ~ телефонный аппарат с кнопкой для наведения справок.

telephonic [,teli'fɔnik] *a* телефонный.

telephonist [ti'lefənist] *n* телефонист(ка).

telephony [ti'lefəni] *n* телефония; телефонирование.

telephotography ['telifə'tɔgrəfi] *n* телефотография.

teleprinter ['teli,prɪntə] *n* буквопечатающий телеграф.

telescope ['teliskoup] 1. *n* оптическая (подзорная) труба; телескоп; ◇ ~ word = portmanteau 2); 2. *v* 1) складывать(ся) (*подобно телескопу*) 2) сталкиваться, врезаться (*о поездах*).

telescreen ['teliskriːn] *n* экран телевизора.

teleshow ['teliʃou] *n амер.* телевизионная программа *или* передача.

teletype ['telitaip] *n* телетайп.

teleview ['telivjuː] *v* смотреть, принимать телевизионную передачу.

televiewer ['telivjuːə] *n* телевизионный зритель, телезритель.

televise ['telivaiz] *v* передавать телевизионную программу.

television ['teli,viʒən] *n* 1) телевидение; 2) *attr.* телевизионный; ~ viewer = televiewer; ~ broadcasting телевизионная передача; ~ receiver (*или* set) телевизор.

televisional ['teli,viʒənl] *a* телевизионный.

televisor ['telivaizə] *n* телевизор.

televisual [,teli'viʒuəl] = televisional.

telewriter ['telɪˌraɪtə] *n* дальнопи́шущий аппара́т.

telex ['telɪks] *n* абоне́нтская телегра́фная связь че́рез телефо́нную ста́нцию.

tell [tel] *v* (told) 1) расска́зывать; to ~ a lie (*или* a falsehood) говори́ть непра́вду; to ~ the truth говори́ть пра́вду; this fact ~s its own tale (*или* story) э́тот факт говори́т сам за себя́; 2) говори́ть, сказа́ть; I am told мне сказа́ли, я слы́шал; to ~ good-bye *амер.* проща́ться; 3) ука́зывать, объясня́ть; 4) уверя́ть, заверя́ть; 5) сообща́ть, выдава́ть (*тайну*), выба́лтывать; 6) прика́зывать; I was told to show my passport у меня́ потре́бовали па́спорт; 7) счита́ть; счита́ть голоса́; all told в о́бщей сло́жности, в о́бщем; включа́я всех *или* всё; to ~ so many years *уст.* насчи́тывать сто́лько-то лет; to ~ noses подсчи́тывать коли́чество прису́тствующих; 8) отлича́ть, различа́ть; he can be told by his dress его́ мо́жно отличи́ть *или* узна́ть по оде́жде; to ~ apart понима́ть ра́зницу, различа́ть; to ~ one thing from another отлича́ть одну́ вещь от друго́й; 9) выделя́ться; her voice ~s remarkably in the choir её го́лос удиви́тельно выделя́ется в хо́ре; 10) ска́зываться, отзыва́ться (on); the strain begins to tell on her напряже́ние начина́ет ска́зываться на ней; 11) де́лать сообще́ние, докла́дывать (of); □ ~ off отбира́ть; six of us were told off to get fuel ше́стеро из нас бы́ли отря́жены за то́пливом; б) *воен.* производи́ть строево́й расчёт; в) *sl.* вы́ругать, «отде́лать» (*кого-л.*); ~ on доноси́ть; я́бедничать, фиска́лить; ~ over пересчи́тывать; ◇ don't (*или* never) ~ me не расска́зывайте ска́зок; to ~ smb. where to get off *амер.* поста́вить кого́-л. на ме́сто, осади́ть; дать нагоня́й; to ~ the world a) откры́то заявля́ть; б) категори́чески утвержда́ть; to ~ fortunes гада́ть; do ~! *амер.* вот те на!, не мо́жет быть!; I'll ~ you what *разг.* зна́ете что; you never can ~ вся́кое быва́ет; почём знать; you ~ing me! ещё бы, я сам зна́ю.

tellable ['telǝbl] *a* 1) мо́гущий быть расска́занным, передава́емый; 2) сто́ящий того́, чтобы о нём рассказа́ли.

teller ['telǝ] *n* 1) расска́зчик; 2) *парл.* счётчик голосо́в; 3) касси́р (*в банке*); 4) *воен.* ди́ктор радиолокацио́нной ста́нции ПВО.

tellies ['telɪz] *n pl разг.* звуково́е кино́.

telling ['telɪŋ] 1. *pres. p. от* tell. 2. *a* 1) вырази́тельный, многоговоря́щий, многозначи́тельный; 2) *разг.* основа́тельный; a ~ blow тяжёлый уда́р; 3. *n*: to take a ~ a) с пе́рвого ра́за де́лать так, как ве́лено; б) получа́ть вы́говор.

telling-off ['telɪŋ'ɔːf] *n разг.* вы́говор, нагоня́й.

telltale ['telteɪl] 1. *n* 1) спле́тник, болту́н; 2) доно́счик; 3) *тех.* контро́льное, сигна́льное *или* регистри́рующее устро́йство; часы́-та́бель; 2. *a* 1) преда́тельский; 2) *тех.* сигна́льный, контро́льный.

tellurian [te'ljʊǝrɪǝn] 1. *n* жи́тель Земли́; 2. *a* относя́щийся к Земле́, земно́й.

telluric [te'ljuǝrɪk] *a* теллури́ческий, земно́й.

tellurium [te'ljuǝrɪǝm] *n хим.* теллу́рий.

telly ['telɪ] *n разг.* телеви́зор.

telpher ['telfǝ] 1. *n тех.* те́льфер; 2. *v* перевози́ть по подвесно́й (желе́зной) доро́ге.

telpherage ['telfǝrɪdʒ] *n* 1) перемеще́ние гру́зов по подвесно́й доро́ге; 2) электри́ческая подвесна́я доро́га.

temblor [tem'blɔː] *n амер.* землетрясе́ние.

temerarious [ˌtemǝ'reǝrɪǝs] *a книжн.* безрассу́дный; безрассу́дно сме́лый; отча́янный.

temerity [tɪ'merɪtɪ] *n* безрассу́дство, опроме́тчивость; безрассу́дная сме́лость.

temper ['tempǝ] 1. *n* 1) нрав, хара́ктер; quick (*или* short) ~ вспы́льчивость, горя́чность; 2) настрое́ние; to keep (*или* to control) one's ~ владе́ть собо́й; to lose one's ~ вы́йти из себя́; to recover (*или* to regain) one's ~ успоко́иться, овладе́ть собо́й; in a bad (good) ~ в плохо́м (хоро́шем) настрое́нии; 3) раздраже́ние, гнев; to show ~ проявля́ть раздраже́ние; to get into a ~ рассерди́ться; to put smb. out of ~ рассерди́ть, разозли́ть кого́-л.; 4) смесь, раство́р; 5) *метал.* содержа́ние углеро́да; сте́пень зака́лки, сте́пень твёрдости и упру́гости; 2. *v* 1) регули́ровать, умеря́ть, смягча́ть; 2) де́лать смесь; 3) *муз.* модули́ровать; 4) *метал.* отпуска́ть; зака́лять(ся) (*тж. перен.*); ~ed in battle закалённый в бою́.

tempera ['tempǝrǝ] *n жив.* те́мпера, жи́вопись те́мперой.

temperament ['tempǝrǝmǝnt] *n* темпера́мент.

temperamental [ˌtempǝrǝ'mentl] *a* 1) темпера́ментный; 2) сво́йственный определённому темпера́менту.

temperance ['tempǝrǝns] *n* 1) сде́ржанность, уме́ренность (*особ. в еде и употребле́нии спиртны́х напи́тков*); тре́звенность; 2) *attr.*: ~ hotel гости́ница, в кото́рой не подаю́тся спиртны́е напи́тки.

temperate ['tempǝrɪt] *a* 1) уме́ренный, возде́ржанный; 2) уме́ренный (*о кли́мате, зо́не и т. п.*).

temperature ['temprɪtʃǝ] *n* 1) температу́ра; сте́пень нагре́ва; to take one's ~ измеря́ть температу́ру; 2) *разг.* повы́шенная температу́ра; to have (*или* to run) a ~ име́ть повы́шенную температу́ру.

tempest ['tempɪst] 1. *n* бу́ря; ~ in a teapot бу́ря в стака́не воды́; 2. *v* бушева́ть.

tempestuous [tem'pestjuǝs] *a* бу́рный, бу́йный.

tempi ['tempiː] *pl от* tempo.

templar ['templǝ] *n* 1) (Т.) *ист.* тамплие́р, храмо́вник (*тж.* Knight T.); 2) юри́ст, живу́щий в Те́мпле [*см.* temple I, 2)].

template ['templɪt] *= templet*.

temple I ['templ] *n* 1) храм; 2) (the T.) Темпл, одно́ из двух ло́ндонских о́бществ адвока́тов и зда́ние, в кото́ром оно́ помеща́ется [*см.* inn, Inns of Court].

temple II ['templ] *n* висо́к.

temple III ['templ] *n* 1) *текст.* шпарутка; 2) *тех.* прижимная планка.

templet ['templɪt] *n* шаблон, лекало.

tempo ['tempou] *n* (*pl* -os [-ouz], -pi) 1) *муз.* темп; 2) ритм, темп (*жизни и т. п.*).

temporal I ['tempərəl] *a* 1) временный, преходящий; 2) светский, мирской; ~ peers, lords ~ светские члены палаты лордов; 3) *грам.* временной.

temporal II ['tempərəl] *анат.* 1. *a* височный;
2. *n* височная кость.

temporality [,tempə'rælɪtɪ] *n* 1) временный характер; 2) *pl* церковные владения и доходы.

temporary ['tempərərɪ] 1. *a* временный;
2. *n* временный рабочий.

temporize ['tempəraɪz] *v* 1) приспособляться ко времени и обстоятельствам; 2) стараться выиграть время; медлить, колебаться.

tempt [tempt] *v* 1) искушать, соблазнять; to ~ fate искушать судьбу; one is ~ed to ask the question невольно напрашивается вопрос; 2) *уст.* испытывать, проверять.

temptation [temp'teɪʃən] *n* искушение, соблазн.

tempter ['temptə] *n* искуситель.

tempting ['temptɪŋ] 1. *pres. p. от* tempt;
2. *a* заманчивый, соблазнительный.

temptress ['temptrɪs] *n* искусительница.

ten [ten] 1. *num. card.* десять; ~ times as big в десять раз больше; ◇ ~ to one почти наверняка;
2. *n* 1) десяток; in ~s десятками; 2) *pl* десятый номер (*размер перчаток и т. п.*); 3) *разг.* десятидолларовая бумажка; ~ десятка; ◇ the upper ~ (thousand) верхушка общества, аристократия.

tenable ['tenəbl] *a* 1) прочный; устойчивый; 2) обороноспособный; 3) пригодный (*для жилья*); 4) понятный, логичный.

tenacious [tɪ'neɪʃəs] *a* 1) цепкий, крепкий; ~ memory хорошая память; 2) упорный; ~ of life живучий; 3) вязкий, липкий.

tenacity [tɪ'næsɪtɪ] *n* 1) цепкость; 2) упорство, стойкость, твёрдость воли; 3) вязкость, липкость; 4) крепость, прочность.

tenancy ['tenənsɪ] *n* 1) наём имущества (временное) владение; 2) срок аренды; 3) арендованная земля; арендованный дом.

tenant ['tenənt] 1. *n* 1) наниматель, арендатор; (временный) владелец, съёмщик; ~ at will арендатор, не имеющий договора с владельцем; 2) житель, жилец; 3) *юр.* владелец недвижимого имущества;
2. *v* нанимать, арендовать.

tenantry ['tenəntrɪ] *n собир.* арендаторы, наниматели.

tench [tenʃ] *n* линь (*рыба*).

tend I [tend] *v* 1) направляться; вести (*к чему-л.*); клониться (*к чему-л.*); it ~s to become cold at night похоже на то, что ночью станет холодно; 2) иметь склонность, тенденцию (*к чему-л.*).

tend II [tend] *v* (*сокр. от* attend) 1) заботиться (*о ком-л.*); ухаживать (*за больным, за растениями и т. п.*); 2) обслуживать (*машину*).

tendance ['tendəns] *n* (*сокр. от* attendance) 1) забота (*о ком-л.*); присмотр; 2) свита.

tendency ['tendənsɪ] *n* 1) стремление; наклонность, тенденция; ~ to corpulence склонность к полноте; 2) *attr.* тенденциозный; ~ writings тенденциозные статьи.

tendentious [ten'denʃəs] *a* тенденциозный.

tender I ['tendə] 1. *n* 1) предложение (официальное); 2) заявка на подряд; 3) сумма (*вносимая в уплату долга и т. п.*); legal ~ *юр.* законное платёжное средство;
2. *v* 1) предлагать; ~ one's thanks приносить благодарность; to ~ an apology принести извинения; to ~ one's resignation подавать в отставку; 2) предоставлять; вносить (*деньги*); 3) подавать заявку (*на торгах*); подавать заявление о подписке (*на ценные бумаги*); 4) *амер.* наносить (*увечье, обиду*); 5) *амер.* устраивать (*напр., обед*); 6) *амер.* присуждать (*степень, премию и т. п.*).

tender II ['tendə] *n* 1) лицо, присматривающее за больными, детьми *и т. п.*; baby ~ няня; invalid ~ сиделка; 3) *ж.-д.* тендер; 3) *мор.* посыльное судно; *амер.* плавучая база.

tender III ['tendə] *a* 1) нежный; ~ touch лёгкое прикосновение; of ~ years нежного возраста; 2) хрупкий, слабый (*о здоровье*); 3) нежный, любящий; ~ passion (*или* sentiment) любовь, нежные чувства; ~ heart доброе сердце; 4) чувствительный, болезненный; уязвимый; ~ spot (*или* place) уязвимое место; 5) деликатный, щекотливый; 6) чуткий, заботливый; to be ~ of smb. нежно *или* заботливо относиться к кому-л.; 7) нежный, мягкий (*о тоне, цвете, краске*); 8) мягкий (*о мясе*).

tender-eyed ['tendər'aɪd] *a* 1) с нежными глазами; с мягким взглядом; 2) имеющий слабое зрение.

tenderfoot ['tendəfut] *n разг.* новоприбывший, не освоившийся с новой обстановкой, не привыкший к трудностям; новичок.

tender-hearted ['tendə'hɑːtɪd] *a* добрый, мягкосердечный; чувствительный.

tenderling ['tendəlɪŋ] *n* 1) неженка; 2) маленький ребёнок.

tenderloin ['tendəlɔɪn] *n амер.* 1) филей, вырезка; 2) (T.) городской район, пользующийся дурной славой.

tenderness ['tendənɪs] *n* нежность *и пр.* [*см.* tender III].

tendinous ['tendɪnəs] *a* жилистый; мускулистый.

tendon ['tendən] *n анат.* сухожилие.

tendril ['tendrɪl] *n бот.* усик.

tenebrous ['tenɪbrəs] *a уст.* тёмный, мрачный.

tenement ['tenɪmənt] *n* 1) арендуемое имение; арендуемая земля; 2) арендуемое помещение; квартира (*снимаемая семьёй*); 3) многоквартирный дом; 4) *поэт.* обитель.

tenet ['tiːnet] *лат. n* догмат, принцип, доктрина.

tenfold ['tenfould] 1. *a* десятикратный;
2. *adv* вдесятеро.

tenner ['tenə] *n* 1) *разг.* банкнóт в 10 фýнтов; банкнóт в 10 дóлларов; 2) *sl.* дéсять лет (тюрéмного заключéния).

tennis ['tenıs] *n спорт.* (лáун-)тéннис.

tennis-ball ['tenısbɔːl] *n* тéннисный мяч.

tennis-court ['tenıskɔːt] *n* (тéннисный) корт.

tenon ['tenən] 1. *n* 1) *стр.* шип; замóк с шипóм; 2) *тех.* шпúлька, язычóк, лáпка; 2. *v* соединять на шипáх; нарезáть шипы́.

tenor I ['tenə] *n* 1) течéние, направлéние; уклáд (*жизни*); 2) óбщее содержáние, смысл (*речи, статьи и т. п.*); 3) *юр.* úстинное намéрение; 4) *юр.* тóчная кóпия; 5) *горн.* состáв, содержáние руд.

tenor II ['tenə] *n муз.* 1) тéнор; 2) *attr.* тенорóвый.

tenpins ['tenpınz] *n pl* (*употр. как sing*) кéгли.

tense I [tens] *n грам.* врéмя.

tense II [tens] 1. *a* 1) натянутый; 2) возбуждённый, напряжённый;
2. *v* 1) натягивать(ся); 2) создавáть напряжéние.

tensely ['tenslı] *adv* с напряжéнием, напряжённо.

tensile ['tensaıl] *a* растяжúмый; ~ strength *тех.* предéл прóчности на разры́в.

tensility [ten'sılıtı] *n* растяжúмость.

tension ['tenʃən] *n* 1) напряжéние, напряжённое состоя́ние; international ~ междунарóдная напряжённость; to ease (*или* to relax, to reduce, to slacken) ~ ослáбить напряжéние; 2) натянутость, нелóвкость; 3) растяжéние, натяжéние, натягивание; 4) *эл.* напряжéние; high (low) ~ высóкое (нúзкое) напряжéние; 5) *тех.* упрýгость; давлéние (*пара*).

tensity ['tensıtı] *n* напряжённое состоя́ние, напряжéние.

tensive ['tensıv] *a* создаю́щий напряжéние.

ten-spot ['tenspɔt] *n амер. разг.* десятидóлларовая бумáжка.

ten-strike ['tenstraık] *n амер.* 1) удáр, сбивáющий срáзу все кéгли; 2) *разг.* сокрушúтельный удáр; крýпный успéх.

tent I [tent] 1. *n* палáтка; шатёр; навéс, тент;
2. *v* разбúть палáтку; жить в палáтках.

tent II [tent] 1. *n* тампóн;
2. *v* вставлять тампóн.

tent III [tent] *n* крáсное испáнское винó (*типа кагóра*).

tentacle ['tentəkl] *n* 1) *зоол.* щýпальце; 2) *бот.* желéзистый волосóк.

tentacled ['tentəkld] *a* снабжённый щýпальцами.

tentacular [ten'tækjulə] *a* имéющий фóрму щýпальца; подóбный щýпальцу.

tentative ['tentətıv] 1. *a* прóбный, óпытный, экспериментáльный;
2. *n* попы́тка, прóба, óпыт.

tent-bed ['tentbed] *n* похóдная кровáть.

tent-cloth ['tentklɔθ] *n* палáточная ткань; тик.

tenter ['tentə] *n текст.* 1) ширúльная рáма; 2) натяжнóй крючóк; ◇ to be on the

~s *уст.* = to be on tenterhooks [*см.* tenterhooks].

tenterhooks ['tentəhuks] *n pl текст.* натяжны́е крючкú; ◇ to be on ~ ≅ сидéть как на игóлках; мýчиться неизвéстностью; to keep smb. on ~ держáть когó-л. в состоя́нии неизвéстности *или* беспокóйства.

tenth [tenθ] 1. *num. ord.* деся́тый; ~ wave ≅ девя́тый вал;
2. *n* 1) деся́тая часть; 2) (the ~) деся́тое числó.

tent-peg ['tentpeg] *n* палáточный прикóлыш.

tenuity [te'njuıtı] *n* 1) разрежённость (*вóздуха*); 2) тóнкость; 3) бéдность; нуждá; скýдость; 4) слáбость (*звýка*); 5) простотá (*стúля*).

tenuous ['tenjuəs] *a* 1) незначúтельный, óчень тóнкий; 2) разрежённый (*о вóздухе*).

tenure ['tenjuə] *n* 1) владéние; 2) пребывáние (*в дóлжности*) на длúтельный срок; 3) срок владéния; срок пребывáния (*в дóлжности*).

tepee ['tiːpiː] *n* вигвáм североамерикáнских индéйцев.

tepefy ['tepıfaı] *v* подогревáть(ся).

tephrite ['tefraıt] *n геол.* тефрúт.

tepid ['tepıd] *a* теповáтый; *перен.* прохлáдный.

teratology [ˌterə'tɔlədʒı] *n биол.* тератолóгия, наýка, изучáющая врождённые урóдства.

terbium ['təːbıəm] *n хим.* тéрбий.

tercel ['təːsəl] *n* сóкол (*самéц*).

tercentenary [ˌtəːsen'tiːnərı] 1. *n* трёхсотлéтняя годовщúна;
2. *a* трёхсотлéтний.

tercentennial [ˌtəːsen'tenjəl] = tercentenary.

tercet ['təːsıt] *n* 1) *прос.* трёхстúшие; терцúна; 2) *муз.* терцéт.

terebinth ['terəbınθ] *n* терпентúнное дéрево.

teredo [te'riːdou] *n зоол.* корабéльный червь (*или* древотóчец), морскóй шáшень.

terete [te'riːt] *a* цилиндрúческий, крýглый в сечéнии.

tergal ['təːgəl] *a зоол.* спиннóй.

tergiversate ['təːdʒıvəːseıt] *v* 1) быть отстýпником, предáтелем; 2) увёртываться, увúливать.

tergiversation [ˌtəːdʒıvəː'seıʃən] *n* 1) отстýпничество; ренегáтство; 2) увёртка.

term [təːm] 1. *n* 1) срок, определённый перúод; for ~ of life пожúзненно; ~ of office срок полномóчий (*президéнта, сенáтора и т. п.*); to serve one's ~ отбы́ть срок наказáния; 2) зарáнее назнáченный день, *особ.* день уплáты арéнды [*см.* quarter-day]; 3) предéл, срок окончáния; грани́ца; 4) тéрмин; *pl* выражéния, язы́к; in set ~s определённо; to speak in ~s говорúть я́сно; in the simplest ~s сáмым простым, поня́тным óбразом; in round ~s в сúльных выражéниях; in ~s of a) на языкé, с тóчки зрéния; в перевóде на; б) ценóй; 5) *pl* услóвия соглашéния; договóр; to come to ~s (*или* to make ~s) with smb. прийтú к соглашéнию с кем-л.; to bring smb. to ~s заста́вить кого́-л. приня́ть усло́вия; to stand upon one's ~s наста́ивать на выполне́нии усло́вий; 6) семе́стр; 7) суде́бная се́ссия; 8) *pl* усло́вия опла́ты; гонора́р; inclusive ~s цена́, включа́ющая опла́ту услу́г (*в гости́нице и т. п.*); ~s of trade соотноше́ние и́мпортных и э́кспортных цен; 9) *pl* ли́чные отноше́ния; to be on good (bad) ~s быть в хоро́ших (плохи́х) отноше́ниях; not on speaking terms в плохи́х отноше́ниях, в ссо́ре; 10) *мед.* срок разреше́ния от бре́мени; 11) *мат.* член;

2. *v* выража́ть, называ́ть.

termagant ['tə:məgənt] 1. *n* гру́бая, сварли́вая же́нщина, меге́ра;

2. *a* сварли́вый.

termer ['tə:mə] *n* престу́пник, отбыва́ющий наказа́ние (*обычно в сочета́ниях*: first ~ отбыва́ющий заключе́ние в пе́рвый раз *и т. п.*).

terminable ['tə:minəbl] *a* 1) ограни́ченный сро́ком, сро́чный; ~ ten years from now действи́телен на де́сять лет с настоя́щего моме́нта; 2) определи́мый.

terminal ['tə:minl] 1. *n* 1) коне́чная ста́нция; коне́чный пункт; 2) *pl* пла́та за погру́зку това́ров на коне́чной железнодоро́жной ста́нции; 3) коне́чный слог *или* сло́во; 4) экза́мен в конце́ семе́стра; 5) *эл.* кле́мма; ввод *или* вы́вод;

2. *a* 1) заключи́тельный, коне́чный; ~ station коне́чная ста́нция; 2) пограни́чный; 3) семестро́вый.

terminate ['tə:mineit] *v* 1) ста́вить преде́л, положи́ть коне́ц; 2) конча́ть(ся), заверша́ть(-ся) (in); 3) ограни́чивать.

termination [,tə:mi'neiʃən] *n* 1) коне́ц; оконча́ние, истече́ние сро́ка, преде́л; 2) *грам.* оконча́ние; 3) *тех.* коне́чное устро́йство.

termini ['tə:minai] *pl от* terminus.

terminology [,tə:mi'nɔlədʒɪ] *n* терминоло́гия.

terminus ['tə:minəs] *n* (*pl* -es [-iz], -ni) 1) коне́чная ста́нция; вокза́л (*на коне́чной ста́нции*); 2) *редк.* преде́л; 3) цель.

termitary ['tə:mitəri] *n* терми́тник, гнездо́ терми́тов.

termite ['tə:mait] *n зоол.* терми́т.

termless ['tə:mlis] *a* 1) не име́ющий грани́ц, безграни́чный; 2) бессро́чный; 3) не ограни́ченный усло́виями, незави́симый; 4) невырази́мый.

term-time ['tə:mtaim] *n* пери́од заня́тий (*в шко́ле, колле́дже и т. п.*).

tern I [tə:n] *n* кра́чка (*пти́ца*).

tern II [tə:n] *n* три предме́та; три числа́; три но́мера, кото́рые ну́жно вы́тащить, что́бы получи́ть кру́пный вы́игрыш в лотере́е.

ternary ['tə:nəri] 1. *n* три, тро́йка, триа́да; 2. *a* 1) тройно́й; 2) *хим., мин.* состоя́щий из трёх составны́х часте́й.

Terpsichore [tə:p'sikəri] *n миф.* Терпсихо́ра.

terra ['terə] *лат. n* земля́; ~ incognita а) неизве́стная страна́; б) неизве́стная о́бласть (*зна́ния и т. п.*).

terrace ['terəs] 1. *n* 1) терра́са; на́сыпь; усту́п; бе́рма; 2) терра́са, вера́нда; 3) ряд домо́в; *амер.* газо́н посреди́ у́лицы; у́лица

(*осо́б. обса́женная зе́ленью*); 4) пло́ская кры́ша;

2. *v* устра́ивать в ви́де терра́сы.

terracotta ['terə'kɔtə] 1. *n* терракота;

2. *a* терракото́вый.

terrain ['terein] *n* 1) ме́стность, террито́рия; ~ of attack *амер.* райо́н наступле́ния; 2) по́чва, грунт; 3) *attr.* земно́й; ~ flying полёт по земны́м ориенти́рам.

terraneous [tə'reiniəs] *n бот.* назе́мный.

terrapin ['terəpin] *n* 1) североамерика́нская черепа́ха; 2) *воен.* «черепа́ха» (*маши́на-амфи́бия*).

terraqueous [te'reikwiəs] *a* 1) состоя́щий из земли́ и воды́; 2) земново́дный; 3) сухопу́тно-морско́й (*о путеше́ствии*).

terrene [te'ri:n] 1. *a* земно́й;

2. *n* пове́рхность земли́.

terrestrial [ti'restriəl] 1. *a* 1) земно́й; ~ magnetism земно́й магнети́зм; 2) *зоол.* сухопу́тный;

2. *n* обита́тель земли́.

terrible ['terəbl] *a* 1) внуша́ющий страх, у́жас; 2) *разг.* (*с усилит. знач.*) стра́шный, ужа́сный; грома́дный.

terrier I ['teriə] *n* 1) терье́р (*поро́да соба́к*); 2) *разг.* солда́т территориа́льной а́рмии.

terrier II ['teriə] *n ист.* поземе́льная кни́га.

terrific [tə'rifik] *a* 1) ужаса́ющий; 2) *разг.* (*с усилит. знач.*) огро́мный, стра́шный, великоле́пный *и т. п.*

terrify ['terifai] *v* ужаса́ть, вселя́ть у́жас.

territorial [,teri'tɔ:riəl] 1. *a* 1) земе́льный; 2) территориа́льный; T. Army, T. Force территориа́льная а́рмия; ~ waters территориа́льные во́ды; ~ department *амер.* вое́нный о́круг.

2. *n* солда́т территориа́льной а́рмии.

territory ['teritəri] *n* 1) террито́рия; земля́; 2) (T.) *амер.* террито́рия, администрати́вная едини́ца, не име́ющая прав шта́та (*в США*) *или* не име́ющая прав прови́нции (*в Кана́де и Австра́лии*); 3) о́бласть, сфе́ра (*нау́ки и т. п.*).

terror ['terə] *n* 1) страх, у́жас; 2) терро́р; 3) лицо́ *или* вещь, внуша́ющие страх; 4) *разг.* тяжёлый челове́к; беспоко́йный ребёнок; a holy ~ а) ску́чный, ну́дный челове́к; б) надое́дливый, пло́хо воспи́танный ребёнок; ◇ the king of ~s смерть.

terror-haunted ['terə,hɔ:ntid] *a* пресле́дуемый стра́хом.

terrorism ['terərizəm] *n* террори́зм.

terrorist ['terərist] *n* террори́ст.

terrorize ['terəraiz] *v* 1) терроризи́ровать; 2) вселя́ть страх.

terror-stricken, terror-struck ['terə,strikən, -,strʌk] *a* поражённый *или* охва́ченный у́жасом.

terry ['teri] *n текст.* 1) неразрезно́й ба́рхат; 2) = terry-cloth.

terry-cloth ['teriklɔθ] *n* ворси́стый материа́л (*для купа́льных хала́тов, простынь и т. п.*).

terry-cloth robe ['teriklɔθ'roub] *n* купа́льный хала́т.

terse [tə:s] *a* сжа́тый, вырази́тельный (*о сти́ле*).

tertian ['təːʃən] *n мед.* малярия, трёхдневная лихорадка.

tertiary ['təːʃərɪ] *a геол., мед.* третичный.

terza rima ['tetsɑː'riːmɑː] *n (pl* -ze -me) терцина.

terze rime ['tetsɑː'riːmeɪ] *pl от* terza rima.

terzetto [təːt'setou] *n муз.* терцет.

tessellated ['tesɪleɪtɪd] *a* мозаичный; мощёный разноцветными плитками.

tessellation [,tesɪ'leɪʃən] *n* мозаичная работа в шахматную клетку.

tessera ['tesərə] *n (pl* -rae) кубик (*в мозаике*).

tesserae ['tesəriː] *pl от* tessera.

tessitura [,tesɪ'tuːrɑː] *n муз.* тесситура.

test I [test] *n* 1) испытание; to put to the ~ подвергать испытанию; to stand (*или* to bear) the ~ выдержать испытание; 2) мерило; критерий; 3) проверочная, контрольная работа; a ~ in English контрольная работа по английскому языку; 4) *мед., хим.* исследование, анализ; проверка; a ~ for the amount of butter in milk определение жирности молока; 5) *хим.* реактив; 6) *attr.* испытательный, пробный; контрольный, проверочный; ~ hop пробный полёт; ~ station контрольная станция; 2. *v* 1) подвергать испытанию, проверке; 2) *хим.* подвергать действию реактива; 3) производить опыты.

test II [test] *n* щиток, раковина, панцирь (*беспозвоночных животных*).

testaceous [tes'teɪʃəs] *a* 1) *зоол.* черепокожный; 2) кирпичного цвета (*о животных и растениях*).

testament ['testəmənt] *n* 1) (Т.) *церк.* завет (*обыкн.* Новый завет, евангелие; *тж.* New T.); Old T. Ветхий завет; 2) *юр. редк.* завещание.

testamentary [,testə'mentərɪ] *a* завещательный, переданный по завещанию.

testamur [tes'teɪmə] *лат. n* удостоверение о сдаче университетского экзамена.

testate ['testɪt] 1. *a* оставивший по смерти завещание; to die ~ умереть, оставив завещание;
2. *n* умерший завещатель.

testator [tes'teɪtə] *n* завещатель.

testatrices [tes'teɪtrɪsiːz] *pl от* testatrix.

testatrix [tes'teɪtrɪks] *n (pl* -rices) завещательница.

tester I ['testə] *n* 1) лицо, производящее испытание, анализ; лаборант; 2) прибор для испытания; щуп.

tester II ['testə] *n* балдахин над кроватью.

tester III ['testə] *n уст., шутл.* монета в 6 пенсов.

test-fly ['testflaɪ] *v ав.* испытывать (*в полёте*).

testicle ['testɪkl] *n анат.* яичко.

testification [,testɪfɪ'keɪʃən] *n* 1) дача показаний; 2) показания.

testify ['testɪfaɪ] *v* 1) давать показания, свидетельствовать (to — в пользу, against — против), клятвенно утверждать; 2) торжественно заявлять (*о своих убеждениях, о вере*); 3) проявлять, выражать (*желание и т. п.*).

testily ['testɪlɪ] *adv* раздражительно, вспыльчиво.

testimonial [,testɪ'mounjəl] 1. *n* 1) аттестат, свидетельство; 2) рекомендательное письмо; рекомендация; 3) приветственный адрес; 4) подношение, награда (*особ. преподнесённые публично*);
2. *a* благодарственный; приветственный; ~ dinner обед *или* банкет в честь кого-л.

testimony ['testɪmənɪ] *n* 1) устное показание; письменное свидетельство, доказательство; give (*или* bear) ~ а) свидетельствовать (*о чём-л.*); б) показывать, давать показания; 2) утверждение; (торжественное) заявление; 3) *pl библ.* скрижали.

test-mixer ['test,mɪksə] *n* мензурка.

test-paper ['test,peɪpə] *n* 1) *хим.* реактивная бумага, индикаторная бумага; 2) *школ.* предварительный письменный экзамен.

test pilot ['test'paɪlət] *n* лётчик-испытатель.

test pit ['test'pɪt] *n геол.* пробный шурф, разведочная скважина.

test-tube ['testtjuːb] *n* 1) пробирка; 2) культура бактерий в питательной среде.

test-type ['testtaɪp] *n* таблицы для определения остроты зрения.

testy ['testɪ] *a* вспыльчивый, раздражительный.

tetanic [tɪ'tænɪk] *a мед.* столбнячный.

tetanus ['tetənəs] *n мед.* столбняк.

tetchy ['tetʃɪ]=techy.

tête-à-tête ['teɪtɑː'teɪt] *фр.* 1. *n* 1) свидание *или* разговор наедине; 2) небольшой диван для двоих;
2. *a* конфиденциальный, частный; a ~ conversation разговор с глазу на глаз;
3. *adv* с глазу на глаз, наедине.

tether ['teðə] 1. *n* 1) привязь (*пасущегося животного*); 2) *перен.* предел; граница; to come to the end of one's ~ дойти до предела (сил); дойти до точки;
2. *v* 1) привязать (*пасущееся животное*); 2) *перен.* ограничивать, ставить предел.

tetra- ['tetrə-] *pref* четырёх-.

tetragon ['tetrəgən] *n геом.* четырёхугольник; regular ~ квадрат.

tetragonal [te'trægənəl] *a геом.* четырёхугольный.

tetrahedron ['tetrə'hedrən] *n геом.* четырёхгранник, тетраэдр.

tetralogy [te'trælədʒɪ] *n* 1) тетралогия (*четыре произведения, объединённых общим замыслом или темой*); 2) *др.-греч. иск.* тетралогия.

tetrameter [te'træmɪtə] *n* четырёхстопный размер, тетраметр.

tetrastich ['tetrəstɪk] *n* строфа, эпиграмма, стихотворение из четырёх строк.

tetrasyllable ['tetrə,sɪləbl] *n* четырёхсложное слово.

tetter ['tetə] *n* лишай, экзема, парша; eating ~ волчанка.

Teuton ['tjuːtən] *n* 1) тевтон; 2) тевтонец.

Teutonic [tjuː'tɔnɪk] 1. *a* древнегерманский, тевтонский;
2. *n* германский (*особ. прагерманский*) язык.

text [tekst] *n* 1) текст; 2) цитата из библии; 3) тема (*речи, проповеди*); to stick to one's ~ избегать не относящегося к делу; 4) крупный круглый почерк; 5) *полигр.* текст (*шрифт*); 6) *сокр. от* textbook.

textbook ['teksbuk] *n* учебник, руководство.

text-hand ['teksthænd]=text 4.

textile ['tekstail] 1. *a* текстильный; ткацкий;

2. *n* (*обыкн. pl*) текстиль(ное изделие); ткань.

textual ['tekstjuəl] *a* 1) текстовой; относящийся к тексту; ~ criticism критическое изучение текста (*особ. с целью восстановления его первоначальной формы*); 2) текстуальный, буквальный.

texture ['tekstʃə] *n* 1) ткань; coarse (fine) ~ грубая (тонкая) ткань; 2) качество, степень плотности ткани; 3) строение (*кожи, растения, кости и т. п.*); макро- или микроструктура, текстура; 4) *биол.* ткань.

thaler ['tɑːlə] *n уст.* талер (*немецкая серебряная монета*).

Thalia [θə'laiə] *n миф.* Талия.

thallium ['θæliəm] *n хим.* таллий.

than [ðæn (*полная форма*); ðən, ðn, n (*редуцированные формы*)] *cj* чем; he is taller ~ you он выше вас; I'd rather stay ~ go я предпочёл бы остаться; ◇ none other ~ не кто иной, как; four eyes see more ~ two *посл.* ≅ ум хорошо, а два лучше.

thane [θein] *n ист.* тан.

thank [θæŋk] 1. *n* (*обыкн. pl*) 1) благодарность; ~s спасибо; many ~s большое спасибо; to give ~s благодарить; to return ~s а) прочесть молитву; б) отвечать на тост; 2): ~s to (*употр. как prep*) благодаря;

2. *v* благодарить; ~ you благодарю; ~ you ever so much *разг.* очень вам благодарен; ~ you for nothing спасибо и на том! (*иронически, в ответ на отказ*); you may ~ yourself for that вы сами в этом виноваты; ~ing you in anticipation заранее благодарю (*в конце письма, содержащего просьбу*).

thankee ['θæŋki] *сокр. разг. от* thank you [*см.* thank 2].

thankful ['θæŋkful] *a* благодарный.

thankless ['θæŋklis] *a* неблагодарный; ~ job неблагодарная работа.

thank-offering ['θæŋk,ɔfəriŋ] *n* благодарственная жертва.

thanksgiving ['θæŋks,giviŋ] *n* 1) благодарственный молебен; 2) благодарение; ◇ T. Day *амер.* официальный праздник в память первых колонистов Массачусетса (*в последний четверг ноября*).

thankworthy ['θæŋk,wəːði] *a* заслуживающий благодарности.

that 1. *pron* (*pl* those) 1) [ðæt] *demonstr.* тот, та, то (*иногда* этот *и пр.*): а) указывает на лицо, понятие, событие, предмет, действие, отдалённые по месту или времени: ~ house beyond the river тот дом за рекой; ~ day тот день; ~ man тот человек; б) *противополагается* this: this wine is better than ~ это вино лучше того; we talked of this and ~ мы болтали о всякой всячине; в) *указывает на что-л. уже из*-вестное говорящему: ~ is true это правда; ~'s done it это решило дело, переполнило чашу; г) заменяет сущ. *во избежание его повторения*: the climate here is like ~ of France здешний климат похож на климат Франции; 2) [ðæt (*полная форма*); ðət, ðt (*редуцированные формы*)] *rel.* а) который, кто, тот который *и т. п.*; the members ~ were present те из членов, которые присутствовали; the book ~ I'm reading книга, которую я читаю; б) *часто* = in (*или* on, at, for *и т. п.*) which: the year ~ he died год его смерти; the book ~ I spoke of книга, о которой я говорил; ◇ and all ~ и тому подобное; by ~ тем самым, этим; like ~ таким образом; ~'s that *разг.* ничего не поделаешь; так-то вот; ~ is (to say) то есть; not ~ не потому (*или* не то), чтобы; ~'ll do довольно, достаточно; won't do так дело не пойдёт; this and ~ разные; I went to this doctor and ~ я обращался к разным врачам; now ~ теперь, когда; with ~ вместе с тем;

2. *adv* [ðæt] так, до такой степени; ~ far настолько далеко; на такое расстояние; ~ much столько; he was ~ angry he couldn't say a word он был до того рассержен, что слова не мог вымолвить;

3. *cj* [ðæt (*полная форма*); ðət (*редуцированная форма*)] что, чтобы (*служит для введения придаточных предложений дополнительных, цели, следствия и др.*); I know ~ it was so я знаю, что это было так; we eat ~ we may live мы едим, чтобы поддерживать жизнь; the explosion was so loud ~ he was deafened взрыв был настолько силен, что оглушил его; ◇ oh, ~ I knew the truth! о, если бы я знал правду!

thatch [θætʃ] 1. *n* 1) соломенная *или* тростниковая крыша, крыша из пальмовых листьев; 2) солома *или* тростник (*для кровли*); 3) *разг.* густые волосы;

2. *v* крыть соломой *или* тростником.

thaumaturge ['θɔːmətəːdʒ] *n* чудотворец.

thaw [θɔː] 1. *n* 1) оттепель, таяние; 2) простота и сердечность;

2. *v* 1) таять, оттаивать; *перен.* согреваться; it is ~ing тает; 2) растоплять (*снег и т. п.*); 3) оставлять чопорность, становиться проще, сердечнее.

the [ðiː (*полная форма*); ði (*редуцированная форма, употр. перед гласными*); ðə (*редуцированная форма, употр. перед согласными*)] 1. *определённый член, артикль* 1) *употр. перед сущ. для выделения предмета или явления внутри данной категории, данного класса предметов и явлений*: the book you mention упоминаемая вами книга; I'll speak to the teacher я поговорю с преподавателем (*тем, который преподает в нашем классе*); 2) *указывает на то, что данный предмет или лицо известны говорящему*: I dislike the man я не люблю этого человека; how is the score? какой сейчас счёт?; what is the time? который час?; 3) *указывает на то, что данный предмет и лицо являются исключительными, наиболее подходящими, самыми лучшими и т. п.*: (of all the men I know) he is the man for the position (из всех, кого я знаю), он самый подходящий человек для этого поста; 4) *придаёт сущ. значение родового понятия*: the horse is a useful animal лошадь — полезное животное; 5) *употр. перед сущ., обозначающими предметы или понятия, являющиеся единственными в в своём роде*: the sun солнце, the moon луна; 6) *служит грамматическим средством оформления частично субстантивизированных прилагательных*: а) *с абстрактным значением*: it is only a step from the sublime to the ridiculous от великого до смешного только один шаг; б) *с собир. значением*: the poor бедняки; the wise мудрецы; 7) *придаёт конкретному сущ. обобщающее значение*: the stage сценическая деятельность; the saddle верховая езда;

2. *adv употр. при сравнит. ст. со значением* чем... тем; тем; the more the better чем больше, тем лучше; the less said the better чем меньше слов, тем лучше; (so much) the worse for him тем хуже для него.

theater [ˈθɪətə] *амер.* = theatre.

theatre [ˈθɪətə] *n* 1) театр; 2) аудитория в виде амфитеатра; 3) поле действий; the ~ of operations (*или* war) театр военных действий; 4) *собир.* драматическая литература, пьесы; 5) *predic.*: the play is good ~ пьеса очень сценична.

theatre-goer [ˈθɪətəɡouə] *n* театрал.

theatrical [θɪˈætrɪkəl] 1. *a* 1) театральный, сценический; ~ column театральный отдел в газете; 2) театральный, неестественный; напыщенный; показной;

2. *n pl* 1) театральное дело; 2) спектакль (*особ. любительский*).

theatricality [θɪˌætrɪˈkælɪtɪ] *n* театральность, неестественность.

theatricalize [θɪˈætrɪkəlaɪz] *v* инсценировать, театрализировать.

theatricize [θɪˈætrɪsaɪz] *v* держаться неестественно, играть роль (*в жизни*).

theatrics [θɪˈætrɪks] *n pl (употр. как sing)* сценическое искусство.

thé dancant [ˌteɪdɑ:ñˈsɑ:ñ] *фр. n* вечерний чай (*или* файвоклок) с танцами.

thee [ðiː] *pron. pers. (косв. п. от* thou) *уст., поэт.* тебя, тебе.

theft [θeft] *n* 1) воровство, кража; 2) украденные вещи, покража.

their [ðɛə] *pron. poss. (употр. атрибутивно; ср.* theirs) их; свой, свои.

theirs [ðɛəz] *pron. poss.* (абсолютная форма; *не употр. атрибутивно; ср.* their) их; this book is ~ это их книга; ~ is a good house их дом хорош.

theism [ˈθiːɪzəm] *n* теизм.

them [ðem (*полная форма*); ðəm, ðm (*редуцированные формы*)] *pron. pers. косв. п. от* they.

thematic [θɪˈmætɪk] *a* тематический; ~ catalogue предметный каталог.

theme [θiːm] *n* 1) тема, предмет (*разговора, сочинения*); 2) *школ.* сочинение на заданную тему; 3) *муз.* тема; 4) *грам.* основа; 5) *радио* музыкальная шапка.

Themis [ˈθiːmɪs] *n миф.* Фемида.

themselves [ðəmˈselvz] *pron* 1) *refl.*

себя, -ся; себе; they wash ~ они моются; they have built ~ a house они выстроили себе дом; 2) *emph.* сами; they built the house ~ они сами построили дом.

then [ðen] 1. *adv* 1) тогда; he was a little boy ~ тогда он был ребёнком; 2) потом, затем; the noise stopped and ~ began again шум прекратился, затем начался снова; 3) в таком случае, тогда; if you are tired ~ you'd better stay at home если вы устали, лучше оставайтесь дома; 4) кроме того, к тому же; ~ what about your lessons? have you prepared them? ну, а как у тебя дела с уроками? приготовил?; 5) *употр. для усиления значения при выражении согласия*: all right ~, do as you like ну ладно, поступайте, как хотите.

2. *n* то время; by ~ к тому времени; since ~ с того времени; every now and ~ время от времени.

3. *a* тогдашний, существовавший в то время.

thence [ðens] *adv* 1) *уст., книжн.* оттуда; 2) отсюда, из этого; 3) с того времени.

thenceforth [ˈðensˈfɔːθ] *adv* с этого времени, впредь.

thenceforward [ˈðensˈfɔːwəd]=thenceforth.

theocracy [θɪˈɔkrəsɪ] *n* теократия.

theocratic [θɪəˈkrætɪk] *a* теократический.

theodolite [θɪˈɔdəlaɪt] *n геод.* теодолит.

theologian [θɪəˈloudʒɪən] *n* богослов.

theological [θɪəˈlɔdʒɪkəl] *a* богословский.

theology [θɪˈɔlədʒɪ] *n* богословие.

theorbo [θɪˈɔːbou] *n (pl* -os [-ouz]) теорб (*род большой лютни XVII в.*).

theorem [ˈθɪərəm] *n* теорема.

theoretic(al) [θɪəˈretɪk(əl)] *a* теоретический.

theoretics [θɪəˈretɪks] *n pl (употр. как sing)* теория (*в противоп. практике*).

theorist [ˈθɪərɪst] *n* теоретик.

theorize [ˈθɪəraɪz] *v* теоретизировать.

theory [ˈθɪərɪ] *n* 1) теория; толкование; 2) *разг.* предположение.

therapeutic(al) [ˌθerəˈpjuːtɪk(əl)] *a* терапевтический.

therapeutics [ˈθerəˈpjuːtɪks] *n pl (употр. как sing)* терапия.

therapeutist [ˌθerəˈpjuːtɪst] *n* терапевт.

therapy [ˈθerəpɪ] = therapeutics.

there I [ðɛə] 1. *adv* 1) там; I shall meet you ~ я буду ждать вас там; are you ~? вы слушаете? (*по телефону*); 2) туда; 3) здесь, тут, на этом месте; he came to the fourth chapter and ~ he stopped он дошёл до четвёртой главы и на ней застрял; ◇ ~ and then тотчас же, на месте; ~ it is таковы дела!; ~ are you! вот вы где!; ~ you are!, but ~! вот и вы!; в) вот вам; вот то, что вам нужно; держите, получайте!; г) и вот что получилось!; to get ~ достичь цели; преуспеть; not all ~ не в своём уме; ~ or thereabouts около этого, приблизительно.

2. *n (после предлога)*: from ~ оттуда; up to ~ до того места; (he lives) near ~ (он живёт) в тех местах, поблизости;

3. *int* ну, вот; ~!, ~! now! ну, ну, не плачь(те)!; ~! I have put my foot in it! ну, вот я и попался!; so ~! так-то вот!

there II [ðɛə (*полная форма*); ðə (*редуцированная форма*)] *лишённое лексического знач. слово, употр. в основном с гл.* to be (~ is, ~ are есть, имеется, имеются) *и также с различными другими глаголами существования и движения:* to live, to exist, to come, to pass, to fall *и т. п.;* ~ are many universities in our country в нашей стране много университетов; ~ came a knock on the door раздался стук в дверь; ◇ ~ is a good fellow (boy *etc.*) вот это хорошо, за это спасибо; ~ is no telling (understanding *etc.*) нельзя, трудно сказать (понять *и т. п.*).

thereabout(s) ['ðɛərəbaut(s)] *adv* 1) поблизости; 2) около этого; приблизительно.

thereafter [ðɛər'ɑːftə] *adv уст.* 1) с этого времени; 2) согласно этому (образцу).

thereat [ðɛər'æt] *adv уст.* 1) там; туда; 2) при этом; по поводу этого.

thereby ['ðɛə'baɪ] *adv* 1) около (какого-л. места); 2) посредством этого; 3) в связи с этим; вследствие этого; (and) ~ hangs a tale к этому можно ещё кое-что прибавить.

therefor [ðɛə'fɔː] *adv уст.* за это; I am grateful ~ благодарю за это.

therefore ['ðɛəfɔː] *adv* поэтому, следовательно.

therefrom [ðɛə'frɔm] *adv уст.* оттуда.

therein [ðɛər'ɪn] *adv уст.* 1) здесь, там, в этом, в том *и т. д.;* the earth and all ~ земной шар и всё на нём существующее; 2) в этом отношении.

thereof [ðɛər'ɔv] *adv уст.* 1) из этого, из того; 2) этого; того; чего.

thereon [ðɛər'ɔn] *adv уст.* 1) на том, на этом; 2) после того, вслед за тем.

thereout [ðɛər'aut] *adv уст.* 1) оттуда; 2) из того.

there's [ðɛəz (*полная форма*); ðəz (*редуцированная форма*)] *сокр. разг.* = there is, there has.

thereto [ðɛə'tuː] *adv уст.* 1) к тому, к этому; туда; 2) кроме того, к тому же, вдобавок.

theretofore [,ðɛətu'fɔː] *adv уст.* до того времени.

thereunder [ðɛər'ʌndə] *a* нижеупомянутый; помещённый *или* находящийся ниже.

thereunto [ðɛər'ʌntuː] *adv уст.* к тому же, вдобавок.

thereupon ['ðɛərə'pɔn] *adv* 1) *уст.* на том, на этом; по этому поводу; 2) после того, вслед за тем; 3) вследствие того.

therewith [ðɛə'wɪθ] *adv уст.* 1) с тем, с этим; к тому же; 2) тотчас, немедленно.

therewithal [,ðɛəwɪ'ðɔːl] = therewith.

therm [θəːm] *n* 1) терм (*единица теплоты*); 2) большая калория; *амер.* малая калория.

thermae ['θəːmiː] *лат. n pl* 1) горячие источники; 2) термы, античные общественные бани.

thermal ['θəːməl] *a* 1) термический, тепловой; калорийный; 2) горячий, термальный (*об источнике*).

thermal capacity ['θəːmlkə'pæsɪtɪ] *n* теплоёмкость.

thermal conductivity ['θəːmlkən'dʌktɪvɪtɪ] *n* теплопроводность.

thermal engineer ['θəːməl,endʒɪ'nɪə] *n* инженер-теплотехник.

thermal unit ['θəːməl'juːnɪt] *n* единица теплоты, калория.

thermic ['θəːmɪk] *a* тепловой, термический.

thermit ['θəːmɪt] *n тех.* термит.

thermite ['θəːmaɪt] = thermit.

thermo- ['θəːmou-] *в сложных словах* термо-; thermodynamics термодинамика.

thermoanaesthesia ['θəːmou,ænɪs'θiːzjə] *n мед.* потеря чувствительности к теплу и холоду.

thermochemistry ['θəːmou'kemɪstrɪ] *n* термохимия.

thermo-couple ['θəːmou,kʌpl] *n эл.* термоэлемент, термопара.

thermodynamics ['θəːmoudaɪ'næmɪks] *n pl* (*употр. как sing*) термодинамика.

thermo-electric ['θəːmouɪ'lektrɪk] *a* термоэлектрический.

thermo-electricity ['θəːmou,ɪlek'trɪsɪtɪ] *n* термоэлектричество.

thermograph ['θəːmougrɑːf] *n* термограф, самопишущий термометр.

thermolysis [θəː'mɔlɪsɪs] *n хим.* термолиз; диссоциация, разложение нагреванием.

thermometer [θə'mɔmɪtə] *n* термометр, градусник.

thermonuclear ['θəːmou'njuːklɪə] *a* термоядерный; ~ weapon термоядерное оружие; ~ bomb водородная бомба.

thermopile ['θəːmoupaɪl] *n* термоэлемент; термопреобразователь.

thermoplastic ['θəːmou'plæstɪk] **1.** *a* термопластический; 2. *n* термопласт (*материал*).

thermoplegia ['θəːmou'pliːdʒɪə] *n мед.* тепловой *или* солнечный удар.

thermos ['θəːmɔs] *n* термос (*тж.* ~ bottle, ~ flask, ~ jug).

thermostable [,θəːmou'steɪbl] *a* теплоустойчивый.

thermostat ['θəːmoustæt] *n* термостат.

thermotechnics ['θəːmou,teknɪks] *n pl* (*употр. как sing*) теплотехника.

thermotropism [θə'mɔtrəpɪzəm] *n бот.* термотропизм.

thesauri [θiː'sɔːraɪ] *pl от* thesaurus.

thesaurus [θiː'sɔːrəs] *n* (*pl* -ri) 1) сокровищница, источник (*сведений и т. п.*); 2) словарь; энциклопедия.

these [ðiːz] *pl от* this.

theses ['θiːsiːz] *pl от* thesis.

thesis ['θiːsɪs] *n* (*pl* -ses) 1) тезис; 2) диссертация; 3) школьное сочинение; 4) [*тж.* 'θesɪs] *прос.* безударная часть стопы.

Thespian ['θespɪən] **1.** *n* драматический, трагический актёр *или* актриса; 2. *a* драматический, трагический.

Thetis ['θetɪs] *миф.* Фетида.

theurgy ['θiːədʒɪ] *n* 1) чудо; 2) волшебство.

thews [θjuːz] *n pl* 1) мускулы; 2) мускульная сила; 3) сила ума.

they [ðeɪ] *pron. pers.* 1) они; *косв. п.* them их, им *и т. п.;* ~ who те, кто; 2) (*в неопределённо-личных оборотах*): ~ say говорят.

they'd [ðeɪd] *сокр. разг.* = they had; they would.

they'll [ðeɪl] *сокр. разг.* = they will; they shall.

they're [ðeə] *сокр. разг.* = they are.

thick [θɪk] **1.** *a* 1) то́лстый; a foot ~ толщино́й в оди́н фут; 2) жи́рный (*о шрифте, почерке и т. п.*); 3) густо́й, ча́стый; ~ hair густы́е во́лосы; ~ forest густо́й лес; ~ as blackberries ≅ хоть пруд пруди́; в изоби́лии; 4) пло́тный; густо́й; ~ soup густо́й суп; ~ with dust покры́тый густы́м сло́ем пы́ли; 5) изоби́лующий (*чем-л.*), запо́лненный (*чем-л.*); the air was ~ with snow шёл си́льный снег; 6) ча́стый, повторя́ющийся; ~ shower of blows сы́плющиеся гра́дом уда́ры; 7) му́тный (*о жидкости*); 8) ту́склый; нея́сный, тума́нный (*о погоде*); 9) хри́плый, приглушённый; 10) глу́пый, тупо́й; 11) *predic. бли́зкий, неразлу́чный; to be ~ with a perso̧n дружи́ть с кем-л.; to be ~ as thieves быть закады́чными друзья́ми; 12) двусмы́сленный, неприли́чный; ◊ to lay it on ~ *разг.* преувели́чивать, переса́ливать; хвати́ть че́рез край; that is a bit (*или* too) ~ э́то чересчу́р, э́то изли́шне; э́то невыноси́мо;
2. *n* 1) ча́ща, *перен.* гу́ща; in the ~ of it а) в са́мой гу́ще; б) в разга́ре; 2) *школ. разг.* тупи́ца; ◊ through ~ and thin упо́рно, несмотря́ на все препя́тствия;
3. *adv* 1) гу́сто; оби́льно; 2) ча́сто; 3) нея́сно, заплета́ющимся языко́м; хри́пло; ◊ ~ and fast бы́стро, стреми́тельно, оди́н за други́м.

thick-and-thin [ˈθɪkəndˈθɪn] *a* сто́йкий, непоколеби́мый, пре́данный до конца́.

thicken [ˈθɪkən] *v* 1) сгуща́ть(ся); 2) учаща́ться; 3) мутне́ть; 4) расти́, прибавля́ться; the crowd is ~ing толпа́ растёт; 5) усложня́ться.

thicket [ˈθɪkɪt] *n* ча́ща; за́росли.

thickhead [ˈθɪkˈhed] *n* тупи́ца.

thick-headed [ˈθɪkˈhedɪd] *a* тупоголо́вый.

thickly [ˈθɪklɪ] = thick 3.

thickness [ˈθɪknɪs] *n* 1) толщина́, пло́тность *и пр.* [*см.* thick 1]; 2) слой.

thickset [ˈθɪkˈset] **1.** *a* 1) гу́сто наса́женный; 2) корена́стый;
2. *n* густа́я за́росль.

thick-skinned [ˈθɪkˈskɪnd] *a* толстоко́жий (*тж. перен.*).

thick-skulled [ˈθɪkˈskʌld] *a* глу́пый, тупоголо́вый.

thick-witted [ˈθɪkˈwɪtɪd] = thick-skulled.

thief I [θiːf] *n* (*pl* thieves) вор.

thief II [θiːf] *n* нага́р.

thieve [θiːv] *v* (у)красть, (с)воровáть.

thievery [ˈθiːvərɪ] *n* профессиона́льное воровство́; а ~ покра́жа.

thieves [θiːvz] *pl от* thief I.

thievish [ˈθiːvɪʃ] *a* ворова́тый.

thievishly [ˈθiːvɪʃlɪ] *adv* 1) ворова́то; 2) бесче́стно.

thigh [θaɪ] *n* бедро́.

thigh-bone [ˈθaɪboun] *n* бе́дренная кость.

thill(er) [ˈθɪl(ə)] *n* огло́бля.

thimble [ˈθɪmbl] *n* 1) напёрсток; 2) наконе́чник; *тех.* му́фта, вту́лка; 3) *мор.* коуш.

thimbleful [ˈθɪmblful] *n* глото́чек, щепо́тка, небольшо́е коли́чество.

thin [θɪn] **1.** *a* 1) то́нкий; ~ sheet то́нкий лист; 2) худо́й, худоща́вый; ~ as a lath (*или* a rail, a whipping-post) худо́й как ще́пка; 3) ре́дкий (*о волосах, лесе*); 4) малочи́сленный (*о населении, публике*); 5) незапо́лненный, полупусто́й; ~ house полупусто́й теа́тр; 6) ме́лкий (*о дожде*); 7) разрежённый (*о газах*); 8) жи́дкий, сла́бый, водяни́стый (*о чае, супе и т. п.*); разба́вленный, разведённый; ненасы́щенный; 9) неубеди́тельный, ша́ткий; ~ excuse (story) неубеди́тельная отгово́рка (исто́рия); 10) *разг.* неприя́тный, разочаро́вывающий; to have a ~ time неприя́тно провести́ вре́мя; ◊ that is too ~ э́то бе́лыми ни́тками ши́то; ~ captain сорт просто́го пече́нья;
2. *v* 1) худе́ть, заостря́ть(ся) (*тж.* ~ down); 2) утонча́ться; 3) оскуде́ва́ть; реде́ть; разжижа́ться; пусте́ть (*о помещении, месте*); 4) проре́живать (*растения, посевы; тж.* ~ out); ▢ ~ down худе́ть, заостря́ть(ся); ~ out а) реде́ть; б) проре́живать.

thin-blooded [ˈθɪnˈblʌdɪd] *a* хи́лый, не́мощный.

thine [ðaɪn] *pron. poss. уст.* 1) = thy; 2) (*абсолю́тная фо́рма; не упо́тр. атрибути́вно; ср.* thy) твой.

thin-faced [ˈθɪnˈfeɪst] *a* с то́нкими черта́ми лица́.

thing [θɪŋ] *n* 1) вещь, предме́т; what are those black ~s in the field? что э́то там черне́ется в по́ле?; the real ~ *разг.* первокла́ссная вещь; ~ in itself *филос.* вещь в себе́; 2) де́ло, факт, слу́чай, обстоя́тельство; ~s look promising положе́ние обнадёживающее; other ~s being equal при про́чих ра́вных усло́виях; a strange ~ стра́нное де́ло; how are ~s? *разг.* ну, как дела́?; as ~s go при сложи́вшихся обстоя́тельствах; all ~s considered учи́тывая всё (*или* все обстоя́тельства); 3) *pl* ве́щи (*доро́жные*); бага́ж; 4) *pl* оде́жда; ли́чные ве́щи; take off your ~s сними́те пальто́, разде́ньтесь; 5) *pl* у́тварь, принадле́жности; 6) литерату́рное, худо́жественное *или* музыка́льное произведе́ние; расска́з, анекдо́т; 7) (*презр. или сочу́вственно о живо́м существе́*): he is a mean ~ он по́длая тварь; oh, poor ~! о бедня́жка!; dumb ~s бесслове́сные живо́тные; 8) не́что са́мое ну́жное, ва́жное, подходя́щее, настоя́щее; it is just the ~ э́то как раз то (что на́до); a good rest is just the ~ for you хоро́ший о́тдых — вот что вам нужне́е всего́; the best ~ са́мое лу́чшее, лу́чше всего́; the next best ~ сле́дующий по ка́честву, лу́чший из остальны́х; it is not at all the ~ to laugh at people нехорошо́ смея́ться над людьми́; ◊ to see ~s бре́дить, галлюцини́ровать; above all ~s пре́жде всего́, са́мое гла́вное; among other ~s ме́жду про́чим; and ~s и тому́ подо́бное; to know a ~ or two ко́е-что знать; понима́ть что к чему́; no such ~ ничего́ подо́бного, во́все нет; near a ~ опа́сность, кото́рую едва́ удало́сь избежа́ть; good ~s ла́комства; to make a good ~ of smth. извле́чь по́льзу из чего́-л.; make a regular ~ of smth. регуля́рно занима́ться чем-л.; it amounts to the same ~ э́то одно́ и то же;

I am not quite the ~ today мне сегодня нездоро́вится.

thingamy, thingumbob, thingummy ['θɪŋəmɪ, 'θɪŋəmbɔb, 'θɪŋəmɪ] *n употр. вм. слова (особ. вм. имени), которое не можешь вспомнить* ≅ как бишь его?

think [θɪŋk] **1.** *v* (thought) 1) ду́мать, обду́мывать (about, of — *о ком-л., чём-л.*); мы́слить; to ~ twice хороше́нько подума́ть; 2) приду́мывать, находи́ть (of); I cannot ~ of the right word не могу́ приду́мать подходя́щего сло́ва; 3) счита́ть, полага́ть; to ~ fit (*или* good) счесть возмо́жным, уме́стным; 4) понима́ть, представля́ть себе́; I can't ~ how you did it не могу́ себе́ предста́вить, как вы э́то сде́лали; I cannot ~ what he means не могу́ поня́ть, что он хо́чет сказа́ть; 5) име́ть в виду́, намерева́ться; to ~ no harm не име́ть дурны́х наме́рений; 6) вспомина́ть; I ~ how we were once friends я вспомина́ю о том, как мы когда́-то дружи́ли; 7) постоя́нно ду́мать, мечта́ть; to ~ airplanes ду́мать, мечта́ть то́лько о самолётах; □ ~ out проду́мать до конца́; ~ over обсуди́ть, обду́мать; ~ up вы́думать, сочини́ть, приду́мать; ~ with быть одного́ мне́ния с *кем-л.*; ◇ to ~ much of быть высо́кого мне́ния; высоко́ цени́ть; to ~ well (highly, badly) of smb. быть хоро́шего (высо́кого, дурно́го) мне́ния о ком-л.; to ~ no end of smb. о́чень высоко́ цени́ть кого́-л.; to ~ better of *что-л.* переду́мать, перемени́ть мне́ние о *чём-л.*; быть лу́чшего мне́ния о *ком-л.*; he ~s he is it *sl.* он о себе́ высо́кого мне́ния; I ~ little (*или* nothing) of 30 miles a day де́лать 30 миль в день для меня́ су́щий пустя́к; I don't ~ (*прибавляет-ся к ирон. утверждению*) не́чего сказа́ть; ни дать ни взять;

2. *n разг.* мысль, мне́ние.

thinkable ['θɪŋkəbl] *a* 1) мы́слимый; 2) осуществи́мый, возмо́жный.

thinker ['θɪŋkə] *n* мысли́тель.

thinking ['θɪŋkɪŋ] **1.** *pres. p. om* think 1;

2. *n* 1) размышле́ние; 2) мне́ние; to my ~ по моему́ мне́нию;

3. *a* мы́слящий, разу́мный; ◇ to put on one's ~ cap серьёзно обду́мывать; ~ part *театр.* роль без слов.

think piece ['θɪŋk 'piːs] *n разг.* корреспонде́нция, предназна́ченная не для печа́ти, а для сведения реда́кции.

think-tank ['θɪŋk,tæŋk] *n sl.* голова́, башка́.

thinning ['θɪnɪŋ] **1.** *pres. p. om* thin 2;

2. *n с.-х.* проре́живание посе́вов.

thin-skinned ['θɪn'skɪnd] *a* 1) тонкоко́жий; 2) оби́дчивый, чувстви́тельный; раздражи́тельный.

third [θəːd] **1.** *пит. ord.* тре́тий; ~ person а) *грам.* тре́тье лицо́; б) *юр.* тре́тья сторона́, свиде́тель (*тж.* ~ party); ◇ ~ house «тре́тья пала́та», (неви́димые) факти́ческие законода́тели; ~ degree *амер.* допро́с с примене́нием пы́ток;

2. *n* 1) треть, тре́тья часть; 2) (the ~) тре́тье число́; 3) *муз.* те́рция.

thirdly ['θəːdlɪ] *adv* в-тре́тьих.

third-rate ['θəːd'reɪt] *a* третьесо́ртный, третьестепе́нный; плохо́й.

thirst [θəːst] **1.** *n* жа́жда; ~ for knowledge жа́жда зна́ний;

2. *v* жа́ждать (for, after — *чего-л.*); 2) *уст.* хоте́ть пить.

thirsty ['θəːstɪ] *a* 1) томи́мый жа́ждой; I am ~ я хочу́ пить; 2) *разг.* вызыва́ющий жа́жду; 3) иссо́хший (*о почве*); 4) жа́ждущий (for — *чего-л.*).

thirteen ['θəː'tiːn] *пит. card.* трина́дцать.

thirteenth ['θəː'tiːnθ] **1.** *пит. ord.* трина́дцатый;

2. *n* 1) трина́дцатая часть; 2) (the ~) трина́дцатое число́.

thirties ['θəːtɪz] *n pl* 1) (the ~) тридца́тые го́ды; 2) четвёртый деся́ток (*возраст между 29 и 40 годами*); she is just out of her ~ ей то́лько что мину́ло 40 лет.

thirtieth ['θəːtɪɪθ] **1.** *пит. ord.* тридца́тый;

2. *n* 1) тридца́тая часть; 2) (the ~) тридца́тое число́.

thirty ['θəːtɪ] **1.** *пит. card.* три́дцать; ~-one три́дцать оди́н; ~-two три́дцать два *и т. д.*; he is over ~ ему́ за три́дцать;

2. *n* тридца́ть (*единиц, штук*).

this [ðɪs] *pron. demonstr.* (*pl* these) э́тот, э́та, э́то: а) *указывает на лицо, понятие, событие, предмет, действие, близкие по месту или времени:* ~ day сего́дня; ~ week на э́той неде́ле; ~ day week (month, year) ро́вно че́рез неде́лю (ме́сяц, год); ~ day last week ро́вно неде́лю наза́д; ~ country страна́, в кото́рой мы живём, находи́мся (*обыкн. переводится названием страны, в которой находится говорящий или пишущий*); ~ house *парл.* э́та пала́та (*палата общин или лордов в зависимости от того, к какой палате обращается выступающий*); б) *противополагается* that: take ~ book and I'll take that one возьми́те э́ту кни́гу, а я возьму́ ту; в) *указывает на что-л., уже известное говорящему:* ~ is what I think вот что я ду́маю; ~ will never do э́то (ника́к) не годи́тся, не подхо́дит; ◇ ~ much сто́лько, так мно́го; ~ long так до́лго, столь до́лго; ~ side (of) ра́ньше, до (*определённого срока*); ~ side of midnight до полу́ночи; ~ way сюда́; like ~ так, вот так; таки́м о́бразом; ~, that and the other всевозмо́жные *или* разли́чные ве́щи.

thistle ['θɪsl] *n бот.* чертополо́х (*тж. как эмблема Шотландии*).

thistle-down ['θɪsldaun] *n бот.* пушо́к семя́н чертополо́ха; ◇ as light as ~ ≅ лёгкий как пух.

thistle-finch ['θɪslfɪntʃ] *n* щего́л.

thistly ['θɪslɪ] *a* 1) заро́сший чертополо́хом; 2) колю́чий.

thither ['ðɪðə] *adv уст.* туда́, в ту сто́рону.

thitherto ['θɪðə'tuː] *adv уст.* до того́ вре́мени.

thitherward(s) ['ðɪðəwəd(z)] *adv уст.* в ту сто́рону, туда́.

tho' [ðou] = though.

thole I [θoul] *n* уклю́чина.

thole II [θoul] *n архит.* ку́пол.

thole-pin ['θoulpin] = thole I.

Thomas ['tɔməs] *n библ.* Фома́.

thong [θɔŋ] 1. *n* реме́нь; плеть; 2. *v* стега́ть.

thorax ['θɔːræks] *n анат.* грудна́я кле́тка.

thorite ['θɔuraɪt] *n мин.* тори́т.

thorium ['θɔːrɪəm] *n хим.* то́рий.

thorn [θɔːn] *n* 1) шип, колю́чка; 2) ста́рое назва́ние руни́ческой бу́квы, соотве́тствующей th; ◇ to be (*или* to sit) on ~s сиде́ть как на иго́лках; a ~ in one's side (*или* flesh) ≅ бельмо́ на глазу́; исто́чник постоя́нного раздраже́ния.

thorn-apple ['θɔːn,æpl] *n бот.* дурма́н.

thornback ['θɔːnbæk] *n зоол.* морска́я лиси́ца.

thorny ['θɔːnɪ] *a* 1) колю́чий; 2) терни́стый; тяжёлый; 3) тру́дный, противоречи́вый (*вопрос и т. п.*); a ~ subject щекотли́вая, опа́сная те́ма.

thorough ['θʌrə] 1. *a* 1) по́лный, соверше́нный; основа́тельный, доскона́льный; тща́тельный; 2) зако́нченный, по́лный; a ~ scoundrel зако́нченный негодя́й; 2. *prep уст.* = through 1; 3. *adv уст.* = through 2.

thorough-bass ['θʌrə'beɪs] *n муз.* 1) генера́л-ба́с; 2) *распр.* гармо́ния.

thoroughbred ['θʌrəbred] 1. *a* 1) чистокро́вный, поро́дистый; 2) хорошо́ воспи́танный; 2. *n* чистокро́вное, поро́дистое живо́тное.

thoroughfare ['θʌrəfɛə] *n* 1) прохо́д, прое́зд; путь сообще́ния; по ~ прое́зд закры́т (*надпись*); 2) оживлённая у́лица; гла́вная арте́рия (*города*).

thoroughgoing ['θʌrə,gouɪŋ] *a* 1) иду́щий напроло́м, без компроми́ссов; 2) радика́льный.

thoroughly ['θʌrəlɪ] *adv* вполне́, соверше́нно, до конца́; основа́тельно, тща́тельно.

thoroughness ['θʌrənɪs] *n* основа́тельность, доскона́льность.

thoroughpaced ['θʌrəpeɪst] *a* 1) хорошо́ вы́езженный; 2) соверше́нный, отъя́вленный.

thorp [θɔːp] *n уст.* (*в настоящее время в названиях*) дере́вня.

those [ðouz] *pl om* that 1.

thou [ðau] *pron. pers.* (*косв. n.* thee) *уст., поэт.* ты.

though [ðou] 1. *cj* 1) хотя́, несмотря́ на; 2) да́же е́сли бы, хотя́ бы; it is worth attempting, ~ we fail сто́ит попыта́ться, хотя́ бы нам и не удало́сь; 2. *adv* тем не ме́нее; одна́ко (же); всё-таки.

thought I [θɔːt] *n* 1) мысль; мышле́ние; размышле́ние; to collect (*или* to compose) one's ~s собра́ться с мы́слями; (lost) in ~ погружённый в размышле́ния; to read smb.'s ~s чита́ть чьи-л. мы́сли; to take ~ заду́маться; опеча́литься; 2) наме́рение; 3) забо́та; внима́тельность; to take (*или* to show) ~ for smb. забо́титься о ком-л.; thank you for your kind ~ of me благодарю́ вас за внима́ние ко мне; 4) (a ~) чу́точка

(*обыкн. употр. как adv* чу́точку); a ~ more polite чуть ве́жливей; ◇ (as) quick as ~ ≅ с быстрото́й мо́лнии; мгнове́нно; (up)on second ~s по зре́лом размышле́нии; пораски́нув умо́м; second ~s are best *посл.* ≅ семь раз отме́рь, оди́н раз отре́жь.

thought II ['θɔːt] *past и p. p. om* think 1.

thoughtful ['θɔːtful] *a* 1) заду́мчивый, погружённый в размышле́ния; 2) глубо́кий (*о книге*); глубокомы́сленный; 3) мы́слящий; 4) забо́тливый, внима́тельный (of — к *другим*).

thoughtless ['θɔːtlɪs] *a* 1) беспе́чный, безрассу́дный; 2) необду́манный, глу́пый; 3) невнима́тельный (of — к *другим*).

thought-reading ['θɔːt,riːdɪŋ] *n* чте́ние чужи́х мы́слей.

thought-transference ['θɔːt,trænsfərəns] *n* переда́ча мы́слей на расстоя́нии, телепа́тия.

thousand ['θauzənd] 1. *num. card.* ты́сяча; 2. *n* 1) ты́сяча; one in a ~ оди́н на ты́сячу, исключи́тельный; 2) мно́жество; many ~s of times (*или* a ~ times) мно́жество раз; a ~ and one cares ма́сса забо́т.

thousandfold ['θauzəndfould] 1. *a* в ты́сячу раз бо́льший; 2. *adv* в ты́сячу раз бо́льше.

thousandth ['θauzəntθ] 1. *num. ord.* ты́сячный; 2. *n* ты́сячная часть.

thraldom ['θrɔːldəm] *n уст.* ра́бство.

thrall [θrɔːl] *n* 1) раб; 2) *уст.* ра́бство; to hold smb. in ~ плени́ть, зачарова́ть кого́-л.; 2. *v уст.* порабоща́ть.

thrash [θræʃ] *v* 1) бить; 2) победи́ть (*в борьбе, состязании*); 3) = thresh 1); □ ~ about мета́ться (*о больном*); ~ out тща́тельно обсужда́ть, выясня́ть, прораба́тывать (*вопросы и т. п.*).

thrasher ['θræʃə] *n* 1) тот, кто бьёт; 2) = thresher 1); 3) = thresher 2); 4) *зоол.* морска́я лиси́ца.

thrashing ['θræʃɪŋ] 1. *pres. p. om* thrash; 2. *n* 1) па́лочные уда́ры; *тж.* взбу́чка; to give smb. a (sound) ~ си́льно изби́ть кого́-л.; 2) = threshing 2, 1).

thrashing-floor ['θræʃɪŋflɔː] = threshing-floor.

thrashing-machine ['θræʃɪŋmə,ʃiːn] = threshing-machine.

thrasonical [θreɪ'sɔnɪkəl] *a* хвастли́вый.

thread [θred] 1. *n* 1) ни́тка; нить (*тж. перен.*); to hang by a ~ висе́ть на ни́точке; the ~ of the story основна́я нить, ли́ния расска́за; to lose the ~ of потеря́ть нить (*рассказа и т. п.*); to resume (*или* to take up) the ~ (of) возобнови́ть (*беседу, рассказ*); the ~ of life нить жи́зни; to pick up the ~ (of acquaintance with smb.) возобнови́ть (знако́мство с кем-л.); 2) *тех.* резьба́, наре́зка; ход (винта́); 3) *эл.* жи́ла про́вода; 4) *геол.* прожи́лок; 5) *attr.* ни́тяный; ниде́видный; ◇ ~ and thrum всё вме́сте: и хоро́шее и дурно́е; worn to the ~ потёртый, изно́шенный; потрёпанный; 2. *v* 1) продева́ть ни́тку (*в иголку*); 2) нани́зывать (*бусы и т. п.*); 3) пробира́ться;

to ~ one's way осторо́жно пробира́ться; 4) *тех.* нареза́ть (*резьбу*).

threadbare ['θredbeə] *a* 1) потёртый, изно́шенный; 2) бе́дно оде́тый; 3) изби́тый (*о шу́тке, до́воде и т. п.*).

threaded ['θredɪd] 1. *p. p. от* thread 2; 2. *a тех.* с нарезкой, с резьбо́й, нарезно́й.

threader ['θredə] *n* винторе́зный стано́к.

threadlike ['θredlaɪk] *a* 1) нитеви́дный; 2) волокни́стый.

thread-mark ['θredmɑːk] *n* водяно́й знак (*на де́ньгах и це́нных бума́гах*).

thread-needle ['θred,niːdl] *n* «ручеёк» (*де́тская игра́*).

thread-paper ['θred,peɪpə] *n* 1) поло́ска бума́ги, кото́рой обма́тывались мотки́; 2) что-л. дли́нное и у́зкое; as thin as a ~ ≅ худ как ще́пка.

threadworm ['θredwɜːm] *n* остри́ца (*глист*).

thready ['θredɪ] *a* 1) то́нкий как ни́тка; 2) волокни́стый.

threat [θret] *n* угро́за; there is a ~ of rain собира́ется дождь.

threaten ['θretn] *v* грози́ть, угрожа́ть (with — *чем-л.*); to ~ punishment угрожа́ть наказа́нием.

threatening ['θretnɪŋ] 1. *pres. p. от* threaten; 2. *a* угрожа́ющий, грозя́щий; нави́сший (*об опа́сности и т. п.*).

threatful ['θretful] *a ре́дк.* гро́зный.

three [θriː] 1. *num. card.* три; ~ times ~ а) три́жды три; б) девятикра́тное ура́; 2. *n* 1) тро́йка; in ~s по три; 2) *pl* тре́тий но́мер, разме́р; 3) три очка́.

three-colour process ['θriː,kʌlə'prouses] *n полигр.* фотомехани́ческий спо́соб трёхцве́тной печа́ти, трёхцве́тная автоти́пия.

three-cornered ['θriː'kɔːnəd] *a* 1) треуго́льный; 2) происходя́щий с уча́стием трёх челове́к, па́ртий *и т. п.* (*о борьбе́, диспу́те и т. п.*); 3) *перен.* нескла́дный, углова́тый.

three-decker ['θriː'dekə] *n* 1) трёхпа́лубное су́дно; 2) трило́гия; трёхто́мный рома́н.

three-dimensions movie ['θriːdɪ'menʃənz'muːvi] (*сокр.* 3-D movie) стереоскопи́ческое кино́.

three-field ['θriː,fiːld] *a с.-х.* трёхпо́льный; ~ system трёхпо́льная систе́ма полево́дства, трёхпо́лье.

threefold ['θriːfould] 1. *a* утро́енный; тройно́й; 2. *adv* втро́е, втройне́.

three halfpence ['θriː'heɪpəns] *n* полтора́ пе́нни.

three-handed ['θriː'hændɪd] *a* происходя́щий с уча́стием трёх игроко́в.

three-ha'pence ['θriː'heɪpəns] = three halfpence.

three-lane ['θriːleɪn] *n* у́лица, доста́точно широ́кая для движе́ния тра́нспорта в три ря́да.

three-legged ['θriː'legd] *a* трено́гий.

three-master ['θriː,mɑːstə] *n* трёхма́чтовое су́дно.

three-mile ['θriː,maɪl] *a* трёхми́льный; ~

limit грани́ца трёхми́льной полосы́ (*территориа́льных вод*).

threepence ['θrepəns] *n* три пе́нса; трёхпе́нсовая моне́та.

threepenny ['θrepəni] *a* 1) сто́ящий три пе́нса; ~ bit, ~ piece сере́бряная моне́та в три пе́нса; 2) дешёвый, плохо́го ка́чества.

three-per-cents ['θriːpə'sents] *n pl* англи́йские госуда́рственные трёхпроце́нтные облига́ции.

three-phase ['θriː,feɪz] *a эл.* трёхфа́зный.

three-piece ['θriː,piːs] *a* состоя́щий из трёх предме́тов (*обы́кн. о да́мском костю́ме*).

three-ply 1. *n* ['θriːplaɪ] трёхсло́йная фане́ра; 2. *a* ['θriː,plaɪ] трёхсло́йный (*о фане́ре*).

three-quarter ['θriː'kwɔːtə] *a* 1) трёхчетвертно́й; 2) с поворо́том лица́ в три че́тверти (*о портре́те, фотогра́фии*).

threescore ['θriː'skɔː] *n* шестьдеся́т; ~ and ten се́мьдесят.

threesome ['θriːsəm] 1. *n* 1) три лица́, тро́йка; 2) гольф (*или друга́я игра́*) для трёх игроко́в; 2. *a* состоя́щий из трёх; осуществля́емый тремя́.

three-throw ['θriː,θrou] *a тех.* стро́енный, трёххóдово́й.

three-way ['θriː,weɪ] *a* 1) *тех.* трёххóдово́й; 2) *ж.-д.* трёхпу́тный.

thremmatology [,θremə'tɔlədʒɪ] *n* живо́тново́дство и растениево́дство (*как нау́ка*).

threnode, threnody ['θrenoud, 'θrenədɪ] *n* погреба́льная песнь; погреба́льное пе́ние.

thresh [θreʃ] *v* 1) молоти́ть; 2) = thrash 1); 3) = thrash 2); ◇ to ~ over old straw ≅ толо́чь во́ду в сту́пе.

thresher ['θreʃə] *n* 1) молоти́льщик; 2) молоти́лка; 3) = thrasher 4).

threshold ['θreʃhould] *n* поро́г (*тж. перен.*); преддве́рие; *перен. тж.* отправно́й пункт; stumble on (*или at*) the ~ пло́хо нача́ть (*де́ло*).

threshing ['θreʃɪŋ] 1. *pres. p. от* thresh; 2. *n* 1) молотьба́; 2) = thrashing 2, 1).

threshing-floor ['θreʃɪŋflɔː] *n с.-х.* ток.

threshing-machine ['θreʃɪŋmə,ʃiːn] *n с.-х.* молоти́лка.

threw [θruː] *past от* throw 2.

thrice [θraɪs] *adv уст., кни́жн.* три́жды; в высо́кой сте́пени; ~ happy о́чень счастли́в.

thrice- [θraɪs-] *в сло́жных слова́х означа́ет* в вы́сшей сте́пени, о́чень; thrice-told мно́го раз расска́занный; thrice-noble в вы́сшей сте́пени благоро́дный.

thrift [θrɪft] *n* 1) эконо́мность, бережли́вость; 2) *уст.* процвета́ние, зажи́точность; 3) *редк.* бы́стрый, бу́йный рост; 4) *бот.* арме́рия обыкнове́нная.

thriftless ['θrɪftlɪs] *a* расточи́тельный, неэконо́мный.

thrifty ['θrɪftɪ] *a* 1) эконо́мный, бережли́вый; 2) цвету́щий, процвета́ющий; 3) бы́стро, бу́йно расту́щий (*о расте́нии*).

thrill [θrɪl] 1. *n* 1) глубо́кое волне́ние; 2) не́рвная дрожь, тре́пет; 3) *разг.* сенса́ция; 4) *разг.* нашуме́вшая кни́га;

2. *v* 1) вызыва́ть тре́пет; си́льно взволнова́ть; 2) испы́тывать тре́пет; си́льно взволнова́ться; 3) дрожа́ть (*от стра́ха, ра́дости и т. п.*); трепета́ть; my heart ~ed with joy моё се́рдце затрепета́ло от ра́дости; 4) *уст.* сверли́ть; протыка́ть отве́рстие.

thrilled [θrɪld] 1. *p. p. om* thrill 2;
2. *a* 1) взволно́ванный, возбуждённый; 2) заинтриго́ванный, захва́ченный.

thriller ['θrɪlə] *n разг.* 1) сенсацио́нный (*особ.* детекти́вный) рома́н, фильм; боеви́к; 2) мелодра́ма.

thrilling ['θrɪlɪŋ] 1. *pres. p. om* thrill 2;
2. *a* 1) волну́ющий, захва́тывающий; 2) дрожа́щий, вибри́рующий.

thrive [θraɪv] *v* (throve, *редк.* -d [-d]; thriven, *редк.* -d [-d]) 1) процвета́ть, преуспева́ть; 2) бу́йно, пы́шно расти́, разраста́ться.

thriven ['θrɪvn] *p. p. om* thrive.

thro, thro' [θruː] = through.

throat [θrout] 1. *n* 1) го́рло, горта́нь, гло́тка; a ~ of brass гро́мкий *или* гру́бый го́лос; to clear one's ~ отка́шливаться; full to the ~ сыт по го́рло; to stick in one's ~ а) застря́ть в го́рле (*о слова́х*); б) прети́ть; 2) у́зкий прохо́д, у́зкое отве́рстие; жерло́ вулка́на; 3) *тех.* горлови́на, зев, соедини́тельная часть; расчётный разме́р (в свету́); 4) *метал.* колошни́к (*до́мны*); горлови́на (*конве́ртора*); ше́йка; 5) *мор.* пя́тка (*га́феля*); ◇ to cut one another's ~s разоря́ть друг дру́га конкуре́нцией; to give smb. the lie in his ~ изобличи́ть кого́-л. в гру́бой лжи; to lie in one's ~ на́гло лгать, лгать пря́мо в глаза́; to jump down smb.'s ~ перебива́ть кого́-л., возража́ть; to thrust smth. down smb.'s ~ си́лой навяза́ть что-л. кому́-л.
2. *v* 1) бормота́ть; 2) напева́ть хри́плым го́лосом.

throaty ['θroutɪ] *a* горта́нный; хри́плый.

throb [θrɔb] 1. *n* 1) бие́ние, пульса́ция; 2) тре́пет, волне́ние;
2. *v* 1) си́льно би́ться *или* пульси́ровать; 2) трепета́ть, волнова́ться.

throe [θrou] 1. *n* (*обыкн. pl*) 1) си́льная боль; in the ~s of в му́ках (*тво́рчества и т. п.*); 2) аго́ния; 3) родовы́е му́ки;
2. *v редк.* страда́ть, му́читься.

Throgmorton Street [θrɔg'mɔːtn'striːt] *n* 1) у́лица в Ло́ндоне, где располо́жена би́ржа; 2) ло́ндонская би́ржа; биржеви́ки.

thrombosis [θrɔm'bousɪs] *n мед.* тромбо́з, тромб.

throne [θroun] 1. *n* 1) трон; престо́л; 2) короле́вская, ца́рская власть; 3) высо́кое положе́ние;
2. *v* 1) возводи́ть на престо́л; 2) *редк.* занима́ть высо́кое положе́ние.

throng [θrɔŋ] 1. *n* толпа́, толчея́;
2. *v* толпи́ться; заполня́ть (*о толпе́*); переполня́ть (*помеще́ние*).

throstle ['θrɔsl] *n* 1) *поэт., шотл.* пе́вчий дрозд; 2) *текст.* рогу́лечная пряди́льная маши́на.

throttle ['θrɔtl] 1. *n* 1) гло́тка, горта́нь; 2) *тех.* дро́ссель; ◇ at full ~ на по́лной ско́рости, на по́лной мо́щности;

2. *v* 1) души́ть; 2) задыха́ться; 3) *тех.* дроссели́ровать, мять (*пар*); □ ~ down уме́ньшить газ.

through [θruː] 1. *prep* 1) *ука́зывает на простра́нственные отноше́ния* че́рез, сквозь, по; ~ the gate че́рез воро́та; they marched ~ the town они́ прошли́ по го́роду; ~ this country по всей стране́; 2) *ука́зывает на временны́е отноше́ния:* а) в тече́ние, в продолже́ние; ~ the night всю ночь; to wait ~ ten long years прожда́ть де́сять до́лгих лет; б)· включи́тельно; May 10 ~ June 15 с 10 ма́я по 15 ию́ня включи́тельно; 3) *в сочета́ниях, име́ющих перено́сное значе́ние* в, че́рез; to flash ~ the mind промелькну́ть в голове́; to go ~ many trials пройти́ че́рез мно́го испыта́ний; 4) че́рез (*посре́дство*), от; I heard of you ~ your sister я слы́шал о вас от ва́шей сестры́; he was examined ~ an interpreter его́ допра́шивали че́рез перево́дчика; 5) по причи́не, всле́дствие, из-за, благодаря́; it all came about ~ his not knowing the way всё э́то случи́лось из-за того́, что он не знал доро́ги;

2. *adv* 1) наскво́зь; соверше́нно; I am wet ~ я наскво́зь промо́к; 2) от нача́ла до конца́; *в сочета́нии с глаго́лами передаётся приста́вками* пере-, про-; he slept the whole night ~ он проспа́л всю ночь; to carry ~ довести́ до конца́; I have read the book ~ я прочёл всю кни́гу; to get ~ пройти́; to look ~ просмотре́ть; to be ~ (with) поко́нчить (*с чем-л.*); зако́нчить (*что-л.*); to put a person ~ а) отруга́ть кого́-л.; б) стро́го экзаменова́ть кого́-л.; в) соедини́ть кого́-л. (*по телефо́ну*).

3. *a* 1) прямо́й, беспереса́дочный; ~ ticket сквозно́й биле́т; ~ service беспереса́дочное сообще́ние; 2) свобо́дный, беспрепя́тственный; ~ passage свобо́дный прохо́д.

through and through ['θruːənd'θruː] *adv* 1) соверше́нно, до конца́, вполне́; 2) сно́ва и сно́ва.

throughly ['θruːlɪ] *уст.* = thoroughly.

throughout [θruː'aut] 1. *adv* 1) во всех отноше́ниях; 2) повсю́ду; на всём протяже́нии; the dictionary has been revised ~ слова́рь был с нача́ла до конца́ пересмо́трен;
2. *prep* че́рез; по всему́; в продолже́ние (*всего́ вре́мени и т. п.*); ~ the 19th century че́рез весь XIX век.

through-put ['θruːput] *n* коли́чество сырья́ (материа́ла *и т. п.*), израсхо́дованного за определённый срок.

throve [θrouv] *past om* thrive.

throw [θrou] 1. *n* 1) броса́ние; бросо́к; 2) да́льность броска́; расстоя́ние, на кото́рое мо́жно метну́ть диск *и т. п.*; a stone's ~ а) расстоя́ние, на кото́рое мо́жно бро́сить ка́мень; б) небольшо́е расстоя́ние; 3) риск,риско́ванное де́ло; 4) подъём (*напр., моста́*); 5) *разг.* шарф, ша́рфик; 6) *спорт.* паде́ние (*при борьбе́*); 7) гонча́рный круг; 8) *геол.* высота́ сбро́са; 9) *тех.* ход (*по́ршня, шату́на*); эксцентрисите́т, разма́х;
2. *v* (threw; thrown) 1) броса́ть, кида́ть; мета́ть; набра́сывать (*тж.* ~ on); to ~

oneself бросáться, кидáться; to ~ oneself at smb. бросáться комý-л. на шéю; to ~ oneself at the head of *разг.* вéшаться на шéю; to ~ stones at smb. швырять в когó-л. камнями; *перен.* осуждáть когó-л.; бросáть тень на чью-л. репутáцию; to ~ a glance брóсить взгляд; to ~ kisses at smb. посылáть комý-л. воздýшные поцелýи; to ~ light on the matter разъяснить вопрóс; 2) сбрáсывать (*всадника*); 3) менять (*кожу — о змее*); 4) (быстро, неожиданно) приводить (into — в *определённое состояние*); to ~ into confusion приводить в смятéние; to ~ open раскрывáть, распáхивать; 5) метáть (детёнышей), отелиться, ожеребиться *и т. п.*; 6) вертéть; крутить (*шёлк*); 7) положить на óбе лопáтки (*в борьбé*); 8) *спорт. разг.* проигрáть (*по небрежности или нарóчно*); 9) навести (*мост*); 10) *воен.* быстро передвигáть, перебрáсывать (*войскá*); □ ~ about a) разбрáсывать;б) трáтить зря; ~ aside отбрáсывать, отстранять; ~ away а) бросáть, отбрáсывать; б) трáтить зря; ~ back а) отбрáсывать назáд; б) замедлять развитие; в) (рéзко) отвергáть; ~ down а) сбрáсывать; бросáть; to ~ oneself down брóситься, лечь на зéмлю; to ~ down one's arms сдавáться; to ~ down one's tools забастовáть; б) сносить, разрушáть (*здáние*); в) ниспровергáть; г) *хим.* осаждáть; д) *амер.* отклонять (*предложéние и т. п.*); отвергáть; to ~ down one's brief *юр.* откáзываться от дальнéйшего ведéния дéла; ~ in а) добавлять, вставлять (*замечáние*); б) *тех.* включáть; в) бросáть (*в крикете*); ~ off а) отвергáть; б) свергáть; в) сбрáсывать; избавляться; to ~ off an illness попрáвиться, вылечиться; г) извергáть; д) легкó и быстро набросáть (*эпигрáмму и т. п.*); е) *охот.* спускáть собáк; ж) начинáть (*что-либо*); з) *разг.* сказáть невзначáй; сдéлать остроýмное замечáние; и) *тех.* выключáть; ~ on а) накинуть, надéть (*пальтó и т. п.*); б) подбрáсывать, подбавлять; to ~ on coals подбрáсывать ýголь (*в тóпку*); ~ out а) выбрáсывать; б) выгонять, увольнять; в) производить, давáть; г) мимохóдом выскáзывать (*предложéние*); д) *парл.* отвергáть (*законопроéкт*); е) выводить из себя, из равновéсия; ж) *воен.* выставлять, высылáть; з) *спорт.* перегонять; и) пристрáивать; to ~ out a new wing пристрóить нóвое крылó (к здáнию); ~ over а) бросáть; покидáть (*друзéй*); б) откáзываться (*от плáна, намéрения и т. п.*); в) *тех.* переключáть; ~ together а) нáспех собирáть, компилировать; б) сводить вмéсте, стáлкивать (*о людях*); ~ up а) извергáть; *разг.* рвать; б) вскидывать (*глазá*), поднимáть (*руки*); в) возводить, быстро стрóить (*дом, баррикáды*); г) выделять, оттенять; д) бросáть, откáзываться от учáстия; е) обвинять, упрекáть, ругáть; ◇ to ~ in (one's lot) with связáть свою судьбý с *кем-л.*; разделить чью-л. судьбý; to ~ (in) a party устрóить вечеринку, задáть бал; to ~ the great cast сдéлать решительный шаг; to ~ a fit прийти в ярость; to ~ up one's cards (*или* the **sponge**) пасовáть; сдавáться; признавáть

себя побеждённым; to ~ the cap over the mill пускáться во все тяжкие; to ~ the bull *амер.* болтáть, трещáть без ýмолку; врать; to ~ a chest *разг.* выпячивать грудь; to ~ good money after bad, to ~ the handle after the blade рисковáть послéдним; упóрствовать в безнадёжном дéле; to ~ cold water on (a plan *etc.*) *см.* cold 1, ◇; to ~ smb. for a loss *амер.* затирáть когó-л.; одéрживать побéду над кем-л.

throwaway ['θrouə,wei] 1. *n* 1) реклáмное объявлéние (*вручáемое покупáтелям в магазине, рассылáемое по пóчте и т. п.*); 2) путеводитель по магазину *и т. п.*; 2. *a* низкий, брóсовый (*о цéнах*).

throw-back ['θroubæk] *n* 1) регрéсс; возврáт к прóшлому; 2) атавизм.

throw-down ['θroudaun] *n* *амер.* 1) откáз; 2) поражéние.

thrower ['θrouə] *n* 1) метáльщик; гранатомётчик; discus ~ метáтель диска, дискобóл; 2) гончáр; 3) = throwster; 4) метáтельный аппарáт.

throw-in ['θrou,in] *n* ввод мячá в игрý (*в футбóле*).

thrown [θroun] 1. *p. p. om* throw 2; 2. *a* кручёный (*шёлк и т. п.*).

throw-off ['θrou,ɔf] *n* начáло (*охóты, бегóв*).

throw-out ['θrou,aut] *n* *разг.* отбрóсы; чтó-л. ненýжное.

throwster ['θroustə] *n* *текст.* крутильщик, шёлкокрутильщик.

thru [θru:] *амер.* = through.

thrum I [θrʌm] *n* *текст.* 1) отрéзок *или* конéц нити; 2) бахромá.

thrum II [θrʌm] 1. *n* бренчáние; 2. *v* 1) бренчáть, трéнькать; 2) барабáнить пáльцами.

thrush I [θrʌʃ] *n* дрозд.

thrush II [θrʌʃ] *n* 1) *мед.* молóчница (*болéзнь*); 2) *вет.* наминка (*у лóшади*).

thrust [θrʌst] 1. *n* 1) толчóк; 2) удáр, выпад; a home ~ мéткий удáр; *перен.* éдкое замечáние; 3) опóра, упóр; 4) *тех.* осевóе давлéние; напóр, нажим; 5) *геол.* горизонтáльное *или* боковóе давлéние; надвиг; 2. *v* (thrust) 1) толкáть, тыкать; 2) колóть, пронзáть; 3) пробивáть; протискиваться, врывáться; to ~ one's way пробивáть себé дорóгу; to ~ oneself forward лезть вперёд, стáраться обратить на себя внимáние; 4) бросáть (*с силой*); □ ~ aside отáлкивать, отбрáсывать; ~ forth вытáлкивать; протáлкивать; ~ from сбрáсывать; ~ in(to) втыкáть, всóвывать, вонзáть; to ~ in a word встáвить слóво; to ~ oreself into the society of навязываться (*кому-л.*); втирáться в какóе-л. óбщество; ~ on а) втыкáть, набрóсить; ~ out выгонять, выселять; вышвырнуть; ~ through а) пронзáть; прокáлывать; б) пробивáться; ~ together сжимáть; ~ upon навязывать.

thud [θʌd] 1. *n* глухóй звук, стук (*от падéния тяжёлого тéла*); 2. *v* свалиться, шлёпнуться, бýхнуться, упáсть со стýком, с глухим шýмом.

thug [θʌg] *n* англо-инд. 1) *ист.* разбóйник-душитель (*член религиóзной сéкты* в северной Индии); 2) убийца; голово-рéз.

thuggee, thuggery ['θʌɡɪ, 'θʌɡərɪ] *n* ан-гло-инд. удушéние.

thuja ['θjuːdʒə] *n бот.* туя.

thulium ['θjuːlɪəm] *n хим.* тýлий.

thumb [θʌm] 1. *n* большóй пáлец (руки); пáлец (рукавицы); ◇ under smb.'s ~ все-цéло под влиянием или во влáсти когó-л.; под башмакóм; Tom T. мáльчик с пáльчик; ~s up! *sl.* недýрно!, подходяще!;
2. *v* 1) захватáть, загрязнить; 2) дéлать что-л. нелóвко, неуклюже; 3) *амер. разг.* остановить проезжáющий автомобиль, под-няв большóй пáлец (*тж.* ~ a ride); 4) перелистáть, просмотрéть (*журнал, книгу;* *тж.* ~ through).

thumb-index ['θʌm,ɪndeks] *n* бýквенный указáтель (*на переднем обрезе справочника, словаря и т. п.*).

thumb-mark ['θʌmmɑːk] *n* 1) след пáльцев (*на страницах книги*); 2) == thumb-print.

thumb-nail ['θʌmneɪl] 1. *n* 1) нóготь большóго пáльца; 2) что-л., имéющее раз-мéр нóгтя;
2. *a* мáленький, корóткий.

thumb-print ['θʌmprɪnt] *n* отпечáток боль-шóго пáльца (*в дактилоскопии*).

thumbscrew ['θʌmskruː] *n ист.* тиски для больших пáльцев (*орудие пытки*); 2) *тех.* винт с рифлёной голóвкой.

thumb-tack ['θʌmtæk] *амер.* 1. *n* чер-тёжная кнóпка;
2. *v* прикреплять чертёжной кнóпкой.

thumb-thumper ['θʌm,θʌmpə] *n разг.* ýличный орáтор.

thump [θʌmp] 1. *n* тяжёлый удáр (*ку-лаком, дубинкой*); глухóй звук (*удара*);
2. *v* 1) наносить тяжёлый удáр, ударять; стучáть; 2) пáдать тяжелó, с глухим шý-мом; his heart ~ed егó сéрдце глýхо билось.

thumper ['θʌmpə] *n разг.* 1) что-л. óчень большóе; 2) явная ложь.

thumping ['θʌmpɪŋ] 1. *pres. p. от* thump 2;
2. *a* громáдный, подавляющий; ~ majority явное большинствó;
3. *adv разг.* óчень; ~ good play чертóвски хорóшая пьéса.

thunder ['θʌndə] 1. *n* 1) гром; 2) грóхот, шум; 3) *pl* рéзкое осуждéние, угрóзы (*обыкн. со стороны газет, официальных лиц и т. п.*),
2. *v* 1) гремéть (*тж. в безл. оборотах*); it ~s гром гремит; 2) стучáть, колотить; 3) громить, грозить (against); метáть грóмы и мóлнии; 4) говорить громоглáсно.

thunderbolt ['θʌndəboult] *n* 1) удáр мóл-нии; *перен.* гром среди ясного нéба; to come like a ~, to be a ~ поразить, быть совершéнно неожиданным; 2) белемнит, чёртов пáлец (*остатки ископаемых мол-люсков*).

thunderclap ['θʌndəklæp] *n* удáр грóма; *перен.* неожиданное событие; ужáсная нó-вость.

thundercloud ['θʌndəklaud] *n* грозовáя тýча.

thunderer ['θʌndərə] *n* мéчущий грóмы и мóлнии; громовéржец.

thunder-head ['θʌndəhed] *n* тёмная гро-зовáя тýча.

thundering ['θʌndərɪŋ] 1. *pres. p. от* thunder 2;
2. *a* 1) громоподóбный; оглушáющий; 2) *разг.* громáдный; ~ ass ужáсный болвáн.

thunderous ['θʌndərəs] *a* 1) грозовóй, предвещáющий грозý; 2) громовóй, оглу-шительный.

thunder-peal ['θʌndəpiːl] *n* удáр или ра-скáт грóма.

thunderstorm ['θʌndəstɔːm] *n* грозá.

thunderstroke ['θʌndəstrouk] *n* удáр грóма.

thunderstruck ['θʌndəstrʌk] *a* 1) сражён-ный удáром мóлнии; 2) ошеломлённый, оглушённый; как грóмом поражённый.

thundery ['θʌndərɪ] = thunderous 1).

thurible ['θjuərɪbl] *n* кадило.

thurify ['θjuərɪfaɪ] *v* кадить.

Thursday ['θəːzdɪ] *n* четвéрг.

thus [ðʌs] *adv* 1) так, таким óбразом; поэтому (*амер. тж.* ~ and so); ~ and тáк-то и тáк-то; 2) до, до такóй стéпени; ~ far до сих пóр; ~ much стóлько; ~ much at least is clear хоть это, по крáйней мéре, ясно.

thwack [θwæk] 1. *n* (сильный) удáр;
2. *v* бить, порóть.

thwart [θwɔːt] 1. *n* 1) бáнка на гребнóй шлюпке; 2) распóр;
2. *a* 1) поперéчный; 2) несговóрчивый, упрямый; 3) неблагоприятный;
3. *v* 1) (по)мешáть исполнéнию (*жела-ний*); расстрáивать, разрушáть (*планы и т. п.*); 2) перéчить; 3) *уст.* пересекáть.

thy [ðaɪ] *pron. poss. уст.* (*употр. атри-бутивно; ср.* thine) твой.

thyme [taɪm] *n бот.* чабрéц, чебрéц.

thyroid ['θaɪrɔɪd] *анат.* 1. *n* щитовидная железá;
2. *a* щитовидный; ~ cartilage щитовид-ный хрящ; ~ gland a) щитовидная железá; б) препарáт щитовидной железы; ~ de-ficiency недостáточность щитовидной же-лезы.

thyrsi ['θəːsaɪ] *pl от* thyrsus.

thyrsus ['θəːsəs] *греч. n* (*pl* -si) *миф.* тирс, жезл Вáкха.

thyself [ðaɪ'self] *уст. pron* 1) *refl.* себя, -ся; 2) *emph.* сам, самá.

tiara [tɪ'ɑːrə] *n* тиáра.

tiara'd, tiaraed [tɪ'ɑːrəd] *a* с тиáрой на голóве.

tibia ['tɪbɪə] *лат. n* (*pl* -ae) *анат.* боль-шеберцóвая кость.

tibiae ['tɪbɪiː] *pl от* tibia.

tic [tɪk] *n мед.* тик; ~ douloureux [-du-luːˈrəː] невралгия тройничного нéрва.

ticca ['tɪkə] *a англо-инд.* наёмный.

ticca-gharry ['tɪkə,ɡærɪ] *n англо-инд.* экипáж, нáнятый по часáм.

tick I [tɪk] *n* 1) чехóл (*матраца, подушки*); 2) тик (*материя*).

tick II [tɪk] 1. *n* 1) тикáнье; 2) отмéтка, птичка, значóк «V»; 3) *разг.* мгновéние; in a ~ момéнтально, немéдленно; to (*или* on) the ~ тóчно, пунктуáльно;
2. *v* 1) тикать; 2) дéлать отмéтку, стá-вить птичку (*тж.* ~ off); □ ~ off a) от-

мечать, ставить галочку; б) *sl.* отделать, разбранить; ~ out выстукивать (*о телеграфном аппарате*); ~ over *авт.* а) работать на холостом ходу; б) перевести на малый газ.

tick III [tɪk] **1.** *n* 1) *разг.* кредит; to go (on) ~, to run (on) ~ брать в кредит; влезать в долги; to buy (to sell) on ~ покупать (продавать) в кредит; 2) счёт; **2.** *v* 1) брать в долг, на книжку; 2) отпускать в долг, на книжку.

tick IV [tɪk] *n зоол.* клещ.

ticker ['tɪkə] *n* 1) маятник; 2) *разг.* часы; 3) *шутл.* сердце; 4) *радио* тиккер; 5) *тел.* пищик, зуммер; 6) телеграфный аппарат; stock ~ *ком.* аппарат, автоматически печатающий на ленте последние биржевые новости.

ticket ['tɪkɪt] **1.** *n* 1) билет; single ~ билет в один конец; return (*или* round-trip) ~ обратный билет; open-date ~ некомпостированный билет; omnibus ~ билет на несколько человек; 2) ярлык; price ~ этикетка с ценой; 3) объявление (*о сдаче в наём*); 4) удостоверение; карточка; квитанция; pawn ~ залоговая квитанция; to get a ~ быть оштрафованным за нарушение правил уличного движения; to get one's ~ *воен. sl.* получить увольнение; ~ of discharge *воен.* увольнительное свидетельство; to work one's ~ *разг.* а) добиваться увольнения из армии, освобождения от работы (*часто нечестным путём*); б) отработать свой проезд на пароходе; 5) *амер.* список кандидатов какой-л. партии на выборах; *перен.* принципы политической партии; straight ~ избирательный бюллетень с именами кандидатов какой-л. одной партии; mixed (*или* split) ~ бюллетень с кандидатами из списков разных партий; scratch ~ бюллетень с несколькими вычеркнутыми фамилиями; to split a ~ голосовать за кандидатов из разных списков; to carry a ~ провести своих кандидатов; to be ahead (behind) of one's ~ получить наибольшее (наименьшее) количество голосов по списку своей партии; 6) *attr.* билетный; ~ scalper (*или* skinner) спекулянт билетами; ~ window *амер.* касса (*железнодорожного, воздушного или автобусного сообщения*); ◇ the ~ то, что надо; that's the ~ как раз то, что нужно; not quite the ~ не совсем то, неправильно; what's the ~? ну, каковы ваши планы?;

2. *v* 1) прикреплять ярлык; 2) *амер.* снабжать билетами.

ticket of leave ['tɪkɪtəv'liːv] *n* досрочное освобождение заключённого.

ticket-of-leave ['tɪkɪtəv'liːv] *a:* ~ man (*или* convict) досрочно освобождённый.

ticking I ['tɪkɪŋ] = tick I, 2).

ticking II ['tɪkɪŋ] *pres. p. от* tick II, 2.

ticking III ['tɪkɪŋ] *pres. p. от* tick III, 2.

tickle ['tɪkl] **1.** *n* щекотание, щекотка; **2.** *v* 1) щекотать; my nose ~s у меня щекочет в носу; 2) угождать; доставлять удовольствие;

веселить; to ~ to death a) уморить со смеху; б) угодить как нельзя лучше; до смерти обрадовать; 4) *амер.* радовать(ся); 5) ловить (*форель*) руками; ◇ to ~ the palm of smb. давать кому-л. на чай; подкупать кого-л.

tickler ['tɪklə] *n* 1) затруднение; щекотливое положение; 2) трудная задача.

ticklish ['tɪklɪʃ] *a разг.* 1) смешливый; 2) обидчивый, 3) трудный, деликатный, щекотливый; рискованный; a ~ question щекотливый вопрос.

tick-tack ['tɪk'tæk] *n* 1) тиканье, тик-так; 2) *дет.* часы, часики; 3) звук биения сердца; 4) ручная сигнализация помощника букмекера о ходе скачек.

tick-tack-toe [,tɪktæk'tou] *n* игра в крестики и нолики.

ticpolonga [,tɪkpə'lɔŋgə] *n* дабойа (*змея*).

tidal ['taɪd] *a* связанный с приливом и отливом; приливо-отливный; подверженный действию приливов; ~ boat судно, приход и отправление которого связаны с приливом; ~ river приливо-отливная река; ~ waters воды прилива; ~ wave стоячая волна; *перен.* взрыв общего чувства; волна увлечения; ~ breath количество воздуха, обмениваемого за одно дыхание.

tidbit ['tɪdbɪt] *амер.* = titbit.

tiddly-winks ['tɪdlɪwɪŋks] *n pl* игра в блошки.

tide [taɪd] **1.** *n* 1) морской прилив и отлив; high ~ полная вода; low ~ малая вода; 2) поток, течение, направление; the ~ turns события принимают иной оборот; to go with the ~ *перен.* плыть по течению; 3) *уст.* время, период; ~ of battle период боя; 4) *поэт.* поток, море; ◇ double ~s очень напряжённо, неистово; to work double ~s работать день и ночь; работать не покладая рук;

2. *v уст.* 1) плыть по течению; 2) случаться; □ ~ over a) помогать; б) преодолевать; to ~ over a difficulty преодолеть затруднение.

-tide [-taɪd] *в сложных словах означает* время года, сезон; Christmas-tide святки.

tide-gauge ['taɪdgeɪdʒ] *n гидр.* мареограф, приливомер.

tide-waiter ['taɪd,weɪtə] *n* чиновник портовой таможни.

tidewater ['taɪd,wɔːtə] *n* 1) воды прилива; 2) морской берег; 3) *attr.* приморский, прибрежный.

tideway ['taɪdweɪ] *n мор.* направление приливо-отливного течения; фарватер, подверженный приливам и отливам.

tidiness ['taɪdɪnɪs] *n* опрятность.

tidings ['taɪdɪŋz] *n pl* (*часто употр. как sing*) *уст.* новость, известие; новости, известия.

tidy ['taɪdɪ] **1.** *a* 1) опрятный, аккуратный; 2) *разг.* значительный; a ~ sum кругленькая сумма; 3) *разг.* неплохой, довольно хороший;

2. *n* 1) салфеточка (*на спинке мягкой мебели, на столе*); 2) *диал.* детский передник; 3) мешочек для лоскутов и всякой всячины;

3. *v* убира́ть, приводи́ть в поря́док (*тж.* ~ up).

tie [taɪ] **1.** *n* 1) связь, соедине́ние; у́зел; 2) *pl* у́зы; the ~s of friendship у́зы дру́жбы; 3) га́лстук; 4) завя́зка, шнуро́к; 5) *pl* полуботи́нки; 6) тягота́, обу́за; 7) ра́вный счёт (*голосо́в избира́телей или очко́в в игре́*); игра́ вничью́; матч ме́жду победи́телями предше́ствующих состяза́ний; 8) *амер.* шпа́ла; to count the ~s *sl.* идти́ по шпа́лам; 9) *муз.* ли́га; 10) *стр.* растя́нутый элеме́нт, затя́жка; 11) *тех.* связь, распо́рка; ◇ old school ~ чрезме́рная приве́рженность ме́лким ме́стным интере́сам;

2. *v* 1) завя́зывать(ся); привя́зывать (*тж.* ~ down; to ~ к *чему́-л.*); шнурова́ть (*боти́нки*); перевя́зывать (*го́лову и т. п.*; *ча́сто* ~ up); ~ it in a knot завяжи́те узло́м; 2) скрепля́ть; 3) свя́зывать, стесня́ть свобо́ду; обя́зывать (*тж.* ~ down, ~ up); ~d to (*или* for) time свя́занный вре́менем; 4) ограни́чивать усло́виями (*перехо́д иму́щества по насле́дству*); 5) сравня́ть счёт, сыгра́ть вничью́; прийти́ голова́ в го́лову (*о лошадя́х на бега́х или ска́чках*); the teams ~d кома́нды сыгра́ли вничью́; □ ~ down а) привяза́ть; б) ограни́чить свобо́ду де́йствий; ~ in а) присоедини́ть; б) связа́ться (with — с *кем-л.*); ~ up а) привяза́ть; перевяза́ть; связа́ть; I don't ~ it up э́то не вызыва́ет у меня́ никаки́х ассоциа́ций, воспомина́ний; б) ограни́чить свобо́ду де́йствий; меша́ть, препя́тствовать; to be ~d up быть свя́занным; в) совпада́ть, сходи́ться; г) объединя́ться, соединя́ть уси́лия (with); те́сно примыка́ть (with).

tie-beam ['taɪbiːm] *n* а́нкерная ба́лка.

tie-plate ['taɪpleɪt] *n тех.* 1) а́нкерная плита́; 2) ре́льсовая подкла́дка.

tier I ['taɪə] *n* 1) тот, кто (*или* то, что) свя́зывает; 2) крепле́ние; 3) де́тский фа́ртук.

tier II [tɪə] **1.** *n* 1) ряд; я́рус; 2) бу́хта (*кана́та*);

2. *v* располага́ть я́русами.

tierce [tɪəs] *n* 1) бо́чка (*ок. 200 л*); 2) те́рция (*тре́тья пози́ция или фигу́ра в фехтова́нии*); 3) *муз.* те́рция; 4) [təːs] *карт.* терц, три ка́рты одно́й ма́сти подря́д.

tiercel ['təːsəl] = tercel.

tie-up ['taɪˌʌp] *n* 1) свя́занность; 2) *амер.* связь, сою́з; 3) остано́вка, *амер. особ.* прекраще́ние движе́ния (*в результа́те забасто́вки железнодоро́жников, поло́мки маши́н и т. п.*); 4) шнуро́к.

tie-wig ['taɪwɪg] *n* пари́к, перевя́занный сза́ди ле́нтой.

tiff I [tɪf] **1.** *n* размо́лвка; сты́чка.

2. *v* слегка́ повздо́рить; наду́ться.

tiff II [tɪf] **1.** *n* глото́к спиртно́го.

2. *v* пить ме́дленно, небольши́ми глотка́ми.

tiff III [tɪf] *n мин.* кальци́т.

tiffany ['tɪfənɪ] *n текст.* шёлковый газ.

tiffin ['tɪfɪn] *англо-инд.* **1.** *n* лёгкая о́страя заку́ска (*обы́кн. блю́да с ке́рри и фру́кты*); за́втрак;

2. *v* заку́сывать, за́втракать.

tig [tɪg] **1.** *n* 1) прикоснове́ние; 2) игра́ в са́лки;

2. *v* «са́лить».

tiger ['taɪgə] *n* 1) тигр; 2) жесто́кий челове́к; си́льный проти́вник (*в те́ннисе, го́льфе*); 3) зади́ра, хулига́н; 4) *уст.* ливре́йный грум; 5) *амер. sl.* во́зглас одобре́ния.

tiger-cat ['taɪgəkæt] *n зоол.* тигро́вая ко́шка, оцело́т, серва́л.

tiger-eye ['taɪgərˌaɪ] = tiger's-eye.

tigerish ['taɪgərɪʃ] *a* свире́пый и кровожа́дный, как тигр.

tiger-moth ['taɪgəmɔθ] *n* медве́дица (*ба́бочка*).

tiger's-eye ['taɪgəzˌaɪ] *n* тигро́вый глаз (*полудрагоце́нный ка́мень*).

tight [taɪt] **1.** *a* 1) пло́тный, компа́ктный; сжа́тый; ~ fit *тех.* пло́тная приго́нка; 2) непроница́емый; 3) туго́й; ту́го натя́нутый; 4) пло́тно прилега́ющий, те́сный (*о пла́тье, о́буви*); 5) тру́дный, тяжёлый; ~ squeeze *разг.* тяжёлое *или* опа́сное положе́ние; затрудне́ние; 6) скупо́й; 7) ску́дный, недоста́точный (*о сре́дствах и т. п.*); 8) сжа́тый (*о сти́ле и т. п.*); 9) аккура́тный, опря́тный (*об оде́жде*); 10) *разг.* пья́ный; ~ as a drum (*или* a brick) мертве́цки пья́ный; ◇ to keep a ~ rein (*или* hand) on a person держа́ть кого́-л. в узде́, в ежо́вых рукави́цах, в чёрном те́ле; to get smb. in a ~ corner загна́ть кого́-л. в у́гол, прижа́ть кого́-л. к сте́нке;

2. *adv* 1) те́сно; 2) ту́го, пло́тно; 3) кре́пко; to sit ~ тве́рдо держа́ться; не сдава́ть свои́х пози́ций.

-tight [-taɪt] *в сло́жных слова́х означа́ет* непроница́емый; water-tight водонепроница́емый.

tighten ['taɪtn] *v* сжима́ть(ся); натя́гивать(ся), уплотня́ть; to ~ one's belt поту́же затяну́ть по́яс.

tightener ['taɪtnə] *n тех.* натяжно́е устро́йство.

tight-fisted ['taɪt'fɪstɪd] *a* скупо́й, ска́редный.

tight-lipped ['taɪt'lɪpt] *a* молчали́вый.

tightly ['taɪtlɪ] = tight 2.

tightness ['taɪtnɪs] *n* напряжённость; ~ in the air напряжённая атмосфе́ра.

tightrope ['taɪtroup] *n* ту́го натя́нутый кана́т; ту́го натя́нутая про́волока.

tightrope-dancer ['taɪtroup'daːnsə] *n* канатохо́дец.

tights [taɪts] *n pl* трико́.

tightwad ['taɪtwɔd] *n амер. sl.* скупе́ц, скря́га.

tigress ['taɪgrɪs] *n* тигри́ца.

tigrish ['taɪgrɪʃ] = tigerish.

tike [taɪk] = tyke.

til [tɪl] *n бот.* сеза́м, кунжу́т.

tilbury ['tɪlbərɪ] *n уст.* тильбюри́, лёгкий откры́тый двухколёсный экипа́ж.

tilde ['tɪld] *n* ти́льда, знак в словаре́ при повторе́нии сло́ва *или* его́ ча́сти (~); знак над бу́квой n, обознача́ющий мя́гкость (ñ) (*в испа́нском языке́*).

tile [taɪl] **1.** *n* 1) черепи́ца; 2) ка́фель; изразе́ц; пустоте́лый кирпи́ч; 3) *разг.* цили́ндр (*шля́па*); to fly a ~ *sl.* сбить шля́пу (*с кого́-л.*); 4) гонча́рная труба́; ◇ to have a ~ loose ≅ ви́нтика не хвата́ет; to go on the ~s *sl.* кути́ть, дебоши́рить;

2. *v* 1) крыть черепи́цей; 2) обеспе́чить та́йность (*проведения собрания и т. п.*).

tiler ['taɪlə] *n* черепи́чный ма́стер; кро́вельщик черепи́чных крыш.

tilery ['taɪlərɪ] *n* черепи́чный заво́д.

tiling ['taɪlɪŋ] 1. *pres. p. от* tile 2; 2. *n* черепи́чная кро́вля.

till I [tɪl] 1. *prep* 1) до; ~ now (then) до сих (тех) по́р; 2) до, не ра́ньше; he did not write ~ last week до про́шлой неде́ли он ничего́ не писа́л нам; 2. *cj* (до тех пор,) пока́; wait ~ I come подожди́, пока́ я приду́.

till II [tɪl] *n* де́нежный я́щик, ка́сса (*в прилавке*).

till III [tɪl] *v* возде́лывать зе́млю, паха́ть.

till IV [tɪl] *n .геол.* тиль; валу́нная гли́на.

tillable ['tɪləbl] *a с.-х.* па́хотный.

tillage ['tɪlɪdʒ] *n* 1) обрабо́тка земли́; 2) возде́ланная земля́; па́шня.

tiller I ['tɪlə] *n* 1) земледе́лец; 2) *с.-х.* культива́тор.

tiller II ['tɪlə] *n* 1) *мор.* ру́мпель; 2) *тех.* рукоя́тка.

tiller III ['tɪlə] *бот.* I. *n* побе́г; 2. *v* пуска́ть ростки́, побе́ги.

tilt I [tɪlt] 1. *n* 1) накло́н(ное положе́ние); to give a ~ наклони́ть; 2) ссо́ра, спор, сты́чка; 3) *ист.* нападе́ние с копьём напереве́с; уда́р копьём; ◇ (at) full ~ изо всех сил, по́лным хо́дом;

2. *v* 1) наклоня́ть(ся); 2) опроки́дывать(ся); отки́дывать, повора́чивать; 3) кова́ть; 4) *ист.* би́ться на ко́пьях, сража́ться на турни́ре; to ~ at (*или* against) боро́ться с (*особ. на турнире*); де́лать вы́пад; *перен.* лома́ть ко́пья.

tilt II [tɪlt] 1. *n* покры́шка, паруси́новый навес (*над телегой, лодкой, ларьком*); 2. *v* покрыва́ть паруси́новым навесом.

tilth [tɪlθ] *n* 1) обрабо́тка земли́; 2) па́шня; 3) глубина́ возде́ланного сло́я.

tilt-hammer ['tɪlt,hæmə] *n тех.* хвостово́й мо́лот.

tilt-yard ['tɪltjɑːd] *n ист.* аре́на для турни́ров.

timber ['tɪmbə] 1. *n* 1) лесоматериа́лы; строево́й лес; 2) бревно́, брус; ба́лка; 3) *разг.* спи́чка; 4) *амер.* ли́чное ка́чество, досто́инство; a man of the right sort of ~ челове́к высо́ких ка́честв; 5) *охот.* и́згородь; 6) *мор.* ти́мберс; шпанго́ут; 7) *горн.* крепёжный лес;

2. *v уст.* 1) стро́ить из де́рева; 2) пло́тничать, столя́рничать.

timbered ['tɪmbəd] 1. *p. p. от* timber 2; 2. *a* 1) деревя́нный; 2) леси́стый.

timber-headed ['tɪmbə'hedɪd] *a sl.* глу́пый, тупо́й.

timbering ['tɪmbərɪŋ] 1. *pres. p. от* timber 2; 2. *n* 1) лесоматериа́лы; 2) пло́тничество, столя́рничество; 3) *стр.* деревя́нная констру́кция, опа́лубка (*для бетонных работ*); 4) *горн.* крепь, крепле́ние.

timber-land ['tɪmbə,lænd] *n* лесны́е уча́стки.

timber-line ['tɪmbəlaɪn] *n* ве́рхняя грани́ца распростране́ния ле́са.

timber-man ['tɪmbəmən] *n* крепи́льщик.

timber-toe(s) ['tɪmbətou(z)] *n шутл.* 1) челове́к с деревя́нной ного́й; 2) челове́к с тяжёлой по́ступью.

timber-yard ['tɪmbəjɑːd] *n* лесно́й склад.

timbre [tɛ̃ːmbr] *фр. n муз.* тембр.

timbrel ['tɪmbrəl] *n* бу́бен, тамбури́н.

time [taɪm] 1. *n* 1) вре́мя; what is the ~? кото́рый час?; the ~ of day вре́мя дня, час; from ~ to ~ вре́мя от вре́мени; in ~ во́время; to be in ~ поспе́ть, прийти́ во́время; in course of ~ со вре́менем; out of ~ несвоевре́менно; to have a good ~, to make a ~ of it хорошо́ провести́ вре́мя; in good ~ то́чно, своевре́менно; to be in good ~ прийти́ во́время, ра́но; all in good ~ всё в своё вре́мя; to be in bad ~ прийти́ по́здно; to keep (good) ~ идти́ хорошо́ (*о часах*); to keep bad ~ идти́ пло́хо (*о часах*); in no ~ необыкнове́нно бы́стро, момента́льно; before ~ сли́шком ра́но; in a short ~ в ско́ром вре́мени; for a short ~ на коро́ткое вре́мя, ненадо́лго; to while away the ~ корота́ть вре́мя; ~ presses вре́мя не ждёт; пора́; to have ~ on one's hands располага́ть вре́менем; there is no ~ to lose нельзя́ теря́ть ни мину́ты; in one's own ~ в свобо́дное вре́мя; to make ~ a) найти́ вре́мя; б) наверста́ть упу́щенное; в) *амер.* прийти́ во́время, по расписа́нию; on ~ *амер.* то́чно, во́время; at one ~ не́когда; at ~s времена́ми; some ~ or other когда́-нибудь; at no ~ никогда́; at the same ~ а) в то же са́мое вре́мя; б) вме́сте с тем; тем не ме́нее; for the ~ being пока́, на вре́мя; 2) срок; it is ~ we were going нам пора́ идти́; ~ is up срок истёк; to serve one's ~ отбы́ть срок слу́жбы; б) отбы́ть срок наказа́ния; to do ~ *sl.* отбыва́ть тюре́мное заключе́ние; she is near her ~ она́ ско́ро роди́т, она́ на сно́сях; 3) (*часто pl*) эпо́ха, времена́; hard ~s тяжёлые времена́; from ~ immemorial, ~ out of mind с незапа́мятных времён; Shakespeare's ~s эпо́ха Шекспи́ра; before one's ~ до кого́-л.; до чьего́-л. рожде́ния; ~s to come бу́дущее; as ~s go по ны́нешним времена́м; before (behind) the ~s (*или* one's ~) передово́й (отста́лый) по взгля́дам; 4) рабо́чее вре́мя; пла́та за рабо́ту (*особ. повреме́нную*); to be on full ~ рабо́тать по́лную рабо́чую неде́лю; to be on short ~ рабо́тать непо́лную неде́лю; 5) жизнь, век; it will last my ~ э́того на мой век хва́тит; 6): at my ~ of life в мои́ го́ды, в моём во́зрасте; 7) раз; six ~s five is thirty шестью пять — три́дцать; ten ~s as large в де́сять раз бо́льше; after ~ раз за ра́зом; повто́рно; ~ and again неоднокра́тно; то и де́ло; ~s out of (*или* without) number бесчи́сленное коли́чество раз; many a ~ ча́сто, мно́го раз; 8) *муз.* темп; такт; to beat ~ отбива́ть такт; to keep ~ a) = to beat ~; б) выде́рживать такт; 9): ~! вре́мя! (*в боксе*); 10) *attr.* относя́щийся к определённому вре́мени; 11) *attr.* повреме́нный; ◇ it beats my ~ э́то вы́ше моего́ понима́ния; to sell ~ *амер.* предоставля́ть вре́мя для

выступле́ния по ра́дио (*за плату*); lost ~ is never found again *посл.* потерянного вре́мени не воро́тишь; one (two) at a ~ по одному́ (по́ двое); to pass (*или* to give) smb. the ~ of day здоро́ваться; обме́ниваться приве́тствиями; so that's the ~ of day! такие-то дела́!; take your ~! не спеши́те!; to mark the ~ шага́ть на ме́сте;
2. *v* 1) уда́чно выбира́ть вре́мя; рассчи́тывать (по вре́мени); приуро́чивать; to ~ to the minute рассчи́тывать до мину́ты; 2) назнача́ть вре́мя; the train ~d to leave at 6.30 по́езд, отходя́щий по расписа́нию в 6 ч. 30 м.; 3) отмеча́ть по часа́м вре́мя (*гонки, бега*), хронометри́ровать; 4) отбива́ть такт.

-time [-taɪm] *в сложных словах означает* пери́од, пора́; summer-time ле́то.

time-and-a-half ['taɪməndə'hɑːf] *n* опла́та сверхуро́чной рабо́ты в полу́торном разме́ре.

time-bargain ['taɪm,bɑːgɪn] *n бирж.* сде́лка на срок, сро́чная сде́лка.

time-bill ['taɪmbɪl] = time-table.

time bomb ['taɪm'bɔm] *n воен.* бо́мба заме́дленного де́йствия.

time-book ['taɪmbuk] = time-card.

time-card ['taɪmkɑːd] *n* ка́рточка учёта прихо́да на рабо́ту и ухо́да с рабо́ты.

time-clock ['taɪmklɔk] *n* 1) часы́-та́бель; 2) *тех.* специа́льные часы́, фикси́рующие вре́мя, затра́ченное на определённую опера́цию.

time-expired ['taɪmɪks,paɪəd] *a воен., мор.* отслужи́вший срок.

time-exposure ['taɪmɪks,pouʒə] *n фото* вы́держка.

time-fire ['taɪm,faɪə] *n воен.* дистанцио́нная стрельба́.

time-fuse ['taɪmfjuːz] *n воен.* дистанцио́нная тру́бка, дистанцио́нный взрыва́тель.

time-honoured ['taɪm,ɔnəd] *a* освящённый века́ми.

timekeeper ['taɪm,kiːpə] *n* 1) та́бельщик; 2) часы́; хроно́метр; 3) *спорт.* хрономе́трист.

timeless ['taɪmlɪs] *a* 1) несвоевре́менный; 2) не относя́щийся к определённому вре́мени; 3) *поэт.* ве́чный.

timeliness ['taɪmlɪnɪs] *n* своевре́менность.

timely ['taɪmlɪ] *a* своевре́менный.

time-office ['taɪm,ɔfɪs] *n* отде́л хронометра́жа на ша́хте.

time-out ['taɪm,aut] *n* переры́в (*в работе, спортивной игре и т. п.*).

time-outs ['taɪm,auts] *n pl* (*употр. как sing*) = time-out.

timepiece ['taɪmpiːs] *n* часы́; хроно́метр.

time-pleaser ['taɪm,pliːzə] = time-server.

timer ['taɪmə] *n* 1) хронометри́ст (*на скачках*); 2) часы́; хроно́метр; 3) *тех.* автомати́ческий прибо́р, регули́рующий продолжи́тельность опера́ции.

-timer [-,taɪmə] *в сложных словах означает* за́нятый сто́лько-то вре́мени; half--timer рабо́чий, за́нятый непо́лную неде́лю.

time-saving ['taɪm,seɪvɪŋ] *a* эконо́мя-

щий вре́мя, ускоря́ющий; ~ device *тех.* усовершенствование, даю́щее эконо́мию вре́мени.

time-server ['taɪm,sɜːvə] *n* приспособле́нец; оппортуни́ст.

time-serving ['taɪm,sɜːvɪŋ] 1. *n* приспособле́нчество; оппортуни́зм;
2. *a* приспособля́ющийся; оппортунисти́ческий; приспособле́нческий.

time-signal ['taɪm,sɪgnl] *n* сигна́л то́чного вре́мени, пове́рка вре́мени.

time-study ['taɪm,stʌdɪ] *n* хронометра́ж.

time-table ['taɪm,teɪbl] *n* расписа́ние.

time-work ['taɪmwɜːk] *n* повреме́нная рабо́та; подённая *или* почасова́я рабо́та.

time-worker ['taɪm,wɜːkə] *n* повреме́нщик; рабо́чий, за́нятый на подённой *или* почасово́й рабо́те.

time-worn ['taɪm'wɔːn] *a* 1) поно́шенный, обветша́лый; 2) ста́рый, устаре́вший.

timid ['tɪmɪd] *a* ро́бкий; засте́нчивый.

timidity [tɪ'mɪdɪtɪ] *n* ро́бость, засте́нчивость.

timing ['taɪmɪŋ] 1. *pres. p. от* time 2;
2. *n* 1) вы́бор определённого вре́мени; 2) расчёт вре́мени; 3) согласо́ванное де́йствие; синхро́нность (*тж. тех.*); 4) расписа́ние; 5) регули́рование моме́нта зажига́ния (*в двигателях внутреннего сгорания*).

timorous ['tɪmərəs] *a* ро́бкий, о́чень боязли́вый.

timothy ['tɪməθɪ] *n бот.* тимофе́евка лугова́я (*тж. ~* grass).

timpani ['tɪmpənɪ] *pl от* timpano.

timpano ['tɪmpənou] *um. n* (*pl -ni*) *муз.* тимпа́н, бу́бны.

tin [tɪn] 1. *n* 1) о́лово; 2) бе́лая жесть; 3) оловя́нная посу́да; 4) жестя́нка; консе́рвная ба́нка; ~ of sardines коро́бка сарди́н; 5) *sl.* де́ньги; бога́тство; ◇ straight from the ~ из пе́рвых рук; све́женький;
2. *a* 1) оловя́нный; 2) незначи́тельный; 3) ненастоя́щий, подде́льный; ◇ ~ Lizzie *амер. разг.* фо́рдик, дешёвый автомоби́ль; ~ wedding деся́тая годовщи́на сва́дьбы;
3. *v* 1) луди́ть, покрыва́ть о́ловом; 2) консерви́ровать.

tinct [tɪŋkt] *уст., поэт.* 1. *n* цвет, отте́нок;
2. *a* окра́шенный.

tinctorial [tɪŋk'tɔːrɪəl] *a* краси́льный.

tincture ['tɪŋktʃə] 1. *n* 1) отте́нок; при́месь (*какого-л. цвета*); 2) *фарм.* тинкту́ра, насто́йка; 3) при́вкус; при́месь; 4) *перен.* налёт;
2. *v* 1) окра́шивать; 2) пропи́тывать (with); придава́ть (*запах, вкус и т. п.*).

tinder ['tɪndə] *n* 1) трут; 2) сухо́е гнило́е де́рево.

tinder-box ['tɪndəbɔks] *n* 1) *ист.* трутни́ца (*металлическая коробка с куском трута, стали и кремнём для высекания огня*); 2) легковоспламеня́ющийся предме́т; 3) вспы́льчивый челове́к.

tindery ['tɪndərɪ] *a* легковоспламеня́ющийся.

tine [taɪn] *n* зубе́ц вил, бороны́; остриё.

tinea ['tɪnɪə] *n* 1) моль; 2) *мед.* опоя́сывающий лиша́й.

tin fish ['tɪn'fɪʃ] *n мор. sl.* торпе́да.

tin foil ['tɪn'fɔɪl] *n* оловя́нная фо́льга, станио́ль.

tin-foil ['tɪnfɔɪl] *v* покрыва́ть фо́льгой.

ting [tɪŋ] *разг. см.* tinkle.

tinge [tɪndʒ] 1. *n* 1) лёгкая окра́ска; отте́нок, тон; 2) при́вкус;
2. *v* слегка́ окра́шивать, придава́ть отте́нок.

tingle ['tɪŋgl] 1. *n* звон в уша́х; пока́лывание, пощи́пывание; колотьё;
2. *v* 1) испы́тывать звон в уша́х; испы́тывать пока́лывание (*в онемевших частях тела*), пощи́пывание (*на морозе*); зуд *и т. п.*; the reply ~d in her ears отве́т ещё звене́л в её уша́х; 2) вызыва́ть ощуще́ние колотья́, щипа́ть *и т. п.*; 3) горе́ть (with—от *стыда, негодования*); 4) дрожа́ть, трепета́ть (with—от); 5) *редк.=* tinkle 2.

tin hat ['tɪn'hæt] *n воен. sl.* стально́й шлем; ◇ to put the ~ on а) зако́нчить, довести́ до конца́; б) хвати́ть че́рез край.

tinhorn ['tɪnhɔːn] *амер. sl.* 1. *n* хвасту́н;
2. *a* показно́й, дешёвый.

tinker ['tɪŋkə] 1. *n* 1) ме́дник, луди́льщик; 2) плохо́й рабо́тник; 3) попы́тка кое-ка́к почини́ть что-л.; плоха́я рабо́та; ◇ I don't care a ~'s damn мне соверше́нно наплева́ть; not worth a ~'s damn гроша́ ло́маного не сто́ит;
2. *v* 1) луди́ть, пая́ть; 2) чини́ть кое-ка́к, на ско́рую ру́ку (*тж.* ~ up; at); to ~ at smth. чини́ть что-л., вози́ться с чем-л.

tinkle ['tɪŋkl] 1. *n* звон колоко́льчика *или* металли́ческих предме́тов друг о дру́га; зво́нканье;
2. *v* звене́ть; звони́ть; звя́кать.

tinkler I ['tɪŋklə] *n* колоко́льчик.

tinkler II ['tɪŋklə] *n* 1) ме́дник, луди́льщик (*особ. бродячий*); 2) бродя́га, цыга́н.

tinman ['tɪnmən] *n* жестя́н(щ)ик.

tinned [tɪnd] 1. *p. p. от* tin 3;
2. *a* 1) запа́янный в жестяну́ю коро́бку; консерви́рованный; ~ goods консе́рвы; 2) покры́тый сло́ем о́лова; ◇ ~ music му́зыка в механи́ческой за́писи.

tinner ['tɪnə] *n* 1) рабо́чий на оловя́нных рудника́х; 2) = tinman; 3) рабо́чий консе́рвной фа́брики.

tinnitus [tɪ'naɪtəs] *n* звон в уша́х.

tinny ['tɪnɪ] *a* 1) оловоно́сный, оловосодержа́щий; 2) име́ющий при́вкус же́сти; 3) звуча́щий, как жесть при посту́кивании; 4) *жив.* жёсткий (*о колорите*).

tin-opener ['tɪn,oupnə] *n* консе́рвный нож.

tin-pan ['tɪn,pæn] *a* металли́ческий, ре́зкий, неприя́тный (*о звуке*).

tin-pan alley ['tɪn,pæn'ælɪ] *n* а́вторы и изда́тели лёгкой му́зыки.

tin panny ['tɪn'pænɪ] = tin-pan.

tin-plate ['tɪnpleɪt] 1. *n* (бе́лая) жесть;
2. *v* луди́ть.

tinsel ['tɪnsəl] 1. *n* 1) фольга́; 2) блёстки, мишура́; 3) показно́й блеск;
2. *a* мишу́рный; показно́й;
3. *v* (*обыкн. р. р.*) украша́ть мишуро́й.

tin-smith ['tɪnsmɪθ] = tinman.

tinstone ['tɪnstoun] *n мин.* касситери́т, оловя́нный ка́мень.

tint [tɪnt] 1. *n* 1) кра́ска; отте́нок, тон; 2) сме́шанный тон, в кото́ром преоблада́ет бе́лый цвет (*в картине*);
2. *v* слегка́ окра́шивать; подцве́чивать.

tinted ['tɪntɪd] 1. *p. p. от* tint 2;
2. *a* окра́шенный; ~ paper то́новая окра́шенная бума́га; ~ glasses тёмные очки́.

tintinnabulation ['tɪntɪ,næbju'leɪʃən] *n* звон колоколо́в.

tintometer [tɪn'tɔmɪtə] *n тех.* колори́метр.

tintype ['tɪntaɪp] *n фото* ферроти́пия.

tinware ['tɪnwɛə] *n* жестяны́е изде́лия; оловя́нная посу́да.

tiny ['taɪnɪ] *a* о́чень ма́ленький, кро́шечный (*часто* ~ little).

tip I [tɪp] 1. *n* 1) то́нкий коне́ц; ко́нчик; I had it on the ~ of my tongue у меня́ э́то верте́лось на языке́; to have smth. at the ~s of one's fingers име́ть что-л. нагото́ве; to walk on the ~s of one's toes ходи́ть на цы́почках; to touch with the ~s of one's fingers слегка́ косну́ться, едва́ дотро́нуться; 2) наконе́чник (*напр., зонта*); 3) верху́шка (*горы*);
2. *v* 1) приставля́ть *или* надева́ть наконе́чник; 2) среза́ть верху́шки (*куста, дерева*); стричь (*волосы*).

tip II [tɪp] 1. *n* 1) лёгкий толчо́к, прикоснове́ние; 2) накло́н; 3) ме́сто сва́лки;
2. *v* 1) наклоня́ть(ся); the boat ~ped ло́дка накрени́лась; 2) переве́шивать; име́ть преиму́щество; to ~ the balance (*или* the scales) ⇔ склони́ть ча́шу весо́в; реши́ть исхо́д де́ла; 3) слегка́ каса́ться *или* уда́рять; 4) опроки́дывать; сва́ливать, сбра́сывать; опорожня́ть; 5) *ав.* запроки́дываться; □ ~ off налива́ть из сосу́да; ~ out выва́ливать(ся); ~ over, ~ up опроки́дывать(-ся); to ~ up a seat отки́дывать сиде́нье; ◇ to ~ over the perch ⇔ протяну́ть но́ги, умере́ть.

tip III [tɪp] 1. *n* 1) чаевы́е; to give a ~ дава́ть «на чай» [*см. тж.* 2)]; 2) намёк, сове́т; the straight ~ надёжный, хоро́ший сове́т; take my ~ послу́шайтесь меня́; to give a ~ намекну́ть [*см. тж.* 1)]; 3) све́дения, полу́ченные ча́стным о́бразом (*особ. на бега́х или в биржевы́х дела́х*); ◇ to miss one's ~ а) не дости́чь успе́ха; не доби́ться це́ли; б) *театр. sl.* пло́хо игра́ть;
2. *v* 1) дава́ть «на чай»; угоща́ть; 2) дава́ть ча́стную информа́цию; 3) *sl.* петь, исполня́ть, представля́ть; □ ~ off *разг.* предупрежда́ть; ◇ to ~ the wink сде́лать (*кому-л.*) знак укра́дкой, подмигну́ть.

tip-cart ['tɪpkɑːt] *n тех.* опроки́дывающаяся теле́жка.

tipcat ['tɪpkæt] *n* игра́ в чижи́.

tip lorry ['tɪp,lɔrɪ] *n* самосва́л.

tip-off ['tɪp,ɔːf] *n* намёк, предупрежде́ние; to give a ~ намекну́ть; во́время предупреди́ть.

tip-over ['tɪp'ouvə] *a* опроки́дывающийся.

tipper ['tɪpə] *n* опроки́дыватель, самосва́л.

tippet ['tɪpɪt] *n уст.* 1) паланти́н; 2) капюшо́н; ◇ Tyburn ~ пе́тля, верёвка (*на виселице*).

tipping I ['tıpıŋ] = ripping 2.
tipping II ['tıpıŋ] *pres. p. от* tip I,2.
tipping III ['tıpıŋ] *pres. p. от* tip II, 2.
tipping IV ['tıpıŋ] *pres. p. от* tip III, 2.
tipple I ['tıpl] **1.** *n* спиртной напиток;
2. *v* пить, пьянствовать.
tipple II ['tıpl] *амер.* 1) надшахтное
сооружение; 2) приспособление для раз-
грузки вагонов.
tippler ['tıplə] *n* пьяница.
tippy ['tıpı] *a разг.* наклоняющийся;
нетвёрдый.
tipstaff ['tıpstɑːf] *n* 1) жезл (*с металли-
ческим наконечником*) как эмблема должности помощника шерифа; 2) помощник
шерифа.
tipster ['tıpstə] *n* «жучок» (*на скачках*).
tipsy ['tıpsı] *a* подвыпивший; *a* ~ lurch
нетвёрдая походка.
tipsy-cake ['tıpsıkeık] *n* пропитанный
ромом *или* вином бисквит с вареньем и
кремом.
tiptoe ['tıptou] **1.** *n* пальцы ног; кончики
пальцев ног, цыпочки; on — а) на цыпочках; б) украдкой; в) в ожидании; to be
on ~ with curiosity сгорать от любопытства;
to keep smb. on ~ а) держать кого-л. в на-
пряжении; б) быть взыскательным, требовательным (*по отношению к подчинён-
ному*);
2. *v* 1) ходить на цыпочках; 2) красться;
3. *adv* = on — [*см.* 1].
tiptop ['tıp'tɔp] **1.** *n* высшая точка,
предел;
2. *a разг.* превосходный, первоклассный;
3. *adv разг.* превосходно.
tip-truck ['tıptrʌk] = tip lorry.
tirade ['taıreıd] *n* тирада.
tirailleur [ˌtırɑı'əː] *фр. n* снайпер.
tire I ['taıə] = tyre I.
tire II ['taıə] *уст.* **1.** *n* головной убор,
одежда;
2. *v* одевать (*кого-л.*); наряжать; украшать.
tire III ['taıə] *v* 1) утомлять(ся), уста-
вать (of — от *чего-л.*); I am ~d я устал;
2) надоедать; прискучить, наскучить.
tired I ['taıəd] **1.** *p. p. от* tire III;
2. *a* усталый, утомлённый; пресыщен-
ный; ~ out измученный, изнурённый.
tired II ['taıəd] *p. p. от* tire II, 2.
tireless ['taıəlıs] *a* неутомимый, неустан-
ный.
tiresome ['taıəsəm] *a* 1) надоедливый,
утомительный; 2) скучный.
tirewoman ['taıəˌwumən] *n* 1) *уст.* камеристка; 2) одевальщица (*в театре*).
tiring I ['taıərıŋ] **1.** *pres. p. от* tire III;
2. *a* утомительный, изнурительный.
tiring II ['taıərıŋ] *pres. p. от* tire II,2.
tiring-house ['taıərıŋhaus] = tiring-
-room.
tiring-room ['taıərıŋrum] *n уст.* арти-
стическая уборная.
tiro ['taıərou] *лат. n* (*pl* -os[-ouz]) новичок.
tirocinium [ˌtaırou'sınıəm] *лат. n* ученичество, обучение.

'tis [tız] *сокр. разг.* = it is.
tisane [tiˈzæn] = ptisan.
tissue ['tısjuː] *n* 1) *текст.* (тонкая) ткань;
2) *биол.* ткань; 3) = tissue-paper; 4) сплетение (*лжи и т. п.*).
tissue-paper ['tısjuːˌpeıpə] *n* китайская
шёлковая бумага; папиросная бумага.
tit I [tıt] *n* 1) синица; 2) *уст.* лошадёнка;
3) *уст.* девушка, женщина (*часто пренебр.*).
tit II [tıt] *n*: ~ for tat «зуб за зуб», отплата.
tit III [tıt] *разг. см.* teat.
Titan ['taıtən] *n* 1) *миф.* Титан; 2) (t.)
титан, колосс, исполин.
titanic I [taı'tænık] *a* титанический, колоссальный.
titanic II [taı'tænık] *a хим.* содержащий
титан.
titanium [taı'teınjəm] *n хим.* титан.
titbit ['tıtbıt] *n* 1) лакомый кусок;
2) пикантная новость.
tithe [taıð] **1.** *n* 1) десятая часть; 2) *разг.*
крошечка, капелька; 3) церковная деся-
тина.
2. *v* 1) уплачивать церковную десятину; 2) облагать церковной десятиной.
titian ['tıʃıən] *a* золотисто-каштановый
(*особ. о волосах*).
titillate ['tıtıleıt] *v* щекотать; приятно
возбуждать.
titivate ['tıtıveıt] *v разг.* прихорашивать
(-ся), наряжать(ся).
titlark ['tıtlɑːk] *n* луговая щеврица
(*птица*).
title ['taıtl] **1.** *n* 1) заглавие, название;
2) титул; звание; 3) право (to — на
что-л.); *юр.* право собственности (to —
на что-л.); документ, дающий право собственности; 4) *кино* надпись, титр; 5) *спорт.*
звание чемпиона; 6) = title-page;
2. *v* 1) называть, давать заглавие; 2) *кино* снабжать титрами.
titled ['taıtld] **1.** *p. p. от* title 2;
2. *a* титулованный.
title-deed ['taıtldiːd] *n* документ, уста-
навливающий право собственности.
title-holder ['taıtlˌhouldə] *n спорт.* чем-
пион.
title-page ['taıtlpeıdʒ] *n полигр.* титульный лист.
title-role ['taıtlroul] *n* заглавная роль.
titmouse ['tıtmaus] *n* синица.
titrate ['taıtreıt] *v хим.* титровать.
titter ['tıtə] **1.** *n* 1) хихиканье; 2) *sl.*
девушка, молодая женщина;
2. *v* хихикать.
tittle ['tıtl] *n* 1) малейшая частица;
чуточка; *перен.* безделица; to a ~ точь-в-
-точь, тютелька в тютельку; 2) точка, чёрточ-
ка над буквой *или* фонетическим знаком.
tittlebat ['tıtlbæt] *n* колюшка (*рыба*).
tittle-tattle ['tıtlˌtætl] **1.** *n* 1) сплетни,
болтовня, слухи; 2) сплетник;
2. *v* сплетничать, распространять слухи.
tittup ['tıtəp] **1.** *n* 1) веселье, резвость;
2) семенящая походка; 3) лёгкий галоп;
2. *v* 1) веселиться, подпрыгивать; 2) семенить ногами; 3) идти лёгким галопом
(*о лошади*).

titubate ['tɪtjubeɪt] *v уст.* 1) заика́ться, запина́ться; 2) идти́ нетвёрдой похо́дкой.

titular ['tɪtjulə] **1.** *a* 1) титуло́ванный; 2) номина́льный; 3) свя́занный с ти́тулом *или* с занима́емой до́лжностью; полага́ющийся по до́лжности;
2. *n* лицо́, номина́льно нося́щее ти́тул *или* име́ющее зва́ние.

titulary ['tɪtjulərɪ] *редк.* = titular.

tizzy I ['tɪzɪ] *n sl.* шестипе́нсовая моне́та.

tizzy II ['tɪzɪ] *n разг.* волне́ние, трево́га (*особенно по пустяка́м*); to get (*или* to work) oneself into a ~ взволнова́ться, встрево́житься.

tmesis ['tmiːsɪs] *греч. n* тме́зис (*расчлене́ние сло́жного сло́ва посре́дством вставле́ния друго́го сло́ва, напр.*: what man soever *вм.* whatsoever man).

to [tuː (*по́лная фо́рма*), tu (*редуци́рованная фо́рма, употр. пе́ред гла́сными*), tə (*редуци́рованная фо́рма, употр. пе́ред согла́сными*)] **1.** *prep* 1) *ука́зывает на направле́ние* к, в, на; the way to Moscow доро́га в Москву́; turn to the right поверни́те напра́во; I am going to the University я иду́ в университе́т; the windows look to the south о́кна выхо́дят на юг; 2) *ука́зывает на преде́л движе́ния, расстоя́ния, вре́мени, коли́чества* на, до; to climb to the top взобра́ться на верши́ну; (from Saturday) to Monday (с суббо́ты) до понеде́льника; he could be anywhere from 40 to 60 ему́ мо́жно дать и 40 и 60 лет; 3) *ука́зывает на вы́сшую сте́пень* (*то́чности, аккура́тности, ка́чества и т. п.*) в, до; to the best advantage наилу́чшим о́бразом; в са́мом вы́годном све́те; to the best of my belief наско́лько мне изве́стно; to a hair в то́чности; to the minute мину́та в мину́ту; с то́чностью до мину́ты; 4) *ука́зывает на цель де́йствия* на, для; to the rescue на по́мощь; to that end с э́той це́лью; 5) *ука́зывает на лицо́, по отноше́нию к кото́рому или в интере́сах кото́рого соверша́ется де́йствие; передаётся дат. падежо́м*: a letter to a friend письмо́ дру́гу; a party was thrown to the children де́тям устро́или пра́здник; 6) *передаётся род. падежо́м и ука́зывает на отноше́ния*: а) *ро́дственные*: he has been a good father to them он был им хоро́шим отцо́м; б) *подчине́ния по слу́жбе*: secretary to the director секрета́рь дире́ктора; assistant to the professor ассисте́нт профе́ссора; 7) *ука́зывает на результа́т, к кото́рому приво́дит да́нное де́йствие, или измене́ние состоя́ния* на, к, до; to bring to poverty довести́ до бе́дности; to fall to decay (*или* ruin) разру́шиться, прийти́ в упа́док; to fall to pieces распада́ться на куски́; (to go) from bad to worse непреры́вно ухудша́ться, станови́ться всё ху́же и ху́же; 8) *ука́зывает на принадле́жность к чему́-л. или на прикрепле́ние к чему́-л.* к; to fasten to the wall прикрепи́ть к стене́; key to the door ключ от две́ри; there is an outpatient department attached to our hospital при на́шей больни́це есть поликли́ника; 9) *ука́зывает на сравне́ние, число́вое соотноше́ние или пропо́рцию* пе́ред

к; 3 is to 4 as 6 is to 8 три отно́сится к четырём, как шесть к восьми́; ten to one he will find it out де́вять из десяти́ за то, что он э́то узна́ет; the score was 1 to 3 *спорт.* счёт был 1: 3; it was nothing to what I had expected э́то пустяки́ в сравне́нии с тем, что я ожида́л; 10) *ука́зывает на бли́зость, сосе́дство* к, в; shoulder to shoulder плечо́ к плечу́; face to face лицо́м к лицу́; they told him to his face ему́ сказа́ли пря́мо; 11) *ука́зывает на*: а) *связь ме́жду де́йствием и отве́тным де́йствием* к, на; to this he answered на э́то он отве́тил; deaf to all entreaties глух ко всем про́сьбам; б) *эмоциона́льное восприя́тие* к; to my surprise к моему́ изумле́нию; to my disappointment к моему́ разочарова́нию; в) *соотве́тствие* по, в; to one's liking по вку́су; 12) под (*аккомпанеме́нт*); в (*сопровожде́нии*); to dance to music танцева́ть под му́зыку; he sang to his guitar он пел под гита́ру;
2. *adv ука́зывает на приведе́ние в определённое состоя́ние*: shut the door to закро́йте дверь; I can't get the lid of the trunk quite to я не могу́ закры́ть кры́шку сундука́; ◇ to come to прийти́ в созна́ние; to bring to привести́ в созна́ние; to and fro взад и вперёд;
3. 1) *части́ца при инфинити́ве*; 2) *употребля́ется вме́сто подразумева́емого инфинити́ва, что́бы избежа́ть повторе́ния*: «I am sorry I can't come today», «Oh! but you have promised to» «Извини́те, но я не могу́ прийти́ сего́дня»—«Но ведь вы обеща́ли».

toad [toud] *n* 1) жа́ба; 2) отврати́тельный челове́к, га́дина; ◇ ~ in the hole бифште́кс, запечённый в те́сте; to eat smb.'s ~s быть чьим-л. прижива́льщиком.

toad-eater ['toud͵iːtə] *n* льстец, подхали́м, низкопокло́нник.

toad-eating ['toud͵iːtɪŋ] **1.** *n* низкопокло́нство;
2. *a* низкопокло́нничающий, уго́дливый, льсти́вый.

toadflax ['toudflæks] *n бот.* льня́нка.

toadstool ['toudstuːl] *n* пога́нка (*гриб*).

toady ['toudɪ] **1.** *n* подхали́м; прижива́льщик; лизоблю́д;
2. *v* льстить, низкопоклóнничать (to).

toadyism ['toudɪɪzəm] *n* 1) раболе́пство, льсти́вость; 2) прожива́ние на чужо́й счёт.

toast I [toust] **1.** *n* 1) ло́мтик хле́ба, подрумя́ненный на огне́; грено́к; 2) *уст.* подрумя́ненный хлеб в вине́; ◇ as warm as a ~ о́чень тёплый, согре́вшийся; to have smb. on ~ *sl.* име́ть кого́-л. в свое́й вла́сти;
2. *v* 1) приготовля́ть гренки́; 2) жа́рить, поджа́ривать; 3) суши́ться, гре́ться (*у огня́*); to ~ one's feet (*или* toes) греть но́ги.

toast II [toust] **1.** *n* 1) тост; предложе́ние то́ста; to drink a ~ to smb. пить за чье-л. здоро́вье; 2) лицо́, учрежде́ние, собы́тие, в честь *или* па́мять кото́рого предлага́ется тост;
2. *v* пить *или* провозглаша́ть тост за (*чье́-л.*) здоро́вье; to ~ smb. пить за кого́-л.

toaster I ['toustə] *n* прибо́р для поджа́ривания гренко́в.

toaster II ['toustə] n 1) = toast-master; 2) провозглашающий тост (*в честь кого-л.*).

toasting-fork ['toustıŋfɔ:k] n 1) длинная металлическая вилка для поджаривания хлеба на огне; 2) *шутл.* шпага.

toasting-iron ['toustıŋ,aıən] = toasting-fork.

toast-master ['toust,mɑ:stə] n лицо, которое провозглашает тосты (*на официальных приёмах*); тамада.

tobacco [tə'bækou] (*pl* -os [-ouz]) n 1) табак; 2) *attr.* табачный.

tobacco-box [tə'bækoubɔks] n табакерка.

tobacconist [tə'bækənıst] n 1) владелец табачной фабрики; 2) торговец табачными изделиями.

tobacco-pipe [tə'bækoupaıp] n (курительная) трубка.

tobacco-pouch [tə'bækoupautʃ] n кисет.

to-be [tu'bi:] 1. n будущее; 2. *a* будущий.

toboggan [tə'bɔgən] 1. n тобогган, сани; 2. *v* кататься на салазках (*особ. с горы*).

toboggan-shoot [tə'bɔgənʃu:t] = toboggan-slide.

toboggan-slide [tə'bɔgənslaıd] n гора для катания на салазках.

toby I ['toubı] n 1) пивная кружка (*изображающая толстяка в костюме XVIII в.*); 2) (Т.) учёная собака в английских кукольных театрах; 3) *sl.* зад; 4) *attr.*: collar гофрированный воротничок.

toby II ['toubı] *sl.* 1. n 1) большая дорога; 2) грабёж на большой дороге; 2. *v* грабить на большой дороге.

tobyman ['toubımən] n *sl.* грабитель, разбойник.

toccata [tə'kɑ:tə] n *муз.* токката.

tocher ['tɔkə] n *шотл.* приданое.

toco ['toukou] n *sl.* порка, наказание.

tocology [tə'kɔlədʒı] n акушерство.

to-come [tu'kʌm] n грядущее.

tocsin ['tɔksın] n 1) набат; 2) набатный колокол.

tod I [tɔd] n *диал.* лисица.

tod II [tɔd] n *уст.* куст.

today, to-day [tə'deı] 1. *adv* 1) сегодня; 2) в наши дни; 2. n сегодняшний день; the writers of ~ современные писатели.

toddle ['tɔdl] 1. n 1) ковылянье; 2) *разг.* прогулка; 3) *разг. см.* toddler; 2. *v* 1) ковылять, учиться ходить; 2) *разг.* прогуливаться, бродить; 3) уходить.

toddler ['tɔdlə] n ребёнок, начинающий ходить.

toddy ['tɔdı] n 1) тодди, пунш; 2) пальмовый сок (*особ. перебродивший*).

to-do [tə'du:] n суматоха, суета, шум.

tody ['toudı] n тоди (*птица*).

toe [tou] 1. n 1) палец на ноге (*у человека, животного, птицы*); 2) носок (*ноги, башмака, чулка*); to turn one's ~s out (in) выворачивать ноги носками наружу (внутрь); 3) нижний конец, нижняя часть (*чего-л.*); 4) передняя часть копыта; 5) *тех.* пята, подпятник; ◇ from top to ~ с головы до пят; с ног до головы; to tread on a person's ~s наступить кому'-л. на любимую мозоль; больно задеть кого-л.; задеть чьи-л. чувства; to turn up one's ~s *sl.* протянуть ноги, умереть; to be on one's ~s а) быть жизнерадостным; б) быть деятельным; в) быть решительным; 2. *v* 1) касаться, ударять носком *или* (*в гольфе*) кончиком клюшки; to ~ the line (*или* the mark, the scratch) встать на стартовую черту; стать в шеренгу; *перен.* строго придерживаться правил; подчиняться требованиям; 2) надвязывать носок (*чулка*); 3) криво забивать (*гвоздь и т. п.*); ☐ ~ in ставить носки внутрь; ~ out ставить носки врозь.

toe-cap ['toukæp] n носок (*обуви*).

toe-in ['tou,ın] n *авт.* сходимость передних колёс.

toe-nail ['touneıl] n 1) ноготь на пальце ноги; 2) косо забитый гвоздь.

toff [tɔf] n *sl.* 1) джентльмен; the ~s «сливки общества»; 2) франт.

toffee, toffy ['tɔfı] n конфета из сахара и масла; ◇ not for ~ *разг.* а) вовсе нет; б) ни за что; he can't shoot for ~ стрелок он никудышный.

toft [tɔft] n 1) *диал.* холмик; 2) *уст.* усадьба.

tog [tɔg] *sl.* 1. n (*обыкн. pl*) одежда; 2. *v* одевать.

toga ['tougə] *лат.* n 1) тога; 2) *разг.* официальная одежда.

toga'd ['tougəd] *a* 1) одетый в тогу; 2) величественный.

together [tə'geðə] *adv* 1) вместе; сообща; to get ~ а) собирать(ся); б) накоплять; в) объединяться; 2) друг с другом; compared ~ сравнивая одно с другим; the foes rushed ~ враги столкнулись; 3) подряд, непрерывно; for hours ~ часами; 4) одновременно; 5) *разг. как усил. слово после некоторых глаголов*: to add ~ прибавлять; to join ~ объединять(ся); to cooperate ~ сотрудничать; ☐ ~ with вместе с, наряду с; в добавление к.

toggery ['tɔgərı] n *разг.* одежда (*особ. специальная*); bishop's ~ епископское облачение.

toggle ['tɔgl] 1. n 1) кляп; 2) *тех.* коленчатый рычаг, колено; 3) *стр.* костыль; 4) *эл.* лягушка; 2. *v* стягивать верёвку при помощи кляпа; 3. *a тех.* коленчатый.

toggle-joint ['tɔgldʒɔınt] n *тех.* коленно-рычажное соединение.

toil [tɔıl] 1. n тяжёлый труд; 2. *v* 1) усиленно трудиться (at, on, through — над *чем-л.*); 2) с трудом идти, тащиться (*обыкн.* ~ up, ~ along).

toiler ['tɔılə] n труженик.

toilet ['tɔılıt] n 1) туалет, одевание; 2) туалет, костюм; 3) туалетный столик с. зеркалом; 4) уборная; 5) *attr.* туалетный; относящийся к туалету; ~ soap туалетное мыло; ~ water туалетная вода; ~ stall кабина в уборной.

toilet-paper ['tɔılıt,peıpə] n туалетная бумага.

toiletry ['tɔılıtrı] n *амер.* принадлежности туалета.

toilet-service ['tɔɪlɪt,sɛːvɪs] = toilet-set.

toilet-set ['tɔɪlɪtset] *n* туалётный прибóр.

toilette [twɑːˈlet] *фр.* = toilet 1) *и* 2).

toiletware ['tɔɪlɪtwɛə] *n* кувшины, тазы.

toilful ['tɔɪlful] *a* трýдный.

toilless ['tɔɪlɪs] *a* лёгкий, нетрýдный.

toils [tɔɪlz] *n pl* 1) сеть, тенёта; 2) *перен.* ловýшка; taken (*или* caught) in the ~ а) пóймаиный; б) очарóванный.

toilsome ['tɔɪlsəm] *a* трýдный, утомительный.

toil-worn ['tɔɪl'wɔːn] *a* изнурённый тяжёлым трудóм.

Tokay [tou'kei] *n* токáйское (винó).

toke [touk] *n sl.* пища, едá.

token ['toukən] *n* 1) знак; in ~ of respect в знак уважéния; 2) примéта, признак; 3) подáрок на пáмять; 4) талóн, жетóн; 5) опознавáтельный знак; •6) *attr.* имéющий видимость, подóбие (*чего-л.*); кáжущийся; ~ smile подóбие улыбки; ~ resistance видимость сопротивлéния; 7) *attr.* предварительный; ~ payment задáток; ~ vote *парл.* голосовáние ассигновáния с дальнéйшим уточнéнием сýммы; ◇ by the same ~, by this ~, (more) by ~ к томý же; крóме тогó; и ещё лишнее доказáтельство тогó, что; ~ money *фин.* биллóнные дéньги.

toko ['toukou] = toco.

tokology [tə'kɔlədʒɪ] = tocology.

tola ['toulɑː] *n* единица вéса в Индии (=*180 гран*).

tolbooth ['tɔlbuːθ] = tollbooth.

told [tould] *past и p. p. om* tell.

tolerable ['tɔlərəbl] *a* 1) снóсный; терпимый; 2) удовлетворительный, довóльно хорóший; 3) *разг.* чýвствующий себя вполнé удовлетворительно.

tolerance ['tɔlərəns] *n* 1) терпимость; 2) *фин.* допустимое отклонéние от стандáртного размéра и вéса монéты; 3) *тех.* дóпуск; 4) *мед.* толерáнтность.

tolerant ['tɔlərənt] *a* 1) терпимый; 2) *мед.* толерáнтный.

tolerate ['tɔləreit] *v* 1) терпéть, выносить; 2) допускáть, дозволять; 3) быть терпимым; 4) *мед.* быть толерáнтным.

toleration [,tɔlə'reiʃən] *n* терпимость.

toll I [toul] **1.** *n* 1) (колокóльный) звон; блáговест; 2) погребáльный звон; **2.** *v* 1) мéдленно и мéрно ударять в кóлокол, блáговестить; 2) звонить по покóйнику; 3) отбивáть часы.

toll II [toul] **1.** *n* 1) пóшлина; *перен.* дань; 2) плáта за междугорóдный телефóнный разговóр, проéзд по желéзной дорóге *и т. п.*; 3) прáво взимáния пóшлины *и т. п.*; 4) удержáние (*мéльником*) чáсти зернá за помóл; to take ~ of удéрживать часть (*чего-л.*); *перен.* отражáться на (*здорóвье и т. п.*); наносить тяжёлый урóн (*чему-л.*); 5) *воен.* количество потéрь; heavy ~ большие потéри; ◇ road ~ несчáстные случаи в результáте дорóжных происшéствий; **2.** *v редк.* 1) взимáть пóшлину *и т. п.*; 2) уплáчивать пóшлину *и т. п.*

tollable ['touləbl] *a* подлежáщий пóшлине, облагáемый пóшлиной.

tollage ['toulɪdʒ] *n* 1) взимáние пóшлины *и т. п.*; 2) уплáта пóшлины, сбóра; 3) размéр пóшлины, сбóра.

toll-bar ['toulbɑː] *n* застáва, шлагбáум, где взимáется сбор.

tollbooth ['tɔlbuːθ] *n* шотл. уст. городскáя тюрьмá.

toll call ['toul'kɔːl] *n* 1) телефóнный разговóр с пригородом; 2) *амер.* междугорóдный телефóнный разговóр.

toller I ['toulə] *n* 1) звонáрь; 2) кóлокол.

toller II ['toulə] *n редк.* сбóрщик пóшлин.

toll-gate ['toulgeit] = toll-bar.

tollhouse ['toulhaus] *n* контóра у застáвы, где взимáется дорóжный сбор.

toll line ['toul'lain] *n* 1) пригородная телефóнная линия; 2) *амер.* междугорóдная телефóнная линия.

tollman ['toulmən] *n* сбóрщик пóшлины, налóгов.

tol-lol [,tɔl'lɔl] *a разг.* снóсный; тáк себе.

tolly ['tɔli] *n школ. sl.* свечá.

toluene ['tɔljuːin] *n хим.* толуóл.

Tom [tɔm] *n* 1): ~, Dick and Harry а) всякий, кáждый, пéрвый встрéчный; б) обыкновéнные, срéдние люди; 2) *название большóго кóлокола или орýдия, напр.*: Long ~ *ист.* «длинный Том»; 3) *в названиях спиртных напитков, напр.*: Old ~ крéпкий джин.

tom- [tɔm-] *в названиях животных и птиц означает самца, напр.*: tom-cat кот; tom-turkey индюк.

tomahawk ['tɔməhɔːk] **1.** *n* томагáвк; ◇ to bury the ~ заключить мир; **2.** *v* 1) бить *или* убивáть томагáвком; 2) жестóко критиковáть.

toman [tou'mɑːn] *перс. n* тумáн (*или* томáн) (*ирáнская монéта*).

tomato [tə'mɑːtou] *n* (*pl* -oes [-ouz]) помидóр, томáт(ы).

tomb [tuːm] **1.** *n* 1) могила; the ~ смерть; 2) надгрóбный пáмятник; **2.** *v* хоронить, класть в могилу.

tombac, tombak ['tɔmbæk] *n* томпáк, мéдно-цинковый сплав.

tombola ['tɔmbələ] *ит. n* вид лотерéи (*где разыгрываются бездéлушки*).

tomboy ['tɔmbɔi] *n* дéвочка с мальчишескими ухвáтками, сорванéц.

tombstone ['tuːmstoun] *n* надгрóбный пáмятник, надгрóбная плитá.

tom-cat ['tɔm'kæt] *n* кот.

tome [toum] *n* том, большáя книга.

tomfool ['tɔm'fuːl] **1.** *n* 1) дурáк; 2) шут; **2.** *v* валять дурака.

tomfoolery [tɔm'fuːləri] *n* 1) дурáчества; шутовствó; 2) ерундá, чепухá.

tomjon ['tɔmdʒɔn] = tonjon.

tommy ['tɔmi] *n* 1) солдáт, рядовóй (*прозвище английского солдáта; тж.* Т., T. Atkins); 2) *разг.* пища; 3) *мор. разг.* хлеб; soft ~ свéжий, мягкий хлеб; 4) товáры, выдавáемые рабóчему вмéсто дéнег; 5) *тех.* рýчка.

tommy-bar ['tɔmibɑː] *n тех.* рычáг.

tommy-gun ['tɔmigʌn] *n воен.* пистолéт-пулемёт.

tommy rot ['tɔmɪ'rɔt] *n разг.* вздор, чепуха́.

tommy-shop ['tɔmɪʃɔp] *n* ла́вка, принадлежа́щая хозя́ину заво́да, где за́работная пла́та рабо́чим принуди́тельно выдаётся това́рами.

tomnoddy ['tɔm,nɔdɪ] *n* проста́к, дура́к.

tomorrow, to-morrow [tə'mɔrou] **1.** *adv* за́втра;
2. *n* 1) за́втрашний день; 2) *attr.* за́втрашний; ~ morning за́втра у́тром.

tomtit ['tɔm'tɪt] *n* 1) сини́ца; 2) малы́ш, кро́шка.

tomtom ['tɔmtɔm] *n* 1) тамта́м (*примитивный барабан*); 2) гонг.

ton I [tʌn] *n* 1) то́нна (*мера веса, мера вместимости или объёма*); long ~, gross ~ дли́нная то́нна (=*1016 кг*); metric ~ метри́ческая то́нна (=*1000 кг*); short (*или* net) ~ коро́ткая то́нна (= *907,2 кг*); displacement ~ то́нна водоизмеще́ния (=*весу 35 футов³ воды*); freight ~ фрахто́вая то́нна (=*1,12 м³*); register ~ регистро́вая то́нна (=*2,83 м³*); 2) *разг.* ма́сса; ~s of people ма́сса наро́да.

ton II [tɔːŋ] *фр. n* мо́да, стиль.

tonality [tou'nælɪtɪ] *n* тона́льность.

tone [toun] **1.** *n* 1) тон; deep (thin) ~ ни́зкий (высо́кий) тон; heart ~s *мед.* то́ны се́рдца; 2) тон, выраже́ние; стиль; to give ~ (to), to set the ~ придава́ть хара́ктер; задава́ть тон; 3) о́бщая атмосфе́ра, мора́льная обстано́вка; 4) интона́ция, модуля́ция (*голоса*); ударе́ние; 5) настрое́ние; 6) *мед.* то́нус; to give ~ придава́ть си́лы; 7) *жив.* града́ция тоно́в; преоблада́ющий тон;
2. *v* 1) придава́ть жела́тельный тон (*звуку или краске*); изменя́ть (*тон, цвет*); 2) настра́ивать (*муз. инструмент*); 3) гармони́ровать (*тж.* ~ in with); ☐ ~ **down** смягча́ть (*краски, выражение*); смягча́ться, ослабева́ть; ~ **up** уси́ливать, повыша́ть тон (*чего-л.*).

tone-arm ['toun,ɑːm] *n* звукоснима́тель прои́грывателя.

toneless ['tounlɪs] *a* невырази́тельный; равноду́шный.

tonga ['tɔŋgə] *n англо-инд.* лёгкая двуко́лка.

tongs [tɔŋz] *n pl* 1) щипцы́; клещи́; 2) *уст. разг.* брюки, спецо́вка, рабо́чий комбинезо́н; ◇ I wouldn't touch him with a pair of ~ ≅ я не хочу́ име́ть с ним никако́го де́ла.

tongue [tʌŋ] *n* 1) язы́к; furred (*или* dirty, foul, coated) ~ обло́женный язы́к (*у больного*); to put out one's ~ пока́зывать язы́к (*врачу или из озорства*); his ~ failed him у него́ отня́лся язы́к; 2) язы́к (*речь*); the mother ~ родно́й язы́к; 3) речь, мане́ра говори́ть; glib ~ бо́йкая речь; 4) язы́к (*как кушанье*); smoked ~ копчёный язы́к; 5) что-л., име́ющее фо́рму языка́, напомина́ющее язы́к, *напр.*, язы́к пла́мени, ко́локола; язычо́к (*духового инструмента, обуви*); 6) *геогр.* коса́; 7) стре́лка весо́в; 8) *тех.* шпунт, шип; 9) ды́шло; 10) *ж.-д.* остря́к стре́лки; ◇ to give ~ а) говори́ть, выска́зываться; б) подава́ть го́лос (*о со-*

бака́х *на охоте*); to have too much ~ ≅ что на уме́, то и на языке́; to speak with one's ~ in one's cheek, to put one's ~ in one's cheek a) говори́ть неискренне; б) говори́ть с насме́шкой, ирони́чески; he has a ready ~ он за сло́вом в карма́н не поле́зет; to find one's ~ сно́ва заговори́ть; (сно́ва) обрести́ дар ре́чи; to hold one's ~, to keep a still ~ in one's head молча́ть; to keep a civil ~ in one's head быть ве́жливым, учти́вым; his ~ is too long for his teeth у него́ сли́шком дли́нный язы́к; to oil one's ~ льстить.

tongue-in-cheek ['tʌŋɪn'tʃiːk] *a* неи́скренний; насме́шливый; ~ candour напуска́я открове́нность.

tongue-tacked ['tʌŋtækt] = tongue-tied.

tongue-tied ['tʌŋtaɪd] *a* 1) косноязы́чный; 2) не уме́ющий вы́сказать, вы́разить (*свои мысли и т. п.*).

tonic ['tɔnɪk] **1.** *n* 1) *мед.* тонизи́рующее, укрепля́ющее сре́дство; 2) *муз.* основно́й тон;
2. *a* 1) *мед.* тонизи́рующий, укрепля́ющий; 2) *муз.* тони́ческий.

tonight, to-night [tə'naɪt] **1.** *adv* сего́дня ве́чером (*реже* но́чью);
2. *n* сего́дняшний ве́чер, наступа́ющая ночь.

tonjon ['tɔndʒɔn] *n англо-инд.* паланки́н.

tonk [tɔŋk] *v sl.* 1) си́льно уда́рить; 2) легко́ одоле́ть.

tonkin ['tɔnkɪn] *n* наибо́лее кре́пкий бамбу́к.

tonnage ['tʌnɪdʒ] *n* 1) тонна́ж; грузовмести́мость; 2) корабе́льный сбор, грузова́я по́шлина.

tonne [tʌn] *n* метри́ческая то́нна (= *1000 кг*).

-tonner [-'tʌnə] *в сложных словах* означа́ет водоизмеще́нием во сто́лько-то тонн; two-thousand-tonner водоизмеще́нием в две ты́сячи тонн.

tonometer [tou'nɔmɪtə] *n* 1) *муз.* камерто́н; 2) *мед.* прибо́р для измере́ния кровяно́го давле́ния, тоно́метр.

tonsil ['tɔnsl] *n* миндалеви́дная железа́.

tonsillitis [,tɔnsɪ'laɪtɪs] *n мед.* воспале́ние минда́лин, тонзилли́т.

tonsure ['tɔnʃə] **1.** *n* тонзу́ра;
2. *v* выбрива́ть тонзу́ру.

tontine [tɔn'tiːn] *ит. n фин.* тонти́на.

tony ['tounɪ] *a амер. разг.* изы́сканный, фешене́бельный; аристократи́чный.

too [tuː] *adv* 1) сли́шком; ~ good to be true невероя́тно, сли́шком хорошо́, что́бы мо́жно бы́ло пове́рить; it is ~ much (of a good thing) ≅ хоро́шенького понемно́жку; э́то уже́ чересчу́р; none ~ pleasant не сли́шком прия́тный; 2) о́чень; ~ bad о́чень жаль; I am only ~ glad я о́чень, о́чень рад; 3) та́кже, то́же; к тому́ же; won't you come ~? не придёте ли и вы?; 4) действи́тельно; they say he is the best student. And he is ~ говоря́т, он лу́чший студе́нт, и э́то действи́тельно так.

took [tuk] *past от* take 1.

tool [tuːl] **1.** *n* 1) рабо́чий (ручно́й) инструме́нт; резе́ц; 2) ору́дие (*в чьих-л.*

рука́х); 3) стано́к; ◇ to sharpen one's ~s
гото́виться, подгота́вливаться; to play with
edged ~s ≅ игра́ть с огнём; a bad workman
quarrels with his ~s *посл.* ≅ ма́стер глуп,
нож туп; у плохо́го ма́стера всегда́ инстру-
ме́нт винова́т;
2. *v* 1) де́йствовать (*ору́дием, инстру-
ме́нтом*); 2) обтёсывать (*ка́мень*); обраба́-
тывать резцо́м (*мета́лл*); 3) обору́довать;
4) вытисня́ть узо́р (*на переплёте, ко́же
и т. п.*); 5) *разг.* е́хать в экипа́же; 6) *разг.*
везти́ в экипа́же.

tooled [tuːld] 1. *p. p. от* tool 2;
2. *a тех.* 1) механи́чески обрабо́танный;
2) обору́дованный (*инструме́нтами*); 3) на-
ла́женный (*стано́к*).

tooling ['tuːlɪŋ] 1. *pres. p. от* tool 2;
2. *n* механи́ческая обрабо́тка.

toolroom ['tuːlrum] *n* инструмента́льный
цех.

toon [tuːn] *n* инди́йское кра́сное де́рево.

toot [tuːt] 1. *n* 1) звук ро́га, гудо́к;
2) *амер.* кутёж, весе́лье.
2. *v* труби́ть в рог *или* в рожо́к, дава́ть
гудо́к; ◇ to ~ one's horn *амер.* бахва́лить-
ся, занима́ться саморекла́мой.

tooth [tuːθ] 1. *n* (*pl* teeth) 1) зуб; crown
(neck) of the ~ коро́нка (ше́йка) зу́ба;
fang (*или* root) of the ~ ко́рень зу́ба; natural teeth «свои́», не вставны́е зу́бы; a loose ~
шата́ющийся зуб; he cut a ~ у него́ про-
ре́зался зуб; to set (*или* to clench) one's
teeth сти́снуть зу́бы; to pull a ~ out вы́дер-
нуть зуб; *перен.* обезору́жить, сде́лать без-
защи́тным; I had my ~ out мне вы́дернули
зуб; 2) *тех.* зуб, зубе́ц; ◇ to show one's
teeth ≅ пока́зывать ко́гти; говори́ть угро-
жа́ющим то́ном; огрыза́ться; ~ and nail изо
всех сил; to go at it ~ and nail энерги́чно
приня́ться за что-л.; to get one's teeth into
smth. горячо́ взя́ться за что-л.; to cast in
smb.'s teeth броса́ть в лицо́ (упрёк); in the
teeth of напереко́р, вопреки́; in the teeth of
the wind про́тив ве́тра; fed to the teeth ≅
сыт по го́рло; надое́ло, осточерте́ло; to set
smb.'s teeth on edge вызыва́ть у кого́-л.
отвраще́ние; броса́ть кого́-л. в дрожь; to
have a sweet ~ быть сласте́ной;
2. *v* 1) нареза́ть зубцы́; 2) зацепля́ть(ся).

toothache ['tuːθeɪk] *n* зубна́я боль.

tooth-brush ['tuːθbrʌʃ] *n* зубна́я щётка.

tooth-comb ['tuːθkoum] 1. *n* ча́стый гре́-
бень;
2. *v* расчёсывать ча́стым гребнём.

toothed [tuːθt] 1. *p. p. от* tooth 2;
2. *a* 1) име́ющий зу́бы; 2) зубча́тый.

toother ['tuːθə] *n разг.* уда́р в зу́бы.

toothful ['tuːθful] *n* глото́к спиртно́го.

toothing ['tuːθɪŋ] 1. *pres. p. от* tooth 2;
2. *n тех.* зубча́тое зацепле́ние, зубча́тый
вене́ц.

toothless ['tuːθlɪs] *a* беззу́бый.

tooth-paste ['tuːθpeɪst] *n* зубна́я па́ста.

toothpick ['tuːθpɪk] *n* 1) зубочи́стка; 2)
разг. дуби́нка.

tooth-powder ['tuːθ,paudə] *n* зубно́й по-
рошо́к.

toothsome ['tuːθsəm] *a* прия́тный на
вкус.

tootle ['tuːtl] 1. *n* 1) звук трубы́, фле́йты
и т. п.; 2) болтовня́, пустосло́вие;
2. *v* 1) издава́ть негро́мкие зву́ки, не-
гро́мко труби́ть, игра́ть на фле́йте; 2) пи-
са́ть многосло́вно.

tootsy(-wootsy) ['tuːtsɪ('wuːtsɪ)] *n дет.*
но́жка.

top I [tɔp] 1. *n* 1) верху́шка, верши́на
(*горы́*); маку́шка (*головы́, де́рева*); 2) ве́рх-
ний коне́ц, ве́рхняя пове́рхность; верх
(*экипа́жа, ле́стницы, страни́цы*); кры́шка
(*кастрю́ли*); ве́рхний обре́з (*кни́ги*); гре́-
бень (*плоти́ны*); ~ of milk пе́нка молока́;
from ~ to toe с ног до головы́; с головы́ до
пят; from ~ to bottom све́рху до́низу;
3) (*обыкн. pl*) ботва́ (*корнепло́дов*); 4) шпиц,
шпиль; 5) вы́сшее, пе́рвое ме́сто; the ~ of
the class пе́рвый учени́к (*в кла́ссе*); to come
out on ~ а) победи́ть в состяза́нии, вы́йти
на пе́рвое ме́сто; б) преуспева́ть в жи́зни;
to come (*или* to rise) to the ~ всплыть на
пове́рхность; *перен.* отличи́ться; to take
the ~ of the table сиде́ть во главе́ стола́;
6) вы́сшая ступе́нь, вы́сшая сте́пень; вы́с-
шее напряже́ние; at the ~ of one's voice
(speed) во весь го́лос (опо́р); 7) *pl* отворо́ты
(*сапо́г*); высо́кие сапоги́ с отворо́тами;
8) *pl карт.* две ста́ршие ка́рты како́й-л.
ма́сти (*в бри́дже*); 9) *горн.* кро́вля (*пласта́*);
у́стье ша́хты; 10) *мета́л.* колошни́к; 11)
мор. марс; ◇ (a little bit) off the ~ не в
своём уме́; to go over the ~ а) *воен.* идти́ в
ата́ку; б) сде́лать реши́тельный шаг; нача́ть
реши́тельно де́йствовать; on ~ of everything еще в доба́вление ко всему́; be (*или*
to sit) on ~ of the world быть на седьмо́м не́бе.
2. *a* 1) ве́рхний; the ~ shelf ве́рхняя
по́лка; 2) наивы́сший, максима́льный; ~
speed са́мая больша́я ско́рость; ~ price
са́мая высо́кая цена́; 3) са́мый гла́вный;
~ men лю́ди, занима́ющие гла́венствующее
положе́ние; ◇ ~ secret соверше́нно секре́т-
но;
3. *v* 1) покрыва́ть (*све́рху*); снабжа́ть
верху́шкой, ку́полом *и т. п.*; the mountain
was ~ped with snow верши́на горы́ была́ по-
кры́та сне́гом; to ~ one's fruit «закра́ши-
вать» фру́кты (*т. е. укла́дывать наверх
лу́чшие*); 2) подня́ться на верши́ну; пере-
вали́ть (*че́рез го́ру*); перепры́гнуть (*че́рез
что-л.*); 3) покрыва́ть (*но́вой кра́ской
и т. п.*); 4) уве́нчивать, доводи́ть до со-
верше́нства; to ~ one's part прекра́сно
сыгра́ть свою́ роль; 5) превосходи́ть; быть
во главе́, быть пе́рвым; this picture ~s all
I have ever seen э́та карти́на — лу́чшее из
того́, что я когда́-либо ви́дел; 6) превы-
ша́ть; достига́ть како́й-л. величины́, ве́са
и т. п.; he ~s his father by a head он на
це́лую го́лову вы́ше отца́; he ~s six feet он
шести́ фу́тов ро́стом; 7) обреза́ть верху́шку
(*де́рева и т. п.; тж.* ~ up); 8) *разг.* обез-
гла́вить, пове́сить (*тж.* ~ up); 9) *с.-х.*
покрыва́ть; □ ~ off а) отде́лывать; укра-
ша́ть; б) зака́нчивать, заверша́ть; they
~ped off their dinner with fruit в конце́
обе́да бы́ли по́даны фру́кты.

top II [tɔp] *n* волчо́к (*игру́шка*); the ~
sleeps, the ~ is asleep волчо́к ве́ртится так,

что враще́ние его́ незаме́тно; ◊ to sleep like a ~ кре́пко спать; спать мёртвым сном; old ~ старина́, дружи́ще.

topaz ['toupæz] *n* топа́з.

top-boot ['tɔp'buːt] *n* высо́кий сапо́г с отворо́том.

topcoat ['tɔp'kout] *n* пальто́.

top-drawer ['tɔp,drɔːə] *a разг.* принадлежа́щий к вы́сшему о́бществу; великоле́пный, первокла́ссный.

top-dress ['tɔp'dres] *v* 1) *с.-х.* пове́рхностно вноси́ть удобре́ние; 2) подходи́ть пове́рхностно (*к чему́-л.*).

tope I [toup] *n* се́рая аку́ла.

tope II [toup] *v редк.* пья́нствовать.

tope III [toup] *n англо-инд.* ро́ща (*преим.* ма́нговая).

topee [tou'piː] = topi.

toper ['toupə] *n* пья́ница.

topflight ['tɔpflait] *a амер.* высокопоста́вленный, вы́сший, руководя́щий (*о должностном лице*).

topfull ['tɔp'ful] *a* по́лный до краёв, до́верху.

topgallant [tɔp'gælənt] **1.** *n* 1) *мор.* брам-сте́ньга, бра́мсель; 2) *перен.* верх, вы́сшая то́чка; зени́т;
2. *a перен.* возвы́шенный.

top gas ['tɔp'gæs] *n метал.* колошнико́вый газ.

top hat ['tɔp'hæt] *n* цили́ндр (*шляпа*).

top-heavy ['tɔp'hevi] *a* 1) переве́шивающий в свое́й ве́рхней ча́сти; неусто́йчивый; 2) *разг.* вы́пивший.

tophi ['toufai] *pl om* tophus.

top-hole ['tɔp'houl] *a разг.* первокла́ссный, превосхо́дный.

tophus ['toufəs] *n* (*pl* tophi) *мед.* 1) пода́гри́ческие отложе́ния в суста́вах; 2) отложе́ние виннока́менной кислоты́ на зуба́х.

topi ['toupi] *n англо-инд.* тропи́ческий шлем (*от со́лнца*).

topiary ['toupjəri] **1.** *n* 1) иску́сство фигу́рной стри́жки садо́вых дере́вьев; 2) сад с подстри́женными дере́вьями;
2. *a:* ~ art = 1,1); ~ garden = 1,2).

topic ['tɔpik] *n* те́ма, предме́т; the ~ of the day злободне́вная те́ма.

topical ['tɔpikəl] *a* 1) ме́стный (*тж. мед.*); име́ющий лишь ме́стное *или* вре́менное значе́ние; 2) темати́ческий; 3) актуа́льный, животрепе́щущий.

topicality [,tɔpi'kæliti] *n* актуа́льность.

topknot ['tɔpnɔt] *n* 1) пучо́к пе́рьев, лент; 2) чуб, хохоло́к (*на голове*); 3) *разг.* голова́; 4) вид ка́мбалы.

top level ['tɔp'levl] *n:* negotiations at ~ перегово́ры на са́мом высо́ком у́ровне.

top-light ['tɔplait] *n мор.* то́повый (*или* флагма́нский) ого́нь.

top liner ['tɔp'lainə] *n амер.* популя́рный актёр, «звезда́».

toplofty ['tɔp'lɔfti] *a разг., шутл.* презри́тельный; зано́счивый, напы́щенный.

topmast ['tɔpmɑːst] *n мор.* сте́ньга.

topmost ['tɔpmoust] *a* 1) са́мый ве́рхний; 2) са́мый ва́жный.

top-notch ['tɔp'nɔtʃ] **1.** *n* наивы́сшая

то́чка (*чего-л.*); he is a ~ above his fellows он гора́здо вы́ше свои́х това́рищей;
2. *a* превосхо́дный, первокла́ссный.

topographer [tə'pɔgrəfə] *n* топо́граф.

topography [tə'pɔgrəfi] *n* топогра́фия.

toponymy [tə'pɔnimi] *n геогр., лингв.* топони́мия.

topper ['tɔpə] *n разг.* 1) цили́ндр (*шляпа*); 2) то, что лежи́т наверху́ корзи́ны, я́щика (*обыкн. о фру́ктах*); 3) превосхо́дный челове́к; превосхо́дная вещь; 4) широ́кое да́мское пальто́.

topping ['tɔpiŋ] **1.** *pres. p. om* top I, 3;
2. *n* 1) верху́шка, ве́рхняя часть; 2) удале́ние верху́шки (*дерева*), прощи́пывание (*растения*); 3) *pl* ча́сти, сре́занные с верху́шки (*дерева и т. п.*); 4) *тех.* оде́жда (*дороги*);
3. *a* 1) вздыма́ющийся; 2) главе́нствующий, пе́рвенствующий; 3) *разг.* превосхо́дный; 4) *амер.* высокоме́рный; ◊ ~ cheat *sl.* ви́селица; ~ cove *sl.* пала́ч.

toppingly ['tɔpiŋli] *adv разг.* великоле́пно, превосхо́дно.

topple ['tɔpl] *v* 1) вали́ться, па́дать (голово́й вниз); опроки́дывать(ся) (*часто* ~ over, ~ down); 2) грози́ть паде́нием.

tops [tɔps] **1.** *n pl* верху́шка, «сли́вки о́бщества»;
2. *a predic. разг.* прекра́сный, великоле́пный, отли́чный.

topsail ['tɔpsl] *n мор.* ма́рсель.

top-sawyer ['tɔp,sɔːjə] *n* 1) ве́рхний из двух пи́льщиков; 2) челове́к, занима́ющий высо́кое положе́ние.

top sergeant ['tɔp'sɑːdʒənt] *n амер. воен. разг.* старшина́ ро́ты.

topside ['tɔp'said] *adv* 1) на па́лубе; 2) в главе́нствующей ро́ли.

top-soil ['tɔp,sɔil] *n с.-х.* па́хотный слой по́чвы.

topsyturvy ['tɔpsi'təːvi] **1.** *n* неразбери́ха, кутерьма́, «дым коромы́слом»;
2. *a* перевёрнутый вверх дном, поста́вленный ды́бом;
3. *adv* вверх дном, ши́ворот-навы́ворот;
4. *v* перевёртывать всё вверх дном.

topsyturvydom ['tɔpsi'təːvidəm] = topsyturvy 1.

toque [touk] *фр. n* 1) ток (*женская шляпа без полей*); 2) мака́к.

tor [tɔː] *n* скали́стая верши́на холма́.

torch [tɔːtʃ] **1.** *n* 1) фа́кел; electric ~ перено́сный электри́ческий фона́рь; to put to the ~ предава́ть огню́; 2) *перен.* свето́ч; to hand on the ~ передава́ть зна́ния, тради́ции; 3) *тех.* пая́льная ла́мпа; горе́лка;
2. *v* освеща́ть фа́келами.

torchère [tɔː'ʃɛə] *фр. n* торше́р.

torch-fishing ['tɔːtʃ,fiʃiŋ] *n* луче́ние ры́бы.

torchlight ['tɔːtʃlait] *n* свет фа́кела; свет электри́ческого фонаря́.

torchon ['tɔːʃən] *фр. n* 1) род гру́бого ре́дкого кру́жева (*тж.* ~ lace); 2) торшо́н (*плотная крупнозерни́стая бума́га; тж.* ~ paper).

tore I [tɔː] *past om* tear I, 2.

tore II [tɔː] = torus 1).

toreador ['tɔriədɔː] *исп. n* тореадо́р.

torero [tou'reirou] = toreador.

toreutic [tou'ru:tɪk] a резнóй, чекáнный, вы́битый (о металле).

tori ['touraɪ] pl om torus.

torment 1. n ['tɔ:mənt] 1) мучéние, мýка; to suffer ~s испы́тывать мýки; 2) истóчник мучéний;
2. v [tɔ:'ment] 1) мýчить; причиня́ть боль; 2) досаждáть, изводи́ть, раздражáть.

tormentor [tɔ:'mentə] n 1) мучи́тель; 2) колёсная боронá; 3) театр. пéрвая кули́са.

tormentress [tɔ:'mentrɪs] n мучи́тельница.

tormina ['tɔ:mɪnə] n pl рéзкая боль в животé.

torn [tɔ:n] p. p. om tear I, 2.

tornado [tɔ:'neɪdou] исп. n (pl -oes, -os [-ouz]) 1) торнáдо (смерч); 2) взрыв, урагáн, бýря (аплодисментов и т. п.).

torpedo [tɔ:'pi:dou] 1. n (pl -oes [-ouz]) 1) торпéда; 2) зоол. электри́ческий скат; 3) ж.-д. сигнáльная петáрда; 4) attr. торпéдный;
2. v 1) подорвáть торпéдой, торпеди́ровать; 2) перен. уничтóжить, разби́ть, подорвáть.

torpedo-boat [tɔ:'pi:doubout] n минонóсец; торпéдный кáтер.

torpedo-boat destroyer [tɔ:'pi:douboutdɪs'trɔɪə] n эскáдренный минонóсец, эсми́нец.

torpedo-net(ting) [tɔ:'pi:dou,net(ɪŋ)] n противоми́нная сеть.

torpedo-plane [tɔ:'pi:doupleɪn] n самолёт-торпедонóсец.

torpedo-tube [tɔ:'pi:doutju:b] n торпéдный аппарáт; трубá торпéдного аппарáта.

torpid I ['tɔ:pɪd] a 1) онемéлый, оцепенéвший; 2) бездéятельный, вя́лый, апати́чный; 3) зоол. находя́щийся в спя́чке.

torpid II ['tɔ:pɪd] n pl гребны́е гóнки вторы́х комáнд в Оксфóрдском университéте (после рождественских каникул).

torpidity [tɔ:'pɪdɪtɪ] n онемéлость и пр. [см. torpid I].

torpor ['tɔ:pə] n 1) онемéлость, оцепенéние; 2) безразли́чие, апáтия; 3) тýпость, глýпость.

torque [tɔ:k] n 1) археол. кручёное металли́ческое ожерéлье; 2) мех. момéнт вращéния; скрýчивающее уси́лие.

torrefy ['tɔrɪfaɪ] v 1) суши́ть (на огне и т. п.); 2) обжигáть.

torrent ['tɔrənt] n 1) стреми́тельный потóк; 2) pl ли́вень; 3) потóк (ругательств и т. п.).

torrential [tɔ'renʃəl] a 1) текýщий бы́стрым потóком; 2) проливнóй; 3) оби́льный.

Torricellian [,tɔrɪ'tʃelɪən] a: ~ vacuum торричéллиева пустотá.

torrid ['tɔrɪd] a жáркий, знóйный, вы́женный сóлнцем; ~ zone тропи́ческий пóяс.

torse [tɔs] n геральд. гирля́нда.

torsi ['tɔ:si:] pl om torso.

torsion ['tɔ:ʃən] n 1) тех. кручéние; перекáшивание; скрýчивание; 2) скрýченность.

torsion balance ['tɔ:ʃən'bæləns] n крути́льные весы́.

torso ['tɔ:sou] ит. n (pl -os [-ouz], -si) 1) тýловище; торс (статуи); 2) фрагмéнт (произведения); 3) архит. колóнна с виты́м стéржнем.

tort [tɔ:t] n юр. не свя́занное с нарушéнием контрáкта или договóра правонарушéние, даю́щее основáние предъяви́ть иск.

torticollis [,tɔ:tɪ'kɔlɪs] фр. n ревмати́ческая боль в шéйных мýскулах.

tortile ['tɔ:tɪl] a кручёный, скрýченный.

tortilla [tou'ti:jɑ:] исп. n плóская мáисовая лепёшка (заменяющая в Мексике хлеб).

tortoise ['tɔ:təs] n черепáха (сухопýтная).

tortoise-shell ['tɔ:təs,ʃel] n 1) щит черепáхи; 2) черепáха (материал); 3) attr. черепáховый.

tortuosity [,tɔ:tju'ɔsɪtɪ] n 1) изви́листость; кривизнá; 2) отсýтствие прямоты́, уклóнчивость; нейскрéнность.

tortuous ['tɔ:tjuəs] a 1) изви́листый; 2) уклóнчивый, нейскрéнний.

torture ['tɔ:tʃə] 1. n 1) пы́тка; to put to the ~ подвергáть пы́тке; 2) мýки, агóния;
2. v 1) пытáть; 2) мýчить; he is ~d with headaches егó мýчат головны́е бóли; 3) искривля́ть; искажáть, коверкáть.

torturer ['tɔ:tʃərə] n мучи́тель; палáч.

torus ['tourəs] n (pl -ri) 1) стр. тóрус; тор; полукрýглый фриз; 2) бот. цветолóже, плодóвое лóже.

Tory ['tɔ:rɪ] n 1) тóри, консервáтор; 2) attr. консервати́вный.

toryism ['tɔ:rɪzəm] n тори́зм, консервати́зм.

tosh [tɔʃ] n 1) sl. вздор, ерундá; 2) прорези́ненная матéрия.

tosher ['tɔʃə] n sl. студéнт, не занимáющийся в дáнном коллéдже, а лишь сдаю́щий в нём экзáмены.

toss [tɔs] 1. n 1) метáние, бросáние и пр. [см. 2]; ~ and catch амер. = pitch-and-toss; the ~ of the coin жеребьёвка; to win the ~ a) вы́играть в орля́нку; б) вы́играть пари́; 2) толчóк; сотрясéние; 3) = toss-up; 4) суматóха, переполóх, смятéние;
2. v (-ed [-t], поэт. tost) 1) бросáть, кидáть; метáть; подбрáсывать; to ~ (up) a coin a) игрáть в орля́нку; б) решáть пари́ или какóй-л. спор подбрáсыванием монéты; разы́грывать ворóта (в футболе); 2) отбрáсывать, швыря́ть (тж. ~ away, ~ aside); 3) поднимáться и опускáться (о судне); носи́ться (по волнам); рéять; 4) беспокóйно метáться (о больном; часто ~ about); 5) вски́дывать (голову); поднимáть на рогá (о быке); 6) отбрáсывать (седока); 7) горн. промывáть (руду); □ ~ off a) сдéлать нáспех; б) вы́пить зáлпом; ~ up a) = to ~ a coin [см. 1)]; б) нáскоро приготóвить (еду).

tosspot ['tɔspɔt] n уст. пья́ница.

toss-up ['tɔsʌp] n 1) подбрáсывание монéты (в орлянке); жеребьёвка; 2) что-л. неопределённое, сомни́тельное; it's a ~ whether he comes or not это ещё вопрóс, придёт он и́ли нет.

tossy ['tɔsɪ] a дéрзкий, бóйкий.

tost [tɔst] past и p. p. om toss 2.

tot I [tɔt] *n* 1) малы́ш; 2) *разг.* ма́ленькая рю́мка (*вина и т. п.*); глото́к вина́.

tot II [tɔt] *разг.* 1. *n* су́мма;
2. *v* сумми́ровать, скла́дывать.

total ['toutl] 1. *n* це́лое, су́мма; ито́г; the grand ~ о́бщий ито́г;
2. *a* 1) весь, це́лый; 2) по́лный, абсолю́тный; ~ eclipse по́лное затме́ние; ~ failure по́лная неуда́ча; 3) совоку́пный, сумма́рный; 4) тота́льный;
3. *v* 1) подводи́ть ито́г, подсчи́тывать; 2) доходи́ть до, равня́ться, насчи́тывать (*о сумме, числе*).

totalitarian [,toutælɪ'tɛərɪən] *a* тоталита́рный; тота́льный.

totality [tou'tælɪtɪ] *n* вся су́мма цели́ком, всё коли́чество.

totalizator ['toutəlaɪzeɪtə] *n* тотализа́тор (*аппарат*).

totalize ['toutəlaɪz] *v* 1) соединя́ть воеди́но; 2) подводи́ть о́бщую су́мму.

totalizer ['toutəlaɪzə] 1) = totalizator; 2) сумми́рующее счётное устро́йство.

tote I [tout] *n sl. сокр. от* totalizator.

/**tote** II [tout] (*преим. амер.*) 1. *v* вести́, нести́; перевози́ть;
2. *n разг.* 1) груз; 2) перево́зка.

totem ['toutəm] *n* тоте́м.

tother, t'other ['tʌðə] *разг.* = the other.

totter ['tɔtə] *v* 1) идти́ неве́рной, дрожа́щей похо́дкой, ковыля́ть; 2) тряcти́сь; колеба́ться, шата́ться; угрожа́ть паде́нием; 3) ги́бнуть, разруша́ться.

tottering ['tɔtərɪŋ] 1. *pres. p. от* totter;
2. *a* нетвёрдый (*о похо́дке*).

tottery ['tɔtərɪ] *a* трясу́щийся; грозя́щий паде́нием.

totty ['tɔtɪ] *a* 1) нетвёрдый; 2) подвы́пивший.

toty ['toutɪ] *n англо-инд.* челове́к на побегу́шках.

toucan ['tuːkən] *n зоол.* тука́н, перцея́д (*птица*).

touch [tʌʧ] 1. *n* 1) прикоснове́ние; 2) соприкоснове́ние, обще́ние; in ~ with smb. в конта́кте с кем-л.; to get in ~ with smb. связа́ться с кем-л.; to lose ~ with smb. потеря́ть связь, конта́кт с кем-л.; 3) оса́зание; soft to the ~ мя́гкий на о́щупь; 4) штрих; черта́; to put the finishing ~es де́лать после́дние штрихи́, отде́лывать; зака́нчивать; personal ~ характе́рные черты́ (*челове́ка*); 5) чу́точка, при́месь; оттёнок, налёт; there was ~ of bitterness in what he said в его́ слова́х чу́вствовалась го́речь; 6) лёгкий при́ступ (*боле́зни*); небольшо́й уши́б *и т. п.*; a ~ of the sun перегре́в; 7) мане́ра, приёмы (*худо́жника и т. п.*); 8) про́ба, испыта́ние; to put (*или* to bring) to the ~ подве́ргнуть испыта́нию; 9) получе́ние де́нег нече́стным путём; 10) са́лки (*де́тская игра́; тж.* ~ and run); 11) *уст.* про́бный ка́мень; 12) *муз.* туше́; 13) *спорт.* пло́щадь, лежа́щая за боковы́ми ли́ниями футбо́льного по́ля; in ~ за боково́й ли́нией; ◇ ~ typist машини́стка, рабо́тающая по слепо́му ме́тоду; common ~ чу́вство ло́ктя; in (*или* within) ~ a) бли́зко, под руко́й; б) досту́пно, достижи́мо; near ~

опа́сность, кото́рую едва́ удало́сь избежа́ть; no ~ to smth. ничто́ по сравне́нию с чем-л., не выде́рживает никако́й кри́тики;
2. *v* 1) (при)каса́ться, тро́гать, притра́гиваться, соприкаса́ться, to ~ bottom а) косну́ться дна; б) дойти́ до преде́льно ни́зкого у́ровня (*о це́нах*); в) *перен.* опусти́ться; г) добра́ться до су́ти де́ла; to ~ one's hat to smb. приве́тствовать кого́-л., приподнима́я шля́пу; 2) притра́гиваться к еде́, есть; he has not ~ed food for two days он два дня ничего́ не ел; I couldn't ~ anything я не был голо́ден; 3) каса́ться, слегка́ затра́гивать (*те́му, вопро́с*); 4) (*обыкн. pass.*) слегка́ по́ртиться; leaves are ~ed with frost ли́стья тро́нуты моро́зом; he is slightly ~ed ≅ у него́ не все до́ма; 5) ока́зывать возде́йствие; nothing will ~ these stains э́тих пя́тен ниче́м не вы́ведешь; 6) тро́гать, волнова́ть, задева́ть за живо́е; 7) каса́ться, име́ть отноше́ние (*к чему́-л.*); how does this ~ me? како́е э́то име́ет отноше́ние ко мне?; 8) *разг.* получа́ть, добыва́ть (*де́ньги, особ. в долге или моше́нничеством*; for); he ~ed me for a large sum of money он за́нял, вы́клянчил у меня́ большу́ю су́мму (*де́нег*); 9) получа́ть (*жа́лованье*); he ~es £ 2 6 s a week он получа́ет 2 фу́нта 6 ши́ллингов в неде́лю; 10) сравни́ться; достичь тако́го же высо́кого у́ровня; there is nothing to ~ sea air for bracing you up нет ничего́ поле́знее морско́го во́здуха для укрепле́ния здоро́вья; 11) слегка́ окра́шивать; придава́ть оттёнок; clouds ~ed with rose розова́тые облака́; 12) *геом.* каса́ться, быть каса́тельной; □ ~ at *мор.* заходи́ть (*в порт*); ~ down приземли́ться, косну́ться земли́; ~ off а) бы́стро наброса́ть; переда́ть схо́дство; б) вы́палить (*из пу́шки*); в) дать отбо́й (*по телефо́ну*); ~ on а) затра́гивать, каса́ться вкра́тце (*вопро́са и т. п.*); б) грани́чить с чем-л. (*напр., с де́рзостью*); ~ up а) исправля́ть, зака́нчивать, отде́лывать, класть после́дние штрихи́, мазки́; б) подстегну́ть (*ло́шадь*); в) напо́мнить, натолкну́ть; г) взволнова́ть; ~ upon = ~ on; ◇ ~ shore подплы́ть к бе́регу; to ~ pitch име́ть де́ло с сомни́тельным предприя́тием *или* субъе́ктом; to ~ the spot попа́сть в цель; соотве́тствовать своему́ назначе́нию; to ~ to the quick, to ~ smb. home, to ~ smb. on a raw (*или* sore, tender) place заде́ть кого́-л. за живо́е; he ~es six feet in height он ше́сти фу́тов ро́стом; to ~ wood пыта́ться умилостивить судьбу́, предотврати́ть дурно́е предзнаменова́ние.

touchable ['tʌʧəbl] *a* осяза́тельный, осяза́емый.

touch-and-go ['tʌʧən'gou] 1. *n* риско́ванное, опа́сное де́ло *или* положе́ние;
2. *a* риско́ванный, неве́рный.

touch-down ['tʌʧ,daun] *n* 1) *ав.* поса́дка; to make a ~ соверши́ть поса́дку; 2) *амер. спорт.* гол (*в ре́гби*).

touched [tʌʧt] 1. *p. p. от* touch 2;
2. *a*: a) 1) взволно́ванный, тро́нутый; 2) слегка́ поме́шанный, «тро́нутый» (*тж.* ~ in the upper storey); ◇ ~ in the wind страда́ющий оды́шкой.

toucher ['tʌʧə] n тот, кто прикасáется; ◇ near ~ опáсность, котóрую едвá удалóсь избежáть; as near as a ~ блúзко, почтú, на волосóк от; to a ~ тóчно.

touchiness ['tʌʧınıs] n обúдчивость и пр. [см. touchy].

touching ['tʌʧıŋ] 1. pres. p. от touch 2; 2. a трóгательный; 3. prep уст., книжн. касáтельно, относúтельно (тж. as ~).

touch-line ['tʌʧlaın] n спорт. боковáя лúния (в футбóле).

touch-me-not ['tʌʧmı'nɔt] n 1) недотрóга; 2) запрещённая тéма; 3) бот. недотрóга.

touch-needle ['tʌʧˌni:dl] n пробúрная иглá.

touchstone ['tʌʧstoun] n 1) пробúрный кáмень; оселóк; 2) критéрий; прóбный кáмень.

touchwood ['tʌʧwud] n 1) трут; 2) дéтская игрá, в котóрой нельзя́ ловúть тогó, кто успéл прикоснýться к дéреву.

touchy ['tʌʧı] a 1) обúдчивый; раздражúтельный; 2) повы́шенно чувствúтельный; 3) легковоспламеня́ющийся.

tough [tʌf] 1. a 1) жёсткий; плóтный, упрýгий; (as) ~ as leather (жёсткий) как подóшва (о мя́се и т. п.); 2) вя́зкий; 3) крéпкий, сúльный, несгибáемый; 4) стóйкий, выносливый, упóрный; 5) трýдный; упря́мый, несговóрчивый; ~ customer разг. человéк, с котóрым трýдно имéть дéло; непоклáдистый человéк; 6) амер. разг. престýпный, хулигáнский, бандúтский; 7) геол. крéпкий (о порóде); 2. n амер. опáсный хулигáн, головорéз, бандúт.

toughen ['tʌfn] v дéлать(ся) жёстким и т. д. [см. tough 1].

toupee ['tu:peı] n 1) хохóл; тупéй; 2) небольшóй парúк, фальшúвый лóкон, наклáдка из искýсственных волóс.

tour [tuə] 1. n 1) путешéствие; поéздка; турнé; экскýрсия; to make a ~ of the Soviet Union путешéствовать по Совéтскому Сою́зу; a foreign ~ путешéствие за гранúцу; the grand ~ уст. путешéствие по Фрáнции, Итáлии, Швейцáрии и др. стрáнам для завершéния образовáния; 2) тур, объéзд; 3) обхóд караýла; 4) обращéние, оборóт; цикл; 5) круг (обя́занностей); 6) смéна (на фáбрике и т. п.); 7): ~ of duty стажирóвка; пребывáние в дóлжности; óчередь несéния слýжбы;
2. v 1) совершáть путешéствие, театрáльное и т. п. турнé (through, about, of); to ~ (through) a country путешéствовать по странé; 2) совершáть объéзд, обхóд; 3) театр. покáзывать (спектáкль) на гастрóлях; they ~ed «Othello» онú игрáли «Отéлло» на гастрóлях.

tourer ['tuərə] n 1) турúстский автомобúль или самолёт; 2) = tourist.

touring ['tuərıŋ] 1. pres. p. от tour 2; 2. n турúзм; 3. a турúстский; ~ car легковóй автомобúль для турúзма.

tourist ['tuərıst] n 1) турúст, путешéственник; 2) attr. турúстский, относя́щийся к турúзму, путешéствиям; ~ agency бюрó путешéствий; ~ class вторóй класс (на океáнском парохóде); ~ ticket обрáтный билéт без указáния дáты (действúтельный в течéние опредéленного врéмени).

tourmalin ['tuəməlın] n мин. турмалúн.

tourmaline ['tuəməlin] = tourmalin.

tournament ['tuənəmənt] n турнúр.

tournay [ˌtu:'peı] n драпирóвочная ткань.

tourney ['tunı] ист. 1. n (средневекóвый) турнúр; 2. v сражáться на турнúре.

tourniquet ['tuənıkeı] n мед. турникéт, жгут.

tousle ['tauzl] v ерóшить, взъерóшивать.

tousy ['tauzı] a растрёпанный, взъерóшенный.

tout [taut] 1. n 1) человéк, усúленно предлагáющий товáр; коммивояжёр; человéк, зазывáющий клиéнтов в гостúницу, игóрный дом и т. п.; 2) человéк, добывáющий и продаю́щий свéдения о лошадя́х пéред скáчками; 3) sl. навóдчик;
2. v 1) навя́зывать товáр; 2) заручáться голосáми избирáтелей; 3) амер. обсуждáть; 4) добывáть и сообщáть свéдения о скаковы́х лошадя́х для использования их при заключéнии парú.

tow I [tou] 1. n 1) бечевá; буксúр(ный канáт, трос); 2) буксирóвка; to take in ~ а) брать на буксúр; б) брать на попечéние; to take a ~ быть на буксúре; to have smb. in ~ а) имéть когó-л. на своём попечéнии, опекáть; б) имéть когó-л. в числé сопровождáющих; имéть когó-л. в числé свойх поклóнников; 3) сýдно, бáржа или плот на буксúре;
2. v 1) тянýть (бáржу) на бечевé; тащúть (сломанную автомашúну); 2) буксировáть.

tow II [tou] n текст. 1) очёски, кудéль; 2) пáкля.

towage ['touıʤ] n 1) буксирóвка; 2) оплáта буксирóвки.

toward I ['touəd] a уст. 1) происходя́щий; предстоя́щий; 2) послýшный; благонрáвный; 3) спосóбный к учéнию;

toward II [tə'wɔ:d] prep поэт. см. towards.

towardly ['touədlı] a 1) благоприя́тный; подходя́щий, своеврéменный; 2) сговóрчивый, устýпчивый.

towards [tə'wɔ:dz] prep 1) к, по направлéнию к; he edged ~ the door он пробирáлся к двéри; the windows look ~ the sea óкна обращённые к мóрю; his back was turned ~ me он стоя́л ко мне спинóй; 2) к, по отношéнию к; attitude ~ art отношéние к искýсству; 3) указывает на цель действия для; с тем, чтóбы; to save money ~ an education откла́дывать дéньги для получéния образовáния; to make efforts ~ a reconciliation старáться добúться примирéния; 4) указывает на совершение действия к определённому моменту около, к; ~ the end of November к концý ноября́; ~ morning (evening) к утрý (вéчеру).

tow-boat ['toubout] n буксúрное сýдно.

towel ['tauəl] 1. n 1) полотéнце; 2) sl. дубúна, дубúнка (тж. oaken ~); ◇ to throw in the ~ сда́ться, призна́ть себя́ побеждённым;

2. *v* 1) вытира́ть(ся) полоте́нцем; 2) *sl.* бить.

towel-horse ['tauəlhɔːs] *n* ве́шалка для полоте́нец.

towelling ['tauəliŋ] 1. *pres. p. om* towel 2; 2. *n* 1) материа́л для полоте́нец; 2) *sl.* побо́и, по́рка.

tower ['tauə] 1. *n* 1) ба́шня; вы́шка; *перен.* опло́т, опо́ра; a ~ of strength надёжная опо́ра; защи́тник, на кото́рого мо́жно по́лностью положи́ться; 2): the T. (of London) Та́уэр (*ранее—тюрьма́, где содержа́лись коронова́нные и др. зна́тные престу́пники, ны́не—арсена́л и музе́й средневеко́вого ору́жия и ору́дий пы́тки*); 3) *тех.* опо́ра; пило́н, ма́чта, вы́шка.

2. *v* 1) вы́ситься, вздыма́ться, громозди́ться (*часто* ~ up); 2) быть вы́ше други́х (*тж. перен.*; above, over).

towering ['tauəriŋ] 1. *pres. p. om* tower 2; 2. *a* 1) высо́кий, вздыма́ющийся; возвыша́ющийся (*над чем-л.*); 2) увели́чивающийся, расту́щий; 3) ужа́сный, неи́стовый.

tow-head ['touhed] *n* 1) све́тлые во́лосы; 2) светловоло́сый челове́к.

towing-line ['touiŋlain] = tow-line.

towing-path ['touiŋpɑːθ] *n* бечевни́к (*доро́га для тя́ги судо́в на бечеве́*).

towing-rope ['touiŋroup] = tow-line.

tow-line ['toulain] *n* букси́р, букси́рный трос.

town [taun] *n* 1) го́род; городо́к; *амер. тж.* месте́чко; out of ~ a) в дере́вне; б) в отъе́зде (*обыкн. из Ло́ндона*); 2) жи́тели го́рода; he became the talk of the ~ о нём говори́т весь го́род; 3) администрати́вный центр (*райо́на, о́круга и т. п.*); са́мый большо́й из близлежа́щих городо́в; 4) центр делово́й *или* торго́вой жи́зни го́рода; 5) *attr.* городско́й; ~ house городска́я кварти́ра; ~ water вода́ из городско́го водопрово́да; ~ gas свети́льный газ; ◊ on the ~ a) веду́щий све́тский о́браз жи́зни; б) *амер.* получа́ющий посо́бие по безрабо́тице; ~ and gown жи́тели О́ксфорда *или* Ке́мбриджа, включа́я студе́нтов и профессу́ру; to paint the ~ red *sl.* a) сканда́лить, дебоши́рить; б) ма́заться, кра́ситься.

town clerk ['taun'klɑːk] *n* секрета́рь городско́й корпора́ции.

town council ['taun'kaunsl] *n* городско́й (*или* муниципа́льный) сове́т.

town councillor ['taun'kaunsilə] *n* член городско́го (*или* муниципа́льного) сове́та.

townee [tau'niː] *n* 1) *унив. sl.* жи́тель О́ксфорда *или* Ке́мбриджа, не име́ющий отноше́ния к университе́ту; 2) *разг.* горожа́нин.

town hall ['taun'hɔːl] *n* ра́туша.

town planning ['taun'plæniŋ] *n* планиро́вка городо́в.

townsfolk ['taunzfouk] *n* (*употр. с гл. во мн. ч.*) горожа́не.

township ['taunʃip] *n* 1) *амер.* месте́чко; райо́н (*часть о́круга*); уча́сток, восто́чная, ю́жная и за́падная грани́цы кото́рого име́ют в длину́ по 6 миль (*ок. 10 км*); 2) по-

сёлок, городо́к; 3) уча́сток, отведённый под городско́е строи́тельство; 4) *ист.* церко́вный прихо́д *или* поме́стье (*особ. как администрати́вная едини́ца в А́нглии*); ма́ленький городо́к *или* дере́вня, входи́вшие в соста́в большо́го прихо́да.

townsman ['taunzmən] *n* 1) горожа́нин; 2) жи́тель того́ же го́рода, согражда́нин.

townspeople ['taunz,piːpl] = townsfolk.

tow-path ['toupɑːθ] = towing-path.

tow-rope ['touroup] *n* 1) = tow-line; 2) *ав.* гайдро́п.

tow-row ['tou'rou] *n разг.* шум, гам.

toxaemia [tɔk'siːmiə] *n мед.* зараже́ние кро́ви.

toxic ['tɔksik] 1. *n* яд; 2. *a* ядови́тый.

toxicant ['tɔksikənt] = toxic 2.

toxicology [,tɔksi'kɔlədʒi] *n* уче́ние о я́дах.

toxicosis [,tɔksi'kousis] *n мед.* токсико́з.

toxin ['tɔksin] *n* токси́н.

toy [tɔi] 1. *n* 1) игру́шка, заба́ва; to make a ~ of smth. забавля́ться чем-л.; 2) безделу́шка; пустя́к; 3) что-л. ма́ленькое, ку́кольное; a ~ of a church церко́вка; 4) *sl.* часы́; ~ and tackle часи́ки с цепо́чкой; 5) *attr.* игру́шечный, ку́кольный; миниатю́рный; ~ dog ма́ленькая ко́мнатная соба́чка; ~ fish ры́бка для аква́риума; ~ soldier оловя́нный солда́тик; *перен.* солда́т безде́йствующей а́рмии;

2. *v* 1) игра́ть, забавля́ться, несерьёзно относи́ться; to ~ with an idea несерьёзно относи́ться к мы́сли (*о чём-л.*); 2) верте́ть в рука́х (with); 3) флиртова́ть.

toyman ['tɔimən] *n* 1) торго́вец игру́шками; 2) игру́шечный ма́стер.

toyshop ['tɔiʃɔp] *n* магази́н игру́шек.

toze [touz] *v тех.* отделя́ть во́лово от пусто́й поро́ды.

trace I [treis] 1. *n* 1) след; to keep ~ of smth. следи́ть за чем-л.; without a ~ бессле́дно; hot on the ~s of smb. по чьим-л. горя́чим следа́м; 2) *уст.* стезя́; 3) *амер.* (*исхо́женная*) тропи́нка; 4) черта́; 5) незначи́тельное коли́чество, следы́; 6) чертёж на ка́льке; 7) *амер. воен.* равне́ние в заты́лок;

2. *v* 1) следи́ть (*за кем-л., чем-л.*); выслеживать (to, back to); this custom has been ~d to the twelfth century э́тот обы́чай восхо́дит к двена́дцатому ве́ку; 3) рассмотре́ть, различи́ть; 4) усма́тривать, находи́ть; 5) черти́ть; тща́тельно выпи́сывать, выводи́ть (*слова́, бу́квы*); *перен.* начерта́ть; 6) своди́ть (*чертёж*); кальки́ровать (*тж.* ~ over); 7) восстана́вливать расположе́ние *или* разме́ры (*дре́вних сооруже́ний, па́мятников и т.п. по сохрани́вшимся развали́нам*); 8) фикси́ровать, запи́сывать (*о кардиогра́фе и т. п.*); 9) (*обыкн. p. p.*) украша́ть узо́рами.

trace II [treis] *n* 1) (*обыкн. pl*) постро́мка; 2) *стр.* подко́с; ◊ to kick over the ~s вы́йти из повинове́ния; взбунтова́ться.

tracer I ['treisə] *n* 1) аге́нт по ро́зыску уте́рянных веще́й (*особ. на желе́зной доро́ге*); 2) запро́с о поте́рянных (*при перево́зке*) веща́х, о гру́зе и т. п.; 3) чертёжник-копиро́вщик; 4) иссле́дователь; 5) ме́ченый а́том (*тж.* ~ element); 6) прибо́р для отыска́ния поврежде́ний; 7) *воен.* трасси́рующий снаря́д; трасси́рующая пу́ля (*тж.* ~ bullet).

tracer II ['treɪsə] *n* 1) пристяжна́я ло́шадь; 2) форе́йтор на пристяжно́й.

tracery ['treɪsərɪ] *n* 1) узо́р, рису́нок; 2) ажу́рная рабо́та (*особ. в средневеко́вой архитекту́ре*).

trachea [trə'kiːə]*n*(*pl* -cheae) *анат.* трахе́я.

tracheae [trə'kiːɪ] *pl om* trachea.

tracheotomy [,trækɪ'ɔtəmɪ] *n* *мед.* трахеотоми́я.

trachoma [trə'koumə] *n* *мед.* трахо́ма.

trachyte ['treɪkaɪt] *n* *мин.* трахи́т.

tracing ['treɪsɪŋ] 1. *pres. p. om* trace I, 2; 2. *n* 1) просле́живание; 2) копиро́вка, калькиро́вка; 3) скалькиро́ванный чертёж, рису́нок; 4) за́пись (*сейсмо́графа и т. п.*); 5) трассиро́вка;

3. *a* трасси́рующий.

tracing-paper ['treɪsɪŋ peɪpə] *n* воскови́ка, ка́лька.

track [træk] 1. *n* 1) след; to be on the ~ of a) пресле́довать; б) напа́сть на след; to be in the ~ of smb. идти́ по стопа́м, сле́довать приме́ру кого́-л.; to lose ~ of потеря́ть след; потеря́ть нить; to keep ~ of следи́ть; to keep ~ of events быть в ку́рсе собы́тий; 2) просёлочная доро́га; тропи́нка; the beaten ~ прое́зжая доро́га; *перен.* проторённый путь; рути́на; 3) жи́зненный путь; off the ~ сби́вшийся с пути́, на ло́жном пути́ [*ср. тж.* 4)]; 4) *ж.-д.* коле́я, ре́льсовый путь; single (double) ~ одноколе́йный (двухколе́йный) путь; to leave the ~ сойти́ с ре́льсов; off the ~ сошéдший с ре́льсов [*ср. тж.* 3)]; *перен.* уклони́вшийся от те́мы; 5) *тех.* направля́ющее приспособле́ние; 6) *спорт.* лыжня́; бегова́я доро́жка; трек; 7) *спорт.* лёгкая атле́тика; 8) гу́сеница (*тра́ктора, та́нка*); 9) *ав.* путь (самолёта относи́тельно земли́); 10) коле́я в грамза́писи; грамза́пись, пласти́нка; ◇ in one's ~s на ме́сте; неме́дленно, то́тчас же; to make ~s *sl.* дать тя́гу, улизну́ть, убежа́ть; to make ~s for *sl.* пресле́довать; on the inside ~ в вы́годном положе́нии;

2. *v* 1) следи́ть, просле́живать, высле́живать (*обыкн.* ~ out, ~ up, ~ down); 2) оставля́ть следы́; насле́дить, напа́чкать; 3) прокла́дывать путь; намеча́ть курс; 4) пройти́, покры́ть (*расстоя́ние*); 5) кати́ться по коле́е (*о колёсах*); 6) име́ть определённое расстоя́ние ме́жду колёсами; this car ~s 46 inches у э́той маши́ны расстоя́ние ме́жду колёсами равно́ 46 дю́ймам; 7) прокла́дывать коле́ю; укла́дывать ре́льсы; 8) тяну́ть бечево́й (*тж.* ~ up).

trackage ['trækɪdʒ] *n* 1) сеть желе́зных доро́г; 2) о́бщая протяжённость желе́зных доро́г.

track-and-field (athletics) ['trækənd'fiːld-(æθ'letɪks)] *n спорт.* лёгкая атле́тика.

tracker I ['trækə] *n* филёр.

tracker II ['trækə] *n* 1) бурла́к; 2) букси́р.

tracklayer ['træk,leɪə] *n* рабо́чий по укла́дке железнодоро́жных путе́й.

trackless ['træklɪs] *a* 1) бездоро́жный; 2) непроторённый; 3) не оставля́ющий

следо́в; 4) *тех.* безре́льсовый; ~ trolley (line) тролле́йбус(ная ли́ния).

trackman ['trækmən] = trackwalker.

track-shoe ['trækʃuː] *n* звено́ гу́сеницы, башма́к гу́сеницы.

trackwalker ['træk,wɔːkə] *n амер. ж.-д.* путево́й обхо́дчик.

trackway ['trækweɪ] *n* 1) тропи́нка; 2) доро́га с колеёй.

tract I [trækt] *n* тракта́т; брошю́ра (*особ. на полити́ческие или религио́зные те́мы*).

tract II [trækt] *n* 1) полоса́ простра́нства (*земли́, ле́са, воды́*); 2) *анат.* тракт; the digestive ~ желу́дочно-кише́чный тракт; 3) *уст.* непреры́вный пери́од вре́мени.

tractable ['træktəbl] *a* 1) послу́шный, сгово́рчивый; 2) легко́ поддаю́щийся обрабо́тке, *напр.,* ко́вкий *и т. п.*

tractate ['trækteɪt] *n* тракта́т.

tractile ['træktaɪl] *a* вытя́гивающийся (*в длину́*).

traction ['trækʃən] *n* 1) тя́га; волоче́ние; electric ~ электри́ческая тя́га; 2) си́ла сцепле́ния; 3) *амер.* городско́й тра́нспорт.

traction-engine ['trækʃən,endʒɪn] *n* тяга́ч.

tractor ['træktə] *n* 1) тра́ктор; 2) *ав.* самолёт с тя́нущим винто́м.

tractor-driven ['træktə,drɪvn] *a* на тра́кторной тя́ге.

tractor-driver ['træktə,draɪvə] *n* тракори́ст.

tractor-operator ['træktə,ɔpəreɪtə] = tractor-driver.

trade [treɪd] 1. *n* 1) заня́тие; ремесло́, профе́ссия; the ~ of war вое́нная профе́ссия; a saddler by ~ шо́рник по профе́ссии; 2) торго́вля; home (*или* domestic) ~ вну́тренняя торго́вля; foreign (*или* oversea) ~ вне́шняя торго́вля; fair ~ а) торго́вля на осно́ве взаи́мной вы́годы; б) *sl.* контраба́нда; 3) (the ~) *pl собир.* торго́вцы *или* предпринима́тели (*в како́й-л. о́трасли*); *разг.* ли́ца, име́ющие пра́во прода́жи спиртны́х напи́тков; пивова́ры, виноку́ры; the woollen ~ торго́вцы ше́рстью; he sells only to the ~ он продаёт то́лько о́птом, то́лько ро́зничным торго́вцам; 4) ро́зничная торго́вля (*в противополо́жность о́птовой*—commerce); магази́н, ла́вка; his father was in ~ его́ оте́ц был торго́вцем, име́л ла́вку (*разг.*); 5) клиенту́ра, покупа́тели; 6) сде́лка; обме́н; 7) произво́дство; 8) *pl* = trade winds; 9) *attr.* торго́вый; ~ balance торго́вый бала́нс; ~ journal торго́вый журна́л; 10) *attr.* профсою́зный; ~(s) committee профсою́зный комите́т;

2. *v* 1) торгова́ть (in—чем-л.; with—с кем-л.); 2) извлека́ть вы́году, испо́льзовать в ли́чных це́лях (in, on, upon); to ~ on the credulity of a client испо́льзовать дове́рчивость покупа́теля, обману́ть покупа́теля; 3) обме́нивать (for — на что-л.); we ~d seats мы обменя́лись места́ми; □ ~ off a) сбыва́ть; б) обме́нивать.

Trade Board ['treɪd'bɔːd] *n* объединённый сове́т представи́телей предпринима́телей и рабо́чих для урегули́рования произво́дственных конфли́ктов (*существу́ет в не́которых отрасля́х промы́шленности*).

trade mark ['treɪd'mɑːk] *n* фабричная марка.

trade mission ['treɪd'mɪʃən] *n* торговое представительство, торгпредство.

trade name ['treɪd'neɪm] *n* торговое название товара; 2) название фирмы.

trade price ['treɪd'praɪs] *n* фабричная цена, оптовая цена.

trader ['treɪdə] *n* 1) торговец (*особ.* оптовый); 2) торговое судно; 3) биржевик (*не пользующийся услугами маклера*).

trade-route ['treɪdruːt] *n* торговый путь.

trade school ['treɪd'skuːl] *n* производственная школа, ремесленное училище.

tradesfolk ['treɪdzfouk] = tradespeople.

tradesman ['treɪdzmən] *n* 1) торговец, лавочник; купец; 2) ремесленник.

tradespeople ['treɪdz,piːpl] *n pl* купцы, лавочники, их семьи и служащие; торговое сословие.

tradeswoman ['treɪdz,wumən] *n* торговка; купчиха.

trade union ['treɪd'juːnjən] *n* тред-юнион; профсоюз.

trade-union ['treɪd,juːnjən] *a* профсоюзный.

trade-unionism [,treɪd'juːnjənɪzəm] *n* тред-юнионизм.

trade-unionist [,treɪd'juːnjənɪst] **1.** *n* тред-юнионист; член профсоюза; **2.** *a* тред-юнионистский.

trade wind ['treɪd'wɪnd] *n* пассат.

trading ['treɪdɪŋ] **1.** *pres. p. от* trade 2; **2.** *n* торговля; коммерция; **3.** *a* 1) занимающийся торговлей; торговый.

trading post ['treɪdɪŋ'poust] *n* фактория.

tradition [trə'dɪʃən] *n* 1) традиция; старый обычай; by ~ по традиции; 2) предание.

traditional [trə'dɪʃənl] *a* традиционный; передаваемый из поколения в поколение, основанный на обычае.

traditionalism [trə'dɪʃnəlɪzəm] *n* приверженность к традициям.

traditionally [trə'dɪʃnəlɪ] *adv* по традиции.

traditionary [trə'dɪʃnərɪ] = traditional.

traduce [trə'djuːs] *v* злословить, клеветать.

traffic ['træfɪk] **1.** *n* 1) движение; транспорт; arterial ~ движение по главным магистралям города; 2) торговля; to carry on ~ вести торговлю; ~ in votes торговля голосами (*на выборах*); 3) *attr.* относящийся к транспорту; ~ manager, ~ officer, *разг.* ~ cop полицейский, регулирующий уличное движение; ~ controller диспетчер; **2.** *v* торговать (in—*чем-л.*).

trafficator ['træfɪkeɪtə] *n* указатель поворота.

traffic-circle ['træfɪk,sɜːkl] *n* круговое движение против часовой стрелки.

trafficker ['træfɪkə] *n* торговец (*обыкн. в отриц. значении*); ~ in slaves работорговец.

traffic-light ['træfɪklaɪt] *n* светофор.

tragedian [trə'dʒiːdjən] *n* 1) трагик, трагический актёр; 2) автор трагедий.

tragédienne [trə,dʒiːdi'en] *фр. n* трагическая актриса.

tragedy ['trædʒɪdɪ] *n* 1) трагедия; 2) *attr.* относящийся к трагедии; ~ king актёр, исполняющий в трагедии роль короля; главный трагический актёр труппы.

tragic(al) ['trædʒɪk(əl)] *a* 1) трагический; трагедийный; 2) *разг.* ужасный; катастрофический; прискорбный, печальный.

tragicomedy ['trædʒɪ'kɔmɪdɪ] *n* трагикомедия.

tragicomic(al) ['trædʒɪ'kɔmɪk(əl)] *a* трагикомический.

trail [treɪl] **1.** *n* 1) след, хвост; the car left a ~ of dust машина оставила позади себя целый столб пыли; 2) след (*человека, животного*); to be on the ~ of smb. выслеживать кого-л.; to foul the ~ запутывать следы; to get on the ~ напасть на след; to get off the ~ сбиться со следа; 3) тропа; 4) *бот.* стелющийся побег; 5) *воен.* хобот лафета; 6) *воен.* положение с винтовкой наперевес; *амер.* положение с винтовкой «в руке»; 7) *ав.* отставание бомбы (*относительно самолёта*). **2.** *v* 1) тащить(ся), волочить(ся); 2) отставать, идти сзади; плестись; 3) идти по следу; выслеживать; 4) протоптать (*тропинку*); 5) прокладывать путь; 6) свисать (*о волосах, растениях*); 7) трелевать (*брёвна*); 8) *воен.* держать (*винтовку*) наперевес (*в опущенной руке, параллельно земле*); *амер.* держать (*винтовку*) «в руке»; ◇ to ~ one's coat держаться вызывающе, лезть в драку.

trail-blazer ['treɪl,bleɪzə] *n* пионер, новатор.

trail-builder ['treɪl,bɪldə] *n* дорожный бульдозер.

trailer ['treɪlə] *n* 1) тащущий, волочащий и пр. [*см.* trail 2]; 2) прицеп; 3) стелющееся растение; 4) *кино* анонс.

trail-net ['treɪlnet] *n мор.* траловая сеть.

train I [treɪn] *v* 1) воспитывать, приучать к хорошим навыкам, к дисциплине; 2) тренировать(ся); to ~ for races готовиться к скачкам; 3) обучать, готовить; 4) дрессировать (*собаку*); объезжать (*лошадь*); 5) *амер. разг.* водить компанию (with); связаться (with); 6) направлять рост растений (*обыкн.* ~ up, ~ along, ~ over); 7) *воен.* направлять (*огонь орудий*; upon); □ ~ down сбавлять вес специальной тренировкой.

train II [treɪn] **1.** *n* 1) поезд, состав; by ~ поездом; mixed ~ товаро-пассажирский поезд; goods ~ товарный поезд; up ~ поезд, идущий в Лондон *или* в большой город; down ~ поезд, идущий из Лондона *или* из большого города; long ~ поезд дальнего следования; wild ~ поезд, идущий не по расписанию; the ~ is off поезд уже отошёл; to lose one's ~ опоздать на поезд; to make (*или* to catch, to nick) the ~ поспеть на поезд; 2) свадебный поезд; похоронный кортеж; 3) караван; *воен.* обоз; 4) цепь, ряд, вереница (*событий, мыслей*); ~ of thought ход мыслей; a ~ of misfortune цепь не частий; 5) последствие; in the (*или* in its) ~ в результа́те, всле́дствие; 6) шлейф (пла́тья); хвост (павли́на, коме́ты); 7) сви́та; толпа́ (покло́нников и т. п.); 8) метал. прока́тный стан; 9) тех. зубча́тая переда́ча; механи́зм (часово́й и т. п.);

2. v разг. е́хать по желе́зной доро́ге.

trainband ['treɪnbænd] n ист. ополче́ние англи́йских горожа́н (в XVI—XVIII вв.).

train-bearer ['treɪn,bɛərə] n паж.

train-butcher ['treɪn,butʃə] n амер. разно́счик в по́езде.

trained [treɪnd] 1. p. p. от train I;

2. a 1) вы́ученный, вы́школенный; обу́ченный; трениро́ванный; 2) дрессиро́ванный.

trained nurse ['treɪnd'nɜːs] n медсестра́.

trainee [treɪ'niː] n проходя́щий подгото́вку, обуче́ние; стажёр, практика́нт.

trainer ['treɪnə] n 1) инстру́ктор; тре́нер; 2) дрессиро́вщик; 3) ист. ополче́нец [см. trainband]; 4) воен. горизонта́льный наво́дчик.

train-ferry ['treɪn'fɛrɪ] n железнодоро́жный паро́м.

training I ['treɪnɪŋ] 1. pres. p. от train I;

2. n 1) воспита́ние; 2) обуче́ние; on-the--job ~ обуче́ние по ме́сту рабо́ты; 3) трениро́вка; 4) дрессиро́вка;

3. a трениро́вочный, уче́бный; ~ aids уче́бные посо́бия.

training II ['treɪnɪŋ] pres. p. от train II, 2.

training-college ['treɪnɪŋ,kɔlɪdʒ] n педагоги́ческий институ́т.

training-school ['treɪnɪŋskuːl] n специа́льное учи́лище (медици́нское и т. п.).

training-ship ['treɪnɪŋʃɪp] n мор. уче́бное су́дно.

train-man ['treɪnmən] n амер. тормозно́й конду́ктор; проводни́к.

train-master ['treɪn,mɑːstə] n амер. нача́льник по́езда; гла́вный конду́ктор.

train-oil ['treɪnɔɪl] n во́рвань.

train-service ['treɪn,sɜːvɪs] n ж.-д. слу́жба движе́ния.

train staff ['treɪn'stɑːf] n поездна́я брига́да.

train table ['treɪn'teɪbl] n гра́фик движе́ния поездо́в.

traipse [treɪps] = trapse.

trait [treɪ, амер. treɪt] n 1) штрих; 2) черта́ (лица́, хара́ктера).

traitor ['treɪtə] n преда́тель, изме́нник.

traitorous ['treɪtərəs] a преда́тельский, вероло́мный.

traitress ['treɪtrɪs] n преда́тельница.

trajectory ['trædʒɪktərɪ] n траекто́рия.

tram I [træm] 1. n 1) трамва́й; 2) = tram--line; 3) = tram-car; 4) горн. вагоне́тка, теле́жка; 5) attr. трамва́йный;

2. v 1) е́хать в трамва́е; 2) отка́тывать на вагоне́тках.

tram II [træm] n текст. кручёный шёлк, уто́чный шёлк.

tram III [træm] n тех. разме́точный штангенци́ркуль.

tram-car ['træmkɑː] n трамва́й (ваго́н).

tram-driver ['træm,draɪvə] n вагоновожа́тый.

tram-line ['træmlaɪn] n трамва́йная ли́ния.

trammel ['træməl] 1. n 1) не́вод; трал; 2) уст. се́тка для ло́вли птиц; 3) pl поме́ха, препя́тствие; что-л. сде́рживающее; 4) инструме́нт для вычёрчивания э́ллипсов; штангенци́ркуль; 5) крючо́к для подве́шивания котла́ над огнём;

2. v 1) лови́ть не́водом, се́тью; 2) меша́ть; сде́рживать.

trammer ['træmə] n 1) трамва́йщик; 2) ло́шадь в ко́нке.

tramontane ['træmənteɪn] 1. a 1) заальпи́йский; 2) иностра́нный, чужезе́мныи; ва́рварский;

2. n иностра́нец, чужезе́мец; ва́рвар.

tramp [træmp] 1. n 1) бродя́га; 2) до́лгое и утоми́тельное путеше́ствие пешко́м; 3) звук тяжёлых шаго́в; 4) мор. грузово́е су́дно, не рабо́тающее на определённых ре́йсах;

2. v 1) тяжело́ ступа́ть, гро́мко то́пать; 2) идти́ пешко́м; тащи́ться с трудо́м, с нео́хотой; 3) бродя́жничать; 4) топта́ть, ута́птывать, утрамбо́вывать.

trample ['træmpl] 1. n 1) топта́ние, то́панье; 2) попра́ние;

2. v 1) топта́ть (тра́ву, посе́вы); раста́птывать; 2) дави́ть (виногра́д); 3) тяжело́ ступа́ть; 4) подавля́ть, попира́ть (on, upon).

trampoose [træm'puːs] v амер. sl. броди́ть, шля́ться; бродя́жничать.

tram-road ['træmroud] n ре́льсовый путь (для трамва́я, вагоне́тки и т. п.).

tramway ['træmweɪ] n = tram-line.

trance [trɑːns] n 1) мед. транс; 2) состоя́ние экста́за.

tranquil ['træŋkwɪl] a споко́йный.

tranquillity [træŋ'kwɪlɪtɪ] n споко́йствие.

tranquillize ['træŋkwɪlaɪz] v успока́ивать(ся).

trans- [træns-, trænz-] pref 1) за, по ту сто́рону; че́рез, транс-; transatlantic трансатланти́ческий; 2) ука́зывает на измене́ние фо́рмы, состоя́ния и т. п. пере-; to transform превраща́ть; to transplant переса́живать; to transshape изменя́ть фо́рму; 3) ука́зывает на превыше́ние преде́ла, перехо́д грани́цы пере-, пре-; to transcend превыша́ть; to transgress преступа́ть (или наруша́ть) зако́н.

transact [træn'zækt] v вести́, провести́ (де́ло); соверша́ть (сде́лку).

transaction [træn'zækʃən] n 1) де́ло; сде́лка; 2) веде́ние, отправле́ние (де́ла); 3) pl труды́, протоко́лы (нау́чного о́бщества); 4) юр. урегули́рование спо́ра путём соглаше́ния сторо́н (или компроми́сса).

transalpine ['trænz'ælpaɪn] a трансальпи́йский, находя́щийся се́вернее Альп.

transatlantic ['trænzət'læntɪk] 1. a 1) трансатланти́ческий; ~ line трансатланти́ческая парохо́дная ли́ния; 2) америка́нский;

2. n трансатланти́ческий парохо́д.

transcalent [træns'keɪlənt] a теплопрово́дный.

transceiver [træn'siːvə] n (сокр. от transmitter-receiver) амер. приёмопереда́тчик, радиопереда́тчик и радиоприёмник в о́бщем ко́рпусе.

transcend [træn'send] v 1) переступа́ть преде́лы; 2) превосходи́ть, превыша́ть.

transcendent [træn'sendənt] *a* 1) превосходящий; 2) превосходный; необыкновенный; 3) = transcendental 1).

transcendental [,trænsen'dentl] *a* 1) *филос.* трансцендентальный; трансцендентный; 2) *мат.* трансцендентный; 3) *распр.* абстрактный; неясный, туманный.

transcendentalism [,trænsen'dentəlizəm] *n* трансцендентальная философия.

transcontinental ['trænz,kɔntɪ'nentl] *a* пересекающий континент.

transcribe [træns'kraɪb] *v* 1) переписывать; 2) расшифровывать стенографическую запись; 3) записывать на плёнку (*для передачи*); передавать по радио грамзапись; 4) *фон.* транскрибировать; 5) *муз.* транспонировать.

transcript ['trænskrɪpt] *n* 1) копия; 2) расшифровка (*стенографической записи*).

transcription [træns'krɪpʃən] *n* 1) переписывание; 2) копия; 3) запись; electrical ~ *радио* механическая запись; 4) *фон.* транскрипция; транскрибирование; 5) *муз.* транспонировка.

transducer [træns'djuːsə] *n эл.* 1) преобразователь; 2) датчик; приёмник.

transect [træn'sekt] *v* делать поперечный надрез.

transept ['trænsept] *n архит.* трансепт, поперечный неф готического собора.

transfer 1. *n* ['trænsfə] 1) перенос; перемещение; 2) передача (*имущества, прав*); документ о передаче; трансфер; ~ of authority передача прав, полномочий; 3) перевод рисунка и т. п. на другую поверхность; 4) *pl* переводные картинки; 5) зеркальный оттиск; 6) перевод красок на холст (*при реставрировании*); 7) пересадка (*на железной дороге*); 8) *амер.* пересадочный билет;
2. *v* [træns'fə] 1) переносить, перемещать (from—из; to—в); to ~ a child to another school перевести ребёнка в другую школу; 2) передавать (*имущество и т. п.*); 3) переводить рисунок на другую поверхность, *особ.* наносить рисунок на литографский камень; 4) пересаживаться (*на другой трамвай*); делать пересадку (*на железной дороге*).

transferable [træns'fərəbl] *a* допускающий передачу, перемещение, замену; all parts of the machine were standard and ~ все части машины были стандартны и заменяемы; ~ vote голос, который может быть передан другому кандидату (*при пропорциональной системе представительства*).

transferal [træns'fərəl] *n* перевод, перенос, перемещение.

transferee [,trænsfə'riː] *n* лицо, которому передаётся что-л. *или* право на что-л.

transference ['trænsfərəns] *n* 1) передача; 2) перенесение.

transfer-ink [træns'fər,ɪŋk] *n* типографская тушь.

transferor [træns'fərə] *n* 1) передатчик; 2) лицо, передающее права на что-л.

transfiguration [,trænsfɪgju'reɪʃən] *n* 1) видоизменение, преобразование; 2) (T.) *церк.* преображение.

transfigure [træns'fɪgə] *v* 1) видоизменять; 2) преображать.

transfix [træns'fɪks] *v* 1) пронзать; прокалывать; пронизывать; 2) *перен.* приковать к месту; he was ~ed with horror ужас приковал его к месту.

transform [træns'fɔːm] *v* 1) превращать; 2) преображать; делать неузнаваемым; to ~ beyond recognition изменить до неузнаваемости; 3) *эл.* преобразовать, трансформировать.

transformation [,trænsfə'meɪʃən] *n* 1) превращение; 2) *эл.* трансформация; 3) *мат.* преобразование; 4) женский парик.

transformer [træns'fɔːmə] *n* 1) преобразователь; 2) *эл.* трансформатор.

transfuse [træns'fjuːz] *v* 1) переливать; 2) делать переливание (*крови*); 3) передавать (*свой энтузиазм и т. п.*); 4) пропитывать; пронизывать.

transfusion [træns'fjuːʒən] *n* переливание (*особ. крови*).

transgress [træns'gres] *v* 1) переступать, нарушать (*закон и т. п.*); 2) переходить границы (*терпения, приличия и т. п.*); 3) грешить.

transgression [træns'greʃən] *n* 1) проступок; нарушение (*закона и т. п.*); 2) грех; 3) *геол.* трансгрессия.

transgressor [træns'gresə] *n* 1) правонарушитель; 2) грешник.

tranship [træn'ʃɪp] = trans-ship.

transience, -cy ['trænziəns, -sɪ] *n* быстротечность, мимолётность.

transient ['trænziənt] 1. *a* 1) преходящий, мимолётный, скоротечный; 2) неустановившийся; изменяемый, переменный; 3) случайный, временный; *амер. разг.* проезжий (*о постояльце гостиницы*);
2. *n амер.* временный постоялец.

transient agent ['trænziənt'eɪdʒənt] *n* нестойкое отравляющее вещество.

transit ['trænsit] 1. *n* 1) прохождение; проезд; rapid ~ быстрый проезд; 2) *ком.* транзит, перевозка; in ~ в пути; 3) перемена; переход (*в другое состояние*); 4) *астр.* прохождение через меридиан; 5) теодолит (*угломерный инструмент*); 6) *attr.* транзитный; 7) *attr.* кратковременный; преходящий;
2. *v* 1) переходить, переезжать; 2) переходить в иной мир, умирать; 3) *астр.* проходить через меридиан.

transit-duty ['trænsit,djuːti] *n* транзитная пошлина.

transition [træn'sɪʒən] *n* 1) переход, перемещение; 2) переходный период; 3) *attr.* переходный; ~ period переходный период; ~ curve *мат.* переходная кривая.

transitional [træn'sɪʒənl] *a* переходный; промежуточный.

transitive ['trænsitiv] *a грам.* переходный.

transitory ['trænsitəri] *a* мимолётный, временный, скоропреходящий; ◇ ~ action *юр.* дело, которое может быть возбуждено в любом судебном округе.

transit point ['trænsit'pɔint] *n физ.* точка перехода, температура перехода из одного физического состояния в другое.

translatable [træns'leɪtəbl] *a* переводи́мый.

translate [træns'leɪt] *v* 1) переводи́ть(ся) (*с одного языка на другой*; from—с, into—на); poetry does not ~ easily стихи́ тру́дно переводи́ть; 2) объясня́ть, толкова́ть; 3) осуществля́ть, претворя́ть в жизнь; to ~ promises into actions выполня́ть обеща́ния; 4) *радио* трансли́ровать; 5) *sl.* лата́ть; перешива́ть из ста́рого.

translation [træns'leɪʃən] *n* 1) перево́д *и пр.* [*см.* translate]; 2) *радио* трансля́ция; 3) перемеще́ние, смеще́ние; 4) пересчёт из одни́х мер *или* едини́ц в други́е; 5) прямолине́йное движе́ние.

translator [træns'leɪtə] *n* перево́дчик.

translight ['trænslaɪt] *n* иллюмини́рованный транспара́нт (*вид рекламы*).

transliterate [trænz'lɪtəreɪt] *v* транслити́ровать, передава́ть бу́квами друго́го алфави́та.

transliteration [ˌtrænzlɪtə'reɪʃən] *n* транслитера́ция.

translocate [træns'loukeɪt] *v* смеща́ть, перемеща́ть.

translucent [trænz'luːsnt] *a* просве́чивающий; полупрозра́чный.

transmarine [ˌtrænsmə'riːn] *a* замо́рский.

transmigrant [trænz'maɪgrənt] *n* иностра́нец, находя́щийся в стране́ прое́здом на но́вое местожи́тельство.

transmigrate ['trænzmaɪgreɪt] *v* переселя́ть(ся).

transmigration [ˌtrænzmaɪ'greɪʃən] *n* переселе́ние.

transmissible [trænz'mɪsəbl] *a* 1) передаю́щийся; 2) зара́зный.

transmission [trænz'mɪʃən] *n* 1) переда́ча; radio ~ радиопереда́ча; picture ~ телеви́дение; 2) пересы́лка; 3) *тех.* переда́ча, коро́бка переда́ч, трансми́ссия, при́вод; 4) *attr.* переда́точный; ~ line *эл.* ли́ния высоково́льтной переда́чи.

transmit [trænz'mɪt] *v* 1) передава́ть; 2) отправля́ть, посыла́ть; 3) передава́ть по насле́дству.

transmitter [trænz'mɪtə] *n* 1) отправи́тель, переда́тчик; 2) (ра́дио)переда́тчик; 3) *тел.* микрофо́н.

transmogrification [ˌtrænzmɔgrɪfɪ'keɪʃən] *n* *шутл.* превраще́ние, метаморфо́за.

transmogrify [trænz'mɔgrɪfaɪ] *v* *шутл.* превраща́ть(ся), изменя́ть(ся) (*необыкновенным, таинственным образом*).

transmutation [ˌtrænzmju'teɪʃən] *n* превраще́ние; ~s of fortune превра́тности судьбы́.

transmute [trænz'mjuːt] *v* превраща́ть.

transoceanic ['trænz,ouʃɪ'ænɪk] *a* 1) заокеа́нский; 2) трансокеа́нский, пересека́ющий океа́н.

transom ['trænsəm] *n* 1) *стр.* фраму́га; попере́чный брусо́к; 2) *мор.* тра́нец.

transom-bar ['trænsəm,bɑː] *n* *стр.* и́мпост (*окна, двери*).

transparency [træns'pɛərənsɪ] *n* 1) прозра́чность; 2) транспара́нт.

transparent [træns'pɛərənt] *a* 1) прозра́чный, просве́чивающий; 2) я́сный, поня́тный; 3) очеви́дный, я́вный; 4) открове́нный.

transpicuous [træn'spɪkjuəs] = transparent 1), 2) *и* 3).

transpierce [træns'pɪəs] *v* пронза́ть наскво́зь.

transpiration [ˌtrænspɪ'reɪʃən] *n* испа́рина; выделе́ние по́та.

transpire [træns'paɪə] *v* 1) испаря́ться; 2) проса́чиваться (*о газе*); проступа́ть в ви́де ка́пель по́та; 3) обнару́живаться, станови́ться изве́стным; 4) *разг.* случа́ться.

transplant [træns'plɑːnt] *v* 1) переса́живать; 2) переселя́ть; 3) *хир.* де́лать переса́дку ко́жи.

transplantation [ˌtrænsplɑːn'teɪʃən] *n* переса́дка *и пр.* [*см.* transplant].

transpontine ['trænz'pɔntaɪn] *a* 1) располо́женный за мосто́м; находя́щийся по ту сто́рону ло́ндонских мосто́в, к ю́гу от Те́мзы; 2) мелодрамати́ческий; ~ drama дешёвая мелодра́ма.

transport 1. *n* ['trænspɔːt] 1) тра́нспорт, перево́зка; 2) тра́нспорт, сре́дства сообще́ния; тра́нспорт(ное су́дно); пассажи́рский *или* почто́вый самолёт; 3) увлече́ние, восто́рг, восхище́ние; *реже* у́жас; 4) *уст.* ка́торжник; 5) *attr.* тра́нспортный. 2. *v* [træns'pɔːt] 1) перевози́ть; переноси́ть, перемеща́ть; 2) (*обыкн. p. p.*) увлека́ть, приводи́ть в состоя́ние восто́рга, у́жаса *и т. п.*; ~ed with joy не по́мня себя́ от ра́дости; 3) *уст.* ссыла́ть на ка́торгу.

transportable [træns'pɔːtəbl] *a* подви́жно́й, передвижно́й, перено́сный, транспорта́бельный.

transportation [ˌtrænspɔː'teɪʃən] *n* 1) перево́зка, тра́нспорт; транспорти́рование; 2) тра́нспортные сре́дства; 3) *амер.* сто́имость перево́зки; 4) *амер.* биле́т (*железнодоро́жный, трамва́йный и т. п.*); 5) *уст.* ссы́лка на ка́торгу.

transporter [træns'pɔːtə] *n* *тех.* транспортёр, конве́йер.

transpose [træns'pouz] *v* 1) перемеща́ть; переставля́ть (*слова в предложении*); 2) *мат.* переноси́ть в другу́ю часть уравне́ния с обра́тным зна́ком; 3) *муз.* транспони́ровать.

transposition [ˌtrænspə'zɪʃən] *n* 1) перемеще́ние, перестано́вка; перено́с; 2) *муз.* транспониро́вка.

trans-ship [træns'ʃɪp] *v* *мор., ж.-д.* 1) перегружа́ть; 2) переса́живать(ся).

trans-shipment [træns'ʃɪpmənt] *n* *мор., ж.-д.* 1) перегру́зка; 2) переса́дка.

transuranium [ˌtrænsjuə'reɪnjəm] *n* *хим.* трансура́новый элеме́нт.

transvalue [trænz'væljuː] *v* переоце́нивать.

transversal [trænz'vəːsəl] 1. *a* попере́чный; косо́й, накло́нный. 2. *n* пересека́ющая ли́ния.

transverse ['trænzvəːs] *a* попере́чный; ~ section попере́чный разре́з, попере́чное сече́ние.

tranter ['træntə] *n* *диал.* во́зчик; разно́счик.

trap I [træp] 1. *n* 1) лову́шка; сило́к; капка́н, западня́; to set a ~ ста́вить лову́шку; to bait a ~ класть прима́нку в лову́шку; *перен.* зама́нивать; to fall into a ~ попа́сться в лову́шку; 2) = trapdoor; 3) *sl.* сы́щик; полице́йский; 4) рессо́рная двуко́лка; 5) *тех.* сифо́н; труба́, изо́гнутая в ви́де U; дрена́жная труба́; 6) *радио* загражда́ющий фильтр, лову́шка; 7) вентиляцио́нная дверь (*в шахте*);

2. *v* 1) ста́вить лову́шки, капка́ны; лови́ть в лову́шки, капка́ны; 2) зама́нивать; обма́нывать; 3) *тех.* заде́рживать, отделя́ть (*тж.* ~ out).

trap II [træp] 1. *n* (*обыкн. pl*) 1) ли́чные, дома́шние ве́щи; бага́ж; 2) *уст.* попо́на;

2. *v разг.* наряжа́ть, украша́ть.

trap III [træp] *n геол.* 1) трапп; 2) дислока́ция, моноклина́ль.

trapdoor ['træp'dɔ:] *n* люк; опускна́я дверь.

trapes [treips] = trapse.

trapeze [trə'pi:z] *n спорт.* трапе́ция.

trapezia [trə'pi:zjə] *pl от* trapezium.

trapezium [trə'pi:zjəm] *n* (*pl* -s [-z], -zia) *геом.* трапе́ция.

trap-line ['træplain] *n охот.* систе́ма капка́нов.

trapper ['træpə] *n* охо́тник, ста́вящий капка́ны.

trappings ['træpiŋz] *n pl* 1) ко́нская сбру́я, попо́на (*особ. пара́дная*); 2) официа́льный костю́м; пара́дный мунди́р; 3) украше́ния.

trappy ['træpi] *a разг.* 1) изоби́лующий капка́нами; 2) преда́тельский, опа́сный.

trapse [treips] 1. *n* 1) утоми́тельная прогу́лка; 2) неря́ха;

2. *v разг.* 1) ходи́ть без де́ла; 2) тащи́ться; 3) волочи́ть по земле́ (*подол*).

trap-shooting ['træp,ʃu:tiŋ] *n* стрельба́ по летя́щей це́ли *или* мише́ни (*мячу, глиня́ному голубю и т. п.*).

trash I [træʃ] 1. *n* 1) отбро́сы, хлам; му́сор; макулату́ра; 2) *разг.* плоха́я литерату́рная *или* худо́жественная рабо́та; ерунда́; вздор; 3) несто́ящие лю́ди, дрянь; white ~ *амер. презр.* бедняки́ из бе́лого населе́ния ю́жных шта́тов; 4) вы́жатый са́харный тростни́к;

2. *v* 1) очища́ть от му́сора; 2) подреза́ть верху́шки дере́вьев; 3) очища́ть са́харный тростни́к от ли́стьев; 4) пренебрежи́тельно относи́ться.

trash II [træʃ] 1. *n* препя́тствие;

2. *v* сде́рживать, приде́рживать.

trash-ice ['træʃ,ais] *n* плаву́чие льди́ны (*во время ледохода*).

trashy ['træʃi] *a* дрянно́й.

trass [trɑ:s] *n мин.* трасс (*то́нкий вулка́нический туф*).

trauma ['trɔ:mə] *греч. n* (*pl* -ata, -s [-z]) *мед.* тра́вма.

traumata ['trɔ:mətə] *pl от* trauma.

traumatic [trɔ:'mætik] *a мед.* травмати́ческий.

traumatize ['trɔ:mətaiz] *v мед.* травми́ровать.

travail ['træveil] *уст.* 1. *n* 1) родовы́е му́ки; 2) тяжёлый труд;

2. *v* 1) му́читься в ро́дах; 2) напряга́ться, исполня́ть тру́дную рабо́ту.

travel ['trævl] 1. *n* 1) путеше́ствие; 2) *pl*

описа́ние путеше́ствия; 3) движе́ние; длина́ пути́; 4) движе́ние (*снаряда по кана́лу ствола́*); 5) *тех.* пода́ча, ход; длина́ хо́да (*стола станка и т. п.*);

2. *v* 1) путеше́ствовать; 2) дви́гаться, передвига́ться; 3) перемеща́ться; распространя́ться; light ~s faster than sound ско́рость све́та превыша́ет ско́рость зву́ка; 4) перебира́ть (*в па́мяти*); переходи́ть от предме́та к предме́ту (*о взгля́де*); his eye ~led over the picture он рассма́тривал карти́ну; 5) е́здить в ка́честве коммивояже́ра.

travel-bureau ['trævlbjuə,rou] *n* бюро́ путеше́ствий.

travel-film ['trævlfilm] *n* фильм о путеше́ствиях.

travelled ['trævld] 1. *p. p. от* travel 2;

2. *a* 1) мно́го путеше́ствовавший; 2) прое́зжий (*о доро́ге*).

traveller ['trævlə] *n* 1) путеше́ственник; ~'s cheque аккредити́в; ~'s tales «охо́тничьи» расска́зы; 2) *тех.* бегуно́к; 3) *тех.* мостово́й кран; 4) *разг.* чек на все поку́пки в ра́зных отде́лах магази́на для опла́ты в одно́й ка́ссе.

traveller's-joy ['trævləz'dʒɔi] *n бот.* ломоно́с.

travelling ['trævliŋ] 1. *pres. p. от* travel 2;

2. *n* путеше́ствие;

3. *a* 1) путеше́ствующий; свя́занный с путеше́ствием; ~ salesman коммивояже́р; ~ speed ско́рость движе́ния; 2) подвижно́й; ~ kitchen похо́дная ку́хня; ~ library передвижна́я библиоте́ка.

travelling-bag ['trævliŋbæg] *n* несессе́р.

travelling crane ['trævliŋ'krein] *n* мостово́й кран.

travelling-dress ['trævliŋdres] *n* доро́жный костю́м.

travelogue ['trævəloug] *n* 1) ле́кция о путеше́ствии с диапозити́вами *или* кино́; 2) = travel-film.

traverse ['trævə:s] 1. *n* 1) попере́чина, перекла́дина; 2) препя́тствие; 3) *юр.* отрица́ние (*утвержде́ния противополо́жной стороны*); 4) *воен.* горизонта́льная наво́дка; 5) *ав., мор.* тра́верз;

2. *v* 1) пересека́ть; класть попере́к; 2) (*подро́бно*) обсужда́ть; to ~ a subject обсуди́ть вопро́с со всех сторо́н; 3) возража́ть; 4) повора́чиваться на вертика́льной оси́, враща́ться; 5) *юр.* отрица́ть [*см.* 1, 3)]; 6) *воен.* выполня́ть горизонта́льную наво́дку;

3. *a* попере́чный.

travertin ['trævətin] *n мин.* траверти́н, известко́вый туф.

travertine ['trævəti:n] = travertin.

travesty ['trævisti] 1. *n* паро́дия; искаже́ние;

2. *v* представля́ть паро́дию; пароди́ровать; искажа́ть.

travolator ['trævouleitə] *n* дви́жущийся тротуа́р.

trawl [trɔ:l] 1. *n* тра́ловая сеть;

2. *v* тащи́ть (се́ти) по дну; лови́ть ры́бу тра́ловыми сетя́ми.

trawler ['trɔ:lə] *n* тра́улер, тра́льщик.

tray [treɪ] *n* 1) поднóс; to serve (breakfast, dinner, *etc.*) on a ~ подавáть (зáвтрак, обéд *и т. п.*) в нóмер гостúницы; 2) жёлоб, лотóк; 3) корýто.

treacherous [ˈtretʃərəs] *a* 1) предáтельский, веролóмный; 2) ненадёжный.

treachery [ˈtretʃərɪ] *n* предáтельство, веролóмство.

treacle [ˈtriːkl] 1. *n* пáтока;
2. *v* 1) намáзывать пáтокой; 2) давáть дóзу (сéры и) пáтоки (*как лекáрство*).

treacly [ˈtriːklɪ] *a* 1) пáточный; 2) притóрный, елéйный.

tread [tred] 1. *n* 1) пóступь, похóдка; 2) спáривание (*о птúцах*); 3) *стр.* ступéнь; 4) ширинá хóда, колéя; 5) *тех.* повéрхность качéния (шúны); óбод (колесá); звенó (гýсеничного хóда);
2. *v* (trod; trodden) 1) ступáть, шагáть, идтú; to ~ in smb.'s steps идтú по чьим-л. стопáм; слéдовать примéру; 2) топтáть, наступáть, давúть (*тж.* ~ down; on, upon); to ~ under foot уничтожáть, попирáть; притеснять; 3) протáптывать (*дорóжку*); 4) *уст.* танцевáть; 5) спáриваться (*о птúцах*); ☐ ~ down давúть, топтáть, затáптывать; *перен.* попирáть, подавлять; ~ in втáптывать; ~ out а) давúть (*виногрáд*); б) затáптывать (*огóнь*); в) *перен.* подавлять; ◇ to ~ on the heels of слéдовать непосрéдственно за; to ~ on air ≅ ног под собóй не чýять; ликовáть; рáдоваться; to ~ on smb.'s corns (*или* toes) наступúть комý-л. на любúмую мозóль; бóльно задéть когó-л.; задéть чьи-л. чýвства; to ~ (as) on eggs а) ступáть, дéйствовать осторóжно; б) быть в щекотлúвом положéнии; to ~ on the neck of притеснять, подавлять; to ~ the boards (the deck) быть актёром (морякóм); to ~ lightly дéйствовать осторóжно, тактúчно; to ~ water плыть стóя.

treadle [ˈtredl] 1. *n* педáль (*велосипéда*); поднóжка (*швéйной машúны*); ножнóй привóд;
2. *v* рабóтать педáлью.

treadmill [ˈtredmɪl] *n* 1) топчáк; 2) однообрáзный механúческий труд.

treason [ˈtriːzn] *n* измéна; high ~ государственная измéна.

treasonable [ˈtriːznəbl] *a* измéннический.

treasonous [ˈtriːznəs]=treasonable.

treasure [ˈtreʒə] 1. *n* сокрóвище; buried ~ клад;
2. *v* 1) хранúть как сокрóвище; сберегáть, хранúть (*тж.* ~ up); 2) высокó ценúть.

treasure-house [ˈtreʒəhaus] *n* 1) сокрóвищница (*особ. библиотéка, музéй*); 2) казначéйство.

treasurer [ˈtreʒərə] *n* 1) казначéй; Lord High T. *ист.* госудáрственный казначéй; 2) хранúтель (*цéнностей, коллéкции и т. п.*).

treasure trove [ˈtreʒəˈtrouv] *n* не имéющие владéльца драгоцéнности, нáйденные в землé.

treasury [ˈtreʒərɪ] *n* 1) сокрóвищница; 2) (T.) госудáрственное казначéйство; 3) казнá; 4) *attr.* казначéйский; ~ note казначéйский билéт; ◇ T. bench скамья минúстров (*в áнгл. парлáменте*).

treat [triːt] 1. *n* 1) угощéние; to stand ~ угощáть, платúть за угощéние; 2) удовóльствие, наслаждéние; 3) *школ.* пикнúк, экскýрсия;
2. *v* 1) обращáться, обходúться; относúться; he ~ed my words as a joke он обратúл мои словá в шýтку; 2) обрабáтывать, подвергáть дéйствию (with); 3) лечúть (for—от *чегó-л.*; with—*чем-л.*); 4) трактовáть; the book ~s of poetry в этой кнúге говорúтся о поэзии; 5) угощáть (to); приглáсить в теáтр, кинó *и т. п.* (to); 6) имéть дéло, вестú переговóры (with—с *кем-л.*; for—о *чём-л.*); 7) *горн.* обогащáть.

treatise [ˈtriːtɪz] *n* 1) трактáт; 2) научный труд; курс (*учéбник*).

treatment [ˈtriːtmənt] *n* 1) обращéние; 2) обрабóтка (*чем-л.*); 3) лечéние, ухóд; to take ~s проходúть курс лечéния; manipulation ~ лечéбные процедýры; 4) пропúтка, пропúтывание; 5) *горн.* обогащéние.

treaty [ˈtriːtɪ] *n* 1) договóр; 2) *уст.* переговóры; 3) *attr.* договорный, существýющий на основáнии договóра; ~ port порт, открытый для торгóвли в сúлу междунарóдных соглашéний.

treble [ˈtrebl] 1. *a* 1) тройнóй, утроенный; 2) *муз.* дискантóвый;
2. *n* 1) тройнóе колúчество; 2) *муз.* дúскант;
3. *v* 1) утрáивать(ся); 2) *уст.* петь дúскантом.

trecentist [treiˈtʃentɪst] *ит.* *n* итальянский худóжник *или* писáтель XIV вéка.

trecento [treiˈtʃentou] *ит.* *n* XIV век в итальянском искýсстве и литератýре.

tree [triː] 1. *n* 1) дéрево; 2) родослóвное дéрево (*тж.* family ~); 3) дрéво; the ~ of knowledge дрéво познáния; 4) *sl.* вúселица (*тж.* Tyburn ~); 5) *рéдк.* стóйка, подпóрка; 6) *тех.* вал; ◇ to be at the top of the ~ стоять во главé; занимáть вúдное положéние; up a (*или* the) ~ в безвыходном положéнии;
2. *v* 1) загнáть на дéрево; 2) влезть на дéрево; 3) постáвить в безвыходное положéние; 4) растягивать, расправлять óбувь (*на колóдке*).

tree-creeper [ˈtriːˌkriːpə] *n* пищýха обыкновéнная (*птúца*).

tree-fern [ˈtriːˈfəːn] *n* древовúдный пáпоротник.

tree-frog [ˈtriːˈfrɔg] *n* древéсная лягýшка, квáкша.

treeless [ˈtriːlɪs] *a* безлéсный, гóлый, без растúтельности (*о земéльном учáстке*).

treenail [ˈtriːneɪl] *n* *мор.* нáгель.

trefoil [ˈtrefoɪl] *n* 1) клéвер; 2) орнáмент в вúде трилúстника.

trek [trek] 1. *n* 1) переселéние (*особ. в фургóнах, запряжённых волáми*); 2) перехóд, путешéствие; *воен.* марш, похóд, перехóд; to go on the ~ выступáть в похóд;
2. *v* 1) переселяться; éхать в фургóнах, запряжённых волáми; 2) дéлать большóй перехóд; пересекáть (*пустыню, горную мéстность и т. п.*); 3) *воен.* совершáть марш.

trellis [ˈtrelɪs] *n* 1) решётка; 2) шпалéра.

tremble ['trembl] 1. *n* дрожь, дрожа́ние; all in (*или* on, of) a ~ *разг.* дрожа́, в си́льном волне́нии;
2. *v* 1) дрожа́ть; трясти́сь; 2) страши́ться, опаса́ться; трепета́ть; to ~ for one's life опаса́ться, дрожа́ть за свою́ жизнь; to ~ at the thought of трепета́ть при мы́сли о; 3) колыха́ться, развева́ться (*о флагах*); ◇ to ~ in the balance висе́ть на волоске́, быть в крити́ческом положе́нии.

trembler ['tremblə] *n авт.* трамблёр, прерыва́тель.

trembly ['tremblɪ] *a разг.* 1) дрожа́щий, неро́вный (*почерк и т. п.*); 2) засте́нчивый, ро́бкий.

tremendous [trɪ'mendəs] *a* 1) стра́шный; ужа́сный; 2) *разг.* огро́мный, грома́дный; потряса́ющий.

tremor ['tremə] *n* 1)=tremble 1; 2) сотрясе́ние; толчки́.

tremulant ['tremjulənt] = tremulous.

tremulous ['tremjuləs] *a* 1) дрожа́щий, неро́вный (*голос, почерк и т. п.*): 2) ро́бкий, тре́петный.

trenail ['triːneɪl]=treenail.

trench [trentʃ] 1. *n* 1) ров, кана́ва; борозда́; котлова́н; 2) транше́я, око́п; 3) про́сека; 4) *attr.* транше́йный, око́пный; ~ stretcher транше́йные носи́лки; ~ warfare транше́йная война́;
2. *v* 1) рыть рвы, кана́вы, око́пы, транше́и; 2) вска́пывать; 3) проре́зать (*жело́бки, борозды́*); 4) проруба́ть (*просеку*); 5) посяга́ть (upon); to ~ upon smb.'s time отнима́ть чьё-л. вре́мя; 6) грани́чить; his answer ~ed (up)on insolence его́ отве́т грани́чил с де́рзостью; □ ~ about, ~ around ока́пываться.

trenchant ['trentʃənt] *a* 1) *поэт.* о́стрый, ре́жущий; 2) *перен.* ре́зкий; ко́лкий; о́стрый; ~ style ре́зкая мане́ра.

trench-bomb ['trentʃbɔm] *n воен.* ручна́я грана́та.

trench coat ['trentʃ'kout] *n* тёплая полушине́ль.

trencher I ['trentʃə] *n* 1) солда́т, ро́ющий транше́и; 2) = trench coat.

trencher II ['trentʃə] *n* доска́, на кото́рой ре́жут хлеб.

trencherman ['trentʃəmən] *n* 1) едо́к; a good (poor) ~ хоро́ший (плохо́й) едо́к; 2) прихлеба́тель.

trench foot ['trentʃ'fut] *n мед.* транше́йная стопа́.

trench mortar ['trentʃ'mɔːtə] *n* миноме́т.

trend [trend] 1. *n* 1) направле́ние; 2) о́бщее направле́ние, тенде́нция;
2. *v* 1) отклоня́ться, склоня́ться в како́м-л. направле́нии; the road ~s to the north доро́га идёт на се́вер; 2) име́ть тенде́нцию.

trepan I [trɪ'ræn] 1. *n* 1) *мед.* трепа́н; 2) *тех.* бур;
2. *v мед.* трепани́ровать.

trepan II [trɪ'ræn] 1. *n* лову́шка, западня́;
2. *v* 1) зама́нивать; 2) обма́нывать.

trephine [trɪ'fiːn] *v* производи́ть трепана́цию.

trepidation [,trepɪ'deɪʃən] *n* 1) тре́пет,

дрожь; дрожа́ние; 2) трево́га, беспоко́йное состоя́ние.

trespass ['trespəs] 1. *n* 1) наруше́ние грани́ц (*обыкн. с материа́льным уще́рбом для землевладе́льца*); 2) *юр.* просту́пок; 3) злоупотребле́ние (on, upon—*чем-л.*); 4) *церк.* прегреше́ние;
2. *v* 1) нару́шить грани́цу (on, upon); 2) соверши́ть просту́пок *или* прегреше́ние (against); 3) злоупотребля́ть (on); to ~ on one's hospitality злоупотребля́ть чьим-л. гостеприи́мством.

trespasser ['trespəsə] *n* 1) наруши́тель грани́ц; браконье́р; 2) правонаруши́тель.

tress [tres] *n* 1) дли́нный ло́кон; коса́; 2) *pl* распу́щенные же́нские во́лосы.

tressed [trest] *a* 1) име́ющий ко́сы; 2) заплетённый.

trestle ['tresl] *n* эстака́да, мост на ра́мных опо́рах; ко́злы; подста́вка.

trestle-work ['treslwɔːk] *n стр.* подмости, платфо́рма; эстака́да.

trews [truːz] *n pl* кле́тчатые штаны́ (*шотл. горцев*).

trey [treɪ] *n* тро́йка (*в ка́ртах*); три очка́ (*на игра́льных костя́х*).

triable ['traɪəbl] *a* 1) допуска́ющий испыта́ние; 2) *юр.* подсу́дный.

triad ['traɪəd] *n* 1) что-л., состоя́щее из трёх часте́й, предме́тов; гру́ппа из трёх челове́к; триа́да; 2) *муз.* трезву́чие.

triage ['traɪɪdʒ] *n* 1) сортиро́вка; 2) ко́фе ни́зшего со́рта.

trial ['traɪəl] *n* 1) испыта́ние, о́пыт, про́ба; to give a ~ a) взять на испыта́ние, на испыта́тельный срок (*рабо́чего*); б) испы́тывать (*прибор, маши́ну и т. п.*); on ~ а) находя́щийся на испыта́тельном сро́ке; б) взя́тый на про́бу (*о предме́тах*); 2) пережива́ние, испыта́ние; искуше́ние; злоключе́ние; to put on ~ подверга́ть серьёзному испыта́нию [*ср. тж.* 3)]; 3) *юр.* суде́бное разбира́тельство; суде́бный проце́сс, суд; state ~ суд над госуда́рственными престу́пниками; to bring to ~, to put on ~ привлека́ть к суду́ [*ср. тж.* 2)]; to stand one's ~ быть под судо́м; to give a fair ~ суди́ть по зако́ну, справедли́во; 4) *спорт.* попы́тка; 5) *геол.* разве́дка; 6) *attr.* про́бный, испыта́тельный; ~ period испыта́тельный срок; ~ гип про́бный пуск; ~ trip про́бное пла́вание; *перен.* экспериме́нт.

triangle ['traɪæŋgl] *n* треуго́льник.

triangular [traɪ'æŋgjulə] *a* 1) треуго́льный; 2) трёхгра́нный; ~ pyramid трёхгра́нная пирами́да; 3) происходя́щий с уча́стием трёх челове́к, па́ртий, групп и т. п.; ~ fight борьба́ трёх сторо́н ме́жду собо́й; ~ agreement трёхсторо́ннее соглаше́ние.

triangulate [traɪ'æŋgjuleɪt] *v геод.* производи́ть триангуля́цию, де́лать тригонометри́ческую съёмку.

triarchy ['traɪɑːkɪ] *n* триумвира́т.

trias ['traɪəs] *n геол.* триа́с.

tribal ['traɪbəl] *a* племенно́й, родово́й.

tribe [traɪb] *n* 1) пле́мя; клан; коле́но; *др.-рим.* три́ба; 2) *разг.* компа́ния; 3) *биол.* три́ба.

tribesman ['traɪbzmən] n член рода, сородич.

tribrach ['trɪbræk] n прос. трибрахий.

tribulation [ˌtrɪbju'leɪʃən] n горе, несчастье.

tribunal [traɪ'bjuːnl] n 1) суд; трибунал; 2) место судьи; 3) уст. комиссия по освобождению от призыва в армию.

tribunate ['trɪbjunɪt] n др.-рим. трибунат, должность трибуна.

tribune I ['trɪbjuːn] n др.-рим. трибун.

tribune II ['trɪbjuːn] n эстрада, трибуна.

tribunicial [ˌtrɪbju'nɪʃəl] a трибунский.

tributary ['trɪbjutərɪ] 1. n 1) данник; государство, платящее дань; 2) приток; 2. a 1) платящий дань; подчинённый; 2) являющийся притоком; ~ stream приток; 3) геол. второстепенный, подчинённый (о породе).

tribute ['trɪbjuːt] n дань; to lay under ~ наложить дань; to pay (a) ~ to smb. хвалить кого-л., отдавать дань кому-л.; floral ~s цветочные подношения.

tricar ['traɪkɑː] =tricycle.

trice I [traɪs] n мгновение; in a ~ мгновенно, в один миг.

trice II [traɪs] v мор. подтягивать и привязывать (обыкн. ~ up).

tricentenary ['traɪ'sentɪnərɪ]=tercentenary.

triceps ['traɪseps] n анат. трёхглавая мышца.

trichina [trɪ'kaɪnə] n (pl -ае) зоол., мед. трихина.

trichinae [trɪ'kaɪniː] pl от trichina.

trichinopoli [ˌtrɪtʃɪ'nɔpəlɪ] n сорт индийской сигары.

trichinosis [ˌtrɪkɪ'nousɪs] n мед. трихинеллёз.

trichord ['traɪkɔːd] n трёхструнный музыкальный инструмент.

trichotomy [traɪ'kɔtəmɪ] n деление на три части, на три элемента.

trichromatic [ˌtraɪkrou'mætɪk] a трёхцветный.

trick [trɪk] 1. n 1) хитрость, обман; by ~ обманным путём; ~ of senses (imagination) обман чувств (воображения); to play smb. a ~ обмануть, надуть кого-л.; сыграть с кем-л. «штуку»; you shall not serve that ~ twice второй раз этот номер не пройдёт; 2) фокус, трюк; 3) шутка; шалость; выходка; none of your ~s! без фокусов!; a dirty ~ подлость, гадость; shabby ~s гадкие шутки; ~s of fortune превратности судьбы; 4) сноровка, ловкий приём; уловка; don't know (или have not got) the ~ of it не знаю, как это делается, не знаю «секрета»; he's done the ~ разг. ему это удалось; I know a ~ worth two of that у меня есть средство получше; all the ~s and turns все приёмы, уловки; ~s of the trade специфические приёмы в каком-л. деле (или профессии); 5) особенность, характерное выражение (лица, голоса); манера, привычка (часто дурная); 6) карт. взятка; the odd ~ решающая взятка; 7) мор. очередь, смена у руля; to take (или to have, to stand) one's ~ отстоять смену; 8) безде-

лушка, забава, игрушка; 9) амер. ребёнок (часто little или pretty ~); 10) attr. сложный; ~ lock замок с секретом; ~ photography комбинированные съёмки; 11) attr. обманчивый;

2. v 1) обманывать, надувать; выманивать (out of); обманом заставить (что-л. сделать; into); 2) подводить (кого-л.); 3) искусно или причудливо украшать (обыкн. ~ out, ~ up, ~ off).

trickery ['trɪkərɪ] n 1) надувательство; обман; 2) хитрость, ловкая проделка.

tricking ['trɪkɪŋ] 1. pres. от trick 2; 2. n 1)=trickery; 2) редк. одежда.

trickle ['trɪkl] 1. n струйка; 2. v течь тонкой струйкой, сочиться (тж. ~ out, ~ down, ~ through, ~ along), капать; the news ~d out новость просочилась.

trickster ['trɪkstə] n обманщик; ловкач.

tricksy ['trɪksɪ] a 1) шаловливый, игривый; 2) капризный; 3) разодетый, нарядный; 4) ненадёжный, обманчивый.

tricky ['trɪkɪ] a 1) хитрый, ловкий; находчивый, искусный; 2) сложный, мудрёный; 3) ненадёжный.

triclinia [traɪ'klɪnɪə] pl от triclinium.

triclinium [traɪ'klɪnɪəm] n (pl -ia) др.-рим. триклиний.

tricolour ['trɪkələ] 1. n трёхцветный флаг; 2. a трёхцветный.

tricot ['trɪkou] фр. n 1) трико (материя); 2) трикотаж(ное бельё).

tricycle ['traɪsɪkl] 1. n трёхколёсный велосипед; мотоцикл с коляской; 2. v ездить на трёхколёсном велосипеде или мотоцикле.

trident ['traɪdənt] n трезубец.

tried [traɪd] 1. past и p. p. от try 2; 2. a испытанный, проверенный, надёжный.

triennial [traɪ'enjəl] 1. a продолжающийся три года, повторяющийся через три года; 2. n 1) то, что продолжается три года или случается раз в три года; 2) трёхлетняя годовщина; 3) трёхлетнее растение.

trifle ['traɪfl] 1. n 1) пустяк, мелочь; a ~ немного, слегка; he seems a ~ annoyed он немножко раздражён; 2) небольшое количество, небольшая сумма; it cost a ~ это недорого стоило; put a ~ of sugar in my tea положите мне немного сахару в чай; 3) скромный подарок; 4) чаевые; 5) бисквит, пропитанный вином и залитый сбитыми сливками;

2. v 1) шутить; обращаться небрежно; he is not a man to ~ with с ним шутки плохи; 2) вести себя легкомысленно; заниматься пустяками; 3) играть, вертеть в руках, теребить; he ~d with his pencil он вертел в руках карандаш; 4) тратить понапрасну (время, силы; обыкн. ~ away); to ~ away one's time зря тратить время.

trifling ['traɪflɪŋ] 1. pres. p. от trifle 2; 2. n 1) подшучивание, шутливая беседа; лёгкий разговор; 2) трата времени; 3. a 1) пустячный, пустяковый; незначительный; 2) несто́ящий, никудышный; неинтересный.

trifocal [traɪˈfoukəl] 1. *a* трифока́льный; 2. *n pl* трифока́льные очки́.

trifoliate [traɪˈfoulieɪt] *a* 1) *бот.* трёхли́стный; 2) *архит.* укра́шенный трили́стником.

triform [ˈtraɪfɔːm] *a* име́ющий три фо́рмы.

trig I [trɪg] 1. *a* 1) опря́тный; 2) наря́дный; 3) кре́пкий, здоро́вый; 4) испра́вный;
2. *n уст.* фат;
3. *v* 1) держа́ть в поря́дке, в опря́тности (*часто* ~ up); 2) наряжа́ть (*часто* ~ out); 3) набива́ть, наполня́ть.

trig II [trɪg] 1. *n* подкла́дка под колесо́ для торможе́ния;
2. *v* подкла́дывать (*что-л.*) под колёса для торможе́ния, тормози́ть.

trig III [trɪg] *шкод. sl. сокр. от* trigonometry.

trigger [ˈtrɪgə] *n* 1) *воен., тех.* спусково́й крючо́к; соба́чка; to pull the ~ спусти́ть куро́к; *перен.* пусти́ть в ход, привести́ в движе́ние; 2) защёлка; ◇ easy on the ~ *амер.* вспы́льчивый, легко́ возбуди́мый; quick on the ~ бы́стро реаги́рующий.

trigger-happy [ˈtrɪgə,hæpɪ] *a* 1) *воен.*: to be ~ стреля́ть, не це́лясь; 2) войнственный.

trigonal [ˈtrɪgənəl] 1)=triangular; 2)≈ trigonous.

trigonometric(al) [,trɪgənəˈmetrɪk(əl)] *a* тригонометри́ческий.

trigonometry [,trɪgəˈnɔmɪtrɪ] *n* тригономе́трия.

trigonous [ˈtrɪgənəs] *a* треуго́льный; име́ющий в сече́нии треуго́льник.

trihedral [traɪˈhiːdrəl] *a* трёхгра́нный, трёхсторо́нний.

trihedron [traɪˈhiːdrən] *n* трёхгра́нник.

trilateral [ˈtraɪˈlætərəl] *a* трёхсторо́нний.

trilbies [ˈtrɪlbɪz] *n pl sl.* но́ги.

trilby [ˈtrɪlbɪ] *n* мя́гкая фе́тровая шля́па.

trilingual [ˈtraɪˈlɪŋgwəl] *a* 1) трёхъязы́чный; 2) говоря́щий на трёх языка́х.

trill [trɪl] 1. *n* 1) *муз.* трель; 2) *фон.* вибри́рующее г;
2. *v* 1) выводи́ть трель; 2) произноси́ть звук г с вибра́цией.

trillion [ˈtrɪljən] *num. card.*, *n* триллио́н; *амер.* биллио́н.

trilobate [traɪˈloubeɪt] *a бот.* трёхло́пастный.

trilogy [ˈtrɪlədʒɪ] *n* трило́гия.

trim [trɪm] 1. *n* 1) состоя́ние поря́дка; in fighting ~ в боево́й гото́вности; in good ~ а) в поря́дке; б) в хоро́шей фо́рме (*о спортсме́не*); 2) наря́д; украше́ние; отде́лка; 3) *амер.* украше́ние витри́ны; 4) *амер.* калёвка, баге́т, филёнка; 5) *мор.* пра́вильное размеще́ние гру́за, балла́ста и т. п. на су́дне; 6) дифферент, продо́льный накло́н (*су́дна или дирижа́бля*);
2. *a* 1) аккура́тный, опря́тный, приведённый в поря́док; 2) наря́дный; 3) *уст.* в состоя́нии гото́вности;
3. *v* 1) приводи́ть в поря́док; to ~ one-self up приводи́ть себя́ в поря́док; 2) подреза́ть (*напр., фити́ль ла́мпы*); подстрига́ть; обреза́ть кро́мки; обтёсывать, торцева́ть (*доски*); 3) отде́лывать (*пла́тье*); украша́ть (*блю́до гарни́ром и т. п.*); 4) приспособля́ться; баланси́ровать ме́жду противополо́жными па́ртиями; 5) *разг.* отчита́ть, сде́лать вы́говор; поби́ть; 6) *разг.* обма́нывать; вымога́ть де́ньги; 7) *мор.* уравнове́шивать, удиффере́нтовывать (*су́дно*); 8) *тех.* снима́ть заусе́нцы; де́лать фа́ску; ◇ to ~ the sails to the wind держа́ть нос по ве́тру.

trimester [traɪˈmestə] *n* 1) триме́стр; 2) трёхме́сячный срок.

trimeter [ˈtrɪmɪtə] *n прос.* триме́тр.

trimmer [ˈtrɪmə] *n* 1) приводя́щий в поря́док и пр. [*см.* trim 3]; приспособле́нец; оппортуни́ст; 3) *стр.* нака́тина, подба́лочник; 4) кочега́р.

trimming [ˈtrɪmɪŋ] 1. *pres. p. от* trim 3;
2. *n* 1) (*обыкн. pl*) отде́лка (*на пла́тье*); 2) *pl* припра́ва, гарни́р; 3) очи́стка, зачи́стка, выра́внивание; 4) *разг.* побо́и; 5) обре́зки; 6) запра́вка (*ламп*); 7) *тех.* сня́тие заусе́нцев.

trine [traɪn] *a* тройно́й.

Trinitarian [,trɪnɪˈtɛərɪən] *n* *рел.* ве́рующий в до́гмат тро́ичности.

trinitrotoluene [traɪˈnaɪtrouˈtɔljuːn] ≈ trinitrotoluol.

trinitrotoluol [traɪˈnaɪtrouˈtɔljuəl] *n* тринитротолуо́л (*взры́вчатое вещество́*).

Trinity [ˈtrɪnɪtɪ] *n рел.* 1) тро́ица; 2) *attr.* свя́занный с тро́ицей; ~ Sunday тро́ицын день; ~ Sittings суде́бная се́ссия в нача́ле ле́та; ~ term ле́тний триме́стр (*в университе́те*); ◇ ~ House англи́йская ло́цманская ассоциа́ция; ~ Brethren чле́ны ло́цманской ассоциа́ции.

trinket [ˈtrɪŋkɪt] *n* 1) безделу́шка, брело́к; 2) пустя́к.

trinomial [traɪˈnoumjəl] 1. *a* 1) *мат.* трёхчле́нный; 2) *биол.* отмеча́ющий род, вид и разнови́дность;
2. *n мат.* трёхчле́н.

trio [ˈtriːou] *n* 1) *муз.* три́о; 2) тро́е, тро́йка (*люде́й*); три (*предме́та*); 3) *ав.* тро́йка, звено́ из трёх самолётов.

triolet [ˈtriːoulet] *n* триоле́т.

trip [trɪp] 1. *n* 1) путеше́ствие; пое́здка, экску́рсия, рейс; round ~ пое́здка туда́ и обра́тно; to take a ~ съе́здить; 2) бы́страя лёгкая похо́дка, лёгкий шаг; 3) спотыка́ние, паде́ние (*зацепи́вшись за что-л.*); 4) ло́жный шаг, оши́бка, обмо́лвка; 5) *спорт.* подно́жка; 6) *тех.* расцепля́ющее приспособле́ние; защёлка; опроки́дыватель; 7) *горн.* соста́в (*вагоне́ток*);
2. *v* 1) идти́ бы́стро и легко́, бежа́ть вприпры́жку; 2) спотыка́ться, па́дать (*зацепи́вшись за что-л.*); опроки́нуть(ся) (*тж.* ~ over, ~ up); 3) сде́лать ло́жный шаг, обмо́лвиться, ошиби́ться, споткну́ться; 4) дать подно́жку, подста́вить но́жку (*тж. перен.*); 5) пойма́ть, уличи́ть во лжи и т. п. (*часто* ~ up); to catch a person ~ping пойма́ть кого́-л. на ме́сте преступле́ния; 6) *уст.* отправля́ться в путеше́ствие, соверша́ть экс-

кýрсию; 7) *тех.* сцепля́ть; расцепля́ть; включа́ть; выключа́ть; 8) *мор.* вывора́чивать из грýнта (*якорь*).

tripartite ['traɪ'pɑːtaɪt] *a* 1) состоя́щий из трёх часте́й; 2) тро́йственный, трёхсторо́нний; ~ conferenсe конфере́нция трёх держа́в.

tripe [traɪp] *n* 1) рубе́ц (*кушанье*); 2) *уст.* внýтренности; 3) *sl.* дрянь, хлам; халтýра; 4) *sl.* никудьíшный челове́к.

trip-hammer ['trɪp‚hæmə] *n* *тех.* механи́ческий мо́лот.

triphibious [traɪ'fɪbɪəs] *a* происходя́щий на земле́, на мо́ре и в во́здухе; ~ warfare война́, ведýщаяся на сýше, на мо́ре и в во́здухе.

triphthong ['trɪfθɔŋ] *n* *фон.* трифто́нг.

triple ['trɪpl] 1. *a* тройно́й; утро́енный; T. Alliance *ист.* Тро́йственный сою́з; T. Entente *ист.* Анта́нта, Тро́йственное согла́сие; ~ time *муз.* счёт на́ три.
2. *v* утра́ивать(ся); to ~ one's efforts утра́ивать свои́ уси́лия.

triplet ['trɪplɪt] *n* 1) тро́йка (*три предмета, лица*); 2) близне́ц (*из тройни*); *pl* тро́йня; 3) *прос.* триплéт.

triplex ['trɪpleks] 1. *a* 1) тройно́й; состоя́щий из трёх часте́й; 2) *тех.* стро́енный; тройно́го де́йствия;
2. *n* 1) безоско́лочное стекло́ три́плекс; 2) *муз.* счёт на́ три.

triplicate 1. *n* ['trɪplɪkɪt] одна́ из трёх ко́пий; in ~ в трёх экземпля́рах;
2. *a* ['trɪplɪkɪt] тройно́й;
3. *v* ['trɪplɪkeɪt] утра́ивать; составля́ть в трёх экземпля́рах.

triplication [‚trɪplɪ'keɪʃən] *n* утро́ение.

tripod ['traɪpɔd] 1. *n* 1) трено́жник; трено́га; 2) стул, стол на трёх но́жках;
2. *a* трено́гий.

tripoli ['trɪpəlɪ] *n* *мин.* тре́пел.

tripos ['traɪpɔs] *n* экза́мен для получе́ния отли́чия (*в Ке́мбридже*).

tripper ['trɪpə] *n* экскурса́нт, тури́ст.

tripping ['trɪpɪŋ] 1. *pres. p. от* trip 2;
2. *n* 1) лёгкая похо́дка; 2) *тех.* выпаде́ние, отключе́ние; опроки́дывание (*вагонетки*);
3. *a* 1) быстроно́гий; 2) *тех.* выключа́ющий; отключа́ющий.

trippingly ['trɪpɪŋlɪ] *adv* 1) бы́стро, жи́во, ло́вко; 2) бо́йко, свобо́дно (*говорить*).

triptych ['trɪptɪk] *n* *жив.* трипти́х.

triquetrous [traɪ'kwɪtrəs] *a* 1) треуго́льный; 2) *бот.* трёхгра́нный (*стебель*).

trireme ['traɪriːm] *n* *воен. ист.* трире́ма.

trisect [traɪ'sekt] *v* дели́ть на три ра́вные ча́сти.

trishaw ['traɪʃɔː] *n* велори́кша.

tristful ['trɪstful] *a* *уст.* печа́льный.

trisyllabic ['traɪsɪ'læbɪk] *a* трёхсло́жный.

trisyllable ['traɪ'sɪləbl] *n* трёхсло́жное сло́во.

trite [traɪt] *a* бана́льный, изби́тый; ~ phrase изби́тая фра́за; ~ metaphor стёршаяся мета́фора.

tritium ['trɪtɪəm] *n* *хим.* три́тий.

Triton ['traɪtn] *n* *миф.* трито́н.

triton ['traɪtn] *n* *зоол.* трито́н.

triturate ['trɪtjuːreɪt] *v* растира́ть в поро́шо́к.

triumph ['traɪəmf] 1. *n* триýмф; торже́ство́, побе́да;
2. *v* 1) пра́здновать (триýмф), ликова́ть; 2) победи́ть; восторжествова́ть (over—над).

triumphal [traɪ'ʌmfəl] *a* триумфа́льный.

triumphant [traɪ'ʌmfənt] *a* 1) победоно́сный; 2) торжествýющий; ликýющий.

triumvir [traɪ'ʌmvəː] *n* (*pl* -s [-z], -ri) *ист.* триумви́р.

triumvirate [traɪ'ʌmvɪrɪt] *n* триумвира́т.

triumviri [trɪ'umvɪriː] *pl от* triumvir.

triune ['traɪjuːn] *a* триеди́ный.

trivet ['trɪvɪt] *n* 1) тага́н, прикреплённый к решётке ками́на; 2) подста́вка (*для блюда, кастрюли*); 3) *редк.* трено́жник; 4) *attr.* трено́гий; ~ table стол на трёх но́жках; ◇ right as a ~ а) пра́вильный; б) здоро́вый; в по́лном поря́дке.

trivia ['trɪvɪə] *лат.* *n* *pl* ме́лочи.

trivial ['trɪvɪəl] *a* 1) обьíденный, повседне́вный; тривиа́льный; the ~ round обьíденщина, рути́на; 2) незначи́тельный, ме́лкий, пусто́й; 3) ненаýчный, наро́дный (*о названиях растений и животных*); 4) относя́щийся к назва́нию ви́да (*в отличие от названия рода*).

triviality [‚trɪvɪ'ælɪtɪ] *n* 1) тривиа́льность; о́бщее ме́сто; 2) незначи́тельность.

trocar ['troukɑː] *n* *мед.* троака́р.

trochaic [trou'keɪɪk] *прос.* 1. *a* хорейи́ческий;
2. *n* *pl* хоре́й, трохе́й.

troche [trouʃ] *n* табле́тка.

trochee ['troukiː] *n* *прос.* хоре́й, трохе́й.

trod [trɔd] *past от* tread 2.

trodden ['trɔdn] *p. p. от* tread 2.

troglodyte ['trɔglədaɪt] *n* 1) троглоди́т, пеще́рный челове́к; 2) отше́льник.

Trojan ['troudʒən] 1. *a* троя́нский;
2. *n* 1) троя́нец; 2) хра́брый, энерги́чный, вьíносливый челове́к.

troll I [troul] 1. *n* 1) купле́ты, исполня́емые певца́ми поочерёдно; 2) прима́нка; 3) переда́ча по кругý;
2. *v* 1) распева́ть; петь (вступа́я по о́череди); 2) лови́ть рьíбу, волоча́ блесну́; 3) зама́нивать, завлека́ть; 4) бьíстро, бе́гло говори́ть; 5) *уст.* пусти́ть вкруговýю.

troll II [troul] *n* *сканд. миф.* тролль.

trolley ['trɔlɪ] *n* 1) теле́жка (разно́счика); сто́лик на колёсиках для пода́чи пи́щи; 2) вагоне́тка; дрези́на; та́чка; 3) *амер.* трамва́й; 4) *эл.* конта́ктный ро́лик (*тж.* ~ wheel); 5) *эл.* ро́лик токоснима́теля; ~ bus [trɔlɪbʌs] *n* троллейбус.

trolley-bus ['trɔlɪbʌs] *n* троллейбус.

trolley-car ['trɔlɪkɑː] *n* *амер.* трамва́й.

trolley-pole ['trɔlɪpoul] *n* *эл.* токоснима́тель.

trollop ['trɔləp] *n* 1) неря́ха; 2) прости-тýтка.

trombone [trɔm'boun] *n* тромбо́н.

trommel ['trɔməl] *нем. n* *горн.* бараба́н, тро́ммель.

tromometer [trə'mɔmɪtə] *n* прибо́р для измере́ния о́чень сла́бых толчко́в землетрясе́ния.

troop [truːp] 1. *n* 1) отря́д, гру́ппа люде́й, вса́дников; 2) *pl* войска́; 3) ста́до; 4) кавалери́йский взвод; батаре́я; *амер.* эскадро́н; 5) сбор (*при барабанном бое*); 6) (*особ. pl*) большо́е коли́чество; 7) *редк.* тру́ппа;
2. *v* 1) собира́ться толпо́й (*часто* ~ up, ~ together); дви́гаться (*о группе людей*; *тж.* ~ along, ~ in, ~ out); 2) проходи́ть стро́ем; to ~ the colour(s) торже́ственно встреча́ть но́вое знамя; □ ~ away, ~ off а) удаля́ться; б) *воен.* спе́шно выступа́ть; ~ round окружи́ть (*кого-л.*).

troop-carrier ['truːp,kærɪə] *n* ав. (вое́нно-)тра́нспортный самолёт.

troop duty ['truːp'djuːtɪ] *n воен.* строева́я слу́жба.

trooper ['truːpə] *n* 1) рядово́й кавале́рии; рядово́й-танки́ст; 2) = troop-horse; 3) = troopship; ◇ to swear like a ~ ≅ руга́ться как изво́зчик.

troop-horse ['truːphɔːs] *n* кавалери́йская ло́шадь.

trooping ['truːpɪŋ] 1. *pres. p. от* troop 2; 2. *n* 1) перево́зка войск в коло́нии; 2) *мор.* перево́зка войск.

troopship ['truːpʃɪp] *n* тра́нспорт для перево́зки войск.

troop-train ['truːptreɪn] *n* во́инский эшело́н.

trope [troup] *n лит.* троп.

trophic ['trɔfɪk] *a физиол.* трофи́ческий.

trophy ['troufɪ] *n* трофе́й; добы́ча.

tropic ['trɔpɪk] 1. *n* тро́пик; the ~s тро́пики; 2. *a* = tropical I, 1).

tropical I ['trɔpɪkəl] *a* 1) тропи́ческий; 2) горя́чий, стра́стный.

tropical II ['troupɪkəl] *a* фигура́льный.

tropicalise ['trɔpɪkəlaɪz] *v* приспоса́бливать для жи́зни *или* де́йствий в тропи́ческих усло́виях.

troposphere ['trɔpəsfɪə] *n* тропосфе́ра.

trot [trɔt] 1. *n* 1) рысь (*аллюр*); 2) бы́страя похо́дка; to keep smb. on the ~ не дава́ть поко́я; 3) ребёнок, кото́рый у́чится ходи́ть; 4) *уст.* ста́рая карга́; 5) *амер. студ. sl.* перево́д, подстро́чник; шпарга́лка;
2. *v* 1) идти́ ры́сью; 2) пуска́ть ры́сью; to ~ a horse пусти́ть ло́шадь ры́сью; to ~ a person off his legs загоня́ть челове́ка; 3) бежа́ть, спеши́ть; □ ~ about суети́ться; ~ out а) пока́зывать рысь (*лошади*); б) пока́зывать (*товары*); в) щеголя́ть (*чем-л.*); ~ round води́ть, пока́зывать (*город и т. п.*).

troth [trouθ] *n уст.*: by my ~ че́стное сло́во; in ~ действи́тельно, в са́мом де́ле; to plight one's ~ дать сло́во (*особ. при обручении*).

trotter ['trɔtə] *n* 1) рыса́к; 2) *pl* но́жки (*свиные и т. п.—как блюдо*); 3) *шутл.* но́ги.

trotyl ['troutɪl] *n хим.* троти́л.

troubadour ['truːbəduə] *фр. n* трубаду́р.

trouble ['trʌbl] 1. *n* 1) беспоко́йство, волне́ние; трево́га; забо́ты, хло́поты; to give smb. ~, to put smb. to ~ причиня́ть беспоко́йство кому́-л.; 2) затрудне́ние; уси́лие; to take the ~ потруди́ться, взять на себя́ труд; he takes much ~ он о́чень стара́ется; he did not take the ~ to come он не потруди́лся прийти́; по ~ at all ниско́лько не затрудни́т (*ответ на просьбу*); I had some ~ in reading his handwriting мне бы́ло тру́дно чита́ть его́ по́черк; 3) неприя́тности, го́ре, беда́; to be in ~ быть в го́ре, в беде́; to get into ~ попа́сть в беду́; to make ~ for smb. причиня́ть кому́-л. неприя́тности; 4) волне́ния, беспоря́дки; 5) боле́знь; heart ~ боле́знь се́рдца; 6) *диал.* ро́ды; 7) *тех.* наруше́ние пра́вильности хо́да *или* де́йствия; ава́рия; поме́ха; 8) *attr.* авари́йный; ~ crew авари́йная брига́да; ◇ to ask (*или* to look) for ~ напра́шиваться на неприя́тности, лезть на рожо́н; вести́ себя́ неосторо́жно;
2. *v* 1) беспоко́ить(ся), трево́жить(ся); му́чить; my leg ~s me моя́ нога́ беспоко́ит меня́ (*болит*); 2) затрудня́ть; пристава́ть, надоеда́ть; may I ~ you to shut the door? закро́йте, пожа́луйста, дверь; may I ~ you for the salt? переда́йте, пожа́луйста, соль; 3) дава́ться с трудо́м; mathematics doesn't ~ me at all матема́тика даётся мне легко́; 4) *уст.* баламу́тить; 5) (*преим. тех.*) наруша́ть, поврежда́ть; ◇ don't trouble trouble until trouble troubles you *посл.* ≅ не буди́ ли́ха, пока́ ли́хо спит.

troubled ['trʌbld] 1. *p. p. от* trouble 2; 2. *a* 1) беспоко́йный; ~ look беспоко́йный, встрево́женный взгляд; 2) штормово́й, предвеща́ющий бу́рю; ◇ ~ waters запу́танное, сло́жное положе́ние; волне́ние, беспоко́йство; to fish in ~ waters лови́ть ры́бу в му́тной воде́.

trouble-free ['trʌblfriː] *a* беспереб́ойный, рабо́тающий без ава́рий.

troublemaker ['trʌbl,meɪkə] = troubler.

trouble man ['trʌbl'mæn] *n* авари́йный монтёр.

troubler ['trʌblə] *n* 1) наруши́тель споко́йствия, поря́дка; смутья́н; 2) причиня́ющий хло́поты, доставля́ющий беспоко́йство, волне́ние, трево́гу.

trouble-shooter ['trʌbl,ʃuːtə] = trouble man.

troublesome ['trʌblsəm] *a* 1) причиня́ющий беспоко́йство; беспоко́йный; тру́дный; 2) мучи́тельный; ~ cough мучи́тельный ка́шель; 3) недисциплини́рованный, беспоко́йный; ~ child беспоко́йный ребёнок.

troublous ['trʌbləs] *a уст.* беспоко́йный, трево́жный; взволно́ванный; ~ times сму́тные времена́.

trough [trɔf] *n* 1) коры́то, корму́шка; 2) квашня́; 3) жёлоб, лото́к (*для стока воды*); 4) впа́дина; котлови́на; 5) подо́шва (*волны*); 6) *геол.* му́льда, синклина́ль.

trounce [trauns] *v* 1) бить, поро́ть; нака́зывать; 2) суро́во брани́ть.

troupe [truːp] *фр. n* тру́ппа.

trousered ['trauzəd] *a* оде́тый в брю́ки; в брю́ках.

trousering ['trauzərɪŋ] *n* брю́чный материа́л.

trouser-leg ['trauzəleg] *n* штани́на.

trousers ['trauzəz] *n pl* брю́ки, штаны́; шарова́ры.

trouser-stretcher ['trauzə,streʧə] *n* пресс для брюк.

trouser stripe ['trauzə'straip] *n* лампа́с.
trousseau ['tru:sou] *фр. n* (*pl* -s [-z], -x) прида́ное.
trousseaux ['tru:souz] *pl от* trousseau.
trout [traut] *n* (*pl без изм.*) форе́ль.
trouvaille [,tru:'va:i] *фр. n* нахо́дка.
trover ['trouvə] *n* 1) *юр.* присвое́ние (на́йденной) чужо́й со́бственности; 2) иск владе́льца о возвраще́нии присво́енного иму́щества (*тж.* action of ~).
trow [trou] *v уст.* полага́ть, ду́мать; ве́рить.
trowel ['trauəl] 1. *n* 1) *стр.* ке́льня, лопа́тка, мастеро́к; 2) садо́вый сово́к; ◇ to lay (it) on with a ~ a) гру́бо льстить; б) де́лать (что-л.) о́чень гру́бо, утри́ровать, хвати́ть че́рез край;
2. *v* накла́дывать *или* разгла́живать ке́льней.
troy [trɔi] *n*: ~ weight моне́тный (тро́йский) вес (~ *pound* = 373 *г или 12 у́нциям*; *ср.* avoirdupois).
truancy ['tru:ənsi] *n* манки́рование слу́жбой, шко́лой; прогу́л.
truant ['tru:ənt] 1. *n* прогу́льщик; учени́к, прогуля́вший шко́льные часы́; лентя́й; to play ~ прогуля́ть (*уро́ки*);
2. *a* 1) лени́вый; пра́здный; 2) манки́рующий свои́ми обя́занностями.
truce [tru:s] *n* 1) переми́рие; ~ of God *ист.* прекраще́ние вражде́бных де́йствий в дни, устано́вленные це́рковью (*в сре́дние века́*); 2) коне́ц; прекраще́ние; ~ to jesting! дово́льно шу́ток!, коне́ц шу́ткам!, бу́дет шути́ть!; 3) переды́шка, зати́шье.
truck I [trʌk] 1. *n* 1) обме́н, ме́на; товарообме́н; 2) мелочно́й това́р; 3) = ~ system [*см.* 8)]; 4) отноше́ния, свя́зи; to have no ~ with smb. не подде́рживать отноше́ний с кем-л., избега́ть кого́-л.; 5) *разг.* хлам, нену́жные ве́щи; 6) *разг.* ерунда́, вздор; 7) *амер.* о́вощи (*выра́щиваемые для прода́жи*); 8) *attr.*: ~ system опла́та труда́ това́рами вме́сто де́нег; T. Acts зако́ны, ограни́чивающие систе́му опла́ты труда́ това́рами;
2. *v* 1) обме́нивать (with—с кем-л.; for—на что-л.); вести́ менову́ю торго́влю; 2) торгова́ть вразно́с; 3) плати́ть нату́рой, това́рами; 4) *амер.* выра́щивать о́вощи, занима́ться огоро́дничеством.
truck II [trʌk] 1. *n* 1) грузово́й автомоби́ль, грузови́к; 2) *ж.-д.* откры́тая това́рная платфо́рма; 3) бага́жная теле́жка, вагоне́тка; 4) ходова́я часть;
2. *v* 1) перевози́ть на грузовика́х; 2) грузи́ть на платфо́рму, на грузови́к.
truckage I ['trʌkidʒ] *n редк.* обме́н.
truckage II ['trʌkidʒ] *n* 1) перево́зка на грузовика́х; 2) пла́та за перево́зку на грузовика́х.
trucker I ['trʌkə] *n амер.* фе́рмер, торгу́ющий овоща́ми.
trucker II ['trʌkə] *n* води́тель грузовика́.
truck-farm ['trʌkfɑ:m] *n амер.* фе́рма, на кото́рой выра́щиваются о́вощи (*для прода́жи*).
truckle ['trʌkl] 1. *n* 1) = truckle-bed; 2) *диал.* небольшо́й сыр цилиндри́ческой фо́рмы; 3) *уст.* колёсико;

2. *v* рабо́ле́пствовать, трусли́во подчиня́ться (to).
truckle-bed ['trʌklbed] *n* ни́зенькая крова́ть (*слуги́, подмастерья*) на колёсиках, на́ день задвига́вшаяся под крова́ть хозя́ина.
truckler ['trʌklə] *n* подхали́м.
truckman I ['trʌkmən] = trucker I.
truckman II ['trʌkmən] = trucker II.
truck tractor ['trʌk'træktə] *n* тра́ктор-тяга́ч.
truck-trailer ['trʌk,treilə] *n* грузово́й автомоби́ль с прице́пом; прице́п грузовика́.
truculent ['trʌkjulənt] *a* 1) свире́пый; 2) гру́бый, ре́зкий; агресси́вный.
trudge [trʌdʒ] 1. *n* дли́нный тру́дный путь; утоми́тельная прогу́лка;
2. *v* идти́ с трудо́м, уста́ло тащи́ться.
trudgen ['trʌdʒən] *n* тре́джен (*стиль пла́вания*).
true [tru:] 1. *a* 1) ве́рный, пра́вильный; ~ time сре́днее со́лнечное вре́мя; ~ as I stand here *разг.* су́щая пра́вда; it is not ~ э́то непра́вда; 2) и́стинный, настоя́щий, по́длинный; to come ~ сбыва́ться; 3) ве́рный, пре́данный (to); a ~ friend пре́данный друг; 4) правди́вый, и́скренний, непритво́рный; 5) то́чный (*об изображе́нии, ко́пии и т. п.*; to); ~ to life реалисти́ческий, жи́зненно правди́вый; то́чно воспроизведённый; 6) зако́нный, действи́тельный; ~ copy заве́ренная ко́пия;
2. *v* сде́лать то́чно, поста́вить (*маши́ну, столб и т. п.*) пра́вильно;
3. *adv редк.* 1) правди́во; his words ring ~ его́ слова́ звуча́т правди́во; 2) то́чно; 3) лоя́льно; ве́рно.
true bill ['tru:'bil] *n юр.* верди́кт прися́жных о преда́нии обвиня́емого суду́.
true-blue ['tru:,blu:] *a* 1) настоя́щего си́него цве́та; 2) настоя́щий; 3) после́довательный; надёжный; сто́йкий; ре́вностный.
true-born ['tru:'bɔ:n] *a* чистокро́вный.
true-bred ['tru:'bred] *a* 1) хорошо́ воспи́танный; 2) чистокро́вный.
true-hearted ['tru:'hɑ:tid] *a* и́скренний; пре́данный.
true-love ['tru:'lʌv] *n* 1) возлю́бленный; возлю́бленная; 2) двойно́й у́зел (*тж.* ~ knot *или* true-lover's knot).
truepenny ['tru:,peni] *n уст.* че́стный, надёжный челове́к.
truff [trʌf] *v шотл.* обма́нывать; ворова́ть.
truffle ['trʌfl] *n* трю́фель.
truffled ['trʌfld] *a* пригото́вленный с трю́фелями.
truism ['tru:izəm] *n* трюи́зм.
trull [trʌl] *n уст.* проститу́тка.
truly ['tru:li] *adv* 1) правди́во; и́скренне; 2) ве́рно; лоя́льно; 3) пои́стине; 4) то́чно; ◇ yours ~ пре́данный вам (*в конце́ письма́*).
trump I [trʌmp] 1. *n* 1) ко́зырь; to play a ~ козырну́ть; to put a person to his ~s заста́вить козыря́ть; *перен.* заста́вить прибе́гнуть к после́днему сре́дству; to have all the ~s in one's hand име́ть на рука́х все ко́зыри; *перен.* быть хозя́ином положе́ния; 2) *разг.* сла́вный ма́лый; 3) *attr.* козырно́й;

~ **card** ко́зырь, козырна́я ка́рта; *перен.* ве́рное де́ло, ве́рное сре́дство; ◇ to turn up ~s *разг.* (неожи́данно) око́нчиться благополу́чно, счастли́во;

2. *v* козыря́ть; бить ко́зырем; □ ~ up вы́думать; сфабрикова́ть; to ~ up a charge against smb. сфабрикова́ть обвине́ние про́тив кого́-л.

trump II [trʌmp] *n* 1) *уст., поэт.* тру́бный звук; 2) труба́, растру́б.

trumpery [ˈtrʌmpərɪ] 1. *n* мишура́; дрянь, ерунда́;

2. *a* мишу́рный, показно́й; него́дный.

trumpet [ˈtrʌmpɪt] 1. *n* 1) труба́; 2) слухова́я тру́бка; 3) растру́б; 4) ру́пор; 5) звук трубы́; тру́бный звук; 6) рёв слона́; ◇ to blow one's own ~ хвали́ться, занима́ться саморекла́мой;

2. *v* 1) труби́ть; 2) возвеща́ть; 3) реве́ть (*о слоне*).

trumpet-call [ˈtrʌmpɪtkɔːl] *n* звук трубы́; *перен.* призы́в к де́йствию.

trumpeter [ˈtrʌmpɪtə] *n* 1) труба́ч; трубя́ч (*о голубе*); ◇ to be one's own ~ хвали́ться, занима́ться саморекла́мой.

trumpet major [ˈtrʌmpɪtˈmeɪdʒə] *n* штаб-труба́ч.

truncate [ˈtrʌŋkeɪt] *v* 1) среза́ть верху́шку; усека́ть, обре́зывать; 2) уре́зывать, сокраща́ть (*речь и т. п.*).

truncated [ˈtrʌŋkeɪtɪd] 1. *p. p. om* truncate;

2. *a геом.* усечённый; ~ pyramid усечённая пирами́да.

truncheon [ˈtrʌnʃ(ə)n] *n* 1) жезл; 2) дуби́нка полице́йского; 3) *уст.* дуби́на.

trundle [ˈtrʌndl] 1. *n* колёсико;

2. *v* кати́ть(ся); везти́ (*тачку*).

trundle-bed [ˈtrʌndlbed] = truckle-bed.

trunk [trʌŋk] *n* 1) ствол (*де́рева*); 2) ту́ловище; 3) магистра́ль; 4) доро́жный сунду́к, чемода́н; to live in one's ~s жить на чемода́нах; 5) хо́бот (*слона́*); 6) *pl* спорти́вные трусы́; шарова́ры; 7) *pl* = trunk hose; 8) *архит.* сте́ржень коло́нны; 9) *анат.* гла́вная арте́рия; 10) вентиляцио́нная ша́хта; жёлоб; труба́; 11) колча́н (*ветряно́й ме́льницы*); 12) *sl.* нос; 13) *sl.* болва́н, ту́пица; 14) *attr.* гла́вный, магистра́льный.

trunk-call [ˈtrʌŋkkɔːl] *n* вы́зов по междугоро́дному телефо́ну.

trunk drawers [ˈtrʌŋkˈdrɔːz] *n* кальсо́ны до коле́н.

trunk hose [ˈtrʌŋkˈhouz] *n* коро́ткие штаны́ (*XVI—XVII вв.*).

trunk-line [ˈtrʌŋklaɪn] *n* магистра́льная ли́ния, магистра́ль.

trunk-railway [ˈtrʌŋkˌreɪlweɪ] *n* железнодоро́жная магистра́ль.

trunk-road [ˈtrʌŋkroud] *n* магистра́льная доро́га.

trunnion [ˈtrʌnjən] *n тех.* ца́пфа.

truss [trʌs] 1. *n* 1) свя́зка; большо́й пук (*соло́мы, се́на и т. п.*); 2) гроздь, кисть; пучо́к; 3) *мед.* банда́ж; 4) *стр.* фе́рма, связь, стропи́льная фе́рма; 5) *мор.* борг; желе́зный бейфут;

2. *v* 1) увя́зывать в пуки (*тж.* ~ up); 2) свя́зывать кры́лышки и но́жки пти́цы

при жа́ренье; 3) скру́чивать ру́ки; 4) *стр.* свя́зывать, укрепля́ть, придава́ть жёсткость.

trust [trʌst] 1. *n* 1) дове́рие, ве́ра; to have (*или* to put, to repose) ~ in доверя́ть; to take on ~ принима́ть на ве́ру; 2) отве́тственное положе́ние; отве́тственность; breach of ~ злоупотребле́ние дове́рием; 3) наде́жда; he puts ~ in the future он наде́ется на бу́дущее; 4) *ком.* креди́т; to supply goods on ~ отпуска́ть това́р в креди́т; 5) опе́ка (*над иму́ществом и т. п.*); to have ~ in ~ получи́ть опе́ку над чем-л.; 6) что-л., вве́ренное попече́нию; иму́щество, управля́емое по дове́ренности; управле́ние иму́ществом по дове́ренности; to hold in ~ сохраня́ть; 7) трест;

2. *a* дове́ренный (*кому́-л. или кем-л.*);

3. *v* 1) доверя́ть(ся); полага́ться (*на кого́-л.*); a man not to be ~ed челове́к, на кото́рого нельзя́ положи́ться; ненадёжный челове́к; he may be ~ed to do the work well мо́жно быть уве́ренным, что он вы́полнит рабо́ту хорошо́; 2) вверя́ть, поруча́ть попече́нию; to ~ smb. with smth., to ~ smth. to smb. поруча́ть, вверя́ть что-л. кому́-л.; 3) наде́яться; I ~ you will be better soon я наде́юсь, вы ско́ро попра́витесь; 4) дава́ть в креди́т.

trust-deed [ˈtrʌstdiːd] *n юр.* дове́ренность.

trustee [trʌsˈtiː] 1. *n* 1) попечи́тель, опеку́н; лицо́, кото́рому дове́рено, пору́чено управле́ние; 2) член правле́ния;

2. *v* передава́ть на попече́ние.

trusteeship [trʌsˈtiːʃɪp] *n* опе́ка, опеку́нство, попечи́тельство.

trusteeship territory [trʌsˈtiːʃɪpˈterɪtərɪ] = trust territory.

trustful [ˈtrʌstful] *a* дове́рчивый.

trustify [ˈtrʌstɪfaɪ] *v эк.* трести́ровать.

trustiness [ˈtrʌstɪnɪs] *n* ве́рность, лоя́льность; надёжность.

trustingly [ˈtrʌstɪŋlɪ] *adv* дове́рчиво.

trustless [ˈtrʌstlɪs] *a* ненадёжный.

trust territory [ˈtrʌstˈterɪtərɪ] *n полит.* подопе́чная террито́рия.

trustworthy [ˈtrʌst,wəːðɪ] *a* заслу́живающий дове́рия; надёжный.

trusty [ˈtrʌstɪ] 1. *a* ве́рный, надёжный;

2. *n* 1) надёжный челове́к; 2) заключённый, заслужи́вший определённые привиле́гии свои́м образцо́вым поведе́нием.

truth [truːθ, *pl* -ðz] *n* 1) пра́вда; и́стина; to tell the ~ а) говори́ть пра́вду; б) по пра́вде говоря́; the home (*или* bitter) ~ го́рькая пра́вда; the ~s of science нау́чные и́стины; in ~ действи́тельно, пои́стине; the ~ is that I am very tired де́ло в том, что (*или* по пра́вде сказа́ть) я о́чень уста́л; 2) прави́дивость; 3) то́чность, соотве́тствие; ~ to nature то́чность воспроизведе́ния; реали́зм; 4) *тех.* соо́сность, пра́вильность устано́вки, приго́нки.

truthful [ˈtruːθful] *a* 1) правди́вый (*о челове́ке*); 2) ве́рный, пра́вильный.

truthless [ˈtruːθlɪs] *a* 1) ненадёжный (*о челове́ке*); 2) ло́жный.

try [traɪ] 1. *n* попы́тка; to have (*или* to take) a ~ at smth. попыта́ться сде́лать что-л.; 2) испытáние, прóба; to give smth. a ~ испытáть что-л.; to give smb. a ~ дать комý-л. возмóжность показáть, провéрить себя́; 3) *спорт.* вы́игрыш трёх очкóв (*в регби*);

2. *v* 1) прóбовать, испы́тывать (*тж.* ~ out); to ~ one's fortune попытáть счáстья; 2) подвергáть испытáнию; дéлать óпыт(ы); 3) пытáться, старáться; to ~ one's best употребить все усилия; do ~ to come постарáйтесь прийти обязáтельно; 4) судить; he is tried for murder егó судят за убийство; 5) утомля́ть; удручáть; the small print tries my eyes э́та мéлкая печáть утомля́ет мои глазá; 6) раздражáть, мýчить; to ~ smb.'s patience испы́тывать чьё-л. терпéние; 7) очищáть (*металл; тж.* ~ out); выта́пливать (*сало; тж.* ~ out); 8) глáдко выстрýгивать рубáнком; прифугóвывать (*тж.* ~ up); □ ~ back вернýться на прéжнее мéсто (*о собаках, потеря́вших след*); *перен.* замéтив ошибку, начáть сначáла; ~ for добивáться, искáть; to ~ for the navy добивáться поступлéния во флот; ~ on примеря́ть (*платье*).

trying ['traiiŋ] 1. *pres. p. от* try 2; 2. *a* 1) трýдный, тяжёлый; a ~ situation трýдное положéние; 2) раздражáющий, докучливый; мучительный, трýдно выносимый; ~ to the health врéдный для здорóвья.

trying-plane ['traiiŋplein] *n* рубáнок.

try-on ['traiɔn] *n* 1) примéрка; 2) *разг.* попытка обманýть.

try-out ['traiaut] *n разг.* прóба, репетиция; учéбная тревóга.

trysail ['traisl] *n мор.* трисель.

tryst [traist] *n* 1) назнáченная встрéча; to keep (to break) the ~ прийти (не прийти) на свидáние; 2) мéсто встрéчи.

tsar [zɑː] = czar.

tsetse ['tsetsi] *n* мýха цецé.

T-shirt ['tiːʃət] *n* тéнниска.

T-square ['tiːskwɛə] *n* рейсшина.

tsunami ['tsuˈnɑːmiː] *яп. n* цунáми, громáдная океáнская волнá; сейсмическая морскáя волнá.

tub [tʌb] 1. *n* 1) кáдка, лохáнь, бадья́, ушáт; бочóнок (*тж. как мера ёмкости* ≈ 4 галлóнам); 2) *разг.* вáнна; мытьё в вáнне; 3) учéбная шлюпка; 4) *sl.* тóлстый невысóкий человéк; 5) *амер. воен. sl.* бронирóванная развéдывательная машина; 6) *горн.* шáхтная вагонéтка; я́щик для рудьí; ◇ let every ~ stand on its own bottom ≈ пусть кáждый забóтится о себé сам;

2. *v* 1) *разг.* мы́ться в вáнне; 2) сажáть растéние в кáдку; 3) наклáдывать мáсло в кáдку; 4) *разг.* тренировáть гребцóв; упражня́ться в грéбле.

tuba ['tjuːbə] *n* тýба, большáя басóвая трубá.

tubbing ['tʌbiŋ] 1. *pres. p. от* tub 2; 2. *n горн.* водонепроницáемая деревя́нная *или* металлическая крепь.

tubby ['tʌbi] *a* 1) бочкообрáзный; 2) коротконóгий и тóлстый (*о людях*); 3) издаю́щий глухóй звук (*о муз. инструмéнте*).

tube [tjuːb] 1. *n* 1) трубá, трýбка; 2) тю́бик; 3) метрополитéн (*в Лóндоне*); 4) *радио*

электрóнная лáмпа; 5) тýбус (*микроскóпа*);

2. *v* 1) заключáть в трубý; 2) придавáть трýбчатую фóрму.

tuber ['tjuːbə] *n бот.* клýбень.

tubercle ['tjuːbəkl] *n* 1) *бот.* бугорóк; 2) *мед.* туберкулёзный бугорóк.

tubercular [tjuːˈbəkjulə] = tuberculous.

tuberculin [tjuːˈbəkjulin] *n мед.* туберкулин.

tuberculosis [tjuːˌbəkjuˈlousis] *n* туберкулёз.

tuberculous [tjuːˈbəkjuləs] *a* туберкулёзный.

tuberose ['tjuːbərouz] *n бот.* туберóза (*клубненóсная*).

tuberous ['tjuːbərəs] *a* 1) *бот.* клубневóй; 2) *мед.* бугóрчатый.

tubing ['tjuːbiŋ] 1. *pres. p. от* tube 2; 2. *n тех.* 1) *собир.* трýбы; трубопровóд; 2) изготовлéние труб; 3) тю́бинг; 4) колéно трубьí; 5) обсáдные трýбы.

tub-thumper ['tʌbˌθʌmpə] *n* проповéдник, произнося́щий напы́щенные рéчи; орáтор, излишне мнóго жестикулирующий.

tub-thumping ['tʌbˌθʌmpiŋ] 1. *n* напы́щенные рéчи;

2. *a* напы́щенный.

tubular ['tjuːbjulə] *a* трýбчатый, цилиндрический; ~ railway подзéмная желéзная дорóга; ~ steelwork трýбчатые металлические конструкции.

tubulate ['tjuːbjuleit] *v* 1) придавáть трýбчатую фóрму; 2) снабжáть трýбкой.

tubule ['tjuːbjuːl] *n* мáленькая трýбка.

tuck I [tʌk] 1. *n* 1) склáдка, сбóрка (*на платье*); 2) *sl.* едá, *особ.* слáсти, пирóжное; 3) *амер. sl.* энéргия, жизненная сила;

2. *v* 1) дéлать склáдки (*на платье*); собирáть в склáдки; подгибáть; подбирáть под себя́, подсóвывать, подворáчивать (*тж.* ~ in); 3) засóвывать, пря́тать; запря́тать (*тж.* ~ away); 4) укры́ть (*ребёнка*) одея́лом; подоткнýть одея́ло (*тж.* ~ up); □ ~ in *разг.* заглáтывать, давиться (at); ~ into сýнуть в, засýнуть; ~ up засýчивать (*рукавá*), подбирáть (*подóл*); to be ~ed up *разг.* устáть.

tuck II [tʌk] *n уст.* 1) барабáнный бой; 2) трýбный звук.

tucker I ['tʌkə] *n* 1) *уст.* шемизéтка; best bib and ~ лýчшая одéжда; 2) *sl.* едá, слáсти.

tucker II ['tʌkə] *амер. разг.* 1. *n* изнеможéние;

2. *v* утомля́ть до изнеможéния (*обыкн.* ~ out).

tucket ['tʌkit] *n уст.* фанфáры, туш.

tuck-in ['tʌkin] *n sl.* основáтельная закýска, плóтная едá.

tuck-out ['tʌkaut] = tuck-in.

tuck-shop ['tʌkʃɔp] *n sl.* кондитерская.

Tudor ['tjuːdə] *a* тюдóровский; эпóхи Тюдóров; ~ architecture стиль пóздней английской гóтики.

Tuesday ['tjuːzdi] *n* втóрник.

tufa, tuff ['tjuːfə, tʌf] *n мин.* туф.

tuft [tʌft] 1. *n* 1) пучóк; 2) хохолóк; 3) бородка клинышком; 4) *ист.* золотáя кисточка (*на головном уборе титулованного студента*); 5) титулованный студе́нт; 2. *v* 1) стега́ть (*одеяло, матрац и т. п.*); 2) расти́ пучка́ми.

tufted ['tʌftɪd] 1. *p.p. от* tuft 2; 2. *a* с хохолко́м.

tuft-hunter ['tʌft͵hʌntə] *n* прихво́стень титуло́ванной зна́ти, приспе́шник.

tufty ['tʌftɪ] *a* расту́щий пучка́ми, клочка́ми.

tug [tʌg] 1. *n* 1) тя́нущее *или* дёргающее уси́лие; рыво́к; to give a ~ at smth. дёрнуть, потяну́ть за что-л.; 2) = tugboat; 3) ля́мка; гуж; 4) ду́жка (*ведра*); 5) *спорт.*: ~ of war перетя́гивание на кана́те; 2. *v* 1) тащи́ть с уси́лием; 2) дёргать изо всех сил (at); 3) букси́ровать.

tugboat ['tʌgbout] *n* букси́рное су́дно.

tugrik ['tuːgrɪk] *n* ту́грик (*денежная единица Монгольской Народной Республики*).

tuition [tjuː'ɪʃ(ə)n] *n* 1) обуче́ние; 2) пла́та за обуче́ние.

tuition-fee [tjuː'ɪʃənfiː] = tuition 2).

tulip ['tjuːlɪp] *n* тюльпа́н.

tulle [tjuːl] *n* тюль.

tulwar [tʌl'wɑː]*n* крива́я инди́йская са́бля.

tumble ['tʌmbl] 1. *n* 1) паде́ние; 2) кувырка́нье; 3) беспоря́док, смяте́ние; ◇ to take a ~ *амер. sl.* поня́ть, догада́ться; 2. *v* 1) па́дать (*тж.* ~ down); упа́сть, споткну́вшись (over, off—*обо что-л.*); 2) кувырка́ться, де́лать акробати́ческие трю́ки; 3) валя́ться, воро́чаться, мета́ться (*в постели*); 4) швыря́ть (*тж.* ~ up, ~ down, ~ out); 5) приводи́ть в беспоря́док; мять; еро́шить (*волосы*); 6) броса́ться; выска́кивать; to ~ into bed бро́ситься в посте́ль; to ~ out of bed вы́скочить из посте́ли; □ ~ in a) вва́ливаться; б) *разг.* ложи́ться спать; ~ to *sl.* поня́ть; догада́ться; заме́тить; ◇ ~ home = ~ in б).

tumbledown ['tʌmbldaun] *a* полуразру́шенный, развали́вшийся.

tumbler ['tʌmblə] *n* 1) акроба́т; 2) го́лубь-вертун; 3) бока́л (*без ножки*); высо́кий стака́н; 4) игру́шка вро́де ва́ньки-вста́ньки; 5) *тех.* реверси́вный механи́зм; опроки́дыватель; 6) лоды́жка (*в ору́жии*); 7) *метал.* бараба́н для очи́стки отли́вок.

tumblerful ['tʌmbləful] *n* по́лный стака́н.

tumbler switch ['tʌmbləswɪtʃ] *n* выключа́тель (*с перекидной головкой*).

tumble-weed ['tʌmblwiːd] *n* *бот.* перекати́-по́ле.

tumbling ['tʌmblɪŋ] 1. *pres. p. от* tumble 2; 2. *n* акроба́тика.

tumbrel, tumbril ['tʌmbrəl, 'tʌmbrɪl] *n* 1) двухколёсная теле́га с опроки́дывающимся ку́зовом; 2) *воен.* кры́тая двуко́лка.

tumefaction [͵tjuːmɪ'fækʃ(ə)n] *n* 1) опуха́ние, распуха́ние; 2) о́пухоль.

tumefy ['tjuːmɪfaɪ] *v* 1) опуха́ть; 2) вызыва́ть о́пухоль.

tumid ['tjuːmɪd] *a* 1) распу́хший; 2) напы́щенный.

tummy ['tʌmɪ] *n* *разг.* живо́т(ик).

tumour ['tjuːmə] *n* о́пухоль.

tump [tʌmp] 1. *n* хо́лмик, бугоро́к; 2. *v* ока́пывать, оку́чивать.

tumular ['tjuːmjulə] *a* опухолеви́дный.

tumuli ['tjuːmjulaɪ] *pl от* tumulus.

tumult ['tjuːmʌlt] *n* 1) шум и кри́ки; сумато́ха; 2) мяте́ж, бу́йство; 3) си́льное душе́вное волне́ние; смяте́ние чувств.

tumultuary [tjuː'mʌltjuərɪ] *a* 1) беспоря́дочный; 2) шу́мный, бу́йный; 3) недисциплини́рованный.

tumultuous [tjuː'mʌltjuəs] *a* 1) = tumultuary; 2) возбуждённый.

tumulus ['tjuːmjuləs] *n* (*pl* -li) моги́льный холм, курга́н.

tun- [tʌn] 1. *n* больша́я бо́чка; 2. *v* налива́ть в бо́чку, храни́ть в бо́чке.

tuna ['tuːnə] *n* туне́ц (*рыба*).

tunable ['tjuːnəbl] *a* 1) мелоди́чный; 2) настро́енный, гармони́чный; 3) *радио* настра́иваемый, с подстро́йкой.

tundra ['tʌndrə] *рус. n* ту́ндра.

tune [tjuːn] 1. *n* 1) мело́дия, моти́в; 2) тон, звук; 3) строй, настро́енность; *перен.* гармо́ния, согла́сие; to sing in (out of) ~ петь в тон (не в тон); the piano is in (out of) ~ пиани́но настро́ено (расстро́ено); to be out of tune (with) идти́ в разре́з (с чем-л.), быть не в ладу́ (с кем-л.); ◇ to sing another ~, to change one's ~ перемени́ть тон; заговори́ть по-ино́му; to call the ~ задава́ть тон; to the ~ of в разме́ре; на су́мму; 2. *v* 1) настра́ивать (*инструмент*); 2) приспоса́бливать (к чему-л.); приводи́ть в соотве́тствие (с чем-л.); 3) звуча́ть; петь, игра́ть; □ ~ in настра́ивать приёмник; ~ up a) настра́ивать инструме́нты; б) нала́дить, отрегули́ровать маши́ну; в) запе́ть, заигра́ть; г) *шутл.* запла́кать (*о детях*).

tuneful ['tjuːnful] *a* мелоди́чный; гармони́чный.

tuneless ['tjuːnlɪs] *a* 1) немелоди́чный; 2) глухо́й, безжи́зненный (*голос*); 3) беззву́чный.

tuner ['tjuːnə] *n* 1) настро́йщик; 2) музыка́нт, певе́ц; 3) *радио* устро́йство для настро́йки.

tung oil ['tʌŋ'ɔɪl] *n* *тех.* ту́нговое ма́сло.

tungsten ['tʌŋstən] *n* *хим.* вольфра́м.

tunic ['tjuːnɪk] *n* 1) туни́ка; 2) *воен.* ки́тель; мунди́р; 3) *биол.* оболо́чка; покро́в.

tunica ['tjuːnɪkə] = tunic 3).

tunicate ['tjuːnɪkeɪt] 1. *n зоол.* оболо́чники; 2. *a* покры́тый оболо́чкой.

tuning ['tjuːnɪŋ] 1. *pres. p. от* tune 2; 2. *n* настро́йка.

tuning-fork ['tjuːnɪŋfɔːk] *n* камерто́н.

Tunisian [tjuː'nɪzɪən] 1. *a* туни́сский; 2. *n* туни́сец.

tunnel ['tʌnl] 1. *n* 1) тунне́ль; 2) *горн.* што́льня, кверши́аг; 3) *воен.* ми́нная галере́я; 4) дымохо́д, труба́; 5) воро́нка; 2. *v* прокла́дывать тунне́ль.

tunny ['tʌnɪ] *n* туне́ц (*рыба*).

tuny ['tjuːnɪ] *a* легко́ запомина́ющийся (*о мотиве*); мелоди́чный.

tup [tʌp] 1. *n* 1) бара́н; 2) *тех.* кува́лда, мо́лот, ба́ба; 2. *v* покрыва́ть; спа́риваться.

tuppence ['tʌpəns] *разг. см.* twopence.

tuppenny ['tʌpnɪ] *разг. см.* twopenny.

tuque [tjuːk] *n* вязаная шерстяная шапочка.

Turanian [tjuə'reɪnjən] **1.** *a* урало-алтайский;
2. *n* урало-алтайские языки.

turban ['təbən] *n* 1) тюрбан, чалма; 2) дамская *или* детская шляпа без полей.

turbary ['təbərɪ] *n* торфяник, торфяное болото.

turbid ['təbɪd] *a* 1) мутный (*о жидкости*); 2) туманный; запутанный.

turbidity [tə'bɪdɪtɪ] *n* мутность *и пр.* [*см.* turbid].

turbine ['təbɪn] *n* турбина.

turboblower ['təbou'blouə] *n тех.* турбовоздуходувка.

turbodrill ['təboudrɪl] *n тех.* турбобур.

turbogenerator ['təbou'dʒenəreɪtə] *n тех.* турбогенератор.

turbo-jet ['təbou'dʒet] *a* турбореактивный.

turbot ['təbət] *n* тюрбо (*рыба*).

turbulence ['təbjuləns] *n* бурность *и пр.* [*см.* turbulent].

turbulent ['təbjulənt] *a* 1) бурный, турбулентный; 2) буйный; беспокойный; непокорный.

tureen [tə'riːn] *n* супник, супница.

turf [təf] **1.** *n* 1) дёрн; 2) торф; 3) (*обыкн.* the ~) беговая дорожка (*на ипподроме*); скачки; to be on the ~ быть завсегдатаем, играть на скачках;
2. *v* 1) дерновать; 2) *sl.* выбросить, вышвырнуть (*тж.* ~ out).

turfary ['təfərɪ] *n* торфяник, торфяное болото.

turf-clad ['təf,klæd] *a* покрытый торфом.

turfite ['təfaɪt] *разг. см.* turfman.

turfman ['təfmən] *n* завсегдатай скачек.

turfy ['təfɪ] *a* покрытый дёрном *или* торфом; дернистый; торфяной.

turgid ['tədʒɪd] *a* 1) опухший; 2) напыщенный (*о стиле*).

Turk [tək] *n* 1) турок; турчанка; Young ~ *ист.* младотурок; 2) *редк.* мусульманин.

turkey ['təkɪ] *n* индюк; индюшка; *кул.* индейка; ◇ Norfolk ~ житель Норфолка.

turkey buzzard ['təkɪ'bʌzəd] *n* индюковый гриф (*птица*).

turkey-cock ['təkɪkɔk] *n* 1) индюк; 2) надутый, важный человек.

turkey-poult ['təkɪpoult] *n* индюшонок.

Turkey red ['təkɪ'red] *n* ярко-красный цвет.

Turkish ['təkɪʃ] **1.** *a* турецкий; ◇ ~ towel мохнатое полотенце;
2. *n* турецкий язык.

Turkish delight ['təkɪʃdɪ'laɪt] *n* рахат-лукум.

Turkoman ['təkəmən] *n* (*pl* -s [-z]) 1) туркмен; туркменка; 2) туркменский язык; 3) *attr.* туркменский; ~ carpet туркменский ковёр.

turmeric ['təmərɪk] *n бот.* куркума.

turmeric-paper ['təmərɪk,peɪpə] *n хим.* бумага, употребляемая как реактив на щёлочь.

turmoil ['təmɔɪl] *n* шум, суматоха; беспорядок.

turn [tən] **1.** *n* 1) оборот (*колеса*); at each ~ при каждом обороте; 2) поворот; right (left, about) ~! *воен.* направо! (налево!, кругом!); 3) изменение направления; *перен.* поворотный пункт; 4) изгиб (*дороги*); излучина (*реки*); 5) перемена; изменение (*состояния*); a ~ for the better (for the worse) изменение к лучшему (к худшему); the ~ of the tide заметное изменение к лучшему, поворотный момент в чьей-л. жизни, перемена судьбы; my affairs have taken a bad ~ мои дела приняли дурной оборот; 6) очередь; ~ and ~ about, in ~, by ~s по очереди; to take ~s делать поочерёдно, сменяться; out of ~ вне очереди; to wait one's ~ ждать своей очереди; 7) услуга; to do smb. a good (an ill) ~ оказать кому-л. хорошую (плохую) услугу; 8) очередной номер программы, выход; сценка, интермедия; 9) короткая прогулка, поездка; to take a ~, to go for a ~ прогуляться; 10) способность; склад (*характера*); стиль, манера, отличительная черта; she has a ~ for music у неё есть музыкальные способности; he is of a humorous ~ у него склонность к юмору; 11) поворот (*в фигурном катании*); 12) короткий период, небольшой промежуток времени; 13) *разг.* нервное потрясение; a ~ of anger припадок гнева; to give smb. a ~ взволновать кого-л.; 14) *разг.* работа; 15) оборот, построение (*фразы*); 16) шаг (*оборот троса*); виток (*проволоки*); 17) *pl* менструации; 18) *полигр.* марашка; 19) *ав.* разворот; ◇ at every ~ на каждом шагу, постоянно; to serve one's ~ годиться (*для определённой цели*); to a ~ точно; (meat is) done to a ~ (мясо) зажарено как раз в меру; one good ~ deserves another *посл.* услуга за услугу; not to do a hand's ~ сидеть сложа руки;
2. *v* 1) вращать(ся), вертеть(ся); 2) поворачивать(ся); обращаться; повёртывать(ся); to ~ to the right повернуть направо; to ~ the corner а) завернуть за угол; б) выйти из трудного положения; благополучно перенести кризис (*болезни*); в) *воен. sl.* дезертировать (и уйти); 3) огибать, обходить; to ~ an enemy's flank а) *воен.* обойти противника с фланга; б) перехитрить кого-л.; 4) направлять, сосредоточивать (*тж. внимание, усилие*); to ~ the hose on the fire направить струю на огонь; to ~ one's hand to smth. приниматься за что-л.; to ~ one's mind to smth. думать о чём-л., обратить внимание на что-л., сосредоточиться на чём-л.; 5) перевёртывать(ся), переворачиваться, кувыркаться; to ~ upside down переворачивать вверх дном; 6) вспахивать, пахать; 7) выворачивать наизнанку; перелицовывать (*платье*); to ~ inside out выворачивать наизнанку; 8) расстраивать (*пищеварение и т. п.*); вызывать отвращение; to ~ sick вызывать отвращение; to ~ one's stomach вызывать тошноту; претить; 9) изменять(ся); the tides ~ приливы чередуются с отливами; *перен.*

события принимают другой оборот; luck has ~ed фортуна изменила; 10) превращать(ся) (into); to ~ milk into butter сбивать масло; 11) портить(ся); the leaves ~ed early листья рано пожелтели; the milk has ~ed молоко прокисло; 12) переводить (на другой язык; into); 13) достигнуть (известного момента, возраста); he is ~ed fifty ему за пятьдесят; 14) точить (на токарном станке); обтачивать; 15) оттачивать, придавать изящную форму; 16) как глагол-связка делаться, становиться; to ~ red покраснеть; to ~ teacher стать учителем; □ ~ about обёртываться; повернуть кругом (на 180°); ~ against а) восстать против; б) восстановить против; ~ aside отстранять(ся); ~ away а)'отворачивать(ся); отвращать; б) прогонять, увольнять; ~ back а) повернуть назад; ~ down а) отвергать (предложение); б) унижать, подавлять; в) убавить (свет); г) загнуть; отогнуть; to ~ down a collar отогнуть воротник; ~ in а) зайти мимоходом; б) разг. лечь спать; в) предъявить, сдать властям (напр., найденную вещь или вещь, подлежащую конфискации); ~ off а) закрыть (кран); выключить (свет); б) уволить; в) отвлечь внимание; г) быстро сделать (что-л.); д) sl. повесить; ~ on а) открывать (кран, шлюз); включать (свет); б) зависеть; much ~s on his answer многое зависит от его ответа; в) = ~ upon; ~ out а) выгнать, уволить; исключить; to ~ out to grass отстранить(ся) от дел; б) выпускать (изделия); в) вывёртывать (карман, перчатку); г) украшать, наряжать; снаряжать; a beautifully ~ed out woman прекрасно одетая женщина; д) выгонять в поле (скотину); е) тушить (свет); ж) вставать (с постели); з) прибыть; the fire-brigade~ed out as soon as the fire broke out пожарная команда прибыла, как только начался пожар; и) оказываться; he ~ed out an excellent actor он оказался прекрасным актёром; it ~ed out well сошло благополучно; as it ~ed out как оказалось; ~ over а) перевёртывать(ся); б) опрокидывать(ся); в) передавать (дело, доверенность и т. п.) другому; г) ком. иметь оборот; д) обдумывать; е) тех. перекрывать кран; ~ round а) оборачиваться; б) изменить взгляды, свою политику; ~ to а) приняться за работу; б) обратиться к кому-л.; в) превратиться; г) окончиться чем-л.; быть результатом чего-л.; to ~ to account извлечь пользу, использовать, обратить на пользу; ~ up а) поднимать вверх; загибать(ся); to ~ up one's nose at smb. задирать нос; б) внезапно появляться; приходить, приезжать; в) случаться; подвернуться, оказаться; something will ~ up что-нибудь да подвернётся; г) бросать, покидать; д) открыть (карту); е) разг. вызывать тошноту; ~ upon внезапно изменить отношение к кому-л.; ◇ ~ over a new leaf начать новую жизнь; исправиться; to ~ one's coat менять свои убеждения, взгляды; переходить на сторону противника; to ~ the day against smb. уменьшить чьи-л. шансы, изменить соот-

ношение сил не в чью-л.пользу; to ~ smb.'s brain, to ~ smb.'s head вскружить кому-л. голову; to ~ a penny подработать; to ~ the tables on поменяться ролями, бить противника его же оружием; to ~ the blind eye to smth. закрывать глаза на что-л.; to ~ a deaf ear to не слушать, не обращать внимания; to ~ one's back, to ~ one's tail убежать; to ~ one's back on smb., smth. отвернуться от кого-л., бросить кого-л., что-л.; игнорировать кого-л., что-л.; отказаться выполнить что-л.; to ~ yellow струсить; to ~ the scale (или the balance) решить исход дела; not to ~ a hair = и глазом не моргнуть; to ~ smb. round one's little finger ≅ обвести вокруг пальца; not to know which way to ~ не знать, что предпринять; to ~ out in the cold ≅ окатить холодной водой; to ~ up one's heels sl. протянуть ноги, умереть.

turnabout ['təːnə,baut] n 1) поворот; 2) изменение позиции, взглядов и т. п.; переход на другую сторону; 3) амер. карусель.

turnagain ['təːnə,gen] n припев.

turnback ['təːnbæk] n 1) малодушный человек; 2) перебежчик.

turncoat ['təːnkout] n ренегат, перебежчик.

turncock ['təːnkɔk] n 1) запорный, стопорный кран; 2) заведующий распределением воды по водопроводным магистралям.

turn-down ['təːn,daun] 1. a отложной (о воротнике).
2. n 1) отложной воротник; 2) отказ; отставка; непризнание.

turned [təːnd] 1. p. p. от turn 2;
2. a 1) изготовленный на станке, машинного производства; 2) перелицованный; 3) прокисший; 4): a man ~ fifty человек за пятьдесят; 5) полигр. перевёрнутый (о литере).

turned comma ['təːnd'kɔmə] n полигр. перевёрнутая запятая (вид кавычек).

turner ['təːnə] n 1) токарь; 2) амер. гимнаст.

turnery ['təːnəri] n 1) токарное ремесло; 2) токарная мастерская; 3) токарные изделия.

turning ['təːniŋ] 1. pres. p. от turn 2;
2. n 1) вращение; 2) излучина (реки); перекрёсток; поворот (улицы, дороги); 3) токарное ремесло; токарная работа; 4) обточка; 5) превращение; 6) вспашка.
3. a 1) токарный; ~ lathe токарный станок; 2) вращающийся, поворотный.

turning-point ['təːniŋpɔint] n поворотный пункт; перелом, кризис.

turnip ['təːnip] n 1) репа; 2) sl. большие старинные карманные часы, «луковица».

turnkey ['təːnkiː] n тюремщик; надзиратель (в тюрьме).

turn-out ['təːn'aut] n 1) собрание, публика; 2) объём выпускаемой продукции; 3) забастовка; 4) забастовщик; 5) выезд; smart ~ щегольской выезд; 6) подъём, вставание с постели; 7) ж.-д. разъезд; стрелочный перевод.

turnover ['tɜːn,ouvə] *n* 1) опрокидывание; 2) *эк.* оборот; 3) часть газетной статьи, напечатанная на следующей странице; 4) полукруглый пирог *или* торт с начинкой; 5) небольшая шаль; 6) подмастерье, переходящий от одного мастера к другому для завершения обучения.

turnpenny ['tɜːn,penɪ] *n* стяжатель.

turnpike ['tɜːnpaɪk] *n* 1) застава, где взимается подорожный сбор; 2) *attr.*: ~ road главная магистраль.

turn-round ['tɜːnraund] *n* 1) поворот; 2) *мор.* прибытие судна в порт, погрузка, принятие на борт пассажиров, выход из порта.

turn-screw ['tɜːnskruː] *n* отвёртка.

turnskin ['tɜːnskɪn] *n* оборотень.

turnsole ['tɜːnsoul] *n* 1) *бот.*, хрозофора красильная; 2) *хим.* лакмус.

turnspit ['tɜːnspɪt] *n* тот, кто поворачивает вертел с мясом.

turnstile ['tɜːnstaɪl] *n* 1) турникет; 2) штурвал; крестовина.

turn-table ['tɜːn,teɪbl] *n* 1) *ж.-д.* поворотный круг; 2) диск (*патефона*); 3) проигрыватель.

turn-up ['tɜːnʌp] *n* 1) что-л. загнутое, отогнутое, завёрнутое (*манжеты, отвороты, поля шляпы и т. п.*); манжета (*на брюках*); 2) шум, драка; 3) счастливый случай, удача, неожиданность; 4) карта, открытая как козырь.

turpentine ['tɜːpəntaɪn] 1. *n* скипидар; oil (*или* spirit) of ~ очищенный, «французский» скипидар;
2. *v* 1) натирать скипидаром; 2) *амер.* подсачивать (*дерево*); добывать скипидар.

turpeth ['tɜːpeθ] *n бот.* корень индийской ипомеи (*употр. как слабительное средство*).

turpitude ['tɜːpɪtjuːd] *n* позор; низость.

turps [tɜːps] *разг. см.* turpentine 1.

turquoise ['tɜːkwɑːz] *n* 1) бирюза; 2) бирюзовый цвет.

turret ['tʌrɪt] *n* 1) башенка; 2) орудийная башня; *ав.* экранированная турель; 3) *тех.* револьверная головка (*станка*).

turret-lathe ['tʌrɪtleɪð] *n* револьверный станок.

turtle I ['tɜːtl] *n* 1) черепаха (*преим. морская*); 2) суп из черепахи; 3) *attr.* черепаховый; ◊ to turn ~ *мор. sl.* опрокинуться.

turtle II ['tɜːtl] *n уст.* горлица.

turtle-dove ['tɜːtldʌv] *n* 1) горлица; 2) преданный поклонник; человек, не скрывающий своих нежных чувств.

turtle-neck sweater ['tɜːtlnek'swetə] *n* свитер с высоким воротом.

turtle-shell ['tɜːtlʃel] = tortoise-shell.

Tuscan ['tʌskən] 1. *a* тосканский;
2. *n* 1) тосканец; 2) тосканский диалект.

tush I [tʌʃ] *n* клык (*лошади*).

tush II [tʌʃ] *уст.* 1. *int* фу!, тьфу!;
2. *v* выражать неодобрение.

tusk [tʌsk] 1. *n* клык, бивень (*слона, моржа*);
2. *v* ранить клыком.

tusker ['tʌskə] *n* слон *или* кабан с большими клыками.

tussal ['tʌsəl] = tussive.

tussive ['tʌsɪv] *a мед.* кашлевой, вызванный *или* сопровождающийся кашлем.

tussle ['tʌsl] 1. *n* борьба; драка;
2. *v* бороться; драться.

tussock ['tʌsək] *n* 1) трава, растущая пучком; кочка; дерновина; 2) хохолок; 3) кистехвост (*бабочка*).

tussock-moth ['tʌsəkmɔθ] = tussock 3).

tussore ['tʌsə] *n* 1) индийский шелковичный червь; 2) тусса, туссор (*шёлк диких шелкопрядов*).

tut [tʌt] 1. *int* ах ты! (*выражает нетерпение, досаду или упрёк*);
2. *v* выражать нетерпение *или* досаду восклицанием.

tutelage ['tjuːtɪlɪdʒ] *n* 1) опекунство; опека; 2) нахождение под опекой; 3) обучение.

tutelar(y) ['tjuːtɪlə(rɪ)] *a* 1) опекунский; 2) охраняющий; опекающий.

tutenag ['tjuːtɪnæg] *n* неочищенный сплав цинка; *разг.* цинк.

tutor ['tjuːtə] 1. *n* 1) домашний учитель; репетитор; *школ.* наставник; 2) руководитель группы студентов (*в англ. университетах*); 3) *амер.* младший преподаватель высшего учебного заведения; 4) *юр.* опекун;
2. *v* 1) обучать; руководить, наставлять; поучать; 3) давать частные уроки; 4) *амер. разг.* брать уроки; 5) *редк.* опекать; to ~ oneself сдерживаться; обуздывать себя.

tutorage ['tjuːtərɪdʒ] *n* 1) работа учителя; 2) должность наставника; 3) плата за обучение; 4) опекунство.

tutoress ['tjuːtərɪs] *n* 1) наставница, учительница; 2) опекунша.

tutorial [tjuːˈtɔːrɪəl] 1. *a* 1) наставнический; ~ system университетская система обучения путём прикрепления студентов к отдельным консультантам; 2) опекунский;
2. *n* 1) консультация, встреча с руководителем; 2) период обучения в колледже.

tutorship ['tjuːtəʃɪp] *n* должность наставника; обязанности наставника *или* опекуна [*см.* tutor 1].

tutsan ['tʌtsən] *n бот.* зверобой.

tutti-frutti ['tuːtɪ'fruːtɪ] *n* мороженое с фруктами.

tutu ['tuːtuː] *фр. n* пачка (*балерины*)

tu-whit [tuˈwɪt] = tu-whoo.

tu-whoo [tuˈwuː] 1. *n* подражание крику совы;
2. *v* подражать крику совы.

tux [tʌks] *сокр. от* tuxedo.

tuxedo [tʌkˈsiːdou] *n* (*pl* -os, -oes [-ouz]) *амер.* смокинг.

tuyère ['twiːjɛə] *фр. n метал.* фурма.

twaddle ['twɔdl] 1. *n* 1) пустая болтовня; 2) болтун;
2. *v* пустословить.

twain [tweɪn] *уст., поэт.* 1. *пит.* card два;
2. *n* два (*предмета*); двое; in ~ надвое, пополам.

twang [twæŋ] 1. *n* 1) звук натянутой струны; 2) гнусавый выговор (*американцев*);

2. *v* 1) звуча́ть (*о струне*); 2) перебира́ть стру́ны; 3) гнуса́вить.

'twas [twɔz (*полная форма*); twəz (*редуцированная форма*)] *сокр. разг.* = it was.

tweak [twiːk] 1. *n* щипо́к;
2. *v* ущипну́ть.

tweaker ['twiːkə] *n sl.* рога́тка (*для стрельбы*).

tweed [twiːd] *n* 1) твид (*материя*); 2) *pl* костю́м из тви́да.

tweedledum ['twiːdl'dʌm] *n*: ~ and tweedledee двойники́; две тру́дно различи́мые ве́щи; ве́щи, в су́щности, различа́ющиеся лишь по назва́нию.

'tween [twiːn] *сокр. разг.* = between.

tweeny ['twiːni] *n* моло́денькая служа́нка, помога́ющая други́м слу́гам.

tweet [twiːt] 1. *n* пти́чий ще́бет;
2. *v* щебета́ть, чири́кать.

tweeter ['twiːtə] *n радио* репроду́ктор для переда́чи высо́кого то́на.

tweezer ['twiːzə] *v* выщи́пывать пинце́том, щи́пчиками.

tweezers ['twiːzəz] *n pl* пинце́т.

twelfth [twelfθ] 1.*num.ord.* двена́дцатый;
2. *n* 1) двена́дцатая часть; 2): the ~ a) двена́дцатое число́; б) 12 а́вгуста (*нача́ло охо́ты на куропа́ток*).

Twelfth-day ['twelfθ'dei] *n церк.* креще́ние.

Twelfth-night ['twelfθ'nait] *n церк.* кану́н креще́ния.

twelve [twelv] 1. *num. card.* двена́дцать;
2. *n* 1) двена́дцать (*едини́ц, штук*); 2) (the T.) *церк.* 12 апо́столов; 3) *pl* кни́ги в двена́дцатую до́лю листа́.

twelvefold ['twelv,fould] 1. *a* в двена́дцать раз бо́льший;
2. *adv* в двена́дцать раз бо́льше.

twelvemo ['twelvmou] *n* кни́га в двена́дцатую до́лю листа́ (*пи́шется обы́чно 12 mo*).

twelvemonth ['twelvmʌnθ] *n* год.

twelver ['twelvə] *n sl.* ши́ллинг.

twencenter ['twen,sentə] *n разг.* челове́к XX ве́ка.

twenties ['twentiz] *n pl* 1) (the ~) двадца́тые го́ды; 2) тре́тий деся́ток (*во́зраст ме́жду 19 и 30 года́ми*).

twentieth ['twentiiθ] 1. *num. ord.* двадца́тый;
2. *n* 1) двадца́тая часть; 2) (the ~) двадца́тое число́.

twenty ['twenti] 1. *num. card.* два́дцать;
~-one два́дцать оди́н; ~-two два́дцать два *и т. д.*;
2. *n* два́дцать (*едини́ц, штук*).

twentymo ['twentimou] *n* кни́га в двадца́тую до́лю листа́ (*пи́шется обы́чно 20 mo*).

'twere [twɛː, twɛə (*по́лные фо́рмы*); twə (*редуци́рованная фо́рма*)] *сокр. разг.* = it were.

twerp [twəːp] *n sl.* грубия́н, хам.

twice [twais] *adv* 1) два́жды; ~ two is four два́жды два—четы́ре; 2) вдво́е; ~ as good вдво́е лу́чше; ~ as much вдво́е бо́льше; ◇ to think ~ (before doing smth.) хорошо́ обду́мать что-л. (пре́жде, чем сде́лать); not to think ~ about smth. a) не ду́мать бо́льше, забы́ть о чём-л.; б) сде́лать что-л. без колеба́ний.

twice-laid ['twais,leid] *a* сде́ланный из обре́зков, отхо́дов.

twicer ['twaisə] *n* рабо́чий, явля́ющийся одновреме́нно набо́рщиком и печа́тником.

twice-told ['twais,tould] *a* 1) расска́занный два́жды; 2) изве́стный, изби́тый.

twicoloured ['twi,kʌləd] *a* 1) два́жды окра́шенный; 2) разноцве́тный.

twiddle ['twidl] 1. *n* 1) верче́ние; 2) вито́к, украше́ние;
2. *v* 1) верте́ть, крути́ть (*что-л.*), игра́ть (*чем-л.*); 2) безде́льничать, бить баклу́ши (*тж.* ~ one's thumbs); 3) дрожа́ть.

twiddler ['twidlə] *n* безде́льник.

twig I [twig] *n* ве́точка, прут; ◇ to hop the ~ умере́ть.

twig II [twig] *v разг.* 1) наблюда́ть, замеча́ть; 2). поня́ть, разгада́ть.

twig III [twig] *n разг.* мо́да; стиль.

twilight ['twailait] *n* 1) су́мерки; потёмки (*тж. перен.*); 2) *attr.* су́меречный, нея́сный; ~ vision *мед.* су́меречное зре́ние; ~ sleep *мед.* спо́соб обезбо́ливания ро́дов.

twill [twil] *текст.* 1. *n* твил; са́ржа;
2. *v* ткать твил, са́ржу; переплета́ть по диагона́ли.

'twill [twil] *сокр. разг.* = it will.

twin [twin] 1. *n* 1) (*обыкн. pl*) близнецы́; дво́йня; 2) двойни́к; 3) па́рная вещь;
2. *a* 1) двойно́й; сдво́енный, спа́ренный; состоя́щий из двух одноро́дных часте́й; составля́ющий па́ру, явля́ющийся близнецо́м; ~ soul *шутл.* ро́дственная душа́; ~ set гарниту́р, состоя́щий из жаке́та и джемпера (*одина́кового цве́та или гармони́рующих цвето́в*); 2) одина́ковый, похо́жий; ~ tasks одина́ковые зада́чи;
3. *v* 1) роди́ть дво́йню; 2) соедини́ть.

twin-birth ['twinbəːθ] *n* рожде́ние дво́йни.

twine [twain] 1. *n* 1) бечёвка, шпага́т, шнуро́к; 2) *pl* ко́льца (*змеи́*); 3) сплете́ние, скру́чивание;
2. *v* 1) вить; плести́, сплета́ть (*вено́к и т. п.*); свива́ть, скру́чивать; 2) обвива́ть(-ся) (*тж.* ~ round, ~ about); 3) опоя́сывать, окружа́ть, обноси́ть.

twin-engined ['twin'endʒind] *a* двухмото́рный (*самолёт*).

twiner ['twainə] *n* 1) вью́щееся расте́ние; 2) *текст.* крути́льная маши́на периоди́ческого де́йствия.

twinge [twindʒ] 1. *n* при́ступ бо́ли; ~s of conscience угрызе́ния со́вести;
2. *v* 1) испы́тывать при́ступ бо́ли; 2) вызыва́ть при́ступ бо́ли.

twinkle ['twiŋkl] 1. *n* 1) мерца́ние; 2) мига́ние; 3) мелька́ние; 4) огонёк (*в глаза́х*); 5) мгнове́ние;
2. *v* 1) мерца́ть, сверка́ть; 2) мига́ть; 3) мелька́ть.

twinkling ['twiŋkliŋ] 1. *pres. p. om* twinkle 2;
2. *n* 1) мерца́ние; 2) мгнове́ние; in a ~, in the ~ of an eye, in the ~ of a bedpost в(о) мгнове́ние о́ка.

twin-screw ['twin,skruː] *a мор.* двухвинтово́й.

twirl [twəːl] 1. *n* 1) враще́ние, круче́ние; 2) вихрь; 3) ро́счерк, завиту́шка;

2. *v* вертéть, кружи́ть (*часто ~* round); крути́ть; to ~ one's moustache тереби́ть усы́.

twist [twist] **1.** *n* 1) изги́б, поворо́т; 2) верёвка; шнуро́к; 3) круче́ние, кру́тка; скру́чивание, суче́ние; 4) что-л. свёрнутое, *напр.*, скру́ченный бума́жный пакéт; «фу́нтик»; 5) вито́й хлеб; 6) искажéние, искривлéние; ~ of the tongue косноязы́чие; 7) вы́вих; 8) осо́бенность (*ума́, хара́ктера и т. п.*); 9) смéшанный напи́ток; 10) обма́н; 11) *разг.* аппети́т; 12) *тех.* ход (*ви́тка*); ◇ ~ of the wrist ло́вкость рук; ло́вкость, сноро́вка;

2. *v* 1) крути́ть, сучи́ть; сплетáть(ся); 2) ви́ться; изгибáть(ся); the road ~s a good deal доро́га о́чень извивáется; 3) скру́чивать (*ру́ки*); выжимáть (*бельё*); 4) вертéть; повора́чивать(ся); 5) искажáть, искривля́ть; 6) *разг.* обмáнывать; 7) *sl.* вéшать; ☐ ~ off отлáмывать, откру́чивать; ~ up скру́чивать (*в тру́бочку*).

twister ['twistə] *n* 1) сучи́льщик; канáтный мáстер; 2) сучи́льная маши́на; 3) шéнкель; 4) *разг.* обмáнщик, лгун; 5) *разг.* ложь; преувеличéние; 6) *разг.* вопрóс *или* задáча, стáвящие в тупи́к.

twit [twit] **1.** *n* 1) упрёк, попрёк; 2) насмéшка, кóлкость;

2. *v* 1) упрекáть, попрекáть (with— *чем-л.*); 2) насмехáться, говори́ть кóлкости.

twitch I [twitʃ] **1.** *n* 1) подёргивание, сýдорога; 2) *горн.* внезáпное сужéние жи́лы;

2. *v* 1) дёргать, тащи́ть (at—за *что-л.*); 2) дёргаться, подёргиваться; his face ~ed with emotion у негó дёргалось лицó от волнéния; a horse ~es his ears лóшадь прядёт ушáми; ☐ ~ from выдёргивать; ~ off сдёргивать.

twitch II [twitʃ] *n бот.* пырéй ползýчий.

twite [twait] *n* гóрная чечётка (*пти́ца*).

twitter ['twitə] **1.** *n* 1) щéбет, щебетáние; 2) возбуждéние, волнéние; in a ~ дрожá, трепещá, в возбуждéнии;

2. *v* 1) щебетáть, чири́кать.

'twixt [twikst] *сокр. разг.* = betwixt.

two [tuː] **1.** *num. card.* два; one or ~ нéсколько;

2. *n* 1) двóйка; 2) *pl* вторóй нóмер, размéр; 3) двóе; пáра; ~ and ~, by twos, ~ by ~ пó двое, попáрно; in two's два конкурéнта; ~ of a trade два конкурéнта; ◇ in ~ а) нáдвое, пополáм; б) врозь, отдéльно; in ~ twos *разг.* немéдленно, в два счёта; ~ by four *амер.* мéлкий, незначи́тельный; to put ~ and ~ together сообрази́ть что к чемý; ~ can play at that game посмóтрим ещё, чья возьмёт.

two-bit ['tuː,bit] *n амер. разг.* 1) монéта в 25 цéнтов; 2) небольшóе коли́чество; 3) что-л. незначи́тельное, нестóящее.

two-decker ['tuː,dekə] *n* 1) двухпáлубное сýдно; 2) двухэтáжный автóбус *или* троллéйбус.

two-edged ['tuːedʒd] *a* 1) обоюдоóстрый; 2) спосóбный оберну́ться другóй сторонóй; двусмы́сленный (*комплимéнт и т. п.*).

two-faced ['tuː'feist] *a* двули́чный, лжи́вый.

two-fisted ['tuːfistid] *a* неуклю́жий.

twofold ['tuːfould] **1.** *a* двойнóй; удвóенный;

2. *adv* вдвóе; вдвойнé.

two-footed]'tuː'futid] *a* двунóгий.

two-handed ['tuː'hændid] *a* 1) двуру́чный (*о мечé*); 2) для двои́х (*об игрé*).

two-master ['tuː,mɑːstə] *n* двухмáчтовое сýдно.

two-part ['tuː,pɑːt] *a* 1) состоя́щий из двух частéй; 2) *муз.* для двух голосóв.

twopence ['tʌpəns] *n* два пéнса; not to care ~ относи́ться безразли́чно.

twopenny ['tʌpni] **1.** *n* 1) *уст.* дешёвый сорт пи́ва; 2) *sl.* головá, башкá.

2. *a* 1) двухпéнсовый; ~ tube лóндонское метрó; 2) дешёвый; дряннóй.

twopenny-halfpenny ['tʌpni'heipni] *a* грошóвый, дряннóй, ничтóжный.

two-piece ['tuː,piːs] *a* состоя́щий из двух частéй *или* кускóв.

two-ply ['tuː,plai] *a* двойнóй; двухслóйный.

two-seater ['tuː'siːtə] *n* двухмéстный автомоби́ль *или* самолёт.

two-sided ['tuː'saidid] *a* двухсторóнний.

twosome ['tuːsəm] *n* 1) *разг.* тет-а-тéт; 2) *шотл.* пáра; 3) игрá *или* тáнец для двои́х.

two-step ['tuːstep] *n* тустéп (*тáнец*).

two-storied, two-story ['tuː'stɔːrid, 'tuː'stɔːri] *a* двухэтáжный.

two-time ['tuːtaim] *v амер. sl.* обману́ть, надýть.

two-tongued ['tuː'tʌŋd] *a* двули́чный, лжи́вый.

'twould [twud] *сокр. разг.* = 'it would.

two-way ['tuː,wei] *a* дву(х)сторóнний; ~ deal двухсторóнняя сдéлка, договорённость; ~ trade двухсторóнняя торгóвля.

tycoon [tai'kuːn] *n амер. разг.* промы́шленный магнáт.

tying ['taiiŋ] *pres. p. от* tie 2.

tyke [taik] *n* 1) дворня́жка; 2) грýбый, невоспи́танный человéк; 3) *разг.* живóй шýстрый ребёнок.

tympana ['timpənə] *pl от* tympanum.

tympanic [tim'pænik] *a:* ~ membrane *анат.* бараба́нная перепóнка.

tympanitis [,timpə'naitis] *n мед.* воспалéние бараба́нной перепóнки.

tympanum ['timpənəm] *n (pl* -s [-z], -na) 1) *анат.* бараба́нная пóлость; срéднее ýхо; 2) *архит.* тимпáн.

type [taip] **1.** *n* 1) тип; типи́чный образéц *или* представи́тель (*чего-л.*); true to ~ типи́чный; характéрный; 2) род, класс, грýппа; blood ~ грýппа крóви; 3) модéль, образéц; си́мвол; 4) изображéние на монéте *или* медáли; 5) *полигр.* ли́тера; шрифт; black (*или* bold, fat) ~ жи́рный шрифт; 6) *attr.:* ~ page полосá набóра;

2. *v* писáть на маши́нке.

type-form ['taipfɔːm] *n полигр.* фóрма.

type-founder ['taip,faundə] *n* словоли́тчик.

type-foundry ['taip,faundri] *n* словоли́тня.

type-metal ['taip,metl] *n полигр.* гарт.

typescript ['taɪpskrɪpt] 1. *n* напеча́танный на маши́нке текст;
2. *a* машинопи́сный.
type-setter ['taɪp,setə] *n* 1) набо́рщик; 2) линоти́п.
type-setting ['taɪp,setɪŋ] *n* 1) набо́р (*процесс*); 2) *attr.* набо́рный; ~ machine линоти́п.
type slug ['taɪpslʌg] *n полигр.* строка́, отли́тая на линоти́пе.
typewrite ['taɪpraɪt] *v* писа́ть на маши́нке.
typewriter ['taɪp,raɪtə] *n* 1) пи́шущая маши́нка; 2) *редк.* машини́стка.
typewriting ['taɪp,raɪtɪŋ] 1. *pres. p. от* typewrite;
2. *n* = typing 2.
typewritten ['taɪp,rɪtn] 1. *p.p. от* typewrite;
2. *a* машинопи́сный, напеча́танный на маши́нке.
typhlitis [tɪf'laɪtɪs] *n* воспале́ние слепо́й кишки́.
typhoid ['taɪfɔɪd] 1. *n* брюшно́й тиф;
2. *a* тифо́зный; ~ fever брюшно́й тиф.
typhoon [taɪ'fuːn] *n* тайфу́н.
typhous ['taɪfəs] *a* тифо́зный.
typhus ['taɪfəs] *n* сыпно́й тиф.
typical ['tɪpɪkəl] *a* 1) типи́чный (of); 2) символи́ческий.
typify ['tɪpɪfaɪ] *v* быть типи́чным представи́телем; служи́ть типи́чным приме́ром *или*

образцо́м; быть прообразом; олицетворя́ть.
typing ['taɪpɪŋ] 1. *pres. p. от* type 2;
2. *n* перепи́ска на маши́нке.
typist ['taɪpɪst] *n* машини́стка; перепи́счик на маши́нке.
typographer [taɪ'pɔgrəfə] *n* печа́тник.
typographic(al) [,taɪpə'græfɪk(əl)] *a* типогра́фский; книгопеча́тный.
typography [taɪ'pɔgrəfɪ] *n* 1) книгопеча́тание; 2) оформле́ние (*книги*).
tyrannical [tɪ'rænɪkəl] *a* тирани́ческий; деспоти́чный; вла́стный.
tyrannicide [tɪ'rænɪsaɪd] *n* 1) тираноуби́йство; 2) тираноуби́йца.
tyrannize ['tɪrənaɪz] *v* тира́нствовать.
tyrannous ['tɪrənəs] = tyrannical.
tyranny ['tɪrənɪ] *n* 1) тирани́я, деспоти́зм; 2) тира́нство, жесто́кость.
tyrant ['taɪərənt] *n* тира́н; де́спот.
tyre I ['taɪə] 1. *n* 1) о́бод колеса́; 2) ши́на; покры́шка;
2. *v* надева́ть ши́ну на колесо́.
tyre II ['taɪə] *n англо-инд.* простоква́ша.
tyro ['taɪərou] = tiro.
Tyrolese [,tɪrə'liːz] 1. *a* тиро́льский;
2. *n* (*pl без измен.*) тиро́лец.
Tyrrhene, Tyrrhenian [tɪ'riːn, tɪ'riːnjən] 1. *a* этру́сский;
2. *n* этру́ск.
tzar [zɑː] = czar.
Tzigane [tsɪ'gɑːn] 1. *a* цыга́нский;
2. *n* цыга́н(ка) (*особ. из Венгрии*).

U

U, u [juː] *n* (*pl* Us, U's [juːz]) 21-я *буква англ. алфавита*; ◊ U. P. *sl. см.* up 1; it's all U. P. всё ко́нчено, всё пропа́ло.
ubiquitous [juː'bɪkwɪtəs] *a* вездесу́щий; повсеме́стный.
ubiquity [juː'bɪkwɪtɪ] *n* вездесу́щность; повсеме́стность.
U-boat ['juːbout] *n* герма́нская подво́дная ло́дка.
udder ['ʌdə] *n* вы́мя.
udometer [juː'dɔmɪtə] *n* дождеме́р.
ugh [uh] *int* тьфу!; ах!
uglify ['ʌglɪfaɪ] *v* уро́довать, обезобра́живать.
ugliness ['ʌglɪnɪs] *n* уро́дство.
ugly ['ʌglɪ] *a* 1) безобра́зный; ~ as a scarecrow (*или* as sin) ≅ стра́шен как сме́ртный грех; 2) неприя́тный; проти́вный, га́дкий; отта́лкивающий; an ~ task неприя́тная зада́ча; ~ duckling га́дкий утёнок; 3) угрожа́ющий, опа́сный; an ~ tongue злой язы́к; 4) *разг.* вздо́рный; скло́чный, зади́ристый; an ~ customer *разг.* неприя́тный, тру́дный *или* опа́сный челове́к.
Ugrian ['uːgrɪən] 1. *a* у́грский;
2. *n* 1) угр; 2) у́грский язы́к.
Ugric ['uːgrɪk]=Ugrian 1.
uhlan ['uːlɑːn] *n ист.* ула́н.
Uigur ['wiːgur] *n* 1) уйгу́р(ка); 2) уйгу́рский язы́к.
ukase [uː'kɑːz] *рус. n* ука́з.

Ukrainian [juː'kreɪnjən] 1. *a* украи́нский;
2. *n* 1) украи́нец; украи́нка; the ~s *pl собир.* украи́нцы; 2) украи́нский язы́к.
ukulele [,juːkə'leɪlɪ] *n* гава́йская гита́ра.
ulcer ['ʌlsə] *n* я́зва; *перен. тж.* зло.
ulcerate ['ʌlsəreɪt] *v* 1) изъязвля́ть(ся); 2) губи́ть, по́ртить.
ulcered, ulcerous ['ʌlsəd, 'ʌlsərəs] *a* изъязвлённый, я́звенный.
uliginose, uliginous [juː'lɪdʒɪnous, -nəs] *a* 1) и́листый; боло́тистый; 2) боло́тный, расту́щий на боло́те.
ullage ['ʌlɪdʒ] *n* 1) незапо́лненная часть объёма (*бочки, резервуара и т. п.*); 2) уте́чка, нехва́тка.
ulna ['ʌlnə] *n* (*pl* -nae) *анат.* локтева́я кость.
ulnae ['ʌlniː] *pl от* ulna.
ulster ['ʌlstə] *n* дли́нное свобо́дное пальто́ (*обыкн. с поясом*).
ulterior [ʌl'tɪərɪə] *a* 1) лежа́щий по ту сто́рону, располо́женный да́льше; 2) дальне́йший, после́дующий; ~ steps will be taken бу́дут при́няты дальне́йшие ме́ры; 3) скры́тый, невы́раженный; ~ motive (plan, object, *etc.*) скры́тый моти́в (план, цель и т. п.).
ultima ['ʌltɪmə] *лат.* 1. *n лингв.* после́дний слог в сло́ве;
2. *a*: ~ ratio после́дний до́вод, реши́тельный аргуме́нт.

ultimate ['ʌltɪmɪt] *a* 1) са́мый отдалённый; 2) после́дний, коне́чный; преде́льный; оконча́тельный; ~ result оконча́тельный результа́т; 3) максима́льный; преде́льный; ~ load преде́льная нагру́зка; ~ output максима́льная мо́щность; 4) перви́чный, элемента́рный; основно́й; ~ particle *физ.* элемента́рная части́ца; ~ analysis *хим.* по́лный элемента́рный ана́лиз.

ultimately ['ʌltɪmɪtlɪ] *adv* в коне́чном счёте, в конце́ концо́в.

ultimatum [,ʌltɪ'meɪtəm] *n* 1) ультима́тум; 2) оконча́тельная цель.

ultimo ['ʌltɪmou] *adv* про́шлого ме́сяца; the 20th ult. 20-го числа́ исте́кшего ме́сяца.

ultra ['ʌltrə] 1. *a* кра́йний (*об убежде́ниях, взгля́дах*);
2. *n* челове́к кра́йних взгля́дов.

ultra- ['ʌltrə-] *pref* сверх-, ультра-; кра́йне; ultraconservative ультраконсервати́вный; ultrafashionable сверхмо́дный.

ultramarine I [,ʌltrəmə'rɪːn] *a* замо́рский.

ultramarine II [,ʌltrəmə'rɪːn] *n* ультрамари́н.

ultramodern [,ʌltrə'mɔdən] *a* сверхсовре́менный, кра́йне совреме́нный.

ultramontane [,ʌltrə'mɔnteɪn] 1. *n* 1) живу́щий к ю́гу от Альп; 2) сторо́нник абсолю́тного авторите́та ри́мского па́пы.
2. *a* 1) располо́женный к ю́гу от Альп, италья́нский; 2) явля́ющийся сторо́нником абсолю́тного авторите́та ри́мского па́пы.

ultramontanist [,ʌltrə'mɔntɪnɪst] = ultramontane 1.

ultra-short [,ʌltrə'ʃɔːt] *a* ультракоро́ткий; ~ waves ультракоро́ткие во́лны.

ultrasonic [,ʌltrə'sɔnɪk[*a* сверхзвуково́й.

ultrasound [,ʌltrə'saund] *n* ультразву́к.

ultra-violet [,ʌltrə'vaɪəlɪt] *a* ультрафиоле́товый.

ultra vires ['ʌltrə'vaɪərɪːz] *adv:* act ~ превыша́ть свои́ права́, полномо́чия.

ululate ['juːljuleɪt] *v* выть, завыва́ть.

umbel ['ʌmbəl] *n бот.* зо́нтик.

umbellate ['ʌmbəlɪt] *a бот.* зо́нтичный.

umbelliferous [,ʌmbe'lɪfərəs] = umbellate.

umber ['ʌmbə] 1. *n* у́мбра (*краска*);
2. *a* тёмно-кори́чневый;
3. *v* кра́сить у́мброй.

umbilical [,ʌmbɪ'laɪkəl] *a* пупо́чный; ~ cord пупови́на.

umbilicus [ʌm'bɪlɪkəs] *n* пуп.

umbles ['ʌmblz] *n pl уст.* вну́тренности (*особ. оле́ня*).

umbra ['ʌmbrə] *n астр.* по́лная тень.

umbrage ['ʌmbrɪdʒ] *n* 1) *поэт.* тень, сень; 2) оби́да; to give ~ оби́деть; to take ~ оби́деться.

umbrageous [ʌm'breɪdʒəs] *a* 1) тени́стый; 2) *редк.* оби́дчивый, подозри́тельный.

umbrella [ʌm'brelə] *n* 1) зо́нтик; 2) *разг.* парашю́т; 3) *воен.* сплошно́е прикры́тие авиа́цией; 4) компроми́ссная платфо́рма; 5) *attr.* зо́нтичный; ~ antenna *радио* зо́нтичная анте́нна.

umbrella man [ʌm'brelə'mæn] *n разг.* парашюти́ст.

umbrella-stand [ʌm'breləstænd] *n* подста́вка для зо́нтов.

umbrella-tree [ʌm'brelətrɪː] *n* магно́лия трёхлепестна́я.

umiak ['uːmɪæk] *n* эскимо́сская ло́дка из шкур.

umlaut ['umlaut] *n лингв.* умля́ут.

umpire ['ʌmpaɪə] 1. *n* 1) посре́дник, трете́йский судья́; суперарби́тр; 2) *спорт.* судья́, ре́фери;
2. *v* быть трете́йским судьёй *и пр.* [*см.* 1].

umpteen ['ʌmptiːn] *a разг.* 1) мно́го, у́йма; 2) не́сколько, не́которое коли́чество.

un- [ʌn-] *pref* 1) придаёт глаго́лу противополо́жное значе́ние: to undo уничто́жить сде́ланное; to undeceive вы́вести из заблужде́ния; 2) *глаго́лам, образо́ванным от существи́тельных, придаёт обыкнове́нно значе́ние лиша́ть, освобожда́ть от:* to uncage выпуска́ть из кле́тки; to unmask снима́ть ма́ску; 3) *придаёт прилага́тельным, прича́стиям и существи́тельным с их произво́дными, а тж. наре́чиям, отриц. значе́ние* не-, без-: happy счастли́вый, unhappy несча́стный; unhappily несчастли́во; unsuccess неуда́ча; 4) *усили́вает отриц. значе́ние глаго́ла, напр.,* to unloose.

'un [ʌn] *разг. см.* one 4.

unabashed ['ʌnə'bæʃt] *a* 1) нерастеря́вшийся, несмути́вшийся; бессо́вестный; 2) незапу́ганный.

unabated ['ʌnə'beɪtɪd] *a* неосла́бленный; неуме́ньшенный.

unabbreviated ['ʌnə'brɪːvɪeɪtɪd] = unabridged.

unabiding ['ʌnə'baɪdɪŋ] *a* преходя́щий.

unable ['ʌn'eɪbl] *a* 1) неспосо́бный (toк чему́-л.); 2) *predic.:* to be ~ не быть в состоя́нии; I shall be ~ to go there я не смогу́ пойти́ туда́.

unabridged ['ʌnə'brɪdʒd] *a* по́лный, несокращённый.

unaccented ['ʌnæk'sentɪd] *a* неуда́рный (*слог, звук*).

unacceptable ['ʌnək'septəbl] *a* 1) неприе́млемый; 2) неприя́тный, нежела́тельный.

unaccompanied ['ʌnə'kʌmpənɪd] *a* 1) не сопровожда́емый (by, with); 2) без аккомпанеме́нта.

unaccomplished ['ʌnə'kɔmplɪʃt] *a* 1) незако́нченный, незавершённый; 2) неиску́сный, неуме́лый; 3) лишённый све́тского ло́ска; неотёсанный.

unaccountable ['ʌnə'kauntəbl] *a* 1) необъясни́мый; стра́нный; 2) безотве́тственный.

unaccustomed ['ʌnə'kʌstəmd] *a* 1) не привы́кший (toк чему́-л.); 2) непривы́чный, необы́чный.

unachievable ['ʌnə'tʃɪːvəbl] *a* недосяга́емый, недостижи́мый.

unachieved ['ʌnə'tʃɪːvd] *a* недости́гнутый; незавершённый.

unacknowledged ['ʌnək'nɔlɪdʒd] *a* 1) непри́знанный; 2) оста́вшийся без отве́та (*о покло́не, письме́*).

unacquainted ['ʌnə'kweɪntɪd] *a* не знако́мый (с кем-л., чем-л.), не зна́ющий (чего́-л.).

unactable ['ʌn'æktəbl] a непригодный для сцены.

unacted ['ʌn'æktɪd] a 1) невыполненный, несделанный; 2) не ставившийся на сцене (о пьесе и т. п.).

unadaptable ['ʌnə'dæptəbl] a неприменимый, не могущий быть приспособленным, неприспосабливаемый.

unadmitted ['ʌnəd'mɪtɪd] a непризнанный.

unadulterated [,ʌnə'dʌltəreitɪd] a 1) настоящий, нефальсифицированный; 2) чистый, чистейший; ~ nonsense чистейший вздор.

unadvised ['ʌnəd'vaizd] a 1) поспешный, неразумный; неосмотрительный; 2) не получивший совета, консультации.

unadvisedly [,ʌnəd'vaizɪdlɪ] adv неблагоразумно; необдуманно.

unaffable ['ʌn'æfəbl] a непривётливый; строгий, сдержанный.

unaffected a 1) [,ʌnə'fektɪd] неподдельный, лишённый аффектации, непосредственный, искренний; 2) ['ʌnə'fektɪd] не затронутый (by — чем-л.); 3) ['ʌnə'fektɪd] не тронутый (by— чем-л.); оставшийся безучастным (by—к).

unagreeable ['ʌnə'griːəbl] a редк. 1) неприятный; 2) непоследовательный; несогласный.

unaided ['ʌn'eidɪd] a лишённый помощи; без (посторонней) помощи.

unallowable ['ʌnə'lauəbl] a недопустимый; непозволительный.

unallowed ['ʌnə'laud] a неразрешённый, запрещённый.

unalloyed ['ʌnə'lɔid] a 1) беспримесный, чистый; 2) неомрачённый (о счастье).

unalterable [ʌn'ɔːltərəbl] a неизменный, не пропускающий перемен; устойчивый.

unaltered ['ʌn'ɔːltəd] a неизменённый, неизменный.

unambiguous ['ʌnæm'bɪgjuəs] a недвусмысленный.

unamenable ['ʌnə'miːnəbl] a 1) неподатливый; 2) непослушный.

un-American ['ʌnə'merɪkən] a 1) чуждый американским обычаям или понятиям; 2) антиамериканский.

unanalysable ['ʌn'ænəlaizəbl] a не поддающийся анализу.

unanimity [,juːnə'nɪmɪtɪ] n единодушие.

unanimous [juː'nænɪməs] a единодушный, единогласный.

unannounced ['ʌnə'naunst] a (явившийся) без объявления, без доклада.

unanswerable [ʌn'ɑːnsərəbl] a 1) такой, на который невозможно ответить (о вопросе и т. п.); 2) неопровержимый.

unanswered ['ʌn'ɑːnsəd] a оставшийся без ответа или без опровержения.

unappealable ['ʌnə'piːləbl] a юр. не допускающий дальнейшей апелляции; окончательный.

unappeasable ['ʌnə'piːzəbl] a 1) непримиримый; 2) неутомимый, неукротимый.

unappreciated ['ʌnə'priːʃieitɪd] a непонятый, недооценённый.

unapprehensive ['ʌnæprɪ'hensɪv] a 1) непонятливый, несообразительный; 2) бесстрашный.

unapproachable [,ʌnə'proutʃəbl] a 1) недостижимый, недосягаемый; 2) неприступный; 3) непостижимый; 4) несравнимый, бесподобный, не имеющий равных.

unapproving ['ʌnə'pruːvɪŋ] a неодобрительный; осуждающий.

unapprovingly ['ʌnə'pruːvɪŋlɪ] adv неодобрительно.

unapt ['ʌn'æpt] a 1) неподходящий; ап ~ quotation неподходящая цитата; 2) неспособный, неумелый; ~ to learn не способный к учению; ~ at games неловкий в играх; 3) несклонный.

unarm ['ʌn'ɑːm] v разоружать(ся).

unarmed ['ʌn'ɑːmd] 1. p. p. от unarm; 2. a 1) безоружный; невооружённый; 2) бот., зоол. неколючий.

unartful ['ʌn'ɑːtful] a 1) безыскусственный; 2) неискусный.

unashamed ['ʌnə'ʃeimd] a бессовестный, наглый.

unasked ['ʌn'ɑːskt] a непрошенный.

unaspiring ['ʌnəs'paiərɪŋ] a нечестолюбивый, не претендующий на что-л.

unassailable [,ʌnə'seiləbl] a 1) неприступный; an ~ fortress неприступная крепость; 2) неопровержимый.

unassisted ['ʌnə'sɪstɪd] a без помощи; he did it ~ он сделал это сам.

unassuming ['ʌnə'sjuːmɪŋ] a скромный, непритязательный.

unassured ['ʌnə'ʃuəd] a 1) неуверенный; 2) сомнительный; ненадёжный; 3) незастрахованный.

unatonable ['ʌnə'tounəbl] a невозместимый.

unattached ['ʌnə'tætʃt] a 1) непривязанный; неприкреплённый; 2) воен. неприданный, не прикреплённый к определённому полку; 3) являющийся студентом университета, но не занимающийся в определённом колледже; 4) без провожатого; 5) незамужняя; неженатый; не имеющий привязанности.

unattainable ['ʌnə'teinəbl] a недостижимый, недосягаемый.

unattended ['ʌnə'tendɪd] a 1) несопровождаемый; 2) оставленный без ухода; ~ wound неперевязанная рана.

unattending ['ʌnə'tendɪŋ] a невнимательный.

unattractive [,ʌnə'træktɪv] a непривлекательный.

unauthorized ['ʌn'ɔːθəraizd] a 1) неразрешённый; 2) неправомочный.

unavailable ['ʌnə'veiləbl] a 1) не имеющийся в наличии; 2) недействительный.

unavailing ['ʌnə'veilɪŋ] a бесполезный, тщетный, бесплодный.

unavenged ['ʌnə'vendʒd] a неотомщённый.

unavoidable [,ʌnə'vɔidəbl] a неизбежный, неминуемый.

unaware ['ʌnə'wɛə] a predic. не знающий, не подозревающий (of—чего-л.); I was ~ of it я ничего не знал об этом.

unawares [ˌʌnəˈwɛəz] 1. *adv* 1) неожиданно, врасплох; to catch (*или* to take) ~ застигнуть врасплох; 2) непредумышленно, нечаянно;

2. *n*: at ~ врасплох.

unbacked [ˌʌnˈbækt] *a* 1) не имеющий сторонников, поддержки; 2) такой, на которого не ставят ставок (*напр., о лошади*); 3) необъезженный (*о лошади*).

unbaked [ˌʌnˈbeɪkt] *a* невыпеченный; *перен. разг.* неоперившийся, незрелый, «зелёный».

unbalance [ˌʌnˈbæləns] *v* лишить душевного равновесия; вывести из равновесия.

unbalanced [ˌʌnˈbælənst] 1. *p. p. от* unbalance;

2. *a* неуравновешенный.

unballast [ˌʌnˈbæləst] *v мор.* выгружать балласт.

unballasted [ˌʌnˈbæləstɪd] 1. *p. p. от* unballast;

2. *a* 1) *мор.* не имеющий балласта; 2) *ж.-д.* незабалластированный (*о пути*); 3) неустойчивый.

unbank [ˌʌnˈbæŋk] *v* дать (*огню*) разгореться, разгребая золу.

unbar [ˌʌnˈbɑː] *v* отодвинуть засов; открыть (*дверь, путь и т. п.*).

unbare [ˌʌnˈbɛə] *v* оголять, обнажать.

unbearable [ʌnˈbɛərəbl] *a* невыносимый.

unbearded [ˌʌnˈbɪədɪd] *a* 1) безбородый; 2) *бот.* лишённый усиков, остей.

unbeaten [ˌʌnˈbiːtn] *a* 1) не испытавший поражения; непревзойдённый; 2) непроторённый; ~ track непроторённый путь; неизведанная область (*знаний и т. п.*); 3) нетолчёный.

unbecoming [ˌʌnbɪˈkʌmɪŋ] *a* 1) неприличествующий; неподходящий; 2) не идущий к лицу; 3) неприличный; ~ conduct неприличное поведение.

unbefitting [ˌʌnbɪˈfɪtɪŋ] *a* неподходящий.

unbefriended [ˌʌnbɪˈfrendɪd] *a* одинокий, не имеющий друзей.

unbegun [ˌʌnbɪˈɡʌn] *a* 1) (ещё) не начатый; 2) не имеющий начала, существующий вечно, извечный.

unbeknown [ˌʌnbɪˈnoun] *a уст.* неведомый; he did it ~ to me он сделал это без моего ведома.

unbelief [ˌʌnbɪˈliːf] *n* неверие.

unbelievable [ˌʌnbɪˈliːvəbl] *a* невероятный.

unbeliever [ˌʌnbɪˈliːvə] *n* 1) неверующий; 2) скептик.

unbelt [ˌʌnˈbelt] *v* снимать *или* расстёгивать пояс.

unbend [ˌʌnˈbend] *v* (unbent) 1) выпрямлять(ся); разгибать(ся); 2) ослаблять напряжение; давать отдых; to ~ one's mind дать отдых голове; 3) *refl.* стать простым, приветливым, отбросить чопорность; 4) *мор.* отвязывать; отдавать (*снасть*); 5) *тех.* рихтовать, править.

unbending [ˌʌnˈbendɪŋ] 1. *pres. p. от* unbend

2. *a* 1) негнущийся; 2) непреклонный; 3) открытый, простой, отбросивший чопорность.

unbeneficed [ˌʌnˈbenɪfɪst] *a церк.* не имеющий бенефиция, прихода.

unbent [ˌʌnˈbent] *past и p. p. от* unbend.

unbeseeming [ˌʌnbɪˈsiːmɪŋ] *a* неприличествующий, неподобающий, неподходящий.

unbetterable [ˌʌnˈbetərəbl] *a* 1) непревзойдённый; 2) непоправимый.

unbias(s)ed [ˌʌnˈbaɪəst] *a* беспристрастный.

unbidden [ˌʌnˈbɪdn] *a* 1) непрошеный, незваный; 2) добровольный.

unbind [ˌʌnˈbaɪnd] *v* (unbound) 1) развязывать; распускать; to ~ hair распускать волосы; 2) освобождать; to ~ a prisoner освобождать заключённого; 3) срывать переплёт (*с книги*).

unblamable [ˌʌnˈbleɪməbl] *a* безупречный.

unbleached [ˌʌnˈbliːtʃt] *a* небелёный, неотбелённый.

unblemished [ʌnˈblemɪʃt] *a* 1) не имеющий пятен, чистый; 2) незапятнанный, безупречный.

unblended [ˌʌnˈblendɪd] *a* чистый, несмешанный.

unblessed [ˌʌnˈblest] *a* 1) лишённый благословения; 2) несчастный, злополучный.

unblock [ˌʌnˈblɔk] *v* открыть, устранить препятствие.

unblooded [ˌʌnˈblʌdɪd] *a* нечистокровный; an ~ horse нечистокровная лошадь.

unbloody [ˌʌnˈblʌdɪ] *a* 1) не запятнанный кровью; 2) бескровный; 3) некровожадный.

unblown I [ˌʌnˈbloun] *a* 1) ещё не прозвучавший; 2) незапыхавшийся.

unblown II [ˌʌnˈbloun] *a* нераспустившийся, нерасцветший.

unblushing [ʌnˈblʌʃɪŋ] *a* беззастенчивый, наглый.

unbodied [ˌʌnˈbɔdɪd] *a* бесплотный, бестелесный.

unboiled [ˌʌnˈbɔɪld] *a* некипячёный; не вскипевший.

unbolt [ˌʌnˈboult] *v* снимать засов, отпирать.

unbone [ˌʌnˈboun] *v* снимать (мясо) с костей.

unbooked [ˌʌnˈbukt] *a* 1) незарегистрированный, не занесённый в книгу; 2) не заказанный заранее; 3) малообразованный; неграмотный.

unbookish [ˌʌnˈbukɪʃ] *a* 1) не увлекающийся чтением; 2) почёрпнутый не из книг.

unborn [ˌʌnˈbɔːn] *a* 1) (ещё) не рождённый; 2) будущий.

unbosom [ˌʌnˈbuzəm] *v* поверять (*тайну*), изливать (*чувства*); to ~ oneself открывать душу.

unbound [ˌʌnˈbaund] 1. *past и p. p. от* unbind;

2. *a* 1) свободный, не связанный обязательствами; 2) непереплетённый (*о книге*).

unbounded [ˌʌnˈbaundɪd] *a* неограниченный, безграничный, беспредельный.

unbowed [ˌʌnˈbaud] *a* непокорённый.

unbrace [ʌn'breis] *v* ослаблять, расслаблять.

unbred [ʌn'bred] *a* плохо воспитанный.

unbridle [ʌn'braidl] *v* 1) распрягать; 2) *перен.* распускать, развязывать.

unbridled [ʌn'braidld] 1. *p. p. от* unbridle;

2. *a* разнузданный; необузданный; распущенный.

unbroken [ʌn'broukən] *a* 1) неразбитый, целый; 2): ~ record непобитый рекорд; 3) непокорённый; ~ spirit несломленный дух; 4) непрерывный, продолжительный; 5) сдержанный (*об обещании и т. п.*); 6) необъезженный (*о лошади*); 7) невспаханный; ~ soil целина, новь.

unbuckle [ʌn'bʌkl] *v* расстёгивать пряжку, застёжку.

unbuild [ʌn'bild] *v* 1) разрушать, сносить; 2) *эл.* размагничивать.

unburden [ʌn'bəːdn] *v* 1) облегчать бремя, ношу; 2) *перен.* сбросить тяжесть; to ~ one's mind высказать то, что накопилось; to ~ oneself отвести душу.

unbusinesslike [ʌn'biznislaik] *a* неделовой, непрактичный.

unbutton [ʌn'bʌtn] *v* расстёгивать.

uncage [ʌn'keidʒ] *v* выпускать из клетки.

uncalled-for [ʌn'kɔːldfɔː] *a* непрошеный; неуместный; ничем не вызванный; ~ remark неуместное замечание.

uncanny [ʌn'kæni] *a* жуткий, сверхъестественный.

uncap [ʌn'kæp] *v* 1) снимать шляпу; 2) снимать крышку, открывать, откупоривать; 3) *воен.* вынимать капсюль.

uncared-for [ʌn'kɛədfɔː] *a* заброшенный.

uncart [ʌn'kɑːt] *v* разгружать тележку

uncase [ʌn'keis] *v* 1) вынимать из ящика, футляра, ножен; 2) распаковывать.

uncaused [ʌn'kɔːzd] *a* 1) беспричинный; 2) извечный.

unceasing [ʌn'siːsiŋ] *a* непрекращающийся, непрерывный, безостановочный.

uncelebrated [ʌn'selibreitid] *a* 1) не пользующийся известностью; 2) неотмечаемый, несправляемый.

unceremonious [ʌn,seri'mounjəs] *a* 1) простой; неофициальный; 2) бесцеремонный.

uncertain [ʌn'səːtn] *a* 1) точно не известный; сомнительный; a lady of ~ age дама неопределённого возраста; 2) неуверенный; колеблющийся, находящийся в нерешительности; сомневающийся; 3) неопределённый; in no ~ terms в недвусмысленных выражениях; 4) изменчивый, ненадёжный.

uncertainty [ʌn'səːtnti] *n* 1) неуверенность, нерешительность; сомнения; to be in a state of ~ сомневаться, колебаться; 2) неизвестность, неопределённость; 3) изменчивость.

unchain [ʌn'tʃein] *v* 1) спускать с цепи; 2) расковывать, освобождать.

unchallengeable [ʌn'tʃælindʒəbl] *a* неоспоримый

unchancy [ʌn'tʃɑːnsi] *a* *шотл.* 1) не-

удачный, случившийся некстати; 2) небезопасный.

unchanged [ʌn'tʃeindʒd] *a* неизменившийся, оставшийся прежним.

uncharitable [ʌn'tʃæritəbl] *a* жестокий, немилосердный.

uncharted [ʌn'tʃɑːtid] *a* не отмеченный на карте.

unchecked [ʌn'tʃekt] *a* 1) необузданный; 2) беспрепятственный; 3) непроверенный.

unchurch [ʌn'tʃəːtʃ] *v* отлучать от церкви.

uncial [ʌnsiəl] 1. *a* унциальный;

2. *n* 1) унциальный шрифт; 2) рукопись, написанная унциальным шрифтом.

uncivil [ʌn'sivl] *a* 1) невежливый, грубый; 2) *редк.* нецивилизованный.

uncivilized [ʌn'sivilaizd] *a* нецивилизованный, варварский.

unclasp [ʌn'klɑːsp] *v* 1) отстёгивать застёжку; 2) разжимать (*объятия*); выпускать (*из рук, из объятий*).

uncle [ʌnkl] *n* 1) дядя; 2) пожилой человек; «дядюшка» (*особ. в обращении*); 3) *sl.* ростовщик; my ~'s лавка ростовщика; ◇ U. Sam «дядя Сэм», Соединённые Штаты Америки; Welsh ~ дальний родственник; to come the ~ over smb. отчитывать, бранить кого-л.

unclean [ʌn'kliːn] *a* 1) неопрятный, нечистый; 2) отвратительный, грязный; аморальный.

uncleared [ʌn'kliəd] *a* неубранный; нерасчищенный.

unclench [ʌn'klentʃ] *v* разжать (*кулак и т. п.*).

uncloak [ʌn'klouk] *v* 1) снимать плащ; 2) срывать маску, разоблачать.

unclose [ʌn'klouz] *v* открывать(ся).

unclosed [ʌn'klouzd] 1. *p. p. от* unclose;

2. *a* 1) открытый; 2) незаконченный; ~ argument спор, оставшийся незаконченным.

unclothe [ʌn'klouð] *v* раздевать.

unclouded [ʌn'klaudid] *a* безоблачный; ~ happiness безоблачное счастье.

unco [ʌŋkou] *шотл.* 1. *a* странный;

2. *adv* необыкновенно; очень;

3. *n* (*pl* -os [-ouz]) 1) незнакомец; 2) *pl* новости.

uncock [ʌn'kɔk] *v* спускать с боевого взвода без выстрела.

uncoil [ʌn'kɔil] *v* разматывать(ся), раскручивать(ся).

uncoined [ʌn'kɔind] *a* 1) нечеканный; 2) подлинный, непритворный.

uncome-at-able [ʌnkʌm'ætəbl] *a* *разг.* неприступный.

uncomely [ʌn'kʌmli] *a* 1) некрасивый, непривлекательный; 2) *уст.* непристойный.

uncomfortable [ʌn'kʌmfətəbl] *a* 1) неудобный; ~ chair неудобный стул; ~ position неудобное положение; 2) испытывающий неудобство, стеснённый; he felt ~ он (по)чувствовал себя неловко.

uncommon [ʌn'kɔmən] 1. *a* 1) необыкновенный, замечательный, недюжинный; 2) редкий, редко встречающийся *или* случающийся;

2. *adv* замечательно, удивительно.

uncommunicative [ˈʌnkəˈmjuːnɪkətɪv] *a* необщительный, молчаливый.

uncompanionable [ˈʌnkəmˈpænjənəbl] *a* необщительный.

uncomplaining [ˈʌnkəmˈpleɪnɪŋ] *a* безропотный.

uncompliant [ˈʌnkəmˈplaɪənt] *a* неподатливый.

uncomplying [ˈʌnkəmˈplaɪŋ] *a* не поддающийся (*на что-л.*), не склоняющийся (*к чему-л.*).

uncompromising [ʌnˈkɔmprəmaɪzɪŋ] *a* 1) не идущий на компромиссы; 2) непреклонный, стойкий.

unconcealed [ˈʌnkənˈsiːld] *a* нескрываемый, явный.

unconceivable [ˈʌnkənˈsiːvəbl] = inconceivable.

unconceived [ˈʌnkənˈsiːvd] *a* незарождённый.

unconcern [ˈʌnkənˈsəːn] *n* 1) беззаботность; 2) равнодушие; безразличие.

unconcerned [ˈʌnkənˈsəːnd] *a* 1) беспечный, беззаботный (about—в отношении *чего-л.*); 2) равнодушный, незаинтересованный; не интересующийся (with—*чем-л.*); 3) не замешанный (in—в *чём-л.*).

unconditional [ˈʌnkənˈdɪʃənl] *a* не ограниченный условиями, безоговорочный, безусловный; ~ surrender безоговорочная капитуляция.

unconditioned [ˈʌnkənˈdɪʃənd] *a* 1) неограниченный, неоговорённый, необусловленный; 2) неоспоримый, абсолютный; безусловный; ◇ ~ reflex безусловный рефлекс.

unconforming [ˈʌnkənˈfɔːmɪŋ] *a* не соответствующий (требованиям); вызывающий возражения.

unconformity [ˈʌnkənˈfɔːmɪtɪ] *n* 1) несоответствие; 2) *геол.* непараллельное несогласие; несогласное напластование.

unconnected [ˈʌnkəˈnektɪd] *a* 1) не связанный (*с чем-л.*); 2) неродственный, не имеющий связей; 3) бессвязный.

unconquerable [ʌnˈkɔŋkərəbl] *a* непобедимый.

unconscionable [ʌnˈkɔnʃnəbl] *a* 1) бессовестный; ~ bargain *юр.* незаконная сделка; 2) неумеренный, чрезмерный.

unconscious [ʌnˈkɔnʃəs] **1.** *a* 1) не сознающий (of—*чего-л.*); to be ~ of a) не сознавать; б) не видеть, не замечать; 2) бессознательный; she is ~ она без сознания, в обмороке; 3) невольный, нечаянный; **2.** *n* (the ~) подсознательное.

unconstrained [ˈʌnkənˈstreɪnd] *a* 1) действующий не по принуждению; добровольный; 2) непринуждённый, лёгкий.

uncontemplated [ʌnˈkɔntempleɪtɪd] *a* неожиданный; непредвиденный.

uncontented [ˈʌnkənˈtentɪd] *a* недовольный, неудовлетворённый.

uncontrollable [ˌʌnkənˈtrouləbl] *a* 1) неудержимый; 2) не поддающийся контролю; не поддающийся регулировке; 4) *уст.* неоспоримый.

unconventional [ˈʌnkənˈvenʃənl] *a* чуждый условности; нешаблонный.

unconversable [ˈʌnkənˈvəːsəbl] *a* неразговорчивый; необщительный.

unconverted [ˈʌnkənˈvəːtɪd] *a* 1) необменённый; 2) оставшийся прежним; 3) *рел.* необращённый.

unconvertible [ˈʌnkənˈvəːtəbl] = inconvertible.

unconvincing [ˈʌnkənˈvɪnsɪŋ] *a* неубедительный.

uncooked [ˈʌnˈkukt] *a* сырой, неприготовленный (*о пище*).

uncord [ˈʌnˈkɔːd] *v* развязывать, отвязывать.

uncork [ˈʌnˈkɔːk] *v* 1) откупоривать; 2) *разг.* давать выход, волю (*чувствам*).

uncorruptible [ˈʌnkəˈrʌptəbl] *a* неподкупный.

uncostly [ˈʌnˈkɔstlɪ] *a* дешёвый.

uncountable [ˈʌnˈkauntəbl] *a* бесчисленный, неисчислимый.

uncounted [ˈʌnˈkauntɪd] *a* несчётный, бесчисленный.

uncouple [ˈʌnˈkʌpl] *v* 1) расцеплять; разъединять; 2) спускать (*собак*) со своры.

uncouth [ʌnˈkuːθ] *a* 1) неуклюжий; 2) грубоватый, неотёсанный; 3) *уст.* странный.

uncover [ʌnˈkʌvə] *v* 1) снимать крышку; 2) открывать (*лицо и т. п.*); 3) (*тж. refl.*) обнажать голову; 4) обнаруживать; 5) раскрывать; to ~ one's heart to smb. открыть кому-л. душу; 6) обнажать (*фланг*).

uncovered [ʌnˈkʌvəd] **1.** *p. p. от* uncover; **2.** *a* 1) неприкрытый, открытый; 2) с непокрытой головой; to stand ~ стоять с непокрытой головой; 3) *фин.* необеспеченный; ~ paper money необеспеченные бумажные деньги; 4) *горн.* вскрытый (*о полезном ископаемом при разработке открытым способом*).

uncreate I [ˈʌnkrɪˈeɪt] *a уст.* существующий извечно (*тж. ~d*).

uncreate II [ˈʌnkrɪˈeɪt] *v* уничтожать.

uncrippled [ˈʌnˈkrɪpld] *a* неповреждённый.

uncritical [ˈʌnˈkrɪtɪkəl] *a* 1) принимающий слепо, без критики; 2) некритичный; an ~ estimate некритичная оценка; 3) неправильный (*о подходе, принципе*).

uncrossed [ˈʌnˈkrɔst] *a* 1) неперечёркнутый; an ~ cheque некроссированный чек (*который необязательно оплачивается через банк*); 2) беспрепятственный; 3) непересечённый.

uncrown [ˈʌnˈkraun] *v* свергать с престола; *перен.* развенчивать.

uncrowned [ˈʌnˈkraund] **1.** *p. p. от* uncrown; **2.** *a* некоронованный.

unction [ˈʌŋkʃən] *n* 1) помазание (*обряд*); 2) втирание мази; 3) мазь; 4) набожность; 5) елейность; 6) пыл, рвение.

unctuous [ˈʌŋktjuəs] *a* 1) маслянистый; 2) жирный и липкий (*о почве*); 3) елейный.

uncultivated [ˈʌnˈkʌltɪveɪtɪd] *a* 1) невозделанный (*о земле*); 2) неразвитый (*о способностях и т. п.*); 3) грубый, неотёсанный.

uncultured [ˈʌnˈkʌltʃəd] *a* некульту́рный, невоспи́танный.

uncurb [ˈʌnˈkɜːb] *v* 1) разну́здывать; 2) дава́ть во́лю (*чу́вствам и т. п.*).

uncurl [ˈʌnˈkɜːl] *v* развива́ть(ся) (*о ло́конах*).

uncurtain [ˈʌnˈkɜːtn] *v* 1) раздви́нуть, подня́ть занаве́ски; 2) обнару́жить.

uncurtained [ˈʌnˈkɜːtnd] 1. *p. p. от* uncurtain;
2. *a* незанаве́шенный; с раздви́нутыми, по́днятыми занаве́сками.

uncustomary [ˈʌnˈkʌstəməгɪ] *a* непривы́чный.

uncustomed [ˈʌnˈkʌstəmd] *a* 1) не подлежа́щий тамо́женному сбо́ру; 2) не опла́ченный тамо́женным сбо́ром; 3) *уст.* непривы́чный.

uncut [ˈʌnˈkʌt] *a* 1) неразре́занный; 2) с необре́занными поля́ми (*о кни́ге*); 3) по́лный, несокращённый (*о те́ксте и т. п.*).

undamped [ˈʌnˈdæmpt] *a радио* недемпфи́рованный.

undated I [ˈʌnˈdeɪtɪd] *a* недати́рованный.

undated II [ˈʌnˈdeɪtɪd] *a бот.* волни́стый.

undaunted [ʌnˈdɔːntɪd] *a* неустраши́мый, бесстра́шный.

undeceive [ˈʌndɪˈsiːv] *v* выводи́ть из заблужде́ния, открыва́ть глаза́ (*на что-л.*).

undecided [ˈʌndɪˈsaɪdɪd] *a* 1) нерешённый; 2) нереши́тельный; 3) не реши́вшийся, не приня́вший реше́ния; I am ~ whether to go or stay я не зна́ю, идти́ мне и́ли оста́ться; 4) не ре́зко вы́раженный; 5) неустанови́вшийся (*о пого́де*).

undecipherable [ˈʌndɪˈsaɪfərəbl] *a* 1) не поддаю́щийся расшифро́вке; 2) неразбо́рчивый.

undecisive [ˈʌndɪˈsaɪsɪv] *a* нереша́ющий, неоконча́тельный.

undeck [ˈʌnˈdek] *v* снять все украше́ния, ободра́ть, оголи́ть.

undeclared [ˈʌndɪˈklɛəd] *a* 1) необъя́вленный, непровозглашённый; нераскры́тый; 2) непредъя́вленный на тамо́жне (*о ве́щах, подлежа́щих тамо́женному сбо́ру*).

undeclinable [ˈʌndɪˈklaɪnəbl] *a* 1) неизбе́жный; неотврати́мый; 2) несклоня́емый.

undefended [ˈʌndɪˈfendɪd] *a* 1) незащищённый; 2) не подкреплённый доказа́тельствами, неаргументи́рованный; 3) *юр.* без защи́ты, без защи́тника (*об обвиня́емом*).

undelivered [ˈʌndɪˈlɪvəd] *a* 1) недоста́вленный; 2) непроизнесённый; an ~ speech непроизнесённая речь.

undemocratic [ˈʌndeməˈkrætɪk] *a* антидемократи́ческий, недемократи́ческий.

undemonstrative [ˈʌndɪˈmɔnstrətɪv] *a* сде́ржанный.

undeniable [ˌʌndɪˈnaɪəbl] *a* 1) неоспори́мый; несомне́нный; я́вный; ~ evidence неопровержи́мая и́стина; 2) превосхо́дный.

undenominational [ˈʌndɪˌnɔmɪˈneɪʃənl] *a* без секта́нтского укло́на.

under [ˈʌndə] 1. *prep* 1) *ука́зывает на положе́ние одного́ предме́та ни́же друго́го или на направле́ние де́йствия вниз* под,

ни́же; ~ the table под столо́м; ~ one's feet под нога́ми; put the suitcase ~ the table поста́вьте чемода́н под стол; 2) *ука́зывает на нахожде́ние под бре́менем, тя́жестью чего́-л.* под; ~ the load под тя́жестью; he broke down ~ the burden of sorrow го́ре сломи́ло его́; 3) *ука́зывает на пребыва́ние под вла́стью, контро́лем, кома́ндованием* под; to work ~ a professor рабо́тать под руково́дством профе́ссора; England ~ the Stuarts А́нглия в эпо́ху Стюа́ртов; an office ~ Government госуда́рственная слу́жба; 4) *ука́зывает на нахожде́ние в движе́нии, проце́ссе, осуществле́нии, определён-ном состоя́нии и т. п.*: the question is ~ consideration вопро́с обсужда́ется; the road is ~ repair доро́га ремонти́руется; ~ arrest под аре́стом; 5) *ука́зывает на усло́вия, обстоя́тельства, при кото́рых соверша́ется де́йствие* при, под, на; ~ fire под огнём; ~ the circumstances при да́нных обстоя́тельствах; ~ arms вооружённый; ~ sail под паруса́ми; ~ heavy penalty под стра́хом суро́вого наказа́ния; ~ the necessity of smth. под давле́нием каки́х-л. обстоя́тельств; ~ cover под прикры́тием; ~ an assumed name под вы́мышленным и́менем; ~ a mask под ма́ской; ~ the protec-tion of smth. под защи́той чего́-л.; 6) *ука́зывает на соотве́тствие, согласо́ванность* по; ~ the present agreement по настоя́щему соглаше́нию; ~ a right in international law в соотве́тствии с междунаро́дным пра́вом; to operate (*или* to act) ~ a principle де́йствовать по при́нципу; 7) *ука́зывает на включе́ние в гра́фу, пара́граф, пункт и т. п.* под, к; the subject falls ~ the head of grammar э́та те́ма отно́сится к грамма́тике; this rule goes ~ point five э́то пра́вило отно́сится к пу́нкту пя́тому; 8) *ука́зывает на ме́ньшую сте́пень, бо́лее ни́зкую це́ну, на ме́ньший во́зраст и т. п.* ни́же, ме́ньше; ~ two hundred people were there там бы́ло ме́ньше двухсо́т челове́к; the child is ~ five ребёнку ещё нет пяти́ лет; I cannot reach the village ~ two hours я не могу́ добра́ться до дере́вни ме́ньше, чем за два часа́; ~ age не дости́гший определённого во́зраста; несовершенноле́тний; to sell ~ cost продава́ть ни́же сто́имости; 9) *ука́зывает на испо́льзование пло́щади, уча́стка земли́ в определённых це́лях* под; land ~ peren-nial plants земля́ под многоле́тними расте́ниями; ◇ ~ the sun а) на земле́, в э́том ми́ре; б) *употр. в вопро́се для усиле́ния*: where ~ the sun did he go? куда́ же он всё-таки пошёл?; ~ one's own vine and fig-tree а) в родно́м до́ме; б) в безопа́сности.
2. *adv* 1) ни́же, вниз; 2) внизу́; ◇ to bring ~ подчиня́ть; to keep ~, to get ~ искореня́ть, не дава́ть распространя́ться; to go ~ а) тону́ть; ги́бнуть; исчеза́ть; б) разоря́ться; в) *амер. sl.* умира́ть.
3. *a* 1) ни́жний; 2) ни́зший, нижестоя́-щий, подчинённый; 3) ме́ньший, ни́же устано́вленной но́рмы.
4. *n арт.* недолёт.

under- [ˈʌndə-] *pref* 1) *в значе́нии* ни́же, под, *присоединя́ясь к существи́тельному,* *образует разные части речи:* underground а) под землёй; б) подземный; underclothes нижнее бельё; 2) *присоединяясь к существительному, придаёт значение подчинённости:* under-secretary товарищ, заместитель *или* помощник министра; under-teacher младший учитель; 3) *присоединяясь к глаголу и прилагательному, придаёт значение недостаточности, неполноты* недо-; *ниже чем;* to undervalue недооценивать; to underpay оплачивать по более низкой ставке; underripe недоспелый; underdone недожаренный.

underact ['ʌndər'ækt] *v* 1) исполнять роль бледно, слабо; 2) действовать недостаточно энергично.

underaction ['ʌndər'ækʃən] *n* 1) побочная интрига, эпизод; 2) неэнергичные действия.

under-age ['ʌndər'eɪdʒ] *a* несовершеннолетний; не достигший определённого возраста; *перен.* незрелый.

underbade ['ʌndə'beɪd] *past om* underbid.

underbid ['ʌndə'bɪd] *v* (underbade, underbid; underbidden, underbid) сбивать, снижать цену; назначать более низкую цену (*особ. на аукционе*).

underbidden ['ʌndə'bɪdn] *p. p. om* underbid.

underbought ['ʌndə'bɔːt] *past и p. p. om* underbuy.

underbred ['ʌndə'bred] *a* 1) дурно воспитанный; 2) нечистокровный, непородистый.

underbrush ['ʌndəbrʌʃ] = underwood.

underbuy ['ʌndə'baɪ] *v* (underbought) покупать ниже стоимости.

undercarriage ['ʌndə,kærɪdʒ] *n тех.* ходовая часть; шасси.

undercharge ['ʌndə'tʃɑːdʒ] 1. *n* 1) слишком низкая цена; 2) недостаточный заряд; 2. *v* 1) брать слишком дёшево; 2) заряжать неполным зарядом; 3) недогружать.

underclass ['ʌndəklɑːs] *n* (*обыкн. pl*) *унив.* группа первого *или* второго курса.

underclothes ['ʌndəklouðz] *n pl* нижнее бельё.

underclothing ['ʌndə,klouðɪŋ] = underclothes.

undercoat ['ʌndəkout] *n* 1) одежда, носимая под другой; 2) подшёрсток.

undercooling ['ʌndə'kuːlɪŋ] *n* 1) недостаточное охлаждение; 2) *физ.* переохлаждение.

undercover ['ʌndə,kʌvə] *a* тайный, секретный.

undercroft ['ʌndəkrɔft] *n* 1) подвал со сводами; 2) *церк.* крипта.

undercurrent ['ʌndə,kʌrənt] *n* 1) низовое подводное течение; 2) скрытая тенденция; не выраженное явно настроение, мнение *и т. п.*

undercut 1. *n* ['ʌndəkʌt] 1) вырезка (*часть туши*); 2) удар снизу вверх; 3) *тех.* передний угол; поднутрение; 4) *горн.* подрубка, зарубка; 2. *v* ['ʌndə'kʌt] (undercut) 1) подрезать; 2) сбивать цены; продавать по более низким ценам (*чем конкурент*).

underdeveloped ['ʌndədɪ'veləpt] *a* 1) недоразвитый; 2) *фото* недопроявленный.

underdid ['ʌndə'dɪd] *past om* underdo.

underdo ['ʌndə'duː] *v* (underdid; underdone) недожаривать.

underdog ['ʌndədɔg] *n* 1) собака, побеждённая в драке; 2) побеждённая *или* подчинившаяся сторона.

underdone ['ʌndə'dʌn] *p. p. om* underdo.

underdose ['ʌndədous] 1. *n* недостаточная доза; 2. *v* давать недостаточную дозу.

underestimate 1. *n* ['ʌndər'estɪmɪt] недооценка; 2. *v* ['ʌndər'estɪmeɪt] недооценивать.

under-expose ['ʌndəriks'pouz] *v фото* недодержать.

under-exposure ['ʌndəriks'pouʒə] *n фото* недодержка.

underfed ['ʌndə'fed] *past и p. p. om* underfeed 1.

underfeed ['ʌndə'fiːd] 1. *v* (underfed) 1) недокармливать; 2) недоедать; 2. *n тех.* подача *или* питание снизу.

under-fives ['ʌndəfaɪvz] *n pl* дошкольники.

underfoot [,ʌndə'fut] *adv* 1) под ногами; 2) в подчинении, под контролем; to keep smb. ~ держать кого-л. в ежовых рукавицах.

underframe ['ʌndəfreɪm] *n* 1) *ав.* шасси; 2) *авт.* подрамник.

undergarment ['ʌndə,gɑːmənt] *n* 1) нижнее платье; 2) *pl* нижнее бельё.

undergo [,ʌndə'gou] *v* (underwent; undergone) испытывать, переносить, подвергаться (*чему-л.*); to ~ an operation подвергнуться операции.

undergone [,ʌndə'gɔn] *p. p. om* undergo.

undergraduate [,ʌndə'grædjuɪt] *n* студент последнего курса.

underground 1. *n* ['ʌndəgraund] (the ~) 1) метрополитен; 2) подпольная организация; подполье; 2. *a* ['ʌndəgraund] 1) подземный; 2) тайный, подпольный; закулисный; 3. *adv* [,ʌndə'graund] 1) под землёй; 2) тайно, подпольно.

undergrowth ['ʌndəgrouθ] *n* подлесок, подрост, подлесье.

underhand ['ʌndəhænd] 1. *a* тайный, закулисный; ~ intrigues тайные интриги; 2. *adv* тайно, «за спиной».

underhanded [,ʌndə'hændɪd] = underhand 1.

underhung ['ʌndə'hʌŋ] *a* 1) выступающий вперёд (*о нижней челюсти*); 2) имеющий выступающую вперёд нижнюю челюсть.

underlaid [,ʌndə'leɪd] *past и p. p. om* underlay II.

underlain [,ʌndə'leɪn] *p. p. om* underlie.

underlay I [,ʌndə'leɪ] *past om* underlie.

underlay II [,ʌndə'leɪ] *v* (underlaid) подкладывать, подпирать.

underlet ['ʌndə'let] *v* (underlet) 1) пересдавать в аренду; 2) сдавать в аренду за более низкую плату.

underlie [,ʌndə'laɪ] *v* (underlay; underlain) 1) лежать под *чем-л.*; 2) лежать в основании (*чего-л.*), крыться.

underline 1. *n* ['ʌndəlaɪn] 1) ли́ния, подчёркивающая сло́во; 2) *театр.* ано́нс; 3) объясни́тельная на́дпись под карти́нкой, чертежо́м *и т. п.*; 4) *pl* транспара́нт (*для письма́*);
2. *v* [,ʌndə'laɪn] подчёркивать.

underling ['ʌndəlɪŋ] *n* 1) ме́лкий чино́вник; ме́лкая со́шка; 2) сла́бый ребёнок; сла́бое расте́ние; 3) слабово́льный челове́к.

underload [,ʌndə'loud] *v* недоста́точно нагружа́ть, недогружа́ть.

underloading [,ʌndə'loudɪŋ] 1. *pres. p. от* underload;
2. *a* непо́лная нагру́зка, недогру́зка.

underlying [,ʌndə'laɪɪŋ] 1. *pres. p. от* underlie;
2. *a* 1) лежа́щий *или* располо́женный под чем-л.; 2) основно́й; 3) не бросающийся в глаза́; тре́бующий тща́тельного осмо́тра.

underman ['ʌndə'mæn] *v* снабжа́ть недоста́точным экипа́жем (*судно*).

undermine [,ʌndə'maɪn] *v* 1) мини́ровать; 2) подмыва́ть (*берега́*); 3) подка́пывать, де́лать подко́п; 4) извлека́ть грунт из-под сооруже́ния; 5) разруша́ть, подрыва́ть; to ~ one's health разруша́ть здоро́вье; to ~ smb.'s reputation повреди́ть чьей-л. репута́ции.

undermost ['ʌndəmoust] *a* 1) са́мый ни́жний; 2) ни́зший.

underneath [,ʌndə'niːθ] 1. *adv* вниз; внизу́; ни́же;
2. *prep* под.

undernourish [,ʌndə'nʌrɪʃ] *v* недока́рмливать.

underpaid ['ʌndə'peɪd] *past и p. p. от* underpay.

underpass ['ʌndəpɑːs] *n* перее́зд под путя́ми; тонне́ль.

underpay ['ʌndə'peɪ] *v* (underpaid) опла́чивать (*сли́шком*) ни́зко.

underpin [,ʌndə'pɪn] *v* подпира́ть (*сте́ны*); подводи́ть фунда́мент.

underplay ['ʌndə'pleɪ] *v* 1) *карт.* умы́шленно не брать взя́тку; 2) = underact 1).

underplot ['ʌndəplɔt] *n* 1) побо́чная, второстепе́нная интри́га (*в пье́се, рома́не*); 2) та́йный за́мысел.

underpopulated ['ʌndə'pɔpjuleɪtɪd] *a* малонаселённый (*о райо́не и т. п.*).

underpressure ['ʌndə'preʃə] *n* *физ.* разреже́ние, ва́куум; давле́ние ни́же атмосфе́рного.

underprivileged ['ʌndə'prɪvɪlɪdʒd] *a* лишённый привиле́гий, прав; подверга́ющийся дискримина́ции.

underprize ['ʌndə'praɪz] *v* недооце́нивать.

underproduce ['ʌndəprə'djuːs] *v* выпуска́ть проду́кцию в недоста́точном коли́честве.

under-production ['ʌndəprə'dʌkʃən] *n* недопроизво́дство.

underproof ['ʌndə'pruːf] *a*: ~ spirit спирт ни́же устано́вленного гра́дуса.

underquote [,ʌndə'kwout] *v* предлага́ть по бо́лее ни́зкой цене́.

underrate [,ʌndə'reɪt] *v* 1) недооце́нивать; 2) дава́ть зани́женные показа́ния (*о прибо́ре*).

under-ripe ['ʌndə'raɪp] *a* недоспе́лый, недозре́лый.

underscore [,ʌndə'skɔː] *v* подчёркивать.

undersea 1. *a* ['ʌndəsiː] подво́дный;
2. *adv* [,ʌndə'siː] под водо́й.

under-secretary ['ʌndə'sekrətərɪ] *n* това́рищ, замести́тель *или* помо́щник мини́стра; Parliamentary ~ замести́тель мини́стра (*член кабине́та*); permanent ~ несменя́емый помо́щник мини́стра.

undersell ['ʌndə'sel] *v* (undersold) продава́ть деше́вле други́х.

underset 1. *n* ['ʌndəset] 1) *мор.* подво́дное тече́ние, противополо́жное тече́нию на пове́рхности; 2) *геол.* ни́жняя жи́ла; 3) компле́кт ни́жнего белья́;
2. *v* [,ʌndə'set] (underset) подпира́ть.

under-shirt ['ʌndəʃət] *n* ни́жняя руба́ха.

undershot ['ʌndəʃɔt] *a* 1) подливно́й (*о ме́льничном колесе́*); 2) = underhung.

undersign [,ʌndə'saɪn] *v* ста́вить свою́ по́дпись, подпи́сывать(ся).

undersigned [,ʌndə'saɪnd] 1. *p. p. от* undersign;
2. *a* нижеподписа́вшийся;
3. *n pl* нижеподписа́вшиеся; we the ~... мы, нижеподписа́вшиеся...

undersized ['ʌndə'saɪzd] *a* 1) маломе́рный; 2) ка́рликовый; 3) *воен.* низкоро́слый.

underskirt ['ʌndəskət] *n* ни́жняя ю́бка.

undersoil ['ʌndəsɔɪl] *n* подпо́чва.

undersold ['ʌndə'sould] *past и p. p. от* undersell.

undersong ['ʌndəsɔŋ] *n* 1) припе́в, рефре́н; сопровожда́ющая мело́дия; 2) скры́тый смысл.

understaffed ['ʌndə'stɑːft] *a* неукомплекто́ванный (*шта́тами*).

understand [,ʌndə'stænd] *v* (understood) 1) понима́ть; to make oneself understood уме́ть объясни́ться; 2) истолко́вывать, понима́ть; no one could ~ that from my words никто́ не мог сде́лать тако́го заключе́ния из мои́х слов; 3) подразумева́ть; what do you ~ by this? что вы под э́тим подразумева́ете? 4) (у)слы́шать, узна́ть; I ~ that you are going abroad я слы́шал, что вы е́дете за грани́цу; to give to ~ сказа́ть, дать поня́ть; 5) предполага́ть, дога́дываться; 6) усла́вливаться; it was understood we were to meet at dinner бы́ло усло́влено, что мы встре́тимся за обе́дом; 7) уме́ть, смы́слить (*в чём-л.*).

understanding [,ʌndə'stændɪŋ] 1. *pres. p. от* understand;
2. *n* 1) понима́ние; to get an ~ of the question поня́ть вопро́с; 2) ра́зум, спосо́бность понима́ть; a person of ~ челове́к с голово́й; 3) соглаше́ние; взаимопонима́ние; согла́сие (*ме́жду сторона́ми*); to come to (*или* to reach) an ~ найти́ о́бщий язы́к; on the ~ that на том усло́вии, что; on this ~ при э́том усло́вии; 4) *pl шутл.* но́ги; башмаки́;
3. *a* 1) понима́ющий, разу́мный; 2) чу́ткий, отзы́вчивый.

understate ['ʌndə'steɪt] *v* 1) преуменьша́ть; 2) не выска́зывать откры́то, до конца́.

understatement ['ʌndə'steɪtmənt] n 1) преуменьшéние; 2) сдéржанное выскáзывание, замáлчивание.

understock I [,ʌndə'stɔk] n с.-х. привúтое растéние.

understock II [,ʌndə'stɔk] v снабжáть недостáточным инвентарём (фéрму), недостáточным кóличеством товáра (магазúн) и т. п.

understoke [,ʌndə'stouk] v mex. подавáть тóпливо снúзу.

understood [,ʌndə'stud] past и p. p. от understand.

understrapper ['ʌndə,stræpə] n разг. млáдший агéнт или служáщий.

understratum ['ʌndə'strɑːtəm] n нúжний слой.

understudy ['ʌndə,stʌdɪ] театр. 1. n дублёр;
2. v дублúровать, заменять.

undertake [,ʌndə'teɪk] v (undertook; undertaken) 1) предпринимáть; 2) брать на себя определённые обязáтельства, фýнкции и т. п.; to ~ a task взять на себя задáчу; to ~ too much брать на себя слúшком мнóго; 3) обязáться; ручáться; 4) ['ʌndəteɪk] быть содержáтелем похорóнного бюрó.

undertaken [,ʌndə'teɪkən] p. p. от undertake.

undertaker n 1) [,ʌndə'teɪkə] предпринимáтель; 2) ['ʌndə,teɪkə] содержáтель похорóнного бюрó; гробóвщик.

undertaking [,ʌndə'teɪkɪŋ] 1. pres. p. от undertake;
2. n 1) предприятие; дéло; 2) обязáтельство; соглашéние; 3) ['ʌndə,teɪkɪŋ] похорóнное бюрó; профéссия гробóвщика.

under-tenant ['ʌndə'tenənt] n субарендáтор.

under-the-counter ['ʌndəðə'kauntə] a продаю́щийся из-под полы́.

under-the-table ['ʌndəðə'teɪbl] a тáйный, незакóнный (о сдéлке и т. п.).

undertint ['ʌndətɪnt] n жив. полутóн.

undertone ['ʌndətoun] n 1) полутóн (звýка или цвéта); to speak in ~s говорúть вполгóлоса; 2) оттéнок.

undertook [,ʌndə'tuk] past от undertake.

undertow ['ʌndətou] n 1) отлúв прибóя; 2) = underset 1, 1).

undervalue ['ʌndə'væljuː] v недооцéнивать.

underwear ['ʌndəwɛə] n нúжнее бельё.

underwent [,ʌndə'went] past от undergo.

underwit ['ʌndəwɪt] n слабоýмный (человéк).

underwood ['ʌndəwud] n подлéсок, пóросль.

underwork 1. n ['ʌndəwəːk] рабóта мéнее квалифицúрованная или хýдшего кáчества.
2. v ['ʌndə'wəːk] 1) рабóтать недостáточно; 2) рабóтать за бóлее нúзкую плáту; 3) недостáточно пóлно испóльзовать (чтó-либо); to ~ a machine эксплуатúровать машúну не на пóлную мóщность; 4) уст. подкáпываться, тáйно подрывáть.

underworld ['ʌndəwəːld] n 1) преиспóдняя; 2) «дно», престýпный мир; 3) поэт. антипóды.

underwrite ['ʌndəraɪt] v (underwrote; underwritten) 1) (чáще p. p.) подпúсывать(ся); 2) принимáть в страхóвку (судá, товáры); 3) гарантúровать; 4) подтверждáть (пúсьменно); 5) уст. соглашáться.

underwriter ['ʌndə,raɪtə] n 1) страховáя компáния; страхóвщик; 2) гарáнт размещéния (зáйма, áкций и т. п.).

underwritten ['ʌndə,rɪtn] 1. p. p. от underwrite;
2. a 1) нижеизлóженный; 2) нижеподписáвшийся.

underwrote ['ʌndərout] past от underwrite.

undeserved ['ʌndɪ'zəːvd] a незаслýженный.

undeservedly ['ʌndɪ'zəːvɪdlɪ] adv незаслýженно.

undeserving ['ʌndɪ'zəːvɪŋ] a не заслýживающий (чегó-л.); ~ of respect не заслýживающий уважéния.

undesignedly ['ʌndɪ'zaɪnɪdlɪ] adv неумы́шленно.

undesirable ['ʌndɪ'zaɪərəbl] 1. a 1) нежелáтельный; 2) неудóбный, неподходя́щий; he did it at a most ~ moment он сдéлал э́то в сáмый неподходя́щий момéнт.
2. n нежелáтельное лицó.

undeterminable ['ʌndɪ'təːmɪnəbl] a 1) нескончáемый; 2) неопределúмый.

undetermined ['ʌndɪ'təːmɪnd] a 1) нерешённый; неопределённый; the question remained ~ вопрóс остáлся откры́тым; 2) нерешúтельный.

undeveloped ['ʌndɪ'veləpt] a 1) нерáзвитый; 2) неразрабóтанный; 3) незастрóенный.

undid [ʌn'dɪd] past от undo.

undies ['ʌndɪz] n pl (сокр. от underclothes) разг. жéнское или дéтское нúжнее бельё.

undigested ['ʌndɪ'dʒestɪd] a 1) неперевáренный; 2) неусвóенный; 3) непродýманный, непослéдовательный, хаотúчный.

undignified [ʌn'dɪgnɪfaɪd] a недостóйный (о постýпке, поведéнии и т. п.).

undine ['ʌndiːn] n ундúна, русáлка.

undiplomatic ['ʌn,dɪplə'mætɪk] a недипломатúчный; бестáктный.

undipped ['ʌn'dɪpt] a некрещёный.

undischarged ['ʌndɪs'tʃɑːdʒd] a 1) невы́полненный (долг и т. п.); 2) невы́лученный, неурегулúрованный; ~ bankrupt банкрóт, не уплатúвший по свои́м обязáтельствам; 3) неразряжённый.

undisciplined [ʌn'dɪsɪplɪnd] a 1) недисциплинúрованный; 2) необýченный.

undiscriminated ['ʌndɪs'krɪmɪneɪtɪd] a 1) на рáвных основáниях; 2) неразличúмый; 3) без разбóра.

undisguised ['ʌndɪs'gaɪzd] a 1) незамаскирóванный; 2) откры́тый, я́вный.

undisposed ['ʌndɪs'pouzd] a 1) нераспо-лóженный (to); 2) нераспределённый (об имýществе); 3) уст. плóхо себя́ чýвствую-щий.

undisputable ['ʌndɪs'pjuːtəbl] *a* неоспоримый, бесспорный.

undistinguished ['ʌndɪs'tɪŋgwɪʃt] *a* 1) неразличимый, неясный; 2) невыдающийся, незаметный.

undisturbedly ['ʌndɪs'təːbɪdlɪ] *adv* покойно.

undiverted ['ʌndaɪ'vəːtɪd] *a* пристальный (*о внимании*).

undivided ['ʌndɪ'vaɪdɪd] *a* 1) неразделённый, целый; 2) = undiverted.

undo ['ʌn'duː] *v* (undid; undone) 1) уничтожать сделанное; to ~ the seam распороть шов; to ~ a treaty расторгнуть договор; what is done cannot be undone сделанного не воротишь; 2) открывать, развязывать, расстёгивать; 3) *редк.* губить; портить; 4) разбирать (*машину*).

undoing ['ʌn'duːɪŋ] 1. *pres. p. от* undo; 2. *n* 1) уничтожение; гибель; 2) развязывание, расстёгивание.

undone ['ʌn'dʌn] 1. *p. p. от* undo; 2. *a* 1) несделанный; незаконченный; 2) погубленный; we are ~ мы погибли.

undoubted [ʌn'dautɪd] *a* несомненный, бесспорный.

undraw ['ʌn'drɔː] *v* открывать, раздвигать (*шторы, занавески*).

undreamed-of, undreamt-of [ʌn'dremtɔv] *a* и во сне не снившийся; невообразимый, неожиданный.

undress ['ʌn'dres] 1. *n* 1) домашний костюм; 2) *воен.* повседневная форма одежды; 3) *attr.* повседневный, непарадный (*об одежде*); 2. *v* раздеваться(ся).

undressed ['ʌn'drest] 1. *p. p. от* undress 2; 2. *a* 1) раздетый, неодетый; 2) необработанный; ~ leather невыделанная кожа; ~ logs неокорённые брёвна; ~ wound неперевязанная рана; 3) неубранный (*о витрине*).

undue ['ʌn'djuː] *a* 1) несвоевременный; неподходящий; 2) незаконный; неправильный; 3) чрезмерный; ~ haste чрезмерная поспешность; 4) по сроку не подлежащий оплате (*о векселе, долге*).

undulate ['ʌndjuleɪt] 1. *a* волнистый, волнообразный; 2. *v* 1) быть волнистым; 2) быть холмистым (*о местности*).

undulation [ˌʌndju'leɪʃən] *n* 1) волнистость; 2) волнообразное движение; 3) неровность поверхности.

unduly ['ʌn'djuːlɪ] *adv* 1) неправильно, незаконно; 2) чрезмерно.

undying [ʌn'daɪɪŋ] *a* бессмертный; вечный; ~ glory вечная слава.

unearned ['ʌn'əːnd] *a* 1) незаработанный; ~ income *эк.* непроизводственный доход, рентный доход; ~ increment *эк.* повышение ценности имущества, *особ.* земельного, не связанное с вложением труда.

unearth ['ʌn'əːθ] *v* 1) вырыть из земли; 2) выгнать из норы; *перен.* раскопать, извлечь; to ~ a mystery (a secret *etc.*) раскрыть тайну (секрет *и т. п.*).

unearthly [ʌn'əːθlɪ] *a* 1) неземной, сверхъестественный; таинственный; 2) странный;

абсурдный; крайне неподходящий; ~ hour *разг.* крайне неудобное время; чересчур ранний час.

uneasiness [ʌn'iːzɪnɪs] *n* 1) неудобство; 2) беспокойство, тревога; 3) неловкость, стеснённость, связанность.

uneasy [ʌn'iːzɪ] *a* 1) неудобный; 2) беспокойный, тревожный; I am ~ я беспокоюсь, я неспокоен; 3) неловкий, стеснённый, связанный (*о движениях и т. п.*); I felt ~ я почувствовал себя неловко.

uneatable ['ʌn'iːtəbl] *a* несъедобный.

unedited ['ʌn'edɪtɪd] *a* неизданный.

uneducated ['ʌn'edjukeɪtɪd] *a* необразованный, неучёный.

unemployed ['ʌnɪm'plɔɪd] 1. *a* 1) безработный; 2) незанятый; неиспользованный; 2. *n* (the ~) *pl собир.* безработные.

unemployment ['ʌnɪm'plɔɪmənt] *n* 1) безработица; 2) *attr.*: ~ benefit (*или* insurance), *амер.* ~ compensation пособие по безработице.

unencountered ['ʌnɪn'kauntəd] *a* невиданный.

unencumbered ['ʌnɪn'kʌmbəd] *a* 1) необременённый; 2) незаложенный (*об имении, имуществе*).

unending [ʌn'endɪŋ] *a* бесконечный, нескончаемый.

unendowed ['ʌnɪn'daud] *a* не обеспеченный капиталом.

unendurable ['ʌnɪn'djuərəbl] *a* нестерпимый.

un-English ['ʌn'ɪŋglɪʃ] *a* неанглийский; нетипичный для англичан.

unenlightened ['ʌnɪn'laɪtnd] *a* 1) непросвещённый; 2) неосведомлённый.

unenlivened ['ʌnɪn'laɪvnd] *a* однообразный, не украшенный, не оживлённый (*чем-л.*).

unenterprising ['ʌn'entəpraɪzɪŋ] *a* непредприимчивый, безынициативный.

unequable ['ʌn'iːkwəbl] *a* неустойчивый; неуравновешенный.

unequal ['ʌn'iːkwəl] *a* 1) неравный; неравноценный; плохо подобранный; ~ match неравный брак; 2) несоответствующий; неадекватный; ~ to the work неподходящий для данной работы; 3) неровный (*в поведении, отношении и т. п.*).

unequalled ['ʌn'iːkwəld] *a* непревзойдённый.

unequipped ['ʌnɪ'kwɪpt] *a* неподготовленный; неприспособленный; не имеющий нужных приспособлений, неэкипированный.

unequivocal ['ʌnɪ'kwɪvəkəl] *a* недвусмысленный, определённый; ясный; to count for ~ support рассчитывать на определённую поддержку; to give ~ expression ясно заявить.

unerring ['ʌn'əːrɪŋ] *a* безошибочный, верный; непогрешимый; ~ judgement безошибочное суждение.

uneven ['ʌn'iːvən] *a* 1) неровный; шероховатый; 2) неуравновешенный; of ~ temper имеющий неуравновешенный характер; 3) нечётный.

unexampled [ˌʌnɪgˈzɑːmpld] *a* беспримерный; не имеющий прецедентов.

unexcelled [ˈʌnɪkˈseld] *a* непревзойдённый.

unexceptionable [ˌʌnɪkˈsepʃnəbl] *a* 1) безусловный; 2) совершенный.

unexecuted [ˈʌnˈeksɪkjuːtɪd] *a* 1) невыполненный; 2) неоформленный (*о документе*).

unexpected [ˈʌnɪksˈpektɪd] *a* неожиданный, непредвиденный; внезапный.

unexperienced [ˈʌnɪksˈpɪərɪənst] *a* неопытный.

unexplored [ˈʌnɪksˈplɔːd] *a* неисследованный.

unfabled [ʌnˈfeɪbld] *a* невымышленный; настоящий.

unfading [ʌnˈfeɪdɪŋ] *a* 1) неувядаемый, неувядающий; 2) нелиняющий.

unfailing [ʌnˈfeɪlɪŋ] *a* 1) неизменный; верный; an ~ champion верный сторонник; 2) неисчерпаемый.

unfair [ʌnˈfɛə] *a* 1) несправедливый; пристрастный; неправильный; 2) нечестный; ~ player нечестный игрок.

unfaithful [ʌnˈfeɪθful] *a* 1) неверный, вероломный; 2) не соответствующий действительности; неточный.

unfaltering [ʌnˈfɔːltərɪŋ] *a* недрогнувший; твёрдый, решительный; with ~ steps твёрдым шагом; ~ determination непоколебимое решение.

unfamiliar [ˈʌnfəˈmɪljə] *a* 1) незнакомый, неведомый; 2) непривычный, странный; 3) незнакомый (with—с *чем-л.*), не знающий (*чего-л.*).

unfashionable [ˈʌnˈfæʃnəbl] *a* немодный.

unfasten [ˈʌnˈfɑːsn] *v* открепля́ть, отстёгивать, расстёгивать.

unfathered [ʌnˈfɑːðəd] *a* 1) незаконнорождённый; 2) неизвестного происхождения.

unfathomable [ʌnˈfæðəməbl] *a* 1) неизмеримый, бездонный; 2) необъяснимый, непостижимый.

unfavourable [ˈʌnˈfeɪvərəbl] *a* неблагоприятный.

unfavoured [ˈʌnˈfeɪvəd] *a* не пользующийся благосклонностью *или* помощью.

unfed [ˈʌnˈfed] *a* некормленный, ненакормленный.

unfee'd [ˈʌnˈfiːd] *a* не оплаченный гонораром.

unfeeling [ʌnˈfiːlɪŋ] *a* бесчувственный, жестокий.

unfeigned [ʌnˈfeɪnd] *a* неподдельный, истинный.

unfetter [ʌnˈfetə] *v* снимать оковы; освобождать.

unfinished [ʌnˈfɪnɪʃt] *a* 1) незаконченный, незавершённый; 2) грубый, необработанный, неотшлифованный.

unfit 1. *a* [ʌnˈfɪt] негодный, неподходящий; a house ~ to live in дом, непригодный для жилья; he is ~ for work он неспособен, не может работать; 2. *v* [ʌnˈfɪt] делать непригодным (for).

unfix [ˈʌnˈfɪks] *v* 1) открепля́ть; 2) делать неустойчивым.

unflagging [ʌnˈflægɪŋ] *a* неослабева́ющий.

unfleshed [ˈʌnˈfleʃt] *a* не знающий вкуса крови; ◇ an ~ sword меч, ещё не обагрённый кровью.

unfold [ʌnˈfould] *v* 1) развёртывать(ся); раскрыва́ть(ся); 2) распуска́ться (*о почках*); 3) раскрыва́ть, открыва́ть (*секрет, планы*).

unforeseen [ˈʌnfɔːˈsiːn] *a* непредвиденный.

unforgettable [ˈʌnfəˈgetəbl] *a* незабвенный; незабываемый.

unforgivable [ˈʌnfəˈgɪvəbl] *a* непростительный.

unformed [ˈʌnˈfɔːmd] *a* 1) бесформенный; 2) (ещё) не сформировавшийся.

unfortunate [ʌnˈfɔːtʃnɪt] 1. *a* 1) несчастный; несчастливый; 2) неудачный; 2. *n* 1) горемыка; неудачник; 2) проститутка.

unfounded [ˈʌnˈfaundɪd] *a* неоснова́тельный, необоснованный.

unfreeze [ˈʌnˈfriːz] *v* 1) прекратить «замораживание» зарплаты; 2) снять контроль с производства *или* продажи продукции.

unfrequented [ˈʌnfrɪˈkwentɪd] *a* редко посещаемый.

unfriended [ˈʌnˈfrendɪd] *a* не имеющий друзей.

unfriendly [ʌnˈfrendlɪ] *a* 1) недружелюбный; неприветливый; 2) *уст.* неблагоприятный.

unfrock [ʌnˈfrɔk] *v* лишать духовного сана.

unfulfilled [ˈʌnfulˈfɪld] *a* невыполненный; неосуществлённый.

unfunded [ˈʌnˈfʌndɪd] *a* текущий (*о долге*).

ungainly [ʌnˈgeɪnlɪ] *a* неловкий, неуклюжий, нескладный.

ungear [ʌnˈgɪə] *v* *тех.* выключа́ть.

unget-at-able [ˈʌngetˈætəbl] *a* отдалённый, недоступный.

ungloved [ˈʌnˈglʌvd] *a* без перчаток.

ungodly [ʌnˈgɔdlɪ] *a* 1) неверующий; 2) *разг.* ужасный, немыслимый, нелепый.

ungovernable [ʌnˈgʌvənəbl] *a* 1) неукротимый; необузданный; 2) распущенный.

ungraceful [ʌnˈgreɪsful] *a* неизящный, неловкий.

ungrateful [ʌnˈgreɪtful] *a* 1) неблагодарный; 2) неприятный, неблагодарный (*о работе*).

ungrounded [ˈʌnˈgraundɪd] *a* беспочвенный, необоснованный.

ungrudging [ˈʌnˈgrʌdʒɪŋ] *a* 1) щедрый, добрый; широкий (*о натуре*); 2) обильный.

unguarded [ˈʌnˈgɑːdɪd] *a* 1) беспечный; неосмотрительный; неосторожный; 2) незащищённый.

unguent [ˈʌŋgwənt] *n* мазь.

ungulate [ˈʌŋgjuleɪt] *зоол.* 1. *a* копытный; 2. *n* копытное животное.

unhackneyed [ˈʌnˈhæknɪd] *a* свежий, оригинальный.

unhallowed [ʌnˈhæloud] *a* 1) неосвящённый; 2) грешный; дурной.

unhand [ʌn'hænd] *v* отнима́ть ру́ки (*от чего-л.*); выпуска́ть из рук.

unhandsome [ʌn'hænsəm] *a* 1) уро́дливый; 2) нелюбе́зный, гру́бый; 3) неблагоро́дный, невеликоду́шный.

unhandy [ʌn'hændɪ] *a* 1) неудо́бный; 2) неуклю́жий; 3) *мор.* пло́хо слу́шающийся руля́.

unhang [ʌn'hæŋ] *v* (unhung) снима́ть (*что-л. висящее*).

unhappy [ʌn'hæpɪ] *a* 1) несчастли́вый; несча́стный; he looks ~ у него́ печа́льный вид; 2) неуда́чный; an ~ remark неуда́чное замеча́ние.

unharmed [ʌn'hɑːmd] *a* нетро́нутый, невреди́мый; he will be ~ ему́ не причиня́т вреда́.

unharness [ʌn'hɑːnɪs] *v* распряга́ть.

unhealthy [ʌn'helθɪ] *a* 1) боле́зненный; больно́й; ~ complexion нездоро́вый цвет лица́; 2) вре́дный; ~ occupation вре́дное заня́тие; 3) *воен. разг.* опа́сный.

unheard [ʌn'hɜːd] *a* 1) неслы́шный; 2) невы́слушанный; 3) неизве́стный.

unheard-of [ʌn'hɜːdɔv] *a* неслы́ханный.

unheeded ['ʌn'hiːdɪd] *a* незаме́ченный, не при́нятый во внима́ние.

unheeding ['ʌn'hiːdɪŋ] *a* невнима́тельный, небре́жный.

unhesitating [ʌn'hezɪteɪtɪŋ] *a* реши́тельный, неколе́блющийся.

unhesitatingly [ʌn'hezɪteɪtɪŋlɪ] *adv* без колеба́ния, реши́тельно, уве́ренно.

unhewn ['ʌn'hjuːn] *a* неотде́ланный, нео(б)тёсанный.

unhinge [ʌn'hɪndʒ] *v* 1) снима́ть с пе́тель (*дверь*); 2) внести́ беспоря́док; расстро́ить; вы́бить из колеи́.

unholy [ʌn'houlɪ] *a* 1) сверхъесте́ственный, нечи́стый, дья́вольский; бесо́вский; 2) *разг.* отврати́тельный, жу́ткий.

unhook ['ʌn'huk] *v* 1) снять с крючка́; 2) расстегну́ть (крючки́); 3) отцепи́ть.

unhoped ['ʌn'houpt] *a* неожи́данный.

unhorse ['ʌn'hɔːs] *v* сбра́сывать с ло́шади.

unhoused ['ʌn'hauzd] *a* бездо́мный, лишённый кро́ва, и́згнанный из до́ма.

unhung ['ʌn'hʌŋ] *past* и *p. p. от* unhang.

unhurried ['ʌn'hʌrɪd] *a* ме́дленный, неторопли́вый.

unhurt ['ʌn'hɜːt] *a* це́лый и невреди́мый.

unhygienic ['ʌnhaɪ'dʒiːnɪk] *a* негигиени́чный, нездоро́вый.

uni- ['juːnɪ-] *в сложных словах* одно-, едино-; unicameral однопала́тный; unicolour одноцве́тный.

unicellular ['juːnɪ'seljulə] *a* 1) *биол.* одноклеточный; 2) *эл.* одноячейковый.

unicorn ['juːnɪkɔːn] *n* *миф.* единоро́г.

unicorn-fish ['juːnɪkɔːnfɪʃ] *n* *зоол.* нарва́л.

unification [ˌjuːnɪfɪ'keɪʃən] *n* 1) объедине́ние; 2) унифика́ция.

uniform ['juːnɪfɔːm] **1.** *n* фо́рменная оде́жда, фо́рма.
2. *a* 1) единообра́зный; однообра́зный; одноро́дный; 2) постоя́нный; 3) фо́рменный (*об одежде*);
3. *v* одева́ть в фо́рму.

uniformed ['juːnɪfɔːmd] **1.** *p. p. от* uniform 3;
2. *a* оде́тый в фо́рму, в мунди́р.

uniformity [ˌjuːnɪ'fɔːmɪtɪ] *n* единообра́зие.

unify ['juːnɪfaɪ] *v* 1) объединя́ть; 2) унифици́ровать.

unilateral ['juːnɪ'lætərəl] *a* односторо́нний.

unimaginable [ˌʌnɪ'mædʒɪnəbl] *a* невообрази́мый.

unimaginative ['ʌnɪ'mædʒɪnətɪv] *a* лишённый воображе́ния.

unimpaired ['ʌnɪm'pɛəd] *a* нетро́нутый, незатро́нутый, непострада́вший.

unimpeachable [ˌʌnɪm'piːtʃəbl] *a* безупре́чный.

unimpeded ['ʌnɪm'piːdɪd] *a* беспрепя́тственный.

unimportant ['ʌnɪm'pɔːtənt] *a* нева́жный.

unimprovable ['ʌnɪm'pruːvəbl] *a* 1) неисправи́мый; 2) безупре́чный, идеа́льный.

unimproved ['ʌnɪm'pruːvd] *a* 1) неиспра́вленный, неулу́чшенный; 2) нетро́нутый; 3) неупотребля́емый; неиспо́льзованный; ~ opportunities неиспо́льзованные возмо́жности.

uninfluenced ['ʌn'ɪnfluənst] *a* непредубеждённый.

uninformed ['ʌnɪn'fɔːmd] *a* несве́дущий, неосведомлённый.

uninhabitable ['ʌnɪn'hæbɪtəbl] *a* непри́годный для жилья́.

uninhabited ['ʌnɪn'hæbɪtɪd] *a* необита́емый.

uninhibited ['ʌnɪn'hɪbɪtɪd] *a* несде́рживаемый, свобо́дный.

uninjured ['ʌn'ɪndʒəd] *a* неповреждённый, непострада́вший.

uninspired ['ʌnɪn'spaɪəd] *a* 1) невдохновлённый, невоодушевлённый; 2) неинспири́рованный.

uninsured ['ʌnɪn'ʃuəd] *a* незастрахо́ванный.

unintelligent ['ʌnɪn'telɪdʒənt] *a* 1) неу́мный; 2) неве́жественный.

unintelligible ['ʌnɪn'telɪdʒɪbl] *a* неразбо́рчивый.

uninterrupted ['ʌnˌɪntə'rʌptɪd] *a* 1) непрерыва́емый; 2) непреры́вный.

uninuclear ['juːnɪ'njuːklɪə] *a* одноя́дерный.

uninvited ['ʌnɪn'vaɪtɪd] *a* неприглашённый, без приглаше́ния.

uninviting ['ʌnɪn'vaɪtɪŋ] *a* непривлека́тельный; неаппети́тный.

union ['juːnjən] *n* 1) сою́з (*государственное объединение*); the Soviet Union Сове́тский Сою́з; the Union а) *амер.* Соединённые Шта́ты; б) Соединённое Короле́вство; 2) объедине́ние, соедине́ние, сою́з; the Union of England and Scotland У́ния Англии с Шотла́ндией; 3) профессиона́льный сою́з; closed ~ профсою́з с ограни́ченным число́м чле́нов; company ~ компа́нейский профсою́з; to join the ~ вступи́ть в профсою́з; 4) объедине́ние не́скольких прихо́дов для по́мощи бе́дным; 5) едине́ние, согла́сие; in perfect ~ в по́лном согла́сии; 6) бра́чный сою́з; ~ of hearts брак по любви́; 7) студе́нческий клуб;

8) *тех.* ни́ппель, соедине́ние, замо́к, му́фта (*для труб*); 9) *attr.* профсою́зный; ~ control профсою́зный контро́ль; ~ shop *амер.* предприя́тие, на кото́ром мо́гут рабо́тать то́лько чле́ны профсою́за; ~ label этике́тка, удостоверя́ющая, что проду́кция изгото́влена чле́нами профсою́за; 10) *attr. тех.*: ~ body штýцер; ~ coupling па́трубок.

union card [ˈjuːnjənˈkɑːd] *n* профсою́зный биле́т.

union cloth [ˈjuːnjənˈklɔθ] *n* полушерстяна́я ткань.

Union flag [ˈjuːnjənˈflæg] *n* госуда́рственный флаг Соединённого Короле́вства.

unionism [ˈjuːnjənɪzəm] *n* 1) тред-юниони́зм; 2) *ист.* униони́зм.

unionist [ˈjuːnjənɪst] *n* 1) член профсою́за; 2) *ист.* униони́ст (*противник предоставления самоуправления Ирландии; амер. сторонник федерации во время гражданской войны*).

unionize [ˈjuːnjənaɪz] *v* 1) объединя́ть; 2) объединя́ть в профсою́зы.

Union Jack [ˈjuːnjənˈdʒæk] = Union flag.

union-smashing [ˈjuːnjənˌsmæʃɪŋ] *n* разгро́м профсою́зов.

union suit [ˈjuːnjənˈsjuːt] *n* мужско́е бельё, мужска́я нате́льная комбина́ция.

unique [juːˈniːk] 1. *a* 1) еди́нственный в своём ро́де; уника́льный; ~ feature *тех.* осо́бенность констру́кции *или* моде́ли; 2) *разг.* необыкнове́нный, замеча́тельный; 2. *n* у́никум.

unisexual [ˌjuːnɪˈseksjuəl] *a бот.* однопо́лый.

unison [ˈjuːnɪzn] *n* 1) *муз.* унисо́н; 2) согла́сие; in ~ в унисо́н; в согла́сии.

unit [ˈjuːnɪt] *n* 1) едини́ца; це́лое; 2) едини́ца измере́ния; a ~ of length едини́ца длины́; 3) *унив.* о́бщее коли́чество часо́в, отрабо́танное студе́нтом для получе́ния зачёта; 4) *мат.* едини́ца; 5) *воен.* часть; подразделе́ние; large ~ *амер.* соедине́ние; войскова́я часть; 6) *тех.* агрега́т, се́кция, блок, у́зел, элеме́нт; 7) *мед.* едини́ца; ◇ ~ rule *амер. полит.* положе́ние, по кото́рому все делега́ты шта́та голосу́ют за кандида́та большинства́; to be a ~ *амер.* быть единоду́шным.

unite [juːˈnaɪt] *v* 1) соединя́ть(ся); 2) объединя́ть(ся); workers of the world, unite! пролета́рии всех стран, соединя́йтесь!

united [juːˈnaɪtɪd] 1. *p. p. от* unite; 2. *a* 1) соединённый; объединённый; 2) совме́стный; ~ actions совме́стные де́йствия; 3) дру́жный; ~ family дру́жная семья́.

United Nations [juːˈnaɪtɪdˈneɪʃənz] *n* Организа́ция Объединённых На́ций.

unity [ˈjuːnɪtɪ] *n* 1) еди́нство; ~ of purpose еди́нство це́ли; the dramatic unities еди́нство вре́мени, ме́ста и де́йствия (*в класси́ческой драме*); 2) еди́нство, сплочённость, едине́ние; indestructible ~ of the working people неруши́мое еди́нство рабо́чего класса; 3) согла́сие, дру́жба; to live in ~ жить в согла́сии, дру́жбе; 4) *юр.* совме́стное владе́ние; 5) *мат.* едини́ца.

univalve [ˈjuːnɪvælv] *зоол.* 1. *n* односто́рчатый моллю́ск; 2. *a* односто́рчатый.

universal [ˌjuːnɪˈvəːsəl] *a* 1) всео́бщий; всеми́рный; 2) универса́льный.

universe [ˈjuːnɪvəːs] *n* мир, вселе́нная; ко́смос.

university [ˌjuːnɪˈvəːsɪtɪ] *n* 1) университе́т; 2) *собир.* преподава́тели и студе́нты университе́та; 3) университе́тская спорти́вная кома́нда; 4) *attr.* университе́тский.

unjoin [ʌnˈdʒɔɪn] *v* разъединя́ть.

unjust [ʌnˈdʒʌst] *a* несправедли́вый.

unjustifiable [ʌnˈdʒʌstɪfaɪəbl] *a* не име́ющий оправда́ния.

unkempt [ʌnˈkempt] *a* 1) нечёсаный; 2) неопря́тный; 3) небре́жный, неря́шливый (*о стиле*).

unkennel [ʌnˈkenl] *v* 1) выгоня́ть из норы́ *или* конуры́; 2) открыва́ть, разоблача́ть.

unkind [ʌnˈkaɪnd] *a* злой, недо́брый, жесто́кий.

unking [ʌnˈkɪŋ] *v* све́ргнуть с престо́ла.

unknowable [ʌnˈnouəbl] *a* непостижи́мый; непознава́емый.

unknown [ʌnˈnoun] 1. *a* неизве́стный; address ~ а́дрес неизве́стен; 2. *n* (the ~) 1) неизве́стное; 2) незнако́мец; the Great U. *прозвище В. Ско́тта до раскры́тия его́ псевдони́ма*; 3) *мат.* неизве́стное, неизве́стная величина́; 3. *adv* та́йно, без ве́дома; he did it ~ to me он сде́лал э́то та́йно от меня́ *или* без моего́ ве́дома.

unlaboured [ʌnˈleɪbəd] *a уст.* дости́гнутый без уси́лия; лёгкий, непринуждённый, не вы́мученный (*особ. о стиле*).

unlace [ʌnˈleɪs] *v* расшнуро́вывать; распуска́ть шнуро́вку.

unlade [ʌnˈleɪd] *v* (unladed [-ɪd]; unladed, unladen) разгружа́ть.

unladen [ʌnˈleɪdn] 1. *p. p. от* unlade; 2. *a* не обременённый (*чем-л.*); ~ with anxieties не обременённый забо́тами; ~ weight вес порожняко́м.

unladylike [ʌnˈleɪdɪlaɪk] *a* 1) неже́нственный; 2) неблагопристо́йный, вульга́рный.

unlaid [ʌnˈleɪd] *past и p. p. от* unlay.

unlawful [ʌnˈlɔːful] *a* незако́нный, противозако́нный; запрещённый.

unlay [ʌnˈleɪ] *v* (unlaid) распуска́ть на пря́ди (*трос*).

unlearn [ʌnˈləːn] *v* (unlearnt, unlearned [-d]) разучи́ться; забы́ть, что знал.

unlearned 1. [ʌnˈləːnd] *p. p. от* unlearn; 2. *a* [ʌnˈləːnɪd] 1) неучёный, негра́мотный; 2) невы́ученный, неза́ученный.

unlearnt [ʌnˈləːnt] *past и p. p. от* unlearn.

unleash [ʌnˈliːʃ] *v* 1) спуска́ть с при́вязи; 2): to ~ war развяза́ть войну́.

unless [ənˈles] *cj* е́сли не; I shall not go ~ the weather is fine я не пое́ду, е́сли не бу́дет хоро́шей пого́ды; ~ and until до тех пор пока́.

unlettered [ʌnˈletəd] *a* негра́мотный; необразо́ванный.

unlike [ˈʌnˈlaɪk] **1.** *a* непохо́жий на, не тако́й, как; ~ poles *физ.* разноимённые по́люсы; ~ signs *мат.* зна́ки плюс и ми́нус; ~ charges *эл.* разнозна́чные заря́ды; **2.** *adv* в отли́чие от.

unlikely [ʌnˈlaɪklɪ] **1.** *a* 1) неправдоподо́бный, маловероя́тный; recovery is ~ выздоровле́ние маловероя́тно; 2) ничего́ хоро́шего не обеща́ющий; **2.** *adv* вряд ли, едва́ ли.

unlimited [ʌnˈlɪmɪtɪd] *a* безграни́чный, неограни́ченный; беспреде́льный.

unlink [ˈʌnˈlɪŋk] *v* разъединя́ть; расцепля́ть; размыка́ть.

unlit [ˈʌnˈlɪt] *a* 1) незажжённый; 2) тёмный, неосвещённый.

unlive [ˈʌnˈlɪv] *v* измени́ть о́браз жи́зни, жить и́наче; стара́ться загла́дить *или* забы́ть (*прошлое*).

unload [ˈʌnˈloud] *v* 1) разгружа́ть(ся); выгружа́ть; 2) *воен.* разряжа́ть; 3) отде́лываться, избавля́ться (*от чего-л. невыгодного*, *особ.* сбыва́ть а́кции.

unlock [ˈʌnˈlɔk] *v* 1) отпира́ть; открыва́ть; to ~ one's heart откры́ть ду́шу; 2) *тех.* размыка́ть; разблоки́ровать.

unlooked-for [ˈʌnˈluktfɔː] *a* неожи́данный, непредви́денный.

unloose, unloosen [ˈʌnˈluːs, ʌnˈluːsn] = loose 3.

unlovable [ˈʌnˈlʌvəbl] *a* 1) недосто́йный любви́, не вызыва́ющий симпа́тии; 2) неприя́тный, непривлека́тельный.

unlovely [ˈʌnˈlʌvlɪ] *a* неприя́тный, непривлека́тельный, проти́вный.

unlucky [ʌnˈlʌkɪ] *a* 1) несчастли́вый; 2) неуда́чный; an ~ day for their arrival неуда́чный день для их прие́зда.

unmade [ˈʌnˈmeɪd] *past* и *p. p. от* unmake.

unmake [ˈʌnˈmeɪk] *v* (unmade) 1) уничтожа́ть (*сде́ланное*); аннули́ровать; 2) переде́лывать; 3) понижа́ть в чи́не, зва́нии.

unman [ˈʌnˈmæn] *v* 1) лиши́ть му́жественности, му́жества; 2) оста́вить без люде́й, оголи́ть.

unmanageable [ʌnˈmænɪdʒəbl] *a* тру́дно поддаю́щийся контро́лю *или* обрабо́тке; тру́дный (*о ребёнке; о положении и т. п.*); непоко́рный.

unmanly [ʌnˈmænlɪ] *a* недосто́йный мужчи́ны; нему́жественный; трусли́вый; сла́бый.

unmanned [ʌnˈmænd] **1.** *p. p. от* unman; **2.** *a* 1) неукомплекто́ванный (*шта́том*); 2) безлю́дный.

unmannerly [ʌnˈmænəlɪ] *a* невоспи́танный, гру́бый.

unmapped [ˈʌnˈmæpt] *a* не нанесённый на ка́рту.

unmarked [ˈʌnˈmɑːkt] *a* 1) неотме́ченный; незаме́ченный; 2) без отме́ток.

unmarketable [ˈʌnˈmɑːkɪtəbl] *a* него́дный для ры́нка, для прода́жи.

unmarried [ˈʌnˈmærɪd] *a* холосто́й, неженатый, незаму́жняя.

unmarrigeable [ˈʌnˈmærɪdʒəbl] *a* не могу́щий жени́ться; не могу́щая вы́йти за́муж; не дости́гший бра́чного во́зраста.

unmask [ˈʌnˈmɑːsk] *v* 1) снима́ть *или* срыва́ть ма́ску; *перен. тж.* разоблача́ть; 2) *воен.* открыва́ть; обнару́живать; 3) *воен.* демаскирова́ть.

unmatched [ˈʌnˈmætʃt] *a* не име́ющий себе́ ра́вного, беспода́бный.

unmeaning [ʌnˈmiːnɪŋ] *a* бессмы́сленный.

unmeant [ˈʌnˈment] *a* ненаме́ренный; неумы́шленный.

unmeasured [ʌnˈmeʒəd] *a* 1) неизме́ренный; 2) неизмери́мый, безме́рный.

unmeet [ˈʌnˈmiːt] *a* неподходя́щий.

unmentionable [ʌnˈmenʃnəbl] **1.** *a* не могу́щий быть упомя́нутым; **2.** *n pl уст. шутл.* «невырази́мые», брю́ки, штаны́.

unmerchantable [ˈʌnˈmɑːtʃəntəbl] = unmarketable.

unmerciful [ʌnˈmɑːsɪful] *a* немилосе́рдный, безжа́лостный.

unmerited [ˈʌnˈmerɪtɪd] *a* незаслу́женный.

unmindful [ʌnˈmaɪndful] *a* забы́вчивый, невнима́тельный; ~ of one's duties невнима́тельный к свои́м обя́занностям.

unmistakable [ˈʌnmɪsˈteɪkəbl] *a* безоши́бочный, несомне́нный, я́сный, легко́ узнава́емый.

unmitigated [ʌnˈmɪtɪgeɪtɪd] *a* 1) несмягчённый; неосла́бленный; 2) я́вный, абсолю́тный; an ~ liar отъя́вленный лгун.

unmoor [ˈʌnˈmuə] *v мор.* отда́ть шварто́вы, сня́ться с я́коря.

unmoral [ˈʌnˈmɔrəl] *a* безнра́вственный.

unmounted [ˈʌnˈmauntɪd] *a* 1) пе́ший; 2) неопра́вленный (*о драгоце́нном ка́мне*); 3) неокантованный (*о карти́не*).

unmoved [ˈʌnˈmuːvd] *a* 1) неподви́жный; 2) нерастро́ганный, оста́вшийся равноду́шным; 3) непрекло́нный; 4) неуязви́мый.

unmurmuring [ˈʌnˈmɑːmərɪŋ] *a* безро́потный.

unmusical [ˈʌnˈmjuːzɪkəl] *a* немузыка́льный.

unmuzzle [ˈʌnˈmʌzl] *v* 1) снима́ть намо́рдник; 2) *разг.* дать возмо́жность говори́ть, выска́зываться.

unnamed [ˈʌnˈneɪmd] *a* 1) безымя́нный; 2) неупомя́нутый.

unnatural [ʌnˈnætʃrəl] *a* 1) неесте́ственный; 2) противоесте́ственный; чудо́вищный; 3) бессерде́чный; 4) необы́чный, стра́нный.

unnecessary [ʌnˈnesɪsərɪ] *a* нену́жный, изли́шний.

unnerve [ˈʌnˈnɜːv] *v* лиша́ть прису́тствия ду́ха, си́лы *или* реши́мости, расслабля́ть.

unnoted [ˈʌnˈnoutɪd] *a* незаме́ченный, неотме́ченный.

unnoticed [ˈʌnˈnoutɪst] *a* незаме́ченный.

unnumbered [ˈʌnˈnʌmbəd] *a* 1) ненуме́рованный; несчи́танный; 2) несме́тный, бесчи́сленный, бессчётный.

unnurtured [ˈʌnˈnɜːtʃəd] *a* необразо́ванный; невоспи́танный.

unobjectionable [ˈʌnəbˈdʒekʃnəbl] *a* не вызыва́ющий возраже́ний; не вызыва́ющий неприя́тного чу́вства.

unobservant [ˈʌnəbˈzɜːvənt] *a* невнима́тельный, ненаблюда́тельный.

unobstructed [ˈʌnəbˈstrʌktɪd] *a* 1) беспрепя́тственный, свобо́дный; ~ sight по́лная ви́димость; 2) незасорённый.

unobtainable [ˈʌnəbˈteɪnəbl] *a* недосту́пный; тако́й, кото́рого нельзя́ доста́ть *или* получи́ть.

unobtrusive [ˈʌnəbˈtruːsɪv] *a* скро́мный, ненавя́зчивый.

unoccupied [ˈʌnˈɔkjupaɪd] *a* 1) неза́нятый, необита́емый; пусто́й; 2) свобо́дный, неза́нятый, пра́здный (*о людях*).

unoffending [ˈʌnəˈfendɪŋ] *a* безоби́дный, неви́нный.

unofficial [ˈʌnəˈfɪʃəl] *a* неофициа́льный.

unofficially [ˈʌnəˈfɪʃəlɪ] *adv* неофициа́льно.

unoriginal [ˈʌnəˈrɪdʒənl] *a* неоригина́льный; заи́мствованный.

unostentatious [ˈʌnˌɔstenˈteɪʃəs] *a* ненавя́зчивый, не броса́ющийся в глаза́, скро́мный.

unowned [ˈʌnˈound] *a* 1) не име́ющий владе́льца *или* хозя́ина; 2) непри́знанный.

unpack [ˈʌnˈpæk] *v* распако́вывать.

unpaged [ˈʌnˈpeɪdʒd] *a* с ненумеро́ванными страни́цами.

unpaid [ˈʌnˈpeɪd] *a* 1) неупла́ченный; неопла́ченный; ~ for взя́тый в креди́т; 2) не получа́ющий пла́ты; 3) беспла́тный.

unpaired [ˈʌnˈpɛəd] *a* непа́рный; не име́ющий па́ры.

unpalatable [ʌnˈpælətəbl] *a* 1) невку́сный; 2) неприя́тный.

unparalleled [ʌnˈpærəleld] *a* не име́ющий себе́ ра́вного, бесприм́рный, беспподо́бный.

unpardonable [ʌnˈpɑːdnəbl] *a* непрости́тельный.

unparented [ʌnˈpɛərəntɪd] *a* не име́ющий роди́телей; осироте́лый; бро́шенный роди́телями.

unparliamentary [ˈʌnˌpɑːləˈmentərɪ] *a* непарла́ментский, проти́вный парла́ментским обы́чаям; ~ language си́льные выраже́ния; язы́к, недопусти́мый в парла́менте.

unpatriotic [ˈʌnˌpætrɪˈɔtɪk] *a* непатриоти́чный.

unpeg [ˈʌnˈpeg] *v* 1) открыва́ть, освобожда́ть; 2) *бирж.* прекрати́ть иску́сственную подде́ржку у́ровня (*цен и т. п.*).

unpenetrable [ˈʌnˈpenɪtrəbl] *a* непроница́емый.

unpeople [ˈʌnˈpiːpl] *v* обезлю́дить.

unperformed [ˈʌnpəˈfɔːmd] *a* невы́полненный, неосуществлённый.

unpersuadable [ˈʌnpəˈsweɪdəbl] *a* не поддаю́щийся убежде́нию.

unperturbed [ˈʌnpəˈtəːbd] *a* невозмути́мый.

unpick [ˈʌnˈpɪk] *v* распа́рывать.

unpicked [ˈʌnˈpɪkt] 1. *p. p. от* unpick; 2. *a* 1) распо́ротый; 2) неподо́бранный, неото́бранный; 3) несо́рванный.

unpin [ˈʌnˈpɪn] *v* отка́лывать; вынима́ть була́вки (*из чего-л.*).

unplaced [ˈʌnˈpleɪst] *a* 1) не име́ющий ме́ста, не находя́щийся на ме́сте; 2) не назна́ченный на до́лжность; 3) не заня́вший ни одного́ из пе́рвых трёх мест (*на скачках или бегах*).

unpleasant [ʌnˈpleznt] *a* неприя́тный, отта́лкивающий.

unpleasantness [ʌnˈplezntnɪs] *n* 1) неприя́тность; непривлека́тельность; 2) ссо́ра, недоразуме́ние; to have a slight ~ with smb. повздо́рить с кем-л.; 3) *амер. ирон.*: the late ~ *шутл.* гражда́нская война́ в США.

unpointed [ˈʌnˈpɔɪntɪd] *a* 1) тупо́й, неотто́ченный (*о карандаше и т. п.*); 2) пло́ский, неостроу́мный; 3) не относя́щийся к де́лу (*о замечании*); 4) без зна́ков препина́ния.

unpolished [ˈʌnˈpɔlɪʃt] *a* неотполиро́ванный, неотшлифо́ванный.

unpolitical [ˈʌnpəˈlɪtɪkəl] *a* 1) не относя́щийся к поли́тике; 2) неблагоразу́мный, неполити́чный; 3) апати́чный, безуча́стный.

unpopular [ˈʌnˈpɔpjulə] *a* непопуля́рный, не по́льзующийся любо́вью (with—у кого-л.).

unposted [ˈʌnˈpoustɪd] *a* 1) (ещё) не отпра́вленный (*по почте*), не опу́щенный в почто́вый я́щик; 2) неосведомлённый.

unpractical [ˈʌnˈpræktɪkəl] *a* непракти́чный, небережли́вый.

unpractised [ˈʌnˈpræktɪst] *a* 1) непримененный; 2) нео́пытный, неиску́сный.

unprecedented [ʌnˈpresɪdəntɪd] *a* не име́ющий прецеде́нта, беспрецеде́нтный; бесприм́рный.

unprefaced [ˈʌnˈprefɪst] *a* 1) без предисло́вия; 2) без предупрежде́ния.

unprejudiced [ʌnˈpredʒudɪst] *a* непредубеждённый, беспристра́стный.

unpremeditated [ˈʌnprɪˈmedɪteɪtɪd] *a* непреднаме́ренный, неумы́шленный, не обду́манный зара́нее.

unprepared [ˈʌnprɪˈpɛəd] *a* 1) неподгото́вленный, негото́вый; 2) без подгото́вки.

unprepossessed [ˈʌnˌprɪːpəˈzest] = unprejudiced.

unpresentable [ˈʌnprɪˈzentəbl] *a* 1) непривлека́тельный; 2) пло́хо воспи́танный, не уме́ющий себя́ вести́.

unpretending [ˈʌnprɪˈtendɪŋ] *a* скро́мный, просто́й, есте́ственный, без прете́нзий.

unpretentious [ˈʌnprɪˈtenʃəs] = unpretending.

unpriced [ʌnˈpraɪst] *a* 1) без определённой, без обозна́ченной цены́; 2) бесце́нный.

unprincipled [ʌnˈprɪnsəpld] *a* беспринци́пный; безнра́вственный.

unprintable [ˈʌnˈprɪntəbl] *a* неприго́дный для печа́ти; непеча́тный.

unprivileged [ˈʌnˈprɪvɪlɪdʒd] *a* не име́ющий привиле́гий, непривилегиро́ванный.

unprized [ˈʌnˈpraɪzd] *a* неоценённый.

unprocurable [ˈʌnprəˈkjuərəbl] *a* недосту́пный; тако́й, кото́рого нельзя́ доста́ть.

unproductive [ˈʌnprəˈdʌktɪv] *a* непродукти́вный; ~ capital мёртвый капита́л.

unprofessional [ˈʌnprəˈfeʃənl] *a* 1) непрофессиона́льный; ~ advice сове́т неспециали́ста; 2) не име́ющий профе́ссии; 3) проти́вный пра́вилам, э́тике да́нной профе́ссии.

unprofitable [ʌnˈprɔfitəbl] *a* 1) не приносящий прибыли, нерентабельный, невыгодный; 2) непромышленный (*о руде*).

unpromising [ˈʌnˈprɔmisiŋ] *a* не обещающий ничего хорошего; не подающий никаких надежд; неутешительный.

unprompted [ˈʌnˈprɔmptid] *a* неподсказанный, не внушённый, сделанный по собственному почину.

unproportional [ˈʌnprəˈpɔːʃənl] *a* непропорциональный.

unprotected [ˈʌnprəˈtektid] *a* 1) незащищённый; беззащитный; 2) открытый (*о местности*).

unprovided [ˈʌnprəˈvaidid] *a* лишённый денег *и пр.*; не снабжённый, не обеспеченный (*чем-л.*; with); неготовый (*тж.* ~ for).

unprovoked [ˈʌnprəˈvoukt] *a* ничем не вызванный, неспровоцированный.

unpublished [ˈʌnˈpʌbliʃt] *a* неопубликованный, неизданный.

unpunishable [ˈʌnˈpʌniʃəbl] *a* ненаказуемый.

unpunished [ˈʌnˈpʌniʃt] *a* безнаказанный.

unpuzzle [ˈʌnˈpʌzl] *v* разгадать, разрешить.

unqualified [ˈʌnˈkwɔlifaid] *a* 1) не имеющий права *или* квалификации; неподходящий, негодный (*к чему-л.*); 2) безоговорочный, неограниченный; an ~ refusal решительный отказ; 3) [ʌnˈkwɔlifaid] *разг.* явный, ярко выраженный; an ~ liar отъявленный лгун.

unquenchable [ʌnˈkwentʃəbl] *a* неутолимый; неугасимый.

unquestionable [ʌnˈkwestʃənəbl] *a* несомненный, неоспоримый.

unquestioned [ʌnˈkwestʃənd] *a* 1) не оспариваемый, не вызывающий сомнения; 2) неопрошенный.

unquestioning [ʌnˈkwestʃəniŋ] *a* 1) не задающий вопросов; 2) несомненный, полный.

unquiet [ˈʌnˈkwaiət] 1. *n* беспокойство; 2. *a* 1) беспокойный; 2) взволнованный.

unquotable [ˈʌnˈkwoutəbl] *a* нецензурный.

unquote [ˈʌnˈkwout] *v* закрывать кавычки.

unquoted [ˈʌnˈkwoutid] 1. *p. p. от* unquote; 2. *a* неупомянутый, нецитированный.

unravel [ʌnˈrævəl] *v* 1) распутывать (*нитки и т. п.*); 2) разгадывать, объяснять; to ~ a mystery разгадать тайну.

unrazored [ˈʌnˈreizəd] *a амер.* небритый.

unread [ˈʌnˈred] *a* 1) непрочитанный; 2) неначитанный; необразованный, неграмотный.

unreadable [ˈʌnˈriːdəbl] *a* 1) неразборчивый (*о почерке*), неудобочитаемый; 2) скучный, непригодный для чтения.

unready [ˈʌnˈredi] *a* 1) неготовый; 2) непроворный, неповоротливый; несообразительный.

unreal [ˈʌnˈriəl] *a* 1) ненастоящий, поддельный; 2) нереальный, воображаемый.

unreality [ˈʌnriˈæliti] *n* 1) нереальность; 2) что-л. нереальное, воображаемое.

unrealizable [ˈʌnˈriəlaizəbl] *a* неосуществимый.

unrealized [ˈʌnˈriəlaizd] *a* неосуществлённый, невыполненный.

unreason [ˈʌnˈriːzn] *n* неразумность, глупость, безумие; абсурдность.

unreasonable [ʌnˈriːznəbl] *a* 1) неблагоразумный, безрассудный; 2) непомерный, чрезмерный; непомерно высокий (*о цене и т. п.*); an ~ demand необоснованное требование.

unreasoned [ˈʌnˈriːznd] *a* непродуманный; неаргументированный.

unreciprocated [ˈʌnriˈsiprəkeitid] *a* не встречающий ответа; невзаимный, без взаимности.

unreclaimed [ˈʌnriˈkleimd] *a* 1) не подготовленный для обработки, необработанный (*о земле*); 2) неисправленный; 3) неприручённый; 4) незатребованный.

unrecognizable [ˈʌnˈrekəgnaizəbl] *a* неузнаваемый.

unrecognized [ˈʌnˈrekəgnaizd] *a* 1) неузнанный; 2) непризнанный.

unrecorded [ˈʌnriˈkɔːdid] *a* незафиксированный; незапротоколированный.

unredeemed [ˈʌnriˈdiːmd] *a* 1) неисполненный (*об обещании*); 2) невыкупленный (*о закладе*); неоплаченный (*о векселе*); непогашенный (*о платеже*); 3) неискупленный (by).

unreel [ˈʌnˈriːl] *v* разматывать(ся).

unrefined [ˈʌnriˈfaind] *a* 1) неочищенный, нерафинированный; 2) грубый; ~ manners грубые манеры.

unreflecting [ˈʌnriˈflektiŋ] *a* 1) неотражающий (*свет*); 2) легкомысленный; неразмышляющий, бездумный.

unregistered [ˈʌnˈredʒistəd] *a* незарегистрированный.

unregulated [ˈʌnˈregjuleitid] *a* неупорядоченный; не подчиняющийся определённым правилам.

unrehearsed [ˈʌnriˈhəːst] *a* неожиданный; непредвиденный.

unrein [ˈʌnˈrein] *v* 1) отпустить повод, разнуздать; 2) освободить (*от чего-л.*), дать волю.

unrelated [ˈʌnriˈleitid] *a* несвязанный, не имеющий отношения (to).

unrelenting [ˈʌnriˈlentiŋ] *a* 1) безжалостный, жестокий; 2) неуменьшающийся, неослабевающий.

unreliable [ˈʌnriˈlaiəbl] *a* ненадёжный.

unrelieved [ˈʌnriˈliːvd] *a* 1) не освобождённый (*от каких-л. обязанностей или обязательств*); 2) не получающий помощи, облегчения; необлегчённый; 3) монотонный; 4) несменённый (*о часовом и т. п.*).

unremitting [ˈʌnriˈmitiŋ] *a* неослабный; беспрестанный; упорный; ~ toil упорный труд.

unrepeatable [ˈʌnriˈpiːtəbl] *a* 1) неповторимый; 2) неприличный, нецензурный.

unrepented [ˈʌnriˈpentid] *a* нераскаявшийся, нераскаянный.

unrepresented [ˈʌnˌreprɪˈzentɪd] *a* непредставленный.

unrequited [ˈʌnrɪˈkwaɪtɪd] *a* 1) невознаграждённый, неоплаченный; ~ affections чувства, не встречающие отклика; 2) неотомщённый.

unreserve [ˈʌnrɪˈzəːv] *n* 1) откровенность; 2) невоздержанность.

unreserved [ˈʌnrɪˈzəːvd] *a* 1) откровенный; 2) невоздержанный; 3) не ограниченный (*какими-л. условиями*); 4) незабронированный, не заказанный заранее.

unreservedly [ˌʌnrɪˈzəːvɪdlɪ] *adv* 1) открыто; откровенно; 2) безоговорочно.

unresolved [ˈʌnrɪˈzɔlvd] *a* 1) нерешительный; 2) не решившийся (*на что-л.*), не принявший решения; 3) неразрешённый; my doubts are still ~ мои сомнения ещё не разрешены.

unresponsive [ˈʌnrɪsˈpɔnsɪv] *a* не реагирующий, не отвечающий (*на что-л.*); неотзывчивый; невосприимчивый.

unrest [ˈʌnˈrest] *n* 1) беспокойство, волнение; 2) смута.

unresting [ˈʌnˈrestɪŋ] *a* неутомимый.

unrestrained [ˈʌnrɪsˈtreɪnd] *a* несдержанный, необузданный.

unrestraint [ˈʌnrɪsˈtreɪnt] *n* несдержанность, необузданность; свобода.

unrestricted [ˈʌnrɪsˈtrɪktɪd] *a* неограниченный.

unrewarded [ˈʌnrɪˈwɔːdɪd] *a* невознаграждённый.

unriddle [ˈʌnˈrɪdl] *v* разгадать, объяснить.

unrig [ˈʌnˈrɪg] *v* *мор.* расснащивать; разоружать.

unrighteous [ʌnˈraɪtʃəs] **1.** *a* 1) нечестивый; неправедный; 2) нечестный; 3) несправедливый; незаслуженный; **2.** *n* (the ~) *pl собир.* нечестивцы.

unrighteousness [ʌnˈraɪtʃəsnɪs] *n* нечестивость; неправедность.

unrip [ˈʌnˈrɪp] *v* распарывать; разрывать.

unripe [ˈʌnˈraɪp] *a* неспелый; незрелый.

unrivalled [ʌnˈraɪvəld] *a* не имеющий себе равных, непревзойдённый.

unrobe [ˈʌnˈroub] *v* снимать одеяние *или* мантию.

unroll [ˈʌnˈroul] *v* развёртывать(ся).

unroof [ˈʌnˈruːf] *v* сносить крышу.

unroot [ˈʌnˈruːt] *v* выкорчёвывать; искоренять.

unround [ˈʌnˈraund] *v* *фон.* делабиализировать (*гласный звук*).

unroyal [ˈʌnˈrɔɪəl] *a* некоролевский; недостойный королевского сана.

unruffled [ˈʌnˈrʌfld] *a* 1) гладкий (*о поверхности, море и т. п.*); 2) спокойный, невзволнованный.

unruled [ˈʌnˈruːld] *a* 1) неуправляемый, неконтролируемый; 2) нелинованный (*о бумаге*).

unruly [ʌnˈruːlɪ] *a* непокорный, непослушный, буйный; ◇ the ~ member *и.ymл.* язык.

unsaddle [ˈʌnˈsædl] *v* расседлывать.

unsafe [ˈʌnˈseɪf] *a* ненадёжный, опасный.

unsaid [ˈʌnˈsed] **1.** *past и p. p. om* unsay; **2.** *a* непроизнесённый, невысказанный; things better left ~ то, о чём лучше не говорить, не упоминать.

unsanitary [ˈʌnˈsænɪtərɪ] *a* негигиеничный, нездоровый; антисанитарный.

unsatisfactorily [ˈʌnˌsætɪsˈfæktərɪlɪ] *adv* неудовлетворительно.

unsatisfactory [ˈʌnˌsætɪsˈfæktərɪ] *a* неудовлетворительный.

unsatisfied [ˈʌnˈsætɪsfaɪd] *a* неудовлетворённый; неуспокоенный; ~ demand неудовлетворённый спрос.

unsatisfying [ˈʌnˈsætɪsfaɪɪŋ] *a* неудовлетворяющий, ненасыщающий.

unsavoury [ˈʌnˈseɪvərɪ] *a* 1) невкусный; 2) непривлекательный; отвратительный.

unsay [ˈʌnˈseɪ] *v* (unsaid) брать назад сказанное, отрекаться от своих слов.

unscalable [ˈʌnˈskeɪləbl] *a* неприступный (*о крутом подъёме и т. п.*).

unscathed [ˈʌnˈskeɪðd] *a* невредимый.

unschooled [ˈʌnˈskuːld] *a* 1) необученный, неопытный; 2) недисциплинированный.

unscientific [ˈʌnˌsaɪənˈtɪfɪk] *a* ненаучный, антинаучный.

unscramble [ˈʌnˈskræmbl] *v* 1) разъединять, разлагать на составные части; 2) расшифровывать (*секретное послание и т. п.*).

unscreened [ˈʌnˈskriːnd] *a* 1) не защищённый ширмой *или* решёткой; 2) не просеянный сквозь грохот.

unscrew [ˈʌnˈskruː] *v* отвинчивать(ся); развинчивать(ся).

unscrupulous [ʌnˈskruːpjuləs] *a* 1) неразборчивый в средствах; нещепетильный; 2) беспринципный; бессовестный.

unseal [ˈʌnˈsiːl] *v* распечатывать.

unseam [ˈʌnˈsiːm] *v* распарывать.

unsearchable [ʌnˈsəːtʃəbl] *a* непостижимый, таинственный.

unseasonable [ʌnˈsiːznəbl] *a* 1) не по сезону; 2) несвоевременный, неуместный.

unseasoned [ˈʌnˈsiːznd] *a* 1) без приправы, невкусный, пресный; 2) несозревший; невыдержанный.

unseat [ˈʌnˈsiːt] *v* 1) сбросить с седла; ссадить со стула и т. п.; 2) лишить парламентского мандата.

unsedentary [ˈʌnˈsedntərɪ] **1.** *n* неоседлый, кочевой народ; **2.** *a* неоседлый, кочевой.

unseeing [ˈʌnˈsiːɪŋ] *a* 1) невидящий; слепой; 2) ненаблюдательный; 3) доверчивый.

unseemly [ʌnˈsiːmlɪ] *a* неподобающий, непристойный.

unseen [ˈʌnˈsiːn] **1.** *a* 1) невидимый; 2): ~ translation перевод с листа; 3) невиданный; **2.** *n* (an ~) отрывок для перевода с листа.

unselfish [ˈʌnˈselfɪʃ] *a* бескорыстный, неэгоистичный.

unsettle [ˈʌnˈsetl] *v* 1) нарушать распорядок (*чего-л.*); выбивать из колеи; 2) расстраивать(ся).

unsettled [ˈʌnˈsetld] **1.** *p. p. om* unsettle; **2.** *a* 1) неустроенный; неустановившийся; the weather is ~ погода не установилась; 2) нерешённый, неопределённый; 3) неоплаченный; 4) необитаемый; 5) *хим.* неотстоявшийся.

unshackle ['ʌn'ʃækl] *v* снимать кандалы; *перен.* освобождать.

unshaded ['ʌn'ʃeɪdɪd] *a* 1) не защищённый от солнца, без тени; 2) без теней, контурный, линейный (*о рисунке*).

unshadowed ['ʌn'ʃædoud] *a* безоблачный, ясный.

unshakable [ʌn'ʃeɪkəbl] *a* непоколебимый.

unshaken ['ʌn'ʃeɪkən] *a* непоколебленный, твёрдый.

unshapely ['ʌn'ʃeɪplɪ] *a* бесформенный, некрасивый.

unshared ['ʌn'ʃɛəd] *a* неразделённый (*о чувстве и т. п.*).

unshaven ['ʌn'ʃeɪvn] *a* небритый.

unsheathe ['ʌn'ʃiːð] *v* вынимать из ножен; to ~ the sword обнажить меч; *перен.* объявить войну.

unshed ['ʌn'ʃed] *a* непролитый; ~ tears невыплаканные слёзы.

unsheltered ['ʌn'ʃeltəd] *a* 1) неприкрытый, незащищённый; 2) не имеющий приюта, убежища; 3) *ком.*: ~ industries отрасли промышленности, не обеспеченные от конкуренции импорта.

unshielded ['ʌn'ʃiːldɪd] *a* незащищённый.

unship ['ʌn'ʃɪp] *v* 1) сгружать с корабля; 2) высаживать на берег; 3) убирать, снимать (*вёсла, руль*).

unshod ['ʌn'ʃɔd] 1. *past и p. p. от* unshoe;
2. *a* 1) неподкованный, раскованный; 2) необутый.

unshoe ['ʌn'ʃuː] *v* (unshod) 1) расковать; 2) снимать обувь (*с кого-л.*).

unshorn ['ʌn'ʃɔːn] *a* нестриженный; неподстриженный.

unshrinkable ['ʌn'ʃrɪŋkəbl] *a* не садящийся при стирке (*о материи*).

unshrinking [ʌn'ʃrɪŋkɪŋ] *a* непоколебимый, неустрашимый, твёрдый.

unshutter ['ʌn'ʃʌtə] *v* открывать, снимать ставни.

unsighted ['ʌn'saɪtɪd] *a* 1) не попавший в поле зрения; 2) не снабжённый прицелом; 3) без прицеливания.

unsightly [ʌn'saɪtlɪ] *a* неприглядный; вызывающий отвращение (*своим видом*); уродливый.

unsigned ['ʌn'saɪnd] *a* неподписанный.

unsized ['ʌn'saɪzd] *a* непроклеенный (*о бумаге*).

unskilful ['ʌn'skɪlfulʲ] *a* 1) неумелый, неискусный; 2) неуклюжий, нескладный, неловкий.

unskilled ['ʌn'skɪld] *a* неквалифицированный; ~ labour a) неквалифицированный труд, чёрная работа; б) *собир.* неквалифицированные рабочие; ~ work неумелая работа.

unsleeping ['ʌn'sliːpɪŋ] *a* недремлющий, бдительный.

unsnarl ['ʌn'snɑːl] *v* амер. распутывать.

unsociable [ʌn'souʃəbl] *a* необщительный; сдержанный.

unsocial ['ʌn'souʃəl] *a* 1) необщительный; 2) антиобщественный.

unsold ['ʌn'sould] *a* непроданный, нераспроданный, залежавшийся (*о товаре*).

unsolder ['ʌn'sɔldə] *v* распаять.

unsolved ['ʌn'sɔlvd] *a* нерешённый (*о задаче, проблеме*).

unsophisticated ['ʌnsə'fɪstɪkeɪtɪd] *a* 1) простой, безыскусственный, естественный; 2) неопытный, простодушный; 3) невинный, чистый.

unsought ['ʌn'sɔːt] *a* непрошенный.

unsound ['ʌn'saund] *a* 1) нездоровый, больной; болезненный; of ~ mind сумасшедший, душевнобольной; 2) испорченный, гнилой; 3) необоснованный, ошибочный; ~ arguments необоснованные доводы; 4) ненадёжный; 5) неглубокий (*сон*); 6) дефектный.

unsounded ['ʌn'saundɪd] *a* неизмеренный (*о глубине*).

unsown ['ʌn'soun] *a* незасеянный.

unsparing [ʌn'spɛərɪŋ] *a* 1) расточительный, щедрый (of, in); 2) усердный, не щадящий сил; 3) беспощадный.

unspeakable [ʌn'spiːkəbl] *a* 1) невыразимый (словами); ~ joy невыразимая радость; 2) очень плохой; ~ manners отвратительные манеры.

unspent ['ʌn'spent] *a* 1) неистраченный; нерастраченный; 2) неутомлённый.

unspoiled, unspoilt ['ʌn'spɔɪlt] *a* неиспорченный.

unspoken ['ʌn'spoukən] *a* невысказанный, невыраженный.

unsportsmanlike ['ʌn'spɔːtsmənlaɪk] *a* 1) неспортивный, недостойный спортсмена; не соответствующий законам спорта; 2) непорядочный, нечестный.

unspotted ['ʌn'spɔtɪd] *a* незапятнанный, незапачканный.

unsprung ['ʌn'sprʌŋ] *a* не имеющий пружин, неподрессоренный.

unstable ['ʌn'steɪbl] *a* 1) нетвёрдый, неустойчивый; 2) колеблющийся, изменчивый; 3) *хим.* нестойкий (*о соединении*).

unstained ['ʌn'steɪnd] *a* незапятнанный.

unstamped ['ʌn'stæmpt] *a* 1) не оплаченный маркой; 2) нештемпелёванный, без штемпеля.

unstarched ['ʌn'stɑːtʃt] *a* 1) ненакрахмаленный; 2) податливый; 3) непринуждённый, естественный, без чопорности.

unstatutable ['ʌn'stætjutəbl] *a* не дозволенный статутом, уставом.

unsteady ['ʌn'stedɪ] *a* 1) неустойчивый, нетвёрдый; шаткий, колеблющийся; 2) непостоянный.

unstick ['ʌn'stɪk] *v* (unstuck) отклеивать, отдирать.

unstirred ['ʌn'stəːd] *a* невозмутимый.

unstitch ['ʌn'stɪtʃ] *v* распарывать (*шов*).

unstop ['ʌn'stɔp] *v* 1) освобождать от препятствий; 2) откупоривать.

unstrained ['ʌn'streɪnd] *a* 1) непринуждённый; 2) непроцеженный.

unstrap ['ʌn'stræp] *v* отстёгивать, развязывать (*ремень и т. п.*).

unstressed ['ʌn'strest] *a* 1) безуда́рный (*звук, слог*); 2) ненапряжённый.

unstring ['ʌn'strɪŋ] *v* (unstrung) 1) снять *или* осла́бить стру́ны (*муз. инструмента*) *или* тетиву́ (*лука*); 2) распусти́ть (*бусы и т. п.*); 3) расша́тывать (*нервы*).

unstrung ['ʌn'strʌŋ] 1. *past и p. p. от* unstring;

2. *a* расша́танный (*о нервах*).

unstuck ['ʌn'stʌk] *past и p. p. от* unstick.

unstudied ['ʌn'stʌdɪd] *a* есте́ственный, непринуждённый.

unsubmissive ['ʌnsəb'mɪsɪv] *a* непоко́рный, не жела́ющий подчиня́ться.

unsubstantial ['ʌnsəb'stænʃəl] *a* 1) несуще́ственный; 2) невесо́мый, бестеле́сный, невеще́ственный; 3) нереа́льный; 4) непро́чный; 5) непита́тельный; лёгкий (*о пище*).

unsuccessful ['ʌnsək'sesful] *a* несчастли́вый, неуда́чливый; неуда́чный.

unsuitable ['ʌn'sjuːtəbl] *a* неподходя́щий, неподоба́ющий.

unsullied ['ʌn'sʌlɪd] *a* незапя́тнанный (*о репутации и т. п.*).

unsung ['ʌn'sʌŋ] *a* поэт. 1) неспе́тый; 2) невоспе́тый.

unsunned ['ʌn'sʌnd] *a* не освещённый *или* не согре́тый со́лнцем.

unsure ['ʌn'ʃuə] *a* 1) ненадёжный; 2) неопределённый.

unsurpassable ['ʌnsə'pɑːsəbl] *a* не могу́щий быть превзойдённым.

unsurpassed ['ʌnsə'pɑːst] *a* непревзойдённый.

unsusceptible ['ʌnsə'septəbl] *a* 1) нечувстви́тельный (to); 2) не подве́рженный (*чему-л.*; of).

unsuspected ['ʌnsəs'pektɪd] *a* 1) не вызыва́ющий *или* не вы́звавший подозре́ний; незаподо́зренный; 2) неожи́данный, непредви́денный; 3) неожи́данно оказа́вшийся (*кем-л., чем-л.*).

unsuspecting ['ʌnsəs'pektɪŋ] *a* не подозрева́ющий (of—о).

unsuspicious ['ʌnsəs'pɪʃəs] *a* 1) неподозрева́ющий; 2) не вызыва́ющий подозре́ний.

unswathe ['ʌn'sweɪð] *v* распелёнывать; разбинто́вывать.

unswayed ['ʌn'sweɪd] *a* 1) неуправля́емый; не подчиня́ющийся влия́нию; 2) непредубеждённый.

unsworn ['ʌn'swɔːn] *a* 1) не да́вший прися́ги; 2) не свя́занный кля́твой.

unsympathetic ['ʌn,sɪmpə'θetɪk] *a* 1) несочу́вствующий; чёрствый; 2) несимпати́чный, неприя́тный.

untack ['ʌn'tæk] *v* отделя́ть; расцепля́ть, отцепля́ть.

untamable ['ʌn'teɪməbl] *a* не поддаю́щийся прируче́нию; неукроти́мый.

untangle ['ʌn'tæŋgl] *v* распу́тывать.

untaught ['ʌn'tɔːt] *a* 1) необу́ченный; неве́жественный; 2) прису́щий, есте́ственный.

untenable ['ʌn'tenəbl] *a* 1) незащити́мый (*о крепости и т. п.*); непригодный для оборо́ны; 2) несостоя́тельный (*о мнении и т. п.*).

untenantable ['ʌn'tenəntəbl] *a* него́дный для жилья́; нежило́й.

unthankful ['ʌn'θæŋkful] *a* неблагода́рный.

unthinkable [ʌn'θɪŋkəbl] *a* 1) невообрази́мый; немы́слимый; 2) разг. неправдоподо́бный; невероя́тный.

unthinking ['ʌn'θɪŋkɪŋ] *a* опроме́тчивый; легкомы́сленный.

unthread ['ʌn'θred] *v* 1) вы́нуть ни́тку (*из иголки*); 2) перен. вы́браться из лабири́нта; распу́тать (*тайну*).

unthrifty ['ʌn'θrɪftɪ] *a* небережли́вый, расточи́тельный.

unthrone ['ʌn'θroun] *v* све́ргнуть с престо́ла.

untidiness [ʌn'taɪdɪnɪs] *n* неопря́тность, неаккура́тность; беспоря́док.

untidy [ʌn'taɪdɪ] *a* неопря́тный, неаккура́тный; в беспоря́дке (*о комнате*).

untie ['ʌn'taɪ] *v* 1) развя́зывать; 2) освобожда́ть.

untied ['ʌn'taɪd] 1. *p. p. от* untie;

2. *a* несвя́занный; развя́занный.

untight ['ʌn'taɪt] *a* непло́тный; негермети́ческий.

until [ən'tɪl] = till I.

untile ['ʌn'taɪl] *v* снима́ть черепи́цу.

untimely [ʌn'taɪmlɪ] 1. *a* 1) безвре́менный; преждевре́менный; 2) несвоевре́менный; неуме́стный;

2. *adv* 1) безвре́менно; преждевре́менно; 2) несвоевре́менно; неуме́стно.

unto ['ʌntu] поэт. см. to I.

untold ['ʌn'tould] *a* 1) нерасска́занный; he left the secret ~ он не рассказа́л секре́та, он не раскры́л та́йны; 2) несосчи́танный; бессчётный; ~ wealth несме́тные бога́тства.

untouchable [ʌn'tʌtʃəbl] 1. *a* 1) неприкоснове́нный; 2) неподку́пный (*о политическом деятеле*);

2. *n* оди́н из ка́сты неприкаса́емых (*в Индии*); the ~s ка́ста неприкаса́емых.

untoward [ʌn'touəd] *a* 1) неблагоприя́тный, неуда́чный; несча́стный; 2) уст. непоко́рный, своенра́вный.

untrained ['ʌn'treɪnd] *a* необу́ченный; неподгото́вленный.

untrammelled [ʌn'træməld] *a* беспрепя́тственный; ~ right неоспори́мое пра́во.

untransferable ['ʌntræns'fəːrəbl] *a* не могу́щий быть пе́реданным, без пра́ва переда́чи.

untranslatable ['ʌntræns'leɪtəbl] *a* непереводи́мый.

untried ['ʌn'traɪd] *a* 1) непрове́ренный, неиспы́танный; 2) не разбира́вшийся в суде́.

untrodden ['ʌn'trɔdn] *a* непрото́птанный, неисхо́женный; забро́шенный, пусты́нный.

untrue ['ʌn'truː] *a* 1) неве́рный (*кому-л.*; to); 2) ло́жный; непра́вильный; 3) несоотве́тствующий; ~ to type не соответствующий образцу́, ти́пу.

untrustworthy ['ʌn'trʌst,wəːðɪ] *a* ненадёжный.

untruth ['ʌn'truːθ] *n* 1) непра́вда, ложь; to tell an ~ солга́ть; 2) уст. неве́рность.

untuck ['ʌn'tʌk] *v* 1) распуска́ть (*складки*); 2) спуска́ть (*рукава, подол*).

untune [ʌn'tjuːn] *v* расстра́ивать (*муз. инструмент*).

unturned [ʌn'təːnd] *a* неперевёрнутый, оста́вленный на ме́сте; ◇ to leave no stone ~ приложи́ть все стара́ния, испро́бовать все-возмо́жные сре́дства.

untutored [ʌn'tjuːtəd] *a* 1) необу́ченный; гру́бый, невоспи́танный; 2) наи́вный, про-стоду́шный, неиску́шённый.

untwine [ʌn'twaɪn] *v* 1) распу́тывать (ся); расплета́ть (ся); 2) отделя́ть (ся).

untwist [ʌn'twɪst] *v* раскру́чивать (ся); расплета́ть (ся); рассу́чивать (ся).

unusable [ʌn'juːzəbl] *a* неподходя́щий, непригодный, не могу́щий быть испо́ль-зованным.

unused *a* 1) [ʌn'juːst] непривы́кший (то-к чему́-л.); 2) [ʌn'juːzd] неиспо́льзован-ный; неиспо́льзуемый.

unusual [ʌn'juːʒuəl] *a* 1) необыкнове́н-ный; необы́чный, стра́нный; ре́дкий; 2) за-меча́тельный.

unutilized [ʌn'juːtɪlaɪzd] *a* неиспо́льзо-ванный.

unutterable [ʌn'ʌtərəbl] *a* 1) непроизно-си́мый; 2) невырази́мый; ужа́сный.

unvalued [ʌn'væljuːd] *a* 1) неценимый; 2) *уст.* неоцени́мый.

unvarnished *a* 1) [ʌn'vɑːnɪʃt] нелаки-ро́ванный; 2) [ʌn'vɑːnɪʃt] неприкра́шен-ный; ~ truth го́лая пра́вда.

unveil [ʌn'veɪl] *v* 1) снима́ть покрыва́ло (с чего́-л.); раскрыва́ть; *перен.* открыва́ть своё лицо́; 2) торже́ственно открыва́ть (*па́мятник*); 3) открыва́ть (*та́йну, пла́ны и т. п.*).

unversed [ʌn'vəːst] *a* несве́дущий, не-о́пытный, неиску́сный (in—в *чём-л.*).

unvoice [ʌn'vɔɪs] *v* *фон.* оглуша́ть.

unvoiced [ʌn'vɔɪst] *a* 1) непроизнесён-ный; 2) *фон.* глухо́й.

unvote [ʌn'vout] *v* отменя́ть повто́рным голосова́нием.

unwanted [ʌn'wɔntɪd] *a* нежела́нный, нежела́тельный, нену́жный, ли́шний.

unwarned [ʌn'wɔːnd] *a* непредупреж-дённый.

unwarrantable [ʌn'wɔrəntəbl] *a* недопу-сти́мый, ниче́м не опра́вданный.

unwarranted [ʌn'wɔrəntɪd] *a* негаран-ти́рованный.

unwary [ʌn'wɛərɪ] *a* неосторо́жный, опроме́тчивый.

unwashed [ʌn'wɔʃt] *a* немы́тый; нести́-ранный.

unwavering [ʌn'weɪvərɪŋ] *a* недро́гнув-ший.

unwearied [ʌn'wɪərɪd] = unwearying.

unwearying [ʌn'wɪərɪŋ] *a* неутоми́мый; насто́йчивый.

unweave [ʌn'wiːv] *v* (unwove; unwoven) распуска́ть (*ткань*), разотка́ть; распле-та́ть.

unwed [ʌn'wed] *a* неве́нчанный; холо-сто́й.

unwelcome [ʌn'welkəm] *a* 1) нежела́нный, нежела́тельный; неприя́тный; 2) непро́-шенный.

unwell [ʌn'wel] *a* нездоро́в(ый).

unwept [ʌn'wept] *a* *поэт.* неопла́канный.

unwholesome [ʌn'houlsəm] *a* нездоро́-вый, неполе́зный, вре́дный.

unwieldy [ʌn'wiːldɪ] *a* громо́здкий, не-уклю́жий.

unwilled [ʌn'wɪld] *a* 1) безво́льный; 2) неумы́шленный, ненаме́ренный.

unwilling [ʌn'wɪlɪŋ] *a* несклонный, не-располо́женный.

unwillingly [ʌn'wɪlɪŋlɪ] *adv* неохо́тно, про́тив жела́ния.

unwind [ʌn'waɪnd] *v* (unwound) 1) разма́-тывать (ся); развёртывать; трави́ть (*с по-мощью лебёдки*); 2) развива́ть (ся) (*о сюже́те*).

unwinking [ʌn'wɪŋkɪŋ] *a* 1) немига́ю-щий; 2) бди́тельный.

unwisdom [ʌn'wɪzdəm] *n* глу́пость, не-благоразу́мие.

unwise [ʌn'waɪz] *a* не(благо)разу́мный.

unwished [ʌn'wɪʃt] *a* нежела́нный (for).

unwitnessed [ʌn'wɪtnɪst] *a* 1) незаме́-ченный; 2) не подтверждённый *или* не подпи́санный свиде́телем.

unwitting [ʌn'wɪtɪŋ] *a* нево́льный, не-преднаме́ренный, непроизво́льный; неча́ян-ный.

unwittingly [ʌn'wɪtɪŋlɪ] *adv* нево́льно, непреднаме́ренно, непроизво́льно; неча́ян-но.

unwonted [ʌn'wountɪd] *a* непривы́чный, необы́чный; ре́дкий.

unworkable [ʌn'wəːkəbl] *a* неприме-ни́мый, него́дный для рабо́ты.

unworkmanlike [ʌn'wəːkmənlaɪk] *a* сде́-ланный по-люби́тельски, люби́тельский.

unworldly [ʌn'wəːldlɪ] *a* 1) не от ми́ра сего́; 2) духо́вный, несве́тский.

unworn [ʌn'wɔːn] *a* ненóшеный; непоно́-шенный.

unworthy [ʌn'wəːðɪ] *a* недосто́йный (че-го́-л.; of).

unwound [ʌn'waund] *past и p. p. от* unwind.

unwove [ʌn'wouv] *past от* unweave.

unwoven [ʌn'wouvən] *p. p. от* unweave.

unwrap [ʌn'ræp] *v* развёртывать (ся).

unwritten [ʌn'rɪtn] *a* 1) непи́саный; ~ law непи́саный зако́н; *юр.* обы́чное пра́во; 2) незапи́санный, ненапи́санный; 3) чи́-стый (*о страни́це*).

unyielding [ʌn'jiːldɪŋ] *a* твёрдый, упо́р-ный; неподатливый, несгиба́емый.

unyoke [ʌn'jouk] *v* 1) снима́ть ярмо́ (с кого́-л.); освобожда́ть от и́га; 2) конча́ть рабо́ту.

unyoked [ʌn'joukt] 1. *p. p. от* unyoke; 2. *a* не запряжённый в ярмо́.

up [ʌp] 1. *adv* 1) *ука́зывает на нахож-де́ние наверху́ или на бо́лее высо́кое поло-же́ние наверху́*; вы́ше; high up in the air высоко́ в не́бе *или* в во́здухе; she lives three floors up она́ живёт тремя́ этажа́ми вы́ше; 2) *ука́зывает на подъём наве́рх*, вверх; he went up он пошёл наве́рх; up and down вверх и вниз; взад и вперёд; [*см. тж.* up and down]; hands up! ру́ки вверх!; 3) *ука́зывает на увеличе́ние, повыше́ние в цене́, в чи́не, в значе́нии и т. п.* вы́ше; the corn is up хлеб подорожа́л; age 12 up от

12 лет и ста́рше; 4) *указывает на приближе́ние*: a boy came up подошёл ма́льчик; 5) *указывает на близость или сходство*: he is up to his father as a scientist как учёный он не уступа́ет своему́ отцу́; 6) *указывает на перехо́д из горизонта́льного положе́ния в вертика́льное или от состоя́ния поко́я к де́ятельности*: he is up он встал; he was up all night он не спал, был на нога́х всю ночь; 7) *указывает на истече́ние сро́ка, заверше́ние или результа́т де́йствия*: Parliament is up се́ссия парла́мента закры́лась; it is all up with him с ним всё поко́нчено; the house burned up дом сгоре́л дотла́; to eat up съесть; to save up скопи́ть; 8) *указывает на соверше́ние де́йствия*: something is up что́-то происхо́дит; что́-то зате́вается; what's up? в чём де́ло?, что случи́лось?; 9) *спорт.* впереди́; he is two points up он на два очка́ впереди́ своего́ проти́вника; □ up in a) све́дущий; she is well up in history она́ сильна́ в исто́рии; б) гото́вый; up in arms α) гото́вый к бо́ю, к борьбе́, к сопротивле́нию; β) охва́ченный восста́нием; up to a) *указывает на приго́дность, соотве́тствие*: he is not up to this job он не годи́тся для э́той рабо́ты; up to the mark на до́лжной высоте́; в хоро́шем состоя́нии; he is up to a thing or two зна́ний *или* уме́ния ему́ не занима́ть стать; to act up to one's promise поступа́ть согла́сно обеща́нию; исполня́ть обеща́ние; б) *указывает на вре́менной преде́л*: up to the middle of January до середи́ны января́; в): it's up to you (him *etc.*) to decide (to act *etc.*) реша́ть (де́йствовать *и т. п.*); предстои́т вам (ему́ *и т. п.*); up with..! да здра́вствует..!; ◇ up against smth. лицо́м к лицу́ с чем-л.; to be up and about быть на нога́х, встать, попра́виться по́сле боле́зни; up hill and down dale a) по гора́м, по дола́м; б) не разбира́я доро́ги, куда́ глаза́ гляди́т; в) сломя́ го́лову; to curse up hill and down dale руга́ть на чём свет стои́т; up on one's toes *амер.* жизнера́достный, де́ятельный; в возбуждённом состоя́нии;

2. *prep* 1) вверх по, по направле́нию к (исто́чнику); up the river вверх по реке́; up the hill в го́ру; up the steps вверх по ле́стнице; to climb up a tree взобра́ться на де́рево; 2) вдоль по; вглубь; up the street по у́лице; to travel up (the) country е́хать в глубь страны́; 3) про́тив (*тече́ния, ве́тра и т. п.*); ~ the wind про́тив ве́тра; to row up the stream грести́ про́тив тече́ния;

3. *a* 1) иду́щий, поднима́ющийся вверх; 2) повыша́ющийся; 3) направля́ющийся в кру́пный центр *или* на се́вер (*особ. о по́езде*); up train по́езд, иду́щий в Ло́ндон *или* большо́й го́род; 4) шипу́чий (*о напитках*);

4. *n* 1) подъём; ups and downs a) подъёмы и паде́ния; б) превра́тности судьбы́; 2) успе́х; 3) вздорожа́ние; 4) по́езд, авто́бус *и т. п.*, иду́щий в Ло́ндон, в большо́й го́род *или* на се́вер;

5. *v разг.* 1) поднима́ть; повыша́ть (*це́ны*); 2) встава́ть.

up- [ʌp-] *pref* 1) *в значе́нии* вверх, кве́рху *прибавля́ется к существи́тельным, обра-*

зуя ра́зные ча́сти ре́чи: up-grade подъём; upland гори́стый; upstairs наве́рх; 2) *прибавля́ется к глаго́лам и отглаго́льным существи́тельным, образу́я существи́тельные со значе́нием* рост, подъём, измене́ние состоя́ния *и т. п.*: upheaval сдвиг; переворо́т; upswing улучше́ние; 3) *прибавля́ется к глаго́лам, образу́я но́вые глаго́лы, ука́зывающие на полноту́ де́йствия*: to uproot вырыва́ть с ко́рнем, выкорчёвывать; to upset опроки́дывать; to upturn переверну́ть.

up-and-coming [ˈʌpəndˈkʌmɪŋ] *a амер.* 1) напо́ристый, предприи́мчивый; 2) осторо́жный, осмотри́тельный; 3) са́мый но́вый, нове́йший; 4) подаю́щий наде́жды, многообеща́ющий.

up-and-doing [ˈʌpəndˈduːɪŋ] *a* энерги́чный, предприи́мчивый.

up and down [ˈʌpənˈdaun] *adv* 1) пря́мо, откры́то; 2) там и сям; [*см. тж.* up I, 2)].

up-and-down [ˈʌpənˈdaun] *a* 1) холми́стый; 2) дви́гающийся в обо́их направле́ниях; 3) *амер.* прямо́й, открове́нный.

upas [ˈjuːpəs] *n* 1) анча́р; 2) па́губное влия́ние.

upas-tree [ˈjuːpəstriː] = upas 1).

upbear [ʌpˈbɛə] *v* (upbore; upborne) подде́рживать.

up-beat [ˈʌpˌbiːt] *n муз.* неуда́рный звук в та́кте.

upbore [ʌpˈbɔː] *past от* upbear.

upborne [ʌpˈbɔːn] *p. p. от* upbear.

upbraid [ʌpˈbreid] *v* брани́ть, укоря́ть (with, for—за что-л.).

upbringing [ˈʌpˌbriŋiŋ] *n* воспита́ние.

upbuild [ʌpˈbild] *v* вы́строить, постро́ить.

upbuilding [ʌpˈbildiŋ] 1. *pres. p. от* upbuild.

2. *n* построе́ние; ~ of communism построе́ние коммуни́зма.

upcast [ˈʌpkɑːst] 1. *n* 1) *геол.* взброс; 2) *горн.* вентиляцио́нная ша́хта;

2. *a* восходя́щий.

upchuck [ʌpˈtʃʌk] *v разг.* рвать, вырыва́ть, страда́ть рвото́й.

up country [ʌpˈkʌntri] *adv разг.* внутри́ страны́; внутрь страны́.

up-country [ˈʌpˈkʌntri] 1. *n* вну́тренние райо́ны страны́;

2. *a* располо́женный внутри́ страны́; вну́тренний.

up-date [ʌpˈdeit] *v* 1) модернизи́ровать; 2) сообща́ть после́дние но́вости, держа́ть в ку́рсе де́ла.

updo [ˈʌpduː] *n* причёска, при кото́рой во́лосы зачёсываются наве́рх.

up-grade [ˈʌpˈgreid] 1. *n* подъём;

2. *v* 1) переводи́ть на рабо́ту, тре́бующую бо́лее высо́кой квалифика́ции; 2) продава́ть проду́кты ни́зших сорто́в по цене́ вы́сших сорто́в.

upgrowth [ˈʌpgrouθ] *n* 1) рост, разви́тие; 2) расте́ние, тя́нущееся вверх.

upheaval [ʌpˈhiːvəl] *n* 1) сдвиг; 2) переворо́т; 3) *геол.* смеще́ние пласто́в.

upheave [ʌpˈhiːv] *v* (upheaved [-d], uphove) поднима́ть(ся).

upheld [ʌp'held] *past* и *p. p. om* uphold.

uphill ['ʌp'hil] 1. *adv* в гóру;

2. *a* 1) идущий в гóру; 2) *перен.* тяжёлый, трудный.

uphold [ʌp'hould] *v* (upheld) 1) поддéрживать, защищáть; поощрять; to ~ the view придéрживаться взгляда; 2) утверждáть, подтверждáть (*решение и т. п.*).

upholder [ʌp'houldə] *n* сторóнник.

upholster [ʌp'houlstə] *v* 1) вéшать (*портьеры, ковры и т. п.*); 2) обивáть (*мебель,* with, in—*чем-л.*).

upholsterer [ʌp'houlstərə] *n* обóйщик; драпирóвщик.

upholstery [ʌp'houlstərɪ] *n* 1) ремеслó обóйщика *или* драпирóвщика; обóйное дéло; 2) обивóчный материáл, обивка.

uphove [ʌp'houv] *past* и *p. p. om* upheave.

upkeep ['ʌpkiːp] *n* 1) содержáние; ремóнт; 2) стóимость содержáния.

upland ['ʌplənd] 1. *n* (*обыкн. pl*) нагóрная странá; гóристая часть странý;

2. *a* 1) нагóрный; 2) отдалённый; лежáщий внутри странý.

uplift 1. *n* ['ʌplɪft] 1) *геол.* взброс; 2) *амер.* духóвный подъём;

2. *a* ['ʌplɪft] *амер.* возвышенный, припóднятый;

3. *v* [ʌp'lɪft] поднимáть, возвышáть.

upon [ə'rɔn (*полная форма*); ərəp (*редуцированная форма*)] = on 1; ◇ ~ my Sam *sl.* чéстное слóво.

upper ['ʌpə] 1. *a* 1) вéрхний; высший; the U. House вéрхняя палáта; the ~ servants стáршая прислуга (*дворецкий и т. п.*); ~ storey а) вéрхний этáж; б) *разг.* «башкá», «чердáк»; the ~ ten (thousand) верхушка óбщества; ~ crust а) вéрхняя кóрка (*буханки*); б) вéрхушка óбщества, аристокрáтия; в) *разг.* головá; шляпа; 2) *горн.* восстающий (*о шпуре*);

2. *n* 1) передóк ботинка; 2) *pl* гéтры; гамáши; 3) *разг.* вéрхняя пóлка (*в вагоне*); 4) вéрхний зуб; 5) *горн.* восстающий шпур; ◇ to be (down) on one's ~s а) ходить в стóптанных башмакáх; б) быть без грошá; быть в безвыходном положéнии; дойти до тóчки.

upper-cut ['ʌpəkʌt] *n* апперкóт, удáр снизу (*в боксе*).

uppermost ['ʌpəmoust] 1. *a* сáмый вéрхний; высший;

2. *adv* 1) наверху; 2) прéжде всегó; I said whatever came ~ я сказáл пéрвое, что взбрелó на ум.

upper works ['ʌpə'wəːks] *n pl* надвóдная часть корабля.

uppish ['ʌpɪʃ] *a* чвáнный, спесивый; нáглый.

uppity ['ʌpɪtɪ] *n амер.* чвáнство, спесь; нáглость.

upraise [ʌp'reɪz] *v* поднимáть, воздевáть; возвышáть.

upright 1. *n* ['ʌpraɪt] 1) подпóрка; колóнна; стóйка; 2) *сокр. om* upright piano;

2. *a* 1) ['ʌprait] вертикáльный, прямóй, отвéсный; 2) ['ʌpraɪt] чéстный;

3. *adv* ['ʌp'raɪt] 1) прямо, вертикáльно, стóйко́м; 2) прямо, чéстно.

upright piano ['ʌpraɪt'pjænou] *n* пианино.

uprise [ʌp'raɪz] 1. *n* 1) восхóд; 2) появлéние; 3) подъём; 4) = uprising 2;

2. *v* (uprose; uprisen) *поэт.* 1) восставáть; 2) подниmáться.

uprisen [ʌp'rɪzn] *p. p. om* uprise 2.

uprising [ʌp'raɪzɪŋ] 1. *pres. p. om* uprise 2;

2. *n* 1) восстáние; 2) возникновéние; 3) вставáние с постéли; 4) подъём.

uproar ['ʌprɔː] *n* 1) шум, гам, волнéние; 2) взрыв (*смеха*).

uproarious [ʌp'rɔːrɪəs] *a* шумный, буйный.

uproot [ʌp'ruːt] *v* вырывáть с кóрнем; искореня́ть.

uprose [ʌp'rouz] *past om* uprise 2.

upsaddle ['ʌp'sædl] *v южно-афр.* седлáть.

upscuddle ['ʌp,skʌdl] *n амер. диал.* ссóра.

upset [ʌp'set] 1. *v* (upset) 1) опрокидывать(ся); 2) расстрáивать, нарушáть (*порядок и т. п.*); to ~ smb.'s plans расстрáивать чьи-л. плáны; 3) расстрáивать, огорчáть, выводить из душéвного равновéсия; I am ~ я расстрóен; 4) нарушáть пищеварéние; 5) *тех.* раскóвывать; осáживать;

2. *n* 1) беспорядок, расстрóйство; 2) ссóра; 3) опрокидывание; 4) *тех.* высáдка, высаженное издéлие;

3. *a:* ~ price низшая отправнáя ценá (*на аукционе*).

upshot ['ʌpʃɔt] *n* 1) развязка, заключéние; результáт; 2) наибóлее существенная часть.

upside ['ʌpsaɪd] *n* вéрхняя сторонá *или* часть.

upside-down ['ʌpsaɪd'daun] 1. *a* перевёрнутый вверх дном;

2. *adv* вверх дном, в беспорядке.

upsitting [ʌp'sɪtɪŋ] *n уст.* 1) поднимáние; 2) *шотл.* безразличие.

upstage ['ʌp'steɪdʒ] 1. *a* 1) относящийся к зáдней чáсти сцéны; 2) *разг.* отстáлый; 3) *разг.* рóбкий; 4) *разг.* чóпорный;

2. *adv* в глубинé сцéны;

3. *v разг.* обходиться высокомéрно.

upstair ['ʌpstɛə] = upstairs 1, 1) и 3.

upstairs 1. *adv* ['ʌp'stɛəz] 1) вверх (по лéстнице), навéрх; наверху; в вéрхнем этажé; 2) *ав.* на большóй высотé; в вóздухе;

2. *n* ['ʌpstɛəz] 1) вéрхняя часть здáния; 2) проживáющий в вéрхнем этажé;

3. *a* ['ʌpstɛəz] находящийся в вéрхнем этажé, наверху.

upstander ['ʌp'stændə] *n диал.* прихóдский свящéнник.

upstanding ['ʌp'stændɪŋ] *a* 1) стоячий; стоящий; 2) прямóй; вертикáльный; 2) чéстный и прямóй.

upstart 1. *n* ['ʌpstɑːt] выскочка;

2. *v* [ʌp'stɑːt] 1) вскочить; 2) застáвить вскочить, спугнуть.

upstate ['ʌp'steit] *n амер.* сéверная часть штáта.

up-stream ['ʌp'striːm] 1. *adv* прóтив течéния; вверх по течéнию;

2. *a* плывущий прóтив течéния; располóженный вверх по течéнию.

upstroke ['ʌpstrouk] *n* 1) черта́, напра́вленная вверх (*в письме, в рукописи*); 2) *тех.* движе́ние (по́ршня *и т. п.*) вверх.

upsurge [ʌp'səːdʒ] 1. *n* рост, повыше́ние, подъём;
2. *v* поднима́ться, повыша́ться.

upsweep ['ʌp'swiːp] 1. *n* = updo;
2. *v* зачёсывать, убира́ть наве́рх (*волосы*).

upswing ['ʌpswiŋ] *амер.* 1. *n* подъём; улучше́ние;
2. *v* поднима́ться; улучша́ться.

uptake ['ʌpteik] *n* 1) подня́тие; 2) понима́ние; to be quick (slow) in the ~ бы́стро (ме́дленно) уясни́ть себе́ положе́ние; бы́стро (ме́дленно) сообража́ть; 3) *тех.* восходя́щий дымохо́д, вертика́льный кана́л.

upthrow ['ʌpθrou] *n* 1) бросо́к вверх; 2) = upheaval 3).

up-to-date ['ʌptə'deit] *a* совреме́нный; стоя́щий на высоте́ совреме́нных тре́бований; нове́йший.

uptown ['ʌp'taun] 1. *n* ве́рхняя часть го́рода; кварта́лы, отдалённые от це́нтра; *амер.* жилы́е кварта́лы го́рода;
2. *a* располо́женный *или* находя́щийся в ве́рхней ча́сти го́рода;
3. *adv* в ве́рхней ча́сти го́рода.

upturn ['ʌp'təːn] 1. *n* подъём; рост (*цен и т. п.*); улучше́ние (*усло́вий и т. п.*);
2. *v* переве́ртывать.

upward ['ʌpwəd] 1. *a* напра́вленный *или* дви́жущийся вверх;
2. *adv* = upwards.

upwards ['ʌpwədz] *adv* 1) вверх; to follow the river ~ идти́ вверх по реке́; 2) бо́льше; ста́рше, вы́ше; children of five years and ~ де́ти пяти́ лет и ста́рше; □ ~ of свы́ше.

uraemia [juə'riːmjə] *n мед.* уреми́я.

Ural-Altaic ['juərəlæl'teiik] 1. *a* ура́ло-алта́йский;
2. *n* ура́ло-алта́йская гру́ппа языко́в.

uranium [juə'reinjəm] *n хим.* 1) ура́н; 2) *attr.* ура́новый; ~ pile ура́новый реа́ктор.

Uranus ['juərənəs] *n миф., астр.* Ура́н.

urban ['əːbən] *a* городско́й; ~ population городско́е населе́ние.

urbane [əː'bein] *a* ве́жливый; с изы́сканными мане́рами.

urbanity [əː'bæniti] *n* ве́жливость; изы́сканность.

urbanize ['əːbənaiz] *v* 1) де́лать ве́жливым; де́лать бо́лее изы́сканным; 2) превраща́ть в го́род (*посёлок и т. п.*).

urchin ['əːtʃin] *n* 1) мальчи́шка, постре́л; 2) ёж; *уст.* домово́й.

Urdu [əː'duː] *n* язы́к урду́.

urea ['juəriə] *n хим.* мочеви́на.

ureter [ju'riːtə] *n анат.* мочето́чник.

urethra [juə'riːθrə] *n анат.* мочеиспуска́тельный кана́л.

urge [əːdʒ] 1. *n* толчо́к, побужде́ние;
2. *v* 1) понужда́ть, подгоня́ть (*тж.* ~ оn); 2) побужда́ть; подстрека́ть; 3) убежда́ть, наста́ивать на; to ~ smth. upon smb. убежда́ть кого́-л. в чём-л.; 4) надоеда́ть, тверди́ть одно́ и то же.

urgency ['əːdʒənsi] *n* 1) настоя́тельность, безотлага́тельность; a matter of great ~

сро́чное де́ло; 2) насто́йчивость; назо́йливость.

urgent ['əːdʒənt] *a* 1) сро́чный, настоя́тельный; 2) кра́йне необходи́мый; to be in ~ need of smth. кра́йне нужда́ться в чём-л.; 3) насто́йчивый, упо́рный; назо́йливый.

uric ['juərik] *a* мочево́й.

urinal ['juərinl] *n* 1) писсуа́р; 2) ури́льник.

urinary ['juərinəri] *a* мочево́й.

urinate ['juərineit] *v* мочи́ться.

urination [,juəri'neiʃən] *n* мочеиспуска́ние.

urine ['juərin] *n* моча́.

urinology [,juəri'nɔlədʒi] = urology

urn [əːn] *n* 1) у́рна; 2) спиртово́й кофе́йник, ча́йник *и т. п.*

urology [juə'rɔlədʒi] *n* уроло́гия.

Ursa ['əːsə] *n*: ~ Major (Minor) *астр.* Больша́я (Ма́лая) Медве́дица.

ursine ['əːsain] *a* медве́жий.

Uruguayan [,uru'gwaiən] 1. *a* уругва́йский;
2. *n* жи́тель Уругва́я.

us [ʌs (*по́лная фо́рма*); əs (*редуци́рованная фо́рма*)] *pron. pers. ко́св. п. от* we.

usable ['juːzəbl] *a* 1) го́дный к употребле́нию; 2) удо́бный, практи́чный.

usage ['juːzidʒ] *n* 1) употребле́ние; 2) обхожде́ние, обраще́ние; harsh ~ гру́бое обраще́ние; 3) обы́чай, обыкнове́ние.

usance ['juːzəns] *n* устано́вленный торго́вым обы́чаем срок платежа́ по иностра́нным векселя́м.

use 1. *n* [juːs] 1) употребле́ние; примене́ние; in ~ в употребле́нии; in daily ~ в ча́стом употребле́нии; в обихо́де; to be out of ~, to fall out of ~ вы́йти из употребле́ния; 2) (ис)по́льзование; спосо́бность *или* пра́во по́льзования (*чем-л.*); to have the ~ of smth. по́льзоваться чем-л.; he put the ~ of his house at my disposal он предложи́л мне по́льзоваться свои́м до́мом; to lose the ~ of smth. потеря́ть спосо́бность по́льзоваться чем-л.; he lost the ~ of his eyes он осле́п; to make ~ of, to put to ~ испо́льзовать, воспо́льзоваться; 3) по́льза; толк; to be of (no) ~ быть (бес)поле́зным; is there any ~? сто́ит ли?; to have no ~ for *разг.* а) не нужда́ться в; не испо́льзовать; б) презира́ть, не ви́деть досто́инств в; 4) обыкнове́ние, привы́чка; ~ and wont обы́чная пра́ктика; 5) ритуа́л це́ркви, епа́рхии; 6) *тех.* загото́вка, болва́нка; 7) *юр.* управле́ние иму́ществом по дове́ренности; дохо́д от управле́ния иму́ществом по дове́ренности;
2. *v* [juːz] 1) употребля́ть, (вос)по́льзоваться, применя́ть; to ~ one's brains (*или* one's wits) «шевели́ть мозга́ми»; may I ~ your name? могу́ я на вас сосла́ться?; 2) испо́льзовать, изра́схо́довать; they use 10 tons of coal a month они́ расхо́дуют 10 тонн у́гля в ме́сяц; 3) обраща́ться, обходи́ться (*с кем-л.*); to ~ smb. like a dog трети́ровать кого́-л.; 4) (*тк. past [обы́кн. juːst]*): I ~d to see him often я ча́сто его́ встреча́л; it ~d to be said (быва́ло) говори́ли; there ~d to be a house here ра́ньше

здесь стоя́л дом; □ ~ up a) израсхо́довать, испо́льзовать; б) истоща́ть; to feel ~d up чу́вствовать себя́ соверше́нно изнуре́нным.

used 1. [ju:zd] p. p. om use 2;
2. a 1) [ju:st] привы́кший; you'll soon get ~ to it вы ско́ро привы́кнете к э́тому; 2) [ju:zd] амер. поде́ржанный, ста́рый; 3) [ju:zd] тех. отрабо́танный, отрабо́тавший.

useful ['ju:sful] a 1) поле́зный, приго́дный; ~ effect тех. поле́зное де́йствие, отда́ча; 2) sl. спосо́бный; успе́шный; весьма́ похва́льный.

useless ['ju:slɪs] a 1) бесполе́зный; никуда́ не го́дный; 2) разг. нездоро́вый, в плохо́м настрое́нии; to feel ~ отврати́тельно чу́вствовать себя́.

user ['ju:zə] n 1) потреби́тель; 2) употребля́ющий (что-л.); 3) юр. пра́во по́льзования; пра́во да́вности.

usher ['ʌʃə] 1. n 1) швейца́р; 2) капельди́нер; билетёр; 3) при́став (в суде́); 4) церемониймейстер; 5) амер. ша́фер, пока́зывающий гостя́м их места́ в це́ркви во вре́мя венча́ния; 6) пренебр. мла́дший учи́тель;
2. v 1) проводи́ть; вводи́ть (in); 2) объявля́ть, возвеща́ть (прихо́д, наступле́ние; тж. ~ in).

usherette [ˌʌʃə'ret] n капельди́нерша; билетёрша.

usquebaugh ['ʌskwɪbɔː] n 1) шотла́ндская или ирла́ндская разнови́дность ви́ски; 2) ирла́ндский напи́ток из коньяка́ с пря́ностями.

usual ['ju:ʒuəl] 1. a обыкнове́нный, обы́чный; as ~ как обы́чно; the ~ thing то, что обы́чно при́нято (говори́ть, де́лать);
2. n (the ~) =, the ~ thing [см. 1].

usually ['ju:ʒuəlɪ] adv обы́чно, обыкнове́нно.

usufruct ['ju:sjufrʌkt] лат. n юр. узуфру́кт (пра́во по́льзования чужо́й со́бственностью без причине́ния уще́рба).

usufructuary [ˌju:sju'frʌktjuərɪ] 1. a относя́щийся к узуфру́кту [см. usufruct];
2. n челове́к, по́льзующийся узуфру́ктом.

usurer ['ju:ʒərə] n ростовщи́к.

usurious [ju:'zjuəriəs] a ростовщи́ческий.

usurp [ju:'zə:p] v узурпи́ровать, незако́нно захва́тывать.

usurpation [ˌju:zə:'peɪʃən] n узурпа́ция, незако́нный захва́т.

usurper [ju:'zə:pə] n узурпа́тор, захва́тчик.

usury ['ju:ʒurɪ] n 1) ростовщи́чество; лихои́мство; 2) ростовщи́ческий проце́нт; 3): with ~ с лихво́й.

utensil [ju:'tensɪl] n посу́да, у́тварь; принадле́жность; kitchen ~s ку́хонная посу́да; writing ~s пи́сьменные принадле́жности.

uteri ['ju:tərai] pl om uterus.

uterine ['ju:tərain] a утро́бный; ~ brother единоутро́бный брат.

uterus ['ju:tərəs] n (pl -ri) 1) анат. ма́тка; 2) утро́ба; чре́во.

utilitarian [ˌju:tɪlɪ'teəriən] 1. a утилита́рный;
2. n (U.) утилитари́ст.

utilitarianism [ˌju:tɪlɪ'teəriənɪzəm] n филос. утилитари́зм.

utility [ju:'tɪlɪtɪ] n 1) поле́зность; вы́годность; of no ~ бесполе́зный; 2) pl (тж. public utilities) коммуна́льные сооруже́ния, предприя́тия; коммуна́льные услу́ги; 3) pl амер. зда́ния, устано́вки; 4) pl а́кции предприя́тий обще́ственного по́льзования; 5) attr. утилита́рный; 6) attr. свя́занный с коммуна́льными услу́гами; ~ magnate амер. кру́пный коммерса́нт, капита́л кото́рого вло́жен в предприя́тия обще́ственного по́льзования; 7) attr. практи́чный, просто́й (о това́рах).

utility-man [ju:'tɪlɪtɪmæn] n 1) теа́тр. sl. актёр на выходны́х роля́х; 2) ма́стер на все ру́ки.

utilization [ˌju:tɪlaɪ'zeɪʃən] n испо́льзование, утилиза́ция.

utilize ['ju:tɪlaɪz] v испо́льзовать, утилизи́ровать.

utmost ['ʌtmoust] 1. a 1) са́мый отдалённый; 2) кра́йний, преде́льный; велича́йший; ~ secrecy глубо́кая та́йна; with the ~ pleasure с превели́ким удово́льствием;
2. n са́мое большо́е, всё возмо́жное; to do one's ~ сде́лать всё возмо́жное.

Utopia [ju:'toupjə] n уто́пия.

Utopian [ju:'toupjən] 1. a утопи́ческий;
2. n утопи́ст.

utricle ['ju:trɪkl] n биол. мешо́чек.

utter I ['ʌtə] v 1) издава́ть (звук); произноси́ть; 2) выража́ть слова́ми; to ~ a lie солга́ть; 3) пуска́ть в обраще́ние (особ. фальши́вые де́ньги); 4) уст. раскрыва́ть (та́йну и т. п.).

utter II ['ʌtə] a (превосх. ст. uttermost) 1) по́лный, соверше́нный, абсолю́тный; кра́йний; ~ refusal категори́ческий отка́з; 2) кра́йний, отъя́вленный; an ~ scoundrel отъя́вленный негодя́й; 3): ~ barrister адвока́т, не име́ющий зва́ния King's (или Queen's) Counsel; адвока́т, выступа́ющий в суде́, сто́я за барье́ром, отделя́ющим судью́ от подсуди́мых.

utterance ['ʌtərəns] n 1) выраже́ние, произнесе́ние; he gave ~ to his rage он разрази́лся гне́вом; 2) ди́кция; произноше́ние; мане́ра говори́ть; 3) дар сло́ва; 4) изрече́ние, выска́зывание; public ~ публи́чное заявле́ние.

utterly ['ʌtəlɪ] adv кра́йне, чрезвыча́йно; ~ ruined соверше́нно, по́лностью разорённый.

uttermost ['ʌtəmoust] 1. a 1) превосх. ст. om utter II; 2) кра́йний, располо́женный да́льше всех; the ~ ends of earth са́мые отдалённые райо́ны земли́;
2. n преде́л, вы́сшая сте́пень (чего́-л.); he did the ~ of his power он сде́лал всё, что бы́ло в его́ си́лах.

uvula ['ju:vjulə] n (pl -lae) анат. язычо́к.

uvulae ['ju:vjuli:] pl om uvula.

uvular ['ju:vjulə] a язычко́вый.

uxorious [ʌk'sɔːriəs] a 1) о́чень лю́бящий свою́ жену́; 2) сли́шком послу́шный жене́.

Uzbek [uz'bek] 1. a узбе́кский;
2. n 1) узбе́к; узбе́чка; 2) узбе́кский язы́к.

V

V, v [viː] *n* (*pl* Vs, V's [viːz]) 1) 22-я буква англ. алфавита; 2) что-л., имеющее форму буквы V; 3) *амер. разг.* пятидолларовая бумажка. •

V- [viː-] *в сложных словах* 1) означает связанный с победой, относящийся к победе; V-Day День победы; 2) *тех.* V-образный; клиновидный; V-belt клиновой ремень.

vac [væk] *разг.* 1. *n* 1) *сокр. от* vacation 1; 2) *сокр. от* vacuum-cleaner;
2. *v* чистить пылесосом.

vacancy ['veɪkənsɪ] *n* 1) пустота; 2) незанятый, незастроенный участок *или* промежуток; пустое, незанятое место; 3) пробел; пропуск; a ~ in one's knowledge пробел в знаниях; 4) вакансия, свободное место; 5) безучастность; рассеянность; 6) бездеятельность; 7) *амер.* помещение, сдающееся внаём.

vacant ['veɪkənt] *a* 1) пустой, незанятый, свободный; 2) вакантный, незанятый (*о должности*); 3) рассеянный, бессмысленный, безучастный, отсутствующий (*взгляд и т. п.*); 4) бездеятельный; 5) *тех.* холостой (*ход*).

vacantly ['veɪkəntlɪ] *adv* бессмысленно, безучастно, рассеянно.

vacate [və'keɪt] *v* 1) освобождать; покидать, оставлять; 2) упразднять; аннулировать. •

vacation [və'keɪʃən] 1. *n* 1) оставление; освобождение; 2) каникулы; the long ~ летние каникулы; 3) отпуск; 4) *attr.* отпускной; каникулярный; относящийся к отпуску *или* каникулам; ~ pay оплата отпуска;
2. *v амер.* отдыхать, брать отпуск.

vacationist [və'keɪʃənɪst] *n амер.* отдыхающий, отпускник.

vaccinate ['væksɪneɪt] *v мед.* 1) прививать оспу; 2) применять вакцину, вакцинировать, делать прививку.

vaccination [ˌvæksɪ'neɪʃən] *n мед.* 1) прививка оспы; 2) вакцинация.

vaccine ['væksiːn] *n мед.* 1) вакцина; 2) *attr.* вакцинный; ~ therapy вакцинотерапия.

vaccinia [væk'sɪnɪə] *n* коровья оспа.

vacillate ['væsɪleɪt] *v* 1) колебаться; проявлять нерешительность; 2) качаться; колебаться.

vacillating ['væsɪleɪtɪŋ] 1. *pres. p. от* vacillate;
2. *a* колеблющийся; нерешительный.

vacillation [ˌvæsɪ'leɪʃən] *n* 1) колебание; непостоянство; 2) шатание.

vacua ['vækjuə] *pl от* vacuum.

vacuity [væ'kjuːɪtɪ] *n* 1) отсутствие мысли; бессодержательность (*взгляда и т. п.*); 2) пустые, бессодержательные слова; «вода»; 3) *уст.* пустота.

vacuous ['vækjuəs] *a* 1) пустой (*преим. перен.*); ~ stare бессмысленный взгляд; 2) бездеятельный, праздный.

vacuum ['vækjuəm] 1. *n* (*pl* -s [-z], -cua) 1) *физ.* вакуум, безвоздушное пространство; 2) *разг.* пониженное давление (*по сравнению с атмосферным*); 3) *перен.* пустота; 4) *attr.* вакуумный;
2. *v разг.* чистить пылесосом.

vacuum brake ['vækjuəm'breɪk] *n* воздушный тормоз.

vacuum cleaner ['vækjuəm'kliːnə] *n* пылесос.

vacuum fan ['vækjuəm'fæn] *n тех.* эксгаустер, всасывающий вентилятор.

vacuum flask ['vækjuəm'flɑːsk] *n* термос.

vacuum-gauge ['vækjuəmgeɪdʒ] *n* вакуумметр.

vacuum-pump ['vækjuəmpʌmp] *n* вакуумнасос.

vacuum-tube ['vækjuəmtjuːb] *n радио* электронная лампа, вакуумная лампа.

vacuum-valve ['vækjuəmvælv] = vacuum-tube.

vade-mecum ['veɪdɪ'miːkəm] *лат. n* карманный справочник; путеводитель.

vagabond ['vægəbənd] 1. *n* 1) бродяга; 2) бездельник; мерзавец;
2. *a* бродячий;
3. *v* скитаться; бродяжничать.

vagabondage ['vægəbəndɪdʒ] *n* 1) бродяжничество; 2) *собир.* бродяги.

vagabondism ['vægəbəndɪzəm] *n* бродяжничество.

vagabondize ['vægəbəndaɪz] *v* скитаться, бродяжничать.

vagarious [və'gɛərɪəs] *a* капризный, странный.

vagary ['veɪgərɪ] *n* каприз, причуда; выходка.

vagina [və'dʒaɪnə] *n* (*pl* -nae, -s [-z-]) *анат., бот.* влагалище.

vaginae [və'dʒaɪniː] *pl от* vagina.

vaginal [və'dʒaɪnəl] *a анат.* влагалищный.

vagrancy ['veɪgrənsɪ] *n* 1) бродяжничество; 2) выходка; причуда.

vagrant ['veɪgrənt] 1. *n* бродяга; праздношатающийся;
2. *a* 1) бродячий; странствующий; 2) изменчивый; блуждающий (*о взгляде и т. п.*).

vague [veɪg] *a* 1) неопределённый, неясный, смутный; ~ hopes смутные надежды; ~ rumours неопределённые слухи; resemblance отдалённое сходство; I have not the ~st notion what to do не имею ни малейшего понятия, что делать; he was very ~ on this point по этому вопросу он не высказал определённого мнения; 2) рассеянный; отсутствующий (*о взгляде и т. п.*).

vail I [veɪl] *n* (*сокр. от* avail) (*обыкн. pl*) *уст.* чаевые; взятка.

vail II [veɪl] *v* 1) *уст., поэт.* склонять (*оружие, знамёна*); 2) уступать; склоняться (*to* — *перед кем-л.*); 3) снимать (*шляпу*); 4) наклонять (*голову*); опускать (*глаза*).

vain [veɪn] *a* 1) тще́тный, напра́сный; ~ efforts напра́сные уси́лия; 2) пусто́й; су́етный; 3) мишу́рный, показно́й; 4) тщесла́вный, по́лный самомне́ния; to be ~ of smth. горди́ться чем-л.; 5) глу́пый; ◇ in ~ напра́сно, тще́тно, всу́е; to take smb.'s name in ~ говори́ть о ком-л. без до́лжного уваже́ния; to take God's name in ~ богоху́льствовать.

vainglorious [veɪnˈglɔːrɪəs] *a* тщесла́вный; хвастли́вый.

vainglory [veɪnˈglɔːrɪ] *n* тщесла́вие; хвастли́вость.

vainly [ˈveɪnlɪ] *adv* 1) напра́сно, тще́тно; 2) тщесла́вно.

vakeel, vakil [væˈkiːl] *n* англо-инд. 1) представи́тель; 2) посла́нник; 3) адвока́т.

valance [ˈvæləns] *n* подзо́р (*у кровати*); балдахи́н.

vale I [veɪl] *n* 1) *поэт.* дол, доли́на; this ~ of tears (*или* of woe, of misery) «юдо́ль слёз», «юдо́ль печа́ли»; 2) кана́вка для сто́ка воды́.

vale II [ˈveɪlɪ] *лат. ритор.* 1. *n* проща́ние; to say (*или* to take) one's ~ проща́ться;
2. *int* проща́й(те)!

valediction [ˌvælɪˈdɪkʃən] *n* 1) проща́ние; 2) проща́льная речь, проща́льные пожела́ния.

valedictorian [ˌvælɪdɪkˈtɔːrɪən] *n* амер. студе́нт-выпускни́к, произнося́щий проща́льную речь.

valedictory [ˌvælɪˈdɪktərɪ] 1. *n* 1) проща́льная речь; 2) проща́льное сло́во, напу́тствие;
2. *a* проща́льный.

valence I [ˈvæləns] = valance.

valence II [ˈveɪləns] = valency.

Valenciennes [ˌvælənsɪˈen] *фр. n* валансье́нские кружева́.

valency [ˈveɪlənsɪ] *n* хим. 1) вале́нтность, а́томность; 2) *attr.* вале́нтный; ~ link вале́нтная связь.

-valent [-ˈveɪlənt] *в сложных словах* -вале́нтный.

valentine [ˈvæləntaɪn] *n* 1) возлю́бленный, возлю́бленная (*выбираемые в шутку обыкн. 14-го февраля, в день св. Валенти́на*); 2) любо́вное *или* шутли́вое посла́ние, стихи́, посыла́емые в день св. Валенти́на [*см.* 1)].

valerian [vəˈlɪərɪən] *n* 1) *бот.* валерья́на; 2) валерья́новые ка́пли.

valerianic [vəˌlɪərɪˈænɪk] *a* валерья́новый.

valeric [vəˈlɪərɪk] = valerianic.

valet [ˈvælɪt] 1. *n* слуга́, камерди́нер; 2. *v* служи́ть камерди́нером.

valetudinarian [ˈvælɪˌtjuːdɪˈnɛərɪən] 1. *a* боле́зненный; мни́тельный;
2. *n* боле́зненный *или* мни́тельный челове́к; челове́к сла́бого здоро́вья. Г

valetudinarianism [ˈvælɪˌtjuːdɪˈnɛərɪənɪzəm] *n* боле́зненность; мни́тельность.

valetudinary [ˌvælɪˈtjuːdɪnərɪ] = valetudinarian.

Valhalla [vælˈhælə] *n* 1) *сканд. миф.* Валга́лла; 2) пантео́н.

valiancy [ˈvæljənsɪ] *n* хра́брость, до́блесть.

valiant [ˈvæljənt] 1. *a* 1) хра́брый, до́блестный (*человек*); 2) герои́ческий (*посту́пок*);
2. *n* хра́брый челове́к.

valid [ˈvælɪd] *a* 1) юр. действи́тельный, име́ющий си́лу; the contract is ~ догово́р в си́ле; the ticket is ~ for a month биле́т действи́телен в тече́ние ме́сяца; 2) ве́ский, обосно́ванный (*довод, возражение*); 3) *уст.* кре́пкий, здоро́вый.

validate [ˈvælɪdeɪt] *v* 1) утвержда́ть, ратифици́ровать; 2) объявля́ть действи́тельным, придава́ть зако́нную си́лу.

validation [ˌvælɪˈdeɪʃən] *n* утвержде́ние, ратифика́ция.

validity [vəˈlɪdɪtɪ] *n* 1) действи́тельность, зако́нность; 2) ве́скость, обосно́ванность.

valise [vəˈliːz] *n* 1) *амер., уст.* саквоя́ж, чемода́н; 2) *воен.* ра́нец; переме́тная сума́.

Valkyr(ie) [ˈvælkɪr(ɪ)] *n* сканд. миф. валькирия.

valley [ˈvælɪ] *n* 1) доли́на; 2) архит. ендова́, разжело́бок; 3) тех. жёлоб.

valor [ˈvælə] *амер.* = valour.

valorize [ˈvæləraɪz] *v* устана́вливать и подде́рживать определённые це́ны путём госуда́рственных мероприя́тий (*напр., поку́пкой по повы́шенным це́нам, за́ймами и т. п.*).

valorous [ˈvælərəs] *a* поэт. до́блестный.

valour [ˈvælə] *n* до́блесть.

valuable [ˈvæljuəbl] 1. *a* 1) це́нный; дорого́й; a ~ picture це́нная карти́на; 2) це́нный, поле́зный; he gave me ~ information он сообщи́л мне це́нные све́дения; 3) *редк.* поддаю́щийся оце́нке;
2. *n* (*обыкн. pl*) це́нные ве́щи; драгоце́нности.

valuation [ˌvæljuˈeɪʃən] *n* оце́нка (*иму́щества*); to take smb. at his own ~ принима́ть челове́ка за того́, за кого́ он себя́ выдаёт.

value [ˈvæljuː] 1. *n* 1) це́нность; of no ~ нестоя́щий, не име́ющий це́нности; to put much (little) ~ upon smth. высоко́ (ни́зко) цени́ть что-л.; 2) сто́имость; цена́; справедли́вое возмеще́ние; they paid him the ~ of his lost property они́ возмести́ли ему́ сто́имость его́ пропа́вшего иму́щества; to get a good ~ for one's money получи́ть сполна́ за свои́ де́ньги; 3) эк. сто́имость; surplus ~ приба́вочная сто́имость; exchange ~ мелова́я сто́имость; 4) оце́нка; 5) значе́ние (*слова, обещания и т. п.*); 6) *мат.* величина́, значе́ние; 7) *муз.* дли́тельность (*ноты*); 8) *жив.* сочета́ние све́та и те́ни в карти́не;
2. *v* 1) оце́нивать; 2) дорожи́ть, цени́ть; he ~s himself on his knowledge он горди́тся свои́ми зна́ниями; I do not ~ that a brass farthing ≅ по-мо́ему, э́то гроша́ ло́маного не сто́ит.

valued [ˈvæljuːd] 1. *p. p. от* value 2;
2. *a* це́нный; цени́мый; высоко́ оценённый; ~ opinion це́нное мне́ние.

valueless [ˈvæljulɪs] *a* ничего́ не сто́ящий, бесполе́зный.

valuer ['væljuə] *n* оце́нщик.

valuta [vɑ:'luːtɑ:] *n* валю́та.

valve [vælv] **1.** *n* 1) кла́пан, ве́нтиль; золотни́к; 2) ство́рка (*раковины*); ство́рка семенно́й коро́бочки; 3) кла́пан (*сердца*); 4) *радио* электро́нная ла́мпа; 5) *муз.* писто́н, ве́нтиль; 6) *attr.* ла́мповый; 7) *attr.* кла́панный;
2. *v* 1) подава́ть *или* пита́ть че́рез кла́пан; 2) снабжа́ть кла́паном.

valved [vælvd] **1.** *p. p. от* valve 2;
2. *a* ство́рчатый, име́ющий кла́паны.

valve set ['vælv'set] *n* ра́дио ла́мповый приёмник.

valvular ['vælvjulə] *a* 1) *мед.:* ~ insufficiency недоста́точность кла́панов се́рдца; 2) кла́панный, открыва́ющийся при по́мощи кла́панов.

valvule ['vælvjuːl] *n* небольшо́й кла́пан.

vamoos(e) [væ'muːs] *v sl.* уходи́ть, убира́ться; удира́ть.

vamose [və'mous] = vamoos(e).

vamp I [væmp] **1.** *n* 1) передо́к (*ботинка*); сою́зка; 2) запла́та; 3) что-л., почи́ненное на ско́рую ру́ку; 4) *муз.* импровизи́рованный аккомпанеме́нт;
2. *v* 1) ста́вить но́вый передо́к (*на боти́нок*); 2) чини́ть, лата́ть (*обыкн.* ~ up); 3) компили́ровать (*тж.* ~ up); 4) *муз.* импровизи́ровать аккомпанеме́нт.

vamp II [væmp] *разг.* **1.** *n* авантюри́стка; соблазни́тельница;
2. *v* 1) завлека́ть; 2) выма́нивать де́ньги.

vampire ['væmpaɪə] *n* 1) вампи́р, упы́рь; 2) вампи́р (*южноамериканская летучая мышь*); 3) вымога́тель, кровопи́йца; 4) = vamp II, 1; 5) *театр.* люк, «прова́л».

vampire bat ['væmpaɪə'bæt] = vampire 2).

van I [væn] *n* (*сокр. от* vanguard) аванга́рд; to be in the ~, to lead the ~ быть впереди́, в аванга́рде.

van II [væn] **1.** *n* (*сокр. от* caravan) 1) фурго́н; 2) бага́жный *или* това́рный ваго́н.
2. *v* перевози́ть в фурго́не, това́рном ваго́не *и т. п.*

van III [væn] *n уст.* 1) ве́ялка; 2) *поэт.* крыло́ пти́цы.

vanadium [və'neɪdjəm] *n хим.* вана́дий.

vandal ['vændəl] **1.** *n* 1) ванда́л, ва́рвар; 2) *ист.* ванда́л;
2. *a* ва́рварский.

vandalism ['vændəlɪzəm] *n* вандали́зм, ва́рварство.

vandalize ['vændəlaɪz] *v* ва́рварски относи́ться к произведе́ниям иску́сства, разруша́ть.

Vandyke [væn'daɪk] 1) боро́дка кли́ном (*тж.* ~ beard); 2) кружевно́й воротни́к с зубца́ми (*тж.* ~ collar).

Vandyke brown [væn'daɪk'braun] *n* отте́нок тёмно-кори́чневой кра́ски.

vane [veɪn] *n* 1) флю́гер; 2) крыло́ (*ветряной мельницы, вентилятора*); ло́пасть (*винта*); лопа́тка (*турбины*); стабилиза́тор (*авиабомбы*); 3) ползу́н, визи́рка (*на нивели́рной рейке*); дио́птр.

vanguard ['vængɑ:d] *n воен.* головно́й отря́д, аванга́рд.

vanilla [və'nɪlə] *n* вани́ль.

vanillin ['vænɪlɪn] *n хим.* ванили́н.

vanish ['vænɪʃ] **1.** *v* 1) исчеза́ть, пропада́ть; 2) *мат.* стреми́ться к нулю́;
2. *n фон.* скольже́ние.

vanishing ['vænɪʃɪŋ] **1.** *pres. p. от* vanish 1;
2. *a* исчеза́ющий; ~ fraction *мат.* дробь, стремя́щаяся к нулю́.

vanishing-line ['vænɪʃɪŋlaɪn] *n* ли́ния схо́да (*параллельных плоскостей*).

vanishing-point ['vænɪʃɪŋpɔɪnt] *n* то́чка схо́да (*параллельных линий*); *перен.* кра́йний преде́л.

vanity ['vænɪtɪ] *n* 1) суета́, су́етность; тщета́; 2) тщесла́вие; 3) = vanity bag; ◇ V. Fair я́рмарка тщесла́вия.

vanity bag ['vænɪtɪ'bæg] *n* да́мская су́мочка, су́мка.

vanity box ['vænɪtɪ'bɔks] = vanity bag.

vanity case ['vænɪtɪ'keɪs] = vanity bag.

vanquish ['væŋkwɪʃ] *v* 1) побежда́ть; покоря́ть; 2) преодолева́ть, подавля́ть (*какое-л. чувство и т. п.*).

vanquisher ['væŋkwɪʃə] *n* победи́тель; покори́тель.
Г
vantage ['vɑ:ntɪdʒ] *n* преиму́щество; to have (*или* to hold, to take) smb. at a (*или* the) ~ име́ть преиму́щество пе́ред кем-л.

vantage-ground ['vɑ:ntɪdʒgraund] *n* удо́бная, вы́годная пози́ция, пункт наблюде́ния.

vantage-point ['vɑ:ntɪdʒpɔɪnt] = vantage-ground.

vapid ['væpɪd] *a* 1) безвку́сный, пре́сный; ~ beer вы́дохшееся пи́во; 2) пло́ский; ску́чный, вя́лый, бессодержа́тельный; ~ conversation пусто́й разгово́р.

vapidity [væ'pɪdɪtɪ] *n* безвку́сность *и пр.* [*см.* vapid].

vapor ['veɪpə] *амер.* = vapour.

vaporarium [,veɪpə'rɛərɪəm] = vapour bath.

vaporescence [,veɪpə'resns] *n* парообразова́ние.

vaporization [,veɪpəraɪ'zeɪʃən] *n* испаре́ние; парообразова́ние; выпа́ривание.

vaporize ['veɪpəraɪz] *v* испаря́ть(ся).

vaporizer ['veɪpəraɪzə] *n* испари́тель.

vaporous ['veɪpərəs] *a* 1) парообра́зный; 2) тума́нный; напо́лненный пара́ми; 3) нереа́льный, пусто́й; 4) *уст. мед.* образу́ющий га́зы.

vapour ['veɪpə] **1.** *n* 1) пар; пары́; 2) тума́н; 3) не́что нереа́льное, химе́ра, фанта́зия; 4) *уст.* пусто́е хвастовство́; 5) *pl уст.* ипохо́ндрия; сплин;
2. *v* 1) испаря́ться; 2) болта́ть по́пусту; 3) бахва́литься.

vapour bath ['veɪpə'bɑ:θ] *n* парова́я ва́нна, парова́я ба́ня.

vapourish ['veɪpərɪʃ] *a* i) хвастли́вый; 2) страда́ющий ипохо́ндрией.

vapour trail ['veɪpə'treɪl] *n* след самолёта в разрежённом во́здухе.

vapoury ['veɪpərɪ] *a* 1) тума́нный; затума́ненный; 2) уны́лый; 3) возду́шный; га́зовый (*о материи*).

varan ['værən] *n зоол.* вара́н.

Varangian [vəˈrændʒɪən] *ист.* 1. *a* варяжский;
2. *n* варяг.

variability [,vεərɪəˈbɪlɪtɪ] *n* изменчивость, непостоянство.

variable [ˈvεərɪəbl]· 1. *a* 1) изменчивый, непостоянный; 2) переменный (*тж. мат.*); 3) *биол.* отклоняющийся от вида, типа *и т. п.*; имеющий тенденцию к изменению;
2. *n* 1) *мат.* переменная (величина); 2) *мор.* ветер, меняющий направление; 3) *pl мор.* части океана, где нет постоянного ветра.

variance [ˈvεərɪəns] *n* 1) разногласие; размолвка; to be at ~ а) расходиться во мнениях; находиться в противоречии; on that point we are at ~ в этом вопросе наши мнения расходятся; б) быть в ссоре; to set at ~ вызывать конфликт, приводить к столкновению; ссорить; 2) изменение; 3) *биол.* отклонение от вида, типа *и т. п.*; 4) расхождение, несоответствие.

variant [ˈvεərɪənt] 1. *n* вариант;
2. *a* 1) отличный от других, иной; ~ reading разночтение; 2) различный; ~ results различные результаты.

variation [,vεərɪˈeɪʃən] *n* 1) изменение, перемена; ~s of temperature изменения температуры; 2) разновидность; вариант; 3) отклонение; 4) *мат., муз.* вариация; 5) *эл.* колебание; 6) склонение магнитной стрелки.

varicella [,værɪˈselə] *n мед.* ветряная оспа.

varicoloured [ˈvεərɪ,kʌləd] *a* 1) разноцветный; 2) разнообразный.

varicose [ˈværɪkous] *a мед.* расширенный, варикозный (*о вене*).

varied [ˈvεərɪd] 1. *p. p. от* vary;
2. *a* 1) различный; 2) разнообразный.

variegate [ˈvεərɪgeɪt] *v* 1) делать пёстрым, раскрашивать в разные цвета; 2) разнообразить.

variegated [ˈvεərɪgeɪtɪd] 1. *p. p. от* variegate;
2. *a* 1) разноцветный; пёстрый; 2) разнообразный; неоднородный, смешанный.

variegation [,vεərɪˈgeɪʃən] *n* пёстрая раскраска.

variety [vəˈraɪətɪ] *n* 1) разнообразие; 2) многосторонность; I was struck by the ~ of his attainments меня поразила его разносторонность; 3) ряд, множество; for a ~ of reasons по целому ряду причин; 4) сорт, вид; 5) = variety show; 6) *биол.* разновидность; вид.

variety entertainment [vəˈraɪətɪ,entəˈteɪnmənt] ▪ variety show.

variety show [vəˈraɪətɪˈʃou] *n* варьете, эстрадное представление, эстрадный концерт.

variform [ˈvεərɪfɔːm] *a* имеющий различные формы.

variola [vəˈraɪələ] *n мед.* оспа.

variolate [ˈvεərɪəleɪt] *v мед.* прививать оспу.

variometer [,vεərɪˈɔmɪtə] *n эл.* вариометр.

variorum [,vεərɪˈɔːrəm] *n* 1) издание с примечаниями различных комментаторов;

2) издание, содержащее различные варианты одного текста.

various [ˈvεərɪəs] 1. *a* 1) различный, разный; 2) (*с сущ. во мн. ч.*) многие, разные; there are ~ reasons for believing so есть ряд оснований так думать; 3) разнообразный; разносторонний;
2. *n разг.* некоторые (лица).

varlet [ˈvɑːlɪt] *n* 1) *ист.* прислужник, слуга; 2) *уст.* мошенник, негодяй.

varment, varmint [ˈvɑːmɪnt] *n* 1) *разг., шутл.* шалопай, шалун; 2) (the ~) *охот. sl.* лиса; 3) *диал.* = vermin.

varnish [ˈvɑːnɪʃ] 1. *n* 1) лак; 2) глянец; 3) лоск, внешний налёт; 4) *перен.* прикрытие, маскировка; 5) *тех.* глазурь;
2. *v* 1) лакировать, покрывать лаком (*тж.* ~ over); 2) придавать лоск; 3) прикрывать, прикрашивать (*недостатки*).

varnishing-day [ˈvɑːnɪʃɪŋdeɪ] *n* день накануне открытия выставки (*когда художники могут подправить картины, покрыть их лаком и т. п.*).

varsity, 'varsity [ˈvɑːsɪtɪ] *n* (*сокр. от* university) *разг.* 1) университет; 2) *attr.* университетский; ~ team университетская спортивная команда.

vary [ˈvεərɪ] *v* 1) менять(ся), изменять(ся); to ~ directly (inversely) as *мат.* изменяться прямо (обратно) пропорционально; 2) разниться; расходиться; opinions ~ on this point мнения на этому вопросу расходятся; 3) разнообразить; 4) *муз.* украшать вариациями; исполнять вариации.

vascular [ˈvæskjulə] *a анат.* сосудистый; ~ system сосудистая система.

vase [vɑːz, *амер.* veɪs, veɪz] *n* ваза.

vaseline [ˈvæsɪliːn] *n* вазелин.

vase-painting [ˈvɑːz,peɪntɪŋ] *n* вазовая живопись.

vassal [ˈvæsəl] *n* 1) *ист.* вассал; 2) вассал, зависимое лицо; 3) слуга; 4) *attr.* вассальный; подчинённый.

vassalage [ˈvæsəlɪdʒ] *n* 1) *ист.* вассальная зависимость; 2) *перен.* зависимость, рабство.

vast [vɑːst] 1. *a* 1) обширный, громадный; безбрежный; ~ plains необозримые равнины; 2) многочисленный; 3) *разг.* огромный; it makes a ~ difference это полностью меняет дело;
2. *n поэт.* простор; the ~ of ocean простор океана.

vastly [ˈvɑːstlɪ] *adv* 1) значительно, в значительной степени; 2) *разг.* очень, крайне; I shall be ~ obliged я буду очень благодарен.

vasty [ˈvɑːstɪ] = vast 1.

vat [væt] *n* 1) чан, бак, цистерна; 2) бочка, кадка, ушат; 3) *attr.* кубовой; ~ colours кубовые красители.

vatic [ˈvætɪk] *a* пророческий.

Vatican [ˈvætɪkən] *n* Ватикан.

Vaticanism [ˈvætɪkənɪzəm] *n* догмат непогрешимости папы.

vaticinate [væˈtɪsɪneɪt] *v ритор.* пророчествовать, предсказывать.

vaticination [,vætɪsɪˈneɪʃən] *n ритор.* пророчество, предсказание.

vaudeville ['voudəvil] *n* 1) водевиль; 2) *амер.* варьете, эстрадное представление.

vault I [vɔːlt] 1. *n* 1) свод; the ~ of heaven небесный свод; 2) подвал, погреб, склеп (*со сводом*); wine ~ винный погреб; family ~ фамильный склеп;
2. *v* выводить свод, возводить свод (*над чем-л.*).

vault II [vɔːlt] 1. *n* прыжок (*с упором или шестом*);
2. *v* 1) прыгать, перепрыгивать (*особ. опираясь на что-л.*); 2) вольтижировать.

vaulted I ['vɔːltɪd] 1. *p. p. от* vault I, 2;
2. *a* сводчатый.

vaulted II ['vɔːltɪd] *p. p. от* vault II, 2.

vaulting I ['vɔːltɪŋ] 1. *pres. p. от* vault I, 2;
2. *n* 1) возведение свода; 2) свод, своды.

vaulting II ['vɔːltɪŋ] 1. *pres. p. от* vault II, 2;
2. *n* прыжки; вольтижировка.

vaulting-horse ['vɔːltɪŋhɔːs] *n* козёл, кобыла (*для гимнастики*).

vaunt [vɔːnt, *амер.* vɑːnt] 1. *n* хвастовство;
2. *v* 1) хвастаться (of — *чем-л.*); 2) злорадствовать (over — по поводу *чего-л.*); 3) превозносить.

vavasour ['vævəsuə] *n ист.* подвассал.

V-Day ['viːdeɪ] *n* День победы.

've [v] *сокр. разг.* = have.

veal [viːl] *n* 1) телятина; 2) *attr.* телячий (*о кушанье*).

vector ['vektə] 1. *n* 1) *мат.* вектор; 2) носитель болезни, заразы; 3) *attr.* векторный; ~ equation векторное уравнение.
2. *v* направлять, наводить, придавать направление.

Veda ['veɪdə] *n*: the ~(s) Веды (*священные книги древних индусов*).

V-E Day ['viːˈiːdeɪ] *n* День победы (над Германией во второй мировой войне).

vedette [vɪˈdet] *n* 1) конный часовой; кавалерийский пост; 2) дозорное судно (*тж.* ~ boat).

veer I [vɪə] 1. *n* перемена направления;
2. *v* 1) менять направление; 2) менять направление, *особ.* по движению часовой стрелки (*о ветре*); the wind ~s aft ветер отходит; 3) *мор.* поворачивать через фордевинд; 4) изменять (*взгляды и т. п.; часто* ~ round).

veer II [vɪə] *v мор.* травить (*конец, якорную цепь; тж.* ~ away, ~ out); ~ and haul травить и выбирать.

veering I ['vɪərɪŋ] 1. *pres. p. от* veer I, 2;
2. *n* поворот.

veering II ['vɪərɪŋ] *pres. p. от* veer II.

vegetable ['vedʒɪtəbl] 1. *n* овощ; green ~s зелень, овощи; ◇ to become a mere ~ прозябать, жить растительной жизнью;
2. *a* 1) растительный; ~ physiology физиология растений; ~ oil растительное масло; ~ life а) растительная жизнь; б) *собир.* растения; 2) овощной; ~ dish овощное блюдо.

vegetal ['vedʒɪtl] *a* растительный.

vegetarian [ˌvedʒɪˈtɛərɪən] 1. *n* вегетарианец;

2. *a* вегетарианский; ~ restaurant вегетарианский ресторан.

vegetarianism [ˌvedʒɪˈtɛərɪənɪzəm] *n* вегетарианство.

vegetate ['vedʒɪteɪt] *v* 1) расти, произрастать; 2) прозябать; жить растительной жизнью.

vegetation [ˌvedʒɪˈteɪʃən] *n* 1) растительность; tropical ~ тропическая растительность; 2) произрастание; 3) прозябание; растительная жизнь; 4) *attr.* вегетационный; ~ period вегетационный период (*растения*).

vegetative ['vedʒɪtətɪv] *a* 1) растительный, вегетативный; 2) прозябающий; живущий растительной жизнью.

vehemence ['viːməns] *n* сила; страстность, горячность.

vehement ['viːmənt] *a* сильный; неистовый; страстный.

vehicle ['viːɪkl] *n* 1) перевозочное средство (*автомобиль, вагон, повозка и т. п.*); 2) летательный аппарат; escape ~, space ~ космический корабль; 3) средство выражения и распространения (*мыслей*); 4) проводник (*звука, света, заразы и т. п.*); 5) растворитель; связующее вещество.

vehicular [vɪˈhɪkjulə] *a* 1) перевозочный; 2) автомобильный; ~ transport автогужевой транспорт.

veil [veɪl] 1. *n* 1) покрывало; вуаль; чадра; 2) покров, завеса; пелена; to draw (*или* to cast, to throw) a (*или* the) ~ over smth. опустить завесу над чем-л.; обойти молчанием что-л.; 3) предлог; маска; under the ~ of под предлогом, под видом; ◇ to take the ~ постричься в монахини; to pass beyond the ~ умереть;
2. *v* 1) закрывать покрывалом, вуалью; 2) скрывать, прикрывать; маскировать.

veiling ['veɪlɪŋ] 1. *pres. p. от* veil 2;
2. *n* 1) вуалирование, прикрывание; 2) материал для вуали.

vein [veɪn] *n* 1) вена; кровеносный сосуд; 2) жилка (*листа*); прожилка (*крылышка насекомого*); 3) жилка, склонность; 4) настроение; to be in the ~ for smth. быть в настроении делать что-л.; in the same ~ в том же духе, в том же роде; 5) *мин.* жила.

veined [veɪnd] *a* испещрённый жилками, прожилками.

veinstone ['veɪnstoun] *n геол.* руда из жилы, жильная порода.

veiny ['veɪnɪ] *a* 1) = veined; 2) жилистый; с напухшими жилами.

vela ['viːlə] *pl от* velum.

velar ['viːlə] *фон.* 1. *a* велярный, задненёбный;
2. *n* велярный, задненёбный звук.

velaria [vɪˈlɛərɪə] *pl от* velarium.

velarium [vɪˈlɛərɪəm] *n* (*pl* -ria) навес, тент.

veld(t) [velt] *n южно-афр.* степь.

velleity [veˈliːɪtɪ] *n* пассивное желание.

vellum ['veləm] *n* 1) тонкий пергамент; 2) калька, восковка; 3) *attr.*: ~ paper веленевая бумага; ~ cloth чертёжная калька.

velocipede [vɪˈlɔsɪpiːd] *n* 1) трёхколёсный велосипед; 2) дрезина.

velocity [vɪ'lɔsɪtɪ] n 1) скорость; быстрота; initial ~ начальная скорость; 2) attr.: ~ gauge mex. тахометр.

velodrome ['viːlədroum] n велодром.

velours [ve'luə] фр. n 1) велюр; драп-велюр; плюш; 2) велюровая шляпа; 3) attr. велюровый; плюшевый.

velum ['viːləm] .n (pl vela) анат. мягкое нёбо.

velvet ['velvɪt] 1. n 1) бархат (тж. silk ~); cotton ~ вельвет, плис; 2) разг. выгода, неожиданный доход, выигрыш; to be on ~ sl. а) материально преуспевать; б) быть гарантированным от случайностей и неудач (особ. в денежных вопросах); 2. a 1) бархатный; 2) бархатистый.

velveteen ['velvɪ'tiːn] n вельветин.

velveting ['velvɪtɪŋ] n собир. изделия из бархата.

velvety ['velvɪtɪ] a бархатистый.

vena ['viːnə] n (pl venae) анат. вена.

venae ['viːniː] pl от vena.

venal ['viːnl] a продажный; подкупной; корыстный.

venality [viː'nælɪtɪ] n продажность.

venation [viː'neɪʃən] n бот. нервация, жилкование.

vend [vend] v продавать; торговать.

vendee [ven'diː] n юр. покупатель.

vender ['vendə] n продавец; торговец; торговец, продающий товар вразнос.

vendetta [ven'detə] um. n вендетта, кровная месть.

vendible ['vendəbl] 1. a 1) годный для продажи; 2) = venal;
2. n pl товары для продажи.

vending machine ['vendɪŋmə'ʃiːn] n автомат (для продажи мелких предметов).

vendor ['vendɔ] n 1) юр. продавец; 2) = vender; 3) = vending machine.

veneer [vɪ'nɪə] 1. n 1) шпон; однослойная фанера; 2) (кирпичная) облицовка; наружный слой; 3) внешний лоск, налёт (чего-л. показного); 4) attr. фанерный;
2. v 1) обклеивать фанерой; 2) покрывать тонким слоем (чего-л.); облицовывать; 3) придавать внешний лоск (чему-л.); маскировать (что-л.).

venerable ['venərəbl] a 1) почтенный; ~ age почтенный возраст; 2) церк. преподобный (как титул); 3) древний, освящённый веками.

venerate ['venəreɪt] v благоговеть (перед кем-л.), чтить.

veneration [,venə'reɪʃən] n благоговение, почитание.

venerator ['venəreɪtə] n почитатель.

venereal [vɪ'nɪərɪəl] a 1) сладострастный; 2) мед. венерический.

venereologist [vɪ,nɪərɪ'ɔledʒɪst] n венеролог.

venery I ['venərɪ] n уст. 1) половое влечение; 2) половые излишества; разврат; распущенность.

venery II ['venərɪ] n уст. охота.

venesection [,venɪ'sekʃən] n мед. вскрытие вены, кровопускание.

Venetian [vɪ'niːʃən] 1. a венецианский; ~ window венецианское окно; ~ blind подъёмные жалюзи; ~ mast разноцветная мачта (при оформлении улиц); ~ pearl искусственный жемчуг;
2. n венецианец; венецианка.

Venezuelan [,vene'zweɪlən] 1. a венесуэльский;
2. n житель Венесуэлы.

vengeance ['vendʒəns] n месть, мщение; fearful ~ страшная месть; to take (или to inflict) ~ on (или upon) smb. отомстить кому-л.; ◇ with a ~ разг. а) здорово; вовсю; чрезвычайно; б) в большом количестве с лихвой; в полном смысле слова.

vengeful ['vendʒful] a мстительный.

venial ['viːnjəl] a простительный; а ~ error простительная ошибка.

veniality [,viːnɪ'ælɪtɪ] n простительность.

venire [vɪ'niːrɪ] n юр. предписание, вызывающее присяжного в суд.

venison ['venzn, амер. 'venɪzn] n оленина.

venom ['venəm] n 1) яд (животного происхождения, особ. змеиный); 2) злоба, яд.

venomous ['venəməs] a 1) ядовитый; 2) злобный.

venose ['viːnous] a бот. жилковатый.

venous ['viːnəs] a 1) анат. венозный; 2) = venose.

vent [vent] 1. n 1) входное или выходное отверстие; вентиляционное отверстие; отдушина; 2) выход; выражение; to give ~ to one's feelings отвести душу, дать выход своим чувствам; to find ~ найти выход; 3) клапан (духового инструмента); 4) задний проход (у птиц и т. п.); 5) воен. запал, запальное отверстие; 6) полюсное отверстие (парашюта);
2. v 1) сделать отверстие (в чём-л.); 2) выпускать (дым и т. п.), испускать; 3) давать выход (напр., чувству); изливать (злобу и т. п.; ~ up — на кого-л.); высказать, выразить.

ventage ['ventɪdʒ] n 1) отдушина; 2) клапан (духового инструмента).

venter ['ventə] n 1) анат., зоол. живот; 2) юр.: by one ~ единоутробный.

vent-hole ['venthoul] n 1) отдушина; 2) mex. окно.

ventiduct ['ventɪdʌkt] n вентиляционная труба, отверстие.

ventilate ['ventɪleɪt] v 1) проветривать, вентилировать; 2) снабжать клапаном, отдушиной; 3) обсуждать, выяснять (вопрос); 4) высказывать, доводить до сведения.

ventilation [,ventɪ'leɪʃən] n 1) проветривание; вентиляция; 2) обсуждение, выяснение (вопроса).

ventilator ['ventɪleɪtə] n вентилятор.

vent-peg ['ventpeg] n mex. втулка.

vent-pipe ['ventpaɪp] n вытяжная труба.

ventral ['ventrəl] a анат., зоол. брюшной; ~ fin брюшной плавник.

ventricle ['ventrɪkl] n анат., зоол. желудочек.

ventriloquism [ven'trɪləkwɪzəm] n чревовещание.

ventriloquist [ven'trɪləkwɪst] n чревовещатель.

ventriloquize [ven'trɪləkwaɪz] *v* чревове-
щáть.

venture ['ventʃə] 1. *n* 1) рискóванное
предприятие; at a ~ наугáд; наудáчу; to
run the ~ рисковáть; 2) спекуляция; 3)
сýмма, подвергáемая рýску; стáвка;
2. *v* 1) рисковáть (*чем-л.*); стáвить на
кáрту; to ~ one's life рисковáть жúзнью;
2) отвáжиться, решúться; осмéлиться (*тж.*
~ on, ~ upon); he ~d (upon) a remark
он позвóлил себé сдéлать замечáние; ◇ nothing ~, nothing have *посл.* ≅ риск — бла-
горóдное дéло; волкóв боя́ться — в лес не
ходúть.

venturer ['ventʃərə] *n* 1) предпринимáтель, идýщий на риск; 2) авантюрúст; 3)
ист. член торгóвой компáнии (*особ. XVI—
XVII вв.*).

venturesome ['ventʃəsəm] *a* 1) смéлый;
безрассýдно хрáбрый; 2) азáртный; идýщий на риск; 3) рискóванный, опáсный.

venturous ['ventʃərəs] = venturesome.

venue ['venju:] *n* 1) *юр.* судéбный óкруг,
в котóром должнó слýшаться дéло; to change
the ~ перевестú разбóр дéла в другóй
óкруг; 2) *разг.* мéсто сбóра, встрéчи.

Venus ['vi:nəs] *n* миф., астр. Венéра.

veracious [ve'reɪʃəs] *a* 1) правдúвый;
2) достовéрный, вéрный.

veracity [ve'ræsɪtɪ] *n* 1) правдúвость;
2) тóчность, достовéрность; 3) прáвда,
правдúвое выскáзывание.

veranda(h) [və'rændə] *n* верáнда.

verb [və:b] *n* глагóл.

verbal ['və:bəl] *a* 1) ýстный; ~ contract
ýстное соглашéние; 2) словéсный; his
sympathy is only ~ егó сочýвствие не идёт
дáльше слов; 3) буквáльный; ~ translation
буквáльный перевóд; 4) глагóльный; от-
глагóльный; ~ noun отглагóльное суще-
ствúтельное; 5) *дип.* вербáльный.

verbalism ['və:bəlɪzəm] *n* 1) педантúзм,
буквоéдство; 2) пустые словá; 3) многосло́-
вие.

verbalist ['və:bəlɪst] *n* педáнт, буквоéд.

verbalize ['və:bəlaɪz] *v* 1) быть многослóв-
ным; 2) выражáть словáми; 3) *грам.*
превращáть в глагóл (*другую часть речи*).

verbally ['və:bəlɪ] *adv* ýстно.

verbatim [və:'beɪtɪm] 1. *n* 1) дослóвная
передáча; 2) стенографúческий отчёт;
2. *a* дослóвный; ~ report = 1, 2);
3. *adv* дослóвно, слóво в слóво.

verbena [və:'bi:nə] *n бот.* вербéна.

verbiage ['və:bɪdʒ] *n* 1) многослóвие; 2)
выражéние; формулирóвка.

verbicide ['və:bɪsaɪd] *n шутл.* искажéние смысла слóва.

verbify ['və:bɪfaɪ] = verbalize.

verbose [və:'bous] *a* многослóвный.

verbosity [və:'bɒsɪtɪ] *n* многослóвие.

verdancy ['və:dənsɪ] *n* 1) зéлень, зелёный цвет; 2) незрéлость, неóпытность.

verdant ['və:dənt] *a* 1) зелёный, зеле-
нéющий; 2) неóпытный, незрéлый, «зелёный».

verdict ['və:dɪkt] *n* 1) вердúкт; решéние
присяжных заседáтелей; to return (*или*
to bring in) a ~ of guilty (not guilty) при-

знáть винóвным (невинóвным); 2) мнéние,
суждéние; my ~ differs from yours моё мнéние расхóдится с вáшим.

verdigris ['və:dɪgrɪs] *n* я́рь-медя́нка (*краска*).

verdure ['və:dʒə] *n* 1) зéлень; 2) зелёная
листвá; 3) зéлень (*овощи*); 4) свéжесть,
бóдрость.

verdurous ['və:dʒərəs] *a* зарóсший, по-
рóсший зéленью; зелёный и свéжий.

verge [və:dʒ] 1. *n* 1) край; 2) *перен.* грань;
on the ~ of на грáни; 3) кайма́ из дёрна
вокрýг клýмбы; 4) *архит.* край крыши
у фронтóна, стéржень колóнны; бéрма; 5)
церк. жезл, пóсох;
2. *v* клонúться, приближáться (to, towards — к *чему-л.*); □ ~ on, ~ upon гра-
нúчить с *чем-л.*

verger ['və:dʒə] *n* 1) жезлонóсец (*в про-
цессиях*); 2) церкóвный служúтель.

veridical [ve'rɪdɪkəl] *a* 1) правдúвый
(*часто ирон.*); 2) соотвéтствующий дей-
ствúтельности.

verifiable ['verɪfaɪəbl] *a* могýщий быть
провéренным; могýщий быть докáзанным.

verification [,verɪfɪ'keɪʃən] *n* 1) провéрка;
2) подтверждéние (*предсказания, сомнения*).

verify ['verɪfaɪ] *v* 1) проверя́ть; 2) под-
твержда́ть; 3) исполня́ть (*обещание*); 4)
юр. удостоверя́ть (*подлинность*); скрепля́ть
(*присягой*).

verily ['verɪlɪ] *adv уст.* úстинно, пойстúне.

verisimilar [,verɪ'sɪmɪlə] *a* правдоподóб-
ный; вероя́тный.

verisimilitude [,verɪsɪ'mɪlɪtju:d] *n* прав-
доподóбие.

veritable ['verɪtəbl] *a* настоя́щий, истинный.

verity ['verɪtɪ] *n* 1) úстина; прáвда; ú-
стинность; in all ~, *уст.* of a ~ пойстúне;
2) правдúвость.

verjuice ['və:dʒu:s] *n* 1) кúслый сок (*не-
зрелых фруктов*); 2) неприветливость;
рéзкость; a look of ~ непривéтливый, не-
довóльный взгляд, кúслое выражéние
лицá.

vermeil ['və:meɪl] 1. *n* 1) *поэт. см.* vermilion 1; 2) позолóченное серебрó, брóнза,
медь;
2. *a поэт. см.* vermilion 2.

vermicelli [,və:mɪ'selɪ] *ит. n* вермишéль.

vermicide ['və:mɪsaɪd] *n* = vermifuge.

vermicular [və:'mɪkjulə] = vermiform.

vermiform ['və:mɪfɔ:m] *a* червеобрáзный;
~ appendix *анат.* червеобрáзный отрóсток.

vermifuge ['və:mɪfju:dʒ] *n мед.* глистогóн-
ное срéдство.

vermilion [və'mɪljən] 1. *n* 1) кинóварь;
2) я́рко-крáсный цвет;
2. *a* я́рко-крáсный;
3. *v* 1) крáсить кúноварью; 2) окрáши-
вать в я́рко-крáсный цвет.

vermin ['və:mɪn] *n* 1) *собир.* паразúты
(*клопы, вши и т. п.*); 2) *собир. с.-х.* вре-
дúтели, паразúты; 3) хúщное живóтное;
хúщная птúца; 4) престýпный элемéнт,
престýпник; 5) *собир.* сброд.

verminous [ˈvəːminəs] *a* 1) кишащий паразитами; 2) передаваемый паразитами; 3) отвратительный; вредный.

verm(o)uth [ˈvəːməθ] *n* вермут.

vernacular [vəˈnækjulə] **1.** *a* 1) народный; туземный; родной (*о языке*); местный (*о диалекте*); 2) написанный на родном языке *или* диалекте; 3) свойственный данной местности, характерный для данной местности (*о болезни и т. п.*); 4) народный, общеупотребительный (*о названии растения, животного и т. п. — в противоположность научному названию*);

2. *n* 1) родной язык; местный диалект; профессиональный жаргон; 2) *шутл.* сильные выражения, брань; 3) народное, общеупотребительное название (*растения и т. п.*).

vernacularism [vəˈnækjulərizəm] *n* 1) местное слово *или* выражение; 2) употребление местного диалекта.

vernal [ˈvəːnl] *a* 1) весенний; 2) молодой, свежий.

vernalization [ˌvəːnəlaiˈzeiʃən] *n* яровизация.

vernation [vəˈneiʃən] *n бот.* листорасположение в почке.

vernier [ˈvəːnjə] *n тех.* нониус, верньер.

veronal [ˈverənl] *n фарм.* веронал.

Veronese [ˌverəˈniːz] **1.** *a* веронский;

2. *n* веронец, житель Вероны.

veronica [viˈrɔnikə] *n бот.* вероника.

versatile [ˈvəːsətail] *a* 1) многосторонний; гибкий; ~ talent разносторонний талант; ~ mind гибкий ум; 2) непостоянный, изменчивый; 3) *редк.* легко поворачивающийся; 4) *бот., зоол.* подвижный.

versatility [ˌvəːsəˈtiliti] *n* многосторонность *и пр.* [*см.* versatile].

verse [vəːs] **1.** *n* 1) строфа; стих; 2) стихи; in ~ or prose в стихах или в прозе; lyrical ~ лирическая поэзия;

2. *v* 1) писать стихи; 2) выражать в стихах.

versed I [vəːst] *a* опытный, сведущий (in — в чём-л.).

versed II [vəːst] *p. p. от* verse 2.

verse-monger [ˈvəːsˌmʌŋgə] *n* рифмоплёт.

versicle [ˈvəːsikl] *n церк.* короткий стих (*возглашаемый священником при богослужении*).

versicoloured [ˈvəːsiˌkʌləd] *a* разноцветный, переливающийся разными цветами, радужный.

versification [ˌvəːsifiˈkeiʃən] *n* 1) стихосложение; просодия; 2) переложение в стихотворную форму.

versify [ˈvəːsifai] *v* 1) писать стихи; 2) перелагать на стихи.

version [ˈvəːʃən] *n* 1) версия; вариант; 2) перевод; 3) текст (*перевода или оригинала*); the Russian ~ of the treaty русский текст договора.

vers libre [ˈvɛəˈliːbr] *фр. n прос.* свободный стих.

verso [ˈvəːsou] *лат. n* (*pl* -os [-ouz]) 1) левая страница раскрытой книги; 2) оборотная сторона (*монеты, медали*).

versus [ˈvəːsəs] *лат. prep* 1) (*обыкн. сокр.*

v.) *юр., спорт.* против; Smith v. Robinson дело, возбуждённое Смитом против Робинсона; Lancashire v. Yorkshire матч между командами Ланкашира и Йоркшира; 2) в сравнении с.

vert I [vəːt] (*сокр. от* convert *или* pervert) *разг.* **1.** *n* обращённый *или* совращённый в другую веру;

2. *v* переходить в другую веру.

vert II [vəːt] *n геральд.* зелёный цвет.

vertebra [ˈvəːtibrə] *n* (*pl* -rae) 1) позвонок; 2) (the vertebrae) *разг.* позвоночник.

vertebrae [ˈvəːtibriː] *pl от* vertebra.

vertebral [ˈvəːtibrəl] *a* позвоночный; ~ column позвоночный столб; спинной хребет.

vertebrate [ˈvəːtibrit] **1.** *n* позвоночное животное;

2. *a* позвоночный.

vertex [ˈvəːteks] *n* (*pl* -tices) 1) вершина; ~ of an angle вершина угла; 2) вертекс, макушка головы (*в антропометрии*); 3) *астр.* зенит.

vertical [ˈvəːtikəl] **1.** *a* 1) вертикальный; 2) отвесный; ◇ ~ union *амер.* производственный профсоюз, охватывающий всех работников, занятых в данной отрасли промышленности;

2. *n* вертикальная линия; перпендикуляр.

verticel [ˈvəːtisəl] *n бот.* кольчаторасположенные листья; мутовка.

vertices [ˈvəːtisiːz] *pl от* vertex.

verticil [ˈvəːtisil] = verticel.

vertiginous [vəːˈtidʒinəs] *a* 1) головокружительный; 2) страдающий головокружением; to feel ~ испытывать головокружение; 3) крутящийся, вращающийся; ~ current водоворот.

vertigo [ˈvəːtigou] *n* (*pl* -os [-ouz]) головокружение.

vervain [ˈvəːvein] *n бот.* вербена.

verve [vɛəv] *n* 1) живость и яркость (*описания*); сила (*изображения*); 2) индивидуальность художника.

vervet [ˈvəːvet] *n* южноафриканская мартышка.

very [ˈveri] **1.** *a* 1) истинный, настоящий, сущий; the ~ truth сущая правда; the veriest coward отъявленный трус; 2) *как усиление подчёркивает тождественность, совпадение* самый, тот самый; this ~ day в этот же день; the ~ man I want тот самый человек, который мне нужен; 3) *подчёркивает важность, значительность* самый, сам по себе, даже; his ~ absence is eloquent самое его отсутствие знаменательно; 4) *указывает на предельность, крайнюю степень чего-л.*: a ~ little more чуть-чуть больше;

2. *adv* 1) очень; ~ well отлично; I don't swim ~ well я плаваю довольно скверно; ~ much очень; in a ~ torn condition истрёпанный, изорванный в клочья; 2) *служит для усиления; часто в сочетании с превосх. ст. прилагательного* самый; it is the ~ best thing you can do это самое лучшее, что вы можете сделать; he came the ~ next day он пришёл на следующий же день; 3) *подчёркивает тождественность или проти-*

воположность: he used the ~ same words as I had on в точности повторил мой слова; the ~ opposite to what I expected прямо противоположное тому, что я ожидал; ~ much the other way как раз наоборот; 4) *подчёркивает близость, принадлежность:* my (his *etc.*) ~ own моё (его *и т. д.*) самое близкое, дорогое; you may keep the book for your ~ own можете оставить себе эту книгу в полную собственность.

Very light ['verı'laıt] *n воен.* сигнальная ракета.

vesicant ['vesıkənt] **1.** *a* нарывной; **2.** *n* боевое отравляющее вещество нарывного действия.

vesicate ['vesıkeıt] *v* нарывать.

vesicle ['vesıkl] *n* 1) *анат., биол.* пузырёк; 2) *геол.* полость в породе *или* минерале.

vesper ['vespə] *n* 1) (V.) вечерняя звезда; 2) *поэт.* вечер; 3) *pl церк.* вечерня; 4) = vesper-bell.

vesper-bell ['vespəbel] *n* вечерний звон.

vesperian [ves'pıərıən] *a* вечерний.

vespertine ['vespətaın] *a* 1) вечерний; 2) *бот.* распускающийся вечером; 3) *зоол.* ночной (*о птицах*).

vespiary ['vespıərı] *n* осиное гнездо.

vessel ['vesl] *n* 1) сосуд; 2) судно, корабль; 3) самолёт; ◇ weak ~ а) *библ.* сосуд скудельный; б) ненадёжный человек; the weaker ~ *библ.* немощнейший сосуд (*женщина*).

vest [vest] **1.** *n* 1) жилет; 2) вставка спереди (*в женском платье*); 3) нательная фуфайка; 4) *уст., поэт.* одежда, наряд; 5) *церк.* облачение.
2. *v* 1) облекать; to ~ smb. with power облекать кого-л. властью; to ~ rights in a person наделять кого-л. правами; 2) переходить (*об имуществе, наследстве и т. п.;* in); 3) наделять (*имуществом и т. п.,* with); 4) *поэт.* облачать(ся).

Vesta ['vestə] *n миф.* Веста.

vesta ['vestə] *n* восковая спичка (*тж.* wax ~); fusee ~ не гаснущая на ветру спичка.

vestal ['vestl] **1.** *n* 1) *др.-рим.* весталка; 2) девственница; 3) монахиня; 4) *ирон.* старая дева;
2. *a* 1) девственный, целомудренный, непорочный; ~ virgin весталка; 2) *ирон.* стародевический.

vested ['vestıd] **1.** *p.p. от* vest 2;
2. *a* 1) облачённый; 2) законный, принадлежащий по праву; ~ rights законные права; ~ interests а) закреплённые законом имущественные права; б) капиталовложения; в) предприниматели.

vestee [ves'ti:] = vest 1, 2).

vester ['vestə] *редк.* = investor.

vestiary ['vestıərı] = vestry 1).

vestibule ['vestıbju:l] *n* 1) вестибюль, передняя; 2) *мед.* преддверие; 3) *амер. ж.-д.* вагонный тамбур с крытым переходом.

vestibule school ['vestıbju:l'sku:l] *n* производственная школа (*при фабрике или заводе*).

vestibule train ['vestıbju:l'treın] *n амер.* поезд с крытыми переходами между вагонами.

vestige ['vestıdʒ] *n* 1) след, остаток; признак; not a ~ of evidence ни малейших доказательств *или* улик; 2) *редк., поэт.* след ноги; 3) *биол.* рудиментарный остаток.

vestigia [ves'tıdʒıə] *pl от* vestigium.

vestigial [ves'tıdʒıəl] *a* остаточный, исчезающий; ~ organs *биол.*. рудиментарные органы.

vestigium [ves'tıdʒıəm] *n* (*pl* -gia) = vestige 1).

vestment ['vestmənt] *n* 1) *ритор.* одеяние, одежда; 2) *церк.* облачение, риза.

vest-pocket ['vest,pɔkıt] *n* 1) жилетный карман; 2) *attr.* карманный; небольшого размера, маленький.

vestry ['vestrı] *n* 1) *церк.* ризница; 2) помещение для молитвенных и других собраний; 3) собрание налогоплательщиков прихода (*тж.* common ~, general ~, ordinary ~); select ~ собрание представителей налогоплательщиков прихода.

vestry-clerk ['vestrıkla:k] *n* приходский казначей (*избираемый прихожанами*).

vestryman ['vestrımən] *n* член приходского управления.

vesture ['vestʃə] *поэт.* **1.** *n* 1) одеяние; 2) покров;
2. *v* одевать, облачать.

vestured ['vestʃəd] **1.** *p. p. от* vesture 2;
2. *a поэт.* 1) одетый; 2) покрытый.

vet [vet] *разг.* **1.** *n* 1) *сокр. от* veterinary 1; 2) *амер. сокр. от* veteran;
2. *v* 1) делать ветеринарный осмотр; лечить (*животных*); 2) быть ветеринаром; 3) просматривать (*рукопись*); рассматривать, исследовать, проверять (*прибор*).

vetch [vetʃ] *n бот.* вика; горошек.

veteran ['vetərən] *n* 1) ветеран; бывалый солдат; 2) фронтовик; участник войны; 3) *attr.* старый, опытный, умудрённый опытом; 4) *attr.* длительный, продолжительный.

veterinarian [,vetərı'nεərıən] — veterinary.

veterinary ['vetərınərı] **1.** *n* ветеринар; **2.** *a* ветеринарный.

veto ['vi:tou] **1.** *n* (*pl* -oes [-ouz]) 1) вето, запрещение; to put (*или* to set) a ~ on smth. наложить вето (*или* запрет) на что-л.; 2) право вето.
2. *v* налагать вето (*на что-л.*); запрещать.

vex [veks] *v* 1) досаждать, раздражать, сердить; how ~ing! какая досада!; to be ~ed сердиться; ~ed with (*или* at) smb., smth. сердитый на кого-л., что-л.; 2) беспокоить, волновать; 3) дразнить (*животное*); 4) без конца обсуждать, дебатировать.

vexation [vek'seıʃən] *n* 1) досада, раздражение; 2) неприятность.

vexatious [vek'seıʃəs] *a* 1) сопряжённый с неприятностями; беспокойный; 2) досадный; 3) *юр.* затеянный без достаточных оснований и рассчитанный на то, чтобы замучить тяжбами (*о процессе*).

vexed [vekst] 1. *p.p. от* vex;
2. *a* 1) раздосáдованный; 2): ~ question (point) спóрный, горячó дебатúруемый вопрóс (пункт).

via ['vaɪə] *лат. prep* чéрез.

viable ['vaɪəbl] *a* жизнеспосóбный.

viaduct ['vaɪədʌkt] *n* 1) виадýк; путепровóд; 2) *ж.-д.* мост чéрез долúну.

vial ['vaɪəl] *n* пузырёк, бутýлочка; ◇ to pour out the ~s of wrath on smb. излúть свой гнев на когó-л.

viands ['vaɪəndz] *n pl ритор.* 1) провúзия; 2) ствá.

viatic [vaɪ'ætɪk] *a* дорóжный.

viaticum [vaɪ'ætɪkəm] *n* 1) *церк.* причáстие, давáемое умирáющему; 2) *уст.* деньги *или* провúзия на дорóгу.

viator [vaɪ'eɪtə] *n* путешéственник.

vibrancy ['vaɪbrənsɪ] = vibration.

vibrant ['vaɪbrənt] *a* 1) вибрúрующий; 2) резонúрующий (*о звуке*); 3) трепéщущий (with—от).

vibrate [vaɪ'breɪt] *v* 1) вибрúровать, дрожáть (with—от); 2) качáться, колебáться; 3) трепетáть (at—при); 4) звучáть (*в ушах, в пáмяти*); 5) вызывáть вибрáцию (*в чём-л.*); 6) сомневáться, колебáться, быть в нерешúтельности.

vibration [vaɪ'breɪʃən] *n* вибрáция *и пр.* [*см.* vibrate].

vibrator [vaɪ'breɪtə] *n тех.* 1) вибрáтор; 2) прерывáтель.

vibratory ['vaɪbrətərɪ] *a* 1) вибрúрующий; вызывáющий вибрáцию; 2) колéблющийся, дрожáщий.

vibrio ['vɪbrɪou] *n* (*pl* -os [-ouz]) *биол.* вибриóн.

viburnum [vaɪ'bə:nəm] *n бот.* калúна.

vicar ['vɪkə] *n* 1) викáрий, прихóдский свящéнник (*не получáющий десятúны*); 2) заместúтель; 3) *поэт.* намéстник; ◇ of Bray беспринцúпный человéк; ренегáт (*по úмени полулегендáрного викáрия XVI в., четúре рáза менявшего своúю релúгию*).

vicarage ['vɪkərɪdʒ] *n* 1) дóлжность свящéнника; 2) дом свящéнника.

vicarial [vaɪ'kɛərɪəl] *a* викáрный; пáсторский.

vicarious [vaɪ'kɛərɪəs] *a* замещáющий другóго; сдéланный за другóго; ~ atonement искуплéние чужóй винú.

vice I [vaɪs] *n* 1) порóк; зло; 2) недостáток (*в харáктере и т. п.*); 3) нóров (*у лошáди*); 4) (the V.) *ист.* Порóк (*шутовскáя фигýра в морáлите*).

vice II [vaɪs] 1. *n тех.* тискú, зажимнóй патрóн;
2. *v* сжимáть, стúскивать; зажимáть в тискú (*тж. перен.*).

vice III ['vaɪsɪ] *prep* вмéсто.

vice IV [vaɪs] *сокр. разг. от* vice-chancellor, vice-president *и т. п.*

vice- [vaɪs-] *pref* вúце-.

vice-admiral ['vaɪs'ædmərəl] *n* вúце-адмирáл.

vice-chairman ['vaɪs'tʃɛəmən] *n* заместúтель председáтеля.

vice-chancellor ['vaɪs'tʃɑ:nsələ] *n* вúце-кáнцлер.

vice-consul ['vaɪs'kɔnsəl] *n* вúце-кóнсул.

vicegerent ['vaɪs'dʒerənt] *n* намéстник.

vice-governor ['vaɪs'gʌvənə] *n* вúце-губернáтор.

vice-minister ['vaɪs'mɪnɪstə] *n* товáрищ *или* заместúтель минúстра.

vicennial [vaɪ'senɪəl] *a* 1) двадцатилéтний (*срок, перúод*); 2) происходящий кáждые 20 лет.

vice-president ['vaɪs'prezɪdənt] *n* вúце-президéнт.

viceregal ['vaɪs'rɪːgəl] *a* вúце-королéвский.

vicereine ['vaɪs'reɪn] *n* супрýга вúце-короля.

viceroy ['vaɪsrɔɪ] *n* вúце-корóль.

vice squad ['vaɪs'skwɔd] *n амер.* отделéние полúции, занимáющееся борьбóй с незакóнной торгóвлей спиртнúми напúтками.

vice versa ['vaɪsɪ'və:sə] *лат. adv* наоборóт; обрáтно; I dislike him and ~ я не люблю егó, и он меня не любит.

vicinage ['vɪsɪnɪdʒ] *n поэт.* 1) сосéдство; 2) окрéстности; 3) блúзость.

vicinal ['vɪsɪnəl] *a* мéстный; сосéдний.

vicinity [vɪ'sɪnɪtɪ] *n* 1) окрéстности; окрýга; райóн; 2) сосéдство, блúзость; in close ~ блúзко, по сосéдству; in the ~ of a) поблúзости; б) óколо, приблизúтельно; (he is) in the ~ of fifty (емý) óколо пятидесяти.

vicious ['vɪʃəs] *a* 1) порóчный; 2) ошибочный, непрáвильный; дефéктный; ~ union *мед.* непрáвильное срáщение; 3) злой; злóбный (*о взгляде, словáх*); 4) норовúстый; 5) грязный, загрязнённый (*о возду́хе и т. п.*); 6) ужáсный; ~ headache ужáсная головнáя боль; ◇ ~ circle порóчный круг.

vicissitude [vɪ'sɪsɪtju:d] *n* 1) преврáтность; the ~s of fate преврáтности судьбú; 2) *уст., поэт.* перемéна, смéна; чередовáние.

victim ['vɪktɪm] *n* жéртва; to fall a ~ to стать жéртвой когó-л., чегó-л.

victimization [,vɪktɪmaɪ'zeɪʃən] *n* 1) преслéдование; 2) увольнéние рабóчих и служащих за учáстие в забастóвке, в политúческом выступлéнии *и т. п.*

victimize ['vɪktɪmaɪz] *v* 1) дéлать своéй жéртвой; мýчить; 2) обмáнывать; 3) подвергáть преслéдованию; 4) увольнять рабóчих и служащих [*см.* victimization 2)].

victor ['vɪktə] *n* 1) победúтель; 2) *attr.* победонóсный.

victoria [vɪk'tɔ:rɪə] *n* 1) лёгкий двухмéстный экипáж; 2) легковáя автомашúна с откиднúм вéрхом.

Victoria cross [vɪk'tɔ:rɪə'krɔs] *n* крест óрдена Виктóрии (*высшая воéнная награда в Áнглии*).

victoria lily [vɪk'tɔ:rɪə'lɪlɪ] *n бот.* виктóрия-рéгия.

Victorian [vɪk'tɔ:rɪən] 1. *a* 1) викториáнский (*относящийся к эпóхе королéвы Виктóрии 1837—1901 гг.*); 2) старомóдный (*обыкн.* early ~);
2. *n* человéк, *особ.* писáтель викториáнской эпóхи.

victorious [vɪk'tɔ:rɪəs] *a* победонóсный.

victory ['vɪktərɪ] *n* побéда; to gain (*или* to win) a ~ одержáть побéду (over); ◇ ~ gardens огороды городских жителей Англии во время второй мировой войны.

victress ['vɪktrɪs] n победительница.

victual ['vɪtl] 1. n (обыкн. pl) пища, провизия;

2. v 1) снабжать провизией; 2) запасаться провизией; 3) разг. питаться.

victualler ['vɪtlə] n 1) поставщик продовольствия; licensed ~ трактирщик, имеющий право продавать спиртные напитки; 2) воен., мор. транспорт с продовольствием.

victualling ['vɪtlɪŋ] 1. pres. p. om victual 2;

2. n снабжение продовольствием.

victualling-yard ['vɪtlɪŋjɑːd] n продовольственный склад (при доках).

vicugna, vicuna [vɪ'kjuːnjə, vɪ'kjuːnə] n 1) зоол. вигонь, викунья; 2) шерстяная материя (из шерсти вигони).

vide ['vaɪdɪ] лат. v impr смотри; ~ supra (infra) смотри выше (ниже).

videlicet [vɪ'diːlɪset] лат. adv (сокр. viz., обыкн. читается namely) а именно.

video ['vɪdəʊ] 1. n телевидение;

2. a телевизионный, связанный с телевидением; ~ picture изображение на экране лучевой трубки.

vidimus ['vɪdɪməs] n 1) официальная проверка документов; 2) заверенная копия.

vie [vaɪ] v соперничать.

Viennese [ˌviːe'niːz] 1. a венский;

2. n (pl без измен.) житель Вены.

Viet-Namese [ˌvjetnə'miːz] 1. a вьетнамский;

2. n вьетнамец; вьетнамка; the ~ pl собир. вьетнамцы.

view [vjuː] 1. n 1) вид; a house with a ~ of the sea дом с видом на море; 2)поле зрения, кругозор; we came in ~ of the bridge a) мы увидели мост; б) нас стало видно с моста; to burst into (или upon) the ~ внезапно появиться; to pass from smb.'s ~ скрыться из чьего-л. поля зрения; to be in ~ а) быть видимым; б) предвидеться; in full ~ of everybody у всех на виду; to have (или to keep) in ~ не терять из виду; иметь в виду; in ~ ввиду; принимая во внимание; 3) взгляд, мнение, точка зрения; in my ~ по моему мнению; to form a clear ~ of the situation составить себе ясное представление о положении дел; short ~s недальновидность; to take a rose-coloured ~ of smth. смотреть сквозь розовые очки на что-л.; ~ намерение; will this meet your ~s? не противоречит ли это вашим намерениям?; to have ~s on smth. иметь виды на что-л.; with the ~ of, with a ~ to с намерением; с целью; 5) осмотр; to have (или to take) a ~ of smth. осмотреть что-л.; on ~ выставленный для обозрения; private ~ выставка или просмотр картин (частной коллекции); on the ~ во время осмотра, при осмотре; 6) картина (особ. пейзаж);

2. v 1) осматривать; 2) поэт. видеть; 3) рассматривать, смотреть на; he ~s the matter in a different light он иначе смотрит на это.

view-finder ['vjuːˌfaɪndə] n фото видоискатель.

viewless ['vjuːlɪs] a поэт. 1) невидимый; 2) слепой; 3) не выражающий определённой точки зрения.

view-point ['vjuːpɔɪnt] n точка зрения.

viewy ['vjuːɪ] a разг. 1) чудаковатый, странный; 2) эффектный, яркий; шикарный.

vigesimal [vɪ'dʒesɪməl] a разделённый на двадцать частей; состоящий из двадцати частей.

vigil ['vɪdʒɪl] n 1) бодрствование; to keep ~ бодрствовать; дежурить (напр., у постели больного); 2) церк. канун праздника; пост накануне праздника.

vigilance ['vɪdʒɪləns] n 1) бдительность; 2) мед. бессонница.

vigilance committee ['vɪdʒɪlənskə'mɪtɪ] n реакционная организация для расправы с прогрессивными элементами под видом охраны порядка и поддержания законности.

vigilant ['vɪdʒɪlənt] a бдительный.

vigilante gang [ˌvɪdʒɪ'læntɪ'gæŋ] = vigilance committee.

vignette [vɪ'njet] фр. 1. n виньетка;

2. v рисовать виньетки.

vigogne [viː'gɔːnjə] n текст. вигонь.

vigor ['vɪgə] амер. = vigour.

vigorous ['vɪgərəs] a сильный, энергичный; ~ protest энергичный протест.

vigour ['vɪgə] n 1) сила, энергия; 2) законность, действительность; a law still in ~ закон, ещё сохранивший силу.

viking ['vaɪkɪŋ] n ист. викинг.

vilayet [vɪ'lɑːjet] тур. n вилайет.

vile [vaɪl] a 1) подлый, низкий; 2) разг. отвратительный.

vilification [ˌvɪlɪfɪ'keɪʃən] n поношение.

vilify ['vɪlɪfaɪ] v поносить, чернить (кого-л.).

vilipend ['vɪlɪpend] v пренебрежительно отзываться (о ком-л.); пренебрежительно относиться (к кому-л.).

villa ['vɪlə] n вилла.

village ['vɪlɪdʒ] n 1) деревня, село; 2) собир. деревенские жители; 3) attr. деревенский.

villager ['vɪlɪdʒə] n сельский житель.

villain ['vɪlən] n 1) злодей, негодяй; ~ of the piece главный злодей (в драме); 2) шутл. хитрец, плутишка; 3) = villein.

villainage ['vɪlɪnɪdʒ] = villeinage.

villainous ['vɪlənəs] a 1) мерзкий; отвратительный; 2) подлый; 3) злодейский.

villainy ['vɪlənɪ] n 1) мерзость; 2) подлость; 3) злодейство.

villeggiatura [vɪˌledʒɪə'tuərə] ит. n 1) пребывание на даче; 2) дача, вилла.

villein ['vɪlɪn] n ист. виллан, крепостной.

villeinage ['vɪlɪnɪdʒ] n ист. крепостное состояние; крепостная зависимость.

vim [vɪm] n разг. энергия, сила.

vimba ['vɪmbə] n зоол. рыбец.

vinaigrette [ˌvɪneɪ'gret] n 1) винегрет (тж. ~ sauce); 2) флакон с нюхательной солью или туалетным уксусом.

vincible [′vɪnsɪbl] *a редк.* преодоли́мый.

vindicate [′vɪndɪkeɪt] *v* 1) отстоя́ть (*пра́во и т. п.*); 2) реабилити́ровать; 3) опра́вдывать; подтвержда́ть.

vindication [ˌvɪndɪ′keɪʃən] *n* 1) защи́та; 2) реабилита́ция; 3) оправда́ние; подтвержде́ние.

vindicative [′vɪndɪkətɪv] = vindicatory 1).

vindicator [′vɪndɪkeɪtə] *n* защи́тник, побо́рник.

vindicatory [′vɪndɪkətərɪ] *a* 1) реабилити́рующий; защити́тельный; 2) кара́тельный.

vindictive [vɪn′dɪktɪv] *a* 1) мсти́тельный; 2) *редк.* кара́тельный; ~ damages *юр.* штраф.

vine [vaɪn] *n* 1) виногра́дная лоза́; 2) сте́лющееся *или* ползу́чее расте́ние.

vinedresser [′vaɪnˌdresə] *n* виногра́дарь.

vinegar [′vɪnɪgə] *n* 1) у́ксус; 2) неприя́тный хара́ктер; нелюбе́зный отве́т *и т. п.*; 3) *attr.* у́ксусный; *перен.* ки́слый, неприя́тный.

vinegary [′vɪnɪgərɪ] *a* 1) у́ксусный; 2) ки́слый, неприя́тный; ~ smile ки́слая улы́бка.

vine-prop [′vaɪnprɔp] *n* шпале́ра.

vinery [′vaɪnərɪ] *n* виногра́дная тепли́ца.

vineyard [′vɪnjəd] *n* виногра́дник.

viniculture [′vɪnɪkʌltʃə] = viticulture.

vin-ordinaire [′væŋˌxdiː′nɛə] *фр. n* дешёвое кра́сное вино́.

vinous [′vaɪnəs] *a* 1) ви́нный; 2) вы́званный опьяне́нием; ~ mirth пья́ное весе́лье; 3) ви́нного цве́та.

vintage [′vɪntɪʤ] *n* 1) сбор *или* урожа́й виногра́да; 2) вино́ из сбо́ра определённого го́да; 3) вино́ (*обыкн.* вы́сшего ка́чества).

vintager [′vɪntɪʤə] *n* сбо́рщик виногра́да.

vintner [′vɪntnə] *n уст.* виноторго́вец.

viol [′vaɪəl] *n уст.* вио́ла (*муз. инструме́нт*).

viola I [vɪ′oulə] *n* альт (*муз. инструме́нт*).

viola II [′vaɪələ] *n бот.* 1) фиа́лка; 2) фиа́лковые (*семе́йство*).

violaceous [ˌvaɪou′leɪʃəs] *a* 1) *бот.* фиа́лковый; 2) фиоле́товый.

violate [′vaɪəleɪt] *v* 1) наруша́ть, преступа́ть (*кля́тву, зако́н*); to ~ a treaty нару́шить догово́р; 2) оскверня́ть (*моги́лу и т. п.*); 3) наси́ловать, применя́ть наси́лие; 4) вторга́ться, врыва́ться; наруша́ть (*тишину́ и т. п.*).

violation [ˌvaɪə′leɪʃən] *n* наруше́ние *и пр.* [*см.* violate].

violator [′vaɪəleɪtə] *n* наруши́тель.

violence [′vaɪələns] *n* 1) си́ла, нейсто́вство; стреми́тельность; 2) наси́лие; to do ~ to... оскорбля́ть де́йствием, наси́ловать...; he did ~ to his feelings он де́йствовал вопреки́ свои́м убежде́ниям.

violent [′vaɪələnt] *a* 1) нейсто́вый; я́ростный; ~ efforts отча́янные уси́лия; he was in a ~ temper он был в я́рости; 2) си́льный, интенси́вный; ~ pain си́льная боль; ~ heat ужа́сная жара́; ~ yellow я́рко-жёлтый цвет; ~ contrast ре́зкий контра́ст; 3) наси́льственный; to resort to ~ means прибе́гнуть

к наси́лию; to lay ~ hands on smth. захвати́ть что́-л. си́лой; to die a ~ death умере́ть наси́льственной сме́ртью; 4) вспы́льчивый, горя́чий; 5) стра́стный, горя́чий; ~ speech стра́стная речь; 6) искажённый, непра́вильный; ~ interpretation непра́вильная интерпрета́ция; ~ assumption невероя́тное предположе́ние.

violently [′vaɪələntlɪ] *adv* си́льно, о́чень; to sneeze ~ гро́мко чихну́ть; to run ~ бежа́ть стреми́тельно, бежа́ть без огля́дки.

violet [′vaɪəlɪt] 1. *n* 1) фиа́лка; 2) фиоле́товый цвет; 2. *a* фиоле́товый, тёмно-лило́вый.

violet-wood [′vaɪəlɪtwud] *n бот.* амара́нтовое де́рево.

violin [ˌvaɪə′lɪn] *n* 1) скри́пка (*инструме́нт*); 2) скри́пка, скрипа́ч (*в орке́стре*).

violinist [′vaɪəlɪnɪst] *n* скрипа́ч.

violoncellist [ˌvaɪələn′ʧelɪst] *n* виолончели́ст.

violoncello [ˌvaɪələn′ʧelou] *n* (*pl* -os [-ouz]) виолонче́ль.

viper [′vaɪpə] *n* 1) гадю́ка; 2) змея́, вероло́мный челове́к; to cherish a ~ in one's bosom отогре́ть змею́ на груди́.

viperous [′vaɪpərəs] *a* ядови́тый, зло́бный, ехи́дный.

virago [vɪ′rɑːgou] *n* (*pl* -os, -oes [-ouz]) сварли́вая же́нщина.

viral [′vaɪərəl] *a* ви́русный.

virgin [′vəːʤɪn] 1. *n* 1) де́ва, де́вственница; the V. *библ.* де́ва Мари́я; 2) (V.) = Virgo; 2. *a* 1) де́вичий; 2) де́вственный; 3) саморо́дный (*о мета́лле*); неразраба́тывавшийся (*о месторожде́нии*); 4) нетро́нутый, чи́стый, де́вственный; ~ soil новь, целина́; ~ forest де́вственный лес; 5) не бы́вший в употребле́нии; пе́рвый; ~ cruise пе́рвый рейс; ◇ V. Queen короле́ва Елизаве́та.

virginal I [′vəːʤɪnl] *a* де́вственный; неви́нный, непоро́чный.

virginal II [′vəːʤɪnl] *n ист. муз.* спине́т без но́жек (*тж.* ~s, pair of ~s).

Virginia creeper [və′ʤɪnjə′kriːpə] *n* ди́кий виногра́д (пятили́стный).

virginity [vəː′ʤɪnɪtɪ] *n* де́вственность.

Virgo [′vəːgou] *n* Де́ва (*созве́здие и знак зодиа́ка*).

viridity [vɪ′rɪdɪtɪ] *n* 1) зе́лень; 2) све́жесть, жи́вость.

virile [′vɪraɪl] *a* 1) возмужа́лый; зре́лый; 2) мужско́й; 3) му́жественный; си́льный; ~ mind живо́й ум; ~ government си́льное прави́тельство.

virility [vɪ′rɪlɪtɪ] *n* 1) му́жество; 2) возмужа́лость; му́жественность; 3) полова́я зре́лость.

virology [ˌvaɪə′rɔləʤɪ] *n* вирусоло́гия.

virtu [vəː′tuː] *ит. n* понима́ние то́нкостей иску́сства; articles of ~ худо́жественные ре́дкости.

virtual [′vəːtjuəl] *a* 1) факти́ческий, не номина́льный, действи́тельный; 2) *уст.* эффекти́вный.

virtually [′vəːtjuəlɪ] *adv* факти́чески; в су́щности.

virtue [′vəːtjuː] *n* 1) доброде́тель; a man of ~ доброде́тельный челове́к; 2) досто́инство, хорошее качество; 3) сила, действие; a remedy of great ~ очень хорошо действующее средство; 4) целомудрие; 5) свойство; ◊ by (*или* in) ~ of smth. посредством чего-л., благодаря чему-л.;. в силу чего-л., на основании чего-л.

virtuosi [,vɑːtjuˈouziː] *pl от* virtuoso.

virtuosity [,vɑːtjuˈɔsɪtɪ] *n* 1) виртуозность; 2) понимание тонкостей искусства.

virtuoso [,vɑːtjuˈouzou] *ит. n (pl* -sos [-zouz], -si) 1) виртуоз; 2) знаток художественных редкостей; ценитель искусства.

virtuous [ˈvɑːtjuəs] *a* 1) добродетельный; 2) целомудренный.

virulence [ˈvɪruləns] *n* 1) ядовитость; сила, вирулентность (*яда*); 2) злоба, злобность.

virulent [ˈvɪrulənt] *a* 1) ядовитый; вирулентный (*о яде*); 2) опасный, страшный (*о болезни*); 3) злобный; враждебный; жестокий.

virus [ˈvaɪərəs] *лат. n* 1) вирус; filterable ~ фильтрующийся вирус; 2) *перен.* зараза, яд; 3) *attr.* вирусный; ~ warfare бактериологическая война.

visa [ˈviːzə] = visé.

visage [ˈvɪzɪdʒ] *n лит.* лицо; выражение лица, вид.

-visaged [ˈvɪzɪdʒd] *в сложных словах* -лицый; dark-~ смуглолицый; long-~ длиннолицый.

visard [ˈvɪzəd] = visor.

vis-à-vis [ˈviːzɑːviː] *фр.* 1. *n* визави; 2. *adv* 1) друг против друга, напротив; 2) в отношении, по отношению.

viscera [ˈvɪsərə] *лат. n pl* внутренности.

visceral [ˈvɪsərəl] *a* относящийся к внутренностям.

viscerate [ˈvɪsəreɪt] *v* потрошить.

viscid [ˈvɪsɪd] = viscous.

viscidity [vɪˈsɪdɪtɪ] = viscosity.

viscose [ˈvɪskous] *n текст.* вискоза.

viscosity [vɪsˈkɔsɪtɪ] *n* вязкость, липкость, клейкость; тягучесть.

viscount [ˈvaɪkaunt] *n* виконт.

viscountess [ˈvaɪkauntɪs] *n* виконтесса.

viscous [ˈvɪskəs] *a* вязкий, липкий, клейкий; тягучий, густой.

vise [vaɪz] *амер.* = vice II.

visé [ˈviːzeɪ] *фр.* 1. *n* виза; 2. *v* (viséd [-d]; *p. р. тж.* visé'd [-d]) визировать.

Vishnu [ˈvɪʃnuː] *санскр. n миф.* Вишну.

visibility [,vɪzɪˈbɪlɪtɪ] *n* 1) видимость; 2) обзор.

visible [ˈvɪzəbl] *a* 1) видимый; ~ image видимое изображение; 2) явный, очевидный; without any ~ cause без всякой видимой причины.

visibly [ˈvɪzəblɪ] *adv* явно, видимо, заметно.

Visigoth [ˈvɪzɪgɔθ] *n ист.* вестгот.

vision [ˈvɪʒən] *n* 1) зрение; beyond our ~ вне нашего поля зрения; 2) проникновение, проницательность, предвидение; a man of ~ проницательный человек; 3) вид, зрелище; I had only a momentary ~ of the sea я только на мгновение увидел море; 4) видение, мечта.

visional [ˈvɪʒənl] *a* 1) зрительный; 2) воображаемый.

visionary [ˈvɪʒnərɪ] 1. *a* 1) призрачный; воображаемый, фантастический; 2) склонный к галлюцинациям; 3) мечтательный; 4) непрактичный; 5) не могущий быть осуществлённым; 2. *n* 1) мечтатель; 2) визионер, мистик; провидец; 3) непрактичный человек; «не от мира сего».

visit [ˈvɪzɪt] 1. *n* 1) посещение, визит; to be on a ~ гостить; to make (*или* to pay) a ~ to smb. посещать кого-л.; 2) *амер. разг.* разговор; 3) *юр.* осмотр, досмотр (*судна нейтральной страны*); 2. *v* 1) навещать; посещать; 2) гостить, быть (*чьим-л.*) гостем; to ~ at a place гостить где -л.; to ~ with smb. гостить у кого-либо; 3) навещать часто, быть постоянным посетителем; 4) осматривать, инспектировать; 5) постигать, поражать (*о болезни, бедствии и т. п.*); 6) *библ.* карать; отмщать (upon—*кому-л.*, with—*чем-л.*); 7) *амер. разг.* поговорить, поболтать; to ~ over the telephone поболтать по телефону.

visitable [ˈvɪzɪtəbl] *a* 1) открытый для посетителей; 2) привлекающий (большое число) посетителей.

visitant [ˈvɪzɪtənt] 1. *n* 1) *поэт.* гость; высокий гость; 2) перелётная птица; 2. *a* посещающий.

visitation [,vɪzɪˈteɪʃən] *n* 1) официальное посещение; объезд; 2) *разг.* продолжительный визит; 3) = visit 1, 3); 4) испытание, кара; «божье наказание».

visitatorial [,vɪzɪtəˈtɔːrɪəl] *a* инспектирующий, инспекторский.

visitee [,vɪzɪˈtiː] *n* хозяин (*принимающий гостей*).

visiting [ˈvɪzɪtɪŋ] 1. *pres. p. от* visit 2; 2. *a* посещающий; навещающий на дому; ~ nurse сестра помощи на дому.

visiting-book [ˈvɪzɪtɪŋbuk] *n* книга посетителей.

visiting-card [ˈvɪzɪtɪŋkɑːd] *n* визитная карточка.

visiting-day [ˈvɪzɪtɪŋdeɪ] *n* приёмный день; день приёма гостей.

visiting-round [ˈvɪzɪtɪŋˌraund] *n воен.* поверка часовых.

visitor [ˈvɪzɪtə] *n* 1) посетитель, гость; ~s' book книга посетителей; 2) инспектор, ревизор.

visor [ˈvaɪzə] 1. *n* 1) козырёк (*фуражки*); 2) *ист.* забрало (*шлема*); 3) *перен.* маска, личина; 2. *v* маскировать, скрывать.

vista [ˈvɪstə] *ит. n* 1) перспектива, вид (*в конце аллеи, долины и т. п.*); 2) аллея, просека; 3) вереница воспоминаний; to look back through the ~s of the past оглядываться на далёкое прошлое; 4) перспектива, возможность, виды на будущее.

visual [ˈvɪzjuəl] *a* 1) зрительный; ~ nerve зрительный нерв; 2) видимый; 3) наглядный; ~ aids наглядные пособия; ~ instruction наглядное обучение; 4) оптический; ~ angle угол зрения, оптический угол; ~ signal оптический сигнал.

visualization [ˌvɪzjuəlaɪˈzeɪʃən] *n* 1) отчётливый зрительный образ; 2) способность вызывать зрительные образы.

visualize [ˈvɪzjuəlaɪz] *v* 1) отчётливо представлять себе, мысленно видеть; 2) делать видимым.

vita [ˈvaɪtə] *n* короткий автобиографический очерк.

vita glass [ˈvaɪtəˈglɑːs] *n* стекло, пропускающее ультрафиолетовые лучи.

vital [ˈvaɪtl] *a* 1) жизненный; ~ functions жизненные отправления; ~ power жизненная энергия; 2) насущный, существенный; a question of ~ importance вопрос первостепенной важности; ~ industries важнейшие отрасли промышленности; 3) энергичный, полный жизни; живой (*о стиле*); 4) гибельный, роковой; ~ wound смертельная рана; 5): ~ statistics статистика рождаемости, смертности, количества браков *и т. п.*

vitalism [ˈvaɪtəlɪzəm] *n* биол. витализм.

vitality [vaɪˈtælɪtɪ] *n* 1) жизнеспособность; 2) живучесть; 3) энергия, энергичность; 4) живость (*стиля*).

vitalize [ˈvaɪtəlaɪz] *v* оживлять; обновлять.

vitals [ˈvaɪtlz] *n pl* 1) жизненно важные органы; 2) наиболее важные части, центры *и т. п.*; to tear the ~ out of a subject дойти до самой сути предмета.

vitamin [ˈvɪtəmɪn] *n* витамин.

vitascope [ˈvaɪtəskoup] *n* кинопроекционный аппарат.

vitiate [ˈvɪʃɪeɪt] *v* 1) портить; 2) делать недействительным (*контракт, аргумент*).

vitiation [ˌvɪʃɪˈeɪʃən] *n* 1) порча; 2) юр. лишение силы, признание недействительным.

viticulture [ˈvɪtɪkʌltʃə] *n* виноградарство.

vitiosity [ˌvɪʃɪˈɔsɪtɪ] *n* порочность.

vitreous [ˈvɪtrɪəs] *a* 1) стекловидный; ~ body (*или* humour) анат. стекловидное тело (*в глазу*); ~ silver мин. аргентит; 2) стеклянный.

vitrifaction [ˌvɪtrɪˈfækʃən] *n* превращение в стекло *или* стекловидное вещество.

vitrification [ˌvɪtrɪfɪˈkeɪʃən] = vitrifaction.

vitrify [ˈvɪtrɪfaɪ] *v* превращать(ся) в стекло *или* стекловидное вещество.

vitriol [ˈvɪtrɪəl] *n* 1) купорос; blue (green) ~ медный (железный) купорос; 2) купоросное масло (*тж.* oil of ~); 3) язвительность, сарказм.

vitriolic [ˌvɪtrɪˈɔlɪk] *a* 1) купоросный; 2) резкий, едкий, саркастический.

vituline [ˈvɪtjulɪn] *a* телячий.

vituperate [vɪˈtjuːpəreɪt] *v* бранить, поносить.

vituperation [vɪˌtjuːpəˈreɪʃən] *n* брань, поношение.

vituperative [vɪˈtjuːpərətɪv] *a* бранный, ругательный.

viva I [ˈviːvə] *int.* 1. *int* да здравствует!; 2. *n* 1) приветственный возглас; 2) *pl* приветствия.

viva II [ˈvaɪvə] = viva voce.

vivacious [vɪˈveɪʃəs] *a* живой, оживлённый.

vivacity [vɪˈvæsɪtɪ] *n* живость, оживлённость.

vivaria [vaɪˈvɛərɪə] *pl om* vivarium.

vivarium [vaɪˈvɛərɪəm] *n* (*pl* -ia) 1) садок; 2) виварий.

viva voce [ˈvaɪvəˈvousɪ] *лат.* 1. *n* устный экзамен;
2. *a* устный; ~ examination устный экзамен;
3. *adv* устно.

vivers [ˈviːvəz] *n pl шотл.* пища, продовольствие.

vivid [ˈvɪvɪd] *a* 1) яркий; ясный; a ~ flash of lightning яркая вспышка молнии; 2) живой, яркий; пылкий; ~ imagination пылкое воображение.

vivify [ˈvɪvɪfaɪ] *v* оживлять.

viviparous [vɪˈvɪpərəs] *a* зоол. живородящий.

vivisect [ˌvɪvɪˈsekt] *v* подвергать вивисекции.

vivisection [ˌvɪvɪˈsekʃən] *n* вивисекция.

vixen [ˈvɪksn] *n* 1) самка лисицы; 2) сварливая женщина, мегера.

vixenish [ˈvɪksnɪʃ] *a* сварливый.

vizard [ˈvɪzɑːd] *уст.* = visor 1.

vizi(e)r [vɪˈzɪə] *n* визирь.

vizor [ˈvaɪzə] = visor 1.

V-J Day [ˈviːˈdʒeɪˈdeɪ] *n* День победы (над Японией во второй мировой войне).

Vlach [vlæk] = Wal(l)ach.

V-mail [ˈviːmeɪl] *n* 1) военная почта (*для пересылки микрофотописем*); 2) *attr.*: ~ form бланк военного микрофотописьма.

V-neck [ˈviːnek] *n* вырез мысом (*в платье*).

vocable [ˈvoukəbl] *n* 1) слово (*гл. обр. с его звуковой стороны*); 2) *attr.* произносимый.

vocabulary [vəˈkæbjulərɪ] *n* 1) словарь, список слов (и фраз), расположенных в алфавитном порядке и снабжённых пояснениями; 2) запас слов; 3) словарный состав (*языка*); лексика; словарь (*писателя, группы лиц и т. п.*); 4) *attr.* словарный; ~ entry словарная статья.

vocal [ˈvoukəl] *a* 1) голосовой; ~ c(h)ords голосовые связки; ~ organ голос; 2) вокальный; для голоса; звучащий; звучный; наполненный звуками; the woods have become ~ леса огласились пением; 4) обладающий хорошим голосом; 5) устный; 6) красноречивый, высказывающийся (открыто); public opinion has become ~ общественное мнение подняло свой голос; 7) фон. звонкий; гласный.

vocalic [vouˈkælɪk] *a* гласный; богатый гласными (*о языке, слове*).

vocalist [ˈvoukəlɪst] *n* вокалист; певец; певица.

vocalization [ˌvoukəlaɪˈzeɪʃən] *n* 1) применение голоса; 2) *фон.* вокализация; озвончение.

vocalize [ˈvoukəlaɪz] *v* 1) *фон.* вокализировать; произносить звонко; 2) издавать звуки; 3) петь вокализы; 4) выражать, высказывать.

vocation [vou'keiʃən] *n* 1) призва́ние; скло́нность (*for*—к *чему-л.*); 2) профе́ссия; to mistake one's ∼ ошиби́ться в вы́боре профе́ссии.

vocational [vou'keiʃənl] *a* профессиона́льный; ∼ school реме́сленное учи́лище.

vocative ['vɔkətiv] *грам.* 1. *a* зва́тельный;
2. *n* зва́тельный паде́ж.

voces ['vousi:z] *pl om* vox.

vociferate [vou'sifəreit] *v* крича́ть, горла́нить, ора́ть.

vociferation [vou,sifə'reiʃən] *n* крик(и); шум.

vociferous [vou'sifərəs] *a* 1) горла́стый; 2) многоголо́сый; 3) гро́мкий, шу́мный; ∼ cheers гро́мкие приве́тствия.

vodka ['vɔdkə] *рус. n* во́дка.

vogue [voug] *n* 1) мо́да; all the ∼ после́дний крик мо́ды; in ∼ в мо́де; out of ∼ не в мо́де; to come into ∼ войти́ в мо́ду; 2) популя́рность; to acquire ∼ приобрести́ популя́рность.

voice [vɔis] 1. *n* 1) го́лос; I did not recognize his ∼ я не узна́л его́ го́лоса; to be in good (bad) ∼ быть (не) в го́лосе; to teach ∼ занима́ться постано́вкой го́лоса; ста́вить го́лос; to lift up one's ∼ заговори́ть; 2) го́лос, мне́ние; to give ∼ to smth. выража́ть, выска́зывать что-л.; to give one's ∼ for smth. подава́ть го́лос, выска́зываться за что-л.; to have a ∼ in smth. име́ть пра́во го́лоса в чём-л.; with one ∼ единогла́сно; 3) *грам.* зало́г;
2. *v* 1) выража́ть (*словами*); to ∼ one's protest вы́разить проте́ст; 2) *фон.* произноси́ть зво́нко, озвонча́ть.

voiced [vɔist] 1. *p. p. от* voice 2;
2. *a фон.* зво́нкий.

-voiced [-,vɔist] *в сложных словах означает* облада́ющий *таким-то* го́лосом; sweet-∼ облада́ющий прия́тным го́лосом; loud-∼ громкоголо́сый.

voiceless ['vɔislis] *a* 1) не име́ющий го́лоса, потеря́вший го́лос; 2) безгла́сный, немо́й; 3) безмо́лвный; 4) *фон.* глухо́й.

void [vɔid] 1. *n* пустота́; ва́куум;
2. *a* 1) пусто́й, свобо́дный, незаня́тый; 2) лишённый (*of* — *чего-л.*); 3) бесполе́зный, неэффекти́вный; 4) *юр.* недействи́тельный;
3. *v* 1) опорожня́ть (*кишечник, мочевой пузырь*); выделя́ть (*мочу*); 2) *уст.* оставля́ть, покида́ть (*место*); 3) *юр.* де́лать недействи́тельным, аннули́ровать.

voile [vɔil] *n текст.* мусли́н; вуа́ль.

volant ['voulənt] *a* 1) *зоол.* лета́ющий; 2) проно́сящийся; бы́стрый, подви́жный.

volatile ['vɔlətail] *a* 1) *хим.* лету́чий, бы́стро испаря́ющийся; 2) непостоя́нный, изме́нчивый; неулови́мый.

volatility [,vɔlə'tiliti] *n* 1) *хим.* лету́честь; 2) изме́нчивость, непостоя́нство.

volatilization [vɔ,lætilai'zeiʃən] *n* улету́чивание.

volatilize [vɔ'lætilaiz] *v* улету́чивать(ся); испаря́ть(ся).

volcanic [vɔl'kænik] *a* 1) вулкани́ческий; ∼ rock вулкани́ческая поро́да; 2) бу́рный (*о характере и т. п.*).

volcano [vɔl'keinou] *n* (*pl* -oes [-ouz]) вулка́н; active ∼ де́йствующий вулка́н; dormant ∼ безде́йствующий вулка́н; extinct ∼ поту́хший вулка́н.

vole I [voul] *n* полёвка (*мышь*).

vole II [voul] *n карт.* вы́игрыш всех взя́ток; to win the ∼ взять все взя́тки; to go the ∼ а) рискова́ть всем ра́ди большо́го вы́игрыша; б) испыта́ть всё.

volet ['vɔlei] *n жив.* крыло́ три́птиха.

volition [vou'liʃən] *n* 1) волево́й акт, хоте́ние; he went away by his own ∼ он ушёл по со́бственному жела́нию; 2) во́ля.

volitional [vou'liʃnəl] *a.* волево́й.

volley ['vɔli] 1. *n* 1) залп; 2) град, пото́к (*упрёков и т. п.*); 3) приём мяча́ на лету́ (*напр. в теннисе*);
2. *v* 1) стреля́ть за́лпами; 2) сы́паться гра́дом; 3) испуска́ть (*крики, жалобы; обыкн.* ∼ forth, ∼ off, ∼ out); 4) отбива́ть (*мяч*) на лету́.

volley-ball ['vɔlibɔːl] *n* волейбо́л.

volplane ['vɔlplein] *ав.* 1. *n* плани́рующий полёт; плани́рующий спуск;
2. *v* плани́ровать.

volt I [vɔlt] *n* 1) вольт (*при манежной езде*); 2) уклоне́ние от уда́ра проти́вника (*при фехтовании*).

volt II [voult] *n эл.* вольт.

voltage ['voultidʒ] *n эл.* вольта́ж, напряже́ние.

voltaic [vɔl'teiik] *a эл.* гальвани́ческий; ∼ arc электри́ческая дуга́.

Voltairian [vɔl'tɛəriən] 1. *a* вольте́ровский; вольтерья́нский;
2. *n* вольтерья́нец.

Voltairianism [vɔl'tɛəriənizəm] *n* вольтерья́нство.

Voltairism [vɔl'tɛərizəm] = Voltairianism.

voltameter [vɔl'tæmitə] *n* вольта́метр (*в электрохимии*).

volte-face ['vɔlt'fɑːs] *фр. n* 1) *воен.* поворо́т круго́м; 2) ре́зкая переме́на (*взглядов, политики и т. п.*).

voltmeter ['vɔlt,miːtə] *n эл.* вольтме́тр.

volubility [,vɔlju'biliti] *n* говорли́вость, разгово́рчивость.

voluble ['vɔljubl] *a* 1) говорли́вый, многоречи́вый; речи́стый; 2) вью́щийся (*о растении*).

volume ['vɔljum] *n* 1) том, кни́га; 2) *ист.* сви́ток; 3) объём, ма́сса (*какого-л. вещества*); 4) (*обыкн. pl*) значи́тельное коли́чество; 5) *поэт.*: ∼s of smoke клу́бы ды́ма; ёмкость, вмести́мость; 7) си́ла, полнота́ (*звука*); ∼ of sound гро́мкость; 8) *attr.* объёмный, относя́щийся к объёму; ◇ to tell (*или* to speak) ∼s говори́ть красноречи́вее вся́ких слов (*о выражении лица и т. п.*); быть весьма́ многозначи́тельным.

volumenometer [,vɔljumi'nɔmitə] *n* волюмино́метр (*прибор для измерения объёма твёрдых тел*).

volumeter [vɔ'ljuːmitə] *n* волюме́тр (*прибор для измерения объёма жидких и газообразных тел*).

volumetric [,vɔlju'metrik] *a* объёмный; ∼ capacity ёмкость; ∼ flask *физ.* ме́рная ко́лба.

voluminous [vəˈljuːmɪnəs] *a* 1) многотóмный; 2) плодовитый (*о писателе*); 3) объёмистый, массивный; обширный; ~ correspondence обширная переписка.

voluntarism [ˈvɔləntərɪzəm] *n* 1) *филос.* волюнтаризм; 2) = voluntaryism.

voluntary [ˈvɔləntərɪ] 1. *a* 1) добровóльный; добровóльческий; 2) содержащийся на добровóльные взнóсы; ~ school шкóла, содержащаяся на добровóльные взнóсы; 3) сознáтельный, умышленный; ~ waste умышленная пóрча; 4) *физиол.* произвóльный; ~ muscles мышцы произвóльных движéний; 2. *n* 1) добровóльные дéйствия, добровóльная рабóта; 2) стрóнник принципа добровóльности [*см.* voluntaryism]; 3) добровóлец; 4) сóло на оргáне (*в начале или в конце церкóвной службы*); 5) *редк.* музыкáльный нóмер по выбору исполнителя.

voluntaryism [ˈvɔləntəri(ı)zəm] *n* 1) принцип добровóльности (*согласно которому школы и церковь не должны содержаться за счёт государства*); 2) принцип добровóльности (*службы в армии и т. п.*).

volunteer [ˌvɔlənˈtıə] 1. *n* 1) добровóлец, волонтёр; 2) *attr.* добровóльный, добровóльческий; 3) *attr.* растущий самопроизвóльно;
2. *v* 1) предлагáть (*свою помощь, услуги*); вызваться добровóльно (*сделать что-л.; for*); 2) поступить добровóльцем на воéнную службу.

voluptuary [vəˈlʌptjuərɪ] *n* сластолюбец.

voluptuous [vəˈlʌptjuəs] *a* чувственный; сластолюбивый, сладострáстный.

volute [vəˈljuːt] *n* 1) *архит.* волюта; спирáль, завитóк; 2) *зоол.* свиток (*моллюск*); 3) *attr.* спирáльный.

volution [vəˈljuːʃən] *n* завитóк.

volvulus [ˈvɔlvjuləs] *n* зáворот кишóк.

vomica [ˈvɔmɪkə] *n мед.* 1) кавéрна; 2) абсцéсс какóго-л. внутреннего óргана.

vomit [ˈvɔmɪt] 1. *n* 1) рвóта; 2) рвóтная мáсса; 3) рвóтное (срéдство);
2. *v* 1) страдáть рвóтой; I ~ меня рвёт; 2) извергáть; to ~ curses извергáть проклятия; the chimneys ~ forth smoke трубы выбрáсывают клубы дыма.

vomiting gas [ˈvɔmɪtɪŋˈgæs] *n* рвóтный газ, хлорпикрин.

vomitive [ˈvɔmɪtɪv] = vomitory.

vomitory [ˈvɔmɪtərɪ] 1. *n* рвóтное (срéдство);
2. *a* рвóтный.

voodoo [ˈvuːduː] 1. *n* 1) вéра в колдовствó; 2) знáхарь, шамáн; 3) *attr.* колдовскóй; знáхарский; ~ doctor, ~ priest знáхарь, шамáн.
2. *v* околдовáть.

voracious [vəˈreıʃəs] *a* прожóрливый; жáдный; ненасытный.

voracity [vɔˈræsıtı] *n* прожóрливость.

vortex [ˈvɔːteks] *n* (*pl* -tices, -texes [-teksız]) 1) водоворóт; вихрь; 2) *attr.* вихревóй; ~ turbine вихревáя турбина.

vortical [ˈvɔːtıkəl] *a* вихревóй; вращáтельный.

vortices [ˈvɔːtısiːz] *pl om* vortex.

vorticose [ˈvɔːtıkous] = vortical.

votaress [ˈvoutərıs] *n* 1) почитáтельница; сторóнница; 2) монáхиня.

votary [ˈvoutərı] *n* 1) почитáтель; привéрженец, сторóнник; 2) монáх.

vote [vout] 1. *n* 1) голосовáние; баллотирóвка; to cast a ~ голосовáть; to put to the ~ стáвить на голосовáние; to get out the (*или* a) ~ *амер.* добиться активного учáстия в голосовáнии своих предполагáемых сторóнников; 2) (избирáтельный) гóлос; I gave my ~ to the Communists я голосовáл за коммунистов; to count the ~s производить подсчёт голосóв; 3) прáво гóлоса; to have the ~ имéть прáво гóлоса; 4) óбщее числó голосóв; голосá; 5) вóтум; решéние (*принятое большинством*); ~ of no-confidence вóтум недовéрия; 6) избирáтельный бюллетéнь; 7) *уст.* избирáтель;
2. *v* 1) голосовáть (for—за, against—прóтив); 2) постановлять большинствóм голосóв; 3) признавáть; the play was ~d a failure пьéса былá признана неудáчной; 4) *разг.* предлагáть, вносить предложéние; I ~ that we go home я за то, чтобы пойти домóй; ☐ ~ **down** провалить (*предложение*); ~ **in** избрáть голосовáнием (*куда-л.*); ~ **into**: to ~ smb. into a committee голосовáнием избрáть когó-л. в комиссию; ~ **through** провести путём голосовáния; to ~ a measure (a bill *etc.*) through провести мероприятие (закóн и т. п.) голосовáнием.

votee [vouˈtiː] *n амер.* кандидáт (*на выборах*).

voteless [ˈvoutlıs] *a* не имéющий избирáтельных прав, лишённый прáва гóлоса.

voter [ˈvoutə] *n* 1) избирáтель; 2) учáстник голосовáния.

voting [ˈvoutıŋ] 1. *pres. p. om* vote 2;
2. *n* голосовáние.

voting machine [ˈvoutıŋməˈʃiːn] *n* 1) = votometer; 2) *перен.* машина голосовáния.

voting-paper [ˈvoutıŋˌpeıpə] *n* избирáтельный бюллетéнь.

votive [ˈvoutıv] *a* испóлненный по обéту.

votometer [vouˈtɔmıtə] *n* машина для автоматического подсчёта избирáтельных бюллетéней.

vouch [vautʃ] *v* 1) ручáться, поручиться (for); 2) подтверждáть.

voucher [ˈvautʃə] *n* 1) поручитель; 2) расписка; оправдáтельный докумéнт; 3) ручáтельство.

vouchsafe [vautʃˈseıf] *v* удостáивать; соизвóлить; he ~d me no answer он не удостóил меня отвéтом.

vow [vau] 1. *n* обéт, клятва; to be under a ~ быть связанным клятвой; to make (*или* to take) a ~ дать клятву; to take the ~s постричься в монáхи;
2. *v* давáть обéт, клясться (*в чём-л.*).

vowel [ˈvauəl] *n* глáсный (звук).

vox [vɔks] *лат. n* (*pl* voces) гóлос; ~ populi общéственное мнéние.

voyage [ˈvɔıdʒ] 1. *n* 1) плáвание, морскóе путешéствие; to make a ~ совершить путешéствие (*по морю*); 2) полёт, перелёт (*на самолёте*);
2. *v* 1) плáвать, путешéствовать (*по морю*); 2) летáть (*на самолёте*).

voyager ['vɔɪədʒə] *n* путешественник (*по морю*).

vug [vʌg] *n геол.* впадина, каверна, пустота в породе, жеода.

Vulcan ['vʌlkən] *n миф.* Вулкан.

vulcanic [vʌl'kænɪk] = volcanic.

vulcanite ['vʌlkənaɪt] *n* вулканизированная резина, эбонит.

vulcanization [,vʌlkənaɪ'zeɪʃən] *n* вулканизация (*резины*).

vulcanize ['vʌlkənaɪz] *v* вулканизировать (*резину*).

vulgar ['vʌlgə] 1. *a* 1) грубый; вульгарный; пошлый; 2) простонародный; плебейский; 3) народный, родной (*о языке*); 4) простой; ~ fraction простая дробь; 5) широко распространённый, общий (*об ошибке и т. п.*);
2. *n* (the ~) *уст.* простонародье; чернь.

vulgarian [vʌl'gɛərɪən] *n* 1) вульгарный, невоспитанный человек; 2) парвеню, выскочка.

vulgarism ['vʌlgərɪzəm] *n* 1) вульгарность; 2) вульгарное выражение; вульгаризм.

vulgarity [vʌl'gærɪtɪ] *n* вульгарность.

vulgarization [,vʌlgəraɪ'zeɪʃən] *n* опошление; вульгаризация.

vulgarize ['vʌlgəraɪz] *v* опошлять; вульгаризировать.

Vulgate ['vʌlgɪt] *n ист.* вульгата (*латинский перевод библии IV в.*).

vulnerability [,vʌlnərə'bɪlɪtɪ] *n* уязвимость; ранимость.

vulnerable ['vʌlnərəbl] *a* уязвимый; ранимый.

vulnerary ['vʌlnərərɪ] *a* целительный; ~ plants целебные травы.

vulpicide ['vʌlpɪsaɪd] *n* 1) охотник, убивший лисицу не по правилам охоты, без собак; 2) охота на лисицу без гончих.

vulpine ['vʌlpaɪn] *a* 1) лисий; 2) хитрый, коварный.

vulture ['vʌltʃə] *n* 1) гриф (*птица*); king ~ королевский гриф; Egyptian ~ стервятник; 2) хищник.

vulturous ['vʌltjʊrəs] *a* хищный.

vulva ['vʌlvə] *n* 1) *анат.* наружные женские половые органы; 2) *зоол.* отверстие яйцевода.

vying ['vaɪɪŋ] *pres. p. om* .vie.

W

W, w ['dʌblju:] *n* (*pl* Ws, W's ['dʌblju:z]) 23-я буква англ. алфавита.

wabble ['wɔbl] = wobble.

wabbly ['wɔblɪ] = wobbly.

wacky ['wækɪ] *a амер. sl.* тронутый, ненормальный.

wad [wɔd] 1. *n* 1) кусок ваты, шерсти; 2) пыж; 3) *амер. разг.* пачка бумажных денег; деньги;
2. *v* 1) набивать *или* подбивать ватой; 2) забивать пыжом.

wadding ['wɔdɪŋ] 1. *pres. p. om* wad 2;
2. *n* 1) вата, шерсть *и т. п.* (*для набивки*); 2) набивка, подбивка; 3) подкладка.

waddle ['wɔdl] 1. *n* походка вперевалку;
2. *v* ходить переваливаясь.

wade [weɪd] 1. *n* 1) переход вброд; 2) брод;
2. *v* 1) переходить вброд (*тж.* ~ in);
2) пробираться, идти (*по грязи, снегу и т. п.*; *тж.* ~ through); 3) преодолевать (*что-л. трудное, скучное*; *тж.* ~ through); □ ~ in a) набросываться; приняться за что-л.; б) вступить (*в спор, дискуссию, борьбу*); ~ into a) резко критиковать; б)= ~ in a); ~ through одолеть (*что-л. трудное, скучное*).

wader ['weɪdə] *n* 1) болотная птица; 2) *pl* болотные сапоги.

wading bird ['weɪdɪŋ'bə:d] *n* болотная птица.

wafer ['weɪfə] 1. *n* 1) вафля; 2) облатка; 3) сургучная печать;
2. *v* склеивать, запечатывать облаткой.

waff [wɑ:f] *n шотл.* 1) лёгкое движение; 2) сигнал; 3) запах; 4) лёгкий приступ; обморок; 5) мимолётное видение.

waffle ['wɔfl] *n* вафля.

waffle-iron ['wɔfl,aɪən] *n* вафельница.

waft [wɑ:ft] 1. *n* 1) взмах (*крыла*); 2) дуновение (*ветра*); 3) донёсшийся звук; 4) струя (*запаха*); 5) мимолётное ощущение;
2. *v* 1) нести; the leaves were ~ed along by the breeze ветерок гнал листья; 2) нестись (*по воздуху, по воде*); 3) доносить; a song was ~ed to our ears до нас донеслись звуки песни.

wag I [wæg] 1. *n* взмах; кивок; with a ~ of its (*или* the) tail вильнув хвостом;
2. *v* 1) махать; качать(ся); to ~ the tail вилять хвостом (*о собаке*); 2) *разг.* болтать, сплетничать; to set tongues (*или* chins, jaws, beards) ~ging дать повод для сплетен; вызвать толки; 3) кивать, делать знак; ◇ to ~ one's finger at smb. грозить кому-л. пальцем; so the world ~s таковы дела.

wag II [wæg] 1. *n* 1) шутник; 2) *разг.* прогульщик; лентяй; to play (the) ~ прогуливать;
2. *v* 1) прогуливать; 2) *разг.* уходить.

wage I [weɪdʒ] *n* (*обыкн. pl*) 1) заработная плата; living ~ прожиточный минимум; nominal (real) ~s номинальная (реальная) заработная плата; 2) *уст.* возмездие; 3) *attr.* связанный с заработной платой, относящийся к заработной плате; ~ scale шкала заработной платы; ~ labour наёмный труд; ◇ Laurence bids ~s ничего не хочется делать, лень одолевает.

wage II [weɪdʒ] *v* вести (*войну*); бороться (*за что-л.*).

wage-cut ['weɪdʒkʌt] *n* снижение заработной платы.

wage-earner ['weɪdʒ,ə:nə] *n* 1) наёмный работник, рабочий; 2) тот, кто обеспечивает семью, кормилец.

wage-freeze ['weɪdʒˌfriːz] *n* замора́живание за́работной пла́ты.

wage-fund ['weɪdʒfʌnd] = wages-fund.

wager ['weɪdʒə] 1. *n* пари́; ста́вка; to lay a ~ держа́ть пари́;
2. *v* 1) держа́ть пари́; 2) рискова́ть (*чем-л.*).

wage-rate ['weɪdʒreɪt] *n* ста́вка, тари́ф за́работной пла́ты.

wages-fund ['weɪdʒɪzfʌnd] *n* фонд за́работной пла́ты.

wage-slavery ['weɪdʒˌsleɪvərɪ] *n* поднево́льный наёмный труд.

wage-work ['weɪdʒwəːk] *n* наёмный труд.

wage-worker ['weɪdʒˌwəːkə] *амер.* = wage--earner 1).

waggery ['wægərɪ] *n* 1) ша́лость; (гру́бая) шу́тка; 2) шутли́вость.

waggish ['wægɪʃ] *a* 1) шаловли́вый; шутли́вый; 2) заба́вный, коми́чный.

waggle ['wægl] 1. *n* пома́хивание; пока́чивание;
2. *v* пома́хивать; пока́чивать(ся).

waggly ['wæglɪ] *a* неусто́йчивый.

wag(g)on ['wægən] 1. *n* 1) коля́ска; теле́жка; пово́зка; фурго́н; 2) *ж.-д.* ваго́н--платфо́рма; това́рный ваго́н; 3) *разг.* де́тская коля́ска; 4) (the ~) *амер.* полице́йская каре́та; 5) *горн.* вагоне́тка; 6) *амер. мор. sl.* кора́бль; 7) *амер. ав. sl.* самолёт; ◇ to be on the (water) ~ *sl.* переста́ть пить; to hitch one's ~ to a star ≈ далеко́ ме́тить; быть одержи́мым честолюби́вой мечто́й;
2. *v* перевози́ть в фурго́не, това́рном ваго́не *и т. п.*

wag(g)oner ['wægənə] *n* во́зчик.

wag(g)onette [ˌwægəˈnet] *n* экипа́ж с двумя́ продо́льными сиде́ньями.

wagon-lit ['vægɔːnˈliː] *фр.* *n* спа́льный ваго́н.

wagon-train ['wægənˈtreɪn] *n* обо́з.

wagtail ['wægteɪl] *n* трясогу́зка.

waif [weɪf] *n* 1) никому́ не принадлежа́щая, бро́шенная вещь; 2) заблуди́вшееся дома́шнее живо́тное; 3) бездо́мный челове́к; беспризо́рный ребёнок; ~s and strays а) беспризо́рные де́ти; б) оста́тки, отбро́сы.

wail [weɪl] 1. *n* 1) вопль; 2) вой (*ветра*); 3) причита́ние;
2. *v* 1) вопи́ть; выть; 2) причита́ть, опла́кивать (over).

wailful ['weɪlful] *a* гру́стный, печа́льный.

wain [weɪn] *n* 1) *поэт.* теле́га; 2) (the W.) *астр.* Больша́я Медве́дица (*тж.* Charles's *или* Arthur's W.).

wainscot ['weɪnskət] 1. *n* деревя́нная стенна́я пане́ль;
2. *v* обшива́ть пане́лью.

wainscoting ['weɪnskətɪŋ] 1. *pres. p. от* wainscot 2;
2. *n* 1) обши́вка стен пане́лью; 2) материа́л для обши́вки стен.

waist [weɪst] *n* 1) та́лия; 2) перехва́т, суже́ние (*у скрипки и т. п.*); 3) *амер.* корса́ж, лиф; де́тский ли́фчик; 4) *мор.* шкафу́т.

waist-band ['weɪstbænd] *n* по́яс.

waist-belt ['weɪstbelt] *n* 1) по́яс, куша́к; 2) *воен.* поясно́й реме́нь.

waistcoat ['weɪskout] *n* жиле́т.

waistline ['weɪstlaɪn] *n* та́лия, ли́ния та́лии; low ~ зани́женная та́лия.

wait [weɪt] 1. *n* 1) ожида́ние; we had a long ~ for the train мы до́лго жда́ли по́езда; 2) подстерега́ние, заса́да; to lay ~ for smb. устро́ить кому́-л. заса́ду; to lie in ~ for smb. быть в заса́де, выжида́ть кого́-л.; 3) *pl* толпа́ «сла́вящих Христа́» в соче́льник на у́лице;
2. *v* 1) ждать (for); ~ until he comes дожди́тесь его́ прихо́да; don't keep me ~ing не заставля́йте меня́ ждать; 2) прислу́живать (*за столом и т. п.*; on, upon — кому́-л.); быть официа́нтом; to ~ at table обслу́живать посети́телей рестора́на, прислу́живать за столо́м; 3) сопровожда́ть, сопу́тствовать (upon); may success ~ upon уои да сопу́тствует вам успе́х; 4) *разг.* откла́дывать (*о трапезе*); we shall ~ dinner for уои мы подождём вас с обе́дом; □ ~ off *спорт.* приберега́ть си́лы к концу́ состяза́ния; ~ on а) явля́ться результа́том чего́-л.; б) *уст.* наноси́ть визи́т, явля́ться к кому́-л.; ~ up *разг.* не ложи́ться спать (до чьего́-л. прихо́да; for); ~ upon = ~ on.

wait-a-bit ['weɪtəˈbɪt] *n* *разг.* колю́чий куста́рник.

wait-and-see ['weɪtəndˈsiː] *a*: ~ policy выжида́тельная поли́тика.

waiter ['weɪtə] *n* 1) официа́нт; 2) посети́тель, дожида́ющийся приёма *и т. п.*; 3) подно́с; 4) = dumb-waiter.

waiting ['weɪtɪŋ] 1. *pres. p. от* wait 2;
2. *n* ожида́ние.

waiting list ['weɪtɪŋˈlɪst] *n* спи́сок кандида́тов (*на до́лжность, на получе́ние жилпло́щади и т. п.*).

waiting-room ['weɪtɪŋrum] *n* 1) приёмная; 2) *ж.-д.* зал ожида́ния.

waitress ['weɪtrɪs] *n* официа́нтка, пода́вальщица.

waive [weɪv] *v* 1) отка́зываться (*от пра́ва, тре́бования; тж. юр.*); 2) вре́менно отложи́ть.

waiver ['weɪvə] *n* *юр.* отка́з от пра́ва, тре́бования.

wake I [weɪk] 1. *v* (woke, waked [-t]; waked, woken) 1) просыпа́ться (*тж.* ~ up); 2) буди́ть (*тж.* ~ up); 3) пробужда́ть, возбужда́ть (*жела́ние, подозре́ние и т. п.*); to ~ the memories of the past пробуди́ть воспомина́ния; 4) бо́дрствовать; 5) опо́мниться, очну́ться; to ~ from a stupor вы́йти из забытья́, очну́ться; 6) осозна́ть (to); he woke to danger он осозна́л опа́сность; 7) *ирл.* справля́ть поми́нки (*перед погребе́нием*);
2. *n* 1) *поэт.* бо́дрствование; 2) (*обыкн. pl*) храмово́й пра́здник; 3) *ирл.* поми́нки (*перед погребе́нием*).

wake II [weɪk] *n* *мор.* кильва́тер; in the ~ of в кильва́тер за...; *перен.* в кильва́тере, по пята́м, по следа́м.

wakeful ['weɪkful] *a* 1) бо́дрствующий; 2) бессо́нный; 3) бди́тельный.

wakeless ['weɪklɪs] *a* кре́пкий, непробу́дный (*о сне*).

waken ['weɪkən] *v* 1) просыпа́ться, пробужда́ться; 2) буди́ть, пробужда́ть.

wakening ['weikniŋ] 1. *pres. p. от* waken; 2. *n* пробужде́ние.

waking ['weikiŋ] 1. *pres. p. от* wake I,1; 2. *n* = wakening 2; 3. *a* 1) бо́дрствующий; 2) бди́тельный; недре́млющий.

wale [weil] 1. *n* 1) полоса́, рубе́ц (*от удара кнутом*); 2) *тех.* отбо́йный брус; 3) *мор.* вельс; 4) *текст.* ру́бчик (*выработ-ка ткани*); 2. *v* 1) полосова́ть (*кнутом*); оставля́ть рубцы́; 2) *текст.* выраба́тывать ткань в ру́бчик.

Waler ['weilə] *n название южноавстра-лийской породы лошадей.*

walk [wɔːk] 1. *n* 1) ходьба́; 2) расстоя́-ние; a mile's ~ from на расстоя́нии ми́ли от; 3) шаг; to go at a ~ идти́ ша́гом; 4) похо́дка; 5) прогу́лка пешко́м; to go for a ~ идти́ гуля́ть; to take a ~ прогуля́ться; to go ~s with children води́ть дете́й гуля́ть; 6) об-хо́д своего́ райо́на (*разносчиком и т. п.*); 7) тропа́, алле́я; (люби́мое) ме́сто для про-гу́лки; 8) огоро́женное ме́сто (*как пастби-ще и т. п.*); 9) *спорт.* состяза́ние в ходь-бе́; ◇ ~ of life, ~ in life обще́ственное по-ложе́ние; заня́тие, профе́ссия; 2. *v.* 1) ходи́ть, идти́; 2) идти́ пешко́м; идти́ *или* е́хать ша́гом; ходи́ть по, обходи́ть; I have ~ed the country for many miles round я обошёл всю ме́стность на протяже́-нии мно́гих миль; to ~ a mile пройти́ ми́лю; to ~ the floor ходи́ть взад и вперёд; 3) води́ть, прогу́ливать, проводи́ть (*ло-шадь, собаку и т. п.*); 4) появля́ться (*о при-видениях*); 5) *уст.* вести́ себя́; □ ~ about прогу́ливаться; ~ away а) уходи́ть; to ~ away from smb. обгоня́ть кого́-л. без труда́; б) уводи́ть; в) унести́, укра́сть (with); ~ back отка́зываться от (*своих слов, своей позиции и т. п.*); ~ in входи́ть; ~ into а) входи́ть; б) *sl.* набра́сываться на; есть, уплета́ть; ~ off а) уходи́ть; б) уводи́ть; в) унести́, укра́сть (with); г) одержа́ть лёгкую побе́ду (with); д): to ~ smb. off his legs си́льно утоми́ть кого́-л. ходьбо́й, про-гу́лкой; ~ on а) идти́ вперёд; б) продол-жа́ть ходьбу́; в) *театр.* игра́ть роль без слов; ~ out а) выходи́ть; б) *амер.* забасто-ва́ть; в) уха́живать (with—за *кем-л.*); гуля́ть (with — с *кем-л.*); ~ over а) пере-шагну́ть; б) без труда́ опереди́ть сопе́р-ников (*на бегах и т. п.*); в) не счита́ться (*с чувствами кого-л. и т. п.*); пло́хо обра-ща́ться; ~ up подойти́ (to—к *кому-л.*); ◇ to ~ in on smb. огоро́шить, заста́ть врас-пло́х; to ~ out on smb. покину́ть в беде́; улизну́ть от кого́-л.; to ~ the boards быть актёром; to ~ the chalk а) пройти́ пря́мо по проведённой ме́лом черте́ (*в доказа-тельство своей трезвости*); б) вести́ себя́ безупре́чно; to ~ one's chalks *sl.* убежа́ть, удра́ть; уйти́ незаме́тно, не проща́ясь; to ~ on air ≅ ног под собо́й не чу́ять; ликова́ть, ра́доваться; to ~ the hospitals проходи́ть студе́нческую пра́ктику в больни́це; to ~ smb. round обвести́ кого́-л. вокру́г па́льца; to ~ in golden (*или* silver) slippers ≅ ку-па́ться в ро́скоши.

walkaway ['wɔːkə,wei] *n* лёгкая побе́да (*в состязании*).

Walker ['wɔːkə] *int sl.* врёшь!, не мо́-жет быть!

walker ['wɔːkə] *n* 1) ходо́к; I am not much of a ~ я плохо́й ходо́к; 2) спортсме́н, зани-ма́ющийся спорти́вной ходьбо́й.

walkie-lookie ['wɔːki'luki] *n радио sl.* портати́вный телевизио́нный переда́тчик.

walkie-talkie ['wɔːki'tɔːki] *n амер. воен. sl.* портати́вный приёмопереда́тчик.

walking ['wɔːkiŋ] 1. *pres. p. от* walk 2; 2. *n* 1) ходьба́; 2) похо́дка; 3. *a* 1) гуля́ющий; 2) *тех.* на ша-га́ющем ходу́; ~ excavator шага́ющий эк-скава́тор; ◇ ~ corpse живы́е мо́щи; ~ dictio-nary ходя́чая энциклопе́дия; ~ delegate представи́тель профессиона́льного сою́за; ~ gentleman (lady) *театр.* стати́ст (ста-ти́стка); ~ part роль без слов.

walking case ['wɔːkiŋ'keis] *n* ходя́чий больно́й.

walking-orders ['wɔːkiŋ,ɔːdəz] = walking--papers.

walking-papers ['wɔːkiŋ,peipəz] *n pl разг.* увольне́ние с рабо́ты; to get the ~ получи́ть докуме́нт об увольне́нии, быть уво́лен-ным.

walking-race ['wɔːkiŋreis] *n* соревнова́-ния по спорти́вной ходьбе́.

walking-stick ['wɔːkiŋstik] *n* трость.

walking-ticket ['wɔːkiŋtikit] = walking--papers.

walking-tour ['wɔːkiŋtuə] *n* экску́рсия пешко́м.

walk-on ['wɔːk'ɔn] = walking part [*см.* walking 3,◇].

walk-out ['wɔːk'aut] *n амер.* забасто́вка.

walk-over ['wɔːk'ouvə] *n* лёгкая побе́да.

walk-up ['wɔːk'ʌp] *n амер. разг.* дом без ли́фта.

wall [wɔːl] 1. *n* 1) стена́; a blank ~ глуха́я стена́; 2) сте́нка (*сосуда*); 3) *перен.* барье́р, прегра́да; ~ of partition перегоро́дка, сте-на́; про́пасть; 4) *pl воен.* укрепле́ния; 5) *геол.* бокова́я поро́да; 6) *attr.* стенно́й; ◇ to give smb. the ~ посторони́ться; усту-пи́ть доро́гу, преиму́щество и т. п.; to take the ~ не уступи́ть доро́ги; to go to the ~ потерпе́ть неуда́чу, обанкро́титься; the weakest goes to the ~ *посл.* ≅ сла́бых бьют; to run one's head against a ~ проши-ба́ть лбом сте́ну; пыта́ться сде́лать невоз-мо́жное; to see through (*или* into) the (brick) ~ облада́ть необыча́йной прони-ца́тельностью; with one's back to the ~ ≅ в безвы́ходном положе́нии; to push (*или* to drive, to thrust) to the ~ припере́ть к сте́н-ке; поста́вить в безвы́ходное положе́ние; to hang by the ~ ≅ не быть в употребле́нии; 2. *v* 1) обноси́ть стено́й; 2) укрепля́ть, стро́ить укрепле́ния; 3) разделя́ть стено́й; □ ~ up заде́лать (*дверь, окно*); замуро́-вывать.

walla ['wɔlə] = wallah.

wallaby ['wɔləbi] *n* кенгуру́ (*малый*); ◇ on the ~ (track) *австрал.* скита́ющийся; безрабо́тный.

Wal(l)ach ['wɔlək] *n* вала́х.

Wal(l)achian [wɔ'leɪkjən] **1.** *a* вала́шский;
2. *n* **1)** вала́х; вала́шка; **2)** вала́шский диале́кт.

wallah ['wɔlə] *n англо-инд.* **1)** *разг.* челове́к, па́рень; **2)** слу́жащий, слуга́; **3)** хозя́ин.

wallaroo [,wɔlə'ruː] *n* кенгуру́ (*крупный*).

wallboard ['wɔːlbɔːd] *n стр.* стенова́я плита́; суха́я штукату́рка.

wallet ['wɔlɪt] *n* **1)** бума́жник; **2)** футля́р, су́мка (*для инструментов и т. п.*); **3)** *уст.* кото́мка.

wall-eye ['wɔːlaɪ] *n* **1)** бельмо́; **2)** глаз с бельмо́м.

wall-eyed ['wɔːlaɪd] *a* **1)** с бельмо́м на глазу́; **2)** свире́пый (*о взгляде*); **3)** *sl.* пья́ный.

wallflower ['wɔːl,flauə] *n* **1)** *бот.* желтофио́ль (*садо́вая*); **2)** *шутл.* да́ма, оста́вшаяся без кавале́ра (*на балу*); **3)** *мор. sl.* кора́бль, не уча́ствующий в опера́ции; кора́бль, до́лго стоя́щий у сте́нки.

wall game ['wɔːl'geɪm] *n спорт.* род футбо́ла.

Walloon [wɔ'luːn] **1.** *n* **1)** валло́н; **2)** валло́нский язы́к;
2. *a* валло́нский.

wallop ['wɔləp] *sl.* **1.** *n* си́льный уда́р; to land (*или* to strike) a ~ си́льно уда́рить;
2. *v* **1)** бить (*палкой*); **2)** тяжело́ ступа́ть, ходи́ть перева́ливаясь (*тж.* ~ along).

walloper ['wɔləpə] *n разг.* не́что огро́мное, грома́дное.

walloping ['wɔləpɪŋ] **1.** *pres. p. от* wallop 2;
2. *a sl.* большо́й, кру́пный;
3. *n sl.* **1)** побо́и, взбу́чка, трёпка; **2)** по́лное пораже́ние.

wallow ['wɔlou] **1.** *n* ме́сто, лу́жа, куда́ прихо́дят валя́ться живо́тные;
2. *v* **1)** валя́ться; бара́хтаться; **2)** передвига́ться тяжело́, неуклю́же; **3)** *перен.* купа́ться; погря́знуть; to ~ in money купа́ться в зо́лоте.

wall-painting ['wɔːl,peɪntɪŋ] *n* стенна́я жи́вопись.

wallpaper ['wɔːl,peɪpə] *n* **1)** обо́и; **2)** стенна́я газе́та.

wall pier ['wɔːl'pɪə] *n архит.* пиля́стр.

wall screw ['wɔːl'skruː] *n тех.* а́нкерный болт.

Wall Street ['wɔːl'striːt] *n* Уо́лл-стрит (*улица в Нью-Йо́рке, где помещаются биржа и главнейшие банки*); *перен.* америка́нский фина́нсовый капита́л.

walnut ['wɔːlnət] *n* **1)** гре́цкий оре́х; **2)** оре́ховое де́рево; **3)** древеси́на оре́хового де́рева; **4)** *attr.* оре́ховый; ◇ over the ~s and the wine *шутл.* во вре́мя послеобе́денной бесе́ды.

walnut-tree ['wɔːlnət,triː] = walnut 2).

Walpurgis-night [væl'puəgɪs'naɪt] *n* вальпу́ргиева ночь.

walrus ['wɔːlrəs] *n* морж.

waltz [wɔːls] **1.** *n* вальс;
2. *v* **1)** вальси́ровать; **2)** пляса́ть от ра́дости (*тж.* ~ in, ~ out, ~ round).

wamble ['wɔmbl] *v диал.* **1)** поша́тываться, идти́ нетвёрдой похо́дкой; **2)** перевора́чивать(ся); **3)** *уст.* испы́тывать чу́вство тошноты́.

wampum ['wɔmpəm] *n* ожере́лье из ра́ковин (*у индейцев*).

wampus ['wɔmpəs] *n sl.* неприя́тный, несгово́рчивый или глу́пый челове́к.

wamus ['wɔməs] *n амер.* жаке́т (*вязаный или из грубошёрстной ткани*).

wan [wɔn] **1.** *a* **1)** бле́дный, изнурённый; болезненный; **2)** се́рый, ту́склый;
2. *v* **1)** изнуря́ть; **2)** де́лать ту́склым, се́рым.

wand [wɔnd] *n* **1)** прут, па́лочка; **2)** дирижёрская па́лочка; **3)** волше́бная па́лочка; **4)** жезл; *уст.* ски́петр.

wander ['wɔndə] **1.** *v* **1)** броди́ть; стра́нствовать; **2)** блужда́ть (*о мыслях, взгляде и т. п.*); **3)** заблуди́ться; to ~ out of one's way сби́ться с доро́ги; **4)** *перен.* отклоня́ться; to ~ from the point отойти́ (*или* отклони́ться) от те́мы; **5)** стать непосле́довательным, невнима́тельным, рассе́янным; **6)** бре́дить (*тж.* ~ in one's mind); **7)** извива́ться (*о реке, дороге и т. п.*);
2. *n* стра́нствие.

wandering ['wɔndərɪŋ] **1.** *pres. p. от* wander 1;
2. *n* **1)** стра́нствие; путеше́ствие; **2)** (*обыкн. pl*) бред, бессвя́зные ре́чи;
3. *a* **1)** бродя́чий; блужда́ющий; **2)** изви́листый (*о реке, дороге и т. п.*); **3)** *мед.* блужда́ющий; ~ kidney блужда́ющая по́чка.

wanderlust ['wɔndəlʌst] *n* любо́вь к путеше́ствиям.

wanderyear ['wɔndəjəː] *n* год путеше́ствий (*для завершения и усовершенствования образования*).

wane [weɪn] **1.** *n* **1)** убыва́ние; to be on the ~ убыва́ть; быть на ущербе (*о луне*); **2)** *лес.* обзо́л;
2. *v* убыва́ть; уменьша́ться; подходи́ть к концу́; ослабева́ть.

wangle ['wæŋgl] **1.** *n* хи́трость, обма́н; нече́стная сде́лка;
2. *v разг.* **1)** доби́ться, вы́просить, ухитри́ться получи́ть; вы́йти из затрудни́тельного положе́ния; **2)** влия́ть, заставля́ть, побужда́ть; **3)** подтасо́вывать фа́кты, искажа́ть.

want [wɔnt] **1.** *n* **1)** недоста́ток (of—в); for (*или* from) ~ of smth. из-за недоста́тка, нехва́тки чего́-л.; to be in ~ of smth. нужда́ться в чём-л.; **2)** необходи́мость (of—в); **3)** (*часто pl*) потре́бность; жела́ние, жа́жда; my ~s are few мои́ потре́бности невелики́; **4)** нужда́, бе́дность;
2. *v* **1)** хоте́ть, жела́ть; **2)** недостава́ть, испы́тывать недоста́ток (*в чём-л.*); the book ~s two pages at the end в конце́ кни́ги не хвата́ет двух страни́ц; he certainly does not ~ intelligence ума́ ему́ не занима́ть; it ~s ten minutes to four без десяти́ четы́ре; he never ~s for friends у него́ всегда́ мно́го друзе́й; **3)** нужда́ться (*тж.* ~ for); let him ~ for nothing пусть он ни в чём не нужда́ется; **4)** тре́бовать; he is ~ed by the police его́ разы́скивает поли́ция; **5)** испы́тывать необходи́мость; быть ну́жным, тре́-

боваться; you ~ to see a doctor вам следует пойти к врачу.

want ad ['wɔnt'æd] *n амер. разг.* объявление (*в газете*) в отделе спроса и предложения.

wantage ['wɔntɪdʒ] *n* нехватка; недостающее количество.

wanting ['wɔntɪŋ] **1.** *pres. p. от* want 2; **2.** *a* 1) нуждающийся; ~ in initiative безынициативный; 2) отсутствующий, недостающий; ~ energy nothing can be done без энергии ничего нельзя сделать; a month ~ two days без двух дней месяц; 3) придурковатый; he seems to be slightly ~ у него, по-моему, не все дома.

wanton ['wɔntən] **1.** *a* 1) резвый; своенравный; 2) буйный (*о росте, развитии и т. п.*); 3) изменчивый, непостоянный (*о ветре и т. п.*); 4) бессмысленный, беспричинный; 5) произвольный, безответственный; 6) экстравагантный; шикарный; 7) распутный;
2. *n* распутница;
3. *v* 1) резвиться; 2) буйно разрастаться; 3) *редк.* расточать.

wapiti ['wɔpɪtɪ] *n* вапити (*олень*).

war [wɔː] **1.** *n* 1) война; civil ~ гражданская война; cold ~ холодная война; ideological ~ идеологическая война; ~ of maпoeuvre манёвренная война; in the ~ а) на войне; б) во время войны; ~ to the knife война на истребление; борьба не на живот, а на смерть; at ~ в состоянии войны; to carry the ~ into the enemy's country (*или* camp) переносить войну на территорию противника; *перен.* предъявлять встречное обвинение; отвечать обвинением на обвинение; to declare ~ on smb. объявить войну кому-л.; to levy (*или* to make, to wage) ~ on smb. вести войну с кем-л.; council of ~ военный совет; art of ~ военное искусство; the Great Patriotic W. Великая Отечественная война (*1941—1945 гг.*); the Great W., World W. I первая мировая война (*1914—1918 гг.*); World W. II вторая мировая война (*1939—1945 гг.*); 2) борьба; ~ of the elements борьба стихий; ~ between man and nature борьба человека с природой; 3) *attr.* военный; W. Office военное министерство (*в Англии*); ~ seat театр военных действий; on a ~ footing в боевой готовности; ~ effort мобилизация всех сил для обороны страны; ~ loan военный заём;
2. *v уст.* воевать; ☐ ~ **down** завоевать, покорить.

warble ['wɔːbl] **1.** *n* 1) трель; 2) песнь;
2. *v* издавать трели; петь (*о птицах*).

warbler ['wɔːblə] *n* певчая птица.

war-cloud ['wɔːklaud] *n* предвестник войны; предвоенная атмосфера.

war-cry ['wɔːkraɪ] *n* боевой клич; лозунг.

ward [wɔːd] **1.** *n* 1) опека; a person in ~ человек, находящийся под опекой; 2) лицо, находящееся под опекой, опекаемый; 3) административный район города; 4) палата (*больничная*); камера (*тюремная*); 5) *уст.* стража; to keep watch and ~ (over) охранять; 6) *уст.* заключение; 7) выступ *или* выемка (*в бородке ключа и в замке*);

2. *v* 1) отражать, отвращать (*удар, опасность; обыкн.* ~ off); 2) помещать в больничную палату; 3) *уст.* охранять.

warden ['wɔːdn] *n* 1) начальник; директор, ректор (*в некоторых английских колледжах*); 2) губернатор; высокое должностное лицо; 3) начальник тюрьмы; 4) церковный староста; 5) обслуживающее лицо; служитель; 6) *уст.* страж, часовой; ◇ air-raid ~ уполномоченный местной противовоздушной охраны.

warder ['wɔːdə] *n* 1) тюремщик; 2) *уст.* сторож, стражник; 3) жезл (*эмблема власти*).

war-dog ['wɔːdɔg] *n* 1) бывалый солдат; 2) *амер.* милитарист.

Wardour Street English ['wɔːdəstriːt'ɪŋglɪʃ] *n* английская речь, уснащённая архаизмами (*по названию лондонской улицы, где находится много антикварных магазинов*).

wardress ['wɔːdrɪs] *n* тюремщица.

wardrobe ['wɔːdroub] *n* 1) гардероб (*шкаф*); 2) гардеробная; 3) гардероб, одежда.

wardrobe mistress ['wɔːdroub'mɪstrɪs] *n* гардеробщица; кастелянша.

wardrobe trunk ['wɔːdroub'trʌŋk] *n* чемодан-шкаф.

wardroom ['wɔːdrum] *n* 1) офицерская кают-компания; 2) (the W.) *собир.* офицеры корабля.

war drum ['wɔː'drʌm] *n* призыв к войне; сигнал, возвещающий начало войны.

wardship ['wɔːdʃɪp] *n* опека.

ware I [wɛə] *n* 1) изделия; china ~ фарфор; delft ~ фаянсовая посуда; 2) *pl* товар(ы), продукты производства.

ware II [wɛə] **1.** *a predic. уст., поэт.* бдительный, осторожный.
2. *v разг.* остерегаться, *особ. imp.* охот. берегись!

-ware [-wɛə] *в сложных словах означает* изделие; stoneware глиняная посуда; toiletware кувшины, тазы.

warehouse 1. *n* ['wɛəhaus] 1) товарный склад; пакгауз; 2) большой магазин; 3) *attr.* складской.
2. *v* ['wɛəhauz] помещать в склад; хранить на складе.

warehouseman ['wɛəhausmən] *n* 1) владелец склада; 2) служащий на складе; 3) оптовый торговец.

warfare ['wɔːfɛə] *n* 1) война; приёмы ведения войны; guerilla ~ партизанская война; 2) столкновение, борьба.

war-game ['wɔːgeɪm] *n* военная игра.

war-hawk ['wɔːhɔːk] *n амер.* воинственно настроенный человек, сторонник развязывания войны.

war-head ['wɔːhed] *n мор.* боевое зарядное отделение.

war-horse ['wɔːhɔːs] *n* 1) *уст.* боевой конь; 2) ветеран (*войны*); бывалый, опытный солдат (*политический деятель и т. п.*).

warily ['wɛərɪlɪ] *adv* осторожно.

wariness ['wɛərɪnɪs] *n* осторожность.

warlike ['wɔːlaɪk] *a* 1) воинственный; a ~ gesture бряцание оружием; 2) военный.

warlock ['wɔːlɔk] *n уст.* волшебник, маг, колдун.

war-lord ['wɔːlɔːd] *n* 1) верховный глава армии; полководец; военачальник; 2) крупный военный промышленник.

warm [wɔːm] **1.** *a* 1) тёплый; согретый, подогретый; *часто* жаркий; ~ corner a) тёплый уголок; б) жаркий участок боя; to get ~ согреться; разгорячиться; you are getting ~! горячо! (*т. е. близко к цели— в детской игре*); *перен.* вы на правильном пути; 2) тёплый, сохраняющий тепло; 3) горячий, сердечный (*о приёме, поддержке и т. п.*); ~ heart доброе сердце; 4) разгорячённый; горячий, страстный; ~ with wine разгорячённый вином; in ~ blood сгоряча; в сердцах; 5) раздражительный; 6) свежий (*след*); 7) *разг.* зажиточный, богатый, хорошо устроенный; 8) *жив.* тёплый (*о цвете*); ◇ ~ language, ~ words *амер. sl.* брань; ~ work напряжённая *или* опасная работа; to make things ~ for smb. досаждать кому-л.;

2. *n разг.* согревание; to have a ~ (по-) греться; I must give the milk a ~ надо подогреть молоко;

3. *v* 1) греть(ся), нагревать(ся), согревать(ся) (*тж.* ~ up); 2) разгорячать(ся), воодушевлять(ся), оживляться (*часто* ~ to, ~ toward); my heart ~s to him я ему сочувствую; to ~ to one's work живо заинтересоваться своей работой; □ ~ up a) разогревать(ся), подогревать(ся); б) воодушевлять(ся); разжигать; в) *спорт.* разминаться; ◇ to ~ smb.'s jacket *разг.* выпороть, высечь кого-л.

warm-blooded ['wɔːm,blʌdɪd] *a* 1) *зоол.* теплокровный; 2) горячий (*о температуре*).

warmed-over ['wɔːmd'ouvə] *a* подогретый, разогретый; ◇ that is ~ cabbage это старая история.

warmer ['wɔːmə] *n* 1) грелка; 2) подогревательный *или* нагревательный прибор; ◇ bench ~ безработный, не имеющий пристанища.

warm-hearted ['wɔːm'hɑːtɪd] *a* сердечный, участливый; добрый.

warm-house ['wɔːmhaus] *n* теплица, оранжерея.

warming ['wɔːmɪŋ] **1.** *pres. p. om* warm 3; **2.** *n* 1) согревание; подогревание; 2) *sl.* побои.

warming-pan ['wɔːmɪŋpæn] *n* 1) грелка (*металлическая, для согревания постели*); 2) временный заместитель.

warming-up ['wɔːmɪŋ'ʌp] *n* 1) *спорт.* разминка; 2) *тех.* прогревание.

warmish ['wɔːmɪʃ] *a* тепловатый.

war-monger ['wɔː,mʌŋɡə] **1.** *n* поджигатель войны;

2. *v* подстрекать к войне.

warmth [wɔːmθ] *n* 1) тепло; 2) сердечность; 3) горячность; запальчивость; 4) лёгкое раздражение.

warm-up ['wɔːm'ʌp] = warming-up.

warn [wɔːn] *v* предупреждать; предостерегать (of).

warning ['wɔːnɪŋ] **1.** *pres. p. om* warn;

2. *n* 1) предупреждение; предостережение; to give a ~ предупредить; it must be a ~ to you пусть это послужит вам предостережением; 2) знак, признак (*чего-л. предстоящего*); 3) предупреждение об уходе *или* увольнении с работы; to give a month's ~ за месяц предупредить об увольнении.

warp [wɔːp] **1.** *n* 1) основа (*ткани*); 2) коробление; 3) извращённость; неправильное, отклоняющееся от нормы суждение *и т. п.*; предубеждение; 4) *мор.* верповальный трос *или* перлинь; 5) наносный ил;

2. *v* 1) коробить(ся); искривляться; деформироваться, перекашиваться; the table-top has ~ed. крышка стола покоробилась; 2) извращать, искажать (*взгляды и т. п.*); to ~ one's whole life исковеркать, испортить свою жизнь; 3) *мор.* верповать(ся); 4) удобрять наносным илом.

war-paint ['wɔːpeɪnt] *n* 1) раскраска тела перед походом у североамериканских индейцев; 2) *разг.* парадный костюм, полная боевая форма; 3) *sl.* помада, румяна *и т. п.*

war-path ['wɔːpɑːθ] *n* тропа войны (*поход североамериканских индейцев*); to be on the ~ вести войну, быть в воинственном настроении.

warper ['wɔːpə] *n* *текст.* снавальщик.

war-plane ['wɔːpleɪn] *n* военный самолёт.

war-proof ['wɔːpruːf] *a* способный выдержать войну.

warrant ['wɔrənt] **1.** *n* 1) ордер, полномочие; 2) основание; правомочие; оправдание; 3) *воен.* приказ о производстве в высшее унтер-офицерское звание;

2. *v* 1) оправдывать, служить оправданием; подтверждать; 2) ручаться, гарантировать; I'll ~ him a perfectly honest man ручаюсь, что он совершенно честный человек; the colours of all stuffs ~ed fast прочность окраски всех материй гарантируется; I'll ~ (you that...) я уверен (в том, что...); 3) давать право, полномочия.

warrantable ['wɔrəntəbl] *a* законный, допустимый.

warrantee [,wɔrən'tiː] *n* лицо, получающее ручательство.

warranter ['wɔrəntə] = warrantor.

warrant-officer ['wɔrənt,ɔfɪsə] *n* 1) *воен.* уорэнт-офицер (*промежуточная категория между сержантским и офицерским составом*); 2) *мор.* мичман.

warrantor ['wɔrəntɔː] *n* лицо, дающее ручательство.

warranty ['wɔrəntɪ] *n* 1) основание; 2) *ком.* гарантия; ручательство; 3) *attr.* приёмочный; ~ test приёмочное испытание.

warren ['wɔrɪn] *n* 1) участок, где водятся кролики; 2) кроличий садок.

warring ['wɔrɪŋ] **1.** *pres. p. om* war 2; **2.** *a* 1) противоречивый, непримиримый; 2) воюющий.

warrior ['wɔrɪə] *n поэт.* воин; боец.

warship ['wɔːʃɪp] *n* военный корабль.

wart [wɔːt] *n* 1) бородавка; 2) кап, нарост, наплыв (*на дереве*); ◇ to paint smb.

with his ~s изображать кого-л. без прикрас.

wart-hog ['wɔːt'hɔg] n зоол. бородавочник.

war-time ['wɔːtaim] n 1) военное время; in the ~ во время войны; 2) attr. военный, связанный с войной; военного времени; ~ recollections воспоминания о войне.

warty ['wɔːti] a покрытый бородавками, бородавчатый.

war-whoop ['wɔːhuːp] n военный клич американских индейцев.

war-worn ['wɔːwɔːn] a опустошённый войной; истощённый войной.

wary ['wɛəri] a осторожный.

was [wɔz (полная форма); wəz (редуцированная форма)] прошедшее время ед. ч. гл. to be.

was-bird ['wɔzbɔːd] n sl. бывший человек; человек, утративший свои былые качества, отживший свой век.

wash [wɔʃ] 1. n 1) мытьё; to have a ~ помыться; to give a ~ помыть; to send clothes to the ~ отдать бельё в стирку; at the ~ в стирке; 3) разг. бельё; to hang out the ~ to dry вывесить бельё сушиться; 4) прибой; шум прибоя; 5) попутная струя, кильватер; волна; 6) помои; бурда; жидкий суп, слабый чай; 7) разг. болтовня; 8) примочка; туалетная вода; 9) тонкий слой (металла, жидкой краски); 10) песок, гравий; аллювий; наносы; 11) старое русло (реки); 12) золотоносный песок; 13) болото; 14) ав. рему; 15) attr. предназначенный для мытья; 16) attr. стирающийся, нелиняющий; ~ goods нелиняющие ткани; ◇ it'll all come out in the ~ всё образуется;
2. v 1) мыть(ся); обмывать, смывать, промывать, стирать; 2) перен. очищать, обелять; 3) стираться (о материи); не линять (в стирке); 4) выдерживать критику; that theory won't ~ эта теория не выдерживает критики, эта теория неубедительна; 5) плескаться, омывать (берега; тж. ~ upon); 6) размывать; 7) нести, сносить (о воде); to ~ ashore прибивать к берегу; to ~ overboard смыть за борт; 8) литься; вливаться, переливаться; 9) смачивать; flowers ~ed with dew цветы, омытые росой; 10) заливать; покрывать тонким слоем; 11) горн. обогащать; 12) промывать золотоносный песок; □ ~ away а) вымывать; сносить; вымывать; ~ down а) вымыть; б) смыть, снести; в) запивать; ~ off смывать (тж. перен.); ~ out а) смывать(ся) (тж. перен.); б) бросить, махнуть рукой на что-л.; в) амер. (обыкн. р. р.) лишать сил, изматывать; to be ~ed out, to look ~ed out полинять; быть или чувствовать себя изможденным; быть бледным, чувствовать утомление; д) признать непригодным (к военной службе, полёту и т. п.); ~ up а) умыться; б) мыть посуду; ◇ to ~ one's hands умыть руки; to ~ one's dirty linen at home ≅ не выносить сора из избы; to ~ one's dirty linen in public ≅ выносить сор из избы; рыться в грязном белье.

washable ['wɔʃəbl] a стирающийся, нелиняющий.

wash-basin ['wɔʃ,beisn] n (умывальный) таз; умывальная раковина.

wash-board ['wɔʃbɔːd] n 1) стиральная доска; 2) стр. плинтус; 3) колея от колёс (на . дороге).

wash-boiler ['wɔʃ,bɔilə] n бак для кипячения белья.

wash-bowl ['wɔʃboul] n таз.

wash-day ['wɔʃdei] n день стирки.

wash-drawing ['wɔʃ,drɔiŋ] n 1) акварель; 2) рисунок тушью размывкой.

washed-out ['wɔʃt'aut] a 1) полинявший; 2) разг. утомлённый.

washed-up ['wɔʃt'ʌp] a 1) = washed-out 2); 2) sl. конченый; отвергнутый, ненужный.

washer ['wɔʃə] n 1) мойщик; 2) промыватель, мойка; 3) стиральная машина; 4) тех. шайба, прокладка; 5) тех. промывная машина.

washerwoman ['wɔʃə,wumən] n прачка.

wash-hand-basin ['wɔʃhænd,beisn] n (умывальный) таз.

wash-hand-stand ['wɔʃhænd,stænd] = wash-stand.

wash-house ['wɔʃhaus] n прачечная.

washiness ['wɔʃinis] n 1) водянистость; 2) слабость.

washing ['wɔʃiŋ] 1. pres. p. от wash 2; 2. n 1) мытьё, стирка; 2) бельё (для стирки); 3) обмылки; 4) тонкий слой (металла, краски и т. п.); 3. a 1) стирающийся; 2) употребляемый для стирки, моющий; ~ powder стиральный порошок.

washing-day ['wɔʃiŋdei] n день стирки.

washing-house ['wɔʃiŋhaus] = wash-house.

washing-machine ['wɔʃiŋmə,ʃiːn] n стиральная машина.

washing-stand ['wɔʃiŋstænd] = wash-stand.

washing-up ['wɔʃiŋʌp] n мытьё посуды.

wash-leather ['wɔʃ,leðə] n замша.

wash-out ['wɔʃaut] n 1) размыв; смыв; 2) sl. неудача; 3) sl. неудачник.

wash-pot ['wɔʃpɔt] n уст. таз для мытья посуды.

wash-room ['wɔʃrum] амер. = lavatory 1).

wash-stand ['wɔʃstænd] n умывальник.

wash-tub ['wɔʃtʌb] n лохань для стирки.

wash-up ['wɔʃʌp] n 1) = washing-up; 2) что-л., выкинутое на берег (волной, прибоем и т. п.).

washwoman ['wɔʃ,wumən] амер.= washerwoman.

washy ['wɔʃi] a 1) жидкий, водянистый; разбавленный; 2) бледный, блёклый; 3) слабый, тонкий.

wasp [wɔsp] n оса.

waspish ['wɔspiʃ] a 1) язвительный, ядовитый; раздражительный, злой; 2) осиный (о талии).

wassail ['wɔseil] уст. 1. n пирушка, попойка;
2. v пировать, бражничать.

wast [wɔst (*полная форма*); wəst (*редуцированная форма*)] *уст.* форма 2 л. ед. ч. прошедшего времени *гл.* to be.

wastage ['weistidʒ] *n* изнашивание; потери, утечка, усушка.

waste [weist] **1.** *n* 1) пустыня; 2) потери; убыль, ущерб, убыток, порча; 3) излишняя трата; oil ~ перерасход масла; to ~ тратиться попусту; 4) отбросы, отходы, угар, обрезки, лом; 5) *юр.* разорение, порча имущества; 6) *горн.* пустая порода; **2.** *a* 1) пустынный, незаселённый; ~ land пустырь; to lay ~ опустошать; to lie ~ быть невозделанным (*о земле*); 2) лишний, ненужный; ~ effort напрасное усилие; ~ products отходы; ~ paper макулатура; 3) *тех.* отработанный, отработавший; ~ steam отработанный пар; 4) негодный, бракованный; **3.** *v* 1) расточать (*деньги, энергию и т. п.*); терять (*время*); to ~ words говорить на ветер; тратить слова; my joke was ~d upon him он не понял моей шутки; 2) портить; 3) опустошать; 4) изнурять; he was ~d by disease болезнь изнурила его; 5) чахнуть; истощаться, приходить к концу (*тж.* ~ away).

waste-basket ['weist,bɑːskit] = waste-paper-basket.

wasteful ['weistful] *a* расточительный.

waste-paper-basket [weist'peipə,bɑːskit] *n* корзина для (ненужных) бумаг; fit for the ~ никудышный.

waste-pipe ['weistpaip] *n* сточная труба.

waster ['weistə] *n* 1) расточитель; 2) брак, бракованное изделие; 3) *sl.* никудышный человек.

wasting ['weistiŋ] **1.** *pres. p. от* waste 3; **2.** *a* 1) опустошительный; разорительный; ~ war опустошительная война; 2) изнурительный.

wastrel ['weistrəl] = waster.

watch I [wɔtʃ] *n* часы (*карманные, наручные*); by my ~ по моим часам; he set his ~ by mine он поставил свой часы по моим.

watch II [wɔtʃ] **1.** *n* 1) внимание; наблюдение; бдительность; to keep ~ over smth. а) наблюдать за чем-л.; б) сторожить что-л.; to stand upon smb. 's ~ сторожить, караулить кого-л.; to be on the ~ for подкарауливать, поджидать; 2) сторож; *уст.* страж; стража, дозор; night ~ а) ночной сторож; б) *уст.* ночной дозор [*ср. тж.* 3)]; 3) *уст.* бодрствование; the night ~ ночное бдение [*ср. тж.* 2)]; to pass as a ~ in the night быть скоро забытым; 4) *ист.* стража (*часть ночи*); 5) *мор.* вахта.

2. *v* 1) наблюдать, следить; to ~ it *sl.* быть осторожным; ~ that he doesn't fall смотри, чтобы он не упал; to ~ one's step а) ступать осторожно; б) действовать осмотрительно; 2) бодрствовать; 3) караулить; сторожить, охранять (*тж.* ~ over); 4) выжидать, ждать (*тж.* ~ for); □ ~ in встречать Новый год; ~ out *амер.* остерегаться; ~ over охранять; ◇ a ~ed pot never boils ≈ когда ждёшь, время тянется.

watch-box ['wɔtʃbɔks] *n* караульная будка.

watch-case ['wɔtʃkeis] *n* корпус часов.

watch-chain ['wɔtʃtʃein] *n* цепочка для часов.

watchdog ['wɔtʃdɔg] *n* сторожевой пёс.

watcher ['wɔtʃə] *n* 1) сторож; 2) наблюдатель; 3) *амер.* человек, защищающий интересы кандидата при баллотировке.

watch-fire ['wɔtʃ,faiə] *n* бивачный костёр; сигнальный костёр.

watchful ['wɔtʃful] *a* бдительный; осторожный.

watch-glass ['wɔtʃglɑːs] *n* стекло для часов.

watch-guard ['wɔtʃgɑːd] *n* цепочка *или* шнурок для часов.

watch-house ['wɔtʃhaus] *n* 1) караульное помещение; 2) полицейский участок; помещение для предварительного заключения.

watch-maker ['wɔtʃ,meikə] *n* часовщик.

watchman ['wɔtʃmən] *n* 1) ночной сторож; 2) караульный.

watch-night ['wɔtʃnait] *n* 1) ночь под Новый год; 2) *церк.* служба в ночь под Новый год.

watch-pocket ['wɔtʃ,pɔkit] *n* карман для часов.

watch-spring ['wɔtʃspriŋ] *n* часовая пружина.

watch-tower ['wɔtʃ,tauə] *n* сторожевая башня.

watchword ['wɔtʃwəd] *n* 1) пароль; 2) лозунг; призыв, клич.

water ['wɔːtə] **1.** *n* 1) вода; by ~ водным путём; to hold ~ не пропускать воду; *перен.* выдержать критику (*о теории и т. п.*); быть логически последовательным; to make ~ дать течь (*о корабле*) [*ср. тж.* 6)]; ~ bewitched *шутл.* ≈ водичка (*слабый чай и т. п.*); 2) водоём; an ornamental ~ искусственное озеро, пруд; 3) (*чаще pl*) воды; *ритор.* море; волны; 4) (*чаще pl*) (минеральные) воды; to drink the ~s побывать на водах, пить лечебные воды (*на курорте*); 5) прилив и отлив; 6) слюна; пот; моча; to make ~ мочиться [*ср. тж.* 1)]; red ~ кровавая моча; ~ on the brain водянка мозга; 7) вода (*качество драгоценного камня*); diamond of the first ~ брильянт чистой воды; genius of the first ~ исключительный талант; 8) *жив. сокр. от* water-colour; ◇ ~s of forgetfulness Лета, забвение, смерть; to draw ~ in a sieve носить воду решетом; in hot ~, in deep ~s в беде; in low ~ «на мели», близкий к разорению; in smooth ~ преуспевающий; like a fish out of ~ не в своей стихии; как рыба, вынутая из воды; to spend money like ~ сорить деньгами; to shed blood like ~ пролить море крови;

2. *v* 1) мочить, смачивать; 2) поливать, орошать; снабжать влагой; 3) поить (*животных*); 4) ходить на водопой; 5) набирать воду (*о корабле и т. п.*); 6) разбавлять (*водой*; *тж.* ~ down); 7) сглаживать, смягчать (*тж.* ~ down); to ~ down the details смягчать подробности; 8) слезиться; потеть; выделять воду, влагу; it made his mouth ~ у него слюнки потекли; 9) разводнять (*об акционерном капитале*); 10) *текст.* муарировать.

water aerodrome ['wɔːtə'ɛərədroum] n гидроаэродро́м.

waterage ['wɔːtərɪdʒ] n 1) перево́зка гру́зов по воде́; 2) опла́та за перево́зку гру́зов по воде́.

water-anchor ['wɔːtə‚æŋkə] n мор. пла́ву́чий я́корь.

water-bearer ['wɔːtə‚bɛərə] n водоно́с.

water-bearing ['wɔːtə‚bɛərɪŋ] a водоно́сный.

water-bed ['wɔːtəbed] n рези́новый матра́ц, напо́лненный водо́й (для больны́х).

water-bird ['wɔːtəbəːd] n водяна́я пти́ца.

water-blister ['wɔːtə‚blɪstə] n водяно́й волды́рь.

water-borne ['wɔːtəbɔːn] a перевози́мый по воде́, мо́рем (о товарах).

water-bottle ['wɔːtə‚bɔtl] n 1) графи́н для воды́; 2) фля́га.

waterboy ['wɔːtəbɔɪ] n амер. ма́льчик-водоно́с.

water bus ['wɔtə'bʌs] n речно́й трамва́й.

water-butt ['wɔːtəbʌt] n бо́чка для дождево́й воды́.

water-can ['wɔːtəkæn] n ле́йка.

water-carriage ['wɔːtə‚kærɪdʒ] n во́дный тра́нспорт.

water-carrier ['wɔːtə‚kærɪə] n 1) водоно́с; водово́з; 2) водонали́вно́е су́дно; 3) (W.) Водоле́й (созве́здие и знак зодиака).

water-cart ['wɔːtəkɑːt] n 1) цисте́рна для поли́вки у́лиц; 2) теле́жка водово́за.

water-closet ['wɔːtə‚klɔzɪt] n убо́рная.

water-colour ['wɔːtə‚kʌlə] n 1) акваре́ль (-ная кра́ска); 2) акваре́ль (рисунок); 3) attr. акваре́льный.

water-colourist ['wɔːtə‚kʌlərɪst] n акваре́лист.

water-cooled ['wɔːtəkuːld] a тех. с водяны́м охлажде́нием.

watercourse ['wɔːtəkɔːs] n 1) река́, ре́чка, руче́й; 2) ру́сло.

water-craft ['wɔːtəkrɑːft] n 1) су́дно; собир. флот; 2) уме́ние управля́ть ло́дкой, пла́вать, ныря́ть.

watercress ['wɔːtəkres] n бот. кресс водяно́й, жеру́ха.

water-cure ['wɔːtəkjuə] n водолече́ние.

water-dog ['wɔːtədɔg] n разг. быва́лый моря́к; хоро́ший плове́ц.

water-drinker ['wɔːtə‚drɪŋkə] n тре́звенник.

water-drop ['wɔːtədrɔp] n 1) ка́пля воды́; 2) слеза́.

watered ['wɔːtəd] 1. p. p. от water 2; 2. a 1) муа́ровый; 2) разба́вленный (водо́й).

water-engine ['wɔːtə‚endʒɪn] n 1) водоподъёмная маши́на; 2) пожа́рная маши́на.

waterfall ['wɔːtəfɔːl] n водопа́д.

waterfowl ['wɔːtəfaul] n (обыкн. собир.) водяны́е пти́цы.

water-front ['wɔːtəfrʌnt] n 1) порт; райо́н по́рта; городско́й райо́н, располо́женный на берегу́ (реки, моря и т. п.); 2) бе́рег.

water-gas ['wɔtə'gæs] n водяно́й газ.

water-gate ['wɔːtəgeɪt] n затво́р (шлюза).

water-gauge ['wɔːtəgeɪdʒ] n водоме́р.

water-glass ['wɔːtəglɑːs] n 1) водоме́рное стекло́; 2) хим. раствори́мое стекло́, силика́т на́трия; 3) стекля́нный сосу́д для воды́; ва́за.

water-gruel ['wɔːtə‚gruəl] n ка́ша на воде́.

water-hammer ['wɔːtə‚hæmə] n тех. гидравли́ческий уда́р.

water-hen ['wɔːtəhen] n 1) водяна́я ку́рочка; камышо́вка; 2) бе́лая шотла́ндская куропа́тка.

water-ice ['wɔːtərais] n заморо́женная смесь фрукто́вого со́ка и воды́.

watering ['wɔːtərɪŋ] 1. pres. p. от water 2;
2. n 1) поли́вка; 2) разбавле́ние водо́й.

watering-can ['wɔːtərɪŋkæn] n ле́йка.

watering-cart ['wɔːtərɪŋkɑːt] = water-cart 1).

watering-place ['wɔːtərɪŋpleis] n 1) водопо́й; 2) во́ды, куро́рт с минера́льными во́дами; 3) морско́й куро́рт.

watering-pot ['wɔːtərɪŋpɔt] = watering-can.

water-jacket ['wɔːtə‚dʒækɪt] n тех. водяна́я руба́шка.

waterless ['wɔːtəlis] a безво́дный.

water-level ['wɔːtə‚levl] n 1) у́ровень воды́; у́ровень подпо́чвенной воды́; 2) ватерпа́с.

water-lily ['wɔːtə‚lɪlɪ] n водяна́я ли́лия; кувши́нка.

water-line ['wɔːtəlain] n мор. ватерли́ния.

waterlog ['wɔːtəlɔg] v 1) затопля́ть; 2) заболо́чивать; 3) пропи́тывать(ся) водо́й; 4) по́ртиться (от избытка воды).

waterlogged ['wɔːtəlɔgd] a 1) полузато́пленный; 2) заболо́ченный; 3) пропи́танный водо́й; погружённый в во́ду.

water-main ['wɔːtəmein] n водопрово́дная магистра́ль.

waterman ['wɔːtəmən] n 1) ло́дочник, перево́зчик; 2) гребе́ц.

watermanship ['wɔːtəmənʃip] n уме́ние хорошо́ грести́.

watermark ['wɔːtəmɑːk] 1. n 1) водяно́й знак (на бумаге); 2) отме́тка горизо́нта воды́;
2. v де́лать водяны́е зна́ки.

water-meadow ['wɔːtə‚medou] n заливно́й луг.

water-melon ['wɔːtə‚melən] n арбу́з.

water-meter ['wɔːtə'miːtə] n водоме́р.

water-mill ['wɔːtəmil] n водяна́я ме́льница.

water-nymph ['wɔːtə'nimf] n руса́лка; ная́да.

water-parting ['wɔːtə‚pɑːtɪŋ] n водоразде́л.

water-pillar ['wɔːtə‚pilə] n ж.-д. гидравли́ческая коло́нка.

water-pipe ['wɔːtəpaip] n водопрово́дная труба́.

water-plane ['wɔːtəplein] n гидропла́н.

water-point ['wɔːtəpɔint] n пункт водоснабже́ния.

water polo ['wɔtə'poulou] n спорт. во́дное по́ло.

water-power ['wɔːtə‚pauə] n 1) гидроэне́ргия; 2) attr. гидросилово́й; ~ engine гидравли́ческий дви́гатель; ~ plant гидроэлектри́ческая ста́нция.

waterproof ['wɔːtəpruːf] **1.** *a* водонепроница́емый, непромока́емый;
2. *n* непромока́емый плащ;
3. *v* придава́ть водонепроница́емость.

water pump ['wɔːtə'pʌmp] *n* 1) водяно́й насо́с; 2) *шутл.* глаза́.

water-ram ['wɔːtəræm] *n тех.* гидравли́ческий тара́н.

water-rat ['wɔːtəræt] *n* 1) водяна́я кры́са; 2) *презр.* моря́к; 3) *sl.* вор (*ору́дующий на приста́нях и т. п.*); 4) *sl.* порто́вый полице́йский.

water-rate ['wɔːtəreit] *n* тари́ф водоснабже́ния.

water-repelling ['wɔːtərɪ,pelɪŋ] = waterproof.

waterscape ['wɔːtəskeip] *n* морско́й пейза́ж.

water-seal ['wɔːtəsiːl] *n тех.* гидравли́ческий затво́р.

watershed ['wɔːtəʃed] *n* 1) водоразде́л; 2) *разг.* бассе́йн реки́.

water-shoot ['wɔːtəʃuːt] *n* водосто́чная труба́.

water-sick ['wɔːtəsik] *a* неплодоро́дный из-за сли́шком большо́й вла́жности.

waterside ['wɔːtəsaid] *n* 1) бе́рег; 2) *attr.* располо́женный на берегу́, проходя́щий по бе́регу.

water-skin ['wɔːtəskin] *n* ко́жаный мешо́к *или* мех для воды́.

water-soluble ['wɔːtə,sɔljubl] *a* раствори́мый в воде́.

waterspout ['wɔːtəspaut] *n* 1) водяно́й смерч; 2) водосто́чная труба́.

water-supply ['wɔːtəsə,plai] *n* водоснабже́ние.

water system ['wɔːtə'sistim] *n* 1) река́ со свои́ми прито́ками; 2) = water-supply.

water-table ['wɔːteibl] *n* 1) архит. сливна́я плита́; 2) у́ровень грунтовы́х вод.

water-tap ['wɔːtətæp] *n* кран.

watertight ['wɔːtətait] *a* 1) водонепроница́емый; гермети́ческий; 2) выде́рживающий кри́тику, вполне́ обосно́ванный (*о тео́рии и т. п.*); 3) не могу́щий быть искажённым, соверше́нно определённый.

water-tower ['wɔːtə,tauə] *n* 1) водонапо́рная ба́шня; 2) *амер.* огнетуши́тель, применя́емый для туше́ния огня́ на большо́й высоте́.

water-trough ['wɔːtətrɔf] *n* пойлка для скота́.

water-vole ['wɔːtəvoul] *n* водяна́я кры́са.

water-wag(g)on ['wɔːtə,wægən] *n* пово́зка водово́за; ◊ to be on the ~ возде́рживаться от спиртны́х напи́тков.

water-wave ['wɔːtəweiv] *n* 1) больша́я волна́, вал; 2) холо́дная зави́вка.

water-way ['wɔːtəwei] *n* 1) во́дный путь; 2) судохо́дное ру́сло, фарва́тер; 3) *мор.* ватерве́йс; водопрото́к.

water-wheel ['wɔːtəwiːl] *n* водяно́е колесо́.

water-wings ['wɔːtəwɪŋz] *n* надувно́е приспособле́ние для пла́вания.

waterworks ['wɔːtəwɜːks] *n pl* (*употр. как sing и как pl*) 1) водопрово́дная стан-

ция; водопрово́дные сооруже́ния; 2) во́дные сооруже́ния; фонта́н; ◊ to turn on the ~ *разг.* запла́кать; пролива́ть слёзы.

watery ['wɔːtəri] *a* 1) водяно́й; мо́крый; 2) водяни́стый, жи́дкий (*о пи́ще*); 3) бессодержа́тельный; 4) предвеща́ющий дождь; 5) по́лный слёз (*о глаза́х*).

watt [wɔt] *n эл.* ватт.

watt-hour ['wɔtauə] *n эл.* ватт-ча́с.

wattle I ['wɔtl] *n* серёжка (*у птиц*).

wattle II ['wɔtl] **1.** *n* 1) прут; 2) плете́нь; 3) *бот.* ака́ция длиннолистная;
2. *v* 1) плести́ (*плете́нь*); 2) стро́ить из плетня́.

wattled ['wɔtld] **1.** *p. p. от* wattle II, 2;
2. *a* плетёный.

wattless ['wɔtlis] *a эл.* реакти́вный, «безва́ттный».

wattmeter ['wɔt,miːtə] *n эл.* ваттме́тр.

waul [wɔːl] *v* крича́ть, мяу́кать.

wave [weiv] **1.** *n* 1) волна́; the ~s *поэт.* мо́ре; 2) волна́; вре́менный подъём; a ~ of enthusiasm волна́ энтузиа́зма; 3) колеба́ние; 4) волни́стость, неро́вность; 5) маха́ние, знак (*руко́й*); 6) зави́вка; electric ~, permanent ~ шестиме́сячная зави́вка; 7) *воен.* атаку́ющая цепь; 8) *attr.* волново́й; ~ mechanics волнова́я меха́ника;
2. *v* 1) развева́ться (*о фла́гах*), волнова́ться (*о ни́ве и т. п.*); кача́ться (*о ве́тках*); 2) ви́ться (*о волоса́х*); 3) завива́ть (*во́лосы*); 4) разма́хивать, маха́ть (*руко́й, платко́м*); де́лать знак руко́й; to ~ in farewell, to ~ a farewell помаха́ть руко́й на проща́нье; □ ~ aside подви́нуть в сто́рону; *перен.* не принима́ть (*во внима́ние и т. п.*); отмахну́ться (*от чего́-л.*); ~ away сде́лать (*кому-л.*) знак удали́ться; *перен.* отмахну́ться; ~ off не соглаша́ться (*на что-л.*), не принима́ть (*предложе́ния*).

waved [weivd] **1.** *p. p. от* wave 2;
2. *a* волни́стый (*о волоса́х*); завито́й.

waveguide ['weivgaid] *n радио* волново́д.

wave-length ['weivleŋθ] *n физ.* длина́ волны́.

wavelet ['weivlit] *n* небольша́я волна́.

waver ['weivə] *v* 1) колеба́ться; 2) дро́гнуть (*о войска́х*); 3) колыха́ться (*о пла́мени*).

wavy ['weivi] *a* 1) волни́стый; 2) колеблющийся; 3) *тех.* рифлёный.

wax I [wæks] **1.** *n* 1) воск; mineral ~ минера́льный воск, озокери́т; 2) ушна́я се́ра; 3) *attr.* восково́й; ~ candle восковая свеча́;
2. *v* вощи́ть.

wax II [wæks] *v* 1) прибыва́ть (*о луне́; тж. перен.*); 2) как глаго́л-свя́зка де́латься, станови́ться (*обыкн. шутл.*); to ~ fat растолсте́ть; to ~ angry рассерди́ться; 3) *уст., поэт.* расти́.

wax III [wæks] *n sl.* при́ступ гне́ва; я́рость; to be in a ~ быть в бе́шенстве; to get into a ~ взбеси́ться, рассвирепе́ть.

waxcloth ['wæksklɔθ] *n* лино́леум.

waxen ['wæksən] *a* 1) восково́й; 2) бледный, бесцве́тный; 3) вощёный; 4) мя́гкий как воск.

wax-end ['wæksend] *n* дра́тва.

wax-paper ['wæks‚peɪpə] *n* вощёная бума́га.

waxwork ['wækswə:k] *n* 1) ле́пка из во́ска; 2) восковáя фигýра; муля́ж; 3) *pl* панóптикум.

waxy I ['wæksɪ] *a* 1) восковóй; 2) похóжий на воск; 3) вощёный.

waxy II ['wæksɪ] *a sl.* 1) взбешённый; 2) вспы́льчивый.

way [weɪ] *n* 1) путь; дорóга; to take one's ~ идти́, уходи́ть; to lead the ~ идти́ впереди́; быть вожакóм, покáзывать пример; to lose one's ~ сби́ться с пути́; back ~ окóльный путь; on the ~ в пути́; to be on one's ~, to go one's ~ уходи́ть, отправля́ться; to be in the ~ a) стоя́ть поперёк дорóги, мешáть; б) быть под рукóй; by the ~ a) по дорóге, по пути́; б) кстáти, мéжду прóчим; to get out of smb.'s ~ уйти́ с дорóги; to make ~ for smb., smth. дать дорóгу, уступи́ть мéсто комý-л., чемý-л.; to see one's ~ понимáть, как нáдо дéйствовать; быть в состоя́нии сдéлать что-л.; now I see my ~ теперь я знáю, что дéлать; out of the ~ a) не по пути́; в сторонé; б) необыкновéнный; необы́чный, незауря́дный; he has done nothing out of the ~ он не сдéлал ничегó из ря́да вон выходя́щего; 2) сторонá, направлéние; look this ~ посмотри́те сюдá; the other ~ round наоборóт; 3) расстоя́ние; a little ~, *амер. разг.* a little ~s недалекó; a long ~, *амер. разг.* a long ~s далекó; 4) движéние вперёд; ход; to make one's ~ a) продвигáться; пробирáться; б) сдéлать карьéру, завоевáть положéние в обществе (*тж.* to make one's ~ in the world); to make the best of one's ~ идти́ как мóжно скорéе, спеши́ть; to have ~ on двигáться вперёд (*о корабле, автомобиле и т. п.*); under ~ *мор.* на ходý (*тж. перен.*); preparations are under ~ дéлаются приготовлéния; 5) мéтод, срéдство, спóсоб; манéра; óбраз дéйствия; I will find a ~ to do it я найдý спóсоб éто сдéлать; to my ~ of thinking по моемý мнéнию; one ~ or another так и́ли инáче; the other ~ инáче; ~s and means a) пути́ и спóсобы; пути́ и возмóжности; б) *парл.* пути́ и спóсобы изыскáния дéнежных срéдств; to have a ~ with smb. имéть осóбый подхóд к комý-л., умéть убеждáть когó-л.; 6) обы́чай, привы́чка; осóбенность; it is not in his ~ to be communicative общи́тельность не в егó харáктере; to stand in the ancient ~s быть проти́вником всегó нóвого; 7) óбраз жи́зни; to live in a great (small) ~ жить на широ́кую нóгу (скрóмно); 8) óбласть, сфéра; to be in the retail ~ занимáться рóзничной торгóвлей; 9) состоя́ние; *sl.* волнéние; in a bad ~ в плохóм состоя́нии; she is in a terrible ~ онá ужáсно взволнóвана; 10) отношéние; bad in every ~ плохóй во всех отношéниях; in a ~ в нéкотором отношéнии; в извéстном смы́сле; до извéстной стéпени; 11) *pl* стáпель, полóзья (*для спуска судна на воду*); 12) *тех.* направля́ющие (*станка*); 13) *амер. употр. для усиления:* ~ above свы́ше; ~ ahead далекó впереди́; ~ back тому́ назáд; ~ back

in the nineties ещё в 90-х годáх; ~ behind далекó позади́; ◇ ~ out вы́ход из положéния; by ~ of a) рáди, с цéлью; б) в ви́де, в кáчестве; to give ~ a) подавáться, уступáть; б) поддавáться, предавáться (*отчая́нию и т. п.*); в) пóртиться, сдавáть; г) пáдать в ценé (*о ценных бумагах*); по two ~s about it a) éто неизбéжно; б) об éтом не мóжет быть двух мнéний; to put smb. in the ~ of smth. предостáвить комý-л. слýчай, дать возмóжность сдéлать что-л.; to have one's own ~ добиться своегó, настоя́ть на своём; to go the ~ of all flesh (*или* of nature, of all the earth) умерéть; to go out of one's ~..., to put oneself out of the ~... постарáться изо всех сил, чтóбы оказáть пóмощь, содéйствие другóму; to put smb. out of the ~ убрáть когó-л., уби́ть когó-л.; to come smb.'s ~ попадáться, встречáться комý-л. (*на жи́зненном пути́*); the longest ~ round is the shortest way home *посл.* ≅ ти́ше éдешь, дáльше бýдешь; to have a ~ with oneself облáдать обая́нием.

way-bill ['weɪbɪl] *n* 1) спи́сок пассажи́ров; 2) спи́сок мест, котóрые предполагáется посети́ть; 3) накладнáя; путевóй лист.

wayfarer ['weɪ‚fɛərə] *n* пýтник.

wayfaring ['weɪ‚fɛərɪŋ] 1. *n* стрáнствие; 2. *a* стрáнствующий.

wayfaring-tree ['weɪ‚fɛərɪŋtrɪ:] *n бот.* кали́на гордови́на.

waygoing ['weɪ‚gouɪŋ] *n* 1) прощáние; 2) *attr.* отбывáющий.

waygone ['weɪgɒn] *редк.* = way-worn.

waylay [weɪ'leɪ] *v* подстерегáть; устрáивать засáду (*на кого-л.*).

way-leave ['weɪlɪ:v] *n* 1) прáво перевóзки по чужóй землé; 2) прáво полёта над территóрией.

way-maker ['weɪ‚meɪkə] *n* пионéр, первооткрывáтель.

way-passenger ['weɪ‚pæsɪndʒə] *n амер.* пассажи́р, садя́щийся *или* выходя́щий на промежýточной стáнции.

wayside ['weɪsaɪd] 1. *n* 1) придорóжная полосá; обóчина; 2) *pl ж.-д.* полосá отчуждéния; 2. *a* придорóжный.

way-station ['weɪ‚steɪʃən] *n амер.* небольшáя промежýточная стáнция; полустáнок.

way-train ['weɪtreɪn] *n амер.* пóезд, останáвливающийся на всех стáнциях; при́городный пóезд.

wayward ['weɪwəd] *a* 1) своенрáвный; капри́зный; 2) изменчивый, непостоя́нный.

way-worn ['weɪwɔ:n] *a* утомлённый (*о пýтнике*).

we [wɪ:] *pron. pers.* (*косв. п.* us) мы.

weak [wɪ:k] *a* 1) слáбый; in a ~ moment засти́гнутый враспло́х; ~ point, ~ spot слáбое мéсто; 2) нереши́тельный; слабовóльный; ~ refusal нереши́тельный откáз; 3) неубеди́тельный; 4) ýмственно отстáлый; глýпый; 5) слáбый, водяни́стый; 6) *грам.* слáбый; 7) *фон.* неудáрный, редуци́рованный.

weaken ['wɪ:kən] *v* 1) ослабля́ть; 2) слабéть; 3) поддавáться, сдавáться.

weak-eyed ['wiːkaɪd] *a* со слáбым (*или* с плохи́м) зрéнием.

weak-headed ['wiːk'hedɪd] *a* 1) слабоýмный; 2) легкó пьянéющий.

weak-kneed ['wiːkniːd] *a* 1) слáбый нá ноги; 2) слабовóльный, малодýшный.

weakling ['wiːklɪŋ] *n* слáбый *или* слабовóльный человéк.

weakly ['wiːklɪ] **1.** *a* хи́лый, болéзненный; **2.** *adv* слáбо.

weak-minded ['wiːk'maɪndɪd] = weak--headed 1).

weakness ['wiːknɪs] *n* 1) слáбость; 2) слáбость, склóнность (*for*—к *чему-л.*); 3) слáбое мéсто, недостáток; 4) неубеди́тельность, необоснóванность.

weak-spirited ['wiːk'spɪrɪtɪd] *a* малодýшный.

weal I [wiːl] *n* благосостоя́ние, блáго; for the public (*или* general) ~ для óбщего блáга; in ~ and woe в счáстье и в гóре.

weal II [wiːl] = wale.

weald [wiːld] *n* райóн Южной Áнглии, в котóрый вхóдят чáсти графств Кент, Суссекс, Сýррей, Гéмпшир.

wealth [welθ] *n* 1) богáтство; a man of ~ богáтый человéк; 2) изоби́лие; 3) *уст.* благосостоя́ние; 4) (the ~) *собир.* богачи́.

wealthy ['welθɪ] *a* богáтый; состоя́тельный.

wean I [wiːn] *v* 1) снимáть от грýди; 2) отучáть (from, of, away—от).

wean II [wiːn] *n шотл.* ребёнок.

weanling ['wiːnlɪŋ] *n* ребёнок, недáвно óтнятый от грýди.

weapon ['wepən] *n* 1) орýжие; *перен.* срéдство; ~ of mass destruction орýжие мáссового уничтожéния; 2) срéдства самозащи́ты (*у животных и насекомых*).

weaponless ['wepənlɪs] *a* безорýжный.

wear I [wɛə] **1.** *n* 1) ношéние, нóска (*одежды*); in ~ в нóске, в употреблéнии; this is now in (general) ~ это тепéрь мóдно; a dress for summer ~ лéтнее плáтье; 2) одéжда, плáтье; men's ~ мужскáя одéжда; working ~ рабóчее плáтье; 3) нóска, нóскость; there is still much ~ in these shoes эти боти́нки ещё бýдут дóлго носи́ться; 4) изнóс, изнáшивание; to show ~ износи́ться; ~ and tear а) изнóс; амортизáция; изнáшивание; б) утомлéние; ~ and tear of life жи́зненные передря́ги;
2. *v* (wore; worn) 1) быть одéтым (*во что-л.*); носи́ть (*одéжду и т. п.*); to ~ scent души́ться; to ~ one's hair parted in the middle носи́ть вóлосы на прямóй прообóр; 2) носи́ться (*о плáтье*); to ~ well а) хорошó носи́ться; б) вы́глядеть молóже свои́х лет; 3): to ~ a troubled look имéть смущённый *или* взволнóванный, озабóченный вид; 4) изнáшивать, стирáть, протирáть; пробивáть; размывáть; the water has worn a channel водá промы́ла канáву; to ~ a track across a field протоптáть тропи́нку в пóле; 5) утомля́ть; изнуря́ть; 6) подвигáться, приближáться (*о врéмени*); the day ~s towards its close день бли́зится к концý; 7) *мор.*: to ~ the ensign (*или* the flag) плáвать под флáгом; □ ~ away а) стирáть(ся);

б) мéдленно тянýться (*о врéмени*); ~ down а) стирáть(ся), изнáшивать(ся); б) преодолевáть (*сопротивлéние и т. п.*); ~ off а) стирáть(ся); б) смягчáться; проходи́ть; ~ on мéдленно тянýться (*о врéмени*); ~ out а) изнáшивать(ся); б) истощáть(ся) (*о терпéнии и т. п.*); в) состáрить; г) изнури́ть; ◇ to ~ the King's (*или* the Queen's) coat служи́ть в англи́йской áрмии; to ~ breeches (*или амер.* pants) обладáть мужски́м харáктером (*о жéнщине*); верховóдить в дóме; to ~ one's heart on one's sleeve не (умéть) скрывáть свои́х чувств.

wear II [wɛə] *v* (wore) *мор.* дéлать поворóт чéрез фордеви́нд.

wear III [wɪə] = weir.

wearer ['wɛərə] *n* владéлец (шля́пы, пальтó *и т. п.*); тот, на ком надéто плáтье, пальтó *и т. п.*

weariful ['wɪərɪful] *a* скýчный, утоми́тельный.

weariless ['wɪərɪlɪs] *a* неутоми́мый.

weariness ['wɪərɪnɪs] *n* 1) устáлость, утомлённость; 2) утоми́тельность, скýка.

wearing ['wɛərɪŋ] **1.** *pres. p. от* wear I, 2; **2.** *a* 1) предназнáченный для нóски; ~ apparel одéжда, плáтье; 2) утоми́тельный.

wearisome ['wɪərɪsəm] *a* 1) утоми́тельный; 2) скýчный.

wearproof ['wɛəpruːf] *a* износостóйкий, мéдленно срабáтывающийся.

weary ['wɪərɪ] **1.** *a* 1) утомлённый; 2) устáвший, потеря́вший терпéние (*of*—от *чего-л.*); I am ~ of it мне это надоéло; 3) утоми́тельный;
2. *v* 1) утомля́ть(ся); 2) устáть, потеря́ть терпéние (*of*—от *чего-л.*); □ ~ for тосковáть *о ком-л.*, *о чём-л.*; стреми́ться *к чему-л.*

weasel ['wiːzl] *n зоол.* лáска; ◇ to catch a ~ asleep застáть врасплóх человéка, обы́чно насторожённого.

weather ['weðə] **1.** *n* 1) погóда; ~ permitting при услóвии благоприя́тной погóды; 2) непогóда, шторм; to make good (bad) ~ *мор.* хорошó (плóхо) выдéрживать шторм (*о корáбле*); ◇ in the ~ на ýлице, на дворé; to make heavy ~ of smth. находи́ть что-л. трýдным, утоми́тельным; under the ~ *sl.* а) нездорóвый, больнóй; б) в бедé, в затрудни́тельном положéнии; *амер.* вы́пивший; to have the ~ of а) идти́ с навéтренной сторонý; б) имéть преимýщество пéред;
2. *a мор.* навéтренный; ◇ to keep one's ~ eye open смотрéть в óба; держáть ýхо востро́;
3. *v* 1) вывéтривать(ся), подвергáть(ся) атмосфéрным влия́ниям; 2) выдéрживать (*бýрю, нáтиск, испытáние и т. п.*); 3) *мор.* обходи́ть с навéтренной сторонý; □ ~ on идти́ с навéтренной сторонý; ~ out выдéрживать (*испытáние и т. п.*).

weather-beaten ['weðə,biːtn] *a* 1) повреждённый бýрями; 2) обвéтренный; загорéлый; 3) закалённый (*о лю́дях*); 4) видáвший ви́ды, потрёпанный.

weather-board ['weðəbɔːd] *n мор.* планши́р.

weather-bound ['weðəbaund] *a* задéржанный непогóдой.

weather-bureau [ˈweðəbjuə͵rou] *n* бюро погоды.

weather-chart [ˈweðəʧɑːt] *n* синоптическая карта.

weather-cloth [ˈweðəklɔθ] *n мор.* обвес; защитный брезент.

weathercock [ˈweðəkɔk] *n* 1) флюгер; 2) непостоянный человек.

weathered [ˈweðəd] 1. *p. p. от* weather 3; 2. *a* 1) подвергшийся атмосферным влияниям; 2) *геол.* выветрившийся.

weather-forecast [ˈweðə͵fɔːkɑːst] *n* прогноз погоды.

weather-gauge [ˈweðəgeɪʤ] *n мор.* положение с наветренной стороны; *перен.* преимущество; to have the ~ of a) идти с наветренной стороны; б) иметь преимущество перед.

weather-glass [ˈweðəglɑːs] *n* барометр.

weathering [ˈweðərɪŋ] 1. *pres. p. от* weather 3; 2. *n* 1) *стр.* скос или наклон для стока дождевой воды, слив; 2) *геол.* выветривание, эрозия.

weatherman [ˈweðəmən] *n разг.* метеоролог.

weather-map [ˈweðəmæp] = weather-chart.

weather-proof [ˈweðəpruːf] *a* защищённый от непогоды; устойчивый против атмосферных влияний.

weather-prophet [ˈweðə͵prɔfɪt] *n* предсказатель погоды.

weather-report [ˈweðərɪ͵pɔːt] *n* метеорологическая сводка.

weather-side [ˈweðəsaɪd] *n* наветренная сторона; наветренный борт (*судна*).

weather-sign [ˈweðəsaɪn] *n* примета погоды.

weather-stained [ˈweðəsteɪnd] *a* выцветший.

weather-station [ˈweðə͵steɪʃən] *n* метеорологическая станция.

weather-vane [ˈweðəveɪn] = weathercock 1).

weatherwear [ˈweðəwɛə] *n* защитная одежда (*на случай дождя и т. п.*).

weather-wise [ˈweðəwaɪz] *a* умеющий предсказывать погоду.

weather-worn [ˈweðəwɔːn] *a* пострадавший от непогоды.

weave [wiːv] 1. *v* (wove; woven) 1) ткать; 2) плести; вплетать; 3) *перен. разг.* плести, сочинять; 4) сплетать(ся), соединять(ся), сливать(ся); 5) покачиваться, качаться; 2. *n* 1) узор (*ткани*), переплетение нитей в ткани; 2) *attr.* ткацкий.

weaver [ˈwiːvə] *n* ткач; ткачиха.

weazen(ed) [ˈwiːzn(d)] = wizen(ed).

web [web] 1. *n* 1) ткань; штука ткани; 2) рулон (*бумаги*); 3) паутина; 4) сплетение (*лжи, интриг*); 5) перепонка (*у утки, летучей мыши и т. п.*); 6) стенка (*балки*); шейка (*рельса*); диск (*колеса*); полотно (*пилы*); 7) щека кривошипа; 8) перемычка, переборка; 2. *v* окружать паутиной; *перен.* втягивать, вовлекать.

webbed [webd] 1. *p. p. от* web 2; 2. *a* перепончатый.

webbing [ˈwebɪŋ] 1. *pres. p. от* web 2; 2. *n* тканая лента, тесьма.

web-footed [ˈweb͵futid] *a* с перепончатыми лапами.

wed [wed] *v* (wedded [-ɪd], *редк.* wed) 1) выдавать замуж; женить; венчать; 2) *уст., ритор.* (*за исключением p. p.*) вступать в брак; 3) сочетать, соединять.

we'd [wiːd] *сокр. разг.* = we had; we should, we would.

wedded [ˈwedɪd] 1. *p. p. от* wed; 2. *a* 1) супружеский; a ~ pair супружеская пара; 2) преданный (*чему-л.*).

wedding [ˈwedɪŋ] 1. *pres. p. от* wed; 2. *n* 1) свадьба; венчание, бракосочетание; женитьба; 2) *attr.* свадебный.

wedding-cake [ˈwedɪŋkeɪk] *n* свадебный пирог.

wedding-day [ˈwedɪŋdeɪ] *n* день свадьбы; годовщина свадьбы.

wedding-dress [ˈwedɪŋdres] *n* подвенечное платье.

wedding-favour [ˈwedɪŋ͵feɪvə] *n* бант шафера.

wedding-ring [ˈwedɪŋrɪŋ] *n* обручальное кольцо.

wedge [weʤ] 1. *n* 1) клин; to force a ~, to drive a ~ вбивать клин; 2) что-л., имеющее форму клина; 3) *радио* линейчатый клин; ◇ the thin end of the ~ ≅ скромное, но многообещающее начало; первый шаг (*к чему-л.*); 2. *v* 1) закреплять клином; 2) раскалывать при помощи клина; □ ~ in вклиниваться); to ~ oneself in втискиваться; ~ off расталкивать.

wedge key [ˈweʤ͵kiː] *n* чека, шпонка.

wedge writing [ˈweʤ͵raɪtɪŋ] *n* клинопись.

wedgies [ˈweʤɪz] *n pl* танкетки (*обувь*).

Wedgwood [ˈweʤwud] *n* веджвуд (*фарфор и фаянс англ. фабрики Веджвуд*).

wedlock [ˈwedlɔk] *n* супружество; брак.

Wednesday [ˈwenzdɪ] *n* среда (*день недели*).

wee [wiː] *a шотл.* крошечный, маленький; a ~ bit немножко.

weed I [wiːd] 1. *n* 1) сорная трава, сорняк; 2) (the ~) табак; 3) *разг.* сигара; 4) тощий человек; 5) кляча; ◇ ill ~s grow apace *посл.* дурная трава в рост идёт; 2. *v* 1) полоть; 2) очищать, избавлять; □ ~ out удалять, вычищать; отбирать.

weed II [wiːd] *n* 1) *pl* вдовий траур (*обыкн.* widow's ~s); 2) траурная повязка, креп.

weedy [ˈwiːdɪ] *a* 1) заросший сорняками; 2) растущий как сорная трава; 3) тощий, нескладный; слабый.

week [wiːk] *n* 1) неделя; in a ~ через неделю; in a ~'s time через неделю; in a ~ через неделю; this day ~ а) неделю тому назад; б) ровно через неделю; he came back Saturday ~ в субботу была или будет неделя, как он вернулся; 2) шесть рабочих дней недели; ◇ a ~ of Sundays *разг.* а) семь недель; б) ≅ целая вечность; ~ in, ~ out беспрерывно.

week-day [ˈwiːkdeɪ] *n* будний день.

week-end [ˈwiːkˈend] 1. *n* время отдыха с субботы до понедельника; вечеринка, устраиваемая в это время;

2. v отдыхáть *(где-л.)* с суббóты до понедéльника.

week-ender ['wiːk'endə] n уезжáющий отдыхáть на врéмя от суббóты до понедéльника.

weekly ['wiːklɪ] **1.** n еженедéльник; **2.** a еженедéльный, недéльный; **3.** adv еженедéльно; раз в недéлю.

ween [wiːn] v *поэт.* 1) дýмать, полагáть; 2) надéяться.

weep [wiːp] v (wept) 1) плáкать; 2) оплáкивать (for); 3) покрывáться кáплями, выделять влáгу; □ ~ away проплáкать; ~ out вы́плакать; to ~ oneself out выплáкаться.

weeper ['wiːpə] n 1) плáкса; 2) плáкальщик; 3) трáурная повязка, креп; 4) pl трáурные бéлые манжéты.

weeping ['wiːpɪŋ] **1.** *pres. p. om* weep; **2.** a 1) проливáющий слёзы; 2) плакýчий; ~ willow плакýчая и́ва; 3) *мед.* мóкнущий, влáжный.

Weeping Cross ['wiːpɪŋ'krɔs] n *ист.* крест, у котóрого моли́лись кáющиеся; to come home by ~ раскáяться.

weeping eczema ['wiːpɪŋ'eksɪmə] n *мед.* мóкнущая экзéма.

weevil ['wiːvɪl] n *зоол.* долгонóсик.

weevilled ['wiːvɪld] a поражённый долгонóсиком *(о зерне)*.

weevilly ['wiːvɪlɪ] = weevilled.

weft [weft] n 1) *текст.* утóк; 2) *разг.* ткань.

weigh [weɪ] v 1) взвéшивать(ся); 2) взвéшивать, обдýмывать, оцéнивать; to ~ the advantages and disadvantages взвéсить все за и прóтив; to ~ one's words взвéшивать свои́ словá, тщáтельно подбирáть словá; 3) срáвнивать (with, against); 4) вéсить; how much do you ~? скóлько вы вéсите?; 5) имéть вес, значéние, влиять; 6) *мор.* поднимáть (якорь); □ ~ down a) отягощáть; перевéшивать; б) угнетáть, тяготи́ть; ~ in взвéшиваться до скáчек *(о жокéе)*; to ~ in with an argument привести́ решáющий дóвод; ~ out a) отвéшивать, развéшивать; б) взвéшиваться пóсле скáчек *(о жокéе)*; ~ up a) поднимáть *(рычагóм)*; б) взвéсить и реши́ть; ~ upon тяготи́ть; ~ with имéть значéние; влиять на *(решéние)*.

weighbridge ['weɪbrɪdʒ] n весы́ с помóстом; платфóрменные весы́.

weigher ['weɪə] n весовщи́к.

weighing ['weɪɪŋ] **1.** *pres. p. om* weigh; **2.** n взвéшивание; ~ in *спорт.* взвéшивание пéред соревновáнием.

weighing-machine ['weɪɪŋməˌʃiːn] n весы́.

weight [weɪt] **1.** n 1) вес; to put on ~ толстéть, поправляться; 2) тяжесть; груз; 3) брéмя; 4) влияние, значéние, вáжность; men of ~ влиятельные лю́ди; an argument of great ~ убеди́тельный дóвод; 5) си́ла, тяжесть; 6) ги́ря; pl разновéс; 7) *спорт.* ги́ря, штáнга; lifting поднятие тяжестéй; 8) *спорт.* весовáя категóрия; ◇ Weights and Measures Department Палáта мер и весóв; **2.** v 1) нагружáть; увели́чивать вес; подвéшивать ги́рю; 2) отягощáть, обременять (with); 3) подмéшивать *(для вéса)*; 4) придавáть вес, си́лу; □ ~ down a) тянýть вниз, оття́гивать; б) отягощáть *(забóтами и т. п.)*.

weightless ['weɪtlɪs] a невесóмый.

weight lifter ['weɪt'lɪftə] n гиреви́к, штангáст.

weighty ['weɪtɪ] a 1) тяжёлый; 2) обремени́тельный; 3) вáжный, вéский.

weir [wɪə] **1.** n плоти́на, запрýда; в̇. дослив; **2.** v устрáивать плоти́ну, запрýживать.

weird [wɪəd] **1.** n 1) судьбá, рок; 2) предзнаменовáние, предсказáние; **2.** a 1) роковóй, фатáльный; 2) таи́нственный, сверхъестéственный; 3) *разг.* стрáнный, непонятный; ◇ the ~ sisters боги́ни судьбы́.

Welch [welʃ] = Welsh.

welch [welʃ] = welsh.

welcome ['welkəm] **1.** n 1) привéтствие; 2) гостеприи́мство, рáдушный приём; to give a warm ~ оказáть сердéчный приём; to find a ready ~ быть рáдушно при́нятым; to wear out *(или* to outstay*)* smb.'s ~ злоупотребля́ть чьим-л. гостеприи́мством; остовáться дóльше, чем приятно хозяевам; **2.** a 1) желáнный, приятный; 2) predic. охóтно разрешáемый; (you are) ~ пожáлуйста, не стóит благодáрности; he is ~ to use my library я охóтно позволя́ю емý пóльзоваться моéй библиотéкой; to make smb. ~ рáдушно принимáть когó-л.; **3.** v 1) привéтствовать; 2) рáдушно принимáть; I ~ you to my house рад вас ви́деть у себя́; **4.** int добрó пожáловать! *(тж.* you are ~!).

weld [weld] **1.** n *тех.* 1) свáрка *(метáллов)*; 2) сварнóй шов; **2.** v 1) *тех.* свáривать(ся); 2) сплáчивать, объединять.

welder ['weldə] n 1) свáрщик; 2) свáрочный агрегáт.

welding ['weldɪŋ] **1.** *pres. p. om* weld 2; **2.** n *тех.* свáрка; свáривание.

welfare ['welfɛə] n 1) благосостоя́ние, благодéнствие; 2) = welfare work.

welfare centre ['welfɛə'sentə] n организáция, занимáющаяся вопрóсами бы́та населéния дáнного райóна.

welfare work ['welfɛə'wək] n меропри́ятия по улучшéнию культýрно-бытовы́х услóвий.

welkin ['welkɪn] n *поэт.* нéбо, небéсный свод.

well I [wel] **1.** n 1) роднáк; 2) колóдец; водоём; 3) *перен.* истóчник; 4) лéстничная клéтка; 5) *горн.* сквáжина; отстóйник; зумпф; **2.** v хлы́нуть, бить ключóм *(часто* ~ up, ~ out, ~ forth).

well II [wel] **1.** adv (better; best) 1) хорошó; ~ done! здóрово!; 2) как слéдует; хорошéнько; he ought to be ~ punished егó слéдует хорошéнько наказáть; 3) хорошó, разýмно, прáвильно; to behave ~ хорошó вести́ себя́; you can't ~ refuse to help him у вас нет достáточных основáний отказáть емý в пóмощи; 4) совершéнно, пóлностью;

he was ~ out of sight он совсем исчез из виду; 5) очень, значительно, далеко, вполне; the work is ~ on работа значительно продвинулась; he is ~ past forty ему далеко за сорок; it may ~ be true очень возможно, что это верно; ◇ as ~ a) кроме того, вдобавок; б) с таким же успехом; as ~ as так же как, а также; it's just as ~ с равным успехом; и что же?; ~ enough довольно хорошо; ~ begun is half done *посл.* хорошее начало полдела откачало;

2. *a* (better; best) 1) *predic.* хороший; all is ~ всё в порядке, всё прекрасно; all turned out ~ все окончилось хорошо; to come off ~ хорошо сойти; to be ~ out of smth. счастливо отделаться от чего-л.; 2) *predic.* здоровый; I am quite ~ я совершенно здоров; 3) *attr. редк. (не имеет степеней сравнения)* здоровый;

3. *n* добро; I wish him ~ я желаю ему добра; ◇ let ~ alone, *амер.* let ~ enough alone ≅ от добра добра не ищут;

4. *int* ну! *(выражает удивление, уступку, согласие, ожидание и т. п.)*; ~ and good! хорошо!, ладно!; if you promise that, ~ and good если вы обещаете это, тогда хорошо; ~, to be sure! вот тебе раз!; ~, what next? ну, а что дальше?; ~, now tell me all about it ну, теперь расскажите мне всё об этом.

we'll [wiːl] *сокр. разг.* = we shall; we will.

well-advised ['weləd'vaɪzd] *a* благоразумный.

well-appointed ['welə'pɔɪntɪd] *a* хорошо снаряжённый, хорошо оборудованный.

well-armed ['wel'aːmd] *a* хорошо вооружённый.

well-assorted ['welə'sɔːtɪd] *a* хорошо подобранный.

wellaway ['welə'weɪ] *int уст.* как жаль!

well-balanced ['wel'bælənst] *a* уравновешенный, рассудительный.

well-becoming ['welbɪ'kʌmɪŋ] *a* подходящий, правильный.

well-behaved ['welbɪ'heɪvd] *a* благонравный.

well-being ['wel'biːɪŋ] *n* благополучие.

well-boring ['wel'bɔːrɪŋ] *n горн.* бурение скважин.

well-born ['wel'bɔːn] *a* родовитый.

well-bred ['wel'bred] *a* 1) благовоспитанный; 2) чистокровный *(о животном).*

well-built ['wel'bɪlt] *a* крепкий; хорошо сложённый.

well-conducted ['welkən'dʌktɪd] *a* воспитанный, тактичный.

well-connected ['welkə'nektɪd] *a* с большими связями.

well-directed ['weldɪ'rektɪd] *a* меткий *(о выстреле и т. п.)*; точно направленный.

well-dish ['wel'dɪʃ] *n* блюдо с углублением для соуса.

well-disposed ['weldɪs'pouzd] *a* благожелательный, благосклонный (to, towards).

well-doer ['wel'duːə] *n* 1) добродетельный человек; 2) доброжелатель.

well-doing ['wel'duːɪŋ] *n* добродетельное поведение.

well-done ['wel'dʌn] *a* хорошо прожаренный.

well-earned ['wel'əːnd] *a* заслуженный.

well-educated ['wel'edjuːkeɪtɪd] *a* образованный.

well-favoured ['wel'feɪvəd] *a* красивый, привлекательный.

well-fed ['wel'fed] *a* откормленный; толстый.

well-found ['wel'faund] *a* хорошо подготовленный; to be ~ in philosophy иметь солидное философское образование.

well-founded ['wel'faundɪd] = well--grounded.

well-groomed ['wel'gruːmd] *a* 1) хорошо ухоженный *(о лошади)*; 2) выхоленный.

well-grounded ['wel'graundɪd] *a* обоснованный; хорошо подготовленный.

well-head ['welhed] *n* источник.

well-informed ['welɪn'fɔːmd] *a* хорошо осведомлённый.

Wellingtons ['welɪŋtənz] *n pl* 1) сапоги с голенищем, закрывающим спереди колено *(тж.* Wellington boots); 2) сапоги с голенищем ниже колена *(тж.* half ~).

well-intentioned ['welɪn'tenʃənd] *a* с хорошими намерениями, действующий из самых лучших побуждений.

well-judged ['wel'dʒʌdʒd] *a* вовремя, искусно или тактично сделанный.

well-knit ['wel'nɪt] *a* 1) крепко сколоченный; 2) крепкого сложения; 3) сплочённый.

well-known ['wel'noun] *a* известный, популярный.

well-liking ['wel'laɪkɪŋ] *a уст.* цветущий; упитанный, толстый.

well-made ['wel'meɪd] *a* 1) хорошо сложённый; 2) искусный; удачный в композиционном отношении.

well-mannered ['wel'mænəd] *a* хорошо воспитанный.

well-marked ['wel'maːkt] *a* отчётливый.

well-meaning ['wel'miːnɪŋ] *a* имеющий хорошие намерения.

well-meant ['wel'ment] = well-intentioned.

well-met ['wel'met] *int уст.* какая (приятная) встреча!

well-minded ['wel'maɪndɪd] = well-disposed.

well-natured ['wel'neɪtʃəd] = good-natured.

well-nigh ['welnaɪ] *adv ритор.* почти.

well-off ['wel'ɔːf] *a* 1) состоятельный, зажиточный; 2) хорошо снабжённый, обеспеченный (for); I am ~ for books я хорошо обеспечен книгами.

well-oiled ['wel'ɔɪld] *a* 1) хорошо смазанный; 2) льстивый; 3) *sl.* подвыпивший.

well-ordered ['wel'ɔːdəd] *a* упорядоченный.

well-paid ['wel'peɪd] *a* хорошо оплачиваемый.

well-proportioned ['welprə'pɔːʃənd] *a* пропорциональный.

well-read ['wel'red] *a* 1) начитанный; 2) обладающий обширными знаниями в какой-л. области (in); he is ~ in English literature он хорошо знает английскую литературу.

well-regulated ['wel'regjuleɪtɪd] *a* находящийся под надлежащим контролем; урегулированный.

well-room ['welrum] *n* бювет.

well-seeming ['wel'siːmɪŋ] *a* хороший на вид.

well-set ['wel'set] *a* 1) коренастый; 2) правильно пригнанный, крепкий.

well-set-up ['wel,set'ʌp] *a* хорошо сложённый.

well-sinking ['wel,sɪŋkɪŋ] *n* рытьё колодца; бурение скважины.

well-spoken ['wel'spoukən] *a* изысканный в разговоре.

well-spring ['welsprɪŋ] = well-head.

well-tailored ['wel'teɪləd] *a* 1) хорошо одетый; 2) хорошо сшитый.

well-thought-of ['wel'θɔːt,əv] *a* имеющий хорошую репутацию; уважаемый.

well-thought-out ['wel'θɔːt'aut] *a* продуманный, обоснованный.

well-timed ['wel'taɪmd] *a* своевременный.

well-to-do ['weltə'duː] *a* состоятельный, зажиточный.

well-tried ['wel'traɪd] *a* испытанный.

well-trodden ['wel'trɔdn] *a* проторённый; часто посещаемый; *перен.* избитый.

well turned ['wel'tɜːnd] *a* 1) удачный, удачно выраженный; 2) ловкий.

well-water ['wel,wɔːtə] *n* колодезная вода.

well-wisher ['wel'wɪʃə] *n* доброжелатель.

well-wishing ['wel'wɪʃɪŋ] *a* доброжелательный.

well-worn ['wel'wɔːn] *a* поношенный; *перен.* истасканный; избитый.

Welsh [welʃ] 1. *a* уэльский, валлийский; ◇ ~ rabbit, ~ rarebit гренки с сыром; 2. *n* 1) (the ~) *pl собир.* валлийцы; 2) валлийский язык.

welsh [welʃ] *v* скрыться, не уплатив долга.

Welshman ['welʃmən] *n* житель Уэльса, валлиец.

Welshwoman ['welʃ,wumən] *n* жительница Уэльса, валлийка.

welt [welt] 1. *n* 1) рант (*башмака*); 2) след, рубец (*от удара кнутом*); 3) удар; 4) *тех.* накладка, фальц; обшивка; бордюр; 2. *v* 1) шить на ранту (*обувь*); 2) *разг.* полосовать, бить; 3) обшивать; окаймлять.

welter I ['weltə] 1. *n* столпотворение, сумбур; 2. *v* 1) валяться, барахтаться; to ~ in one's blood плавать в луже крови; to ~ in pleasures предаваться удовольствиям; 2) подниматься и опускаться; *перен.* волноваться.

welter II ['weltə] *n* 1) = welter-weight; 2) *разг.* тяжёлый удар, тяжёлая вещь *и т. п.*

welter-race ['weltəreɪs] *n* скачки, в которых лошади несут добавочный груз.

welter-weight ['weltəweɪt] *n* 1) добавочный груз (*на скачках*); 2) боксёр *или* борец полусреднего веса.

wen [wen] *n* 1) *мед.* жировая шишка, жировик; 2) *мед.* зоб, разрастание щитовидной железы; 3) большой перенаселённый город; the great ~ Лондон.

wench [wenʃ] *n* 1) *уст., шутл.* девушка,

молодая женщина (*особ. о крестьянке*); служанка; 2) *уст.* девка (*проститутка*).

wend [wend] *v уст.* идти; to ~ one's way держать путь, направляться (to).

went ['went] *past от* go 1.

wept [wept] *past и р. р. от* weep.

were [wɜː (*полная форма*); wə (*редуцированная форма*)] *прошедшее время мн. ч. гл.* to be.

we're [wɪə] *сокр. разг.* = we are.

weren't [wɜːnt] *сокр. разг.* = were not.

wer(e)wolf ['wəːwulf] *n* оборотень.

Wesleyan ['wezlɪən] 1. *a* 1) веслианский, методистский; 2) *амер.* относящийся к Wesleyan University в *г.* Миддлтаун; 2. *n рел.* методист.

west [west] 1. *n* 1) запад; *мор.* вест; 2) западный ветер; *мор.* вест; 3) (the W.) *амер.* западные штаты; 2. *a* западный; ~ country а) западная часть страны; б) графства, расположенные к юго-западу от Лондона; 3. *adv* к западу, на запад; ◇ to go ~ умереть, быть убитым.

West End ['west'end] *n* Уэст-Энд, западная, аристократическая часть Лондона.

West-Ender ['west'endə] *n* житель Уэст-Энда.

westering ['westərɪŋ] *a* 1) на закате; 2) направленный на запад.

westerly ['westəlɪ] 1. *a* западный; 2. *adv* с запада; на запад; 3. *n pl мор.* западные ветры, весты.

western ['westən] 1. *a* западный; живущий на западе; 2. *n* 1) уроженец запада; 2) член западной церкви; 3) *амер. разг.* ковбойский фильм, ковбойская пьеса, телепередача *и т. п.*

westerner ['westənə] *n* уроженец запада (*особ. в США*).

westernmost ['westənmoust] *a* самый западный.

westing ['westɪŋ] *n мор.* курс на запад.

westward ['westwəd] 1. *a* направленный к западу; 2. *adv* на запад; 3. *n* западное направление; западный район.

westwards ['westwədz] = westward 2.

wet [wet] 1. *a* 1) мокрый, влажный; ~ to the skin, ~ through промокший до нитки; 2) дождливый, сырой (*о грязи, смоле*); 4) плаксивый; 5) *амер. sl.* «мокрый», разрешающий *или* стоящий за разрешение продажи спиртных напитков; ~ state штат, в котором разрешена продажа спиртных напитков; 6) *разг.* глупый, несуразный; to talk ~ нести околесицу; 7) *sl.* пьяный; ~ night попойка.

2. *n* 1) влажность, сырость; 2) дождливая погода; 3) *sl.* выпивка; спиртной напиток; 4) *амер. sl.* сторонник разрешения продажи спиртных напитков.

3. *v* 1) мочить, смачивать, увлажнять; 2) *разг.* вспрыснуть; to ~ a bargain вспрыснуть сделку; to ~ one's whistle промочить горло, выпить; □ ~ out а) промочить; б) промывать, очищать промыванием.

wetback ['wet,bæk] *n амер. разг.* сельскохозяйственный рабочий, незаконно приехавший *или* доставленный из Мексики в США.

wet blanket ['wet'blæŋkɪt] *n* человек, отравляющий другим удовольствие, радость *и т. п.*

wetblanket ['wet,blæŋkɪt] *v* обескураживать, отравлять удовольствие.

wet bob ['wet'bɔb] *n* учащийся, занимающийся водным спортом.

wether ['weðə] *n* валух, кастрированный баран.

wet-nurse ['wetnə:s] *n* кормилица.

wet-shod ['wetʃɔd] *a диал.* промочивший ноги.

wet wash ['wet'wɔʃ] *n* бельё, возвращённое из прачечной в сыром *или* неглаженном виде.

we've [wi:v] *сокр. разг.* = we have.

whack [wæk] 1. *n* 1) сильный удар; 2) *разг.* доля, часть; to have one's ~ of smth. получить чего-л. вдоволь; 3) *разг.* попытка, проба; to have a ~ at smth. попробовать, попытаться сделать что-л.; 4) *разг.* исправность; the motor is out of ~ мотор не в порядке.
2. *v* 1) ударять, колотить; 2) *разг.* делить(ся) (*тж.* ~ up).

whacker ['wækə] *n разг.* 1) что-л. очень крупное, огромное; 2) наглая ложь.

whacking ['wækɪŋ] 1. *pres. p. от* whack 2; 2. *a разг.* огромный.

whale I [weɪl] 1. *n* 1) кит; bull ~ кит самец; cow ~ самка кита; 2) *амер. разг.* что-л. огромное, колоссальное, многочисленное *или* очень хорошее; a ~ of a story прекрасный рассказ; 3) *разг.* мастер (своего дела); знаток; мастак; he is a ~ on (*или* at) history он знаток истории; ◇ very like a ~ *ирон.* ну, конечно!, так я и поверил!;
2. *v (обыкн. pres. p.)* бить китов.

whale II [weɪl] *v амер. разг.* бить, рубить.

whale-boat ['weɪlbout] *n* 1) китобойное судно; 2) вельбот.

whalebone ['weɪlboun] *n* 1) китовый ус; 2) изделие из китового уса.

whale-fin ['weɪlfɪn] = whalebone.

whale-fishery ['weɪl,fɪʃərɪ] *n* китобойный промысел.

whaleman ['weɪlmən] *n* 1) китолов; 2) китобойное судно.

whale-oil ['weɪlɔɪl] *n* ворвань.

whaler ['weɪlə] *n* 1) китобойное судно; 2) *мор.* вельбот; 3) китолов.

whaling I ['weɪlɪŋ] 1. *pres. p. от* whale I, 2;
2. *n* охота на китов;
3. *a разг.* громадный, необыкновенный.

whaling II ['weɪlɪŋ] 1. *pres. p. от* whale II;
2. *n амер. разг.* порка.

whaling-gun ['weɪlɪŋgʌn] *n* гарпунная пушка.

whang [wæŋ] *разг.* 1. *n* громкий удар;
2. *v* ударять, бить (*в барабан*).

wharf [wɔ:f] 1. *n (pl* -wes, -fs [-fs]) пристань; причал;
2. *v* 1) швартоваться к причалу; 2) складывать на пристани (*товары*).

wharfage ['wɔ:fɪʤ] *n* 1) портовая пошлина; 2) *собир.* пристани.

wharfinger ['wɔ:fɪnʤə] *n* владелец пристани.

wharves [wɔ:vz] *pl от* warf 1.

what [wɔt] *pron* 1) *inter.* какой?, что? сколько?; ~ is it? что это (такое)?; ~ is he? кто он такой? (*по профессии*); ~ about..? что нового о..?, ну как..?; what's his name? как его зовут?; ~ for? зачём?; ~ good is it?, ~ use is it? какая польза от этого?, какой толк в этом?; ~ if..? а что, если..?; ~ manner of? что за?; какой?; ~ next? ну, а дальше что?; ~ of..? = ~ about..?; ~ of it? что из того?, ну, так что ж?; ~ though..? что из того, что..?; ~ are we the better for it all? что нам от того!; 2) *conj.* какой, что, сколько; I don't know ~ she wants я не знаю, что ей нужно; tell me ~ colour that dress is? скажите, какого цвета это платье?; he gave her ~ money he had он дал ей все деньги, какие у него были; I know ~ to do я знаю, что нужно делать; 3) *emph.* какой!; как!; что!; ~ an interesting book it is! какая интересная книга!; ~ a pity it is! как жаль!; ◇ (and) ~ not и так далее; ~ ho! оклик *или* приветствие; ~ matter? это несущественно!; ~ with вследствие, из-за; ~ gives! что я вижу!; да ну!

what-d'ye-call-em ['wɔtdju'kɔ:ləm] *шутл.* как их, бишь, биш.

whate'er [wɔt'ɛə] *поэт. см.* whatever.

whatever [wɔt'evə] 1. *a* какой бы ни, любой;
2. *pron* 1) *conj.* всё что; что бы ни; I am right, ~ you think я прав, что бы вы там ни думали; 2) *emph. (после* по) никакой; (*после* any) какой-нибудь; is there any hope ~? есть ли хоть какая-нибудь надежда?

what-for ['wɔtfɔ:] *n разг.* взбучка, наказание.

Whatman ['wɔtmən] *n* ватманская бумага (*тж.* ~ paper).

what-not ['wɔtnɔt] *n* 1) этажёрка для безделушек; 2) всякая всячина, пустяки, безделушки.

whatsis ['wɔtsɪz] *амер. разг.* ну как это (называется).

whatsoe'er [,wɔtsou'ɛə] *поэт. см.* whatsoever.

whatsoever [,wɔtsou'evə] *эмфатическая форма от* whatever.

wheat [wi:t] *n* пшеница; winter ~ озимая пшеница; summer ~ яровая пшеница; Turkey ~ *уст.* кукуруза, маис.

wheatear ['wi:tɪə] *n* каменка обыкновенная (*птица*).

wheaten ['wi:tn] *a* пшеничный.

Wheatstone bridge ['wi:tstən'brɪʤ] *n эл.* мост(ик) сопротивления.

wheedle ['wi:dl] *v* 1) подольщаться; 2) обхаживать; 3) выманивать лестью (out of— у *кого-л.*).

wheedling ['wi:dlɪŋ] 1. *pres. p. от* wheedle;
2. *a* льстивый; умеющий уговорить с помощью лести.

wheel [wi:l] 1. *n* 1) колесо; колёсико; Geneva ~ *тех.* мальтийский крест; 2) рулевое колесо, штурвал, man at the ~ рулевой;

перен. ко́рмчий, руководи́тель; 3) *pl перен.* механи́зм; the ~s of state госуда́рственная маши́на; 4) круже́ние, круг, оборо́т; 5) ве- лосипе́д; 6) пря́лка; 7) гонча́рный круг (*тж.* potter's ~); 8) колесо́ Форту́ны, сча́стье (*тж.* Fortune's ~); 9) припе́в, рефре́н; 10) *воен.* захожде́ние, заёзд; left (right) ~! пра́вое (ле́вое) плечо́ вперёд!; ◊ big ~ ва́жная персо́на; to break on the ~ *ист.* колесова́ть; to break a butterfly (*или* a fly) on the ~ ≅ стреля́ть из пу́шек по воробья́м; to go on ~s идти́ как по ма́слу; to put a spoke into smb.'s ~s ста́вить кому́-л. па́лки в колёса; to put one's shoulder to the ~ энерги́чно взя́ться за рабо́ту; ~s within ~s сло́жная взаимосвя́зь; сло́жное положе́ние;

2. *v* 1) кати́ть, везти́ (*тачку и т. п.*); 2) е́хать на велосипе́де; 3) опи́сывать круги́; 4) повора́чивать(ся); 5) *воен.* заходи́ть *или* заезжа́ть фла́нгом.

wheel and axle ['wiːlənd'æksl] *n mex.* во́рот.

wheel arm ['wiːl'ɑːm] *n mex.* спи́ца колеса́.

wheelbarrow ['wiːl,bærou] *n* та́чка.

wheel-base ['wiːlbeis] *n mex.* ба́за, расстоя́ние ме́жду ося́ми.

wheel box ['wiːlbɔks] *n мор.* коро́бка штурва́ла.

wheel chair ['wiːl'tʃɛə] *n* кре́сло на колёсах (*для инвали́дов*).

wheeled [wiːld] 1. *p. p. от* wheel 2;
2. *a* колёсный, име́ющий колёса.

wheeler ['wiːlə] *n* 1) коренни́к, коренна́я ло́шадь; 2) = wheelwright; 3) *attr.*: ~ team коренна́я па́ра.

wheel gauge ['wiːl'geidʒ] *n ж.-д.* колея́.

wheel-horse ['wiːlhɔːs] = wheeler 1).

wheel-house ['wiːlhaus] *n* ру́бка рулево́го.

wheeling ['wiːliŋ] 1. *pres. p. от* wheel 2;
2. *n* 1) езда́ на велосипе́де; 2) поворо́т; оборо́т.

wheelman ['wiːlmən] *n* 1) велосипеди́ст; 2) велосипе́дный ма́стер.

wheelsman ['wiːlzmən] *n* рулево́й.

wheelwright ['wiːlrait] *n* колёсный ма́стер.

wheeze [wiːz] 1. *n* 1) тяжёлое дыха́ние, хрип; 2) *театр. sl.* отсебя́тина; 3) трюк, уло́вка; 4) *sl.* шу́тка, остро́та (*особ.* ста́рая, изби́тая);
2. *v* дыша́ть с при́свистом; хрипе́ть; □ ~ out прохрипе́ть.

wheezy ['wiːzi] *a* страда́ющий оды́шкой, а́стмой; хри́плый.

whelk I [welk] *n* волни́стый рожо́к (*моллю́ск*).

whelk II [welk] *n* прыщ.

whelm [welm] *v поэт.* залива́ть; поглоща́ть; подавля́ть.

whelp [welp] 1. *n* 1) щено́к; детёныш; 2) отро́дье;
2. *v* 1) щени́ться; производи́ть детёнышей; 2) замышля́ть (*что-л. дурно́е*).

when [wen] 1. *adv* 1) *inter.* когда́?; 2) *rel.* когда́; during the time ~ you were away во вре́мя ва́шего отсу́тствия; 3) *conj.* когда́; I don't know ~ she will come не зна́ю, когда́ она́ придёт;

2. *cj* 1) когда́, в то вре́мя как, как то́лько, тогда́ как; ~ seated си́дя; ~ speaking говоря́; 2) хотя́, несмотря́ на, тогда́ как; he is reading the book ~ he might be out playing он чита́ет кни́гу, хотя́ мог бы игра́ть во дворе́; 3) ёсли; how can he buy it ~ he has no money? как он мо́жет э́то купи́ть, ёсли у него́ нет де́нег?;

3. *n* вре́мя, да́та; he told me the ~ and the why of it он рассказа́л мне, когда́ и отчего́ э́то произошло́; till ~ can you stay? до како́го вре́мени вы мо́жете оста́ться?;

whence [wens] 1. *adv. inter.* 1) отку́да? (*обы́кн.* from ~); from ~ is he? отку́да он?; 2) как?; каки́м о́бразом?; ~ comes it? как э́то случа́ется?;

2. *cj* отку́да; go back ~ you came возвраща́йтесь туда́, отку́да вы при́были.

whene'er [wen'ɛə] *поэт. см.* whenever.

whenever [wen'evə] 1. *adv разг.* когда́ же; ~ will you learn? когда́ же ты вы́учишь?;
2. *cj* вся́кий раз когда́; когда́ бы ни; I'll be at home ~ he arrives когда́ бы он ни прие́хал, я бу́ду до́ма.

whensoever [,wensou'evə] эмфати́ческая фо́рма *от* whenever.

where [wɛə] 1. *adv* 1) *inter.* где?; куда́?; 2) *rel.* the place ~ we lived is not far from here ме́сто, где мы жи́ли, недалеко́ отсю́да; 3) *conj.* где; □ ~ from? отку́да?; ~ do you come from? отку́да вы?; ask her ~ she comes from? спроси́ её, отку́да она́; ~ to куда́?; ◊ ~ do I come in? како́е отноше́ние э́то име́ет ко мне?;

2. *cj* туда́; туда́ куда́; туда́ где; где; send him ~ he will be well taken care of пошли́те его́ туда́, где за ним бу́дет хоро́ший ухо́д;

3. *n* ме́сто происше́ствия; the ~s and whens are important обозначе́ние ме́ста и вре́мени ва́жно.

whereabouts 1. *n* ['wɛərəbauts] (приблизи́тельное) местонахожде́ние; can you tell me his ~? мо́жете вы сказа́ть мне, где его́ найти́;
2. *adv. inter.* ['wɛərə'bauts] где?; о́коло како́го ме́ста?; в каки́х края́х?

whereas [wɛər'æz] *cj* 1) тогда́ как; 2) принима́я во внима́ние, поско́льку.

whereat [wɛər'æt] *adv* на э́то; зате́м; по́сле э́того; о чём, на что.

whereby [wɛə'bai] *adv. inter.* о́коло чего́?; посре́дством чего́?; как?

where'er [wɛər'ɛə] *поэт. см.* wherever.

wherefore ['wɛəfɔː] 1. *adv. inter. поэт.* почему́?, по како́й причи́не?;
2. *n* причи́на.

wherein [wɛər'in] *adv. inter. уст.* в чём?

whereof [wɛər'ɔv] *adv* 1) из кото́рого; 2) о кото́ром, о чём.

wheresoe'er [,wɛəsou'ɛə] *поэт. см.* wheresoever.

wheresoever [,wɛəsou'evə] эмфати́ческая фо́рма *от* wherever.

whereupon [,wɛərə'pɔn] *adv* по́сле чего́; тогда́.

wherever [wɛər'evə] *adv* где бы ни; куда́ бы ни.

wherewith [wɛə'wiθ] *adv уст.* чем.

wherewithal ['wɛəwɪðɔːl] *n* необходи́мые сре́дства, де́ньги.

wherry ['werɪ] 1. *n* ло́дка, я́лик; ба́рка; 2. *v* управля́ть ло́дкой; перевози́ть на ло́дке.

whet [wet] 1. *n* 1) то́чка, пра́вка; 2) сре́дство для возбужде́ния аппети́та; глото́к спиртно́го; 2. *v* 1) точи́ть, пра́вить (*на оселке*); 2) возбужда́ть (*аппетит, желание*).

whether ['weðə] 1. *cj* ли; I don't know ~ he is here я не зна́ю, здесь ли он; ◇ ~ or no так и́ли ина́че; во вся́ком слу́чае; 2. *pron уст.* кото́рый (из двух).

whetstone ['wetstoun] *n* точи́льный ка́мень.

whew [hwuː] *int шутл.* вот так та́к!

whey [weɪ] *n* сы́воротка.

whey-faced ['weɪ'feɪst] *a уст.* бле́дный (*особ. от страха*).

which [wɪtʃ] *pron* 1) *inter.* кото́рый?; како́й?; кто? (*подразумевается выбор*); ~ of you am I to thank? кого́ из вас мне благодари́ть?; ~ way shall we go? в каку́ю сто́рону мы пойдём?; 2) *rel.* каково́й, кото́рый, что; the book ~ you are talking about... кни́га, о кото́рой вы говори́те...; 3) *conj.* кото́рый, како́й; что; I don't know ~ way we must take я не зна́ю, по како́й доро́ге нам на́до е́хать.

whichever [wɪtʃ'evə] *pron* 1) *inter.* како́й?; 2) *conj.* како́й уго́дно, како́й бы ни.

whichsoever [ˌwɪtʃsou'evə] *эмфатическая форма от* whichever.

whicker ['wɪkə] *v диал.* ржать.

whiff I [wɪf] 1. *n* 1) дунове́ние, струя́; 2) дымо́к; 3) сла́бый за́пах; 4) небольша́я сига́ра; 5) *разг.* миг, мгнове́ние; 6) затя́жка (*при курении*); to take a ~ or two затяну́ться разо́к-друго́й; 7) я́лик; 2. *v* 1) ве́ять, слегка́ дуть; 2) пуска́ть клу́бы (*дыма*); попы́хивать.

wiff II [wɪf] *n* пло́ская ры́ба (*общее название камбаловых рыб*).

whiffet ['wɪfɪt] *n амер. разг.* ничто́жество.

whiffle ['wɪfl] *v* 1) дуть сла́бо (*особ. порывами—о ветре*); 2) развева́ть, рассе́ивать; 3) болта́ть; 4) посви́стывать, свисте́ть; 5) *амер.* колеба́ться, быть нереши́тельным; уви́ливать.

whiffler ['wɪflə] *n* 1) непостоя́нный челове́к (*во взглядах и т. п.*); 2) болту́н; хвасту́н; 3) ничто́жный челове́к.

whig [wɪg] *n ист.* 1) виг; 2) *амер.* сторо́нник восста́ния про́тив англи́йского влады́чества.

while [waɪl] 1. *n* вре́мя, промежу́ток вре́мени; a long ~ до́лго; a short ~ недо́лго; for a ~ на вре́мя; in a little ~ ско́ро; once in a ~ вре́мя от вре́мени; the ~ *поэт.* покуда; в то вре́мя как; 2. *v:* to ~ away проводи́ть (*время*); 3. *cj* 1) пока́, в то вре́мя как; he was drowned ~ bathing во вре́мя купа́ния он утону́л; 2) несмотря́ на то, что; тогда́ как; ~ he is respected, he is not loved хотя́ его́ уважа́ют, его́ не лю́бят.

whiles [waɪlz] *cj уст.* пока́, в то вре́мя как.

whilom ['waɪləm] 1. *a* бы́вший, пре́жний; 2. *adv уст.* пре́жде, не́когда.

whilst [waɪlst] *cj* пока́.

whim [wɪm] *n* 1) при́хоть, капри́з; 2) (ко́нный) при́вод; во́рот.

whimper ['wɪmpə] 1. *n* хны́канье; 2. *v* хны́кать.

whimsical ['wɪmzɪkəl] *a* 1) причу́дливый, эксцентри́чный; 2) капри́зный; прихотли́вый.

whimsicality [ˌwɪmzɪ'kælɪtɪ] *n* капри́зность; прихотли́вость.

whimsy ['wɪmzɪ] 1. *n* при́хоть, причу́да, капри́з; 2. *a* = whimsical.

whin I [wɪn] *n бот.* дрок краси́льный.

whin II [wɪn] *n геол.* твёрдая компа́ктная поро́да.

whine [waɪn] 1. *n* жа́лобный вой; хны́канье; 2. *v* скули́ть, хны́кать.

whinger ['wɪŋə] *n* кинжа́л, коро́ткий меч.

whinny ['wɪnɪ] 1. *n* ти́хое *или* ра́достное ржа́ние; 2. *v* ти́хо ржать.

whip [wɪp] 1. *n* 1) кнут, хлыст; 2) ку́чер; I am no ~ не уме́ю хорошо́ пра́вить; 3) *охот.* выжля́тник; 4) *полит.* парла́ментский организа́тор па́ртии (*в Англии тж.* party—); 5) пове́стка парти́йного организа́тора о необходи́мости прису́тствовать на заседа́нии парла́мента; 6) ко́нный во́рот; *мор.* подъёмный го́рдень; 7) крыло́ ветряно́й ме́льницы; 2. *v* 1) хлеста́ть, сечь; 2) подгоня́ть (*тж.* ~ up); 3) руга́ть; ре́зко критикова́ть; 4) уди́ть ры́бу на му́шку (*тж.* ~ a stream); 5) сбива́ть (*сливки, яйца*); 6) *разг.* поби́ть, победи́ть; превосходи́ть; to ~ creation превзойти́ всех сопе́рников; 7) объединя́ть; 8) поднима́ть груз посре́дством во́рота, го́рдня; 9) заде́лывать коне́ц (*троса*) ма́ркой; 10) сшива́ть че́рез край; 11) пуска́ть (*волчок*); 12) трепа́ться (*о парусе*); □ ~ away а) убега́ть; уе́хать; б) убира́ть; ~ in сгоня́ть; объединя́ть; ~ off а) сбро́сить, сдёрнуть; б) убежа́ть; в) вы́гнать пле́тью; ~ on подстёгивать; ~ out а) вы́хватить; б) вы́скочить; убежа́ть; в) вы́гнать пле́тью; г) произнести́ (*что-л.*) ре́зко и неожи́данно; to ~ out a reply ре́зко отве́тить; ~ round бы́стро поверну́ться; ~ up а) подстёгивать; подгоня́ть; б) взбива́ть; в) расшевели́ть; г) хвата́ть, выхва́тывать; д) привлека́ть (*большую аудиторию, толпу и т. п.*), ◇ ~ into shape *амер. разг.* обучи́ть, «натаска́ть».

whip-and-derry ['wɪpən'derɪ] *n* ко́нный во́рот.

whipcord ['wɪpkɔːd] *n* бечёвка (*из которой делается плеть*).

whip hand ['wɪp'hænd] *n* рука́, держа́щая кнут; *перен.* преиму́щество, контро́ль; to have the ~ of (*или* over) smb. име́ть кого́-л. в по́лном подчине́нии.

whip handle ['wɪp'hændl] *n* ру́чка кнута́; *перен.* преиму́щество, контро́ль.

whiplash ['wɪplæʃ] *n* реме́нь кнута́; to work under the ~ рабо́тать из-под па́лки.

whipper-in ['wɪpər'ɪn] *n* 1) *охот.* выжлятник, доезжачий; 2) = whip 1, 4).

whipper-snapper ['wɪpə,snæpə] *n* ничтожество; ничтожный, самонадеянный человек; «мальчишка».

whippet ['wɪpɪt] *n* 1) гончая (собака); 2) *воен.* танкетка.

whipping ['wɪpɪŋ] 1. *pres. p. от* whip 2; 2. *n* 1) побои; 2) подшивка через край; 3) *тех.* прогиб; провисание.

whipping-boy ['wɪpɪŋbɔɪ] *n* козёл отпущения.

whipping-top ['wɪpɪŋtɔp] *n* волчок (*подстёгиваемый кнутом*).

whippoorwill ['wɪppuə,wɪl] *n* зоол. козодой жалобный.

whip-saw ['wɪpsɔː] *n* ручная продольная пила.

whipster ['wɪpstə] *n* молокосос.

whipstitch ['wɪpstɪʃ] = whip 2, 10).

whir [wəː] 1. *n* 1) шум (*крыльев, машин*); 2) жужжание; 2. *v* 1) вращаться, проноситься, взлетать, вспархивать *и т. п.* с шумом; 2) жужжать.

whirl [wəːl] 1. *n* 1) кружение; 2) вихревое движение; вихрь; завихрение; 3) спешка, суматоха; 4) смятение; 2. *v* 1) вертеть(ся); кружить(ся); 2) проноситься; the car ~ed out of sight машина быстро скрылась из виду; 3) быть в смятении; ▢ ~ away уноситься.

whirlabout ['wəːlə'baut] *n* 1) вращение; 2) юла, волчок; 3) *attr.* вращающийся.

whirligig ['wəːlɪgɪg] 1. *n* 1) юла, вертушка; 2) карусель; 3) водоворот (*событий*); быстрая смена; ~ of time превратности судьбы; 2. *a* вихревой.

whirlpool ['wəːlpuːl] *n* водоворот.

whirlwind ['wəːlwɪnd] *n* 1) вихрь; смерч, ураган; 2) *attr.* вихревой; ураганный.

whirr [wəː]=whir.

whisht [wɪʃt] *int* (*особ. ирл.*) шш!

whisk [wɪsk] 1. *n* 1) веничек; метёлочка; 2) мутовка; 3) короткое быстрое движение; 2. *v* 1) смахивать, сгонять (*часто ~* away, ~ off); 2) сбивать (*белки и пр.*); 3) быстро уносить; 4) быстро удаляться; юркнуть (*тж.* ~ out); 5) помахивать (*хвостом*).

whisker ['wɪskə] *n* (*обыкн. pl*) 1) бакенбарды; 2) усы (*кошки, тигра и т. п.*).

whiskered ['wɪskəd] *a* 1) с бакенбардами; 2) с усами (*о кошке, тигре и т. п.*).

whisky ['wɪskɪ] *n* виски.

whisky sour ['wɪskɪ'sauə] *n* вид коктейля.

whisper ['wɪspə] 1. *n* 1) шёпот; to speak in a ~ говорить шёпотом; 2) слух, молва; to give the ~ *разг.* намекнуть; 3) шорох, шуршание; 2. *v* 1) говорить шёпотом, шептать; 2) сообщать по секрету; шептаться; it is ~ed ходит слух; 3) шелестеть, шуршать.

whisperer ['wɪspərə] *n* тайный осведомитель.

whispering ['wɪspərɪŋ] 1. *pres. p. от* whisper 2;

2. *n* 1) шёпот; разговор шёпотом; 2) слух.

whispering campaign ['wɪspərɪŋkæm'peɪn] *n* распространение ложных слухов про своего противника.

whisperous ['wɪspərəs] *a* похожий на шёпот.

whist [wɪst] *n карт.* вист.

whistle ['wɪsl] 1. *n* 1) свист; 2) свисток; penny ~, tin ~ свистулька; 3) *разг.* горло, гортань; глотка; ◇ to pay for one's ~ дорого платить за свою прихоть;

2. *v* 1) свистеть; давать свисток (*как сигнал*); 2) насвистывать (*мотив и т. п.*); 3) проноситься со свистом; a bullet ~d past him мимо него просвистела пуля; ◇ to ~ for smth. тщетно искать *или* желать чего-л.; to let smb. go ~ не считаться с чьими-л. желаниями; to ~ for a wind выжидать удобного случая.

whistle stop ['wɪsl'stɔp] *n* полустанок.

Whit [wɪt] *a*: ~ Monday *церк.* духов день.

whit [wɪt] *n* капелька, йота; he is not a ~ better ему ничуть не лучше.

white [waɪt] 1. *a* 1) белый; ~ heat белое каление; 2) бледный; to turn ~ побледнеть, побелеть; 3) седой; серебристый; 4) прозрачный; бесцветный; 5) невинный, незапятнанный, чистый; 6) безвредный, без злого умысла; ~ lie невинная ложь, святая ложь; 7) *разг.* честный, прямой, благородный; ~ man порядочный человек; 8) белый, реакционный; ◇ to bleed ~ a) обескровить; б) обобрать до нитки, выкачать деньги; ~ light a) дневной свет; б) беспристрастное суждение; ~ night ночь без сна; ~ sheet *уст.* покаянная одежда; to stand in a ~ sheet публично каяться; ~ slave «белая рабыня», проститутка; ~ crow белая ворона, редкость; ~ elephant a) индийский слон; б) *разг.* что-л. обременительное, невыгодное; подарок, от которого не знаешь, как избавиться; ~ squall внезапный шквал (*в тропиках*);

2. *n* 1) белый цвет; белизна; 2) белая краска, белила; London ~ свинцовые белила; Paris ~ мел для полировки; 3) белый материал; белое платье *и т. п.*; 4) белок (*яйца; тж.* ~ of the egg); 5) белок (*глаза; тж.* ~ of the eye); 6) пробел; 7) *бот.* заболонь; 8) чистота, непорочность; 9) *шахм.* белые фигуры; игрок, играющий белыми.

whitebait ['waɪtbeɪt] *n* малёк, малявка, снеток.

white-book ['waɪt'buk] *n* белая книга.

white coal ['waɪt'koul] *n* белый уголь, гидроэнергия.

white collar ['waɪt'kɔlə] *n* амер. служащий.

whited sepulcher ['waɪtɪd'sepəlkə] *n* лицемер; ханжа.

white-fish ['waɪt'fɪʃ] *n* сиг.

white frost ['waɪt'frɔst] *n* иней.

whiteguard ['waɪtgɑːd] 1. *n* белогвардеец; 2. *a* белогвардейский.

Whitehall ['waɪt'hɔːl] *n* Уайтхолл (*улица в Лондоне, на которой расположены правительственные учреждения*); *перен.* английское правительство.

white-handed ['waɪt'hændɪd] *a* честный.

white-headed ['waɪt'hedɪd] a 1) седо́й; 2) светловоло́сый.

white horses ['waɪt'hɔːsɪz] n бара́шки (на море).

white-hot ['waɪt'hɔt] a раскалённый добела́, доведённый до бе́лого кале́ния.

White House ['waɪt'haus] n Бе́лый дом (резиденция президента США).

white lead ['waɪt'led] n свинцо́вые бели́ла.

white-lipped ['waɪt'lɪpt] a с побеле́вшими (от стра́ха) губа́ми.

white-livered ['waɪt,lɪvəd] a малоду́шный, трусли́вый.

whiten ['waɪtn] v 1) бели́ть; 2) отбели́вать; 3) побеле́ть; (по)бледне́ть.

whiteness ['waɪtnɪs] n 1) белизна́; бе́лый цвет; 2) бле́дность; 3) чистота́, незапя́тнанность.

whitening ['waɪtnɪŋ] 1. pres. p. от whiten; 2. n 1) мел; 2) беле́ние, побе́лка.

white paper ['waɪt'peɪpə] n «бе́лая кни́га» (англ. официальное издание).

white plague ['waɪt'pleɪg] n туберкулёз (лёгких).

whites [waɪts] n pl 1) бе́лая мука́ вы́сшего со́рта; 2) мед. бе́ли.

white scourge ['waɪt'skɔːdʒ] n туберкулёз.

whitesmith ['waɪtsmɪθ] n жестя́н(щ)ик; луди́льщик.

whitethorn ['waɪtθɔːn] n боя́рышник.

white-throat ['waɪtθrout] n сла́вка (птица).

whitewash ['waɪtwɔʃ] 1. n 1) известко́вый раство́р (для побелки); 2) побе́лка; 3) жи́дкий крем для лица́; 4) реабилити́рующие да́нные, оправда́ние; 5) амер. спорт. разг. «суха́я»; 6) разг. стака́н ше́рри (выпитый после других вин);
2. v 1) бели́ть; 2) пыта́ться реабилити́ровать, обели́ть; 3) восстана́вливать в права́х (банкрота); 4) амер. спорт. вы́играть «всуху́ю».

white whale ['waɪt'weɪl] n белу́га.

white wing ['waɪt'wɪŋ] n убо́рщик у́лиц, нося́щий бе́лую спецоде́жду.

whither ['wɪðə] уст. 1. adv. inter. куда́?; ~ did they go? куда́ они́ отпра́вились?; 2. cj куда́; go ~ you will иди́те, куда́ вам уго́дно; 3. n ме́сто назначе́ния.

whithersoever [,wɪðəsou'evə] adv куда́ бы ни.

whiting I ['waɪtɪŋ] n мел (для побелки).

whiting II ['waɪtɪŋ] n мерла́н (рыба).

whitish ['waɪtɪʃ] a бел(ес)ова́тый.

whitlow ['wɪtlou] n мед. панари́ций.

Whitsunday ['wɪt'sʌndɪ] n церк. тро́ицын день.

Whitsuntide ['wɪtsntaɪd] n церк. неде́ля по́сле тро́ицына дня (особб. первые три дня).

whittle ['wɪtl] 1. n уст. нож мясника́; 2. v строга́ть или отта́чивать ножо́м (дерево); □ ~ away, ~ down сточи́ть; перен. свести́ на нет; to ~ away the distinction between уничтожа́ть разли́чие ме́жду.

whity- ['waɪtɪ-] в сложных словах белова́то-; ~-brown белова́то-кори́чневый.

whiz(z) [wɪz] 1. n 1) свист, жужжа́ние (от рассекания воздуха); 2) амер. sl. о́чень

ло́вкая сде́лка; 3) амер. sl. не́что замеча́тельное; 4) амер. sl. бы́стрый, ло́вкий челове́к;
2. v свисте́ть, жужжа́ть, шипе́ть.

whizz-bang ['wɪzbæŋ] n воен. sl. снаря́д, грана́та.

who [huː] pron (косв. п. whom) 1) inter. кто?; ~ is there? кто там?; whom did you see? кого́ вы ви́дели?; whom (или разг. ~) do you mean? кого́ вы име́ете в виду́?; 2) rel. кото́рый, кто; the man whom you saw... челове́к, кото́рого вы ви́дели...; 3) conj. а) кото́рый, кто; do you know ~ has come? зна́ете ли вы, кто пришёл?; to know ~ is ~ знать, что ка́ждый собо́й представля́ет; б) тот, кто; те, кто; ~ breaks pays кто разобьёт, тот запла́тит; ◇ W.'S W. назва́ние биографи́ческого спра́вочника.

whoa [wou] = wo.

whodun(n)it [huː'dʌnɪt] n sl. детекти́вный рома́н, фильм и т. п.

whoe'er [huː'ɛə] поэт. см. whoever.

whoever [huː'evə] pron. indef. (косв. п. whomever) кто бы ни, кото́рый бы ни.

whole [houl] 1. n 1) це́лое; оn (или upon) the ~ в це́лом; в о́бщем; 2) всё (часто ~ of) I cannot tell you the ~ (of it) я не могу́ сказа́ть вам всего́; 3) ито́г;
2. a 1) це́лый, весь; ~ number це́лое число́; a ~ lot разг. мно́го; the ~ world весь мир; to be the ~ show амер. игра́ть пе́рвую скри́пку; with one's ~ heart всем се́рдцем; ре́вностно; 2) невреди́мый, це́лый; 3) уст. здоро́вый; ~ effect поле́зное де́йствие; ~ brother родно́й брат; 5) це́льный, неснято́й (о молоке); 6) непросе́янный (о муке); ◇ to get off with a ~ skin оста́ться невреди́мым; ≅ вы́йти сухи́м из воды́.

whole-coloured ['houl'kʌləd] a одноцве́тный.

whole-hearted ['houl'hɑːtɪd] a и́скренний, от всей се́рдца, от всей души́.

whole-hogger ['houl'hɔgə] n прямолине́йный, после́довательный челове́к.

whole-hoofed ['houl'huːft] a зоол. однокопы́тный.

whole-length ['houl'leŋθ] 1. n портре́т во весь рост;
2. a во весь рост.

whole meal ['houl'miːl] n 1) непросе́янная мука́; 2) attr. сде́ланный из непросе́янной муки́; ~ bread хлеб из непросе́янной муки́.

wholesale ['houlseɪl] 1. n опто́вая торго́вля; by ~ о́птом; в больши́х коли́чествах;
2. a 1) опто́вый; ~ dealers опто́вые торго́вцы; ~ prices опто́вые це́ны; 2) ма́ссовый, в больши́х разме́рах; ~ slaughter резня́;
3. v вести́ опто́вую торго́влю;
4. adv о́птом; в больши́х разме́рах; to sell ~ продава́ть о́птом.

whole-skinned ['houl'skɪnd] a 1) невреди́мый; 2) с незапя́тнанной репута́цией.

wholesome ['houlsəm] a 1) поле́зный; благотво́рный; здоро́вый; 2) sl. безопа́сный.

whole-souled ['houl'sould] a 1) благоро́дный; и́скренний; 2) безразде́льный.

wholly ['houllɪ] adv по́лностью, целико́м; I do not ~ agree я не совсе́м согла́сен.

whom [hu:m] *косв. п. от* who.

whomever [hu:m'evə] *косв. п. от* whoever.

whomsoever [,hu:msou'evə] *косв. п. от* whosoever.

whoop [hu:p] 1. *n* 1) возглас, восклицание; 2) коклюшный кашель; ◇ not worth a ~ гроша ломаного не стоит; I don't care a ~ мне наплевать;
2. *v* 1) кричать, выкрикивать; 2) кашлять; 3) приветствовать радостными возгласами; 4) гикать; ◇ to ~ it (*или* things) up затеять ссору; шуметь, буянить.

whoopee ['wupi:] *n sl.* 1) возглас (*восторга и т. п.*); 2) кутёж; гулянка; to make ~ кутить; хорошо проводить время.

whooping-cough ['hu:pɪŋkɔf] *n* коклюш.

whop [wɔp] *v* 1) бить, колотить; 2) одолеть, победить; 3) шлёпнуться; 4) круто повернуть.

whopper ['wɔpə] *n разг.* 1) громадина; 2) наглая ложь.

whopping ['wɔpɪŋ] 1. *pres. p. от* whop; 2. *n разг.* 1) трёпка; 2) поражение; 3. *a разг.* огромный.

whore [hɔ:] 1. *n* 1) *уст.* блудница; 2) *груб.* шлюха; проститутка;
2. *v уст.* развратничать, распутничать.

whoredom ['hɔ:dəm] *n* 1) распутство; проституция; 2) идолопоклонство.

whorehouse ['hɔ:haus] *n груб.* публичный дом.

whoreson ['hɔ:sn] *n* 1) незаконнорождённый; 2) *разг.* низкий, подлый человек.

whorl [wə:l] *n* 1) кольцо листьев (*вокруг стебля*); мутовка; 2) завиток (*раковины, улитки*); 3) *текст.* ролик веретена.

whortleberry ['wə:tl,berɪ] *n* черника; bog ~ голубика; red ~ брусника.

whose [hu:z] *pron. poss.* чей, чья, чьё, чьи.

whosesoever [,hu:zsou'evə] *pron. poss.* чей бы ни.

whoso ['hu:sou] *уст.* = whoever.

whosoe'er [,hu:sou'εə] *поэт. см.* whosoever.

whosoever [,hu:sou'evə] *pron. indef.* (*косв. п.* whomsoever) кто бы ни, который бы ни.

why [waɪ] 1. *adv* 1) *inter.* почему?; ~ so? по какой причине?; на каком основании?; 2) *rel.* почему; I can think of no reason ~ you shouldn't go я не знаю, почему бы вам не пойти; 3) *conj.* I don't know ~ they are late не знаю, почему они опаздывают;
2. *int выражает:* 1) *удивление, напр.:* ~, it is Jones! да ведь это Джоунз!; 2) *нетерпение, напр.:* ~, of course I do ну конечно, да; 3) *нерешительность, напр.:* ~, yes, I think so как вам сказать? Я думаю, да; 4) *возражение, напр.:* ~, what is the harm? ну так что же за беда? 5) *заключение, напр.:* since we did not succeed, we must try again раз мы потерпели неудачу, что ж, надо попытаться снова;
3. *n (pl ~s)* 1) основание, причина; to go into the ~s and wherefores of it углубляться в причины; 2) загадка, задача.

wick I [wɪk] *n* 1) фитиль; 2) тампон.

wick II [wɪk] *n в названиях или сложных словах означает* город, посёлок; *напр.:* Hampton W., Warwick.

wicked ['wɪkɪd] 1. *a* 1) злой; нехороший; безнравственный; испорченный; 2) грешный; нечистый; the ~ опе нечистый, дьявол, сатана; 3) озорной, шаловливый (*о ребёнке*); 4) свирепый (*о животном*); 5) вредный, опасный (*о ране, ударе и т. п.*); 6) неприятный, противный (*о запахе и т. п.*);
2. *n (the ~) pl собир.* нечестивцы.

wickedness ['wɪkɪdnɪs] *n* 1) злобность; 2) злая выходка, злой поступок.

wicker ['wɪkə] *n* 1) прутья для плетения; 2) плетёная корзинка; 3) *attr.* плетёный; ~ chair плетёный стул; ◇ to be on a good (sticky) ~ быть в выгодном (невыгодном) положении.

wickered ['wɪkəd] *a* 1) плетёный; 2) оплетённый прутьями.

wicker-work ['wɪkəwə:k] *n* плетение, плетёные изделия.

wicket ['wɪkɪt] *n* 1) калитка; 2) турникет; 3) воротца (*в крикете*); 4) задвижное окошко (*в двери*); окошко (*кассы*).

wicket-keeper ['wɪkɪt,ki:pə] *n* игрок, охраняющий воротца (*в крикете*).

wickiup ['wɪki'ʌp] *n* 1) хижина (*индейцев*); 2) временное укрытие; хибарка.

wide [waɪd] 1. *a* 1) широкий; 2) такой-то ширины; 3 ft. ~ в 3 фута шириной; 3) большой, обширный; просторный; the ~ world весь свет; ~ knowledge обширные знания; 4) широко открытый (*о глазах и т. п.*); 5) далёкий;
2. *adv* 1) широко, повсюду (*тж.* far and ~); 2) далеко; ~ apart на большом расстоянии друг от друга; ~ of the truth далеко от истины; ~ of the mark мимо цели (*тж.* ~ of the mark); 4) широко; to open the window ~ распахнуть настежь окно.

wide awake ['waɪdə'weɪk] *a* 1) бодрствующий; 2) начеку, бдительный; осмотрительный, хитрый.

wide-awake ['waɪdəweɪk] *n* широкополая фетровая шляпа.

wide-eyed ['waɪd'aɪd] *a* с широко открытыми глазами (*от изумления и т. п.*).

widely ['waɪdlɪ] *adv* 1) широко; ~ known широко известный; 2) в большой степени; to differ ~ очень отличаться.

widen ['waɪdn] *v* расширять(ся); to ~ one's outlook расширять свой кругозор.

wide-open ['waɪd'oupn] *a* 1) широко открытый; 2) *разг.* незащищённый; 3) *амер.* допускающий азартные игры, продажу спиртных напитков и т. п.; ~ town город, в котором разрешена продажа спиртных напитков и азартные игры.

widespread ['waɪdspred] *a* широко распространённый.

widgeon ['wɪdʒən] *n зоол.* свиязь.

widish ['waɪdɪʃ] *a* широковатый.

widow ['wɪdou] 1. *n* 1) вдова; ~'s weeds траурное платье вдовы; 2) *полигр.* висячая строка; ◇ ~'s mite вдовья лепта; скромная доля; ~'s cruse неиссякаемый запас;
2. *v* 1) делать вдовой, вдовцом; 2) *поэт.* лишать, отнимать; обездолить.

widowed ['wɪdoud] 1. *past и p. p. от* widow;
2. *a* овдовевший.

widower ['wɪdoʊə] *n* вдовец.

widowhood ['wɪdoʊhud] *n* вдовство.

width [wɪdθ] *n* 1) ширина; широта; расстояние; 2) полотнище, полоса; 3) *тех.* пролёт; 4) *горн.* мощность (*жилы или пласта*).

widthway ['wɪdθweɪ] *adv* в ширину.

wield [wiːld] *v* владеть, иметь в руках; to ~ the sceptre править государством; to ~ a formidable pen владеть острым пером.

wieldly ['wiːldlɪ] *a* легко управляемый; послушный.

wiener schnitzel ['wiːnə'ʃnɪtsəl] *нем. n* шницель.

wife [waɪf] *n* (*pl* wives) 1) жена; to take to ~ взять в жёны, жениться; 2) *уст.* женщина; old wives' tales бабьи сказки; ◇ all the world and his ~ *шутл.* все причисляющие себя к избранному обществу.

wifeless ['waɪflɪs] *a* 1) овдовевший; 2) холостой.

wifelike ['waɪflaɪk] *a* свойственный, подобающий жене.

wifely ['waɪflɪ] = wifelike.

wig I [wɪg] *n* 1) парик; 2) *шутл.* волосы; ◇ ~s on the green общая свалка, драка.

wig II [wɪg] *v разг.* бранить; отчитывать.

wigeon ['wɪdʒən] = widgeon.

wigging ['wɪgɪŋ] 1. *pres. p. от* wig II; 2. *n разг.* брань; нагоняй.

wiggle ['wɪgl] 1. *n* покачивание; ёрзание; 2. *v* покачивать(ся); извиваться, ёрзать.

wiggle-waggle ['wɪgl'wægl] = wiggle.

wight [waɪt] *n шутл.* человек, существо.

wigwag ['wɪgwæg] 1. *n воен., мор.* 1) сигнализация флажками; 2) сообщение, переданное флажками; 2. *v* сигнализировать флажками, семафорить.

wigwam ['wɪgwæm] *n* 1) вигвам; 2) *амер. sl.* наскоро сколоченное помещение для политических собраний; the W. Таммани Холл (*организация демократической партии в Нью-Йорке*).

wild [waɪld] 1. *a* 1) дикий; 2) невозделанный; необитаемый; 3) пугливый (*о животных, птицах и т. п.*); 4) бурный, буйный, необузданный; беспорядочный; ~ fellow повеса; 5) штормовой, бурный; 6) бешеный, неистовый; очень рассерженный, раздражённый; безумный, исступлённый; to be ~ about smth. быть без ума от чего-л.; in ~ spirits в возбуждённом состоянии; it drives me ~ это приводит меня в бешенство; ~ with joy вне себя от радости; 7) необдуманный, сделанный наугад; ~ scheme сумасбродный план; ~ shot выстрел наугад; ~ guesses а) домыслы; б) смутные догадки; 8) *разг.* распущенный, безнравственный; 9) находящийся в беспорядке, растрёпанный; ~ hair растрёпанные волосы; ◇ to run ~ а) зарастать; б) расти недорослем, без образования; в) вести развратный образ жизни; 2. *adv* наугад, как попало. 3. *n* пустыня, дикая местность.

wildcat ['waɪldkæt] 1. *n* 1) дикая кошка; 2) вспыльчивый, необузданный человек;

3) рискованное предприятие; 4) скважина, проведённая наугад; 2. *a* 1) рискованный, фантастичный; 2) незаконный, не соответствующий договору, несанкционированный; ~ strike забастовка, проведённая рабочими вопреки запрещению со стороны профсоюза; 3) *амер. ж.-д.* идущий не по расписанию.

wildcatter ['waɪld'kætə] *n* человек, участвующий в рискованных предприятиях; человек, способный на авантюры.

wild-duck ['waɪld'dʌk] *n* дикая утка, кряква.

wilderness ['wɪldənɪs] *n* 1) пустыня; дикая местность; a voice in the ~ глас вопиющего в пустыне; 2) запущенная часть сада; 3) масса, множество.

wildfire ['waɪld,faɪə] *n* греческий огонь; to spread like ~ распространяться со сверхъестественной быстротой.

wildfowl ['waɪldfaul] *n* дичь.

wild-goose ['waɪld'guːs] *n* дикий гусь; ◇ ~ chase сумасбродная затея, погоня за недостижимым, за несбыточным.

wilding ['waɪldɪŋ] *n бот.* 1) дичок; 2) плод дикой яблони, груши и т. п.; 3) *attr.* дикий.

wild man ['waɪld'mæn] *n* 1) дикарь; 2) человек крайних убеждений.

wild oat(s) ['waɪld'out(s)] *n бот.* овёс пустой, овсюг; ◇ to sow one's ~s отдаваться увлечениям юности; he has sown his ~s он перебесился, остепенился.

wile [waɪl] 1. *n* (*обыкн. pl*) хитрость, уловка; обман; 2. *v* заманивать, завлекать; □ ~ away приятно проводить время, развлекаться.

wilful ['wɪlful] *a* 1) упрямый, своенравный, своевольный; 2) преднамеренный; ~ murder предумышленное убийство.

will I [wɪl] 1. *n* 1) воля; сила воли; the ~ to live воля к жизни; 2) воля, твёрдое намерение; желание; against one's ~ против воли; at ~ по желанию, как угодно; to have one's ~ добиться своего; of one's own free ~ по своей воле, по собственному желанию; to show good (ill) ~ проявлять доброжелательство (недоброжелательство); with a ~ энергично; 3) завещание; to make (*или* to draw up) one's ~ сделать завещание; ◇ where there is a ~ there is a way ≅ где хотение, там и умение; было бы желание, а возможность найдётся.

2. *v* (willed [-d]) 1) проявлять волю; велеть, решать; he who ~s success is half-way to it воля к успеху есть залог успеха; 2) заставлять, внушать; to ~ oneself to fall asleep заставить себя заснуть; to ~ oneself into contentment заставить себя быть довольным; 3) хотеть, желать; 4) завещать.

will II [wɪl] *v* (would) 1) *вспомогательный глагол; служит для образования будущего времени во 2 и 3 л. ед. и мн. ч.*: he ~ come at two o'clock он придёт в два часа; 2) *в сочетании с другими глаголами выражает привычное действие; часто не переводится*: boys ~ be boys мальчики—всегда мальчики; accidents ~ happen всегда бывают несчáстные слýчаи; he ~ smoke his pipe after dinner пóсле обéда он обыкновéнно кýрит трýбку; 3) *модáльный глагóл выражáет*: а) *намéрение, реши́мость, обещáние (осóб. в 1 л. ед. и мн. ч.*): I ~ let you know я непремéнно извещý вас; б) *предположéние, вероя́тность*: you ~ be Mrs. Smith вы, вероя́тно, ми́ссис Смит.

-willed [-wɪld] *в слóжных словáх*: self-willed своевóльный; ill-willed злонамéренный.

willies ['wɪlɪz] *n pl (обыкн.* the ~) *амер. sl.* нéрвное состоя́ние, нéрвная дрожь; to give the ~ вызывáть нéрвную дрожь.

willing ['wɪlɪŋ] 1. *pres. p. om* will I, 2; 2. *a* 1) готóвый (*сдéлать что-л.*); охóтно дéлающий что-л.; 2) добровóльный; ~ help охóтно окáзанная пóмощь; 3) старáтельный; ~ horse послýшная лóшадь.

willingly ['wɪlɪŋlɪ] *adv* охóтно, с готóвностью.

willingness ['wɪlɪŋnɪs] *n* готóвность.

will-o'-the-wisp ['wɪlǝðwɪsp] *n* 1) блуждáющий огонёк; 2) нéчто обмáнчивое, неулови́мое.

willow ['wɪlou] *n* 1) и́ва; 2) битá (*в кри́кете*); 3) *текст.* угарооичищáющая маши́на; пылевыколáчивающая маши́на; ◇ to wear the ~, to sing ~ горевáть по возлю́бленному.

willow-herb ['wɪlouhǝ:b] *n бот.* кипрéй узколи́стный; ивáн-чáй, копóрский чáй.

willow-pattern ['wɪlou,pætǝn] *n* 1) трафарéтный китáйский рисýнок на фарфóре; 2) посýда с трафарéтным китáйским рисýнком.

willowy ['wɪloui] *a* 1) зарóсший ивнякóм; 2) ги́бкий и тóнкий.

will-power ['wɪl,pauǝ] *n* си́ла вóли.

willy-nilly ['wɪlɪ'nɪlɪ] *adv* вóлей-невóлей.

willy-willy ['wɪlɪ'wɪlɪ] *n австрал.* тропи́ческий шторм; урагáн; тайфýн; циклóн.

wilt I [wɪlt] *уст.* 2-е л. ед. ч. настоя́щего врéмени гл. will II.

wilt II [wɪlt] 1. *n* слáбость, вя́лость; 2. *v* 1) вя́нуть, поникáть; 2) (по)губи́ть (*цветы́*); 3) слабéть, ослабевáть; 4) теря́ть прису́тствие дýха.

Wilton ['wɪltǝn] *n* род пуши́стого коврá (*тж.* ~ carpet).

wily ['waɪlɪ] *a* лукáвый, хи́трый; ковáрный.

wimble ['wɪmbl] 1. *n* 1) бурáв, сверлó; 2) коловорóт; 2. *v* сверли́ть.

wimple ['wɪmpl] *n* плат, апóстольник (*на головé монáхини*).

win [wɪn] 1. *n* вы́игрыш; побéда (*в игрé*); 2. *v* 1) (won) ~ 1) вы́играть; победи́ть, одержáть побéду (*тж.* ~ a victory); to ~ the battle вы́играть сражéние; to ~ the day, to ~ the field одержáть побéду; to ~ all hearts завоевáть, покори́ть все сердцá (*и́ли всех*); to ~ by a head опереди́ть на гóлову (*на скáчках*); éле-éле вы́играть; to ~ clear, to ~ free с трудóм вы́путаться, освободи́ться; to ~ hands down, to ~ in a canter вы́играть с лёгкостью; легкó дости́гнуть побéды; 2) добирáться, достигáть; to

~ the shore дости́гнуть бéрега, добрáться до бéрега; 3) доби́ться; дости́гнуть; приобрести́, получи́ть, заработáть; to ~ consent доби́ться соглáсия; to ~ one's way проби́ть себé дорóгу; доби́ться успéха; to ~ respect доби́ться уважéния; 4) убеди́ть; you have won me вы меня́ убеди́ли; 5) добывáть (*рудý*); □ ~ out доби́ться успéха; ~ over склони́ть на свою́ стóрону; расположи́ть к себé; ~ through проби́ться; преодолéть (*трýдности*); ~ upon завоёвывать (*симпáтию, признáние и т. п.*).

wince [wɪns] 1. *n* содрогáние, вздрáгивание; 2. *v* вздрáгивать, мóрщиться (*от бóли*).

wincey ['wɪnsɪ] *n* прóчная полушерстянáя матéрия, идýщая на ю́бки и т. п.

winch [wɪntʃ] *тех.* 1. *n* 1) лебёдка, вóрот; 2) изóгнутая рукоя́тка; 2. *v* поднимáть с пóмощью лебёдки.

Winchester ['wɪntʃǝstǝ] *n* винчéстер (*род винтóвки; тж.* ~ rifle).

wind I [wɪnd, *поэт. чáсто* waɪnd] 1. *n* 1) вéтер; fair (contrary, head, adverse) ~ попýтный (проти́вный) вéтер; high ~, strong ~ си́льный вéтер; ~ and weather непогóда; before (*и́ли* down) the ~ по вéтру; in the ~'s eye, in the teeth of the ~ прямо проти́в вéтра; close to (*и́ли* near) the ~ *мор.* в крутóй бейдеви́нд; *перен.* на грани поря́дочности *и́ли* присто́йности; like the ~ бы́стро, как вéтер; to take the ~ out of one's sails *мор.* отня́ть вéтер; *перен.* ≈ вы́бить пóчву из-под ног; постáвить в безвы́ходное положéние; помешáть; 2) ток вóздуха (*напр., в оргáне*), воздýшная струя́; 3) зáпах, дух; 4) (the ~) духовы́е инструмéнты; 5) дыхáние; to get one's ~ отдышáться; to lose ~ запыхáться; he has a bad ~ он страдáет оды́шкой; second ~ *спорт.* вторóе дыхáние; 6) пусты́е словá; болтовня́; his speech was ~ егó речь былá бессодержáтельна; 7) слух; намёк; there is smth. in the ~ а) в вóздухе чтó-то нóсится; б) хóдят какúе-то слýхи; to get the ~ of smth. проню́хать, почýять что-л.; 8) *мед.* вéтры, гáзы; 9) *тех.* дутьё; from the four ~s со всех сторóн; to fling (*и́ли* to cast) to the ~s отбрóсить (*благоразýмие и т. п.*); to get (*и́ли* to take) ~ стать извéстным, распространи́ться; to get the ~ up *sl.* испугáться; to put the ~ up *sl.* испугáть (*когó-л.*); to raise the ~ раздобы́ть дéнег; between ~ and water наибóлее уязви́мое мéсто; to be in the ~ *sl.* подвы́пить; to catch the ~ in a net ≈ переливáть из пустóго в порóжнее; зря старáться; gone with the ~ исчéзнувший бесслéдно; to hang in the ~ колебáться; to scatter to the ~s а) нанести́ сокруши́тельное пораже́ние; б) промотáть;

2. *v* (winded [-ɪd]) 1) суши́ть на ветрý; провéтривать; 2) чýять; идти́ по слéду; 3) застáвить задохнýться; вы́звать оды́шку; I am ~ed by running я задыхáюсь от бéга; 4) дать перевести́ дух; a brief stop to ~ the horses мáленькая останóвка, чтóбы дать передохнýть лошадя́м; 5) [waɪnd] (*past и p. p. тж.* wound) игрáть, труби́ть.

wind II [waind] **1.** *n* 1) оборо́т; 2) поворо́т; 3) вито́к; изви́лина;

2. *v* (wound) 1) ви́ться, извива́ться; 2) нама́тывать(ся); обма́тывать(ся), обвива́ть(-ся); мота́ть; she wound her arms round the child она́ заключи́ла ребёнка в свои́ объя́тия; 3) заводи́ть (*часы; тж.* ~ up); 4) поднима́ть, тяну́ть при по́мощи лебёдки *и т. п.*; 5) верте́ть, повора́чивать; □ ~ off разма́тывать(ся); ~ up а) сма́тывать; б) заводи́ть (*часы*); в) подтя́гивать (*дисциплину*); г) взви́нчивать; д) конча́ть; е) ула́дить, разреши́ть (*вопрос*); зако́нчить (*прения*); заключи́ть (*выступление*); ◇ to ~ oneself, to ~ one's way вкра́дываться, втира́ться; to ~ round one's little finger обвести́ вокру́г па́льца.

windage ['windidʒ] *n* 1) сопротивле́ние во́здуха; 2) снос (*снаряда*) ве́тром; попра́вка на снос ве́тром; 3) надво́дная часть су́дна; 4) конту́зия; 5) *mex.* слабина́ поса́дки, зазо́р.

windbag ['windbæg] *n* 1) *разг.* болту́н, пустозво́н; 2) *шутл.* грудна́я кле́тка.

wind-bound ['windbaund] *a* заде́ржанный проти́вными ве́трами.

wind-break ['windbreik] *n* щит, ветроло́м; дере́вья, поса́женные вдоль доро́ги, железнодоро́жного полотна́ *и т. п.* (*для защиты от ветра*).

wind breaker ['wind'breikə] *n* ветронепроница́емая ку́ртка (*кожаная, меховая и т. п.*).

wind-channel ['wind,tʃænl] *n* *ав.* аэродинами́ческая труба́.

wind-cone ['windkoun] *n* *ав.* ветрово́й ко́нус.

wind-egg ['wind,eg] *n* болту́н (*яйцо*).

winder I ['waində] *n* 1) вью́щееся расте́ние; 2) пружи́на, ключ для заво́да; 3) ступе́нька винтово́й ле́стницы; 4) *текст.* мота́льная маши́на.

winder II ['waində] *n* труба́ч.

winder III ['waində] *n* *sl.* си́льный уда́р.

windfall ['windfɔːl] *n* 1) плод, сби́тый ве́тром; па́данец; 2) ветрова́л, бурело́м; 3) неожи́данное сча́стье; неожи́данная уда́ча.

windflaw ['windflɔː] *n* поры́в ве́тра.

wind-flower ['wind,flauə] *n* *бот.* ве́треница; *поэт.* анемо́н (*цветок*).

wind-ga(u)ge ['windgeidʒ] *n* 1) анемо́метр, ветроме́р; 2) *воен.* корре́ктор целика́.

windhover ['wind,hʌvə] *n* пустельга́ (*птица*).

winding I ['waindiŋ] **1.** *pres. p. om* wind II, 2;

2. *n* 1) изви́лина, изги́б, поворо́т; 2) нама́тывание; 3) *эл.* обмо́тка.

3. *a* изви́листый, вито́й, спира́льный.

winding II ['waindiŋ] *pres. p. om* wind I, 2.

winding-sheet ['waindiŋʃiːt] *n* са́ван.

wind-instrument ['wind,instrumənt] *n* духово́й инструме́нт.

wind-jammer ['wind,dʒæmə] *n* *разг.* 1) па́русное су́дно; 2) болту́н.

windlass ['windləs] *n* *mex.* бра́шпиль; лебёдка, во́рот.

windless ['windlis] *a* безве́тренный; ~ day безве́тренный день.

windmill ['winmil] *n* 1) ветряна́я ме́льница; to tilt at ~s сража́ться с ветряны́ми ме́льницами, донкихо́тствовать; 2) *ав. sl.* автожи́р.

window ['windou] *n* 1) окно́; 2) *attr.* око́нный; ◇ to have all one's goods in the (front) ~ выставля́ть всё напока́з; быть пове́рхностным.

window-case ['windoukeis] *n* витри́на.

window-dressing ['windou,dresiŋ] *n* 1) украше́ние витри́н; 2) уме́ние показа́ть това́р лицо́м.

window-pane ['windoupein] *n* око́нное стекло́.

window-shop ['windouʃɔp] *v* рассма́тривать витри́ны.

window-sill ['windousil] *n* подоко́нник.

windpipe ['windpaip] *n* *анат.* дыха́тельное го́рло.

windrose ['windrouz] *n* ро́за ветро́в.

wind-row ['windrou] *n* *с.-х.* полоса́ ско́шенного хле́ба, се́на *и т. п.*

wind-screen ['windskriːn] *n* 1) *авт.* пере́днее стекло́, ветрово́е стекло́; 2) *ав.* козырёк.

windshield ['windʃiːld] *амер.* 1) = wind--screen 1); 2) *attr.*: ~ wiper *авт.* стеклоочисти́тель ветрово́го стекла́, «дво́рник».

Windsor ['winzə] *n* 1) дешёвое тёмное туале́тное мы́ло (*тж.* brown ~ soap, ~ soap); 2) = Windsor chair.

Windsor chair ['winzə'tʃɛə] *n* резно́е деревя́нное кре́сло.

wind-stick ['windstik] *n* *ав. sl.* винт.

windstorm ['windstɔːm] *n* бу́ря, мете́ль.

wind-swept ['windswept] *a* незащищённый от ве́тра.

wind-up I ['wind'ʌp] *n* коне́ц, заверше́ние.

wind-up II ['wind'ʌp] *n* *sl.* страх, не́рвное возбужде́ние; to get (*или* to have) the ~ испуга́ться.

windward ['windwəd] **1.** *a* наве́тренный; **2.** *adv* с наве́тренной стороны́; **3.** *n* наве́тренная сторона́; ◇ to get to ~ of smb. име́ть преиму́щество пе́ред кем-л.

windy ['windi] **1.** *a* 1) ве́треный; ~ day ве́треный день; 2) обдува́емый ве́тром; W. City *амер. г.* Чика́го; 3) пусто́й, несерьёзный; 4) многосло́вный; хвастли́вый; болтли́вый; 5) *sl.* испу́ганный;

2. *n* *амер. sl.* трус.

wine [wain] **1.** *n* 1) вино́; green ~, new ~ молодо́е вино́; to take ~ with smb. обменя́ться то́стами с кем-л.; in ~ пья́ный, опьяне́вший; 2) *унив.* студе́нческая пиру́шка; 3) тёмно-кра́сный цвет, цвет кра́сного вина́; 4) *attr.* ви́нный; ◇ Adam's ~ *шутл.* вода́; good ~ needs no (ivy) bush ≅ хоро́ший това́р сам себя́ хва́лит;

2. *v* 1) пить вино́; 2) угоща́ть, пои́ть вино́м; ~ and dine угоща́ть, по́тчевать.

winebag ['wainbæg] *n* 1) бурдю́к, мех для вина́; 2) пья́ница.

winebibber ['wain,bibə] *n* пья́ница.

winebowl ['wainboul] *n* *ритор.* ча́ша.

wine-cellar ['wain,selə] *n* ви́нный по́греб.

wine-coloured ['wain,kʌləd] *a* тёмно--кра́сный; вишнёвый; цве́та кра́сного вина́.

wine-cooler ['wain,kuːlə] *n* ведёрко для охлажде́ния вина́.

winecup ['waɪnkʌp] n чаша.

wineglass ['waɪnglɑːs] n бокал; рюмка (как мед. мерка = 4 столовым ложкам).

wine-grower ['waɪnˌgrouə] n винодел.

winepress ['waɪnpres] n давильный пресс.

winery ['waɪnərɪ] n винный завод.

wineskin ['waɪnskɪn] = winebag 1).

wine-vault ['waɪnvɔːlt] n 1) винный погреб; 2) кабачок.

wing [wɪŋ] 1. n 1) крыло; to add (или to lend) ~s (to) придавать крылья; ускорять; to be on the ~ летать; разг. переезжать с места на место; путешествовать; to take ~ полететь; взлететь; on the ~s of the wind на крыльях ветра, очень быстро; to clip one's ~s подрезать крылья или крылышки; his ~s are sprouting он не от мира сего; 2) шутл. рука; a touch in the ~ рана в руку; 3) архит. флигель, крыло дома; 4) воен. фланг; 5) авиаполк; амер. авиабригада; 6) pl театр. кулисы; 7) pl нашивка, эмблема (у лётчиков); 8) спорт. крайний нападающий (в хоккее, футболе); 2. v 1) снабжать крыльями; 2) окрылять; ускорять; fear ~ed his steps страх заставил его ускорить шаги; 3) пускать (стрелу); 4) летать; a bird ~s the sky птица летит в поднебесье; 5) ранить в крыло или руку.

wing-beat ['wɪŋbiːt] n взмах крыльев.

wing-case ['wɪŋkeɪs] n зоол. надкрылье (у жуков и т. п.).

wing-cell ['wɪŋsel] n ав. коробка крыльев.

wing chair ['wɪŋˈtʃɛə] n кресло с подушечкой для головы.

wing-commander ['wɪŋkəˌmɑːndə] n подполковник авиации (в Англии).

winged [wɪŋd] 1. p. p. от wing 2; 2. a 1) крылатый; 2) окрылённый; 3) быстрый.

wing flap ['wɪŋˈflæp] n ав. закрылок.

wing-footed ['wɪŋˌfutɪd] a поэт. быстроногий, быстрый.

wingless ['wɪŋlɪs] a бескрылый.

wing-over ['wɪŋˈouvə] n ав. переворот через крыло, бочка.

wing-sheath ['wɪŋʃiːθ] = wing-case.

wing-span ['wɪŋspæn] n ав. размах крыла.

wing-spread ['wɪŋspred] = wing-span.

wings test ['wɪŋzˈtest] n ав. испытание на право получения авиаторского значка.

wing-stroke ['wɪŋstrouk] = wing-beat.

wink [wɪŋk] 1. n 1) моргание; 2) подмигивание; to give a ~ подмигнуть, намекнуть; 3) миг; in a ~ в мгновение; ◇ not to sleep a ~, not to get a ~ of sleep не сомкнуть глаз; forty ~s разг. короткий (послеобеденный) сон; 2. v 1) моргать, мигать; 2) мерцать; ☐ ~ at a) подмигивать кому-л.; б) смотреть сквозь пальцы на что-л.

winker ['wɪŋkə] n разг. 1) глаз; 2) ресница; 3) pl шоры; 4) pl шутл. очки.

winking ['wɪŋkɪŋ] 1. pres. p. от wink 2; 2. n 1) мигание; моргание; like ~ sl. в мгновение ока; 2) короткий сон, дремота.

winkle ['wɪŋkl] n береговичок (моллюск).

winner ['wɪnə] n победитель; (первый) призёр.

winning ['wɪnɪŋ] 1. pres. p. от win 2;

2. n 1) выигрыш, победа; 2) pl выигрыш, выигранные деньги; 3) горн. проходка новой шахты;

3. a 1) выигрывающий, побеждающий; to play a ~ game играть наверняка; перен. действовать наверняка; 2) решающий (об ударе и т. п.); 3) привлекательный, обаятельный; ~ smile обаятельная улыбка.

winning-post ['wɪnɪŋpoust] n финишный столб.

winnow ['wɪnou] v 1) веять (зерно); отвеивать (мякину; тж. ~ out, ~ away, ~ from); 2) перен. отсеивать (тж. ~ out, ~ away); разбирать, проверять; 3) поэт. махать (крыльями).

winsome ['wɪnsəm] a 1) привлекательный, обаятельный; 2) весёлый.

winter ['wɪntə] 1. n 1) зима; a hard (или severe) ~ холодная зима; 2) поэт. год; of fifty ~s 50-летний; 3) attr. зимний; 4) attr. озимый;

2. v 1) проводить зиму, зимовать; 2) перезимовать (о растениях); 3) содержать зимой (скот и т. п.).

winter-crop ['wɪntəkrɔp] n с.-х. озимая культура.

winterer ['wɪntərə] n зимовщик.

wintering ['wɪntərɪŋ] 1. pres. p. от winter 2;

2. n 1) зимовка; 2) attr. зимующий.

winterize ['wɪntəraɪz] v разг. приспосабливать к зимним условиям.

winterkill ['wɪntəkɪl] v амер. погибать в зимних условиях (о растениях).

winterly ['wɪntəlɪ] = wintry.

winter quarters ['wɪntəˈkwɔːtəz] n pl воен. зимние квартиры.

winter sports ['wɪntəˈspɔːts] n pl зимний спорт.

winter-tide ['wɪntətaɪd] n поэт. зима.

wintry ['wɪntrɪ] a 1) зимний; холодный; 2) неприветливый (об улыбке и т. п.).

winy ['waɪnɪ] a винный, имеющий вкус или запах вина.

winze [wɪnz] n горн. гезенк, небольшая подземная выработка.

wipe [waɪp] 1. n 1) вытирание; to give a ~ вытереть; 2) разг. носовой платок; 3) sl. удар с размаху;

2. v 1) вытирать, утирать; to ~ one's eyes осушить слёзы; 2) sl. ударить с размаху; замахнуться (at—на кого-л.); ☐ ~ away, ~ off стирать; вытирать, утирать; ~ out a) вытирать, стирать; б) смывать (обиду); в) уничтожить (противника и т. п.); ~ up подтирать; ◇ to ~ smb.'s eye sl. a) ≅ утереть нос кому-л.; нанести кому-л. полное поражение; б) унизить кого-л.; to ~ off the slate избавиться от всех старых обязательств; to ~ the floor (или the ground) with smb. sl. изничтожить кого-л.; унизить.

wipe-out ['waɪpˈaut] n радио поглощение звука.

wiper ['waɪpə] n 1) полотенце; 2) тряпка для вытирания; приспособление для чистки; 3) разг. носовой платок.

wire ['waɪə] 1. n 1) проволока; провод; 2) телеграф; I'll reply by ~ я отвечу телегрáммой; let me know by ~ телеграфи́руйте мне; 3) *разг.* телегрáмма; send me a ~ извести́те меня́ телегрáммой; 4) *attr.* про́волочный; ~ hanger про́волочная вéшалка для одéжды; 5) *attr.* телефóнный; ~ platoon телефóнный взвод; ◇ to pull the ~s нажимáть тáйные пружи́ны; влия́ть на ход дéла; быть скры́тым дви́гателем (*чего-л.*); to give smb. the ~ тáйно предупреди́ть когó-л.; to be on ~s быть в состоя́нии нéрвного возбужде́ния;

2. *v* 1) свя́зывать *или* скрепля́ть про́волокой; 2) устанáвливать *или* монти́ровать проводá; 3) телеграфи́ровать; 4) *воен.* устрáивать про́волочные загражде́ния; окружáть про́волокой (*тж.* ~ in); □ ~ in *sl.* стáраться изо всéх сил.

wire bed ['waɪə'bed] *n* сéтка (*кровати*).

wire-cutter ['waɪə,kʌtə] *n* про́волочные нóжницы; кусáчки.

wire-dancer ['waɪə,dɑːnsə] *n* канатохó́дец.

wiredrawn ['waɪədrɔːn] *a* сли́шком тóнкий (*о различии и т. п.*).

wire entanglement ['waɪəɪn'tæŋglmənt] *n* про́волочное загражде́ние.

wire gauge ['waɪəgeɪdʒ] *n* кали́бр для про́волоки.

wire-haired ['waɪəhɛəd] *a* жесткошёрстный, с жёсткой шéрстью.

wire-laid paper ['waɪəleɪd'peɪpə] *n* бумáга верже́.

wireless ['waɪəlɪs] 1. *n* 1) рáдио; радиоприёмник; by ~ по рáдио; wired ~ связь несу́щими тóками; 2) радиогрáмма;

2. *a* 1) беспро́волочный; 2) рáдио-;

3. *v* передавáть по рáдио, посылáть радиогрáмму.

wire mattress ['waɪə'mætrɪs] = wire bed.

wirepuller ['waɪə,pulə] *n* лицó, держáщее ни́ти в свои́х рукáх; полити́ческий интригáн.

wire stitcher ['waɪə'stɪtʃə] *n* проволокошвéйная маши́на.

wire tapping ['waɪə'tæpɪŋ] *n* перехвáт телефóнных сообщéний; подслу́шивание телефóнных разговóров.

wire-wove ['waɪəwouv] *a* велéневая, верже́ (*бумага*).

wiring ['waɪərɪŋ] 1. *pres. p. om* wire 2;

2. *n* 1) проклáдка электри́ческих проводóв; 2) *эл.* прово́дка; 3) электри́ческая схéма; 4) *воен.* про́волочные загражде́ния.

wiry ['waɪərɪ] *a* 1) похóжий на про́волоку, ги́бкий, крéпкий; 2) жи́листый; выно́сливый; 3) про́волочный.

wisdom ['wɪzdəm] *n* му́дрость; all the wits and ~ of the place все мéстные у́мники; to pour forth ~ изрекáть сентéнции.

wisdom-tooth ['wɪzdəm-tuːθ] *n* зуб му́дрости; to cut one's wisdom teeth стать благоразу́мным; приобрести́ жи́зненный о́пыт.

wise I [waɪz] *a* 1) му́дрый; благоразу́мный; ~ saw посло́вица, поговóрка; 2) осведомлённый, знáющий; to put smb. ~ вы́вести когó-л. из заблужде́ния (about, on); объясни́ть, надоу́мить; to be (*или* to get) ~ to smth. узнáть, поня́ть что-л.; ◇ ~ after the event ≈ зáдним умóм крéпок.

wise II [waɪz] *n уст.* óбраз, спóсоб; in no ~ нико́им óбразом.

wiseacre ['waɪz,eɪkə] *n иро́н.* мудрéц, самодово́льный дурáк.

wise crack ['waɪzkræk] *n амер. разг.* удáчное замечáние; острóта, саркасти́ческое замечáние.

wise-crack ['waɪzkræk] *v амер. разг.* остри́ть.

wise woman ['waɪz'wumən] *n* 1) колду́нья, ворожéя; знáхарка; 2) повивáльная бáбка.

wish [wɪʃ] 1. *n* 1) желáние, пожелáние; to carry out smb.'s ~es выполня́ть чьи-л. желáния; 2) предмéт желáния;

2. *v* 1) желáть; хотéть; вы́сказать пожелáние; I ~ it to be done я хочу́, чтобы э́то бы́ло сдéлано; I ~ you to understand я хочу́, чтобы вы поня́ли; I ~ you joy желáю вам счáстья; I ~ I were gone я хотéл бы, чтобы меня́ здесь не бы́ло; 2): he ~es well он настрóен доброжелáтельно; □ ~ for желáть, стреми́ться; long ~ed for давнó желáнный.

-wisher [-,wɪʃə] *в сложных словах означает* желáющий (*чего-л.*); well-wisher доброжелáтель.

wishfull ['wɪʃful] *a* желáющий, жáждущий.

wishing-bone ['wɪʃɪŋboun] *n* ду́жка (*грудная кость птицы*).

wishing-cap ['wɪʃɪŋkæp] *n* волшéбная шáпочка.

wish-wash ['wɪʃwɔʃ] *n разг.* 1) бурдá; 2) болтовня́.

wishy-washy ['wɪʃɪ,wɔʃɪ] *a разг.* 1) жи́дкий; 2) слáбый, блéдный; невырази́тельный.

wisp [wɪsp] *n* 1) пучóк, жгут (*соломы, сена и т. п.*); 2) клочóк, обры́вок; 3) метёлка.

wispy ['wɪspɪ] *a* тóнкий.

wist [wɪst] *past и p. p. om* wit 2.

wistaria [wɪs'tɛərɪə] *n бот.* глици́ния.

wistful ['wɪstful] *a* 1) тоску́ющий, тоскли́вый; 2) задýмчивый.

wit [wɪt] 1. *n* 1) (*часто pl*) ум, рáзум; he has quick (slow) ~s он сообрази́телен (несообрази́телен); 2) остроу́мие; 3) остря́к; he sets up for a ~ он хóчет казáться остроу́мным; ◇ to be at one's ~'s end стать в тупи́к; не знать, что дéлать; to have (*или* to keep) one's ~s about one a) быть начеку́; б) имéть живóй ум; to live by one's ~s кóе-кáк извора́чиваться; out of one's ~s обезу́мевший;

2. *v* (*pres.* wot, *past и p. p.* wist) *уст.* знать, вéдать; ◇ to ~ то есть, а и́менно.

witch [wɪtʃ] 1. *n* 1) колду́нья; вéдьма; witches' sabbath шáбаш ведьм; ~'s broom помелó; 2) *уст.* колду́н, знáхарь; 3) *шутл.* чародéйка.

2. *v поэт.* околдовáть, обворожи́ть; the ~ing time of night пóлночь.

witchcraft ['wɪtʃkrɑːft] *n* колдовствó.

witch-doctor ['wɪtʃ,dɔktə] *n* колду́н, знáхарь.

witchery ['wɪtʃərɪ] *n* 1) = witchcraft; 2) очаровáние, чáры.

witch-hunt ['wɪtʃhʌnt] *n* 1) *ист.* охóта за вéдьмами; 2) преслéдование прогресси́вных дéятелей.

witenagemot ['wɪtɪnəgɪ'mout] *n ист.* ви́тенагемот (*англо-саксонский совет старейшин*).

with [wɪð] *prep* 1) *указывает на связь, совместность, согласованность во взглядах, пропорциональность* с; he came ~ his brother он пришёл вме́сте с бра́том; to deal ~ smb. име́ть де́ло с кем-л.; to mix ~ the crowd смеша́ться с толпо́й; to grow wiser ~ age станови́ться умне́е с года́ми; I am entirely ~ you in this в э́том вопро́се я с ва́ми по́лностью согла́сен; ~ the sun по часово́й стре́лке, по со́лнцу; 2) *указывает на предмет действия или орудие, с помощью которого совершается действие; передаётся твор. падежом*: to adorn ~ flowers украша́ть цвета́ми; ~ a pencil карандашо́м; to cut ~ a knife ре́зать ножо́м; 3) *указывает на наличие чего-л., характерный признак*: ~ no hat on без шля́пы; ~ blue eyes с голубы́ми глаза́ми; 4) *указывает на обстоятельства, сопутствующие действию*: ~ care с осторо́жностью; ~ thanks с благода́рностью; 5) *указывает на причину* от, из-за; to die ~ pneumonia умере́ть от воспале́ния лёгких; her flat was gay ~ flowers цветы́ оживля́ли её кварти́ру; 6) *указывает на лицо, по отношению к которому совершается действие* у, с(о); it is holiday time ~ us у нас кани́кулы; things are different ~ me со мной де́ло обстои́т ина́че; 7) несмотря́ на; ~ all his gifts he failed несмотря́ на все свои́ тала́нты, он не име́л успе́ха; ◇ ~ child бере́менная; away ~ him! вон его́!

with- [wɪð-] *pref прибавляется к глаголам со значением*: а) наза́д; to withdraw отдёргивать; б) про́тив; to withstand противостоя́ть, сопротивля́ться *и т. д.*

withal [wɪ'ðɔːl] *уст.* **1.** *adv* к тому́ же, вдоба́вок; в то же вре́мя; **2.** *prep* с(о); the sword he used to defend himself ~ меч, кото́рым он по́льзовался для защи́ты.

withdraw [wɪð'drɔː] *v* (withdrew; withdrawn) 1) отдёргивать; to ~ one's hand отдёрнуть ру́ку; 2) брать наза́д; ~! возьми́те наза́д свои́ слова́!; to ~ a boy from school взять ма́льчика из шко́лы; to ~ a privilege лиша́ть привиле́гии; 3) отзыва́ть; 4) изыма́ть (*монету из обращения*); 5) уходи́ть, удаля́ться, ретирова́ться; 6) *воен.* отходи́ть; отводи́ть (*войска*).

withdrawal [wɪð'drɔːəl] *n* 1) отдёргивание; 2) взя́тие наза́д; изъя́тие; 3) отозва́ние, увод; 4) ухо́д, удале́ние; 5) *воен.* отхо́д; вы́вод войск; ~ from action вы́ход (*или* вы́вод) из бо́я.

withdrawn [wɪð'drɔːn] *p. p. от* withdraw.

withdrew [wɪð'druː] *past от* withdraw.

withe [wɪθ] *n* (*pl* -thes [-ðs], -ths) и́вовый прут; лоза́.

wither ['wɪðə] *v* 1) вя́нуть, со́хнуть; блёкнуть; 2) иссуша́ть, лиша́ть си́лы *или* све́жести; 3) ослабева́ть, уменьша́ться; 4) *обыкн. шутл.* уничтожа́ть; to ~ smb. with a look исепели́ть кого́-л. взгля́дом.

withers ['wɪðəz] *n pl* хо́лка (*у лошади*); ◇ my ~ are unwrung э́то меня́ не затра́гивает.

withheld [wɪð'held] *past и p. p. от* withhold.

withhold [wɪð'hould] *v* (withheld) 1) отка́зывать (*в чём-л.*); to ~ one's consent не дава́ть согла́сия; 2) уде́рживать, остана́вливать; what withheld him from making the attempt? что помеша́ло ему́ сде́лать э́ту попы́тку?; 3) *редк.* уде́рживаться, возде́рживаться; 4) не сообща́ть, ута́ивать; disagreeable facts were withheld from him от него́ скры́ли неприя́тные фа́кты.

within [wɪ'ðɪn] **1.** *prep* 1) в, в преде́лах; ~ hearing (sight) в преде́лах слы́шимости (ви́димости); is true ~ limits до изве́стной сте́пени ве́рно; to come ~ the terms of reference относи́ться к ве́дению, к компете́нции; to keep ~ the law не выходи́ть из ра́мок зако́на; 2) в, внутри́; ~ the building внутри́ до́ма; hope sprang up ~ him у него́ появи́лась наде́жда; 3) не да́лее (как), не поздне́е; в тече́ние; ~ a year в тече́ние го́да; че́рез год; **2.** *adv* внутри́; to stay ~ остава́ться до́ма; is Mrs. Jones ~? до́ма ми́ссис Джо́унз?; **3.** *n* вну́тренняя сторона́; the door opens from ~ дверь открыва́ется изнутри́.

withindoors [wɪ'ðɪn'dɔːz] *adv уст.* внутри́, в помеще́нии.

without [wɪ'ðaut] **1.** *prep* 1) без; ~ friends без друзе́й; to do (*или* to go) ~ smth. обходи́ться без чего́-л.; 2) вне, за; ~ us вне́шний мир; 3) (*перед герундием и отглагольными сущ.*) без того́, чтобы; ~ taking leave не проща́ясь; that goes ~ saying я́сно без слов, само́ собо́й разуме́ется; **2.** *adv уст.* вне, снару́жи; listening to the wind ~ прислу́шиваясь к ве́тру на дворе́; **3.** *n* нару́жная сторона́; from ~ снару́жи, извне́; **4.** *cj уст. разг.* е́сли не; без того́, чтобы.

withoutdoors [wɪ'ðaut'dɔːz] *adv уст.* снару́жи.

withs [wɪθs] *pl от* withe.

withstand [wɪð'stænd] *v* (withstood) 1) противостоя́ть, вы́держать; 2) (*обыкн. поэт.*) сопротивля́ться.

withstood [wɪð'stud] *past и p. p. от* withstand.

withy ['wɪðɪ] = withe.

witless ['wɪtlɪs] *a* безмо́зглый, глу́пый, неразу́мный.

witling ['wɪtlɪŋ] *n презр.* остря́к.

witness ['wɪtnɪs] **1.** *n* 1) свиде́тель (*особ. в суде*); to call to ~ ссыла́ться на; призыва́ть в свиде́тели; 2) очеви́дец; 3) доказа́тельство, свиде́тельство (to, of); to bear ~ to (*или* of) свиде́тельствовать, удостоверя́ть; in ~ of smth. в доказа́тельство чего́-л.; **2.** *v* 1) быть свиде́телем (*чего-л.*); ви́деть; Europe ~ed many wars Евро́па не раз была́ аре́ной войн; 2) дава́ть показа́ния (against, for); 3) заве́рить (*подпись и т. п.*); to ~ a document заве́рить докуме́нт; 4) свиде́тельствовать; служи́ть ули́кой, доказа́тельством; 5) обраща́ть осо́бое внима́ние; ~ this comment обрати́те внима́ние на э́то замеча́ние.

witness-box ['wɪtnɪsbɔks] *n* ме́сто для свиде́телей (*в суде*).

witness-stand ['wɪtnɪsstænd] = witness-box.

-witted [-'wɪtɪd] *в сложных словах озна-чает* обладающий *такими-то* умственными способностями; half-witted слабоумный; quick-witted умный, сообразительный.

witticism ['wɪtɪsɪzəm] *n* острота; шутка.

wittily ['wɪtɪlɪ] *adv* остроумно.

wittingly ['wɪtɪŋlɪ] *adv* сознательно, умышленно.

witty ['wɪtɪ] *a* остроумный.

wive [waɪv] *v уст.* брать в жёны.

wivern ['waɪvə:n] *n гералъд.* крылатый дракон.

wives [waɪvz] *pl от* wife.

wizard ['wɪzəd] **1.** *n* 1) колдун, маг, чародей, кудесник, волшебник; the W. of the North *прозвище Вальтера Скотта*; 2) фокусник; 3) *текст.* ремизоподъёмная машина;
2. *a* 1) колдовской; 2) *sl.* великолепный.

wizardry ['wɪzədrɪ] *n* колдовство.

wizen(ed) ['wɪzn(d)] *a* высохший (*о растении*); сморщенный (*о человеке*).

wo [wou] *int* тпру!

woad [woud] *n бот.* вайда.

wo-back ['wou'bæk] *int* назад!

wobble ['wɔbl] **1.** *n* 1) качание; *перен.* колебание; виляние; 2) *авт.* вихляние передних колёс;
2. *v* 1) качаться из стороны в сторону; 2) ковылять; идти шатаясь; *перен.* колебаться; вилять; 3) дрожать (*о голосе, звуке*).

wobbler ['wɔblə] *n* 1) неустойчивый человек; 2) *амер. воен. sl.* пехотинец.

wobbly ['wɔblɪ] *a* шаткий, шатающийся.

Woden ['woudn] *n миф.* Вотан.

woe [wou] *n поэт., шутл.* горе, скорбь; несчастья; ~ is me! горе мне!; ~ be to him!, ~ betide him! будь он проклят!

woebegone ['woubɪ,gɔn] *a* удручённый горем, мрачный.

woeful ['wouful] *a* 1) скорбный, горестный; несчастный; 2) очень плохой, жалкий, страшный.

woesome ['wousəm] = woeful.

woke [wouk] *past от* wake I, 1.

woken ['woukən] *p. p. от* wake I, 1.

wold [would] *n* 1) пустынное нагорье; пустошь; 2) низина.

wolf [wulf] **1.** *n* (*pl* wolves) 1) волк; 2) обжора; 3) жестокий злой человек; 4) *амер. разг.* бабник, волокита; 5) *амер. воен. sl.* старшина (*роты и т. п.*); ◊ to cry ~ поднимать ложную тревогу; to keep the ~ from the door предотвращать голод; бороться с нищетой; to have the ~ in the stomach быть голодным, умирать с голоду;
2. *v* пожирать с жадностью (*часто* ~ down).

wolf-cub ['wulfkʌb] *n* 1) волчонок; 2) бойскаут от 8 до 11 лет.

wolf-dog ['wulfdɔg] *n* волкодав.

wolf-hound ['wulfhaund] *n* овчарка.

wolfish ['wulfɪʃ] *a* волчий, хищный.

wolfram ['wulfrəm] *n* 1) *хим.* вольфрам; 2) = wolframite.

wolframite ['wulfrəmaɪt] *n мин.* вольфрамит.

wolf's-claw(s) ['wulfs,klɔ:(z)] *n бот.* плаун.

wolfskin ['wulfskɪn] *n* 1) волчья шкура; 2) что-л., сделанное из волчьих шкур.

wolverene, wolverine ['wulvəri:n] *n* 1) *зоол.* росомаха; 2) (W.) *амер. разг.* уроженец штата Мичиган.

wolves [wulvz] *pl от* wolf 1.

woman ['wumən] *n* (*pl* women) 1) женщина; women's rights женское равноправие; 2) *груб.* баба; 3) женственный мужчина, «баба»; to play the ~ плакать, трусить; 4) (*без артикля*) женщины, женский пол; man born of ~ смертный; 5) (the ~) женственность, женское начало; чисто женское; 6) служанка, уборщица; 7) любовница; 8) *attr.* женский; ~ suffrage избирательные права для женщин.

woman-hater ['wumən,heɪtə] *n* женоненавистник.

womanhood ['wumənhud] *n* 1) женский пол, женщины; 2) женские качества; женская зрелость; 3) женственность.

womanish ['wumənɪʃ] *a* женоподобный; женский.

womankind ['wumən'kaɪnd] *n собир.* женщины; one's ~ женская половина семьи.

womanlike ['wumənlaɪk] *a* женоподобный; женственный.

womanly ['wumənlɪ] *a* женственный; нежный, мягкий.

womb [wu:m] *n* 1) *анат.* матка; 2) чрево; ◊ in the ~ of time в неизвестном будущем.

wombat ['wɔmbət] *n зоол.* вомбат.

women ['wɪmɪn] *pl от* woman.

womenfolk ['wɪmɪnfouk] *n pl* женщины; one's ~ женская половина семьи.

won [wʌn] *past и p. p. от* win 2.

wonder ['wʌndə] **1.** *n* 1) удивление, изумление; (it is) no ~ (that) неудивительно (,что); what ~? что удивительного?; for a ~ как это ни странно, каким-то чудом; 2) чудо, диковина; to work ~s творить чудеса; ◊ a nine-days' ~ злоба дня; громкое, но скоро забываемое событие;
2. *v* 1) удивляться (at); 2) интересоваться; желать знать; I ~ who it was интересно знать, кто это мог быть.

wonderful ['wʌndəful] *a* удивительный, замечательный.

wonderland ['wʌndəlænd] *n* страна чудес.

wonderment ['wʌndəmənt] *n* 1) удивление, изумление; 2) нечто удивительное.

wonder-stricken ['wʌndə,strɪkən] = wonder-struck.

wonder-struck ['wʌndə,strʌk] *a* поражённый, изумлённый.

wonder-work ['wʌndəwə:k] *n* чудо.

wonder-worker ['wʌndə,wə:kə] *n* чудотворец.

wondrous ['wʌndrəs] *поэт., ритор.* **1.** *a* удивительный, чудесный;
2. *adv* (*тк. с прил.*) удивительно; ~ kind удивительно добрый.

wonky ['wɔŋkɪ] *a sl.* нетвёрдый на ногах; шаткий, ненадёжный.

wont [wount] **1.** *n* обыкновение, привычка; use and ~ установившийся обычай;

2. *a predic.* имеющий обыкновение (*с inf.*); as he was ~ to say как он обыкновенно говорил;

3. *v* (wont; wont, wonted [-ɪd]) *уст.* иметь обыкновение.

won't [wount] *сокр. разг.* = will not.

wonted [ˈwountɪd] **1.** *p. p. от* wont 3; **2.** *a* 1) привычный; 2) *амер.* привыкший к новым условиям; 3) *уст.* обычный.

woo [wuː] *v* 1) ухаживать; свататься; 2) добиваться; 3) уговаривать, докучать просьбами.

wood [wud] **1.** *n* 1) (*часто pl*) лес; роща; a clearing in the ~ лесная прогалина; поляна; to prune the old ~ away подчищать лес; 2) дерево (*материал*); древесина; лесоматериал; 3) дрова; 4) (the ~) *pl собир.* деревянные духовые инструменты; 5) (the ~) бочка, бочонок (*для вина*); wine from the ~ вино из бочки; 6) *attr.* лесной; ~ lot лесной участок; 7) *attr.* деревянный; ◇ to get (*или* be) out of the ~ выпутаться из затруднения; быть вне опасности; to go to the ~s быть изгнанным из общества; to saw ~ не принимать активного участия в политической жизни; to take in ~ *амер. sl.* выпить;

2. *v* 1) сажать лес; 2) запасаться топливом.

wood acid [ˈwudˈæsɪd] *n* древесный уксус.

wood alcohol [ˈwudˌælkəhɔl] *n* метиловый *или* древесный спирт.

woodbind, woodbine [ˈwudbaɪnd, ˈwudbaɪn] *n* 1) *бот.* жимолость немецкая; 2) дешёвые сигареты; 3) *воен. sl.* английский солдат.

wood-block [ˈwudblɔk] *n* торец.

woodcock [ˈwudkɔk] *n* вальдшнеп.

woodcraft [ˈwudkrɑːft] *n* 1) знание леса, лесной охоты; 2) умение мастерить из дерева.

woodcut [ˈwudkʌt] *n* гравюра на дереве.

woodcutter [ˈwudˌkʌtə] *n* 1) дровосек; 2) гравёр по дереву.

wood-cutting [ˈwudˌkʌtɪŋ] *n* ксилография.

wooded [ˈwudɪd] **1.** *p. p. от* wood 2; **2.** *a* лесистый.

wooden [ˈwudn] *a* 1) деревянный; ~ ware деревянные изделия; ~ walls *уст.* военные корабли; 2) деревянный, безжизненный; 3) топорный (*о слоге*); ◇ ~ head голова, дурак; ~ horse а) троянский конь; б) орудие пытки; ~ spoon последнее место (*в состязании*).

wood-engraver [ˈwudɪnˌgreɪvə] = woodcutter 2).

wood-fibre [ˈwudˌfaɪbə] *n* древесное волокно.

wood-grouse [ˈwudgraus] *n* *зоол.* глухарь.

woodland [ˈwudlənd] *n* 1) лесистая местность; 2) *attr.* лесной; ~ choir птицы.

woodless [ˈwudlɪs] *a* безлесный.

wood-louse [ˈwudlaus] *n* мокрица.

woodman [ˈwudmən] *n* 1) лесник; 2) лесоруб; 3) лесной житель; 4) охотник.

wood-nymph [ˈwudˈnɪmf] *n* *миф.* дриада.

wood paper [ˈwudˈpeɪpə] *n* бумага из древесной массы.

woodpecker [ˈwudˌpekə] *n* дятел.

woodpile [ˈwudpaɪl] *n* охапка дров.

woodprint [ˈwudprɪnt] = woodcut.

wood-pulp [ˈwudpʌlp] *n* древесная масса, бумажная масса.

woodruff [ˈwudrʌf] *n* *бот.* ясменник (душистый).

woodshed [ˈwudʃed] *n* сарай для дров.

woodsman [ˈwudzmən] = woodman.

wood spirit [ˈwudˈspɪrɪt] = wood alcohol.

woodsy [ˈwudzɪ] *a* *амер.* лесной.

woodward [ˈwudwəd] *n* лесничий.

woodwaste [ˈwudweɪst] *n* древесные отходы.

woodwax(en) [ˈwudˌwæks(ən)] *n* *бот.* дрок красильный.

wood-wind [ˈwudwɪnd] *n* деревянные духовые инструменты.

wood-wool [ˈwudwul] *n* *тех.* шерсть древесная, стружка.

woodwork [ˈwudwɜːk] *n* 1) деревянные изделия; 2) деревянные части (*строения*).

woodworker [ˈwudˌwɜːkə] *n* 1) плотник; столяр; токарь по дереву; 2) деревообделочный станок.

woody [ˈwudɪ] *a* 1) лесистый; 2) деревянистый; 3) *редк.* лесной.

wooer [ˈwuːə] *n* поклонник.

woof [wuːf] = weft.

wool [wul] *n* 1) шерсть; руно; dyed in the ~ окрашенный в пряже; *перен.* сделанный основательно; радикальный; 2) шерстяная пряжа *или* ткань; шерстяные изделия; Berlin ~ шерсть для рукоделия; 3) *шутл.* волосы; ◇ to pull the ~ over smb.'s eyes обманывать, вводить кого-л. в заблуждение; to lose one's ~ рассердиться; to keep one's ~ on сохранять самообладание; all ~ and a yard wide *амер. разг.* настоящий, отличный, заслуживающий доверия.

-wooled [-, wuld] *в сложных словах означает* имеющий такую-то шерсть; long-wooled длинношёрстный.

wool-gathering [ˈwulˌgæðərɪŋ] **1.** *n* рассеянность, витание в облаках; **2.** *a* рассеянный.

woollen [ˈwulɪn] **1.** *a* шерстяной; **2.** *n* шерстяная материя (*тж.* ~s).

woolly [ˈwulɪ] **1.** *a* 1) покрытый шерстью; шерстистый; 2) неясный, неразборчивый; 3): ~ painting *жив.* письмо грубым мазком; ~ voice сиплый голос; 4) *амер. разг.* грубый;

2. *n* 1) шерстяной свитер; 2) *pl* тёплая одежда, зимнее обмундирование.

woolly-bear [ˈwulɪbɛə] *n* *зоол.* гусеница медведицы.

woolsack [ˈwulsæk] *n* набитая шерстью подушка, на которой сидит председатель (лорд-канцлер) в палате лордов; to reach the ~ стать лордом-канцлером.

wool-work [ˈwulwɜːk] *n* вышивка шерстью.

wop I [wɔp] *v* *диал.* = whop.

wop II [wɔp] *n презр. прозвище, даваемое американцами иммигрантам из средней или южной Европы, особ. итальянцам.*

word [wəːd] **1.** *n* 1) слово; ~ for ~ слово в слово; буквально; by ~ of mouth устно; на словах; to hang on smb.'s ~s внимательно прислушиваться к кому́-л.; in a ~, in one ~ одни́м сло́вом; коро́че говоря́; a man of few ~s немногосло́вный челове́к; play upon ~s игра́ слов; to put in a ~ for smb. замо́лвить за кого́-л. слове́чко; a ~ in one's ear на́ ухо, по секре́ту; to take smb. at his ~ пойма́ть на сло́ве; 2) *(часто pl)* речь, разгово́р; can I have a ~ with you? мне на́до поговори́ть с ва́ми; to have ~s with smb. кру́пно поговори́ть, поссо́риться с кем-л.; warm *(или* hot*)* ~s брань, кру́пный разгово́р; fair ~s комплиме́нты; 3) замеча́ние; a ~ in (out of) season своевре́менный *(несвоевре́менный)* сове́т; 4) обеща́ние, сло́во; to give *(или* to pawn, to pledge*)* one's ~ обеща́ть; a man of his ~ челове́к сло́ва; upon my ~ че́стное сло́во; to be as good as one's ~ сдержа́ть сло́во; to be better than one's ~ сде́лать бо́льше обе́щанного; 5) ве́сти; изве́стие, сообще́ние; to receive ~ of smb.'s coming получи́ть изве́стие о чьём-л. прие́зде; 6) приказа́ние; ~ of command *воен.* кома́нда; to give *(или* to send*)* ~ отда́ть распоряже́ние; 7) паро́ль; to give the ~ сказа́ть паро́ль; 8) деви́з; ло́зунг; ◇ sharp's the ~! потора́пливайся!, живе́й!; in so many ~s я́сно, недвусмы́сленно; hard ~s break no bones *посл.* ≅ брань на вороту́ не ви́снет; he hasn't a ~ to throw at a dog a) от него́ сло́ва не добьёшься; б) он и разгова́ривать не жела́ет; a ~ spoken is past recalling *посл.* ≅ сло́во не воробе́й, вы́летит—не пойма́ешь; a ~ to the wise ≅ у́мный с полусло́ва понима́ет;

2. *v* выража́ть слова́ми; подбира́ть выраже́ния; I should ~ it rather differently я сказа́л бы э́то, пожа́луй, и́наче; a beautifully ~ed address прекра́сно соста́вленная речь.

word-book ['wəːdbuk] *n* 1) слова́рь; 2) либре́тто *(оперы).*

wording ['wəːdɪŋ] **1.** *pres. p. от* word 2; **2.** *n* реда́кция, фо́рма выраже́ния, формулиро́вка.

wordless ['wəːdlɪs] *a* 1) без слов; молчали́вый; 2) невы́раженный; не могу́щий быть вы́раженным.

word-painting ['wəːd,peɪntɪŋ] *n* о́бразное описа́ние.

word-perfect ['wəːd'pəːfɪkt] *a* зна́ющий наизу́сть.

word-play ['wəːdpleɪ] *n* игра́ слов; каламбу́р.

word-splitting ['wəːd,splɪtɪŋ] *n* то́нкое словесное разли́чие; софи́стика.

wordy ['wəːdɪ] *a* 1) многосло́вный; 2) слове́сный.

wore I [wɔː] *past от* wear I, 2.

wore II [wɔː] *past и р. р. от* wear II.

work [wəːk] **1.** *n* 1) рабо́та; труд; заня́тие; де́ло; at ~ за рабо́той; to be at ~ upon smth. быть за́нятым чем-л.; in ~ име́ющий рабо́ту; out of ~ безрабо́тный; to set to ~ a) дать рабо́ту, засади́ть за рабо́ту; б) приня́ться за де́ло; 2) де́йствие, посту́пок; dirty ~ подлость; 3) *pl* обще́ственные рабо́ты *(тж.* public ~s); 4) произведе́ние, сочине́ние, труд; a ~ of art произведе́ние иску́сства; 5) *pl* механи́зм *(особ. часов);* there is something wrong with the ~s меха́низм не в поря́дке; 6) обрабо́тка; 7) *pl* техни́ческие сооруже́ния; строи́тельные рабо́ты; 8) *(обыкн. pl) воен.* укрепле́ние, укрепле́ния; 9) *pl библ.* дела́, дея́ния; good ~s благочести́вые дела́; 10) рукоде́лие, шитьё, вышива́ние; 11) броже́ние; 12) *физ.* рабо́та; unit of ~ едини́ца рабо́ты; 13) *attr.* рабо́чий; ~ horse рабо́чая ло́шадь; ◇ all in the day's ~ в поря́дке веще́й; норма́льный; to make short ~ of smth., smb. (бы́стро) разде́латься с чем-л., распра́виться с кем-л.; to make sure ~ with smth. обеспе́чить свой контро́ль над чем-л.; to get the ~s *амер.* ≅ попа́сть в переплёт; to give smb. the ~s *амер.* ≅ взять кого́-л. в оборо́т, в рабо́ту; гру́бо обраща́ться с кем-л.;

2. *v (в некоторых значениях past и р. р.* wrought*)* 1) рабо́тать, занима́ться (at чем-л.); to ~ like a horse *(или* a navvy, a nigger, a slave*)* рабо́тать как вол; 2) рабо́тать, быть специали́стом, рабо́тать в како́й-л. о́бласти; 3) де́йствовать, быть *или* находи́ться в де́йствии; the pump will not ~ насо́с не рабо́тает; 4) де́йствовать, ока́зывать де́йствие; возыме́ть де́йствие (on, upon—на); the medicine did not ~ лека́рство не помогло́; 5) броди́ть *или* вызыва́ть броже́ние; 6) быть в движе́нии; his face ~ed with emotion его́ лицо́ подёргивалось от волне́ния; 7) заслужи́ть; отрабо́тать *(тж.* ~ out); to ~ one's passage отрабо́тать свой прое́зд на парохо́де; 8) пробива́ться, проника́ть, прокла́дывать себе́ доро́гу *(тж.* ~ in, ~ out, ~ through *и т. п.);* the dye ~s its way in кра́ска впи́тывается; to ~ one's way прокла́дывать себе́ доро́гу, пробива́ться; 9) распу́тать, вы́простать *(из чего-л.; обыкн.* ~ loose, ~ free of); 10) приводи́ть в движе́ние *или* де́йствие; управля́ть *(машиной и т. п.);* вести́ *(предприятие);* 11) заставля́ть рабо́тать; he ~ed them long hours он заставля́л их до́лго рабо́тать; to ~ to death не дава́ть ни о́тдыха, ни сро́ка; изводи́ть; 12) *(past и р. р. тж.* wrought) причиня́ть, вызыва́ть; to ~ changes вызыва́ть *или* производи́ть измене́ния; to ~ miracles де́лать чудеса́; 13) *(past и р. р. обыкн.* wrought) обраба́тывать; отде́лывать; разраба́тывать; to ~ the soil обраба́тывать по́чву; to ~ a vein разраба́тывать жи́лу; 14) *(past и р. р. обыкн.* wrought) придава́ть определённую фо́рму *или* консисте́нцию; меси́ть; кова́ть; 15) *(past и р. р. часто* wrought) (иску́сственно) приводи́ть себя́ в како́е-л. состоя́ние *(тж.* ~ up; into); to ~ oneself into a rage довести́ себя́ до исступле́ния; 16) вычисля́ть; реша́ть *(пример и т. п.);* 17) занима́ться рукоде́лием, вышива́ть; 18) испо́льзовать в свои́х це́лях; 19) *разг.* обма́нывать, вымога́ть, добива́ться (*чего-л.*) обма́нным путём; □ ~ against де́йствовать про́тив; ~ away продолжа́ть рабо́тать; ~ for стреми́ться к *чему-л.*; to ~ for peace боро́ться за мир; ~ in а) проника́ть, прокла́дывать себе́ доро́гу; б) вста́вить, ввести́; he ~ed in a few jokes in his speech он вста́вил не́сколько шу́ток в свою́ речь; в) пригна́ть; г) соотве́тствовать; his plans do not ~ in with ours его́ пла́ны расхо́дятся с на́шими; ~ off а) освободи́ться, отде́латься от *чего-л.*; б) распрода́ть; в) вымеща́ть; to ~ off one's bad temper on smb. срыва́ть своё плохо́е настрое́ние на ком-л.; ~ on продолжа́ть рабо́тать; ~ out а) реша́ть (*зада́чу*); б) составля́ть, выража́ться (*в тако́й-то ци́фре*); the costs ~ out at £ 50 изде́ржки составля́ют 50 фу́нтов сте́рлингов; в) истоща́ть; г) разраба́тывать (*план*); составля́ть (*докуме́нт*); подбира́ть ци́фры, цита́ты и *т. п.*; д) с трудо́м доби́ться; е) отрабо́тать (*долг и т. п.*); ж) быть успе́шным, реа́льным; the plan ~ed out план оказа́лся реа́льным; ~ over перераба́тывать; ~ up (*past и р. р. ча́сто* wrought) а) разраба́тывать; б) отде́лывать, придава́ть зако́нченный вид; в) возбужда́ть, вызыва́ть; to ~ up a rebellion подстрека́ть к бу́нту; г) де́йствовать на *кого-л.*; д) сме́шивать (*составны́е ча́сти*); е) собира́ть све́дения (*по кому́-л. вопро́су*); ж) добива́ться, завоёвывать; to ~ up a reputation завоева́ть репута́цию; ◇ to ~ one's will поступа́ть, как взду́мается; де́лать по-сво́ему; to ~ one's will upon smb. заставля́ть кого́-л. де́лать по-сво́ему; to ~ against time стара́ться ко́нчить к определённому сро́ку; to ~ it *sl.* дости́гнуть це́ли; it won't ~ ≈ э́тот но́мер не пройдёт; э́то не вы́йдет; to ~ up to the curtain *теа́тр.* игра́ть «под за́навес».

workability [ˌwəːkəˈbɪlɪti] *n* примени́мость; го́дность (к обрабо́тке).

workable [ˈwəːkəbl] *a* 1) выполни́мый; осуществи́мый; реа́льный; 2) примени́мый; приго́дный для рабо́ты.

workaday [ˈwəːkədei] *a* бу́дничный; повседне́вный.

workaway [ˈwəːkəwei] *n sl.* челове́к, отраба́тывающий свой прое́зд (*особ. на парохо́де*).

work-bag [ˈwəːkbæg] *n* рабо́чая су́мка; мешо́чек с рукоде́лием.

work-basket [ˈwəːkˌbɑːskit] *n* рабо́чая корзи́нка (*для шве́йных принадле́жностей*).

work-book [ˈwəːkbuk] *n* 1) конспе́кт (*ку́рса ле́кций и т. п.*); 2) тетра́дь для за́писи произведённой рабо́ты; 3) сбо́рник упражне́ний.

work-box [ˈwəːkbɔks] *n* рабо́чий я́щик (*для шве́йных принадле́жностей*).

workday [ˈwəːkdei] *n* бу́дний день;. рабо́чий день.

worker [ˈwəːkə] *n* 1) рабо́чий; рабо́тник; workers of the world, unite! пролета́рии всех стран, соединя́йтесь!; 2) *attr.* рабо́чий, трудово́й.

workhouse [ˈwəːkhaus] *n* 1) рабо́тный дом; 2) *амер.* исправи́тельный дом.

working [ˈwəːkiŋ] **1.** *pres. p. от* work 2;

2. *n* 1) рабо́та, де́йствие; 2) эксплуата́ция; разрабо́тка; 3) обрабо́тка; 4) *pl горн.* вы́работки;

3. *a* 1) рабо́тающий, рабо́чий; ~ woman рабо́тница; 2) отведённый для рабо́ты; ~ hours рабо́чее вре́мя, рабо́чие часы́; 3) де́йствующий, эксплуатацио́нный; приго́дный для рабо́ты; ~ capacity трудоспосо́бность; ~ conditions *тех.* эксплуатацио́нный режи́м; ~ dimensions рабо́чие разме́ры; ~ efficiency производи́тельность труда́; 4): ~ capital оборо́тный капита́л.

working class [ˈwəːkiŋˈklɑːs] *n* рабо́чий класс.

working-class [ˈwəːkiŋklɑːs] *a* относя́щийся, принадлежа́щий к рабо́чему кла́ссу.

working day [ˈwəːkiŋ ˈdei] *n* рабо́чий день.

working-day [ˈwəːkiŋdei] *a* бу́дничный, повседне́вный; тяжёлый.

working man [ˈwəːkiŋ ˈmæn] *n* рабо́чий.

working-out [ˈwəːkiŋ ˈaut] *n* дета́льная разрабо́тка (*пла́на и т. п.*).

workless [ˈwəːklis] *a* безрабо́тный, без рабо́ты.

workman [ˈwəːkmən] *n* рабо́чий, рабо́тник.

workmanlike [ˈwəːkmənlaik] *a* иску́сный.

workmanship [ˈwəːkmənʃip] *n* 1) иску́сство, мастерство́; квалифика́ция; exquisite ~ то́нкое мастерство́; 2) отде́лка (*рабо́ты*).

work-out [ˈwəːkˈaut] *n амер.* 1) *разг.* испыта́тельный срок; 2) *спорт.* трениро́вка.

work-people [ˈwəːkˌpiːpl] *n* рабо́чий люд.

work-room [ˈwəːkrum] *n* рабо́чая ко́мната; помеще́ние для рабо́ты.

works [wəːks] *n pl* (*употр. как sing и как pl*) заво́д.

workshop [ˈwəːkʃɔp] *n* 1) мастерска́я; цех; 2) *attr.* цехово́й; ~ committee цехово́й комите́т.

work-shy [ˈwəːkʃai] **1.** *n* лентя́й, безде́льник;

2. *a* лени́вый, уклоня́ющийся от рабо́ты.

work-table [ˈwəːkˌteibl] *n* рабо́чий сто́лик.

workweek [ˈwəːkwiːk] *n* рабо́чая неде́ля.

workwoman [ˈwəːkˌwumən] *n* рабо́тница.

work-worn [ˈwəːkˌwɔːn] *a* изнурённый тяжёлым трудо́м.

world [wəːld] *n* 1) мир, свет; вселе́нная; to bring into the ~ произвести́ на свет, роди́ть; to come into the ~ роди́ться; to begin the ~ вступа́ть в но́вую жизнь; the Old (New) W. Ста́рый (Но́вый) свет; 2) о́бщество; the great ~ све́тское о́бщество; 3) определённая сфе́ра де́ятельности, мир; the ~ of letters (of sport) литерату́рный (спорти́вный) мир; 4) мир, ца́рство; the animal (vegetable) ~ живо́тный (расти́тельный) мир; 5) мир, кругозо́р; his ~ is a very narrow one его́ кругозо́р (*или* мирок) о́чень у́зок; 6) мно́жество, ку́ча; he has had a ~ of troubles у него́ была́ про́пасть хлопо́т; 7) *слу́жит для усиле́ния*: what in the ~ does he mean? что, наконе́ц, он хо́чет сказа́ть?; а ~ too слишко́м; 8) *attr.* мирово́й, всеми́рный; ~ problems мировы́е пробле́мы; ◇ not for the ~ ни за что на све́те; he would give the ~ to know он бы всё о́тдал, то́лько бы узна́ть; to think the

~ of smb. быть óчень высóкого мнéния о ком-л.; ~ without end на вéки вéчные; for all the ~ like похóжий во всех отношéниях; for all the ~ as if тóчно так, как éсли бы; how goes the ~ with you? как вáши делá?; to know the ~ имéть óпыт; man of the ~ a) человéк, умудрённый жизненным óпытом; б) свéтский человéк; the lower ~ преиспóдняя, ад; to the ~ sl. крáйне, совершéнно; so goes (или wags) the ~ таковá жизнь; to come down in the ~ опустúться, утрáтить былóе положéние; to come up (или to rise) in the ~ сдéлать карьéру.

worldling ['wə:ldlɪŋ] n человéк, поглощённый земными интерéсами.

worldly ['wə:ldlɪ] a 1) мирскóй; земнóй; ~ goods имýщество, сóбственность; 2) любящий жúзненные блáга; 3) óпытный, искушённый; 4) редк. свéтский.

worldly-minded ['wə:ldlɪ'maɪndɪd] = worldly 2).

worldly-wise ['wə:ldlɪ'waɪz] a óпытный, бывáлый, искушённый.

world-old ['wə:ld'ould] a стáрый как мир.

world-power ['wə:ld,pauə] n мировáя держáва.

world series ['wə:ld'sɪərɪz] n pl амер. ежегóдный чемпионáт США по бейсбóлу.

world view ['wə:ld'vju:] n мировоззрéние.

world-weary ['wə:ld'wɪərɪ] a устáвший от жúзни, пресытившийся.

world-wide ['wə:ldwaɪd] a распространённый по всемý свéту; всемúрно извéстный, мировóй; ~ fame всемúрная извéстность.

worm [wə:m] 1. n 1) червяк, червь; глист; 2) нúзкий человéк, презрéнная лúчность; a poor ~ like him такóе жáлкое существó, как он; 3) тех. червяк, шнек, бесконéчный винт; ◇ the ~ of conscience угрызéния сóвести; I am a ~ today мне сегóдня не по себé; to have a ~ in one's tongue ворчáть, быть сварлúвым; tread on a ~ and he will turn ≅ всякому терпéнию прихóдит конéц;
2. v 1) вползáть; проникáть; to ~ oneself into smb.'s confidence вкрáсться в довéрие к комý-л.; 2) выпытать, разузнáть; to ~ a secret out of smb. выведать у когó-л. тáйну; 3) избавлять от глистóв.

wormeaten ['wə:m,i:tn] a 1) истóченный червями; 2) устарéлый.

worm-fishing ['wə:m,fɪʃɪŋ] n рыбная лóвля на червякá.

worm-gear ['wə:mgɪə] n тех. червячная передáча.

worm-pipe ['wə:mpaɪp] n тех. змеевúк.
worm-seed ['wə:msi:d] n цитвáрное сéмя.
worm-wheel ['wə:mwi:l] n тех. червячное колесó.

wormwood ['wə:mwud] n 1) полынь гóрькая; 2) гóречь, истóчник гóречи; the thought was ~ to him эта мысль былá ему óчень горькá.

wormy ['wə:mɪ] a 1) червúвый; 2) унижённый, смирéнный; 3) пóдлый, нúзкий.

worn [wɔ:n] p. p. от wear I, 2.

worn-out ['wɔ:n'aut] a 1) понóшенный, изнóшенный; 2) устáлый, измýченный.

worrier ['wʌrɪə] n беспокóйный человéк.
worriless ['wʌrɪlɪs] a спокóйный, беззабóтный.

worrisome ['wʌrɪsəm] a 1) беспокóйный; 2) причиняющий беспокóйство.

worrit ['wʌrɪt] разг. см. worry.

worry ['wʌrɪ] 1. n 1) беспокóйство, тревóга; мучéние; 2) забóта.
2. v 1) надоедáть; приставáть; 2) мýчить(ся), терзáть(ся), беспокóить(ся); don't let that ~ you пусть это не тревóжит вас; 3) беспокóить, болéть; his wound worries him рáна беспокóит егó; 4) терзáть (зубáми; обыкн. о собáке); □ ~ along продвигáться, пробивáться вперёд (чéрез все трýдности).

worse [wə:s] 1. a (сравнит. ст. от bad 1) хýдший; he is ~ today емý сегóдня хýже; he is none the ~ for it он не пострадáл от этого; с ним от этого ничегó не случúлось; to be the ~ for wear износúться, быть понóшенным.
2. adv (сравнит. ст. от badly) хýже; сильнéе; none the ~ ничýть не хýже, ещё лýчше; I like him none the ~ for being outspoken я ещё бóльше люблю егó за егó úскренность.
3. n хýдшее; to go from bad to ~ станóвиться всё хýже и хýже; to have the ~ потерпéть поражéние; to put to the ~ нанести поражéние; a change (или a turn) for the ~ перемéна к хýдшему; ~ cannot happen ничегó хýдшего не мóжет случúться.

worsen ['wə:sn] v ухудшáть(ся).

worship ['wə:ʃɪp] 1. n 1) культ; почитáние; поклонéние; 2) богослужéние; public (или divine) ~ церкóвная слýжба; place of ~ церковь; 3) уст. почёт; a man of great ~ человéк, пóльзующийся большúм почётом; to win ~ достúчь слáвы; 4) в обращéнии: your W. вáша мúлость.
2. v 1) поклоняться, почитáть; обожáть; 2) бывáть в церкви.

worshipful ['wə:ʃɪpful] a уст. почтéнный, уважáемый.

worst [wə:st] 1. a (превосх. ст. от bad 1) наихýдший.
2. adv (превосх. ст. от badly) хýже всегó;
3. n наихýдшее, сáмое хýдшее; the ~ of the storm is over бýря начинáет утихáть; at (the) ~ в сáмом хýдшем положéнии или слýчае; на худóй конéц; if the ~ comes to the ~ éсли случúтся сáмое хýдшее; в сáмом хýдшем слýчае; to get the ~ of it потерпéть поражéние;
4. v одержáть верх, победúть.

worsted ['wustɪd] n камвóльная, гребённая пряжа, ткань.

wort [wə:t] n растéние, травá.

worth I [wə:θ] 1. n 1) ценá, стóимость, цéнность, достóинство; give me a shilling's ~ of stamps дáйте мне мáрок на шúллинг; 2) достóинства; a man of ~ достóйный, заслýживающий уважéния человéк; 3) богáтство, имýщество; ◇ to put in one's two cents ~ высказаться;
2. a predic. 1) стóящий; is ~ nothing ничегó не стóит; little ~ поэт. мáло стóящий; what is it ~? скóлько это стóит?;

2) заслуживающий; ~ attention заслуживающий внимания; ~ while, *разг.* ~ it стоящий затраченного времени *или* труда; this play is ~ seeing эту пьесу стоит посмотреть; it is not ~ taking the trouble не стоит того, чтобы беспокоиться; take the story for what it is ~ не принимайте всего на веру в этом рассказе; 3) обладающий (*чем-л.*); he is ~ a hundred thousand dollars он имеет капитал в сто тысяч долларов; ◇ not ~ a button гроша медного не стоит; not ~ powder and shot ≅ овчинка выделки не стоит; for all one is ~ изо всех сил.

worth II [wəːθ] *v уст.*: woe (well) ~ the day! будь проклят (благословён) день!

worthless ['wəːθlɪs] *a* ничего не стоящий; никчёмный.

worth-while ['wəːθ'waɪl] *a* стоящий; ~ experiment интересный опыт; to be ~ иметь смысл.

worthy ['wəːðɪ] 1. *a* 1) достойный; заслуживающий (of; *c inf.*); ~ of praise, ~ to be praised достойный похвалы; 2) соответствующий, подобающий; 3) достопочтенный;
2. *n* 1) достойный человек; 2) знаменитость; 3) *уст.* герой; 4) *шутл.* человек.

-worthy [-,wəːðɪ] *в сложных словах означает* заслуживающий; noteworthy заслуживающий внимания; blameworthy заслуживающий порицания.

wot [wɔt] *pres. от* wit 2.

would [wud (*полная форма*); wəd, əd, d (*редуцированные формы*)], 1) *вспомогательный глагол; служит для образования будущего в прошедшем во 2 и 3 лице:* he told us he ~ come at two o'clock нам сказал нам, что придёт в два часа; 2) *вспомогательный глагол; служит для образования условного наклонения:* it ~ be better было бы лучше; 3) *служебный глагол, выражающий привычное действие, относящееся к прошедшему времени:* he ~ stand for hours watching the machine work он, бывало, целыми часами наблюдал за работой машины; 4) *модальный глагол, выражающий:* а) *упорство, настойчивость:* I warned you, but you ~ do it я предостерегал вас, но вы непременно хотели поступить так; б) *желание:* ~ I were a child хотел бы я снова стать ребёнком; come when you ~ приходите, когда захотите; I ~ rather, I ~ just as soon я бы предпочёл; в) *вероятность:* that ~ be his house это, вероятно, его дом; г) *вежливую просьбу:* ~ you help me, please не поможете ли вы мне?

would-be ['wudbɪ] 1. *a* 1) *разг.* претендующий на; с претензией на; мечтающий о; 2) предполагаемый; 3) притворный;
2. *adv* притворно.

wouldn't ['wudnt] *сокр. разг.*=would not.

wound I [wuːnd] 1. *n* 1) рана; ранение; 2) обида, оскорбление; ущерб; 3) *поэт.* муки любви;
2. *v* 1) ранить; 2) причинить боль, задеть; he was ~ed in his deepest affections он был оскорблён в своих лучших чувствах.

wound II [waund] *past и p. p. от* wind I, 2, 5).

wound III [waund] *past и p. p. от* wind II, 2.

wove [wouv] *past от* weave 1.

woven ['wouvən] *p. p. от* weave 1.

wow [wau] *амер. sl.* 1. *n* 1) нечто из ряда вон выходящее; 2) *театр.* огромный успех;
2. *v* поразить, ошеломить.

wowser ['wauzə] *n австрал.* строгий пуританин.

wrack [ræk] 1. *n* 1) остатки кораблекрушения; 2) *уст.* разорение, разрушение; to go to ~ разрушиться; ~ and ruin полное разорение; 3) водоросль (*выброшенная на берег моря*);
2. *v* разрушать(ся).

wraith [reɪθ] *n* двойник, дух (*кого-л.*), являющийся незадолго до смерти *или* вскоре после неё.

wrangle ['ræŋgl] 1. *n* пререкания, спор;
2. *v* 1) (по)спорить, повздорить; пререкаться; what are they wrangling about? о чём они спорят?; 2) *амер.* пасти стадо верхом на лошади.

wrangler ['ræŋglə] *n* 1) крикун, спорщик; 2) студент, особо отличившийся на экзамене по математике (*в Кембриджском университете*); 3) *амер. разг.* ковбой.

wrap [ræp] 1. *n* 1) шаль, платок, меховая пелерина; 2) одеяло, плед; 3) обёртка;
2. *v* 1) завёртывать, свёртывать, складывать, закутывать (*часто* ~ up); to ~ oneself тепло одеваться; 2) окутывать, обёртывать (round, about); ~ paper round it оберните это бумагой; □ ~ over перекрывать; ~ up а) кутаться; б): ~ped up in погружённый в (*в себя, во что-л.*), занятый *чем-л.*; ~ped up in slumber погружённый в сон.

wrapper ['ræpə] *n* 1) халат; капот; 2) обёртка; бандероль; 3) суперобложка; 4) упаковщик.

wrapping ['ræpɪŋ] 1. *pres. p. от* wrap 2;
2. *n* (*часто pl*) обёртка; материал, в который (*что-л.*) завёрнуто.

wrapping-paper ['ræpɪŋ,peɪpə] *n* обёрточная бумага.

wrapt [ræpt] = rapt.

wrasse [ræs] *n* губан (*рыба*).

wrath [rɔːθ] *n* гнев, ярость; глубокое возмущение.

wrathful ['rɔːθful] *a* гневный, рассерженный.

wreak [riːk] *v ритор.* давать выход, волю (*чувству*); to ~ vengeance upon one's enemy отомстить врагу.

wreath [riːθ, *pl* -ðz] *n* 1) венок, гирлянда; 2) завиток, кольцо (*дыма*).

wreathe [riːð] *v* 1) свивать, сплетать (*венки*); 2) обвивать(ся); 3) клубиться (*о дыме*); 4) покрывать; a face ~d in wrinkles лицо, покрытое морщинами; face ~d in smiles лицо, расплывшееся в улыбке.

wreck [rek] 1. *n* 1) крушение, авария; гибель, уничтожение; 2) остов разбитого судна, остатки кораблекрушения (*выброшенные на берег*); 3) развалина; неудачник; what a ~ of his former self he is! какой он стал развалиной!; 4) крах, крушение (*надежд и т. п.*); 5) *attr.* аварийный; ~

mark *мор.* знак *или* (ве́ха), огражда́ющий (-щая) ме́сто затону́вшего су́дна;
2. *v* 1) вы́звать круше́ние, разруше́ние; потопи́ть (*судно*); 2) потерпе́ть круше́ние; 3) ру́хнуть (*о планах, надеждах*); 4) разруша́ть (*здоровье и т. п.*).
wreckage ['rekɪdʒ] *n* 1) обло́мки круше́ния; 2) = wreck 1;
wrecked [rekt] 1. *p. p. om* wreck 2;
2. *a* потерпе́вший кораблекруше́ние.
wrecker ['rekə] *n* 1) мародёр, *особ.* граби́тель разби́тых судо́в; 2) *полит.* вреди́тель; 3) *амер. ж.-д.* рабо́чий ремо́нтной (авари́йной) брига́ды; 4) маши́на техни́ческой по́мощи.
wrecking ['rekɪŋ] 1. *pres. p. om* wreck 2;
2. *n* 1) разруше́ние; 2) снесе́ние (*зда-ний*); 3) авари́йно-спаса́тельные рабо́ты;
3. *a* спаса́тельные рабо́ты; ~ car = wrecker 4).
Wren [ren] *n разг.* член же́нской организа́ции обслу́живания вое́нно-морско́го фло́та.
wren [ren] *n* крапи́вник (*птица*).
wrench [rentʃ] 1. *n* 1) дёрганье; скру́чивание; 2) вы́вих; to give one's ankle a ~ вы́вихнуть лоды́жку; 3) щемя́щая тоска́, боль (*при разлуке*); 4) искаже́ние (*истины, текста и т. п.*); 5) *тех.* га́ечный ключ;
2. *v* 1) вывёртывать, вырыва́ть (*тж.* ~ off, ~ away; from, out of); to ~ open взла́мывать; 2) вы́вихнуть; 3) искажа́ть (*факты, истину*).
wrest [rest] *v* 1) вырыва́ть (*силой*); вывора́чивать; 2) вырыва́ть (*оружие, победу у врага*); исто́ргнуть (*согласие*; from— у кого-л.); 3) искажа́ть, истолко́вывать непра́вильно (*закон, текст*).
wrestle ['resl] 1. *n* 1) *спорт.* борьба́; схва́тка в борьбе́; 2) упо́рная борьба́ (*с трудностями и т. п.*);
2. *v* боро́ться; to ~ against (*или* with) temptation (adversity) боро́ться с искуше́нием (бедо́й).
wrestler ['reslə] *n спорт.* боре́ц.
wrestling ['reslɪŋ] 1. *pres. p. om* wrestle 2;
2. *n спорт.* борьба́.
wretch [retʃ] *n* 1) несча́стный; poor ~ бедня́га; 2) негодя́й; 3) него́дник.
wretched ['retʃɪd] *a* 1) несча́стный; жа́лкий; 2) никуда́ не го́дный, никуды́шный, плохо́й; гну́сный; ~ hovel жа́лкая лачу́га; ~ state of things скве́рное положе́ние веще́й; 2) *разг.* о́чень си́льный, ужа́сный; ~ toothache отча́янная зубна́я боль.
wrick [rɪk] 1. *n* растяже́ние (*мускула*);
2. *v* растяну́ть (*мускул*).
wriggle ['rɪgl] 1. *n* изги́б, изви́в;
2. *v* 1) извива́ться (*о черве и т. п.*); изгиба́ться (*тж.* ~ oneself); 2) пробира́ться, продвига́ться вперёд (*тж.* ~ along); 3) виля́ть, уви́ливать; to ~ out of an engagement уклоня́ться от обяза́тельства.
wriggler ['rɪglə] *n* 1) личи́нка комара́; 2) челове́к, уви́ливающий от свои́х обяза́тельств.
wright [raɪt] *n уст.* ма́стер.
-wright [-raɪt] *в сложных словах:* shipwright кораблестрои́тель; playwright драмату́рг.

wring [rɪŋ] 1. *n* скру́чивание, выжима́ние *и пр.* [*см.* 2].
2. *v* (wrung) 1) скру́чивать; to ~ one's hands лома́ть себе́ ру́ки; to ~ smb.'s hand кре́пко сжать, пожа́ть кому́-л. ру́ку; 2) жать (*об обуви*); 3) терза́ть; 4) выжима́ть (*тж.* ~ out); ~ing wet мо́крый, хоть вы́жми; 5) вымога́ть, исторга́ть (*тж.* ~ out; from, out of); to ~ consent прину́дить согласи́ться.
wringer ['rɪŋə] *n* 1) маши́на для выжима́ния белья́; 2) выжима́льщик белья́; рабо́чий, управля́ющий маши́ной для выжима́ния белья́.
wrinkle I ['rɪŋkl] 1. *n* морщи́на; скла́дка;
2. *v* мо́рщить(ся) (*тж.* ~ up).
wrinkle II ['rɪŋkl] *n* 1) поле́зный сове́т; намёк; 2) *разг.* иде́я, трюк, но́вшество.
wrinkly ['rɪŋklɪ] *a* морщи́нистый, в морщи́нах.
wrist [rɪst] *n* 1) запя́стье; 2) *тех.* ца́пфа; 3) *attr.* нару́чный; ~ watch нару́чные часы́.
wristband ['rɪstbænd] *n уст.* манже́та, обшла́г.
wristlet ['rɪstlɪt] *n* 1) брасле́т; 2) ремешо́к для часо́в; 3) *attr.* ~ watch ручны́е часы́, часы́-брасле́т.
wrist-pin ['rɪstpɪn] *n тех.* ца́пфа.
writ [rɪt] 1. *n* 1) *уст.* писа́ние; Holy W. Свяще́нное писа́ние; 2) *юр.* предписа́ние, пове́стка; to serve a ~ on smb. посла́ть кому́-л. суде́бную пове́стку;
2. *уст. past и p. p. om* write.
write [raɪt] *v* (wrote, *уст.* writ; written, *уст.* writ) 1) писа́ть; to ~ a good (legible) hand име́ть хоро́ший (чёткий) по́черк; to ~ large (small, plain) писа́ть кру́пно (ме́лко, разбо́рчиво); 2) написа́ть, выписа́ть; to ~ a cheque вы́писать чек; to ~ an application написа́ть заявле́ние; 3) сочиня́ть (*музыку, рассказы и т. п.*); to ~ for a living быть писа́телем; 4) выража́ть, пока́зывать; fear is written on his face страх напи́сан у него́ на лице́; writ large я́вный, я́сно вы́раженный; 5) печа́тать на маши́нке; диктова́ть на маши́нку; □ ~ down a) запи́сывать; б) отзыва́ться (*о ком-л.*) пренебрежи́тельно *или* неодобри́тельно в печа́ти; в) описа́ть, изобрази́ть; ~ for быть корреспонде́нтом, сотру́дничать в газе́те; ~ off а) писа́ть с лёгкостью; б) отсыла́ть письмо́; в) спи́сывать со счёта; г) вычёркивать, аннули́ровать (*долг и т. п.*); ~ out переписы́вать; выпи́сывать по́лностью; to ~ out fair написа́ть на́чисто; to ~ oneself out исписа́ться; ~ up а) подро́бно опи́сывать; б) восхваля́ть в печа́ти; в) зака́нчивать, допи́сывать, доводи́ть до сего́дняшнего дня (*отчёт, дневник*).
write-in ['raɪtɪn] *n* систе́ма голосова́ния, при кото́рой голосу́ющий впи́сывает в бюллете́нь и́мя кандида́та.
write-off ['raɪtɔːf] *n* 1) су́мма, спи́санная со счёта; 2) *разг.* него́дное иму́щество; брак; обло́мки.
writer ['raɪtə] *n* 1) писа́тель; а́втор; the present ~ пи́шущий э́ти стро́ки; 2) письмоводи́тель; ~ to the signet прися́жный стря́пчий (*в Шотландии*); ◇ ~'s cramp (*или* palsy) *мед.* пи́счая судоро́га.

write-up ['raɪt'ʌp] *n sl.* 1) похвáльная статья́; 2) подрóбный газéтный отчёт.

writhe [raɪð] *v* кóрчиться (*от бóли*); to ~ with shame мýчиться от стыдá; to ~ under (*или* at) the insult терзáться обúдой.

writing ['raɪtɪŋ] 1. *pres. p. om* write; 2. *n* 1) писáние; at the present ~ в то врéмя, когдá пúшутся э́ти стрóки; in ~ в пúсьменной фóрме; to commit to ~ записáть; the ~ on the wall *библ.* письменá на стенé; *перен.* зловéщее предзнаменовáние; ~ down *ком.* списáние сýммы; 2) (литератýрное) произведéние; 3) докумéнт; 4) пóчерк; 5) стиль, фóрма (*литератýрного произведéния*); 3. *a* пúсчий; для письмá; пúсьменный.

writing-case ['raɪtɪŋkeɪs] *n* несессéр для пúсьменных принадлéжностей.

writing-desk ['raɪtɪŋdesk] *n* контóрка.

writing-ink ['raɪtɪŋ'ɪŋk] *n* чернúла (*в противополóжность* printing-ink).

writing-master ['raɪtɪŋˌmɑːstə] *n* учúтель чистописáния.

writing-materials ['raɪtɪŋməˌtɪərɪəlz] *n pl* пúсьменные принадлéжности.

writing-pad ['raɪtɪŋpæd] *n* блокнóт почтóвой бумáги.

writing-paper ['raɪtɪŋˌpeɪpə] *n* почтóвая бумáга, пúсчая бумáга.

writing-table ['raɪtɪŋˌteɪbl] *n* пúсьменный стол.

written ['rɪtn] *p. p. om* write.

wrong [rɔŋ] 1. *n* 1) непрáвда; непрáвильность, ошúбочность, заблуждéние; to do ~ заблуждáться, грешúть; to be in the ~ быть непрáвым; 2) зло; несправедлúвость; обúда; to do smb. ~ судúть несправедлúво о ком-л.; to put smb. in the ~ свалúть винý на когó-л.; 3) правонарушéние; 2. *a* 1) непрáвильный, ошúбочный; the whole calculation is ~ весь расчёт невéрен; my watch is ~ мои часы́ невéрны; I can prove you ~ я могý доказáть, что вы непрáвы; to go ~ а) уклонúться от прáвильного путú; согрешúть; опустúться (*морáльно*); б) не вы́йти, не получúться; everything went ~ всё шло не так; 2) дурнóй, несправедлúвый; 3) не тот (котóрый нýжен); несоотвéтствующий; at the ~ time в неподходя́щее врéмя; he took the ~ street он пошёл не по той ýлице; quite the ~ clothes for the hot weather совсéм неподходя́щее плáтье для жáркой погóды; what's ~ with it? а) почемý э́то вам не нрáвится *или* не подхóдит?; б) что же тут такóго?; 4) лéвый, изнáночный (*о сторонé*); ~

side out наизнáнку; 5) неиспрáвный; something is ~ with the motor мотóр неиспрáвен; my liver is ~ у меня́ что-то не в поря́дке с пéченью; ◇ to get hold of the ~ end of the stick непрáвильно поня́ть, преврáтно истолковáть (*что-л.*); to get out of bed on the ~ side встать с лéвой ногú; to get off on the ~ foot произвестú плохóе впечатлéние; неудáчно начáть; on the ~ side of 40 за сóрок (лет); to be in the ~ box быть в затруднúтельном *или* лóжном положéнии; ошибáться; 3. *adv* (*стáвится в концé*) непрáвильно, невéрно; 4. *v* 1) вредúть; причиня́ть зло, обижáть; 2) быть несправедлúвым (*к комý-л.*); непрáвильно припúсывать дурны́е побужде́ния.

wrongdoer ['rɔŋˈduə] *n* 1) обúдчик, оскорбúтель; 2) престýпник; правонарушúтель; 3) грéшник.

wrongdoing ['rɔŋˈduːɪŋ] *n* 1) преступлéние; правонарушéние; 2) грех; простýпок.

wrongful ['rɔŋful] *a* 1) непрáвильный, несправедлúвый; 2) врéдный; 3) незакóнный, престýпный.

wrong-headed ['rɔŋˈhedɪd] *a* упóрствующий в заблуждéниях.

wrong-routed ['rɔŋˈruːtɪd] *a ж.-д.* проследовавший по непрáвильному маршрýту.

wrote [rout] *past om* write.

wroth [rouθ] *a predic. поэт., шутл.* разгнéванный.

wrought [rɔːt] *past и p. p. om* work 2.

wrought iron ['rɔːt'aɪən] *n* свáрочное желéзо, свáрочная сталь.

wrought-up ['rɔːt'ʌp] *a* нéрвный, взвúнченный.

wrung [rʌŋ] *past и p. p. om* wring 2.

wry [raɪ] *a* 1) кривóй, перекóшенный; to make a ~ face (*или* mouth) сдéлать гримáсу (*выражáющую отвращéние*); 2) непрáвильный, противоречúвый; 3) искажённый.

wryneck ['raɪnek] *n* 1) вертишéйка (*птúца*); 2) *мед.* кривошéя.

wych-elm ['wɪtʃelm] *n* вяз шершáвый *или* гóрный, ильм.

wye [waɪ] 1. *n* 1) назвáние бýквы Y; 2) *эл.* звездá; соединéние звездóй; 3) *ж.-д.* поворóтный треугóльник; 2. *a* 1) Y-обрáзный; 2) звездообрáзный.

Wykehamist ['wɪkəmɪst] 1. *a* свя́занный с Вúнчестерским коллéджем; 2. *n* воспúтанник Вúнчестерского коллéджа.

wyvern ['waɪvəːn] = wivern.

X

X, x [eks] *n* (*pl* Xs, X's ['eksɪz]) 1) 24-я бýква англ. алфавúта; 2) что-л., напоминáющее по фóрме бýкву X; 3) *мат.* икс, неизвéстная величинá; *перен.* нéчто тайнственное *или* неизвéстное; 4) *амер. разг.* десятидóлларовый банкнóт; 5) крест; 6) ошúбка.

Xanthippe [zæn'θɪpɪ] *n* Ксантúппа; *нарицат. тж.* злáя, сварлúвая жéнщина.

xanthous ['zænθəs] *a* жёлтый.

X-axis ['eksˌæksɪs] *n мат.* ось абсцúсс.

X-bit ['eksbɪt] *n тех.* крестообрáзная головка бýра.

X-bracing ['eks,breɪsɪŋ] *n тех.* крестóвые свя́зи.

xebec ['ziːbek] *n* шебéка (*тип парусного судна на Средиземном море*).

X-engine ['eks,endʒɪn] *n тех.* двигатель с Х-обрáзным расположéнием цили́ндров.

xenial ['ziːnɪəl] *a* свя́занный с гостеприи́мством, относя́щийся к гостеприи́мству; ~ customs закóны гостеприи́мства.

xenogamy [ziˈnɔgəmɪ] *n бот.* ксеногáмия, перекрёстное опылéние.

xenomania [,zenouˈmeɪnɪə] *n редк.* страсть ко всемý инострáнному.

xenon ['zenɔn] *n хим.* ксенóн.

xerosis [zɪˈrousɪs] *n мед.* ненормáльная сýхость кóжи *или* сли́зистых оболóчек.

Xerxes ['zəːksiːz] *n* Ксеркс.

xiphoid ['zɪfɔɪd] *a анат.* мечеви́дный.

X-line ['ekslaɪn] *n мат.* ось и́ксов, ось абсци́сс.

Xmas ['krɪsməs] = Christmas.

X-ray ['eks'reɪ] **1.** *n* 1) (*обыкн.* *pl*) рентгéновы лучи́; 2) *attr.* рентгéновский; ~ therapy рентгенотерапи́я; ~ picture рентгéновский сни́мок;
2. *v* просвéчивать рентгéновыми лучáми.

X-ring ['eksrɪŋ] *n* контрóльный кружóк внутри́ деся́тки (*мишени*).

Xylanthrax [zaɪˈlænθræks] *n* древéсный ýголь.

xylograph ['zaɪləgrɑːf] *n* гравю́ра на дéреве.

xylographer [zaɪˈlɔgrəfə] *n* гравёр по дéреву, ксилóграф.

xylography [zaɪˈlɔgrəfɪ] *n* ксилогрáфия.

xylonite ['zaɪlənaɪt] *n* целлулóид.

xylophone ['zaɪləfoun] *n* ксилофóн.

xyster ['zɪstə] *n* распáтор, хирурги́ческий инструмéнт для выскáбливания кóстных полостéй.

Y

Y, y [waɪ] *n* (*pl* Ys, Y's [waɪz]) 1) 25-я бýква англ. алфави́та; 2) что-л., напоминáющее по фóрме бýкву Y; 3) *мат.* и́грек, неизвéстная величинá.

yacht [jɔt] **1.** *n* я́хта;
2. *v* плáвать на я́хте.

yacht-club ['jɔtklʌb] *n* яхт-клýб.

yachting ['jɔtɪŋ] **1.** *pres. p. от* yacht 2;
2. *n* плáвание на я́хте; я́хтенный спорт;
3. *a* я́хтенный.

yachtsman ['jɔtsmən] *n* 1) владéлец я́хты; 2) *спорт.* яхтсмéн.

yaffil, yaffle ['jæfl] *n* зелёный дя́тел.

yah [jɑː] *int* да ну? (*выражает насмешку, презрение*).

yahoo [jəˈhuː] *n* 1) иéху [*слово, созданное Свифтом, см. «Путешествие Гулливера»*]; 2) отврати́тельное существó, гáдина; 3) *амер.* деревéнщина, мужлáн.

yak [jæk] *n зоол.* як.

Yakut [jɑːˈkut] *n* 1) якýт; 2) якýтский язы́к.

Yale lock ['jeɪl'lɔk] *n* цилиндри́ческий (америкáнский) замóк.

yam [jæm] *n бот.* 1) диоскорéя; 2) батáт.

Yank [jæŋk] *разг. см.* Yankee.

yank [jæŋk] **1.** *n* рывóк, дёрганье;
2. *v* налегáть с размáху на рычáг; дёргать.

Yankee ['jæŋkɪ] *n* 1) я́нки, америкáнец; 2) урожéнец *или* жи́тель Нóвой Áнглии; 3) *attr.* америкáнский.

yankeefied ['jæŋkɪfaɪd] *a* обамерикáнившийся.

yap [jæp] **1.** *n* 1) пронзи́тельный лай; тя́вканье; 2) *разг.* болтовня́; 3) *sl.* хулигáн; 4) *sl.* неотёсанный пáрень;
2. *v* 1) пронзи́тельно ла́ять; тя́вкать; 2) *разг.* болтáть.

yapp [jæp] *n* мя́гкий кóжаный переплёт.

yard I [jɑːd] *n* 1) ярд (= 3 фýтам, *или* 914,4 *мм*); 2) *мор.* рей.

yard II [jɑːd] **1.** *n* 1) двор; 2) лесной

склад; 3) *ж.-д.* парк; сортирóвочная стáнция; 4) загóн; 5) (the Y.) = Scotland Yard;
2. *v* загоня́ть (*скоти́ну на двор*).

yard-arm ['jɑːdɑːm] *n мор.* нок-рéя.

yard-bird ['jɑːdbəːd] *n амер. воен. sl.* новобрáнец.

yardman ['jɑːdmən] *n ж.-д.* слýжащий депó *или* пáрка.

yard-master ['jɑːd,mɑːstə] *n ж.-д.* состави́тель поездóв; начáльник пáрковых путéй.

yardstick ['jɑːdstɪk] *n* 1) измери́тельная линéйка длинóй в 1 ярд; 2) мéрка; мери́ло; крите́рий, масштáб; «арши́н».

yard-wand ['jɑːdwɔnd] = yardstick 1).

yarn [jɑːn] **1.** *n* 1) пря́жа; нить; 2) *разг.* рассказ, анекдóт; слух;
2. *v* расскáзывать скáзки, истóрии; болтáть.

yarn-beam ['jɑːnbiːm] *n текст.* ткáцкий навóй.

yarn-dyed ['jɑːn,daɪd] *a* крáшенный в пря́же; сдéланный из окрáшенной пря́жи.

yarovization [,jɑːrəvɪˈzeɪʃən] *рус. n* ярови́зáция.

yarovize ['jɑːrəvaɪz] *рус. v* яровизи́ровать.

yarrow ['jærou] *n бот.* тысячели́стник обыкновéнный.

yashmak ['jæʃmæk] *араб. n* чадрá, паранджá.

yataghan ['jætəgən] *тур. n* ятагáн.

yaw [jɔː] *n мор., ав.* отклонéние от направлéния движéния, ры́скание.

yawl I [jɔːl] *n мор.* ял; иóл.

yawl II [jɔːl] *v редк.* кричáть.

yawn [jɔːn] **1.** *n* 1) зевóта; 2) *тех.* зазóр;
2. *v* 1) зевáть; he ~ed good night зевáя, он пожелáл дóброй нóчи; 2) зия́ть; ◇ to make a person ~ нагнáть сон *или* скýку на когó-л.

Y-axis ['waɪ,æksɪs] *n мат.* ось ордина́т.

yclept [ɪˈklept] *a уст., шутл.* называ́емый, именýемый.

ye [jɪ̄, jɪ] *pron. pers. уст., поэт.* = you; ◇ how d'ye do? здравствуйте; как поживаете?

yea [jei] *adv уст.* 1) = yes; 2) больше того, даже; I will give you a pound, ~ two pounds я дам вам фунт, даже больше, два фунта стерлингов; 3) действительно?(!), правда?(!).

yean [jɪ̄n] *v* ягниться.

yeanling [ˈjɪ̄nlɪŋ] 1. *n* козлёнок; ягнёнок; 2 *a* новорождённый (*особ. о ягнятах и козлятах*).

year [jəː] *n* 1) год; ~ by ~ каждый год; ~ in, ~ out из года в год; from ~ to ~, ~ by ~, ~ after ~ с каждым годом; каждый год; год от году; ~s (and ~s) ago очень давно, целую вечность; the ~ of grace год нашей эры; 2) *pl* возраст, годы; he looks young for his ~s он молодо выглядит для своих лет; in ~s пожилой; ◇ in the ~ one очень давно.

year-book [ˈjəːbuk] *n* ежегодник.

yearling [ˈjəːlɪŋ] 1. *n* 1) годовик, годовалое животное; однолетнее дерево; 2) *амер. воен. sl.* призывник; 3) *амер. воен. sl.* второкурсник военного училища; 2. *a* годовалый.

yearlong [ˈjəːˌlɔŋ] *a* длящийся целый год.

yearly [ˈjəːlɪ] 1. *a* ежегодный; 2. *adv* каждый год; раз в год.

yearn [jəːn] *v* 1) томиться, тосковать (for, after—по ком-л., чём-л.); 2) жаждать, стремиться (to, towards—к чему-л.).

yearning [ˈjəːnɪŋ] 1. *pres. p. от* yearn; 2. *n* сильное желание; острая тоска.

yeast [jɪ̄st] *n* дрожжи, закваска.

yeasty [ˈjɪ̄stɪ] *a* 1) пенистый; 2) бродящий; 3) пустой (*о словах и т. п.*).

yelk [jelk] = yolk.

yell [jel] 1. *n* пронзительный крик; 2) *амер.* возгласы одобрения, принятые в каждом колледже (*выкрикиваемые на студенческих спортивных состязаниях*); 2. *v* 1) кричать, вопить; 2) выкрикивать; to ~ out curses выкрикивать проклятия.

yellow [ˈjelou] 1. *a* 1) жёлтый; 2) завистливый, ревнивый, подозрительный (*о взгляде и т. п.*); 3) *разг.* трусливый; ◇ ~ boy *уст.* золотой, золотая монета; the ~ press жёлтая пресса; 2. *n* 1) желтизна, жёлтый цвет; 2) желток; 3) *разг.* трусость; 3. *v* 1) желтеть; 2) желтить.

yellow amber [ˈjelouˈæmbə] *n* янтарь.

yellowback [ˈjeloubæk] *n* 1) дешёвый бульварный роман; 2) французский роман (*в жёлтой обложке*).

yellow-band street [ˈjeloubændˈstrɪ̄t] *n* улица, на которой запрещена стоянка автомашин.

yellow-bark(ed) oak [ˈjelouˌbɑːk(t)ˈouk] *n бот.* дуб бархатистый *или* красильный.

yellow dog [ˈjelouˈdɔg] *n амер.* подлый человек, трус; презренная личность.

yellow-dog contract [ˈjelouˌdɔgˈkɔntrækt] *n амер.* обязательство о невступлении в профсоюз, часто навязываемое рабочему при поступлении на работу.

yellow-dog fund [ˈjelouˌdɔgˈfʌnd] *n амер.* суммы, используемые для подкупа.

yellow fever [ˈjelouˈfɪ̄və] *n* жёлтая лихорадка, тропическая лихорадка (*с желтухой*).

yellow-hammer [ˈjelouˌhæmə] *n* овсянка обыкновенная (*птица*).

yellowish [ˈjelouɪʃ] *a* желтоватый.

yellow Jack [ˈjelouˈdʒæk] *sl.* см. yellow fever.

yellow jaundice [ˈjelouˈdʒɔːndɪs] *n* желтуха.

yellowness [ˈjelouɪʃ] *n* желтизна.

yellow soil [ˈjelouˈsɔil] *n* желтозём.

yellow spot [ˈjelouˈspɔt] *n анат. жёлтое пятно.

yellowy [ˈjelouɪ] = yellowish.

yelp [jelp] 1. *n* визг; лай; 2. *v* визжать; лаять, тявкать.

Yemenite [ˈjemənait] 1. *a* йеменский; 2. *n* житель Йемена.

yen [jen] *n* иена (*денежная единица Японии*).

yeoman [ˈjoumən] *n* 1) *ист.* йомен; 2) фермер средней руки, мелкий землевладелец; 3) *амер. мор.* писарь; 4): ~ of signals *мор.* старшина-сигнальщик; ~ of the guard английский дворцовый страж; ◇ ~'s service помощь в нужде.

yeomanry [ˈjoumənrɪ] *n* 1) *ист.* сословие йоменов; 2) *ист.* территориальная конница; 3) территориальный танковый, бронеавтомобильный *или* артиллерийский полк.

yep [jep] *int амер. разг.* да.

yes [jes] 1. *adv* да; 2. *n* утверждение; согласие.

yes-man [ˈjesmæn] *n* подхалим, подпевала.

yesterday [ˈjestədɪ] 1. *adv* вчера; ~ morning вчера утром; the day before ~ позавчера, третьего дня; is but of ~ недавно появился; 2. *n* вчерашний день.

yester-evening [ˈjestərˌɪ̄vnɪŋ] *поэт.* 1. *n* вчерашний вечер; 2. *adv* вчера вечером.

yesternight [ˈjestənait] = yester-evening.

yester-year [ˈjestəˌjəː] *поэт.* 1. *n* прошлый год; 2. *adv* в прошлом году.

yestreen [jesˈtrɪ̄n] *шотл.* = yester-evening.

yet [jet] 1. *adv* 1) ещё; всё ещё; he has not come — он ещё не пришёл; not ~ ещё не(т); never ~ никогда ещё не; ~ more ещё больше; 2) ещё, кроме того; he has ~ much to say ему ещё многое надо сказать; 3) уже; need you go ~? вам уже надо идти?; 4) даже, даже более; this question is more important ~ этот вопрос даже важнее; he will not accept help nor ~ advice он не примет ни помощи, ни даже совета; 5) до сих пор, когда-либо; as ~ пока, до сих пор; it is the largest specimen ~ found это самый крупный экземпляр из найденных до сих пор; 6) тем не менее, всё же, всё-таки; it is strange and ~ true это странно, но (тем не менее) верно; 2. *cj* однако, всё же, несмотря на это.

yew [juː] *n бот.* тис.

yew-tree ['juːtriː] = yew.

Yiddish ['jɪdɪʃ] *n* новоеврейский язык, йдиш.

yield [jiːld] **1.** *n* 1) сбор плодов, урожай; 2) размеры выработки; количество добываемого *или* производимого продукта; выход; 3) *тех.* полезная работа; 4) текучесть металла;

2. *v* 1) производить, приносить, давать (*плоды, урожай, доход*); this land ~s poorly эта земля даёт плохой урожай; to ~ no results не давать никаких результатов; 2) уступать; соглашаться (*на что-л.*); to ~ a point сделать уступку (*в споре*); to ~ to the advice последовать совету; to ~ to none не уступать никому (*по красоте, доброте и т. п.*); 3) сдавать(ся); to ~ oneself prisoner сдаться в плен; 4) поддаваться; подаваться; пружинить; the door ~ed to a strong push от сильного толчка дверь подалась; □ ~ up отказываться от.

yielding ['jiːldɪŋ] **1.** *pres. p. om* yield **2.** *a* 1) уступчивый, покладистый; 2) мягкий, податливый (*о материале*).

Y-line ['waɪlaɪn] *n мат.* ось игреков, ось ординат.

yodel ['joudl] **1.** *n* иодель (*манера пения тирольцев*);

2. *v* петь фальцетом.

yog(h)urt ['jougəːt] *тур. n* югурт, ягурт (*кислое молоко*).

yo-heave-ho ['jouhiːv'hou] = yoho.

yoho [jou'hou] *int* ≅ взяли!, дружно! (*возглас матросов при работе*).

yoke [jouk] **1.** *n* 1) ярмо; 2) пара запряжённых волов; 3) иго, рабство; to endure the ~ выносить иго; to shake of the ~ сбросить иго; to pass (*или* to come) under the ~ примириться с поражением; 4) *редк.* узы; 5) коромысло; 6) кокетка (*на платье*); 7) парная упряжка; 8) *тех.* скоба; бугель; хомут, обойма; 9) *ав.* штурвальная колонка;

2. *v* 1) впрягать в ярмо; 2) *перен.* соединять, сочетать; 3) подходить друг к другу.

yokefellow ['jouk,felou] *n* товарищ (*по работе*); супруг(а).

yokel ['joukəl] *n* деревенщина.

yokemate ['joukmeɪt] = yokefellow.

yolk [jouk] *n* желток.

yolk-bag ['joukbæg] *n биол.* желточный мешок (*зародыша*).

yolk-sac ['jouksæk] = yolk-bag.

yon [jɔn] *уст. диал.* = yonder.

yonder ['jɔndə] **1.** *a* вон тот;

2. *adv* вон там.

yore [jɔː] *n уст.:* of ~ давным-давно; in days of ~ во время оно.

Yorkist ['jɔːkɪst] *n ист.* сторонник Йоркской династии.

Yorkshire ['jɔːkʃɪə] *n* пирог из взбитого теста, запечённый под куском мяса (*тж.* ~ pudding) [*см. тж. Список географических названий*].

you [juː] *pron. pers.* (*косв. п. без измен.*) 1) ты, вы; 2) (*в безличных оборотах*): ~ never can tell *разг.* никогда нельзя сказать, как знать; 3) *уст. см.* yourself; 4) *употр. для усиления восклицания:* you fool! дурак!

you'd [juːd] *сокр. разг.* = you had; you would.

you-know-what [juː'nou'wɔt] *n эвф. формула, служащая для выражения того, что говорящий считает излишним называть, или чего-л. крайне неприличного.*

you'll [juːl] *сокр. разг.* = you will; you shall.

young [jʌŋ] **1.** *a* 1) молодой, юный; юношеский; he is ~ for his age он молодо выглядит для своего возраста; ~ man молодой человек (*тж. шутл.*); my ~ man (woman) *разг.* мой возлюбленный (моя возлюбленная); ~ ones дети; зверёныши; 2) новый, недавний; the night is ~ ещё не поздно; 3) неопытный; 4) молодой, младший (*для обозначения двух людей в одной семье, носящих одно и то же имя*); ◇ ~ blood а) цветущая юность; б) дэнди, светский молодой человек; Y. Turk *ист.* младотурок.

2. *n* (*тж.* the ~) *pl собир.* 1) молодёжь; ~ and old стар и млад; 2) детёныши; ◇ to be with ~ быть супоросой, стельной *и пр.*

youngish ['jʌŋɪʃ] *a* моложавый.

youngling ['jʌŋlɪŋ] **1.** *n поэт.* 1) ребёнок; детёныш; 2) неопытный человек;

2. *a* молодой.

youngster ['jʌŋstə] *n* 1) мальчик; юноша; юнец; 2) *амер.* второкурсник военно-морской академии.

younker ['jʌŋkə] *n* 1) *уст.* юноша; 2) юнкер (*в Германии*); 3) *разг.* мальчик, ребёнок.

your [jɔː] *pron. poss.* (*употр. атрибутивно; ср.* yours) ваш; твой.

you're [juə] *сокр. разг.* = you are.

yours [jɔːz] *pron. poss.* (*абсолютная форма; не употр. атрибутивно; ср.* your) ваш; твой; this book is ~ эта книга ваша; I saw a friend of ~ я видел вашего друга; you and ~ вы и ваши (родные); ~ truly ваш покорный слуга (*в письме*); ~ of the 7th ваше письмо от 7-го числа.

yourself [jɔː'self] *pron* (*pl* yourselves) 1) *refl.* себя, -ся, -сь; себе; have you hurt ~? вы ушиблись?; how's ~? *sl.* как вы поживаете?; 2) *emph.* сам, сами; you told me so ~ вы сами мне это сказали; have you been all by ~ the whole day? вы были одни целый день?; ◇ you are not quite ~ вы не в своей тарелке.

yourselves [jɔː'selvz] *pl om* yourself.

youth [juːθ] *n* 1) юность; молодость; the fountain of ~ источник молодости; 2) юноша; 3) молодёжь.

youthful ['juːθful] *a* 1) юный, молодой; 2) юношеский; 3) новый; ранний; 4) энергичный, живой.

youth hostel ['juːθ'hɔstəl] *n* молодёжный туристический лагерь.

you've [juːv] *сокр. разг.* = you have.

yowl [jaul] **1.** *n* вой;

2. *v* выть.

yperite ['iːpəraɪt] *n* иприт.

Y-shaped ['waɪ,ʃeɪpt] *a* Y-образный, вилкообразный.

ytterbium [i'təbjəm] *n хим.* иттербий.

yttrium ['itrɪəm] *n хим.* иттрий.

yuan [juːˈɑːn] *n* юань *(денежная единица Китая)*.

yucca [ˈjʌkə] *n бот.* юкка.

yuft [juːft] *n* юфть.

Yugoslav(ian) [ˈjuːgouˈslɑːv(jən)] **1.** *a* югославский;

2. *n* югослав(ка).

yule [juːl] **1.** *n* святки;

2. *v* праздновать святки.

yule-log [ˈjuːl,lɔg] *n* большое полено, сжигаемое в сочельник.

yule-tide [ˈjuːltaɪd] = yule 1.

Z

Z, z [zed, *амер.* ziː] *n* (*pl* Zs, Z's [zedz, *амер.* ziːz]) 1) последняя, 26-я буква англ. алфавита; 2) что-л., напоминающее по форме букву Z; 3) *мат.* зет, неизвестная величина.

zany [ˈzeɪnɪ] *ит. n* 1) *уст.* шут; 2) сумасброд, дурак; фигляр.

zar(e)eba [zəˈriːbə] *араб. n* колючая изгородь; палисад.

Z-bar [ˈzedbɑː] *n метал.* зетовое железо.

Z-Day [ˈzed,deɪ] *n* решительный день.

zeal [ziːl] *n* рвение, усердие.

zealot [ˈzelət] *n* фанатический приверженец; фанатик.

zealotry [ˈzelətrɪ] *n* фанатизм.

zealous [ˈzeləs] *a* рьяный, усердный.

zebra [ˈziːbrə] *n зоол.* зебра.

zebu [ˈziːbuː] *n зоол.* зебу.

zed [zed] *n название буквы* Z.

zeitgeist [ˈtsaɪt,gaɪst] *нем. n* дух времени.

Zelanian [zɪˈleɪnɪən] *a* новозеландский.

zemindar [ˈzemɪndɑː] *n англо-инд.* земельный собственник.

zenana [zeˈnɑːnə] *n англо-инд.* женская половина *(в доме)*.

Zend [zend] *n* язык Авесты.

Zend-Avesta [,zendəˈvestə] *n* Зендавеста.

zenith [ˈzenɪθ] *n* зенит; at the ~ of one's fame в зените славы.

zenithal [ˈzenɪθəl] *a* зенитный.

zenith-distance [ˈzenɪθ,dɪstəns] *n* зенитное расстояние.

zeolite [ˈziːəlaɪt] *n геол.* цеолит.

zephyr [ˈzefə] *n* 1) западный ветер; 2) зефир, ласкающий ветерок; 3) род майки; 4) зефир *(ткань)*; 5) накидка, лёгкая шаль.

Zepp [zep] *сокр. разг. от* Zeppelin.

Zeppelin [ˈzepəlɪn] *n* цеппелин.

zero [ˈzɪərou] *n* (*pl* -os [-ouz]) 1) нуль; ничто; to reduce to ~ свести на нет; 2) нулевая точка; первая основная точка температурной шкалы; ~ setting установка прибора на нуль; below ~ ниже нуля; ◇ ~ hour а) *воен.* час начала атаки, вылета, выступления *и т. п.*; б) решительный час.

zero-gravity [ˈzɪərou,grævɪtɪ] *n* невесомость.

zest [zest] **1.** *n* 1) то, что придаёт вкус; пикантность; «изюминка»; to give ~ to smth. придавать вкус *(или* пикантность, интерес) чему-л.; 2) *разг.* интерес; жар; he entered into the game with ~ он с жаром принялся играть; 3) *разг.* энергия, живость; 4) склонность; 5) *уст.* лимонная цедра;

2. *v* 1) придавать энергию; 2) *разг.* придавать пикантность; придавать интерес.

zeugma [ˈzjuːgmə] *n лингв.* зевгма.

Zeus [zjuːs] *n миф.* Зевс.

zibet [ˈzɪbet] *n* 1) цибет; 2) *зоол.* цибетовая виверра.

zigzag [ˈzɪgzæg] **1.** *n* зигзаг;

2. *a* зигзагообразный;

3. *adv* зигзагообразно;

4. *v* делать зигзаги.

zinc [zɪŋk] **1.** *n* 1) цинк; 2) *attr.* цинковый;

2. *v* оцинковывать.

zinciferous [zɪŋˈkɪfərəs] *a* содержащий цинк.

zincography [zɪŋˈkɔgrəfɪ] *n* цинкография.

zing [zɪŋ] *sl.* **1.** *n* высокий резкий звук;

2. *v* производить высокий резкий звук.

zinnia [ˈzɪnjə] *n бот.* цинния.

Zionism [ˈzaɪənɪzəm] *n* сионизм.

zip [zɪp] **1.** *n* 1) свист пули; 2) треск разрываемой ткани; 3) *разг.* энергия, темперамент; 4) = zipper 1);

2. *v* 1) застёгивать(ся) на молнию; 2) быть энергичным, полным энергии; 3) промелькнуть.

zip-fastener [ˈzɪp,fɑːsnə] = zipper 1).

zipper [ˈzɪpə] *n* 1) застёжка-молния; 2) ботинок *или* бот, застёгивающийся на молнию.

zippered [ˈzɪpəd] *a* застёгивающийся на молнию.

zippy [ˈzɪpɪ] *a* живой, яркий, энергичный.

zircon [ˈzəːkən] *n мин.* циркон.

zirconium [zəˈkounjəm] *n хим.* цирконий.

zither [ˈzɪθə] **1.** *n* цитра;

2. *v* играть на цитре.

zloty [ˈzlɔtɪ] *n* (*pl* -s [-z]) злотый *(денежная единица Польши)*.

zodiac [ˈzoudɪæk] *n астр.* зодиак.

zodiacal [zouˈdaɪəkəl] *a астр.* зодиакальный; ~ light зодиакальный свет.

zoic [ˈzouɪk] *a геол.* содержащий окаменелости.

zombi(e) [ˈzɔmbɪ] *n* 1) *sl.* скучный *или* глупый, непривлекательный человек; 2) *амер. sl.* солдат предпоследней категории; 3) напиток из рома, фруктового сока с содовой водой.

zone [zoun] **1.** *n* 1) зона, пояс; полоса; район; temperate ~s умеренные пояса; postal delivery ~ район, обслуживаемый одним отделением связи; 2) *уст., поэт.* пояс; 3) *attr.* зональный; поясной; региональный; ~ time поясное время;

2. *v* 1) опоя́сывать; 2) разделя́ть на зо́ны; 3) устана́вливать зона́льный тари́ф *или* зона́льные це́ны.

Zoo [zu:] *n разг.* зоопа́рк, зооса́д; звери́нец.

zoographer [zou'ɔgrəfə] *n* зоо́граф.

zoological [ˌzouə'lɔdʒɪkəl] *a* зоологи́ческий; ~ garden(s) зоопа́рк, зооса́д.

zoologist [zou'ɔlədʒɪst] *n* зоо́лог.

zoology [zou'ɔlədʒɪ] *n* зооло́гия.

zoom [zu:m] *ав. sl.* **1.** *n* ре́зкий и кратковре́менный подъём на самолёте, «го́рка», «све́чка»;

2. *v* ре́зко измени́ть у́гол накло́на траекто́рии вверх, взмыть, ре́зко подня́ться; сде́лать «го́рку» *или* «све́чку».

zoophyte ['zouəfait] *n биол.* зоофи́т.

zoot suit ['zu:t'sju:t] *n* костю́м с дли́нным пиджако́м и у́зкими брю́ками.

zoster ['zɔstə] *n* опоя́сывающий лиша́й.

zouave [zu:'ɑ:v] *n воен.* зуа́в.

zounds [zaundz] *int уст.* чёрт возьми́!

Zulu ['zu:lu:] **1.** *a* зулу́сский;

2. *n* 1) зулу́с(ка); 2) зулу́сский язы́к.

zygoma [zai'goumə] *n* (*pl* -ata) скулова́я кость.

zygomata [zai'goumətə] *pl от* zygoma.

zymosis [zai'mousis] *n* 1) броже́ние; 2) зара́зная боле́знь.

zymotic [zai'mɔtik] *a* 1) броди́льный; 2) зара́зный; ~ diseases инфекцио́нные боле́зни.

СПИСОК ИМЕН

Abel ['eibəl] Э́йбел.

Abraham ['eibrəhæm] А́брахам; Авраа́м.

Ada ['eidə] А́да.

Adalbert ['ædəlbə:t] Ада́льбе́рт.

Adam ['ædəm] Ада́м.

Adrian ['eidriən] Адриа́н.

Agatha ['ægəθə] Ага́та.

Agnes ['ægnis] Агне́сса.

Alan ['ælən] = Allan.

Albert ['ælbət] Альбе́рт.

Alec(k) ['ælik] *уменьш. от* Alexander; А́лек.

Alexander [ˌælig'zɑ:ndə] Алекса́ндр.

Alfred ['ælfrid] А́льфре́д.

Algernon ['ældʒənən] Э́лджернон.

Alice ['ælis] Э́лис; Али́са.

Allan ['ælən] Алла́н.

Aloys ['ælouis, æ'lɔis] Ало́из.

Amabel ['æməbel] Амабе́ль.

Ambrose ['æmbrouz] Э́мброуз.

Amelia [ə'mi:ljə] Аме́лия; Эми́лия.

Amy ['eimi] *уменьш. от* Amelia; Эми.

Andrew ['ændru:] Э́ндрю; Андре́й.

Andromache [æn'drɔməki] Андрома́ха.

Andy ['ændi] *уменьш. от* Andrew; Э́нди.

Angelica [æn'dʒelikɑ:] Анжели́ка.

Angelina [ˌændʒi'li:nə] Ангели́на.

Ann, Anna [æn, 'ænə] Эн, Э́нна; А́нна.

Annabel ['ænəbel] Э́ннабел.

Annie ['æni] *уменьш. от* Ann, Anna; Э́нни.

Anthony ['æntəni] Э́нтони; Анто́ний.

Antoinette [ˌæntwɑ:'net] Антуане́тта.

Antony ['æntəni] = Anthony.

Arabella [ˌærə'belə] Арабе́лла.

Archibald ['ɑ:tʃibəld] А́рчиба́льд.

Archie ['ɑːtʃi] *уменьш. от* Archibald; А́рчи.

Arnold ['ɑ:nld] Арно́льд.

Arthur ['ɑ:θə] Арту́р.

Aubrey ['ɔ:bri] О́бри.

August ['ɔ:gʌst] А́вгуст.

Augustus [ɔ:'gʌstəs] Огю́стес; А́вгуст.

Aurora [ɔ:'rɔ:rə] Авро́ра.

Austin ['ɔstin] О́стин.

Bab [bæb] *уменьш. от* Barbara; Бэб.

Baldwin ['bɔːldwin] Бо́лдуин.

Barbara ['bɑ:bərə] Ба́рбара; Варва́ра.

Bart [bɑ:t] *уменьш. от* Bartholomew; Барт.

Bartholomew [bɑ:'θɔləmju:] Варфоломе́й.

Basil ['bæzl] Бе́зил; Васи́лий.

Beatrice, Beatrix ['biətris, -iks] Беатри́са.

Beck, Becky [bek, 'beki] *уменьш. от* Rebecca; Бек, Бе́кки.

Bel, Bella [bel, 'belə] *уменьш. от* Isabel, Isabella, Annabel *и* Arabella; Бэл, Бэ́лла.

Ben [ben] *уменьш. от* Benjamin; Бен.

Benedict ['benidikt] Бенеди́кт.

Benjamin ['bendʒəmin] Бенджаме́н; Вениами́н.

Benny ['beni] *уменьш. от* Benjamin; Бе́нни.

Bernard ['bə:nəd] Берна́рд.

Bert, Bertie [bə:t, 'bə:ti] *уменьш. от* Albert, Bertram, Herbert *и* Robert; Берт, Бе́рти.

Bertram ['bə:trəm] Бе́ртра́м.

Bess, Bessie, Bessy [bes, 'besi] *уменьш. от* Elisabeth; Бесс, Бе́сси.

Betsey, Betsy ['betsi] *уменьш. от* Elisabeth; Бе́тси.

Betty ['beti] *уменьш. от* Elisabeth; Бе́тти.

Bex [beks] *уменьш. от* Rebecca; Бекс.
Biddy ['bɪdɪ] *уменьш. от* Bridget; Бидди.
Bill, Billy [bɪl, 'bɪlɪ] *уменьш. от* William; Бил, Билли.
Blanch(e) [blɑːnʃ] Бланш.
Bob, Bobbie, Bobby [bɔb, 'bɔbɪ] *уменьш. от* Robert; Боб, Бобби.
Brian ['braɪən] Брайен, Бриан.
Bridget ['brɪdʒɪt] Бриджет, Бригитта.

Candida ['kændɪdə] Кандида.
Carol ['kærəl] Кэрол.
Caroline ['kærəlaɪn] Каролина.
Carrie ['kærɪ] *уменьш. от* Caroline *и* Charlotte; Кэрри.
Caspar ['kæspə] Каспар.
Catherine ['kæθərɪn] Кэтрин; Екатерина.
Cathie ['kæðɪ] *уменьш. от* Catherine; Кэти.
Cecil ['sesl] Сесл.
Cecilia, Cecily [sɪ'sɪljə, 'sɪsɪlɪ, 'sesɪlɪ] Сесилия, Цецилия.
Charles [ʧɑːlz] Чарл(ь)з; Карл.
Charley, Charlie ['ʧɑːlɪ] *уменьш. от* Charles; Чарли.
Charlotte ['ʃɑːlət] Шарлотта.
Chris [krɪs] *уменьш. от* Christian, Christi(a)na, Christine *и* Christopher; Крис.
Christian ['krɪstjən] Кристиан; Христиан.
Christiana [ˌkrɪstɪ'ɑːnə] Кристиана.
Christie ['krɪstɪ] *уменьш. от* Christian; Кристи.
Christina, Christine [krɪs'tiːnə, 'krɪstɪn, krɪs'tiːn] Кристина.
Christopher ['krɪstəfə] Кристофер; Христофор.
Christy ['krɪstɪ] = Christie.
Clara ['klɛərə] Клара.
Clare [klɛə] Клэр.
Clarence ['klærəns] Клэренс, Кларенс.
Claud(e) [klɔːd] Клод.
Claudius ['klɔːdjəs] Клавдий.
Clem [klem] *уменьш. от* Clement; Клем.
Clement ['klemənt] Клемент.
Clementina, Clementine [ˌklemən'tiːnə, 'kleməntiːn, -taɪn] Клементина.
Clifford ['klɪfəd] Клиффорд.
Clot(h)ilda [klou'tɪldə] Клотильда.
Colette [kɔ'let] *уменьш. от* Nicola; Колетт(а).
Connie ['kɔnɪ] *уменьш. от* Constance; Конни.
Connor ['kɔnə] Коннор.
Constance ['kɔnstəns] Констанс; Констанция.
Cora ['kɔːrə] Кора.
Cordelia [kɔː'diːljə] Корделия.
Cornelia [kɔː'niːljə] Корнелия.
Cornelius [kɔː'niːljəs] Корнелий.
Cyril ['sɪrɪl] Сирил; Кирилл.
Cyrus ['saɪərəs] Сайрес; *ист.* Кир.

Dan [dæn] *уменьш. от* Daniel; Дэн.
Daniel ['dænjəl] Дэниел; *библ.* Даниил.
Dannie ['dænɪ] *уменьш. от* Daniel; Дэнни.
Dave [deɪv] *уменьш. от* David; Дейв.
David ['deɪvɪd] Дэвид; *библ.* Давид.

Davy ['deɪvɪ] *уменьш. от* David; Дэви.
Deborah ['debərə] Дебора.
Den(n)is ['denɪs] Денис.
Desmond ['dezmənd] Десмонд.
Diana [daɪ'ænə] Диана.
Dick [dɪk] *уменьш. от* Richard; Дик.
Dickie ['dɪkɪ] *уменьш. от* Richard; Дикки.
Dickon ['dɪkən] *уменьш. от* Richard; Дикон.
Dicky ['dɪkɪ] = Dickie.
Dinah ['daɪnə] Дина.
Dob, Dobbin [dɔb, 'dɔbɪn] *уменьш. от* Robert; Доб, Добин.
Doll, Dolly [dɔl, 'dɔlɪ] *уменьш. от* Dorothy; Долл, Долли.
Dolores [də'lourez] Долорес.
Donald ['dɔnld] Дональд.
Dora ['dɔːrə] *уменьш. от* Theodora *и* Dorothy; Дора.
Dorian ['dɔːrɪən] Дориан.
Doris ['dɔrɪs] Дорис.
Dorothy ['dɔrəθɪ] Дороти; Доротея.
Douglas ['dʌgləs] Дуглас.

Ed [ed] *уменьш. от* Edgar, Edmund, Edwad *и* Edwin; Эд.
Eddie, Eddy ['edɪ] *уменьш. от* Edward *и* Edwin; Эдди.
Edgar ['edgə] Эдгар.
Edith ['iːdɪθ] Эдит.
Edmund ['edmənd] Эдмунд.
Edna ['ednə] Эдна.
Edward ['edwəd] Эдвард; Эдуард.
Edwin ['edwɪn] Эдвин.
Eleanor ['elɪnə] Элинор; Элеонора.
Elijah [ɪ'laɪdʒə] Илайджа; *библ.* Илий.
Elinor ['elɪnə] = Eleanor.
Elisabeth, Elizabeth [ɪ'lɪzəbəθ] Элизабет; Елизавета.
Ella ['elə] *уменьш. от* Eleanor; Элла.
Ellen ['elɪn] *уменьш. от* Eleanor; Элин.
Elliot ['eljət] Эллиот.
Elmer ['elmə] Элмер.
Elsie ['elsɪ] *уменьш. от* Elisabeth *и* Alice; Элси.
Elvira [el'vaɪərə] Эльвира.
Em [em] *уменьш. от* Emily; Эм.
Emery ['emərɪ] Эмери.
Emilia [ɪ'mɪlɪə] Эмилия.
Emily ['emɪlɪ] Эмили; Эмилия.
Emm [em] *уменьш. от* Emma; Эмм.
Emma ['emə] Эмма.
Emmanuel [ɪ'mænjuəl] Эмануэль; Иммануйл.
Emmie ['emɪ] *уменьш. от* Emma; Эмми.
Emory ['emərɪ] = Emery.
Enoch ['iːnɔk] Инок; *библ.* Енох.
Erasmus [ɪ'ræzməs] Эразм.
Ernest ['əːnɪst] Эрн(е)ст.
Ernie ['əːnɪ] *уменьш. от* Ernest; Эрни.
Essie ['esɪ] *уменьш. от* Esther; Эсси.
Esther ['estə] Эстер; *библ.* Эсфирь.
Ethel ['eθəl] Этель.
Etta ['etə] *уменьш. от* Henrietta; Этта.
Eugene ['juːdʒiːn, juː'dʒiːn] Юджин; Евгений.
Eustace ['juːstəs] Юстас.

Eva, Eve ['iːvə, iːv] Éва.
Evelina, Eveline, Evelyn [,evɪ'liːnɑː, 'evi-
lin, 'iːvlɪn] Эвелина, Эвелин.

Fanny ['fænɪ] *уменьш. от* Frances;
Фанни.
Felicia, Felice [fɪ'lɪsɪə, fɪ'liːs] Фелиция.
Felix ['fiːlɪks] Феликс.
Ferdinand ['fəːdɪnənd] Фердинанд.
Fidelia [fɪ'diːljə] Фиделия.
Flo [flou] *уменьш. от* Florence *и* Flora;
Фло.
Flora ['flɔːrə] Флора.
Florence ['flɔrəns] Флоренс.
Flossie ['flɔsɪ] *уменьш. от* Florence;
Флосси.
Floy [flɔɪ] *уменьш. от* Florence; Флой.
Frances ['frɑːnsɪs] Франческа, Фран-
циска.
Francis ['frɑːnsɪs] Франсис; Францискъ;
Франц.
Frank [fræŋk] *уменьш. от* Francis;
Фрэнк.
Fred, Freddie, Freddy [fred, 'fredɪ]
уменьш. от Frederic(k); Фрэд, Фрэдди.
Frederic(k) ['fredrɪk] Фредерик; Фридрих.
Fr(i)eda ['friːdə] *уменьш. от* Winifred;
Фрида.

Gabriel ['geɪbrɪəl] Габриель; *библ.* Гав-
риил.
Geffrey, Geoffrey ['dʒefrɪ] Джеффри,
Джоффри; Готфрид.
George [dʒɔːdʒ] Джордж; Георг.
Gerald ['dʒerəld] Джеральд.
Gertie ['gəːtɪ] *уменьш. от* Gertrude.
Gertrude ['gəːtruːd] Гертруда.
Gideon ['gɪdɪən] Гидеон.
Gil [gɪl] *уменьш. от* Gilbert; Гил.
Gilbert ['gɪlbət] Гильберт.
Gladys ['glædɪs] Глэдис.
Gloria ['glɔːrɪə] Глория.
Godfrey ['gɔdfrɪ] Годфри.
Godwin ['gɔdwɪn] Годвин.
Gordon ['gɔːdn] Гордон.
Grace [greɪs] Грейс.
Graham ['greɪəm] Грейем, Грэхем.
Gregory ['gregərɪ] Грегори.
Greta ['griːtə, 'gretə] *уменьш. от* Mar-
garet; Грета.
Griffith ['grɪfiθ] Гриффит.
Guy [gaɪ] Гай.
Gwendolen ['gwendəlɪn] Гвендолин.

Hadrian ['heɪdrɪən] = Adrian.
Hal [hæl] *уменьш. от* Henry; Хэл.
Hannah ['hænə] = Anna.
Harold ['hærəld] Гарольд.
Harriet, Harriot ['hærɪət] Генриетта.
Harry ['hærɪ] Гарри.
Hatty ['hætɪ] *уменьш. от* Harriet,
Harriot; Хэтти.
Helen, Helena ['helɪn, 'helɪnə, he'liːnə]
Элён; Елена.
Henrietta [,henrɪ'etə] Генриетта.
Henry ['henrɪ] Генри; Генрих.
Herbert ['həːbət] Герберт.
Herman(n) ['həːmən] Герман.
Hester ['hestə]=Esther.

Hetty ['hetɪ] *уменьш. от* Henrietta *и*
Hester; Хэтти.
Hilary ['hɪlərɪ] Хилари.
Hilda ['hɪldə] Хильда.
Hope [houp] Хоуп.
Horace, Horatio ['hɔrəs, hɔ'reɪʃɪou] Го-
рас, Горацио; Гораций.
Howard ['hauəd] Говард.
Hubert ['hjuːbət] Хьюберт.
Hugh, Hugo [hjuː, 'hjuːgou] Хью, Хьюго.
Humphr(e)y ['hʌmfrɪ] Хамфри, Гемфри.

Ida ['aɪdə] Йда.
Ik, Ike [ɪk, aɪk] *уменьш. от* Isaac; Ик,
Айк.
Ira ['aɪərə] Айра.
Irene [aɪ'riːnɪ, 'aɪriːn] Айрин, Ирэн;
Ирина.
Isaac ['aɪzək] Айзек; Исаак.
Isabel, Isabella ['ɪzəbel, ,ɪzə'belə] Иза-
белла.
Isaiah [aɪ'zaɪə] Исай(я).
Isidore ['ɪzɪdɔː] Исидора.
Isold(e) [ɪ'zɔld(ə)] Изольда.
Israel ['ɪzreɪəl] Израиль.

Jack [dʒæk] *уменьш. от* John; Джек.
Jacob ['dʒeɪkəb] Джекоб; *библ.* Иаков.
Jake [dʒeɪk] *уменьш. от* Jacob; Джейк.
James [dʒeɪmz] Джемс; Яков; *библ.*
Иаков.
Jane [dʒeɪn] Джейн.
Janet ['dʒænɪt] Джéнет, Жанет.
Jasper ['dʒæspə] Джаспер.
Jean [dʒiːn] Джин.
Jeff [dʒef] *уменьш. от* Jeffrey; Джефф.
Jeffrey ['dʒefrɪ] Джеффри.
Jem [dʒem] *уменьш. от* James; Джем.
Jemima [dʒɪ'maɪmə] Джемайма.
Jen, Jennie [dʒen, 'dʒenɪ] *уменьш. от*
Janet; Джен, Джéнни.
Jennifer ['dʒenɪfə] Джéнифер.
Jenny ['dʒenɪ] *уменьш. от* Janet; Джéнни.
Jeremiah [dʒerɪ'maɪə] Джéреми; *библ.*
Иеремия.
Jerome [dʒə'roum, 'dʒerəm] Джером.
Jerry ['dʒerɪ] Джéрри.
Jess [dʒes] *уменьш. от* Janet; Джесс.
Jessica ['dʒesɪkə] Джéссика.
Jessie, Jessy ['dʒesɪ] *уменьш. от* Janet;
Джéсси.
Jim, Jimmy [dʒɪm, 'dʒɪmɪ] *уменьш. от*
James; Джим.
Jo [dʒou] *уменьш. от* Joseph *и* Josephine;
Джо.
Joachim ['jouəkɪm] Иоахим.
Joan, Joanna [dʒoun, dʒou'ænə] Джоан,
Джоанна; ~ of Arc *ист.* Жанна д'Арк.
Job [dʒoub] Джоб; *библ.* Иов.
Jock [dʒɔk] *уменьш. от* John; Джок.
Joe [dʒou] *уменьш. от* Joseph *и* Joseph-
ine; Джо.
Joey ['dʒouɪ] *уменьш. от* Joseph; Джо.
John [dʒɔn] Джон; Иоанн.
Johnny ['dʒɔnɪ] *уменьш. от* John;
Джонни.
Jonathan ['dʒɔnəθən] Джонатан; *библ.*
Ионафан.
Joseph ['dʒouzɪf] Джозеф; Иосиф.

Josephine ['dʒouziˈfɪn] Джо́зефин; Жозефи́на.

Joshua ['dʒɔʃwə] Джо́шуа; *библ.* Иису́с.

Joy [dʒɔɪ] Джой.

Joyce [dʒɔɪs] Джойс.

Jozy ['dʒouzɪ] *уменьш. от* Josephine; Джо́зи.

Judith ['dʒuːdɪθ] Джу́дит; *библ.* Юди́фь.

Judy ['dʒuːdɪ] *уменьш. от* Judith; Джу́ди.

Julia ['dʒuːljə] Джу́лия; Юлия.

Julian ['dʒuːljən] Джулиан; Юлиа́н.

Juliana [ˌdʒuːlɪˈɑːnə] Юлиа́на.

Juliet ['dʒuːljət] Джулье́тта; Юлия.

Julius ['dʒuːljəs] Джу́лиус; Юлий.

Kate [keɪt] *уменьш. от* Catherine; Кейт.

Katharine ['kæθərɪn] = Catherine.

Kathleen ['kæθliːn] *уменьш. от* Catherine; Ке́тлин.

Katie ['keɪtɪ] = Cathie.

Katrine ['kætrɪn] *уменьш. от* Catherine; Ке́трин.

Keith [kiːθ] Кит.

Kenneth ['kenɪθ] Ке́ннет.

Kit [kɪt] *уменьш. от* Christopher *и* Catherine; Кит.

Kitty ['kɪtɪ] *уменьш. от* Catherine; Ки́тти.

Lambert ['læmbəːt] Ла́мберт.

Laura ['lɔːrə] Лау́ра.

Laurence ['lɔrəns] Ло́ренс; Лавре́нтий.

Lauretta [lɔˈretə] *уменьш. от* Laura; Лоре́тта.

Lawrence ['lɔrəns] = Laurence.

Lazarus ['læzərəs] Ла́зарь.

Leila ['liːlə] Ле́йла.

Leo ['liːou] Ле́о.

Leonard ['lenəd] Леона́рд.

Leonora [ˌliːəˈnɔːrə] Леоно́ра, Элеоно́ра.

Leopold ['liːəpould] Леопо́льд.

Lesley, Leslie ['lezlɪ] Ле́сли.

Lew, Lewie [luː, 'luːɪ] *уменьш. от* Lewis; Луй.

Lewis ['luːɪs] Лью́ис; Людо́вик.

Lillian ['lɪlɪən] Ли́лиан; Лилиа́на.

Lily ['lɪlɪ] Ли́ли.

Linda ['lɪndə] Ли́нда.

Lionel ['laɪənl] Ла́йонел; Лионе́ль.

Liz, Liza, Lizzie [lɪz, 'laɪzə, 'laɪzə, 'lɪzɪ] *уменьш. от* Elisabeth; Лиз, Ли́за, Ли́ззи.

Lola ['loulə] *уменьш. от* Dolores; Ло́ла.

Lolly ['lɔlɪ] *уменьш. от* Laura; Ло́лли.

Lottie ['lɔtɪ] *уменьш. от* Charlotte; Ло́тти.

Louie ['luːɪ] *уменьш. от* Lewis; Луй.

Louis ['luːɪs] = Lewis.

Louisa, Louise [luːˈiːzə, luːˈiːz] Луи́за.

Lucas ['luːkəs] Лу́кас.

Lucy ['luːsɪ] Лю́си.

Luke [luːk] Лью́к; *библ.* Лука́.

Mabel ['meɪbəl] Мейбл, Ма́бель.

Madeleine ['mædlɪn] Ма́делейн; Маделина.

Madge [mædʒ] *уменьш. от* Margaret; Мэдж.

Mag [mæg] *уменьш. от* Margaret; Мэг.

Maggie ['mægɪ] *уменьш. от* Margaret; Мэ́гги.

Magnus ['mægnəs] Ма́гнус.

Malkolm ['mælkəm] Ма́лькольм.

Mamie ['meɪmɪ] *уменьш. от* Mary; Ме́йми.

Marcus ['mɑːkəs] Ма́ркус.

Margaret ['mɑːgərɪt] Ма́ргарет; Маргари́та.

Margery ['mɑːdʒərɪ] *уменьш. от* Margaret; Ма́рджери.

Margie ['mɑːdʒɪ] *уменьш. от* Margaret; Ма́рджи.

Maria [məˈraɪə] Мари́я.

Marian ['mɛərɪən] Ма́риен.

Marianne [ˌmɑːrɪˈæn] Мариа́нна.

Marina [məˈriːnə] Мари́на.

Marion ['mɛərɪən] Марио́н.

Marjory ['mɑːdʒərɪ] *уменьш. от* Margaret; Ма́рджори.

Mark [mɑːk] Марк.

Martha ['mɑːθə] Ма́рта.

Martin ['mɑːtɪn] Ма́ртин.

Mary ['mɛərɪ] Мэ́ри; Мария.

Mat [mæt] *уменьш. от* Matthew, Matthias, Mat(h)ilda *и* Martha; Мэт.

Mat(h)ilda [məˈtɪldə] Мати́льда.

Matthew, Matthias ['mæθjuː, məˈθaɪəs] Мэ́тью, Ма́тиас; *библ.* Матфе́й.

Matty ['mætɪ] *уменьш. от* Martha *и* Mat(h)ilda; Мэ́тти.

Maud(e) [mɔːd] *уменьш. от* Madeleine *и* Mat(h)ilda; Мод.

Maurice ['mɔrɪs] Мо́рис.

Max [mæks] *уменьш. от* Maximilian; Макс.

Maximilian [ˌmæksɪˈmɪljən] Максимилиа́н.

May [meɪ] *уменьш. от* Mary *и* Margaret; Мэй.

Meg, Meggy [meg, 'megɪ] *уменьш. от* Margaret; Мэг, Мэ́гги.

Mercy ['məːsɪ] Ме́рси.

Meredith ['merədɪθ] Мереди́т.

Michael ['maɪkl] Ма́йкл; Михаи́л.

Micky ['mɪkɪ] *уменьш. от* Michael; Ми́ки.

Mike [maɪk] *уменьш. от* Michael; Майк.

Mildred ['mɪldrɪd] Ми́лдред.

Millie ['mɪlɪ] *уменьш. от* Mildred, Emilia *и* Amelia; Ми́лли.

Mima ['maɪmə] *уменьш. от* Jemima; Ма́йма.

Minna ['mɪnɑ] Ми́нна.

Minnie ['mɪnɪ] *уменьш. от* Minna; Ми́нни.

Mirabel ['mɪrəbel] Мирабе́ль.

Miranda [mɪˈrændə] Мира́нда.

Miriam ['mɪrɪəm] Мириа́м.

Moll, Molly [mɔl, 'mɔlɪ] *уменьш. от* Mary; Молл, Мо́лли.

Monica ['mɔnɪkə] Мо́ника.

Montagu(e) ['mɔntəgjuː] Мо́нтегю.

Monty ['mɔntɪ] *уменьш. от* Montagu(e); Мо́нти.

Morgan ['mɔːgən] Мо́рган.

Morris ['mɔrɪs] = Maurice.

Mortimer ['mɔːtɪmə] Мо́ртимер.

Moses ['mouzɪz] Мо́зес; *библ.* Моисе́й.

Muriel ['mjuərɪəl] Мю́риель.

Nance, Nancy [næns, 'nænsɪ] *уменьш. от* Agnes *и* Ann, Anna; Нэнс, Нэ́нси.

Nannie, Nanny ['næпı] *уменьш. от* Ann, Anna; Нэнни.

Nat [næt] *уменьш. от* Nathaniel, Nathan *u* Natalia, Natalie; Нат.

Natalia, Natalie [nə'tælıə,'nætəlı] Натáлия, Нэтали.

Nathan ['neıθən] Натáн.

Nathaniel [nə'θænjəl] Натаниэль.

Ned, Neddie, Neddy [ned, 'nedı] *уменьш. от* Edgar, Edmund, Edwin *u* Edward; Нед, Нéдди.

Nell, Nellie, Nelly [nel, 'nelı] *уменьш. от* Eleanor *u* Helen, Helena; Нел, Нéлли.

Net, Nettie, Netty [net, 'netı] *уменьш. от* Antoinette, Henrietta *u* Janet; Нет, Нéтти.

Neville ['nevil] Нéвиль.

Nicholas ['nıkələs] Нúколас; Николáй.

Nick [nık] *уменьш. от* Nicholas; Ник.

Nicola ['nıkələ] Нúкола.

Nina, Ninette, Ninon ['niːnə, niː'net, niː'nɔŋ] *уменьш. от* Ann, Anna; Нúна, Нинéтта, Нинóн.

Noah ['nouə] Ной.

Noel ['nouəl] Ноэль.

Noll, Nolly [nɔl,'nɔlı] *уменьш. от* Olive, Olivia *u* Oliver; Нол, Нóлли.

Nora ['nɔːrə] *уменьш. от* Eleanor *u* Leonora; Нóра.

Norman ['nɔːmən] Нóрман.

Odette [ou'det] Одéтта.

Olive ['ɔlıv] Олúвия.

Oliver ['ɔlıvə] Óливер.

Olivia [ɔ'lıvıə] Олúвия.

Ophelia [ɔ'fiːljə] Офéлия.

Oscar ['ɔskə] Óскар.

Osmond, Osmund ['ɔzmənd] Óсмунд.

Oswald ['ɔzwəld] Óсвальд.

Ottilia [ɔ'tılıə] Оттúлия.

Owen ['ouın] Óуэн.

Paddy ['pædı] *уменьш. от* Patrick *u* Patricia; Пэдди.

Pat [pæt] *уменьш. от* Patrick, Patricia *u* Martha; Пэт.

Patricia [pə'trıʃə] Патрúция.

Patrick ['pætrık] Пáтрик.

Patty ['pætı] *уменьш. от* Martha *u* Mat(h)ilda; Пэтти.

Paul [pɔːl] Поль.

Paula ['pɔːlə] Пáула.

Paulina, Pauline [pɔː'liːnə, pɔː'liːn] Паулúна; Полúна.

Peg, Peggy [peg, 'pegı] *уменьш. от* Margaret; Пэг, Пэгги.

Pen [pen] *уменьш. от* Penelope; Пен, Пéнни.

Penelope [pı'neləpı] Пенелóпа.

Penny ['penı] = Pen.

Percy ['pəsı] Пéрси.

Pete [piːt] *уменьш. от* Peter; Пит.

Peter ['piːtə] Пúтер; Пётр.

Phil [fıl] *уменьш. от* Philip; Фил.

Philip ['fılıp] Фúлип; Филúпп.

Pip [pıp] *уменьш. от* Philip; Пип.

Pius ['paıəs] Пий.

Pol, Polly [pɔl,'pɔlı] *уменьш. от* Mary; Пол, Пóлли.

Portia ['pɔːʃjə] Пóрция.

Rachel ['reıtʃəl] Рéчел; *библ.* Рахúль.

Ralph [rælf, reıf] Ральф.

Ranald ['rænəld] Рэнáльд.

Randolph ['rændɔlf] Рáндольф.

Raphael ['ræfeıəl,'reıfıl] Рафаэль.

Rasmus ['ræzməs] *уменьш. от* Erasmus; Рáсмус.

Ray [reı] *уменьш. от* Rachel *u* Raymond; Рэй.

Raymond ['reımənd] Раймóнд.

Rebecca [rı'bekə] Ребéкка; *библ.* Ревéкка.

Reg, Reggie [redʒ,'redʒı] *уменьш. от* Reginald; Редж, Рéджи.

Reginald ['redʒınld] Рéджинáльд.

Reynold ['renld] Рéйнольд.

Richard ['rıtʃəd] Рúчард.

Rita ['riːtə] *уменьш. от* Margaret; Рúта.

Rob, Robbie [rɔb,'rɔbı] *уменьш. от* Robert; Роб, Рóбби.

Robert ['rɔbət] Рóберт.

Robin ['rɔbın] *уменьш. от* Robert; Рóбин.

Roddy ['rɔdı] *уменьш. от* Roderick; Рóдди.

Roderick ['rɔdərık] Рóдерик.

Rodney ['rɔdnı] Рóдни.

Roger ['rɔdʒə] Рóджер.

Roland ['roulənd] Рóлáнд.

Rolf [rɔlf] Рольф.

Romeo ['roumıou] Ромéо.

Ronald ['rɔnld] Рóнáльд.

Rosa ['rouzə] Рóза.

Rosabel, Rosabella ['rouzəbel, ,rouzə'belə] Рóзабел, Розабéлла.

Rosalia, Rosalie [rou'zeılıə, 'rɔzəlı] Розáлия, Розалú.

Rosalind, Rosaline ['rɔzəlınd, 'rɔzəlaın] Розалúна.

Rosamond, Rosamund ['rɔzəmənd] Розамýнда.

Rose [rouz] Рóуз; Рóза.

Rosemary ['rouzmərı] Розмарú.

Rowland ['roulənd] = Roland.

Roy [rɔı] Рой.

Rudolf, Rudolph ['ruːdɔlf] Рýдóльф.

Rupert ['ruːpət] Рýперт.

Ruth [ruːθ] Рут.

Sadie ['seıdı] *уменьш. от* Sara(h); Сéйди.

Sal, Sally [sæl, 'sælı] *уменьш. от* Sara(h); Сэл, Сэлли.

Salome [sə'loumı] Саломéя.

Sam, Sammy [sæm, 'sæmı] *уменьш. от* Samuel; Сэм, Сэмми.

Sam(p)son ['sæm(p)sn] Сэмпсон; *библ.* Самсóн.

Samuel ['sæmjuəl] Сэмюель; *библ.* Самуúл.

Sanders ['saːndəz] *уменьш. от* Alexander; Сáндерс.

Sandy ['sændı] *уменьш. от* Alexander; Сэнди.

Sara(h) ['sɛərə] Сáра.

Saul [sɔːl] Саýл.

Sebastian [sı'bæstjən] Себáстиан.

Septimus ['septıməs] Сéптимус.

Sibil, Sibyl, Sibylla ['sıbıl, sı'bılə] Сибилла.
Sidney ['sıdnı] Сидней.
Siegfried ['sɪɡfriːd] Зигфрид.
Silas ['saıləs] Сайлас.
Silvester [sɪl'vestə] Сильвестр.
Silvia ['sɪlvɪə] Сильвиа; Сильва.
Sim [sım] уменьш. от Simeon и Simon; Сим.
Simeon ['sımıən] Симеон.
Simmy ['sımı] уменьш. от Simeon и Simon; Симми.
Simon ['saımən] Саймон.
Sol, Solly [sɔl, 'sɔlı] уменьш. от Solomon; Сол, Солли.
Solomon ['sɔləmən] Соломон.
Sophia [sə'faıə] София.
Sophie, Sophy ['souſı] уменьш. от Sophia; Софи.
Stanislas, Stanislaus ['stænısləs, 'stænıslɔːs] Станислав.
Stanley ['stænlı] Стэнли.
Stella ['stelə] Стелла.
Stephana, Stephanie ['stefənə, 'stefəniː] Стефания.
Stephen ['stiːvn] Стивн; Стефан.
Steve [stiːv] уменьш. от Stephen; Стив.
Sue [sjuː] уменьш. от Susan и Susanna(h); Сю.
Susan ['suːzn] Сюзн; Сюзанна.
Susanna(h) [suː'zænə] Сюзанна.
Susie, Susy ['suːzı] уменьш. от Susan и Susanna(h); Сюзи.
Sylvester [sıl'vestə] = Silvester.
Sylvia ['sılvɪə] = Silvia.

Ted, Teddy [ted, 'tedı] уменьш. от Theodore; Тед, Тедди.
Terry ['terı] уменьш. от T(h)eresa; Терри.
Tessa ['tesə] уменьш. от T(h)eresa; Тесса.
Theobald ['θɪəbɔːld] Теобальд.
Theodora [ˌθɪou'dourə] Теодора.
Theodore ['θɪədɔː] Теодор.
T(h)eresa [tə'riːzə] Тереза.
Thom [tɔm] = Tom.

Thomas ['tɔməs] Томас; библ. Фома.
Tib, Tibbie [tıb, 'tıbı] уменьш. от Isabel, Isabella; Тиб, Тибби.
Tilda ['tıldə] уменьш. от Mat(h)ilda; Тильда.
Tilly ['tılı] уменьш. от Mat(h)ilda; Тилли.
Tim [tım] уменьш. от Timothy; Тим.
Timothy ['tıməθı] Тимоти.
Tina ['tiːnə] уменьш. от Christina; Тина.
Tobias [tə'baıəs] Тобайес.
Toby ['toubı] уменьш. от Tobias; Тоби.
Tom [tɔm] уменьш. от Thomas; Том.
Tommy ['tɔmı] уменьш. от Thomas; Томми.
Tony ['tounı] уменьш. от Anthony, Antony; Тони.
Tristan ['trıstæn] Тристан.
Trudy ['truːdı] уменьш. от Gertrude; Труди.
Tybalt ['tıbəlt] Тибальт.

Valentine ['væləntaın] Валентин.
Veronica [vı'rɔnıkə] Вероника.
Victor ['vıktə] Виктор.
Victoria [vık'tɔːrıə] Виктория.
Vincent ['vınsənt] Винсент.
Viola ['vaıələ] Виола.
Violet ['vaıəlıt] Виолетта.
Virginia [və'dʒınjə] Виргиния.
Vivian, Vivien ['vıvıən] Вивиан.

Wallace ['wɔlıs] Уоллес.
Walt [wɔːlt] уменьш. от Walter; Уолт.
Walter ['wɔːltə] Уолтер; Вальтер.
Wat, Watty [wɔt, 'wɔtı] уменьш. от Walter; Уот, Уотти.
Wilfred, Wilfrid ['wılfrıd] Уилфред.
Will [wıl] уменьш. от William; Уилл.
William ['wıljəm] Уильям, Вильям; Вильгельм.
Willy ['wılı] уменьш. от William; Уилли, Вилли.
Win [wın] уменьш. от Winifred; Уин.
Winifred ['wınıfrıd] Уинифред.
Winnie ['wını] уменьш. от Winifred; Уинни.

СПИСОК ГЕОГРАФИЧЕСКИХ НАЗВАНИЙ *

Abadan [ˌæbə'dɑːn] г. Абада́н (порт в Ира́не).

Aberdeen [ˌæbə'diːn] г. Абердѝн.

Abyssinia [ˌæbɪ'sɪnjə] Абисси́ния; см. Ethiopia.

Accra [ə'krɑː] г. А́ккра (столица Ганы).

Addis Ababa ['ædɪs'æbəbə] г. Адди́с-Абе́ба.

Adelaide ['ædəlɪd] г. Аделайда.

Aden ['eɪdn] А́ден.

Adirondack Mts [ˌædɪ'rɔndæk'mauntɪnz] го́ры Адиро́ндак.

Admiralty Isls ['ædmərəltɪ'aɪləndz] острова́ Адмиралте́йства.

Adriatic Sea [ˌeɪdrɪ'ætɪk'siː] Адриати́ческое мо́ре.

Aegean Sea [iː'dʒiən'siː] Эге́йское мо́ре.

Aetna ['etnə] = Etna.

Afghanistan [æf'gænɪstæn] Афганиста́н.

Africa ['æfrɪkə] А́фрика.

Akkra [ə'krɑː] = Accra.

Alabama [ˌælə'bæmə] Алаба́ма.

Åland Isls ['oulɑːnd'aɪləndz] Ала́ндские острова́.

Alaska [ə'læskə] Аля́ска.

Albania [æl'beɪnjə] Алба́ния; People's Republic of Albania Наро́дная Респу́блика Алба́ния.

Albany ['ɔːlbənɪ] г. О́лбани.

Alep(po) [ə'lep(ou)] г. Але́ппо.

Aleutian Isls [ə'luːʃjən'aɪləndz] Алеу́тские острова́.

Alexandria [ˌælɪg'zɑːndrɪə] г. Александри́я.

Algeria [æl'dʒɪərɪə] Алжи́р.

Algiers [æl'dʒɪəz] г. Алжи́р.

Allegheny Mts ['ælɪgenɪ'mauntɪnz] Аллега́нские го́ры.

Alma-Ata [ˌɑːlmɑːɑː'tɑː] г. Алма́-Ата́.

Alps [ælps] А́льпы.

Alsace ['ælsæs] Эльза́с.

Alsace-Lorraine ['ælsæslɔ'reɪn] Эльза́с-Лотари́нгия.

Altai [æl'taɪ] Алта́й.

Amazon ['æməzən] р. Амазо́нка.

America [ə'merɪkə] Аме́рика.

Amman [ə'mɑːn] г. Амма́н (столица Иорда́нии).

Amsterdam ['æmstə'dæm] г. Амстерда́м.

Amu Darya [ɑː'muːdɑːr'jɑː] р. Аму́-Дарья́.

Amur [ə'muə] р. Аму́р.

Anatolia [ˌænə'touljə] Анато́лия.

Andaman Isls ['ændəmæn'aɪləndz] Андама́нские острова́.

Andes ['ændiːz] А́нды.

Andorra [æn'dɔrə] Андо́рра.

Angara [ʌŋgʌ'rɑː] р. Ангара́.

Angora ['æŋgərə] см. Ankara.

Angus ['æŋgəs] А́нгус.

Ankara ['æŋkərə] г. Анкара́.

An(n)am ['ænæm] Анна́м.

Antananarivo ['æntəˌnænə'riːvou] г. Тананари́ве.

Antarctic Continent {ænt'ɑːktɪk'kɔntɪnənt] Антаркти́да.

Antilles [æn'tɪliːz] Анти́льские острова́; Antilles Greater Больши́е Анти́льские острова́; Antilles Lesser Ма́лые Анти́льские острова́.

Antrim ['æntrɪm] Антри́м.

Antwerp ['æntwəp] г. Антве́рпен.

Apennines ['æpɪnaɪnz] Апенни́ны.

Appalachian Mts, Appalachians [ˌæpə'leɪtʃjən'mauntɪnz, ˌæpə'leɪtʃjənz] Аппала́чские го́ры, Аппала́чи.

Arabia [ə'reɪbjə] Ара́вия.

Arabian Sea [ə'reɪbjən'siː] Арави́йское мо́ре.

Aral Sea ['ɑːrəl'siː] Ара́льское мо́ре.

Ararat ['ærəræt] Арара́т.

Archangel ['ɑːkˌeɪndʒəl] = Arkhangelsk.

Arctic Ocean ['ɑːktɪk'ouʃən] Се́верный Ледови́тый океа́н.

Argentina [ˌɑːdʒən'tiːnə] Аргенти́на.

Argyll(shire) [ɑː'gaɪl(ʃɪə)] Арга́йл(шир).

Arizona [ˌærɪ'zounə] Аризо́на.

Arkansas ['ɑːkənsɔ] Арканза́с (река и штат).

Arkansas City [ɑː'kænzəs'sɪtɪ] г. Арканза́с-Си́ти.

Arkhangelsk [ʌr'kɑːngəlsk]г. Арха́нгельск.

Arlington ['ɑːlɪŋtən] г. Арлингтон.

Armagh [ɑː'mɑː] Арма́.

Armenia [ɑː'miːnjə] Арме́ния; Armenian Soviet Socialist Republic Армя́нская Сове́тская Социалисти́ческая Респу́блика.

Ascot ['æskət] г. Э́скот.

Ashkhabad [ˌɑːʃkɑː'bɑːd] г. Ашхаба́д.

Asia ['eɪʃə] А́зия.

Asia Minor ['eɪʃə'maɪnə] Ма́лая А́зия.

Asmara [ɑːz'mɑːrɑː] г. Асма́ра (столица Эритреи).

Assam ['æsæm] Асса́м.

Assouan, Aswan [ˌæsu'æn] г. Ассуа́н.

---

*Слова Mountain, Mountains, Island, Islands даны в сокращении Mt, Mts, Isl, Isls.

Assyria [ə'sɪrɪə] *ист.* Ассирия.
Astrakhan [,ɑːstrɑː'kæn] *г.* Астрахань.
Asunción [ə,sunsɪ'oun] *г.* Асунсьон (*столица Парагвая*).
Athens ['æθɪnz] *г.* Афины.
Atlanta [ət'læntə] *г.* Атланта.
Atlantic City [ət'læntɪk'sɪtɪ] *г.* Атлантик-Сити.
Atlantic Ocean [ət'læntɪk'ouʃən] Атлантический океан.
Atlas Mts ['ætləs'mauntɪnz] Атласские горы.
Auckland ['ɔːklənd] *г.* Окленд (*порт в Новой Зеландии*).
Austin ['ɔstɪn] *г.* Остин.
Australia [ɔs'treɪljə] Австралия.
Austria ['ɔstrɪə] Австрия.
Avon ['eɪvən] *р.* Эйвон.
Ayr(shire) ['eə(ʃɪə)] Эр(шир).
Azerbaijan [,ɑːzəbaɪ'dʒɑːn] Азербайджан; Azerbaijan Soviet Socialist Republic `Азербайджанская Советская Социалистическая Республика.
Azof, Sea of ['siːəv'ɑːzɔf] = Azov, Sea of.
Azores [ə'zɔːz] Азорские острова.
Azov, Sea of ['siːəv'ɑːzɔv] Азовское море.

Bab el Mandeb ['bæbel'mændeb] Баб-эль-Мандебский пролив.
Babylon ['bæbɪlən] *ист.* Вавилон.
Baffin Bay ['bæfɪn'beɪ] Баффинов залив.
Bag(h)dad [bæg'dæd] *г.* Багдад.
Bahama Isls, Bahamas [bə'hɑːmə'aɪlndz, bə'hɑːməz] Багамские острова.
Bahrain Isls [bə'reɪn'aɪləndz] острова Бахрейн.
Bahrein Isls [bə'reɪn'aɪləndz] = Bahrain Isls.
Baia [bə'iːə] Байя.
Baikal [baɪ'kɑːl] *оз.* Байкал.
Baku [bɑː'kuː] *г.* Баку.
Balearic Isls [,bælɪ'ærɪk'aɪləndz] Балеарские острова.
Balkan Mts ['bɔːlkən'mauntɪnz] Балканские горы, Балканы.
Balkan Peninsula ['bɔːlkənpɪ'nɪnsjulə] Балканский полуостров.
Baltic Sea ['bɔːltɪk'siː] Балтийское море.
Baltimore ['bɔːltɪmɔː] *г.* Балтимор.
Baluchistan [bə'luːʃɪstɑːn] Белуджистан.
Bandung ['bɑːnduŋ] *г.* Бандунг.
Bangalore [,bæŋgə'lɔː] *г.* Бангалур.
Bangkok [bæŋ'kɔk] *г.* Бангкок (*столица Таиланда*).
Barbados [bɑː'beɪdouz] *о-в* Барбадос.
Barcelona [,bɑːsɪ'lounə] *г.* Барселона.
Barents Sea ['bɑːrənts'siː] Баренцово море.
Basel, Basle ['bɑːzəl, bɑːl] *г.* Базель.
Basra ['bæzrə] *г.* Басра (*порт в Ираке*).
Basse-Terre [,bɑːs'teə] *г.* Бас-Тер.
Bass Strait ['bæs'streɪt] Бассов пролив.
Batavia [bə'teɪvjə] Батавия; *см.* Jakarta.
Bath [bɑːθ] *г.* Бат.
Batumi [bɑː'tuːmɪ] *г.* Батуми.
Bavaria [bə'vɛərɪə] Бавария.
Bedford(shire) ['bedfəd(ʃɪə)] Бедфорд(шир).

Beds [bedz] *см.* Bedford(shire).
Beirut [beɪ'ruːt] *г.* Бейрут.
Belfast [bel'fɑːst] *г.* Белфаст.
Belgium ['beldʒəm] Бельгия.
Belgrade [bel'greɪd] *г.* Белград.
Belize [be'liːz] *г.* Белиз.
Bellingshausen Sea ['belɪŋz,hauzn'siː] море Беллингсгаузена.
Benares [bɪ'nɑːrɪz] *г.* Бенарес.
Bengal [beŋ'gɔːl] Бенгалия.
Bengal, Bay of ['beɪəvbeŋ'gɔːl] Бенгальский залив.
Bengasi, Benghazi [ben'gɑːzɪ] *г.* Бенгази.
Bering Sea ['berɪŋ'siː] Берингово море.
Bering Strait ['berɪŋ'streɪt] Берингов пролив.
Berks [bɑːks] *см.* Berkshire.
Berkshire ['bɑːkʃɪə] Беркшир.
Berlin [bəː'lɪn] *г.* Берлин.
Bermudas Isls, Bermudas [bəː'mjuːdə'aɪləndz, bəː'mjuːdəz] Бермудские острова.
Bern(e) [bəːn] *г.* Берн.
Berwick(shire) ['berɪk(ʃɪə)] Берик(шир).
Beyrouth [beɪ'ruːt] = Beirut.
Bikini [bɪ'kiːnɪ] *атолл* Бикини.
Bilbao [bɪl'bɑːou] *г.* Бильбао.
Birmingham ['bəːmɪŋəm] *г.* Бирмингем.
Biscay, Bay of ['beɪəv'bɪskeɪ] Бискайский залив.
Blackpool ['blækpuːl] *г.* Блэкпул.
Black Sea ['blæk'siː] Чёрное море.
Blue Mts ['bluː'mauntɪnz] Голубые горы.
Bogota [,bougə'tɑː] *г.* Богота (*столица Колумбии*).
Bohemia [bou'hiːmjə] Богемия; *см. тж. в словаре.*
Bokhara [bou'kɑːrə] = Bukhara.
Bolivia [bə'lɪvɪə] Боливия.
Bombay [bɔm'beɪ] *г.* Бомбей.
Bonn [bɔn] *г.* Бонн.
Bordeaux [bɔː'dou] *г.* Бордо.
Borneo ['bɔːnɪou] *о-в* Борнео.
Bosnia ['bɔznɪə] Босния.
Bosporus ['bɔspərəs] Босфор.
Boston ['bɔstən] *г.* Бостон.
Bothnia, Gulf of ['gʌlfəv'bɔθnɪə] Ботнический залив.
Boulogne [bu'lɔɪn] *г.* Булонь.
Bournemouth ['bɔːnməθ] *г.* Борнмут.
Bradford ['brædfəd] *г.* Брэдфорд.
Brahmaputra [,brɑːmə'puːtrə] *р.* Брахмапутра.
Brazil [brə'zɪl] Бразилия.
Brazzaville ['bræzəvɪl] *г.* Браззавиль.
Brecknock(shire) ['breknɔk(ʃɪə)] Брекнок(шир).
Brecon ['brekən] *см.* Brecknock(shire).
Bremen ['breɪmən] *г.* Бремен.
Bridgeport ['brɪdʒpɔːt] *г.* Бриджпорт.
Bridgetown ['brɪdʒtaun] *г.* Бриджтаун.
Brighton ['braɪtn] *г.* Брайтон.
Brisbane ['brɪzbən] *г.* Брисбен.
Bristol ['brɪstl] *г.* Бристоль.
Britain ['brɪtn] Великобритания (*тж.* Great Britain); Greater Britain Великобритания с колониями, Британская империя; North Britain Шотландия.
British Columbia ['brɪtɪʃkə'lʌmbɪə] Британская Колумбия.

British Honduras ['brɪtɪʃhən'djuərəs] Брита́нский Гондура́с.

Brittany ['brɪtənɪ] Брета́нь.

Bronx [broŋks] Бронкс.

Brooklyn ['bruklɪn] Бру́клин.

Bruges [bruːʒ] г. Брю́гге.

Brussels ['brʌslz] г. Брюссе́ль.

Bucharest ['bjuːkərest] г. Бухаре́ст.

Buckingham(shire) ['bʌkɪŋəm(ʃɪə)] Ба́кингем (шир).

Bucks [bʌks] см. Buckingham(shire).

Budapest ['bjuːdə'pest] г. Будапе́шт.

Buenos Aires ['bwenəs'aɪərɪz] г. Буэнос-
-Айрес.

Buffalo ['bʌfəlou] г. Бу́ффало.

Bug [buːg] р. Буг.

Bukhara [buː'kɑːrə] г. Бухара́.

Bulgaria [bʌl'gɛərɪə] Болга́рия; People's Republic of Bulgaria Наро́дная Респу́блика Болга́рия.

Burma ['bəːmə] Би́рма.

Bute(shire) ['bjuːt(ʃɪə)] Бьют (шир).

Byelorussia [ˌbjelou'rʌʃə] Белору́ссия; Byelorussian Soviet Socialist Republic Белору́сская Сове́тская Социалисти́ческая Респу́блика.

Byzantium [bɪ'zæntɪəm] ист. Виза́нтия.

Cadiz [kə'dɪz] г. Ка́дис.

Caernarvon(shire) [kɑː'nɑːvən(ʃɪə)] Карна́рвон (шир).

Cairo ['kaɪərou] г. Каи́р.

Caithness ['keɪθnes] Ке́йтнесс.

Calais ['kæleɪ] г. Кале́.

Calcutta [kæl'kʌtə] г. Калькутта.

Caledonia [ˌkælɪ'dounjə] ист. Каледо́ния.

California [ˌkælɪ'fɔːnjə] Калифо́рния.

Cambodia [kæm'boudjə] Камбо́джа.

Cambridge ['keɪmbrɪdʒ] г. Ке́мбридж.

Cameroons ['kæməruːnz] Камеру́н.

Canada ['kænədə] Кана́да.

Canary Isls [kə'nɛərɪ'aɪləndz] Кана́рские острова́.

Canaveral, Cape ['keɪpkə'nævərəl] мыс Кана́верал.

Canberra ['kænbərə] г. Ка́нберра.

Cannes [kæn] г. Канн.

Canterbury ['kæntəbərɪ] г. Ке́нтербери.

Canton ['kæn'tɔn] г. Канто́н.

Cape of Good Hope ['keɪpəv'gud'houp] Мыс До́брой Наде́жды.

Cape Province ['keɪp,prɔvɪns] Ке́йпленд.

Cape Town, Capetown ['keɪptaun] г. Ке́йптаун.

Cape Verde Isls ['keɪp'vəːd'aɪləndz] острова́ Зелёного Мы́са.

Caracas [kə'rækəs] г. Карака́с (столица Венесуэлы).

Cardiff ['kɑːdɪf] г. Ка́рдифф.

Cardigan(shire) ['kɑːdɪgən(ʃɪə)] Ка́рдиган (шир).

Caribbean Sea [ˌkærɪ'bɪən'siː] Кари́бское мо́ре.

Carlisle [kɑː'laɪl] г. Карла́йл.

Carmarthen(shire) [kɑː'mɑːðən(ʃɪə)] Карма́ртен (шир).

Carnarvon(shire) [kə'nɑːvən(ʃɪə)] = Caernarvon (shire).

Caroline Isls, Carolines ['kærəlaɪn-'aɪləndz, 'kærəlaɪnz] Кароли́нские острова́.

Carpathian Mts, Carpathians [kɑː'peɪθjən'mauntɪnz, kɑː'peɪθjənz] Карпа́тские го́ры, Карпа́ты.

Carpentaria, Gulf of ['gʌlfəv,kɑːpən'tɛərɪə] зали́в Карпента́рия.

Carthage ['kɑːθɪdʒ] ист. Карфаге́н.

Cashmere [kæʃ'mɪə]=Kashmir.

Caspian Sea ['kæspɪən'siː] Каспи́йское мо́ре.

Caucasus, the ['kɔːkəsəs] Кавка́з.

Celebes [se'liːbɪz] о-в Це́лебес; см. Sulawesi.

Central America ['sentrələ'merɪkə] Центра́льная Аме́рика.

Ceylon [sɪ'lɔn] о-в Цейло́н.

Chad, Lake ['leɪk'tʃæd] о́зеро Чад.

Channel, the ['tʃænl] см. English Channel.

Channel Isls ['tʃænl'aɪləndz] Норма́ндские острова́.

Charleston ['tʃɑːlstən] г. Чарлсто́н.

Chatham ['tʃætəm] г. Ча́там.

Cheltenham ['tʃeltnəm] г. Че́лтнем.

Cherbourg ['ʃəəbuəg] г. Шербу́р.

Cheshire ['tʃeʃə] Че́шир.

Chester ['tʃestə] г. Че́стер.

Cheviot Hills ['tʃevɪət'hɪlz] Чевио́тские го́ры.

Chicago [ʃɪ'kɑːgou, tʃɪ'kɑːgou] г. Чика́го.

Chile ['tʃɪlɪ] Чи́ли.

China ['tʃaɪnə] Кита́й; Chinese People's Republic Кита́йская Наро́дная Респу́блика.

Chios ['kaɪɔs] о-в Хиос.

Chomolungma [,tʃoumou'luŋmɑː] Джомолу́нгма; см. Everest.

Chuckchee See ['tʃuktʃɪ'siː] Чуко́тское мо́ре.

Chungking [tʃuŋ'kɪŋ] г. Чунцин.

Cincinnati [,sɪnsɪ'nætɪ] г. Цинцинна́ти.

Cirenaica [,saɪərə'neɪɪkə] = Cyrenaica.

Ciudad Trujillo [sjuː'ðɑːðtruː'hiː(l)jou] г. Сьюда́д-Трухи́льо (столица Доминика́нской Республики).

Cleveland ['kliːvlənd] г. Кли́вленд.

Clyde [klaɪd] р. Клайд.

Cochin China ['kɔtʃɪn'tʃaɪnə] ист. Кохинхи́на.

Cologne [kə'loun] г. Кёльн.

Colombia [kə'lɔmbɪə] Колу́мбия (страна).

Colombo [kə'lʌmbou] г. Коло́мбо.

Colorado [,kɔlə'rɑːdou] Колора́до.

Columbia [kə'lʌmbɪə] Колу́мбия (город и река).

Congo ['kɔŋgou] Ко́нго.

Connecticut [kə'netɪkət] Коннéктикут.

Constantinople [,kɔnstæntɪ'noupl] ист. г. Константино́поль.

Constantsa [kɔn'stɑːntsɑː] г. Конста́нца.

Copenhagen [,koupn'heɪgən] г. Копенга́ген.

Corfu [kɔː'fuː] о-в Ко́рфу.

Corinth ['kɔrɪnθ] г. Кори́нф.

Cork [kɔːk] г. Корк.

Cornwall ['kɔːnwəl] Ко́рнуолл.

Corsica ['kɔːsɪkə] *о-в* Ко́рсика.
Costa Rica ['kɔstə'riːkə] Ко́ста-Ри́ка.
Coventry ['kɔvəntrɪ] *г.* Ко́вентри.
Crete [kriːt] *о-в* Крит.
Crimea, the [kraɪ'mɪə] Крым.
Croatia [krou'eɪʃjə] Хорва́тия.
Cuba ['kjuːbə] Ку́ба.
Cumberland ['kʌmbələnd] Ка́мберленд.
Curaçao [ˌkjuərə'sou] Кюрасо́.
Cyclades ['sɪklədiːz] *о-ва* Цикла́ды.
Cyprus ['saɪprəs] *о-в* Кипр.
Cyrenaica [ˌsaɪərə'neɪkə] Кирена́ика.
Czechoslovakia ['tʃekouslou'vækɪə] Че-
хослова́кия; Czechoslovak Socialist Republic
Чехослова́цкая Социалисти́ческая Респу́блика

Dakar ['dækə] *г.* Дака́р.
Dallas ['dæləs] *г.* Да́ллас.
Damascus [də'mɑːskəs] *г.* Дама́ск.
Danube ['dænjuːb] *р.* Дуна́й.
Danzig ['dæntsɪg] *г.* Да́нциг; *см.* Gdańsk.
Dardanelles [ˌdɑːdə'nelz] Дардане́ллы,
Дарданелльский проли́в.
Dar es Salaam, Daressalam ['dɑːressə-
lɑːm] *г.* Да́р-эс-Сала́м.
Dartmouth ['dɑːtməθ] *г.* Да́ртмут.
Daugava ['dɑːugɑːvɑː] *р.* Да́угава.
Dead Sea ['ded'siː] Мёртвое мо́ре.
Delaware ['deləwɛə] Де́лавэр.
Delhi ['delɪ] *г.* Де́ли.
Denbigh(shire) ['denbɪ(ʃɪə)] Де́нби(шир).
Denmark ['denmɑːk] Да́ния.
Denver ['denvə] *г.* Де́нвер.
Derby(shire) ['dɑːbɪ(ʃɪə)] Де́рби(шир).
Des Moines [dɪ'mɔɪn] *г.* Де-Мо́йн.
Detroit [də'trɔɪt] *г.* Детро́йт.
Devon(shire) ['devn(ʃɪə)] Де́вон(шир).
Dieppe [diː'ep] *г.* Дьепп.
District of Columbia ['dɪstrɪktəvkə'lʌm-
bɪə] о́круг Колу́мбия.
Djakarta [dʒə'kɑːtə] = Jakarta.
Djibouti [dʒɪ'buːtɪ] = Jibuti.
Djokjakarta [ˌdʒɔkjə'kɑːtə] = Jogjakarta.
Dnieper ['dniːpə] *р.* Днепр.
Dniester ['dniːstə] *р.* Днестр.
Dodecanese Isls [ˌdoudɪkə'niːz'aɪləndz]
Додеканéзские острова́.
Dominican Republic [də'mɪnɪkənɪ'pʌb-
lɪk] Доминика́нская Респу́блика.
Don [dɔn] *р.* Дон.
Donegal ['dɔnɪgɑːl] До́негол.
Dorset(shire) ['dɔːsɪt(ʃɪə)] До́рсет(шир).
Dover ['douvə] *г.* Дувр.
Dover, Strait of ['streɪtəv'douvə] Па́-
-де-Кале́.
Down [daun] Да́ун.
Dublin ['dʌblɪn] *г.* Ду́блин.
Dudley ['dʌdlɪ] *г.* Да́дли.
Dumbarton [dʌm'bɑːtn] 1) *г.* Ду́мбартон;
2) = Dumbartonshire.
Dumbartonshire [dʌm'bɑːtnʃɪə] Ду́мбар-
тоншир.
Dumfries(shire) [dʌm'friːs(ʃɪə)] Да́мфрис
(-шир).
Dunbar [dʌn'bɑː] *г.* Данба́р.
Dundee [dʌn'diː] *г.* Да́нди.
Dunkirk [dʌn'kəːk] *г.* Дюнке́рк.
Durban ['dəːbən] *г.* Дурба́н.
Durham ['dʌrəm] Да́рем.

East China Sea ['iːst,tʃaɪnə'siː] Восто́чно-
-Кита́йское мо́ре.
Easter Isl ['iːstər'aɪlənd] о́стров Па́схи.
East Indies ['iːst'ɪndɪz] *ист.* Ост-И́ндия.
Ecuador [ˌekwə'dɔː] Эквадо́р.
Edinburgh ['edɪnbərə] *г.* Эдинбу́рг.
Egypt ['iːdʒɪpt] Еги́пет.
Eire ['ɛərə] Э́йре; *см.* Ireland.
Elba ['elbə] *о-в* Э́льба.
Elbe [elb] *р.* Э́льба.
Elbrus, Elbruz ['elbruːs] Эльбру́с.
Elgin(shire) ['elgɪn(ʃɪə)] Э́лгин(шир) [*см.*
тж. Moray].
El Salvador [el'sælvədɔː] = Salvador.
England ['ɪŋglənd] А́нглия.
English Channel ['ɪŋglɪʃ'tʃænl] Ла-Ма́нш.
Enisei [ˌjenɪ'seɪ] = Yenisei.
Entebbe [en'tebə] *г.* Энте́ббе (*столица*
Уганды).
Epsom ['epsəm] *г.* Э́псом.
Erevan [ˌerɪ'vɑːn] = Yerevan.
Erie, Lake ['leɪk'ɪərɪ] о́зеро Э́ри.
Eritrea [ˌerɪ'trɪə] Эритре́я.
Erivan [ˌerɪ'vɑːn] = Yerevan.
Essex ['esɪks] Э́ссекс.
Estonia [es'tounjə] Эсто́ния; Estonian
Soviet Socialist Republic Эсто́нская Сове́т-
ская Социалисти́ческая Респу́блика.
Ethiopia [ˌiːθɪ'oupjə] Эфио́пия.
Etna ['etnə] Э́тна.
Eton ['iːtn] *г.* Йтон.
Euboea [juː'bɪə] *о-в* Эвбе́я.
Euphrates [juː'freɪtiːz] *р.* Евфра́т.
Europe ['juərəp] Евро́па.
Everest ['evərest] Эвере́ст.

Fairbanks ['fɛəbæŋks] *г.* Фе́рбенкс.
Falkland Isls ['fɔːklənd'aɪləndz] Фолк-
ле́ндские острова́.
Faroe Isls, Faroes ['fɛərou'aɪləndz, 'fɛə-
rouz] Фаре́рские острова́.
Fermanagh [fə'mænə] Ферма́на.
Fès, Fez [fes, fez] *г.* Фец.
Fiji Isls [fiː'dʒiː'aɪləndz] острова́ Фи́джи.
Finland ['fɪnlənd] Финля́ндия.
Firth of Forth ['fəːθəv'fɔːθ] *залив* Ферт-
-оф-Форт.
Flint(shire) ['flɪnt(ʃɪə)] Флинт(шир).
Florence ['flɔrəns] *г.* Флоре́нция.
Florida ['flɔrɪdə] Флори́да.
Folkestone ['foukstən] *г.* Фо́лкстон.
Foochow [fuː'tʃau] *г.* Фучжо́у.
Formosa [fɔː'mousə] Формо́за; *см.* Taiwan.
Forth [fɔːθ] *р.* Форт.
France [frɑːns] Фра́нция.
Franz Josef Land ['frænts'jouzəf'lænd]
Земля́ Фра́нца Ио́сифа.
Frunze ['fruːnzə] *г.* Фру́нзе.
Fujiyama ['fuːjɪ'jɑːmɑː] Фудзия́ма.
Fukien ['fuː'kjen] Фудзя́н.

Galápagos Isls [gɑː'lɑːpɑːgəs'aɪləndz]
Галапаго́сские острова́.
Gallipoli [gə'lɪpəlɪ] *г.* Галли́поли.
Ganges ['gændʒiːz] *р.* Ганг.
Gary ['gɛərɪ] *г.* Гэ́ри.
Gdańsk ['gdɑːnjsk] *г.* Гданьск.
Gdynia ['gdiːnjə] *г.* Гды́ня.
Geneva [dʒɪ'niːvə] *г.* Жене́ва.

Genoa ['dʒenouə] г. Гéнуя.
Georgetown ['dʒɔːdʒtaun] г. Джóрджтаун.
Georgia I ['dʒɔːdʒjə] Джóрджия (штат США).
Georgia II ['dʒɔːdʒjə] Грýзия; Georgian Soviet Socialist Republic Грузинская Совéтская Социалистическая Респýблика.
German Democratic Republic ['dʒɑːmən‚demə'krætɪkɪ'pʌblɪk] Гермáнская Демократическая Респýблика.
German Federal Republic ['dʒɑːmən'fedərəlrɪ'pʌblɪk] Федеративная Респýблика Гермáнии.
Germany ['dʒɑːmənɪ] Гермáния.
Gettysburg ['getɪzbəːg] г. Гéттисберг.
Ghana ['gɑːnə] Гáна.
Ghent [gent] г. Гент.
Gibraltar [dʒɪ'brɔːltə] Гибралтáр.
Glamorgan(shire) [glə'mɔːgən(ʃɪə)] Гламóрган(шир).
Glasgow ['glɑːsgou] г. Глáзго.
Gloucester(shire) ['glɔstə(ʃɪə)] Глóстер (-шир).
Gobi, the ['goubɪ] Гóби.
Gori ['gɔːrɪ] г. Гóри.
Gorki ['gɔːkiː] г. Гóрький.
Got(h)land ['gɔtlənd ('gɔθlənd)] о-в Гóтланд.
Grampian Hills, the Grampians ['græmpjən'hɪlz, 'græmpjənz] Грампиáнские гóры.
Great Bear Lake ['greɪt'bɛə'leɪk] Большóе Медвéжье óзеро.
Great Britain ['greɪt'brɪtn] Великобритáния.
Great Slave Lake ['greɪt'sleɪv'leɪk] Большóе Невóльничье óзеро.
Great Yarmouth ['greɪt'jɑːməθ] = Yarmouth.
Greece [griːs] Грéция.
Greenland ['griːnlənd] о-в Гренлáндия.
Greenwich ['grɪnɪdʒ] г. Грин(в)ич.
Guadalcanal [‚gwɑːdəlkə'næl] о-в Гвадалканáл.
Guadeloupe [‚gwɑːdə'luːp] Гваделýпа.
Guam [gwɔm] о-в Гуáм.
Guatemala [‚gwætɪ'mɑːlə] Гватемáла.
Guayaquil [‚gwaɪə'kiːl] г. Гваякиль.
Guernsey ['gəːnzɪ] о-в Гéрнси.
Guiana [gɪ'ɑːnə] Гвиáна.
Guinea ['gɪnɪ] Гвинéя; The Republic of Guinea Гвинéйская Респýблика.

Hague, the [heɪg] г. Гаáга.
Haifa ['haɪfə] г. Хáйфа.
Hainan [haɪ'næn] о-в Хайнáнь.
Haiti ['heɪtɪ] Гаити.
Hakodate [‚hækou'dɑːtɪ] г. Хакодáте.
Halifax ['hælɪfæks] г. Гáлифакс.
Hamburg ['hæmbəːg] г. Гáмбург.
Hamilton ['hæmɪltən] г. Гáмильтон.
Hampshire ['hæmpʃɪə] Гéмпшир.
Hankow [hæn'kau] г. Ханькóу.
Hanoi [hæ'nɔɪ] г. Ханóй.
Hants [hænts] см. Hampshire.
Harbin [hɑː'bɪn] г. Харбин.
Harrow ['hærou] г. Хáрроу.
Harwell ['hɑːwel] г. Хáруэлл.
Harwich ['hærɪdʒ] г. Хáридж.
Hastings ['heɪstɪŋz] г. Гáстингс.

Havana [hə'vænə] г. Гавáна (столица Кýбы).
Havre [hɑːvr] г. Гавр.
Hawaii [hɑː'waiː] Гавáйи (острова и штат).
Hawaiian Isls [hɑː'waɪən'aɪləndz] Гавáйские островá.
Hebrides ['hebrɪdiːz] Гебридские островá.
Hel(i)goland ['hel(ɪ)goulænd] о-в Гельголáнд.
Hellas ['helæs] ист. Эллáда.
Hellespont ['helɪspɔnt] ист. Геллеспóнт.
Helsinki ['helsɪŋkɪ] г. Хéльсинки.
Henley(-on-Thames) ['henlɪ(ɔn'temz)] г. Хéнлей(-на-Тéмзе).
Herat [he'ræt] г. Герáт.
Hereford(shire) ['herɪfəd(ʃɪə)] Хéрефорд (-шир).
Hertford(shire) ['hɑːfəd(ʃɪə)] Хáртфорд (-шир).
Herts [hɑːts] см. Hertford(shire).
Herzegovina [‚hɛətsəgou'viːnə] Герцеговина.
Himalaya(s), the [‚hɪmə'leɪə(z)] Гималáи, Гималáйские гóры.
Hindu Kush ['hɪnduː'kuːʃ] горы Гиндукýш.
Hindustan [‚hɪndu'stɑːn] Индостáн.
Hiroshima [‚hɪrɔ'ʃiːmə] г. Хиросима.
Holland ['hɔlənd] Голлáндия.
Hollywood ['hɔlɪwud] г. Гóлливуд.
Hondo ['hɔndou] = Honshu.
Honduras [hɔn'djuərəs] Гондурáс.
Hong Kong [hɔŋ'kɔŋ] Гонкóнг.
Honolulu [‚hɔnə'luːluː] г. Гонолýлу.
Honshu ['hɔnʃuː] о-в Хонсю.
Horn, Cape ['keɪp'hɔːn] мыс Горн.
Houston ['hjuːstən] г. Хьюстон.
Hudson ['hʌdsn] р. Гудзóн.
Hudson Bay ['hʌdsn'beɪ] Гудзóнов залив.
Hudson Strait ['hʌdsn'streɪt] Гудзóнов пролив.
Hull [hʌl] г. Гулль.
Hunan ['huː'nɑːn] Хунáнь.
Hungary ['hʌŋgərɪ] Вéнгрия; Hungarian People's Republic Венгéрская Нарóдная Респýблика.
Huntingdon(shire) ['hʌntɪŋdən(ʃɪə)] Хáнтингдон(шир).
Hunts [hʌnts] см. Huntingdon(shire).
Hupeh ['huː'peɪ] Хубэй.
Huron, Lake ['leɪk'hjuːərən] óзеро Гурóн.
Hwang Ho [hwæŋ'hou] р. Хуанхэ́.
Hyderabad ['haɪdərəbɑːd] Хайдарабáд.

Iceland ['aɪslənd]Ислáндия.
Idaho ['aɪdəhou] Айдáхо.
Illinois [‚ɪlɪ'nɔɪ, ‚ɪlɪ'nɔɪz] Йллинойс.
India ['ɪndjə] Йндия.
Indiana [‚ɪndɪ'ænə] Индиáна.
Indian Ocean ['ɪndjən'ouʃən] Индийский океáн.
Indonesia [‚ɪndou'niːzjə] Индонéзия.
Indus ['ɪndəs] р. Инд.
Ionian Sea [aɪ'ounjən'siː] Ионическое мóре.
Iowa ['aɪouə] Айова.
Irak [ɪ'rɑːk] = Iraq.

Iran [ɪ'rɑːn] Ира́н.
Iraq [ɪ'rɑːk] Ира́к; Iraq Republic Ира́кская Респу́блика.
Ireland ['aɪələnd] Ирла́ндия.
Irtish [ɪr'tɪʃ] p. Ирты́ш.
Isfahan ['ɪsfəhæn] г. Исфаха́н.
Islington ['ɪzlɪŋtən] г. Йслингтон.
Ispahan [,ɪspə'hɑːn] = Isfahan.
Israel ['ɪzreɪəl] Изра́иль.
Istanbul [,ɪstæn'buːl] г. Стамбу́л.
Italy ['ɪtəlɪ] Ита́лия.
Izmir [ɪz'mɪr] г. Измир.

Jacksonville ['dʒæksnvɪl] г. Джэ́ксонвилл.
Jaffa ['dʒæfə] г. Я́ффа.
Jaipur [dʒaɪ'puə] г. Джайпу́р.
Jakarta [dʒə'kɑːtə] г. Джака́рта (столица Индонезии).
Jamaica [dʒə'meɪkə] о-в Яма́йка.
Japan [dʒə'pæn] Япо́ния.
Java ['dʒɑːvə] о-в Ява.
Jedda ['dʒedə] = Jidda.
Jehol [jə'houl] Жехе́.
Jersey ['dʒəːzɪ] о-в Джёрси.
Jersey City ['dʒəːzɪ'sɪtɪ] г. Джёрси-Сити.
Jerusalem [dʒə'ruːsələm] г. Иерусали́м.
Jibuti [dʒɪ'buːtɪ] г. Джибути́.
Jidda ['dʒɪdə] г. Джи́дда.
Jogjakarta [,dʒɔgjə'kɑːtə] г. Джокьяка́рта.
Johannesburg [dʒou'hænɪsbəːg] г. Иога́ннесбург.
Jordan ['dʒɔːdn] 1) Иорда́ния; 2) p. Иорда́н.
Jugoslavija ['juːgou'slɑːvjə] = Yugoslavia.
Jutland ['dʒʌtlənd] Ютла́ндский полуо́стров.

Kabul ['kɔːbl] г. Қабу́л.
Kalahari Desert [,kɑːlɑː'hɑːrɪ'dezət] пусты́ня Қалаха́ри.
Kaliningrad [kɑː'liːnɪngrɑːd] г. Қалинингра́д.
Kama ['kɑːmə] p. Қа́ма.
Kamchatka [kæm'tʃætkə] п-в Қамча́тка.
Kansas ['kænzəs] Қанза́с.
Kansas City ['kænzəs'sɪtɪ] г. Қанза́с-Сити.
Karachi [kə'rɑːtʃɪ] г. Қара́чи.
Kara Sea ['kɑːrɑː'siː] Қа́рское мо́ре.
Karlovy Vary ['kɑːlouvɪ'vɑːrɪ] г. Қа́рлови-Ва́ри.
Kashgar ['kæʃgɑː] г. Қашга́р.
Kashmir [kæʃ'mɪə] Қашми́р.
Katmandu ['kɑːtmɑːn'duː] г. Қатманду́ (столица Непала).
Kattegat [,kætɪ'gæt] пролив Қаттега́т.
Kaunas ['kaunɑːs] г. Қа́унас.
Kazakhstan [,kɑː,zɑːk'stɑːn] Қазахста́н; Kazakh Soviet Socialist Republic Қаза́хская Сове́тская Социалисти́ческая Респу́блика.
Kent [kent] Қент.
Kentucky [ken'tʌkɪ] Қенту́кки.
Kenya ['kiːnjə] Қе́ния.
Kerch [kertʃ] г. Қерчь.
Kerry ['kerɪ] Қе́рри.

Kharkov ['khɑːrkəf] г. Ха́рьков.
Khart(o)um [kɑː'tuːm] г. Харту́м.
Kiel [kiːl] г. Қиль.
Kiev ['kiːev] г. Қи́ев.
Kilimanjaro [,kɪlɪmən'dʒɑːrou] Қилиманджа́ро (гора).
Kilkenny [kɪl'kenɪ] Қилке́нни.
Kingston ['kɪŋstən] г. Қи́нгстон.
Kioto [kɪ'outou] = Kyoto.
Kirg(h)izia [kə'giːzjə] Қирги́зия; Kirg(h)iz Soviet Socialist Republic Қирги́зская Сове́тская Социалисти́ческая Респу́блика.
Kirin ['kiː'rɪn] Гири́н.
Kirkcudbright(shire) [kə'kuːbrɪ(ʃɪə)] Қёркку́бри(шир).
Kishinev [kɪʃɪ'njɔːv] г. Кишинёв.
Klaipeda ['klaɪpɪdə] г. Кла́йпеда.
Klondike ['klɔndaɪk] Кло́ндайк.
Kobe ['koubɪ] г. Қо́бе.
Kongo ['kɔŋgou] = Congo.
Königsberg ['kɑːnɪgzbəəg] г. Қёнигсберг; см. Kaliningrad.
Korea [kə'rɪə] Қоре́я; Korean People's Democratic Republic Қоре́йская Наро́дно-Демократи́ческая Респу́блика.
Kuala Lumpur ['kwɑːlə'lumpuə] г. Қуа́ла-Лумпу́р (столица Малайской Федерации).
Kuibyshev ['kuːbɪʃev] г. Қу́йбышев.
Kuril(e) Isls [ku'rɪl'aɪləndz] Қури́льские острова́.
Kyoto [kɪ'outou] г. Қио́то.

Labrador ['læbrədɔː] п-в Лабрадо́р.
Ladoga ['lædəgə] Ла́дожское о́зеро.
Lagos ['leɪgɔs] г. Лаго́с.
Lahore [lə'hɔː] г. Лахо́р.
Lake District ['leɪk,dɪstrɪkt] Озёрная о́бласть.
Lanark(shire) ['lænək(ʃɪə)] Ла́нарк(шир).
Lancashire ['læŋkəʃɪə] Ла́нкашир.
Lancaster ['læŋkəstə] 1) = Lancashire; 2) г. Ла́нкастер.
Laos [lauz] Лао́с.
La Paz [lɑː'pæz] г. Ла-Па́с (столица Боливии).
La Plata [lɑː'plɑːtə] p. Ла-Пла́та.
Laptev Sea ['lɑːptev'siː] мо́ре Ла́птевых.
Lassa ['læsə] = Lhasa.
Latvia ['lætvɪə] Ла́твия; Latvian Soviet Socialist Republic Латви́йская Сове́тская Социалисти́ческая Респу́блика.
Lebanon ['lebənən] Лива́н.
Leeds [liːdz] г. Лидс.
Leghorn ['leg'hɔːn] г. Ливо́рно.
Leicester(shire) ['lestə(ʃɪə)] Ле́стер(шир).
Leipzig ['laɪpzɪg] г. Ле́йпциг.
Lena ['leɪnə] p. Ле́на.
Leningrad ['lenɪngrɑːd] г. Ленингра́д.
Lenin Peak ['lenɪn'pɪk] Пик Ле́нина.
Leopoldville [,leɪoupould'viːl] г. Лео́польдвиль.
Lhasa ['læsə] г. Лха́сса.
Liberia [laɪ'bɪərɪə] Либе́рия.
Libia, Libya ['lɪbɪə] Ли́вия.
Liechtenstein ['lɪktənʃtaɪn] Ли́хтенштейн.
Liége [lɪ'eɪʒ] г. Льеж.
Lille [liːl] г. Лилль.

Lima ['li:mə] г. Ли́ма (столица Перу).
Lincoln(shire) ['liŋkən(ʃiə)] Ли́нкольн (-шир).
Lisbon ['lizbən] г. Лиссабо́н.
Lithuania [ˌliθjuːˈeinjə] Литва́; Lithuanian Soviet Socialist Republic Лито́вская Сове́тская Социалисти́ческая Респу́блика.
Little Rock ['litlˈrɔk] г. Ли́тл-Рок.
Liverpool ['livəpuːl] г. Ли́верпул.
Lofoten Isls [louˈfoutənˈailəndz] Лофоте́нские острова́.
Loire [lwaː] р. Луа́ра.
London ['lʌndən] г. Ло́ндон.
Londonderry [ˌlʌndənˈderi] Ло́ндондерри.
Lorraine [lɔˈrein] Лотари́нгия.
Los Angeles [lɔsˈændʒiliːz] г. Лос-Анже́лос.
Louisiana [luːˌiːziˈænə] Лунзиа́на.
Lucknow ['lʌknau] г. Ла́кнау.
Luxemburg ['lʌksəmbəːg] Люксембу́рг.
Luzon [luːˈzɔn] о-в Лусо́н.
Lyons ['laiənz] г. Лио́н.

Macao [məˈkau] Мака́о.
Macedonia [ˌmæsiˈdounjə] Македо́ния.
Mackenzie [məˈkenzi] р. Маке́нзи.
Madagascar [ˌmædəˈgæskə] Мадагаска́р.
Madeira [məˈdiərə] о-в Маде́йра.
Madras [məˈdraːs] г. Мадра́с.
Madrid [məˈdrid] г. Мадри́д.
Magellan, Strait of ['streitəvməˈgelən] Магелла́нов проли́в.
Maine [mein] Мэн (штат США).
Majorca [məˈdʒɔːkə] о-в Майо́рка.
Makassar Strait [məˈkæsəˈstreit] Макасса́рский проли́в.
Malacca [məˈlækə] Мала́кка.
Malaya [məˈleiə] Мала́йя; Federation of Malaya Мала́йская Федера́ция.
Malay Archipelago [məˈleiˌaːkiˈpeligou] Мала́йский архипела́г.
Malay Peninsula [məˈleipiˈninsjulə] полуо́стров Мала́кка.
Malaysia [məˈleiʃə] см. Malay Archipelago.
Malta ['mɔːltə] о-в Ма́льта.
Man [mæn] о-в Мэн.
Managua [məˈnaːgwə] г. Мана́гуа (столица Никарагуа).
Manchester ['mæntʃistə] г. Ма́нчестер.
Manhattan [mænˈhætən] Манха́ттан.
Manila [məˈnilə] г. Мани́ла.
Manitoba [ˌmæniˈtoubə] Манито́ба.
Mannar, Gulf of ['gʌlfəvməˈnaː] Манна́рский зали́в.
Margate ['maːgit] г. Ма́ргет.
Mariana Isls, Marianas [ˌmaːriˈaːnəˈailəndz, ˌmaːriˈaːnaːz] Мариа́нские острова́.
Marmara (Marmora), Sea of ['siːəvˈmaːmərə] Мра́морное мо́ре.
Marne [maːn] р. Ма́рна.
Marquesas Isls [maːˈkeisæsˈailəndz] Марки́зские острова́.
Marseilles [maːˈseilz] г. Марсе́ль.
Marshall Isls ['maːʃəlˈailəndz] Марша́лловы острова́.
Martinique [ˌmaːtiˈniːk] о-в Мартини́ка.
Maryborough ['mɛəribərə] г. Мэ́риборо.

Maryland ['mɛərilænd] Мэ́риленд.
Masqat ['mʌskət] = Muscat.
Massachusetts [ˌmæsəˈtʃuːsets] Массачу́сетс.
Mauritius [məˈriʃəs] о-в Маври́кий.
Mecca ['mekə] г. Ме́кка.
Medina [meˈdiːnə] г. Меди́на.
Mediterranean Sea [ˌmeditəˈreinjənˈsiː] Средизе́мное мо́ре.
Mekong [meiˈkɔŋ] р. Меко́нг.
Melanesia [ˌmeləˈniːzjə] Мелане́зия.
Melbourne ['melbən] г. Ме́льбурн.
Memphis ['memfis] г. Мемфи́с.
Merioneth(shire) [ˌmeriˈɔniθ(ʃiə)] Мерио́нет(шир).
Mersey ['məːzi] р Мерсе́й (Ме́рси).
Mesopotamia [ˌmesəpəˈteimjə] ист. Месопота́мия.
Mexico ['meksikou] Ме́ксика.
Mexico (City) ['meksikou('siti) г. Ме́хико.
Mexico, Gulf of ['gʌlfəvˈmeksikou] Мексика́нский зали́в.
Miami [maiˈæmi] г. Майа́ми.
Michigan ['miʃigən] Ми́чиган.
Michigan, Lake ['leikˈmiʃigən] о́зеро Ми́чиган.
Middlesex [ˈmidlseks] Ми́длсекс.
Midlothian [midˈloudjən] Мидло́тиан.
Midway ['midwei] о-в Миду́эй.
Milan [miˈlæn] г. Мила́н.
Miletus [miˈliːtəs] ист. г. Миле́т.
Milwaukee [milˈwɔːkiː] г. Милуо́ки.
Mindanao [ˌmindəˈnɑːou] о-в Миндана́о.
Minneapolis [ˌminiˈæpəlis] г. Миннеа́полис.
Minnesota [ˌminiˈsoutə] Миннесо́та.
Minorca [miˈnɔːkə] о-в Мино́рка.
Minsk [minsk] г. Минск.
Mississippi [ˌmisiˈsipi] Миссиси́пи (река и штат).
Missouri [miˈzuəri] Миссу́ри (река и штат).
Moldavia [mɔlˈdeivjə] Молда́вия; Moldavian Soviet Socialist Republic Молда́вская Сове́тская Социалисти́ческая Респу́блика.
Molucca Isls, Moluccas [mouˈlʌkəˈailəndz, mouˈlʌkəz] Молу́ккские острова́.
Monaco ['mɔnəkou] Мона́ко.
Mongolia [mɔŋˈgouljə] Монго́лия; Mongolian People's Republic Монго́льская Наро́дная Респу́блика.
Monmouth(shire) ['mʌnməθ(ʃiə)] Мо́нмут(шир).
Monrovia [mənˈrouviə] г. Монро́вия (столица Либерии).
Montana [mɔnˈtænə] Монта́на.
Mont Blanc [mɔ̃ːmˈblɑːŋ] Монбла́н.
Montenegro [ˌmɔntiˈniːgrou] Черного́рия.
Montevideo [ˌmɔntiviˈdeiou] г. Монтеви́део.
Montgomery(shire) [mənˈtgʌməri(ʃiə)] Монтго́мери(шир).
Montreal [ˌmɔntriˈɔːl] г. Монреа́ль.
Moray ['mʌri] Ма́ри [см. тж. Elgin (-shire)].
Morocco [məˈrɔkou] Маро́кко.
Moscow ['mɔskou] г. Москва́.
Mosul ['mousəl] г. Мо́сул.

Mozambique [,mouzəm'biːk] Мозамбик.
Mukden ['mukdən] г. Мукден.
Munich ['mjuːnik]· г. Мюнхен.
Murmansk ['murmɑːnsk] г. Мурманск.
Murray ['mʌri] p. Муррей (Марри).
Muscat ['mʌskət] г. Маскат.
Mysore [mai'sɔː] Майсур.

Nagasaki [,nægə'saːki] г. Нагасаки.
Nairobi [,naiə'roubi] г. Найроби (столица Кении).
Nanking [næn'kiŋ] г. Нанкин.
Naples ['neiplz] г. Неаполь.
Narvik ['nɑːvik] г. Нарвик.
Natal [nə'tæl] Наталь.
Nebraska [ni'bræskə] Небраска.
Neman ['nemən] p. Неман.
Nepal [ni'pɔːl] Непал.
Netherlands ['neðələndz] Нидерланды.
Neva ['neivə] p. Нева.
Nevada [ne'vɑːdə] Невада.
Newark ['njuːək] г. Ньюарк.
Newcastle ['njuː,kɑːsl] г. Ньюкасл.
New Delhi ['njuː'deli] г. Новый Дели.
Newfoundland [,njuːfənd'lænd] о-в Ньюфаундленд.
New Guinea ['njuː'gini] о-в Новая Гвинея.
New Hampshire ['njuː'hæmpʃiə] Нью-Гемпшир.
New Hebrides ['njuː'hebridiːz] о-ва Новые Гебриды.
New Jersey ['njuː'dʒəːzi] Нью-Джерси.
New Mexico ['njuː'meksikou] Нью-Мексико (штат США).
New Orleans [njuː'ɔːliənz] г. Новый Орлеан.
Newport ['njuːpɔːt] г. Ньюпорт.
New South Wales ['njuːsauθ'weilz] Новый Южный Уэльс (Австралия).
New York ['njuː'jɔːk] Нью-Йорк (город и штат).
New Zealand [njuː'ziːlənd] Новая Зеландия.
Niagara [nai'ægərə] p. Ниагара.
Niagara Falls [nai'ægərə'fɔːlz] Ниагарские водопады.
Nicaragua [,nikə'rægjuə] Никарагуа.
Nicosia [,nikou'siːə] г. Никозия.
Niger ['naidʒə] p. Нигер.
Nigeria [nai'dʒiəriə] Нигерия.
Nile [nail] p. Нил.
Nome [noum] г. Ном.
Norfolk ['nɔːfək] Норфолк.
Normandy ['nɔːməndi] Нормандия.
North America ['nɔːθə'merikə] Северная Америка.
Northampton(shire) [nɔː'θæmptən(ʃiə)] Нортгемптон(шир).
North Cape ['nɔːθ'keip] мыс Нордкап.
North Carolina ['nɔːθ,kærə'lainə] Северная Каролина.
North Dakota ['nɔːθdə'koutə] Северная Дакота.
North Pole ['nɔːθ'poul] Северный полюс.
North Sea ['nɔːθ'siː] Северное море.
Northumberland [nɔː'θʌmbələnd] Нортумберленд.
North-West Territories ['nɔːθ'west'territə-

riz] Северо-западная территория (в Канаде).
Norway ['nɔːwei] Норвегия.
Norwich I ['nɔridʒ] г. Норидж (в Англии).
Norwich II ['nɔːwitʃ] г. Норвич (в США).
Nottingham(shire) ['nɔtiŋəm(ʃiə)] Ноттингем(шир).
Notts [nɔts] см. Nottingham(shire).
Novosibirsk [,nɔvəsi'birsk] г. Новосибирск.
Nuremberg, Nürnberg ['njuːrəmbəːg,'njuːrnberk] г. Нюрнберг.
Nyasaland ['njæsələnd] Ньясаленд.

Oakland ['ouklənd] г. Окленд.
Ob [ɔb] p. Обь.
Oceania [,ouʃi'einjə] Океания.
Oder ['oudə] p. Одер.
Odessa [ou'desə] г. Одесса.
Ohio [ou'haiou] Огайо.
Oka [ɔ'kɑː] p. Ока.
Okhotsk, Sea of |'siːəvou'kɔtsk] Охотское море.
Okinawa ['ouki'nɑːwɑː] о-в Окинава.
Oklahoma [,ouklə'houmə] Оклахома.
Olympus [ou'limpəs] Олимп.
Oman [ou'mɑːn] Оман.
Onega [ɔ'njegə] Онежское озеро.
Ontario [ɔn'teəriou] Онтарио.
Ontario, Lake ['leikɔn'teəriou] озеро Онтарио.
Orange River ['ɔrindʒ'rivə] река Оранжевая.
Oregon ['ɔrigən] Орегон.
Öresund ['əːrəsʌn] пролив Эресунн.
Orinoco [,ɔri'noukou] p. Ориноко.
Orkney Isls, Orkneys ['ɔːkni'ailəndz, ɔːkniz] Оркнейские острова.
Osaka [ou'sɑːkə] г. Осака.
Oslo ['ɔzlou] г. Осло.
Ottawa ['ɔtəwə] г. Оттава.
Oxford ['ɔksfəd] г. Оксфорд.
Oxfordshire ['ɔksfədʃiə] Оксфордшир.

Pacific Ocean [pə'sifik'ouʃən] Тихий океан.
Pakistan [,pɑːkis'tɑːn] Пакистан.
Palawan [pɑː'lɑːwɑːn] о-в Палаван.
Palermo [pə'lɑːmou] г. Палермо.
Palestine ['pælistain] Палестина.
Pamirs, the [pə'miəz] Памир.
Panama [,pænə'mɑː] Панама.
Panama Canal [,pænə'mɑːkə'næl] Панамский канал.
Papua ['pæpjuə] Папуа.
Paraguay ['pærəgwai] Парагвай.
Parana [,pɑːrɑː'nɑː] p. Парана.
Paris ['pæris] г. Париж.
Pearl Harbo(u)r ['pəːl'hɑːbə]Пирл-Харбор.
Peking [piː'kiŋ] г. Пекин.
Pembroke(shire) ['pembruk(ʃiə)] Пемброк(шир).
Penghu (Chuntao) [peŋ'huː(tʃuːn'tɑːou)] о-ва Пэнхуледао.
Pennsylvania [,pensil'veinjə] Пенсильвания.
Persia ['pəːʃə] Персия; см. Iran.
Persian Gulf ['pəːʃən'gʌlf] Персидский залив.

Perth [pəːθ] *г.* Перт.
Perth(shire) ['pəːθ(ʃɪə)] Перт(шир).
Peru [pə'ruː] Пéру.
Pescadores [ˌpeskə'dɔːrɪz] Пескадóрские острова́; *см.* Penghu (Chuntao).
Peterborough ['piːtəbrə] *г.* Пи́терборо.
Philadelphia [ˌfɪlə'delfjə] *г.* Филадéльфия.
Philippine Isls, Philippines ['fɪlɪpiːn'aɪləndz, 'fɪlɪpiːnz] Филиппи́нские острова́, Филиппи́ны.
Phoenicia [fɪ'nɪʃɪə] *ист.* Финики́я.
Piraeus [paɪ'riːəs] *г.* Пирéй.
Pittsburgh ['pɪtsbəːg] *г.* Пи́тсбург.
Plata, Plate ['plɑːtə, pleɪt] = La Plata.
Ploeşti [plɔ'jeʃtɪ] *г.* Плоéшти.
Plymouth ['plɪməθ] *г.* Пли́мут.
Pnompenh [nɔm'pen] *г.* Пном-Пéнь (*столица Камбоджи*).
Poland ['pouлənd] Пóльша; Polish People's Republic Пóльская Нарóдная Респу́блика.
Polynesia [ˌpɔlɪ'niːzjə] Полинéзия.
Popocatepetl ['pɔpə,kætɪ'petl] Попокатепéтль.
Port Arthur ['pɔːt'ɑːθə] *г.* Порт-Арту́р.
Port-au-Prince [ˌpɔːtou'prɪns] *г.* Пóрт-о--Прéнс (*столица Гаити*).
Portland ['pɔːtлənd] *г.* Пóртленд.
Port Moresby ['pɔːt'mɔːzbɪ] *г.* Порт--Мóрсби.
Port of Spain ['pɔːtəv'speɪn] Порт-оф--Спéйн.
Port Said [pɔːt'saɪd] *г.* Порт-Сáид.
Portsmouth ['pɔːtsməθ] *г.* Пóртсмут.
Portugal ['pɔːtjugəl] Португáлия.
Prague [prɑːg] *г.* Прáга.
Pretoria [prɪ'tɔːrɪə] *г.* Претóрия (*столица Южно-Африканского Союза*).
Prussia ['prʌʃə] *ист.* Пру́ссия.
Puerto Rico ['pwəːtou'riːkou] Пуэ́рто--Ри́ко.
Punjab [pʌn'dʒɑːb] Пенджáб.
Pyongyang ['pjəːŋ'jɑːŋ] *г.* Пхеньян.
Pyrenees [ˌpɪrə'niːz] Пиренéи.

Quebec [kwɪ'bek] Квебéк.
Queensland ['kwiːnzлənd] Кви́нсленд.
Quezon, City of ['sɪtɪəv'keɪsɔːn] *г.* Кéсон--Си́ти.
Quito ['kiːtou] *г.* Ки́то (*столица Эквадóра*).

Rabat [rə'bɑːt] *г.* Рабáт (*столица Марокко*).
Radnor(shire) ['rædnə(ʃɪə)] Рáднор(шир).
Rangoon [ræŋ'guːn] *г.* Рангу́н.
Reading ['redɪŋ] *г.* Рéдинг.
Recife [rə'siːfə] Реси́фе.
Red Sea ['red'siː] Крáсное мóре.
Reims [riːmz] *г.* Реймс.
Renfrew(shire) ['renfruː(ʃɪə)] Рéнфру (-шир).
Reykjavik ['reɪkjəviːk] *г.* Рéйкьявик.
Rhine [raɪn] *р.* Рейн.
Rhode Island [roud'aɪлənd] Род-Áйленд.
Rhodes [roudz] *о-в* Рóдос.
Rhodesia [rou'diːzjə] Родéзия.
Rhone [roun] *р.* Рóна.
Richmond ['rɪtʃmənd] *г.* Ри́чмонд.

Riga ['riːgə] *г.* Ри́га.
Rio de Janeiro ['riːoudədʒə'nɪərou] *г.* Ри́о-де-Жанéйро.
Rio-de-Oro ['riːoudeɪ'ourou] Ри́о-де-Óро.
Rio Grande ['riːou'grændɪ] *р.* Ри́о-Грáнде.
Riyadh [rɪ'jɑːd] *г.* Эр-Ри́йд (*столица Саудóвской Арáвии*).
Rochester ['rɔtʃɪstə] *г.* Рóчестер.
Rockies, the ['rɔkɪz] = Rocky Mts.
Rocky Mts ['rɔkɪ'mauntɪnz] Скали́стые гóры.
Romania [rɔ'meɪnjə] = R(o)umania.
Rome [roum] *г.* Рим.
Ross and Cromarty ['rɔsənd'krɔmətɪ] Росс энд Крóмарти.
Rotterdam ['rɔtədæm] *г.* Рóттердам.
R(o)umania [ruː'meɪnjə] Румы́ния; R(o)umanian People's Republic Румы́нская Нарóдная Респу́блика.
Roxburgh(shire) ['rɔksbərə(ʃɪə)] Рóкс-бро(шир).
Ruhr [ruːr] *р.* Рур.
Russia ['rʌʃə] Росси́я.
Russian Soviet Federative Socialist Republic ['rʌʃən'souviet'fedərətɪv'souʃəlɪstrɪ'pʌblɪk] Росси́йская Совéтская Федерати́вная Социалисти́ческая Респу́блика.
Rutland(shire) ['rʌtлənd(ʃɪə)] Рáтленд (-шир).

Saar [zɑː] *р.* Саáр.
Saghalien [ˌsægə'liːn] = Sakhalin.
Sahara [sə'hɑːrə] Сахáра.
Saigon [saɪ'gɔn] *г.* Сайгóн.
Saint Helena ['seɪnthe'liːnə] *о-в* Св. Елéны.
Saint Lawrence [seɪnt'lɔːrəns] рекá Св. Лаврéнтия.
Saint Louis [seɪnt'luːɪs] *г.* Сент-Лу́ис (*в США*).
Saint-Louis [ˌsæŋ'lwiː] *г.* Сен-Луй (*в Африке*).
Saint-Louis Isl [ˌsæŋ'lwiː'aɪлənd] óстров Сен-Луй.
Sakhalin [ˌsækə'liːn] *о-в* Сахали́н.
Salisbury ['sɔːlzбərɪ] *г.* Сóлсбери.
Salonika [sə'lɔnɪkə] *г.* Салóники.
Salop ['sæləp] *см.* Shropshire.
Salt Lake City ['sɔːlt'leɪk'sɪtɪ] *г.* Сóлт--Лéйк-Си́ти.
Salvador ['sælvədɔː] Сальвадóр.
Samoa [sə'mouə] *о-ва* Самóа.
Sana, Sanaa [sɑː'nɑː] *г.* Санá (*столица Йéмена*).
San Antonio [ˌsænæn'tounɪou] *г.* Сан--Антóнио.
Sandhurst ['sændhəːst] *г.* Сáндхерст.
San Francisco [ˌsænfrən'sɪskou] *г.* Сан--Франци́ско.
San José [ˌsænhɔ'zeɪ] *г.* Сан-Хосé (*столица Коста-Ри́ки*).
San Juan [sæn'(h)wɑːn] *г.* Сан-Хуáн (*столица Пуэ́рто-Ри́ко*).
San Marino [ˌsænmə'riːnou] Сан-Мари́но.
San Salvador [sæn'sælvədɔː] *г.* Сан-Сальвадóр.
Santiago [ˌsæntɪ'ɑːgou] *г.* Сант-Я́го (*столица Чи́ли*).
São Paulo [sauñ'pauluː] *г.* Сан-Пáулу.

Sarawak [sə'rɑ:wək] Саравáк.
Sardinia [sɑ:'dɪnjə] *о-в* Сардúния.
Saskatchewan [sæs'kætʃɪwən] *p.* Саскáчеван.
Saudi Arabia [sɑ:'u:dɪə'reɪbjə] Саýдовская Арáвия.
Saxony ['sæksnɪ] Саксóния.
Scarborough ['skɑ:brə] *г.* Скáрборо.
Scheldt [skelt] *p.* Шéльда.
Scotland ['skɔtlənd] Шотлáндия.
Seattle [sɪ'ætl] *г.* Сиэ́тл.
Sedan [sɪ'dæn] *г.* Седáн.
Seine [seɪn] *p.* Сéна.
Selkirk(shire) ['selkɜːk(ʃɪə)] Сéлкерк (-шир).
Senegal [,senɪ'gɔːl] Сенегáл.
Seoul [soul, seɪ'uːl] *г.* Сеýл.
Serbia ['sɜːbjə] Сéрбия.
Sevan(g) [se'vɑːn (se'vɑːŋ)] *оз.* Севáн.
Sevastopol [,sevɑːs'tɔpol] *г.* Севастóполь.
Severn ['sevɑːn] *p.* Сéверн.
Seville ['sevɪl] *г.* Севúлья.
Shanghai [ʃæŋ'haɪ] *г.* Шанхáй.
Sheffield ['ʃefiːld] *г.* Шéффилд.
Shetland Isls ['ʃetlənd aɪləndz] Шетлáндские островá.
Shrewsbury ['ʃrouzbərɪ] *г.* Шрýсбери.
Shropshire ['ʃrɔpʃɪə] Шрóпшир.
Siam ['saɪæm] Сиáм; *см.* Thailand.
Siberia [saɪ'bɪərɪə] Сибúрь.
Sicily ['sɪsɪlɪ] *о-в* Сицúлия.
Sierra Leone ['sɪərəlɪ'oun] Сиéрра-Леóне.
Sierra Nevada ['sɪərənɪ'vɑːdə] Сиéрра-Невáда.
Simla ['sɪmlə] *г.* Сúмла.
Singapore [,sɪŋgə'pɔː] *г.* Сингапýр.
Sinkiang ['sɪn'kjɑːŋ] Синцзя́н.
Skagerrack ['skægəræk] *пролив* Скагеррáк.
Sofia ['soufjə] *г.* Сóфия.
Solomon Isls ['sɔləmən'aɪləndz] Соломóновы островá.
Somali(land) [sou'mɑːlɪ(lænd)] Сомалú.
Somerset(shire) ['sʌməsɪt(ʃɪə)] Сóмерсет (-шир).
Sound, the [saund] *пролив* Зунд; *см.* Öresund.
South America ['sauθə'merɪkə] Южная Амéрика.
Southampton [sauθ'æmptən] *г.* Сáутгемптон.
South Carolina ['sauθ,kærə'laɪnə] Южная Каролúна.
South China Sea ['sauθ'tʃaɪnə'siː] Южно-Китáйское мóре.
South Dakota ['sauθdə'koutə] Южная Дакóта.
South Pole ['sauθ'poul] Южный пóлюс.
Spain [speɪn] Испáния.
Spitsbergen ['spɪts,bɜːgən] *о-в* Шпúцбéрген.
Stafford(shire) ['stæfəd(ʃɪə)] Стáффорд (-шир).
Stalinabad [,stɑːlɪnɑː'bɑːd] *г.* Сталинабáд.
Stalingrad [stɑːlɪn'grɑːd] *г.* Сталингрáд.
Stalin Peak ['stɑːlɪn'piːk] Пик Стáлина.
Stirling(shire) ['stɜːlɪŋ(ʃɪə)] Стéрлинг (-шир).
Stockholm ['stɔkhoum] *г.* Стокгóльм.
Strasbourg ['stræzbəːg] *г.* Страсбýрг.

Stratford-on-Avon ['strætfədən'eɪvən] *г.* Стрáтфорд-на-Эйвоне.
Sucre ['suːkrə] *г.* Сýкре.
Sudan [suː'dɑːn] Судáн.
Suez ['suːɪz] *г.* Суэ́ц.
Suez Canal ['suːɪzkə'næl] Суэ́цкий канáл.
Suffolk ['sʌfək] Сýффолк.
Sulawesi [,suːlɑː'weɪsɪ] *о-в* Сулавéси.
Sumatra [suː'mɑːtrə] *о-в* Сумáтра.
Superior, Lake ['leɪksjuː'pɪərɪə] óзеро Вéрхнее.
Surrey ['sʌrɪ] Сýррей.
Sussex ['sʌsɪks] Сýссекс.
Sutherland ['sʌðələnd] Сáтерленд.
Sweden ['swiːdn] Швéция.
Switzerland ['swɪtsələnd] Швейцáрия.
Sydney ['sɪdnɪ] *г.* Сúдней.
Syracuse ['saɪərəkjuːz] *г.* Сиракýзы.
Syr Darya ['sɪrdɑːr'jɑː] *p.* Сыр-Дарья́.
Syria ['sɪrɪə] Сúрия.

Tabriz [tə'briːz] *г.* Тебрúз.
Ta(d)jikistan [tɑː,dʒɪkɪ'stɑːn] Таджикистáн; Ta(d)jik Soviet Socialist Republic Таджúкская Совéтская Социалистúческая Респýблика.
Tahiti [tɑː'hɪtɪ] *о-в* Таúти.
Taiwan [taɪ'wæn] *о-в* Тайвáнь.
Tallin(n) ['tɑːlɪn] *г.* Тáллин.
Tananarive [,tɑː,nɑː,nɑː'riːv] = Antananarivo.
Tanganyika [,tæŋgə'njiːkə] Танганьúка.
Tangier [tæn'dʒɪə] *г.* Танжéр.
Tashkent [tæʃ'kent] *г.* Ташкéнт.
Tasmania [tæz'meɪnjə] *о-в* Тасмáния.
Tbilisi [tbɪ'liːsɪ] *г.* Тбилúси.
Tegucigalpa [tə,guːsɪ'gɑːlpɑː] *г.* Тегусигáльпа (*столица Гондураса*).
Teh(e)ran [tɪə'rɑːn] *г.* Тегерáн.
Tel Aviv ['telɑː'viːv] *г.* Тель-Авúв.
Tennessee [,tene'siː] Теннессú.
Texas ['teksəs] Техáс.
Thailand ['taɪlænd] Таилáнд.
Thames [temz] *p.* Тéмза.
Thebes [θiːbz] *г.* Фúвы.
Thermopylae [θəː'mɔpɪliː] Фермопúлы.
Thibet [tɪ'bet] = Tibet.
Thrace [θreɪs] Фрáкия.
Tiber ['taɪbə] *p.* Тибр.
Tibet [tɪ'bet] Тибéт.
Tien Shan ['tɪən'ʃɑːn] Тянь-Шáнь.
Tientsin [tjen'tsin] *г.* Тяньцзúнь.
Tierra del Fuego ['tjerədelfuː'eɪgou] *о-в* Огненная Земля́.
Tigris ['taɪgrɪs] *p.* Тигр.
Timbuktu [,tɪmbʌk'tuː] *г.* Тимбуктý.
Timor [tɪ'mɔː] *о-в* Тимóр.
Tirana [tɪ'rɑːnə] *г.* Тирáна.
Tirol ['tɪrəl] Тирóль.
Tobruch ['toubruk] *г.* Тóбрук.
Togo ['tougou] Тóго.
Tokyo ['toukjou] *г.* Тóкио.
Toledo I [tə'leɪdou] *г.* Толéдо (*в Испании*).
Toledo II [tə'liːdou] *г.* Толúдо (*в США*).
Torino [tou'riːnou] = Turin.
Toronto [tə'rɔntou] *г.* Торóнто.
Torquay ['tɔː'kiː] *г.* Тóрки.
Torres Strait ['tɔrɪs'streɪt] Торрéсов пролúв.

Tottenham ['tɔtnəm] *г.* Тóтнем.

Trafalgar, Cape ['keɪptrə'fælgə] мыс Трафальгáр.

Transjordan ['trænz'dʒɔːdn] Трансиордáния; *см.* Jordan 1).

Transvaal ['trænzvɑːl] Трансваáль.

Transylvania [ˌtrænsɪl'veɪnjə] Трансильвáния.

Trent [trent] *р.* Трент.

Trieste [triːˈest] *г.* Триéст.

Trinidad ['trɪnɪdæd] *о-в* Тринидáд.

Tripoli ['trɪpəlɪ] *г.* Трúполи.

Troy [trɔɪ] *ист. г.* Трóя.

Tsushima ['tsuːʃɪmə] *о-в* Цусúма.

Tunis ['tjuːnɪs] *г.* Тунúс.

Tunisia [tjuːˈnɪzɪə] Тунúс.

Turin [tjuˈrɪn] *г.* Турúн.

Turkey ['təːkɪ] Тýрция.

Turkmenistan [ˌtəːkˌmenɪ'stɑːn] Туркменистáн; Turkmen Soviet Socialist Republic Туркмéнская Совéтская Социалистúческая Респýблика.

Tweed [twiːd] *р.* Твид.

Twickenham ['twɪknəm] *г.* Туúкнем.

Tyrol ['tɪrəl] = Tirol.

Tyrone [tɪˈroun] Тирóн.

Tyrrhenian Sea [tɪˈriːnjən'siː] Тиррéнское мóре.

Uganda [juːˈgændə] Угáнда.

Ukraine, the [juːˈkreɪn] Украúна; Ukrainian Soviet Socialist Republic Украúнская Совéтская Социалистúческая Респýблика.

Ulan Bator ['uːlɑːn'bɑːtɔ] *г.* Улáн-Бáтор.

Ulianovsk [ul'jɑːnəvsk] = Ulyanovsk.

Ulster ['ʌlstə] Óлстер.

Ulyanovsk [ul'jɑːnəvsk] *г.* Ульянóвск.

Union of South Africa ['juːnjənəv'sauθ'æfrɪkə] Южно-Африкáнский Союз.

Union of Soviet Socialist Republics ['juːnjənəv'souviet'souʃəlɪstrɪ'pʌblɪks] Союз Совéтских Социалистúческих Респýблик.

United Arab Republic [juːˈnaɪtɪd'ærəbrɪ'pʌblɪk] Объединённая Арáбская Респýблика.

United Kingdom of Great Britain and Northern Ireland [juːˈnaɪtɪd'kɪŋdəməv'greit'brɪtnənd'nɔðən'aɪlənd] Соединённое Королéвство Великобритáнии и Сéверной Ирлáндии.

United States of America [juːˈnaɪtɪd'steɪtsəvə'merɪkə] Соединённые Штáты Амéрики.

Urals, the ['juərəlz] Урáл.

Uruguay ['urugwaɪ] Уругвáй.

Utah ['juːtɑː] Юта.

Uzbekistan [uzˌbekɪ'stɑːn] Узбекистáн; Uzbek Soviet Socialist Republic Узбéкская Совéтская Социалистúческая Респýблика.

Vaduz [fɑːˈduːts] *г.* Вадýц (*столица Лихтенштейна*).

Valencia [vəˈlenʃɪə] Валéнсия.

Valparaiso [ˌvælpəˈraɪzou] *г.* Вальпарáйсо.

Vancouver [vænˈkuːvə] *г.* Ванкýвер.

Venezuela [ˌvenə'zwiːlə] Венесуэ́ла.

Venice ['venɪs] *г.* Венéция.

Vermont [vəˈmont] Вермóнт.

Versailles [veə'saɪ] *г.* Версáль.

Vesuvius [vɪˈsuːvjəs] Везýвий.

Vichy ['viːʃɪ] *г.* Вишú.

Victoria [vɪk'tɔːrɪə] *г.* Виктóрия.

Victoria, Lake ['leɪkvɪk'tɔːrɪə] óзеро Виктóрия.

Vienna [vɪ'enə] *г.* Вéна.

Vientiane [vjæŋ'tjɑːn] *г.* Вьентья́н (*столица Лаоса*).

Viet-Nam ['vjet'nɑːm] Вьетнáм; Democratic Republic of Viet-Nam Демократúческая Респýблика Вьетнáм.

Vilnius, Vilnyus ['vɪlnɪəs] Вúльнюс.

Virginia [vəˈdʒɪnjə] Вирги́ния.

Vistula ['vɪstjulə] *р.* Вúсла.

Vladivostok [ˌvlædɪvɔ'stɔk] *г.* Владивостóк.

Volga ['vɔlgə] *р.* Вóлга.

Wales [weɪlz] Уэ́льс.

Warsaw ['wɔːsɔː] *г.* Варшáва.

Warwick(shire) ['wɔrɪk(ʃɪə)] Уóрик(шир).

Washington ['wɔʃɪŋtən] Вáшингтóн (*город и штат*).

Wellington ['welɪŋtən] *г.* Вéллингтон (*столица Новой Зеландии*).

Western Isls ['westən'aɪləndz] *см.* Hebrides.

West Indies ['west'ɪndɪz] Вест-Úндия.

West Point ['west'pɔɪnt] *г.* Вéст-Пóйнт.

West Virginia ['westvə'dʒɪnjə] Зáпадная Вирги́ния.

White Sea ['waɪt'siː] Бéлое мóре.

Wight [waɪt] *о-в* Уáйт.

Wigtown(shire) ['wɪgtən(ʃɪə)] Уúгтон (-шир).

Wilts [wɪlts] *см.* Wiltshire.

Wiltshire ['wɪltʃɪə] Уúлтшир.

Windsor ['wɪnzə] *г.* Вúндзор.

Winnipeg ['wɪnɪpeg] *г.* Вúннипег.

Wisconsin [wɪs'kɔnsɪn] Висконсúн.

Worcester(shire) ['wustə(ʃɪə)] Вýстер (-шир).

Wroclaw ['vrɔtslɑːv] *г.* Врóцлав.

Wyoming [waɪ'oumɪŋ] Вайóминг.

Yangtze (Kiang) ['jæntsɪ('kjæŋ)] *р.* Янцзы́ (цзян).

Yarmouth ['jɑːməθ] *г.* Я́рмут.

Yellow Sea ['jelou'siː] Жёлтое мóре.

Yemen ['jemən] Йéмен.

Yenisei [ˌjenɪ'seɪ] *р.* Енисéй.

Yerevan [ˌjerɪ'vɑːn] *г.* Еревáн.

Yokohama [ˌjoukə'hɑːmə] *г.* Йокогáма.

York(shire) ['jɔk(ʃɪə)] Йóрк(шир).

Ypres ['iːpr] *г.* Ипр.

Yugoslavia ['juːgou'slɑːvjə] Югослáвия; Federal People's Republic of Yugoslavia Федератúвная Нарóдная Респýблика Югослáвия.

Yukon ['juːkɔn] *р.* Юкóн.

Zambezi [zæm'biːzɪ] *р.* Замбéзи.

Zanzibar [ˌzænzɪ'bɑː] *о-в* Занзибáр.

Zealand ['ziːlənd] *о-в* Зелáндия.

Zion ['zaɪən] Сиóн.

Zomba ['zɔmbə] *г.* Зóмба.

Zurich ['zjuərɪk] *г.* Цю́рих.

СПИСОК НАИБОЛЕЕ УПОТРЕБИТЕЛЬНЫХ
АНГЛИЙСКИХ СОКРАЩЕНИЙ

a. about примерно, около, приблизительно.

a acre акр (*4047 м²*).

a afternoon после полудня, пополудни; днём.

a age возраст.

A ampere ампер.

Å Ångström (unit) *физ.* ангстрем.

a. annual ежегодный, годичный.

AA anti-aircraft зенитный, зенитно-артиллерийский; противовоздушный.

AAA American Anthropological Association Американская антропологическая ассоциация.

AAA American Automobile Association Американская автомобильная ассоциация.

A.A.A. Amateur Athletic Association of America Американская ассоциация спортсменов-любителей.

AAAL American Academy of Arts and Letters Американская академия искусств и литературы.

AAAS American Academy of Arts and Sciences Американская академия наук и искусств.

AAAS American Association for the Advancement of Science Американская ассоциация содействия развитию науки.

A.A.C. anno ante Christum *лат.* до нашей эры.

AACR American Association of Cancer Research Американская научно-исследовательская онкологическая ассоциация.

AADS American Academy of Dermatology and Syphilology Американская академия кожно-венерических болезней.

AAN American Association of Neuropathologists Американская ассоциация невропатологов.

AANS American Academy of Neurological Surgery Американская академия нейрохирургии.

AAOO American Academy of Ophthalmology and Otolaryngology Американская академия офтальмологии и отоларингологии.

AAOP American Academy of Oral Pathology Американская академия стоматопатологии.

AAOS American Academy of Orthopaedic Surgery Американская академия ортопедической хирургии.

AAP American Academy of Pediatrics Американская академия педиатрии.

A.A.P.S.S. American Academy of Political and Social Sciences Американская академия политических и социальных наук.

A.A.S. American Astronomical Society Американское астрономическое общество.

A.A.S. Australian Academy of Science Австралийская академия наук.

AAScW American Association of Scientific Workers Американская ассоциация научных работников.

AATM American Academy of Tropical Medicine Американская академия тропической медицины.

AAUP American Association of University Professors Американская ассоциация преподавателей университетов.

AB air base авиационная база.

ABC American Broadcasting Corporation Американская радиовещательная корпорация, Эй-би-си.

ABCC Association of British Chambers of Commerce Ассоциация английских торговых палат.

ABS American Broadcasting System радиовещательная компания «Америкен бродкастинг систем».

abt about примерно, около, приблизительно.

abv. above выше; более.

AC aircraft carrier авианосец.

AC; ac alternating current переменный ток.

AC alto-cumulus высококучевые облака.

a.c. anni currentis *лат.* текущего года.

AC Arctic Circle северный полярный круг.

AC Atlantic Charter Атлантическая хартия.

A.C. Automobile Club автомобильный клуб.

acct account счёт; фактура.

ACESA Australian Commonwealth Engineering Standards Association Ассоциация технических стандартов Австралийского Союза.

acft aircraft 1) самолёт; 2) *attr.* авиационный.

ackgt acknowledgement подтверждение; уведомление о получении; расписка.

A.C.L.S. American Council of Learned Societies Американский совет научных обществ.

ACMF Australian Commonwealth Military Forces вооружённые силы Австралийского Союза.

acpt acceptance *ком.* акцепт(ование).

ACS American Chemical Society Американское химическое общество.

ACTU Arbitration Court of Trade Unions Арбитражный суд (британских) тред-юнионов.

A.D. anno Domini *лат.* нашей эры.

a.d. ante diem *лат.* до этого дня, до сего числа.

a/d on alternate days через день.

addl additional дополнительный, добавочный.

adds address адрес.

ADI American Documentation Institute Американский институт (научной и технической) документации.

A.D.R.A. Animal Diseases Research Association (Британская) ассоциация по изучению болезней животных.

adrm airdrome аэродром.

A.D.S. American Dialect Society Американское диалектологическое общество.

a.d.s. autograph document signed *юр.* собственноручно написанный и подписанный документ.

adsd addressed адресовано, адресуется.

adt; advt advertisement объявление; реклама.

AE absolute error абсолютная ошибка.

AERA American Educational Research Association Американская научно-исследовательская педагогическая ассоциация.

AES American Electrochemical Society Американское электрохимическое общество.

AES American Entomological Society Американское энтомологическое общество.

AES American Ethnological Society Американское этнологическое общество.

AESC American Engineering Standards Committee Американский комитет технических норм и стандартов.

aesu absolute electrostatic unit абсолютная электростатическая единица.

A.E.U. Amalgamated Engineering Union Объединённый (*профессиональный*) союз машиностроителей (*в Англии*).

A/F air freight груз, перевозимый по воздуху.

a.f. as follows как указано далее.

Afft affidavit *лат. юр.* письменное показание под присягой.

AFL/CIO American Federation of Labor/Congress of Industrial Organizations Американская федерация труда и Конгресс производственных профсоюзов, АФТ/КПП.

AFLS American Folklore Society Американское общество фольклора.

afsd aforesaid вышеупомянутый.

a.g.b. any good brand любой коммерческий сорт.

Agcy agency агентство; представительство.

a.g.l. above ground level над уровнем земли.

A.G.M. annual general meeting общее ежегодное собрание.

agmt agreement соглашение; договор.

AGS American Geographical Society Американское географическое общество.

agst; agt against против.

Agt agent агент; представитель.

AGU American Geophysical Union Американский геофизический союз.

Ah; ah ampere-hour ампер-час.

AHA American Heart Association Американская кардиологическая ассоциация.

AHA American Historical Association Американская историческая ассоциация.

ahd ahead вперёд; впереди.

a.k.a.; aka also known as известный также как.

Al. Alaska Аляска (*штат США*).

AL American Legion Американский легион.

a.l. attacking line *спорт.* линия нападения.

a.l. autograph letter собственноручное письмо.

Ala Alabama Алабама (*штат США*).

Ald. alderman олдермен (*в Англии—член совета графства или муниципалитета; в США—член городского совета*).

alky alkalinity щёлочность.

ALS Air Letter Service воздушная почта.

Alta Alberta Альберта (*провинция Канады*).

a.m. above-mentioned вышеуказанный, вышеупомянутый.

AM air mail воздушная почта.

A-m ampere-minute ампер-минута.

A.M. Associate Member член-корреспондент (*в отличие от действительного члена*).

AMA American Medical Association Американская медицинская ассоциация.

AML air mail letter письмо воздушной почтой; авиакорреспонденция.

AMPAS Academy of Motion Picture Arts and Sciences (Американская) академия киноискусства и кинотехники.

AMS American Mathematical Society Американское математическое общество.

AMS American Meteorological Society Американское метеорологическое общество.

AMSL above mean sea level выше среднего уровня моря.

amt amount количество.

amu atomic mass unit атомная единица массы.

AMVETS American Veterans of World War II Союз американских ветеранов второй мировой войны.

an; a/n above-named вышеуказанный, вышепоименованный.

AN Army-Navy сухопутный и морской; принятый для сухопутных войск и военно-морского флота.

ANA American Nature Association Американское общество натуралистов.

ANA American Neurological Association Американская неврологическая ассоциация.

A.N.R.C. Australian National Research Council Австралийский национальный научно-исследовательский совет.

A.N.S. Academy of Natural Sciences (Американская) академия естественных наук.

a.n.s. autograph note signed оригинал документа подписан.

a.n.wt. actual net weight реа́льный вес не́тто.

A.N.Z.A.A.S. Australian and New Zealand Association for the Advancement of Science Австрали́йско-новозела́ндская ассоциа́ция соде́йствия разви́тию нау́ки.

ANZUS Australia, New Zealand, United States Тро́йственный пакт безопа́сности ме́жду Австра́лией, Но́вой Зела́ндией и США, пакт АНЗЮ́С.

a.o. and others и други́е.

a/or and/or и/и́ли.

AOU American Ornithologists' Union Америка́нское о́бщество орнито́логов.

A.P. American Patent америка́нский пате́нт.

a.p. anno passato лат. в про́шлом году́.

AP Associated Press информацио́нное аге́нтство «Ассошиэ́йтед Пресс».

A.P. Atlantic Pact Атланти́ческий пакт.

A.P.A. American Philological Association Америка́нская филологи́ческая ассоциа́ция.

APHA American Public Health Association Америка́нская ассоциа́ция здравоохране́ния.

apl approval одобре́ние, утвержде́ние.

apmt appointment 1) назначе́ние; 2) ме́сто, до́лжность.

A.P.N. Atlantic Pact Nations стра́ны-уча́стницы Атланти́ческого па́кта.

Appx appendix приложе́ние; дополне́ние.

APS American Philosophical Society Америка́нское филосо́фское о́бщество.

APS American Polar Society Америка́нское о́бщество поля́рных иссле́дований.

APTA American Physical Therapy Association Америка́нская физиотерапевти́ческая ассоциа́ция.

aptd appointed назна́ченный.

a.q. any quantity любо́е коли́чество.

A.R. anno regni лат. в год ца́рствования.

AR annual return годово́й отчёт; годово́й обзо́р.

a/r at the rate of а) со ско́ростью; б) при но́рме; в) в коли́честве.

A.R.A. American Radio Association Америка́нская радиотехни́ческая ассоциа́ция.

ARC American Red Cross Америка́нский Кра́сный Крест.

arcft aircraft 1) самолёт; 2) attr. авиацио́нный.

ARd arterial road гла́вная доро́га, основна́я магистра́ль.

A.R.E.A. American Railway Engineering Association Америка́нская железнодоро́жная инжене́рно-техни́ческая ассоциа́ция.

ARI Agricultural Research Institute (Америка́нский) нау́чно-иссле́довательский институ́т се́льского хозя́йства.

A.R.I.C.R. American-Russian Institute for Cultural Relations Америка́но-ру́сский институ́т культу́рных свя́зей.

Ariz. Arizona Аризо́на (штат США).

Ark. Arkansas Арканза́с (штат США).

A.R.M. Annual Representative Meeting ежего́дное собра́ние представи́телей.

arpt airport аэропо́рт.

ARRC Association of the Royal Red Cross Ассоциа́ция Англи́йского Кра́сного Креста́.

ARRL American Radio Relay League Америка́нская ли́га радиолюби́телей-коротковолнови́ков.

ARS American Radium Society Америка́нское о́бщество по изуче́нию ра́дия.

ARS American Rocket Society Америка́нское (инжене́рно-техни́ческое) раке́тное о́бщество.

ARU American Railway Union Америка́нский (профессиона́льный) сою́з железнодоро́жников.

ARX American Red Cross Америка́нский Кра́сный Крест.

a/s alongside мор. вдоль бо́рта; борт о борт.

A.S. amicable settlement юр. мирова́я сде́лка.

AS Anglo-Saxon англосаксо́нский.

A.S.A. Acoustical Society of America Америка́нское акусти́ческое о́бщество.

ASA American Society of Agronomy Америка́нское агрономи́ческое о́бщество.

ASA American Standards Association Америка́нская ассоциа́ция станда́ртов.

A.S.A. Atomic Scientists Association (Брита́нская) ассоциа́ция учёных-а́томников.

ASAE American Society of Aeronautical Engineers Америка́нское о́бщество авиацио́нных инжене́ров.

ASAS American Society of Agricultural Sciences Америка́нское о́бщество сельскохозя́йственных нау́к.

ASCAP; Ascap American Society of Composers, Authors and Publishers Америка́нское о́бщество компози́торов, писа́телей и изда́телей.

ASEA American Society of Engineers and Architects Америка́нское о́бщество инжене́ров и архите́кторов.

A.S.E.E. American Society of Engineering Education Америка́нское о́бщество распростране́ния техни́ческого образова́ния.

asf and so forth и так да́лее.

asgd assigned назна́ченный; предназна́ченный.

asgmt assignment 1) назначе́ние; 2) юр. переусту́пка (пра́ва со́бственности).

ASIH American Society of Ichthyologists and Herpetologists Америка́нское о́бщество ихтио́логов и герпето́логов.

ASLIB Association of Special Libraries and Information Bureaux (Брита́нская) ассоциа́ция специа́льных библиоте́к и информацио́нных (библиографи́ческих) бюро́.

ASM American Society of Metals Америка́нское о́бщество металлове́дения.

A.S.M.E. American Society of Mechanical Engineers Америка́нское о́бщество инжене́ров-меха́ников.

A.S.N.E. American Society of Naval Engineers Америка́нское о́бщество инжене́ров-кораблестрои́телей.

A.S.P. American Society of Parasitologists Америка́нское о́бщество паразито́логов.

asp as soon as possible по возмо́жности скоре́е; при пе́рвой возмо́жности.

Aspt aspirant кандида́т (на до́лжность).

Assn association о́бщество, ассоциа́ция.

Assr. assignor *юр.* лицо́, передаю́щее пра́во со́бственности.

asst. assistant ассисте́нт; помо́щник.

asstd assorted 1) сортиро́ванный; 2) классифици́рованный.

AST Atlantic Standard Time атланти́ческое (нью-йо́ркское) поясно́е вре́мя.

ASTM American Society for Testing Materials Америка́нское о́бщество испыта́ния материа́лов.

ASV Active Service действи́тельная вое́нная слу́жба.

A.T.; A/T American Terms *ком.* америка́нские усло́вия.

AT; a.t. apparent time *астр.* и́стинное вре́мя.

at.ht. atomic heat а́томная теплоёмкость.

at.no. atomic number а́томное число́, а́томный но́мер.

ats at the suit *юр.* по и́ску.

Attn attention 1) внима́ние; 2) внима́нию *такого-то*; 3) обрати́ть внима́ние!

Atty attorney атто́рней (*поверенный, адвокат*).

at.wt. atomic weight а́томный вес.

Å U Ångström unit *физ.* а́нгстрем.

A.U. astronomical unit астрономи́ческая едини́ца.

AUBC Association of Universities of the British Commonwealth Ассоциа́ция университе́тов Брита́нского содру́жества на́ций.

av.; a/v according to value по сто́имости, согла́сно оце́нке.

A.V. acid value *хим.* кисло́тное число́.

AV actual velocity действи́тельная ско́рость.

a.v. atomic volume а́томный объём.

AVC American Veterans' Committee Комите́т америка́нских ветера́нов войны́.

avdp. avoirdupois англи́йская систе́ма мер ве́са (*для всех това́ров, кроме благоро́дных мета́ллов, драгоце́нных ка́мней и апте́карских това́ров; 1 фунт avdp.=453,59 г*).

Ave. avenue авеню́, проспе́кт, у́лица.

avge average 1) сре́днее число́; в сре́днем; 2) *ком.* ава́рия (*убытки, причинённые судну, грузу и фра́хту*).

av.l. average length сре́дняя длина́.

av.w. average width сре́дняя ширина́.

av.wt. avoirdupois weight *см.* avdp.

A/W actual weight факти́ческий вес, и́стинный вес.

A/W; a/w along with вме́сте с.

a.w. atomic weight а́томный вес.

AWG American Wire Gauge америка́нский про́волочный кали́бр.

AWL absent with leave *воен.* нахо́дится в разрешённом о́тпуске.

AWNL Australian Women's National League Австрали́йская национа́льная ли́га же́нщин.

AWOL absent without leave *воен.* нахо́дится в самово́льной отлу́чке.

awu atomic weight unit едини́ца а́томного ве́са

B. bar бар (*едини́ца давле́ния*).

b. before до, пе́ред.

b bel *ак.* бел.

B.A. Bachelor of Arts бакала́вр иску́сств

B.A. British America брита́нские владе́ния в Аме́рике.

B.A.A. British Astronomical Association Брита́нская астрономи́ческая ассоциа́ция

B.A.A.S. British Association for the Advancement of Science Брита́нская ассоциа́ция соде́йствия разви́тию нау́ки.

BAC British Association of Chemists Брита́нская ассоциа́ция хи́миков.

BAEC British Atomic Energy Corporation Брита́нская корпора́ция по а́томной эне́ргии.

B.A.U. British Engineering Standard Association Unit едини́ца электри́ческого сопротивле́ния по систе́ме Брита́нской ассоциа́ции станда́ртов (*0,9866 междунаро́дного ома*).

B.B. Blue Book Си́няя кни́га (*официа́льный отчёт парламе́нтской коми́ссии или Та́йного сове́та Англии*).

BBC British Broadcasting Corporation Брита́нская радиовеща́тельная корпора́ция, Би-би-си.

bbl barrel 1) бочо́нок, бо́чка; 2) ба́ррель (*мера*).

BC basic course основно́й курс.

B.C. before Christ до на́шей э́ры.

BC birth certificate свиде́тельство о рожде́нии.

BC British Columbia Брита́нская Колу́мбия.

B.C.; b/c bulk cargo насыпно́й, нава́лочный *или* наливно́й груз; беста́рный груз.

BCA British Central Africa брита́нские владе́ния в Центра́льной Африке.

B.C.E. British Commonwealth and Empire Брита́нское содру́жество на́ций и импе́рия.

B.C.E.C.C. British—Central European Chamber of Commerce Пала́та по торго́вле ме́жду Великобрита́нией и стра́нами Центра́льной Евро́пы.

BCGA British Cotton Growing Association Брита́нская ассоциа́ция хлопково́дства.

B/Ch Bristol Channel Бристо́льский зали́в.

B.C.I.R.A. British Cast Iron Research Association Брита́нская нау́чно-иссле́довательская ассоциа́ция по изуче́нию чугуна́.

bcl broadcast listener радиослу́шатель.

B.C.N. British Commonwealth of Nations Брита́нское содру́жество на́ций.

BCP British Communist Party Коммуни́стическая па́ртия Великобрита́нии.

B.C.S.O. British Commonwealth Scientific Office Нау́чный центр стран Брита́нского содру́жества.

B.C.U.R.A. British Coal Utilization Research Association Брита́нская нау́чно-иссле́довательская ассоциа́ция по испо́льзованию у́гля.

B.D. Bachelor of Divinity бакала́вр богосло́вия.

B.D. bank draft тра́тта, вы́ставленная ба́нком на друго́й банк.

b/d barrels per day (сто́лько-то) ба́ррелей в день.

B.D. bills discounted дисконти́рованные *или* учтённые векселя́.

bd bond 1) облига́ция; бо́на; 2) долгово́е обяза́тельство; 3) закладна́я.

b.d. bone dry абсолю́тно сухо́й.

bd bound for... направля́ющийся в... (о су́дне).

b/d brought down (цена́) сни́жена.

bd bundle 1) свя́зка, па́чка, тюк; 2) вя́зка пря́жи (54840 *м*).

BDC Berlin Documents Center (Америка́нский) центр изуче́ния и публика́ции докуме́нтов госуда́рственных архи́вов ги́тлеровской Герма́нии (в За́падном Берли́не).

bdcst broadcast радиопереда́ча.

bdg building зда́ние, строе́ние.

B.E. Bank of England Англи́йский банк.

B/E bill of entry *мор.* (тамо́женная) деклара́ция по прихо́ду судо́в.

B.E. British Empire Брита́нская импе́рия.

BEA British East Africa брита́нские владе́ния в Восто́чной А́фрике.

BEA British Engineers' Association Ассоциа́ция брита́нских инжене́ров.

BEA; BEAC British European Airways Corporation Брита́нская корпора́ция европе́йских возду́шных сообще́ний.

BEDA British Electrical Development Association Брита́нская ассоциа́ция разви́тия электроте́хники.

Beds Bedfordshire Бе́дфордшир (графство в Англии).

BEM British Empire Medal меда́ль Брита́нской импе́рии.

b.e.m.f. back electromotive force противоэлектродви́жущая си́ла.

Benelux Belgium, Netherland and Luxemburg экономи́ческий и тамо́женный сою́з Бенилю́кс.

B.E.P.C. British Electrical Power Convention Брита́нская электроэнергети́ческая конве́нция.

B.E.R.A. British Electrical Research Association Брита́нская нау́чно-иссле́довательская электротехни́ческая ассоциа́ция.

Berks Berkshire Бе́ркшир (графство в Англии).

Berw. Berwick(shire) Бе́рик(шир) (графство в Шотландии).

BESA British Engineering Standard Association Брита́нская ассоциа́ция техни́ческих (машиностроительных) станда́ртов.

betn between ме́жду, в промежу́тке.

B.E.T.R.O. British Export Trade Research Organization Брита́нская организа́ция по изуче́нию э́кспортной торго́вли.

Bev billion electron volts миллиа́рд электроново́льт, Бэв.

B. Ex.; B/Ex. bill of exchange перево́дный ве́ксель, тра́тта.

BF back face за́дняя сторона́; за́дняя рань.

b.f. bona fide *лат.* по со́вести; добросо́вестно; и́скренне, чистосерде́чно.

B.F.A.S. British Fine Arts Society Брита́нское о́бщество изобрази́тельных иску́сств.

B.F.M.I.R.A..British Food Manufacturing Industries Research Association Брита́нская нау́чно-иссле́довательская ассоциа́ция пищево́й промы́шленности.

BG background за́дний план, фон.

bg bag мешо́к.

B.G. Birmingham Gauge, British Wire Gauge бирмингёмский кали́бр, брита́нский про́волочный кали́бр.

BG British Government англи́йское прави́тельство.

BG British Guiana Брита́нская Гвиа́на.

Bhn Brinell hardness number *физ.* твёрдость по Бринелю.

B.H.P. boiler horsepower котло́вая лоши́ная си́ла.

B.H.R.A. British Hydromechanics' Research Association Брита́нская нау́чно-иссле́довательская ассоциа́ция гидромеха́ники.

BIA British Ironfounders' Association Брита́нская ассоциа́ция лите́йщиков чугуна́.

BICERA British Internal Combustion Engine Research Association Брита́нская нау́чно-иссле́довательская ассоциа́ция по дви́гателям вну́треннего сгора́ния.

BIDAC Biddings and Acceptances Committee Комите́т спро́са и предложе́ния (Европе́йского экономи́ческого сове́та).

B.I.N.C. British Industries National Council Национа́льный сове́т брита́нской промы́шленности.

BIS Bank for International Settlements Банк междунаро́дных расчётов.

B.I.S. British Interplanetary Society Брита́нское стратонавти́ческое о́бщество.

BISRA British Iron and Steel Research Association Брита́нская нау́чно-иссле́довательская ассоциа́ция чёрной металлу́ргии.

BK bacillus Kochii *лат.* ко́ховская па́лочка, туберкулёзная па́лочка.

bk back наза́д, обра́тно.

Bkg banking 1) произво́дство ба́нковских опера́ций; 2) ба́нковское де́ло.

bkt bracket ско́бка.

B.L. Bachelor of Law бакала́вр пра́ва.

bl bale ки́па, тюк.

bl barrel 1) бочо́нок, бо́чка; 2) ба́ррель (мера).

bl bilateral двусторо́нний.

B/L bill of lading тра́нспортная накладна́я, коносаме́нт.

B.L.A. bilateral agreement двусторо́ннее соглаше́ние.

bldg building зда́ние, строе́ние.

Blvd boulevard бульва́р.

B.M. Bachelor of Medicine бакала́вр медици́ны.

bm. bi-monthly раз в два ме́сяца.

B.M. British Museum Брита́нский музе́й.

B.M.A. British Medical Association Брита́нская медици́нская ассоциа́ция.

B.M.N. British Merchant Navy англи́йский торго́вый флот.

B.M.T. British Mean Time британское среднее время.

B.N. bank-note банкнот.

Bn battalion 1) батальон; 2) *арт.* дивизион.

bn between между, в промежутке.

BNA British North America британские владения в Северной Америке.

B.N.B. British National Bibliography Британская национальная библиография.

B.N.B. British North Borneo британские владения на Северном Борнео.

B.N.F.M.R.A. British Non-Ferrous Metals Research Association Британская научно-исследовательская ассоциация цветной металлургии.

b.o. back order обратный порядок; в обратном порядке.

BO Branch Office местное отделение, филиал.

B.O.; b.o. buyer's option по выбору (*или* усмотрению) покупателя.

B.O.A. British Olympic Association *спорт.* Британская олимпийская ассоциация.

B.O.A.; B.O.A.C. British Overseas Airways Corporation Британская корпорация трансокеанских воздушных сообщений.

BOR; BOR's British other ranks рядовой и сержантский состав английской армии.

BOTU Board of Trade unit киловатт-час.

BOU British Ornithologists' Union Британский союз орнитологов.

BP barometric pressure барометрическое давление.

B.P.; bp birth place место рождения.

b.p. boiling point точка кипения, температура кипения.

B.P. British Patent британский патент.

B.P. British Pharmacopoeia Британская фармакопея.

B.P. British Public британский народ.

B.P.B.I.R.A. British Paper and Board Industry Research Association Британская научно-исследовательская ассоциация бумажной и картонной промышленности.

B.Ph. Bachelor of Philosophy бакалавр философии.

B.P.M.; b.p.m. blows per minute (*столько-то*) ударов в минуту.

B.R. bank rate учётная ставка банка.

BR basic requirements основные требования, требования по стандарту.

B.R. book of reference справочник, справочное издание.

B.R.C. British Research Council Британский научно-исследовательский совет.

BRCS British Red Cross Society Английское общество Красного Креста.

B.R.R.A. British Rayon Research Association Британская научно-исследовательская ассоциация искусственного шёлка.

BRRA British Refractories Research Association Британская научно-исследовательская ассоциация огнеупоров.

B.S.; B/S bill of sale закладная; купчая; корабельная крепость.

b.s. both sides с обеих сторон.

B.S. British Standard британский стандарт.

BSA Bibliographical Society of America Американское библиографическое общество.

BSA Boy Scouts of America Бойскауты Америки (*молодёжная организация*).

BSA British South Africa британские владения в Южной Африке.

B.S.C.R.A. British Steel Castings Research Association Британская научно-исследовательская ассоциация стального литья.

B.S.D. British Standard Dimension размер по британскому стандарту.

BSG British Standard Gauge британский проволочный калибр.

BSM Bronze Star Medal американская медаль «Бронзовая звезда».

B.S.R.A. British Shipbuilding Research Association Британская научно-исследовательская ассоциация кораблестроения.

BSS British Standard Specification британские стандартные спецификации.

B.S.S.S. British Society of Soil Science Британское общество почвоведения.

BST British Summer Time английское летнее время.

b.t. berth terms *мор.* условия о месте причала; линейные условия (*о погрузке и выгрузке*).

btto brutto вес брутто.

b.t.u.; Btu; BTU British Thermal Unit британская тепловая единица (*0,252 большой калории*).

BTUC British Trade Union Congress Конгресс британских тред-юнионов.

bu. bushel бушель (≅ *36,3 л*).

Bucks Buckinghamshire Бакингемшир (*графство в Англии*).

BUP British United Press информационное агентство «Бритиш Юнайтед Пресс».

B/V book value стоимость по торговым книгам.

BWI British West Indies Британская Вест-Индия.

BWT British Winter Time английское зимнее время.

C calorie большая калория, килограмм-калория.

c calorie малая калория, грамм-калория.

c. carat карат (*200 миллиграммов*).

C. centigrade стоградусный (*о температурной шкале Цельсия*).

c centimetre сантиметр.

c circa *лат.* приблизительно, около.

c. curie кюри (*единица радиоактивности*).

Ca. Cavan Каван (*графство в Ирландии*).

C.A. Central America Центральная Америка.

C.A. Court of Appeal апелляционный суд.

C/A; c.a. current account текущий счёт.

C.A.A.R.C. Commonwealth Advisory Aeronautical Research Council Научно-исследовательский авиационный совет Британского содружества.

c.a.d. cash against documents платёж наличными против грузовых документов.

Cal. California Калифо́рния (*штат США*).

Cambs Cambridgeshire Ке́мбриджшир (*графство в Англии*).

c & f cost and freight цена́, включа́ющая сто́имость и фрахт.

c & i cost and insurance цена́, включа́ющая сто́имость и расхо́ды по страхова́нию.

CAR Canadian Association of Radiologists Кана́дская ассоциа́ция радио́логов.

Car. Carlow Ка́рлоу (*графство в Ирландии*).

Card. Cardigan(shire) Ка́рдиган(шир) (*графство в Уэльсе*).

Carm. Carmarthen(shire) Карма́ртен (-шир) (*графство в Уэльсе*).

Carn. Carnarvon(shire) Карна́рвон(шир) (*графство в Уэльсе*).

cb centibar центиба́р (*единица давления*).

CB confidential book секре́тное изда́ние; изда́ние, не подлежа́щее оглаше́нию.

CBC Canadian Broadcasting Corporation Кана́дская радиовеща́тельная корпора́ция.

cbcm cubic centimetre куби́ческий сантиме́тр.

C.B.D. cash before delivery опла́та (това́ра) до доста́вки.

C.B.E.L. Cambridge Bibliography of English Literature Ке́мбриджская библиогра́фия англи́йской литерату́ры.

cbft cubic foot куби́ческий фут.

cbm cubic metre куби́ческий метр.

CBR chemical, biological and radiological хими́ческий, биологи́ческий и радиологи́ческий.

CBS Columbia Broadcasting System (Америка́нская) радиовеща́тельная компа́ния «Колу́мбия».

C.C. cash credit (ба́нковский) креди́т нали́чными деньга́ми.

C.C. Civil Court гражда́нский суд.

CC Common Council муниципалите́т.

c/c concentric концентри́ческий.

C.C. Crown Colony (брита́нская) коло́ния, не име́ющая самоуправле́ния.

cca circa *лат.* приблизи́тельно, о́коло.

CCA Commission for Conventional Armaments of the United Nations' Security Council Коми́ссия по вооруже́ниям обы́чного ти́па Сове́та Безопа́сности ООН.

CCC Central Criminal Court центра́льный суд по уголо́вным дела́м.

CCC Customs Co-operation Council Европе́йский тамо́женный сове́т.

CCIMS Council for the Co-ordination of International Congresses of Medical Sciences Координацио́нный сове́т по вопро́сам созы́ва междунаро́дных медици́нских нау́чных конгре́ссов.

cckw counter-clockwise про́тив (движе́ния) часово́й стре́лки.

ccm. cubic centimetre куби́ческий сантиме́тр.

CCS Canadian Cancer Society Кана́дское онкологи́ческое о́бщество.

C.D. contagious disease инфекцио́нное заболева́ние.

cdl-ft candle-foot фут-свеча́ (*единица освещённости*).

cdm cubic decimetre куби́ческий дециме́тр.

CDV cash debit voucher распи́ска в получе́нии за́йма нали́чными деньга́ми.

CE Canada, East Восто́чная Кана́да.

C.E. Church of England англика́нская це́рковь.

C.E. civil engineer инжене́р-строи́тель.

CEC Central Executive Committee Центра́льный исполни́тельный комите́т.

CEEC Committee of European Economic Co-operation Комите́т европе́йского экономи́ческого сотру́дничества.

cemf counter electromotive force противоэлектродви́жущая си́ла.

CET Central European Time центрально-европе́йское вре́мя.

CF carriage free фра́нко ме́сто назначе́ния.

c.f. centre forward *спорт.* центр нападе́ния.

c.f. centrifugal force центробе́жная си́ла.

cf. confer сравни́.

C.F.L. Canadian Federation of Labour Кана́дская федера́ция труда́.

CFM; cfm cubic feet per minute (*сто́лько-то*) куби́ческих фу́тов в мину́ту.

c.f.o. cancelling former order в отме́ну предыду́щего прика́за.

cfs cubic feet per second (*сто́лько-то*) куби́ческих фу́тов в секу́нду.

cft cubic foot куби́ческий фут.

cg centigram(me) сантигра́мм.

cg centre of gravity центр тя́жести.

CG; C-G Consul-General генера́льный ко́нсул.

CGH Cape of Good Hope Мыс До́брой Наде́жды.

CGS centimetre-gram(me)-second сантиме́тр-грамм-секу́нда (*систе́ма едини́ц*).

c.h.; c-h candle-hour *эл.* час-свеча́.

CH Clearing House расчётная пала́та.

CH Custom House тамо́жня.

chd chaldron ме́ра у́гля (*1,66 м³*).

C.H.E.L. Cambridge History of English Literature Ке́мбриджская исто́рия англи́йской литерату́ры.

Ches Cheshire Че́шир (*графство в Англии*).

Chmn chairman председа́тель.

CHU; c. h. u. centigrade heat unit метри́ческая теплова́я едини́ца.

C/I; c./i. certificate of insurance страхово́й сертифика́т, страхово́й по́лис.

C.I. Channel Islands Норма́ндские о-ва́.

c.i. cubic inch куби́ческий дюйм.

CIC Counter Intelligence Corps слу́жба контрразве́дки США.

cif cost, insurance, freight цена́, включа́ющая сто́имость, расхо́ды по страхова́нию и фрахт.

C-in-C Commander-in-Chief главнокома́ндующий.

CIO Congress of Industrial Organizations Конгре́сс произво́дственных профсою́зов США, КПП; *см. тж.* AFL/CIO.

CIOMS Council for International Organizations of Medical Sciences Сове́т междунаро́дных медици́нских нау́чных организа́ций.

C.I.T.U. Council of Irish Trade Unions Сове́т ирла́ндских тред-юнио́нов.

C.J. Chief Justice гла́вный судья́.

ckw clockwise по часовой стрелке.

cl centilitre сантилитр.

CL centre line средняя линия, линия центров; ось чертежей.

CL centre of lift центр подъёмной силы.

CLUS Continental Limits United States границы континентальной части США.

cm centimetre сантиметр.

CM Corresponding Member член-кор-респондент (научного общества).

CM Court Martial военный суд.

c.m. metric carat международный метрический карат (200 миллиграммов).

C.M.A. Canadian Medical Association Канадская медицинская ассоциация.

cmm cubic millimetre кубический миллиметр.

cm/s centimetre per second (столько-то) сантиметров в секунду.

C/N contract note договорная записка; договор.

CNS central nervous system центральная нервная система.

c/o care of для передачи (такому-то; надпись на письмах).

C/O cash-order фин. 1) тратта, срочная по предъявлении; 2) переводный вексель, оплачиваемый в данной стране.

Co company компания (промышленная, торговая и т. п.).

C.o.C. Chamber of Commerce торговая палата.

COD cash on delivery уплата при доставке; наложенный платёж.

C.O.D. Concise Oxford Dictionary Краткий Оксфордский словарь английского языка.

Colo. Colorado Колорадо (штат США).

COMECON Council for Mutual Economic Aid Совет взаимной экономической помощи (стран народной демократии и СССР).

Conn. Connecticut Коннектикут (штат США).

CONUS Continental United States территория Соединённых Штатов Америки (без островных владений и подмандатных территорий).

Corn. Cornwall Корнуолл (графство в Англии).

Corpn corporation корпорация.

COSEC Co-ordinating Secretariat of National Unions of Students Координационный секретариат национальных студенческих союзов.

C.P. calorific power теплотворная способность; теплопроизводительность.

cp candle-power сила света (в свечах).

C/P charter-party мор. фрахтовый контракт, чартер-партия.

C.P. Code of Civil Procedure гражданский процессуальный кодекс.

CP Communist Party коммунистическая партия.

cp. compare сравни.

cp constant potential эл. постоянный потенциал.

C.P. cost price себестоимость.

CPA Communist Party of Australia Коммунистическая партия Австралии.

C.P.C. Communist Party Congress съезд коммунистической партии.

C.P.C. Communist Party of China Коммунистическая партия Китая, КПК.

C.P.G.B. Communist Party of Great Britain Коммунистическая партия Великобритании.

c.p.h. candle-power hours количество света в свече-часах.

CPH central power house центральная электростанция.

CPIT Committee for Promotion of International Trade Комитет содействия международной торговле (с СССР и странами народной демократии).

cps cycles per second (столько-то) циклов в секунду, (столько-то) герц.

CPSU Communist Party of the Soviet Union Коммунистическая партия Советского Союза, КПСС.

C.P.U.S.A. Communist Party of the United States of America Коммунистическая партия США.

Cr creditor кредитор.

C.R.C. Canadian Red Cross Канадский Красный Крест.

CRC Canadian Research Council Канадский научно-исследовательский совет.

C.R.M. cash on receipt of merchandise уплата наличными по получении товара.

CrO circular order циркулярное распоряжение.

C.S. capital stock основной капитал.

CS Civil Service государственная гражданская служба.

C.S.A. Canadian Standards Association Канадская ассоциация стандартов.

CSFS Canadian-Soviet Friendship Society Общество канадско-советской дружбы.

C.S.I.R.O. Commonwealth Scientific and Industrial Research Organization Организация Британского содружества по научным и промышленным исследованиям.

C.S.T. central standard time центральное поясное время (от 90° до 105° западной долготы).

Ct Connecticut Коннектикут (штат США).

CT correct time точное время.

C.T.C. Cyclists' Touring Club Клуб велосипедного туризма.

ctl cental английский квинтал (мера сыпучих тел = 45,36 кг).

C.T.U. centigrade thermal unit метрическая тепловая единица.

cu. cubic кубический.

CV coulomb-volt эл. кулон-вольт.

C.V. curriculum vitae лат. жизнеописание.

CW Canada, West Западная Канада.

C/W; c.w. commercial weight торговый вес.

c.w.o. cash with order наличный расчёт при выдаче заказа.

CWS Committee for Whaling Statistics Международный статистический комитет китобойного промысла.

CWS confer with script сравни с текстом.

C.W.S. Co-operative Wholesale Society Кооперативное общество оптовой торговли.

CWT central winter time центральное зимнее поясное время (*от 95° до 105° западной долготы*).

cwt hundredweight центнер (*в Англии— 50,8 кг; в США —45,3 кг*).

Cy city город.

cy currency валюта.

CYs cubic yards кубические ярды.

CZ Canal Zone зона Панамского канала.

d. date дата.

d. day 1) день; 2) *attr.* дневной.

d. denarius *лат.* пенни.

d. dime (американская монета в) 10 центов.

D/A; d/a days after acceptance *банк.* (*через столько-то*) дней после акцепта.

D/A documents attached документы приложены.

dag. decagram(me) декаграмм.

D.Agr. Doctor of Agriculture доктор сельскохозяйственных наук.

D.A.H. disordered action of the heart расстройство сердечной деятельности.

dal decalitre декалитр.

dam decametre декаметр.

d. & s. demand and supply спрос и предложение.

DAR Daughters of the American Revolution «Дочери американской революции» (*женская организация*).

das decastere десять кубометров.

DB; d.b. day-book дневник; журнал.

db decibel *физ.* децибел.

dbl; dble double двойной; парный; дублированный.

D.C. Diplomatic Corps дипломатический корпус.

D.C. direct current постоянный ток.

D.C. District of Columbia федеральный округ Колумбия (*США*).

dct document документ; documental документальный.

d/d days after date (*через столько-то*) дней от сего числа.

D/D demand draft вексель (сроком) по предъявлении; тратта, срочная по предъявлении.

D.D. Doctor of Divinity доктор богословия.

dd doubled удвоенный; сдвоенный.

D-day 1) день призыва; 2) *воен.* день «D», день начала операции.

d.d. in d. de die in diem *лат.* изо дня в день.

D.E. degree of elasticity степень упругости.

dec.; decd deceased скончавшийся, умерший.

Del. Delaware Делавэр (*штат США*).

Dem. democrat демократ; democratic демократический.

Den. Denbig(shire) Денби(шир) (*графство в Уэльсе*).

Dept department 1) управление; отдел;

департамент; 2) министерство; ведомство; 3) военный округ.

Derbs. Derby(shire) Дерби(шир) (*графство в Англии*).

detd determined определённый, установленный.

d.f. design formula расчётная формула.

d.f. diversity factor коэффициент разновремённости.

D.F. double fronted двухфасадный; выходящий на две улицы *или* дороги.

dft defendant обвиняемый, подсудимый; ответчик.

dft draft 1) набросок; схема, чертёж; 2) проект (*документа*); 3) чек, тратта; сумма, полученная по тратте; 4) пополнение, маршевая команда; 5) *мор.* осадка.

dg decigram(me) дециграмм.

d.g. decimal gauge десятичный калибр.

dg degree 1) градус; 2) степень, ранг.

D.H. Daily Herald газета «Дейли гералд».

dH difference in height разность высот.

DHP designed horsepower проектная мощность.

di. diameter диаметр.

difce; diff. difference 1) разница; различие; 2) *мат.* разность.

dk dark тёмный.

dkg dekagram(me) декаграмм.

dkl dekalitre декалитр.

dkm dekametre декаметр.

dl. decilitre децилитр.

D/L demand loan заём *или* ссуда до востребования.

d.l. description leaf аннотация.

DLa difference of latitudes *геогр.* разность широт.

D. Lit.; D. Litt. Doctor of Literature доктор литературы.

D. Lo. difference of longitudes *геогр.* разность долгот.

dm decimetre дециметр.

DM Diplomatic Mission дипломатическая миссия.

D.M. Doctor of Medicine доктор медицины.

D.N.G. Dutch New Guinea голландские владения на Новой Гвинее.

D/O delivery order 1) распоряжение о выдаче груза (*или* товара); 2) товарораспорядительный документ; 3) заказ на поставку товара.

D.o.B.; DOB date of birth дата рождения.

Dors. Dorset(shire) Дорсет(шир) (*графство в Англии*).

DP difference of potential *эл.* разность потенциалов, напряжение.

DP displaced person перемещённое лицо.

D.P. Doctor of Philosophy доктор философии.

d.p. double-pole *эл.* двухполюсный.

DPE for the duration of the present emergency на время чрезвычайного положения.

dr debtor должник, дебитор.

Dr doctor доктор; врач.

dr. ap. dram apothecaries драхма аптекарского веса (*0,0355 децилитра*).

dr. av. dram avoirdupois дра́хма торго́вого ве́са (*1,7718 г*).

DRV Democratic Republic of Viet-Nam Демократи́ческая Респу́блика Вьетна́м.

ds decistere ¹/₁₀ куби́ческого ме́тра.

D.S. document signed докуме́нт, подпи́санный (*таким-то*).

Du duchy ге́рцогство.

Dumb. Dumbarton Ду́мбартон (*графство в Шотландии*).

Dumf. Dumfries(shire) Да́мфрис(шир) (*графство в Шотландии*).

DV discharged veteran *амер.* демобилизо́ванный уча́стник войны́.

d.w. daily wages дневна́я за́работная пла́та.

DW Daily Worker газе́та «Де́йли уо́ркер».

d.w. deadweight *тех.* 1) вес констру́кции, мёртвый вес; 2) по́лная грузоподъёмность (*судна*).

DWT; dwt deadweight tonnage по́лная грузоподъёмность (*судна*) в то́ннах.

dwt pennyweight пе́ннуэйт (*мера веса=1,55 г*).

dz dozen дю́жина.

E East восто́к; eastern восто́чный.

e erg *физ.* эрг (*едини́ца рабо́ты*).

E modulus of elasticity *физ.* мо́дуль упру́гости.

E.A. East Africa Восто́чная А́фрика.

EAES European Atomic Energy Society Европе́йское соо́бщество по а́томной эне́ргии, Евра́том.

E.Am. Encyclopaedia Americana *лат.* Америка́нская энциклопе́дия.

E & OE errors and omissions excepted исключа́я оши́бки и про́пуски.

E.A.O.N. except as otherwise noted исключа́я те слу́чаи, когда́ ука́зано ина́че.

E.B. Encyclopaedia Britannica *лат.* Брита́нская энциклопе́дия.

e.b.b.; EBB extra best best са́мого высо́кого ка́чества.

EBU European Broadcasting Union Европе́йский радиовеща́тельный сою́з.

E.C. Executive Committee исполни́тельный комите́т.

e.c. exempli causa *лат.* наприме́р.

ECAFE Economic Commission for Asia and the Far East Экономи́ческая коми́ссия ООН для А́зии и Да́льнего Восто́ка, ЭКАДВ.

E.C.E. East Coast of England Восто́чное побере́жье А́нглии.

ECE Economic Commission for Europe Экономи́ческая коми́ссия ООН для Евро́пы.

ECG; e.c.g. electrocardiogram электрокардиогра́мма.

E.C.I. East Coast of Ireland Восто́чное побере́жье Ирла́ндии.

ECI Extension Course Institute институ́т зао́чного обуче́ния.

ECLA Economic Commission for Latin America Экономи́ческая коми́ссия ООН для стран Лати́нской Аме́рики, ЭКЛА.

ECME Economic Commission for the Middle East Экономи́ческая коми́ссия ООН для Сре́днего Восто́ка.

ECNR European Council for Nuclear Research Европе́йский сове́т по я́дерным иссле́дованиям.

ECOSOC Economic and Social Council (of the United Nations) Экономи́ческий и социа́льный сове́т ООН.

ECSC European Coal and Steel Community Европе́йское объедине́ние у́гля и ста́ли, ЕОУС.

E.C.U.K. East Coast of United Kingdom Восто́чное побере́жье Соединённого Короле́вства.

ED existence doubtful существова́ние сомни́тельно.

EDC European Defence Community Европе́йское оборони́тельное соо́бщество.

E.D.D. English Dialect Dictionary Слова́рь англи́йских диале́ктов.

edn edition изда́ние.

ednl educational общеобразова́тельный; воспита́тельный.

E.D.S. English Dialect Society Англи́йское диалектологи́ческое о́бщество.

EE Early English раннеангли́йский язы́к.

E.E. English ell ме́ра длины́ (*114,2 см*).

EE Envoy Extraordinary чрезвыча́йный посла́нник.

e.e. errors excepted 1) исключа́я оши́бки; 2) оши́бки в преде́лах допусти́мости.

EEC European Economic Council Европе́йский экономи́ческий сове́т.

EEG electroencephalogram электроэнцефалогра́мма.

EET East European time восточноевропе́йское поясно́е вре́мя.

EFC effective foreign currency свобо́дно обраща́ющаяся (на би́рже) иностра́нная валю́та.

e.g. exempli gratia *лат.* наприме́р.

EHP effective horsepower поле́зная мо́щность в лошади́ных си́лах.

e.h.p. electric horsepower электри́ческая лошади́ная си́ла.

E.H.P.h. electric horsepower hour электри́ческая лошади́ная си́ла/час.

EHT extra high tension *эл.* сверхвысо́кое напряже́ние.

EL east longitude *геогр.* восто́чная долгота́.

E.L. East Lothian Ист-Ло́тиан (*графство в Шотландии*).

E.L. elastic limit преде́л упру́гости.

ELH English Literary History Исто́рия англи́йской литерату́ры.

EM Eastern Mediterranean Восто́чное Средиземномо́рье.

E-M; e.m. electromagnetic(al) электромагни́тный.

E.M.F.; e.m.f. electromotive force электродви́жущая си́ла.

EMF European Monetary Fund Европе́йский валю́тный фонд.

EMT European mean time среднеевропе́йское поясно́е вре́мя.

E.M.U. electromagnetic unit электромагни́тная едини́ца.

emu electromotive unit едини́ца электродви́жущей си́лы.

E.M.V. electromagnetic volume электромагни́тная ёмкость.

e.o.d. every other day через день, раз в два дня.

E.O.M. end of month (following) в концé (слéдующего) мéсяца.

e.o.m. every other month через мéсяц, раз в два мéсяца.

e.o.o.e. errors or omissions excepted исключая ошибки или прóпуски.

E.P. express paid срóчность (*достáвки*) оплáчена.

EPD earliest possible date к возмóжно бóлее рáннему срóку.

e.p.m. explosions per minute (*столько--то*) взрывов в минýту.

E.P.T. Excess Profits Tax налóг на сверхприбыль.

EPTA (United Nations') Expanded Program of Technical Assistance for Economic Development of Under-Developed Countries Расширенная прогрáмма ООН по оказáнию технической пóмощи экономически слаборáзвитым странам.

EPU European Payment Union Европéйский платёжный сою́з.

ERC English Red Cross Английский Крáсный Крест.

Esq.; Esqr Esquire эсквáйр.

Ess. Essex Эссéкс (*грáфство в Англии*).

e.s.u. electrostatic unit электростатическая единица.

ET early treatment пéрвая (медицинская) пóмощь.

E.T. English translation английский перевóд.

Eurovision Europe—Television Объединённая западноевропéйская телевизиóнная прогрáмма.

eV; e.v. electron volt электроновóльт.

evg evening вéчер.

evy every кáждый.

exps; exs expenses расхóды, издéржки.

F Fahrenheit температýрная шкалá Фаренгéйта.

F farad *эл.* фарáда.

f. fathom морскáя сáжень (*182,5 см*).

f.a.c. fast as can как мóжно скорéе.

FAI Fédération Aéronautique Internationale *фр.* Международная авиациóнная федерáция, ФАИ.

FAO (United Nations') Food and Agricultural Organization Организáция ООН по вопрóсам продовóльствия и сéльского хозяйства, ФАО.

faq fair average quality *ком.* хорóшее кáчество в срéднем.

f.a.q. free alongside quay фрáнко вдоль нáбережной.

F.A.S. Federation of American Scientists Федерáция учёных США.

f.a.s. free alongside ship фрáнко вдоль бóрта сýдна.

FASEB Federation of American Societies for Experimental Biology Американская федерáция эксперментáльной биолóгии.

F.B. full back *спорт.* защитник.

FBI Federal Bureau of Investigation Федерáльное бюрó расслéдований, ФБР (*США*)

F.C. for cash за наличные.

FCN Treaty of Friendship, Commerce and Navigation Договóр о дрýжбе, торгóвле и мореплáвании.

fco franco фрáнко; свобóдно от расхóдов; бесплáтно.

fct forecast предсказáние, прогнóз; предварительный расчёт.

Fd field 1) пóле; 2) *attr.* полевóй, похóдный.

f.d. free dispatch бесплáтная пересылка.

FE Far East Дáльний Востóк.

FEA French Equatorial Africa францýзские владéния в Экваториáльной Áфрике.

Fedn federation федерáция.

Fer; Ferm Fermanagh Фермáна (*грáфство в Сéверной Ирлáндии*).

FET Far East Time дальневостóчное поясное врéмя.

f.g.a. free of general average *мор. страх.* свобóдно от óбщей авáрии.

F.H.R. Federal House of Representatives федерáльная палáта представителей (*в Австрáлии*).

f.i. free in погрýзка оплáчивается фрахтовáтелем.

f.i.a. full interest admitted *ком.* все услóвия для обеспéчения заинтересóванности соблюдены.

FIDE Fédération Internationale des Échecs *фр.* Международная шáхматная федерáция, ФИДЕ.

FIFA Fédération Internationale de Football Associations *фр.* Международная федерáция футбóльных обществ.

f.i.o. free in and out погрýзка и выгрузка оплáчиваются фрахтовáтелем, ФИО.

f.l. falsa lectio *лат.* разночтéние.

Fla. Florida Флорида (*штат США*).

F.m. fair merchantable хорóшего торгóвого кáчества.

fm. fathom морскáя сáжень (*182,5 см*).

F.M. Foreign Mission иностранная миссия.

fm from из; от; с; по.

FMS Federated Malaya States Малáйская федерáция.

fn foot-note снóска, примечáние.

fn.p. fusion point тóчка плавлéния.

f.o.b. free on board фрáнко-борт, ФОБ.

f.o.c. free of charge бесплáтно, безвозмéздно.

f.o.d. free of damage *страх.* свобóдно от поврежéния.

f.o.q. free on the quay фрáнко-нáбережная.

f.o.r. free on rail фрáнко-рéльсы, фрáнко желéзная дорóга.

f.o.s. free on steamer фрáнко-парохóд.

f.p. freezing point тóчка замерзáния.

F.P.H.; f.p.h. feet per hour (*столько-то*) фýтов в час.

f.p.m. feet per minute (*столько-то*) фýтов в минýту.

f.p.s. feet per second (*столько-то*) фýтов в секýнду.

FRG Federal Republic of Germany Федеративная респýблика Гермáнии, ФРГ.

Fritalux France, Italy and Benelux coun-

tries экономи́ческий сою́з Фра́нции, Ита́-
лии и стран Бенилю́кса.

F.R.N. Federation of Rhodesia and
Nyasaland Федера́ция Роде́зии и Нья́са-
ленда.

Frt; Fr't freight 1) груз; 2) фрахт.

F.S. Faraday Society Фараде́евское общество (в Англии).

ft foot фут; feet фу́ты.

F.T.L. force, time, length си́ла, вре́мя,
длина́ (система едини́ц).

f.v. folio verso лат. на оборо́те (листа,
страницы).

F.W. full weight о́бщий вес, по́лный вес.

F.X. foreign exchange иностра́нная ва-
лю́та.

F.Y.I. for your information для ва́шего
све́дения.

G gauss га́усс (единица магнитной ин-
дукции).

G gram(me) грамм.

G specific gravity уде́льный вес.

ga gauge 1) кали́бр; шабло́н; масшта́б;
станда́рт; 2) ж.-д. ширина́ колей.

G/A general average мор. страх. о́бщая
ава́рия.

Ga. Georgia Джо́рджия (штат США).

GA (United Nations') General Assembly
Генера́льная Ассамбле́я (ООН).

GACT Greenwich apparent civil time
и́стинное гражда́нское вре́мя по гри́нвич-
скому мериди́ану.

gal. gallon галло́н.

GATT General Agreement on Tariffs and
Trade Генера́льное соглаше́ние по тамо́-
женным тари́фам и торго́вле (стран Атлантического союза).

GB Great Britain Великобрита́ния.

GB & I Great Britain and Ireland Велико-
брита́ния и Ирла́ндия.

GC Geneva Convention Жене́вская Кон-
ве́нция (1864, 1929, 1949 годов, регулирую-
щая положение раненых, пленных и гражданских лиц, захваченных воюющими сторонами).

G.C. Gold Coast Золото́й Бе́рег.

G.C. Grand Cross «Большо́й крест» (высшая степень ордена в Англии).

g.-cal. gram(me)-calorie грамм-кало́-
рия.

g/cc grams per cubic centimetre (столько-
-то) гра́ммов на куби́ческий сантиме́тр.

G.C.D. great circle distance расстоя́ние
по дуге́ большо́го круга (Земли).

g.c.d. greatest common divisor о́бщий
наибо́льший дели́тель.

g/cu. m. grams per cubic metre (столько-
-то) гра́ммов на куби́ческий метр.

Gd grand большо́й, вели́кий.

GDR German Democratic Republic Гер-
ма́нская Демократи́ческая Респу́блика,
ГДР.

g.f. good fair высокока́чественный.

GFTU General Federation of Trade Unions
Всео́бщая федера́ция тред-юнио́нов.

g.gr. great gross большо́й гросс (12 грос-
сов, 1728 штук).

GHQ General Headquarters ста́вка

гла́вного кома́ндования; штаб-кварти́ра; об-
щевойсково́й штаб.

gi gill ме́ра жи́дкости (в Англии—0,142 л;
в США—0,118 л).

GI Government Issue 1) attr. казённого
образца́; казённый; военного образца́; 2)
прозвище американского солдата.

GIJ Government Issue Jane прозвище
женщины-военнослужащей в США.

GL Great Lakes Вели́кие озёра (в США).

G.L. ground level у́ровень земли́.

Glos. Gloucester(shire) Гло́стер(шир)
(графство в Англии).

GM Gold Medal золота́я меда́ль.

GM guided missile управля́емый снаря́д.

GMT Greenwich mean time сре́днее вре́мя
по гри́нвичскому мериди́ану.

g.m.v. gram(me)-molecular volume
грамм-молекуля́рный объём.

g.m.w. gram(me)-molecular weight
грамм-молекуля́рный вес.

g.o.b. good ordinary brand обы́чного хо-
ро́шего ка́чества (о товаре).

GP general purpose attr. о́бщего назначе́-
ния, многоцелево́й.

G.P. Great Powers вели́кие держа́вы.

g.p.h. gallons per hour (столько-то) гал-
ло́нов в час.

gph grams per hour (столько-то) гра́м-
мов в час.

g.p.m. gallons per minute (столько-то)
галло́нов в мину́ту.

G.P.O. General Post-Office гла́вное поч-
то́вое управле́ние, гла́вный почта́мт.

g.p.s. gallons per second (столько-то)
галло́нов в секу́нду.

gps grams per second (столько-то) гра́м-
мов в секу́нду.

gr; gro gross (12 дюжин, 144 штуки).

GRT gross register tons мор. (столько-то)
регистровых тонн или бру́тто-тонн.

G.S. grammar-school сре́дняя класси́че-
ская шко́ла.

GS Gulf States шта́ты США, грани́чащие
с Мексика́нским зали́вом (Флорида, Алабама, Миссисипи, Луизиана и Техас).

GSA Genetics Society of America Амери-
ка́нское о́бщество гене́тики.

G.S.A. Geological Society of America
Америка́нское геологи́ческое о́бщество.

GSL Great Salt Lake Большо́е Солёное
о́зеро (в США).

g.s.m. good sound marketable о́чень хо́д-
кий (о товаре).

g.s.w. gross shipping weight вес бру́тто
при отпра́вке.

g.t. gross ton дли́нная или англи́йская
то́нна (1016 кг).

g.t.m. good this month действи́телен в те-
че́ние э́того ме́сяца.

g.t.w. good this week действи́телен в тече́-
ние э́той неде́ли.

g.v. gravimetric volume гравиметри́че-
ский объём.

GW gross weight вес бру́тто, вес това́ра
с упако́вкой.

G.W.P. Government White Paper «Бе́-
лая кни́га» (официальное правительственное издание в Англии).

H hardness твёрдость.

H henry *эл.* ге́нри.

h. hour час.

ha hectare гекта́р.

h.a. hoc anno *лат.* в э́том году́.

HAC Hague Arbitration Convention Гаа́гская конве́нция о междунаро́дном арбитра́же.

Hants Hampshire Ге́мпшир (*графство в Англии*).

Haw. Hawaii Гава́йи (*острова и штат США*).

H.B. half-back *спорт.* полузащи́тник.

H.B.M. His (Her) Britannic Majesty Его́ (Её) Брита́нское Вели́чество (*титул английского короля или королевы*).

H.C. High Court of Justice Верхо́вный суд (*в Англии*).

H.C.; h.c. honoris causa *лат.* за заслу́ги (*учёная степень, присуждаемая без защиты диссертации*)

HC House of Commons пала́та о́бщин (*в Англии*).

H.D. hearing distance расстоя́ние слы́шимости.

HD Home Defence оборо́на метропо́лии.

h.e. hic est *лат.* то́ есть.

HE high explosive взры́вчатое вещество́.

Herts Hertford(shire) Ха́ртфорд(шир) (*графство в Англии*).

H.E.U.; h.e.u. hydroelectric unit гидроэлектри́ческая едини́ца.

hf half полови́на.

HF high frequency высо́кая частота́.

HF Home Fleet флот метропо́лии.

Hfd Hereford(shire) Хе́рефорд(шир) (*графство в Англии*).

H. G. High German верхненеме́цкий язы́к.

hhd hogshead хо́гсхед (*мера жидкости: в Англии—286,4 л; в США—238 л*).

HK Hong Kong Гонко́нг.

hl. hectolitre гектоли́тр.

h.l. hoc loco *лат.* в э́том ме́сте.

HL House of Lords пала́та ло́рдов (*в Англии*).

hm. hectometre гектоме́тр.

H.M.G. His (Her) Majesty's Government прави́тельство Его́ (Её) Вели́чества, прави́тельство Великобрита́нии.

HMS His (Her) Majesty's Service «на слу́жбе Его́ (Её) Вели́чества» (*обозначение принадлежности к вооружённым силам Великобритании*).

h.m.s. hours, minutes, seconds часы́, мину́ты, секу́нды.

H. O. Head Office гла́вная конто́ра; правле́ние.

HP; Hp; hp horsepower лошади́ная си́ла (*единица мощности*).

hp.-hr. horsepower-hour (лошади́ная) си́ла-час.

HPS highest possible score наибо́льшее возмо́жное число́ очко́в (*в стрелковых и др. спортивных соревнованиях*).

HQ; Hq headquarters штаб.

h.r. half-round полукру́глый.

hr hour час.

HR House of Representatives пала́та представи́телей (*американского конгресса*).

H.R.A. Honorary Royal Academician почётный член Короле́вской акаде́мии.

H.R.C.A. Honorary Royal Cambrian Academician почётный член Уэ́льской короле́вской акаде́мии.

H.R.S.A. Honorary Member of the Royal Scottish Academy почётный член Шотла́ндской короле́вской акаде́мии.

h.s. hoc sensu *лат.* в э́том смы́сле.

ht heat теплота́.

H.T. high treason госуда́рственная изме́на.

h.t. hoc tempore *лат.* в э́то вре́мя.

hv heavy тяжёлый.

h.v. high voltage высо́кое напряже́ние.

Hvn haven га́вань.

hW hectowatt гектова́тт.

hwt hundredweight це́нтнер (*в Англии— 50,8 кг; в США—45,36 кг*).

I. Idaho Айда́хо (*штат США*).

i inch дюйм.

Ia Iowa А́йова (*штат США*).

IAAF International Amateur Athletic Federation Междунаро́дная федера́ция легкоатле́тов-люби́телей.

IAC International Air Convention Междунаро́дная авиацио́нная конве́нция.

IADL International Association of Democratic Lawyers Междунаро́дная ассоциа́ция юри́стов-демокра́тов, МАЮД.

IAEL International Association of Electrical Leagues Междунаро́дное объедине́ние электротехни́ческих о́бществ.

I.Ae.S. Institute of Aeronautical Sciences Брита́нский институ́т аэронавигацио́нных нау́к.

IAES International Association for the Exchange of Students Междунаро́дная ассоциа́ция по обме́ну студе́нтами.

IAF International Aeronautical Federation Междунаро́дная авиацио́нная федера́ция, ФАИ.

IAF International Astronautical Federation Междунаро́дная астронавти́ческая федера́ция.

IAF International Automobile Federation Междунаро́дная автомоби́льная федера́ция.

IAFE International Association of Fairs and Expositions Междунаро́дная ассоциа́ция я́рмарок и вы́ставок.

IAG International Association of Geodesy Междунаро́дная геодези́ческая ассоциа́ция.

IAH International Association of Hydrology Междунаро́дная гидрологи́ческая ассоциа́ция.

IAHR International Association for Hydraulic Research Междунаро́дная нау́чно-иссле́довательская ассоциа́ция гидра́влики.

IAHS International Academy of History of Sciences Междунаро́дная акаде́мия исто́рии нау́к.

IAI International Africa-Institute Междунаро́дный институ́т изуче́ния А́фрики.

IAI International Anthropological Institute Междунаро́дный институ́т антрополо́гии

IAI International Automotive Institute Междунаро́дный автомоби́льный институ́т.

IAL International Association of Theoretical and Applied Limnology Междунаро́дная ассоциа́ция теорети́ческой и прикладно́й лимноло́гии.

IAM International Association of Meteorology Междунаро́дная метеорологи́ческая ассоциа́ция.

IAMB International Association of Microbiologists Междунаро́дная ассоциа́ция микробио́логов.

IAPA International Association of Plastic Arts Междунаро́дная ассоциа́ция де́ятелей изобрази́тельных иску́сств.

IAPO International Association of Physical Oceanography Междунаро́дная ассоциа́цля физи́ческой океаногра́фии.

IARU International Amateur Radio Union Междунаро́дный сою́з радиолюби́телей.

IAS International Association of Seismology Междунаро́дная сейсмологи́ческая ассоциа́ция.

IATA International Air Transport Association Междунаро́дная ассоциа́ция возду́шных сообще́ний.

IATME International Association of Terrestrial Magnetism and Electricity Междунаро́дная ассоциа́ция по изуче́нию земно́го магнети́зма и электри́чества.

IAU International Association of Universities Междунаро́дная ассоциа́ция университе́тов.

IAU International Astronomical Union Междунаро́дный астрономи́ческий сою́з.

IAUPL International Association of University Professors and Lecturers Междунаро́дная ассоциа́ция профессоро́в и преподава́телей университе́тов.

IAV International Association of Vulcanology Междунаро́дная вулканологи́ческая ассоциа́ция.

IAW in accordance with... в соотве́тствии с...

IAW International Alliance of Women Междунаро́дный же́нский алья́нс.

ib. ibidem *лат.* там же.

IBC illegal boundary crosser наруши́тель грани́цы.

IBM intercontinental ballistic missile межконтинента́льный баллисти́ческий снаря́д.

IBRD International Bank for Reconstruction and Development Междунаро́дный банк реконстру́кции и разви́тия.

i.bu. imperial bushel импе́рский бу́шель (*36,36 л*).

IBU International Broadcasting Union Междунаро́дный радиовеща́тельный сою́з.

IBWM International Bureau of Weights and Measures Бюро́ междунаро́дного комите́та мер и весо́в.

ICA International Co-operative Alliance Междунаро́дный кооперати́вный алья́нс, МКА.

ICA International Council of Archives Междунаро́дный архи́вный сове́т.

ICAA International Confederation of Artists' Associations Междунаро́дная федера́ция о́бществ де́ятелей иску́сства.

ICAO International Civil Aviation Organization Междунаро́дная организа́ция гражда́нской авиа́ции.

ICC International Chamber of Commerce Междунаро́дная торго́вая пала́та.

ICCTU International Confederation of Christian Trade Unions Междунаро́дная конфедера́ция христиа́нских профсою́зов.

ICES International Council for the Exploration of the Sea Междунаро́дный сове́т по вопро́сам океаноло́гии.

ICET International Council on Education for Teaching Междунаро́дный сове́т по вопро́сам педагоги́ческого образова́ния.

ICF International Canoeing Federation Междунаро́дная федера́ция кано́э-байда́рочного спо́рта.

ICFTU International Confederation of Free Trade Unions Междунаро́дная конфедера́ция свобо́дных профсою́зов, МКСП.

ICG International Congress of Genetics Междунаро́дный генети́ческий конгре́сс.

ICGM intercontinental guided missile межконтинента́льный управля́емый снаря́д.

ICHS International Committee of Historical Sciences Междунаро́дный комите́т истори́ческих нау́к.

ICI International Commission on Illumination Междунаро́дный светотехни́ческий комите́т, МСК.

ICJ International Court of Justice Междунаро́дный суд (*в Гааге*).

ICMA International Congress for Modern Architecture Междунаро́дный конгре́сс совреме́нной архитекту́ры.

ICO International Comission of Oceanography Междунаро́дная коми́ссия по океаногра́фии.

ICO International Congress of Otolaryngology Междунаро́дный конгре́сс отоларинго́логов.

ICOM International Council of Museums Междунаро́дный сове́т по дела́м музе́ев.

ICOS International Committee of Onomastic Sciences Междунаро́дный ономатологи́ческий комите́т.

ICP International Candle-Power междунаро́дная свеча́ (*едини́ца измере́ния си́лы све́та*).

ICPHS International Council for Philosophy and Humanistic Studies Междунаро́дный сове́т по изуче́нию филосо́фских и гуманита́рных нау́к.

ICR International Congress of Radiology Междунаро́дный радиологи́ческий конгре́сс.

ICS International Chamber of Shipping Междунаро́дная пала́та судохо́дства.

ICSU International Council of Scientific Unions Междунаро́дный сове́т нау́чных о́бществ.

I.C.T. International Critical Tables междунаро́дные табли́цы физи́ческих конста́нт.

ICW International Council of Women Междунаро́дный сове́т же́нщин.

ICWG International Co-operative Women Guild Междунаро́дная же́нская кооперати́вная ги́льдия.

I.C.Z. Isthmian Canal Zone зо́на Пана́мского кана́ла.

id idem *лат.* тот же.

i.d. inside diameter вну́тренний диа́метр.

i.e. id est *лат.* то́ есть.

I.E. Indo-European индоевропе́йский.

IEA International Economic Association Междунаро́дная нау́чно-экономи́ческая ассоциа́ция.

IEC International Electrotechnical Commission Междунаро́дная электротехни́ческая коми́ссия, МЭК.

I.E.F.C. International Emergency Food Council Всеми́рный продово́льственный сове́т (*ООН*).

i.f. in full 1) по́лный, зако́нченный; 2) по́лностью.

IFALS International Federation of Arts, Letters and Sciences Междунаро́дная федера́ция де́ятелей иску́сства, литерату́ры и нау́ки.

IFC International Fisheries Commission Междунаро́дная коми́ссия по рыболо́вству.

IFCTU International Federation of Christian Trade Unions Междунаро́дная федера́ция христиа́нских профсою́зов.

IFF International Fencing Federation Междунаро́дная спорти́вная федера́ция фехтова́ния.

IFLA International Federation of Library Associations Междунаро́дная федера́ция библиоте́чных ассоциа́ций.

IFMC International Folk Music Council Междунаро́дный сове́т по наро́дной му́зыке.

IFPM International Federation of Physical Medicine Междунаро́дная федера́ция физиотерапи́и.

IFTA International Federation of Teachers' Associations Междунаро́дная федера́ция учи́тельских сою́зов.

IFWL International Federation of Women Lawyers Междунаро́дная федера́ция же́нщин-юри́стов.

IFYC International Federation of Young Co-operators Междунаро́дная федера́ция молоды́х коопера́торов.

I.G. Indo-Germanic индогерма́нский.

IGF International Gymnastic Federation Междунаро́дная гимнасти́ческая федера́ция.

IGO Intergovernmental Organization Межправи́тельственная организа́ция (*ООН*).

IGS Imperial General Staff Импе́рский генера́льный штаб.

IGY International Geophysical Year Междунаро́дный геофизи́ческий год.

I.H.B. International Hockey Board Междунаро́дный комите́т по хокке́ю.

i.h.p.; IHP indicated horsepower индика́торная лошади́ная си́ла; индика́торная мо́щность.

ILCOP International Liaison Committee of Organizations for Peace Междунаро́дный комите́т свя́зи организа́ций борьбы́ за мир.

Ill Illinois Иллино́йс (*штат США*).

ILO International Labour Organization Междунаро́дная организа́ция труда́, МОТ (*ООН*).

IMC International Music Council Междунаро́дный сове́т по вопро́сам му́зыки.

IMF International Metalworkers' Federation Междунаро́дная (*профсою́зная*) федера́ция рабо́чих-металли́стов.

IMF International Monetary Fund Междунаро́дный валю́тный фонд (*ООН*).

IMU International Mathematical Union Междунаро́дный математи́ческий сою́з.

Ind Indiana Индиа́на (*штат США*).

IO Indian Ocean Инди́йский океа́н.

i.o. in order в поря́дке.

IOC International Olympic Committee Междунаро́дный олимпи́йский комите́т.

IOJ International Organization of Journalists Междунаро́дная организа́ция журнали́стов, МОЖ.

IOU I owe you я вам до́лжен (*форма долгово́й распи́ски*).

IPA International Phonetic Alphabet междунаро́дный фонети́ческий алфави́т; междунаро́дная фонети́ческая транскри́пция.

i.p.m. inches per minute (*сто́лько-то*) дю́ймов в мину́ту.

i.p.s. inches per second (*сто́лько-то*) дю́ймов в секу́нду.

IPSA International Political Science Association Междунаро́дная ассоциа́ция обще́ственно-полити́ческих нау́к.

IPU International Paleontological Union Междунаро́дный палеонтологи́ческий сою́з.

IPU Interparliamentary Union Межпарла́ментский сою́з.

i.q. idem quod *лат.* так же как.

IRC International Red Cross Междунаро́дное о́бщество Кра́сного Креста́.

IRF International Rowing Federation Междунаро́дная федера́ция гребно́го спо́рта.

IRO International Refugee Organization Междунаро́дная организа́ция ООН по дела́м бе́женцев.

IRRC International Rescue and Relief Committee Междунаро́дный комите́т ООН по оказа́нию по́мощи же́ртвам войны́.

IRU International Radium Unit междунаро́дная едини́ца радиоакти́вности, междунаро́дная ра́диевая едини́ца.

IRU International Railway Union Всеми́рный железнодоро́жный сою́з.

ISAC International Scientific Agricultural Council Междунаро́дный нау́чный сове́т по се́льскому хозя́йству.

ISC International Society of Cardiology Междунаро́дное о́бщество кардиоло́гии.

ISCM International Society for Contemporary Music Междунаро́дное о́бщество совреме́нной му́зыки.

ISFA International Scientific Film Association Междунаро́дная ассоциа́ция нау́чного кино́, МАНК.

ISMUN International Students' Movement for the United Nations Междунаро́дное студе́нческое движе́ние соде́йствия ООН.

ISSC International Social Science Council Междунаро́дный сове́т по изуче́нию обще́ственных нау́к.

ISSS International Society of Soil Science Междунаро́дное о́бщество почвове́дения.

ISU International Shooting Union Междунаро́дный сою́з стрелко́вого спо́рта.

ISU International Skating Union Междунаро́дный сою́з конькобе́жцев.

ITA International Touring Alliance Междунаро́дный тури́стский алья́нс.

ITO International Trade Organization Междунаро́дная организа́ция торго́вли (*ООН*).

ITWF International Transport Workers' Federation Междунаро́дная (*профсою́зная*) федера́ция тра́нспортных рабо́чих.

I.U. international unit междунаро́дная едини́ца.

IUA International Union of Arts Междунаро́дное объедине́ние де́ятелей иску́сства.

IUAA International Union of Alpine Associations Междунаро́дное объедине́ние альпини́стских о́бществ.

IUAS International Union of Agricultural Sciences Междунаро́дный нау́чно-агрономи́ческий сою́з.

I.U.B.S. International Union of Biological Sciences Междунаро́дный нау́чно-биологи́ческий сою́з.

IUGG International Union of Geodesy and Geophysics Междунаро́дный сою́з геоде́зии и геофи́зики.

IUI International Union of Interpreters Междунаро́дный сою́з (у́стных) перево́дчиков.

IUS International Union of Students Междунаро́дный сою́з студе́нтов, МСС.

IWSA International Workers' Sport Association Междунаро́дная рабо́чая спорти́вная ассоциа́ция.

IYC International Youth Congress Междунаро́дный конгре́сс молодёжи.

IYRU International Yacht-Racing Union Междунаро́дный сою́з яхт-клу́бов.

JA Judge Advocate вое́нный прокуро́р.

JB John Bull Джон Буль (*про́звище англича́н*).

jc junction железнодоро́жный у́зел; стык шоссе́йных *или* желе́зных доро́г.

JCS Joint Chiefs of Staffs Объединённый комите́т нача́льников штабо́в (*США*).

J.D. Jurum Doctor *лат.* до́ктор пра́ва.

J.P. Justice of the Peace мирово́й судья́.

jr junior мла́дший.

jr. gr. junior grade мла́дший разря́д.

jt joint объединённый, соединённый; совме́стный, еди́ный.

jt. au. joint author соа́втор.

°K degree Kelvin (*сто́лько-то*) гра́дусов Ке́львина (*абсо́л. температу́рной шкалы́*).

k; K kilogram(me) килогра́мм.

Kan.; Kans.; Kas. Kansas Канза́с (*штат США*).

KC; kc. kilocycle килоци́кл.

kcal kilocalorie килокало́рия, больша́я кало́рия.

Kc/s kilocycles per second (*сто́лько-то*) килоге́рц.

Ken. Kentucky Кенту́кки (*штат США*).

kev kilo-electron-volt килоэлектроново́льт, кэв.

K.G. kilogram gross weight вес бру́тто в килогра́ммах.

kg kilogram(me) килогра́мм.

kg p. h. kilograms per hour (*сто́лько-то*) килогра́ммов в час.

kg p.m. kilograms per minute (*сто́лько-то*) килогра́ммов в мину́ту.

kg/s kilograms per second (*сто́лько-то*) килогра́ммов в секу́нду.

kHz kilohertz килоге́рц.

Kilk. Kilkenny Килке́нни (*гра́фство в Ирла́ндии*).

Kin. Kinross(shire) Кинро́сс (шир) (*гра́фство в Шотла́ндии*).

Kinc. Kincardine (shire) Кинка́рдин (шир) (*гра́фство в Шотла́ндии*).

Kirk. Kirkcudbright (shire) Кёрку́бри (-шир) (*гра́фство в Шотла́ндии*).

kl kilolitre килоли́тр.

km. kilometre киломе́тр.

km p.h. kilometres per hour (*сто́лько-то*) киломе́тров в час.

km/s kilometres per second (*сто́лько-то*) киломе́тров в секу́нду.

K.O. knock out *спорт.* нока́ут.

kV; kv kilovolt килово́льт.

kva; KVA kilovolt-ampere (*сто́лько-то*) килово́льт-ампе́р.

kW; kw kilowatt килова́тт.

kwh kilowatt-hour килова́тт-ча́с.

Ky Kentucky Кенту́кки (*штат США*).

L lambert ла́мберт (*едини́ца пове́рхностной я́ркости или освещённости*).

L league 1) ли́га (*4,83 км; морска́я ли́га — 5,56 км*); 2) ме́ра пло́щади (*5760 а́кров*).

L. length длина́.

L. libra *лат.* фунт.

L longitude долгота́; меридиа́н.

L.A. Legislative Assembly законода́тельное собра́ние.

L.A. length average сре́дняя длина́.

l.a. letter of advice ави́зо, уведомле́ние, извеще́ние.

L/A letter of authority пи́сьменное полномо́чие, дове́ренность.

L.A.; L/A lighter than air ле́гче во́здуха.

LA local authority ме́стные вла́сти, ме́стное управле́ние.

L.A. Los Angeles г. Лос-А́нжелос.

La. Louisiana Луизиа́на (*штат США*).

Lancs Lancashire Ла́нкашир (*гра́фство в А́нглии*).

L.A.T. local apparent time и́стинное ме́стное вре́мя.

Latd latitude *геогр.* широта́.

L.A.U.K. Library Association of the United Kingdom Библиоте́чная ассоциа́ция Соединённого Короле́вства.

L.B. letter-box почто́вый я́щик.

lb. libra *лат.* фунт.

L.b. long(-dated) bill долгосро́чный ве́ксель, долгосро́чная тра́тта.

lb. ap. pound apothecary фунт апте́карского ве́са (*373,24 г*).

lb. av. pound avoirdupois англи́йский фунт торго́вого ве́са (*453,6 г*).

l.b.s. lectori benevolo salutem! *лат.* приве́т благоскло́нному чита́телю!

L.C. Law Court суд.

LC; L/C letter of credit аккредитив.

L.C. Library of Congress Библиотéка конгрéсса США.

l.c. loco citato *лат.* в приведённом (*или* цитированном) мéсте.

L.C. Lower California Нижняя Калифóрния.

L.C.C. London County Council Совéт Лóндонского грáфства.

l.c.m. least common multiple óбщее наимéньшее крáтное.

L.C's Low Countries Нидерлáнды.

l.c.v. low calorific value низкая теплотвóрная спосóбность.

LCWIO Liaison Committee of Women's International Organizations Комитéт связи междунарóдных жéнских организáций.

LD lethal dose смертéльная дóза.

L.D. letter of deposit залóговое письмó.

ldg lodging жилище; квартира.

Ldn London *г.* Лóндон.

LE low explosive мéдленно горящее взрывчатое веществó.

Leics. Leicester(shire) Лéйстер(шир) (*грáфство в Áнглии*).

LEY Liberal European Youth Либерáльная молодёжь Еврóпы (*организация*).

lf leaf лист.

LF load factor коэффициéнт нагрýзки.

Lfd Longford Лóнгфорд (*грáфство в Ирлáндии*).

l. ft. linear foot погóнный фут (*304,8 мм*).

lg. large большóй.

lg logarithm логарифм (*десятичный*).

L.G. Low German нижненемéцкий язык.

lgt; lgth length длинá.

lg tn long ton длинная *или* английская тóнна (*1016 кг*).

L.H. latent heat *физ.* скрытая теплотá.

l./hr. litre/hour литр/час.

l.hr. lumen-hour люмен-час.

l.h.s. left hand side лéвая сторонá.

Li Lincoln(shire) Линкольн(шир) (*грáфство в Áнглии*).

li. logarithm integral интегрáльный логарифм.

Lim. Limerick Лимерик (*грáфство в Ирлáндии*).

Lincs Lincoln(shire) Линкольн(шир) (*грáфство в Áнглии*).

l.i.w. loss in weight потéря в вéсе.

l.l. load line *мор.* 1) грузовáя ватерлиния; 2) линия грузовóй мáрки.

l.l. loco laudato *лат.* в упомянутом мéсте.

LL longitude and latitude *геогр.* долготá и широтá.

LLR line of least resistance линия наимéньшего сопротивлéния.

lm lumen *физ.* люмен.

ln. logarithm natural натурáльный логарифм.

Lnrk Lanark(shire) Лáнарк(шир) (*грáфство в Шотлáндии*).

LO low ordinary обычный низкосóртный (*о товáре*).

L.O.A. length overall óбщее протяжéние, óбщая длинá.

Lond. Londonderry Лóндондерри (*грáфство в Ирлáндии*).

LP Labour Party лейбористская пáртия (*в Áнглии*).

LPA Labor Press Association Ассоциáция рабóчей (*профсоюзной*) печáти США.

LPPC Labour Progressive Party of Canada Рабóчая прогрессивная пáртия Канáды.

L.R. Lloyd's Register судовóй регистр Ллóйда.

L-S language student изучáющий инострáнный язык.

l.s. left side лéвая сторонá.

L.S. local sunset захóд сóлнца по мéстному врéмени.

l.s. long sight *attr.* долгосрóчный (*о счéте или вéкселе*).

LSA Linguistic Society of America Америкáнское лингвистическое óбщество.

L.s.d. librae, solidi, denarii *лат.* фýнты стéрлингов, шиллинги, пéнсы.

LSR local sunrise восхóд сóлнца по мéстному врéмени.

L.St. livre sterling фунт стéрлингов (*денéжная единица*).

ltd; Ltd; L'td; Lt'd limited (*компания*) с ограниченной отвéтственностью.

L.U.N. League of United Nations Лига содéйствия Организáции Объединённых Нáций.

lw. lightweight *спорт.* лёгкий вес.

LWOP leave without pay óтпуск без сохранéния содержáния.

lx lux люкс (*единица измерéния освещённости*).

M Mach number *физ.* числó Мáха.

M; m mass мáсса.

M Maxwell мáксвелл (*единица магнитного потóка*).

M. meridian *геогр.* меридиáн.

M.A. Master of Arts магистр искýсств.

m.a. medium altitude срéдняя высотá.

M. A. Middle Ages срéдние векá.

mA milliampere миллиампéр.

mÅ milliångström *физ.* миллиáнгстрем.

Ma Minnesota Миннесóта (*штат США*).

MAA Mathematical Association of America Америкáнская математическая ассоциáция.

MAA Medieval Academy of America Америкáнская акадéмия истóрии средневекóвья.

MABP mean arterial blood pressure срéднее артериáльное давлéние крóви.

Man Manitoba Манитóба (*провинция Канáды*).

M.A.S. milliampere seconds миллиампéр-секýнды.

Mass. Massachusetts Массачýсетс (*штат США*).

Mb megabar мегабáр (*единица атмосфéрного давлéния*).

M.B. Memorandum Book пáмятная книжка, спрáвочник.

mb millibar миллибáр (*единица атмосфéрного давлéния*).

M.B. motor boat мотóрный кáтер, мотóрная лóдка.

M.C. medical certificate медицинское свидетельство, справка о состоянии здоровья.

M.C. medium capacity 1) средняя ёмкость (*или* вместительность); 2) средняя производительность (*или* мощность); средняя грузоподъёмность.

mc megacycle мегацикл, мегагерц.

MC Member of Congress член конгресса.

m.c. mensis currentis *лат.* текущего месяца.

M.C. metric carat метрический карат.

M.C. Military Code свод военных законов.

MC millicurie милликюри.

M.C.C. Member of the County Council член совета графства (*в Англии*).

MCP Malayan Communist Party Коммунистическая партия Малайи.

MD distance in miles расстояние в милях.

Md Maryland Мэриленд (*штат США*).

M.D. maximum demand 1) *эк.* наибольший спрос; 2) *тех.* максимальная нагрузка.

Md median медиана.

md middle средний.

M./D.; m. d. months after date (*через столько-то*) месяцев от сего числа.

MDAP Mutual Defense Assistance Program (Американская) программа «взаимной военной помощи».

Mddx Middlesex Мидлсекс (*графство в Англии*).

mdse merchandise товары.

Me Maine Мэн (*штат США*).

M.E. Middle East Средний Восток.

ME Middle English среднеанглийский язык.

m.e. most excellent совершенно исключительный, замечательный.

Mea. Meath Мит (*графство в Ирландии*).

MEEC Middle East Economic Commission экономическая комиссия ООН для Среднего Востока.

m.e.h.p. mean effective horsepower средняя эффективная мощность в лошадиных силах.

memo. memorandum меморандум, памятная записка.

m.e.p. mean effective pressure среднее эффективное давление.

Meri. Merioneth(shire) Мерионет(шир) (*графство в Уэльсе*).

M.E.T. mean European time среднеевропейское время.

Mev; m.e.v. million electron-volt мегаэлектроновольт.

MF medium frequency средняя частота.

mf microfarad *эл.* микрофарада.

Mfr. manufacturer изготовитель, фабрикант.

MG machine-gun пулемёт.

mg milligram(me) миллиграмм.

m.g.d. million gallons per day (*столько-то*) миллионов галлонов в день.

mge message сообщение, донесение; телеграмма.

Mgr manager управляющий, заведующий.

mh. millihenry *эл.* миллигенри.

mhl medium heavy loaded нагружено вполовину.

MHR Member of the House of Representatives член палаты представителей (*США*).

mhy; MHY microhenry *эл.* микрогенри.

mi mile миля.

Mi. Mississippi Миссисипи (*штат США*).

mice microphone микрофон.

Mich Michigan Мичиган (*штат США*).

Midx Middlesex Мидлсекс (*графство в Англии*).

MIF Miners' International Federation Международная (*профсоюзная*) федерация горняков.

mi/hr miles per hour (*столько-то*) миль в час.

M.I.P. Marine Insurance Police полис морского страхования.

M.I.P.; m.i.p. mean indicated pressure среднее индикаторное давление.

MKS metre-kilogram(me)-second метр-килограмм-секунда (*система единиц*).

mkt market рынок; *attr.* рыночный.

Ml mail почта; *attr.* почтовый.

ML mean level средний уровень.

Ml; ml millilitre миллилитр.

ML my letter (ссылаясь на) моё письмо.

M.L.C. Member of the Legislative Council член законодательного совета.

mm. matrimony супружество, брак.

mm millimetre миллиметр.

mM millimole миллиграмм-молекула.

M.M. money market денежный рынок, валютный рынок.

m.m. mutatis mutandis *лат.* с соответствующими изменениями.

Mm myriametre десять километров.

M.M.F. magnetomotive force магнитодвижущая сила.

MN Magnetic North магнитный север.

M.N. Merchant Navy торговый (*или* гражданский) флот.

mn midnight полночь.

mn. minimum минимум.

M.O.; m.o. mail order заказ (товаров) по почте.

Mo Missouri Миссури (*штат США*).

mo month месяц; monthly ежемесячно; раз в месяц.

m.o.m. middle of the month середина месяца.

Mon. Monmouth(shire) Монмут(шир) (*графство в Англии*).

Mon.; Mont. Montana Монтана (*штат США*).

Mont. Montgomery(shire) Монтгомери (-шир) (*графство в Уэльсе*).

mos months месяцы.

movt movement (пере)движение.

mo.wt molecular weight молекулярный вес.

m.p. manu propria *лат.* собственноручно.

m. p. medium pressure среднее давление.

MP Member of Parliament член парламента.

M.P. Minister Plenipotentiary полномочный министр (*посланник*).

m.p. months after payment (*через столько-то*) месяцев после платежа.

MPA maximum permissible amount максима́льно допусти́мое коли́чество.

M.P.C. Member of Parliament, Canada член парла́мента Кана́ды.

m.p.g. miles per gallon (сто́лько-то) миль на галло́н (горючего).

m.p.h. miles per hour (сто́лько-то) миль в час.

mpm miles per minute (сто́лько-то) миль в мину́ту.

m.p.s. metres per second (сто́лько-то) ме́тров в секу́нду.

M/R memorandum receipt вре́менная квита́нция; вре́менный подтвержда́ющий докуме́нт.

mr milliroentgen миллирентге́н.

Mr.; **Mr** Mister ми́стер, господи́н.

M. R. money remittance де́нежный перево́д.

MR monthly review ежеме́сячный обзо́р.

Mrs.; **Mrs** Mistress ми́ссис, госпожа́.

m/s mail steamer почто́вый парохо́д.

MS manuscript ру́копись.

Ms. Massachusetts Массачу́сетс (штат США).

M.S. merchant shipping торго́вое судохо́дство.

ms millisecond миллисеку́нда.

m/s months after sight (через сто́лько-то) ме́сяцев по предъявле́нии.

M/S; **M. S.** motor ship теплохо́д.

M.S.A. Mineralogical Society of America Америка́нское минерало́гическое о́бщество.

M.S.L.; **m.s.l.** mean sea level сре́дний у́ровень мо́ря.

mt megaton мегато́нна, миллио́н тонн.

MT metric ton метри́ческая то́нна.

Mt mountain 1) гора́; 2) attr. го́рный.

Mth Meath Мит (графство в Ирла́ндии).

M.T.L. mass, time, length ма́сса, вре́мя, длина́ (систе́ма едини́ц).

MTS metre-ton-second метр-то́нна-секу́нда (систе́ма едини́ц).

m.v. market value ры́ночная сто́имость.

mV millivolt милливо́льт.

Mx Middlesex Ми́длсекс (графство в Англии).

M.Y. motor yacht мото́рная я́хта.

N navy 1) вое́нно-морски́е си́лы; 2) attr. вое́нно-морско́й.

N North се́вер; northern се́верный.

Na Nebraska Небра́ска (штат США).

N.A. net weight чи́стое не́тто; абсолю́тный вес не́тто.

N.A. North America Се́верная Аме́рика.

N.A. not above не свы́ше.

N.A.; **n/a** not available не име́ется в нали́чии.

NAC North Atlantic Council Сове́т Северо-атланти́ческого сою́за, Сове́т НАТО.

N.A.P. Non-Aggression Pact пакт о ненападе́нии.

N.A.R.S.T. National Association for Research in Science Teaching (Америка́нская) национа́льная нау́чно-иссле́довательская ассоциа́ция педагоги́ческих нау́к.

NAS National Academy of Science (Америка́нская) национа́льная акаде́мия нау́к.

natl national национа́льный.

NATO North Atlantic Treaty Organization Североатланти́ческий сою́з, НАТО.

N.B. New Brunswick Нью-Бра́нсуик (провинция Кана́ды).

NB North Britain Се́верная А́нглия.

NBA National Boxing Association (Америка́нская) национа́льная ассоциа́ция боксёров.

n.c. no change без измене́ния.

N.C. North Carolina Се́верная Кароли́на (штат США).

NCAA National Collegiate Athletic Association (Америка́нская) национа́льная студе́нческая спорти́вная ассоциа́ция.

NCO Non-Commissioned Officer военнослу́жащий у́нтер-офице́рского соста́ва.

n.c.v. no commercial value коммерче́ской це́нности не име́ет.

n.d. no date без числа́, без да́ты.

ND; **N.Dak.** North Dakota Се́верная Дако́та (штат США).

N.E. new edition но́вое изда́ние.

N.E. New England Но́вая А́нглия (шта́ты Мэн, Нью-Ге́мпшир, Вермо́нт, Массачу́сетс, Род-А́йленд, Конне́ктикут).

N/E; **N.E.** non-effective недействи́тельный; непри́годный.

N.E. North-East се́веро-восто́к, норд-о́ст.

Neb.; **Nebr.** Nebraska Небра́ска (штат США).

NEI not elsewhere indicated нигде́ не ука́зано; нигде́ не упомя́нуто.

NES not elsewhere specified нигде́ не уточнено́.

Nev. Nevada Нева́да (штат США).

N.G. National Guard Национа́льная гва́рдия (США).

n.g. new genus биол. но́вый род.

N.G. New Granada ист. Но́вая Грена́да (территория бывших владе́ний Испа́нии в Лати́нской Аме́рике).

NGO Non-Governmental Organization неправи́тельственная организа́ция.

NGS National Geographic Society (Америка́нское) национа́льное географи́ческое о́бщество.

N.H. New Hampshire Нью-Ге́мпшир (штат США).

NHP; **n.h.p.** nominal horsepower номина́льная мо́щность (в лошади́ных силах).

N.I. Northern Ireland Се́верная Ирла́ндия.

N.J.; **N.Jer.** New Jersey Нью-Дже́рси (штат США).

N/K not known неизве́стный.

N.L. net loss чи́стый убы́ток.

N.L.; **N.Lat.** north latitude геогр. се́верная широта́.

NLT no later than... не по́зже чем...

NM National Museum Национа́льный музе́й (США).

NM; **n.m.** nautical mile морска́я ми́ля.

N.M.; **N. Mex.** New Mexico Нью-Ме́ксико (штат США).

NML no man's land ниче́йная земля́; полоса́ террито́рии ме́жду ли́ниями фро́нтов вою́ющих сторо́н.

NN; **n.n.** nomen nescio лат. и́мя неизве́стно.

NNE North-North-East céверо-céверо--восток.

NNW North-North-West céверо-céверо--запад.

No.; no. number 1) номер; 2) число.

n.o.h.p. not otherwise herein provided не иначе, чем здесь предусмотрено.

NOK next of kin ближайший родственник, член семьи.

n.o.p. no otherwise provided for только для указанных целей; только как предусмотрено.

n.o.r. no otherwise rated только как предусмотрено тарифом.

Norf. Norfolk Норфолк *(графство в Англии)*.

Northants Northampton(shire) Нортгемптон(шир) *(графство в Англии)*.

Northld; Northmb Northumberland Нортумберленд *(графство в Англии)*.

n.o.s. not otherwise stated не иначе, чем указано.

Notts Nottingham(shire) Ноттингем(шир) *(графство в Англии)*.

n.p. net price цена нетто.

N.P.; n.p. non-participating неучаствующий.

пр. no paging без указания страниц.

n.p. no place of publication mentioned место издания не указано.

n.p. normal pressure нормальное давление.

N.P. not published неизданный, неопубликованный.

пг near близко, около, недалеко.

пг number 1) номер; 2) число.

NRA National Rifle Association (Американская) национальная стрелковая ассоциация.

N.R.C. National Research Council (Американский) национальный научно-исследовательский совет.

n.r.t. net register tonnage *мор.* регистровый тоннаж нетто.

n.s. near side ближняя сторона.

N.S. North Sea Северное море.

n.s. not signed не подписано.

n/s not sufficient неудовлетворительный, неприемлемый; не соответствующий требованиям.

N.S. Nova Scotia Новая Шотландия *(провинция Канады)*.

n.sp. new species *биол.* новый вид.

NT net tons чистый вес в тоннах.

NT non-tight неплотный, негерметичный.

NT normal temperature нормальная температура.

N.T. Northern Territory Северная территория *(в Австралии)*.

nt.wt. net weight вес нетто, вес товара без упаковки.

N.U.M. National Union of Miners Национальный *(профессиональный)* союз горняков *(в Англии)*.

N.U.R. National Union of Railwaymen Национальный *(профессиональный)* союз железнодорожников *(в Англии)*.

N.U.S. National Union of Seamen Национальный *(профессиональный)* союз моряков *(в Англии)*.

N.V. nominal value нарицательная стоимость *или* цена; номинал.

N.W. North Wales Северный Уэльс.

N.W. North-West céверо-запад, норд-вест.

NWS North-Western States Céверо-Западные штаты США.

пх пох нокс *(единица светотехники)*.

N.Y. New York Нью-Йорк *(штат США)*.

N.Y.C. New York City *г.* Нью-Йорк.

n.y.p. not yet published ещё не опубликовано.

N.Z. New Zealand Новая Зеландия.

O. Ohio Огайо *(штат США)*.

O. officer 1) офицер; 2) чиновник.

O. Ontario Онтарио *(провинция Канады)*.

O.A. official account официальный отчёт.

o/a our account наш счёт.

o.a.d. overall dimensions габаритные *(или* предельные) размеры.

O.A.P. old age pension пенсия по старости.

OAS Organization of American States Организация американских государств, ОАГ.

OB outside broadcast внешнее радиовещание, зарубежное радиовещание.

o/c; o'c o'clock *(во столько-то)* часов.

O.c. off coast *(на таком-то)* расстоянии от берега.

o.c. on centres *(расстояние)* между центрами *или* осями.

o.c. outward cargo экспортный груз.

OCAS Organization of Central American States Организация государств Центральной Америки.

OD; O/D on demand по запросу, по требованию.

OD optical density оптическая плотность.

o.d. outside diameter внешний *(или* наружный) диаметр.

O/D; OD overdraft превышение кредита.

OE Old English древнеанглийский язык.

o.e. omissions excepted исключая пропуски.

OED Oxford English Dictionary Оксфордский словарь английского языка.

O.F. oil fuel жидкое топливо.

OF Old French старофранцузский язык.

OG ocean-going океанский *(пароход)*.

O.G. Olympic Games Олимпийские игры.

O.G.; o.g. ordinary goods обычные товары.

ogn origin происхождение.

Oh ohm эл. ом.

OHG Old High German древневерхненемецкий язык.

O.H.M.S. on His (Her) Majesty's Service состоящий на королевской *(государственной или военной)* службе.

O.H.S. Oxford Historical Society Оксфордское научно-историческое общество.

OIr Old Irish староирландский язык.

OIt Old Italian староитальянский язык.

OJT on the job training подготовка без отрыва от производства.

O. K. okay 1) всё в порядке, хорошо; 2) утверждено, согласовано; 3) правильно, в исправности.

Okla. Oklahoma Оклахома (*штат США*).

o/l our letter наше письмо.

OLG Old Low German древненижненемецкий язык.

O.M.; o.m. old measurement старая система мер.

ON octane number *хим.* октановое число.

ON Old Norse древненорвежский язык.

On Oregon Орегон (*штат США*).

Ont. Ontario Онтарио (*провинция Канады*).

O/o by the order of... по распоряжению (*такого-то*).

o/o our order 1) наш заказ; 2) наш приказ.

OOO out of order неисправный.

O.P. old pattern *attr.* старого образца.

O.P. old price старая цена.

op. opus *лат.* произведение, сочинение.

OP out of print распродано, разошлось (*об издании*).

op. cit. opus citatum *лат.* цитируемое произведение.

O/R on request по желанию, по запросу.

o.r. owner's risk *страх.* на риск владельца.

Ore.; Oreg. Oregon Орегон (*штат США*).

O.R.'s other ranks рядовой и сержантский состав (*английской армии*).

ors others другие.

O.S. Old Saxon древнесаксонский язык.

O/S on sale продаётся, поступило в продажу.

O.S. on spot 1) в наличии, на месте (*о товаре*); 2) сразу, немедленно.

O.S. ordinary seaman младший матрос.

o/s out of stock отсутствующий (в запасе) на складе.

OSA Optical Society of America Американское оптическое общество.

O.Sl. Old Slavic древнеславянский язык.

OSRD Office of Scientific Research and Development (Американское) управление научных исследований и усовершенствований.

OSV Ocean Station Vessel корабль—океанская станция.

O.Sw.; O.Swed. Old Swedish древнешведский язык.

O.T. off-time свободное (от службы) время.

OT; o/t old terms старые (*или* прежние) условия.

O.U. Oxford University Оксфордский университет.

OV; o.v. overvoltage *эл.* перенапряжение.

OW one-way односторонний; однопутный; однолинейный.

oz ounce унция (*28, 35 г*).

PA Panama Area район Панамского канала.

Pa Pennsylvania Пенсильвания (*штат США*).

p.a. per annum *лат.* ежегодно, в год.

P.A. Press Agency агентство печати

Pa prima *лат.* первосортный.

P C Pan-American Congress Панамериканский конгресс.

P.&L. profit and loss прибыль и убыток.

P.A.T.R.A. Printing and Allied Trades Research Association (Британская) научно-исследовательская ассоциация книгопечатания и смежных производств.

PAU Pan-American Union Панамериканский союз.

p.b. penalty bench *спорт.* а) скамья для удалённых (с поля) игроков; б) скамья для оштрафованных (*при игре в хоккей*).

PB Pharmacopoeia Britannica *лат.* Британская фармакопея.

P.B.E. pocket-book edition издание карманного формата.

p.c. post card почтовая открытка.

PC Preparatory Commission подготовительная комиссия.

p/c prices current существующие цены, курсы дня.

P.C. prime cost себестоимость.

P.C. Privy Council Тайный совет (*в Англии*).

p.c. pro centum *лат.* процент, на сто.

p.cbm per cubic metre (*столько-то*) на кубический метр.

P.C.C. Political Consultative Conference (in China) Народный политический консультативный совет Китая, НПКСК.

PCGN Permanent Committee on Geographical Names Постоянный (*международный*) комитет по географическим наименованиям.

pcl parcel 1) пакет, пачка; 2) тюк штучного груза; мелкая партия товара.

pct per cent процент.

pd paid уплачено; оплаченный.

P.D. passeport diplomatique *фр.* дипломатический паспорт.

p.d. per day (*столько-то*) на день, в день.

P.D. port dues портовые сборы (*или* пошлины).

p.e. par exemple *фр.* например.

P.E. permissible error допустимая ошибка.

P.E. photoelectric фотоэлектрический.

Pemb. Pembroke(shire) Пембрук(шир) (*графство в Уэльсе*).

P.F. porto franco *ит.* порто-франко; порт беспошлинного ввоза и вывоза.

p.f. power factor коэффициент мощности.

p.f. pro forma *лат.* ради формы, для соблюдения формальности.

PFU prepared for use готово к использованию, готово к употреблению.

pg page страница.

PG Permanent Grade постоянное звание.

P.G. persona grata *лат.* 1) «персона грата» — (дипломатический) представитель, назначение которого одобрено правительством, при котором он аккредитуется; 2) лицо, пользующееся особым вниманием *или* занимающее особое положение.

P.G. Pharmacopoeia Germanica *лат.* Германская фармакопея.

P.G. postgraduate аспирант.

p.g.t. per gross ton *мор.* (*столько-то*) на каждую регистровую тонну.

p.h. per hour в час.

P.H. public health здравоохранение.

P.I. Philippine Islands Филиппинские острова.

P.J. Presiding Judge председатель суда, главный судья.

P.L. patent licence патентное свидетельство.

p.l. penalty line *спорт.* штрафная линия.

Pl. pole мера длины (*5,02 м*).

P.L. Public Law гражданское право.

p./m. past month прошлый месяц.

p.m. per minute в минуту.

p.m. post meridiem *лат.* (*во столько-то часов*) пополудни.

pm. premium (страховая) премия.

P.M. Prime Minister премьер-министр.

p.m. pro memoria *лат.* в память; на память.

pmt payment платёж.

P.N.G. persona non grata *лат.* 1) «персона нон грата»—(дипломатический) представитель, которому отказано в агремане; 2) неприемлемое лицо.

pnxt pinxit *лат.* (на)рисовал, написал (*такой-то*).

P.O. Pacific Ocean Тихий океан.

PO Post Office почтовая контора, почтовое отделение.

P.O. Province of Ontario провинция Онтарио (*Канада*).

P.O.B. Post-Office Box почтовый (абонементный) ящик.

P.O.C. port of call *мор.* порт захода.

P.O.D. pay on delivery уплата при доставке; наложенный платёж.

P.O.O. post-office order денежный перевод по почте.

p.o.r. port of refuge *мор.* порт вынужденного захода, порт-убежище.

POW prisoner of war (военно)пленный.

pp. pages страницы.

PP; pp per paragraph на основании параграфа (*такого-то*).

P.P.; P.p. per procuration по доверенности.

p.p. post paid пересылка (по почте) оплачена.

ppd prepaid оплачено вперёд.

ppn precipitation 1) *хим.* осаждение; 2) *метеор.* выпадение осадков.

ppt prompt срочный.

P.Q. Province of Quebec провинция Квебек (*Канада*).

pr. pair пара.

p.r. payment received полученный платёж.

P.R. People's Republic народная республика.

P.R. press release заявление для печати; информационный бюллетень телеграфного *или* газетного агентства.

Pr. proceedings труды, записки (*научного общества*).

P.R. proportional representation пропорциональное представительство.

P.R. Public Resolution решение конгресса США.

P.R.C. People's Republic of China Китайская Народная Республика, КНР.

p.r.n. pro re nata *лат.* сообразно возникающим обстоятельствам.

P.S. post scriptum *лат.* постскриптум, приписка.

PS proof stress максимальное напряжение.

PSA Photographical Society of America Американское фотографическое общество.

P.T. Pacific Time тихоокеанское поясное время.

pt part часть, доля.

pt pint пинта (*в Англии — 0,568 л; в США — 0,473 л*).

Pt port 1) порт; 2) *attr.* портовый.

P.T. preferential tariff преференциальный таможенный тариф.

p.t. pro tempore *лат.* для настоящего времени.

p.t.o. please, turn over переверните, пожалуйста; смотрите на обороте.

P.U. power unit единица мощности.

P.U.C. papers under consideration документы, находящиеся на рассмотрении.

PUS Pharmacopoeia of the United States Фармакопея США.

p.w. per week в неделю.

pwt pennyweight пенниуэйт (*мера веса= 1,55 г*).

Q.; q. quantity количество.

q. quart кварта (*мера объёма для жидких и сыпучих тел: в Англии —1,136 л; в США— 0,946 л для жидких и 1,101 л для сыпучих тел*).

q.; Q quasi *лат.* мнимый; якобы.

Q queen королёва.

Q.;q. quintal квинтал (*в метрической системе мер—100 кг; с Англии —50,8 кг; в США — 45,36 кг*).

Qbc Quebec Квебек (*провинция Канады*).

Qd Queensland Квинсленд (*штат Австралии*).

Q.E.D. quod erat demonstrandum *лат.* что и требовалось доказать.

Q.E.F. quod erat faciendum *лат.* что и требовалось сделать.

Q.E.I. quod erat inveniendum *лат.* что и требовалось найти.

Q.F.;qf quick-firing *attr.* скорострельный.

Q.-F. quick-freezing быстрое замораживание (продуктов).

q.l. quantum libet *лат.* сколько угодно.

qm metric quintal метрический квинтал (*100 кг*).

Q.M.; Qm. Quartermaster 1) квартирмейстер; 2) *attr.* квартирмейстерский.

Qn question вопрос.

Q.P. quantum placet *лат.* сколько найдёте нужным *или* полезным.

Qr. quarterly поквартально каждые три месяца.

q.v. quod vide *лат.* смотри (*там-то*).

R.; r. radius радиус.

r. read читайте, прочтите.

R Réaumur температурная шкала Реомюра.

R Rex *лат.* король.

R. river река́.

r. rod ме́ра длины́ *(4,86 м)*.

R rood ме́ра пло́щади *(1012 м²)*.

RA Regular Army регуля́рные войска́; регуля́рная а́рмия.

R.A.A. Royal Academy of Arts Короле́вская акаде́мия изобрази́тельных иску́сств.

Rad. Radnor(shire) Ра́днор(шир) *(графство в Уэльсе)*.

R.A.D.A. Royal Academy of Dramatic Arts Короле́вская акаде́мия драмати́ческого иску́сства.

R.A.F. Royal Air Force брита́нские военно-возду́шные си́лы.

R.A.I. Royal Anthropological Institute Короле́вский антропологи́ческий институ́т.

R.A.I. Royal Archaeological Institute Короле́вский археологи́ческий институ́т.

R.a.M. reports and memoranda докла́ды и отчёты *(научно-исследовательских обществ)*.

R.A.M. Royal Academy of Music Короле́вская акаде́мия му́зыки.

R.&D. research and development *attr.* нау́чно-иссле́довательский.

R.A.S. Royal Academy of Science Короле́вская акаде́мия нау́к.

R.A.S. Royal Aeronautical Society Короле́вское авиацио́нное о́бщество.

R.A.S. Royal African Society Короле́вское о́бщество изуче́ния А́фрики.

R.A.S. Royal Agricultural Society Короле́вское сельскохозя́йственное о́бщество.

R.A.S. Royal Asiatic Society Короле́вское о́бщество изуче́ния А́зии.

R.A.S. Royal Astronomical Society Короле́вское астрономи́ческое о́бщество.

RAUS Regular Army of the United States регуля́рная а́рмия США.

R.B.A. Royal Society of British Artists Короле́вское о́бщество англи́йских де́ятелей иску́сства.

r.b.f. record-breaking form лу́чшая спорти́вная фо́рма *(на побитие рекорда)*.

R.B.S. Royal Botanical Society Короле́вское ботани́ческое о́бщество.

R.B.S. Royal Society of British Sculptors Короле́вское о́бщество англи́йских скульпторов.

r.c. return cargo обра́тный груз.

R.C. right centre *спорт.* пра́вый центр.

R.C.A. Royal Cambrian Academy Уэ́льская короле́вская акаде́мия.

R.C.A.S. Royal Central Asian Society Короле́вское о́бщество по изуче́нию Центра́льной А́зии.

rd read чита́йте, прочти́те.

RD refer to drawer обрати́тесь к выдавшему чек *(отметка банка на неоплаченном чеке)*.

rd road доро́га, путь.

Rdo; rdo radio 1) ра́дио; 2) радиосвя́зь.

R.E. real estate недви́жимое иму́щество.

recd; recd received полу́чено, при́нято.

R.E.S. Royal Economic Society Короле́вское экономи́ческое о́бщество.

rf reference 1) ссы́лка; 2) спра́вка.

r.f. right field *спорт.* пра́вая полови́на по́ля.

R.G.S. Royal Geographical Society Короле́вское географи́ческое о́бщество.

R.H. relative humidity относи́тельная вла́жность.

R.H.A. Royal Hibernian Academy Короле́вская акаде́мия нау́к Се́верной Ирла́ндии.

r.h.b. right half back *спорт.* пра́вый полузащи́тник.

RHN Rockwell hardness number число́ твёрдости по Ро́квеллу.

R.H.S. Royal Historical Society Короле́вское истори́ческое о́бщество.

R.H.S. Royal Horticultural Society Короле́вское о́бщество садово́дства.

R.I. Rhode Island Род-А́йленд *(штат США)*.

R.I. Royal Institute of Painters in Water-Colours Короле́вский институ́т акварели́стов.

R.I.A. Royal Irish Academy Короле́вская акаде́мия Се́верной Ирла́ндии.

R.I.B.A. Royal Institute of British Architects Короле́вский институ́т архите́кторов.

R.I.C. Royal Institute of Chemistry Короле́вский институ́т хи́мии.

R.I.I.A. Royal Institute of International Affairs Короле́вский институ́т междунаро́дных отноше́ний.

R/L radiolocation радиолока́ция.

RM radio message радиогра́мма.

R.M. registered mail заказна́я по́чта.

rm room ко́мната, помеще́ние.

R.M.C. Royal Marine Corps англи́йская морска́я пехо́та.

R.M.P.A. Royal Medico-Psychological Association Короле́вская ме́дико-психологи́ческая ассоциа́ция.

R.M.S. Royal Meteorological Society Короле́вское метеорологи́ческое о́бщество.

R.M.S. Royal Microscopical Society Короле́вское о́бщество микроскопи́и.

R.M.S. Royal Society of Miniature Painters Короле́вское о́бщество худо́жников-миниатюри́стов.

R.N. Royal Navy брита́нский военно-морско́й флот.

R.N.S. Royal Numismatical Society Короле́вское нумизмати́ческое о́бщество.

ro recto *лат. полигр.* пра́вая страни́ца.

R.P.; R/P by return of post обра́тной по́чтой.

R.P. retail price ро́зничная цена́.

R.P. Rules of Procedure пра́вила (суде́бной) процеду́ры.

RPM; r.p.m. revolutions per minute *(столько-то)* оборо́тов в мину́ту.

rpr reprint но́вое неизменённое изда́ние, перепеча́тка.

RPS; r.p.s. revolutions per second *(столько-то)* оборо́тов в секу́нду.

R.P.S. Royal Photographical Society Короле́вское фотографи́ческое о́бщество.

RRI Rocket Research Institute *(Америка́нский)* нау́чно-иссле́довательский институ́т раке́тной те́хники.

R RS Radiation Research Society (Американское) общество исследования радиоактивных излучений.

R.S. radio station радиостанция.

R.S.A. Royal Scottish Academy Шотландская королевская академия.

R.S.A. Royal Society of Arts Королевское общество изобразительных искусств.

R.S.G.B. Radio Society of Great Britain Британское общество радиолюбителей.

R.S.G.S. Royal Scottish Geographical Society Шотландское королевское географическое общество.

R.S.I. Royal Sanitary Institute Королевский институт санитарии.

R.S.L. Royal Society of Literature Королевское литературное общество.

R.S.M. Royal Society of Medicine Королевское медицинское общество.

R.S.S. Royal Statistical Society Королевское статистическое общество.

R.S.V.P. répondez s'il vous plaît *фр.* ответьте, пожалуйста.

RT radio-telegraphy радиотелеграфия.

R.T. right tackle *спорт.* правый нападающий (*в американском футболе*).

R.T.A. Reciprocal Trade Agreement торговое соглашение на основе взаимности.

Rt.Hon. Right Honourable высокочтимый.

RTT radioteletype радиотелетайп.

R.V. receipt voucher квитанция, расписка в получении.

R.W.A. Royal West of England Academy Королевская академия Западной Англии.

Rwy; Ry railway 1) железная дорога; 2) *attr.* железнодорожный.

s. second секунда.

s. shilling шиллинг.

S South юг; southern южный.

s.a. sectional area площадь поперечного сечения.

s.-a. semi-annual полугодичный.

S.A. semi-automatic полуавтоматический.

s.a. sine anno *лат.* без указания года (издания).

S.A. South Africa Южная Африка.

S.A.A.F. South African Air Force военно-воздушные силы Южно-Африканского Союза.

S.A.D.F. South African Defence Forces вооружённые силы Южно-Африканского Союза.

S.A.E. American Society of Automotive Engineers Американское общество автомобильных инженеров.

s.a.e.l. sine anno et loco *лат.* без указания года и места (издания).

S.Am. South America Южная Америка.

s.a.p. soon as possible как можно раньше.

Sask. Saskatchewan Саскачеван (*провинция Канады*).

S.Aust. South Australia Южная Австралия.

S.B. Savings Bank сберегательная касса.

S.B. short bill краткосрочная тратта.

S.B. South Britain Южная Англия.

SBAC Society of British Aircraft Constructors Общество британских самолётостроителей.

Sc. science наука; scientific научный.

sc. scilicet *лат.* а именно, то есть.

sc. scruple скрупул (*1,24 г*).

S.C. Security Council of the United Nations Совет Безопасности ООН.

s.c. see copy смотри (прилагаемую) копию.

SC South Carolina Южная Каролина (*штат США*).

s.c. standard conditions нормальные условия.

SC subcommittee подкомитет.

S.C. Suez Canal Суэцкий канал.

S.C. Supreme Court Верховный суд.

s.d. sailing date дата (*или* день) отплытия.

SD same date того же числа.

s.d. several dates различные сроки *или* даты.

S/D; sd sight draft *фин.* тратта, срочная по предъявлении.

s.d. sine die *лат.* без указания срока *или* даты; на неопределённый срок.

SD; S. Dak. South Dakota Южная Дакота (*штат США*).

SE south-east юго-восток.

S.E. Stock Exchange Лондонская фондовая биржа.

SEA South-Eastern Asia Юго-Восточная Азия.

SEATO South-East Asia Treaty Organization Организация стран Юго-Восточной Азии, СЕАТО.

sec-ft second feet футо-секунды.

SF San Francisco *г.* Сан-Франциско.

SF sea flood морское течение.

S.G.; s.g. specific gravity удельный вес.

Sh. Shropshire Шропшир (*графство в Англии*).

s.h. super heavy сверхтяжёлый, большой мощности.

SHEX Sundays and holidays excepted не считая воскресных и праздничных дней.

shpt shipment 1) отправка; погрузка; 2) груз (*судна*).

sh. tn. short ton короткая тонна (*907,2 кг*).

SIDRO Société Internationale d'Énergie Hydroélectrique *фр.* Международное гидроэнергетическое общество.

SITA Students' International Travel Association Международная ассоциация студенческого туризма.

SITC Standard International Trade Classification Международная стандартная торговая классификация.

Sk Suffolk Суффолк (*графство в Англии*).

S.L.; sl sea level уровень моря.

s.l. sine loco *лат.* без указания места (издания).

s.l. solid line сплошная линия.

S.L.; S.Lat. south latitude *геогр.* южная широта.

S.M.; s.m. sea mile морская миля.

S.M. stage manager режиссёр.

S.M. surface measure мера поверхности.

SMPTE Society of Motion Picture and Television Engineers (Американское) общество инженеров кино и телевидения.

s.n. sine nomine *лат.* без (указания) имени *или* названия.

SNSE Society of Nuclear Scientists and Engineers (Америка́нское) о́бщество учёных и инжене́ров—специали́стов по я́дерной фи́зике.

So South юг; southern ю́жный.

S.O. sub-office ме́стное отделе́ние, филиа́л.

SOA speed of advance ско́рость продвиже́ния, ско́рость хо́да.

S.O.E.D. Shorter Oxford English Dictionary Сокращённый Оксфо́рдский слова́рь англи́йского языка́.

Som.; Soms. Somerset(shire) Со́мерсет (-шир) (*гра́фство в Англии*).

sp sample образе́ц.

s.p. selling price прода́жная цена́.

S.P.; s.p. standard pressure норма́льное давле́ние.

spf superfine вы́сшего со́рта, са́мого лу́чшего ка́чества.

sp.g.; sp.gr. specific gravity уде́льный вес.

sp.v. specific volume уде́льный объём.

spvn supervision контро́ль, наблюде́ние, надзо́р.

sq sequence после́довательность.

sq. square квадра́тный.

Sr senior ста́рший.

Sr sir сэр, господи́н.

S.R. Southern Rhodesia Ю́жная Роде́зия.

s.s. sensu stricto *лат.* в буква́льном смы́сле.

S.S.; S/S steamship парохо́д.

S.S. Sunday School воскре́сная шко́ла.

ss. sworn statement *юр.* показа́ние под прися́гой.

SSA Seismological Society of America Америка́нское сейсмологи́ческое о́бщество.

SSSA Soil Science Society of America Америка́нское о́бщество почвове́дения.

St. saint свято́й.

S.T. sea transport морско́й тра́нспорт.

ST Standard Time поясно́е вре́мя.

std standard станда́рт, образе́ц, моде́ль.

S.T.P. standard temperature and pressure норма́льная температу́ра и давле́ние.

STZ South Temperate Zone ю́жная уме́ренная зо́на (*климати́ческая*).

S.U. Soviet Union Сове́тский Сою́з.

SUNFED Special United Nations Fund for Economic Development Специа́льный фонд ООН для экономи́ческого разви́тия.

Sur. Surrey Су́ррей (*гра́фство в Англии*).

Suss. Sussex Су́ссекс (*гра́фство в Англии*).

S.V. sailing vessel па́русное су́дно.

S.W. South Wales Ю́жный Уэ́льс.

SW south-west юго-за́пад; south-western юго-за́падный.

S.W.A.; S.W. Afr. South-West Africa Юго-За́падная А́фрика.

S.W.L. safe working load *тех.* допуска́емая рабо́чая нагру́зка.

S.W.P. safe working pressure *тех.* допуска́емое рабо́чее давле́ние.

Sx Sussex Су́ссекс (*гра́фство в Англии*).

Sy Surrey Су́ррей (*гра́фство в Англии*).

S.Yd. Scotland Yard Ско́тленд-Ярд (*управле́ние англи́йской поли́ции и сыскно́е отделе́ние*).

t.; t/. temporary вре́менный.

T tension напряже́ние; натяже́ние.

T; t. time вре́мя, срок.

T tropical тропи́ческий.

t tun бо́чка (≅*1100 л*).

T.A. telegraphic address телегра́фный а́дрес.

T.A. Territorial Army территориа́льная а́рмия.

t.a. time of arrival вре́мя прибы́тия.

TA (United Nations) Technical Assistance Техни́ческая по́мощь ООН слабора́звитым стра́нам.

TAA Technical Assistance Administration (of the United Nations) Администра́ция техни́ческой по́мощи ООН слабора́звитым стра́нам.

T.A.A. Trade Agreement Act зако́н о торго́вых соглаше́ниях.

TAC Technical Assistance Committee (of the Economic and Social Council of the United Nations) Комите́т Экономи́ческого и Социа́льного Сове́та ООН по оказа́нию техни́ческой по́мощи слабора́звитым стра́нам.

TAP Technical Assistance Program (of the United Nations) Програ́мма техни́ческой по́мощи ООН слабора́звитым стра́нам.

Tass; TASS Telegraph Agency of the Soviet Union Телегра́фное аге́нтство Сове́тского Сою́за, ТАСС.

t.a.w. twice a week два ра́за в неде́лю.

T.B. Tourist Bureau тури́стское бюро́.

TB; Tb; t.b. tubercle bacillus туберку́лёзная па́лочка; tuberculosis туберкулёз.

tbs. tablespoon столо́вая ло́жка.

TC; t.c. temperature coefficient температу́рный коэффицие́нт.

T.C. Tennis Club те́ннисный клуб.

Tc; tc. tierce бо́чка (≅*190,83 л*).

TC Trusteeship Council (of the United Nations) Сове́т по опе́ке ООН.

TCC (United Nations') Transport and Communication Commission Коми́ссия ООН по тра́нспорту и свя́зи.

T.D. theoretically dry абсолю́тно сухо́й.

TD; t.d. time and date вре́мя и (календа́рное) число́.

T.D. total depth о́бщая глубина́.

tda today 1) сего́дня; 2) *attr.* сего́дняшний.

TDS time-distance-speed вре́мя-рассто́яние-ско́рость.

TDS turbin-driven steamer парохо́д с турби́нными маши́нами, турбопарохо́д.

tdw tons dead weight по́лная грузоподъёмность в то́ннах.

telg telegram телегра́мма.

Tenn. Tennessee Теннесси́ (*штат США*).

Tex. Texas Теха́с (*штат США*).

t.f. till forbidden впредь до воспреще́ния.

TFN till further notice до получе́ния дальне́йших указа́ний.

t.h.i. time handed in вре́мя вруче́ния.

thou thousand ты́сяча.

thr; thro; thru through че́рез, сквозь.

T.H.S.; ths total heating surface общая поверхность нагрева.

T.I. technical information техническая информация; технические данные.

T.I. time interval промежуток времени; следование с промежутком во времени.

Tip. Tipperary Типперэри (графство в Ирландии).

T.J. turbo-jet турбореактивный.

TKO technical knock-out спорт. технический нокаут.

TL time length продолжительность.

t.l. total loss 1) общая сумма убытков; 2) страх. полная гибель (судна).

TM ton-miles (столько-то) тонна-миль.

T.M. trade mark торговый знак, фабричная марка.

TM true mean (value) фактическая средняя (ценность).

TML Three Mile Limit трёхмильная пограничная зона, зона территориальных вод.

T.N. Technical Notes техническое примечание, техническое указание.

tn ton тонна.

TN true North геогр. истинный север.

TO Telegraph Office телеграфное отделение, телеграфная контора.

T/O transoceanic трансокеанский.

t.o. turn over переверни(те); смотри(те) на обороте.

togr together вместе; совместно.

T.O.P. turn over, please переверни(те), пожалуйста; смотри(те) на обороте.

t.p. title-page титульный лист.

TP turning point поворотная точка, поворотный пункт.

T.P.H. tons per hour (столько-то) тонн в час.

T.P.R.; t.p.r. temperature, pulse, respiration температура, пульс, дыхание.

tr tare тара; вес тары.

tr there там; туда.

T.R. true range истинная дальность.

t.s. tensile strength прочность на разрыв или на растяжение; разрывающее усилие.

ts this этот.

T.S. this side эта сторона; на этой стороне.

t.s. till sale (впредь) до продажи.

TS top secret совершенно секретно.

T.S.M. twin-screw motor ship двухвинтовой теплоход.

tsp. tea-spoon чайная ложка.

T.S.S. twin-screw steamer двухвинтовой пароход.

T.T. technical terms технические условия.

T.T. telegraphic transfer денежный перевод по телеграфу.

tts that is то есть.

T.U. thermal unit тепловая единица (0,252 кг/кал).

T.U. toxic unit токсическая единица.

T.U. trade union тред-юнион; профессиональный союз.

T.U.A.C. Trades Union Advisory Committee Консультативный комитет (британских) тред-юнионов.

T.U.C. Trades Union Congress Конгресс (британских) тред-юнионов.

T.U.C.G.C. Trades Union Congress General Council Генеральный совет Конгресса (британских) тред-юнионов.

TUIAFW Trade Unions' International Federation of Agricultural and Forestry Workers Международная федерация профсоюзов рабочих сельского и лесного хозяйства.

T.V. tank vessel танкер, наливное судно.

TV television 1) телевидение; 2) attr. телевизионный.

T.V. terminal velocity предельная (или конечная) скорость, критическая скорость.

T.W. total weight общий вес.

TWU Transport Workers' Union (of America) Профессиональный союз транспортных рабочих Америки.

TWUA Textile Workers' Union of America Профессиональный союз рабочих американской текстильной промышленности.

Tx. Texas Техас (штат США).

Tyr. Tyrone Тирон (графство в Ирландии).

U. Utah Юта (штат США).

UAAC; UAC Un-American Activities Committee Комиссия по расследованию антиамериканской деятельности (при конгрессе США).

UAR United Arab Republic Объединённая Арабская Республика, ОАР.

UATI Union des Associations Techniques Internationales фр. Объединение международных технических ассоциаций (при ЮНЕСКО).

U.C. University College университетский колледж (факультет).

UCI Union Cycliste Internationale фр. Международный союз велосипедного спорта.

U.D.C. Universal Decimal Classification всеобщая десятичная классификация.

UDT under-deck tonnage мор. подпалубный тоннаж.

UERMWA United Electrical, Radio and Machine Workers of America Объединение рабочих электро-, радио- и машиностроительной промышленности Америки (профсоюз).

UFN until further notice впредь до получения дальнейших сообщений или указаний.

UGCCW United Gas, Coke and Chemical Workers (of America) Объединение рабочих газовой, коксовой и химической промышленности Америки (профсоюз).

UHF ultrahigh frequency радио ультравысокая частота, УВЧ.

u.i. ut infra лат. как указано ниже.

U.K. United Kingdom Соединённое Королевство.

u.m. undermentioned нижеследующий; нижепоименованный.

um. unmarried неженатый, холостой; незамужняя.

UMW; UMWA United Mine Workers

of America Объединéние горнорабóчих Амéрики (профсоюз).

UN United Nations Объединённые Нáции.

UNA United Nations Association Ассоциáция содéйствия ООН.

UNAEC United Nations Atomic Energy Commission Комиссия ООН по áтомной энéргии.

UNCh United Nations Charter Устáв ООН.

U.N.C.I.O. United Nations Conference on International Organizations Конферéнция ООН по вопрóсам междунарóдных организáций.

UNDC United Nations Disarmament Commission Комиссия ООН по разоружéнию.

UNEPTA United Nations' Expanded Program of Technical Assistance for Economic Development of Under-Developed Countries Расшńренная прогрáмма ООН по оказáнию технńческой пóмощи экономńчески слаборáзвитым странáм.

UNESCO United Nations Educational, Scientific and Cultural Organization Организáция ООН по вопрóсам просвещéния, науки и культýры, ЮНЕСКО.

UNFAO United Nations Food and Agricultural Organization Организáция ООН по вопрóсам продовóльствия и сéльского хозяйства, ФАО.

UNGA United Nations' General Assembly Генерáльная Ассамблéя ООН.

UNIC United Nations Information Centre Информациóнный центр ООН.

UNICEF United Nations International Children's Emergency Fund Фонд ООН пóмощи дéтям.

UNIS United Nations Information Service Информациóнная слýжба ООН.

unm undermentioned нижеслéдующий; нижепоименóванный.

UNMC United Nations Monetary Conference Валютное совещáние ООН.

UNO United Nations Organization Организáция Объединённых Нáций, ООН.

UNPA United Nations Postal Administration Почтóвая администрáция ООН.

UNSC United Nations Security Council Совéт Безопáсности ООН.

UNSCC United Nations Standards Coordinating Committee Координациóнный комитéт ООН по вопрóсам стандартизáции.

UPU Universal Postal Union Всемńрный почтóвый союз.

US United States (of America) Соединённые Штáты (Амéрики).

u.s. ut supra лат. как скáзано вńше.

USA United States Army сухопýтные сńлы США.

USA United States of America Соединённые Штáты Амéрики.

USAF United States Air Force воéнно-воздýшные сńлы США.

U.S.Afr. Union of South Africa Южно-Африкáнский Союз.

U.S.B.S. United States Bureau of Standards Бюрó стандáртов США.

USC United States Congress Конгрéсс США.

USN United States Navy воéнно-морскńе сńлы США.

USP United States Pharmacopoeia Фармакопéя США.

USS United States Standard американский стандáрт.

U.S.S.R. Union of Soviet Socialist Republics Союз Совéтских Социалистńческих Респýблик, СССР.

USW, USWA United Steel Workers of America Объединéние рабóчих сталелитéйной промńшленности Амéрики (профсоюз).

u.t. usual terms обńчные (торгóвые) услóвия.

Ut. Utah Юта (штат США).

U.T.O. Universal Tourist Organization Всемńрная турńстская организáция.

UTW; UTWA United Textile Workers of America Объединéние рабóчих текстńльной промńшленности Амéрики (профсоюз).

U/W underwriter 1) страхóвщик; 2) гарáнт размещéния (займа, ценных бумаг).

V velocity скóрость.

v verse стих; стихотвóрная строкá.

v. versus лат. прóтив.

v. vide лат. смотрń.

V; v volt эл. вольт; voltage напряжéние (в вóльтах).

V volume 1) объём; 2) том; 3) сńла звýка; грóмкость.

Va. Virginia Виргńния (штат США).

VA; va volt-ampere вольт-ампéр.

vbl verbal словéсный, ýстный.

VC valuable cargo цéнный груз.

V.C. Vice-Chairman заместńтель председáтеля.

V.C. Vice-Chancellor вице-кáнцлер.

VC volt-coulomb вольт-кулóн.

v.d. various dates разлńчные (календáрные) дáты.

VE-Day Victory in Europe Day День побéды в Еврóпе.

Ver.; Verm. Vermont Вермóнт (штат США).

v.f. very fair прекрáсный, благоприńтный.

V.F. viscosity factor коэффициéнт вńзкости.

v.g. very good óчень хорошó.

VHF very high frequency радио óчень высóкая частотá.

viz. videlicet лат. тó есть; а ńменно.

v.l. vertical line вертикáльная лńния; отвéс.

VLF; v.l.f. very low frequency радио óчень нńзкая частотá.

VM voltmeter вольтмéтр.

V.O. very old 1) óчень стáрый; старńнный; 2) вńдержанный (о вине).

VOA Voice of America правńтельственное радиовещáние США «Гóлос Амéрики».

v.p. various pagination разлńчная нумерáция странńц.

V.P. Vice-President вице-президéнт.

Vr voucher 1) распńска; оправдáтельный докумéнт; 2) поручńтель

vs versus *лат.* про́тив.

v.s. very slow о́чень ме́дленно, ти́хо.

v.s. vide supra *лат.* смотри́ вы́ше.

VSW very short waves ультракоро́ткие во́лны.

V.T. vacuum tube электро́нная ла́мпа, радиола́мпа.

Vt Vermont Вермо́нт (*штат США*).

VTO vertical take-off *ав.* вертика́льный взлёт.

vu volume unit объёмная едини́ца.

vv. verses стихи́; стихотво́рные стро́ки.

V.V. vice versa *лат.* наоборо́т.

vw very weak о́чень сла́бый.

W. Wales Уэ́льс.

W war 1) война́; 2) *attr.* вое́нный; вое́нного вре́мени.

W; w watt ватт.

W; w week неде́ля; weekly еженеде́льный.

N; w weight вес.

W West за́пад; western за́падный.

W.A. West Africa За́падная А́фрика.

W.A. width average сре́дняя ширина́.

WAC; Wac Women's Army Corps же́нская вспомога́тельная слу́жба а́рмии США.

w.a.f. with all faults со все́ми оши́бками.

WAPOR World Association for Public Opinion Research Всеми́рная ассоциа́ция изуче́ния обще́ственного мне́ния.

War.; Warw.; Warws. Warwickshire Уо́рикшир (*графство в Англии*).

W.A.S. Washington Academy of Sciences Вашингто́нская акаде́мия нау́к.

Wash. D.C. Washington, District of Columbia *г.* Вашингто́н, федера́льный о́круг Колу́мбия.

WASU West African Students' Union Сою́з студе́нтов За́падной А́фрики.

WATA World Association of Travel Agencies Всеми́рная ассоциа́ция бюро́ путеше́ствий.

W. Aus.; W. Aust. Western Australia За́падная Австра́лия.

WAY World Assembly of Youth Всеми́рная ассамбле́я молодёжи.

W.B.; W/B; wb. way-bill тра́нспортная накладна́я.

WB Weather Bureau бюро́ пого́ды.

W.B. West Britain За́падная А́нглия.

WBI will be issued бу́дет вы́пущено в обраще́ние; бу́дет и́здано.

w/c week commencing... неде́ля, начина́ющаяся с (*тако́го-то*) числа́.

W.C.; w/c without charge без опла́ты; без накладны́х расхо́дов.

W.C.E.; W.C. Engl. West Coast of England За́падное побере́жье А́нглии.

WCOTP World Confederation of Organizations of the Teaching Profession Всеми́рная федера́ция учи́тельских (*профессиона́льных*) сою́зов.

wd warranted гаранти́рованный.

W.D. Western Desert За́падная пусты́ня (*в Се́верной А́фрике*).

w/e week ending... неде́ля, зака́нчивающаяся (*тако́го-то*) числа́.

w.e.f. with effect from... действи́тельно с (*тако́го-то вре́мени*).

Westmd Westmorland Уэ́стморленд (*графство в Англии*).

WEU Western European Union Западноевропе́йский Сою́з.

Wex. Wexford Уэ́ксфорд (*графство в Ирла́ндии*).

W/f weather forecast прогно́з пого́ды.

WFDY World Federation of Democratic Youth Всеми́рная федера́ция демократи́ческой молодёжи, ВФДМ.

WFEA World Federation of Educational Associations Всеми́рная федера́ция просвети́тельных ассоциа́ций.

WFSW World Federation of Scientific Workers Всеми́рная федера́ция нау́чных рабо́тников.

WFTU World Federation of Trade Unions Всеми́рная федера́ция профсою́зов, ВФП.

WFUNA World Federation of United Nations Associations Всеми́рная федера́ция ассоциа́ций соде́йствия ООН.

w.g. weight guaranteed гаранти́рованный вес.

W.G.; W.Ger. Western Germany За́падная Герма́ния.

W.G.T. Western Greenwich Time за́падное гри́нвичское вре́мя.

WH; W.-h. watt-hour ватт-ча́с.

WH White House Бе́лый дом (*резиде́нция президе́нта США*).

WHO World Health Organization (of the United Nations) Всеми́рная организа́ция ООН по вопро́сам здравоохране́ния.

w.i. when issued по вы́ходе *или* изда́нии (*кни́ги*).

wi. with с, вме́сте, совме́стно.

WIAA Women's International Association of Aeronautics Междунаро́дная же́нская авиацио́нная ассоциа́ция (*спорти́вная*).

Wick. Wicklow Уи́клоу (*графство в Ирла́ндии*).

WIDF Women's International Democratic Federation Междунаро́дная демократи́ческая федера́ция же́нщин, МДФЖ.

WILPF Women's International League for Peace and Freedom Междунаро́дная же́нская ли́га борьбы́ за мир и свобо́ду.

Wilts Wiltshire Уи́лтшир (*графство в Англии*).

w.i.m.c. whom it may concern всем, к кому́ э́то отно́сится, кого́ э́то каса́ется.

Wis.; Wisc. Wisconsin Виско́нсин (*штат США*).

wk week неде́ля.

W/K; wk well-known (хорошо́) изве́стный; изу́ченный.

W. K. West Kent За́падный Кент.

Wks works сочине́ния.

W.L.; w.l. water-line *мор.* ватер-ли́ния.

W.L.; W/L; w.l.; w/l wave length *радио* длина́ волны́.

W.L. West Lancashire За́падный Ла́нкашир.

W.L.; W. long. west longitude *геогр.* за́падная долгота́.

W.M. weather map метеорологи́ческая ка́рта, синопти́ческая ка́рта.

WMA World Medical Association Всеми́рная медици́нская ассоциа́ция.

wmk watermark отме́тка у́ровня (*или* горизо́нта) воды́.

WMM World Movement of Mothers Всеми́рное движе́ние матере́й (*организа́ция*).

WMO World Meteorological Organization Всеми́рная метеорологи́ческая организа́ция.

w.o. without без.

wo woman 1) же́нщина; 2) *attr.* же́нский.

Wo. Worcester(shire) Ву́стер(шир) (*графство в Англии*).

WOMAN World Organization of Mothers of All Nations Всеми́рная организа́ция матере́й.

wp. waterproof водонепроница́емый, непромока́емый.

W.P. without prejudice *юр.* без предубежде́ния.

WP; wp working pressure рабо́чее давле́ние.

W.P.B. waste paper basket в корзи́ну для бума́ги (*помета о непригодности рукописи*).

WPC World Peace Council Всеми́рный Сове́т Ми́ра, ВСМ.

WPC World Power Conference Всеми́рная энергети́ческая конфере́нция.

W/R warehouse receipt складска́я распи́ска, квита́нция о приёме (това́ра) на склад.

WR weather report сво́дка пого́ды.

W.R. West Riding За́падный Ра́йдинг.

WS water supply водоснабже́ние.

W.S. wireless station радиоста́нция.

W.S.C. White Sea Canal Беломо́рско-Балти́йский кана́л.

W.T. watertight водонепроница́емый.

WT water transportation во́дные перево́зки.

WTAA World Trade Alliance Association (Брита́нская) ассоциа́ция междунаро́дной торго́вли.

wt.h.p. weight horsepower мо́щность на едини́цу ве́са.

WTO World Trade Organization (of the United Nations) Организа́ция ООН по междунаро́дной торго́вле.

WUS World University Service Всеми́рная организа́ция по́мощи студе́нчеству.

W.Va. West Virginia За́падная Вирги́ния (*штат США*).

WVF World Veterans Federation Всеми́рная федера́ция ветера́нов войны́.

W/W; w/w warehouse warrant складско́е свиде́тельство (*о принятии товара на хранение*), складско́й варра́нт.

WW I World War I пе́рвая мирова́я война́.

WW II World War II втора́я мирова́я война́.

Wy; Wyo Wyoming Вайо́минг (*штат США*).

X.C.; x.c.; x-cp ex coupon без купо́на (*на получение очередного дивиденда*).

XD; X-d; x-d; x div. ex dividend без дивиде́нда (*о продаваемой акции*).

X.ex. cross-examination *юр.* перекрёстный допро́с.

X.H.; X.h.; X.hvy extra heavy осо́бо тяжёлый.

X.I.; x.i.; x.in.; x.int. ex interest без (начисле́ния) проце́нтов.

xll extra light loaded осо́бо малонагру́женный.

xls crystals криста́ллы.

XMD excused from military duty освобождён от вое́нной слу́жбы.

x.n. ex new не но́вый.

Xnty Christianity христиа́нство.

XOS extra outsize осо́бо большо́й разме́р (*об оде́жде*).

x'over cross over перечёркивать *или* кросси́ровать (*о чеке*).

xpr ex privileges без привиле́гий.

xr ex rights без (приобрете́ния) прав.

X-rays рентге́новские лучи́.

Xrds cross-roads перекрёсток (*дорог*).

X.S.; X.s. extra strong осо́бо кре́пкий, осо́бо про́чный.

XWt experimental weight эксперимента́льный вес.

X.X.H.; X.X.h. double extra heavy сверхтяжёлый.

X.X.S.; X.X.s. double extra strong сверхпро́чный.

y. yard ярд (*91,44 см*).

Y. year год; yearly годи́чный.

YB year-book ежего́дник.

Y.C.L. Young Communist League Коммунисти́ческий Сою́з Молодёжи.

yd yard ярд (*91,44 см*).

Yeo.; Yeom. yeomanry йо́мены.

YMCA Young Men's Christian Association Христиа́нская ассоциа́ция молоды́х люде́й.

Y.M.C.U. Young Men's Christian Union Объедине́ние христиа́нских сою́зов молоды́х люде́й.

Y.O. yearly output годова́я производи́тельность; годова́я добы́ча.

y.o. year old годи́чный; годова́лый.

yr year год; yearly годи́чный.

Yr your ваш.

YS young soldier новобра́нец, молодо́й солда́т.

Yt yacht я́хта.

Yu Yukon Юко́н (*река и территория в Канаде*).

YWCA Young Women's Christian Association Христиа́нская ассоциа́ция же́нской молодёжи.

ZD zenith distance зени́тное расстоя́ние.

Z.G. Zoological Garden зоопа́рк, зооса́д.

Z.S.T. Zone Standard Time поясно́е станда́ртное вре́мя.

77926
120